P9-BJA-319

Ouvrages édités par les DICTIONNAIRES LE ROBERT
107, avenue Parmentier, 75011 PARIS (France).

Dictionnaires de langue :

— *Grand Robert de la langue française* (deuxième édition).
Dictionnaire alphabétique et analogique de la langue française (9 vol.).
Une étude en profondeur de la langue française.
Une anthologie littéraire de Villon à Queneau et à nos contemporains.

— *Petit Robert 1 [P. R. 1].*
Dictionnaire alphabétique et analogique de la langue française
(1 vol., 2 208 pages, 59 000 articles).
Le classique pour la langue française : 8 dictionnaires en 1.

— *Robert méthodique [R. M.].*
Dictionnaire méthodique du français actuel
(1 vol., 1 648 pages, 34 300 mots et 1 730 éléments).
Le seul dictionnaire alphabétique de la langue française qui groupe les mots par familles.

— *Micro-Robert.*
Dictionnaire du français primordial
(1 vol., 1 232 pages, 30 000 articles).
Un dictionnaire d'apprentissage du français.

— *Dictionnaire universel* d'Antoine Furetière
(édition de 1690, préfacée par Bayle).
Réédition anastatique (3 vol.), avec illustrations du XVIIe siècle et index thématiques.
Précédé d'une étude par Alain Rey :
« Antoine Furetière, imagier de la culture classique ».
Le premier grand dictionnaire français.

— *Le Robert des sports.*
Dictionnaire de la langue des sports
(1 vol., 586 pages, 2 780 articles, 78 illustrations et plans cotés),
par Georges PETIOT.

Dictionnaires de noms propres :
(Histoire, Géographie, Arts, Littératures, Sciences...)

— *Grand Robert des noms propres.*
Dictionnaire universel des noms propres
(5 vol., 3 504 pages, 42 000 articles, 4 500 illustrations couleurs et noir, 210 cartes).
Le complément culturel indispensable du *Grand Robert de la langue française*.

— *Petit Robert 2 [P. R. 2].*
Dictionnaire des noms propres
(1 vol., 2 106 pages, 36 000 articles, 2 200 illustrations couleurs et noir, 200 cartes).
Le complément, pour les noms propres, du *Petit Robert 1*.

— *Dictionnaire universel de la peinture.*
(6 vol., 3 022 pages, 3 500 articles, 2 700 illustrations couleurs).

Dictionnaires bilingues :

— *Le Robert et Collins.*
Dictionnaire français-anglais/english-french
(1 vol., 1 536 pages, 225 000 « unités de traduction »).

— *Le « Junior » Robert et Collins.*
Dictionnaire français-anglais/english-french
(1 vol., 960 pages, 105 000 « unités de traduction »).

— *Le « Cadet » Robert et Collins.*
Dictionnaire français-anglais/english-french
(1 vol., 624 pages, 60 000 « unités de traduction »).

— *Le Robert et Signorelli.*
Dictionnaire français-italien/italiano-francese
(1 vol., 3 008 pages, 339 000 « unités de traduction »).

Consultez à la fin de ce volume
les titres de la collection « Les usuels du ROBERT ».

LE GRAND ROBERT
DE LA LANGUE FRANÇAISE

LE GRAND ROBERT
DE LA LANGUE FRANÇAISE

DICTIONNAIRE
ALPHABÉTIQUE ET ANALOGIQUE
DE LA LANGUE FRANÇAISE

de Paul ROBERT

DEUXIÈME ÉDITION
entièrement revue et enrichie
par
Alain REY

Tome VI
Lim - Oz

LE ROBERT
107, avenue Parmentier, Paris-XIᵉ

CAMROSE LUTHERAN COLLEGE
LIBRARY

REF.
PC
2625
.R55
1985
V.6   / 46,8"

Deuxième édition entièrement revue et enrichie.

Tous droits réservés pour le Canada.
© 1985, Les Dictionnaires ROBERT - CANADA S.C.C.
Montréal, Canada.

Tous droits de reproduction, de traduction et d'adaptation
réservés pour tous pays.
© 1985, DICTIONNAIRES LE ROBERT
107, avenue Parmentier, 75011 PARIS.

ISBN 2-85036-099-6 (édition complète).
ISBN 2-85036-094-5 (tome VI).

On trouvera en tête du premier volume
les préfaces de Paul ROBERT et d'Alain REY,
l'explication des signes conventionnels, abréviations et conventions,
les principes de la transcription phonétique,
les correspondances des principales datations lexicales
ainsi que la liste des collaborateurs de l'ouvrage;
et en fin d'ouvrage (tome IX) les annexes suivantes :
dérivés de noms propres de personnes et de lieux (noms d'habitants),
tableaux des conjugaisons des verbes français,
bibliographie et liste des suffixes.

CAMROSE LUTHERAN COLLEGE
LIBRARY

Lim

1. LIMACE [limas] n. f. — 1538 ; « limaçon », v. 1180 ; var. *limaz* ; lat. pop. **limaceus* et *limacea*, du lat. class. *limax*.

♦ **1.** (1538). Mollusque gastéropode*, au corps presque cylindrique, sans coquille, ou dont la coquille rudimentaire *(limacelle)* est cachée sous le manteau. *Limace cendrée, noire, rouge. Limace grise.* ⇒ **Loche.** *Les cornes, la bave, la lenteur d'une limace* (→ Baver, cit. 1 ; fond, cit. 24). *Les limaces après la pluie* (→ Cahin-caha, cit. 1). *Dégâts causés par les limaces.*

L'hiver (...) on apercevait, au lieu de fleurs dans les rameaux et de rosée dans les fleurs, les longs rubans d'argent des limaces sur le froid et épais tapis des feuilles jaunes (...) HUGO, les Misérables, IV, III, III.

Par compar. *Se traîner comme une limace. Gluant, répugnant comme une limace.*

♦ **2.** (1545). Vx. Vis* d'Archimède.

♦ **3.** Ⓐ Fam. Personne lente et molle. *Quelle limace !* ⇒ **Limaçon.**

Ⓑ Pop. et vx. Péj. Femme, fille. « *Des limaces comme celles-là ? n'en faut plus !* » (→ Luron, cit. 3).

DÉR. Limaçon.
HOM. 2. Limace.

2. LIMACE [limas] n. f. — 1725 ; dér. pop. de *lime, lyme* (1527) « chemise », d'orig. incert., de *lime* (la chemise frotte la peau), ou empr. à l'italien.

♦ Pop. Chemise*. ⇒ **Liquette.**

Aux jeux forains avec Boro pour me faire des petits rapports pour les choses les plus nécessaires... deux limaces, les ressemelages, un sweater tout laine.
CÉLINE, Guignol's band, p. 44.

HOM. 1. Limace.

LIMAÇON [limasɔ̃] n. m. — V. 1200 ; *limaciun* « tortue », XIIe ; de 1. *limace.*

♦ **1.** Fam. ou régional. Escargot*. ⇒ **Colimaçon** (→ Aise, cit. 25 ; froisser, cit. 6). *Vivre comme un limaçon dans sa coquille*, très retiré.

1 S'ils rencontraient un limaçon, ils s'approchaient de lui, et l'écrasaient en faisant une grimace du coin de la bouche, comme pour casser une noix.
FLAUBERT, Bouvard et Pécuchet, Folio, p. 77.

Fig. et fam. Personne lente, molle. ⇒ **1. Limace** (3.). *Quel limaçon ! Allons, dépêche-toi, limaçon !*

♦ **2.** (1685). Sc., techn. Courbe, forme analogue à celle de la coquille d'un escargot.

Math. *Limaçon de Pascal :* courbe constituée par le lieu des pieds des perpendiculaires abaissées d'un point fixe sur les tangentes d'un même cercle.

Mécan. (Vieilli). Vis d'Archimède. ⇒ **1. Limace** (2.).

Anat. Conduit enroulé en spirale, constituant une partie de l'oreille* interne (→ Auditif, cit. 1 ; labyrinthe, cit. 12).

Techn. Came en forme de spirale (par ex., en horlogerie, pour régler la course du mécanisme de sonnerie).

Cour. *Escalier en limaçon.* ⇒ **Colimaçon** (en).

2 (...) un escalier en limaçon qui conduisait à l'entresol.
G. DUHAMEL, Salavin, III, X.

DÉR. Limaçonner (se), limaçonnière.
COMP. Colimaçon.

LIMAÇONNER (SE) [limasɔne] v. pron. — 1611 ; v. trans., av. 1590 ; de *limaçon.*

Vieux (langue classique).

♦ **1.** Se disposer en spirale (d'une troupe).

♦ **2.** (Saint-Simon). Fig. Rentrer dans sa coquille, se rétracter.

LIMAÇONNIÈRE [limasɔnjɛʁ] n. f. — 1845 ; de *limaçon.*

♦ Techn. Enclos où l'on tient les escargots d'élevage.

LIMAGE [limaʒ] n. m. — Mil. XVIe ; « ouvrage d'artisan », 1467 ; de *limer.*

♦ Action de limer.

Une fois accrochée à la chaîne, la carrosserie commence son arc de cercle, passant successivement devant chaque poste de soudure ou d'opération complémentaire : limage, ponçage, martelage. Robert LINHART, l'Établi, p. 11.

Spécialt. Opération dans la fabrication des lames de couteaux.

LIMAILLE [limaj] n. f. — XIIIe ; de *limer.*

♦ Substance pulvérulente constituée des parcelles de métal que fait tomber le frottement de la lime ou d'un outil analogue. *Récupérer de la limaille.* — *Limaille de fer* (→ Attraction, cit. 4 ; ferraille, cit. 1), *d'acier, de cuivre. Bijoutier qui fond en lingot sa limaille d'or.* — Hist. des sc. *Cohéreur* à limaille de Branly.*

LIMAN [limɑ̃] n. m. — 1840-1842, Académie, *Compl.* ; mot russe, « estuaire », rad. grec *limên* « port ».

♦ Géogr. Estuaire lagunaire de fleuves (Ukraine, côtes de la mer Noire), barré en partie par un cordon littoral. *Côte à limans.*

HOM. Forme (p. prés.) du v. *limer.*

LIMANDE [limɑ̃d] n. f. — XIIIe, *limande* ; orig. incert., de l'anc. franç. *lime*, p.-ê. de *lime* « outil plat », ou du rad. gaul. *lem-* « traverse ». → 2. Limon.

♦ **1.** Poisson de mer ovale et plat, à peau rugueuse. *Pêcher des limandes.* — *Limandes frites, gratinées.*

1 — La limande, la limande, là !... Là ?... Oui, une assiette plate nacrée, qui miroite et file entre deux eaux (...) COLETTE, les Vrilles de la vigne, p. 232.

Limande-sole : variété de limande de petite taille.

(1808). *Plat comme une limande :* très plat (en parlant du corps féminin, notamment).

2 (...) la sèche madame Phellion, petite femme plate comme une limande (...)
BALZAC, les Petits Bourgeois, Pl., t. VIII, p. 139.

Être plat comme une limande, plat, obséquieux. — (1881). Vx. *Faire la limande :* se comporter avec bassesse.

♦ **2.** (1319). Techn. Pièce de bois étroite et plate dans une charpente, un bâti (pour cacher des défauts).

(1831). Mar. Bande de toile goudronnée autour d'un cordage.

Techn. Règle plate et large de menuisier.

♦ **3.** (P.-ê. de *plate comme une limande*). Pop. et vx. (Péj.). Femme, fille, prostituée.

3 Il avait donc guetté Céline et, un soir, il l'avait hélée : hé limande !
HUYSMANS, les Sœurs Vatard, XII, p. 191.

DÉR. (De 2.) Limander.

LIMANDER [limɑ̃de] v. tr. — D. i. ; de *limande* (2.).

♦ Mar. Garnir d'une limande (2.). *Congréer et limander un cordage.*

LIMBA [limba] n. m. — Attesté mil. XXe (1948) ; mot africain.

♦ Techn. Bois tropical à aubier clair et cœur veiné, utilisé dans la fabrication du contre-plaqué. *Limba blanc, noir.* — Var. : *limbo.* ⇒ **Fraké.**

LIMBAIRE [lɛ̃bɛʁ] adj. — 1845 ; de *limbe.*

♦ Bot. Relatif au limbe (d'une corolle). « *Expansion limbaire* » (Littré).

LIMBE [lɛ̃b] n. m. — 1415 ; du lat. *limbus* «bord, marge ; joue circulaire».

♦ **1.** Partie graduée, en forme de portion de cercle, de certains instruments de mesure. *Limbe d'un théodolite, d'un graphomètre*, *d'un sextant.*

♦ **2.** (1690). Astron. Bord du disque (d'un astre ; spécialt, soleil et lune). → Indiscernable, cit. 2. *Limbe inférieur, supérieur du soleil.*

♦ **3.** (Fin XVIIIᵉ). Bot. *Limbe d'une corolle, d'un calice,* leur partie supérieure, proche du bord. *Limbe d'une feuille,* sa partie plate (par oppos. au pétiole et aux stipules). *Les nervures du limbe. Limbe mince et long.* ⇒ **Lame.**
Partie étalée d'un pétale, d'un sépale.

♦ **4.** (Déb. XXᵉ). Anat. Anneau, région périphérique circulaire. *Limbe cornéen, inguéal.*

DÉR. Limbaire, 2. limbique.
HOM. Limbes.

LIMBES [lɛ̃b] n. m. pl. — XVIᵉ ; *limbe,* XIVᵉ ; lat. class. *limbus* «lisière, frange», qui a pris ce sens en lat. médiéval.

♦ **1.** Théol. Vx au sing. (encore chez Corneille). **LES LIMBES :** dans la théologie catholique, Séjour de ceux qui sont morts sans avoir commis de péché mortel effectif, mais n'ont pas été libérés du péché originel par le baptême* (les justes, morts avant la venue du Rédempteur, les enfants morts sans baptême...). *La descente de Jésus aux limbes.* ⇒ **Enfer** (II., 1.).

1 (...) Pierre Chrysologue, au cinquième siècle, imagina les *limbes,* espèce d'enfer mitigé, et proprement bord d'enfer, faubourg d'enfer où vont les petits enfants morts sans baptême (...) VOLTAIRE, Dict. philosophique, Baptême, I.

2 Et de la crypte ténébreuse de Saint-Bénigne, où je te coucherai debout contre la muraille, tu entendras à loisir les petits enfants pleurer dans les limbes.
Aloysius BERTRAND, Gaspard de la nuit, La nuit et ses prestiges, II.

♦ **2.** (Fin XVIIᵉ). Fig. Région mal définie, état vague* et incertain*. *Les limbes de la pensée. Ce projet, cet ouvrage est resté dans les limbes* (→ Évocation, cit. 7). *Être dans les limbes,* dans un état vague d'inconscience (→ Éreintant, cit.).

3 Que de choses flottent encore dans les limbes de la pensée humaine. Ce ne sont pas les sujets qui manquent, mais les hommes (...)
FLAUBERT, Correspondance, t. II, p. 370 (éd. Charpentier).

4 La profession de modèle (...) destitue la femme complètement et l'exile de sa personnalité, pour la reléguer dans les limbes de la plus ténébreuse inconscience.
Léon BLOY, la Femme pauvre, I, VII.

DÉR. 1. Limbique.
HOM. Limbe.

1. LIMBIQUE [lɛ̃bik] adj. — 1873 ; de *limbes.*

♦ Littér. et rare. Relatif aux limbes ; qui rappelle les limbes par son caractère incertain, vague, primitif.

Cette imagerie béate et sans doute fort édifiante. Mais la véritable figure du Roi, pour cette période limbique, c'est probablement le portrait du Prado, envoyé à son oncle Philippe : le gros marmot en bavette et en bonnet plat qui a l'air si consterné de la pose qu'on lui fait prendre, avec son cordon bleu, enfant de coussin chargé d'une couronne. Certes, il n'a rien de ce qui s'appelle un enfant éveillé. On le croirait même tout à fait sot. Louis BERTRAND, Louis XIV, I, 1, p. 35.

HOM. 2. Limbique.

2. LIMBIQUE [lɛ̃bik] adj. — XXᵉ ; de *limbe* (4.).

♦ Anat. Qui concerne un limbe (4.). *Lobe limbique, circonvolution limbique* (du cerveau). — *Système limbique :* région du cerveau comprenant la circonvolution du corps calleux *(circonvolution limbique de Broca)* et celle de l'hippocampe. *Le système limbique joue un rôle important dans la mémoire, la régulation du métabolisme et de la vie émotionnelle.*

HOM. 1. Limbique.

LIMBO [limbo] n. m. ⇒ **Limba.**

1. LIME [lim] n. f. — 1175 ; lat. *lima,* même sens, et aussi «retouche, correction».

♦ **1.** Outil de métal, garni d'aspérités et servant à user, à entamer par frottement. *Lime d'acier* (cit. 3, La Fontaine, «*le Serpent et la Lime*»). *Limes carrées, bombées, recourbées, triangulaires* (⇒ **Carreau, carrelet, carrelette, demi-ronde, queue-de-rat, rifloir, tierspoint**). *Lime plate à main, pointue. Limes grosses* (⇒ **Riflard**), *bâtardes, demi-douces, douces. Lime ronde d'horloger* (⇒ 4. **Fraise**). *Lime à bois* (⇒ **Râpe**), *à ivoire.* — *Dégrossir, blanchir, polir, entailler, couper qqch. à la lime* (⇒ **Limer**). *Poignée appuyant la lime contre la pièce à polir* (⇒ **Arbalète**). *Ajustage*, dressage* des métaux à la lime. Lime d'ajusteur. Lime sourde, qui

ne crie* pas, ne fait pas de bruit (→ Barreau, cit. 2). *Cette lime ne mord plus,* ses dents sont usées. *Retailler une lime.* — *Surface âpre, rugueuse comme une lime* (→ Granit, cit. 2).

1 J'entends crier la dent de la lime mordante (...)
Abbé DELILLE, les Géorgiques, I.

2 (...) les natures les plus fortes s'usent à la longue comme le fer sous l'application patiente de la lime (...) J.-A. DE GOBINEAU, les Pléiades, II, III.

Spécialt. *Lime à ongles :* petite lime à bout pointu. *Étui renfermant un peigne et une lime à ongles. Ciseaux et limes à ongles. Se curer les ongles avec une lime.*

Loc. fig. (vx ou littér.). *Ouvrage qui sent la lime,* où le travail, la technique, l'effort est visible (→ Huile, cit. 29). ⇒ **Limer.** *Donner le dernier coup de lime à un ouvrage* (Académie).

3 L'autre, en vain se lassant à polir une rime,
Et reprenant vingt fois le rabot et la lime. BOILEAU, Discours au roi, *in* LITTRÉ.

Fig. et littér. Ce qui use.

♦ **2.** (1803). Zool. Mollusque lamellibranche *(Anisomyaires)* aux valves égales et striées. *La lime ressemble au pecten* (peigne).

DÉR. Limer.
HOM. 2. Lime, 3. lime ; formes du v. limer.

2. LIME [lim] n. m. — 1555 ; provençal mod. *limo ;* arabe *līmā ;* cf. angl. *lime.*

♦ Bot. Fruit au jus acide qui vient de plusieurs espèces de limettiers (Limettier vrai ou mexicain, *citrus aurantifolia,* limettier à gros fruits, *citrus latifolia...*). *Le lime est acide, la limette* généralement douce. Les limes, commercialisés verts, sont couramment appelés citrons* verts. Jus de limes.*

1 (...) le lime (...) dont le jus *(lime juice)* constitue un breuvage acide fort prisé des Américains. Paul ROBERT, les Agrumes dans le monde, p. 174.

Anglic. Jus de limes.

2 Vous préférez le whisky, n'est-ce pas, à cette heure ? Eh bien, à la vérité, moi, c'est le gin avec un peu de lime. J. KESSEL, le Lion, p. 196.

Par ext. *Lime doux.* ⇒ **Limette** (douce).

DÉR. Limette.
HOM. V. 1. Lime.

3. LIME [lim] n. f. — D. i. ; apocope de *limonade.*

♦ Toujours en appos. Pop. *Un blanc lime, un rouge lime :* un verre de vin blanc (de vin rouge) mêlé de limonade. — REM. La variante *limé* [lim], adj. (par jeu de mots avec le p. p. du v. *limer*), est également répandue. — *Un blanc limé, un rouge limé.*

HOM. V. 1. Lime.

LIMER [lime] v. tr. — Fin XIIᵉ ; lat. *limare,* de *lima.* → 1. Lime.

♦ **1.** Travailler, dégrossir, polir, user avec la lime. ⇒ **Frotter** (2.), **râper.** *Limer du fer, de la corne. Limer un barreau. Limer un ressort d'horloge. Limer ses ongles.* — Absolt. *Apprendre à limer.*

1 César lima les dents de sa faucheuse. J. GIONO, Jean le Bleu, VII.

Par métaphore (allus. littér.). «*Frotter et limer notre cervelle contre celle d'autrui*» (→ Commerce, cit. 10, Montaigne).

♦ **2.** (1532). Littér. et vieilli. Parfaire par un travail méticuleux. ⇒ **Fignoler, finir, polir.** *Limer son style.* «*Limer une tragédie*» (Voltaire).

2 Tu seras laborieux à corriger et limer tes vers (...)
RONSARD, Œuvres en prose, l'Art poétique.

3 C'est ordinairement la peine que s'est donnée un auteur à limer et à perfectionner ses écrits qui fait que le lecteur n'a point de peine en les lisant.
BOILEAU, Préfaces, VI.

4 Il doit y avoir à limer et rebattre avant de livrer mon ouvrage au public.
P.-L. COURIER, Lettres, II, 4.

♦ **3.** (1833). Par anal. User*, comme fait une lime. ⇒ **Élimer.** — Pron. «*Le drap se lime par le frottement*» (Boiste, 1839).

♦ **4.** (Fin XVIIIᵉ, Sade). Érotique. Coïter longuement.

▶ **LIMÉ, ÉE** p. p. adj. *Glaive* (cit. 5) *poli et limé. Métal limé.*
Fig. (littér. et vieilli). «*Livre composé* (cit. 28), *limé et poli*» (Vigny). *Langage mal limé,* grossier. → Mal dégrossi* (→ Incongruité, cit. 5, Marot).

4.1 — Hein ! Ça doit vous plaire, ça ? C'est écrit, limé, fouillé !
J. RENARD, Journal, 2 juil. 1902.

(Déb. XIXᵉ). Usé, élimé. ⇒ **Râpé.** *Robes limées au corsage* (→ 1. Friper, cit. 1, Fromentin). *Tissu limé aux plis* (→ Chasuble, cit., Zola), *limé jusqu'à la corde. Veste limée aux coudes.*

5 Un antique habit noir limé jusqu'à la corde (...) voilà pour le costume.
Th. GAUTIER, les Jeunes-France, p. 55 (1833).

DÉR. Limage, limaille, limeur.
COMP. Élimer.

LIMERICK [limʀik] n. m. — xxᵉ ; angl. *limerick* (1896), pour désigner les poèmes d'E. Lear (1846) ; nom d'une ville et d'un comté d'Irlande, p.-ê. dans des chansons.

♦ Littér. Petite pièce en vers d'un comique absurde, fort à la mode en Angleterre après 1900. *Kipling, Arnold Bennett, le Président Wilson écrivirent des limericks.*

LIMES [limɛs] n. m. — xxᵉ ; mot lat., « chemin ; frontière ».

♦ Didact. (hist.). Zone frontière d'une province de l'Empire romain. *Le limes fortifié de Numidie.*

La frontière, qui sur toute la périphérie de l'Empire séparait Rome du monde barbare, était organisée sous la forme d'un *limes* (...) Zone de surveillance et dispositif d'alerte, le *limes* avait un double but : militaire et douanier.
                    Léon HOMO, l'Empire romain, II, 2, 5, p. 23 (1925).

LIMETTE [limɛt] n. f. — 1782 ; de 2. *lime.*

♦ Fruit, à saveur douce, de plusieurs espèces de limettiers*. *Limette douce de Palestine (citrus limettoïdes).*

DÉR. Limettier.

LIMETTIER [limetje] n. m. — 1813, *in* T. L. F. ; de *limette.*

♦ Bot. Arbre du groupe des agrumes*, du genre *citrus. Limettier vrai, limettier mexicain (citrus aurantifolia).* ⇒ 2. **Lime.** — Par ext. *Limettier à gros fruits (citrus latifolia). Limettier de Palestine* (⇒ **Limette**). *Limettier à mamelon (citrus limetta), dont le fruit est la limette ou limonette. Limettier-mandarinier.*

LIMEUR, EUSE [limœʀ, øz] n. et adj. — V. 1130 ; de *limer.*

★ **I.** ♦ **1.** N. m. Ouvrier qui lime. *Limeur à la main, à la machine. Limeur de tubes, de lunettes.* — REM. Le fém. n'est pas attesté.

♦ **2.** Adj. ou appos. *Étau-limeur :* machine-outil servant à usiner des surfaces planes et des rainures.

★ **II.** N. f. (1857). *Limeuse :* machine-outil servant à limer les grosses pièces.

LIMICOLE [limikɔl] adj. — 1823, Boiste, désignant un échassier ; sens actuel, 1840 ; bas lat. *limicola,* de *limus* « limon, boue », et suff. *-cole.*

♦ Zool. Qui vit sur la vase du fond de la mer, des lacs. ⇒ **Vasicole.** *Annélides limicoles.* — N. m. *Les limicoles.*

LIMIER [limje] n. m. — xvᵉ ; *liemier* « chien tenu en laisse », 1160 ; de *liem,* anc. var. dial. de *lien ;* cf. lat. médiéval *liemarius* (xiiᵉ).

♦ **1.** Grand chien* de chasse qui sert soit à lancer le cerf, le sanglier, soit à les achever (→ Hourvari, cit. 1).

1 (...) M. Leblanc disparaissait sous le groupe horrible des bandits comme un sanglier sous un monceau hurlant de dogues et de limiers.
                    HUGO, les Misérables, III, VIII, XX.
2 (...) après avoir, par de savants entrelacs, dévoyé de sa piste le flair des plus redoutables limiers.   L. PERGAUD, De Goupil à Margot, p. 52.
3 Le limier biaise, décèle sans broncher la ruse du cerf tournant son fort avant d'y sauter d'un élan.   M. GENEVOIX, Forêt voisine, IX.

♦ **2.** (1709). Fig. Personne qui suit une piste, à la recherche de qqch. ou de qqn (comme le limier suit le gibier). ⇒ **Lévrier** (vx). *Instinct* (cit. 21), *flair de limier.*

4 (...) Don Côme, dès la nuit même, s'étant aperçu du larcin et de la fuite de son confident, eut aussitôt recours à la justice, qui dispersa de toutes parts ses limiers pour découvrir le voleur.   A. R. LESAGE, le Diable boiteux, VII.

Spécialt. Policier, personne chargée de suivre une piste, de retrouver une personne recherchée. ⇒ **Détective, espion, inspecteur** (de police). *Un fin limier. Les limiers des Mœurs, de la Sûreté.*

5 (...) deux ou trois défroques qui vont me permettre de soustraire Quinola aux recherches des plus fins limiers (...)   BALZAC, les Ressources de Quinola, III, 2.
6 (...) pour qui eût suivi les effets du flair moral de ces deux limiers à la piste des faits inconnus et cachés, pour qui eût compris les mouvements d'agilité canine qui les portaient à trouver le vrai par le rapide examen des probabilités, il y avait de quoi frémir !   BALZAC, Une ténébreuse affaire, Pl., t. VII, p. 524.

LIMINAIRE [liminɛʀ] adj. — 1548 ; lat. *liminaris,* de *limen* « seuil ».

♦ **1.** Didact. Qui est placé au « seuil », au début (d'un livre, d'un discours...). ⇒ **Préface, prologue.** *Épître* (cit. 4) *liminaire* (→ Farcir, cit. 3). *Feuilles, pages liminaires. Déclaration liminaire.*

1 Puisque les épîtres liminaires sont la plupart longues et ennuyeuses, et que ces gros escadrons de belles paroles dont elles sont composées (...)
                    SCARRON, Virgile travesti, V, Épître.

Littér. Qui forme le début, le commencement. ⇒ **Premier.** *Une étape, une mesure liminaire. Des conversations liminaires.*

2 Après une série liminaire de petits paysages (...)
                    Léon BLOY, la Femme pauvre, I, XVI.

(...) lorsqu'une journée finale répondra à la journée liminaire.
                    A. MAUROIS, Études littéraires, Jules Romains, IV.

♦ **2.** Psychol. ⇒ **Liminal.** *Saturation liminaire. Intensité liminaire.*

COMP. Préliminaire.

LIMINAL, ALE, AUX [liminal, o] adj. — Déb. xxᵉ ; angl. *liminal* (1884), du lat. *limen* « seuil ».

♦ Psychol., physiol. Qui est au niveau du seuil* (c.-à-d. tout juste perceptible). *Excitation liminale.*

LIMITABLE [limitabl] adj. — 1845 ; de *limiter.*

♦ Rare. Qui peut être limité. « *Cette modification capitale (...) était précise, limitable* » (Malraux, *la Condition humaine, in* T. L. F.).

CONTR. Illimitable.

LIMITANT, ANTE [limitɑ̃, ɑ̃t] adj. — D. i. (1925, *in* T.L.F.) ; p. prés. de *limiter.*

♦ Didact. Qui constitue une limite. *Des membranes limitantes. Une zone limitante.*

LIMITATIF, IVE [limitatif, iv] adj. — 1549 ; du lat. *limitatum,* supin de *limitare.* → Limiter.

♦ Qui sert à limiter*, à fixer ou préciser les limites. *Clause, disposition limitative. Condition limitative. Liste limitative,* qui exclut les éléments non énumérés. — Qui limite effectivement. *Détermination limitative.*

Philos. *Jugement limitatif* (Kant) : jugement affirmatif dont l'attribut est négatif (comporte une négation). — *Concept limitatif :* concept qui restreint « les prétentions de la sensibilité et qui n'est que d'un usage négatif » (trad. Kant, *in* Cuvillier, *Voc. philosophique*).

DÉR. Limitativement.

LIMITATION [limitasjɔ̃] n. f. — 1304 ; *limitation de tens,* concret, 1322 ; lat. *limitatio,* du supin de *limitare.* → Limiter.

Action de limiter* ; son résultat.

♦ **1.** Concret. *Limitation d'un champ, d'un domaine.* ⇒ **Bornage, délimitation, démarcation.**

♦ **2.** *Limitation des importations* (⇒ **Contingentement**), *des armements* (→ Arbitrage, cit. 3). *La limitation du pouvoir, de l'autorité par un contrôle. Apporter à l'exercice d'un droit des limitations* (→ Grève, cit. 17). *Limitation du sens d'un mot* (⇒ **Spécialisation**). — *Limitation de prix* (⇒ **Fixation**). *Limitation du nombre des naissances. Limitation des naissances. Sans limitation de temps, de durée... :* sans que la durée soit limitée, qu'un délai soit imparti (⇒ **Détermination, limite, restriction**).

1 (...) cette limitation consentie de ses multiples énergies latentes reste le drame secret de sa vie *(de Goethe).*   GIDE, Attendu que..., p. 113.
2 Cette limitation de la guerre devait mécontenter deux puissances naturellement intéressées à cette industrie destructrice : le dieu Mars et le dieu Pluton (...)
                    Émile HENRIOT, Mythologie légère, p. 171.
3 *(En Amérique)* La limitation des naissances ne concerne guère que les régions tempérées et les classes sociales aisées ou moyennes.
                    A. SAUVY, Croissance zéro ?, p. 119.

CONTR. Agrandissement, extension, généralisation.
COMP. Autolimitation.

LIMITATIVEMENT [limitativmɑ̃] adv. — 1819 ; de *limitatif.*

♦ En fixant des limites ; par un énoncé limitatif. *Cas limitativement énoncés.*

LIMITE [limit] n. f. — 1372 ; rare av. le xviᵉ ; souvent masc. (1513, jusqu'au xviiᵉ) ; du lat. *limes, limitis,* d'abord « chemin, sentier bordant un domaine ».

♦ **1.** Ligne qui sépare deux champs, deux domaines, deux territoires contigus*. ⇒ **Bord, borne, bout, confins, démarcation, extrémité, frontière** (cit. 4), **lisière ; commencement, fin.** *Ensemble des limites.* ⇒ **Cadre, circonscription, circuit, contour,** 1. **enceinte, périmètre.** *Limites définies*. *Bornes* (cit. 2), *chemin, poteaux marquant une limite. Les limites d'un héritage, d'une propriété, d'un terrain, d'une terre, d'un champ. La limite d'un État, d'un territoire, d'un empire* (cit. 16). ⇒ **Frontière.** *Limites naturelles* (→ Couvrir, cit. 3), *conventionnelles. Rivière, fleuve* (cit. 7) *servant de limite. Pays situés sur les limites d'un pays.* ⇒ **Limitrophe.** *Fixer, établir, marquer, tracer les limites de...* ⇒ **Circonscrire, délimiter, limiter ; localiser.** *Étendre, reculer les limites.* → **Agrandir.**

1 Peut-on dire (...) comme le croient certains partis, que les limites d'une nation sont écrites sur la carte et que cette nation a le droit de s'adjuger ce qui est néces-

saire pour arrondir certains contours, pour atteindre telle montagne, telle rivière, à laquelle on prête une sorte de faculté limitante à priori ?
RENAN, *Discours et Conférences*, Œuvres, t. I, p. 902.

2 Ce ruisseau avait un lit pierreux, profond par endroits de quatre à cinq mètres. Il marquait la limite de la propriété. Pierre BENOIT, Mlle *de La Ferté*, p. 112.

Par ext. *Limite d'une zone d'influence, d'un dialecte* (→ Français, cit. 14). *La limite de la culture de la vigne. — Au delà de cette limite les billets ne sont plus valables,* formule en usage dans le Métro parisien, reprise métaphoriquement. — Appos. *Région, zone limite.*

♦ **2.** Par ext. Partie extrême où se termine une étendue, une surface. *Point situé en dehors des limites de l'épure.* ⇒ **Cadre.** *La mer s'étendait alors au delà de ses limites actuelles* (→ Fossile, cit. 1). *Qui a des limites* (⇒ **Fini, limité**)*. Sans limites* (⇒ **Illimité, infini** ; → Indéfini, cit. 1, Descartes).

3 La terre a des limites, mais la bêtise humaine est infinie.
FLAUBERT, *Correspondance*, t. IV, p. 376 (éd. Charpentier).

4 Vers la nuit, les limites de mon horizon s'agrandirent très soudainement et très sensiblement (...) parce que j'arrivais au-dessus des régions aplaties qui avoisinent le cercle arctique.
BAUDELAIRE, Trad. E. POE, *Histoires extraordinaires*, « Hans Pfaal ».

Spécialt (milit.). *Limite courte, limite longue d'un tir :* lignes entre lesquelles doivent se situer les points d'impact.

En appos. *Zone limite, région limite.*

♦ **3.** Terme extrême (commencement ou fin) d'un espace de temps. *Dans les limites d'un discours. Dans les limites de ce bref exposé. Les limites d'une période.* ⇒ **Commencement, début ; fin, terme.** *Pour l'inscription, la dernière limite est fixée au 30 octobre.* — LIMITE D'ÂGE : *âge au-delà duquel on ne peut se présenter à un examen, exercer une fonction. Être atteint par la limite d'âge.*

5 Juan Moratin comprit parfaitement que sa vie s'écoulerait, désormais, dans le rayonnement de ce refrain jusqu'au jour inexorable où les légionnaires sont atteints par la limite d'âge. P. MAC ORLAN, *la Bandera*, XX.

En appos. *Il a atteint l'âge limite. La date limite.*

(1924, *in* Petiot). Sports (boxe). *Gagner avant la limite,* avant que tous les rounds prévus ne soient écoulés. — (1948, *in* Esnault). *Tenir, atteindre la limite :* réussir à éviter la mise hors de combat.

♦ **4.** (1539, *les limites de son debvoir*). Fig. Point que ne peut ou ne doit pas dépasser le domaine, l'influence, l'action de quelque chose ; point que ne peuvent dépasser les possibilités physiques ou intellectuelles. ⇒ **Barrière** (*infra* cit. 9), **borne.** *Étroites* (cit. 7) *limites. L'extrême*, *la dernière limite.* ⇒ 1. **Comble, extrême.** *C'est la dernière limite pour ce travail.* (En fonction d'adv.). *Ce travail doit être fini fin septembre dernière limite* (→ fam. Dernier carat*). *Limite qu'on ne saurait dépasser* (→ Nec* plus ultra). *Limite supérieure, inférieure.* ⇒ **Maximum, minimum.** *Limite à partir de laquelle...* (→ Fisc, cit. 3). *Limite de perception.* ⇒ **Seuil, liminaire, liminal.** — À LA LIMITE DE... *Être à la limite, à l'extrême limite de ses forces. Jusqu'à une certaine limite.* ⇒ **Concurrence** (jusqu'à concurrence de). — *À la limite :* en poussant les choses à l'extrême. — DANS UNE CERTAINE LIMITE : *jusqu'à un certain point*, dans une certaine mesure* (→ Anarchie cit. 4). — *La limite, les limites de... Limites de la liberté* (→ Imposer, cit. 12), *d'un pouvoir, d'une compétence* (⇒ **Ressort**)*. Limite d'émission d'une banque.* ⇒ **Plafond.** *Limite de portée* d'une arme. — *Atteindre, dépasser, franchir, passer les limites* (→ Archaïque, cit. 1 ; art, cit. 49). *Ne plus connaître de limites. Aller au delà des limites permises.* ⇒ **Excéder, outrepasser, transgresser** ; → Passer toute mesure*. *Reculer les limites du possible, de l'inconnaissable* (cit. 2). ⇒ *Assigner, fixer une limite, des limites à une action. Limites fixées par la loi* (→ Autonomie, cit. 4). *Enfermer, renfermer qqch. dans des limites précises.* ⇒ **Circonscrire, confiner, délimiter, limiter.** *Enfermé dans des limites trop strictes. Les limites que nous nous sommes fixées, imparties.* ⇒ **Cadre, domaine, sphère.** — (Avec *avoir*). *La patience a des limites. Le cœur* (cit. 69) *a ses limites. Ses écarts de conduite étaient excusables mais il y a des limites !* — SANS LIMITES : *illimité* (au propre ou au fig.). ⇒ **Absolu, illimité** ; → Sans bornes. *Ambition, autorité, confiance, liberté, obstination, pouvoir sans limites.* ⇒ **Frein** (→ Héros, cit. 28 ; indéfini, cit. 2). *Désirs, rêves sans limites* (→ Flottant, cit. 11 ; freiner, cit. 4). *Sans restriction ni limite* (→ Humanisme, cit. 1). *La charité* (cit. 5) *ne connaît ni règle ni limite.* — Au plur. Possibilités extrêmes (surtout dans le domaine intellectuel). *Les limites de quelqu'un* (→ Cerner, cit. 1). *Connaître ses limites* (→ Avancer, cit. 40). ⇒ **Moyen(s), possibilité(s)...** *Chercher à dépasser* (cit. 15) *ses limites.*

6 Il est nécessaire de relâcher un peu l'esprit : mais cela ouvre la porte aux plus grands débordements. Qu'on en marque les limites. PASCAL, *Pensées*, VI, 380.

7 C'était assurément beaucoup pour elle et pour moi, dans une pareille situation, d'avoir pu poser des limites que nous ne nous soyons jamais permis de passer.
ROUSSEAU, *les Confessions*, IX.

8 Quand la règle est franchie, il n'est plus de limite
Et la première faute aux fautes nous invite.
F. PONSARD, *l'Honneur et l'Argent*, III, 5.

9 (...) la puissance de Dieu est infinie, mais la nature humaine a ses limites.
BALZAC, *l'Initié*, Pl., t. VII, p. 425.

10 Je m'y étais, autant que je le l'avais pu, renfermé dans les limites du sujet, comme on dit en rhétorique. FLAUBERT, *Correspondance*, t. II, p. 122 (éd. Charpentier).

La science peut encore beaucoup. Elle peut enseigner à l'homme à accepter ses 11 limites naturelles, les hasards qui l'ont fait naître, le peu qu'il est.
MARTIN DU GARD, *les Thibault*, t. IX, p. 224.

Spécialt. ⇒ **Démarcation, frontière, séparation.** *Limite entre espèces* (cit. 30). *« Où est la limite de l'inspiration à la folie »* (→ Artiste, cit. 4), entre l'inspiration et la folie.

En appos. *Idée, situation limite.* — Fam. (en valeur d'adj.). *C'est un peu limite.*

♦ **5.** Sc. et philos. Grandeur fixe dont une grandeur variable peut approcher indéfiniment sans l'atteindre. — Appos. *Valeur limite. Cas limite. Des expériences limite. Vitesse limite.* ⇒ **Maximum** (→ ci-dessous, mécan., autre sens). — *À la limite :* si on se place en pensée au point vers lequel tend une progression sans l'atteindre jamais. — Math. *Limite d'une fonction, d'une grandeur** (→ Infini, cit. 22, d'Alembert). *La notion de limite est à la base de l'analyse mathématique* (→ Infinitésimal, cit. 1 ; intégral, cit. 2). *La somme $1 + 1/2 + 1/4 + 1/8 + 1/16...$ a pour limite 2,* tend* vers 2. — *Limite d'une suite.*

Nous appelons *limite* d'une grandeur *variable* une grandeur constante, telle que 12 la différence entre elle et la variable puisse *devenir* et *rester* moindre que toute grandeur désignée.
J.-M. DUHAMEL, *la Méthode dans les sciences de raisonnement*, II, p. 385.

Mécan. *Limite d'élasticité, de rupture ; limite* (de résistance) *à la compression, à la traction, au cisaillement.* — Appos. *Résistance limite. Vitesse limite :* valeur limite vers laquelle tend la vitesse d'un corps qui se déplace dans un milieu résistant sous l'action d'une force constante. — Opt. *Angle limite :* le plus petit angle d'incidence sous lequel se produit la réflexion totale.

Par ext. Point vers lequel tend qqch. *« La nature est la limite du mouvement de décroissance de l'habitude »* (Ravaisson).

LIMITER [limite] v. tr. — 1310 ; du lat. *limitare*, de *limes, limitis.* → Limite.

♦ **1.** (Concret). **a** (Sujet animé, humain). Imposer des limites spatiales à. *L'administration a limité sa concession. On a limité par un accord la zone militarisée.*

b (Le sujet désigne les limites). Servir de ligne de démarcation à, constituer la limite de. *Les mers qui limitent la France à l'Ouest et au Sud.* ⇒ **Borner, circonscrire, délimiter, renfermer.** *Rivière, montagne qui limite une région,* qui en forme la limite. *Bornes qui limitent un champ.* ⇒ **Terminer.** — Par ext. *Mur, montagne qui limite la vue.* ⇒ **Arrêter.**

c *Limiter la durée, le nombre de qqch. Limiter les approvisionnements, le ravitaillement, les importations. Limiter une assemblée à vingt membres.* ⇒ **Restreindre.**

♦ **2.** (V. 1350). Fig. Restreindre*, renfermer* dans des limites. *Limiter l'autorité, le pouvoir, la puissance de qqn, d'un pays* (→ Arbitraire, cit. 7 ; haineusement, cit.). *Limiter un droit, l'exercice d'un droit,* en déterminer*, en fixer* avec précision les limites. → Capacité, cit. 10. *Limiter une enquête* (cit. 3) *aux faits immédiats.* — *Limiter qqn, la nature, la liberté de qqn,* en lui assignant, en lui imposant des limites (→ Classer, cit. 3 ; embargo, cit. 4 ; étroit, cit. 15). — (Le sujet désignant ce qui limite). → ci-dessous, cit. 1.

(...) Christophe continuait d'en user avec la même désinvolture à l'égard de tou- 1 tes les haies, barrières, clôtures, murailles, défenses de passer, menaces d'amende (...) — de tout ce qui prétendait limiter sa liberté et garantir contre elle la sainte propriété. R. ROLLAND, *Jean-Christophe*, Le matin, p. 168.

L'autorité s'exerce. Elle ne défère point. Elle seule discute son droit, limite son 2 domaine et décide son action. Pierre LOUŸS, *les Aventures du roi Pausole*, I, 5.

Jamais il n'aurait consenti à s'enfermer dans un laboratoire, à limiter son obser- 3 vation au champ du microscope : il aimait ce corps à corps perpétuel du médecin avec la multiforme réalité. MARTIN DU GARD, *les Thibault*, t. III, p. 226.

Par anal. *Limiter un mal.* — Fam. *Limiter les dégâts :* ne pas laisser s'aggraver une situation. ⇒ **Circonscrire.**

(...) j'ai décidé de me mettre du côté des victimes, en toute occasion, pour limi- 4 ter les dégâts. CAMUS, *la Peste*, p. 275.

▶ SE LIMITER v. pron.

a (Réfl.). S'imposer des limites. *Savoir se limiter. Se limiter à l'essentiel.*

b (Passif). Avoir pour limites (→ Affectif, cit. 2).

▶ LIMITÉ, ÉE p. p. adj. (1360).

♦ **1.** Qui a des limites (naturelles ou fixées). *Espace limité.* ⇒ **Fini.** *Surface limitée* (→ Étendue, cit. 6).

♦ **2.** (Abstrait). Qui a des limites étroites. ⇒ **Restreint.** *Pouvoirs limités. Objectifs limités. Cadre* (cit. 6) *limité. Phénomènes limités, de portée limitée* (→ Accident, cit. 4). *Limité dans le temps et dans l'espace* (⇒ **Localiser** ; → Guerre, cit. 1). — *Société** à responsabilité limitée* (S. A. R. L.). — *Confiance limitée. La nature, l'intelligence humaine est faible et limitée* (→ Art, cit. 37 ; immense, cit. 1).

Nombre limité (→ Figure, cit. 18). *Édition à tirage limité. Débouché très limité.* ⇒ **Réduit.** *Prix** limité. Temps, congé** limité.*

♦ 3. Fam. (Personnes). *Il est assez limité :* il a des moyens (physiques, intellectuels) limités. — *Un esprit limité. Une intelligence limitée.*

CONTR. Agrandir, étendre, propager. — Généraliser. — (Du p. p.) Absolu, discrétionnaire. — Illimité, infini.

DÉR. Limitable, limitant, limiteur.

LIMITEUR [limitœʀ] n. m. — 1912 ; «personne qui limite», 1606 ; de *limiter.*

♦ Techn. Dispositif mécanique ou électrique empêchant une grandeur de dépasser certaines limites. *Limiteur d'amplitude, de vitesse, de surtension. Limiteur de courant.* — Spécialt (radio). Élément d'un récepteur en modulation de fréquence qui «en plus de l'amplification, élimine les parasites atmosphériques et industriels et délivre un signal FM pur à une amplitude constante» (*Revue du son,* n° 160-161, p. 359).

LIMITROPHE [limitʀɔf] adj. — 1467 ; lat. jurid. *limitrophus (limitrophi fundi),* du rad. lat. de *limes,* et du grec *trophein* «nourrir», en parlant des régions frontières assignées aux troupes pour leur entretien.

♦ 1. Qui est sur les limites, sur le pourtour d'un pays, d'une région. ⇒ **Frontalier, frontière** (adj.). *Villes, provinces limitrophes* (→ Garnison, cit. 1).

1   Malheur à ces populations limitrophes qui cultivent les champs de bataille où les nations doivent se rencontrer !
CHATEAUBRIAND, Mémoires d'outre-tombe, t. VI, p. 134.

2   Ce sont presque toujours (...) des pays mixtes et limitrophes qui font l'unité politique d'une race : qu'on se rappelle le rôle de la Macédoine en Grèce, du Piémont en Italie.   RENAN, la Réforme intellectuelle et morale, Œuvres, t. I, p. 414.

♦ 2. (1587). Contigu à, voisin de, qui a des frontières communes avec. ⇒ **Proche.** *Pays, états limitrophes* (→ Antagonique, cit.). *Des départements limitrophes. — Limitrophe de... Région, propriété limitrophe d'une autre.* ⇒ **Toucher** (à). Fig. *Un état limitrophe de la folie. Des sciences limitrophes.*

LIMIVORE [limivɔʀ] ou **LIMNIVORE** [limnivɔʀ] adj. et n. — 1931, *limivore ; limnivore,* 1907, *Larousse mensuel* (juil.). ; du lat. *limus* (→ Limicole), et *-vore.*

♦ Didact. Qui se nourrit de matières organiques, de petits animaux, etc., contenus dans les boues marines.

Les eaux dormantes abritent de riches populations d'herbivores, de mangeurs de vers et de crustacés, de limivores (...) Ces poissons peuvent atteindre de grandes tailles. De nombreux limivores, passant toute leur vie dans la vase, sont devenus apodes et vermiformes et finissent par se ressembler, bien qu'appartenant aux familles les plus diverses.   R. et M.-L. BAUCHOT, les Poissons, p. 107.

LIMNÉE [limne] n. f. — 1806 ; *lymnée,* 1791 ; lat. sc. *limnæa,* dér. sav. du lat. *limne* «marais», du mot grec *limnaios* «qui vit dans les étangs».

♦ Zool. Mollusque gastéropode pulmoné, à coquille mince et cornée de forme variable. *La limnée est herbivore et vit dans les eaux douces, stagnantes ou courantes.*

LIMNÉTIQUE [limnetik] adj. — 1908, in *Rev. gén. des sc.* ; du grec *limnê* «étang, lac» (→ Limnée), *-t-,* et suff. *-ique.*

♦ Sc. nat. Qui vit dans les eaux stagnantes. — Syn. : *limnicole.* Géogr. Relatif aux lacs.

LIMNI-, LIMNO- Éléments, du grec *limnê* «eau stagnante, étang, lac», servant à former des composés savants, au sens de «relatif aux eaux douces». Voir à l'ordre alphabétique ; ⇒ aussi **Limivore.**

LIMNICULTURE [limnikyltyʀ] n. f. Rare. ⇒ **Aquiculture.**

LIMNIGRAPHE [limnigʀaf] n. m. — 1907 ; de *limni,* et *-graphe.*

♦ Didact. Appareil enregistreur mesurant la hauteur des lacs et cours d'eau.

LIMNIMÈTRE [limnimɛtʀ] n. m. — 1873, P. Larousse ; de *limni-,* et *-mètre.*

♦ Didact. Appareil de mesure de la hauteur des lacs et cours d'eau. *Limnimètre enregistreur.* ⇒ **Limnigraphe.** — Var. : *limnomètre.*

DÉR. Limnimétrie.

LIMNIMÉTRIE [limnimetʀi] n. f. — 1902, Larousse ; de *limnimètre.*

♦ Didact. Mesure du niveau des eaux douces et de ses variations (adj. dér. : *limnimétrique*).

LIMNIQUE [limnik] adj. — 1931, Larousse ; dér. sav. du grec *limnê.* → Limni-.

♦ Géogr. (D'un bassin houiller). Qui s'est formé dans un lac.

LIMNIVORE [limnivɔʀ] adj. et n. ⇒ **Limivore.**

LIMNOBIOLOGIE [limnobjɔlɔʒi] n. f. — 1906, in *Rev. gén. des sc.* ; du grec *limnê* «marais», et *biologie.*

♦ Sc. Étude des organismes qui vivent dans le milieu lacustre. ⇒ **Limnologie.**

DÉR. Limnobiologique.

LIMNOBIOLOGIQUE [limnobjɔlɔʒik] adj. — 1914, in *Rev. gén. des sc.* ; de *limnobiologie.*

♦ Sc. De la limnobiologie.

LIMNOBIOS [limnobjɔs] n. m. — D. i. ; du grec *limnê* «étang», et *bios* «vie».

♦ Biol. Ensemble des organismes végétaux et animaux qui vivent dans les eaux douces stagnantes.

LIMNOLOGIE [limnɔlɔʒi] n. f. — 1892 ; comp. sav. du grec *limnê* «marais, lac», et suff. *-logie.*

♦ Géogr. Science qui a pour objet l'étude du milieu lacustre.

De même qu'on a groupé toutes les études touchant les océans sous le nom d'océanographie, on a voulu faire une science de toutes celles touchant les lacs : c'est la *limnologie,* qui s'occupe à la fois des particularités physiques et biologiques.   E. DE MARTONNE, Traité de géographie physique, t. I, p. 421.

LIMNOPLANCTON [limnoplãktõ] n. m. — 1907, *Nouveau Larousse illustré, Suppl.* ; de *limno-,* et *plancton.*

♦ Didact. Plancton des lacs.

LIMOGEAGE [limoʒaʒ] n. m. — xxᵉ (1934, Léon Daudet, *in* T. L. F.) ; de *limoger.*

♦ Fam. Action de limoger (un fonctionnaire, et, particult, un haut fonctionnaire) ; son résultat. *Le limogeage d'un préfet.*

LIMOGER [limoʒe] v. tr. — Conjug. *bouger.* — 1916, argot de guerre ; de *Limoges,* ville française éloignée du front où Joffre affecta les généraux qu'il jugeait incapables.

♦ 1. Fam. Relever (un officier général) de son commandement.

1   À ces cent généraux fut assignée une résidence commune à Limoges où ils étaient «placés en réserve de commandement». Discrète périphrase que le peuple traduisit aussitôt par le verbe *limoger,* d'où *limogeage.*
Louis PIÉCHAUD, Questions de langage, p. 133.

2   Souvent la décision qu'il (le chef) devra prendre lui sera pénible. Joffre, au début de la guerre, dut «limoger» de nombreux généraux qui étaient ses amis.
A. MAUROIS, Un art de vivre, IV, 2.

♦ 2. Frapper (une personne haut placée) d'une mesure de disgrâce, d'une sanction disciplinaire telle que le déplacement d'office, la mise à la retraite, la révocation. ⇒ **Disgracier ; destituer.** *Limoger un haut fonctionnaire, un préfet.* — Au p. p. *Des hauts fonctionnaires limogés.* — N. (rare au fém.). *Les limogés.*

DÉR. Limogeage.

1. LIMON [limõ] n. m. — Fin xiᵉ ; d'un lat. pop. **limo, limonem,* dér. du lat. class. *limus* «de travers, de côté», avec infl. possible d'un francique **lemun* ; cf. all. *Lehm* «argile».

♦ 1. Particules de terre et débris organiques que les eaux charrient et déposent sur le lit ou sur les rives des fleuves. ⇒ **Boue.** *Limon brun, jaune, noir ; limon fangeux, durci. Limon et pierres charriés par les eaux. Fond de limon des fleuves*.* ⇒ **Dépôt** (→ Craie, cit. 1). *Eaux qui laissent un limon sur les bords de leur cours, en se retirant.* ⇒ **Alluvion.** *Le limon du Nil* (→ Inonder, cit. 2). *Le limon est fertile et utilisé comme engrais*.* ⇒ **Wagage** (→ Engraisser, cit. 3). *Fertiliser le sol avec du limon.* ⇒ **Colmater ; colmatage, limonage.** — REM. On emploie parfois *limon* pour désigner les sédiments marins ou lacustres. ⇒ **Bourbe, 2. vase.** *Les «filles du limon»* (→ Astre, cit. 5, La Fontaine) : les grenouilles.

1   (...) ajoutez à cela que, comme toutes les rivières grossissent et débordent de temps en temps, elles transportent et déposent des limons en différents endroits, et que souvent il s'accumule des sables dans leur lit (...)
BUFFON, Histoire naturelle, Preuves théorie terre, X.

2   Une couche de limon, engrais incomparable pour les vignes, avait étouffé les semailles. La terre restaurée était nue.   J. TAILLEMAGRE, Une peupleraie.

Allus. bibl. *Dieu forma l'homme du limon de la terre* (→ Animer, cit. 37). *Le limon dont nous sommes pétris.* ⇒ **Argile** (cit. 6). → Arrogance, cit. 3 ; enveloppe, cit. 6.

3 L'homme est pétri du limon de la terre. Littéralement le « Adam » c'est le fils de la « Adamah » la glèbe, la bonne alluvion noire des pays aux grands fleuves, par qui toute vie est née. Conception certainement très ancienne ; en Égypte aussi, Tem, le premier homme était né du limon.   DANIEL-ROPS, le Peuple de la Bible, I, III.

♦ **2.** Par métaphore et fig. (littér. et vieilli). ⇒ **Fange, tourbe** (→ Briser, cit. 29). *Le limon du vice.*

4 À peine du limon où le vice m'engage
J'arrache un pied timide, et sors en m'agitant,
Que l'autre m'y reporte et s'embourbe à l'instant.   BOILEAU, Épître, III.

5 Il parlait du limon impur roulé par le torrent de la Révolution (...)
    JAURÈS, Hist. socialiste..., t. VIII, p. 148.

♦ **3.** Minér. Roche mixte argilo-siliceuse, qui contient des quartz détritiques, formée d'éléments plus gros que ceux des vases ; « sable impalpable argileux, mais non plastique » (Baulig). → Feuilleter, cit. 5. *Le lœss* est un limon éolien carbonaté. Limon fluviatile (limon au sens 1).*

DÉR. Limonage, limoneux, limonite.
HOM. 2. Limon, 3. limon ; formes du v. limer.

2. LIMON [limɔ̃] n. m. — V. 1160 ; orig. incert., d'un rad. gaul. **lem-*« traverse » ; on l'a rapproché de l'esp. (et port.) *leme* « gouvernail ».

♦ **1.** Chacune des deux pièces de bois droites fixées au devant d'une voiture pour atteler le cheval. ⇒ **Brancard** (syn.) ; **limonière.**
(...) les chevaux d'avant partaient au commandement ; leurs traits se trouvaient tendus quand les traits des chevaux de limon (comme on dit chez nous) étaient encore lâches.   ALAIN, Souvenirs de guerre, *in* les Passions et la Sagesse, Pl., p. 533.

♦ **2.** (1627). Archit. « Noyau en bois ou en pierre d'un escalier, qui lui sert de point d'appui du côté du vide, et dans lequel sont engagés les abouts des marches » (Réau, *Dict. d'art). Pièce de bois portant le limon.* ⇒ **Patin.**

DÉR. 1. Limonier, limonière.
HOM. V. 1. Limon.

3. LIMON [limɔ̃] n. m. — 1351 ; ital. *limone ;* arabo-persan *laymūn, līmūn.*

♦ Vx. Citron *(citrus limonium).* ⇒ **Citron.** *« Sirop de limon et de grenades »* (→ Bézoard, cit. 1, Molière). — *Aigre-de-limon.* ⇒ **Aigre-de-cèdre.**
Ainsi, avant d'apprendre à les aimer, on ne trouve qu'acides les citrons verts, les beaux limons mordus à même l'écorce.   Claude ROY, Nous, p. 540.

DÉR. Limonade, limonène, 2. limonier.
HOM. Voir 1. Limon.

LIMONADE [limɔnad] n. f. — 1640, écrit *limonnade ;* de 3. *limon,* p.-ê. d'après l'esp. *limonada.*

♦ **1.** Vx. Boisson faite de jus de citron*, de sucre et d'eau. ⇒ **Citronnade.** — Méd. Boisson rafraîchissante contenant du citron ou des acides divers (citrique, sulfurique, tartrique, lactique...). — *Limonade purgative au citrate de magnésie* (→ Gin, cit. 2).

♦ **2.** Mod. Boisson gazeuse (eau gazéifiée) légèrement sucrée et parfumée au citron (jus de fruit naturel ou acide citrique). ⇒ Citron, cit. 1. ⇒ **Diabolo, soda.** *Bouteille de limonade. Prendre une limonade au vin* (ou *vineuse). Un rouge-limonade.* ⇒ 3. **Lime.** *Limonade à la bière.* ⇒ **Panaché.** *Limonade à la menthe,* dite *diabolo* menthe.*

1 — Un beau soir, foin des bocks et de la limonade,
Des cafés tapageurs aux lustres éclatants !   RIMBAUD, Poésies, XIII, I.

2 (...) la limonade qui pique les gorges desséchées de mille aiguilles rafraîchissantes.   CAMUS, la Peste, p. 260.

Fam. et péj. Eau*.

♦ **3.** Comm. Commerce des débitants de boissons. *Être dans la limonade,* dans le commerce des débits de boisson. ⇒ **Cafetier, limonadier ;** → Groupie, cit.

3 Puis il proposa d'agrandir la maison, d'y joindre une salle de café, parce que la limonade, ça rapporte.   R. QUENEAU, le Chiendent, p. 424.

Argot (des cafés-restaurants). Le service des garçons de café, par oppos. au service du restaurant.

♦ **4.** (1879, Larchey ; du sens fam. « eau »). Argot vieilli. Misère. ⇒ **Panade, purée.** *Tomber dans la limonade.*

DÉR. Limonadier.

LIMONADIER, IÈRE [limɔnadje, jɛʀ] n. — 1666 ; Furetière, *le Roman bourgeois ;* de *limonade.*

♦ **1.** Techn. Fabricant de limonade, de boissons gazéifiées.

♦ **2.** Vieilli ou admin. Cafetier*. *Restaurateurs et limonadiers. Pâtissier-limonadier :* pâtissier servant des boissons rafraîchissantes (Proust, *Sodome et Gomorrhe,* Pl., p. 838).

Embrasser la carrière de limonadier, devenir entrepreneur de bal public, ce beau sort paraissait être en effet le bâton de maréchal d'un fainéant.
    BALZAC, les Paysans, Pl., t. VIII, p. 183.

Appos. Vx. *Garçon limonadier :* garçon de café.

♦ **3.** N. m. Instrument du garçon de café comprenant une lame, un tire-bouchon, et un ouvre-bouteilles qui se replient dans le manche.

LIMONAGE [limɔnaʒ] n. m. — 1868 ; de 1. *limon.*

♦ Agric. Fertilisation (naturelle ou non) d'une terre par apport de limon. *Limonage d'un champ* (on dit aussi *limonement*).

LIMONAIRE [limɔnɛʀ] n. m. — 1905 ; nom propre de l'inventeur.

♦ *Orgue limonaire* ou *limonaire :* orgue de barbarie principalement utilisé pour la musique des manèges.

1 (...) vous vous demandez si vous n'êtes pas à la fête foraine sur un manège à sièges tournants, pendant que braille l'orgue Limonaire.
    J. ROMAINS, les Hommes de bonne volonté, t. XI, XXVII, p. 265.

2 Comme il eût aimé, sur ce manège, monter sur l'âne de bois multicolore et courir, aux sons du limonaire, après le cygne blanc que Popeline aurait enfourché.
    René FALLET, le Triporteur, p. 301.

HOM. Forme du v. limoner.

LIMONÈNE [limɔnɛn] n. m. — 1905, in *Rev. gén. des sc. ;* de 3. *limon,* et suff. *-ène.*

♦ Chim. Hydrocarbure de la famille des terpènes, extrait de diverses essences aromatiques (de citron, de bergamote...) et dont l'odeur rappelle celle du citron (on dit aussi *citrène*).

LIMONER [limɔne] v. tr. — 1750 ; de 1. *limon.*

Technique (cuisine, etc.).

♦ **1.** Gratter la viscosité recouvrant la peau de (un poisson). *Limoner une anguille.*

♦ **2.** (Mil. XXᵉ). Enlever les peaux, les pellicules, les viscosités de (un aliment à préparer). *Limoner une cervelle.*

LIMONETTE [limɔnɛt] n. f. — Mil. XXᵉ ; croisement de *limette,* et de l'angl. *lemon* « citron ».

♦ Bot., arbor. (agrumiculture). Fruit d'un limettier *(citrus limetta,* dit *limettier à mamelon). Limonette de Marrakech,* à pulpe acide.

LIMONEUX, EUSE [limɔnø, øz] adj. — 1320, au fig., « répugnant » ; sens concret, v. 1375 ; de 1. *limon.*

♦ **1.** Qui contient du limon. *Eau limoneuse, fleuve limoneux.* ⇒ 1. **Trouble ; fangeux.** *Fange* (cit. 3) *limoneuse. Terre limoneuse.* — *Fer* limoneux.* ⇒ **Limonite.**

1 La quantité de fer contenue dans la terre limoneuse est quelquefois si considérable, qu'on pourrait lui donner le nom de terre ferrugineuse, et même la regarder comme mine métallique (...)   BUFFON, Hist. nat. des minéraux, De la terre végétale.

2 Au-dessous, le Guadalquivir coupé de barrages roulait silencieusement ses eaux jaunes et limoneuses.   Louis BERTRAND, le Livre de la Méditerranée, p. 59.

Couvert de limon. *Pierres limoneuses.*

♦ **2.** (1812). Qui pousse dans les terrains limoneux, fangeux. *Plantes limoneuses.*

♦ **3.** Loc. (myth.). *La barbe limoneuse des fleuves.*

♦ **4.** Qui a l'aspect, la couleur jaune ou brune, la consistance gluante du limon. *Couleur limoneuse.* — *Mucosités limoneuses. Enduit limoneux.*

1. LIMONIER [limɔnje] n. m. — V. 1150 ; de 2. *limon.*

♦ Techn. Cheval* (cit. 3) ou mulet placé entre les limons dans les attelages de plusieurs animaux en file. ⇒ **Brancardier** (vx). *La race boulonnaise fournit de robustes limoniers.*

HOM. 2. Limonier.

2. LIMONIER [limɔnje] n. m. — 1555 ; de 3. *limon.*

♦ Vx. ⇒ **Citronnier.**

HOM. 1. Limonier.

LIMONIÈRE [limɔnjɛʀ] n. f. — 1798 ; de 2. *limon.*

♦ Techn. Partie (d'une voiture hippomobile) formée des deux limons. *Munir un affût d'une limonière.*

LIMONITE [limɔnit] n. f. — 1840-1842, Académie, *Compl.* ; de 1. *limon.*

♦ Minér. Minerai de fer*, oxyde de fer hydraté se présentant en amas de cristaux. ⇒ **Hématite** (brune). — Syn. : *fer limoneux.*

LIMOSELLE [limɔzɛl] n. f. — 1778, Lamarck ; lat. sc. *limoselle* (1778, Lamarck), dér. sav. du lat. *limosus* «limoneux», suff. *-elle.*

♦ Plante dicotylédone *(Scrofulariacées),* herbacée, aquatique, annuelle et indigène, à toutes petites fleurs blanches ou roses, qui croît dans le limon, la vase.

LIMOUSIN, INE [limuzɛ̃, in] adj. et n. m. — 1532, Rabelais ; var. anc. *limosin,* 1383 ; de *Limousin,* nom de région, du bas lat. *lemovicinium,* de *Lemovices,* n. de peuple.

♦ **1.** De Limoges ou de la région du Limousin *L'économie limousine.* — Spécialt. *Race limousine* (ovins, bovins, porcins). *Cheval limousin. Clafoutis limousin.* — N. Personne originaire de cette ville, de cette région. *Un Limousin, une Limousine.* — N. m. *Le Limousin :* parler du groupe occitan, pratiqué dans cette région.

♦ **2.** N. m. (1690, le *Limousin* fournissant beaucoup de maçons). Vx. LIMOUSIN : ouvrier-maçon. ⇒ **Maçon.**

DÉR. V. **Limosinage** ou **limousinage, limousine** (dérivation contestée).
HOM. (Du fém.) **Limousine** ; formes du v. **limousiner.**

LIMOUSINAGE [limuzinaʒ] n. m. — 1718 ; *limosinage,* 1694 ; de *limousin,* mais, selon Guiraud, le lien avec la province est imaginaire ; → Limousine, limousiner.

♦ Techn. Type de maçonnerie faite avec des moellons et du mortier (utilisée, à l'origine, par les maçons dits *limousins*).
DÉR. **Limousiner.**

LIMOUSINE [limuzin] n. f. — 1836, selon Bloch-Wartburg ; Balzac, 1841 (→ ci-dessous, cit. 1) ; de *limousin,* mais selon Guiraud, sans rapport avec la province ; il s'agirait à l'origine d'un manteau de roulier pour le protéger de la boue ; du lat. *limus* «boue» ; → 1. Limon.

★ **I.** Manteau à pèlerine, de poil de chèvre, de grosse laine (⇒ **Marègue**), d'abord porté par les bergers limousins. *Limousine de charretier, de roulier.*

1 Il portait par-dessus sa veste de drap bleu une limousine à raies blanches et noires.
　　　　BALZAC, Une ténébreuse affaire, Pl., t. VII, p. 462 (1841).

2 Il était (...) enveloppé, été comme hiver, dans la «limousine» de bure à col en fourrure d'agneau, de façon à défier les plus furieux coups de vent.
　　　　M. CONSTANTIN-WEYER, Source de joie, IV.

Gros tissu de laine.

2.1 Il y a dix lits de fer, peints en vert, bas et recouverts d'une limousine grise.
　　　　G. LEROUX, Rouletabille chez Krupp, p. 93.

★ **II.** (1903, in *Rev. gén. des sc.* ; p.-ê. ainsi nommée par l'inventeur C. Jeantaud, né à Limoges). Autom. Type de voiture fermée (conduite intérieure) de grande dimension (6 places).

3 Devant lui passa une limousine cossue (...)
　　　　MARTIN DU GARD, les Thibault, t. VIII, p. 24.

4 Une limousine, vaste, confortable, familiale.　ARAGON, les Beaux Quartiers, I, IV.

HOM. V. **Limousin.**

LIMOUSINER [limuzine] v. tr. — 1801, intrans. ; de *limousinage,* du lat. *limosus* «de boue», de *limus* «boue» (→ Limon), désignant un mortier ; le rapport avec la province du *Limousin* serait alors fictif.

♦ Techn. Construire en limousinage. *Limousiner un mur.*

LIMPIDE [lɛ̃pid] adj. — 1509 ; encore rare au XVIIe ; lat. *limpidus.*

♦ **1.** Dont rien ne trouble la transparence (en parlant de l'eau, d'un liquide). ⇒ **Clair, transparent** (→ Extraordinaire, cit. 13). *Caractère limpide.* ⇒ **Limpidité.** *L'eau limpide des sources, des fontaines* (→ Jaillir, cit. 3). *Lac limpide.* «*Une liqueur* (liquide) *limpide et salée*» (→ Larme, cit. 1, Voltaire). — REM. *Limpide* n'a été admis par l'Académie qu'en 1762 (4e éd.) ; Richelet (1680) le condamnait comme «un mot écorché du latin».

1 Ici, sous les fraîches verdures d'une Tempé idéale, dans une eau limpide et transparente, il a fait se jouer des nymphes (...)
　　　　Th. GAUTIER, Souvenirs de théâtre..., Collection comte de***.

Par métaphore :

2 La source de mes jours comme eux s'est écoulée ;
Elle a passé sans bruit, sans nom et sans retour :
Mais leur onde est limpide, et mon âme troublée
N'aura pas réfléchi les clartés d'un beau jour.
　　　　LAMARTINE, Premières Méditations, «Le vallon».

♦ **2.** Par ext. Clair et pur. *Air limpide. Ciel limpide.* ⇒ 1. **Beau, pur.** *Cristal* (cit. 8), *diamant* (cit. 3) *limpide. Des yeux bleus lim-*

pides (→ Éclatant, cit. 5). *Regard limpide et profond.* ⇒ 2. **Franc.** — Par anal. (Auditif). *Son, voix limpide.* ⇒ **Cristallin.**

3 (...) un jet de voix limpide, frais, argentin, sympathique (...)
　　　　Th. GAUTIER, Portraits contemporains, Carlotta Grisi.

4 Quelle âme avait chanté sur des lèvres plus belles
Et brûlé plus limpide en des yeux inspirés ?
　　　　LECONTE DE LISLE, Poèmes antiques, «Hypatie».

5 Ce matin est si beau ! Voyez ! dans l'air limpide
Tout paraît amoureux comme nous, et riant (...)　　GIDE, le Roi Candaule, III, 3.

♦ **3.** Fig. Pur. *Une âme, un sentiment limpide.*

6 Du semestre passé à Princeton, nous gardons, ma femme et moi, un souvenir limpide. Nous y connûmes un bonheur tranquille et plein (...)
　　　　A. MAUROIS, Mémoires, t. I, XVIII.

♦ **4.** Fig. Très clair, facile à comprendre. ⇒ **Clair, intelligible, simple.** *Une explication, une démonstration limpide. C'est limpide !* → Clair comme de l'eau de roche, de source.

7 Quoi de plus simple que les avis de Machiavel ? Quoi de plus limpide que les préceptes de La Fontaine ? Que voilà donc du sens commun !
　　　　André SIEGFRIED, La Fontaine..., p. 13.

CONTR. Brumeux, opaque, 1. trouble. — Cabalistique, obscur.
DÉR. **Limpidement.**

LIMPIDEMENT [lɛ̃pidmɑ̃] adv. — 1835, M. de Guérin ; de *limpide.*

♦ D'une manière limpide. *Des eaux limpidement bleues, claires.* — *Le professeur a expliqué limpidement ce passage.*

LIMPIDITÉ [lɛ̃pidite] n. f. — 1680 ; bas lat. *limpiditas,* de *limpidus.*

♦ **1.** Qualité de ce qui est limpide. ⇒ **Clarté, transparence.** *Limpidité d'une eau* (⇒ **Cristal**). *Limpidité d'un vin.* ⇒ **Brillance** (techn.). *Transparence et limpidité d'un lac* (→ Candide, cit. 3). — Par anal. *Limpidité de l'air* (cit. 8), *de l'atmosphère* (→ Distance, cit. 2). *Ciel d'une limpidité immaculée.* ⇒ **Pureté.** *Limpidité du diamant. La limpidité des yeux, du regard* (→ Extraordinaire, cit. 12 ; hypnose, cit. 6). — Par métaphore. *La limpidité d'une belle âme* (→ Infini, cit. 26).

1 À Marseille déjà j'avais été étonné de la limpidité des eaux qui sont toutes bleues, mais ici (à Ajaccio) elles sont bien plus transparentes encore ; on voit les poissons remuer et les herbes marines attachées au fond aller et venir sous la vague.
　　　　FLAUBERT, Correspondance, 44, 6 oct. 1840.

2 (...) de constants et vains soucis, qui troublaient la limpidité naturelle de son âme.
　　　　FRANCE, M. Bergeret à Paris, XIV, Œuvres, t. XII, p. 416.

3 La poussière soulevée par le mistral tourbillonnait tout à coup, les lignes s'effaçaient, puis l'espace balayé par le vent redevenait d'une limpidité splendide.
　　　　Louis BERTRAND, le Livre de la Méditerranée, p. 7.

4 (...) un furtif battement de paupières rompait un instant la limpidité de son regard direct.　　J. CHARDONNE, les Destinées sentimentales, p. 331.

5 Elle n'avait plus ses yeux d'enfant ; mais ses prunelles bleues avaient gardé leur exceptionnelle limpidité (...)　　MARTIN DU GARD, les Thibault, t. VI, p. 71.

♦ **2.** Fig. Grande clarté (de la pensée, de l'expression). ⇒ **Clarté, intelligibilité.** *La limpidité du style.*

6 (...) relisez *Sylvie* (de Nerval), ce miracle de limpidité et de précision dans le vaporeux, arraché de haute lutte (...) à la folie envahissante.
　　　　Émile HENRIOT, les Romantiques, p. 410.

CONTR. Opacité. — Obscurité.

LIMULE [limyl] n. m. — 1803 ; lat. sc. *limulus,* d'orig. inconnue.

♦ Zool. Animal aquatique arthropode chélifère (classe des *Mérostomés,* ordre des *Xiphosures*), qui vit sur les fonds sableux de l'océan Indien et des Antilles ; on l'appelle *crabe des Moluques.*

Nous vîmes les fiançailles des limules. Ils montent de la mer à la tombée du jour, carapaces bombées qui ont l'air de marcher sans pattes (...)
　　　　Henri FAUCONNIER, Malaisie, p. 175.

LIMURE [limyʀ] n. f. — XIIIe, *limeüre* «limaille» ; «action de limer», 1596 ; de *limer.*

♦ Action de limer ; (1718) état de ce qui est limé. *La limure de ces pistolets est très fine* (Académie).

N. f. pl. *Limures :* parcelles de métal détachées par la lime. ⇒ **Limaille.**

LIN [lɛ̃] n. m. — 1155 ; «tige de lin (au sens 1)», v. 1180 ; du lat. *linum* «plante ; fil de lin» et aussi «ligne de pêche, corde ; tissu de lin».

♦ **1.** Bot. Plante *(Linacées),* cultivée pour les fibres textiles* de sa tige, et dont la graine oléagineuse est utilisée en médecine. *Culture du lin. La fleur bleue du lin. Champ de lin. — Graine de lin* (⇒ **Linette**), *utilisée comme remède pour ses propriétés laxatives, diurétiques* (tisane ; *lavement de graine de lin*), *et sous forme de farine, pour ses propriétés émollientes, résolutives* (cataplasme *de farine de lin*). *Peigne pour séparer les graines de lin des tiges.* ⇒ 2. **Drège.** — *Huile de lin,* employée en peinture, dans la fabrication de *linoléum*. — Fleur* (bleue) *de lin.*

Loc. *Bleu de lin* (adj. et n. m.) : bleu de la fleur de lin.

♦ **2.** (1180). Fibres textiles de la tige de cette plante. *Préparation du lin* : rouissage (⇒ **Rouir**), brisage (⇒ **Broyer, broyeuse, broie, écang, écanguer, macque**), teillage (⇒ **Teiller**), peignage (⇒ **Peigner ; affiner, affinoir**). *Bottes, balles de lin. Bottes de lin liées ensemble, immergées pour le rouissage.* ⇒ **Bonjeau.** *Étoupe, filasse de lin. Filage* (⇒ **Quenouille, rouet**), *filature* (étirage, boudinage, dévidage...) *du lin. Filer du lin* (→ Filandière, cit. 2). — *Étoffes, tissus de lin.* ⇒ **Fil** (*supra* cit. 6) ; **batiste, byssus, cambrai, coutil, gaze, hollande, linon, rosconne** (vx). *Dentelle de lin.* ⇒ 1. **Bisette** ; et aussi **alençon.**

1　Quand le lin a roui, on lui fait subir une sorte de décortication qui ne laisse subsister que la fibre textile. Ce fut le travail auquel le pauvre Kermelle crut pouvoir se livrer sans déroger (...) tout le monde le savait, et, comme alors chacun avait un sobriquet, il fut bientôt connu dans le pays sous le nom de « broyeur de lin ».
　　　　　　　　RENAN, Souvenirs d'enfance..., I, III, Œuvres, t. II, p. 738.
2　Elle lave la laine dans une cuve, — la peigne, — tille le lin dont elle brise les tiges, — le ratisse, — le file en quenouille, — le met en écheveau.
　　　　　　　　HUYSMANS, la Cathédrale, p. 241.

Gris de lin ou *gris-de-lin* (⇒ **Gris**, cit. 24) : couleur grise à reflets métalliques de la filasse de lin. — Adj. *« Une robe gris de lin »* (Littré).
Fig. *Cheveux de lin*, d'un blond presque blanc. *La fille aux cheveux de lin.*

♦ **3.** Par ext. Tissu, toile, vêtement de lin (→ Fin, cit. 5). *Chemise de lin. Tailleur de lin. Préférer le lin au coton pour les chemises. « Vêtu de probité candide* (cit. 1) *et de lin blanc »* (Hugo).

3　Debout à ses côtés le jeune Éliacin
Comme moi le servait en long habit de lin (...)　　RACINE, Athalie, II, 2.

♦ **4.** Loc. a Désignant d'autres plantes. *Lin de Nouvelle-Zélande.* ⇒ **Phormium.** *Lin sauvage.* ⇒ **Linaire.** *Lin des marais.* ⇒ **Linaigrette.**

b Désignant des substances produisant des fils. *Lin minéral, incombustible, fossile* (vx). ⇒ **Amiante.**

DÉR. Linacé, linacées, linaire, linier, linière. — V. aussi Linge, linon, linotte.
COMP. Linaigrette, liniculture.

LINACÉ, ÉE [linase] adj. — 1842 ; de *lin*, et *-acé.*

♦ Didact. Rare. Qui ressemble au lin.

HOM. Linacées.

LINACÉES [linase] ou LINÉES [line] n. f. pl. — 1822, *linacées ; linées,* 1813 ; de *lin,* et suff. *-acée* ou *-ée.*

♦ Bot. Famille de plantes phanérogames angiospermes (dicotylédones, dialypétales), à laquelle appartiennent le lin, le coca*.

HOM. Linacé.

LINAIGRETTE [linɛgrɛt] n. f. — 1789 ; de *lin,* et *aigrette.*

♦ Bot. Plante monocotylédone *(Cypéracées)*, herbacée, vivace, semblable au jonc et dont les fleurs à maturité forment une aigrette soyeuse d'un blanc argenté. — Syn. : *lin des marais.*

(...) les folles dentelles du daucus, les plumes de la linaigrette, les marabouts de la reine des prés (...)　　BALZAC, le Lys dans la vallée, Pl., t. VIII, p. 858.

LINAIRE [linɛr] n. f. — XIIIᵉ, Arveiller, *in* D. D. L. ; de *lin.*

♦ Plante dicotylédone *(Scrofulariacées),* herbacée, dont les feuilles ressemblent à celles du lin. — On l'appelle parfois *lin sauvage.* — *Linaire cymbalaire* ; *bâtarde* (⇒ **Velvote**) ; *vulgaire.*

LINALOL [linalɔl] n. m. — 1881, Morin, *in Nouveau Larousse illustré* (v. 1900) ; de *lign(um), al(oès),* et *-ol.*

♦ Chim. Alcool terpénique, liquide à odeur suave utilisé en parfumerie *(essence de linalol).*

LINCEUL [lɛ̃sœl] (cf. aussi Chénier, *Élégies,* IX, qui fait rimer *linceul* et *cercueil*) n. m. — Déb. XIIᵉ, *linçol* « drap de lit » ; du lat. *lintéolum* « linge », de *linteum,* de *linum* (→ Lin).

♦ **1.** Vx (jusqu'au XVIIᵉ, La Fontaine) ou régional (Pesquidoux, 1925, *in* T. L. F.). Drap de lit.

♦ **2.** (XIIIᵉ). Pièce de toile dont on se sert pour ensevelir* (cit. 6 et 7) les morts*. ⇒ **Suaire** (→ Enterrement, cit. 3). *Linceul enveloppant un cadavre, un corps. Le linceul du Christ.* ⇒ **Sindon, suaire** (saint suaire). — Prov. *Le plus riche en mourant n'emporte qu'un linceul.* ⇒ **Drap.**

1　(...) il faut aller déclarer le décès avec des témoins, il faut dépouiller le corps, l'ensevelir en le cousant dans un linceul, il faut aller commander le convoi aux pompes funèbres (...)　　BALZAC, le Cousin Pons, Pl., t. VI, p. 755.
2　Il était affreusement décomposé. Nous lui avons mis deux linceuls. Quand il a été ainsi arrangé, il ressemblait à une momie égyptienne serrée dans ses bandelettes (...)　　FLAUBERT, Correspondance, 218, 7 avr. 1848.
3　Je fuis, pâle, défait, hanté par mon linceul,
Ayant peur de mourir lorsque je couche seul.　　MALLARMÉ, Poésies, « Angoisse ».

Par métaphore. Ce qui couvre, enveloppe comme un linceul. *Un linceul de neige, de ténèbres.* — Fig. *« Et le rapide oubli, second linceul des morts »* (→ Asile, cit. 25, Lamartine).

4　Les noirs linceuls des nuits sur l'horizon se posent.　　HUGO, les Orientales, XVI.
5　Comment imaginer aujourd'hui qu'une ville pareille pouvait avoir de si longs hivers et de si persistants linceuls de neige ?　　LOTI, les Désenchantées, IV, XXIII.

LINÇOIR (Académie) ou LINSOIR [lɛ̃swar] n. m. — 1676, Félibien ; étym. obscure.

♦ Techn. Pièce d'un plancher fixée parallèlement au mur, pour recevoir les solives du plancher qui correspondent à des ouvertures, portes ou fenêtres. ⇒ **Trémie.** — Pièce reliant un chevêtre au mur.

LINDOR [lɛ̃dɔr] n. m. — 1840 ; « amoureux », 1772, Beaumarchais ; par altér. du nom *nain d'or* (nain jaune), d'après le nom d'un personnage de comédie, type de l'amoureux espagnol.

♦ Vx. Jeu de nain jaune. — Carte principale à ce jeu (sept de carreau). *Jouer le lindor.*

LINÉAIRE [lineɛr] adj. — XVᵉ ; du lat. *linearis,* de *linea.* → Ligne.

♦ **1.** a Qui a rapport aux lignes, se traduit par des lignes. ⇒ **Ligne** (I., 1.). *Mesure linéaire,* faite au moyen de lignes (mesure de longueur*). *Dessin*, perspective*, représentation linéaire* (→ Épaisseur, cit. 1).

0.1　La longueur du pendule et celle du méridien sont les deux principaux moyens qu'offre la nature, pour fixer l'unité des mesures linéaires.
　　　　　　　　LAPLACE, Exposition du système du monde, I, 14.

Adj. et n. m. Spécialt (didact.). Se dit d'une écriture dont le tracé forme des lignes horizontales de caractères relativement petits. *Écriture linéaire. Le linéaire A, le linéaire B, de Crète.*

0.2　(...) on avait même réussi à les classer (*les documents crétois*) en quatre systèmes graphiques successifs (...) : deux plus anciens, dits hiéroglyphiques (...) suivis de deux linéaires (...)　　Jean BOTTÉRO, Essor de la recherche historique, *in* Encycl. Pl. (l'Histoire et ses méthodes), p. 159.

Bot. *Feuilles linéaires,* étroites et allongées.

b Littér. En ligne ; spécialt, en ligne droite. *« Des rues longues et linéaires »* (Verhaeren, *in* T. L. F.).

Qui forme une ligne (droite). *Accélérateur* (de particules) *linéaire.*

♦ **2.** Géom. Qui a rapport aux propriétés des figures rectilignes. *Transformations linéaires.* — *Propriétés linéaires, affines* (⇒ **Affine**). *Géométrie linéaire.*

1　(...) entre les problèmes de géométrie, les uns sont plans, les autres solides et les autres linéaires, c'est-à-dire que les uns peuvent être construits en ne traçant que des lignes droites et des cercles (...)　　DESCARTES, Géométrie, 2, *in* Littré.

♦ **3.** (1752). Alg. Dont la variation peut être représentée par une ligne droite. *Équations linéaires, fonctions linéaires de plusieurs variables,* où celles-ci figurent au premier degré, les produits de ces variables étant exclus. *Inéquation linéaire.* — *Algèbre linéaire.*

Programmation linéaire : techniques de calcul dans lesquelles les problèmes peuvent prendre la forme d'un système d'inéquations linéaires.

Techn. *Phénomène linéaire* : phénomène où les grandeurs varient en demeurant proportionnelles (en électronique). ⇒ **Linéarité.**

♦ **4.** Techn. *Moteur linéaire* : machine transformant de l'énergie électrique en énergie mécanique à l'aide de déplacements linéaires sans qu'il y ait de contacts entre les éléments fixes et mobiles de la machine.

♦ **5.** *Érosion linéaire* (par oppos. à *aréolaire*), qui résulte de l'action des eaux courantes sur le fond d'un lit.

♦ **6.** Fig. Qui évoque une ligne, est sans épaisseur (→ Discursif, cit. 2). *Un récit linéaire et sans digressions.*

2　Hm hm, fit Onésiphore. Je ne puis répondre aux trois questions simultanément : mon discours est linéaire, comme tout discours humain.
　　　　　　　　R. QUENEAU, les Fleurs bleues, p. 40-41.

(Abstrait). Qui peut être représenté par une ligne ; dont les termes se suivent. *Classification linéaire.* — *Raisonnement linéaire.* — *Parenté linéaire,* en droite ligne.

♦ **7.** N. m. a (V. 1960). Comm. *Linéaire,* ou *linéaire développé* : longueur occupée par un produit ou une marque sur les rayonnages d'un meuble de vente, dans un magasin. — Par ext. *Les linéaires d'un magasin* : la présentation des produits exposés. *« Les produits proposés dans les "linéaires" »* (l'Express, 25 août 1979, p. 102).

b Techn. Bordure de voie située devant le bâtiment d'une gare, d'une aérogare, etc. *« Les voitures qui viennent encombrer le "linéaire", voie d'accès devant l'aérogare »* (l'Express, 14 juil. 1979, p. 71).

DÉR. Linéairement, linéarité.
COMP. Bilinéaire.

LINÉAIREMENT [lineɛʀmɑ̃] adv. — 1495, *ligneairement ; rare av. déb. xxᵉ (1902, in T. L. F.) ; de *linéaire*.

Rare ou didactique.

♦ **1.** En ligne droite ; en ligne (sans autre dimension).

1 L'interprétation des sensations et des images dans le rêve se fait *linéairement*, sans user de passages par une autre dimension, sans négliger, sans inhiber certains développements, sans raccourcis. VALÉRY, Cahiers, Pl., t. II, p. 18.

♦ **2.** Par les lignes, par le dessin ; du point de vue des lignes, des contours.

2 À un visage linéairement le même il suffisait, pour qu'il semblât autre, de cheveux blancs au lieu de cheveux noirs ou blonds. PROUST, le Temps retrouvé, Pl., t. III, p. 938.

♦ **3.** Didact. (math.). De manière linéaire (2. et 3.).

LINÉAL, ALE, AUX [lineal, o] adj. — V. 1475 ; bas lat. *linealis*. → Ligne.

♦ **1.** Dr. anc. Qui est dans l'ordre d'une ligne directe de parenté. *Succession linéale.*

♦ **2.** Qui a rapport aux lignes d'un dessin. *Caractères linéaux d'un graphisme.*

♦ **3.** N. f. pl. Typogr. *Linéales :* caractères bâton.

LINÉAMENT [lineamɑ̃] n. m. — 1532, Rabelais ; lat. *lineamentum*, de *linea* « ligne ».

Rare au singulier.

♦ **1.** Ligne élémentaire ou caractéristique dans la forme ; aspect général d'une figure, d'un objet. *Les linéaments d'une figure, d'un paysage, d'un visage. Linéaments d'un dessin* (⇒ **Tracé**).

1 De même qu'une peinture, bien qu'elle représente tous les linéaments de l'original, ne saurait exprimer sa vigueur, étant destituée de vie et de mouvement (...) BOSSUET, 1ᵉʳ Sermon du 1ᵉʳ dimanche après le carême, Sur les démons, I.

2 Cependant, cette vieille avait conservé de son ancienne beauté quelques linéaments simples et majestueux qui l'empêchaient de tomber dans cette laideur de pomme cuite, qui est le partage des femmes qui n'ont été que jolies ou simplement fraîches. Th. GAUTIER, Mᶩᶩᵉ de Maupin, XII.

3 Il exerçait à la froideur un fin visage dont les linéaments trahissaient de la fatigue et une grande bonté. G. DUHAMEL, Salavin, III, XXI.

4 Les premiers chefs-d'œuvre de l'affiche moderne, dus à Lautrec ou à Bonnard, n'eurent recours qu'à (...) des à-plats francs et brutaux soulignés par un cerne ! Celui-ci, ferme comme un plomb de vitrail, ne veut plus rien devoir aux notions de formes consacrées ; il est un linéament continu, développé en une arabesque qui s'inscrit violemment en nous par son originalité et son audace. R. HUYGHE, Dialogue avec le visible, p. 50.

♦ **2.** (1642). Premiers traits d'une chose en développement, encore en ébauche. « *Les premiers linéaments d'une structure organique* » (Académie). ⇒ **Rudiment.** — Fig. *Premiers linéaments d'un projet, d'un ouvrage.* ⇒ **Ébauche, esquisse.** *Un premier linéament.*

5 Peu à peu cependant des linéaments vagues commencèrent à se former et à se fixer dans sa méditation, et il put entrevoir avec la précision de la réalité, non l'ensemble de la situation, mais quelques détails. HUGO, les Misérables, I, VII, III.

6 Je demeurais un adolescent à travers ces troubles, c'est-à-dire un être encore incertain, inachevé, en qui s'ébauchaient les linéaments de son âme à venir. Paul BOURGET, le Disciple, IV, II.

DÉR. Linéamentaire, linéamenter.

LINÉAMENTAIRE [lineamɑ̃tɛʀ] adj. — 1886, Bloy ; de *linéament*. → Élémentaire.

♦ Littér. Qui est réduit à des linéaments.

Successivement évincé de toutes les industries et de tous les trucs suggérés par l'ambition de subsister, il se vit réduit à condescendre aux plus linéamentaires expédients. Léon BLOY, le Désespéré, p. 39.

LINÉAMENTER [lineamɑ̃te] v. tr. — 1918, cit. Proust ; de *linéament.*

♦ Littér. Dessiner dans ses linéaments.

(...) une immobile écume linéamentée avec la délicatesse d'une plume ou d'un duvet dessinés par Pisanello (...) PROUST, À l'ombre des jeunes filles en fleurs, Pl., t. I, p. 803.

LINÉARITÉ [lineaʀite] n. f. — 1910, Péguy, in T. L. F. ; de *linéaire*, et suff. *-ité.*

♦ Littér. Caractère de ce qui est linéaire.

1 La peinture chinoise est principalement de paysage. Le mouvement des choses est indiqué, non leur épaisseur et leur poids, mais leur linéarité si l'on peut dire. Henri MICHAUX, Un barbare en Asie, p. 158 (1945).

Techn. Caractère d'un phénomène linéaire où les signaux ne sont pas déformés.

2 La distorsion concernant la forme de l'onde est plus difficile à mesurer ; elle est pourtant au moins aussi essentielle que la fidélité en fréquence, car (...) elle change le timbre du son en y introduisant des harmoniques qui n'existaient pas. Les causes de la distorsion sont multiples ; il y a les causes classiques, qui sont dues à un

manque de linéarité dans la chaîne enregistrement-lecture, auxquelles il faut ajouter les causes spéciales au disque. Pierre GILOTAUX, l'Industrie du disque, p. 56.

Math., techn. Propriété de ce qui est linéaire. *La linéarité d'équations, d'inéquations, de formules. — La linéarité d'un amplificateur.*

Didact. Caractère linéaire (d'un phénomène sémiotique). *La linéarité des langues naturelles.*

LINÉATURE [lineatyʀ] n. f. — V. 1960, en télév. ; « proportions », 1512 ; t. de photo (*Année sc.* 1899) ; du lat. *lineatus* « aligné, rayé ».

♦ **1.** Littér. et vx. Contour linéaire.

♦ **2.** Techn. (télév.). Nombre de lignes d'une image complète. ⇒ **Définition.** En photogravure, Nombre de lignes de trame par unité de longueur.

LINÉES [line] n. f. pl. ⇒ **Linacées.**

LINÉIQUE [lineik] adj. — 1961, in T. L. F. ; dér. sav. du lat. *linea*. → Ligne.

♦ Didact. (sc.). Se dit d'une grandeur dont la mesure peut être rapportée à une unité de longueur. *Résistance linéique. Masse linéique d'un fil :* masse (en grammes) d'une unité de longueur de ce fil.

LINER [lajnœʀ] n. m. — 1907, *Nouveau Larousse illustré, Add.* ; mot angl. (1838), de *line* « ligne ».

Anglicisme.

♦ **1.** Paquebot de grande ligne.

♦ **2.** (1949, in Höfler). Avion de transport de passagers à très grande capacité. « *L'entrée en scène d'énormes "liners" comme le Boeing 747, qui emportera d'un seul coup 450 passagers* » (*Science et Vie*, nᵒ 593, p. 96). — Syn. : gros porteur.

LINETTE [linɛt] n. f. — xvᵉ ; dimin. de *lin.*

♦ Régional. Graine de lin.

LINGAM [lɛ̃gam] ou **LINGA** [lɛ̃ga] n. m. — 1765 ; *lingum*, 1724 ; en angl., 1719 ; mot sanskrit *liga*, accus. *ligam.*

♦ Didact. Symbole phallique du dieu Shiva, dont le culte est lié à l'idée de création. ⇒ **Ithyphalle.**

1 Or, ce caillou noir, centre de tout (...) cause première d'un si prodigieux travail de déblaiement et de sculpture, est le plus condensé et le plus significatif des symboles qu'imaginèrent jadis les Indiens pour figurer le dieu qui féconde sans cesse, pour sans cesse détruire ; il est le Lingam ; il représente la procréation, *qui ne sert qu'à alimenter la mort.* LOTI, l'Inde (sans les Anglais), V, IV, p. 264.

2 Un linga de grès, superstition brahmanique tolérée par le bouddhisme, présente aux femmes stériles sa monstrueuse et encourageante érection. Paul MORAND, Rien que la terre, p. 155.

3 (...) l'Inde est pleine de lingams. Il y en a des centaines de millions, pas seulement dans les temples. Si vous voyez des pierres dressées plus ou moins polies sous un arbre, c'en est. On en porte au cou, dans un petit étui d'argent. Henri MICHAUX, Un barbare en Asie, p. 61.

REM. 1. *Linga* est invariable.

2. On rencontre la graphie *lingham.*

4 Les symboles grossiers, linghams rouges et bleus, d'obscures, de barbares, de rituelles orgies. B. CENDRARS, Moravagine, Œ. compl., t. IV, p. 88.

Par ext. Sexe érigé.

5 (...) elle luttait, de ses griffes et dents contre le monstre, dont elle avait évidemment endommagé le lingham (...) A. ROBBE-GRILLET, Souvenirs du triangle d'or, p. 22.

LINGE [lɛ̃ʒ] n. m. — Déb. xIIᵉ, « toile de lin ; pièce de cette toile » ; substantivation de l'adj. *linge* « de lin » (*draps linges*), déb. xIIᵉ ; *linge* signifie aussi « chemise » en anc. franç. (xIIIᵉ) ; du lat. *lineus* « de lin, de toile ».

♦ **1.** Ensemble des pièces de tissus (d'abord de lin, puis de divers textiles) employées aux divers besoins du ménage. *Linge de batiste, de linon, de chanvre* (cit. 3), *de coton ; linge pour fil.* ⇒ **Toile.** *Linge de soie, de nylon.* Loc. *Linge fin. Gros linge,* en tissu plus robuste formant de grandes pièces, drap, nappes... Ellipt. *Le gros, le fin. Blanchisseuse de gros, de fin. — Linge blanc, linge de couleur. — Linge de* (et compl. indiquant l'utilisation). *Linge de corps, linge de maison et linge de table* (→ Ordre, cit. 8). *Linge de maison : linge de lit* (draps, taie...), *de toilette* (essuie-mains, gants de toilette, peignoirs, serviettes...), *de cuisine* (frottoirs, torchons...). — Loc. (1688). *Linge de table* (nappes, napperons, serviettes ; services de table). — *Linge sale. Coffre, sac à linge* (sale). *Paquet de linge sale.* Loc. *Il faut laver son linge sale en famille.* ⇒ **Laver** (cit. 3 et 4). *Comme un paquet de linge sale. Laver* (cit. 1) *le linge, du linge.* ⇒ **Aiguayer, guéer ; lavandière, lavoir, lessive ; lessiver ; lessiveuse,**

machine (à laver). *Mouiller, faire tremper, essanger, décrasser le linge. Savonner, rincer, battre* (⇒ **Batte, battoir**), *blanchir* (⇒ **Blanchissage, blanchisserie, blanchisseur; laverie**), *azurer le linge* (⇒ **Bleu;** → Azur, cit. 1). *Faire égoutter* (cit. 2), *essorer* (⇒ **Essorage, essoreuse**), *tordre, faire sécher* (⇒ **Séchoir**), *étendre* (cit. 6) *le linge* (⇒ **Étendoir**). *Épingle, pince* (cit. 2), *corde à linge*. — *Lisser* (⇒ **Lissoir**), *repasser* (⇒ **Repassage, repasseuse; fer, platine** [vx]), *empeser* (cit. 1) *du linge* (⇒ **Empesage**). *Plier, ranger, serrer du linge. Pile de linge; armoire à linge* (→ Arrangement, cit. 9). *Marquer, démarquer; raccommoder, repriser, ravauder du linge.* — *Fabrication, entretien, commerce du linge.* ⇒ **Linger, lingerie**. *Coudre, ourler, ouvrer du linge. Linge uni; brodé, ouvré, damassé* (⇒ **Damas, damassure**), *tuyauté* (⇒ **Tuyau**); *linge à jours, à grains d'orge, à liteaux, à nids d'abeille, à œil de perdrix.* — *Déchirer du linge pour en faire des chiffons, de la charpie, des bandes. Tailler du linge pour faire des pansements* (→ Gaze, cit. 3). *Bouchonner du linge; linge en bouchon, en tapon.*

1 Son linge avait ce ton roux contracté dans l'armoire par un long séjour, et qui annonçait en feu madame Popinot la manie du linge; suivant la mode flamande, elle ne se donnait sans doute que deux fois par an l'embarras d'une lessive.
BALZAC, l'Interdiction, Pl., t. III, p. 20.

1.1 Des rayons se succédaient pour chaque sorte de linge, le linge de maison, le linge de table (...)
ZOLA, Au Bonheur des dames, p. 783.

2 Il y avait du beau linge blanc aux armoires. Or, M. Maillet aimait le beau linge. Il posait, en dormant, sa joue bien pleine sur un grand oreiller rehaussé de dentelles au point de Venise et les draps de toile étaient fins et frais.
H. BOSCO, Antonin, p. 222.

2.1 (...) mais bientôt sur pieds, tout ce grand corps évolue à l'étroit parmi le pavois utile à toutes hauteurs des carrés blancs du linge, que parfois de sa main libre il saisit, froisse, tâte avec sagacité, pour les retendre ou les plier ensuite selon les résultats de cet examen.
Francis PONGE, le Parti pris des choses, p. 66.

Loc. (vx). *Travailler en linge* (→ Hôtesse, cit. 4, Rousseau). *Ouvrière en linge.* ⇒ **Lingère**.

♦ **2.** (V. 1225). Spécialt. Vêtements de dessous; ou pièces détachables de l'habillement (cols, collerettes, manchettes...), lorsqu'ils sont en tissu léger (lin, coton, soie, nylon...). *Linge féminin* (⇒ **Dessous, lingerie**), *masculin. Pièces de linge :* caleçons, chaussettes, chemises, gilets, maillots (de corps), mouchoirs, pyjamas... *Avoir du linge sale* (→ Galoche, cit. 4; gargote, cit. 2). *Linge blanc* (→ Après, cit. 27). *Linge fin* (→ Dame, cit. 14; extérieur, cit. 14). *Changer de linge. Vêtements et linge composant un trousseau.* — REM. Pour les jeunes enfants, on emploie les termes spécifiques (→ Layette; bavette, bavoir, couche, lange...).

3 (...) il ne sort pas d'étonnement de voir répandu sur son linge et sur ses habits le potage qu'il vient d'avaler.
LA BRUYÈRE, les Caractères, XI, 7.

4 La petite cour servait à étendre sur des cordes en crin les mouchoirs brodés, les collerettes, les canezous, les manchettes, les chemises à jabot, les cravates, les dentelles, les robes brodées, tout le linge fin des meilleures maisons de la ville.
BALZAC, la Vieille Fille, Pl., t. IV, p. 218.

5 Edmond sortit son linge, tout était comme un fait exprès : des boutons qui manquaient aux chemises, une tache d'encre sur un caleçon (...)
ARAGON, les Beaux Quartiers, II, XXVII.

Loc. (1798). *Linge de corps :* vêtements de dessous en tissus fins.

Fam. *Avoir du linge :* être élégamment vêtu (en parlant d'une femme). ⇒ **Lingé**. — Argot. *Y a du (beau) linge*, de jolies femmes bien habillées, et, plus généralt, des gens de la bonne société. *Le beau linge.* ⇒ **Gratin**. → Le beau (cit. 27) monde*.

♦ **3.** (1570). *Un linge :* une pièce de linge non travaillée (à la différence du sens 2). → 1. Essuyer, cit. 1. *Nettoyer, frotter avec un linge.* ⇒ **Chiffon, frottoir**. *Linges de pansement.* ⇒ **Bandage** (cit. 1), **bande, bandeau, charpie** (→ Fixation, cit. 1). *Se mettre un linge humide sur le front.* ⇒ **Compresse**. *Linge pour ensevelir un mort.* ⇒ **Linceul, sindon, suaire** (→ Baume, cit. 5). — *Linges sacrés, linges d'autel.* ⇒ **Amict, corporal, lavabo, manuterge, pale, purificatoire, tavaïole**.

6 (...) une bourrasque souffla, un vol de menus linges, des cols et des manchettes de percale, des fichus et des guimpes de batiste, fut soulevé, s'abattit au loin, ainsi qu'une troupe d'oiseaux blancs (...)
ZOLA, le Rêve, V.

7 (...) le concierge (...) avait essayé de nettoyer les vitres des cadres, car des traces de doigts marquaient les glaces. Durtal essuya avec un linge mouillé ces empreintes (...)
HUYSMANS, Là-bas, X.

Fig. *Être blanc* comme un linge*. — REM. Dans l'expression synonyme *blancheur de linge*, le mot est au sens 1.

8 Le pauvre bougre était d'une blancheur de linge. Son mouchoir glissé de sa main blessée, se tachait de plaques rouges.
ZOLA, la Terre, V, IV.

DÉR. Lingé, linger, lingère, lingerie, lingette.
COMP. Chauffe-linge, lave-linge, sèche-linge.

LINGÉ, ÉE [lɛ̃ʒe] p. p. adj. — 1850, *in* Esnault; en moy. franç. « du linge », XIVᵉ; de *linge*.

♦ Pop. (fam., fin XIXᵉ; vieilli). Habillé avec élégance. « *Un beau jeune garçon frisé, lingé, pommadé, peint et poudré* » (J. Renard, *in* T. L. F.).

LINGER, ÈRE [lɛ̃ʒe, ɛʀ] n. — 1292, aussi *lingier*, et *lingiere*; de *linge*.

★ **I.** ♦ **1.** Vx. Personne qui confectionne et vend du linge (2.). —

On dit plutôt *confectionneur en lingerie*. ⇒ **Bonnetier** (ière), **chemisier** (ière). — En appos. *Marchand linger*.

♦ **2.** Rare au masc. Ouvrier, ouvrière en lingerie (au fém. ⇒ **Lingère**).

Appos. ou adj. Relig. *Frère linger*, dans un couvent. *Sœur lingère*, faisant office de lingère. ⇒ **Lingère**.

★ **II.** Adj. fém. Anciennt. *Armoire lingère*, où l'on range le linge.

LINGÈRE [lɛ̃ʒɛʀ] n. f. — 1680; de *lingier, lingière* « personne qui confectionne et vend du linge ». → Linger.

♦ Femme chargée de l'entretien, de la garde et de la distribution du linge dans une communauté, une grande maison. *Parmi les domestiques* du château, il y avait une couturière et une lingère. *Lingères légères*, poèmes d'Éluard.

LINGERIE [lɛ̃ʒʀi] n. f. — Av. 1320; de *linge*, et suff. *-erie*.

♦ **1.** Vieilli. Fabrication et commerce du linge (2.). *Lingerie pour hommes.* ⇒ **Chemiserie**. *Lingerie pour dames, pour enfants.* ⇒ **Bonneterie**.

Spécialt (mod.). Commerce du linge de corps féminin et du linge de maison. — Par métonymie. Atelier, magasin de lingerie *(une, des lingeries)*. — REM. Dans les syntagmes *magasin, commerce de lingerie, rayon lingerie* (d'un grand magasin) le mot peut être pris dans ce sens ou au sens 3 («articles»).

1 (...) le désir de voir une pèlerine qu'une de leurs amies avait remarquée dans un riche magasin de lingerie situé au coin de la rue de la Paix.
BALZAC, le Bal de Sceaux, Pl., t. I, p. 119.

♦ **2.** (1508). Local réservé à l'entretien et au repassage (du linge, etc.), et éventuellement au rangement, dans une communauté, une grande maison.

2 Dans la lingerie, les femmes repassaient; on entendait le bruit des fers (...) des coups sourds sur les molletons (...)
J. CHARDONNE, les Destinées sentimentales, p. 103.

Spécialt. Lieu où l'on fait des travaux de couture et d'entretien du linge (1.), dans un couvent. ⇒ **Ouvroir**.

♦ **3.** (1552). Vx. Linge (1. et 2.), ensemble des pièces de linge (1.). Mod. Linge de corps pour femmes. *Lingerie fine, ouvrée. Lingerie intime. La lingerie est au deuxième étage de ce grand magasin.*

(1844, *in* D. D. L.). Par ext. Tissus employés pour confectionner la lingerie fine pour femmes (batiste, coton, linon, madapolan, nansouk, shirting, soie...; plus couramment les tissus synthétiques : nylon, etc.). *Blouse, parure* de lingerie* (→ Gaufrer, cit. 3; jupe, cit. 3).

LINGETTE [lɛ̃ʒɛt] n. f. — XVᵉ, «toile de lin»; de *linge*.

♦ Vx. Flanelle* ou serge de qualité inférieure.

LINGHAM [lɛ̃gam] n. m. ⇒ **Lingam**.

LINGOT [lɛ̃go] n. m. — 1392; *langot*, 1380; orig. incert., p.-ê. de l'anc. provençal *lingot* «lingotière», de *lenga* «langue», du lat. *lingua*, par anal. de forme, en rapport avec l'angl. *lingot* (v. 1386), p.-ê. venu du français.

♦ **1.** Masse de métal, surtout de métal précieux ou d'alliage qui garde la forme du moule (⇒ **Lingotière**) où elle a été coulée. *Lingot de fer, d'acier* (⇒ **Billette**), *de fonte* (⇒ 1. **Gueuse**, cit.), *de plomb* (→ Convertir, cit. 9). — Spécialt (métaux précieux). *Poids, titre d'un lingot* (→ Monnaie, cit. 3). *Lingot d'or, d'argent. Passer des lingots de métal précieux à l'argue*. — Absolt. Lingot d'or. *Transporter de l'or en lingots* (→ Cas, cit. 16). *Lingots de la Banque de France* (→ Circulation, cit. 7). Collectif. *Le cours du lingot a baissé, monté.*

Le père Goriot, qui sans doute avait attaché sur la barre d'une table renversée un plat et une espèce de soupière en vermeil, tournait une espèce de câble autour de ces objets richement sculptés, en les serrant avec une si grande force qu'il les tordait vraisemblablement pour les convertir en lingots.
BALZAC, le Père Goriot, Pl., t. II, p. 875.

♦ **2.** (1721). Techn. Projectile cylindrique, remplaçant les balles ou le plomb, dans un fusil de chasse.

♦ **3.** (1832). Typogr. Pièce de plomb, de fer ou de bois dur « qui sert à mettre un grand blanc dans une page ou que l'on place dans une forme, entre les pages, à l'imposition » (H. Leduc, *la Composition typographique*). ⇒ **Cadrat**.

DÉR. Lingoter, lingotier, lingotière.

LINGOTAGE [lɛ̃gotaʒ] n. m. — XXᵉ (1931, Larousse); de *lingoter*.

♦ Techn. (fonderie). Coulée en lingots.

LINGOTER [lɛ̃gɔte] v. tr. — xxᵉ (1931, Larousse) ; de *lingot*.

♦ Techn. Couler (un métal) en lingots.

DÉR. Lingotage.

LINGOTIER [lɛ̃gɔtje] n. m. — 1902 ; de *lingot*.

♦ Techn. (imprim.). Meuble métallique ou en bois, formé de casiers et servant à ranger les lingots.

LINGOTIÈRE [lɛ̃gɔtjɛʀ] n. f. — 1606 ; de *lingot*.

♦ Techn. Moule métallique, souvent de forme trapézoïdale, où l'on coule le métal en lingots.

LINGUAL, ALE, AUX [lɛ̃gwal, o] adj. — 1735, en anat. ; 1694, en phonétique ; bas lat. *lingualis*, du lat. class. *lingua* « langue ».

♦ Anat. De la langue, relatif à la langue (organe). *Muscle, nerf, plexus lingual. Artère linguale.* ⇒ **Langue** (I., 1.). — Situé vers la langue. *La face linguale d'une dent.*
Phonét. Produit par les mouvements, l'action de la langue. *Consonne linguale, son lingual.* — N. f. (1765). *T* [t], *K* [k], *R* [ʀ] *sont des linguales. Linguales et labiales.*

LINGUATULE [lɛ̃gwatyl] n. f. — 1808 ; dér. sav. du bas lat. *linguatus* « en forme de langue » ou *linguatulus*, de *lingua*.

♦ Zool. Animal arthropode chélifère (*Linguatulidés, Pentastomides*), au corps vermiforme, parasite des mammifères et des reptiles (on dit aussi *pentastome*). *Les linguatules provoquent, par leur présence dans les fosses nasales, la rhinite chronique du chien.*

1. LINGUE [lɛ̃g] n. f. — 1723 ; en anc. franç. *lengue*, xiiiᵉ ; puis *leynge*, 1396 ; masc., au xviiiᵉ ; du néerl. *leng*, même sens.

♦ Poisson des côtes de la Manche et de l'Océan, voisin du merlu (*Gadidés*). N. sc. : *Molva. Les « millions d'œufs pondus par la lingue »* (R. et M.-L. Bauchot, *les Poissons*, p. 83).

Pas du tout, votre lot, commente à voix basse le crieur-juré qui sent l'inquiétude de Le Roux et tente de le rassurer. Peut-être un peu trop de lingues. Mais il y a du merlu.   Pierre ACCOCE, le Polonais, p. 9.

HOM. 2. Lingue.

2. LINGUE [lɛ̃g] n. m. — 1835 ; de *ingre* (1596), puis *lingre* (1612), altér. de *Langres*, ville renommée pour sa coutellerie, selon Esnault.

♦ Argot (vieilli). Couteau, poignard.

Un poilu qui tiendrait contre un train blindé lâchera à la seule idée que des types s'amènent avec un lingue (...) Et maintenant, ces salauds qui nous les ont distribués (...) nos couteaux de nettoyeurs, nous crient : « Lâchez ça ! Ce n'est pas une arme française, la belle épée nickelée de nos pères ! (...) »
     Roger VERCEL, Capitaine Conan, XII, p. 219.

DÉR. Linguer.
HOM. 1. Lingue.

LINGUER [lɛ̃ge] v. tr. — 1872 ; de 2. *lingue*.

♦ Argot (vieilli). Frapper à coups de couteau.

LINGUET [lɛ̃gɛ] n. m. — 1634, *hinguet* et *linguet* pour *l'inguet* ; du moy. néerl. *hengel* « crochet », ou encore aphérèse de *élinguer*, de *élingue*.

♦ **1.** Mar. Chacune des « courtes barres de fer mobiles autour d'une cheville et qui empêchent un cabestan, un treuil ou un guindeau de dévirer, c'est-à-dire de tourner dans un sens contraire à celui de leur mouvement » (Gruss, *Dict. de marine*).

(...) on entendait distinctement le cliquetis du linguet qui frappait sur le guindeau, à mesure que virait l'équipage du brick.   J. VERNE, l'Île mystérieuse, t. II, p. 636.

♦ **2.** Techn. Crochet pivotant qui retient une pièce mobile (came, etc.).

HOM. Formes du v. linguer.

LINGUETTE [lɛ̃gɛt] n. f. — Mil. xxᵉ (1967, ex. ci-dessous) ; du lat. *lingua* « langue » ; doublet savant de *languette*.

♦ Pharm. Médicament par voie buccale ; spécialt, comprimé destiné à fondre lentement sous la langue. *« Un traitement ambulatoire* (de désintoxication alcoolique) *où les injections sont remplacées par des "linguettes" d'apomorphine »* (*Science et Vie*, nº 593, p. 103, 1967).

LINGUIFORME [lɛ̃gɥifɔʀm] adj. — 1799, *in* T. L. F. ; comp. sav. du lat. *lingua* « langue », et *-forme*, ou du lat. mod. *linguiformis* (1783).

♦ Didact. En forme de langue, de languette.

LINGUISTE [lɛ̃gɥist] n. — 1632, d'après Bloch-Wartburg ; 1668, Chapelain, *Correspondance*, désignant alors « celui qui étudie une langue ancienne » ; le mot est rarissime dans la langue class., et absent des dict. du xviiᵉ et du xviiiᵉ — Boiste cite Aignan, déb. xviiiᵉ ; repris au déb. du xixᵉ (→ Linguistique, 1826) ; dér. sav. du lat. *lingua* « langue » ; cf. angl. *linguist* « polyglotte », dès 1591.

♦ **1.** Spécialiste de l'étude scientifique des langues, du langage. ⇒ **Dialectologue, étymologiste, grammairien, lexicographe, lexicologue, phonéticien, phonologue, sémanticien, syntacticien.** *F. de Saussure, grand linguiste de la fin du xixᵉ siècle. Une excellente linguiste.*

Il est arrivé aux linguistes de rechercher (sans aucun succès) l'origine du langage.   J. PAULHAN, les Fleurs de Tarbes, p. 97.   1

Les linguistes ont longtemps témoigné une dédaigneuse incuriosité à l'égard des sciences voisines (...) Une telle attitude est caractéristique d'une époque qu'on peut considérer comme révolue. En réalité, il n'y a pas de cloison plus étanche entre la linguistique et les sciences voisines, qu'il n'y en a, par exemple, entre la physique et la chimie (...)   G. MATORÉ, la Méthode en lexicologie, p. 47.   2

(En attribut). Se dit des spécialistes qui donnent le pas à la linguistique pure, aux problèmes de langue (par rapport aux disciplines voisines). *Ce sociolinguiste est plus sociologue que linguiste.*

♦ **2.** Spécialiste d'une langue ou de plusieurs langues particulières. ⇒ (par ex.) **africaniste, angliciste, arabisant, franciste, germaniste, hébraïsant, helléniste, hispaniste, italianiste, latiniste, sanscritiste, sinologue, slaviste.**

♦ **3.** Fam. Enseignant d'une ou plusieurs langues étrangères ; professeur de langue. *Les historiens et les linguistes d'un lycée.*

REM. Dans l'usage courant, *linguiste* désigne parfois toute personne remarquable par sa connaissance des langues (traducteur, interprète, professeur, ou encore polyglotte).

LINGUISTIQUE [lɛ̃gɥistik] n. f. et adj. — 1826 (→ cit. 0.1) ; puis 1832, Dict. de Raymond ; Nodier, *Introduction aux notions élémentaires de linguistique, in le Temps* 13 sept. 1833 ; « traité sur l'étude des langues », Landais, 1824 ; concurrencé par *philologie* et d'autres termes au xixᵉ ; dér. sav. du lat. *lingua* « langue », ou de *linguiste**, d'après l'all. *Linguistik*.

★ **I.** N. f. ♦ **1.** Vx. « Étude comparative et historique des langues (grammaire comparée, philologie comparée). Étude des principes et des rapports des langues, science de la grammaire générale appliquée aux divers langues » (Académie, 6ᵉ éd., 1835 ; *idem in* 8ᵉ éd., 1935). → Grammaire* comparée.

Il était réservé à cette époque unique dans les annales du Monde, où l'esprit humain paraît s'avancer à grands pas vers le point le plus élevé de son développement (...) de voir l'étude des langues, sous le nom de *philologie ethnographique*, jouer le rôle important que lui avait dû par la multiplicité des faits nouveaux qu'elle a rassemblés et par la foule d'utiles applications qu'elle en a su faire. Cette science nouvelle, que les Allemands, par une dénomination plus juste et beaucoup plus convenable, appellent *linguistique*, et qu'un célèbre géographe et savant philologue propose d'appeler *idiomographie* (...) est partagée en deux parties essentiellement distinctes, savoir : l'*étude pratique des langues* et leur *étude comparative* ; elles offrent toutes deux à ceux qui les cultivent convenablement des résultats de la plus grande utilité et de la plus haute importance.
     A. BALBI, Discours préliminaire, Introd. à l'Atlas ethnographique du globe, t. I, p. IX.   0.1

La linguistique étudie les langues, elle compare les mots et les formes de langues différentes de façon à reconnaître la langue commune d'où elles sont dérivées.
     Ch. SEIGNOBOS, Hist. sincère de la nation franç., I.   1

REM. Dans cet emploi, le mot est en concurrence avec *grammaire** (dans *grammaire historique, comparée*), avec *philologie**, avec *glottologie*, avec *science(s) du langage*, etc. Il s'impose surtout dans des syntagmes comme *linguistique romane* (→ Étymologique, cit. 1), etc., désignant l'étude d'une famille, d'un groupe de langue, ou d'une langue.

Nous l'entendons appeler (cette nouvelle science) la *Philologie comparée*, l'*Étymologie scientifique*, la *Phonologie* et la *Glossologie*. En France, elle est connue sous le nom commode mais un peu barbare de *Linguistique*.
     G. HARRIS et G. PERROT, Trad. Max MULLER, la Science du langage, p. 4 (1862).   1.1

(*M. Hase*) avait depuis longtemps marqué sa place à leurs côtés (de Heyne, Villoison) quand les premiers résultats de la linguistique arrivèrent à sa connaissance. Mais il ne conçut pas contre la science nouvelle le sentiment de défiance ou de dédain qui se sont fait jour chez quelques philologues étrangers (...) il suivit avec attention les progrès de la grammaire comparée. Lorsque, en 1852, il fut chargé de cet enseignement (au Collège de France), il y apporta sa connaissance profonde des idiomes classiques.   Michel BRÉAL, De la méthode comparative (1864), *in* Mythologie et Linguistique, p. 218.   1.2

♦ **2.** (Fin xixᵉ ; le concept moderne est issu de l'américain Whitney, des néo-grammairiens*, et surtout de F. de Saussure ; le mot, chez les linguistes français qui l'emploient — Hovelacque, Bréal, etc. — passe du sens 1 à un sens différent, précisé par Saussure ; dès 1839, Töpffer — un autre Suisse — emploie *linguistique* [*Voyages en zigzag*, p. 77 de l'éd. autographiée], dans un sens quasi moderne).

2 L'idée fondamentale de ce cours : la linguistique a pour unique et véritable objet la langue envisagée en elle-même et pour elle-même.
F. DE SAUSSURE, Cours de linguistique générale, V, v (fin).

3 Il n'y a pas encore bien longtemps, la linguistique aurait cru déroger en avouant qu'elle pouvait servir à quelque objet pratique. Elle existait, prétendait-elle, pour elle-même, et ne se souciait pas (...) du profit que le commun des hommes en pourrait tirer (...) La linguistique parle à l'homme de lui-même : elle lui montre comment il a construit, comment il a perfectionné, à travers des obstacles de toute nature (...) le plus nécessaire instrument de civilisation. Il lui appartient de dire aussi par quels moyens cet outil qui nous est confié et dont nous sommes responsables, se conserve ou s'altère (...)
Michel BRÉAL, Essai de sémantique, p. 2.

La linguistique (non qualifié) : l'ensemble des études à tendances scientifiques concernant le langage, et, spécialt, la langue en tant que système. *Domaines essentiels de la linguistique.* ⇒ **Grammaire, morphologie, syntaxe** (et **morphosyntaxe**); **phonétique, phonologie; lexicologie** (et **onomastique, toponymie**). *Linguistique et sémantique.* ⇒ **Sémantique.** *Rapports de la sémiotique*, de la sémiologie et de la linguistique.*

(Qualifié par un adj. ou un compl.). *Linguistique générale,* étudiant la structure et le fonctionnement de toutes les langues naturelles, en général (⇒ **Universaux** [du langage]). *Cours de linguistique générale,* de F. de Saussure (publié par ses élèves). — *Linguistique indo-européenne, finno-ougrienne, sémitique, chinoise,* etc. (étudiant chacune une grande famille de langue). *Linguistique romane, slave; linguistique française, anglaise, chinoise,* qui étudient ces langues. *Linguistique générale et linguistique française,* ouvrage de Ch. Bally. *La linguistique française, américaine, soviétique,* pratiquée en France, en Amérique du Nord, en Union Soviétique. — *Linguistique synchronique* et linguistique diachronique*.* — *« Linguistique de la langue et linguistique de la parole »* (Saussure, *Cours...,* Introd., chap. IV). *« Linguistique statique et linguistique évolutive »* (Saussure, *Cours...,* II, chap. III). — *Écoles de linguistique. Linguistique fonctionnelle* (⇒ **Fonctionnalisme**). *Linguistique distributionnelle* (⇒ **Distributionnalisme**). *Linguistique générative-transformationnelle* (grammaire générative*). — *La linguistique saussurienne, chomskyenne* (de Chomsky). *Linguistique sémantique danoise.* ⇒ **Glossématique.** — *Linguistique quantitative,* étudiant les propriétés quantitatives des langues. *Linguistique statistique.* — *Linguistique historique.* ⇒ **Étymologie, histoire** (de la langue). *Linguistique géographique* (⇒ aussi **Dialectologie**). — *Linguistique pure, théorique.* — *Linguistique appliquée* (par oppos. à *linguistique théorique*) : ensemble des domaines pratiques dont les langues sont l'objet : pédagogie des langues, traduction, traduction automatique, lexicographie, politique des langues, etc. — *Linguistique sociologique, psychologique,* etc. ⇒ aussi **Neurolinguistique, psycholinguistique, sociolinguistique.**

3.1 (...) chaque langue forme pratiquement une unité d'étude, et l'on est amené par la force des choses à la considérer tour à tour statiquement et historiquement. Malgré tout il ne faut jamais oublier qu'en théorie cette unité est superficielle, tandis que la disparité des idiomes cache une unité profonde (...) il faut à tout prix situer chaque fait dans sa sphère et ne pas confondre les méthodes.
Les deux parties de la linguistique, ainsi délimitées, feront successivement l'objet de notre étude.
La *linguistique synchronique* s'occupera des rapports logiques et psychologiques reliant des termes coexistants et formant système, tels qu'ils sont aperçus par la même conscience collective.
La *linguistique diachronique* étudiera au contraire les rapports reliant des termes successifs non aperçus par une même conscience collective, et qui se substituent les uns aux autres sans former système entre eux.
F. DE SAUSSURE, Cours de linguistique générale, p. 140.

★ **II.** Adj. (Attesté 1832; probablt antérieur). ♦ **1.** Relatif au langage ou à la langue; qui concerne la langue. *Fait linguistique,* ou *fait de langue*.* ⇒ **Langagier.** *Les réalités linguistiques et sociales. Expression linguistique orale et écrite. Le signe* linguistique, la valeur linguistique chez Saussure.* — *Famille, communauté linguistique. Géographie, atlas* linguistique,* décrivant les variantes linguistiques (⇒ **Dialectal**) d'un lieu à un autre. — *Problèmes linguistiques d'une communauté. La querelle, la « guerre » linguistique en Belgique. Normalisation, aménagement, planification linguistique.*

3.2 La société se livre à d'admirables jeux de langage; on exhume toutes les curiosités linguistiques.
Rodolphe TÖPFFER, Voyages en zigzag, Second voyage, 1839, p. 58.

4 Une délimitation claire de ces deux domaines *(langue et style)* conditionne avant tout la saine interprétation des faits linguistiques (...)
Robert-Léon WAGNER, Introd. à la linguistique franç., p. 41.

♦ **2.** Relatif à la linguistique, à l'étude du langage et des langues. *Recherches linguistiques. La notion linguistique de genre* (cit. 26). *Théories linguistiques.*

♦ **3.** Relatif à l'apprentissage des langues étrangères. *Séjours, vacances linguistiques.* — *Bain linguistique* (appellation déposée) : « immersion » dans un milieu parlant exclusivement la langue à apprendre.

DÉR. Linguistiquement.

LINGUISTIQUEMENT [lɛ̃gɥistikmɑ̃] adv. — 1877; de *linguistique* (II., adjectif).

♦ **1.** Du point de vue de la linguistique. *Étudier une population sociologiquement et linguistiquement.*

♦ **2.** Du point de vue de la langue, quant à la langue. *Influencer linguistiquement une population.*
(...) même dans un pays aussi centralisé et linguistiquement unifié qu'est la France au nord de la Loire, il existe autant de langues que de groupes humains homogènes géographiquement ou socialement différenciés.
Robert-Léon WAGNER, Introd. à la linguistique franç., p. 134.
Didact. Du point de vue de la langue (structure, système), et non de ses usages spécifiques ou du discours. *Opposition linguistiquement pertinente.*

LINGULE [lɛ̃gyl] n. f. — 1791 (Arveiller); lat. sc. *lingula,* mot lat., « languette ».

♦ Didact. (zool.). Brachiopode à valves cornées et translucides (sans calcaire), pourvu d'un pédoncule corné et qui vit enfoncé dans le sable. *Les larves de lingules sont libres, puis se fixent à un grain de sable.*

LINICULTURE [linikyltyʀ] n. f. — D. i. (xxᵉ); de *lin,* n. m., et *-culture,* d'après *agriculture,* etc.

♦ Techn. (agric.). Culture du lin. *« La concurrence que font à la liniculture toutes les autres productions agricoles protégées »* (J. Lourd, *le Lin et l'Industrie linière,* p. 91).

LINIER, IÈRE [linje, jɛʀ] adj. — 1752, fém.; adj., 1832; n., « fabricant de toile de lin », 1260; de *lin.*

♦ Didact., techn. Relatif au lin, comme textile. *Industrie linière.* *« Société linière »* (Balzac). — N. Vx. Personne qui prépare, vend du lin.
HOM. (Du fém.) **Linière.**

LINIÈRE [linjɛʀ] n. f. — 1228; de *lin.*

♦ Agric. Champ de lin.
HOM. V. **Linier.**

LINIMENT [linimɑ̃] n. m. — xvᵉ; lat. *linimentum,* proprt « enduit », de *linire* « oindre ».

♦ Pharm. Médicament externe, topique* onctueux, à base d'huile ou de matière grasse plus épaisse, renfermant une substance médicamenteuse, pour enduire et frictionner la peau. *Les liniments sont généralement liquides* (⇒ aussi **Onguent**), *leur véhicule étant le plus souvent l'huile, parfois l'eau, l'alcool, etc. Liniment excitant; liniment calmant.* ⇒ **Baume.** *Friction* au liniment.*
Par métaphore. Ce qui adoucit, lénifie.

LINKAGE [lɛ̃kaʒ] n. m. — 1921, Cuénot, *in* D.D.L.; mot angl., employé depuis 1874 en chimie et en géométrie, proprt « liaison »; de *to link* « lier, attacher, enchaîner ».

♦ Anglic. Didact. (biol.). Liaison existant entre les gènes d'un chromosome; association de facteurs héréditaires qu'elle entraîne. — REM. Le mot, condamné par l'Académie de médecine, a pour équivalent français *liaison* (factorielle, génétique).

LINKS [lɛ̃ks] n. m. pl. — 1890; 1836, en parlant de l'Écosse; mot écossais, angl. *linch* « bord ».

♦ Anglic. Terrain de golf*.
(...) Luisa était à peu près seule sur les links.
Pierre NORD, les Espionnes au coin du feu, p. 401.

LINNÉEN, ENNE [lineɛ̃, ɛn] adj. — 1796, *in* D.D.L.; de *Linné* (1707-1778).

♦ Sc. De Linné, créateur de la botanique moderne. *La classification linnéenne.* — Adj. et n. Partisan de la botanique linnéenne.
Ils accompagnaient le médecin chez les pauvres, puis consultaient leurs livres. Les symptômes notés par les auteurs n'étaient pas ceux qu'ils venaient de voir. Quant aux noms des maladies, du latin, du grec, du français, une bigarrure de toutes les langues.
On les compte par milliers, et la classification linnéenne est bien commode, avec ses genres et ses espèces; mais comment établir les espèces? Alors, ils s'égarèrent dans la philosophie de la médecine.
FLAUBERT, Bouvard et Pécuchet, Folio, p. 129.
La 10ᵉ édition de son *Systema Naturæ* [1758] *(de Linné)* reste la base universellement adoptée pour la dénomination des animaux et des plantes et le système linnéen a permis de le mettre en ordre dans la masse énorme des espèces successivement décrites.
Maurice CAULLERY, les Étapes de la biologie, p. 45.

LINNÉON [lineɔ̃] n. m. — 1932, Cuénot; du nom de *Linné,* et suff. *-on.*

♦ Biol. Espèce définie par des caractères morphologiques généraux mais individuellement variables, du fait de la fécondation croisée qui permet le mélange génétique (opposé à *jordanon**).

LINO [lino] abrév. ⇒ **Linogravure, linoléum, linotype, linotypiste.**

LINOGRAPHIE [linoɡʀafi] n. f. — 1884, *Lexique des termes d'art,* M. Adeline ; de *lino* pour *linoléum,* et *-graphie.*

♦ Techn. Impression sur toile, sur étoffe, par des moyens photographiques.

LINOGRAVURE [linoɡʀavyʀ] n. f. — Mil. xxᵉ (1948, *in* T. L. F.) ; de *lino* pour *linoléum,* et *gravure.*

♦ Procédé de gravure utilisant le linoléum comme support. *Affiche en linogravure.* — *Gravure obtenue par ce procédé. Les linogravures de Picasso.* — Λbrév. *Une, des linos.*

LINOLÉATE [linɔleat] n. m. — 1873 ; du lat. *linum* «lin», *oleum,* et suff. *-ate.*

♦ Chim. Sel de l'acide linoléique. *Linoléate d'éthyle.*

LINOLÉINE [linɔlein] n. f. — xxᵉ (*in* Larousse, 1931) ; angl. *linolein* (1857) ; du lat. *linum, oleum,* et suff. angl. *-in,* en franç. *-ine.*

♦ Chim. Glycéride de l'acide linoléique, contenu dans les huiles de lin, chanvre, pavot, amandes douces, etc.

LINOLÉIQUE [linɔleik] adj. — 1873, P. Larousse ; angl. *linoleic* (1857), du lat. *linum, -oleum* (→ Linoléum), et *-ic,* en franç. *-ique.*

♦ Chim. Acide diéthylénique, de formule brute $C_{18}H_{32}O_2$, constituant de la vitamine F, et dont le glycéride se trouve dans les huiles siccatives. ⇒ **Linoléine, linolénique** (acide).

LINOLÉNIQUE [linɔlenik] adj. — 1904, in *Rev. gén. des sc.* ; du lat. *linum* «lin», *oleum* «huile», et suff. *-ique.*

♦ Chim. Acide tri-éthylénique $C_{18}H_{30}O_2$ qui se trouve avec l'acide linéoléique dans les huiles siccatives et possède des propriétés voisines.

(...) c'est une qualité spéciale de savon, exempte notamment d'acide linoléique et d'acide linolénique qui a donné les meilleurs résultats *(comme émulsionnant).*
Jean VÈNE, Caoutchoucs et Textiles synthétiques, p. 32.

LINOLÉUM ou **LINOLEUM** [linɔleɔm] n. m. — 1874 ; angl. *linoleum* (1864), comp. sav. de *linum* «lin», et *oleum* «huile», proprt «huile de lin».

♦ Cour. Revêtement imperméable fabriqué industriellement, toile de jute recouverte d'un enduit, fait de poudre de liège, d'huile de lin oxydée, de gomme et de résine... *Linoléum uni, imprimé, incrusté. Carrelage recouvert de linoléum.*

1   Un tapis de linoleum recouvrait le plancher (...)
Ch.-L. PHILIPPE, Bubu de Montparnasse, v.
Par métonymie. Tapis de linoleum.

2   Je poussai la porte de la verrière et je commençai à descendre sur la pointe des pieds. Le linoleum étouffait mes pas.   H. BOSCO, Un rameau de la nuit, p. 61.

Abrév. fam. (1943, *in* D. D. L.). *Un lino, du lino* [lino].
Techn., arts. *Photographie, gravure sur linoléum.* ⇒ **Linographie, linogravure.**
COMP. (De l'élément *lino*-) **Linographie, linogravure.**

LINON [linɔ̃] n. m. — 1606 ; *lignon,* 1566 ; de *linomple,* 1449, dér. de *lin* ; l'élément *-omple* a été rapproché de l'anc. adj. *omple* «uni, simple» (1323, *omples draps*), lui-même d'orig. obscure, ou de *ample,* au sens de «beau».

♦ Tissu en armure toile*, fin et transparent, plus clair que la batiste* (de lin pour la lingerie fine, de coton pour la layette). → Aiguille, cit. 4. *Chemise, robe, mouchoir de linon.* — Par ext. *Linon de coton :* sorte de mousseline de coton.

1   Léa craignait le linon en été, elle prétendait que c'était bon pour le linge de corps et les mouchoirs (...)   COLETTE, la Fin de Chéri, p. 173.

2   De longs après-midi se passaient pour elles en visites dans les propriétés des environs, en thé, au polo, en glorieuses apparitions aux courses où elles se rendaient vêtues de linon blanc — de ces robes, brodées au plumetis, travaillées d'entre-deux en valenciennes, qui étaient le cauchemar des femmes de chambre.
Edmonde CHARLES-ROUX, l'Irrégulière, p. 217.

LINOTTE [linɔt] n. f. — xiiiᵉ ; *linot,* 1460 ; dimin. de *lin,* l'oiseau étant friand de graines de lin ; cf. lat. *linaria.*

♦ **1.** Zool. Petit oiseau siffleur, espèce de chardonneret*, au plu-

mage brun sur le dos, rouge sur la poitrine (*Passereaux conirostres, Fringillidés*).

Il est peu d'oiseaux aussi communs que la linotte, mais il en est peut-être encore moins qui réunissent autant de qualités : ramage agréable, couleurs distinguées, naturel docile et susceptible d'attachement (...)
BUFFON, Hist. nat. des oiseaux, La linotte.

Spécialt. Femelle de cet oiseau (→ Cage, cit. 3). — REM. Dans ce cas, et pour opposer le mâle à la femelle, on appelle parfois le mâle *linot* [lino].

♦ **2.** Loc. fam. (1611). *Avoir une tête de linotte :* être étourdi. *Une tête de linotte :* une personne écervelée, très étourdie, d'esprit léger (⇒ **Étourneau**). *Une vraie tête de linotte* (→ Cotillon, cit. 4).

LINOTYPE [linotip] n. f. — 1889 ; angl. des États-Unis *linotype* (1882), de *lin(e) o(f) type(s)* «ligne de caractères typographiques» ; nom déposé.

♦ Imprim. Machine qui fond d'un bloc chaque ligne de caractères (ligne bloc) que l'on compose sur un clavier* rappelant celui d'une machine à écrire. *Clavier, matrice, composteur d'une linotype ; ligne-blocs fournies par la linotype.* — Abrév. (1939, *in* Höfler). *Une lino* [lino]. *Composer sur une lino. Magasin de matrices d'une linotype.*

(...) c'est un journaliste, et rien de plus (...) Un de ces hommes toujours contraints d'écrire vite, car le plomb des linotypes bout d'impatience.
Robert KEMP, Disc. de réception à l'Académie, 28 mars 1958.

DÉR. Linotypie, linotypiste.

LINOTYPIE [linotipi] n. f. — 1896, au sens 2 ; 1911, au sens 1 ; de *linotype.*

♦ **1.** Imprim. Composition à la linotype. — Abrév. *Une lino* [lino]. *Composer en lino.*

♦ **2.** (1896). Arts, techn. Vx. Décoration photographique des étoffes.

LINOTYPISTE [linotipist] n. — 1904 ; de *linotype.*

♦ Imprim. Ouvrier, ouvrière qui fait fonctionner une linotype ; personne qui compose à la linotype. *Il, elle est linotypiste dans une imprimerie.* — Abrév. (1939, *in* Höfler). *Un lino, une lino* [lino]. *Les linos et les monos* (monotypistes).

LINSANG [lɛ̃sãɡ ; linsãn] n. m. — 1846, d'Orbigny ; mot javanais.

♦ Zool. Mammifère carnivore (*Viverridés*) voisin de la genette, commun dans les îles de la Sonde et en Indochine, et dont une espèce est africaine (*Linsang de Guinée*).

LINSOIR [lɛ̃swaʀ] n. m. ⇒ **Linçoir.**

LINTEAU [lɛ̃to] n. m. — 1530 ; *lintel,* mil. xiiiᵉ ; *lintel* «seuil», fin xiiᵉ, aussi *lintier* ; du bas lat. *limitaris* «de la frontière (limes)», confondu avec le lat. pop. *liminaris* «relatif au seuil (limen)».

♦ Pièce horizontale (de bois, de pierre, de métal...) qui forme la partie supérieure d'une porte, d'une fenêtre à baie* rectangulaire et soutient la maçonnerie. ⇒ **Architrave, poitrail, sommier.** *Linteau de porte* (→ Hennin, cit.), *de fenêtre qui prend appui sur les pieds-droits.*

1   Cette maison datait du xviᵉ siècle : sur le linteau de pierre, on lisait encore la date de 1590 (...)   P. NIZAN, le Cheval de Troie, II, p. 48.

2   (...) et je distinguais bien au-dessus de la porte, sculptée dans le linteau, une corbeille de fruits vigoureux que picoraient deux colombes de pierre.
H. BOSCO, Un rameau de la nuit, p. 156.

LINTER [lɛ̃tɛʀ ; lintɛʀ] n. m. — 1948, *in* Höfler ; *linters,* 1937 ; mot angl. des États-Unis, de *lint* «lin, fibre».

♦ Anglic. Techn. Duvet aux fibres très courtes attaché aux graines de coton après l'égrenage. *Le linter est utilisé dans la fabrication du coton-poudre* (ou *fulmicoton*) *et des vernis.*

LION [ljɔ̃] n. m., **LIONNE** [ljɔn] n. f. — 1080, n. m. ; n. f., 1316, var. *leon, leune,* d'abord *lioness*e, xiiiᵉ (cf. *tigresse,* encore au xviiᵉ, Pascal, *in* Littré) ; lat. *leo, -onis,* désignant l'animal, le signe du zodiaque.

★ **I.** ♦ **1.** Gros animal sauvage, mammifère carnassier, au pelage fauve, à crinière fournie chez le mâle, à queue terminée par une touffe de poils, vivant surtout en Afrique (*Félidés* ; n. sc. : *Felis leo*), et dont l'image culturelle de «roi des animaux» est très active. — (Collectif, au masc.) *Le lion est le plus grand, le plus fort des félins. Le lion rugit*, gronde* (cit. 4). *Les rugissements* du lion. Le lion s'attaque* (cit. 20) *rarement à l'homme. Chasse* au lion. L'antre* du lion* (→ Aire, cit. 3).

Un lion, des lions : individu, en général mâle, de l'espèce. *Un lion et une lionne ;* au plur. (masc.) *un couple de lions. Le lion, la lionne et leurs lionceaux* (→ Carnage, cit. 1). *Tuer un lion, une lionne. Tueur de lions* (→ Fanfare, cit. 3). *Lion apprivoisé* (cit. 14). *Lion, lionne de ménagerie, de cirque. La cage aux lions.* — *Un lion adulte, un vieux lion. Une jeune lionne.* — *Le Lion,* roman de J. Kessel.

1 À ces mots, sort de l'antre un lion grand et fort. LA FONTAINE, Fables, VI, 2.

2 Le lion, né sous le soleil brûlant de l'Afrique ou des Indes, est le plus fort, le plus fier, le plus terrible de tous : nos loups, nos autres animaux carnassiers, loin d'être ses rivaux, seraient à peine dignes d'être ses pourvoyeurs (...) le corps du lion paraît être le modèle de la force jointe à l'agilité ; aussi solide que nerveux, n'étant chargé ni de chair ni de graisse (...) il est tout nerf et muscle. Cette grande force musculaire se marque au dehors par les sauts et les bonds prodigieux que le lion fait aisément, par le mouvement brusque de sa queue qui est assez fort pour terrasser un homme (...) BUFFON, Hist. nat. des animaux, Le lion.

3 C'était l'heure tranquille où les lions vont boire. HUGO, la Légende des siècles, II, «Booz endormi».

4 Et ses lions rêveurs traînant leurs cheveux roux
Et balayant du fouet l'essaim strident des mouches. LECONTE DE LISLE, Poèmes barbares, «Forêt vierge».

4.1 La lionne, si le lion est tué, vous attaque, alors que le lion, si la lionne est tuée, s'enfuit. MONTHERLANT, Malatesta, III, 5.

4.2 Dans son ombre *(de l'arbre),* la tête tournée de mon côté, un lion était couché sur le flanc. Un lion dans toute la force terrible de l'espèce et dans sa robe superbe. Le flot de la crinière se répandait sur le mufle allongé contre le sol. Et entre les pattes de devant, énormes, qui jouaient à sortir et à rentrer leurs griffes, je vis Patricia. Son dos était serré contre le poitrail du grand fauve. Son cou se trouvait à portée de la gueule entrouverte. Une de ses mains fourrageait dans la monstrueuse toison. J. KESSEL, le Lion, p. 120.

Prov. *Mieux vaut un chien vivant qu'un lion mort* (→ Chien, cit. 41). — Variante :

5 Un lion mort ne vaut pas
Un moucheron qui respire. VOLTAIRE, Poèmes, «Précis de l'Ecclésiaste».

Le lion de Némée, tué par Hercule. Le lion d'Androclès, le lion de saint Jérôme. Daniel dans la fosse* aux lions. — *Noble le lion,* personnage du *Roman de Renart.*

N. m. (V. 1135, en blason). Représentation de lion. Blason. *Lion passant. Lion léopardé. Chimère à tête de lion* (→ Entrer, cit. 6). *Lion sculpté. La cour des lions,* de l'Alhambra de Grenade. — «*Des lionnes de pierre à tête de bronze*» (Elie Faure, *in* T. L. F.). *Lion-jouet. Lion en peluche.* — *Le lion belge, le lion des Flandres. Le lion de saint Marc, le lion de Venise :* lion ailé, symbole de la république de Venise. — *Le lion de Belfort,* sculpture de Bartholdi. — (1346). Par métonymie. *Lion d'or :* monnaie d'or frappée à l'effigie du lion (Flandre, Angleterre, Bourgogne, France). *Lion de Saint-Marc :* monnaie ancienne de Venise. — *Le lion de Saint-Marc :* récompense décernée aux films primés lors de la biennale de Venise.

Par ext. *Lion d'Amérique :* puma.

REM. La tradition lexicographique — et le bon sens — commandent de traiter les formes *lion* et *lionne* en une même description. Cependant, selon une règle sémantique du français, le masc. *lion* vaut pour désigner l'individu quelconque de l'espèce, les emplois collectifs *(le lion est...)* et généraux *(les lions sont moins agiles que les tigres)* incluant les femelles. En revanche, la forme *lionne* étant assez fréquente, *lion* désigne souvent le mâle, spécifiquement (alors que la situation est différente pour *éléphant,* par ex.) et l'on ne dira pas *un lion femelle.* Mais *lionne* n'est pas lexicalisé au même point que *jument* par rapport à *cheval.* Enfin, dans les emplois figurés, *lion* et *lionne* s'opposent plus nettement (voir les emplois ci-dessous, et II.) ou bien *lion* est seul en usage (→ III. ; on ne dit guère : *une lionne de mer).*

♦ 2. (1080, par compar.). Emplois utilisant l'image culturelle du lion : force, courage, générosité, noblesse, n'excluant pas la cruauté (→ cit. 6).

[a] N. m. et f. Par compar. *Être hardi, courageux, fort comme un lion. Se battre* (cit. 81), *se défendre comme un lion. Furieuse comme une lionne à qui l'on ôte ses petits* (→ Comparaison, cit. 13).

6 Combien y a-t-il d'hommes qui vivent du sang et de la vie des innocents : les uns comme des tigres, toujours farouches et toujours cruels ; d'autres comme des lions, en gardant quelque apparence de générosité (...) LA ROCHEFOUCAULD, Réflexions diverses, 11.

[b] N. m. et f. (1609, Malherbe). Fig. Personne forte, courageuse, dangereuse, noble.

Spécialt. *Lion :* homme courageux et généreux au combat. *C'est un lion.* ⇒ Brave. «*Lions au combat, ils meurent en agneaux*» (cit. 4, Corneille). «*Vous êtes mon lion superbe et généreux*» (cit. 4, Hugo). — «*Le lion populaire*» : le peuple en révolution (A. Barbier).

(Vieilli). *Lionne :* femme fière, dangereuse. *C'est une lionne, une tigresse* (spécialt : une femme jalouse). — (Avec un possessif). Femme, maîtresse fière et jalouse.

7 Une Andalouse au sein bruni ?
Pâle comme un beau soir d'automne !
C'est ma maîtresse, ma lionne ! A. DE MUSSET, Premières poésies, «L'Andalouse».

Personne qui a l'aspect d'un lion, d'une lionne (blondeur des cheveux en crinière, face large...). «*Son visage de lionne blonde*» (Colette).

[c] (Seult n. m.). Loc. *Avoir un cœur* de lion. La griffe** (cit. 14) *du lion :* la marque de la personnalité. Prov. *À l'ongle on connaît le lion* (trad. du lat. *ex ungue leonem*). — Allus. littér. *L'âne* (cit. 16) *vêtu de la peau du lion. Coudre* la peau du renard à celle du lion.* — Vx. *L'antre, la caverne du lion* (d'après La Fontaine, Fables, VI, 14) : endroit dangereux dont on ne peut sortir ; difficulté insurmontable. — *La fosse aux lions :* lieu où l'on affronte des adversaires redoutables.

(XIXᵉ : 1832, Hugo ; *le partage du lion,* 1718). *La part du lion :* la totalité des parts, et, par ext., très grosse part que s'adjuge le plus puissant et le plus craint (cf. La Fontaine, Fables, I, 6). ⇒ Léonin*.

8 (...) l'homme à la discrétion duquel il se livrait devait se faire et se fit la part du lion. BALZAC, César Birotteau, Pl., t. V, p. 377.

Loc. *Tourner comme un lion en cage :* s'impatienter (avec une idée de «force», de «valeur impuissante ou inutile»).

Loc. fig. (Fam.). *Avoir mangé, bouffé du lion :* être animé d'une énergie, d'un courage inaccoutumés.

9 — Pas possible, il a bouffé du lion, gémirent les camarades qui avaient appris à se méfier des entreprises héroïques. R. DORGELÈS, le Cabaret de la belle femme, p. 180.

★ II. N. m. et f. (1833, n. m. ; angl. *lion* appliqué au XVIIIᵉ à des hommes en vue, à cause des lions exhibés à la Tour de Londres, qui attiraient les curieux). Vx. ♦ 1. N. m. Homme célèbre, en vue. «*M. Ponsard (...) est le lion du jour*» (Musset).

10 Chaque saison avait alors son lion politique, militaire ou littéraire. Byron fut le lion sans rival des soirées de 1812. A. MAUROIS, la Vie de Byron, II, XV.

♦ 2. N. m. et f. Personne à la mode (notamment de 1830 à 1860 ; mais on trouve encore ce sens au XXᵉ [*lion,* chez Proust]). ⇒ Élégant (cit. 8 et 9) ; → Incroyable, cit. 15.

10.1 On disait que Maze lui-même, le beau Maze, le lion du bureau, tournait autour du père Cachelin avec une intention visible. MAUPASSANT, Contes et Nouvelles, Pl., t. II, p. 9.

11 Petit chou, ta soirée était un chef-d'œuvre, dit Claudie en embrassant Paule. Et tu as une voix merveilleuse. Si tu voulais, tu serais une des lionnes de l'après-guerre (¹). S. DE BEAUVOIR, les Mandarins, p. 24.
1. Il s'agit de la guerre de 1940-1945.

★ III. N. m. Par anal. ♦ 1. Dans des noms d'animaux. [a] (Félins). Vx. *Lion d'Amérique, lion du Pérou :* puma ; jaguar.

[b] (Autres animaux). — (1611). *Lion marin, lion de mer :* phoque à crinière. *Lionne de mer* (rare).

Lion des pucerons : larve d'un insecte névroptère, qui détruit les pucerons. — En appos. *Fourmi* lion* (formica leo).

♦ 2. (Dans des noms de végétaux). ... DE LION (1596). *Dent de lion.* ⇒ Dent-de-lion, pissenlit. — *Gueule de lion :* muflier.

♦ 3. (1732). Vx (alchimie). *Lion vert :* mercure philosophal. — *Lion rouge :* minium.

★ IV. ♦ 1. (1119, signe du zodiaque ; 1130, constellation ; lat. *Leo,* allus. myth. au *Lion de Némée*). Constellation boréale de 25 étoiles visibles à l'œil nu (dont le dessin général évoque un lion). *Le Petit Lion :* constellation située entre le Lion et la Grande Ourse.

♦ 2. *Le Lion, le signe du Lion :* le cinquième signe du zodiaque (23 juillet-22 août). Ellipt. *Elle est lion :* elle est née sous le signe du Lion.

DÉR. (De I.) Lionceau.

LIONCEAU [ljɔ̃so] n. m. — V. 1130, *leüncel ;* de *lion.*

♦ 1. Petit du lion et de la lionne. *De jeunes lionceaux.*

1 (...) les lionceaux ne sont en état de marcher que deux mois après leur naissance. BUFFON, Hist. nat. des animaux, Le lion.

2 (...) la transformation prodigieuse qui, du bébé-lion (...) avait fait la bête magnifique de puissance et de majesté dont il me semblait que je voyais encore les larges yeux d'or sous la crinière royale. Petit chat. Gros chat. Tout jeune lionceau. Fauve dans l'adolescence. Vrai lion, mais aux formes encore inachevées. Et King enfin. J. KESSEL, le Lion, p. 138.

Blason. *Lion jeune* (ou *petit*).

♦ 2. [a] Par métaphore, littér. (en corrélation avec *lion* ou *lionne*). Enfant. Spécialt. Jeune adolescent combattif, jeune lion.

[b] (De *lion* II., I. ou 2.). Fig. Vx. Jeune élégant ; jeune lion* (II.).

LIOUBE [ljub] n. f. — 1694 ; p.-ê. du germanique *globa* «perche fourchue».

♦ Techn. Entaille* dans toute l'épaisseur d'une pièce de bois, destinée à recevoir l'extrémité d'une autre pièce. ⇒ Mortaise.

LIP-, LIPO- Élément, du grec *lipos* «graisse*», qui entre dans la formation de quelques mots savants. ⇒ Lipémie, lipochrome...

LIPARIDÉS [lipaʀide] n. m. pl. — XIXᵉ ; de *liparis* (2.).

♦ Zool. Famille d'insectes lépidoptères comprenant des papillons nocturnes, au corps massif et velu, pour la plupart dépourvus de trompe. — Au sing. *Un liparidé.*

LIPARIS [lipaʀis] n. m. — 1796; en lat. zool. *(liparis),* 1558; du grec *liparos* «gras, brillant».

♦ **1.** Petit poisson allongé à peau visqueuse, à ventouse ventrale, des mers froides et tempérées.

♦ **2.** (1817). Zool. Insecte lépidoptère *(Liparidés),* papillon nocturne, épais et poilu, appelé aussi *bombyx disparate, zigzag, moine, nonne...,* dont la chenille est très nuisible aux arbres. *Liparis doré,* dit *cul-doré. Liparis du saule.*

♦ **3.** (1818; à cause de l'aspect lisse et luisant des feuilles). Bot. Plante monocotylédone *(Orchidées)* terrestre, herbacée, vivace, indigène, à tubercules, qui croît dans les endroits humides et marécageux.

DÉR. Liparidés.

LIPASE [lipaz] n. f. — 1890; du grec *lipos* «graisse», et suff. *-ase.*

♦ Biochim. Enzyme qui active l'hydrolyse d'un lipide (on dit aussi *ferment lipolytique). Lipase du sang. Lipase du suc pancréatique* ou *lipase pancréatique,* qui joue un rôle dans la digestion des lipides alimentaires.

LIPÉMIE [lipemi] ou **LIPIDÉMIE** [lipidemi] n. f. — 1900, *in* D. D. L.; de *lip(o)-, lipid(o)-,* et *-émie.*

♦ Biol. Teneur du sang en lipides. *Taux de lipémie* (8 g par litre). *Lipémie anormale* (hyper- ou hypolipémie). *« Des sujets dont la lipémie était normale présentaient certaines manifestations graves de maladie athéromateuse »* (Dr Simon, in *le Nouvel Obs.,* déc. 1967).

LIPIDE [lipid] n. m. — 1923, G. Bertrand; du grec *lipos* «graisse», et suff. *-ide.*

♦ Biochim. Corps gras renfermant un acide gras ou un dérivé d'acide gras (ester, alcool, aldéhyde gras). *Les lipides comprennent les graisses proprement dites, les esters des acides gras et les lipoïdes. Les hormones lipidiques sont des lipides. Lipides alimentaires. Lipides de réserve. Lipides cellulaires. Lipides complexes,* combinés à d'autres substances. *La céphaline est un lipide complexe* (glycéro-phospholipide aminé). *Substances apparentées aux lipides.* ⇒ **Lipoïde.**

Cour. Aliment riche en graisse.

DÉR. Lipidique.
COMP. Lipido-converseur, lipiodol.

LIPIDIQUE [lipidik] adj. — xxᵉ (1937, *in* T. L. F.); de *lipide.*

♦ Chim. Relatif aux lipides*.

LIPIDO-CONVERSEUR [lipidokɔ̃vɛʀsœʀ] n. m. — Mil. xxᵉ (v. 1970?); de *lipid(e), convers(ion),* et *-eur.*

♦ Méd. Médicament qui clarifie un sérum par conversion des graisses. *Les lipido-converseurs.*

LIPIO-DIAGNOSTIC [lipjodjagnɔstik] ou **LIPIODO-DIAGNOSTIC** [lipjododjagnɔstik] n. m. — Mil. xxᵉ (1953, Quillet); de *lipiodol,* et *diagnostic.*

♦ Méd. Diagnostic radiographique rendu possible grâce à l'emploi du lipiodol. *Lipiodo-diagnostic* (ou *lipio-diagnostic) artériel, médullaire de Sicard* (1873-1929), dit *épreuve de Sicard.*

LIPIODOL [lipjodɔl] n. m. — 1906, *in Rev. gén. des sc.;* de *lip(ide), iod(e),* et suff. *-ol.*

♦ Didact. Huile d'œillette iodée. *Utilisation du lipiodol en radiographie et radioscopie à cause de son opacité aux rayons X. Épreuve du lipiodol.* ⇒ **Lipio-diagnostic.**

LIPIZZAN [lipizã] adj. et n. m. — xxᵉ; mot all., de *Lipizza,* haras situés près de Trieste.

♦ Cheval d'une race obtenue au xviiᵉ siècle, de petite taille, à robe grise. *Les chevaux lipizzans, les lipizzans étaient employés à l'attelage de luxe; ils servent de chevaux de manège* (École d'équitation de Vienne).

LIPO- ⇒ Lip-

LIPOARTHRITE [lipoaʀtʀit] n. f. — D. i. (mil. xxᵉ); de *lipo-,* et *arthrite.*

♦ Méd. Arthrose sèche du genou, accompagnée d'hypertrophie adipeuse. — Syn. : *lipoarthrose.*

LIPOCHROME [lipokʀom] n. m. — 1903, *in Rev. gén. des sc.;* de *lipo-,* et *-chrome.*

♦ Biochim. Groupe de pigments solubles, liés aux lipides intracellulaires, colorant les graisses en jaune ou en vert. ⇒ **Carotène.**

LIPOGENÈSE [lipoʒənɛz] n. f. — 1907; de *lipo-,* et *-genèse.*

♦ Biol. Production des corps gras dans un organisme.

LIPOGRAMMATIE [lipogʀa(m)mati] n. f. — 1825; de *lipogramme;* → ci-dessous, cit.

♦ Composition de lipogrammes.

Voici la définition de G. Peignot dans sa *Poétique curieuse* [qui figure dans ses *Amusements philologiques ou Variétés en tous genres* (encore ce mot «amusement»), 2ᵉ éd. 1825 - 3ᵉ éd. 1842] : « La lipogrammatie est l'art d'écrire en prose ou en vers, en s'imposant la loi de retrancher une lettre de l'alphabet ».
R. QUENEAU, Bâtons, Chiffres et Lettres, p. 324.

LIPOGRAMMATIQUE [lipogʀa(m)matik] adj. — 1808, Boiste; en angl., 1731; de *lipogramme.*

♦ Se dit d'un texte dans lequel une lettre n'apparaît jamais, quand cette absence est délibérée. La Disparition, *roman lipogrammatique de G. Pérec.*

Nestor de Laranda, au iiiᵉ ou ivᵉ siècle, a écrit une *Iliade* lipogrammatique : la lettre A ne figure pas dans le premier chant, etc. Fulgence, au viᵉ siècle, dans son *De aetatibus mundi et hominis,* a fait de même « par une recherche singulièrement puérile » comme dit le vieux Larousse, opinion que nous ne partagerons pas. On pourrait penser que seuls des compilateurs ou des petits esprits ont écrit des textes lipogrammatiques. Loin de là. Comme son maître Lasos d'Hermione, Pindare a écrit une ode sans S et Lope de Vega cinq nouvelles, l'une sans A, les autres sans E, I, O, U, respectivement.
R. QUENEAU, Bâtons, Chiffres et Lettres, p. 324.

LIPOGRAMME [lipogʀam] n. m. — 1866, Littré (1771, en angl., Addison), mais la forme *leipogramme* est attestée en 1620, Certon; dér. sav. du grec *leipein* «laisser, enlever», et *gramma* «lettre», ou directement du grec *leipogrammatos* «à qui il manque une lettre».

♦ Didact. Texte dont l'auteur s'est imposé, en l'écrivant, de ne jamais employer une lettre, parfois plusieurs, et par conséquent de proscrire les mots qui contiennent cette lettre ou ces lettres (sauf à leur donner une orthographe différente impliquant des effets stylistiques particuliers : cf. ci-après le titre du roman de G. Pérec, *les revenentes*). ⇒ **Lipogrammatie.** « (...) La disparition *est* (...) *une remarquable illustration de ces "romans à procédés" mijoté par Pérec : la contrainte, ou plutôt le défi, ici, consistait à écrire tout le récit sans jamais utiliser la lettre "e", selon une très ancienne technique nommée "lipogramme" ! Pérec renouvellera l'exploit avec* Les revenentes, *en 1972 : mais, cette fois, le "e" est la seule voyelle du roman !»* (Sciences et Avenir, avr. 1984, p. 21).

La troisième tradition du lipogramme est la tradition vocalique, celle qui bannit les voyelles. Elle n'est pas dans la plus difficile; écrire sans *a* est badin en français, périlleux en espagnol.
Georges PÉREC, Histoire du lipogramme, *in* OULIPO, la Littérature potentielle, p. 87.

DÉR. Lipogrammatie, lipogrammatique.

LIPOÏDE [lipɔid] adj. — 1867; de *lip-,* et suff. *-oïde.*
Didactique.

♦ **1.** Adj. Qui ressemble à la graisse.

♦ **2.** N. m. *Un lipoïde :* substance lipoïde, apparentée aux lipides*, soluble dans l'alcool et dans les graisses. *Le cholestérol, la lécithine sont des lipoïdes.*

DÉR. Lipoïdique.

LIPOÏDIQUE [lipɔidik] adj. — 1931, *in* D. D. L.; de *lipoïde.*

♦ Didact. Relatif aux lipoïdes.

LIPOLYSE [lipɔliz] n. f. — 1907 ; de *lipo-*, et *-lyse*.

♦ Biol. Destruction des graisses dans un organisme. — Syn. : *adipolyse**.

DÉR. **Lipolytique.**

LIPOLYTIQUE [lipɔlitik] adj. — 1903, in *Rev. gén. des sc.* ; de *lipolyse*.

♦ Biol. De la lipolyse. *Ferment lipolytique.* ⇒ **Lipase.**

LIPOMATEUX, EUSE [lipomatø, øz] adj. — 1867 ; de *lipome*.

♦ De la nature des lipomes.

LIPOME [lipom] n. m. — 1741, Col de Villars, *in* Arveiller ; sur le lat. méd. *lipoma*, de *lip-*, et suff. *-ome*.

♦ Méd. Tumeur constituée par une prolifération du tissu adipeux (on dit aussi *adipome* ; ⇒ **Adiposité**).

DÉR. **Lipomateux.**

LIPOPEXIE [lipɔpɛksi] n. f. — D. i. (xxe) ; de *lipo-*, et grec *péxis* « fixation ».

♦ Physiol. Fixation des graisses dans l'organisme, surtout au sein du tissu adipeux.

LIPOPHILE [lipɔfil] adj. — V. 1950 ; de *lipo-*, et *-phile*.

♦ Chim. Se dit d'un groupement de molécules au niveau duquel s'exerce une attraction vis-à-vis d'un milieu à dominante hydrophobe. *Molécules lipophiles d'un composé détergent.*

LIPOPHORE [lipɔfɔʀ] n. m. — xxe ; de *lipo-*, et *-phore* « qui porte ».

♦ Didact. (sc.). Cellule pigmentaire de la peau des Amphibiens.

(...) sous l'épiderme sont situés les lipophores remplis d'une substance huileuse en gouttelettes ou en granules, qui donnent une teinte rouge ou jaune.
                                                Jean GUIBÉ, les Batraciens, p. 24.

LIPOPROTÉINE [lipoprotein] n. f. — 1959, *in* D.D.L. ; de *lipo-*, et *protéine*.

♦ Chim., biol. Molécule résultant de l'union d'une protéine et d'un corps gras.

DÉR. **Lipoprotéique.**

LIPOPROTÉIQUE [lipoproteik] adj. — 1962 ; de *lipoprotéine*.

♦ Chim., biol. Relatif aux lipoprotéines.

LIPOSARCOME [liposaʀkom] n. m. — 1869 ; de *lipo-*, et *sarcome*.

♦ Méd. Tumeur mixte composée de tissu graisseux et de tissu embryonnaire.

LIPOSOLUBLE [lipoɔlybl] adj. — 1929, *in* T.L.F. ; de *lipo-*, et *soluble*.

♦ Chim. Soluble dans l'huile et les graisses. *Seules parmi les vitamines, les vitamines A, D et E sont liposolubles.*

Toutes *(les matières grasses)* ne convenaient pas indifféremment, mais quelques-uns seulement, telles que le beurre, le jaune d'œuf, qui recèlent cette indispensable substance encore innommée. Les auteurs américains l'appelèrent, peu après, « FACTEUR A », terme auquel ils accolèrent, en raison de sa propriété particulière, le qualificatif liposoluble, c'est-à-dire soluble dans les graisses.
                                                Suzanne GALLOT, les Vitamines, p. 35.

LIPOSTATIQUE [lipostatik] adj. — 1973, *la Recherche* ; de *lipo-*, et *-statique*.

♦ Biol. Qui favorise et maintient l'accumulation des graisses dans un organisme vivant.

LIPOTHYMIE [lipotimi] n. f. — 1552, Rabelais ; 1515, écrit *lipothomie* ; empr. au grec *lipothumia*, de *leipein* « laisser », et *thumos* « esprit ». Médecine.

♦ 1. « Perte de connaissance avec conservation de la respiration et de la circulation » (Garnier). *La lipothymie est le premier degré de la syncope.*

Enfin, j'ai constaté qu'aucun des inconvénients signalés à la suite de l'absorption d'eau de mer, diarrhée, vomissements, n'était apparu ni chez mon compagnon, ni chez moi-même (...) Pas de lipothymies (tendances à la syncope).
                                                Alain BOMBARD, Naufragé volontaire, p. 113.

♦ 2. État de malaise intense (sudation profuse, nausées, faiblesse musculaire, troubles visuels) sans perte de conscience. *Lipothymie du diabétique.*

LIPOTROPE [lipotʀɔp] adj. — 1922, *Nouveau Larousse illustré* ; de *lipo-*, et *-trope*.

♦ Biol. Qui se fixe sur les substances grasses des cellules vivantes. *Facteur lipotrope* : substance lipotrope qui permet une meilleure tolérance de l'organisme aux graisses.

Il existe tout un groupe de substances dites lipotropes, qui ont la propriété de mobiliser les graisses du foie, évitant ainsi l'infiltration graisseuse de cet organe.
                                                A. GALLI et R. LELUC, les Thérapeutiques modernes, p. 77-78.

DÉR. **Lipotropie.**

LIPOTROPIE [lipotʀɔpi] n. f. — 1922 ; de *lipotrope*.

♦ Biol. Caractère des substances lipotropes.

LIPO-VACCIN ou **LIPOVACCIN** [lipovaksɛ̃] n. m. — xxe (1931, Larousse) ; de *lipo-*, et *vaccin*.

♦ Méd. Vaccin où les germes tués sont en suspension dans un liquide huileux.

LIPPE [lip] n. f. — Fin xiie ; moy. néerl. *lippe* « lèvre » ; cf. all. *Lippe*.

♦ 1. Vieilli ou littér. Lèvre* inférieure, proéminente, pendante. *Avoir une grosse lippe.* — Vieilli (péj.). *Les lippes* : les deux lèvres.

(...) il remarqua un large chapeau de feutre (...) Il le prit, le soupesa en avançant une lippe boudeuse.   P. MAC ORLAN, Quai des brumes, VII.

(Animaux). *« Un vieux cheval qui remue sa lippe »* (Montherlant, *in* T. L. F.).

♦ 2. Plus cour. Mouvement par lequel la lèvre inférieure est avancée. — Loc. (V. 1205). *Faire la lippe* : bouder. ⇒ **Moue.** *« Christophe faisait sa lippe dédaigneuse »* (R. Rolland, *in* T. L. F.).

DÉR. **Lippée, lippu.**

LIPPÉE [lipe] n. f. — 1316 (xve, selon T. L. F.) ; de *lippe*.

♦ 1. Vx ou régional (Giono, *in* T. L. F.). Bouchée, ce qu'on prend avec la lippe, la bouche. ⇒ **Bouchée, lampée.**

♦ 2. (1492). Bon repas, bon morceau.

Et puis lui, l'homme errant sur la terre, l'homme sans fortune, l'homme sans famille, le soldat habitué aux auberges, aux cabarets, aux tavernes, aux posadas, le gourmet forcé pour la plupart du temps de s'en tenir aux lippées de rencontre, il allait tâter des repas de ménage (...)
                                                A. DUMAS, les Trois Mousquetaires, t. II, p. 391.

Loc. (1585). Vieilli ou par plais. *Franche lippée* ou *lippée franche* : bon repas qui ne coûte rien.

(...) Rien d'assuré ; point de franche lippée :
Tout à la pointe de l'épée.   LA FONTAINE, Fables, I, 5.

En cette cour, la vie est plantureuse, et on ne se lasse pas des franches lippées.
                                                TAINE, Philosophie de l'art, t. II, p. 10.

LIPPITUDE [lipityd] n. f. — 1575, Paré ; lat. *lippitudo*, de *lippus* « chassieux » ; cf. moy. franç. *lippe*.

♦ Méd. Vx. Caractère chassieux des paupières.

LIPPU, UE [lipy] adj. — 1539 ; de *lippe*.

♦ 1. Qui a une grosse lèvre inférieure, et, par ext., qui a de grosses lèvres. *Homme lippu.* — *Bouche* (cit. 6) *lippue.* — (1830, Balzac, *une moue lippue*). Par métonymie. *Un sourire lippu* (Zola, *Pot-Bouille*).

♦ 2. Par ext. (abusif). Se dit des lèvres elles-mêmes lorsqu'elles sont épaisses, proéminentes. *Des lèvres lippues.* — REM. Cet emploi n'est pas mentionné dans le dict. de l'Académie (8e éd.).

(...) le bonhomme, doué d'une bouche sensuelle à lèvres lippues, montrait en souriant des dents blanches dignes d'un requin.
                                                BALZAC, le Cousin Pons, Pl., t. VI, p. 527.

LIQUATION [likwasjɔ̃] n. f. — 1576, « fusion » ; sens mod., 1757, *Encyclopédie* ; bas lat. *liquatio*, du supin de *liquare* « liquéfier ».

♦ 1. Techn. En métallurgie, Opération qui consiste à séparer par fusion deux ou plusieurs métaux de fusibilité différente (⇒ **Fonte**). *Minerai séparé de sa gangue par liquation.* Défaut d'un alliage qui comprend des éléments à points de fusion différents.

♦ 2. Géol. Formation d'une roche à partir d'un liquide, d'un mélange liquéfié.

LIQUÉFACTEUR [likefaktœʀ] n. m. — 1862, *Année sc. et industr.* 1863, p. 458-459 ; du rad. de *liquéfaction*, et suff. *-eur*.

♦ Appareil permettant la liquéfaction d'un gaz, ou d'un fluide à l'état de vapeur.

LIQUÉFACTION [likefaksjɔ̃] n. f. — Fin XIVᵉ, Mondeville ; lat. *liquefactio*, du supin de *liquefacere*. → Liquéfier.

♦ **1.** Vx. Fusion, passage à l'état liquide d'un corps solide. *La liquéfaction de la cire.* Loc. *Tomber en liquéfaction :* se liquéfier.

♦ **2.** (1857). Mod. Passage à l'état liquide d'un corps gazeux. *Point de liquéfaction. Four à liquéfaction. Liquéfaction industrielle des gaz par réfrigération, par compression, détente et refroidissement.* (⟹ **Liquéfier**). *Liquéfaction du méthane. Liquéfaction des vapeurs.* ⟹ **Condensation.** — REM. Le terme de *liquéfaction* est, de nos jours, presque exclusivement réservé aux gaz.

♦ **3.** Fig. (de 1.) et littér. Fait de se liquéfier (fig.). ⟹ **Désagrégation, dissolution.** *La liquéfaction d'un gouvernement, d'un régime.* (Personnes). Fait de perdre son énergie, sa lucidité. *Il est en pleine liquéfaction.*

CONTR. **Solidification.**
DÉR. **Liquéfacteur.**

LIQUÉFIABLE [likefjabl] adj. — 1563, *liquifiable*, attestation isolée ; repris 1840-1842 ; d'un gaz, 1895 ; de *liquéfier*.

♦ Qui peut être liquéfié. *Gaz* liquéfiables.*

LIQUÉFIANT, ANTE [likefjɑ̃, ɑ̃t] adj. — 1867, Littré ; de *liquéfier*.

♦ **1.** Qui produit ou est propre à produire la liquéfaction. *Mélange liquéfiant.*

♦ **2.** Fam. Qui liquéfie (3.). Amollissant ; épuisant.

Rien n'est plus épuisant que ces scènes, qu'elles soient hachées ou continues. Il faut être acteur pour tenir impunément le coup et ne ressentir en rien les effets liquéfiants du combat. Pierre DANINOS, *Un certain monsieur Blot*, p. 83.

LIQUÉFIER [likefje] v. tr. — Conjug. *prier.* — 1398 ; du lat. *liquefacere*, de *liquere* « être liquide », et *facere* « faire », d'après les verbes en *-fier*.
Faire passer (un corps) à l'état liquide.

♦ **1.** Vieilli. Faire passer de l'état solide à l'état liquide. ⟹ **Fondre.** *Liquéfier un métal en le chauffant. Liquéfier de la cire.*
Par ext. Amollir, rendre pâteux. — Pron. *Goudron* (cit. 3) *qui se liquéfie au soleil.*
Par métaphore. « *La critique a tout dissous et liquéfié* » (Amiel, *in* T. L. F.).

♦ **2.** (1874 ; au pron., 1851, Cournot). Mod. Faire passer (une substance) de l'état gazeux à l'état liquide. *Liquéfier de l'hydrogène.*

♦ **3.** (Attesté au XVIIᵉ, sans valeur plaisante ; surtout pron. et p. p.). Fam. Amollir. *Ce mode de vie finira par le liquéfier.*

▶ **SE LIQUÉFIER** v. pron.

♦ **1.** Vieilli (d'un solide). Devenir liquide. — Mod. Devenir pâteux, mou. *Le goudron* (cit. 3) *se liquéfie au soleil.*
Fig. et fam. (Sujet n. de personne). Être en sueur, « fondre » sous l'effet de la chaleur.

♦ **2.** (D'un gaz). Devenir liquide. *L'hélium se liquéfie difficilement.* — Rare. Se condenser, par un processus spontané. *Vapeur d'eau qui se liquéfie.*

♦ **3.** Fig. (Sujet n. de personne). Perdre son énergie, sa résistance (→ Charnier, cit. 4).

En dehors de la force qui les maintient (*les légionnaires*), une force (...) soumise à l'orgueil d'être un homme en marge de la vie sociale commune, ils s'écroulent ou se liquéfient. P. MAC ORLAN, *la Bandera*, VII.

Se dissoudre (fig.). « *Les cadres de la société se liquéfient* » (Artaud, *le Théâtre et son Double*, p. 19).

▶ **LIQUÉFIÉ, ÉE** p. p. adj.
Métal liquéfié, fondu. — Par ext. Amolli, rendu pâteux. *Goudron liquéfié.* — *Gaz liquéfié.* ⟹ **Liquide.**
Fig. *Il est à moitié liquéfié.*

CONTR. **Coaguler, concréter, congeler, conglutiner, figer, geler, solidifier.**
DÉR. **Liquéfiable, liquéfiant.** — V. **Liquéfaction.**

LIQUETTE [likɛt] n. f. — 1878, Rigaud ; p.-ê. de l'argot *limace* « chemise » (1725 ; argot anc. *lime* ; → 2. Limace), par substitution de suffixe ; selon Guiraud, du v. franco-provençal *liquer*, var. de *lisser* au sens de « repasser » ou de « glisser sur soi ».

♦ **1.** Pop. Chemise*.

Si vous n'avez rien à faire, allez repasser les liquettes de Planche-à-Pain. P. MAC ORLAN, *la Bandera*, XV. [1]

J'en connais un qu'a deux liquettes neuves et un can'çon dans la cantine d'un adjupette. H. BARBUSSE, *le Feu*, t. I, p. 76. [2]

♦ **2.** (V. 1975). Vêtement féminin analogue à une chemise d'homme, souvent sans col (« chemise de grand père »), porté sur la jupe ou (plus souvent) le pantalon. — Appos. *Chemise liquette.*

LIQUEUR [likœʀ] n. f. — 1160 ; du lat. *liquor*.

★ **I.** Vx. Substance liquide. ⟹ **Liquide**, n. m. *Traité de l'équilibre des liqueurs*, de Pascal (1663). — (XVIIᵉ ; → cit. 1). Spécialt. Liquide organique du corps humain (→ Inodore, cit. 1). *La liqueur des larmes* (→ Externe, cit. 1). Loc. *Liqueur séminale.* ⟹ **Sperme.**

Dès qu'un certain acide en notre corps domine,
Tout fermente, tout bout, les esprits, les liqueurs (...) [1]
LA FONTAINE, *Poème du Quinquina*, II (1682).

(1635). Mod. Solution* employée en pharmacie, dans l'industrie, les recherches de laboratoire. *Liqueur cordiale, stomachique* (d'angélique, de coriandre). *Liqueur de Fehling. Liqueur de Fowler.* ⟹ **Arsénite** (de potassium). — *Liqueur de tan.* ⟹ **Jusée.** *Liqueur titrée :* solution dont on connaît la concentration, le titre*. *Liqueur des cailloux :* solution de silicate de sodium dissolvant certains minéraux. *Liqueur mère :* solution saturée, en équilibre avec la substance à dissoudre.

(...) je lui expliquais comment se faisait l'encre. Je lui disais que sa noirceur ne venait que d'un fer très divisé, détaché du vitriol et précipité par une liqueur alcaline. ROUSSEAU, *Émile*, III. [2]

Spécialt (vieilli). « Se dit par excellence, du vin, et particulièrement de ceux qui sont les plus doux et agréables » (Furetière). — Loc. *La liqueur bachique*, la liqueur de Bacchus :* le vin.

★ **II.** Mod. **ⓐ** (1680). Comm., techn. Boisson à base d'alcool ou d'eau-de-vie aromatisée. ⟹ **Alcool, eau-de-vie** (cit. 2), **spiritueux ; liquoreux.** *Vins et liqueurs. Liqueur spiritueuse. Liqueurs apéritives* (⟹ **Apéritif ; amer, bitter**), *digestives. Fabriquant de liqueurs.* ⟹ **Liquoriste.** *Fabriquer* (cit. 4) *des liqueurs en fraude.* — REM. Dans ce sens, *liqueur* inclut des alcools (rhum, whisky, alcools de fruit...) qui ne sont pas nommés *liqueurs* dans l'usage courant.

La dénomination « liqueurs » est réservée aux eaux-de-vie et alcools aromatisés, soit par macération de substances végétales, soit par distillation en présence de ces mêmes substances, soit par addition des produits de la distillation de ces substances en présence de l'alcool ou de l'eau, soit par l'emploi combiné de ces divers procédés ; ces préparations sont ensuite édulcorées au moyen de sucre ou de glucose (...) Les liqueurs doivent titrer 15 degrés minimum. [3]
DALLOZ, *Nouveau Répertoire de droit*, t. I, p. 878, nᵒˢ 120 et 121.

ⓑ (1680). Cour. Liqueur (au sens a) sucrée. *Voulez-vous une liqueur ? Non, merci, je prendrai plutôt un alcool. Principales liqueurs.* ⟹ **Anis, anisette, arack, arquebuse** (eau d'), **ava, bénédictine, cassis, chartreuse, citronnelle, curaçao, kummel, marasquin, menthe, mirabelle, persicot, prunelle, raki, ratafia, trappistine.** *Liqueurs sirupeuses.* ⟹ **Crème** (de banane, de cacao), **sirop** (→ Épais, cit. 8). — *Liqueurs fortes, qui brûlent le palais, la gorge* (→ Blaser, cit. 2 ; breuvage cit. 2). *Déguster une liqueur, un petit verre de liqueur. Flacon de liqueur* (→ Esprit, cit. 26). *Cabaret* (cit. 3), *cave, chariot, service, verres à liqueurs. Bonbons, chocolat à la liqueur.*

Et, goutte à goutte, avec le soin minutieux d'un lapidaire comptant des perles, le curé de Graveson me versa deux doigts d'une liqueur verte, dorée, chaude, étincelante, exquise (...) J'en eus l'estomac tout ensoleillé. [4]
Alphonse DAUDET, *Lettre de mon moulin*, « Élixir du R. P. Gaucher ».

Après le dîner (...) ils buvaient une liqueur anisée. CAMUS, *la Peste*, p. 223. [5]

(V. 1845, Balzac). Vx. *Liqueur des braves :* l'eau-de-vie de Dantzig.

ⓒ Loc. (1674, Mᵐᵉ de Sévigné). *Vin de liqueur :* vin sucré et riche en alcool. ⟹ **Liquoreux.** *Le muscat, le rancio, le banyuls sont des vins de liqueur.*

REM. L'usage courant emploie parfois *liqueur* au sens largo (a), mais en général au pluriel et dans un contexte déterminé. *Prendrez-vous des liqueurs ?* ⟹ **Alcool, digestif, fine.** *Après les liqueurs* (→ Éclater, cit. 3).

(...) restait le carafon de rhum (...) une façon de grossir la note, en glissant sur la table des liqueurs dont on ne se méfiait pas. ZOLA, *l'Assommoir*, t. I, III, p. 114. [6]

Desca verse dans un grand verre à dégustation un peu de cognac (...) très coloré et médiocre, et présente à M. Pommerel (...) cette liqueur qu'il croit de bonne provenance. J. CHARDONNE, *les Destinées sentimentales*, p. 133. [7]

LIQUIDABLE [likidabl] adj. — Fin XVIIIᵉ ; de *liquider*.

♦ Rare. Qui peut ou doit être liquidé.

LIQUIDAMBAR [likidɑ̃baʀ] n. m. — 1602 ; lat. mod. (1593) ; mot esp., de *liquido* « liquide », et *ambar* « ambre ».

♦ **1.** Bot. Plante dicotylédone (*Hamamélidées*), arbre exotique dont plusieurs variétés produisent des résines balsamiques (→ Fragrance, cit. 1), couleur d'ambre, employées en thérapeutique comme stimulants des voies respiratoires. *Les tulipiers et les liquidambars sont* *de grands arbres à fruits globuleux, hérissés ; leur bois est utilisé en ébénisterie.*

Oui, c'est bien un *liquidembar (sic)* (j'ai pu m'en approcher) dont j'admirais les fleurs dans le jardin voisin, sous les fenêtres de ma chambre. Pourquoi si rare, cet arbuste charmant ? GIDE, Journal 1939-1949, 15 août 1944.

Loc. *Baume* de liquidambar.* — Syn. : *baume copalme.*

♦ **2.** Résine de liquidambar ; baume préparé avec cette résine (→ ci-dessus, 1.). ⇒ **Styrax.**

LIQUIDATEUR, TRICE [likidatœʀ, tʀis] n. et adj. — 1777, Beaumarchais ; de *liquider.*

♦ **1.** Personne chargée de procéder à une liquidation. *Liquidateur de société. Liquidateur judiciaire,* nommé par le tribunal. Spécialt. Ancienne dénomination de l'administrateur au règlement* judiciaire. — Par appos. *Commissaire liquidateur.*

1   Haverkamp fit la visite de l'établissement sous la conduite d'un gardien qu'y avait placé le liquidateur et qui occupait un pavillon près de la grille d'entrée.
J. ROMAINS, les Hommes de bonne volonté, t. V, IX, p. 74.

2   La maison Charles Mignon suspend ses payements. Mais les liquidateurs soussignés prennent l'engagement de payer toutes les créances passives.
BALZAC, Modeste Mignon, Pl., t. I, p. 378.

♦ **2.** Fig. Personne qui liquide (4.) qqch. ou qqn, qui est chargée de liquider. *« Le liquidateur d'un ordre ancien »* (*in* T. L. F.). Adj. Fig. *Une tendance liquidatrice,* qui abandonne un point de vue, qui souhaite liquider qqch.

LIQUIDATIF, IVE [likidatif, iv] adj. — 1845 ; de *liquider.*

♦ **1.** Dr. Qui opère la liquidation. *Acte liquidatif. Valeur liquidative d'un bien,* que l'on obtiendrait en cas de liquidation.

♦ **2.** Qui peut être transformé en argent liquide. ⇒ **Réalisable.**

LIQUIDATION [likidasjɔ̃] n. f. — 1416, en dr. ; au sens I, de *liquider,* probablt d'après l'ital. *liquidazione,* de *liquidare* « liquider » ; au sens II, de *liquide.*

★ **I. ♦ 1.** Dr. Action de rendre liquide*, de déterminer, de manière définitive le montant de sommes, de comptes à apurer, régler, solder, et, par ext., le règlement même de ces sommes, de ces comptes. *Liquidation des dépens par le Tribunal* (→ Adjuger, cit. 2). *Liquidation de l'impôt :* calcul des impôts à recouvrer sur chaque contribuable. — *Liquidation d'une dépense publique :* détermination exacte du montant de la dépense engagée par l'État, opération qui précède l'ordre de payer (⇒ **Ordonnancement**). — Ensemble des opérations préliminaires au partage (d'une indivision). *Liquidation d'une communauté, d'une succession* (⇒ **Partage**). *Dissolution* et liquidation d'une société. Bilan de liquidation.* — Spécialt. *Liquidation judiciaire :* procédure aujourd'hui remplacée par le règlement* judiciaire (Décret du 20 mai 1955). ⇒ **Faillite, règlement.** *Jugement accordant le bénéfice de la liquidation judiciaire* (→ Insolvabilité, cit.). — REM. Techniquement, le mot ne concerne qu'une opération comptable ; mais ses connotations font qu'il est compris, dans l'usage courant comme « action de liquider, de supprimer, de détruire ».

Bourse. Exécution* (cit. 17) des marchés à terme conclus pour une période déterminée (→ Compensation, cit. 13). *Liquidation de quinzaine, de fin de mois.*

♦ **2.** (1869 ; → Collectiviste, cit. 1). Fig. *La liquidation d'une situation politique difficile* (Littré). *La liquidation de cette guerre fut laborieuse* (Académie).

1   Il *(Brice Parain)* tire les conclusions de ce mouvement philosophique français qui va de Ribot à Brunschvicg en passant par Bergson, il fait le bilan. Pour nous, tous ces noms sont bien morts et la liquidation s'est faite sans souffrance et sans bruit : nous avons été formés autrement. SARTRE, Situations I, p. 241.

Spécialt (psychan.). Guérison d'une névrose par élimination d'une cause inconsciente révélée au cours de l'analyse. *Liquidation d'un transfert.*

♦ **3.** (Fin XIXᵉ, *Dict. général*). Par ext. (comm.). Vente au rabais en vue d'un écoulement rapide des marchandises. ⇒ **Solde**(s). *Liquidation du stock après inventaire, avant cessation* de commerce. Liquidation totale.*

♦ **4.** (1866, *la liquidation par le suicide*). **a** Le fait de liquider, de tuer, de se débarrasser de (qqn). *La liquidation d'un témoin gênant.*

b Le fait de mettre fin à (qqch.) de manière rapide. *La liquidation d'un régime, d'une école littéraire, d'une tendance.* — Psychol. *La liquidation de ses complexes.*

★ **II.** (1774 ; de *liquide*). Techn. Opération de la fabrication du savon, par laquelle on équilibre les apports de soude et d'électrolyte.

2   (...) le domaine entre savon lisse et solution isotrope (...) représentant l'équilibre lors de l'opération de la liquidation qui entraîne les impuretés dans la solution isotrope (...) Emmanuel MAYOLLE, les Industries du savon et des détergents, p. 50.

LIQUIDE [likid] adj. et n. m. — V. 1265 ; empr. au lat. *liquidus.*

★ **I.** Adj. **A. ♦ 1.** Dont la faible cohésion a pour conséquence une mobilité plus ou moins grande des molécules qui, obéissant à la loi de la pesanteur, coulent* ou tendent à couler ; spécialt (cour.), qui est dans cet état aux températures ordinaires. ⇒ **Fluide.** *Un corps liquide prend la forme du récipient qui le contient. Substance liquide. Masse liquide* (→ Espace, cit. 18). *Partie liquide du sang.* ⇒ **Plasma, sérum.** *Passage de l'état liquide à l'état solide* (⇒ **Coagulation, congélation, solidification**), *à l'état gazeux* (cit. 1). ⇒ **Vaporisation ; évaporation** (cit. 2). *Solide, gaz qui passe à l'état liquide.* ⇒ **Liquéfaction ; condensation, fusion.** *Fonte* (1. Fonte, cit. 3) *liquide, en fusion* (→ Fonderie, cit. 1). *Métal liquide. Ambre* (cit. 4) *liquide. Air liquide,* liquéfié et conservé à l'état liquide par le froid. *Bouteille d'air liquide.*

1   (...) des fonderies souterraines, où le bronze liquide glissait le long de cent canaux de sable, et prenait la forme des lions, des tigres, des dragons ailés (...)
NERVAL, Voyage en Orient, Nuits du Ramazan, III, I.

1.1   Il expliqua d'une façon assez embarrassée et peut-être volontairement confuse, que la fabrication industrielle économique de l'air liquide permettait maintenant de prendre l'oxygène sous cette forme simple pour servir de comburant à des mélanges explosifs. G. LEROUX, Rouletabille chez Krupp, p. 29.

Sc. *État liquide :* l'un des états de la matière.

Poét. (vx). *La plaine liquide :* la mer. *Le liquide élément, l'élément liquide :* l'eau. ⇒ **Humide** (vieux).

2   Il regarde à ses pieds, dans le liquide azur
Du fleuve qui s'étend comme lui calme et pur (...) André CHÉNIER, Élégies, XIII.

Par métaphore (littér. et mod.). Qui évoque un liquide, l'eau (aspect, couleur...).

3   Le rouge vif des lèvres, les cils devenus noirs faisaient valoir le bleu liquide des yeux et les tons de blé de la chevelure. A. MAUROIS, Terre promise, X.

(1690). Par ext. Qui n'a pas de consistance, qui est léger (d'un corps à l'état pâteux). *Mets liquides* (→ Avide, cit. 1). *Colle gluante qui n'est pas assez liquide. Lier une sauce trop liquide. Un plâtre liquide, trop liquide.*

♦ **2.** (1392 ; lat. impérial *liquidæ litteræ* « lettres liquides »). Phonét. Se dit des consonnes *l* [l], *m* [m], *n* [n], *r* [ʀ], qui, placées après une muette, constituent avec elle un groupe de prononciation aisée. *Les consonnes liquides,* et, n. f., *une liquide.*

4   L'écoulement caractéristique de l'air de part et d'autre de la langue trouve son expression dans le nom de liquide donné à *(la consonne)* 1.
J. MAROUZEAU, Lexique de la terminologie linguistique, p. 129-130.

Syn. : *(consonne) latérale* ou *vibrante.* — *Groupe liquide :* groupe consonantique formé de deux consonnes dont la deuxième est une liquide.

B. (1539 ; ital. *liquido,* XVᵉ). ♦ **1.** Fin. Qui est exactement déterminé dans son montant, dans sa valeur (⇒ **Liquidité**). *Créance, dette liquide,* dont l'existence est certaine et la quotité bien déterminée.

5   La compensation n'a lieu qu'entre deux dettes qui ont également pour objet une somme d'argent, ou une certaine quantité de choses fongibles de la même espèce et qui sont également liquides et exigibles. Code civil, art. 1291.

♦ **2.** Cour. Qui est librement et immédiatement disponible, sous forme de monnaie*. *Ressources liquides* (→ Financer, cit. 4). *Avoir un peu d'argent* liquide, une somme liquide* (→ Introduire, cit. 16), *cent mille francs liquides.* → En espèces*.

6   Quarante mille écus d'argent sec et liquide !
De la succession voilà le plus solide. J.-F. REGNARD, le Légataire universel, II, 8.

7   *(Il)* avait donc pris l'habitude de ne considérer comme du gain que les sommes liquides dont il pouvait disposer à la clôture d'un exercice, sans gêner en rien la marche de son affaire.
J. ROMAINS, les Hommes de bonne volonté, t. III, XIII, p. 170.

N. m. (1651). *Avoir du liquide, n'avoir pas assez de liquide.* ⇒ **Espèce**(s). *Voulez-vous être payé en liquide, ou par chèque ?*

★ **II.** N. m. ♦ **1.** (1695). Corps à l'état de fluide* (cit. 5) pratiquement incompressible et formé de corpuscules (ions ou molécules) soumis à de faibles attractions, lorsqu'il est dans cet état aux températures ordinaires. ⇒ **Aquosité** (vx), **liqueur** (vx). *L'eau, le lait sont des liquides. Mesure de la densité, de la compressibilité des liquides* (⇒ **Aréomètre, hydromètre, piézomètre**). *Étude des propriétés physiques des liquides.* ⇒ **Hydrométrie.** *Le litre, mesure de capacité pour liquides. Coloration, rectification* d'un liquide.* Ébullition, écoulement (⇒ **Flux**), effusion, épanchement, évaporation, infiltration des liquides. *Liquide qui imbibe* un corps par capillarité** (cit. 1). *Coaguler, concentrer, éclaircir, filtrer* (⇒ **Colature**) *un liquide. Délayer, diluer, infuser* (⇒ **Décoction, infusion**), *une substance dans un liquide. Se dissoudre dans un liquide* (⇒ **Soluble**). *Baigner, immerger, laver, plonger, tremper un corps dans un liquide* (⇒ **Bain**). *« Tout corps plongé dans un liquide... »* (principe d'Archimède). *Verser un liquide en pluie.* ⇒ **Arroser, asperger.** *Injecter, infuser, puiser, transfuser, transvaser un liquide. Projeter un liquide en fines gouttelettes.* ⇒ **Atomiseur, nébuliseur, pulvérisateur, spray** (anglic.), **vaporisateur.** *Verser un liquide dans un récipient, un verre, une bouteille.* — *Liquide qui bout à gros bouillons, à petites bulles. Liquide qui clapote* (cit. 2), *gicle* (cit. 5), *jaillit, regorge, ruisselle, s'écoule goutte* (1. Goutte, cit. 38) *à goutte, distille. Gouttelettes* (⇒ **Rosée**), *flots de liquide.* — *Liquide qui dépose* (⇒ **Dépôt**), *qui louchit*. Liquide dissolvant* (⇒ **Dissolu-**

tion, solution). *Liquide alcoolisé, clair, corrosif, effervescent, filant, incolore* (alcool, eau...), *lactescent* (⇒ **Emulsion**), *onctueux* (huile...), *visqueux, volatil* (⇒ **Essence**).

8 (...) on lui heurtait les coudes à tous les pas, à cause du verre qu'il tenait entre ses mains, et même il en versa les trois quarts sur les épaules d'une Rouennaise en manches courtes, qui, sentant le liquide froid lui couler dans les reins, jeta des cris de paon, comme si on l'eut assassinée. FLAUBERT, Mᵐᵉ Bovary, II, XV.

9 La haine la pénétrait ainsi qu'un liquide dans une éponge. Il se sentait en quelque sorte imbibé de haine. P. MAC ORLAN, la Bandera, XV.

♦ **2.** (Emplois spéciaux). [a] (1672). Spécialt. ⇒ **Boisson** (cit. 1 ; → Fistule, cit.). — (1828, Vidocq). Pop. (Au sing. collectif). *Qu'est-ce qu'il s'enfile comme liquide !*, comme vin.

10 Nous trouvâmes l'ancien mamelouk fort éveillé et dans le plein exercice de son commerce de liquides. Une tonnelle, au fond de l'arrière-cour, réunissait des Cophtes et des Grecs, qui venaient se rafraîchir (...) NERVAL, Voyage en Orient, Femmes du Caire, II, VI.

Par ext. *Malade qui ne peut prendre que des liquides,* des aliments liquides (bouillon, consommé...).

Collectif. *Du liquide.*

[b] Spécialt (même emploi pour *liqueur,* vx). *Liquides organiques.* ⇒ **Humeur** (vx), **liqueur** (vx) ; chyle, lymphe, sang, sérosité, suc (gastrique, intestinal...), sueur. *Liquide céphalo-rachidien*.* — *Liquide amniotique*.* *Liquide excrémentiel.* ⇒ **Urine.** — Bot. *Liquide nourricier des végétaux.* ⇒ **Sève.**

[c] Milit. *Liquides enflammés :* hydrocarbures gélifiés projetés à l'aide de lance*-flammes.

11 La préparation d'artillerie devait commencer le lendemain matin (...) Tous les calibres seraient employés, ainsi que les torpilles, et même les projections de liquides enflammés à grande distance. J. ROMAINS, les Hommes de bonne volonté, t. XVI, XXIX, p. 272.

DÉR. **Liquidement, liquider, liquidien.**

LIQUIDEMENT [likidmɑ̃] adv. — 1636 ; de *liquide.*

★ **I.** (Fig.). Littér. et rare. Avec la facilité, la douceur d'un liquide.

1 Liquidement, avec une *liqueur* infinie tintent ces notes. La grave, les grêles — à tous les étages de l'espace, comme si l'air habité de toutes parts, se grattait / s'éveillait / (...) s'épuçait, se hérissait des sons qu'il s'est trouvés (...) animal spatial. VALÉRY, Cahiers, t. II, Pl., p. 1256.

2 Rien n'étonnait Kate. Elle bougeait comme dans un film projeté un petit peu au-dessous de la vitesse normale : des images-seconde glissant liquidement, entre charme, paresse et ralenti, les cheveux *auburn* pleins de boucles d'anglaises qui tombaient sur ses yeux vert clair. Claude ROY, Nous, p. 283.

★ **II.** (1636). Vx. En argent liquide.

LIQUIDER [likide] v. tr. — 1520 ; de *liquide,* probablt d'après l'ital. *liquidare,* d'abord «liquéfier», puis t. de fin., déb. XVIᵉ.

♦ **1.** Dr. Rendre liquide* (I., B.) ; soumettre à une liquidation*. *Liquider un compte, une succession, une société.* — *Liquider son bien :* «payer ses dettes en vendant une partie de son bien, de manière que le restant soit libre de créances» (Académie). ⇒ **Réaliser.** *Il a liquidé toutes ses dettes.* ⇒ **Régler.**

1 Balzac aura payé ses dettes, et la châtelaine de Wierzchownia aura liquidé la difficile succession de son mari (...) Émile HENRIOT, Portraits de femmes, p. 348.

Liquider une pension, une retraite.

♦ **2.** (1839, Balzac). Par métaphore ou fig. Régler, donner sa solution à (une affaire, un différend).

2 Je travaille de plus en plus à liquider mes affaires littéraires, en vue de la mort. SAINTE-BEUVE, Correspondance, 1381, 2 déc. 1842.

3 Cette fois, l'Angleterre allait mener la lutte jusqu'au bout, d'autant plus résolue à liquider avec nous compte avec la France qu'elle la voyait privée de ses forces navales par la Révolution puis rendue incapable de les reconstituer par sa détresse financière. J. BAINVILLE, Hist. de France, XVI, p. 369.

♦ **3.** (1866, Amiel). Vendre*, écouler (des marchandises) au rabais. *Liquider le stock. Liquider huit mille kilos de sucre* (→ Inopportunité, cit.).

Loc. fam. *On liquide et on s'en va.* — Fig. (au sens de «on meurt») :

3.1 La drogue lui faisait perdre ses femmes et ses amis. Or, sans les uns et les autres, plus d'argent, donc plus de drogue.
Si ce n'est l'ultime dose avec laquelle on liquide et l'on s'en va. P. DRIEU LA ROCHELLE, le Feu follet, p. 38.

♦ **4.** (1866). Fig. et fam. En finir avec (qqch.). Supprimer rapidement. ⇒ **Débarrasser** (se). *Liquider une affaire, un différend. Il a tout liquidé et a fichu le camp.* ⇒ **Abandonner,** (fam.) **bazarder, plaquer.** — Par ext. Consommer, faire disparaître en utilisant. *Liquider les restes.* ⇒ **Terminer.** *Il a tout liquidé en un repas.*

4 Votre ancienne monarchie avait depuis longtemps liquidé la féodalité. J. ROMAINS, les Hommes de bonne volonté, t. IV, IX, p. 90.

4.1 — Je suis, reprit Hachanoth, venu pour tout liquider. Ma femme n'a pas voulu s'en charger ; cette corvée lui aurait été trop pénible. Il va s'arranger tout cela le plus rapidement possible, car j'ai bien d'autres choses à faire. Je vous donnerai des instructions (...) R. QUENEAU, les Enfants du limon, II, XLI.

Psychol. *Liquider un complexe, un transfert,* le résoudre.

♦ **5.** (xxᵉ ; Malraux, 1928, in T. L. F.). Se débarrasser de (qqn), faire

disparaître, notamment, en tuant. *Liquider un témoin gênant. Liquider qqn physiquement,* le tuer.

4.2 Tu avais pourtant de sérieux motifs de liquider Gilbert Varnove, hein?... Quelqu'un t'a raconté, il y a une dizaine de jours environ, qu'il avait noyé Arlette, ton amie... il y a cinq ans, à Deauville. J.-P. MELVILLE, Dialogues du film Le Doulos, in l'Avant-Scène, n° 24, p. 25.

Renvoyer (qqn). *Ils ont liquidé une partie de la direction.*

▶ **SE LIQUIDER** v. pron.

Vx. Régler ses dettes (Balzac, *les Illusions perdues, in* T. L. F.). *Se liquider d'un engagement* ⇒ **Acquitter** (s').

(Au sens 5). Se tuer, se suicider.

▶ **LIQUIDÉ, ÉE** p. p. adj. *Succession liquidée.* —*Affaire liquidée.* — Fig. et fam. *C'est liquidé, on n'en parle plus.*

5 — Et Paris? — Tu n'as pas entendu la radio? — Je n'ai pas de radio. — Fini, liquidé, dit Ritchie paisiblement. Ils (*les Allemands*) y sont entrés cette nuit. SARTRE, la Mort dans l'âme, p. 11.

CONTR. **Acquérir.**
DÉR. **Liquidable, liquidateur, liquidatif, liquidation.**

LIQUIDIEN, IENNE [likidjɛ̃, jɛn] adj. — 1884 ; de *liquide.*

♦ Didact. Qui est relatif aux liquides. *L'apport liquidien dans un régime alimentaire.*

LIQUIDITÉ [likidite] n. f. — 1500 ; empr. au lat. *liquiditas ;* sens II, de *liquide* (II.).

★ **I.** ♦ **1.** Didact. Caractère de ce qui est liquide. *La liquidité du mercure, du sang* (contr. : *consistance*).

♦ **2.** Fig. et littér. Caractère «liquide», flou, ou encore, limpide.

★ **II.** (1873, P. Larousse ; de *liquide,* II.). ♦ **1.** Dr. État d'un bien liquide*. *Liquidité d'une créance, d'une dette* (⇒ **Liquide**). — Cour. *La liquidité d'un placement, d'un investissement,* sa faculté de pouvoir être rapidement réalisé.

♦ **2.** Au plur. Sommes disponibles. *Avoir des liquidités suffisantes. Les liquidités d'une banque.*

LIQUIDUS [likidys] n. m. Invar. — 1923, *in* T. L. F. ; mot lat., «liquide».

♦ Chim. Ensemble des points de la courbe représentant les températures où un corps, un alliage devient entièrement liquide.

LIQUOR [likwɔʀ] n. m. — 1884, *in* D. D. L. ; mot lat., «liquide».

♦ Physiol. Partie liquide du sang à l'état physiologique (sérum et fibrine).

LIQUOREUX, EUSE [likɔʀø, øz] adj. — 1519, «liquide» ; sens mod., 1719 ; dér. sav. du lat. *liquor* (→ Liqueur), et suff. *-eux.*

♦ **1.** Cour. Qui rappelle la liqueur (II.) par la saveur douce, le degré élevé d'alcool. *Vins liquoreux.* ⇒ **Liqueur** (de). *Les crus liquoreux français de Banyuls, de Frontignan.* ⇒ **Doux** (vin).

1 (...) il s'accote à l'angle du mur, passe et repasse sur les lèvres sa langue toute poissée du vin liquoreux. BERNANOS, Monsieur Ouine, in Œ. roman., Pl., p. 1551.

2 (...) le vin qu'on a rendu liquoreux à souhait en séchant à demi les raisins au soleil (...) DANIEL-ROPS, le Peuple de la Bible, II, II.

♦ **2.** (1831). Vx ou littér. Mêlé, imprégné de liqueur (II.). *Une odeur liquoreuse.* — Fig. *« Teint rouge ; œil liquoreux... »* (Gide, in T. L. F.).

LIQUORISTE [likɔʀist] n. — 1768 ; *liqueuriste,* adj., 1753 (de *liqueur*) ; du lat. *liquor,* et suff. *-iste.*

♦ Personne qui fabrique ou vend des liqueurs. — Adj. *Débitant liquoriste.*

Comme tous les liquoristes, comme tous les Caboulots lui étaient fermés, il allait être forcé de se réfugier dans un nouveau quartier. HUYSMANS, les Sœurs Vatard, V, p. 93.

1. LIRE [liʀ] v. tr. — *Je lis, il lit, nous lisons, ils lisent ; je lisais ; je lus ; je lirai ; je lirais ; lis, lisons, lisez ; que je lise, que nous lisions ; que je lusse* (inus.) ; *lisant ; lu, lue.* — V. 1050 ; du lat. *legere.*

★ **I.** ♦ **1.** Suivre des yeux les caractères d'une écriture et pouvoir les identifier, connaître les sons auxquels ils correspondent. *Lire des mots, des phrases sans les comprendre* (→ Copte, cit. 2). *Lire des lettres, des caractères, des numéros* (→ Écrire, cit. 11). *Lire une plaque indicatrice* (cit. 6). *Lire une écriture difficile, un manuscrit.* ⇒ **Débrouiller, déchiffrer** (→ Besicles, cit. 3 ; griffonner, cit. 1

LIRE 20 LIRE

et 2). *Écriture qu'on ne peut lire* (⇒ **Illisible, indéchiffrable**). *Lire l'imprimé* (cit. 37). *Lire les caractères russes, chinois, arabes, hébreux* (→ Consonne, cit. 5). *Les érudits qui ont étudié ce texte hésitent sur la façon de lire ce mot, cette phrase.* ⇒ **Leçon** (4.), **variante.**

1 M... disait à un jeune homme qui ne s'apercevait pas qu'il était aimé d'une femme : « Vous êtes encore bien jeune, vous ne savez lire que les gros caractères ».
CHAMFORT, Caractères et Anecdotes, Lire en gros.

2 (...) elle savait mal lire le petit caractère qui, disait-elle, lui tirait les yeux hors de la tête.
FRANCE, la Rôtisserie de la reine Pédauque, II, Œuvres, t. VIII, p. 8.

2.1 Nous lisons des yeux, sans doute beaucoup moins bien, moins attentivement, mais je crois aussi que lire en silence permet d'entendre *la voix de l'auteur.*
J. GREEN, Journal, 18 mars 1969, Ce qui reste de jour, p. 155.

Pron. *Inscriptions à demi-effacées, qui se lisent à peine. Mots qui se lisent indifféremment* (cit. 3) *de droite à gauche et de gauche à droite.*

3 Sur les principales pierres, du reste, la marque des tâcherons francs du XIIIe siècle se lit encore (...)
LOTI, Jérusalem, XIII.

Lisez, invitation qui figure dans les errata pour indiquer au lecteur ce qu'il faut lire à la place de ce qui est fautif.

Absolt. *Être capable de lire.* ⇒ **Lecture** (4.). *Apprendre à lire à un enfant, à un illettré. Savoir lire et écrire* (cit. 9), *lire, écrire et compter* (→ Facilité, cit. 10; instruction, cit. 7). *Lire couramment** (cit.); *commencer à lire, lire mal, péniblement* (⇒ **Ânonner, épeler**). *Il ne sait pas lire.* ⇒ **Analphabète, illettré.** — Par exagér. *Ne pas savoir lire :* être très ignorant.

4 On se fait une grande affaire de chercher les meilleures méthodes d'apprendre à lire; on invente des bureaux, des cartes; on fait de la chambre d'un enfant un atelier d'imprimerie.
ROUSSEAU, Émile, II.

Par ext. (en parlant d'un autre sens que la vue). *Lire le Braille.*

♦ **2.** (V. 1165). Prendre connaissance* du sens, du contenu de (un texte ou un fragment de texte écrit) en lisant (au sens 1). *Lire un mot, une phrase dans un livre, dans le journal, sur une pancarte. Il lut ce qui suit, les lignes suivantes. Voici ce qu'on pouvait lire. Lire une lettre. Dans l'espoir de lire une lettre de vous,* ou, ellipt., *de vous lire. J'ai lu quelque part, dans tel livre que... « J'ai lu dans quelque endroit qu'un meunier et son fils... »* (La Fontaine, *Fables,* III, 1). — *Lire qqch. sur l'épaule* (cit. 27) *de qqn. Signer sans lire* (→ Hâte, cit. 10). — Loc. *Lire entre les lignes*.*

5 (...) elle *(l'Église)* lisait à tous les poteaux et à toutes les places publiques les sentences épouvantables que l'on prononçait contre ses enfants (...)
BOSSUET, 2e sermon pour la Pentecôte, I.

6 Lisez, lisez l'arrêt détestable, cruel.
RACINE, Esther, I, 3.

Spécialt (typogr.). *Lire de la copie, des épreuves pour les corriger* (→ Imprimer, cit. 26; interligne, cit. 2). *Lire sur le plomb.* ⇒ **Lecture.**

♦ **3.** Spécialt. Lire (I.,2.) de façon relativement suivie (un texte), pour s'informer, s'instruire, se distraire. *Lire des livres*, des ouvrages. Lire une histoire* (cit. 6, 33 et 43), *un récit, des romans, des vers, de la philosophie. Lire l'Évangile* (cit. 6), *ses heures* (cit. 42), *ses prières, son bréviaire*. Lire un journal;* (au p. p.) *journal très lu. Dictionnaire qu'on lit par plaisir* (→ Consulter, cit. 6). *Lire un livre avec avidité, passion* (⇒ **Avaler, dévorer**), *à la hâte, négligemment,* (fam.) *en diagonale* (⇒ **Feuilleter, parcourir**). *Lire en prenant des notes, le crayon, la plume à la main* (→ ci-dessous, cit. 13). *Lire des notes pour trouver un renseignement.* ⇒ **Compulser, consulter.** *Lire un livre plusieurs fois, souvent* (⇒ **Relire**). *Lire un livre avec fruit* (cit. 40), *intérêt* (cit. 24). *Lire qqch. pour la gloire* (cit. 32 et 33) *de l'avoir lu. Lire dix lignes, quelques pages de...* (→ Code, cit. 1, Stendhal). *Il voulait tout lire. Critique qui doit tout lire.* — *« La chair* (cit. 59) *est triste, hélas ! et j'ai lu tous les livres »* (Mallarmé). *Avoir, emporter quelque chose à lire en voyage. « Mes vrais vers ne seront pas lus »* (→ Demeurer, cit. 20, Sully Prudhomme). — *Lire un auteur, les auteurs* (→ Exemple, cit. 37). *Lire les grands philosophes.* ⇒ **Fréquenter.** *Lire tout Racine. Son père lui faisait lire Balzac, Flaubert. Se faire lire :* avoir des lecteurs, en parlant d'un auteur (→ Aspirer, cit. 9). *Mériter d'être lu* (→ Appréhender, cit. 7; auteur, cit. 20). *Livre, auteur qui se laisse lire.* ⇒ **Lisible** (→ Empêcher, cit. 27).

7 (...) je sens plus d'aise et grand heur *(bonheur)*
A lire quelque bon auteur
Moral, naturel ou divin,
Que vous à boire de bon vin (...)
Clément MAROT, Colloques d'Érasme, I.

8 (...) elle *(cette histoire)* se laisse lire en perfection.
Mme DE SÉVIGNÉ, 810, 18 mai 1680.

9 N'ayant rien à lire, j'écris. C'est le même genre de plaisir, mais avec plus d'intensité.
STENDHAL, Romans et Nouvelles, Le Juif, Aux curieux.

10 Je pensais n'être pas lu avant 1880; j'avais renvoyé à cette époque les jouissances de l'imprimé.
STENDHAL, Correspondance, Lettre à Balzac, t. III, p. 257.

11 Qui n'a lu mille fois, qui ne relit sans cesse
Ces vers mystérieux où parle ta maîtresse,
Et qui n'a sangloté sur ces divins sanglots (...)
A. DE MUSSET, Poésies nouvelles, « Lettre à Lamartine ».

12 Les gens que je lis habituellement, mes livres de chevet, ce sont Montaigne, Rabelais, Régnier (...)
FLAUBERT, Correspondance, 87, 7 juin 1844.

13 (...) il faudrait avoir tout lu la plume à la main, et je n'ai pas tout lu (...)
LITTRÉ, Dict., Préface, p. IV.

Loc. *Lire des doigts.*

Il ne faut pas du tout lire des doigts, ni lire en diagonale, comme on dit aussi d'une manière très pittoresque. Il faut lire avec un esprit très attentif et très défiant de la première impression.
Émile FAGUET, l'Art de lire, p. 2 et 3. 14

Spécialt. *Lire une langue :* pouvoir lire des textes dans cette langue. *Elle lit le russe, l'allemand. Il lit le français mais ne le parle pas bien.* — *Lire un auteur étranger dans le texte, dans sa langue* (→ Français, cit. 18).

La première fois que j'ai vu Schiller, c'était dans le salon du duc et de la duchesse de Weimar, en présence d'une société aussi éclairée qu'importante; il lisait très bien le français, mais il ne l'avait jamais parlé.
Mme DE STAËL, De l'Allemagne, II, VIII. 15

Absolt. Passer du temps à la lecture. ⇒ 2. **Bouquiner** (fam.). *Aimer lire.* ⇒ **Lecteur, liseur** (→ Avaler, cit. 11). *Se distraire, s'instruire, se former* (cit. 39) *en lisant. Lire beaucoup* (→ Instruire, cit. 25). *Lire vite, mal* (→ Enfoncer, cit. 10). *Se fatiguer à lire.* → Pâlir* sur les livres. *User* ses yeux à lire.*

Aimer à lire, c'est faire un échange des heures d'ennui que l'on doit avoir en sa vie, contre des heures délicieuses.
MONTESQUIEU, Cahiers, p. 45. 16

(...) on lit très peu; et, parmi ceux qui veulent quelquefois s'instruire, la plupart lisent très mal.
VOLTAIRE, l'Homme aux 40 écus, X. 17

Je suis dans un âge où l'on ne lit plus, mais où l'on relit les anciens ouvrages.
ROYER-COLLARD, *in* A. DE VIGNY, Journal d'un poète. 18

Je lis comme je voudrais qu'on me lise; c'est-à-dire : très lentement. Pour moi, lire un livre, c'est m'absenter quinze jours durant avec l'auteur.
GIDE, Journal, Fin février 1902. 19

Le mot lecture veut dire choix. Lire, c'est élire, c'est-à-dire choisir (...) Quand nous lisons un livre, une revue, un journal, nous choisissons la substance de notre âme.
G. DUHAMEL, Défense des lettres, I, III. 20

♦ **4.** (V. 1050). Prononcer, énoncer à haute voix (un texte écrit), soit pour s'en pénétrer, soit pour en faire connaître le contenu à d'autres par la parole. ⇒ 1. **Dire** (II.), **prononcer.** *Lire un passage haut, à haute voix*, d'une voix forte. Débit, élocution, diction* de celui qui lit qqch. On lui a demandé de lire son poème. Lire une pièce de théâtre au comité, devant le comité de lecture. Lire des vers*.* ⇒ **Réciter.** — Liturg. *Lire un texte aux offices.* ⇒ **Leçon** (I.), **lecture, légende.** — *Lire un arrêt, un jugement* (→ Accusation, cit. 3; énoncé, cit. 2; instruction, cit. 15). — Absolt. Faire la lecture (→ Enfant, cit. 14; entrecouper, cit. 2).

Un jour la mère Plutarque lisait un roman dans un coin de la chambre. Elle lisait haut, trouvant qu'elle comprenait mieux ainsi. Lire haut, c'est s'affirmer à soi-même sa lecture. Il y a des gens qui lisent très haut et qui ont l'air de se donner leur parole d'honneur de ce qu'ils lisent.
HUGO, les Misérables, III, V, IV. 21

Elle lisait bien, en effet, très bien même, douée d'une espèce de don spécial d'accentuation juste et de prononciation intelligente.
MAUPASSANT, Notre cœur, III, II. 22

(...) de sa voix rapide, qui ne trahissait aucune émotion, il lut d'abord la manchette.
MARTIN DU GARD, les Thibault, t. V, p. 115. 23

Lire qqch. à qqn (→ Faveur, cit. 26). *Elle lui lisait le journal. Illettré* (cit. 4) *qui se fait lire une lettre.* — Spécialt. *Professeur qui lit un texte, un auteur à ses élèves* (⇒ **Expliquer, interpréter**).

♦ **5.** (1723, *lire un dessin;* 1765, mus.). Par anal. Déchiffrer (un système signifiant, un code) de manière à en maîtriser le contenu. *Lire la musique. Lire une partition à livre ouvert. Lire un message chiffré.* ⇒ **Décoder;** → Chiffre, cit. 2. *Lire un graphique* (cit. 1). *Il ne sait pas lire une carte. Cette image est difficile à lire* (⇒ **Lisible**).
Lire la position d'un index (cit. 5). *Lire les instruments de bord.*

Par ext. Découvrir, déchiffrer (qqch., une forme...).

Il paraît à première vue inexplicable que les Archanthropes et les Paléanthropes, qui étaient de remarquables techniciens et prévoyaient la forme de leurs bifaces ou de leurs pointes dans un bloc brut, aient été incapables de lire un poinçon ou une sagaie dans une masse osseuse.
A. LEROI-GOURHAN, le Geste et la Parole, t. I, p. 199. 23.1

♦ **6.** [a] Acoust. Enregistrer (avant la reproduction des sons). ⇒ **Lecture*** (8.). *« Écoutez le son, tel que le lit une cellule de lecture »* (P. Schaeffer, *in* T. L. F.).

[b] Inform. (le sujet désigne une machine). Reconnaître, extraire, transcrire en langue naturelle, en langage clair (des informations). *Lire un fichier magnétique.*

[c] Techn. *Lire un dessin :* percer les cartons nécessaires pour transposer le dessin sur tissu. ⇒ **Lisage.**

★ **II.** Par métaphore et fig. ♦ **1.** (1636, Corneille). Déchiffrer, comprendre (ce qui est caché) par un signe extérieur. *Celui qui sait lire dans l'histoire de l'humanité* (cit. 10). *Lire dans les cieux* (cit. 12), *les astres* (→ Astrologue, cit. 1). *Lire l'horoscope* (cit. 3, 4 et 5), *l'avenir de qqn dans les lignes de sa main, le marc de café, les astres. Savoir lire dans les fleurs :* connaître le langage des fleurs* (→ Interpréter, cit. 3). — *Lire les lignes de la main.*

(...) au livre du destin les mortels peuvent lire.
LA FONTAINE, Fables, II, 13. 24

Je ne sais comment j'en vins à dire que je pouvais deviner les secrets et faire des prédictions en lisant dans les cartes.
J. ROMAINS, les Hommes de bonne volonté, t. III, IV, p. 62. 25

On l'a vu *(Chiron)* montrer à Jason comment, pour se guider en mer, il fallait lire sa route dans les astres.
Émile HENRIOT, Mythologie légère, p. 148. 26

♦ **2.** (1592, Montaigne). Fig. Discerner, reconnaître comme par un signe. ⇒ **Découvrir, discerner, pénétrer.** *Lire qqch. dans un regard*, dans les yeux, dans le cœur* de quelqu'un* (→ Équitable, cit. 3;

inscrutable, cit. 1 ; lâcheté, cit. 3). *Lire sur le visage*, sur les traits de qqn* (→ Abandonner, cit. 14 ; griffe, cit. 10). *Lire jusqu'au fond* (cit. 26) *de la pensée, de l'âme** (cit. 45). — *Lire dans le jeu* (cit. 68) *de qqn.* — *La colère se lit sur son visage.* — Pron. (récipr.). → ci-dessous, cit. 31.

27   On lit dans ses regards sa fureur et sa rage.   RACINE, Esther, III, 3.
28   (...) c'est toujours un mauvais moyen de lire dans le cœur des autres que d'affecter de cacher le sien.   ROUSSEAU, les Confessions, II.
29   Il se rencontre parfois entre deux ennemis la même lucidité de raison, la même puissance de vue intellectuelle qu'entre deux amants qui lisent dans l'âme l'un de l'autre.   BALZAC, Gobseck, Pl., t. II, p. 660.
30   Oh ! si tu pouvais lire dans mon cœur, tu verrais la place où je t'ai mise !   FLAUBERT, Correspondance, 113, 6 août 1846.
31   Il se retourna, et la vit près de lui, toute frémissante de tendresse et de peine. Leurs yeux se lurent mieux qu'ils n'avaient fait jusqu'à ce jour.   P.-J. TOULET, la Jeune fille verte, IX.
32   Les traits du visage, bien qu'alourdis un peu, paraissaient beaux et réguliers ; on y lisait de la noblesse naturelle, mais aussi cet air de tristesse courageuse que prennent les femmes du peuple usées dans les épreuves.   G. DUHAMEL, Salavin, VI, XXVIII.

Compl. n. de personne. *Lire qqn,* le comprendre d'après son comportement.

▶ **SE LIRE** v. pron. Voir à l'article, ci-dessus.

Spécialt. Pouvoir être lu, mériter d'être lu. *Ce manuel se lit facilement. Ça se lit comme un roman.*

Fig. Se deviner, se laisser voir, déchiffrer. « *Une pâleur violente où se lisait tout son trouble* » (Alain-Fournier, in T. L. F.). — *Se lire comme... :* s'interpréter comme...

▶ **LU, LUE** p. p. adj. Voir à l'article, ci-dessus

DÉR. 1. Lisage, lisant, liseur.
COMP. Relire.
HOM. 2. Lire, lyre. — Formes des v. lier, liser.

2. LIRE [liʀ] n. f. — 1592 ; ital. *lira,* de même orig. que le franç. *livre.* → 2. Livre, n. f.

♦ Unité monétaire italienne. *Un million de lires. Un billet de mille lires.*

HOM. Lyre. — Formes du v. 1. lire.

LIRON [liʀɔ̃] n. m. ⇒ Lérot.

1. LIS ou LYS [lis] n. m. — V. 1150, forme plur. généralisée ; de *lil,* du lat. *lilium.*

REM. L'orthographe *lys* (XIVᵉ) inusitée aux XVIIᵉ et XVIIIᵉ, est courante depuis le XIXᵉ, surtout au sens 3.

♦ **1.** Bot. Plante monocotylédone (*Liliacées**), vivace, à bulbe écailleux, à feuilles lancéolées, à grandes fleurs campanulées, et, spécialt, la variété blanche (*lilium candidum* ou *lis commun*). ⇒ **Lilium.** *Lis faux-safran,* jaune orangé (*lilium croceum*) ; *lis martagon*,* rose ; *lis de Pompone, lis turban,* rouge vif ; *lis des Pyrénées,* jaune ; *lis élégant ; lis tigré.* — *Lis qui pousse, s'épanouit* (cit. 6). *Caïeux* (cit. 2), *oignon, corolle de lis* (→ Enveloppant, cit. 1). — Allus. bibl. *Les lis ne filent point.*

1   Considérez comment croissent les lis des champs ; ils ne travaillent point, ils ne filent point ;
    Et cependant je vous déclare que Salomon même dans toute sa gloire n'a jamais été vêtu comme l'un d'eux.   BIBLE (SACY), Évangile selon saint Matthieu, VI, 28-29.
2   Les grands lys orgueilleux se balancent au vent.   VERLAINE, Poèmes saturniens, III.
3   (...) les thyrses blancs des lys, qui semblent monter la garde à l'arrière-plan, représentent le seul témoignage de l'horticulture, au milieu d'une végétation retournée à l'état sauvage.   G. DUHAMEL, le Temps de la recherche, IV.

♦ **2.** La fleur blanche du lis commun. *Cueillir des lis.* — Poét. *Lis virginal*. Blanc comme un lis, d'une blancheur de lis.* ⇒ **Lilial,** et aussi **liliacé.**

(1223). Poét. *Le lis, emblème, symbole de pureté, d'innocence, de candeur, de vertu.* « *Un jeune lis, l'amour* (cit. 40) *de la nature* » (Racine). « *La blanche Ophélia flotte* (cit. 1) *comme un grand lys* » (Rimbaud). — Par métaphore. *Le Lys dans la vallée,* roman de Balzac (1835).

4   Elle était, comme vous le savez déjà, sans rien savoir encore, LE LYS DE CETTE VALLÉE où elle croissait pour le ciel, en la remplissant du parfum de ses vertus.   BALZAC, le Lys dans la vallée, Pl., t. VIII, p. 788.
5   L'arbre était bon ; la fleur était une vertu ;
    C'est trop peu d'être blanc, le lys était candide (...)   HUGO, la Légende des siècles, II, Le sacre de la femme, I.
6   (...) ils s'assirent (...) au milieu d'un bouquet de superbes qui avaient poussé là (...) Les lis leur offraient un refuge de candeur, après leur promenade d'amants (...)   ZOLA, la Faute de l'abbé Mouret, II, VII.

Par métaphore (poét.). *... DE LIS :* très blanc. *Teint* de lis. Chair, peau ; visage, cou de lis* (→ D'albâtre, cit. 2). ⇒ **Blanc.** *Un teint de lis et de roses** (→ Frisotter, cit. 2). — Fig. *Les lis de son teint* (→ Hiver, cit. 10). — Par ext. *Les hétaïres* (cit. 2), « *sveltes lys de Corinthe ou roses de Milet* » (Banville).

Attends, discret mari, que la belle en cornette   7
Le soir ait étalé son teint sur la toilette,
Et dans quatre mouchoirs, de sa beauté salis,
Envoie au blanchisseur ses roses et ses lis.   BOILEAU, Satires, X.

(...) si la personne dont vous parlez est réellement aussi belle que vous le dites, je   8
tiens moi-même à ce que vous en ayez un portrait qui la représente *réellement,* et non pas une tête de convention *pétrie de lis et de roses,* et n'ayant pour toute expression qu'un air de fade volupté.   STENDHAL, Romans et Nouvelles, Féder, II.

— Vous êtes française ?   8.1
— Non, je suis une Anglaise.
— J'avais deviné à cause de votre teint. Un teint de lys et de rose, vous comprenez ?
— Qu'est-ce que c'est un lys ?
— C'est une fleur blanche, symbole de la pureté et de la beauté.
— Oh !
— Un teint de lys et de rose, c'est une expression poétique pour dire un beau teint d'Anglaise.   J.-P. MANCHETTE, Folle à tuer, p. 87.

♦ **3.** (V. 1225). Blason. **FLEUR DE LYS, DE LIS :** figure héraldique formée de trois fleurs de lis schématisées et unies ; objet (bijou, insigne) imitant cette figure (→ Fleur, cit. 7 et 8 ; écusson, cit. 1 ; héraldique, cit. 1). *Pièce de blason, étoffe ornée de fleurs de lis.* ⇒ **Fleurdelisé** (cit.). *Les armoiries des rois de France portaient trois fleurs de lis d'or sur champ d'azur. La fleur de lis, emblème de la royauté, insigne des royalistes.*

On a remarqué que la plupart des autres maisons royales ou impériales d'Europe   9
avaient pour emblèmes (...) toutes sortes d'animaux carnassiers. La maison de France avait choisi trois modestes fleurs. Saint Louis a été la pureté des lys.   J. BAINVILLE, Hist. de France, V, p. 67.

(...) le marchand de vins et champagnes qui s'intitule avec orgueil Fournisseur de   10
S.A.R. Monseigneur le Duc d'Orléans, et qui marque pour cela ses bouteilles de fleurs de lys dorées (...)   ARAGON, le Paysan de Paris, p. 35.

(XIVᵉ). Poét. et vx. *Les fleurs de lis,* et, absolt, *les lis :* le royaume de France.

(Fin XVIᵉ, L'Estoile). Spécialt. *Fleur de lis :* marque au fer rouge en forme de fleur de lis, qu'on appliquait sur l'épaule de certains condamnés. ⇒ **Fleurdeliser.**

(...) comme elle étouffait dans ses habits, il les fendit avec son poignard et lui   11
découvrit l'épaule. Devinez ce qu'elle avait sur l'épaule, d'Artagnan ? (...) — Puis-je le savoir ? demanda d'Artagnan. — Une fleur de lis, dit Athos. Elle était marquée.   A. DUMAS, les Trois Mousquetaires, XXVII.

Le lis rouge des armes de Florence (la « cité des lys » ; → Image, cit. 63). *Le Lys rouge,* roman d'A. France (1894).

(...) je suis exaltée en pensant que vous portez sur le cœur de lys rouge de Florence   12
(...) Oh ! je voudrais connaître le joaillier qui l'a fait, darling. Ce lys est svelte et souple comme la fleur d'iris. Oh ! il est élégant, magnifique et cruel.   FRANCE, le Lys rouge, XXXII.

♦ **4.** Par anal., en parlant d'autres plantes. — (1680, *lis des vallées*). *Lis de mai, des vallées* (⇒ **Muguet**), *des marais* (⇒ **Acore**). — (1840). *Lis Saint-Jacques.* ⇒ **Amaryllis.** — *Lis jaune.* ⇒ **Hémérocalle ; belle-d'un-jour.** — (1583). *Lis d'étang* ⇒ **Nénuphar ;** → Immobile. cit. 11) ; syn. (1896) : *lis d'eau.* — *Arbre* aux lis.*

Elle cueille (...) le lys des vallées, dont les blanches clochettes, agitées au moindre   13
souffle, répandent une odeur délicieuse.   FRANCE, Pierre Nozière, I, V.

COMP. Fleurdeliser.
HOM. V. 1. Lice.

2. LIS [li] n. m. — Altér. de *lé.* → Laize.

♦ Mar. Bord d'une laize*.

HOM. Li, 1. **lie,** 2. **lie, lit ;** formes du v. 1. **lire.**

1. LISAGE [lizaʒ] n. m. — 1776 ; de 1. *lire* (I., 6).

Technique.

♦ **1.** Opération qui consiste à lire (I., 6.), à analyser un dessin pour tissu et à percer de trous disposés correctement les cartons qui sont montés dans le métier.

♦ **2.** (1873). Machine, métier effectuant cette opération. *Lisage à chariot, à tambour.*

HOM. 2. Lisage.

2. LISAGE [lizaʒ] n. m. — V. 1900, *Nouveau Larousse illustré ;* de 1. *lise.*

♦ Techn. Compression des sables (pour établir les fondations d'un ouvrage : digue, etc.).

HOM. 1. Lisage.

LISANT, ANTE [lizɑ̃, ɑ̃t] adj. — Mil. XIXᵉ, *l'humanité lisante,* Baudelaire ; de 1. *lire.*

♦ Qui lit (habituellement, normalement). *La partie lisante de la population.*

1. LISE [liz] n. f. — V. 1160 ; d'un dér. (*ligisja, *ligitia) de *liga «limon, vase», mot gaul., var. de glise, même mot que glaise.

Régional.

♦ **1.** Sable mouvant en bord de mer.

♦ **2.** Dépôt limoneux après une inondation (Garonne).

COMP. **Enliser.**
HOM. 2. Lise, lyse ; formes des v. 1. **lire, liser.**

2. LISE [liz] n. f. — 1902 ; déverbal de liser.

♦ Techn. Bâton soutenant les ensembles d'écheveaux de soie que l'on plonge dans la teinture.
HOM. V. 1. **Lise.**

LISER [lize] v. tr. — 1611, «ourler» ; dér. du rad. de lisière.

Technique.

♦ **1.** Tirer par les lisières (un drap qu'on foule).

♦ **2.** Agiter dans la teinture les groupes d'écheveaux de soie supportés par des lises* (2. Lise).
DÉR. 2. **Lise.**
HOM. V. 1. **Lise.**

LISÉRAGE [lizeRaʒ] n. m. — 1723 ; de liserer.

♦ Techn. Ouvrage qui consiste à border d'un fil (d'or, d'argent, de soie, de laine...) les motifs d'une broderie. — Liseré.

LISERÉ [lizRe] ou **LISÉRÉ** [lizere] n. m. — 1743, liseré ; liséré, 1798 ; de liserer.

♦ **1.** Ruban* étroit avec lequel on borde un vêtement. ⇒ **Bordure, passepoil.** Un liseré de soie. Le liseré d'un volant de robe, d'un gilet, d'une veste.

♦ **2.** (1797). Raie, bande formant bordure, d'une autre couleur que le fond. Liseré rose (→ Futaine, cit., Balzac). Liseré bleu (→ Jambart, cit. 1, Gautier). Mouchoir à liseré de couleur.

♦ **3.** (1783). Fig. Bande étroite.
Un nuage s'est posé sur l'herbe, là-bas, au fond. Il monte. On commence à voir un petit liseré de ciel entre l'herbe et lui.   J. GIONO, Regain, I, III.

Méd. Liseré gingival : liseré bleuté au bord des gencives, lors d'une intoxication par le plomb.
HOM. Formes du v. **liserer.**

LISERER [lizRe] ou **LISÉRER** [lizere] v. tr. — Conjug. lever ; céder. — 1525, lizerer ; lisérer, 1681 ; p. p., lezéré, fin xvᵉ ; de lisière.

♦ **1.** Border d'un liseré. Liserer une jupe. — Au p. p. Jupe liserée. Par ext. Mouchoir liseré de rose. «Flanelle couleur crème et liserée de vert d'ortie» (Bloy, le Désespéré, p. 188).
1   (...) jupes (...) s'en allant en arrière (...) en un remous liseré de pelleteries blanches (...)   HUYSMANS, Là-bas, VIII.

♦ **2.** (1867). Fig. Border en formant comme un liseré.

Pronominal :
2   Il les regarda se perdre dans la nuit. La neige tombait plus épaisse, leurs vêtements confondus se liséraient d'un fin duvet blanc.   ZOLA, la Terre, I, IV.
DÉR. **Liserage, liséré.**
HOM. **Liseré.**

LISERON [lizRɔ̃] n. m. — 1538 ; dimin. de lis.

♦ **1.** Plante herbacée (Convolvulacées) annuelle ou vivace, à tige volubile dont les fleurs souvent blanches ont des corolles en forme d'entonnoir. ⇒ **Belle-de-jour, convolvulus** (→ Enlacer, cit. 1). Variétés de liserons : petit liseron, liseron des champs, des blés (⇒ **Campanelle** [2.], **clochette, vrillée**) ; grand liseron, liseron des haies (ou

liset) ; liseron des jardins. Suc laiteux de certains liserons (Scammonée).
L'innocent liseron, nourri de sel amer,
Fleurit sous les blocs noirs du vieux mur de la mer.
          HUGO, les Années funestes, XI.

♦ **2.** Volubilis.

♦ **3.** (1867). Liseron épineux : salsepareille.
HOM. Formes des v. **liser, liserer.**

LISET [lizɛ] n. m. — 1538 ; de 1. lis.

♦ Dial. Liseron. — Liset piquant. ⇒ **Salsepareille.**
HOM. Formes des v. 1. **lire, liser.**

1. LISETTE [lizɛt] n. f. — Av. 1834 ; n. pr., var. de Louisette ; en argot anc. «gilet long» (1821).

★ I. ♦ **1.** Vx. Type de jeune femme, de jeune fille du peuple, gaie et légère, mis à la mode par les chansonniers du XIXᵉ siècle. ⇒ **Grisette.** Les lisettes, les lorettes et les grisettes.

♦ **2.** (1873). Vx. Soubrette de comédie.

★ II. Loc. fam. (1786). Pas de ça, Lisette ! : non, je refuse.
HOM. 2. **Lisette.**

2. LISETTE [lizɛt] n. f. — 1867, Littré ; de liseuse (1.) «petit coupe-papier», et suff. -ette.

♦ Petit couteau à lame émoussée.
HOM. 1. **Lisette.**

LISEUR, EUSE [lizœR, φz] n. — V. 1200, «lecteur» ; leisor, 1136 ; de 1. lire.

★ I. (Personnes). ♦ **1.** Vx. Lecteur. «Les nombreux liseurs des grands journaux» (Goncourt) — Lecteur à haute voix (Mᵐᵉ de Sévigné, in Littré).

♦ **2.** (1680 ; généralement accompagné d'un adjectif). Personne qui a l'habitude de lire beaucoup. ⇒ **Bouquineur** (fam.), **lecteur** (→ Gobeur, cit. 2). C'est un grand liseur, une grande liseuse de romans (Académie).
C'est une liseuse (...) elle sait un peu de tout.   1
          Mᵐᵉ DE SÉVIGNÉ, 1171, 30 avr. 1689.
REM. On a employé dans ce sens la forme lisard, n. m. (Stendhal, Mérimée, in T. L. F.).

♦ **3.** Fig. et littér. Un liseur d'âme, de pensées : personne qui devine la pensée des autres.
D'ailleurs, M. von Greidlinger vous dira mes intentions, puisqu'il est le plus habile   2
liseur de pensée d'Allemagne et que vous l'avez amené à ce titre. Qu'avez-vous lu en moi, monsieur von Greidlinger ? (...)
          GIRAUDOUX, Siegfried et le Limousin, p. 175.

♦ **4.** (1723). Techn. Ouvrier, ouvrière qui effectue le lisage (1. Lisage).

★ II. N. m. Instrument qui aide à lire. — (1902). Liseur à miroir. — Porte-carte.
HOM. (Du fém.) **Liseuse.**

LISEUSE [lizφz] n. f. — 1867, au sens 1 ; de lire.

♦ **1.** Couteau à papier servant de signet. Une liseuse d'écaille.

♦ **2.** (1930). Couvre-livre interchangeable. Liseuse en cuir.

♦ **3.** (1909, in D. D. L.). Petit vêtement de femme, veste chaude et légère d'intérieur (pour lire au lit, etc.). Une liseuse garnie de dentelles.

♦ **4.** (1889). Petite table à plusieurs tablettes, pour poser livres et revues (→ Fourre-tout, cit. 1).

♦ **5.** (1918, P. Bourget, in T. L. F.). Petite lampe destinée à la lecture (dans un train, une voiture...).
HOM. V. **Liseur.**

LISIBILITÉ [lizibilite] n. f. — 1866 ; de lisible.

♦ **1.** Caractère de ce qui est lisible. Écriture d'une lisibilité parfaite.
Il lut (...) les quatres pages de cette écriture, droite et robuste (...) dont l'étonnante lisibilité a fait la joie de tant d'imprimeurs.   1
          Léon BLOY, le Désespéré, p. 17.

♦ **2.** Fig. Possibilité d'interpréter. ⇒ **Compréhensibilité ; lecture** (3.). La lisibilité d'un texte.
La lisibilité parfaite de la scène, sa mise en forme nous dispense de recevoir pro-   2

fondément l'image dans son scandale ; réduite à l'état de pur langage, la photographie ne nous désorganise pas. R. BARTHES, *Mythologies*, p. 106.

LISIBLE [lizibl] adj. — 1464 ; de 1. *lire*.

♦ **1.** Qui est aisé à lire, à déchiffrer. *Écriture, inscription lisible. Une inscription à demi effacée, à peine lisible. Sa signature est à peine lisible, n'est pas lisible. Recopier pour rendre plus lisible* (→ 2. Exemplaire, cit. 6). *Caractère typographique lisible* (→ Elzévir, cit.).

1 Le visiteur avait peut-être une mauvaise écriture ; mais il n'avait mis certainement aucune obligeance à la rendre lisible.
J. ROMAINS, *les Hommes de bonne volonté*, t. V, v, p. 33.

Schéma, carte peu lisible.

Dont le contenu est compréhensible à la lecture. *Texte lisible à plusieurs niveaux.* ⇒ **Lecture** (3.). *Le poème n'est pas lisible.*

Techn. Qui peut être lu par un lecteur optique, sans être forcément visible pour l'œil humain. *Encre lisible.*

♦ **2.** (1824). Fig. Déchiffrable, visible (→ Figure, cit. 10 ; graphique, cit. 4). *Un reproche lisible dans les yeux, dans le regard* (→ Blâmer, cit. 10).

2 Le jeûne et la misère étaient gravés sur cette figure en traits aussi lisibles que ceux de la peur, et des habitudes ascétiques.
BALZAC, *Un épisode sous la Terreur*, Pl., t. VII, p. 431.

♦ **3.** (1775). Digne d'être lu. *Ce livre, cet article est à peine lisible. Cela n'est pas lisible. « Le seul écrivain lisible pour moi était Shakespeare »* (Stendhal, *in* T. L. F.).

CONTR. **Illisible.**
DÉR. **Lisibilité, lisiblement.**

LISIBLEMENT [lizibləmɑ̃] adv. — 1543 ; de *lisible*.

♦ D'une manière lisible. *Écrire lisiblement.*

Forme tes chiffres lisiblement ; cela te nuirait si tu voulais plus tard entrer dans une administration (...) FLAUBERT, *Correspondance*, 52, 25 nov. 1841.

CONTR. **Illisiblement.**

LISIER [lizje] n. m. — Av. 1868 ; mot dial. de Suisse ; du lat. *lotium* « urine », de *lotus*, adj. verbal de *lavare*, l'urine étant utilisée pour certains lavages.

♦ Techn. (agric.). Mélange d'excréments solides et liquides d'animaux, contenant une grande quantité d'eau, et conservé dans des fosses couvertes pour servir d'engrais. ⇒ **Purin.** *Épandage du lisier. Pompe à lisier.*

HOM. Forme des v. 1. lire, liser.

LISIÈRE [lizjɛʀ] n. f. — 1244, orig. incert. ; p.-ê. (Wartburg) du moy. franç. *lis* (XIVe), lat. *licium*, mais *lis* paraît trop récent ; ou du francique **lisa* « ornière », d'existence douteuse à côté de **laiso* (all. *Gleus*) ; Guiraud suggère, très hypothétiquement, un dér. du lat. *litus* « rivage, bord ».

♦ **1.** Bordure limitant de chaque côté une pièce d'étoffe* et qui est soit d'une autre armure, soit à chaîne doublée. ⇒ **Bande.** *Lisière d'un tissu différent, d'une couleur différente. Largeur d'un drap entre les lisières.* ⇒ **Laize, lé.** *Lisière ornée d'un liseré*.* ⇒ **Liserer.** Par ext. Bande étroite de tissu. *Boucher une fente avec un lisière.* ⇒ **Calfeutrer.**

(1830, *in* D. D. L.). Étoffe rude, en bande étroite, utilisée pour tresser des chaussons. *Chaussons, savates de lisière, en lisière.*

1 (...) la servante Arthémise, traînant nonchalamment sur les carreaux ses savates de lisière, apportait les assiettes les unes après les autres (...)
FLAUBERT, *Mme Bovary*, II, II.

♦ **2.** (1680). Vx. Bandes ou cordons attachés au vêtement d'un enfant pour le soutenir quand il commence à marcher (→ Bourrelet, cit. 1).

2 Vous voudriez que je prisse, pour m'aller promener, le bras de ma femme de chambre, ou d'une bonne. Ce serait apparemment pour m'empêcher de tomber, et les lisières m'étaient nécessaires dans mon enfance (...) mais j'ai dix-sept ans et je sais marcher (...) G. SAND, *Lettre*, 18 nov. 1821, *in* A. MAUROIS, *Lélia*, I, v.

(1752). Par métaphore ou fig. (surtout dans des loc.). Ce qui sert à guider*, à soutenir, à retenir... (→ Bâillon, cit. 2). *Se diriger, marcher sans lisières*, sans secours étranger. *Mener par la lisière ; tenir par les lisières* (fin XVIIIe) ; *tenir* * *à la lisière* (vx), *par la lisière ;* (1829) *tenir en lisières :* diriger, mener, exercer une tutelle, un empire sur...

3 Nous sommes des enfants qui essayons de faire quelques pas sans lisières (...)
VOLTAIRE, *le Philosophe ignorant*, XIV.

4 Un gouvernement nouveau est un enfant qui ne peut marcher qu'avec des lisières.
CHATEAUBRIAND, *Mémoires d'outre-tombe*, t. V, p. 291.

5 Par moments, elle *(Dinah)* se secouait ; elle voulait prendre une résolution virile ; mais elle était tenue en lisières par la question d'argent.
BALZAC, *la Muse du département*, Pl., t. IV, p. 73.

Vx. *Rompre ses lisières, sortir des ses lisières :* s'affranchir.

♦ **3.** (Mil. XVIe). Partie extrême (d'un terrain, d'une région). ⇒ **Bord, bordure, extrémité, limite.** *La lisière d'un champ. Les lisières d'un pays, d'une région* (⇒ **Frontière**). — *Lisière d'un bois, d'une forêt.* ⇒ **Orée** (→ Compagnie, cit. 16 ; fouillis, cit. 3). *Lisières d'arbres. « Une haie qui formait lisière »* (Gide). — Spécialt. *Arbre* * *de lisière.* — Loc. (plus. cour.). *À la lisière, sur la lisière de...*

6 L'allée nous conduisit à la lisière du bois, qu'un fossé séparait de la plaine, où erraient des vaches et des chevaux en liberté. Nous revînmes sur nos pas et nous rentrâmes au château. Th. GAUTIER, *Voyage en Russie*, I, III.

Bordure de végétation. *Une lisière d'arbustes, de houx.*

Spécialt. Ligne séparant la banquise de la mer libre.

Fig. Limite. *« La lisière de l'inexprimable »* (J. Green, *in* T. L. F.). *À la lisière de la solitude, du désespoir.*

7 Peut-il exister en dehors des divers systèmes politiques, aux confins des doctrines qui se combattent et se font la guerre, un terrain plus ou moins neutre, une sorte de lisière, où l'on est bien venu à errer un moment, à rêver (...)
SAINTE-BEUVE, *Causeries du lundi*, 13 oct. 1851.

CONTR. **Centre, milieu.**

LISOIR [lizwaʀ] n. m. — 1680 ; p.-ê. d'une altér. de *lisser* « glisser » (1650).

Technique.

♦ **1.** Vx. Pièce transversale portant les ressorts d'un carrosse. — Partie de l'affût d'un canon de siège.

♦ **2.** (1829, Boiste). Vx. Bâti servant à l'apprêt des étoffes.

♦ **3.** (1873). Pièce supportant une partie du poids d'une machine, d'un wagon de chemin de fer et absorbant le frottement.

1. LISSAGE [lisaʒ] n. m. — 1873 ; de 2. *lice*.

♦ Techn. Manière de disposer les lices selon le tissu à obtenir. — On écrit aussi *liçage*.

HOM. 2. Lissage.

2. LISSAGE [lisaʒ] n. m. — 1762 ; de 1. *lisser*.

Action de lisser ; son résultat.

A. ♦ **1.** Emploi général. *Le lissage des cheveux, du poil.*

Toute cette harmonie factice que cette femme a imposée à ses traits et dont (...) elle surveille la persistance dans sa glace, changeant l'inclinaison du chapeau, le lissage des cheveux, l'enjouement du regard (...)
PROUST, *À l'ombre des jeunes filles en fleurs*, Pl., t. I, p. 861.

♦ **2.** Techn. Opération de finissage par laquelle on supprime les inégalités de surface et d'aspect, pour donner un aspect lisse. *Le lissage du papier ; du cuir. Le lissage, le calandrage, le glaçage, le lustrage font partie des apprêts.* — *Lissage des pâtes à fromages* (fromages à pâte lissée).

♦ **3.** (1914, *in* T. L. F.). Techn. Opération par laquelle on introduit dans une poudre une substance inerte pour durcir les grains et réduire la vitesse de combustion.

♦ **4.** Recomm. de francisation pour l'anglic. *lifting**.

B. (Mil. XXe). Abstrait. Élimination de variables aléatoires ou résiduelles dans une courbe. *Ajustement* (3.) *de données statistiques par lissage.*

HOM. 1. Lissage.

1. LISSE [lis] adj. — V. 1188, *lisce* ; de 1. *lisser*.

A. ♦ **1.** Qui n'offre pas d'aspérités, de rugosités au toucher. *Surface lisse.* ⇒ **Égal, uni.** *Glisser sur une surface, une paroi lisse. Rocher* (→ Arc, cit. 7), *pierre lisse.* ⇒ **Poli.** *Écorce lisse du hêtre* (cit. 2). *Feuille, tige lisse. Fruit lisse* (→ Cerise, cit. 3). *Une peau, une chair* (cit. 21) *lisse, une peau , une chair douce, unie.* ⇒ **Doux.** *Visage frais* (cit. 29) *et lisse.* ⇒ **Glabre.** *Cheveux* (cit. 24) *lisses. Le poil lisse du jaguar* (cit. 1). *Laine* (cit. 3) *lisse et laine crépue.* — Par ext. *Eau lisse*, dont la surface est parfaitement calme et plane (→ Canal, cit. 7). *Mer lisse. Ciel calme et lisse* (→ Haut, cit. 93).

1 *(Elle)* ne supportait pas de sortir en caïque si l'eau n'était lisse comme un miroir.
LOTI, *les Désenchantées*, VI, XL.

2 (...) notre voiture (...) glissait sur la longue bande de ciment lisse.
CÉLINE, *Voyage au bout de la nuit*, p. 200.

3 L'eau de la rivière a tant lavé son lit que même la lumière glisse sur l'onde lisse et tombe au fond avec le lourd éclat des pierres.
Tristan TZARA, *l'Homme approximatif*, p. 20.

N. m. *Le lisse et le rugueux.* Spécialt (en peinture). *Matière, peinture lisse.*

♦ **2.** Qui ne présente pas d'inégalités importantes et pratiquées à la surface. *Colonne lisse*, sans cannelures. *Canon à âme lisse*, sans rayures. — *Corde lisse*, sans nœuds. *Muscles lisses*, non striés.

♦ 3. Dont le timbre, la sonorité est régulier, doux. *Son, sonorité lisse.*

B. Fig. et littér. Doux et régulier. *Une joie, une vie lisse. Une impression lisse.*

CONTR. Âpre, granuleux, grenu, inégal, rugueux; bourru; cotonneux, velu; barbu, poilu; fripé, ridé; frisé, hérissé.
HOM. 1. Lice, 2. lice, 3. lice, 1. lis, 2. lisse, 3. lisse, 4. lisse; formes des v. 1. lisser, 2. lisser.

2. LISSE [lis] n. f. Techn. ⇒ 2. Lice. — Vén. ⇒ 3. Lice.
HOM. V. 1. Lisse.

3. LISSE [lis] n. f. — 1606; de 1. *lisser.*

♦ Techn. Outil de cordonnier pour polir le cuir. ⇒ **Fer.** Outil de maçon pour polir les revêtements. ⇒ aussi **Lissette.**
HOM. V. 1. Lisse.

4. LISSE [lis] n. f. — XVIᵉ, *lice;* → 1. Lice.

♦ 1. Mar. Membrure longitudinale de la coque d'un navire placée contre les couples ou contre le bordé. *Les lisses et les couples d'une coque.*
Ligne figurant les sections d'une coque de navire dans un plan perpendiculaire à celui du maître couple. *Lisses planes.*

Aviat. Élément longitudinal reliant les couples d'un fuselage, d'une voiture. ⇒ **Longeron.**

♦ 2. (1691). Mar. Assemblage de pièces de bois plates posées transversalement sur les chandeliers pour servir de garde-corps. — On dit aussi *lisse d'appui,* pour distinguer des *lisses* au sens 1.

Et le plus jeune des voyageurs, s'asseyant de trois quarts sur la lisse : «Je veux bien vous parler des sources sous la mer...» (...)   SAINT-JOHN PERSE, *Éloges,* VII.

Par ext. Pièce horizontale d'un garde-fou, d'une barrière. *Lisses en bois, de bois, de béton. Lisse supérieure* (main courante), *inférieure.*

DÉR. 2. Lisser.
HOM. V. 1. Lisse.

LISSÉ, ÉE [lise] adj. et n. m. — 1553; *licé,* en anc. franç. → 1. Lisser.

♦ 1. Rendu lisse. *Cheveux noirs bien lissés* (→ Convenablement, cit.). — Techn. *Cuirs lissés.* — (1671). *Amandes lissées.* ⇒ **Dragées.**

N. m. Aspect, caractère d'une chose lisse. *Le lissé d'un papier.* «*Le lissé, le velouté des feuilles*» (Bernardin de Saint-Pierre, *in* G. L. L. F.).

♦ 2. N. m. (1765). Cuis., confis. Degré de cuisson du sucre qui va entrer en ébullition. *Petit lissé,* où le sucre forme un fil cassant; *grand lissé,* où le sucre forme un fil qui s'étire. → Grand et petit boulé*.

HOM. Lisser, lycée; formes des v. 1. lisser, 2. lisser.

1. LISSER [lise] v. tr. — XIIIᵉ, *licier; lischier* «repasser, polir», 1080; *leudier,* au sens mod., 1280; lat. *lixare* «extraire par la lixiviation», et par ext. (v. 800), «repasser»; un rapport avec *lice, lissé,* n'est pas exclu (Guiraud).

A. Concret. **♦ 1.** Rendre lisse (qqch., une surface). *Lisser ses cheveux* (→ Lécher, cit. 4), *sa chevelure* (cit. 7), *sa moustache. Oiseau qui lisse ses plumes avec son bec* (→ Effraie, cit. 2.). *Égaliser* (cit. 3), *lisser la terre avec un rouleau.* ⇒ **Aplanir.**

1   Le trésorier ne répondit que par un sourire de supériorité, en lissant, du bout de l'index, le dessous de sa moustache rare.   P.-J. TOULET, la Jeune Fille verte, V.

2   Ivich lissait sa jupe avec les paumes en relevant un peu les doigts comme si elle allait frapper des touches de piano.   SARTRE, l'Âge de raison, IV.
Se lisser les cheveux, la barbe.

(1564). Techn. *Lisser le papier, les étoffes avec une calandre.* ⇒ **Calandrer.** *Lisser les peaux, les cuirs,* les apprêter en leur donnant le dernier lustre. ⇒ **Lustrer; lisseur, lissoir.** — *Lisser un parquet* (⇒ Aplanisseur).

Régional. Repasser (du linge). *Des lingères qui lissaient le linge en regardant dehors* (Bazin, *in* G. L. L. F.).

♦ 2. Arts. Peindre avec une facture lisse.

♦ 3. Techn. Enduire d'une couche de sucre. *Lisser des amandes* (fabrication des dragées).

B. Fig. Didact. Éliminer les fluctuations rapides (d'un phénomène)

pour ne retenir que l'évolution moyenne. *Lisser une courbe.* ⇒ 2. **Lissage.**

▶ **LISSÉ, ÉE** p. p. adj. ⇒ **Lissé,** adj.

CONTR. Délisser, ébouriffer, écheveler; craqueler.
DÉR. 2. Lissage, 3. lisse, lissé, lisseur, lissoir.
COMP. Délisser.
HOM. Lissé, 2. lisser, lycée.

2. LISSER [lise] v. tr. — 1681; de 4. *lisse.*

♦ Garnir de lisses (une charpente de navire).

HOM. Lycée, lissé, 1. lisser.

LISSETTE [lisɛt] n. f. — 1767; de 1. *lisser.*

♦ (1902, in *Larousse universel*). Techn. Outil plat servant au lissage des cuirs, des coutures, pour le collage des moquettes, etc.
REM. Il existe un homonyme *lissette* (1723), dimin. de 2. *lisse.* → 2. Lice.

LISSEUR, EUSE [lisœr, øz] n. — 1445; de 1. *lisser.*
Technique.

♦ 1. Ouvrier, ouvrière qui lisse une étoffe; et, par ext. (1751), du papier.

♦ 2. N. Ⓐ N. f. (1874). Machine pour lisser le papier, les étoffes, les cuirs. — Machine pour mouler et lisser les pains de beurre. — Machine servant à rendre lisses les revêtements routiers.

Ⓑ N. m. (1902). Outil à lisser.

♦ 3. Adj. Qui sert à lisser. *Rouleaux lisseurs.*

LISSIER [lisje] n. m. ⇒ **Licier.**

LISSOIR [liswar] n. m. — 1614; de 1. *lisser.*
Technique.

♦ 1. Instrument pour lisser (le papier, les étoffes, le cuir). *Lissoir de relieur. Lissoir à lien.* — Spécialt. Outil en os utilisé au paléolithique supérieur pour lisser les peaux.

♦ 2. Instrument pour lisser le goudron, le bitume des routes lorsqu'il est encore chaud.

LISSOTRICHE [lisɔtriʃ] adj. — Mil. XXᵉ; du grec *lissos* «lisse», et *thrix, trikhos* «cheveu».

♦ Didact. Qui a les cheveux raides. *Race, individu lissotriche.*

LISTAGE [listaʒ] n. m. — Mil. XXᵉ; «fabrication de la lisière d'une étoffe» (de 1. *liste*), 1250; de *lister.*

♦ 1. Action de lister; résultat de cette action. *Le listage des noms des candidats. Procéder à un listage soigneux, exhaustif.*

♦ 2. Document qui reproduit une liste (souvent produit par l'imprimante d'un ordinateur; recomm. off. pour franciser l'anglic. *listing,* n. m.). *Sortir un listage sur imprimante.*

1. LISTE [list] n. f. — V. 1150, «bordure, lisière»; germanique *lista.

♦ Vx. Bande. — (1600; aussi *lisse,* 1765). Spécialt. Bande de poils blancs sur le chanfrein de certains chevaux.
(...) La jument montée par le simple cavalier *(était)* baie avec liste en tête et deux balzanes (antérieur et postérieur droit)..
                    Claude SIMON, la Route des Flandres, p. 259.
DÉR. Liteau.
HOM. 2. Liste; formes du v. lister.

2. LISTE [list] n. f. — 1567; ital. *lista,* de même orig. que 1. *liste.*

♦ 1. Suite* de mots, de signes, de nombres... souvent inscrits les uns au-dessous des autres, en colonne. *Les éléments d'une liste. Liste de noms, de mots, de termes. Faire, dresser une liste* (→ Corps, cit. 2). *Longue liste. Liste qui grossit, s'allonge. Liste ouverte, inachevée* (→ Grief, cit. 3), *liste close. Mot couché sur une liste. Nom qui ouvre, ferme une liste; tête, fin, queue de liste. Pointer, cocher les noms d'une liste. Rayer, radier un nom d'une liste* (→ Biffer, cit. 3). *Liste alphabétique. Liste de... : liste des noms de... Liste des membres d'une société, d'un corps, d'un ordre.* ⇒ **Tableau.** *Liste d'actionnaires, de souscripteurs. Liste des lauréats* (⇒ **Palmarès**), *des nouveaux promus* (⇒ **Promotion**), *des martyrs* (⇒ **Martyrologe**). *Liste méthodique et détaillée d'objets.* ⇒ **Bordereau, catalogue, état, inventaire.** *Liste des causes à plaider.* ⇒ **Rôle.** *Liste des numéros gagnants d'une loterie. Liste de commissions* (cit. 6) *à faire. Liste des mets, des plats d'un restaurant.*

⇒ **Menu.** *Liste de livres interdits.* ⇒ **Index** (cit. 7). *Liste des abré-viations. Liste de fautes.* ⇒ **Errata.**

1 (...) après de vains sondages parmi les listes de prisonniers des camps allemands, Rumelles avait fini par découvrir, dans les archives du ministère de la Guerre, à Paris, une note émanée du Q. G. d'une division d'infanterie (...)
MARTIN DU GARD, *les Thibault*, t. VIII, p. 204.

2 Un sous-officier de l'armée active examina le livret de Jean et fit une marque sur une liste qu'il tenait à la main.
J. CHARDONNE, *les Destinées sentimentales*, p. 340.

Spécialt. *Liste de proscrits* (→ Exiler, cit. 9), *de proscription*.*

Loc. (1702; angl. *black list*). *Liste noire :* liste de gens à surveiller, à abattre.

3 Comment se fait-il, dit-elle à Fabrice, que vous marchiez ainsi librement dans la rue?... vous êtes sur la liste noire de l'Autriche.
STENDHAL, *la Chartreuse de Parme*, XII.

Dr. *Liste des jurés*.* ⇒ **Jury.** — *Liste électorale.* ⇒ **Électoral.** — (1789, Mme de Staël). *Liste des candidats, des éligibles* (cit.) : liste des candidats présentés ensemble aux électeurs par un parti, un groupe politique. *Scrutin* de liste. Listes apparentées. Voter pour des candidats de différentes listes. Liste panachée* (→ Panachage). *Liste de droite. Liste d'union. Liste bloquée,* que l'électeur n'a pas le droit de modifier.

4 La loi *(du 5 octobre 1946)* interdit expressément à deux ou plusieurs listes, dans la même circonscription, de porter le même nom ou d'être rattachées au même parti ou à la même organisation. Le nombre des candidats doit être égal à celui des sièges.
Marcel PRÉLOT, *Précis de droit constitutionnel*, § 288, p. 380.

Admin. *Liste d'aptitude à une fonction. Liste d'admissibilité, d'admission. Liste complémentaire.*

Liste d'attente : liste des passagers n'ayant pas de places réservées à bord d'un avion, et à qui les places disponibles sont attribuées selon l'ordre d'inscription. *Être en liste d'attente.* — (Dans d'autres contextes). *Être sur la liste d'attente pour un poste, pour obtenir quelque chose.*

Techn. *Liste de vérification :* document écrit servant d'aide-mémoire, indiquant dans l'ordre les différentes opérations ou vérifications à effectuer avant, pendant ou après la mise en œuvre d'un matériel.

Loc. *Liste de mariage :* liste des cadeaux souhaités par les futurs époux. *Déposer une liste de mariage chez un commerçant.* — *Liste de naissance :* liste analogue de cadeaux à un nouveau-né.

Support matériel d'une liste. *Donner une liste à qqn. Recevoir une liste par la poste.*

♦ **2.** (1618, d'Aubigné). ⇒ **Énumération, inventaire, nombre.** *La liste de ses mérites est longue. La liste des gloires reconnues ne corres-pond* (cit. 4) *pas à celle des gloires vraies.* — Loc. (av. 1834). *Gros-sir la liste de :* s'ajouter au nombre de... *Si vous ne faites pas droit à leurs revendications, ils iront grossir la liste des mécontents.* ⇒ **Rang(s).**

♦ **3.** (1769; angl. *civil list,* d'abord à propos du souverain anglais, après la révolution de 1688). Par ext. *Liste civile :* somme allouée annuellement à un chef d'État pour subvenir aux dépenses et char-ges de sa fonction. *La liste civile du Président de la République.*

5 La Nation pourvoit à la splendeur du trône par une liste civile, dont le corps législatif déterminera la somme à chaque changement de règne, pour toute la durée du règne.
Constitution du 3 sept. 1791, III, II, art. 10.

6 (...) allocation accordée au souverain lors de la révolution de 1688, et nommée liste civile parce que cette allocation avait à sa charge, outre les dépenses de la mai-son royale, une certaine liste d'offices civils, tels que les traitements des juges, des membres du conseil de la couronne, du corps diplomatique, etc.
LITTRÉ, *Dict.*, art. *Liste.*

♦ **4.** ⇒ **Listage,** (anglic.) **listing.**

COMP. **Colistier.**
HOM. V. 1. Liste.

LISTEL [listɛl] n. m. — 1673; ital. *listello* (déb. XVIe), de *lista* «bor-dure, bande», de même orig. que 1. *liste.*

♦ **1.** Archit. Petite moulure* plate qui sépare des moulures à profil concave ou convexe. — Petite moulure saillante. ⇒ **Filet.** *Listel qui entoure une colonne.* ⇒ **Annelet.** — Chaque intervalle saillant entre deux cannelures d'un fût de colonne. ⇒ **Côte.** — Menuis. Baguette utilisée pour les encadrements.

♦ **2.** (1873). Numism. Bande circulaire et saillante au bord des mon-naies, des médailles. ⇒ **Cordon, cordonnet.**

♦ **3.** (1902). Blason. Ornement extérieur à l'écu, petite bande qui porte la devise ou le cri de guerre (on dit aussi *liston*).

♦ **4** Reliure. Étroite bande de peau qui borde les gardes, dans une reliure de luxe.

REM. La var. ancienne *listeau* [listo], de 1. *liste* (→ Liteau) a produit un plur. irrégulier *listeaux,* enregistré par le dict. de l'Académie, depuis 1835.

LISTER [liste] v. tr. — V. 1960; cf. anc. franç. «faire la lisière d'un drap» (1250), «orner le bord» (1547), correspondant à 1. *liste;* de 2. *liste.*

♦ **1.** Mettre en liste.

♦ **2.** Inform. Produire (un document) en continu à l'aide d'une imprimante d'ordinateur. Présenter (des données, des instructions) sous forme de liste, de «listing».

DÉR. **Listage.**

LISTÉRIOSE [listeʀjoz] n. f. — V. 1960; de *Listeria,* macro-orga-nisme responsable de cette maladie.

♦ Vétér. Infection d'un animal par des bacilles du genre *Listeria,* qui peut exceptionnellement atteindre aussi l'homme (pneumonie, méningite).

LISTING [listiŋ] n. m. — 1953, *in* Höfler; mot angl., proprt «action de mettre en liste».

♦ Anglic. Listage produit par un ordinateur. *Des listings.* — REM. Malgré les efforts de l'administration, ce terme est le seul usuel en informatique et s'est répandu dans le public non spécialisé.

LISTON [listɔ̃] n. m. — 1721; «bordure d'un habit», 1581; esp. *lis-tón,* germ. **lista.* → 1. Liste.

♦ **1.** Archit. Listel.

♦ **2.** (1840). Mar. Moulure en creux ou en relief le long de la muraille du navire qui sert d'ornement ou de défense (⇒ **Bour-relet**). *Arracher, remettre son liston.* — Bande peinte sur la coque comme ornement. *Coque vert bronze à liston doré.*

Un liston rouge, un hunier à rouleau, ça leur ressemble joliment toujours.
LOTI, *Pêcheur d'Islande*, V, VIII, p. 291-292.

♦ **3.** (V. 1960). Techn. Tissu de fils de métal destiné à des brode-ries décoratives.

LIT [li] n. m. — XIe; du lat. *lectus.*

♦ **1.** Meuble destiné au coucher, cadre supportant des parties sou-ples et habituellement garni d'éléments (literie) destinés au con-fort. ⇒ **Couche** (littér.); fam. et pop. **paddock,** 3. **page, pageot, pagne, pagnot** (vieilli), 2. **pieu, plumard, plume** (n. m.), **pucier, schlof** et aussi **dodo** (enfantin). *Parties d'un lit :* châssis, cadre du lit. ⇒ **Carrée, châlit, goberge, socle.** — Loc. *Bois de lit. Pieds de lit.* — **Balustre** (cit. 4), *colonnes de lit. Ciel* de lit.* ⇒ **Baldaquin, dais.** *Garniture de lit.* ⇒ **Literie; sommier; matelas, paillasse; alaise, drap** (cit. 4); **oreiller, taie, traversin; couverture** (cit. 2), **couvre-pied** (cit.), **édre-don; courtepointe, couvre-lit, housse; coussin.** *Tentures, rideaux de lit.* ⇒ **Cantonnière, courtine** (cit. 1), **lambrequin, pavillon, pente, tour** (de lit). *Tête* (⇒ **Chevet, dossier**), *pied d'un lit. Lit à deux places, lit pour deux personnes. Petit lit. Lit d'enfant* (⇒ aussi **Berceau**). *Lits jumeaux :* lits semblables, à une place, installés l'un près de l'autre. *Lit de milieu. Ruelle* d'un lit. Lit d'angle. Lit dans une alcôve, une niche*. Chambre à un, deux, à plusieurs lits. Les lits d'un dortoir.* — *Sortes de lits :* lits à baldaquin (cit. 2), à colon-nes*, à quenouilles*, etc. (→ ci-dessous loc. techn.). *Lit clos* ou *lit breton, lit en armoire* (cit. 7) : lit à battants de bois qui se ferment. — *Lit de sangle :* lit fait de sangles ou de toile fixée à deux mon-tants de bois soutenus par des pieds croisés. *Lit de planches, suré-levé.* ⇒ **Bat-flanc.** *Lit-divan. Lit pliant, transformable.* ⇒ **Conver-tible; canapé** (canapé-lit). *Lit-cage :* lit dont le châssis métallique est pliant. *Lit gigogne*. Lits superposés. Lit portatif.* (⇒ aussi les mots **Hamac, litière, natte, paillasse**).

Vx. *Lit-sac.* → mod. Sac de couchage.

Loc. techn. (arts décoratifs). *Lit d'ange,* à rideau retroussés et sans quenouilles. *Lit à la duchesse* :* grand lit à quatre colonnes, bal-daquin et rideaux. *Lit en tombeau,* dont le ciel est plus haut à la tête qu'au pied, ou dont le bois est carré. *Lit en bateau, en gondole* (plus fréquemment *lit bateau, lit gondole*). — *Lit de bout,* dont la tête au mur. — *Lit de travers,* placé en travers de la pièce et composé d'une couche à deux chevets symétriques (il apparaît vers 1775). — *Lit en housse* (Louis XIII), formé d'un bâti caché par les courtines de velours (il fut remplacé par les lits à la duchesse et à l'ange, appelés aussi *lits à la française*). — *Lit à la polonaise :* lit français à la mode vers 1750 (ainsi nommé en l'honneur de Marie Leszczinska), lit de travers dont les montants soutiennent un petit baldaquin. — *Lit à la turque :* lit de travers avec un panneau de fond amovible. — *Lit à l'impériale :* lit «en bateau» à la mode au Ier Empire.

Spécialt. a Partie rigide qui soutient l'ensemble. *Un lit de bois, d'acajou* (→ Calicot, cit. 1), *de noyer* (→ Foyer, cit. 12). *Ce menui-sier fait des lits. Lit métallique. Lit de fer, de tôle* (→ Coruscant, cit. 1), *de cuivre. Acheter un lit d'époque* (cit. 13). *Monter, démon-ter un lit* (→ Chambard, cit.).

b Literie (sur laquelle on s'étend); lit, sommier et matelas. *Lit mou, moelleux, douillet. Lit dur, inconfortable;* (fam.) *lit rembourré en (avec des) noyaux de pêche. Bon lit; mauvais lit.* ⇒ **Grabat,** cit. 1 et 2 (→ Peautre, vx). *Lit de plume :* matelas* de plume. ⇒ **Couette** (→ Alcôve, cit. 2).

c Vx. Ensemble des pièces en étoffe qui ornent le lit. «On dit qu'une femme se fait faire un lit pour ses couches, c'est-à-dire, le tour et la garniture, les pentes, les rideaux de lit» (Furetière).

1 Le lit, en vieille perse et à rideaux de perse doublés de rose, était un de ces lits à la duchesse si communs au dix-huitième siècle et qui avait pour ornements une touffe de plumes sculptée au-dessus des quatre colonnettes cannelées de chaque angle. BALZAC, Ursule Mirouët, Pl., t. III, p. 331.

2 Deux nattes de paille, posées sur des planches, servaient de lit aux deux religieuses. BALZAC, Un épisode sous la Terreur, Pl., t. VII, p. 437.

2.1 Thénardier la mena dans une chambre au premier qui était d'une rare splendeur, toute meublée en acajou avec un lit-bateau et des rideaux de calicot rouge. HUGO, les Misérables, III, VIII.

2.2 On arrivait à la chambre à coucher, la seule pièce habitée, meublée d'acajou, très-confortable. Le lit surtout était surprenant, avec ses quatre matelas, ses quatre oreillers, ses épaisseurs de couvertures, son édredon, son assoupissement ventru au fond de l'alcôve moite. C'était un lit fait pour dormir. ZOLA, le Ventre de Paris, t. I, p. 86.

2.3 (...) Chaque chambre à coucher est distincte du cabinet de toilette. On ne saurait trop recommander de faire de cette pièce, où se passe un tiers de la vie, la plus vaste, la plus aérée et en même temps la plus simple. Elle ne doit servir qu'au sommeil : quatre chaises, un lit en fer, muni d'un sommier à jour et d'un matelas de laine fréquemment battu, sont les seuls meubles nécessaires. J. VERNE, les Cinq Cents Millions de la bégum, p. 170.

3 On me montra un de ces lits en forme d'armoire, à deux places, qui avait été préparé pour Yves et pour moi. Je devais habiter l'étagère supérieure, qui était garnie de gros draps de toile rousse bien propres et bien raides. LOTI, Mon frère Yves, XVII.

3.1 (...) le gai retour dans sa chambre en sentant un sourire de bonheur ruisseler sur sa figure, en ne pouvant pas s'empêcher de sauter de joie à la pensée du grand lit chaud de notre chaleur, du feu brûlant, de la boule, des édredons et des couvertures de laine qui ont passé leur chaleur au lit dans lequel nous allons nous couler, nous murer, nous fortifier, nous cacher jusqu'à la figure, comme contre *(des)* ennemis qui frapperaient au-dehors (...) PROUST, Jean Santeuil, Pl., p. 519.

4 (...) les lits jumeaux, quelquefois collés l'un contre l'autre, de façon qu'à la rigueur draps et couvertures puissent être communs; mais le plus souvent séparés par une ruelle (...) J. ROMAINS, les Hommes de bonne volonté, t. III, XV, p. 195.

5 (...) un lit à quenouilles encourtiné de cretonne bleue et blanche, bombait sa paillasse et sa couette entre ses quatre pieds massifs. M. GENEVOIX, Raboliot, III.

6 (...) un petit lit tout maigre en cage de fer avec des pieds à roulettes (...) J. GIONO, le Chant du monde, II, VII.

7 Un lit étroit, et, lui aussi, vieux d'un bon siècle : on y avait sculpté au chevet et au pied deux volutes en col de cygne dans un noyer dur. H. BOSCO, Un rameau de la nuit, p. 92.

8 Il vit une chambre poussiéreuse, avec un lit-cage, un pot à eau et une cuvette sur une coiffeuse (...) SARTRE, le Sursis, p. 294.

8.1 (...) le lit *« à la polonaise »* est un lit de travers, à deux chevets d'égale hauteur encadrés de hautes tiges courbées vers l'intérieur et supportant un petit dôme à galerie visible. Guillaume JANNEAU, le Mobilier français, p. 68.

8.2 Que sont donc devenus les anciens meubles que l'on voit encore dans la plupart des maisons modestes et particulièrement chez moi? Les lits-clos ont disparu les premiers des intérieurs, remplacés par des lits découverts. De Quimper et d'autres lieux sont venus des marchands qui en ont emporté un certain nombre depuis la fin de la guerre de 1914, en les payant soit en argent soit en lits de fer à boules de cuivre. Un lit de fer contre deux lits-clos de chêne ou de châtaignier. Nécessité souvent pour les pauvres. Pierre-Jakez HÉLIAS, le Cheval d'orgueil, p. 485.

Loc. verbales. *Aller au lit, se mettre au lit.* ⇒ 1. **Coucher** (se). *Tout le monde au lit! Se coucher* (cit. 18) *dans un lit, sur un lit. Entrer, se glisser* (cit. 42) *dans un lit* (→ fam. Dans les bâches*, les toiles*). *S'étendre, s'allonger, se reposer* sur son lit. Se blottir, s'enfoncer* (cit. 25), *se vautrer, se tourner dans son lit. Elle se jeta sur son lit, en travers du lit. S'asseoir au bord d'un lit. Partager son lit avec un ami. — Dormir dans un lit,* spécialt, par oppos. à tout ce sur quoi on dort et qui n'est pas un lit. *Dormir dans son lit,* chez soi, par oppos. aux autres lits où l'on a couché (hôtel, etc.). — *Être au lit :* être couché, alité. *Rester au lit toute la matinée.* → Faire la grasse (cit. 46) matinée. *Déjeuner, lire au lit. — Sortir du lit* (→ Alarme, cit. 12; jour, cit. 8). ⇒ 1. **Lever** (se). *Sauter du lit. Au saut du lit :* au réveil, de bon matin. *Arracher* (cit. 45), *tirer quelqu'un de son lit* (→ Fournée, cit. 7).

9 (...) un lit avec des matelas et des draps! comme tout le monde! Un lit! il y a dix-neuf ans que je n'ai couché dans lit! HUGO, les Misérables, I, II, III.

10 Restez encore, dit-il (...) Je vais me mettre au lit. Dans peu d'instants, je dormirai (...) VALÉRY, Monsieur Teste, p. 30.

Faire un lit : installer, disposer la literie pour qu'on puisse s'y coucher confortablement (→ Courtepointe, cit. 1; habiller, cit. 1). *Préparer, dresser* (vx) *un lit* (→ Hôtellerie, cit. 1). *Lit en portefeuille*. Border* (cit. 7) *un lit. Chauffer, bassiner un lit.* ⇒ **Bassinoire, bouillotte, chauffe-lit, moine.** *Un lit défait.* — Prov. *Comme on fait son lit on se couche*.*

Par ext. Le coucher. *Avoir le lit et le couvert chez quelqu'un. La table et le lit* (→ Ingérer, cit. 2).

Dans le contexte de la maladie. *Malade contraint de se mettre au lit, de prendre le lit* (→ Indisposer, cit. 7). *Garder le lit.* ⇒ **Alitement; aliter** (s'). — Par ext. *Garder le lit :* garder la chambre* (cit. 8). *Ne pas quitter son lit, être cloué* (cit. 5) *au lit, dans son lit* (→ Grabataire). *Soins qui vous tiennent, vous immobilisent deux mois au lit, qui exigent deux mois de lit* (→ Immobilité, cit. 4).

Lit mécanique, permettant de soulever le malade sur des sangles. *Lit orthopédique,* disposé pour aider au redressement de la colonne vertébrale. *Médecine clinique qui se pratique au lit des malades.*

Loc. *Lit de mort*. Elle le vit pour la dernière fois sur son lit de mort.* — Par ext. *Sur son lit de mort :* sur le point d'expirer (→ Escorter, cit. 9); *jusqu'à son lit de mort :* jusqu'à la fin de sa vie. *Lit funèbre* (cit. 10). *Mourir dans son lit,* dans son propre lit, d'une mort naturelle, non violente (par oppos. à une mort accidentelle).

(...) le triste monarque s'était trouvé presque tout seul, comme les autres rois ne se voient d'ordinaire qu'à leur lit de mort; mais il semblait que le trône fût sa couche funèbre aux yeux de la cour, son règne une continuelle agonie, et son ministre un successeur menaçant. A. DE VIGNY, Cinq-Mars, VII. 11

Oui, on peut à la fin avoir le désir de mourir dans son lit (...) Moi, après avoir bien trimé toute ma vie, je mourrais volontiers dans mon lit, chez moi. ZOLA, l'Assommoir, t. I, II, p. 49. 12

La pauvre jeune femme, foudroyée par le chagrin, prit le lit, délira pendant six semaines. MAUPASSANT, les Contes de la Bécasse, La folle. 13

Pendant le mois de décembre, Marguerite eut une angine. Dix jours de suite, elle demeura chez elle, au lit. Ma mère lui portait du bouillon, des tisanes, des drogues. G. DUHAMEL, Salavin, I, XVIII. 14

Lit de (et nom exprimant une situation pénible). *Lit d'angoisse, de douleur, de souffrance.* — Rare. *« Lit de béatitude »* (Zola).

(...) votre mère (...) qui est maintenant clouée (...) qui est clouée, comme moi, sur un lit de douleurs (...) MARTIN DU GARD, les Thibault, t. III, p. 264. 15

Par ext. Place couchée, dans un établissement. *Hôpital de trois cents lits,* qui peut héberger trois cents malades. *Hôtel de cinq cents lits.*

Dans le contexte de l'intimité sexuelle. *Être, se mettre au lit avec qqn.* ⇒ 1. **Coucher** (avec). *Lit nuptial* (→ Époux, cit. 10), *lit conjugal, lit des amants. L'intimité du lit* (→ Complicité, cit. 2). *Avoir qqn dans son lit. Époux qui font lit commun.* → Dormir ensemble. *Faire lit à part.* — Allus. littér. *Être digne du lit des déesses** (→ Biberon, cit. 1).

Mais quand au lit nous serons (...) 16
RONSARD, Amours de Cassandre, «Stances».

(...) quand le roi qui faisait lit à part 17
Comme tous font, voulait avec sa femme
Aller coucher (...) LA FONTAINE, Contes et Nouvelles, II, IV.

Nous lirons dans le même lit, 18
Au livre de ton corps lui-même
— C'est un livre qu'au lit on lit —
Nous lirons le charmant poème
Des grâces de ton corps joli. APOLLINAIRE, Ombre de mon amour, XVI.

Deux lits séparés et voisins ont des inconvénients. Cette ruelle qu'on franchit donne au geste un relief, un air de préméditation qui peut froisser une femme. J. CHARDONNE, Éva, p. 43. 19

Par métaphore, le lit symbolisant l'union conjugale. (Vx). *Associer* (cit. 4) *une femme à son lit,* la prendre pour épouse. *Chasser* (cit. 8) *de son lit :* répudier. — Fig. ⇒ **Mariage.** *Enfants du premier lit* (→ Avantage, cit. 26). *Élever les enfants d'un autre lit* (→ Fardeau, cit. 15).

Lorsque le Roi, contre elle enflammé de dépit, 20
La chassa de son trône, ainsi que de son lit. RACINE, Esther, I, 1.

Nicolas avait deux frères du premier lit qu'on voyait peu dans la famille (...) NERVAL, les Illuminés, Confidences de Nicolas, I, III. 21

Le *lit* symbolisant la sexualité. *Au lit, c'est pas un cadeau! « Consoler une femme (...) par le lit »* (Montherlant).

Sorte de lit aménagé dans les bateaux, les trains... *Lit de bord.* ⇒ **Couchette.**

Lit de camp. ⇒ **Camp;** → 1. Garde, cit. 75.

Lit de repos : meuble, siège sur lequel on peut s'allonger pour se reposer. ⇒ **Canapé, divan, sofa.** — Vx. *Lit de jour.*

(...) ma mère se jetait, en soupirant, sur un vieux lit de jour de siamoise flambée (...) CHATEAUBRIAND, Mémoires d'outre-tombe, t. I, p. 113. 22

La comtesse était couchée sur un lit de repos, dans une espèce de parloir à poutrelles noires et à murs blancs (...) BARBEY D'AUREVILLY, les Diaboliques, «Le bonheur dans le crime». 23

Antiq. *Lit de table,* sur lequel on mangeait allongé (⇒ **Triclinium**).

Lit de parade : lit qui ne sert qu'à l'ornement d'une pièce; lit sur lequel est exposé (cit. 1) un mort illustre avant les funérailles.

(...) ils la prirent et la portèrent sur le lit (...) Comme tous les lits de parade, ce lit n'avait pas de draps, les deux médecins déposèrent madame Graslin sur le couvre-pied de damas rouge et l'y étendirent. BALZAC, le Curé de village, Pl., t. VIII, p. 753. 24

(1377; du sens «dais», 1318). Dr. anc. *Lit de justice :* dais, sous lequel le roi se plaçait lorsqu'il tenait une séance solennelle du parlement. — Par ext. La séance elle-même. — Spécialt. Séance par laquelle le roi ordonnait au parlement d'enregistrer en sa présence les ordonnances, les édits refusés par cette assemblée, malgré les lettres de jussion*. *Tenir un lit de justice.*

En 1756, lorsque Louis XV, fatigué des querelles entre la magistrature et le grand conseil à propos de l'impôt de deux sous, prit le parti de tenir un lit de justice, les membres du parlement remirent leurs offices. Seize de ces démissions furent acceptées, sur quoi il y eut autant d'exils. A. DE MUSSET, Contes, «La mouche», I. 25

Une série d'édits bursaux avaient été portés au parlement de Paris et enregistrés d'autorité, en lit de justice, le 20 mars 1655. Mais, peu après, les Enquêtes réclamèrent, comme autrefois, l'assemblée des chambres pour discuter librement (...) C'est alors que le jeune roi Louis XIV (...) accourut en costume de chasse 26

pour tenir un nouveau lit de justice (13 avril), dans lequel il défendit toute assemblée et toute délibération sur ses édits ( )
<blockquote>LAVISSE et RAMBAUD, Hist. général du IVe s. à nos jours, t. VI, p. 36-37 (→ aussi Fouet, cit. 1, Voltaire).</blockquote>

Loc. fig. *Faire le lit de* (qqch.) : créer les conditions favorables à qqch. *Faire le lit de qqn* : préparer son accession au pouvoir. — *Faire son lit dans...* : s'installer avec plaisir dans... *« Cette France (...) qui faisait son lit dans la honte et dans l'iniquité »* (Zola, *in* T. L. F.). — *Lit de Procuste* : cadre contraignant, qui gêne, fait souffrir (allus. au brigand de la mythologie grecque qui couchait ses victimes dans des lits trop grands ou trop petits et les ramenait à la dimension de la couche).

♦ **2.** *Par ext. (Lit de...).* Couche (d'une matière quelconque) sur le sol, où l'on s'étend, où l'on dort. ⇒ **Matelas, tapis.** *Se coucher sur un lit de feuillage. Lit de paille.* ⇒ **Litière.** *Un lit de mousse et de fleurs* (→ Asile, cit. 31). *Lit d'épines des anachorètes* (→ Aiguillon, cit. 6). *Lit de poussière* (cit. 6). — Loc. *Le lit de roses des sybarites.* — Fig. *Être couché sur un lit de roses* : s'abandonner à sa félicité.

27   *(Celui)* qui se fait sur la terre un lit de feuilles odorantes, qui s'y couche et repose (...)
<blockquote>SAINT-JOHN PERSE, Œuvre poétique, I, « Anabase », X.</blockquote>

Par analogie :

28   On apporta des côtelettes d'agneau, tendres, légères, couchées sur un lit épais et menu de pointes d'asperges.   MAUPASSANT, Bel-Ami, I, IV.

♦ **3.** (1306). Couche horizontale. *Un lit de cendres.* — *Disposer des fruits par lits. Lits alternés de biscuits et de confitures dans un gâteau.* — Constr. *Lits des grosses pierres d'un mur* (→ Cailloutage). *Lit de sable.* ⇒ **Couchis.**

29   (...) vous vous transformez en cuisinier. La truite, vidée, écaillée, légèrement graissée de saindoux, repose au-dessous du lit de braise (...)
<blockquote>M. CONSTANTIN-WEYER, Source de joie, VIII.</blockquote>

Géol. Couche (de matériaux déposés progressivement par les eaux, l'érosion...). ⇒ **Dépôt, strate.** *Un lit d'argile* (→ 1. Brillant, cit. 1). *Des lits horizontaux de calcaire* (cit. 1). *Les lits d'une roche.* → Roche litée ; déliter* une roche.

Techn. *Lit d'une pierre, lit de carrière* : situation de la couche de pierre dans le sol, la carrière. *La pierre de construction des assises doit être posée dans le sens de son lit de carrière.* — *Par ext.* Chacune des deux faces par lesquelles les pierres sont superposées dans une construction. *Les lits et les joints d'une pierre de taille. Les assises d'une construction elles-mêmes. Lit des fondations.*

30   Chacun havait le lit de schiste, qu'il creusait à coups de rivelaine ; puis, il pratiquait deux entailles verticales dans la couche, et il détachait le bloc, en enfonçant un coin de fer, à la partie supérieure.   ZOLA, Germinal, I, IV.

Fig. Champ d'action (Saint-John Perse, *in* T. L. F.).

Vx. *Au lit d'honneur* : au champ d'honneur.

♦ **4.** (V. 1265, « canal »). Creux naturel du sol ; canal* dans lequel est contenu et coule un cours* d'eau. *Rivière qui se creuse* (cit. 12) *un lit* (→ Boueux, cit. 2 ; infiltrer, cit. 2). ⇒ **Ravin, ravine.** *Profil du lit* (→ Crue, cit. 2). *Fleuve qui sort de son lit.* ⇒ **Déborder.** *Lit de hautes eaux* ou *lit majeur ; lit de basses eaux,* ou *lit ordinaire, lit mineur* (→ Débit, cit. 5). *Lit à sec* (→ Croupir, cit. 6). *Détourner une rivière de son lit.* ⇒ **Cours.** *Galets, cailloux, sable, limon du lit des cours d'eau. Bancs de sable, atterrissements* (cit. 1), *îles des lits fluviaux.* — *Par ext. Lit de glacier.* — Vx. *Lit de la mer, des océans,* le fond (→ Étage, cit. 10).

31   Ce ruisseau avait un lit pierreux, profond par endroits de quatre à cinq mètres.   Pierre BENOIT, Mlle de la Ferté, p. 112.

32   La voix de Jacques s'apaisait, d'ailleurs, progressivement, comme un flot tumultueux qui rentre dans son lit.   MARTIN DU GARD, les Thibault, t. V, p. 191.

♦ **5.** Mar. *Lit de marée, lit du courant* : endroit où la marée, le courant ont le plus de vitesse. — (1573). *Lit du vent,* la direction dans laquelle il souffle. ⇒ **Aire.**

33   C'est là que, croisant sous voiles et voyant sans être vus, ils ont toujours l'avantage du vent sur les bâtiments auxquels la force et le lit constant des vents ne permettent pas de passer au-dessus de l'île (...)
<blockquote>RAYNAL, Histoire philosophique et politique..., XIII, 33.</blockquote>

DÉR. Litage, 2. liteau, litée, liter, literie, litière.
COMP. Alitement, aliter, déliter, chauffe-lit, couvre-lit, wagon-lit.
HOM. Li, 1. lie, 2. lie, 2. lis ; formes du v. 1. lire.

LITAGE [litaʒ] n. m. — XXe ; de *lit*.

♦ Didact. Inclinaison latérale d'un lit, d'une couche.

Le profil des joints de stratification (...) permet de définir (...) le *litage* (inclinaison des couches perpendiculairement au plissement).
<blockquote>Félix TROMBE, la Spéléologie, p. 11.</blockquote>

LITANIE [litani] n. f. — 1155, *letanie,* jusqu'au XVIIe ; lat. ecclés. *litania,* mot grec, « prière ».

♦ **1.** « Prière liturgique de forme populaire, où toutes les invocations sont suivies d'une formule brève récitée ou chantée par les assistants » (R. Lesage, *Dict. de liturgie*). — REM. S'emploie le plus souvent au pluriel. *Litanies des saints* (→ Consacrer, cit. 1), *litanies du Sacré-Cœur, du Saint Nom de Jésus... Réciter, chanter des litanies*

(→ Chœur, cit. 14 ; psalmiste, cit.). ⇒ **Chant.** — Compar. *Il répète cela comme une litanie,* inlassablement.

1   (...) le seul délassement de la famille était de dire ensemble le chapelet et de psalmodier à demi-chant les litanies jusqu'à ce que les voix affaissées par le sommeil s'éteignissent dans un vague et monotone murmure (...)
<blockquote>LAMARTINE, Graziella, I, III.</blockquote>

1.1   Bouvard dans un fauteuil, à ses côtés, lui prit son Eucologe, et s'arrêta aux litanies de la Vierge.
— « Très pure, très chaste, vénérable, aimable — puissante, clémente — tour d'ivoire, maison d'or, porte du matin » ces mots d'adoration, ces hyperboles l'emportèrent vers celle qui est célébrée par tant d'hommages.
<blockquote>FLAUBERT, Bouvard et Pécuchet, Folio, p. 335.</blockquote>

2   C'était une litanie, une supplication, de plus en plus pressante, impérieuse, comme si la Mère de Dieu résistait et qu'il fallût la vaincre à force de prières et d'objurgations.   M. BARRÈS, la Colline inspirée, p. 110.

♦ **2.** (V. 1200). Fig. Longue énumération. Répétition* ennuyeuse et monotone (de plaintes, de reproches, de demandes...). *Les litanies de leurs récriminations* (→ 1. Grief, cit. 4). *D'interminables litanies. C'est toujours la même litanie.*

3   Soupe, en effet, entêté à obtenir une réponse, insistait, le lardait tout vif d'une obsession de litanies (...)   COURTELINE, Messieurs les ronds-de-cuir, 2e tableau, I.

4   — C'est la litanie éternelle. Pourquoi l'as-tu épousé ! Pourquoi l'as-tu aimé !
<blockquote>GIRAUDOUX, Électre, II, 2.</blockquote>

Littér. *Une longue litanie de mésaventures, d'ennuis, de chagrins, de crimes...* (Balzac, Nerval, Huysmans, *in* T. L. F.).

♦ **3.** (1690). Fig. Vx. Longue file incessante. ⇒ **Théorie.** *On voyait passer des litanies de vieillards.*

LIT-BATEAU [libato] n. m. ; **LIT-CAGE** [likaʒ] n. m. ⇒ **Lit.**

LITCHI [litʃi] n. m. — 1616, *licye, in* Arveiller ; *li-chi, li-ci,* 1664-1665 ; *lechia,* 1588 ; chinois *li-chi.*

♦ Arbre d'Asie méridionale (Sapindacées), à fruit comestible ; ce fruit. *Litchi velu* : nephelium. *Litchi œil de dragon* : longanier. *Litchis au sirop. Litchi frais. Glace aux litchis.*

1   On y voyait pêle-mêle des mangoustans, des orangers, des cocotiers, des litchis, des durions, des manguiers (...)
<blockquote>BERNARDIN DE SAINT-PIERRE, la Chaumière indienne, *in* Paul et Virginie.</blockquote>

REM. On écrit aussi *letchi* [letʃi] ou *lichee* [litʃi] (graphie anglaise).

2   Français par les fruits (comme d'autres le furent « par les femmes ») : goût des poires, des cerises, des framboises ; déjà moindre pour les oranges ; et tout à fait nul pour les fruits exotiques, mangues, goyaves, lichees.
<blockquote>R. BARTHES, Roland Barthes, p. 100.</blockquote>

LIT CLOS [liklo] n. m. ⇒ **Lit.**

1. LITEAU [lito] n. m. — 1595 ; *listiel,* « bordure » 1229 ; de 1. *liste.* → Listel.

Technique.

♦ **1.** Baguette, tringle de bois fixée à un mur pour soutenir une tablette. ⇒ **Tasseau.** — Battement* d'un vantail, d'un battant de porte.

♦ **2.** (1723). Raie de couleur parallèle à chaque lisière du linge de maison uni. *Nappe, serviettes à liteaux.*

♦ **3.** (1931). Bois débité en section normalisée (rectangulaire : 20 mm × 40 mm, ou carrée : 25 mm × 25 mm environ). *Liteaux de sapin. Liteaux de toiture.* ⇒ **Liteaunage.**

(...) je construis une charpente très solide avec des liteaux de toiture pour un bateau à bouchains vifs de cinq mètres ; une quille, une étrave droite, un étambot, pas plus de six au sept membrures.
<blockquote>Bernard MOITESSIER, Cap Horn à la voile, p. 19.</blockquote>

DÉR. Liteaunage.
HOM. 2. Liteau, litho.

2. LITEAU [lito] n. m. — 1655, *licteau ;* de *lit.*

♦ Techn. (chasse). Lieu où le loup se repose pendant le jour. ⇒ **Tanière.**

HOM. 1. Liteau, litho.

LITEAUNAGE [litonaʒ] n. m. — 1975 ; de 1. *liteau.*

♦ Techn. Assemblage des liteaux de toiture recevant les tuiles, les ardoises. *« Un liteaunage en résineux »* (la Maison individuelle, févr. 1975, p. 33).

LITÉE [lite] n. f. — 1835; «portée d'animaux», XIIᵉ; de *lit*.

♦ Chasse. Ensemble d'animaux dans un même gîte, un même repaire. *Une litée de lapereaux.*

HOM. Formes du v. **liter.**

LITER [lite] v. tr. — 1723; de *lit*.

♦ Techn. Mettre par lits, par couches. — Superposer (des poissons salés) par lits dans des barriques. *Liter des harengs.*

HOM. V. **Litée.**

LITERIE [litʀi] n. f. — 1614, attestation isolée; 1832; de *lit*.

♦ **1.** Techn. Ce qui entre dans la composition d'un lit (y compris le châlit); matériel de couchage.

♦ **2.** (1867). Cour. Spécialt. Ensemble des objets qui recouvre le châlit et le sommier : matelas, traversin, oreiller, couverture, édredon, couvre-lit (parfois aussi le linge : draps et taies).

Il ne reste donc à Mᵐᵉ Maillecotin que deux lits dont elle ait à s'occuper. Elle y passe beaucoup de temps, laisse la literie s'aérer longuement à la fenêtre, non sans déplorer que les deux autres lits ne profitent pas des mêmes soins.
J. ROMAINS, les Hommes de bonne volonté, t. I, v, p. 61.

LITH-, LITHO- Élément, tiré du grec *lithos* «pierre» et servant à former des composés en sciences naturelles (chimie, minéralogie), en médecine (au sens de «qui a rapport à la pierre, aux calculs») et en technique. Voir à l'ordre alphabétique.

On peut signaler aussi : *lithofracteur* n. m. (1890, *in* T.L.F.) «explosif utilisé dans les carrières»; *lithoglyphe* n. m. (1826; vx) «graveur sur pierre»; *lithoglyphie* n. f. «gravure sur pierre»; *lithomancie* n. f. «divination d'après la forme et la disposition des pierres»; *lithomarge* n. f. (1874) «silicate d'aluminium hydraté».

LITHAM [litam] ou **LITSAM** [litsam] n. m. — Av. 1831, *litham; litsam*, xxᵉ; arabe *lĭtâm* «voile pour se couvrir le visage».

♦ Pièce d'étoffe, voile dont les femmes musulmanes et les Touareg se couvrent la partie inférieure du visage.

(...) les Kel Rela se dirigent vers le bordj, s'accroupissent contre la muraille, ramènent le litham sur leurs yeux, crachent sur le sable et attendent.
R. FRISON-ROCHE, la Piste oubliée, I, II.

LITHARGE [litaʀʒ] n. f. — 1314, au sens 2; lat. *lithargyre*, XIIIᵉ; *lithargyrus*, grec *litharguros*, proprt «pierre d'argent».

♦ **1.** Minér. Oxyde naturel de plomb, dit aussi *glette**. ⇒ **Plomb.**

♦ **2.** Chim. Oxyde de plomb (PbO) fondu et cristallisé en lamelles d'un jaune rougeâtre. *Propriétés siccatives de la litharge. La litharge entre dans la fabrication des verres au plomb, des vernis pour poterie, des huiles de peinture. Falsification* (cit. 1) *des vins avec de la litharge.*

1   Si donc un de ces deux vins est lithargiré, son acide tient la litharge en dissolution.
ROUSSEAU, Émile, III.

2   (...) cette affreuse et homicide boisson, composée de jus de betterave, ou de décoction de bois de teinture édulcorée de litharge qu'on vend pour du vin à nos ouvriers.   NERVAL, Notes de voyages, Lettres des Flandres, II.
Vx. Vin falsifié par la litharge.

DÉR. Lithargé.

LITHARGÉ, ÉE [litaʀʒe] ou **LITHARGIRÉ, ÉE** [litaʀʒiʀe] adj. — 1766, *lithargé; lithargiré*, 1762; de *litharge*.

♦ Vx. Qui contient de la litharge. *Vernis lithargiré.*
Qui est altéré avec de la litharge (cit. 1). *Vin lithargiré.* — Var. graphique (étymologique) : *lithargyré.*

-LITHE, -LITHIQUE Éléments, du grec *lithos* «pierre». ⇒ **Aérolithe, chalcolithe, chrysolithe, cryolithe, galalithe, microlithe, oolithe, phonolithe, pisolithe; antilithique.**

LITHECTOMIE [litɛktɔmi] n. f. — 1912, *in* D.D.L.; de *lith-*, et *-ectomie.*

♦ Chir. Opération d'extraction d'un ou plusieurs calculs.

LITHÉMIE [litemi] n. f. — V. 1960; de *lithium*, et *-émie.*

♦ Méd. Taux de lithium dans le sang. *La lithémie normale est nulle.*

LITHERGOL [litɛʀgɔl] n. m. — V. 1960; de *lith-*, et *ergol.*

♦ Techn. Syn. de *propergol.*

LITHIASE [litjaz] n. f. — 1611; grec *lithiasis* «maladie de la pierre», de *lithos* «pierre». → Lith-.

♦ Méd. Formation de concrétions solides (calculs) dans divers conduits ou cavités de l'organisme. *Lithiase rénale, urinaire.* ⇒ **Gravelle.**

DÉR. Lithiasique.

LITHIASIQUE [litjazik] adj. — 1845, *acide lithiasique* «urique»; de *lithiase.*

♦ Méd. De la lithiase; affecté de lithiase. — N. *Un, une lithiasique.*

LITHINE [litin] n. f. — 1826, *in* D.D.L.; de *lithium.*

♦ Chim. Hydroxyde de lithium, qui se rencontre dans certains minéraux et dans certaines eaux minérales. — Médicament à base de lithine. ⇒ **Lithiné,** n. m.

DÉR. Lithiné.
COMP. Lithinifère.

LITHINÉ, ÉE [litine] adj. et n. m. — 1878, *in* D.D.L.; de *lithine.*

♦ Qui contient de la lithine. *Eaux minérales lithinées. Sels lithinés. Carmin lithiné.* — N. m. pl. Comprimés de lithine. *Des lithinés. Un sachet de lithinés. Boire des lithinés,* de l'eau avec des lithinés en dissolution.

LITHINIFÈRE [litinifɛʀ] adj. — 1907; de *lithine,* et suff. *-fère.*

♦ Qui contient, qui produit du lithium. *Le lépidolithe, mica lithinifère.*

LITHIQUE [litik] adj. — 1787, Lavoisier; du grec *lithos* «pierre». Didactique.

♦ **1.** Chim. Vx. *Acide lithique,* ancien nom de l'acide urique*.
(xxᵉ). Mod. Relatif à la pierre, de pierre. *Rigidité lithique.*

♦ **2.** (xxᵉ). Préhist. Fait de pierre; relatif au travail de la pierre. *Outillage lithique. L'industrie lithique du moustérien.* «*De l'outillage lithique et osseux*» (la Recherche, nov. 1974, p. 969).

Au Paléolithique moyen, une évolution très importante s'est produite dans l'outillage lithique. Les Archanthropiens de la période précédente suivaient encore pour une large part la tradition primitive et leurs outils, biface ou hachereau, étaient encore tirés d'un bloc comme l'avait été le chopper des Australopithèques. De ce bloc sortaient comme sous-produits des éclats dont le tranchant pouvait ou non servir. A l'Acheuléen, l'amincissement des bords du biface par percussion tangentielle a fait détacher sur la matrice de grands éclats larges et minces qui, dès lors, ont été utilisés comme outils tranchants.
A. LEROI-GOURHAN, le Geste et la Parole, t. I, p. 143.

LITHIUM [litjɔm] n. m. — 1839; lat. mod. *lithion,* créé par Berzelius (1818), du grec *lithos* «pierre». → Lith-.

♦ Chim. Corps simple (symb. Li), métal alcalin d'un blanc argenté, le plus léger de tous les solides (nº at. 3). *Minerai de lithium.* ⇒ **Lépidolithe.** *Emploi industriel et pharmaceutique des sels de lithium. Batterie au lithium. Oxyde de lithium.* ⇒ **Lithine.**

DÉR. et COMP. Lithémie, lithine.

LITHO [lito] n. f. — xxᵉ; abréviation.

♦ Lithographie. *Faire encadrer une litho. Des lithos de Matisse.*

C'est une de nos rares livres énigmatiques. Flaubert s'applique à un trompe-l'œil méticuleux, non pour peindre des coccinelles sur une marguerite, mais pour imiter une litho, une caricature monochrome.
MALRAUX, l'Homme précaire et la Littérature, p. 171.

HOM. 1. Liteau, 2. liteau.

LITHO- ⇒ Lith-.

LITHOBIE [litɔbi] n. m. — 1873; de *litho-*, et *-bie,* de *bios* «vie».

♦ Didact. Mille-pattes carnassier vivant surtout sous les pierres, caractérisé par l'inégalité de ses écussons dorsaux.

LITHOCHROMIE [litokʀɔmi] n. f. — 1829; de *litho-*, et *-chromie.*

♦ **1.** Techn. (vx). Procédé lithographique en couleur, au vernis et à la peinture à l'huile, par collage sur toile.

♦ **2.** Lithographie en couleur réalisée par ce procédé. → Chromolithographie. «*Une édition de* Julien l'Hospitalier, *ornée d'une lithochromie*» (Flaubert, *Correspondance, in* T. L. F.).

DÉR. Lithochromique, lithochromiser.

LITHOCHROMIQUE [litokʀɔmik] adj. — 1829, Boiste.

♦ Techn. Vx. Relatif à la lithochromie. → Chromolithographique. «*Un tableau lithochromique*» (Balzac).

LITHOCHROMISER [litokʀɔmize] v. tr. — 1834, Balzac, *in* D. D. L. ; de *lithochromie.*

♦ Techn. Vx. Reproduire (un tableau) par la lithochromie. → Chromolithographier.

LITHOCLASE [litoklaz] n. f. — 1906, in *Rev. gén. des sc.,* n° 17, p. 804 ; de *litho-,* et *-clase.*

♦ Didact. Fissure, cassure dans une roche.

LITHODOME [litodom] n. m. — 1817, Cuvier ; grec *lithodomos* «architecte», proprt «qui bâtit avec des pierres».

♦ Zool. Mollusque lamellibranche à coquille cylindrique, qui creuse les roches pour s'y loger (⟹ **Lithophage**).

Ces lithodomes étaient des coquillages oblongs, attachés par grappes et très adhérents aux roches. Ils appartenaient à cette espèce de mollusques perforateurs qui creusent des trous dans les pierres les plus dures, et leur coquille s'arrondissait à ses deux bouts, disposition qui ne se remarque pas dans la moule ordinaire.

                              J. VERNE, l'Île mystérieuse, t. I, p. 40.

LITHOGÈNE [litoʒɛn] adj. — 1843, Landais ; de *litho-,* et *-gène.*

♦ **1.** Techn. Qui produit des pierres, des roches (⟹ **Lithogenèse**). — Qui devient comme de la pierre. *Ciment lithogène.*

♦ **2.** Méd. (*in* Garnier). Qui produit des calculs.

LITHOGENÈSE [litoʒɛnɛz] n. f. — Av. 1908, Haug (*Larousse mensuel*); lithogénésie, *in* Landais, 1843 ; de *litho-,* et *-genèse.*

♦ Géol. Formation des roches.

LITHOGRAPHE [litoɡʀaf] n. — 1817, *in* D. D. L. ; «minéralogiste», 1752 ; de *lithographie.*

♦ **1.** Personne qui imprime par la lithographie. ⟹ **Graveur.**

1   Comme il avait encore du temps, il entra chez un lithographe qui fabriquait des cartes de visite à la minute, sous les yeux des passants (...)
                              MAUPASSANT, Bel-Ami, I, IV.

Abrév. fam. (1901, Bruant, *in* D. D. L.). *Un litho* [lito].

Adj. (1834). *Ouvrier lithographe.*

♦ **2.** Artiste qui crée des lithographies.

2   (...) cette série posthume de lithographies non terminées de Gavarni et qui ont été tirées d'après l'état des pierres, après la mort du grand lithographe.
                              Ed. et J. DE GONCOURT, Journal, 1895, p. 823, *in* T. L. F.

LITHOGRAPHIE [litoɡʀafi] n. f. — 1750, Prévost, «art de graver la pierre»; «étude des pierres», 1649 ; de *litho-,* et *-graphie.*

♦ **1.** (1819, Boiste). Reproduction par impression sur papier, à la presse, d'un dessin, d'un texte, écrit ou tracé sur une pierre calcaire de grain très fin soit à l'encre grasse ou aux crayons gras, soit à l'aide d'une pointe ou d'un burin. ⟹ **Gravure** (cit. 4 ; → Illustration, cit. 10). *Procédés voisins de la lithographie.* ⟹ **Autographie, papyrographie, photolithographie, typolithographie.** *Rôle de la lithographie dans le développement de la caricature. Lithographie rotative,* sur presse cylindrique. — *Lithographie en couleur.* ⟹ **Chromolithographie, lithochromie.**

Par ext. (abusif). *Lithographie sur métal.* ⟹ **Métallographie, zincographie.**

♦ **2.** (1823). Feuille, estampe* obtenue par ce procédé. ⟹ **Litho** (→ Banaliser, cit. 1). «*Une lithographie de Karl Marx*» (Martin du Gard), représentant Karl Marx. *Lithographie imitant une sanguine. Une lithographie en couleurs.* ⟹ **Chromolithographie, lithochromie.**

1   Un autel de la Vierge offrait à l'admiration publique deux lithographies coloriées, encadrées dans un petit cadre doré.
                              BALZAC, le Curé de village, Pl., t. VIII, p. 611.

2   Toute la tenture était simplement relevée par trois exquises lithographies de Julien, aux trois crayons, suspendues aux murs, mais sans cadres.
                              BAUDELAIRE, Trad. E. POE, Histoires grotesques et sérieuses, «Le cottage Landor».

3   (...) aux murs tapissés de papier à carreaux jaunes pendaient de grandes lithographies vernies, des reproductions de tableau de chasse avec de grands entassements de lièvres, de sangliers, de chevreuils (...)   P. NIZAN, le Cheval de Troie, I, IV.

Spécialt. Reproduction lithographique d'une œuvre originale con-

çue pour ce procédé. *Les lithographies de Daumier, de Picasso, de Matisse. Une lithographie signée.* — Abrév. cour. : *litho**.

♦ **3.** (1835). Vx. Atelier d'un lithographe (1.).

DÉR. Lithographe, lithographier, lithographique. — Litho.
COMP. Chromolithographie, lithotypographie, photolithographie, typolithographie.

LITHOGRAPHIER [litoɡʀafje] v. tr. — 1818, *in* D. D. L. ; de *lithographie.*

♦ Reproduire par la lithographie. ⟹ **Graver, imprimer.**

1   (...) vous avez acheté bien cher le droit d'avoir ce billet pendant quelques temps entre les mains pour le faire lithographier ? (...)
                              BALZAC, la Cousine Bette, Pl., t. VI, p. 488.

2   — Revenu chez moi. Composé la *Jane Shore* pour la lithographier.
                              E. DELACROIX, Journal, 15 avr. 1824.

▶ **LITHOGRAPHIÉ, ÉE** p. p. adj.
Reproduit par la lithographie. *Portrait lithographié.* — Orné de lithographies. *Album* (cit. 2) *lithographié.*

3   (...) je vis sur les murs des affiches lithographiées qui annonçaient un spectacle pour le soir même (...)   NERVAL, Voyage en Orient, Femmes du Caire, II, IX.

REM. Balzac (*Œ. diverses,* t. I, p. 426) atteste en 1830 un emploi fig. et fam., *se lithographier* «tomber par terre».

LITHOGRAPHIQUE [litoɡʀafik] adj. — 1816, *in* D. D. L. ; aussi «qui a rapport aux pierres»; de *lithographie.*

A. ♦ **1.** Qui a rapport à la lithographie ; utilisé en lithographie. *Pierre lithographique. Encre lithographique.*
Qui concerne l'art de la lithographie. «*L'artiste dont l'exécution lithographique (...) est la plus grise...*» (Goncourt, *in* T. L. F.).

♦ **2.** Qui concerne les lithographies (2.). *Reproduction, illustration lithographique.*

B. Géol. *Calcaire, pierre lithographique :* calcaire à grain (cit. 23) très fin (pouvant servir pour la lithographie). *Des carrières de pierre lithographique.*

LITHOÏDE [litoid] adj. — 1839, Boiste ; de *lith-,* et *oïde.*

♦ Géol. Qui ressemble à de la pierre. *Des minéraux lithoïdes.*

LITHOLOGIE [litolɔʒi] n. f. — 1742 ; de *litho-,* et *-logie.*

Didactique et vieux.

♦ **1.** Sc. Pétrographie.

♦ **2.** (1868, Littré). Méd. Partie de la pathologie qui traite de la formation des calculs.

DÉR. Lithologique, lithologiste ou lithologue.

LITHOLOGIQUE [litolɔʒik] adj. — 1773 ; de *lithologie.*

♦ (Encore chez Lapparent, 1886). Didact. et vx. Qui a rapport à la lithologie. *Données, conditions lithologiques.* ⟹ **Pétrographique.**

LITHOLOGISTE [litolɔʒist] ou LITHOLOGUE [litolɔɡ] n. — 1752, lithologue ; lithologiste, n. m., 1780 ; de *lithologie.*

♦ Didact. et vx. Pétrographe.

LITHOLYSE [litoliz] n. f. — Mil. xxᵉ ; de *litho-,* et *-lyse.*

♦ Méd. Dissolution de calculs dans la vessie ou dans la vésicule biliaire, obtenue au moyen de médicaments.

REM. Le dér. *litholytique* est également en usage.

LITHOPHAGE [litofaʒ] adj. et n. m. — 1694 ; de *litho-,* et *-phage.*

♦ Didact. *Coquilles, mollusques lithophages,* qui creusent des cavités dans les rochers pour s'y loger. — N. m. (1694). *Le lithodome est un lithophage.*

LITHOPHANIE [litofani] — 1827 ; de *litho-,* et *-phanie.*

♦ Techn. Dessin sur une matière rendue translucide par des inégalités d'épaisseur. *Le lithophanie permet d'obtenir des effets de transparence dans le verre opaque.* «*Des abat-jour en lithophanie*» (Balzac, *Beatrix,* I).

LITHOPHYTE [litɔfit] n. m. — 1752; *lithophyton*, 1711; cf. angl. *lithophyton*, 1646; de *litho-*, et *-phyte*, du grec *phuton* « végétal ». Didactique et vieux.

♦ **1.** Zool. Polypier marin arborescent (*in* Cuvier).

♦ **2.** Bot. Plante qui pousse dans la pierre.

LITHOPONE [litɔpɔn] n. m. — 1907, *Petit Larousse*; de *litho-*, et d'un élément incertain, p.-ê. du grec *ponos* « production du travail ».

♦ Techn., chim. Mélange de sulfure et de sulfate de zinc, formant une matière colorante blanche. *Le lithopone remplace aujourd'hui la céruse dans la fabrication des peintures.*

LITHOSOL [litɔsɔl] n. m. — Mil. xxᵉ; de *litho-*, et *sol*.

♦ Géol. Sol non évolué, ou transformé par l'érosion.

LITHOSPHÈRE [litɔsfɛʀ] n. f. — 1897, trad. de l'all.; all. *Lithosphäre* (1833, Suess); du grec *lithos* (→ Litho-), et *sphaira*. → Sphère.

♦ Géogr. Partie solide de la sphère terrestre (→ Géodynamique, cit.). ⇒ **Sial**. *La lithosphère, l'atmosphère et l'hydrosphère* (⇒ **Biosphère**). *La lithosphère repose sur l'asthénosphère*.*

DÉR. Lithosphérique.

LITHOSPHÉRIQUE [litɔsfeʀik] adj. — D. i. (fin xixᵉ ou xxᵉ); de *lithosphère*.

♦ Géogr. Qui concerne la lithosphère. *Plaques lithosphériques.* « *Ils ont pu ainsi délimiter les frontières des plaques lithosphériques et déterminer les vitesses d'écartement de ces plaques par rapport aux dorsales océaniques* » (*la Recherche*, nº 101, juin 1979, p. 674).

LITHOTHAMNIUM [litotamnjɔm] n. m. — 1902, mot. cit.; lat. sav.; du grec *lithos* (→ Lith-), et *thamnion* « herbe ».

♦ Bot. Algue marine incrustée de calcaire et rappelant le corail. *Les lithothamniums jouent un grand rôle dans la formation des récifs calcaires, des atolls.*

Bel-Gazou a fini l'inventaire de sa poche gauche... La poche droite contient des ramilles de ce calcaire rosâtre que ses parents nomment, Dieu sait pourquoi, lithotamnium *(sic)*, quand il est si simple de l'appeler corail.
    COLETTE, la Maison de Claudine, éd. L. de poche, La noisette creuse, p. 175.

Var. : *lithothamme* [litotam] n. m.

LITHOTOME [litotom] n. m. — 1610; grec *lithotomon*, de *lithos* « pierre, calcul », et *temnein* « couper ». → Lith-, -tome.

♦ Chir. Vx. Instrument utilisé pour pratiquer la lithotomie (→ Lithotriteur). — Cystotome (pour inciser la vessie).

LITHOTOMIE [litotɔmi] n. f. — 1612; bas lat. méd. *lithotomia*, du grec. → Lithotome.

♦ Chir. Vx. Opération qui consistait à sectionner la pierre en plusieurs fragments à l'aide du lithotome, après incision de la vessie. *La lithotomie est remplacée de nos jours par la lithotritie.*

LITHOTRITEUR [litotʀitœʀ] n. m. — 1827, *lithotripteur*; de *lithotritie*.

♦ Chir. Instrument destiné à broyer les calculs à l'intérieur de la vessie. → Lithotome.

LITHOTRITIE [litotʀiti] n. f. — 1827, *De la lithotritie* (Civiale); de *litho-*, et lat. *terere*, p. p. *tritus* « broyé ».

♦ Chir. Opération chirurgicale qui consiste à broyer les calculs urinaires de la vessie pour en évacuer les fragments par l'urètre.

LITHOTYPOGRAPHIE [litotipɔɡʀafi] n. f. — 1839, *litho-typographie*, Auguste Dupont, in *Revue des Deux-Mondes*; de *litho-*, et *typographie*.

♦ Techn. Procédé qui consiste à reproduire en lithographie une planche imprimée avec les caractères typographiques ordinaires.

DÉR. Lithotypographier, lithotypographique.

LITHOTYPOGRAPHIER [litotipɔɡʀafje] v. tr. — 1839, *Revue des Deux-Mondes*.

♦ Techn. Reproduire par lithotypographie.

LITHOTYPOGRAPHIQUE [litotipɔɡʀafik] adj. — 1839, *Revue de Deux-Mondes*.

♦ Techn. Relatif à la lithotypographie.

LITHUANIEN, ENNE [lituanjɛ̃, ɛn] adj. et n. ⇒ **Lituanien**.

LITIÈRE [litjɛʀ] n. f. — Fin xiᵉ, « couche d'objets »; au sens II, 1150; de *lit*.

★ **I.** (V. 1155). Anciennt. Lit ambulant, généralement couvert, porté sur un double brancard par des hommes ou des bêtes de somme. *Litière des dames romaines.* ⇒ **Basterne**. *Litière orientale.* ⇒ **Palanquin**. *Voyager en litière* (→ Infirmité, cit. 8, et aussi felouque, cit. 1). *La litière de portage a été utilisée en France jusqu'au XVIIᵉ siècle.*

Mais je puis souffrir la lictière *(litière)* moins qu'un coche (...) comme je ne puis souffrir sous moi un siège tremblant.   MONTAIGNE, Essais, III, VI. [1]

Le plus sûr en hiver, c'est une litière; il y a des pas où il faut descendre de carrosse, où s'exposer à périr.   Mᵐᵉ DE SÉVIGNÉ, 331, 6 oct. 1673. [2]

Il rencontra, dans une rue fort étroite, une litière fermée par des rideaux en velours incarnadin, portée par deux mules blanches (...)
          Th. GAUTIER, la Mille et deuxième Nuit, in Fortunio... [3]

Parmi les piétons filaient les litières portées par des Éthiopiens au pas rapide et rythmique (...)   Th. GAUTIER, le Roman de la momie, II, p. 63. [4]

À l'exception du harem, qui voyageait en litière fermée, toutes les femmes venaient à pied sur les deux flancs de la caravane (...)
          E. FROMENTIN, Un été dans le Sahara, p. 238. [5]

(Fin xixᵉ). Brancard, utilisé pour le transport des blessés. ⇒ **Civière**. *Transporter un blessé sur une litière.*

★ **II.** (V. 1150). ♦ **1.** Paille, feuilles sèches, fourrage... répandus sur le sol d'une écurie, d'une étable, etc., pour que les animaux puissent s'y coucher. *La litière des chevaux, des vaches. Changer les litières. Litière fraîche. Les litières souillées forment le fumier*.*

Quant à vos chevaux, je vais leur faire mettre une litière dans un coin de la cour.
          BALZAC, l'Auberge rouge, Pl., t. IX, p. 962. [6]

Quand on entrait dans la bergerie, une odeur forte suffoquait, l'exhalaison ammoniacale de la litière, de l'ancienne paille sur laquelle on remettait de la paille fraîche pendant trois mois.   ZOLA, la Terre, II, I. [7]

♦ **2.** (1680). Techn. Mélange des excréments de vers à soie et des feuilles de mûriers dans un élevage séricicole. *Changer la litière des vers à soie* (⇒ **Délitage**).

♦ **3.** Loc. fig. (Fin xviᵉ; aussi « répandre à profusion », 1643; « couvrir le sol des cadavres d'ennemis », v. 1200). Littér. **FAIRE LITIÈRE (d'une chose)**, n'en faire aucun cas, n'en tenir aucun compte. ⇒ **Mépriser, négliger, oublier** (→ Fouler aux pieds; s'asseoir dessus). Spécialt. Sacrifier (qqch. d'estimable) à qqch.

(...) mais il resta encore une profonde différence entre ces ultramontains de la dernière heure et les hardis contemporains de la scolastique (...) Saint-Sulpice n'a jamais trouvé sûr de faire litière à ce point des règles établies.
          RENAN, Souvenirs d'enfance..., IV, I, Œuvres, t. II, p. 828. [8]

(Il) ferait franchement litière de tout ce qu'il a appris et ne s'en remettrait qu'à l'intuition (...)   Julien BENDA, Lettres à Mélisande, p. 64. [9]

Il est des circonstances où l'intérêt général nous oblige à faire litière de certaines conventions.   M. AYMÉ, la Tête des autres, IV, 7. [10]

♦ **4.** Rare. Couche de choses (débris, etc.) qui jonchent le sol. — Spécialt, didact. *Litière du sol :* accumulation sur le sol de feuilles, de déchets décomposés. ⇒ **Humus**.

LITIGANT, ANTE [litigã, ãt] adj. — xivᵉ; lat. *litigans*, p. prés. de *litigare* « plaider ».

♦ Dr. Vx. Qui plaide, qui est engagé dans un litige. *Les parties litigantes.*

LITIGE [litiʒ] n. m. — 1394; lat. *litigium*.

♦ **1.** Dr. et cour. Contestation* donnant matière à procès. *Être engagé dans un litige.* ⇒ **Litigant**. *Le litige fut porté devant le tribunal. Litiges soumis aux tribunaux* (→ Jurisconsulte, cit.). ⇒ **Affaire, cause, procès**. *Arbitrer, régler, trancher un litige. Statuer sur un litige. Solution du litige. Faire l'objet d'un litige.* ⇒ **Litigieux**. *Cas en litige.* ⇒ **Espèce**. *Objet, point en litige* (→ Compromis, cit. 1).

La propriété de cette caisse était tout au moins sujette à litige; il n'y en eut point.   ROUSSEAU, les Confessions, IV. [1]

♦ **2.** (1798). Contestation. ⇒ **Controverse, différend**. *Un litige intellectuel, social. — En litige.* ⇒ **Dispute**. *Il y a doute* sur ce point et la question reste en litige.* ⇒ **Controverser**.

Sir Edward Grey propose de réunir immédiatement, en conférence à Londres, les ambassadeurs allemands, italiens et français, pour juger sur toutes les questions en litige.   MARTIN DU GARD, les Thibault, t. VI, p. 195. [2]

(...) je suis décidé à faire tout ce qui est humainement possible pour régler le litige par voie de négociations...   SARTRE, le Sursis, p. 16. [3]

LITIGIEUX, EUSE [litiʒjø, øz] adj. — 1331 ; lat. *litigiosus*, de *litigium*. → Litige.

♦ **1.** [a] Dr. Qui est ou qui peut être en litige (1.). ⇒ **Contentieux, contestable, contesté.** *Affaire litigieuse. Point litigieux. Créance litigieuse.* ⇒ **Douteux.** *Manuscrit litigieux* (→ Compte, cit. 22).

On veut vous nommer avocat du Contentieux de la Guerre, qui, dans la partie du Génie, se trouve surchargé d'affaires litigieuses à cause des fortifications de Paris (...)   BALZAC, la Cousine Bette, Pl., t. VI, p. 439.

[b] Discuté, contesté ou contestable. *Une hypothèse litigieuse.*

♦ **2.** (V. 1361). Personnes ; facultés humaines. Vx. Qui aime les litiges. *Avoir l'humeur litigieuse. Esprit litigieux du chicaneur.* ⇒ **Procédurier.**

LITISDÉCISOIRE [litisdesizwaʀ] adj. — 1174, *in* Littré, *Suppl.* ; du lat. *lis, litis* «procès», et *décisoire.*

♦ Dr. Vx. Décisoire.

LITISPENDANCE [litispɑ̃dɑ̃s] n. f. — 1450, *litispendence* ; lat. médiéval *litispendentia*, de *lis, litis* «différend, litige», et *pendere* «être en suspens». → Pendre.

Droit.

♦ **1.** Vx. État d'un procès en instance.

♦ **2.** (1690). Mod. «État d'un litige porté simultanément devant deux tribunaux du même degré, l'un et l'autre compétents pour en connaître, et susceptible de provoquer le dessaisissement de l'un en faveur de l'autre» (Capitant). *Exception* ou déclinatoire de litispendance :* moyen par lequel un tribunal saisi en second lieu peut se dessaisir au profit du premier.

Pour qu'il y ait litispendance, il faut que deux demandes ayant le même objet et fondées sur la même cause soient pendantes entre les mêmes parties devant deux tribunaux différents (...) Il appartient au juge du fond d'apprécier s'il existe entre deux contestations l'identité nécessaire pour motiver l'exception de litispendance.
                DALLOZ, Nouveau répertoire de droit, t. II, p. 425, nᵒˢ 41-44.

LITORNE [litɔʀn] n. f. — 1555 ; *losturgne*, v. 1320 ; var. du picard *lutrone*, même sens, et *lutron* «lambin» ; du moy. néerl. *leuteren* «tarder, hésiter», l'oiseau ayant la réputation de musarder.

♦ Grive à tête cendrée. ⇒ **Jocasse, tourd.** — Par appos. *Grive litorne.*

(La litorne) diffère des autres grives par son bec jaunâtre, par ses pieds d'un brun plus foncé, et par la couleur cendrée, quelquefois variée de noir, qui règne sur sa tête, derrière son cou et sur son croupion.
                BUFFON, Hist. nat. des oiseaux, La litorne.

LITOTE [litɔt] n. f. — 1521, *liptote* ; bas lat. *litotes*, grec *litotês* «simplicité», déjà employé en rhétorique.

♦ Didact. Figure de rhétorique qui consiste à atténuer l'expression de sa pensée pour faire entendre le plus en disant le moins. ⇒ **Diminution, exténuation** (vx). *Euphémisme* par litote. Pratiquer la litote. Importance de la litote dans l'art classique. On se sert d'une litote quand on suggère une idée par la négation de son contraire* (ex. : « Va, je ne te hais point », mots par lesquels, dans « le Cid », Chimène avoue à Rodrigue qu'elle l'aime toujours).

Expression dans laquelle cette figure est mise en œuvre. « Ce n'est pas mauvais, c'est pas dégueulasse » pour « c'est très bon » est une litote.

— Je ne sais si je hais tous les Français, dit Éva, perfectionnant l'exemple classique de la litote : je hais la France. GIRAUDOUX, Siegfried et le Limousin, p. 166.

CONTR. Hyperbole (cit. 2).
DÉR. Litotique.

LITOTIQUE [litɔtik] adj. — 1953, Barthes, *le Degré zéro...* ; de *litote.*

♦ Didact. et rare. Qui utilise la litote. *Style litotique.*

1. LITRE [litʀ] n. f. — 1474, *lite* ; *litre* «bandeau (de pierres précieuses)», XIIᵉ ; anc. franç. *lite*, du germanique *lista* «bordure, lisière». → 1. Liste.

Didactique.

♦ **1.** Féod. Bande noire aux armoiries du défunt, qu'on tendait ou qu'on peignait à l'intérieur et à l'extérieur de l'église, pour les obsèques d'un seigneur.

(...) peut-être (...) trouvent-ils leurs pièces aussi honorables (...) on les voit sur les litres et sur les vitrages, sur la porte de leur château (...)
                LA BRUYÈRE, les Caractères, VII, 10.

♦ **2.** (1835). Mod. (techn.). Ornement funèbre*, large bande noire aux initiales du défunt, qu'on tend autour de l'église pour des funérailles solennelles.

Voici l'église, tendue de grandes litres qui ruissellent de larmes d'argent.
                Hervé BAZIN, Cri de la chouette, p. 56.

HOM. 2. Litre ; formes des v. 1. litrer, 2. litrer.

2. LITRE [litʀ] n. m. — 1795 (loi du 18 germinal an III) ; de *litron*, ancienne mesure de capacité. → Litron (1.).

♦ **1.** Sc. Vx. Unité des mesures de capacité du système métrique, représentant le volume d'un kilogramme d'eau pure sous la pression atmosphérique normale et à la température de 4°, soit pratiquement 1 décimètre cube (abrév. *l* ou *L*). — (1964). Mod. Syn. de *décimètre cube.*

Cour. Unité usuelle de mesure de capacité (notamment des liquides) dans le système métrique. *Multiples du litre.* ⇒ **Décalitre, hectolitre, kilolitre.** *Sous-multiples du litre.* ⇒ **Décilitre, centilitre, millilitre.** *Barrique* (cit. 1) *de 225 litres. Pot qui fait, qui tient un litre. Boire des litres d'eau. Cette citerne contient dix mille litres d'essence.*

♦ **2.** (Av. 1850). Récipient ayant la contenance d'un litre et servant à mesurer des liquides ou des matières sèches. *Litre en fer pour le lait. Litre en bois pour les grains, les moules. Litre en verre pour le vin, l'alcool.* — Cour. Bouteille* en verre d'une contenance d'un litre. *Le goulot* (cit. 2) *d'un litre* (→ Chanteau, cit.). *Déboucher un litre. Ce n'est pas un litre, c'est une bouteille, une bordelaise. Du vin au litre, dans des litres (bouteilles d'un litre) ; tiré au tonneau et mis en litres (se dit du vin le plus ordinaire).*

Il (...) trouva (...) du vin blanc dans un litre entamé (...)
                P. MAC ORLAN, Quai des brumes, VII.

— Je n'ai pas de Pernod vide. Mais je vous amène un litre blanc qui fera l'affaire...
— Vous vous fichez de moi, patron ! Qu'est-ce qui me prouve qu'il tient le litre, votre litre blanc ?   J. ROMAINS, les Copains, I.

♦ **3.** (1867). Contenu d'un litre ; quantité de liquide potable, buvable. *Boire un litre de bière. Un litre de rouge.* ⇒ (argot fam.) **Kil.**

Dans quatre litres de vin de Cavalaire, sec, jaune, je versai un litre d'Armagnac fort honnête (...)   COLETTE, Prisons et Paradis, p. 89.

(1805, *in* D.D.L.). Absolt. Litre de vin (⇒ **Litron**). *Viens, on se paie un litre. Ils ont bu trois litres à deux, pendant le repas.*

Mais Coupeau (...) se leva en déclarant qu'on ne boirait pas danvantage. On avait vidé vingt-cinq litres, chacun son litre et demi (...)
                ZOLA, l'Assommoir, III, t. I, p. 112.

DÉR. 2. Litrer, litron, 2.
COMP. Demi-litre. — Décalitre, décilitre, centilitre, hectolitre, kilolitre, millilitre.
HOM. V. 1. Litre.

1. LITRER [litʀe] v. tr. — 1836, Vidocq ; orig. incert., selon Esnault, de l'argot *itrer* «avoir» (1562) par agglutination de *il.*

♦ Argot anc. Avoir, posséder (qqch.).

2. LITRER [litʀe] v. tr. — 1884, Maupassant, *in* T.L.F. ; de 2. *litre.*

♦ Régional et fam. Mesurer en litres ; vendre (qqch.) au litre.

LITRON [litʀɔ̃] n. m. — 1584 (*literon*, 1600, selon T.L.F.) ; du lat. médiéval *litra* (1254) ; du grec *litra* «livre de douze onces», forme correspondant au lat. *libra.* → 2. Livre.

♦ **1.** Ancienn. Mesure de capacité, le seizième du boisseau ; le contenu de cette mesure. *Un litron de blé, de sel.*

(...) faire jauger et mesurer *(la forme de son chapeau),* comme on fait les litrons et les boisseaux qu'on marque à l'Hôtel-de-Ville.
                FURETIÈRE, le Roman bourgeois, I, p. 38.

♦ **2.** (1867 ; de 2. *litre,* 2.). Fam. Litre de vin. *Avoir son litron dans la poche. Un litron vide. Des clochards avec leurs litrons.* — Contenu d'un litre de vin. *Il a sifflé, descendu plusieurs litrons.*

L'essence de fenouil et l'eau plate, le litron de rouge et le pot de moutarde attendaient Cidrolin.   R. QUENEAU, les Fleurs bleues, p. 31.

DÉR. 2. Litre.
HOM. Forme des v. 1. litrer, 2. litrer.

LITSAM [litsam] n. m. ⇒ **Litham.**

LITTÉRAIRE [liteʀɛʀ] adj. — 1527 ; lat. *litterarius*, de *littera.* → Lettre.

♦ **1.** Qui a rapport à la littérature*, aux lettres* ; de la littérature. De la nature de la littérature. *Œuvres littéraires* (→ Évangéliste, cit. 2). *Explication* (cit. 5) *des textes littéraires. Genres* (cit. 15) *littéraires. Auteur* (cit. 23) *d'une composition littéraire, en prose ou en vers. Créations littéraires. Citation littéraire. Allusion littéraire.* — *Conséquences de la Révolution au point de vue littéraire* (→ Écolier, cit. 10). *Applications littéraires d'une philosophie*

(→ Idéologue, cit. 2). *La Révolution littéraire de 1660* (→ Auteur, cit. 9).

Spécialt. *Propriété littéraire.* ⇒ **Propriété.**

(1752, *le monde littéraire*). Qui concerne la littérature en tant qu'activité sociale. *La vie littéraire. Événements* (cit. 15) *littéraires. Une capitale* (cit. 2 et 3) *littéraire. Le monde littéraire* (→ Infiltrer, cit. 7 ; jalousie, cit. 5). — *Milieux, cercles, clubs, coteries* (cit. 1), *salons, cénacles littéraires. Le Félibrige, école littéraire.* — *L'ambition* (cit. 16) *littéraire. Rechercher la célébrité* (cit. 3), *les honneurs littéraires. Faire une carrière littéraire.* — *Prix* littéraires. Anecdotes, portraits, souvenirs littéraires,* concernant les écrivains. — *Pseudonyme littéraire d'un écrivain.* — *Personnes. Un forban* (cit. 2), *un écumeur* (cit. 4) *littéraire. Les fous littéraires.* — *Agent littéraire,* qui gère les revenus des écrivains (pour leur compte ou pour celui de leur éditeur). *L'agent littéraire s'occupe des traductions, adaptations.*

1   Hà ! que vous fûtes fols, pauvres pères, de faire
      Apprendre à vos enfants le métier literaire *(littéraire)* !
                    RONSARD, le Bocage royal, I, « À très illustre Prince Charles ».

2   Shelley et Byron firent ensemble un pèlerinage littéraire autour du lac. Ils visitèrent les lieux où Rousseau avait placé la Nouvelle Héloïse (...)
                                                    A. MAUROIS, Ariel..., II, V.

Qui étudie les œuvres, qui traite de littérature. *La critique* (2. Critique, cit. 6), *l'exégèse* (cit. 3), *l'histoire littéraires. La critique littéraire* ⇒ 2. **Critique.** *Un critique littéraire chargé de la rubrique littéraire, du courrier littéraire d'un journal. Gazettes* (cit. 2), *revues littéraires. Supplément littéraire d'un quotidien.* — *Doctrines, théories littéraires.*

3   L'histoire littéraire est tissue comme l'autre de légendes diversement dorées.
                                                    VALÉRY, Variété I, p. 74.

4   Le romantisme n'est pas une doctrine littéraire, c'est une façon d'entendre la vie.
                                    G. DUHAMEL, Refuges de la lecture, VIII, p. 260.

(1831). Qui convient à la littérature, répond à ses exigences esthétiques. *Donner à son œuvre une forme littéraire. L'expression* (cit. 22) *littéraire. La valeur, le caractère littéraire d'un ouvrage. Beauté littéraire des Psaumes. Roman populaire et roman littéraire* (→ Argot, cit. 2). *Œuvre d'une haute tenue littéraire.*

Spécialt. *Style littéraire. Langue* (cit. 30 et 44) *littéraire et langue populaire* (→ Français, cit. 12 ; faveur, cit. 7). *Le latin littéraire et le latin parlé.* — Ling. Qui appartient au registre d'usage, au niveau de langue habituellement mis en œuvre dans les textes littéraires : usage écrit, soutenu souvent recherché et « marqué » par rapport à l'usage spontané, notamment parlé. *Mot, expression littéraire* (opposé à *courant,* à *familier,* à *didactique,* etc. ; abrégé en *littér.* dans ce dictionnaire). — REM. Cette marque d'usage ne correspond pas à la totalité des éléments du discours littéraire, qui intègre tous les niveaux, mais à une conception hiérarchisée, classique, de la littérature.

5   (...) ceux qui ne lisent pas seulement par curiosité (...) regrettent que les qualités d'imagination et d'observation qui n'on jamais fait défaut à M. Eugène Sue, ne soient pas enchâssées dans un style plus pur, plus ciselé, plus littéraire enfin.
                          Th. GAUTIER, Souvenirs de théâtre.., Hist. de la marine, III.

Dons, talents littéraires (→ Essayer, cit. 5). *Génie, sens, goût littéraire.*

6   On ne pouvait lui reprocher ni le manque d'érudition, ni le manque absolu de sens littéraire (...)
                                    J. ROMAINS, les Hommes de bonne volonté, t. IV, XV, p. 146.

7   Le vrai talent littéraire, c'est d'écrire des livres comme on écrit des lettres, absolument. Tout ce qui n'est pas cela n'est que pathos, pose, rhétorique, enflure.
                                    Paul LÉAUTAUD, Journal littéraire, t. I, p. 249.

♦ **2.** Qu'on ne trouve que dans les œuvres littéraires. *Artifices, procédés littéraires* (→ Galerie, cit. 7). *L'imparfait* (cit. 14) *du subjonctif n'a plus qu'une existence littéraire. Le caractère plus littéraire qu'usuel d'une locution* (→ 1. Garde, cit. 61). — *Personnages réels et personnages littéraires. Mythes littéraires* (→ 1. Feu, cit. 6).

Péj. Artificiel, manquant de sincérité (→ Littérature, II., 3.). *Souffrances qui n'étaient pas littéraires ou figurées* (→ Endommager, cit. 3). *Minutie qui n'est que littéraire* (→ Agglutiner, cit. 2).

♦ **3.** (1775 ; personnes). Doué pour les lettres. *Un esprit plus littéraire que scientifique.*

7.1 Elle aimerait beaucoup vous connaître et je crois que vous vous accorderiez, car elle est aussi extrêmement littéraire.
                          PROUST, À l'ombre des jeunes filles en fleurs, Folio, p. 531.

N. *Un, une littéraire :* celui, celle dont les dons ou les activités sont littéraires. Spécialt. Vx. *Un professeur de lettres* (→ Épitoge, cit.). Mod. Élève, étudiant de lettres.

8   (...) les trois promotions étaient là au complet, les littéraires dans la moitié droite de la salle, les scientifiques dans la moitié gauche.
                                    J. ROMAINS, les Hommes de bonne volonté, t. III, III, p. 47.

♦ **4.** (Choses abstraites). Qui est consacré aux lettres. *Culture, formation* (cit. 5) *littéraires. L'humanisme* (cit. 7) *et les études litté-*

raires. Bagage* littéraire. Les disciples littéraires (littérature, histoire, langues, philosophie). *Carrières littéraires.*

DÉR. Littérairement, littérarité.

LITTÉRAIREMENT [literɛʀmɑ̃] adv. — 1810, Mme de Staël ; de *littéraire.*

♦ **1.** Du point de vue littéraire. *Littérairement parlant* (→ Analyser, cit. 1.1 ; journal, cit. 8 ; et aussi errer, cit. 5). — Du point de vue de la qualité littéraire. *C'est littérairement médiocre, encore que les idées soient intéressantes.*

♦ **2.** Rare. De façon littéraire. *S'exprimer littérairement.*

LITTÉRAL, ALE, AUX [literal, o] adj. — V. 1200, *science littérale* « les lettres » ; bas lat. *litteralis* « qui a rapport aux lettres de l'alphabet, formé de lettres », de *littera.* → Lettre.

♦ **1.** (V. 1450). Qui s'en tient, est pris strictement à la lettre* (II., 2.). *Teneur littérale d'un texte. Le sens littéral d'un mot* (par oppos. au sens figuré*). *Le sens littéral d'un texte* (par oppos. aux sens allégorique*, anagogique*, symbolique* ; → Ésotérique, cit. 1). *Traduction littérale,* aussi près que possible du mot à mot (→ Beauté, cit. 7), opposé à *traduction libre.* — *Explication littérale. Copie, transcription littérale,* exactement conforme à l'original. ⇒ **Exact, textuel.**

1   (...) et ces fortes expressions par lesquelles l'Écriture sainte exagère l'inconstance des choses humaines, devaient être pour cette Princesse si précises et si littérales.   BOSSUET, Oraison funèbre de Henriette-Anne d'Angleterre.

(Av. 1850). Fig. Rapporté exactement, objectivement. *Le fait littéral et la version officielle. Description, reproduction littérale.*

2   La plupart des photos-chocs que l'on nous a montrées sont fausses, parce que précisément elles ont choisi un état intermédiaire entre le fait littéral et le fait majoré : trop intentionnelles pour de la photographie et trop exactes pour de la peinture, elles manquent à la fois le scandale de la lettre, et la vérité de l'art.
                                    R. BARTHES, Mythologies, p. 107.

♦ **2.** (V. 1560). Ling. *Arabe littéral :* l'arabe écrit (par oppos. aux dialectes arabes parlés) ; spécialt, l'arabe écrit ancien (par rapport à l'arabe des journaux). « *Il sait bien l'arabe littéral, mais il ne comprend pas l'arabe vulgaire* » (Académie). *Le grec littéral.*

♦ **3.** (V. 1730). Qui utilise les lettres. *Notation littérale. Symboles littéraux de l'algèbre. X, y, représentation littérale des inconnues.*

Qui est représenté par des lettres. *Coefficient littéral. Partie littérale et partie numérique d'une formule.*

Qui procède lettre à lettre. *Déchiffrage littéral. Transcription littérale d'une écriture alphabétique dans une autre.* ⇒ **Translittération.**

N. m. Inform. Constante représentée par sa valeur, dans un programme informatique en langage machine symbolique.

♦ **4.** Dr. Qui s'appuie sur un écrit. *Preuve littérale.*

CONTR. Allégorique, anagogique, symbolique.
DÉR. Littéralement, littéralisme, littéralité.

LITTÉRALEMENT [literalmɑ̃] adv. — 1465, sens 2 ; de *littéral.*

♦ **1.** (1577). D'une manière littérale, conforme à la lettre. *Copier, traduire littéralement un texte* (→ Exprimer, cit. 28). *Citer littéralement.*

1   Quand la parole de Dieu, qui est véritable, est fausse littéralement elle est vraie spirituellement.   PASCAL, Pensées, X, 687.

♦ **2.** En prenant le mot, l'expression au sens littéral. *Il était littéralement fou* (cit. 28). *L'habitude* (cit. 48) *est littéralement une seconde nature.*

2   (...) il déchaîna « les terribles cuirassiers » du général d'Hautpoul, que Marbot vit fondre avec une telle rapidité sur les lignes ennemies qu'ils la couchèrent littéralement par terre.   L. MADELIN, Histoire du Consulat et de l'Empire, Vers l'Empire d'Occident, XX.

Absolument, exactement. « *Je n'avais plus rien, littéralement rien* » (G. Sand, *in* T. L. F.).

LITTÉRALISME [literalism] n. m. — 1866, *in* Littré, *Suppl.* ; de *littéral.*

♦ Didact. Système d'interprétation littérale de la Bible. En particulier. *Le littéralisme juif.* ⇒ **Légalisme.**

Au littéralisme dogmatique Jésus oppose l'esprit religieux. Ce qu'il reproche aux Pharisiens, ce n'est pas seulement leur « pharisaïsme » au sens actuel du mot, leur hypocrisie, conséquence de toute leur attitude spirituelle. Le plus grave c'est leur légalisme stérile.   DANIEL-ROPS, Jésus en son temps, p. 428.

REM. *Littéraliste,* adj. et n., est également attesté.

LITTÉRALITÉ [literalite] n. f. — 1752 ; de *littéral.*

♦ **1.** Stricte conformité (d'une interprétation, d'une traduction) à la lettre, au texte. « *Une scrupuleuse littéralité* » (Nodier). — Péj. Négligence de l'« esprit » au profit de la lettre. *Traducteur qui est l'esclave de la littéralité* (→ Harmonie, cit. 25). *Une littéralité grossière* (→ Hiérophante, cit. 3).

1 (...) il est *(le discours de Vergniaud)* la loyale réclamation de l'honneur contre la littéralité perfide qui s'affermit dans la fausse conscience, pour tuer, exterminer l'esprit. MICHELET, Hist. de la Révolution franç., VI, IX.

♦ **2.** Didact. Conformité aux signes, au symbole littéral (1.), à la forme même de l'écriture.

2 La forme la plus haute de l'expression artistique est du côté de la littéralité, c'est-à-dire en définitive d'une certaine algèbre : il faut que toute forme tende à l'abstraction, ce qui, on le sait, n'est nullement contraire à la sensualité.
R. BARTHES, Mythologies, p. 169.

3 N'est-ce pas l'essence de l'écriture, l'écriture à l'état décanté et purifié que « forge » l'auteur? Cette littérature a passé par la littéralité, épreuve purificatrice. D'elle on exige la rigueur. Elle simule la parole, mais la parole a disparu. Tout est écrit, dans un trajet linéaire. Les sens, le propre et le figuré, l'analogique et le caché? Ils ont disparu. Tout est explicite.
Henri LEFEBVRE, la Vie quotidienne dans le monde moderne, p. 25.

LITTÉRARITÉ [liteʀaʀite] n. f. — 1965; de *littéraire*, et *-ité*, pour traduire le russe *literaturnost'* (→ cit.).

♦ Didact. Caractère d'un texte considéré comme littéraire (⇒ **Littérature,** II., 1. et III.). *Définition sociologique de la littérarité. Définition sémiotique de la littérarité* (le discours littéraire, notamment poétique, ayant des traits sémantiques propres : renvoi à lui-même par autonymie*, etc.).

La formule de Jakobson : « l'objet de la science littéraire n'est pas la littérature mais la littérarité (literaturnost'), c'est-à-dire ce qui fait d'une œuvre donnée une œuvre littéraire », doit être interprétée au niveau de l'investigation, et non de l'objet. Tzvétan TODOROV, Poétique de la prose, p. 10.

N. B. Le mot *littérarité* se trouve dans la trad. de Jakobson, *in* « Théorie de la littérature, textes des Formalistes russes », 1965, p. 37.

LITTÉRATEUR [liteʀatœʀ] n. m. — V. 1470; « chroniqueur », attestation isolée, 1716; lat. *litterator* « grammairien », de *littera* « lettre », *litteræ* « belles-lettres ».

♦ **1.** Vx. Celui qui est versé dans les belles-lettres*, humaniste.

♦ **2.** (1716). Mod. (souvent péj.). Homme de lettres (→ Lettre, cit. 38.2), écrivain de métier. ⇒ **Auteur** (→ Crabe, cit. 3; écrire, cit. 42). *Un conformisme de littérateurs* (→ Canaille, cit. 12). « *Tolstoï, le moins littérateur des écrivains* » (→ Génial, cit. 2, R. Rolland).

1 Racine, Boileau, Bossuet, qui avaient plus de littérature que leurs critiques, seraient très mal à propos appelés des gens de lettres, des littérateurs (...)
VOLTAIRE, Dict. philosophique, Littérature.

2 Du fait qu'un littérateur est chez nous un professionnel du goût et de la dialectique, il lui manquera toujours le don de divination ou même de simultanéité par rapport aux événements de la vie et de l'âme.
Plus un écrivain est grand, chez nous, moins il prévoit (...)
GIRAUDOUX, Littérature, Étude sur Ch.-Louis Philippe, p. 92-93.

REM. Le féminin *littératrice* (1777) se rencontre rarement (syn. : *femme de lettres*).

3 Mme Gout (...) est une femme d'assez de goût. Nous avons rencontré chez elle une littératrice de Paris, Mme... je ne sais qui (...)
Henry CROS, Lettre à son frère, 12 janv. 1863, *in* Charles CROS, Œ. compl., Pl., p. 600.

LITTÉRATURE [liteʀatyʀ] n. f. — V. 1120, « écriture », « sens littéral d'un texte »; lat. *litteratura* « écriture », puis « érudition », de *litteræ* « les lettres », plur. de *littera* « lettre ».

1 Littérature; ce mot est un de ces termes vagues si fréquents dans toutes les langues (...) tels sont tous les termes généraux, dont l'acception précise n'est déterminée en aucune langue que par les objets auxquels on les applique.
VOLTAIRE, Dict. philosophique, Littérature.

★ **I.** ♦ **1.** (1432). Vx. Ensemble des connaissances, culture générale, en particulier en ce qui concerne les lettres* (IV.). *Des gens d'un bel* (cit. 37) *esprit et d'une agréable littérature* (La Bruyère). *Une vaste et profonde littérature* (→ Archives, cit. 2, La Bruyère). « *Un homme sans grande éducation, sans littérature* » (Labiche, 1876, *in* T. L. F.).

2 La littérature (...) désigne dans toute l'Europe une connaissance des ouvrages de goût, une teinture d'histoire, de poésie, d'éloquence, de critique.
VOLTAIRE, Dict. philosophique, Littérature.

♦ **2.** (1680). Vx. « Le corps des gens de lettres » (Richelet). *Les serpents de la littérature* (→ Folliculaire, cit. 1). *Toute la basse littérature est aux ordres des hypocrites* (cit. 12, d'Alembert).

♦ **3.** (1758; all. *Literatur*). Bibliographie d'une question, ensemble des ouvrages publiés sur cette question. *Compiler toute une littérature. Il existe sur ce sujet une abondante littérature.* — *La littérature médicale* (→ Hypnotisme, cit. 3).

Mus. Ensemble des œuvres écrites (pour un instrument, dans une certaine forme). *La littérature de la flûte est très variée. La littérature pour piano du XXe siècle.*

★ **II.** (1764). Les œuvres écrites, dans la mesure où elles portent la marque de préoccupations esthétiques reconnues pour telles dans le milieu social où elles circulent; les connaissances, les activités qui s'y rapportent.

(...) le mot *ouvrage de littérature* ne convient point à un livre qui enseigne l'architecture ou la musique, les fortifications, la castramétation, etc.; c'est un ouvrage technique (...) VOLTAIRE, Dict. philosophique, Littérature. 3

(...) l'ensemble des productions qu'on appelait autrefois les « ouvrages de l'esprit » et qu'on désigne maintenant du nom de « littérature ». 4
RENAN, Questions contemporaines, Œuvres, t. I, p. 182.

La littérature se propose d'abord comme une voie de développement de nos puissances d'invention et d'excitation, dans la plus grande liberté, puisqu'elle a pour substance et pour agent la *parole*, déliée de tout son poids d'utilité immédiate (...) 5
VALÉRY, Variété, V, p. 81.

Les techniciens sortent de la littérature au fur et à mesure de l'élévation de leur spécialité à la dignité de science. Euclide et Archimède figurent dans les Histoires de la Littérature française au XIXe siècle. La purification est maintenant accomplie. 6
R. QUENEAU, Préface, *in* Encycl. Pl. (Hist. des littératures), t. I, p. 10.

Cependant, la littérature n'est pas un système symbolique « primaire » (comme la peinture, par exemple, peut l'être, ou comme l'est, en un sens, la langue) mais « secondaire » : elle utilise comme matière première un système déjà existant, le langage. Cette différence entre système linguistique et système littéraire ne se laisse pas observer uniformément dans toute instance de littérature : elle est à son minimum dans les écrits de type « lyrique » ou sapientiel, où les phrases du texte s'organisent directement entre elles; à son maximum dans le texte de fiction, où les actions et les personnages évoqués forment à leur tour une configuration, relativement indépendante des phrases concrètes qui nous la font connaître. 6.1
Tzvétan TODOROV, Poétique, *in* Qu'est-ce que le structuralisme?, p. 30-31.

♦ **1.** (1752). L'ensemble des œuvres, des textes littéraires. *Les grandes œuvres, les livres célèbres, les plus belles pages de la littérature. Littérature universelle. Le classicisme** (cit. 4) *en littérature. Les créateurs* (cit. 6) *des œuvres d'art et de littérature. L'évolution des genres dans la littérature.* ⇒ **Genre** (II., 3.). *Les types, les personnages caractéristiques de la littérature. La peinture des mœurs, des caractères dans la littérature.* « *De la littérature considérée dans ses rapports avec les institutions sociales* », ouvrage de Mme de Staël. *Théorie, science de la littérature.* ⇒ **Poétique.** *Caractère spécifique de la littérature.* ⇒ **Littérarité.**

(...) poèmes, drames, romans, opéras, chansons, histoires, toute la littérature lui est échue *(à Luchet)* en patrimoine, ou par droit de conquête. 7
RIVAROL, Littérature, Petit almanach de nos grands hommes, p. 73.

La littérature des peuples commence par les fables et finit par les romans. 8
Joseph JOUBERT, Pensées, XXIII, CCVII.

La littérature est la vie prenant conscience d'elle-même lorsque dans l'âme d'un homme de génie elle rejoint sa plénitude d'expression (...) la littérature est le lieu de rencontre de deux âmes (...) la littérature est la pensée accédant à la beauté dans la lumière (...) Ch. DU BOS, Qu'est-ce que la littérature?, IV, 9
La littérature et le verbe, p. 88-89.

Tout en écoutant, Jean percevait confusément que ce qu'il y a de réel dans la littérature, c'est le résultat d'un travail tout spirituel, quelque matérielle que puisse en être l'occasion (une promenade, une nuit d'amour, des drames sociaux), une sorte de découverte dans l'ordre spirituel ou sentimental que l'esprit fait, de sorte que la valeur de la littérature n'est nullement dans la matière déroulée devant l'écrivain, mais dans la nature du travail que son esprit opère sur elle. 9.1
PROUST, Jean Santeuil, Pl., p. 481.

N. B. Cet exemple illustre aussi le sens 2 ci-dessous.

La littérature d'un pays, d'une époque. La littérature française (cit. 18), *latine, scandinave, chinoise, japonaise, russe...* ⇒ **Langue** (cit. 43). *La littérature soviétique de langue arménienne. La littérature africaine, antillaise, maghrébienne, canadienne de langue française. La littérature suisse de langue allemande. Attirance* (cit. 3) *vers les littératures étrangères.* — *La littérature moderne. La littérature actuelle* (→ Expression, cit. 42). *La littérature de la Renaissance, de l'époque classique.*

La littérature est l'expression de la société, comme la parole est l'expression de l'homme. DE BONALD, Pensées, *in* GUERLAC. 10

La littérature contribue à faire la langue et la langue est l'instrument premier de toute littérature (...) 11
Il est impossible d'imaginer une grande civilisation sans une grande littérature. Le monde hébraïque a produit la Bible et toute l'humanité vit encore sur ce message.
G. DUHAMEL, Refuges de la lecture, VIII, p. 242 et 274.

La nation française est plus hétérogène qu'aucune autre nation d'Europe; c'est en vérité une agglomération internationale de peuples. Ainsi s'expliquent la tournure internationale de l'esprit français et le caractère universel de la littérature française. Ch. SEIGNOBOS, Hist. sincère de la nation franç., p. 4. 12

Doctrines, écoles, tendances de la littérature. ⇒ **Littéraire.** *Littérature classique*, romantique*, réaliste*, impressionniste, symboliste*, naturaliste*, surréaliste*. Littérature précieuse*, burlesque*, fantastique... Littérature policière. Littérature d'anticipation** (3.).

Il n'y a donc dans l'Europe littéraire que deux grandes divisions très marquées : la littérature imitée des anciens, et celle qui doit sa naissance à l'esprit du moyen âge; la littérature qui, dans son origine, a reçu du paganisme sa couleur et son charme, et la littérature dont l'impulsion et le développement appartiennent à une religion essentiellement spiritualiste. 13
Mme DE STAËL, De l'Allemagne, Observations générales, p. 11.

Toute la littérature réaliste et naturaliste, en France, est, sous son pessimisme apparent, un chant de louange à la civilisation rédemptrice. 14
G. DUHAMEL, Scènes de la vie future, Préface.

Bonne et mauvaise littérature (→ Illisible, cit. 4). *Littérature légère, érotique, pornographique, scatologique. Littérature sérieuse, pieuse, édifiante, moralisante. Les bons sentiments et la littérature. La grande littérature* (→ Effort, cit. 12). *Les feuille-*

tons de la littérature populaire. La littérature engagée* (cit. 52, Sartre). *Littérature d'évasion. Littérature décadente. Littérature de masse. Littérature marginales.* ⇒ **Paralittérature.** Péj. *C'est de la sous-littérature.*

15 J'aimais (...) la littérature démodée, latin d'église, livres érotiques sans ortho-graphe ; romans de nos aïeules, contes de fées, petits livres de l'enfance, opéras vieux, refrains niais, rythmes naïfs.
                     RIMBAUD, *Une saison en enfer,* « Délires », II.

16 D'où vient que l'on ne peut guère plus faire de bonne littérature avec de bons sentiments, ni mettre en poésie la vertu.   J. PAULHAN, *les Fleurs de Tarbes,* p. 34.

17 *(L'art du XIXᵉ siècle)* n'enseigne rien, il ne reflète aucune idéologie, il se défend surtout d'être moralisateur : bien avant que Gide l'ait écrit, Flaubert, Gautier, les Goncourt, Renard, Maupassant, ont dit à leur manière que c'est avec les bons sentiments qu'on fait la mauvaise littérature.   SARTRE, *Situations II,* p. 171.

18 La difficulté, penserez-vous, est précisément de distinguer entre la littérature saine, tonique, nourrissante, et la littérature vénéneuse ou débilitante.
                     M. AYMÉ, *le Confort intellectuel,* II.

19 (...) ces ouvrages « à lire dans le train » (...) ce qu'on appelle, d'une façon assez péjorative, *la littérature des gares ?*
           Émile HENRIOT, *Chemin de fer et Littérature in la Vie du rail,* 2 mai 1954.

♦ **2.** (Av. 1841). Le travail, l'art de l'écrivain. *La littérature n'est pas seulement un jeu de l'esprit* (cit. 51), *un agréable passe-temps* (→ Amateur, cit. 6). *Faire de la littérature :* écrire littérairement. *Routines, clichés, nouveauté en littérature* (→ Innocent, cit. 12). *La littérature commence où finit la rhétorique*.*

20 (...) la littérature n'est en vérité qu'une spéculation, un développement de certai-nes des propriétés du langage ; de celles de ces propriétés qui se trouvent le plus vivantes et agissantes chez les peuples primitifs. Plus la forme est belle, plus elle se sent des origines de la conscience et de l'expression ; plus elle est savante et plus elle s'efforce de retrouver, par une sorte de synthèse, la plénitude, l'indivision de la parole encore neuve et dans son état créateur.
                VALÉRY, *Variété IV,* p. 150-151.

Le métier d'homme de lettres*. *Faire carrière en littérature. Arri-ver par la littérature* (→ Arriviste, cit. 1). — Par métonymie. *Sous l'Empire, la littérature fut libre et la science servile* (→ Honneur, cit. 55, Chateaubriand). ⇒ **Littéraire** (4.).

♦ **3.** Ce qu'on ne trouve que dans les œuvres littéraires (par oppos. à la réalité). ⇒ **Littéraire** (3.). *La vie et la littérature. Il y a dans ce dialogue plus de littérature que de vérité. Être intoxiqué* (cit. 3) *de littérature.* — Fig. Ce qui est artificiel, peu sincère. — Allus. littéraire :

21 De la musique avant toute chose (...)
Que ton vers soit la bonne aventure
Éparse au vent crispé du matin
Qui va fleurant la menthe et le thym (...)
Et tout le reste est littérature.   VERLAINE, *Jadis et Naguère,* « Art poétique ».

22 (...) une société de malotrus et de mufles appelle sans doute littérature toute expression élevée d'une âme noble et délicate (...)
      G. DUHAMEL, *Chronique des Pasquier,* III, XV (→ Abjection, cit. 3).

23 Mon regard est creux, le regard de Dieu le traverse, de part en part. « Je fais de la littérature » pensa-t-il brusquement.   SARTRE, *le Sursis,* p. 157.

♦ **4.** (1863). Ensemble des connaissances concernant les œuvres littéraires, leurs auteurs. ⇒ **Critique.** *Cours* (cit. 25) *de littérature.* ⇒ **Belles-lettres** (vieilli). *Manuel, dictionnaire de littérature. Histoire de la littérature anglaise,* de Taine (1864). *Devoir, composition de littérature.* ⇒ **Dissertation.** — (1806, D.D.L.). *Littérature compa-rée.* ⇒ **Comparatisme.**
Livre, manuel d'histoire de la littérature. *La littérature de Lanson.*

★ **III.** Usage esthétique du langage, même non écrit. *La littérature grecque a été essentiellement orale jusqu'au IVᵉ siècle avant J.-C. Une grande part de la littérature médiévale est orale.* — Spécialt. *Littérature orale,* ensemble de discours littéraires qui se conservent et se transmettent oralement, même chez les peuples disposant de l'écriture. *Littérature orale populaire.*

24 *Littérature orale.* La matière est immense et difficile à délimiter. Elle intéresse le folklore, mais elle ressortit aussi à l'ethnologie et à la sociologie. Les littératu-res orales, en effet, ne sont pas le privilège des sociétés archaïques ou primitives ; elles sont communes aux sociétés européennes et orientales (...) Tout ce qui a été dit, et ensuite retenu par la mémoire collective, appartient à la littérature orale. Car tous ces textes racontent, à leur manière, une histoire.
          Mircea ÉLIADE, *Littératures orales, in* Encycl. Pl. (Hist. des littératures), t. I, p. 3.

DÉR. Littératurer.
COMP. Paralittérature.
REM. Plusieurs dérivés occasionnels, souvent péjoratifs, sont attestés (*littéraillerie,* n. f., *in* Balzac ; *littératurisme,* n. m., *in* Benda, *la France byzantine,* T.L.F.).

LITTÉRATURER [literatyʀe] v. intr. — 1861, Flaubert ; de *littéra-ture.*

♦ Fam. et rare. Faire de la littérature ; écrire. — Au p. prés. « *Tous ces jeunes littérateurs littératurants* » (Cendrars, *in* T.L.F.).

LITTORAL, ALE, AUX [litɔʀal, o] adj. et n. — 1752 ; lat. *litto-ralis,* de *littus, -oris.*

A. Adj. ♦ **1.** Géogr. Qui appartient, qui est relatif à la zone de con-tact entre la terre et la mer. *Domaine littoral. Dunes, flèches, ter-*

rasses littorales ; cordons* littoraux (→ Lagune, cit. 2). *Morpho-logie, topographie littorale* (→ Île, cit. 4) ; *profil, tracé littoral.*

Le domaine des formes littorales n'est pas seulement la ligne idéale qui sépare, sur les atlas et les cartes à petite échelle, la terre ferme de la mer (...) Sur le ter-rain, il apparaît clairement que le domaine littoral comprend tout ce qui, soit au-dessous, soit au-dessus du niveau moyen des eaux, est soumis à l'action des forces responsables du tracé de la côte et de ses changements (...) La ligne du rivage est déterminée par le relief particulier de la zone littorale (...)
      E. DE MARTONNE, *Traité de géographie physique,* t. II, p. 971.

♦ **2.** Cour. Côtier. *Navigation littorale. Pêche littorale.* — Qui vit près de la côte. *Faune, flore littorale. Oiseaux, mollusques litto-raux* (contr. : *pélagien*).

B. N. m. (1828, Mozin). *Le littoral :* la zone littorale. ⇒ **Bord** (de mer), **côte, rivage.** *Le littoral et l'arrière-pays. Littoral rectiligne, découpé. Sinuosités, échancrures du littoral.* ⇒ **Estuaire** (vx). — *Le littoral méditerranéen. L'équipement touristique d'un littoral* (⇒ **Plage**). — *Conservatoire du littoral :* organisme chargé de la protection des côtes.

LITTORINE [litɔʀin] n. f. — 1819 ; lat. zool. *littorina,* du lat. *litus, litoris* « rivage ».

♦ Mollusque comestible, gastéropode à coquille épaisse, de teinte noire verdâtre, à opercule corné. ⇒ **Bigorneau,** 1. **guignette, vigneau** (ou **vignot**).

LITTORINIDÉS [litɔʀinide] n. m. pl. — Mil. xxᵉ ; de *littorine* ou du lat. *littorina,* et *-idés.*

♦ Zool. Famille de mollusques* prosobranches.

LITUANIEN ou (vx) **LITHUANIEN, ENNE** [lituanjɛ̃, ɛn] adj. et n. — 1540, *lithuanien, in* D.D.L. ; de *Lituanie (Lithuanie),* pays balte.

♦ De Lituanie. *Les populations lituaniennes.* — N. *Les Lituaniens.* (1826). N. m. Langue du groupe balte (indo-européen), parlée essen-tiellement en Lituanie.

LITURGE [lityʀʒ] n. m. — 1832, au sens 1 ; grec *leitourgos* « celui qui remplit une fonction publique », en grec ecclésiastique « diacre ». Didactique.

♦ **1.** Citoyen chargée d'une liturgie (2.), dans l'antiquité grecque.

♦ **2.** (1854, Nerval, *les Filles du feu*). Relig. Personne chargée de réci-ter, de chanter des prières, lors d'un culte. — Rare (à l'époque moderne). Chantre (Huysmans, *l'Oblat, in* T.L.F.).

LITURGIE [lityʀʒi] n. f. — 1579 ; lat. médiéval chrétien *liturgia,* grec *leitourgia* « service public », de *leitos* « public », et *ergon* « œuvre ».

♦ **1.** Culte public et officiel institué par une Église chrétienne. ⇒ **Cérémonial, culte** (cit. 4), **service** (divin). « *On réduit trop sou-vent la liturgie à être la somme des prescriptions rituelles, l'ordon-nance officielle du culte public, le code des gestes purement exté-rieurs, des rites matériels et des cérémonies* (...) *La liturgie est au contraire la vie de l'âme chrétienne* » (R. Lesage, *Dict. de liturgie romaine*). — *Liturgies catholiques* (⇒ **Catholicisme, église** [*supra* cit. 5]) ; *liturgie occidentale : liturgie romaine, gallicane, ambro-sienne, mozarabe. Liturgies orientales ; liturgie de saint Jean Chry-sostome, de saint Basile, de saint Jacques, liturgie arménienne, copte, maronite.* — *Liturgie de l'Église anglicane. Liturgie pres-bytérienne* (⇒ **Protestantisme**). — *Livres de liturgie,* contenant la liturgie romaine : bréviaire (calendrier liturgique ; ordinaire : diur-nal*, vespéral*, etc. ; psautier ; temporal) ; missel (antiphonaire, gra-duel*, évangéliaire*, lectionnaire, etc.) ; rituel* ; pontifical ; marty-rologe ; cérémonial* ; propres (des offices, etc.) ; octavaire* (→ aussi Eucologe*, paroissien). — *Actions, paroles de la vie religieuse, réglées par la liturgie.* ⇒ **Cérémonie** (1.), **fête** (I., 1.), **heure** (*infra* cit. 40), **messe, mystère, office, rit**(e), **sacrement** ; **chant, hymne** (2.), **leçon** (1.), **lecture, litanie, prière.** *La liturgie romaine utilise l'eau*, l'huile, le pain* (⇒ **Hostie,** II.) *et le vin.* — (1680). Spécialt. Manière de célébrer la messe. *Actes, rites particuliers de la liturgie :* aspersion, bénédiction, communion, consécration, dédicace, éléva-tion, lavement, offrande, onction, procession, salut. — *Réforme de la liturgie. Participation des laïcs à la liturgie. Usage de la lan-gue moderne à la place du latin dans la liturgie. Intégristes par-tisans de l'ancienne liturgie.*

0.1 Alors, par le son extérieur des mots, sans l'aide du recueillement, sans l'appui même de la réflexion, l'Église agit.
Et c'est là, le miracle de la liturgie, le pouvoir du son verbe, le prodige toujours renaissant des paroles créées par des temps révolus, des oraisons apprêtées par des siècles morts !   HUYSMANS, *En route,* I, I, p. 23-24.

0.2 (...) la voix, pure et faible, du vieux trappiste, chanta, comme avant l'office, la veille :
— Deus, in adjutorium meum intende.

Et la liturgie se déroula, avec ses *Gloria Patri*, etc., pendant lesquels les moines courbaient le front sur leurs livres et sa série de psaumes (...)
HUYSMANS, *En route*, II, II, p. 268.

1 Il *(Léopold)* ne disait pas (...) qu'un service funèbre a plus de grandeur qu'une messe nuptiale, persuadé, jusqu'au plus intime de sa raison, que toutes les formes de la Liturgie sont également saintes et redoutables.
LÉON BLOY, *la Femme pauvre*, II, VIII.

Par anal. Utilisation liturgique (de qqch.). *La liturgie des plantes* (→ Liturgique, cit. 1).

Par ext. (dans d'autres religions). *Les liturgies de la déesse Isis. La liturgie du bouddhisme japonais. Une liturgie.*

♦ **2.** (1879). Didact. Antiq. grecque (empr. grec *leitourgia*). Service public dont les citoyens riches avaient la charge.

♦ **3.** Didact. ou littér. Cérémonie réglée. «*Épargnons-nous la liturgie d'un départ*» (Giraudoux, *in* T. L. F.). ⇒ **Cérémonial.**

2 Une liturgie, c'est-à-dire (...) une opération mystique ou symbolique, décomposée en actes ou en phases, organisée en spectacle (...) VALÉRY, *Variété V*, p. 49.

3 Toute révolution de l'imaginaire, avant de se marquer par la substitution d'un genre à un autre, se marque par un changement de liturgie. On avait découvert que l'on pouvait prier seul, on découvre que l'on peut imaginer seul, écouter un livre comme on priait sa Vierge d'ivoire.
MALRAUX, *l'Homme précaire et la Littérature*, p. 92.

COMP. Aliturgique.

LITURGIQUE [lityʀʒik] adj. — 1718 ; du grec ecclés. *leitourgikos*, de *leitourgia*. → Liturgie.

♦ **1.** Relatif ou conforme à la liturgie chrétienne. *Chants, prières liturgiques* (→ Attention, cit. 23). *Langue liturgique* (→ Hosanna, cit. 1). *Célébration liturgique d'une fête* (cit. 2). *Année, calendrier, fête liturgique. Vêtements, linges, vases liturgiques.* ⇒ **Sacré.** *Ornements, couleurs liturgiques. Livres liturgiques.* ⇒ **Liturgie.** *Réforme liturgique. Langue liturgique. Le latin liturgique. Réforme liturgique. — L'art liturgique.*

1 Un jardin liturgique, un vrai jardin de Bénédictins élevant une série de fleurs à cause de leurs relations avec les Écritures et les hagiologes. Dès lors, ne serait-il pas charmant d'accompagner la liturgie des offices par celle des plantes (...)
HUYSMANS, *la Cathédrale*, X, p. 298.

♦ **2.** Didact. (dans d'autres religions). «*Les Étrusques possédaient des livres liturgiques ou étaient consigné le rituel complet de ces cérémonies*» (Fustel de Coulanges, *la Cité antique, in* T. L. F.).

♦ **3.** Didact. ou littér. Qui a le caractère d'une liturgie (3.), d'un cérémonial. ⇒ **Rituel.**

2 Pour lui, toute insulte revêtait (...) la forme traditionnelle, régulière, consacrée, rituelle et pour ainsi dire liturgique de «Mort aux vaches !»
A. FRANCE, *Crainquebille*, p. 19, *in* T. L. F.

DÉR. Liturgiquement.

LITURGIQUEMENT [lityʀʒikmɑ̃] adv. — D. i. (1887, Renan, *in* T. L. F.) ; de *liturgique*.

♦ Didact. Par la liturgie ; selon la liturgie, une liturgie.

LITURGISTE [lityʀʒist] n. — 1752 ; de *liturgie*, suff. *-iste.*

♦ Didact. Personne qui est versée dans l'étude de la liturgie (rare au féminin).

LITUUS [lityys] n. m. — 1755, Voltaire, *la Pucelle*, sens 1 ; mot lat. déjà francisé en *litue* (1587).
Didactique (antiquité romaine).

♦ **1.** Bâton recourbé des augures*. ⇒ **Augural** (bâton). *Le lituus pontifical.*

Sa main *(de saint Denis)* portait ce bâton pastoral
Qui fut jadis *lituus* augural. VOLTAIRE, *la Pucelle d'Orléans*, I.

♦ **2.** (1808). Trompette à tuyau recourbé (→ Bataille, cit. 20, Chateaubriand).

LIURE [ljyʀ] n. f. — XIIe, *lieure* «lien des prisonniers» ; «pansement, bandage», fin XIIe ; de *lier*, suff. *-ure*, équivalant au bas lat. *ligatura.* → Ligature.

A. ♦ **1.** (1433). Techn. Câble, cordage servant à lier et à maintenir le chargement d'une charrette.

♦ **2.** (1681). Mar. Amarrage en cordage ou en chaîne reliant entre elles deux pièces d'un navire. *Liures du beaupré*, qui assujettissent le beaupré à la guibre.

♦ **3.** Tissage, broderie. «*Croisement des fils qui raccourcit les brides de chaînes ou de trame. Fil qui lie la dorure à la soie. Fil fin liant les différents fils de trame*» (M. Beaulieu, *les Tissus d'art*, Petit glossaire technique, p. 129).

B. Techn. Sertissure fixant les émaux appliqués sur une pièce d'orfèvrerie.

LIVARDE [livaʀd] n. f. — 1773 ; «cordage, boucle de corde», 1752 ; orig. incert., p.-ê. du néerl. *lijwaarts* «sous le vent», dans *lijwaarts zeil* «voile sous le vent» (d'où *voile livarde*).

♦ **1.** Mar. Espar, longue perche qui sert à tendre une voile aurique sous le vent. *Voile à livarde. Livarde d'un optimist.*

♦ **2.** Mar. (Rare). Voile gréée avec une livarde.
La pinasse fut montée en quelques heures, pourvue d'une livarde carrée, de deux paires d'avirons et de gaffes.
Jean RAY, *les Derniers Contes de Canterbury*, p. 197.

LIVAROT [livaʀo] n. m. — 1845 ; du nom d'une commune du Calvados.

♦ Fromage fermenté à pâte molle (sans moisissures), à croûte lavée (rougie) de forme circulaire, à forte odeur.
Les livarots, teintés de rouge, terribles à la gorge comme une vapeur de soufre.
ZOLA, *le Ventre de Paris*, t. II, V, p. 107.

LIVE [lajv] adj. — V. 1980, mot angl., «vivant».

♦ Anglic. Se dit d'un spectacle, d'un disque enregistré en public, sur une scène. *Enregistrement, disque live. — N. m.* «*On s'offre souvent un "live", un enregistrement public, comme on s'enverrait une carte postale (...)*» (*Télérama*, 21 avr. 1984, p. 19).

LIVÈCHE [livɛʃ] n. f. — XIVe, *livesche ; liuvesche*, XIIIe ; du lat. pop. *levistica*, du bas lat. *levisticum*, altér. de *ligusticum*, neutre de *ligusticus* «de Ligurie», de *ligus* «ligure».

♦ Plante *(Ombelliféracées)* herbacée, vivace, à graines dépuratives. ⇒ **Ache** (de montagne).

LIVÉDO ou **LIVEDO** [livedo] n. m. ou f. — 1900, *in* D. D. L. ; mot lat., «tache bleue», de même orig. que *lividus*. → Livide.

♦ Pathol. Marbrures violacées de la peau, au niveau du tronc et des jambes, dues à des troubles circulatoires, et accompagnant souvent l'acrocyanose*.

LIVET [livɛ] n. m. — 1867 ; *livel*, XIIIe ; lat. *libella* «niveau».

♦ Mar. Ligne à double courbure, intersection du pont et de la muraille du navire (Gruss).

LIVIDE [livid] adj. — XIVe ; *livite*, 1314 ; lat. *lividus* «bleuâtre, noirâtre».

♦ **1.** Littér., sens étymologique. «Qui est de couleur plombée, bleuâtre et tirant sur le noir» (Académie), en parlant de la peau. *Taches livides dues au froid, à une contusion, à un trouble circulatoire* (⇒ **Livedo**). *Lèvres livides. Cadavre livide. — REM.* La teinte *livide* est qualifiée de plombée, bleuâtre (Littré, Académie), verdâtre (Quillet), violacée (Garnier). Selon Matoré (*Voc. sous Louis-Philippe*, p. 206), *livide* fait partie des mots «qui évoquent moins une nuance déterminée qu'ils ne suscitent une impression...»

1 *Livide.* C'est une épithète qu'on donne à la peau, lorsqu'elle est offensée par des coups orbes, ou corrompue par quelque cause interne. Un visage livide, de couleur plombée, est un signe d'indisposition. Les meurtrissures rendent la peau livide. Quand la chair veut se gangrener, elle paraît toute livide.
FURETIÈRE, Dict., art. *Livide.*

1.1 Il découvrit ensuite ses épaules, encore toutes livides des coups qu'il avait reçus et, en les montrant aux dames : Voyez, dit-il, et jugez si de pareilles blessures peuvent venir en songe ou en dormant. À mon égard, je puis vous assurer qu'elles ont été très-réelles (...) A. GALLAND, *les Milles et une Nuits*, t. III, p. 21.

2 Ce ne sont plus que visages décomposés, livides, verts : les lèvres deviennent violettes, et les couleurs quittent les joues pour se réfugier sur le nez.
Th. GAUTIER, *Voyage en Russie*, V.

Par ext. *Une tache livide.* → Fixement, cit. 2 (Nerval, *Le point noir*). — *Ciel, nuage livide.* ⇒ **Plombé.** *Jour livide, lumière livide tombant d'un ciel orageux.*

3 Leur troupeau lourd et rapide,
Volant dans l'espace vide,
Semble une nuée livide
Qui porte un éclair au flanc. HUGO, *les Orientales*, XXVIII, Les Djinns.

4 Il *(Marat)* vit toujours le monde du jour étroit, oblique de sa cave, par un soupirail, livide et sombre, comme ses mains humides, comme sa face, à lui, qui semblait en prendre les teintes. MICHELET, *Hist. de la Révolution franç.*, IV, VIII.

5 Dans son œil, ciel livide où germe l'ouragan,
La douceur qui fascine et le plaisir qui tue.
BAUDELAIRE, *les Fleurs du mal*, Tableaux parisiens, XCIII.

6 Buteau, par les mauvais temps, la regarda aussi, cette Beauce ouverte à ses pieds (...) Il y vit un violent orage, une nuée noire qui la plomba d'un reflet livide (...)
ZOLA, *la Terre*, III, I.

♦ **2.** (1830 ; au XVIIIe dans le syntagme «pâle et livide»). Cour. D'une pâleur terne, terreuse. ⇒ **Blafard, blême, hâve, pâle.** *La jalousie* (cit. 16, Voltaire), *l'Envie... «au teint pâle et livide»* (→ Crochu, cit. 3, Beaumarchais). *Pâleur livide* (→ Enfler, cit. 27). — *Livide* de peur, d'émotion, de colère. ⇒ **Blême.** — *Caïn,... «échevelé* (cit.), *livide au milieu des tempêtes»* (Hugo).

7 Camusot était un homme d'environ trente ans, petit, déjà gras, blond, à chair molle, à teint livide comme celui de presque tous les magistrats qui vivent enfermés dans leurs cabinets ou leurs salles d'audience.
BALZAC, le Cabinet des Antiques, Pl., t. IV, p. 417.

8 (...) jamais il n'avait vu une telle pâleur (...) Cet homme n'avait pas le teint de cierge des convalescences (...) ce n'était pas encore la chair poussiéreuse, tournée au gris (...) c'était le teint livide, exsangue des prisonniers au moyen âge, le teint (...) de l'homme interné jusqu'à sa mort (...) dans un noir in-pace, sans air.
HUYSMANS, Là-bas, III.

(1852). Choses. Blanchâtre. *Une lueur livide; un jour blême et livide.*

DÉR. Lividement, lividité.

LIVIDEMENT [lividmɑ̃] adv. — D. i. (1862, Hugo); de *livide.*

♦ **Rare.** Avec une teinte livide (1. ou 2.). *Le jour se levait lividement.*

LIVIDITÉ [lividite] n. f. — XIVe; de *livide.*

A. ♦ **1.** État de ce qui est livide (1.). — Méd. «Coloration violacée de la peau causée par le froid, les contusions et certaines affections» (Garnier). — (1865). Spécialt. *Lividité cadavérique.*

♦ **2.** (1883). Littér. Lumière livide, plombée. *La lividité du jour* (cit. 7).

La lividité de la nue blêmit et plombe les sacs de terre aux plans vaguement luisants et bombés (...)
H. BARBUSSE, le Feu, XX.

♦ **3.** (1840, Balzac). Pâleur livide; caractère blême.

B. *Une, des lividités* : ce qui est livide; tache livide. — (Au sens 1). *Des lividités cadavériques.* — (Au sens 2). *«Une pâle éclaircie se fit au zénith, un peu de blémissement se dispersa sur la mer, cette lividité démasqua (...) un long barrage (...)»* (Hugo, *l'Homme qui rit, in* T. L. F.).

LIVIE [livi] n. f. — 1839; lat. *livia.*

♦ Zool. Insecte hémiptère *(Psyllidés),* fréquent sur les joncs.

LIVING-ROOM [liviŋʀum] ou LIVING [liviŋ] n. m. — 1920, *living-room*; 1898 comme citation du mot anglais (Höfler); mot angl. (1825) «pièce pour vivre», de *to live* «vivre» et *room* «pièce».

♦ Pièce de séjour, disposée pour servir à la fois de salle à manger, de salon, et parfois même de chambre. ⇒ **Salle** (de séjour), **séjour, studio; vivoir** (régional, Canada, et vx). *Des living-rooms.*

1 À droite du vestibule, on pénétrait dans cette grande pièce que nous appelions salle commune, faute d'un mot plus juste, mais à laquelle les Anglo-Saxons donnent le nom de living-room, pour faire entendre que s'y passe le plus clair de la vie familiale.
G. DUHAMEL, Chronique des Pasquier, IX, X.

2 *Living-room* : Le mot est, en français, d'introduction récente. Il a commencé, je crois, à être usité chez nous entre les deux guerres, bien que le Larousse du XXe siècle (1931) n'en fasse pas mention (...) Le living-room correspond à un aménagement nouveau de l'appartement : il réunit la salle à manger et le salon, voire le cabinet de travail, mais il n'est ni l'un ni l'autre. L'anglais nous apporte le mot avec la chose : faute d'un équivalent (à moins qu'on ne le trouve), nous ne pouvons guère le récuser.
A. DAUZAT, Défense de la langue franç. *in* le Monde, 16 juin 1954.

Plus cour. (1954). LIVING. *«Plus loin, le living... Immense, bien entendu, et inchauffable l'hiver»* (H.-F. Rey, les Pianos mécaniques, p. 49). *Des livings. Son appartement a un living et deux chambres. Je t'attends dans le living.*

LIVRABLE [livʀabl] adj. — XIVe, rare av. 1792; de *livrer.*

♦ **Comm.** Qui peut, doit être livré à l'acheteur. *Marchandise livrable à domicile. Livrable immédiatement, sans délai. Manuscrit, article livrable à l'éditeur dans un délai de...*

LIVRAISON [livʀɛzɔ̃] n. f. — V. 1170; *livreisun,* écrit *livraison,* 1630; *livreisun,* v. 1140, «salaire»; de *livrer.*

A. ♦ **1.** Fait de livrer, de remettre (qqch. à qqn). *La livraison de qqch. à qqn. La livraison du manuscrit à l'éditeur (par l'auteur).*

♦ **2.** (1535, d'une marchandise). «Remise matérielle d'un objet mobilier à celui auquel cet objet est dû ou à son représentant» (Capitant). ⇒ **Délivrance** (2.). → Indivisible, cit. 5. *La livraison constitue une obligation du vendeur dans le contrat de vente. Payable à la livraison, à livraison. — Voiture de livraison. Livraison en gare, à domicile... Délai de livraison. — Prendre livraison de qqch. :* prendre, retirer soi-même la marchandise commandée.

(...) cette voiture de livraison, ornée d'une reproduction fidèle de l'enseigne déjà démodée d'un magasin de lingerie. ARAGON, le Paysan de Paris, p. 215.

(1867). Bourse. Le fait de remettre des titres. *La filière* ordre de livraison.

♦ **3.** (1800). La marchandise livrée. *Dès réception de votre livraison, nous vous avertissons.*

♦ **4.** (1752). Chaque partie d'un ouvrage qu'on publie par volumes ou par fascicules livrables périodiquement. ⇒ **Livre** (→ Illustré, cit. 8; justification, cit. 4). *Édition populaire en dix livraisons. La vingt-neuvième livraison de ce dictionnaire vient de paraître.* ⇒ **Fascicule.** *Il me manque une livraison de la revue* (Académie). ⇒ **Numéro.**

B. (Mil. XXe). Rare (de *livrer,* I., 3.). Action de remettre par une trahison au pouvoir de (qqn). *La livraison d'un réfugié à la police de son pays.*

1. LIVRE [livʀ] n. m. — 1080; lat. *liber* «écorce, feuille de liber», sur laquelle on écrivait avant la découverte du papyrus, et, par ext., «livre».

A. Assemblage d'un assez grand nombre de feuilles portant des signes distinés à être lus. ⇒ 2. **Bouquin** (fam.), **tome, volume; écrit, ouvrage.** *Livre manuscrit* (⇒ **Manuscrit**), *livre imprimé. Livre antique,* formé d'un rouleau de feuilles écrites (lat. *volumen.* ⇒ **Volume**). *Livre moderne,* formé de feuilles pliées en cahiers. *Plier des feuillets en livre* (→ Feuilleton, cit. 3).

Le ciel se retira comme un livre qu'on roule (...)
BIBLE (SACY), Apocalypse, VI, 14. 1

Le livre est à la fois un objet matériel et un moyen d'échanges intellectuels. Matière, contenu d'un livre (⇒ **Texte**).

(...) un livre n'est rien qu'un petit tas de feuilles sèches, ou alors une grande forme 2
en mouvement : la lecture. Ce mouvement, le romancier le guide, l'infléchit, il en fait la substance de ses personnages. SARTRE, Situations I, p. 36.

Définir le livre est chose malaisée (...) Littré hésite entre une définition maté- 3
rielle — «réunion de plusieurs cahiers de pages manuscrites ou imprimées» — et une définition demi-intellectuelle — «ouvrage d'esprit (...) d'assez grande étendue pour faire au moins un volume» (...) Le défaut de (...) ces définitions est qu'elles considèrent le livre comme un objet matériel et non comme un moyen d'échange culturel (...) si certaines (...) tiennent compte du contenu du livre, il est curieux qu'aucune ne tienne compte de l'*usage* qui en est fait. Or un livre est une «machine à lire» et c'est la lecture qui le définit.
R. ESCARPIT, Sociologie de la littérature, p. 17-18.

♦ **1.** (1656; *livre d'impression,* 1478). Volume imprimé d'un nombre assez grand de pages (opposé à *brochure, plaquette*), à l'exclusion des périodiques (opposé à *revue*).

Si l'on ôte de beaucoup d'ouvrages de morale l'avertissement au lecteur, l'épître 4
dédicatoire, la préface, la table, les approbations, il reste à peine assez de pages pour mériter le nom de livre. LA BRUYÈRE, les Caractères, I, 6.

Composer, imprimer un livre.* ⇒ **Imprimerie.** *Livre à l'impression, sous presse. Numéroter les pages, les feuilles d'un livre.* ⇒ **Folio, folioter, pagination, paginer; tomaison, tomer.** *Marginer* un livre. Brocher* (⇒ **Brochage, brocheur, brochure, pliure; assemblage),** *débrocher*; cartonner, décartonner; endosser* (4.), *nerver, relier** (⇒ **Reliure**) *un livre. Collationner un livre.* ⇒ **Épreuves** (cit. 35) *d'un livre. Livre défectueux, incomplet* (⇒ **Défet**). *Éléments, aspect extérieur d'un livre.* ⇒ **Cahier, feuille, feuillet, page; brochage, cartonnage, coin, dos, emboîtage, fermoir** (1. Fermoir, cit. 1), **nervure, plat, reliure, signet, tranche, tranchefile, titre.** *Couleurs, motifs décorant la tranche, les plats, la couverture d'un livre.* ⇒ **Dorure, jaspe, marbrure, racinage.** *Livre doré*, marbré sur tranche. Livre broché, cartonné, toilé, relié en cuir, basane*, chagrin*, maroquin. Couverture, jaquette* (cit. 6) *d'un livre.* — Loc. *Livre de poche, broché, de petit format et à prix modique.* ⇒ **Poche.** — *Format* d'un livre.* ⇒ **In-dix-huit, in-douze** (cit.), **in-folio, in-octavo, in-plano, in-quarto, in-seize, in-soixante-quatre, in-trente-deux, in-vingt-quatre.** — *Caractères** (cit. 5), *présentation typographique, typographie, mise en page d'un livre.* ⇒ **Alinéa, blanc, marge, paragraphe; folio, signature.** *Pages de garde* d'un livre. Frontispice*, titre, sous-titres d'un livre.* ⇒ **Titre; intitulé.** *Livre rempli de coquilles, de fautes typographiques.*

Vos livres éternels ne me contentent pas, 5
Et hors un gros Plutarque à mettre mes rabats,
Vous devriez brûler tout ce meuble inutile,
Et laisser la science aux docteurs de la ville (...)
MOLIÈRE, les Femmes savantes, II, 7.

On y voyait, rangée sur des tablettes de chêne, une armée innombrable ou plutôt 6
un grand concile de livres in-douze, in-octavo, in-quarto, in-folio, vêtus de veau, de basane, de maroquin, de parchemin, de peau de truie.
FRANCE, la Rôtisserie de la reine Pédauque, VIII, Œ., t. VIII, p. 71.

Il me souvient encore des premières sensations de ma vie scolaire : l'odeur spéci- 7
fique des cahiers vierges et des moleskines cirées des cartables, le mystère des livres tout neufs, roides et presque impénétrables d'abord par leur armure de colle et de carton; mais qui deviennent assez vite des albums où s'inscrit sous forme de taches, de figures, étranges, de notes, de marques et de repères, parfois d'imprécations. VALÉRY, Variété IV, p. 193.

Loc. (1721). *Livre noir* : ouvrage de sorcellerie, de magie. — *Livre noir* (mod.; mil. XXe) : recueil de témoignages critiques sur une question. — (1867). *Livres blanc* (ou *bleu, jaune, vert, rouge, gris*) : recueil de documents officiels (politiques, économiques, diplomatiques,...) publié par un gouvernement pour informer l'opinion publique sur une question d'actualité. — (1968). *Le Petit Livre rouge* : recueil des pensées politiques de Mao Tsé-Toung.

Livre à figures (vx), *livre illustré. Illustrer* (cit. 7 et 8) *un livre.* ⇒ **Illustration** (cit. 7 et 10); **cul-de-lampe, figure, gravure, hors-**

texte, image, planche, vignette. — (1548). *Livre d'images.* ⇒ **Album.** *Livre-album illustré de gravures.* ⇒ **Keepsake.** *Livre de cartes.* ⇒ **Atlas, portulan.** — *Livre de bandes dessinées.* ⇒ **Album, comic-book** (angl.).

(1680). Vx. *Livre de musique :* partition. — (1670). Spécialt. (Vx). *Le livre d'un opéra.* ⇒ **Livret.**

Commerce, vente des livres. ⇒ **Éditeur, édition, libraire, librairie;** (→ Papetier, cit.). *Faire paraître* (cit. 8), *faire imprimer un livre.* ⇒ **Publier; publication** (→ Édition, cit. 5). *Fabriquer, faire, produire un livre* (avec le v. *faire, livre* a en général le sens intellectuel). *Livre publié en volume, par fascicules*, par livraisons*. Imprimer un livre à ses frais, à compte d'auteur* (→ Cénacle, cit. 2). *Droits d'auteur, droits de reproduction d'un livre* (⇒ **Copyright**). *Nombre d'exemplaires d'un livre.* ⇒ **Tirage.** *Livres imprimés en plus du tirage indiqué* (bonnes feuilles*, exemplaires de passe*). *Livres bon marché, livres populaires* (⇒ **Édition**). *Livres chers, luxueux. Les beaux livres. Livres à offrir, à la période des cadeaux. Livres de fonds* d'un libraire-éditeur.* — (1752). Vx. *Livres d'assortiment*.* — *Livre épuisé, en réimpression. Rééditer, reproduire un livre épuisé.* ⇒ **Réimpression, réédition;** (anglic.) **reprint.** *Reproduction anastatique* d'un livre ancien.* — *Marchand, vendeur, revendeur de livres d'occasion.* ⇒ **Bouquiniste;** aussi **bouquinerie** (1.). *Vieux livres déchirés, dépareillés, écornés* (cit. 3), *poussiéreux. Catalogue de livres.* — *Livres imprimés avant 1500.* ⇒ **Incunable.** *Livres anciens, en éditions rares, originales; livres rares. Marchand de livres anciens* (libraire* d'ancien). *Livres imprimés par les Elzévir.* ⇒ **Elzévir.** *Livres de luxe, à tirage limité, dont les exemplaires sont numérotés. Le service de presse, les exemplaires d'auteur d'un livre. Livre dédicacé* (⇒ **Dédicace**). *Amateur de livres* (⇒ **Bibliophile**). *Amour, manie des livres.* ⇒ **Bibliolâtre, bibliophile; bibliomane.** *Collection de livres; meuble à livres.* ⇒ **Bibliothèque** (cit. 1, 3 et 7). *Rayonnages remplis de livres; pièce tapissée de livres* (→ Aspect, cit. 18). *Pile de livres.* — *Casier à livres.* — *Cartable bourré de livres. Livres d'un écolier; livre de prix*.* — *Couvrir un livre.* ⇒ **Couverture, couvre-livre, liseuse.** *Apposer sa marque sur un livre.* ⇒ **Ex-libris** (cit.). *Couper les pages d'un livre avec un coupe-papier.*

8 (...) un bibliophile sérieux ne communique pas ses livres. Lui-même ne les lit pas, de crainte de les fatiguer. NERVAL, les Filles du feu, Angélique, XIIe lettre.

9 C'était un vieil in-quarto, à la tranche d'un rouge fort pâle, vêtu de parchemin grisâtre, un de ces livres massifs dont on présume trop aisément qu'ils ne contiennent que le vide des phrases mortes, de ceux qui font pitié dans les bibliothèques dont ils composent les murs de leurs dos tournés à la vie.
VALÉRY, Variété, V, p. 165.

(1821, J. de Maistre). Absolt. *Le livre :* l'imprimerie et ses produits (→ Imprimerie, cit. 3; instrument, cit. 15). *L'histoire du livre.* — (XXe). L'activité économique de la production et de la distribution des livres. *Travailler dans le livre. Les profession du livre. L'industrie, les industries du livre.*

Allus. littéraire :

10 *Ceci tuera cela. Le livre tuera l'édifice* (...) Cela voulait dire : — La presse tuera l'Église.
Mais sous cette pensée (... il y en avait (...) une autre plus neuve (...) *(la formule)* voulait dire : — L'imprimerie tuera l'architecture.
HUGO, Notre-Dame de Paris, V. II (→ aussi Ceci, 2.).

♦ **2.** (1080). Ensemble des signes contenus dans un livre et leur signification; texte imprimé reproduit dans un certain nombre d'exemplaires. — *Divisions, subdivisions et annexes d'un livre.* ⇒ **Chapitre, partie, tome, volume; addenda, appendice, argument, avant-propos, avertissement, avis** (au lecteur), **conclusion, dédicace, épigraphe, épître** (dédicatoire, liminaire), **erratum, incipit, index, intitulé, introduction, liminaire** (note, épître), **postface, préface, preuve, prolegomènes, sommaire, supplément, table, tableau, textuaire** (note), **titre.** *Plan d'un livre. Notes, remarques, renvois d'un livre. Livre en deux, trois parties* (⇒ **Diptyque,** 3.; **trilogie**). *Dimensions, importance d'un livre. Livre court* (⇒ **Opuscule**), *long* (→ Haleine, cit. 19). — (Fin XIIIe). *Livre donnant des renseignements pratiques.* ⇒ **Almanach, annuaire, barème, catalogue, guide, indicateur, registre, répertoire, vade-mecum.** — (1826). *Livre de cuisine** (→ Financier, cit. 7). — (1893). Qualifié d'après le contenu, l'utilisation, la nature. *Livre de classe* (⇒ **Classique**), *d'enseignement*, d'étude.* ⇒ **Abrégé** (I.), **aide-mémoire, bibliographie, cours** (6.), **dictionnaire, encyclopédie, essai** (II.), **étude** (II., 1.), **glossaire, guide, lexique, manuel, memento, mémoire** (n. m.), **méthode, précis, répertoire, résumé, rudiment, somme, spécies, thèse, traité, travail, vocabulaire.** *Livre de lecture.* ⇒ **A B C, abécédaire, alphabet** (2.), **syllabaire.** *Livre d'arithmétique, de géographie, de grammaire, d'histoire, de littérature, de logique.* ⇒ **Arithmétique** (une arithmétique), etc. *Livres de droit.* ⇒ **Code, digeste, institutes.** — *Livre d'art,* portant sur un sujet d'art plastique, et, spécialt, livre illustré sur un tel sujet. — *Livre d'architecture, de cinéma.* — *Livres* (ou *ouvrages*) *de référence :* dictionnaires, encyclopédies, traités, manuels. — *Livres de bibliothèque* (→ ci-dessous, cit. 10.1). — *Livre racontant des événements, une vie, la vie d'hommes illustres* (⇒ **Annales, autobiographie, biographie, chronique, épitomé, journal, mémoires, souvenirs, vie**), *livre racontant un voyage* (⇒ **Itinéraire**). *Livre publié pour défendre* (⇒ **Apologie, défense, éloge...**), *pour attaquer* (⇒ **Libelle, pamphlet**) *quelqu'un, quelque chose. Livre en forme de conversation.* ⇒ **Dialogue.** — *Livres de caractère littéraire.* ⇒ **Genre** (II., 3.); **conte, nouvelle, pièce** (de théâtre), **poésie, roman.** *Livres de fiction. livres d'enfants, livres pour enfants, pour l'enfance et la jeunesse.* — *Livres de caractère ésotérique. Livres d'alchimie* (cit. 1), *de magie* (⇒ **Grimoire**). *Livres hermétiques* (cit. 4), *cabalistiques, initiatiques,* (1873) *sibyllins.*

Il ne serait pas mal, non plus (car on ne peut pas toujours travailler dehors), d'avoir quelques bons ouvrages de littérature; — et ils en cherchèrent, — fort embarrassés parfois de savoir si tel livre «était vraiment un livre de bibliothèque». Bouvard tranchait la question. 10.1
— «Eh! nous n'aurons pas besoin de bibliothèque.»
FLAUBERT, Bouvard et Pécuchet, Folio, p. 67.

(XIIIe). Spécialt. *Livres inspirés* (cit. 15), *révélés : livres sacrés, saints, divins*.* ⇒ **Bible** (cit. 7), **canon** (2. Canon, 2.), **écriture** (6.); **évangile** (2.); **coran; talmud; véda** (→ Christianisme, cit. 10; création, cit. 2; écrire, cit. 20; hébraïque, cit. 2). — *Les livres de la Loi** (→ 1. Arche, cit. 3). *Livres apocryphes** (cit. 1 et 2) *et livres canoniques* (→ aussi ci-dessous, 2.). — *Le livre. Les religions du livre,* celles qui sont fondées sur un texte considéré comme révélé (Bible, Coran...). *Les gens du livre* (spécialt) : les juifs et les chrétiens. *Livres religieux, livres liturgiques* (⇒ **Liturgie**). *Le sacramentaire*, livre du célébrant dans l'Église primitive.* — (1874). *Livre de messe*.* ⇒ **Missel.** — *Livre de prières. Livre d'heures.* ⇒ **Heure** (cit. 43). — (1690). *Livres de dévotion, livres pieux* (→ Faire, cit. 218). *Livre racontant la vie des saints* (⇒ **Hagiographie**), *la passion* (⇒ **Passionnaire**).

Ce livre *(L'Imitation de Jésus-Christ),* le plus beau qui soit parti de la main d'un homme puisque l'Évangile n'en vient pas. FONTENELLE, Vie de Corneille... 11

L'auteur d'un livre.* ⇒ **Écrivain.** *Le livre de X, son livre. Son dernier livre est bon, mauvais.* — *Composer* (cit. 28), *écrire* (cit. 28) *un livre, des livres. Commencer, achever un livre. Fabriquer* (cit. 3), *publier des livres. Faire un livre, des livres* (→ Art, cit. 59, La Bruyère; attendre, cit. 72; croître, cit. 4; entier, cit. 19; exécution, cit. 10; inclination, cit. 2). *Faiseur* (cit. 8) *de livres. Le meilleur livre d'un auteur.* ⇒ **Chef-d'œuvre.** — Loc. *Être l'homme d'un seul livre* (cf. le proverbe *cave ab homine unius libri* [latin médiéval], et l'expression de Saint Thomas d'Aquin, à propos de la Bible : *timeo hominem unius libri*) : être un auteur dont la notoriété repose sur un seul ouvrage; péj. être borné. *Ensemble des livres écrits par un auteur.* ⇒ **Œuvre.** — *Livre allonyme*, apocryphe*. Livre publié du vivant, après la mort de l'auteur* (⇒ **Posthume**). *Livre contenant des extraits, des citations, des écrits divers d'un auteur, de divers auteurs.* ⇒ **Ana, analecte, anthologie** (2.), **chrestomathie, florilège** (cit. 2), **recueil; mélanges, miscellanées, variorum.**

Les qualités, les défauts d'un livre. — *Livre de bon goût* (cit. 44), *bien écrit. Beau, bon* (cit. 21) *livre. Un grand livre. Livre instructif* (→ Apprendre, cit. 41, Voltaire). *Livre fait d'emprunts.* ⇒ **Compilation.** *Livre hallucinant* (cit. 2). *Livre ennuyeux* (cit. 6 et 12), *plein d'enflure* (cit. 3). *Livre badin* (→ Badinerie, cit. 1), *léger.* — (Sur le plan moral). *Les bons, les mauvais livres. Nous déconseillons ce livre aux adolescents.*

Résumer, analyser, critiquer (cit. 1 et 2) *un livre.* ⇒ **Analyse, compte** (compte rendu), **critique.** *Louer un livre* (→ Demain, cit. 6). — *Carrière, destin, succès, insuccès* (cit. 2), *échec d'un livre* (→ Furieux, cit. 11). *La diffusion, la vente d'un livre. Livre qui fait du bruit. Ce livre est un grand succès de librairie* (⇒ **Best-seller**). *Livre traduit en plusieurs langues.* ⇒ **Traduction.** — *Expurger* le texte d'un livre. Censurer, interdire, saisir un livre. Mettre un livre au pilon. Catalogues des livres interdits par l'Église.* ⇒ **Expurgatoire, index** (cit. 7). *Autorisation ecclésiastique d'imprimer un livre.* ⇒ **Imprimatur.**

C'est ici un livre de bonne foi, lecteur. MONTAIGNE, Essais, Au lecteur. 12

Cet examen nous fournira quelque chose de nouveau et de vrai : c'est la seule excuse d'un livre. VOLTAIRE, Éléments de la philosophie de Newton, II, VI (→ aussi Apprendre, cit. 41). 13

La fureur de la plupart des Français, c'est d'avoir de l'esprit; et la fureur de ceux qui veulent avoir de l'esprit, c'est de faire des livres. 14
MONTESQUIEU, Lettres persanes, LXVI.

J'ai la maladie de faire des livres, et d'en être honteux quand je les ai faits. 15
MONTESQUIEU, Pensées diverses, Portrait de Montesquieu par lui-même.

Il y a des gens qui mettent leurs livres dans leur bibliothèque, mais M... met sa bibliothèque dans ses livres. CHAMFORT, Fragments inédits, Les compilateurs. 16

Un livre qu'on soutient est un livre qui tombe. 17
RIVAROL, Notes, Pensées et Maximes, t. I, p. 78.

Écrire un livre ou écrire un ouvrage sont deux choses. On fait un ouvrage avec l'art, et un livre avec de l'encre et du papier. On peut faire un ouvrage en deux pages, et ne faire qu'un livre en dix volumes *in-folio.* 18
Joseph JOUBERT, Pensées, XXIII, CCXV.

Trois choses sont nécessaires pour faire un bon livre : le talent, l'art et le métier, c'est-à-dire la nature, l'industrie et l'habitude. 19
Joseph JOUBERT, Pensées, XXIII, LXXXI.

— Maintenant, va, mon Livre, où le hasard te mène. 20
VERLAINE, Poèmes saturniens, Prologue.

Un bon mot vaut mieux qu'un mauvais livre. 21
J. RENARD, Journal, 18 janv. 1895.

Tout livre qu'un autre que son auteur aurait pu écrire est bon à mettre au panier. 22
Paul LÉAUTAUD, Propos d'un jour, Notes retrouvées, p. 58.

Les hommes ont inventé le livre pour soulager leur mémoire. Ce qu'ils déposent dans les livres, c'est ce qu'ils veulent conserver. 23
G. DUHAMEL, Défense des lettres, I, I.

Lecture d'un livre, des livres. ⇒ **Lecture** (cit. 1, Descartes). *Lire, feuilleter* (cit. 3 et 4), *parcourir* (cit. 14) *un livre.* ⇒ **Lecteur** (cit. 3 et 7), **lire** (3.). *Compulser*, consulter* un livre.* — *Commencer, ouvrir; terminer, fermer* (cit. 13), *finir un livre. Mettre un signet* dans un livre. Corner les pages d'un livre. Relire un livre. Relever des passages* (cit. 19) *d'un livre. Livre de chevet*.* ⇒ **Bible, catéchisme, coran** (fig.). *Dévorer* (cit. 8) *un livre, dévoreur de livres* (→ Avaler, cit. 11 et 12). ⇒ **Bibliophage** (fig.). — Allus. littér. « *La chair* (cit. 59) *est triste, hélas et j'ai lu tous les livres* » (Mallarmé). « *Lecteur... jette ce livre saturnien...* » (→ Hystérique, cit. 1, Baudelaire). « *Nathanaël, à présent, jette* (cit. 15) *mon livre* » (Gide).

(1588). LES LIVRES : la lecture, l'étude, l'érudition, la science, la théorie ; *les livres de qqn,* ceux qu'il doit, qu'il devrait lire, consulter. *Le commerce, la fréquentation* (cit. 9) *des livres ; l'abus des livres* (→ Dispenser, cit. 18). — *Manier les livres* (→ Érudition, cit. 5). — Dans le contexte des études. *Il n'a pas ouvert ses livres* (→ Examen, cit. 15). *Se coller* sur, mettre le nez*, se plonger* dans les livres* (→ Immersion, cit. 4). — (Av. 1613). *Pâlir, sécher sur ses livres. Trop se fier à ses livres* (→ Fonds, cit. 14). — *Les livres et la vie, et la pratique* (→ École, cit. 16 ; érudit, cit. 8 ; expérience, cit. 21 ; jugement, cit. 10). *Ne connaître une chose que dans les livres, que par les livres,* en avoir une connaissance livresque*. *S'instruire, apprendre dans les livres.* « *Un prince dans un livre apprend* (cit. 5) *mal son devoir* » (Corneille).

24 C'est pourquoi *(il)* faut ouvrir le livre et soigneusement peser ce que y est déduit (...) vous convient être sages pour fleurer, sentir et estimer ces beaux livres de haute graisse (...) puis, par curieuse leçon et méditation fréquente, rompre l'os et sucer la substantifique moelle.
RABELAIS, Gargantua, Prologue (→ Graisse, 1., fig.).

25 Bons Dieux ! Qui voudrait louer
Ceux qui collés sur un livre
N'ont jamais souci de vivre ?
RONSARD, 2ᵉ livre des Odes, Ode XVIII.

26 *(Le commerce des livres)* a pour sa part la constance et facilité de son service (...) il me console en la vieillesse et en la solitude. Il me décharge du poids d'une oisiveté ennuyeuse : et me défait à toute heure des compagnies qui me fâchent. Il émousse les pointures *(piqûres)* de la douleur (...) Pour me distraire d'une imagination importune, il n'est que de recourir aux livres (...)
MONTAIGNE, Essais, III, III.

27 Prends-moi le bon parti : laisse là tous les livres.
BOILEAU, Satires, VIII.

28 Je hais les livres ; ils n'apprennent qu'à parler de ce qu'on ne sait pas.
ROUSSEAU, Émile, III.

29 (...) je mets les bons livres parmi les choses absolument nécessaires.
VOLTAIRE, Correspondance, 3085, 3 avr. 1767.

30 Un bon livre est un bon ami.
BERNARDIN DE SAINT-PIERRE, Paul et Virginie, p. 117.

31 Hélas ! ce sont les livres qui nous donnent nos plus grands plaisirs, et les hommes qui nous causent nos plus grandes douleurs.
Joseph JOUBERT, Pensées, XXIII, CCVIII.

32 Les livres ne changent point le monde, dit Voltaire. Cependant il remarque ailleurs que tous les peuples obéissent à des livres, et ceci est plus juste. Les livres n'agitent guère les nations, mais ils les conduisent.
É. DE SENANCOUR, De l'amour, Notes, 2.

33 Eh ! Depuis quand un livre est-il donc autre chose
Que le rêve d'un jour qu'on raconte un instant ;
Un oiseau qui gazouille et s'envole ; — une rose
Qu'on respire et qu'on jette, et qui meurt en tombant —
Un ami qu'on aborde, avec lequel on cause,
Moitié lui répondant, et moitié l'écoutant ?
A. DE MUSSET, Premières poésies, « Namouna », II, VII.

34 Nous vivons trop dans les livres et pas assez dans la nature, (...)
FRANCE, le Jardin d'Épicure, p. 107.

Loc. (1665 ; *parler livre,* 1605). *Parler comme un livre.* ⇒ **Doctement, sagement, savamment** (→ 1. Faux, cit. 40). — (1690 ; « sans préparation », 1673, cit. 35). À LIVRE OUVERT* *(aperto libro)* : couramment. *Traduire une langue à livre ouvert. Déchiffrer, chanter un air de musique à livre ouvert.*

35 (...) chanter ainsi à livre ouvert, sans hésiter.
MOLIÈRE, le Malade imaginaire, II, 5.

36 Il semble que vous ayez appris cela par cœur, et vous parlez tout comme un livre.
MOLIÈRE, Dom Juan, I, 2.

(1677). *On ferait un livre de... :* il y aurait matière à remplir tout un livre pour raconter, décrire (telle ou telle chose).

37 Quel gros livre ne ferait-on point de ses perfections (...)
Mᵐᵉ DE SÉVIGNÉ, 660, 7 oct. 1677.

Loc. *Ça se passe (ça ne se passe pas) comme dans les livres.*

♦ **3.** (XIIIᵉ, Benoit de Sainte-Maure). Spécialt. Chacune des parties (d'un ouvrage), qu'elle constitue ou non un volume séparé. ⇒ **Partie.** *Les livres d'un Code, d'un traité. Ce volume, ce tome contient les trois premiers livres du traité. Les trente et un livres de l'Esprit des lois ; les cinq livres de l'Émile. Le Tiers* (troisième), *le Quart* (quatrième) *livre des faits et dits héroïques du noble Pantagruel* (Rabelais). *Épopée en plusieurs livres.* ⇒ **Chant.** (Bible). *Les cinq, les huits premiers livres de l'Ancien Testament* ⇒ **Pentateuque, octateuque**). *Les livres historiques, poétiques, sapientiaux* (de la sagesse), *prophétiques. Le livres de l'Ecclésiaste* (cit. 3).

38 Il me semble que le second livre de l'*Énéide,* le quatrième, et le sixième, sont (...) au-dessus de tous les poètes grecs et de tous les latins, sans exception (...)
VOLTAIRE, Dict. philosophique, Épopée.

♦ **4.** (1637 ; → cit. 39). Métaphore. Ce qui peut être déchiffré, interprété, comme si l'on y trouvait déposées certaines connaissances. *Le*

livre de la nature, du monde (→ Avoisiner, cit. 5 ; étude, cit. 9). *Tenter de lire dans le livre du destin*, de l'avenir. Le livre intérieur* (→ Explorer, cit. 7 ; exprimer, cit. 30).

39 Rien n'est secret pour lui dans tout cet univers,
Et pour lui nos destins sont des livres ouverts.
CORNEILLE, l'Illusion comique, I (1636).

40 (...) Chacun a quelque chose en l'esprit,
Et tout homme est un livre où Dieu lui-même écrit.
HUGO, les Contemplations, I, VI.

41 Sylvie connaissait la vie. Et c'est le Livre des Livres. Ne le lit pas qui veut. Chacun le porte en soi, écrit de la première à la dernière ligne.
R. ROLLAND, l'Âme enchantée, t. I, p. 96.

B. (Mil. XIVᵉ). ♦ **1.** Cahier, registre sur lequel on peut écrire, noter quelque chose. ⇒ **Album** (cit. 1), **carnet, registre ; keepsake.** *Noter quelque chose sur un livre* (→ Fiche, cit. 1). *Livre des punitions* (→ Cahier, cit. 4). *Le livre de comptes* d'une ménagère, d'un maître d'hôtel* (→ Friser, cit. 2). *Livre de dépenses.*

42 (...) il regrettait jusqu'aux dîners dispendieux qu'il avait offerts à la jeune fille (...) et desquels il eût pu dire le coût, en fils de valet de chambre qui venait tous les mois apporter son « livre » à mon oncle. Car livre, au singulier, qui signifie ouvrage imprimé, perd ce sens pour le commun des mortels, pour les Altesses et pour les valets de chambre. Pour les seconds il signifie livre de comptes ; pour les premières le registre où on s'inscrit.
PROUST, À la recherche du temps perdu, t. XI, p. 243.

(1556). Ancient. LIVRE DE RAISON : grand-livre des commerçants et aussi « Journal tenu par le chef de famille qui inscrivait, avec ses comptes, les événements tels que naissances, mariages, etc., et ses propres réflexions » (Académie). *Le livre de raison,* ouvrage de J. de Pesquidoux (1925).

(1740). LE LIVRE D'OR : registre sur lequel étaient inscrits en lettres d'or les noms de famille nobles ; mod., registre destiné à l'inscription des noms glorieux, à la réunion de commentaires élogieux.

(XIIIᵉ). Relig. *Livre de vie,* où sont inscrits les élus (*Apocalypse,* 13, 8 ; 17, 8).

♦ **2.** (1675, *livre extraict*). Dr. comm. *Livres de commerce*. Livres obligatoires : livre journal* (⇒ **Journal,** I., cit. 1) ; *livres des inventaires* et des bilans, livre de copie* de lettres. Livres facultatifs : grand livre : livre d'extraits où l'on enregistre et classe les articles du livre journal ; livre où l'on note les opérations au fur et à mesure qu'elles se font* (⇒ **2. Brouillard**) ; *livre de caisse* ; livre des échéances, des traites et billets, des factures, des recettes.* ⇒ **Comptabilité** (cit.). — (1679). *Livre en partie double.* — Absolt. *Les livres* (→ Banqueroutier, cit. 2). *Tenir les livres. Porter*, inscrire* sur les livres.*

43 L'anabaptiste Jacques en fit son teneur de livres.
VOLTAIRE, Candide, IV.

44 La conscience d'un honnête homme, lui dis-je, est le meilleur grand-livre.
BALZAC, Mᵐᵉ de La Chanterie, Pl., t. VII, p. 277.

Dr. publ. *Livre, grand livre* (ou *grand-livre*) *de la Dette publique,* contenant toutes les rentes inscrites au profit de créanciers de l'État. ⇒ **Dette** (2.). — Milit. *Livre de compagnie, de détail, de police.* — Dans une prison. *Livre d'écrou*.*

♦ **3.** (1687). Mar. LIVRE DE BORD *d'un navire* (cf. Code commercial, art. 224). — Fig. *Livre* (ou *carnet*) *de bord :* journal. — *Livre de discipline,* sur lequel le capitaine doit inscrire les infractions, crimes et délits commis à bord. — (1867). *Livre de loch :* journal de timonerie.

♦ **4.** Zool. *Livres généalogiques.* ⇒ **Flock-book, herd-book, studbook.**

DER. Livresque, livret.
COMP. Grand-livre. — Appui-livres, serre-livres. — Livre-horaire. — Livre-objet. — V. à l'article.

2. LIVRE [livʀ] n. f. — XIᵉ ; *livra,* 980 ; lat. *libra* « mesure de poids ». → 2. Lire.

★ **I.** ♦ **1.** Anciennt. Unité de poids, qui variait, selon les provinces, entre 380 et 550 grammes (489 grammes à Paris). *La livre se divisait en onces*. Poids d'une livre. Cinq, cent, mille livres* (→ Beaume, cit. 5 ; gueuse, cit. ; gabelle, cit. 2). *Une carpe de quatre livres* (→ Frire, cit. 1).

1 Ce qui fait que, de suif, elle use plus de livres
Qu'un vieux savant couché jour et nuit sur ses livres.
BAUDELAIRE, Premiers poèmes, XXIV.

Allus. littér. *La livre de chair* (réclamée par l'usurier Shylock).

1.1 Après les mots (« mendiant espagnol »), une annotation indiquait d'éviter cette métaphore pour les pays de langue espagnole, et de la remplacer par Shylock réclamant sa livre de viande (à éviter celle-là dans le centre Europe et les milieux sionistes)...
GIRAUDOUX, Siegfried et le Limousin, p. 171.

♦ **2.** (1804). Mod. Un demi-kilogramme ; cinq cents grammes. *Acheter une livre de sucre, de café... Demi-livre quart de livre* (⇒ **Quart**). *Une livre et demie. Haltère* (cit. 2) *de trente livres.*

2 Un pain de dix livres était sur la huche, avec un couteau. ZOLA, la Terre, II, II.

♦ **3.** (Au Canada). Unité de poids valant 16 onces*, ou 0,453 kg (abrév. : *LB*). *Acheter deux livres de sucre. peser 100 livres ou 45,35 kilos.* « *(L'orignal) devait peser plus de douze cents livres* » (P. Villeneuve).

★ **II.** (Unité monétaire). ♦ **1.** (1080). Ancienn. Monnaie de compte, représentant à l'origine un poids d'une livre d'argent, et moins de cinq grammes à l'établissement du système métrique (1801). ⇒ **Franc** (3. Franc, cit. 2). *Trois livres* (⇒ **Écu**), *vingt-quatre livres* (⇒ **Louis**). — (1538). *Livre tournois. La livre tournois valait vingt sous, deux cent quarante deniers.* — (1690). *Livre parisis* (vingt-cinq sous). *Payer six livres d'impôt* (→ Imposer, cit. 51). *Avoir plusieurs milliers de livres de rente* (→ Apporter, cit. 16; autour, cit. 16; bon, cit. 7; concerner, cit. 1). — REM. En parlant d'une rente, *livre* s'est encore employé pour «franc» au XIXe siècle (→ Espérance, cit. 48; feignant, cit. 1; fixe, cit. 10; fonds, cit. 6).

3   Je me borne à un profit raisonnable; je me contente de la livre pour sou, je veux dire, du sou pour livre.   A.-R. LESAGE, *Gil Blas*, I, XV.

4   (...) Charlemagne ayant ordonné que le sou d'argent serait précisément la vingtième partie de douze onces, on s'accoutuma à regarder dans les comptes numéraires vingt sous comme une livre.   VOLTAIRE, *Essai sur les mœurs*, XIX.

5   — Douze cent mille livres de rente, le titre de prince, des grandesses et des économies (...)   BALZAC, *Vautrin*, III, 10.

♦ **2.** (1653). Mod. Unité monétaire anglaise. *Livre sterling* (symb. £). ⇒ **Sterling; souverain.** *La livre vaut vingt shillings* — Par anal. *Livre australienne, néo-zélandaise, sud-africaine, livre égyptienne, israélienne, libanaise, syrienne, turque.*

LIVRÉE [livʀe] n. f. — V. 1290, «vêtements livrés, fournis par un grand seigneur à sa suite»; de *livrer*.

♦ **1.** Ancienn ou hist. Habillements, vêtements qu'un roi, un seigneur faisaient porter aux hommes de leur suite et qui, par certains éléments (couleur, galons, boutons), rappelaient les armoiries du maître. *Couleur d'une livrée* (→ Biche, cit. 4). *Porter la livrée d'un prince.*

1   (...) Mazarin (...) eût la hardiesse de faire porter ses livrées à une armée (...)   VOLTAIRE, *le Siècle de Louis XIV*, V.

♦ **2.** (Fin XIVe). Habits d'une couleur convenue, d'un modèle particulier, portés par les domestiques* masculins d'une même maison (→ Correction, cit. 10; honneur, cit. 92). *Livrée sans galons* (→ Bourgeois, cit. 19). *Livrée ornée, magnifique. Grande* (cit. 43), *petite livrée. Livrée de valet, de laquais, de cocher, de portier, de chasseur* (→ Gourmer, cit. 4). *Un homme, un valet en livrée, portant livrée* (→ Guider, cit. 1). — (Av. 1696). *Homme de livrée, gens de livrée :* domestiques (→ Essaim, cit. 5). — (1782). *Porter, revêtir la livrée :* être, devenir domestique (→ Entrer, cit. 26). — Par ext. (En parlant d'un métier pénible, humiliant). *Endosser la livrée.* ⇒ **Harnais** (fig.).

2   (...) un homme de livrée court après lui (...)   LA BRUYÈRE, *les Caractères*, XI, 7.

3   Depuis six mois, la Durieu avait fait faire en secret une livrée aux couleurs des Cinq-Cygne pour le fils du jardinier et pour Gothard.   BALZAC, *Une ténébreuse affaire*, Pl., t. VII, p. 492.

4   La livrée des laquais de la cour est verte et orange, couverte de dorures.   LOTI, *Aziyadé*, II, XII.

(1893). Fig. et vx. *Porter la livrée de qqn,* être entièrement dévoué à ses intérêts.

(1660). Par ext. Vx. *La livrée :* l'ensemble des «gens de livrée». ⇒ **Domestique, laquais, valet.**

5   Il est impossible (...) de rompre l'accord éternel des domestiques avec le peuple. La livrée sort du peuple, elle lui reste attachée.   BALZAC, *les Paysans*, Pl., t. VIII, p. 57.

6   (...) d'une livrée nombreuse, il n'existait plus qu'un seul domestique, serviteur par dévouement, qui ne pouvait être remplacé (...)   Th. GAUTIER, *le Capitaine Fracasse*, I.

♦ **3.** (1690). Vx. *La livrée d'une dame,* rubans, pièces d'étoffe à ses couleurs. *Porter la livrée d'une dame.* — Loc. (1552). Vx. *La livrée de la noce,* rubans de couleur que la mariée distribuait.

7   Les chevaliers portaient les livrées de leurs maîtresses.   Antoine HAMILTON, *Mémoires du comte de Grammont*, IV.

♦ **4.** (1675). Littér. Signes extérieurs caractéristiques, révélateurs (d'une condition, d'un état...). *La livrée de la misère.* ⇒ **Apparence, insigne, marque.** — *Une livrée hypocrite* (→ Componction, cit. 1).

8   (...) et le laquais galonné qui porte la livrée du luxe insulte à votre habit qui est la livrée de l'indigence.   VOLTAIRE, *Mélanges littéraires, À M. Lefèvre...*

9   (...) comprenez-vous que nous n'hésitons pas, par instants, à revêtir la livrée du péché et à feindre quelque complaisance en face des plus coupables joies!   GIDE, *les Caves du Vatican*, II, 11.

(Mil. XVe; choses). Ce qui revêt et caractérise (qqch.). → 1. Goutte, cit. 1, Ch. d'Orléans.

10   Comme un grand arbre sous ses hardes et ses haillons de l'autre hiver, portant livrée de (...)   SAINT-JOHN PERSE, *Œuvre poétique*, «Vents», 1.

♦ **5.** (1765). Zool., chasse. Pelage ou plumage (d'un animal) lorsque sa coloration, son aspect, est caractéristique de l'espèce, de l'âge ou du sexe de l'animal. — Vén. Pelage ou plumage (de l'animal jeune).

11   Tous les oiseaux en général muent dans la première année de leur âge, et les couleurs de leur plumage sont presque toujours, après cette première mue, très différentes de ce qu'elles étaient auparavant; ce changement de couleur après le premier âge est assez général dans la nature, et s'étend jusqu'aux quadrupèdes qui portent alors ce qu'on appelle leur livrée, c'est-à-dire la livrée de leur pelage, la livrée de la première mue.   BUFFON, *Hist. nat. des oiseaux*, Oiseaux de proie.

12   Le sanglier mort est pendu la hure en bas. La livrée est grisonnante : c'est une bête âgée.   G. DUHAMEL, *les Plaisirs et les Jeux*, IV, XIV.

(Mil. XXe). Aspect extérieur d'un insecte, de certains animaux, en dehors des oiseaux et mammifères. «*Livrée nuptiale des Tritons*» (R. Husson, *Glossaire de biologie animale*).

HOM. Formes du v. **livrer.**

LIVRE-HORAIRE [livʀɔʀɛʀ] n. m. — 1947; de *livre,* et *horaire.*

♦ Cin. Cahier sur lequel la scripte note tout ce qui se passe sur le plateau.

LIVRE-OBJET [livʀɔbʒɛ] n. m. — V. 1970; de *livre,* et *objet.*

♦ Arts. Objet d'art comportant des éléments typographiques et susceptible d'une lecture. — Édition. Livre comportant des éléments plastiques en trois dimensions, des éléments musicaux (bandes, etc.) intégrés. *Des livres-objets.*

LIVRER [livʀe] v. tr. — V. 980, «délivrer» et au sens I, 1; du lat. *liberare* «délivrer» (→ Libérer), et, par ext., «laisser partir», puis «remettre, fournir».

♦ **1.** *Livrer qqn à... :* mettre à la discrétion, au pouvoir* de (qqn). *Livrer qqn au bourreau, aux mains d'un assassin* (→ Agent, cit. 1; filoutage, cit. 2). *Livrer un coupable à la justice, le livrer au bras séculier.* ⇒ **Déférer, remettre.** *Livrer une victime au sacrificateur, un martyr aux bêtes* (⇒ vx **Exposer**). — (Sans compl. second en à). *Livrer qqn par extradition.* ⇒ **Extrader.** *Livrer qqn pieds et poings liés.*

1   Je ne condamne plus un courroux légitime,
Et l'on vous va, Seigneur, livrer votre victime.   RACINE, *Andromaque*, II, 4.

2   L'oracle, consulté sur le moyen d'apaiser le courroux céleste, déclara qu'une fille de Troie devait être livrée tous les ans aux monstres marins, exposée nue sur un rocher.   Émile HENRIOT, *Mythologie légère*, p. 51.

(Sujet n. de chose). *Événements qui livrent un pays aux étrangers* (→ Abaissement, cit. 4). *Les dissensions des assiégés livrèrent la place à l'ennemi.*

3   La guerre civile, le grand vice gaulois, livra le pays aux Romains.   J. BAINVILLE, *Hist. de France*, I, p. 13.

Par ext. Mettre sous la coupe, sous l'influence de qqn.

4   La vertu de Louis XVI éloigna les maîtresses (...) sa timidité le livra à sa femme.   Louis BARTHOU, *Mirabeau*, p. 221.

♦ **2.** Soumettre à l'action de (qqch.), donner en proie* à... — (V. 1265). *Livrer qqn à la mort, au supplice. Livrer un condamné aux flammes, au bûcher.*

5   Mais siérait-il, Abner, à des cœurs généreux
De livrer au supplice un enfant malheureux (...)   RACINE, *Athalie*, V, 2.

(1867). *Livrer une bête aux chiens,* lancer les chiens à sa suite. — *Livrer une ville à l'émeute, au pillage; un pays à l'anarchie* (→ Établir, cit. 11).

Spécialt. *Livrer les voiles au vent* (Académie). — Poétique :

6   Elle fit quelques pas légers, comme pour aérer sa blanche toilette, pour livrer au zéphyr ses ruches de tulle neigeuses, ses manches flottantes, ses rubans frais, sa pèlerine et les boucles fluides de sa coiffure à la Sévigné (...)   BALZAC, *le Lys dans la vallée*, Pl., t. VIII, p. 916.

♦ **3.** (Fin XVe). *Livrer (qqn, qqch.) à...* Remettre par une trahison* entre les mains, au pouvoir de (qqn). ⇒ **Trahir;** → Fouiller, cit. 31. *Judas livra Jésus. Livrer son complice à la police.* ⇒ **Dénoncer, donner** (I., 10.). — *Livrer une place forte à l'ennemi.* — (Sans compl. en à). *Livrer sa patrie, son pays.*

7   (...) tandis qu'ils étaient à table (...) Jésus dit : «En vérité je vous le dis, l'un de vous me livrera, un qui mange avec moi (...) Oui, le Fils de l'Homme s'en va selon qu'il est écrit de lui (...) mais malheur à cet homme-là par qui le fils de l'homme est livré! Mieux eût valu pour cet homme-là ne pas naître!»   BIBLE (JÉRUSALEM), Évangile selon saint Marc, XIV, 18, 21.

8   (...) les patries sont toujours défendues par les gueux, livrées par les riches (...)   Ch. PÉGUY, *la République...*, p. 92.

9   Condé et Coligny qui signèrent cette convention ont nié qu'ils eussent voulu trahir. Cependant ils livraient leur pays.   J. BAINVILLE, *Hist. de France*, IX, p. 162.

♦ **4.** (1080). Abandonner, confier à qqn (une partie de soi, une chose à soi). ⇒ **Donner;** → ci-dessous *Se livrer.* *Livrer son âme* (cit. 49), *sa vie. Livrer son âme au diable.* ⇒ **Vendre.** — *Femme qui livre son corps* (→ Attiser, cit. 6).

10   Je sais que du mensonge implacable ennemie,
Josabeth livrerait même sa propre vie.   RACINE, *Athalie*, III, 4.

11   Mais quelle réparation lui offrirez-vous si elle livre son honneur (...)   BALZAC, *Paméla Giraud*, II, 8.

Spécialt. ⇒ **Confier, fier** (1.). *Livrer un peu de soi-même, par des confidences* (→ Grandiloquent, cit. 2). *Livrer ses idées à la postérité.*

Littér. (Sujet n. de chose). *Un charme qui livre les âmes à de douces impressions* (cit. 13). *Des peurs qui livrent les esprits* (cit. 82) *à une hantise* (Martin du Gard, *les Thibault*, t. VII, p. 11).

(1669). Spécialt. *Livrer un secret.* ⇒ **Communiquer, confier, dévoiler**

(→ Infamie, cit. 9). — Par ext. *La nature, l'atome* (cit. 18) *livre peu à peu ses secrets.*

12 La toile brilla de tous ses bleus, laissa voir tous les artifices du peintre, comme un visage grimé livre ses secrets sous le feu d'un projecteur (...)
COLETTE, la Naissance du jour, p. 117.

13 (...) pour convaincre Antoine qui, pressé, insistait, il se décida à livrer le secret suprême (...) MARTIN DU GARD, les Thibault, t. III, p. 202.

♦ **5.** [a] (1080). Vieilll ou dr. Mettre (qqch.) en la possession, à la disposition de quelqu'un. ⇒ **Donner** (2.); **céder** (2.), **fournir** (II., 2.), **procurer**, **remettre**, **vendre** (→ Fuite, cit. 14). *« Quand je vous livre mon poème... »* (→ Demeurer, cit. 20, Sully Prudhomme). — Absolt. *Livrer les fruits de son travail.*

14 (...) l'oignon de sa tulipe, qu'il ne livrerait pas pour mille écus (...)
LA BRUYÈRE, les Caractères, XIII, 2.

15 Prométhée pensa faire à l'humanité un don capital en leur livrant *(aux hommes)* le feu du ciel. Émile HENRIOT, Mythologie légère, p. 114.

Dr. *Obligation de livrer* (la chose vendue, louée, donnée). ⇒ **Délivrance, livraison, tradition.**

16 L'obligation de donner emporte celle de livrer la chose et de la conserver jusqu'à livraison, à peine de dommages et intérêts envers le créancier.
Code civil, art. 1136.

[b] (Fin XIIIe). Cour. Remettre à l'acheteur (ce qui a été commandé, payé). ⇒ **Livraison.** *Livrer une commande, une marchandise* (au client). → Aunage, cit. 1; grossiste, cit. *Comptabilité en partie simple ne comportant que le compte des acheteurs à qui on livre. Livrer exactement ce qui a été convenu* (→ Comptant, cit. 2). — Passif. *La marchandise a été livrée.*

17 Nous autres jeunes filles françaises, nous sommes livrées par nos familles comme des marchandises, à trois mois, quelquefois *fin courant*, comme mademoiselle Vilquin. BALZAC, Modeste Mignon, Pl., t. I, p. 491.

Absolt. *Livrer à domicile, en gare. Celui qui livre.* ⇒ **Commissionnaire, livreur, porteur.**

Par ext. et abusivt, avec un compl. direct de personne. *Servir* (qqn) *en lui livrant la marchandise commandée.*

17.1 Beaucoup de commerçants déclarent à leurs clients : *Je n'ai pas été livré,* ou : *Vous serez livré demain.* C'est la marchandise qui n'a pas été livrée (...)
René GEORGIN, le Code du bon langage, p. 50.

♦ **6.** (1080; *livrer bataille*). Engager, commencer (un combat, une bataille..., au propre ou au figuré). ⇒ **Donner** (7.), **engager** (5.). — Vx ou littér. *Livrer des assauts* (cit. 8), *des combats* (cit. 21), *une bataille, la bataille* (cit. 16). — Mod. (avec *bataille, combat,* sans article). *Livrer combat, livrer batalle* (cit. 5). ⇒ Bénéficiaire, cit. 3; épique, cit. 7; glorieux, cit. 2; indicible, cit. 5. — Vx. *Livrer la guerre à...* (→ Honneur, cit. 114). ⇒ **Foire.**

18 L'homme est en mer. Depuis l'enfance matelot,
Il livre au hasard sombre une rude bataille.
HUGO, la Légende des siècles, LII, II.

♦ **7.** (1862). *Livrer passage à* (qqn, qqch.), laisser passer ; permettre de passer.

▶ **SE LIVRER (À)** v. pron.

♦ **1.** (XIIe). Se mettre au pouvoir, entre les mains (de qqn). ⇒ **Rendre** (se), **soumettre** (se). *Se livrer à la police, à ses ennemis. Se livrer aux mains de qqn* (→ Aborder, cit. 1). — (Sans compl. en à...). Spécialt. Se dénoncer*, se constituer prisonnier. *Les coupables se sont tous livrés.*

19 Alors les femmes marchèrent héroïquement au supplice (...) les pères se livrèrent pour les fils, les fils pour les pères.
CHATEAUBRIAND, Mémoires d'outre-tombe, t. IV, p. 115.

20 Les Suisses étaient compromis de la manière la plus terrible. Bouillé (...) leur fit ordonner de sortir de Nancy (...) sortir, c'était se livrer, non à Bouillé seulement, mais à leurs chefs, à leurs juges, au plutôt à leurs bourreaux (...)
MICHELET, Hist. de la Révolution franç., IV, III.

♦ **2.** (1672). Se remettre, se confier à... *« Je me livre en aveugle au destin qui m'entraîne »* (cit. 14, Racine). *Se livrer aux chances, aux hasards de...* (→ Fort, cit. 67). *Se livrer aux promesses, à la bonne foi de quelqu'un.*

21 Roxane, se livrant toute entière à ma foi,
Du cœur de Bajazet se reposait sur moi. RACINE, Bajazet, I, 4.

(1669). *Se livrer à quelqu'un,* et, absolt, *Se livrer :* parler de soi, de ce qu'on pense. ⇒ **Confier** (se), **découvrir** (ses secrets, etc.). *Se livrer facilement* (⇒ **Communicatif**). *Facilité à se livrer* (→ Impudeur, cit. 3).

22 Une pudeur, une prudence empêchaient Gurau de se livrer.
J. ROMAINS, les Hommes de bonne volonté, t. V, XXV, p. 237.

23 Ce qu'il raconte dans *La Chartreuse* ou dans *Le Rouge et le Noir* m'intéresse moins que sa façon de le raconter, que lui-même. Plus il se livre, plus il me plaît. GIDE, Attendu que..., p. 81.

♦ **3.** (Av. 1613). Vx. (Sans compl. en à...). Faire don de soi-même. ⇒ **Dévouer** (cit. 4), **donner** (se). → Inutile, cit. 10. *Se livrer tout entier*, *sans réserves. Cœur qui se livre* (→ 1. Gens, cit. 25).

24 Son cœur, pour se livrer, à peine devant moi
S'est-il donné le temps d'en recevoir la loi. MOLIÈRE, les Femmes savantes, IV, 1.

(XIIIe). Se donner*, accorder ses faveurs (en parlant d'une femme). ⇒ **Abandonner** (s').

25 (...) il fallait qu'elle ne désirât vraiment guère, pour ne point défaillir et se livrer, lorsqu'elle tombait entre ses bras, derrière une haie (...)
ZOLA, la Terre, IV, II.

26 Toujours oisives, dévorées d'ennui, physiquement obsédées de la solitude des harems, elles sont capables de se livrer au premier venu, — au domestique qui leur tombe sous la patte, ou au batelier qui les promène, s'il est beau et s'il leur plaît.
LOTI, Aziyadé, III, XLIII.

♦ **4.** (1680). *Se livrer à... :* s'abandonner à... (un sentiment, une idée, une activité). ⇒ **Abandonner** (cit. 25, 26 et 27), **adonner** (s'), **laisser** (se laisser aller à). *Se livrer à un sentiment, à son humeur, à son caractère* (→ Force, cit. 13 ; gaieté, cit. 12). *Se livrer à l'avarice, à la cupidité* (cit. 2). *Se livrer à la colère, à la fureur :* se mettre* en colère, entrer* en fureur. *Se livrer à une rêverie, à l'espoir* (cit. 11), *à l'essor* (cit. 11) *de l'imagination, à de folles espérances. Se livrer au désespoir, à sa douleur, à sa peine.* ⇒ **Abîmer** (s'), **enfoncer** (s'), **plonger** (se). — Arracher, cit. 50 ; cruel, cit. 20. *Se livrer à des conjectures, à des réflexions...* (→ Inconvénient, cit. 6). *Se livrer aux délices* (cit. 6), *à l'extase* (cit. 4), *à l'exubérance* (cit. 3), *au plaisir d'exister* (cit. 16), *au bonheur d'aimer. Se livrer à des folies* (cit. 30), *à des distractions futiles* (cit. 2), *à la débauche. Se livrer aux pires excès.* ⇒ **Porter** (se).

27 Que je vous plains de vous livrer aussi cruellement que vous faites à vos inquiétudes ! Mme DE SÉVIGNÉ, 860, 9 oct. 1680.

28 Il ne faut qu'aimer le plaisir pour se livrer à des sensations si douces.
ROUSSEAU, Rêveries..., VIIe promenade.

29 (...) on se livre d'autant plus vivement aux plaisirs qu'on se sent près de les perdre.
CHATEAUBRIAND, Mémoires d'outre-tombe, t.IV, p. 293.

30 La nuit était sombre, il put se livrer à tout son malheur sans craindre d'être vu.
STENDHAL, le Rouge et le Noir, II, XIX.

31 Mourante, elle se livre aux longues pâmoisons.
BAUDELAIRE, les Fleurs du mal, «Spleen et Idéal», LXV.

32 Il y pénétrait *(dans son magasin)* par la porte dérobée, l'air furtif de quelqu'un qui vient non d'accomplir un noble devoir, mais de se livrer à quelque passion secrète. G. DUHAMEL, Salavin, VI, IX.

♦ **5.** (Fin XVIe). *Se livrer à... :* effectuer (un travail, une tâche), exercer (une activité). *Se livrer à un travail, à une besogne, à une étude.* ⇒ **Appliquer** (s'), **attacher** (s'), **atteler** (s'), **consacrer** (se), **pratiquer.** *Se livrer à son art.* ⇒ **Adonner** (s'). → Innocence, cit. 4. *Se livrer à un exercice, à une gymnastique* (cit. 11), *à un sport.* ⇒ **Exercer** (s'), **pratiquer** (→ Faire, cit. 194 ; imitation, cit. 18). *Se livrer à une danse frénétique.* ⇒ **Exécuter.** *Se livrer à ses occupations* * habituelles. ⇒ **Vaquer.** *Se livrer à la contrebande. Se livrer à des calculs* (→ But, cit. 18), *à une critique* (2. Critique, cit. 19), *à une enquête, à un examen approfondi.* ⇒ **Faire** (II., 2.).

33 En se livrant à l'étude du droit, il se sentit d'abord poussé bien moins vers les lois civiles que vers les lois politiques (...)
SAINTE-BEUVE, Causeries du lundi, 8 avr. 1850.

34 L'examen auquel je me suis livré est parfaitement objectif. Pas de complaisance, bien sûr. G. DUHAMEL, Chronique des Pasquier, I, Introduction.

Absolt. *Se livrer :* se donner. *Se livrer à fond. Sportif qui se livre à fond.*

▶ **LIVRÉ, ÉE** p. p. adj.

♦ **1.** Remis au pouvoir de (qqn). *Criminel livré au bourreau. Agneau livré aux loups* (→ Faible, cit. 8). — Fig. *Livré à soi-même* (→ Alléché, cit. 2).

35 Il se voyait déjà attaché par les quatre membres, livré à la dent des chiens (...)
L. PERGAUD, De Goupil à Margot, p. 28.

♦ **2.** Soumis à l'action de (qqch.). *Maison livrée au vent, à la bise* (→ Inhabitable, cit. 6). *Institution livrée aux médiocrités* (→ Académie, cit. 6). — *Livré aux sentiments, aux réflexions.*

36 (...) il donnait ses leçons avec une exactitude qu'on n'eût pas attendue d'un homme livré comme lui à tous les caprices d'une vie errante (...)
FRANCE, la Rôtisserie de la reine Pédauque, IV, Œ., t. VIII, p. 27.

♦ **3.** Absolt (littér.). Plein d'abandon dans sa confiance, dans sa facilité à se livrer.

37 Je n'eusse pas été si méprisé si je n'avais été si livré, si ouvert, si nu.
F. MAURIAC, le Nœud de vipères, XVIII.

CONTR. Arracher, délivrer, enlever, sauver (se). — Conserver, défendre, dérober, garder. — Détenir. — Dérober (se), garder (se).
DÉR. Livrable, livraison, livrée, livreur.
HOM. V. livrée, livret.

LIVRESQUE [livʀɛsk] adj. — 1580, Montaigne ; repris 1808 ; de *livre,* sur le modèle de «pédantesque».

♦ **1.** Qui vient des livres, qui est purement littéraire, théorique (opposé à *pratique, réel, vécu, vrai*). *Connaissances livresques ; érudition, science livresque. Description purement livresque.* — (1849). Qui manque de spontanéité, de naturel. *Sentiment livresque.* — (Personnes). *Il est savant, mais trop livresque.*

1 Savoir par cœur n'est pas savoir (...) Ce qu'on sait droitement, on en dispose, sans regarder au patron *(modèle),* sans tourner les yeux vers son livre. Fâcheuse suffisance, qu'une suffisance pure livresque ! MONTAIGNE, Essais, I, XXVI (→ Fard, cit. 6).

2 Pas plus que Montaigne il *(Joubert)* n'aime le style *livrier* ou *livresque,* celui qui sent l'encre et qu'on n'a jamais que la plume à la main : « Il faut qu'il y ait, dans

notre langage écrit, de la voix, de l'âme, de l'espace, du grand air, des mots qui subsistent tout seuls, et qui portent avec eux leur place. »
            SAINTE-BEUVE, Causeries du lundi, 10 déc. 1849.

3   Une bonne partie de leur amour était purement livresque. Ils *(Jean-Christophe et Minna)* se ressouvenaient des romans qu'ils avaient lus, et se prêtaient des sentiments qu'ils n'avaient point.   J. ROLLAND, Jean-Christophe, Le matin, p. 197.

4   Deux strophes qui, à première vue, semblent toutes livresques, faites de clichés élégants (...)   J. ROMAINS, les Hommes de bonne volonté, t. IV, XXII, p. 236.

N. (Rare). Personne livresque.

♦ **2.** Didact. et rare. Qui se rencontre dans les livres. *Les « écritures livresques du moyen âge »* (*l'Histoire et ses méthodes,* Encycl. Pl., p. 590, *in* T. L. F.).

LIVRET [livʀɛ] n. m. — V. 1200 ; de *livre*.

A. ♦ **1.** Vx. Petit livre. — Objet concret. *Les feuillets d'un livret.* — Œuvre :

1   On est parvenu à nous dégoûter de la lecture à force de multiplier les livres et les livrets.   VOLTAIRE, Mélanges littéraires, Lettre de M. de la Visclède, 1175.

(1812). Spécialt. Vieilli. Catalogue* explicatif. *Le livret d'une exposition. « Je suis (...) de ceux qui vont au musée sans livret »* (Musset, *in* T. L. F.).

♦ **2.** (1690). Petit registre. ⇒ **Carnet.** — (1793). Vx. *Livret ouvrier, livret d'ouvrier,* où le titulaire devait faire inscrire ses différents emplois (supprimé par la loi du 12 juillet 1890), sauf pour les enfants mineurs (Code du Travail, II, art. 88) et dans certains cas particuliers : *livret d'acquit* (Code du Travail, I, art. 52-60), *livret de tissage et de bobinage* (Code du travail, I, art. 34-42). — *Livret de soldat* (vx). Mod. **LIVRET MILITAIRE.** *Livret militaire individuel* (1845), « reproduisant les indications d'incorporation ou de position administrative au registre matricule » (→ Fascicule, cit. 2, Capitant). — (1902). Par appos. **LIVRET MATRICULE :** registre matricule*. — Mar. *Livret individuel ou de solde ; livret de santé.*

(1888). **LIVRET DE FAMILLE,** remis aux époux lors de la célébration du mariage. ⇒ **État** (*supra* cit. 69 : État civil). — (1902). **LIVRET SCOLAIRE** (ou *livret*) : carnet de notes scolaires et d'appréciation des professeurs ; spécialt, carnet des trois dernières années d'études secondaires (⇒ **Enseignement**). *Le jury de baccalauréat tient compte des notes et appréciations inscrites sur les livrets des candidats.* — (1845). *Livret de caisse d'épargne** ⇒ **Carnet** (régional, Suisse).

2   Le *livret de marin* de mon frère Yves ressemble à tous les autres livrets de tous les autres marins. Il est recouvert d'un papier parchemin de couleur jaune, et comme il a beaucoup voyagé sur la mer, dans différents caissons de navire, il manque absolument de fraîcheur.   LOTI, Mon frère Yves, I.

3   C'est à la caisse d'Épargne, rue Coq-Héron (...) Elle a un livret (...)   J. ROMAINS, les Hommes de bonne volonté, t. II, V, p. 47.

♦ **3.** (1822, Stendhal). Mus. Texte sur lequel est écrite la musique d'une œuvre lyrique. ⇒ **Libretto.** *Livret d'un opéra, d'une opérette. Auteur de livrets.* ⇒ **Librettiste.** *Livret adapté, tiré d'une pièce de théâtre.*

B. (Du sens A, 1, concret). ♦ **1.** (1762). Vx. Ensemble de treize cartes distribuées à chaque ponte, à la bassette, au pharaon.

♦ **2.** (1753). Zool., bouch. Chacun des plis du feuillet (cit. 3) des ruminants.

HOM. Formes du v. **livrer.**

LIVREUR, EUSE [livʀœʀ, øz] n. — XIVᵉ ; *livere,* XIIᵉ ; de *livrer.*

♦ **1.** Personne qui livre, transporte une marchandise. *Les livreurs d'un grand magasin, d'une compagnie de transport. Uniforme de livreur* (→ Espèce, cit. 16).

Oh ! ce livreur des Galeries Lafayette, quelle merveille !
            PROUST, la Prisonnière, Pl., t. III, p. 416.

Par appos. *Garçon, employé livreur.*
REM. Le fém. est virtuel, dans ce sens.

♦ **2.** N. f. (rare). *Une livreuse :* une voiture de livraison.

LIXIVIANT [liksivjɑ̃] n. m. — XXᵉ ; de *lixivier.*

♦ Techn. Produit employé pour délignifier les fibres de lin par lixiviation.

LIXIVIATION [liksivjɑsjɔ̃] n. f. — 1969 ; dér. sav. du lat. *lixivius,* de *lix* « lessive ».

Didactique.

♦ **1.** Lavage des cendres pour en extraire les sels alcalins.

♦ **2.** Lavage lent d'un solvant à travers une couche de substance pulvérisée qui permet d'en extraire les constituants solubles. *« Le taux de lixiviation à l'eau, il s'agit de la quantité de verre emmené par de l'eau qui lèche le matériau par unité de temps et de surface »* (M. Barrère, *la Recherche,* juil.-août 1978, p. 700).

LIXIVIEL, ELLE, ELS [liksivjɛl] adj. — 1800, *in* T. L. F. ; dér. sav. du lat. *lixivius.*

♦ Didactique et vx. Obtenu par lixiviation. *Sels lixiviels.*

LIXIVIER [liksivje] v. tr. — 1893 ; dér. sav. du lat. *lixivius,* d'après *lixiviation.*

♦ Didact., techn. Soumettre à la lixiviation*.
DÉR. Lixiviant.

L. L. A. A. (1873). Abrév. de *Leurs Altesses.*

LLANO [ljano] n. m. — 1823 ; *lano,* 1598 ; mot espagnol.

♦ Géogr. Plante herbeuse, en Amérique du Sud. — REM. S'emploie surtout au pluriel.

Au-dessous du lac s'étendaient de vastes « llanos », hautes plaines couvertes de graminées, où paissaient des troupeaux indiens.
         J. VERNE, les Enfants du capitaine Grant, I, XII, p. 120.

L. L. E. E. (XXᵉ). Abrév. de *Leurs Éminences.*

L. L. M. M. (1873). Abrév. de *Leurs Majestés.*

LLOYD [lɔjd] n. m. — 1832 ; angl. *Lloyd,* n. propre.

♦ Nom adopté par des compagnies de navigation d'assurances maritimes.

Lm Phys. Symbole du *lumen*.*

LOADER [lodœʀ] n. m. — 1948 *in* Höfler ; mot angl., de *to load* « charger ».

♦ Anglic. techn. Gros engin de travaux publics, formé d'une excavatrice, d'un automoteur à chenilles et d'une chaîne élévatrice capable d'assurer le chargement des déblais sur des camions. *Des loaders.* — Recomm. off. : *chargeuse*.*

LOASIS [lɔazi] ou LOASE [lɔaz] n. f. — D. i. (mil. XXᵉ) ; de *Loa loa,* nom du filaire responsable de l'infection.

♦ Méd. Infection sous-cutanée par la forme adulte d'un ver nématode (filaire), dit *Loa loa,* se traduisant par des tuméfactions prurigineuses qui se propagent d'un endroit à un autre. *La loasis est répandue en Afrique équatoriale. Loasis oculaire,* par fixation du parasite sous la conjonctivite.

LOB [lɔb] n. m. — 1906 ; mot angl. *lob,* t. de tennis (1890), de *to lob,* d'origine obscure.

♦ **1.** Tennis. Coup qui consiste à envoyer la balle assez haut pour qu'elle passe par-dessus la tête du joueur opposé, hors de la portée de celui-ci. ⇒ **Chandelle.**

♦ **2.** (Autres sports de balle). Coup à trajectoire haute.
DÉR. Lober.
HOM. Lobe.

LOBAIRE [lɔbɛʀ] adj. — 1814 ; n. m. pl., 1803, « famille d'algues » ; de *lobe.*

♦ Anat. Relatif à un lobe, aux lobes (spécialt du poumon). *Bronches lobaires. Pneumonie lobaire. Tuberculose lobaire* (du lobe supérieur, moyen... du poumon) ⇒ **Lobite.**

LOBBY [lɔbi] n. m. — 1857, à propos des États-Unis (*in* D. D. L.) ; *les Temps Modernes,* en parlant de la France, 1952 ; mot angl. *lobby,* qui désigne les couloirs de la Chambre et l'action de les fréquenter.

Anglicisme.

♦ **1.** Groupement, organisation ou association qui exerce une pression sur les pouvoirs publics pour faire triompher les intérêts, professionnels ou autres, qu'elle soutient. — Syn. : *groupe de pression. La puissance des lobbies américains.*

1   (...) ce qui n'a pas empêché le *lobby* (américain) de l'acier de s'opposer en fait à la réalisation d'un marché commun européen dans lequel il voit un concurrent possible (...)   André FONTAINE, *in* le Monde, 25 nov. 1954.

2   (...) le poids du « lobby pro-israélien » à Washington, (...) peut empêcher une mauvaise humeur passagère de devenir un ressentiment suivi d'effet. Influente, nom-

breuse et passionnément attachée à la sécurité d'Israël, la communauté juive a un poids politique considérable (...)   le Monde, 25 mars 1978, p. 1.

♦ **2.** Vestibule, hall (d'un hôtel).

DÉR. **Lobbyiste.**

LOBBYISTE [lɔbiist] n. — V. 1960 ; angl. *lobbyist*, de *lobby*. → Lobby.

♦ Anglicisme. Membre d'un lobby. — REM. Le mot est parfois écrit à l'anglaise : «*Les "lobbyists" des compagnies pétrolières à Washington*» (*l'Express*, 30 juil. 1973, p. 29).

LOBE [lɔb] n. m. — 1363 ; grec *lobos* « lobe du foie ; lobe de l'oreille ».

♦ **1.** Anat. Partie arrondie et saillante (de certains organes). *Lobes du poumon, du foie. Tuberculose du lobe supérieur, du lobe moyen* (du poumon). — *Les lobes du cerveau* sont divisés en lobules** (→ Circonvolution, cit.). *Lobe frontal, pariétal, occipital, temporal.*

1   (...) ce sinistre énergumène puisa dans les lobes distendus de son cerveau deux ou trois petites conceptions d'une réjouissante insanité.
                    COURTELINE, Messieurs les ronds-de-cuir, 5ᵉ tableau, I.

♦ **2.** Cour. (1611). *Lobe de l'oreille,* prolongement arrondi et charnu du pavillon auriculaire. ⇒ **Lobule.**

2   (...) la plupart *(de ces sauvages)* se percent les oreilles, se les agrandissent prodigieusement, et remplissent le trou du lobe d'un gros bouquet de fleurs ou d'herbes qui leur sert de pendants d'oreilles.
                    BUFFON, Hist. nat. de l'homme, Variétés espèce humaine.

3   Elles portent une boucle d'or passée dans chaque narine et le lobe de leurs oreilles, allongé démesurément par le poids des anneaux, chez les vieilles traîne jusque sur l'épaule.   LOTI, l'Inde (sans les Anglais), III, II.

4   Entre deux morceaux de phrase, elle lui posait un baiser sur la nuque, ou lui mordillait le lobe, l'ourlet de l'oreille (...)
                    J. ROMAINS, les Hommes de bonne volonté, t. XI, II, p. 13.

♦ **3.** Zool. Chacune des deux parties arrondies (de la nageoire caudale d'un poisson). *Lobes de la nageoire des poissons. Nageoire caudale à lobes égaux.* ⇒ **Homocerque.**
(1902). Zool. *Lobe céphalique* (des araignées) *:* protubérance frontale qui porte les yeux. — *Lobes oculaires* (de certains insectes).

♦ **4.** (1675). Bot. Parties rondes et saillantes (des feuilles, des fleurs, des graines) ; découpure arrondie, assez large (d'une feuille). *Les lobes des feuilles de lierre, de mûrier* (⇒ **Lobé**).
Lobes de l'anthère. — Vx. *Lobe séminal* (⇒ **Cotylédon**).

5   (...) vous trouverez des feuilles de plus en plus larges et de plus en plus échancrées, et vous pourrez former une collection de feuilles qui établiront entre la feuille aux longs doigts et la feuille sans lobe une transition insensible.
                    ALAIN, Propos, 26 janv. 1909, Feuilles de lierre.

♦ **5.** (1851). Archit. Découpure en arc de cercle utilisée comme ornement de certains arcs et rosaces (→ Chant, cit. 3). «*Trois lobes juxtaposés donnent un trèfle, quatre lobes un quatre-feuilles*» (Réau, *Dict. d'art*). *Arc à trois lobes* (⇒ **Trilobé**).

♦ **6.** Géogr. Espace intérieur d'une boucle de méandre.

DÉR. **Lobaire, lobé, lobectomie, lobite, lobotomie, lobule.**
COMP. **Bilobé, multilobé, quadrilobé, trilobé, unilobé.**
HOM. **Lob.**

LOBÉ, ÉE [lɔbe] adj. — 1778 ; de *lobe*.

♦ **1.** Partagé en lobes ; qui comporte plusieurs lobes.

♦ **2.** Qui présente des lobes. *Feuilles lobées :* à découpures arrondies. *Les feuilles lobées du chêne, du figuier.* «*Des expansions portoplasmiques lobées et larges*» (Calmette, *in* T. L. F.).
HOM. **Lober.**

LOBECTOMIE [lɔbɛktɔmi] n. f. — 1941, Garnier-Delamare ; de *lobe*, et suff. -*tomie*.

♦ Chir. Opération par laquelle on enlève (résection) un lobe (du poumon, du cerveau, etc.).
Celle-ci *(la chirurgie)* vise à modifier les connexions entre les parties constituantes de l'encéphale, soit par une section, soit par une résection. Dans le groupe des sections rentrent les lobotomies, les thaltomies, etc. ; dans le groupe des résections, les lobectomies, les topectomies, etc.
                    Jean DELAY, Introd. à la médecine psychosomatique, p. 64.
DÉR. **Lobectomique.**

LOBECTOMIQUE [lɔbɛktɔmik] adj. — 1951, Malraux, au fig. ; de *lobectomie*.

♦ Didact. et rare. Opéré par lobectomie. — Fig. «*Des arts lobectomiques*» (Malraux, *in* T. L. F.). → Lobotomisé.

LOBÉLIACÉES [lɔbeljase] n. f. pl. — 1863 ; de *lobélie*.

♦ Bot. Famille de plantes phanérogames angiospermes inferovariées

(Dicotylédones gamopétales) comprenant des herbes ou sous-abrisseaux. *Principales lobéliacées.* ⇒ **Lobélie, tupa.** — Au sing. *Une lobéliacée.*

LOBÉLIE [lɔbeli] n. f. — 1778 ; *lobélia*, 1747 ; du nom Matthias de *Lobel*, botaniste flamand (1538-1616).

♦ Plante exotique dicotylédone *(Lobéliacées)*, herbacée, vivace, à fleurs en grappe. *Extrait de lobélie, utilisé en médecine comme antiasthmatique.*

1   Des lobélies géantes et vénéneuses composaient des ornements entrelacés et quasi religieux dont la pureté tranchait à l'œil le long de la piste cassée, abrupte.
                    P. GRAINVILLE, les Flamboyants, p. 106.

REM. On trouve parfois la var. *lobelia* [lɔbelja].

2   Julie disposa sur une table à jeu deux assiettes bleues et deux assiettes rouges, une belle carafe, un pichet assez laid, campa entre les deux couverts un petit pot de lobélias d'un bleu intense, et s'applaudit : «Ça a de la gueule !»
                    COLETTE, Julie de Carneillan, p. 19.

DÉR. **Lobéliacées, lobéline.**

LOBÉLINE [lɔbelin] n. f. — xxᵉ ; de *lobélie*, et -*ine*.

♦ Méd. Alcaloïde proche de la nicotine, extrait des feuilles et des fleurs de la lobélie enflée (appelée aussi *tabac des Indes*), autrefois remède d'urgence des paralysies respiratoires, actuellement employé parfois dans les cures de désintoxication tabagique.

LOBER [lɔbe] v. intr. — 1928, Lacoste ; une première fois en 1896 *lobber* (*in* Höfler) ; de *lob*.

♦ Tennis. Faire un lob. — Trans. Tromper, passer (l'adversaire) grâce à un lob.
Beaucoup d'enfants font d'ailleurs ce coup *(volée basse)* avec beaucoup d'aisance, car ils se placent souvent à mi-court, ne pouvant s'approcher trop près du filet sous peine d'être lobés, à cause de leur petite taille.
                    Henri COCHET, le Tennis, p. 57.

(Football). Envoyer le ballon au-dessus du joueur adverse qui pourrait l'intercepter. *Lober le gardien de but.*
HOM. **Lobé.**

LOBITE [lɔbit] n. f. — 1927, Garnier-Delamare ; de *lobe*.

♦ Méd. Inflammation d'un lobe pulmonaire. Tuberculose localisée à un lobe. *Primo-infection suivie de lobite. Lobite scléreuse.* Syn. : *tuberculose lobaire.*

LOBOTOMIE [lɔbɔtɔmi] n. f. — 1950 ; de *lobe*, et suff. -*tomie*.

♦ Chir. Opération de neuro-chirurgie ; section de la substance blanche d'un lobe cérébral, entraînant la destruction de circuits de neurones (→ Lobectomie, cit.). — Syn. : *leucotomie*.*
DÉR. **Lobotomiser.**

LOBOTOMISER [lɔbɔtɔmize] v. tr. — Av. 1953, J. Delay.

♦ Chir. Faire subir une lobotomie à (qqn). — Au p. p. *Malade lobotomisé.* — N. «*(...) beaucoup de "lobotomisés", s'ils ne montraient plus d'anxiété ni de violence, devenaient apathiques (...)*» (la Recherche, juil.-août 1974, p. 655).

LOBULAIRE [lɔbylɛʀ] adj. — 1800 ; de *lobule*.
Anatomie, médecine.

♦ **1.** Qui a la forme, l'aspect d'un lobule.

♦ **2.** Relatif au lobule. *Pneumonie lobulaire. Tissu lobulaire,* du lobule.

♦ **3.** Formé de lobules. ⇒ **Lobulé.**

LOBULE [lɔbyl] n. m. — 1690 ; de *lobe*.
Anatomie, médecine.

♦ **1.** Petit lobe*. *Lobules du cerveau.*
(1747). *Lobule de l'oreille.* ⇒ **Lobe** (→ Lépreux, cit. 2).

♦ **2.** (1747, *lobule adipeux*). Unité histologique et fonctionnelle de divers organes. *Lobules hépatiques* (du foie), *pulmonaires* (du poumon).

Sa surface extérieure *(du foie)* est constituée par une infinie de petites masses arrondies appelées lobules hépatiques, dont chacun représente le foie en miniature avec ses cellule, ses canaux sanguins et billiaires.
P. VALLÉRY-RADOT, Notre corps, p. 82.

DÉR. Lobulaire, lobulé, lobuleux.

LOBULÉ, ÉE [lɔbyle] adj. — 1823 ; de *lobule*.

♦ Anat. Divisé en lobules, composé de lobules. ⇒ **Lobulaire.** *Rate lobulée. Tumeur lobulée.* — *Une dispositon lobulée.*

LOBULEUX, EUSE [lɔbylφ, φz] adj. — 1805, Cuvier ; de *lobule*.

♦ Anat. Qui est composé de lobules. *Tissu lobuleux.*

LOCAL, ALE, AUX [lɔkal, o] adj. et n. — V. 1200 ; bas lat. *localis* « qui a rapport à un lieu ».

★ **I.** Adj. ♦ **1.** ⓐ (V. 1361). Vx. Qui est situé en un lieu, occupe une portion de l'espace. *Présence locale de Dieu. Mouvement local.*

1 (...) Luther accordait facilement à Bucer que la présence dont il s'agissait *(du corps du Christ dans l'Eucharistie)* n'était pas locale.
BOSSUET, Hist. des variations, IV, IX.

ⓑ Math. *Propriété locale :* propriété (d'un espace topologique) vraie pour un point et ses environs immédiats.

ⓒ (1492) Didact. Qui concerne la localisation, l'attribution d'une position. *Mémoire locale.*

♦ **2.** Qui concerne un lieu, une région, lui est particulier. *Géographie, histoire locale* (opposé à *histoire générale**). *Notions, particularités locales.*

2 Nos codes, nos ambitions, notre politique, sont inspirés de notions fortement, puissamment locales ; ils sont d'un homme fixé au sol, localisé.
VALÉRY, Regards sur le monde actuel, p. 202.

Emplois spéciaux. *Averses, éclaircies locales,* qui se produisent en certains points seulement. *Il est midi, heure locale.* — *Mœurs, coutumes, traditions locales* (opposé à *nationales*) ; *usages locaux. Patriotisme local :* esprit de clocher*. *Particularismes* locaux. — *Journal local.* — *Administration locale, pouvoir local* (opposé à *central**). *Les collectivités* locales* (→ Exploitation, cit. 5). — *Autorités, notabilités, personnalités locales* (→ Fort, cit. 45). *Célébrités, gloires locales.* — *Libertés locales* (→ Reconquête, cit. 2). — *Industrie locale. Consommation locale. Ressources locales. Produits locaux* (du cru*). —*Affaire, question d'intérêt local* (→ Exercer, cit. 41 ; autonomie, cit. 2). *Chemins de fer d'intérêt local :* voies que les communes et les départements exploitent en régie ou concèdent à des entreprises. — *Impôts locaux, taxes locales.*

Personnes, groupes. *L'équipe locale de football. Les joueurs locaux.* — N. m. pl. *Les locaux.*

Par ext. Plais. *Les locaux :* les habitants du lieu, de la localité. ⇒ **Indigène** (vieilli).

2.1 — Les voilà ! Ce sont eux ! crièrent les locaux.
— Foncez dans le tas, dit Thompson. Première à gauche. La Simca fonça dans le tas. Les locaux se dispersèrent en criant.
J. P. MANCHETTE, Folle à tuer, p. 115.

♦ **3.** (1669). *Couleur locale.* ⇒ **Couleur** (*supra* cit. 23). → Rester, cit. 21.

3 (...) si le poète doit *choisir* dans les choses (et il le doit), ce n'est pas le *beau*, mais le *caractéristique.* Non qu'il convienne de *faire,* comme on dit aujourd'hui, *de la couleur locale,* c'est-à-dire d'ajouter après coup quelques touches criardes çà et là sur un ensemble du reste parfaitement faux et conventionnel. Ce n'est point à la surface du drame que dot être la couleur locale, mais au fond, dans le cœur même de l'œuvre (...)
HUGO, Cromwell, Préface.

Peint. *Ton local, teinte, couleur locale,* propre à un objet ou à un lieu particulier.

3.1 Linge de la femme sur le devant : sur un ton local, *gris blanc.*
E. DELACROIX, Journal, 22 sept. 1844.

♦ **4.** (1314). Qui n'affecte qu'une partie du corps. *Affection, douleur, souffrance locale* (→ Gêner, cit. 3). — *Anesthésie locale. Traitement local.*

★ **II.** N. m. (1731). ♦ **1.** Vx. Lieu considéré dans ses caractères particuliers, dans son emplacement, sa disposition, etc.

4 Je n'avais jamais rien vu, ni rien lu, que je sache, qui m'eût donné quelque connaissance du local de la Grande Chartreuse. Je savais uniquement que cette solitude était dans les montagnes du Dauphiné.
É. DE SENANCOUR, Oberman, XXI.

♦ **2.** (1789, Lavoisier). Mod. Pièce, partie d'un bâtiment à destination déterminée. *Locaux à usage d'habitation** (cit. 4). ⇒ **Chambre, logement.** — (Mil. xxe). *Locaux commerciaux* (boutique, magasin ...), *administratifs, professionnels* (atelier, cabinet, laboratoire). *Locaux d'exploitation agricole. Occuper de vastes locaux. Locaux* (d'habitation) *insuffisamment occupés. Locaux insalubres. Local spacieux. Local exigu.* ⇒ **Cagibi, réduit...** (→ Galetas, cit. 3). *Local industriel aménagé en local d'habitation* ⇒ **Loft** (anglic.). *Local où se réunissent certaines sociétés.* ⇒ **Atelier** (Francs-maçons), **cercle,** **club.** — (1902). *Locaux disciplinaires d'une caserne* (salle de police et prison). → Combattant, cit. 5.

5 Ce local *(un appartement)* somptueux constituait le domicile légal de l'ambitieux bourgeois.
BALZAC, la Cousine Bette, Pl., t. VI, p. 236.

6 J'assiste à des expositions de peinture dans des locaux vingt fois plus vastes qu'Hampton Court.
RIMBAUD, les Illuminations, « Villes. »

7 Jibé, sous divers prétextes, descendait six ou sept fois par jour à la réserve du sous-sol, service des hôpitaux, local presque toujours désert.
G. DUHAMEL, Salavin, Journal, 28 mai.

★ **III.** N. f. Techn. (journalisme). Agence départementale ou d'arrondissement (d'un journal). ⇒ **Localier.**

DÉR. Localement, localier, localiser ; localisme.
COMP. V. **Avunculocal, matrilocal, patrilocal.**

LOCALEMENT [lɔkalmɑ̃] adv. — 1611 ; *locaument*, v. 1330 ; « sous le rapport de l'espace », « par le corps », 1495, opposé à « spirituellement » ; de *local*.

♦ D'une manière locale. *Il n'est connu que localement. Temps localement brumeux.* — *Douleurs qui se font sentir localement.*

(→ Couleur locale). *Une couleur « localement vraie »* (lettre de Van Gogh).

LOCALIER [lɔkalje] n. m. — xxe ; de (agence) *locale*.

♦ Techn. (journalisme). Correspondant local d'un journal. — REM. Le mot est qualifié de « barbarisme de naguère » in *Techniques du journalisme* (p. 69).

Imagine-t-on ce qu'est la vie d'un « localier » ? Pris entre sa rédaction, ses correspondants (bons informateurs mais mauvais rédacteurs), ses lecteurs (trop proches de lui, beaucoup trop proches), le malheureux devra naviguer entre la gendarmerie, la mairie, le commissariat, le comité des fêtes, les sections syndicales.
Josette ALIA, *in* le Nouvel Obs., nᵒ 410, 18-24 sept. 1972, p. 40.

LOCALISABLE [lɔkalizabl] adj. — 1873 ; de *localiser*.

♦ Qu'on peut localiser.

1 Je crois l'avoir dit, il parlait d'un français impeccable, avec toutefois un accent qui n'était pas provincial, ni toujours nettement discernable et localisable.
G. DUHAMEL, Cri des profondeurs, p. 113.

2 D'un quelque part en moi, mal localisable, mais profond, très intérieur, je sentais monter le lait jusqu'au bord des seins en afflux tièdes qui me déchiraient d'une longue et douce morsure.
Annie LECLERC, Parole de femme, p. 100.

LOCALISATEUR, TRICE [lɔkalizatœʀ, tʀis] adj. et n. m. — 1878 ; « qui affecte telle fonction à tel organe », 1870 ; « médecin qui rapporte les maladies à des altérations anatomiques locales », 1865 ; du rad. de *localisation*.

★ **I.** Adj. Littér. ou didact. Qui localise. *Des détails localisateurs.*

Ce n'est pas le moindre paradoxe de l'histoire du « philosophe masqué » *(Descartes)* que de voir le métaphysicien du dualisme affirmant que « l'âme, pour être, n'a besoin d'aucun lieu, ni ne dépend d'aucune chose matérielle » devenir le psychophysiologiste du *Traité des Passions* et promouvoir une hypothèse localisatrice aussi audacieuse, en même temps qu'une sorte de parangon du fonctionnement humoral de la machine nerveuse.
Jean DELAY, Introd. à la médecine psychosomatique, p. 20.

Spécialt. Qui permet de localiser (un trouble, un phénomène). *Symptômes localisateurs des lésions cérébrales.*

★ **II.** N. m. (1904, *in* T.L.F.). ♦ **1.** Écran (ou séries d'écrans) opaque(s) aux rayons X, percé(s) d'une lumière limitant la zone d'application.

♦ **2.** Techn. Agric. Machine répartissant les engrais selon une largeur et une profondeur déterminées.

LOCALISATION [lɔkalizasjɔ̃] n. f. — 1803, « action d'adapter à un lieu » ; de *localiser*.

A. ♦ **1.** (1845) Action de situer en un certain lieu, en un point déterminé. *Localisation dans l'espace. Localisation auditive. Localisation des sensations*, des perceptions. Erreurs de localisation.*

1 Ces *erreurs de localisation* ou *fausses localisations* (...) sont les cas dans lesquels la sensation est rapport à un point de l'espace que, normalement, elle ne devrait pas paraître occuper (...)
A. LALANDE, Voc. de la philosophie, art. *Localisation.*

Biol. *Localisation génétique. Localisation d'une lésion.*

(1973). Techn. Détermination par rapport à un système de référence, généralement terrestre, soit de la position d'un engin spatial, soit de la position d'un point quelconque par l'intermédiaire d'un engin spatial. *Station de localisation.*

♦ **2.** (1959). Par anal. Le fait de situer (dans le temps). *Localisation dans le temps. Localisation des souvenirs.*

♦ **3.** Fait de situer, de placer en un lieu. *Localisation d'une industrie, industrielle.* ⇒ **Implantation.**

B. ♦ **1.** (1826 en anat.). Le fait de se localiser, d'être localisé en un certain point. *La localisation d'un corpuscule en un point* (→ Impression, cit. 9).

♦ **2.** Méd. Siège d'une lésion ou d'un processus pathologique. *Localisation d'une infection au poumon.* — (1876, Charcot). *Localisation cérébrale :* zones du cortex correspondant à des fonctions bien déterminées. *La localisation du langage.*
Localisations graisseuses : accumulation de graisse en certains points de l'organisme. — *Localisations germinales* (de l'embryon).

C. (1936, Martin du Gard, cit. 2). Action de circonscrire, de limiter dans l'espace.

2   Pour la plupart des révolutionnaires, l'importance de l'agitation ouvrière à Pétersbourg était l'une des plus sûres garanties de la neutralité russe, c'est-à-dire de la localisation du conflit dans les Balkans.
          MARTIN DU GARD, les Thibault, t. VI, p. 119.

CONTR. Extension, généralisation.
DÉR. Localisateur.

LOCALISÉ, ÉE [lɔkalize] p. p. adj. ⇒ Localiser.

LOCALISER [lɔkalize] v. tr. — 1798; «ranger», 1796; de *local.*

A. Déterminer l'emplacement de...

♦ **1.** (1801). Placer par la pensée en un lieu déterminé de l'espace (un phénomène ou l'origine d'un phénomène). *Localiser un bruit, une rumeur. Localiser le siège des facultés dans le cerveau.* ⇒ **Localisation** (cérébrale). *Points où l'on peut localiser la voix* (→ Appui, cit. 6). — (1826, Broussais). *Localiser la cause d'une maladie,* la rapporter à un point, à une région de l'organisme. ⇒ **Déterminer.**

1   Ces paroles touchaient brusquement en lui comme un point secret que, jusqu'alors, aucune sensibilité particulière ne lui avait permis de localiser.
          MARTIN DU GARD, les Thibault, t. V, p. 181.

(Mil. xxᵉ) Repérer par des méthodes précises l'emplacement exact, à un moment donné, de qqch. *Localiser par radar tout engin spatial.*

♦ **2.** (1896). Par anal. Situer dans le temps, à une certaine date. *Localiser un souvenir* (→ Figurer, cit. 6). — (Sujet n. de chose) :

1.1   Sa douleur au côté se confond avec sa tristesse, la prouve et la localise. Il lui semble qu'il a du chagrin au foie.
          GIDE, les Faux Monnayeurs, *in* Romans, Pl., p. 945.

♦ **3.** Affecter un emplacement à (qqch.); placer dans un lieu déterminé. *Localiser correctement une nouvelle industrie.*

B. (1842). Circonscrire, renfermer dans des limites. ⇒ **Limiter.** *Localiser une épidémie, un incendie, un conflit,* l'empêcher de s'étendre.

▶ **SE LOCALISER** v. pron.

♦ **1.** Être localisé; se fixer* en un lieu, en un point déterminé. *Le conflit s'est localisé.*

2   La Bruyère, monsieur, vint en un temps où se localisait sur un espace étroit la culture.
          GIDE, Nouveaux prétextes, p. 57.

♦ **2.** Spécialt (méd.). *Le mal s'est localisé dans le côté gauche* (Académie). *Endroit où le prurit se localise* (→ Exagérer, cit. 9).

▶ **LOCALISÉ, ÉE** p. p. et adj. (1827).

♦ **1.** Qui se trouve, est situé, circonscrit en un certain lieu, en un point déterminé. *Individus* (cit. 3) *parfaitement définis et localisés dans l'espace. La latérite* (cit.) *est localisé dans la région des pluies tropicales.* ⇒ **Localisation** (→ Gras, cit. 17). *État affectif imparfaitement localisé* (→ Extension, cit. 15). *Pouvoirs localisés, renfermés dans des frontières* (→ État, cit. 109). ⇒ **Délimité, limité.**

♦ **2.** Fixé, limité à un point, à un endroit précis.

3   Il fut soulagé, à la façon d'un malade, qui souffrant d'un malaise général, vague et énervant, le voit se préciser en une douleur aiguë, localisée sur un point.
          R. ROLLAND, Jean-Christophe, Le matin, p. 196.

CONTR. Étendre. — Généraliser.
DÉR. Localisable, localisation.

LOCALISME [lɔkalism] n. m. — 1798; de *local.* → Régionalisme.

♦ **1.** Rare. Attachement aux coutumes locales. *« Ces contrées entichées de localisme et de coutumes »* (Suarès).

♦ **2.** (Av. 1873, Proudhon). Vx. État de ce qui est local.

LOCALITÉ [lɔkalite] n. f. — 1590, «lieu, endroit»; de *local,* et -*ité*; cf. bas lat. *localitas.*

★ **I.** ♦ **1.** (1790). Vx. «Particularité ou circonstance locale. *Certaines lois doivent être modifiées par les localités»* (Académie, 5ᵉ éd. 1798).

♦ **2.** (1802, Bonald). Le lieu, le «milieu», considéré dans ce qu'il a

de particulier. ⇒ **Localisation.** *La localité et la temporalité d'un fait.*

1   On commence à comprendre de nos jours que la localité exacte est un des premiers éléments de la réalité. Les personnages parlants ou agissants ne sont pas les seuls qui gravent dans l'esprit du spectateur la fidèle empreinte des faits. Le lieu où telle catastrophe s'est passée en devient un témoin terrible et inséparable (...)
          HUGO, Cromwell, Préface.

♦ **3.** Peint. Ton local, couleur locale, propre à un objet.

1.1   Localité des *cheveux de l'Apollon : Terre d'ombre, blanc, cadmium,* très peu de *terre d'Italie* ou *d'ocre.*
          E. DELACROIX, Journal, 10 juin 1850.

★ **II.** ♦ **1.** (1816). Mod. Lieu déterminé; «portion circonscrite d'un pays, d'une région» (Hatzfeld). — *La localité où des individus* (animaux) *ont été trouvés* (→ Habitat, cit. 1).

2   Durant les cinq ans de ma résidence, je n'ai jamais été capable de déterminer avec précision dans quelle localité lointaine était situé le petit dortoir qui m'était assigné en commun avec dix-huit ou vingt autres écoliers.
          BAUDELAIRE, Trad. E. POE, Edgar Allan Poe, sa vie et ses ouvrages, I, Pl., p. 1018.

♦ **2.** (1816). Cour. Petite ville, village. ⇒ **Agglomération** (→ Halte, cit. 3). *Dans diverses localités de ce département. Plusieurs localités se sont regroupées en une commune. Les notables de la localité.*

LOCANDA [lɔkãda] n. f. — Av. 1798, Casanova, *in* D. D. L.; mot italien, «maison à louer», de *locare* «louer», lat. *locare.*

♦ Littér. et vx. (Chez quelques romantiques). Auberge italienne traditionnelle. Cf. *la Locandiera,* comédie de Goldoni.

  On me servit un dîner qu'on avait été chercher à la locanda voisine et qui calma bien vite mon appétit plutôt par le dégoût que par la satisfaction de ma faim, bien légitime, hélas!   Th. GAUTIER, Constantinople, p. 87.

LOCATAIRE [lɔkatɛʀ] n. — 1435 (1510, selon T. L. F.); dér. sav. du lat. *locatium,* supin de *locare* «louer».

♦ **1.** Dr. Personne qui prend un bien à loyer*, en vertu d'un contrat de louage* (⇒ **Preneur**). *Locataire d'une terre prise à ferme.* ⇒ **Fermier.**

♦ **2.** (1566). Cour. Personne qui prend à bail* une maison, un appartement, un logement. *Avoir des locataires* (→ Flottant, cit. 6). *Expulser* (cit. 1) *un locataire. Donner congé* à un locataire. *Hôtel meublé qui prend des locataires au mois.* ⇒ **Hôte** (→ Hôtel, cit. 9). *Réparations à la charge du locataire.* ⇒ **Locatif.** *Étrennes des locataires au concierge de l'immeuble.* — (1867). *Locataire principal :* locataire qui sous-loue à un tiers (sous-locataire) tout ou partie de la chose qu'il a prise en location.

1   Si (...) le locataire ou le fermier ont été troublés dans leur jouissance (...) ils ont droit à une diminution proportionnée sur le prix du bail à loyer ou à ferme (...)
          Code civil, art. 1726.

2   Un locataire devenait son ennemi, son inférieur, son sujet, son feudataire; il croyait avoir droit à ses respects (...)
          BALZAC, César Birotteau, Pl., t. V, p. 392.

3   Tout ce que je demande c'est d'avoir de bons locataires qui paient leurs termes à la minute et qui n'occasionnent pas de scandale dans ma maison.
          Léon BLOY, La Femme pauvre, II, XVIII.

4   Il nous manque qu'une petite maison de rapport avec six locataires qui payent bien.   CÉLINE, Voyage au bout de la nuit, p. 272.

Fam., plais. Occupant (d'un animal, d'une personne qui n'est pas un locataire). *Pour pouvoir nettoyer la niche du chien, il a d'abord fallu en faire sortir le locataire.*

CONTR. Bailleur, locateur, propriétaire.
COMP. Colocataire, sous-locataire.

LOCATEUR, TRICE [lɔkatœʀ, tʀis] n. — XVIᵉ; lat. *locator,* du supin de *locare* «louer».

♦ Vx. Personne qui loue, qui donne à bail (qqch.). ⇒ **Bailleur, propriétaire.**

CONTR. Locataire.

1. LOCATIF, IVE [lɔkatif, iv] adj. — 1636; «qui est en gages», av. 1453; du supin du lat. *locare.*

♦ Dr. Qui concerne le locataire ou la chose louée. — (1804). *Réparations* locatives* : réparations d'entretien, à la charge du locataire. — *Charges locatives :* charges (II., 2.) incombant au locataire.

1   S'il n'a pas été fait d'état des lieux, le preneur est présumé les avoir reçus en bon état de réparations locatives.   Code civil, art. 1731.

(1835). *Risques locatifs :* responsabilité du locataire pour les dommages qu'il peut causer à l'immeuble qu'il occupe. — (1804). *Valeur locative :* revenu que peut rapporter un immeuble donné en location.

2 S'il y a plusieurs locataires, tous sont responsables de l'incendie, proportionnellement à la valeur locative de la partie de l'immeuble qu'ils occupent (...)
Code civil, art. 1734.

HOM. 2. **Locatif.**

2. LOCATIF, IVE [lɔkatif, iv] adj — 1836 ; du supin du lat. *locare*,
de *locus* « lieu ».

♦ Ling. Qui marque le lieu*. *Propositions subordonnées locatives.*
Prépositions locatives. Cas locatif, et, n. m. (1873), *le locatif* : dans
certaines langues à flexions (telles que le sanscrit), Cas auquel se
met le complément de lieu. *Désinence de locatif.*

HOM. 1. **Locatif.**

LOCATION [lɔkasjɔ̃] n. f. — 1219 ; lat. *locatio*, du supin de *locare*
« louer ».

A. ♦ **1.** Action de donner ou de prendre à loyer*. ⇒ **Louage ; affer-**
mage, amodiation, bail, conduction (dr. rom.). → Entrepreneur, cit. 9.
La location d'un bien, d'un immeuble par une société, par un par-
ticulier, le fait de le donner à louer ; le fait de le prendre à louer.
— *En location. Donner, prendre en location.* ⇒ **Louer.** — *Prix*
de location.
(1910). *Location-vente, location vente :* « contrat (...) par lequel il est
convenu que le locataire, moyennant le paiement de loyers plus élevés que les loyers normaux, deviendra, à l'expiration du bail, propriétaire de la chose louée » (Capitant). *Des locations(-)ventes.*
Cour. Le fait de louer (au sens actif ou passif) un logement (maison, appartement). *Contrat de location.* — (1871). *Location verbale,*
faite sans écrit ou sans durée déterminée. *Location annuelle, tri-*
mestrielle, saisonnière, à la journée. Location en meublé, en garni.
État des lieux joint à un contrat de location.* — (1846). *Prix de la*
loation. ⇒ **Loyer.** *Renouvellement d'une location par tacite recon-*
duction.
1 Lorsque Lisbeth vint tenir la maison, elle voulut aussitôt sous-louer le premier
étage qui, disait-elle, payerait toute la location (...)
BALZAC, la Cousine Bette, Pl., t. VI, p. 412.
Location d'une chose mobilière, d'un piano, d'une voiture, de maté-
riel industriel. ⇒ **Leasing.**
(1885). **EN LOCATION :**
2 (...) il songeait qu'avec les autres vingt francs il pourrait facilement se procurer,
en location, un costume de soirée pour le lendemain. MAUPASSANT, Bel-Ami, I, I.

♦ **2.** (1835 ; *bureau de location*, 1830, Stendhal). Action de retenir à
l'avance (une place) dans un théâtre. *Location d'une loge à l'Opéra.*
La location est ouverte.
(1845). Bureau de location. *Prendre des places à la location.* —
Location de places de train. — *Location* (d'une chambre d'hôtel,
d'une place d'avion...) *sous réserve de confirmation.* ⇒ **Réservation.**

♦ **3.** Rare. Action de louer (qqn, de la main-d'œuvre).

♦ **4.** (1984). *Location d'utérus,* fait d'utiliser l'utérus d'une « mère
porteuse » pour assurer le développement d'un ovule humain
fécondé. « *Les locations d'utérus se substituant* (...) *aux tentatives*
de reproduire en laboratoire la fécondation naturelle d'un couple
dont la femme est stérile » (le Monde, 21 sept. 1984, p. 16).

B. Par métonymie (du sens A, 1). ♦ **1.** Chose louée. Spécialt. Logement loué.

♦ **2.** Prix d'une location. « *Je leur dois* (...) *la location de la*
semaine dernière » (d'une chambre)» (J. Romains, *in* T. L. F.). *Cette*
location est trop chère.

♦ **3.** Contrat de location.

COMP. **Sous-location.**

LOCATIS [lɔkati] n. m. — 1704 ; *locati*, 1680 ; bas lat. *locaticius* « de
louage », ou de *locatif* au pluriel.

♦ **1.** (1732). Vx et fam. Mauvaise voiture, mauvais cheval de louage
(péjoratif).

♦ **2.** (1893). Vx et rare. Maison, chambre meublée qu'on loue.

REM. Le mot, abandonné de nos jours, a été employé dans la langue
familière, surtout dans les années 1920.
(...) Mᴸᴸᵉ Blanche Monteil s'est rappelé avec bonne humeur les mois du locati (*sic*)
à seize francs par jour, et elle a voulu revoir son hôtel. Mais on l'a démoli (...)
G. BAUER, les Billets de Guermantes, août 1936, p. 85.

LOCATURE [lɔkatyʀ] n. f. — 1618, « loyer » ; du rad. de *location* (lat.
locatum, supin de *locare*).
Régional et agriculture.

♦ **1.** Vx ou régional. Petite maison rurale, petite ferme.
1 Elle venait habiter la petite locature dépendante du moulin du Cormouer, sans
autre objet de garantie qu'un grabat, deux chaises, un bahut et quelques vaisseaux
de terre. G. SAND, François le Champi, p. 26.
2 Souris partie, gagée, sur ses instances dans une locature de Clémont, à trois bonnes lieues, il n'avait plus personne pour l'aider. M. GENEVOIX, Raboliot, p.221.

♦ **2.** (1920). Agric. Concession d'une petite terre et d'un logement
faite à des ouvriers agricoles.

Loc. cit. Abrév. des mots lat. *loco citato* (1845, Bescherelle) « au
lieu (*locus*) cité ».

♦ Didact. Dans le texte, le livre déjà cité (dans une référence).

LOCDU, UE [lɔkdy] adj. ⇒ **Loquedu.**

1. LOCH [lɔk] n. m. — xviiiᵉ ; *lok*, 1683 ; néerl. *log*.

♦ Mar. Appareil servant à mesurer la vitesse d'un bâtiment. *Le*
loch se composait autrefois d'une planche triangulaire lestée (dit
bateau de loch), *immergée au bout d'une ligne* (dite *ligne de loch*)
se déroulant d'un touret et marquée de divisions (⇒ **Nœud**). *Filer,*
jeter le loch. Houache du loch. Livre, table de loch.*
1 Les nouvelles du bord sont des plus intéressantes : on vient de jeter le loch (...) le
navire file dix nœuds.
CHATEAUBRIAND, Mémoires d'outre-tombe, I, VI, 2 (éd. Levaillant).
2 (...) n'avez-vous pas vu que le capitaine de votre petit bâtiment avait, en entrant
dans la rade, envoyé en avant et afin d'obtenir son entrée dans le pont, un petit
canot porteur de son livre de loch et de son registre d'équipage ?
A. DUMAS, les Trois Mousquetaires, t. II, p. 575.
3 Le lendemain, (...) la goélette avait fait plus de cent milles. Le loch, souvent jeté,
indiquait que la moyenne de sa vitesse était entre huit et neuf milles.
J. VERNE, le Tour du monde en 80 jours, p. 175.
(1873). *Lochs automatiques et continus. Loch à hélice, loch électri-*
que, loch enregistreur.
4 (...) la machine jouait du registre plus que jamais, l'hélice, en sortant de l'eau,
communiquait son coup de tonnerre au navire, et le loch n'accusait plus une vitesse
bien fameuse. J.-R. BLOCH, Sur un cargo, p. 88.

HOM. 2. **Loch, loque.**

2. LOCH [lɔx] ou cour. [lɔk] n. m. — 1790 ; comme mot écossais,
1708 ; mot écossais. Cf. angl. *lake.*

♦ En Écosse, Lac allongé occupant le fond des vallées. *Le loch Ness.*
Il est remarquable qu'on donne *(dans les Highlands)* le nom de *Loch* aussi bien
aux baies étroites et profondes, analogues aux fjords norvégiens, qu'aux lacs allongés qui sont l'équivalent des lacs du versant suédois.
E. DE MARTONNE, Traité de géographie physique, t. II, p.919.
(1931). Bras de mer s'enfonçant profondément dans les terres
(⇒ **Fjord**).

HOM. 1. **Loch, loque.**

1. LOCHE [lɔʃ] n. f. — V. 1190 ; orig. incert., p.-ê. d'un gaulois
*leuka « blancheur », à cause de la couleur claire de ces animaux, ou,
par analogie avec *limace* venant de *limus* « bave », d'un dérivé du lat.
lutum « boue » (P. Guiraud).

♦ **1.** Petit poisson d'eau douce (*Physostomes, Cobitidés*), à chair
comestible. *Loche franche*, dite aussi *barbote*, dormille. Loche de*
rivière, d'étang (ou *misgurne*).

♦ **2.** (1488). Limace grise. *Une grosse loche.* — (1893). Loc. fig. *Être*
gras, mou, paresseux comme une loche.
(...) ce corps sans muscles, sans nerfs, comme une loche blanche (...)
MONTHERLANT, le Démon du bien, p. 143.

HOM. 2. **Loche.**

2. LOCHE [lɔʃ] n. m. — V. 1950, du nom d'un secrétaire syndical
de chauffeurs (Esnault) ou de *cocher* en largonji, puis tronqué (Cellard
et Rey).

♦ Argot. Chauffeur de taxi.
D'un geste décisif, il bloque le taxi, s'y engouffre, et sans un regard aux frangi-
nes sidérées, donne au loche l'adresse du Gaity's Home.
Albert SIMONIN, Hotu soit qui mal y pense, p. 38 (1971).

HOM. 1. **Loche.**

LOCHER [lɔʃe] v. intr. et tr. — xiiiᵉ ; *lochier* « agiter », v. 1170 ; du
francique **luggi* « branlant » ou de l'anc. nordique *loka.*

♦ **1.** V. intr. (Mil. xiiᵉ). Techn. ⇒ **Battre, branler.** *Fer à cheval qui*
loche.

♦ **2.** V. tr. (1740). Régional. *Locher un arbre,* le secouer pour en faire
tomber les fruits. — Par ext. *Locher des prunes.*
(...) une espèce d'écureuil, tel que vous le voyez, qui monte locher des noix à des
hauteurs vertigineuses. FLAUBERT, Mᵐᵉ Bovary, II, VII.

LOCHIES [lɔʃi] n. f. pl. — 1691 ; *lochia*, 1658 ; grec *lokheia* « accouchement ».

♦ Méd. Écoulement utérin pendant les deux ou trois semaines qui
suivent l'accouchement.

LOCKISME [lɔkism] n. m. — 1840-1842, Académie ; de *Locke*, philosophe anglais (1632-1704).

♦ Didact. Système philosophique de Locke, sensualisme idéaliste.

REM. L'adj. *lockien, ienne ;* le n. et adj. *lockiste* sont également attestés.

LOCK-OUT [lɔkawt] n. m. invar. — 1865 ; mot angl. (1854) ; du v. *to lock out* « mettre à la porte ».

♦ Anglic. Fermeture (d'ateliers, d'usines...) décidée par un patron ou une coalition de patrons qui refusent le travail à leurs ouvriers, pour briser un mouvement de grève* ou riposter à des revendications jugées inacceptables. *Lever le lock-out :* décider la réouverture de l'entreprise.

1   La forme la plus ancienne de la résistance locale des patrons, c'est le lock-out collectif (...) les patrons répondent à la grève partielle par la suspension générale du travail.
      H. DENIS, la Philosophie positive, 1er mai 1872, *in* LITTRÉ, Supplément.

2   La classe ouvrière échoua à contrer les Décrets-Lois qui lui reprenaient la plus grande partie de ses conquêtes : à la gève du 30 novembre le patronat riposta victorieusement par un lock-out massif.
      S. DE BEAUVOIR, la Force de l'âge, p. 364.

DÉR. Lock-outer.

LOCK-OUTER [lɔkawte] v. tr. — 1908 ; de *lock-out*.

♦ Anglic. Fermer par un lock-out. *Lock-outer les ateliers d'une usine.* — Priver de travail par le lock-out. — Au p. p. : « *Ces derniers jours le personnel lock-outé n'a guère répondu aux appels des syndicats* » (*le Monde,* 6 déc. 1969).

LOCO [lɔko ; loko] n. f. — 1878 ; abrév. de *locomotive*.

♦ Fam. ⇒ **Locomotive.** *La loco et les wagons.*

LOCO- Élément tiré de l'ablatif du lat. *locus* « lieu », d'après le lat. des humanistes *locomotivum* « puissance de se mouvoir d'un lieu (à un autre) », et qui entre en composition avec des dérivés du rad. de *movere* « mouvoir », pour former des mots savants. Voir à l'ordre alphabétique.

LOCO CITATO [lɔkositato] loc. lat., même sens.

♦ À l'endroit cité. ⇒ **Loc. cit.**

LOCOMOBILE [lɔkɔmɔbil] adj. et n. f. — 1805 ; de *loco-*, et suff. *-mobile*.

♦ **1.** Adj. Vx. Qui peut se mouvoir pour changer de place.

1   (...) l'homme simplement chargé de la surveillance, tout le travail fait par les machines, charrues doubles armées de disques tranchants, semoirs et sarcloirs, moissonneuses-lieuses, batteuses locomobiles avec élévateur de paille et ensacheur (...)
      ZOLA, la Terre, V, IV.

♦ **2.** N. f. (1840). Mod. Machine à vapeur ou à moteur à explosion, montée sur roues et qui peut se déplacer d'un point à un autre pour actionner des engins industriels et agricoles (batteuses, moissonneuses).

2   (...) lorsqu'on utilise un locomobile pour débiter en planches de gros troncs (...)
      Gilbert SIMONDON, Du mode d'existence des objets techniques, p. 128.

LOCOMOTEUR, TRICE [lɔkɔmɔtœʀ, tʀis] adj. et n. m. — 1690 ; de *locomotif*, d'après *moteur*.

♦ **1.** Adj. Qui permet de se déplacer, qui sert à la locomotion. *Muscles, organes locomoteurs* (1824). — Méd. *Ataxie*locomotrice.*

(...) chacun des muscles locomoteurs a quelque chose de la fonction du cœur, toutefois moins réglée.
      Alain FOURNIER, les Aventures du cœur,
      in les Passions et la Sagesse, Pl., p. 400.

♦ **2.** N. m. (1825). ⇒ **Locomotrice.**

DÉR. Locomotrice.
COMP. Autolocomoteur.

LOCOMOTIF, IVE [lɔkɔmɔtif, iv] adj. — 1583 ; lat. mod. *loco motivus* (xvie), du bas lat. *motivus* « mobile », et de *loco,* ablatif de *locus.* → Loco-.

Didactique.

♦ **1.** Qui a rapport à la locomotion. *La faculté locomotive.*

♦ **2.** (1825). Qui opère la locomotion. Vx. *Machine locomotive.* ⇒ **Locomotive.**

Le chariot locomotif, le cheval de vapeur, qui râlait affreusement depuis quinze minutes (...)
      Th. GAUTIER, Caprices et Zigzags, p. 65, *in* G. MATORÉ,
      le Vocabulaire et la Société sous Louis-Philippe, p. 30, note 1.

DÉR. Locomoteur, locomotion, locomotive.

LOCOMOTION [lɔkɔmosjɔ̃] n. f. — 1771, Cugnot ; de *locomotif,* d'après le lat. *motio.* → Motion.

♦ **1.** Action de se mouvoir, de se déplacer d'un lieu vers un autre ; fonction qui assure ce mouvement. *Muscles de la locomotion.* ⇒ **Locomoteur.** *La marche, mode naturel de la locomotion humaine.*

♦ **2.** Action de se déplacer (⇒ **Déplacement, transport, voyage**) ; ce qui permet de se déplacer (surtout dans quelques expressions). *Moyens de locomotion. Locomotion à vapeur, électrique.* ⇒ **Traction.**

1   De temps à autre, le cocher sur son siège jetait aux cabarets des regards désespérés. Il ne comprenait pas quelle fureur de la locomotion poussait ces individus à ne vouloir point s'arrêter.   FLAUBERT, Mme Bovary, Folio, p. 321.

2   Depuis qu'il était grimpé dans le palanquin, il souffrait autant d'être obligé d'y rester qu'il appréhendait d'avoir à en descendre. Aussi, pour le retour, était-il bien résolu à chercher un autre mode de locomotion.
      MARTIN DU GARD, les Thibault, t. VIII, p. 221.

COMP. Autolocomotion.

LOCOMOTIVE [lɔkɔmɔtiv] n. f. — 1834, *in* Wexler ; de *locomotif,* adjectif.

♦ **1.** Engin, véhicule de traction servant à remorquer les trains. ⇒ **Machine ; locomotrice, motrice ;** fam. **loco.** *Locomotive à vapeur, à moteur Diesel. Locomotive électrique. Puissance, vitesse d'une locomotive. Bielles, chasse-pierres, coupe-vent, d'une locomotive à vapeur. Atteler une locomotive à un train*. Locomotive qui s'arrête au butoir*. Locomotive et fourgons* (2. Fourgon, cit. 3). — *Boîte à fumée, chaudière, cheminée, foyer, surchauffeur, tender d'une locomotive à vapeur. Locomotive qui chauffe, crache des escarbilles, halète* (cit. 6). *Chauffeur, mécanicien de locomotive.* — *Pantographe* d'une locomotive électrique. Conducteur de locomotive électrique* (dit « conducteur-électricien »).

1   La locomotive fume, elle crache, elle part. Les locomotives allemandes ne sont pas douées de la puissance nerveuse que possèdent celle d'Angleterre et de Belgique (...)   NERVAL, Lorely, Souvenirs de Thuringe, II.

1.1   La locomotive, étincelante comme une châsse, avec son grand fanal qui jetait de fauves lueurs, sa cloche argentée, son « chasse-vache », qui s'étendait comme un éperon, mêlait ses sifflements et ses mugissements à ceux des torrents et des cascades, et tordait sa fumée à la noire ramure des sapins.
      J. VERNE, le Tour du monde en 80 jours, 1873, p. 229.

2   Le sifflet strident d'une locomotive qui, sortie toute seule du tunnel, comme un gros lapin de son terrier, et courant à toute vapeur sur les rails, filait vers le garage des machines, où elle allait se reposer (...)   MAUPASSANT, Bel Ami, I, III.

3   Prêtez-moi, ô Orient-Express, Sud-Brenner-Bahn, prêtez-moi (...)
   Prêtez-moi la respiration légère et facile
   Des locomotive hautes et minces, aux mouvements
   Si aisés, les locomotives des rapides,
   Précédant sans effort quatre wagons jaunes à lettres d'or (...)
      Valery LARBAUD, Barnabooth, Poésies, I, Ode.

4   À Limoges commençait la traction électrique. Au-dessus de la 6.212 étaient suspendues les premières caténaires. Elle entrait dans un monde automatique et glacé. Après Limoges, la 6.212 escaladait les contreforts du Massif Central. La locomotive à vapeur, jadis, crachait ses poumons aux flancs du Puy de Sauvagnac. Maintenant, la machine électrique avalait froidement la montagne.
      P. GUTH, le Mariage du naïf, XV.

REM. Le mot évoque surtout la traction à vapeur ; pour la traction électrique, l'usage technique préfère *motrice.*

♦ **2.** (1845). Par métaphore. Se dit d'un élément moteur, qui entraîne.

5   Le mécanicien redoute la machine que le voyageur admire, et les officiers étaient un peu les chauffeurs de la locomotive napoléonienne, s'ils n'en furent pas le charbon.   BALZAC, Modeste Mignon, Pl., t. I, p. 374.

6   Prévost-Paradol avait écrit que la France et la Prusse marchaient l'une contre l'autre comme deux locomotives lancées sur la même rail.
      J. BAINVILLE, Hist. de France, XX, p. 502.

7   Marx a dit que les révolutions sont les locomotives de l'histoire. C'est juste, mais il ne faut pas s'impatienter : il y a des jours où les roues patinent et les trains sont lourds à entraîner, plus lourds les uns que les autres. L'histoire est lourde comme un six cents tonnes (...) C'est des raisonnements de cheminot, disait Maillard.
      P. NIZAN, le Cheval de Troie, IV.

Fig. Élément moteur. [a] (1846). Personnes. Vieilli. Personne qui est un élément moteur dans un groupe par son activité, son talent, son prestige mondain, etc.

8   Vous ne connaissez pas Valérie, Madame, reprit gravement Crevel (...). Quant à moi, chère Adeline, je dois tout à cette charmante femme ; elle a dégourdi mon esprit, épuré, comme vous voyez, mon langage ; elle corrige mes saillies, elle me donne des mots, des idées (...). Valérie reçoit une vingtaine de députés, elle devient très influente, et maintenant qu'elle va se trouver dans un charmant hôtel avec voiture, elle sera l'une des souveraines occultes de Paris. C'est une fière locomotive qu'une pareille femme.
      BALZAC, la Cousine Bette, Pl., t. VI, p. 402-403 (1846).

9   Mme M., l'épouse du grand constructeur, l'une des femmes les mieux habillées de la capitale, qui était de toutes les générales, dont on se disputait la présence dans les grands dîners, en un mot la « locomotive » du Tout-Paris, (...)
      René FLORIOT, La vérité tient à un fil, p. 176.

(1913). Dans le domaine sportif, Coureur (ou joueur) particulièrement puissant ou dynamique.

10 Il *(un coureur cycliste)* a changé sa multiplication (...). La locomotive s'est mise en mouvement.   *l'Auto*, 21 juil. 1913, in D. D. L., II, 9.

Loc. fam. *C'est une vraie locomotive*, en parlant d'un cheval de course, d'un coureur puissant, rapide, infatigable.

b (V. 1950). Élément moteur (dans un ensemble de produits à commercialiser). « *Il faudra au tourisme africain des "locomotives". Abidjan prétend à ce rôle pour cette partie de l'Afrique* » (*le Monde*, 5 déc. 1967).
Dans une série de produits de (films, livres...) vendue globalement par un distributeur, Élément qui fait accepter les autres.

♦ **3.** (Déb. xxᵉ). Loc. fam. *Fumer comme une locomotive*, beaucoup (→ Comme un sapeur*). — *Souffler comme une locomotive*, bruyamment ; être très essoufflé.

(1931). *Bruit de locomotive* : bruit de frottement péricardique qui se fait entendre au cours de la contraction du cœur.

LOCOMOTRICE [lɔkɔmotʀis] n. f. — 1950 ; de *locomoteur*.

♦ Techn. (et cour.). Locomotive, de puissance moyenne, à moteur thermique ou électrique. On dit aussi *locomoteur*.

LOCOTRACTEUR [lɔkɔtʀaktœʀ] n. m. — 1921 ; de *loco(motive)*, et *tracteur*.

♦ Techn. Petite locomotive à moteur Diesel utilisée pour les manœuvres. — Petit tracteur automobile.

LOCULAIRE [lɔkylɛʀ] adj. — 1798 ; de *locule*.

♦ Bot. Partagé en plusieurs loges. *Fruit loculaire*, renfermé dans des alvéoles.
REM. On dit aussi *loculé, ée* [lɔkyle] (1842) ou *loculeux, euse* [lɔkylφ, φz] (1798).
COMP. **Biloculaire, multiloculaire, quadriloculaire, triloculaire, uniloculaire.**

LOCULE [lɔkyl] n. m. — 1765 ; « petite bourse », 1532, Rabelais ; lat. *loculus* « compartiment, cellule », dimin. de *locus* « lieu ».

♦ Bot. ⇒ Alvéole, loge.
DÉR. Loculaire (et **loculé, loculeux**).

LOCULUS [lɔkylys], plur. LOCULI [lɔkyli] n. m. — 1881, Renan ; mot lat. « compartiment, cellule ».

♦ Archéol. Compartiment d'un columbarium.
1 (...) l'art chrétien. (...) Art longtemps souterrain ; les dépouilles des premiers fidèles, à Rome et ailleurs, furent ensevelies dans des hypogées, imités des syringes d'Égypte, où les trous noirs des *loculi* rappellent ceux des colombaires, en plus grand, car les corps n'étaient pas brûlés.
G. CONTENAU et V. CHAPOT, *l'Art antique*, p. 364.
2 Regardez, ce sont les *loculi* (...) Ils ouvraient donc une galerie souterraine, dans laquelle, des deux côtés, ils pratiquaient ces cases superposées, où ils couchaient les corps, le plus souvent enveloppés d'un simple suaire.   ZOLA, *Rome*, p. 195.

LOCUS [lɔkys], plur. LOCI [lɔki] ou cour. [lɔsi] n. m. — 1865, Littré-Robin, en anatomie, « localisation cérébrale » ; mot lat. « lieu ». Didactique.

♦ **1.** (1932, Cuénot ; angl. *locus*, Morgan, 1915). Biol. Localisation d'un gène ou d'un de ses allèles sur un chromosome.
REM. Certains font le mot invar. en nombre. « *Le complément haploïde chromosomique possède plusieurs locus génétiques distincts* » (*la Recherche*, janv. 1980, p. 12).

♦ **2.** (Mil. xxᵉ ; 1958, P. Delattre, in T. L. F.). Phonét. Point du spectre acoustique vers lequel convergent les formants de la voyelle proche d'une consonne *(locus de la consonne)*.

LOCUSTE [lɔkyst] n. f. — xiiᵉ ; lat. *locusta* « sauterelle ; langouste ». → Langouste.

♦ Vx. Sauterelle* verte. — (Déb. xiiiᵉ, *locuste marine*). Vx. Crevette.
Mod. Zool. Criquet migrateur (n. sc. : *locusta migratoria*). *La locuste est le plus nuisible des criquets.* — On dit aussi *locusta* [lɔkysta] n. f.
DÉR. Locustelle.

LOCUSTELLE [lɔkystɛl] n. f. — 1784 ; de *locuste*, l'oiseau se nourrissant de sauterelles et son chant prolongé évoquant la stridulation du criquet ; suff. *-elle*.

♦ Passereau insectivore, à chant stridulant.

LOCUTEUR, TRICE [lɔkytœʀ, tʀis] n. — Av. 1927, Damourette et Pichon ; lat. *locutor*, de *loqui*. → Locution.

♦ Didact. (ling.). Personne qui emploie effectivement le langage, qui parle (opposé à *auditeur*). → Sujet. *Le locuteur et l'allocutaire*.
⇒ **Interlocuteur.** *Communication entre locuteur et allocutaire.*
⇒ **Allocution** (3.). *Les locuteurs du français, du japonais. Un locuteur natif* (angl. *native speaker*) : personne qui parle sa langue maternelle et peut porter sur les phrases produites un jugement de grammaticalité.

LOCUTIF, IVE [lɔkytif, iv] adj. — Av. 1927, Damourette et Pichon ; de *locutum*, rad. lat. de *locution*, *locuteur*.

♦ Didact. et rare (ling.). De la première personne (opposé à *allocutif* — deuxième personne — et à *délocutif* — troisième personne).

LOCUTION [lɔkysjɔ̃] n. f. — 1342, *locucïon* « paroles », lat. *locutio*, de *loqui* « parler ».

♦ **1.** (1487). Vx. Manière de s'exprimer, de parler ; façon de parler. ⇒ **Élocution.** *Une locution rude* (→ Ignorant, cit. 8).

♦ **2.** (1680). Mod. Groupe de mot (syntagme ou phrase), fixé par la tradition. ⇒ **Expression, formule, tour.** *Locution impropre, vicieuse. Locution banale, consacrée, figée. Locution sans traduction littérale acceptable dans d'autres langues.* ⇒ **Idiotisme** (gallicisme, anglicisme, germanisme, hispanisme, italianisme, etc.).
1 Parfois, avec les mots usuels ainsi déformés, et compliqués de mots d'argot pur, il *(l'argot)* compose des locutions pittoresques où l'on sent le mélange des deux éléments précédents, la création directe et la métaphore (...)
HUGO, *les Misérables*, IV, VII, II.
2 Pour peu qu' (...) on considère les formes et les habitudes présentes, on aperçoit promptement bien des locutions qui se disent et ne s'écrivent pas ; bien des locutions qui s'écrivent, mais qui sont ou dépourvues d'autorité ou fautives.
LITTRÉ, *Dict.*, Préface, p. III.
Ling. **a** Groupe de mots ayant une fonction grammaticale particulière. *Locution verbale*, formée d'un verbe suivi d'un nom généralement sans article (ex. : *prendre garde* [1. garde, cit. 51], *avoir l'air* [2. air, cit. 25], *avoir tort, tenir tête*), ou d'un adjectif *(avoir beau)* ou d'un autre verbe *(faire croire)*. — *Locution adverbiale*, à valeur d'adverbe *(en vain, tout de suite...)*. *Locution conjonctive*, à valeur de conjonction *(à moins que, dès que, pour que...)*. *Locution interjective*, à valeur d'interjection *(Dis donc !)*. *Locution prépositive*, à valeur de préposition *(auprès de, jusqu'à...)*.
3 L'abbé Grégoire, ancien évêque, ancien conventionnel, ancien sénateur, était passé dans la polémique royaliste à l'état « d'infâme Grégoire ». Cette locution que nous venons d'employer : *passer à l'état de*, était dénoncée comme néologisme par M. Royer-Collard.
HUGO, *les Misérables*, I, III, I.
4 Il devient tout à fait faux et contraire à une analyse véritable de considérer à part le verbe *prendre*, quand il entre dans des locutions qu'on a raison d'appeler toutes faites, attendu que le sujet parlant n'en assemble pas lui-même les éléments, mais qu'il les trouve tout agglutinés par un long et lent travail qui les a composées pour donner d'ensemble un sens unique.
F. BRUNOT, *la Pensée et la Langue*, p. 4.
5 Ces locutions *(verbales)* se reconnaissent à ce double signe : — a) elle sont composées d'un verbe et d'un nom, qui sont étroitement unis, qui font bloc ; — b) ce composé est théoriquement réductible, il équivaut pour le sens à un verbe simple : *avoir faim... avoir soin... faire tort... prendre froid...* ; que ce verbe simple existe ou non, il est aisément concevable.
G. et R. LE BIDOIS, *Syntaxe du franç. moderne*, n° 80.
6 Ce que les dictionnaires appellent « locutions adverbiales, conjonctives, prépositionnelles » sont plutôt des mots complexes (des adverbes, des conjonctions...) comme les composés « lexicalisés » que sont *pied d'alouette* ou *point de vue*.
Alain REY, Introd. *in* CHANTREAU et REY, *Dict. des expressions et locutions*, p. VI.
b « Unité fonctionnelle plus longue que le mot graphique, appartenant au code de la langue (devant être apprise) en tant que forme stable et soumise aux règles syntactiques de manière à assumer la fonction d'*intégrant* » (Alain Rey, in *Travaux de linguistique et de littérature*, XI, 1). — REM. *Locution*, dans cet emploi, inclut le sens b et le sens usuel ci-dessus. — *Locution envisagée dans son originalité sémantique, expressive.* ⇒ **Expression.** *Caractère métaphorique, rhétorique, de nombreuses locutions (locutions figurées). Locution formée d'un syntagme nominal, verbal. Locution phrase. Locution proverbiale* : locution-phrase dont le contenu est un proverbe* (envisagée comme une forme intangible).
REM. Le mot *locution* est abrégé en loc. dans ce dictionnaire (loc. adv. : *locution adverbiale* ; loc. fig. : *locution figurée*, etc.).

LODEN [lɔdɛn] n. m. — 1904, in D. D. L. ; mot allemand.

♦ Tissu de laine épais et imperméable dont on fait des manteaux, des pardessus...
Là, je rencontre mon frère qui arrive d'Allemagne, la pèlerine de loden roulée sur son baluchon.   G. DUHAMEL, *le Temps de la recherche*, IX.
Par ext. Manteau de loden. *Prenez vos lodens. Un loden vert.*

LODS [lo] n. m. pl. — 1265, *los* ; de l'anc. franç. *los*, v. 1050, « approbation, consentement » donné par le seigneur ; de l'anc. franç. *los* « louange », lat. *laus, laudis*.

♦ (1300). Dr. féod. *Lods et ventes* : « droit de mutation entre vifs perçu par le seigneur, à l'occasion de la vente d'une censive» (Lepointe).

HOM. Los, lot.

LŒSS [løs] n. m. — 1845 ; mot all. forgé par K. C. von Leonhard, probablt du suisse alémanique *loch* «friable, meuble» ; cf. all. *losch*.

♦ **Géol.** Dépôt pulvérulent formé de fines particules de quartz, d'argiles et de calcaire, et d'origine éolienne (à la différence des alluvions*) ; sol formé de ce dépôt. *Le lœss est un limon*, et donne des sols profonds et fertiles ; sa partie supérieure (⇒ **Lehm**) *est souvent décalcifiée et sa partie inférieure peut contenir des concrétions calcaires (poupées du lœss). Plaine de lœss, étendue de lœss. Les lœss de Chine, d'Argentine.*

1   Comme le sec et tenace chiendent invincible qui traverse l'antique lœss et les couches de sable superposées.   CLAUDEL, Cinq grandes odes, 3ᵉ ode.
2   Parmi les *formations éoliennes*, la plus répandue est le *lœss* (...) qui, à l'état non altéré, est une roche gris jaunâtre, meuble, poreuse, perméable et dépourvue de plasticité. Il est constitué par des grains de silice extrêmement fins et par du carbonate de chaux très divisé.   Émile HAUG, Traité de géologie, t. IV, p. 1765.

LOF [lɔf] n. m. — V. 1155, «partie de la voile frappée par le vent» ; «distance entre le mât et le bord du navire», 1573 ; néerl. *loef*.
Marine.

♦ **1.** Point inférieur (de certaines voiles). *Lofs des basses voiles. Lever les lofs.*

♦ **2.** (1762). Côté du navire frappé par le vent. — Loc. (1680). *Aller, venir au lof ; revenir au lof.* ⇒ **Lofer.** — (1694). *Virer lof pour lof :* virer* de bord vent arrière (s'oppose à *virer vent debout*).

Les vaisseaux firent tous tête à queue, «virant lof pour lof» suivant la langue maritime, ce qui n'alla pas sans provoquer un assez grave désordre que signalent tous les rapports (...)
                    Louis MADELIN, Hist. du Consulat et de l'Empire,
                    Avènement de l'Empire, XXIV.

DÉR. Lofer ; louvoyer. — (De *au lof*) **Auloffée.**
HOM. Loffe ; formes du v. **lofer.**

LOFER [lɔfe] v. intr. — 1771 ; de *lof*.

♦ **Mar.** Faire venir le navire plus près du vent en se servant du gouvernail ; venir au lof*, au vent. *Lofer en douceur.*

1   (...) il s'écria tout d'un coup :
Lofe, Pencroff, lofe. — Qu'est-ce qu'il y a ? répondit le marin en se levant. Une roche ? — Non... attends, dit Harber... je ne vois pas bien... lofe encore... bon arrive un peu (...)   J. VERNE, l'Île mystérieuse, t. II, p. 482.
(1902). *Lofer à la risée :* gagner dans le vent durant les grains.
Le sujet désigne le navire. *Mouvement du bateau qui lofe.*
⇒ **Auloffée.**

2   Qu'on le bâtiment ne vit rien, ou qu'il se hâta de fuir l'îlot dès qu'il l'aperçut.
À deux heures et demie, il lofait légèrement et s'éloignait dans le nord-est. Une heure après, il n'apparaissait plus que comme une vapeur blanche, et bientôt il avait entièrement disparu.   J. VERNE, le Pays des fourrures, t. II, p. 309.

CONTR. Abattre.

LOFFE [lɔf] adj. — 1790 ; *lof*, v. 1740 ; orig. incert., probablt provençal *lofi*, *lofio*, de *lofi* «pet».

♦ **Argot anc.** (Hugo, H. Malot, *in* T. L. F.). Niais, imbécile.

HOM. Lof ; formes du v. **lofer.**

LOFT [lɔft] n. m. — V. 1975 ; mot amér., «atelier, hangar à usage industriel», de l'angl. *loft* «lieu élevé d'un bâtiment, fenil».
Anglicisme.

♦ Local à usage commercial ou industriel aménagé en local d'habitation (aux États-Unis, puis ailleurs). *«Dans un hangar du XXᵉ* (arrondissement de Paris), *un loft joliment aménagé»* (l'*Express*, 26 janv. 1980, p. 42).

LOGANIACÉES [lɔganjase] n. f. pl. — 1845 ; du nom de *Logan*, botaniste irlandais.

♦ **Bot.** Famille de plantes phanérogames angiospermes *(Dicotylédones, gamopétales)*, comprenant des herbes, arbustes ou arbres des régions tropicales. *L'ignatie*, la loganie, le strychnos, types de loganiacées.* — Au sing. *Une loganiacée.*

LOGARITHME [lɔgaritm] n. m. — 1628, J. Napier ; lat. sc. *logarithmus*, terme créé en 1614 par J. Napier, du grec *logos* «rapport», et *arithmos* «nombre».

♦ **Math.** *Logarithme d'un nombre :* exposant dont il faut, pour obtenir ce nombre, affecter un autre nombre donné appelé *base. Si a* = bⁿ, b *étant un nombre constant,* n *est dit le logarithme de a dans le système de base* b (n = log ₐb). *Logarithmes décimaux* (ou *vul-*

gaires, ou *de Briggs*), à base 10. *Logarithme décimal d'un nombre a, noté* log a. — (1873). *Logarithmes népériens* (ou *naturels*), à base e*, inventés par J. Napier (Neper). Logarithme népérien d'un nombre a, noté* Log a *ou* ln a. *Mantisse* et caractéristique* d'un logarithme décimal.* — (1690). *Tables de logarithmes, utilisées en calcul numérique. Calculer des intérêts composés par les logarithmes.* — Astron. *Logarithmes logistiques*.*

Je m'étonne qu'on n'ait pas encore dressé une table des idées générales, comme il   1
y a une table des logarithmes.
                    Valery LARBAUD, Barnabooth, Journal, III, p. 314.
(...) le moindre logarithme, comme ont dit quelques-uns, s'il est possible, par cela   2
seul est.   ALAIN, Jules Lagneau, *in* les Passions et la Sagesse, Pl., p. 763.

Appos. *Fonction logarithme* (qui à tout nombre réel positif associe son logarithme). *Fonction logarithme de base b, fonction logarithme népérien. La fonction logarithme est la fonction réciproque de la fonction exponentielle*.* ⇒ **Exponentiel** (1.) ; **antilogarithme.** *Les fonctions exponentielles de base b et logarithme de base b sont réciproques l'une de l'autre.*

Abrév. fam. *Log,* n. m. [lɔg]. *Table de logs. Calculs de logs.*

DÉR. Logarithmique.
COMP. Antilogarithme.

LOGARITHMIQUE [lɔgaritmik] adj. — 1690 ; de *logarithme* et du lat. mod. *logarithmicus* (1624, Briggs), de *logarithmus.* → Logarithme.

♦ **Math.** Qui a rapport aux logarithmes, qui utilise les logarithmes. — (1755). *Échelle logarithmique :* échelle comportant des graduations proportionnelles aux logarithmes des nombres successifs. *Règle logarithmique :* règle à calcul portant une échelle logarithmique. — (1873). *Calcul logarithmique.*
Courbe logarithmique ou, n. f. (1751), *une logarithmique :* courbe représentant une fonction logarithme. *Spirale logarithmique* (→ Hélice, cit. 2).
REM. L'adv. *logarithmiquement* est attesté.

LOGATOME [lɔgatom] n. m. — V. 1960 (1963, Piéron) ; de *log(o)-*, grec *logos* «parole», et -*atome*.

♦ **Didact.** Suite de sons, syllabe ou suite de syllabes conforme au système phonétique d'une langue mais ne correspondant pas à un signe (mot, syntagme). — **REM.** Le même concept est désigné par le terme *figure* chez les glossématiciens (Hjelmslev).

LOGE [lɔʒ] n. f. — V. 1135, au sens I, 1 ; «antichambre d'un château», 1135 ; du francique *laubja* «feuillée» ; P. Guiraud récuse cette origine exclusive, le mot existant dans toutes les langues romanes ; il y voit aussi un emprunt possible au lat. *logium*, du grec *logion* (chez Vitruve, en architecture).

★ **I.** ♦ **1.** Vx. Abri de branchages, de feuillages. — (1580). Spécialt. *Gîte d'un animal* (→ Impénétrable, cit. 2). *La loge du cochon.* ⇒ **Bauge.**

(Étant tombé) sur une caverne cachée et inaccessible, je me jetai dedans. Bientôt   1
après y survint ce lion (...) j'eus beaucoup de frayeur ; mais lui, me voyant mussé *(blotti)* dans un coin de sa loge, s'approcha tout doucement de moi (...)
                    MONTAIGNE, Essais, II, XII.

Par ext. Vieilli. Construction rudimentaire. ⇒ **Cabane, hutte.** *Loge de bûcheron, de forestier* (→ Chambarder, cit. 2). *La loge d'un anachorète, d'un lépreux.*

(...) marchant seule dans une forêt, elle y avait rencontré un aveugle dans une   2
petite loge.   BOSSUET, Oraison funèbre de Anne de Gonzague.
(...) un joli potager, avec une petite loge fort délabrée, qu'on appelait l'Hermitage.   3
                    ROUSSEAU, les Confessions, VIII.
C'était une loge de charbonnier, basse, arrondie en forme d'œuf. Elle s'était len-   4
tement affaissée, et les mottes de son revêtement où mille graines étaient tombées avaient fini par se couvrir d'une végétation folle et drue, qui la dérobait aux regards, mieux que l'épaisseur du taillis.   M. GENEVOIX, Forêt voisine, p. 253.

Spécialt et vieilli. Boutique d'un forain (⇒ **Baraque, stand**), abri couvert aux halles, aux foires. — Par ext. Ancien nom des comptoirs* européens en Asie, en Afrique.

♦ **2.** (V. 1190). **Archit.** (vx). Galerie, tribune (→ 1. Lice, cit. 1). — (1573). Mod. Galerie extérieure pratiquée à l'un des étages d'un édifice, formée de colonnes supportant généralement des arcades, et ouverte sur le dehors. ⇒ **Loggia.** *Les loges du Vatican,* décorées par Raphaël. — (1867). *Loge pontificale :* galerie du Vatican d'où le pape donne sa bénédiction.

♦ **3.** (1679, Mᵐᵉ de Sévigné). Vieilli. Petit réduit, petite pièce abritant généralement un seul individu. ⇒ **Cellule** (cit. 1). *Loge d'un moine.* — Spécialt. *Fou furieux enfermé dans une loge.* ⇒ **Cabanon, cellule.**

(...) la première chose qui saisit mon imagination la mène si loin que cela compose   5
souvent une loge des Petites-Maisons.   Mᵐᵉ DE SÉVIGNÉ, 832, 17 juil. 1680.
(1740). Par anal. Loge de la panthère, du tigre dans une ménagerie. ⇒ **Cage.** — Par ext. *Loge des lapins* (⇒ **Clapier**), *d'un chien* (⇒ **Niche**).

♦ **4.** (1762). Mod. et cour. Chacune des petites pièces aménagées dans les coulisses d'une salle de spectacle, et où les acteurs (cit. 1) changent de costume, se griment, se reposent. *Aller féliciter une actrice dans sa loge pendant l'entracte* (→ aussi Flâner, cit. 3 ; grâce, cit. 61).

6 (...) j'ai toujours été la plus vertueuse actrice de l'Opéra. Il y a sept ou huit mois j'étais dans la loge où vous me vîtes hier (...) je m'habillais en prêtresse de Diane (...)   MONTESQUIEU, Lettres persanes, XXVIII.

6.1 Une loge pour une personne n'est pas grande dans les théâtres du boulevart *(sic)*. Figurez-vous un espace de six pieds carrés à peu près, dans lequel il faut que vous fassiez tenir une glace (...), une espèce d'armoire basse comme un petit buffet qui tient tout une côté de la muraille et dont le dessus sert de table et de toilette (...) ensuite un coffre, un ou deux cartons, deux ou trois planches sur lesquelles on met des pots de rouge, de blanc, (...) et une infinité d'autres cosmétiques ; un porte-manteau (...) deux ou trois chaises (...) ou un tabouret. Puis une moitié de poêle (...) et enfin un bec de gaz (...)
                                               Ch. PAUL DE KOCK, la Grande Ville, t. I, p. 357.

7 (...) j'aime mon théâtre parce que c'est un vrai théâtre (...) Il a abrité tant d'illustres personnages. Songez aux rois, aux tyrans, aux héros, aux amoureux, aux malandrins de race, aux fées, aux dieux, qu'il a pu voir dans l'apparat de la scène et dans l'intimité de ses loges.
                                               Ch. DULLIN, Souvenirs et Notes de travail d'un acteur, *in* Classe de franç., sept.-oct. 1954, p. 18.

(1845). Chambre, atelier où chaque candidat au Prix de Rome est enfermé isolément pendant la durée du concours pour satisfaire aux épreuves. *Entrer, monter en loge* (⇒ **Logiste**).

♦ **5.** (1740 ; angl. *lodge*). Local où se réunissent des francs-maçons. — Association, groupe de francs-maçons (cit. 2) qui se réunissent sous la présidence d'un vénérable*. ⇒ **Atelier** (→ par métaphore Charbonnerie, cit. 1). *La Grande Loge de France. Frères de loge.*

♦ **6.** (1959). Compartiment cloisonné. *Loges d'une écurie, d'une étable.* ⇒ **Box, stalle.**

★ **II.** (1680). Dans une salle de spectacle, Compartiment contenant plusieurs sièges. ⇒ **Avant-scène, baignoire** (→ Buste, cit. 1 ; écrin, cit. 3). *Loges de balcon, de corbeille, de face, de côté. Billet de loge. Premières, secondes loges* : loges du premier, du second étage. *L'ouvreuse* des loges. — *La loge du Président de la République à l'Opéra, à la Comédie-Française.* — (Av. 1799). *Loge grillée*, munie d'une grille mobile derrière laquelle on pouvait assister au spectacle sans être vu des spectateurs.

8 Doutez-vous que si jamais dans Constantinople, qui est la patrie d'Orphée, il y avait un Opéra, les dames turques ne remplissent les premières loges ?
                                               VOLTAIRE, Facéties, Femmes, soyez soumises...

9 J'allai m'établir dans la loge où me conduisit M. de Cury (...) C'était une grande loge sur le théâtre, vis-à-vis une petite loge plus élevée, où se plaça le Roi avec Mᵐᵉ de Pompadour. Environné de dames, et seul homme sur le devant de la loge, je ne pouvais douter qu'on m'eût mis là précisément pour être en vue.
                                               ROUSSEAU, les Confessions, VIII.

10 (...) le soir il alla se cacher aux quatrièmes loges du théâtre italien, à l'amphithéâtre.   STENDHAL, Romans et Nouvelles, Le rose et le vert, VIII.

(1867). Par métonymie. *Les loges* : le public des loges. *Les loges ont applaudi pendant que le parterre sifflait* (Académie).

(1826). Loc. fig. *Être aux premières loges*, à la meilleure place pour être spectateur, témoin d'une chose.

11 (...) il ressemblait à un estimable bourgeois qui (...) se rend à deux heures sur la terrasse de la place Louis XV les jours de feu d'artifice, avec du pain dans sa poche, pour être *aux premières loges*.   BALZAC, César Birotteau, Pl., t. V, p. 393.

12 Tout ce monde de spectateurs enviait ceux qui s'étaient installés à temps sur les marches de la cathédrale : en les apercevant, on disait : — Ils sont aux premières loges, ceux-là... Ils en ont du nez !   P. NIZAN, le Cheval de Troie, X.

13 Tu verras comment (...) les Français se battent ; tu seras aux premières loges.
                                               SARTRE, la Mort dans l'âme, p. 132.

★ **III.** (1660). Mod. Logement, situé généralement au rez-de-chaussée d'un immeuble, près de la porte d'entrée, et habité par le concierge, le portier. ⇒ **Cage** (I., 4.), vx **conciergerie** (→ 2. Garde, cit. 4 ; heure, cit. 96). *Passer devant la loge* (→ Flèche, cit. 7).

14 L'escalier prenait à gauche (...) une lucarne s'ouvrait dans la paroi. Elle donnait sur la loge de la concierge, dont elle formait sans doute la principale communication avec l'air extérieur. L'accès de la loge était plus haut, sur le palier même : une porte vitrée, surmontée d'une inscription.
                                               J. ROMAINS, les Hommes de bonne volonté, t. XI, I, p. 6.

★ **IV.** Sc. ♦ **1.** (1703). Bot. Compartiment simple ou multiple que contient une anthère, un ovaire, un péricarpe (⇒ **Loculaire**). *Loges qui renferment les pépins de la pomme.*

♦ **2.** Anat. Cavité plus ou moins bien délimitée où est situé un organe, une structure. *Loge hépatique, prostatique.*

DÉR. **Loger, logette, logiste.**
HOM. Formes du v. **loger.**

LOGEABILITÉ [lɔʒabilite] n. f. — Mil. xxᵉ ; de *logeable*.

♦ Caractère d'un lieu, d'un local logeable.

LOGEABLE [lɔʒabl] adj. — V. 1470 ; de *loger*.

♦ Où l'on peut habiter, être logé. *Un réduit à peine logeable.* ⇒ **Habitable.**

Je voudrais savoir si le château est logeable, et si les environs sont aussi jolis qu'on le dit.   STENDHAL, le Rouge et le Noir, II, VIII.

DÉR. **Logeabilité.**

LOGEMENT [lɔʒmɑ̃] n. m. — 1690, au sens général I ; «local réquisitionné pour l'armée», 1607 ; «campement», v. 1260 ; de *loger*.

★ **I.** (Action). ♦ **1.** Action de loger* ou de se loger. *Assurer, donner le logement à quelqu'un.* → Le clos et le couvert*. *Avoir chez un ami le logement et la table.* ⇒ **Gîte, hébergement.**

1 Il a sa nourriture et son logement chez le duc de Medina Celi ; il ne fait point de dépense (...)   A.-R. LESAGE, Gil Blas, II, VII.

(xxᵉ). Au sing. collectif. Action de loger les habitants d'un pays. *La crise, le problème, la question du logement. Ministère de la Reconstruction et du Logement* (abrév. M. R. L.). — (V. 1945). *Politique du logement.* ⇒ **Habitat, urbanisme.**

2 Il est poignant de voir que, pour la Ville (de Paris), la crise n'a jamais été une crise de l'aménagement moral de sa population, mais simplement une crise de logement. Elle n'a jamais suivi, dans la conception du son urbanisme récent, qu'une politique pour réfugiés et n'a jamais construit, fût-ce en ciment armé, que des baraquements.   GIRAUDOUX, De pleins pouvoirs à sans pouvoirs, III (1939).

Milit. *Le logement des troupes dans les casernes.* ⇒ **Casernement.** — (1690). Action de loger, chez les particuliers, des troupes en déplacement. ⇒ **Hébergement** (→ Étape, cit. 3). *Militaires préposés au logement*, et, ellipt. (1845), *le logemen* : groupe de militaires qui devancent des troupes en marche pour leur préparer les locaux où elles logeront à l'étape. — *Être exempté* (cit. 3) *du logement*, de l'obligation de loger chez soi des soldats.

3 Le logement chez l'habitant est l'installation, faute de casernement spécial, des officiers, hommes, animaux et matériel dans les parties de maisons privées ou dans leurs annexes, reconnues, à la suite d'un recensement, comme pouvant être affectées à cet usage.   DALLOZ, Petit dict. de droit, art. *Réquisitions*, nº 161.

♦ **2.** (1873). Choses. Rare. *Le logement des récoltes dans les greniers, les silos.*

★ **II.** ♦ **1.** (1609). Local à usage d'habitation, et, plus spécialt, Partie de maison*, d'immeuble où l'on réside habituellement. ⇒ **Demeure, domicile, habitation, logis, résidence ; appartement, maison.** *Chercher un logement. Trouver un logement provisoire.* ⇒ **Abri, gîte, toit.** *Prendre un logement. Tenir un logement prêt* (→ Ermitage, cit. 2). *Quitter son logement.* ⇒ **Déloger, déménager.** *Emménager, fêter son installation dans un nouveau logement.* → Pendre la crémaillère*. *Logement à vendre, à louer. Loyer* d'un logement. *Être locataire, propriétaire de son logement. Il habite la province, mais il a un petit logement à Paris.* ⇒ **Pied-à-terre ; chambre** (2.)**, garçonnière, studio.** *Logement qui comprend trois chambres* et un living-room.* → Un quatre pièces*. *Logement de deux pièces* (et, ellipt., *un deux pièces*) *sur la rue, sur la cour, au rez-de-chaussée, au cinquième* (→ Infime, cit. 4). *Logement de concierge.* ⇒ **Loge.** *Sous-louer un logement garni, meublé.* ⇒ **Garni, meublé.** — *Logement douillet* (⇒ **Nid**)*, clair, spacieux. Logement insalubre, sordide.* ⇒ **Bouge, cage** (2., péj.)**, galetas, taudis** (→ aussi Hygiénique, cit. 1). *Logement sale, mal tenu* (⇒ **Chenil, écurie**). *Logement occupé, inhabité, inoccupé, vacant. Taxe sur les logements insuffisamment occupés.* — *Logement de fonction.* — REM. L'usage moderne tend, de plus en plus, à confondre « appartement » et « logement », et à préférer le premier au second. Un *appartement* n'est plus nécessairement, de nos jours, une « partie d'immeuble habitée bourgeoisement » (Académie). D'autre part, *logement* ne s'emploie pas en parlant d'un *appartement* luxueux ou très spacieux.

4 Chateaubriand, qui est sans logement, occupera probablement notre appartement à Paris.
                                               Joseph JOUBERT, Lettre à Chênedollé, 2 janv. 1804, *in* SAINTE-BEUVE, Chateaubriand..., t. II, p. 208.

5 L'hiver, nous passerons quatre mois à Rouen. Nous y avons pris un logement au coin de la rue de Buffon.   FLAUBERT, Correspondance, 110, 4 juin 1846.

6 C'était une petite maison à un seul étage, un escalier très raide, en haut duquel il y avait seulement deux logements, l'un à droite, l'autre à gauche.
                                               ZOLA, l'Assommoir, IV, t. I, p. 121.

7 Notre logement était petit. Le vestibule traversé, ce qui se faisait en deux ou trois pas, les visiteurs pénétraient soit dans la chambre des garçons, soit, de préférence, dans la chambre des parents, qui semblait moins encombrée.
                                               G. DUHAMEL, Chronique des Pasquier, II, XIV.

(Valeur abstraite). *Le logement de qqn*, le lieu, le local où il loge (qu'il s'agisse ou non d'un logement). *Le logement des officiers* (⇒ **Chambre**)*, de l'équipage* (⇒ **Poste**)*, sur un navire.*

(1607). Milit. Local réquisitionné chez l'habitant par l'autorité militaire pour y loger des troupes de passage. *Soldats à la recherche de logement.* ⇒ **Cantonnement** (→ Croiser, cit. 6). *Billet* de logement* (→ Héberger, cit. 1).

8 Il devenait difficile non pas d'avoir un billet de logement des habitants terrifiés, mais de défendre ce logement contre les partis de trois ou quatre soldats rôdant pour piller.   STENDHAL, Vie de Henry Brulard, 46.

Vx. Campement militaire. *Prendre ses logements.* ⇒ **Quartier** (→ par métaphore Fondouk, cit. 1).

♦ **2.** (1890). Techn. Cavité dans laquelle prend place une pièce mobile ou non. *Logement des billes, des rouleaux d'un roulement à billes, à rouleaux. Logement du percuteur d'une arme à feu, du pêne d'une serrure* (gâche).

LOGER [lɔʒe] v. — Conjug. *bouger.* — xvᵉ ; *logier,* v. 1138, «établir son camp»; trans., xiiiᵉ, «placer quelque part»; de *loge.*

★ **I. V. intr. ♦ 1.** Avoir sa demeure (le plus souvent temporaire) en un endroit. ⇒ **Demeurer** (cit. 6), **habiter, vivre**; et (fam.) **crécher, percher.** *Loger dans un appentis* (cit. 2), *sous les combles, dans une pension, chez une vieille hôtesse* (cit. 7). *Loger en garni*. Soldats qui logent à la caserne.* ⇒ **Caserner.** *A quel hôtel logerez-vous?* ⇒ **Descendre, être** (III., 2.). → Face, cit. 44. — *Loger rue du Louvre, avenue Victor-Hugo. Loger au carrefour* (cit. 1), *dans tel quartier* (→ Créature, cit. 13 ; empressé, cit. 6).

1 Je loge chez moi en une tour (...)
MONTAIGNE, Essais, I, XXIII.

2 (...) avez-vous vu, dites-moi, une jeune personne appelée Marianne, qui ne loge pas loin d'ici?
MOLIÈRE, l'Avare, I, 4.

3 (...) ils sont forcés de *loger* quelque part, comme tous les autres hommes; et quand ils n'ont pas de chez soi, quand ils sont poursuivis par les gardes du commerce, ils *logent* chez leurs maîtresses, ce qui peut vous paraître leste, mais ce qui est infiniment plus agréable que de *loger* en prison.
BALZAC, Une fille d'Ève, Pl., t. II, p. 160.

(Animaux). Plais. *Mulot qui loge dans un tronc d'arbre.* ⇒ **Gîter, nicher.**

4 (...) un petit bois divin, où viennent loger toutes les bécasses qui passent.
MAUPASSANT, M. Parent, Les bécasses.

REM. *Loger* est moins usuel que *habiter*; il s'emploie surtout à propos de logements* modestes ou simples.

5 (...) un de ces bourgeois récents — fils de fermier devenu petit avocat ou petit médecin — qui logent dans les quartiers neufs (...)
J. ROMAINS, les Hommes de bonne volonté, t. III, XXII, p. 285.

(1690). Loc. *Loger à la belle étoile** (cit. 15).

♦ **2.** (V. 1280). Fig. et littér. ⇒ **Trouver** (se). *Image qui loge dans la tête de quelqu'un* (→ Évanescent, cit.). *Passions qui logent dans les corps efféminés* (cit. 4). ⇒ **Rencontrer** (se).

6 La gloire et le repos sont choses qui ne peuvent loger en même.
MONTAIGNE, Essais, I, XXXIX.

7 Son miroir lui disait : «Prenez vite un mari».
Je ne sais quel désir le lui disait aussi :
Le désir peut loger chez une précieuse.
LA FONTAINE, Fables, VII, 5.

8 (...) la débauche et l'amour ne sauraient loger ensemble, et ne peuvent pas même se compenser.
ROUSSEAU, Julie ou Nouvelle Héloïse, I, L.

★ **II. V. tr. ♦ 1.** (1390). Établir (qqn) sous un toit, dans une maison, de manière temporaire ou durable. ⇒ **Établir, installer.** *Où logerez-vous tout ce monde-là?* (Académie). *Loger quelqu'un dans la chambre* (cit. 12) *de bord, près de (chez) soi* (→ Idée, cit. 28). *On peut nous loger pour la nuit.* ⇒ **Abriter, caser, héberger** (cit. 2). — (1487). Passif et p. p. *Être* (cit. 100) *bien logé, mal logé. Un prisonnier bien logé et bien nourri* (→ Garder, cit. 7). *Une domestique logée et nourrie. Être logé confortablement, à l'étroit* (→ Embastiller, cit. 1), *dans un palais* (→ Entresol, cit. 1). — *Loger gratuitement, généreusement* (cit. 1) *quelqu'un.* ⇒ **Hospitalité** (cit. 4; donner l'hospitalité). — Pron. (sens réfl.). *Se loger dans une auberge* (cit. 2), *auprès* (cit. 9) *de quelqu'un, où l'on peut.* ⇒ **Caser** (se; cit. 3). *Il est allé se loger dans une mansarde au dixième.* ⇒ **Jucher** (se).

9 (...) demeurez ici : on vous y logera le mieux qu'on pourra.
MOLIÈRE, Dom Juan, IV, 6.

10 (...) la maison que j'occupe appartient au docteur, qui m'y loge *gratis* (...)
BEAUMARCHAIS, le Barbier de Séville, I, 4.

11 Le dortoir était abandonné; il ne servait de retraite qu'aux oiseaux de nuit : il était exposé à la grêle, à la pluie, à la neige et au vent; chacun des frères se logeait comme il voulait et où il pouvait.
CHATEAUBRIAND, Vie de Rancé, II, p. 88.

12 Quoique les loyers ne fussent pas chers à cette époque dans le quartier de l'Arsenal, madame Clapart était logée au troisième étage, au fond d'une cour (...)
BALZAC, Un début dans la vie, Pl., t. I, p. 625.

13 Proposez de démolir le grand édifice social pour le rebâtir à neuf sur un plan tout opposé : ordinairement, vous n'avez pour auditeurs que les gens mal logés ou sans gîte, ceux qui vivent dans les soupentes et les caves, ou qui couchent à la belle étoile dans les terrains vagues, aux alentours de la maison.
TAINE, les Origines de la France contemporaine, II, t. II, p. 118.

14 Cinquante francs par mois. Logée, nourrie, c'est vrai. Mais cinquante francs (...)
ARAGON, les Beaux Quartiers, II, XXI.

(1873). *Ici on loge* (les voyageurs) *à pied et à cheval,* inscription des auberges d'autrefois.

14.1 Le village bâti sur un nœud assez important de tout petits chemins campagnards semblait sain et bien tenu. On logeait à pied et à cheval, juste à l'entrée.
J. GIONO, le Hussard sur le toit, p. 265.

(1787). Fig. *Être logé à la même enseigne** (2.).

15 Toutes les nations, à cet égard, sont logées à la même enseigne. Le seul objectif du prolétariat doit être la défaite de tous les gouvernements impérialistes, indistinctement.
MARTIN DU GARD, les Thibault, t. VI, p. 44.

(1670; vx). Fam. *Le voilà bien* (1. Bien, cit. 48) *logé.* ⇒ **Loti, monté.** — Loc. fam. (vx). *Loger le diable en sa bourse** (1. Bourse, cit. 6).

♦ **2.** (1833; le sujet désigne le logement). Être susceptible d'abriter, d'héberger. ⇒ **Tenir.** *Bâtiment qui loge peu de monde* (→ Espace, cit. 15). *Collège qui peut loger trois cents élèves.* ⇒ **Recevoir** (→ Grand, cit. 10).

16 En nivelant les fortunes, le titre du Code qui régit les successions a produit ces phalanstères en moellons qui logent trente familles et qui donnent cent mille francs de rentes.
BALZAC, les Petits Bourgeois, Pl., t. VII, p. 69.

(1580). Par métaphore :

17 Son corps fut formé pour loger son âme.
ROUSSEAU, les Confessions, VII.

18 Votre cœur est donc bien petit qu'il ne puisse loger deux amours?
BALZAC, les Ressources de Quinola, IV, 6.

♦ **3.** (1582, Montaigne). Mettre (une chose) dans un lieu. ⇒ **Mettre, placer.** *Loger un vieux buffet au garde-meuble* (→ par métaphore Inutilité, cit. 2). *Loger des portraits entre deux colonnes* (→ Intervalle, cit. 3). *Il ne pourra pas loger toutes ses affaires dans cette petite valise. Loger ses pieds dans une chancelière.*

19 Le sol était fait de lames de chêne larges et un peu bossues, séparées par des rainures où l'on aurait logé le petit doigt (...)
J. ROMAINS, les Hommes de bonne volonté, t. II, VI, p. 54.

♦ **4.** (1580; rare av. xixᵉ). Faire entrer*, faire pénétrer. *Loger une balle dans la cible. Le désespéré s'est logé une balle dans la tête. La balle s'est logée dans le poumon de la victime.* ⇒ **Introduire** (s').

Fig. *Loger une idée dans la tête de quelqu'un* (→ Couteau, cit. 15). *Damnation* (cit. 5), *inquiétude logée en soi* (→ Incarner, cit. 11). — Pron. (sens passif). → Balle, cit. 10.

20 En sentant que j'étais moins mère, moins honnête femme, le remords s'est logé dans mon cœur (...)
BALZAC, le Lys dans la vallée, Pl., t. VIII, p. 1020.

CONTR. Déloger. — Congédier. — Jeter, mettre (dehors, à la porte...).
DÉR. Logeable, logement, logeur, logis.
COMP. Déloger, reloger.
HOM. V. Loge.

LOGETTE [lɔʒɛt] n. f. — V. 1360 ; *logete,* déb. xiiᵉ.

♦ **1.** Littér. Petite loge (1.).

1 Le petit enfant Amour
Cueillait des fleurs à l'entour
D'une ruche, où les avettes
Font leurs petites logettes.
RONSARD, 4ᵉ livre des Odes, Ode XVI.

2 Les murs de la cour (...) était garnis çà et là de petites constructions en bois peint et sculpté suspendues à une certaine hauteur, comme des consoles. C'étaient des logettes consacrées à des oiseaux qui, au hasard, en venaient prendre possession (...)
NERVAL, Voyage en Orient, Les nuits du Ramazan, II, VI.

3 (...) aux moments où les acteurs cessent de parler et où le drame n'est plus qu'une pantomine, un personnage invisible, caché dans une logette, explique aux spectateurs ce qui se passe (...)
Jules LEMAÎTRE, Impressions de théâtre, III, Théâtre japonais.

4 (...) dans une de ces brasseries douteuses de la rue Monsieur-le-Prince ou de la rue Dauphine ou, peut-être même encore, de la cour du Commerce, dans cette logette de verre aujourd'hui remplacée par le bureau de réception d'un minuscule hôtel.
Francis CARCO, Nostalgie de Paris, p. 53.

♦ **2.** (xiiiᵉ, «orbite»). Anat. Petite cavité. — (1538). Vx. Petite loge, en botanique.

LOGEUR, EUSE [lɔʒœR, φz] n. — Mil. xvᵉ, «celui qui est chargé de loger une troupe»; de *loger.*

♦ **1.** (1495). Personne qui fournit un logement, soit par obligation, soit volontairement. *C'est son logeur, sa logeuse.*

♦ **2.** (1798). Personne qui loue des garnis, une ou plusieurs chambres meublées (⇒ **Hôtelier**).

Les aubergistes hôteliers-logeurs ou loueurs de maisons garnies ont l'obligation de tenir des registres sur lesquels ils inscrivent les noms, qualités et domiciles habituels, dates d'entrée et de sortie de toute personne qui couche ou passe une nuit dans leur maison.
DALLOZ, Petit dict. de droit, art. *Hôtelier-logeur,* 2 (cf. Code pénal, art. 475).

♦ **3.** (1636). Spécialt. Vx et régional (Nord). Locataire.

LOGGIA [lɔdʒja] n. f. — 1789 ; comme mot italien cité, 1737 ; mot italien.

♦ **1.** Archit. Galerie, petite loge (1., archit.). *Des loggias.*

1 Une quantité extravagante de loggias, de moucharabiehs (...) se superposent et débordent sur la rue.
LOTI, l'Inde (sans les Anglais), V, XI.

Enfoncement formant balcon ouvert.

♦ **2.** (1849). Cour. Balcon spacieux, souvent couvert (par un balcon identique à l'étage supérieur) et fermé sur les côtés.

2 (...) Devant l'autre façade du côté du jardin, un perron extérieur conduit à une large loggia dont une galerie formée par des pilastres, vitrée à la façon des vastes balcons de Malte et surmontée d'une terrasse qui est au niveau du second étage.
A. JOANNE, Voyage illustré dans les cinq parties du monde, 1849, p. 253, in D. D. L., II, 12.

LOGICIEL [lɔʒisjɛl] n. m. — V. 1970 (1972, in *la Banque des mots*); de *logique,* d'après *matériel.*

♦ Techn. (inform.). Ensemble des programmes, procédés et règles, éventuellement de la documentation, relatifs au fonctionnement d'un ensemble de traitement de l'information (opposé à *matériel*).

1 Des machines de plus en plus petites, peu coûteuses et cependant performantes apparaissent sur le marché (...) Dès lors disparaissent les différences entre grandes et petites machines, même terminaux d'accès et centres de traitement, tandis que la frontière en apparence naturelle entre matériel et logiciel commence à s'effacer. S. NORA et A. MINC, l'Informatisation de la société, p. 18 (1978).

Adj. Relatif au logiciel.

2 Les solutions essentiellement « matérielles » ou « logicielles » constituent cependant des approches extrêmes du problème de la génération d'images synthétiques ; des approches intermédiaires existent, que l'on peut adapter en fonction du volume des calculs, des temps de réponse souhaités, du confort d'utilisation et de la productivité recherchée.   la Recherche, n° 153, mars 1984, p. 350.

REM. L'administration recommande ce terme pour traduire l'anglais *software**.

CONTR. Hardware, matériel.

LOGICIEN, IENNE [lɔʒisjɛ̃, jɛn] n. et adj. — V. 1245 ; du bas lat. *logicus.*

A. N. ♦ **1.** Spécialiste de la logique* (I., 1.). → Imposition, cit. 2. *Les logiciens anciens, aristotéliciens* (⇒ **Philosophe**). *Stuart Mill, Goblot, Frege, Carnap, Tarski, célèbres logiciens. Une logicienne.*

1 La méthode de ne point errer est recherchée de tout le monde. Les logiciens font profession d'y conduire, les géomètres seuls y arrivent.
          PASCAL, De l'esprit géométrique, 2.

(1680). Anciennt. Écolier, étudiant qui était en classe de « logique » (aujourd'hui « philosophie »).

♦ **2.** (1718). Par ext. Personne qui raisonne avec méthode, rigueur, en suivant les règles de la logique (⇒ **Dialecticien**, cit. 2 et 4). *Il y a en Lamennais un logicien et un poète* (→ Incomplètement, cit.). *Parmi les mathématiciens, il y a des intuitifs* (cit. 3) *et des logiciens. Raisonner*, considérer*, prévoir en logicien.* ⇒ **Cartésien.**

2 (...) quoique naturellement raisonneur et logicien, ami des abstractions, il *(Robespierre)* ne pouvait se faire à la sophistique du barreau, aux subtilités de la chicane.
          MICHELET, Hist. de la Révolution franç., IV, V.

3 Enfin, ce qui manque à La Bruyère, ses morceaux *(de Rousseau)* s'enchaînent ; (...) il n'y a pas de logicien plus serré. Sa démonstration se noue, maille à maille, pendant un, deux, trois volumes, comme un énorme filet (...) C'est un systématique qui, (...) les yeux obstinément fixés sur son rêve ou sur son principe, (...) en dévide une à une les conséquences, et tient toujours sous sa main le réseau entier.
          TAINE, les Origines de la France contemporaine, IV, t. II, p. 106.

B. Adj. Rare. ♦ **1.** (Personnes, au sens A, 1). Qui donne plus d'importance à la logique. *Ce linguiste est plus logicien que philosophe. Un sémanticien peu logicien.*

♦ **2.** (Au sens A, 3). *Idées logiciennes* (→ Équité, cit. 16, Montesquieu, 1718).

LOGICISME [lɔʒisism] n. m. — 1910, *in* Lalande ; de *logique,* et *-isme.*

Didactique.

♦ **1.** Tendance à utiliser les méthodes de la logique (dans un autre domaine).

1 La psychologie et la sociologie ont (...) abusé du logicisme.
          Ch. SERRUS, Tr. de logique, 14, *in* FOULQUIÉ, Dict. de la langue philosophique.

♦ **2.** Tendance à opposer les procédés et méthodes de la logique à ceux de la psychologie et à faire prévaloir les premiers (opposé à *psychologisme*).

2 *(Les inspirations de la phénoménologie)* dérivent à l'origine du logicisme de Frege pour s'orienter comme lui contre tout « psychologisme » et finalement contre tout naturalisme.
          J. PIAGET, Logique et Connaissance scientifique, Encycl. Pl., p. 33.

♦ **3.** Tendance à réduire les mathématiques à la logique (logistique). ⇒ **Réductionnisme** (opposé à *mathématisme*).

3 Les différences entre logicisme et axiomatisme se sont aujourd'hui presque évanouies (...)
          R. BLANCHÉ, l'Axiomatisme, p. 99, *in* FOULQUIÉ, Dict. de la langue philosophique.

DÉR. Logiciste.

LOGICISTE [lɔʒisist] n. et adj. — D. i. ; xxᵉ (1936, Maritain, *in* T. L. F.) ; de *logicisme.*

♦ Didact. Partisan du logicisme ; relatif au logicisme. *« (...) la thèse logiciste fait des mathématiques une science logico-déductive et rien d'autre, dont les théorèmes découlent des lois de la pensée »* (la Recherche, mars 1975, n° 54).

À une telle thèse *(celle du psychologisme)*, les logicistes de répondre : le domaine propre de la logique est constitué par les jugements, déductions, démonstrations en tant que formations objectives et non pas par les vécus psychiques.
          G. BACHELARD, Logique de Husserl, p. 163, *in* FOULQUIÉ, Dict. de la langue philosophique.

LOGICO- Préfixe, signifiant « de la logique » (et d'une autre science ; ou : d'une école de pensée).

LOGICO-MATHÉMATIQUE [lɔʒikomatematik] adj. — V. 1960 ; de *logico-,* et *mathématique,* adjectif.

♦ Didact. Qui relève à la fois de la logique et des mathématiques en tant que systèmes axiomatisés. *Structures logico-mathématiques. « (...) la distinction essentielle entre la connaissance logico-*

mathématique et la connaissance expérimentale ou empirique » (J. Piaget). — *Opérations logico-mathématiques.*

LOGICO-POSITIVISME [lɔʒikopozitivism] n. m. — V. 1960 ; de *logico-,* et *positivisme.*

♦ Philos. Théorie de la science unifiée par les structures logico-mathématiques (Schlick, Carnap, Tarski, Morris). ⇒ **Empirisme** (logique), **positivisme** (logique).

LOGICO-SÉMANTIQUE [lɔʒikosemãtik] adj. — V. 1970 ; de *logico-,* et *sémantique.*

♦ Didact. (log., ling.). Qui appartient à la logique et à la sémantique.

(...) Le danger de circularité est conjuré si Piaget a raison quand il écrit « qu'il est aujourd'hui à peu près évident que le langage n'est pas la source de la logique » (le Structuralisme, p. 81). Mais d'une part, ce jugement n'empêche pas que les logiques formalisées que des adultes ont élaborées ne doivent beaucoup aux langues qu'ils parlaient ; d'autres part, le mot de Piaget ne rend pas inutile, mais au contraire justifie l'insistance des mathématiciens, de Borel à Waismann en passant par Gödel, sur la nécessité d'examiner de près la dépendance entre les symboles logiques et les mots de la langue. De plus, les représentations logico-sémantiques, qu'on les appelle ou non structures profondes, sont-elles capables d'exprimer toutes les relations sémantiques complexes qui peuvent faire partie du sens énoncé ?
          Claude HAGÈGE, la Grammaire générative, réflexions critiques, p. 126.

-LOGIE, -LOGIQUE, -LOGUE Éléments, du grec *logia* « théorie », de *logos* « discours », entrant dans la composition de nombreux mots de formation française empruntés du latin, du grec ou empruntés à d'autres langues modernes (anglais : *-logy,* italien : *-logia,* etc.).

Le suffixe *-logie* sert à former des substantifs désignant des sciences, des études méthodiques *(géologie, psychologie, technologie),* des façons de parler *(amphibologie, scatologie...)*, des discours *(doxologie, typtologie)* ou des types d'ouvrages *(tétralogie).* Le suffixe *-logique* sert à former des adjectifs (« relatif à une science ; à une façon de parler ») ; le suffixe *-logue* des substantifs désignant des savants *(géologue)* ou des formes, des parties de discours *(dialogue, prologue)* et des adjectifs *(isologue...).* On trouve aussi les suffixes *-loge* (listes, livres : *eucologe, martyrologe)* ; *-logien* ; *-logiste* (noms de savants : *biologiste)* ; *-logisme (syllogisme).* Dans certains cas, un *-o-* est ajouté au radical *(égyptologie).*

Actinologie	Gynécologie, -logiste, -logue
Algologie, -logique, logue	Hagiologique
Allergologie, -logue	Helminthologie
Alogie	Hématologie
Amphibologie, -logique	Hépatologie
Analogie, -logique, -logue	Herpétologie
Angélologie	Hippologie
Angiologie	Histologie, -logique
Anthropologie	Homologie, -logue
Antilogie	Hydrologie, -logique, -logue
Apologie, -logue	Ichtyologie, -logique
Archéologie, -logue	Iconologie
Artériologie	Idéologie, -logique, -logue
Assyriologie, -logue	Indologie, -logue
Astrologie, -logue	Islamologie, -logue
Bactériologie	Isologie
Battologie	Isologue
Biologie, -logique, -logiste	Laryngologie
Bryologie, -logique	Lexicologie, -logique, -logue
Cacologie, -logique	Limnologie
Cancérologie, -logique, -logue	Lithologie
Caractérologie, -logique, -logue	Malacologie
Carcinologie, -logique, -logue	Mammalogie, -logique
Cardiologie, -logue	Martyrologe
Carpologie	Ménologe
Chondrologie	Mésologie
Chronologie, -logique, -logiste	Météorologie, -logique, -logue
Climatologie, -logique	Méthodologie
Conchyliologie, -logiste	Métrologie, -logique, -logiste
Cosmologie, -logique	Microbiologie
Craniologie	Mimologie
Dactylologie, -logique	Minéralogie, -logique, -logiste
Décalogue	Monologue
Déontologie	Morphologie, -logique
Dermatologie, -logique, -logiste	Mycétologie
Dialogique	Myologie
Dialogue	Mythologie, -logique
Dosologie	Nécrologe, -logie, -logique
Doxologie	Néologie, -logique, -logisme
Écologie, -logique	Neurologie, -logue
Égyptologie, -logue	Odontologie, -logique
Électrophysiologie	Œnologie, -logique, -logue
Embryologie, -logique	Oncologie, -logue
Endocrinologie, -logue	Onomatologie
Entomologie, -logique, -logiste	Ontologie, -logique, -logiste
Épidémiologie, -logique, -logiste	Ophiologie, -logique, -logiste
Épilogue	Ophtalmologie, -logique, -logiste
Épistémologie	Ornithologie, -logique
Eschatologie	Orthologie, -logique
Ethnologie, -logique, -logiste	Oryctologie, -logique
Éthologie	Osmologie
Étiologie	Ostéologie
Étymologie, -logique, -logiste	Oto-rhino-laryngologie
Eucologe	Paléologue
Gastrologie	Paléontologie, -logique, -logiste
Généalogie, -logique, -logiste	Paralogisme
Géologie, -logique, -logue	Parémiologie
Graphologie, -logue	Paromologie

Pathologie, -logique, -logiste	Somatologie
Patrologie	Spéléologie, -logue
Périssologie	Splanchnologie
Pharmacologie, -logique	Stomatologie
Philologie, -logique, -logue	Symptomatologie
Phraséologie, -logique	Tautologie, -logique
Phrénologie, -logique, -logiste, -logue	Taxologie
Phtisiologie	Technologie, -logique
Phycologie, -logue, -logiste	Téléologie, -logique
Physiologie, -logique	Tératologie, -logique
Phytobiologie	Terminologie, -logique
Phytologie	Tétralogie
Phytopathologie	Théologie, -logique, -logien
Pneumatologie	Thermologie, -logique
Pomologie, -logique, -logue	Topologie, -logique
Posologie	Toxicologie, -logique, -logue
Prologue	Traumatologie
Psychologie, -logique, -logue	Trilogie, -logique
Psychophysiologie	Trophologie
Radiologie, -logue	Tropologie, -logique
Rhumatologie, -logique, -logiste	Typologie, -logique
Saccharologie	Typtologie
Sarcologie, -logique	Urologie, -logiste
Scatologie, -logique	Vénérologie
Séméiologie, -logique, -logue	Vexillologie, -logue
Sinologie, -logique, -logue	Vulcanologie
Sismologie	Xylologie
Sociologie, -logique, -logue	Zoobiologie
	Zoologie, -logique, -logiste
V. aussi :	Zoophytologie
Logique (dér. et comp.).	Zymologie

N. B. : On trouvera ces mots à l'ordre alphabétique.

1. LOGIQUE [lɔʒik] n. f. — XIIIᵉ ; lat. *logica*, grec *logikê* « qui concerne la raison », de *logos* « raison ».

★ **I.** ♦ **1.** (V. 1265). Science ayant pour objet l'étude, surtout formelle, des normes de la vérité. *Logique formelle* (appelée parfois *Logique pure*) : « étude des concepts, jugements et raisonnements, considérés dans les formes où ils sont énoncés, et abstraction faite de la matière à laquelle ils s'appliquent » (Lalande). *Les règles de la logique* (→ Formellement, cit. 2). *Logique des termes* (⇒ **Compréhension, extension** [*supra* cit 12] ; *définition, division ; classe, espèce, genre ; absolu, relatif*) ; *logique des propositions, propositionnelle* (⇒ **Attribut** [*infra* cit. 6], *copule, prédicat, sujet ; axiome ; affirmation, négation ; jugement, modalité ; alternatif, catégorique, collectif, conditionnel, converse, copulatif ; distributif, hypothétique, inconversible, particulier, réciproque, universel ; subcontraire*...) ; *logique des inférences* (⇒ **Discursif** [*pensée discursive*], *implication, inférence, raisonnement ; argument, conséquence, conversion, déduction, démonstration, enthymène, sorite, syllogisme ; paralogisme, sophisme ; antécédent, conclusion, conséquent, prémisse*).
Logique symbolique, algorithmique, formelle*, formalisée. ⇒ **Logistique ; axiomatique, axiomatiser, axiome.** *Logique des classes. Logiques modales. Logique générale* : épistémologie, méthodologie. ⇒ **Métalogique.** — *Logique formelle classique, logique scolastique. La logique d'Aristote, aristotélicienne. Logique dialectique* ; logique et dialectique** (*supra* cit. 5). *La logique assouplit* (cit. 3) *les esprits. Spécialiste de la logique.* ⇒ **Logicien.** *Logique et philosophie, et mathématiques, et linguistique*, et sémantique*.*

1 Après cela, il doit aussi étudier la logique, non pas celle de l'École (...) mais celle qui apprend à bien conduire sa raison pour découvrir les vérités qu'on ignore (...)
DESCARTES, les Principes de la philosophie, Lettre au traducteur.

2 La logique est l'art de bien conduire sa raison dans la connaissance des choses tant pour s'instruire soi-même que pour en instruire les autres. Cet art consiste dans les réflexions que les hommes ont faites sur les quatre principales opérations de leur esprit, *concevoir, juger, raisonner et ordonner.*
ARNAULD et NICOLE, Logique de Port-Royal, I.

3 Vous voulez peut-être savoir (...) si la logique est un art ou une science ?... Si elle a pour objet les trois opérations de l'esprit, ou la troisième seulement ?... S'il y a dix catégories, ou s'il n'y en a qu'une ?... Si la conclusion est de l'essence du syllogisme ?
MOLIÈRE, le Mariage forcé, IV.

4 Nous conviendrons (...) d'appeler *épistémologie* l'étude de la connaissance en tant que rapport entre le sujet et l'objet et de réserver le terme de *logique* pour l'analyse formelle de la connaissance.
J. PIAGET, Traité de logique, p. 4.

REM. Outre les termes signalés ci-dessus, on consultera aussi les mots suivants : ⇒ **Aléatoire, algorithme** (2.), **alternative, analycité, analytique, antinomie, apophatique, aporie, a priori, apriorique, asserter, assertion, assertorique, association, associatif, assomption, autonyme, autonymie, biunivoque, bivalent, coextension, coextensif, colligation, colliger, commutation, commutatif, conjonction, connectif, consistance, constructivisme, contradiction, décidable, décidabilité, désambiguïser, déterminant, discursivité, disjonction, disjonctif, distributivité, et, équivalence, équivalent, extension, foncteur, formaliser, formalisme, formalisation, implication, incompatibilité, inférence, inférentiel, intension, lexis, modal, négation, opérateur, ou, pas, plurivalent, plurivoque, préconcept, prédicat, prédication, prédiquer, préopératoire, qualificateur, récursif, récursivité, réductionnisme, rejet, saturation, saturer, singulaire, synthétique, synthéticité, tautologie, tautologique, validité, vérifiable, vérifiabilité.**

♦ **2.** (V. 1290). Livre, manuel, traité de logique. *La logique de Port-Royal,* d'Arnauld et Nicole (1662), *de Wundt, de Goblot, de Piaget.*

♦ **3.** Par ext. Art de convaincre* par l'emploi des règles de la logique formelle. ⇒ **Dialectique** (cit. 4), **sophistique** (→ Dialecticien, cit. 4 ; éloquence, cit. 4 ; 1. feu, cit. 16).

♦ **4.** Anciennt. Classe de philosophie (où s'enseignait la logique). « *Il est cette année en logique* » (Littré).

♦ **5.** Philos. (dans certaines théories). « Analyse (critique ou descriptive) des formes et des lois de la pensée » (Lalande). *Kant définit la logique comme « la science des lois nécessaires de l'entendement et de la raison », Hegel comme « la science de l'Idée pure », et Hamilton comme « la science des lois de la pensée en tant que pensée ».*

♦ **6.** Inform. Opération ou fonction dévolue à un matériel informatique en vue d'obtenir un choix ou une décision. *Ensemble de logiques.* ⇒ **Logiciel.** *Une logique puissante. — Le matériel affecté à une logique.*

★ **II.** ♦ **1.** (1718). Manière de raisonner*, telle qu'elle s'exerce en fait, conformément ou non aux règles de la logique formelle (on dit parfois *logique naturelle*). ⇒ **Raisonnement.** *La logique de l'enfant, du primitif. Fausse* (1. Faux, cit. 34) *logique. — La logique des sentiments, du cœur*.*

5 (...) les personnes dont l'esprit est obtus suivent la terrible logique des enfants qui consiste à aller de réponse en demande, logique souvent embarrassante.
BALZAC, la Vieille Fille, Pl., t. IV, p. 269.

6 Dans ce mélange confus de vrai et de faux (...) une séparation s'établit entre le raisonnement qui renferme la preuve, et le raisonnement qui échappe à la preuve (...) entre la logique rationnelle et la logique des sentiments.
Th. RIBOT, la Logique des sentiments, Préface, p. IX.

7 La logique des passions renverse l'ordre traditionnel du raisonnement et place la conclusion avant les prémisses.
CAMUS, l'Homme révolté, p. 58.

Absolt. Le raisonnement déductif. *Logique et intuition* (cit. 3).

8 La logique, qui peut seule donner la certitude, est l'instrument de la démonstration : l'intuition est l'instrument de l'invention.
Henri POINCARÉ, la Valeur de la science, I, I, V.

Spécialt. Raisonnement abstrait, schématique ; souvent opposé à la complexité du réel (→ Artificiel, cit. 26, Gide ; civilisation, cit. 15).

9 La logique est la géométrie de l'intelligence. Il faut de la logique dans la pensée. Mais on ne fait pas plus de la pensée avec de la logique qu'on ne fait un paysage avec de la géométrie.
HUGO, Post-Scriptum de ma vie, Tas de pierres, I.

♦ **2.** (1762). Cour. Enchaînement cohérent d'idées, manière de raisonner juste, suite dans les idées. ⇒ **Cohérence, méthode** (→ Fort, cit. 69). *Logique inflexible, impeccable, implacable, rigoureuse, parfaite* (→ Hypothèse, cit. 1). *Logique apparente, verbale, trompeuse* (→ Fondamental, cit. 3). — Absolt. *La logique d'un raisonnement, d'une démonstration* (→ Fluidité, cit. 3). *Défaut, manque de logique. Trop de logique ennuie* (→ Illogisme, cit. 2).

10 Dès qu'on a pu donner un nom au phénomène, lui prêter une cause plausible, dès que notre pauvre cerveau peut associer deux idées avec une apparente logique (...)
MARTIN DU GARD, les Thibault, t. III, p. 255.

Absolt. *La logique du discours musical* (Lalande). *La logique du contrepoint* (→ Harmonie, cit. 17).

11 Il y a une logique colorée ; le peintre ne doit obéissance qu'à elle, jamais à la logique du cerveau.
CÉZANNE, *in* MALRAUX, les Voix du silence, p. 344.

♦ **3.** (1762). Fig. Suite cohérente, régulière et nécessaire d'événements, de choses. *La logique implacable* (cit. 12) *des événements.* « *Le communisme* (cit. 1), *cette logique de la démocratie* » (Balzac). *La logique d'une situation. La logique de l'histoire* (Académie). *Ceci est dans la logique des choses.*

12 (...) c'est un bon logicien ; mais il ne comprend pas la grande logique, celle des événements et des affaires : aussi n'a-t-il pas et n'aura-t-il jamais *l'oreille de la Chambre.*
BALZAC, les Comédiens sans le savoir, Pl., t. VII, p. 58.

13 On dit parfois en pensant à ce genre curieux de fabrication — c'est la logique du rêve — Mal dit.
Ce qu'on nomme logique n'est souvent que coïncidences.
VALÉRY, Cahiers, Pl., t. II, p. 73.

CONTR. Désordre, illogisme, inconséquence.
HOM. 2. Logique.

2. LOGIQUE [lɔʒik] adj. — 1536 ; de 1. *logique.*

♦ **1.** (1821). De la logique en tant que science. — (1833). Conforme aux règles, aux lois de la logique (1. Logique, I., 1.). *Liaison logique entre deux idées* (→ Association, cit. 18). *Déduction, conclusion logique* (→ Identification, cit. 2). *Conséquences logiques* (→ Extension, cit. 12). *Constructivisme, réductionnisme logique. Implication logique. Antériorité* logique. Les opérations logiques et et ou.*

♦ **2.** Cour. [a] (1536). Conforme au bon sens, à la logique (1. Logique, II., 2.). *Des idées raisonnablement logiques.* ⇒ **Cohérent, conséquent, judicieux, suivi** (→ Irréfutable, cit.). *Arguments logiques.* ⇒ **Juste** (3.), **vrai.** *Ordre logique de la phrase ; construction logique* (→ Effet, cit. 35 ; ici, cit. 24). — (V. 1840, A. Comte). En parlant des événements, des choses. ⇒ **Logique** (1. Logique, II., 3.). *Suite logique, enchaînement logique de faits* (→ Intervenir, cit. 1 ; irresponsabilité, cit. 2). *Loi logique* (→ Humanité, cit. 10).

1 Il n'y a pas plus d'enchaînement logique absolu dans le cœur humain qu'il n'y a de figure géométrique parfaite dans la mécanique céleste.
HUGO, les Misérables, IV, VIII, II.

N. m. *Le logique et l'absurde.*

2 Kafka exprime la tragédie par le quotidien et l'absurde par le logique.
CAMUS, le Mythe de Sisyphe, p. 177.

b Qui découle d'une suite nécessaire. ⇒ **Inévitable, nécessaire.** *C'est la conséquence logique de son erreur. C'est logique* (→ fam. *C'est arithmétique, automatique, mathématique). Je ne trouve pas ça logique. Ce n'est pas une réaction très logique. C'est pas logique!* : c'est anormal, inexplicable. — (Choses). Normal, convenable.

2.1 J'eus une pensée reconnaissante pour cette parente (...) qui, recueillie par une mort tranquille dans un âge logique, m'avait (...) faite sa légataire.
Christiane ROCHEFORT, le Repos du guerrier, I, I, p. 10.

♦ **3.** (1536). Cour. (Personnes; esprits...). Qui raisonne bien, avec cohérence, justesse. *Esprit logique et clair.* ⇒ **Cartésien.** *Être logique avec soi-même. Vous n'êtes pas logique!*

3 Puisque depuis longtemps je t'aime,
Étant très logique! En effet,
Voulant du Mal chercher la crème
Et n'aimer qu'un monstre parfait,
Vraiment oui! vieux monstre, je t'aime!
BAUDELAIRE, les Épaves, Galanteries, XII, II.

♦ **4.** (1867). Didact. Qui se rapporte à l'intelligence, et, spécialt (philos.), à l'entendement. — REM. «L'adjectif *logique...* sert à remplacer un adjectif qui fait défaut, et qui dériverait du mot *entendement... Intellectuel,* qui a dit aussi un ce sens... a plus d'extension qu'*entendement*» (Lalande). — *Raisons logiques et raisons sentimentales. Sur le plan logique et sur le plan moral* (→ Famille, cit. 33). — *Fonctions, opérations logiques. Expression* (cit. 6) *logique de la pensée. Intelligence* (cit. 11) *logique.* ⇒ **Discursif.** *Esprits logiques et esprits intuitifs* (cit. 3). ⇒ **Déductif.**

4 L'homme n'a pas besoin, pour être bon, d'avoir trouvé une base logique à sa bonté.
RENAN, Souvenirs d'enfance..., II, V, Œuvres, t. II, p. 778.

Didact. Relatif au logos*.

♦ **5.** (1873). Qui se rapporte à la science de la logique (1. Logique, I., 1.). *Le syllogisme est la forme logique du raisonnement* (Hatzfeld). — (1867). Gramm. *Analyse* logique (→ Inconnu, cit. 4).

♦ **6.** Inform. *Circuits logiques.*

CONTR. Absurde, antilogique, illogique; déraisonnable, incohérent, inconséquent.
DÉR. Logiquement.
COMP. Alogique, antilogique, illogique, prélogique.
HOM. 1. Logique.

LOGIQUEMENT [lɔʒikmɑ̃] adv. — 1769, Charles Bonnat; de 2. *logique.*

♦ **1.** Didact. Conformément à la logique. *Raisonner, répondre logiquement.* ⇒ **Arithmétiquement** (fam.). *Rien ne justifie logiquement vos conclusions.*

(...) ces hommes partent d'une idée fondée plus ou moins sur l'observation et qu'ils considèrent comme une vérité absolue. Alors ils raisonnent logiquement et sans expérimenter, et arrivent, de conséquence en conséquence, à construire un système qui est logique, mais qui n'a aucune réalité scientifique.
Cl. BERNARD, Introd. à l'étude de la médecine expérimentale, I, II.

♦ **2.** (1873). Cour. Du point de vue de la logique. *Des actes enchaînés très logiquement.* — Fam. Raisonnablement. *On devrait, il faudrait logiquement faire cela.*

♦ **3.** (Av. 1854; souvent en tête de phrase). Fam. Normalement. *Logiquement, les choses devraient s'arranger.*

LOGIS [lɔʒi] n. m. — V. 1348; *logeis,* déb. XIVᵉ; de *loger.*

♦ **1.** Vieilli ou littér. Endroit où on loge, où on habite. ⇒ **Demeurer, habitation, logement, maison.** *Le logis de qqn, le logis familial. Quitter le logis familial.* ⇒ **Famille, foyer.** *Faire les honneurs* (cit. 110) *de son logis.* — *Le maître du logis.* — *Un logis seigneurial* (→ Honneur, cit. 88). *Le logis modeste d'un facteur* (cit. 143). *L'intimité, la tiédeur du logis* (⇒ **Home,** anglic.). — *Demeurer, s'ennuyer au logis,* chez soi (→ 1. Bas, cit. 63). *S'introduire* (cit. 1) *au logis d'une personne.* ⇒ **Chez.**

1 (...) il faut baisser la tête (...) quand on entre au logis du Roi.
MONTAIGNE, Essais, I, XXIII.

2 (...) Si j'avais un mari, je le dis,
Je voudrais qu'il se fît le maître du logis (...)
MOLIÈRE, les Femmes savantes, V, 3.

3 Du reste, ce logis, tenu par deux femmes, était du haut en bas d'une propreté exquise.
HUGO, les Misérables, I, I, VI.

4 Le *logis* est la *maison* considérée par rapport à la manière dont on s'y trouve : un bon *logis...* Mais ce qui distingue principalement *logis,* c'est qu'il vieux... Étant vieux, il n'est plus resté usité que dans un petit nombre de locutions du langage familier : garder le *logis* (ACAD.); de retour au *logis...* nous reprenions le chemin du *logis...* le maître du *logis...*
LAFAYE, Dict. des synonymes, Maison, Logis...

Loc. *La fée du logis.*

Loc. fig. (1674). *La folle* du logis : l'imagination (cit. 12).

5 (...) définîmes-nous des écarts de l'imagination, que Malebranche appelait *la folle du logis.*
VOLTAIRE, Dict. philosophique, Apparition.

5.1 Y aurait-il donc, en face d'un merveilleux *par excès,* lié à un éclatement des limites comme sous l'effet d'un trop-plein, un merveilleux *par défaut,* où tout irait comme si une lacune, un écart ou un mauvais joint, trahissant un flottement dans ces limites moins frontières que confins du réel et de l'imaginaire, s'offrait comme un appât à notre folle du logis?
Michel LEIRIS, Frêle bruit, p. 348.

♦ **2.** Loc. *Maréchal* des logis.

♦ **3.** (Fin XVIᵉ). Archit. *Corps de logis,* et, ellipt., *logis* : partie principale d'un bâtiment (cit. 10) d'habitation. *Le logis, le corps de logis et les ailes* (cit. 30).

6 (...) une grande cour carrée formée de quatre corps de logis, en briques (...)
Th. GAUTIER, le Capitaine Fracasse, XV.

COMP. Sans-logis.

1. LOGISTE [lɔʒist] n. — 1845; de *loge.*

♦ Arts. Élève des Beaux-Arts admis à concourir en loge (pour le Prix de Rome, etc.).

Quand je le rencontrai au Salon d'Automne, son talent, fort peu ordinaire, m'était connu depuis longtemps. Je me rappelais certaine exposition des candidats au Prix de Rome; j'avais été frappé de la singularité du *Samson* signé Rouault... Le tableau du jeune logiste inconnu était le seul à n'être pas un pensum.
Francis JOURDAIN, Sans remords ni rancune, p. 212.

HOM. 2. Logiste.

2. LOGISTE [lɔʒist] n. m. — 1740, Trévoux; grec *logistes* «calculateur, maître de mathématiques», puis «magistrat chargé des comptes».

Didactique.

♦ **1.** Magistrat d'Athènes, faisant partie d'un tribunal de dix membres tirés au sort parmi les sénateurs, chargé d'examiner les comptes et de faire un rapport sur l'administration de chaque comptable public, lorsque sa charge venait à expiration. *Le tribunal des logistes.*

♦ **2.** (Lat. *logista* «receveur, percepteur»; du grec *logistes*). Intendant d'une ville, sous la domination romaine.

HOM. 1. Logiste.

-LOGISTE ⇒ -logie.

LOGISTICIEN, IENNE [lɔʒistisjɛ̃, jɛn] adj. et n. — 1908; de *logistique.*

♦ Didact. Relatif à la logique mathématique. — N. Spécialiste de logique mathématique.

Le combat mené par lui *(Poincaré)* contre les logisticiens a tourné court (...) parce qu'il n'a pas compris toute la portée du mouvement logistique encore en pleine évolution, mais aussi (...) parce que les logisticiens n'ont pas compris la signification profonde des résistances qu'il opposait au réductionnisme logique (...)
J. PIAGET, Logique et Connaissance scientifique, Encycl. Pl., p. 71.

LOGISTIQUE [lɔʒistik] n. f. — 1611; n. pr., «raison», 1546; adj., «qui pense logiquement», 1598; bas lat. *logisticus,* grec *logistikos,* adj. et n., «arithmétique pratique» de *logizesthai,* de *logos.*

★ **I.** Didact. ♦ **1.** (1611). Vx. Partie de l'arithmétique, de l'algèbre qui concerne les quatre opérations. — (1867). Vx. *Logistique spécieuse* : l'algèbre. — Adj. (1765). *Logarithmes logistiques,* dans lesquels O est le logarithme de 3 600, et qui sont utilisés en astronomie.

♦ **2.** (1904, Couturat : 2ᵉ Congrès de Philosophie). Mod. Logique* symbolique; système d'algorithmes* appliqués à la logique. ⇒ **Algorithmique.**

1 M.M. Itelson, Lalande et Couturat, sans entente ni communication préalable, se sont rencontrés pour donner à la logique nouvelle le nom de logistique. Cette triple coïncidence semble justifier l'introduction de ce mot nouveau plus court et plus exact que les locutions usuelles : Logique symbolique, mathématique, algorithmique, Algèbre de la Logique.
L. COUTURAT, Compte-rendu du 2ᵉ Congrès de philosophie, *in* A. LALANDE, Voc. de la philosophie.

★ **II.** (1840). — REM. Selon Littré (*Suppl., Additions*), P. Larousse, Wartburg, cette acception n'a pas une étymologie différente de celle du sens I; selon le Dict. d'Oxford, elle viendrait du verbe *loger.* L'anglais *logistics* est empr. du français.

♦ **1.** Milit. Art de combiner tous les moyens de transport, de ravitaillement et de logement des troupes. *La logistique sert de base à la stratégie* (Littré).

2 En choisissant des plans raisonnables, en s'y tenant avec fermeté, en respectant la logistique, le général Eisenhower mena jusqu'à la victoire la machinerie compliquée et passionnée des armées du monde libre.
Ch. DE GAULLE, Mémoires de guerre, t. II, p. 118.

3 La logistique est une branche de la tactique (...) dont on date le succès de 1936 : exactement de la guerre italo-éthiopienne. Il s'agit de l'art d'ordonner les commu-

nications et le ravitaillement des armées; plus généralement d'assurer leur condition matérielle (...) leur mobilité, etc.   A. THÉRIVE, Clinique du langage, p. 59.

Adj. (1874). *Moyens logistiques d'une armée.*

♦ **2.** (V. 1960). Comm. et cour. Ensemble de moyens ou de méthodes, concernant l'organisation. «*La logistique d'achats et d'entrepôts du premier se mettrait au service des hypermarchés du second*» (*l'Express,* 8 déc. 1979).

Adj. (V. 1970). «*Ce mouvement bénéficie du soutien logistique du Parti communiste, qui a engagé une opération sur le thème de la sauvegarde de l'exploitation rurale familiale*» (*l'Express,* 25 févr. 1974).

LOGO [logo] n. m. — Répandu v. 1970, probablt très antérieur comme t. technique (→ Logotype, 1873); de *logotype.*

♦ Techn. et cour. Logotype. — Spécialt. Logotype (2.), symbole constituant une marque. *Le logo de la SEITA associe en un rébus un 7 et un A stylisés.* «*Le nouveau logo reflète (...) une image plus dynamique. "Un sigle est (...) un symbole qui donne cohérence et identité à une société*» (*l'Express,* 15 mars 1980, p. 151). «*Les cartes de paiement seront bleues ou vertes, avec le logo CB* (carte bleue) *en blanc au recto*» (*le Monde,* 31 juil. 1984, p. 22). *Des logos.*

LOGO- Premier élément de mots savants, tiré du grec *logos* «parole, discours» (→ les suff. *-logie, -logique, -logue...*). — Outre les mots lexicalisés traités ci-après, on relève un certain nombre de composés plus ou moins libres. Ex. : *logophile* (1890, Renan).

L'obsessionnel aurait la volupté de la lettre, des langages seconds, décrochés, des méta-langages (cette classe réunirait tous les logophiles, linguistes, sémioticiens : tous ceux pour qui le langage *revient*).
    R. BARTHES, le Plaisir du texte, p. 100, *in* D. D. L. II, 7.
Quelle civilisation, en apparence, a été, plus que la nôtre, respectueuse du discours? (...) Or il me semble que sous cette apparente vénération du discours, sous cette apparente logophilie, se cache une sorte de crainte (...) Il y a sans doute dans notre société, et j'imagine dans toutes les autres, mais selon un profil et des scansions différentes, une profonde logophobie, une sorte de crainte sourde contre ces événements, contre cette masse de choses dites, contre le surgissement de tous ces énoncés (...) contre ce grand bourdonnement incessant et désordonné du discours.   Michel FOUCAULT, l'Ordre du discours, p. 51-52-53.

LOGOCENTRISME [logosãtrism] n. m. — V. 1942, Valéry, *in* T. L. F., art. *Logo-;* de *logo-,* et *-centrisme.*

♦ Didact. Attitude philosophique conférant au langage la place centrale dans toute métaphysique. *Le logocentrisme grammatologique.*

LOGOGRAMME [logogram] n. m. — xxᵉ; de *logo-,* et *-gramme* ou de l'all. *Logogram* (Gelb, 1958).

♦ Ling. Dessin correspondant à une notion ou à la suite phonique constituée par un mot dans les écritures idéogrammatiques. ⇒ **Idéogramme.**

LOGOGRAPHE [logograf] n. m. — 1580; grec *logographos,* de *logos* et *graphein.*

♦ **1.** Antiq. Se dit des premiers prosateurs grecs, et, spécialt, des historiens jusqu'à Hérodote.
(1876). Rhéteur qui composait des discours, des plaidoyers pour les clients.

♦ **2.** (1791). Sous la Révolution française, Celui qui utilisait la logographie*.

DÉR. Logographie.

LOGOGRAPHIE [logografi] n. f. — 1757; de *logographe.*

♦ Vx. Sous la Révolution française, Méthode qui permettait de noter la parole, à la vitesse de prononciation normale, un utilisant des signes équivalant à un ou plusieurs mots (⇒ **Sténographie**).

DÉR. Logographique.

LOGOGRAPHIQUE [logografik] adj. — 1791; de *logographie.*

♦ Vx. Qui utilise le système de la logographie*.

LOGOGRIPHE [logogrif] n. m. — 1623; de *logo-,* et grec *griphos* «filet», au fig. «énigme».
Didactique.

♦ **1.** Énigme où l'on donne à deviner plusieurs mots formés des mêmes lettres (ex. : le mot qui contient *nage* et *orge* est *orange*). ⇒ **Devinette.**

Par manière d'exercice et de divertissement, le bon religieux lui faisait composer des anagrammes, des logogriphes, des devises, des charades et des rébus, charmantes inventions fort à la mode et du plus bel air en ce temps là.
    Th. GAUTIER, les Grotesques, IV, p. 128.

♦ **2.** (1774). Fig. et littér. Langage, discours obscur, inintelligible.

DÉR. Logogriphique.

LOGOGRIPHIQUE [logogrifik] adj. — 1823, Hugo, *in* T. L. F.; de *logogriphe.*
Didactique et rare.

♦ **1.** (1867). Qui tient du logogriphe.

♦ **2.** Fig. Obscur. *Des propos logogriphiques.*

LOGOMACHIE [logomaʃi] n. f. — 1610; grec *logomakhia,* de *logos* (→ Logo-), et *makhesthai* «combattre».

♦ **1.** Dispute, querelle sur les mots, sur des choses insignifiantes. *Cette question est une pure logomachie.*

♦ **2.** (1783). Assemblage de mots creux dans un discours, dans un raisonnement. ⇒ **Verbalisme.**

Le verbalisme, la logomachie où ce solitaire au milieu des mots *(Hugo),* enivré de mots, tombe par instants?...   Émile HENRIOT, les Romantiques, p. 15.

♦ **3.** Emploi (excessif) de la parole, du verbe.

Du reste, quand nous sommes amoureux, ayant des buts égoïstes à atteindre pour lesquels nous employons notre logomachie, combien nous écrivons de lettres où nous disons (...)   PROUST, Jean Santeuil, Pl., p. 762.
REM. Sur cette acception, les Goncourt (*Journal*) ont forgé le verbe *logomacher.*

DÉR. Logomachique.

LOGOMACHIQUE [logomaʃik] adj. — 1840-1842, Académie, Compl.; de *logomachie.*

♦ Littér. Qui est de la nature de la logomachie; purement verbal, formel.

Une minorité seulement de personnes savent bien ce qu'est une exponentielle, mais un grand nombre savent qu'en matière de population, c'est une «mauvaise chose». (...) Sacrifions donc à l'usage, en maudissant, non certes l'innocente exponentielle, mais l'abus logomachique qui en est fait (...)   A. SAUVY, Croissance zéro?, p. 79.

LOGOPATHIE [logopati] n. f. — xxᵉ; de *logo-,* et *-pathie.*

♦ Méd. Trouble de la parole et du langage. ⇒ **Dyslogie.**

LOGOPÉDIE [logopedi] n. f. — V. 1960; de *logo-,* et *pédie.*

♦ Méd., phonét. Traitement qui vise à corriger les défauts de prononciation chez les enfants. ⇒ **Orthophonie.**

DÉR. Logopédique.

LOGOPÉDIQUE [logopedik] adj. — Av. 1970, Piaget; de *logopédie.*

♦ Méd., phonét. De la logopédie.

Des spécialisations plus poussées encore *(de la psychologie appliquée)* interviennent pour les dyslexies, etc., ou les troubles de la parole et des techniques «logopédiques» ont été constituées (...)   J. PIAGET, Épistémologie des sciences de l'homme, p. 239.

LOGORRHÉE [logoRe] n. f. — 1823; de *logo-,* et *-rhée.*
Médecine et littérature.

♦ **1.** Flux de paroles; besoin irrésistible, morbide, de parler.

♦ **2.** Discours trop abondant; tendance à parler à l'excès.

DÉR. Logorrhéique.

LOGORRHÉIQUE [logoReik] adj. — xxᵉ (1941, Aragon, *in* T. L. F.); de *logorrhée.*

♦ Littér. et méd. De la logorrhée.

Il affirmait préférer les Auvergnats silencieux aux Auvergnats logorrhéiques comme Sidoine Apollinaire.
    André SOUBIRAN, les Hommes en blanc, t. III, p. 83.

LOGOS [logos] n. m. — 1764, Voltaire, *Dictionnaire philosophique;* mot grec signifiant à la fois «parole» et «raison».

♦ **1.** Philos. Un des noms de la divinité* suprême, ches les Stoïciens. Être intermédiaire entre Dieu et le Monde, chez les Néo-Platoniciens. — Par ext. La Raison qui gouverne, régit le monde.

♦ **2.** (1873). Théol. Le verbe de Dieu*. ⇒ **Verbe.**

Évangéliste du Verbe, il *(saint Jean)* utilise seul ce terme de Logos qui était alors extrêmement notoire dans tout cet Orient méditerranéen baigné de philosophie grecque, un de ces mots consacrés dont l'usage même a fini par élargir extrêmement le sens au point de le rendre fort contradictoire. Mais ce terme de Logos, il ne le prend ni dans l'acception du Portique ou de Philon, ni même dans celle où la tradition juive l'enfermait, «Parole du Seigneur» synonyme du Nom ineffable ou «Sagesse»; il le recrée, lui donne une résonance nouvelle. «En lui était la Vie et la vie était lumière des hommes.» Une des notions essentielles du christianisme s'exprime par là.   DANIEL-ROPS, Jésus en son temps, Introd., p. 52.

♦ **3.** Didact. (au sens grec). Faculté propre à l'homme d'appréhender le monde en utilisant le langage au service de la raison. *Théorie du logos aristotélicien.*

2 Les Grecs, nos instituteurs, ont appelé logos, qui est discours, l'entendement de l'entendement.
         ALAIN, les Idées et Âges, *in* les Passions et la Sagesse, Pl., p. 143.

LOGOSPHÈRE [lɔgɔsfɛʀ] n. f. — Mil. xxᵉ; de *logo-*, et *sphère.*

♦ Didact. La parole, considérée comme un milieu pour l'homme (→ Biosphère).

1 La logosphère, c'est-à-dire l'univers de la parole ou bien le bain musical dans lesquels elle *(la radio)* nous plonge, agissent jusque sur l'inconscient pour inciter (...) à un repos absolu, où l'imagination se déploie librement.
         Jean CAZENEUVE, Sociologie de la radio-télévision, p. 31.
2 Comme aux barres, *langage sur langage,* à l'infini, telle est la loi qui meut la *logosphère.*   R. BARTHES, Roland Barthes, p. 54.

LOGOTYPE [logotip] n. m. — 1873; de *logo-*, et *-type.*
Technique et courant.

♦ **1.** Imprim., typogr. Groupe de lettres «liées ensemble à l'imitation des *"ligatures"* des écritures manuscrites» (J. Dreyfus - F. Richaudeau, *la Chose imprimée*) et portées par le même caractère, le même bloc, dans la composition au plomb; ce bloc; sa trace sur le papier.

♦ **2.** Arts graphiques, publicité. Symbole formé d'un ensemble de signes graphiques (lettres, chiffres, etc.) constituant une marque pour un produit, une firme; support matériel d'un tel symbole. *(La)* « *réalisation d'un logotype autocollant...* » (*République du Centre,* 19 oct. 1981). — REM. La cit. suivante atteste l'existence du dérivé occasionnel *logotypé, ée* [logotipe], adj., «dessiné sous forme de logotype».

Dans la catégorie des logotypes on peut compter, aujourd'hui, le signe qui n'utilise — abréviativement — que les premières lettres de plusieurs mots ainsi que le monogramme entrelaçant au moins deux initiales. UNESCO ou S. N. C. F. sont des sigles, le *D* des briquets Dupont ou le *K* de Knoll en sont aussi, ils peuvent être logotypés au même titre que les mots «Coca-Cola», «avant-garde» ou «Chicago».
         J. DREYFUS, F. RICHAUDEAU *et al*, la Chose imprimée, art. *Logotype.*

DÉR. Logo.

-LOGUE ⇒ -logie.

1. LOI [lwa] n. f. — xiiᵉ; *lei*, v. 980; lat. *legem*, accusatif de *lex, legis* «loi».

★ **I.** Règle impérative imposée à l'homme de l'extérieur.

♦ **1.** (V. 1112). Règle ou ensemble de règles obligatoires établis par l'autorité souveraine d'une société et sanctionnées par la force publique. *Lois humaines; lois positives, civiles* (→ Esclave, cit. 1), s'opposant aux *lois naturelles* (→ ci-dessous, II.). ⇒ **Droit** (positif). — *Fondement* (cit. 1) *des lois; morale et lois. Différence entre les lois et les mœurs* (cit. 2, Montesquieu). *Le besoin de lois* (→ Justice, cit. 11). *L'Esprit** (cit. 177 et 184) *des lois*, de Montesquieu. — *Les lois d'un État** (cit. 140), *d'un pays, d'une nation.* ⇒ **Législation; droit.** *Ensemble des lois; l'appareil** (cit. 14), *l'arsenal* des lois. Recueil de lois.* ⇒ **Code*** (codifier). — *Lois en harmonie* (cit. 38) *avec les mœurs, la société. Lois et institutions* (cit. 8 et 14). *Lois de l'Ancien Régime.* ⇒ **Capitulaire** (2. Capitulaire, cit. 1), **charte, édit, ordonnance, règlement, statut.** — *Loi écrite, exprimée, formelle; loi coutumière* — *Vivre sans lois* (→ Anarchie, cit. 2; bois, cit. 5). *Absence de lois* (→ Chaîne, cit. 15).* ⇒ 2. **Anomie.** *Donner, imposer des lois à un peuple* (→ Église, cit. 5; inca, cit. 1). *Vivre sous les mêmes lois* (→ Homme, cit. 72). *Être régi par des lois* (→ Assimiler, cit. 3); *ne dépendre que des lois* (→ Égalité, cit. 7). «*Le plus grand malheur des hommes, c'est d'avoir des lois et un gouvernement*» (cit. 24, Chateaubriand). — *Faire les lois.* ⇒ **Légiférer, législateur, législatif, législation.** *Élaborer, établir une loi.* — *Rôle, effet des lois. Loi qui établit* (cit. 7 et 9), *édicte, régit, règle qqch.* (→ Fédéral, cit. 3). *Loi qui ordonne, oblige, autorise, permet, défend, interdit quelque chose.* «*La liberté* (cit. 20) *est le droit de faire tout ce que les lois permettent*» (Montesquieu). *Valeur d'une loi. Équité* (cit. 7 et 21), *justice d'une loi; loi juste*, impartiale* (cit. 4), *bonne, parfaite. Loi injuste, absurde, inutile. Loi invalide* (vx), *non valable. Loi anticonstitutionnelle. Loi dure, inexorable, terrible, tyrannique.* ⇒ **Draconien** (→ Attacher, cit. 20; corvée, cit. 3; juger, cit. 2). *Rigueur, tyrannie des lois* (→ Famine, cit. 2). *Instabilité* (cit. 1) *des lois.* — *Loi en vigueur*, en application*. Loi en désuétude, loi caduque. Abolir* (cit. 6), *abroger** (cit. 1 et 2) *une loi. Changer* (cit. 26) *les lois. Proposer de nouvelles lois* (→ Innovation, cit. 1). —

Obéir aux lois, observer les lois (→ Autorité, cit. 20). *Observations des lois* (→ Contrat, cit. 5, Rousseau). *Respect, terreur des lois* (→ Bête, cit. 23; factieux, cit. 1). — *Infraction aux lois.* ⇒ **Contravention, crime, délit** (II.), **dérogation, infraction, violation.** *Braver, enfreindre, transgresser, violer les lois; contrevenir, déroger aux lois. Peines* sanctionnant les infractions aux lois.* — *Gloser* (cit. 3) *sur les lois. Étude, histoire* (cit. 5) *des lois* (→ Historien, cit. 2). *Traité sur les lois, science des lois...* ⇒ **Nomo-** (nomologie). — REM. En un sens large, le mot *loi* s'applique aussi aux règles coutumières sanctionnées par l'autorité publique, et qui ne sont pas édictées par le législateur (→ Droit). *Stricto sensu* (en droit), il désigne seulement le droit *écrit,* par oppos. au droit *coutumier* ou droit *non écrit.*

1 (...) nos lois sont comme toiles d'araignes *(d'araignées)*... les petits moucherons et petits papillons y sont pris (...) les gros taons les rompent (...) et passent à travers (...)   RABELAIS, 5ᵉ livre, XII.
2 Protagoras et Ariston ne donnaient autre essence à la justice des lois que l'autorité et opinion du législateur (...) il n'est chose en quoi le monde soit si divers qu'en coutumes et lois.   MONTAIGNE, Essais, II, XII.
3 France, mère des arts, des armes, et des lois.
         DU BELLAY, Regrets, IX (→ Lait, cit. 5).
4 Sire, puisque le ciel entre les mains des rois
   Dépose sa justice et la force des lois.   CORNEILLE, Horace, V, 2.
5 (...) la multitude des lois fournit souvent des excuses aux vices, en sorte qu'un État est bien mieux réglé lorsqu'il n'en ayant que fort peu, elles y sont fort étroitement observées (...)   DESCARTES, Discours de la méthode, II.
6 Une chose n'est pas juste parce qu'elle est loi (...) mais elle doit être loi parce qu'elle est juste.   MONTESQUIEU, Cahiers, p. 125.
7 Il ne faut point faire par les lois, ce que l'on peut faire par les mœurs.
         MONTESQUIEU, Cahiers, p. 99.
8 Il croyait que les lois étaient faites pour secourir les citoyens autant que pour les intimider.   VOLTAIRE, Zadig, VI.
9 Il est difficile qu'il y ait une seule nation qui vive sous de bonnes lois. Ce n'est pas seulement parce qu'elles sont l'ouvrage des hommes (...) Mais les lois ont été établies dans presque tous les États pour l'intérêt du législateur, par le besoin du moment, par l'ignorance, par la superstition. On les a faites à mesure, au hasard, irrégulièrement, comme on bâtissait les villes (...) Voulez-vous avoir de bonnes lois (...) brûlez les vôtres, et faites-en de nouvelles.
         VOLTAIRE, Dict. philosophique, Lois, I.
10 Dans le fait, les lois sont toujours utiles à ceux qui possèdent et nuisibles à ceux qui n'ont rien : d'où il suit que l'état social n'est avantageux aux hommes qu'autant qu'ils ont tous quelque chose, et qu'aucun d'eux n'a rien de trop.
         ROUSSEAU, Du contrat social, I, IX, note.
11 (...) quand tout le peuple statue sur tout le peuple, il ne considère que lui-même (...) Alors la matière sur laquelle on statue est générale comme la volonté qui statue. C'est cet acte que j'appelle une loi.
   Quand je dis que l'objet des lois est toujours général, j'entends que la loi considère les sujets en corps et les actions comme abstraites (...) Ainsi la loi peut bien statuer qu'il y aura des privilèges, mais elle n'en peut donner nommément à personne (...)
   Sur cette idée, on voit à l'instant qu'il ne faut plus demander à qui il appartient de faire des lois, puisqu'elles sont des actes de la volonté générale (...) ni si la loi peut être injuste, puisque nul n'est injuste envers lui-même (...) ni comment on est libre et soumis aux lois, puisqu'elles ne sont que des registres de nos volontés.
         ROUSSEAU, Du contrat social, II, VI.
12 Mourir sans vider mon carquois!
   Sans percer, sans fouler, sans pétrir dans leur fange
   Ces bourreaux barbouilleurs de lois!   André CHÉNIER, Iambes, XII.
13 Il n'y a de *droit* que lorsqu'il y a une loi pour défendre de faire telle chose, sous peine de punition. Avant la loi, il n'y a de *naturel* que la force du lion, ou le besoin de l'être qui a faim, qui a froid, le *besoin* en un mot (...)
         STENDHAL, le Rouge et le Noir, II, XLIV.
14 Le droit qui dérive de la coutume s'appelle *droit coutumier* (...) le droit qui dérive de la loi s'appelle *droit écrit.*
         M. PLANIOL, Traité élémentaire de droit civil, t. I, nº 10.

(1690). Par ext. (En parlant de coutumes anciennes). *La loi du talion*.* — (1837). *Loi de Lynch.* ⇒ **Lynchage.**

(1690). Dr. Disposition prise par le pouvoir législatif*. ⇒ **Législateur, législature; chambre, parlement.** *Avoir l'initiative des lois.* — (1869). *Projet* de loi,* émanant de l'initiative* gouvernementale, par oppos. à *proposition* de loi,* d'initiative parlementaire. *Le rapporteur d'une loi. Discussion publique, vote* de la loi. Amender* une proposition de loi.* ⇒ **Amendement** (cit. 2). *Adoption d'un projet de loi. Promulgation*, publication* d'une loi. Bulletin* des lois :* le *Journal officiel. Loi rendue exécutoire par la sanction du chef de l'État. Exécution* (cit. 7) *des lois par le gouvernement* (cit. 32), *l'administration*. Appliquer* (cit. 10) *les lois. Interprétation* des lois par les jurisconsultes* (cit.) *et par les tribunaux.* — *Préambule, dispositif, considérants* d'une loi. Parties d'une loi* ⇒ **Article, clause, disposition, prescription.** *Texte* de loi.* — *Principe de la territorialité*, de la non-rétroactivité* des lois. Constitutionnalité d'une loi. Loi anticonstitutionnelle*. Antinomie*, contradiction entre deux lois. Conflit* de lois. Conditions* (cit. 31) *contraires aux lois. Droit qui s'exerce dans le cadre des lois* (→ Grève, cit. 16). *Arrêté* comportant un visa de la loi. Vu la loi du...* (formule de ce visa). *Décision, arrêt conforme aux lois.* ⇒ **Bien-jugé.** — *Loi sur la presse. Loi du 11 février 1950 sur les conventions collectives.* — (1690). *Loi X,* désignée par le nom de celui qui l'a proposée. *La loi Falloux.* — (1873). *Lois constitutionnelles* (⇒ **Constitution**), *organiques*, fondamentales, politiques...* (→ Civil, cit. 7; insurrection, cit. 2). *Lois civiles, lois pénales*, lois criminelles. Loi impérative (ou prohibitive). Loi interprétative (ou supplétive). Loi budgétaire, de budget** (1. et REM.), *de finances :* évaluation des dépenses de l'État et programme d'impôts. *Loi des comptes,* réglant définitivement le budget. *Loi agraire* (cit.). *Loi électorale. Loi munici-*

pale. *Loi de sûreté générale. Loi de programme.* ⇒ **Loi-programme.**
Loi martiale. Loi déclarant l'état de siège, l'état d'urgence. Loi
d'exception. Loi anticasseurs*, abrogée en 1981. Loi d'amnistie*.*
— (1873). Anciennt. *Lois somptuaires**. — (1867). Dr. canon. *Lois de
l'autorité ecclésiastique* (⇒ **Canon**).
Décret-loi. ⇒ **Décret** (*infra* cit. 5). — *Loi-cadre.* ⇒ **Loi-cadre.**

♦ **2.** (XIIIᵉ). Absolt. **LA LOI** : l'ensemble des règles juridiques établies
par le législateur. ⇒ **Droit, législation** (→ Législatif, cit. 3). *Conforme à la loi.* ⇒ **Légal, licite.** *Consacré par la loi.* ⇒ **Légitime.**
Imposé par la loi. Le vœu de la loi. Défendu par la loi, contraire
à la loi* (⇒ **Illégal, illégitime, illicite**). *La loi condamne* (cit. 12),
défend (cit. 22), *ordonne... Autorité*, force de loi.* — (1690). Loc.
Avoir force (cit. 51) *de loi.* — *Le bras*, le glaive* (cit. 6) *de la
loi. L'application* (cit. 1) *de la loi. « La loi est dure, mais c'est la
loi »* (dura lex, sed lex). *L'ordre* public établi par la loi.* — (1804).
«Au nom de la loi !» (formule). → Nom, cit. 46. *Réclamer qqch.
au nom de la loi.* ⇒ **Requérir.** — *Connaître la loi. Nul n'est censé*
(cit. 3) *ignorer la loi.* ⇒ **Homme*** (II., 4.) *de loi : juriste, magistrat.* — (Vx). *Gens* (cit. 26) *de loi.* — *«Tous sont égaux* (cit. 14)
devant la loi». ⇒ **Isonomie** (→ Inégalité, cit. 8). *La loi doit «régner
sur les cœurs des citoyens»* (→ Constitution, cit. 6, Rousseau). *La
loi et la liberté* (cit. 25, Valéry). — *Cas* prévus, déterminés par la
loi.* ⇒ **Circonstance** (*supra* cit. 8). → Abus, cit. 3 ; électeur, cit. 2 ;
incapacités (cit. 10) *limitées par la loi. Fait qualifié crime* (cit. 11)
par la loi. Peines prononcées par la loi. La loi frappe (cit. 27) *les
coupables.* — *Invoquer* (cit. 8) *la loi. Avoir la loi pour soi. Être en
règle* avec la loi. Tomber* sous le coup de la loi. Enfreindre la
loi, passer par-dessus la loi. Fraude* (cit. 2) *à la loi.*

15 La loi est la réunion des lumières et de la force, le peuple donne les forces, et le
gouvernement donne les lumières.
RIVAROL, Notes, Pensées et Maximes, t. I, p. 9.
16 La loi est l'expression de la volonté générale.
Déclaration des droits de l'homme, Constitution du 3 sept. 1791, art. 6
(→ Concourir, cit. 3 ; capacité, cit. 8).
17 Il n'y a rien de moins connu que ce que tout le monde doit savoir, LA LOI !
BALZAC, Illusions perdues, Pl., t. IV, p. 918.
18 Il ne faut pas être plus royaliste... que la loi. — Mais la loi même, vous la tour-
nez. — Donc, je la respecte. Émile AUGIER, Maître Guérin, V, 2.
19 Ainsi j'appris, dès ma plus tendre enfance, à connaître la race des hommes de
loi (...) FRANCE, le Petit Pierre, XX.
20 La loi saisit l'homme dès le berceau, lui impose un nom qu'il ne pourra changer, le
met à l'école, ensuite le fait soldat jusqu'à la vieillesse, soumis au moindre appel.
Elle l'oblige à quantité d'actes rituels, d'aveux, de prestations, et qu'il s'agisse de
ses biens ou de son travail elle l'assujettit à ses décrets dont la complication et le
nombre sont tels que personne ne les peut connaître et presque personne ne les interpréter. VALÉRY, Regards sur le monde actuel, p. 67.

Être, se sentir hors (cit. 8 et 9) *la loi.* ⇒ **Hors-la-loi** (cit. 2), **outlaw.**
(XIIIᵉ). *La loi d'un pays, d'une société. La loi juive* (→ Citoyen,
cit. 1). *Gardien de la loi, à Athènes.* ⇒ **Thesmothète.** *Loi salique**
(→ Combat, cit. 9). *La loi anglaise. La loi française.*

21 La Charte a essayé vainement de faire vivre sous la même loi deux nations devenues étrangères l'une à l'autre, la France ancienne et la France moderne (...)
CHATEAUBRIAND, Mémoires d'outre-tombe, t. VI, p. 91.
22 Naguère il (*l'homme*) se classait, il se jugeait par la loi propre à sa race, salique
ou bavaroise, bourguignonne, lombarde ou gothique. L'homme s'est fait terre, la
loi est territoriale. La jurisprudence devient une affaire de géographie.
MICHELET, Hist. de France, II, III.
23 Chez les Grecs et chez les Romains, comme chez les Hindous, la loi fut d'abord
une partie de la religion. FUSTEL DE COULANGES, la Cité antique, III, XI.

♦ **3.** (1636). Par ext. (et vieilli ou littér.). Domination* imposée par la
conquête*, la victoire (surtout dans des expressions). *Pays assujetti
aux lois d'un vainqueur* (→ Juge, cit. 6). *Tenir un pays, un territoire, la mer sous ses lois. Passer sous d'autres lois* (→ Bientôt,
cit. 6). *Courber* sous sa loi. Recevoir, subir la loi de qqn. Vivre,
gémir sous la loi de qqn* (→ Impérieux, cit. 2).

24 Les royaumes entiers tomberont sous ses lois (...)
CORNEILLE, le Cid, II, 5.
25 Moi régner ! Moi ranger un État sous ma loi...! RACINE, Phèdre, III, 1.

(Déb. XVIIᵉ). Fig. ⇒ **Autorité, domination, empire, pouvoir, puissance.**
Soumettre qqn à sa loi* (→ Arrogance, cit. 3). *Asservi** (cit. 12
et 14) *aux lois, sous les lois de... ; s'asservir* (cit. 21) *à la loi de...
Astreindre* (cit. 1) *à des lois.* — *La loi du plus fort* (→ Esclavage,
cit. 3 ; outlaw, cit. 11). — Par exagér. et vx. *Être sous les lois de
qqn, lui être tout dévoué.* — (V. 1175). Spécialt et vx. *La loi, les lois
de l'hymen, de l'amour.* — (1636). *Subir la loi, vivre sous les lois
d'une femme, sous son empire.*

26 Il serait doux d'entrer sous l'amoureuse loi,
Si l'on trouvait en amour de la foi (...) MOLIÈRE, le Bourgeois gentilhomme, I, 2.
27 Hermione elle-même a vu plus de cent fois
Cet amant irrité revenir sous ses lois (....) RACINE, Andromaque, I, 1.
28 Tu compterais dans tes lits
Plus de baisers que de lis
Et rangerais sous tes lois
Plus d'un Valois ! BAUDELAIRE, les Fleurs du mal, Tableaux parisiens, LXXXVIII.

Faire loi : faire autorité (→ Académie, cit. 4 ; convenir, cit. 4).

♦ **4.** (Après un verbe exprimant l'ordre). Commandement que l'on
donne, ordre que l'on impose. *Dicter* la (sa) loi, faire la loi à qqn*
(→ Appartenir, cit. 2 ; aujourd'hui, cit. 33) : imposer son autorité,
se faire obéir. *Dicter qqch. pour loi* (→ Absolu, cit. 6). *Tu ne vas
pas nous faire la loi chez nous ! C'est pas toi qui nous fera la loi !*

— Absolt. *Faire la loi :* commander, se comporter ne maître. — *La
Loi,* roman de Roger Vailland. — *Observer exactement* (cit. 1) *la
loi, obéir aux lois de qqn.*

29 Quelque loi qu'il vous dicte, il faut vous y soumettre. RACINE, Phèdre, III, 3.
30 J'ai même défendu, par une expresse loi,
Qu'on osât prononcer votre nom devant moi. RACINE, Phèdre, II, 5.
31 Ce n'est pas encore dans le haut de Belleville que les maquereaux du boulevard viendront faire la loi.
J. ROMAINS, les Hommes de bonne volonté, t. IV, V, p. 39.

Se faire une loi de..., une obligation, une règle, un devoir (→ Assujettir, cit. 11 ; imposer, cit. 18). *S'imposer une loi* (→ Éviter,
cit. 49). — (Av. 1704). *Ne connaître d'autres lois que son caprice*
(cit. 2).

32 (...) j'admire votre soin et votre exactitude ; mais, ma très chère, ne vous en faites
point une loi (...) Mᵐᵉ DE SÉVIGNÉ, 425, 7 août 1675.
33 Elle servit elle-même au dîner sans y prendre part. Depuis son arrivée à Monté-
gnac, elle s'était fait une loi de prendre ses repas seule (...)
BALZAC, le Curé de village, Pl., t. VIII, p. 706.

La loi de qqn, sa loi : la loi qu'il impose ; la loi qu'il s'impose (*c'est
sa loi, son unique loi*). ⇒ **Devise, règle...**).

♦ **5.** (1587). Règles, conditions imposées (par les choses, les circonstances). *La loi du destin** (cit. 14), *de la fatalité, de la mort. Loi
fatale, inexorable* (cit. 9 et 11). — *La loi de la jungle.* — *La loi
du milieu, la loi du gang.* — *« L'amour est enfant de Bohème et
n'a jamais connu de loi »* (→ 1. Garde, cit. 40). — Prov. *Nécessité
n'a pas de loi.* — *Nécessité fait loi.*

34 La mort a des rigueurs à nulle autre pareilles (...)
Le pauvre en sa cabane, où le chaume le couvre,
Est sujet à ses lois (...) MALHERBE, Consolation à Du Périer.
35 (...) nécessité n'a point de loi ; qui n'a point de loi vit en bête brute (...)
MOLIÈRE, Dom Juan, V, 2.
36 ... (→ Apprenti, cit. 9)...
C'est une dure loi, mais une loi suprême,
Vieille comme le monde et la fatalité,
Qu'il nous faut du malheur recevoir le baptême,
Et qu'à ce triste prix tout doit être acheté.
Les moissons pour mûrir ont besoin de rosée ;
Pour vivre et pour sentir, l'homme a besoin de pleurs (...)
A. DE MUSSET, Poésies nouvelles, « La nuit d'octobre ».

♦ **6.** Spécialt. Règle exprimant la volonté de Dieu, de la divinité. *La
loi de Dieu, de la Providence.* ⇒ **Commandement, décret** (→ Amour,
cit. 2 ; craindre, cit. 21 ; exécuteur, cit. 1). *Les lois divines* (→ Blesser, cit. 14).

37 Moïse premièrement apprit les lois de Dieu
Pour les graver au cœur du populaire Hébr(i)eu.
Minos a, des Crétois, les villes gouverné(es)
Des lois que Jupiter lui avait ordonné(es)
Et Solon par les lois que Pallas lui donna
Régit l'Athénien ; Lycurgue gouverna
Par celles d'Apollon la ville de Lacène.
Et bref, des lois de Dieu toute la terre est pleine (...)
RONSARD, Premier livre des hymnes, De la justice.
38 C'est un tort de s'absorber dans la loi divine au point de ne plus s'apercevoir de
la loi humaine. HUGO, les Misérables, I, I, IV.

(Mil. XIIᵉ). Relig. judaïque. *La loi de Moïse, de l'Ancien Testament,
l'ancienne loi.* ⇒ **Décalogue** (→ Adultère, cit. 3 ; authentique, cit. 6 ;
commandement, cit. 6). — Absolt. *La loi* (→ Impureté, cit. 5 ; iota,
cit. 1). *L'observance** de la loi. Les tables*, le livre de la loi*
(→ 1. Arche, cit. 3). — (1672). *Docteurs de la loi.* — *La loi* (Torah)
est contenue dans le Pentateuque.

39 (*Je viens*) Célébrer avec vous la fameuse journée
Ou sur le mont Sina la loi nous fut donnée. RACINE, Athalie, I, 1.
40 J'adore le Seigneur. On m'explique sa loi.
RACINE, Athalie, II, 7 (→ Apprendre, cit. 47).
41 Le mot même de Loi, qui, depuis les Septante, Josèphe et saint Paul, et communément employé comme traduction de *Torah* (*nomos en grec*), ne rend pas la
richesse complexe du terme hébraïque. — *Loi,* en français a quelque chose d'étroit,
de formaliste. DANIEL-ROPS, le Peuple de la Bible, IV, III.

(1541). *La loi et les Phophètes :* les textes bibliques mosaïques et
prophétiques. — Loc. fig. (1672). *C'est la loi et les prophètes :* c'est
une vérité incontestable, cela n'admet pas le doute, la discussion
(s'emploie quelquefois par ironie).

42 Faites donc aux hommes tout ce que vous voulez qu'ils vous fassent, car c'est
là la loi et les prophètes. BIBLE (SACY), Évangile selon saint Matthieu, VII, 12.

(1080). *La loi nouvelle,* de Jésus-Christ, de l'Évangile, des
chrétiens. *La loi et la grâce* (cit. 26).

43 La loi n'a pas détruit la nature ; mais elle l'a instruite ; la grâce n'a pas détruit la
loi ; mais elle la fait exercer (...) La loi obligeait à ce qu'elle ne donnait pas.
PASCAL, Pensées, VII, 520 et 522.
44 (...) un enfant de la loi nouvelle, un disciple de l'Évangile. MASSILLON, Carême, Riche.

La loi de Mahomet est contenue dans le Coran (→ Arabe, cit. 1).

♦ **7.** (V. 1130 ; généralement au plur.). Règles ou conventions établies,
qui sont ou doivent être observées dans les rapports sociaux dans la
pratique d'un art, d'un jeu, etc. ⇒ **Règle ; code.** *Les lois de l'honneur** (cit. 27 et 37), *de la bienséance** (cit. 8), *de la charité*
(→ Anodin, cit. 5), *de l'hospitalité*, de la politesse. Lois établies par la
mode. Lois établies par l'usage.* — *Les lois du jeu. Les lois du dessin, de la musique, de la tauromachie. Les lois de la grammaire.* ⇒ **Règle.**

45 À la honte des hommes, on sait que les lois du jeu sont les seules qui soient partout justes, claires, inviolables, et exécutées.
VOLTAIRE, Dict. philosophique, Lois, III.

46 Les vêtements sont pendus au mur, dans un ordre bien défini. On les enfile méthodiquement. Il y a des rites, il y a des lois. G. DUHAMEL, Salavin, III, II.

★ **II.** Règle impérative «exprimant la nature idéale d'un être (...) la norme à laquelle il doit se conformer pour se réaliser» (Lalande), exprimant une éthique.

♦ **1.** (XVIᵉ). Règle dictée à l'homme par sa conscience, sa raison. *Loi naturelle* (par oppos. aux *lois positives.* → ci-dessus, I., 1.). ⇒ **Droit** (naturel), **principe** (→ Bon, cit. 85; corrompre, cit. 26; équité, cit. 17). *Les lois de la nature,* ou, *vx, de nature.* ⇒ **Nature** II., 1. *Conformité à la loi naturelle.* ⇒ **Droit, équité, justice.** *Lois inscrites en nous par la nature* (→ Évidence, cit. 6). — *Les lois de la saine raison* (→ Impulsion, cit. 13), *les lois de la conscience* (→ Engagement, cit. 2).

47 Nous autres nous n'avons que la Loi naturelle
Écrite dans nos cœurs par une encre éternelle,
Que nous suivons toujours sans besoin d'autre écrit,
Comme portant nos lois en notre propre esprit.
RONSARD, le Bocage royal, I, Disc. de l'équité.

48 Il se faut entr'aider : c'est la loi de nature. LA FONTAINE, Fables, VIII, 17.

49 La loi, en général, est la raison humaine, en tant qu'elle gouverne tous les peuples de la terre (...) MONTESQUIEU, l'Esprit des lois, I, III.

50 — Qu'est-ce que la loi naturelle? — L'instinct qui nous fait sentir la justice.
VOLTAIRE, Dict. philosophique, Loi naturelle.

51 Connaissant si peu la nature, et s'accordant si mal sur le sens du mot *loi,* il serait bien difficile de convenir d'une bonne définition de la loi naturelle.
ROUSSEAU, De l'inégalité parmi les hommes, Préface.

52 Des inéluctables lois naturelles, Gœthe formera la notion du seul Dieu qu'il reconnaisse, révère et serve. GIDE, Attendu que..., p. 112.
Loi morale. ⇒ **Devoir; précepte, principe, règle.** *Immutabilité, et universalité de la loi morale.* — Allus. philos. *«Agis de telle sorte que la maxime de ta volonté puisse être érigée en loi universelle»* (Kant, *Critique de la raison pratique,* Conclusion).

53 Les lois morales ne sont pas seulement d'accord sur la terre avec les lois physiques, elles sont les mêmes sous une autre acception.
É. DE SENANCOUR, De l'amour, p. 101 (→ ci-dessous, III, REM. et cit. 58,
A. LALANDE, au sujet de la confusion entre le sens normatif et le sens scientifique de loi).

54 Ou bien, plus simplement, ne fallait-il pas admettre qu'il y a une loi morale collective, et qu'il est presque impossible à l'homme d'agir uniquement à titre d'individu? MARTIN DU GARD, les Thibault, t. III, p. 219.
Loc. (1667). *N'avoir ni foi ni loi.* ⇒ **Foi** (cit. 43 et 44).

♦ **2.** (1690). *Lois de l'esprit :* axiomes fondamentaux (principes d'identité, de contradiction, du milieu exclu, etc.) qui donnent à la pensée sa valeur logique.

♦ **3.** (1858). *Les lois du beau, de l'art :* les conditions de la perfection esthétique. ⇒ **Canon, norme** (→ Absolu, cit. 18; formule, cit. 16). — (1873). *Les lois d'un genre :* «Conditions qu'une œuvre doit remplir pour réaliser pleinement l'idéal du genre auquel elle appartient» (Lalande).

55 Exprimer l'idéal et l'infini d'une manière ou d'une autre, telle est la loi de l'art.
V. COUSIN, Du vrai, du beau et du bien, 9ᵉ leç., in A. LALANDE,
Voc. de la philosophie.

★ **III.** (1690). Formule générale énonçant une corrélation entre des phénomènes physiques, et vérifiée par l'expérience. — REM. Cette acception ne s'est dégagée qu'avec la conception moderne de science, les «*lois de la nature*» ayant longtemps été conçues comme les décrets d'une volonté transcendante (→ ci-dessous, I., 6.; et ci-dessous, cit. 56, Descartes, et aussi Nature, cit. 34, Buffon) ou comme des règles exprimant la nature profonde des êtres (→ ci-dessus II., et ci-dessous cit. 57, Montesquieu).

56 *(Dieu)* maintient toutes *(les parties de la matière)* en la même façon et avec les mêmes lois qu'il leur a fait observer en leur création (...) De cela aussi que Dieu n'est point sujet à changer et qu'il agit toujours de même sorte, nous pouvons parvenir à la connaissance de certaines règles que je nomme les lois de la nature, (...)
DESCARTES, Principes de la nature, II, 36-37.

57 Les lois, dans la signification la plus étendue, sont les rapports nécessaires qui dérivent de la nature des choses (...) MONTESQUIEU, l'Esprit des lois, I, I.

58 Il y a non seulement, dans ce chapitre (I, 1, *de l'«Esprit des lois»*), assimilation factice des «lois» civiles et des «lois» physiques, mais encore des ces dernières avec les «lois naturelles» prises au sens de règles morales (...) Toutes ces équivoques subsistent encore dans le langage philosophique contemporain, et contribuent à maintenir l'illusion d'une morale de la nature, qui pourrait tirer, des lois scientifiquement *constatées,* un système de règles *normatives* de conduite. Il y a donc lieu (...) de substituer au mot de loi (...) les termes non équivoques de «principe» ou de «formule» dans l'ordre scientifique, «d'impératif» ou de «règle appréciative» dans l'ordre normatif.
LALANDE, Voc. de la philosophie, art. *Loi, Critique.*

(1677; dans les sciences). *Les lois scientifiques*.* Concept de loi* (→ Fonction, cit. 17 et 18). *Graphique* (cit. 4), *courbe exprimant une loi. Loi de composition** (I., 5.) *interne, externe. Lois physiques** (⇒ **Propriété,** II.), *naturelles. Lois qui gouvernent* (cit. 24 et 25), *régissent le monde* (⇒ **Cosmologie**). *Absence des lois dans l'indéterminisme* (cit. 2). — *Loi générale* (→ Expérimenter, cit. 8; géographe, cit. 2). *Loi d'ensemble* (→ Corrélation, cit. 1). — *Analogie* (cit. 11) *permettant d'établir une loi. Asseoir, fonder, établir*

une loi sur quelques exemples (cit. 34). *Découvrir, trouver une loi* (→ État, cit. 48). *La démonstration* d'une loi.*

(...) en étudiant les lois apparentes de la marche du monde, l'homme en découvre 59 qui peuvent appartenir à l'orde infini : c'est la science.
É. DE SENANCOUR, De l'amour, p. 5.

La loi nous donne le rapport numérique de l'effet à sa cause, et c'est là le but 60 auquel s'arrête la science. Lorsqu'on possède la loi d'un phénomène, on connaît donc non seulement le déterminisme absolu des conditions de son existence, mais on a encore les rapports qui sont relatifs à toutes ces variations, de sorte qu'on peut prédire les modification de ce phénomène dans toutes les circonstances données. Cl. BERNARD, Introd. à l'étude de la médecine expérimentale, II, I.

Quelques personnes ont exagéré le rôle de la convention dans la Science; elles 61 sont allées jusqu'à dire que la Loi, le fait scientifique lui-même étaient créés par le savant (...) Non, les lois scientifiques ne sont pas des créations artificielles; nous n'avons aucune raison de les regarder comme contingentes, bien qu'il nous soit impossible de démontrer qu'elles ne le sont pas.
Henri POINCARÉ, la Valeur de la Science, Introd.

Lois théoriques, fonctionnelles. Lois historiques. — Lois de la probabilité (→ Indéterminisme, cit. 3). *Loi des grands nombres** (→ Individuel, cit. 1). *Les lois de la mécanique, de l'optique. Lois de l'attraction*, de la gravitation* (cit. 1) *universelle* (→ Globe, cit. 7; graviter, cit. 1). *Lois d'inertie** (cit. 1), *de la pesanteur, de la chute des corps, du mouvement* (→ Accélération, cit. 1). *C'est un défi aux lois de l'équilibre.* — *Lois de la réfraction, des contrastes. Les lois de l'électricité. Loi de Coulomb, loi d'Ohm,* formulée, découverte par Coulomb, Ohm. — *Lois biologiques* (→ Homme, cit. 11). *Les lois de l'hérédité* (cit. 9). — *Lois sociologiques*, économiques. La loi de l'offre et de la demande. Loi de Gresham.*

Les lois économiques sont aussi certaines que les lois physiques ou mathématiques. 62 On ne peut pas les violer impunément.
L. SAY, 27 mars 1893, in ROMEUF, Dict. de sciences économiques, art. *Loi.*

Un grand abus fut fait du mot loi. La plupart des économistes ont eu tendance 63 à baptiser de ce nom les relations qu'ils ont cru découvrir entre les phénomènes : telles les prétendues lois de baisse du profit de Ricardo, de valeur travail de Karl Marx, de fonds de salaire de Stuart Mill.
L. BAUDIN, Traité collectif d'économie politique, I, p. 17, in ROMEUF.

★ **IV.** Par ext. (1668). Principe essentiel et constant, condition *sine qua non.* ⇒ **Nécessité** (→ Association, cit. 1). *La loi de notre être, de la vie* (→ Art, cit. 43; civilisation, cit. 10). *C'est une loi de l'histoire que...* (→ Excès, cit. 11). *Admettre qqch. comme une loi.* ⇒ **Dogme.** *Loi de la nature* (→ Créature, cit. 7; dépendance, cit. 7; égalité, cit. 2 et 3). *La guerre* (cit. 6), *loi du monde. La loi de l'univers, du grand Tout* (→ Épargner, cit. 24; équilibre, cit. 10).

Ainsi s'accomplit sans cesse, depuis le ciron jusqu'à l'homme, la grande loi de la 64 destruction violente des êtres vivants.
J. DE MAISTRE, les Soirées de Saint-Pétersbourg, 7ᵉ Entretien.

COMP. Loi-cadre, loi-programme.
HOM. 2. Loi.

2. LOI [lwa] n. f. — 1611; *lays,* 1273; forme d'*aloi.*

♦ Titre auquel les monnaies peuvent être fabriquées. ⇒ **Aloi.**
HOM. 1. Loi.

LOI-CADRE [lwakadʀ] n. f. — Mil. XXᵉ; de *loi,* et *cadre.*

♦ Loi dont les dispositions générales doivent servir de cadre à des textes d'application. *Des lois-cadres.* «*Ce débat devrait permettre au gouvernement de présenter une loi-cadre dont l'enjeu est capital : réformer en profondeur la façon de gérer les communes*» (*l'Express,* 19 juin 1978).

LOIN [lwɛ̃] adv. et n. m. — 1080; *loinz,* v. 1050; du lat. *longe.*
Adverbe marquant l'éloignement*, la (grande) distance. — REM. Le mot perd son sens fort au comparatif et au superlatif relatif, où il ne marque plus qu'une relation entre deux ou plusieurs distances.

★ **I.** Adv. ♦ **1.** À une distance (d'un observateur ou d'un point d'origine) considérée comme grande. *Être loin* (⇒ **Éloigné, lointain**), *très loin* (→ Aux antipodes*, au bout* du monde, au diable*). *Être assez loin, un peu loin.* ⇒ **Distance** (à distance), **écart** (à l'écart). *C'est trop loin, c'est bien loin. Aller* loin. Voyager loin, faire des équipées* (cit. 1) *assez loin. Pénétrer loin dans la forêt* (→ Au fin* fond de...). *Être loin sur la route du retour.* — *Plus loin, un peu plus loin* (→ Envie, cit. 24; fourmée, cit. 7; incertitude, cit. 18), *deux kilomètres plus loin.* ⇒ **Delà** (au delà). *Je n'irai pas plus loin.* ⇒ **Avant.** *Aller trop loin.* ⇒ **Dépasser.** *Sans aller bien loin, très loin. Vous n'irez pas loin avec ce véhicule. Fuir, s'enfuir loin* (→ Galère, cit. 7). *Les fuyards sont loin* (→ Hors d'atteinte*, de portée*, de vue*). *Il était déjà loin. Il ne peut pas être bien loin* (→ Guet, cit. 6). *Mettez, posez cela plus loin. Transporter plus ou moins loin* (→ Érosion, cit. 1). «*Emporte-moi... loin, loin...*» (→ Frégate, cit. 1, Baudelaire). *Regarder plus loin* (→ Fascination, cit. 5). *Plus loin qu'on ne peut voir, entendre* (→ À perte* de vue, d'ouïe*, et aussi immense, cit. 4). — (1668). Prov. *Qui veut aller*, voyager loin ménage sa monture* (→ 1. Feu, cit. 15, Racine) : pour mener à bien une entreprise il ne faut pas gaspiller ses forces au départ. Dans le même sens. *Qui va doucement va loin* (→ Chi va piano... va lontano). — Loc. fam. (1690; au fig., 1635). *Ne pas voir* *plus loin que son nez*, que le bout* de son nez.* — (Avec un compl. prépositionnel). *Laisser* (cit. 48) *loin derrière soi les concurrents. Voir loin devant soi.*

1 Celui-ci ne voyait pas plus loin que son nez. LA FONTAINE, Fables, III, 5.

2 Je n'ai donc traversé tant de mers, tant d'États,
Que pour venir si loin préparer son trépas ? RACINE, Andromaque, V, 1.

3 Anne, ma sœur Anne, ne vois-tu rien venir ? Je vois, répondit-elle, deux cavaliers qui viennent de ce côté-ci, mais ils sont bien loin encore (...)
Ch. PERRAULT, Contes, Barbe-Bleue.

4 Bien loin, bien loin, presque à la ligne de l'horizon, cinq voiles de bateaux pêcheurs palpitaient au vent comme des ailes de colombe.
Th. GAUTIER, Voyage en Espagne, p. 204.

5 Son unique pensée était d'aller tout droit, plus loin, toujours plus loin, pour se fuir (...) ZOLA, la Bête humaine, p. 62.

(1873). Spécialt. *Lire plus loin, voir plus loin,* plus avant dans le texte. ⇒ **Après** (ci-après), **bas** (plus bas), **infra** (→ Incident, cit. 16). *Note à reporter plus loin.*

(1887). Abstrait. *Être loin :* être loin par la pensée du lieu où l'on se trouve (→ Être absent*, ailleurs*, à cent lieues), ou encore, être loin par manque de chaleur affective, d'affinités... (→ ci-dessous, cit. 10, Zola). — (Avec des verbes comme *aller, mener, conduire,* etc.). *Aller loin* (dans une phrase exprimant un futur ; av. 1696) : réussir. *Ce garçon ira loin.* — (1672). *Chercher trop loin la solution d'un problème. N'allez pas chercher si loin, c'est beaucoup plus simple.* — (1660). *Voir loin :* avoir de la pénétration, de la perspicacité. *Voir plus loin que qqn,* plus profondément*, plus à fond (→ Apprentissage, cit. 16, et, au sens temporel, ci-dessous, 2.). — (Av. 1650). *Porter, pousser plus loin les recherches.* ⇒ **Étendre.** — (1538, *sans aller plus loin*). *Aller plus loin :* pousser l'action, la réflexion au delà. *Le journal va plus loin avec X.* — (1669). *N'allons pas plus loin, tenons-nous en là, restons-en là.* — (1673). *Aller plus loin que qqn* (dans tel ou tel domaine). ⇒ **Dépasser, surpasser.** *Nous ne pouvons aborder ce sujet, cela nous entraînerait trop loin. J'irai même plus loin :* j'irai jusqu'à dire que... *Pousser très loin l'audace, l'insolence.* — (1661). *Aller trop loin.* ⇒ **Exagérer ; excès** (→ Incartade, cit. 4). *Il est allé un peu loin.* → *Il y est allé (trop) fort*. Haine* (cit. 34), *vertu qui ne peut aller plus loin. Sa compétence ne va pas plus loin.* ⇒ **Delà** (au delà).

(Av. 1797). Spécialt (quant à la portée, aux conséquences). *Erreur qui va loin* (→ Ambassade, cit. 2). *Une affaire qui peut aller loin, qui risque d'aller loin, de mener loin. Ils ont eu quelques disputes, mais cela n'a jamais été plus loin.*

6 (...) ceux qu'on voit toujours renchérir sur la mode,
Et qui dans ses excès, dont ils sont amoureux,
Seraient fâchés qu'un autre eût été plus loin qu'eux.
MOLIÈRE, l'École des maris, I, 1.

7 Et, dans ce vain savoir, qu'on va chercher si loin,
On ne sait comme va mon pot, dont j'ai besoin.
MOLIÈRE, les Femmes savantes, II, 7.

8 (...) ce jeune homme ira loin, je vous le prédis. A. DE VIGNY, Cinq-Mars, XIV.

9 (...) tu iras jusqu'au bout, tu mèneras ton aventure aussi loin qu'on peut aller sans commettre une scélératesse (...) E. FROMENTIN, Dominique, XIV.

10 Tous deux vivaient en bon accord, le ménage prospérait, travaillait, économisait. Mais ce n'était point ça, il la sentait loin (...) ZOLA, la Terre, V, III.

11 Dis donc, mon vieux, sais-tu que tu as vraiment du succès auprès des femmes ? Il faut soigner ça. Ça peut te mener loin. MAUPASSANT, Bel-Ami, I, I.

12 (...) peut-être n'est-il allé si loin dans la pénétration de l'intelligence du talent et des secrets d'autrui, que parce qu'il haïssait beaucoup.
Émile HENRIOT, les Romantiques, p. 235.

♦ **2.** (V. 1225). Dans un temps jugé éloigné du moment présent ou de celui dont on parle. *Loin dans le passé, dans l'avenir.* ⇒ **Lointain.** *L'aurore* (cit. 9) *est encore loin. Le temps n'est pas si loin où... — Fam. Pas plus loin qu'hier, la chose s'est encore produite. — Usage qui remonte* loin dans le temps.* ⇒ **Ancien, long.** *Tout cela est bien loin, comme c'est loin !* ⇒ **Vieux.** *Reprendre* les choses de plus loin. Sans remonter si loin :* il n'y a pas si longtemps. *La réalisation de ce beau rêve est encore loin* (→ Ce n'est pas pour demain). *Visite qu'on remet, qu'on repousse le plus loin possible.* ⇒ **Tard.**

13 Un jour viendra, qui n'est pas loin. LA FONTAINE, Fables, I, 8.

(1740). *Aller loin. Prodigue comme il est, sa fortune n'ira pas loin.* ⇒ **Durer.** *Nous n'irons pas loin avec ce qu'il nous reste de provisions.* — (1694). Spécialt. Vivre longtemps. *Un malade qui n'ira pas loin* (→ Ne pas faire de vieux os).

(1660). *Voir loin* (→ ci-dessus, 1., au sens spatial) : avoir une grande prévoyance. ⇒ **Prévoir.** *Pour réussir, il faut voir loin. Il a su voir grand et loin.*

★ **II.** N. m. (Dans des loc.). Une grande distance, une distance relativement grande.

♦ **1.** (1530). **IL Y A LOIN :** il y a une grande distance. *Il y a loin de la gare au centre de la ville.* — (Av. 1797). Fig. *Il y a loin :* il y a un grand écart, une grande différence. *Il y a loin d'un lion à un bourricot* (cit. 1). *De là à prétendre que c'est un incapable, il n'y a pas loin* (→ Il n'y a qu'un pas*). — Prov. *Il y a loin de la coupe* aux lèvres.*

14 J'ai le regard penché sur les mousses de moisissure de l'âme. Il y a loin de là aux flamboiements mythologiques et théologiques de *Saint Antoine.*
FLAUBERT, Correspondance, 308, 8 févr. 1852.

(...) de cette scène de Vigny aux trois actes des *Jumeaux* d'Hugo, il y a loin : outre la supériorité du verbe, il y a toute l'invention scénique d'Hugo. 15
Émile HENRIOT, les Romantiques, p. 62.

♦ **2.** Loc. adv. (1050). **AU LOIN :** dans un lieu éloigné. *Être au loin. Il avait été au loin.* ⇒ **Absent.** *Faire la guerre* (cuit. 30) *au loin. Aller, partir au loin.* ⇒ **Éloigner** (s'). *S'envoler au loin* (→ Flammèche, cit. 1). *Envoyer* au loin.* ⇒ **Éloigner.** *Jeter*, répandre au loin.* ⇒ **Disperser, disséminer ; dehors** (au). *Voir, regarder, apercevoir* (cit. 6) *qqch., qqn au loin* (→ Camp, cit. 4). ⇒ **Lointain** (dans le). *Au loin, un rougeoiement indiquait l'emplacement des boulevards* (→ Illuminer, cit. 21). *Le ciel se perd au loin dans la grisaille* (cit. 5). ⇒ **Horizon** (à l'horizon). *Champs, plaines, blés* (cit. 6) *qui s'étendent au loin. Entendre qqch., un bruit au loin.*

Je ne regarderai ni l'or du soir qui tombe, 16
Ni les voiles au loin descendant vers Harfleur.
HUGO, les Contemplations, IV, XIV.

Leurs yeux, d'où la divine étincelle est partie, 17
Comme s'ils regardaient au loin, restent levés
Au ciel (...) BAUDELAIRE, les Fleurs du mal, Tableaux parisiens, XCII.

Les poètes (...) disent que le bonheur resplendit tant qu'il est au loin et dans l'avenir, et que, lorsqu'on le tient, ce n'est plus rien de bon (...) 18
ALAIN, Propos, 18 mars 1911, Victoires.

♦ **3.** Loc. adv. (1080). **DE LOIN :** d'un lieu éloigné. *Venir, arriver de loin. Suivre de loin.* ⇒ **Distance** (à). *Appeler, héler* (cit. 3), *crier de loin. Voir, apercevoir* (cit. 9) *de loin une personne, une chose* (→ Approcher, cit. 8 ; fresque, cit. 6 ; halage, cit. 1 ; haut, cit. 124). *Surveiller de loin. Regarder un tableau de trop loin. Ne voir distinctement que de loin* (⇒ **Presbyte**). *Appareils pour voir, pour entendre de loin* (→ préf. **Télé-**). *Vu de loin, le village semblait désert.* — Fam. *Elle est mieux de loin que de près.* — *De loin, c'est quelque chose* (cit. 41) *et de près ce n'est rien. Observer, suivre de loin les événements.* — (1867). Prov. *A beau* mentir qui vient de loin* (→ aussi Attester, cit. 10).

(1672). Fig. *Revenir de loin :* réchapper d'un grand danger, guérir d'une grave maladie. — Prov. *Jeunesse** (3.) *revient de loin.* — *Voir venir*.* — *Voir venir* qqn de loin,* pénétrer ses intentions secrètes. *Ils avaient senti le piège de loin.* — *Observer de loin les règles de l'honneur* (cit. 35). — (1862). Assez peu, médiocrement. *Ne s'intéresser que de loin à qqch. Ne connaître qqn ni de près ni de loin, ne pas le connaître du tout* (→ Ni d'Ève, ni d'Adam). — Par ext. *De près ou de loin :* de quelque manière. *Ni de près, ni de loin :* en aucune manière. *Être intéressé de près ou de loin à qqch.* — (V. 1250). *Être parent, allié de loin.* ⇒ **Éloigné** (→ Falloir, cit. 36).

(...) après tout, mon vieux, ne nous abusons pas ; la trahison pue énormément, et les gens primitifs la sentent de loin. 19
BALZAC, Une ténébreuse affaire, Pl., t. VII, p. 523.

(1580). De beaucoup, par une grande différence. ⇒ **Beaucoup** (de beaucoup). *L'emporter de bien loin sur qqn. C'est de loin son meilleur roman. Ce spectacle ne peut, et de loin, soutenir la comparaison* (→ Tant* s'en faut).

(...) le meilleur de bien loin *(dans les tragédies),* c'est lorsqu'un homme commet quelque action horrible sans savoir ce qu'il fait (...) 20
RACINE, Traductions, La poétique d'Aristote.

Restait le roi, de bien loin que le plus important (...) 21
SAINT-SIMON, Mémoires, I, XLVIII.

Nous autres Français, en tant que Latins ou Méditerranéens, nous avons plus de 22
deux mille ans derrière nous. L'Anglais ne peut pas, de loin, aligner autant de siècles. André SIEGFRIED, l'Âme des peuples, IV, 1 (→ Aligner, cit. 4).

(V. 1160 ; dans le temps). Vieilli. *Dater* de loin.* ⇒ **Longtemps** (→ Chercher, cit. 5) ; *de plus ou moins loin* (→ Ancien, cit. 9). *Une longue, une vieille habitude qui date de très loin. Air qui vient de loin* (→ Berceuse, cit. 2). — (Déb. XVe). Longtemps à l'avance.

Je ne sais point prévoir les malheurs de si loin. RACINE, Andromaque, I, 2. 23

♦ **4.** Loc. adv. (V. 1180 ; *luinz à luinz,* 1119). **DE LOIN EN LOIN** ou (vx), **DE LOIN À LOIN :** par intervalles*. — (Dans l'espace). ⇒ **Place** (de place en place). *Bornes* (cit. 6) *placées de loin en loin. Galeries éclairées de loin en loin par quelques lampes* (→ Catacombe, cit. 1). — (1620 ; dans le temps). ⇒ **Temps** (de temps en temps). *Pas qui rompt le silence de loin en loin* (→ Heurt, cit. 3). *Ils ne se voient plus que de loin en loin.*

Pas de bruit (...) À peine, de loin en loin, un son de fifre, un courlis dans les lavandes, un grelot de mules sur la route (...) 24
Alphonse DAUDET, Lettres de mon moulin, « Installation ».

★ **III.** Loc. prép. (1080). **LOIN DE...** ♦ **1.** À une grande distance de. *New York est loin de Paris. Lieux qui ne sont pas loin l'un de l'autre, qui sont distants* seulement de 10 km. Loin des villes, des cités* (→ Envoler, cit. 4). *Loin du centre de la ville* (⇒ **Excentrique**). *Loin de Rueil,* roman de R. Queneau. *Loin de tout. Qu'allez-vous faire si loin d'ici ?* (→ Chevalier, cit. 3). *Pas bien loin de là. Être, vivre loin de qqn* (→ Altesse, cit. 1 ; attiédir, cit. 5 ; errer, cit. 10 ; faon, cit. 2 ; intuition, cit. 6). *Loin de la foule.* ⇒ **Écart** (à l'écart). *hors. Loin du monde et du bruit* (cit. 20.8). *Jeter* (cit. 3) *une pierre loin de soi.* — (1677). **NON LOIN DE...** : assez près de... (→ Graisse, cit. 4 ; ; hilare, cit. 3 ; kiosque, cit. 3). *Non loin de là s'étendait une forêt...* — (1573). Prov. *Loin des yeux, loin du cœur* (cit. 73) : les absents sont oubliés*. ⇒ **Absence.**

Mais Paris, après tout, est bien loin de Poitiers. 25
Le climat différent veut une autre méthode. CORNEILLE, le Menteur, I, 1.

26 Allons loin de ses yeux l'oublier, ou mourir. RACINE, *Bérénice*, I, 2.

27 Les deux armées se rencontrèrent dans le golfe de Lépante (...) non loin de Corinthe. VOLTAIRE, *Essai sur les mœurs*, CLX.

28 Si l'adage : *loin des yeux, loin du cœur*, est vrai pour la plupart des femmes, il est vrai surtout en fait de sentiments de famille et de protections ministérielles ou royales. De tout temps les gens qui servent personnellement les rois font très bien leurs affaires (...) BALZAC, *le Cabinet des Antiques*, Pl., t. IV, p. 441.

29 Envole-toi bien loin de ces miasmes morbides. BAUDELAIRE, *les Fleurs du mal*, Spleen et Idéal, III.

(1080). Fig. *Loin des sentiers battus.* « *Les femmes d'à présent sont bien loin de ces mœurs* » (→ Auteur, cit. 26, Molière). ⇒ **Éloigné.** *Être loin du but, en être encore très loin. Être assez loin de la vérité* (→ Approximatif, cit. 1). *Être loin du compte*, loin de compte*. S'il n'a pas la quarantaine, il n'en est pas bien loin.* — (Av. 1662). *Être loin de qqn* (par le cœur, les idées. → ci-dessus, I., 1.). *Il la sentait loin de lui, comme étrangère. Ce peuple m'honore* (cit. 6) *des lèvres, mais son cœur est loin de moi* (→ Vivre dans l'éloignement* de Dieu).

30 Combien tout ce qu'on dit est loin de ce qu'on pense ! RACINE, *Britannicus*, V, 1.

31 (...) je l'avais trouvé vrai et loin de toute vanité (...) Mᵐᵉ DE SÉVIGNÉ, 1217, 21 sept. 1689.

32 (...) j'ai constamment vécu le plus loin possible de moi-même et hors de la triste réalité. FRANCE, *le Petit Pierre*, XXXIV.

33 (...) la mère avait voulu tenir son fils loin du métier de guerre, en le gardant dans l'ignorance même des armes et de la chevalerie. ARAGON, *les Yeux d'Elsa*, p. 101.

(1672). Loc. (En tête de phrase, pour marquer son éloignement, son dégoût de qqch., se défendre d'avoir telle ou telle idée, telle ou telle intention...). *Loin de moi les cités* (cit. 6) *et leur vaine opulence !* ⇒ **Arrière.** *Loin de nous l'intention de les abandonner ! Loin de moi la pensée de renoncer à des droits incontestables* (cit. 2). *Loin de moi la pensée de blâmer ce procédé* (→ Contraste, cit. 8).

34 Loin de nous les héros sans humanité. BOSSUET, *Oraison funèbre de Louis de Bourbon*.

(1862). *Loin de là :* au contraire, bien au contraire*, tant s'en faut* (→ Impartial, cit. 3). *Il n'est pas désintéressé, loin de là !*

35 Grantaire n'en était point encore à cette phase lugubre ; loin de là. Il était prodigieusement gai, et Bossuet et Joly lui donnaient la réplique. Ils trinquaient. HUGO, *les Misérables*, IV, XII, II.

♦ **2.** (1530). Dans un temps éloigné, à une époque lointaine (future ou passée). *Moments qui s'envolent* (cit. 7) *loin de nous.* « *Le moment où je parle est déjà loin de moi* » (→ Fuir, cit. 17). *Nous sommes encore loin des vacances, loin de la date prévue.*

♦ **3.** (1876). PAS LOIN DE... (pour indiquer une mesure approximative). ⇒ **Près** (à peu près), **presque.** *Il n'est pas loin de minuit :* il va être bientôt minuit (→ Hôtel, cit. 17). *Cela ne fait pas loin de trois kilomètres. Pas loin de mille francs. Il n'y a pas loin de trois heures de marche.*

36 Il ne devait pas être loin de midi, lorsqu'elle se mit en devoir de rentrer à la Crouts. Pierre BENOIT, Mˡˡᵉ de la Ferté, p. 112.

37 (...) on pouvait en calculer le prix à huit tomans pour le moins, ce qui, d'après les calculs de l'Occident, ne faisait pas loin d'une centaine de francs. J.-A. DE GOBINEAU, *Nouvelles asiatiques*, p. 145.

♦ **4.** (1530). Fig. LOIN DE... (suivi d'un verbe à l'inf.). *Être loin de...,* négation emphatique exprimant le contraire de ce qu'on pouvait croire, attendre. *Je fus loin de tenir ma promesse* (→ Foi, cit. 15). *Il était loin de s'attendre à cela* (→ Involontaire, cit. 3). *Je suis loin de prétendre que...* ⇒ **Éloigner** (bien éloigné de...). → ci-dessus *Loin de moi la pensée de... Il est loin de valoir son prédécesseur* (→ ci-dessus, *De loin*). *Le champ des découvertes est loin d'être clos* (→ Force, cit. 61).

38 (...) madame de Rênal, parfaitement heureuse, occupée sans cesse de Julien, était loin de se faire le plus petit reproche. STENDHAL, *le Rouge et le Noir*, I, VII.

39 La défaite de la Hougue, en 1692, fut loin de terminer la guerre. Elle nous empêcha seulement de la gagner tout à fait. J. BAINVILLE, *Hist. de France*, XIII, p. 240.

40 L'ameublement de cette chambre est loin de me donner satisfaction. J'aimerais mieux quelque simple cellule blanchie à la chaux. G. DUHAMEL, *Salavin, Journal*, 12 juin.

(Adversatif). *Loin de m'arrêter, cet obstacle m'amorce* (cit. 2). *La Société, loin de dépraver l'homme* (cit. 83), *le rend meilleur. S'il se montre imprévoyant* (cit. 2), *bien loin de le plaindre, la Société dira : C'est bien fait.*

41 Loin de trembler pour Albe, il vous faut plaindre Rome. CORNEILLE, *Horace*, II, 1.

42 Loin d'être austère, la pudeur doit avertir de ce qui altérerait l'amour. É. DE SENANCOUR, *De l'amour*, p. 117.

★ **IV.** Loc. conj. ♦ **1.** (XIVᵉ). D'AUSSI LOIN QUE..., DU PLUS LOIN QUE..., AU PLUS LOIN QUE... (peu usité), DE SI LOIN QUE (peu usité). — (Espace). *D'aussi* (cit. 27 et 28) *loin qu'il me vit, qu'il nous a vus paraître... Du plus loin qu'il nous a aperçus... Au plus loin que ma vie puisse s'étendre, je n'aperçois rien* (Académie). — (1606 ; temps). *Du plus loin qu'il m'en souvienne, rien n'a changé.*

43 (...) du plus loin qu'ils l'apercevaient, les Carthaginois s'enfuyaient bien vite (...) FLAUBERT, *Salammbô*, XIII.

44 (...) d'aussi loin que je m'en souvienne, je l'ai toujours haï (...) GIDE, *les Faux-monnayeurs*, I, VI.

♦ **2.** (1666, → cit. 45). Fig. LOIN, BIEN LOIN QUE..., adversatif (suivi du subj.). *Loin que le besoin de la société ait dégradé l'homme* (cit. 82), *c'est l'éloignement de la société qui le dégrade* (→ aussi Attiser, cit. 3). → Bien au contraire*.

45 Et loin qu'à son crédit nuise cette aventure. On l'en verra demain en meilleure posture. MOLIÈRE, *le Misanthrope*, V, 1.

46 Loin qu'il y ait eu préméditation dans la Saint-Barthélémy, on y distingue au contraire l'effet d'une sorte de panique. J. BAINVILLE, *Hist. de France*, IX, p. 169.

47 *Bien loin que* cette mort t'en *ait* donné l'horreur, tu attaches à la chambre où elle a souffert un caractère sacré. F. MAURIAC, *le Nœud de vipères*, I, 7, in G. et R. LE BIDOIS, *Syntaxe du franç. moderne*.

CONTR. Près. — **Abord** (aux abords), **alentour, auprès, contre, côté** (à côté), **environ** (aux environs), **jouxte.** — Cf. aussi les adj. Contigu, proche ; imminent, récent.

LOINTAIN, AINE [lwɛ̃tɛ̃, ɛn] adj. et n. m. — 1150 ; du lat. pop. *longitanus*, de *longe* « loin ».

★ **I.** Adj. ♦ **1.** Qui est à une grande distance* dans l'espace (du lieu où l'on est ou de celui dont on parle). ⇒ **Distant, éloigné ; loin.** *Terres, villes lointaines* (→ Exotisme, cit. 3). *Entreprendre un voyage dans un pays lointain.* — (1269). *Qui va, qui emmène loin. Aventures, campagnes* (cit. 5), *expéditions* (cit. 14), *courses* (→ Capitaine, cit. 6) *lointaines. Navigations lointaines. Lointain exil* [lwɛ̃tɛnɛgzil] (cit. 11). — *Qui est localisé au loin. Rumeur, musique lointaine. Entendre un pas lointain* (→ Intervalle, cit. 12). — (V. 1140). Personnes. *Qui est au loin* (et dont l'absence est ressentie). *Sa fiancée lointaine. Amis lointains.* — Littér. *La Princesse lointaine,* la comtesse de Tripoli dont s'était épris le troubadour Jaufré Rudel ; titre d'une pièce d'Ed. Rostand. — « *Pâle étoile* (cit. 11) *du soir, messagère lointaine* » (Musset).

1 Je meurs de soif auprès de la fontaine (...) (...) En mon pays suis en terre lointaine. VILLON, *Poésies diverses* « Ballade de Blois ».

2 Parfum qui fait rêver aux oasis lointaines. BAUDELAIRE, *les Fleurs du mal*, Tableaux parisiens, XCVIII.

3 Et la musique est si lointaine Qu'elle semble venir des cieux. APOLLINAIRE, *Alcools*, p. 63.

4 (...) émigrants dont le visage d'abord, les habits maintenant, disaient l'absence et la patrie lointaine. CAMUS, *la Peste*, p. 321.

(Déb. XXᵉ). Par métaphore. *Avoir l'air, un air lointain,* distrait, absent (→ Dédaigneux, cit. 7 ; flegmatique, cit. 2). — (1762). Littér. *Voix lointaine,* assourdie, qui semble venir de loin.

5 Et, pour sa voix, lointaine, et calme, et grave, elle a L'inflexion des voix chères qui se sont tues. VERLAINE, *Poèmes saturniens*, « Melancholia », VI.

6 Beaucoup de douceur lointaine dans ces yeux qui rêvent et sont distraits (...) André SUARÈS, *Trois hommes*, « Ibsen », III.

♦ **2.** (V. 1500, abstrait ; *lointain degré de lignaige*, 1283). Qui n'est pas proche ; qui n'est pas direct. ⇒ **Éloigné** (fig.). *Les causes directes et les causes lointaines de la Révolution.* ⇒ **Indirect.** *Choses qui n'ont entre elles que des rapports lointains* (→ Image, cit. 46 ; incise, cit. 2). *Une ressemblance lointaine.* ⇒ **Vague.** *Il n'y a dans ses dernières œuvres qu'un reflet lointain de ses premières réussites.*

(XIIIᵉ, *parente lontaigne*). Personnes. *Un parent assez lointain.* ⇒ **Éloigné.**

♦ **3.** (V. 1160). Qui est très éloigné dans le temps. *Passé, avenir lointain* (→ Bouffée, cit. 4). — REM. Si le contexte n'est pas explicite, l'adj. évoque plutôt le passé que l'avenir. *Époque lointaine.* ⇒ **Reculé** (→ Berbère, cit.). *En ce temps-là, qui n'est pas fort lointain* (→ Affaire, cit. 60). *Souvenir déjà lointain qui s'efface peu à peu* (→ Accoutumer, cit. 13). *La Provence se faisait* (cit. 232) *toujours plus lointaine dans leur souvenir.* — (Avenir). *Perspective, échéance lointaine* (→ Battre, cit. 73 ; escompte, cit. 1). *Lointain héritage* (→ Espérance, cit. 41).

7 Je te donne ces vers afin que si mon nom Aborde heureusement aux époques lointaines. BAUDELAIRE, *les Fleurs du mal*, Spleen et Idéal, XXXIX.

8 Je ne commets aucune indiscrétion de rapporter aujourd'hui ces propos lointains. Tout le monde les a connus ou devinés depuis. Ch. PÉGUY, *la République*, p. 66.

★ **II.** N. m. ♦ **1.** (1640). Partie d'un tableau représentant de façon réaliste des lieux, des objets très éloignés du premier plan. *Personnages peints dans le lointain d'un tableau* (→ Grouper, cit. 3). *Lointain indéterminé* (→ 1. Feuillé, cit. 2). *Des lointains bleuâtres, estompés, fondus, fuyants. Les lointains de Vinci, du Lorrain.*

9 (...) les arbres y sont dessinés avec vigueur et découpent hardiment leur feuillage détaillé et troué sur un fond de ciel clair et sur un lointain vaporeux qui se perd à l'horizon. Th. GAUTIER, *Souvenirs de théâtre...*, Collection d'Espagnac.

10 Les couleurs sont plus délicates, les lointains plus pâles, tout plus irréel, non mort, mais léger et comme dématérialisé. J. GREEN, *Journal*, 23 déc. 1963, Vers l'invisible, p. 383.

♦ **2.** (1685). Cour. Plan situé dans l'éloignement*. — *Dans le lointain, au lointain.* ⇒ **Arrière-plan, fond, horizon** (à l'horizon), **loin** (au loin). *Apercevoir dans le lointain* (→ Azur, cit. 3). *Le regard s'étend dans le lointain* (→ Esplanade, cit. 4). *Nuages qui passent dans le lointain. Voir la côte s'estomper* (cit. 6) *dans le lointain.*

CAMROSE LUTHERAN COLLEGE LIBRARY

« *Là-bas, au lointain nous voyons le troupeau s'avancer* » (Daudet). « *Une ville gothique* (cit. 12) *éteinte au lointain gris* » (Verlaine). — REM. *Au lointain* est critiqué par certains puristes. — Au plur. (Littér.). *Des lointains. Lointains bleuâtres* (→ Béer, cit. 5). *Les lointains de la campagne romaine* (→ Heurter, cit. 35).

11 (...) le goût des points de vue et des lointains vient du penchant qu'ont la plupart des hommes à ne se plaire qu'où ils ne sont pas.
ROUSSEAU, Julie ou la Nouvelle Héloïse, IV, XI.

12 Voici, certes, le plus beau site que nous ayons vu, dit-elle. Je ne l'oublierai jamais. Voyez donc, Victor, quels lointains, quelle étendue et quelle variété.
BALZAC, la Femme de trente ans, Pl., t. II, p. 725.

13 Les lointains étaient tellement estompés de vapeurs, et les franges de l'horizon tellement effilées sur le bord, qu'il n'était guère possible de savoir le point précis où commençait le ciel et où finissait la terre (...)
Th. GAUTIER, Mlle de Maupin, XI.

14 (...) la vive lumière les éblouissait, ils regardaient au ras de l'horizon plat des lointains crayeux des faubourgs (...)
ZOLA, l'Assommoir, VIII, t. II, p. 26.

15 (...) il nous semble toujours que nous devons entendre dans le lointain son bruit familier ; mais non, c'est partout le silence.
LOTI, Mon frère Yves, XLVI.

♦ **3.** (Av. 1863). Littér. Lieu ou temps très éloigné. *Dans le lointain des âges :* dans un passé très reculé.

16 (...) la notion et le confus désir des *ailleurs :* le trouble des inconnaissables lointains (...)
LOTI, Ramuntcho, I, IV.

17 (...) Phèdre se lève, elle aussi, et introduit, avec les vers suivants, une indication toute nouvelle et inattendue, qui l'écarte de nous, la situe dans le passé et dans une sorte de lointain exotique, oriental, étrange.   GIDE, Attendu que..., p. 190.

CONTR. **Accessible, adjacent, approchant, avoisinant, environnant, proche, prochain, voisin.** — **Alentour.** — **Direct, frappant ; frais, imminent, neuf, nouveau, récent.**
DÉR. **Lointainement.**

LOINTAINEMENT [lwε̃tεnmɑ̃] adv. — Mil. XIIe, Wace ; attesté aussi au XIIe (v. 1140) au sens de « longtemps » ; de *lointain ;* (cour. en anc. français).

♦ **1.** Rare. Au loin, dans le lointain.

♦ **2.** Fig. Faiblement, vaguement. *Ressentir lointainement une douleur.*

LOI-PROGRAMME [lwapʀɔgʀam] n. f. — 1964 ; de *loi,* et *programme.*

♦ Loi portant sur un programme à long terme (spécialt, pour autoriser le gouvernement à engager des dépenses). ⇒ aussi **Loi-cadre.**
« *Le jour même où l'Assemblée nationale sera appelée à discuter le projet de budget militaire de 1965, le gouvernement déposera sur son bureau la loi-programme 1965-1970* » (*le Monde,* 6 nov. 1964).

LOIR [lwaʀ] n. m. — V. 1200 ; du lat. pop. *lis, liris,* class. *glis, gliris.*

♦ Petit mammifère rongeur, à poil gris et à queue touffue, qui se niche dans le creux des arbres ou des rochers (n. sc. : *glis*). *Le loir est un animal hibernant** (→ Engourdissement, cit. 3). *Variétés de loirs :* lérot*, muscardin*.

1 Les loirs (...) sont courageux, et défendent leur vie jusqu'à la dernière extrémité ; ils ont les dents de devant très longues et très fortes, aussi mordent-ils violemment ; ils ne craignent ni la belette ni les petits oiseaux de proie, ils échappent au renard, qui ne peut les suivre au-dessus des arbres ; leurs plus grands ennemis sont les chats sauvages et les martes.   BUFFON, Hist. des nat. des animaux, Le loir.

1.1 Hier après-midi, vers 7 heures, je vois un jeune loir assis sur le seuil de ma chambre, gros, rond, gris foncé, avec un museau noir et blanc et d'admirables yeux fort noirs et fort grands.
J. GREEN, Journal, 28 août 1968, Ce qui reste de jour, p. 115.

(XIIIe). Loc. fam. *Dormir comme un loir.* — (1893). *Être paresseux comme un loir* (par allus. à l'engourdissement hivernal de l'animal), très paresseux. — Fig. *Quel loir, ce gosse !*

1.2 Ô mes raisons le loir en a plus de dormir
Que moi d'en découvrir de valables à la vie
À moins d'aimer.   ÉLUARD, Facile, Œ. Compl., Pl., t. I, p. 462.

2 Mes matelas ont été rebattus, et je dors comme un loir.
FLAUBERT, Correspondance, 1166, 5 avr. 1871.

DÉR. **Lérot, loirot.**

LOIROT [lwaʀo] n. m. — Fin XVIe ; de *loir.*

♦ Régional. Lérot.

LOISIBLE [lwazibl] adj. — XIVe ; *lisible,* 1295 ; de l'anc. *loisir* « être permis ». → Loisir, n. m.

♦ **1.** Vx. Qui est permis*, qui est laissé au libre choix, à la libre volonté de qqn.

1 — Je m'en vais le tuer. — Soit, il vous est loisible.   MOLIÈRE, l'Étourdi, II, 6.

1.1 Mais pour le moment, tout est *loisible,* tout s'essaye en toute puissance gratuite.
VALÉRY, Cahiers t. II, Pl., p. 1266.

♦ **2.** Mod. (Impers.) *Il m'est, il t'est, il lui est... loisible...,* permis.

2 Il est loisible à chacun de publier que je suis un bandit, un faussaire, un va-nu-pieds, un proxénète, et même un idiot (...)   Léon BLOY, le Désespéré, p. 215.

Si j'avais à recommencer ma vie et qu'il me fût loisible d'en disposer à plaisance (...)   GIDE, Ainsi-soit-il, p. 53.   3
DÉR. **Loisiblement.**

LOISIBLEMENT [lwazibləmɑ̃] adv. — XIVe ; aussi *loisibleté,* XIVe-XVIe ; de *loisible.*

♦ Littér. et rare. Librement, comme il plaît (de le faire). ⇒ **Loisir** (à).
Je *sais* et *sens* par exemple, que la *Barcarolle* de Chopin *doit* être jouée beaucoup plus lentement que ne fait Mlle X..., qu'ils ne font tous ; — mais pour jouer devant aussi loisiblement qu'il me plaît, il me faudrait savoir que je pourrais aussi bien la jouer beaucoup plus vite, et surtout sentir que l'auditeur est convaincu.   GIDE, Journal 1889-1939, 14 mai 1921.

LOISIR [lwaziʀ] n. m. — Déb. XIIe ; *a loisir,* 1080 ; de l'anc. v. *loisir* « être permis » du lat. *licere.* → Licence.

♦ **1.** (V. 1130). Vx. État, situation d'une personne qui peut, qui est libre de faire ou de ne pas faire qqch. (en compl. de quelques verbes). ⇒ **Liberté, permission, possibilité.** *Donner, laisser* (cit. 11) *à qqn le loisir, le* (vieilli) *donner, laisser loisir de faire qqch.* ⇒ **Permettre.** *Avoir* (le) *loisir, avoir tout loisir de protester* (→ Exaction, cit. 2), *de dormir* (→ Languir, cit. 9).

1 Nous ne gagnerions, à nous marier, que le loisir de nous quereller à notre aise (...)   MARIVAUX, le Legs, XVII.

(V. 1360). Spécialt. Possibilité de disposer de son temps en toute liberté ; état de disponibilité absolue. *Un travail qui demande le loisir et la tranquillité* (→ Gagner, cit. 49). « *L'ennuyeux loisir d'un mortel sans étude* » (Boileau). ⇒ **Oisiveté.** — (Déb. XVIIe). Vieilli. *Être de loisir :* avoir la libre disposition de son temps, et, péj., avoir du temps à perdre. — (1550). *Homme de loisir.* ⇒ **Oisif.**

2 (...) s'il y avait au monde quelqu'un qu'on sût assurément être capable de trouver les plus grandes choses (...) je ne vois pas qu'ils *(les autres hommes)* pussent autre chose pour lui, sinon (...) empêcher que son loisir ne lui fût ôté par l'importunité de personne.   DESCARTES, Discours de la méthode, VI.

3 (...) il ne me restait, pour dernière espérance, que celle de vivre sans gêne, dans un loisir éternel (...) J'aime à m'occuper à faire des riens, à commencer cent choses et n'en achever aucune, à aller et venir comme la tête me chante, à changer à chaque instant de projet, à suivre une mouche dans toutes ses allures (...) à muser enfin toute la journée sans ordre et sans suite, et à ne suivre en toute chose que le caprice du moment.   ROUSSEAU, les Confessions, XII.

4 Le sentiment de la liberté politique, cette aspiration des hommes de loisir, ne descend pas si bas dans le peuple.   LAMARTINE, Graziella, II, XI.

5 Ce que je retrouve, et très bien, pour peu que je sois de loisir c'est le goût de mes colères juvéniles, de mes peurs, de mes déboires.
G. DUHAMEL, Chronique des Pasquier, II, XI.

♦ **2.** Loc. adv. (XIIe). À LOISIR, TOUT À LOISIR, et, VX, AVEC LOISIR (→ Après, cit. 66) : en prenant tout son temps, à son aise*. *Peser à loisir le pour et le contre* (1. Contre, cit. 31). *Méditer à loisir* (→ Intime, cit. 8). *Contempler à loisir un charmant visage* (→ Gagner, cit. 25). *Butin* (cit. 3) *inventorié à loisir.*

6 Travaillez à loisir, quelque ordre qui vous presse,
Et ne vous piquez point d'une folle vitesse (...)   BOILEAU, l'Art poétique, I.

7 À Arles j'ai vu des fillettes exquises et, le dimanche, j'ai été à la messe pour les examiner plus à loisir.   FLAUBERT, Correspondance, 92, fin avril 1845.

8 C'est quand on se dit : « plus un jour à perdre ! » qu'on emploie plus stupidement son temps. Rien d'excellent ne se fait qu'à loisir.
GIDE, Journal, 19 janv. 1946.

Autant qu'on le désire, à satiété, tout son content. ⇒ **Volonté** (à). *S'enivrer à loisir de l'odeur du foin* (1. Foin, cit. 4). *Caresser à loisir un beau chat* (→ Élastique, cit. 1).

9 Que malgré la pitié dont je me sens saisir,
Dans le sang d'un enfant je me baigne à loisir ?
Non, Seigneur (...)   RACINE, Andromaque, I, 2.

10 Aimer à loisir,
Aimer et mourir.
Au pays qui te ressemble !   BAUDELAIRE, les Fleurs du mal, Spleen et Idéal, LIII.

♦ **3.** (V. 1138). Temps dont on dispose* pour faire commodément qqch. *Avoir loisir* (vx), *avoir le loisir de faire qqch.* (→ Échapper, cit. 35 ; emporter, cit. 28). *Il a eu le loisir de mettre au point son projet. Femme qui a le loisir d'instruire* (cit. 8) *son enfant. Il se serait étendu* (cit. 17) *davantage, s'il avait eu plus de loisir. Mes occupations ne me laissent pas le loisir de vous écrire* (→ aussi Fin, cit. 22).

11 (...) je n'ai pas eu le loisir de la faire plus courte.
PASCAL, les Provinciales, XVI, Post-Scriptum (→ Lettre, cit. 20).

12 Il me paraît qu'à la cour on n'a pas le loisir de s'aimer (...)
Mme DE SÉVIGNÉ, 797, 5 avr. 1680.

13 Avez-vous le loisir d'attendre un peu ? Je répliquai : Tout le loisir qu'il vous plaira.   É. ESTAUNIÉ, l'Appel de la route, p. 332.

♦ **4.** (1530). Temps dont on peut librement disposer en dehors de ses occupations habituelles et des contraintes qu'elles imposent. ⇒ **Liberté.** — Rare. *Ne savoir que faire de son loisir* (→ Alors, cit. 3). *Travail et loisir* (→ Condition, cit. 24). *Avoir besoin d'un long loisir, d'un peu de loisir.* ⇒ **Délassement, repos** (→ aussi Gronder, cit. 12). — Cour. ... DE LOISIR. *Heures* (cit. 9), *instants* (→ Clair, cit. 3), *moments de loisir.* — (1740. Académie) *d'heureux loisirs.* Au plur. LES LOISIRS : le temps libre. *Avoir des loisirs* (→ Infélicité, cit. 2), *beaucoup de loisirs.* ⇒ **Temps** (du temps libre, du temps à soi). *Métier qui laisse des loisirs. Charmer, occuper**

ses loisirs. Jouir, profiter de ses loisirs. S'instruire (cit. 25 et 26) *pendant ses loisirs. D'agréables loisirs* (→ Engendrer, cit. 5). *Prendre des loisirs. Partager ses loisirs entre ses amis et ses enfants. Il vous consacre tous ses loisirs.*

14   (...) quel moyen de pouvoir tenir contre des gens *(les causeurs)* qui ne savent pas discerner ni votre loisir ni le temps de vos affaires ?
      LA BRUYÈRE, les Caractères de Théophraste, De l'impertinent...

15   Réduits *(les écrivains)* à leurs propres ressources, ils sont contraints à un travail incessant et manquent presque tous de loisir, le loisir, cette dixième muse, et la plus inspiratrice !
      Th. GAUTIER, les Grotesques, X, p. 379.

16   (...) ce vieillard qui partageait le loisir de sa vie, où il y avait si peu de loisir, entre le jardinage le jour et la contemplation la nuit ?
      HUGO, les Misérables, I, I, XIII.

17   (...) une époque où l'esclavage vient pour la première fois d'être définitivement banni par l'octroi des loisirs aux classes ouvrières, où le repos, les délassements prennent cent vingt-huit heures contre quarante au travail (...)
      GIRAUDOUX, De pleins pouvoirs à sans pouvoirs, III, p. 58.

18   Il faut de grands loisirs pour arriver au libre jeu des idées.
      G. DUHAMEL, Chronique des Pasquier, IV, VII.

Spécialt (dans le contexte social). Temps de la vie des individus qui, dans l'organisation sociale n'est affecté ni au travail (ni aux déplacements liés au travail), ni au repos, au sommeil.

19   L'évolution du monde moderne, et tout spécialement l'aggravation du joug économique sur la personne, a entraîné une dégradation du travail qui devient détestable. Ainsi s'est accentuée l'opposition entre le travail et le loisir, la vie ne trouvant plus sa joie que dans le second, et contre le premier.
      DANIEL-ROPS, Ce qui meurt..., p. 168.

Au plur. *Organisation, politique de loisirs. Une société de loisirs.*

20   Société de loisirs ? La grande mutation, *(c'est)* le passage du travail au loisir (...) Certes, il est exact que les « loisirs » prennent une importance de plus en plus grande (...) la société dite industrielle. (...) les fatigues de la « vie moderne » rendent indispensables le divertissement, la distraction, la détente.
      Henri LEFEBVRE, la Vie quotidienne dans le monde moderne, p. 103.

♦ **5.** (1740). Au plur. Occupations, distractions auxquelles on s'adonne de plein gré, pendant les heures, les jours de liberté dont on dispose. *Loisirs coûteux. Loisirs à la portée de toutes les bourses. Sous-secrétariat d'État aux Loisirs et aux Sports* — (1936). Ancienn. *Loisirs dirigés :* activités récréatives (travaux manuels, répétitions théâtrales...) organisées pour les élèves des établissements scolaires.

LOK [lɔk] n. m. ⇒ **Looch.**

LOKOUM [lɔkum] n. m. ⇒ **Rahat-loukoum.**

LOLLARD [lɔlaʀ] n. m. — 1415 ; mot angl. (1395), du néerl. *lollaert*, désignant une secte ascétique, les Alexiens, d'orig. incertaine.

Historique.

★ **I.** Disciple anglais de Wycliffe. *Les Lollards furent déclarés hérétiques au XIVe siècle.*

★ **II.** (1846, Michelet, du néerl. *lollert*). Membre d'associations mystiques et charitables d'Allemagne et des Pays-Bas.

LOLO [lɔlo ; lolo] n. m. — 1511, Pierre Gringore ; onomat. enfantine sur l'initiale de *lait.*

♦ **1.** Lait (dans le langage enfantin).
(...) Je vais être (...) une sorte d'homme, de vieil enfant, j'aurai une gouvernante (...) Elle me dira, viens, mon Jésus, il est temps de rentrer. (...) Viens mon lapin, c'est l'heure du lolo.   S. BECKETT, Textes pour rien, p. 131.

♦ **2.** Fam. et vieilli. Sein de femme.

LOMBAGO [lɔ̃bago] n. m. ⇒ **Lumbago.**

LOMBAIRE [lɔ̃bɛʀ] adj. — V. 1560 ; *lumbaire* « ceinture qui sert à cacher les organes génitaux », 1488 ; de *lombes.*

♦ Anat. et cour. Qui appartient aux lombes, se situe dans les lombes. *Région lombaire.*
Ce qu'il me faudrait : une accorte servante nègre, avec des fossettes lombaires, qui m'apporte du café noir et qui soit disposée à une petite partie de jambes en l'air.   J.-P. MANCHETTE, l'Affaire N' Gustro, p. 185.
Les cinq vertèbres lombaires. — N. f. (1805). *La dernière lombaire s'articule avec le sacrum. Soudure anormale du sacrum et de la cinquième lombaire.* ⇒ 2. **Sacralisation** (anglic.). Qui concerne la région des lombes. *Affections lombaires.* ⇒ **Lordose, lumbago.** *Ponction lombaire.*

COMP. **Sacro-lombaire.**

LOMBALGIE [lɔ̃balʒi] n. f. — Mil. XXe ; de *lombes*, et -*algie.*

♦ Didact. Douleur lombaire, quelle qu'en soit la cause (rénale, vertébrale, nerveuse...). ⇒ **Lumbago.** — Spécialt. Névralgie lombaire. *Lombalgie aiguë.*

DÉR. **Lombalgique.**

LOMBALGIQUE [lɔ̃balʒik] adj. et n. — Mil. XXe ; de *lombalgie.*

♦ Méd. Qui se rapporte à la lombalgie. *Douleur lombalgique.* — N. *Un, une lombalgique.*

LOMBARD, ARDE [lɔ̃baʀ, aʀd] adj. et n. — XIIe ; lat. *Langobardi*, n. d'un peuple germain.

★ **I.** ♦ **1.** De Lombardie, province du Nord de l'Italie. *Le pays lombard. L'école lombarde de peinture* (Milan, Mantoue, Modène). — N. *Les Lombards.*
(1873). *Le lombard :* dialecte italien parlé en Lombardie.
N. m. pl. *Les lombards :* peuple germanique qui envahit l'Italie du nord au VIe siècle.

♦ **2.** Arts. *Bande lombarde :* bande verticale plate, de faible saillie, reliée par des arcs et décorant certaines surfaces, dans le premier art roman. — *Architecture lombarde,* se dit en particulier de l'art roman (XIe-XIIe siècles) de Lombardie.
Dès une époque ancienne, on voit apparaître en Occident une architecture reconnaissable à l'emploi systématique des arcatures aveugles et des bandes plates, dites bandes lombardes, décor sobre et constant. On l'a longtemps appelée architecture lombarde, d'un terme conventionnel et restrictif, légitimé d'ailleurs par de nombreux exemples italiens (...)   H. FOCILLON, l'Art d'Occident, t. I, I, II.

★ **II.** Fig. ♦ **1.** (V. 1260). Vx. Changeur, prêteur sur gages, usurier (la plupart, au moyen âge, étaient originaires de Lombardie). — (1762). Par ext. ⇒ **Mont-de-piété.**
On vient enfin d'établir un Mont-de-Piété qu'ailleurs on nomme « lombard » (...) rien ne prouve mieux le besoin que la capitale avait de ce « lombard » que l'affluence intarissable des demandeurs (...)
   L.-S. MERCIER, Tableau de Paris, II, in BRUNOT, Hist. de la langue franç., t. VI, I, p. 188.

♦ **2.** N. f. Régional (Savoie). *La lombarde :* vent du sud-est (venant de Lombardie), en Savoie.

LOMBARTHROSE [lɔ̃baʀtʀoz] ou **LOMBARTHRIE** [lɔ̃baʀtʀi] n. f. — Mil. XXe (1956, in T.L.F.) ; de *lombes*, et *arthrose.*

♦ Méd. Arthrose des vertèbres lombaires.

LOMBES [lɔ̃b] n. m. pl. — V. 1560 ; *lumbes* « reins », v. 1120 ; rare av. XVIe ; lat. *lumbus* « rein ». → Longe.

♦ Anat. et cour. Région postérieure de l'abdomen, située symétriquement à droite et à gauche de la colonne vertébrale. *Les lombes constituent la partie inférieure du dos, au-dessus des fesses* (cour. les reins*). *Muscles des lombes.* ⇒ **Lombaire.** *Le losange des lombes* (→ Graisse, cit. 8). *Douleur dans les lombes.* ⇒ **Lumbago.** — Au sing. (rare). *Lombe droit, lombe gauche.*
Ceinture de Cluny, vertugadin de fer, « corps » en pointe qui en écrasant les lombes des infantes leur allongiez la taille (...)   COLETTE, Belles saisons, p. 92.

DÉR. **Lombaire.**

LOMBO- Élément de mots savants (anat., méd.), tiré de *lombes.* ⇒ **Lombo-sacré, lombo-sciatique, lombostat ; lombotomie.**
On peut signaler en outre : *lombo-abdominal, ale, aux* [lɔ̃boabdɔminal, o] adj. (1926, in T.L.F.) ; *lombo-costal, ale, aux* [lɔ̃bokɔstal, o] adj., vx (1805, Cuvier).

LOMBO-SACRÉ, ÉE [lɔ̃bosakʀe] adj. — 1867 ; de *lombo-*, et *sacré* ; de *sacrum.*

♦ Méd. Du sacrum et de la dernière vertèbre lombaire. — (1962). *L'articulation lombo-sacrée,* entre la cinquième lombaire et le sacrum. *Arthrose lombo-sacrée.*

LOMBO-SCIATIQUE [lɔ̃bosjatik] n. f. — XXe ; de *lombo-*, et *sciatique.*

♦ Méd. Sciatique associée à des douleurs lombaires.

LOMBOSTAT [lɔ̃bɔsta] n. m. — Av. 1962, Larousse ; de *lombo-*, et -*stat.*

♦ Méd. Corset rigide au niveau du dos destiné à maintenir en bonne position la colonne lombaire exagérément cambrée.

LOMBOTOMIE [lɔ̃botɔmi] n. f. — Av. 1962, Larousse ; de *lombo-*, et -*tomie.*

♦ Chir. Opération qui consiste à ouvrir la région lombaire (intervention sur le rein).

LOMBRIC [lɔ̃bʀik] n. m. — Fin XIIᵉ, *lumbris*; lat. *lumbricus*.

♦ **1.** Annélide *(Oligochètes, lombricidés)* communément appelé *ver* de terre*, au corps cylindrique de couleur rougeâtre. ⇒ **Achée** (régional).

1 (...) je joue *(dit un chat)* avec un beau lombric vivant, élastique et souple! (...)
COLETTE, la Paix chez les bêtes, Poum.

♦ **2.** Ascaride*.
REM. Queneau forge le dér. plais. *lombriquer* «ramper, serpenter comme un lombric».

2 On pénétrait dans le cimetière. Le cortège lombriquait parmi des tombes jusqu'au trou dans lequel devait pourrir Talut-cadavre.
R. QUENEAU, les Derniers Jours, p. 227.

DÉR. Lombrical, lombricidés. — Lombricoïde.

LOMBRICAL, ALE, AUX [lɔ̃bʀikal, o] adj. — V. 1560, Paré; de *lombric*, et *-al*.

♦ Anat. Se dit des petits muscles allongés et en forme de fuseau, situés dans la région palmaire et à la plante des pieds, au nombre de cinq (un pour chaque doigt et pour chaque orteil).

LOMBRICIDÉS [lɔ̃bʀiside] n. m. pl. — 1873, *lombricinés*; de *lombric*.

♦ Didact. Famille d'annélides oligochètes ayant pour type le lombric*. — Au sing. *Un lombricidé*.

LOMBRICOÏDE [lɔ̃bʀikoid] adj. — 1836; de *lombric*, et *-oïde*.

♦ Didact. Qui a l'aspect du lombric. *Ascaride lombricoïde*.

LONDONIEN, IENNE [lɔ̃dɔnjɛ̃, jɛn] adj. et n. — Attesté en 1867; de *London*, n. angl. de *Londres*.

♦ De Londres, capitale de l'Angleterre. *La population londonienne*. — N. *Les Londoniens*.
Qui évoque Londres. *Un brouillard londonien*.

LONDRÈS [lɔ̃dʀɛs; lɔ̃dʀɛs] n. m. — 1849; esp. *londrés* «de Londres».

♦ Cigare* de la Havane, fabriqué à l'origine spécialement pour les Anglais. *Fumer un londrès. Demi-londrès* : cigare plus petit que le *londrès*.

1 Je pris le cigare qui m'était offert, et dont la forme rappelait celui du londrès; mais il me semblait fabriqué avec des feuilles d'or (...) «C'est excellent, dis-je, mais ce n'est pas du tabac. — Non, répondit le capitaine, ce tabac ne vient ni de la Havane ni de l'Orient».
J. VERNE, Vingt mille lieues sous les mers, 1877, p. 108-109.

2 M. Rateau fumait de la contrebande suisse. Un esprit original. Barrel préférait tout de même ses londrès.
ARAGON, les Beaux Quartiers, I, XXIV.

LONDRIN [lɔ̃dʀɛ̃] ou (plus rarement) **LONDRE** [lɔ̃dʀ] n. m. — 1708; *londre*, 1488; de *Londres*.

♦ Anciennt. Drap fabriqué autrefois dans le Midi de la France à l'imitation des draps de Londres.

LÔNE [lon] n. f. — 1766, *laune*; *lône*, 1830; lat. médiéval *launa*, XIVᵉ, p.-ê. du lat. class. *lamina* (→ Lame), au sens de «surface lisse»; cf. les formes *launo, laune* «pierre plate; glace», dans le Sud-Ouest (anc. gascon *launa* «lame»).

♦ Régional. Canal latéral du Rhône. *Les pêcheurs « s'en allaient, par les chemins ombragés de halage, (...) à la recherche d'une "lône" profonde... »* (Revue *Au bord de l'eau*, nº 366, p. 81).

LONG, LONGUE [lɔ̃, lɔ̃g] adj., n. m. et adv. — Xᵉ, (Saint Léger) au sens temporel; *lonc*, (au sens spatial), 1080; fém. *longue*, XIIᵉ; *long*, et fém. *longue*, XIVᵉ; du lat. *longus*.

★ **I.** Adj. **A.** (Dans l'espace). ♦ **1.** ⓐ Qui a une grande longueur* d'une extrémité à l'autre, une étendue importante en longueur (relativement à la taille normale ou par comparaison avec autre chose). ⇒ **Grand.** — REM. En ce sens, l'adjectif *long*, considéré comme épithète de nature ou de caractère, précède le substantif. *De longues allées d'arbres* (cit. 5). *De longues aiguilles* (cit. 10) *à tricoter. Long manche d'un fléau* (cit. 1), *d'une guitare* (cit. 5). *Longue épée. Longs fils clairs* (→ Guipure, cit. 2). *Longue grappe* (cit. 1 et 2) *de raisin. De longs gants, de très longs bas noirs* (→ Assaut, cit. 16). *Long fourreau* (cit. 8) *de lainage bleu. Bergers* (cit. 8) *en longue robe* (on dit aujourd'hui *robe longue*, mais le sens est différent. → 2.). *En long habit de lin* (cit. 3, Racine).

Longs cheveux. Longs bras (→ Aile, cit. 5). *Long nez* (→ Bec, cit. 15). *Paupières frangées* (cit. 6) *de longs cils* (cit. 1). *De longues jambes infatigables* (→ Foulée, cit. 4). *Un long corps souple* (→ Caressant, cit. 3). *De longs muscles fuselés* (cit. 3). *Une longue figure effilée* (cit. 7). — *Les longues oreilles de l'âne. La cigogne au long bec* (→ Assiette, cit. 13, La Fontaine). *« Le héron au long bec emmanché d'un long cou »* (→ Côtoyer, cit. 1, La Fontaine). *Moutons à longue laine. La longue queue du gnou* (cit. 1); *des guenons* (cit. 1).

1 Fantine avait les longs doigts blancs et fins de la vestale qui remue les cendres du feu sacré avec une épingle d'or.
HUGO, les Misérables, I, III, III.

2 (...) je montais parfois chez ma sœur aux longs cheveux (...) les cheveux de Juliette, défaits, la couvraient exactement tout entière.
COLETTE, la Maison de Claudine, p. 91 et 92.

2.1 Tout en lui paraissait amertume, et tout en lui était long. Il avait une longue taille, de longs bras, de longues jambes et une longue tête.
G. LEROUX, le Parfum de la dame en noir, p. 23.

Qui couvre une grande étendue, qui s'étend sur une grande distance. ⇒ **Étendu.** *De longs espaces dénudés* (→ Grès, cit. 2). *Un long détour* (→ Égarer, cit. 12). *Longues enjambées. Longues houles* (cit. 3). — Loc. *Longue vue*. ⇒ **Longue-vue.** *Canon à longue portée. Voyage au long cours.* ⇒ **Cours** (V.). — *Jeu de longue paume.* ⇒ **Paume.**

(1080). Qui porte au loin. *Voix longue.*

ⓑ Qui est composé de nombreux éléments couvrant à la suite les uns des autres une grande étendue. *Une longue suite de pierres druidiques* (→ Grève, cit. 2). *Longues files* (cit. 4). *Une longue caravane* (1. Caravane, cit. 2). — Par métaphore. *Longue suite d'événements* (→ Histoire, cit. 9). *La longue série des ancêtres de l'homme* (cit. 7). *Longue liste de noms. Long palmarès fastidieux* (cit. 2).

Fig. (En parlant des produits du langage). *Long poème, longue harangue* (cit. 5). Péj. ⇒ **Diffus.** *Une longue liste.* — REM. En cette acceptation figurée, *long* se charge souvent d'une nuance temporelle. → *infra* B., 1.

3 Les longs ouvrages me font peur.
LA FONTAINE, Fables, VI, Épilogue.

4 On n'est jamais long, quand on dit exactement tout ce qu'on a voulu dire.
E. DELACROIX, Écrits, t. II, p. 84.

♦ **2.** Dont la grande dimension (longueur) est importante par rapport aux autres dimensions (opposé à *court, large, épais*). — REM. En ce sens relatif, l'adjectif *long* est généralement placé après le substantif; on trouve aussi l'antéposition : *fourchette* (cit. 2) *à long manche; pipe à long tuyau* (→ Fourneau, cit. 9).

(V. 1160; opposé à *court* dans un syntagme). *Chandail à manches longues. Robe longue. Culottes longues. Avoir, porter les cheveux longs* (→ Cacheter, cit. 2; croissant, cit. 3).

5 Elle avait troqué son sarrau noir, sa courte robe de petite fille contre une jupe longue (...)
COLETTE, la Maison de Claudine, p. 110.

Chaise longe. ⇒ **Chaise.**

(1588). Par ext. *Avoir la vue* longue*, qui porte loin. — Balist. *Coup* (cit. 29) *long*. — Sports. *Balle longue*.

Anat. *Os* longs. Muscles longs*, et, ellipt., *le long fléchisseur, le long supinateur de l'avant-bras*.

Loc. fig. *Avoir le bras* long.* — *Avoir les dents** (cit. 20) *longues. Avoir la mine* longue, le nez* long.* ⇒ **Allongé.**

6 Une poule qui trouve un couteau, un voleur qui trébuche sur un gendarme, une souris qui, par mégarde, pose la patte sur un chat, n'ont pas la mine plus longue que Maître Lagatut.
LOTI, Mon frère Yves, XXXIV.

(Opposé à *large*). *Objet de forme longue.* ⇒ **Barlong, oblong.** *Cou* (cit. 2), *nez long et mince. La belette au corps long et fluet* (→ Étroit, cit. 1). — (Personnes). *Une belle fille longue et svelte.* ⇒ **Élancé** (→ Couturier, cit. 1). — *Personne longue et maigre.* — (Déb. XXᵉ). Loc. *Être long comme un jour sans pain* (→ Escogriffe, cit. 2; et aussi bringue, échalas, perche).

7 Mademoiselle Baptistine était une personne longue, pâle, mince, douce (...)
HUGO, les Misérables, I, I, I.

8 Longue, mince, en grand deuil, douleur majestueuse,
Une femme passa (...)
BAUDELAIRE, les Fleurs du mal, Tableaux parisiens, XCIII.

9 Il est long comme un jour sans pain et maigre comme carême-prenant.
M. CONSTANTIN-WEYER, Source de joie, II.

♦ **3.** (Fin XIIᵉ). *Long de* (telle grandeur). Qui a telle dimension, dans le sens de la longueur*. *Territoire long de trois cents* (cit. 2) *lieues*. — Fam. *Nez long d'une aune, d'une toise*.

10 (...) des bosquets de palmistes élèvent çà et là leurs colonnes nues, et longues de plus de cent pieds (...)
BERNARDIN DE SAINT-PIERRE, Paul et Virginie, p. 96.

(Dans des comparaisons, ou avec *trop*). *Le sanglier a la hure* (cit. 2) *plus longue que le cochon. La girafe* (cit. 1) *a les pattes antérieures plus longues que les pattes postérieures. Elle s'habilla d'une robe plus longue* (→ Convenablement, cit.). — *Trop long. Capote* (cit. 1) *trop longue. Jupe trop longue* (→ Fixer, cit. 14) *qui dépasse le manteau. Des cheveux trop longs.* — *Moins long :* plus court*.

11 (...) elle mit le costume de crêpe marocain marron, fait sur mesure, ample pour masquer la taille, trop long par précaution (...)
J. CHARDONNE, les Destinées sentimentales, p. 473.

Fig. *De trop longs épisodes* (cit. 3). — (1538). Par métonymie *Écrivain trop long*, qui s'étend trop sur son sujet.

12 (...) un livre, même le meilleur, est toujours trop long, et (...) si bref que soit un écrivain, — ce qui n'est pas le cas de Daudet — il en dit toujours trop.
Paul LÉAUTAUD, le Théâtre de Maurice Boissard, XXVII.

13 (...) j'avoue que Hugo est trop long pour moi, presque toujours. Je le lis en courant, et même j'en passe. Je vois trop où il va (...)
ALAIN, Propos, 26 août 1911, Hugo et Stendhal.

(1740). *Prendre le chemin le plus long*, et, ellipt. (n. m.), *prendre le plus long*, *prendre au long* : «se servir des moyens les moins propres à faire réussir promptement ce qu'on a entrepris» (Académie). → Le chemin des écoliers*.

Spécialt (en parlant d'une étendue linéaire ou pratiquement considérée comme telle). *Axe long de 36 mètres* (→ Arène, cit. 7). *Circonférence longue de 2 mètres.* — Par ext. *Parcours trop long que l'on divise en plusieurs étapes* (cit. 6).

14 La rue de la Chanvrerie n'était guère longue que d'une portée de carabine.
HUGO, les Misérables, IV, XII, II.

♦ **4.** (1694). Opposé à *épais.* Cuis. *Sauce longue*, trop claire, trop délayée. → Allonger* une sauce. — (1845). Techn. *Pâte longue* : pâte ou matière molle qui s'étire facilement.

B. Dans le temps. ♦ 1. (xᵉ). En général antéposé, en épithète. **ⓐ** Le subst. désigne une durée. Qui a une durée très étendue, qui dure longtemps, beaucoup de temps. *Il demeura un long moment dans cet état.* ⇒ **Longtemps.** *Disque microsillon de longue durée. Long intervalle* (cit. 15) *de temps. Longue durée de la vie.* ⇒ **Longévité** (→ Grandeur, cit. 1). *Une longue vie commune* (→ Formule, cit. 20). — *De longues nuits d'hiver, de longs jours d'été. Un long hiver* [lŏkivɛʀ; cour. lŏɡivɛʀ]. *Une longue période de chaleur* (cit. 3). — (Attribut). *Il s'en tirera, mais ce sera long* (→ Handicaper, cit. 2). *Ce ne fut pas long. Attendez-moi ici, ce ne sera pas long, j'en ai pour une minute.*

15 Après cela, durant un long moment, il n'y eut dans la pièce que le murmure de deux souffles réguliers (...)
É. ESTAUNIÉ, l'Appel de la route, p. 226.

16 Au mois de juin, les jours ont beau être longs, Berthe avait allumé la grosse ampoule sans abat-jour du plafond.
P. NIZAN, le Cheval de Troie, I, III.

Le jour le plus long.

(Le subst. désigne une action). *Un long voyage* (→ Accompagnement, cit. 4; essuyer, cit. 8). *Un long silence* (→ Aimer, cit. 20). *Longue maladie. Être essoufflé* (cit. 2) *par une longue montée. Longue attente, longue expectative* (cit. 2). *Long jeûne* (cit. 6). *De longs travaux* (→ Gagner, cit. 20). *De longues luttes. Le fruit* (cit. 46) *de longues réflexions. Longues courses* (cit. 9 et 10). *Longues séances.* ⇒ **Interminable.** *Attacher* (cit. 29) *de longs regards sur qqn. Longs baisers* (cit. 23).

17 Immobile, saisi d'un long étonnement,
Je l'ai laissé passer dans son appartement.
RACINE, Britannicus, II, 2.

18 (...) je l'ai conquise *(cette initiation)* à force de réflexions, au prix de longs efforts.
RENAN, Souvenirs d'enfance..., II, I, Œuvres, t. II, p. 755.

Long espoir (cit. 6 et 8). *Après de longues angoisses* (cit. 9). — Par métonymie. *Le génie* (supra cit. 35) *est une longue patience.*

19 Le regard de ce vieil homme sombre est plein d'attention fugitive et de longue mélancolie (...)
André SUARÈS, Trois hommes, «Ibsen», III.

(V. 1050; en parlant des œuvres de l'homme et eu égard au temps nécessaire pour les réaliser, les élaborer, les exécuter, en donner ou en prendre connaissance... → aussi ci-dessus : A., 1., REM.). *Un long discours* (→ Aussi, cit. 56). *Les longues symphonies de Mahler. N'avoir pas le loisir d'écrire une longue lettre* (cit. 20). *Écouter de longues morales* (→ Catéchisme, cit. 4).

20 Au cours de cette longue et minutieuse correspondance, on assiste, de jour en jour, au spectacle émouvant de ce pénible enlisement d'une âme d'élite (...)
Émile HENRIOT, Portraits de femmes, p. 337.

(1538). Par métonymie. (Personnes; en attribut). *Évitez d'être long. Vous avez été trop long.* ⇒ **Bavard, prolixe.**

Loc. fig. *Œuvre de longue haleine** (supra cit. 18). — *Faire long feu** (supra cit. 46).

Qui dure longtemps et ne se répète pas souvent (au plur.). *À longs intervalles.* ⇒ **Loin** (de loin en loin). *De longues oscillations*. *Boire, humer à longs traits. Respirer à longues goulées* (cit. 2).

(V. 1050). Spécialt. Qui semble durer longtemps, qui paraît n'en plus finir* (opposé à *bref, court*). *On trouve cette scène longue et froide* (1. Froid, cit. 25). — (xxᵉ). *Trouver le temps long, les jours longs.* ⇒ **Mortel.** *Jamais les jours ne lui semblèrent si longs* (→ **Durer**; → Impatience, cit. 10). *La vie paraît trop longue à notre ennui* (cit. 15). ⇒ **Siècle.** *Désœuvrement* (cit. 2) *qui fait paraître les heures longues. Les soirées d'hiver étaient longues* (→ Abréger, cit. 8).

21 Pensez-donc! Venir s'enfermer au phare pour son plaisir! (...) Eux qui trouvent les journées si longues, et qui sont si heureux quand c'est leur tour d'aller à terre (...)
Alphonse DAUDET, Lettres de mon moulin, «Le phare des Sanguinaires».

(xivᵉ, *ditongue longue*). Ling., rhét. *Syllabe, voyelle longue*, et subst. (1627), *une longue* : syllabe, voyelle qu'on prononce plus lentement qu'une brève*. *E est long dans gêne et bref dans nez.*

21.1 Ô spondée du silence étiré sur ses longues.   SAINT-JOHN PERSE, Éloges, IX.

Par métaphore

L'amour n'était pas cette brève rencontre entre deux épidermes, mais une laborieuse façon d'user son temps ensemble, avec ses brèves et ses longues, ses déliés et ses pleins, ses saisons, ses heures vides — ce qu'on appelle «amour» en Europe.   21.2
Régis DEBRAY, l'Indésirable, p. 94.

♦ **2.** (1664). Qui remonte loin dans le temps, dans le passé; qui date de loin*. ⇒ **Ancien.** *Un long passé. Une longue histoire* (→ Habile, cit. 4). *Une longue habitude* (cit. 30). ⇒ **Vieux.** *Une longue pratique* (→ Génération, cit. 18). — Loc. *De longue date*, *de longue main** (1215). ⇒ **Longtemps** (depuis).

♦ **3.** (1250). Éloigné dans l'avenir. ⇒ **Lointain.** — (Dans des constructions avec à). *Bail à long terme**. *À longue échéance* (cit. 5). *Assignation à longs jours.*

Loc. adv. **À LA LONGUE** : avec le temps, après beaucoup de temps. *À la longue, il devint un de leurs familiers* (cit. 19). *Il s'y fera* (cit. 242) *à la longue.* ⇒ **Finalement.** *Je me suis convaincu* (cit. 6) *à la longue. À la longue, on finit par être excédé* (cit. 17) *de tout cela.*

22 (...) tu t'es dit sans doute que le temps venant, les jours s'écoulant, ma douleur allait passer, que je me consolerais à la longue de la mort de mon père (...)
FLAUBERT, Correspondance, 107, 5 avr. 1846.

♦ **4.** (1552). **LONG À** : lent. *Feu long à s'éteindre* (cit. 24). *Idée qui n'est pas longue à venir à l'esprit* (→ Jaloux, cit. 21). *Ces arbres sont longs à pousser* (Académie). ⇒ **Tardif.** — Fam. *C'est long à venir, cette réponse* (→ Mettre du temps). — (Personnes). *Enfant long à trouver sa voie* (→ Aptitude, cit. 10). *Être long à s'habiller* (cit. 12), prendre trop de temps, perdre du temps à...

23 Je monte. Tonne des ordres. Ne sois pas trop longue. Quelle est la chambre où je vais t'attendre?
COCTEAU, l'Aigle à deux têtes, III, 6.

♦ **5.** (Fin xᵉ). *Long de; plus, moins long* : qui est de telle durée. *Cycle long d'un cinquantième de seconde. Dans un mois, les jours seront plus longs de 30 minutes.* ⇒ **Allonger.** *Rendre plus longue la vie des hommes* (cit. 15). *Facteur* (cit. 11) *qui aura une tournée moins longue.*

24 Le jour me semble aussi long qu'une année,
Quand je ne vois l'éclair de vos beaux yeux.
RONSARD, Pièces retranchées, 7ᵉ livre des poèmes, Sonnet II.

25 Je pourrais tout gâter par de plus longs récits.
LA FONTAINE, Fables, XII, À Mgr le Duc de Bourgogne.

26 Vinrent juin et les plus longs jours (...)   COLETTE, la Chatte, p. 67.

C. (Dans l'espace ou le temps, avec une valeur emphatique; surtout au plur.). *Griffonner* (cit. 5) *de longues pages. De longs tourments* (→ Insensé, cit. 9). *Couler à longs flots**. ⇒ **Abondant.** *De longues heures**, *de longues années* (→ Accumuler, cit. 3; appliquer, cit. 26), *de longs siècles* (→ Archéologie, cit. 2), *de longs mois* (→ Argile, cit. 8; joie, cit. 30). — *Une longue après-midi durant.* ⇒ **Entier, tout** (→ Fracture, cit. 4).

27 (...) des secrets pour étendre la vie à de longues années (...)
MOLIÈRE, le Malade imaginaire, III, 3.

28 Et ce foyer chéri ressemble aux nids déserts
D'où l'hirondelle a fui pendant de longs hivers.
LAMARTINE, Harmonies..., III, XXVI.

★ **II. N. A.** N. m. (1165). ♦ **1.** (Précédé de *au, de, en*). *Table de 1 m 20 de long sur 0 m 80 de large.* ⇒ **Longueur.**

29 (...) nous quittâmes le chemin pour visiter une citerne (...) elle a trente-trois pas de long sur trente de large (...)   CHATEAUBRIAND, Itinéraire..., III, p. 273.

(1464). Loc. *Tomber de son long, de tout son long*, en s'allongeant par terre. *Étaler* (s'). *Couché* (cit. 23), *étendu* (→ Bord, cit. 11) *de tout son long, tout de son long.*

30 Et dessus l'herbe à terre, s'étendit
Tout de son long (...)   Clément MAROT, les Métamorphoses d'Ovide, II.

31 (...) comme Buteau rentrait à l'improviste, il aperçut Fouan par terre, étendu de tout son long sur le ventre (...)   ZOLA, la Terre, V, I.

32 Il dut tomber de tout son long, le front sur une marche, puis rebondir de là jusqu'en bas en deux énormes culbutes (...)   J. GREEN, Adrienne Mesurat, I, XIV.

Loc. adv. **DE LONG**; **EN LONG** : dans le sens de la longueur. *Hommes : 40. Chevaux (en long) : 8*, inscription à l'usage de l'armée sur les wagons de marchandises. — (1660). *Tracer un trait de long.* ⇒ **Ligne.** — (1680). *Scier, scieur* de long.* — (1673). *Coupe pratiquée en long.* ⇒ **Longitudinal.** *Barbe qui pousse en long* (→ Dresser, cit. 2). *Profil** en long d'une voie ferrée.* — (1867). Loc. fam. *Avoir les côtes* en long* : être très paresseux ou très fatigué.

(1811; *de lon en lé*, 1216; *de lon, de lé*, v. 1155). **DE LONG EN LARGE**; (1676; *en lonc ou en lé*, 1230) **EN LONG ET EN LARGE.** ⇒ **Large** (cit. 16 et 17; → aussi Exercice, cit. 24; journée, cit. 2).

(Fin xiiᵉ). Vx. *De long.*

(1256). **AU LONG, TOUT AU LONG, TOUT DU LONG.** ⇒ **Complètement** (→ Assistance, cit. 1). *Il ne pourra jamais lire tout du long cet insipide roman. Racontez-moi cela tout au long*, en détail, par le menu. ⇒ **Longuement.**

33 Aurais-je (...) Écouté tout au long l'offre de votre cœur (...)
MOLIÈRE, Tartuffe, IV, 5.

34 Que n'aurai-je pas donné pour pouvoir dire au long cette fameuse règle des participes, bien haut, bien clair, sans une faute!
Alphonse DAUDET, Contes du lundi, La dernière classe.

♦ **2.** Loc. prép. (xiiiᵉ). **AU LONG DE, LE LONG DE, TOUT LE LONG DE,**

TOUT DU LONG DE : en suivant sur toute la longueur (de), en suivant sur une certaine étendue le bord (de). *Aller le long de...* ⇒ **Côtoyer.** *Au long, le long des routes. Le long d'une rivière* (→ Arroser, cit. 3 ; contrebas, cit. 2), *d'un clair* (cit. 7) *ruisseau. Habiter le long du Rhin* (→ 1. Franc, cit. 1). *Fougères* (cit. 2) *qui s'étalent au long des pentes.* ⇒ **Longer** (3.). *Cheveux, mèches folles* (1. Fou, cit. 52) *qui descendent au long des joues, le long des oreilles.* ⇒ **Border.** — *Flâner le long des rues, des haies, tout le long de la route.* ⇒ **Longer,** 2. (→ Errance, cit. 3 ; gauche, cit. 12 ; hêtre, cit. 1). *Se couler* (cit. 34) *le long d'un mur. Âne* (cit. 5) *qui monte le long des chemins. L'eau coule* (cit. 3) *le long des trottoirs. La sueur qui coule tout le long du corps* (→ Glacer, cit. 10).

35 Le long des rues, des quais, des ponts, des boulevards, la foule criait à la foule : À la Bastille (...)   MICHELET, Hist. de la Révolution franç., I, VII.

36 — Donc, par ce lent sentier de rosée et de thym,
Cheminons vers la ville au long de la rivière,
Sous les frais peupliers, dans la fine lumière.   VERLAINE, Sagesse, III, XX.

37 Nous avons pensé des choses pures
Côte à côte le long des chemins,
Nous nous sommes tenus par les mains
Sans dire (...) parmi les fleurs obscures.
                    VALÉRY, Poésies, Vers anciens, « Le bois amical ».

38 Les feux des réverbères naissent un à un le long de la rue (...)
                    J. ROMAINS, les Hommes de bonne volonté, t. IV, XV, p. 149.

(Dans le sens de la hauteur). *Se hisser, grimper le long d'un mur, d'un mât* (→ Agileté, cit. 2). *Arbre qui pousse le long d'un mur* (→ Entamer, cit. 6).

39 (...) il ouvrit la fenêtre et regarda : plus de huit mètres le séparaient du sol. Se laisser glisser le long du mur était impossible, la pierre ne présentait aucun relief (...)   J. GREEN, Léviathan, II, XIV.

(V. 1175 ; dans le temps). Durant, pendant toute la durée (de). *Expérience acquise* (cit. 18) *au long d'une carrière. Tout le long du jour, du trajet.* ⇒ aussi **Longueur** (à longueur de...).

40 L'Europe (...) n'a plus d'autre espoir que de rassembler, un à un, au long des années, les solitaires qui marchent vers l'unité.   CAMUS, l'Homme révolté, p. 346.

B. N. f. *Longue.* → ci-dessus *supra* cit. 21.1 ; *supra* cit. 22 *(à la longue).* — (Mil. xxᵉ). Jeu de boules provençal où le cochonnet est placé plus loin qu'à la pétanque.

★ **III.** Adv. (1050, *longes* « longuement »). Avec quelques verbes.
♦ **1.** ⇒ **Beaucoup.** *Son attitude en dit* long. *Voilà qui en dit long.* — (V. 1700). *En savoir long.* ⇒ **Instruire** (être instruit). *Il en connaît long* (→ fam. Un bout), *bien plus long que moi là-dessus* (→ Inférieur, cit. 5). *Gamine précoce qui en sait déjà long. Le désir d'en savoir, d'en apprendre plus long.*

41 (...) il fallut que Fouan leur imposât silence, solennel, d'une gravité triste, en vieil homme qui en connaît long, mais qui n'en veut rien dire.   ZOLA, la Terre, I, V.

♦ **2.** (1499). Avec un vêtement long. *Femme habillée trop long.* — Littér. (devant un p. p. adj.). *Long vêtu(e).*

42 Bien des senoras long voilées.   A. DE MUSSET, Premières poésies, « Madrid ».

CONTR. Court, large. — Bref, instantané. — (En parlant du style) Compendieux, concis, laconique, lapidaire, succinct.
DÉR. Longe, longer, longeron, longotte, longtemps, longue, longuet, longueur. — (Du même rad.) Longanime, longévité, longitude, longrine.
COMP. Barlong, oblong. — Allonger, élonger, forlonger, prolonger, rallonger. — Long-courrier, long-jointé. — Longue-vue.

LONGANE [lɔ̃gan] n. — 1616 (*in* Arveiller) ; var. *lon-yen,* 1735 ; du chinois *long-yen* (*long* « dragon » ; *yen* « œil ») par le lat. bot. *longanum,* le portugais *longans* (1688).

♦ Fruit exotique voisin du *litchi* (ou *letchi*).
(1798, *litchi longane*). Arbre sur lequel pousse ce fruit. ⇒ **Longanier.**

LONGANIER [lɔ̃ganje] n. m. — 1789, Lamarde ; lat. bot. *longanum,* de *longane,* et *-ier.*

♦ Bot. Arbre qui produit le longane et dont le bois est utilisé en tabletterie. — N. sc. : *euphoria.*

LONGANIME [lɔ̃ganim] adj. — 1530 ; *longuanime,* 1487 ; bas lat. *longanimis* « patient » ; de *longus* « long », et *animus* « esprit, âme ».

♦ Rare et littér. Qui manifeste de la patience, notamment lorsque cette patience est due à l'indulgence, à la tolérance.
Sans doute l'orateur était-il allé trop loin, au gré des opposants longanimes.   J. ROMAINS, les Hommes de bonne volonté, t. XXIII, p. 227.
Rare. Qui manifeste de la longanimité (1.).
DÉR. Longanimement.

LONGANIMEMENT [lɔ̃ganimmɑ̃] adv. — D. i. (déb. xxᵉ, → cit.) ; de *longanime.*

♦ Rare. Avec longanimité.
Aussi ne manquait-on pas de dire que si M. de Valtognes gardait si longanimement M. de Villebonne, c'est que celui-ci le tenait par des secrets compromettants, des pièces accablantes.   PROUST, Jean Santeuil, Pl., p. 783.

LONGANIMITÉ [lɔ̃ganimite] n. f. — Déb. xvᵉ ; *longanimiteit,* fin xIIᵉ ; bas lat. *longanimitas,* de *longus* « patient », et *anima* « âme ». → Longanime.
Littéraire.

♦ **1.** Patience* à supporter les souffrances morales (→ Endurer, cit. 1).
Tous admirèrent la longanimité de ce peuple ; c'est Job entre les nations. ⸢ ⸣ u- ceur, Ô patience (...) Il aime encore, ce peuple infortuné ! Il croit encore, il s'obstine à espérer.   MICHELET, Hist. de la Révolution franç., Introd., II, § II.   1

♦ **2.** (xIIIᵉ). Patience à supporter ce qu'on aurait le pouvoir de réprimer, de punir. ⇒ **Indulgence** (→ Saloon, cit. 1, Jarry). *La longanimité de Dieu envers les pécheurs* (Académie).
L'on excusera mal, plus tard, cette longanimité, cette tolérance dont nous aurons fait preuve à l'égard du catholicisme ; notre sympathie paraîtra faiblesse, et notre indulgence sera jugée sans indulgence.   GIDE, Journal, 6 juil. 1928.   2
CONTR. Impatience ; dureté.

LONG-COURRIER [lɔ̃kuʀje] adj. — 1867 ; de *long cours.* → Cours, V.

♦ **1.** Se dit d'un bâtiment qui navigue au long cours ; des avions de transport sur les longs parcours. *Avions long-courriers.* — N. m. *Des long-courriers.*

♦ **2.** (Av. 1890). Qui navigue sur un navire long courrier (→ Au long cours). — (xxᵉ). Par anal. *Un pilote, un capitaine long-courrier.*
(...) un de ces veufs provisoires, de ces capitaines long-courriers sur qui pesaient parfois si lourdement le vide et l'ennui de la mer.   Roger VERCEL, Remorques, p. 46.

1. LONGE [lɔ̃ʒ] n. f. — V. 1165 ; *loigne* « rein », fin xIᵉ ; lat. pop. *lumbea,* de *lumbus.* → Lombe.

♦ Moitié (en long) de l'échine du veau ou du chevreuil depuis le bas de l'épaule jusqu'à la queue. *Longe de veau blanche et délicate* (cit. 1). *Longe (de veau) braisée. Longe de veau cuite avec le rognon.* ⇒ **Rognonnade.**
(...) votre gras embonpoint vous fait prendre, par vos spectateurs, pour une longe de veau qui se promène sur ses lardons ?   CYRANO DE BERGERAC, Lettres satiriques, Contre un gros homme.   1
(...) ensuite il fallait faire honneur à une longe de veau au lait aux champignons (...)   GIDE, Journal, 10 janv. 1943.   2
COMP. Surlonge.
HOM. 2. Longe.

2. LONGE [lɔ̃ʒ] n. f. — V. 1165 ; fém. de *long.*

♦ **1.** Corde* ou courroie* qui sert à attacher un cheval* (par ext., un animal domestique) ou à le mener à la main. *La longe est attachée au licol ou au collier. Mener un cheval par la longe. Attacher, dénouer* (cit. 2) *la longe.* — (1690). Par ext. Trait* avec lequel les chevaux tirent.
(...) les chevaux qu'on mène en main font bien des bonds et des escapades, mais c'est la longueur de leurs longes (...)   MONTAIGNE, Essais, III, XII.   1
C'était pitié de la voir (*la chèvre*) tirer tout le jour sur sa longe, la tête tournée du côté de la montagne (...)   Alphonse DAUDET, Lettres de mon moulin, La chèvre de M. Seguin.   2

♦ **2.** (V. 1200). Petite lanière qu'on attache à la patte d'un faucon (cit. 3) pour qu'il reste sur la perche.

♦ **3.** Techn. Lanière de cuir tressée dans une partie de sa longueur, attachée au manche d'un fouet et portant la mèche.
Ce sentier qui est déroulé dans les collines comme la longe d'un fouet (...)   J. GIONO, Regain, I, IV.   3
DÉR. Longé.
COMP. Plate-longe.

LONGÉ, ÉE [lɔ̃ʒe] adj. — 1721 ; de 2. *longe.*

♦ Blason. *Épervier longé,* dont les pattes sont garnies de liens (*longes,* 2.) d'un émail différent.

LONGER [lɔ̃ʒe] v. tr. — Conjug. *bouger.* — 1655, d'abord vén. ; *longier* « allonger », 1342 ; au p. p. « tissé (en long) », fin xIIᵉ ; de *long.*

♦ **1.** Vx ou littér. Prendre, suivre (une voie, un chemin). *Longer une allée* (→ Imprimerie, cit. 6).
On dit (...) qu'une bête *longe* un chemin, pour dire, qu'elle enfile un chemin (...) *longer* une rivière, pour dire, y naviguer en sûreté, ou aller librement le long de ses bords.   Dict. de Trévoux, art. *Longer* (1771).   1
Enfin Wazemmes fait bien son travail, parce qu'il le trouve amusant. Longer toutes sortes de rues dans toutes sortes de quartiers (...)   J. ROMAINS, les Hommes de bonne volonté, t. IV, II, p. 15.   2
Ils longeaient un petit escalier de montagne avec de la forêt dessus et dessous.   J. GIONO, le Chant du monde, II, III.   3

♦ **2.** (1740). Mod. (Sujet n. de personne). Aller le long* de (qqch.) en suivant le bord, en marchant auprès. ⇒ **Côtoyer.** *Promeneur qui* *longe un jardin, un parc, un bois* (→ Bouffée, cit. 3). *Longer un bâtiment, une église* (˃ Forain, cit. 4). *Longer les murs pour se cacher.* ⇒ **Raser** (→ Désavouer, cit. 9). — *Voiture, train qui longe la mer.* — (1867). *Naviguer en longeant la côte.* ⇒ **Élonger, ranger.**

4 Un chariot massif, avec deux buffles blancs,
Longe, au lever du jour, la sauvage rivière.
LECONTE DE LISLE, Poèmes barbares, « Barde de Temrah ».

5 Au temps où Tibère régnait, un vaiseau qui longeait les bords de la mer Égée fut immobilisé, le vent ayant cessé soudain.
Émile HENRIOT, Mythologie légère, p. 181.

6 (...) il fut agréablement surpris de trouver un peu d'ombre en longeant les échoppes de l'étroite rue de la Fontaine. MARTIN DU GARD, les Thibault, t. V, p. 19.

♦ **3.** (1835). Sujet n. de chose. Être, s'étendre* le long* de... ⇒ **Border, côtoyer.** *Chemin* (cit. 21), *route, voie ferrée qui longe un fleuve, une rivière.*

7 En suivant le quai, que longe le railway où roulent les wagons de marchandises, on jouit des aspects les plus amusants et les plus variés.
Th. GAUTIER, Voyage en Russie, IV.

8 Un sentier longeait la rivière (...) G. DUHAMEL, Chronique des Pasquier, III, II.

DÉR. Longis.

LONGERON [lɔ̃ʒʀɔ̃] n. m. — Mil. XIXᵉ, au sens 2 (1873, J. Verne, → cit. 1); « poutre d'un moulin », 1280; autre sens techn., 1767; de *long*, et suff. -*eron*.
Technique.

♦ **1.** Pièce de charpente parallèle aux poutres principales et fixée aux poutrelles, qui soutient chaque file de rails d'un point de chemin de fer. *Traverses de rails posées sur des longerons.* — Chacune des maîtresses poutres d'un pont métallique.

♦ **2.** Chacune des pièces maîtresses longitudinales de la charpente, du châssis d'un véhicule. *Longerons d'une locomotive. Longerons et traverses d'un châssis d'automobile* (on dit aussi *brancard de caisse*). *Fuselage* à quatre longerons entretoisés.*

1 (...) retrouvant son agilité, sa souplesse de clown, se faufilant sous les wagons, s'accrochant aux chaînes, s'aidant du levier des freins et des longerons des châssis, rampant d'une voiture à l'autre avec une adresse merveilleuse, il gagna ainsi l'avant du train. J. VERNE, le Tour du monde en 80 jours, 1873, p. 266.

2 La cheminée, dans la violence du choc, était entrée en terre; à l'endroit où il avait porté, le châssis s'était rompu, faussant les deux longerons (...)
ZOLA, la Bête humaine, p. 330.

(1931). *Longeron de voilure d'avion,* constitué par deux semelles* réunies par une âme (III.). ⇒ **Lisse** (4.).

LONGÉVITÉ [lɔ̃ʒevite] n. f. — 1777; bas lat. *longævitas,* du lat. class. *longus* « long », et *ævum* « âge ».

♦ **1.** Longue durée de la vie (d'un individu, d'un groupe, d'une espèce). *La longévité est plus fréquente chez les hommes que chez les femmes, mais la durée moyenne de la vie des hommes est inférieure à celle des femmes. Peuple, famille qui offre de nombreux cas de longévité* (→ Hérédité, cit. 8), *où les vieillards, les centenaires sont nombreux.*

1 Il n'appartenait point (...) à cette variété malingre d'octogénaires qui, comme M. de Voltaire, ont été mourants toute leur vie; ce n'était pas une longévité de pot fêlé; ce vieillard gaillard s'était toujours bien porté.
HUGO, les Misérables, III, II, I.

2 Il est d'usage de vivre longtemps, à l'Académie; c'est là une habitude qui ne s'est pas perdue, et qui, jointe à tant d'autres avantages, ne laisse pas d'avoir son prix. Mais il résulta de cette longévité académique que, dans la seconde moitié du XVIIᵉ siècle, l'Académie ne se renouvela point aussi vite que le public l'aurait pu souhaiter. SAINTE-BEUVE, Causeries du lundi, 9 juin 1851.

3 La longévité n'est désirable que si elle prolonge la jeunesse, et non pas la vieillesse. Pendant la période où l'individu devient incapable de subvenir à ses besoins, il est une charge pour les autres. Si tout le monde vivait jusqu'à quatre-vingt-dix ans, le poids de cette foule de vieillards serait intolérable pour le reste de la population. Alexis CARREL, l'Homme, cet inconnu, V, V.

Longévité des carpes, des cerfs. — *Longévité des graines* (cit. 4), *des plantes vivaces.*

♦ **2.** (1839). Durée (quelconque) de la vie. *Une faible longévité.* — Démogr. *Tables de longévité. Longévité moyenne. Longévité potentielle :* âge maximum qu'un individu d'une espèce donnée peut atteindre.
Figuré :

4 (...) victorieuse, n'ayant plus rien à craindre pour sa longévité, la République se devait à elle-même de faire une politique de concorde (...)
.Georges LECOMTE, Ma traversée, p. 181.

CONTR. Brièveté (de la vie).

LONGI- Préfixe, du lat. *longus* « long », qui entre dans la composition de mots savants.
Voir à l'ordre alphabétique. — On peut signaler en outre : *longitype,* adj., « type humain longiligne » (rare).

LONGIBANDE [lɔ̃ʒibɑ̃d] adj. et n. — 1845; de *longi-*, et *bande*.

♦ Didact. Qui porte de longues bandes.

(...) la Panthère longibande *(felis nebulosa)* indo-malaise, de taille relativement petite, au corps allongé sur des jambes courtes, et remarquable par son joli pelage gris brun, long, très fin et souple, marqué de grandes taches qui, sur les flancs et les épaules, s'étendent en larges dessins rectangulaires plus ou moins fondus dans la coloration générale, donnant à l'ensemble du pelage cet aspect estompé, nébuleux, d'où le nom spécifique a été tiré. René THÉVENIN, les Fourrures, p. 51.

LONGICAULE [lɔ̃ʒikol] adj. — 1867; de *longi-*, et -*caule* « tige ».

♦ Bot. Qui a une longue tige.

LONGICORNE [lɔ̃ʒikɔʀn] adj. et n. m. — 1823; de *longi-*, et *corne*.

♦ Zool. Qui a de longues cornes, de longues antennes. — N. m. (1817). *Les longicornes :* famille d'insectes coléoptères, phytophages à très longues antennes et à mandibules puissantes. *Principaux longicornes.* ⇒ **Ægosome, cérambyx** (ou **capricorne**), **lepture, saperde.** — Au sing. *Un longicorne.*

À chasser les insectes inconnus, je retrouve des joies d'enfant. Je ne suis pas encore consolé d'avoir laissé échapper un beau longicorne vert pré, aux élytres damasquinés, zébrés, couverts de vermiculures plus foncées ou plus pâles; de la dimension d'un buprese, la tête très large, armée de mandibules-tenailles. Je le rapportais d'assez loin, le tenant par le corselet, entre pouce et index. Sur le point d'entrer dans le flacon de cyanure, il m'échappe et s'envole aussitôt.
GIDE, Voyage au Congo, Pl., p. 691.

LONGIFACE [lɔ̃ʒifas] adj. — Mil. XXᵉ; de *longi-*, et *face*.

♦ Anthrop. Dont le visage est plus long que large. (On dit aussi *longivulte,* de *longus,* et *vultus* « visage »).
CONTR. Latiface.

LONGIFORME [lɔ̃ʒifɔʀm] adj. — Mil. XXᵉ; de *longi-*, et -*forme*.

♦ Didact. ou littér. De forme allongée, oblongue.
Le mouvement des masses d'eau était constant, infatigable (...) On voyait les étirements des bulles, les rides longiformes, la texture filante de fibres et d'embrouillements qui circulaient sur place. J.-M. G. LE CLÉZIO, le Déluge, VIII, p. 171.

LONGILIGNE [lɔ̃ʒiliɲ] adj. et n. — 1888, *in* D.D.L.; de *longi-*, et *ligne*.

♦ Didact. Caractérisé par la longueur du tronc et des membres par rapport à leur largeur. *Une silhouette longiligne.* — N. *Un, une longiligne.*
CONTR. Bréviligne.

LONGIMÉTRIE [lɔ̃ʒimetʀi] n. f. — 1632; de *longi-*, *mètre*, et suff. -*ie*.

♦ Vx. Art de mesurer par la trigonométrie les distances entre les points qu'on ne peut approcher.

LONGIPENNE [lɔ̃ʒipɛn] adj. et n. — 1809, Lamarck; de *longi-*, et *penne*.

♦ Didact. Qui a de longues ailes.
N. m. pl. (1817). *Les Longipennes :* ordre d'oiseaux palmipèdes à longues ailes pointues, au vol rapide et puissant et qui vivent en haute mer (albatros, mouette, pétrel, sterne...). — Au sing. *Un longipenne.*

LONGIROSTRE [lɔ̃ʒiʀɔstʀ] adj. — 1812, comme adj.; de *longi-*, et *rostre*.

♦ Didact. Qui a un long bec ou le museau allongé.
N. m. pl. (1809). *Les Longirostres.* **a** Famille d'oiseaux échassiers caractérisés par un long bec.
b (1873). Groupe de crocodiliens fossiles, au museau très développé (téléosaure).

LONGIS [lɔ̃ʒis] n. m. — 1762; de *longer*.

♦ Syn. de *élongis.* ⇒ **Élonger.**

LONGISTYLE [lɔ̃ʒistil] adj. — 1867, Littré; de *longi-*, et *style*.
Didactique.

♦ **1.** Zool. (vx). Qui a un long style à l'extrémité de l'abdomen.

♦ **2.** Bot. À long style. *Plante longistyle.*

LONGITUDE [lɔ̃ʒityd] n. f. — 1525; « longueur », 1314; lat. *longitudo* « longueur », de *longus*. → Long.

♦ L'une des coordonnées* sphériques d'un point de la surface terrestre; distance angulaire de ce point au méridien d'origine mesurée en degrés. Syn. : *longitude terrestre, géographique. Tous les points* *d'un méridien* ont la même longitude. Déterminer la longitude et la latitude d'un point. Longitude ouest, ou occidentale ; longitude est, ou orientale. Habitants situés à la même latitude et séparés par 180° de longitude.* ⇒ **Périœciens.** *Île située par 60° de latitude* (cit. 3) *sud et 40° 20' de longitude ouest.* — Mar. *Longitude observée, calculée, estimée. Différence en longitude* (entre la longitude de départ et celle d'arrivée).

1 Tous les méridiens sont considérés comme des cercles de longitude, parce que les différentes longitudes se mesurent d'un méridien à l'autre.
CONDILLAC, l'Art de raisonner, v, 5, *in* LITTRÉ, art. *Méridien.*

1.1 Donc, puisque Washington est par 77° 3' 11", autant dire 77° comptés du méridien de Greenwich — que les Américains prennent pour point de départ des longitudes, concurremment avec les Anglais —, il s'ensuivait que l'île était située par 77° plus 75° à l'ouest du méridien de Greenwich, c'est-à-dire par les 152° degré de longitude ouest. J. VERNE, l'Île mystérieuse, t. I, p. 188.

2 (...) *la différence de longitude de deux points est donné par la différence d'heure de ces deux points* (...) un degré de longitude correspond à quatre minutes de temps (...) Ainsi la détermination de l'heure est à la base de toute observation de longitude. Divers procédés peuvent être employés pour y arriver. Un des plus usités consiste à mesurer la distance zénithale d'un astre ou plus exactement sa hauteur au-dessus de l'horizon (...) à l'aide du théodolite.
É. DE MARTONNE, Traité de géographie physique, t. I, p. 51-52.

Par ext. Vieilli. Région du monde (Chateaubriand).

Mar. Calcul ou estimation de la longitude.

(Mil. xive, *longitude de ciel,* Oresme). Astron. *Longitude céleste :* l'une des coordonnées écliptiques ; distance angulaire mesurée par un arc sur le grand cercle de l'écliptique à partir du point vernéal. *Longitude d'un astre. Longitude géocentrique, héliocentrique.*

(1765). *Bureau** (III., 5.) *des longitudes.*

DÉR. Longitudinal.

LONGITUDINAL, ALE, AUX [lɔ̃ʒitydinal, o] adj. — 1314 ; « de longitude », 1543 ; dér. sav. de *longitudo, -inis.* → Longitude.

♦ **1.** Didact. Qui est dans le sens de la longueur (d'une chose). *Raie longitudinale* (→ Barbouiller, cit. 12). *Fente longitudinale d'un panneau, d'un conduit. Vallée longitudinale qui suit les chaînes de montagne. Coupe, section longitudinale.* ⇒ **Long** (en).

♦ **2.** Epistém. Se dit d'une méthode qui limite ses observations, ses analyses à un seul individu ou a un nombre déterminé de sujets suivis tout au long de leur développement. *Études longitudinales en démographie, en psychiatrie.*

CONTR. Transversal.
DÉR. Longitudinalement.

LONGITUDINALEMENT [lɔ̃ʒitydinalmɑ̃] adv. — 1732 ; de *longitudinal.*

♦ Didact. Dans le sens de la longueur. *Couper longitudinalement.*

LONG-JOINTÉ, ÉE [lɔ̃ʒwɛ̃te] adj. — 1660 ; de *long,* et *joint.*

♦ Vétér., hippol. Se dit d'un cheval, d'une jument qui a le paturon trop long. *Des chevaux long-jointés.*

Par anal. (en parlant d'une personne) :

Un beau parti, père de deux enfants et mari d'une femme long-jointée, qui le surveille de près (...) BERNANOS, Sous le soleil de Satan, *in* Œ. roman., Pl., p. 88.

LONGOTTE [lɔ̃gɔt] n. f. — 1873 ; de *long.*

♦ Vieilli et techn. Calicot* gros et lourd, fabriqué à Rouen.

LONGRINE [lɔ̃gʀin] n. f. — 1752 ; *longueraine,* 1716 ; ital. *lungarina,* de *lungo* « long ».

♦ Techn. Pièce de charpente placée dans les sens de la longueur et qui relie d'autres pièces. — (1867). Pièce de bois ou d'acier placée au-dessous et tout au long des rails, soit directement, soit sous les traverses. *Voie sur longrines des ponts métalliques.*

LONGTEMPS [lɔ̃tɑ̃] n. m. et adv. — xvie ; *long temps,* v. 1361 ; *lonc tens,* v. 980 ; de *long,* et *temps.*

★ **I. N. m.** ♦ **1.** (Av. 1662). Un long espace de temps. ⇒ **Temps.** — Vieux :

1 J'ai passé longtemps de ma vie en croyant qu'il y avait une justice (...)
PASCAL, Pensées, VI, 375.

♦ **2.** (V. 1155) Mod. (Compl. d'une préposition). *Avant, depuis longtemps ; pendant longtemps ; pour longtemps. Vous entendrez parler de lui avant longtemps,* bientôt, dans peu, sous peu, dans un proche avenir. *Exister depuis longtemps :* être ancien, vieux. *Ils se connaissaient depuis longtemps. Un ami ancien* (cit. 13) *est un homme avec qui on est ami depuis longtemps. L'affaire était préparée depuis longtemps* (→ De longue main, de longue date). *Des visages depuis longtemps disparus* (→ Imaginatif, cit. 3). *Il est resté absent pendant longtemps* (il est resté longtemps absent). *«À nouveau et pour longtemps, mon instruction se trouvait interrompue»*

(cit. 4, Gide). *Ce cadre* (cit. 7) *allait être pour longtemps ou pour toujours celui de sa vie déchue. Attendez-moi : je n'en ai pas pour longtemps* (→ Je ne serai pas long). — Fam. *Est-ce qu'il partira dans longtemps ?* ⇒ **Temps** (dans combien de).

2 On ne meurt qu'une fois, et c'est pour si longtemps !
MOLIÈRE, le Dépit amoureux, v, 3 (→ Doux, cit. 12).

3 (...) les gens qui sont du bon côté de la vie (...) et qui en ont encore pour longtemps à vivre. CÉLINE, Voyage au bout de la nuit, p. 54.

(1669). **DE LONGTEMPS** : depuis longtemps. *«Je vous connais de longtemps, mes amis»* (La Fontaine, *Fables,* II, 3). ⇒ **Loin** (de). *«Ayant de longtemps mûri sa pensé»* (E. Henriot).

3.1 Toute l'ambition de l'homme de l'esprit est de construire un *seuil* — (œuvre, découverte, loi,...) tel, — que *de longtemps* un autre ne le puisse ou franchir ou exhausser. VALÉRY, Cahiers, t. II, Pl., p. 1414.

(1835). Avec un verbe au futur (ou au conditionnel) et à la forme négative, *de longtemps* « s'emploie encore pour indiquer une longue durée dans l'avenir » (Le Bidois). *«De longtemps, vous ne parviendrez à la zone ou se trouve la neige»* (→ Gravir, cit. 9, Gautier). — REM. On dit aussi : *d'ici longtemps. Je ne compte pas y retourner d'ici longtemps.*

4 (...) le goût qu'elle ressentait pour lui ne connaîtrait pas de longtemps la satiété.
PROUST, À la recherche du temps perdu, t. I, p. 294.

5 Quand pourra-t-on écrire l'histoire de cette guerre malheureuse ? Pas de longtemps peut-être. A. ROUSSEAUX, *in* le Figaro, 29 nov. 1941.

(Vx). **DÈS LONGTEMPS** : depuis longtemps. ⇒ **Piéça** (vx). *«Ses transports dès longtemps commencent d'éclater»* (Racine, *Britannicus,* III, 1 ; → aussi Aguerrir, cit. 1 ; indigner, cit. 7).

♦ **3.** (1665). LONGTEMPS, complément d'*il y a, voici, voilà. Il est déjà venu ici, il y a longtemps. Cela se faisait, il y a longtemps.* ⇒ **Anciennement, autrefois, jadis, lurette** (belle). *Il y a longtemps que je l'ai vu, que je ne l'ai vu. Il y a longtemps que j'attendais* (cit. 64) *cela. «Il y a longtemps que je t'aime, Jamais je ne t'oublierai»* (Refrain de la chanson : *«À la claire fontaine»*). *Il n'y avait pas longtemps qu'elle s'était mariée et établie* (cit. 29). *Un jour, il y a bien longtemps de cela...* — Vx. *«Nous nous connaissons il y a longtemps»* (Molière, les Précieuses ridicules, XIV). — Voici, voilà longtemps que... voilà longtemps que je n'avais goûté pareille joie* (→ Cambrure, cit. 3).

6 Voilà longtemps que celle avec qui j'ai dormi,
Ô Seigneur ! a quitté ma couche pour la vôtre (...)
HUGO, la Légende des siècles, II, Booz endormi.

7 Il y a longtemps que je suis la France, vivant jour par jour avec elle depuis des milliers d'années. MICHELET, le Peuple, III, 5.

★ **II.** Adv. de temps. (V. 1165). Pendant un long espace de temps. *Parler longtemps.* ⇒ **Longuement.** *Elle était trop belle pour vivre longtemps* (→ Enterrer, cit. 11). *Il avait longtemps porté les armes* (cit. 10). *Elle est restée longtemps sans prendre de nourriture* (→ Faim, cit. 8). *Il s'enfonça* (cit. 42) *dans une rêverie qui dura longtemps.* ⇒ **Heure** (des heures). *L'hiver de 1870-1871 est resté longtemps dans notre souvenir* (→ Année, cit. 6). *La paix ne dura pas longtemps.* ⇒ **Guère.** *Il n'y a plus longtemps à attendre.* ⇒ **Beaucoup.** *L'homme est incapable* (cit. 2) *de souffrir ou d'être heureux longtemps. On ne figure* (cit. 9) *qu'on aimera longtemps ce qu'on aime beaucoup. «L'esprit* (cit. 87) *ne saurait jouer longtemps le personnage du cœur»* (La Rochefoucauld).

8 J'ai longtemps habité sous de vastes portiques.
BAUDELAIRE, les Fleurs du mal, Spleen et Idéal, XII.

9 Il fera longtemps clair ce soir, les jours allongent.
Csse DE NOAILLES, le Cœur innombrable, Il fera longtemps clair...

(Précédé d'un adverbe de quantité). *Il fut assez longtemps incertain* (cit. 23) *du parti qu'il devait prendre. Restez aussi longtemps que vous voudrez, tant* que vous voudrez. La dernière carte n'est bonne qu'aussi longtemps qu'elle n'est pas jouée* (cit. 23). *Chateaubriand sut rester jeune* (cit. 11) *bien longtemps. Notre globe* (cit. 10) *est resté fort longtemps incapable d'entretenir la vie. Il a été absent plus longtemps qu'il n'avait prévu. Moins longtemps. Je n'aurais pas dû parler si longtemps* (→ Houppe, cit. 4). *Très longtemps. Nous avons trop longtemps toléré son arrogance* (cit. 1).

(Suivi d'un compl. de temps). *Ils s'étaient connus bien longtemps avant leur mariage. Longtemps avant sa mort, il avait apuré* (cit. 1) *ses comptes. On se souviendra de lui longtemps après sa mort. Le rayonnement des jours heureux persiste longtemps encore après qu'ils ne sont plus* (→ Effacer, cit. 24).

CONTR. Peu. V. **Peu** (peu de temps, dans peu, d'ici peu, depuis peu, sous peu). — **Bientôt, naguère, récemment.**

LONGUE [lɔ̃g] n. f. — 1690 ; de *long.*

♦ **1.** Mus. Unité de durée, dans la musique médiévale. *La longue fut notée par un carré noir avec une queue. Une longue vaut deux brèves.*

♦ **2.** ⇒ **Long** (I., B., 1. *supra* cit. 21.1 et 21.2).

♦ **3.** (Jeu de boules). ⇒ **Long** (II., B.).

♦ **4.** *À la longue.* → Long, cit. 22 et *supra.*

LONGUEMENT [lɔ̃gmɑ̃] adv. — 1050; « en détail », mil. XIVᵉ; de *long*.

♦ **1.** Pendant un long temps, avec longueur et continuité (d'une action). — REM. *Longtemps* est relatif à la durée objective d'un état ou d'une action, sans rapport à son contenu ni à sa continuité (ex. : *Il a longtemps pensé à cette solution*); *longuement* se rapporte à une action considérée en elle-même et quantitativement, à la fois dans son contenu et sa continuité (ex. : *Il a longuement pensé à cette solution*). *Si vous parlez longuement, on ne vous écoutera pas longtemps.* — *Longuement* était employé encore au XVIIᵉ s. dans beaucoup de cas où *longtemps* serait de nos jours nécessaire : *Aimer longuement* (Bussy-Rabutin; → Absence, cit. 5). — *Respirer longuement. Se laver longuement les mains* (→ Flamber, cit. 9). *Fumer* (cit. 23) *longuement un cigare. Savourer longuement* (→ Exceptionnel, cit. 5). *Faire quelque chose longuement et en détail. Acte, geste* (cit. 17) *longuement médité* (→ Attention, cit. 45). *Projet longuement mûri. Raconter longuement.* ⇒ **Abondamment, amplement.** *Parler trop longuement.* ⇒ **Délayer.** — *Avec minutie. Il a longuement expliqué les causes de…, longuement insisté sur ce point…*

1 Longuement n'est plus en usage à la cour, où il était si usité il n'y a que vingt ans; c'est pourquoi l'on n'oserait plus s'en servir dans le beau langage; on dit longtemps au lieu de longuement.
VAUGELAS, Remarques sur la langue franç., t. I, p. 90.

1.1 Les *allegro* se traînaient longuement, longuement. Les quadruples croches ne valaient pas des rondes ordinaires en tout autre pays. Les roulades les plus rapides, exécutées au goût des Quiquendoniens, avaient les allures d'un hymne de plain-chant. Les trilles nonchalants s'alanguissaient, se compassaient.
J. VERNE, le Docteur Ox, p. 47.

2 À présent c'était lui qui la regardait, — longuement. Déjà elle connaissait bien chez lui cette insistance dans le regard (…) MONTHERLANT, le Songe, I, VI.

3 (…) ils (*les oiseaux de nuit*) ravissent au vol, plus muets que l'éclair; puis ils dévorent, solitaires; et avares, ils se repaissent longuement.
André SUARÈS, Trois hommes, « Ibsen », VII.

3.1 (…) il entra chez un marchand de cartes postales et regarda longuement non celles du jour de l'an, ni celles des hommes politiques, ni celles des boxeurs, mais des « nus » et des « déshabillés ».
R. QUENEAU, le Chiendent, p. 380.

(Précédé d'un comparatif). *Le temps ne me permet pas de m'étendre* (cit. 43) *plus longuement. Rédigez moins longuement.*

♦ **2.** (Dans l'espace). Rare. *Forme longuement étirée* (→ aussi Amphithéâtre, cit. 2).

4 Les grands pays muets longuement s'étendront.
VIGNY, Poèmes philosophiques, la Maison du berger, III.

CONTR. **Abrégé** (en), **brièvement, laconiquement.**

LONGUE-PAUME [lɔ̃gpom] n. f. ⇒ **Paume.**

LONGUET, ETTE [lɔ̃gɛ, ɛt] adj. et n. m. — 1314; *longet*, v. 1160; de *long*.

★ **I.** Adj. Fam. Qui est un peu long (en dimension; ou plus souvent, en durée).

1 (…) il allongeait les sons en s'écoutant lui-même. En argot de coulisse, Canalis *prenait des temps* un peu *longuets.* BALZAC, Modeste Mignon, Pl., t. I, p. 510.

2 (…) une Ode qu'il avait composée en son honneur. Elle était d'une heureuse inspiration et parfaite en sa forme, toutefois un peu *longuette.*
Georges LECOMTE, Ma traversée, p. 210.

★ **II.** N. m. ♦ **1.** (1765). Techn. Marteau long et fin du facteur de pianos.

♦ **2.** (1922). Petit pain biscotté, mince et long. ⇒ **Gressin.**

LONGUEUR [lɔ̃gœʀ] n. f. — XIIIᵉ; *longor*, fin XIIᵉ; *lungur*, v. 1199 au sens temporel; spatial, v. 1140; de *long*.

★ **I.** (Dans l'espace). ♦ **1.** Dimension d'une chose dans le sens de sa plus grande étendue; la plus grande dimension horizontale d'un volume orienté (opposé à *largeur*, *hauteur, profondeur*). *La longueur d'une allée, d'une route, d'une cour; d'une boîte, d'un lit, d'une automobile. Longueur importante, faible. Déployer dans sa longueur.* ⇒ **Étendre.** *Dans le sens de la longueur.* ⇒ **Long** (en long), **longitudinal.** *Couper, fendre qqch. dans le sens de la longueur, dans sa longueur. Dans, sur toute la longueur de qqch., dans toute sa longueur. Sur une bonne longueur.* — (V. 1138). *Le plus grand côté d'une figure géométrique. Longueur et largeur d'un rectangle. Longueur, largeur et hauteur d'un prisme.* ⇒ **Espace,** cit. 3 et 9).

EN LONGUEUR, dans cette dimension. *Extension* (cit. 2) *en longueur. Pièce toute en longueur.* — *Scier une planche en longueur.* — (Déb. XXᵉ). *Saut* en longueur (par oppos. à *saut en hauteur*).

1 Gilieth (…) inspecta la vallée. Elle s'étirait en longueur, nue, farouche et solitaire.
P. MAC ORLAN, la Bandera, XI.

♦ **2.** (V. 1170). Grandeur qui mesure cette dimension. *Avoir tant* (de mètres, etc.) *de longueur. Ce fleuve a une longueur de 1 000 km, un cours* long de… *La longueur d'une remorque.* ⇒ **Touée.** *Longueur du corps humain.* ⇒ **Taille.** *Longueur d'un pied.* ⇒ **Semelle.** *Longueur d'un poisson.* ⇒ 1. **Bat.** *Plumes blanches jusqu'au milieu de leur longueur* (→ Mi-longueur; base, cit. 2). *La route est bordée*

d'arbres sur toute sa longueur. Dans toute sa longueur (→ Fléau, cit. 1). *La longueur des robes varie avec les modes. Longueur insuffisante. Prodigieuse longueur* (→ Ibis, cit. 2). *Longueur démesurée des bras du gibbon* (cit. 1). *Augmentation de longueur.* ⇒ **Allongement, prolongement; allonge.** *Diminution de longueur :* accroissement, raccourcissement (→ 1. Froid, cit. 2; gonflement, cit. 3).

2 Jusque-là, courant et sautant de toute la longueur de ses petites jambes, elle avait pu la suivre. ZOLA, la Terre, I, I.

3 Il notera (…) ses dimensions approximatives *(du terrain)*, surtout la longueur de la façade qu'il est aisé d'évaluer (…)
J. ROMAINS, les Hommes de bonne volonté, t. IV, II, p. 13 (→ Emplacement, cit. 2).

Loc. *Longueur hors-tout* (d'un véhicule), comprenant tous les éléments et accessoires.

♦ **3.** (1873). Sports. *Une, des longueur(s).* Unité définie par la longueur de la bête, du véhicule… et servant à évaluer la distance qui sépare les concurrents dans une course. *Cheval qui prend deux longueurs d'avance, qui gagne d'une longueur* (→ aussi Encolure*, tête*). *Battre un adversaire d'une longueur.*

4 Quand ils (*les chevaux*) passèrent devant les tribunes (…) le peloton s'allongeait déjà sur une quarantaine de longueurs. ZOLA, Nana, XI.

Fig. *Longueur d'avance :* avantage, supériorité (sur un adversaire).

♦ **4.** (1765). Grandeur linéaire fondamentale; grandeur mesurant ce qui n'a qu'une dimension. *Les longueurs, les surfaces et les volumes. La longueur d'un périmètre, d'un arc de cercle. Longueur de l'équateur, du rayon terrestre. Mesure trigonométrique des longueurs entre des points inaccessibles.* ⇒ **Longimétrie.** — *Longueur du côté par lequel une voile est fixée à sa vergue.* ⇒ **Envergure.** — *Longueur parcourue.* ⇒ **Distance.** *Longueur d'une enjambée.* ⇒ **Pas.** *Des longueurs égales, inégales.* — *Mesures de longueur ou mesures linéaires. Unités de longueur (du système métrique) :* ⇒ **Mètre, micron** (et leur comp.); (anciennes) : ⇒ **Aune, brasse, coudée, empan, lieue, ligne, palme, pied, pouce, toise…**; (étrangères) : ⇒ **Archine** 2., **sagène, yard**; (marines) : ⇒ **Brasse, encâblure, lieue, mille, nœud**; (astronomiques) : ⇒ **Lumière** (année-lumière), **parsec.** *Instruments pour mesurer les longueurs.* ⇒ **Chaîne** (d'arpenteur), **curvimètre, mètre.**

5 (…) les *mesures* sont différentes selon les choses; c'est pourquoi on a formé des *mesures* d'intervalle pour les longueurs, des *mesures* carrées pour les surfaces, et des *mesures* solides ou cubiques pour les capacités (…)
Encycl. (DIDEROT), art. *Mesure.*

Longueur d'onde : distance entre deux points consécutifs dans le même état vibratoire, dans la propagation d'un phénomène périodique. ⇒ **Onde,** cit. 15, 15.1. *De même longueur d'onde.* ⇒ **Monochromatique.**

(1959). Par ext. *Longueur d'un vers,* nombre de syllabes qui le mesurent.

Mar. *Longueur de câble.* ⇒ **Encâblure.**

♦ **5.** (Après 1250). Grandeur supérieure à la moyenne, dans le sens de la longueur (1., a) [opposé au fait d'être court]. *Le pont Saint-Esprit est de toute beauté* (cit. 16) *pour la hauteur et la longueur. Étroitesse et longueur d'un couloir* (cit. 2), *d'un tunnel.*

★ **II.** (Durée). ♦ **1.** (1119). Espace de temps. ⇒ **Durée.** *La longueur du jour augmente au printemps.*

6 Ce sont des célébrités qui ne dépassent point la longueur d'un loyer; elles sont à terme. FLAUBERT, Correspondance, 392, 21-22 mai 1853.

6.1 (…) dans la transcription d'un univers qui était à redessiner tout entier, du moins ne manquerais-je pas d'y écrire l'homme comme ayant la longueur non de son corps mais de ses années, comme devant, tâche de plus en plus énorme et qui finit par le vaincre, les traîner avec lui quand il se déplace.
PROUST, le Temps retrouvé, Pl., t. III, p. 1046.

Loc. prép. (V. 1500, *à longueur de temps*). À LONGUEUR DE… : pendant toute la durée de, sans discontinuer. ⇒ **Long** (tout au long de). *À longueur de journée** (→ Ininterrompu, cit. 2), *d'année, de semaine.*

7 Edmond ne s'attentait pas à celle-là. Lui prendre son argent, le déranger à longueur de journée, et puis l'injurier. ARAGON, les Beaux Quartiers, II, XXXIV.

8 Ainsi, à longueur de semaine, les prisonniers de la peste se débattirent comme ils le purent. CAMUS, la Peste, p. 185.

♦ **2.** (Fin XVᵉ). Longue durée; durée trop longue. « *Patience et longueur de temps font plus que force ni que rage* » (→ Force, cit. 1, La Fontaine). *L'assommante* (cit. 1) *longueur du voyage. Longueur des instants d'attente* (cit. 6). « *Rien n'égale en longueur les boiteuses* » (cit. 9) *journées* » (Baudelaire). *La longueur d'une entreprise* (cit. 9). *La longueur et l'importance de l'entrevue. Longueur du voyage* (vx). — **Grandeur** (vx). — (Mil. XVIᵉ, *aller en longueur*). EN LONGUEUR. *Tirer les choses en longueur,* les faire durer (→ Bénéfice, cit. 3). *Traîner en longueur.* ⇒ **Traîner.**

(Au plur.; 1559). Longs délais*. *Les longueur de la justice.* ⇒ **Lenteur.** *On nous gruge* (cit. 2), *on nous mine par des longueurs.*

★ **III.** (1538). Durée nécessaire à la lecture, à l'expression (d'une œuvre); importance de son contenu.

♦ **1.** Étendue* ou durée. *La longueur d'un texte, d'un résumé, d'un discours.*

♦ **2.** Grande étendue ou longue durée. *La longueur de ce roman* *découragera ces lecteurs. Chanson qui ennuie* (cit. 5) *par sa longueur. Excusez la longueur de ma lettre. En raison de la longueur du spectacle, l'entracte est supprimé. « Trop de longueur et trop de brièveté de discours l'obscurcit »* (→ Apercevoir, cit. 11).

9 Il semble bâiller d'ennui, lui-même, en certaines de ces œuvres. Elles sont d'une longueur, d'une recherche, d'une subtilité insupportables.
André SUARÈS, Trois hommes, « Dostoïevski », III.

10 Que *Port-Royal* est le chef-d'œuvre de Sainte-Beuve, il faut le redire, car il y a une prévention contre ce livre, à cause de sa longueur, et du sujet, en effet sévère et difficile (...)
Émile HENRIOT, les Romantiques, p. 225.

♦ **3.** (1585). Au plur. Passages trop longs, développements superflus qui alourdissent le texte. *Il y a des longueurs. Les longueurs d'un roman, d'une comédie, d'un film, d'un exposé* (→ Empêtrer, cit. 6). *« Le diffus* (cit. 8) *pèche par des écarts, le prolixe par des longueurs »* (Lafaye). *Fuir les longueurs, éviter les redites* (→ Bannir, cit. 20).

11 Ces longueurs, ou plutôt ces traînasseries, ce lyrisme épais et rudimentaire, germanique on dirait — me sont intolérables.
GIDE, Journal, 28 mars 1916.

CONTR. Brièveté.

LONGUE-VUE [lɔ̃gvy] n. f. — 1825, Stendhal, *in* T.L.F. ; *lunette de longue vue*, 1667 ; de *long*, et *vue*.

♦ *Lunette** d'approche. — Plur. *Des longues-vues* (→ Intime, cit. 9).

Les meilleures longues-vues braquées du haut des tillacs par les marins des bâtiments à leur passage n'eussent laissé découvrir ni les cordes perdues dans les récifs *(sic)* ni les hommes cachés dans les rochers.
BALZAC, la Duchesse de Langeais, Pl., t. V, p. 250.

LOOCH [lɔk] n. m. — 1613 ; *lohot*, 1514 ; arabe *lā'ūg* « potion qu'on lèche ».

♦ Pharm. Médicament de consistance sirupeuse (adoucissant), composé essentiellement d'un émulsion et d'un mucilage. *Le looch est utilisé comme excipient et comme potion adoucissante dans les inflammations des voies respiratoires.*

HOM. Loch, loque.

LOOFA, LOOFAH, LOOFASH [lufa] n. m. ⇒ **Luffa.**

LOOK [luk] n. m. — 1980 ; mot angl., « aspect, allure ».

♦ Anglic. (En parlant d'une personne). Aspect physique (style vestimentaire, coiffure...) volontairement étudié. *Look classique, branché**. *Un look très classe. Le look David Bowie.*

Le look a déjà droit à sa thèse : Le chic et le look (Hachette). Dans ce livre consacré à l'histoire de la mode féminine et des mœurs de 1850 à nos jours, Marylène Delbourg-Delphis démontre comment de tout temps le look marginal et provocateur s'est opposé au chic sage et classique.
Lire, oct. 1982.

Par plais. (pour *mine*). *« L'homme impassible au costume qui ne paye pas de look »* (*Actuel*, déc. 1983, p. 89).

(Dans d'autres domaines que le vêtement). *« (...) donner quelques conseils aux muséum (...) trouver un nouveau look, moins train fantôme, souk et musée Grévin »* (*Nouvelles littéraires*, oct. 1983, p. 49). *« La pub est entrée dans l'âge du look »* (le *Nouvel Obs.*, 15 juil. 1983, p. 422).

REM. Un verbe *looker* est attesté (1983, le *Nouvel Obs.*) au sens de : « acquérir un look, une image ». — Pron. *« Il veut qu'on l'admire (...) Alors il cherche à se looker »* (le *Nouvel Obs.*, 13 avr. 1984, p. 63).

LOOPING [lupiŋ] n. m. — 1911 ; tiré de la loc. angl. *looping the loop* « action de boucler *(to loop)* la boucle » (1903, en français), *looping* désignant en franç. ce que *loop* exprime en anglais.

♦ Anglic. Acrobatie aérienne consistant en une boucle dans le plan vertical. *Avion qui fait des loopings.* ⇒ **Boucle** (5.).

1 D'autres, épris d'aviation, tiennent à être bien vus du vieux garçon du bar vitré perché au haut de l'aérodrome ; à l'abri du vent, comme dans la cage en verre d'un phare, il pourra suivre, en compagnie d'un aviateur qui ne vole pas en ce moment, les évolutions d'un pilote exécutant des loopings, tandis qu'un autre, invisible l'instant d'avant, vient atterrir brusquement, s'abattre avec le grand bruit d'ailes de l'oiseau Rock.
PROUST, le Côté de Guermantes, Pl., t. II, p. 400.

2 Dans ce ciel transporté sur la pierre bleuie volaient des anges que je voyais pour la première fois (...) on les voit s'élevant, décrivant des courbes, mettant la plus grande aisance à exécuter des « loopings », fondant vers le sol la tête en bas à grand renfort d'ailes qui leur permettent de se maintenir dans des positions contraires aux lois de la pesanteur, et ils font beaucoup plutôt penser à une variété disparue d'oiseaux ou à de jeunes élèves de Garros s'exerçant au vol plané, qu'aux anges de l'art de la Renaissance et des époques suivantes, dont les ailes ne sont plus que des emblèmes et dont le maintien est habituellement le même que celui de personnages célestes qui ne seraient pas ailés.
PROUST, la Fugitive, Pl., t. III, p. 648.

LOPAILLE [lɔpaj] n. f. — 1887 ; largonji de *copaille* (1883, d'abord *lopaillekem*), de *copain*, et suff. *-aille*.

♦ Argot anc. Homosexuel passif. — Homme lâche.
DÉR. Lope.

LOPE [lɔp] n. f. — 1899 ; de *lopaille*.

♦ **1.** Argot. Homosexuel* (→ Chiqueur, cit. ; tante, cit. 3).

Le lendemain ils se réveillèrent à midi. Le garçon leur porta leur petit déjeuner au lit et Lucien trouva qu'il avait l'air rogue. « Il me prend pour une lope », pensa-t-il avec un frisson de désagrément. Bergère fut très gentil, il s'habilla le premier et alla fumer une cigarette sur la place du Vieux-Marché pendant que Lucien prenait son bain.
SARTRE, le Mur, « l'Enfance d'un chef », p. 183.

♦ **2.** (1899). Personne lâche, sans courage et sans énergie.

Si tu n'es pas une lope, viens cogner.
Jean GENET, Journal du voleur, p. 68.

(Injure sans contenu précis). *Va donc, eh, lope !* — Adjectif :

— Dis donc, Pfannkuchen, dis-je au Boche, il y a le vieux qui voudrait savoir si vous avez de l'artillerie dans le secteur ? Il n'est rien lope, hein, et qu'est-ce qu'il lui faut, comme si nous ne recevions pas tous les jours des marmites sur le coin de la gueule !
B. CENDRARS, la Main coupée, Œ. compl., t. X, p. 173.

DÉR. Lopette.

LOPETTE [lɔpɛt] n. f. — 1889, Esnault ; dimin. de *lope*.

♦ Fam. Petite lope. — Employé comme terme d'injure :

Les fusiller : bien salissant, bien cruel pour de pareilles lopettes.
Roger NIMIER, le Hussard bleu, p. 221.

LOPHOBRANCHES [lɔfɔbʀɑ̃ʃ] n. m. pl. — 1817, *in* D.D.L. ; du grec *lophos* « aigrette », et *branchie*.

♦ Zool. Ordre de poissons téléostéens, caractérisés par des branchies montées sur de courtes tiges ramifiées. *Les types principaux de lophobranches sont l'hippocampe, le pégase, le syngnathe.* — Au sing. *Un lophobranche.*

LOPHODONTE [lɔfɔdɔ̃t] adj. — D. i. (xxe) ; du grec *lophos* « aigrette », et *odons, odontos* « dent ».

♦ Didact. Dont les tubercules sont en forme de crête. *Molaires, prémolaires lophodontes.*

LOPHOPHORE [lɔfɔfɔʀ] n. m. — 1813, *in* T.L.F. ; du grec *lophos* « aigrette », et suff. *-phore*.

♦ **1.** Oiseau gallinacé de la taille du faisan, qui porte une aigrette, et dont les plumes aux couleurs éclatantes sont utilisées comme parure. *Le lophophore habite l'Himalaya et les forêts de l'Inde.*

Il aurait mieux valu pour elle s'adresser à ces petits lophophores au plumage lustré, dont les yeux fins la regardaient avec une gaieté si indifférente.
Alphonse DAUDET, Fromont jeune et Risler aîné, p. 240.

Les plumes de cet oiseau.

(...) son grand chapeau de paille noire (...) avec une fantaisie de lophophore. Peut-être que les couleurs du lophophore étaient un peu violentes pour le bleu de la robe (...)
ARAGON, les Beaux Quartiers, I, xxv.

Loc. Vieilli. *Bleu lophophore*, très vif.

Elle endossa une toilette délicieuse, à la fois élégante et sérieuse, une jaquette bleu lophophore avec jupe à retroussis, relevée au genou et laissant voir les culottes de velours et les bas de soie noire.
A. ROBIDA, le Vingtième siècle, p. 180.

♦ **2.** (1878, Claus, *in* D.D.L.). Zool. Couronne de tentacules couverts de cils vibratiles, chez certains cœlomates.

Les lophophoriens sont des Cœlomates qui groupent les Bryozoaires (ancien groupe...), les Phoronidiens et les Brachiopodes. Tous possèdent un caractère commun : la présence d'un lophophore entourant la bouche (...) Les battements des cils vibratiles provoquent des courants d'eau qui dirigent les particules alimentaires vers la bouche (...)
Andrée TÉTRY, Lophophoriens, *in* Encycl. Pl. (Zoologie), t. I, p. 915.

LOPHOPHORIEN, IENNE [lɔfɔfɔʀjɛ̃, jɛn] adj. et n. m. pl. — Mil. xxe ; de *lophophore*.

♦ Zool. Du lophophore. *Organes lophophoriens.* — N. Cœlomates pourvus d'un lophophore : Bryozoaires, Kamptozoaires, Phoronidiens, Brachiopodes (→ Lophophore, cit. 4).

LOPIN [lɔpɛ̃] n. m. — 1314 ; du rad. de *loupe*.

♦ **1.** Vx. Petit morceau, part de quelque chose.

« Point de courroux, Messieurs, mon lopin me suffit :
Faites votre profit du reste. »
A ces mots le premier il vous happe un morceau.
LA FONTAINE, Fables, VIII, 7.

Mod. (Techn.). Morceau de fer à façonner. *Lopin cinglé*, battu au martinet avant l'affinage. *Lopin destiné à façonner le fer à cheval.* — *Lopin de verre. « Le feeder continuait (...) à fournir des lopins de verre »* (F. Meyer et P. Grivet, le Verre, p. 5, Q. S. no 264).

♦ **2.** (V. 1430). Mod. *Lopin de terre,* ou *lopin :* petit morceau de terrain, petit champ. ⇒ **Parcelle.** *Acheter un lopin de terre.*

2 Ce qui le frappait surtout dans ce riche paysage, c'était le morcellement extrême de la terre (...) et chaque lopin était séparé des autres par des murs, des haies vives, des clôtures de toute sorte.
R. ROLLAND, Jean-Christophe, Dans la maison, p. 962.

3 On s'est moqué de l'acharnement avec lequel les Français, ouvriers, petits bourgeois, bêchaient, emblavaient, soignaient ce lopin de terre qui est, pour chacun d'eux, la patrie par excellence.
G. DUHAMEL, Chronique des saisons amères, p. 223.

LOQUACE [lɔkas]; Académie [lɔkwas] adj. — 1764, Voltaire; lat. *loquax,* de *loqui* « parler ».

♦ Qui parle volontiers, n'est pas avare de paroles. ⇒ **Bavard.** *Un homme, une femme loquace. Vous n'êtes pas très loquace aujourd'hui.* ⇒ **2. Causant** (fam.). *Être loquace sur, à propos de qqch.*

1 L'homme dit : — « Nous, on est de Fontainebleau. Ça barde là-bas. » Et il se tut. La femme, plus loquace, expliqua (...)
MARTIN DU GARD, les Thibault, t. VII, p. 141.

2 Je n'avais pas soufflé mot. Cette fois, c'était moi qui me taisais cependant que Firmin devenait loquace.
H. BOSCO, le Sanglier, p. 40.

Par ext. Éloquent, expansif.

3 Louis XIV avait beau savoir qu'un roi doit écrire le moins possible : il n'en est pas moins vrai que ses passions juvéniles furent terriblement loquaces.
Louis BERTRAND, Louis XIV, III, IV.

N. (rare). *C'est un loquace.*

CONTR. Silencieux, taciturne.
DÉR. Loquacement.

LOQUACEMENT [lɔkasmɑ̃]; Académie [lɔkwasmɑ̃] adv. — 1866, Amiel, *in* T.L.F.; de *loquace.*

♦ Littér. D'une manière loquace, en parlant abondamment.

LOQUACITÉ [lɔkasite]; Académie [lɔkwasite] n. f. — 1466, rare av. XVIIIᵉ; lat. *loquacitas.*

♦ Littér. Disposition (habituelle ou occasionnelle) à parler beaucoup. *Loquacité fatigante, importante.* ⇒ **Bagou, bavardage, éloquence, faconde, garrulité, verve, volubilité.** *L'ivresse lui donnait de la loquacité.*

Au fond, ce Français, sous son apparence légère, était très perspicace et très fin. Tout en parlant un peu à tort et à travers, peut-être pour mieux cacher son désir d'apprendre, il ne se livrait jamais. Sa loquacité même le servait à se taire, et peut-être était-il plus serré, plus discret que son confrère du *Daily Telegraph.*
J. VERNE, Michel Strogoff, p. 9.

Didact. (pathol.) et vx. Logorrhée.

CONTR. Silence.

LOQUE [lɔk] n. f. — 1468; moy. néerl. *locke* « boucle, mèche ».

♦ **1.** Vx ou régional (Belgique, Nord). Reste d'étoffe, morceau d'étoffe usé, déchiré. ⇒ **Chiffon, lambeau.** *Frotter avec une loque de laine* (→ Astiquer, cit. 2). *Loque à poussière* (régional et critiqué : *loque à reloquer* [à essuyer]). *Marchand de loques :* chiffonnier.

Mod. et cour. *Pendre comme une loque... Loque déteinte* (→ Dépenaillé, cit. 1). — EN LOQUES. *Vêtements qui tombent en loques.* ⇒ **Guenille, haillon, penaille.**

Fig. *Chairs en loques* (→ Guerre, cit. 23). ⇒ **Lambeau.**

0.1 — « Tu arranges bien tes nippes » dit le baron.
— Sa blouse en loques avait du sang.
FLAUBERT, Bouvard et Pécuchet (Folio), p. 361.

1 (...) il frôle cette affiche imbécile dont l'angle décollé, déchiré, pend comme une loque.
G. DUHAMEL, Salavin, III, XVI.

Cour. Vieux vêtement sale et plus ou moins déchiré. *Un clochard vêtu de loques* (→ Déguiser, cit. 16). ⇒ **Loqueteux.** *La loque qui lui sert de cravate* (→ Hausser, cit. 6). — *Être* (cit. 87) *en loques* (→ Gueux, cit. 3), *vêtu de loques.*

2 (...) il y avait probablement parmi eux une ou deux femmes, malaisées à reconnaître sous les déchirures et les loques dont tout le groupe était affublé.
HUGO, l'Homme qui rit, I, I, I.

2.1 Le jour grandissait, on pouvait le voir maintenant; et il regardait son pantalon et sa redingote lamentables. Il boutonna la redingote, épousseta le pantalon, essaya un bout de toilette, croyant entendre ces loques noires dire tout haut d'où il venait. Il était assis au milieu du banc, à côté de pauvres diables, de rôdeurs échoués là, en attendant le soleil.
ZOLA, le Ventre de Paris, t. I, p. 45.

Fam. et vx (au plur.). Vêtements. *Mettre ses loques.* ⇒ **Loquer** (se). *« Ses somptueuses loques »* (Lorrain, *in* T.L.F.).

♦ **2.** (1880, Zola; cf. l'adj. *locque* « mou », au XVᵉ). Fig. Personne effondrée, sans énergie, qui a perdu tout ressort. ⇒ **Chiffe** (→ Corps, cit. 12), **guenille.** *Loque humaine. N'être qu'une loque.* ⇒ **Épave** (→ Amorphe, cit. 4; effondrement, cit. 4; épeuré, cit. 3).

3 (...) la dégoûtante vision d'une existence dépareillée, usée, réduite à l'état de poussier, à l'état de loque !
HUYSMANS, En route, VIII.

4 (...) ses pauvres pattes enflées et raides se dérobant sous son corps le jetèrent sur

le sol, loque inerte, à quelques pas d'une source où il roula inconscient, à demi-mort, sans un regard et sans une plainte.
L. PERGAUD, De Goupil à Margot, V.

♦ **3.** (1863). Techn. Maladie des abeilles qui se manifeste par la pourriture du couvain. ⇒ **Loqueux.**

♦ **4.** Régional (Belgique). Peau à la surface du lait bouilli.

DÉR. Loquer, loqueteux, loqueux.
COMP. Pendeloque.
HOM. Loch, looch.

-LOQUE Élément, du lat. *loqui* « parler » (ex. : *soliloque, ventriloque*).

LOQUEDU, UE ou **LOCDU, UE** [lɔkdy] adj. — 1935, « fou, timbré », *in* Esnault; apocope de *loc-du-toc,* forme largonji de *toqué,* et *tocard,* 1.

Argot.

♦ **1.** Laid, disgracieux; méprisable. ⇒ **Minable, moche** (2.).

1 La salle à manger loquedue qui faisait face, on ne s'y est pas attardés, pas plus qu'à la cuisine, mignarde *(petite)*, crasseuse (...)
Albert SIMONIN, Touchez pas au grisbi, p. 160.

2 Ce que la vie est locdue ! Voilà des gars avec qui j'ai toujours entretenu les meilleurs rapports ! Pour lesquels j'ai une sympathie instinctive, et les circonstances font que je doive les fuir comme douze épidémies de choléra réunies.
SAN-ANTONIO, Au suivant de ces messieurs, p. 81.

N. m. *Un loquedu (locdu) :* une personne méprisable.

♦ **2.** Dangereux. *« Les Condés* (policiers) *du XIᵉ avaient la réputation d'être loquedus au cours des interrogatoires »* (A. Le Breton, *Langue verte et noirs desseins*).

LOQUÈLE [lɔkɛl] n. f. — 1798; « propos, discours », après 1260; lat. *loqueta* « parole ».

♦ Vx ou littér. Facilité de parole très banale. ⇒ **Verbiage.** *« Bien des gens confondent la loquèle avec l'éloquence : ce n'est pas même la faconde »* (P. Larousse).

LOQUELE. Ce mot, emprunté à Ignace de Loyola, désigne le flux de paroles à travers lequel le sujet argumente inlassablement dans sa tête les effets d'une blessure ou les conséquences d'une conduite : forme emphatique du « discours » amoureux.
R. BARTHES, Fragments d'un discours amoureux, p. 191.

LOQUER (SE) [lɔke] v. pron. — V. 1930, *loqué* « élégant »; de *loques* « toilettes », 1885.

♦ Argot, puis fam. S'habiller.

1 Ceux qui se feraient pas emporter, vite, ils pourraient plus alors se loquer que dans la mesure : deux pièces tissu anglais à cinquante sacs; chausser des pompes quadruple semelle (...)
Albert SIMONIN, Touchez pas au grisbi, p. 45.

▶ **LOQUÉ, ÉE** p. p. adj.

Argot. Habillé. *Il était loqué de première,* bien habillé.

2 Ce vieux forban maigrelet, mal rasé, loqué d'un costar épuisé et qui porte une chemise à col ouvert (...)
SAN-ANTONIO, Remets ton slip, gondolier !, p. 35.

LOQUET [lɔkɛ] n. m. — V. 1210; *loc,* v. 1190; dimin. du moy. néerl. *loke* ou de l'anglo-normand *loc,* mot de l'anc. anglais.

♦ Fermeture* de porte se composant d'une tige mobile (⇒ **Clenche** ou **clenchette**) dont l'extrémité vient par translation ou rotation se bloquer dans une pièce (⇒ **Mentonnet**) fixée au chambranle. *Loquet qu'on manœuvre avec le pouce* (⇒ **Poucier**), *à l'aide d'un bouton* (⇒ **Cadole**). *Loquet d'une porte à claire-voie* (cit. 3). *Loquet dont les pièces sont rouillées, coincées* (cit. 2).

1 Et que l'on est reconnaissant (...) à la porte d'être si lourde (...) lorsqu'on a mis entre soi et l'aveuglant éclat du jour ses deux énormes portants de cèdre fermés par un loquet de fer.
Jérôme et Jean THARAUD, Rabat, II.

Spécialt. Clenchette du loquet. *Abaisser le loquet,* pour fermer. *Lever, soulever le loquet,* pour ouvrir. *Loquet en bois.* ⇒ **Bobinette.** *Forcer, faire ployer un loquet* (→ Épaule, cit. 20).

2 Les hommes d'équipe n'avaient pas encore tourné les loquets des portières qu'une d'elles s'ouvrit.
ZOLA, la Bête humaine, V, p. 135.

3 Vous persistez à vouloir entrer? Eh mon Dieu, je vous donne le secret : vous n'avez qu'à soulever le loquet de la grille.
COLETTE, Belles saisons, p. 23.

Techn. *Loquet de sûreté* (de la culasse d'un canon). — Mar. *Loquer d'écoutille.*

DER. Loqueteau, loqueter.

LOQUETEAU [lɔkto] n. m. — 1676; de *loquet.*

♦ Techn. Petit loquet. *Loqueteau d'un volet, d'un vasistas. Loqueteau manœuvré à l'aide d'une ficelle.*

LOQUETER [lɔkte] v. — Fin XIVᵉ; de *loquet.*

♦ **1.** V. intr. Vx. Agiter le loquet pour indiquer qu'on veut entrer.

♦ **2.** V. tr. Rare. Fermer au loquet. — Au p. p. *Porte loquetée.*

LOQUETEUX, EUSE [lɔktφ, φz] adj. — V. 1500, au sens 2 ; de *loquette* « lambeau d'étoffe », 1461, dimin. de *loque*.

♦ **1.** (1873). Littér. En loques, déchiré. *Habit loqueteux. Des guenilles, des hardes loqueteuses.*

1 Au-dessus du bureau, sur un rayon du vaisselier, Raboliot distingua quelques livres, de vieux bouquins loqueteux d'avoir été souvent feuilletés (...)
M. GENEVOIX, Raboliot, I, III.

♦ **2.** (Personnes). Vêtu de loques, de haillons. ⇒ **Déguenillé.** *Un pauvre hère loqueteux.*

2 (...) rues aux maisons toutes pareilles, étroites, à un étage, où roule une marmaille loqueteuse (...)
ARAGON, les Beaux Quartiers, I, I.

2.1 Tous là, loqueteux, chacun ployant sous sa crasse à lui, chacun exhalant son odeur forte. Tous là ; aucun n'ayant jamais mis les pieds chez un tailleur, aucun n'ayant d'argent (...)
Louis CALAFERTE, Partage des vivants, p. 35.

N. *Un loqueteux.*

3 (...) plantés devant les vitres, deux loqueteux regardent avec émerveillement et envie, à travers les rideaux, les tables fleuries et entourées d'élégants dîneurs.
Georges LECOMTE, Ma traversée, p. 66.

Par métaphore. Littér. *« L'étalage d'un esprit loqueteux »* (J. Renard, in T. L. F.).

LOQUEUX, EUSE [lɔkφ, φz] adj. — 1863, *(miel)* ; de *loque*, 3.

♦ Techn. (apic.). *Miel loqueux,* provenant d'abeilles atteintes de la loque (3.). — Se dit des abeilles, du couvain atteint de la loque.

LORAN [lɔrã] n. m. — 1946, in Höfler ; mot angl., abrév. de *Long Range Aid to Navigation* « aide à grande distance à la navigation ».

♦ Techn. Procédé radio-électrique permettant à un avion, à un navire d'obtenir son point par un réseau de stations.

LORANTHACÉES [lɔrãtase] n. f. pl. — XIXe ; de *loranthe*.

♦ Famille de plantes apétales, petits arbrisseaux toujours verts vivant en parasite sur des arbres. *Le gui*, la loranthe* sont des Loranthacées.*

LORANTHE [lɔrãt] ou **LORANTUS** [lɔrãtys] n. f. — 1839, Boiste ; du lat. *lorum* « courroie », et du grec *anthos* « fleur », par analogie de forme.

♦ Plante qui vit en parasite surtout sur les chênes, les châtaigniers, les pommiers *(Loranthacées).*
DÉR. Loranthacées.

LORD [lɔr] n. m. — 1547 ; *lord-chambellan*, 1528 ; mot angl., « seigneur ».

♦ Titre de noblesse en Angleterre. *Un groupe de jeunes lords* (→ Jet, cit. 10). *La Chambre* des Lords.* — (Devant le nom propre). *Lord et lady* Buckingham. Lord Elgin* (→ Antique, cit. 11).

Le spencer fut inventé, comme son nom l'indique, par un lord sans doute vain de sa jolie taille.
BALZAC, le Cousin Pons, Pl., t. VI, p. 526.

(1680, in Höfler). Titre attribué à certains hauts fonctionaires ou à certains ministres anglais dans l'exercice de leurs fonctions. *Le lord chancelier* (→ Habeas corpus, cit. 2). *Le lord du Sceau privé. Le premier lord de l'Amirauté :* ministre de la marine britanique (jusqu'en 1964).
HOM. Laure, lors.

LORD-MAIRE [lɔrmɛr] n. m. — 1680, *lord maire* ; trad. de l'angl. *lord mayor.*

♦ Maire élu de certaines grandes villes anglaises. *Le lord-maire de Londres.*

LORDOSE [lɔrdoz] n. f. — 1765 ; grec *lordosis*, de *lordos* « voûte ».

♦ **1.** Anat. Courbure normale de la colonne vertébrale lombaire ou dorso-lombaire, à concavité postérieure.

♦ **2.** Méd. (par ext.). Exagération anormale de la cambrure du dos.
DÉR. Lordosique.

LORDOSIQUE [lɔrdozik] adj. — D. i. ; de *lordose*.

♦ Méd. Qui présente une lordose. — N. *Un, une lordosique.*

LORÉ, ÉE [lɔre] adj. — 1694 ; *lorré,* 1664 ; orig. inconnue.

♦ Blason. (D'un poisson). Dont les nageoires sont d'un autre émail que le corps. *Dauphin d'or loré de gueules.*

LORELEI [lɔrəlaj] n. f. — 1852, Nerval écrit *Lorely,* titre ; nom allemand d'une ondine.

♦ Myth. Sirène du Rhin, qui attire les bateliers, par ses chants, sur des écueils. *« Une Lorelei aux cheveux de soie et d'or »* (La Varende, in T. L. F.).

LORETTE [lɔrɛt] n. f. — 1841 ; de l'église *N.-D. de Lorette* (de *Loreto,* en Italie) située dans un quartier où habitaient beaucoup de femmes de mœurs légères.

♦ Vx ou hist. (1840-1870, notamment). Jeune femme élégante et facile. ⇒ **Courtisane, grisette** (→ aussi Fille, cit. 39 ; grue, cit. 6). *Gavarni, le peintre des duchesses et des lorettes* (→ Existence, cit. 11).

1 Lorette est un mot décent inventé pour exprimer l'état d'une fille ou la fille d'un état difficile à nommer, et que, dans sa pudeur, l'Académie française a négligé de définir, vu l'âge de ses quarante membres.
BALZAC, Un homme d'affaires, Pl., t. VI, p. 804.

2 Elle demeura longtemps la petite lorette du beuglant de Moulins, ne témoignant confiance qu'aux femmes de même condition qu'elle.
Edmonde CHARLES-ROUX, l'Irrégulière, p. 211.

LORGNADE [lɔrɲad] n. f. — 1713 ; de *lorgner.*

♦ Vx ou littér. Coup d'œil, œillade.

(...) cet homme dont le regard aigu surprenait le moindre clignement, la plus petite lorgnade, comme il dit volontiers (...)
G. DUHAMEL, Refuges de la lecture, IV, p. 134.

LORGNEMENT [lɔrɲəmã] n. m. — 1656 ; de *lorgner.*

♦ Rare. Action de lorgner.

LORGNER [lɔrɲe] v. — 1400 ; de l'anc. franç. *lorgne* « louche » (v. 1175), rad. germ. *lurni-* ; P. Guiraud évoque le lat. *luscinius,* de *luscus* « borgne » (→ Louche), d'où **losgne* et « par rhotacisme », *lorgne.*

★ **I.** V. intr. Vx. Loucher.

★ **II.** V. tr. (1645, Scarron). Mod. ♦ **1.** Regarder, observer de façon particulière (de côté, avec insistance, à l'aide d'un instrument...). *Lorgner un rôti du coin de l'œil* (→ Bon, cit. 124). *Lorgner impertinemment* (cit. 3) *quelqu'un.*

(1656, Molière). Spécialt. Regarder avec une intention galante. *Elle lorgne ce jeune homme avec insistance. Lorgner qqn et lui décocher des œillades.*

1 Formosante *(princesse de Babylone)* le regarda *(le roi d'Égypte)* du coin de l'œil, ce qui plusieurs siècles après s'est appelé *lorgner* (...)
VOLTAIRE, la Princesse de Babylone, IV.

2 Je n'étais pas né indifférent, il s'en fallait de beaucoup ; cette dame avait de la fraîcheur et de l'embonpoint, et mes yeux la lorgnaient volontiers.
MARIVAUX, le Paysan parvenu, I, p. 12.

3 Dans les bals de Marly, elle paraissait haute, aisée, familière, lorgnant un chacun de sa lorgnette (...)
SAINTE-BEUVE, Causeries du lundi, 16 févr. 1852.

4 *(Il regarda)* Labordette lorgnant *(Nana)* d'un air étonné de maquignon qui admire une jument parfaite (...)
ZOLA, Nana, I.

♦ **2.** (1862, La Fontaine). Fig. Avoir des vues sur quelque chose que l'on convoite. ⇒ **Guigner, loucher** (sur), **prétendre** (à). *Lorgner un héritage, une place. « Lorgner de loin l'Académie »* (Sainte-Beuve).

♦ **3.** (1752). Vx. Regarder à la lorgnette, avec un lorgnon (Balzac, Sainte-Beuve, George Sand, in T. L. F.).
DÉR. Lorgnade, lorgnement, lorgnerie, lorgnette, lorgneur, lorgnon.

LORGNERIE [lɔrɲəri] n. f. — 1713 ; « mauvaise vue », XIIIe ; de *lorgner.*

♦ Vx. Action de lorgner. *J'en fus pour mes lorgneries* (→ Être, cit. 86).

LORGNETTE [lɔrɲɛt] n. f. — 1718 ; « ouverture pour observer à travers un éventail », 1694 ; de *lorgner,* d'après *lunette.*

♦ Petite lunette* grossissante (cit. 2). *Lorgnette de marine.* — Spécialt. Lunette qu'on utilise au spectacle. *Lorgnette d'opéra, de théâtre. Étui de lorgnette. Regarder à la lorgnette.* ⇒ **Jumelle** (1. Jumelle, cit. 1, et aussi fouiller, cit. 21.

1 (...) après avoir braqué sa lorgnette sur toutes les loges (...) elle eut la conscience d'écraser par sa parure et par sa beauté les plus jolies, les plus élégantes femmes de Paris (...)
BALZAC, la Peau de chagrin, Pl., t. IX, p. 178.

2 Après tout, le lustre *(au théâtre)* m'a toujours paru l'acteur principal, vu à travers le gros bout ou le petit bout de la lorgnette.
BAUDELAIRE, Journaux intimes, Mon cœur mis à nu, XVII.

Loc. fig. *Regarder, voir par le petit bout de la lorgnette :* ne voir des choses qu'un petit côté, qu'un aspect accessoire que l'on grossit*, dont on exagère* l'importance, au point de négliger l'ensemble, la réalité essentielle ; avoir des vues étriquées, un esprit étroit...

3 Ces grandes questions d'art et de liberté,
   Voyons-les, j'y consens, par le moindre côté
   Et par le petit bout de la lorgnette (...)   HUGO, les Contemplations, I, VII.

4 M. Mas estime que la rupture *(entre Racine et la Champmeslé)* eut pour cause un
   dépit d'auteur, imputant à son interprète l'insuccès de *Phèdre* (...) C'est voir les
   choses par le petit bout de la lorgnette : le drame est ailleurs et ne peut s'expliquer que par la réformation de Racine et le scrupule religieux qui lui imposa la
   retraite.   Émile HENRIOT, Portraits de femmes, p. 70.

(1893). Rare. *Regarder, considérer* (cit. 7) *les choses par le gros
bout de la lorgnette :* voir les choses en petit, de très loin, c'est-à-
dire avec détachement, indifférence.

5 C'est *par le gros bout (de la lorgnette)* qu'on peut considérer un spectacle, comme
   de très loin, rapetissé, sans importance ni sérieux (...)
                                               A. THÉRIVE, Querelles de langage, t. II, p. 148.

LORGNEUR, EUSE [lɔʀɲœʀ, ϕz] n. — 1660 ; *lorneur*, 1604 ; de *lorgner*.

♦ Vx. Personne qui lorgne. *Un lorgneur indiscret.*

LORGNON [lɔʀɲɔ̃] n. m. — 1812, au sens 1 ; de *lorgner*.

♦ **1.** Vx. Lentille correctrice, utilisée par les hommes, souvent par
simple souci de mode. ⇒ **Monocle** (→ Gaillard, cit. 19).

1 Monsieur Charles (...) prit un petit lorgnon suspendu par une chaîne à son col,
   l'appliqua sur son œil droit pour examiner ce qu'il y avait sur la table (...)
                                              BALZAC, Eugénie Grandet, Pl., t. III, p. 508.

♦ **2.** (1850, Flaubert). Ensemble de deux lentilles et de leur monture
sans branches (⇒ **Binocle**), tenue à la main par une sorte de manche
(⇒ **Face-à-main**) ou maintenu sur le nez par un ressort (⇒ **Lunette,
pince-nez**). *Le lorgnon était à la mode à la fin du XIXe siècle et
au début du XXe siècle. Un personnage à lorgnon et à col cassé.
Mettre, ajuster son lorgnon.* — REM. Dans ce sens, le mot est parfois employé au pluriel.

2 Un lorgnon qui tremblote toujours parce qu'il ne serre qu'un brimborion de peau,
   sous le front.   G. DUHAMEL, Salavin, I, I.

3 M. Pinsot (...) passa le doigt sur les verres de son lorgnon que la chaleur de la
   soupe avait embués (...)   J. GREEN, Léviathan, III.

REM. Le dér. plaisant *lorgnonard* [lɔʀɲɔnaʀ] (adj. et n. m.) «porteur de
lorgnon», n'est pas entré dans l'usage. → Binoclard.

4 Alban entendit une voix qui parlait français. Elle sortait d'un ahuri lorgnonard, à
   teint de cloporte...   MONTHERLANT, les Bestiaires, p. 251.

1. LORI [lɔʀi] n. m. — 1170 ; *loury*, 1688 ; *nori*, v. 1525 ; mot malais par le néerl. *lory* ; *lori* en lat. mod., Ray, 1713 (*in* Arveiller).

♦ Oiseau grimpeur *(Psittacidés)*, sorte de perroquet de l'Inde. *Buffon distingue sept espèces de loris et trois de «loris-perruches».
«Le "lori" au plumage rouge et bleu»* (J. Verne, *les Enfants du
capitaine Grant,* t. II, ch. XI).

1 *Les Loris.* On a donné ce nom dans les Indes orientales à une famille de perroquets dont le cri exprime assez bien le mot *lori.* Ils ne sont guère distingués des
   autres oiseaux de ce genre que par leur plumage, dont la couleur dominante est un
   rouge plus ou moins foncé.   BUFFON, Hist. nat. des oiseaux, Les loris.

2 (...) une douzaine de «touracos-loris», sorte de grimpeurs de la grosseur d'un
   pigeon, tout peinturlurés de vert, avec une partie des ailes de couleur cramoisie et
   une huppe droite festonnée d'un liséré blanc. Au jeune garçon revient l'honneur
   de ce beau coup de fusil, et il s'en montra assez fier. Les loris faisaient un gibier
   meilleur que le jacamar (...)   J. VERNE, l'Île mystérieuse, t. I, p. 332.

DÉR. Loriquet.
HOM. Loris, lorry.

2. LORI [lɔʀi] n. m. ⇒ **Lorry.**

LORICAIRE [lɔʀikɛʀ] n. m. — 1803, Boiste ; lat. mod. *loricari* (1758, Linné), du bas lat. *loricarius*, de *lorica* «cuirasse».

♦ Poisson téléostéen de petite taille, vivant dans les fleuves de
l'Amérique tropicale et dont le corps est recouvert de plaques dures.

LORIOT [lɔʀjo] n. m. — Fin XIVe ; altér. de *l'oriot*, pour *l'oriol*, anc. provençal *auriol*, du lat. *aureolus* «de couleur d'or», de *aureus*, *aurum* «or».

★ **I.** Oiseau *(Passereaux)* plus petit que le merle au plumage jaune
vif sauf sous les ailes et la base du cou qui sont noires. *Le loriot
siffle.* ⇒ **Sifflet.** *Loriot jaune, d'Europe,* appelé aussi *merle d'or,
grive dorée.*

Le plus brillant oiseau de la forêt jaillit, flèche d'or, d'un merisier sauvage. C'est
le plus verni des loriots, le plus fier de ses ailes éclatantes, le plus gourmand de
baies juteuses, le plus joyeux (...)   M. GENEVOIX, Forêt voisine, XI.

★ **II.** (1834). Fam. Orgelet. ⇒ **Compère-loriot.**
COMP. Compère-loriot.

LORIQUE [lɔʀik] n. f. — 1815 ; lat. *lorica* «cuirasse», de *lorum* «lanière».

♦ **1.** Bot. Pellicule extérieure (d'une graine).

♦ **2.** (1867). Biol. Membrane extérieure (de l'ovule).
DÉR. Loriqué.

LORIQUÉ [lɔʀike] adj. — 1867, Littré ; de *lorique.*

♦ Bot. *Graine loriquée,* recouverte d'une lorique. — Zool. *Insectes
loriqués,* dont le corps est sillonné de lignes obliques.

LORIQUET [lɔʀikɛ] n. m. — D. i. (mil. XXe) ; dimin. de *lori.*

♦ Perroquet du groupe des loris.

LORIS [lɔʀi ; lɔʀis] n. m. — 1765, Buffon ; anc. néerl. *loeris* «clown».

♦ Mammifère *(Lémuridés),* singe au corps grêle, dépourvu de
queue.
DÉR. Lorisidés.
HOM. Lori, lorry.

LORISIDÉS [lɔʀiside] n. m. pl. — Mil. XXe ; de *loris,* et *-idés.*

♦ Zool. Famille de lémuriens*, à laquelle appartient le loris.

LORMIER, IÈRE [lɔʀmje, jɛʀ] adj. et n. — V. 1200, *loremier,* n. m. ; *lormière,* 1296 ; de l'anc. franç. *lorain* «courroie maintenant la selle du cheval» ; lat. *lorum* «courroie».

♦ N. m. Vx. Fabricant de harnais, de mors, de gourmettes. — Adj.
(1873). Relatif à la fabrication des harnais.

LORRAIN, AINE [lɔʀɛ̃, ɛn] adj. et n. — 1080, *Loherenc,* n. ; *Lor-
raine,* 1461, Villon ; adj., v. 1230 ; du nom de la province ; lat. médiéval *Lotharingia, Lotherengia.*

♦ De Lorraine, province de l'Est de la France. *Le terroir lorrain.
Le bassin lorrain. Le fer, le charbon lorrain.* — N. *Un Lorrain, une
Lorraine.* — *Quiche* lorraine. Potée lorraine.* — Loc. *Le chardon
lorrain* (emblème). *Croix lorraine* (rare ; cour. : *croix* de Lorraine).
La marche lorraine.*

1 Et Jeanne, la bonne Lorraine
   Qu'Anglais brûlèrent à Rouen (...)
                       VILLON, le Testament, «Ballade des dames du temps jadis».

2 Alors dans Besançon (...)
   Naquit d'un sang breton et lorrain à la fois
   Un enfant sans couleur, sans regard et sans voix (...)
                                              HUGO, les Feuilles d'automne, I.

En appos. *Alsacien-Lorrain.*

N. m. Dialecte français parlé en Lorraine (→ Français, cit. 14).
— Adj. (1775). Qui appartient au dialecte lorrain. *Mots lorrains.*

LORRY [lɔʀi] n. m. — 1868, *in* Höfler ; mot angl., d'orig. inconnue.

♦ Ch. de fer. Wagonnet plat employé dans les travaux de construction de voies ferrées. *Des lorries.* — (1917). Gros camion porteur de
lourdes charges. — REM. Parfois francisé en *lori.*
HOM. Lori, loris.

LORS [lɔʀ] adv. — 1130 ; *lur,* 1080 ; lat. *illa hora,* ablatif, «à cette heure-là». → Or.

♦ **1.** (Employé seul). Vx. À ce moment-là. ⇒ **Alors** (→ Arriver, cit. 2,
Corneille ; frayeur, cit. 1 ; gouvernail, cit. 5, Ronsard ; grain, cit. 8,
Marot).

1 (...) Vous aviez lors la panse un peu moins pleine.   LA FONTAINE, Fables, III, 17.

♦ **2.** Loc. prép. (1599). Mod. LORS DE... : au moment de. *Lors de
son mariage ; lors de leur installation* (cit. 3) *à Paris ; lors de mon
voyage* (→ Ingambe, cit. 1). *Lors du Concordat :* à l'époque, au
temps* du Concordat (→ Agissements, cit.). *Lors de sa jeunesse...* ⇒ **Dans.**

♦ **3.** Loc. adv. (1677). *Depuis* (cit. 3) *lors :* depuis ce moment-là.
— (XIIIe). *Dès lors :* dès ce moment. ⇒ **Dès** (I., 2. ; → aussi Assimiler, cit. 3 ; brûler, cit. 26 ; folie, cit. 19 ; intellect, cit. 3). — (1372)
Vx ou dial. *Pour lors :* à ce moment, alors (→ Approuver, cit. 21 ;
instable, cit. 1).

♦ **4.** Loc. conj. (V. 1200). *Lors que* [lɔRkə]. ⇒ **Lorsque.** — (1080). *Dès lors que...* ⇒ **Dès** (2. Dès, cit. 7 et 8), **moment** (du moment que). — (1675). *Lors même que* (avec l'ind. ou le cond.). ⇒ **Lorsque** (3.), **même** (→ Dédommager, cit. 5).

1.1 (...) le chant naturel de l'homme est triste, lors même qu'il exprime le bonheur.
CHATEAUBRIAND, René.

2 Ce qui est juste est juste, lors même que le monde devrait crouler.
ZOLA, Paris, p. 377.

3 Lors même qu'on n'est pas le chêne ou le tilleul,
Ne pas monter bien haut, peut-être, mais tout seul !
Edmond ROSTAND, Cyrano de Bergerac, II, 8.

HOM. Laure, lord.

LORSQUE [lɔRskə] conj. — V. 1200, *lors que;* soudé au xvᵉ ou au xvıᵉ; de *lors,* et *que;* s'est écrit longtemps en deux mots. — REM. L'*e* final s'élide toujours devant *il* (→ Heurter, cit. 15); *elle* (→ Heureux, cit. 42); *on* (→ Aimer, cit. 75; gaieté, cit. 13); *un* (→ Inventer, cit. 4); *une* (→ Abandonner, cit. 11); parfois devant *en* (→ Intégrité, cit. 5), *à* (→ Camp, cit. 9), *avec, aussi, aucun, enfin* (→ ci-dessous, cit. 4, Gide).

♦ **1.** (Marquant la simultanéité). Au moment* où, quand*. « *Lorsque l'enfant* (cit. 4) *paraît...* » (Hugo). *Lorsqu'ils furent arrivés au Calvaire* (cit. 1).

1 Lorsque assurés de vaincre ils combattaient sans vous. RACINE, Bajazet, I, 1.

2 Lorsque le pélican, lassé d'un long voyage,
Dans les brouillards du soir retourne à ses roseaux.
A. DE MUSSET, Poésies nouvelles, « La nuit de mai ».

3 Lorsque avec ses enfants vêtus de peaux de bêtes (...)
Caïn se fut enfui de devant Jéhovah.
HUGO, la Légende des siècles, La conscience.

4 (...) et lorsqu'enfin son cœur cessa de battre, je sentis s'abîmer tout mon être (...)
GIDE, Si le grain ne meurt, II, II, p. 367.

Lorsqu'une fois... : une fois* que, dès que, à partir du moment où... (→ Gangrener, cit. 2, Voltaire).

5 Oh! les applaudissements, ce bruit de grêle (...) lorsqu'une fois on l'a connu, il est impossible de s'en passer.
Alphonse DAUDET, les Femmes d'artistes, IV.

REM. 1. *Lorsque* et *quand.* Selon Lafaye (*Dict. des synonymes*), « *quand* est général, vague, hypothétique... Au contraire, *lorsque* est précis, positif, historique... ». En fait, il s'agit plutôt de différence d'ordres morphologiques, syntactique que sémantique. Par sa forme même, *lorsque* est plus explicite et appuyé que *quand* et convient peut-être mieux pour marquer les circonstances, l'occasion. En outre, *lorsque* est d'un emploi plus littéraire que *quand.*

2. La proposition amenée par *lorsque* (ou *quand*) énonce parfois, non pas une idée secondaire, mais l'idée principale : « *Colomba rentrait dans le jardin, lorsque Orso ouvrit la fenêtre et cria...* » (Mérimée, *Colomba,* XVI, cité par G. et R. Le Bidois).

3. *Lorsque... et que...* Devant une coordonnée, *lorsque* peut comme les autres conjonctions de subordination être remplacé par *que* : *Lorsque... et que...* (→ Accablement, cit. 7; aplomb, cit. 12; automate, cit. 1; glisser, cit. 17; jour, cit. 2).

6 Lorsque mon peuple souffre, ou qu'il lui faut des lois.
A. DE VIGNY, Livre mystique, Moïse.

♦ **2.** (1642). Littér. (Marquant la simultanéité et l'opposition). Alors* que, tandis* que. *On fait des discours, lorsqu'il faut agir. La plupart des jeunes gens croient être naturels lorsqu'ils ne sont que grossiers* (cit. 4).

7 Quoi! Lorsqu'il n'aurait pas fallu perdre une heure, les jours et les jours se passent !
ZOLA, la Débâcle, I, I.

♦ **3.** **LORS... QUE...** (Les deux éléments de la conjonction peuvent être séparés par un mot comme *donc, même...*). ⇒ **Lors** (4.).

8 (...) lorsqu'un sanglier hideux (...) lors, dis-je, un sanglier hideux (...) est venu traverser la route (...)
MOLIÈRE, les Amants magnifiques, V, 1.

9 Lors donc que Murdoire (...) eut obtenu (...) les faveurs de la servante (...)
M. AYMÉ, la Jument verte, II.

10 Lorsqu'ils s'abstiennent de s'en moquer, lors même qu'ils risquent une opinion évasive (...)
J. ROMAINS, les Hommes de bonne volonté, t. XII, XVI, p. 166.

LOS [lo] n. m. — 1080, Chanson de Roland, au sens 2; lat. *laudes,* plur. de *laus* « louange ».
Vieux.

♦ **1.** (V. 1150). ⇒ **Louange.** — REM. Le mot, déjà considéré comme vieux ou burlesque au xvıı° s. (cf. La Bruyère, *les Caractères,* XIV, 73), est parfois employé de nos jours par archaïsme littéraire.

1 Le los funèbre et les lamentations surgissaient de l'ombre au gré du vent nocturne.
J. GIONO, Naissance de l'Odyssée, *in* Œ. roman., Pl. t. I, p. 98.

2 Je continuais à interpréter favorablement toutes ses décisions, à chanter son los sur tous les toits (...)
Hervé BAZIN, Vipère au poing, p. 172.

Los à (qqn) :

3 Los aux dames !
Au roi los !
Vois les flammes
Du champs clos.
HUGO, Odes et Ballades, Ballade, XII.

♦ **2.** Mérite, titre de gloire. « *Jusqu'à ce que la France (...) eût retrouvé son los antique et sa bravoure* » (Banville, *in* G. L. L. F.).
⇒ **Louange.**

LOSANGE [lɔzãʒ] n. m. — V. 1230, *losenge,* sens 3; fém. jusqu'au xvıııᵉ; orig. incert. (distinct de *losenge* «mensonge»), p.-ê. du gaul. **lausa* «pierre plate» (→ Lauze); M. Rodinson a évoqué une origine arabe du pehlvi *lawzenak,* de *law* «amande» (désignant un gâteau de cette forme).

♦ **1.** (1294). Blason (parfois encore au fém.). Meuble de l'écu, figurant le fer de lance, et formé d'un losange (2.) dont les angles aigus sont disposés verticalement. *Le losange diffère de la macle en ce qu'il est plein.* — Forme de l'écu. *Écu* en losange.*

♦ **2.** (1855; *noire en losange,* 1767, J.-J. Rousseau). Mus. Note en forme de losange, employée dans la notation du plain-chant et valant la moitié de la carrée.

1 Dans nos anciennes musiques, on se servait de plusieurs sortes de *noires, noire à queue, noire carrée, noire en losange.* Ces deux dernières espèces sont demeurées dans le plain-chant (...)
ROUSSEAU, Dict. de musique, art. *Noire.*

♦ **3.** Géom. Parallélogramme* dont les côtés sont égaux, en particulier (cour.) lorsque ses angles ne sont pas droits (c'est-à-dire lorsqu'il ne s'agit pas d'un carré). ⇒ **Rhombe.** *Les diagonales du losange sont bissectrices des angles des sommets et se coupent à angle droit. Le losange est un quadrilatère*.* — *Losange de tissu, de papier. Galon cousu en deux losanges superposés* (→ Distinguer, cit. 29). *Losange de feu* (→ Déchirer, cit. 10, Chateaubriand). — *En losange. Visage en losange. Antenne** (3.) *en losange.*

2 (Harlay) un petit homme vigoureux et maigre, un visage en losange (...)
SAINT-SIMON, Mémoires, I, IX.

♦ **4.** Objet en forme de losange. *Losanges vitrés d'une lanterne* (cit. 1). *Chapiteau sculpté de losanges* (→ Crypte, cit. 1). *Losanges utilisés dans la signalisation des chemins de fer.* — *Pavage, grillage en losanges.* ⇒ **Losangé;** → Feston, cit. 3.

3 Elles admiraient, les jeunes filles, à travers les mille petits losanges des boiseries emprisonnantes (...)
LOTI, les Désenchantées, I, III.

(1393). Spécialt. Pâtisserie en losange.

REM. Dans la langue courante, *losange* (3. et 4.) évoque surtout cette figure orientée verticalement.

DÉR. Losangé, losanger, losangique.

LOSANGÉ, ÉE [lɔzãʒe] adj. — Fin xııᵉ, *losengié;* de *losange.*

♦ Qui est formé ou couvert de losanges juxtaposés, généralement de couleurs différentes formant un motif décoratif.
Archit. *Frise losangée, coupole losangée* (→ Imbriquer, cit. 1). *Jupe losangée de Colombine* (→ Grand, cit. 40). — Blason. *Écu losangé; meuble losangé, figure losangée,* à losanges alternés de deux émaux.

LOSANGER [lɔzãʒe] v. tr. — 1842; de *losange.*

♦ Techn. Diviser en losanges, orner de losanges juxtaposés.

LOSANGIQUE [lɔzãʒik] adj. — 1803, Cuvier, *in* T. L. F.; de *losange.*

♦ Didact. En forme de losange. ⇒ **Rhombique.**

1 (...) les Raies, auxquelles des nageoires pectorales aplaties et largement soudées au corps et à la base, confèrent une forme losangique (...)
Jean-Marie PÉRÈS, la Vie dans les mers, p. 63.

2 (...) la lumière brille derrière les fenêtres du réfectoire elles ont des carreaux losangiques et plombés.
Tony DUVERT, Paysage de fantaisie, p. 191.

LOSE [loz] n. f. ⇒ **Lause.**

LOSER [luzœR] n. m. — V. 1980; mot angl., «perdant».

♦ Anglic. Personne qui échoue de manière fréquente, qui a une conduite d'échec. ⇒ **Raté, perdant** (opposé à *battant,* à *gagneur*). « *David Goodis le loser, le farceur, l'homme-caméléon à la vieille Chrysler déglinguée...* » (*le Nouvel Obs.,* 24 févr. 1984, p. 72). « *La malchance qui s'attache aux vendredis 13, jours des losers. Le propre du loser, c'est qu'il ne sait plus contre qui se retourner* » (Serge July, *in Libération,* 19 avr. 1984).

LOT [lo] n. m. — V. 1138; francique **lôt;* cf. anc. angl. *hlot* «sort, héritage», cette origine est contestée par Guiraud, qui voit dans *lot* un mot roman, de l'anc. franç. *loter* (→ Lotir), du lat. *locitare* «louer», de *locus* «lieu».

A. ♦ **1.** Partie d'un tout que l'on partage entre plusieurs personnes. ⇒ **Part, portion** (→ Bête, cit. 10; dépareillé, cit. 3). *Lots égaux, équitables. S'arroger, recevoir le meilleur lot. Distribuer qqch. en plusieurs lots.* ⇒ **Partager.** *Diviser, morceler une terre en lots, pour la vendre.* ⇒ **Lotir, lotissement.**

1 (...) Margueron ne voulait plus vendre en bloc et parlait de diviser les Moulineaux en quatre-vingt-seize lots (...) BALZAC, Un début dans la vie, Pl., t. I, p. 621.

Dr. « *Portion à attribuer à chacun des copartageants dans un bien ou un ensemble de biens indivis, faisant l'objet d'un partage* » (Capitant). ⇒ **Partage.** *Lots distribués à des cohéritiers* ⇒ **Héritage, succession.** *Attributaire** (cit.), *bénéficiaire d'un lot. Lot en nature, en argent* (→ Compenser, cit. 6). *Effets* (cit. 42) *compris dans un lot.*

2 Dans la formation et la composition des lots, on doit éviter de morceler les héritages et de diviser les exploitations (...)
Les lots sont faits par l'un des cohéritiers, s'ils peuvent convenir entre eux sur le choix, et si celui qu'ils avaient choisi accepte la commission ; dans le cas contraire, les lots sont faits par un expert que le juge-commissaire désigne. Ils sont ensuite tirés au sort. Code civil, art. 832 et 834.

3 (...) il fut convenu qu'on partagerait la terre, mais que la maison et le mobilier (...) seraient vendus judiciairement (...) Grosbois vint donc arpenter les biens et les diviser en deux lots (...) L'acte se trouvait prêt, la désignation des lots seule demeurait en blanc, à la suite des noms ; et tous durent signer avant le tirage au sort, auquel il fit procéder séance tenante, afin d'éviter tout ennui.
ZOLA, la Terre, IV, VI.

♦ **2.** (Fin XVIIIᵉ, au Canada ; de l'angl.). Hist. Terrain d'un canton* concédé par l'État à un particulier pour le défrichement et la culture. *Les lots de la Couronne. « Le curé lui suggéra de se mettre en contact avec l'agent de la colonisation s'il voulait se trouver un lot sur le bord de la rivière »* (P. Villeneuve). — Abusivt. Lopin de terre.

♦ **3.** Quantité de marchandises. ⇒ **Assortiment** (3.), **stock.** *Un lot de marchandises en solde. Lots de vieux livres vendus ensemble, dans une vente aux enchères.* Spécialt. *Lot de diamants, de pierres. Couper un lot,* le fractionner.

4 (...) en cercle autour de la malle, ils regardaient la vieille dame déballer tout un lot de chiffons (...) ZOLA, la Terre, III, VI.

Recommandation officielle pour *kit*. Lot de réparation.* — REM. Le terme recommandé semble inusité.

(Trad. de l'angl. *batch*). Techn. Quantité d'un même produit pétrolier liquide expédiée séparément dans une canalisation ou un pipe-line.
— *Lot de travaux :* ensemble de travaux confié à un entrepreneur, selon un critère technique de qualification.

(Angl. *batch*). Inform. Ensemble de programmes à exécuter ou de données à traiter, qui sont regroupés et stockés en vue d'un traitement ultérieur par ordinateur. (Pour traduire l'angl. *batch processing*). *Traitement par lots :* mode d'exploitation d'un ordinateur suivant lequel les programmes et les données des utilisateurs sont regroupés en lots que l'ordinateur traitera successivement et globalement à un moment ultérieur (s'oppose à *travail en temps partagé*).

4.1 (...) le « traitement par lots » qui demeurait la règle, contraignait l'usager à se dessaisir des données, le temps de les perforer, de les mettre en machine et d'en récupérer les résultats.
Simon NORA et Alain MINC, l'Informatisation de la société, p. 19.

♦ **4.** Un certain nombre. *Un lot de Français qui...* (→ Interdire, cit. 11). — Fig. *Un lot de principes, d'idées.* ⇒ **Bloc** (→ Codifier, cit. 2).

(1858, *in* Petiot). Sports. L'ensemble des concurrents qui prennent le départ d'une course.

Fam. *Tout le lot :* tout le groupe (spécialt, par anglic., le peloton).

B. ♦ **1.** Ce qui échoit* à un gagnant, dans une loterie*. *Un lot important, un lot de cent mille francs.* — *Le gros lot,* le plus important. *Gagner le gros lot. Petits lots ; lots de consolation.*

5 (...) supposons que dans une loterie où il n'y a qu'un seul lot et dix mille billets, un homme ne prenne qu'un billet, je dis que la probabilité d'obtenir le lot n'étant que d'un contre dix mille, son espérance est nulle (...)
BUFFON, Essai d'arithmétique morale, VIII.

Fin. *Obligations, valeurs à lots,* remboursées par un tirage au sort, avec des primes.

6 La ville de Paris, le Crédit Foncier (...) émettent dans le public ce qu'on appelle des *valeurs à lots,* c'est-à-dire des obligations rapportant un intérêt assez faible, mais remboursées par voie de tirage au sort, avec des *primes* pour les premiers numéros sortants. M. PLANIOL, Traité élémentaire de droit civil, t. I, § 2 797.

(1803, *in* D.D.L.). Par métaphore et fig. Ce que l'on gagne, ce que l'on obtient par hasard (⇒ **Loterie,** fig.).

7 Et moi, je mets un billet à une loterie dont le gros lot se réduit à ceci : être lu en 1935. STENDHAL, Vie de Henry Brulard, 23.

♦ **2.** Ce qui échoit à qqn ; ce que le hasard, la destinée, la nature lui réserve, lui donne en partage. ⇒ **Apanage** (2.), **destin, sort** (→ Chair, cit. 15 ; 2. falot, cit. 3). *La mort, notre lot commun. Un lot de bonheur et de peines* (→ Fois, cit. 11). *Apporter son lot à une œuvre commune* ⇒ **Contingent, part.**

7.1 (...) je vis bien que l'obéissance était mon dernier lot.
SADE, Justine..., t. I, p. 40-41.

8 (...) son mari lui laissa seulement l'administration du linge, de la table et des choses qui sont le lot des femmes. BALZAC, la Vieille Fille, Pl., t. IV, p. 321.

9 Oh ! parbleu, toi, tu regardes en arrière... Ton lot c'est de regretter toujours, de ne désirer jamais. E. FROMENTIN, Dominique, IX.

10 L'exil, la captivité, la mort (...) il fallait y voir notre lot, notre destin, la source profonde de notre réalité d'homme. SARTRE, Situations III, p. 12.

♦ **3.** Argot (du sens 1). *Un joli petit lot :* une jolie jeune fille, une jolie fille.

CONTR. Totalité, tout.
DÉR. Lotir.
COMP. Allotir.
HOM. Lods, los.

LOTE [lɔt] n. f. ⇒ **Lotte.**

LOTERIE [lɔtʀi] n. f. — 1538 ; néerl. *loterije,* de *lot,* francique *lôt (→ Lot), ou ital. *loteria.*

♦ **1.** Jeu de hasard où l'on distribue un certain nombre de billets numérotés et où des lots* (cit. 5) sont attribués à ceux qui sont désignés par le sort. ⇒ **Tombola.** *Organiser, faire une loterie. Billet* de loterie* (→ Hasard, cit. 29). *Tirer une loterie* (⇒ **Tirage**). *Numéros* sortants, numéros gagnants* d'une loterie. Gagner*, faire fortune* (cit. 44) *à la loterie. Le gros lot, les lots en argent, en nature, d'une loterie. Parties successives d'une loterie.* ⇒ **Tranche.**

1 (...) madame de Rênal pensait aux passions, comme nous pensons à la loterie : duperie certaine et bonheur cherché par des fous.
STENDHAL, le Rouge et le Noir, I, VIII.

Dr. Opération offerte au public... « pour faire naître l'espérance d'un gain qui serait acquis par la voie du sort » (Loi du 21 mai 1836 portant prohibition des loteries). ⇒ aussi **Sweepstake.**

2 Sont exceptées des dispositions *(d'interdiction)* les loteries d'objets mobiliers exclusivement destinées à des actes de bienfaisance ou à l'encouragement des arts, lorsqu'elles auront été autorisées dans les formes qui seront déterminées par des règlements d'administration publique. Loi du 21 mai 1836, art. 5.

Anciennt. *Loterie d'État* (→ Escamotage, cit. 2 ; exécution, cit. 6). *Combinaisons de numéros, dans l'ancienne loterie royale.* ⇒ **Ambe, terne, quaterne, quine.** *Ancienne loterie italienne.* ⇒ **Blanque.** — Mod. *La Loterie nationale,* instituée en France par la loi du 31 mai 1933. *Acheter un billet, un dixième de la Loterie nationale. Loterie foraine* (→ ci-dessous, 3.). *Loterie de bienfaisance, de charité. Loterie au bénéfice d'une œuvre.*

3 Le contrôleur du train plaçait des tickets de loterie, pour les victimes d'un accident survenu le mois dernier. G. DUHAMEL, Salavin, Journal, 27 juin.

Jeu de société où l'on distribue des loteries en cadeau (→ Fête, cit. 13). — Vx. Jeu de cartes en usage au XVIIIᵉ siècle.

♦ **2.** (1658). Par métaphore et fig. Ce qui est gouverné, réglé par le hasard. *La vie, l'existence, le monde est une loterie.*

4 L'histoire du monde ressemble beaucoup à celle de ce commissionnaire qui gagna cent louis en venant (...) d'épargnes ; et qui ensuite mit à la loterie un seul écu, et en reçut soixante-quinze mille. Tout est loterie. La guerre n'est plus qu'une loterie pour presque tous (...) É. DE SENANCOUR, Oberman, XLVII.

5 Vous avez chipé à la loterie le bon numéro, l'amour dans le sacrement (...) vous avez le gros lot, gardez-le bien, mettez-le sous clef, ne le gaspillez pas, adorez-vous et fichez-vous du reste. HUGO, les Misérables, V, VI, II.

♦ **3.** (1932). Baraque foraine organisant des jeux de tirage au sort. *Les loteries et les manèges d'une fête* (cit. 14) *foraine. La roue de la loterie.*

LOTI, IE [lɔti] adj. ⇒ **Lotir.**

LOTIER [lɔtje] n. m. — 1558 ; dér. sav. du lat. *lotus* « mélilot ».

♦ Herbe annuelle ou vivace (*Légumineuses-papilionacées*). *Lotier pourpre ; lotier corniculé appelé communément* trèfle cornu, corne du diable, *utilisé comme fourrage.*
DÉR. Lotière.

LOTIÈRE [lɔtjɛʀ] n. f. — 1907, Larousse ; de *lotier.*

♦ Agric. Prairie de lotier.

LOTIFORME [lɔtifɔʀm] adj. — 1873 ; de *lotus* (2.), et -*forme.*

♦ Didact. En forme de fleur de lotus. *Chapiteau égyptien lotiforme.*

LOTION [losjɔ̃] n. f. — 1372, *loccion* « action de se laver » ; bas lat. *lotio,* du p. p. du lat. class. *lavare.* → Laver.

♦ **1.** Vx. Action de faire couler un liquide sur le corps pour le laver, le rafraîchir. ⇒ **Ablution, bain, lavement** (1.).

1 (...) je me lève, je passe dans ce cabinet où, rendue savante par les expériences de ma mère, j'enlève les traces du sommeil avec les lotions d'eau froide.
BALZAC, Mémoires de deux jeunes mariées, Pl., t. I, p. 306.

Spécialt. Application d'un liquide sur une partie du corps, dans un but thérapeutique. *Lotion calmante, émolliente, tonique. Faire des lotions sur une plaie.*

Liturgie. ⇒ **Ablution, lavement** (1.).

♦ **2.** (1783). Techn. Vx. Lavage d'une substance, pour enlever les éléments étrangers qui y adhèrent, en les dissolvant.

♦ **3.** (1690). Cour. Liquide utilisé pour des applications à but thérapeutique. *Lotion alcoolique, lotion de graine de lin. Lotion capillaire, pour empêcher la chute des cheveux*. Lotion médicamenteuse, utilisée dans le traitement des maladies de la peau. Bouteille de lotion. Lotion après rasage.* ⇒ **After-shave** (anglic.) ; **après-rasage.**

2 Ce ne fut pas sans peine que les lotions chlorurées et le nitrate d'argent vinrent à bout de la gangrène. HUGO, les Misérables, V, v, 11.
DÉR. Lotionner.

LOTIONNER [losjɔne] v. tr. — 1835, *in* D.D.L.; de *lotion*.

♦ Soumettre à une lotion. *Lotionner une plaie, le cuir chevelu.* ⇒ **Laver, nettoyer.** — *Se lotionner les cheveux.*
Pron. *Se lotionner :* se faire une lotion.

LOTIR [lɔtiʀ] v. tr. — XIIIᵉ; «présager par sorts», XIIᵉ; de *lot*.

♦ **1.** Partager*, répartir* par lots. *Lotir les immeubles d'une succession.* — (1907). Spécialt. *Lotir un terrain, une propriété, un parc,* le diviser* en lotissements. ⇒ **Morceler.** *Terrains à lotir,* à mettre en vente par lots (→ Îlot, cit. 6).

♦ **2.** (XVIᵉ). Mettre (qqn) en possession (d'un lot). ⇒ **Allotir, attribuer.** *Lotir qqn de sa part.* — Au passif. *Après le partage, chacun a été loti d'une maison.*
Chez les Romains, le partage était certainement considéré (...) comme une variété d'échange (...) Les copartageants étaient considérés, quant aux biens dont ils se trouvaient lotis, comme les ayants cause les uns des autres.
A. COLIN et H. CAPITANT, Cours élém. de droit civil franç., t. III, p. 540.
(1666). Fig. (Au p. p.). *Être bien loti, mal loti :* être favorisé ou défavorisé par le sort. — Iron. *La voilà bien lotie !* (Molière, *Tartuffe,* II, 2). → Bien logé* (vx). *Il a été mal loti par la chance.*

♦ **3.** (1667). Techn. Trier, répartir (les grains) par grosseurs. — Trier (des échantillons dans le minerai).

▶ **LOTI, IE** p. p. adj. *Terrain loti. Propriété lotie.* — Fig. **BIEN, MAL LOTI** (→ ci-dessus, 2.).
DÉR. Lotissage, lotissement, lotisseur.

LOTISSAGE [lɔtisaʒ] n. m. — 1723; de *lotir*.
Technique.

♦ **1.** Lotissement.

♦ **2.** (1762). Tri du minerai.

LOTISSEMENT [lɔtismã] n. m. — V. 1300, «tirage au sort»; de *lotir*.

♦ **1.** (1724). Action de répartir par lots, division par lots. *Le lotissement des immeubles d'une succession.* — (XXᵉ). Spécialt. Division d'un terrain en parcelles; vente ou location de ces parcelles.

♦ **2.** (1935). Terrain loti; chacune des parcelles de ce terrain. *Les lotissements de banlieue.*
— Et vous habitez depuis longtemps Obonne? demanda Pierre.
— Depuis bientôt trois ans. J'avais commencé à me faire construire une petite maison dans les lotissements de Magnific-Vista, mais j'en suis resté au rez-de-chaussée.
— (...) avec ces lotissements, il y a des tas de filouteries. Je croyais avoir assez d'argent, un petit héritage, pour me faire bâtir une maison et ensuite je me suis trouvé en face de combinaisons qui m'ont démontré mon erreur.
R. QUENEAU, le Chiendent, p. 46.

LOTISSEUR, EUSE [lɔtisœʀ, øz] n. — XIIIᵉ; sens mod., XXᵉ; de *lotir*.

♦ Personne qui partage des terrains en lots, les vend par lots. ⇒ aussi **Promoteur.** *Un terrain retaillé par les lotisseurs* (→ Bicoque, cit. 4).
(...) mes tranquilles voisins retranchés dans leur belle vigne étalée, qui tient en respect le lotisseur. COLETTE, la Naissance du jour, p. 146.

LOTO [loto, lɔto] n. m. — 1782; ital. *lotto* «lot, sort».

♦ **1.** Jeu de hasard où l'on distribue aux joueurs des cartes portant plusieurs numéros, auxquels correspondent de petits cylindres de bois (ou des cartons) numérotés et mêlés dans un sac, le gagnant étant le premier à pouvoir remplir sa carte avec les numéros tirés au hasard. ⇒ **Bingo** (anglic.). *Jouer au loto* (→ Beurre, cit. 4.3). *Faire une partie de loto. Combinaisons de numéros de loto sortant ensemble.* ⇒ **Ambe, terne, quaterne, quine.** — Par ext. Matériel du jeu de loto. *Acheter un loto.*

1 (...) les divertissements à la mode ici sont la promenade à pied, la pêche, la lecture et le loto. Mᵐᵉ DE GENLIS, Adèle, II, 224 (1782), in BRUNOT, Hist. de la langue franç., p. 1099, note 5.
Boules de loto : les petits cylindres de bois sur lesquels sont inscrits les numéros. — Fig. et fam. *Des yeux en boules de loto,* tout ronds.

2 (...) ils tendaient le cou, les yeux arrondis en boules de loto.
COURTELINE, le Train de 8 h 47, II, IV.

♦ **2.** (De *yeux en boules de loto*). Fam. (au plur., surtout). Œil, regard étonné, surpris.

(...) tant plus tu le r'gardes *(l'obus de 155),* tant plus i' s'fond devant tes lotos. 3
H. BARBUSSE, le Feu, t. II, II, XIX.

♦ **3.** (1976). Jeu public, consistant à inscrire des numéros dans les cases d'une carte, qui gagnent s'ils correspondent aux numéros tirés au sort une fois par semaine. *Jouer au loto. Acheter une carte de loto. Le loto et la Loterie nationale.*

LOTOS [lotos] n. m. Didact. ⇒ **Lotus** (1.).

LOTTA [lɔta] n. f. — 1940, dans une chanson; à l'occasion de la lutte des Finnois contre l'armée soviétique; mot finlandais, nom d'une héroïne de la guerre finno-russe de 1808.

♦ Femme soldat finlandaise. *Des lottas.*

LOTTE ou **LOTE** [lɔt] n. f. — 1553, *lotte; lote,* 1558; gallo-romain *lota,* p.-ê. d'un gaulois **lotta;* ou (Littré) du lat. *lotum* «boue», le poisson étant visqueux.

♦ **1.** Poisson au corps presque cylindrique, à peau épaisse, gluante, couverte d'écailles dont la chair est très estimé *(Gadidés). Lotte à l'américaine.*

♦ **2.** Par ext. *Lotte de mer, lotte.* ⇒ **Baudroie.**

LOTUS [lɔtys] n. m. — 1512, *lote,* Lemaire de Belges; *lotus,* «lotier, mélilot», 1553; lat. *lotus,* grec *lotos,* désignant cinq plantes différentes.

♦ **1.** Myth. Plante du littoral africain (Tunisie du sud, Tripolitaine, Cyrénaïque) produisant un fruit auquel les anciens attribuaient des propriétés magiques. *Les Lotophages servirent du lotus aux compagnons d'Ulysse qui en oublièrent leur patrie* (cf. Homère, *Odyssée,* IX). — REM. On a longtemps identifié le *lotus* de l'Odyssée avec le *lotus jujubier* (→ ci-dessous, 2.). Il semblerait que le *caroubier* (dont la gousse se développe avant que la fleur ne soit fanée — d'où l'appellation homérique de «mets fleuri» — soit plus justifié. — Dans ce sens, on écrit aussi *lotos* [lɔtos].

1 La lote *(le lotus)* est un fruit naissant en Afrique (...) sur hauts arbres (...) Sa couleur est jaune comme safran, et dedans est plein de grains semblables à millet. Mais sa douceur et suavité est si tresspeciale *(spéciale)* que selon Homère en son Odyssée, après que les gens de Ulysse (...) en eurent goûté, ils ne faisaient plus conte *(ne se proposaient plus)* de retourner aux navires, mais voulaient illec *(là)* faire séjour. J. LEMAIRE DE BELGES, Illustrations..., I, 24.
2 (...) on y respirait une béatitude sombre, analogue à celle que durent éprouver les mangeurs de lotus quand, débarquant dans une île enchantée (...) ils sentirent naître en eux (...) le désir de ne jamais revoir leurs pénates, leurs femmes, leurs enfants, et de ne jamais remonter sur les hautes lames de la mer.
BAUDELAIRE, le Spleen de Paris, XXIX.

♦ **2.** (1553). Nénuphar blanc (de l'Inde). *Le lotus sacré est un des principaux symboles de l'hindouisme. Bénarès est appelé «le lotus du monde».*

3 (...) tous les emblèmes de la foi humaine réunis là comme en un musée mortuaire : la croix du Christ (...) le lotus de Çakya-Mouni (...)
LOTI, l'Inde (sans les Anglais), VI, I.

LOTUS ou (didact.) **LOTOS** : nénuphar du Nil *(Nymphéacées). Lotus des Égyptiens* ou *nenuphar lotos. Lotus bleu. Les lotus, plantes aquatiles*. La fleur de lotus stylisée, élément décoratif de l'art égyptien. Colonne à chapiteau en fleur de lotus.* ⇒ **Lotiforme.**

4 Toi, tu crois encore à l'ibis, au lotus pourpré (...) Hélas ! l'ibis est un oiseau sauvage, le lotus un oignon vulgaire (...)
NERVAL, Correspondance, 100, fin août 1843.
5 La décoration de ce sarcophage *(phénicien)...* subit l'influence égyptienne. Deux zones de fleurs et de boutons de lotus alternés forment bordure (...)
G. CONTENAU et V. CHAPOT, l'Art antique, p. 121.

♦ **3.** *Lotus jujubier** : plante de la famille des Rhamnacées *(Ziziphus lotus). Lotus à poires :* plaque-minier*, lotier d'Italie *(Diospyros lotus).* — *Trèfle lotus.* ⇒ **Lotier.**

♦ **4.** *Position du lotus :* position assise de méditation, au yoga, qui consiste à croiser les jambes, en amenant chaque pied sur la cuisse de la jambe opposée.

COMP. Lotiforme.

1. LOUABLE [lwabl] adj. — V. 1120, *loable;* de 1. *louer.*

♦ **1.** Qui est digne de louange, qui mérite d'être loué. ⇒ **Bien** (2.), **estimable.** *Affection* (cit. 1), *intentions, sentiments louables.* ⇒ **Honnête.** *Une très louable proposition* (→ Atelier, cit. 6). *Faire un louable emploi de son temps.* ⇒ **Bon, digne, méritoire.** *De louables efforts.*

1 (...) tous moyens honnêtes de se garantir des maux sont non seulement permis, mais louables. MONTAIGNE, Essais, I, XII.
2 Je ne me permettrai point de scruter les motifs de l'action de M. de Valmont; je veux croire qu'ils sont louables comme elle (...)
LACLOS, les Liaisons dangereuses, XXXII.

3 Mais vous avez sacrifié, sans doute, à des scrupules personnels, infiniment louables, je vous le concède, l'intérêt d'une collectivité dont vous faites partie ( )
                                            G. DUHAMEL, Salavin, Journal, 28 mai.

Par antiphr. Déplorable (→ Caresser, cit. 20).

4 (...) j'ai tâté un peu de l'agonie aux approches de l'équinoxe, selon ma louable coutume.   VOLTAIRE, Correspondance, 4180, 8 mars 1775.

♦ **2.** (1314). Méd. et vx. Qui est de la qualité requise. ⇒ **Satisfaisant.** *Des déjections louables* (encore dans Littré).

5 (...) selon les règles de nos docteurs, il est tel qu'on le peut souhaiter (...) il possède
en un degré louable la vertu prolifique (...)   MOLIÈRE, le Malade imaginaire, II, 5.

♦ **3.** (V. 1695). Vieilli ou littér. (Personnes). LOUABLE DE... : digne
d'estime pour... *Vous êtes louable d'avoir pris cette initiative* (Académie). Vx. *« Vous êtes louable de cette crainte »* (Fénelon).

CONTR. **Blâmable** (cit. 3), **condamnable, critiquable, détestable, mauvais, répréhen-
sible.**
DÉR. **Louablement.**
HOM. 2. **Louable.**

2. LOUABLE [lwabl] adj. — XXe ; « qu'on peut prendre à louage »,
1606 ; de 2. *louer.*

♦ Qu'on peut louer (2. Louer). *Cet appartement est difficilement
louable, il est trop vétuste. Studio louable au mois, à l'année.*
HOM. 1. **Louable.**

LOUABLEMENT [lwabləmã] adv. — 1404 ; de 1. *louable.*

♦ Rare. D'une manière louable. ⇒ **Dignement.** *Il ne s'est pas comporté très louablement. Il est louablement généreux.*

CONTR. **Détestablement.**

LOUAGE [lwaʒ] n. m. — V. 1170, *lowage* ; de 2. *louer.*

♦ **1.** Vx. Action de donner ou de prendre en location. — Par ext.
Prix de cette location. ⇒ **Loyer, prix.**

1 Voici le reste de notre écu, dit l'hôtesse ; si nous n'avions point d'autre pratique
que celle-là, notre louage serait mal payé.   SCARRON, le Roman comique, I, VI.
2 L'architecte qui avait bâti l'amphithéâtre, et à qui la République donnait le louage
des places en payement.
      LA BRUYÈRE, les Caractères de Théophraste, De l'impudent..., Note 6.

Loc. (vieilli). *Prendre à louage :* louer (2. Louer, II.). ⇒ **Location.**

2.1 Il mit pied à terre dans un khan ou hôtellerie publique, où il prit une chambre à
louage. Il y demeura le reste du jour et la nuit suivante, pour se remettre de la
fatigue de son voyage.   A. GALLAND, les Mille et une Nuits, t. III, p. 151.

♦ **2.** (1552). Dr. *Contrat* de louage.* « Il y a deux sortes de contrats de louage : celui des choses et celui d'ouvrage » (art. 1708 du
Code civil).

[a] *Louage de choses* (⇒ **Bail,** 2.) *moyennant un prix convenu*
(⇒ **Loyer**) : *louage des maisons* (bail à loyer), *des héritages ruraux*
(bail à ferme), *des animaux de ferme* (bail à cheptel), *d'un bâtiment de mer* (⇒ **Fret**).

[b] *Louage d'ouvrage, louage d'industrie.* ⇒ **Entreprise** (contrat d').
→ **Entrepreneur,** cit. 4. — Spécialt. *Louage de services.* ⇒ **Travail** (contrat de).

Cour. DE LOUAGE : qui est à louer, que l'on a loué (→ De location). *Landau* (cit. 1), *voiture de louage* (→ Fréter, cit. 2). *Cheval
de louage.* ⇒ **Locatis** (vx ; → Galoper, cit. 5). *Piano de louage.*

3 (César) à ce que dit Suétone, faisait cent mille par jour sur le louage.
                              MONTAIGNE, Essais, II, XXII.
4 Le louage des choses est un contrat par lequel l'une des parties s'oblige à
faire jouir l'autre d'une chose pendant un certain temps, et moyennant un certain
prix que celle-ci s'oblige de lui payer.   Code civil, art. 1709.
5 Le louage d'ouvrage est un contrat par lequel l'une des parties s'engage à faire
quelque chose pour l'autre, moyennant un prix convenu entre elles.
                             Code civil, art. 1710.
6 Le *louage d'ouvrage,* entendu *lato sensu,* comprend deux espèces bien distinctes :
le *louage de services,* par lequel une personne met son travail au service d'une
autre pour une certaine durée ; et le *louage d'ouvrage proprement dit,* par lequel
une des parties s'engage, vis-à-vis de l'autre, à exécuter une entreprise déterminée.
                       Code civil annoté, art. 1710, I, 2.

DÉR. **Louageur.**

LOUAGEUR [lwaʒœR] n. m. — D. i. ; de *louage.*

♦ Régional (Belgique) et vx. Loueur de véhicules (autos exceptées),
de sièges, de chevaux.

On connaît tous les propriétaires de voitures. Il n'y en a que deux qui en aient plusieurs. Des louageurs, l'un pour les enterrements et les noces qui vont à l'église,
l'autre pour ceux qui n'y vont pas.
           A. BAILLON, le Neveu de Mlle Autorité, 1930, I.

LOUANGE [lwãʒ] n. f. — 1120, *loenge,* sens 3 ; de 1. *louer.*

♦ **1.** (V. 1160). Littér. Action de louer (qqn ou qqch.) ; fait d'être
loué. ⇒ **Éloge** (→ ci-dessous, cit. 2, Lafaye), **los** (vx). *La louange de
qqn* (à l'égard de qqn, de qqch.). *La louange de qqn,* que reçoit qqn.

Fuir, rechercher la louange. Être sensible à la louange (→ Apprêter, cit. 8). — Vx. *L'encens*, au parfum* de la louange.* — « *La
louange ne sert qu'à corrompre ceux qui la goûtent »* — Blâmer,
cit. 6, Rousseau). « *La louange, comme le vin, augmente les forces
quand elle n'enivre* (cit. 11) *pas »* (Trévoux). *La louange des martyrs.* ⇒ **Exaltation, glorification.** *À la louange de...* ⇒ **Honneur** (en
l'honneur de). *Discours à la louange d'un héros.* ⇒ **Apologie, panégyrique.** *Inscriptions à la louange d'un souverain* (→ Entremêler,
cit. 5). *Psaumes à la louange de Dieu.* ⇒ **Laudes.**

1 De toutes les pratiques du monde, la louange est la plus habilement perfide.
               BALZAC, le Médecin de campagne, Pl., t. VIII, p. 482.
2 *Éloge* est un substantif pur, et *louange* un substantif verbal (...) Éloge signifie
plutôt un objet, et *louange* une action : *éloge* a plutôt rapport aux choses dites et
au sens : et *louange,* au fait de les dire et à l'expression. « Il est un petit nombre
d'hommes que les *éloges* font rougir, que la *louange* déconcerte » BUFFON... Aussi,
dit-on bien, la *louange,* simplement et sans aucune détermination : être sensible à
la *louange* (...) La *louange* est un genre d'*action* ou d'effet qui se comprend de lui-
même et abstraction faite des choses qui peuvent s'y trouver mêlées. — En deux
mots, *éloge* est matériel et relatif : et *louange,* formel et absolu.
           LAFAYE, Dict. des synonymes, Éloge, Louange.

♦ **2.** (V. 1265). Cour. (généralt au plur.). Témoignage d'admiration ou
de grande estime, donné verbalement ou par écrit (à qqn, à qqch.).
Louange qui flatte l'amour-propre. ⇒ **Compliment** (cit. 4). *Donner,
prodiguer des louanges.* ⇒ **Louer.** *Accabler, couvrir qqn de louanges.* ⇒ **Encenser.** *Mériter de grandes louanges* (⇒ **Incomparable,**
cit. 8). *Être avare, avide de louanges. Soyez en garde* (1. Garde,
cit. 25) *contre les louanges. Attitude digne de louange(s).* ⇒ **Louable.** *On ne lui a pas ménagé les louanges.* ⇒ **Applaudissement**
(cit. 10), **encouragement, félicitation.** *Louanges outrées, serviles.*
⇒ **Flagornerie, flatterie.** *Louanges délicates, flatteuses* (cit. 8).
Louanges dithyrambiques, hyperboliques (⇒ **Dithyrambe, encens**).
Concert (cit. 11) *de louanges. Célébrer* (cit. 7) *la gloire de Dieu par
des louanges. Louange à Dieu, au Seigneur !* (→ Hosanna, cit. 1).

3 Nous choisissons souvent des louanges empoisonnées qui font voir, par contre-coup,
en ceux que nous louons des défauts que nous n'osons découvrir d'une autre chose.
                  LA ROCHEFOUCAULD, Maximes, 145.
4 Il y a des reproches qui louent, et des louanges qui médisent.
                  LA ROCHEFOUCAULD, Maximes, 14.
5 Le refus des louanges est un désir d'être loué deux fois.
                  LA ROCHEFOUCAULD, Maximes, 149.
6 (...) mais défiez-vous de ses douces paroles ; ne lui ouvrez jamais votre cœur ; craignez le poison flatteur de ses louanges.   FÉNELON, Télémaque, III.
7 Rien ne facilite les coups de foudre comme les louanges données d'avance et par
des femmes, à la personne qui doit en être l'objet.   STENDHAL, De l'amour, XXIII.

♦ **3.** Vx. Titre de gloire, mérite. ⇒ **Los** (vx). *Il ne tarit pas sur vos
louanges. C'est à lui que revient la louange de cette action, la
louange d'avoir fait cela* (→ Évocation, cit. 2). — *Homme illustre*
(cit. 1) *couvert de louange, de gloire, d'honneur* (→ Cit. 25).

Mod. (dans certaines expressions). *C'est tout à sa louange. Disons-
le à sa louange...* — *Célébrer, chanter* les louanges, la louange de
Dieu, des héros* (cit. 4). ⇒ 1. **Louer.** — Fam. *Chanter les louanges
d'une civilisation.* ⇒ **Valoir** (faire), **vanter** (→ Cœur, cit. 59).

8 Ceux qui chantent la louange du travail sont ceux qui ne travaillent pas.
                  M. VAN DER MEERSCH, l'Élu, p. 115.
9 Mais il faut aussi reconnaître, à sa louange, qu'il (Sainte-Beuve) a placé très haut
son idéal de critique et d'historien des lettres (...)
               Émile HENRIOT, les Romantiques, p. 236.

CONTR. **Affront, anathème, animadversion, blâme** (cit. 3 et 5), **brocard, calomnie,
censure** (cit. 2), **correction,** 2. **critique** (cit. 23), **dénigrement** (cit. 4), **diffamation,
épigramme, injure, réprimande, reproche.**
DÉR. **Louanger.**

LOUANGER [lwãʒe] v. tr. — Conjug. *bouger.* — 1475 ; *loengier*
« louer (Dieu) », v. 1155 ; de *louange.*

♦ Littér. Couvrir de louanges ; faire l'éloge de. ⇒ 1. **Louer ; aduler,
courtiser, glorifier.** *Louanger un défunt* (→ Exalter, cit. 5). — Faire
un éloge excessif de.

▶ SE LOUANGER v. pron. (Réfl.). *Un fat qui ne songe qu'à se
louanger.* — (Sens récipr.). *Ces deux-là passent leur temps à
se louanger.*

1 Il était manifestement moins soucieux de connaître de fâcheux désordres que
de louanger ceux qui, par leur présence, venaient lui apporter une preuve de fidélité.   M. BARRÈS, la Colline inspirée, V.
2 (...) ils s'interrompirent pour louanger un Pouilly. La qualité des vins les aida certainement à découvrir des solutions, et à les juger excellentes.
       J. ROMAINS, les Hommes de bonne volonté, t. X, XVII, p. 187.

CONTR. **Blâmer, brocarder, censurer, critiquer.**
DÉR. **Louangeur.**

LOUANGEUR, EUSE [lwãʒœR, øz] n. — 1570 ; de *louanger.*
Vieilli ou littéraire.

♦ **1.** Vieilli. Personne qui a l'habitude, la manie de louanger. ⇒ **Adulateur, encenseur, flagorneur, flatteur, laudateur.** *Un louangeur invétéré, servile.* ⇒ **Courtisan.** — Adj. *Il est peu louangeur* (→ Éloge,
cit. 5).

♦ **2.** Adj. (1867). Littér. Qui contient ou exprime une louange. ⇒ **Élogieux, laudatif.** *Discours louangeur. Paroles louangeuses.*

Vous êtes un opiniâtre louangeur ! Eh bien ! Monsieur, cette femme que vous louez tant (...) va, pour m'attaquer (...) chercher de petits détails qui ne sont pas en vérité dignes d'une incomparable telle que vous la faites (...)
MARIVAUX, l'Heureux Stratagème, II, 11.

CONTR. Caustique, dénigreur, médisant, satirique.

LOUBARD [lubaʀ] n. m. — 1973 ; de *loulou* (II., 2.), et suff. argotique, p.-ê. d'après *banlieusard,* le *-b-* est obscur.

♦ Fam. Jeune homme vivant dans une banlieue, une zone urbaine, appartenant à une bande et affectant un comportement asocial. ⇒ **Loulou.** — REM. On écrit aussi *loubar. « Les "loubars", jeunes banlieusards, un peu chômeurs, un peu voyous... »* (*le Nouvel Obs.,* 27 mai 1974).

Chuck dit que si les loubards n'attaquaient plus les personnes âgées, si les juifs n'étaient plus là (...) ce serait pour monsieur Tapu le désert affectif.
E. AJAR (R. GARY), l'Angoisse du roi Salomon, p. 91.

LOUBINE [lubin] n. f. — 1611 ; *lubine,* 1552, Rabelais ; var. *lubin, lupin,* XVIᵉ ; lat *lupinus* « de loup ». → Lubin, lubine.

♦ Régional. Bar (poisson). Syn. : *muge, mulet, loup* (en Méditerranée).

LOUCEDÉ (EN) [ɑ̃lusde] loc. adv. — Déb. XXᵉ ; la var. *en lousdoc* est attestée chez Barbusse (*le Feu*) et Chautard (*in* Cellard et Rey) ; transformation en largonji de *en douce.*

♦ Fam. En douce, sans se faire remarquer, sans faire participer les autres. — REM. S'écrit aussi *lousdé.*

Il hésite, puis se lève et va à une porte qu'il entrouve. Il appelle un bonhomme. Ce dernier est jeune, avec l'air fûté et un complet prince de Galles. Tous deux s'asseyent après avoir discutaillé en loucedé.
SAN-ANTONIO, Au suivant de ces messieurs, p. 142.

LOUCHARD, ARDE [luʃaʀ, aʀd] adj. et n. — XVIᵉ ; *loschard,* 1267 ; de *loucher,* et *-ard.*

♦ Péj. et vx. Qui louche. ⇒ **Loucheur, louchon.**

1. LOUCHE [luʃ] adj. — V. 1280 ; *losche,* 1180 ; fém. de l'anc. franç. *lois,* du lat. *luscus* « borgne ».

♦ **1.** Vx. ⓐ (Personnes). Qui est atteint de strabisme*. ⇒ **Bigle, louchon.** *Être louche.* ⇒ **Loucher** (→ Borgne, cit. 1).

1   Elle était louche, et avait le regard
Parlant à vous, tourné d'une autre part (...)   RONSARD, la Franciade, livre III.

2   (...) un homme étant devenu louche par l'effet d'un coup à la tête, vit les objets doubles pendant fort longtemps.
BUFFON, Hist. nat. de l'homme, Du sens de la vue.

3   Comme le marquis était louche — ce qui donne une intention d'esprit à la gaîté même des imbéciles — l'effet de ce rire était de ramener un peu de pupille sur le banc, sans cela complet, de l'œil.
PROUST, À la recherche du temps perdu, t. X, p. 146
(→ aussi Ascenseur, cit. 1).

ⓑ (Vieilli ou littér.). *Yeux louches. Un regard un peu louche* (→ Cercler, cit.).

4   Le strabisme ou le regard louche (...) consiste (...) dans l'écart de l'un des yeux, tandis que l'autre paraît agir indépendamment de celui-là (...) la différence (...) vient de la différence du mouvement de leurs muscles qui, n'agissant pas de concert, produisent la fausse direction des yeux louches (...)
BUFFON, Hist. nat. de l'homme, Du sens de la vue. Additions.

Par métaphore. *L'envie* (cit. 8) *à l'œil louche. Il lui jeta un regard louche.* ⇒ **Oblique, torve, travers** (de). — Fig. *Avoir le regard louche,* le regard faux*.

5   (...) des maisons basses dont les fenêtres nous regardaient d'un œil louche.
FRANCE, la Rôtisserie de la reine Pédauque, VI, Œuvres, t. VIII, p. 51.

6   (...) ces gredins malchanceux qui portent leur scélératesse sur leur visage et dont le regard louche édifie.   COURTELINE, Messieurs les ronds-de-cuir, 1ᵉʳ tableau, II.

♦ **2.** (1611). Vieilli. (Choses). Qui manque de clarté, de netteté, de transparence. ⇒ **Trouble.** *Vin louche. Liquide qui devient louche.* ⇒ **Louchir.** — *Couleur* (cit. 16, par métaphore) *louche,* qui n'est pas d'un ton franc. *Lumière louche* (→ Bande, cit. 3).

6.1   Le tout est devenu d'un ton louche voilant les clairs et les ombres (...)
E. DELACROIX, Journal, 5 mai 1851.

7   Le jour est louche, l'air est fuyant, l'onde est lâche (...)
HUGO, la Légende des siècles, VI, I, Détroit de l'Euripe.

8   (...) une lumière louche, un éclairage livide d'orage : tout paraissait jaune, d'un jaune affreusement triste (...)   ZOLA, la Terre, IV, I.

N. m. (Techn., sc.). LE LOUCHE : aspect trouble (d'un liquide) dû à un léger précipité.

Fig. *Phrase louche.* ⇒ **Ambigu, équivoque.** — Didact. et vx (du langage). *Sens louche,* ambigu. *Phrases, mots louches* (→ Embarrasser, cit. 21 ; impropriété, cit. 2).

♦ **3.** (1647, Vaugelas). Fig. et cour. Qui n'est pas clair, pas honnête. ⇒ **Incertain, suspect, troublant, trouble.** *Affaires, manœuvres, opé-*

rations louches (→ Coup, cit. 48 ; défenseur, cit. 4 ; économe, cit. 3). *Activités, menées louches. Fréquenter des milieux louches.* ⇒ **Interlope.** *Un cabaret, un café louche.* ⇒ **Borgne, famé** (mal). *Curiosité assez louche.* ⇒ **Étrange** (→ Flanc, cit. 14). *Voilà qui me paraît louche, c'est louche.* — N. m. *Il y a du louche dans cette histoire.*

9   Le commissaire, à qui, naturellement, je dus déclarer l'accident, me regarda de travers, et me dit : « Voilà qui est louche ! » mû sans doute par un désir invétéré et une habitude d'état de faire peur, à tout hasard, aux innocents comme aux coupables.   BAUDELAIRE, le Spleen de Paris, XXX.

10   Tout cela nous paraissait assez louche, et l'idée nous vint que nous étions peut-être exposés à quelque guet-apens.   Th. GAUTIER, Voyage en Espagne, p. 227.

11   Il n'était plus le juif Walter, patron d'une banque louche, directeur d'un journal suspect, député soupçonné de tripotages véreux. Il était Monsieur Walter, le riche israélite.   MAUPASSANT, Bel-Ami, II, VII.

12   M. Chavegrand vous a-t-il donné lieu de lui supposer des vices cachés, un passé louche, un casier judiciaire encombré !   G. DUHAMEL, Salavin, VI, XXI.

13   Quand le préfet de police fonda la Mutuelle des Agents de Paris, on s'aperçut que certains donateurs avaient poussé la générosité à des limites difficilement imaginables (...) C'était les tenanciers d'entreprises louches qui croyaient ainsi acheter la tolérance de la police chargée de les surveiller.
GIRAUDOUX, De pleins pouvoirs à sans pouvoirs, V, p. 131.

Un individu louche (→ Épave, cit. 9).

CONTR. Clair, franc, net.
DÉR. Loucher, louchir, louchon.
HOM. 2. Louche ; formes du v. **loucher.**

2. LOUCHE [luʃ] n. f. — XIIIᵉ, *louce ; loche* « bêche », fin XIIᵉ ; du francique **lôtja.*

♦ **1.** Grande cuiller à long manche et à cuilleron hémisphérique, avec laquelle on sert le potage, les mets liquides ou pâteux. *Louche en argent, en vermeil. Louche de cuisine*.* ⇒ **Cuiller** (à pot). *Plonger la louche dans la marmite* (→ Gamelle, cit. 3). *Louche dégraisseuse. Louche à punch.*

1   La maîtresse (...) allait (...) de l'âtre à la table, avec sa grande louche qui charriait chaque fois une pleine écuellée de soupe aux choux. Elle savait l'ordre des choses : une louchée pour le patron, une pour Saturnin, une pour moi (...) une pour elle.   J. GIONO, Un de Baumugnes, IV.

2   La fille au visage grognon reparut, avec une soupière fumante. « Bravo, Mademoiselle ! » s'écria Jacques, en lui prenant la louche des mains. « Vous ne nous aviez pas annoncé de potage... Il embaume ! »
MARTIN DU GARD, les Thibault, t. VI, p. 268.

Contenu de cet instrument. *Manger trois louches de soupe.* ⇒ **Louchée.**

♦ **2.** (1845). Techn. Écuelle à long manche utilisée naguère pour répandre les engrais liquides sur les champs.
(1803). Outil de tourneur, de vannier, de verrier.

♦ **3.** (1455). Fam. ⇒ **Main.** *Serrer la louche à qqn.* ⇒ **Cuiller, pince** (plus cour.).

DÉR. Louchée, louchet.
HOM. 1. Louche ; formes du v. **loucher.**

LOUCHÉE [luʃe] n. f. — XIIIᵉ, *lochiée ;* de 2. *louche.*

♦ Contenu d'une louche. *Elle servit deux louchées de potage à chacun.*

HOM. Formes du v. **loucher.**

LOUCHEMENT [luʃmɑ̃] n. m. ⇒ **Loucherie.**

LOUCHER [luʃe] v. intr. — 1611 ; v. tr., « regarder, lorgner », 1608 ; de 1. *louche.*

♦ **1.** Être atteint de strabisme* permanent ou intermittent. ⇒ **Bigler** (fam.), **louche** (être). → fam. Avoir un œil qui joue au billard* et l'autre qui compte les points ; avoir un œil qui dit merde* à l'autre ; avoir les yeux qui se croisent les bras. *Elle louchait légèrement.* Syn. fam. : *elle avait une coquetterie* (cit. 10) *dans l'œil. Loucher de l'œil droit, de l'œil gauche. Œil qui louche* (⇒ 1. **Bigle,** vx).

1   Elle louche, et l'effet de ce regard étrange
Qu'ombragent des cils noirs plus longs que ceux d'un ange.
BAUDELAIRE, Premiers poèmes, XXIV.

2   (...) pendant trois ou quatre secondes, Marguerite louchait, par saccades, comme si l'un de ses yeux, ébloui, ne pouvait s'empêcher de suivre le glissement, sur l'aile du nez, d'une larme imaginaire.   G. DUHAMEL, Salavin, V, III.

3   « J'adore les yeux qui louchent, moi... » Eh bien ! je sais qu'elles sont un peu de travers, mes mirettes, mais je le dis que je louche (...)
ARAGON, les Beaux Quartiers, II, XXXIII.

(1893). Par ext. Tourner les yeux de manière que les deux axes visuels ne soient pas parallèles. *Ce gamin s'amuse à loucher.*

Vx. Par métaphore et fig. *Loucher de l'âme* (→ ci-dessous cit. 4, Hugo). Pop. *Loucher de la jambe.* ⇒ **Boiter.**

4   Oui, qu'ils viennent, tous ceux qui n'ont ni cœur, ni flamme.
Qui boîtent de l'honneur et qui louchent de l'âme (...)
HUGO, les Châtiments, III, VIII, III.

5   Elle louchait si fort de la jambe, que, sur le sol, l'ombre faisait la culbute à chaque pas (...)   ZOLA, l'Assommoir, t. II, XII, p. 240.

♦ **2.** (1859). Fig. et fam. *Faire loucher qqn,* provoquer sa curiosité, son envie, son dépit. *Elle est arrivée dans une superbe voiture, ça a fait loucher tout le quartier.* — (1896). *Loucher sur... :* jeter des regards pleins de désir, de convoitise sur (qqch. ou qqn). ⇒ **Guigner, lorgner.** *Loucher sur une jolie fille. Loucher sur, vers qqch.,* convoiter à la dérobée, hypocritement.

6 Respellière louchait sur le buffet où il y avait une carafe d'eau et des verres.
ARAGON, les Beaux Quartiers, I, XXIV.

7 Un petit bagage pour entrer à l'Académie des sciences morales et politiques, ou même à l'Académie française.
— Parce qu'il louchait vers l'Académie ?
— Hé hé ! J. DUTOURD, les Horreurs de l'amour, p. 42.

DÉR. Louchard, louchement, loucherie, loucheur.
HOM. Louchée.

LOUCHERBEM ou **LOUCHÉBÈM(E)** [luʃebɛm] n. m. — 1876, *in* Esnault, de *boucher,* par le largonji*.

Argot.

♦ **1.** Boucher. « *L'épicemar, le louchébem, la boulange...* » (San-Antonio, *Remets ton slip, gondolier,* p. 143).

♦ **2.** Largonji* des bouchers, argot suffixé en *-em.*

LOUCHERIE [luʃʀi] n. f. ou (vx) **LOUCHEMENT** [luʃmɑ̃] n. m. — Fin XVIᵉ, *loucherie; louchement,* 1611 ; de *loucher.*

♦ Vieilli. Fait de loucher ; état d'une personne qui louche. ⇒ **Strabisme.** *Une loucherie très prononcée.*

1 Son visage n'aurait eu rien de marqué s'il avait eu les yeux comme un autre (...) mais, outre qu'ils étaient fort près du nez, ils le regardaient tous deux à la fois jusqu'à faire croire qu'ils s'y voulaient joindre. Cette loucherie, qui était continuelle, faisait peur et lui donnait une physionomie hideuse.
SAINT-SIMON, Mémoires, IV, XXXVII.

2 À mesure qu'elle grandissait, Sirdah, pleine de charme et de grâce en dépit de sa loucherie, rendait en affection à son protecteur tous les bienfaits qu'elle recevait de lui chaque jour. Raymond ROUSSEL, Impressions d'Afrique, p. 281-282.

LOUCHET [luʃɛ] n. m. — 1342 ; de 2. *louche.*

♦ Techn. Bêche à lame étroite et très allongée (pour creuser des tranchées, etc.).

Ils *(Bouvard et Pécuchet)* ne sortaient pas sans leur louchet, — et coupaient en deux les vers blancs d'une telle force que le fer de l'outil s'en enfonçait de trois pouces. Pour se délivrer des chenilles, ils battaient les arbres, à grands coups de gaule, furieusement. FLAUBERT, Bouvard et Pécuchet, Folio, p. 77.

LOUCHEUR, EUSE [luʃœʀ, øz] n. — 1823 ; de *loucher.*

♦ Personne qui louche. ⇒ 1. **Bigle** (vx), **bigleux** (fam.), **louchon.**

LOUCHIR [luʃiʀ] v. intr. — 1867 ; de 1. *louche.*

♦ Techn. Perdre sa limpidité, se troubler. *Le liquide louchit.*

CONTR. Clarifier (se).

LOUCHON [luʃɔ̃] n. m. et adj. — 1866 ; de 1. *louche.*

♦ Fam. Rare. Personne qui louche.

1 (...) son apprentie, ce petit louchon d'Augustine, laide comme un derrière de pauvre homme. ZOLA, l'Assommoir, t. I, V, p. 173.

Adj. Qui louche. « *Son petit œil louchon et battant de la paupière* » (Goncourt).

2 Et leur peuple :
Demoiselle-aux-petites-manches, nains et faux lépreux, semi-héros un peu louchons ou bigles (...) MALRAUX, l'Homme précaire et la Littérature, p. 27.

REM. Proust employait l'adj. *louchon* au sens de « qui fait loucher, qui ahurit par son caractère ridicule et convenu » ; il en avait tiré le subst. *louchonnerie* [luʃɔnʀi].

3 Il y avait pour *(Marcel Proust),* les choses qui faisaient loucher que, pour simplifier, il appelait les « louchonneries ». Ses lettres de cette époque sont pleines d'allusions à « louchonneries », tant dans la vie que dans la littérature (« la grande bleue » ou « la Côte d'azur » pour la Méditerranée, « Albion » pour l'Angleterre, « la verte Érin » pour l'Irlande, « nos petits soldats » pour l'armée française...). M. de Norpois ne parle guère que le langage *louchon.*
Lucien DAUDET, Autour de soixante lettres de Marcel Proust.

LOUÉE [lwe] ou **LOUE** [lu] n. f. — 1931, *louée; loue,* 1848 ; autre sens, 1606 ; de 2. *louer.*

♦ Régional. Assemblée où se louent les ouvriers agricoles, les journaliers.

1 (...) il s'en alla bien vite, après avoir cueilli un feuillage de peuplier qu'il mit à son chapeau, comme c'est la coutume quand on va à la loue, pour montrer qu'on cherche une place. G. SAND, François le Champi, X.
Embauche d'un ouvrier loué.

Mon homme dit :
« Ça fait la deuxième fois que je reviens à Marigrate.
La fois d'avant, c'était il y a trois ans, pour ma première louée (...) »
J. GIONO, Un de Baumugnes, *in* Œ. roman., Pl., t. I, p. 223.

HOM. Louer.

---

1. LOUER [lwe] v. tr. — XIVᵉ ; *loer,* v. 1080 ; *laudar,* v. 980 ; du lat. *laudare.*

♦ Littér. ou usage soutenu. Déclarer (qqn ou qqch.) digne d'admiration (⇒ **Admirer,** cit. 3 et 8) ou de très grande estime, l'honorer en des termes qui témoignent le prix qu'on attache à ses mérites, à ses qualités. ⇒ **Exalter, glorifier, magnifier, vanter ; élever, porter** (aux nues*, au pinacle*) ; **éloge** (faire l'éloge de) ; **louange** (cit. 5). *Paroles, formules utilisées pour louer.* ⇒ **Laudatif, louangeur.** *Louer qqn* (→ Bon, cit. 18, ennuie cit. 5). « *Aimez qu'on vous conseille* (cit. 6) *et non pas qu'on vous loue* » (Boileau). *Mériter d'être loué.* ⇒ **Louable.** *Louer son adversaire pour se grandir* (cit. 16) *soi-même.* ⇒ **Célébrer, parler** (bien parler de). *Louer adroitement qqn* (→ Hôtel, cit. 14). ⇒ **Complimenter.** *Louer qqn sans mesure* (→ Innocent, cit. 15), *avec des expressions hyperboliques* (cit. 1). ⇒ **Canoniser, encenser, flatter, louanger ;** ⇒ Couvrir de fleurs. — Spécialt. ⇒ **Bénir, glorifier.** *Prêtre qui loue le Christ en chaire* (cit. 2). *Louez Dieu, louez le Seigneur* (→ Alleluia, cit. 1 ; gloire, cit. 49).

1 Louez le Seigneur, vous qui êtes ses serviteurs ; louez le nom du Seigneur.
BIBLE (SACY), Psaumes, CXII, 1.

2 Louer quelqu'un en face (...) qu'est-ce faire autre chose sinon le taxer de vanité ? (...) Non, non ; je l'honore trop *(Mᵐᵉ de Wolmar)* pour ne pas l'honorer en silence.
ROUSSEAU, Julie ou la Nouvelle Héloïse, XI.

3 M. de Buffon s'environne de flatteurs et de sots qui le louent sans pudeur.
CHAMFORT, Caractères et Anecdotes, Les huîtres de M. de Buffon.

4 Voltaire admirait sincèrement son amie (...) et dans ses petits vers, dans ses lettres, il n'a pas manqué de la louer avec enthousiasme, jusqu'à louer du génie et même du grand homme. Émile HENRIOT, Portraits de femmes, p. 179.

(Compl. n. de chose). *Louer la sagesse, la vertu d'une personne, l'héroïsme* (cit. 2) *d'un régiment.* ⇒ **Célébrer, chanter.** *Louer la sévérité d'une personne.* ⇒ **Approuver** (cit. 4). *Louer le bouquet* (cit. 9) *d'un vin, les vertus d'un remède.* ⇒ **Prôner.**

5 C'est, en quelque sorte, se donner part aux belles actions que de les louer de bon cœur. LA ROCHEFOUCAULD, Maximes, 432.

6 Le matamore continue assez longtemps sur ce ton et loue toutes ses pièces les unes après les autres avec la plus admirable effronterie.
Th. GAUTIER, les Grotesques, IX, p. 290.

7 (...) ce qu'un grand nom recommande a chance d'être loué aveuglément.
FRANCE, le Jardin d'Épicure, p. 175.

8 Ce que nous louons en un homme, ce sont des
Qualités qui ne lui appartiennent pas en propre. GIDE, le Roi Candaule, III, 1.

Absolt. *Qu'il loue ou qu'il blâme, il est toujours impartial* (cit. 1). *Louer et approuver* (cit. 12).

9 On ne loue d'ordinaire que pour être loué. LA ROCHEFOUCAULD, Maximes, 146.

10 C'est un grand signe de médiocrité de louer toujours modérément.
VAUVENARGUES, Réflexions et Maximes, 12.

11 Laissons donc ces cerveaux fumeux louer ou blâmer au hasard, sans se rendre compte de rien (...) BEAUMARCHAIS, le Mariage de Figaro, Préface.

LOUER (qqn) **DE** ou **POUR** (qqch.). ⇒ **Féliciter.** *Je vous loue infiniment* (cit. 6) *de votre choix. Être loué d'une bonne action* (cit. 15). *On ne peut que le louer d'avoir agi ainsi. On doit le louer pour son courage.*

12 Louer les princes des vertus qu'ils n'ont pas, c'est leur dire impunément des injures. LA ROCHEFOUCAULD, Maximes, 320.

13 Oh ! tu n'est pas une savante
Et je te félicite fort,
Et je t'en loue et je t'en vante. VERLAINE, Dans les limbes, XI.

14 Par exemple, si c'est un poète, retenez et citez les plus beaux vers ; si c'est un politique, louez-le pour tout le mal qu'il n'a pas fait.
ALAIN, Propos, 8 mars 1911, Faire plaisir.

Loc. exclam., pour marquer sa gratitude, sa joie, sa satisfaction, le soulagement. « *Dieu soit loué ! me voilà délivré de cet importun* » (Académie). *Loué soit le Ciel* ! (cit. 59).

(Suivie d'une complétive indirecte) :

14.1 Dieu soit loué, lui dirent-ils, de ce que vous venez vous-même vous livrer à nous ! A. GALLAND, les Mille et une Nuits, t. I, p. 451.

▶ **SE LOUER** v. pron.

♦ **1.** (Réfl.). *Il est malséant de se louer soi-même* (Académie). ⇒ **Glorifier, vanter** (se). *Vantard qui se loue d'avoir bien exercé sa charge* (→ Bouffissure, cit. 2).

Plus cour. *Se louer de qqch.,* témoigner ou s'avouer la vive satisfaction qu'on en éprouve. ⇒ **Applaudir** (s'), **féliciter** (se). *Il se loue fort de son procédé* (→ Écrouer, cit. 1). *Il se loue de n'avoir pas épousé cette fille* (→ Insensibilité, cit. 7).

15 (...) aux conseils de la mer et de l'ambition
Nous devons fermer les oreilles.
Pour un qui s'en louera, dix mille s'en plaindront. LA FONTAINE, Fables, IV, 2.
Se louer de qqn, être pleinement satisfait de lui, de sa conduite, de ses procédés. *Il n'a qu'à se louer de ses fils* (→ Instinct, cit. 6).

♦ **2.** (Récipr.). ⇒ **Entre-louer** (s'). *Ils passent leur temps à se louer les uns les autres.*

CONTR. **Abaisser** (cit. 11), **anathématiser, bafouer, blâmer** (cit. 3, 4, 6 et 13), **blesser, calomnier, censurer, clabauder, conspuer, corriger, critiquer, déprécier, détracter, diffamer, éreinter, honnir, injurier** (cit. 2), **réprimander, vilipender, vitupérer.**
DÉR. 1. **Louable, louage, loueur.**
COMP. **Entre-louer** (s').
HOM. 2. **Louée, louer.**

2. LOUER [lwe] v. tr. — V. 1080, *luer* (qqn) ; du lat. *locare.*

★ **I.** ♦ **1.** Donner à loyer*. ⇒ **Louage ; bail** (donner à), **location** (donner en). *Personne qui loue* (⇒ **Bailleur,** et vx **locateur**) *à une autre* (⇒ **Preneur ; locataire**) *un local, un appartement. Louer à qqn une chambre meublée* (⇒ **Logeur**), *une partie d'immeuble* (→ Feuillant, cit.), *un domaine, une terre* (⇒ **Affermer, arrenter**). *Maison à louer* (→ Écriteau, cit. 2). *Louer un habit, un smoking. Louer des baraques, des canots, des skis, des skis nautiques à l'heure, à la journée.* ⇒ **Loueur.** *Entreprise, garage qui loue des voitures sans chauffeur. Louer un bateau, un yacht, un avion.* ⇒ **Noliser.**

1 On peut louer toutes sortes de biens meubles ou immeubles.
Code civil, art. 1713.
2 Les moines *(du couvent des Jacobins)* louèrent leur réfectoire pour deux cents francs, et pour deux cents francs le mobilier, tables, chaises.
MICHELET, Hist. de la Révolution franç., IV, IV.
3 Leurs propriétaires *(des buildings de New York)* n'occupent qu'une faible partie des locaux et louent le reste.
SARTRE, Situations III, p. 88.

Absolument :
4 On peut louer ou par écrit, ou verbalement.
Code civil, art. 1714.

♦ **2. SE LOUER** v. pron. [a] **Choses.** (Passif). *Être à louer. Appartement neuf qui se louera très cher* (⇒ **Loyer**).

[b] **Personnes.** (Réfl.). Engager son service, son travail pour un temps déterminé moyennant un salaire convenu. *Ouvrier agricole qui se loue pour les labours* (cit. 1).

5 Je sais bien le reproche qu'on me fait (...) on dit que j'ai seize ans et que je pourrais bien me louer, qu'alors j'aurais des gages et le moyen de m'entretenir (...)
G. SAND, la Petite Fadette, XIX.
6 Maintenant les anciens propriétaires se louaient chez lui comme saisonniers (...)
ARAGON, les Beaux Quartiers, I, XV.

★ **II.** ♦ **1.** Prendre à loyer*, en location*, à bail* (⇒ **Locataire, preneur**). *Louer un appartement, une garçonnière* (cit. 4) *à qqn, à un propriétaire. Louer un navire.* ⇒ **Affréter, noliser.** *Louer une barque, un cheval* (⇒ **Locatis,** vx) *pour une promenade* (→ Campagne, cit. 8). *Louer un coffre* (cit. 2) *dans une banque. Louer un poste de télévision. Louer une voiture sans chauffeur, avec chauffeur.*

7 (...) un homme d'un certain âge (...) avait loué la maison telle qu'elle était, y compris bien entendu l'arrière-corps de logis et le couloir qui allait aboutir à la rue de Babylone.
HUGO, les Misérables, IV, III, I.
8 Ils (...) louèrent un bateau à Croisset, et ils passèrent le reste de l'après-midi le long d'une île, sous les saules (...)
MAUPASSANT, Bel-Ami, II, I.
9 Elle loua un cabinet meublé dans un petit hôtel de la rue Caulaincourt (...)
P. MAC ORLAN, Quai des brumes, X.

À louer : qu'on peut louer. *Chambre à louer.*

Spécialt. Réserver, retenir en payant. *Louer sa place dans un train, un avion. Il est prudent de louer ses places.* ⇒ **Réserver.**

♦ **2.** Engager à son service pour un temps déterminé, moyennant un salaire convenu. *Louer un guide* (cit. 1) *pour une excursion.*

10 (...) une bergère que j'avais louée pour l'année sans la connaître (...)
G. SAND, la Mare au diable, XIV.

▶ **LOUÉ, ÉE** p. p. adj.
Qui est donné et pris à loyer. *Chambre louée. La chose louée* (→ Expulser, cit. 1). *Voiture louée. Poste de télévision loué au mois.*

DÉR. 2. **Louable, louage, louée** ou **loue, loueur.**
COMP. **Relouer, sous-louer.**
HOM. **Louée,** 1. **louer.**

1. LOUEUR, EUSE [lwœr, øz] n. — XIVe, « personne qui conseille » ; *lœres,* v. 1190 ; de 1. *louer.*

♦ Vx. Personne qui donne des louanges à tout propos, généralement avec excès.

CONTR. **Censeur, critique.**
HOM. 2. **Loueur.**

2. LOUEUR, EUSE [lwœr, øz] n. — 1283 ; de 2. *louer.*

♦ Personne qui fait métier de donner en location. *Loueur de chevaux, de voitures* (→ Lettre, cit. 26). *Loueuse de chaises.* ⇒ **Chaisière.**

(...) ma mère était loueuse de chaises dans cette vénérable basilique, de sorte que j'ai été nourri dans ce grand édifice.
STENDHAL, le Rouge et le Noir, I, XXVIII.
HOM. 1. **Loueur.**

LOUF [luf] adj. invar. en genre. — 1848 ; transformation de *fou* en largonji.

♦ Argot, puis fam. Fou. ⇒ **Loufoque.** *T'es complètement louf. Ils sont loufs, ces mecs !*

Les macs ils l'avaient mirifiques ! et les voilà qui s'évaporent !... Ils filent !... Des loufs ! L'oignon leur brûle !...
CÉLINE, Guignol's band, p. 92.
DÉR. **Loufoque, louferie, louftingue.**

LOUFERIE [lufri] n. f. — 1951, Céline ; de *louf.*

♦ Argot. Folie. ⇒ **Dinguerie.**
Tu me le diras !... Ils vous abandonnent femmes, enfants !... Ils en veulent plus pour l'or du monde !... La louferie complète !...
CÉLINE, Guignol's band, p. 81 (1951).

LOUFIAT [lufja] n. m. — 1876 ; *lofiat,* 1808 ; mot argotique, « étymologie assez obscure (...), connu en 1866 comme var. de *lofiat* « goujat, valet » ; en 1890 comme patronyme ou comme sobriquet d'un garçon de café malfaiteur (v. 1868-1875) », Esnault ; cf. *Faire la louffe* « faire la moue », XIIIe.

♦ Pop. Garçon de café.

1 Eh toi, loufiat, cria-t-il au garçon, voilà de la braise, éteins-là, il y a cinq chopines à payer (...)
HUYSMANS, Marthe, I, p. 13.
2 Des loufiats aux mollets gainés de blanc le laissent passer (...) buvant un verre, il fait signe au loufiat qui le sert (...)
J. PRÉVERT, la Pluie et le Beau Temps, p. 160.
3 Comme un gros insecte noir et blanc, le loufiat tourne, infailliblement attiré par les tables où il manque une verre : pour lui, mon Ricard n'explique que moi ; il faut que Julien existe pour le loufiat aussi, le loufiat qui rôde avec une indifférence guetteuse, maniant son plateau et sa lavette, bousculant les chaises désertées.
A. SARRAZIN, l'Astragale, p. 226.

LOUFOQUE [lufɔk] adj. — 1873 ; transformation de *fou* en largonji* (→ Louf) ; finale d'après *phoque* ?
Familier.

♦ **1.** Fou. ⇒ **Braque, farfelu.** *Un individu loufoque.* — N. *Ne l'écoute pas, c'est une loufoque.*

1 Il est fou et loufoque, déclare Marthereau, qui a coutume de renforcer l'expression de sa pensée par l'emploi simultané de deux synonymes.
H. BARBUSSE, le Feu, t. I, II.
1.1 J'imaginai comment elle me décrirait à son amie, demain : un type loufoque qui habite dans sa voiture et troque en pleine nuit un smoking contre une tenue de marin.
Geneviève DORMANN, le Chemin des Dames, p. 189.

REM. Par rapport à *louf* et à *louftingue,* cette forme paraît légèrement désuète.

♦ **2.** (Choses). Un peu bizarre et drôle. ⇒ **Extravagant, saugrenu.** *Comédie, film loufoque.* ⇒ **Burlesque.** *Une idée complètement loufoque. Genre loufoque.* — N. *Donner dans le loufoque.*

2 En attendant que ce rêve, qui peut paraître un tantinet louffoque *(sic),* se réalise (...)
HUYSMANS, Là-bas, XXI.
DÉR. **Loufoquerie.**

LOUFOQUERIE [lufɔkri] n. f. — 1879 ; de *loufoque.*

♦ **1.** Caractère d'une personne loufoque, de ce qui est loufoque. ⇒ **Extravagance, louferie.** *La loufoquerie d'une conversation* (→ Énormité, cit. 4).

♦ **2.** (Une, des loufoqueries). Acte d'un loufoque. *En voilà assez de ces loufoqueries.*

LOUFTINGUE [luftɛ̃g] adj. et n. — 1885 ; de *louf,* et suff. *-ingue.*

♦ Fam. Louf, loufoque (1.). *Ce type est à moitié louftingue.* — *Un, une louftingue.*

Le surmâle ne lui jette pas un regard, excité qu'il est par l'obsession où se devine la terreur de l'acte sexuel et le besoin de se rassurer. Une envie irrésistible de saisir la bouteille de whisky et d'assommer ce louftingue me saisit aux tripes.
R. GARY, Chien blanc, p. 106, Folio, 1978.

LOUGRE [lugr] n. m. — 1781 ; angl. *lugger.*

♦ Mar. Petit bâtiment de pêche ou de cabotage (⇒ **Caboteur, cabotier**) à trois mâts. *Boucet* de lougre.*

Dans un château d'Ecosse magnifique mais délabré au bord de la mer où croisent à toute heure du jour les lougres des contrebandiers (...)
A. ARTAUD, Scenarii, in Œ. compl., t. III, p. 60.

LOUIS [lwi] n. m. — 1640 ; du nom de *Louis XIII* qui fit frapper cette monnaie.

♦ **1.** Ancienne monnaie d'or, frappée à l'effigie du roi de France. *Le louis d'or* (ou *le louis*) *qui avait cours pour dix livres* sous Louis XIII, valut vingt-quatre livres de Louis XV à la Révolution (→ Espèce, cit. 22). *Demi-louis, double-louis :* pièces d'or valant la moitié, le double d'un louis. — Par anal. *Louis d'argent.* ⇒ **Écu** (blanc).

♦ **2.** (1803). Pièce d'or française de vingt francs (⇒ **Napoléon**). *Cinquante louis* (→ Jaunet, cit. 2).

1 Dans notre nouveau système monétaire, le louis est remplacé par la pièce de vingt francs, appelée quelquefois louis sous la Restauration et sous le règne de Louis-Philippe ; même encore aujourd'hui on dit souvent louis au lieu de napoléon : J'ai perdu dix louis.
LITTRÉ, Dict., art. *Louis* (1867).

♦ **3.** Vx (se disait surtout au jeu). Somme de vingt francs. *Il a perdu vingt louis à la roulette.*

2 En smoking, il passa à l'Hôtel du Louvre pour demander un louis à son père, qui ne lui donna que quinze francs : une pièce de cent sous et une pièce d'or de dix.
ARAGON, les Beaux Quartiers, II, v.

LOUISE-BONNE [lwizbɔn] n. f. — 1690 ; du prénom *Louise*, et de *bonne*, fém. de *bon* ou d'un nom propre, p.-ê. en l'honneur d'une dame poitevine qui affectionnait particulièrement ce fruit.

♦ Variété de poire* d'automne, fondante et douce. *Une corbeille de louises-bonnes.*

LOUIS-PHILIPPARD, ARDE [lwifilipaʀ, aʀd] adj. — 1924 ; de *Louis-Philippe*, et suff. péj. -*ard.*

♦ Fam. et péj. Qui a rapport au règne de Louis-Philippe. *La bourgeoisie louis-philipparde.*

1 Le romantisme triomphant de 1830 venait, en cette année 1834, d'être l'objet d'une vigoureuse contre offensive, de la part du juste-milieu bien pensant et louis-philippard.
Émile HENRIOT, les Romantiques, p. 206.

Spécialt. Qui appartient au style de l'époque Louis-Philippe. *Mobilier louis-philippard.* Syn. : *Louis-philippe* (employé adjectivement ou par apposition).

2 L'église, un petit bijou attendrissant d'architecture gothico-romantique, dans le style coco et louis-philippard des reliures romantiques.
CLAUDEL, Journal, 14 nov. 1924.

LOUIS-QUATORZIEN, IENNE [lwikatɔʀzjɛ̃, jɛn] adj. — 1829, in D.D.L. ; Balzac, en 1846, emploie le mot et ajoute «permettez ce barbarisme» *(les Petits Bourgeois)* ; de *Louis XIV.*

♦ Hist. Qui a rapport à Louis XIV, à son règne, à son époque.

Après les premiers tâtonnements de Saint-Germain, les essais et les réussites triomphantes de Versailles, ç'a été *(Marly)* la traduction complète et parfaite de la pensée louisquatorzienne et assuré son œuvre de maîtrise.
Louis BERTRAND, Louis XIV, III, III.

REM. En parlant du style artistique, on emploie *Louis Quatorze* (apposé ou adjectif).

LOUIS QUINZE, LOUIS XV [lwikɛ̃z] n. m. invar. — 1922, in D.D.L., t. II ; le syntagme s'emploie en appos. pour caractériser le style artistique du règne de Louis XV.

♦ Techn. Chaussure à talon* «Louis XV».

LOUKOUM [lukum] n. m. — 1853, Gautier. → Rahatloukoum.

♦ Confiserie orientale. ⇒ **Rahat-loukoum.** — REM. Cette forme abrégée est devenue plus courante que la forme complète. *Des loukoums.*

1. LOULOU [lulu] n. m. — Fin XVIIIᵉ, *loup-loup* ; réduplication enfantine de *loup.*

★ **I.** Petit chien* d'appartement à museau pointu, à long poil blanc, gris ou noir, à grosse queue touffue enroulée sur le dos. *Un loulou de Poméranie.*

1 Il avait l'habitude des chiens de village (...) Celui-ci lui parut se rapprocher des loulous, bien qu'avec une toison moins crépue et moins volumineuse, un nez moins pointu, des yeux moins noirs et moins perçants, des oreilles plus grosses et plus molles et beaucoup moins de pétulance dans l'abord.
J. ROMAINS, Les Hommes de bonne volonté, t. III, VII, p. 115.

★ **II.** (1830, au masc.). **LOULOU, LOULOUTE** (n. f.) [lulu ; lulut] Terme d'affection (adressé à un enfant, un adolescent, une jeune femme). *Mon (gros) loulou. Ma grosse, ma petite, ma grande louloute.* ⇒ **Loute.**

2 (...) je suis toujours ta *petite louloutte*, vieux monstre !
BALZAC, la Cousine Bette, Pl., t. VI, p. 406.

3 Qui c'est qu'on allait envoyer faire sa petite transaction ! À qui confier le chouette rôle de l'acheteuse, sinon à Katia ! Elle est brave cette louloute, elle va encore s'en tirer comme un chef.
Martin ROLLAND, La Rouquine, p. 68-69.

DÉR. (Du sens II, *louloute*) Loute.
HOM. 2. Loulou.

2. LOULOU [lulu] n. m. — 1973 ; orig. incert. → Loubard.

♦ Jeune appartenant à une bande dans les milieux pauvres des banlieues des grandes villes. ⇒ **Loubard** (noir). *Des loulous de banlieue.* «*Agressivité encore, et terreur des fêtes, les "loulous", les "loubards"* » (le Nouvel Obs., 16 juil. 1973, p. 42.). «*Un charmant "loulou" pas féroce du tout, assez tendre même, mais qui connaît bien le langage des banlieues moches, et qui sur sa "gratte" (guitare) compose des chansons marrantes et tristes...* » (l'Express, 12-18 déc. 1977).

HOM. 1. Loulou.

LOUP [lu] n. m. — XIᵉ, *leu, lou* (→ Leu : *à la queue leu leu*) ; *loup,* v. 1180, forme probablt refaite sous l'influence de *louve,* où le *v* a empêché le passage du *ou* à *eu* ; du lat. *lupus.*

A. 1. Mammifère carnivore, vivant à l'état sauvage dans les régions septentrionales d'Asies et d'Amérique, et qui ne diffère d'un grand chien* que par son museau pointu, ses oreilles toujours droites et sa queue touffue pendante (famille des *Canidés* ; nom sc. : *canis lupus*). *Le loup, bête fauve, audacieuse, douée d'un flair subtil et d'une grande vigueur musculaire. Organisation familiale et sociale des loups. Pelage roux* (⇒ **Louvet**), *gris ou blanchâtre du loup. Les loups ont presque complètement disparu d'Europe. Bande de loups errants* (2. Errant, cit. 8) *et affamés. Les loups rôdent autour des bergeries* (cit. 2), *attaquent les troupeaux, étranglent* (cit. 5) *les agneaux...* « *Les loups mangent gloutonnement* » (La Fontaine, III, 9). *Gîte, repaire, tanière du loup.* ⇒ **Liteau.** *Le loup, la louve* et leurs louveteaux*. Loup qui couvre une louve.* ⇒ **Ligner.** *Jeune loup.* ⇒ **Louvart, louvat.*.** *Cri du loup.* ⇒ **Hurlement** (cit. 2). *Pas élastique* (cit. 2) *et silencieux du loup. Déchaussures** (→ Discerner, cit. 1), *fiente* (cit. 2) *de loup. Loup enragé.* — *Chasse au loup.* ⇒ **Louveterie.** *Battue aux loups. Piège à loups.* ⇒ **Hausse-pied.** — *Symbolique du loup ; mythes attachés au loup. Le loup dans les légendes, dans la littérature, dans les Fables. Le loup et l'Agneau, le Loup et le Chien, le Loup devenu Berger...,* fables de La Fontaine (→ Attaquer, cit. 13 ; aussi, cit. 1 ; autre, cit. 4 ; forger, cit. 9 ; 1. garde, cit. 12 ; guet, cit. 7). — *La mort du loup,* poème d'Alfred de Vigny.

1 Le loup (...) est plus dur *(que le chien)*, moins sensible, plus robuste ; il marche, court, rôde des jours entiers et des nuits ; il est infatigable, et c'est peut-être de tous les animaux le plus difficile à forcer à la course.
BUFFON, Hist. nat. des animaux, Le Loup.

2 On parlait d'un loup colossal, au pelage gris, presque blanc, qui avait mangé deux enfants, dévoré le bras d'une femme, étranglé tous les chiens de garde du pays et qui pénétrait sans peur dans les enclos pour venir flairer sous les portes (...) On tuait des loups, mais pas celui-là. Et, chaque nuit qui suivait la battue, l'animal, comme pour se venger, attaquait quelque voyageur ou dévorait quelque bétail, toujours loin du lieu où on l'avait cherché.
MAUPASSANT, Clair de lune, Le loup.

2.1 C'est le loup qui, pour l'imagination occidentale, est l'animal féroce par excellence. Craint de toute l'Antiquité et du Moyen Age, il revient aux temps modernes périodiquement se réincarner dans une quelconque bête du Gévaudan, et dans les colonnes de nos journaux il constitue le pendant mythique et hivernal des serpents de mer estivaux. Le loup est encore au XXᵉ siècle un symbole enfantin de peur panique, de menace, de punition. Le «Grand Méchant Loup» vient relayer l'inquiétant Yengrin. Dans une pensée plus évoluée, le loup est assimilé aux dieux du trépas et aux génies infernaux. Tel le Mormolyké des Grecs dont le vêtement d'Hadès, fait d'une peau de loup, est une survivance, comme d'ailleurs la peau de loup qui revêt le démon de Temèse ou le dieu chtonien gaulois que César identifie au *Dis Pater* romain.
Gilbert DURAND, les Structures anthropologiques de l'imaginaire, p. 91-92.

Fig. (et par imitation de la chasse que le loup donne aux moutons). Jeu d'enfants, dans lequel un joueur fait le *loup,* un second le berger, et tous les autres, à la queue leu leu derrière lui, figurent les moutons que le «loup» cherche à attraper. *Jouer au loup. Loup, y es-tu ? Loup, que fais-tu ?*

Loc. fig. *Une faim, un appétit de loup :* une faim vorace. *Manger, dévorer* (cit. 6) *comme un loup.* — *Un froid de loup :* un froid très rigoureux (à faire sortir de leur repaire les loups pressés par la faim). ⇒ 2. **Froid,** cit. 2. —*À pas de loup.* ⇒ 1. **Pas.** — *Entre chien et loup.* ⇒ **Chien** (cit. 40). — *Il fait noir comme dans la gueule* (cit. 5) *d'un loup,* très noir. — *Se fourrer, se jeter, se précipiter dans la gueule du loup.* ⇒ **Hurler*** (cit. 4 à 7) *avec les loups.* — Vieilli. *Être loup avec les loups :* être aussi féroce que les autres (→ ci-dessous 3. : *l'homme est un loup pour l'homme*).

3 (...) il faut être régulier avec les réguliers, comme j'ai été loup avec vous et avec les autres loups, vos compères.
RACINE, Lettres, 13, 11 nov. 1661.

*Être connu** *comme le loup gris* (rare), *comme le loup blanc :* être très connu (par allus. à la facilité avec laquelle étaient repérés ces loups à pelage clair, beaucoup plus rares que les loups fauves).

Vx. *Tenir le loup par les oreilles* (cf. loc. lat. *Tenere lupum auribus*) : être dans un grand embarras*, dans une situation critique. — *Prendre le loup par les oreilles :* faire face à une pressante difficulté*.

4 Hélas *(mon cher Morel)* dis-moi *(ce)* que je ferai,
Car je tiens, comme on dit, le loup par les oreilles,
DU BELLAY, Regrets, XXXIII.

*Enfermer le loup dans la bergerie** (cit. 4). *Avoir vu le loup,* se dit d'une jeune fille qui n'est plus vierge.

Loc. prov. *Qui se fait brebis*, le loup le mange. Brebis comptées, *le loup les mange.* ⇒ **Brebis.** — *La faim** (cit. 9 et 13) *chasse, fait sortir le loup du bois* (cit. 20). — *Les loups ne se mangent pas entre eux :* les méchants, les malfaiteurs, les gens malhonnêtes ne se nuisent pas entre eux (⇒ **Solidarité**). — *Quand on parle du loup, on en voit la queue,* se dit lorsqu'une personne survient au moment où l'on parle d'elle.

Loc. compar. *Tête de loup :* tête hirsute. ⇒ **Tête.**

♦ **2.** (Qualifié ; en parlant d'autres mammifères). *Loup américain, loup de prairie, de prairies, des prairies :* le coyote*. — *Loup peint :* le lycaon*. — *Loup cervier.* ⇒ **Loup-cervier.**

4.1 Parfois, des bandes d'oiseaux sauvages s'enlevaient du même vol. Parfois aussi, quelques loups de prairies, en troupes nombreuses, maigres, affamés, poussés par un besoin féroce, luttaient de vitesse avec le traîneau.
J. VERNE, le Tour du monde en 80 jours, p. 286.

Loup chasseur : un des noms du guépard, dans le commerce des fourrures.

♦ **3.** Par métaphore et littér. (par allus. à la férocité attribuée au loup). Individu malfaisant, cruel, et qui cache parfois sa méchanceté sous des dehors trompeurs (→ **Bête,** cit. 25). *Humains* (cit. 27) *qui vivent en vrais loups. Agir* (cit. 18) *en loup.* «*Faibles* (cit. 8) *agneaux livrés à des loups furieux* » (→ aussi Agneau, cit. 3). — Prov. *L'homme est un loup pour l'homme* (→ Homo homini lupus). — Vieilli. *Un vieux loup :* un vieillard rusé, retors. ⇒ **Chacal, renard, requin.**

5 Gardez-vous des faux prophètes, qui viennent à vous couverts comme des brebis, et qui au-dedans sont des loups ravissants.
BIBLE (SACY), Évangile selon saint Mathieu, VII, 15.

6 Pour un mot quelquefois vous vous étranglez tous :
Ne vous êtes-vous pas l'un à l'autre des loups ?   LA FONTAINE, Fables, XII, 1.

7 Ce vieux loup de Richelieu les mène tambour battant.
A. DE VIGNY, Cinq-Mars, XXII.

8 Je ne vous dissimulerai point que je vous envoie au milieu des loups. Soyez tout yeux et tout oreilles. Point de mensonges dans vos réponses ; mais songez que qui vous interroge éprouverait peut-être une joie véritable à pouvoir vous nuire.
STENDHAL, le Rouge et le Noir, I, XXIX.

(1966, in *l'Express*). Cour. *Jeune loup :* politicien, homme d'affaire, jeune et ambitieux. *Jeune loup aux dents longues.* «*X... est un jeune loup qui ne sait pas encore très bien qui il doit mordre* » (*le Nouvel Obs.,* 11 sept. 1972, p. 43). «*Une carrière de banquier à faire rêver les jeunes loups* » (*l'Express,* 9 oct. 1972, p. 116). Par ext. *Les jeunes loups du sport, du spectacle, du disque.*

♦ **4.** (1890). Avec le possessif, en appellatif, et souvent par plais. Terme d'affection à l'égard d'un enfant, d'un être cher. *Mon loup, mon gros loup, mon petit loup.* ⇒ **Loulou,** II.

♦ **5.** Vx. (Par allus. aux mœurs peu sociables du loup). Homme farouche, solitaire. *C'est vrai loup, il ne voit personne.* ⇒ **Ours.**

♦ **6.** (1876). LOUP DE MER : vieux marin qui a beaucoup navigué et à qui ses longs voyages ont fait les manières rudes, l'humeur farouche et solitaire. — (1873). Marin très expérimenté.

8.1 C'était un homme de cinquante ans, une sorte de loup de mer, un bougon qui ne devait pas être commode. Gros nez, teint de cuivre oxydé, cheveux rouges, forte encolure, — rien de l'aspect d'un homme du monde.
J. VERNE, le Tour du monde en 80 jours, p. 292.

(XXe). Par métonymie. *Loup de mer :* court maillot de coton, à rayures horizontales généralement bleues et blanches, qui moule le buste. *Elle portait un short et un loup de mer à col roulé.*

Par anal. Plais. (mot d'auteur). «*On respirait à 1 500 mèttes au-dessus de la fournaise parisienne avec cette bonne brise de S.-S. E. qui réjouissait le patron de l'Albatros, le vieux loup de ciel* » (Robida, le Vingtième Siècle, p. 347).

♦ **7.** (1705). Par anal. entre le cri de cet animal et le hurlement du loup. *Loup marin, loup de mer.* ⇒ **Phoque.** — (Par anal. entre la voracité, la rapacité de ces poissons et celle du loup). En Méditerranée. *Loup de mer :* bar (→ ci-dessous, 8.). — Nord de la France. *Loup marin.* ⇒ **Anarrhique.**

♦ **8.** (1538, R. Estienne, in Larousse G. L. L. F.). Régional (répandu par les restaurants). Bar*. ⇒ aussi **Lubin.** *Loup au fenouil* (→ Gourmet, cit. 2). *Loup grillé.*

B. Emplois métaphoriques et métonymiques. ♦ **1.** (1680). Masque* de velours noir porté parfois par les dames dans certaines circonstances. — De nos jours, Demi-masque de satin ou de velours noir porté dans les bals masqués (→ Domino, cit. 2).

9 C'est l'heure où, gai danseur, minuit rit et folâtre
Sous le loup de satin qu'illuminaient ses yeux.
HUGO, la Légende des siècles, LII, III.

♦ **2.** Vx. Lésion (rappelant la morsure d'un loup). ⇒ aussi **Lupus.**

♦ **3.** (1839). Techn. Défectuosité, malfaçon dans un travail (ouvrage de construction, habit...). ⇒ 2. **Louper.** — Métall. Agglomération de matière mal fondue se formant dans un minerai en fusion.

Typogr. Lacune dans une copie. — (1858). Théâtre. Défaut qui produit un vide dans l'enchaînement des scènes.

10 Un loup, en argot de coulisse, est le vide laissé entre la sortie d'un personnage et

l'entrée d'un autre qui ne doit point voir le premier. Cet intervalle, fût-il d'une seconde, constitue une faute de mise en scène.
Th. GAUTIER, Hist. de l'art dramatique, III, p. 359, in G. MATORÉ, le Vocabulaire et la Société sous Louis-Philippe, p. 143, note 5.

♦ **4.** (Déb. XVIIIe ; par allus. aux mâchoires, aux dents du loup). Techn. Tambour métallique à dents côniques servant à diviser la laine avant le cardage. ⇒ **Louveter.** — Machine analogue (dans d'autres industries).

11 On commence par le débarrasser (*l'amiante*) des matières terreuses ; on le réduit, pour cela, en fragments, que l'on fait passer entre les rouleaux armés de dents d'une machine appelée *loup,* qui a pour fonction de séparer les fibres sans les briser.
L. FIGUIER, l'Année scientifique et industrielle 1892, p. 407 (1891).

12 La préparation de la filature commence pour le cardé par le travail en vrac du «*loup batteur* » qui (...) est composé de deux arbres à bras conjugués venant battre la laine (...) À cette machine succède le «*loup briseur* » (...) Puis vient le loup à carder, carde grossière mettant en œuvre (...) un tambour armé sur sa périphérie de deux ou trois points cardants.   Raymond THIÉBAUT, la Filature, p. 81.

♦ **5.** (1829 ; «crochet», «grappin», 1495). Forte pince pour arracher les clous.

DÉR. 2. Louper, loupiot. — (Du rad. lat. *lupus, lupa*) Louvart, louve, louvet, louveteau, 1. louveter, 2. louveter, louveterie, louvetier, lupercales, lupin, lupulin, lupuline, lupus.
COMP. Chien-loup. — Dent-de-loup, gueule-de-loup, pet-de-loup, saut-de-loup, tête-de-loup, vesse-de-loup. — Loup-cervier, loup-garou. — Alouvi.

LOUPAGE [lupaʒ] n. m. — 1920 ; de 2. *louper.*

♦ Fam. Le fait de louper ; chose ratée, loupée. ⇒ **Ratage ; loupé.** *Un loupage complet. Le loupage de l'opération.*

LOUP-CERVIER [lusɛʀvje] n. m. — 1113, *leue cerviere,* fém. ; masc., XIVe ; lat. *lupus cervarius* «loup qui attaque des cerfs » ; de *cervus.* → Cerf.

♦ **1.** Autre nom du lynx des régions septentrionales et centrales de l'Europe. ⇒ **Lynx.** *Des loups-cerviers.*

(1740). Fourrure de cet animal ou fourrure analogue (tachetée de noir).

♦ **2.** (1778). Fig. et vx. Homme avide, rapace.

— Vous êtes, madame, une noble personne, et je suis... — Un vrai loup-cervier.
BALZAC, les Ressources de Quinola, II, 6.

REM. Au sens 1, la forme *loup-cerve,* n. f., est attestée (*loucerve,* XVe) pour désigner la femelle de cet animal.

LOUP DE MER [ludmɛʀ] n. m. ⇒ **Loup** (3.).

1. LOUPE [lup] n. f. — 1842 ; de 1. *louper.*

♦ Argot (vx). ⇒ **Fainéantise.** Loc. (vx). *Tirer sa loupe :* fainéanter.
HOM. 2. Loupe.

2. LOUPE [lup] n. f. — 1328 ; francique *luppa «grosse masse informe d'une matière caillée » ; du rad. expressif *lopp-,* appartenant à une «structure onomatopéique » *lipp-, lapp-, lopp-* (P. Guiraud). → 1. Loupe.

♦ **1.** Techn. Perle brute ou pierre précieuse présentant un défaut de cristallisation qui rend sa transparence imparfaite. *Loupe d'émeraude.*

(1450). Métall. Masse de fer brut obtenue dans le puddlage de la fonte et soumise au marteau-pilon qui en élimine les scories.

0.1 L'opération fut difficile. Il fallut toute la patience, toute l'ingéniosité des colons pour la mener à bien (...) mais enfin elle réussit, et le résultat définitif fut une loupe de fer, réduite à l'état d'éponge, qu'il fallut cingler et corroyer, c'est-à-dire forger, pour en chasser la gangue liquéfiée.
J. VERNE, l'Île mystérieuse, t. I, p. 201.

0.2 Armé de pied en cap de bottes et de brassards de tôle, protégé par un épais tablier de cuir, masqué de toile métallique, ce cuirassier de l'industrie prenait au bout de ses longues tenailles la loupe incandescente et la soumettait au marteau. Battue et rebattue sous le poids de cette énorme masse, elle exprimait comme une éponge toutes les matières impures dont elle s'était chargée, au milieu d'une pluie d'étincelles et d'éclaboussures.
J. VERNE, les Cinq cents Millions de la Bégum, V, p. 79.

♦ **2.** (1358). Défaut dans une masse de métal.

♦ **3.** (1549). Kyste* sébacé (par accumulation de sébum dans le conduit d'une glande sébacée de la peau). *Les loupes du cuir chevelu.* ⇒ **Talpa.**

1 Son nez, gros par le bout, supportait une loupe veinée que le vulgaire disait, non sans raison, pleine de malice.   BALZAC, Eugénie Grandet, Pl., t. III, p. 488.

2 En tête du volume un portrait gravé de Saint-Évremond (...) Il faut savoir que Saint-Évremont était gratifié d'une loupe au front, entre les deux sourcils, une sorte de cicer[1] énorme, dont il avait pris gaiement son parti.
GIDE, Nouveaux prétextes, Journal sans dates, I.

1. Emprunt d'auteur. *Cicer,* mot lat., « pois chiche », cf. le surnom *Cicéron.*

♦ **4.** (1685). Défaut du bois*, excroissance ligneuse qui se développe sur certains arbres. ⇒ **Broussin, nodosité ; loupeux.** *Loupes d'acajou, de noyer, d'orme, de palissandre. Vérifier le bois en cherchant* *les loupes.* ⇒ 3. **Loupeur.** — Techn. Cette partie du bois utilisée en ébénisterie. *Buffet en loupe d'orme.*

3 (...) après avoir tâté d'une infinité de professions inconnues et excentriques, il se faisait *loupeur* en Asie Mineure (...) Après s'être promené plusieurs années dans le voisinage de l'ancienne Troie, paresseusement occupé à découvrir des *loupes :* les excroissances des noyers de ce pays avec lesquels on fabrique des placages de meubles très appréciés en Angleterre.
Ed. DE GONCOURT, les Frères Zemganno, II.

Zool. Excroissance nacrée dans la coquille des huîtres perlières.

♦ **5.** (1676). Cour. Instrument d'optique*, lentille* convexe et grossissante*, qui donne des objets une image virtuelle, droite et agrandie. *Loupe simple, loupe composée* (de lentilles accolées). *Grossissement, puissance d'une loupe. Loupe de naturaliste* (→ Herboriser, cit. 2), *de philatéliste, de drapier* (⇒ **Compte-fils**). *Horloger, joaillier qui travaille à la loupe. Lire son journal avec une loupe.*

4 Armez-vous d'une loupe, vous découvrirez le duvet velouté des bardanes (...) les gouttes de rosée à la pointe des herbes, un monde de détails que vous n'aviez pas aperçu d'abord (...)
Th. GAUTIER, Portraits contemporains, A.C. de Laberge.

Par métaphore. *Regarder une chose à la loupe,* l'examiner de très près, avec une minutie exagérée*. *Travailler à la loupe,* en soignant les moindres détails de son travail.

5 (...) Lamartine s'écria : « Le style ! c'est précisément ce que j'ai soigné le plus, c'est fait *à la loupe !* » SAINTE-BEUVE, Chateaubriand..., t. II, p. 314.

HOM. 1. **Loupe.**

LOUPÉ, ÉE [lupe] adj. et n. m. — xxᵉ ; de 2. *louper.*
Familier.

♦ **1.** Adj. Manqué, raté. *Examen loupé. Entrée loupée.* — *C'est fichu, complètement loupé.* ⇒ **Râpé, raté.**

♦ **2.** N. m. (1932, *in* Petiot ; sports). Techn. Raté, loup* (B., 3.). — Par ext. Erreur. *Encore un loupé !*
HOM. 1. **Louper,** 2. **louper.**

1. LOUPER [lupe] v. intr. — xiiiᵉ, « se livrer à la boisson, manger goulument » ; sens argotique par ext., 1838 ; étym. incert., probablt de la structure onomatopéique *lipp-, lapp-* etc., de l'idée de « lèvres » à celle de « bruit de lèvres, action de manger ». ˃ 2. Loupe.

♦ Argot anc. Fainéanter, paresser (→ Blanquette, cit.).

Hier, on a volé, dévalisé chez nous pendant que j'étais à *louper.*
Ch. PAUL DE KOCK, la Grande ville, t. I, p. 181.

DÉR. 1. **Loupe,** 1. **loupeur, loupiat.**
HOM. **Loupé,** 2. **louper.**

2. LOUPER [lupe] v. tr. — 1835, *le Franç. Moderne ;* de 1. *loupe,* le travail mal exécuté étant conçu comme « bosselé » (Guiraud), avec infl. de 1. *louper,* très antérieur.

Familier.

♦ **1.** Mal exécuter (un travail, une action...). Ne pas réussir (qqch.). ⇒ **Manquer, rater.** *Acteur qui loupe son entrée. J'ai peur d'avoir complètement loupé l'écrit de l'examen.*

1 Il y avait des vies qui ressemblaient au baccalauréat on devait remettre plusieurs copies et si on loupait la physique, on pouvait se rattraper avec les sciences nat. ou la philo. SARTRE, le Sursis, p. 266.

(1907, *in* Petiot ; sports). *Louper un shoot.*

♦ **2.** Ne pas pouvoir prendre, laisser échapper. ⇒ **Manquer, rater.** *Tu vas louper le bus.* — Loc. fig. *Louper le coche, la commande, l'occasion...*

2 Tu sais qu'à la compagnie faut pas louper son tour *(de permission)...*
H. BARBUSSE, le Feu, t. I, VIII.

♦ **3.** Intrans. *Ça n'a pas loupé,* manqué.

▶ **LOUPÉ, ÉE** p. p. adj. ⇒ **Loupé.**

CONTR. **Attraper.**
DÉR. **Loupage, loupé,** 2. **loupeur.**
HOM. 1. **Louper.**

1. LOUPEUR, EUSE [lupœʀ, øz] n. — 1843 ; d'abord « bambocheur », 1839 ; de 1. *louper.*

♦ Argot (vx). ⇒ **Fainéant, paresseux.** — Spécialt. Oisif aux mœurs débauchés, qui hante les cafés, les mauvais lieux (avant et après 1850).

1 (...) un lieu fréquenté par des gens sans aveu, des filous, des loupeurs, des gouapeurs, des voleurs (...) Ch. PAUL DE KOCK, la Grande Ville, t. I, p. 177.

Ce profond et violent dédain du travailleur pour *le loupeur,* Champion, avec sa grosse et lourde nature, le laissait échapper à toute minute (...)
Ed. et J. DE GONCOURT, Manette Salomon, p. 374.

HOM. 2. **Loupeur,** 3. **loupeur.**

2. LOUPEUR, EUSE [lupœʀ, øz] adj. et n. — 1920 ; de 2. *louper.*

♦ Fam. et rare. (Personnes). Qui exécute mal (un travail, une œuvre...).

HOM. 1. **Loupeur,** 3. **loupeur.**

3. LOUPEUR [lupœʀ] n. m. — 1879 ; de 2. *loupe.*

♦ Rare. Personne qui recherche les loupes de bois (⇒ 2. **Loupe,** cit. 3, Goncourt). — REM. Le fém. est virtuel.

HOM. 1. **Loupeur,** 2. **loupeur.**

LOUPEUX, EUSE [lupø, øz] adj. — 1690 ; de 2. *loupe,* 4.

♦ Arbor., techn. Qui présente des loupes, des nodosités. *Arbre, bois loupeux.*

LOUP-GAROU [lugaʀu] n. m. — xiiiᵉ, *leu garoul ; leu warou,* xiiᵉ ; renforcement (pléonasme) de *garou,* francique *wariwulf* « homme loup ».

♦ **1.** (Dans les légendes, les mythes). Homme transformé en loup, qui passait pour errer la nuit, cherchant à nuire, à tuer. ⇒ **Lycanthrope.** *Menacer un enfant du loup-garou.*

1 Et qu'est-ce qu'il t'a donc fait, mon pauvre Nicolas, pour que tu en aies peur comme d'un loup-garou ? BALZAC, les Paysans, Pl., t. VIII, p. 172.

1.1 Il était d'une génération qui souriait des loups-garous et qui trouvait un peu sotte la peur bourgeoise des fameux hommes noirs, cachés dans les murs, terrorisant les familles. ZOLA, la Terre, p. 437.

♦ **2.** Fam. et vx. Personne d'humeur insociable, homme farouche et solitaire. *C'est un vrai loup-garou.* ⇒ **Sauvage.**

2 À force de querelles, de coups, de lectures dérobées et mal choisies, mon humeur devint taciturne, sauvage (...) ma tête commençait à s'altérer, et je vivais en vrai loup-garou. ROUSSEAU, les Confessions, I.

LOUPIAT [lupja] n. m. — 1866 ; de 1. *louper,* ou de 1. *loupeur,* et suff. *-at.*

♦ Pop. et vx. Paresseux (*in* Zola).

LOUPIOT, OTE ou OTTE [lupjo, ɔt] n. — 1875 ; p.-ê. dimin. de *loup* ou de *loupe* par le moy. franç. *loupie* « tumeur », le sens étant « être imparfaitement développé » (Guiraud).

♦ Fam. Enfant. *Elle est venue avec ses loupiots.* ⇒ **Môme.**

Not' petit loupiot, le dernier, qui a cinq ans, nous a bien distraits.
H. BARBUSSE, le Feu, t. II, II, XX, p. 35.

HOM. (Du fém.) **Loupiote.**

LOUPIOTE [lupjɔt] n. f. — 1915 ; p.-ê. de *loupe,* dial. « chandelle » ; cf. argot *louper* « regarder ».

♦ Fam. Petite lampe, lumière. *Allumer une loupiote.*

Lorsqu'il pénètre dans la petite pièce qui sent le bois blanc et le vieux papier, il allume la loupiote et je m'aperçois qu'il tient entre ses bras nos deux musettes.
Joseph JOFFO, Un sac de billes, p. 221.

HOM. Fém. de **loupiot.**

LOUR [luʀ] n. m. ⇒ **Lur.**

LOURD, LOURDE [luʀ, luʀd] adj. — 1160, *lort* « niais, stupide, maladroit, badaud » ; du lat. pop. **lurdus,* p.-ê. altér. du lat. *luridus* « jaunâtre, blême », mais cette évolution de sens est peu naturelle ; en revanche, la dérivation de *lura* « outre » par un adj. **lurridus* « gonflé comme une outre » (Guiraud) pose des problèmes formels.

★ **I. A.** Maladroit. ♦ **1.** (xiiiᵉ, personnes). Qui manque de finesse, qui est intellectuellement et physiquement incapable de réagir vite et bien. ⇒ **Balourd, bête, bovin** (fam.), **épais, fruste, grossier, lourdaud, malhabile, niais, obtus, pesant, rustaud, rustre, sot, stupide.** *Homme lourd et ignorant* (⇒ **Béotien**), *lourd et stupide. Rendre lourd, plus lourd qqn.* ⇒ **Abalourdir.** *Population lourde et gauche* (→ Indécision, cit. 3). *Esprit lourd.* ⇒ **Endormi, épais, lent, matériel** (vx), **somnolent** (→ Âne, cit. 9 ; exercer, cit. 9 ; immuable, cit. 7 ; léger, cit. 23).

1 Et d'où vient, ce qu'on voit par expérience, que *(les gens)* les plus grossiers et *(les)* plus lourds sont plus fermes et plus désirables aux exécutions amoureuses, et que l'amour d'un muletier se rend souvent plus acceptable que celle *(celui)* d'un galant homme (...) MONTAIGNE, Essais, II, XII.

2   S'expliquer avec un détail aussi superflu, c'est d'être lourd et pesant (...) voilà le contraire de la finesse.
     Mᵐᵉ DE GENLIS, les Veillées du château, t. I, p. 262, *in* LITTRÉ.

3   Elle *(G. Sand)* est bête, elle est lourde, elle est bavarde. Elle a, dans les idées morales, la même profondeur de jugement et la même délicatesse de sentiment que les concierges et les femmes entretenues.
     BAUDELAIRE, Journal intime, Mon cœur mis à nu, XXVI.

   REM. Dans ce sens, l'épithète est placée après le nom.

♦ **2.** (Actes). Qui manifeste de la lourdeur, de la maladresse intellectuelle. ⇒ **Maladroit.** — REM. L'épithète est généralement placée avant le nom. *De lourds compliments, de lourdes gracieusetés* (→ Grasseyer, cit. 3). *Lourdes plaisanteries.* ⇒ **Gros** (→ Hasarder, cit. 23). *Les fautes* (cit. 38) *des sots sont si lourdes...* ⇒ **Grossier.** — *Lourde ignorance, lourde bêtise.* ⇒ **Crasse.**

4   L'artifice est trop lourd pour ne pas l'éventer.   CORNEILLE, Polyeucte, V, 1.

5   (...) pour (...) ôter aux journalistes allemands tout prétexte de dire là-dessus, à leur ordinaire, quelques lourdes sottises.
     D'ALEMBERT, Lettre au roi de Prusse, 9 févr. 1781.

♦ **3.** Dr. *Faute lourde.* ⇒ **Faute** (*supra* cit. 26).

6   Il y a encore faute (...) à manquer d'habileté, que les actes de *maladresse physique* ou *intellectuelle* soient commis par des professionnels (...) ou par des non-professionnels (...) avec cette différence toutefois, que la jurisprudence a tendance à considérer comme lourde la faute des professionnels.
     DALLOZ, Nouveau répertoire de droit, art. *Responsabilité civile*, n° 9.

♦ **4.** (En parlant de l'expression, placé après le nom en épithète). *Style bouffi* (cit. 4) *et lourd.* ⇒ **Confus, embarrassé, gauche, indigeste, laborieux.** *Une langue gauche, lourde et embarrassée* (cit. 22). *Phrases, descriptions lourdes* (→ Indigeste, cit. 1).

7   (...) on trouve, dans toutes ses lettres, à la fois de pensée nuancée, mais de forme lourde, beaucoup d'autres exemples d'une élocution aussi naturellement disgracieuse et embarrassée.   Émile HENRIOT, les Romantiques, p. 235.

     (1873, en dessin). Par anal. *Ce peintre a un dessin, un style lourd et sans grâce. Composition lourde et maladroite* (→ aussi ci-dessous, II., 5.).

B. (1530; êtres animés, choses mobiles). Qui se déplace, se meut avec maladresse, gaucherie, lenteur (après le n.). ⇒ **Balourd, empoté, lourdaud, pataud; lent.** *Un équipement qui gêne le mouvement, qui rend lourd et maladroit* (→ Hisser, cit. 9). — *Insecte, oiseau lourd,* qui vole lourdement (→ Albatros, cit. 2; faire-part, cit. 3). — Fig. (Choses). *Des vagues lourdes* (→ Fardeau, cit. 4).

Par ext. (Actes). *Vol lourd. Pas* lourd (→ Bœuf, cit. 4; gravir, cit. 7). *Démarche lourde. Geste lourd* (→ Carrure, cit. 1). — Par métonymie. *Main* lourde, maladroite.

8   Ne vous fiez point à ces mains lourdes qui fanent les fleurs qu'elles touchent (...)
     VOLTAIRE, Mélanges littéraires,
     Fragm. lett. Acad. Berl., 15 avr. 1752, *in* LITTRÉ.

9   Les cailles endorment leur vol lourd dans les chaumes.
     F. JAMMES, Choix de poèmes, Un jour, p. 77.

10 Ces gens dansaient gravement avec des gestes lourds. Dans toutes leurs attitudes paraissait le souci de ne pas se tromper de suivre la mesure (...)
     J. GREEN, Adrienne Mesurat, III, VIII.

★ **II.** (1556, au sens concret; dès le XIVᵉ au fig., *péril lourd*; cf. Wartburg). ⇒ **Pesant.** S'oppose à *léger,* I.

♦ **1.** Difficile, pénible à porter, à déplacer, en raison de son poids. — (En parlant de ce qui doit être déplacé, transporté...). *Une lourde charge, un lourd fardeau* (cit. 3). → Fourniment, cit. *Une lourde valise* (→ Gêner, cit. 7). *Malade lourd et impotent,* difficile à soulever (→ Cadavre, cit. 6). — *Un lourd contrevent* (cit. 2) *de fer. Lourde porte* — argot *la lourde* « la porte ». — *Lourde brouette. Lourd chariot* (→ Bison, cit.). — Milit. *Arme lourde* (opposé à *arme légère, individuelle, transportable*). — (En parlant de ce qui doit être porté sur soi). *De lourdes galoches* (cit. 3). *Lourdes bottes* (→ Gigoter, cit. 1). *Lourds bracelets* (→ Filigraner, cit. 1).

11 (...) Jean descendit l'escalier de l'hôtel d'un pas appesanti par ses lourdes chaussures (...)   J. CHARDONNE, les Destinées sentimentales, p. 485.

     Lourde pierre (→ Goudronner, cit. 3). *Un lourd presse-papier.* — *Lourd boulet. Lourde chaîne qui empêche un prisonnier de bouger.*

LOURD À (et inf.). *Lourd à* (cit. 18) *soulever, à porter, à transporter...*

Fig. (Parties du corps). *Se sentir les jambes, les mains lourdes, lourdes comme du plomb,* avoir de la peine à les mouvoir (→ Lever, cit. 8). — Par exagér. *Se sentir les paupières lourdes,* ne pouvoir les soulever. Par métonymie. *Yeux lourds, lourds de sommeil* (→ Fièvre, cit. 4). ⇒ **Appesanti.**

12 Quand c'était avec moi, au contraire, la leçon était sérieuse. Elle se prolongeait souvent jusqu'à ce que nos yeux fussent lourds de sommeil.
     LAMARTINE, Graziella, IV, III.

     (1848). *Sommeil lourd,* pesant, que rien ne peut déranger (→ Arranger, cit. 19; inconnu, cit. 22).

13 (...) il dormait d'un lourd sommeil, plein de rêves stupides (...)
     R. ROLLAND, Jean-Christophe, Le matin, p. 211.

En t. de bourse. *Marché lourd,* dont les cours restent bas, immobiles ou orientés vers la baisse. — (En parlant des cours). *Les sucres sont lourds.*

La vie commerciale». Farines... blés... spiritueux... sucres... Ah! Lourds et en   14
baisse de douze centimes. Très peu d'affaires. La lourdeur a été causée par celle du dehors, et par le temps favorable.
     J. ROMAINS, les Hommes de bonne volonté, t. I, XI, p. 122.

Qui procure une gêne par une impression de poids, de pesanteur (⇒ **Gravatif**). *Avoir, se sentir l'estomac lourd.* ⇒ **Chargé.** — Par ext. *Avoir la tête lourde :* éprouver une sensation de pesanteur dans la tête.

Ce soir, les douleurs vives ont disparu. Mais la tête reste lourde et comme ronronnante.   J. ROMAINS, les Hommes de bonne volonté, t. IV, XXII, p. 245.   15

(...) il ne cesse de penser au vieillissement de l'esprit, et à l'ankylose des mécanismes dont l'esprit se sert. Il croit se sentir souvent la tête un peu lourde.   16
     J. ROMAINS, les Hommes de bonne volonté, t. I, X, p. 108.

♦ **2.** *Terrain lourd, terre lourde* (⇒ **Compact, fort**), qu'on a de la peine à remuer, à labourer. — Par ext. *Piste lourde,* dont le sol s'enfonce sous les pieds de chevaux. — Sports (et, spécialt, hippisme). *Terrain lourd :* terrain détrempé, bourbeux, où l'on enfonce. *Le terrain était trop lourd pour que le train soit rapide.*

N. m. *Le lourd :* terrain lourd.

Il convient d'ajouter que mon cheval n'aime pas *le lourd,* mais que ses pattes fragiles s'accommodent mal d'un terrain sec (...)   16.1
     Pierre DANINOS, Un certain Monsieur Blot, p. 264.

♦ **3.** Dont le poids est élevé ou supérieur à la moyenne, en son genre. ⇒ **Gros.** *Masse plus lourde qu'une autre* (→ Cause, cit. 36). *Des étoiles* (cit. 18) *plus lourdes que le soleil. Livres lourds, lourds volumes* (→ Feuille, cit. 8). *Graine, faîne* (cit.) *volumineuse et lourde. Lourdes gouttes* (→ Bourrasque, cit. 5). — *Chevelure humide et lourde* (→ Briller, cit. 6). *Seins lourds, gorge déjà lourde* (→ Haleine, cit. 7).

(...) un homme vaste, à gros visage (...) dont la lourde bedaine surplombait les cuisses (...)   BAUDELAIRE, le Spleen de Paris, XXI.   17

La servante jeune et laide, dont les seins lourds étaient moulés dans un pull-over orange (...)   P. MAC ORLAN, la Bandera, II.   18

Techn. (joaill.). *Épais* (en parlant d'un diamant taillé).

(1910, *in* Petiot). Sports. *Poids lourd* (opposé à *poids léger*). ⇒ **Poids,** cit. 10 et *supra.*

(1886). *Artillerie lourde,* de gros calibre (→ ci-dessous, *la lourde,* cit. 34). — *Canons lourds. Chars lourds.* — Aviat. *Bombardier lourd.* — *Industrie lourde :* grosse* industrie (le syntagme peut se comprendre au sens 6, ci-dessous).

♦ **4.** Dont la densité est élevée; qui pèse beaucoup par unité de volume. ⇒ **Dense.** *Un gaz, un corps plus ou moins lourd que l'air. Le plomb, l'uranium sont lourds, sont des corps lourds. L'eau lourde de la mer Morte* (→ Asphalte, cit. 1). — *Gaz lourd, vapeurs lourdes.* — *Huiles* lourdes.

(...) les vapeurs d'opium sont lourdes et flottent au ras du sol, sans jamais s'élever.   19
     Claude FARRÈRE, la Bataille, VI.

Loc. *Plus lourd que l'air;* et, n. m., *un, les plus lourd(s) que l'air,* se dit des engins volants (avions, hélicoptères...) opposés aux plus légers* que l'air.

(...) N. Nadar arriva bientôt à poser en axiome que : pour commander à l'air il   19.1
faut être plus lourd que l'air.
     L. FIGUIER, l'Année scientifique et industrielle 1865, p. 187 (1864).

En cette grande salle s'agitaient, se démenaient (...) une centaine de ballonistes   19.2
(...) Ce n'étaient point des ingénieurs de profession. Non, de simples amateurs de tout ce qui se rapportait à l'aérostatique (...) mais amateurs enragés et particulièrement ennemis de ceux qui veulent opposer aux aérostats les appareils «plus lourds que l'air», machines volantes, aérostats ou autres.
     J. VERNE, Robur le conquérant, II, p. 19.

À ces enragés du «Plus léger que l'air» un non moins enragé du «Plus lourd que   19.3
l'air» avait dit des choses absolument désagréables.
     J. VERNE, Robur le conquérant, IV, p. 49.

Sc. *Hydrogène lourd :* isotope de l'hydrogène à poids atomique plus élevé (deutérium, tritium). *Eau* lourde, dont cet hydrogène est un composant.

♦ **5.** (Abstrait). Abondant, important. *Les lourds trésors de l'érudition* (⇒ **Encombrant;** → Accumulation, cit. 10).

♦ **6.** (1973, *in* P. Gilbert; par anal. de *industrie lourde*). Qui nécessite des moyens (notamment financiers, techniques) importants. *Produits lourds. Une structure commerciale lourde, trop lourde.*

Investissements lourds, importants. — REM. Si l'accent est mis sur les effets, et non simplement sur l'importance quantitative, il s'agit du sens III, 2.

♦ **7.** Fam. et vx (ex. jusqu'en 1978, *in* P. Gilbert). *Franc lourd :* nouveau franc (puis franc) opposé à l'«ancien franc» (le centime), baptisé dans une période de transition «franc léger».

★ **III.** ♦ **1.** Qui agit avec force, avec violence; qui est difficile, pénible à supporter, à assumer (à cause de son poids, de sa densité, de son importance, de sa force...) [s'oppose à *léger,* I., B.]. *Coup lourd.* ⇒ **Rude, violent.** *Une lourde claque* (→ Gifler, cit. 2). — REM. Cet emploi est plutôt stylistique; l'adj. courant est *fort*.

(...) et d'un coup de poing assez lourd pour assommer un bœuf, il renverse le   20
gigantesque eunuque Spado (...)
     Th. GAUTIER, Souvenirs de théâtre..., Les gladiateurs.

(...) un coup terrible, lourd, a retenti à la porte (...)   21
     BAUDELAIRE, le Spleen de Paris, V.

Loc. (XIVᵉ). **AVOIR LA MAIN LOURDE :** frapper* fort; et, fig., punir, châtier sévèrement (→ Indiscipline, cit. 3) ; ou encore, dans un autre sens, mesurer, peser, verser en trop grand abondance, en quantité excessive. ⇒ **Main.**

22 Edmond, légèrement inquiet d'avoir eu la main lourde, et de fleurer trop fort l'eau d'Houbigant (...) ARAGON, les Beaux Quartiers, II, V.

♦ **2.** (Généralement avant le nom, en épithète). Grand, important (en parlant de ce qui est supporté). *De lourdes dépenses* (→ Film, cit. 1). *Lourdes charges, lourds impôts* (cit. 7). → Grever, cit. 6. *Rendre plus lourd.* ⇒ **Aggraver, alourdir.** *Lourdes dettes.* ⇒ **Écrasant.** *Frais très lourds.* ⇒ **Onéreux.** — Par ext. *Avoir une maison très lourde, un lourd train de vin.* — *Œuvre, entreprise bien lourde, lourde besogne, lourde tâche* (→ Énergiquement, cit., Vigny). *Un devoir trop lourd* (→ Fort, cit. 20). *Lourde responsabilité* (⇒ Absent, cit. 7). *De lourdes responsabilités.* — *Lourd passé* (→ Crime, cit. 9 ; épave, cit. 8). *Lourde hérédité* (cit. 15). ⇒ **Chargé.** *De lourdes présomptions pèsent sur l'accusé.* ⇒ **Grave.**

23 Oh, je ne me plains pas ! Si lourde que soit parfois ma tâche, elle m'est devenue nécessaire (...) MARTIN DU GARD, les Thibault, t. IX, p. 69.

24 (...) il est lourd d'avoir une fille, en un temps où tout ce qu'on peut pour elle est de la protéger. MONTHERLANT, le Maître de Santiago, II, 1.

(Dans le domaine psychologique, affectif). ⇒ **Accablant, douloureux, dur, pénible.** *Un lourd accablement* (cit. 1). *Lourd chagrin, lourde peine* (→ Approche, cit. 25). *Lourde journée* (→ Fulgurant, cit. 7 ; lasser, cit. 17). — Loc. *En avoir, en garder* (cit. 50) *lourd sur le cœur.*

25 (...) une tristesse lourde comme une couche de naphte (...) Edmond JALOUX, le Dernier Jour de la création, III.

Fam. *C'est lourd !*, difficile à supporter, pénible. *Lourd, ce mec !* (n'implique pas qu'il s'agisse d'une personne lourde [I.]).

♦ **3.** Qui accable, oppresse, pèse. « *Quand le ciel bas et lourd...* » (→ Bas, cit. 6, Baudelaire). *Temps chaud* et lourd. Chaleur lourde et orageuse*.* Fam. *Il fait lourd et humide.* — Par ext. (Littér.). *Lourdes ténèbres* (→ Journalier, cit. 2). *Silence lourd* (→ Houille, cit. 2).

26 Les poèles, la bière et la fumée de tabac forment autour des gens du peuple, en Allemagne, une sorte d'atmosphère lourde et chaude dont ils n'aiment pas à sortir. Mme DE STAËL, De l'Allemagne, I, II.

27 Le temps était lourd, orageux, d'une chaleur suffocante (...) Th. GAUTIER, Voyage en Espagne, p. 201.

28 J'ai cru un instant que j'allais me trouver mal dans ces énormes grottes, j'ai été sur le point de tomber (...) il y a là un air humide et lourd comme une rosée de plomb (...) MAETERLINCK, Pelléas et Mélisande, III, 3.

(XIXᵉ). Spécialt. *Aliments lourds.* ⇒ **Indigeste.** *Repas trop lourds,* qui alourdissent, surchargent l'estomac.

♦ **4.** (1884). *Lourd de... :* chargé de... *Sabots lourds de glaise* (→ Chausser, cit. 1).

29 (*L'Émir*) Suivi de mulets lourds d'or et de pierreries Vaincu, détrôné, fuit Grenade et le Hamrâ. LECONTE DE LISLE, Poèmes tragiques, « Inquiétude de Don Simuel ».

30 (...) une large table lourde de livres, de papiers, de pierres, d'herbes (...) J. GIONO, le Chant du monde, I, IX.

(Déb. XXᵉ). Fig. ⇒ **Chargé, gros, plein, rempli.** *Des gestes* (cit. 17) *lourds d'intentions, de menaces. Une phrase lourde de sous-entendus. Un acte lourd de conséquences.*

31 On ne savait si l'air était lourd de menaces ou de poussières et de brûlure. CAMUS, la Peste, p. 158.

♦ **5.** Qui donne une impression de lourdeur, de pesanteur... sur les sens.

(Sur la vue, par sa forme). ⇒ **Corpulent, court, épais, fort, massif, mastoc** (fam.), **ramassé, trapu.** — REM. Dans ce sens, *lourd* a souvent une valeur péjorative. *Une lourde silhouette, une silhouette lourde. Homme gros et lourd.* ⇒ **Patapouf.** *Une lourde paysanne* (→ Béant, cit. 13). *Un lourd et puissant personnage* (→ Fouet, cit. 5).

32 Elle est belle, il faut en convenir, mais c'est lourd comme un vaisseau de guerre. Elle n'a rien de fin ni de distingué (...) BALZAC, Mémoires de deux jeunes mariées, Pl., t. I, p. 319.

(Choses). *Lourd monument ; lourd édifice* (→ Amasser, cit. 14 ; horizontalité, cit. 2). *Lourd motif décoratif. Bâtiments lourds et informes*.* — REM. Lorsqu'il implique un jugement esthétique, le concept de *lourd* peut se rattacher à la maladresse de l'artiste (→ ci-dessus, I., A., 4., par anal.). *Lourde chevelure, lourd édifice* (cit. 7) *de cheveux. Lourde moustache* (→ Bouffi, cit. 1). — (Par l'apparence, la consistance épaisse...). *Nuages lourds. Eau terne et lourde* (→ Étain, cit. 4). *Mer lourde* (→ Filet, cit. 6). *Tentures lourdes* (→ Feutrer, cit. 5).

(Sur l'odorat). *Lourde exhalaison* (cit. 3). *Parfum lourd, senteur lourde* (→ Fourrure, cit. 3 ; léger, cit. 12). *Odeur lourde.* ⇒ **Fort ;** → Poitrinaire, cit. 3.

(Sur le goût). *Un vin lourd et râpeux* (→ Falsifier, cit. 3).

(Sur l'ouïe). *Son, bruit lourd et sourd* (→ Bougon, cit. 1 ; interruption, cit. 7).

★ **IV.** Adv. PESER LOURD. ⇒ **Beaucoup.** *Cette malle pèse lourd.* — Fig. *Cela ne pèsera pas lourd dans la balance. Absente, je ne pèse* (cit. 12) *pas lourd.*

J'ai reproché bien des choses à mon père... Bah ! tout cela ne pèserait pas lourd si mon père avait fait en sorte que je pusse l'aimer, simplement de tout mon cœur. G. DUHAMEL, Chronique des Pasquier, VI, X. 33

Loc. *Il n'en sait pas lourd, il n'en fait pas lourd,* pas beaucoup. Fam. *Il n'a pas touché lourd.*

★ **V.** N. f. LOURDE. a Artillerie lourde.

Au bout du village, derrière un petit bois, la lourde tirait par salves précipitées (...) R. DORGELÈS, les Croix de bois, X. 34

Un sous-officier de la lourde, qui s'appelait au-dessus de nous, sous les tuiles, pour les 155 de Rambucourt, écoutait les histoires de désertion, d'où il résultait seulement que déserter était difficile, et qu'on était souvent pris. ALAIN, Souvenirs de guerre, in les Passions et la Sagesse, Pl., p. 451. 35

b ⇒ **Lourde,** n. f.

CONTR. Adroit, agile aisé, alerte, désinvolte, dispos, éveillé, fin, raffiné, spirituel, subtil, vif. — Léger ; immatériel, impondérable (cit. 1), subtil (État, cit. 41). — Digestible. — Facile, supportable ; faible. — Accort, délicat, délié, distingué, élancé, élégant, fringant, gracieux, svelte.

COMP. Alourdir, balourd.

DÉR. Lourdaud, lourde (n. f.), lourdement, lourderie, lourdeur, lourdingue, lourdise.

LOURDAUD, AUDE [luʀdo, od] n. et adj. — XIVᵉ ; de *lourd.*

♦ **1.** Personne lourde, maladroite (au moral et au physique). ⇒ **Âne** (cit. 8), **balourd, béotien, bête, butor, campagnard, cruche, ganache, lourdingue, maladroit** (→ Badaud, cit. 2 ; courir, cit. 7 ; courtaud, cit. 2). *C'est un lourdaud et un pédant.* — Rare au fém. *Une grosse lourdaude.*

Le jeune homme, à cette question, laissa tout tomber par terre, avec un grand fracas. — Imbécile ! s'écria Homais, maladroit ! lourdaud !... FLAUBERT, Mme Bovary, III, VIII. 1

♦ **2.** Adj. ⇒ **Lourd** (1.) ; **balourd, gauche, grossier.** *Il est un peu lourdaud. Elle est lourdaude.*

Édouard est moins élégant, moins alerte. Car Édouard est un peu lourd ; il est même balourd ; il est même lourdaud. Il est presque ridicule. G. DUHAMEL, Salavin, III, XVI. 2

CONTR. Adroit, distingué, fringant, galant, leste.

LOURDE [luʀd] n. f. — 1628, en argot ; pop. au XIXᵉ ; fém. de *lourd.*

♦ Fam. Porte. *Tu vas fermer la lourde ? La lourde est bouclée* (→ Lourdier, cit.).

Allons, Léflanqué, *débride la lourde,* que nous entrions avec le moutard ! Ch. PAUL DE KOCK, la Grande Ville, t. I, p. 181 (éd. 1842). 0.1

— Très bien ! V'là que la lourde est bouclée, à présent ! COURTELINE, le Train de 8 h 47, II, VIII. 1

— Mais... — Y a pas d'mais, que je réponds, pendant qu'elle boucle la lourde. H. BARBUSSE, le Feu, t. I, VIII. 2

Elle traversa la pièce pour aller coller une oreille contre la lourde. R. QUENEAU, Zazie dans le métro, p. 64. 3

DÉR. Lourder, lourdier.
HOM. Lourde (adj. fém. et n. f. V. lourd).

LOURDEMENT [luʀdəmɑ̃] adj. — V. 1185 ; de *lourd.*

♦ **1.** Gauchement, maladroitement. *Agir lourdement. Marcher, avancer lourdement.* — Fig. *Appuyer, insister lourdement.*

(Domaine abstrait). En faisant preuve de beaucoup d'ignorance. ⇒ **Grossièrement.** *Se tromper lourdement* (→ Capital, cit. 8 ; fragile, cit. 18). *Observations lourdement fausses* (→ Inintelligence, cit. 1).

♦ **2.** De tout son poids, de toute sa force. *Tomber, choir lourdement* (→ Caracole, cit. 1 ; grue, cit. 7). *Écraser lourdement qqn, qqch.* (→ Cahin-caha, cit. 3). *Elle se cramponnait* (cit. 4) *lourdement à son cou. Heurter* (cit. 21) *lourdement.* — « *Le ciel* (cit. 38) *pleut lourdement...* ».

Fig. *Peser lourdement sur qqch. :* avoir des conséquences importantes pour qqch. (→ Homme, cit. 3).

♦ **3.** Avec une charge, un matériel pesant. ⇒ **Pesamment.** *Camions* (cit. 3) *lourdement chargés. Cheval lourdement équipé* (cit. 5). *Être lourdement vêtu.*

Des rideaux drapés et lourdement frangés (...) J. GREEN, Adrienne Mesurat, I, XIII. 1

Fig. *Être lourdement éprouvé. Charges qui grèvent lourdement un budget.*

(...) j'en fus plus lourdement accablé qu'ils ne l'étaient eux-mêmes par leurs écrasantes chimères. BAUDELAIRE, le Spleen de Paris, VI. 2

(...) l'échec de ses premiers travaux d'édition et d'imprimerie, qui a si lourdement grevé son économie. Émile HENRIOT, les Romantiques, p. 348. 3

CONTR. Adroitement, agilement, élégamment, habilement, légèrement.

LOURDER [luʀde] v. tr. — 1927 ; de *lourde* « porte ».

♦ Argot fam. Mettre à la porte. ⇒ **Licencier.** — Par ext. Se débarrasser de (qqch. ou qqn). ⇒ **Larguer, vider, virer.** *Il s'est fait lourder.*

Sur le chantier, il y a des couillons qui veulent pas se syndiquer pour pas faire de peine au patron !... Ils ont les foies qu'on les lourde ! Tu parles de cons !
Louis CALAFERTE, Partage des vivants, p. 61.

▶ **LOURDÉ, ÉE** p. p. adj. *Des travailleurs lourdés et au chômage.* — N. *Les lourdés de l'usine.*

LOURDERIE [luʀdəʀi] n. f. — xvie ; de *lourd*.

♦ Vx. Erreur, maladresse grossière*. ⇒ **Balourdise, grossièreté, lourdise.**

LOURDEUR [luʀdœʀ] n. f. — 1769 ; de *lourd*.
Caractère, état de ce qui est lourd*.

♦ **1.** Gaucherie, maladresse. *La lourdeur des gestes* (→ Indécision, cit. 2), *de la démarche. Avoir une certaine lourdeur de gestes, dans les gestes.*

1 Il y a des gestes dont la franche lourdeur a toute l'indiscrétion d'un acte de naissance. BALZAC, la Cousine Bette, Pl., t. VI, p. 136.

2 Le matin, elle était venue ramasser ; mais il l'avait renvoyée, furieux de sa lourdeur maladroite. ZOLA, la Terre, III, IV.

Fig. Manque de finesse, de vivacité, de délicatesse. *Lourdeur d'esprit.* ⇒ **Béotisme** (littér.), **épaisseur** (fig.), **lenteur** (cit. 5), **paresse** (d'esprit), **pesanteur.** *Morceau joué avec beaucoup de lourdeur.*

3 Nous avons contre nous la lourdeur de l'ignorance et le vice de la perversité de tous les peuples mêmes. Ch. PÉGUY, la République..., p. 31.

Lourdeur du style, des tournures. La lourdeur d'un développement, d'un monologue (→ Empêtrer, cit. 6). *Cet article, ce livre est d'une lourdeur pénible.*

♦ **2.** Rare. Caractère de ce qui est lourd, pesant. ⇒ **Masse, pesanteur, poids.** *La lourdeur d'une valise.*

♦ **3.** Fig. et cour. Caractère de ce qui est difficile à supporter. *La lourdeur des charges qui pèsent sur l'entreprise. La lourdeur de l'impôt* (cit. 6). — *L'accablante lourdeur de l'âge.* ⇒ **Abattement ; appesantissement** (→ Jeunet, cit. 2).

4 (...) si vous venez à penser au peu de mémoire de monsieur de Mortsauf, aux peines que vous m'avez vue prendre pour l'obliger à s'occuper de ses affaires, vous comprendrez la lourdeur de mon fardeau (...)
BALZAC, le Lys dans la vallée, Pl., t. VIII, p. 834.

Spécialt. *Lourdeur du temps.* ⇒ **Humidité** (→ Équatorial, cit.). *Lourdeur des cours de la Bourse* (→ Lourd, cit. 14). Par ext. *(Une, des lourdeurs).* Douleur sourde, impression pénible de pesanteur. *Une lourdeur de tête* (→ Faiblesse, cit. 4).

5 Sur le retour, elle a des éblouissements, des lourdeurs. Elle va trouver son pharmacien qui lui donne une purge et lui dit que ça passera. J. RENARD, Journal, 19 avr. 1899.

♦ **4.** Caractère massif, pesant. *Lourdeur des formes, de la silhouette. Lourdeur d'un édifice, d'une architecture.*

CONTR. Atticisme, délicatesse, finesse, légèreté. — Agilité, aisance, brio, désinvolture, dextérité, vivacité. — Distinction, élégance ; grâce.

LOURDIER [luʀdje] n. m. — 1909 ; de *lourde* « porte ».

♦ Argot. Portier.

Caltons vivement, les aminches ! dit Ribouldingue, et puisque la « lourde » est bouclée, esbignons-nous par les toits avant que les flics, que ce vieux sagouin de lourdier est allé chercher, ne rappliquent et ne nous tombent sur le poil...
L. FORTON, les Pieds-Nickelés, *in* l'Épatant, 1909, p. 60.

LOURDINGUE [luʀdɛ̃g] adj. et n. — V. 1940 ; de *lourd*, et suff. pop. *-ingue*.
Familier.

♦ **1.** Lourdaud.

Seulement la veine ne se marie pas à l'amour. Pas vrai ?
— Lourdingue va, murmura Paradis. R. QUENEAU, Pierrot mon ami, p. 106.

♦ **2.** Lourd, pesant. *C'est plutôt lourdingue à trimballer !* D'apparence lourde. *« Au début du règne de De Gaulle, l'avenir des Halles, c'est le béton, des blocs lourdingues et carrés »* (*Actuel*, févr. 1980, p. 76).

LOURDISE [luʀdiz] n. f. — xvie ; de *lourd*.

♦ Vx. Lourdeur (intellectuelle ou de comportement). ⇒ **Balourdise, lourderie** (vx).

J'étais désolé de ma lourdise, et de ne pouvoir justifier aux yeux de Mme de Broglie ce qu'elle avait fait en ma faveur. ROUSSEAU, les Confessions, VII.

LOURE [luʀ] n. f. — xve ; du lat. *lura* « sacoche », ou du scand. *ludr*.
Musique.

♦ **1.** Anciennt. Instrument rappelant la musette*, en usage jusqu'au xviiie siècle.

♦ **2.** (V. 1720). Danse rustique ancienne à trois temps (dont le premier est accentué), accompagné par l'instrument du même nom.
DÉR. Lourer.
HOM. Lourd.

LOURÉ [luʀe] n. m. — 1857 ; p. p. de *lourer*.

♦ Mus. Indication qualifiant un mode d'attaque de notes liées et appuyées (notes surmontées de points sous le signe de liaison).
HOM. Lourer.

LOURER [luʀe] v. tr. — 1765 ; « jouer de la loure », xvie ; de *loure*.

♦ Mus. Jouer (une note, un passage) sur le mode louré.
DÉR. Louré.
HOM. Louré.

LOUSTIC [lustik] n. m. — 1759, *loustig* ; all. *lustig* « gai ».

♦ **1.** Anciennt (hist.). Bouffon attaché aux régiments suisses au service de la France, avant 1792.

1 Les puissances étrangères disent *loustig*, et non *loustic*, et je crois même qu'il ignore *(mon interlocuteur)* ce que c'est que le *loustig* dans un régiment *Teutsche*. C'est le plaisant, le jovial qui amuse tout le monde, et fait rire le régiment, je veux dire les soldats et les bas-officiers ; car tout le reste est noble, et, comme de raison, rit à part. Dans une marche, quand le *loustig* a ri, toute la colonne rit (...)
P.-L. COURIER, Pamphlets politiques, Lettres particulières, II, 28 nov. 1820.

Par anal. Amuseur attitré (d'une compagnie, d'une assemblée).

2 (...) un plaisant (c'était apparemment le *loustig (sic)* du parti janséniste) mit ces vers au bas de l'estampe (...) VOLTAIRE, Dict. philosophique, Sottise.

3 (...) Gaudissart alla chez le malin de Vouvray, le boute-en-train du bourg, le loustic obligé par son rôle et par sa nature à maintenir son entrain en liesse. BALZAC, l'Illustre Gaudissart, Pl., t. IV, p. 26.

♦ **2.** (1863). Mod. Individu facétieux*. ⇒ **Farceur, plaisantin.** *Un drôle de loustic. Faire le loustic.*

4 « — Vous êtes M. Marius Pontmercy ?... Je vous cherchais (...) »
« — Comment cela ? demanda Marius (...) Je ne vous connais pas »
« Moi non plus, je ne vous connais point, répondit Laigle ». Marius crut à une rencontre de loustic, à un commencement de mystification en pleine rue.
HUGO, les Misérables, III, IV, II.

4.1 — Bénoche ! Bénoche ! grommelait l'agent voyer, vous êtes un enfant !
— Je suis un loustic, répondait Bénoche, en claquant des lèvres, voilà ce que je suis. GIRAUDOUX, Provinciales, p. 139.

Figuré :

5 Il y a des écrivains ravalés, dangereux loustics, farceurs au quarteron, sombres mystificateurs, véritables aliénés, qui mériteraient de peupler Bicêtre.
LAUTRÉAMONT, les Chants de Maldoror, Poésies, I.

Fam. et péj. Homme, type. *C'est un drôle de loustic.* ⇒ **Lascar.**

LOUTE [lut] n. f. — 1902, *Loute*, pièce de Paul Weber ; de *louloute*, fém. de 1. *loulou*. → Loulou.

♦ Fam. Appellatif, à une femme, une enfant. *Viens, ma loute, ma petite loute.*

LOUTRE [lutʀ] n. f. — V. 1112, *lutre* ; lat. *lutra* ; a éliminé les formes *lorre, leurre*.

♦ **1.** Petit mammifère carnivore, à pelage brun épais et court, à pattes palmées, adapté à la vie aquatique, se nourrissant de poissons et de gibier d'eau (*Mustélidés*; nom sc. : *lutra*). → Bièvre, cit. ; halbran, cit. 1. *Les loutres tuent sans nécessité*, *dévastant rivières et étangs* (→ Grillager, cit. 2). *Épreintes* de loutre. Loutre commune* ou *loutre de rivière. Loutre marine* ou *enhydre marine*, de grande taille, qui vit dans le Pacifique Nord.

1 La loutre est un animal vorace, plus avide de poisson que de chair, qui ne quitte guère le bord des rivières ou des lacs, et qui dépeuple quelquefois les étangs (...) quand elle peut entrer dans un vivier, elle y fait ce que le putois fait dans un poulailler (...) BUFFON, Hist. nat. des animaux, La loutre.

2 (...) le père Fourchon (...) se montra tenant sa loutre à la main, pendue par une ficelle nouée à des pattes jaunes, étoilées comme celles des palmipèdes.
BALZAC, les Paysans, Pl., t. VIII, p. 78.

♦ **2.** Fourrure très estimée de cet animal. *Un manteau de loutre. Toque, col* (cit. 9) *de loutre.*

3 (...) son visage fouaillé de boucles noires et surmonté d'un béret de loutre (...)
G. DUHAMEL, Salavin, III, I.

Comm. (abusif en zool.). *Loutre d'Hudson* : fourrure de l'ondatra*. ⇒ **Rat** (musqué). *Loutre de Sibérie* : variété de martre* très recherchée. ⇒ **Kolinski.** *Loutre de mer* ou *sealskin* : otarie* gris argenté.
DÉR. Loutrier.

LOUTRIER [lutʀije] n. m. — xiiie, *lotrier* ; *loutrier*, v. 1330 ; de *loutre*, et suff. *-ier*. → Louvetier.

♦ Vx. Chasseur de loutre.

LOUTROPHORE [lutʀɔfɔʀ] n. — 1846, Bescherelle, «porteuse d'eau lustrale»; grec *loutrophoros*, de *loutron* «eau à laver», et *phoros*; → -phore.

♦ Didact. (archéol.). Vase allongé, à deux anses, servant à porter l'eau lustrale, etc.

(...) la loutrophore jouait un rôle dans les cérémonies du mariage athénien (elle servait au transport de l'eau de la fontaine Callirhoé, nécessaire au bain de la fiancée). On dressait aussi ce genre de vases sur les tombes de ceux qui étaient morts sans avoir connu le mariage.   Henri METZGER, la Céramique grecque, p. 17.

LOUVARD ou **LOUVART** [luvaʀ] n. m. — 1778, *louvart* (écrit *louvard*, av. 1873); var. anc. *louvat*, 1340; de *louve*.

♦ Vén. Jeune loup de six mois à un ans (plus âgé que le louveteau*). → Bout, cit. 27.

C'était des louvards de deux ans, déjà râblés et qui avaient eu jusqu'à présent tout à gogo dans leurs forêts de Golconde où personne ne leur disputait les gros lièvres blancs et les oies sauvages.   J. GIONO, Un roi sans divertissement, p. 119.

LOUVE [luv] n. f. — xvᵉ; *love*, v. 1175; du lat. *lupa*, fém. de *lupus*. → Loup.

★ **I.** ♦ **1.** Femelle du loup. ⇒ **Loup**. *La louve et ses louveteaux. Hurlement de la louve* (→ Cri, cit. 27). *La louve romaine qui selon la légende allaita Rémus et Romulus* (→ Fratricide, cit. 1; demidieu, cit. 1).

♦ **2.** Vx (cf. en ital. *lupa*). Femme débauchée, prostituée. — Loc. *Louve du trottoir* (même sens).

Au début de ce récit, j'ai voulu conduire le lecteur dans le monde infâme des pierreuses et des souteneurs, au pays de la basse prostitution où les «louves du trottoir» provoquent le passant, et subissent l'amant de cœur.   GORON, l'Amour à Paris, t. I, p. 4 (v. 1900).

★ **II.** Techn. ♦ **1.** (1460). Outil de fer pour le levage des pierres de taille, sorte de levier dont les bouts prennent appui dans des trous spécialement aménagés dans la pierre. *Soulever qqch. avec une louve.* ⇒ **Louver**.

♦ **2.** (1680). Filet de pêche, verveux* à deux entrées opposées. *On place la louve à l'embouchure des rivières.*

♦ **3.** Mar. Manchon de gouvernail* (syn. de : *jaunière*). — «Glissière employée pour charger et décharger les navires de commerce» (Gruss).

DÉR. Louvart, louvat, louver, louvet, louveteau.

LOUVER [luve] v. tr. — 1680; de *louve* (II., 1.).

♦ Techn. Soulever (une pierre) avec la louve (II., 1.).

LOUVET, ETTE [luvɛ, ɛt] n. — 1640, *gris louvet*; de *louve*.

♦ Techn. Qui est de la couleur du poil du loup, jaunâtre mêlé de noir, en parlant du cheval. *Jument louvette.*

LOUVETAGE [luvtaʒ] n. m. — 1845; de 1. *louveter* (2.).

♦ Techn. Opération par laquelle la laine est louvetée. ⇒ **Louveter, 2.**

LOUVETEAU [luvto] n. m. — 1331; de *louve*.

♦ **1.** Petit du loup et de la louve. — Spécialt (vén.). Jeune loup que sa mère allaite encore. *Des louveteaux et des louvarts*.

♦ **2.** Fig. Ⓐ (1839). Anciennt. Fils de franc-maçon, au XIXᵉ siècle.

Ⓑ (1931). Scout de moins de onze ans.

1. LOUVETER [luvte] v. intr. — Conjug. *jeter*. — xviᵉ; de *louve*.

♦ Vén. Mettre bas, en parlant de la louve.

HOM. 2. Louveter.

2. LOUVETER [luvte] v. intr. — Conjug. *jeter*. — 1845; de *loup*, B., 4.

♦ Techn. Briser, diviser la laine, à l'aide du loup (B., 4.). *Louveter la laine.*

DÉR. Louvetage, louveteur.
HOM. 1. Louveter.

LOUVETERIE [luv(ə)tʀi] n. f. — xivᵉ, *loveterie*; de *louvetier*.

♦ Vx. Chasse* aux loups et autres grands animaux nuisibles en vue de leur destruction. Équipage dressé à cette chasse. Lieu où demeure cet équipage. Vx. *Capitaine* de louveterie*. — Mod. *Lieutenant* de louveterie* : personne nommée par le préfet et qui exerce

ses fonctions sous le contrôle de l'Administration des Eaux et Forêts (on dit parfois *louvetier*). *Corps de louveterie.* → Recta, cit. 2.

(...) le père de notre voisin avait été destitué en 1878 de son capitanat de louveterie parce qu'il entretenait dans ses bois des louves.   GIRAUDOUX, Bella, V.   1

La survivance d'une institution telle que la louveterie peut étonner ou faire sourire, étant donné la disparition sans doute bien définitive des loups de notre territoire (...)
   La louveterie est aujourd'hui un service public qui a étendu le champ de ses activités. Les lieutenants exercent bénévolement leurs fonctions. Ils sont au terme de la loi du 15 mai 1975 des «conseillers techniques de l'administration en matière de destruction d'animaux nuisibles.   C.-C. et G. RAGACHE, les Loups en France, p. 186.   2

LOUVETEUR [luvtœʀ] n. m. — 1877; de 2. *louveter*.

♦ Techn. Ouvrier chargé de louveter* (2. Louveter) la laine. — REM. Le fém. *louveteuse* est virtuel.

LOUVETIER [luvtje] n. m. — 1516; de *loup*, *louve*.

♦ Vx. *Grand-louvetier* : officier de la maison du roi, qui commandait l'équipage par la chasse au loup (→ Grand, cit. 41). — (1814). Mod. Lieutenant de louveterie. ⇒ **Louveterie**.

L'acharnement des piqueurs, des louvetiers, des ratiers, des pourfendeurs de dragons à poser leur soulier sur la bête découronnée n'est rien comparé à la rage (...)
          ÉLUARD, la Rose publique, in Œ. compl., Pl. t. I, p. 450.   1

Les d'Enneval (père et fils), deux louvetiers normands de grand renom, arrivent en Gévaudan au début de l'année 1765 avec leur meutes spécialisées, leurs piquiers, leurs valets, tous bien entraînés à la chasse au loup.
          C. C. et G. RAGACHE, les Loups en France, p. 82.   2

DÉR. Louveterie.

LOUVOIEMENT [luvwamɑ̃] n. m. — 1922; de *louvoyer*.

♦ Action de louvoyer* (2.), de tergiverser. ⇒ **Détour, manœuvre**. *Des manœuvres et des louvoiements sur l'issue desquels on s'interroge.*

Il préférait, lui si franc, si ouvert, les louvoiements sournois à quoi cette fausse situation l'obligeait.   GIDE, Si le grain ne meurt, I, IX, p. 230.

LOUVOYAGE [luvwajaʒ] n. m. — 1845; de *louvoyer*.

♦ Mar. Action de louvoyer* (1.).

LOUVOYER [luvwaje] v. intr. — Conjug. *noyer*. — 1529, *lovyer*; *lovoyer*, 1621; de *lof*.

♦ **1.** Mar. Naviguer en zigzag, tantôt à droite, tantôt à gauche de la route à suivre pour utiliser un vent contraire en lui présentant alternativement chaque côté du bâtiment. *Louvoyer au plus près (du vent).* ⇒ **Remonter** (au vent); vx *bordailler, bouliner. Les galions* (cit. 2) *naviguaient bien avec le vent en poupe, mais louvoyaient difficilement.*

(...) le vent était contraire, la mer mauvaise, on louvoyait et l'on courait des bordées. Neuf jours après la sortie de Charente, Milady (...) voyait apparaître seulement les côtes bleuâtres du Finistère.
          A. DUMAS, les Trois Mousquetaires, XLIX.   1

La mer était mauvaise; le vent debout. Ils louvoyèrent longtemps et ils eurent du mal pour atteindre leur navire.   LOTI, Mon frère Yves, V.   2

♦ **2.** (1762). Prendre des biais*, des détours* pour atteindre le but auquel on ne peut arriver directement. ⇒ **Biaiser, tergiverser** (→ Entremettre, cit. 3). *Louvoyer pour réussir, pour gagner du temps. Il louvoya entre les différents partis* (Académie).

Ils consultent moins le droit, moins la situation générale que leur moment personnel, regardant s'il est bien temps d'avancer ou de reculer, attendant, louvoyant, épiant leur chance, suivant le courant de l'opinion, se faire porter par eux, en paraissant les conduire.   MICHELET, Hist. de la Révolution franç., V, III.   3

Fallait-il résister ou louvoyer? Fallait-il s'opposer résolument ou faire la part du feu?   Louis MADELIN, Talleyrand, IV, XXXIII.   4

Je sais à présent qu'il n'est pas prudent de vouloir travailler quand même et qu'une fatigue profonde en pourrait résulter. Je temporise, je louvoie; je tâche de me persuader que le lendemain sera meilleur si je prends mon parti de lui sacrifier l'aujourd'hui.   GIDE, Journal, 25 janv. 1917.   5

CONTR. Aller (droit au but).
DÉR. Louvoyage, louvoiement.

LOVELACE [lɔvlas] n. m. — 1796; nom d'un personnage du roman *Clarissa Harlowe*, de Richardson, 1749; angl. *love* «amour», et *lace* «filet, piège».

♦ Littér. Séducteur*, don Juan (→ Bossu, cit. 4, Daudet).

(...) il ne s'agissait plus que de savoir son nom, sa position dans le monde, de lier connaissance avec elle et de se faire aimer : peu de chose en vérité. Un Lovelace de profession n'y eût pas été empêché cinq minutes; mais le brave Tiburce n'était pas un Lovelace : au contraire, il était hardi en pensée, timide en action (...)
          Th. GAUTIER, la Toison d'or, III.

LOVEMENT [lɔvmɑ̃] n. m. — D. i. (xxᵉ); de *lover*.

♦ Rare. Action de lover; fait de se lover.

Maintenant, elle est devenue pensive et cette attente d'une chambre, ce soir, à Madrid, pour ce soir à Madrid, de son lovement contre Pierre, ce soir, à Madrid, nue, dans la chaleur moite des chambres fermées au jour (...) l'emporte tout à fait sur sa peur.   M. DURAS, Dix heures et demi du soir en été, p. 154.

LOVER [lɔve] v. tr. — 1678; bas all. *lofen* «tourner», de la même famille que *lof**.

♦ **1.** Mar. Ramasser en rond (un câble, un cordage). *On love un cordage de gauche à droite.*
Par analogie :

0.1   Et c'est pourquoi, dans ce matin d'après, quand j'ai rencontré au seuil de la grange celui qui tordait de longs torchons de paille, et, les fixant avec de l'écorce de coudrier, les lovait en grands plats pour la pâtée des poules, c'est pourquoi je me suis approché et je lui ai dit :
« Montre-moi. C'est un beau travail; fais voir comment on fait. »
          J. GIONO, Solitude de la pitié, in Œ. roman., Pl., t. I, p. 529.

♦ **2.** Pêche. Plier (une ligne de pêche). — Plier (un filet). ⇒ **Loveur.**

▶ **SE LOVER** v. pron.

♦ **1.** Mar. (au sens de *lover*, 1.). Passif. *Ce cordage se love de gauche à droite.*

♦ **2.** (1722). Cour. S'enrouler sur soi-même. *Serpent qui se love.* — (Sens passif). *Un coquillage qui se love, s'enroule en spirale* (→ Hélice, cit. 1).

1   Le silence n'est troublé que par le glissement des crotales, qui ondulent parmi les fûts renversés des colonnes, ou se lovent, en sifflant, sous les mousses roussâtres.
          VILLIERS DE L'ISLE-ADAM, Contes cruels, Souvenirs occultes.

2   (...) ce sont des vers de feu qui ondulent et se tordent, se lovent, se déroulent avec un craquement léger et net. C'est joli.   J. GIONO, Colline, p. 154.

▶ **LOVÉ, ÉE** p. p. adj.

Roulé, enroulé sur soi-même (correspond à *se lover*, 2.). *Reptile lové.*

3   Les crotales, lovés sous quelque roche chaude.
          LECONTE DE LISLE, Poèmes tragiques, « Le calumet du Sachem ».

4   Il tenait maintenant dans son poing un fouet à chiens, court de manche, la longue lanière lovée sur la saignée du bras.   M. GENEVOIX, Forêt voisine, XII.

DÉR. Lovement, loveur.

LOVEUR [lɔvœʀ] n. m. — 1867; Littré; de *lover* (1.).

♦ Techn. (pêche). Matelot qui love les filets (sur un bateau de pêche). — REM. Le fém. est virtuel.

LOXODROMIE [lɔksɔdʀɔmi] n. f. — 1667; dér. sav. du grec *loxodromos*, de *loxos* «oblique», et *dromos* «course».

♦ Mar. Courbe suivie par un navire lorsqu'il coupe les méridiens sous un même angle (opposé à *orthodromie*).

Le soir même, il avait pris dans ses fortes mains le commandement du cargo. Le voyage devenait un élément d'action périlleuse. Il ne s'agissait plus de loxodromie, de variation, de route vraie et de route au compas, il s'agissait d'audace et de ruse.   Albert T'SERSTEVENS, l'Or du «Cristobal», p. 177.

DÉR. Loxodromique.

LOXODROMIQUE [lɔksɔdʀɔmik] adj. — 1667; de *loxodromie*.

♦ Mar. Relatif à la loxodromie*. *Courbe loxodromique. Tables loxodromiques.*

LOYAL, ALE [lwajal] adj. — 1080, Chanson de Roland, *leial*; du lat. *legalis*; doublet de *légal**.

♦ **1.** (1407). Vx ou dr. (Choses). Conforme à la loi, à ce qui est requis par la loi. ⇒ **Légal.**
Mod. Dr. comm. *Qualité loyale et marchande. « Ce blé n'est pas loyal, il a trop de seigle... il est plein de charançons »* (Furetière). — Loc. *Loyaux coûts :* frais de contrat à la charge de l'acquéreur d'un immeuble (acte notarié, droits d'enregistrement et de transcription...).

1   *Item*, doit à Richard cinq cents livres dix sous,
Pour gages de cinq ans, frais, mises, loyaux coûts.
          J.-F. REGNARD, le Joueur, III, 4.

2   (...) il existe encore des maisons estimables et puissantes (...) qui ont mieux servi la société (...) en mettant du cognac courant tout à fait loyal à la portée du grand nombre.   J. CHARDONNE, les Destinées sentimentales, p. 429.

♦ **2.** (D'abord t. de chevalerie, rare au xviiᵉ, repris fin xviiiᵉ; *in* Trévoux, 1771). Cour. (Personnes). Qui est entièrement fidèle aux engagements pris, qui obéit aux lois de l'honneur et de la probité. ⇒ **Fidèle, honnête, probe.** *Chevalier, sujet loyal.* ⇒ **Féal** (vx). *Loyal serviteur. C'est l'ami le plus loyal.* ⇒ **Dévoué.** *Adversaire, ennemi loyal* (→ Guet-apens, cit. 4). *Un homme loyal en affaires.* ⇒ **Carré, correct, droit, régulier** (fam.), **rond.** *Franc* et loyal.*

3   (...) placée en face d'un roman (Mᵐᵉ Bovary)... et quel roman! le plus impartial,

le plus loyal (...) la magistrature, dis-je, s'est montrée loyale et impartiale comme le livre qui était poussé devant elle en holocauste.
          BAUDELAIRE, l'Art romantique, XVII.

4   La jeunesse a de belles vertus; elle est sincère, fidèle, honnête, pure, croyante, dévouée, loyale, généreuse, reconnaissante.
          HUGO, Post-Scriptum de ma vie, Tas de pierres, V.

4.1   Mylord, je vous donne Ayrton pour un honnête homme. Depuis deux mois qu'il est à mon service, je n'ai pas un seul reproche à lui faire. Je connaissais l'histoire de son naufrage et de sa captivité. C'est un homme loyal, digne de toute votre confiance.
Glenarvan allait répondre qu'il n'avait jamais douté de la bonne foi d'Ayrton.
          J. VERNE, les Enfants du capitaine Grant, t. II, p. 99-100.

(Actions, etc.). *Caractère loyal. Manières loyales* (→ Industrie, cit. 9). *Procédés loyaux envers un adversaire* (→ Fair-play; de bonne guerre*). — Loc. *Bons et loyaux services. Remercier qqn pour ses bons et loyaux services.*
Loc. adv. (1926). À LA LOYALE : sans user de coups interdits; sans armes ou seulement avec les armes permises; en luttant seulement et sans coup (selon les règles du combat).

5   En pensée il remonta du regard de ses cuisses à son ventre, à son dos musclé, à ses bras. Il eut honte de sa force. S'il avait accepté de se battre, « à la loyale » bien entendu (c'est-à-dire sans coups, seulement en luttant) ou « à la bigorneur » (du chausson et du poing) il eût sûrement possédé Théo, mais celui-ci avait la réputation d'être violent.   Jean GENET, Querelle de Brest, p. 199.

CONTR. Déloyal. — Canaille, dissimulé, faux, félon, fourbe, hypocrite, imposteur, infidèle, malhonnête, perfide, tartufe, traître. — Fallacieux.
DÉR. Loyalement, loyalisme, loyaliste, loyauté.
COMP. Déloyal.

LOYALEMENT [lwajalmɑ̃] adv. — V. 1160; de *loyal*.

♦ D'une manière loyale (1. ou 2.), honnête. *Être loyalement dévoué* (→ Fidèle, cit. 2). *Exécuter loyalement et fidèlement** (cit. 3) *les conditions fixées. Signaler loyalement à l'acquéreur les inconvénients d'une propriété* (→ Insister, cit. 9). *Montrer, exposer* (cit. 6) *loyalement le meilleur et le pire de ses œuvres. Combattre, discuter loyalement.* ⇒ **Carte** (cartes sur table), **courtois** (à armes courtoises). *Se battre loyalement.* → À la loyale*. *Il a loyalement accepté sa défaite.*

CONTR. Déloyalement, faussement, hypocritement, perfidement.

LOYALISME [lwajalism] n. m. — 1839; de *loyal*, p.-ê. d'après l'angl. *loyalism* «fidélité à la couronne» (1837, *in* Oxford), de *loyal*, du franç. *loyal*.

♦ **1.** Fidélité à un souverain, aux institutions établies. *Loyalisme bonapartiste* (→ Évolution, cit. 10). *Loyalisme républicain. S'assurer du loyalisme de l'armée. Le loyalisme des colonies, des peuples associés.*

1   (...) le gars rôde dans les postes sous un prétexte quelconque, pour se rendre compte (...) du loyalisme des officiers. Il paraît que ça barde à Madrid et dans le Nord de l'Espagne.   P. MAC ORLAN, la Bandera, XI.

2   Le loyalisme ne lui coûtait rien; et, pour parvenir à ses fins, on la vit (*Louise Colet*) orléaniste sous la monarchie de Juillet, fermement républicaine en 48, cordialement bonapartiste sous l'Empire, rouge sous la Commune, et Versaillaise en temps utile.   Émile HENRIOT, Portraits de femmes, p. 352.

♦ **2.** Fidélité, attachement dévoué (à une cause). ⇒ **Dévouement.** *Le loyalisme d'un militant envers son parti. Faire preuve, manquer de loyalisme. Comptez sur mon loyalisme.*

LOYALISTE [lwajalist] adj. et n. — 1717, en parlant des Américains fidèles au gouvernement anglais; angl. *loyalist* (1647), de *loyal*, lui-même du franç. *loyal*.

♦ Rare. Qui a des sentiments de loyalisme. — N. *Un, une loyaliste.* — REM. Le nom est fréquent au Canada.

LOYAUTÉ [lwajote] n. f. — Fin xiᵉ, *loiauté*; var. *leauté*; de l'anc. franç. *leal, loial*. → Loyal.

♦ Caractère loyal, fidélité à tenir ses engagements, à respecter les lois, les conventions qu'on a librement acceptées, à obéir aux règles de l'honneur et de la probité. ⇒ **Droiture, honnêteté, probité.** *La franchise** (cit. 10) *fait partie de la loyauté. Se conduire* (cit. 28) *avec loyauté. L'honneur* (cit. 22) *militaire est fait de loyauté, de dévouement et de sacrifice. Reconnaître avec loyauté les mérites de l'adversaire.* ⇒ **Foi** (bonne foi); → 1. Geste, cit. 20. — *Loyauté conjugale.* ⇒ **Fidélité** (→ Cocu, cit. 1; dame, cit. 6).

1   (...) vous lui jurerez foi et loyauté à toute épreuve; non pas à dire amour éternel, engagement qu'on n'est maître ni de tenir ni de rompre; mais vérité, sincérité, franchise inviolable. Vous ne jurerez point d'être toujours soumis, mais de ne point commettre acte de félonie, et de déclarer au moins la guerre avant de secouer le joug.   ROUSSEAU, Julie et la Nouvelle Héloïse, I, XXXV.

Par ext. *La loyauté de sa conduite, de ses propos. Des procédés d'une loyauté douteuse.*

2   (...) cette loyauté de regard, qui ne cache rien de soi, et à qui rien n'est caché.
          R. ROLLAND, Vie de Tolstoï, p. 175.

CONTR. Déloyauté; astuce, cagotisme, chicane, dissimulation, duplicité, félonie, forfaiture (cit. 1), **fourberie, hypocrisie, lâcheté, perfidie, tartuferie, traîtrise.**

LOYER [lwaje] n. m. — V. 1300 ; *luer*, 1080, *Chanson de Roland* ; *loier*, v. 1160 ; du lat. *locarium* «prix d'un gîte», de *locare*. → 2. Louer.

♦ **1.** Dr. ou vx. Prix de louage de choses. ⇒ **Louage ; location ; bail.** *Loyer dû par le preneur* au bailleur. Les loyers, revenus du propriétaire* (→ Entrepreneur, cit. 9), *sont des fruits* (cit. 34) *civils. Loyer d'une ferme.* ⇒ **Fermage** (→ Fort, cit. 39). *Loyer d'un navire.* ⇒ **Fret.** — Loc. À LOYER. *Donner, prendre qqch. à loyer.* ⇒ **Louer.** *Ferme à loyer. Bail* (cit. 2) *à loyer.* Vx. *Avoir, trouver qqch. à loyer* (mod. : *en location**).

1 (...) elle s'était procuré un piano à loyer (...) car elle paraissait folle de musique. BALZAC, Albert Savarus, Pl., t. I, p. 781.

Spécialt. *Loyer d'une boutique* (→ Bail, cit. 5). *Loyer d'une habitation, d'une maison* (→ Arrélage, cit. 3 ; famille, cit. 12). — Cour. Prix de la location d'une habitation, d'un logement (→ 2. Ensemble, cit. 20 ; exceptionnel, cit. 9). *Loyer élevé, gros loyer ; petit loyer. Habitation* (cit. 10) *à loyer modéré* (⇒ **H.L.M.**). *Échéance du loyer.* ⇒ **Terme.** *Locataire* qui paie le loyer de son appartement, de son logement. Être expulsé, mis à la porte pour n'avoir pas payé son loyer* (→ 2. Flanquer, cit. 3).

2 Les Borisols devaient revenir à Félicienne à sa majorité, mais j'en aurais les fruits jusqu'à cette date, moyennant un petit loyer qui mettrait à l'abri du besoin la Guéritone. H. BOSCO, le Jardin d'Hyacinthe, p. 126.

Par ext. Le moment où le loyer doit être payé. ⇒ **Terme.**

3 Au terme d'octobre, elle *(la concierge)* fit des ragots à n'en plus finir au propriétaire (...) parce que la blanchisseuse (...) se trouvait en retard d'un jour sur son loyer. ZOLA, l'Assommoir, v, t. I, p. 199.

♦ **2.** Par anal. *Le loyer de l'argent :* le taux de l'intérêt. ⇒ **Intérêt.**

♦ **3.** Vx ou dr. Prix du louage de services, d'ouvrage. ⇒ **Salaire.**

4 Toute peine, dit-on, est digne de loyer. LA FONTAINE, Fables, XII, 22.
5 On appelle (...) *loyer*, le louage du travail ou du service (...) Code civil, art. 1711.
6 Je me réveillais en sursaut, pensant que j'avais perdu ma vie, que je la perdais encore, que je travaillais comme un forçat, pour un loyer somme toute médiocre (...) G. DUHAMEL, Cri des profondeurs, XI.

♦ **4.** Fig. et littér. (Vieilli). ⇒ **Prix, récompense, salaire.** *La satire est le loyer de quiconque ose écrire* (→ Gré, cit. 19). *« L'honneur* (cit. 49), *loyer des cœurs vertueux ».*

7 Et, sans considérer quel sera le loyer
D'une action de ce mérite,
Il l'étend le long du foyer,
Le réchauffe, le ressuscite. LA FONTAINE, Fables, VI, 13.
8 Une déconsidération sans remède serait le loyer de ce dévouement (...) BALZAC, le Lys dans la vallée, Pl., t. VIII, p. 868.
9 (...) la prostration d'un homme sans nerf et sans courage qui, chargé du loyer de ses fautes, succombe sous le poids (...) J. A. DE GOBINEAU, les Pléiades, II, I.

COMP. Surloyer.

LOZE [loz] n. f. ⇒ **Lause.**

L.S.D. [ɛlɛsde] n. m. — 1961 ; répandu v. 1966 ; de l'amér. *L.S.D.*, empr. de l'all., abrév. de *Lyserg Saüre Diethylamid* «acide lysergique diéthylamide».

♦ Cour. Substance hallucinogène tirée d'alcaloïdes présents dans l'ergot* de seigle (⇒ **Lysergamide**). Abrév. fam. : *D*, prononcé à l'anglaise [di].

1 Quant à la lysergamide, ou LSD 25, dérivé de l'acide lysergique, base de la structure de tous les alcaloïdes de l'ergot de seigle, ses propriétés hallucinatoires ont été découvertes d'une manière accidentelle par le chimiste suisse Hofmann *(en 1949)*, qui isola la plupart de ces substances. A. GALLI et R. LELUC, les Thérapeutiques modernes (1961), p. 68.
2 Les facteurs qui nous soumettent aux œuvres sont nombreux et complexes, depuis les phantasmes jusqu'aux parentés littéraires ; prendre conscience de leur nature chasse le lecteur du rôle de maître du trésor des siècles. Il passe de Baudelaire à Rimbaud comme du haschisch au L.S.D., plus facilement que comme de Descartes à Hegel. MALRAUX, l'Homme précaire et la Littérature, p. 267.

Graphie plaisante *élesdé* (mais on dit plutôt *le L.S.D.* que *l'L.S.D.*) :

3 C'est meilleur que l'élesdé, hein ? soupire-t-il. D'ailleurs l'élesdé c'est le beaujolais du sobre, comme qui dirait. SAN-ANTONIO, J'ai essayé : on peut !, p. 15.

Lu [ɛly] Symbole chimique du *lutécium**.

LU [ly] p. p. adj. de *lire*.

♦ ⇒ **Lire.** — *Lu et approuvé.*

N. m. Loc. prép. (Av. 1889, Villiers). AU LU DE... : en lisant, à la lecture de... (→ Au vu* de...).

LUBIE [lybi] n. f. — 1636 ; orig. incert., p.-ê. du lat. *lubere*, var. de *libere* «trouver bon», ou (Guiraud) du moy. franc. *hubir* «croître, se développer» et fig. «se réjouir», d'orig. francique selon Wartburg, ce verbe a signifié «résister contre une contrainte» et aurait pu donner un dérivé *hubie.

♦ Idée, envie*, volonté* capricieuse et parfois saugrenue, déraisonnable. ⇒ **Caprice, fantaisie, folie.** *Il a des lubies, il lui prend des*

lubies. Il ne veut pas démordre de sa lubie. Qualité qui passe pour une lubie (→ Inintelligent, cit.). *C'est sa dernière lubie. Une lubie durable.* ⇒ **Dada.** *Il a de drôles de lubies. On ne va pas subir, satisfaire toutes ses lubies. Des lubies de vieillard.*

1 (...) mes oncles et tantes m'appelaient « l'irrégulier », attribuant à des lubies mes apparents changements d'humeur, qui n'étaient dus qu'aux variations de ma température intérieure. GIDE, Journal, 29 janv. 1944.
2 L'homme fantasque, tant de fois déjà, l'avait jetée dans l'angoisse, avec ses lubies, ses chimères (...) G. DUHAMEL, Salavin, V, XXIII.

LUBIN [lybɛ̃] n. m. ou **LUBINE** [lybin] n. f. — 1552, *lubine* ; *lubin*, 1558 ; du lat. *lupinus*, dimin. de *lupus* «loup».

♦ Régional (Ouest). Bar* commun, poisson comestible et apprécié *(labrax lupus).* ⇒ **Loup.**

Ce poisson était le *labrax* des Grecs et *lupus* des Latins, qu'entre nous Français nous nommons lubin ou lubine. LE LOYER, Hist. des spectres, VIII, I (1605), *in* HUGUET.

LUBRICITÉ [lybʀisite] n. f. — V. 1361 ; lat. ecclés. *lubricitas*, de *lubricus*. → Lubrique.

♦ **1.** Didact. (littér. ou plais.). Penchant effréné ou irrésistible pour la luxure, la sensualité brutale. ⇒ **Bestialité** (1.), **impudicité, lasciveté, sensualité.** *« Le feu de la lubricité »* (Boileau, *Épigrammes*, 37). *Se livrer à la lubricité.* ⇒ **Débauche, immoralité.** *Lubricité mêlée de cruauté.* ⇒ **Sadisme.** *La lubricité de qqn.*

1 La *lasciveté* et la *lubricité* regardent les désirs, ce sont des dispositions ; l'*impudicité* se rapporte à la jouissance (...) La *lasciveté* et la *lubricité* ont un caractère physique, dépendent du tempérament (...) mais l'*impudicité* a seule un caractère moral (...) Entre la *lasciveté* et la *lubricité*, il n'y a qu'une différence de degré (...) L'homme *lubrique*, du latin *lubricus*, qui glisse (...) est entraîné vers son objet avec la plus grande force qui se puisse concevoir. LAFAYE, Dict. des synonymes, art. Lasciveté, Lubricité.
2 À Patane, la lubricité des femmes est si grande que les hommes sont contraints de se faire de certaines garnitures pour se mettre à l'abri de leurs entreprises. MONTESQUIEU, l'Esprit des lois, XVI, X.
3 D'un air vague et rêveur elle essayait des poses,
Et la candeur unie à la lubricité
Donnait un charme neuf à ses métamorphoses. BAUDELAIRE, les Épaves, Pièces condamnées, VI.

♦ **2.** (Fin XVIᵉ). Une, des lubricités : action lubrique, luxurieuse. *Les lubricités de Messaline, des bacchantes*.*

4 (...) ces maris (...) qui (...) apprennent à leurs femmes (...) mille lubricités, mille paillardises (...) et les rendent ainsi paillardes. BRANTÔME, Vies des dames galantes, I.

CONTR. Chasteté, continence, pureté.

LUBRIFIANT, ANTE [lybʀifjɑ̃, ɑ̃t] adj. et n. m. — 1363 ; p. prés. de *lubrifier*.

♦ **1.** Adj. Qui lubrifie*. *Liquide lubrifiant.*

♦ **2.** N. m. (1903, in *Rev. gén. des sc.*). Matière onctueuse, ayant la propriété de lubrifier (cire, graisses, huiles, vaselines, résidus de distillation, substances à structure lamellaire : graphite, mica, talc). *La viscosité d'un lubrifiant.*

Techn. *Lubrifiant solide :* composé solide (graphite, bisulfure de molybdène) utilisé sous forme de poudre ou d'une pellicule («film») appliquée sur une surface pour la protéger contre l'avarie et pour réduire le frottement et l'usure. *Lubrifiant dit «extrême pression»,* conférant une capacité de charge améliorée aux surfaces qui subissent des frottements importants.

COMP. Autolubrifiant.

LUBRIFICATEUR [lybʀifikatœʀ] adj. et n. m. — Fin XIXᵉ ; de *lubrifier*.

♦ Techn. Qui lubrifie*, sert à répandre un lubrifiant. *Appareil lubrificateur.*

N. m. Appareil servant à lubrifier, à graisser. ⇒ **Graisseur.**

LUBRIFICATION [lybʀifikasjɔ̃] n. f. — 1842 ; de *lubrifier*.

♦ Action de lubrifier*. *La lubrification d'un organe de machine, d'un outil de coupe. Lubrification à l'huile* (⇒ **Huilage**), *à la graisse* (⇒ **Graissage**). *Lubrification hydrodynamique,* au moyen d'une pellicule liquide. — REM. La variante *lubrifaction* (1877, Littré, Suppl.) est inusitée.

LUBRIFIER [lybʀifje] v. tr. — 1363 ; dér. du lat. *lubricus* «glissant» (→ Lubrique), et suff. *-fier*.

♦ Rendre glissant* à l'aide d'une matière onctueuse (⇒ **Lubrifiant**) qui atténue le frottement, facilite le fonctionnement. *« La synovie lubrifie les articulations »* (Littré).

Techn. Enduire* (un mécanisme, ses organes) d'une matière lubrifiante. ⇒ **Graisser, huiler, oindre.** *Lubrifier un axe en l'arrosant* d'huile. *Lubrifier un moteur, les rouages d'une machine, l'axe d'une roue.*

DÉR. Lubrifiant, lubrificateur, lubrification.

LUBRIQUE [lybʀik] adj. — 1450 ; a remplacé *lubre* ; lat. *lubricus* «glissant», et au fig. «hasardeux, trompeur» ; en lat. chrétien (Papias, Saint Jérôme, *in* du Cange) «impudique», par l'idée de «glisser, tomber dans le péché» ; cf. *lubricare* «tomber».
Didactique, littéraire ou plaisant.

♦ **1.** (Personnes). Qui a, qui manifeste un penchant effréné pour la luxure. ⇒ **Lascif, luxurieux, salace, sensuel.** *Caractère lubrique.* ⇒ **Lubricité.** *Vieillard lubrique.* «*L'animal primitif, le gorille féroce et lubrique*» (→ Brute, cit. 2).

♦ **2.** (Choses). Qui est empreint de lubricité (→ Approche, cit. 14). *Amours lubriques.* ⇒ **Bestial, charnel.** *Regard, œil lubrique. Ardeur lubrique. Danses lubriques* (→ 2. Griot, cit. 1). *Paroles lubriques.*

1   (...) de jeunes écrivains (...) usent un talent estimable d'ailleurs à des peintures lubriques qui feraient rougir des capitaines de dragons (...)
          Th. GAUTIER, Préface de Mᴵᴵᵉ de Maupin, p. 9 (éd. critique MATORÉ).

2   Brague (...) s'était grisé dès le dîner et pétillait d'une fantaisie lubrique de petit bouc noir.   COLETTE, la Vagabonde, p. 62.

Plais. *Jeter un œil lubrique, un regard lubrique sur qqn, qqch.* ⇒ **Concupiscent.**

Loc. *Vipère* lubrique.*

CONTR. Chaste, continent, pur.
DÉR. Lubriquement.

LUBRIQUEMENT [lybʀikmɑ̃] adv. — V. 1360 ; de *lubrique.*

♦ Littér. ou plais. D'une manière lubrique. *Il se jeta lubriquement sur elle.*

LUCANE [lykan] n. m. — 1789 ; lat. *lucanus* «cerf-volant».

♦ Insecte coléoptère *(Scarabéidés)* dont le mâle se distingue par des mandibules fortes et ramifiées (dites *cornes*). *Le lucane, genre type de la famille des Lucanidés, est appelé vulgairement* Grand Cerf-volant (⇒ **1. Cerf-volant**) *et scientifiquement* lucanus Cervus.

LUCARNE [lykaʀn] n. f. — Fin xivᵉ ; *luquarme,* 1335 ; orig. incert., p.-ê. altér. de l'anc. franç. *lucane* (1261), du francique *lukinna,* d'après l'anc. franç. *luiserne* «flambeau, lumière», lat. *lucerna* «lampe» (→ Lucernaire, luzerne) ; p.-ê. du provençal *lucana,* du lat. *lucanus* «lumineux» (Guiraud), par un verbe dérivé *luquer* «regarder», sur le modèle de *caverne, taverne.*

♦ **1.** Petite fenêtre, pratiquée au toit d'un bâtiment pour donner du jour, de l'air à l'espace qui est sous le comble*. ⇒ **Faîtière.** *Lucarne ronde, ovale* (⇒ **Œil-de-bœuf**), *carrée, rectangulaire* (→ Cligner, cit. 1). *Lucarne flamande, à fronton ; lucarne demoiselle, à capucine, lucarne rampante. Lucarne à tabatière. Ouverture, vitrage, côté* (ou *jouée*) *d'une lucarne. Lucarne des combles* (cit. 8), *d'un grenier* (cit. 6 et 11), *d'un galetas, d'une mansarde** (→ Éclairer, cit. 4). *Lucarnes sur un toit* (→ Clignement, cit. 4) ; *toit fenestré* (cit.) *de lucarnes.*

1   C'était le toit du Bâtiment-Neuf. On y remarquait quatre lucarnes-mansardes armées de barreaux (...)   HUGO, les Misérables, IV, VI, III.

2   Un jour bleu, frissonnant, tombait d'une lucarne enchâssée dans la toiture.
          G. DUHAMEL, Chronique des Pasquier, IX, XI.

♦ **2.** Petite ouverture pratiquée dans un mur, une cloison, une paroi. *La lucarne d'une entrée* (cit. 19), *d'un hall. Lucarne grillée d'un cachot* (→ In pace, cit. 1). *Lucarnes d'un four* (→ Fulgurant, cit. 3).

3   À gauche de la porte d'entrée, sur le boulevard, à hauteur d'homme, une lucarne, qu'on avait murée, faisait une niche carrée pleine de pierres que les enfants y jetaient en passant.   HUGO, les Misérables, II, IV, I.

4   L'antichambre n'était pas obscure. Il lui arrivait de la lumière par la porte vitrée de la salle à manger, et par une lucarne ovale qui donnait sur l'escalier.
          J. ROMAINS, les Hommes de bonne volonté, t. II, VI, p. 63.

Spécialt. Cercle qui limite la largeur du champ, dans un instrument d'optique. *Lucarne d'entrée, de sortie.*

Loc. plais. (V. 1960, A. Ribaud dans un pastiche de style classique, *in le Canard enchaîné*). *Les étranges lucarnes :* la télévision.

♦ **3.** (1965, *in* Petiot). Football. Chacun des deux angles supérieurs formés par les poteaux des buts.

DÉR. Lucarnon ou lucarneau.

LUCARNON [lykaʀnɔ̃] ou **LUCARNEAU** [lykaʀno] n. m. — 1902 ; de *lucarne.*

♦ Petite lucarne (⇒ **Chatière**).

1. LUCERNAIRE [lysɛʀnɛʀ] n. m. — 1704, *in* D.D.L. ; dér. sav. du lat. *lucerna* «lampe».

★ **I.** Liturgie. (Anciennt). Première partie de la vigile, office que les premiers chrétiens célébraient pendant la nuit du samedi au dimanche. *Le lucernaire commençait à la tombée de la nuit, à la lueur des lampes** ; «*il est devenu notre office des vêpres*» (A. de Sérent, *in Dict. de liturgie romaine*).

★ **II.** Archéol. Puits creusé pour éclairer et rendre accessibles les catacombes (à Rome).

Il y avait quelque chose de fantastique dans l'entassement et l'étagement de ces rangées de soutanes aussi serrées que dans une garde-robe et dont ne sortaient que des crânes et des métatarses dans la lueur grisâtre indécise émergeant d'un lucernaire et l'odeur de poussière.   Pierre NORD, les Espionnes au coin du feu, p. 452.

HOM. 2. Lucernaire.

2. LUCERNAIRE [lysɛʀnɛʀ] n. f. — 1845 ; du lat. *lucerna* «lampe».

♦ Zool. Méduse *(Scyphoméduse*)* fixée par le sommet de son ombrelle et présentant l'aspect d'un entonnoir portant sur son bord huit tentacules courts terminés en touffes.

HOM. 1. Lucernaire.

LUCET [lysɛ] n. m. ou **LUCE** [lys] n. f. — Déb. xixᵉ, *lucet,* Chateaubriand ; *luce,* 1930 ; mot breton *lus* «airelle».

♦ Régional. ⇒ **Airelle.**

LUCHAGE [lyʃaʒ] n. m. — 1867, Littré ; de *lucher.*

♦ Techn. Opération de lustrage (de la dentelle) avec la luche.

LUCHE [lyʃ] n. f. — 1867, Littré ; de *lucher.*

♦ Techn. Outil mousse pour lucher la dentelle.

LUCHER [lyʃe] v. tr. — Attesté *in* Littré, 1867, mais antérieur étant donné sa forme ; du lat. pop. **lucidare,* lat. class. *lucere* «luire».

♦ Techn. Frotter (la dentelle) pour lui donner du lustre. ⇒ **Lustrer.**

DÉR. Luchage, luche.

LUCIDE [lysid] adj. — 1488 ; lat. *lucidus* «clair, lumineux».

♦ **1.** Vx. Clair, lumineux. ⇒ **Translucide.** «*Le ver luisant, le phosphore sont lucides*» (Furetière). — Poét. *Un air, une atmosphère lucide* (→ Faîte, cit. 2, Claudel).

1   (...) je vous apporterai des cires colorées et lucides comme des joyaux.
          FRANCE, le Crime de S. Bonnard, V, Œuvres, t. II, p. 414.

♦ **2.** (1690). Mod. Caractérisé par la raison saine et claire. *Fou, dément qui a des intervalles, des moments lucides,* durant lesquels il retrouve sa raison (→ Fureur, cit. 2). *Moments lucides d'un malade délirant, d'un vieillard.* Syn. : *moments de lucidité** (→ 1. Garde, cit. 41 ; imprégner, cit. 12).

2   (...) si dans l'état de faiblesse où je suis, je trouvais quelque moment lucide (...)
          D'ALEMBERT, Lettre au roi de Prusse, 19 sept. 1779.

(Personnes). Conscient. *Il est revenu de son évanouissement, mais il n'est pas encore entièrement lucide.* ⇒ **Conscient ; lucidité, 2.** (→ Avoir toutes ses idées*, toute sa tête*).

♦ **3.** (1802 ; *in* Académie, 6ᵉ éd., 1835). Cour. (Personnes). Qui perçoit, comprend, exprime les choses avec clarté. *Un observateur très lucide. Un homme d'État lucide et prudent. Il n'est pas très lucide.* — Par ext. *Esprit*, cerveau*, intelligence lucide.* ⇒ **Clair, clairvoyant, éclairé, lumineux, pénétrant, perspicace** (→ Gros, cit. 28). *Raison lucide et ferme* (→ Jusque, cit. 10). *Rendre l'esprit plus lucide* (⇒ **Clarifier**). *Vaillance* (→ Accueillir, cit. 6), *exaltation, ivresse lucide* (→ Endormir, cit. 10). *Juger* (cit. 23) *d'un œil lucide,* sans passion. *Raisonnement lucide.* ⇒ **Net.** *Récit, style lucide* (→ Judiciaire, cit. 3, Chateaubriand).

3   C'est trop peu dire que de louer sa clarté continuelle *(de Thiers) :* il a cette clarté qui fait plaisir à l'esprit, il est lucide.
          SAINTE-BEUVE, Chateaubriand..., t. II, p. 99, note.

4   La santé, le bonheur : des œillères. La maladie rend enfin lucide. (Les meilleures conditions pour bien se comprendre et comprendre l'homme, seraient *d'avoir été* malade, et de récupérer la santé...)
          MARTIN DU GARD, les Thibault, t. IX, p. 248.

Clairvoyant sur soi-même, sur son propre comportement. *Elle croit l'aimer, le haïr, mais elle n'est pas lucide. Depuis sa psychanalyse, il est plus lucide.*

N. (Rare au singulier) :

5   (...) nous appelons virils les lucides et nous ne voulons pas d'une force qui se sépare de la clairvoyance.   CAMUS, le Mythe de Sisyphe, p. 123.

♦ **4.** (Fin xixᵉ). Vx. *Somnambule, voyant lucide :* personne hypnotisée à qui on attribue une clairvoyance extraordinaire (on dit plutôt *extra-lucide ;* ⇒ **2. Extra-**).

CONTR. Aveugle, dément, fou, imbécile, ivre, passionné.
DÉR. Lucidement, lucidité.

LUCIDEMENT [lysidmã] adv. — Fin xvᵉ; de *lucide*.

♦ Littér. D'une manière lucide. *Raisonner lucidement. Réagir lucidement et froidement,* calmement.

Minna fut effrayée d'un regard si lucidement jeté dans sa pensée.
BALZAC, Séraphîta, Pl., t. X, p. 469.

CONTR. **Aveuglément, follement, passionnément.**

LUCIDITÉ [lysidite] n. f. — 1768; «éclat, gloire», 1480; rare entre le xvıᵉ et le xıxᵉ (correspond à *lucide,* 1.); de *lucide*.

♦ **1.** Qualité d'une personne, d'un esprit lucide (3.). ⇒ **Acuité, clairvoyance, clarté, netteté, pénétration, perspicacité.** *Apercevoir, voir, saisir qqch. avec une lucidité merveilleuse* (→ Figure, cit. 4). *La lucidité d'un observateur, d'un critique, d'un juge* (cit. 8). *Une lucidité sans indulgence* (cit. 12). *Lucidité qui permet de lire* (cit. 29) *dans l'âme de qqn.* — Par ext. *Lucidité de l'esprit*, des idées*, des pensées* (→ Brillant, cit. 33; fluidité, cit. 3, Chateaubriand). *La lucidité d'une réponse, d'un regard* (→ Atteinte, cit. 14). *Analyse d'une grande lucidité.*

1 (...) nul plus que lui *(Paul Delaroche)* n'eut la lucidité critique à l'endroit de ses œuvres.
Th. GAUTIER, Portraits contemporains, Paul Delaroche.

2 (...) le mangeur d'opium sent pleinement (...) que son intelligence acquiert une lucidité consolante et sans nuages.
BAUDELAIRE, les Paradis artificiels, Un mangeur d'opium, III.

3 (...) chez nos adversaires d'alors (...) je vois beaucoup d'intelligence, beaucoup de lucidité même, beaucoup d'acuité (...)
Ch. PÉGUY, la République..., p. 245.

4 (...) il *(Proust)* analysait, avec une impitoyable lucidité, ce qu'on avait dit et ce qu'on avait tu.
A. MAUROIS, À la recherche de Marcel Proust, III, IV.

♦ **2.** Fonctionnement normal des facultés intellectuelles (correspond à *lucide,* 2.). ⇒ **Connaissance** (*supra* cit. 11), **conscience** (I., 1.). *Malade anesthésié qui garde sa pleine lucidité* (→ Anesthésique, cit. 1). *Moments, intervalles, lueurs de lucidité d'un délirant, d'un vieillard.* ⇒ **Raison.**

5 Chacune *(des lettres)* est comme la confession d'un fou dans une lueur de lucidité (...)
MARTIN DU GARD, les Thibault, t. II, p. 262.

6 Depuis quelques secondes, un bourdonnement emplissait ses oreilles (...) Tout à coup il eut l'impression que la pièce était obscurcie (...) Et brusquement ses yeux tombèrent sur la lettre. Toute sa lucidité lui revint d'un seul coup (...) il reconnut l'écriture d'Angèle.
J. GREEN, Léviathan, I, VII.

♦ **3.** Vx. *La lucidité d'un médium, d'une voyante.* ⇒ **Extra-lucide, lucide** (4.).

CONTR. **Aveuglement, cécité, démence, égarement, erreur, illusion, imbécillité, ivresse, passion.**

LUCIFÉRIANISME [lysiferjanism] n. m. — 1873, *in* P. Larousse; de *luciférien*.

♦ Littér. Pratiques des lucifériens (2.).

LUCIFÉRIEN, IENNE [lysiferjɛ̃, jɛn] adj. et n. — xvııᵉ-xvıııᵉ; de *Lucifer,* nom du démon, de *lux, lucis* «lumière», et *ferre* «porter».

♦ **1.** Adj. Littér. Qui tient de Lucifer, du démon. ⇒ **Démoniaque, satanique.** «*Orgueil luciférien*» (Saint-Simon). *Sentiment luciférien* (→ Humiliation, cit. 14).

Le romantisme avec sa révolte luciférienne ne servira vraiment que les aventures de l'imagination.
CAMUS, l'Homme révolté, p. 67.

♦ **2.** N. (1873). Hist. Membre d'une secte accusée de rendre un culte au démon.

DÉR. **Luciférianisme.**

LUCIFÉRINE [lysiferin] n. f. — 1887; du rad. du lat. *lucifer* «qui donne de la clarté», de *lux, lucis* «lumière», et *ferre* «porter».

♦ Biochim. Substance cellulaire qui produit par oxydation, sous l'influence d'enzymes (les *luciférases*), la luminescence de certains insectes (luciole, lampyre) ou de mollusques (pholade). «*Dès 1887, le célèbre Raphaël Dubois (...) décrivait l'étape chimique essentielle de l'émission biologique de lumière et déduisait correctement la nature générale de la réaction : l'oxydation, par l'oxygène moléculaire, d'une substance cellulaire à l'état réduit, qu'il baptisa luciférine, car son produit d'oxydation (...) sert d'émetteur de lumière*» (la Recherche, déc. 1974).

Les organes lumineux sont en général des glandes muqueuses épidermiques capables d'oxyder, grâce à des actions diastasiques, une substance appelée luciférine. L'émission de lumière résulte de cette réaction chimique.
R. et M.-L. BAUCHOT, les Poissons, p. 31.

LUCIFUGE [lysifyʒ] adj. et n. m. — 1532; *lucifuge,* n. f., «mouche», 1611; du lat. *lucifugus,* de *lux, lucis* «lumière», et *-fuge* (1.).

♦ Didact. Se dit d'animaux qui fuient la lumière (→ Photophobe). «*Le monde des insectes est celui de la nuit; ils sont tous lucifuges*» (Michelet).

Le Necture est en partie seulement dépigmenté et ses yeux sont recouverts d'une couche de peau transparente, ce n'est pas une forme cavernicole mais lucifuge qui demeure cachée durant le jour et ne devient active qu'à l'obscurité.
Jean GUIBÉ, les Batraciens, p. 117-118.

N. m. (1869, *termite lucifuge,* in *Année sc.* 1870, p. 572). Variété de termite.

LUCILIE [lysili] n. f. — 1854; nom de plante, 1839; lat. mod. *lucilia,* du lat. class. *lux, lucis* «lumière».

♦ Zool. Insecte diptère *(Muscidés)* appelé communément *mouche* verte, mouche dorée.

LUCIMÈTRE [lysimɛtR] n. m. — 1771; du lat. *lux, lucis* «lumière», et *mètre*.

♦ Didact. (sc.). Appareil de mesure du rayonnement lumineux reçu en un point en une journée.

LUCINOCTE [lysinɔkt] adj. — 1839, Académie; du lat. *lux, lucis* «lumière», et *nox, noctis* «nuit».

♦ Bot. Se dit des plantes dont les fleurs s'ouvrent la nuit.

LUCIOLE [lysjɔl] n. f. — 1704, *lucciole;* ital. *lucciola,* de *luce* «lumière».

♦ **1.** Zool. et cour. Insecte coléoptère *(Ténébrionidés),* dont l'adulte est ailé et lumineux. *Lucioles qui paillettent* (cit. 3) *l'herbe.*

Et tout d'un coup, j'aperçus sous les arbres, le long de la voie, dans l'ombre toute noire maintenant, quelque chose comme une pluie d'étoiles. On eût dit des gouttes de lumière sautillant, voletant, jouant et courant dans les feuilles, des petits astres tombés du ciel pour faire une partie sur la terre. C'étaient des lucioles, ces mouches ardentes dansant dans l'air parfumé un étrange ballet de feu.
Une d'elles, par hasard, entra dans notre wagon se mit à vagabonder jetant sa lueur intermittente, éteinte aussitôt qu'allumée. Je couvris de son voile bleu notre quinquet et je regardais la mouche fantastique aller, venir, selon les caprices de son vol enflammé. Elle se posa, tout à coup, dans les cheveux noirs de notre voisine assoupie après dîner. Et Paul demeurait en extase, les yeux fixés sur ce point brillant qui scintillait, comme un bijou vivant sur le front de la femme endormie.
MAUPASSANT, les Sœurs Rondoli, Pl., t. II, p. 144.

Haut les mains! pour accueillir l'ange qui va tomber s'effeuiller en neige de lucioles sur vos têtes.
Tristan TZARA, l'Homme approximatif, p. 25.

♦ **2.** Cour. (abusif en zool.). Ver luisant ou lampyre*.

LUCRATIF, IVE [lykRatif, iv] adj. — V. 1265; lat. *lucrativus,* de *lucrum.* → Lucre.

♦ Qui procure un gain, des profits, des bénéfices*. ⇒ **Rémunérateur, rentable.** *Occupation lucrative; office, travail lucratif* (→ Jeu, cit. 1). *Place, profession lucrative.* ⇒ **Bon** (→ Besogne, cit. 7). *Commerce, négoce lucratif. Opération lucrative.* ⇒ **Fructueux.**

Cet état *(de graveur),* assez lucratif pour donner une subsistance aisée, et pas assez pour mener à la fortune (...)
ROUSSEAU, les Confessions, I.

Le travail de Gigon chez l'huissier était peu lucratif, mais facile.
G. DUHAMEL, Salavin, II.

Dr. *Association* (cit. 13) *créée dans un but lucratif. Association sans but lucratif,* qui n'a pas le droit de faire des bénéfices.
Rare (avec un substantif concret) :

Pendant la nuit, l'équipage du *Duncan* fit bonne chasse, et une cinquantaine de gros phoques passèrent de vie à trépas. Après avoir autorisé la chasse, Glenarvan ne pouvait en interdire le profit. La journée suivante fut donc employée à recueillir l'huile et à préparer les peaux de ces lucratifs amphibies.
J. VERNE, les Enfants du Capitaine Grant, t. III, II, p. 27.

CONTR. **Bénévole, désintéressé, gratuit; déficitaire, désavantageux, ruineux.**
DÉR. **Lucrativement.**

LUCRATIVEMENT [lykRativmã] adv. — 1829; de *lucratif*.

♦ Rare. D'une manière lucrative; en étant payé.

(...) toutes les fois qu'il fallut créer une commission dont les membres devraient être lucrativement appointés.
BALZAC, le Bal de Sceaux, Pl., t. I, p. 76.

CONTR. **Bénévolement, gratuitement.**

LUCRE [lykR] n. m. — V. 1460; rare av. xvııᵉ; lat. *lucrum* «profit, avantage», puis «amour du gain, avarice».

♦ **1.** Vx. Gain, profit. «*Beaucoup de peine et peu de lucre*» (Béranger, *in* Littré).

Jamais race ne fut plus impropre à l'industrie, au commerce. On obtient tout d'elle par le sentiment de l'honneur; ce qui est lucre lui paraît peu digne du galant homme; l'occupation noble est à ses yeux celle par laquelle on ne gagne rien, par exemple celle du soldat, celle du marin, celle du prêtre (...)
RENAN, Souvenirs d'enfance..., II, II, Œuvres, t. II, p. 761.

♦ **2.** Mod. et péj. Profit plus ou moins licite dont on est avide. ⇒ **Bénéfice, gain, profit.** — REM. De nos jours, *lucre* ne s'emploie guère que dans des expressions telles que : *le goût, l'amour, la passion du lucre, l'appât du lucre.* — Par plais. «*Quel stupre! Quel lucre! Mais c'est Byzance!*».

2 Pour le commerçant, l'honnêteté elle-même est une spéculation de lucre.
BAUDELAIRE, Journaux intimes, Mon cœur mis à nu, LXXV.

3 L'Église (...) brocante les indulgences et bazarde les messes ; elle est, elle aussi, ravagée par l'appât du lucre !
HUYSMANS, En route, I, I.

LUCRÈCE [lykRɛs] n. f. — XVᵉ, *in* Littré ; de *Lucrèce,* nom propre de la femme de Tarquin, qui ayant été violée, se tua.

♦ Littér. et vx. Femme vertueuse. — Loc. fam. *Faire sa Lucrèce.*

Messieurs, dit-il en entrant, permettez que je vous présente un véritable phénomène : voici une lucrèce qui porte à la fois sur ses épaules la marque des filles de mauvaise vie, et dans la conscience toute la candeur, toute la naïveté d'une Vierge... Une seule attaque de viol, mes amis, et cela depuis six ans (...)
SADE, Justine..., t. II, p. 142.

LUCTUEUX, EUSE [lyktɥø,øz] adj. — V. 1500, repris en 1730, d'Argenson, et par les symbolistes, chez qui il constitue un « latinisme individuel » (Wartburg) ; lat. *luctuosus,* de *luctus* « douleur, chagrin ».

♦ Rare et littér. Funèbre, endeuillé.

Les hymnes de deuil répondent aux accents luctueux de la bourrasque.
Laurent TAILHADE, Contes et Poèmes en prose, « Mélancolies d'automne ».

LUD-, LUDO- Éléments de mots didactiques, du lat. *ludus* « jeu ». ⇒ **Ludothèque, ludothérapie.**

LUDDISME [lydism] n. m. — XXᵉ ; angl. *luddism* (1812), du nom propre *Lud,* patronyme d'un personnage réel ou mythique, *Ned Lud,* qui, dans un accès de colère, aurait détruit des métiers à tisser.

♦ Hist. Destruction des machines industrielles, en Angleterre, par des ouvriers révoltés, appelés *ludders* ou *luddites* (1811-1816) ; attitude ou pratique similaire dans les débuts de l'industrialisation.

Dès 1811 s'organisèrent, en Angleterre, des bandes qui brisèrent les machines, et ce mouvement prit le nom de luddisme qui, depuis, est demeuré attaché à ces explosions de colère contre le progrès technique.
Claude FOHLEN, le Travail au XIXᵉ siècle, p. 34.

HOM. Ludisme.

LUDICIEL [lydisjɛl] n. m. — V. 1980 ; mot valise formé de *ludi(que)* et *(logi)ciel.*

♦ Inform. Logiciel à fonction ludique, logiciel destiné à des jeux.

LUDIEN [lydjɛ̃] n. m. — 1893, Munier-Chalmas et Lapparent, d'après É. Haug ; de *Ludes,* commune de la Marne.

♦ Didact. (géol.). Âge de l'éocène.

LUDION [lydjɔ̃] n. m. — 1787 ; lat. *ludio* « baladin, histrion » ; de *ludere* « jouer ».

♦ Appareil de démonstration de physique, formé d'une sphère creuse percée d'un trou à sa partie inférieure (et parfois lestée par une figurine) qui monte et descend dans un bocal fermé par une membrane, quand on y modifie la pression.

Par compar. ou métaphore. *Être ballotté comme un ludion,* être un *ludion* : être le jouet des circonstances.

1 (...) M. Josué Potaschmann, de la Cité, véritable ludion de la hausse et de la baisse (...)
Paul MORAND, Bouddha vivant, p. 141.

2 (...) Bel-Ami ne prend pas d'assaut les redoutes de la bourgeoisie, c'est un ludion dont la montée témoigne seulement de l'effondrement d'une société.
SARTRE, Situations II, p. 173.

LUDIQUE [lydik] adj. — 1910, Claparède, Flournoy ; dér. sav. du lat. *ludus* « jeu ».
Didactique.

♦ **1.** Relatif au jeu. *L'activité ludique des enfants.* ⇒ **Jeu** (cit. 2). (1910, Flournoy). Philos., sc. humaines. Relatif au jeu en tant qu'élément du comportement humain. « *Sans un certain maintien de l'attitude ludique, aucune culture n'est possible* » (trad. J. Huizinga, *Homo ludens*). *Activité ludique* : activité de jeu, qui se dépense dans le jeu. ⇒ **Ludisme.** « *Fonctions ludiques de l'État* » (G. Bouthoul, *Sociologie de la politique*). *Théorie ludique du mensonge des enfants,* celle « qui explique les écarts de leur imagination par leur tendance à jouer » (Lalande).

1 (...) une phase (...) où son imagination puérile *(du sujet)* se met tout naturellement à jouer au désincarné (...). C'est ce qu'on pourrait appeler la théorie *ludique* ou *scénique* de la médiumnité (...)
H. FLOURNOY, Esprits et Médiums, Préface, p. 7 (1910).

2 On eût aimé (¹) des descriptions séparées de chacune des composantes de l'esprit ludique ; l'attente de l'arrêt du sort, le désir de prouver sa propre excellence, le goût de la compétition ou du risque, la part de la libre improvisation, la façon dont elle s'accommode du respect des règles, etc.
Roger CAILLOIS, l'Homme et le Sacré, p. 201
(Appendices : Jeu et Sacré, 1946).
1. Dans le livre de Huizinga : *Homo ludens.*

3 Il est bien entendu que la puissance d'écrire, le pouvoir d'écrire n'est ni dans

l'œuvre ni dans l'écrivain qui prend sa décision, mais dans le mouvement pulsionnel et ludique (car c'est un jeu), qui « fait » écrire et est capable de produire ce mouvement dans un *autre* (...)
J. GILLIBERT, la Création littéraire, *in* la Nef, nᵒ 31, p. 97.

N. m. *Le ludique* : l'activité, le comportement du jeu. ⇒ **Ludisme.**

4 En ce sens le ludique, activité libre par excellence, est le profane pur, il n'a pas de contenu, il n'entraîne sur d'autres plans aucun effet qu'il n'ait été loisible d'éviter.
Roger CAILLOIS, l'Homme et le Sacré, p. 210.

5 Qu'en est-il d'une partie d'échecs jouée sur ordinateur ? Où est l'intensité propre aux échecs, où est le plaisir propre à l'ordinateur ? L'une est de l'ordre du jeu, l'autre du ludique.
J. BAUDRILLARD, De la séduction, p. 217.

♦ **2.** (V. 1960). Pour jouer, de jeu. « *Un instrument ludique, un cerceau* » (O. R. T. F., 16 janv. 1971).
COMP. V. Ludisme.

LUDISME [lydism] n. m. — V. 1968 ; du lat. *ludus* « jeu » ou de *ludique,* et suff. *-isme.*

♦ Didact. Activité ludique. ⇒ **Jeu ; ludique.** *Le ludisme et l'équilibre vital.* — Spécialt (psychol.). Comportement traduisant une préférence marquée pour les jeux sous toutes leurs formes.
HOM. Luddisme.

LUDO- ⇒ Lud-.

LUDOTHÈQUE [lydɔtɛk] n. f. — V. 1970 ; de *lud(o)-,* et *-thèque,* d'après *bibliothèque, discothèque.*

♦ Centre de prêt de jeux et de jouets. *Ludothèque d'un hôpital pour enfants.* « *Des centaines de joujoux viennent ainsi, chaque année, se faire torturer. Lorsque Françoise doute d'un jouet, elle fait appel à quelques brise-fer en culottes courtes, ou au ministère de l'Éducation qui teste les jouets pédagogiques dans des ludothèques* » (F Magazine, nᵒ 24, févr. 1980, p. 34). « *Les centres pédagogiques et les ludothèques (centres de prêts de jeux et de jouets) ont également un rôle actif dans le test, l'étude et l'évaluation des jeux et jouets avant et pendant la commercialisation* » (Sciences et Avenir, nᵒ 43 [Spécial hors-série], 1983, p. 17).

LUDOTHÉRAPIE [lydoteRapi] n. f. — Mil. XXᵉ ; de *lud(o)-,* et *-thérapie.*

♦ Didact. Utilisation du jeu dans une intention thérapeutique, en psychothérapie.

LUÈS [lɥɛs] n. m. — D. i. (XXᵉ) ; lat. *lues* « maladie contagieuse ». → Luétine, luétique.

♦ Didact. (méd.). Syphilis*.

LUÉTINE [lɥetin] n. f. — 1922, Larousse ; créé par H. Noguchi, 1913 ; du lat. *lues (venerea)* « infection (vénérienne) », de *lues* « maladie contagieuse, peste » ; → Luès, luétique.

♦ Didact. Substance extraite de cultures pures du tréponème pâle *(Treponema pallidum),* agent de la syphilis. *Luétine-réaction,* ou *réaction de Noguchi,* destinée à révéler la syphilis (ou *luès*).

LUÉTIQUE [lɥetik] adj. — 1959 ; angl. *luetic* (1899), formé sur le lat. *lues.* → Lues.

♦ Didact. et rare. ⇒ **Syphilitique.**

LUÉTISME [lɥetism] n. m. — Mil. XXᵉ ; du lat. *lues* (→ Luès) ou de *luétine.*

♦ Didact. Intoxication par le *Treponema pallidum* de la syphilis. ⇒ **Syphilis.**

LUETTE [lɥɛt] n. f. — V. 1300 ; issu, par agglutination, de *l'uette,* d'un lat. pop. **uvitta,* dimin. de *uva* « grappe de raisin ».

♦ Anat. Saillie médiane charnue et allongée du bord postérieur du voile du palais, qui contribue à la fermeture de la partie nasale du pharynx lors de la déglutition. ⇒ **Uvule.** *Relatif à la luette.* ⇒ **Staphylin.**

1 Mon mal de gorge est beaucoup diminué (...) il me reste de temps en temps quelques âcretés vers la luette (...)
RACINE, Lettres, 69, 4 août 1687.

2 Sa gorge, gonflée par le pus, se contracte au passage du liquide et la luette fait chaque fois, au terme du spasme un bruit analogue à ce claquement de langue dont Jambe-de-Laine excitait la grande jument.
BERNANOS, Monsieur Ouine, *in* Œ. roman., Pl., p. 1530.

LUEUR [lɥœR, lɥœR] n. f. — XIIᵉ, *leiur, luiur* ; lat. pop. **lucor, -oris,* à l'accusatif **lucorem,* du lat. class. *lucere* « luire », de *lux, lucis* « lumière ».

♦ **1.** Lumière* faible, affaiblie ou diffuse; lumière éphémère. ⇒ **Clarté, nitescence.** *Lueur amortie* (cit. 11), *blafarde** (cit. 4), *blême, tremblante, vacillante* (→ Clarté, cit. 4; frissonner, cit. 13; jeu, cit. 79). *Lueur faible, mourante, qui éclaire à peine. Lueur blanche, argentée, nacrée, grise, rose* (→ Clair-obscur, cit. 3; contour, cit. 1). *Lueur sinistre, effrayante* (→ Flamme, cit. 2). *Les premières lueurs du jour.* ⇒ **Aube, aurore** (cit. 5). *Lueur crépusculaire** (cit. 1), *de la fin du jour, du soleil couchant. Lueur du clair de lune*, lueurs lunaires...* (→ Dégoutter, cit. 4). *La lueur des étoiles* (→ Entassement, cit. 7; guider, cit. 5). *La lueur de l'incendie, d'un foyer, des flammes*.* ⇒ **1. Feu** (cit. 35); → Brûler, cit. 2. *La lueur des bougies, des cierges, des torches, des flambeaux* (→ Ardent, cit. 4; halo, cit. 2). *La lueur d'une lampe* (cit. 14), *d'une lanterne* (cit. 5), *des réverbères* (→ Faiblement, cit. 4; globe, cit. 12; intimité, cit. 5). *La lueur des enseignes lumineuses* (→ Hostellerie, cit. 4). *Lueur phosphorescente** (→ Attacher, cit. 51). — *Lueur brusque, violente, vive, intense, qui jaillit* (cit. 10). *La lueur des éclairs*. Les lueurs vite éteintes des fusées* (cit. 6). *Produire, jeter une, des lueurs. — À lueur de... Lire à la lueur d'une petite lampe, de la lune.* — REM. On emploie parfois *lueur* en parlant d'une lumière vive et durable; cet emploi peut se justifier lorsqu'il s'agit d'une lumière réfléchie (→ Reflet) ou inégale (→ Illuminer, cit. 4) ou encore pour des raisons stylistiques. «*La façade illuminée* (cit. 18)... *jetait une grande lueur*» (Maupassant).

1   (...) devant une table ronde éclairée par des lampes astrales dont les vives lumières luttaient avec les lueurs pâles des bougies placées sur la cheminée (...)
        BALZAC, la Femme de trente ans, Pl., t. II, p. 790.

2   (...) la lune, de plus en plus claire, se dégageait des brumes, et sa lueur mêlée au reflet blanc de la neige tombée donnait à la chambre un aspect crépusculaire.
        HUGO, les Misérables, III, VIII, XVI.

3   *(Le combat)* Mêle l'éclair des yeux aux lueurs des épées.
        HUGO, la Légende des siècles, X, Mariage de Roland.

4   Elle passait devant l'hôpital de Lariboisière, comptait machinalement le long des façades les fenêtres éclairées, brûlant comme des veilleuses d'agonisant, avec des lueurs pâles et tranquilles.   ZOLA, l'Assommoir, XII, t. II, p. 240.

5   J'écris tout seul à la lueur tremblante
    D'un feu de bois (...)   APOLLINAIRE, Ombre de mon amour, XXXIV.

6   Une très vive lueur blanche continua longtemps d'illuminer puissamment l'horizon, émanant sans doute d'un vaste incendie.   GIDE, Journal, 13 mars 1943.

7   J'observais la lueur. C'était, par-dessus le comptoir, sur la paroi du fond, un reflet indéfinissable, la vague réverbération d'une faible et lointaine source lumineuse.
        H. BOSCO, Antonin, p. 71.

♦ **2.** Expression vive et momentanée (du regard). *Lueur de la prunelle, des yeux, du regard* (→ Correcteur, cit. 2; dénaturer, cit. 5; fouetter, cit. 7; gonfler, cit. 4). — *Avoir une lueur de colère dans les yeux.* ⇒ **Éclair, éclat** (*supra* cit. 23), **flamme; briller.**

8   Par moments, un sourire furtif, une lueur malicieuse du regard, illuminaient son calme visage.   MARTIN DU GARD, les Thibault, t. I, p. 223.

Une lueur d'intelligence : une impression passagère d'intelligence (dans le regard, l'expression).

♦ **3.** Par métaphore ou fig. Illumination soudaine, faible ou passagère; légère apparence ou trace. *Une lueur dans les ténèbres.* ⇒ **1. Aube,** 3. (→ Entrevoir, cit. 8; grisaille, cit. 4). *Lueur qui émane de qqn* (→ Auréole, cit. 8). *La lueur de la conscience* (cit. 5) *éclaire le passé. Les lueurs du souvenir.* ⇒ **Trace.** *Une lueur de raison.* ⇒ **Éclair, étincelle.** *Une faible lueur d'espérance*, d'espoir.* ⇒ **Peu** (un peu); **rayon.** *Une lueur de courage* (cit. 15), *de confiance* (→ Fuser, cit. 2).

9   L'apparente lueur du moindre attachement (...)   MOLIÈRE, Tartuffe, I, 1.

10 (...) c'est un peu de chose que nos afflictions, puisqu'elles servent quelquefois à nous faire trouver une joie imprévue dans la plus faible lueur d'espérance.
        A. DE MUSSET, Nouvelles, Croisilles, III.

11 (...) une faible lueur d'intelligence vacillait dans ton âme obscure (...)
        FRANCE, le Livre de mon ami, Livre de Pierre, IV.

♦ **4.** Littér. (Au plur.). *Des lueurs* : des connaissances superficielles sur un sujet. *Apporter ses lueurs sur qqch., sur un sujet.* ⇒ **Lumière**(s).

LUFFA [lufa] n. m. — 1708; lat. sav., arabe *lufali*, même sens.

♦ Plante herbacée annuelle grimpante d'Afrique et d'Asie (famille des *Cucurbitacées*; n. sc. : *luffa*). — Spécialt. Variété dite *courge torchon* de cette plante, dont le fruit à pulpe fibreuse fournit une fois séché une éponge végétale; ce fruit (frais ou sec). — Var. graphiques (d'après les transcriptions anglaises) : *loofa, loofah, loofash.*

LUGE [lyʒ] n. f. — 1899, *in* Petiot; mot savoyard et valaisan, p.-ê. d'orig. gauloise; cf. le bas lat. *sludia* (IXe), l'angl. *slide*, l'all. *Schlitten*; ou (Guiraud) du lat. *lubricare* «glisser» par un subst. *lubrica* «glissante».

♦ Petit traîneau* à patins relevés à l'avant. *Luge à une, deux, plusieurs places. Faire une glissade, une descente en luge.* — Le sport de la luge. *Faire de la luge et du bobsleigh*.* ⇒ **Traîneau.**

(...) des enfants rouges comme des pommes d'hiver, montés sur patins et sur luges, s'élançaient, viraient derrière une dune de neige neuve (...)
        COLETTE, Belles saisons, p. 51.

DÉR. Luger.

LUGER [lyʒe] v. intr. — Conjug. *bouger.* — 1903, *in* Petiot; de *luge.*

♦ Faire de la luge.

Avant de dîner, j'ai montré aux hommes à «luger» sur les traîneaux, et nous nous sommes amusés comme des fous.
        J.-B. CHARCOT, Expédition antarctique française 1903-1905, t. II, p. 112, *in* D. D. L., II, 3.

DÉR. Lugeur.

LUGEUR, EUSE [lyʒœʀ, øz] n. — 1905, *in* Petiot; de *luger.*

♦ Personne qui fait de la luge.

LUGUBRE [lygybʀ] adj. — V. 1300; du lat. *lugubrus,* de *lugere* «être en deuil, se lamenter».

♦ **1.** Littér. Qui est signe de deuil*, de mort. ⇒ **Funèbre, macabre.** *Attirail* (cit. 9) *lugubre; lugubre ordonnance. Pas lugubre d'un cortège* (→ Enterrement, cit. 4). *La lumière lugubre des catacombes* (cit. 1). *Glas* (cit. 2) *lugubre.*

1   Voiles, crêpes, habits, lugubres ornements.   CORNEILLE, le Cid, IV, 1.

2   Comme j'avais dix ans, je visitai la Grande Trappe; je vis ces tombes qu'ils creusaient un peu tous les jours, et la chapelle mortuaire où les morts restaient une bonne semaine, pour l'édification des vivants. Ces images lugubres et cette odeur cadavérique me poursuivirent longtemps (...)
        ALAIN, Propos, 10 oct. 1909, Bonne humeur.

♦ **2.** Cour. Qui marque ou inspire une profonde tristesse, un sombre accablement. ⇒ **Funeste; funèbre, mortel** (fam.), **sinistre, triste.** *Atmosphère, heure lugubre* (→ Épouvante, cit. 6). *Maison, château lugubre. Air, ton lugubre; mine lugubre.* ⇒ **1. Chagrin.** «*Ô flots* (cit. 7) *que vous savez de lugubres histoires!*» (Hugo). *Une chanson lugubre, à faire pleurer** (→ Endormir, cit. 4; flot, cit. 7). *Lugubre harmonie* (cit. 10). *Le bruit lugubre d'une sirène* (→ Identifier, cit. 10). *Idées, imaginations, pensées lugubres.*

3   Le croassement du corbeau, le cri du hibou pendant la nuit ne présagent non plus de malheur que le chant de l'alouette et du rossignol n'annonce un heureux événement; mais ils sont lugubres (...)
        DIDEROT, Essai sur les règnes de Claude et Néron, II, 98.

4   Marius fixa ses yeux désespérés sur cette maison lugubre, aussi noire, aussi silencieuse et plus vide qu'une tombe.   HUGO, les Misérables, IV, IX, II.

4.1 C'était la grande halle de coulée où le jeune Alsacien avait été admis lors de son arrivée à l'usine. Qu'elle était lugubre, maintenant, avec ses fourneaux éteints, ses rails rouillés, ses grues poussiéreuses qui levaient en l'air leurs grands bras éplorés comme autant de potences! Tout cela donnait froid au cœur, et Marcel sentait la nécessité d'une diversion.
        J. VERNE, les Cinq Cents Millions de la Bégum, XVI, p. 238-239.

5   La chambre donnait sur une cour lugubre. Germaine n'a pas voulu y mettre son lit, à cause de la tristesse du lieu (...)
        J. ROMAINS, les Hommes de bonne volonté, t. I, II, p. 35.

(Personnes). Qui inspire la tristesse et l'ennui. *C'est une personnage assez lugubre. Il était lugubre, ce soir.* ⇒ **Sinistre.** — *Il faisait une tête lugubre* (cf. fam. Une tête de croque-mort).

CONTR. Gai, joyeux, réjouissant.
DÉR. Lugubrement.

LUGUBREMENT [lygybʀəmɑ̃] adv. — 1606; de *lugubre.*

♦ D'une manière lugubre (1. ou 2.). ⇒ **Sinistrement.** *Être vêtu, habillé lugubrement. Un chien hurlait lugubrement. Pièce lugubrement éclairée.*

1   (...) l'instant du réveil est affreux pour les infortunés; l'imagination rafraîchie des douceurs du sommeil se remplit bien plus vite et plus lugubrement des maux dont ces instants d'un repos trompeur ont fait perdre le souvenir.
        SADE, Justine..., t. I, p. 65.

2   Car, sachez-le, vivants, hors du clair firmament,
    L'affreuse immensité se tait lugubrement.
        HUGO, la Légende des siècles, LIV, II.

3   La chambre à coucher de Damoclès était empuantie par les remèdes. Elle était basse de plafond et très étroite. Elle était éclairée lugubrement par deux veilleuses. Dans une alcôve, sous un amas affreux de couvertures, on voyait confusément Damoclès s'agiter.   GIDE, le Prométhée mal enchaîné, *in* Romans, Pl., p. 331.

CONTR. Gaîment, joyeusement.

LUI [lɥi] pron. pers. — 1080, *Chanson de Roland;* du lat. pop. **illui,* lat. class. *illi,* datif de *ille.*
Pronom personnel de la troisième personne du singulier, pouvant remplir toutes les fonctions du nom.

★ **I.** LUI employé sans préposition.

A. Pronom personnel des deux genres, représentant un nom de personne ou d'animal (plur. ⇒ **1. Leur**).

♦ **1.** En fonction de complément indirect énonçant les rapports de destination, d'attribution, d'appartenance, d'intérêt, etc., qu'exprime normalement la préposition *à. Écoute, lui dit-elle...* (→ Blâmer, cit. 9).

Personne n'osait lui parler. « Son fils peut me ravir le jour que je lui laisse » (cit. 27, Racine). *Il lui donne du pain. Il lui doit une petite somme. Elle lui plaît beaucoup. Il lui convient, il lui répugne* (→ Intérieur, cit. 11) *d'agir ainsi. Il lui est arrivé un accident* (→ ci-dessous, II., 1., a, REM.).

1 Que luy *(lui)* reste-t-il à désirer ?　　　　　MONTAIGNE, *Essais*, I, XLII.
2 Elle lui demanda avec une tristesse affectueuse de lui garder un bon souvenir dans un petit coin de son âme.　　　　　FRANCE, *le Lys rouge*, XIX.
3 Il lui fallait toujours quelqu'un près d'elle, qui lui fit la conversation (...)
　　　　　Émile HENRIOT, *Aricie Brun*, III, I.

REM. Dans cet emploi, *lui* se place :

Toujours avant le verbe, à un mode personnel ou à l'infinitif, qui le régit, mais après l'impératif positif. *Écrivez-lui, mais ne lui parlez pas. « Donne-lui tout de même à boire »* (cit. 8, Hugo).

Après *le*, la, les,* mais avant *en** (dans le cas où la phrase comprend un autre pronom personnel objet de la 3ᵉ pers.). *Il le lui a donné. Dites-le lui. Nous lui en avons parlé. Elle ne lui en veut pas.*

4 Dès qu'il possède un bien, le sort le lui retire.
　　　　　HUGO, *les Contemplations*, IV, XV.
5 Mon attention, quand je suis avec quelqu'un, est de deviner ses idées et, par excès de déférence, de les lui servir anticipées.
　　　　　RENAN, *Souvenirs d'enfance...*, III, I, Œuvres, t. II, p. 798.

Lui, employé de préférence à *y** pour représenter un nom de chose déterminée ou personnifiée, surtout avec des verbes comme *donner, demander, devoir, préférer, prêter,* etc. *Âme qui sait ce que Dieu lui commande* (→ Intentionné, cit. 2).

6 La guerre m'avait promis la bonté, la générosité, le mépris des bassesses. Je croyais lui devoir mon ardeur et mon goût à vivre (...)
　　　　　GIRAUDOUX, *La guerre de Troie n'aura pas lieu*, I, 2.

Complément « d'attribution » d'un verbe de perception ou de jugement, et marquant un rapport d'appartenance plus ou moins explicite. *On lui voit beaucoup d'ennemis :* on voit qu'il a beaucoup d'ennemis. *Je lui trouve mauvaise mine. Nous ne lui connaissons aucun parent.*

7 Je lui crois bon esprit.
　　　　　J. ROMAINS, *les Hommes de bonne volonté*, t. VI, XVIII, p. 134.

Complément d'un adjectif attribut, construit avec *être* ou un verbe similaire, ou complément de destination du verbe lui-même. *Il lui est très facile de venir :* c'est très facile pour lui de venir. *Sa femme lui a été d'un grand secours. Tous lui sont restés fidèles* (cit. 13). *Que lui êtes-vous donc, à cette femme ? —* Littér. Avec un substantif attribut. *Ce lui est un supplice de se lever.*

8 Vous savez si jamais ma voix lui fut contraire.　RACINE, *Britannicus*, IV, 3.
9 Ce lui était une torture de travailler.
　　　　　R. ROLLAND, *Jean-Christophe*, L'adolescent, p. 261.
10 (...) ce lui avait semblé un jeu (...)
　　　　　R. ROLLAND, *Jean-Christophe*, Buisson ardent, p. 1324.

En fonction de possessif*, devant un nom désignant une partie du corps ou une faculté de l'âme. *Je lui ai serré la main. Elle lui sauta au cou. Un grand frisson* (cit. 4 et 11) *lui secouait les épaules, lui parcourut le corps. « Un petit poil follet* (cit. 3) *lui couvrait le menton »* (Ronsard). *Un doute lui effleura l'esprit. — La jambe lui fait mal. Le cœur lui battait très fort. Je ne connais pas de femme qui lui arrive à la cheville* (cit. 5).

11 Elle lui riait dans le visage, de tout près.　ZOLA, *la Bête humaine*, I, p. 8.
12 Les larmes de chaque côté lui avaient creusé un sillon dans les joues. Les yeux lui cuisaient, lui brûlaient.
　　　　　Ch. PÉGUY, *le Mystère de la charité de Jeanne d'Arc, in Œuvres poétiques*, Pl., p. 102.
13 Ses paroles lui déchiraient le cœur.
　　　　　R. ROLLAND, *Jean-Christophe*, La révolte, p. 604.

Avec un nom désignant une affection physique ou une émotion. *Une envie* (cit. 35) *de vomir lui venait. Il lui venait une envie* (cit. 26) *de s'enfuir* (→ ci-dessous, II., 1., a, REM.). *—* Par anal. *Il lui prit un frisson subit. La fièvre lui a pris dès son retour.*

14 L'envie lui a pris de faire le moissonneur (...)
　　　　　J. ROMAINS, *les Hommes de bonne volonté*, t. XIV, IX, p. 68.

◆ **2.** Complément d'objet d'un verbe principal et sujet d'un infinitif ayant lui-même un complément d'objet direct ou (plus rarement) indirect :

Dans une proposition infinitive régie par *faire*. ⇒ **Faire**, IV., REM. 2, et cit. 186, 187, 191, 193 ; et aussi **le, la**, 2. **les**, et II., 4., D.). *On lui a fait souffrir des grands maux* (Académie). *Les dangers que cette aventure pouvait lui faire courir* (→ Jour, cit. 24). *Faites-lui ou faites-le recommencer ce travail. Je le lui ferai recommencer.*

15 Mais l'aspect buté de l'enfant lui fit aussitôt changer de manière.
　　　　　MARTIN DU GARD, *les Thibault*, t. I, p. 140.

Dans une proposition infinitive régie par *laisser* ou un verbe de perception *(entendre, voir...). Je lui ai laissé lire cette lettre. Je lui ai laissé lire. Nous lui avons entendu souvent tenir ces propos. Je lui ai entendu* (cit. 43) *dire cela.*

REM. 1. Ce dernier exemple montre que le tour avec *lui* est parfois équivoque. Il en va de même pour : *« un domestique qui vole l'argent que son maître lui envoie porter »* (La Bruyère, XIV, 60).
2. Avec *laisser,* l'emploi de *lui,* au lieu de *le,* peut modifier le sens : *« Je lui ai laissé faire les démarches,* se dira pour marquer qu'on a abandonné à quelqu'un ce soin ; *Je l'ai laissé...* pour marquer qu'on

ne s'est pas opposé à son acte » (Brunot, *la Pensée et la Langue*, p. 390).

Je lui laissai sans fruit consumer sa tendresse (...)　　RACINE, *Britannicus*, IV, 2.　16
(...) il n'était plus possible de lui laisser tout ignorer.　J. ROMAINS, *Lucienne*, IX.　17

B. Pronom masculin (⇒ **Elle**, fém. ; **eux**, plur.). Syn. arg. : *cézigue.*

◆ **1.** (Sujet d'un verbe à un mode personnel). *« Lui, machinalement, retournait vers la batteuse »* (→ Fonctionner, cit. 1, Zola). *« Lui, homme de peu de foi* (cit. 37), *repoussa ces conseils »* ((Stendhal). *Cette science dont lui, Sieyès, possédait les arcanes* (cit. 3). *Sa femme et lui sont venus nous voir. —* REM. Dans cet emploi, *lui* est généralement séparé du verbe par une apposition, une relative..., ou coordonné à un autre sujet.

Lui que jamais ici l'on ne vit en défaut,　　　　　　　　　　18
A déclaré tout bas (...)
　　　　　A. DE VIGNY, *Poèmes philosophiques*, « La mort du loup », I.
Les enfants l'adoraient, lui ne les aimait point (...)　　　　19
　　　　　STENDHAL, *le Rouge et le Noir*, I, VII.
Comme se fait-il que lui, épris de moi, ne se trouble point de me si peu connaître ?　　20
　　　　　COLETTE, *la Vagabonde*, p. 87.
— Ma chérie, vous ne l'aimez peut-être pas, mais lui vous aime (...)　　21
　　　　　A. MAUROIS, *Climats*, I, IX.

Renforcé par *aussi* (ou *non plus), seul... Lui aussi voudrait la connaître. Lui non plus n'y a rien compris. Lui seul a cette harmonie* (cit. 24) *en prose.*

Lui seul est Dieu, Madame, et le vôtre n'est rien.　RACINE, *Athalie*, II, 7.　22
Lui aussi se plaisait aux longues courses à pied dans les villes populeuses et dans les belles campagnes.　　　　　FRANCE, *le Lys rouge*, IV.　23

(Sujet d'un verbe au participe passé ou sous-entendu) :

a Dans une proposition participe absolue elliptique du verbe *être. Lui parti, les autres invités reprirent leur conversation.*

(...) lui arrivé, elle eut des accès d'impatience contre lui, et presque contre Fabrice (...)　　　　　STENDHAL, *la Chartreuse de Parme*, VIII.　24

b Dans les réponses, les phrases exclamatives. *Qui vous a dit cela ? Lui. Oh ! lui, alors !*

Lui seul ! Lui partout ; toujours Lui !　　LAMARTINE, *Harmonies...*, II, XXII.　25
— Qu'est-ce qu'il a fait pour obtenir le bouton aux chasses du prince ? — Lui, rien. Sa femme, tout.　　　　　FRANCE, *le Lys rouge*, I.　26

c Après *que,* en phrase comparative. *Elle est moins raisonnable que lui. Personne (d')autre que lui ne s'en préoccupait. Un autre* (cit. 62) *que lui. Il en sait autant que lui* (→ Attaquer, cit. 15).

◆ **2.** En apposition au sujet, pour insister sur l'identité de la personne (⇒ **Lui-même**), l'opposer à une autre, ou préciser un pronom pluriel. *Paul qui, lui, était présent, va vous dire ce qui s'est passé. Ils sont partis, elle vers midi, lui un peu plus tard.*

(...) il la reconduisait ainsi jusqu'à leur logis, elle devant, lui derrière, elle pleurant, lui criant.　　MAUPASSANT, *l'Inutile Beauté*, Le noyé, p. 146.　27

Antécédent d'un relatif. *Lui que se plaint toujours, il devrait penser aux autres.*

Lui qui aimait un si fin langage, il s'exprime et se plaint avec des mots et des cris d'enfant.　　　　　28
　　　　　G. DUHAMEL, *Récits des temps de guerre*, I, Hist. Carré et Lerondeau.

Suivi d'un ordinal :

Puis ses vingt-deux camarades par terre, et lui vingt-troisième se précipitant à son tour pour relever, soutenir le pauvre drapeau (...)　　29
　　　　　Alphonse DAUDET, *Contes du lundi*, Le porte-drapeau, V.

◆ **3.** Loc. C'EST LUI, C'EST LUI QUI, C'EST LUI QUE, C'EST LUI DONT. *Qui te l'a dit ? C'est lui. C'est lui mon meilleur ami. Est-ce lui ou elle qui vous a parlé ? C'est bien lui dont on a annoncé l'arrivée à Paris. Ce fut lui, et lui seul, qui eut cette idée.*

(...) parce que c'était lui, parce que c'était moi.　　30
　　　　　MONTAIGNE, *Essais*, I, 27 (→ Aimer, cit. 8).
Rieux n'était même pas sûr que ce fût lui qu'elle attendît.　　31
　　　　　CAMUS, *la Peste*, p. 139.

Avec une valeur exclamative. *C'est lui qui sera content de vous voir ! Et lui qui se faisait une joie de cette soirée ! Lui qui vous aime tant !*

Lui qui me fut si cher, et qui m'a pu trahir !　RACINE, *Andromaque*, II, 1.　32
Pauvre Louis, lui qui avait une telle horreur des discussions violentes (...) Que doit-il penser ?　　A. MAUROIS, *le Cercle de famille*, I, XXI.　33

◆ **4.** En fonction d'attribut. *Tout ce qui n'est pas lui le laisse indifférent* (→ Approprier, cit. 3).

Dans sa création le poète tressaille ;　　　　　34
Il est elle, elle est lui (...)　　HUGO, *les Contemplations*, I, IX.
Comment serait-il ? Elle ne le savait pas au juste (...) *Il serait lui,* voilà tout.　　35
　　　　　MAUPASSANT, *Une vie*, I.
(...) dans tout ce qui était lui et le faisait lui en ce moment minute, il n'était rien qui ne fût admirable.　　MONTHERLANT, *le Songe*, II, XV.　36

◆ **5.** Complément d'objet direct (généralement coordonné à un autre objet direct ou détaché du verbe). *Je ne veux voir que lui. Elle n'aimait ni lui ni ses amis. On l'accusait, lui et quelques autres officiers* (→ 1. Foudre, cit. 19). *—* (Pour préciser un pronom personnel). *Je vous accompagnerai, vous et lui.*

(...) Pénélope, ne voyant revenir ni lui ni moi, n'aura pu résister à tant de prétendants (...)　　FÉNELON, *Télémaque*, VI.　37

38 (...) pourquoi le flatter, lui plutôt qu'un autre?
STENDHAL, la Chartreuse de Parme, VIII.

39 Je lui assurai que je ne pensais pas sans remords à l'abandon où je les avais laissés, lui et sa mère. F. MAURIAC, le Nœud de vipères, XIV.

C. Substantivé. *Un lui ; le lui...*

39.1 Et pour cette situation nouvelle que le hasard de sa caresse venait de créer immédiatement, un autre «lui» avait surgi, et une autre «elle» s'était montrée (...)
PROUST, Jean Santeuil, Pl., p. 840.

★ **II.** Construit avec une préposition (⇒ **Elle**, fém. ; **eux**, plur.). — REM. Dans cet emploi, *lui* représente le plus souvent un nom de personne, parfois un nom d'animal ou de chose, surtout quand il s'agit de choses ou d'animaux personnifiés ou déterminés.

◆ **1.** Avec la préposition *à* :

a Comme complément indirect des verbes énonçant le mouvement *(aller, arriver, courir...)*, la pensée *(penser, rêver, songer...)*, et des transitifs indirects tels que *renoncer... Vous pensez encore à lui? Non, je n'y pense plus* (⇒ **Y**). *Dieu l'a rappelée à Lui. Elle est venue à lui toute joyeuse.* — REM. Avec un verbe de mouvement pris au fig. → ci-dessus, I., A., 1. et par extension :

40 Vous qui souffrez, venez à lui, car il guérit. HUGO, les Contemplations, III, IV.

Comme complément indirect de tout verbe ayant un autre pronom personnel pour complément d'objet, surtout si ce verbe est pronominal. *Voulez-vous me présenter à lui? On ne peut pas se fier à lui. D'instinct* (cit. 35), *je m'opposais à lui.*

41 — Vous vous intéressez à lui? — Je ne m'y intéresse pas; je m'en divertis.
Émile AUGIER, les Effrontés, II, 10.

b Après *c'est*, suivi d'un attribut. *C'est gentil à lui de m'avoir écrit.* «*Ce fut à lui bien avisé*» (La Fontaine, *Fables*, III, 18).
Après *c'est*, dans le tour *c'est à lui de* ou *à* suivi d'un infinitif. *C'est à lui de faire le nécessaire.* — Ellipt. *À lui de jouer!*

42 À lui de s'arranger pour qu'elle ne le quittât plus.
Alphonse DAUDET, l'Immortel, X.

c Après un terme de même fonction. *Ne dites rien à sa femme ni à lui. Je me fierais plus volontiers à elle qu'à lui.* «*Une affaire... qui serait capitale* (cit. 7) *à lui ou aux siens*» (La Bruyère). — Spécialt (pour reprendre et souligner un premier emploi de *lui*). *Familiarité* (cit. 8) *qui ne lui était pas habituelle, à lui.*

43 (...) je rends ces lettres à vous ou à lui.
A. DE VIGNY, la Maréchale d'Ancre, III, 3, *in* GREVISSE.

d Après un substantif, pour marquer la possession, l'appartenance. *Il a une allure bien à lui, qui lui appartient en propre. Il a une écriture à lui, tout à fait illisible* (cit. 3). *Des idées à lui. Un ami à lui :* un de ses amis, un sien* ami (⇒ **Possessif**). — Spécialt. pour renforcer ou préciser un adjectif possessif*. *Elle était sa chose* (cit. 11), *sa chose à lui* (→ pop. À sézigue).

44 (...) elle l'entretenait de sa mère, à elle, et de sa mère, à lui.
FLAUBERT, Mᵐᵉ Bovary, II, X.

45 (...) c'est son fort, à lui, les effets de recul (...)
Alphonse DAUDET, Contes du lundi, Partie de billard.

46 Ils sont de vieux compagnons à lui.
J. ROMAINS, les Hommes de bonne volonté, t. X, XVI, p. 181.

e Dans le tour à valeur d'apposition À **LUI SEUL***, À **LUI TOUT SEUL**. *Il n'y arrivera jamais à lui tout seul, sans se faire aider.*

◆ **2.** Avec d'autres prépositions : *de, en, par, pour...* — REM. *Lui* peut se construire avec la plupart des prépositions (sauf *dès, durant, pendant*) et locutions prépositives. — *Les femmes sont folles* (1. Fou, cit. 32) *de lui. J'ai plaisir à parler de lui. Cet enfant est très doué, nous ferons de lui un savant.* ⇒ 2. **En** (cit. 10, 12, et *supra*). *J'ai confiance en lui. Tout ce qui a été fait par lui est à refaire. Une femme qui cache* (cit. 13) *à un homme la passion qu'elle a pour lui. On forme* (cit. 12) *des vœux pour lui. Pour lui, c'est une affaire réglée. Va donc avec lui. Je n'irai pas chez lui. Ils ne reçoivent personne sauf lui, en dehors de lui. Quant à lui, qu'il se débrouille!* — (Avec un nom de chose, surtout personnifiée). *Si l'amour est un bien, il faut croire en lui.* ⇒ **Y** (⇒ Guérir, cit. 38, Musset). «*L'amour* (...) *n'aime pas que l'on coure* (cit. 19) *après lui*» (Gautier).

47 Toutes choses ont été faites par lui; et rien de ce qui a été fait n'a été fait sans lui.
BIBLE (SACY), Évangile selon saint Jean, I, 3.

48 Le conte fait passer le précepte avec lui. LA FONTAINE, Fables, VI, 1.

49 Tous nos ports sont ouverts et pour elle et pour lui. RACINE, Andromaque, I, 3.

50 Ce qui rend l'homme malheureux, ce n'est point ce qui est hors de lui, ni ce qui est au-dessus de lui, ni ce qui paraît même plus déclaré contre lui; mais il est lui-même la source de ses peines, parce qu'il veut être lui-même la règle de ses actions.
BOURDALOUE, Sermon sur la Providence, II.

51 Cette société nouvelle, bâtie de meurtres et de vols, elle se maintenait par lui; en lui elle avait son unité. MICHELET, Hist. de France, IV, V.

52 Aime celui qui t'aime, et sois heureuse en lui. HUGO, les Contemplations, IV, II.

53 C'est vers le Ciel que les mains se tendent; en lui que les yeux se réfugient ou se perdent (...) c'est du haut de lui que certaines paroles sont tombées, et que certains appels de trompettes se feront entendre. VALÉRY, Variété, p. 155.

REM. *De lui,* même désignant une chose, ne peut être remplacé par *en,* ni après *ne... que* («ce chanteur, on ne parle que *de lui*»), ni auprès d'une locution prépositive contenant déjà *de* («je peux citer ce fait

parce que mon séjour à Balbec me mit au courant *de lui*» [Proust, *Du côté de Guermantes*, I, p. 240]).

◆ **3.** Spécialt et littér. Devant un participe passé construit sans auxiliaire. *Un livre à lui dédié, un secret par lui soupçonné.* — Devant un adjectif. «*Pour des raisons à lui sans doute particulières*» (H. de Régnier, *in* G. et R. Le Bidois, *Syntaxe du franç. moderne*, 908).

54 «*Malgré le conseil de ne point parler, à lui donné par son amie la geôlière...*» STEND, Chartr. de P., III, 55 ; «*Le fait que l'aventure par lui contée se déroule à Vergy...*» J. BÉDIER, Châtel. de Vergy, Préf. VII ; «*Grâce aussi à un merveilleux médicament de lui seul connu...*» CÉLINE, Voyage au bout..., II, 106 ; «*Wazemmes, jeune collaborateur par lui formé, par lui extrait du néant.*» J. ROMAINS, Superbes, V, 33.
G. et R. LE BIDOIS, Syntaxe du franç. moderne, 908.

◆ **4.** (Omission de *lui*). — REM. *Lui* est fréquemment omis, surtout dans la langue familière, à la suite de prépositions comme *après, avec, devant, derrière* qui sont alors employées adverbialement. L'omission de *lui* après *dans, sous, sur* entraîne obligatoirement le remplacement de ces prépositions par les adverbes *dedans, dessous, dessus.*

55 Et pour l'échauffer (*l'Enfant Jésus*) dans sa crèche L'âne et le bœuf soufflent dessus. Th. GAUTIER, Émaux et Camées, «Noël».

56 (...) le chameau était lancé (...) Quatre mille Arabes couraient derrière (...)
Alphonse DAUDET, Tartarin de Tarascon, III, IV.

57 (...) un cierge brûlait, et une femme se tenait agenouillée devant (...)
LOTI, Pêcheur d'Islande, III.

58 J'avais pris son dé; je jouais distraitement avec (...)
G. DUHAMEL, Salavin, I, XI.

★ **III.** Employé comme réfléchi*, au lieu de *soi**, pour représenter un sujet masculin déterminé. ⇒ **Soi.**

En parlant d'êtres ou de choses personnifiées. *Un homme content* (cit. 15) *de lui. Un vieillard qui fait* (cit. 16) *sous lui. Il regarda autour de lui. Il fila comme une flèche* (cit. 6), *droit devant lui. Il ne soupçonne pas en autrui* (cit. 12) *ce qu'il ne sent pas en lui.* ⇒ **Lui-même.**

59 C'est un philosophe de son espèce. Il ne pense qu'à lui (...)
DIDEROT, le Neveu de Rameau.

60 Il doutait amèrement de lui. R. ROLLAND, Jean-Christophe, Le matin, p. 143.

61 Il me montra le carnet qu'il avait sur lui (...) GIDE, Journal, 4 juil. 1933.

Après *aucun**, *chacun**, *celui qui...*, surtout accompagnés d'un déterminatif. *Chacun de ces hommes ne pense qu'à lui.*

62 C'est tout un monde que chacun porte en lui ! A. DE MUSSET, Fantasio, I, 2.

63 Chacun de nous porte en lui ses propres menaces.
DANIEL-ROPS, Vouloir, p. 127, *in* GREVISSE.

(En parlant de choses). *Le cyclone avait tout entraîné après lui.*

64 (...) le mont Icare (...) laissait voir derrière lui la cime sacrée du Cythéron (...)
CHATEAUBRIAND, les Martyrs, XV.

★ **IV.** **LUI-MÊME** (⇒ aussi **Même**, I., 2., c, cit. 16 et REM. *supra*).

◆ **1.** (Non réfléchi). ⇒ **Elle-même**, fém. ; **eux-mêmes**, plur. *Lui-même n'en sait rien. La discipline exige* (cit. 20) *d'un chef que lui-même respecte les lois* (→ aussi Gêne, cit. 11). *Il n'est lui-même qu'un employé.*

65 Sévère n'est point mort (...) Il vient ici lui-même (...) CORNEILLE, Polyeucte, I, 4.

66 Monsieur Henri Charrier, je crois? — Lui-même.
Émile AUGIER, les Effrontés, IV, 4.

67 Nous pensions qu'il ne mettait rien au-dessus de l'argent. Lui-même le croyait peut-être (...)
F. MAURIAC, le Nœud de vipères, XIX.

◆ **2.** (Réfléchi). ⇒ **Soi-même**. *Il était honteux de lui-même* (→ Bourreler, cit. 3). *Individu qui reste maître de lui-même* (→ Autonomie, cit. 3). *La bonne opinion qu'il a de lui-même* (→ Glorieux, cit. 18). *Doutant de lui-même* (→ Fasciner, cit. 8). *Pestant contre* (cit. 17) *lui-même. Il est en contradiction* (cit. 4) *avec lui-même.*

68 Tel qu'en Lui-même enfin l'éternité le change (...)
MALLARMÉ, Poèmes d'Edgar Poe, Le tombeau d'Edgar Poe (→ Tel).

69 Un dieu aussi peut se plaire à être aimé pour lui-même.
GIRAUDOUX, Amphitryon 38, I, 5.

70 Il ne trichait guère avec lui-même; du moins pas consciemment.
MARTIN DU GARD, les Thibault, t. V, p. 107.

Loc. *De lui-même :* de son chef*. *Il a agi de lui-même. Arbre* (cit. 43) *qui pousse de lui-même*, tout seul* (→ aussi Éternel, cit. 20; fantastique, cit. 11; 1. feu, cit. 78).

En lui-même, par lui-même : de par sa propre nature (→ Fugitif, cit. 10; impulsion, cit. 7; indépendant, cit. 1). *Qu'il vienne ici pour voir un peu par lui-même*, personnellement* (→ Illusion, cit. 11).

Lui-même, renforçant le réfléchi *se**. *Il s'ignore lui-même* (→ Inconscient, cit. 7). *Il se prend lui-même à son jeu* (cit. 75). *En se parlant à lui-même. Il s'impose* (cit. 23) *à lui-même une règle de conduite.*

71 Balzac est le type de l'écrivain qui se féconde lui-même en se relisant (...)
Émile HENRIOT, les Romantiques, p. 321.

HOM. Formes du v. luire.

LUIRE [lɥiʀ] v. intr. — Conjug. *conduire,* sauf au p. p. *lui,* qui n'a pas de féminin; passé simple *je luisis, il luisit,* et imp. du subj. *que je luisisse,* inus. — 1080, *Chanson de Roland,* anc. franç. *luisir;* du lat.

lucere, sous une forme altérée (le *e* long qui a donné *luisir* étant devenu *e* bref).

♦ **1.** Émettre ou refléter de la lumière*. ⇒ 2. **Briller** (→ ci-dessous, cit. 2), **éclairer, reluire.**

1 Les astres ne *reluisent* point, le feu, ni la chandelle. Il faut dire *luire* en ces lieux-là. L'or, l'argent et autres telles choses luisent ou reluisent, l'un et l'autre se disent là indifféremment. MALHERBE, Œuvres, t. IV, p. 373, *in* F. BRUNOT, Hist. de la langue franç., t. III, p. 228.

2 Ce qui *luit* simplement répand une lumière douce, égale et continue, et même quelquefois une *lueur* (...) seulement. Mais l'objet qui *brille* fait plus qu'éclairer (...) il frappe la vue et parfois l'éblouit (...) *Resplendir* signifie aussi *luire* beaucoup. LAFAYE, Dict. des synonymes, Suppl., art. *Luire, reluire.*

L'aurore (cit. 13), *le jour*, le soleil* luit* (→ Haut, cit. 93). *La lune commençait à luire. Astres qui luisent. Clarté, feu* (cit. 13, par métaphore), *rayon, reflet qui luit.* — *Yeux, prunelles, regards qui luisent, luisent de colère, d'envie* (→ Braise, cit. 3 ; éteindre, cit. 29). — Par métonymie. *La fureur luisait dans ses yeux.* — *Luire au soleil,* refléter sa lumière (→ Cru, cit. 6 ; éclatant, cit. 1). — Refléter la lumière du soleil. *Les feuilles des fusains* (cit. 1) *luisaient.* ⇒ **Luisant.** *Son crâne luisait* (→ Aspirer, cit. 1.2). *Les lames des poignards ont lui* (→ Étui, cit. 3). *Le soc luisait comme de l'argent* (→ Labour, cit. 1). — *Luire aux yeux de qqn, devant les yeux de qqn, pour qqn* (→ ci-dessous, 3.).

3 Hé quoi ? lorsque le jour ne commence qu'à luire (...) RACINE, Esther, II, 1.

4 Pauvre oiseau que le ciel bénit !
Il écoute le vent bruire,
Chante, et voit des gouttes d'eau luire,
Comme des perles, dans son nid. HUGO, Odes et Ballades, V, Ode XXIV.

5 Les vieux meubles luisaient d'un poli merveilleux. NERVAL, la Bohème galante, p. 340.

6 Il *(l'eunuque)* mène les sultanes au bain ; il voit luire sous l'eau d'argent des grands réservoirs ces beaux corps tout ruisselants de perles et plus polis que des agates. Th. GAUTIER, Préface de Mlle de Maupin, p. 17 (éd. critique MATORÉ).

7 La lune blanche
Luit dans les bois (...) VERLAINE, la Bonne Chanson, VI.

8 (...) une joie terrible luisait dans ses yeux de phosphore. FRANCE, le Lys rouge, XXII.

9 (...) les lagunes, à cette heure méridienne, luisent comme des miroirs d'étain. LOTI, l'Inde (sans les Anglais), III, X.

10 Son torse blanc d'homme du Nord luisait de sueur. MARTIN DU GARD, les Thibault, t. V, p. 10.

11 Pourtant l'intelligence brillait dans cette carcasse détraquée ; le regard luisait de malice. G. DUHAMEL, le Voyage de P. Périot, IV.

♦ **2.** Par métaphore. Apparaître*, se manifester* (comme une lueur apparaît aux yeux). *Il vit enfin luire quelque espoir de secours* (Académie). *« L'espoir* (cit. 17) *luit comme un brin de paille... »* (Verlaine).

12 Ton souvenir en moi luit comme un ostensoir ! BAUDELAIRE, les Fleurs du mal, Spleen et Idéal, XLVII.

13 La force immatérielle qui luit dans notre cœur doit luire avant tout pour elle-même. Ce n'est qu'à ce prix-là qu'elle luira pour les autres. MAETERLINCK, Sagesse et Destinée, LXIX.

♦ **3.** Vx (langue class.). **LUIRE À QQN.** *« Cet heureux jour nous luit »* (Corneille, *Rodogune*, I, 1). *Le soleil nous luit* (→ Astre, cit. 1, La Fontaine ; cadran, cit. 1, Hugo). — Au fig. *Luire à qqn, aux yeux de qqn :* se manifester avec éclat (→ Astre, cit. 11, Racine). *« Un nouveau jour luit pour nous,* au lieu de : *un nouveau jour nous luit »* (Académie, 1878).

CONTR. Effacer (s'), pâlir, ternir (se).
DÉR. Luisant.
COMP. Entre-luire.

LUISANCE [lɥizɑ̃s] n. f. — XVe, repris v. 1840 ; de *luisant.*

♦ Littér. et rare. Qualité, aspect de ce qui luit.

Ses cheveux ont une luisance légère comme il y en a sur les feuilles du laurier. MONTHERLANT, le Songe, I, X.

LUISANT, ANTE [lɥizɑ̃, ɑ̃t] adj. et n. m. — 1080, *Chanson de Roland ;* p. prés. de *luire.* → Luire.

♦ **1.** Vx. Qui luit, émet de la lumière. ⇒ **Phosphorescent.** — Loc. *Mouche luisante* (→ Étinceler, cit. 1). — Mod. **VER LUISANT :** lampyre*.

0.1 « Oh ! les beaux vers luisants... » dit la jeune fille, que ce silence, traversé de tant de bruits mystérieux, embarrassait.
Au bord de la pelouse, de petites lumières vertes, haletantes, éclairaient les brins d'herbe (...) Alphonse DAUDET, Fromont jeune et Risler aîné, p. 67.

1 Les vers luisants brillent cette nuit autour de moi
Comme si la prairie était le miroir du ciel
Étoilé. APOLLINAIRE, Ombre de mon amour, XLVIII.

♦ **2.** Qui réfléchit la lumière, qui a des reflets* lumineux (par oppos. à *brillant*). ⇒ **Clair.** *Yeux luisants* (→ Bouche, cit. 4). *Métal luisant, armes luisantes.* ⇒ **Étincelant.** *Bois, parquet, meuble astiqué et luisant.* ⇒ **Poli** (→ Encaustique, cit.). *Les feuilles luisantes du houx. Serpents, boas luisants* (→ Bras, cit. 8). *Un grillon* (cit. 2) *luisant comme du jais. La robe, la croupe luisante d'un cheval. Huile* (cit. 10) *douce et luisante. Tache luisante et grasse* (→ Jour, cit. 18). *Peau luisante* (→ Gras, cit. 15) ; *face, jambe lui-*

sante (→ Caduc, cit. 3 ; flottant, cit. 4). *Lèvres rouges et luisantes* (→ Gonfler, cit. 12). *Étoffe, moire luisante ; vêtements luisants.* ⇒ **Lustré** (→ Bretelle, cit. 2 ; effilocher, cit. 2).

2 Un modeste regard, et pourtant l'œil luisant (...) LA FONTAINE, Fables, VI, 5.

3 Des meubles luisants,
Polis par les ans,
Décoreraient notre chambre (...) BAUDELAIRE, les Fleurs du mal, Spleen et Idéal, LIII.

4 (...) tout était propre, net (...) le linge blanc, la vaisselle luisante (...) A. DE MUSSET, Nouvelles, Margot, I.

5 (...) la peau de blonde et d'enfant, rose, luisante, pleine de fossettes. Valery LARBAUD, Barnabooth, Journal, 3 mai.

♦ **3.** N. m. (1680 ; « l'Est », 1540). Littér. Qualité de ce qui est luisant. *Le luisant d'une étoffe, du satin* (→ Forme, cit. 28 ; front, cit. 3). *Le luisant d'une peinture.*

6 La boutique est verte, d'un vert profond qui a perdu tout luisant, mais qui maintenant ne s'effacera pas plus que la couleur d'une émeraude. J. ROMAINS, les Hommes de bonne volonté, t. IV, XIV, p. 143.

Rare. Endroit luisant. *« (...) avec des luisants de sueur sur sa peau noire »* (Loti, *in* G. L. L. F.).

CONTR. Obscur, sombre ; mat, terne.
DÉR. Luisance.

LULU [lyly] n. m. — 1770, Buffon ; onomatopée.

♦ Oiseau passeriforme *(Passereaux ; Alaudidés*)* scientifiquement appelé *lulula,* et communément *alouette des bois, mauviette.*

Cette alouette, que je nomme *lulu,* d'après son chant, ne diffère pas seulement du cochevis par sa taille, qui est beaucoup plus petite, par la couleur de son plumage (...) BUFFON, Hist. nat. des oiseaux, Le lulu...

REM. Le mot est parfois pris au féminin, par infl. de *alouette.*

LUMACHELLE [lymaʃɛl] n. f. — 1765 ; ital. *lumachella,* de *lumaca* « limaçon », du lat. *limax, -acis.* → Limace.

♦ Minér., techn. Marbre* contenant de nombreux débris de coquilles fossiles.

(...) d'autres *(marbres)* comme les *lumachelles,* paraissent composés de petites coquilles de la figure des limaçons (...) BUFFON, Hist. nat. des minéraux, Du marbre.

LUMBAGO [lɔ̃bago ; lœbago] ou LOMBAGO [lɔ̃bago] n. m. — 1756 ; bas lat. *lumbago,* du lat. class. *lumbus.* → Lombe.

♦ Méd. Affection douloureuse de la région lombaire apparaissant brusquement à la suite d'un effort et provoquée le plus souvent par une hernie de disque intervertébral. Cf. fam. Tour de reins. *Elle souffre d'un lumbago, d'un lombago. Des lumbagos. Il ne peut presque plus marcher à cause de son lumbago (lombago).*

LUMEN [lymɛn] n. m. — 1922 ; mot lat. « lumière ».

♦ Phys. Unité de flux* lumineux (symb. *Lm*) correspondant au flux émis dans un stéradian par une source ponctuelle uniforme située au sommet de l'angle solide et ayant une intensité de 1 candéla. ⇒ **Lux.**

N. m. *Lumen-heure :* unité de quantité de lumière, quantité de lumière rayonnée par un flux d'un lumen pendant une heure.

LUMIÈRE [lymjɛʀ] n. f. — XIIe ; « embouchure d'un cor », *Chanson de Roland,* 1080 ; lat. *luminaria* « flambeau », et en lat. ecclés., « lumière », plur. neutre de *luminare* (nom et adj., du lat. class. *lumen, -inis*) « passé au fém. en lat. vulg., où il a éliminé *lux,* puis *lumen* » (Dauzat).

★ **I.** (XIIe). Agent physique capable d'impressionner l'œil*, de rendre les choses visibles.

1 (...) quand les plus savants des hommes m'auront appris que la lumière est une vibration, qu'ils m'en auront calculé la longueur d'onde, quel que soit le fruit de leurs travaux raisonnables, ils ne m'auront pas rendu compte de ce qui m'importe dans la lumière, de ce que m'apprennent un peu d'elle mes yeux, de ce qui me fait différent de l'aveugle, et qui est matière à miracle, et non point objet de raison. ARAGON, le Paysan de Paris, p. 12.

A. Cour. ♦ **1.** Ce par quoi les choses sont éclairées. ⇒ **Clarté** (cit. 6) ; **éclat** (III.). *Émettre, produire, répandre, jeter de la lumière.* ⇒ **Briller, éclairer** (cit. 2, 4 et 5), **enluminer** (1. ; vx), **ensoleiller, flamboyer, illuminer, luire, rayonner, resplendir, scintiller ; clair, étincelant, lumineux.** *Diffuser* la lumière. *Réfléchir, renvoyer la lumière.* ⇒ **Briller, luire, reluire ; brillant, luisant, reluisant.** *La couleur noire absorbe la lumière. Lumière émanée* (cit. 1) *d'une source, qui part,* provient d'une source. ⇒ **Foyer, source** (de lumière). *La lumière s'épand, gicle* (cit. 8), *jaillit, rejaillit. Lumière qui s'allume*, grandit. La lumière s'éteint*, vacille, meurt. Affaiblissement de la lumière* (⇒ **Obscurcissement**). *Absence* (cit. 14) *de lumière* (⇒ **Obscurité, ténèbres**). *Action, effet, distribution, répartition de la lumière.* ⇒ **Éclairage, éclairement ; éclairer ; illumination** (cit. 4). *Lumière qui baigne* (cit. 7), *dore* (cit. 4), *inonde les choses. Bain* de lumière* (→ Fête, cit. 9). *Jeux** (cit. 79) *de lumière. La lumière effleure les choses, joue dans, parmi les feuilles. La lumière perce, transperce, dissipe les ténèbres.*

2 La clarté de cette matinée était étrangement diffuse. La lumière, répartie sur tous les objets, les éclairait avec une extrême netteté.
FRANCE, Jocaste, XIII, Œuvres, t. II, p. 121.

Faisceaux, jets (cit. 8), *pinceaux, rais, rayons, traits de lumière* (→ Estomper, cit. 2). *Traînée de lumière* (⇒ **Brasiller**). *Cône, couronne, halo, rond de lumière. Trouées de lumière* (⇒ **Éclaircie**). *Ondes de lumière. Flots, ruissellements, torrents de lumière.*

3 Des torrents de lumière inondaient le cirque (...)
Th. GAUTIER, Voyage en Espagne, p. 52.

4 Les ouvertures sont bien closes. Mais on ne sait jamais. Un rais de lumière peut filtrer. J. ROMAINS, les Hommes de bonne volonté, t. III, V, p. 77.

Lumière aveuglante, brillante, crue. Lumière éblouissante (cit. 1 et 3), *éclatante, étincelante, forte, franche, grande* (cit. 29), *intense* (cit. 1), *vive.* ⇒ **Éclat, splendeur.** *Lumière vive et brève.* ⇒ **Éclair, étincelle.** *Lumière diffuse, douce, indécise.* ⇒ **Lueur, reflet; pénombre** (→ Atmosphère, cit. 6; éteindre, cit. 66). *Lumière pâle, vaporeuse. Lumière chaude, colorée, dorée, jaune* (cit. 10). *Lumière irisée, chatoyante. « Le monde s'endort* (cit. 21) *dans une chaude lumière »* (Baudelaire). *Lumière blanche, blafarde, blême, livide. Lumière douce. Lumière dure, brutale. Lumière fixe, constante, papillotante, scintillante, tremblante. Un chatoiement, un poudroiement de lumière* (→ Fantasia, cit. 1; joncher, cit. 3).

5 (...) ce paysage, inondé et criblé d'une lumière crue, impitoyable, aveuglante, que nul reflet ne vient tempérer et qu'augmente encore la réverbération d'un ciel sans nuage et sans vapeur, devenu blanc à force d'ardeur, comme le fer dans la fournaise. Th. GAUTIER, Voyage en Espagne, p. 115.

6 Dehors, il faisait jour, éternellement jour. Mais c'était une lumière pâle, pâle, qui ne ressemblait à rien; elle traînait sur les choses comme des reflets de soleil mort.
LOTI, Pêcheur d'Islande, I, I.

Lumière naturelle. La lumière du jour, du soleil.* ⇒ **Jour.** *La lumière de l'aurore, du matin; lumière du crépuscule, du soir.* — Absolt. *La lumière paraît, croît, baisse, décroît* (→ Aspect, cit. 20). *« L'écho lointain de la lumière »* (→ Couleur, cit. 4, Baudelaire). *La lumière de midi; grande, pleine lumière* (→ Arbre, cit. 30; évanouissement, cit. 1). *Variation de la lumière suivant les points du globe, suivant les saisons* (→ Automne, cit. 12; emparer, cit. 16; été, cit. 3; janvier, cit.). *Lumière hivernale, polaire* (→ Hyémal, cit. 3). *La lumière des tropiques.*

7 Quand on était dans la maison, la lumière était verte qui bougeait aux croisées, onduleuse et flambante par les soleils du plein été, ruisselante par les jours pluvieux, parfois aussi, quant les hivers bloquaient le couvercle du ciel, immobile et stagnante, d'un glauque aussi glacial et morne que celui d'un abîme marin.
M. GENEVOIX, Raboliot, II, III.

Allus. bibl. *Dieu dit : que la lumière soit...* ⇒ **Fiat, lux; jour** (cit. 1).

8 Il *(Dieu)* commande au soleil d'animer la nature,
Et la lumière est un don de ses mains (...) RACINE, Athalie, I, 4.

Laisser entrer, pénétrer la lumière dans une pièce. Fenêtre (cit. 5), *lucarne* (cit. 4) *qui donne de la lumière. Filtrer* (cit. 2), *tamiser la lumière. Rabattre la lumière* (⇒ **Abat-jour**). *Pièce sans lumière, privée de lumière :* pièce obscure, sombre. *Intercepter* (cit. 4), *arrêter la lumière* (⇒ **Opacité, opaque**). *Matière qui laisse passer la lumière, perméable à la lumière.* ⇒ **Clair** (3.), **diaphane** (cit. 1), **translucide, transparent.** — *Lumière directe, réfléchie. Lumière verticale; frisante* (cit. 1 et 2), *rasante* (→ Clarté, cit. 7). *Lumière à contre-jour*.*

9 (...) la chambre à coucher de Valentine, qui avait été choisie pour faire fonction d'atelier, comme étant la seule pièce de l'appartement dont la fenêtre donnât au nord, et dont, par conséquent, la lumière fût toujours la même.
STENDHAL, Romans et Nouvelles, Féder, III.

Lumière des astres, des étoiles (cit. 16), *de la lune** (→ Argenté, cit. 5; forêt, cit. 2, Chateaubriand; illumination, cit. 10). *La lune emprunte sa lumière au soleil* (→ Croissant, cit. 1). *Intercepter la lumière d'un astre.* ⇒ **Éclipse** (cit. 2); **éclipser.** *Traînée de lumière d'une comète.* ⇒ **Chevelure.**

10 Comme tu me plairais, ô nuit! sans ces étoiles
Dont la lumière parle un langage connu!
BAUDELAIRE, les Fleurs du mal, Spleen et Idéal, LXXIX.

Astron. *Lumière cendrée*.*

La lumière artificielle. La lumière d'un corps en combustion.* ⇒ **Éclairage, feu** (cit. 32), **flamme.** *La lumière d'un brasier*, d'un foyer*, d'une bougie** (cit. 1), *d'une chandelle, d'un cierge, d'un flambeau*, d'une torche*, d'une lampe.* ⇒ **Lampe** (cit. 4, 10, 19 et 20), **luminaire.** *La lumière d'une lanterne, d'un lustre, d'un phare, d'un projecteur, d'un réverbère, d'une veilleuse* (→ Épandre, cit. 13). *Diriger la lumière d'une lampe, d'un projecteur sur qqn, qqch. La lumière de la rampe.* ⇒ **Feu.** *Lampe à lumière verticale.* ⇒ **Astral.** *Couronne* de lumière. — Lumière du gaz* (cit. 4). Syn. : *le gaz* (spécialt). → Élève, cit. 4; étude, cit. 50. — *Lumière électrique* (cit. 2). ⇒ **Électricité** (cit. 6).

Effet de la lumière sur l'œil (→ Excitation, cit. 13). *« Trop de lumière éblouit »* (cit. 1, Pascal). ⇒ **Éblouissement** (cit. 2); **offusquer.** *Excès de lumière* (→ Aveugler, cit. 1). *Cligner des yeux en regardant la lumière* (⇒ **Papillotage**). *Sensation de lumière produite par une pression sur l'œil fermé* (⇒ **Phosphène**).

Actions chimiques, biologiques de la lumière. ⇒ **Actinique** (rayon). *La lumière impressionne* (cit. 6) *la plaque photographique.* → **Photographie, plaque** (sensible), **sensibilisateur; sensibiliser.** *La lumière contribue à l'élaboration de la chlorophylle** (photosynthèse). *Zones aquatiques privées de lumière* (⇒ **Aphotique**), *où pénètre la lumière* (⇒ **Euphotique**). *Réaction à la lumière.* ⇒ **Phototactisme.** *Qui se tourne, va vers la lumière* (⇒ **Actinotropisme, héliotropisme, phototropisme**). *Qui fuit, craint la lumière* (⇒ **Lucifuge; photophobie**). *Traitement médical par la lumière.* ⇒ **Actinothérapie, héliothérapie, photothérapie.**

Toute la lumière qui nous vient du soleil n'est pas utilisée par la photosynthèse (...) Un faisceau de lumière arrive sur la feuille. De cette lumière incidente (...) une partie est renvoyée, diffusée par la feuille (...) le reste est absorbé (...) 11
Jean CARLES, l'Énergie chlorophyllienne, p. 82.

Utilisation de la lumière dans l'art du spectacle, en photographie. ⇒ **Éclairage;** → Expressionnisme, cit. 2. *Lumière d'ambiance** (2.).

Les ballets russes nous ont appris que de simples jeux de lumières prodiguent, dirigés là où il faut, des joyaux aussi somptueux et plus variés. 12
PROUST, À la recherche du temps perdu, t. XI, p. 11.

Allus. littér. *« Plus de lumière ! » (mehr Licht)*, dernières paroles de Goethe (aussi interprétées métaphoriquement. → ci-dessous, cit. 27).

Et il trouvait si bien qu'il faisait noir dans la musique que jouait Loisel qu'à la fin un jeune poète, jouant déjà les Bergotte, s'écria les mots de Goethe mourant : « De la lumière, de la lumière ! » mot qui resta pour Loisel le mot de la soirée. 12.1
PROUST, Jean Santeuil, Pl., p. 799.

♦ **2.** Absolt et poét. La lumière du jour, le jour, et, fig., la vue, ou encore la vie. *Attendre la lumière,* le jour (→ Éternel, cit. 35). *Ouvrir, rouvrir les yeux à la lumière* (→ Balsamique, cit. 2; graver, cit. 13). — *Perdre la lumière :* perdre la vue (→ Aveugle, cit. 33). Vx. *Perdre la lumière :* perdre la vie (⇒ **Mourir**). — *Ouvrir les yeux à la lumière, voir la lumière :* naître (→ 2. Instant, cit. 2). *Chérir la lumière,* la vie.

(Pantagruel) était si merveilleusement grand et si lourd, qu'il ne put venir à lumière sans ainsi suffoquer sa mère. RABELAIS, Pantagruel, II. 13

Je demeurai longtemps sans lumière et sans vie. RACINE, II, 1. 14

♦ **3.** Absolt. Éclairage artificiel. *Donner de la lumière.* ⇒ **Allumer** (→ Fumeron, cit. 2). *Allumer* (emploi condamné par les puristes, comme pléonasme) *la lumière. Éteindre la lumière. Laisser brûler la lumière* (lorsqu'il s'agit d'une flamme vive). *Écrire, lire à la lumière.*

Mais en ma chambre à peine ai-je éteint la lumière, 15
Qu'il ne m'est point permis de fermer la paupière. BOILEAU, Satires, VI.

♦ **4.** Littér. ou style soutenu. Clarté, éclat (du regard). *La lumière d'un regard, des yeux de qqn.* → Envelopper, cit. 4.

♦ **5.** (XIIe, « lampe »). *Une lumière :* un point lumineux, une source de lumière. ⇒ **Feu.** *Orner un sapin de Noël de petites lumières.* ⇒ **Illuminer; illumination.** *Lumières voilées* (→ 1. Cabaret, cit. 2). *Ville étoilée* (cit. 2) *de lumière. Pénombre piquée, parsemée de lumières.* → Guetter, cit. 10. *Lumière dans la nuit* (→ Écouler, cit. 6). *Se promener, une lumière à la main.* ⇒ **Lampe, lanterne** (→ Effaré, cit. 10). *Extinction* (cit. 4) *des lumières. — Aux lumières :* à la lumière artificielle (→ Jeune, cit. 7; lasser, cit. 17). *« Un salon qui brille aux lumières »* (Hatzfeld).

Il leva les yeux, et à l'extrémité du souterrain, là-bas devant lui, loin, très loin, il aperçut une lumière. Cette fois, ce n'était pas une lumière terrible; c'était la lumière bonne et blanche, c'était le jour. HUGO, les Misérables, V, III, VII. 16

Jusqu'à minuit, New York prend ici son bain de lumière. Lumière non seulement blanche mais jaune, rouge, verte, mauve, bleue; lumières non seulement fixes, mais mobiles, tombantes, tournantes, courantes, zigzagantes, roulantes, verticales, horizontales, dansantes, épileptiques (...) Dans la quarante-deuxième rue, c'est une belle matinée d'été toute la nuit (...) Paul MORAND, New York, *in* CLARAC. 17

♦ **6.** Représentation picturale de la lumière. ⇒ **Éclairage** (cit. 4). *Contraste de lumière et d'ombre*.* ⇒ **Clair-obscur.** *Lumière dominante* (→ Concave, cit.). *Échappée* de lumière. Touche de lumière* (→ Escrimeur, cit. 2). *Lumière douce, lumière perdue* (⇒ **Demi-teinte**). *Peintre qui donne une importance primordiale aux effets de lumière.* ⇒ **Luministe.** — *Distribution** (cit. 3) *des lumières.*

On appelle un effet de lumière, en peinture (...) un mélange des ombres et de la lumière, vrai, fort et piquant (...) DIDEROT, Essai sur la peinture, III. 18

Chez les coloristes, la lumière dépend donc exclusivement du choix des couleurs employées pour la rendre et se lie si étroitement au ton, qu'on peut dire en toute vérité que chez eux la lumière et la couleur ne font qu'un. Dans la *Ronde de nuit (de Rembrandt)*, rien de semblable. Le ton est noirâtre, la lumière blanchâtre (...) Il y a là des écarts de valeurs plutôt que des contrastes de ton. 19
E. FROMENTIN, les Maîtres d'autrefois, Hollande, XIII.

♦ **7.** Loc. (trad. de l'esp.). *Habit de lumière :* costume brodé de fils brillants du torero qui a reçu l'alternative.

B. Sc. Radiations* visibles ou invisibles émises par les corps incandescents ou luminescents. *Une théorie de la lumière.* → 2. Optique, cit. 1, d'Alembert. *Nature de la lumière. Théorie corpusculaire de la lumière,* défendue au XVIIIe siècle par Newton. *Théorie ondulatoire de la lumière* (⇒ **Éther**, 3.). *Théorie électromagnétique de la lumière. Quanta* de lumière; grain de lumière* (⇒ **Photon**). *Matière et Lumière,* ouvrage de L. de Broglie.

(...) la théorie de la lumière se trouve être à la fois une théorie électromagnétique et une théorie du type de la « Physique du champ » (...) mais c'est aussi une théorie du type ondulatoire parce que les grandeurs lumineuses se propagent par ondes (...) Bien différente est la conception corpusculaire de la lumière : ici (...) plus de phénomènes ondulatoires s'étalant dans l'espace, mais des corpuscules loca- 20 lisés décrivant des trajectoires (...) Ici le champ fait place à la singularité, le continu au discontinu (...)　　　L. DE BROGLIE, Continu et Discontinu, p. 146-147.

Propriété de la lumière. ⇒ **Optique**. *Intensité de la lumière, quantité de lumière ; mesures, unités de lumière.* ⇒ **Brillance** (vx), **flux** (lumineux), **luminance, luminosité** ; **actinomètre, actinométrie, cellule** (photo-électrique), **photomètre, photométrie, pyrhéliomètre** ; **bougie** (bougie nouvelle, vx), **carcel** (vx), **lumen, lux, phot**. *Dégagement, émission de lumière* (⇒ **Combustion, incandescence, irradiation, photogène**). *Corps qui dégage lumière et chaleur* (⇒ **Combustible** ; **brûler**). *Lumière froide.* ⇒ **Fluorescence, luminescence, phosphorescence.** — *Point d'où rayonne la lumière.* ⇒ **Foyer** (III., 1.). *Vitesse de la lumière*, environ 300 000 km/s. ⇒ **Année** (de lumière), **année-lumière**. *Équation de la lumière* : temps moyen que met la lumière pour aller du soleil à la terre. *Propagation, transmission, trajectoire de la lumière.* ⇒ **Onde, vibration** ; **rayon, rayonnement ; rayonner**. — *Déviations, inflections de la lumière.* ⇒ **Diffracter ; diffraction, réfléchissement, réflexion, réfraction, réfringence, réfringent ; indice** (de réfraction) ; → Cristal, cit. 1 ; infléchir, cit. 3. *Lumière réfléchie* (⇒ **Reflet ; refléter ; réverbération**), *réfractée* (⇒ aussi **Caustique**, n. f.). *Appareils réfléchissant la lumière.* ⇒ **Catadioptrique, cataphote, miroir** (plan, spérique), **réflecteur**. *Réfraction* de la lumière. Polarisation* de la lumière.* ⇒ **Polarimètre, polariscope, polariseur**. *Concentration, convergence des rayons de lumière traversant une lentille. Milieu où se propage la lumière. Lumière émergente* (⇒ **Émergence**), *immergente. Phénomènes résultant de la nature vibratoire de la lumière.* ⇒ **Onde, vibration** ; **dispersion, interférence**. *Lumière simple, monochromatique. Fréquence, longueur d'onde d'une lumière simple.* — *Lumière cohérente* : lumière monochromatique dont les ondes sont en phase. — *Décomposition d'une lumière blanche.* ⇒ **Couleur, prisme, spectre, spectroscope ; arc-en-ciel** (→ Image, cit. 8). *Verres achromatiques**, qui ne décomposent pas la lumière. — Loc. **LUMIÈRE NOIRE** : radiations ultraviolettes excitant la fluorescence. Syn. : *lumière de Wood*.

20.1 (...) qui réussit à obtenir des photographies d'une remarquable perfection à l'aide de la lumière noire, pour emprunter à M. Le Bon sa formule pittoresque.
　　　L. FIGUIER, l'Année scientifique et industrielle 1897, p. 96 (1896).

★ **II.** (XIIᵉ). Fig. ♦ **1.** Ce qui éclaire, illumine la conscience humaine, le cœur, l'esprit. ⇒ **Clarté** (2.), **flambeau**. *La lumière de l'attention* (→ Braquer, cit. 6). *La lumière, les lumières de l'esprit* (→ Effectif, cit. 2 ; hommage, cit. 30), *de l'intelligence* (→ Éteindre, cit. 18), *de la raison* (→ Épreuve, cit. 16). *« L'entendement* (cit. 3) *est la lumière que Dieu nous a donnée »* (Bossuet). *Lumière intérieure ; lumière de l'âme, de la conscience.*

21 (...) si donc (...) vous éteigniez vous-même les lumières de la raison (...)
　　　BOSSUET, Sermons, in LITTRÉ.

22 (...) la lumière qui ne trompe pas, celle de la conscience (...)
　　　Paul BOURGET, Un divorce, v.

23 *(Le Greco)* disait, lui, à Clovio, venu le chercher pour une promenade, et qui le trouvait dans l'obscurité : « L'éclat du jour nuirait à ma lumière intérieure ».
　　　MALRAUX, les Voix du silence, p. 425.

Relig. La lumière de Dieu, que Dieu répand dans les âmes. ⇒ **Illumination** (I., 1.). *La lumière du Christ* (→ Croix, cit. 4), *de l'Esprit-Saint. La lumière, les lumières de la foi**. — Allus. bibl. *La lumière de la loi.* ⇒ **Lampe** (cit. 15 et 16). *Cacher, mettre la lumière* (la lampe*) *sous le boisseau** (cit. 1 et 2).

Absolt. Dieu dit : Je suis la lumière. ⇒ **Vérité**. *Les enfants de lumière* : les justes. *Anges, esprits de lumière.* ⇒ **Esprit** (cit. 30).

24 Je suis la lumière du monde ; celui qui me suit ne marche point dans les ténèbres, mais il aura la lumière de la vie.
　　　BIBLE (SACY), Évangile selon saint Jean, VIII, 12.

Absolt. La lumière, symbole de la Vérité*, du Bien*, du Bonheur, etc. *Aspirer à la lumière, s'avancer vers la lumière* (→ Doute, cit. 14 ; étouffer, cit. 34). *«Aimer la beauté, c'est vouloir la lumière »* (→ Flambeau, cit. 15, Hugo).

25 Que chacun dans sa loi cherche en paix la lumière (...)
　　　VOLTAIRE, les Guèbres, v, 6.

26 Et l'on voit de la flamme aux yeux des jeunes gens,
Mais dans l'œil du vieillard on voit de la lumière.
　　　HUGO, la Légende des siècles, II, Booz endormi.

Allus. littér. (paroles interprétables au sens concret ; → ci-dessus, cit. 12.1) :

27 L'on s'extasie d'ordinaire devant cette soif de clarté *(de Goethe)* ; l'on admire ce « Mehr Licht ! », dernières paroles de Goethe, où l'on ne sait trop s'il faut entendre une réclamation de «plus de lumière», ou un cri de reconnaissance devant un afflux divin. (Les croyants sont habiles à interpréter mystiquement les balbutiements d'un mourant).
　　　GIDE, Attendu que..., p. 126.

♦ **2.** Dans des expressions, surtout verbales. Ce qui rend clair, ce qui fournit une explication. ⇒ **Éclaircissement, explication, renseignement**. *Donner de la lumière, des lumières sur qqch.* ⇒ **Éclairer** (II., 2.), **expliquer**. *Jeter* de nouvelles lumières sur une question. Faire la lumière sur...* ⇒ **Élucider**.

28 (...) et sur cette matière
Il pourra nous donner une pleine lumière.
　　　MOLIÈRE, les Femmes savantes, I, 1.

Loc. *Trait de lumière* : brusque compréhension. ⇒ **Illumination**.

29 Ce fut là pour moi un trait de lumière. Je ne doutai pas que le bouquet de Système ne se rattachât au même souvenir.
　　　RENAN, Souvenirs d'enfance..., II, v, Œuvres, t. II, p. 778.

Loc. *À la lumière des évènements, de l'expérience.* — Prov. *De la discussion* jaillit la lumière.*

♦ **3.** État de ce qui est visible de tous, de ce qui est évident pour tous. ⇒ **Évidence, jour** (grand jour), **publicité**. *Mettre qqch. en lumière, en pleine lumière* : éclairer, signaler. ⇒ **Manifester, publier** (→ Esprit, cit. 124 ; grandir, cit. 12 ; impression, cit. 5 ; inventer, cit. 1). *Remettre en lumière ce qui avait été caché, oublié* (→ Individualisme, cit. 2).

30 (...) j'aspire à l'obscurité avec plus d'ardeur que je ne souhaitais autrefois la lumière : celle-ci m'importune ou comme éclairant mes misères ou comme me montrant des objets dont je ne puis plus jouir (...)
　　　CHATEAUBRIAND, Mémoires d'outre-tombe, t. V, p. 384.

♦ **4.** Vieilli. Connaissance (de qqch.). *Avoir, acquérir quelque lumière, une certaine lumière de qqch.* (→ Équité, cit. 3 ; expérience, cit. 18), *sur qqch.* ⇒ **Clarté, lueur**.

31 (...) aujourd'hui l'homme est devenu semblable aux bêtes, et dans un tel éloignement de moi, qu'à peine lui reste-t-il une lumière confuse de son auteur (...)
　　　PASCAL, Pensées, VII, 430.

Absolt (vx). Connaissance, compréhension. *À mesure qu'on a plus de lumière...* (→ Bassesse, cit. 2, Pascal).

♦ **5.** Au plur. *Les lumières* : la capacité intellectuelle naturelle (⇒ **Intelligence**) ou acquise (⇒ **Connaissance, savoir, science**). *Les lumières de qqn* (→ Croire, cit. 23 ; écarter, cit. 9 ; industrie, cit. 3). *Avoir des lumières* (→ Éclairer, cit. 27), *des lumières de* (vieilli), *sur qqch., sur un sujet. Je n'ai pas grandes lumières sur la question. Aider* (cit. 7) *qqn de ses lumières. J'aurais besoin de vos lumières. Prêtez-moi vos lumières*, vos connaissances sur le sujet. — REM. Cet emploi n'est courant que dans quelques expressions, comme *avoir besoin des lumières de qqn*.

32 C'est un homme (...) dont les lumières sont petites, qui parle à tort et à travers de toutes choses (...)
　　　MOLIÈRE, le Bourgeois gentilhomme, I, 1.

33 (...) des projets (...) impraticables, par l'idée dont l'auteur n'a jamais pu sortir, que les hommes se conduisaient par leurs lumières plutôt que par leurs passions.
　　　ROUSSEAU, les Confessions, IX.

Les lumières d'une époque : l'état de la civilisation, de la culture. — REM. C'est au XVIIIᵉ s. que cet emploi eut sa plus grande vogue, et on l'utilise surtout par allusion à cette époque. — *La progression des lumières* (→ Barbare, cit. 12). *La philosophie, les philosophes des lumières* (→ Fermer, cit. 39). *Le siècle des lumières* (cf. l'all. *Aufklärung*) : le XVIIIᵉ siècle.

34 Aux approches de 1789, il est admis que l'on vit «dans le siècle des lumières», dans «l'âge de raison», qu'auparavant le genre humain était dans l'enfance, qu'aujourd'hui il est devenu «majeur ».
　　　TAINE, Origines de la France contemporaine, III, t. II, p. 2.

Absolt et vx (par métaphore ou fig.). *La lumière* : la culture, la «philosophie » (au sens du XVIIIᵉ s.).

35 C'est du nord aujourd'hui que nous vient la lumière.　　VOLTAIRE, Épîtres, CXCIX.

♦ **6.** *Une lumière* : homme de grande intelligence, de grande valeur (par allus. à ses «lumières» et à sa célébrité). ⇒ **Flambeau, phare, savant, sommité**. *Une des lumières de l'Académie* (→ Bannir, cit. 27).

36 (...) cet avocat est le neveu d'un ancien collègue, l'une des lumières de ce grand Conseil d'État qui a donné le Code Napoléon à la France.
　　　BALZAC, Une double famille, Pl., t. I, p. 955.

37 Il faudra que j'en parle à Matruchot, qui ne se contente pas d'enseigner la botanique, qui est aussi une des grandes lumières de l'onomastique (...)
　　　J. ROMAINS, les Hommes de bonne volonté, t. II, XV, p. 164.

Loc. (Mil. XXᵉ). *Ce n'est pas une lumière* : cette personne n'est pas très intelligente.

★ **III.** Par métonymie («ce qui laisse passer la lumière», 1ᵉʳ emploi attesté). Vx ou techn.

♦ **1.** Ouverture, trou pratiqué dans un appareil, un instrument. ⇒ **Jour** (I., 6.), **orifice**. — Vx (dans une arme à feu). Orifice par lequel on mettait le feu à la charge. *La lumière d'un canon* de fusil*. La lumière était protégée par un couvre-lumière**. — Mod. Techn. Ouverture par laquelle l'eau sort d'un corps de pompe*. — Orifice des tiroirs d'une machine à vapeur, par lequel la vapeur passe de la boîte à vapeur dans le cylindre. — Ouverture du fût d'un rabot*, par laquelle passe la lame. — Dans un instrument à pinnule, Petit trou pour l'observation. — Mus. Fente d'un tuyau d'orgue*.

Blason. Yeux des animaux, quand ils sont d'un émail différent.

♦ **2.** Eaux et forêts. *Arbres de lumière*, «ceux qui se trouvent directement au milieu des brisées que font les arpenteurs, et qu'ils laissent (...) pour faciliter leurs opérations» (Littré).

CONTR. Brouillard, nuit, obscurité, ténèbres ; ombre. — Aveuglement, erreur, mal.
COMP. Année-lumière. — Couvre-lumière.

LUMIGNON [lymiɲɔ̃] n. m. — XVIᵉ ; *limeignon*, v. 1155 ; *limegnon, limignon*, XIIᵉ ; selon Bloch-Wartburg, du lat. *ellychnium*, grec *ellukhnion*, avec infl. de *lumen* «lumière» ; selon Guiraud, de *limen* «seuil, début», dans *limegnon* «extrémité de la mèche».

♦ **1.** Vieilli. Bout de la mèche d'une bougie, d'une lampe allumée (⇒ **Mèche**, et aussi **champignon**, 2.).

Bougie, chandelle presque consumée (→ Lanterne, cit. 1).

1 (...) une goutte de cire tomba sur le doigt de Gavroche (...) — Bigre! dit-il, v'là la mèche qui s'use... Gavroche acheva de les arranger *(les enfants)* sur la natte (...) puis répéta (...) l'injonction (...) — Pioncez! Et il souffla le lumignon.
HUGO, les Misérables, IV, VI, II.

♦ **2.** (V. 1920). Mod. Lampe* qui éclaire faiblement (→ Éclairer, cit. 6).

2 Un infirmier passait avec un de ces lumignons que l'on nomme lampes-tempêtes.
G. DUHAMEL, la Pesée des Âmes, II.

LUMINAIRE [lyminɛʀ] n. m. — V. 1120; bas lat. ecclés. *luminare* «lampe, astre», plur. et adj. neutre; du lat. class. *lumen.* → Lumière.

Ce qui sert à l'éclairage.

♦ **1.** *(Le luminaire).* **a** Liturgie. Ensemble des sources d'éclairage et des décorations lumineuses utilisées dans une église, à l'occasion d'une cérémonie religieuse ; cierge*, lampe* appartenant à cet ensemble. *Le luminaire d'une chapelle ardente, d'un enterrement* (→ Attirail, cit. 8).

b Cour. Ensemble des appareils d'éclairage. ⇒ **Éclairage; éclairer; illumination.** *Le luminaire d'une cérémonie. Le luminaire de la voie publique.*

0.1 La dépense du combustible fut modérée, bien qu'il n'y eût aucune raison d'économiser les réserves qui étaient abondantes. Mais malheureusement, il n'en était pas ainsi du luminaire. L'huile menaçait de manquer (...)
J. VERNE, le Pays des fourrures, t. II, p. 199.

1 Au lieu de la lampe à huile ou de la chandelle, fumeuse et puante, on aura la bougie. On éclairera convenablement la table à jeu, la salle de bal ou de conversation. Ce progrès du luminaire était aussi une révolution dans les mœurs.
Louis BERTRAND, Louis XIV, III, II.

♦ **2.** *(Un, des luminaires).* **a** Relig. Source artificielle de lumière. ⇒ **Bougie, chandelle, cierge, flambeau, torche.**

2 Les luminaires de chaque autel et tous les candélabres du chœur étaient allumés.
BALZAC, Maître Cornélius, Pl., t. IX, p. 897.

Spécialt (en style biblique). Les astres*, et, spécialt, le soleil* et la lune*.

3 Dieu dit : Qu'il y ait des luminaires au firmament du ciel pour séparer le jour et la nuit (...) Dieu fit les deux luminaires majeurs : le grand luminaire comme puissance du jour et le petit luminaire comme puissance de la nuit, et les étoiles.
BIBLE (JÉRUSALEM), Genèse, I, 14-16.

b Cour. Appareil d'éclairage ; spécialt, lorsqu'il permet une bonne utilisation de la lumière, supprime l'éblouissement. ⇒ **Lampe, lustre, projecteur.** *Des luminaires de style moderne, en acier.*

DÉR. Luminariste.

LUMINANCE [lyminãs] n. f. — 1948; du rad. de *lumineux.*

♦ **1.** Phys. Quotient de l'intensité d'une surface par l'aire apparente de cette surface pour un observateur lointain. — Syn. vx : *brillance. Unités de luminance.* ⇒ **Candela** (par mètre carré); **nit, stilb** (on dit aussi *luminance lumineuse*).

Spécialt. Éclat (d'un point d'une image télévisée).

♦ **2.** Rare. Vive lumière, lumière radieuse.

LUMINARISTE [lyminaʀist] n. — 1877; dér. sav. de *luminaire.*

♦ **1.** Arts. Peintre qui recherche les effets de forte luminosité, qui peint des sources de lumière.

♦ **2.** Vx. Personne qui fournissait un théâtre en luminaire (chandelles).

LUMINATION [lyminasjɔ̃] n. f. — 1936; cf. moy. franç. *luminacion* «lumière», fin XIVe, E. Deschamps; du lat. *lumen, -inis,* et suff. *-ation.*

♦ Photogr. Quantité de lumière qui donne sur un film sensible un effet photographique déterminé.

LUMINESCENCE [lyminesãs] n. f. — 1899; du lat. *lumen, -inis* «lumière», d'après *phosphorescence.*

♦ Phys. Émission de lumière par un corps non incandescent, déterminée par une radiation lumineuse excitatrice *(photoluminescence),* un courant électrique *(électro-luminescence),* la radioactivité *(radioluminescence),* une réaction chimique *(chimiluminescence).* ⇒ **Fluorescence, phosphorescence; luminescent.** *Unité de luminescence.* ⇒ **Blondel** (vx).

COMP. Adsorboluminescence, bioluminescence, électroluminescence, photoluminescence, thermoluminescence, triboluminescence.

LUMINESCENT, ENTE [lyminesã, ãt] adj. — 1903, in *Rev. gén. des sc.;* du lat. *lumen, -inis* «lumière», comme *luminescence.*

♦ Phys. et cour. Qui émet à froid des rayons lumineux (⇒ **Fluorescent, phosphorescent**). *Gaz raréfié* (néon, krypton...) *rendu luminescent par le passage d'un courant électrique. Corps luminescent.* ⇒ **Étincelant.** *Tubes luminescents, utilisés pour l'éclairage* (→ Électrique, cit. 2).

LUMINEUSEMENT [lyminøzmã] adv. — 1470; de *lumineux* (I., 3.).

♦ D'une manière lumineuse, claire, évidente. *Exposer, expliquer lumineusement une affaire.*

On peut dire hardiment (...) qu'il y a de petites vérités que nous savons aussi bien que lui *(Dieu).* L'Être souverainement intelligent ne peut savoir ces petites vérités, ni plus lumineusement, ni plus certainement que nous (...)
VOLTAIRE, Philosophie, Commentaire sur Malebranche, *in* LITTRÉ.

CONTR. Obscurément.

LUMINEUX, EUSE [lyminø, øz] adj. et n. m. — 1265; lat. *luminosus,* dér. de *lumen.* → Lumière.

★ **I.** Adj. ♦ **1.** Qui émet ou qui réfléchit la lumière. ⇒ **Ardent, éclatant, étincelant, incandescent; brillant, clair.** *Point, corps* (cit. 1) *lumineux. Source* lumineuse* (→ Exposer, cit. 15). — *Annonce, enseigne lumineuse. Le cadran lumineux d'une montre, d'un réveil ; montre à cadran lumineux.* ⇒ **Luminescent, phosphorescent.** *La lune était lumineuse* (→ Emplir, cit. 13). — *Blancheur* (cit. 5) *lumineuse. Fluide* (cit. 7), *brouillard lumineux* (→ Fondre, cit. 30). *Les régions lumineuses du ciel, de l'horizon* (→ Campanile, cit. 1). *Boulevard lumineux par endroits.* ⇒ **Éclairé** (→ Îlot, cit. 3). *Fontaine lumineuse, dont le jet est éclairé. «Voie lactée ô sœur lumineuse...»* (→ Lacté, cit. 2, Apollinaire).

1 (...) mes yeux s'offensent de toute lueur éclatante : je ne saurais à cette heure dîner assis vis-à-vis d'un feu ardent et lumineux. MONTAIGNE, Essais, III, XIII.

2 (...) serait-il bien possible que la terre fut lumineuse comme la lune ? (...) Hélas ! madame, répliquai-je, être lumineux n'est pas si grand chose que vous pensez. Il n'y a que le soleil en qui cela soit une qualité considérable. Il est lumineux par lui-même, et en vertu d'une nature particulière qu'il a (...)
FONTENELLE, Entretiens sur la pluralité des mondes..., 2e soir.

3 Et, presque aussitôt, toutes les sirènes d'alerte se mirent à glapir en même temps. Les rares points lumineux qui palpitaient faiblement autour de la place s'éteignirent d'un coup. MARTIN DU GARD, les Thibault, t. IX, p. 133.

4 Devant eux, presqu'au coin du boulevard, dans une ruelle, l'enseigne lumineuse flambait : Hôtel. ARAGON, les Beaux Quartiers, II, XXXI.

5 Je regardai ma montre. Le cadran lumineux marquait dix heures.
H. BOSCO, Hyacinthe, p. 138.

Par ext. Littér. *La consistance lumineuse des émaux* (cit. 2). *La sérénité lumineuse du ciel* (cit. 35).

6 Aux murs, les violets doux des toiles de Jouy, aux fenêtres, les rideaux d'un jaune paille éteint, semblaient diffuser dans le salon d'une sérénité lumineuse.
A. MAUROIS, Bernard Quesnay, V.

Par métaphore. Qui exprime une lumière intérieure. *Un regard lumineux.* ⇒ **Clair.** *Sourire lumineux.* ⇒ **Ensoleillé, radieux.**

♦ **2.** **a** De la nature de la lumière (visible). *Rayons lumineux. Ondes*, vibrations lumineuses. Faisceaux, gerbes, jets* (cit. 9), *traits lumineux* (→ Entrecroiser, cit. 1; épanouissement, cit. 1; incendie, cit. 3). *La flèche lumineuse de l'éclair* (cit. 1 et 3).

b Relatif à la lumière. *La propriété lumineuse des corps.* ⇒ **Éclat, luminosité** (→ Faculté, cit. 10). *Intensité lumineuse. Intensité lumineuse rapportée à une surface* (⇒ **Luminance**). *Éclairement lumineux. Flux lumineux. Luminance lumineuse. Impression lumineuse, produite par la lumière* (→ Excitabilité, cit. 3).

♦ **3.** Fig. (En parlant de l'esprit). Qui a de la clarté, de la lucidité. ⇒ **Clair, lucide.** *C'est un esprit lumineux. Intelligence*, raison lumineuse.*

7 Il y a des cerveaux lumineux, des têtes propres à recevoir, à retenir et à transmettre la lumière ; elles rayonnent de toutes parts, elles éclairent ; mais là se termine leur action. Il est nécessaire d'y joindre celle d'agents secondaires, pour lui donner de l'efficacité. C'est ainsi que le soleil fait éclore, mais ne cultive rien.
Joseph JOUBERT, Pensées, IV, XXXVII.

(En parlant des réalités intellectuelles). Très clair ; conçu, exprimé avec une grande clarté. *Raisonnement, exposé lumineux, démonstration lumineuse,* raisonnement extrêmement claire, d'une vérité* frappante et aisée à comprendre. ⇒ **Frappant.** — *Passage lumineux et captivant* (cit. 8). *Livre écrit dans une langue lumineuse* (→ Copier, cit. 6). *Style concis, laconique* (cit. 3) *et lumineux. C'est lumineux !*

8 (À propos de Claude Bernard) On n'a rien écrit de plus lumineux, de plus complet, de plus profond sur les vrais principes de l'art (...) de l'expérimentation (...)
PASTEUR, Article du Moniteur cité par Henri MONDOR, Pasteur, V.

Fam. *C'est une idée lumineuse,* une idée excellente, de génie. ⇒ **Génial** (→ Inconséquent, cit. 1).

★ **II.** N. m. Dispositif lumineux fixé sur le toit d'un taxi, et qui est allumé lorsque le véhicule est libre. ⇒ **Bidule** (fam.).

CONTR. Obscur. — Brumeux, embrouillé, énigmatique.
DÉR. Lumineusement. — V. Luminosité.

LUMINIFÈRE [lyminifɛʀ] adj. — 1877; du lat. *lumen, -inis* «lumière», et *-fère*.

♦ **1.** Didact. Qui transporte la lumière.
Les hypothèses relatives à la constitution de l'éther luminifère, qu'Auguste Comte traitait déjà assez dédaigneusement (...)
H. BERGSON, Essai sur les données immédiates de la conscience, p. 109.

♦ **2.** Zool. (animaux). Qui possède des organes luminescents. ⇒ 1. **Luminophore.**

LUMINIQUE [lyminik] adj. — D. i. (mil. XXᵉ); dér. sav. du lat. *lumen, -inis.*

♦ Didact. De la lumière. *Vitesse luminique.*

LUMINISME [lyminism] n. m. — 1962; de *luministe.*

♦ Peint. Prééminence des effets de lumière (dans un tableau, une œuvre picturale). *Le luminisme de Georges de La Tour, du Caravage.*

LUMINISTE [lyminist] n. — 1877; var. anc. *luminariste,* 1922; du lat. *lumen, -inis* «lumière».

♦ Peint. Peintre qui donne la prééminence aux effets de lumière.
DÉR. Luminisme.

LUMINO- Premier élément, tiré du lat. *lumen, -inis,* de composés savants. Outre les composés traités à l'ordre alphabétique, on peut signaler des formations récentes et assez rares, notamment en art : *lumino-cinétique,* adj. (1967); *lumino-cinétisme,* n. m. (1967) (⇒ **Cinétique**); *lumino-dynamique,* adj. (1966); *lumino-dynamisme,* n. m. (1966) : art alliant la lumière au mouvement.

1. LUMINOPHORE [lyminofɔʀ] adj. et n. m. — 1962; du lat. *lumen, -inis,* et *-phore.*

♦ Didact. Qui possède des organes luminescents. ⇒ **Luminifère, 2.** — N. m. Animal luminophore. *Les luminophores.*

2. LUMINOPHORE [lyminofɔʀ] n. m. — 1907, in *Rev. gén. des sc.;* du lat. *lumen, -inis* «lumière», et *-phore.*

♦ Techn. Substance luminescente constituant l'écran des systèmes d'examen aux rayons X et de certains tubes cathodiques. Recomm. off. pour *phosphor.*

LUMINOSITÉ [lyminozite] n. f. — V. 1200; dér. sav. de *lumineux.*

♦ **1.** Qualité de ce qui est lumineux*. ⇒ **Brillance.** — Rare ou didact. (en parlant d'une source de lumière). *La luminosité d'un appareil d'éclairage, d'un réflecteur.*
Cour. *La luminosité de l'air, de l'atmosphère.* ⇒ **Brillant** (3.), **lumière.** *La luminosité d'un ciel* (→ Épithète, cit. 5).

♦ **2.** *La luminosité d'un regard,* son éclat.
Sa haute stature, couronnée de cheveux très blancs, la luminosité de son regard d'apôtre, ajoutaient au prestige de ses idées.
MARTIN DU GARD, les Thibault, t. VI, p. 255.

♦ **3.** Didact. (sc.). Puissance lumineuse. ⇒ **Brillance** (vx). *Masse et luminosité des étoiles.*
CONTR. Obscurité, ombre.

LUMIPHANE [lymifan] n. m. — 1973; du rad. lat. de *lumière,* et *-phane.*

♦ Techn. Feuille d'emballage destinée à protéger de la lumière, de l'humidité et de la sécheresse.

LUMITYPE [lymitip] n. f. — 1962; marque déposée; du rad. de *lumière,* et *-type,* d'après *linotype.*

♦ Imprim. Machine à composer photographique, livrant des films de textes mis en pages.

LUMP [lœp] n. m. — 1776, *Encyclopédie, Suppl.,* t. I, p. 882; var. *lomp, lompe,* fin XVIIIᵉ (1793, *Dict. d'hist. nat.*); de l'angl. *lump* ou *lumpfish,* mot d'orig. danoise.

♦ Cycloptère* *(Cyclopterus lumpus),* poisson dont les œufs sont comestibles. *Œufs de lump :* petits œufs de ce poisson, présentés comme l'est le caviar (teintés en noir). Syn. commercial : *perles du Nord.*
Seule le soir, elle ne s'offrait pas seulement la licence de se nourrir à sa guise d'olives, d'anchois, d'œufs de lump (...)
Cecil SAINT-LAURENT, la Bourgeoise, p. 43.

LUMPEN-PROLÉTARIAT ou **LUMPENPROLÉTARIAT** [lumpɛnpʀɔletaʀja] n. m. — V. 1900; de l'all. *Lump* «gueux, misérable», et *Proletariat.*

♦ Polit. Partie du prolétariat formée par les personnes qui n'ont pas de ressources stables, et caractérisée par l'absence de conscience politique. ⇒ **Sous-prolétariat.** — Abrév. fam. : *le lumpen.* «*Qu'ils appartiennent au jet set ou au lumpen...*» (*l'Express,* 8 sept. 1979, p. 117).

La composition de la masse prolétaire *(russe)* est très variée. On y trouve les représentants du prolétariat rural, du prolétariat industriel, du prolétariat intellectuel, et du «lumpen»-prolétariat, c'est-à-dire de l'élément déclassé de la société.
G. ALEXINSKY, la Russie moderne, 1912, p. 133. [1]

Fig. Personnes particulièrement exploitées.
REM. Le mot appartient au vocabulaire marxiste. L'élément *lump* est passé dans le vocabulaire politique et journalistique, en composés ou seul, désignant souvent un individu appartenant au *lumpen-prolétariat.*
«*Il y a trois catégories. Les minets* (...) *les prolos* (...) *et les lumpen, qui se cament un peu et picolent beaucoup*» (*le Nouvel Obs.,* 18 déc. 1972, p. 50).

Adjectif :
Et d'ailleurs une «femme de journée», ce n'est pas, *forcément,* à l'avant-garde de la classe ouvrière. Plutôt lumpen, *forcément,* que prolétariat. Mᵐᵉ Emma était tout à fait *résignée. Forcément.*
Claude ROY, Nous, p. 214. [2]

1. LUNAIRE [lynɛʀ] adj. — XIIIᵉ; lat. *lunaris,* de *luna* «lune».

♦ **1.** Qui appartient ou a rapport à la Lune. De la Lune, en tant qu'apparence vue de la Terre. *Le disque lunaire. La clarté lunaire. Lueur lunaire. Reflets lunaires* (→ Hélice, cit. 3). —*Aube lunaire,* produite par la lune. → Illumination, cit. 8.
Spécialt (astron.). *Mois lunaire.* ⇒ **Lunaison.** *Année* lunaire. L'année lunaire (synodique) est plus courte que l'année solaire. ⇒ **Épacte; embolisme.** *Cycle* lunaire.* — Par ext. *Le Nouvel An lunaire* (en Chine). — *Cadran* lunaire.*
De la Lune, en tant qu'astre. *Les cirques, les montagnes, les plaines* (dites «mers») *lunaires.* — *Carte lunaire.*

Trente mille cratères, curieusement imbriqués, sur la face visible donnent au sol lunaire son aspect caractéristique : certains dépassent 100 km en diamètre, d'autres sont minuscules, à la limite de visibilité... Mais le terme de cratère est impropre (...) Les cirques lunaires sont des dépressions circulaires souvent profondes, à fond plat, entourées d'un rebord modeste (...)
Paul COUDERC, Dans le champ solaire, III, p. 67. [1]

Qui concerne l'exploration de la Lune. *Expédition lunaire. Module lunaire :* engin capable de se poser sur la Lune. *Véhicules lunaires,* se déplaçant à la surface de la Lune. *Séismologie lunaire. Échantillons lunaires,* prélevés sur la Lune.
Astrol. *Influences lunaires. Type lunaire,* placé sous l'influence astrale* de la Lune.

♦ **2.** Par ext. Qui semble appartenir à la Lune. *Une lumière lunaire. Un paysage lunaire,* tourmenté, sinistre et fantastique (analogue à ceux que l'on observe à la surface de la Lune).

(...) la décoloration singulière de toutes ces neiges, ces glaces, amoncelées, surplombantes, qui (...) lorsque le jour s'éteint (...) prennent des teintes livides, spectrales, de monde lunaire. Pâleur, congélation, silence, toute la mort.
Alphonse DAUDET, Tartarin sur les Alpes, X. [2]

♦ **3.** Qui a un aspect chimérique. — Personnes. *Pierrot lunaire. Il est un peu lunaire.* → Dans la lune*, pêcheur de lunes*. — Par ext. *Projet lunaire,* extravagant.

Ce n'est plus le rêveur lunaire du vieil air
Qui riait aux aïeux dans les dessus de porte (...)
VERLAINE, Jadis et Naguère, «Pierrot». [3]

♦ **4.** Loc. fam. *Face lunaire,* qui ressemble à la Lune, soit par son teint blafard, soit par sa forme ronde et rebondie. «*Les blêmes figures lunaires*» (Rimbaud).

Saisirez-vous bien cette figure pâle et blafarde à laquelle je voudrais que l'académie me permît de donner le nom de face *lunaire,* elle ressemblait à du vermeil dédoré?
BALZAC, Gobseck, Pl., t. II, p. 624. [4]

DÉR. 3. Lunaire.
COMP. Semi-lunaire, sublunaire.
HOM. 2. Lunaire, 3. lunaire.

2. LUNAIRE [lynɛʀ] n. f. — 1542; lat. alchim. et bot. *lunaria,* de *luna* «lune», à cause des silicules en forme de disque que présente cette plante.

♦ Bot. Plante dicotylédone *(Crucifères)* d'Europe et d'Asie occidentale, herbacée, bisannuelle ou vivace, dont les silicules, arrondies ou ovales, conservent, après la chute des valves, la cloison en forme de disque blanc satiné qui les séparait. *La lunaire,* dite aussi *médaille, monnaie*-du-pape, satin blanc, vernaculaire.*
HOM. 1. Lunaire, 3. lunaire.

3. LUNAIRE [lynɛʀ] n. m. — Av. 1931, Larousse; de l'adj. 1. *lunaire.*

♦ Zool. Papillon dont la chenille vit sur les chênes, les peupliers.
HOM. 1. Lunaire, 2. lunaire.

LUNAISON [lynɛzɔ̃] n. f. — V. 1119; var. *lunation*, 1666; de *lune*.

♦ Astron. Mois lunaire; intervalle de temps compris entre deux nouvelles lunes consécutives. ⇒ **Lunaire** (mois); **synodique** (révolution). *La lunaison est de 29 jours 12 heures 44 minutes 2 secondes* (→ aussi Cycle, cit. 1).

Leur année *(gauloise)* se composait de lunaisons, ce qui fit dire aux Romains que les Gaulois mesuraient le temps par nuits et non par jours; ils expliquaient cet usage par l'origine infernale de ce peuple, et sa descendance du dieu Pluton.
MICHELET, Hist. de France, I, II.

LUNA-PARK [lynapaʀk] n. m. — V. 1935-40; nom d'un parc d'attraction parisien, avant la guerre de 1940; de *luna* «lune», et *park* pour *parc* (forme anglaise).

♦ Vieilli. Parc d'attractions comparé à celui qui portait ce nom. ⇒ **Fête** (foraine). — Lieu évoquant Luna-Park.

1   J'y suis retourné souvent *(au «parc de la culture» de Moscou).* C'est un endroit où l'on s'amuse. Comparable à un luna-park qui serait immense.
GIDE, Retour de l'U. R. S. S., I, p. 22.

2   (...) la terre m'apparaît creusée d'entonnoirs. À certaines heures, cela pourrait être aussi bien la lune, un luna-park, quoi (...)
ARAGON, Blanche..., III, II, p. 382.

LUNATIQUE [lynatik] adj. et n. — 1277; bas lat. *lunaticus*, du lat. class. *luna* «lune».

♦ **1.** Vx. Qui est soumis aux influences de la lune, et, spécialt, qui est atteint de folie périodique ou d'épilepsie.

1   Seigneur, ayez pitié de mon fils, qui est lunatique et qui souffre cruellement car il tombe souvent dans le feu et souvent dans l'eau.
BIBLE (SACY), Évangile selon saint Matthieu, XVII, 14.

N. (1834). *Un, une lunatique.*

2   Enfin les lunatiques existent; assurez-vous dans les campagnes à quelles époques les fous divaguent! HUYSMANS, Là-bas, IX.

(1680). *Vétér. Cheval lunatique,* atteint d'ophtalmie périodique (attribuée autrefois aux influences de la lune).

3   J'étais réduit à monter à la dérobée (...) un grand cheval pie (...) c'était un Pégase lunatique qui ferrait en trottant, et qui me mordait les jambes quand je le forçais à sauter des fossés. CHATEAUBRIAND, Mémoires d'outre-tombe, t. I, p. 87.

♦ **2.** (1611). Mod. D'humeur changeante, déconcertante. ⇒ **Bizarre, capricieux, fantasque.** *On ne peut pas compter sur lui, il est trop lunatique* (⇒ **Versatile**). *Un caractère, une humeur lunatique.*

3.1   (...) les marées, qui soulèvent de l'épaule si aisément nos navires et nous, nous font lunatiques au delà de ce que le lunatique pouvait croire.
ALAIN, les Idées et les Âges, *in* les Passions et la Sagesse, Pl., p. 52.

4   Il avait su faire admettre (...) ses boutades, son élégance de vieux gentilhomme, son monocle, et jusqu'à son feutre conquérant! Un type enthousiaste, lunatique, extravagant (...) MARTIN DU GARD, les Thibault, t. IV, p. 93.

N. (1718). *Il est intelligent, mais c'est un lunatique.*

CONTR. **Constant, égal.**

LUNCH [lœnʃ; lœʃ] n. m. — 1867, *in* Höfler; attestation isolée, 1820; mot angl., abrév. de *luncheon* «lunch», et proprt «morceau».

♦ **1.** Repas* léger, pris au milieu du jour ou dans l'après-midi, ordinairement à la place du déjeuner*.

1   Au déjeuner du matin, au lunch de deux heures, au dîner de cinq heures et demie (...) J. VERNE, le Tour du monde en 80 jours, p. 54 (1873).

Dans un contexte britannique :

1.1   Quelques heures plus tard, le colonel Bramble, allant prendre son lunch, rencontra le sergent infirmier (...)
A. MAUROIS, les Silences du Colonel Bramble, p. 195.

♦ **2.** Collation* prise à l'issue d'une cérémonie, au cours d'une réception. *Lunch offert aux invités d'un mariage.* — *Des lunchs.*

2   Un joli moment, avant le lunch, que la distribution par la mariée à ses amies, des pétales d'oranger de sa robe (...) Ed. et J. DE GONCOURT, Journal, 28 nov. 1888.

Réception, réunion où a lieu une telle collation. *Le buffet d'un lunch. Être invité à un lunch.* ⇒ **Buffet, cocktail.**

DÉR. **Luncher.**

LUNCHER [lœnʃe; lœʃe] v. intr. — 1856; de *lunch*.

♦ Vieilli. Faire un lunch. ⇒ **Déjeuner.**

1   Nous emportons des vivres, un déjeuner simple et frugal et nous lunchons sur les rochers au bord de quelque source.
A. ROBIDA, le Vingtième Siècle, p. 137 (1892).

2   Il n'avait pu luncher avant de partir, et il fut, pendant tout le trajet, tenaillé par la faim. A. HERMANT, l'Aube ardente, II.

3   Et elles n'allaient pas non plus déjeuner, on *lunchait.*

Commençait ainsi le règne d'une fascination anglaise dont, quelque trente ans plus tard, allait naître l'art de Chanel.
Edmonde CHARLES-ROUX, l'Irrégulière, p. 50.

DÉR. **Luncheur.**

LUNCHEUR, EUSE [lœnʃœʀ, øz; lœ̃ʃœʀ, øz] n. — 1896, *Dict. de Sachs-Villatte;* de *luncher.*

♦ Vieilli. Personne qui lunche, prend le lunch (mot à la mode v. 1900).

LUNDI [lœdi] n. m. — XIIᵉ. *lunsdi,* 1119; lat. pop. *lunis dies* «jour de la lune».

♦ Le second jour de la semaine* (REM.); → Dimanche, REM. *« Le lundi a le tort de succéder au dimanche »* (→ Écolier, cit. 7, Romains). *Magasin fermé le lundi. Nous partons lundi, lundi prochain, lundi en huit. Ils se réunissent tous les lundis, un lundi sur deux.* — *Le lundi gras :* le dernier lundi du carnaval, avant l'ouverture du carême. *Le lundi saint :* le lundi qui précède Pâques. *Le lundi de Pâques, le lundi de Pentecôte, jours fériés.* — Littér. *Causeries du lundi* (1849-1861) et *Nouveaux lundis* (1861-1869), recueils d'articles de critique littéraire de Sainte-Beuve. — *Contes du lundi,* d'A. Daudet (1873).

M. Véron, directeur du *Constitutionnel* (...) eut l'obligeance de m'offrir les colonnes de son journal pour chaque lundi.
SAINTE-BEUVE, Causeries du lundi, Préface.

LUNE [lyn] n. f. — 1080, *Chanson de Roland;* du lat. *luna.*

★ **I.** ♦ **1.** ⓐ Planète satellite de la terre, qui décrit autour de celle-ci une orbite elliptique en 27 jours 7 heures 43 minutes 11 secondes (révolution sidérale). ⇒ **Lunaire;** *sélén(o)-. Apparence de la lune vue de la Terre.* → ci-dessous, b. *La face visible, la face cachée de la lune. L'orbite de la lune autour de la Terre. Le volume, la masse de la lune. La distance moyenne de la terre à la lune est de 385 000 km. De la Terre à la Lune,* roman de Jules Verne. *Distances maximales (apoastre) et minimale (périastre) de la lune à la terre.* ⇒ **Apogée; périgée.** *Apsides* (cit.) de la lune. Librations* de la lune. Inégalités qui affectent le mouvement de la lune.* ⇒ **Évection,** variation. — *Révolution synodique de la lune.* ⇒ **Lunaison.** — *Âge* de la lune* (⇒ **Épacte**). — *Éclipse* (cit. 2) de lune. — Influence de la lune sur les marées.*

REM. On écrit souvent *lune* avec un *L* majuscule, notamment en astronomie (→ Terre).

Puisque la Lune est un corps opaque qui réfléchit une partie de la lumière qu'elle reçoit du Soleil, nous ne pouvons voir de sa surface que la partie qui est éclairée et de cet hémisphère seulement la portion qui est tournée vers la Terre. Quand la Lune est entre le Soleil et la Terre (nouvelle Lune) le côté non éclairé est présenté directement vers nous et la Lune est totalement invisible. Une semaine après, au premier quartier, la moitié de l'hémisphère éclairé est visible; entre la nouvelle Lune et le premier quartier la portion éclairée est inférieure à un demi-hémisphère, c'est la phase du croissant; entre le premier quartier et la pleine Lune, on voit plus d'un demi-hémisphère éclairé. Après la pleine Lune les mêmes apparences se produisent mais en sens inverse. Pierre GUINTINI, les Planètes, p. 43-44.

Observation, étude de la lune. ⇒ **Sélénographie, sélénologie.** *Observer la lune à la lunette, au télescope. Photographier la face cachée de la lune. Envoyer un engin, une fusée sur la lune, autour de la lune* (⇒ **Circumlunaire**). *Autour de la Lune,* roman de Jules Verne. *Distances maximale et minimale d'un satellite de la lune.* ⇒ **Apolune, aposélénie;** *périlune. Envoyer des astronautes sur la lune. Atterrir sur la lune.* ⇒ **Alunir** (terme critiqué). *Marcher sur la lune. On a marché sur la Lune,* album de Hergé (Tintin). *Échantillons ramenés de la lune.* → 1. Lunaire, cit. 1. *Cratères ou cirques, plaines* (dites « mers »), *chaînes de montagne de la lune. Le sol de la lune est recouvert d'une couche de poussière sous laquelle se trouve une épaisseur de roches brisées* (⇒ **Régolite**); *il est riche en éléments réfractaires (magnésium, titane, etc.) et en terres rares.*

ⓑ Aspect, apparence de cet astre vu de la Terre; partie éclairée, visible, de cet astre (pour un observateur terrestre). *Phases* de la lune,* aspects successifs de sa partie éclairée : *nouvelle lune* (⇒ **Néoménie**), *pleine lune (le plein de la lune;* → Plein, cit. 54, 55, 56), *premier et dernier quartier de la lune. Quadrature, syzygie* (→ ci-dessus, cit. 1). *Lune dichotome** (→ aussi Lumière cendrée*). *La lune est dans son croissant (elle croît), dans son décroît. La lune est pleine. Déclin*, décours* de la lune.* — *Le disque, l'orbe de la lune.* ⇒ **Embrumer,** cit. 5. *Le croissant** (cit. 1, 2) de la lune; un croissant* de lune. Halo*, auréole autour de la lune. Lune qui se lève* (1. Lever, cit. 32). *Lune qui court* (cit. 31) *dans les nuées. Lune voilée de nuages* (→ Clarté, cit. 5; épaissir, cit. 5). *Chien qui aboie* (cit. 2) *hurle* (cit. 2) *à la lune. La lune s'est appelée en argot ancien la cafarde* (→ 1. Cafard, 3.). — *Rayon, reflets de lune* (→ Changeant, cit. 9; exhaler, cit. 22). *Lueur blafarde* (cit. 4), *diffuse* (cit. 6) *de la lune. Clarté, «lumière gris de perle» de la lune* (→ Emplir, cit. 13; forêt, cit. 2). *Il y a clair* de lune. Une nuit de clair de lune,* et, ellipt., *une nuit de lune, une nuit sans lune* (→ Émouvoir, cit. 16). *Au clair* (cit. 21 et 22) *de lune.* — Mus. *Au clair de la lune,* chanson populaire dont l'air est attribué à Lulli. — **Allus. littér.** « *La lune, comme un point sur un i* » (cit. 2, Musset).

2 (...) un soir il aperçut
La lune au fond d'un puits : l'orbiculaire image
Lui parut un ample fromage.   LA FONTAINE, Fables, XI, 6.

3 La lune était sereine et jouait sur les flots.   HUGO, les Orientales, X.

4 La lune était au plus haut point du ciel; on voyait çà et là, dans de grands intervalles épurés, scintiller mille étoiles (...) La scène sur la terre n'était pas moins ravissante : le jour céruléen et velouté de la lune flottait silencieusement sur la cime des forêts, et, descendant dans les intervalles des arbres, poussait des gerbes de lumière jusque dans l'épaisseur des plus profondes ténèbres.
CHATEAUBRIAND, Essai sur les révolutions,
Nuit chez les Sauvages de l'Amérique.

5 (...) le Kaïd étendit le bras vers l'horizon ; et nous vîmes, tous ensemble, apparaître dans la pâleur du couchant le demi-cercle mince et long de la lune naissante.
E. FROMENTIN, Un été dans le Sahara, p. 263.

6 Je lui récitai des vers ou des phrases de prose sur le clair de lune, lui montrant comment d'argenté qu'il était autrefois, il était devenu bleu avec Chateaubriand, avec le Victor Hugo d'*Éviradnus* et de la *Fête chez Thérèse*, pour redevenir jaune et métallique avec Baudelaire et Leconte de Lisle.
PROUST, À la recherche du temps perdu, t. XII, p. 258.

7 La lune entre chez moi comme elle veut, avance à pas de chat, étire une griffe blanche à l'assaut de mon lit : il lui suffit de m'éveiller, elle se décourage tout de suite et redescend. Vers le moment de son plein, je la retrouve, à l'aube, toute nue et pâle, fourvoyée dans une froide région du ciel.
COLETTE, l'Étoile Vesper, p. 99.

Poét. *La lune aux cornes* d'argent* (cit. 6). *La lune est appelée l'astre au front d'argent* (cit. 4). *La lune, astre* (cit. 8), *flambeau* (→ Funèbre, cit. 9) *de la nuit, reine de la nuit.* — *Diane, Phœbé, Séléné,* noms de déesses et noms poétiques de la lune.

8 La lune se montrait à la cime des arbres, une brise embaumée, que cette reine des nuits amenait de l'Orient avec elle, semblait la précéder dans les forêts, comme sa fraîche haleine. L'astre solitaire gravit peu à peu dans le ciel (...)
CHATEAUBRIAND, Mémoires d'outre-tombe,
I, VII, 7, t. I, p. 302 (éd. Levaillant).

Astrol. *Influence de la lune* (→ Influer, cit. 3).

[c] **Par anal.** (vieilli). *Une, des lunes* : satellite (d'une planète* quelconque). *Les lunes de Saturne.*

9 Notre système solaire (...) consiste principalement en un soleil et seize planètes au moins, auxquelles (...) s'ajoutent quelques autres (...) accompagnées de dix-sept lunes connues (...)   BAUDELAIRE, Trad. E. POE, Eurêka, XII.

[d] **Par compar. ou par métaphore** (fam.). *Avoir un visage rond* comme une lune, une face de pleine lune, une face de lune,* une face ronde, joufflue. → ci-dessous, II., 3.

10 Joussiaume, dont un rire silencieux élargissait le visage en pleine lune, se sentit changer de couleur.   COURTELINE, le Train de 8 h 47, I, IV.

[e] **Loc.** *Aboyer* à la lune.*
Faire un trou* à la lune : s'enfuir sans payer ses créanciers, après une banqueroute.
Demander, promettre la lune : demander, promettre une chose impossible. — *Vouloir prendre la lune avec ses dents*.* — *Elle irait décrocher la lune pour lui* : elle tenterait l'impossible pour le satisfaire.

10.1 Les types vous promettent la Lune : pour ce que ça leur coûte.
Claude COURCHAY, La vie finira bien par commencer, p. 254.

DANS LA LUNE. *Être dans la lune* : être distrait*, n'avoir pas l'esprit à ce que l'on fait, à ce qui se fait ou se dit autour de soi. *Il ne retiendra rien de ce que vous lui avez dit; il est bien trop dans la lune. Il est toujours dans la lune* : il n'a pas les pieds sur terre (⇒ 1. **Lunaire**).
Pêcheur de lune (ou *de lunes*). ⇒ **Rêveur.**
(1904). *Avoir l'air de tomber de la lune,* l'air étonné. → Tomber des nues*.

11 Mon cher, tu me fais l'effet pour le moment d'être situé dans la lune, royaume du rêve, province de l'illusion, capitale Bulle de Savon.
HUGO, les Misérables, IV, VIII, III.

12 Il n'était pourtant pas si sot, avec son air de toujours tomber de la lune (...)
R. DORGELÈS, le Cabaret de la belle femme, p. 205.

Faire voir, montrer la lune en plein midi : abuser de la naïveté, de la crédulité de qqn. — REM. L'expression s'emploie aussi au sens II, 3, b, «montrer son derrière».
Vx. *Confrère* de la lune* (par allus. aux cornes de la lune).
Trivial. *Il est con* comme la lune.*

♦ **2. Vx** ou dans une évocation historique, culturelle. Mois lunaire*. ⇒ **Lunaison; consécution** (mois de). *Il y a sept lunes que...* (→ Tôt, cit. 38). *Passer trois lunes à...* (→ Garnir, cit. 3). — **Astron.** *Lune intercalaire*.* — (Qualifié, dans certains décomptes chronologiques traditionnels) :

13 C'était le vingt-septième soleil, depuis notre départ des cabanes, la *lune de feu* avait commencé son cours, et tout annonçait un orage.
CHATEAUBRIAND, Atala, Les chasseurs.

13.1 Il tendit aux nomades la tête exsangue de Jester et il refit le récit de tout ce qui s'était passé depuis près d'une lune et dont il rejeta sur Jester l'entière responsabilité.   J. D'ORMESSON, la Gloire de l'Empire, t. II, p. 374.

Loc. *Lune rousse* : lunaison d'avril-mai, à laquelle on a longtemps attribué les gelées tardives qui roussissent les bourgeons, les jeunes pousses.

♦ **3. Loc.** (D'après l'angl. *honeymoon*). **LUNE DE MIEL** : les premiers

---

temps du mariage*, d'amour heureux et de bonne entente (→ Indéfiniment, cit. 2).

14 Dans l'intimité établie, affermie et confiante, l'amour donne plus que cette fête, un peu rapide, si heureusement nommée en Angleterre *lune de miel* (...)
É. DE SENANCOUR, De l'amour..., p. 156.

15 Une lune de miel n'a pas trente quartiers,
Comme un baron saxon. — Et gare les derniers !
L'amour (hélas ! l'étrange et la fausse nature !)
Vit d'inanition, et meurt de nourriture.
A. DE MUSSET, Premières poésies, « Mardoche », XVI.

16 Depuis leur arrivée au pavillon, cet heureux ménage savourait les douceurs de sa lune de miel, en harmonie avec la Nature (...)
BALZAC, les Paysans, Pl., t. VIII, p. 157.

17 Sa lune de miel *(de V. Hugo)* avec le Paris de 1870 était devenue, en 1872, comme eût dit Byron, lune de mélasse.   A. MAUROIS, Olympio..., X, II.

(1966). **Par ext.** Période de bonne entente (États, collectivités, entreprises) qui suit un accord.

♦ **4. Loc. fig.** Vieilli. Au plur. *Avoir des lunes, avoir ses lunes* : être changeant et capricieux. ⇒ **Lunatique.** — *Il est dans une bonne, une mauvaise lune.* ⇒ **Luné** (bien, mal).
Les vieilles lunes, les lunes d'autrefois : le temps passé dont il ne reste aucun souvenir. — *S'en aller rejoindre les vieilles lunes* : disparaître* complètement, tomber dans l'oubli.

★ **II. A.** (Objets circulaires). ♦ **1.** Bot. *Lune d'eau.* ⇒ **Nénuphar** (blanc), **nymphéa.** — *Crachat* de lune.*

♦ **2.** Zool. *Poisson lune, lune de mer.* ⇒ **Môle.**

♦ **3.** Pop. [a] Gros visage joufflu. → ci-dessus, I., 1., d : Face comme une lune, de pleine lune.
[b] Derrière. — **Loc.** *Il montre la lune en plein midi.* — Argot. *Se faire taper dans la lune* : se faire sodomiser.

B. Minér. (allus. à la lumière lunaire). *Pierre de lune* : feldspath de couleur nacrée. ⇒ **Adulaire.**

DÉR. Lunaison, luné, lunette, lunure.
COMP. Alunir, apolune, demi-lune, luni-solaire.

LUNÉ, ÉE [lyne] adj. — 1579 ; de *lune.*

♦ **1. Vx.** Qui a la forme d'un croissant* de lune.

♦ **2. Techn.** *Bois luné,* affecté de lunure*.

♦ **3.** (1867, par allus. à la prétendue influence de la Lune). **Mod.** Qui est dans une certaine disposition d'esprit. *Comment était-il luné ce soir ? Être bien, mal luné.* ⇒ **Humeur** (de bonne, de mauvaise), **lune** (dans une bonne, une mauvaise). — Animaux. *Une chienne mal lunée,* grincheuse (cit. 2).

Quand il est bien luné, il m'appelle «mon petit ami». Quand il est à cran, il feint d'avoir oublié mon nom (...)   G. DUHAMEL, Salavin, Journal, 25 avril.

LUNETIER, IÈRE [lyn(ə)tje, jɛR] ou **LUNETTIER, IÈRE** [lynetje, jɛR] n. et adj. — 1508 ; de *lunettes.*

★ **I.** Personne qui fabrique, vend des lunettes. ⇒ **Opticien** (plus cour.). — En appos. *Marchand lunetier.*

À cet effet, je cherchai mes lunettes et je les cherchai inutilement longtemps. Ah voilà encore qui prouve que quand on cherche on ne trouve pas. Il ne me restait que de constater que j'étais devant l'effroyable réalité de les avoir perdues. Je les avais oubliées quelque part. Où ? Impossible de me souvenir. Devant cette urgence je n'hésitai pas à téléphoner à ma lunetière, celle qui, bien qu'il s'en faille de beaucoup que je sois toujours à Geneve — j'entends toujours dans cette ville, et en effet il y avait bien cinq ans que je n'y étais pas reparu — conserve toujours mon ordonnance.   Charles-Albert CINGRIA, le Carnet du chat sauvage, p. 564.

★ **II.** Adj. (1907). Qui concerne les lunettes, leur fabrication, leur vente. *Industrie lunetière.*

★ **III.** N. f. *Lunetière* (plante). ⇒ **Biscutelle.**

LUNETTE [lynɛt] n. f. — V. 1200, «petit ornement de forme ronde»; de *lune,* et suff. dimin. *-ette* «petite lune».

★ **I. A.** (Objet de forme ronde). ♦ **1.** (1280, «miroir circulaire»). Techn. Glace, surface de verre ou de métal d'un miroir circulaire. ⇒ ci-dessous le sens II, et **lunettes.**

♦ **2.** Techn. Disque annulaire en acier utilisé pour calibrer les projectiles d'artillerie.
Mar. Étrangloir*.

B. (Ouverture circulaire). ♦ **1.** (1676). Ouverture du siège d'aisances; ce siège (→ Lavatory, cit.). — **Loc. cour.** *La lunette des cabinets.* — *Remplacer la lunette. Lunette en bois, en plastique.*

♦ **2.** (1680). Techn. Partie circulaire d'un boîtier de montre, dans laquelle le verre est enchâssé. *Lunette tournante graduée des montres de plongeurs.*

(...) les gouttes de pluie (...) frappaient sa tête, ses mains, la lunette de sa montre-bracelet.   J.-M. G. LE CLÉZIO, le Déluge, p. 267.

♦ **3.** (1676). Archit. Petite fenêtre pratiquée dans un toit. — «Ouverture arrondie formée par la pénétration d'une voûte en berceau dans une autre de plus grandes dimensions» (Réau, *Dict. d'art*). — Fortif. ⇒ **Demi-lune.**

♦ **4.** (Av. 1872, Larousse). Partie évidée (de la guillotine) dans laquelle s'engage la tête du supplicié.

♦ **5.** (xxᵉ). Vitre placée à l'arrière d'une automobile (ronde à l'origine). — REM. À cause des nombreux sens de *lunette*, on dit souvent dans ce sens *lunette arrière*. *Dégagez la lunette arrière, on ne voit rien dans le rétroviseur.*

2   Des minuscules *(voitures)*, très rondes, avec des lunettes arrière pareilles à des hublots (...)   J.-M. G. LE CLÉZIO, le Déluge, XII, p. 237.

♦ **6.** Cuis. (Rare). Os fourchu (ébauchant un cercle) placé à l'avant de l'estomac des volailles. «*Lever la lunette d'un chapon*» (Académie).

★ **II.** (1579, *in* D.D.L.). Instrument d'optique composé d'une ou plusieurs lentilles (cit. 2) et servant soit à augmenter le diamètre apparent des objets, soit à rendre la vue plus nette et plus distincte. *Parties et accessoires d'une lunette.* ⇒ **Collimateur, objectif, oculaire, œilleton, pied, réticule, tube.** *Champ* d'une lunette. Mettre une lunette au point*. Lunette puissante qui amplifie, qui grossit* beaucoup. Le microscope, instrument d'optique, construit sur le principe de la lunette. — Lunette de Galilée. —* Loc. cour. *Lunette d'approche :* lunette qui rapproche et grossit les objets terrestres. ⇒ **Longue-vue, lorgnette.** *— Lunette astronomique* ou *lunette.* ⇒ **Héliomètre, hélioscope, théodolithe** (→ Défaut, cit. 21 ; heure, cit. 1). *Observer les astres à la lunette. Lunette méridienne*. Lunette équatoriale.* ⇒ **Équatorial.** *Lunette et télescope.* ⇒ **Télescope.**

REM. L'emploi du pluriel pose problème, dans le mesure où une équivoque est possible avec *(des) lunettes.*

3   Combien les lunettes nous ont-elles découvert d'astres qui n'étaient point pour nos philosophes d'auparavant !   PASCAL, Pensées, IV, 266.

4   Si vous avez une lunette de nuit un peu forte, comme celles où l'on regarde quelquefois pour dix sous, braquez-la sur l'étoile bleuâtre.
                          ALAIN, Propos, 25 oct. 1909, Hist. de lunette.

Regarder par le gros bout, le petit bout de la lunette. ⇒ **Lorgnette.**

5   Tu cherches les phrases les plus humiliantes. Tu le fais exprès de voir les choses par le petit bout de la lunette.   G. SIMENON, Feux rouges, cit. 25.

Rare. *Lunette* (ou *lunettes*) *de théâtre.* ⇒ **Jumelle(s).**

★ **III. LUNETTES,** n. f. pl. Voir ce mot à l'ordre alphabétique.
DÉR. (De I., A., 1.) V. **Lunettes.**
HOM. **Lunettes.**

LUNETTÉ, ÉE [lynete] adj. — xxᵉ ; Littré, en zool. «qui a les yeux entourés de cercles (animaux)», 1867 ; de *lunette (lunettes).*

♦ Fam. Porteur de lunettes ; à lunettes (surtout dans : *lunetté de...*).

1   Sa métamorphose était si complète qu'il passait, glabre et lunetté d'écaille, à côté de ses meilleurs amis sans être reconnu.   M. AYMÉ, le Passe-muraille, p. 18.

2   Tout à coup, un homme grand et maigre, moustachu, lunetté, surgit au milieu du groupe.   H. TROYAT, la Malandre, p. 36.

LUNETTERIE [lynɛtri] n. f. — 1873 ; de *lunettes.*

♦ Métier, commerce du lunetier*. *Travailler dans la lunetterie.*

LUNETTES [lynɛt] n. f. pl. — 1380, plur. de *lunette* «verre rond» ; *lunete,* v. 1280 ; *lunette,* mil. xivᵉ. → Lunette, I., A.

♦ **1.** Paire de verres enchâssés dans une monture qui repose sur le nez et devant les yeux pour corriger ou simplement protéger la vue. ⇒ **Verre** (I., 3.) ; **besicles** (1. et 2.), **binocle** (2. et 3.), **carreau** (I., 4., fam.), **conserve** (III., vx). *Paire de lunettes. Il a acheté une nouvelle paire de lunettes ; de nouvelles lunettes. Branches* qui fixent les lunettes derrière les oreilles ; branches de lunettes. La monture et les verres de ses lunettes. Les lunettes ont supplanté les binocles* et lorgnons*. Lunettes cerclées d'or, à monture d'or, et, ellipt., lunettes d'or, en or. Lunettes d'écaille. —* Arcade*, châsse* des verres de lunettes. *Lunettes à verres épais* (cit. 3). *Puissance des verres de lunettes* (→ Dioptrie). *Lunettes à verres correcteurs, et, ellipt., lunettes correctrices ;* (cour.) *lunettes de vue* (par oppos. à *lunettes de soleil,* ci-dessous). *Lunettes de myope,* à verres divergents. *Lunettes d'hypermétrope, de presbyte,* à verres convergents. *Lunettes d'astigmate,* à verres sphéro-cylindriques. *Lunettes à double foyer ; lunettes bifocales. Lunettes à verres achromatiques*, lunettes achromatiques ; lunettes antireflets*. Lunettes à verres fumés, teintés. Lunettes noires* (→ Éteindre, cit. 6 ; grimacer, cit. 2). *Lunettes antisolaires* ;* (cour.) *lunettes de soleil* (en général, à verres non correcteurs). *Lunettes dont la couleur* (la teinture) *varie avec l'intensité de la lumière. Oculiste*, ophtalmologiste* qui prescrit à un myope le port de lunettes. Acheter des lunettes, un étui* à lunettes chez un opticien*. Porter des lunettes.* ⇒ fam. **Binoclard, lunetteux** (→ Fouiner, cit. 3). *Remplacer ses lunettes par des lentilles* cornéennes.* ⇒ **Verre** (verres de contact). — Vx.

Chausser (cit. 3) *des lunettes. — Mettre ses lunettes pour lire* (→ 1. Garde, cit. 87). *Où sont mes lunettes ? Tu les as sur le nez.* — Prov. (vieilli). *Bonjour lunettes, adieu fillettes*.*

La gravité (...) se manifeste principalement de deux manières, par les lunettes et par la moustache. Les lunettes font voir démonstrativement que celui qui les porte est un homme consommé dans les sciences et enseveli dans de profondes lectures, à un tel point que sa vue s'en est affaibli ; et tout nez qui en est orné ou chargé peut passer, sans contredit, pour le nez d'un savant.   MONTESQUIEU, Lettres persanes, LXXVIII.

1

(...) sa vue était affaiblie, car son nez sexagénaire portait une paire de ces antiques lunettes qui tiennent sur le bout des narines par la force avec laquelle elles les compriment.   BALZAC, Une double famille, Pl., t. I, p. 927.

2

L'usage des verres optiques semble être venu de l'Orient : Chine, Inde, Islam. À partir du XIIIᵉ siècle, les lunettes commencent à devenir en Occident des objets usuels (...) Pendant le XVᵉ, leur forme se perfectionne : aux anneaux de fer réunis par une simple aiguille, succèdent les montures de cuivre munies d'un ressort flexible que l'on n'est plus obligé de tenir à la main pour lire. Ce sont les premiers pince-nez, qui seront suivis bientôt des lunettes à branches qui s'accrochent derrière les oreilles. Jusqu'alors les verres étaient toujours des lentilles convexes. Les premières lentilles concaves apparaissent à la fin du XVᵉ siècle (...)
                          Maurice DUMAS, *in* Encycl. Pl. (Hist. de la science), p. 51.

3

Il résolut également un problème d'optique qui, depuis sont enfance, constituait pour lui une source d'humiliations. Il décida de porter lunettes. Au point de vue esthétique, il admirait leur écaille. Au point de vue pratique, ce fut pour lui prétexte à multiples satisfactions. Il devint tellement fier de son œil aigu et de ses carreaux qu'il se mit à lire les journaux comme un presbyte à déchiffrer le nom des acteurs sur les colonnes Moriss *(sic)*, de l'autre côté du boulevard.
                          R. QUENEAU, les Derniers Jours, p. 177.

3.1

D'une beauté qui ne s'étale pas bêtement aux yeux de n'importe qui. Un atout supplémentaire : des lunettes. Les lunettes sont le vouvoiement des yeux.
                          Benoîte et Flora GROULT, Journal à quatre mains, p. 153.

3.2

Spécialt. *Lunettes de protection des casseurs de pierres, des mécaniciens de locomotive, des soudeurs à l'arc. Lunettes sous-marines des plongeurs* ou *lunettes de plongée. Lunettes de ski. Lunettes de spéléologue.*

Et, sur la Lison *(une locomotive),* Jacques (...) portant des lunettes à œillères de drap, attachées derrière la tête, sous sa casquette, ne quittait plus la voie des yeux (...)   ZOLA, la Bête humaine, p. 167.

4

Techn. *Lunettes d'essai :* monture de lunettes à éléments mobiles et gradués, permettant de prendre les mesures nécessaires à l'adaptation de lunettes correctrices (on dit aussi *monture d'essai*).

Fig. (fam.). *Mettez vos lunettes :* regardez plus attentivement.

Je ne sais rien, je ne vois le monde que par un trou, de fort loin, et avec de très mauvaises lunettes.   VOLTAIRE, Correspondance, 2467, 14 mai 1764.

5

♦ **2.** Équit. *Lunettes de cheval :* petits ronds de feutre qu'on met sur les yeux d'un cheval ombrageux.

♦ **3.** Loc. *Serpent à lunettes* (au capuchon orné d'une double tache circulaire) : naja*.

DÉR. Lunetier, lunetté, lunetterie, lunetteux.
COMP. Casse-lunettes.
HOM. Lunette.

LUNETTEUX, EUSE [lynetø, øz] adj. — xxᵉ ; de *lunettes.*

♦ Fam. et péj. Qui porte habituellement des lunettes. ⇒ **Binoclard.** *Un étudiant lunetteux.*

LUNI-SOLAIRE [lynisɔlɛʀ] adj. — 1732 ; de *lune,* et *solaire.*

♦ Astron. Qui a rapport à la fois au Soleil et à la Lune. *Année luni-solaire* ou *embolismique. Calendrier luni-solaire. Attraction luni-solaire. Précession luni-solaire.*

LUNULAIRE [lynylɛʀ] adj. — 1839 ; de *lunule.*

♦ Didact. Qui a la forme d'une lunule (⇒ **Lunulé**).

LUNULE [lynyl] n. f. — 1694 ; lat. *lunula* «croissant», dimin. de *luna.*

♦ **1.** Géom. Figure plane en forme de croissant, «limitée par deux arcs de cercle qui ont leurs convexités du même côté et qui se terminent aux mêmes points» (Poiré). *Quadrature de la lunule.*

Spécialt. Croissant délimitant le foyer inférieur de lunettes à double foyer.

— Flora, tu as trop de rouge, dit le pater *(père)* en le scrutant par la lunule inférieure de ses lunettes.
— J'en ai mis à peine, justement.
                          Benoîte et Flora GROULT, Journal à quatre mains, p. 107.

♦ **2.** (1704). Astron. Vx. Satellite* des planètes autres que la Terre. *Les lunules de Jupiter.* ⇒ **Lune** (I., 1.).

♦ **3.** (1867). Liturgie. Cercle ou petit croissant soutenant l'hostie au centre d'un ostensoir.

♦ **4.** Anat. Tache blanche demi-circulaire à la base de l'ongle*, près de sa racine. *Avoir des lunules biens marquées.*

DÉR. Lunulaire, lunulé.

LUNULÉ, ÉE [lynyle] adj. — 1797 ; de *lunule.*

♦ Didact. En forme de lunule. ⇒ **Lunulaire.** — (1867). Qui a une, des lunules.

LUNURE [lynyʀ] n. f. — 1842 ; de *lune.*

♦ Techn. Défaut du bois*, apparaissant sous la forme de couches ligneuses de consistance et de couleur différentes de celles qui les environnent. *Arbres atteint de lunure. Bois présentant des lunures.* ⇒ **Luné** (2.).

LUPANAR [lypanaʀ] n. m. — 1532 ; lat. *lupanar,* de *lupa* «louve», au sens fig. de «prostituée».

♦ Littér. et vieilli. Maison de prostitution. ⇒ **Bordel** (vulg.).

1   Un ange dans le lupanar, une perle dans le fumier, cette sombre et éblouissante trouvaille est possible.   Hugo, les Travailleurs de la mer, I, v, vi.

2   Dans un autre lupanar nous avons baisé des Grecques et des Arméniennes passables. — La maison était tenue par une ancienne maîtresse de notre drogman. On était là chez soi. Aux murs il y avait des gravures tendres, et les scènes de la vie d'Héloïse et d'Abélard avec texte explicatif en français et en espagnol.   Flaubert, Correspondance, Lettre à Louis Bouilhet, 19 déc. 1850.

LUPERCAL, ALE, AUX [lypɛʀkal, o] adj. — 1873, Larousse ; lat. *lupercalis* «relatif aux Luperques (prêtres des Lupercales*), à Lupercus (Pan)», de *Luperca* «la déesse Louve (qui allaita Rémus et Romulus)» ou *Lupercus* «homme (ou dieu) loup», de *lupus* «loup».

REM. Le culte d'un dieu Lupercus, assimilé à Pan ou Faunus, est d'apparition tardive dans la cérémonie des Lupercales, sans doute la plus archaïque de Rome (cf. Y. Bonnefoy, *Dict. des mythologies,* art. *Faunus,* t. I, p. 400-401).

Didactique.

♦ **1.** Relatif aux Lupercales. *Jeux lupercaux.*

♦ **2.** (Adaptation du lat. *Lupercal,* n. propre de la grotte) :

Ceci est l'antre lupercal, où la louve allaita Romulus et Remus. Autrefois, on voyait encore, à l'entrée, le figuier Ruminal, qui avait abrité les deux jumeaux.   Zola, Rome, p. 170.

LUPERCALES [lypɛʀkal] n. f. pl. — 1750, Prévost ; lat. *Lupercalia,* neutre plur. substantivé de *lupercalis.* → Lupercal.

♦ Didact. Fête religieuse annuelle, célébrée dans l'antiquité, à Rome le 15 février, dont les officiants étaient des «hommes-loups» *(Luperci)* et comportant essentiellement des rites de purification et de fécondité avec (secondairement) un culte au dieu *Lupercus* (autre nom de Pan). *Les Lupercales donnaient lieu à des scènes d'une grossière indécence. Relatif aux Lupercales.* ⇒ **Lupercal.**

Et l'on sait ce qu'étaient les Lupercales ; le 15 des calendes de Mars, une procession de prêtres de Pan (les *Luperci*), rigoureusement nus, dansant dans les rues de la capitale, fouettant la foule au passage (...)   Francis de Miomandre, Danse, p. 16.

LUPIN [lypɛ̃] n. m. — XIIIe ; lat. *lupinus* «pois de loup», de *lupus.* → Loup.

♦ **1.** Plante dicotylédone *(Légumineuses, Papilionacées)* herbacée, annuelle, à fleurs de couleurs diverses disposées en grappes, employées comme fourrage* et comme engrais* vert. *Lupin blanc, bleu, jaune. Un pré de lupin.*

(...) des lupins bleus s'élevaient en colonnettes minces (...)   Zola, la Faute de l'abbé Mouret, II, VII.

♦ **2.** Fourrage, engrais formé de lupin.

DÉR. Lupinose.

LUPINOSE [lypinoz] n. f. — 1931 ; de *lupin.*

♦ Méd. vétér. Intoxication des animaux, causée par l'absorption d'une trop grande quantité de graines de lupin*. *Lupinose du cheval, du mouton.*

LUPIQUE [lypik] adj. et n. m. — 1895, Encycl. Berthelot, art. *Lupus ;* dér. sav. de *lupus.*

Didactique (médecine).

♦ **1.** Relatif au lupus. *Ulcération lupique.*

♦ **2.** (1942). Atteint du lupus. — N. *Un, une lupique.*

La face rongée par un lupus tuberculeux, il ne pouvait manger au réfectoire de l'usine (...) Le lupique nauséabond et désolé entra à l'infirmerie.   Pierre Hamp, la Peine des hommes (Moteurs), p. 66-67.

LUPOME [lypom] n. m. — 1931 ; de *lupus,* et -*ome.*

♦ Pathol. Petit nodule cutané, jaunâtre, translucide, qui représente la lésion typique du lupus vulgaire. ⇒ **Lupus,** 2.

LUPULIN [lypylɛ̃] n. m. — 1867 ; dér. sav. du lat. bot. (médiéval) *lupulus* «houblon», proprt «petit loup», de *lupus* «loup».

♦ Techn. Poussière résineuse jaunâtre, aromatique et amère, qui apparaît entre les écailles des cônes du houblon*, à l'époque de la maturité. *Le lupulin donne sa saveur à la bière. Alcaloïde du lupulin.* ⇒ **Lupuline,** 2.

LUPULINE [lypylin] n. f. — 1789 ; dér. sav. du lat. bot. *lupulus* «houblon», proprt «petit loup». → Lupulin.

♦ **1.** Bot. Variété de luzerne* à fleurs jaunes, communément appelée *minette, triolet.*

(...) il *(un lièvre)* cabriole parmi les jaunes lupulines (...)   L. Pergaud, De Goupil à Margot, p. 113.

Appos. ou adj. (1803). *Luzerne lupuline* (même sens).

♦ **2.** (1845). Techn. Alcaloïde extrait du lupulin, des graines qui se trouvent dans les cônes du houblon (dites *graines de lupuline*) et qui donne à la bière son arôme.

DÉR. V. Lupulone.

LUPULONE [lypylɔn] n. f. — XXe ; du rad. de *lupuline,* et suff. -*one.*

♦ Chim., techn. Acide cristallisable contenu dans le houblon.

LUPUS [lypys] n. m. — 1363, repris 1828 ; lat. médical *lupus.* → Loup.

Médecine.

♦ **1.** Vx. Maladie de la peau, à tendance envahissante et ulcérative (→ Loup, III., 2.). *Lupus à formes ulcéreuses, mutilantes.*

1   (...) il devenait certain maintenant que le lupus, dont la plaie lui mangeait la face, s'était amendé.   Zola, Lourdes, p. 61.

2   (...) les malades atteints de lupus, c'est-à-dire de tuberculose cutanée (...) ne sortaient dans Paris qu'à la pression des nécessités. Quelques-uns, finalement guéris, gardaient des cicatrices mutilantes : l'affreuse maladie leur avait emporté le nez, dévié la bouche, gâté les traits.   G. Duhamel, le Temps de la recherche, VIII.

♦ **2.** Mod. *Lupus vulgaire, lupus :* maladie cutanée due au bacille tuberculeux, caractérisée par des nodules qui ont tendance à se remplir, à s'ulcérer et à laisser des cicatrices atrophiques. ⇒ **Lupome.** — Par ext. Affection de la peau d'origine non tuberculeuse, dont les lésions ressemblent à celles du lupus tuberculeux. *Lupus érythémateux*.*

DÉR. Lupique, lupome.

LUR [lyʀ] n. m. — 1911, in *Larousse mensuel ;* mot scandinave, empr. probablt au danois, de l'anc. nordique *luthr,* même sens. → Loure.

♦ Hist. mus. ; archéol. Grande trompe de bronze des anciens Nordiques, en forme de défense de mammouth, terminée par un pavillon plat. *Des lurs.*

LURELURE (À) [alyʀlyʀ] loc. adv. — 1867, Delvau ; du rad. *lur-,* de *luron.*

♦ Fam. et vx. Au hasard, sans intention précise.

Ils n'eurent pas le courage de secouer leur mal-être en polkant ensemble. Ils partirent et, déroutés, se promenèrent à lurelure, du boulevard de Montrouge à la chaussée du Maine.   Huysmans, les Sœurs Vatard, XIV, p. 225.

LURETTE [lyʀɛt] n. f. — 1877 ; déformation de *il y a belle heurette,* dimin. de *heure,* par agglutination de l'article *(l'heurette),* et infl. probable du rad. *lur-.*

♦ Loc. fam. Il y a belle lurette (que...) : il y a bien longtemps (que...). *Ils ont terminé il y a belle lurette.*

1   Il y a belle lurette, fit Dom Felletin, en souriant, que des accusations de ce genre ont été lancées contre nous.   Huysmans, l'Oblat, I, p. 217.

2   N'était cet esprit de modération qui est le principe de notre être et de notre ère, il y a belle lurette que nous les eussions exterminés sous le bâton. Mais, voilà ! ce serait excessif.   Villiers de l'Isle-Adam, Tribulat Bonhomet, p. 24.

Rare. *Depuis belle lurette.*

3   Il a depuis belle lurette envoyé au diable les programmes — Corneille, du Bellay, Diderot et compagnie — et même un inspecteur général qui lui reprochait d'avoir consacré un trimestre dans une classe de seconde à Rimbaud, Verlaine et Brassens.   Yanni Hureaux, la Prof, p. 318.

LUREX [lyʀɛks] n. m. — Av. 1968 ; angl. des États-Unis *lurex,* nom déposé (1945), de *lure* «charme, attrait», et l'élément -*ex,* fréquent en publicité.

♦ Fil à tricoter auquel un gainage de matière plastique (polyester) confère l'aspect du métal.

Femmes jeunes arborant leurs tuniques de lurex, de nacre, d'airain, de corail laiteux, de braise et de bijoux. P. GRAINVILLE, les Flamboyants, p. 121.

LURON, ONNE [lyʀɔ̃, ɔn] n. — XVe, n. m. ; du rad. onomat. *lur-* ; cf. les refrains pop. *lure, lurette, turelure, lure* et *lurer* «dire des sornettes», pouvant se rattacher au lat. *lura* «outre» (Guiraud) ; pour le sens mod. de *luron*, Guiraud évoque aussi *luron* et l'influence de *luire* «buller» et «être en chaleur».

♦ **1.** Vieilli. Personne décidée et énergique. ⇒ **Bougre, flambard, gaillard** (3.), **mâtin.** *C'est un luron ; un fameux luron ;* (vx) *un fier, un franc luron. Une sacrée luronne.*

1 (...) une commère comme cette luronne-là (...)
  BALZAC, la Rabouilleuse, Pl., t. III, p. 1006.

1.1 Le désespoir va l'empoigner, il est foutu de se mettre dans le commerce. — Cela achèvera de combler d'orgueil son rival qui sera sans doute par la suite professeur de quatrième ou avoué, et l'on dira : «c'est un gaillard, celui-là, c'est un luron, c'est un lapin», il aura du poids, on l'écoutera, ce sera un monsieur fort.
  FLAUBERT, Correspondance, 10 sept. 1850.

♦ **2.** Mod. (Surtout n. m., avec les adj. *joyeux, gai,* placés avant). Personne insouciante et toujours prête à s'amuser. *C'est un joyeux luron.*

2 La vieille femme (...) cligna de l'œil avec tendresse vers ce luron toujours jovial et toujours généreux. G. DUHAMEL, Salavin, V, XV.

♦ **3.** Spécialt (fam.). Personne hardie en matière amoureuse. *Encore un nouvel amant ! C'est une sacrée luronne ! — « Le gorille est un luron Supérieur à l'homm' dans l'étreinte »* (→ Gorille, cit. 3, Brassens).

♦ **4.** Loc. pop. Vx. *Avaler le luron :* communier («avaler le petit Jésus»).

3 (...) en v'là, un tas de dégoûtantes ! (...) Ça a les yeux baissés, ça avale le luron tous les matins, et le soir ça fait des noces de bâtons de chaises ! Merci ! Des limaces comme celles-là ? n'en faut plus ! HUYSMANS, les Sœurs Vatard, XX, p. 320.

REM. Sainte-Beuve (1867) emploie (au sens 1 ou 2) le dér. *luronerie*, n. f. (*in* G. L. L. F.).

LUSIN ou **LUZIN** [lyzɛ̃] n. m. — 1678, *lusin* ; *luzin,* 1680 ; par agglutination, de l'*husin,* du néerl. *huising.*

♦ Mar. Petit cordage, fait de deux fils de caret entrelacés. *Pelote, manoque de lusin.*

LUSITANIEN, IENNE [lyzitanjɛ̃, jɛn] adj. et n. — XVIIIe ; du lat. *Lusitania* «le Portugal».

♦ **1.** Didact. (hist.). Relatif à la Lusitanie. — N. *Les Lusitaniens,* peuple ibérique occupant l'Ouest de la péninsule, soumis par les Romains. — Var. : *Lusitain* [lyzitɛ̃].
Mod. Relatif au Portugal, au portugais (langue). ⇒ **Luso-.** *Études lusitaniennes.*

Il y eut dans les empires espagnol et lusitanien des Amériques d'interminables insurrections d'esclaves. Jean ZIEGLER, Main basse sur l'Afrique, p. 78.

♦ **2.** N. m. (1885). Géol. Étage du jurassique. — Adj. Qui appartient, est relatif à cet étage. *Fossiles lusitaniens.*

LUSO- Premier élément de mots composés, signifiant «du Portugal» ou «du portugais (langue)». Ex. : *luso-tropical, ale, aux* [lyzotʀɔpikal, o] adj. (*le Figaro,* 3 janv. 1974, in *la Clé des mots*) : relatif à l'influence portugaise en pays tropicaux ; *lusophone* [lyzofɔn] adj. : qui parle portugais. *Les populations lusophones d'Amérique du Sud* (Brésil), *d'Afrique* (Angola, Guinée Bissau, etc.).

LUSTRAGE [lystʀaʒ] n. m. — 1670 ; de *lustrer.*

♦ **1.** Action ou manière de lustrer. *Lustrage par friction. Faire un lustrage en enduisant d'un corps gras.*
Techn. Opération par laquelle on lustre les étoffes. ⇒ **Apprêt.** *Lustrage par calandrage, par beetlage, par glaçage*. Colle* utilisée pour le lustrage. Lustrage des fourrures. —* Action de lustrer une glace avec un lustroir* après polissage.

♦ **2.** État de ce qui a été lustré. *Un beau lustrage.*

LUSTRAL, ALE, AUX [lystʀal, o] adj. — V. 1355 ; lat. *lustralis,* de *lustrare* «purifier».

♦ **1.** Didact. ou littér. Qui sert à purifier. ⇒ **Purificateur ; laver.** *Eau lustrale. Bain, sacrifice lustral. — Jour lustral,* où se faisait la lustration* d'un nouveau-né et où on lui donnait un nom.

0.1 Le corps, aussitôt qu'il a subi les ablutions lustrales, est emporté vers le cimetière au pas de course, orienté du côté de la Mecque, et recouvert promptement de quelques poignées de poussière (...) Th. GAUTIER, Constantinople, p. 161.

Partout, à tout âge, en des milliers de siècles, l'idée de prière, de grâce, de purification, de pardon, s'est trouvée liée à la dégoûtante image de bestiaux égorgés par des prêtres tout fumants du sang lustral.
  BERNANOS, les Grands Cimetières sous la lune, p. 350.

Par ext. Poét. *L'eau lustrale :* l'eau du baptême, qui lave du péché originel.

2 (...) le solitaire du rocher verse l'eau lustrale sur sa tête *(du néophyte).*
  CHATEAUBRIAND, le Génie du christianisme, I, I, VI.

♦ **2.** Antiq. Relatif au lustre. ⇒ 1. **Lustre.** *Jeux lustraux.*

LUSTRATION [lystʀasjɔ̃] n. f. — V. 1355 ; lat. *lustratio,* du supin de *lustrare* «purifier».

♦ **1.** Didact. ou littér. Purification* rituelle, consistant en une procession, un sacrifice*, une aspersion. ⇒ **Aspersion** (cit. 4) ; → par métaphore Baume, cit. 9, Chénier. — Spécialt. À Rome, Cérémonie qui consistait à asperger d'eau lustrale un nouveau-né.

♦ **2.** Liturgie. Aspersion ou fumigation purificatrice.

1. LUSTRE [lystʀ] n. m. — 1611 ; «sacrifice», v. 1213 ; lat. *lustrum* «sacrifice de purification marquant la fin des recensements quinquennaux», de *luere* «laver, baigner».
Littéraire.

♦ **1.** Période de cinq* ans (→ Couronner, cit. 19 ; fidèlement, cit. 2 ; inquiétant, cit. 1).

1 (...) il avait deux enfants, un garçon qui achevait son cinquième lustre, et une fille qui commençait son troisième. A. R. LESAGE, Gil Blas, X, XI.

2 Les abeilles vivent depuis des milliers d'années et nous les observons depuis dix ou douze lustres. MAETERLINCK, la Vie des abeilles, VII, II.

♦ **2.** Au plur. Période de temps longue et déterminée. *Depuis des lustres, depuis quelques lustres* (→ Gîter, cit. 3).

HOM. 2. Lustre.

2. LUSTRE [lystʀ] n. m. — 1489 ; ital. *lustro,* de *lustrare* «éclairer», du lat. *lustrare* «laver», puis «purifier», notamment dans des cérémonies où l'on promenait des torches.

★ **I.** ♦ **1.** Éclat naturel ou artificiel. ⇒ **Brillant** (3.), **luisant** (n.), **poli** (n.). *Donner du lustre à qqch.* ⇒ **Lustrer.** *Le lustre de la robe d'un cheval. Le lustre d'une surface métallique bien polie. Enduit, vernis donnant du lustre.* ⇒ **Lustrage.**

1 (...) les chevaux n'ont guère de rivaux pour l'abondance et la noirceur (...) les ailes vernissées du corbeau, le jais, l'ébène n'approchent pas de ce lustre miroitant.
  Th. GAUTIER, Portraits contemporains, Mme Damoreau.

Spécialt. *Donner du lustre à une étoffe en la pressant.* ⇒ **Catir ; catissage.** *Donner à un tissu le lustre du satin.* ⇒ **Satiner.**

♦ **2.** Techn. Enduit, apprêt dont on se sert pour rendre luisantes les étoffes ou les fourrures. ⇒ **Cati.** *Passer qqch. au lustre, enduire de lustre.* — Spécialt. Émail brillant appliqué en couche mince sur une poterie.

♦ **3.** Fig. et littér. Éclat* que confère la beauté, le mérite, élément remarquable qui rehausse, met en valeur, en relief. ⇒ **Gloire, réputation** (→ Ballade, cit. 5, Boileau ; grandeur, cit. 19, Pascal). *« Que toujours vos écrits* (cit. 3) *empruntent d'elle seule* (la raison) *et leur lustre et leur prix »* (Boileau). *Acquérir du lustre. Effacer, ternir le lustre. Redonner du lustre, tout son lustre à qqch. — Donner, redonner un lustre à... —* (En parlant des personnes). *Le lustre que donne la culture, l'éducation, la mémoire* (→ Corde, cit. 15), *la tradition* (→ Écrivain, cit. 11).

2 La grâce de la nouveauté est à l'amour ce que la fleur est sur les fruits : elle y donne un lustre qui s'efface aisément, et qui ne revient jamais.
  LA ROCHEFOUCAULD, Maximes, 274.

3 Le malheur ajoute un nouveau lustre à la gloire des grands hommes (...)
  FÉNELON, Télémaque, XVI.

4 Les encadrements des croisées, les corniches, enfin toute la pierre travaillée ayant été restaurée, l'extérieur de ce monument avait repris son ancien lustre.
  BALZAC, les Paysans, Pl., t. V, p. 155.

5 Si un homme a du mérite, à quoi bon le décorer ? S'il n'en a pas, on peut le décorer, parce que *(cela)* lui donnera un lustre.
  BAUDELAIRE, Journaux intimes, Mon cœur mis à nu, V.

6 Anne, aidée de Mahaut, redonna un lustre à l'hôtel d'Orgel, où naguère l'on s'était bien ennuyé. R. RADIGUET, le Bal du comte d'Orgel, p. 22.

★ **II.** (1668). Cour. Appareil d'éclairage suspendu au plafond et supportant plusieurs lampes*. ⇒ **Couronne** (de lumière), **plafonnier, suspension ; astral** (lampe). *Anneau, tire-fond* pour accrocher un lustre. Lustre éclairant une église*, une salle de spectacle.* ⇒ **Luminaire.** — *Lustre orné de pendeloques** (→ Balancer, cit. 6 ; hall, cit. 3), *de lacés*. Lustre de verre taillé à facettes* (cit. 2). *Lustre en forme de chandelier*. Salle éclairée par un grand lustre, par des centaines de lustres* (→ Étinceler, cit. 7). *Cercle de lustres* (→ Cristal, cit. 15). *Lustres éclatants* (cit. 2). — *Lustre à gaz* (→ Cristal, cit. 16), *lustre électrique. — Allumer, éteindre les lustres d'un salon.*

7 Puis cet homme et son fils le portent *(l'âne)* comme un lustre (...)
  LA FONTAINE, Fables, III, 1.

8   (...) au-dessus de la table blanche et éclatante, un lustre de Venise à lames plates, avec toutes sortes d'oiseaux de couleur, bleus, violets, rouges, verts, perchés au milieu des bougies (...)   HUGO, les Misérables, IV, VI, II.

9   (...) des lustres hollandais à boule et à branches de cuivre jaune, rappelant celui qui figure dans le tableau de la *Femme hydropique* de Gérard Dow (...)   Th. GAUTIER, Souvenirs de théâtre..., Vente Jollivet.

10   Ce que j'ai toujours trouvé de plus beau dans un théâtre, dans mon enfance et encore maintenant, c'est *le lustre,* — un bel objet lumineux, cristallin, compliqué, circulaire et symétrique... Après tout, le lustre m'a toujours paru l'acteur principal (...)   BAUDELAIRE, Journaux intimes, Mon cœur mis à nu, XVII.

DÉR. Lustrer, lustrerie, lustrine.
HOM. 1. Lustre.

LUSTRÉ, ÉE [lystʀe] p. p. adj. ⇒ **Lustrer.**

LUSTRER [lystʀe] v. tr. — 1490 ; de 2. *lustre,* et ital. *lustrare.*

♦ **1.** Rendre brillant, luisant. *Chat qui lustre son poil en se léchant.* — Spécialt. Rendre brillant en utilisant les produits et techniques de lustrage. ⇒ **Frotter** (I., 2.), **polir.** *Lustrer ses cheveux à la brillantine*. Pâte, liquide à lustrer. — Par ext. Surface que lustre un rayon de lumière* (→ Empreinte, cit. 10).

1   Écrire lui semblait une fonction naturelle, du moins le privilège de tout seigneur qui a lustré les manches de ses premiers vestons sur les pupitres d'un collège.   G. DUHAMEL, Discours aux nuages, p. 11.

2   Le 20 août, Anne vit la première palombe (...) Elle lustrait en roucoulant sa belle gorge mauve et or.   Pierre BENOIT, Mlle de la Ferté, p. 50.

3   Des gouttes de sueur (...) se rejoignaient le long de son petit nez court qu'elles lustraient.   J. GREEN, Léviathan, I, X.

Spécialt. *Lustrer une étoffe.* ⇒ **Apprêt, lustrage** (dér.); **calandrer, cylindrer** (2.), **glacer** (6.). *Lustrer les cuirs.* ⇒ **Lisser.** *Lustrer un chapeau de feutre avec un bichon*. Lustrer les glaces avec un lustroir.*

Rendre brillant (une étoffe) par le frottement, l'usure.

♦ **2.** Par métaphore. Donner du lustre, de l'éclat (→ Assouplir, cit. 2; esprit, cit. 172).

▶ **LUSTRÉ, ÉE** p. p. adj.

♦ **1.** Brillant, luisant, poli. *Cheveux lustrés* (→ Exotique, cit. 4). *Cheval, chevreuil au poil lustré, à la robe lustrée* (→ Gazelle, cit.). *Poissons lustrés* (→ Folâtrer, cit. 3). *Dos lustré* (→ Globe, cit. 4). — Par ext. *« Une beauté grasse (...) lustrée et rosée »* (→ Engraisser, cit. 4, Baudelaire).

4   (...) les corneilles (...) planaient au-dessous de nous ; leurs ailes noires et lustrées étaient glacées de rose par les premiers reflets du jour (...)   CHATEAUBRIAND, Itinéraire..., I, p. 193.

5   (...) un de ces beaux arbres au feuillage sombre et lustré (...)   E. FROMENTIN, Un été dans le Sahara, p. 51.

♦ **2.** (Étoffes). Apprêté avec un lustre spécial. *Serge lustrée* (→ Gaine, cit. 5). *Percale lustrée. Lustré comme du satin.* ⇒ **Satiné.** *Étoffe lustrée d'un seul côté.* ⇒ **Calmande.**

♦ **3.** Rendu brillant, poli par le frottement, l'usure. *Une vieille veste lustrée aux coudes. Un vieux banc* (cit. 1) *de chêne usé, lustré.*

CONTR. Délustrer. — (Du p. p.) **Mat, terne.**
DÉR. Lustrage, lustreur, lustroir.
COMP. Délustrer, relustrer.

LUSTRERIE [lystʀəʀi] n. f. — 1868 ; de 2. *lustre,* II.

♦ **1.** Vx. Ensemble de lustres* (2. Lustre, II.) ou d'appareils d'éclairage. ⇒ **Luminaire.** *Entretenir la lustrerie.*

♦ **2.** (1873). Mod. Fabrication, commerce des lustres et appareils d'éclairage.

LUSTREUR, EUSE [lystʀœʀ, øz] n. — 1671, n. m. ; de *lustrer.*
Technique.

★ **I.** N. Ouvrier, ouvrière chargée du lustrage (spécialt, des étoffes, fourrures).

★ **II.** N. f. (xxe). Machine à lustrer. *Lustreuse ponceuse à moteur électrique.*

LUSTRINE [lystʀin] n. f. — 1730 ; ital. *lustrino,* dér. de *lustro* « lustre ». → 2. Lustre, I.

♦ **1.** Vx. Droguet* de soie.

♦ **2.** (1839). Mod. Tissu de coton d'armure croisée, fortement apprêté et glacé sur une face. *Doublure, manchette de lustrine.*

1   Dans les bureaux de la Préfecture, à l'extrémité des couloirs crasseux, des hommes à manches de lustrine additionnaient des naissances, des cas de diphtérie, des accidents par véhicules hippomobiles et véhicules à moteur (...)   J. ROMAINS, les Hommes de bonne volonté, t. I, XVIII, p. 188.

2   Les volets étaient fermés, les stores de lustrine noire abaissés sous les rideaux de tulle.   J. CHARDONNE, les Destinées sentimentales, p. 270.

Dudard : *trente-cinq ans. Complet gris ; il a des manches de lustrine noire pour préserver son veston. Il peut porter des lunettes. Il est assez grand, employé* (cadre) *d'avenir.*   IONESCO, Rhinocéros, p. 93.

LUSTROIR [lystʀwaʀ] n. m. — 1723 ; de *lustrer.*

♦ Techn. Outil, instrument servant à lustrer. — Spécialt. Petite règle utilisée pour lustrer les glaces, après polissage. — Outil de vitrier pour nettoyer les verres à vitre. — Morceau de feutre pour lustrer les glaces.

LUSTUCRU [lystykʀy] n. m. — 1661 ; contraction graphique de *l'eusses-tu-cru ?* (est-ce que tu l'aurais cru ?), phrase du niais, au théâtre, devenu nom de personnage populaire : le *père Lustucru* de la chanson *la Mère Michel,* par exemple.

♦ Fam. et vieilli. Bonhomme (niais ou bizarre). ⇒ **Type.** *Qu'est-ce que c'est que ce lustucru ? Une bande de lustucrus.* ⇒ **Guignol, zèbre.**

LUT [lyt] n. m. — XIIIe ; lat. *lutum* « boue, terre de potier ».

♦ Chim. et techn. Enduit* très résistant, de composition variable, servant à boucher hermétiquement les interstices (vases clos, fours, chaudières), et à protéger des objets allant au feu. *Lut à base d'argile, de paraffine, de litharge. Lut pour joints de chaudière. Recouvrir une pièce de céramique, une cornue de lut.*

Les *luts* à fermer les jointures des vaisseaux doivent être différents, selon la nature des vapeurs qui doivent parvenir à ces jointures (...)   Encycl. (DIDEROT), art. *Lut.*

DÉR. Luter.
HOM. Luth, lutte.

LUTAGE [lytaʒ] n. m. — 1931 ; de *luter.*

♦ Techn. Action de luter ; son résultat. *Un lutage hermétique.*
CONTR. et DÉR. Délutage.

LUTATION [lytasjɔ̃] n. f. — 1752 ; au sens de *lut,* 1555 ; de *luter.*

♦ Techn. (vx). Action de luter*. ⇒ **Colmatage, lutage.**

LUTÉCIEN ou LUTÉTIEN [lytesjɛ̃] n. m. — 1883, A. de Lapparent, selon E. Haug ; de *Lutecia* « Lutèce ».
Didactique.

♦ **1.** Hist. De Lutèce, nom antique de Paris.

♦ **2.** Géol. Âge de l'éocène qui succède au *ludien* et au *bartonien.*

LUTÉCIUM ou LUTÉTIUM [lytesjɔm] n. m. — 1907 ; de *Lutèce,* lat. *Lutetia,* anc. nom de *Paris.*

♦ Chim. Corps simple, métal du groupe des terres rares (p. at. 174,97 ; n^o at. 71 ; symb. *Lu*). *Le lutétium se rencontre en très faibles quantités dans les minéraux renfermant de l'yttrium*.* — REM. On écrit aussi, sans accent, *lutetium,* et parfois *lutecium* (même prononciation).

LUTÉINE [lytein] n. f. — 1890, P. Larousse, *Deuxième Suppl. ;* du lat. *luteus* « jaune d'or », et suff. *-ine.*

♦ **1.** Chim. Pigment jaune qu'on rencontre dans le jaune d'œuf, le pollen, le sérum du sang, etc.

♦ **2.** Biol. Vx. Hormone sexuelle femelle sécrétée par le corps jaune*. ⇒ **Progestérone.**

Ce corps *(le corps jaune)* sécrète une hormone, la progestérone (jadis appelée lutéine), dont l'importance est primordiale pour la gestation qui ne peut ni commencer, ni durer sans elle.   Jules CARLES, la Fécondation, p. 39.

DÉR. Lutéinique, lutéinisation.

LUTÉINIQUE [lyteinik] adj. — Mil. xxe (attesté 1959) ; de *lutéine.*

♦ Biol. Relatif à la lutéine, au corps jaune. *Phase lutéinique :* phase du cycle menstruel qui va de l'éclatement du follicule au début de la menstruation.

LUTÉINISATION [lyteinizasjɔ̃] n. f. — Mil. xxe ; de *lutéine,* et *-isation.*

♦ Biol. Modifications physiologiques qu'entraîne la lutéine* (⇒ **Progestérone**) dans l'organisme des femelles.

LUTÉOL [lyteɔl] n. m. — 1931, Larousse ; lat. *luteolus,* dér. de *luteus* « jaune ».

♦ Chim. Indicateur chimique coloré en jaune par les alcalis.

LUTER [lyte] v. tr. — V. 1534 ; de *lut.*

♦ Techn. Boucher, enduire avec du lut*. ⇒ **Colmater ; lutage.** *Luter un vase, une cornue.*

0.1 Quatorze bocaux furent emplis de tomates et de petits pois ; ils en lutèrent les bouchons avec de la chaux vive et du fromage, appliquèrent sur les bords des bandelettes de toile (...) FLAUBERT, Bouvard et Pécuchet, Folio, p. 111.

Sujet n. de chose :

1 (...) la glaise calcinée qui lute l'orifice par où va s'élancer la fonte liquide.
NERVAL, Voyage en Orient, Nuits du Ramazan, III, v.

Passif et participe passé :

2 À cause des doubles vitrages, les fenêtres, en Russie, n'ont ni volets, ni contrevents, ni jalousies ; on ne pourrait les ouvrir ni les fermer, car les châssis sont à demeure pour tout l'hiver et soigneusement lutés.
Th. GAUTIER, Voyage en Russie, X.

CONTR. Déluter.
DÉR. Lutage, lutation.
COMP. Déluter.
HOM. Luthé, lutter.

LUTÉTIEN [lytesjɛ̃] n. m. ⇒ **Lutécien.**

LUTH [lyt] n. m. — XIVe ; *leüt,* XIIIe ; arabe *(ɔ)ăl- ūd,* par l'interm. de l'anc. provençal *laüt.*

★ I. ♦ 1. Mus. Instrument à cordes pincées, dont la forme rappelle celle de la mandoline, et qui fut très en vogue aux XVIe, XVIIe et XVIIIe siècles (→ Harmonie, cit. 1). *Le luth, introduit par les Arabes en Europe au moyen âge, était inconnu des Anciens. Jouer* (cit. 45) *du luth. Joueur de luth.* ⇒ **Luthiste.** *Accorder son luth. Luth qui vibre sous les doigts* (→ Éploré, cit. 5). *Instruments voisins du luth.* ⇒ 4. **Angélique, cistre, guitare, harpe, mandoline, mandore, théorbe ; archiluth.** — *Jeu de luth :* un des jeux du clavecin qui imite le luth.

1 Le *luth* est composé de quatre parties ; de la table de sapin ou de cèdre ; du corps, composé de neuf ou dix éclisses, qu'on appelle aussi le *ventre* ou la *donte ;* du manche, qui a neuf touches ou divisions (...) et de la tête ou de la crosse, où sont les chevilles qu'on tourne pour monter les cordes aux tons convenables.
FURETIÈRE, Dict., art. *Luth.*

2 Rien ne me divertit tant qu'une belle voix accompagnée d'un luth (...)
A. R. LESAGE, Gil Blas, VIII, XI.

3 (...) masques et bergamasques,
Jouant du luth et dansant (...) VERLAINE, Fêtes galantes, Clair de lune.

♦ 2. Poét. L'instrument avec lequel le poète s'accompagne pour chanter ; symbole de l'inspiration poétique. ⇒ **Lyre** (3.) ; → 2. Entonner, cit. 4 ; inconsolé, cit. 2.

4 Ah ! Si jamais ton luth *(de Byron),* amolli par tes pleurs,
Soupirait sous tes doigts l'hymne de tes douleurs.
LAMARTINE, Premières méditations, II.

5 Bientôt, j'irai dormir d'un sommeil sans alarmes,
Heureux si, dans la nuit dont je serai couvert,
Un œil indifférent donne en passant des larmes
A mon luth oublié, sur mon tombeau désert !
HUGO, Odes et Ballades, V, IV.

6 Poète, prends ton luth et me donne un baiser (...)
A. DE MUSSET, Poésies nouvelles, « La nuit de mai ».

★ II. (1808). Zool. Reptile chélonien, tortue* marine de l'océan Indien, scientifiquement appelée *sphargis,* dont la carapace sans écaille est incluse dans une peau épaisse et coriace (évoquant la caisse d'un luth). *Le luth peut atteindre 2 m et peser 800 kg.* — Par appos. *Tortue luth.*

DÉR. Luthé, luthier, luthiste.
COMP. Archiluth.
HOM. Lut, lutte.

LUTHÉ, ÉE [lyte] adj. — 1680 ; de *luth.*

Vieux (langue classique).

♦ 1. Construit en forme de luth.

♦ 2. (D'un air). Écrit ou transposé pour le luth. *Mélodie luthée.*

HOM. Luter, lutter.

LUTHÉRANISME [lyteʀanism] n. m. — XVIe, *luthérianisme ;* de *luthérien.*

♦ Didact. Doctrine de Luther ; religion protestante luthérienne. ⇒ **Protestantisme.** *Le luthéranisme n'a pas de liturgie imposée.*

Le Danemark et toute la Suède embrassaient le luthéranisme, appelé la *religion évangélique.* VOLTAIRE, Essai sur les mœurs, CXXX.

LUTHERIE [lytʀi] n. f. — 1767 ; de *luthier.*

♦ 1. Art, profession, commerce, atelier du luthier. ⇒ **Luthier.** *L'ébène* (cit. 1) *est utilisée en lutherie.*

Il n'y eut jamais plus de vingt-cinq à trente personne dans Crémone attachées à la confection des instruments à cordes, et la production annuelle avait peine à atteindre la centaine d'exemplaires. C'est dire le peu de place que la lutherie occupait dans la ville, au milieu de tant de milliers d'habitants, même proches voisins de la paroisse

Saint-Dominique, à plus forte raison ceux qui habitaient hors les murs, pouvaient ignorer l'existence de ce glorieux artisanal.
Herbert LE POIRIER, le Luthier de Crémone, p. 26.

♦ 2. Ensemble des instruments fabriqués par le luthier (instruments à cordes* et à caisse de résonance). *Lutherie grattée, pincée :* instruments à cordes grattées, pincées.

LUTHÉRIEN, IENNE [lyteʀjɛ̃, jɛn] adj. et n. — 1525, in D. D. L. ; var. *luthérin, luthériste ;* du nom de *Luther* (1484-1546), réformateur allemand, principal fondateur du protestantisme.

♦ Relatif ou conforme à la doctrine de Luther. *Religon luthérienne et religion calviniste* (cit. 2). ⇒ **Protestant.** *La consubstantiation, l'impanation*, doctrines luthériennes. L'Église* luthérienne ou évangélique*.* — N. *Un luthérien, une luthérienne :* protestant*, protestante qui professe la religion luthérienne. — En attribut. *Se faire* (cit. 236) *luthérien.*

(En 1530) Les luthériens présentèrent leur confession de foi dans Augsbourg, et c'est cette confession qui devint leur boussole ; le tiers de l'Allemagne y adhérait (...) VOLTAIRE, Essai sur les mœurs, CXXXII.

DÉR. Luthéranisme.

LUTHIER, IÈRE [lytje, jɛʀ] n. — 1649, n. m. ; de *luth.*

♦ Fabricant d'instruments à cordes et à caisse de résonance* (comme le luth), à l'exclusion des instruments à clavier (→ Facteur). *Luthier qui fabrique un violon* (→ Âme, cit. 83), *un violoncelle, une guitare.* — *Stradivarius, célèbre luthier. Les luthiers de Crémone. L'art du luthier :* la lutherie. *Elle voudrait être luthière* (fém. attesté in F Magazine, févr. 1980, p. 41). — En composition. *Luthier-archetier.*

— Au diable Job Hans le luthier qui m'a vendu cette corde ! s'écria le maître de chapelle recouchant la poudreuse viole dans son poudreux étui. — La corde s'était cassée.
Aloysius BERTRAND, Gaspard de la nuit, Fantaisies, VII.

DÉR. Lutherie.

LUTHISTE [lytist] n. — 1895, Encycl. Berthelot, art. *Luth ;* de *luth.*

♦ Joueur, joueuse de luth. *Une remarquable luthiste.*

LUTIN [lytɛ̃] n. m. et adj. — 1564 ; *luiton,* v. 1160, *luitin,* XIVe ; du lat. *Neptunus,* figurant dans une liste de démons du VIIe s., et qui a donné *netun,* puis *nuiton (nuitum,* fin XIe) d'après *nuit,* ainsi que *luiton, luton,* d'après *luitier* « lutter », et enfin *lutin* par changement de suffixe.

★ I. N. m. ♦ 1. Esprit follet, petit démon espiègle et malicieux qui est supposé se manifester surtout pendant la nuit. ⇒ **Esprit ; farfadet** (cit. 1), **follet, génie, gobelin** (VX), **kobold, korrigan, poulpiquet** (→ Aile, cit. 11 ; fiction, cit. 8). *Une troupe de lutins. Courir comme un lutin* (→ Heure, cit. 37). — REM. Au moyen âge, *luiton, luitin* avait le sens beaucoup plus fort de « diable, esprit mauvais ».

1 (...) si l'on y regardait bien, on verrait le lutin avoir le pied fourchu, seule partie, disait ma mère, que les démons ne peuvent déguiser.
BEAUMARCHAIS, la Mère coupable, IV, 1.

2 Le succube verdâtre et le rose lutin
T'ont-ils versé la peur et l'amour de leurs urnes ?
BAUDELAIRE, les Fleurs du mal, Spleen et Idéal, VII.

♦ 2. Fig. et vieilli. Enfant vif, espiègle et taquin. *« Ce petit lutin met toute la maison en désordre »* (Littré). ⇒ **Démon, diable.**

★ II. Adj. (1830). Vx. LUTIN, INE [lytɛ̃, in] : éveillé, malicieux. *Cette fillette est d'humeur lutine* (Académie). ⇒ **Mutin.** *Caractère lutin.*

3 Vous connaissez que j'ai pour mie
Une Andalouse à l'œil lutin (...)
A. DE MUSSET, Premières poésies, « Madame la marquise ».

4 Mme Pauline Leroux, si séduisante, si spirituelle, si lutine dans ce rôle de diable ou de diablesse. NERVAL, in G. L. L. F.

DÉR. Lutiner.

LUTINER [lytine] v. intr. et tr. — 1585 ; de *lutin.*

★ I. V. intr. Vx. Faire le lutin, le diable.

★ II. V. tr. ♦ 1. (1684). Vx. Taquiner* avec espièglerie, comme le ferait un lutin.

1 Mme de Caylus fait tout pour avoir ses entrées auprès de sa tante en ces rares moments ; elle l'agace, elle la lutine en tout respect pour la dérider (...)
SAINTE-BEUVE, Causeries du lundi, 28 oct. 1850.

♦ 2. Mod. (mais littér. ou affecté ; par attraction de *lutte).* Taquiner (une femme) en prenant des privautés sous le couvert de la plaisanterie. ⇒ **Peloter.**

2 (...) il lui fallait à tout prix un bon dîner à déguster, comme à un homme galant une maîtresse à (...) lutiner. BALZAC, le Cousin Pons, Pl., t. VI, p. 540.

3 (...) il circule entre les groupes, qu'il lutine et dérange (...) Ici, il effleure de ses lèvres de blanches épaules ; là il entoure de ses doigts une taille de guêpe (...)
Th. GAUTIER, Voyage en Russie, XX.

4 (...) et sans cesse la petite bonne entrait, apportant, soit mon dîner, soit de la tisane. Je la lutinais un peu, ce qui semblait l'amuser, mais nous ne causions pas, naturellement, puisque nous ne nous comprenions point.
MAUPASSANT, Contes de la Bécasse, Un fils.

Par extension :

5 Je tâchais de rester très gai moi-même. Je lui donnai un baiser, lui caressai les cheveux. Pour la première fois peut-être, je lui lutinai la gorge, la taille. Jamais nos caresses n'avaient eu ce ton de badinage et d'irrespect.
J. ROMAINS, le Dieu des corps, X.

DÉR. Lutinerie.

LUTINERIE [lytinʀi] n. f. — 1772 ; de *lutiner.*
Vieux.

♦ **1.** Action de lutiner* ; son résultat.

♦ **2.** Caractère malicieux (⇒ **Lutin,** II.).

LUTRIN [lytʀɛ̃] n. m. — 1606 ; *letrin,* XIIe ; du bas lat. *lectrinum,* de *lectrum* «pupitre», de *lectum,* supin de *legere* «lire», devenu *lutrin* d'après *lu,* p. p. de *lire.*

♦ **1.** Liturgie. Enceinte réservée aux chantres, dans une église. *Le lutrin se trouve dans le chœur. Le lutrin comprend le pupitre, le coffre à livre, les escabeaux des chantres et les bancs des scholistes.*

♦ **2.** Plus cour. Pupitre* sur lequel on met les livres de chant, pour la messe ou l'office (→ Chœur, cit. 13). *Le Lutrin,* poème héroï-comique de Boileau.

Il y avait autrefois dans le chœur, à la place de celui-ci, un énorme pupitre ou lutrin qui le couvrait presque tout entier; il (le chantre) le fit ôter. Le trésorier voulut le faire remettre. De là arriva une dispute qui fait le sujet de ce poème.
BOILEAU, le Lutrin, Argument.

Par métonymie, vx. Ensemble des chantres.

Par anal. Pupitre sur pied, pour lire ou consulter les ouvrages de grande taille. — Support oblique, généralement sans pied, pour appuyer un livre et le consulter. *Lutrin publicitaire donné aux libraires pour présenter une encyclopédie.*

LUTTE [lyt] n. f. — XVIe ; *luite,* 1160 ; du bas lat. *lucta,* ou de *lutter.*

♦ **1.** Combat* corps à corps (⇒ **Catch, jiu-jitsu, judo, rahba** ; → Exercice, cit. 2 et 5). — Spécialt. Sport de combat opposant corps à corps deux adversaires qui, au moyen de prises appropriées, s'efforcent de se terrasser (⇒ **Pancrace**). — (1896, in Petiot). *Lutte gréco-romaine.* — (1898, in Petiot). *Lutte libre.* — *Prise de lutte. La lutte était pratiquée par les athlètes grecs. Les jeux* (cit. 27) *de la lutte.* — Allus. bibl. *La lutte de Jacob avec l'Ange* (Genèse, XXXII, 24), peinte (notamment) par Rembrandt, Delacroix, Gauguin. *La lutte avec l'ange,* texte de Malraux.

1 (...) des corps endurcis au travail, que la lutte et les autres exercices ordinaires dans ce pays rendaient adroits (...)
BOSSUET, Disc. sur l'hist. universelle, III, V.

2 (...) un pari à qui *tomberait* l'autre s'ouvrait entre le cirque et l'homme fort, qui était presque toujours un meunier (...) Et toujours l'Hercule gagnait, non qu'il fût le plus fort de tous les hommes avec lesquels il avait lutté, mais par l'habitude de la lutte, et par la science qu'il avait de toutes les ressources et les secrets du métier. Or un jour, l'intombable Rabastens était jeté sur les deux épaules par un meunier de la Bresse (...)
Ed. DE GONCOURT, les Frères Zemganno, XIX.

Combat de deux ou plusieurs individus qui en viennent aux mains, aux coups. ⇒ **Bagarre, mêlée, rixe.**

3 L'excitation amoureuse chez les gens du monde s'allumait encore volontiers au romanesque des souteneurs et des filles, à des visions de luttes sanglantes sous les réverbères des boulevards extérieurs.
J. ROMAINS, les Hommes de bonne volonté, t. III, X, p. 136.

Par métaphore :

4 Automne. Cinq heures du soir.
Lutte silencieuse et lente du soleil et de l'ombre.
J. RENARD, Journal, 26 sept. 1906.

Par métaphore. [a] Littér. *Lutte amoureuse.* ⇒ **Ébat** ; → Lutiner.

[b] (1835). Agric. Accouplement* du bélier et de la brebis.

♦ **2.** Opposition violente entre deux adversaires (individus, groupes), dont chacun s'efforce d'imposer à l'autre sa volonté et de faire triompher sa cause. ⇒ **Conflit, opposition, rivalité.** *Luttes personnelles. Luttes sociales, religieuses, politiques, parlementaires. La lutte des partis. La lutte de la féodalité contre la royauté* (→ 2. Geste, cit. 2), *de l'individu contre l'État* (→ Individualisme, cit. 5). *Lutte armée de deux peuples, de deux partis.* ⇒ **Guerre, hostilité.** *Luttes d'influences. Luttes intérieures, intestines* (→ Agiter, cit. 11). *Accepter, engager la lutte* (→ Livrer combat*). *Entrer en lutte.* → Entrer en lice*. *Donner le signal de la lutte* (→ Lever* l'étendard de la révolte). *Inciter le peuple à la lutte* (⇒ **Action, agitation, résistance, révolte**). *Organiser la lutte. Être armé pour la lutte. Enjeu* (cit. 2) *de la lutte. Être en lutte contre qqn, un groupe. Lutte qui met aux prises* deux partis. *Lutte violente, sanglante.* ⇒ **Bataille.** *La lutte fut chaude. « La lutte est ardente* (cit. 36) *et noire »* (Hugo). *Luttes acharnées, opiniâtres, homériques, effroyables, inexpiables. Sortir vainqueur* d'une lutte.

Mener une lutte, bien qu'elle soit vouée à l'échec. ⇒ **Baroud** (d'honneur).

Abandonner la lutte. Triompher, succomber, être vaincu après une longue lutte. Mener la lutte jusqu'au bout. Soutenir, continuer, reprendre la lutte* (→ Exploiter, cit. 7). *Paix conclue après de longues luttes* (→ Bénir, cit. 22).

(1847). **LUTTE DES CLASSES*** (cit. 3, 5) : une des notions fondamentales du marxisme, d'après lequel l'opposition entre la classe exploitée (le prolétariat) et ses exploiteurs, succédant à la prise de conscience de classe, est le moteur de l'histoire et entraîne la disparition du capitalisme.

5 (...) cette guerre qui nous suivait depuis Moscou se ralentit (...) une plus grande lutte (la campagne de 1813) se préparait, et cette halte ne fut pas un temps qu'on accorda à la paix, mais qui fut donné à la préméditation du carnage (...)
Ph. P. SÉGUR, Hist. de Napoléon, XII, 11.

6 C'est la lutte finale,
Groupons-nous, et demain
L'internationale,
Sera le genre humain.   Eugène POTTIER, l'Internationale (1871).

6.1 Les esprits de second ordre à propos de tout font des théories et d'un livre en gardent que ce qu'il y a de nouveau dans la façon de comprendre la lutte des classes ou les rapports de l'amour avec l'activité.   PROUST, Jean Santeuil, Pl., p. 453.

7 Le socialisme français se préparait donc à porter la lutte sur le terrain parlementaire.   MARTIN DU GARD, les Thibault, t. VII, p. 31.

8 Les luttes actuelles, en particulier la lutte de classes, dissimulent la tragédie eschyléenne de l'évolution du monde : il ne s'agit que d'un stade intermédiaire, mais, si un jour l'état de classes disparaît totalement, le conflit n'en apparaîtra qu'avec une force plus dramatique entre les deux adversaires qui, dès aujourd'hui, s'affrontent sous d'autres apparences, la personne et la masse, c'est-à-dire, plus profondément, entre ce qui se soumet aux destins et ce qui leur résiste, entre les dieux sans visage et l'homme.   DANIEL-ROPS, Ce qui meurt..., p. 10.

9 Dès à présent, et dès avant-hier déjà, la lutte est vaine ; c'est en vain que se font tuer nos soldats.   GIDE, Journal, 14 juin 1940.

10 (...) la France n'est pas seule (...) Elle peut faire bloc avec l'Empire britannique qui tient la mer et continue la lutte (...) Quoi qu'il arrive, la flamme de la résistance française ne doit pas s'éteindre et ne s'éteindra pas.
Ch. DE GAULLE, Appel du 18 juin 1940.

Lutte orale, lutte d'idées. ⇒ **Assaut, controverse, débat, discussion, dispute, escrime** (fig.), **joute** (oratoire), **querelle** (→ Chaire, cit. 5).

(1858, in Petiot). Spécialt. Effort que font l'un contre l'autre deux individus, deux groupes qui cherchent à l'emporter l'un sur l'autre. ⇒ **Compétition, concours, course, match.** *Les luttes de l'hippodrome* (cit. 2). *Lutte de vitesse avec un concurrent. Lutte pour un prix.* ⇒ **Dispute,** 2. (dispute d'un prix). *Émulation* dans la lutte.*

♦ **3.** *Lutte contre, avec, pour... :* effort, action énergique d'un individu ou d'un groupe pour résister à une force hostile (⇒ **Défense**) ou pour atteindre un certain but. ⇒ **Effort.** *Lutte de l'homme contre la nature, les éléments, le monde* (→ Cesser, cit. 9). *Lutte avec des forces hostiles. Lutte contre la fatalité* (cit. 6). *Dernière lutte contre la mort* (⇒ **Agonie**). *Lutte contre un principe* (→ Honneur, cit. 48), *contre une idée. Lutte contre l'alcoolisme* (→ Évangéliser, cit. 3), *la tuberculose, un fléau* (→ Épuisement, cit. 4). *Lutte d'un peuple pour son indépendance. Lutte du peuple français pour sa libération* (en 1940-1944). *Lutte de libération nationale.* — *Une vie de luttes, de difficultés et d'efforts continuels* (→ Exprimer, cit. 18). — *En lutte. Être en lutte contre la tyrannie* (→ Intellectuel, cit. 10), *contre le militarisme* (→ Bête, cit. 21).

(D'après l'angl. *struggle for* life ; d'abord *lutte pour l'existence,* Darwin, *Origine des espèces,* trad. 1859). Biol. **LUTTE POUR LA VIE :** sélection naturelle des espèces ; lutte que doit livrer pour vivre chaque individu, contre les individus de son espèce ou d'une espèce différente, et contre les conditions physiques de la vie. → Outlaw, cit. 1.1. *La lutte pour la vie élimine les moins aptes et les moins robustes.* ⇒ **Concurrence** (vitale), **sélection** (naturelle) ; → Darwinisme. — Fig. et cour. (Personnes). Efforts pour survivre. *La lutte quotidienne pour la vie* (→ Franchir, cit. 12). *La concurrence* (cit. 9) *économique est une forme de la lutte pour la vie.*

10.1 (...) M. Lacaze-Duthieis donne, dans son ouvrage, de curieux exemples de cette lutte pour la vie (struggle for life), qui a formé la base des théories du naturaliste anglais Darwin. Année scientifique et industrielle 1865, p. 322 (1864).
N. B. On trouve dans ce texte, p. 322, la forme *lutte pour l'existence.*

11 (...) les vivants naissent, et se multiplient à une vitesse beaucoup trop grande pour les ressources dont dispose l'ensemble des espèces. Il en résulte une lutte pour la vie qui laissera seulement survivre et se multiplier les plus aptes (...) tandis que la mort frappera surtout les moins aptes, les défavorisés : la mort devient différenciatrice et se charge d'opérer une sévère sélection naturelle.
Jean CARLES, le Transformisme, p. 58.

Spécialt. Effort (d'une personne) contre ses propres faiblesses, combat intérieur (→ Illumination, cit. 4). *Une lutte contre soi-même. Lutte déchirante* (→ Appréhension, cit. 5). *Lutte cornélienne.* ⇒ **Débat.** *La lutte du devoir et de la passion* (→ Fond, cit. 57 ; formule, cit. 15 ; intérêt, cit. 29). *Tentations et luttes qui précèdent une vie d'ascèse* (cit. 4).

12 C'est la lutte de ces deux passions, l'une expirante, mais puissante encore, l'autre envahissante et bientôt souveraine, c'est ce combat violent et acharné qui constitue le drame déchirant auquel nous a initiés la publication des Lettres (de Mlle de Lespinasse).   SAINTE-BEUVE, Causeries du lundi, 20 mai 1850.

13 Il portait sur son visage, volontiers pensif, la trace de la grande lutte intérieure qu'il soutenait depuis ces deux jours.   Paul BOURGET, Un divorce, V.

♦ **4.** (1807). Antagonisme* entre forces contraires. ⇒ **Duel, opposition.** *Lutte de deux principes.* ⇒ **Duel** (fig.). *Lutte entre le bien et*

le mal → **Dualisme** (cit.), **manichéisme**. *Lutte, rivalité* d'intérêts.
⇒ **Collision, conflit**. *« Lutte éternelle entre la bonté d'homme et la ruse de femme »* (→ 2. Lieu, cit. 2, Vigny).

14 La lutte du bien et du mal dans une haute intelligence est une des grandes idées
du XVIᵉ siècle.   NERVAL, Trad. GŒTHE, Faust, Introd., p. 8.

En lutte : en opposition active.

♦ **5. Techn.** *Lutte chimique* : méthode qui vise à la destruction des animaux et des végétaux nuisibles par utilisation de substances chimiques. — *Lutte biologique* : méthode qui met en jeu des agents de destruction vivants (insectes, bactéries). — *Lutte anti-pollution* : ensemble des textes réglementaires et des procédés technologiques propres à abaisser les émissions de polluants et leur teneur dans le milieu.

♦ **6. Loc. adv. (Fin XVIᵉ).** DE HAUTE LUTTE ; (rare) DE VIVE LUTTE : de force, d'autorité, par une grande volonté*. *Conquérir qqch. de haute lutte. Emporter* (cit. 16 et 17) *qqch. de haute, de vive lutte.*

15 (...) toutes les œuvres d'art dont la connaissance a fait, de moi, un homme,
représentent, d'abord, une conquête. J'ai dû les aborder de haute lutte et les mériter après une fervente passion.   G. DUHAMEL, Scènes de la vie future, III.

CONTR. Accord, entente, paix ; résignation.
HOM. Lut, luth.

LUTTER [lyte] v. intr. — V. 1460 ; *loiter*, 1080, *Chanson de Roland* ; puis *luitier, luiter* (XIIᵉ) ; du lat. *luctare*.

★ **I. V. intr. ♦ 1.** S'exercer ou combattre à la lutte ; combattre en tentant de renverser, de faire tomber l'adversaire, en le saisissant sans le frapper. ⇒ **Lutte** (cit. 2). *Les jeunes Grecs luttaient entre eux dans les gymnases. Lutter avec, contre qqn.*

1 (...) ils, sous les yeux et les applaudissements de toute la nation, dépouillés de leurs
habits ils luttaient, boxaient, lançaient le disque, couraient à pied ou en char.
                                              TAINE, Philosophie de l'art, t. I, p. 70.

Littér. *Se battre*, avec ou sans armes. ⇒ **Combattre**. *Les gladiateurs* (cit. 2) *qui luttent dans l'amphithéâtre.* ⇒ **Affronter** (s'). *Ils luttaient noirs, muets, furieux* (→ Farouche, cit. 9, Hugo) ; et aussi fam. *Se bagarrer*, *se colleter*, *se coltiner*, *en découdre*). — Par ext. *Hommes qui luttaient corps à corps contre les bêtes féroces* (→ Jeu, cit. 32). *Animaux qui luttent à mort* (→ Héraldique, cit. 3).

Par métaphore :

2 (...) la lueur grise de l'aurore luttait faiblement contre la clarté rougeâtre et
fumeuse d'une petite lampe de terre (...)
                                    J. A. DE GOBINEAU, Nouvelles asiatiques, p. 92.

♦ **2.** Faire effort l'un contre l'autre pour imposer sa volonté, en parlant de deux individus, de deux groupes, dont les intérêts, les buts sont opposés. *Les deux peuples luttèrent pendant de longues années. Peuple qui lutte contre un autre. Partis qui luttent l'un contre l'autre. Lutter contre ses créanciers* (→ Embarras, cit. 10).
Spécialt. LUTTER DE (et nom). ⇒ **Disputer, rivaliser** ; → Se mesurer* avec... *Lutter de vitesse. Lutter de beauté. Lutter de ruse, de finesse.* ⇒ **Jouter.** — (Avec à). *Lutter à qui se posera le mieux* (→ Favorable, cit. 8 ; et aussi incapable, cit. 12). — Par métaphore. *Les fanaux* (cit. 8) *luttaient d'éclat avec les étoiles.*

♦ **3.** Faire effort*, agir énergiquement (contre ou pour obtenir qqch.). — LUTTER CONTRE... *Lutter contre les forces de la nature, contre le froid et les intempéries* (→ Aménagement, cit. 2), *contre les obstacles. Lutter avec acharnement contre la maladie* (→ Antitoxine, cit. 2), *contre la mort* (→ Convulser, cit. 2), *contre les progrès de l'alcoolisme* (→ Arrache-pied, cit. 2). *Lutter contre la sottise et l'ignorance* (→ Évertuer, cit. 7), *contre des superstitions, des idées* ⇒ **Batailler ;** → Faire la guerre* à... ; être en lutte* contre... ; être aux prises* avec... *Lutter contre son époque* (→ Contrecourant, cit. 2). *Nécessité contre laquelle on ne peut lutter.* ⇒ **Inéluctable.**
Littér. LUTTER AVEC... *Lutter avec des adversaires difficiles.*
LUTTER POUR... *Lutter pour une vie meilleure.* ⇒ **Bagarrer** (v. intr.), **efforcer** (s'), **évertuer** (s'). *Lutter pour une cause.* ⇒ **Militer** (→ Faire campagne* pour). *Une minorité ethnique qui lutte pour l'indépendance* (→ Langue, cit. 31).

3 (...) votre illustre frère, après avoir quelque temps (...) lutté, si j'ose ainsi dire,
contre le mauvais goût de son siècle (...)
                              RACINE, Disc. à l'Académie pour la réception de Thomas Corneille.

4 Les hommes de mon espèce ont lutté des pieds et des mains pour sortir de la
misère et vous venez leur déclarer qu'ils ont eu tort et qu'ils doivent immédiatement redescendre de l'échelle.   G. DUHAMEL, Chronique des Pasquier, III, IX.

(Lutte intérieure). *Lutter contre le sommeil* (→ Écrouler, cit. 8). *Lutter contre ses propres faiblesses* (→ Bataille, cit. 17). *Lutter contre sa timidité* (→ Autorité, cit. 36). — Par ext. *Sa raison lutte contre son cœur* (→ Emporter, cit. 40).

5 (...) il faut être soi dans tous les temps, et ne point lutter contre la nature : ces
vains efforts nous lassent et nous empêchent d'en user.   ROUSSEAU, Émile, IV.

Absolt. *Agir avec énergie, force contre ce qui menace, pour ce qu'on veut obtenir.* ⇒ **Évertuer** (s') ; → Faire face*. *Lutter dans l'ombre* (→ Cénacle, cit. 2). *On s'agite* (cit. 19), *on lutte, on espère. « Ma force* (cit. 22) *à lutter s'use et se prodigue »* (Musset). *Ceux qui*

luttent et ceux qui sont entraînés (cit. 2 et 17). *Cesser de lutter.* ⇒ **Défendre** (se), **résister.**

Ceux qui vivent, ce sont ceux qui luttent (...)   HUGO, les Châtiments, IV, IX.   6
On lutte bien, tant que l'on croit devoir lutter ; mais dès l'instant que cette lutte   7
paraît vaine et que l'on ne hait plus l'ennemi (...) Pourtant encore je tiens bon ;
mais moins par conviction que par défi.   GIDE, Journal, 22 mars 1916.

★ **II. V. tr.** (1580, Montaigne). **Vx.** *Affronter, combattre* (qqn un animal).
V. pron. (XVIIᵉ). **Vx.** *Se lutter* : s'affronter, se combattre.

CONTR. Abandonner, cesser (la lutte) ; **résigner** (se).
DÉR. Lutteur.

LUTTEUR, EUSE [lytœʀ, øz] n. — V. 1530 ; *luiteor*, 1120 ; de *lutter.*
Personne qui lutte.

♦ **1.** Athlète qui pratique la lutte*. *Lutteurs grecs. Les deux lutteurs entrèrent dans l'arène.* ⇒ **Antagoniste.** *Lutteur professionnel. Lutteurs africains, japonais. Lutteur de foire.* ⇒ **Alcide, bateleur, hercule** (→ Lutte, cit. 2). *Avoir des bras, des cuisses, des épaules de lutteur.* ⇒ **Athlète** (→ Corder, cit. 2). *Les lutteuses d'un spectacle populaire.*

Un bon lutteur se laisse bien tomber (...)   Clément MAROT, Opuscules, XI.   1
(...) la lutte athlétique (...) déroulait ses attaques et ses ripostes dans les palestres   2
de l'édifice central, près des chambres (...) où, non seulement les lutteurs, mais
les lutteuses (...) venaient se soumettre aux onctions et au maquillage réglementaires.   J. CARCOPINO, la Vie quotidienne à Rome..., II, IV.

REM. Le mot est lié aux sens précis de *lutte* et ne s'emploie pas, au moins dans l'usage spécialisé, pour désigner les formes de lutte ayant reçu des désignations particulières (→ Catcheur, judoka...).

♦ **2. Fig.** Personne qui aime la lutte* (I., 2.), l'action et sait lutter avec persévérance. *Un redoutable, un vieux lutteur.* ⇒ **Jouteur.** *Tempérament de lutteur. C'est une lutteuse infatigable.*

Et cependant voilà des siècles innombrables   3
Que vous vous combattez sans pitié ni remord(s),
Tellement vous aimez le carnage et la mort,
Ô lutteurs éternels, ô frères implacables !
                           BAUDELAIRE, les Fleurs du mal, Spleen et Idéal, XIV.
Pour la première fois ce vieux lutteur s'étonnait de se sentir las.   4
                                              SAINT-EXUPÉRY, Vol de nuit, II.

-LUVE Suffixe, du lat. *luvium* « bain », de *luere* « laver », qui entre dans la composition des mots savants tels que *maniluve, pédiluve.*

LUX [lyks] n. m. — 1906, in *Rev. gén. des sc.*, nᵒ 8, p. 386 ; mot lat., « lumière ».

♦ **Phys.** Unité d'éclairement équivalant à l'éclairement d'une surface qui reçoit normalement et d'une manière uniforme un flux lumineux de 1 lumen par mètre carré. ⇒ **Phot.** — Symb. *lx.*
DÉR. Luxmètre.
HOM. Luxe.

LUXATION [lyksɑsjɔ̃] n. f. — 1539 ; bas lat. *luxatio*, du supin du lat. class. *luxare.* → Luxer.

♦ **1. Méd.** Déplacement de deux ou plusieurs os dont les surfaces articulaires ont perdu leurs rapports naturels. ⇒ **Déboîtement, dislocation** (syn. didact. : *exarthrose*). *Luxation de l'épaule, du coude, de la hanche. Luxation accidentelle, due à un choc, un faux mouvement. Luxation spontanée, congénitale. Début de luxation.* ⇒ **Élongation, entorse, foulure.** *Réduction* d'une luxation. Rebouteux, renoueur qui guérit les luxations.*

Lorsqu'à la suite d'un choc ou d'une chute deux os ont perdu leur contact normal, le déplacement qui en résulte prend le nom de luxation.
                                            P. VALLERY-RADOT, Notre corps..., p. 25.

♦ **2. Par ext.** Déplacement (du cristallin).

♦ **3.** *Luxation dentaire* : « mobilité et déplacement d'une dent dans son alvéole, d'origine traumatique, chirurgicale ou parodontosique (provenant des tissus de soutien de la dent) » (*Dict. odonto-stomatologique*, Suppl. nᵒ 22 du 16 novembre 1967).

LUXE [lyks] n. m. — 1606 ; lat. *luxus* « excès », d'où « splendeur, faste ».

♦ **1.** Mode de vie caractérisé (à la différence du confort*) par une grande dépense de richesses consommées pour la satisfaction de besoins superflus, inspirés soit par le goût du plaisir, soit par celui du faste, l'esprit d'ostentation ; déploiement des biens destinés à cette satisfaction. *Le luxe d'un roi fastueux* (cit. 3) *et de sa cour.* ⇒ **Apparat, faste, magnificence, pompe.** *Le luxe que les grands seigneurs déployaient* (→ Folie, cit. 27). *Le luxe effréné des nouveaux riches, des parvenus* (→ Agioteur, cit. 3). *Un luxe opulent* (cit. 2). *Vivre dans le luxe.* → **Mener grand train*, vivre sur un grand pied*, comme un seigneur, un prince, un roi.** *Luxe extraordinaire,* *royal, princier.* **Étaler** (cit. 31) *un luxe insolent, ostentatoire* (cit.), *tapageur.* ⇒ **Briller, éclabousser.** *Faire étalage de luxe.* ⇒ **Richesse.** *Luxe qui s'étale* (→ Haut, cit. 34). *Luxe de mauvais goût. Jouir* (cit. 7) *du luxe. Aimer* (cit. 47) *le luxe. Avoir des goûts de luxe* (→ Fastueux, cit. 5), *le goût du luxe et des dépenses**. *Besoin de luxe* (→ Courtisane, cit. 3). *Jeunesse déréglée* (cit. 7), *corrompue par le luxe. Le luxe, fléau social* (→ Cancer, cit. 3). *Lois contre le luxe.* ⇒ **Somptuaire.**

1   La République a bien affaire
    De gens qui ne dépensent rien !
    Je ne sais d'homme nécessaire
    Que celui dont le luxe épand beaucoup de bien.
    Nous en usons, Dieu sait ! notre plaisir occupe
    L'artisan, le vendeur, celui qui fait la jupe,
    Et celle qui la porte.   LA FONTAINE, Fables, VIII, 19.

2   Le luxe est toujours en proportion avec l'inégalité des fortunes. Si dans un État les richesses sont également partagées, il n'y aura point de luxe : car il n'est fondé que sur les commodités qu'on se donne par le travail des autres.
                                MONTESQUIEU, l'Esprit des lois, VII, I, Du luxe.

3   Si l'on entend par luxe tout ce qui est au-delà du nécessaire, le luxe est une suite naturelle des progrès de l'espèce humaine (...) aussi ne donne-t-on en général le nom de luxe qu'aux superfluités dont un petit nombre d'individus seulement peuvent jouir. Dans ce sens, le luxe est une suite nécessaire de la propriété, sans laquelle aucune société ne peut subsister, et d'une grande inégalité entre les fortunes (...)   VOLTAIRE, Dict. philosophique, Luxe (note).

4   (...) dès qu'ils *(les hommes)* s'en font un mérite *(de leurs richesses),* ils doivent faire des efforts pour paraître riches ; il doit donc s'introduire dans toutes les conditions une dépense excessive pour la fortune de chaque particulier, et un *luxe* qu'on appelle de bienséance ; sans un immense superflu, chaque condition se croit misérable.   Encycl. (DIDEROT), art. *Luxe.*

5   Le salon où on la fit attendre étalait ce luxe fin et délicat, si différent de la magnificence grossière, et que l'on ne trouve à Paris que dans les meilleures maisons.
                                STENDHAL, le Rouge et le Noir, II, XXXVIII.

6   LUXE. Perd les États.   FLAUBERT, Dict. des idées reçues.

7   Le luxe, le bien-être, la vie large et magnifique sont des conditions très favorables au développement de la sensibilité naturelle de l'enfant.
                                BAUDELAIRE, les Paradis artificiels, Un mangeur d'opium, VII.

8   Le luxe, au fond, est une chose absolument impossible à définir, car il n'y a pas un objet qu'on n'ait commencé par être une rareté, et, par conséquent, un luxe.
                                FRÉDÉRIC PASSY, in ROMEUF, Dict. des sciences économiques, art. Luxe.

9   Il ne connaîtra pas le luxe, et tant mieux. Mais il ne pâtira pas non plus des restrictions stérilisantes de la pauvreté.
                                MARTIN DU GARD, les Thibault, t. IX, p. 150.

Par ext. et fam. *C'est du luxe !* : c'est une folle dépense. *Il s'est enfin décidé à faire repeindre sa maison ; ce n'est pas du luxe !,* c'était nécessaire.

♦ **2.** *Un luxe :* un bien ou un plaisir coûteux qu'on s'offre sans nécessité. *Voyager est son seul luxe. Le luxe suprême pour lui c'est...* (→ Chapeau, cit. 9). *C'est un luxe, une fantaisie que son budget ne lui permet pas.*

10 Vous fumez, je pense. Moi aussi. Prenez des cigarettes. C'est mon seul luxe (...)
                                J. CHARDONNE, les Destinées sentimentales, p. 461.

11 Voyez, Monsieur, je suis en loques, mais j'ai les plus beaux souliers du monde. C'est mon luxe.   M. JOUHANDEAU, Chaminadour, Propos..., Le jeune homme.

Fig. *Se donner, s'offrir, se payer le luxe de* (subst. ou inf.) : se permettre, comme une chose inhabituelle et particulièrement agréable, de dire, de faire (→ Argousin, cit. 2 ; fumer, cit. 26).

12 (...) il avait espéré que le conseil municipal finirait par se donner le luxe d'une paroisse.   ZOLA, la Terre, III, VI.

13 Voilà, j'ai fini. Je voulais me payer une fois dans ma vie le luxe de me dire ce que je pensais d'Isabelle, de me le dire tout haut !
                                GIRAUDOUX, Intermezzo, III, 3.

♦ **3.** Caractère coûteux et somptueux (d'un bien, d'un service). *Le luxe d'une maison, d'une chambre à coucher.* ⇒ **Somptuosité.** *Costume brodé d'argent, d'une élégance* (cit. 4) *et d'un luxe extrêmes.* ⇒ **Éclat.** *Cet ouvrage est imprimé avec un grand luxe typographique* (Académie).

14 (...) béni soit cet édit
    Par qui des vêtements le luxe est interdit !   MOLIÈRE, l'École des maris, II, 6.

DE LUXE, qui présente ce caractère. *Biens de première nécessité, biens de confort et produits de luxe. Article, objet de luxe, de grand luxe, de demi-luxe. Vêtement, voiture, jouet, chien de luxe.* ⇒ **Prix** (de prix). *Livre de luxe* (→ Illustration, cit. 10) ; *édition* (cit. 5) *de luxe* (→ Librairie, cit. 6). *Hôtel* (cit. 8) *de grand luxe. Cabine de luxe pour un paquebot* (→ Exigence, cit. 9). *Dépense pour les objets de luxe* (⇒ **Somptuaire, voluptuaire**). — Par ext. *Industrie, commerce, magasin de luxe. Taxe de luxe,* sur les produits de luxe.

15 Jusqu'en 1948 il y eut une « taxe de luxe » frappant certaines marchandises non indispensables. De même dans les échanges extérieurs on dit que la France a une vocation pour exporter les produits de luxe. Sont ainsi visés les dentelles, parfums, vins fins, fourrures, objets d'art.
                                J. ROMEUF, Dict. des sciences économiques, art. Luxe.

Loc. fam. *Poule* de luxe.* — Rare. *Un homme de luxe* (→ Fuseler, cit. 3).

16 (...) ils étaient des plus beaux qui se pussent voir, créatures de luxe *(deux jeunes noirs).*   GIDE, Ainsi soit-il, p. 146.

17 (...) elles *(les étudiantes moldo-valaques)* considèrent le Normalien comme une proie de luxe.   J. ROMAINS, les Hommes de bonne volonté, t. III, I, p. 9.

♦ **4.** Vieilli. Goût du luxe (au sens 1). *Extirper* (cit. 3) *le luxe du fond des cœurs.* « *Les prédicateurs ne peuvent corriger le luxe des femmes* » (Furetière).

♦ **5.** UN LUXE DE... : une grande ou une trop grande quantité de... ⇒ **Abondance, excès, profusion.** *Un luxe de détails, de commentaires* (→ Éclairer, cit. 12). *Un luxe de couleurs.* ⇒ **Débauche** (→ Fantasia, cit. 1). *Il a agi avec un grand luxe de précautions.*

18 La reine avait déployé, pour tromper l'opinion, un luxe de duplicité qui devait ajouter beaucoup à l'irritation.   MICHELET, Hist. de la Révolution franç., V, I.

♦ **6.** Caractère de ce qui est superflu, inutile. ⇒ **Superfluité.** *Un luxe futile pour les amateurs de querelles byzantines* (cit. 3). — DE LUXE. ⇒ **Superflu.** *Ornement de luxe, fantaisie d'amateur* (cit. 6). — Ling. *Emprunt* (cit. 9) *nécessaire et emprunt de luxe.*

CONTR. Dénuement, indigence, parcimonie, pauvreté, simplicité. — Nécessaire (le), nécessité.
DÉR. Luxueux.
HOM. Lux.

LUXEMBOURGEOIS, OISE [lyksɑ̃buʀʒwa, waz] adj. et n. — 1796, Babeuf, n. ; de *Luxembourg.*

♦ Qui se rapporte au grand-duché du Luxembourg, à ses habitants. — N. *Un Luxembourgeois, une Luxembourgeoise.* — De la ville de Luxembourg, capitale du grand-duché.

LUXER [lykse] v. tr. — 1541 ; lat. *luxare* « déboîter, démettre ».

♦ Méd. Provoquer la luxation* de (certains os, une articulation). ⇒ **Déboîter, démettre, disloquer.** *Sa chute lui a luxé l'os de la cuisse* (Académie).

▶ SE LUXER v. pron.
Être luxé. *Humérus qui se luxe.* — Se démettre (un os, une articulation). *Se luxer la rotule, le bras...* (⇒ **Fouler**).

▶ LUXÉ, ÉE p. p. adj.
Victime d'une luxation. *Épaule luxée. Os fracturés* (cit. 1) *et luxés.*

LUXMÈTRE [lyksmɛtʀ] n. m. — XXᵉ (in P. Larousse, 1932) ; refait sur *lucimètre* (1771) ; de *lux,* et *mètre.*

♦ Techn. Appareil pour mesurer l'éclairement.

LUXUEUSEMENT [lyksɥøzmɑ̃] adv. — 1845 ; de *luxueux.*

♦ Avec luxe. *Être luxueusement logé. Appartement luxueusement meublé. Vivre luxueusement.* ⇒ **Fastueusement, somptueusement.** *Elle est installée luxueusement.*

CONTR. Modestement, pauvrement, simplement.

LUXUEUX, EUSE [lyksɥø, øz] adj. — 1771 ; de *luxe.*

♦ **1.** Qui se signale par son luxe*. ⇒ **Fastueux, riche, somptueux ; luxe** (de). *Parure luxueuse.* ⇒ **Éclatant.** *Un luxueux jabot* (→ Jacquette, cit. 4). *Fantaisie* (cit. 24) *luxueuse. Installation, maison, demeure luxueuse.* ⇒ **Magnifique, princier.** *Magasin luxueux. Habiter un quartier luxueux.*

1   Peu à peu, de modeste qu'elle était, la maison d'Arif Effendi est devenue luxueuse : des tapis de Perse, des portières de Smyrne, des faïences, des armes.
                                LOTI, Aziyadé, III, VI.

2   (...) le salon de La Rocque n'avait rien de bien luxueux : mais on s'y sentait à l'abri de cette meute de soucis qu'excite et fait aboyer la misère.
                                GIDE, Si le grain ne meurt, I, VI, p. 169.

(Actions, abstractions). *Une vie luxueuse.*

3   Elle donnait des réceptions et menait un train assez luxueux (...)
                                Émile HENRIOT, Portraits de femmes, p. 49.

♦ **2.** Rare. Quant au luxe.

4   (...) la jeune femme rêvait une de ces claires boutiques modernes, d'une richesse de salon, mettant la limpidité de leurs glaces sur le trottoir d'une large rue. Ce n'était pas, d'ailleurs, l'envie mesquine de faire la dame, derrière un comptoir ; elle avait une conscience très-nette des nécessités luxueuses du nouveau commerce.
                                ZOLA, le Ventre de Paris, t. I, p. 80 (1875).

CONTR. Modeste, pauvre, simple.
DÉR. Luxueusement.

LUXURE [lyksyʀ] n. f. — 1119 ; lat. *luxuria* « surabondance, luxe », d'où « vie voluptueuse, recherche du plaisir », de *luxus.* → Luxe.

Didactique (religieux) et littéraire.

♦ **1.** Goût immodéré, recherche et pratique des plaisirs sexuels, de l'amour charnel. ⇒ **Incontinence.** *La luxure, abandon au péché de la chair, est l'un des sept péchés* capitaux. Représentations de la luxure personnifiée, dans l'art médiéval. La gourmandise* (cit. 1) *nous porte à la luxure. Inclination à la luxure.* ⇒ **Lasciveté, lubricité.** *Cruauté* (cit. 4) *et luxure.* ⇒ **Sadisme.**

1   Et ne t'attends de m'induire à luxure :
    Grand pécheur suis ; mais j'ai, la Dieu merci,
    De ton honneur encore quelque souci.   LA FONTAINE, Contes, I, III.

2   (...) que, poussant à bout la luxure latine,
    Aux portefaix de Rome il vende Messaline (...) BOILEAU, l'Art poétique, II.

2.1 Une autre vertu lui manquait : la chasteté — car intérieurement, il regrettait Mélie, et le pastel de la dame en robe Louis XV, le gênait avec son décolletage. Il l'enferma dans une armoire, redoubla de pudeur jusques à craindre de porter ses regards sur lui-même, et couchait avec un caleçon.
Tant de soins autour de la Luxure la développèrent. Le matin principalement il avait à subir de grands combats — comme en eurent saint Paul, saint Benoît et saint Jérôme, dans un âge fort avancé.
> FLAUBERT, Bouvard et Pécuchet, Folio, p. 329.

3 La luxure n'était pas pour lui un péché comme les autres. C'était bien le grand Péché, celui qui souille les sources de la vie.
> R. ROLLAND, Jean-Christophe, La foire sur la place, p. 797.

4 Le chrétien satanise le nu antique parce que celui-ci *tente*, mais il ne tentait pas les Grecs ; ce n'était pas la luxure qui régnait sur leur peuple des statues, c'était Aphrodite (...)
> MALRAUX, les Voix du silence, p. 242.

♦ **2.** État d'une personne qui s'adonne à ce goût ; activités sexuelles immodérées. ⇒ **Débauche, dépravation, licence, orgie, paillardise, stupre, vice.** *La luxure de qqn, de Messaline.*

5 Pour tenir le roi, elle avait l'attrait de sa chair et de son esprit. Non seulement elle le grisait de luxure, mais elle affolait sa sensualité par d'ignobles maléfices. Tout le temps qu'elle fut auprès de lui, elle faisait mêler des aphrodisiaques à ses aliments : d'où, chez cet homme, pourtant si réglé, si rangé, ces crises sensuelles qui, sous le règne de la Montespan, le jetaient d'une maîtresse à l'autre.
> Louis BERTRAND, Louis XIV, III, IV.

6 (...) Renée Bertin, dont le regard, dont la poitrine déclarent à tout venant qu'elle a besoin de luxure comme de pain quotidien, et que c'est la moindre des choses (...)
> J. ROMAINS, les Hommes de bonne volonté, t. IV, XII, p. 137.

Désir, recherche des plaisirs de la luxure. *Être embrasé* (cit. 9) *du feu de la luxure. Un œil étincelant* (cit. 3) *de luxure, de jalousie et de désir.* ⇒ **Concupiscence, sensualité** (→ aussi Affamer, cit. 3 ; frôleur, cit. 2).

♦ **3.** Vx. *Une, des luxures :* acte luxurieux. *Se confesser de ses luxures.* → Gabarit, cit. 3.

7 Déshabille-toi donc, Catin, offre ton corps à nos luxures, qu'il en soit souillé dans l'instant, ou les traitements les plus cruels vont te prouver les risques qu'une misérable comme toi court à nous désobéir.
> SADE, Justine..., t. I, p. 147.

CONTR. Chasteté, continence.
DÉR. Luxurieux.

LUXURIANCE [lyksyʀjɑ̃s] n. f. — 1752 ; de *luxuriant*.

♦ Littér. Caractère de ce qui est luxuriant, surabondant. ⇒ **Abondance, surabondance.** *La luxuriance des végétations tropicales.*

(...) la végétation, par sa luxuriance même, entretient dans ce pays une saisissante fraîcheur.
> G. DUHAMEL, Chronique des Pasquier, IX, VIII.

Fig. *Luxuriance de style. La luxuriance des images dans un poème.* ⇒ **Foisonnement.** *« Une pure luxuriance de pinceau »* (Sainte-Beuve, in G. L. L. F.). *Une luxuriance baroque, rococo.*

CONTR. Pauvreté, sécheresse.

LUXURIANT, ANTE [lyksyʀjɑ̃, ɑ̃t] adj. — 1540 ; lat. *luxurians*, p. prés. de *luxuriare*, de *luxuria* au sens de « surabondance » (→ Luxure, étym.) ; cf. l'anc. franç. *luxurier* (XIIIᵉ) « s'adonner à la luxure », et « se propager rapidement (plantes) ».

Littéraire ou style soutenu.

♦ **1.** Qui pousse, se développe avec une remarquable abondance. ⇒ **Abondant, exubérant, riche, surabondant, touffu.** *Végétation luxuriante* (→ Encaisser, cit. 6). *Forêts luxuriantes.* Par métaphore. *Une nature luxuriante* (→ Ébouriffer, cit. 3).

1 (...) une maison presque enfouie dans une touffe de luxuriante végétation (...)
> Th. GAUTIER, le Roman de la momie, II.

♦ **2.** Fig. Très riche. ⇒ **Exubérant.** *Une décoration baroque luxuriante. Un style luxuriant.* Par métaphore. *Un goût luxuriant* (→ 2. Entre, cit. 1).

2 Chaque détail est pour lui un symbole, son imagination luxuriante anime tout, peuple les espaces déserts (...)
> Éd. HERRIOT, Mᵐᵉ Récamier et ses amis, p. 325.

CONTR. Maigre, pauvre, sec.
DÉR. Luxuriance.

LUXURIEUSEMENT [lyksyʀjøzmɑ̃] adv. — XIIIᵉ ; de *luxurieux*.

♦ Rare. D'une façon luxurieuse.

CONTR. Chastement.

LUXURIEUX, EUSE [lyksyʀjø, øz] adj. — 1119 ; lat. *luxuriosus*, de *luxuria*. → Luxure.

Didactique (religieux) ou littéraire.

♦ **1.** Adonné, porté à la luxure. ⇒ **Charnel, débauché, incontinent, lascif, libidineux, lubrique, sensuel.** *« Luxurieux point ne seras, de corps ni de consentement »* (Sixième commandement). *Luxurieux et cruel.* ⇒ **Sadique.** *Un tempérament luxurieux.*

♦ **2.** Inspiré par la luxure ; qui incite à la luxure. *Des œillades, des provocations luxurieuses* (→ Étalage, cit. 4).

Et sans changer de regard, ni de souffle, sans que vraiment la lueur de son visage se chargeât de reflets impurs, d'ombres luxurieuses (...)
> J. ROMAINS, le Dieu des corps, p. 124.

CONTR. Chaste, continent, pur.
DÉR. Luxurieusement.

LUZERNE [lyzɛʀn] n. f. — 1600 ; *lauserne* (1566), *lyserne* (1581) ; provençal *luzerno* « ver luisant », de l'anc. provençal *luzerna* « lampe » ; du lat. *lucerna*, de *lucere* « luire ».

♦ **1.** Plante fourragère herbacée (*Légumineuses papilionacées*), haute sur tige, à feuilles trifoliées, à fleurs ordinairement groupées en grappes ou en capitules, au fruit enroulé sur lui-même. *La cuscute, les péronosporées sont les parasites les plus redoutables de la luzerne. Le colaspidème, insecte nuisible aux cultures de luzerne. Il existe de nombreuses espèces de luzerne. Luzerne lupuline.* ⇒ **Lupuline** (appelée aussi *minette, triolet*).

1 (...) la luzerne faisait des couches molles, des édredons de satin vert d'eau broché de fleurs violâtres.
> ZOLA, la Faute de l'abbé Mouret, II, X.

♦ **2.** Champ de luzerne. ⇒ **Luzernière.**

2 Les deux amis entrèrent dans une luzerne qu'on fanait. Des femmes portant des chapeaux de paille, des marmottes d'indienne ou des visières de papier, soulevaient avec des râteaux le foin laissé par terre — et à l'autre bout de la plaine, auprès des meules, on jetait des bottes vivement dans une longue charrette, attelée de trois chevaux.
> FLAUBERT, Bouvard et Pécuchet, Folio, p. 79.

DÉR. Luzernière.

LUZERNIÈRE [lyzɛʀnjɛʀ] n. f. — 1600 ; de *luzerne*.

♦ Champ de luzerne. ⇒ **Luzerne,** 2.

Et, cette vesprée, il importerait d'affiler les serpettes et de tailler la luzernière.
> J. GIONO, Naissance de l'Odyssée, p. 157.

LUZETTE [lyzɛt] ou LUISETTE [lɥizɛt] n. f. — 1763 ; var. *lusette* (1763), *lucette* (1849) ; de *luire*.

Technique ou régional.

♦ **1.** Maladie des vers à soie qui rend leur corps translucide.

♦ **2.** Ver à soie malade de la luzette.

LUZULE [lyzyl] n. f. — 1815, in D.D.L. ; lat. bot. *luzula*, de l'ital. *luzziola, erba lucciola*, de *luce* « lumière », du lat. *lux, lucis*.

♦ Bot. Plante (*Joncacées*) herbacée, vivace, à feuilles plates, velues, très voisine du jonc, utilisée comme fourrage.

Lw [ɛldublǝve] Symbole chimique du *lawrencium**.

lx Phys. Symbole du *lux**.

LYC-, LYCO- Éléments, du grec *lukos* « loup », entrant dans la composition de termes scientifiques (bot., zool.). ⇒ **Lycanthrope, lycaon, lycope, lycoperdon, lycopode, lycose.**

LYCANTHROPE [likɑ̃tʀɔp] n. — 1558 ; grec *lukanthrôpos*, de *lukos* « loup », et *anthrôpos* « homme ».

♦ Didact. ou littér. Personne qui se croit transformée en loup, en animal. ⇒ **Lycanthropie.** *Les lycanthropes ou « hommes-loups » étaient souvent pris au moyen âge pour des loups-garous*. *Le Lycanthrope,* surnom que se donna le poète Pétrus Borel.

1 Le plus étrange effet de la force de l'imagination, est la crainte déréglée de l'apparition des esprits, des sortilèges, des caractères, des charmes des Lycanthropes ou Loups-garous (*sic*), et généralement de tout ce qu'on s'imagine dépendre de la puissance du démon.
> MALEBRANCHE, De la recherche de la vérité, II, III, VI.

2 Tout le long des routes, l'obsession du terroriste le harcelait comme une vision de bête rôdeuse dans une contrée maudite, de lycanthrope sans matricule, tarasque ubiquiste, vampire suceur de courage...
> Jacques PERRET, Bande à part, p. 219.

LYCANTHROPIE [likɑ̃tʀɔpi] n. f. — 1564 ; grec *lukanthrôpia*, de *lukanthrôpos*. → Lycanthrope.

Littéraire ou didactique.

♦ **1.** Délire de celui qui se croit transformé en loup (ou en un animal féroce).

1 (...) et tellement la mélancolie noire l'agite et le tourmente, qu'il tombe quelquefois en une lycanthropie et court les champs pensant être loup-garou.
> RONSARD, Œuvres en prose, De l'envie.

2 Nous nous dissimulions, nous nous tassions entre les racines en caoutchouc qui viennent s'arc-bouter sur les rives comme les pattes fantasques de quelque monstrueuse tarentule. Nous dormions d'un sommeil agité. Lycanthropie. Celui dont c'était le tour de garde résistait de son mieux à l'envoûtement des moustiques en imitant les longs miaulements des guépards.
> B. CENDRARS, Moravagine, in Œ. compl., t. IV, p. 215-216.

3 (...) chez les Toradja's des Célèbes, «la lycanthropie» vient des dieux; elle ne s'apprend pas. On est loup-garou de naissance, ou on le devient par contagion. Un enfant le devient en mangeant les restes du riz de son père.
L. Lévy-Bruhl, Trad. de A.C. Kruyt, *in* l'Âme primitive, p. 197-198.

♦ **2.** Croyance selon laquelle les hommes peuvent se transformer en loup (ou en d'autres animaux féroces). *Les mythes de lycanthropie.*

LYCAON [likaɔ̃] n. m. — 1552, Rabelais; lat. *lycaon* «loup d'Éthiopie»; repris 1874, d'après le lat. zool. *canis lycaon*, du grec *lukâon*, de *lukos* «loup».

♦ Zool. Mammifère carnivore *(Canidés)* qui tient du loup et de l'hyène, appelé aussi *loup peint*, ou *chien-hyène*.
L'Histoire n'est que le revers de la tenue des maîtres. Aussi une terre d'effroi où chasse le lycaon et que racle la vipère.   René Char, les Matinaux, p. 153.

LYCÉE [lise] n. m. — 1568, n. pr., «école et philosophie d'Aristote»; *lyceon*, v. 1534, Bonaventure des Périers; «lieu où s'assemblent les gens de lettres, lieu consacré à la philosophie, à l'instruction», XVIIIe; lat. *lyceum*, grec *Lukeion*, nom de lieu, proprement «endroit où il y a des loups», de *lukos* «loup», nom du célèbre gymnase, situé près d'Athènes, où enseigna Aristote.

♦ **1.** Didact. (hist.). *Le lycée :* l'école philosophique d'Aristote.

♦ **2.** (1807; Académie, 1798, «lieu consacré à l'instruction»; Trévoux, 1721, «lieu de discussions, dans une université). Cour. Établissement public d'enseignement (classique, moderne ou technique), donnant l'enseignement long du second degré. ⇒ **Athénée** (en Belgique), **collège, école**; fam. (argot scol.) **bahut, boîte.** *Lycée de garçons, de (jeunes) filles. Le proviseur* (ou *la directrice), le censeur, les professeurs, les répétiteurs, les surveillants d'un lycée. Économes des lycées* (intendants universitaires). *Aller au lycée, être élève, pensionnaire dans un lycée. Le lycée Condorcet, le lycée Louis-le-Grand* (à Paris; abrév. : *Condorcet, Louis-le-Grand). Quitter le lycée* (→ Étude, cit. 24), *être renvoyé du lycée* (→ Cours, cit. 25). *Classes supérieures des lycées préparant aux examens du baccalauréat** (⇒ **Terminale; première; philosophie, sciences** [expérimentales], **mathématiques** [élémentaires], *aux concours des grandes écoles* (⇒ **Cagne, corniche, taupe**). *Salles, parloir, dortoirs, réfectoires d'un lycée.*

1 Les mœurs de ces lycées impériaux étaient vraiment horribles (...) Ne les menait-on pas promener avec les tambours en tête? Leurs maîtres n'avaient pas autant de religion qu'en ont les païens. Et on mettait ces pauvres enfants en uniforme, absolument comme les troupes.   Balzac, la Vieille Fille, Pl., t. IV, p. 275.

2 C'est au lycée d'Aix que le docteur avait envoyé son fils cadet faire sa philosophie comme interne.   Aragon, les Beaux Quartiers, II, X.
Bâtiment(s) d'un lycée.

2.1 À l'époque, le lycée de Toulouse se divisait en deux parties contiguës mais distinctes, le *petit lycée*, jusqu'en cinquième, et le *grand lycée* au delà, et cette séparation, qui jouait dans l'espace et dans le temps, se trouvait encore accentuée par le caractère des bâtiments historiques qui abritaient l'un et l'autre : le petit lycée enfermait l'église des Jacobins et ses dépendances, une des gloires de l'art français du moyen âge, tandis que le grand lycée s'étendait autour de l'élégant hôtel de Bernuy, une de ces nombreuses demeures de la Renaissance, richement ornées, qui contiennent les plus beaux morceaux de la sculpture toulousaine.
Raymond Abellio, Ma dernière mémoire, t. I, p. 145.

Par métonymie. Les personnes (élèves, professeurs, personnel) qui fréquentent un lycée. *Le lycée tout entier a protesté contre la décision du ministère.*

♦ **3.** Études faites dans un lycée; époque de la vie consacrée à ces études. *Le lycée ne lui laisse plus le loisir de faire du sport. Ils ne s'étaient pas revus depuis le lycée.*

3 Grand lui avait alors expliqué qu'il essayait de refaire un peu de latin. Depuis le lycée, ses connaissances s'étaient estompées.   Camus, la Peste, p. 44.
DÉR. Lycéen.

LYCÉEN, ENNE [liseɛ̃, ɛn] n. et adj. — 1819; de *lycée.*

♦ **1.** N. Élève d'un lycée. ⇒ **Potache.** Anciennt. *L'uniforme des lycéens* (→ Entreprendre, cit. 22). *Une lycéenne frondeuse* (cit. 10). *Lycéenne préparant le baccalauréat.* ⇒ **Bachelette** (plais.).

1 Quelle pitié notre provincial ne va-t-il pas inspirer aux jeunes lycéens de Paris qui, à quinze ans, savent déjà entrer dans un café d'un air si distingué?
Stendhal, le Rouge et le Noir, I, XXIV.

2 Assises sur les pliants de la plate-forme d'arrière, trois jeunes filles portant l'uniforme des lycéennes formaient un groupe gracieux.
A. Robida, le Vingtième Siècle, p. 3, (1892).

♦ **2.** Adj. (Mil. XXe). Des lycéens. *Manifestation lycéenne. Organisations lycéennes et étudiantes.*

LYCÈNE [lisɛn] n. f. — 1845; lat. zool. *lycoena*, grec *lukaina* «louve», de *lukos* «loup».

♦ Zool. Insecte lépidoptère *(Lycénidés),* comprenant plusieurs espèces de papillons bleus.
DÉR. Lycénidés.

LYCÉNIDÉS [lisenide] n. m. pl. — 1902; *lycénides,* 1873; de *lycène.*

♦ Zool. Famille de lépidoptères dont le type est le lycène. — Au sing. *Un lycénidé.*

LYCHNIDE [liknid] n. f. ou **LYCHNIS** [liknis] n. m. — 1789, *lychnide; lychnis,* 1562; lat. *lychnis,* du grec *lykhnis,* de *lukhnos* «flambeau».

♦ Bot. Plante dicotylédone *(Caryophyllées**; *Silénées)* appelée aussi *melandrium;* plante annuelle ou vivace aux nombreuses variétés dont plusieurs sont ornementales (→ 2. Amourette, coquelourde, jacée, nielle des blés*...).
Ces maigres champs où croît l'oseille sauvage, où les houppes de lychnis poudrent de rose les fonds marécageux (...)   M. Genevoix, Forêt voisine, III.

LYCHNITE [liknit] n. f. — 1873, P. Larousse; lat. *lychnites,* grec *lukhnitês,* de *lukhnos* «lampe».

♦ Didact. Marbre blanc de Paros.

LYCIEN, IENNE [lisjɛ̃, jɛn] adj. — Av. 1873, P. Larousse; de *Lycie,* grec *Lukia,* province du sud de l'Asie mineure (Turquie actuelle).

♦ Didact. De Lycie. — N. Habitant, habitante de Lycie.
N. m. Ling. Langue préhellénique parlée en Lycie dans l'antiquité.

LYCIET [lisjɛ] ou **LYCIUM** [lisjɔm] n. m. — 1823, *lyciet; lycium,* 1751; lat. sc. *lycium;* du grec *lukion* «nerprun des teinturiers», proprt «arbrisseau de Lycie», de *Lukia* «Lycie». → Lycien.

♦ Bot. Arbrisseau touffu de la famille des Solanacées. *Une haie de lyciets.*
Il existe au fond de l'eau une plante semblable au Lycium épineux, elle pique comme les épines de la rose, assez pour déchirer tes mains; si tes mains la saisissent, tu auras l'immortalité!
Jean Cayrol, Histoire de la mer, p. 110.

LYCO- ⇒ Lyc-.

LYCOPE [likɔp] n. m. — 1789; var. *lycopus,* 1762; lat. sc. *lycopus;* de *lyco-,* et grec *pous, podos* «pied». → Lycoperdon.

♦ Bot. Plante dicotylédone *(Labiacées),* herbacée, vivace, appelée couramment *marrube d'eau, pied-de-loup* ou *patte-de-loup.*

LYCOPERDON [likɔpɛrdɔ̃] n. m. — 1803; mot du lat. bot., trad. de *vesse-de-loup;* de *lyco-,* et grec *perdesthai* «péter».

♦ Bot. Champignon basidiomycète *(gastromycète)* communément appelé *vesse-de-loup. Des lycoperdons.*

LYCOPODE [likɔpɔd] n. m. — 1789; *lycopodium,* 1750; lat. bot. *lycopodium,* trad. de *pied-de-loup; de lyco-,* et grec *pous, podos* «pied». → Lycope.

♦ Bot. Plante cryptogame ptéridophyte *(Lycopodiacées),* vivace, à tige grêle, dressée ou rampante. *On retire un alcaloïde* (la lycopodine) *d'un lycopode.*
Partout ailleurs le terrain cède et sous les pieds l'amas des mousses s'enfonce; pleines d'eau les mousses sont molles; des drainages secrets, par places, les assèchent; il pousse alors dessus de la bruyère et une espèce de pin trapu; il y rampe des lycopodes (...)   Gide, Paludes, *in* Romans, Pl., p. 108.
Poudre de lycopode : poudre très fine et inflammable (soufre végétal) formée par les spores de la plante et utilisée en médecine comme dessicatif, en pharmacie dans la préparation des pilules, au théâtre (autrefois) pour produire des flammes instantanées.
DÉR. Lycopodiacées, lycopodiales, lycopodinées.

LYCOPODIACÉES [likɔpɔdjase] n. f. pl. — 1867; de *lycopode,* et suff. *-acées.*

♦ Bot. Famille de plantes dont le lycopode* est le type (⇒ aussi **Sélaginelle, sphénophyllum**). — Au sing. *Une lycopodiacée.*

LYCOPODIALES [likɔpɔdjal] n. f. pl. — Mil. XXe; de *lycopode,* et suff. *-ales.*

♦ Bot. Ordre de plantes ptéridophytes (comprenant la famille des *Lycopodiacées).* — Au sing. *Une lycopodiale.*

LYCOPODINÉES [likɔpɔdine] n. f. pl. — ʌɪʌ°, ɪʜ lyɪ:ʋpʋɪlɐ.

♦ Bot. Classe de plantes cryptogames comprenant les Isoétées (⇒ **Isoète**) et les Lycopodiacées*. — Au sing. *Une lycopodinée,* plante de cette classe.

LYCOSE [likoz] n. f. — 1839 ; var. *lycosa,* 1902 ; lat. zool. *lycosa,* du lat. *lycos,* grec *lukos* «loup» à cause de l'aspect velu de l'arachnide.

♦ Zool. Animal arthropode arachnide, araignée* coureuse qui ne tisse pas de toile et attrape ses proies à la course. Syn. régional : *araignée-loup. Type du genre lycose.* ⇒ **Tarentule.**

LYCRA [likʀa] n. m. — 1960, *in* Höfler ; marque déposée.

♦ Tissu synthétique à réseau très élastique, qui a les mêmes utilisations que le lastex. *Gaine, maillot de bain en lycra.*

LYDA [lida] n. f. — Av. 1873, P. Larousse ; lat. zool. *lyda,* p.-ê. de *Ludos* «Lydie».

♦ Zool. Mouche qui vit dans le bois et cause des dégâts à certains arbres. *Des lydas.*

LYDDITE [lidit] n. f. — 1889 ; angl. *lyddite* (1888) ; du nom de *Lydd,* ville d'Angleterre (Kent).

♦ Techn. Explosif à base d'acide picrique, très voisin de la mélinite.

LYDIEN, ENNE [lidjɛ̃, ɛn] adj. et n. — 1546, mus. ; de *Lydie,* province d'Asie Mineure de la Grèce antique.

♦ Didact. Qui se rapporte à la Lydie, à ses habitants.
Spécialt (mus.). *Mode lydien,* et, n. m., *le lydien :* mode de la musique grecque antique correspondant à la gamme de *fa* sans altération. Mode de la musique ecclésiastique médiévale.
(...) deux jeunes religieuses placées devant la prieure, accompagnaient l'office avec des flûtes lydiennes en ton lydien naturel.
NERVAL, Voyage en Orient, Introd., XIII.
N. *Un Lydien, une Lydienne :* habitant, habitante de la Lydie.
N. m. (xixᵉ). Ling. *Le lydien :* langue rattachée à l'indo-européen, qui était parlée par les habitants de la Lydie.

LYGUS [ligys] n. m. invar. — 1873 ; grec *lugos* «tige flexible».

♦ Zool. Petite punaise* de terre.

LYMPH-, LYMPHO- Premiers éléments de mots didactiques, tirés du lat. *lympha* ou de *lymphe.* ⇒ **Lymphangite, lymphocèle, lymphocyte, lymphœdème, lymphogranulomatose, lymphogranulome, lymphographie, lymphoréticulose, lymphosarcome.**

LYMPHADÉNIE [lɛ̃fadeni] n. f. — 1900, *in* D. D. L. ; *lymphadénite,* 1878 ; de *lymphe,* grec *adên* «glande», et suff. *-ite.*

♦ Didact. (méd.). Maladie caractérisée par la prolifération du tissu hématopoïétique (globules sanguins), surtout au niveau des ganglions lymphatiques. *Lymphadénie typique* ou *lymphadénome,* où le tissu formé est analogue au tissu normal. *Lymphadénie atypique* (lymphosarcome cancéreux, etc.). *Lymphadénie simple, aleucémique,* où seuls les globules rouges prolifèrent. *Lymphadénie leucémique.* ⇒ **Leucémie.**

LYMPHANGIOME [lɛ̃fɑ̃ʒjom] n. m. — 1878 ; de *lymphe,* et *angiome.*

♦ Méd., pathol. Tumeur bénigne constituée par un amas de vaisseaux lymphatiques. ⇒ **Angiome.** *Lymphangiome cutané du cou.*

LYMPHANGITE [lɛ̃fɑ̃ʒit] n. f. — 1834 ; du rad. de *lymphe,* du grec *aggeion* «vaisseau», et *-ite.*

♦ Méd. (pathol.). Inflammation des vaisseaux lymphatiques (syn. vx : *angioleucite*). *Lymphangite tronculaire, réticulaire.*
Chacun sait (...) la facilité avec laquelle une plaie des extrémités peut s'infecter (...) les vaisseaux lymphatiques enflammés conduisent l'infection aux ganglions, dont le rôle est d'y mettre obstacle (...) C'est ainsi que toute lésion d'un organe (...) peut retentir sur les lymphatiques correspondants et les ganglions voisins (...) On dit alors que le malade est atteint de lymphangite compliquée d'adénite.
P. VALLERY-RADOT, Notre corps, cette merveille, p. 58-59.

LYMPHATIQUE [lɛ̃fatik] adj. — 1665 ; «fou, délirant», Rabelais, 1546 ; d'après un sens du lat. *lympha* «divinité champêtre (qui obsédait l'esprit des humains)» ; lat. sc. *lymphaticus,* repris du lat. médiéval «relatif à l'eau» ; de *lympha.* → **Lymphe.**

♦ **1.** Anat. et physiol. Relatif à la lymphe*. *Circulation lymphatique. Système lymphatique. Ganglions* (cit. 2) *lymphatiques. Inflammation des ganglions lymphatiques.* ⇒ **Adénite, bubon.** *Vaisseaux* lymphatiques, *où circule la lymphe.* — N. m. pl. (1847). *Les lymphatiques :* vaisseaux où circule la lymphe.
Les lymphatiques sont (...) des canaux membraneux à ramifications convergentes, chargés de recueillir et d'apporter au système veineux (...) la *lymphe* et le *chyle* (...) Les chylifères (...) ne sont que les vaisseaux lymphatiques du tube intestinal. Au cours de leur trajet, les vaisseaux lymphatiques traversent des masses globuleuses (...) que l'on désigne sous le nom de *ganglions lymphatiques.*
L. TESTUT, Traité d'anatomie, t. II, p. 521. [1]

♦ **2.** (1818). Didact. S'est dit d'un des quatre principaux tempéraments, dans l'ancienne médecine humorale, caractérisé par l'influence prépondérante de l'humeur dite *lymphe.* ⇒ **Flegmatique** (1.). *Constitution, tempérament lymphatique, caractérisé par le peu d'aptitude à l'action, la lenteur, la mollesse et, sur le plan physiologique, par « des formes alourdies, graisseuses »* (Palmade, *Caractérologie*).
(...) et obligée à se donner peu de mouvement à cause d'une constitution lymphatique qui se fatiguait des moindres travaux (...)
BALZAC, les Petits Bourgeois, Pl., t. VII, p. 84. [2]

♦ **3.** Cour. (Personnes). Apathique, sans réaction. *Un garçon, une adolescente lymphatique.*
N. *Un, une lymphatique :* personne au tempérament lymphatique (⇒ **Apathique, indolent, mou**).
C'est d'autant plus extraordinaire, dit Roubaud, qu'ils *(les Anglais)* sont lymphatiques et que nous sommes généralement sanguins ou nerveux.
BALZAC, le Curé de village, Pl., t. VIII, p. 719. [3]

CONTR. **Actif, nerveux, sanguin.**
DÉR. **Lymphatisme.**

LYMPHATISME [lɛ̃fatism] n. m. — 1852 ; de *lymphatique.*

♦ **1.** Méd. Vx. État organique (notamment chez les enfants), caractérisé par «une augmentation de volume des organes lymphoïdes, des amygdales, des ganglions, du thymus, par une certaine mollesse, un empâtement, une pâleur des tissus qui semblent infiltrés de lymphe» (Hutinel, *in* Garnier - Delamare, *Voc. de médecine*).

♦ **2.** Didact. ou littér. État d'une personne lymphatique. — Fig. Manque de force, de vigueur. ⇒ **Apathie.**
M. Radiguet a beau faire il ne masquera pas le lymphatisme de sa pensée, qui provient de son extrême jeunesse, ce défaut de densité, de substance à quoi supplée Rimbaud par une certaine pression intérieure que tout le monde ne peut pas posséder, et on ne remplace pas, n'est-ce pas, l'expérience.
A. ARTAUD, Bilboquet, Œ. compl., t. I, p. 202. [1]
Physiquement, Constant Tilliers ressemblait à son père dont il avait la haute nature, le visage osseux, la démarche lente, le regard voilé par de lourdes paupières, mais autant la nature de l'ancien professeur d'histoire naturelle était soucieuse et indécise, autant son fils rayonnait d'une résolution et d'une gaîté qu'on eût pu croire inspirées par le parti pris de réagir contre le lymphatisme paternel.
A. BILLY, Sur les bords de la Veule, p. 98. [2]

LYMPHE [lɛ̃f] n. f. — 1673 ; «eau», 1442 ; lat. sc. *lympha,* spécialisation du lat. *lympha* «eau».

♦ **1.** Anat. et physiol. Liquide* organique incolore ou ambré (d'une composition comparable à celle du plasma* sanguin). *La lymphe nourrit les cellules, évacue les déchets et joue une fonction de défense de l'organisme. Circulation de la lymphe.* ⇒ **Lymphatique.** *Le chyle, lymphe intestinale. — Dans l'ancienne médecine, la lymphe était l'une des humeurs* cardinales *(⇒ Flegme,* 1.).
On avait coutume de désigner sous le nom de lymphe, à la fois les liquides interstitiels qui baignent toutes les cellules, et le liquide qui circule dans les vaisseaux lymphatiques. En réalité (...) envisager désormais un système lacunaire rempli de liquide et qui est constitué, en outre des systèmes précédents, par une série de cavités closes (...) telles que les espaces conjonctifs (...) les liquides de l'oreille interne et de l'œil, les liquides des séreuses et des synoviales.
R. FABRE et G. ROUGIER, Physiologie médicale, p. 65-66.

♦ **2.** Par anal. La sève des plantes.
COMP. **Lymphadénie, lymphangiome, lymphoïde.** — V. **Lymphangite; lymph(o)-.**

LYMPHO- ⇒ **Lymph-.**

LYMPHOCÈLE [lɛ̃fosɛl] n. m. — 1878, *lymphatocèle ;* de *lymph(o)-,* et *-cèle.*

♦ Méd. (pathol.). Épanchement de lymphe ; tumeur formée par cet épanchement.

LYMPHOCYTAIRE [lɛ̃fositɛʀ] adj. — 1903, *in Rev. gén. des sc.,* n° 17 ; de *lymphocyte.*

♦ Méd. (physiol.). Des lymphocytes (→ Leucocytaire).

LYMPHOCYTE [lɛ̃fosit] n. m. — 1900, *in* D. D. L. ; de *lymph(o)-,* et *-cyte.*

♦ Méd. (physiol.). Petit leucocyte à gros noyau non segmenté, présent dans le sang, la moelle et les tissus lymphoïdes (ganglions lymphatiques, rate). *Les lymphocytes jouent un rôle important dans les processus d'immunité de l'organisme.*

DÉR. et **COMP.** **Lymphocytaire, lymphocytose, lymphopénie.**

LYMPHOCYTOSE [lɛ̃fɔsitoz] n. f. — 1903, in *Rev. gén. des sc.*; de *lymphocyte.*

♦ Méd. Augmentation du nombre de lymphocytes*.

En raison des antécédents spécifiques du malade et de l'existence d'une lymphocytose avec notable albuminose du liquide céphalo-rachidien, nous instituons le traitement spécifique intensif et nous portons le diagnostic de méningite gommeuse basilaire (...)
L'examen du sang ne nous montre rien de particulier : une légère lymphocytose seulement.   B. CENDRARS, Moravagine, Œ. compl., t. IV, p. 256-257.

LYMPHŒDÈME [lɛ̃fedɛm] n. m. — xxᵉ; de *lymphe,* et *œdème.*

♦ Méd. (pathol.). Gonflement ou empâtement des tissus, surtout de la peau (⇒ **Œdème**), dû à l'obstruction des vaisseaux lymphatiques correspondants avec accumulation de sérosité provenant de la lymphe*.

LYMPHOGRANULOMATOSE [lɛ̃fogʀanylomatoz] n. f. — 1913, in D.D.L.; de *lympho-, granulome,* et *-ose.*

♦ Méd. Maladie des ganglions lymphatiques.

LYMPHOGRANULOME [lɛ̃fogʀanylom] n. m. — xxᵉ; de *lymphe,* et *granulome.*

♦ Méd. (pathol.). Forme particulière de tuméfaction, d'aspect tumoral, de certains ganglions lymphatiques. *Lymphogranulome vénérien,* d'origine virale, contracté au cours des rapports sexuels, et caractérisé par une ulcération (chancre) au niveau des organes génitaux externes et l'engorgement des ganglions de l'aine avec tendance au ramollissement.

LYMPHOGRAPHIE [lɛ̃fogʀafi] n. f. — 1938, in D.D.L.; de *lymph(o)-,* et *-graphie.*

♦ Méd. Examen radiologique des vaisseaux et des ganglions lymphatiques après injection d'une substance opaque aux rayons X.

LYMPHOÏDE [lɛ̃fɔid] adj. — 1869; de *lymphe,* et *-oïde.*

♦ Histol., méd. Qui contient des lymphocytes ou des cellules ressemblant à des lymphocytes. *Tissu lymphoïde :* tissu conjonctif réticulé contenant des lymphocytes, caractéristique des *organes lymphoïdes* (rate, thymus, ganglions lymphatiques, amygdales) participant à la formation des lymphocytes.

LYMPHOPÉNIE [lɛ̃fopeni] n. f. — Mil. xxᵉ; de *lympho(cyte),* et du grec *penia* «pauvreté».

♦ Méd. Diminution du nombre des lymphocytes du sang. ⇒ **Leucopénie.** — Syn. : *leucocytopénie,* n. f.

LYMPHORÉTICULOSE [lɛ̃foʀetikyloz] n. f. — 1950, P. Mollaret; de *lymph(o)-,* et *réticulose.*

♦ Didact. «Affection caractérisée par une adénopathie subaiguë, indolore et apyrétique (sans fièvre), frappant un ou plusieurs ganglions d'un groupe superficiel» (Garnier et Delamare). *La lymphoréticulose bénigne d'inoculation est due à un virus; elle s'inocule souvent par une griffure de chat* (syn. : *maladie des griffes de chat).*

LYMPHOSARCOME [lɛ̃fosaʀkom] n. m. — 1872; de *lymph(o)-,* et *sarcome.*

♦ Méd. (pathol.). Tumeur cancéreuse formée par une prolifération anormale de lymphocytes (ganglions lymphatiques, rate, peau, tube digestif).

LYNCHAGE [lɛ̃ʃaʒ; lɛ̃tʃaʒ] n. m. — 1883; de *lyncher.*

♦ Action de lyncher* (qqn); exécution par application de la «loi de Lynch».

(...) j'avais raconté le lynchage affreux d'un très jeune parachutiste allemand au début de la guerre (...) Les paysans indignés l'avaient rossé, roué de coups de pelles et de râteaux jusqu'à ce que mort s'ensuive, sans avoir pu obtenir de ce jeune convaincu qu'un «Heil Hitler!» buté.   GIDE, Ainsi soit-il, p. 43.

LYNCHER [lɛ̃ʃe; lɛ̃tʃe] v. tr. — 1861; de l'anglo-amér. *to lynch,* de *Lynch law* «loi de Lynch» (1837), procédé de justice sommaire attribué à un fermier de Virginie, nommé Charles *Lynch* (1736-1796), qui aurait

constitué un tribunal privé, s'érigeant en justicier en dehors de tout mandat légal.

♦ Exécuter sommairement, sans jugement régulier et par une décision collective (un criminel ou supposé tel). — (1906, in Höfler). Par ext. Exercer de graves violences sur (qqn), en parlant d'une foule. ⇒ **Écharper.**

(...) on a vu, dans un théâtre, un nègre lynché par une foule en furie, parce qu'il prétendait s'asseoir dans une partie de la salle réservée aux blancs!   André SIEGFRIED, les États-Unis d'aujourd'hui, I, VI.   1

Autant notre petit sergent de ville fort en gueule et gesticulateur se fait peu respecter, et, dans les faubourgs, lorsqu'il essaye d'arrêter quelqu'un, risque d'être lynché, autant à New-York, le grand *cop* irlandais est craint; d'un coup de sifflet il réquisitionne les voitures et chacun lui prête main-forte.   Paul MORAND, New York, p. 91.   2

(...) les Rosenberg n'ont pas été les victimes de la Raison d'État (...) en réalité ils ont été lynchés.   F. MAURIAC, Bloc-notes 1952-1957, p. 36.   3

DÉR. **Lynchage, lyncheur.**

LYNCHEUR, EUSE [lɛ̃ʃœʀ, øz; lɛ̃tʃœʀ, øz] n. — 1871, in Höfler; de *lyncher.*

♦ Personne qui participe à un lynchage, qui lynche (qqn).

Pauvres sots, qui êtes de l'espèce des lyncheurs, pour qui droite et gauche sont égales, pourvu que le sang jaillisse (...)   ARAGON, Blanche..., I, III, p. 225.   1

Coupable au début de l'histoire du meurtre non prémédité d'un hippie, le bourgeois est encouragé par Joe, le prolétaire, à s'avouer sa vérité : ils sont tous deux des racistes, des lyncheurs.   S. DE BEAUVOIR, Tout compte fait, p. 206.   2

Adj. (1970, in Höfler). *Une foule lyncheuse.*

LYNCODON [lɛ̃kɔdɔ̃] n. m. — V. 1890, Grande Encycl. Berthelot; du grec *lugx* (avec infl. du lat. *lynx*), et grec *odous, odontos* «dent».

♦ Zool. Mammifère carnassier voisin des belettes *(Mustélidés).*

Les LYNCODONS enfin, et notamment *lyncodon patagonica,* représentent au sud de l'Amérique australe les belettes. Le dos est gris mélangé de brun, le ventre et la poitrine brun foncé; des taches blanches se trouvent sur la tête et les côtés du cou.   René THÉVENIN, les Fourrures, p. 36.

LYNX [lɛ̃ks] n. m. — 1677; *lynz,* xIIᵉ; mot lat., du grec *lugx,* même sens.

♦ **1.** Mammifère carnivore *(Félidés)* dont les oreilles sont garnies d'un pinceau de poils. *Lynx commun.* ⇒ **Loup-cervier.** *Lynx du Portugal.* ⇒ **Chat-pard.** *Lynx d'Afrique.* ⇒ **Caracal.** *Lynx du Tibet. Lynx roux d'Amérique. Fourrure de lynx.*

Le lynx (...) est communément de la grandeur d'un renard. Il diffère de la panthère et de l'once par les caractères suivants : il a le poil plus long, les taches moins vives (...) les oreilles bien plus grandes et surmontées à leur extrémité d'un pinceau de poils noirs; la queue beaucoup plus courte (...) il marche et saute comme le chat; il vit de chasse et poursuit son gibier jusqu'à la cime des arbres (...)   BUFFON, Hist. nat. des animaux, Le lynx.   1

Les Anciens attribuaient au lynx des caractères extraordinaires (→ Fabuleux, cit. 2, Buffon) *et en particulier une vue perçante.* — REM. Ces légendes viennent probablement de la paronymie du mot grec *lugx* avec le nom de *Lunkeos* «Lyncée», Argonaute dont les yeux perçants voyaient à travers les nuages. — Loc. *Avoir des yeux de lynx :* avoir une vue perçante, et, fig., être très perspicace.

(...) comme les yeux fabuleux du lynx, mes yeux perçaient les murailles et j'aurais dit ce qui se passait dans la pièce à côté.   Th. GAUTIER, Mⁱˡᵉ de Maupin, X.   2

Par métonymie, plais. *Attention, œil de lynx nous regarde!* — Surnom traditionnel de chef indien (dans les histoires, les jeux).

♦ **2.** Fig. et littér. *Un lynx :* une personne qui a des yeux de lynx ou une grande lucidité. «*Lynx envers* (cit. 6) *nos pareils et taupes envers nous*» (La Fontaine).

LYO- Élément de mots didactiques, tiré du grec *luein* «dissoudre». ⇒ **-lyse.** — Ex. : *lyocite* [l(i)ɔsit], n. m (av. 1930) : élément d'une cellule qui exerce une action destructrice sur une autre cellule. ⇒ aussi **Lyophile, lyophobe** (et dér.).

LYONNAIS, AISE [ljɔnɛ, ɛz] adj. et n. — 1792; de *Lyon,* ville française.

♦ **1.** Qui se rapporte à Lyon, à ses habitants. *Industrie lyonnaise de la soie* (⇒ **Canut, soyeux**). *Le Crédit lyonnais,* nom d'une banque. — *Cuisine lyonnaise. Un petit mâchon lyonnais. Sauce lyonnaise,* avec des oignons. — (1902). *Bœuf à la lyonnaise,* accompagné d'oignons (sous une forme quelconque). — *Le guignol* lyonnais.

N. *Un Lyonnais, une Lyonnaise :* habitant de Lyon.

N. m. Parlers franco-provençaux de Lyon et de sa région.

♦ **2.** N. f. (1837, Vidocq, «soierie lyonnaise»). Techn. En reliure, Cordelette garnie de peau, formant une coiffe*.

LYOPHILE [ljɔfil] adj. — 1931; de *lyo-,* du grec *luein* «dissoudre», et *-phile.*

♦ **Didact.** Se dit des substances qui peuvent subir une dessiccation à basse température (⇒ **Lyophilisation**) et retrouver toutes leurs propriétés par addition du volume d'eau enlevé.
CONTR. Lyophobe.
DÉR. Lyophilie, lyophiliser.

LYOPHILIE [ljɔfili] n. f. — 1931 ; de *lyophile.*

♦ **Didact.** Propriété des substances lyophiles*.
CONTR. Lyophobie.

LYOPHILISATION [ljɔfilizɑsjɔ̃] n. f. — 1953 ; de *lyophiliser.*

♦ **Didact.** Dessiccation par sublimation à très basse température. ⇒ **Déshydratation.** « *C'est par la lyophilisation, méthode entièrement nouvelle, que le café-filtre est séché de son eau* » (*le Monde,* 5 févr. 1966).

Une autre voie dans laquelle s'engage l'industrie des produits séchés est la *sublimation* (passage direct de la glace à l'état de vapeur) du produit surgelé : c'est la « *lyophilisation* », effectuée sous vide. La qualité des produits lyophilisés est excellente, et en particulier leur réhydratation est très rapide, mais le coût de l'opération restera élevé tant qu'elle ne pourra pas être réalisée en continu.
L.-V. VASSEUR, J.-J. BIMBENET et M. HILLAIRET, les Industries de l'alimentation, p. 43, 1966.

LYOPHILISER [ljɔfilize] v. tr. — 1960 ; de *lyophile.*

♦ **Didact.** Déshydrater par lyophilisation*.

▶ **LYOPHILISÉ, ÉE** p. p. adj. *Produits lyophilisés. Plasmas, sérums, pièces anatomiques lyophilisés. Café lyophilisé. Légumes, champignons lyophilisés.*
DÉR. Lyophilisation.

LYOPHOBE [ljɔfɔb] adj. — 1931 ; de *lyo-,* du grec *luein* « dissoudre », et *-phobe.*

♦ **Didact.** Se dit des substances qui ne peuvent subir ni dessiccation, ni imbibation.
CONTR. Lyophile.
DÉR. Lyophobie.

LYOPHOBIE [ljɔfɔbi] n. f. — 1931 ; de *lyophobe.*

♦ **Didact.** Propriété des substances lyophobes*.
CONTR. Lyophile.

LYPÉMANIE [lipemani] n. f. — Av. 1840, Esquirol ; du grec *lupê* « tristesse », et *maniâ.* → -manie.

♦ **Psychiatrie** (vx). ⇒ **Mélancolie ; abattement.**

LYRE [liʀ] n. f. — 1548 ; *lire,* v. 1155 ; lat. *lyra,* grec *lura.*

♦ **1.** Instrument (cit. 4) de musique antique, à cordes* pincées, formé d'une caisse de résonance surmontée de deux montants à forme caractéristique (courbe et contre-courbe symétriques), réunis par une traverse (→ Harmonieux, cit. 1). *Les cordes de la lyre sont tendues entre la caisse et la traverse supérieure et souvent à vide. Instruments antiques voisins de la lyre.* ⇒ **Cithare, harpe.** *Le barbitos, grande lyre grecque. Lyre à quatre, cinq, sept cordes.* ⇒ **Tétracorde ; pentacorde ; heptacorde.** *Lyre asymétrique* (comme en Égypte). *Famille d'instruments issus de la lyre.* ⇒ **Guitare.** *Jouer de la lyre à l'aide d'un plectre*. Pincer un accord* (cit. 21) *sur la lyre. Musicien qui joue de la lyre.* ⇒ **Lyriste** (rare). — **Myth.** *Les Grecs attribuaient l'invention de la lyre à Hermès* (Mercure) *ou à Phœbus* (Apollon). *La lyre d'Orphée, d'Amphion.*

1   Mon père, il est donc vrai : tout est devenu pire ?
     Car jadis, aux accents d'une éloquente lyre,
     Les tigres et les loups, vaincus, humiliés,
     D'un chanteur comme toi vinrent baiser les pieds.
                              André CHÉNIER, Bucoliques, IV.

2   Je suis le premier qui ai fait descendre la poésie du Parnasse, et qui ai donné à ce qu'on nommait la muse, au lieu d'une lyre à sept cordes de convention, les fibres mêmes du cœur de l'homme (...)
                              LAMARTINE, Premières méditations, Préface.

3   Il (Mercure) a imaginé la lyre en tendant des cordes sonores sur une carapace de tortue.   Émile HENRIOT, Mythologie légère, p. 64.

(Par allus. à la forme galbée et symétrique des montants de la lyre antique). *Lampe* (cit. 8), *pendule en forme de lyre* (→ Globe, cit. 13) ; *if* (cit. 3) *taillé en forme de lyre.* — *En lyre :* en forme de lyre. *Cornes en lyre.* — *La lyre stylisée,* emblème de la musique (dans l'armée, etc.). — **Blason.** *Lyre cordée,* dont les cordes sont d'un émail différent.

4   (...) elle, dressée au centre, les bras élevés en lyre au-dessus de sa tête, se balançait et tournait sur elle-même (...)
                              J. CHARDONNE, les Destinées sentimentales, p. 454.

♦ **2.** (XVIᵉ-XVIIᵉ). **Hist. mus.** Viole à large manche, à 15 cordes, dont on jouait à l'aide d'un archet.
(1806, in D.D.L.). *Lyre-guitare, lyre :* guitare en forme de lyre antique.
Lyre-cithare*.

♦ **3.** **Littér.** Symbole de l'expression poétique, de la poésie. ⇒ 1. **Harpe, luth** (I., 2.), **lyrique, lyrisme.** *La lyre du poète.* — **Loc.** *Accorder** (cit. 8), *essayer sa lyre :* s'apprêter, s'essayer à faire des vers. *Ajouter une corde à sa lyre :* prendre un ton, un style nouveau dans ses vers.

5   Notre cœur est un instrument incomplet, une lyre où il manque des cordes (...)
                              CHATEAUBRIAND, René, p. 193 (→ Corde, cit. 17).

6   Oh ! la muse se doit aux peuples sans défense.
     J'oublie alors l'amour, la famille, l'enfance,
     Et les molles chansons, et le loisir serein,
     Et j'ajoute à ma lyre une corde d'airain !   HUGO, les Feuilles d'automne, XL.

7   La *lyre* exprime en effet cet état presque surnaturel, cette intensité de la vie où l'âme *chante* (...) comme l'arbre, l'oiseau et la mer.
                              BAUDELAIRE, l'Art romantique, XXII, VII.

8   Ne soyez pas sévère pour celui qui ne fait encore qu'essayer sa lyre ; elle rend un son si étrange !   LAUTRÉAMONT, les Chants de Maldoror, I.

Fig. *La lyre :* la poésie. ⇒ **Poésie** (→ Héritier, cit. 14). « *Il ne faut pas demander à la lyre ce qu'elle pense, mais ce qu'elle chante* » (→ Gémissement, cit. 8, Chateaubriand).
Allus. littér. *Toute la lyre,* recueil posthume de Victor Hugo.
Loc. fam. *Toute la lyre :* toute la série des choses ou personnes du même genre. → Chair, cit. 26.

♦ **4.** (1776). **Zool.** Ménure*, oiseau à la queue en forme de lyre. — Par appos. *Oiseau lyre. Faisan lyre.*
DÉR. Lyré.
HOM. 1. Lire, 2. lire.

LYRÉ, ÉE [liʀe] adj. — 1797 ; de *lyre.*

♦ **Bot.** En forme de lyre (1.). *Feuilles lyrées.*

LYRIC [liʀik] n. m. — 1923, in Höfler ; mot angl., proprt « poème lyrique », de même orig. que le franç. *lyrique.* → Lyrique.

♦ **Américanisme.** Couplet de music-hall. *Des lyrics.* « *Tant pis si les lyrics et la musique ne valent pas ceux de leurs huit précédents duos : la nostalgie qui se dégage des évolutions inoubliables de Ginger Rogers et Fred Astaire compense aisément les défaillances de leur chorégraphie* » (*le Nouvel Obs.,* 1ᵉʳ janv. 1978).
HOM. Lyrique.

LYRICOMANE [liʀikɔman] adj. et n. — V. 1980 ; de *lyrique* (II.), d'après *mélomane.*

♦ **Rare ou plais.** Amateur fervent d'art lyrique. ⇒ **Mélomane.** *Il, elle est lyricomane.* — N. *Une lyricomane passionnée.*

LYRIQUE [liʀik] adj. et n. — 1495 ; lat. *lyricus,* grec *lurikos,* de *lura.* → Lyre.

★ **I.** ♦ **1.** **Hist. littér.** Destiné à être chanté, déclamé avec un accompagnement musical (lyre*, flûte, etc.) et souvent de danse (en parlant de poésie antique). *Genre, poèmes lyriques grecs.* ⇒ **Chœur, dithyrambe, hymne, iambe, idylle, ode.** *Les psaumes, poèmes lyriques hébreux.* — Par ext. *Poète lyrique,* qui compose une telle poésie.

♦ **2.** (XVIᵉ, XVIIIᵉ). **Hist. littér.** Qui est destiné à être chanté (⇒ **Chanson,** cit. 4, Rousseau ; **chant,** 3.) ; qui appartient aux genres issus de la poésie lyrique grecque, tels que l'ode (opposé à *épique, dramatique*) ⇒ **Dithyrambe, hymne, ode, stance.** — Par ext. « *Horace est le prince des poètes lyriques latins, Malherbe des Français* » (Furetière, *Dict.,* 1690).

1   (...) toute sorte de Poésie a l'argument propre (...) à son sujet (...) la Lyrique, l'amour, le vin, les banquets dissolus, les danses, masques, chevaux victorieux, escrime, joutes et tournois, et peu souvent quelque argument de Philosophie.
                              RONSARD, Œuvres en prose, Les odes, Au lecteur.

♦ **3.** (1755). **Mod.** Se dit de la poésie qui exprime des émotions, des sentiments intimes, au moyen de rythmes, d'images propres à communiquer au lecteur l'émotion du poète. ⇒ **Lyrisme, poésie.** *La notion de poésie lyrique, « personnelle en son fond ou dans son expression »* (Brunetière), *s'est répandue avec l'individualisme et le romantisme, au XIXᵉ siècle.* — Par ext. *Poète lyrique.* ⇒ **Barde** (dans l'usage romantique) ; → ci-dessous, 5., n. m.

2   On pourra (...) définir la Poésie lyrique, celle qui exprime le sentiment. Qu'on y ajoute une forme de versification qui soit chantante elle aura tout ce dont elle a besoin pour être parfaite.
                              BATTEUX, Principes de littérature, 3, 7 (1755), in WARTBURG.

3   La poésie lyrique s'exprime au nom de l'auteur même ; ce n'est plus alors un personnage qu'il se transporte, c'est en lui-même qu'il trouve les divers mouvements dont il est animé : J.-B. Rousseau dans ses Odes religieuses, Racine dans Athalie, se sont montrés poètes lyriques (...)   Mᵐᵉ DE STAËL, De l'Allemagne, II, X.

4 La poésie lyrique est l'expression des sentiments personnels du poète traduits en des rythmes analogues à la nature de son émotion; vifs et rapides comme la joie, languissants comme la tristesse, ardents comme la passion (...)
F. BRUNETIÈRE, l'Évolution de la poésie lyrique..., t. I, p. 154-155.

Qui appartient à la poésie lyrique. *Mouvement, rythme lyrique* (→ Enfiévrer, cit. 5; iambe, cit. 3). *L'élément bouffon et l'élément lyrique d'un poème* (→ Funambulesque, cit. 2). *Style lyrique* (→ Inexprimable, cit. 8). *La nature, l'amour, la mort, thèmes lyriques.* — *Renouveau lyrique.* ⇒ **Poétique.**

5 Il y a (...) une manière lyrique de sentir. Les hommes les plus disgraciés de la nature (...) ont connu quelquefois ces sortes d'impressions, si riches, que l'âme en est comme illuminée, si vives qu'elle en est comme soulevée (...) Tout poète lyrique, en vertu de sa nature, opère fatalement un retour vers l'Éden perdu. Tout, hommes, paysages, palais, dans le monde lyrique, est pour ainsi dire *apothéose.*
BAUDELAIRE, l'Art romantique, XXII, VII.

6 (...) les vrais thèmes lyriques, ce sont ceux qui comportent, sur une même donnée, très générale, autant de variations qu'il y a de sensibilités pour en être diversement affectées.   F. BRUNETIÈRE, l'Évolution de la poésie lyrique..., t. I, p. 125.

N. f. LA LYRIQUE : la poésie lyrique. *La lyrique monodique et la lyrique chorale des Grecs* (→ Iambe, cit. 2).

Par ext. Qui a un caractère poétique, personnel, émotif (en parlant de l'expression littéraire). *Les envolées* (cit. 3) *lyriques, le débit lyrique et inspiré* (cit. 17) *de Michelet. La langue, la prose, le style lyrique de Chateaubriand, des lettres de Hugo* (→ Galanterie, cit. 11), *du « Chatterton » de Vigny* (→ Jaculatoire, cit. 2). *Discours, improvisation* (cit. 4) *lyrique.*

6.1 Des enfants
De ce monde ou bien de l'autre
Chantaient de ces rondes
Aux paroles absurdes et lyriques
Qui sans doute sont les restes
Des plus anciens monuments poétiques
De l'humanité (...)   APOLLINAIRE, Alcools, p. 47.

(En parlant d'autres arts). *Musique lyrique* (opposée à *musique descriptive, imitative...*). → Créateur, cit. 8. — *Conception lyrique de la vision chez un peintre* (→ Impressionnisme, cit. 1).

♦ **4.** (1810). Fig. Plein d'un enthousiasme, d'une exaltation semblables à ceux qu'on prête au poète lyrique. ⇒ **Lyrisme.** *Un révolté lyrique* (→ Bipolaire, cit. 1). Iron. *Quand il parle de son projet, il s'emballe, il devient lyrique!* — *État, transport, exaltation, enthousiasme lyrique* (→ Blanc, cit. 20; ivresse, cit. 19). *Effusions lyriques.* ⇒ **Passionné.**

♦ **5.** N. m. UN LYRIQUE : un poète lyrique (aux sens 1 ou 2). *Les grands lyriques grecs*. Le lyrique moderne* (→ Généraliser, cit. 6). *Le lyrique rêveur des « Voix intérieures »* (→ Intimiste, cit.). — REM. Dans cet emploi, le fém. serait normal.

7 Un jour, quelqu'un m'apprit que le lyrisme est enthousiasme, et que les odes des grands lyriques furent écrites sans retour, à la vitesse de la voix du délire et du vent de l'esprit soufflant en tempête (...)   VALÉRY, Variété V, p. 159.

Le lyrique : le genre lyrique (aux sens 1, 2).

8 Les deux sentiments les plus opposés qui se développèrent au sein de la fraternité première peuvent se rapporter au lyrique d'une part et au dramatique de l'autre.   SAINTE-BEUVE, Portraits contemporains, II, p. 95.

♦ **6.** N. f. Poésie, attitude poétique.

8.1 Le visage de Garbo représente ce moment fragile, où le cinéma va extraire une beauté existentielle d'une beauté essentielle, où l'archétype va s'infléchir vers la fascination de figures périssables, où la clarté des essences charnelles va faire place à une lyrique de la femme.   R. BARTHES, Mythologies, p. 71.

★ **II.** (XVIIIe). Spécialt. ♦ **1.** Mus. Destiné à être mis en musique et chanté, joué sur une scène. *Drame lyrique; ouvrage lyrique.* ⇒ **Opéra.** *Tragédie lyrique. Scène lyrique de caractère religieux* (⇒ **Cantate, oratorio**). *Comédie lyrique* (opéra comique, opérette).

9 (...) *Prométhée,* vaste composition doublement *lyrique,* dont les paroles, écrites jadis par Herder, ont été mises en musique par Liszt.
NERVAL, Lorely, Souvenirs de Thuringe, IV.

♦ **2.** (1835). *Théâtre lyrique,* réservé à la musique dramatique*. *La Gaieté-Lyrique,* nom d'un théâtre parisien. *Les grandes scènes lyriques.* — *Art lyrique; déclamation lyrique.* ⇒ **Chant.**

10 C'est quand on est en possession d'une articulation, d'une prononciation parfaites, que l'on peut se préoccuper de ce qui offre le véritable intérêt de la déclamation lyrique, c'est-à-dire de l'*expression* (...)   Initiation à la musique, p. 143.

Artiste lyrique : chanteur, chanteuse d'opéra, d'opérette.

Soprano* lyrique (opposé à *soprano léger* et à *soprano dramatique*).

CONTR. **Épique, dramatique; descriptif, narratif.** — **Prosaïque.** — **Froid.**
DÉR. **Lyriquement, lyrisme.**
HOM. **Lyric.**

LYRIQUEMENT [liʀikmɑ̃] adv. — 1555, « sur la lyre du poète »; repris xxe; de *lyrique.*

♦ Littér. Avec lyrisme*. *Elle nous a parlé lyriquement de son voyage.*
CONTR. **Prosaïquement.**

LYRISER [liʀize] v. tr. — xxe; de *lyrisme;* cf. *lyriquer* en moy. franç.

♦ Littér. et rare. Vanter sur le ton lyrique. ⇒ **Exalter, magnifier.**

Tous les ouvrages de puériculture elle les avait lus et surtout ceux qui lyrisent à en pâmer les maternités (...)   CÉLINE, Voyage au bout de la nuit, p. 200 (1932).

LYRISME [liʀism] n. m. — 1834; de *lyrique.*

♦ **1.** Vx. Style élevé, inspiré. *Le lyrisme sacré de la Bible* (Bescherelle, *Dict.*).

♦ **2.** Mod. Genre lyrique; style, inspiration lyrique, en poésie. ⇒ **Lyrique** (→ Improvisation, cit. 3). *Voltaire était insensible* (cit. 11) *au lyrisme. Le lyrisme courtois, au moyen âge. Le lyrisme romantique. Un lyrisme suspect, de mauvais aloi* (→ Fantaisiste, cit. 4).

1 Je me suis joliment laissé aller au lyrisme, mon très cher ami, et voilà déjà bien du temps que je pindarise assez ridiculement.
Th. GAUTIER, Mlle de Maupin, II.

2 Les chevaux et les styles de race ont du sang plein les veines (...) La vie! la vie (...) tout est là! C'est pour cela que j'aime tant le lyrisme. Il me semble la forme la plus naturelle de la poésie. Elle est là toute nue et en liberté.
FLAUBERT, Correspondance, 410, 15 juil. 1853.

2.1 Le lyrisme est le développement d'une protestation.
ÉLUARD, Notes sur la poésie, in Œ. compl., Pl., t. I, p. 477.

Mode d'expression évoquant la poésie lyrique. *Le lyrisme d'un prosateur. Il y a dans ce roman des passages d'un grand lyrisme.* — *Le lyrisme d'un film, d'une symphonie.*

♦ **3.** Fig. Manière passionnée, poétique de sentir, de vivre. ⇒ **Ardeur, chaleur** (→ Assujettir, cit. 18). — *Le lyrisme d'un sourire* (→ Juvénile, cit. 1).

3 (...) notre bon sens bourgeois complètement dénué de lyrisme.
P. MAC ORLAN, la Bandera, V.

CONTR. **Prosaïsme.**
DÉR. **Lyriser.**

LYRISTE [liʀist] n. — Mil. xxe; de *lyre,* et suff. *-iste.* → Violoniste; harpiste.

♦ Mus. (rare). Musicien, musicienne qui joue de la lyre. *« Les lyristes* (de la XVIIIe dynastie égyptienne) *sont toujours de jeunes et jolies personnes »* (*Sciences et Avenir,* mai 1980, p. 83).

LYS [lis] n. m. ⇒ **Lis.**

LYSAT [liza] n. m. — 1927, in D.D.L.; de *lyse.*

♦ Sc. Produit d'une lyse de cellules ou de microbes par des lysines. *Lysat-vaccin,* obtenu par lyse des microbes d'un vaccin microbien *(des lysats-vaccins).*

LYSE [liz] n. f. — 1927, in D.D.L.; *lysis,* en méd. «crise salutaire, résolution», 1839, Boiste; grec *lusis* «dissolution», de *luein.* → -lyse.

♦ Sc. Destruction d'éléments organiques (tissus : *histolyse;* cellules : *cytolyse;* micro-organismes : *bactériolyse,* etc.) sous l'action d'agents physiques, chimiques ou biologiques. ⇒ **-lyse.** *Qui provoque une lyse.* ⇒ **Lytique; lysine, lysogène** (cit.).
DÉR. **Lysat, lyser, lytique.**
COMP. **Bactériolyse, histolyse.**
HOM. **Lise.**

-LYSE, -LYSIE, -LYTIQUE Éléments finaux, du grec *lusis* «solution, dissolution», entrant dans la composition de termes empruntés du grec (*analyse, catalyse, paralysie*) ou formés en français (*adipolyse, alcoolyse, autolyse, bactériolyse, électrolyse, hémolyse, hydrolyse, histolyse, photolyse, plasmolyse*).

LYSER [lize] v. tr. — 1931; de *lyse.*

♦ Sc. Détruire par une lyse. ⇒ **Dissoudre.** *Le placenta neutralise ceux des anticorps maternels capables de lyser les cellules du fœtus.*

(Les endotoxines) ne sont pas sécrétées par les bactéries, mais apparaissent lorsque celles-ci sont lysées dans l'organisme ou dans un milieu de culture.
V. VIC-DUPONT, la Maladie infectieuse, p. 44.

LYSERGAMIDE [lizεʀgamid] n. m. — Mil. xxe (1961; → L.S.D.); de *lysergique,* et *amide.*

♦ Chim. Composé dérivé des extraits de l'ergot de seigle, à propriétés hallucinatoires. ⇒ **L.S.D.**

Parmi les drogues hallucinogènes (...) nous comptons plusieurs substances d'un emploi facile et codifié : la mescaline, le lysergamide, la psilocybine.
Pierre DENIKER, la Psychopharmacologie, p. 12.

LYSERGIDE [lizεʀʒid] n. m. — Après 1960; de *acide lysergi(que),* et suff. *-ide.*

♦ Chim. Drogue hallucinogène très toxique. → **Lysergique**. — Cour. : L. S. D.*

LYSERGIQUE [lizɛʀʒik] adj. — 1961 ; all. *Lysergsäure*, 1955, de *-lyse**, *erg(ot)*, et suff. *-ique*.

♦ Chim. Se dit d'un acide obtenu à partir de l'ergot de seigle, et dont un composé *(acide lysergique diéthylamide* ou *lysergamide*)* possède des propriétés hallucinatoires (⇒ **L.S.D.**).

LYSIMACHIE [lizimaʃi] ou **LYSIMAQUE** [lizimak] n. f. — 1545, *lysimachie* ; *lysimaque*, 1803 ; lat. *lysimachia*, mot grec d'orig. obscure, p.-ê. du nom d'un médecin.

♦ Bot. Plante dicotylédone *(Primulacées)*, herbacée, vivace, communément appelée *corneille, chasse-bosse, souci d'eau. Lysimaque nummulaire :* monnayère, herbe aux écus.

LYSINE [lizin] n. f. — 1897 ; du grec *lusis*. → -lyse. Sciences, biochimie.

♦ **1.** Acide aminé entrant dans la constitution des protéines. *La lysine est indispensable au métabolisme humain.*

♦ **2.** Anticorps ou toxine capables de provoquer la lyse* cellulaire.

LYSIS [lizis] n. m. — 1839 ; archit., 1547 ; grec *lusis*. → -lyse.

♦ Méd. Décroissance d'une courbe thermique.

LYSOGÈNE [lizɔʒɛn] adj. — Av. 1954, → cit. ; du grec *lusis* (→ -lyse), et *-gène*.

♦ Didact. (physiol., méd.). Qui produit des agents de destruction des cellules. *Souche bactérienne lysogène*, contenant des bactériophages* à l'état latent.

En mélangeant deux souches de microbes identiques on voit parfois se produire un phénomène de lyse spontanée due à l'apparition subite de bactériophages, alors qu'auparavant leur présence ne s'était traduite par aucun signe ni dans l'une ni dans l'autre des deux souches. Le plus souvent, seuls les éléments appartenant à l'une des souches sont lysés, les autres restent indemnes. Mais ceci est loin d'être la règle et il peut parfaitement arriver que les microbes appartenant aux deux souches subissent un sort commun et disparaissent sans laisser de trace. Ce phénomène des *microbes « lysogènes »* a fait beaucoup parler de lui et il a été interprété par certains auteurs comme une néo-production subite de bactériophages par un microbe, analogue à la génération spontanée que l'on avait invoquée autrefois pour expliquer l'apparition de microbes dans un organisme infecté.
Charles OBERLING, les Temps modernes, n° 98, janv. 1954, p. 1173.

LYSOSOME [lizozom] n. m. — 1968 ; ces corps furent remarqués en 1951 par Duve ; de *lyso-* (→ -lyse), et grec *sôma* « corps ».

♦ Biol. Particule cytoplasmique contenue dans une cellule, contenant des hydrolases, de la phosphatase acide, et pouvant contribuer à la lyse du cytoplasme dans l'organisme (ex. : régression de la queue chez le têtard) ou de façon externe (rejet de cellules). *« Toutes les protéines transportées ne finissent pas dégradées dans les lysosomes »* (la Recherche, juin 1980).

LYSOZYME [lizozim] n. m. — 1951 ; en angl., 1922, Fleming ; du grec *lusis* (→ -lyse), et *-zyme* (→ Enzyme).

♦ Didact. (biol.). Substance capable de dissoudre (lyser) certains germes.

(...) certaines substances chimiques douées d'un pouvoir bactéricide. Elles sont représentées essentiellement par un polypeptide, le lysozyme (...) Il est présent dans les larmes, la salive (...) V. VIC-DUPONT, la Maladie infectieuse, p. 54.

LYTHRACÉES [litʀase] n. f. pl. — 1873 ; de *lythrum*, et suff. *-acées*.

♦ Bot. Famille de plantes dicotylédones (arbres, arbrisseaux, herbes) dont le type principal est la salicaire. — Au sing. *Une lythracée*.

LYTHRUM [litʀɔm] n. m. — 1873 ; mot lat., grec *luthron*.

♦ Bot. Salicaire* (nom scientifique).
DÉR. Lythracées.

LYTIQUE [litik] adj. — 1931 ; dér. sav. de *lyse*.

♦ **1.** Biol. Qui provoque une lyse. *Pouvoir lytique de la lysine. Enzymes lytiques.*

♦ **2.** ⓐ Méd. Qui est susceptible de supprimer certaines activités nerveuses normales ou pathologiques. — REM. Ce terme est surtout employé en composition, sous forme de suffixe (ex. : *anxiolytique, spasmolytique*).

ⓑ Cour. *Cocktail lytique :* mélange de substances, de drogues capable de provoquer la cessation de fonctions vitales (d'un malade dans un état désespéré, dont les souffrances sont très grandes). → Euthanasie. *« L'injection intraveineuse d'un produit mortel ou d'un "cocktail lytique" »* (le Monde, 21 sept. 1984, p. 14).

M

M [ɛm] n. m. ou f. — Du *M* lat.

♦ **1.** Treizième lettre et dixième consonne de l'alphabet (m ; M) servant à noter à l'initiale, entre voyelles ou suivie de e caduc, la consonne occlusive nasale bilabiale [m], et nasalisant la voyelle qui la précède devant consonne ou en finale de mot. *m minuscule, M majuscule.*

♦ **2.** Abréviations. *m.* : abrév. de *masculin. M.* : abrév. de *Monsieur ; MM.* : abrév. de *Messieurs.*
Sc. *m* : abrév. du préfixe *milli-, mm* : millimètre. *M* : abrév. du préfixe *méga-.* MJ : mégajoule.
Chim. *m* : abrév. de *méta. m-xylène* : métaxylène.

♦ **3.** Symboles. Sc. *m* : symb. du *mètre* ; *m²* : symb. du *mètre carré* ; *m³* : symb. du *mètre cube* ; *m.* : symb. du *maxwell. M* : symb. du module* des logarithmes décimaux.

♦ **4.** *M*, chiffre romain valant mille.

MA [ma] adj. poss. ⇒ **Mon.**

MABOUL, E [mabul] n. et adj. — 1860 ; argot de l'armée d'Afrique, dès 1830 ; arabe d'Algérie *mâhbûl* «idiot».

♦ Fam. Fou, qui a perdu la raison. ⇒ **Cinglé, hurluberlu, inconscient, toqué.** *Il est complètement maboul. Elle est maboule.*

Comment ai-je jamais tenu un jour de plus ? Ou encore, Ai-je tué mon père ? et puis, Ai-je jamais tué personne ? Comme ça, au général du particulier en somme si l'on veut, question et réponse aussi en un sens, à devenir maboul.
S. BECKETT, Têtes-mortes, p. 20-21.

DÉR. Maboulisme.

MABOULISME [mabulism] n. m. — 1902 ; de *maboul.*

♦ Vieilli. Folie. ⇒ **Délire, démence.**

MAC [mak] n. m. — 1835, *maq, in* Esnault ; dimin. de 2. *maquereau.*
REM. On trouve aussi la graphie *maque.*

♦ Argot. Souteneur.

DÉR. Maquer.
HOM. Mach, macque.

MACABRE [makabʀ] adj. — *Danse macabre,* ou *danse Macabré,* xvᵉ ; d'un nom propre *Macabré,* mentionné en 1376, ou (selon Dauzat) du syrien *maqabrey* (arabe *mâqābrī*) «fossoyeur». → Macchabée.

♦ **1.** Bx-arts. *Danse macabre* : représentation allégorique de la Mort entraînant dans une ronde des personnages de toutes conditions, depuis le roi jusqu'à l'homme du peuple (→ Immonde, cit. 2). *Danses macabres peintes au XVᵉ siècle sur les murs des cimetières, des cloîtres.* — Mus. *La Danse macabre,* de Saint-Saëns.

1   La dance *(danse),* macabre s'appelle :
Que cha(s)cun à danser apprant *(apprend).*
À l'homme et femme est naturelle
Mort n'épargne *(ni)* petit ne *(ni)* grant *(grand).*
la Grande Danse macabre (1486).

2   Le blanc squelette se fait voir (...)
(...) Il pousse à la danse macabre
L'empereur, le pape et le roi.
Th. GAUTIER, Émaux et Camées, « Bûchers et tombeaux ».

3   Antinoüs flétris, dandys à face glabre,
Cadavres vernissés, lovelaces chenus,
Le branle universel de la danse macabre
Vous entraîne en des lieux qui ne sont pas connus !
BAUDELAIRE, les Fleurs du mal, « Tableaux parisiens », XCVII.

4   La danse macabre s'apparente de la façon la plus subtile et la plus évidente au sabbat.
Francis DE MIOMANDRE, Danse, p. 51.

♦ **2.** (1842). Cour. Qui a pour objet les squelettes, les ossements, les cadavres, et, par ext., Qui a trait à la mort, qui évoque des images de mort. ⇒ **Funèbre, lugubre, sinistre.** *Découverte, scène, plaisanterie, humour macabre. Donner dans le genre macabre,* et, ellipt., *le macabre* (→ Fantastique, cit. 9).

5   Vers 1820, le règne du macabre ne fait que commencer : après 1830, la tête de mort est le premier meuble du poète romantique qui se met en ménage.
Charles BRUNEAU, *in* BRUNOT, Hist. langue française, t. XII, p. 150.

6   J'avoue être, pour ma part, excédé de toute cette diablerie de pacotille (...) autant que des têtes de mort et des cimetières, où se complaisait l'imagination des Jeunes-France, à la suite de l'Hugo des *Odes et ballades* (...) Chez des écrivains de second ou de troisième ordre (...) ce macabre, ce diabolique (...) sont purement insupportables : c'est de l'esthétique de vignette.
Émile HENRIOT, les Romantiques, p. 447.

MACACHE [makaʃ] adv. — 1861, *makach* ; dès 1830 dans l'argot de l'armée d'Afrique ; arabe d'Algérie *mākǎnš* «il n'y a pas».

♦ Pop. (puis fam.), vieilli. Pas du tout, rien du tout ; (il n'y a) rien à faire. *J'espérais qu'il me refilerait du fric, mais macache !* (cf. Nib de nib). « *Macache bono* » (propr «pas bon du tout», de l'ital. *bono*), locution plaisante pour exprimer le dégoût, le refus...

1   D'abord à partir d'aujourd'hui, fini les permissions ! macache les permissions !
COURTELINE, le Train de 8 h 47, III, 1.

2   — Allumettes, les gars ?
— Macache ! répond le noir, et son rire exhibe ses longues dents de faïence, dans la maroquinerie havane de sa bouche.
H. BARBUSSE, le Feu, t. II, p. 10.

MACADAM [makadam] n. m. — 1830 ; *pavé à la Mac-Adam,* 1829 ; du nom de l'Écossais *Mac Adam,* inventeur du procédé.

♦ **1.** Techn. Empierrement de routes, de chemins, fait avec de la pierre concassée et du sable, agglomérés au moyen de rouleaux compresseurs. ⇒ **Revêtement.** *Macadam goudronné.* ⇒ **Tarmacadam.** *Le macadam d'un boulevard.*
Par ext. (1845). Chaussée, rue empierrée de cette manière. *Rouler sur le macadam.* → Asphalte, bitume.
(xxᵉ). Pierre utilisée pour le revêtement des routes.

1   On leur a offert des chaussées anglaises, des *macadam (sic),* des pavés de bois, des *aigledons* de pavés eh bien ! ils aiment mieux les cailloux, les moellons, tout ce qu'ils peuvent trouver pour faire sauter les voitures !
NERVAL, Voyage en Orient, Introd., I.

2   Les types de revêtement s'échelonnent suivant leur valeur, leur résistance et leur coût (...) Au degré inférieur se trouve le *macadam ordinaire,* insuffisant pour une circulation automobile un peu intense, puis le *macadam amélioré* par un enduit superficiel hydrocarburé tel que : goudron, émulsion, bitume, brai, etc., ou par un liant silicaté.
Alfred TABARY, *in* Encycl. des travaux publics, t. III, p. 740.

3   Et l'on repartait en arrachant ses pieds endoloris par la longue marche sur le dur macadam de la grand'route et que l'on sentait fondre, s'enfoncer avec délices dans la boue molle et glacée, mais qui faisait ventouse, ce qui vous mettait la peur au ventre.
B. CENDRARS, la Main coupée, Œ. compl., t. X, p. 51.

♦ **2.** (1864). Vx, pop. Partie du trottoir où attendaient les prostituées. ⇒ **Trottoir** (spécialt).

4   Son papa s'appelle Abraham,
Il est l'enfant du macadam,
Tout comm' sa môme en est la fille,
À la Bastille.
A. BRUANT, Dans la rue, p. 124.

DÉR. Macadamiser.
COMP. Macadam-ciment, tarmacadam.

MACADAM-CIMENT [makadamsimɑ̃] n. m. — V. 1960 ; de *macadam,* et *ciment.*

♦ Techn. Chaussée empierrée dans laquelle du ciment a été introduit, sous forme d'un coulis de mortier. *Des macadams-ciments.*

MACADAMISAGE [makadamizaʒ] n. m. — 1827 ; de *macadamiser.*

REM. On trouve aussi *macadamisation* [makadamizasjɔ̃], n. f. (attesté 1830).

♦ Techn. et vieilli. Action, manière de macadamiser (une route); résultat de cette action.

MACADAMISER [makadamize] v. tr. — 1828; de *macadam*.

♦ **1.** Techn. Recouvrir (une chaussée, une route) avec du macadam. ⇒ **Empierrer.**

Au p. p. *Goudronnage* des voies macadamisées.*

1 Une ou deux rues et quelques endroits ont des chaussées; mais toutes les autres sont imparfaitement macadamisées, et c'est assez dire en quel état elles se trouvent par les temps de pluie. BALZAC, le Député d'Arcis, Pl., t. VII, p. 718.

2 Des docks, des hôpitaux, des wharfs, des entrepôts, une cathédrale gothique, un « government-house », des rues macadamisées, tout ferait croire qu'une des cités commerçantes des comtés de Kent ou de Surrey, traversant le sphéroïde terrestre, est venue ressortir en ce point de la Chine, presque à ses antipodes. J. VERNE, le Tour du monde en 80 jours, p. 150.

♦ **2.** Fig. et par plais. ⇒ **Durcir, tanner.**

3 Plusieurs font des chutes qui leur macadamisent les régions charnues. Rodolphe TÖPFFER, Voyages en zigzag, p. 13.

DÉR. Macadamisage.

MACAIRE [makɛʀ] n. m. — Fin XIVe; du nom du personnage principal de la chanson de geste *Macaire* (XIIIe), traître notoire, repris au XIXe pour nommer, dans des mélodrames célèbres (notamment *Robert Macaire*) un personnage de filou cynique.

♦ Vx. Filou, escroc.

MACAQUE [makak] n. m. — 1680; *mecou,* forme caraïbe, 1654; empr. au port. *macaco.*

♦ **1.** Singe des régions chaudes de l'ancien continent, à corps trapu, à museau proéminent et à grandes abajoues (famille des *Cercopithèques**). *Un macaque femelle. Macaque rhésus*. Macaque sans queue.* ⇒ **Magot.** *Agilité* (→ Escarpolette, cit.), *laideur, malice du macaque. Petits yeux de macaque enfouis* (cit. 6) *au fond de leurs orbites. Cri aigu de macaque* (→ Intraduisible, cit. 2).

1 Il paraît que la sœur du père Rouget a eu pendant sa grossesse un regard de quelque singe, disait-on; son fils ressemble à un macaque. BALZAC, la Rabouilleuse, Pl., t. III, p. 1001.

2 (...) un nègre imberbe, à figure de macaque trop gras (...) LOTI, les Désenchantées, p. 39.

♦ **2.** (1873). Fig., fam. Personne très laide. *Elle ne va pas épouser ce vieux macaque?*

DÉR. Macaquerie.

MACAQUERIE [makakʀi] n. f. — Mil. XXe; de *macaque,* d'après *singerie.*

♦ Fam. et rare. Singerie, momerie.

Qu'est-ce que vous avez fait contre? Une seule chose : crier votre misère aux loa[1], offrir des cérémonies pour qu'ils fassent tomber la pluie. Mais tout ça, c'est des bêtises et des macaqueries. Jacques ROUMAIN, Gouverneurs de la rosée, p. 94.
1. Les dieux africains (Guinée) de la religion haïtienne.

MACARELLE [makaʀɛl] interj. — Provençal *macarello,* anc. provençal *macarela* (XVe), du franç. *maquerelle.*

♦ Régional, vulg. Juron (équivalant à *putain**!).

MACAREUX [makaʀø] n. m. — 1770; étym. obscure.

♦ Oiseau alciforme (*Palmipèdes, Alcidés**) des mers septentrionales (zone tempérée nord et arctique) scientifiquement appelé *fratercula,* pingouin* d'une variété voisine du guillemot*, et caractérisé par un gros bec triangulaire, court et renflé. *Les macareux, dits aussi* calculots, *vivent en troupes nombreuses et se nourrissent de poissons, de crustacés. Macareux communs* (ou *moines).*

MACARON [makaʀɔ̃] n. m. — 1552, Rabelais; empr. à l'ital. dial. *macarone* « pâte avec du fromage », p.-ê. du grec *makaria* « potage d'orge ». → Macaroni.

♦ **1.** Pâtisserie* fine, gâteau* sec, ovale ou rond, à base de pâte d'amandes, de blanc d'œuf et de sucre. *Macarons au chocolat, à l'orange...*

1 Ensuite viennent (...) les asperges, la salade et, pour dessert, de petits biscuits-macarons (...) Th. GAUTIER, Voyage en Espagne, p. 12.

♦ **2.** (1803; *peigne à macaron,* 1752). Par anal. de forme. Peigne ovale avec lequel une femme relève ses cheveux.

(Déb. XXe). Natte de cheveux roulée sur l'oreille (⇒ **Coiffure**).

2 Une discussion s'ensuivit entre la jeune personne (qui portait des macarons et devait avoir seize ou dix-sept ans) et sa mère (...) Michel DE SAINT-PIERRE, les Aristocrates, XIII.

♦ **3.** (Déb. XXe). Fam. Insigne, décoration de forme ronde, et, spécialt, Rosette d'officier de la Légion d'honneur. *Recevoir le maca-*

ron. ⇒ **Rosette.** — Spécialt. *Macaron tricolore au pare-brise d'une voiture officielle.*

3 Ces vieillards de quarante à cinquante ans, tous réservistes, certains anciens combattants de la Première Guerre mondiale, avaient été, malgré les « macarons » de pilote qu'ils arboraient fièrement (...) R. GARY, la Promesse de l'aube, p. 256.

Insigne de forme quelconque (→ Badge, anglic.).

♦ **4.** (1909). Ornement, motif rond. *« La jupe drapée est ornée dans le bas d'un large galon d'argent; on le retient sur le côté à l'aide de trois macarons »* (*la Mode illustrée,* 21 févr. 1909, p. 77).

♦ **5.** Clou à tête ronde servant à suspendre des vêtements, des chapeaux.

♦ **6.** (XXe). Mécan. Saillie de forme circulaire qui reçoit l'appui d'un organe auxiliaire, d'un boulon.

(1845). Techn. (Mar.). Rare. Bois qui soutient les bordages d'une embarcation.

♦ **7.** Pop., vieilli. Coup. ⇒ **Marron.** *Il a reçu un macaron sur le pif.*

DÉR. Macaroné.

MACARONÉ, ÉE [makaʀɔne] adj. — 1840; de *macaron.*

♦ Cuis. *Pâte macaronée,* qui ressemble à celle des macarons.

HOM. Macaronée.

MACARONÉE [makaʀɔne] n. f. — 1550, titre d'ouvrage; ital. de la Renaissance *macaronea.*

♦ Didact. Anciennt. Composition littéraire du genre macaronique*, originaire d'Italie.

HOM. Macaroné, ée.

MACARONI [makaʀɔni] n. m. — 1650; mot ital., plur. de *macarone.* → Macaron.

♦ **1.** Pâtes alimentaires de semoule de blé dur, en forme de tubes plus ou moins longs. *Manger des macaronis* ou, (sing. collectif) *du macaroni. Macaroni au fromage, au gratin*, au jus, à la milanaise... Timbale de macaroni. Macaroni qui file. Préférer les macaronis aux nouilles, aux spaghettis.* — Au sing. *Un macaroni.*

1 (Il ...) les invite à venir (...) manger des macaronis (...) VOLTAIRE, Candide, XXIV.

♦ **2.** (Fin XIXe). Pop., péj. *Mangeur de macaroni,* et, ellipt., *un macaroni :* un Italien.

2 (...) j'entends dire depuis toujours qu'il faut se méfier des mentalités latines : « Ces macaronis on sait pas à quoi s'en tenir, ou ça jacte on peut plus les arrêter, ou c'est tout renfermé et ça fait ses coups en dessous. » A. SARRAZIN, la Cavale, p. 57.

MACARONIQUE [makaʀɔnik] adj. — 1546; ital. *macaronico,* de *macaronea* « poème burlesque », dér. plaisant de *macarone.* → Macaron.

♦ Didact. *Poésie macaronique :* poésie burlesque où l'auteur entremêle des mots latins et des mots de sa propre langue affublés de terminaisons latines. *Poème macaronique.* ⇒ **Macaronée.** *Style, vers macaroniques. Latin macaronique de la cérémonie du Malade imaginaire de Molière.*

Par ext. (1844). Burlesque, qui tient de la parodie.

1 Le *Typhon* (...) est un poème burlesque sur la guerre des dieux et des géants (...) Scarron a caricaturé ce sujet épique (...) Au début du poème, les dieux font bombance dans un *(sic)* Olympe macaronique arrangé en pays de Cocagne. Th. GAUTIER, les Grotesques, p. 358-359.

2 J'accomplis exactement ma promesse et confectionnai une préface à la fois subtile et macaronique pour démontrer l'identité d'un poème licencieux et vulgaire, et des plus belles pages mystiques qui aient été écrites. Léonce DE LARMANDIE, Histoire de J.-G. Nouveau, in G. NOUVEAU, Pl., p. 1046.

DÉR. Macaronisme.

MACARONISME [makaʀɔnism] n. m. — 1721; de *macaronique.*

♦ Didact. Composition dans le genre macaronique; genre macaronique.

MACASSAR [makasaʀ] n. m. — 1837, *huile de Macassar;* du nom du chef-lieu de l'île des Célèbes.

♦ **1.** Anc. *Huile de macassar :* huile (cit. 7) de coco parfumée à l'essence d'ilang-ilang, utilisée autrefois comme cosmétique*. — Ellipt. *Le macassar.*

Depuis quelque temps, les coiffeurs me disent qu'ils ne vendent pas seulement le *Macassar,* mais toutes les drogues bonnes à teindre les cheveux, ou qui passent pour les faire pousser. BALZAC, César Birotteau, Pl., t. V, p. 339.

♦ **2.** (XXe). Variété très précieuse d'ébène, brun sombre veiné de noir.

♦ **3.** (1873). Langue malayo-polynésienne parlée par les populations du sud des Célèbes.

MAC-CARTHYSME [makkaʀtism] n. m. — 1953, Aragon, *in* D. D. L. ; de *MacCarthy,* homme politique américain qui s'illustra dans l'anticommunisme.

ʀᴇᴍ. On trouve aussi les formes *mac carthysme, maccarthysme* et *maccartisme.*

♦ Politique de persécution et de délation, menée aux États-Unis par le sénateur MacCarthy, sous le prétexte de démasquer et de réprimer les activités procommunistes ; période (1947-1954) où cette politique s'exerça. « *C'est la chasse aux sorcières du maccarthysme qui fait le sujet de ce montage des véritables interrogatoires de la trop célèbre Commission des activités antiaméricaines* » (*l'Express,* 10 mars 1979, p. 44).

ᴅᴇ́ʀ. **Mac-carthyste.**

MAC-CARTHYSTE [makkaʀtist] adj. et n. — 1954, Barthes, *in* Rey-Debove et Gagnon ; de *mac-carthysme.*

ʀᴇᴍ. On trouve aussi les formes *mac carthyste, maccarthyste* et *maccartiste.*

♦ Du mac-carthysme. — Partisan du mac-carthysme.

MACCHABÉE [makabe] n. m. — 1856, *macabé* « noyé » ; orig. incert. ; p.-ê. par allus. à la légende biblique du martyre des *Sept Macchabées,* ou par allus. plaisante aux personnages de *la Danse macabre*.*

♦ Pop. Cadavre. — Par abrév. *Macchab* ou *macab* [makab].

ʀᴇᴍ. À l'origine, *macchabée* était le « nom donné, à Paris, par les mariniers, aux cadavres qu'ils trouvent flottants sur l'eau » (P. Larousse). Il désigne de nos jours n'importe quel cadavre humain, particulièrement dans le langage des étudiants en médecine.

1   (...) Coupeau filait un mauvais coton (...) Il se plombait, avec des tons verts de macchabée pourrissant dans une mare. ZOLA, l'Assommoir, t. II, p. 135.

1.1 C'est un blessé ? demande-t-on d'en bas.
— Non, un macchab, grogne cette fois le brancardier, et i'pèse au moins quatre-vingts kilos. Des blessés, j'dis pas — d'puis deux jours et deux nuits, on n'en déporte pas — mais c'est malheureux d's'esquinter à trimbaler des morts.
H. BARBUSSE, le Feu, t. II, p. 56.

2   Ils font les sucrés, comme ça devant le monde, n'empêche que je les ai déjà vus qui piquaient des alliances en douce, aux macabs. Tu me diras : qu'est-ce qu'ils en ont à foutre, les macabs, de leurs alliances ? Je ne dis pas, mais... les morts, c'est les morts, hein ? Robert MERLE, Week-end à Zuydcoote, p. 215.

MACÉDOINE [masedwan] n. f. — 1742 ; par compar. plaisante avec la *Macédoine,* empire d'Alexandre, habité par des peuples d'origines très diverses.

♦ **1.** Mets composé d'un mélange de légumes (⇒ **Jardinière**) ou (1835) de fruits (⇒ **Salade**). *Macédoine de légumes à la béchamel, au jus... Macédoine à la mayonnaise.* ⇒ **Salade** (russe). — *Macédoine de fruits au kirsch.*

♦ **2.** (xɪxᵉ). Fig., fam. Assemblage, réunion de choses disparates ou de personnes d'origines, de milieux très divers. ⇒ **Mosaïque, ollapodrida** (vx), **salmigondis.**

1   (...) quelques salons où certes il n'aurait jamais pénétré sans les circonstances qui faisaient de la société, sous l'Empire, une macédoine.
BALZAC, les Petits Bourgeois, Pl., t. VII, p. 78.

2   (...) il ne leur restait plus de personnalité que pour mêler les valeurs intellectuelles et morales des autres peuples ; ils en faisaient une macédoine, une *olla podrida.*
R. ROLLAND, Jean-Christophe, p. 708.

♦ **3.** (1771). Littér., vx. Ouvrage composé de divers morceaux, en prose ou en vers, de genres très différents. ⇒ **Pot-pourri.** « *Ce livre est une macédoine, on y trouve de tout* » (Académie).

MACÉDONIEN, IENNE [masedɔnjɛ̃, jɛn] adj. et n. — xvɪᵉ ; de *Macédoine.*

♦ De la Macédoine, contrée située au nord de la Grèce (→ Balance, cit. 28). *La République macédonienne* (de Yougoslavie). — N. *Les Macédoniens.*

(1873). N. m. *Le macédonien :* la langue slave du groupe méridional parlée en Macédoine yougoslave.

MACÉRAGE [maseʀaʒ] n. m. — Déb. xxᵉ ; de *macérer.*

♦ Techn. (Ancienn.) Procédé utilisé pour blanchir les toiles de chanvre et de lin, consistant à les laisser macérer dans un bain d'eau tiède additionnée de son.

MACÉRATEUR [maseʀatœʀ] adj. et n. m. — 1835 ; de *macérer.* Technique.

♦ **1.** Adj. Qui opère la macération. *Tonneau macérateur.*

♦ **2.** N. m. Récipient (en tôle galvanisée, en zinc, en bois...) où l'on fait macérer des plantes, des grains...
Spécialt. En brasserie et en distillerie, Cuve fermée où l'on effectue la cuisson du moût.

MACÉRATION [maseʀasjɔ̃] n. f. — xvᵉ ; lat. *maceratio,* du supin de *macerare.*
Didact. ou technique.

★ **I.** Relig. Pratique d'ascétisme* observée dans un esprit de pénitence. ⇒ **Mortification.** *Macérations qui exténuent le corps* (→ Intempérance, cit. 3). *Jeûnes et macérations des ascètes* (cit. 2). *S'infliger des macérations.* ⇒ **Macérer** (son corps).

1   Il se fit un cilice (...) Mais l'impitoyable pensée (...) le torturait à travers les macérations de la pénitence. FLAUBERT (→ Cilice, cit. 2).

2   Par macération je dormais sur une planche (...)
GIDE, Si le grain ne meurt, p. 215.

★ **II.** (1611). ♦ **1.** Opération qui consiste à laisser séjourner dans un liquide (eau, alcool, huile...) un corps ou une substance pour en extraire les constituants solubles (⇒ **Décoction** ; 2. **digestion** ; **infusion**). *La macération, procédé de fabrication des alcoolatures*, des alcoolés*, des liqueurs* (cit. 3), *des conserves au vinaigre. Extraction* (cit. 3) *des essences parfumées par macération.* — Fait de macérer*. *La macération des fruits dans l'alcool. La houille* (cit. 3) *provient d'une macération des végétaux dans l'eau.*

3   (...) je coupai, je noyai *(dans un mélange de vin et d'Armagnac)* quatre oranges (...) un citron (...) un bâton de vanille (...) six cents grammes de sucre (...) Un bocal ventru, bouché de liège et de linge, se chargea de la macération, qui dura cinquante jours ; je n'eus plus qu'à filtrer et mettre en bouteilles.
COLETTE, Prisons et Paradis, p. 90.

♦ **2.** Liquide chargé, par macération, des principes solubles d'un corps. *Macération de quinquina...* — ʀᴇᴍ. On dit aussi *macéré* ou *macératé* (rare).

♦ **3.** Méd. Processus d'amollissement de la peau, des tissus, quand ils séjournent dans l'eau ou sont recouverts de pansements humides. — Pathol. *Macération d'un foetus mort dans l'utérus,* entraînant sa décomposition par imbibition de liquide amniotique.

MACÉRER [maseʀe] v. — Conjug. *céder.* — 1403 ; lat. *macerare.*

★ **I.** V. tr. Relig. Soumettre (son corps) à des macérations*. → **Mortifier.** « *Ce saint macérait sa chair par les jeûnes, par les disciplines...* » (Académie). — Pron. (sens réfl.). *Se macérer par des instruments de pénitence* (→ Habituellement, cit. 1, Saint-Simon).

1   Vous dormirez, couché sur des pierres fort dures,
Au fond de l'*in-pace,* dans vos propres ordures,
Macérant votre chair et domptant votre esprit.
LECONTE DE LISLE, Poèmes tragiques, « Hiéronymus ».

▶ **MACÉRÉ, ÉE** p. p. adj.
(1835). Amaigri, flétri, marqué par la fatigue des macérations.

2   (...) c'est la mode maintenant d'être vertueux et chrétien (...) on se pose en saint Jérôme (...) l'on est pâle et macéré (...)
Th. GAUTIER, Mˡˡᵉ de Maupin, Préface, p. 6 (éd. critique MATORÉ).

★ **II.** (1546). ♦ **1.** V. tr. Soumettre à la macération*, laisser séjourner, faire tremper. *Macérer de la racine de gentiane dans de l'eau.* ⇒ **Infuser.** — Au p. p. *Cerises macérées dans l'eau-de-vie* (→ Confire).

3   (...) après avoir bien bassiné ma plaie, elle y appliqua des fleurs de lis macérées dans l'eau-de-vie, vulnéraire excellent (...)
ROUSSEAU, les Rêveries..., IVᵉ promenade.

4   (...) un gros cornichon blanc macéré trois jours dans le vinaigre (...)
COLETTE, Prisons et Paradis, p. 90.

Chim. ⇒ **Digérer.**
Pron. (sens passif). *Plante qui se macère à froid*, à chaud.*

♦ **2.** V. intr. Tremper longtemps. « *Cette plante a macéré assez longtemps* » (Académie). *Raisin qui macère dans le moût* (→ Cuvage, cit. 1). *Viande qui macère dans une marinade* (⇒ **Mariner**). — *Faire macérer une plante. Laisser macérer deux mois.*

Figuré :
5   Vous m'avez laissée macérer dans mon ignorance, mon inutilité, ma cérébralité, ma sécheresse (...) MONTHERLANT, les Lépreuses, I, 4.

ᴅᴇ́ʀ. **Macérage, macérateur.**

MACERON [masʀɔ̃] n. m. — 1549 ; ital. *macerone.*

♦ Plante méditerranéenne, dicotylédone *(Ombellifères),* scientifiquement appelée *Smyrnium,* voisine des ciguës, mais dont la racine et les feuilles sont comestibles.

MACFARLANE [makfaʀlan] ou (vx) **MACFERLANE** [makfɛʀlan] n. m. — 1859, var. *macferlane* (in Littré, Suppl.) ; du nom de l'Écossais *MacFarlane,* l'inventeur présumé.

♦ Ancienn. Manteau d'homme, sans manches, avec des ouvertures pour passer les bras et un grand collet retombant jusqu'à la ceinture. *Des macfarlanes.*

(...) Moréas, vêtu d'un élégant macfarlane (...)
Georges LECOMTE, *Ma traversée*, p. 203.

MACH [mak] n. pr. — V. 1950 ; nom d'un physicien autrichien.

♦ *Nombre de Mach*, exprimant le rapport d'une vitesse à celle du son. Ellipt. (en parlant d'un avion). *Voler à Mach 2, à Mach 3*, à 2 fois, 3 fois la vitesse du son (⇒ **Machmètre**).
HOM. Mac, macque.

MACHAON [makaɔ̃] n. m. — 1842 ; de *Machaon*, nom mythologique.

♦ Zool. Insecte lépidoptère* *(Papilionidés)* appelé aussi *grand porte-queue*, beau papillon d'Europe aux grandes ailes jaune vif tachées et rayées de noir. *La chenille du machaon, parasite de la carotte et du fenouil.*

(...) sur les fenouils à l'ombre des pins, ces autres chenilles, celles du *machaon* ou du *flambé* qui, dès qu'on les asticotait, faisaient surgir, au-dessus de leur nuque, une sorte de trompe fourchue très odorante et de couleur inattendue.
GIDE, *Si le grain ne meurt*, p. 52.

1. MÂCHE [maʃ] n. f. — 1611 ; probablt par altér. de *pomache*, p.-ê. du lat. pop. **pomasca*, du lat. class. *pomum* «arbre».

♦ Valérianelle*, plante herbacée, annuelle, dite aussi *blanchet* (n. m.), *blanchette, boursette, clairette, doucette, oreillette...*, et dont les feuilles se mangent en salade*. *Mâche cultivée, sauvage.*
(...) une salade de mâches, ornée de ronds de betterave rouge (...)
BALZAC, *les Petits Bourgeois*, Pl., t. VII, p. 151.

2. MÂCHE [maʃ] n. f. — xxᵉ ; 1743, «action de mâcher»; de *mâcher*.

♦ (À propos d'un vin.) *Avoir de la mâche* : être riche en tanin.

MÂCHE-BOUCHON [maʃbuʃɔ̃] n. m. — 1850 ; de *mâcher*, et *bouchon*.

♦ Techn. Appareil avec lequel on comprime les bouchons* pour faciliter le bouchage des bouteilles. *Des mâche-bouchons.*

MÂCHECOULIS [maʃkuli] n. m. ⇒ **Mâchicoulis.**

MÂCHEFER [maʃfɛʀ] n. m. — V. 1206 ; p.-ê. comp. de *mâcher* «écraser», du rad. *massa* (→ **Mâchure**), et de *fer* «amas de choses pressées et comme pétries ensemble» (P. Guiraud).

♦ Résidus vitreux retirés des foyers où se fait la combustion de la houille*. ⇒ **Scorie**. *Le mâchefer, substance dure, spongieuse et humidifuge, utilisée pour la fabrication des briques, l'entretien des pistes de course* (⇒ **Cendrée**), *des chemins, la confection des ballasts* (cit. 1)... *Odeur âcre du mâchefer* (→ Chaufferie, cit. 1).

MÂCHE-LAURIER [maʃlɔʀje] n. m. — 1552 ; de *mâcher*, et *laurier*.

♦ Vx, plaisant. Celui qui cherche la gloire poétique. *Des mâche-laurier(s).*
La Rancune, bien loin d'avoir bonne opinion de ce mâche-laurier (...)
SCARRON, *le Roman comique* (in LITTRÉ).

MÂCHELIER, IÈRE [maʃəlje, jɛʀ] adj. — Déb. xvıᵉ ; v. 1120, *maschelere*, au fém. ; anc. franç. *(dent) maisseler* «molaire», du lat. *maxillaris* «relatif à la mâchoire».

♦ Anat., vx. Qui appartient aux mâchoires*. *Muscles mâcheliers.*
Vx ou littér. *Dent mâchelière* ou, n. f., *une mâchelière* : une molaire*.
— Il y a... il y a... que je viens de me casser une dent ! répondit le marin.
— Ah, çà ! il y a donc des cailloux dans vos pécaris ? dit Gédéon Spilett.
— Il faut croire, répondit Pencroff, en retirant de ses lèvres l'objet qui lui coûtait une mâchelière (...)
J. VERNE, *l'Île mystérieuse*, t. I, p. 297.
Didact. (Zool.). Surtout à propos des herbivores. «*Chez les formes postérieures*, Mesohippus *puis* Miohippus *de l'oligocène américain, on observe* (...) *une molarisation des prémolaires, qui va faire des dents mâchelières un ensemble homogène et compact.*» (*Encycl. Univ.*, art. *Périssodactyles*, vol. 12, p. 781a, 1972).

MÂCHEMENT [maʃmã] n. m. — 1538 ; de *mâcher*.

♦ **1.** Rare. Action de mâcher. *Le mâchement des aliments.*

♦ **2.** Pathol. ⇒ **Mâchonnement.**

MÂCHER [maʃe] v. tr. — V. 1220 ; *maschier*, v. 1190 ; du lat. impérial *masticare*.

♦ **1.** Broyer*, écraser* avec les dents, par le mouvement des mâchoires, avant d'avaler. *Mâcher du pain, de la viande, une boule de gomme* (cit. 3). ⇒ **Mastiquer.**
Absolt. *Vieillard édenté* (cit. 1) *qui ne peut plus mâcher. Muscles qui servent à mâcher.* ⇒ **Masticateur ; mastication.**

Il importe que les enfants s'accoutument d'abord à mâcher (...) et quand ils commencent d'avaler, les sucs salivaires mêlés avec les aliments en facilitent la digestion. Je leur ferai donc mâcher des fruits secs, des croûtes. [1]
ROUSSEAU, *Émile*, I.
(...) il mâchait pesamment et en faisant avec la bouche un bruit tel qu'on l'entendait de l'autre bout de la table. STENDHAL, *Romans et Nouvelles*, « Féder », VI. [2]

♦ **2.** (1611). Expliquer de façon détaillée pour mieux faire comprendre. *Il faut tout lui mâcher.*
Loc. fig. *Mâcher les morceaux à quelqu'un* (1580), *lui mâcher sa besogne, son travail* (1690). ⇒ **Faciliter.** *Mâcher sa leçon à un enfant*, la lui expliquer mot à mot, la lui rabâcher, pour qu'il l'apprenne* et l'assimile plus facilement (→ Gouverneur, cit. 3). — Au p. p. *Il aime la besogne toute mâchée.*

(*Ces historiens...*) nous gâtent tout ; ils veulent nous mascher (*mâcher*) les morceaux ; ils se donnent loi de juger, et par conséquent d'incliner l'Histoire à leur fantaisie (...) MONTAIGNE, *Essais*, II, X. [3]
(...) le meilleur moyen de contraindre les hommes à exercer leur jugement n'est pas de leur offrir des doctrines toutes mâchées, mais de stimuler leur appétit et leur curiosité par des surprises incessantes. A. MAUROIS, *Mémoires*, I, IV. [4]
Quenu, serré d'argent, brutalisé parfois, était parfaitement heureux. Il aimait qu'on lui mâchât sa vie. Florent l'avait trop élevé en fille paresseuse.
ZOLA, *le Ventre de Paris*, t. I, p. 72. [4.1]

(1669). Loc. *Ne pas mâcher* : dire sans atténuation. *Ne pas mâcher ses mots, son opinion, la vérité* : s'exprimer avec une franchise* brutale, crûment, sans ménagement (→ Dire tout cru* ; ne pas envoyer* dire). «*Et je ne mâche point ce que j'ai sur le cœur*» (cit. 15, Molière).

Pour moi, le jésuite, c'est la fourberie, et la fourberie pour fourber... Voilà mon opinion, je ne la mâche pas (...) [5]
BALZAC, *les Petits Bourgeois*, Pl., t. VII, p. 117.
(...) Carnot, qui ne mâche pas les mots, lui voit tous les vices de l'Ancien Régime et aucune des vertus du nouveau (...) Louis MADELIN, *Talleyrand*, I, VI. [6]

♦ **3.** Triturer* longuement dans sa bouche (une substance non comestible qu'on rejette). *Mâcher de l'herbe, du papier pour tromper sa faim* (cit. 3). ⇒ **Mâchouiller.** *Mâcher du bétel, du chewing-gum, une chique. Tabac à mâcher.* ⇒ **Chiquer.** *Mâcher un masticatoire. Mâcher sa chique*.

Aucune feuille d'oranger mâchée ne donne la saveur de l'orange. [7]
HUGO, *Shakespeare*, II, II.
Ils mâchaient en rêve des feuilles de coca, du bétel. [8]
G. DUHAMEL, *Salavin*, III, XVII.
Fam. (au p. p.). *Figure, mine de papier* mâché.*

♦ **4.** (xivᵉ). Penser sans cesse à (qqch. de désagréable). ⇒ **Remâcher.** *Mâcher sa douleur* (→ Affecter, cit. 10), *son humiliation.*

Tout en mâchant mon amertume, je m'étonnais de ne pas apercevoir de troupes postées sur la route. R. DORGELÈS, *la Drôle de guerre*, XX. [9]

♦ **5.** Par ext. (xvıᵉ). Mordiller (un objet qu'on tient serré entre ses dents). ⇒ **Mâchonner.** *Cheval qui mâche son frein*, son mors.*

(...) l'enfant porte (...) fréquemment à sa bouche tout ce qu'il tient, pour le mâcher. On pense faciliter l'opération (...) de l'éruption des dents) en lui donnant pour hochet quelque corps dur (...) Rien de tout cela. Point de grelots, point de hochets (...) un bâton de réglisse qu'il peut sucer et mâcher (...) ROUSSEAU, *Émile*, I. [10]
Or, les chevaux, soudain, se cabrent, reculant (...)
(...) Ivres, mâchant le mors, et l'épouvante au flanc.
LECONTE DE LISLE, *Poèmes barbares*, « Vigne de Naboth », II. [11]

♦ **6.** Techn. Couper sans faire une section nette, en déchirant. *Lame mal aiguisée qui mâche le bois.*
(1867). Méd. *Plaie mâchée*, à bords déchiquetés (⇒ **Mâchure**).

▶ **MÂCHÉ, ÉE** p. p. adj. Voir à l'article.

DÉR. 2. Mâche, mâchement, mâcheur, mâchoire, mâchon, mâchonner, mâchoter, mâchouiller.

COMP. Mâche-bouchon, mâche-laurier. — Remâcher.

MACHETTE [maʃɛt] n. f. — 1743 ; de l'esp. *machete*.

♦ En Amérique du Sud, Sabre d'abattage, outil pour débroussailler composé d'une lame longue et large emmanchée sur une courte poignée.

(...) les fourrés épais à travers lesquels il faut se frayer un chemin à coups de machette. On voit rarement un Marquisien sans sa machette. C'est un petit sabre à large lame enfilée dans un fourreau de cuir brut cousu à la main. Un second petit fourreau, cousu contre le grand, porte une pierre à aiguiser. La machette sert à tout : ouvrir un chemin dans la forêt, tailler les pieux pour construire une maison (...) ouvrir les noix de coco, etc. [1]
Bernard MOITESSIER, *Cap Horn à la voile*, p. 148.
REM. Dans ce sens, on trouve aussi la graphie *machete*, à l'espagnole, et le masculin :
(...) le Mexique, avec ces types dépenaillés sous leur sombrero de paille, leur machete tenu (*sic*) par le milieu de la lame. [2]
Claude COURCHAY, *La vie finira bien par commencer*, p. 154.

3 Aussi bien, toute culture a été abandonnée depuis longtemps : on aurait bien besoin de la machette du tonton pour s'ouvrir un passage dans ce lacis de ronces, d'herbe échevelée, de moignons de ceps desséchés.
A. SARRAZIN, la Traversière, p. 231.

MÂCHEUR, EUSE [maʃœʀ, øz] n. — V. 1560 ; de mâcher.

♦ Rare. Celui, celle qui mâche. *Mâcheur de tabac* (Académie). *Une petite mâcheuse de gomme.*

MACHIAVEL [makjavɛl] n. m. — 1831 ; du nom de *Machiavel*, homme d'État florentin (1469-1527), célèbre par ses écrits et ses théories politiques.

♦ Littér. et rare. Homme, et, spécialt, homme d'État, sans scrupule, qui n'hésite pas à employer les moyens les plus perfides, les procédés les plus tortueux pour accomplir ses desseins. ⇒ **Machiavélique**. *« Les Machiavels qui règlent nos destins »* (Barthélemy, *in* Littré).

(...) la première précaution de ces Machiavels ne devrait-elle pas être de tenir leur dessein secret ?
BERNANOS, les Grands Cimetières sous la lune, p. 105.

REM. Bien qu'employé comme un nom commun *(un, ce Machiavel)*, le mot reste senti comme un nom propre et conserve le plus souvent la capitale.

DÉR. Machiavélien, machiavélique, machiavélisme.

MACHIAVÉLIEN, IENNE [makjaveljɛ̃, jɛn] adj. — xxᵉ ; du nom de *Machiavel**.

♦ Didact. De Machiavel (quant à la doctrine, aux idées politiques). ⇒ **Machiavélique** (l.).

MACHIAVÉLIQUE [makjavelik] adj. — 1578, H. Estienne ; rare av. 1803 ; du nom de *Machiavel**.

♦ **1.** Vieilli (à cause de l'emploi plus fréquent au sens 2). Relatif à Machiavel ; conforme à sa pensée. *Doctrine, politique machiavélique*. ⇒ **Machiavélien**.

♦ **2.** Qui, par sa ruse et sa perfidie, est digne des doctrines de Machiavel. ⇒ **Perfide**. *Une manœuvre, un procédé machiavélique* (→ Endormir, cit. 13). *Intrigues, desseins* (cit. 4) *machiavéliques*. ⇒ **Machination** (→ Noirs* desseins). — (En parlant des personnes). ⇒ **Astucieux, rusé**. *Le machiavélique Talleyrand* (→ Impopulaire, cit. 2). — Par ext. *Un air, un sourire machiavélique.*

1 Un des plus grands torts de Frédéric fut de se prêter au partage de la Pologne. La Silésie avait été acquise par les armes, la Pologne fut une conquête machiavélique (...)
Mᵐᵉ DE STAËL, De l'Allemagne, II, XVI.
2 Si ces maximes *(du Testament politique de Richelieu)*... sont encore empreintes de l'esprit machiavélique, il faut reconnaître en même temps qu'aucun écrivain politique n'a condamné d'une manière plus forte et plus éclatante le principe de l'infidélité aux engagements.
Paul JANET, Histoire de la science politique, t. I, p. 577.
3 (...) on y manigançait aussi *(chez la petite-fille de Condé)*... de très machiavéliques conspirations (...)
Émile HENRIOT, Portraits de femmes, p. 134.
4 (...) si j'abandonnai par la suite mes plans machiavéliques de combat et d'arrivisme, si je me détournai de ma carrière (...) c'est que j'ai rencontré dans mon service de la Ferme anglaise l'individu superbe qui devait me faire assister à un tel spectacle de révolution et de transformation, au chambardement de toutes les valeurs sociales, et de la vie.
B. CENDRARS, Moravagine, Œ. compl., t. IV, p. 70.

CONTR. Candide, direct, franc.
DÉR. Machiavéliquement.

MACHIAVÉLIQUEMENT [makjavelikmɑ̃] adv. — 1836 ; de machiavélique.

♦ D'une manière machiavélique, avec un dessein perfide. *Un plan machiavéliquement conçu.*

MACHIAVÉLISME [makjavelism] n. m. — 1602, E. Pasquier, *Catéchisme des Jésuites* ; de *Machiavel*, et -isme.

♦ **1.** (1748). Didact. Doctrine de Machiavel : art de gouverner efficacement sans préoccupation morale quant aux moyens. *« La fin justifie* les moyens » est un précepte du machiavélisme.

1 MACHIAVÉLISME (...) Espèce de politique détestable qu'on peut rendre en deux mots, par l'art de tyranniser, dont Machiavel le florentin a répandu les principes dans ses ouvrages.
Encycl. (DIDEROT), Machiavélisme.
2 À cette souplesse et à cette ténacité romaines, Mazarin joignait toute la vigueur du réalisme italien. Ses ennemis lui reprochaient son machiavélisme. Il est certain qu'il fut, au meilleur sens du mot, un disciple de Machiavel.
Louis BERTRAND, Louis XIV, II, II.

♦ **2.** (1721). Cour. Attitude d'une personne qui emploie la ruse, la mauvaise foi*, le mensonge... pour parvenir à ses fins. ⇒ **Artifice, astuce, calcul, dissimulation, perfidie, ruse**. *Un sombre machiavélisme. Raffinement de machiavélisme.*

3 Du moins elle m'affirma depuis que je l'avais séduite, captée, déshonorée, avec un

---

rare machiavélisme, une habileté consommée, une persévérance de mathématicien, et des ruses d'Apache.
MAUPASSANT, les Sœurs Rondoli, « Le verrou ».
4 (...) il se persuadait qu'il y avait du machiavélisme à faire la conquête du fils pour atteindre la mère.
ARAGON, les Beaux Quartiers, II, XV.

CONTR. Candeur, franchise, naïveté. — Foi (bonne foi), honnêteté.

MACHIAVÉLISTE [makjavelist] n. — 1581 ; de *Machiavel*, et -iste.

♦ Vx. Partisan du machiavélisme*.

(Des) écrivains (...) dont les uns atténuent, les autres exagèrent la pensée de Machiavel, et qui ont tous un dogme commun : le droit du mensonge et de la fraude en politique. On peut donc distinguer deux sortes de machiavélistes : les machiavélistes de *méthode*, et les machiavélistes de *doctrine* (...)
Paul JANET, Histoire de la science politique, t. I, p. 542.

MACHICOT [maʃiko] n. m. — 1391, *macicot* ; *machicot*, 1694 ; du normand *machicoter* « mâcher lentement ».

Vieux.

♦ **1.** Office de chœur, dans une église.

Cette petite population de prêtres, d'enfants de chœur, de chantres, de gens que d'anciens statuts qualifient de « machicots et clercs de matines ».
HUYSMANS, *in* G. L. L. F.

♦ **2.** Mauvais chantre d'église.
DÉR. Machicotage, machicoter.

MACHICOTAGE [maʃikotaʒ] n. m. — 1694 ; de *machicot*.

♦ Vx. Addition de notes avec lesquelles on remplissait, jusqu'au XIXᵉ siècle, les intervalles de tierces.

MACHICOTER [maʃikote] v. intr. — 1701 ; de *machicot*.

Vieux.

♦ **1.** Remplir de notes fantaisistes les intervalles notés.

♦ **2.** (1873). Mal chanter, à l'église.

MÂCHICOULIS [maʃikuli] ou (vx) MÂCHECOULIS [maʃkuli] n. m. — Mil. xvᵉ ; *machecolis*, 1402 ; p.-ê. de *mâchis*, de *mâcher* « écraser » (→ Mâchure) ; selon P. Guiraud, p.-ê. à rattacher au rad. *massa*, et *coulis* « passage à travers lequel on peut faire couler une masse de pierre » (de *couler*).

♦ Construction en saillie au sommet des murailles ou des tours d'une fortification, percée à sa partie inférieure d'ouvertures par lesquelles on pouvait laisser tomber sur l'ennemi des projectiles et des matières incendiaires. *Un rempart avec des bastions, des mâchicoulis* (→ Guérite, cit. 2). — Les ouvertures elles-mêmes. *La galerie à mâchicoulis d'un château* (cit. 1). *Par les mâchicoulis tombent l'huile et la poix bouillantes* (→ Forteresse, cit. 1).

1 Trente maîtresses tours avec des toits d'étain,
Et des mâchicoulis de forme sarrasine
Encor tout ruisselants de poix et de résine.
HUGO, la Légende des siècles, X, Aymerillot.
2 Les mâchicoulis remplacèrent, à partir du XIIᵉ siècle, les hourds en bois qui avaient l'inconvénient de ne résister ni au temps, ni aux incendies ; ils perdirent naturellement toute raison d'être et disparurent au XVIᵉ siècle, quand les progrès de l'artillerie rendirent cette défense illusoire. On les appelle *assommoirs* quand ils sont pratiqués au-dessus d'une porte.
Louis RÉAU, Dict. d'art et d'archéologie, Mâchicoulis.

-MACHIE Élément, du grec *makhê* « combat », servant à former des mots savants tels que *gigantomachie, logomachie, naumachie, tauromachie.*

MÂCHILLER [maʃije] v. tr. — XIIIᵉ, *machiller* « manger, en parlant du faucon » ; *maschiller*, 1578 ; repris v. 1867 ; de *mâcher*.

♦ Rare. Manger sans appétit, en mâchant longtemps de petits morceaux. ⇒ **Chipoter, mâchonner**.

Le déjeuner fut morne. Philippe se taisait ostensiblement, Mᵐᵉ Chasseglin, renversée au fond de son fauteuil, mâchillait paresseusement des boulettes de pain et refusait de toucher aux plats.
H. TROYAT, le Vivier, p. 75.

MACHIN [maʃɛ̃] n. m. — 1807, par suppression de la terminaison féminine de *machine*.

♦ Fam. Objet, personne (dont on ignore le nom, dont le nom échappe ou que l'on ne prend pas la peine de nommer exactement). ⇒ **Bidule, chose, fourbi** (cit. 3), **histoire, truc** (→ Habillement, cit. 8). *Qu'est-ce que c'est que ce machin-là ? Monsieur Machin* (→ Monsieur Chose). *Machin Chouette. La mère Machin.*

REM. On entend parfois dans le même sens *machine. Tu sais, Machine, la sœur de Machin ?*

1 — Qu'y a-t-il donc là-dedans? (...) — Toutes sortes de choses! (...) répondit Catherine (...) d'abord des *machins* qui viennent des Indes, de la cannelle, des herbes (...)
BALZAC, les Paysans, Pl., t. VIII, p. 174.

2 — Mère Chose, je vous emprunte votre machin. Et il *(Gavroche)* se sauva avec le
pistolet. HUGO, les Misérables, IV, XI, I.

3 Je me demande où elle est encore partie, cette vieille mère Machin Chouette
d'habilleuse! COLETTE, Mitsou, I.

4 — Je te dis qu'il y avait des Allemands, dit Daisy. Et en uniforme encore, avec un
machin sur leurs casquettes. SARTRE, le Sursis, p. 133.

MACHINAL, ALE, AUX [maʃinal, o] adj. — 1731; «des machi-
nes», fin xviiᵉ; de *machine*.

♦ Qui s'effectue comme par un mécanisme, en parlant des actes
d'un être doué de conscience; où la volonté et l'intelligence n'interviennent pas. ⇒ **Habituel, inconscient, instinctif, involontaire, irréfléchi, réflexe.** *Un geste machinal* (→ Feuilleter, cit. 4). *Boire à petites gorgées* (cit. 3) *machinales.* — Par ext. *L'application machinale
des règles* (⇒ Automatisme, cit. 7). ⇒ **Automatique, mécanique.**

1 (...) le travail banal
De la danseuse folle et froide qui se pâme
Dans un sourire machinal
BAUDELAIRE, les Fleurs du mal, «Spleen et Idéal», XLV.

2 (...) ce qui dans l'homme est machinal
Les gestes de tous les jours qui ne comptent pas.
ARAGON, le Roman inachevé, p. 114.

3 Un certain genre de rêves et de chimères accompagne au contraire le travail féminin, qui, dans l'ordinaire, est presque machinal et sans invention aucune.
ALAIN, Propos, 14 oct. 1921.

CONTR. Calculé, délibéré, étudié, raisonné, réfléchi, volontaire.
DÉR. Machinalement.

MACHINALEMENT [maʃinalmɑ̃] adv. — 1718; de *machinal.*

♦ D'une façon machinale, par habitude*, sans réfléchir. ⇒ **Mécaniquement.** *Marcher machinalement* (→ Briser, cit. 29). *Chanter
machinalement en travaillant* (→ Chant, cit. 7). *Il répondit machinalement, sans réfléchir.*

1 Le musicien descendit avec rapidité l'escalier; mais il marcha d'un pas lent par
les boulevards, jusqu'au théâtre où il entra machinalement: il se mit à son pupitre
machinalement et dirigea machinalement l'orchestre.
BALZAC, le Cousin Pons, Pl., t. VI, p. 603.

2 La foi a cela de particulier que, disparue, elle agit encore. La grâce survit par
l'habitude au sentiment vivant qu'on en a eu. On continue à faire machinalement
ce qu'on faisait d'abord en esprit et en vérité. Après qu'Orphée, ayant perdu son
idéal, eut été mis en pièces par les Ménades, sa lyre ne savait toujours dire que
«Eurydice! Eurydice!»
RENAN, Souvenirs d'enfance..., Œ. compl., t. II, p. 730.

3 Machinalement, comme en hypnose, elle se dirigea vers Fontranges.
GIRAUDOUX, Bella, IX.

MACHINATEUR, TRICE [maʃinatœʀ, tʀis] n. — V. 1460; du
lat. *machinator,* du supin de *machinari.*

♦ Vx. Auteur d'une machination*. — REM. On a dit aussi *machineur.*

MACHINATION [maʃinasjɔ̃] n. f. — xiiiᵉ; de *machiner.*

♦ **1.** Rare. Action de machiner*. ⇒ **Machinerie** (vx). *La machination d'un complot.*

♦ **2.** Cour. *(Une, des machinations).* Ensemble de menées secrètes, plus ou moins déloyales, pour accomplir quelque mauvais dessein. ⇒ **Agissement, astuce, combinaison, embûche, intrigue** (cit. 5),
manège, manigance, ruse. *Ténébreuses, diaboliques machinations*
(→ Apparaître, cit. 20). ⇒ **Diablerie.** *Dépenser beaucoup de finesse*
(cit. 11), *de ruses, de machinations. Ourdir* une *machination.
Déjouer, démêler une machination.* ⇒ **Complot, conspiration,
manœuvre.** *Auteur d'une machination.* ⇒ **Machinateur.**

1 Il *(Retz)* était déjà de cette race de ceux qui, en fait d'agitations et de révolutions, aiment le jeu encore plus que le dénoûment, grands artistes en intrigues et
en influences (...) Il faut presque lui pardonner toutes ses intrigues et ses machinations, puisqu'il les a écrites.
SAINTE-BEUVE, Causeries du lundi, 20 oct. 1851.

2 La douleur de l'empereur fut immense quand à son retour il apprit la mort
de sa fille.
Mais rien ne put lui faire soupçonner la trame ourdie contre Sirdah; les deux complices, ivres de joie, virent donc réussir à souhait l'odieuse machination qui faisait
de leur fils l'unique héritier du trône.
Raymond ROUSSEL, Impressions d'Afrique, p. 250.

MACHINE [maʃin] n. f. — V. 1361; du lat. *machina* «invention,
engin».

★ **I.** (1629). Vx. Ruse. ⇒ **Machination** (→ Aide, cit. 11; fertilité,
cit. 4). *«Les machines du démon»* (Bossuet). — (1668). Procédé
ingénieux. *Machines forgées* (cit. 4) *par Scapin.*

1 Ce bloc enfariné ne me dit rien qui vaille (...)
Je soupçonne dessous encor quelque machine. LA FONTAINE, Fables, III, 18.

2 (...) j'ai donné dans mille embûches sans jamais en apercevoir aucune (...) Dès
lors, je me suis dégoûté des hommes; et ma volonté, concourant avec la leur à cet
égard, me tient encore éloigné d'eux que ne font toutes leurs machines.
ROUSSEAU, les Rêveries..., 6ᵉ promenade.

★ **II.** (1559). Mod. Objet fabriqué, généralement complexe
(⇒ **Mécanisme**), destiné à transformer l'énergie (⇒ **Moteur**) et à utiliser cette transformation. — Au sens large. Tout système où existe
une correspondance spécifique entre une énergie ou une information d'entrée et celles de sortie. *La machine à laver est un appareil
électrique, la machine à écrire un outil, et la machine à calculer
une véritable machine.* ⇒ **Appareil, dispositif, engin** (cit. 6), **instrument, outil.**

3 On peut définir la machine comme une construction artificielle, œuvre de
l'homme, dont une fonction essentielle dépend de mécanismes (...) Le mécanisme
règle et transforme un mouvement dont l'impulsion lui est communiquée (...) Une
machine, au sens déjà défini, ne se suffit pas à elle-même, puisqu'elle doit recevoir d'ailleurs un mouvement qu'elle transforme. On ne se la représente en mouvement, par conséquent, que dans son association avec une source d'énergie.
G. CANGUILHEM, la Connaissance de la vie, p. 126-127.

4 (...) qu'est-ce que la machine? On peut, on doit, séparer nettement la machine
de l'outil. Il ne semble pas, cependant, que cette discrimination fondamentale soit
admise aujourd'hui. On parle couramment de *machine* à écrire, de *machine* à calculer, alors qu'il y a entre ces deux appareils une différence essentielle: la première est un outil, la seconde une véritable machine.
DANIEL-ROPS, le Monde sans âme, p. 67.

5 Dans la *machine,* à la différence de l'outil, la force motrice n'est pas fournie par
l'homme, mais *par le milieu extérieur:* les animaux, l'eau, le vent, le gaz, l'électricité, voire la marée. Si bien que l'homme n'intervient que pour diriger, régulariser, canaliser une force dont l'origine est en dehors de lui. La distinction de
l'outil et de la machine est donc extrêmement nette en théorie. Dans la pratique, il
en est différemment, comme le prouve l'existence d'une catégorie intermédiaire:
les *machines-outils.* Mais la machine-outil est en réalité une forme perfectionnée
et récente du machinisme.
PIROU et BYÉ, Traité d'économie politique, t. I, p. 31.

A. (Emplois généraux). ♦ **1.** *Effet*, force*, puissance*, rendement*
d'une machine. Quantité de travail* fournie par une machine.
Machine génératrice*, réceptrice*. Machine à mécanisme intérieur.*
⇒ **Automate** (cit. 2). *Machine automatique*. Appliquer* (cit. 7)
aux machines une découverte mathématique. La construction des
machines, l'une des applications de la science pure.* ⇒ **Technique.**
Construction des machines. Ingénieur qui fait les plans d'une
machine, invente une nouvelle machine* (→ Effort, cit. 6; législateur, cit. 2). *Les caractéristiques d'une machine. Organes d'une
machine.* ⇒ **Commande, mécanisme, moteur, transmission.** *Bâti
d'une machine.* ⇒ **Bâti, châssis, charpente.** *Pièces et dispositifs
d'une machine.* ⇒ **Arbre, axe, balancier, barre, bielle, bouton, bras,
butée, came, cardan, carter, chaîne, chaise, chariot, chemise, clapet,
collier, courroie, coussinet, crémaillère, cuissard, culasse** (cit. 2),
**cylindre, engrenage, engreneuse, frein, galet, glissière, hélice,
manette, manivelle, palier, papillon, pignon, piston, plateau, ressort,
robinet, rouage, roue, semelle, soupape, tambour, tige, tourillon, tringle, tube, turbine, tuyau, tuyère, va-et-vient, valve, volant...**

6 Par quelle descente aux abîmes ai-je atteint les machines? (...) Confusément je
les revois (...) Lisses et pleins, des corps d'acier, où quelquefois glissait une veine
de cuivre; cylindres qui luisaient aux culasses énormes; bielles géantes qui plon-
geaient dans des trous noirs. H. BOSCO, Un rameau de la nuit, p. 63.

Assemblage, montage* d'une machine.* ⇒ **Bague, boulon** (cit. 2),
clavette, clou, écrou, goujon, goupille, joint, rivet, tenon, vis...
Ouvrier qui monte une machine.* ⇒ **Ajusteur, monteur.** *Mettre
une machine en marche. Machine qui marche, tourne, fonctionne*
(→ Entraîner, cit. 1). *Entretien, réglage des machines. Graissage*
des articulations* (cit. 3), *des rouages d'une machine.* ⇒ **Huile.**
*Machine en bon état. Machine déréglée, détraquée, désajustée,
disloquée... Machine en panne. Réparation d'une machine par un
mécanicien*. — Ouvrier blessé par une machine* (accident du travail).

(Avec un adj. caractérisant l'énergie de fonctionnement). *Machine
hydraulique*. Machine pneumatique*, à air comprimé. Machine
électrique** (→ Chimiste, cit. 2). *Machine dynamo-électrique*
(⇒ **Dynamo**), *magnéto-électrique* (⇒ **Magnéto**). *Machine électronique* (→ ci-dessous B., 3.).

(Avec un compl. caractérisant la finalité). *Machine à..., pour...* (et inf.).
*Machine pour, à sténotyper, calculer, photocopier. — Machine de
bureau. Machines d'imprimerie.*

REM. *Machine à...* (et inf.), est plus courant et sert à former de véritables mots composés (voir plus loin).

♦ **2.** (1794; trad. de l'angl. *steam engine;* a remplacé *machine à feu,
pompe à feu*). **MACHINE À VAPEUR:** machine qui utilise l'expansion de la vapeur d'eau pour produire la force motrice. *Machines à
vapeur fixes* (pompes, compresseurs, chaudières...) *mobiles.* ⇒ **Locomobile** (→ ci-dessous D., spécial), **locomotive.** *Pièces
et dispositifs propres à la machine à vapeur.* ⇒ **Balancier, chaudière, condenseur, lumière** (d'échappement), **presse-étoupe, réchauf-
feur, régulateur, surchauffeur, tiroir,** etc. *Machine à vapeur à
simple, à double effet. Machine à vapeur à plusieurs cylindres*
(⇒ **Compound**). *L'invention de la machine à vapeur a donné naissance à la grande industrie.*

7 La machine n'a donné tout son rendement que du jour où l'on a su mettre à
son service, par un simple déclenchement, des énergies potentielles emmagasinées
pendant des millions d'années, empruntées au soleil, déposées dans la houille, le
pétrole, etc. Mais ce jour fut celui de l'invention de la machine à vapeur (...)
H. BERGSON, les Deux Sources de la morale et de la religion, p. 325.

8 Il faut attendre la fin du xviiiᵉ siècle pour voir apparaître les premières applications de moteurs thermiques basés sur l'emploi de la force expansive de la vapeur

d'eau, remarquée à la fin du XVIIe siècle par Denis Papin. À partir du XIXe siècle, la machine à vapeur se développe rapidement, d'abord sous forme alternative, puis plus tard sous forme rotative (turbine) ; elle révolutionne la locomotion terrestre par l'invention des locomotives, la navigation maritime par celle des machines marines et fait naître la grande industrie.

Georges LEHR, les Moteurs, p. 5.

Par métaphore :

8.1 (...) elles *(les Halles)* apparurent comme une machine moderne, hors de toute mesure, quelque machine à vapeur, quelque chaudière destinée à la digestion d'un peuple, gigantesque ventre de métal, boulonné, rivé, fait de bois, de verre et de fonte, d'une élégance et d'une puissance de moteur mécanique, fonctionnant là, avec la chaleur du chauffage, l'étourdissement, le branle furieux des roues.

ZOLA, le Ventre de Paris, t. I, p. 40.

♦ **3.** Loc. MACHINE À SOUS : appareil où l'on mise et où l'on peut gagner des pièces de monnaie (⇒ **Sou**). — Abusivt. Appareil ou jeu automatique qui fonctionne en y glissant une pièce de monnaie (→ **Juke-box**, billard* électrique). ⇒ **Appareil** (à sous).

8.2 La jeunesse du pays, avant de reprendre le travail, est alors groupée autour de la machine à sous ou bien joue au billard.

Robert PINGET, Graal flibuste, p. 35.

B. Spécialt. ♦ **1.** Mécan. Système de corps transformant un travail en un autre.

(1684). *Machines simples :* levier, plan incliné, poulie, treuil, vis.

(1690). *Machines composées :* machines complexes faites de plusieurs machines simples. *Le rouet, l'horloge sont des machines composées. Machines couplées, conjuguées*.

♦ **2.** *Machines de laboratoire. Machine d'Atwood,* pour étudier la chute des corps. *Machine pneumatique*.* ⇒ **Trompe.** *Machine de Gramme.* ⇒ **Dynamo.** *Machine d'induction.* ⇒ **Bobine.** *Frottoirs* et plateau d'une machine électrostatique.*

9 (...) Marguerite monta au laboratoire... Ses yeux horriblement fixes ne quittèrent pas une machine pneumatique. Le récipient de cette machine était coiffé d'une lentille formée par de doubles verres convexes dont l'intérieur était plein d'alcool et qui réunissait les rayons du soleil... Le récipient, dont le plateau était isolé, communiquait avec les fils d'une immense pile de Volta.

BALZAC, la Recherche de l'absolu, Pl., t. IX, p. 597.

♦ **3.** Dispositif complexe, en général électronique (→ **Cybernétique,** cit. 1), capable d'acheminer, de stocker, de transmettre des informations. *Machines à signaux,* effectuant des opérations logiques (calcul, etc.) et acheminant des informations. *Machine arithmétique* (vx). *Machines statistiques. Machines comptables à cartes perforées. Machines mécanographiques* (⇒ **Mécanographie**), *électroniques* (⇒ **Ordinateur**). — *Machine à traduire.*

REM. L'emploi du mot *machine,* pour désigner l'ordinateur, est contrarié par les connotations mécaniques du terme. Il est néanmoins courant, notamment en apposition : *langage machine, instruction machine.*

(V. 1937). Math., log. MACHINE DE TURING : machine fictive, décrivant symboliquement un programme d'opérations à effectuer sur des données. ⇒ **Automate.** « *Base de la théorie des automates,* (les machines de Turing) *préfigurent l'étude de la structure logique des ordinateurs en formalisant la notion d'algorithme* » (Bouvier et George).

(1879). Vx. *Machine parlante :* appareil reproducteur de son (phonographe, etc.).

♦ **4.** MACHINE À (et inf. caractérisant le travail fourni) : appareil qui effectue (tel travail).

[a] (*Machines* de bureau). MACHINE À CALCULER. ⇒ **Calculer.** *Machine à calculer portative, de poche.* ⇒ **Calculette.** — *Machine à compter* (vx et attesté seulement par quelques emplois isolés).

10 (...) une machine à compter formera total, produit, quotient, bien mieux que le comptable, et sans former aucun nombre véritable, ajoutant et retranchant un et encore un par l'effet d'une roue dentée, d'un doigt de fer, d'un butoir, d'une vis.

ALAIN, Propos, 5 sept. 1927, Algèbre.

(1857 ; *Année sc. et industr.* 1858, p. 417). MACHINE À ÉCRIRE, et, par abrév. (1899), MACHINE. ⇒ **Dactylotype** (vx). *Clavier, touches, chariot, rouleau, tabulateur, ruban d'une machine à écrire. Secrétaire qui tape* une lettre à la machine. ⇒ **Dactylo**(graphe), **dactylographie.** *Faute de frappe dans un texte écrit à la machine. Copie obtenue à la machine à l'aide de papier carbone, de stencil** (⇒ aussi **Duplicateur**). *Manuscrit tapé à la machine.* ⇒ **Tapuscrit.**

11 (...) quelques brèves notes (...) qu'elle tapait ensuite, à l'aide d'une vieille machine à écrire. MARTIN DU GARD, les Thibault, t. V, p. 28.

MACHINE À DICTER. *Dactylo audiotypiste** utilisant une machine à dicter.

[b] (Appareils domestiques). ⇒ **Appareil.** *Machine à laver* (le linge) ; *machine à laver la vaisselle* (⇒ **Lave-vaisselle**), *à éplucher les légumes. Machine à repasser.* — (1860). *Machine à coudre.* ⇒ **Coudre.** — (1889). *Machine à tricoter.*

12 On entendait ronronner la machine à coudre (...) G. DUHAMEL, Salavin, I, XIX.

12.1 Les fonctions générales d'une machine à coudre peuvent se définir par trois mouvements : le premier est le mouvement par lequel l'aiguille plonge dans l'étoffe, en entraînant le fil pour fermer la boucle à travers laquelle viendra passer la navette ; le deuxième est le mouvement qui fait passer la navette ou un crochet circulaire dans la boucle fermée par le fil de l'aiguille ; le troisième est le mouvement de translation de l'étoffe après chaque point fait, et qui varie par conséquent suivant la longueur du point. G. LEROUX, Rouletabille chez Krupp, p. 120.

12.2 Alonso entendait la machine à laver la vaisselle, en bas, passer par les différentes phases de son programme, avec des pauses et des déclics.

J.-P. MANCHETTE, Trois hommes à abattre, p. 17.

♦ **5.** (Dans l'industrie, les métiers). *Machines agricoles,* utilisées dans l'agriculture.

13 (...) tout le travail fait par les machines, charrues doubles armées de disques tranchants, semoirs et sarcloirs, moissonneuses-lieuses, batteuses locomobiles avec élévateur de paille et ensacheur ; des paysans qui sont des mécaniciens, un peloton d'ouvriers suivant à cheval chaque machine, toujours prêts à descendre serrer un écrou, changer un boulon, forger une pièce (...) ZOLA, la Terre, V, IV.

♦ **6.** (*Machines* utilisées dans l'industrie). ⇒ **Mécaniser** (industrie... mécanisée). *Les machines d'une usine, d'un atelier. Les machines sont à la base de l'équipement industriel* (→ Envahir, cit. 6). *Machines élévatrices* (cit.), *machines et appareil de levage.* ⇒ **Levage.**

MACHINE À... (et inf.). *Machine à affûter, à carder, à cintrer, à décolleter, à filer, à fileter, à forer, à fraiser, à plier, à raboter, à rectifier, à river, à tailler, à tarauder, à tisser, à tricoter...*

14 (...) le dimanche, le contremaître l'emmenait visiter l'usine en détail, lui expliquait le jeu de toutes ces puissantes machines, dont les noms étaient aussi barbares, aussi compliqués que leur physionomie : « Machine à aléser des trous de bouton pour manivelles ». « Machines à creuser des mortaises dans des têtes de bielle. »

Alphonse DAUDET, Jack, II, III.

REM. 1. Ce procédé de désignation est en concurrence avec la dérivation en *-euse* ou *-eur* sur le radical verbal (voir de nombreux ex. dans la liste ci-dessous).

2. Une partie de ces syntagmes désignent des machines-outils.

3. *Machine,* employé sans qualification, désigne, dans un contexte donné, la machine dont s'occupe un ouvrier, un technicien. *L'ingénieur, le conducteur et sa machine.* → (fam.) Bécane.

(1857). MACHINE-OUTIL : machine dont l'effort final s'exerce sur un outil transformant la matière, à chaud ou à froid (→ ci-dessus, cit. 5). *Soumettre à l'action d'une machine-outil.* ⇒ **Usiner ; usinage.** *Machines-outils déforment la matière par choc, compression, étirage ; désagrégeant la matière par enlèvement, cisaillement, usure... Déplacement de la machine-outil vers la partie à travailler.* ⇒ **Avance.** *Amenage** de la matière à la machine-outil.*

14.1 C'est la remarquable diffusion qu'ont prise partout aujourd'hui les machines-outils, c'est-à-dire les machines servant à fabriquer automatiquement tout ce qui a été jusqu'ici l'œuvre exclusive de la main de l'homme.

L. FIGUIER, Année scientifique et industrielle 1879, p. 449 (1878).

15 Edmond a entendu parler de machines-outils, dont on se sert déjà, paraît-il, en Amérique, et qui se chargent elles-mêmes de la plupart des opérations qui demandent tant de réflexions à un tourneur d'ici, et tant d'expérience de son métier.

J. ROMAINS, les Hommes de bonne volonté, t. IX, p. 34-35.

MACHINE-TRANSFERT : ensemble de machines-outils coordonnées par un système de transmission. *Des machines-transfert(s).* ⇒ **Transfert.**

15.1 Ces machines tours, fraiseuses de reproduction sont aujourd'hui remplacées par des machines-outils à commande numérique. Grâce à l'alimentation automatique de ces machines, on peut les placer à la suite les unes des autres et obtenir ainsi une fabrication continue : ce sont les machines transfert qui ont fait leur apparition à la fin de la dernière guerre (...)

B. GILLES, Histoire des techniques, Encycl. Pl., p. 927-928.

Désignation des principales machines : se reporter, outre à la liste ci-dessous, aux syntagmes traités ci-dessus et aux noms des principales industries et techniques (ex. : *imprimerie, filature...*). — Les machines-outils portent la mention (m.-o.).

Affûteuse	Découpeuse (m.-o.)	Goudronneuse
Aléseuse (m.-o.)	Défeutreur	Haveuse
Angledozer	Défibreuse	Imprimante
Apprêteuse	Défileuse	Interclasseuse
Argue	Délaiteuse	Intersecting
Armeuse	Démarieuse	Intertype
Assembleur	Déssuinteuse	Jableuse
Assembleuse (m.-o.)	Détireuse	Jenny ou jeannette
Assortisseuse	Doubleuse	Jumbo
Balayeuse	Drague	Laineuse
Bétonnière	Ébarbeuse (m.-o.)	Laminoir (m.-o.)
Bineuse	Échardonneuse	Limeuse (m.-o.)
Dobineuse	Écorneuse	Lisseuse
Bocard	Écrémeuse	Loup
Boudineuse	Effilocheuse ou effiloqueuse	Lumitype
Bouveteuse	Égréneuse	Lustreuse
Brocheuse (m.-o.)	Emboutisseuse (m.-o.)	Marteau-pilon (m.-o.)
Broyeuse	Émotteuse	Martinet (m.-o.)
Bulldozer	Encarteuse	Massicot
Calandre	Encolleuse	Masticateur
Calculateur	Engrangeur	Mâture
Calculatrice	Ensacheuse	Meule (m.-o.)
Canetière	Ensimeuse	Métier
Cardeur	Essanveuse	Mortaiseuse (m.-o.)
Cardeuse	Essoreuse	Moulin
Centrifugeuse	Étireuse (m.-o.)	Moulineuse
Chargeuse	Excavateur	Moulureuse
Cintreuse (m.-o.)	Fenderie	Moulurière
Cireuse	Feutreuse	Noyauteuse
Cisaille (m.-o.)	Fileteuse (m.-o.)	Œilleteuse
Colleuse	Filière (m.-o.)	Ouvreuse
Concasseur	Filoir	Parqueteuse
Crible	Finisseuse	Peigneuse
Cribleuse	Foreuse	Perceuse (m.-o.)
Décapeuse	Foulerie	Perforatrice (m.-o.)
Déchiqueteur	Fouleuse	Pétrin
Décolleteuse ou machine	Fraiseuse (m.-o.)	Pétrisseuse
à décolleter (m.-o.)	Gill	Photocomposeuse

Photocopieur	Repiqueuse	Stripper
Picker	Reporteuse	Surfaceuse (m.-o.)
Piocheuse	Reproductrice	Tailleuse (m.-o.)
Plieuse (m.-o.)	Retordeuse	Taraudeuse
Poinçonneuse (m.-o.)	Retourneuse	Tenonneuse (m.-o.)
Pompe	Rinceuse	Tondeuse
Ponceuse (m.-o.)	Riveteuse (m.-o.)	Tordeuse
Positionneuse (m.-o.)	Riveuse ou rivoir (m.-o.)	Toronneuse
Presse (m.-o.)	Rogneuse (m.-o.)	Tour (m.-o.)
Pressoir	Ronéo	Tracteur
Raboteuse (m.-o.)	Rotative	Trameuse
Raffineuse	Scie circulaire, à ruban (m.-o.)	Trancheuse
Raineuse	Scieuse	Tréfileuse (m.-o.)
Rectifieuse (m.-o.)	Scrapper	Tricoteuse
Remblayeuse	Sécheuse	Trieuse
Remplisseuse	Sonnette	Varlopeuse (m.-o.)
Repasseuse	Soufreuse	Vérificatrice

C. (1874). Plur. LES MACHINES : l'appareil propulsif d'un navire. *La salle, la chambre des machines.* ⇒ **Machinerie.** *Chauffer les machines.* ⇒ **Chauffeur.** *Stopper les machines* (déb. XXᵉ).

16 Une dernière échelle, descendue à tâtons, les conduisit dans la chambre aux machines, véritable étuve qu'une chaleur mouillée et lourde, mêlée à une forte odeur d'huile, emplissait d'une atmosphère insupportable (...) Les mécaniciens, les aides, (...) allaient, venaient, passaient une revue générale de la machine, s'assurant si toutes les pièces étaient exactes et libres dans leur jeu.
Alphonse DAUDET, Jack, II, VIII.

REM. Le sing., rare dans ce sens en emploi autonome (*la machine*), est fréquent dans la loc. *faire machine arrière.* Voir ci-après.

Loc. (1867). *Faire machine en arrière* (rare), *faire machine arrière* (cour.). — Au fig. ⇒ **Arrière** (cit. 13).

D. Spécialt. (1817). ♦ **1.** Véhicule* comportant un mécanisme. — Vieilli. *Un cycliste, un motocycliste sur sa machine.* ⇒ **Bécane, vélo ; moto.** *Piéton qui pour traverser la rue se faufile entre vingt machines* (→ Encombrement, cit. 3). — *Les machines volantes, ancêtres des avions.*

17 C'est la motocyclette de M. Olivier. — Une machine allemande, extraordinaire, qui ressemble à une petite locomotive étincelante.
BERNANOS, Journal d'un curé de campagne, p. 254.

♦ **2.** Mod. et cour. ⇒ **Locomotive.** *Machine à vapeur. Machine électrique. Machine diesel*. Le dépôt des machines* (→ Froid, cit. 9). *Machine haut-le-pied.* ⇒ **Haut** (*infra*, cit. 89. → aussi Frein, cit. 12). *Chauffeur*, conducteur* de machine.*

18 (...) hâtez-vous, le convoi s'apprête, déjà la machine chauffe, la vapeur fume, notre voyageur n'a qu'un instant.
SAINTE-BEUVE, Causeries du lundi, 15 sept. 1851.

Machine-frein : locomotive utilisée dans les essais de mesure de traction pour régulariser la vitesse. *Des machines-freins.*

E. (1873). Collectivt. LA MACHINE : le machinisme, la mécanisation. *L'homme maître de la machine* (→ Instinct, cit. 33), *esclave* (cit. 24) *de la machine. La machine, source de prospérité ou de chômage. Le siècle, la civilisation de la machine.* ⇒ **Machinisme.** — Au plur. *Les machines* (même sens).

19 On arrive par des machines à résoudre le problème du bon marché que procure à la Chine le bas prix de sa main-d'œuvre.
BALZAC, Illusions perdues, Pl., t. IV, p. 560.

20 Pâle ouvrier qu'esquinte la machine.
VERLAINE, Sagesse, I, XII.

21 Ces considérations (*chômage, emploi de main-d'œuvre féminine, changement dans le caractère du travail*) expliquent l'*hostilité violente* que montrèrent les ouvriers à l'égard des machines. En Angleterre, en 1769, il fallut voter une loi spéciale pour réprimer les émeutes contre les machines et prononcer contre leurs auteurs la peine de mort. L'histoire industrielle de l'Angleterre, dans la première moitié du XIXᵉ siècle, fournit maints exemples de machines jetées à l'eau. En France, les métiers *Jacquart* furent brûlés sur une place publique à Lyon.
PIROU et BYÉ, Traité d'économie politique, t. I, p. 43.

F. ♦ **1.** (1690). Anciennt. *Machines de guerre* : armes complexes d'attaque ou de défense, au moyen âge. Spécialt. Armes d'artillerie, avant l'utilisation de la poudre à canon (→ Armes* de siège). ⇒ **Baliste, bélier, bombarde, catapulte, mangonneau, onagre, perrière, pierrier, sambuque, scorpion, tortue...** Absolt. *Machines.* — Mod. Engin de guerre. ⇒ **Engin.**

22 Éphorus a écrit qu'Artémon, ingénieur, inventa les grosses machines pour battre les plus fortes murailles. Périclès s'en servit le premier au siège de Samos, dit Plutarque (*Vie de Périclès*).
MONTESQUIEU, Grandeur et décadence des Romains, I (p. 127, note 1).

23 Enfin apparurent les échafaudages des hautes machines : carrobalistes, onagres, catapultes et scorpions...
FLAUBERT, Salammbô, VI.

24 Nous sommes habitués maintenant aux horribles machines de guerre qui sèment la ruine et la mort sur d'immenses territoires.
G. DUHAMEL, Refuges de la lecture, p. 39.

♦ **2.** (1704). Anciennt. MACHINE INFERNALE : dispositif de guerre exceptionnel combinant des armes et des explosifs, et destiné aux grandes destructions que les armes courantes ne pouvaient causer. *La machine infernale envoyée par les Anglais pour détruire le port de Saint-Malo.* — Mod. Dispositif meurtrier installé et réglé pour perpétrer un attentat. ⇒ **Bombe.** *Machine infernale à retardement.*

25 (...) le Consul se rendant à l'Opéra et passant rue Saint-Nicaise, une épouvantable explosion se produisit. C'était une formidable *machine infernale* qui venait d'éclater, quelques secondes trop tard pour atteindre le but que l'on s'était proposé (...)
Louis MADELIN, Histoire du Consulat et de l'Empire, le Consulat, V.

G. Dispositif servant à planter les décors, à réaliser certains effets, certaines illusions. — Par ext. Décors installés au moyen de machines. ⇒ **Machiniste.** — (1650). *Une pièce à machines,* qui néces-

site une mise en scène complexe utilisant de tels dispositifs, de tels décors (⇒ **Deus ex machina**).

26 (...) il sortit de dessous le théâtre la machine d'un grand arbre chargé de seize faunes (...)
MOLIÈRE, la Princesse d'Élide, VIᵉ intermède.

27 Vénus descend du ciel dans une grande machine (...)
MOLIÈRE, Psyché, Prologue.

★ **III.** Fig. ♦ **1.** (1641). Être vivant considéré comme une combinaison d'organes rappelant une machine et dont les fonctions s'expliqueraient de façon purement mécanique. *La théorie des animaux-machines de Descartes.* ⇒ **Animal** (cit. 17 et 19). → Âme, cit. 6 ; bête, cit. 6. *Les machines vivantes* (→ Dessein, cit. 16). — (1641). Vx. *La machine de l'homme :* l'organisme humain (→ Agencer, cit. 3 ; agent, cit. 2). *« Je suis une machine usée »* (→ Breloque, cit. 4). *L'âme* (cit. 2) *qui donne la vie et le mouvement à toute la machine.*

28 Après la lettre « qu'on doit chercher Dieu » faire la lettre « d'ôter les obstacles », qui est le discours de la « machine », de préparer la machine, de chercher par raison.
PASCAL, Pensées, 246.

REM. On trouve un commentaire de cette pensée dans la petite édition Brunschvicg, en note : « Tout ce qui ne procède pas en nous de la pensée réfléchie, obéit à un mécanisme nécessaire dont l'origine est le corps, et qui se traduit dans l'âme même par l'imagination et la passion. Pour ôter les obstacles qui viennent du corps, il faut donc plier le corps, fabriquer en nous une nature artificielle qui suive, au lieu de combattre, la direction de la volonté réfléchie. » — Cf. encore dans l'*Introduction* aux *Pensées* (Pet. éd. Brunschvicg, t. 1, p. CCLXI) : « C'est la coutume qui plie la machine... », expression que l'on retrouve dans le fragment ci-dessous :

29 La coutume de voir les rois accompagnés de gardes, de tambours, d'officiers, et de toutes les choses qui ploient la machine vers le respect et la terreur (...)
PASCAL, V, 308.

30 (...) elle parla d'un mal de tête affreux, et se mit au lit. — Voilà ce que c'est que les femmes, répéta M. de Rénal, il y a toujours quelque chose de dérangé à ces machines compliquées.
STENDHAL, le Rouge et le Noir, I, XII.

31 (...) la vie spirituelle s'oppose dans l'homme à la vie corporelle (...) sa machine devient un accessoire ; pour penser plus librement, il la sacrifie, il l'enferme dans un cabinet de travail, il la laisse se déjeter ou s'amollir (...)
TAINE, Philosophie de l'art, t. II, p. 300.

♦ **2.** (Mil. XVIIᵉ). Vieilli. Personne qui agit automatiquement ou obéit aveuglément à l'impulsion d'autrui. *Le sot est automate* (cit. 4), *il est machine.* ⇒ **Mécanique ; automatisme.**

32 Frédéric voulait que ses soldats fussent des machines militaires, aveuglément soumises (...)
Mᵐᵉ de STAËL, De l'Allemagne, I, XVI.

33 Une machine, je le répète, une machine sans âme, chauffée à point, réglée pour marcher longtemps et pour abattre beaucoup de besogne. Pitié fraternelle, assistance affectueuse, communion dans la souffrance. Ah ! comme nous étions loin de tout cela. J'espérais, de mieux en mieux et de plus en plus vite, des hommes qui demeurèrent, pour moi, des inconnus (...)
G. DUHAMEL, Récits des temps de guerre, V, « Le dernier ».

Loc. adv. (1673). Vx. *Par machine :* d'une façon mécanique. *Vivre par machine.*

♦ **3.** MACHINE À... : ce qui est considéré comme ayant pour fonction unique ou essentielle de faire, de produire quelque chose. *La machine à penser* (→ Atelier, cit. 10 ; intelligence, cit. 7). Péj. *Il n'est qu'une machine à fabriquer* (cit. 9) *de l'argent* (→ Crabe, cit. 3).

34 Ce sont (*ces femmes*) des machines à plaisir, des tableaux qui n'ont pas besoin de cadre, des statues qui viennent à vous quand on les appelle et que l'envie vous prend de les considérer de près.
Th. GAUTIER, Mˡˡᵉ de Maupin, IX.

35 Ma femme, hé ! mon Dieu, ce ne peut être qu'une machine à enfants ; mais l'être sublime, la divinité, ce sera toi (...)
BALZAC, les Petits Bourgeois, Pl., t. VIII, p. 161.

36 Elle levait un homme, le contentait et lui extrayait son argent avec une puissance magnifique de machine à faire l'amour en série.
P. MAC ORLAN, Quai des Brumes, X.

♦ **4.** (Déb. XVIᵉ). Vx. *La machine ronde :* la Terre.

37 En est-il un plus pauvre en la machine ronde ?
LA FONTAINE, Fables, I, 16.

38 On ne parle que de la guerre... toute l'Europe est en émotion ; on voit bien, comme vous dites, que la pauvre machine ronde est abandonnée.
Mᵐᵉ DE SÉVIGNÉ, 259, 23 mars 1672.

(1609). Ensemble complexe dont la marche a la régularité d'une machine. *La grande machine sociale* (→ Engrener, cit. 3). *La machine de l'État* (cit. 133). *La machine administrative, ministérielle* (→ Expérience, cit. 38). *La machine économique. « La machine politique »* (Robespierre, 1793). *Les ressorts de la machine du gouvernement* (→ Gouverner, cit. 7).

39 (...) la machine économique, dont la magie propre est justement d'empêcher que l'on voie les rouages. Une banque est impénétrable pour qui n'est point banquier.
ALAIN, Propos, 21 janv. 1914.

♦ **5.** (1566, archit.). Vx. Grand ouvrage de l'esprit. *« La tragédie d'Héraclius est une belle machine »* (Académie 5ᵉ éd., 1798). — Mod. Peint. *Une grande machine :* une œuvre peinte de grandes dimensions. (Souvent péj.). *Artiste capable de produire de grandes machines* (→ Croquis, cit. 1).

♦ **6.** (1808). Pour désigner ce que l'on ne veut ou que l'on ne peut pas nommer précisément. Ustensile, chose, personne,... *En voilà une machine !* ⇒ **Machin.**

DÉR. Machin, machinal, machiner, machinerie (II.), machinique, machinisme, machiniste.

MACHINER [maʃine] v. tr. XIIIᵉ ; du lat. *machinari*, de *machina* « machine ». → Machine, I.

★ **I.** Vieilli. Former en secret (des desseins, des combinaisons contraires à l'honnêteté, à la légalité). ⇒ **Brasser, combiner, comploter, manigancer, ourdir, tramer ; machination.** *Machiner un complot, une trahison.* ⇒ **Conspirer, intriguer.** *Machiner dans sa tête.* ⇒ **Ruminer.** *Machiner la perte de qqn. Machiner qqch. contre qqn* (→ Fabriquer, cit. 12). — Pron. *Il se machine qqch. de grave* (→ Instinct, cit. 24).

1 (...) je machine en ce moment une épouvantable trame (...)
A. DE MUSSET, les Caprices de Marianne, I, 2.

2 (...) son beau-père avait machiné plusieurs sociétés dont il était l'administrateur et d'où l'argent s'était évaporé. Les faits étaient louches, mais il avait opéré habilement (...) Jean DE LACRETELLE, Silbermann, p. 215.

★ **II.** Techn. (→ Machine, II.).

♦ **1.** (1842). Vx. Munir des machines nécessaires.

♦ **2.** (Déb. xxᵉ). Combiner les péripéties de (une intrigue théâtrale).

▶ **MACHINÉ, ÉE** p. p. adj. Vieilli.

♦ **1.** Ourdi en secret, tramé. *Intrigue machinée.*

♦ **2.** Muni d'une machinerie. *Un théâtre bien machiné* (Académie). *Marionnettes machinées pour produire une illusion* (cit. 2) complète.

♦ **3.** Arrangé, combiné. *« Ce n'était pas trop mal machiné, reprit-il »* (Huysmans, *in* G. L. L. F.).

DÉR. Machination, machinerie (I.)**, machineur.** — V. aussi **Machinoir.**

MACHINERIE [maʃinʀi] n. f. — 1492, « machination », de *machiner* ; 1805, « construction de machines », de *machine*.

★ **I.** Vx. Machination.

★ **II.** ♦ **1.** Construction de machines.

♦ **2.** (1867). Techn. Ensemble des machines réunies en un même lieu et concourant à un but commun. *Entretien de la machinerie d'une filature.*

♦ **3.** (1907). Par ext. Lieu où sont les machines, et, spécialt, Salle des machines d'un navire.

Le capitaine entra dans la machinerie (...) C'était une profonde fosse où couraient, comme dans les gorges des montagnes, d'étroites galeries, des grilles de fer (...)
Roger VERCEL, Remorques, VI.

♦ **4.** (1907). Théâtre. Ensemble des appareils utilisés pour mettre en place les décors.

MACHINEUR, EUSE [maʃinœʀ, øz] n. — 1247 ; de *machiner*.

♦ Vx. Machinateur, trice.

MACHINIQUE [maʃinik] adj. — xxᵉ ; de *machine*.

♦ Didact. Relatif aux machines, à la machine.

(...) la civilisation machinique — même aux États-Unis où elle se manifeste dans des circonstances exceptionnelles — n'est ni le paradis que nous peignent maints thuriféraires, ni l'enfer que nous annoncent d'aucuns, elle est à la fois l'un et l'autre, comme il est de règle sur la terre.
DANIEL-ROPS, le Monde sans âme, p. 75.

MACHINISME [maʃinism] n. m. — 1742 ; de *machine*.

♦ **1.** Vx. Philos. Doctrine des animaux-machines de Descartes. ⇒ **Mécanisme.**

♦ **2.** (1808). Emploi des machines ; généralisation de cet emploi en remplacement de la main-d'œuvre. *Développement du machinisme au XIXᵉ siècle. Pénétration du machinisme dans la société* (→ Cadre, cit. 10). *Le machinisme, base de la grande industrie.* ⇒ **Industrie.** *Capitalisme* et machinisme. Crise* (cit. 9) *économique due au machinisme et à la concentration industrielle. Critique philosophique et économique du machinisme* (→ Automate, cit. 7).

1 Quand on fait le procès du machinisme, on néglige le grief essentiel. On l'accuse d'abord de réduire l'ouvrier à l'état de machine, ensuite d'aboutir à une uniformité de production qui choque le sens artistique. Mais si la machine procure à l'ouvrier un plus grand nombre d'heures de repos, et si l'ouvrier emploie ce supplément de loisir à autre chose qu'aux prétendus amusements, qu'un industrialisme mal dirigé a mis à la portée de tous, il donnera à son intelligence le développement qu'il aura choisi (...) Sans contester les services qu'il a rendus aux hommes en développant largement les moyens de satisfaire des besoins réels, nous lui reprocherons d'en avoir trop encouragé d'artificiels, d'avoir poussé au luxe, d'avoir favorisé les villes au détriment des campagnes (...) et transformé les rapports entre le patron et l'ouvrier, entre le capital et le travail.
H. BERGSON, les Deux Sources de la morale et de la religion, p. 327.

2 Il est hors de doute que, dans une certaine mesure, le machinisme a amélioré le bien-être général. DANIEL-ROPS, le Monde sans âme, p. 108.

3 (...) l'apparition du machinisme (en Angleterre au XVIIIᵉ s.) eut des causes d'ordre général : 1º L'une des causes est le progrès de la division du travail

(...) 2º Une seconde cause profonde du machinisme doit être cherchée du côté de l'extension des débouchés, et des progrès du commerce.
PIROU et BYÉ, Traité d'économie politique, t. I, p. 35-36.

4 Pour un homme d'aujourd'hui, les U.S.A. offrent un des plus beaux spectacles du monde. Ce machinisme intensif fait penser à l'industrie prodigieuse des hommes de la préhistoire. Quand on rêve dans la carcasse d'un gratte-ciel ou dans le pullman d'un rapide américain, on découvre immédiatement le principe de l'utilité.
B. CENDRARS, Moravagine, Œ. compl., t. IV, p. 183.

♦ **3.** Littér. et rare. Caractère mécanique, automatique. ⇒ **Machinal.**

5 (...) dès que Bloch apparaissait, la signification de sa physionomie était changée par un redoutable monocle. La part de machinisme que ce monocle introduisait dans la figure de Bloch la dispensait de tous ces devoirs difficiles auxquels une figure humaine est soumise, devoir d'être belle, d'exprimer l'esprit, la bienveillance, l'effort. PROUST, le Temps retrouvé, Pl., t. III, p. 953.

MACHINISTE [maʃinist] n. — 1643 ; de *machine*.

♦ **1.** Vx. Inventeur de machines. *Machiniste qui présente le modèle d'une nouvelle pompe* (→ Élever, cit. 2).

♦ **2.** (1694). Vx. Celui qui fait marcher une machine.

♦ **3.** (1920). Vieilli ou admin. Personne qui conduit une machine, un véhicule de transport en commun. ⇒ **Conducteur, mécanicien.** *Défense de parler au machiniste. Machiniste-receveur.*

1 Il court à l'avant du tramway et s'entretint, pendant quatre ou cinq minutes, avec le machiniste. G. DUHAMEL, Salavin, III, XXXI.

♦ **4.** (1678). Spécialt. Personne qui s'occupe des machines, des changements de décor (→ Étudier, cit. 8), des truquages, etc., au théâtre, dans les studios de cinéma... (→ Générique, cit. 4). *Une machiniste.* — Abrév. fam. : *machino.*

2 Ces vastes toiles, pliées en trois sur elles-mêmes, descendent des frises toutes seules par l'effet d'une machine à vapeur placée sous le théâtre ; le travail des machinistes se borne à les déployer (...) NERVAL, Lorely, « Rhin et Flandre », V.

3 Je voudrais parler d'un personnage obscur (...) C'est le machiniste chargé de pousser le chariot (de travelling) que nous appelons dans notre jargon le « travellingman ». Certains ont une grande habileté, une finesse du mouvement qu'ils ont à exécuter, sentant le moment où l'acteur va se déplacer (...) Parfois même, lorsque l'appareil précède les acteurs, c'est le machiniste qui exécute presque seul la prise de vues. Louis PAGE, *in* le Cinéma par ceux qui le font, II, 13.

MACHINOIR [maʃinwaʀ] n. m. — 1701 ; de *machiner* « lisser les points de couture apparents des souliers au moyen de l'outil destiné à cet usage ».

♦ Techn. Outil de cordonnier en bois ou en corne pour polir ou lisser les coutures apparentes des souliers.

MACHISME [matʃism] n. m. — 1971 ; de l'esp. du Mexique *machismo*, v. 1959, de *macho* (→ Macho), vulgarisme pour *virilidad* « virilité ».

♦ Système social, idéologie de la suprématie du mâle ; comportement du macho. ⇒ **Phallocratie ; macho.**

Vous savez, le machisme, ce n'est pas aussi simple qu'on le croit. Ce n'est pas un comportement marqué de supériorité. C'est une supériorité qui éclate par moments. SARTRE, « Entretien oral », *in* le Nouvel Obs., 31 janv. 1977, p. 75-76.

DÉR. Machiste.

MACHISTE [matʃist] n. et adj. — V. 1972 ; de *machisme*.

♦ Qui est partisan du machisme ; qui se comporte en tenant du machisme. ⇒ **Phallocrate.**

(...) enfant, j'étais machiste, puisque j'envisageais que ces petites filles et les amies que j'aurais plus tard seraient organisées autour de moi, liées à moi. Donc, je les voyais comme inférieures et, moi, j'étais le supérieur. Je ne le pensais pas ainsi mais c'était quand même ça (...) Un homme intervient dans la vie d'une femme et, par sa prestance, les mots qu'il lui dit, ou la façon dont il s'occupe d'elle, obtient ses faveurs de femme. Cela paraît évidemment le type même de la démarche machiste. SARTRE, « Entretien oral », *in* le Nouvel Obs., 31 janv. 1977, p. 75.

MACHMÈTRE [makmɛtʀ] n. m. — Après 1955 ; de *Mach*, physicien autrichien (1838-1916), et *-mètre*.

♦ Techn. Instrument servant à mesurer le *nombre de Mach* d'un avion (rapport de sa vitesse à celle du son).

MACHO [matʃo] n. m. — 1971 ; mot esp. d'Amérique (Mexique, notamment), v. 1942 ; de *macho*, du lat. *masculus* « mâle ».

♦ Fam. Homme de culture latino-américaine qui considère que l'homme, le mâle, détient toutes les valeurs positives dans les rapports psychologiques et sociaux, et qui agit en conséquence. *« Sur toutes les pochettes disco, des filles, toujours belles, souvent noires, généralement dévêtues, parfois enchaînées. Lorsque apparaît un homme, il a le regard dominateur et la posture conquérante du "macho" »* (l'Express, 30 janv. 1978, p. 26). — Par ext. Homme phallocrate.

Adj. *Il est pas trop macho : il a fait un peu la cuisine pendant les vacances !*

REM. L'usage du terme en français a été favorisé par sa forme ; la terminaison en *-o* et les deux syllabes l'ont inclus dans la série : *facho, maso,* etc.

MÂCHOIRE [maʃwaʀ] n. f. — 1549 ; fin XIIᵉ, *machouere;* de *mâcher.*

♦ **1.** (*Mâchoire* de l'homme). Chacun des deux arcs osseux de la bouche, dans lesquels sont implantées les dents* (cit. 4). *Mâchoire supérieure* (fixe), *inférieure* (mobile). ⇒ **Maxillaire** (→ Face, cit. 9) ; **menton.** *Sans mâchoire.* ⇒ **Agnathe.** *Muscles masticateurs** (digastrique*, masséter*...) *permettant les mouvements de la mâchoire inférieure. Contracture spastique des mâchoires.* ⇒ **Trismus.** — *Angle, carrure* (cit. 3) *des mâchoires. Serrer les mâchoires* (→ Hostile, cit. 8). *Mâcher** à grand bruit de, des mâchoires* (→ Indigestion, cit. 3). *Laisser pendre la mâchoire d'en bas* (→ Caduc, cit. 2). — Fam. *Mâchoires démeublées** (cit. 2). — Fam. *Jouer, travailler des mâchoires.* ⇒ **Manger.** — Sing. collectif. *Serrer la mâchoire* (→ Coque, cit. 4 ; huître, cit. 3).

1   Ah! (...) quand il entend manger, celui-là (...) le bruit du canon ne le réveillerait pas ; mais, quand on remue les mâchoires auprès de lui, il ouvre les yeux tout de suite.   G. SAND, la Mare au diable, IX.

2   (...) la noire Pythie qui broie la feuille de laurier entre ses mâchoires resserrées par le trisme prophétique (...)   CLAUDEL, Cinq grandes odes, IVᵉ ode, I.

Spécialt. (1690). LA MÂCHOIRE : la mâchoire inférieure. ⇒ **Mandibule.** *Luxation de la mâchoire. Avoir la mâchoire démise*: Carie, fistule* (cit.) *de la mâchoire. Glandes situées sous la mâchoire.* ⇒ **Sous-maxillaire.** — *Bâiller** à se décrocher, à se démantibuler la mâchoire. Rire à mâchoire déployée* (→ Boire, cit. 32). — Aspect extérieur du bas du visage. *Mâchoire volontaire* (→ Bouche, cit. 6). *Collier* (cit. 8) *de barbe qui encadre la mâchoire.*

3   Elle parlait avec une vibration inouïe, malgré les tremblements saccadés de sa mâchoire qui claquait à briser ses dents.
           BARBEY D'AUREVILLY, les Diaboliques, « Bonheur dans le crime », p. 186.

4   (...) Fouillade se contente de regarder sa place en bâillant à se décrocher sa longue mâchoire qu'allonge une barbiche (...)   H. BARBUSSE, le Feu, I, XI.

5   (...) sous la barbe carrée, la mâchoire, la forte mâchoire des Thibault, se serrait à bloc.   MARTIN DU GARD, les Thibault, t. I, p. 26.

♦ **2.** (*Mâchoire* des animaux). *Mâchoire du loup* (→ Étendre, cit. 12), *des baleines* (cit. 1)... *Gourmette qui passe sous la mâchoire du cheval.* ⇒ **Ganache, sous-barbe.** — Allus. bibl. *La mâchoire d'âne de Samson* (→ ci-dessous, cit. 6, Bible). — Par anal. (de fonction). *Mâchoire des oiseaux* (⇒ **Mandibule**). — (1551). *Mâchoires des insectes* : pièces de l'appareil masticatoire portant les palpes* maxillaires.

6   Comme il *(Samson)* arrivait à Lehi et que les Philistins accouraient à sa rencontre (...) Avisant une mâchoire d'âne encore fraîche, il (...) la ramassa et avec elle il abattit mille hommes. Samson dit alors : « Avec une mâchoire de rosse, je les ai bien rossés. Avec une mâchoire d'âne, j'ai battu mille hommes. »
                                       BIBLE (Jérusalem), Juges, XV, XIV à XVI.

7   Les crocodiles (...) poussant un cri et faisant claquer leurs mâchoires, fondent sur les étrangers.   CHATEAUBRIAND, le Génie du christianisme, I, V, X.

♦ **3.** (Fin XVIIᵉ). Vx, fig. Homme stupide, incapable (→ 1. Ganache).

♦ **4.** (1680). Par ext. Techn. Chacune des pièces jumelées qui, dans un outil, un engin, un mécanisme, s'éloignent et se rapprochent à volonté pour appréhender, assujettir, serrer un objet. *Mâchoires d'un étau, d'une clef anglaise, d'une paire de pinces, de tenailles. Mâchoires d'un broyeur*, d'un concasseur*.*

8   (...) il a attrapé le renard (...) la mâchoire du piège a claqué sur son cou. Il est mort.   J. GIONO, Regain, I, IV.

(1931). *Mâchoire de frein :* pièce portant la garniture* de frein, et assurant le freinage par frottement.

(1867). Partie de la gorge d'une poulie qui retient la corde.

Appos. *Calibre mâchoire.* ⇒ **Calibre,** 5.

DÉR. **Mâchoiron.**
COMP. **Patte-mâchoire.**

MÂCHOIRON [maʃwaʀõ] n. m. — 1873, *machoiran,* P. Larousse ; *machoiron, in* Nouveau Larousse illustré, v. 1903 ; de *mâchoire.*

♦ Régional (Antilles, Afrique, Guyane). Poisson de mer (*Arius gambensis)* à longs barbillons (Siluriens).

Le chef-mécanicien (...) se laissait aller à sa mauvaise humeur : « Non, non, non, ces gens-là se foutent de nous... tous ces Hollandais sont de vrais mâchoirons, pas autre chose que des mâchoirons. »
J'apprends qu'on appelle de ce nom certains gros poissons particuliers aux mers chaudes ; on les trouve en quantité dans les ports des Antilles ; ce sont des animaux difformes, tout en gueule bâillée, que leurs inclinations poussent à établir leur affût au-dessous de l'orifice des poulaines. Comme les poulaines ne sont pas autre chose que les latrines du bord, je vous laisse à penser de quelle nature peuvent être les goûts de nos mâchoirons.
                                       J.-R. BLOCH, Sur un cargo, p. 105-106.
Poisson d'eau douce à longs barbillons, de la même famille.

MÂCHON [maʃõ] n. m. — D. i. ; de *mâcher.*
Régional (Lyonnais).

♦ **1.** Petit repas léger. ⇒ **Casse-croûte.**

♦ **2.** Petit restaurant.

MÂCHONNEMENT [maʃɔnmã] n. m. — 1832 ; de *mâchonner.*

♦ **1.** Action de mâchonner.

♦ **2.** (1867). Spécialt. Méd. Mouvement continuel des mâchoires, symptomatique de certaines affections cérébrales.

♦ **3.** Bruit évoquant une personne qui mâchonne.

1   Ils tombaient sur lui en vibrant, le couvraient de la tête aux pieds de leurs crissements d'élytres, de leurs mâchonnements, de leurs souffles rauques.
                                       J.-M. G. LE CLÉZIO, le Déluge, p. 224.

♦ **4.** Prononciation indistincte, mauvaise articulation.

2   Ursus continuait entre ses gencives son mâchonnement de paroles courroucées.
                                       HUGO, l'Homme qui rit, Œ. compl., t. XII.

MÂCHONNER [maʃɔne] v. tr. — XVᵉ ; dimin. de *mâcher.*

♦ **1.** Mâcher* lentement, avec difficulté ou négligence. *Il mâchonne sans cesse du chewing-gum.*

1   (...) je regarde les chevaux et les mulets (...) mâchonner leur paille hachée.
                                       Jérôme et Jean THARAUD, Marrakech, IX.

Par anal. ⇒ **Mâcher.** *Mâchonner son crayon, son cigare.* ⇒ **Mâchiller, mordiller.**

2   Le vieil homme (...) mâchonnait sa moustache roussie par le tabac, d'un air méchant.   SARTRE, le Sursis, p. 158.

♦ **2.** (1611). Prononcer* d'une matière indistincte, en articulant* mal. ⇒ **Marmonner, marmotter.** *Mâchonner des excuses.* ⇒ **Bredouiller.**

3   Il mâchonnait des bouts de phrases sous sa moustache jaunie.
                                       CAMUS, l'Étranger, I, V.

♦ **3.** Arts, fam. Dessiner ou graver d'une façon floue. — P. p. *Contours mâchonnés* (Littré).

♦ **4.** Fig. Remâcher*, préparer longuement sans parvenir à se décider.

DÉR. **Mâchonnement, mâchonneur.**

MÂCHONNEUR, EUSE [maʃɔnœʀ, øz] n. — 1877, *mâchonneur,* A. Gill, au fig. ; de *mâchonner.*

♦ Personne qui mâchonne.

MÂCHOTER [maʃɔte] v. tr. — 1509, en parlant du faucon ; « mâchonner », 1546 ; repris en 1803 ; de *mâcher,* et suff. *-oter.*

♦ Fam. Mâchonner.

MÂCHOUILLEMENT [maʃujmã] n. m. — XXᵉ ; d'abord dial. ; Mâchouiller.

♦ Action de mâchouiller. ⇒ **Mâchonnement.** — Bruit que fait une personne qui mâchouille.

Elle aspirait la soupe dans ses lèvres graissées, la passait d'une bajoue à l'autre, l'avalait dans un haussement de tête. Il évitait de la regarder. Alors, il entendait le mâchouillement humide de ses mandibules.   H. TROYAT, le Vivier, p. 170.

MÂCHOUILLER [maʃuje] v. tr. — Attesté dans de nombreux dialectes ; 1894, à Paris ; de *mâcher ;* cf. *supra* les mots de la même famille.

♦ Fam. Mâcher salement. — Mâchonner.

À côté de lui, Palaiseau mâchouillait une paille avec l'expression béate d'un ruminant.   H. TROYAT, la Tête sur les épaules, p. 160.

MÂCHOUILLEUR, EUSE [maʃujœʀ, øz] n. — XXᵉ ; *mâchouiller.*

♦ Rare. Personne qui mâchouille.

Le bruit de fond : papiers qu'on froisse, bonbons qu'on suce, bonbons qu'on croque. Seuls, les bonbons gardés pour la bonne bouche ne font pas de potin. Bande de mâchouilleuses, n'arrêterez-vous jamais ?   A. SARRAZIN, la Cavale, p. 139.

MÂCHURE [maʃyʀ] n. f. — 1472, « meurtrissure » ; d'un anc. v. *macher* « écraser, meurtrir ». Selon P. Guiraud, d'un roman *macticare,* de *mactare* « accabler, détruire » avec influence graphique de *mâcher.*

♦ **1.** (1803). Techn. *Mâchures du drap, du velours :* parties où le poil n'a pas été coupé net par les forces, a été écrasé.

♦ **2.** (1867). Méd. Vx. *Mâchures d'une plaie :* bords écrasés et irréguliers d'une plaie contuse (⇒ **Contusion ; mâcher**).

1. MÂCHURER [maʃyno] v. tr. — 1507; *mascurer*, xııᵉ, orig. incert.; selon P. Guiraud, d'un **mascarare*, var. **mascurare*, de *cara* « visage » et *massa* « pâte », d'où « s'enduire le visage avec une pâte », même famille que *masque*.

♦ **1.** Barbouiller*, salir de noir. ⇒ **Noircir, salir.** *Mâchurer du papier, des habits, le visage...* (Académie).
(1690). Techn. (Imprim.). Tirer (une feuille) sans netteté. — P. p. *Feuille mâchurée.* — REM. Ne pas confondre ce verbe avec son homonyme dérivé de *mâchure.*

♦ **2.** (xvııᵉ). Fig. et vx. Calomnier (qqn), le noircir par des paroles malveillantes.

2. MÂCHURER [maʃyʀe] v. tr. — xvᵉ; de *mâchure.*

♦ **1.** Déchiqueter en écrasant. ⇒ **Meurtrir.** — (1842). Entamer, meurtrir par une pression violente. *Pièce mâchurée par l'étau.*

♦ **2.** (1873; confusion avec *mâcher*). Entamer en mordant, en mâchant. — Au p. p. :
Il se servait, comme d'un pinceau, du gros bout de son porte-plume mâchuré, qu'il trempait dans l'encre (...) GIDE, Si le grain ne meurt, I, ıx, p. 233.

MACIS [masi] n. m. — 1358; *macie*, 1256; mot lat., altér. de *macir* « écorce aromatique ».

♦ Tégument (arille*) de la noix muscade utilisé comme aromate, comme assaisonnement (⇒ **Muscade**). *Le macis frais, appelé* fleur de muscade.
(Il mangeait...) des plats véhéments, assaisonnés à la marjolaine et au macis (...) HUYSMANS, Là-bas, vııı.

MACKINTOSH [makintɔʃ] n. m. — 1854; 1842, E. Sue, « toile imperméable »; 1836, en angl.; du nom de l'inventeur Charles *Mac Intosh.*

♦ Vx. Sorte de manteau imperméable. ⇒ **Imperméable.**
J'ai bien envie d'un macintosch (*sic*) car s'il pleut dans les cérémonies... c'est toujours moins bête qu'un parapluie. NERVAL, Correspondance, 325, 30 juin 1854.

MACLAGE [maklaʒ] n. m. — 1839; de 1. *macler.*

♦ Techn. Opération par laquelle on macle le verre.

1. MACLE [makl] ou **MACRE** [makʀ] n. f. — 1554, *macle*; *macre*, 1765; « mot de l'Ouest d'orig. inconnue » (Dauzat).

♦ Bot. Plante herbacée, aquatique, à fleurs blanches, à fruits épineux et comestibles, appelée *cornuelle, châtaigne* d'eau, noix d'eau, truffe d'eau* (famille des *Myriophyllées*).
Une couleuvre des marais passa, lente, ondulante, la tête maintenue à cinq centimètres au-dessus d'un banc de macres. H. BAZIN, Cri de la chouette, p. 227.

2. MACLE [makl] n. f. — 1293, « maille d'un filet »; probablt germanique **maskila*, de **maska* « maillé »; cf. all. *Masch* « maille ».

★ **I.** (Fin xıııᵉ). Blason. Meuble de l'écu, formé d'un losange* percé à jour en son milieu par un losange plus petit.

★ **II.** (1584). Techn. (Pêche). Vx. Filet à larges mailles. (On disait aussi *maclonnière*).

★ **III.** (1690). Sc. ♦ **1.** Variété d'andalousite* pénétrée d'inclusions symétriques en losanges.

♦ **2.** Cristal complexe résultant de la réunion (pénétration ou accolement) de plusieurs cristaux de même espèce orientés différemment. ⇒ **Cristal, cristallisation.** *Macles formées par hémitropie*.*
DÉR. Maclé, 2. macler.

MACLÉ, ÉE [makle] adj. — 1795; de 2. *macle.*

♦ Techn. Disposé en macle. *Cristaux maclés.*

1. MACLER [makle] v. tr. — 1765, *Encyclopédie*; orig. incert.; p.-ê. de 2. *macle.*

♦ Techn. Brasser (le verre en fusion) dans le creuset, pour le rendre homogène.
DÉR. Maclage.
HOM. 2. Macler.

2. MACLER [makle] v. intr. ou **MACLER (SE)** v. pron. — 1873, intr.; 1807, pron.; de 2. *macle.*

♦ Techn. Se disposer en macle, en parlant des cristaux.
DÉR. Maclé.

MACLONNIÈRE [maklɔnjɛʀ] n. f. ⇒ 2. **Macle** (II.).

MACLURA [maklyʀa] n. m. — xxᵉ; du nom propre *MacLure.*

♦ Bot. Arbre dicotylédone américain (famille des *Moracées*), dont une espèce, appelée *oranger des Osages,* est cultivée pour son fruit, aux propriétés tinctoriales, et pour son feuillage, utilisé en sériciculture. *Le bois du maclura était très recherché par les Indiens pour la confection des arcs.*

MÂCON [makɔ̃] n. m. — Déb. xıxᵉ; de *Mâcon,* ville de Bourgogne.

♦ Vin* du Mâconnais. *Une bouteille de mâcon.*
Le Mâcon m'invite
Le Beaune m'agite,
Le Bordeaux m'excite (...)
DESAUGIERS, Chansons et Poésies diverses, t. II, p. 101, in D. D. L.

MAÇON, ONNE [masɔ̃, ɔn] n. et adj. — xııᵉ; d'un francique **makjo*, latinisé en *machio* au vııᵉ, rac. **makôn* « faire », cf. angl. *to make*, all. *machen*, ou encore (selon P. Guiraud) d'un roman **mattio, onis* « gâcheur de mortier », du lat. *maditus* « gorgé d'eau ».

♦ **1.** N. m. Celui qui exécute ou dirige des travaux de maçonnerie*. *Maître maçon,* dirigeant le travail des maçons sous les ordres de l'architecte* (cit. 1 et 4). ⇒ **Entrepreneur** (de maçonnerie). *Compagnon, ouvrier maçon.* ⇒ **Appareilleur, poseur...**; *limousin. Apprenti, aide-maçon.* ⇒ **Aide, goujat** (cit. 4), **manœuvre.** *Maçons qui bâtissent* (cit. 12), *construisent un mur, une maison... Métier de maçon.* — *Outils, instruments, matériel du maçon.* ⇒ **Auge, bétonnière, boucharde, bouloir, bourriquet, brette, calibre, ciseau, crépissoir, doloire, échafaud** (cit. 2), **échafaudage, écoperche** (ou **étamperche, étemperche), équerre, fil** (à plomb), **gâche, galère, grattoir, griffe, langue-de-bœuf, madrier, marteau, mirette, niveau, oiseau, palançon, pelle, sabot, smille, spatule, truelle...** *Matériaux utilisés par le maçon.* ⇒ **Maçonnerie.** *Travail du maçon.* ⇒ 1. **Appareiller, hâter, bétonner, bloquer; bouchement; bousiller, chaîner, cimenter; construction, construire; crépir, étayer, gâcher, hourder, jointoyer, lambrisser, limousiner, métrer, plâtrer, poser, ravaler, rejointoyer, renformir, sceller, smiller, terrasser.**

(...) il ne fut pas un an sans devenir maître maçon. Il avait à nourrir, avec son équerre et son marteau, sa pauvre mère et deux petits frères (...)   1
A. DE VIGNY, Servitude et Grandeur militaires, II, v.
La pose de la pierre se fait par les soins du *maçon.* L'entrepreneur de maçonnerie est représenté par un maître compagnon qui a la direction du chantier (...) Il   2
s'entend avec l'appareilleur pour que les pierres taillées arrivent au fur et à mesure des besoins. L'équipe de pose est composée de *bardeurs, poseurs* et *contreposeurs,* chargés de la mise en place de la pierre taillée, de l'ajustage de niveau (...) le maçon a toujours un aide avec lui. Aide qui est là pour l'approvisionnement : c'est lui qui prépare (...) le ciment, le mortier, le plâtre (...)
H. PACON, in Encyclopédie française (DE MONZIE), XVI, 20-5.

Loc. fig. Vieilli. *Soupe de maçon* : soupe très épaisse (comme le mortier que gâche le maçon).

Allusion littéraire :
Soyez plutôt maçon, si c'est votre talent.   3
Ouvrier estimé dans un art nécessaire,
Qu'écrivain du commun et poète vulgaire.
BOILEAU, l'Art poétique, IV (→ Ignorant, cit. 5).
REM. Dans cet emploi, le fém. *maçonne* est virtuel.

♦ **2.** (1752). Adj. (ou appos.). Fig. Se dit de certains animaux constructeurs (→ Abeille, cit. 5). *Abeille, fourmi, guêpe maçonne.* — *Pic maçon* : sittelle (oiseau).
Ils *(les insectes)* filent dans l'air avec de drôles de bruits grinçants, hannetons,   3.1
mouches à viande, taons, libellules, moustiques, bourdons, guêpes maçonnes, et longues fourmis ailées dont le corps palpite nerveusement.
J.-M. G. LE CLÉZIO, la Fièvre, p. 178.

♦ **3.** (1782; *maçon libre*, 1735; adapt. de l'angl. *free mason*, puis *mason*, xvᵉ). ⇒ **Franc-maçon.** *Frère** (*supra* cit. 29) *maçon.*
Sa mère, sans être une fervente chrétienne, voyait dans les Maçons des ennemis   4
de l'Église (...)   J. ROMAINS, les Hommes de bonne volonté, t. IV, x, p. 108.
Pour d'autres il aurait enfin révélé à l'infirmière-chef son appartenance à la maçon-   5
nerie, car elle passait pour maçonne (...)   Jacques LAURENT, les Bêtises, p. 25.
DÉR. Maçonner, maçonnerie, maçonnique.

MAÇONNAGE [masɔnaʒ] n. m. — 1240; de *maçonner.*

♦ **1.** Action de maçonner; travail, ouvrage de maçon. *Le maçonnage de ce mur a été bien exécuté, est solide, grossier.* ⇒ **Hourdage.**

♦ **2.** (1856). Construction par un animal d'un nid, d'une habitation, en une matière comparable à celles qu'utilisent les maçons (terre gâchée, en particulier). *La sittelle bâtit son nid par maçonnage.*

MÂCONNAIS, AISE [makɔnɛ, ɛz] adj. — Attesté mil. xixe, mais probablt plus ancien ; de *Mâcon*, nom propre.

♦ Qui se rapporte à Mâcon ; originaire de cette ville.

Bouteille mâconnaise, d'une capacité de 0,80 litre. — N. f. *Une mâconnaise.*

Pièce mâconnaise : fût d'environ 215 litres en usage dans le Mâconnais et en Beaujolais. — N. f. *Une mâconnaise.*

MAÇONNER [masɔne] v. tr. — Fin xiie ; de *maçon.*

♦ **1.** Construire ou réparer en maçonnerie. *Maçonner un mur.*

♦ **2.** ⓐ (1873). Revêtir de maçonnerie. *Maçonner les parois d'un puits.*

ⓑ (1690). Boucher avec de la maçonnerie. *Maçonner une fenêtre, une porte.* — (1742). Fig. *Abeille qui maçonne de cire une alvéole* (→ Insecte, cit. 4).

▶ **MAÇONNÉ, ÉE** p. p. adj.

♦ **1.** Construit en maçonnerie. *Contreforts maçonnés* (→ Grillage, cit. 4).

(Les nids d'hirondelle sont) maçonnés de terre gâchée avec de la paille et du crin.
BUFFON, Histoire naturelle des oiseaux, « L'hirondelle de cheminée ».

Fig., rare. Construit solidement ou grossièrement. *Phrases rudement maçonnées* (→ Hermétisme, cit. 3).

♦ **2.** (1502). Blason. Divisé en carrelures imitant les pierres d'une construction. *Écu maçonné.*

DÉR. Maçonnage.

MAÇONNERIE [masɔnʀi] n. f. — V. 1280, *machonerie* ; de *maçon.*

♦ **1.** Partie des travaux de construction comprenant l'édification du gros œuvre (→ ci-dessous, 2.) et certains travaux de revêtement (enduits...). ⇒ **Architecture, bâtiment, construction.** *Grosse maçonnerie* (gros ouvrage*), comprenant les éléments essentiels du gros œuvre. *Petite maçonnerie* (ouvrage léger), comprenant la pose des enduits (plâtre...), le carrelage, etc. *Matériaux utilisés en maçonnerie.* ⇒ **Aggloméré, béton, brique, caillou, ciment, crépi, jectisse** (pierre), **latte, meulière, moellon, mortier, parpaing, pigeon, pierre, pisé, plâtras, plâtre...** *Entrepreneur* (cit. 6) *de maçonnerie. Opérations, travaux de maçonnerie. Être, travailler dans la maçonnerie* (⇒ **Maçon**).

♦ **2.** Construction, partie de construction faite d'éléments (pierres, etc.) assemblés et joints, généralement à l'aide d'un liant (mortier, etc.). *Maçonnerie de pierres de taille, de moellons* (⇒ **Limousinage**), *de meulière, de briques* (⇒ **Briquetage**), *de béton* (⇒ **Bétonnage**). *Maçonnerie hydraulique. Maçonnerie légère* (⇒ **Hourdis,** cit.), *de plâtre* (⇒ **Plâtrage**). *Maçonnerie grossière* (⇒ **Hourdage**), *de bousillage*, de cailloux* (⇒ **Cailloutage**), *de terre battue* (⇒ **Pisé**), *de torchis... Maçonnerie sèche,* sans liant. — *Agencement des éléments d'une maçonnerie.* ⇒ **Appareil ; assise, joint, lit, parement, rang** (des pierres)... *Maçonnerie en liaison* (⇒ **Liaison ; liaisonner**), *en blocage*, en échiquier..., en appareil réticulé*, irrégulier... Maçonnerie par épaulées. Maçonnerie lisse, à bossages*.* — *Partie en maçonnerie d'un bâtiment, d'une maison.* ⇒ **Bâtisse, œuvre** (gros). *Corps de maçonnerie. Cheminée*, cloison*, mur* de maçonnerie. Galerie* (cit. 14), *logette en maçonnerie* (→ Grille, cit. 4). *Chaîne de maçonnerie.* ⇒ **Chaîne, jambage, jambe.** *Chemise* de maçonnerie. Ouvrages, pièces de maçonnerie. Écoinçons, éperons, linteaux, piliers, voûtes... de maçonnerie. Maçonnerie d'équerre. Massifs* de maçonnerie dans les fondations d'une construction, etc.* ⇒ **Fondation, fondement** (vx) ; 1. **butée, culée, enrochement, orillon, platée, radier, soutènement.** *Maçonnerie renforcée par une armature*. Harpon* reliant deux pièces de maçonnerie. Fruit, contre-fruit d'un mur en maçonnerie.* ⇒ 2. **Fruit.** *Enfoncement dans un corps de maçonnerie.* ⇒ **Ravalement.** *Raccords* d'une maçonnerie.*

1 La maçonnerie de notre maison est déjà montée à plus de deux mètres de terre.
LOTI, Mon frère Yves, LXXIV.

♦ **3.** (1782). Franc-maçonnerie. ⇒ **Maçon** (3.), **maçonnique.**

2 Il a cru sentir en moi le carbonaro, le conspirateur, l'homme qui entrerait dans la Maçonnerie pour y trouver une vraie société secrète, d'esprit révolutionnaire, ne reculant devant rien.
J. ROMAINS, les Hommes de bonne volonté, t. IV, X, p. 113.

MAÇONNIQUE [masɔnik] adj. — 1779 ; de *maçon* « franc-maçon ».

♦ Relatif à la franc-maçonnerie. ⇒ **Franc-maçonnique.** *Loge**

maçonnique. Assemblée maçonnique. ⇒ **Convent, loge.** *Emblèmes, épreuves maçonniques.*

COMP. Antimaçonnique.

MACOUBA [makuba] n. m. — 1803 ; d'abord *tabac de Macouba,* 1765 ; de *Macouba,* localité du nord de la Martinique.

♦ Ancient. Tabac estimé, à odeur de rose et de violette.

(...) il prenait si richement son tabac, il le humait en homme si sûr de toujours avoir sa tabatière pleine de macouba (...) BALZAC, *in* G. L. L. F.

MACOUMBA ou **MACUMBA** [makumba] n. f. — 1948 ; mot du Brésil.

♦ Cérémonie religieuse et magique des Noirs brésiliens. ⇒ **Candomblé.**

(...) les orchestres infiniment tragiques des Noirs brésiliens (...) qui retentissent toutes les nuits au cœur même de la capitale, du haut des mornes de Rio de Janeiro, du Morro de Favella, le Haricot, le piton sacré de la *macumba* (...)
B. CENDRARS, Bourlinguer, p. 350.

MACQUAGE ou **MAQUAGE** [makaʒ] n. m. — 1867 ; de *macquer* ou *maquer.*

♦ Techn. Action de broyer (le chanvre, le lin) avec la macque.

MACQUE ou **MAQUE** [mak] n. f. — 1732 ; *make,* fin xiie, « masse d'armes » ; de *mascher, maquer* « broyer le chanvre » ; normanno-picard pour *mâche,* rad. *makk-.* → Mâchure.

♦ Outil à branches cannelées, servant au broyage du chanvre*, du lin*. ⇒ **Broie.**

REM. On dit aussi *macquoir* [makwaʀ], n. m. (1877).

HOM. Mac, mach.

MACQUER ou **MAQUER** [make] v. tr. — 1723 ; var. dial. de *macher.*

♦ Techn. Briser, broyer (le chanvre, le lin) avec la macque.

DÉR. Macquage ou maquage.

MACQUOIR [makwaʀ] n. m. ⇒ **Macque.**

MACRAMÉ [makʀame] n. m. — 1909, *la Mode illustrée, in* D. D. L. ; *macramas,* 1559, arabe *mĭqrămăh* « mouchoir », ou *mĭhrămăh,* du verbe *hărămă* « découper ».

♦ Travail à jours exécuté en fils tressés et noués*. *Fonds, galons, passementeries en macramé. Le macramé rappelle la dentelle*.*

MACRE [makʀ] n. f. ⇒ 1. **Macle.**

MACREUSE [makʀøz] n. f. — 1642 ; francisation du normand *macrouse,* altér. de *macrolle* (v. 1300) « oiseau » ; p.-ê. du frison *markol,* ou du néerl. *meerkol,* formes non attestées au moyen âge.

♦ **1.** (1642). Oiseau migrateur *(Anatidés* Palmipèdes)* voisin du canard* par la taille et les mœurs, appelé aussi *bisette.* *Ancienne superstition concernant les macreuses* (→ Bernache, cit. 1 et 2).

Le plumage de la macreuse est noir ; sa taille est à peu près celle du canard commun, mais elle est plus ramassée et plus courte.
BUFFON, Hist. nat. des oiseaux, « La macreuse ».

Abusivt. Foulque noire.

♦ **2.** (Fin xixe ; par allus., selon Bloch, à l'autorisation de l'Église de manger de la macreuse pendant les jours d'abstinence). Morceau de viande maigre, situé sur l'os de l'épaule du bœuf.

MACRO [makʀo] adj. invar. — 1976 ; de *macro-,* dans *macrophotographie, photomacrographie.*

♦ Techn., fam. Propre à la photomacrographie.

Presque toutes les grandes marques proposent dans leur gamme d'objectifs un ou plusieurs objectifs « macro » (...) spécialement conçus pour la photographie à courtes distances (...) La mise au point va de l'infini au rapport de reproduction 1:2, et même 1:1 avec une bague-allonge et de plus en plus sans aucun accessoire (...) on atteint le rapport 1:1 (grandeur nature). À l'aide d'un soufflet ou d'un autre accessoire, il est même possible d'aller au delà (...)
Gérard BETTON, la Photomacrographie, p. 15.

MACRO- Élément, tiré du grec *makros* « long, grand » (⇒ **Méga-**), et entrant dans la composition de mots savants tirés du grec ou formés en français.

Cet élément, très productif, se combine avec des racines de toute provenance (latine, française) pour former de nombreux hybrides. Outre les mots traités ci-après, on peut mentionner : *macroclimat*, n. m. (→ Microclimat); *macroculturel, elle*, adj. (in *l'Express*, 2 oct. 1978); *macrogranulé*, n. m. (proposé pour remplacer l'angl. *pellet*); etc.

Un sens second est : « relatif à la macrophotographie » (*macro-objectif*, n. m., in *Sciences et Avenir*, mai 1978, p. 14). → Macro.
Généralement antéposé, l'élément employé dans ce sens se rencontre parfois en position d'infixe (ex. : *photomacrographie*).
CONTR. Micro-.

MACROBE [makʀɔb], **MACROBIEN, IENNE** [makʀɔbjɛ̃, jɛn] ou **MACROBITE** [makʀɔbit] adj. — xvɪᵉ, *macrobe*, Rabelais ; de *macro-*, et du grec *bios* « vie ».

♦ Didact., vx. Qui vit longtemps.

MACROBIOTE [makʀɔbijɔt] n. et adj. — 1977 ; de *macrobiotique*.

♦ Adepte du zen macrobiotique ; qui pratique un régime macrobiotique. « *Glenda Jackson, macrobiote très sérieuse.* » (*l'Express*, 29 déc. 1979, p. 67).

MACROBIOTIQUE [makʀɔbijɔtik] adj. — 1808, n. f., « hygiène de vie assurant la longévité », repris dans l'expression *zen macrobiotique*, mil. xxᵉ (1972, in *l'Express*).

♦ *Zen macrobiotique* : doctrine diététique végétaliste fondée par le Japonais Georges Ohsawa, et qui prône l'équilibre, dans l'alimentation, entre les deux principes universels fondamentaux du Yin et du Yang qu'oppose traditionnellement la cosmogonie chinoise et extrême-orientale. — N. f. *La macrobiotique*, cette doctrine. Par ext. *Nourriture, régime, cuisine macrobiotique. Aliments macrobiotiques.*

ʀᴇᴍ. 1. En dépit de son nom, le zen macrobiotique, doctrine diététique, n'a que de très lointains rapports avec le zen, forme sino-japonaise de la religion bouddhiste.
2. Malgré sa formation savante, le mot, plus ou moins compris, est entré dans le langage usuel à la mode vers 1965-1970.
DÉR. Macrobiote, macrobiotisme.

MACROBIOTISME [makʀɔbijɔtism] n. m. — V. 1970 ; de *macrobiotique*.

♦ Didact. Doctrine macrobiotique.

MACROCÉPHALE [makʀɔsefal] adj. — 1556 ; grec *makrokephalos* ; → -céphale.

♦ Didact. Qui a une grosse tête. *Animal, insecte macrocéphale.*
Spécialt. Qui a une tête anormalement volumineuse. — N. *Un, une macrocéphale.*
(...) rien qu'un petit macrocéphale décédé avant terme parce que les docteurs n'étaient pas du même avis et jeté aux égouts dans un linceul de mots (...)
Claude Sɪᴍᴏɴ, le Palace, p. 13.
CONTR. Microcéphale.
DÉR. Macrocéphalie.

MACROCÉPHALIE [makʀɔsefali] n. f. — 1840 ; de *macrocéphale*.

♦ Méd. Développement excessif du crâne, de la tête (⇒ **Acromégalie**). *Macrocéphalie due à l'hydrocéphalie.*
ʀᴇᴍ. On dit aussi *mégacéphalie* [megasefali], n. f., *mégalocéphalie* [megalosefali], n. f.
Spécialt. Anthrop. « Allongement du crâne dont la partie postérieure offre un volume exagéré » (Garnier).

MACROCHEILIE [makʀɔkɛli] n. f. — xxᵉ ; de *macro-*, et grec *kheilos* « lèvre ».

♦ Anat. Fort développement de la portion muqueuse des lèvres.

MACROCHIRIE [makʀɔkiʀi] n. f. — 1842 ; de *macro-*, et grec *kheir* « main ».

♦ Méd. Développement pathologique des mains.

MACROCOLE [makʀɔkɔl ; makʀɔkɔl] adj. — 1867 ; grec *makrokôlos*, de *makros* (→ Macro-), et *kôlon* « membre d'un être animé, membre d'une période, bras d'une fronde ».
Didactique et rare.

♦ **1.** *Période macrocole* : période d'une phrase dont les parties sont très allongées.

♦ **2.** (1873). *Papier macrocole*, de grand format.

♦ **3.** (Déb. xxᵉ). *Fronde macrocole*, à longues cordes et de longue portée.

MACROCONTEXTE [makʀɔkɔ̃tɛkst] n. m. — V. 1972 ; *Dictionnaire de linguistique*, Larousse ; de *macro-*, et *contexte*.
Didactique.

♦ **1.** Ling. *Macrocontexte d'un mot* : environnement excédant largement son microcontexte, ou contexte immédiat, formé par les mots les plus proches. (Selon le point de vue choisi, la phrase, la séquence de phrases ou le discours tout entier peuvent être considérés comme des macrocontextes.)

♦ **2.** Stylistique. *Macrocontexte d'un texte* : ensemble des circonstances socio-culturelles (faits ; autres textes) dans lesquelles est produit le texte, et dont la connaissance est nécessaire pour comprendre celui-ci dans toutes ses implications.

MACROCOSME [makʀɔkosm] n. m. — V. 1265 ; de *macro-*, sur le modèle de *microcosme* ; → -cosme.

♦ Philos. ou littér. L'univers*, le monde considéré comme correspondant au microcosme* que constitue l'homme.
(...) l'organisme forme par lui-même une unité harmonique, un petit monde (*microcosme*) contenu dans le grand monde (*macrocosme*)...
Cl. Bᴇʀɴᴀʀᴅ, Introd. à l'étude de la médecine expérimentale, I, ɪ. 1
Si (...) on interroge le savoir du xvɪᵉ siècle à son niveau archéologique — c'est-à-dire que ce qui l'a rendu possible —, les rapports du macrocosme et du microcosme apparaissent comme un simple effet de surface. Ce n'est pas parce qu'on croyait à de tels rapports qu'on s'est mis à rechercher toutes les analogies du monde. Mais il y avait au cœur du savoir une nécessité (...) Il fallait bien que l'on pensât dans le rapport du microcosme au macrocosme la garantie de ce savoir et le terme de son épanchement. 2
Michel Fᴏᴜᴄᴀᴜʟᴛ, les Mots et les Choses, p. 46-47.
CONTR. Microcosme.
DÉR. Macrocosmique.

MACROCOSMIQUE [makʀɔkosmik] adj. — xxᵉ ; de *macrocosme*.

♦ **1.** Philos. ou littér. Relatif au macrocosme, à l'univers.

♦ **2.** Par ext. Synthétique, global. *Vision macrocosmique, en sociologie, en économie.*
CONTR. Microcosmique.

MACROCYSTE [makʀɔsist] ou **MACROCYSTIS** [makʀɔsistis] n. m. — 1888, *macrocyste* ; *macrocystis*, 1873 ; de *macro-*, et du grec *kustis* « vessie, poche gonflée ».

♦ Didact. Algue des mers froides, proche des laminaires, et dont le thalle peut atteindre une longueur de deux cents mètres.

MACROCYTE [makʀɔsit] n. m. — 1878, Littré-Robin ; de *macro-*, et *-cyte*.

♦ Didact. Hématologie. Globule rouge du sang d'une dimension plus grande que la normale. *Diamètre du macrocyte : 8 à 9 μ au lieu de 7 μ, diamètre normal* (Garnier). *Présence de macrocytes dans les anémies graves* (macrocytose, n. f.).
ʀᴇᴍ. On dit, on écrit aussi *mégalocyte*.

MACRODACTYLE [makʀɔdaktil] adj. — 1817 ; du grec *makrodaktulos*, de *makros* (→ Macro-), et *daktulos* (→ -dactyle).

♦ Didact. Sc. nat. Qui a de longs doigts, de longs appendices en forme de doigts.
N. Vx. *Les macrodactyles. Un macrodactyle.*
Top se précipita vers lui, et rapporta un bel oiseau nageur, couleur d'ardoise, à bec court, à plaque frontale très développée, aux doigts élargis par une bordure festonnée, aux ailes bordées d'un liséré blanc. C'était une « foulque », de la taille d'une grosse perdrix, appartenant à ce groupe des macrodactyles qui forme la transition entre l'ordre des échassiers et celui des palmipèdes.
J. Vᴇʀɴᴇ, l'Île mystérieuse, t. I, p. 210.
DÉR. Macrodactylie.

MACRODACTYLIE [makʀɔdaktili] n. f. — 1840 ; de *macrodactyle*.

♦ Didact. Méd. Développement pathologique des doigts.

MACRODÉCISION [makʀɔdesizjɔ̃] n. f. — 1949 ; de *macro-*, et *décision*.

♦ Écon. polit. Décision économique émanant d'un groupe ou de l'État et portant sur des quantités globales (⇒ **Macroéconomie**).

La macrodécision est le fait, soit de l'État, soit de toute autre unité complexe (...) Elle repose sur une prévision globale. Elle implique décision sur l'usage d'un lien économique : la contrainte.
Francis PERROUX, Économie appliquée, p. 330.

CONTR. Microdécision.

MACRODONTIE [makʀodõti] n. f. — xxᵉ ; de *macro-*, et *-odontie*.

♦ Méd. Présence de dents anormalement grosses. — On dit aussi *gigantisme dentaire*.

MACROÉCONOMIE [makʀoekɔnɔmi] n. f. — 1948 ; de *macro-*, et *économie*.

♦ Didact. Partie de l'économie qui étudie les grandes structures et les décisions globales ; économie à grande échelle.
Vision macrocosmique, examen des quantités globales, étude des macrodécisions aboutissant à la constitution d'une macroéconomie.
Gilles PASQUALAGGI, *in* ROMEUF, Dict. des sciences économiques.

CONTR. Microéconomie.
DÉR. Macroéconomique.

MACROÉCONOMIQUE [makʀoekɔnɔmik] adj. — 1948 ; de *macroéconomie*.

♦ Didact. Qui concerne les structures et les faits économiques globaux. *Analyses, études macroéconomiques.*

CONTR. Microéconomique.

MACROÉVOLUTION [makʀoevɔlysjõ] n. f. — 1932, J. Rostand ; de *macro-*, et *évolution*.

♦ Didact. Ensemble des phénomènes qui concernent la naissance et la modification des grandes unités systématiques, et dont l'explication requiert d'autres hypothèses que celles qui rendent compte de la *microévolution*.
Il est exceptionnel que l'on puisse réaliser avec eux les restes des vertébrés des séries de formes (...) On enregistre alors entre eux des écarts notables, que l'on a interprétés comme représentatifs d'une *macroévolution*.
R. HOVASSE, *in* Biologie, Encycl. Pl., p. 1562.

CONTR. Microévolution.

MACROGAMÈTE [makʀogamɛt] n. m. — 1897, *l'Année biol.* ; de *macro-*, et *gamète*.

♦ Biol. Gamète femelle.

MACROGÉNITOSOMIE [makʀoʒenitozɔmi] n. f. — 1931, Larousse ; de *macro-*, *génito-* (de *génital*), et *-somie*, du grec *sôma* « corps ».

♦ Méd. *Macrogénitosomie précoce* : syndrome endocrinien se caractérisant par la précocité du développement physique et génital.

MACROGLOBULINE [makʀoglɔbylin] n. f. — Mil. xxᵉ ; de *macro-*, et *globuline*.

♦ Didact. Globuline de poids moléculaire très élevé.

DÉR. Macroglobulinémie.

MACROGLOBULINÉMIE [makʀoglɔbylinemi] n. f. — Mil. xxᵉ ; de *macroglobuline*, et de *-émie*, du grec *haima* « sang ».

♦ Méd. Excès de macroglobulines dans le plasma sanguin.

MACROGLOSSE [makʀoglɔs] adj. et n. m. — 1828 ; de *macro-*, et *-glosse*.

♦ **1.** Vx. Qui a une langue très grosse, très longue.

♦ **2.** N. m. Zool. Insecte lépidoptère *(Shingidés)*, papillon dont la trompe est plus longue que le corps.

DÉR. Macroglossie.

MACROGLOSSIE [makʀoglɔsi] n. f. — 1853 ; « fait d'avoir une langue très longue », 1836 ; de *macroglosse*.

♦ Méd. Augmentation monstrueuse du volume de la langue, dans certaines affections (acromégalie*, tumeurs, etc.).

MACROGNATHIE [makʀognati] n. f. — Mil. xxᵉ ; de *macro-*, et *-gnathe*.

♦ Pathol. Développement excessif de la mâchoire inférieure.

MACROGRAPHIE [makʀogʀafi] n. f. — 1922 ; de *macro-*, et *-graphie*.

♦ Techn. Étude de la structure des métaux et des alliages à l'échelle des phénomènes visibles à l'œil nu ou avec un faible grossissement (opposé à *micrographie*).

CONTR. Micrographie.
DÉR. Macrographique.

MACROGRAPHIQUE [makʀogʀafik] adj. — 1922 ; de *macro-* et *-graphie*.

♦ Techn. Qui a rapport à la macrographie, qui se fait par macrographie. *Examen macrographique.*

MACRO-INSTRUCTION [makʀoɛ̃stʀyksjõ] n. f. — V. 1965 ; de *macro-*, et *instruction*.

♦ Inform. Ordre donné (en langage symbolique) à l'ordinateur, et destiné à générer une séquence d'instructions en langage machine (instructions élémentaires). *Des macro-instructions.*

MACROION [makʀojõ] n. m. — V. 1965 ; de *macro-*, et *ion*.

♦ Chim. Macromolécule* qui porte une charge électrique, par suite d'un excès ou d'un défaut d'électrons.

DÉR. Macroïonique.

MACROIONIQUE [makʀojɔnik] adj. — V. 1965 ; de *macroion*.

♦ Chim. Qui est formé de macroions.

MACROLÉPIDOPTÈRES [makʀolepidɔptɛʀ] n. m. pl. — Mil. xxᵉ ; de *macro-*, et *lépidoptère*.

♦ Zool. Grande division des insectes lépidoptères, incluant les papillons de taille moyenne ou grande. — Au sing. *Un macrolépidoptère.*

CONTR. Microlépidoptères.

MACROLIDES [makʀolid ; makʀolid] n. m. pl. — xxᵉ ; de *macro-*, et *li(pi)de*.

♦ Chim., biol. Substances à grosse molécule, de constitution intermédiaire entre les sucres et les acides gras, du fait de la présence de l'azote sur certains de leurs constituants glucidiques. *Plusieurs antibiotiques* (érythromycine, spiramycine) *appartiennent au groupe des macrolides.* — Au sing. *Un macrolide.*

MACROMÉLIE [makʀomeli] n. f. — 1867 ; de *macro-*, et *-mélie*, grec *melos* « membre ».

♦ Méd. Développement pathologique d'un ou de plusieurs membres.

MACROMÈRE [makʀomɛʀ ; makʀɔmɛʀ] n. m. — 1905 ; autres sens, 1873 ; de *macro-*, et *(blasto)mère*, grec *meros* « partie ».

♦ Didact. Embryol. Blastomère de grande taille apparaissant au cours de la segmentation de l'œuf.
Si nous considérons (...) sur cet Oursin, les seize premières cellules formées, disposées en quatre groupes superposés de quatre cellules chacun, elles ne sont pas absolument égales entre elles : les deux groupes moyens *(macromères)* sont plus gros ; les quatre cellules supérieures, ou polaires, sont un peu plus petites *(mésomères)* ; les quatre inférieures, ou antipolaires, sont les plus petites *(micromères).*
Maurice CAULLERY, l'Embryologie, p. 32.

MACROMOLÉCULAIRE [makʀomɔlekylɛʀ] adj. — Av. 1948 ; de *macromolécule*.

♦ Chim. Qui concerne les macromolécules. *« Certaines matières plastiques créées par la chimie macromoléculaire »* (Desjeux et Duflos, *les Plastiques renforcés*, p. 12). — Formé de macromolécules.

MACROMOLÉCULE [makʀomɔlekyl] n. f. — Av. 1948 ; de *macro-*, et *molécule*.

♦ Chim. Molécule formée d'un ou de plusieurs motifs structuraux constitués par des groupements d'atomes répétés un très grand nombre de fois. *On obtient généralement les macromolécules par condensation ou polymérisation.*
(...) la vie se produit dans un système thermodynamique *ouvert*. À partir des petites molécules présentes initialement on doit s'imaginer une étape de *polymérisation,* compatible avec la thermodynamique, et conduisant aux macromolécules biologiques, essentiellement les acides nucléiques et les protéines.
Antoine DANCHIN, Ordre et Dynamique du vivant, p. 309. [1]
(...) tous les êtres vivants, sans exception, sont constitués des mêmes deux classes principales de macromolécules : protéines et acides nucléiques. De plus ces macro- [2]

molécules sont formées, chez tous les êtres vivants, par l'assemblage des mêmes radicaux, en nombre fini (...)
Jacques MONOD, le Hasard et la Nécessité, p. 137.

CONTR. Micromolécule.
DÉR. Macromoléculaire.

MACROMYCÈTE [makʀomisɛt] n. m. — Mil. xxᵉ; de *macro-*, et *-mycète*.

♦ Bot. Champignon de grande taille.
CONTR. Micromycète.

MACROPHAGE [makʀofaʒ; makʀɔfaʒ] n. m. et adj. — 1891; de *macro-*, et *-phage*.

♦ Biol. Histol. Cellule de grande dimension dérivant du monocyte* du sang, et douée du pouvoir d'englober et de détruire par phagocytose* des particules étrangères, des déchets des cellules, des microorganismes. ⇒ **Histiocyte.** *Macrophages de la rate, de la moelle osseuse. L'activité des macrophages est stimulée par la présence dans le sang de toxines, microbiennes ou non. Le pouvoir bactéricide des macrophages* (par phagocytose) *est inhibé par la fumée de tabac.*

MACROPHOTOGRAPHIE [makʀofɔtɔgʀafi] n. f. — 1943, Pizon, *Manuel de macro-micro-photographie; de macro-*, et *photographie*.

♦ Techn. Photographie qui, à la prise de vue, fixe une image de l'objet en grandeur nature ou faiblement grandie, permettant un fort agrandissement au tirage. *La macrophotographie est utilisée pour donner une image plus grande que nature de petits objets.*

REM. On dit aussi *photographie rapprochée* et *photomacrographie.* Ce dernier terme devrait être préféré à *macrophotographie,* dans la mesure où *photomicrographie*,* qui désigne une technique voisine, fixant une image très grossie de l'objet obtenue par le microscope, a définitivement remplacé *microphotographie*,* usité aujourd'hui dans un autre sens.
La photographie met son œil au bout des microscopes, des endoscopes, des télescopes. Elle enregistre tout ce que l'œil y voit, et souvent bien plus.
La première étape est celle de la photomacrographie plus souvent appelée macrophotographie (...) Nous ne donnerons pas d'historique de cette méthode (...) Comment, en effet, trouver celui qui le premier eut l'idée d'approcher une « chambre daguerrienne » d'un objet pour obtenir l'image de ce dernier en rapport 1/1?
La macrophotographie, aussi appelée photographie rapprochée, consiste à photographier un objet de manière à obtenir directement un document dans un rapport au moins égal à un, c'est-à-dire que le résultat vient du grandissement (...) l'agrandissement peut faciliter la lecture des documents, il n'apporte pas de nouvelles informations. Il ne peut permettre de faire apparaître sur le papier ce qui n'est pas sur la surface sensible. En fait, pour être exact, chaque document devrait contenir deux indications : celle du grandissement et celle de l'agrandissement.
Jean PRINET, Ginette BLÉRY, la Photographie et ses applications, p. 82.

Abrév. : *macrophoto* [makʀofoto] n. f. *Faire de la macrophoto d'insectes. Accessoires pour la macrophoto* (⇒ **Macro**).
DÉR. Macrophotographique.

MACROPHOTOGRAPHIQUE [makʀofɔtɔgʀafik] adj. — Mil. xxᵉ; de *macrophotographie*.

♦ Techn. Relatif à la macrophotographie (syn. de *photomacrographique**). ⇒ **Macro.**

MACROPLANCTON [makʀoplãktɔ̃] n. m. — Mil. xxᵉ; de *macro-*, et *plancton*.

♦ Sc. Plancton dont les éléments ne mesurent pas moins de quelques millimètres.
CONTR. Microplancton.

MACROPODE [makʀopod; makʀopɔd] adj. et n. — 1802; de *macro-*, et suff. *-pode*.

♦ **1.** Adj. Sc. nat. Qui a de longs pieds, de longues nageoires (zool.), de longs pédoncules (bot.).

♦ **2.** N. m. (1812). Zool. Poisson à longues nageoires.
DÉR. Macropodidés, macropodie.

MACROPODIDÉS [makʀopodide] n. m. pl. — Déb. xxᵉ; de *macro-*, *-pode*, et *-idés*, grec *eidos* « forme ».

♦ Zool. Famille de marsupiaux*, comprenant les kangourous* (n. sc. : *Macropus*). — Au sing. *Un macropodidé.*

MACROPODIE [makʀopodi] n. f. — 1842; de *macropode*.

♦ Méd. Développement pathologique des pieds.

MACROPOLYMÈRE [makʀopolimɛʀ] n. m. — Mil. xxᵉ; de *macro-*, et *polymère*.

♦ Chim. Polymère formé de macromolécules.

MACROPOROSITÉ [makʀopoʀozite] n. f. — V. 1965; de *macro-*, et *porosité*.

♦ Techn. Porosité d'un papier d'impression à pores gros et peu nombreux.

MACROPROSOPIE [makʀopʀozɔpi] n. f. — 1867; du grec *makroprosôpos*, de *makros* (→ Macro-), et *prosôpon* « figure ».

♦ Méd. Développement pathologique de la face.

MACROPSIE [makʀɔpsi] n. f. — 1931; de *macro-*, et *-opsie*.

♦ Méd. Impression de voir les objets plus grands que nature (troubles de l'accommodation, atteinte de la rétine, phénomène hallucinatoire).
CONTR. Micropsie.

MACROSCÉLIDE [makʀoselid] n. m. — 1867, Littré; « insecte », 1845; de *macro-*, et du grec *skelos* « jambe ».

♦ Zool. Mammifère insectivore* de petite taille, au museau prolongé par une trompe mobile, et auquel ses membres postérieurs plus longs que les antérieurs donnent l'allure d'une gerboise.

MACROSCOPIQUE [makʀoskɔpik] adj. — 1874, *in* Littré, *Suppl.*; de *macro-*, *-scope*, et suff. *-ique*.

♦ **1.** Didact. Qui se voit à l'œil nu (par oppos. à *microscopique*). ⇒ **Visible.** *Aspect macroscopique d'un organe. Chimie macroscopique.*
Il doit être précisé, en outre, que les objets à examiner seraient de dimensions *macroscopiques,* mais non *microscopiques.* Par « macroscopiques » il faut entendre des dimensions mesurables, disons, en centimètres (...)
Jacques MONOD, le Hasard et la Nécessité, p. 21.

♦ **2.** Qui relève de la description du monde à l'échelle macroscopique, visible, par la science classique. *Les phénomènes macroscopiques relèvent de lois statistiques.*
CONTR. Microscopique.
DÉR. Macroscopiquement.

MACROSCOPIQUEMENT [makʀoskɔpikmã] adv. — 1896; de *macroscopique*.

♦ Du point de vue des phénomènes macroscopiques.
L'idée la plus naturelle, l'idée « de bon sens » s'exprimait ainsi : comme le cerveau humain est incapable de suivre isolément les grouillements des molécules en leur appliquant les lois de la mécanique, on devait automatiquement penser que, macroscopiquement, la probabilité ne s'imposait que par l'imperfection des techniques d'observation et des procédés mathématiques.
Marcel BOLL, les Certitudes du hasard, p. 114.

MACROSÉISME [makʀoseism] n. m. — 1907, *in Larousse mensuel;* de *macro-*, et *séisme*.

♦ Didact. Séisme dont les effets peuvent être perçus sans l'aide d'instruments (à la différence des microséismes).
DÉR. Macroséismique.

MACROSÉISMIQUE [makʀoseismik] ou **MACROSISMIQUE** [makʀosismik] adj. — 1946, *macroséismique; macrosismique,* 1968; de *macroséisme*.

♦ Didact. Relatif à un macroséisme, aux macroséismes. *Analyse, étude macroséismique.*

MACROSKÉLIE [makʀoskeli] n. f. — 1867; de *macro-*, et du grec *skelos* « jambe ».

♦ Pathol. Vx. Longueur exagérée des jambes.

MACROSMATIQUE [makʀosmatik] adj. — Av. 1972; de *macro-*, et *osmatique*.

♦ Zool., physiol. Qui a par nature un odorat très développé (opposé à *anosmatique**, *microsmatique**). ⇒ **Osmatique.** « (...) l'odorat est d'une extrême finesse, plaçant le rhinocéros tout de suite derrière l'éléphant (lequel est généralement considéré comme le mammifère macrosmatique le plus évolué) » (*Encycl. Univ.,* art. *Périssodactyles*).

MACROSOCIOLOGIE [makʀɔsɔsjɔlɔʒi] n. f. — Av. 1963 (Robert, art. *Sociologie*) ; de *macro-*, et *sociologie*.

♦ Didact. Branche de la sociologie qui étudie les « sociétés globales » (G. Gurvitch), par oppos. à *la microsociologie*.

MACROSOMIE [makʀozɔmi] n. f. — 1903, *Rev. gén. des Sc.*, n° 4, p. 209 ; de *macro-*, et grec *sôma* « corps ».

♦ Pathol. Gigantisme.

MACROSPORANGE [makʀospoʀɑ̃ʒ] n. m. — 1890 ; de *macro-*, et *sporange*.

♦ Bot. Organe de certaines plantes (ptérydophytes), où se forment les macrospores.

MACROSPORE [makʀospɔʀ] n. f. — 1842, « qui a de grandes spores » ; de *macro-*, et du grec *spora* « semence ».

♦ Bot. Spore femelle de certains cryptogames vasculaires. *Les macrosporanges* produisent les macrospores.*

MACROSTOMIE [makʀostɔmi] n. f. — 1902 ; de *macro-*, et grec *stoma* « bouche ».

♦ Pathol. Développement exagéré de la fente buccale.

MACROSTRUCTURE [makʀostʀyktyʀ] n. f. — Mil. xxᵉ ; de *macro-*, et *structure*.

♦ **1.** Phys. Structure d'un alliage, telle qu'elle apparaît sans l'aide du microscope.

♦ **2.** Ling. Structure générale d'un ensemble (et, spécialt, d'un ensemble textuel), par oppos. à ses microstructures. *La macrostructure (nomenclature ordonnée) et la microstructure (organisation de chaque article) d'un dictionnaire (in* J. Rey-Debove, *Étude linguistique et sémiotique des dictionnaires français contemporains).*

CONTR. Microstructure.

1. MACROURE [makʀuʀ] adj. et n. — 1802 ; de *macro-*, et du grec *oura* « queue ». → Anomoures, brachyoures.

♦ **1.** Adj. (1867). Zool. Qui a une longue queue (ne se dit guère qu'en parlant des crustacés décapodes).

♦ **2.** N. m. pl. Sous-ordre de crustacés malacostracés décapodes. *Principaux macroures.* ⇒ **Écrevisse, homard, langouste.** — Au sing. *Un macroure.*

DÉR. Macruridés.

2. MACROURE [makʀuʀ] ou **MACRURE** [makʀyʀ] n. m. — 1873 ; même étymologie que 1. *macroure*.

♦ Poisson téléostéen (communément appelé *grenadier*) au corps effilé terminé en pointe.

MACROZOAIRE [makʀozɔɛʀ] n. m. — xxᵉ ; de *macro-*, et *-zoaire*.

♦ Biol. Organisme animal visible à l'œil nu.

CONTR. Microzoaire.

MACRURIDÉS [makʀyʀide] n. m. pl. — Déb. xxᵉ ; altér. de *macrouridés*, de *macroure*.

♦ Zool. Famille de poissons comprenant le macroure. — Au sing. *Un macruridé.* — On trouve aussi *macrouridés* [makʀuʀide].

MACTRE [maktʀ] n. f. — 1808, Boiste ; lat. sav. *mactra*, Linné (av. 1778), du grec *maktra* « pétrin, mortier ; baignoire ».

♦ Zool. Mollusque lamellibranche à siphon, vivant dans le sable, très commun sur les côtes de l'Atlantique, de la Manche et de la mer du Nord, et dont plusieurs espèces sont comestibles. *La mactre coralline, qu'on trouve aussi en Méditerranée, est encore appelée fausse palourde, fausse praire. Mactre d'Amérique* (Spisula solidissima).

MACULA [makyla] n. f. — 1868, in D. D. L. ; mot latin, « tache ».

♦ Anat. Tache ovalaire jaune grisâtre du fond de l'œil, située sur la rétine du côté inférieur externe de la papille optique.

REM. On dit, on écrit aussi *tache jaune*.

Voyez maintenant ce qui se passe chez le malade : quand il regarde à gauche, l'axe optique de l'œil droit converge sur l'objet et l'image de celui-ci se forme sur la région de la macula, mais l'œil gauche n'arrive pas jusqu'au milieu de l'orbite ;

l'image de l'objet se forme sur la rétine de cet œil en dedans de la région de la macula.
Journal de médecine et de chirurgie pratiques, 1868, *in* D. D. L.

MACULAGE [makylaʒ] n. m. ou **MACULATION** [makylasjɔ̃] n. f. — 1819, *maculage* ; *maculation*, 1802 ; « souillure », 1547 ; de *maculer*.

♦ **1.** Action de maculer ; son résultat.

♦ **2.** Typogr. Salissure « provoquée par des feuilles entassées fraîchement imprimées » (H. Leduc, *Composition typographique*).

MACULANT, ANTE [makylɑ̃, ɑ̃t] adj. — 1886 ; de *maculer*.

♦ Littér., rare. Qui macule, salit. ⇒ **Salissant.**

(Le) maculant soupçon de ladrerie. Léon BLOY, le Désespéré, p. 20.

MACULATURE [makylatyʀ] n. f. — 1567 ; de *maculer*.

Techn. (imprim.) ou littér.

♦ **1.** Vx. Tache d'une feuille maculée. ⇒ **Maculage** (2.).

♦ **2.** (1680). Feuille de papier grossier qui sert à envelopper les rames (ainsi nommée parce qu'on utilisait à cet effet des feuilles maculées ou mal tirées). — (1680). Feuilles maculées à l'impression, servant de décharge*. — Feuille intercalaire. ⇒ 2. **Macule.**

Mais voici le plus joli roman du monde contenu dans une maculature qui enveloppait tes épreuves. BALZAC, la Muse du département, Pl., t. IV, p. 121.

♦ **3.** (Mil. xixᵉ). Littér. Tache, souillure. ⇒ 1. **Macule, salissure.**

1. MACULE [makyl] n. f. — xiiiᵉ ; lat. *macula* « tache ».

♦ **1.** Vx. Souillure, tache.

(...) l'eau sainte du Gange, qui lave de toutes les macules des âmes (...)
VOLTAIRE, Amabed, « Lettre d'Adaté », VII.

♦ **2.** (1798). Littér. Salissure, trace d'encre sur le papier. ⇒ **Bavochure, bavure ; maculage.** *Une feuille couverte de macules.*

♦ **3.** (1680). Méd. Tache plane, décolorée ou rouge, sur la peau. *Macule érythémateuse.* ⇒ **Érythème.** *Macule dépigmentée.*

♦ **4.** (1680). Astron. Tache du Soleil.

2. MACULE [makyl] n. f. — 1322 ; abrév. de *maculature*.

♦ Typogr. Feuille de papier qu'on intercale entre deux feuilles fraîchement imprimées pour éviter le maculage. — Syn. de *maculature*.

MACULER [makyle] v. tr. — V. 1120 ; du lat. *maculare*, de *macula* « tache ».

A. ♦ **1.** Littér. Couvrir, souiller de taches. ⇒ **Salir, souiller, tacher.** *Maculer d'encre une feuille de papier.* ⇒ **Barbouiller, noircir.** *Maculer de boue, de poussière... ses vêtements, ses draps.* ⇒ **Crotter, encrasser** (→ Courtepointe, cit. 2). — Au p. p. *Maculé de... :* souillé de taches de... — Absolt. *Un vêtement maculé et fripé.*

(...) on causait par petits groupes autour de la table, grasse de sauce, maculée de vin. ZOLA, la Terre, II, VII.

(...) la boue maculait son pansement. SARTRE, l'Âge de raison, XVI.

♦ **2.** (1636). Spécialt. Typogr. Salir (les feuilles fraîchement imprimées). ⇒ **Maculage, maculature,** et aussi **bavocher, bavure.** — Au p. p. *Feuille maculée ; livre maculé.*

B. (1680). Intrans. Se tacher. *« Des feuilles nouvellement imprimées maculent »* (Académie).

CONTR. Essuyer, nettoyer.

DÉR. Maculage, maculation, maculature.

MACULIFORME [makylifɔʀm] adj. — 1867 ; de *macula* « tache », et *forme*.

♦ Didact., rare. Qui a la forme d'une petite tache.

MADAME [madam] plur. **MESDAMES** [mɛdam] n. f. — V. 1175 ; de *ma*, adj. poss., et de *dame*. → Dame.

★ I. Vx. Titre honorifique accordé aux femmes des hautes classes de la société.

♦ **1.** Vx ou hist. Titre donné à une souveraine, en s'adressant à elle (→ Agir, cit. 17 ; geôlier, cit. 1). — Titre donné aux filles de la maison souveraine. *Madame Élisabeth, sœur de Louis XVI* (→ Laisser, cit. 41). *Madame Royale, fille aînée du roi de France.*

Titre donné à la femme de Monsieur, frère du Roi, et, spécialt, à Henriette d'Angleterre (→ Appeler, cit. 13 ; fleurir, cit. 6). *Racine dédia* Andromaque *à Madame.*

1 Madame se meurt, Madame est morte ! BOSSUET (→ Désastreux, cit. 1).

♦ **2.** Vx. Titre donné aux femmes nobles titrées (cf. angl. *Milady*), *Mademoiselle* étant en principe réservé aux femmes nobles non titrées. ⇒ **Mademoiselle,** et, ci-dessous, 3.

2 En France, de toute ancienneté, l'on appelle les demoiselles de ce titre de madame, quand leurs maris sont honorés du grade de chevalerie.
CARLOIX, III, 25 (*in* LITTRÉ).

3 (...) Mademoiselle de Séry (...) trouva indécent d'être publiquement mère *(de l'enfant du Duc d'Orléans)* et de s'appeler *Mademoiselle.* Nul exemple pour lui donner le nom de *Madame :* c'était un honneur réservé aux filles de France, aux filles duchesses femelles, et (...) aux filles dames d'atour. Ces obstacles n'arrêtèrent ni la maîtresse ni son amant : il lui fit don de la terre d'Argenton, et força la complaisance du roi (...) d'accorder des lettres patentes portant permission à Mlle de Séry de porter le nom de *Madame* et de comtesse d'Argenton.
SAINT-SIMON, Mémoires, II, XXXVIII.

♦ **3.** (1636). Titre donné à toutes les femmes, mariées ou non, dans la tragédie classique.

4 Vous ne m'attendiez pas, Madame ; et je vois bien
Que mon abord ici trouble votre entretien. RACINE, Andromaque, IV, 5.

♦ **4.** (xve). Titre donné (abusivement selon Richelet) aux femmes nobles non titrées et aux femmes de la bourgeoisie. *Henriette, Cathos et Magdelon, jeunes filles bourgeoises du théâtre de Molière, sont appelées* Madame (→ Apprêter, cit. 7). *« Mesdames, agréez* (cit. 16) *que je vous présente ce gentilhomme-ci »* (Molière).

REM. Les gens de qualité disaient *mame* en s'adressant aux roturières.

5 La femme d'un président est appelée madame la présidente ; celle d'un conseiller madame ou madamoiselle la conseillère (...)
H. ESTIENNE, Dialogue du langage français italien, I, 275, *in* HUGUET, art. *Madamoiselle.*

6 — Je m'acquitte bien tard, Madame, d'une telle visite.
— Vous avez fait, Madame, ce que je devais faire (...)
MOLIÈRE, l'Avare, III, 6.

7 Pour terminer le grand procès de la vanité, il faudra un jour que tout le monde soit *monseigneur* dans la nation ; comme toutes les femmes qui étaient autrefois *mademoiselle* sont actuellement *madame.*
VOLTAIRE, Dictionnaire philosophique, « Cérémonies ».

♦ **5.** Mod. et fam. *Une madame :* une dame (plur. : *des madames*). ⇒ **Mademoiselle,** I., 3. *Faire la madame, jouer à la madame :* se faire passer pour une femme de qualité (→ Glorieux, cit. 15). *Jouer à la madame :* contrefaire la dame, en parlant des enfants. *Les belles madames* (fam. de nos jours) : les femmes élégantes de la haute société (→ Feu, cit. 36, Sartre).

REM. Cet emploi est compris aujourd'hui comme relevant du sens II.

8 Elle avait l'air d'une petite guenon habillée en madame.
Valery LARBAUD, A. O. Barnabooth, « Son journal intime », 4 juin.

Pop., vx (avec le possessif). Épouse, femme.

8.1 *Fanny, à Charles :* Tiens ! les jolis petits favoris ! C'est votre madame qui les veut ? Ah ! comme ils sont jolis !
Henri MONNIER, Scènes populaires dessinées à la plume, « La petite fille », I.

★ **II.** (Dès le XVIIe). Mod. Titre donné aux femmes de toute condition (pop. et vieilli, 1756, Vadé, *maame, mame*).

♦ **1.** Cour. Titre donné à toute femme qui est ou qui a été mariée. *Madame Une telle. Madame de Staël. Madame Bovary. Madame la Marquise. Madame la Générale,* épouse d'un général*. *Monsieur et Madame Pierre Dupont. Monsieur le docteur X et Madame, née Y. Bonjour, Madame* (pop. *Bonjour, Madame Durand). Bonsoir, Mesdames, Mesdemoiselles, Messieurs.* — REM. L'usage de la radio, de la télévision tend à substituer un singulier à ce pluriel. *Bonsoir, Madame, bonsoir, Monsieur. Madame votre mère, votre sœur. Mes amitiés à votre femme, à Madame X.* — Abrév. : *Mme ;* plur. *Mmes.* — (Précédé d'un adjectif). *Chère Madame. Petite Madame, pauvre Madame...* — (Fam.). *Ma chère Madame.*

9 Je respecte beaucoup Madame votre mère (...)
MOLIÈRE, les Femmes savantes, I, 3.

10 Ne vous fâchez pas tant, ma très chère Madame (...)
MOLIÈRE, Sganarelle, XVI.

11 Ce curieux effet du hasard que le maître d'hôtel de Mme de Guermantes dît toujours : « Madame la duchesse » à cette femme qui ne croyait qu'à l'intelligence, ne paraissait pas la choquer. Jamais elle n'avait pensé à le prier de lui dire « Madame » tout simplement.
PROUST, À la recherche du temps perdu, t. VIII, p. 75.

(Usage commercial, restauration..., pour éviter le populaire *Messieurs Dames). Bonsoir, Madame (et) Monsieur.*

♦ **2.** [a] Titre donné à certaines femmes, mariées ou non, à qui l'on témoigne du respect. — Spécialt. Titre précédant le nom de la fonction d'une femme quand cette fonction lui confère une autorité. *Madame la Présidente. Madame la Directrice. Madame la Députée.*

REM. Cette construction est discutée — mais courante — lorsque le nom de la fonction est au masculin : *Madame le Sénateur, Madame le Président, le Député, le Maire...*

12 (...) beaucoup de femmes croiraient n'avoir rien obtenu, si l'assimilation n'était pas complète. Elles veulent porter tout crus des titres d'hommes : Madame le D[r] Girard Mangin (...) F. BRUNOT, la Pensée et la Langue, p. 90.

13 (...) le féminisme (...) se plaît à conquérir jusqu'à l'usage des appellations masculines (...) : *Madame le Conservateur de tel musée. Madame le Maire. Madame le Bourgmestre.* M. GREVISSE, le Bon Usage, p. 178.

[b] Titre donné aux religieuses. *Madame votre abbesse* (→ Austérité, cit. 14).

[c] Titre donné à toute femme en âge d'être mariée, lorsqu'on ignore si elle l'est.

♦ **3.** (1668). Absolt. La maîtresse de maison (titre donné à la maîtresse de maison par les domestiques qui parlent d'elle, ou s'adressent à elle à la troisième personne). → Avance, cit. 7. *Madame veut-elle que je l'aide? Madame est servie.* — Titre donné à la maîtresse de maison par les personnes qui s'adressent aux domestiques. *Veuillez m'annoncer à Madame.*

14 Je demandai à la domestique si Madame était chez elle. Presque aussitôt, Mme Grangier parut dans la petite pièce où l'on m'avait introduit. Je sursautai, comme si la domestique eût dû comprendre que j'avais demandé « Madame » par convenance et que je voulais voir « Mademoiselle ».
R. RADIGUET, le Diable au corps, p. 38.

15 Le domestique rasé, en veston et tablier blanc, annonce : — Madame est servie.
J. CHARDONNE, les Destinées sentimentales, p. 313.

MADAPOLAM [madapɔlam] n. m. — 1823 ; nom d'une ville de l'Inde où cette étoffe était fabriquée.

♦ Étoffe de coton, sorte de calicot fort et lourd.

MADÉCASSE [madekɑs] adj. et n. — 1787, adj. ; Encyclopédie, 1765, nom de Madagascar ; mot indigène ; var. : *malagasy.*

♦ Vx. De Madagascar. ⇒ **Malgache.** *Les chansons madécasses de Parny, mises en musique par Ravel.*

MADÉFACTION [madefaksjɔ̃] n. f. — 1765 ; dér. sav. de *madéfier.*

♦ Vx. Action de madéfier.

MADÉFIER [madefje] v. tr. — V. 1354 ; empr. au lat. *madefacere,* de *madidus* « humide », et *facere* « faire ».

♦ Vx. Pharm. Rendre humide. ⇒ **Humecter, mouiller.** *Madéfier un emplâtre.* — Au p. p. *Poudre madéfiée.*
DÉR. **Madéfaction.**

MADE IN [mɛdin] loc. adj. — 1906, *in* Höfler ; angl. *made* « fait », et *in* « dans, en ».

♦ (S'écrit mais ne se dit guère). Fabriqué dans (tel pays). *Made in France.* — Fam. *Made in... :* qui a (telle origine). *Des habitudes, des réactions made in U.S.A.*

Sous la pression des Dominions, on parlait d'élever le tarif contre l'invincible « made in Germany ». Le « buy british achetez anglais » de 1933 s'appelait alors « made in England ». Paul MORAND, Londres, p. 51.

MADELEINE [madlɛn] n. f. — 1223, *faire la Madeleine* « affecter le repentir » ; du lat. *Magdalena,* prénom, proprt « femme de Magdala », pécheresse célèbre de l'Évangile.

♦ **1.** Loc. (1833). *Pleurer comme une Madeleine :* pleurer abondamment.

♦ **2.** (xviie). Nom donné à diverses variétés de fruits qui mûrissent à l'époque de la Sainte-Madeleine (pêches, prunes, pommes, poires). *Pêche-Madeleine.* — Nom de cépages précoces qui donnent des raisins de table.

♦ **3.** (1845 ; *gâteaux à la Madeleine,* 1769 ; *magdeleine,* 1807 ; *gâteau(x) madeleine,* 1842, *in* D.D.L. ; de *Madeleine Paulmier,* cuisinière, d'après Bescherelle). Petit gâteau sucré à pâte molle, de forme arrondie.

1 Elle envoya chercher un de ces gâteaux courts et dodus appelés Petites Madeleines qui semblent avoir été moulés dans la valve rainurée d'une coquille de Saint-Jacques. Et bientôt, machinalement, accablé par la morne journée et la perspective d'un triste lendemain, je portai à mes lèvres une cuillerée du thé où j'avais laissé s'amollir un morceau de madeleine.
PROUST, À la recherche du temps perdu, t. I, p. 65.

♦ **4.** Au plur. Fer à plisser.

2 (...) elle préparait les cisailles et les madeleines pour gaufrer elle-même son plus joli « devant » de lingerie fine (...) COLETTE, la Maison de Claudine, p. 84.

MADELEINEAU [madlɛno] n. m. — 1771, *magdeleineau ;* des îles de la Madeleine, dans le golfe du Saint-Laurent, Canada.

♦ Pêche. Variété de saumon. — Jeune saumon (probablt à cause du suffixe).

La montée des Saumons a lieu à diverses dates ; en août ce sont de jeunes Saumons ou Madeleinaux *(sic) ;* ils se reproduisent l'hiver suivant.
R. et M.-L. BAUCHOT, les Poissons, p. 123.

MADELONNETTE [madlɔnɛt] n. f. — 1690, *magdelonnette ;* dimin. de *Madeleine.*

♦ **1.** Plur. Anc. Couvent où des religieuses accueillaient les filles repenties. *Les Madelonnettes de Metz. Les Madelonnettes de Paris* (d'abord couvent, puis prison).

— Il n'y a personne, mufle.
— Bah! reprit l'enfant, où donc est mon père?
— À la Force.
— Tiens! et ma mère?
— À Saint-Lazare.
— Eh bien! et mes sœurs?
— Aux Madelonnettes.   HUGO, les Misérables, III, IV, XXII.
Les religieuses elles-mêmes.

♦ **2.** (1721). Vx. Femme de mauvaise vie (de celles que l'on enfermait aux Madelonnettes).

MADEMOISELLE [madmwazɛl] plur. MESDEMOISELLES [me(ɛ)dmwazɛl] n. f. — XVIᵉ; de *ma*, adj. poss., et *demoiselle**.

★ **I.** Titre donné anciennement à certaines femmes de condition.

♦ **1.** Titre de la fille aînée des frères ou des oncles du roi. *La grande Mademoiselle, duchesse de Montpensier, fille du frère de Louis XIV.*

1 Il faut donc (...) vous le dire : il *(Lauzun)* épouse, dimanche, au Louvre, avec la permission du Roi, Mademoiselle, Mademoiselle de... Mademoiselle... devinez le nom : il épouse Mademoiselle, ma foi! par ma foi! ma foi jurée! Mademoiselle, la grande Mademoiselle, Mademoiselle, fille de feu Monsieur; Mademoiselle, petite-fille de Henri IV (...) Mademoiselle, destinée au trône; Mademoiselle, le seul parti de France qui fût digne de Monsieur.
                                    Mᵐᵉ DE SÉVIGNÉ, 121, 15 déc. 1670.

♦ **2.** (1534). Titre donné aux femmes nobles non titrées, «mitoyen entre la Madame bourgeoise et la Madame de qualité» (Furetière). ⇒ **Madame**.

REM. Ce titre était donné aussi aux bourgeoises. *Racine appelait sa sœur* Madame *avant son mariage avec Louis Rivière et* Mademoiselle *lorsqu'elle fut son épouse.*

2 La fille de nostre mestayer (...) vint un jour trouver ma grand'mère, et lui dit : Bonjour, mademaselle *(sic)*...
          BÉROALDE DE VERVILLE, le Moyen de parvenir, Remonstrance, 1, 151, *in* HUGUET.
3 (...) vous m'obligez beaucoup de me tenir quelquefois compagnie : mon mari est si mal bâti (...)
— Mademoiselle, vous me faites trop d'honneur (...)
                                    MOLIÈRE, la Jalousie du barbouillé, III.

♦ **3.** (1846). Péj. et vx. *Une mademoiselle :* une jeune fille de la bonne société. ⇒ **Demoiselle** (→ Madame, I., 2.).

3.1 La mère était jalouse de sa fille, et peut-être rêvait-elle de tirer parti de cette beauté, de faire de cette enfant une mademoiselle.
                                    BALZAC, la Cousine Bette, Pl., t. VI, p. 512.

★ **II.** Mod. ♦ **1.** (XVIIᵉ). Titre donné aux jeunes filles et aux femmes célibataires. — Abrév. pop. (1680). *Mam'selle* ou *mam'zelle* [mamzɛl]. — *Mademoiselle Une telle et ses parents. Bonsoir Mesdemoiselles* (→ Lequel, cit. 22). *Mademoiselle votre fille, votre sœur* (→ Madame, II., 1.). — Abrév. : *Mˡˡᵉ;* plur. *Mˡˡᵉˢ.* — Littér. *Mademoiselle de Maupin,* roman de Th. Gautier (1835).

4 Je viens de la part du maître à chanter de Mademoiselle votre fille.
                                    MOLIÈRE, le Malade imaginaire, II, 2.

♦ **2.** (XVIIIᵉ). Absolt. Pour désigner la fille de la maison (→ aussi **Madame,** II., 3.).

5 Cependant, le livre de Mademoiselle s'était enfin retrouvé sous un fauteuil où il avait été traîné, mâchonné, déchiré par un jeune doguin (...)
                                    DIDEROT, le Neveu de Rameau.

MADÈRE [madɛʀ] n. m. — 1803; de l'île portugaise de *Madère.*

♦ *Vin** de Madère. *Madère sec. Madère doux* (⇒ **Malvoisie**). *Une bouteille de madère* (→ Gallon, cit.). *Verre à madère :* petit verre (cf. Verre à bordeaux).

On a cultivé, importé et présenté dans un ordre régulier les vins de tous les pays : le madère qui ouvre la tranchée, les vins de France qui se partagent les services (...)
                                    A. BRILLAT-SAVARIN, Physiologie du goût, t. II, p. 109.

Cuis. (Par appos.). *Sauce madère :* sauce au madère pour accommoder les viandes. *Rognons sauce madère.*

DÉR. **Madériser.**

MADÉRISATION [madeʀizasjɔ̃] n. f. — XXᵉ; de *madériser.*

♦ Fait, pour un vin, de se madériser.

MADÉRISER [madeʀize] v. tr. — 1902; de *madère.*

♦ Donner à (un vin) le goût, la couleur du madère.

Pron. *Vin blanc qui se madérise en vieillissant,* qui prend un goût anormalement sucré.

▶ **MADÉRISÉ, ÉE** p. p. adj.

(En parlant d'un vin). Qui a pris en vieillissant un goût anormal, très sucré.

DÉR. **Madérisation.**

MADI [madi] n. m. — 1839, Boiste; mot espagnol du Chili.

♦ Bot. Plante à fleurs jaunes *(Composacées)* originaire du Chili, dont une espèce *(Madia sativa)* est cultivée en Europe pour ses graines oléagineuses. *Huile de madi, comestible, mais utilisée surtout en savonnerie et comme huile à brûler.*

MADJOUN [madʒun] ou MAJOUN [maʒun] n. m. — 1931; mot arabe.

♦ Pâte masticatoire utilisée en Afrique du Nord, à base de miel et d'amandes torréfiées et de poudre de hachisch.

MADONE [madɔn] n. f. — 1642; ital. *madonna* «madame», nom donné à la Vierge.

♦ **1.** Représentation de la Vierge. ⇒ **Vierge.**

REM. *Madone* s'emploie surtout en parlant des peintures et des sculptures italiennes, et, plus spécialt, lorsque la Vierge est représentée avec Jésus enfant.
Les Madones de Raphaël, de Botticelli... (→ Fin, cit. 13). *Madone en bois sculpté.*

1 (...) cette expression d'innocence et de piété céleste qui brille dans les belles madones de l'école italienne.
          STENDHAL, Romans et Nouvelles, «Le coffre et le revenant».
2 (...) la madone, dans sa niche, accrochée au mur, avec la lanterne qui brille à ses pieds.   MAUPASSANT, la Vie errante, «La Sicile».

♦ **2.** Par compar. et fig. *Adorer une femme comme une madone. Femme belle comme une madone. — Beauté de madone :* beauté régulière. *Visage de madone. —* En emploi adjectif. → cit. 4.

3 Vous êtes dans mon âme comme une madone sur un piédestal, une place haute, solide et immaculée.   FLAUBERT, Mᵐᵉ Bovary, II, IX.
4 Elle était grande, avec des yeux comme de l'émail, la bouche fine et légèrement tordue. C'était ça qui lui donnait un charme très singulier et n'avaient pas ses sœurs, plus madones, plus régulières.   ARAGON, les Beaux Quartiers, I, XIV.
5 (...) des yeux de velours, un ovale de préraphaélite, la voix de grenadine et des petits ongles de statue. Une madone.
          Geneviève DORMANN, le Bateau du Courrier, p. 67.

♦ **3.** *La Madone :* la Vierge, en Italie. *Italienne qui prie la Madone.*

♦ **4.** *La madone des sleepings,* type de femme fatale cosmopolite (d'un célèbre roman populaire de M. Dekobra).

6 Quand je m'installai dans le rapide de Berlin, il me sembla entrer dans la peau d'une grande voyageuse internationale, presque d'une madone des sleepings.
                                    S. DE BEAUVOIR, la Force de l'âge, p. 186.

MADRAGUE [madʀag] n. f. — 1679; provençal *madraga,* de l'arabe *mãzrãbäh* «enceinte».

♦ Régional. Vaste enceinte de filets à compartiments, fixés à demeure près de la côte pour capturer le thon.

Sus, construisons une madrague vaste et solide (...) si le bonheur (Saint Pierre aidant) veut qu'il se jette, à colonnes pressées, un banc de thons, nous sommes riches.   F. MISTRAL, Calendal, Chant V, p. 169.

MADRAS [madʀa; madʀɑs] n. m. — 1797; nom d'une ville de l'Inde où l'on fabriquait cette étoffe.

♦ **1.** Étoffe à chaîne de soie et trame de coton, de couleurs vives. *Robe, mouchoir de madras.*

♦ **2.** (1830). Par ext. Mouchoir, fichu de madras; coiffure faite avec ce mouchoir noué sur la tête. ⇒ **Foulard.** *Le madras traditionnel des Antillaises.*

Ses cheveux noirs s'échappaient en grosses boucles d'un joli madras négligemment noué sur sa tête à la manière des créoles.   BALZAC, Gobseck, Pl., t. II, p. 632.

MADRE [madʀ] n. m. — Fin XIIᵉ, *masdre; mazre,* v. 1160; d'un francique **maser* «excroissance rugueuse de l'érable»; anc. haut all. *masar.*

♦ Techn. Anciennt. Bois veiné utilisé pour la confection des vases à boire.

DÉR. **Madrure, madré.**

1. MADRÉ, ÉE [madʀe] adj. — XIVᵉ; de *madre.*

♦ Techn. Vx. Qui est veiné, tacheté, en parlant du bois, et, par ext., de toute autre matière. *Porcelaine madrée.*

2. MADRÉ, ÉE [madʀe] adj. — 1591; de 1. *madré,* les ressources et les changements apparents d'une personne rusée étant comparés à l'aspect d'un bois madré.

♦ Qui est capable de ruse, de finesse ; qui connaît de nombreux tours. ⇒ **Matois** (comme *madré*, s'applique surtout aux paysans), **futé, malin, rusé.** *Un vieux paysan madré.*

1 Un renard, jeune encor, quoique des plus madrés (...)
LA FONTAINE, Fables, XII, 17.

2 Veuf, il vivait seul avec sa bonne et ses deux valets dans sa ferme qu'il dirigeait en madré compère, soigneux de ses intérêts, entendu dans les affaires et dans l'élevage du bétail, et dans la culture de ses terres.
MAUPASSANT, les Contes de la Bécasse, « Saint-Antoine ».

3 Rusé, madré, retors en fait de procédure, il eût rendu des points à Chicanneau.
FRANCE, le Petit Pierre, XXII.

N. Rare. *Ce vieux madré de...* (→ Escroquer, cit. 2). *Une petite madrée.* ⇒ **Finaud, rusé.**

MADRÉPORAIRES [madʀepɔʀɛʀ] n. m. pl. — 1873 ; de *madrépore.*

♦ Zool. Ordre d'animaux cnidaires (*Anthozoaires, Hexacoralliaires**) pourvus d'un squelette constituant un polypier calcaire, et dont le type principal est le madréporc. — Au sing. *Un madréporaire.*

MADRÉPORE [madʀepɔʀ] n. m. — 1671 ; empr. à l'ital. *madrepora,* de *madre* « mère », et *poro* « pore », qui désignait proprement les canaux du polypier.

♦ Zool. Animal cnidaire coralliaire *(Hexacoralliaires*-Madréporaires)* à polypier perforé généralement dressé et ramifié, qui vit dans les mers chaudes. *Colonie d'animalcules* (cit. 1), *de polypes, de madrépores. On croyait autrefois que les madrépores étaient des plantes* (→ Corail, cit. 1). *Banc de madrépores. La méandrine*, madrépore à polypier vermiculé.*

1 Dans l'obscurité, les bêtes invisibles des eaux profondes vont venir l'entourer ; les madrépores mystérieux vont pousser sur lui leurs branches, le manger très lentement avec les mille petites bouches de leurs fleurs vivantes.
LOTI, Mon frère Yves, XC.

Par compar. ou fig. (→ Conscience, cit. 10).

2 Les préjugés, formés, comme les madrépores,
Du sombre entassement des abus sous les temps,
Se dissolvent au choc de tous les mots flottants (...)
HUGO, les Contemplations, I, VII.

DÉR. Madréporaires, madréporien.

MADRÉPORIEN, IENNE [madʀepɔʀjɛ̃, jɛn], MADRÉPORIQUE [madʀepɔʀik] ou MADRÉPOREUX, EUSE [madʀepɔʀø, øz] adj. — 1867, *madréporien ; madréporique,* 1812 ; *madréporeux,* 1859 ; de *madrépore.*

♦ **1.** Zool. et géogr. Qui appartient aux madrépores, qui est formé de madrépores. *Polypes madréporiens. Île madréporique.* ⇒ **Atoll.** « (La rade offre un fond) *composé de sable coquillier ou madréporeux* » *(Année sc. et industr.* 1860, p. 263 [1859]).

(...) notre erreur n'a pas duré quand nous avons mieux vu les îles. Une barque nous descendit sur l'une d'elles ; elles étaient toutes presque pareilles et distantes également. Leur forme régulière nous les fit croire madréporiques, elles eussent été assurément des plates sans cette végétation luxuriante et magnifique qu'elles portaient ; elles étaient à l'avant légèrement escarpées, récifs de madrépores, gris comme des pierres volcaniques, où les racines se dénudaient (...)
GIDE, le Voyage d'Urien, in Romans, Pl., p. 19.

♦ **2.** Zool. *Plaque madréporique* : chez les échinodermes (Oursins), Plaque percée de nombreux orifices qui aboutissent dans le canal hydrophore et dans le sinus axial.

MADRIER [madʀije] n. m. — Fin XVIe ; *madretz,* 1382 ; altér. de l'anc. provençal *madier* « couverture de pétrin », d'un lat. pop. **materium,* lat. class. *materia* « bois de construction » ; mais, selon P. Guiraud, *madier* viendrait du lat. *magidem* « maie » et *madrier* de l'adj. lat. *materiarius* « du bois de construction ».

♦ Forte pièce de bois d'équarrissage rectangulaire. Spécialt. techn. (charpenterie). Forte pièce de bois d'un équarrissage normalisé de 75 mm × 205 ou 225. ⇒ **Plançon** (ou **plantard**). → Fardier, cit. 1. *Madrier de chêne. Madrier de sapin.* ⇒ **Basting, plat-bord.** *Madrier de charpente* (⇒ **Chevron, poutre**), *de puits* (⇒ **Palplanche**). *Hangar* (cit. 2) *soutenu par quatre madriers. Madriers de chevalement*, d'échafaudage*. Madriers pour isoler, faire glisser les tonneaux.* ⇒ **Chantier, poulain.**

1 (...) le plancher du fenil (...) était fait de madriers mobiles, qu'on enlevait en partie, lorsqu'on diminuait la provision des fourrages.
ZOLA, la Terre, II, I.

2 La route devient une mare qu'on franchit sur les talons en faisant avec les pieds un bruit de rames. Des madriers ont été disposés, là-dedans, de place en place. On glisse dessus quand, envasés, ils se présentent de travers. Parfois il y a assez d'eau pour qu'ils flottent : alors sous le poids de l'homme, ils font flac ! et s'enfoncent (...)
H. BARBUSSE, le Feu, II, XIX.

MADRIGAL [madʀigal] n. m. — Mil. XVIe ; *madrigale,* n. f., 1541 ; empr. à l'ital. *madrigale,* orig. incert., p.-ê. (P. Guiraud) de *matricalis* « sorti de la matrice », d'où « formel, difficile ».

♦ **1.** Hist. de la mus. Pièce de musique écrite pour plusieurs voix sans accompagnement, sur un texte profane. *Les madrigaux de Palestrina.*

1 MADRIGAL. Sorte de pièce de musique travaillée et savante, qui était fort à la mode en Italie au XVIe siècle et même au commencement du précédent.
ROUSSEAU, Dictionnaire de musique, Madrigal.

♦ **2.** Littér. Courte pièce de vers exprimant une pensée ingénieuse et galante. ⇒ **Bouquet** (→ Assourdir, cit. 4). *Madrigal tendre, élogieux* (→ Forme, cit. 49). *Madrigaux de Voiture. Tourner un madrigal* (→ Gras, cit. 33).

2 Le madrigal, plus simple et plus noble en son tour,
Respire la douceur, la tendresse et l'amour.
BOILEAU, l'Art poétique, II.

3 (...) il cherchait des rimes dans sa tête (car tout étourdi est un peu poète), et il essayait de faire un madrigal pour une belle demoiselle de son pays.
A. DE MUSSET, Nouvelles, « Croisilles », I.

♦ **3.** (1826). Par ext. Paroles de galanterie*, d'un ton précieux ou affecté. *Madrigal emphatique* (cit. 4). *Ce ne sont que madrigaux, galanteries* (cit. 14) *en beau style.*

DÉR. Madrigalesque, madrigaliser, madrigaliste.

MADRIGALESQUE [madʀigalɛsk] adj. — 1767 ; de *madrigal,* d'après l'ital. *madrigalesco.*

♦ Didact. et rare. Propre au madrigal. *Le genre madrigalesque.*

REM. On a aussi utilisé *madrigalique* [madʀigalik] (déb. XIXe).

MADRIGALISER [madʀigalize] v. intr. — 1797, p. p. ; de *madrigal.*

♦ Rare. Faire des madrigaux.

Puis s'adressant à M. Dumoustier, pour le mettre de moitié dans sa fureur, il l'invitoit à précipiter la chute qu'on ajournaient d'acte en acte, quelques tirades madrigalisées, et couleur de rose un peu fade.
Suppl. à la Quotidienne, 19 mars 1797, p. 1-2, in D. D. L.

MADRIGALISTE [madʀigalist] n. — 1801 ; de *madrigal ; madrigalier* (XVIIe) ne s'est employé qu'au sens littér. de *madrigal.*

♦ Hist. de la mus. Compositeur de madrigaux. *Les grands madrigalistes du XVIe siècle.*

MADRILÈNE [madʀilɛn] adj. et n. — D. i., de l'esp. *madrileno.*

♦ De Madrid, capitale de l'Espagne. *Population madrilène.* — N. *Un, une Madrilène.*

Les Madrilènes sont charmantes dans toute l'acception du mot : sur quatre il y en a trois de jolies (...)
Th. GAUTIER, Voyage en Espagne, p. 66.

MADRURE [madʀyʀ] n. f. — 1555 ; de *madré.*

♦ Vieilli. Aspect, tache de ce qui est madré. ⇒ **Madré.** *Madrure du bois. Madrure du plumage d'un oiseau.*

MAELSTROM [malstʀom ; mɛlstʀom ; maɛlstʀom], MAELSTRÖM [malstʀø̃m] ou MALSTROM [malstʀom] n. m. — 1857, Flaubert, *Correspondance,* comme nom commun ; nom d'un tourbillon situé près de la côte norvégienne *(Encyclopédie,* 1765 ; *Une descente dans le Maëlstrom,* nouvelle de Poe, traduite par Baudelaire en 1853), mot hollandais, de *malen* « moudre, broyer », et *strom* « courant ».

♦ **1.** Courant tourbillonnaire marin. ⇒ **Gouffre.**

1 Le banc inextricable et dur,
La passe au col étroit, le maëlstrom vorace,
Agitent moins de sable et de varech impur
Que nos cœurs où pourtant tant de ciel se reflète
BAUDELAIRE, Poèmes divers, II (1860-1865).

1.1 Entre l'embouchure de la rivière et le pan de la muraille, de grands remous tourbillonnaient, et les couches d'air qui s'échappaient de ce maelström, ne trouvant d'autre issue que l'étroite vallée au fond de laquelle se soulevait le cours d'eau, s'y engouffraient avec une irrésistible violence.
J. VERNE, l'Île mystérieuse, t. I, p. 78.

♦ **2.** (1862). Fig. Tourbillon, mouvement violent qui entraîne.

2 Paris est un maelstrom où tout se perd, et tout disparaît dans ce nombril du monde comme dans le nombril de la mer.
HUGO, les Misérables, II, V, X.

3 (...) tout ce qui venait de se passer depuis qu'il s'était engagé dans la porte-tambour (cette énorme suite, ou plutôt masse, ou plutôt magma, ou plutôt maelstrom de sensations, de visions, de bruits, de sentiments et d'impulsions contraires se pressant, se bousculant, se mélangeant, se superposant impossible à contrôler et à définir (...)
Claude SIMON, le Palace, p. 80.

MAËRL [maɛʀl] ou MERL [mɛʀl] n. m. — 1874 ; *merl,* 1860 ; cf. Maërle, in Littré, *Suppl. ;* mot breton *merl, maerl,* du vx franç. *marle,* var. de *marne.*

◆ **Géogr.** Dépôt littoral formé de fin gravier et de débris d'algues calcaires *(Floridées)*, qui sert d'amendement*.

HOM. Merle.

MAESTOSO [maɛstozo] adv. — 1834; *majestoso*, 1752; mot ital. de *maesta* «majesté».

◆ **Mus.** Avec une lenteur majestueuse. ⇒ **Majestueusement.**
N. (Déb. xxᵉ). Morceau joué dans ce mouvement.

MAESTRIA [maɛstʀija] n. f. — 1844; mot ital., «maîtrise», de *maestro*.

◆ **1.** Maîtrise, perfection dans l'exécution (d'une œuvre d'art, d'un exercice...). *La maestria implique une idée de facilité, d'aisance brillante.* ⇒ **Brio** (cit. 4). *Maestria d'un violoniste, d'un peintre, d'un romancier.*

1 Tâche de traiter les hommes et la vie avec la maestria (...) que tu as en traitant les idées et les phrases.   FLAUBERT, Correspondance, 482, 30 sept. 1855.

2 Les anges soulevant les rideaux, les enfants (...) la figure du roi (...) étaient exécutés avec un style et une maestria dont la tradition s'était perdue (...)
                Th. GAUTIER, Portraits contemporains, «Ingres» (1857).

3 Cette danse *(la «danse du ventre»)* est laide, disgracieuse, curieuse seulement pour les amateurs par la maestria de l'artiste.
                MAUPASSANT, la Vie errante, «Tunis».

◆ **2. Fam.** Habileté spectaculaire (dans un exercice quelconque). *L'équipe a manœuvré avec une véritable maestria* (Académie). *Faire quelque chose, mener une intrigue... avec maestria* (cf. De main de maître).

4 Belhôtel débouche sa bouteille avec maestria; on trinque. L'émotion est à son comble; le patron fait claquer sa langue.   R. QUENEAU, le Chiendent, p. 30.

MAESTRO [maɛstʀo] n. m. — 1824, *le Français moderne*; mot ital., «maître».

◆ Compositeur de musique ou chef d'orchestre célèbre. *Des maestros.*

Par plais. Chef d'orchestre. *Bravo, maestro!*

— Il n'est pas donné à tout le monde, reprit le journaliste, d'avoir assez d'intelligence pour comprendre les élucubrations musicales de monsieur, et là sans doute est la raison qui empêche notre divin maestro de se produire aux bons Parisiens.
                BALZAC, Gambara, Pl., t. IX, p. 427 (1837).

MAFFIA ou **MAFIA** [mafja] n. f. — 1866 (→ cit. 1); mot sicilien d'origine obscure.

◆ **1.** Association secrète d'origine sicilienne, dont les ramifications sont importantes en Italie et aux États-Unis, et qui repose sur une organisation rigoureuse ainsi que sur la loi du silence *(ommertá)* pour exercer des activités illégales. *Lutte contre la maffia.* ⇒ **Antimaffia.** Syn. : *Cosa nostra* («notre chose»). *Un parrain* de la maffia. Les «familles» de la maffia. — La maffia de New York; une, des maffias.*

1 Au commencement de l'année 1865, il n'y aurait pas eu moins de quatre à cinq mille affiliés à cette ligue secrète de la maffia, dont les membres s'engagent solidairement à vivre de tromperies, de fraudes et de vols de toute espèce. À cette époque, encore si rapprochée de nous, la plupart des commerçants et des industriels étaient obligés, pour vivre eux-mêmes et continuer librement leur métier, de payer la dîme de leurs revenus aux chefs de la redoutable association : on peut dire que la ville tout entière obéissait en même temps à deux pouvoirs, celui de l'Italie et celui de la maffia.
                Élisée RECLUS, *in* le Tour du monde, t. I, p. 355 (1866).

(V. 1930). **Péj.** Coterie* secrète servant les intérêts privés par des moyens plus ou moins illicites.

2 Au milieu des administrations les plus rigides, des corps les plus honnêtes (...) il s'est formé un chemin secret d'intérêt, d'égoïsme, de concussion; il s'est formé une conspiration pour l'intérêt individuel, contre le bien de l'État. Il s'est formé une bande complice (...) il s'est formé une maffia.
                GIRAUDOUX, De pleins pouvoirs à sans pouvoirs, v, p. 128.

◆ **2.** (Mil. xxᵉ). **Par ext. Fam.** Groupe occulte, confrérie (sans idée péjorative). *Une petite mafia de collectionneurs.*

3 C'est la première fois que je pénètre dans la salle d'attente d'un vétérinaire. Il y avait déjà trois personnes (...) Ces trois personnes parlaient entre elles. Quand je suis entré avec Tarzan, elles m'ont regardé de telle façon que j'ai compris que je venais, sans le savoir, d'adhérer à la mafia des amis des bêtes.
                Jean DUTOURD, Pluche, XII, p. 193.

DÉR. Maffioso.

MAFFIOSO ou **MAFIOSO** [mafjozo] n. m. — V. 1930; mot ital. de *maffia**.

◆ Membre de la maffia*. — **Plur. ital.** *Des maffiosi* ou *des mafiosi* [mafjozi].

Jouer aux Indiens, aux gangsters new-yorkais, aux mafiosi peut rester un jeu ou ne pas rester un jeu, car le jeu risque toujours d'entraîner l'accident.
                Michèle PERREIN, Entre chienne et louve, p. 189.
REM. On rencontre l'adaptation française *mafieux, euse* [mafjø, øz], adj. et n. (*l'Express*, 26 avr. 1980, p. 163-167).

MAFFLU, UE [mafly] adj. — 1668; *maflé*, 1666, Furetière; même rac. que le vieux verbe *mafler* «manger beaucoup»; du néerl. *maffelen* «mâchonner». → Galimafrée.

◆ **Vx ou littér.** Qui a de grosses joues. ⇒ **Joufflu.** *« Grasse, mafflue et rebondie »* (→ Conclusion, cit. 9, La Fontaine). *Visage mafflu.* ⇒ **Bouffi.** *Un gros enfant mafflu.* — (En parlant des joues). *Des joues rouges et mafflues.* ⇒ **Plein, rebondi, rond.**

REM. On trouvait aussi les formes *mafflé, ée* (fin xviiᵉ) et *maflé, ée* (1666).

1 (...) elle ne tenait de la lune que d'être un peu maflée, ni de l'aurore que d'avoir le bout du nez rouge.   FURETIÈRE, le Roman bourgeois, I, p. 102.

2 (...) quelque robuste servante, aux joues colorées et mafflues comme les peintres flamands en mettent dans leurs tableaux (...)
                Th. GAUTIER, le Capitaine Fracasse, XI.

CONTR. Maigre; cave, creux (joues).

MAFIQUE [mafik] adj. — Av. 1973 (in *Encycl. Univ.*, art. *Ultrabasique*); angl. *mafic*, W. Cross, 1912, de *ma(gnesium), f(errum)*, et *-ic.* → -ique.

◆ **Minér.** Pétrographie. Ferromagnésien*.

1. MAGASIN [magazɛ̃] n. m. — V. 1400; arabe *māhāzǐn*, plur. de *māhzān* «dépôt, bureau» (→ Maghzen), par l'intermédiaire du provençal ou de l'italien.

★ **I. A.** ◆ **1.** Lieu de dépôt pour des marchandises destinées à être conservées ou vendues. ⇒ **Abri, dépôt, entrepôt, halle, réserve, resserre; conservation, stockage.** *Marchandises, provisions que l'on garde, que l'on serre dans un magasin. Magasins d'une halle*, d'un port* (⇒ **Dock**). Hangar servant de magasin. Magasin à blé, à grains (⇒ **Grange, grenier, silo**), à vins (⇒ **Cave, chai, halle**; → Attirail, cit. 1). Magasins de pétrole, de produits combustibles, à charbon (⇒ **Charbonnerie**).*

EN MAGASIN. *Mettre en magasin.* ⇒ **Emmagasiner.** — **Mod.** *Avoir quelque chose en magasin, en stock* (→ Exister, cit. 8).

Spécialt et **vieilli.** *Le magasin d'une boutique.* ⇒ **Arrière-boutique, réserve.** *Marchand en magasin :* «celui qui ne tient point boutique» (Furetière).

1 Je (...) mets tout bonnement PARFUMERIE en grosses lettres d'or. Je place à l'entresol le bureau, la caisse (...) Je fais mon magasin de l'arrière-boutique, de la salle à manger et de la cuisine actuelles.
                BALZAC, César Birotteau, Pl., t. V, p. 329.

1.1 Les chambres devaient être desservies par un corridor ménagé entre elles et un long magasin, dans lequel les ustensiles, les provisions, les réserves, trouveraient largement place. Tous les produits recueillis dans l'île, ceux de la flore comme ceux de la faune, seraient dans des conditions excellentes de conservation, et complètement à l'abri de l'humidité.
                J. VERNE, l'Île mystérieuse, t. I, p. 246-247.

Français d'Afrique. Remise, local où l'on range les provisions.

◆ **2.** (1669). **Milit.** Bâtiment, local destiné à recevoir les munitions, provisions... nécessaires à l'armée. *Magasin d'armes, d'explosifs, magasin à poudre.* ⇒ **Arsenal, poudrière.** *Magasin où l'on range les drapeaux, pavillons...* ⇒ **Pavillonnerie.** *Magasin de vivres, d'habillement* (→ Espionnage, cit. 3). *Gradé chargé de la surveillance des magasins.* ⇒ **Garde-magasin.**

2 (...) Il devait prendre la garde à la nuit devant les magasins d'approvisionnement où l'on cousait un nouveau drapeau.   P. MAC ORLAN, la Bandera, XX.

(1848). **Mar.** *Magasin du bord.* ⇒ **Cambuse.** *Magasin établi dans l'entrepont, la cale.* ⇒ **Soute.**

Dépôt des tableaux, des objets d'art non exposés, dans un musée. ⇒ **Réserve.**

(1873). **Théâtre.** *Magasin des accessoires, des décors.* — **Au fig.** *Laisser qqch. au magasin des accessoires.*

3 (...) quelques mots français comme *droiture* et *probité*, que nous avons laissé se décolorer dans le magasin des accessoires romantiques!
                MARTIN DU GARD, Jean Barois, II, II.

Dr. comm. *Magasins généraux :* établissements jouissant du monopole d'exploitation destinés à entreposer des marchandises. *Le magasin général remet des titres en gage au déposant* (récépissé, warrant). *Dépôt en magasin.* ⇒ **Magasinage.** — **Par ext.** *Ville, pays, qui est un magasin de produits exotiques* (→ Entrepôt, cit. 4).

◆ **3. Fig.** Réserve (→ Auteur, cit. 36). **Vx.** *Faire, tenir magasin de quelque chose,* en conserver une grande quantité (→ Essentiel, cit. 7). — **Par ext.** Accumulation. *«Des magasins de belles paroles»* (Guez de Balzac). *Un magasin de niaiseries* (→ Absurdité, cit. 3).

4 Voltaire (...) a été le journaliste, l'avocat et le député perpétuel de son époque. Sa grandeur est d'avoir été le magasin d'idées de tout un siècle.
                HUGO, Post-Scriptum de ma vie, «Grands hommes», III.

B. (1873). ◆ **1. Techn.** *Magasin d'une arme à feu à répétition* (fusil*, revolver...) : partie de l'arme recevant l'approvisionnement en cartouches. *Mettre un chargeur* dans le magasin.*

◆ **2. Par anal.** *Magasin (1932) d'un appareil de photo; (1946) d'une* *caméra,* où l'on met la pellicule à impressionner. ⇒ **Chargeur.** *Magasins à films; magasins à plaques. Magasin à diapositives* (pour alimenter automatiquement un projecteur).

C. Argot, vx. *Le magasin :* le corps. ⇒ **Buffet.**

4.1 Du coup, tu n'auras pas d'condamnation. Tu ne s'ras pas traqué, et tu pourras être heureux comme je l'aurais été si c'te balle ne m'avait pas traversé le magasin !
H. BARBUSSE, le Feu, t. II, p. 47.

★ **II.** (1690, La Bruyère, XVI, 4 ; → Indéterminé, cit. 5). Cour. Établissement* de commerce, local où l'on conserve et où l'on expose des marchandises en vue de les vendre. — REM. Cette acception, née d'une confusion entre la *boutique* et le *magasin* (au sens I) qui y est joint, est demeurée rare jusqu'au XIXᵉ s., où *magasin* a supplanté *boutique,* surtout en parlant d'un local important. ⇒ **Boutique, commerce, échoppe, fonds.** *Tenir un magasin.* ⇒ **Commerçant, marchand.** *Magasin de vente* en gros, au détail. — Magasin d'alimentation* (→ Faim, cit. 3). *Magasin de blanc*, de lingerie* (cit. 1), *de modes*, de nouveautés*, de prêt-à-porter, de vêtements... Magasin d'objets dépareillés, d'occasion.* ⇒ **Bric-à-brac.** *Magasin d'antiquités. Principaux noms désignant des magasins :*

Armurerie	Chemiserie	Graineterie	Mercerie
Bazar	Confiserie	Herboristerie	Papeterie
Bijouterie	Cordonnerie	Horlogerie	Parfumerie
Bonneterie	Coutellerie	Joaillerie	Pâtisserie
Boucherie	Crèmerie	Lainerie	Pharmacie
Boulangerie	Droguerie	Laiterie	Poissonnerie
Chapellerie	Épicerie	Librairie	Quincaillerie
Charcuterie	Fruiterie	Maroquinerie	Triperie

N. B. V. aussi à *commerce* la liste des principaux commerces. De nombreux magasins n'ont pas de désignation propre (ex. : *magasin de chaussures ; bottier, tailleur... ; marchand de couleurs, de journaux... ; magasin d'articles de sports, de pêche,* etc.). → Marchand, métier. *Devanture d'un magasin.* ⇒ **Devanture, étalage, vitrine.** *Enseigne* d'un magasin* (→ Embrasement, cit. 4). *Rideau* de fer d'un magasin. Acheter, ouvrir, gérer* (cit. 3) *un magasin. Employés de magasin.* ⇒ **Calicot** (vx) ; **caissier, commis, vendeur...** *Demoiselle*, garçon de magasin. Comptoir*, rayons*, rayonnage* d'un magasin. Caisse*, comptabilité* d'un magasin* (⇒ **Facture, quittance**). *Livre de magasin,* sur lequel on note le mouvement matériel des marchandises. *Les clients d'un magasin.* ⇒ **Clientèle.** *Faire des achats, des emplettes dans un magasin. Courir les magasins.* ⇒ **Course,** 2. **magasinage** (→ l'anglicisme *faire du shopping*). *Stock* d'un magasin. Rassortiment d'un fonds de magasin.*

(1883). **GRAND MAGASIN** : grand établissement de vente réunissant dans un même bâtiment, ou dans un ensemble de bâtiments, de nombreux rayons spécialisés. *Chaîne de grands magasins.* ⇒ **Succursale.** *Les rayons, les gondoles, les bergeries d'un grand magasin.* **MAGASIN** (même sens). *Magasins à succursales multiples.* ⇒ **Chaîne.** *Magasin à entrée libre, à libre service*. Magasin à prix unique. Magasin à grande surface.* ⇒ **Hypermarché, supermarché, surface** (grande). *Magasin à rayons multiples. Magasin spécialisé* (dans l'habillement, par ex.), dont l'assortiment est principalement constitué par une famille de produits qui répondent à un besoin déterminé des consommateurs. *Magasin populaire :* établissement de vente au détail, à rayons multiples, qui vise à satisfaire le maximum de besoins courants de la clientèle. *Rue bordée de magasins ; rue triste, sans magasins* (→ Agrément, cit. 7). *Magasins et ateliers* (cit. 4). *Fermeture des magasins* (→ Congé, cit. 4).

5 Ne pourront les libraires avoir plus d'une Boutique ou d'un Magasin ouvert pour la vente de leurs livres (...)
Ordonnance du 28 février 1723, II, art. 15.

6 Chaque fois que le Bonheur des Dames créait des rayons nouveaux, c'étaient de nouveaux écroulements, chez les boutiquiers des alentours... Le dernier inventaire du grand magasin, ce chiffre de quarante millions d'affaires, avait aussi révolutionné le voisinage.
ZOLA, Au Bonheur des Dames, VIII.

7 C'est au milieu du XIXᵉ siècle que sont apparus les grands magasins. La naissance du Bon Marché se place en 1852, celle du Louvre en 1855, celle du Printemps en 1865.
PIROU et BYÉ, Traité d'économie politique, t. I, p. 220.

8 À partir de 1820 ou 1825, le développement de la vie économique et les nécessités de la concurrence incitèrent les marchands de nouveautés (...) à acheter directement au fabricant, à entreposer des marchandises en grande quantité, ce qui nécessita de vastes locaux qu'on baptisa du nom, alors pompeux, de *magasins* et à déployer (...) un grand luxe de façades, d'étalages et d'enseignes (...) En 1834, note Luchet, le type qu'est la « boutique » s'efface (...) Chaque jour marque une nouvelle invasion du *magasin.*
G. MATORÉ, le Vocabulaire et la Société sous Louis-Philippe, p. 30.

Magasin-souvenir, qui vend des souvenirs pour les touristes.

9 (...) le Parthénon ressemblait à ces reproductions en faux albâtre qu'on vend dans les magasins-souvenirs.
S. DE BEAUVOIR, les Belles Images, p. 207.

DÉR. 1. **Magasinage, magasiner, magasinier.**
COMP. **Arrière-magasin.**

2. MAGASIN [magazɛ̃] n. m. — 1650 ; angl. *magazine,* de même sens et origine que 1. *magasin.*

♦ **1.** Vx. Ouvrage composite, encyclopédie.

♦ **2.** Vx. (*Nouveau magasin français,* 1751). ⇒ **Magazine** (réemprunt plus tardif). *Le Magasin pittoresque* (1833-1938). *Magasin du spectacle* (Kléber Haedens, 1946).

REM. Ce mot, équivalent exact de l'anglicisme *magazine,* pourrait le remplacer avantageusement.

1. MAGASINAGE [magazinaʒ] n. m. — 1675 ; de *magasin.*

♦ **1.** Comm. Action de mettre en magasin, en dépôt. *Droits* (ou *frais*) *de magasinage,* « perçus par certaines administrations... à l'occasion du dépôt de marchandises ou d'objets » (Capitant). *Les douanes perçoivent un droit de magasinage sur les marchandises en dépôt.*

♦ **2.** (1849). Par ext. Durée du séjour des marchandises en magasin.
HOM. 2. Magasinage.

2. MAGASINAGE [magazinaʒ] n. m. — 1909 ; mot canadien, de *magasiner.*

♦ Régional (Canada). Action de magasiner*. ⇒ **Shopping** (anglic.). *Faire du, son magasinage.*
HOM. 1. Magasinage.

MAGASINER [magazine] v. intr. — 1894 ; mot canadien, de 2. *magasin,* d'après l'angl. *to shop ;* → Bouquiner.

♦ Régional (Canada). Aller dans les magasins pour faire divers achats.

REM. Ce verbe, usité au Canada, remplacerait avantageusement en français central la locution verbale *faire du shopping.*
DÉR. 2. Magasinage.

MAGASINIER, IÈRE [magazinje, jɛʀ] n. — 1692, au masc. ; de *magasin.*

♦ **1.** Personne qui garde les marchandises déposées dans un magasin. ⇒ **Garde-magasin.**

Rabe (...) se rendit avec les autres au magasin de sa compagnie (...) Il (...) tendit les bras au magasinier qui lui remit des vêtements neufs, des cuirs neufs, des brodequins neufs, un sac neuf et un képi neuf (...)
P. MAC ORLAN, Quai des brumes, XII.

♦ **2.** (1840). Vx. Personne qui tient un magasin (II.).

♦ **3.** (XXᵉ). Employé(e) qui tient le compte des marchandises en stock dans une entreprise.

♦ **4.** N. m. Techn. Chariot élévateur pour la manutention des marchandises en magasin.

MAGAZINE [magazin] n. m. — 1776, au fém., répandu au XIXᵉ, d'abord en parlant des publications anglaises (Nerval, *in* Rey-Debove et Gagnon) ; empr. à l'angl. *magazine,* lui-même empr. au franç. *magasin* (→ 2. Magasin), qui a eu le même sens aux XVIIIᵉ et XIXᵉ siècles.

♦ **1.** Publication périodique, généralement illustrée, traitant de sujets divers. ⇒ **Revue.** *Magazine à gros tirage. Magazine d'actualités. Lire les magazines* (→ Club, cit. 2).

1 Le *Mercure* perd tout doucement sa tenue de revue littéraire d'avant-garde pour tourner non à la grosse revue officielle, mais au magazine.
J. ROMAINS, les Hommes de bonne volonté, t. IV, p. 248.

2 Les hebdomadaires sont plus libres que les quotidiens dans le choix de leurs informations. Sauf exceptions, le lecteur n'attend pas d'eux un panorama complet des événements de la semaine, mais des compléments et des explications portant sur les nouvelles qui ont semblé dignes d'être retenues. Il faut encore noter, pour les *magazines,* l'importance primordiale de l'illustration, qui détermine jusqu'au choix des sujets.
Philippe GAILLARD, Technique du journalisme, p. 25.

Loc. adj. ... DE MAGAZINE : qui évoque l'image conventionnelle des revues illustrées. *Un sourire de magazine.*

En appos. ou adj. Conforme au style des magazines, des revues illustrées. *Un genre magazine.*

3 L'homme avait le charme que donne l'union des cheveux gris et d'un visage jeune ; la femme, gentille, un peu magazine, le regardait avec une reconnaissance amoureuse faite de tendresse ou de sensualité.
MALRAUX, la Condition humaine, p. 182.

♦ **2.** (Mil. XXᵉ). Émission périodique de radio, de télévision, sur un sujet déterminé. *Magazine féminin. Un magazine d'actualités télévisées.*

MAGDALÉNIEN, IENNE [magdalenjɛ̃, jɛn] adj. — V. 1880 ; de *La Madeleine,* du lat. *Magdalena.*

♦ Anthrop. Relatif à la période de la préhistoire* que les restes découverts dans les cavernes de La Madeleine (Dordogne) ont permis de définir. *Civilisation, société magdalénienne.* — N. m. *Le Magdalénien :* la dernière période du paléolithique supérieur (civilisation du renne).

Le fossile se situe avant et après tel autre, nous le savons ; une Vénus magdalénienne se situe après une Vénus aurignacienne, les bisons d'Altamira sont après ceux de Lascaux, mais aussi dans le présent où celui qui les admire éprouve leur présence commune.
MALRAUX, l'Homme précaire, p. 280.

MAGDALÉON [magdaleɔ̃] n. m. — 1534, Rabelais ; altér. du lat. *magdalium*, grec *magdalia* «pâte pétrie».

♦ Pharm. Vx. Pâte médicamenteuse conservée en rouleau. ⇒ **Emplâtre.**

1. MAGE [maʒ] n. m. — 1487 ; *mague*, v. 1265 ; du lat. *magus*, grec *magos*, d'orig. persane ou (P. Guiraud) d'un dér. roman **magius*.

♦ **1.** Hist. relig. Prêtre, astrologue, dans la Babylone antique, en Assyrie, puis dans l'Empire perse. *Les mages perses étaient à la fois astrologues et théologiens. Zoroastre réforma le corps sacerdotal des mages.*

1   Les mages (...) révéraient dans le feu (...) l'emblème de la Divinité (...) La connaissance qu'ils avaient des mathématiques, de l'astronomie, et de l'histoire, augmentait leur mépris pour leurs vainqueurs *(les Arabes...)* Ils ne purent abandonner une religion consacrée par tant de siècles (...) La plupart se retirèrent aux extrémités de la Perse et de l'Inde. C'est là qu'ils vivent aujourd'hui, sous le nom de Gaures ou de Guèbres, de Parsis, d'Ignicoles (...)   VOLTAIRE, Essai sur les mœurs, VI.

♦ **2.** (1660). Spécialt. *Les mages :* les personnages qui, selon l'Évangile (saint Matthieu, II, 1-11), vinrent rendre hommage à l'enfant Jésus (→ Adorer, cit. 4). *La tradition populaire a fait des mages trois rois : Gaspard, Balthazar, et le noir Melchior, symbolisant «les trois âges de la vie et les trois parties du Monde alors connu»* (Réau). — Par appos. *Les rois mages* (→ Entraille, cit. 9). *La fête des Rois, l'Épiphanie* commémore l'adoration des rois mages. L'étoile qui guida les rois mages.*

Icon. *L'Adoration des Mages,* thème fréquent de la peinture religieuse.

2   Jésus étant né à Bethléem (...) voici que les mages venus d'Orient se présentèrent à Jérusalem et demandèrent : «Où est le roi des Juifs qui vient de naître? Nous avons vu en effet son astre se lever et sommes venus lui rendre hommage.»
                            BIBLE (JÉRUSALEM), Évangile selon saint Matthieu, I, 2.

3   Les jours suivants, Égon ne put s'empêcher de penser à ces sages d'Orient, que, bien que protestant, il se figurait, selon la légende catholique, couronnés et au nombre de trois : Gaspard, Balthazar et Melchior. Le nègre au milieu, défilaient devant lui.   APOLLINAIRE, l'Hérésiarque..., p. 144.

♦ **3.** (1611). Didact. Celui qui est versé dans les sciences occultes, la magie. ⇒ **Astrologue, chiromancien, devin, magicien...** — *Pour Hugo, le poète, l'artiste est un mage, un prophète* (cf. Les Mages, *Contemplations,* VI, 23).

4   Ce mage, qui d'un mot renverse la nature (...)
     Rien n'est secret pour lui dans tout cet univers,
     Et pour lui nos destins sont des livres ouverts.   CORNEILLE, l'Illusion comique, I, 1.

5   J'ai bien peur (...) que non seulement ces soi-disant astrologues, mais encore que tous les mages, que tous les théosophes, que tous les occultistes et kabbalistes de l'heure actuelle ne sachent absolument rien (...)   HUYSMANS, Là-bas, IX.

N. B. Bien que n. m., le mot peut s'appliquer à une femme.

DÉR. Magisme. — V. Magie, magique.

2. MAGE ou **MAJE** [maʒ] adj. m. — XVᵉ ; empr. au provençal *major* «plus grand». → Majeur.

♦ Hist. du droit. *Juge maje* ou *mage :* lieutenant du sénéchal, dans certaines provinces.

MAGELLANIQUE [maʒelanik ; maʒɛllanik] adj. — 1974 ; de *Magellan,* dans *nuages de Magellan,* désignant deux galaxies irrégulières.

♦ Astron. Relatif aux galaxies dites *nuages de Magellan,* considérées comme un type de galaxies irrégulières proches. *Galaxies de type magellanique.* «*Les irrégulières magellaniques proches*» (la *Recherche,* mai 1974, p. 468). *Courant magellanique.*

MAGENTA [maʒɛta] n. m. et adj. — 1878 ; mot angl., attesté 1860 : le dérivé de l'aniline donnant cette teinte de rouge fut découvert peu après la bataille de *Magenta* (1859).

♦ Techn. Arts et techniques graphiques (photographie, imprimerie). L'une des trois couleurs monochromatiques fondamentales utilisées dans la reproduction des images polychromes, donnant à l'œil l'impression d'un pourpre rosé très lumineux. *Le magenta, le cyan et le jaune.* Adj. invar. *Lettrines magenta.*

MAGHRÉBIN, INE [magrebɛ̃, in] adj. et n. — 1931 ; *maghribin,* 1903 (*Rev. gén. des sc.,* nº 4, p. 200) ; *maugrabin, magrabin,* 1873 ; *maugrebin* «soldat barbaresque», XVIIIᵉ ; arabe *māġribīy* «ce qui a trait au Maghreb» ; refait d'après *Maghreb,* «Occident» ; cf. *Magribleu,* 1643.

REM. On trouve aussi *magrébin, ine.*

♦ Du Maghreb, région du Nord-Ouest de l'Afrique comprise entre la Méditerranée et le Sahara, l'océan Atlantique et le désert de Libye (États : Maroc, Algérie, Tunisie ; Mauritanie ; Libye). *L'économie maghrébine. Les parlers maghrébins.* ⇒ **Maugrabin** (vx). — N. *Un Maghrébin, une Maghrébine.*

MAGHZEN [marzɛn] ou **MAKHZEN** [maæzɛn] n. m. — 1849, *magzem ; in* Littré, «cavaliers arabes qui combattent sous les ordres des officiers attachés aux bureaux arabes» (cf. le plur. *Moghazni*) ; arabe, «dépôt, bureau». → 1. Magasin.

♦ *Le maghzen :* l'administration marocaine, sous le protectorat, et, spécialt, le pouvoir central, y compris le Sultan.

MAGICIEN, IENNE [maʒisjɛ̃, jɛn] n. — XIVᵉ ; d'abord adj. «magique», encore dans Montaigne ; de *magique.*

♦ **1.** Personne qui est initiée aux secrets de la magie, qui pratique la magie. ⇒ **Alchimiste, astrologue, devin, enchanteur, mage, nécromancien** (ou **nécromant**), **sorcier, thaumaturge ; fée** (→ Évoquer, cit. 3 ; illusionniste, cit. 1). *Prodiges*, enchantements* (cit. 4), *incantations* (cit. 1 et 3) *d'un magicien. Magiciens qui font apparaître* (cit. 10) *les morts, jettent des sorts* (→ Goétie, cit.), *recourent à l'hypnotisme* (cit. 1). *Magicien condamné au bûcher, au feu* (cit. 43). — *Herbe à la magicienne,* ou *herbe aux sorcières*.* ⇒ Circé.

1   Ce que je te dis de ce prince *(le roi de France)* ne doit pas t'étonner : il y a un autre magicien plus fort que lui (...) Ce magicien s'appelle le pape : tantôt il lui fait croire que trois ne sont qu'un, que le pain qu'on mange n'est pas du pain, ou que le vin qu'on boit n'est pas du vin, et mille autres choses de cette espèce.
                            MONTESQUIEU, Lettres persanes, XXIV.

2   Il est ensorcelé, ma chère âme, dit Zemroud en finissant le récit de son expédition manquée, ensorcelé par ce terrible magicien. Les gens de cette sorte disposent d'un pouvoir irrésistible, et là où ils commandent, il est certain qu'il n'y a qu'à se soumettre.   J.-A. DE GOBINEAU, Nouvelles asiatiques, p. 106.

3   Il est certain qu'une partie des sciences ont été élaborées, surtout dans les sociétés primitives, par les magiciens. Les magiciens alchimistes, les magiciens astrologues, les magiciens médecins ont été (...) les fondateurs et les ouvriers de l'astronomie, de la physique, de la chimie, de l'histoire naturelle.
                            MAUSS et HUBERT, Théorie générale de la magie, *in* Année sociologique, II (1902).

4   Né à une époque où, sous l'influence double de l'humanisme et de l'angéologie catholique, s'élaborait en France la notion de magie, *magicien,* qui d'abord, équivalait à *nécromant,* à *invocateur du diable,* se para bientôt, chez certains, d'une sorte de noblesse. Il désignait tantôt le savant, tantôt une sorte de sage secret, possesseur des Maîtres-Mots qui sont la clé de l'univers. Dans cette dernière acception il eut l'heur de fixer un *type* littéraire qui, au théâtre, dans les romans et dans les contes, joua un rôle qui n'a pas encore eu de fin.
     Mais pour le peuple, qui ne juge que des effets, et surtout pour un peuple chrétien, le *magicien,* capable de faire de l'or, de découvrir des trésors, de converser avec des esprits, de faire naître à son gré l'amour au cœur des femmes, de tuer à distance, d'accomplir, en un mot, tous les prestiges que sa volonté, bonne ou perverse, lui dictait, était tout simplement un sorcier savant.
     R.-L. WAGNER, Sorcier et Magicien, «Contribution au vocabulaire de la magie»,
                            p. 253 et suivantes.

♦ **2.** (1690 ; adj., 1669). Fig. Personne qui est capable de produire, comme par magie, des effets, des influences extraordinaires. *Cet artiste*, ce peintre, cet écrivain... est un véritable magicien. Un magicien du vers, de la couleur.* «*L'orateur et le poète sont deux grands magiciens*» (→ Illusion, cit. 5, Diderot). «*Au parfait magicien ès* (cit. 2) *lettres françaises*» (Baudelaire, Dédicace à Gautier). *Cet homme est un magicien, il est doué d'une séduction* irrésistible* (⇒ **Captivant, ensorceleur**), *il est d'une habileté extraordinaire* (⇒ **Habile**).

5   Il y a du démon, du sorcier et de la fée dans tout talent d'imagination (...) M. de Chateaubriand avait de ce démon. Ce qu'il faut dire (...) c'est qu'il était un grand magicien, un grand enchanteur.   SAINTE-BEUVE, Chateaubriand..., t. II, p. 113.

6   Louis XVI rappela le magicien, le prestidigitateur, Necker, l'homme par qui le crédit renaissait.   J. BAINVILLE, Hist. de France, XV, p. 321.

(V. 1870). En parlant de choses :

7   Enfin, voici le soleil, qui est le grand magicien de ce pays, que l'on attendait et qui transfigure toutes choses.   LOTI, l'Inde (sans les Anglais), IV, IV.

(1822). Adjectif :

8   Sans doute quelque fée, à ton berceau venue,
     Des sept couleurs que dans la nue
     Suspend le prisme aérien,
     Des roses de l'aurore humide et matinale,
     Des feux de l'aurore boréale,
     Fit une palette idéale
     Pour ton pinceau magicien.   HUGO, Odes et Ballades, V, XXII.

MAGICO-RELIGIEUX, EUSE [maʒikoR(ə)liʒjø, øz] adj. — Mil. XXᵉ ; de *magique,* et *religieux.*

♦ Didact. Qui tient à la fois de la magie et de la religion. *Pratiques magico-religieuses.* ⇒ **Chamanisme, vaudou.**

(...) l'analyse des effets de la colonisation et de l'acculturation, en particulier en Afrique noire, montre que là où les croyances magiques disparaissent, les névroses augmentent, que là où les croyances magiques augmentent, le prophétisme se développe (comme technique d'exorcisme) et, derrière lui, les tendances messianiques se font jour. La mise au point de ces lois de transformation à l'intérieur du système magico-religieux, qui nécessite la collaboration pluridisciplinaire du psychiatre, de l'ethnologue et du sociologue, pour être menée à bien, en tenant compte de trois variables — psychique, culturelle, sociale — est certainement la tâche la plus passionnante de l'anthropologie religieuse actuelle.
                            Encycl. Universalis, art. *Magie,* vol. X, p. 298c.

MAGIE [maʒi] n. f. — 1535, «religion des mages» ; du lat. *magia,* grec *mageia.*

A. ♦ **1.** (1547). Art de produire, par des procédés occultes, des phénomènes sortant du cours ordinaire de la nature, inexplicables ou qui semblent tels. ⇒ **Alchimie, archimagie, astrologie** (cit. 3), **cabale, goétie, hermétisme, occultisme, sorcellerie, théurgie**, et le suff. **-mancie.** *Opérations, pratiques, phénomènes de* magie. ⇒ **Apparition, charme, conjuration, divination, enchantement, ensorcellement, envoûtement, évocation, horoscope, incantation, maléfice, philtre, rite, sort, sortilège** (→ Inconvénient, cit. 5; intention, cit. 16). *Objets utilisés en* magie. ⇒ **Amulette, anneau** (magique, constellé*), **baguette, grimoire, mandragore, miroir** (magique), **talisman.** *Formules* de* magie (⇒ **Abracadabra...**). *Démons*, esprits... évoqués par* magie, *homoncule* fabriqué par* magie. *Pratiquer la* magie. ⇒ **Mage, magicien ; devin, envoûteur, nécromancien, psychopompe, sorcier...** *Employer la* magie (→ Fin, cit. 38). *Idolâtrie et* magie (→ Entraîner, cit. 12). *Les forfaits de la* magie (→ Crime, cit. 16). *Être accusé de* magie. *Les procès de* magie *du moyen âge* (→ Bohémien, cit. 1). *Magie naturelle :* production d'effets qui semblent surnaturels, merveilleux, par des moyens naturels. — REM. On désignait sous ce nom, au XIVᵉ s., «beaucoup de simples expériences de physique» (Lalande). — *De la magie naturelle ou des miracles de la nature,* de G. Della Porta (1558). *Magie blanche*, noire* (→ voir ci-dessous).

1 L'homme peut régler et conduire ses actions extraordinaires ou par une grâce spéciale de Dieu (...) ou par l'assistance d'un ange, ou par celle d'un démon, ou finalement par sa propre industrie (...) desquels quatre moyens (...) on peut colliger quatre sortes de magies : la *divine* du premier, la *théurgique* du second, la *goétique* du troisième et la *naturelle* du dernier.
G. NAUDÉ, Apologie pour les grands hommes accusés de magie, II (*in* LALANDE).

2 (...) la sorcellerie, (...) la magie, (...) veulent, en opérant sur la matière, et par des arcanes dont rien ne prouve la fausseté non plus que l'efficacité, conquérir une domination interdite à l'homme (...) Si l'Église condamne la magie et la sorcellerie, c'est qu'elles militent contre les intentions de Dieu, qu'elles suppriment le travail du temps (...)
BAUDELAIRE, les Paradis artificiels, «Poème du haschisch», V.

3 Pour un homme quelconque de notre temps (...) le mot de magie est synonyme d'effets merveilleux obtenus à l'aide de moyens qui, dans l'ordre naturel ne peuvent pas les provoquer ; dans ces effets eux-mêmes il ne voit qu'un rêve de l'imagination et dans l'agent qui se flatte d'y atteindre un charlatan habile, amusant quelquefois mais peu estimable.
R. L. WAGNER, Sorcier et Magicien, Contribution au vocabulaire de la magie, p. 37-38.

(1680). *Magie noire, goétique* (ou *de la main gauche*) : magie par laquelle certains prétendent produire des effets (mauvais) en faisant intervenir les esprits, les démons. «*(...) on a tendance en France à réserver, de plus en plus, le terme de magie à la magie blanche, et à appeler plutôt sorcellerie la magie noire ; dans les ouvrages anglo-saxons, cette opposition correspond, grosso modo, à l'opposition chaman (magie curative) et sorcier (fauteur des maladies, de la folie et de la mort), bien que l'on reconnaisse que souvent le chaman travaille de la main gauche et que le sorcier peut être appelé à défaire ce qu'il a fait, rendant la santé aux malades*» (*Encycl. Universalis,* art. *Magie,* vol. 10, p. 295). *Magie cérémonielle,* agissant «*sur les esprits par le moyen d'un rituel*» (Lalande).

(1960). Par compar. ou par exagér. Se dit d'une chose extraordinaire, inexplicable (→ Gueuserie, cit. 1). *Il a disparu comme par magie, par magie. C'est de la magie.*

♦ **2.** Ensemble des procédés d'action et de connaissance (→ Science) à caractère secret, réservé (→ Religion), dans les sociétés dites «primitives». *Les sociologues distinguent la magie de la religion* en ce qu'elle prétend exercer une contrainte absolue sur les puissances occultes* (Frazer) *ou en ce qu'elle garde un caractère illicite, secret* (Mauss, Durkheim). *Magie et science.* → Magico-religieux.

4 La magie nous paraît donc se résoudre en deux éléments : le désir d'agir sur n'importe quoi, même sur ce qu'on ne peut atteindre, et l'idée que les choses sont chargées, ou se laissent charger, de ce que nous appellerions un fluide humain. Il faut se reporter au premier point pour comparer entre elles la magie et la science, et au second pour rattacher la magie à la religion.
H. BERGSON, les Deux Sources de la morale et de la religion, p. 178.

5 La magie se relie aux sciences, de la même façon qu'aux techniques. Elle n'est pas seulement un art pratique, elle est aussi un trésor d'idées (...) tandis que la religion (...) tend vers la métaphysique, la magie que nous avons dépeinte plus éprise du concret, s'attache à connaître la nature.
MAUSS et HUBERT, Théorie générale de la magie, *in* Année sociologique, VII (1902-1903).

♦ **3.** Rare. (*Une, des magies*). Procédé magique. *Les vieilles magies humaines* (→ Imposition, cit. 1).

♦ **4.** (XVIIᵉ). Vx. ⇒ **Magisme.**

6 Le premier (*des quatre précepteurs des enfants royaux de Perse*) leur apprenait la magie, c'est-à-dire dans leur langage, le culte des dieux selon les anciennes maximes et selon les lois de Zoroastre (...)
BOSSUET, Discours sur l'histoire universelle, III, V.

B. (1665). Fig. Influence vive, étonnante, inexplicable qu'exercent l'art, la nature, les passions..., sur le cœur humain. ⇒ 2. **Charme** (cit. 4), **prestige, puissance, séduction.** *La magie qu'exercent les belles choses, les beaux spectacles.* ⇒ **Beauté.** *Magie de l'art, de la couleur ; du style, du verbe* (→ Extérioriser, cit. 2). *L'éternelle magie de l'amour* (→ Leurrer, cit 3).

7 Cette couleur (...) est ce qu'on appelle la *Magie de l'art.* On admire le fait, les moyens sont cachés ; c'est aussi le sublime de l'art.
A. DE CAYLUS, Tabl., XIII, p. 20 (1757), *in* BRUNOT, Hist. de la langue franç., t. VI, p. 745, note 2.

8 Il continue sur ce ton, bouleversant à plaisir tous les sentiments naturels, avec une magie pleine d'intention et d'artifice.
SAINTE-BEUVE, Causeries du lundi, 27 mai 1850.

9 Qu'est-ce que l'art pur suivant la conception moderne ? C'est créer une magie suggestive contenant à la fois l'objet et le sujet, le monde extérieur à l'artiste et l'artiste lui-même.
BAUDELAIRE, les Curiosités esthétiques, XIX.

10 Mais d'abord subissons la magie des soirs, regardons flamber les cuivres roses du couchant.
LOTI, l'Inde (sans les Anglais), I, I.

11 J'avais subi, entre autres influences, celle de l'auteur de la *Vie de Jésus.* La magie exquise de son style (*m'avait*) remué profondément (...)
Paul BOURGET, le Disciple, IV, II.

MAGIQUE [maʒik] adj. — 1265 ; du lat. *magicus,* grec *magikos,* de *mageia.* → Magie.

♦ **1.** Qui tient de la magie ; qui est utilisé, produit par la magie*. ⇒ **Cabalistique, ésotérique, merveilleux, occulte, surnaturel.** *Vertu, pouvoir, force magique* (→ Kabbale, cit.). *Formules*, mots, paroles, évocations, incantations* (cit. 2) *magiques.* ⇒ **Enchanté.** *Opérations, rites magiques* (→ Force, cit. 67). *Anneau*, cercle, miroir* magique.*
(1840). *Baguette** (cit. 6, 7) *magique* (⇒ aussi **Fée**). *Balai magique de l'apprenti* (cit. 13) *sorcier. Manche à balai* (cit. 2), *verge magique des sorcières. Philtre* magique. Apparition magique. Jardins, palais magiques d'Armide. Tapis magique. Lampe magique d'Aladin.*

1 Oh! merveilleux pouvoir de la vertu magique ! MOLIÈRE, l'Étourdi, I, 4.

2 Les sorciers jadis faisaient ou empêchaient les prodiges à l'aide de quelques paroles magiques. Il en est de même du poète : il peut évoquer le passé ou faire reparaître le présent (...) Mᵐᵉ DE STAËL, De l'Allemagne, II, XIII.

3 Au moyen de son art, il construisit une tour enchantée avec des talismans et des inscriptions portant que, lorsque l'on pénétrerait dans cette enceinte magique, une nation féroce et barbare envahirait l'Espagne.
Th. GAUTIER, Voyage en Espagne, p. 124.

♦ **2.** Anthrop., sociol., psychol. Qui suppose, à la base de certaines actions et de la manière de les exécuter, la croyance en une causalité symbolique supportée par une ou des forces cachées. *Aspect, caractère, sens magique de l'art dit «primitif»* (→ Incantatoire, cit. 3). *Mentalité magique, prélogique*. Persistance de la pensée magique.* ⇒ **Superstition.** *Conduites magiques de certains malades mentaux* (considérées en psychiatrie comme une régression à un stade archaïque).
Hist. de la littér. *L'idéalisme magique* de Novalis. *L'art magique* surréaliste.

4 C'est de ce point (...) de la pensée de Novalis où s'épousent le philosophique et le poétique, que me semblent se découvrir à la fois les deux versants (...) de l'art magique (...) L'un de ces versants nous retrace (...) le développement d'un art qui (...) entretient (...) avec (*la magie*) des rapports étroits (...) L'autre versant nous initie à un art survivant à la disparition de toute magie constituée et qui (...) n'en remet pas moins en œuvre certains moyens de la magie (...)
A. BRETON, Introduction à l'art magique.

5 L'acte d'imagination (...) est un acte magique. C'est une incantation destinée à faire apparaître l'objet auquel on pense, la chose qu'on désire, de façon qu'on puisse en prendre possession. SARTRE, l'Imaginaire, p. 161.

♦ **3.** (V. 1648). Fig. Qui produit des effets extraordinaires. ⇒ **Magie** (3.); **beau, étonnant, merveilleux, surprenant** (→ Idole, cit. 14). *Ascendant, pouvoir magique* (→ Fasciner, cit. 7). *Appel* (cit. 15) *magique. Spectacle magique* (→ Grandiose, cit. 4).

6 (...) celui qui alors tente de créer le poème épique, tel que le comprenaient les nations plus jeunes, risque de diminuer l'effet magique de la poésie, ne fût-ce que par la longueur insupportable de l'œuvre (...)
BAUDELAIRE, l'Art romantique, XXII, I, V.

7 La nuit était magnifique. La pleine lune versait les flots de sa lumière magique sur la plaine et sur la colline rendue plus mystérieuse.
M. BARRÈS, la Colline inspirée, XIII.

♦ **4.** Dans des loc. Dont l'effet, les propriétés, semblent extraordinaires ou exceptionnels. *Carré*, cube* magique. Lanterne** (cit. 12 et 13) *magique. Œil* magique.*

CONTR. Naturel, normal, ordinaire.
DÉR. Magicien, magiquement.
COMP. Magico-religieux.

MAGIQUEMENT [maʒikmã] adv. — 1521 ; repris v. 1830 ; rare aux XVIIᵉ et XVIIIᵉ.

♦ D'une manière magique, surnaturelle, ou qui paraît telle. «*Magiquement transfiguré*» (Balzac, *in* D.D.L.).

MAGISME [maʒism] n. m. — 1697 ; de 1. *mage.*
Didactique (hist. des religions).

♦ **1.** Religion, doctrine des mages orientaux, religion zoroastrienne (Guèbres, Parsis).

1 Si nos princes naturels n'avaient pas été faibles, vous verriez régner encore le culte de ces anciens mages. Transportez-vous dans ces siècles reculés : tout vous parlera du magisme (...)
MONTESQUIEU, Lettres persanes, LXVII.

♦ **2.** Ensemble de forces et d'effets invoqués par la magie.

2 Le Tour (*de France cycliste*) exprime et libère les Français à travers une fable unique où les impostures traditionnelles (psychologie des essences, morale du com-

bat, magisme des éléments et des forces, hiérarchie des surhommes et des domestiques) se mêlent à des formes d'intérêt positif.
R. BARTHES, *Mythologies*, p. 119.

MAGISTER [maʒistɛʀ] n. m. — xvᵉ; empr. au lat. *magister* «maître».

♦ **1.** Vx. Maître* d'école de village.

1   Comme un petit pays de douze et quinze feux ne peut pas toujours nourrir un magister, ils ont des maîtres d'école payés par toute la vallée, qui parcourent les villages (...)   HUGO, les *Misérables*, I, I, III.

♦ **2.** (1701). Péj. Pédant. ⇒ **Barbacole** (vx), **cuistre, pédant.**

2   (...) l'imparfait *(du subjonctif),* mis dans une bouche d'homme du peuple, fait contresens; chez un homme instruit, mais qui parle à des gens du peuple, ou bien qui parle familièrement aux siens, il paraît prétentieux et sent le magister.
F. BRUNOT, la *Pensée et la Langue*, p. 785.

HOM. Magistère.

MAGISTÈRE [maʒistɛʀ] n. m. — V. 1170; lat. *magisterium,* de *magister* «maître».
Didactique ou littéraire.

★ **I.** ♦ **1.** (1694). Dignité* de grand maître d'un ordre militaire, et, spécialt. de l'ordre de Malte. — Durée de cette fonction.

♦ **2.** Fig. Autorité doctrinale, morale ou intellectuelle s'imposant de façon absolue. *Le magistère de l'Église*, *du Pape* (→ Infaillibilité, cit. 5).

1   Et Delphes exerçait aussi un magistère moral qui effrayait les mauvaises consciences. Elle excluait les grands coupables, les sacrilèges et les parricides. Néron, se souvenant de sa mère, n'osa pas franchir le seuil du temple d'Apollon.
Louis BERTRAND, le *Livre de la Méditerranée*, p. 303.

★ **II.** ♦ **1.** (Déb. xviiᵉ). Alchim. Élixir doué de propriétés extraordinaires (notamment de celle de transmuter les métaux en or ou en argent, comme la pierre philosophale*).

2   (...) la plupart des hermétiques (...) pensent (...) que le grand magistère est un ferment qui, jeté dans les métaux en fusion, produit une transformation moléculaire semblable à celle que les matières organiques subissent lorsque, à l'aide d'une levure, elles fermentent.   HUYSMANS, *Là-bas*, VI.

♦ **2.** Chim., méd. Vx. Précipité. *Magistère de soufre, de bismuth.* ⇒ **Élixir** (→ Empirique, cit. 4).

HOM. Magister.

MAGISTRAL, ALE, AUX [maʒistʀal, o] adj. — V. 1265; lat. *magistralis,* de *magister* «maître».

♦ **1.** Littér. et vieilli. Qui appartient, qui convient à un maître*. *Un pas magistral et mesuré* (→ Calmer, cit. 17). *Parole haute et magistrale* (→ Entendre, cit. 35). — Mod. *Ton magistral.* ⇒ **Doctoral, décisif** (vieilli), **impérieux, imposant.**

1   Il *(le maître d'hôtel)* m'a fait un discours de cette science de gueule avec une gravité et *(une)* contenance magistrale, comme s'il m'eût parlé de quelque grand point de théologie.   MONTAIGNE, *Essais*, I, LI.

Plais. et péj. *Gourmander* (cit. 3) *d'un ton magistral.* ⇒ **Pédant, péremptoire, solennel.**

♦ **2.** Spécialt. Didact. Qui est fait ou donné par un maître. *Enseignement magistral. Cours magistral.* — (1740). Pharm. *Médicament magistral,* dont la formule est composée par le médecin lui-même dans son ordonnance (opposé à *officinal*).

♦ **3.** Par plais. Réalisé avec force, adresse; remarquable. *Une magistrale paire de gifles. Claque, fessée magistrale.* ⇒ **Beau** (7.), **magnifique...**

2   (...) Aucun vent ne peut, nez magistral, T'enrhumer tout entier, excepté le mistral!
Edmond ROSTAND, *Cyrano de Bergerac*, I, 4.

3   Votre feu n'est plus que braise bientôt... C'est le moment de donner le magistral coup de pied qui envoie, au loin, bûches, brandons et fumerolles...
COLETTE, *Prisons et Paradis*, p. 52.

♦ **4.** Fig. et cour. Qui est digne d'un maître, qui porte la marque de la maîtrise*. ⇒ **Beau, grand, souverain.** *Brio magistral* (→ Impeccable, cit. 4). *Adresse magistrale* (→ Escamoter, cit. 7). *Réussir un coup magistral. Magistrale synthèse* (→ Gravitation, cit.).

Par ext. (En parlant d'une personne). *Actrice magistrale* (→ Interprétation, cit. 9). *Il a été magistral.*

4   (...) un vieux Vitruve étalait sur un bahut ses magistrales gravures de cariatides et de télamons.   FRANCE, le *Crime de S. Bonnard*, Œ., t. II, p. 326.

5   Beaucoup de choses que Balzac a mises dans ses livres (...) ne seraient peut-être pas encore apparues, si l'auteur lui-même (...) n'avait donné dans cette magistrale préface, le coup de pouce indicateur à ses exégètes futurs.
Émile HENRIOT, les *Romantiques*, p. 327.

♦ **5.** (1757). Techn. (géom.). *Ligne magistrale :* ligne principale d'un plan, d'un tracé.

N. f. (1867). Fortif. Crête extérieure d'un mur d'escarpe*.

CONTR. Médiocre.

DÉR. Magistralement.

MAGISTRALEMENT [maʒistʀalmɑ̃] adv. — xvᵉ; *magistrautement,* fin xivᵉ; de *magistral.*
D'une manière magistrale.

♦ **1.** *Parler magistralement,* d'un ton magistral; avec emphase. ⇒ **Pompeusement, prétentieusement, solennellement.**

1   Quelques lecteurs croient (...) le payer avec usure, s'ils disent magistralement qu'ils ont lu son livre (...)   LA BRUYÈRE, les *Caractères*, I, 34.

♦ **2.** Mod. Avec adresse, brio. *Rôle magistralement interprété.* ⇒ **Génialement.**

2   Bismarck, dans ses *Mémoires,* rappelant son ambassade en Russie, a magistralement exposé pourquoi ces Russes-là étaient plus efficaces que les autres.
André SIEGFRIED, l'*Âme des peuples*, V, II.

MAGISTRAT [maʒistʀa] n. m. — 1354; lat. *magistratus.*

♦ **1.** Vx. Charge de magistrat. ⇒ **Magistrature.**

1   Les honneurs sont vendus au plus ambitieux,
Les magistrats donnés aux plus séditieux.   CORNEILLE, *Cinna*, II, 1, variante.

(1470). Par ext. (sing. collectif). Vx. L'administration publique; les pouvoirs politiques. «Ceux qui ont le soin de la police, ou du gouvernement de la ville, ou de la République» (Furetière). — → Attention, cit. 38; décharger, cit. 8; libertinage, cit. 4.

2   (...) plus le magistrat est nombreux, plus la volonté de corps se rapproche de la volonté générale (...)   ROUSSEAU, *Du contrat social*, III, II.

♦ **2.** ⓐ (1538). Dr. Mod. (au sens large). «Tout fonctionnaire public ou officier civil investi d'une autorité juridictionnelle, administrative ou politique» (Capitant, *Vocabulaire juridique*). *Rapport entre le nombre des magistrats et la forme du gouvernement* (cit. 39). *Le président de la République, premier magistrat de France. Le commissaire de la République (le préfet), premier magistrat du département. Magistrats municipaux.* ⇒ **Édile, maire; municipal** (membres du conseil). *Les conseillers d'État, les commissaires de police, les prud'hommes..., magistrats de l'ordre juridictionnel et administratif. Être poursuivi pour outrages** *à magistrat.* — Dr. anc. *Magistrats municipaux des villes du Midi* (⇒ **Consul**), *de l'Ouest* (⇒ **Jurat**), *de Toulouse* (⇒ **Capitoul**), *de Paris.* ⇒ **Échevin, prévôt** (des marchands). *Magistrats chargés de veiller à l'ordre public.* ⇒ **Lieutenant** (cit. 3). *Le Roi, premier magistrat politique* (→ Employé, cit. 2). *Michel Le Tellier, ce sage magistrat* (→ Calmer, cit. 18; écouter, cit. 17).

3   Rien ne donne plus de force aux lois que la subordination extrême des citoyens aux magistrats.   MONTESQUIEU, l'*Esprit des lois*, V, VII.

4   J'aurais fui surtout, comme nécessairement mal gouvernée, une république où le peuple, croyant pouvoir se passer de ses magistrats, ou ne leur laisser qu'une autorité précaire, aurait imprudemment gardé l'administration des affaires civiles et l'exécution de ses propres lois (...)
ROUSSEAU, *De l'inégalité parmi les hommes*, À la République de Genève.

5   (...) magistrats de père en fils, de cette vieille race parlementaire française, qui avait une haute idée de la loi, du devoir, des convenances sociales, de la dignité personnelle et, surtout, professionnelle, fortifiée par une honnêteté parfaite, avec une nuance prud'hommesque.   R. ROLLAND, *Jean-Christophe, Antoinette*, p. 832.

Magistrat municipal en Allemagne (⇒ **Bourgmestre**), *en Angleterre* (⇒ **Alderman**), *en Belgique* (⇒ **Bourgmestre, maïeur**), *en Espagne* (⇒ **Alcade;** anciennt **corrégidor**), *en Italie* (⇒ **Podestat**), *en Suisse* (⇒ **Avoyer**). *Anciens magistrats de Venise.* ⇒ **Inquisiteur** (cit. 2), **procurateur...**

(Dans l'Antiquité). *Magistrats de Carthage.* ⇒ **Suffète.** *Magistrats des villes grecques* (→ Association, cit. 9), *de la Grèce antique* (⇒ **Aréopage; archonte, astynome, athlothète, éphore, prytane, sophroniste, thesmothète...**). Antiq. rom. ⇒ **Censeur, consul, duumvir, édile, gouverneur, interroi, préteur, proconsul, propréteur, questeur, quindécemvir, tribun, triumvir...** *Magistrats curules**. *Magistrat en charge* (→ Auspice, cit. 1).

6   Le peuple au champ de Mars nomme ses magistrats (...)
RACINE, *Britannicus*, I, 2.

ⓑ (1549). Dr. et cour. (sens étroit). Magistrat de l'ordre judiciaire ayant pour fonction de rendre la justice (⇒ **Juge**) ou de requérir, au nom de l'État, l'application de la loi. ⇒ **Avocat** (général); **ministère** (public). *Inamovibilité* (cit. 2 et 3) *des magistrats assis* (ou *du siège*). ⇒ **Magistrature** (assise). *Magistrats amovibles du ministère** *public.* ⇒ **Magistrature** (debout), **parquet.** *Magistrat supérieur d'un Parquet.* ⇒ **Procureur** (général de la République), **substitut.** *Magistrats de la Haute* (cit. 38) *cour** *de justice. Nomination des magistrats par le président de la République. Installation** *d'un magistrat.* — *Magistrat qui exerce sa juridiction**, *siège au tribunal** (→ Conciliation, cit. 2). *Enquête* (cit. 4) *d'un magistrat.* ⇒ **Juge** (d'instruction). — *Épitoge**, *hermine** (cit. 6), *mortier**, *toque** *du magistrat. Robe noire ou rouge du magistrat.* ⇒ **Toge** (→ Apparat, cit. 2). *Une famille de magistrats.* ⇒ **Homme** (de robe), **gens** (de justice, de robe), **robin.** *Magistrat à l'air gourmé* (cit. 3).

7   MAGISTRAT, signifiait anciennement tout officier qui était revêtu de quelque portion de la puissance publique; mais présentement par ce terme, on n'entend que les officiers qui tiennent un rang distingué dans l'administration de la justice.
Encycl. (DIDEROT), art. *Magistrat.*

8   Le premier devoir d'un magistrat est d'être juste avant d'être formaliste (...)
VOLTAIRE, *Dict. philosophique, Conscience*, II.

9   (...) Dans notre ancien droit, les offices de judicature étaient devenus vénaux et

héréditaires. La suppression de cet état de choses fut votée dans la nuit célèbre du 4 août (...) La Constituante établit pour le recrutement des magistrats le système de l'élection (...) Aujourd'hui (...) le Président de la République nomme tous les magistrats, sauf les membres de deux juridictions d'exception, à savoir les tribunaux de commerce et les conseils de prud'hommes.

Paul CUCHE, *Précis de procédure civile et commerciale*, Nomination, n° 78.

(1956). *Magistrat militaire,* titre donné aux officiers de justice militaire.

Hist. *Magistrats de l'ancien régime.* ⇒ **Prévôt, viguier ;** → Épices, cit. 4.

DÉR. **Magistrature.**

MAGISTRATURE [maʒistʀatyʀ] n. f. — 1472 ; de *magistrat.*

♦ **1.** Charge, dignité, fonction de magistrat (2.). *Loi qui établit* (cit. 7) *une nouvelle magistrature. Obtenir une magistrature* (→ Aristocratique, cit. 1). — *Magistrature municipale.* ⇒ **Édilité.** — *Anciennes magistratures romaines* (→ Attribution, cit. 2 ; empereur, cit. 3 ; exigence, cit. 1).

1 (...) les princes qui ont voulu se rendre despotiques ont (...) toujours commencé par réunir en leur personne toutes les magistratures (...)
MONTESQUIEU, l'Esprit des lois, XI, VI.

Par métaphore. « *La magistrature auguste d'instituteur* (cit. 7) *des hommes* ».

2 Un tel journal, qui devait désigner tant d'hommes à la haine du peuple (qui sait ? peut-être à la mort), était, dans la réalité, une magistrature terrible (...)
MICHELET, Hist. de la Révolution franç., IV, V.

♦ **2.** Fonction d'un magistrat, état des magistrats de l'ordre judiciaire. *Exercer* (cit. 37) *l'importante magistrature de juge de paix. Entrer, faire carrière dans la magistrature* (→ aussi Étayer, cit. 10).
(1636). Par ext. Durée des fonctions d'un magistrat. « *Cela est arrivé pendant sa magistrature* » (Littré).

♦ **3.** (1686). Collectivt. *Un corps de magistrature* (→ Exécuteur, cit. 2). — Spécialt. Corps des magistrats de l'ordre judiciaire. *Conseil supérieur de la magistrature* (→ Grâce, cit. 6). *Costume traditionnel de la magistrature* (→ Accoutrement, cit. 3, Duhamel). — (1838). *Magistrature assise** : les juges. — (1840). *Magistrature debout** : le ministère* public. ⇒ **Parquet.**

3 Puisque j'ai prononcé ce mot splendide et terrible, la Justice, qu'il me soit permis (...) de remercier la magistrature française de l'éclatant exemple d'impartialité et de bon goût qu'elle a donné dans cette circonstance (*l'acquittement de Flaubert, auteur de* Madame Bovary).
BAUDELAIRE, l'Art romantique, XVII, II.

MAGMA [magma] n. m. — 1694, terme de pharmacie ; empr. au lat. d'orig. grecque *magma* « résidu ».

♦ **1.** (1773). Chim. Bouillie* épaisse, qui reste après l'expression des parties liquides d'une substance quelconque.
Par ext., cour. Mélange formant une masse épaisse*, de consistance pâteuse*, visqueuse*. *Magma informe.*

♦ **2.** (1879). Géol. Masse minérale pâteuse située en profondeur, dans une zone de température très élevée et de très fortes pressions, où s'opère la fusion des roches (→ Lapilli, cit.). *La solidification du magma donne naissance aux roches éruptives**.

1 (...) la composition *chimique* d'un magma n'est pas sans influence sur le caractère général des éruptions, mais (...) le facteur principal est son état *physique,* sa fluidité ou sa viscosité plus ou moins grande, au moment de l'éruption.
Émile HAUG, Traité de géologie, t. I, p. 257.

♦ **3.** (xxᵉ). Fig. Mélange confus. *Ce bouquin n'est qu'un magma informe. Un magma d'idées empruntées.*

2 (...) ceux qui (...) nous affirment (...) que la conscience est un magma de données confuses où des hérédités, des souvenirs, des passions et des hasards déterminent des courants incertains (...) ont-ils la raison pour eux ?
DANIEL-ROPS, le Monde sans âme, p. 216.

♦ **4.** Math. Couple formé par un ensemble et une loi de composition interne sur cet ensemble. *Magma associatif.* ⇒ **Monoïde.**

DÉR. **Magmatique, magmatisme.**

MAGMATIQUE [magmatik] adj. — 1899, *bassin magmatique* (*Année sc. et industr.* 1900, p. 123) ; dér. sav. de *magma.*

♦ Didact. (géol.). Du magma ; relatif à un magma. *Des laves magmatiques.*
C'est là (*au Kamtchatka*) que le Soviétique Gorshkov détermina pour la première fois la profondeur à laquelle se situe le réservoir magmatique d'un volcan.
H. TAZIEFF, *in* Science et Vie, n° 594, p. 142.

REM. Correspondant au sens 3 (fig.) de *magma,* on trouve l'adj. *magmateux, euse* (d'après *pâteux*) : «*(...) leur journal, assez magmateux et dégueulasse...* » (le Nouvel Obs., 16 juil. 1973, p. 41).

DÉR. **Magmatisme.**

MAGMATISME [magmatism] n. m. — V. 1960 ; dér. sav. de *magma* (2.) ou de *magmatique.*

♦ Didact. Ensemble des phénomènes magmatiques. « *La notion clas-*

sique *du géosynclinal avec sa phase précoce de magmatisme* » (*la Recherche,* févr. 1974, p. 179).

MAGNAN [maɲɑ̃] n. m. — 1771, Trévoux ; anc. franç. *magnaud,* mot provençal, p.-ê. du provençal *magn, magno* « délicat » (P. Guiraud).

♦ Régional (Sud de la France). Ver* à soie.
Si l'on en juge par les emplacements de foyers aux quatre coins des pièces, les claies grillagées entassées un peu partout et la renommée séri(ci)cole de la région, les anciens locataires devaient être des magnans (...)
A. SARRAZIN, la Traversière, p. 238.

DÉR. (Du même rad.) **Magnanarelle, magnanerie, magnanier.**

MAGNANARELLE [maɲanaʀɛl] n. f. — 1859 ; du provençal *magnanarello* (→ Magnan).

♦ Régional. Femme employée à l'élevage des vers à soie dans les magnaneries.
Chantez chantez magnanarelles,
Car la cueillette aime les chants.
F. MISTRAL, Mireille, Chant II.

MAGNANERIE [maɲanʀi] n. f. — 1823 ; *magnanière,* 1839 ; provençal *magnanarié,* de *magnan.*

♦ **1.** Local (dit aussi *sédier* dans certaines régions) où se pratique l'élevage des vers à soie (→ Graine, cit. 13). *Traitement des cocons destinés aux filatures dans les magnaneries.* ⇒ **Séricicole** (établissement).

1 On s'occupait beaucoup dans ce moment-là de la récolte de la soie, et l'on me fit voir les cabanes, bâtiments d'une construction légère qui servent de magnanerie. Dans certaines salles, on nourrissait encore les vers sur des cadres superposés ; dans d'autres, le sol était jonché d'épines coupées sur lesquelles les larves des vers avaient opéré leur transformation.
NERVAL, Voyage en Orient, Druses et Maronites, I, III.

2 Après avoir été le siège de la fédération de la soie qui groupait les producteurs de cocons, filateurs et tisseurs de France, Valence avait dû s'adapter, comme toute la vallée du Rhône, aux dures conséquences de l'arrêt des magnaneries.
Raymond ABELLIO, les Militants, p. 197.

♦ **2.** Rare. Sériciculture. *La magnanerie provençale.*

MAGNANIER, IÈRE [maɲanje, jɛʀ] n. — 1816 ; de *magnan.*

♦ Régional. Personne qui élève des vers à soie dans une magnanerie. ⇒ **Sériciculteur.**

MAGNANIME [maɲanim] adj. — V. 1265 ; lat. *magnanimus.*

♦ **1.** Vx. Qui a de la grandeur et de la force d'âme. *Chefs magnanimes* (→ Effort, cit. 30). N. m. « *Le magnanime a toujours le cœur au-dessus de sa fortune* » (Littré).

1 Mais depuis que je règne en prince magnanime,
Qui chérit la vertu, qui sait punir le crime.
CORNEILLE, Pertharite, I, 4.

♦ **2.** (1669). Mod. (style soutenu). Qui est enclin au pardon des injures, à la bienveillance envers les faibles, les vaincus. ⇒ **Bon** (cit. 68), **clément, généreux.** *Se montrer magnanime envers, pour qqn.*

2 (*Mirabeau*) homme de grand cœur, après tout, sans fiel, sans haine, magnanime pour ses plus cruels ennemis.
MICHELET, Hist. de la Révolution franç., IV, X.

Par ext. ⇒ **Généreux, grand, noble.** *Âme, cœur magnanime. Pensée, sentiment magnanime.* ⇒ **Beau** (→ Expansif, cit. 3). *Action magnanime.*

3 — Il me semble pourtant que ce Danton eut une âme généreuse...
— Monsieur, dites *magnanime,* dit Royer-Collard.
MICHELET, Hist. de la Révolution franç., VII, III, Note.

4 Gal, amant de la reine, alla, tour magnanime
Galamment de l'arène à la tour Magne, à Nîmes.
Attribué à HUGO.

DÉR. **Magnanimement.**

MAGNANIMEMENT [maɲanimmɑ̃] adv. — xvᵉ-xvⁱᵉ ; de *magnanime.*

♦ Littér. D'une manière magnanime. *Pardonner magnanimement.*
(...) l'Assemblée, magnanimement, déclara le secret des lettres inviolable, refusa de les ouvrir et les fit restituer.
MICHELET, Hist. de la Révolution franç., II, IV.

MAGNANIMITÉ [maɲanimite] n. f. — V. 1265 ; lat. *magnanimitas,* de *magnanimus* → Magnanime.

♦ **1.** Vx. Qualité d'une personne magnanime (1.). ⇒ **Grandeur** (d'âme), **noblesse.** *Magnanimité des héros* (cit. 22). « *Soutenir son rang avec cœur* (cit. 106) *et magnanimité* » (Corneille).

1 La magnanimité est un noble effort de l'orgueil, par lequel il rend l'homme maître de lui-même, pour le rendre maître de toutes choses.
LA ROCHEFOUCAULD, Maximes supprimées, 628.

2 La *magnanimité* n'est que la grandeur d'âme devenue instinct, enthousiasme, plus noble et plus pure par son objet et par le choix de ses moyens, et qui met dans ses sacrifices je ne sais quoi de plus fort et de plus facile.
Encycl. (DIDEROT), art. *Magnanime.*

♦ **2.** (1689). Mod. et littér. Clémence, générosité. ⇒ **Bonté, cœur,**

noblesse. *Faire appel à la magnanimité du vainqueur.* — Par ext. Caractère de ce qui est magnanime. ⇒ **Bienveillance.** *Magnanimité d'un pardon.*

3   Il n'y a point d'offres de toutes choses que le Roi ne lui ait faites : la générosité, la magnanimité ne passe point plus loin (...)

           Mᵐᵉ DE SÉVIGNÉ, 1142, 28 févr. 1689.

4   On dit que Molière donna cent louis à Racine pour l'encourager à entreprendre une tragédie. Cette *générosité* de la part d'un comédien, qui n'était pas riche, me touche autant que la *magnanimité* d'un conquérant qui donne des villes et des royaumes.

           VAUVENARGUES, in LAFAYE, Dict. des synonymes, Grandeur d'âme.

5   Ce coupable, à qui S. M. l'Empereur et Roi avait fait grâce lors de la pacification définitive (...) n'a reconnu la magnanimité du souverain que par de nouveaux crimes (...)   BALZAC, Mᵐᵉ de La Chanterie, Pl., t. VII, p. 307.

♦ **3.** Rare. *Une magnanimité* : une action magnanime. *Des magnanimités.*

MAGNAT [magna], fam. [maɲa] n. m. — 1732 ; mot polonais ; du lat. médiéval *magnates* « les grands », de *magnus* « grand ».

♦ **1.** Anciennt. Titre donné, en Hongrie aux membres de la haute noblesse, en Pologne à divers hauts fonctionnaires et prélats.

(...) armer de toute sa force exécutive un corps respectable et permanent, tel que le sénat, capable, par sa consistance et par son autorité, de contenir dans leur devoir les magnats tentés de s'en écarter.

           ROUSSEAU, le Gouvernement de Pologne, VII.

♦ **2.** (1760-1770 ; repris 1895 ; empr. à l'angl. *magnate* « gros capitaliste », du franç. *magnat*). Péj. Représentant puissant du capitalisme international (→ Ficelle, cit. 4). « *Les magnats de l'industrie, de la finance* » (Académie). *Un magnat du pétrole.* ⇒ **Roi.**

MAGNER (SE) [maɲe] v. pron. ⇒ **Manier** (se).

MAGNES [maɲ] n. f. pl. — 1880 ; abrév. pop. de *manière.*

♦ Argot. Manières (dans : *faire des manières*).

1   — Vous n'y allez pas de main morte, vous ! répondis-je ; vous êtes gai, mon garçon ! Vous vous voyez déjà place de la Roquette ! Il ne faut pas penser à des choses comme cela.
   — À quoi bon faire des « magnes » ? reprit Beaujean, haussant les épaules. On sait bien ce que c'est.   GORON, l'Amour à Paris, t. I, p. 22.

2   Quand i's auront fini tous de se battre, i'r'viendra chez lui, i'dira à ses amis et connaissances : « Me v'là sain t' et sauf », et ses copains s'ront contents, parce que c'est un bon type, avec des magnes gentilles, tout saligaud qu'il est (...)

           H. BARBUSSE, le Feu, t. I, p. 50.

MAGNÉSIE [maɲezi] n. f. — 1762 ; 1554, « peroxyde de manganèse » ; empr. au lat. médiéval *magnesia*, de *magnes (lapis)* « pierre d'aimant », du grec *magnês (lithos)* « pierre de Magnésie », ville d'Asie Mineure.

♦ Oxyde de magnésium* (MgO), poudre blanche, légère, peu soluble dans l'eau, obtenue par calcination de la dolomie*. *Magnésie hydratée :* hydroxyde de magnésium, $Mg(OH)_2$. *Chloroborate de magnésie.* ⇒ **Boracite.** — *Sulfate de magnésie :* sulfate de magnésium hydraté (sel d'Epsom), poudre purgative. *Emploi thérapeutique du sulfate de magnésie comme laxatif ou purgatif, contre la dyspepsie.*

DÉR. et COMP. Magnésien, magnésifère, magnésique, magnésite, magnésium.

MAGNÉSIEN, ENNE [maɲezjɛ̃, ɛn] adj. — 1620, « qui contient de la magnésie noire (peroxyde de manganèse) » ; de *magnésie.*

♦ Chim. Qui contient du magnésium. *Métaux magnésiens. Sel magnésien.*

MAGNÉSIFÈRE [maɲezifɛʀ] adj. — 1823 ; de *magnésie*, et *-fère.*

♦ Didact. (minér.). Qui contient de la magnésie. *Roche magnésifère.*

MAGNÉSIQUE [maɲezik] adj. — 1840 ; de *magnésie.*
Chimie.

♦ **1.** Qui a pour base la magnésie ; qui contient de la magnésie (⇒ **Magnésifère**).

♦ **2.** (1867). Lié à une propriété de la magnésie ou du magnésium. *Éclair, lumière magnésique.*

MAGNÉSITE [maɲezit] n. f. — 1795 ; de *magnésie.*
Minéralogie.

♦ **1.** Sépiolite, silicate hydraté de formule $3(SiO)_2 \, 2(MgO) \, 2(H_2O)$. ⇒ **Écume** (de mer).

♦ **2.** Carbonate de magnésium ($Mg \, CO_3$) appartenant au groupe de la calcite (syn. : *giobertite*).

MAGNÉSIUM [maɲezjɔm] n. m. — 1818 ; de *magnésie.*

♦ Élément chimique (Mg) indispensable à la vie, métal léger (dens. 1,74 ; p. at. 24,31), blanc argenté, ductile et malléable, fusible à 651° C et qui brûle à l'air avec une flamme blanche éblouissante en donnant de la magnésie*. *Préparation du magnésium par électrolyse à partir du chlorure de magnésium. Silicates de magnésium.* ⇒ **Amiante, magnésite, stéatite, talc.** *Sulfate de magnésium utilisé comme purgatif.* ⇒ **Sel** (anglais, d'Epsom, de Sedlitz). *La kaïnite, sel de magnésium.* — *Alliages au magnésium.* ⇒ **Almasilium, duralumin, partinium.** *Emploi du magnésium en photographie et en pyrotechnie. Ruban, poudre de magnésium. Éclair de magnésium d'un flash.* ⇒ **Magnésique.** *Bombes incendiaires au magnésium.*

1   Nous entendîmes les clairons. C'était la retraite aux flambeaux. Cent torches éclairaient soudain la foule, comme, après la lumière douce des rampes, le magnésium éclate pour photographier une nouvelle étoile.

           R. RADIGUET, le Diable au corps, p. 22.

2   À ce moment un éclair de magnésium illumina l'espace, faisant apparaître deux personnes toutes deux pourvues d'un appareil photographique.

           G. DUHAMEL, le Voyage de P. Périot, X.

MAGNÉTIQUE [maɲetik] adj. — 1617 ; lat. *magneticus*, de *magnes (lapis)* « aimant ».

♦ **1.** Qui a rapport à l'aimant* ; qui en possède les propriétés ou qui relève de ces propriétés ; du magnétisme* et des phénomènes qui en relèvent.

Phys. *Attraction, axe, balance, flux d'induction* (cit. 8), *moment* (⇒ **Magnétomètre**), *orage, phénomène, résistance* (⇒ **Reluctance**) *magnétique. Intensité, lignes de force d'un champ* magnétique. *Moment magnétique du noyau atomique* (en relation avec le spin). — *Unités magnétiques ou électromagnétiques du système C. G. S.* ⇒ **Gauss, maxwell, œrsted, weber.** *Balance magnétique.*

1   Le champ magnétique est la portion de l'espace, qui entoure un corps, dont les électrons sont animés de mouvements cohérents (curvilignes ou rectilignes).

           Marcel BOLL, Électricité, Magnétisme, p. 122.

Géol. *Minerai de fer magnétique.* ⇒ **Magnétite.**

Géogr. *Déclinaison*, équateur*, inclinaison*,* (1751) *méridien*,* (1751) *pôle* magnétique* (→ Inclinaison, cit. 1). *Carte magnétique,* portant les variations du magnétisme terrestre.

2   La connaissance de la déclinaison a un intérêt pratique facile à comprendre pour le marin et l'explorateur ; elle intéresse maintenant particulièrement l'aviation. Aussi les observations magnétiques se multiplient-elles de jour en jour (...) On donne (...) des courbes (...) d'égale intensité magnétique (...) La construction d'un navire spécial sans fer (...) a permis (...) d'entreprendre une campagne magnétique sur toute la surface de la Terre. En même temps des observatoires font des mesures périodiques pour déceler toutes les oscillations de l'énergie magnétique (...) Les variations dans le temps de l'énergie magnétique sont dues en partie à des influences externes (...) Mais c'est la Terre elle-même qui agit le plus directement par les courants magnétiques qui se produisent dans son atmosphère, et dans l'intérieur même de la lithosphère.

           E. DE MARTONNE, Traité de géographie physique, t. I, p. 90-91.

Techn. et cour. Magnétisé, doué de magnétisme. — *Bande*, ruban* magnétique d'un magnétophone, d'un magnétoscope, d'un ordinateur.* — *Ticket, carte magnétique.*

Spécialt. Imprim. *Encre magnétique :* encre contenant de fines particules d'oxyde de fer qui la rendent sensible à un certain nombre de réactifs chimiques. *Chèque magnétique :* chèque comportant des caractères spéciaux imprimés avec une encre magnétique de manière qu'ils ne puissent être maquillés.

Par métaphore. *Onde magnétique* (→ Illumination, cit. 8). *Les Champs magnétiques,* œuvre de Breton et Soupault.

3   Toutes ces belles raisons de sympathie, de force magnétique et de vertu occulte, sont si subtiles (...)   MOLIÈRE, les Amants magnifiques, III, 1.

♦ **2.** (1813 ; *fluide magnétique* « qui unit le magnétiseur au magnétisé », 1784). Qui a rapport au magnétisme animal. *Influx* (cit. 1) *magnétique. Passes magnétiques. Somnambulisme magnétique.* ⇒ **Hypnotisme.**

4   Je crois avoir le droit d'attribuer simplement cet effet à l'influence magnétique. Je ne saurais expliquer ma pensée que par une hypothèse, à savoir que l'exaltation magnétique me rend apte à concevoir un système de raisonnement qui (...) par une complète analogie avec le phénomène magnétique, ne s'étend pas (...) jusqu'à mon existence normale.

           BAUDELAIRE, Trad. E. POE, Histoires extraordinaires, « Révélation magnétique ».

5   Il cherche à discerner « le courant agréable et vivifiant » dont parle le prospectus. Sans doute ne l'éprouve-t-il que faiblement ; mais il l'éprouve. Comme si des passes magnétiques enveloppaient la région du bassin, erraient sur les reins, sur le ventre.   J. ROMAINS, les Hommes de bonne volonté, t. I, IX, p. 80.

♦ **3.** (1835). Fig. Qui exerce une influence occulte et puissante, analogue au fluide magnétique. *Regard magnétique.* ⇒ **Attractif, envoûtant, fascinateur** (→ Broyer, cit. 1).

6   La douce chaleur de son corps me pénétrait à travers ses habits et les miens ; mille ruisseaux magnétiques rayonnaient autour d'elle ; sa vie tout entière semblait avoir passé en moi (...)   Th. GAUTIER, Mˡˡᵉ de Maupin, XII.

7   De le pouvoir magnétique qu'il avait conservé (...) nul (...) n'aurait résisté à l'horreur de ses yeux (...)   H. BOSCO, le Sanglier, p. 142.

DÉR. et COMP. (Du même rad.) Magnétiquement, magnétiser, magnétisme, magnétite. — Antimagnétique, électromagnétique, géomagnétique. — Magnéto-électrique, magnétomètre, magnétophone.

MAGNÉTIQUEMENT [maɲetikmɑ̃] adv — 1634, repris fin XVIIIᵉ ; de *magnétique*.

♦ **1.** Phys. D'une façon magnétique ; par le magnétisme ; en ce qui concerne les phénomènes magnétiques.

(...) blinder électriquement et magnétiquement la paroi (...) pour éviter toute interaction.
 Gilbert SIMONDON, *Du mode d'existence des objets techniques*, p. 62.

♦ **2.** Fig., cour. D'une manière magnétique (2. et 3.).

MAGNÉTISABLE [maɲetizabl] adj. — 1868 ; de *magnétiser*.

♦ Que l'on peut magnétiser (1.). *Sujet facilement magnétisable.* — Phys. (Correspond au sens 3 de *magnétiser*). *Substances magnétisables.*

MAGNÉTISANT, ANTE [maɲetizɑ̃, ɑ̃t] adj. — 1781, *le Docteur magnétisant* (Mesmer), in D. D. L. ; de *magnétiser*.

♦ **1.** Qui magnétise, qui est propre à magnétiser. Fig. ⇒ **Fascinant, hypnotisant.**

J'étais à Langalore. Je venais d'arriver. C'était la première fois. Il y avait beaucoup de femmes, belles d'un type magnétisant. Henri MICHAUX, *Ailleurs*, p. 244.

♦ **2.** Phys. Qui magnétise (3.), qui produit le magnétisme. *Champ magnétisant.*

MAGNÉTISATION [maɲetizasjɔ̃] n. f. — 1784 ; de *magnétiser*.

♦ **1.** Action, manière de magnétiser (1.). État d'un sujet magnétisé.

♦ **2.** Phys. Fait de devenir magnétique (1.) ; son résultat. *La magnétisation d'un électro-aimant.*

MAGNÉTISER [maɲetize] v. tr. — 1781 ; du rad. de *magnétique*.

♦ **1.** Soumettre (un être vivant) à l'action du magnétisme* (animal) ; mettre dans un état magnétique. ⇒ **Fasciner, hypnotiser** (→ Endormir, cit. 1). « *Se faire magnétiser* » (Académie). *Être magnétisé par qqn, par son regard.*

1 J'avais depuis longtemps l'habitude de magnétiser (...) M. Vankirk, et la *susceptibilité* vive, l'exaltation du sens magnétique, s'étaient déjà manifestées (...) M. Vankirk avait beaucoup souffert d'une phtisie avancée, dont les effets les plus cruels avaient été diminués par mes passes (...)
 BAUDELAIRE, Trad. E. POE, *Histoires extraordinaires*, « Révélation magnétique ».

2 On sent en lui *(ce seigneur)* une puissance surnaturelle. Il dompte la volonté, brise la résistance, fascine comme le serpent, attire comme l'abîme. Magnétisée par son regard, Éoline se lève et commence un pas avec lui. On dirait une colombe qui descend de branche en branche vers le reptile en arrêt au bas de l'arbre, la plume hérissée, l'aile palpitante, éperdue d'horreur, mais charmée.
 Th. GAUTIER, *Voyage en Russie*, XX.

3 Déjà les commissaires de l'Académie chargés d'étudier les sujets de Mesmer disaient en 1784 : « Tous étaient soumis d'une manière étonnante à celui qui les magnétisait ; ils avaient beau être dans l'assoupissement, sa voix, un regard, un signe les en retirait. On ne peut s'empêcher de reconnaître à ces effets constants une grande puissance qui agite ces malades, les maîtrise et dont celui qui magnétise semble le dépositaire. »
 Pierre JANET, *les Médications psychologiques*, t. I, p. 139.

P. p. adj. *Sujet magnétisé.* — N. (1784). *Un, une magnétisée.*

3.1 L'inconnu regarda l'ingénieur et sembla être sous son influence, comme un magnétisé sous la puissance de son magnétiseur.
 J. VERNE, *l'Île mystérieuse*, t. II, p. 525.

Par ext. Communiquer le fluide magnétique à (un objet) au moyen de passes. — Au p. p. :

4 (...) ils envoyaient à leurs pratiques des jetons magnétisés, des mouchoirs magnétisés ; de l'eau magnétisée, du pain magnétisé.
 FLAUBERT, *Bouvard et Pécuchet*, VIII.

♦ **2.** (1835). Fig. Littér. Tenir sous le charme.

5 Son approche m'enivrait, sa présence me magnétisait.
 A. VIGNY, *Servitude et Grandeur militaires*, III, IV.

6 Il passe pour très éloquent auprès des femmes. Il les magnétise avec des flatteries adorables ou des impertinences qu'il a l'art de doubler de tendresses.
 BARBEY D'AUREVILLY, *Une vieille maîtresse*, I, I.

♦ **3.** (1907). Phys. Rendre (une substance) magnétique, lui donner les propriétés de l'aimant. *Magnétiser du fer.* ⇒ **Aimanter.**

CONTR. Démagnétiser.

DÉR. Magnétisable, magnétisant, magnétisation, magnétiseur.

MAGNÉTISEUR, EUSE [maɲetizœʀ, øz] n. — 1784 ; de *magnétiser*.

♦ Personne qui pratique le magnétisme, qui magnétise (1.). ⇒ **Hypnotiseur.** *Le magnétisé* (→ Magnétiser, cit. 3.1) *et le magnétiseur.*

1 Il prit dans sa bibliothèque le *Guide du magnétiseur* (...) et initia Bouvard à la théorie. Tous les corps animés reçoivent et communiquent l'influence des astres. Propriété analogue à la vertu de l'aimant. En dirigeant cette force on peut guérir les malades, voilà le principe. En dirigeant Mesmer, puis se développa, mais il importe toujours de verser le fluide et de faire des passes qui, premièrement, doivent endormir. FLAUBERT, *Bouvard et Pécuchet*, VIII.

2 Le vieux scélérat croyait fermement, lui, aux coups frappés sur quelqu'un à dis-

tance aux passions brusquement excitées par la seule volonté du magnétiseur (...) enfin aux signes de l'ésotérisme sacerdotal formulant la réprobation.
 VILLIERS DE L'ISLE-ADAM, *Tribulat Bonhomet*, p. 89.

MAGNÉTISME [maɲetism] n. m. — 1724 ; 1666, autre sens ; du rad. de *magnétique*.

♦ **1.** Partie de la physique ayant pour objet l'étude des propriétés des aimants naturels ou artificiels, des champs et des phénomènes magnétiques*.

Par ext. Ensemble de ces phénomènes et propriétés ⇒ **Attraction.** *Variétés de magnétisme* ⇒ **Diamagnétisme, ferromagnétisme, paramagnétisme.** *Magnétisme permanent, temporaire, induit. Magnétisme rémanent** ⇒ **Hystérésis, rémanence.** *Rendu insensible au magnétisme.* ⇒ **Antimagnétique.** *Sensibilité des êtres vivants au magnétisme.* ⇒ **Biomagnétisme.**
Spécialt. *Magnétisme développé par un courant* électrique.* ⇒ **Électricité.** — *Magnétisme nucléaire*, dû au spin des particules du noyau. — *Magnétisme terrestre* : champ magnétique de la Terre, analogue à celui que développerait un puissant aimant situé en son centre et orienté dans la direction Sud-Nord. ⇒ **Géomagnétisme.** *Action du magnétisme terrestre sur l'aiguille de la boussole** ⇒ **Déclinaison.** *Aiguilles de galvanomètre soustraites à l'action du magnétisme terrestre.* ⇒ **Astatique.** *Variations du magnétisme terrestre dans le temps* (⇒ **Archéomagnétisme, paléomagnétisme**) *et dans l'espace.*

1 Lorsque cette force de l'électricité agit à la surface du globe elle se modifie pour donner naissance à une nouvelle force à laquelle on a donné le nom de magnétisme ; mais le magnétisme, bien moins général que l'électricité, n'agit que sur les matières ferrugineuses, et ne se montre que par les effets de l'aimant et du fer, lesquels seuls peuvent fléchir et attirer une portion du courant universel et électrique, qui se porte directement et en sens contraire de l'équateur aux deux pôles.
 BUFFON, *Histoire naturelle des minéraux*, « Traité de l'aimant », I.

♦ **2.** (1775). Spécialt. *Magnétisme animal*, et, ellipt (1784), *magnétisme* : fluide* magnétique dont disposeraient certains individus. *Puissance du magnétisme* (→ Charmer, cit. 2).

Par ext. Ensemble des phénomènes par lesquels se manifeste chez un sujet *(le magnétisé)* l'action du fluide magnétique d'un autre individu *(le magnétiseur).* ⇒ **Hypnose, somnambulisme** (magnétique), **suggestion.** — Ensemble des procédés mis en œuvre pour déclencher ces phénomènes. ⇒ **Hypnotisme** (cit. 2). *Pratiques de magnétisme* : contemplation prolongée d'un objet brillant, imposition des mains, passes*... *Traitement des maladies par le magnétisme.* — Domaine de la connaissance qui traite des phénomènes de magnétisme. *Mesmer, théoricien du magnétisme.* ⇒ **Mesmérisme.**

2 Après avoir retrouvé le magnétisme, Mesmer vint en France (...) La France savante s'émut, un débat solennel s'ouvrit (...) le magnétisme y fut repoussé par les doubles atteintes des gens religieux et des philosophes matérialistes également alarmés. Le magnétisme, la science favorite de Jésus et l'une des puissances divines remises aux apôtres, ne paraissait pas plus prévu par l'Église que par les disciples de Jean-Jacques et de Voltaire (...) Quelques gens droits, sans système (...) persévérèrent dans la doctrine de Mesmer, qui reconnaissait en l'homme l'existence d'une influence pénétrante, dominatrice d'homme à homme, mise en œuvre par la volonté, curative par l'abondance du fluide (...)
 BALZAC, *Ursule Mirouët*, Pl., t. III, p. 316-317.

♦ **3.** (Fin XVIIIᵉ). Par métaphore et fig. ⇒ **Charme, fascination.** *Le magnétisme qui émanait de Rimbaud* (→ Envoûtement, cit. 2). *Subir le magnétisme de qqn.* ⇒ **Autorité, influence.**

3 De droite et de gauche, partout, les vainqueurs déchargeaient leurs armes. Frédéric, bien qu'il ne fût pas guerrier, sentit bondir son sang gaulois. Le magnétisme des foules enthousiastes l'avait pris.
 FLAUBERT, *l'Éducation sentimentale*, III, I.

COMP. Archéomagnétisme, biomagnétisme, diamagnétisme, électromagnétisme, ferromagnétisme, géomagnétisme, paléomagnétisme, paramagnétisme, thermomagnétisme.

MAGNÉTITE [maɲetit] n. f. — 1878 ; du rad. de *magnétique*.

♦ Chim., minér. Oxyde magnétique naturel de fer, de formule Fe_3O_4 (⇒ **Aimant**), minerai noir très abondant à l'état naturel.

MAGNÉTO [maɲeto] n. f. — 1889 ; abrév. de *machine magnéto-électrique*.

♦ Génératrice de courant électrique continu, dans laquelle le champ magnétique produisant l'induction est créé par un aimant permanent. *Des magnétos.*

Spécialt, cour. Petite dynamo produisant le courant nécessaire à l'allumage d'un moteur à explosion.

MAGNÉTO- Élément tiré du grec *magnês, -êtos* « aimant », et entrant dans la composition de mots savants. Voir ci-dessous.

MAGNÉTOAÉRODYNAMIQUE [maɲetoaeʀodinamik] adj. — Mil. XXᵉ ; de *magnéto-*, et *aérodynamique*.

♦ Didact. Science qui étudie l'écoulement du milieu gazeux soumis à un champ magnétique.
REM. On trouve aussi *magnéto-aérodynamique*.

MAGNÉTOCASSETTE [maɲetokasɛt] n. f. — 1974 ; de *magnéto(phone)*, et *cassette*.

♦ Magnétophone à cassette. « *Les magnétocassettes sont des versions améliorées des minicassettes* » (*Science et Vie*, n° 105, 1974, p. 8).
REM. Le mot est mal formé, par rapport à l'élément *magnéto-*.

MAGNÉTOCHIMIE [maɲetoʃimi] n. f. — 1931 ; de *magnéto-*, et *chimie*.

♦ Didact. Science qui étudie les propriétés magnétiques des corps chimiques et de leurs combinaisons.

MAGNÉTODYNAMIQUE [maɲetodinamik] adj. et n. f. — Mil. xxᵉ ; de *magnéto-*, et *dynamique*.
Technique.

♦ **1.** Adj. Se dit d'un appareil où l'excitation est produite par un aimant permanent. *Haut-parleur, tête de lecture magnétodynamique*.

♦ **2.** N. f. Syn. de *magnétohydrodynamique**.

MAGNÉTOÉLECTRIQUE [maɲetoelɛktʁik] adj. — 1837, cit. ; de *magnéto-*, et *électrique*.

♦ Phys. Qui relève à la fois de l'électricité et du magnétisme. ⇒ **Électromagnétique.** — *Machine magnétoélectrique*. ⇒ **Magnéto.**
REM. On trouve aussi *magnéto-électrique*.

La continuité des effets électriques dans les piles voltaïques, ou dans les appareils magnéto-électriques, a permis d'étudier (...) la composition de la lumière électrique. G. LAMÉ, Cours de physique, t. II, II, § 868 (1837).

MAGNÉTOGÈNE [maɲetoʒɛn] adj. — 1845 ; de *magnéto-*, et *-gène*.

♦ Sc. Capable de produire un effet magnétique.

MAGNÉTOHYDRODYNAMIQUE [maɲetoidʁodinamik] n. f. et adj. — Mil. xxᵉ ; de *magnéto-*, et *hydrodynamique*.

♦ Didact. (phys.). Étude scientifique des charges électrisées en mouvement sous l'influence de champs magnétiques ou électriques. ⇒ **Plasma.** *La magnétohydrodynamique a permis le confinement de plasmas en vue d'obtenir des réactions de fusion nucléaire*.
Adj. « *Machines magnétohydrodynamiques* » (*la Recherche*, oct. 1981).

MAGNÉTOMÈTRE [maɲetomɛtʁ] n. m. — 1780 ; de *magnéto-* et *-mètre*.

♦ Sc. et techn. Instrument de mesure servant à comparer l'intensité des champs et des moments magnétiques. *Magnétomètre à pompage optique*, utilisant la vapeur de rubidium.

MAGNÉTOMÉTRIE [maɲetometʁi] n. f. — xxᵉ ; de *magnéto-*, et *-métrie*.

♦ Sc. Mesure des grandeurs magnétiques.
DÉR. **Magnétométrique.**

MAGNÉTOMÉTRIQUE [maɲetometʁik] adj. — 1903, *Rev. gén. des sc.*, n° 23, p. 1232 ; de *magnétométrie*.

♦ Didact. Qui concerne la magnétométrie. « *Les deux bateaux ont pu effectuer (...) 5 000 kilomètres d'enregistrement magnétométrique* » (*Science et Vie*, n° 592, p. 126).

MAGNÉTOMOTEUR, TRICE [maɲetomɔtœʁ, tʁis] adj. — Mil. xxᵉ ; de *magnéto-*, et *moteur*, adjectif.

♦ Didact. *Force magnétomotrice* : somme des différences de potentiel magnétique capable de créer le flux magnétique (d'un tube de force).

MAGNÉTON [maɲetɔ̃] n. m. — Av. 1931 ; de *magnéto-*, et suff. *-on* ; → Électron.

♦ Didact. Moment magnétique élémentaire. *Magnéton électronique de Bohr* : moment magnétique d'un électron isolé gravitant sur l'orbite la plus petite, dans le modèle atomique de Bohr. *Magné-*

ton nucléaire. ⇒ **Spin.** *Magnéton de Weiss* : grandeur théorique élémentaire, égale au cinquième du magnéton de Bohr.

MAGNÉTO-OPTIQUE [maɲetooptik] n. f. — Mil. xxᵉ ; de *magnéto-*, et *optique*.

♦ Didact. Étude des propriétés optiques des substances soumises à des champs magnétiques.

MAGNÉTOPAUSE [maɲetopoz] n. f. — V. 1960 ; de *magnéto-*, et du grec *pausis* « cessation ».

♦ Phys. Surface de l'espace circumterrestre au-delà de laquelle le champ magnétique terrestre cesse d'avoir une action sensible.

MAGNÉTOPHONE [maɲetɔfɔn] n. m. — Après 1945 ; 1888, autre sens ; de *magnéto-*, et *-phone*.

♦ Cour. Appareil d'enregistrement* et de reproduction des sons par aimantation rémanente d'un ruban d'acier ou d'un film recouvert d'une couche d'oxyde magnétique (bande magnétique). *Conférence, conversation enregistrée au magnétophone. Magnétophone à bobines, à bandes. Magnétophone à cassettes* ou *magnétocassette*.

On dit que le théâtre, c'est la vie. Mais la vie n'est pas du théâtre. Restituée au magnétophone, la vie telle qu'on la parle est un pathos impossible à admettre sur une scène. Pierre DANINOS, Un certain Monsieur Blot, p. 93.
À partir de là on n'entendit plus que la vibration de la bande, et la respiration qui soufflait, aspirait. Alors le Narcoanalyste appuya sur le bouton du magnétophone.
J.-M. G. LE CLÉZIO, les Géants, p. 227.

DÉR. **Magnétophonique.**
COMP. **Magnétocassette.**

MAGNÉTOPHONIQUE [maɲetɔfɔnik] adj. — V. 1970 ; de *magnétophone*.

♦ Didact. Du magnétophone ; fait au moyen du magnétophone. *Enregistrements magnétophoniques*.

MAGNÉTOSCOPE [maɲetɔskɔp] n. m. — 1961, à Ottawa (*magnétoscopique* semble antérieur) ; on a dit aussi *vidéographe* ; de *magnéto-*, et *-scope*.

♦ Appareil permettant l'enregistrement des images et du son sur bande magnétique. ⇒ **Vidéo, vidéophonie.** *Bandes magnétiques pour magnétoscope*. ⇒ **Bande** (bande vidéo) ; **vidéocassette.**
DÉR. **Magnétoscoper, magnétoscopique.**

MAGNÉTOSCOPER [maɲetɔskɔpe] v. tr. — V. 1969 ; var. *magnétoscopier* en 1961 au Canada ; de *magnétoscope*.

♦ Techn. Enregistrer au magnétoscope. *Magnétoscoper un spectacle de variétés*.

MAGNÉTOSCOPIQUE [maɲetɔskɔpik] adj. — 1956 ; de *magnétoscope*.

♦ Didact., techn. Du magnétoscope ; fait au moyen du magnétoscope. *Bande, image magnétoscopique*.

MAGNÉTOSPHÈRE [maɲetɔsfɛʁ] n. f. — Av. 1966 ; angl. *magnetosphere*, 1959, Gold ; de *magnéto-*, et *sphère* (d'après *atmosphère*).

♦ Didact. (géophys.). Partie de l'atmosphère la plus éloignée de la surface de la Terre et soumise à l'influence prépondérante du champ magnétique terrestre. *L'interaction du vent solaire et du champ magnétique terrestre provoque un confinement de la magnétosphère. Limite de la magnétosphère*. ⇒ **Magnétopause.** « *La magnétosphère s'étend jusque vers 10 rayons terrestres du côté diurne et se développe très loin dans la direction antisolaire (500 rayons terrestres au moins) en prenant la forme d'une queue de comète coupée en son milieu...* » (*la Recherche*, nov. 1973, p. 959).

MAGNÉTOSPHÉRIQUE [maɲetɔsferik] adj. — D. i. (v. 1970) ; de *magnétosphère*.

♦ Didact. (géophys.). Qui concerne la magnétosphère. « *Un orage magnétosphérique* » (*la Recherche*, nov. 1973, p. 965).

MAGNÉTOSTATIQUE [maɲetɔstatik] adj. et n. — Mil. xxᵉ ; de *magnéto-*, et *statique*.

♦ Adj. Sc. Qui concerne les masses magnétiques au repos. *Phénomènes magnétostatiques*.
N. f. Science des aimants et des masses magnétiques au repos.

MAGNÉTOSTRICTIF, IVE [maɲetostriktif, iv] adj. — Mil xxᵉ; de *magnétostriction.*

♦ Didact. De la magnétostriction. — Qui fonctionne par magnéto-striction. *Émetteur magnétostrictif à ultra-sons.*

MAGNÉTOSTRICTION [maɲetostriksjɔ̃] n. f. — 1900, A. Nagadka, *Congrès international de physique;* de *magnéto-,* et *striction.*

♦ Didact. (phys.). Déformation d'un corps ferromagnétique lorsqu'il est aimanté.

REM. On trouve les deux formes *magnéto-striction* et *magnétostriction.* «*Des phénomènes dits de magnéto-striction*» (*Rev. gén. des sc.,* 1903, 2, p. 92.)

(...) la présence d'oscillateurs dans la salle où l'on pratique une expérience d'audio-métrie est souvent gênante; si ces oscillateurs utilisent des transformateurs à cir-cuit magnétique en fer, la magnétostriction des feuilles de tôle crée une vibration qui émet un son gênant (...)
Gilbert SIMONDON, *Du mode d'existence des objets techniques,* p. 64.

MAGNÉTOTHÉRAPIE [maɲetoteʀapi] n. f. — 1889; de *magnéto-,* et *-thérapie.*

♦ Didact. (méd.). Emploi thérapeutique du magnétisme (→ Élec-trothérapie).

MAGNÉTRON [maɲetʀɔ̃] n. m. — 1921; de *magné(to-),* et *-(cyclo)tron.*

♦ Phys. Tube cylindrique du type diode, placé dans un champ magnétique axial et utilisé comme amplificateur aux hyper-fréquences.

MAGNICIDE [magnisid; maɲisid] n. — 1952, Porot; de l'élément lat. *magni-,* de *magnus* «grand» (→ Magnifique), et *-cide,* d'après *homi-cide, régicide.*

Didactique (psychiatrie).

♦ **1.** N. m. Attentat contre la vie d'un haut personnage de l'État. ⇒ **Régicide.**

Le magnicide est de tous les pays et de toutes les époques. Il s'explique souvent par des conditions révolutionnaires où il devient difficile de distinguer les influen-ces du fanatisme partisan et de l'exaltation individuelle de l'auteur, de séparer le complot subversif ou l'héroïsme national du geste pathologique.
Ch. BARDENAT, *in* POROT, *Manuel alphabétique de psychiatrie.*

♦ **2.** N. Auteur d'un tel attentat. *Un, une magnicide.*

MAGNIEN [maɲɛ̃] ou **MAGNIER** [maɲje] ou **MAGNIN** [maɲɛ̃] n. m. — xıııᵉ, *maignain;* var. anc. *magnan;* étym. incertaine.

♦ Régional et vx (ou hist.). Ouvrier ambulant, à la fois chaudronnier et raccommodeur de faïence.

MAGNIFICAT [magnifikat] n. m. invar. — V. 1300; mot lat. par lequel commence le cantique *Magnificat anima mea Dominum* «mon âme magnifie le Seigneur»; 3ᵉ pers. sing. indic. prés. de *magnificare.*

♦ **1.** Liturgie cathol. Cantique* de la Sainte Vierge Marie (Évangile selon saint Luc, I, 46-55) qui se chante aux Vêpres*, et qui est pré-cédé et suivi d'une antienne qui varie selon la fête du jour. *Enton-ner, chanter le Magnificat.*

Par ext. *À Magnificat, au Magnificat :* au moment où l'on chante ce cantique. *Arriver au Magnificat,* très en retard (aux Vêpres).

♦ **2.** Mus. Musique composée sur le texte du Magnificat. *Magnifi-cat à quatre voix. Le Magnificat de Bach.*

MAGNIFICENCE [maɲifisɑ̃s] n. f. — V. 1265; du lat. *magnificen-tia* de *magnificus* → Magnifique.
Littéraire ou style soutenu.

♦ **1.** Qualité de celui qui est magnifique; disposition à dépenser sans compter, à faire de grandes libéralités... ⇒ **Générosité, libéra-lité, munificence, prodigalité.** *Exercer* (cit. 23) *sa magnificence, éta-ler une grande magnificence* (→ État, cit. 88). *Acte, trait de magni-ficence* (→ Étaler, cit. 10). *Traiter, entretenir ses hôtes avec magni-ficence* (⇒ **Royalement**). *Magnificence princière, royale...*

Spécialt. *La magnificence de Dieu, du Créateur* (→ Essence, cit. 6).

1 (...) je la dois et la veux tenir *(ma place)* de votre seule magnificence.
LA BRUYÈRE, *Discours de réception à l'Académie,* 15 juin 1693.
2 Les seigneurs faisaient assaut de magnificence, tenaient table ouverte, dépensaient sans compter (...) TAINE, *Philosophie de l'art,* t. II, p. 25.
3 (...) c'était une tradition, chez nos Rois, que d'entretenir leurs maîtresses avec magnificence. Louis BERTRAND, *Louis XIV,* III, IV.

♦ **2.** Vx. *Une magnificence :* une dépense, une libéralité pleine de grandeur, de faste. *Faire des magnificences.*

On a donné cent mille écus de gratifications : deux mille pistoles à M. de Lavar-din, autant à M. de Molac (...) enfin des magnificences. 4
Mᵐᵉ DE SÉVIGNÉ, 200, 6 sept. 1671.

♦ **3.** [a] Qualité de ce qui est magnifique; beauté, somptuosité pleine de grandeur. ⇒ **Apparat, appareil** (grand appareil), **beauté, éclat,** 1. **faste** (cit. 5), **luxe, pompe, richesse, somptuosité, splendeur.** *Magnificence d'une cérémonie, d'une fête, d'un spectacle.* ⇒ **Bril-lant** (3.). *Magnificence de la parure, des atours* (cit. 5). *Être vêtu avec magnificence. Magnificence d'un bâtiment* (→ Égaler, cit. 4). *Fabuleuse magnificence* (→ Iconostase, cit. 1). *Publications illus-trées avec magnificence* (→ Copieux, cit. 5). — *Magnificence de la nature* (→ Fondre, cit. 8), *du monde* (→ Astronome, cit. 1).

(...) il n'est point de spectacle au monde qui puisse le disputer en magnificence à 5
celui que vous venez de nous donner. MOLIÈRE, *les Amants magnifiques,* I, 2.
(...) la véritable magnificence n'est que l'ordre rendu sensible dans le grand; ce 6
qui fait que, de tous les spectacles imaginables, le plus magnifique est celui de la nature. ROUSSEAU, *Julie...,* « Lettre II », v, p. 172, note 1.
Les sacristies et les salles capitulaires de la cathédrale de Tolède sont d'une magni- 7
ficence plus que royale; rien n'est plus noble et plus pittoresque que ces vastes salles décorées avec ce luxe solide et sévère dont l'Église a seule le secret.
Th. GAUTIER, *Voyage en Espagne,* p. 113.

[b] Chose, objet magnifique. *Des magnificences inouïes.* ⇒ **Richesse, splendeur** (→ Étaler, cit. 1).

Et, comme ce logis plein de magnificences 8
Abondait partout en tableaux. LA FONTAINE, *Fables,* VIII, 16.
Il est des spectacles auxquels coopèrent toutes les matérielles magnificences dont 9
dispose l'homme. BALZAC, *Séraphîta,* Pl., t. X, p. 532.
L'étendue brille et miroite sous le soleil éternel. Le grand flamboiement de midi 10
tombe dans le désert bleu comme une magnificence inutile et perdue.
LOTI, *Mon frère Yves,* LXXXII.

♦ **4.** Abstrait. *Magnificence du style, du discours, des images* (cit. 42), *de l'éloquence* (→ Chaleur, cit. 7). — *La magnificence de l'amour* (→ Gésir, cit. 9).

Par ext. *Les magnificences d'un écrivain.* ⇒ **Beauté** (→ Éclat, cit. 36).

La magnificence des éloges a égalé celle des événements. 11
MASSILLON, *Oraison funèbre de Louis le Grand.*
Le lieu commun y domine *(dans la première partie du* Génie du Christianisme), 12
revêtu de magnificence, lieu commun pourtant s'il en fut jamais.
SAINTE-BEUVE, *Chateaubriand...,* t. I, p. 241

CONTR. Mesquinerie.
DÉR. Magnifiquement.

MAGNIFIER [maɲifje] v. tr. — V. 1120; du lat. *magnificare,* de *magnificus* → Magnifique.

♦ **1.** Vieilli ou littér. Célébrer, exalter par de grandes louanges*. ⇒ **Exalter** (cit. 2), **glorifier,** 1. **louer.** *Magnifier Dieu, le Seigneur. Magnifier les hauts faits, les victoires, la mémoire d'un héros. Magnifier son propre courage* (→ Légionnaire, cit. 1). — *L'hyper-bole* (cit. 3) *magnifie les êtres et les choses.* ⇒ **Idéaliser.**

Magnifier. Ce mot est excellent, et a une grande emphase pour exprimer une 1
louange extraordinaire (...) Mais (...) il faut avouer qu'il vieillit, et qu'à moins que d'être employé dans un grand ouvrage, il aurait de la peine à passer.
VAUGELAS, *Remarques sur la langue française, Magnifier* (éd. Streicher, p. 128).
(...) combien est profonde chez le clerc moderne la volonté de magnifier le mode 2
réel, — pratique, — de l'existence et d'en rabaisser le mode idéal (...)
Julien BENDA, *la Trahison des clercs,* p. 175.

♦ **2.** (Déb. xvıᵉ). Sujet n. de chose. Rendre plus grand; élever, exal-ter (4.). *La douleur* (cit. 19) *magnifie les plus misérables êtres. Des sentiments que le souvenir magnifie.* ⇒ **Idéaliser.**

Sujet n. de personne. Exalter.

De cette période je parle avec émotion et je la magnifie, mais si des mots presti- 2.1
gieux, chargés, veux-je dire, à mon esprit de prestige plus que de sens se proposent à moi, cela signifie peut-être que la misère qu'ils expriment et qui fut la mienne est elle aussi source de merveille. Je veux réhabiliter cette époque en l'écrivant avec les noms des choses les plus nobles.
Jean GENET, *Journal du voleur,* p. 61-62.

▶ **SE MAGNIFIER** v. pron.
S'exalter, se glorifier soi-même. Par ext. Devenir plus grand, plus beau... «*Le corps* (...) *se magnifie* (...) *dans l'ample et tranquille évasement* (cit.) *des flancs*» (France).

Il n'y a guère d'autre ville au monde qui arrive à se magnifier ainsi, dans les loin- 3
tains et les éclairages propices, pour produire tout à coup grand spectacle et apothéose. LOTI, *les Désenchantées,* III, XI.

CONTR. Déprécier, rapetisser.

MAGNIFIQUE [maɲifik] adj. — V. 1265; lat. *magnificus,* proprt «qui fait de grandes choses», de *magnus* «grand».

♦ **1.** Vx. Qui a des manières fastueuses, de la magnificence*; qui se plaît à faire de grandes et éclatantes dépenses, des libéralités... ⇒ **Généreux, munificent, superbe** (→ Grâce, cit 18; inclination, cit. 4). *Un magnifique seigneur* (→ Liberté, cit. 4). — *Les Amants magnifiques,* comédie-ballet de Molière (1670), dont les protagonis-tes sont «deux princes rivaux... qui régalent à l'envi une jeune prin-cesse... de toutes les galanteries dont ils se peuvent aviser» (Avant-propos). *Le Cocu* magnifique, de Crommelynck.

1 Quel Dieu (...)
Plus magnifique en ses bienfaits ? RACINE, Poésies diverses, I, VIII.

2 (...) un magnifique tyran italien du bon temps offrait au divin Arétin soit une dague enrichie de pierreries, soit un manteau de cour, en échange d'un précieux sonnet (...) BAUDELAIRE, le Spleen de Paris, L.
N. (surtout n. m.). *Le Magnifique*, conte de La Fontaine (IV, 15). — Surnom donné à quelques personnages célèbres. *Laurent le Magnifique* (1448-1492) ; *Soliman II le Magnifique* (1495-1566).

♦ **2.** (Fin xvᵉ). Mod. (En parlant de ce qui est réalisé par l'homme). Qui a une beauté, une somptuosité pleine de grandeur et d'éclat. ⇒ **Admirable, beau, brillant, éclatant, grand, grandiose** (cit. 2), **pompeux, riche, somptueux, splendide, superbe...** *Appareil* (cit. 1, Molière) *magnifique ; magnifique pompe funèbre* (cit. 2, Mᵐᵉ de Sévigné). — *Habits* (cit. 17) *magnifiques. Édifices, châteaux, palais, églises magnifiques* (→ Bâtir, cit. 10 et 13 ; façade, cit. 3). *L'ordre corinthien* (cit. 2, La Fontaine), *superbe et magnifique. Magnifique fronton* (→ Façade, cit. 7). — *Réception, repas magnifique* (→ Épargner, cit. 1). — *Magnifique installation.* ⇒ **Fastueux** (cit. 5), **luxueux.** — *Vaisselle, vase magnifique* (→ Beau, cit. 119). *Meuble magnifique et suranné* (→ Inutilité, cit. 2).

♦ **3.** (xvⁱᵉ ; rare avant le xⁱxᵉ). Par ext. Très beau en son genre (sans idée de somptuosité). *Magnifique paysage, point de vue, horizon...*(→ Chaîne, cit. 26 ; jouir, cit. 13). *Il fait un temps, une nuit magnifique. Fleurs, lis* (cit. 12) *magnifiques* (→ Jardinière, cit. 3). — *De magnifiques athlètes. Une femme, un enfant magnifique. Il a un teint, une peau, des dents magnifiques.*

3 (...) elle était magnifique de vie et de force ; rien de mesquin dans ses contours ni dans ses traits (...) BALZAC, Gobseck, Pl., t. II, p. 633.

4 Oh ! le beau ver dans la salade, un ver magnifique, robuste, rouge, bien vivant et révolté ! COLETTE, Belles saisons, « Mes cahiers », p. 148.
Par ext. *Visage d'une laideur magnifique,* pleine de grandeur (→ Goguenard, cit. 4).
Fam. ou comm. Très bon, d'excellente qualité. *Une eau-de-vie magnifique* (→ Coûter, cit. 3).
Iron. *Un magnifique spécimen du luxe des sots* (→ Habitation, cit. 8). *Un magnifique imbécile* (cit. 13). → Incommensurable, cit. 7.

♦ **4.** Sens affaibli ; plus cour. Plein de grandeur. *« Des titres magnifiques »* (Académie). ⇒ **Glorieux.** *Rêves, ambitions* (cit. 15), *passions magnifiques.* ⇒ **Noble** (→ Ailé, cit. 5 ; cœur, cit 101). — Très beau ; remarquable, admirable en son genre. *Découverte, invention magnifique. Machination, plan magnifique* (→ Faire, cit. 18). *Magnifique performance. Magnifique coup au billard* (cit. 4). *Être dans une forme magnifique. Il a une situation magnifique. Magnifique !, merveilleux !* — Iron. *Des promesses magnifiques, du vent. Une cuite* (cit. 3) *magnifique.*

5 Et il se mit à rire d'une façon magnifique qui drapait la pauvreté de sa plaisanterie. J. ROMAINS, les Hommes de bonne volonté, t. V, XXVII, p. 291.

6 — Pour un jeune homme, ce doit être magnifique de suivre la reine à la cour. Vous devez être heureux. COCTEAU, l'Aigle à deux têtes, III, 1.

♦ **5.** (1651). En parlant des œuvres de l'esprit. (Vx). Pompeux, sublime. Mod. (→ ci-dessus, 3.). D'une grande beauté. *Comparaison* (cit. 13) *magnifique. Discours magnifique* (→ Attendre, cit. 76). *Magnifique épithalame* (cit. 2). *Page, lecture, livre magnifique* (→ Egaler, cit. 6 ; exaltant, cit. 1). *Style magnifique.*

7 Il n'y a rien de plus bas (...) que de parler en des termes magnifiques de ceux mêmes dont l'on pensait très modestement avant leur élévation. LA BRUYÈRE, les Caractères, XII, 5.

CONTR. Avare, mesquin. — Détestable, effroyable, horrible, laid, petit, simple.
DÉR. Magnifiquement.

MAGNIFIQUEMENT [maɲifikmɑ̃] adv. — V. 1355 ; de *magnifique.*

♦ **1.** Vieilli ou littér. D'une manière magnifique*. ⇒ **Superbement.** *Traiter magnifiquement ses hôtes. Honorer magnifiquement le tombeau d'un roi, d'un héros...* (→ Cyclopéen, cit. 1).

♦ **2.** Mod. Avec faste, magnificence. *Procession qui se déroule magnifiquement* (→ Escorte, cit. 4). *Feu* (cit. 32) *de joie qui brûle magnifiquement. Appartement magnifiquement garni* (→ Hôtel, cit. 2). *Livre magnifiquement relié* (→ In-octavo, cit. 1). *Géraniums* (cit. 1) *magnifiquement fleuris. Jambes* (cit. 10) *magnifiquement musclées.*
Une plus belle ressource pour le favori disgracié que de se perdre dans la solitude et ne faire plus parler de soi, c'est d'en faire parler magnifiquement (...) LA BRUYÈRE, les Caractères, X, 19.

♦ **3.** (1668). Très bien ; avec éclat, brio. *Il s'en est magnifiquement tiré.*

MAGNITUDE [maɲityd] n. f. — Déb. xxᵉ ; 1372, « grandeur, puissance » ; lat. *magnitudo* « grandeur » de *magnus* « grand ».
Didactique.

♦ **1.** Astron. Nombre caractérisant l'éclat relatif apparent d'un astre. ⇒ **Grandeur.** *Magnitude photographique.* — *Magnitude abso-*

lue : magnitude que possèderait un astre situé à 10 parsecs (32,6 années-lumière).

♦ **2.** Géophys. Énergie d'un séisme exprimée selon une échelle logarithmique empirique. *Un séisme de magnitude 4. La magnitude d'un séisme est différente de son intensité** (effets destructeurs). *« Un séisme de faible magnitude, mais situé juste sous une ville, peut s'avérer catastrophique »* (Sciences et Avenir, mai 1980, p. 16).

MAGNOLIA [maɲɔlja ; maɲɔlja] ou **MAGNOLIER** [maɲɔlje] n. m. — 1752, *magnolia ; magnolier,* 1785 ; du lat. bot. *magnolia,* tiré par Linné du nom du botaniste français *Magnol.*

♦ Cour. Arbre de grande taille à grandes fleurs blanches, très odoriférantes, cultivé comme ornemental (famille des *magnoliacées*). *Le magnolia est aussi appelé* laurier* tulipier.

1 Du sein de ces massifs, le magnolia élève son cône immobile : surmonté de ses larges roses blanches, il domine toute la forêt (...) CHATEAUBRIAND, Atala, Prologue.

2 (...) sa figure amaigrie, qui avait la pâleur verdâtre des fleurs du magnolia quand elles s'entr'ouvrent (...) BALZAC, le Lys dans la vallée, Pl., t. VIII, p. 1002.
Fig. et littér. *Une chair* (cit. 30, Proust) *de magnolia,* très blanche.
DÉR. Magnoliacées.

MAGNOLIACÉES [maɲɔljase ; maɲɔljase] n. f. pl. — 1817 ; dér. sav. de *magnolia.*

♦ Famille de plantes phanérogames *(Dicotylédones, dialypétales)* superovariées, dont le type est le magnolia. ⇒ **Badiane, kadsura, magnolia, tulipier.** — Au sing. *Une magnoliacée.*

MAGNUM [magnɔm] n. m. — 1889 ; empr. au lat. *magnus* « grand ».

♦ Grosse bouteille* de champagne, contenant l'équivalent de deux bouteilles champenoises.
Par ext. *Magnum d'eau-de-vie, d'eau minérale.*

1. MAGOT [mago] n. m. — 1746 ; p.-ê. altér. de *Magog* (Apocalypse, xx, 8), appliqué aux peuples orientaux et par dérision aux singes de Barbarie ou, selon P. Guiraud, dér. de *mague* « sorcier » (→ Mage).

♦ **1.** Vx. Grand singe (par oppos. à *guenon,* cit. 3). — *Les magots :* les cynocéphales (ou « premiers babouins », cf. Buffon, *Nomenclature des singes*).

1 Au xvⁱᵉ siècle, on commence à distinguer les grandes espèces de singes sous le nom de *singes* proprement dits ou *magots,* et les petites espèces sous celui de *guenons.* Ce nom de *magot* est un souvenir des traditions médiévales des *Gots* et *Magots* du cycle légendaire d'Alexandre le Grand. L. SAINÉAN, la Langue de Rabelais, t. I, p. 32.
Mod., zool. Singe du genre macaque*, à queue rudimentaire.

♦ **2.** (1517). Fig. Vx. Homme très laid*. ⇒ **Macaque** (→ Dépravation, cit. 5). *Un vieux, un affreux magot.*

2 Les enfants qu'elle avait ne lui paraissaient que de petits magots auprès de ce nouvel Adonis. Antoine HAMILTON, Mémoires du comte de Grammont, 11.

3 (...) ôtez-moi ces magots-là, dit-il *(Louis XIV)* un jour qu'on avait mis un Téniers dans un de ses appartements. VOLTAIRE, Mélanges historiques, Fragments..., XXII.
Au fém. Rare *« Voyez cette magotte »* (Marivaux, *les Jeux de l'amour et du hasard,* III, 6).

♦ **3.** (1746 ; *magau,* 1698). Figurine trapue, plus ou moins grotesque, en porcelaine, pierre, jade, etc., provenant de l'Extrême-Orient ; pastiche occidental imitant une telle figurine. *Magot chinois* (cit. 2), *de Chine* (→ Grotesque, cit. 3), *de Saxe. Un magot de cheminée* (→ Idole, cit. 4).

4 De loin en loin, dans cette nudité voulue, un petit escabeau précieux, incrusté merveilleusement, supporte un vieux magot de bronze ou un vase de fleurs (...) LOTI, Mᵐᵉ Chrysanthème, XL.
REM. Au xvⁱⁱⁱᵉ s. le mot était péjoratif et désignait des figures s'éloignant beaucoup de l'idéal antique.

2. MAGOT [mago] n. m. — 1549 ; altér. de l'anc. franç. *mugot,* de *musgot* (xⁱᵉ), « lieu où l'on conserve les fruits », peut-être de même origine que *mijoter,* par croisement avec *magaut, macaut* « poche, bourse », d'orig. incert. ; P. Guiraud invoque l'anc. franç. *mague* « gésier », anc. provençal *mag* « maie », lat. *magis, magidem* « huche à pain ».

♦ Somme d'argent* assez importante amassée et mise en réserve, cachée... ⇒ **Bas** (de laine), **économie**(s), **épargne, trésor.** *Un joli, un coquet magot. Il a caché son magot.*

1 À peine fut-il parti, que des voleurs vinrent prendre le magot. VOLTAIRE, Correspondance, 4068, 15 déc. 1773.

2 — Prendre ton pauvre petit magot, le fruit de tes privations qui me font tant souffrir ! Es-tu fou, Joseph ? BALZAC, la Rabouilleuse, Pl., t. III, p. 914.

2.1 *(Lisa)* alla chercher ses dix mille francs. Quenu voulut qu'elle les mît avec les quatre-vingt-cinq mille francs de l'oncle ; il mêla les deux sommes en riant, en disant que l'argent, lui aussi, devait se fiancer ; et il fut convenu que ce serait Lisa qui garderait « le magot » dans sa commode. ZOLA, le Ventre de Paris, t. I, p. 79.

3 (...) d'où ce murmure, qui courait partout dans le quartier, de richesses enfouies quelque part dans la cave, mais on ne savait pas où... Mais toutes les commères s'accordaient pour situer le magot au fond de la cave. Car c'est un lieu privilégié pour les trésors, la réserve aux avares la mieux close.
H. BOSCO, Antonin, p. 53.

MAGOUILLAGE [magujaʒ] n. m. — V. 1960; de *magouiller*.

♦ Fait de magouiller; ensemble de magouilles. « *Les "magouillages" au sein du S. N. E. S., les discussions de couloir...* » (*le Nouvel Obs.*, 14 août 1972, p. 35).

MAGOUILLE [maguj] n. f. — V. 1970; orig. incert., p.-ê. de *grenouiller*, *grenouillage*, croisé avec l'élément *mag-*, du rad. *margu* « boue » (gaul.) ou *gullja* « mare » (francique); cf. dial. *magouiller* « agiter l'eau ». → Margouillis.

♦ Fam. Manœuvre, tractation politique douteuse ou malhonnête. — Par ext. Lutte d'influence; menées déloyales. ⇒ **Cuisine, fricotage, grenouillage, tripotage.**

1 Enfin un mot tout neuf. Un mot mouillé qui remplit la bouche et qui barbouille un peu l'estomac. Un mot que l'on bafouille et qui pourtant dit bien ce qu'il veut dire. Un mot qui a du bagou, qui évoque le magot, qui gratouille, gargouille et chatouille, qui fait penser tout à la fois à Gribouille et à une grenouille. Une de ces inventions populaires dont on chercherait en vain l'auteur, spontanément surgie, aussitôt adoptée. P. VIANSSON-PONTÉ, l'Insolite et la Magouille, *in* le Monde.
2 Au total, un peu plus de justice, beaucoup moins de clarté. Et le triomphe de la « magouille », comme on dit maintenant.
le Nouvel Obs., n° 428, 22-28 janv. 1973, p. 27.
DÉR. Magouiller.

MAGOUILLER [maguje] v. intr. — V. 1950; de *magouille*, à moins que ce dernier n'en soit le déverbal.

♦ Fam. Se livrer à des magouilles.

DÉR. Magouillage, magouilleur.

MAGOUILLEUR, EUSE [magujœʀ, øz] adj. et n. — V. 1970; de *magouille*.

♦ Personne qui magouille. « *Les petits magouilleurs et les petits marchands qui traînaient sur les champs de foire* » (*le Nouvel Obs.*, 11 mars 1974, p. 42).

MAGRET [magʀɛ] n. m. — Répandu xxᵉ; mot occitan [magʀɛt]. → Maigre.

♦ Cuis. D'abord dial. (Gascogne). Viande maigre de la poitrine (de canard, d'oie) traitée en filet. « *Ils lui envoient régulièrement les haricots et les confits pour préparer le cassoulet, des magrets de canard, du salmis de palombes (...)* » (*l'Express*, 10 mars 1975, p. 24). *Magret d'oie. Magret de canard saignant.*

MAGYAR, ARE [magjaʀ] adj. et n. — 1845; mot hongrois.

♦ Didact. Qui a rapport au peuple établi au IXᵉ siècle dans l'actuelle Hongrie. — Par ext. De Hongrie. ⇒ **Hongrois.** *Les Magyars. Population magyare.* — N. m. *Le magyar* : le hongrois (langue finno-ougrienne*).

DÉR. Magyarisation, magyariser.

MAGYARISATION [magjaʀizɑsjɔ̃] n. f. — 1877; de *magyar*, et suff. *-isation.*

♦ Action de magyariser; fait de se magyariser.

MAGYARISER [magjaʀize] v. tr. — Déb. xxᵉ; de *magyar*, et suff. *-iser.*

♦ Faire adopter la langue et la culture magyare à (qqn; une communauté). — V. pron. *Se magyariser.*

MAHALEB [maalɛb] n. m. — xviᵉ, *maquelet*, xviᵉ; *macaleb*, 1611; arabe *māḥlāb.*

♦ Arbor. Cerisier* sauvage, arbuste à bois dur (bois de Sainte-Lucie), employé comme porte-greffe pour les cerisiers cultivés.

MAHARAJAH [maaʀadʒa] n. m. — Déb. xixᵉ; *marraja*, 1758; mot hindoustani; sanskrit *mahārāja-* « souverain d'un État indépendant », de *mahā-* « grand » (en composition), et *rājah-* « roi ».
REM. On trouve aussi les formes *maharadjah* (1878) et *maharadja* (invariable).

♦ Prince hindou. ⇒ **Rajah.** Plur. *Des maharajahs. Épouse du maharajah.* ⇒ **Maharané.**
(...) le Maharajah lui-même veut bien se montrer sur le seuil (...) il a eu le bon

goût de rester Indien, en turban de soie blanche, en robe de velours dont les boutons sont de larges diamants limpides (...)
Dans deux ou trois jours, je serai présenté à la Maharanie (la Reine)... qui n'est point l'épouse du Maharajah, mais sa tante maternelle (...) Dans la famille royale *(de Travancore)*, la Maharanie est l'aînée des filles, le Maharajah est l'aîné des fils de la première princesse du sang. LOTI, l'Inde (sans les Anglais), III, IV.

MAHARANÉ [maaʀane] n. f. — 1901; mot hindoustani; sanskrit *mahārājñī-*, de *mahā-* « grand » et *rājñī-* « reine »; → Maharajah.
REM. On trouve aussi la forme *maharani* [maaʀani].

♦ Princesse hindoue. *Des maharanés* ou *des maharané.*
REM. On a écrit *maharanie*, *maharani* (→ Maharajah, cit. Loti).
À l'entracte (...) Claire s'extasiait sur la pièce, les bijoux d'une maharani, la douceur du temps, elle était en plein délire euphorique.
F. SAGAN, la Chamade, p. 57-58.

MAHATMA [maatma] n. m. — Fin xixᵉ, *Nouveau Larousse illustré*, mot hindi; sanskrit *mahātmā* « qui possède une grande âme, sage », de *mahā-* « grand », et *ātman-* « âme, principe spirituel ». → Ātman.

♦ Nom donné, dans l'Inde moderne, à des chefs spirituels, sages et ascètes. *Le mahatma Gandhi.*
LA GRANDE ÂME, MAHATMA... C'est le sens littéral de ce nom, qui fut décerné à Gandhi par le peuple de l'Inde : *Mahâ*, grande; *Atmâ*, âme. Le mot remonte aux Upanishads, où il désigne l'Être suprême, et (...) ceux qui s'unifient à lui-.
R. ROLLAND, Mahatma Gandhi, p. 9 (note 1).

MAHDI [madi] n. m. — xviiiᵉ; var. *mahadi*; arabe *'ăl-Măhdjyy* « le guidé, le dirigé ».
Religion.

♦ **1.** Dans certaines sectes musulmanes, Envoyé d'Allah attendu pour compléter l'œuvre de Mahomet; « équivalent musulman du Messie juif » (R. Pyke).

♦ **2.** (Fin xixᵉ). Par ext. Hist. Personnage, chef de tribus qui prétend être le Mahdi. *Un mahdi. Le mahdi Mohammed Ahmed s'empara du Soudan en 1880.*

DÉR. Mahdisme, mahdiste.

MAHDISME [madism] n. m. — Déb. xxᵉ; de *madhi*.

♦ Relig. Croyance en la venue du Mahdi. — Mouvement religieux réunissant les partisans d'un mahdi.

MAHDISTE [madist] adj. — 1894; de *mahdi*.

♦ Relig. Relatif au Mahdi, à un mahdi. — N. Partisan d'un mahdi (2.).

MAHEUTRE [maøtʀ] n. — xiiiᵉ, *mahustre* « partie supérieure de l'aile du faucon »; orig. inconnue.

♦ **1.** (xvᵉ). Anc. Bourrelet d'étoffe adapté à l'épaule; manche munie d'un tel bourrelet, en usage du xvᵉ au xviiᵉ siècle.

♦ **2.** (xviᵉ). Vx, littér. Soldat, aventurier qui portait des maheutres (→ Manant, cit. Balzac). Fig. Butor. — REM. On trouve les var. *maheustre, mahoitre* (Hugo, *Notre-Dame de Paris*).

MAH-JONG [maʒɔ̃g] n. m. — V. 1923 selon Dauzat; mots chinois signifiant « je gagne ».
REM. On trouve aussi la forme *ma-jong*.

♦ Jeu chinois, voisin des dominos (→ Billard, cit. 3). — Pièces, matériel de ce jeu. *Acheter un mah-jong.*
Je sais : l'heure verte à la terrasse du *Continental*, le soir sur les caroubiers, les casques du sergent Bobillot, les dominos du mah-jong sur la musique miaulante de Cholon (...). MALRAUX, Antimémoires, p. 412.

MAHOGANI [maɔgani] n. m. — 1851; *mahagoni*, 1867 (Littré); *mahogany*, 1870; mot angl. d'orig. probablt caraïbe, *mahogeney*, 1671 (à propos d'un arbre de la Jamaïque), d'où le lat. bot. *mahagoni* (Linné, 1762).

♦ Acajou* d'Amérique ou d'Australie, utilisé en ébénisterie.
La scierie West est située au milieu d'une belle forêt de chênes verts, d'hickorys et de mahoganys, qui s'étend sur un côteau au-dessus du fleuve. Le paysage est très majestueux entre ces grands bois et ces grandes eaux.
A. POUSSIELGUE, Quatre mois en Floride, *in* la Tour du monde, 1870, 1ᵉʳ semestre, p. 360.

MAHOMÉTAN, ANE [maɔmetɑ̃, an] n. et adj. — xviiᵉ; *mahométiste*, moyen âge et xviᵉ; de *Mahomet*, forme francisée de l'arabe *Mūḥāmmād.*

♦ Vx. Personne qui professe la religion de Mahomet, l'islamisme*. ⇒ **Islamite** (vx), **musulman.** *Le Coran*, livre sacré des mahométans. Mahométans dévots, zélés* (→ Guèbre, cit. 1). *Le juif, le mahomé-

tan et le chrétien (→ Infidèle, cit. 4). — Adj. ⇒ **Musulman.** *Prince mahométan* (→ Flamber, cit. 10). *Pays mahométans* (→ Augmenter, cit. 12).

Rᴇᴍ. *Mahométan,* très courant au xvıııᵉ s., a cédé la place à *musulman.*

MAHOMÉTISME [maɔmetism] n. m. — 1668 ; *mahumétisme,* fin xvıᵉ, d'Aubigné.

♦ Vx. Religion de Mahomet. ⇒ **Islam, islamique.** *Le dogme de la fatalité* (cit. 3) *qui semble caractériser le mahométisme.*

MAHONIE [maɔni] n. f. — 1664 ; de *(Port)-Mahon,* aux Baléares.

♦ Bot. Plante dicotylédone *(Berbéridacées),* arbuste ornemental buissonnant, à feuilles persistantes semblables à celles du houx, à fleurs jaunes en grappes, à petites baies bleu foncé.

Rᴇᴍ. On emploie aussi en français la forme latine (et anglaise) *mahonia* [maɔnja].

De part et d'autre de la porte s'arrondissait une touffe de mahonia, dont les fleurs encore verdâtres commençaient à virer au jaune.
A. Rᴏʙʙᴇ-Gʀɪʟʟᴇᴛ, le Voyeur, p. 100.

MAHONNE [maɔn] n. f. — 1540 ; turc *mâoûna,* arabe *māɛunăh* «sorte de bateau».

♦ **1.** Ancien. Galère* turque de grande taille. ⇒ **Galéasse.**

Vaisseaux de toutes formes,
Vaisseaux de tous climats,
L'yole aux triples flammes,
Les mahonnes, les prames,
La felouque à six rames,
La polacre à deux mâts !
Hᴜɢᴏ, les Orientales, V, ᴠɪ.

♦ **2.** (xıxᵉ). Mod., techn. «Chaland de port, à formes très arrondies, utilisé en Méditerranée» (Gruss).

♦ **3.** (1873). Petit caboteur (⇒ **Navire**).

MAHOUS [maus] adj. ⇒ **Maous.**

MAHOUT [maut] n. m. — 1870, cit. 1 ; mot hindi.

♦ Rare. Conducteur d'un éléphant domestique, aux Indes. ⇒ **Cornac.**

1   Par un curieux instinct, l'éléphant *musth* reconnaît toujours son *mahout* ou cornac et s'en laisse approcher même dans cette circonstance.
le Tour du monde, 1870-1871, p. 242.

2   L'éléphant fut amené et équipé sans retard. Le Parsi connaissait parfaitement le métier de «mahout» ou cornac. Il couvrit d'une sorte de housse le dos de l'éléphant et disposa, de chaque côté sur ses flancs, deux espèces de cacolets assez peu confortables.
J. Vᴇʀɴᴇ, le Tour du monde en 80 jours, p. 83 (1873).

MAHRATTE [maʀat] adj. et n. — 1765, *Encyclopédie, marattes ;* mot de l'Inde.

Rᴇᴍ. On trouve aussi la forme *marathe.*

♦ Didact. Qui a rapport aux Mahrattes, peuples du Dekkan.

N. m. *Le marathe,* la langue indo-européenne de l'Inde (indo-aryenne), rattachée au sanscrit (→ Indo-, cit. 2).

MAI [mɛ] n. m. — 1080 ; du lat. *maius, majus (mensis),* mois de la déesse Maia.

♦ **1.** Cinquième mois de l'année grégorienne. *Le mois de mai, le joli mois de mai* (1690). — *Pour les catholiques, mai, consacré à la Sainte Vierge, est le mois de Marie. En mai, au mois de mai* (→ Baiser, cit. 27 ; graminée, cit. 1 ; jeunesse, cit. 9, Ronsard). *Dans le calendrier révolutionnaire, Floréal** (cit.) *et Prairial* (à partir du 20 ou du 21) *correspondaient à mai.* — *Le Premier mai, fête du Travail. Muguet du premier mai.*

1   (...) le mois de mai, qui mérite si peu le nom de printemps, et pendant lequel nous avons froid comme dans l'hiver. Il me paraît que ce mois de mai est l'emblème des réputations mal acquises.
Vᴏʟᴛᴀɪʀᴇ, Lettre au roi de Prusse, 111, 15 mai 1749.

2   Puisque mai tout en fleurs dans les prés nous réclame,
Hᴜɢᴏ, les Chants du crépuscule, xxxı.

Prov. *En avril, n'ôte pas un fil ; en mai, fais ce qu'il te plaît.* — Allus. littér. *La Nuit de Mai,* de Musset.

Loc. *Arbre de mai,* que l'on plantait chaque année en l'honneur de quelqu'un. ⇒ **Arbre** (cit. 47). Ellipt. *Planter un mai, le mai* — *Botte, bouquet de mai* (→ Honneur, cit. 76). — *Champ de mai.* ⇒ **Champ** (3.). — *Rose de mai :* rose pompon.

♦ **2.** Spécialt. La période insurrectionnelle étudiante de mai 1968. *L'explosion de mai, mouvement de mai, mai français,* etc. — Par ext. Mouvement à caractère plus ou moins insurrectionnel (quel que soit le moment de l'année, le pays où il se produit). *Le mai italien.* — *Mai rampant* (1969), période d'insurrection latente. «*Tous les plans du grand aéroport de Roissy, qui doit doubler Orly au nord de Paris, ont été établis, mais sa desserte n'a pas été étudiée. Pour*

les usagers en colère, commence le temps des "Mais rampants"» (*l'Express,* 10 nov. 1969, p. 72).

Hᴏᴍ. Maie, mais, maye, mets.

MAÏA [maja] n. m. — 1845 ; empr. au lat. *maia* ou *moea.*

♦ Zool. Grand crabe* *(Décapodes brachyoures),* dont la carapace est couverte de tubercules velus. *Le maïa est communément appelé araignée* de mer.

MAÏANTHÈME [majãtɛm] n. m. — 1845 ; comp. hybride du lat. *maius* «mai», et du grec *anthêma* «fleur».

♦ Bot. Plante monocotylédone *(Liliacées)* vivace, à tige souterraine, à feuilles ovales, à fleurs blanches disposées en grappes. *Le maïanthème ressemble beaucoup au muguet.*

MAID [mɛd] n. f. — 1885 ; mot angl. «jeune fille».

♦ Anglicisme. Vx. Servante, femme de chambre anglaise. ⇒ **Barmaid.**

MAÏDISME [maidism] n. m. — D. i. ; de *maïs.*

♦ Méd. Intoxication due à la consommation de maïs avarié.

MAIE [mɛ] n. f. — Fin xıᵉ ; altér. de *mait,* lat. *magis,* accusatif, *magidem* «plat, pétrin».

Rᴇᴍ. On trouve les var. *mée* (1868), *may* (xvıııᵉ, → ci-dessous cit. Rousseau), *met* (xıııᵉ).

♦ **1.** Huche* à pain ; huche à pétrir (⇒ **Pétrin**). *Maie de merisier* (→ Horloge, cit. 6). *Acheter une vieille maie chez un antiquaire.*

1   Un jour que j'étais seul dans la maison, je montai sur la may pour regarder (...) ce précieux fruit que je ne pouvais approcher. Rᴏᴜssᴇᴀᴜ, les Confessions, ɪ.

2   Elle revoit dans la maie — tant de fois elle leva le couvercle ! — un quartier de fromage sec, sa pulpe jaune sous la croûte de cendres, et ce qui reste d'un pain de huit livres, pas trop gros. M. Gᴇɴᴇᴠᴏɪx, Raboliot, III, ɪᴠ.

♦ **2.** Techn. Table de pressoir.

Hᴏᴍ. Mai.

MAÏEUR [majœʀ] n. m. — Fin xıııᵉ ; *magin,* v. 1155 ; var. de *majeur.* → Maire.

Rᴇᴍ. On trouve aussi la forme *mayeur* (xvᵉ).

♦ **1.** Anciennt. Maire.

♦ **2.** Régional (Belgique). Bourgmestre.

MAÏEUTICIEN [majøtisjɛ̃] n. m. — 1980 ; dér. sav. du grec *maïeutikê* «art de faire accoucher». → Maïeutique.

♦ Didact. Homme exerçant la fonction médicale de sage-femme* (cit. J. Guitton).

Rᴇᴍ. Le mot, adopté par l'Académie française, marque la tendance à une référence scientifique et professionnelle, opposée à une tradition séculaire ; il suppose, sauf à déprécier la fonction féminine, le remplacement de *sage-femme* par *maïeuticienne,* n. f., ce que l'on peut déplorer.

MAÏEUTIQUE [majøtik] n. f. — 1873, P. Larousse ; du grec *maieutikê* «art de faire accoucher».

♦ Hist. philos. Méthode par laquelle Socrate, fils de sage-femme, disait «accoucher» les esprits des pensées qu'ils contiennent sans le savoir (Platon, *Théétète*). ⇒ **Dialectique** (2.). — Didact. Méthode suscitant la réflexion intellectuelle.

1   Le conseiller qui veut éveiller la pensée du mal dans une âme (...) tournera autour du cœur qu'il veut corrompre, et, comme Socrate, par des interrogations habiles faisant naître dans l'âme des autres les pensées qu'il avait lui-même, ainsi le conseiller perfide, par une sorte de maïeutique morale, accouchera l'âme prête au crime (...) Pierre Jᴀɴᴇᴛ, in Revue des Deux-Mondes, 15 sept. 1875.

2   Proust (...) s'était offert de lui servir de secrétaire *(à la princesse Mathilde).* Le futur auteur de *Swann* eût peut-être accouché spirituellement la vieille princesse avec une maïeutique plus décisive qu'elle n'en fit paraître elle-même (...)
Émile Hᴇɴʀɪᴏᴛ, Portraits de femmes, p. 394.

1. MAIGRE [mɛgʀ] adj. — 1160 ; du lat. *macer,* à l'accusatif *macrum.*

♦ **1.** (En épithète, généralement après le nom). Dont le corps a peu de graisse* ; qui pèse relativement peu (pour sa taille et par rapport à son ossature). ⇒ **Amaigri, décharné, efflanqué** (cit. 2), **étique** (2.), **hâve** (cit. 5), **squelettique...** *Rendre maigre, devenir maigre.* ⇒ **Amaigrir, maigrir ; amaigrissement.** *Homme maigre de nature.* ⇒ **Sec, sécot** (fam.). *Personne que la maladie, les privations... ont rendue maigre.* ⇒ **Amaigri.** *Être maigre, desséché, émacié. Très maigre. Loc. Maigre comme un clou*, un cotret*, un coup de tri-*

que*, un échalas*..., comme un chat de gouttière, un hareng* saur, un insecte*... (→ Laver, cit. 17), comme carême-prenant (→ Long, cit. 9). → On lui voit, on lui compterait les côtes*; il n'a que la peau et les os*, il a la peau collée aux os, les os lui percent la peau, c'est un sac d'os*. *Personne très maigre.* ⇒ **Carcasse, fantôme, momie, spectre, squelette...** *Un peu trop maigre.* ⇒ **Maigrelet, maigrichon, maigriot.** *Maigre et chétif*, délicat*, frêle...* ⇒ **Fluet, rachitique.** *Maigre et défait* (→ Emplir, cit. 9), *maigre et pâle* (→ Entreprendre, cit. 19). — *Grand et maigre, maigre et dégingandé* (cit. 1). ⇒ **Échalas.** *Petit homme maigre.* ⇒ **Aztèque** (vx), **gringalet.** — *Femme maigre.* ⇒ 2. **Carcan, haridelle** (fig.), **planche...** (→ Baguette, cit. 4; gorge, cit. 7; gras, cit. 14 et 16). *Une petite vieille très maigre* (→ Crochu, cit. 1). *Fillette maigre* (→ Ingrat, cit. 12). *Mince, élancée, svelte... sans être maigre* (→ Coquetterie, cit. 10).

1 Parti maigre, pâle, jaune, sec, il revenait gros, gras, fleuri comme un prébendier (...)
   BALZAC, Mme de La Chanterie, Pl., t. VII, p. 289.

2 (...) ces braves garçons si maigres, pauvres diables, que même vus de face, ils avaient l'air toujours d'être de profil.
   BERNANOS, Journal d'un curé de campagne, p. 25.

3 Elle s'attendait à un visage plus décharné encore, à une faiblesse de mourante, et, bien que Germaine fût horriblement maigre (...) elle n'en avait pas moins des couleurs qui pouvaient donner (...) l'illusion de la santé.
   J. GREEN, Adrienne Mesurat, I, IX.

N. *Un maigre. Les gros et les maigres.*

3.1 Tu as beau dire, répétait la vieille, il a l'œil faux... Puis, les maigres, je m'en défie. Un homme maigre, c'est capable de tout. Jamais je n'en ai rencontré un de bon...
   ZOLA, le Ventre de Paris, t. I, p. 209.

(Au fém.). *Une maigre. Les maigres et les grasses* (cit. 19). *Une fausse maigre, qui donne l'impression d'être plus maigre qu'elle n'est en réalité.*

4 Ce long corps si élégant, si frêle, si souple et si nerveux (...) cette forme de femme aux seins de petite fille, aux hanches fines de cyprès et de Ganymède, cette fausse maigre comme on dit à Paris (...)
   André SUARÈS, Voyage du condottiere, «Fiorenza», XI.

5 Un jour, papa saisit la petite Claire par la taille et dit, l'accent léger : «Ma parole, c'est une fausse maigre».
   G. DUHAMEL, Chronique des Pasquier, III, IX.

En parlant d'animaux (mammifères et oiseaux surtout). ⇒ **Efflanqué, étique.** *Un maigre bidet* (cit. 1); *un cheval maigre.* ⇒ **Haridelle.** *Bœufs* (cit. 5) *maigres.* Allus. bibl. *Les sept vaches* maigres* (→ Abondance, cit. 10). — *Chat* (cit. 6) *maigre.* Loc. fig. *Courir, trotter comme un chat maigre,* très vite. *Chien maigre* (→ Hurler, cit. 1). *Poulet maigre.*

6 Ton chat qui, de tout temps, sur ton coussin tapi,
   S'était frotté le soir l'oreille à ta pantoufle,
   Et qui, maigre aujourd'hui, la queue au vent, s'essouffle,
   À courir sur les toits des repas incertains.
   A. DE MUSSET, Premières poésies, «Mardoche», VII.

Par ext. (En parlant du corps, des parties du corps). Qui a peu de graisse. ⇒ **Fluet** (cit. 2), **grêle.** *Taille maigre* (→ Épaule, cit. 4). *Doigts, bras, jambes, mollets maigres* (→ Culotte, cit. 2; jambière, cit.). *Cou maigre* (→ Bréchet, cit.), *maigre et long* (→ Cou de cigogne*, de girafe*...). *Poitrine maigre.* ⇒ **Étroit.** *Épaules maigres.* — Spécialt. *Figure* (cit. 12), *visage* maigre* (⇒ **Creusé, tiré**), *maigre et chafouin*. Joues maigres.* ⇒ **Creux** (cit. 16).

7 Qu'importe ton sein maigre, ô mon objet aimé!
   On est plus près du cœur quand la poitrine est plate.
   Louis BOUILHET, Vers sur Mlle Chéron, in FLAUBERT, Correspondance, 358, 25 déc. 1852.

♦ **2.** (XIIIe). Placé après le nom; par oppos. à *gras.* Qui n'a, qui ne contient pas de graisse. *Aliments maigres. Viande maigre. Jambon* (cit. 4), *lard maigre,* sans gras. — (XIXe). *Lait maigre.* ⇒ **Écrémer** (cit. 1). *Fromages maigres,* faits avec du lait écrémé. — (Fin XIVe). N. m. *Le maigre et le gras** (cit. 9).

8 Ce n'est pas par la nature des aliments que le maigre échauffe, c'est leur assaisonnement seul qui les rend malsains.
   ROUSSEAU, Émile, I.

♦ **3.** Par anal. Où il y a peu de composant gras ou mou. *Chaux* maigre.* — (1845). *Argile maigre,* qui contient peu de silice. — (1771). *Mortier maigre,* qui contient peu de chaux.

(XXe). *Bois maigre,* qui est composé de beaucoup de fibres.

(1867). *Toile maigre,* non enduite d'un corps gras. *Emballage maigre.*

♦ **4.** (1694). Par ext. Placé après le nom. Où il n'entre ni viande ni graisse. *Repas maigre. Soupe, bouillon maigre* (cf. Bouillon «aveugle», sans yeux). — Abusivt. *Vol-au-vent, farce maigre.* — *Viande maigre :* chair de certains oiseaux aquatiques, considérée comme aliment maigre par l'Église. — (Déb. XVIe). Par ext. *Jours maigres,* où l'Église prescrit de faire maigre (→ Gras, cit. 3).

9 (...) ce haut personnage dînatoire, qui se vantait de pouvoir faire quarante-neuf potages maigres d'espèces différentes, mais qui ne savait pas combien on en pouvait faire de gras (...)
   BARBEY D'AUREVILLY, les Diaboliques, «À un dîner d'athées», p. 285.

N. m. *La loi du maigre.* — (1680). Loc. *Faire maigre :* ne manger ni viande, ni aliment gras (→ Gras, cit. 8). *Faire maigre par pénitence*. L'Église prescrit de faire maigre le vendredi. — Table servie en maigre* (vieilli).

10 Si, le vendredi, sa table se trouva servie en maigre, si par hasard il demanda sans l'obtenir un plat de viande.
   BALZAC, Une double famille, Pl., t. I, p. 968.

— Faites-vous maigre?
— La plupart du temps.
— Jeûnez-vous?
— Ah! cela...
— Comment, vous ne jeûnez pas? Vous n'êtes pas un bon chrétien.
   Léonce DE LARMANDIE, Histoire de J.-G. Nouveau, in G. NOUVEAU, Pl., p. 1042.

10.1

Adv. *Manger maigre.*

Par ext. Placé avant le nom. Où il y a peu à manger. *Faire un maigre repas. Un repas maigre n'est pas forcément un maigre repas. Faire maigre chère*.* — Après le nom. *Carte, menu bien maigre* (→ Lamproie, cit.).

♦ **5.** a (En parlant de choses; en emploi épithète, souvent placé avant le nom). Qui a des formes trop fines, trop déliées; qui est trop mince, trop peu épais... *Un petit lit* (cit. 6) *tout maigre. Maigre cyprès* (cit. 1), *pin maigre* (→ Grès, cit. 2).

Le bonhomme gisait sur un mauvais lit, n'avait qu'une maigre couverture (...)   11
   BALZAC, le Père Goriot, Pl., t. II, p. 955.

(...) nous ne nous serions pas levés de table avant que Delphine n'eût apporté à   12
Madame Floche le maigre paquet de lettres et d'imprimés qu'elle distribuait aux convives.
   GIDE, Isabelle, IV.

b Spécialt. En général après le nom. Fin, mince. *Lettre, trait maigre.*

Typogr. *Filet maigre :* simple trait léger. *Caractères maigres.* — N. m. *Texte à imprimer en maigre* (opposé à *gras*).

Archit. *Colonne, moulure maigre.*

Mar. Vx. *Navire maigre,* à coque étroite.

Maigre filet (cit. 1) *d'eau. Maigre eau :* eau peu profonde. — N. m. (V. 1863). *Les maigres d'un cours d'eau :* les endroits où il y a peu d'eau, ou encore (XXe), le moment des basses eaux, où le débit* est le plus faible (⇒ **Étiage**). → Haut, cit. 18.

c (1767). Peint. Peu épais; qui ne comporte, ne contient que peu de matière. *Touche maigre.* — Par ext. *Pinceau, crayon maigre.*

Adv. *Dessiner, peindre maigre.*

♦ **6.** (XIIIe). Peu fourni, peu abondant (en parlant d'une végétation, etc.). *Bosquet maigre* (⇒ Carcasse, cit. 10). ⇒ **Rabougri.** *Maigre feuillage* (→ Lanière, cit. 1). *Gazon maigre,* clairsemé; *maigre pâturage* (→ Brouter, cit. 2; lever, cit. 23). *Une maigre et pauvre végétation.* — Par anal. *Avoir le cheveu maigre.*

Par ext. ⇒ **Médiocre, pauvre.** *Une maigre moisson.* (→ Aride, cit. 6). *Maigres produits d'une terre.*

Le blé que l'on sème au printemps ne donne jamais rien que de maigre, mais nous   13
produirons beaucoup, parce que la neige va nous passer dessus.
   M. BARRÈS, la Colline inspirée, VII.

Par métonymie. *Terre, sol maigre,* qui donne de maigres récoltes. ⇒ **Aride, pauvre, stérile.**

♦ **7.** (Fin XVe). Fig. En général avant le nom. De peu d'importance. ⇒ **Médiocre.** *De maigres raisons. Il n'a obtenu que de bien maigres résultats.* ⇒ **Faible, piètre.** — *Maigre salaire* (→ Fille, cit. 8). ⇒ **Insuffisant, mince.** *Maigre profit.* ⇒ **Petit.** — Fam. *C'est maigre, c'est peu maigre :* c'est peu, bien peu.

(...) je ne suis pas gênée du tout par notre petite rente... Je la trouverai seulement trop maigre (...)   J. CHARDONNE, les Destinées sentimentales, p. 254.   14

Littér. *Un maigre sujet.* ⇒ **Mince.** *Maigre ouvrage* (→ Embonpoint, cit. 8).

♦ **8.** Après le nom. Qui manque de vigueur, d'ampleur. *Un style maigre et sec.*

Une narration courue, maigre, sèche, abstraite dans son élégance (...)   15
   SAINTE-BEUVE, Chateaubriand..., t. II, p. 270.

♦ **9.** Loc. techn. À MAIGRE : au plus près. *Étamper un fer à cheval à maigre.*

CONTR. Adipeux, bouffi, chair (bien en chair), **charnu, corpulent, dodu, gras, grassouillet, gros, obèse, plantureux, puissant, rebondi, rond, rondelet.** — Gras; abondant, copieux. — Ample, développé, épais, large. — Épais, fertile, luxuriant, riche, touffu. — Important. — Intarissable. — Rempli, riche (style).
DÉR. Maigrelet, maigrement, maigreur, maigrichon, maigriot, maigrir.
COMP. Amaigrir; démaigrir.

---

2. MAIGRE [mɛgʀ] n. m. — Fin XIVe; de 1. *maigre,* «non que ce poisson soit maigre, dit Cotgrave, mais parce que la blancheur de sa chair le fait paraître tel» (Hatzfeld).

♦ Sciène* (poisson acanthoptérygien).

MAIGRELET, ETTE [mɛgʀəlɛ, ɛt] adj. et n. — 1553; de 1. *maigre.*

♦ Qui est un peu trop maigre. *Enfant maigrelet; gamine* (cit. 9) *maigrelette.* ⇒ **Fluet, frêle.** Allus. littér. «*Amelette Ronsardelette... Pâle, maigrelette, seulette*» (→ -ette, cit. Ronsard).

Il était impossible de ne pas comparer cet avoué maigrelet, serré dans ses habits,   1
à une vipère gelée (...)   BALZAC, Illusions perdues, Pl., t. IV, p. 979.

Les petites filles maigrelettes qui vous offrent des fleurs.   2
   NERVAL, les Nuits d'octobre, V.

REM. *Maigrichon** et *maigriot** sont plus fam. et plus usuels que *maigrelet.*

N. f. Vieilli. *Une maigrelette.*

3 Mais, ma chère bonne, ne voulons-nous pas épouser cette maigrelette.
Mme DE SÉVIGNÉ, Lettre à Mme de Grignan, 2 oct. 1689.

MAIGREMENT [mɛgrəmɑ̃] adv. — XIIIe ; de 1. *maigre.*

♦ Chichement, petitement. *Dîner maigrement. Vivre maigrement.* ⇒ **Chétivement, pauvrement.** *Être maigrement payé.* ⇒ **Médiocrement, peu.** *Une pièce maigrement éclairée.* ⇒ **Faiblement.** *Sujet maigrement développé.*

CONTR. Grassement, largement.

MAIGREUR [mɛgrœr] n. f. — 1372 ; de 1. *maigre.*

♦ **1.** [a] État d'une personne ou d'un animal maigre ; absence de graisse. *Maigreur extrême.* ⇒ **Émaciation.** *Excessive, horrible maigreur* (→ Avide, cit. 3 ; camper, cit. 7). *Maigreur élégante* (→ Intelligent, cit. 4). *Vêtement qui dissimule* (cit. 9) *la maigreur.* — *Maigreur d'un cheval* (→ Efflanqué, cit. 1), *d'un chien.*

1 (...) il fut frappé de l'extrême maigreur de cet enfant, qui n'avait plus que la peau et les os. BALZAC, le Médecin de campagne. Pl., t. VIII, p. 423.

2 Ce qui avait été de la maigreur dans sa jeunesse était devenu, dans sa maturité, de la transparence ; et cette diaphanéité laissait voir l'ange. HUGO, les Misérables, I, I, I.

3 Il y a dans la maigreur une indécence qui la rend charmante. BAUDELAIRE, Essais, notes et fragments, VI (→ aussi Graisse, cit. 4).

4 Il était parvenu à un tel point de maigreur qu'il ressemblait aux personnages des danses macabres. G. DUHAMEL, la Pesée des âmes, XI.

4.1 C'était la voix même du chef de famille que venait de répercuter l'antre thoracique des six jeunes gens, qui, grâce à leur prodigieuse maigreur entretenue soigneusement par un terrible régime, offraient au son une surface osseuse suffisamment rigide pour en réfléchir toutes les vibrations. Raymond ROUSSEL, Impressions d'Afrique, p. 120 (1932).

Par ext. Maigreur d'un bras, du cou, du visage.

5 Et cependant, à voir la maigreur élégante
De l'épaule au contour heurté (...) BAUDELAIRE, les Fleurs du mal, CX.

[b] Physiol. Disparition, diminution ou insuffisance des réserves graisseuses de l'organisme, parfois accompagnée d'atrophie des masses musculaires. *Maigreur causée par la sous-alimentation, des troubles digestifs, une maladie* (⇒ **Marasme**) *le surmenage physique...* ⇒ **Amaigrissement.** *Maigreur d'origine endocrinienne, hypophysaire, par anorexie. Maigreur cachectique.* ⇒ **Cachexie.** *Maigreur extrême du nourrisson.* ⇒ **Athrepsie.**

♦ **2.** (1835). [a] Caractère de ce qui est peu fourni. *Maigreur d'une végétation, des essences* (cit. 17) *d'une forêt...* ⇒ **Maigre** (5.). — *Par* métonymie. *Maigreur du sol :* aridité, stérilité.

[b] Caractère de ce qui est peu abondant, peu important. *Maigreur des revenus, du profit, des ressources*. ⇒ **Pauvreté ; maigre** (7.).

(1835). Manque d'ampleur, de richesse. *Maigreur du dessin. Maigreur d'un sujet.* — *Maigreur du style.* ⇒ **Maigre** (8.).

6 (...) il ne pouvait cacher à nos observations quotidiennes la pauvreté et la maigreur de son intelligence. A. DE MUSSET, l'Anglais mangeur d'opium, I.

7 Il y a dans *(dans Le dernier Abencérage, de Chateaubriand)* un peu de sécheresse, de raideur et de maigreur, on est loin de la sève surabondante d'*Atala.* SAINTE-BEUVE, Chateaubriand..., t. II, p. 74.

CONTR. Adiposité, corpulence, embonpoint, graisse. — Abondance, ampleur, largeur.

MAIGRICHON, ONNE [mɛgriʃɔ̃, ɔn] adj. et n. — 1869, n. m., Vallès ; de 1. *maigre,* et suff. fam. *-ichon.*

♦ Fam. Un peu maigre, un peu trop maigre (1.). ⇒ **Maigrelet, maigriot.** *Fillette maigrichonne* (→ Dérisoire, cit. 2).

1 Alphonsine Dusuel, de sept ans plus âgée que moi, était maigrichonne et souffreteuse (...) A. FRANCE, le Petit Pierre, III.

N. *Un maigrichon, une maigrichonne.*

2 (...) cette petite maigrichonne, plutôt mal foutue, c'était la première femme qu'il désirait avec cette violence. SARTRE, le Sursis, p. 143.

MAIGRIOT, OTTE [mɛgrijo, ɔt] adj. et n. — 1876 ; de 1. *maigre,* et suff. dimin. *-(i)ot.*

♦ Fam. Un peu maigre (1.). *Gamin maigriot.* ⇒ **Maigrelet, maigrichon.** — N. *Un maigriot, une maigriotte.*

1 Sygne... Un pseudonyme, évidemment. Un peu grotesque sur cette dame d'un certain âge, maigriotte, nerveuse. F. MALLET-JORIS, le Jeu du souterrain, p. 40.

Au sens 5 de maigre :

2 Ils arrivèrent sur une petite place dont le pourtour seul était pavé. La partie centrale, de terre battue, portait trois arbres maigriots. J. ROMAINS, les Hommes de bonne volonté, t. VIII, p. 96.

MAIGRIR [mɛgrir] v. — 1530 ; de 1. *maigre.*

★ **I.** V. intr. Devenir maigre. ⇒ **Décoller, dessécher** (se), **fondre** (*supra* cit. 12), **momifier** (se). → Allonger, cit. 7. *Malade qui maigrit* (→ Exiger, cit. 2). *Il a maigri pendant sa maladie. Maigrir de figure, de hanches. Régime pour maigrir.* (⇒ **Amaigrissant**).

La marche, l'exercice l'a fait maigrir (⇒ **Dégraisser**). *Se faire maigrir.*

1 Dès lors, elle but du vinaigre pour se faire maigrir, contracta une petite toux sèche et perdit complètement l'appétit. FLAUBERT, Mme Bovary, I, IX.

★ **II.** V. tr. ♦ **1.** Littér. Rendre maigre. ⇒ **Amaigrir, défaire, émacier.** *La diète* (cit. 1) *l'a maigri ; le jeûne* (cit. 6) *a maigri leurs joues. L'ivrognerie* (cit. 1) *maigrit l'homme maigre.* — Absolt. *La fatigue maigrit.*

2 La douleur et les misères maigrissent, mais ne fanent pas comme les excès et les jouissances. MICHELET, la Femme, Introd., IV.

(1835). Par ext. Faire paraître maigre. *Sa coiffure le maigrit.* ⇒ **Mincir.**

♦ **2.** (1834). Fig., techn. Amincir (une pièce de bois).

▶ **MAIGRI, IE** p. p. adj. Devenu plus mince. *Il est tout maigri depuis sa maladie.* ⇒ **Émacié, squelettique.** *Je l'ai trouvé maigri.* ⇒ **Amaigri.**

3 Elle me parut pâle et maigrie. Abbé PRÉVOST, Manon Lescaut, II.

4 (...) il est maigri depuis quinze jours, autant que vous qui n'avez que la peau et les os (...) BALZAC, le Cousin Pons, Pl., t. VI, p. 642.

CONTR. Bouffir, empâter, engraisser, grossir, lard (faire du lard).

MAIL [maj] n. m. — 1080 ; du lat. *malleus* «marteau, maillet».

★ **I.** ♦ **1.** Vx. Marteau*. — (1803). Mod. Techn. Marteau de carrier. ⇒ **Mailloche.**

♦ **2.** Vx au sens général. Maillet*.

(1636). Spécialt. Maillet à manche flexible pour pousser une boule de buis, dans le jeu qui porte son nom. *Jeu de mail.* — Par ext. Le jeu lui-même. *Le mail, ancien jeu* (cit. 26 et 28) *d'adresse se jouait en plein air généralement dans une allée.*

1 Une seconde enceinte (...) comprenait (...) un verger (...) un parterre (...) puis une treille avec des berceaux pour prendre le frais, et un jeu de mail qui servait au divertissement des pages. FLAUBERT, la Légende de saint Julien l'Hospitalier, I.

★ **II.** Allée réservée au jeu de mail (→ Boulingrin). — (1680). Par anal. Promenade publique en forme d'allée bordée d'arbres, dans certaines villes. *Cheminer* (cit. 4) *sur le mail, sous les arbres du mail* (→ aussi Lien, cit. 9). *Des mails.*

2 Dans le Mail désert, l'ombre s'abattait inerte et lourde au pied des ormes. FRANCE, l'Orme du mail, Œ., t. XI, p. 143.

DÉR. Maillet, mailloche.
HOM. Maille.

MAIL-COACH [mɛlkotʃ] n. m. — 1802 ; mot angl. «malle-poste», «voiture *(coach)* du courrier *(mail)*».

♦ Ancienn. Berline* attelée de quatre chevaux avec plusieurs rangs de banquettes sur le toit. ⇒ **Drag.** *Des mail-coaches.* «*Des mail-coach* » (Zola, *Nana*) ou « *des mail-coachs* » (P. Morand, *Londres,* in Rey-Debove et Gagnon).

(Dans les pays anglo-saxons). Diligence* (→ Stage-coach).

MAILING [mɛliŋ] n. m. — V. 1970 ; p. prés. de l'angl. *to mail* «poster» forgé en français d'après les emprunts en *-ing.*

♦ Comm. Prospection auprès d'une clientèle au moyen de documents expédiés par la poste. « *40 millions de catalogues édités en 1978 et 1,2 milliard de mailing* » (*l'Express,* 31 mai 1980, p. 170).

Recomm. off. : *publipostage* (*Journ. off.,* 18 janv. 1973) ; équivalent possible : *postalage* (in *Banque des mots*).

1. MAILLAGE [mɑjaʒ] n. m. — XXe ; de *mailler* (II., 1.).

♦ Techn. Pêche. Fait de mailler, d'être pris dans les mailles du filet (se dit des poissons, etc.).

HOM. 2. Maillage.

2. MAILLAGE [mɑjaʒ] n. m. — XXe ; de 1. *maille.*

♦ **1.** Manière dont un filet est maillé, et, spécialt, dimension de ses mailles. *La réglementation du maillage des filets à harengs* (50 mm), *à crevettes* (25 mm).

♦ **2.** (V. 1968). Structuration en réseau. *Le maillage des lignes de transports collectifs.* — Densité d'un réseau. « *Dans cette région le maillage universitaire est le plus serré qui soit en France* » (*le Monde,* 21 janv. 1968).

HOM. 1. Maillage.

MAILLANT, ANTE [mɑjɑ̃, ɑ̃t] adj. — XXe ; de *mailler* (II., 1.).

♦ Techn. Pêche. *Filet maillant,* qui maille (II., 1.). *Ces filets « ne forment pas un barrage, mais une nappe maillante qui laisse échapper les poissons trop petits »* (A. Boyer, *Pêches maritimes*, p. 50). *Les madragues sont des filets maillants.*

1. MAILLE [mɑj] n. f. — 1080, *Chanson de Roland ;* du lat. *macula* « boucle », et « tache ».

★ **I.** (Boucle).

♦ **1.** Chacune des petites boucles de matière textile dont l'entrelacement forme un tissu plus ou moins lâche. *Maille rompue, maille qui file* (→ 1. De, cit. 100). *Tissu dont les mailles ne filent pas.* ⇒ **Indémaillable.** *Mailles de tricot.* ⇒ **Tricot.** *La tête, les deux brins ou jambes d'une maille. Monter des mailles sur une aiguille. Prendre, tricoter une maille ; lâcher, laisser tomber des mailles* (→ Laine, cit. 9). *Maille à l'endroit, à l'envers ; maille torse...* ⇒ **Point.** *Mailles des ouvrages au crochet. Mailles de la dentelle* (cit. 4), *de la guipure.*
À mailles... Tissus à mailles utilisés en bonneterie*. Tissu à mailles fines, serrées (⇒ **Jersey**), *à mailles lâches* (⇒ **Cellular**).

1 (...) la jupe relevée sur des bas aux mailles rompues (...)
COLETTE, la Vagabonde, p. 62.

2 Elle continuait son tricot (...) la pointe de l'aiguille se jette pour attraper le fil de laine, et va fouiller la maille précédente (...)
J. ROMAINS, les Hommes de bonne volonté, t. VI, x, p. 81.

3 Derrière les mailles fines de sa voilette, son visage était presque entièrement caché (...)
J. GREEN, Adrienne Mesurat, III, III.

Mailles d'un réseau*, d'un filet. Mailles carrées, mailles en losange. Objet, proie qui passe entre les mailles d'un filet et s'échappe. — Par métaphore. On croit le tenir, il glisse entre les mailles du filet (→ Insaisissable, cit. 2).

4 Sire rat accourut, et fit tant par ses dents
Qu'une maille rongée emporta tout l'ouvrage.
LA FONTAINE, Fables, II, 11.

5 Si tous savaient combien le filet tissé par les théologiens est solide, comme il est difficile d'en rompre les mailles (...)
RENAN, Souvenirs d'enfance..., Œ. compl., t. II, III, p. 789.

5.1 Aujourd'hui la distance entre les mailles
Existe plus que les mailles,
Nous jetons un filet qui ne retient pas,
Yves BONNEFOY, Poèmes, p. 276.

Techn. *Plomb de vitrail.* ⇒ **Résille.**

6 Le jour commençait à se lever, et déjà des lueurs bleuâtres filtrant par les vitres à mailles de plomb faisaient paraître la lumière des lampes (...)
TH. GAUTIER, le Capitaine Fracasse, II.

Techn. (électr.). *Circuit fermé, dans un réseau électrique.*
Sc. *Élément (d'un réseau cristallin).*

♦ **2.** Par ext. *Trou formé par chaque maille.*
Pêche. *Ouverture laissée entre les fils des filets. Poisson qui passe à travers les mailles.*
Par métaphore. *Le destin laisse passer les insouciants à travers les mailles de son filet* (→ Avertir, cit. 26).

7 Dans les livres d'Edgar Poe, le style est serré (...) la mauvaise volonté du lecteur ou sa paresse ne pourront pas passer à travers les mailles de ce réseau tressé par la logique.
BAUDELAIRE, E. A. Poe, sa vie et ses ouvrages, III.

Par anal. *Chacun des espaces vides laissés entre les fils de fer d'un grillage* (cit. 4), *d'un treillage, etc. Les mailles d'une claire-voie. Treillis à larges mailles. Les mailles d'une muselière* (→ Croc, cit. 2).

♦ **3.** *Anneau de métal relié à d'autres anneaux.*
Archéol. *Chacun des petits anneaux de fer, d'acier, qui formaient le tissu d'une armure* (surtout dans : *cotte de mailles*). *Les chevaliers portaient des armures de mailles pour se protéger des coups.* ⇒ **Camail, haubert, jaseran.** *Chemise, cotte** (cit. 1) *de mailles* (→ Arme, cit. 40).

8 Et toi, vêtu de pourpre et de mailles d'acier,
Coiffé du cimier d'or hérissé d'étincelles (...)
LECONTE DE LISLE, Poèmes tragiques, « Suaire de Mohammed... ».

Techn. *Maille d'une chaîne*.* ⇒ **Chaînon, maillon.** *Chaîne à mailles simples. Maille à étai, maille à renfort. Maille d'une chaînette d'acier.* ⇒ **Paillon.** *Mailles d'une chaîne d'or, d'une gourmette... — Gousset, bourse en mailles d'argent.*

♦ **4.** Mar. *Intervalle entre deux membres, deux couples (d'un navire).*

♦ **5.** Forest. *Fissure qui part du cœur de l'arbre et s'élargit vers la périphérie. Arbre scié sur maille,* dans le sens du rayon.
Bot. *Disposition des grains d'un épi* sur une seule ligne, comparé aux mailles d'une chaîne.*

★ **II.** (Tache).

♦ **1.** *Moucheture qui apparaît sur le plumage de certains oiseaux lorsqu'ils deviennent adultes. Mailles de perdreau, de faucon.*

♦ **2.** Méd. *Taie* qui se forme sur la prunelle de l'œil.*

♦ **3.** Bot. *Tache qui précède le bourgeon* à fruit chez certaines plantes* (concombre, melon, vigne...).

DÉR. 3. Maillage, maillé, mailler, maillon, maillot. — Maillure.
COMP. Voir Camail, tramail.
HOM. Mail, 2. maille. — Formes des v. 1. mailler, 2. mailler.

2. MAILLE [mɑj] n. f. — XIIᵉ, *meaille ;* du lat. pop. *medialia*, de *medius* « demi » ; l'étym. *metallia (moneta)* est contredite par les formes en esp., port., et anc. provençal.

♦ **1.** Hist. *Sous les Capétiens, la plus petite monnaie qui valait un demi-denier.* ⇒ **Obole** (→ Gaufre, cit. 2).

♦ **2.** Loc. Mod. SANS SOU NI MAILLE : *sans argent. Être sans sou ni maille, n'avoir ni sou ni maille.*

1 J'ai vu mourir un père dans un grenier, sans sou ni maille, abandonné par deux filles auxquelles il avait donné quarante mille livres de rente !
BALZAC, le Colonel Chabert, Pl., t. II, p. 1147.

2 Charles ne nous est de rien, il n'a ni sou ni maille ; son père a fait faillite (...)
BALZAC, Eugénie Grandet, Pl., t. III, p. 546.

2.1 Mais n'ayant sou ni maille ;
D'avoir quelque marmaille
Me serait grand malheur !
Germain NOUVEAU, Autres poèmes, in Œ. compl., p. 685.

Loc. AVOIR MAILLE À PARTIR (avec qqn), *un différend, une difficulté.* ⇒ **Contestation, démêlé, discussion, dispute.** (Proprt, Avoir un demi-denier à partager [« partir »] avec qqn, c.-à-d. se disputer pour l'avoir, le partage étant impossible). *Il a eu maille à partir avec un collègue, ... avec la justice.*

3 Et l'on nous voit sans cesse avoir maille à partir.
À l'heure même encor nous avons eu querelle.
MOLIÈRE, l'Étourdi, I, 7.

4 (...) il avait eu maille à partir la veille au soir avec le feu follet (...)
G. SAND, la Petite Fadette, XVII.

5 « Est-ce que vous retournerez cette année à Incarville ? me demanda Brichot. Je crois que notre Patronne a reloué la Raspelière, bien qu'elle ait eu maille à partir avec ses propriétaires. Mais tout cela n'est rien, ce sont nuages qui se dissipent », ajouta-t-il (...)
PROUST, la Prisonnière, Pl., t. III, p. 227.

COMP. Cache-maille, pince-maille.
HOM. Mail, 1. maille. — Formes des v. 1. mailler, 2. mailler.

MAILLÉ, ÉE [mɑje] adj. — V. 1160 ; de 1. *maille.*

★ **I.** ♦ **1.** Didact. *Fait de mailles. Armure maillée.*
Fenêtre à fer maillé, à barreaux entrecroisés qui laissent des jours (cit. 20).

♦ **2.** Techn. (pêche, chasse). *Pris dans un filet. Sardine maillée.*

♦ **3.** (1962). Techn. *Dont la maillure* est apparente, en parlant du bois.*

★ **II.** Vén. *Couvert de taches, de mailles** (→ 1. Maille, II.). *Perdreau maillé.*

HOM. Formes des v. 1. mailler, 2. mailler.

MAILLECHORT [mɑjʃɔr] n. m. — 1829 ; comp. tiré des premières syllabes de *Maillot* et *Chorier*, nom des ouvriers qui inventèrent l'alliage.

♦ Techn. et cour. *Alliage de cuivre, de zinc et de nickel qui imite l'argent et présente certaines de ses qualités.* ⇒ **Argentan.** *Le maillechort, malléable et inaltérable, est employé dans la fabrication d'appareils de précision, en bijouterie... Couverts de maillechort argenté.* ⇒ **Alfénide.** *Alliage de maillechort et de tungstène.* ⇒ **Platinoïde.**

(...) le tout servi et mangé dans des assiettes et des plats écornés avec l'argenterie peu sonore et triste du maillechort, était-ce un menu digne de cette jolie femme ?
BALZAC, la Cousine Bette, Pl., t. VI, p. 183.

1. MAILLER [mɑje] v. — 1680 ; de 1. *maille* (→ Maillé).

★ **I.** V. tr. Techn. ♦ **1.** *Faire avec des mailles, lacer. Mailler un filet.*

♦ **2.** Mar. *Mailler une chaîne sur...,* la relier à..., au moyen d'une manille, d'un maillon brisé, etc. *Mailler une chaîne sur une ancre, sur un corps-mort.*

— Absolument indispensable de mailler la remorque sur votre chaîne. Sacrifiez votre ancre bâbord si nécessaire.
Roger VERCEL, Remorques, V.

★ **II.** V. intr. ♦ **1.** Mar. *Retenir le poisson, en parlant d'un filet. Un filet maille lorsque la grosseur des mailles s'adapte à celle du poisson à capturer.* — Par ext. *Se prendre au filet, en parlant du poisson. La sardine ne maille pas quand l'eau est trop limpide.*

♦ **2.** *Se couvrir de mailles* (→ 1. Maille, II.), *en parlant de certains oiseaux qui deviennent adultes. Faucon qui maille. Perdreau qui se maille.*

♦ **3.** Bot. *Pousser des mailles.* ⇒ **Bourgeonner.** *Raisin qui commence à mailler.*

▶ SE MAILLER v. pron.

♦ **1.** *Se prendre au filet, en parlant du poisson. Banc de sardines* *qui se maille.* — REM. L'intrans. Il tend à être remplacé par cet emploi, qui suppose un emploi trans. «prendre (un poisson) au filet».

♦ **2.** Se couvrir de taches, de mailles (→ 1. Maille, II.).

▶ **MAILLÉ, ÉE** p. p. adj. ⇒ **Maillé.**
DÉR. 1. Maillage, 2. maillage, maillant.
COMP. Démailler, remailler, remmailler.
HOM. Voir mail, 1. maille, 2. maille, maillé, maillet, maillon.

2. MAILLER [mɑje] v. — 1556 ; probablt de *maille* au sens de «anneau» («tordre pour former une maille»).
Régional (Suisse).

♦ **1.** V. tr. *Mailler une branche. Il lui a maillé le bras. — Se mailler une cheville.*

— Qu'est-ce que tu t'es fait au genou?
— Je ne sais pas, dit Revaz, je me le suis maillé. C'est en faisant les regains.
                                        C. F. RAMUZ, Si le soleil ne revenait pas, p. 12.
Pron. Loc. fig. *Se mailler de rire.* ⇒ **Tordre** (se).

♦ **2.** V. intr. Se laisser tordre, mais non casser ; résister à la torsion.

▶ **MAILLÉ, ÉE** p. p. adj.
Tordu, mis de travers.
HOM. V. mail, 1. maille, 2. maille, maillé, maillet, maillon.

MAILLET [mɑjɛ] n. m. — Fin XIIIᵉ ; dimin. de *mail*.*

♦ **1.** Vx. ⇒ **Marteau.** *Maillet de porte.*

♦ **2.** Mod. Outil ou instrument fait d'une masse dure emmanchée en son milieu, et qui sert à frapper, à enfoncer. *Maillet de bois dur, de bois garni de métal, de caoutchouc... Le manche, les deux têtes d'un maillet. Coup* (cit. 55) *de maillet* (→ Assujettir, cit. 17). *Enfoncer les piquets d'une tente à coups de maillet. Gros maillet.* ⇒ **Mailloche, masse.** — Techn. *Maillet de menuisier, de charpentier, de plombier* (⇒ **Batte**)*, de tonnelier* (⇒ **Hutinet**)*, d'orfèvre... Maillet de chirurgien. Maillet et ciseau de sculpteur* (→ Fouiller, cit. 7). *Maillet d'ivoire du commissaire priseur.* ⇒ **Marteau.**

1 Brontin tient un maillet et Boirude un marteau.   BOILEAU, le Lutrin, II.
2 Émile, un ciseau d'une main et le maillet de l'autre, achève une mortaise (...)
                                                        ROUSSEAU, Émile, v.
Jeu, sport. *Maillet de croquet, de polo,* qui sert à pousser la boule en la frappant (⇒ **Mail**). — Par ext. Mar. *Maillet à fourrer.* ⇒ **Mailloche.**

♦ **3.** Archéol. Arme de choc portée par les gens de pied au moyen âge, masse cylindrique de plomb emmanchée d'une longue hampe (→ Froisser, cit. 1). ⇒ **Plommée.** *Maillet d'armes. On tenait le maillet à deux mains pour frapper. Petit maillet.* ⇒ **Maillotin.**

3 (...) puis, en haussant le bras,
   D'un grand coup de maillet, les fait tomber à bas.
                    RONSARD, Second livre des hymnes, «Pollux et Castor».

♦ **4.** Par anal. de forme. Requin marteau. ⇒ **Marteau.**
DÉR. Mailleter, mailleton.
HOM. Formes des v. 1. mailler, 2. mailler.

MAILLETAGE [mɑjtaʒ] n. m. — 1771 ; de *mailleter.*

♦ Mar. Vieilli. Action de mailleter*. *Mailletage de la carène d'un navire.* — Par métonymie. Partie mailletée de la carène.

MAILLETER [mɑjte] v. tr. — Conjug. *jeter.* — Mil. XIVᵉ; de *maillet.*

♦ Mar. Vieilli. Garnir de clous à large tête (qu'on enfonce avec un maillet). *Mailleter la carène d'un navire.*
DÉR. Mailletage.
HOM. Voir 1. mailleton, 2. mailleton.

1. MAILLETON [mɑjtɔ̃] n. m. — 1551 ; de *maillet.*

♦ Techn. Agric. Bouture ou bourgeon de l'année.
HOM. 1. Mailleton. — Formes du v. mailleter.

2. MAILLETON [mɑjtɔ̃] n. m. — 1902, Larousse ; de 1. *maille.*

♦ Techn. Lien avec lequel on attache la vigne. Syn. : *maillon.*
HOM. 1. Mailleton. — Formes du v. mailleter.

MAILLEUR, EUSE [mɑjœR, øz] n. — 1769 ; de 1. *maille.*
Technique.

★ **I.** Personne qui fait des filets.

★ **II.** N. f. (1931). Roue de cueillage d'un métier à tricoter.
(...) dans le métier (*à tricoter*) circulaire les mailles se forment successivement

d'aiguille en aiguille autour du métier par le jeu des platines portées par une *mailleuse* (...)   Charles MARTIN, la Laine, p. 92.

MAILLOCHE [mɑjɔʃ] n. f. — 1409 ; augmentatif de *mail.*
Technique (assez courant).

♦ **1.** Gros maillet de bois. *Mailloche de mouleur.* — Maillet de fer du maréchal-ferrant. — Par ext. Marteau* de carrier. ⇒ **Mail.** — Mar. « Maillet cylindrique portant une engoujure longitudinale qui s'applique sur un cordage* à fourrer » (Gruss). On dit aussi *maillet à fourrer.*

♦ **2.** (1873). Mus. Baguette terminée par une boule de matière molle ou souple (feutre, caoutchouc, cuir rembourré, etc.), utilisée pour la frappe de certains instruments à percussion. *Mailloche de grosse caisse, de xylophone, de vibraphone.*
À droite, vue de profil et formant une des faces latérales du meuble, une grosse caisse à mailloche mécanique avait pour pendant, du côté gauche, une paire de cymbales fixée à l'extrémité de deux solides supports de cuivre.
                            Raymond ROUSSEL, Impressions d'Afrique, p. 86.
DÉR. Maillocheur.

MAILLOCHEUR, EUSE [mɑjɔʃœR, øz] n. — Mil. XXᵉ; de *mailloche.*

♦ Techn. Ouvrier qui traite les cuirs à la mailloche, pour les resserrer et les lisser.

MAILLON [mɑjɔ̃] n. m. — 1542 ; dimin. de 1. *maille*, I.

♦ **1.** Rare. Petite maille. — Par anal. Mar. Nœud coulant que l'on fait avec un petit cordage pour saisir un objet dans l'eau. — Techn. (vitic.). ⇒ **2. Mailleton.**

♦ **2.** Anneau* (d'une chaîne). ⇒ **Chaînon, maille.** *Les maillons d'un câble-chaîne ; d'une chaîne de montre, d'une gourmette... Maillon rompu. La solidité d'une chaîne* dépend du maillon le plus faible. Fig. *Être un anneau, un maillon de la chaîne.* ⇒ **Anneau.**

Moi, Alcmène, dont les parents sont disparus, dont les enfants ne sont pas nés,   1
pauvre maillon présentement isolé de la chaîne humaine !
                                        GIRAUDOUX, Amphitryon 38, I, 6.

♦ **3.** Mar. Portion de chaîne d'ancre d'une longueur de trente mètres.

C'est toujours encourir une responsabilité grave que d'ordonner à un bateau de   2
sacrifier son ancre... Il savait ceux-là incapables de la brider proprement, mais la
laisser couler avec son maillon pour libérer la chaîne, ça, ils sauraient le faire (...)-
                                        Roger VERCEL, Remorques, V.
Techn. *Maillon-gouge :* maillon muni d'une gouge* faisant partie de la chaîne d'une scie à moteur.
DÉR. Maillonner.
HOM. Formes des v. 1. mailler, 2. mailler.

MAILLONNER [mɑjɔne] v. tr. — Fin XIXᵉ ; de *maillon.*

♦ Mar. ⇒ **1. Mailler.**

MAILLOT [mɑjo] n. m. — 1580 ; *mailloel, maillol,* XIIᵉ ; de *maille,* par anal. de forme avec des mailles entrelacées.

★ **I.** Vx. Pièce d'étoffe ou bandes dont on enveloppait le corps d'un jeune enfant et qui enfermaient les bras et les jambes. *Les liens du maillot* (→ Emprisonner, cit. 2, et ci-dessous, cit. 1, Rousseau).
Mod. Lange* qui enferme les jambes et le corps du nouveau-né jusqu'aux aisselles (⇒ **Emmailloter**).
Loc. *Enfant au maillot* (→ Haranguer, cit. 3).

L'enfant nouveau-né a besoin d'étendre et de mouvoir ses membres, pour les tirer   1
de l'engourdissement... On les étend, il est vrai, mais on les empêche de se mouvoir (...) Il eût fallu veiller sans cesse sur un enfant en liberté ; mais, quand il est
bien lié, on le jette dans un coin sans s'embarrasser de ses cris (...) Ces douces
mères qui, débarrassées de leurs enfants, se livrent gaiement aux amusements de
la ville, savent-elles cependant quel traitement l'enfant dans son maillot reçoit au
village ? Au moindre tracas qui survient, on le suspend à un clou comme un paquet
de hardes (...)   ROUSSEAU, Émile, I.
(...) les mères, en cheveux, en jupes sales, berçaient dans leurs bras des enfants   2
au maillot qu'elles changeaient sur les bancs.   ZOLA, l'Assommoir, t. I, p. 72.
Par métonymie. Vx. *Un maillot :* un enfant au maillot (cf. Mᵐᵉ de Sévigné, 22 nov. 1688).
Fig. Vx. La toute petite enfance. ⇒ **Berceau, biberon** (mod. dans la loc. *être... au maillot*).

★ **II.** (V. 1820, *maillot de danseuse;* de *maillot* (I.), le maillot serrant étroitement le corps de l'enfant ; de *maille,* ou encore de *Maillot,* nom de l'inventeur, selon Talma, mais cette étym. est très douteuse).

♦ **1.** Vêtement souple, généralmt de tricot, qui moule étroitement le corps et se porte sur la peau. *Maillot de laine, de coton, de soie... Être moulé, serré dans un maillot.* — *Maillot de danseur* (→ Escarpin, cit. 2)*, de danseuse. Maillot entier, maillot de jambes* (⇒ **Collant**)*. Maillot des gens de cirque, des acrobates*

(→ Imbriquer, cit. 2). *Maillot noir pailleté d'acier* (→ Gracile, cit. 2).

3 Quand je la vois (*l'écuyère Malaga* ...) vêtue d'une tunique blanche à bordure dorée et d'un maillot en tricot de soie qui en fait une statue grecque vivante, les pieds dans des chaussons de satin (...)
BALZAC, la Fausse Maîtresse, Pl., t. II, p. 37.

4 Dans l'année 1846, il y eut un spectacle qui fit fureur à Paris. C'étaient des femmes nues, vêtues seulement d'un maillot rose et d'une jupe de gaze, exécutant des poses qu'on appelait Tableaux vivants (...)
HUGO, Choses vues, « Tableaux vivants », II, IV.

5 Les sveltes et musclés acrobates qui révèlent, sous un maillot nacré, les particularités les plus flatteuses de leur anatomie (...) COLETTE, la Vagabonde, p. 91.

Danse. Maillot académique : maillot d'une seule pièce, qui couvre tout le corps.

♦ **2.** Vêtement collant qui couvre le haut du corps. *Maillot à manches, sans manches. Maillot rayé de marin.* ⇒ aussi **Débardeur, tee-shirt** (anglicisme).

6 Il mettait toujours des maillots de marin, blancs à raies bleues.
J. GIONO, Jean le Bleu, VII.

7 Ernst (...) le torse moulé dans un maillot de coton rose à rayures noires (...) but à la régalade, à l'ombre de la grue immobile (...)
P. MAC ORLAN, Quai des brumes, VIII.

7.1 (...) Lucien descendait du Suquet pieds nus. Pieds nus, il traversait la ville, entrait au cinéma. Il portait un costume d'une élégance sans faute : un pantalon de toile bleue avec un maillot de matelot rayé blanc et bleu dont les manches courtes étaient retroussées jusqu'à l'épaule. Jean GENET, Journal du voleur, p. 156.

(V. 1900). MAILLOT DE CORPS : sous-vêtement d'homme qui couvre le buste. ⇒ **Tricot**; et aussi *tee-shirt. Porter un maillot de corps sous sa chemise.*

Sports. Maillot et culotte de gymnaste (cit. 3), *de sportif. Endosser le maillot* (→ Football, cit. 1). *Maillot de cycliste.* ⇒ **Chandail.** *Maillot jaune,* que porte le coureur classé premier au classement général du Tour de France cycliste; par métonymie, ce coureur. *Maillot arc-en-ciel.*

8 Il (*le joueur de football*) évoquait (...) les tribunes croulantes, les maillots de couleur vive sur le terrain fauve (...) CAMUS, la Peste, p. 260.

♦ **3.** (V. 1900). MAILLOT DE BAIN, et, absolt, MAILLOT : costume de bain collant qui couvre une partie (de plus en plus réduite) du corps. ⇒ **Bain.** *Maillot de laine tricotée, de jersey, de tissu. Baigneuse* (cit. 3) *en maillot et bonnet de bain. Maillot de bain de femme d'une seule pièce, de deux pièces.* ⇒ **Bikini, deux-pièces, monokini.** *Le soutien-gorge et la culotte d'un maillot de bain. Se mettre en maillot (de bain). Passer un peignoir, un cache-maillot ... par-dessus son maillot.*

9 Et Maggie ? Ça va bien, elle nage, soucieuse uniquement de sa plastique et de son maillot de soie framboise (...) COLETTE, les Vrilles de la vigne, p. 232.

10 (...) un beau Suédois, trouvé en maillot sur la grève, que j'avais déjà vu dans ce costume à Abbazia et à Deauville, et qui devait ne se déplacer qu'à la nage.
GIRAUDOUX, Siegfried et le Limousin, p. 232.

★ **III.** (Par anal. de forme). Pupa* (mollusque).

COMP. Cache-maillot. — Démailloter, emmailloter.

MAILLOTIN [majɔtɛ̃] n. m. — 1380; dimin. de *maillet*.

♦ **1.** Archéol. Arme ancienne semblable au maillet. ⇒ **Maillet** (3.). (1636). Hist. *Les Maillotins :* les Parisiens insurgés contre l'oppression fiscale, au XIVᵉ siècle, et qui s'étaient armés de maillotins.

♦ **2.** (1787; de *maillet*, 2.). Techn. Pressoir à olives.

MAILLURE [majyʀ] n. f. — 1671; de 1. *maille* (II.).
Technique.

♦ **1.** Moucheture, tache sur le plumage d'un oiseau. ⇒ 1. **Maille** (II.).

♦ **2.** (1859). Tache dans le bois.

MAIN [mɛ̃] n. f. — 980, *man*; du lat. *manus*.

★ **I.** (La *main* de l'homme).

A. ♦ **1.** Partie du corps* humain, organe de la préhension* et du toucher*, placé à l'extrémité du bras (⇒ **Poignet**) et muni de cinq doigts* dont l'un (le pouce) est opposable aux autres. *Main droite, main gauche.*

1 Les seules Mains qui en dix doigts s'allient,
Comme il nous plaît qui s'ouvrent et se plient,
Nous font seigneurs des animaux et non
Une raison qui n'a rien que le nom.
RONSARD, Second livre des poèmes, « Paradoxe ».

2 Dans la vie active de la main, elle (*la paume*) est susceptible de se tendre et de se durcir, de même qu'elle est capable de se mouler sur l'objet. Ce travail a laissé des marques dans le creux des mains, et l'on peut y lire (...) la trace et comme les mémoires de tout ce que ailleurs effacé (...) On peut rêver sur toute figure. Je ne sais si l'homme qui interroge celle-ci a chance de déchiffrer une énigme, mais j'aime qu'il contemple avec respect cette fière servante. Henri FOCILLON, Vie des formes, « Éloge de la main », p. 100-101.

Parties de la main ⇒ **Hypothénar, métacarpe, paume, souris, thénar.** *Creux* (cit. 24), *dos*, *paume, plat, revers de la main. Main bote*, difforme* (⇒ **Palmature**). *Lignes* (cit. 3, 4) *de la main. Lire*

dans les lignes de la main (⇒ **Chiromancie**). *Position de la main.* ⇒ **Pronation, supination.** — *Mains blanches* (→ Cœur, cit. 74, Verlaine). *Blanches mains* (→ Frémissement, cit. 15). *Mains d'ivoire* (→ Effaroucher, cit. 10). *Mains sombres* (→ Dessin, cit. 12), *tachées de son* (→ Jeu, cit. 54). *Grosses mains larges* (⇒ fam. **Battoir, paluche, patoche, patte**); *mains petites* (⇒ **Menotte**). *Mains douces, grassouillettes, molles, griffues* (cit. 2), *noueuses* (⇒ Gris, cit. 5), *osseuses* (→ 1. De, cit. 32). — *Mains aux veines gonflées* (cit. 17), *aux doigts boudinés de graisse* (cit. 7). *Mains sèches, humides. Main pote*. — *Mains calleuses* (cit. 2), *dures, endurcies* (cit. 16) *au travail, gercées* (cit. 3), *rugueuses. Avoir des ampoules* (cit. 2), *des crevasses, des durillons, des engelures* (cit. 2), *des gerçures* (cit. 1) *aux mains. Goutte des mains,* ⇒ **Chiragre.** — *Mains chaudes, brûlantes de fièvre* (cit. 4). — *Mains chargées de bagues* (cit. 4), *gantées* (cit. 2) *de fil* (cit. 6). *Gants* (cit. 3, 6) *qui cachent, préservent les mains* ⇒ techn. **Manicle, manique.** — Prov. *Mains froides, chaudes* amours. *Mains froides et cœur chaud.*

3 Ses mains étaient celles du travailleur infatigable, larges, épaisses, carrées et ridées par des espèces de crevasses solides.
BALZAC, le Curé de village, Pl., t. VIII, p. 540.

4 Tout en causant, Balzac jouait avec son couteau ou sa fourchette et nous remarquâmes ses mains qui étaient d'une beauté rare, de vraies mains de prélat, blanches, aux doigts menus et potelés, aux ongles roses et brillants (...)
TH. GAUTIER, Portraits contemporains, « Balzac ».

5 Elle avait les mains hâlées et toutes piquées de taches de rousseur, l'index durci et déchiqueté par l'aiguille (...) HUGO, les Misérables, I, IV. I.

5.1 Jean regardait ces mains, ces mains subtiles et savantes comme une intelligence, ces mains adroites et bonnes, et les aurait baisées comme des objets sacrés.
PROUST, Jean Santeuil, Pl., p. 698.

6 Pierre jouait avec les mains d'Angélique : « Tes pattes ! » dit-il. Elle sourit, les regardant, très humble. Il avait raison, Pierrot, c'était des pattes. On ne pouvait pas les appeler autrement, ces mains forcies par le travail, rouges, aux doigts gonflés, douloureux, avec des longues lignes partout. Pas comme les mains de Pierrot (...) vraies mains de demoiselle (...) petites pour un garçon, les doigts fins. Elles n'avaient pas lavé par terre, fait la vaisselle chaque jour du bon Dieu.
ARAGON, les Beaux Quartiers, I, XVII.

7 Mains gourdes et gonflées, des travailleurs de force (maçons, rustiques, etc.); nerveuses et blessées des mécanos ; toujours un peu pâles de farine des boulangers; marquées de brûlures, des cuisiniers ; blafardes et boursouflées par l'eau, des plongeurs de restaurant (...) MONTHERLANT, les Olympiques, p. 197.

Loc. Vieilli ou régional. *À main droite, à main gauche* (cit. 7) : à droite*, à gauche*. — On trouve aussi *à votre, sur votre main gauche, droite.*

8 Mais si vous pouviez venir me voir, une fois de temps en temps. À Saint-Ouen, tout de suite après la barrière, à main droite. G. DUHAMEL, Salavin, III, xxx.

Grand, large comme la main, de dimensions très réduites (→ Bâtir, cit. 47; imagination, cit. 18).

Fam. Nu comme la main. — Comme sur la main, pas plus que la main, sur le dos de la main,* pas du tout. « *De la gorge* (cit. 7) *comme sur ma main* ».

9 On cherche, on fouille, l'on trifouille, l'on déterre. Pas plus de Procureur que sur la main. Mystère ! VERLAINE, Invectives, XX.

9.1 Assurée d'être condamnée à mort, la femme était allée se jeter aux genoux de l'impératrice, en se déclarant enceinte. Le sexe le plus gracieux et le plus éprouvé a de la chance, Messieurs ! Quel moyen un homme eût-il trouvé de gagner sept mois ? Timour mort, pas plus d'enfant que sur le dos de ma main, mais le prince devint empereur. MALRAUX, Antimémoires, Folio, p. 400.

Ils sont (amis, unis...) comme les deux doigts de la main. *Se faire des coupures* (cit. 1) *aux mains. S'écorcher les mains* (→ Gratte-cul, cit. 3). *Se salir* les mains. ⇒ **Compromettre** (se). *Avoir les mains sales*, les mains propres. — Loc. fig. Se salir les mains. Avoir les mains nettes* (cf. les emplois fig. de *main, infra* cit. 91). *Se baigner* (⇒ **Manuluve**), *se laver* (cit. 11 et 14) *les mains* (→ au fig. Laver, cit. 15 et 16). — *Se faire faire* (cit. 11) *les mains par une manucure*. Se promener, les mains au dos* (→ Ankyloser, cit. 2). *Fourrer* (cit. 5) *ses mains dans ses poches. Mains enfouies au fond* (cit. 22) *d'un manchon. Étendre, ouvrir, fermer la main. Croiser les mains* (→ Humblement, cit. 6). *Joindre les mains* (→ Confesse, cit. ; creux, cit. 23). *Un imperceptible* (cit. 5) *tremblement des mains. Geste* (cit. 18) *de la main. Poser sa main sur le dossier d'une chaise.*

Loc. adv. En un tour de main : dans le temps qu'il faut pour tourner la main (⇒ **Tournemain**) très vite (→ Instantanément).

10 En moins d'un tour de main cela s'accomplissait. LA FONTAINE, Contes, IV, XIV.

11 La bonne dame plongea dans un manchon ses mains jusqu'aux coudes (...)
Aloysius BERTRAND, Gaspard de la nuit, Le vieux Paris, IX.

12 (...) il roulait doucement l'une dans l'autre ses mains grassouillettes, comme s'il les eût savonnées (...) MARTIN DU GARD, les Thibault, t. I, p. 168.

♦ **2.** Loc. adv. SOUS MAIN (en tenant caché sous sa main) : en secret. ⇒ **Secrètement** (→ En dessous, sous le manteau). *Agir, intriguer, négocier sous main.*

13 Il employa quelque temps à chercher des connaissances pour faire parler sous main à l'oncle de Lucrèce, n'osant pas y aller en personne (...)
FURETIÈRE, le Roman bourgeois, I, p. 55.

14 Vous comprenez que ma maison de la rue du Cygne me devient inutile. Je cherchais sous main des acquéreurs, et l'abbé de Sponde, qui le savait, a naturellement conduit chez moi monsieur de Troisville (...)
BALZAC, la Vieille Fille, Pl., t. IV, p. 306.

B. (Fonctions de la main). *Avoir l'usage de ses deux mains* (⇒ **Ambidextre**); *être plus habile de la main droite* (⇒ **Droitier**), *de la gauche* (⇒ **Gaucher**). *Changer de main :* se servir d'une main après s'être servi de l'autre.

15 La main est un chef-d'œuvre. À la fois, elle sent et elle agit. On dirait presque qu'elle voit. C'est la disposition anatomique de sa peau et de son appareil tactile, de ses muscles et de ses os, qui a permis à la main de fabriquer les armes et les outils. Nous n'aurions jamais acquis la maîtrise de la matière sans l'aide des doigts, ces cinq petits leviers, composés chacun de trois segments articulés, qui sont montés sur les métacarpiens et le massif osseux de la main. La main s'adapte au travail le plus brutal comme au plus délicat. Elle a manié avec une égale habileté le couteau de silex du chasseur primitif, la masse du forgeron, la hache du défricheur de la forêt, la charrue du laboureur, l'épée du chevalier, les commandes de l'aviateur, les pinceaux de l'artiste, la plume du journaliste, les fils du tisseur de soie. Elle est propre à tuer et à bénir, à voler et à donner, à semer le grain à la surface des champs et à lancer des grenades dans les tranchées.
Alexis CARREL, *l'Homme, cet inconnu*, X.

◆ **1. LA MAIN**, organe du tact. ⇒ **Toucher ; attouchement** (cit. 2). *Effleurer* (cit. 6 et 14 fig.) *de la main, d'une main légère. Mains qui caressent*, massent*, palpent*, pressent, tâtent*. Flatter* (cit. 2, 3) *un animal de la main, du plat de la main. Passer sa main sur son visage. Plafond bas qu'on toucherait de la main* (→ Acanthe, cit. 2). *Tendre la main pour atteindre* (cit. 48) *un objet. À portée* de la main. Saluer en portant la main à son chapeau* (→ Hâtivement, cit. 1 ; horizontal, cit. 5). — Fam. *Bas les mains !* → Bas *les pattes*!* — Spécialt. *Imposer** (cit. 1, 2) *les mains. Imposition** (cit. 1) *des mains.* — Fig. *Passer la main dans le dos*.* — Sports. *Footballeur touchant, arrêtant le ballon de la main* (faute). Ellipt. *Main :* faute ainsi commise. *Il y a main.*

Spécialt. (Dans des contextes érotiques, sensuels).

16 (...) les mains qui se délectaient aux contacts suaves (...)
FLAUBERT, Mme Bovary, III, VIII.

17 Ta main se glisse en vain sur mon sein qui se pâme.
BAUDELAIRE, les Fleurs du mal, LV.

18 Ne parle plus. Ne pense plus. Laisse ta main se promener sur moi. Laisse-la être heureuse toute seule. Tout redeviendrait si simple si tu laissais ta main seule m'aimer. Sans plus rien dire... Ta main est heureuse, elle, en ce moment. Ta main ne me demande rien que d'être là, docile et chaude sous elle.
J. ANOUILH, Eurydice, III.

Loc. fam. *Avoir les mains qui traînent. Avoir la main qui traîne, la main baladeuse.* — *Mettre la main au panier (de qqn),* lui toucher, lui caresser, lui palper les fesses. — Argot. *Faire une main tombée* (même sens).

18.1 Et dis, un filet de baskett pour ainsi dire, son fion. Un panier, quoi ! La main au panier, cherche pas, de là qu'elle résulte l'espression.
SAN-ANTONIO, Remets ton slip, gondolier !, p. 40.

Loc. fam. *La main de ma sœur dans la culotte d'un zouave.*

◆ **2. LA MAIN**, organe de préhension. ⇒ **Prendre, serrer, tenir.** *Prendre, soulever un paquet d'une seule main, à deux mains, des deux mains. Se prendre la tête entre les mains, dans les mains* (→ Assaillir, cit. 11). *Mettre, porter la main à l'épée* (cit. 1). — *S'agripper* (cit. 4), *se tenir d'une main, des deux mains. De sa main libre, elle serrait la rampe avec force* (cit. 9). *Main qui empoigne, serre* (→ 1. Serrer, cit. 4), *étreint* (cit. 1) *qqch., qui se crispe* (cit. 4) *sur qqch. La main qui tient l'archet* (cit. 4). *Jockeys* (cit.) *qui retiennent leurs chevaux à deux mains.* — *La main droite armée de la faucille* (→ Javelle, cit. 2) — *Saisir un objet des mains de qqn* (→ Gagner, cit. 27). *Il lui arracha* (cit. 27) *la boîte des mains. Couteau* (cit. 15) *qui glisse des mains. La plume lui tombait des mains* (fig., il n'avait plus la force, le courage d'écrire). *Objet qui échappe des mains.* — Fam. *Des mains de beurre,* qui laissent tout échapper (→ Faiblesse, cit. 4).

19 Jean, ce matin-là, un semoir de toile bleue noué sur le ventre, en tenait la poche ouverte de la main gauche, et de la droite, tous les trois pas, il y prenait une poignée de blé (...)
ZOLA, la Terre, I, I.

À LA MAIN, AUX MAINS. *Avoir, tenir un livre, un sac à la main* (→ Bec, cit. 6). *Un couteau* (cit. 3), *un poignard à la main* (→ Animer, cit. 9). *Ses clefs à la main...* (→ Installer, cit. 6). *Se frayer* (cit. 3) *une route la hache à la main. Lire* (cit. 13) *la plume à la main. Fouet* (cit. 5) *qui claque aux mains du cocher.* — Fig. *Avoir toujours l'épée* à la main. Défendre son droit, mourir les armes** (cit. 6) *à la main* (→ Combat, cit. 23).

20 (...) les gens debout, leur verre de porto à la main, se rapprochèrent les uns des autres (...)
J. ROMAINS, les Hommes de bonne volonté, t. V, XXII, p. 191.

À MAIN. *Sac à main.* ⇒ **Sac.**

Par métaphore. Loc. *Affaire qui claque*, qui crève* dans les mains.* — *Prendre son courage* à deux mains.* — *Avoir les mains crochues** (cit. 2). — *Être pris la main dans le sac,* en train de voler, et, par ext., en flagrant délit.

21 Puis un beau jour, ayant surpris Gaubertin la main dans le sac, suivant l'expression consacrée, le général entra dans une de ces colères particulières à ces dompteurs de pays.
BALZAC, les Paysans, Pl., t. VIII, p. 100.

À pleines* mains, et, vx, *à belles mains :* comme pour se remplir les mains. ⇒ **Largement.** *Puiser* à pleines mains dans...*

Spécialt. *LA MAIN qui prend, serre, tient, touche une autre main. Prendre, saisir, garder* (cit. 34), *presser la main de qqn entre les siennes* (→ Articuler, cit. 12). *Amants qui joignent* (cit. 1) *leurs mains. Se promener la main dans la main, en se tenant par la main* (→ Long, cit. 37). *Se tenir par la main.* ⇒ *Se serrer cordialement, fraternellement* (cit.) *la main.* ⇒ fam. **Cuiller, 2. louche, pince.** *Serrement* de main. Se séparer avec force* (cit. 77) *poignées* de main.* ⇒ **Shakehand.** — *Il lui donna, lui tendit la main pour l'aider*

(cit. 11) *à se relever, pour sceller leur engagement* (cit. 3). *Se donner la main pour danser la farandole* (cit. 1 et 2). — Vx. *Offrir la main à une femme pour passer à table* (on dit aujourd'hui *offrir le bras*).

22 Donnez-moi seulement la main jusque chez moi (...)
MOLIÈRE, le Misanthrope, III, 5.

23 (...) une main cent fois prise, qui se retire toujours et ne se refuse jamais.
LACLOS, les Liaisons dangereuses, LXXXV.

24 (...) comme le dernier coup de dix heures retentissait encore il étendit la main et prit celle de madame de Rênal, qui la retira aussitôt. Julien, sans trop savoir ce qu'il faisait, la saisit de nouveau. Quoique bien ému lui-même, il fut frappé de la froideur glaciale de la main qu'il prenait ; il la serrait avec une force convulsive ; on fit un dernier effort pour la lui ôter, mais enfin cette main lui resta.
STENDHAL, le Rouge et le Noir, I, IX.

25 Ils s'avancèrent l'un vers l'autre ; il tendit la main, elle hésita. — À l'anglaise donc, fit-elle, abandonnant la sienne... Léon la sentit entre ses doigts, et la substance même de tout son être lui semblait descendre dans cette paume humide.
FLAUBERT, Mme Bovary, II, VI.

26 Fauchelevent prit dans ses vieilles mains ridées et tremblantes les deux robustes mains de Jean Valjean (...)
HUGO, les Misérables, II, V, IX.

27 Nous aurions eu dix minutes à nous, pour échanger quelques mots d'adieu, un serrement de main.
LOTI, les Désenchantées, V, XXXV.

28 Les mains dans les mains restons face à face
APOLLINAIRE, Alcools, « le Pont Mirabeau ».

Toucher* (dans) la main à qqn, en signe d'accord, de marché conclu (⇒ **Toper**). → Gant, cit. 1. *Ils se tapèrent dans la main* (→ Affaire, cit. 77).

29 (...) trouvez bon qu'en ce lieu je vous fasse toucher dans la main l'un de l'autre (...)
MOLIÈRE, le Sicilien, XVII.

Par métaphore. Loc. *Marcher la main dans la main, se donner la main :* agir en parfait accord, en étroite union (→ Fraterniser, cit. 3).

(Avec une nuance péjorative). *En voilà deux qui peuvent se donner la main* (→ Les deux font bien la paire* ; ils sont à mettre dans le même sac*).

Fig. *Tendre la main à qqn,* lui offrir son amitié, son appui* ou son pardon.

30 Pour eux (...) Toujours, la France avait refusé la main que le Kaiser lui tendait !
MARTIN DU GARD, les Thibault, t. VII, p. 12.

31 Grand était le nombre des Français qui souhaitaient d'éviter le recommencement des massacres et s'efforçaient, en dépit des rancunes, de tendre la main.
G. DUHAMEL, la Pesée des âmes, X.

Politique de la main tendue, de réconciliation ; proposition d'accord.

31.1 À tort ou à raison, M. Gaillard a la conviction que la reprise du dialogue avec la Tunisie, la politique de la main tendue à M. Bourguiba et au roi du Maroc, demeurent les conditions mêmes de la sauvegarde de l'Algérie française.
F. MAURIAC, le Nouveau Bloc-notes 1958-1960, p. 48.

(Par allus. au rite du mariage chrétien). *Demander** (cit. 36), *obtenir la main d'une jeune fille,* la demander, l'obtenir en mariage (→ Épouser, cit. 4 ; fiancé, cit. 5). *Elle lui a offert sa main :* elle lui a offert de l'épouser. *Père qui donne, refuse la main de sa fille à un prétendant. « Mon cœur et ma main t'appartiennent »* (cit. 10 Marivaux). — *Mariage de la main gauche** (cit. 8). ⇒ **Morganatique.**

32 J'étais orpheline et pauvre, j'élevais mon frère cadet. Un vieil ami de mon père m'a demandé ma main. Il était riche, et bon, j'ai accepté.   SARTRE, Huis-clos, V.

Fig. *LA MAIN* symbolisait la prise de possession, la propriété.

Spécialt. Dr. *Saisir qqch. entre les mains de qqn* (⇒ **Saisie-arrêt ; opposition**). — *Changer de mains,* en parlant d'un bien qui change de possesseur, de propriétaire.

Loc. **AVOIR EN MAIN, ENTRE LES MAINS...,** en sa possession. *Avoir entre les mains des papiers importants* (cit. 6). *Avoir en main un beau jeu* (cit. 56), *une arme dangereuse.* — *Le livre est en main,* quelqu'un l'a déjà emprunté, l'a en ce moment. — Fam. (d'une prostituée). *Elle est en mains.* → ci-dessous, cit. 48.1 et 48.2 (valeur abstraite). — *Démontrer qqch. preuve* en main.* — *Il lui en est passé de l'argent par les mains !*

33 (...) nous avons en main divers stratagèmes tous prêts à produire dans l'occasion (...)
MOLIÈRE, Monsieur de Pourceaugnac, I, 1.

PAR LES MAINS. *Il lui en est passé, de l'argent, par les mains !*

SOUS LA MAIN. *Avoir sous la main,* à portée de la main (ou à sa disposition). — *Il lit tout ce qui lui tombe sous la main, tout ce qui se trouve sous sa main* (→ 1. Faux, cit. 40 ; feuille, cit. 11). *Il mange tout ce qui lui tombe sous la main.* → Sous la dent*.

34 (...) un encrier, une savate, la première chose venue qui me tombe sous la main.
COURTELINE, Messieurs les ronds-de-cuir, IIe tableau, I.

35 Il n'avait presque jamais de coupe-papier sous la main.
J. ROMAINS, les Hommes de bonne volonté, t. III, XVIII, p. 244.

Mettre la main sur (qqn ou qqch.). ⇒ **Trouver.** *J'ai égaré ce livre, je ne peux pas remettre la main dessus.*

36 J'ai fait trois fois le tour de la cour, je n'ai pas pu mettre la main dessus.
SARTRE, la Mort dans l'âme, p. 230.

Par ext. **METTRE LA MAIN SUR...** ⇒ **Emparer** (s'). *Mettre la main sur un héritage* (→ ci-dessous *Faire main basse*). *Douaniers qui mettent la main sur des marchandises de contrebande.* ⇒ **Confisquer.** — Spécialt. *Police qui met la main sur un forçat évadé* (cit. 3), *au collet* d'un malfaiteur* (⇒ **Arrestation**). — Par anal. Fam. *Méfiez-*

vous de ce bavard ; s'il vous met la main dessus, vous en avez pour deux heures (⇒ **Empoigner**).

37 Au fond, sa pensée dut être que sa sœur n'attirait le vieux que dans le calcul de mettre la main sur le magot soupçonné.   ZOLA, la Terre, III, III.

PRENDRE EN MAIN ou **EN MAINS**, en charge*, se charger de. *Prendre en main l'éducation d'un enfant. — Il a pris mes intérêts en mains.* ⇒ **Défendre**.

38 Car tu m'as été si humain
    Que tu as pris ma cause en main (...)   Clément MAROT, Psaumes, IX.

39 Tous les magistrats sont intéressés à prendre cette affaire en main (...)
                                                    MOLIÈRE, l'Avare, V, I.

Par ext. **LA MAIN** symbolisant l'autorité*, la responsabilité, la puissance, le pouvoir*. — *La main qui nous enchaîne* (→ Baiser, cit. 5). ⇒ **Dépendance**. *Tomber aux mains de l'ennemi* (→ Humainement, cit. 4). *Pouvoir qui glisse* (cit. 12) *des mains du roi, du souverain. Le pouvoir est tombé aux mains de l'opposition. Tenir dans, entre ses mains,* (vx) *tenir en sa main les rênes de l'État* (→ Indépendance, cit. 14). *« Il se mit entre les mains des médecins »* (Académie). *« Père, je remets mon âme entre vos mains »* (Évangile). *Je remets ma cause entre vos mains.* ⇒ **Confier**. — *Elle était une créature docile et obéissante sous sa main* (→ Cathédrale, cit. 2). *Trembler sous la main des puissants* (→ Instruction, cit. 2). *Personne qui glisse* (cit. 11 et 13) *des mains d'une autre,* qui échappe à son influence*, à son emprise (...). — Dr. *Immeuble mis sous main et autorité de justice* (⇒ **Mainmise**).

40 Mes jours sont en tes mains, tranche-les (...)   LA FONTAINE, Fables, X, 1.

41 Le sort, dont les arrêts furent alors suivis,
    Fit tomber en mes mains Andromaque et son fils. RACINE, Andromaque, I, 2.

42 Une fille ne dépend pas d'elle ici-bas. Voyez dans quelles mains est ma destinée (...)   A. DE MUSSET, la Nuit vénitienne, I.

43 (...) ce peuple (...) remettra son destin avec soulagement entre les mains de ceux qui sauront lui prêcher une veulerie fardée de bon sens.
                                        VERCORS, le Sable du temps, « L'enthousiasme ».

Avoir la main dure, lourde : être brutal ; *avoir la main légère*.

Loc. *Une main de fer* (⇒ **Poigne** ; → Despotisme, cit. 8) *dans un gant de velours :* une autorité, une volonté inflexible, qui s'exerce avec assez de douceur et d'habileté pour passer inaperçue de ceux qui la subissent.

44 Elle fut l'idole du jour, et régna d'autant mieux sur la société parisienne, qu'elle eut les qualités nécessaires à ses succès, la main de fer sous un gant de velours, dont parlait Bernadotte.   BALZAC, le Lys dans la vallée, Pl., t. VIII, p. 944.

Spécialt, aux cartes. *Avoir la main :* avoir l'initiative du jeu, être le premier à jouer le coup. *Où est la main ? La main est au mort*. *Céder, donner, passer* la main, abandonner cette initiative à un autre joueur. — Fig. *Passer la main :* abandonner* ses fonctions, renoncer à ses prérogatives. — Fam. *— Allez ! passe la main :* arrête-toi, renonce.

45 Il y a plus de deux manières de mal vieillir. Le pire est de s'accrocher à ce qui nous fuit ; nous avons tous observé de ces vieux hommes d'affaires qui refusent de passer la main et qui maintiennent dans une sorte d'esclavage hargneux des enfants qui les aimeraient s'ils avaient la sagesse de les associer au pouvoir.
                                                    A. MAUROIS, Un art de vivre, V, VI.

Vx. *Une main :* une levée.

Manège. *Cheval qui gagne* à la main.

Loc. (empr. au vocabulaire de l'équitation). *Avoir, tenir en main* (une affaire), la mener à sa guise (cf. Tenir les commandes). *Gouvernement qui n'a pas, ne tient pas la situation en main. Avoir qqn bien en main,* être assuré de sa docilité, de son obéissance, en raison de l'autorité, de l'influence qu'on a prise sur lui.

46 Le peu de troupes que gardait Bouillé était si peu dans sa main, qu'ayant fait quelques lieues au-devant du roi, il crut devoir retourner pour être au milieu de ses soldats, les veiller, les maintenir.
                                        MICHELET, Hist. de la Révolution franç., IV, XIII.

47 Celui-ci *(le Premier Consul)* appela à lui le prélat, bien résolu à avoir sous sa main le négociateur romain et à exercer sur ce prêtre toute la puissance de son formidable ascendant.
                            Louis MADELIN, Hist. du Consulat et de l'Empire, le Consulat, VIII.

48 Mes hommes, quand ils eurent « pigé », jouèrent le jeu avec ardeur et intelligence. Les sentant bien en main, je pus leur demander de grands efforts.
                                                    A. MAUROIS, Mémoires, I, V.

Fig., pop. (d'une fille, d'une femme). *Être en mains, en main :* être avec un homme, avoir un compagnon.

48.1 Voilà une fille qui ne m'aura donné que des soucis et de la déception depuis qu'elle a l'âge d'être en main.   M. AYMÉ, Maison basse, p. 233.

48.2 Michèle était déjà en main. Son fiancé l'escortait au lycée, cours après cours.-
                            Claude COURCHAY, La vie finira bien par commencer, p. 52.

Tenir la main à qqch., en surveiller attentivement l'exécution, s'en occuper* activement. ⇒ **Veiller** (→ Frauder, cit. 6).

49 Va-t'en tenir la main au reste de l'ouvrage (...)
                                        MOLIÈRE, les Amants magnifiques, IV, 3.

Vx. *Tenir la main haute à qqn dans une affaire.* ⇒ **Haut** (supra cit. 15). — Mod. *Avoir la haute* main sur...* ⇒ **Commander, diriger**.

50 (...) le secrétaire général, M. Camy-Lamotte, personnage considérable, ayant la haute main sur le personnel, chargé des nominations, en continuel rapport avec les Tuileries.   ZOLA, la Bête humaine, p. 101.

*Haut** (cit. 85, 86) *la main*.
*Lâcher** (supra cit. 2), *rendre* la main*.

◆ **3.** (Avec une idée de violence). **LA MAIN** servant à frapper*, à combattre, à blesser, à tuer.

REM. À noter que avec le mot *coup*, *main* prend une autre valeur.

Un revers de main. ⇒ **Soufflet** (→ Chamaillerie, cit.). *Je vais te flanquer ma main sur la figure.* ⇒ **Gifler** (cit. 3). *La main lui démange*. Avoir la main leste*. Lever** (cit. 3 et 5), *mettre* (vx), *porter la main sur qqn,* ou, vx, *contre qqn* (→ Émotion, cit. 4 ; faucheur, cit. 2 ; 1. homicide, cit. 9 ; inviolable, cit. 6).

51 Fort bien. Pour châtier son insolence extrême,
    Il faut que je lui donne un revers de ma main.   MOLIÈRE, Tartuffe, II, 2.

52 Elle pleurait, elle ne pouvait prononcer un mot, et il leva la main, il l'étourdit d'une nouvelle claque. À trois reprises, comme il n'obtenait pas davantage de réponse, il la gifla, répétant sa question.   ZOLA, la Bête humaine, p. 23.

Vx. *Faire main basse sur qqn,* le frapper à mort (la main s'abaissant pour donner le coup).

Mod. *Faire main basse* sur qqch.,* s'en emparer (→ Escamotage, cit. 3 ; fripon, cit. 9 ; et ci-dessus, mettre la main sur...).

53 (...) ils songèrent (...) à se faire apprêter un bon repas. L'hôte, l'hôtesse, et une jeune servante qu'ils avaient, ne s'y épargnèrent point. Ils firent main basse sur toute la volaille de leur basse-cour.   A.-R. LESAGE, Gil Blas, V, I.

Par métonymie. *En venir aux mains,* aux coups (⇒ **Combat, conflit**). — Vx. *(En) être aux mains,* en train de se battre.

Mettre deux personnes aux mains, les faire se disputer, se battre. ⇒ **Prise** (aux prises).

54 Venez un peu mettre la paix entre ces personnes-ci (...) Ils se sont mis en colère (...) jusqu'à se dire des injures, et vouloir en venir aux mains.
                                        MOLIÈRE, le Bourgeois gentilhomme, II, 3.

Spécialt. *Attaque à main armée* (→ Assaillir, cit. 2). — *Coup** (cit. 48 et 49) *de main. — Homme de main :* celui qui, pour le compte d'autrui, exécute des besognes souvent basses ou criminelles (→ Incertain, cit. 12). *Hommes de main d'un parti.* ⇒ **Nervi, sbire, séide** (littér.). *Réunion électorale sabotée par les hommes de main d'un candidat adverse.*

55 (...) les sommes à prendre à main armée aux recettes de l'État et destinées à solder les réfractaires et les Chouans (...)
                                        BALZAC, Mme de La Chanterie, Pl., t. VII, p. 305.

56 Il y avait encore quelques autres cordeliers, mais hommes de main (...) Verrières (...) Fournier (...) Le premier, figure fantastique, l'affreux bossu du 6 octobre (...) ce nain sanguinaire (...) L'autre n'avait ni mots ni gestes, il ne savait que frapper ; (...) on vit cet homme partout où l'on pouvait tuer (...)
                                        MICHELET, Hist. de la Révolution franç., V, VIII.

57 Les Normands qu'il opposait à Godwin furent chassés à main armée (...)
                                        MICHELET, Hist. de France, IV, II.

Prov. *Jeux* de mains, jeux de vilains. Jeu de (la) main chaude,* où un joueur, les yeux bandés et la main tendue, reçoit des coups sur cette main, jusqu'à ce qu'il devine qui l'a frappé. — *Jeu de (la) main morte,* où un joueur laisse pendre une main inerte, dont un autre joueur le frappe à petits coups.

57.1 (...) le mouvement infini des discours, montés l'un sur l'autre (et non engendrés) comme dans le jeu de la main chaude.   R. BARTHES, Roland Barthes, p. 142.

Loc. fam. *Ne pas y aller de main morte :* frapper rudement. — Par anal. Attaquer avec énergie*, avec violence. *Critique qui n'y va pas de main morte* (→ 2. Flétrir, cit. 10). — Par ext. *Cinq cents francs un déjeuner ! Eh bien, ils n'y vont pas de main morte !* (→ Y aller fort*, exagérer*).

58 Doublon, mon huissier, qui sera chargé de l'actionner, sous la direction de Cachan, n'ira pas de main morte (...)   BALZAC, Illusions perdues, Pl., t. IV, p. 916.

59 Six mois plus tard, je le lui tuais ses deux filles ! — Tu n'y vas pas de main morte, dit Assanoff en riant.   J.-A. DE GOBINEAU, Nouvelles asiatiques, p. 58.

Fig. **LA MAIN, LES MAINS** symbolisant le châtiment ou la violence. *Livrer qqn aux mains des assassins* (→ Agent, cit. 1). *Il ne sortira pas vivant de leurs mains. Passer par les mains du bourreau. — Remettre un coupable aux mains de la justice. Hommes frappés de la main de Dieu, sur qui s'appesantit* (cit. 7) *la main de Dieu, du Seigneur* (→ Appesantissement, cit. 1). — *Avoir la main lourde** (supra cit. 22).

60 (...) c'est ainsi qu'il plaît à la Providence de faire sentir sa main de temps en temps.
                                        Mme DE SÉVIGNÉ, 925, 1er mars 1684.

◆ **4.** **LA MAIN** servant à donner, à recevoir. *Donner qqch. à qqn, servir qqn de sa (propre) main. Donner à manger à un chien dans sa main. Animaux familiers qui mangent dans la main* (→ Familiariser, cit. 3). — *Couler, glisser* (cit. 38) *un billet* (cit. 6) *dans la main de qqn. Remettre une lettre en main(s) propre(s)*,* au destinataire (cit. 1) en personne. — Fig. *Legs* (cit. 4) *déposé entre les mains d'un tiers.*

61 (...) je ne t'ai jamais rien donné, tu n'étais pas de ceux qui avaient toujours une main pleine et l'autre ouverte (...)   BALZAC, le Médecin de campagne, Pl., t. VIII, p. 524.

62 Il n'avait eu qu'un ennui avec Delhomme, qui s'était refusé à verser les deux cents francs de la pension, entre des mains autres que celles de son père (...)
                                                    ZOLA, la Terre, V, II.

Donner d'une main et retenir de l'autre (→ Anc. dr. Donner* et retenir ne vaut).

DE LA MAIN À LA MAIN : directement, sans intermédiaire ou sans observer les formes réglementaires. *Argent versé de la main à la main,* sans reçu régulier.

63 Il veut marier sa fille en quinze jours, il donne une dot de cent cinquante mille

francs, car il a trois autres enfants ; mais !... il ajoute un supplément de cent mille francs de la main à la main (...)
BALZAC, la Muse du département, Pl., t. IV, p. 155.

DE MAIN EN MAIN. *Passer de main en main. Bulletin* (cit. 3) *qu'on se passe de main en main* (⇒ **Circuler**).

64   Tel autre en fondra des médailles de bronze pour passer de main en main.
MICHELET, Hist. de la Révolution franç., Introd., II, VII.

65   Ne laissons pas croire au peuple qu'il serait possible de lui assurer le travail, le bien-être et la liberté, si le gouvernement passait de la main de celui-ci dans la main de celui-là (...)
PROUDHON, Textes choisis, « Règne des partis », III, v.

Spécialt. Aller d'un partenaire à l'autre.

66   Catherine Grand qui, de notoriété publique, avait passé de main en main avant de s'attacher à une si riche proie, était plus que toutes les autres, pour Bonaparte, un objet de mépris (...)
Louis MADELIN, Talleyrand, II, XI.

À PLEINES MAINS. *Lancer des offrandes à pleines mains,* en abondance, en grande quantité (→ Bourdonnement, cit. 5). — Fig. *Donner** (cit. 6) *à pleines mains.* ⇒ **Généreusement.**

Allus. bibl. *Que ta main gauche ne sache pas ce que fait ta main droite* (→ Aumône, cit. 2).

Tendre* la main. ⇒ **Aumône** (cit. 13, et fig. 15) ; **mendier.**

DE LA MAIN DE... *Accepter, recevoir qqch. de la main de qqn. Je ne veux rien tenir de sa main.* ⇒ **Part** (de sa part). — Fig. et vx (langue classique). *Fille qui refuse un mari de la main de son père* (→ Impertinence, cit. 6). — Péj. *De toutes mains :* de n'importe qui, de n'importe quelle source.

67   Elle aime don Rodrigue, et le tient de ma main (...)
CORNEILLE, le Cid, I, 2.

68   Je ne prétends point vous voler votre fille, et ce n'est que de votre main que je veux la recevoir.
MOLIÈRE, le Médecin malgré lui, III, 11.

69   (...) mon maître ne voudra point les accepter *(cent pistoles)...* c'est un homme délicat sur cette matière. Ce n'est point un de ces enfants de famille qui sont prêts à prendre de toutes mains.
A.-R. LESAGE, Gil Blas, V, I.

Fig. DE PREMIÈRE (SECONDE...) MAIN. *Recevoir, tenir qqch. de (la) première main,* directement de la source* (→ Lazzi, cit. 5). *Information, nouvelle de première main,* directement à celui qui l'a achetée. *Acheter une voiture de première main. En seconde, troisième main,* après avoir passé par deux, trois possesseurs. *Érudition* (cit. 3) *de première main* (acquise personnellement dans les textes eux-mêmes), *de seconde main* (acquise par l'intermédiaire d'autres auteurs).

70   Il y a seize ou dix-sept ans que le fils adoptif de Mirabeau, M. Lucas-Montigny, a publié huit volumes de Mémoires qu'il a eu le droit d'intituler *Mémoires de Mirabeau,* tant les sources en sont de première main, continuellement authentiques et domestiques.
SAINTE-BEUVE, Causeries du lundi, 7-8 avril 1851.

71   Dans ces notes, on s'est borné strictement aux citations de première main, je veux dire à l'indication des passages originaux sur lesquels chaque assertion ou chaque conjecture s'appuie.
RENAN, Vie de Jésus, Introd. Œ. compl., t. IV, p. 43.

72   (...) un artiste (...) qui, vers 85, faisait accepter et goûter au public des Salons un modernisme bien tempéré et de seconde ou tierce main (...)
VALÉRY, Degas, Danse, Dessin, p. 115.

72.1 Mais il n'avait su être qu'un petit employé, un modeste débrouillard, livreur clandestin ou placier en quatrième main (...)
M. AYMÉ, le Vin de Paris, « Traversée de Paris », p. 46.

Loc. div. *Avoir toujours l'argent à la main :* dépenser beaucoup, soit par goût (⇒ **Prodigue** ; → L'argent lui fond* dans les mains), soit par nécessité.

Avoir la main lourde* (cit. 22).

Fam. *Avoir le cœur** (cit. 84 et 85) *sur la main.*

Se présenter les mains vides : n'avoir rien à offrir (→ aussi Avenir, cit. 12). — *Rentrer les mains vides,* sans avoir pu obtenir (→ Fournée, cit. 1).

73   J'ai aidé mon mari ; j'ai bien élevé nos enfants ; je ne me présenterai pas les mains vides devant Dieu.
A. MAUROIS, Bernard Quesnay, XVI.

Mettre le marché* à la main (vx), *en main à quelqu'un* (→ Fortune, cit. 5).

Prov. *Aux innocents*, les mains pleines.*

(Jeux de cartes). *La main :* le fait de distribuer les cartes. *Avoir la main.* — Spécialt. (Au baccara). *Avoir, faire la main, être à la main,* se dit de celui qui distribue les cartes *(banquier). Tirer la main :* tirer à qui donnera les cartes le premier. *Au chemin de fer, le banquier gagnant est libre de continuer à donner ou de passer la main ; tout joueur peut prendre cette main à son tour de parole.*

74   « Changeur ! » Une dame au henné a levé un billet de mille. Le changeur accourt. Les plaques tombent sur la table. Edmond est à la main. Il gagne, trois fois, quatre fois. Sur les deux tableaux. Va-t-il se retirer ? Edmond donne. On abat huit à droite, à gauche on demande des cartes. Le jeune homme file ses cartes (...) La banque a gagné. Il (...) se lève... la main passe.
ARAGON, les Beaux Quartiers, III, I.

(Au bridge, etc.). Ensemble des cartes distribuées au joueur. *Main blanche,* sans honneurs. *Main équilibrée. Une belle main.*

♦ **5.** LA MAIN servant à manier* (un instrument, un outil...), à façonner ou à exécuter quelque chose, à travailler : « *Faire* (cit. 4) *est le propre de la main »* (Valéry).

75   L'art se fait avec les mains. Elles sont l'instrument de la création (...)
Henri FOCILLON, Vie des formes, « Éloge de la main », p. 107.

a *Adresse des mains.* ⇒ **Dextérité.** *Habileté* (cit. 3), *sûreté de main. Chirurgien qui s'assure la main. Être adroit, maladroit de ses mains* (→ Être, n'être pas manchot*). *Avoir les mains gourdes*, les mains lourdes** (cit. 8), *peu habiles* (cit. 5). *Avoir la*

main malheureuse*. Mains exercées, expertes (cit. 5), *industrieuses* (→ Généraliser, cit. 3)... *Mains rapides et nerveuses d'un pianiste* (→ Improviser, cit. 4).

Loc. fig. *Avoir des mains en or :* être très habile (cf. Des doigts en or).

76   Les mains, je les ai si gourdes que je ne sais pas écrire seulement pour moi : de façon que, ce que j'ai barbouillé, j'aime mieux le refaire que de me donner la peine de le démêler (...)
MONTAIGNE, Essais, II, XVII.

Loc. *Avoir* (un acte, une opération) *dans la main :* faire habilement et naturellement.

76.1 Ceci est un nœud plat, et j'ai l'habitude de faire deux demi-clefs.
— Vous vous vous trompez, Pencroff.
— Je ne me suis pas trompé ! affirma le marin. On a ça dans la main, naturellement, et la main ne se trompe pas !
J. VERNE, l'Île mystérieuse, t. II, p. 674.

Mains de femme qui manient l'aiguille (cit. 2 et 4). *Manier le fléau* (cit. 1) *à deux mains. Actionner un appareil avec la main.* ⇒ **Manipuler.** *Main qui tourne une manivelle*.*

À MAIN, qui se manœuvre avec les mains. *Levier à main.* ⇒ **Manche** (à balai) ; **manette.** *Frein* à main.*

Vieilli. *Outil bien à la main,* d'un maniement facile. — Par ext. *Être bien à la main, en main* (vx), *être à sa main :* être commodément placé, installé pour effectuer un travail. *Changez de place, vous serez mieux à votre main.* — (1949, in D. D. L.) *Coureur cycliste qui monte les côtes à sa main,* avec aisance, sans effort apparent.

77   Je serai mieux en main pour vous conter la chose.
MOLIÈRE, la Princesse d'Élide, I. 2.

Travailler de ses mains. ⇒ **Manuellement.** *Travail manuel qui occupe, assujettit* (cit. 10) *les mains. Tours* de main d'un prestidigitateur. Malaxer*, pétrir* avec les mains.* — *Morceau de piano à quatre mains,* que deux personnes exécutent sur le même clavier. *Jouer à quatre mains . — Dessin* à main levée.*

78   Je suis un gosse de riche, un intellectuel, un type qui ne travaille pas de ses mains.
SARTRE, les Mains sales, III, 3.

(Par oppos. à la machine et à tous les procédés mécaniques). À LA MAIN. *Article* (cit. 15) *écrit à la main.* ⇒ **Manuscrit.** *Nouvelles* à la main.* — *Produits fabriqués à la main* (⇒ **Manufacture**). *Broderie faite à la main. Écharpe peinte à la main. Tisserand à la main* (→ Appartenir, cit. 35). *Coudre*, piquer à la main.*

Appos. *Du cousu* main.*

(Vieilli). *Ouvrages de la main :* ouvrages de couture, de broderie, etc. *Mots écrits* (cit. 4), *tracés d'une main rapide. Écrire de la main gauche. Je ne puis vous écrire de ma main,* personnellement (⇒ **Autographe**). — Par ext. Écriture (d'une personne). *Avoir une belle main. « Pourquoi désavouer* (cit. 1) *un billet de ma main ? »* (Molière).

Ancient. *Secrétaires de la main,* qui imitaient l'écriture et la signature du roi.

79   (...) son père ayant voulu profiter d'une occasion pour le faire entrer au ministère, en vantant *la main superbe* de son fils. BALZAC, les Petits Bourgeois, t. VII, p. 77.

80   Hyacinthe (...) possédait ce qu'on appelait alors une belle main ; c'est-à-dire qu'il était calligraphe.
FRANCE, le Petit Pierre, XXII.

b Manière de procéder, d'exécuter un travail ou une œuvre quelconque. *Reconnaître la main de qqn, d'un auteur, d'un artiste.* ⇒ **Griffe, patte, touche.** — (Surtout dans des loc.). *Avoir la main légère*. Accordéoniste qui a une bonne main gauche,* un bon jeu de la main gauche. — *Le tour* de main d'un artisan.* ⇒ **Adresse** (→ Aptitude, cit. 11). — *Portrait filé* (cit. 9), *tracé de main de maître** (→ Implacable, cit. 9), *de main d'ouvrier*.* — Absolt. Habileté professionnelle. *Violoniste qui s'est gâté la main.* — *Ce petit travail lui fera la main. Se faire, s'assurer la main.* ⇒ **Apprendre ; apprentissage ; entraîner** (s'), **exercer** (s').

81   (...) plusieurs de mes livres n'ont été qu'une façon de me faire la main, d'éprouver tour à tour mon instrument et la matière, ou encore d'explorer des territoires qu'il s'agirait un jour d'occuper et d'organiser.
J. ROMAINS, les Hommes de bonne volonté, t. I, Préface, p. v.

82   « Il connaît son affaire ». « Je veux ! dit le typo. Il couche à deux piaules de moi, le soir on n'entend que lui : il se fait la main sur les copains. »
SARTRE, la Mort dans l'âme, p. 239.

Spécialt, par métonymie. Cout. *Petite main :* apprentie couturière* ou ouvrière débutante qui n'est pas encore d'une habileté consommée.

Loc. HOMME À TOUTES MAINS, capable d'effectuer toutes sortes de travaux. *Nous cherchons un homme à toutes mains pour aider le jardinier, faire de petites réparations dans la maison...*

c Fig. LA MAIN représentant la partie agissante de l'être, ses efforts ou ses capacités individuelles. *La main de nos pères* (→ Caractère, cit. 10). *« Tout dégénère* (cit. 8) *entre les mains de l'homme ».*

DE (LA, LES...) MAIN(S). *Animaux* (cit. 17) *faits de la main de Dieu,* par Dieu. *Lac artificiel, creusé de main d'homme. « Le plus beau livre* (cit. 11) *qui soit parti de la main d'un homme ». — Pièce qu'il forgea* (cit. 1) *de sa propre main,* lui-même. *Elle les invite à goûter* (cit. 2) *une omelette de sa main,* de sa confection. — Fam., iron. *De ma, sa... blanche main. « Voilà votre thé, fait de ma blanche* (cit. 5) *main »* (Musset). *Il dressa le bûcher* (cit. 5) *de ses propres mains. Abri qu'il s'est construit* (cit. 1) *de ses mains.* —

« Faire valoir une terre, un champ, etc., par ses mains » (Académie), l'exploiter soi-même, sans fermier.

Tout lui passe par les mains : il s'occupe personnellement de tout (→ Apprêt, cit. 2 ; laboratoire, cit. 8). — *Passer par les mains de qqn,* avoir affaire à lui (→ aussi Lécher, cit. 8).

Vx. *Changer un enfant de mains,* de précepteur (→ Bombarder, cit. 3).

83　Les cieux racontent la gloire de Dieu, et le firmament publie les ouvrages de ses
　　mains.　　　　　　　　　　　　　　BIBLE (SACY), Psaumes de David, XVIII, 1.
84　C'était encore Monsieur le Duc qui était Lieutenant général de jour, et voici la
　　troisième affaire qui passe par ses mains.　　RACINE, Lettres, 102, 24 juin 1692.
85　Elle *(la paix)* sera, Créon, l'ouvrage de vos mains.　RACINE, la Thébaïde, III, 5.
86　Mais il faut qu'en ami je vous montre la lettre.
　　Tout ce que son cœur sent, sa main a su l'y mettre.
　　　　　　　　　　　　　　　　　　MOLIÈRE, l'École des femmes, III, 4.
87　L'étude de mon patron rapporte annuellement entre ses mains une vingtaine de
　　mille francs ; mais je crois qu'entre les miennes elle en vaudra quarante.
　　　　　　　　　　　　　　　　　　BALZAC, Gobseck, Pl., t. II, p. 639.
88　Comment le clergé n'eut-il pas défendu ces rois, élevés par ses mains, et recevant
　　de lui une éducation toute cléricale ?　　MICHELET, Hist. de France, IV, V.
89　(...) après avoir passé par les mains d'un grossier pédagogue (...) il fut remis aux
　　soins d'un bon et solide professeur (...)
　　　　　　　　　　　BAUDELAIRE, les Paradis artificiels, « Mangeur d'opium », II.

Littér. (En un sens très général). ⇒ **Action, effet, œuvre.** *La main du destin, du temps...*

90　Le style du dix-septième siècle, celui qui a été consacré par nos classiques, n'a pas
　　pour cela été à l'abri des mutations, et la main du temps s'y est déjà tellement fait
　　sentir, qu'à bien des égards il nous semble appartenir à une langue étrangère (...) -
　　　　　　　　　　　　　　　　　　LITTRÉ, Dict., Préface, p. II.
91　Le XXᵉ siècle n'a pas encore fini de se lever... Mais on reconnaît sa main par-
　　tout. Il arrange la foule à sa façon, retape vivement un étalage. La main du siè-
　　cle pénètre au fond des bureaux, jusque dans la région des lampes toujours allu-
　　mées.
　　　　　　　　　J. ROMAINS, les Hommes de bonne volonté, t. III, XXIII, p. 302-303.

(Avec une épithète d'ordre moral). *Mes mains ne sont pas cri-minelles* (cit. 3). *Mains innocentes* (→ Être, cit. 99), *meurtriè-res* (→ Éteindre, cit. 7), *sacrilèges* (→ Impiété, cit. 4), *hardies* (cit. 13). *Les Français ont une main avare* (cit. 3) *et une autre pro-digue. Mes mains fraternelles* (cit. 5).

(Locutions avec *mettre*). *Mettre la main à l'ouvrage, à la pâte*. ⇒ **Travailler** (→ Atelier, cit. 2). — Spécialt. *J'ai un travail pressé et je n'y ai pas encore mis la main.* ⇒ **Entreprendre.** *Mettre la main à la plume :* commencer une lettre. — *Mettre la dernière main à une œuvre, à une tâche.* ⇒ **Achever, finir, terminer** (→ Ajustement, cit. 6).

92　(...) par le conseil de mes plus doctes amis, j'ai changé, mué, abrégé, allongé beau-
　　coup de lieux en ma Franciade pour la rendre plus parfaite, et lui donner sa der-
　　nière main.　RONSARD, Œuvres en prose, « La Franciade », Au lecteur.
93　(...) chaque civilisation a mis la main au travail ; ce pan de mur est romain, cette
　　tour est gothique, et ces créneaux sont arabes.
　　　　　　　　　　　　　　　　　　Th. GAUTIER, Voyage en Espagne, p. 128.

Donner*, prêter la main à qqn pour faire qqch. ⇒ **Aider ; appui ; main-forte.** *Donner un coup* de main.* ⇒ **Aide.** — *Donner, prêter les mains* (vx), *la main à un projet* (⇒ **Favoriser**), *à un crime.* ⇒ **Com-plice** (être).

94　Madame, qui le sait, donne les mains à leur union.
　　　　　　　　　　　　　　　　　　BEAUMARCHAIS, la Mère coupable, I, 4.
95　La Cour donna ainsi la main aux républicains pour briser son dernier espoir, annu-
　　ler l'action de l'Assemblée.　MICHELET, Hist. de la Révolution franç., IX.
96　(...) comme la moisson commençait, il donna un coup de main, resta six semaines
　　encore ; de sorte que, le voyant si bien mordre à la culture, le fermier finit par le
　　garder tout à fait.　　　　　　　　　ZOLA, la Terre, II, I.

LA MAIN symbolisant l'activité, l'action.
Avoir les mains libres, la liberté, la permission d'agir à sa guise. *Je vous laisse les mains libres,* toute latitude (cf. Carte blanche).

97　Les assises européennes allaient, en effet, s'ouvrir *(à Vienne)* : Talleyrand irait
　　encore y représenter la France (...) n'ayant plus rien à demander, il aurait les cou-
　　dées franches et les mains libres (...)　Louis MADELIN, Talleyrand, IV, XXIX.

Forcer* (cit. 7) *la main à qqn.* — *Lier** (cit. 27 et 28) *les mains à qqn. Se lier** (cit. 27 et 30) *les mains.*

98　(...) le gouvernement sage *(en Angleterre)* où le prince, tout puissant pour faire le
　　bien, a les mains liées pour faire du mal (...)
　　　　　　　　　　VOLTAIRE, Mélanges historiques, « Lettres philosophiques », VIII.

Avoir la main heureuse* (cit. 13).

Fam. *Avoir un poil* dans la main.* ⇒ **Paresseux** (être).

Faire des pieds et des mains pour... : faire tous ses efforts, mul-tiplier les démarches pour (aboutir à un certain résultat). ⇒ **Dent** (→ Décider, cit. 28).

Spécialt. DE LONGUE MAIN : depuis longtemps. *Ouvrage préparé de longue main,* auquel on a depuis longtemps consacré ses efforts et ses soins. *Être familiarisé* (cit. 9) *de longue main avec...*

99　Juno, déesse arrogante et austère,
　　De longue main savait tout ce mystère (...)
　　　　　　Clément MAROT, Métamorphoses, II, Œ. compl., t. II, p. 213.
100　On voyait qu'ils se connaissaient de longue main et se tenaient souvent compagnie
　　dans la solitude du château.　　Th. GAUTIER, le Capitaine Fracasse, I.
101　(...) sans alliances ménagées de longue main, les positions principales lui man-
　　quaient.　　　　　　　　　　　　SAINTE-BEUVE, Volupté, p. 30.

♦ **6.** LA MAIN considérée par rapport aux gestes expressifs ou sym-boliques.

De la main, il lui fit signe d'avancer, de se taire... Arrêter, inviter (cit. 12) *qqn de la main. Saluer de la main. Montrer de la main, d'un geste* (cit. 18) *de la main. Étendre* (cit. 3) *la main pour dési-gner qqn, qqch.* (→ Ceci, cit. 2 ; honneur, cit. 89).

Voyez-le, cet ange de la peste (...) la main gauche désignant l'une de vos maisons. -　102
　　　　　　　　　　　　　　　　　CAMUS, la Peste, p. 111.

Se frotter (cit. 14) *les mains de contentement. Se tordre les mains de désespoir. Croiser les mains. Joindre les mains pour prier* (→ Confesse, cit. ; hésitation, cit. 10). *Je vous en supplie les mains jointes* (cf. À genoux). *Lever* les mains au ciel* (→ Fétiche, cit. 2). *Battre* (cit. 47) *des mains.* ⇒ **Applaudir.** *Battement* (cit. 3) *des mains.* ⇒ **Applaudissement** (cit. 4). *J'y applaudis, j'y souscris des deux mains,* avec empressement, chaleureusement.

(...) la vue égarée et les mains élevées vers le ciel (...) « Dieu... ô mon Dieu, sau-　103
vez-moi ! » s'est-elle écriée (...)　　LACLOS, les Liaisons dangereuses, XLIX.
(...) je vous en supplie ! je vous en conjure, au nom du ciel, à mains jointes, mon-　104
sieur, je me mets à vos pieds, permettez-moi de l'épouser.
　　　　　　　　　　　　　　　　　HUGO, les Misérables, IV, VIII, VII.

Lever* la main droite pour prêter serment*. Levez la main droite et dites : je le jure ! — Haut* (cit. 84) *les mains ! Levez* (1. Lever, cit. 8) *les mains ! — Voter* à mains levées.*

Appuyer, mettre la main sur son cœur, pour protester de sa sincé-rité ou de son innocence (→ Chanteur, cit. 1). — Fig. *La main sur le cœur, sur la conscience** (cit. 21), en toute sincérité.

(...) les gouvernements protestant, la main sur le cœur, de leur volonté pacifique,　105
et jurant leurs grands dieux qu'ils ne sont absolument pour rien dans ce curieux
déchaînement d'épidémie.　BERNANOS, les Grands Cimetières sous la lune, p. 174.

Baiser (cit. 6) *la main d'une femme* (⇒ **Baisemain**). *Donner sa main à baiser* (→ Galanterie, cit. 15).

Et elle lui tendit sa petite main, qu'il baisa avec respect.　　　　　　　106
　　　　　　　　　　　　　　　　　LOTI, les Désenchantées, III, XIII.

Fig. Iron., vx. *Baiser* les mains à qqn,* lui tirer sa révérence, reje-ter ce qu'il propose.

Je vaux bien que de moi l'on fasse plus de cas,　　　　　　　　　107
Et je baise les mains à qui ne me veut pas.　MOLIÈRE, les Femmes savantes, V, 4.

REM. Après le XVIIIᵉ siècle, l'expression ne s'emploie plus que pour exprimer le respect à l'égard d'une femme.

Je vous baise les deux mains, Princesse, et suis toujours, sous tous les régimes poli-　108
tiques, votre vieux fidèle.　FLAUBERT, Correspondance, 1206, 6 sept. 1871.

Loc. div. *Les mains m'en tombent* (d'étonnement). ⇒ **Bras.** *En mettre sa main au feu*, sa main à couper* (cit. 45). → *En jurer, en mettre sa tête à couper.*

Et quand on disait « j'en mettrais ma main au feu », le feu était là.　　108.1
　　　　　　　　　F. MALLET-JORIS, le Jeu du souterrain, p. 63.

Se couper (au conditionnel) *la main plutôt que de... :* renoncer à qqch. plutôt que d'utiliser un moyen qu'on réprouve pour l'obtenir.

C. Ellipt. La personne qui agit (littér. et vieilli, sauf dans : *en... mains*). *Un enfant en bien mauvaises mains. L'affaire est en bonnes mains. Ne vous inquiétez pas, votre argent est en mains sûres. Des mains fidèles* (→ Annale, cit. 1). *Une main profane a osé... Une main facétieuse* (cit. 3). *Frappons à la tête et plaignons les mains servi-les qui ont exécuté* (cit. 12). *« Je tiens ce cadeau d'une main bien chère »* (Littré).

(...) combien elle *(notre religion)* devait avoir de force et de divinité à maintenir　109
sa dignité et sa splendeur parmi tant de corruption et en mains si vicieuses.
　　　　　　　　　　　　　　　　　MONTAIGNE, Essais, II, XII.
Vous dépendez ici d'une main violente (...)　　RACINE, Mithridate, IV, 2.　　110

★ **II.** ♦ **1.** Zool. Partie du membre antérieur des vertébrés tétrapo-des, homologue de la main chez l'homme, spécialt lorsqu'elle a un pouce opposable (singes). ⇒ **Quadrumane.** *Mains du gibbon* (cit. 1). *Main de gorille* (cit. 2).

La main, longue chez tous les Anthropoïdes, a cependant tous les caractères d'une　111
main et ne ressemble en rien au pied antérieur des autres quadrupèdes... Le pied
des Anthropoïdes est un véritable pied et non une main, comme cer-tains auteurs l'ont autrefois prétendu.　URBAIN et RODE, Singes anthropoïdes, p. 57.

Mains d'un perroquet, ses pattes. — Fauconn. ⇒ **Serre.**

♦ **2.** Bot. Vrille des plantes sarmenteuses.

★ **III.** Par anal. ♦ **1.** [a] (Images de mains).

Main de justice : main d'ivoire ou de métal précieux à l'extrémité d'un sceptre, « symbole de la main divine qui investit le monarque de son autorité de justicier de droit divin » (Réau) ; ce sceptre lui-même. *Main de justice que portait Napoléon à la cérémonie du sacre* (→ Couronne, cit. 8).

(...) le sceptre qui surmonte son autoritaire verticalité d'une « main de justice » ou　111.1
d'une « fleur de lys »
　　　Gilbert DURAND, les Structures anthropologiques de l'imaginaire, p. 153.

Main de Fatma : bijou arabe, amulette* en forme de main à deux pouces.

On pourrait situer comme moyen terme sur ce trajet qui va de l'objet naturel au　111.2
talismanique au signe idéal, la pratique du geste talisman dont la corne ou la main,
précisément, nous fournissent de nombreux exemples : *mano cornuta* des Italiens
ou *mano fica* qui conjurent le mauvais sort ou qui servent à jeter un sort ; amulette
islamique en forme de main ouverte, ou encore geste de la bénédiction et de l'exorcisme judéo-chrétien, innombrables postures corporelles ou simplement manuelles
de l'ascèse tantrique du Yoga, comme du théâtre chinois ou japonais.
　　　Gilbert DURAND, les Structures anthropologiques de l'imaginaire, p. 161-162.

La Main rouge, la Main noire, emblèmes d'organisations occultes et terroristes ; ces organisations.

Antiq. *Main votive :* main de marbre ou de bronze offerte à un dieu en ex-voto.

b Zool. *Main de mer.* ⇒ **Alcyon.**

c MAIN DE TOILETTE, MAIN. ⇒ **Gant.** *Main-éponge.*

111.3 La main-éponge qu'il avait accrochée à un clou, au-dessus de l'évier, dégoulinait mécaniquement sur une bassine de fer renversée.
J.-M. G. LE CLÉZIO, la Fièvre, p. 107.

♦ **2.** Techn. Poignée (de tiroir*). *Main fixe, pendante.*

Anneau de fer auquel on attache l'anse du seau, à l'extrémité d'une corde à puits.

Autom. Pièce du cadre de châssis à laquelle s'attache l'extrémité d'un ressort. *Main de ressort.*

Pièce de fer coudée servant à soulever des fardeaux.

♦ **3.** Techn. Apprêt donné à une étoffe. — Tenue (d'une matière souple). *Ce papier n'a pas assez de main, il se froisse trop facilement.*

111.4 Les anciens règlements n'étant plus observés, on fabrique maintenant des tissus imprimés, de largeur variable, rehaussés d'or faux. Le fil étant plus mince, le décor prend une apparence plus sèche, l'étoffe n'a pas « de main », et même lorsque dans les ameublements officiels de l'Empire on accumulera les richesses, l'aspect restera froid (...) Michèle BEAULIEU, les Tissus d'art, p. 95.

♦ **4.** Techn. (papet.). Assemblage de vingt-cinq feuilles de papier (→ 2. Bas, cit. 6). *Une rame* se compose de vingt mains.*

112 Voici, mon cher ami, ce que je vous dédie :
Quelque chose approchant comme une tragédie,
Un spectacle, en un mot, quatre mains de papier.
A. DE MUSSET, Premières poésies, « La coupe et les lèvres », Dédicace.

112.1 (...) Jean tournait le bouton de la porte vitrée du papetier-épicier-droguiste qui sonnait en s'ouvrant, et demandait du papier écolier. « C'est une main qu'il vous faut, monsieur ? » demandait le patron aimable et boiteux et, sautant sur sa béquille, il apportait une belle main si vaste, si unie, si douce, si brillante que Jean pensait souvent que c'était une de ces choses belles qu'il se désolerait de ne pouvoir acheter si elles coûtaient très cher. « Vous pouvez même m'en donner deux mains », ajoutait-il en souriant. PROUST, Jean Santeuil, Pl., p. 52 .

♦ **5.** Dr. MAIN COMMUNE : clause des régimes matrimoniaux par laquelle les époux conviennent de l'administration conjointe de leurs biens.

♦ **6.** Sorcell. MAIN DE GLOIRE OU MAIN-DE-GLOIRE (par altér. de *mandragore* ; var. *mandegloire*). Racine de mandragore qui, placée auprès d'une certaine somme d'argent, passait pour la doubler. — Par ext. (la mandragore qui poussait au pied des potences étant particulièrement réputée pour ses propriétés magiques). Main de pendu desséchée à laquelle on attribuait des propriétés magiques.

113 On prend la main coupée d'un pendu, qu'il faut lui avoir achetée avant la mort ; on la plonge, en ayant soin de la tenir presque fermée, dans un vase de cuivre contenant du zimac et du salpêtre, avec de la graisse de *spondillis*. On expose le vase à un feu clair de fougère et de verveine, de sorte que la main s'y trouve, au bout d'un quart d'heure, parfaitement desséchée et propre à se conserver longtemps. Puis, ayant composé une chandelle avec de la graisse de veau marin et du sésame de Laponie, on se sert de la main comme d'un martinet pour y tenir cette chandelle allumée ; et, par tous les lieux où l'on va, la portant devant soi, les barres tombent, les serrures s'ouvrent, et toutes les personnes que l'on rencontre demeurent immobiles. Cette main ainsi préparée reçoit le nom de *main de gloire.*
NERVAL, Contes..., « La main enchantée », XII.

♦ **7.** MAIN COURANTE. **a** Archit. ⇒ **Courant.**

b Comm. Vieilli. Livre de commerce où les opérations sont notées à mesure qu'elles se font. ⇒ 2. **Brouillard** (2.). *Employé qui tient la main courante.* ⇒ **Maincourantier.** — Registre sur lequel on note les déclarations, les réclamations, etc., dans certaines administrations.

DÉR. et **COMP. Manette, manier, manière, menotte.** — **Appuie(-)main, arrière-main, avant-main, baisemain, essuie-main(s), garde-main, sous-main, tournemain.** — **Main-d'œuvre, main-forte, mainlevée, mainmette, mainmorte.** — (Du même rad.) **Manuel.** — **Maintenir, manœuvre, manucure, manufacture, manumission, manuscrit, manutention.** — **Aquamanile, bimane, ombromanie, pédimane, quadrumane.** — Cf. aussi le préf. **Chiro-.**

HOM. Maint.

MAINATE [mɛnat] n. m. — 1775 ; orig. incert. ; p.-ê. d'un mot malais.

♦ Passereau noir *(Sturnidés)* originaire de Malaisie, au bec orangé et à caroncules jaune vif, capable d'imiter la parole humaine.

Le mainate a beaucoup de talent pour siffler, pour chanter et pour parler.
BUFFON, Hist. nat. des oiseaux, t. VI, p. 132.

MAINCOURANTIER [mɛkuRɑ̃tje] n. m. — Attesté xxᵉ ; de *main courante,* → Main, III., 7., b.

♦ Comm. Employé chargé de tenir la main* courante.

Je fus tour à tour garçon dans un restaurant de Montparnasse (...) maincourantier à l'Hôtel Lapérouse. R. GARY, la Promesse de l'aube, p. 200.

MAIN-D'ŒUVRE [mɛdœvR] n. f. — 1706 ; de *main,* et *œuvre.*

♦ **1.** Travail* de l'ouvrier ou des ouvriers participant à la confec-

tion d'un ouvrage, à la fabrication d'un produit. ⇒ **Façon.** *Le coût de la main-d'œuvre intervient dans le calcul des prix de revient, mais non dans l'élaboration des indices* (cit. 14). — Prix de ce travail par rapport au prix de revient d'un ouvrage, d'un produit. *Main-d'œuvre coûteuse, bon marché.*

La *main-d'œuvre* se dit en général du travail pur et simple de l'ouvrier, sans avoir égard à la matière qu'il emploie : ainsi en orfèvrerie même, quelquefois le prix de la *main-d'œuvre* surpasse celui de la matière. Encycl. (DIDEROT), art. *Main.* [1]

Ces divers travaux se faisaient rapidement, sous la direction de l'ingénieur, qui maniait lui-même le marteau et la truelle. Aucune main-d'œuvre n'était étrangère à Cyrus Smith, qui donnait ainsi l'exemple à ses compagnons intelligents et zélés. J. VERNE, l'Île mystérieuse, t. I, p. 249. [1.1]

Le contrat de salariat ou « de travail » implique absolument que l'ouvrier ne fournit que la main-d'œuvre ; s'il fournit aussi la matière première, en ce cas il n'est plus salarié, il est entrepreneur. Il ne loue plus son travail ; il vend le produit de son travail, ce qui est bien différent. Charles GIDE, Cours d'économie politique, t. II, p. 312 (→ Entrepreneur, cit. 9). [2]

♦ **2.** Par métonymie. Ensemble des salariés, et, spécialt, des ouvriers, des travailleurs manuels (d'une entreprise, d'un corps de métier, d'un pays). *Main-d'œuvre agricole, étrangère, féminine. Main-d'œuvre immigrée :* travailleurs étrangers. *Main-d'œuvre du bâtiment. Abondance ou rareté de la main-d'œuvre. Pays qui souffre d'une crise de la main-d'œuvre. Problèmes de main-d'œuvre et de chômage.* → aussi Plein emploi. *Réquisition de la main-d'œuvre en cas de guerre* (→ Embauchage, cit. 1).
Service central, départemental de la main-d'œuvre. Direction de la main-d'œuvre au ministère du Travail.

(...) au moyen d'un léger accroissement d'outillage, et à condition de retrouver un peu de main-d'œuvre (...) la petite usine (...) réussirait à sortir cent paires de « grosses godasses » par jour (...) J. ROMAINS, les Hommes de bonne volonté, t. XVI, XVII, p. 168. [3]

La coopérative de main-d'œuvre est une modalité de l'association ouvrière de production (...) le patron capitaliste subsiste, et conserve la *partie commerciale de sa fonction ordinaire,* en particulier les rapports avec la clientèle. Mais, *pour l'exécution du travail,* il entre en négociation avec l'ensemble des ouvriers de l'entreprise, formant une équipe qui désigne un chef. PIROU et BYÉ, Traité d'économie politique, t. I, p. 306-307. [4]

MAIN-FORTE [mɛfɔRt] n. f. — V. 1360 ; de *main,* et *forte.*

♦ **1.** Vx. *À main-forte :* à main armée, par la violence.

Avec trente soldats elle a saisi la porte
Et tirant de ce lieu Théodore à main-forte (...) CORNEILLE, Théodore, IV, 3. [1]

♦ **2.** Assistance donnée à qqn pour exécuter qqch., généralement dans des circonstances difficiles ou périlleuses. ⇒ **Aide, appui, assistance, main** (coup de). — Loc. mod. *Donner, prêter main-forte.*

(...) Peters exprima sa résolution de tenter à tout hasard de s'emparer du navire, pourvu qu'Auguste lui prêtât main-forte. BAUDELAIRE, Trad. E. POE, les Aventures d'A. Gordon Pym, VII. [2]

Quand ma toilette fut achevée, je me décidai à prêter main-forte à mon ami, et j'entrai dans sa chambre (...) Samuel (...) dans une attitude de consternation résignée (...) attendait que je vinsse à son secours. LOTI, Aziyadé, III, XXX. [3]

Spécialt. Accorder son concours à la justice, à la force publique, ou à leurs représentants. « *Donner, prêter main-forte à l'exécution des lois, des jugements, des ordonnances* » (Académie).

Javert avait réclamé main-forte à la Préfecture (...) HUGO, les Misérables, II, V, X. [4]

(...) Malouet voulait qu'on priât le Roi d'user de sa puissance de prêter main-forte au pouvoir municipal. Le roi aurait armé, et le peuple non (...) MICHELET, Hist. de la Révolution franç., II, III. [5]

REM. *Main-forte* est rare avec d'autres verbes que *donner* et *prêter* (→ ci-dessus, cit. 4).

MAINLEVÉE [mɛlve] n. f. — 1384 ; de *main,* et *lever.*

♦ Dr. Acte judiciaire, administratif ou volontaire qui met fin aux effets d'une saisie*, d'une opposition*, ou qui permet la radiation de l'inscription (cit. 5) d'une sûreté. *Demander, obtenir, accorder la mainlevée du séquestre. Mainlevée partielle, totale d'une hypothèque. Mainlevée amiable* (ou *volontaire*) « consentie par l'auteur de la mainmise ou par le bénéficiaire de la sûreté » (Capitant).

(...) je vous apporte dès demain une main-levée *(sic)* de cette opposition pardevant notaires. FURETIÈRE, le Roman bourgeois, I, p. 53. [1]

En cas d'opposition, l'officier de l'état civil ne pourra célébrer le mariage avant qu'on lui en ait remis la mainlevée (...) Code civil, art. 68. [2]

Vauvinet ayant signé sa mainlevée, désormais il était indispensable de retrouver le titulaire pour toucher l'arriéré. BALZAC, la Cousine Bette, Pl., t. VI, p. 498.

MAINMETTRE [mɛmɛtR] v. tr. — 1324 ; de *main,* et *mettre.*

♦ Féod. *Mainmettre un serf,* l'affranchir.

DÉR. Mainmise.

MAINMISE [mɛmiz] n. f. — 1342 ; p. p. adj. fém. de *mainmettre.*

♦ **1.** Féod. Affranchissement d'un serf (⇒ **Manumission**).

♦ **2.** Anc. Dr. ⇒ **Confiscation, saisie.**

♦ **3.** (Fin XVIIᵉ). Mod. Action de prendre, de s'emparer de qqch. ⇒ **Prise, rafle** (→ Mettre la main* sur ; faire main basse sur).

Mainmise d'un État sur des territoires étrangers (→ Cristalliser, cit. 2).

1 Et quel rôle joue dans la politique anglaise l'affaire du chemin de fer de Bagdad ? la mainmise allemande sur une ligne qui relie Constantinople au golfe Persique, c'est-à-dire qui mène droit aux Indes, et qui menace le canal de Suez d'une concurrence vitale !   MARTIN DU GARD, les Thibault, t. VII, p. 158.

(Déb. xxᵉ). Par métaphore. Prise de possession, domination.

2 (...) l'humanité atteindra à de grandes choses, je veux dire à une mainmise vraiment grandiose sur la matière qui l'environne, à une conscience vraiment joyeuse de sa puissance et de sa grandeur.
                    Julien BENDA, la Trahison des clercs, p. 262.

Influence de caractère tyrannique et exclusif. ⇒ **Ascendant, emprise.** *Mainmise de l'État moderne sur l'individu* (→ Assujettir, cit. 6).

MAINMORTABLE [mɛ̃mɔrtabl] adj. — 1372, n. f. ; de *mainmorte*.
Droit.

♦ **1.** Féod. Assujetti au droit de mainmorte. *Vassal mainmortable. Terre mainmortable,* ou, n. m, *un mainmortable.*

Une infinité de terres que des hommes libres faisaient valoir se changèrent en mainmortables.   MONTESQUIEU, l'Esprit des lois, XXX, XI.

♦ **2.** Mod. Dont les biens inaliénables (ou *biens de mainmorte*) ne donnent pas ouverture aux droits de succession. *Congrégation, société mainmortable.* — Par ext. *Immeubles mainmortables.*

MAINMORTE [mɛ̃mɔrt] n. f. — 1213 ; de *main* « possession, autorité », et *morte*.
Droit.

♦ **1.** Féod. *Droit de mainmorte* : droit pour le seigneur de disposer des biens laissés par son vassal à sa mort. — *Gens de mainmorte* : les serfs et personnes de condition analogue, incapables, en vertu des droits féodaux, de transmettre leurs biens à leur mort.

♦ **2.** Mod. *Personnes de mainmorte* : personnes juridiques ou morales, « collectivités qui ont une existence propre et qui subsistent indépendamment des mutations qui se produisent dans leurs membres » (Loi du 31 mars 1903). — *Biens inaliénables* des personnes de *mainmorte* (communautés* religieuses, hospices, sociétés savantes...). *Taxe des biens de mainmorte. L'amortissement* payé par les mainmortables sous l'Ancien Régime préfigurait la taxe moderne des biens de mainmorte.

Dans cette vieille antipathie pour ce qu'on appelle la *mainmorte*, il y a à la fois une cause économique, l'idée que les biens appartenant à des collectivités seront mal administrés et en tout cas retirés de la circulation et du commerce pour une durée indéfinie, et plus encore une cause politique, la crainte de voir ces associations devenues puissantes se dresser contre l'État et se substituer à lui pour les grands services sociaux.   Charles GIDE, Cours d'économie politique, t. III, p. 155.

DÉR. **Mainmortable.**

MAINT, MAINTE [mɛ̃, mɛ̃t] adj. et pron. indéf. — Déb. xiiᵉ ; p.-ê. gaul. *mantĕ* ou germanique *manigipó* « grande quantité ». Cf. aussi all. *Mange* « quantité », et *manch* « maint, nombreux » ; angl. *many,* même sens.

♦ Plusieurs*, un grand nombre de...

REM. 1. *Maint,* fréquemment employé du xiiᵉ au xviᵉ siècle, était considéré comme vieux ou burlesque au xviiᵉ siècle (cf. Richelet, Furetière, et cit. ci-dessous). Scarron, M. Régnier, La Fontaine (→ Argumenter, cit. 2 ; aventure, cit. 21 ; chanvre, cit. 1 ; expirer, cit. 2 ; leçon, cit. 1), Boileau (→ Armoirie, cit. 1), Molière (→ Bosse, cit. 1) l'emploient. Au xviiiᵉ siècle il est rare (cf. cependant Chaulieu *in* Littré, et Voltaire ci-dessous) ; Littré note en 1874 qu'« il a repris une juste faveur ». De nos jours, il est employé, surtout au pluriel, dans la langue littéraire et dans certaines locutions.

1 *Maint* est un mot qu'on ne devait jamais abandonner, et par la facilité qu'il y avait à le couler dans le style, et par son origine, qui est française.
                    LA BRUYÈRE, les Caractères, XIV, 73.

2 *Maint* a été condamné par Malherbe (IV, 336)... Oudin le donne à tous les genres et nombres (...) mais la *Requête des Dictionnaires* s'en moque, et Vaugelas le réserve à la poésie héroïque (I, 252) (...) On ne donnera encore ici lieu à bien des discussions, avant que La Bruyère fasse son oraison funèbre (...)
                    BRUNOT, Hist. de la langue franç., t. III, p. 298.

2. *Maint* se place avant le nom.

♦ **1.** Adj., au sing. *Allumer maint reflet, maint éclair* (→ Lamé, cit. 3, Samain). *En maint endroit...* (→ Latin, cit. 5, France). *Roches de mainte espèce* (→ Géologique, cit. Valéry). *Maint roman* (→ Grille, cit. 21, Paulhan).

3 On trouve mainte épine où l'on cherchait des roses (...)
                    J.-F. REGNARD, le Distrait, IV, 3.

4 Et, sans respect pour Jésus ni Marie,
De mainte laquais il fait mainte écurie (...)
                    VOLTAIRE, la Pucelle, I.

5 Je ne reproduirai pas ici les divers portraits de la duchesse de Bourgogne, qu'il faudrait transcrire de maint endroit et surtout copier chez Saint-Simon (...)
                    SAINTE-BEUVE, Causeries du lundi, 6 mai 1850.

6 — Maint joyau dort enseveli
Dans les ténèbres et l'oubli (...)
Mainte fleur épanche à regret
Son parfum doux comme un secret
                    BAUDELAIRE, les Fleurs du mal, « Spleen et idéal », XI.

Au plur. *Mainte préoccupations, maintes réticences* (→ 1. Lancer, cit. 36, Gide). *Maints dangers* (→ Kayac, cit. Peisson). *Maints procédés* (→ Avérer, cit. 12, Daniel-Rops... et aussi inquiétant, cit. 3, Romains ; lequel, cit. 11, Colette).

Loc. Cour. *À maintes reprises.* — *Mainte fois* (rare) ; *maintes fois* (→ Imprimer, cit. 7, France ; ingambe, cit. 2, Gide). ⇒ **Souvent.**

7 (...) il sortit de la salle, non sans s'être retourné maintes fois.
                    G. DUHAMEL, Salavin, III, XXII.

Maint et maint (→ Bègue, cit. 2, Duhamel ; gouffre, cit. 4, La Fontaine), *maints et maints... Maintes et maintes fois ; à maintes et maintes reprises.* — REM. *Maint et maint* est généralement suivi du singulier (cf. cependant « *J'ai reçu maint et maint conseils* » J. et J. Tharaud, cités par Grevisse).

8 (...) cet avancement était attendu dans ma famille depuis des années. Maintes et maintes fois j'en avais entendu parler.   Jean DE LACRETELLE, Silbermann, VIII.

♦ **2.** Pron. indéf. Vx ou littér. ⇒ **Beaucoup, plusieurs.** *Maints d'entre eux...*

9 Ainsi en prend à maints et maintes.
                    VILLON, le Testament, Regrets belle Heaumière, LVI.

10 Prions, entre les morts, pour maints
De la terre et du Purgatoire (...)   VERLAINE, Liturgies intimes, XVII.

11 (...) il est évident que maintes des traditions qu'emporteront les Térahites procéderont de Sumer (...)   DANIEL-ROPS, le Peuple de la Bible, I, I.

CONTR. **Aucun.**
HOM. **Main.**

MAINTENAGE [mɛ̃tnaʒ] n. m. — 1931 ; de *maintenir.*

♦ Techn. Boisage pour maintenir les terres ; hourdage sur pente de 30 à 90°. — Régional (Nord), techn. « Largeur de taille ou hauteur de voie que l'ouvrier doit toujours tenir (dans la mine) » (*in* Wartburg).

1. MAINTENANCE [mɛ̃tnãs] n. f. — V. 1155 ; de *maintenir.*

♦ Vx. Action de maintenir, de confirmer. ⇒ **Confirmation, maintien, persévérance.** *Maintenance de la loi.*

HOM. **2. Maintenance.**

2. MAINTENANCE [mɛ̃tnãs] n. f. — 1953 ; mot angl. (1369, « soutien » ; 1460 dans ce sens), du franç. 1. *maintenance.*

♦ Maintien à leur nombre normal des effectifs et du matériel d'une troupe au combat. Services d'entretien de réparation, de stockage (moyens et personnel).

(1962). Techn. Maintien d'un matériel technique en état de fonctionnement ; ensemble des moyens d'entretien et de leur mise en œuvre. *Contrat de maintenance. Visites de maintenance.*

Cet aspect concerne le choix de la politique d'entretien (entretien préventif ou systématique, dépannages, etc.) et les prévisions de stock de pièces de rechange en fonction de la politique choisie, afin de rechercher l'optimum économique pour les coûts de maintenance.   Pierre CHAPOUILLE, la Fiabilité, p. 102.

HOM. **1. Maintenance.**

MAINTENANT [mɛ̃tnã] adv. — V. 1170 ; du p. prés. de *maintenir.*

♦ **1.** (xiiᵉ). Dans le temps actuel, au moment présent. ⇒ **Actuellement, aujourd'hui, ici** (4.), **moment** (en ce), **ores** (vx), **présent** (à), **présentement.** *C'était d'abord... ; c'est maintenant...* (→ Aspirant, cit. 1). *Autrefois* (cit. 3, 4 et 6) *et maintenant. Et maintenant ?* (→ Force, cit. 25). *Maintenant plus que jamais...* (→ Grenier, cit. 5). *C'est maintenant ou jamais.* « *Nous autres civilisations* (cit. 13), *nous savons maintenant que nous sommes mortelles* » (Valéry). *Maintenant encore...* (⇒ **Toujours).**

0.1 Il se disait : maintenant elle dort, maintenant elle est seule, son âme est entrouverte, maintenant elle est dans le monde, maintenant elle rit, maintenant elle se déshabille, elle est à prière, elle s'endort. Chaque heure lui devenant troublante et sacrée, comme ayant reçu l'essence de sa personne et les secrets de son intimité, il la respirait en tremblant ainsi qu'un mouchoir où elle aurait en le tenant dans sa main laissé un peu de son odeur.   PROUST, Jean Santeuil, Pl., p. 824.

1 Nous usons (...) de *maintenant*, qui remonte très haut dans le Moyen âge : *Supposons avec M. Rousseau, dit Grimm, que l'espèce humaine soit* maintenant *dans l'âge de vieillesse* (Ste-Beuve, Lundis, VII, 321). L'adverbe embrasse une grande portion de la durée. Dans l'exemple suivant, cette durée est beaucoup plus limitée : *Vous chantiez ? J'en suis fort aise : Eh bien ! dansez* maintenant (La Fontaine, Fabl., I, 1).   F. BRUNOT, la Pensée et la Langue, p. 456.

Avec un passé, dans un récit : cf. G. Sand (Assécher, cit. 2 ; brouette, cit.) ; Flaubert (Illusion, cit. 26 ; inégal, cit. 10 ; inflexion, cit. 5) ; Zola (Fosse, cit. 7) ; France (Arbre, cit. 31) ; Proust (Bouche, cit. 21 ; casino, cit. ; incruster, cit. 5) ; Loti (Aspect, cit. 29 ; bout, cit. 20) ; Martin du Gard (Baigner, cit. 20 ; basculer, cit. 3) ; etc. Cette tournure était condamnée par les grammairiens classiques :

2 *Maintenant* « se dit du temps présent par rapport à celui qui parle, qui raconte »

(Féraud). Ainsi l'abbé Prévost a eu tort d'écrire : «Elles renouvelèrent leurs éternelles complaintes sur les progrès du papisme; toujours le premier et *maintenant* l'unique sujet de leurs chagrins». Il fallait dire *et alors l'unique sujet*. Condillac signale une «petite faute» dans une période de Bossuet : «*Maintenant* chassée... elle *n'avait* ni assez de vent ni assez de voiles pour favoriser sa fuite...». Il fallait *elle n'a* (II, 204, Art d'écrire).

BRUNOT, Hist. de la langue franç., t. VI, p. 1919.

Ellipt. À partir du moment présent (avec un futur). «*C'est maintenant que nous allons être heureux*» (→ Beau, cit. 114, Molière). «*Maintenant les Français auront son bel ouvrage traduit fidèlement*» (cit. 1, Ronsard).

♦ **2.** (XXᵉ). En tête d'une phrase, pour marquer «un arrêt pour réflexion et réserve» (Damourette et Pichon), une pause où l'esprit, dépassant ce qui vient d'être dit, considère une possibilité nouvelle (→ Ceci dit*). *Voilà ce que je vous conseille; maintenant, vous ferez ce que vous voudrez. Maintenant, je ne garantis rien. Maintenant, ce que je vous en dis... c'est votre affaire, non la mienne. Maintenant le meurtrier aurait pu tarder...* (→ 2. Lieu, cit. 17).

3 On sait qu'un homme et une femme se voient beaucoup. Maintenant sont-ils amants? Qui sait? (...)
A. MAUROIS, Climats, II, XII.

♦ **3.** (Précédé d'une prép.). *De maintenant :* d'à présent, du jour (→ Ancien, cit. 14, Molière). — *Pour maintenant.* — *Dès* (cit. 5) *maintenant :* dès à présent. ⇒ **Désormais**. *À partir de maintenant* (cf. D'ores et déjà).

4 (...) la corruption des mœurs de maintenant ! MOLIÈRE, l'École des maris, I, 3.
5 Pour maintenant je conclus que deux choses nous sont évidentes (...)
BOSSUET, Traité du libre arbitre, III.

♦ **4.** Loc. conj. MAINTENANT QUE... : à présent que...; en ce moment où... (→ Astrologie, cit. 1 ; jaser, cit. 4). — (Avec un passé). → Barrière, cit. 15, Loti ; humain, cit. 7, Green ; inexprimable, cit. 7, Daudet.

6 Maintenant que Paris, ses pavés et ses marbres,
Et sa brume et ses toits sont bien loin de mes yeux ;
Maintenant que je suis sous les branches des arbres,
Et que je puis songer à la beauté des cieux (...) HUGO, les Contemplations, IV, XV.

7 (...) allait-il en avoir des embêtements, maintenant qu'ils lui savaient des sous! Il rentra au Château, désolé. ZOLA, la Terre, IV, III.

8 MAINTENANT QUE. — Cette locution peut marquer, comme la précédente *(une fois que)* la postériorité, mais attire surtout l'attention sur l'état qui dure au moment où se produit l'action principale (...) Mais, si bien en rapport qu'elle soit avec le moment de la parole, cette locution peut se faire suivre d'un temps passé (...) «*Maintenant qu'elle avait payé*, elle lui dirait tout» Maupassant, La parure. — On notera que cette locution prend souvent une valeur causale : «Vigneron s'écoute un peu *maintenant que le voilà* dans l'aisance» Becque, Corbeaux, I, 9 (= *car il est maintenant*, etc.).
G. et R. LE BIDOIS, Syntaxe du français moderne, § 1431.

CONTR. Autrefois (cit. 3, 4 et 6), hier, jadis, naguère. — Demain, tard (plus).
HOM. P. prés. du v. **maintenir.**

MAINTENEUR [mɛ̃tnœʀ] n. m. — V. 1460; *mainteneor*, v. 1155; de *maintenir.*

♦ **1.** Littér., rare. MAINTENEUR DE... : personne qui maintient (telle chose). ⇒ **Conservateur, gardien.** — REM. Le fém. *mainteneuse* est virtuel.

1 (...) celui *(A. France)* que j'ai toujours considéré comme un mainteneur du langage.-
G. DUHAMEL, le Temps de la recherche, V.
2 (...) le peuple français, que nous avions par trop tendance à considérer comme le mainteneur de ce que Pascal appelle l'esprit de finesse (...)
G. DUHAMEL, Manuel du protestataire, Préface, p. 11.

♦ **2.** Spécialt. (Hist. littér.). Dignitaire des Jeux floraux de Toulouse, depuis 1323.

MAINTENIR [mɛ̃tniʀ] v. tr. — Conjug. *tenir.* → Venir. — V. 1130, «protéger, défendre»; lat. pop. *manutenere* «tenir avec la main». → Tenir.

♦ **1.** (XIIᵉ). Conserver dans le même état; faire ou laisser durer*, subsister*. ⇒ **Conserver, entretenir, garder, tenir...** *Maintenir l'équilibre, l'ordre* (→ Licence, cit. 12), *la paix* (→ fort, cit. 41). *Maintenir l'égalité* (→ Force, cit. 49), *l'inégalité* (cit.8) *naturelle. Maintenir un régime* (→ Fédéraliste, cit.; général, cit. 2). *Maintenir un état de fait, le statu quo*. *Maintenir et sauver une tradition...* ⇒ **Continuer** (→ Gastronomique, cit. 4 ; homme, cit. 143). — *Chercher à maintenir ses privilèges. Maintenir sa candidature, ses prétentions... Maintenir un ordre* ⇒ **Confirmer.** — *Maintenir un grade* (cit. 6), *un titre à qqn...* ⇒ **Garder.** *Maintenir le pouvoir d'achat d'une catégorie sociale.*

1 (...) l'exactitude qu'on y avait *(en Égypte)* à garder les petites choses, maintenir les grandes. BOSSUET, Disc. sur l'hist. universelle, III, III.
2 Maintiendrai-je des lois que je ne puis garder ? RACINE, Bérénice, IV, 5.
3 Moins appliqués à dissiper ou à grossir leur patrimoine qu'à le maintenir (...)
LA BRUYÈRE, les Caractères, VII, 22.
4 Ce tribunal *(domestique)* maintenait les mœurs dans la république. Mais ces mêmes mœurs maintenaient ce tribunal. MONTESQUIEU, l'Esprit des lois, VII, X.
5 Elle retrouverait sa vie d'autrefois, rétablirait et maintiendrait le style de cette vie qui était sa part irremplaçable. MONTHERLANT, le Songe, I, VIII.
6 Poincaré, jusqu'à présent, se refusait à retirer sa candidature. On disait qu'il la maintiendrait même avec un vote défavorable le lendemain.
ARAGON, les Beaux Quartiers, II, VII.

Vx. «*Le bon Dieu vous maintienne*» (Molière, *le Dépit amoureux*, III, 4), formule de souhait.

Absolt. *Je Maintiendrai,* devise de la maison de Nassau (Pays-Bas).

7 Le jeu des nazis et de leurs collaborateurs a été de brouiller les idées. Le régime pétiniste s'est intitulé Révolution et les choses ont été si loin dans l'absurde qu'on a pu lire un jour, en manchette de *la Gerbe :* «Maintenir, telle est la devise de la Révolution Nationale». SARTRE, Situations III, p. 176.

(Avec un compl. d'état, de manière, ou un attribut). *Maintenir qqn dans un état, en un état* (→ 1. Calme, cit. 8). *Maintenir qqn en obéissance, en servitude* (→ Écraser, cit. 11). *Maintenir qqn dans ses fonctions, en fonctions.* ⇒ **Continuer.** *Maintenir une personne en paix, en vie* (→ Inappétence, cit. 2). *Maintenir qqn en respect.* ⇒ **Tenir** (→ Égal, cit. 6). *Maintenir une loi en vigueur** (→ Abroger, cit. 2).

8 Que le ciel vous maintienne en ces bons sentiments (...)
J.-F. REGNARD, les Folies amoureuses, II, 5.
9 Maintenez l'enfant dans la seule dépendance des choses, vous aurez suivi l'ordre de la nature dans le progrès de son éducation. ROUSSEAU, Émile, II.
10 En été, je dois, avec des tas de glace, maintenir la température au même degré de fraîcheur (...) BALZAC, la Peau de chagrin, Pl., t. IX, p. 168.
11 Il reprit, en essayant de ne pas donner de gravité à sa question, de la maintenir dans le ton de la gentillesse amoureuse : — Tu as pensé à moi, quelquefois ?
J. ROMAINS, les Hommes de bonne volonté, t. IV, XX, p. 222.

♦ **2.** (1306). Spécialt. Affirmer avec constance, fermeté, persistance. ⇒ **Affirmer, certifier, soutenir.** *Je le dis et je le maintiens. Maintenez-vous vos accusations ?* ⇒ **Répéter.**

12 (...) je maintiens et garantis que vous êtes un astre, mais un astre (...)
MOLIÈRE, l'Avare, III, 5.

♦ **3.** (1690). Tenir (qqch.) dans une même position; empêcher de bouger, de tomber, de se défaire. ⇒ **Attacher, fixer, retenir, soutenir, tenir.**

(Sujet n. de personne). *Il avait du mal à maintenir la planche à clouer. Maintenir un objet au-dessus de sa tête* (→ Forme, cit. 81).

(Sujet n. de chose). *La clef* de voûte maintient l'édifice. Étai qui maintient un pan de mur.* ⇒ **Appuyer.** *Coffrage* qui maintient les parois d'une tranchée. — Pièce qui maintient un ressort bandé. Maintenir fixe, stable...* (⇒ **Stabilité**), *en équilibre. Maintenir plusieurs choses ensemble.* ⇒ **Assembler** (→ Lien, cit. 1). *Flotteurs* (cit. 2) *qui maintiennent quelque chose à la surface. Levée* (cit. 1), *digue qui maintient un fleuve dans son lit.*

13 (...) la masure aurait filé, les fondations antiques, les raccommodages en pierres sèches, si les tilleuls séculaires, plantés au-dessus, n'avaient tout maintenu de leurs grosses racines. ZOLA, la Terre, IV, III.
14 Il suffirait qu'un type maintînt la porte cochère
Pendant que l'autre monterait APOLLINAIRE, Calligrammes, p. 31.

Maintenir qqn, le tenir solidement, l'empêcher de bouger, l'immobiliser. ⇒ **Assujettir.** *Maintenir la foule.* ⇒ **Arrêter, contenir.** *Maintenir son cheval.* ⇒ **Bride** (tenir en), **contenir.** — *Maintenir qqn sur son lit. Maintenir à grand-peine un malade agité* (→ Détendre, cit. 11). *Coussins qui maintiennent un malade assis.* ⇒ **Caler** (→ Entasser, cit. 3).

15 (...) cette femme (...) dont la petite main gantée, ferme et nerveuse, maintenait la bête essoufflée (...) J. CHARDONNE, les Destinées sentimentales, p. 327.
16 (...) le Chulo (...) bavait de fureur. Il était solidement maintenu par (...) le garçon d'auberge. Ses yeux fulguraient. Soudain, il fit un effort terrible, se libéra des mains qui le maintenaient (...) P. MAC ORLAN, la Bandera, XX.

Par ext. *Maintenir qqn debout.* ⇒ **Laisser.** *Maintenir qqn sous les verrous, en captivité, en prison...* (→ Arrêter, cit. 36). *La destinée qui nous maintient ici.* ⇒ **Enchaîner.**

17 Rieux reçut (...) une lettre disant que son temps de quarantaine était passé (...) et qu'assurément, on le maintenait encore au camp d'internement par erreur.
CAMUS, la Peste, p. 280.

▶ **SE MAINTENIR** v. pron.
Rester* dans le même état. *Malade, vieillard qui se maintient.* ⇒ **Défendre** (se). — Impers., fam. *Alors, ça va? ça se maintient?* (var. : *on se maintient?*). — *Classe sociale qui se maintient* (→ Armature, cit. 4). *L'Église s'est maintenue sans fléchir* (cit. 20). *Se maintenir envers et contre tout.* — *Équilibre... qui se maintient* (→ Cohésion, cit. 5). *Le combat* (cit. 17) *se maintint,* dura.

18 Il n'est pas étrange qu'on se conserve en ployant, et ce n'est pas proprement se maintenir ; et encore périssent-ils enfin entièrement, il n'y a point *(d'État)* qui ait duré mille ans. PASCAL, Pensées, IX, 614.

Spécialt. Maintenir sa candidature, aux élections, et, plus particulièrement, la maintenir au second tour.

19 On ne savait pas s'il *(le candidat S. F. I. O.)* se maintenait ou non *(au second tour).* Aucun espoir, naturellement, de le faire désister pour le marquis.
J. ROMAINS, les Hommes de bonne volonté, t. VIII, II, p. 19.

(Avec un compl. de manière ou un attribut). ⇒ **Durer, rester, subsister.** *Se maintenir dans un état* (→ Blanc, cit. 20 ; insatiable, cit. 5). *Se maintenir dans une attitude hostile.* ⇒ **Enfermer** (s'). *Se maintenir en crédit* (→ Escrime, cit. 5), *au pouvoir...* (→ Fraternité, cit. 10). — *Se maintenir libre* (cit. 9). *Se maintenir en bonne forme physique* (→ Hardiesse, cit. 27). — *Société qui se maintient forte* (cit. 46).

20   (...) la plus sûre assiette de notre entendement (...) ce serait celle-là où il se maintiendrait rassis, droit, inflexible, sans branle et sans agitation.
MONTAIGNE, Essais, II, XII.

21   Elle (...) se maintint dans une élégance et une richesse de mise qui la rajeunit.
BALZAC, la Rabouilleuse, Pl., t. III, p. 983.

22   Tâchons de nous maintenir dans la voie moyenne : ni si haut ni si bas !
SAINTE-BEUVE, Correspondance, t. II, Éd. Calmann-Lévy, p. 238.

⇒ **Tenir** (se). *Se maintenir debout* (→ Évanouir, cit. 27), *en selle* (→ Excéder, cit. 8).

▶ **MAINTENU, UE** p. p. adj. *Tradition longtemps maintenue.* — *Flèche* (cit. 18) *maintenue avec des cordes.* — *Maintenu en place* (→ Bloquer, cit. 3).

23   (...) coiffées de toques maintenues par des épingles à tête d'argent (...)
J. CHARDONNE, les Destinées sentimentales, p. 91.

Inculpé maintenu en prison. Navire maintenu en quarantaine. — *Soldat maintenu sous les drapeaux,* et, absolt, *soldats maintenus.* — N. m. pl. *Les maintenus.*

24   Quelques navires maintenus en quarantaine s'y voyaient encore *(dans le port).*
CAMUS, la Peste, p. 92.

CONTR. Abolir, altérer, anéantir, annihiler, annuler, chambarder, changer, couper (court), détériorer, gâter, 1. lever, modifier, rejeter, supprimer. — Déplacer, écarter (qqn). — Abandonner, abdiquer, désister (se), fléchir, renoncer. — Innover. — Dédire (se), nier. — Détacher, lâcher, laisser. — Cesser, changer.
DÉR. Maintenage, maintenance, maintenant, maintenant, maintenue, maintien.
HOM. (Du p. prés.) Maintenant. — (Du p. p.) Maintenue (n. f.).

MAINTENUE [mɛ̃tny] n. f. — 1549 ; « administration », 1473 ; « le fait de loger quelque part », 1466 ; de *maintenir* au p. p. substantivé.

♦ Dr. Jugement confirmant qqn dans la possession d'un bien, d'un droit. *Arrêt de maintenue.*

HOM. P. p. du v. maintenir.

MAINTIEN [mɛ̃tjɛ̃] n. m. — Fin XIIIᵉ ; de *maintenir*.

♦ **1.** Manière de se tenir, manifestant les habitudes, le comportement social de qqn. ⇒ 2. **Air, allure, attitude, contenance, extérieur, façon, figure** (*supra* cit. 15), **port, posture, présentation, tenue.**

1   *(Air* et *mine)... se rapportent à la face particulièrement (...) port, prestance, représentation, maintien* et *contenance (...)* regardent l'habitude entière du corps (...) Le *port,* la *prestance* et la *représentation* sont entièrement physiques (...) le *maintien* et la *contenance* sont le résultat des efforts de l'esprit (...) qui impose une tenue au corps (...) D'ailleurs le *maintien* et la *contenance* ont cela de particulier qu'ils se rapportent aux traits de la face en même temps qu'au reste du corps.
(Le *maintien*) est une manière de se tenir habituelle ; chaque état a le sien (...) *(Contenance)* désigne la manière accidentelle dont une personne se tient (...) Le *maintien* fait qu'on impose, la *contenance* montre qu'on ne se laisse pas imposer (...) C'est plutôt à la société et au commerce du monde que le *maintien* se rapporte ; c'est dans un danger (...) qu'on a telle ou telle *contenance.*
LAFAYE, Dict. des synonymes, p. 323 à 325.

Maintien noble, superbe. ⇒ **Prestance.** *Maintien hautain et froid* (cit. 18). *Gravité* du maintien (→ Gravement, cit. 3). *Assurance* (cit. 8) *dans le maintien. Maintien désinvolte, élégant* (⇒ **Désinvolture, élégance**), *arrogant* (⇒ Accompagner, cit. 6), *fat... ; assuré, effronté* (⇒ **Front**). *Maintien concerté* (→ Geste, cit. 2), *étudié.* ⇒ **Pose.** *Maintien hypocrite* (cit. 26). — *Maintien humble, craintif* (→ Estrade, cit. 1). *Gaucherie du maintien* (→ Éclater, cit. 31). — *Maintien chaste* (cit. 10), *décent*, *obscène* (→ Concupiscence, cit. 4). — *Étudier* (cit. 15), *imiter* (cit. 1) *le maintien de qqn.*

2   Sa physionomie, moins prononcée que celle des Italiens, indique la gaieté, sans rien faire perdre à la dignité du maintien et des manières (...)
Mᵐᵉ DE STAËL, De l'Allemagne, I, XI.

3   L'abbé de Gondi vit avec humeur qu'Olivier allait encore oublier son rôle de conspirateur et son costume de maçon pour leur lancer des œillades et prendre un maintien trop élégant et des gestes trop civilisés pour l'état qu'on devait lui supposer (...)
A. DE VIGNY, Cinq-Mars, XXV.

Absolt. *N'avoir pas de maintien :* avoir l'air gauche, embarrassé. — *Perdre son maintien* : être déconcerté*. *Se donner un maintien.* ⇒ **Contenance.** — *Avoir un maintien, du maintien.* ⇒ **Représenter, tenir** (se). — *Modèle de maintien* (⇒ Chic, cit. 4). — Anc. *Professeur de danse et de maintien. Leçon de maintien.*

4   Mᵐᵉ de Genlis compose des comédies à leur usage et juge que cet exercice est excellent pour donner une bonne prononciation, l'assurance convenable, et les grâces du maintien. TAINE, les Origines de la France contemporaine, t. I, I, p. 239.

♦ **2.** (1538). LE **MAINTIEN DE...** : l'action de maintenir*, de faire durer (qqch.). ⇒ **Confirmation, conservation, continuité.** *Maintien des lois* (→ Exiger, cit. 16), *des mœurs* (→ Chantage, cit. 3). *Assurer le maintien de l'ordre. Maintien des traditions. Maintien de la liberté* (→ Gouvernement, cit. 32). — *Maintien des positions conquises* (→ Expansionnisme, cit.). *Maintien du couvre-feu, de l'état d'urgence.*

5   (...) le rôle du clerc (...) est (...) de rester fidèle à un idéal dont le maintien me semble nécessaire (...) Julien BENDA, la Trahison des clercs, p. 92.

6   Le maintien du Rang exige que les parents pauvres soient secourus (...)
A. MAUROIS, Études littéraires, « Mauriac », II.

Spécialt. *Maintien d'une candidature au second tour de scrutin.*

Spécialt. *Maintien de l'ordre* : ensemble des mesures destinées à maintenir l'ordre public.

Milit. *Maintien au corps des soldats libérables. Maintien sous les drapeaux d'une classe, d'un contingent.*

7   Ils veulent intimider le gouvernement, ils protestent contre cette mesure de salut public, le maintien sous les drapeaux de la classe en octobre, la conscription à vingt ans (...) ARAGON, les Beaux Quartiers, II, XXVII.

♦ **3.** Dr. *Maintien dans les lieux :* droit reconnu de rester dans les locaux loués contre le gré du propriétaire.

CONTR. Abandon, abdication, abolition, anéantissement, annihilation, annulation, changement, cessation, commutation, déplacement, désistement, ébranlement, mutation, permutation, rejet, suppression.
HOM. Formes du v. maintenir.

MAINTIEN-GORGE [mɛ̃tjɛ̃gɔʀʒ] n. m. — 1924 ; de *maintenir,* et *gorge.*

♦ Vx. (employé entre 1924 et 1935). Soutien-gorge.

MAÏOLIQUE [majɔlik] n. f. ⇒ **Majolique.**

MAIRAIN [mɛʀɛ̃] n. m. ⇒ **Merrain.**

MAIRE [mɛʀ] n. m. — 1080, adj. ; lat. *major.* → Majeur, major.

★ **I. ♦ 1.** (XIIᵉ). Hist. Celui qui dirigeait le corps municipal (échevins, jurés, jurats ou pairs) d'une commune* (cit. 1) jurée (ou « ville de commune »). ⇒ aussi **Syndic.** *Dans les villes de consulat du midi de la France,* « *l'organe d'exécution (...) au lieu du maire des communes jurées, est constitué par un collège de consuls ou capitouls* » (Timbal, *Hist. des Institutions,* t. II, § 129). *Le maire représentait le prévôt.*

♦ **2.** (1789). Mod. Premier officier municipal élu par le conseil municipal, parmi ses membres et ayant « le double caractère d'agent du pouvoir central et d'autorité locale » (L. Rolland, *Précis de droit administratif,* § 233). ⇒ **Commune** (cit. 2), **mairie, municipalité** (→ Intérieur, cit. 2). *Le maire, premier magistrat* de la commune. *Arrêté du maire. Le maire et ses administrés. Cérémonie présidée par le maire. Monsieur le maire. L'écharpe* du maire. *Le maire de cette ville est une femme (Madame la mairesse* (vx)*; madame le maire). Elle est maire d'une ville importante.* — (1867). *Adjoint* au maire.* — *Le bourgmestre, le maïeur,* équivalents belges du maire ⇒ **Magistrat** (*infra* cit. 5). *Maire de Londres.* ⇒ **Lord-maire.**

1   (...) un titre unique, celui de « maire », fut donné *(par le décret du 14 déc. 1789)* aux chefs des petites comme des grandes municipalités. La chose avait fait des difficultés. « Maire » paraissait mérité dans les villes, mais « syndic » devait suffire dans les bourgs et les villages... Si cet article avait été rédigé dans le midi de la France, dit le *Point du jour,* le nom de *Consul* aurait été substitué à celui de *Syndic...* mais M. Lanjuinais a pensé que le nom de *maire* était plus convenable (...)
BRUNOT, Hist. de la langue franç., t. IX, p. 1020.

2   En tant qu'agent du pouvoir central, il *(le maire)* est chargé d'assurer la publication et l'exécution des lois et règlements, l'exécution des mesures de sûreté générale (...) Il participe à la confection des listes électorales, préside les bureaux de vote (...) préside des commissions, légalise des signatures (...) Le maire est officier de l'état civil, officier de police judiciaire (...)
En tant qu'autorité locale, il est un organe de préparation et d'exécution... Le maire est enfin chargé de la police municipale (L. 5 avril 1884, art. 91).
L. ROLLAND, Précis de droit administratif, § 233.

(1873). Spécialt. anc. À Paris, jusqu'à la loi du 31 décembre 1975, Officier municipal nommé par décret et remplissant dans chaque arrondissement les fonctions municipales d'agent du pouvoir central (dit aujourd'hui *maire adjoint*). — Mod. *Le maire de Paris.*

Loc. fam. *Être passé devant le maire, chez Monsieur le maire :* être légalement marié.

★ **II.** (1573). Hist. **MAIRE DU PALAIS :** intendant du palais*, sous les Mérovingiens (⇒ **Majordome**). *Les maires du palais,* « *à l'occasion des fréquentes minorités des rois* (au VIIᵉ siècle)... *devinrent des sortes de régents du royaume* » (J. Maillet, *Hist. des institutions,* t. I, § 675). *Les maires du palais d'Austrasie finirent par éliminer les rois mérovingiens.*

3   (...) avant ce temps *(le règne de Clotaire II),* le maire était le maire du roi : il devint le maire du royaume ; le roi le choisissait : la nation le choisit... Ainsi il ne faut pas confondre (...) ces maires du palais avec ceux qui avaient cette dignité avant la mort de Brunehault (...) MONTESQUIEU, l'Esprit des lois, XXXI, III.

DÉR. Mairesse, mairie.
HOM. Mer, 1. mère, 2. mère.

MAIRESSE [mɛʀɛs] n. f. — XIIIᵉ ; de *maire.*

♦ **1.** Vx ou par plais. Femme du maire.

1   Monsieur le maire flanqué de sa mairesse en descendit *(d'une petite carriole)* et vint par le perron du jardin. BALZAC, les Paysans, Pl., t. VIII, p. 201.

♦ **2.** Femme exerçant les fonctions de maire.

2   (...) en nommant douze sous-préfètes et une certaine quantité de mairesses, le ministre a donné des gages à la cause de l'égalité.
A. ROBIDA, le Vingtième Siècle, p. 163 (1893).

3   Il existe sûrement un point de réflexion où (...) ni le saupoudrage infime de minis-

tresses au gouvernement, de dépu*tesses (sic)* à l'Assemblée nationale, de maire*ses* dans les villes n'apparaissent primordiaux.
Michèle PERREIN, Entre chienne et louve, p. 227.

REM. Parfois utilisé par les féministes, le mot est en général vieilli ou plaisant. On dit : *maire.*

MAIRIE [meʀi] n. f. — XIIIe ; *meerie,* v. 1265 ; var. *mairerie,* XIVe ; de *maire.*

★ **I. ♦ 1.** (1282). Office, charge de maire. *Être élu à la mairie d'une grande ville. Être nommé à la mairie d'un arrondissement parisien.* — (1680). Par ext. Temps pendant lequel un maire exerce ses fonctions.

♦ 2. Administration* municipale. *Le personnel de la mairie* (→ Face, cit. 47). *Employé, secrétaire de mairie.*

1   Employé à la mairie (...) on l'utilisait périodiquement au service des statistiques, à l'état civil. CAMUS, la Peste, p. 54.

♦ 3. (1789). Bâtiment où se trouvent le bureau du maire, les services de l'administration municipale et où siège normalement le conseil municipal. ⇒ **Hôtel** (cit. 17 ; hôtel de ville), **maison** (de ville ; maison commune).

2   (...) on y voit, au-dessus de la porte de la mairie et des trois mots : *Liberté, égalité, fraternité,* son portrait en bronze *(Henri IV)* avec une devise gravée (...)
NERVAL, les Filles du feu, «Angélique», X.

★ **II.** Hist. Dignité de maire du palais.

MAIS [mɛ] adv. et conj. — Xe ; du lat. *magis* «plus».

★ **I.** Adv. **♦ 1.** Vx. Plus. Soit dans le sens positif de *plus* (→ Désormais), soit dans son sens négatif (→ Jamais).

1   Amants je ne suivrai jamais ;
    Si jadis je fus de leur rang,
    Je déclare que n'en suis mais.
VILLON, le Grand Testament, LXX (Vers 718, 720).

2   On le dit encore en Lyonnais et autrefois à Paris. Vous dites qu'il n'y a là que quatre aunes de ruban, il y en a *mais,* pour dire, il y en a davantage.
FURETIÈRE, Dict., art. *Mais.*

Vieilli ou littér. Loc. *N'en pouvoir mais* (proprt «n'en pouvoir pas plus») : n'y pouvoir rien. *Le malheureux lion bat* (cit. 32) *l'air qui n'en peut mais.*

REM. 1. L'expression ne signifie pas «n'en pouvoir plus», sens dans lequel pourtant Musset semble la prendre dans le poème *À Julie* (→ Imprimeur, cit. 1).

2. Gide *(Nouveaux prétextes,* p. 15) écrit aussi *n'y pouvoir mais.*

3   (...) que voulez-vous ? la faute en est aux dieux, et non à moi, pauvre diable qui n'en peux mais. Th. GAUTIER, Mlle de Maupin, XI.

4   (...) on n'en peut mais ; chacun est forcé de s'asseoir du côté du rouge ou du blanc. GIDE, Nouveaux prétextes, p. 50.

Vx. (Forme interrogative). *Puis-je mais si..., de... ?* Suis-je responsable si..., de... ?

5   Et puis-je mais, chétif, si le cœur leur en dit ?
MOLIÈRE, le Dépit amoureux, V, 3.

6   Et puis-je mais des soins qu'on ne va pas vous rendre ?
MOLIÈRE, le Misanthrope, III, 4.

♦ 2. (XIIe). (Soulignant, renforçant le mot qui vient d'être exprimé). Oui, vraiment. *« Par une extension naturelle de sens,* mais *sert à insister (en ajoutant quelque chose à ce qui précède) : il m'a trompé,* mais *trompé de manière indigne = et qui plus est, trompé... »* (Le Bidois, *Syntaxe du franç. mod.,* II, 239).

7   (...) je trouve le petit-fils fort joli, mais fort joli (...)
Mme DE SÉVIGNÉ, 795, 3 avril 1680.

8   Hassan était donc nu, — mais nu comme la main, — (...)
A. DE MUSSET, Premières poésies, «Namouna», II.

9   (...) on ne lui donna plus rien à faire, mais ce qui s'appelle rien.
MONTHERLANT, les Célibataires, I, II.

10   (...) il m'est venu une sueur, mais une sueur ! ... Je ruisselais de tout le corps.
J. ROMAINS, les Hommes de bonne volonté, t. XXI, IX, p. 170.

(1867). Spécial. Dans une réponse, une conversation où l'on intervient (cit. 4) vivement, comme si l'on voulait écarter une supposition inexacte. *Tu viens avec moi ? — Mais oui* [mɛwi]*, mais bien sûr, mais certainement. Voyons, tu le connais. — Mais non, pas du tout ! Ce n'était pas lui. — Mais si !*

11   « À quoi penses-tu, maman ? » Élisabeth tressaillit, et, comme prise en faute, se leva : — Mais à rien, mon chéri... À ce que tu me disais.
F. MAURIAC, Destins, p. 220.

(1594). MAIS VOYONS !, réponse par laquelle on approuve (→ Mais, comment donc !, bien sûr !, ben voyons !). Iron. *Vous voulez que je double votre salaire ? Mais voyons ! c'est tout naturel, après les bêtises que vous venez de faire.*

11.1   MAIS VOYONS ! Vous abondez dans le sens du parleur, vous embrassez sa pensée, vous applaudissez d'enthousiasme à sa suggestion.
Pierre DANINOS, Un certain Monsieur Blot, p. 236.

★ **II.** Conj. (Xe ; à valeur adversative, plus ou moins marquée).

12   Du fait seul qu'il met en regard l'une de l'autre deux propositions d'un sens tout différent, il *(mais)* a beau ne signifier proprement que quelque chose comme *plus*

(ou *de plus*), il donne à penser une autre idée, une idée, selon les cas, de restriction ou de complète opposition (...)
G. et R. LE BIDOIS, Syntaxe du français moderne, § 1136.

♦ 1. (1594). Marquant une transition, en tête de phrase (→ Et), *mais* traduit l'intention de prendre un contact plus direct avec l'interlocuteur. (→ Apparence, cit. 39 ; ligne, cit. 4). *Mais, dites-moi... Mais, j'y pense... Mais où avez-vous pris une chose pareille ? Mais je serais ravi de vous voir. Mais voyons, c'est tout naturel. Mais c'est de la folie !*

13   — Vicomte, que dis-tu de ces yeux ? — Mais toi-même, Marquis, que t'en semble ?
MOLIÈRE, les Précieuses ridicules, XI.

14   Narcisse a fait le coup, vous l'avez ordonné.
    — Madame, mais qui peut vous tenir ce langage ? RACINE, Britannicus, V, 6.

15   Tout à coup le vieux se dresse sur son fauteuil : — Mais j'y pense, Mamette..., il n'a peut-être pas déjeuné !
Alphonse DAUDET, Lettres de mon moulin, «Les vieux».

(1735). Renforcé par *enfin* [mɛzɑ̃fɛ̃], marque une certaine impatience. *Mais enfin qu'est-ce que tout cela signifie !* (→ Appesantir, cit. 4). Fam. *M'enfin.*

16   Mais enfin, comment la chose s'est-elle passée ? demandai-je au patron (...)
Alphonse DAUDET, Lettres de mon moulin, «L'agonie de la *Sémillante*».

MAIS, renforcé par *encore* [mɛzɑkɔʀ] marque une insistance, le désir d'en savoir davantage. *« Mais encore quel parti prenez-vous ? »* (Littré). *« Rien... peu de chose... — Mais encor ? »* (→ Encore, cit. 18, La Fontaine).

17   Mais encor dites-moi quelle bizarrerie (...) MOLIÈRE, le Misanthrope, I, 1.

(Dans un récit, un exposé). MAIS, marquant qu'on revient à son sujet, ou qu'on en aborde un nouveau. *Mais assez là-dessus. Mais n'anticipons* (cit. 6) *pas. Mais quoi ! laissons cela* (→ Brodequin, cit. 2).

18   Mais venons au sujet qui m'amène en ces lieux.
MOLIÈRE, les Femmes savantes, II, 2.

♦ 2. (Xe). Introduit une idée contraire à celle qui a été exprimée. *Demain, oui, mais aujourd'hui, non. « Les privilèges finiront* (cit. 14)*, mais le peuple est éternel »* (Mirabeau). *Si tu acceptes, tant mieux ; mais si tu refuses, tant pis* (→ aussi Après, cit. 69 ; inclination, cit. 6).

19   (...) Emma éprouvait une satisfaction de vengeance. N'avait-elle pas assez souffert ! Mais elle triomphait maintenant (...) FLAUBERT, Mme Bovary, II, IX.

(Après une négation). *Ce n'est pas ma faute, mais la tienne ! Non la crainte de la guerre, mais l'amour de la paix* (→ Abstention, cit. 1). *Je n'en veux pas un, mais deux. Mais au contraire** (→ Attendre, cit. 73). *Mais bien...* ⇒ **Contre** (par). — REM. *Mais* peut être répété (→ ci-dessous, cit. 20, Racine) pour donner plus de force à l'opposition.

20   Je l'aime, non point tel que l'ont vu les enfers,
    Volage adorateur de mille objets divers (...)
    Mais fidèle, mais fier, et même un peu farouche (...) RACINE, Phèdre, II, 5.

♦ 3. Introduit une restriction, une correction, une addition, une précision indispensable. ⇒ **Compensation, revanche** (en). — REM. Dans ce cas, l'affirmation qui précède *mais* apparaît comme une chose que l'on concède, que l'on reconnaît et que l'affirmation suivante va dépasser sans l'annuler. *Il est pauvre, mais d'une bonne famille. « J'embrasse* (cit. 2) *mon rival, mais c'est pour l'étouffer »* (Racine). *« Il y a de bons* (cit. 24) *mariages, mais il n'y en a point de délicieux ». Il travaille, bien sûr, mais il a peu de moyens* (→ aussi Apprendre, cit. 32 ; cadence, cit. 8 ; cultiver, cit. 3). *Un vilain jour, il est vrai, ... mais enfin c'était le jour* (cit. 7). *Un soleil pas bien chaud, c'est vrai, mais tout de même...* (→ Blême, cit. 6). *Mais en réalité...* (→ Aptitude, cit. 11). *Mais aussi...* (→ Cabotinage, cit. 2). *Il faut un arbitre* (cit. 9)*, mais un arbitre à poigne. Doré, mais d'un vieil or...* (→ Cage, cit. 4). — *Nous pouvions nous taire, mais non les oublier* (→ Irréparable, cit. 2). *« Ton bras est invaincu, mais non pas invincible »* (cit. 1) » (Corneille). — Ellipt. *On pensait que cela s'arrangerait, mais non.*

21   Il y avait bien là quelque galimatias, mais enfin c'était quelque chose.
A. DE MUSSET, Lettres de Dupuis et Cotonet, 1re lettre.

22   J'aime de vos longs yeux la lumière verdâtre,
    Douce beauté, mais tout aujourd'hui m'est amer (...)
BAUDELAIRE, les Fleurs du mal, «Spleen et Idéal», LVI, II.

23   Les hommes qui font constamment abus du mot «mais» trahissent ainsi, le plus souvent, une certaine inaptitude à l'affirmation franche et paisible, un besoin de restriction et de compensation, un manque de confiance et de générosité.
G. DUHAMEL, Discours aux nuages, p. 16.

(Après une négation). *« Mon verre n'est pas grand, mais je bois* (cit. 9) *dans mon verre »* (Musset). *Il n'avait aucun don oratoire, mais beaucoup d'à-propos* (cit. 4).

(En corrélation avec *non seulement). Non seulement..., mais...* (→ Impraticable, cit. 1)*, mais encore...* (→ Assez, cit. 2 ; cœur, cit. 162)*, mais aussi..., mais même..., mais en outre...*

24   Elle trouva dans sa famille, non pas seulement résistance, mais tentation.
MICHELET, Hist. de France, X, III.

♦ 4. (1080). Introduit une objection (notamment sous forme interrogative). *Mais dans ces conditions, pourquoi pensez-vous..., comment se fait-il que...* (→ Libéral, cit. 5). *Mais la chose a pu avoir lieu* (cit. 27) *beaucoup plus tôt. Mais pourtant vous connaissez ce texte ?*

25 Cette nuit je vous sers, cette nuit je l'attaque.
— Mais cependant ce jour il épouse Andromaque.   RACINE, Andromaque, IV, 3.

26 — Mais, dit Zadig, s'il n'y avait que du bien, et point de mal ?
                                                      VOLTAIRE, Zadig, XX.

27 — Mais tu l'aimes encore : je l'ai vu tout à l'heure dans tes yeux.
       BARBEY D'AUREVILLY, les Diaboliques, « Vengeance d'une femme », p. 389.

(Suivi de points de suspension, l'objection restant informulée). *Je ne dis pas, mais... Oui, mais... — Mais quoi ?*

♦ **5.** N. m. (Déb. XVᵉ). *Que signifie ce mais ? Apprenez qu'un mais est une offense* (→ Impertinence, cit. 6). *Il n'y a pas de mais qui tienne !* : vos objections ne comptent pas, me laissent indifférent. *Il y a un mais* : des objections, des difficultés se présentent. « *Il y a toujours avec lui des si et des mais* » (Académie). *Le chapitre des mais dans Zadig.*

28 Mais... — Achevez, Seigneur ; ce mais, que veut-il dire ?
                                                      CORNEILLE, Nicomède, III, 8.

29 Tout cela est vrai ; mais... Ma vie est libre et occupée ; mais... mais... opéra, comédies, carrousels (...) lectures ; mais... mais... Je suis en train de dire des *mais* (...)   VOLTAIRE, Correspondance, 990, 6 nov. 1750.

30 Mais.... mais... — voilà une particule qui n'annonce rien de bon, et ce diable de petit mot restrictif est malheureusement celui de toutes les langues humaines qui est le plus employé (...)   Th. GAUTIER, Mˡˡᵉ de Maupin, III.

31 Oh ! le prince n'est pas prisonnier, mais... — J'admire
Ce *mais* ! Sentez-vous tout ce que ce *mais* veut dire ?
Mon Dieu, je ne suis pas prisonnier, *mais...* Voilà...
... Un prisonnier !... Je suis un *pas-prisonnier-mais.*
                                            Edmond ROSTAND, l'Aiglon, II, 2.

★ **III.** (Avec une valeur exclamative, dans certaines interjections). — (Surprise). *Eh mais ! c'est ma foi vrai ! Ah ! ça, mais, je ne me trompe pas, c'est bien lui.* — (Défi, menace). *Je vais lui fermer le bec, ah mais !* — Fam. *Non mais !,* marquant l'indignation. *Non mais ! pour qui tu te prends !* — Pop. *Non mais, des fois ! non mais sans blague !*

32 — J'la fermerai si j'veux, saleté ! — Un trois kilos te la fermerait vite ! — Non, mais chez qui ? — Viens-y voir, mais viens-y donc !   H. BARBUSSE, le Feu, t. I, II.

33 Non mais, t'as tout d'la vache !   René BENJAMIN, Gaspard, p. 77.

HOM. Mai, maie, maye, mets. — Formes du v. mettre.

MAÏS [mais] n. m. — 1544 ; *maiz, mahis,* 1519 ; esp. *mais,* mot d'Haïti.

♦ **1.** Plante monocotylédone (*Graminées* * ; groupe des céréales*) annuelle, à racines fibreuses, à tige droite, à larges feuilles lancéolées et dont les fruits sont des grains durs de couleur jaune orangé (parfois blanchâtres, rougeâtres), de la grosseur d'un pois, serrés sur un gros épi presque cylindrique. — Syn. (vx) : *blé* (cit.15) *de Turquie, blé d'Espagne ;* (régional, Canada) *blé d'Inde.* ⇒ **Blé, turquet.** *Grains, épis,* « *quenouille* » *de maïs* (→ Bouillir, cit. 3) ; *grappe* (cit. 5) *de maïs. Maïs blanc, jaune, rouge, bigarré ; à gros grains, à grains étroits. Maïs hâtif, quarantain* (qui vient en une quarantaine de jours). *Culture, façons, écimage, effeuillage, égrenage...* (⇒ **Égreneuse**) *du maïs. Plantation, champ de maïs.*

1 Les maïs, herbages des lieux bas, si magnifiquement verts au printemps, étalaient des nuances de paille morte au fond des vallées (...)   LOTI, Ramuntcho, I, I.

♦ **2.** Grains comestibles de cette plante. *Farine de maïs.* (⇒ **Maïzena**). *Pâte de maïs. Utilisation du maïs dans l'alimentation humaine* ⇒ **Akassa, calalou, gaude, mamaliga, millas, polenta**), *animale* (pour l'élevage des volailles, des porcs), *comme matière première industrielle* (amidon, glucose, alcool. → Fécule, cit. 2). *Qui se nourrit de maïs.* ⇒ **Zéophage.** — *Maïs grillé, soufflé.* ⇒ **Popcorn** (anglic). *Poulet au maïs.*

2 (...) l'Amérique, je la retrouvais partout en Europe (...) même dans les cabarets français où le potage aux huîtres et le maïs sur tige avaient conquis leur place (...)   Paul MORAND, Champions du monde, p. 189.

Ellipt. *Bouillie, gâteau de maïs,* de farine de maïs.

(1850, *in* D.D.L.). *Couleur maïs,* d'un blond tirant sur l'orangé clair, qui rappelle la couleur des grains de maïs jaune.

(1848). Adj. *Des étoffes maïs.*

DÉR. Maïdisme, maïserie.
COMP. Maïsicole.

MAISE, MÈZE [mɛz] ou **MOISE** [mwaz] n. f. — 1320, « en chacune maise de harenc sor doit avoir un millier et vingt harens » (Ordonnance) ; mot picard, moyen néerl. *meise* « tonneau ».

♦ Hist. Techn. Contenant dans lequel on transportait les harengs, au moyen âge (un millier de harengs).

MAÏSERIE [maisʀi] n. f. — 1931 ; de *maïs.*

♦ Techn. Établissement, usine où l'on traite le maïs pour la fabrication de fécule, de glucose...

MAÏSICOLE [maisikɔl] adj. — 1972, *in* la Clé des mots ; de *maïs, -i-* de liaison, et *-cole.*

♦ Didact. Qui cultive le maïs ; qui a trait à la culture du maïs. *Économie maïsicole. Les pays maïsicoles.*

MAISON [mɛzɔ̃] n. f. — V. 980 ; du lat. *mansio,* accusatif *mansionem,* de *manere* « rester » ; a remplacé en gallo-romain *casa,* qui subsiste en toponymie (La Chaise-Dieu). → aussi Chez.

★ **I.** ♦ **1.** Bâtiment d'habitation. ⇒ **Bâtiment, bâtisse, construction, édifice** (cit. 5), **hôtel, immeuble** (cit. 5), **ménil** ou **mesnil** (vx) ; **abri, asile** (cit. 4), **bercail, chacunière, chez-soi, couvert, demeure, domicile** (cit. 3), **établissement, feu** (*infra* cit. 27), **foyer, gîte, habitation** (cit. 2), **home, intérieur** (*infra* cit. 7), **lieu** (*supra* cit. 18), **logement, logis, pénates, pigeonnier** (fig.), **résidence, retraite, toit** ; (péj.) **baraque, bicoque** (cit. 3), **bouge, cabane, case, cassine** (vx), **clapier, galetas, masure, réduit, taudis** (→ fam. et argotique : Cagna, carrée, casbah, crèche, gourbi, guitoune, piaule, taule, turne ; et aussi couloir, cit. 1 ; échantillon, cit. 1 ; habitat, cit. 4).

REM. *Maison,* terme concret, désigne un bâtiment entier, tandis que les mots concernant l'habitation, la demeure (*abri, asile,* etc.) s'appliquent à tout lieu, bâtiment ou partie de bâtiment où l'on habite. — (1873). *Maison d'habitation* (cit. 3) se dit pour insister sur le fait que la maison sert effectivement d'habitation et pour la distinguer d'autres bâtiments.

1 *Maison, logis* et *habitation* expriment quelque chose de concret (...) *Demeure, domicile, résidence* et *séjour* désignent quelque chose d'abstrait (...) *Maison* désigne le bâtiment... Le *logis* de la maison considérée par rapport à la manière dont on s'y trouve (...)   LAFAYE, Dict. des synonymes, art. *Maison, Logis.*

Parties, divisions d'une maison ⇒ **Cage, 1. comble, couverture, étage, façade** (cit. 5), **fondation, maçonnerie, mur, terrasse, toit, toiture.** *Étages* d'une maison* ⇒ **Rez-de-chaussée, entresol, premier... Escalier* d'une maison.**

Divisions intérieures, disposition des lieux*, dans une maison. ⇒ **Êtres** (vx) ; **appartement, chambre, pièce, salle** ; et aussi **buanderie, cave, cellier, corridor, couloir, cuisine, débarras, décharge** (vx), **entrée, grenier, hall, office, souillarde, soupente, sous-sol, toilette** (cabinet de toilette), **véranda, vestibule.** *Maison d'une dizaine de pièces avec de nombreuses dépendances. Planchers, plafonds, cloisons... d'une maison. Ouvertures d'une maison.* ⇒ **Fenêtre, porte.** *Maison avec des balcons, un perron, un porche... ; surmontée d'un belvédère, d'un mirador ; flanquée d'une tour... Cour intérieure d'une maison* (⇒ **Atrium, cour, patio**). *Jardin, cour attenant à une maison.* ⇒ **Courtil** (vx), **jardin.** *Maison entre cour et jardin.* — *Architecture*, construction* (cit. 4) *d'une maison. Maison en construction* (⇒ **Chantier**). *Coupe, plan d'une maison. Bâtir** (cit. 4, 8, 12, 49), *construire, élever une maison* (→ Atelier, cit. 1). *Couvrir une maison.*

Maison de bois (→ Enduit, cit. 1), *de briques* (cit. 1), *de pierres de taille. Maison préfabriquée. Maison industrialisée. Maison traditionnelle* (en construction non préfabriquée). *Maison enduite de chaux* (cit. 1), *de crépi. Maisons blanches* (→ Flot, cit. 8), *d'un blanc* (cit. 15) *éclatant.* — *Petite maison.* ⇒ **Maisonnette.** *Maison rudimentaire.* ⇒ **Chaumière, hutte...** *Maison basse* (→ Golfe, cit. 5 ; kiosque, cit. 3). *Maison haute, élevée ; à pignon* (→ Iriser, cit. 3). *Grande maison à nombreux étages.* ⇒ **Immeuble ; caserne, gratte-ciel, tour.** — *Maison de ville. Maison bourgeoise,* habitée bourgeoisement (opposé à *maison garnie, meublée*). *Maison de maître*. Maison de banlieue* (cit. 2) ⇒ **Pavillon.** *Maison rustique, champêtre, des champs... Maison de paysans* ⇒ **Ferme.** *Maison forestière*.* — (1756). *Maison de chasse* ⇒ **Pavillon, rendez-vous.** — *Maison de bouteille* (vx) ; *maison de plaisance*.* — **MAISON DE CAMPAGNE** (⇒ **Campagne**) : maison appartenant à une personne résidant en ville et servant aux séjours de vacances. *Noms de maisons* ⇒ **Bastide, bourrine, bungalow, cabanon, campagne, cassine, castel, chalet, chartreuse, château, cottage, ermitage, fermette, folie, gentilhommière, manoir, mas, pavillon, pied-à-terre, vide-bouteilles** (vx), **villa.** — Vx. *Petite maison* : maison de plaisance située dans un lieu discret et destinée ordinairement à des rendez-vous galants. ⇒ **Folie** (cit. 27) → ci-dessous, cit. 5.

2 Quand reverrai-je, hélas, de mon petit village
Fumer la cheminée, et en quelle saison
Reverrai-je le clos de ma pauvre maison,
Qui m'est une province, et beaucoup davantage ?   DU BELLAY, les Regrets, XXXI.

3 (...) Versailles, alors petite maison de chasse, achetée par Louis XIII vingt mille écus, devenue depuis, sous Louis XIV, un des plus grands palais de l'Europe (...)
                            VOLTAIRE, Essai sur les mœurs, CLXXVI.

4 (...) j'aurais une petite maison rustique, une maison blanche avec des contrevents verts ; et quoique une couverture de chaume soit en toute saison la meilleure, je préférerais magnifiquement, non la triste ardoise, mais la tuile, parce (...) qu'on ne couvre pas autrement les maisons de mon pays (...)   ROUSSEAU, Émile, IV.

5 Jamais souper des petites maisons de Paris n'approcha de ce repas (...)
                                        ROUSSEAU, les Confessions, IV.

6 La maison qu'il habitait se composait (...) d'un rez-de-chaussée et d'un seul étage : trois pièces au rez-de-chaussée, trois chambres au premier, au-dessus un grenier.
                                        HUGO, les Misérables, I, I, VI.

7 En 1823 (...) Montfermeil (...) n'était qu'un village dans les bois. On y rencontrait bien çà et là quelques maisons de plaisance du dernier siècle, reconnaissables

à leur grand air, à leurs balcons en fer tordu et à ces longues fenêtres dont les petits carreaux font sur le blanc des volets fermés toutes sortes de verts différents.
HUGO, les Misérables, II, III, I.

8 Sur la rue, la maison avait cinq étages (...). En bas, quatre boutiques occupaient le rez-de-chaussée (...) La maison paraissait d'autant plus colossale qu'elle s'élevait entre deux petites constructions basses, chétives, collées contre elle (...)
ZOLA, l'Assommoir, t. I, II, p. 53.

Allus. littér. *La Maison du Chat-qui-pelote*, roman de Balzac (1830). *La Maison de Claudine*, roman de Colette (1922).

Maison bien établie (cit. 37), *bien située. Emplacement* (cit. 1), *exposition*, situation d'une maison. Maison située dans un enfoncement* (cit. 3), *un creux; sur une hauteur, un coteau. — Maison isolée* (cit. 3). *Maisons contiguës* (cit. 2), *voisines. Hameau* (cit. 2) *de dix maisons; village de deux cents maisons* (→ 1. Baie, cit. 2). ⇒ **Feu.** *Maisons groupées, disséminées* (cit. 1), *qui s'éparpillent* (cit. 11). *Rangée de maisons* (→ Croupe, cit. 8). *Canal* (cit. 6), *impasse* (cit. 2), *rue bordée de maisons. Alignement* (cit. 3) *des maisons* (→ Aligner, cit. 1). *Groupe, pâté de maisons.* ⇒ **Bloc, îlot** (cit. 5 et 6); **coron** (cit.). — Prov. *Les maisons empêchent de voir la ville :* le détail empêche de voir l'ensemble (→ Les arbres* empêchent de voir la forêt).

9 (...) auprès de l'église, quelques maisons étaient groupées; les autres, plus nombreuses, avaient préféré se disséminer aux environs, parmi des arbres, dans des ravins ou sur des escarpements.
LOTI, Ramuntcho, I, I.

Loc. fig. (Vx). *Demander des choses par-dessus les maisons,* exorbitantes, excessives (cf. Molière, *les Fourberies de Scapin,* II, 8).

Maison riche, belle cossue (cit.), *somptueuse* (⇒ **Palais**). *Maison humble* (cit. 32), *modeste. Maison avenante* (cit. 4), *commode, coquette, plaisante, riante* (→ Festonner, cit. 2; intérieur, cit. 8). *Maison calme, tranquille* (→ Entourer, cit. 8). *Maison disgracieuse* (cit. 2), *triste, laide... — Maison boiteuse, branlante, croulante, délabrée, lézardée* (cit. 2), *qui tombe en ruines* (⇒ **Taudis**). *Maison déserte, inhabitée* (cit. 2), *abandonnée. La maison est fermée. Vieille maison. Maison ancienne* (→ Haut, cit. 23). *Restaurer, réhabiliter de vieilles maisons. — Maison incendiée* (→ Éteindre, cit. 1), *détruite* (⇒ **Ruine**). *Abattre* (cit. 1), *détruire* (cit. 1) *une maison. Bombes* (cit. 3) *qui éventrent des maisons. Exhumer* (cit. 3) *une maison antique.*

(1973, in *Courrier du C.N.R.S.*). *Maison solaire*,* chauffée par l'énergie solaire (emploi abusif de l'adjectif).

Acheter (cit. 2), *louer, vendre une maison* (→ Estimation, cit. 2). *Maison à vendre. Louage, loyer des maisons* (→ Bail, cit. 2; fruit, cit. 34). *Maison hypothéquée* (cit. 1). — *Fortune en terre et en maisons.* (⇒ **Immeuble, immobilier;** → Espèce, cit. 24). *Posséder une maison, être propriétaire d'une maison* (→ Avoir pignon* sur rue). *Locataires** (cit. 4), *colocataires d'une maison. Maison de rapport** (vx) : immeuble loué par appartements. — *Valeur, prix d'une maison.*

Habiter une maison. Loger, demeurer, vivre dans une maison. Installer* qqn dans sa nouvelle maison. Changer de maison, déménager. Loger, héberger, recevoir qqn dans sa maison. ⇒ **Hospitalité.** *Ceux qui habitent la même maison.* ⇒ **Maisonnée** (→ ci-dessous, III.). *Maison où sont logés beaucoup de gens.* ⇒ **Arche** (de Noé). *Maison mal famée, mal fréquentée. Maison hantée*. Maison habitée par des dévots.* ⇒ **Capucinière** (vx). — *Partir de la maison. Vider la maison.* — *Garder* (cit. 14) *la maison. Être cantonné* (cit. 3) *dans la maison. Le gardien de la maison* (⇒ **Concierge**).

10 Naître, vivre et mourir dans la même maison.
SAINTE-BEUVE, les Consolations (1830), « À E. Fouinet ».

11 En octobre, le nouveau propriétaire leur donna huit jours pour vider la maison et préparer leur grand départ.
LOTI, Matelot, XV.

Spécialt. *Maison curiale* ⇒ **Cure, presbytère.** *Maison du doyen* ⇒ **Doyenné.**

12 Le maire ayant refusé de rendre le presbytère à sa primitive destination, la Commune fut obligée d'acheter une maison de paysan située auprès de l'église; il fallut dépenser cinq mille francs pour l'agrandir, la restaurer et y joindre un jardinet dont le mur était mitoyen avec la sacristie, en sorte que la communication fut établie comme autrefois entre la maison curiale et l'église.
BALZAC, les Paysans, Pl., t. VIII, p. 203.

Maison mortuaire*, où reste le corps en attendant les funérailles* (→ Funèbre, cit. 1).

(En parlant d'une cabane). *La Maison du berger,* poème de Vigny.

Par ext. *Maison de poupée. Enfant qui fait une maison avec des cubes.*

Loc. fig. *Maison de verre*.* — Hist. *La maison d'or,* palais de Néron. — (1875, *in* Rey-Debove et Gagnon; trad. angl. *White House*). *La Maison-Blanche :* la résidence du président des États-Unis d'Amérique, et, par ext., le gouvernement américain. *La politique de la Maison-Blanche.*

Loc. fam. *Gros* (adv.) *comme une maison :* énorme, grossier, évident.

♦ **2.** (XIIᵉ). Habitation, logement (qu'il s'agisse ou non d'un bâtiment entier). ⇒ **Chez-soi, demeure, domicile, foyer, home, logis...** (→ Famille, cit. 22 et 25, Gide). *La maison conjugale* (→ Adultère, cit. 7), *paternelle.* ⇒ **Domicile** (→ Élever, cit. 39; escapade, cit. 4; famille, cit. 19). *Quitter la maison* (→ Froncement, cit. 1). *Rester, être reclus dans sa maison* (→ Guère, cit. 4).

13 (...) Aucun, hors moi, dans la maison,
N'a droit de commander (...)
MOLIÈRE, les Femmes savantes, V, 2.

Tout homme qui se plaît dans sa maison aime sa femme. Souvenez-vous que si votre époux vit heureux chez lui, vous serez une femme heureuse. 14
ROUSSEAU, Émile, V.

L'enfant ne peut quitter la maison paternelle sans la permission de son père, si ce n'est pour enrôlement volontaire, après l'âge de dix-huit ans révolus. 15
Code civil, art. 374.

À LA MAISON : chez soi (→ Apercevoir, cit. 20; 2. Chagrin, cit. 9; fier, cit. 3). *Il aime rester à la maison,* chez lui. ⇒ **Casanier.** *Rentre à la maison. Passez donc me voir à la maison. Gâteau fait à la maison* (→ ci-dessous, IV., 1.).

(...) elle profita que nous demeurions loin, pour rentrer de plus en plus rarement à la maison. CÉLINE, Voyage au bout de la nuit, p. 76. 16

Prov. *Charbonnier* est maître en sa maison.*

♦ **3.** (1548). L'intérieur d'une maison ou d'un appartement, son aménagement. *Maison peu intime* (cit. 12), *inconfortable* (cit. 1), *à peine habitable* (cit. 2). *Maison en désordre* ⇒ **Bazar, caravansérail.** *Maison bien ordonnée, bien tenue* (→ Exact, cit. 4), *confortable, arrangée avec goût. Déménager* toute la maison,* tout ce qu'il y a dans la maison.

(...) toute maison bien ordonnée est l'image de l'âme du maître. Les lambris dorés, le luxe et la magnificence n'annoncent que la vanité de celui qui les étale; au lieu que partout où vous verrez régner la règle sans tristesse, la paix sans esclavage, l'abondance sans profusion, dites avec confiance : c'est un brave homme qui commande ici. ROUSSEAU, Julie..., IV, X. 17

Par ext. (Vie à la maison). *Administrer, tenir la maison.* ⇒ **Ménage.** *Soins de la maison.* ⇒ **Économie.** *Relatif à la maison* ⇒ **Domestique.** *État* (cit. 88), *train* de maison.* « *Gens sans état* (cit. 85), *qui n'ont point de maison* ». — (1762). *Tenir maison :* recevoir, traiter des invités. — (V. 1500). *Tenir maison ouverte :* offrir l'hospitalité à tout venant. — (1690). *Faire les honneurs* de la maison.* — *Être invité, aller dîner dans une maison opulente* (→ Apprêt, cit. 6). *Avoir ses entrées* (cit. 15) *dans une maison; fréquenter une maison* (→ Intervalle, cit. 15). — *Bonne maison. Une des meilleures maisons de Paris* (→ Garçonnière, cit. 3). *Grande maison. Valets de bonne, de grande maison.* — Fig. et vx. *Faire une bonne maison :* amasser beaucoup de biens. *Voilà comme on fait les bonnes maisons,* se dit à propos de petites économies qui peuvent paraître mesquines, mais qui contribuent à l'édification et au maintien d'une fortune.

Et voilà comme on fait les bonnes maisons (...) RACINE, les Plaideurs, I, 4. 18

(...) le même tour d'esprit qui fait exceller une femme du monde dans l'art de tenir maison. ROUSSEAU, Émile, V. 19

Madame Firmiani? dit-il, oui, oui, je la connais bien, je vais à ses soirées. Elle reçoit le mercredi; c'est une maison fort honorable. 20
BALZAC, Mᵐᵉ Firmiani, Pl., t. I, p. 1029.

Par métonymie. *Rencontrer qqn dans une maison amie* (→ Causette, cit.).

(1867). Loc. fam. *C'est la maison du bon Dieu,* une maison particulièrement accueillante et hospitalière. — *Maître, maîtresse de maison.* ⇒ **Maître** (*supra* cit. 13).

♦ **4.** Spécialt. La maison, le ménage, la famille, où servent des domestiques (→ ci-dessous, III., 2.). *Ce domestique a fait de nombreuses maisons* ⇒ **Place.** — (1835). Absolt. *Les gens de maison :* les domestiques. *Un employé* de maison. Le syndicat des gens de maison.* — (1837). Vx. *Entrer en maison :* devenir domestique, se placer. — Loc. vieillie. *Faire maison nette, neuve, nouvelle :* renvoyer, remplacer tous ses domestiques.

On a beau crier, jurer, maltraiter, chasser, faire maison nouvelle; tout cela ne produit point le bon service. ROUSSEAU, Julie, IV, X. 21

(...) ils l'avaient destinée *(leur unique enfant)* à entrer en maison, c'est-à-dire à devenir femme de chambre. BALZAC, Illusions perdues, Pl., t. IV, p. 1006. 22

♦ **5.** Relig. *La maison du Seigneur, de Dieu... :* le temple de Jérusalem, et, par ext., ⇒ **Église, sanctuaire, temple.** *Maison de prière* (→ Caverne, cit. 4). *La maison du Père, la maison céleste :* le paradis (→ Garçon, cit. 6).

Il y a plusieurs demeures dans la maison de mon Père. 23
BIBLE (SACY), Évangile selon saint Jean, XIV, 2.

Penses-tu que, plus vieille, en la maison céleste 24
Elle eût eu plus d'accueil? F. DE MALHERBE, Poésies, Consolation à Du Périer...

Qui l'eût cru, qu'on dût voir jamais 25
Les glaives meurtriers, les lances homicides
Briller dans la maison de paix? RACINE, Athalie, III, 8.

REM. *Maison-Dieu* se disait pour *Hôtel-Dieu,* et aussi pour *ostensoir.*

♦ **6.** Fam. (souvent lang. enfantin). Logis (d'animaux). *La maison du chien,* sa niche. *Les maisons que se bâtissent les castors* (→ Art, cit. 23). *La forêt* (cit. 1), *maison des oiseaux... La maison de la tortue,* sa carapace (→ Guise, cit. 1).

♦ **7.** (1546). Spécialt. (Astrol.). *Les douze Maisons du Ciel :* les douze fuseaux par lesquels les astrologues divisent le ciel, pour analyser son état au moment de la naissance de quelqu'un (→ Aspect, cit. 31). *Le Seigneur, le maître de la maison,* l'astre qui s'y trouve.

★ **II.** (XIIᵉ). Bâtiment, édifice destiné à un usage spécial.

♦ **1.** Édifice public. — (1270). Vx. *Maison commune, maison de ville.* ⇒ **Hôtel** (de ville), **mairie** (→ Célébration, cit. 1). *Maison de poste :* la poste (→ Facteur, cit. 11; halte, cit. 1).

Dr. pén. Établissement de détention*. ⇒ **Prison.** — (1867). *Mai-*

son centrale (prison d'État), *départementale.* — (1802). *Maison de force** (cit. 47) → aussi Forçat, cit. 5. — *Maison correctionnelle*, plus souvent appelée *maison de correction** (→ Gosse, cit. 3). — (1810). *Maison d'arrêt, de dépôt* (→ Arrêter, cit. 36) : prison où sont retenues les personnes en état de détention préventive. — (1804). *Maison de justice** (cit. 22) → aussi Inculpé, cit. 3. *La prison départementale sert de maison d'arrêt, de justice et de correction.*

26   Le détenu, c'est le condamné. Notre Droit criminel a créé des Maisons d'Arrêt, des Maisons de Justice et des Maisons de Détention (...)
       BALZAC, Splendeurs et Misères des courtisanes, Pl., t. V, p. 920.

♦ **2.** (V. 1175). Établissement public ou privé comportant un ou plusieurs bâtiments où l'on reçoit des usagers, qu'on les loge ou non. — REM. *Maison,* dans ce sens, désigne à la fois l'établissement et le bâtiment qui l'abrite. — (1721). *Maison de santé.* (⇒ **Clinique, hôpital**), *de repos, de convalescence.* — *Maison de fous** (cit. 3 et 5), *d'aliénés**, par euphém., *maison de santé* ⇒ **Asile** (→ Internement, cit.). — (1622). *Les Petites-Maisons,* hôpital de Paris où l'on enfermait les aliénés. *Un échappé des Petites-Maisons.*

27   D'où vient (...)
       Et qu'il n'est point de fou qui, par belles raisons,
       Ne loge son voisin aux Petites-Maisons?   BOILEAU, Satires, IV.

28   On l'intitulait «Maison de Santé» sur les notices, à cause d'un grand jardin qui l'entourait, où nos fous se promenaient pendant les beaux jours.
       CÉLINE, Voyage au bout de la nuit, p. 374.

(1931). *Maison de retraite,* où l'on reçoit les vieillards. — *Maison du marin, du soldat :* établissement fournissant logement et nourriture aux marins, soldats... en déplacement. ⇒ **Foyer.**

(XXe). *Maison de la culture,* placée sous la tutelle du ministère des Affaires culturelles. *Maisons des jeunes et de la culture* (M. J. C.), dépendant du ministère de la Jeunesse et des Sports. «*Les animateurs socio-culturels ont (signé) une motion pour protester contre la décision du gouvernement de supprimer vingt postes de directeur de la maison de la culture*» (*le Monde,* 9 sept. 1969).

Maison d'éducation : école, pensionnat privé ou institution (Légion d'Honneur, etc.). *Maison d'enfants* (cf. Home d'enfants, colonie de vacances).

♦ **3.** (1829). Spécialt. (Lieu* de plaisir). *Maison de jeux* (cit. 35). ⇒ **Tripot.** *Règlements sur les maisons de jeux* (Code pénal, art. 410). *Tenancier* d'une maison de jeux.*

Maison de rendez-vous (→ Indicateur, cit. 3).

(1931). *Maison close.* — *Maison de passe,* (1840) *de tolérance.* ⇒ **Bobinard,** 2. **bocard, bordel,** 2. **bousin, boxon,** 2. **claque** (cit. 2), **lupanar;** et aussi **prostitution.** — Absolt. *Entrer en maison.* — Vx. *Fille de maison.* — *La Maison Tellier,* nouvelle de Maupassant. — *Maison borgne*, clandestine**...

29   Plusieurs, on l'assurait, abattus, corrompus par le découragement même, passaient les nuits et les jours dans les maisons de filles et de jeu (...)
       MICHELET, Hist. de la Révolution franç., V, X.

29.1 Je cesse de l'intéresser dès que je ne suis plus au lit avec lui, comme avant-hier encore, dans cette nouvelle maison de passe où il a pris l'habitude de m'emmener.
       Claude MAURIAC, le Dîner en ville, p. 22.

♦ **4.** (V. 1175). *Les maisons d'une communauté religieuse.* ⇒ **Couvent.** *La maison mère** (1877), *les maisons provinciales d'un ordre* (→ Décisif, cit. 3). *Maison de chartreux* (Chartreuse), *de capucins, de clarisses...*

♦ **5.** (1810). Entreprise commerciale. *Maison de commerce**. ⇒ **Établissement, firme** (→ Fraude, cit. 5; frère, cit. 7; jour, cit. 44). *Maison de détail, de gros. Maison de commission**. — Vx. *Maison de banque* (→ Cas, cit. 7). *Maison de prêt sur gage* (Code pénal, art. 411). — *Maison de production.* — *Fondation d'une maison* (→ Fonds, cit. 4). *La maison mère et ses succursales.* (Sans qualificatif, dans un contexte donné). *Maison qui progresse, prospère...* (→ Fondre, cit. 20). *Les principales maisons de Paris* (→ Librairie, cit. 3). *Les bénéfices de la maison* (→ Intéresser, cit. 5). *Maison en faillite, en liquidation, qui suspend ses paiements* (→ Liquidateur, cit. 1). *La maison X...* (→ Galère, cit. 4). *La maison Nucingen,* roman de Balzac. *Les employés d'une maison,* ceux qui travaillent pour une maison (→ Fort, cit. 77).

30   (...) je suis le représentant d'une grosse maison belge de papeterie qui vient vous faire ses offres de service.
       J. ROMAINS, les Hommes de bonne volonté, t. II, VIII, p. 83.

31   Les employés d'une maison de commerce sont attachés par le cœur à la maison, et fort peu à leurs compagnons de travail; ils ont le sentiment de dépendre d'un organisme complexe, qui a son existence propre.
       J. CHARDONNE, l'Amour du prochain, p. 193.

(1893). Spécialt. Établissement où l'on travaille (maison de commerce, administration, etc.). → Frousse, cit. 1. *Maison dont on se plaint* ⇒ **Boîte** (cit. 11), **boutique...** *L'esprit, les traditions de la maison.* Voir aussi ci-dessous, IV., 2.

32   «Il s'attendrit à exalter la Direction des Dons et Legs, la grande bonté du Directeur, les traditions quasi familiales de la maison!
       COURTELINE, Messieurs les ronds-de-cuir, Ier tableau, II.

Loc. argotique. *La maison parapluie, la maison poulaga, la maison je t'arquepince,* etc. : la police. — *La Grande Maison* (même sens).

★ **III.** Fig. ♦ **1.** (V. 1206). Les personnes qui vivent ensemble, habitent la même maison. ⇒ **Maisonnée; famille** (→ Grabat, cit. 4).

33   Vous me comblez, monsieur le président. Je voudrais pouvoir vous dépeindre la joie de ma maison, la joie de ma femme (...)
       G. DUHAMEL, Chronique des Pasquier, IV, I.

Quelqu'un de la maison, de la famille, des intimes... (→ Intriguer, cit. 2). *Le fils, la fille* (cit. 10) *de la maison. Faire la jeune fille de la maison :* faire le service au cours d'une réunion. *Traiter qqn comme un enfant de la maison* (→ Apprenti, cit. 2). *Les amis* (cit. 20), *les familiers* (cit. 17 et 18), *les habitués* (cit. 14) *de la maison.*

34   La première visite une fois faite, on revient sans motif, et au bout de trois mois on est de la maison; ainsi vont les choses.
       A. DE MUSSET, Nouvelles, «Deux maîtresses», II.

♦ **2.** Vx ou hist. Les gens attachés au service d'une maison ⇒ **Domestique, domesticité.** *Une nombreuse maison.*

(1606). Ensemble des personnes employées au service des grands personnages. *La maison du roi, du souverain.* ⇒ **Domestique.**

35   La dame d'honneur, les dames d'atour, les filles, la gouvernante, et toute la maison (de la Dauphine) part demain.   Mme DE SÉVIGNÉ, 774, 24 janv. 1680.

36   Prince, il (Joseph Bonaparte) composait «sa Maison» de tout ce qui, sans être de l'opposition, y touchait (...)
       Louis MADELIN, Hist. du Consulat et de l'Empire, Avènement de l'Empire, XIV.

(1765). *Maison militaire du roi, de l'empereur, d'un chef d'État,* les troupes destinées à la garde de sa personne. — (V. 1950). *Maison civile, militaire du président de la République,* ensemble des fonctionnaires qui lui sont attachés personnellement.

37   Vous qui gardez mon roi, vous qui vengez la France (...)
       Maison du roi, marchez, assurez la victoire (...)   VOLTAIRE, Poème de Fontenoi.

♦ **3.** (V. 1120). Descendance, lignée (des familles nobles, des grandes familles). *S'allier* (cit. 3) *à la maison d'un gentilhomme. Être issu d'une maison* (→ Anoblir, cit. 3; arme, cit. 18). *Illustre maison* (→ Fleur, cit. 24). *Maison historique* (cit. 8). *L'honneur d'une maison* (→ Imputer, cit. 24). — Allus. bibl. *Si une maison est divisée* (cit. 7) *contre elle-même... La maison de Saül et la maison de David* (Rois, II, III, 1). — *Maison royale* (→ Figuier, cit. 1; fixité, cit. 5; lis, cit. 9). *Maison d'Autriche, de Brunswick.*

38   Ne comptez-vous rien (...) l'avantage d'être allié à la maison de Sotenville? — Et à celle de la Prudoterie, dont j'ai l'honneur d'être issue, maison où le ventre anoblit (...)?   MOLIÈRE, George Dandin, I, 4.

39   (...) sa maison (est) de toutes les maisons la plus ancienne : il doit tenir aux princes lorrains, aux Rohans (...)   LA BRUYÈRE, les Caractères, VIII, 19.

40   La comtesse d'Orgel appartenait par sa naissance à l'illustre maison des Grimoard de la Verberie. Cette maison brilla pendant de nombreux siècles d'un lustre incomparable.   R. RADIGUET, le Bal du comte d'Orgel, p. 15.

Loc. vieillie. *Être de grande, de bonne maison,* et, absolt (XVIe; vx), *être de maison :* être noble. ⇒ 1. **Lieu.** *De bonne, de meilleure maison* (→ Gouverner, cit. 2).

★ **IV.** (XXe). En appos., avec valeur significative. ♦ **1.** (V. 1950). Qui a été fait à la maison, sur place (opposé à *de série, industriel*). *Pâté, tarte, vol-au-vent maison* (→ Du chef).

Par ext. Fam. Particulièrement réussi, soigné.

41   (...) le tour est passé dans la langue familière avec un sens élargi de qualité, de confort, d'agrément... Jacques Perret, dans son *Caporal épinglé,* parle de *commando maison* (...) J'ai relevé de même un *petit exposé maison* chez Raymond Guérin (*Parmi tant d'autres feux*) et *quelque chose de maison, je te le jure* chez Romain Gary (*Le grand vestiaire*).
       René GEORGIN, Pour un meilleur français, p. 204.

♦ **2.** (1944). Particulier à une maison de commerce, à une entreprise. «*Elle a vite attrapé le genre maison*» (S. de Beauvoir, *les Mandarins*). *Esprit maison, syndicat maison.*

42   Les spiqueurs (sic) paraissent avoir mis au point une espèce de langage radiophonique... (une) sorte de phonation à la fois déclamatoire, familière, condescendante, ignorantine et maniérée. Ce n'est pas leur faute, il y a un parler maison, c'est à prendre ou à laisser.   Jacques PERRET, Bâtons dans les roues, III, p. 115.

DÉR. **Maisonnée, maisonnette.**

MAISONNÉE [mɛzɔne] n. f. — 1611; de *maison.*

♦ Ensemble de ceux qui habitent une même maison particulière. ⇒ **Maison,** III., 1. *Toute la maisonnée était réunie.*

MAISONNETTE [mɛzɔnɛt] n. f. — 1160; de *maison.*

♦ Petite maison ⇒ **Pavillon; cabane, cabanon, fermette** (→ Héritage, cit. 6). *Une humble maisonnette. Maisonnette du garde-barrière. Pendule à coucou en forme de maisonnette.*

Pas très fortunés, cette maman et ce grand-père : ne possédant guère qu'une maisonnette en ville et un petit bien de campagne (...)   LOTI, Matelot, I.

MAISTRANCE [mɛstRɑ̃s] n. f. — 1627; «corps de maîtres dans un arsenal», 1559; «fonction de magistrat», XIIIe; de *maître,* anciennt écrit *maistre.*

♦ Mar. Ensemble des officiers mariniers de la marine de guerre française, et, spécialt, officiers de carrière. — (1867). *Écoles de maistrance.* — *Cadre de maistrance.*

MAÎTRE, MAÎTRESSE [mɛtʀ, mɛtʀɛs] n. — 1080, *maistre*; *maistresse*, XIIᵉ; du lat. *magister*.

★ **I.** Personne qui exerce une domination, qui dispose, en fait ou en droit, de certains pouvoirs sur des êtres ou des choses.

A. ♦ **1.** Personne qui a pouvoir et autorité sur qqn pour se faire servir, obéir. *Le maître et l'esclave* (→ Asservir, cit. 5; esclave, cit. 5). *L'esclave appartenait* à son maître qui avait sur lui droit de vie et de mort.* — Appellatif (vx ou hist.) → cit. 2.

1   Enlevé dès l'âge de quinze ans du fond de l'Afrique, ma patrie, je fus d'abord vendu à un maître qui avait plus de vingt femmes (...)
MONTESQUIEU, Lettres persanes, LXIV.

2   Elle *(Salammbô)* pressait Taanach de se hâter, et la vieille esclave en grommelant : — Bien! bien! Maîtresse! (...)
FLAUBERT, Salammbô, p. 210.

3   Cette conscience qui, pour conserver la vie animale, renonce à la vie indépendante, est celle de l'esclave. Celle qui, reconnue, obtient l'indépendance, est celle du maître.
CAMUS, l'Homme révolté, p. 176.

(Au moyen âge). *Le maître et le vassal. L'homme lige et son maître* (→ Homme, cit. 160 et 161). ⇒ **Seigneur.** *Seigneur et maître.*

Vieilli. *Le maître et les serviteurs* (→ Famille, cit. 2), *les domestiques* (cit. 8, Beaumarchais), *les valets* (→ Canaille, cit. 6). ⇒ **Patron.** *Servir un maître* (→ Attendre, cit. 118), *une maîtresse* (→ Hanap, cit. 3; heure, cit. 101; léguer, cit. 2). *Avoir de bons maîtres. Maîtresse qui tourmente ses domestiques* (→ Difficile, cit. 25). *Servante maîtresse* (→ ci-dessous, IV., 1.). — Prov. *« Les bons maîtres font les bons valets »* : les maîtres ont les valets qu'ils méritent. *« Tel maître, tel valet »* : les valets ont souvent les qualités et les défauts de leur maître. *« Nul ne peut servir deux maîtres à la fois. »*

4   Nul ne peut servir deux maîtres; car, ou il haïra l'un et aimera l'autre, ou il se soumettra à l'un et méprisera l'autre : Vous ne pouvez servir Dieu et les richesses.
BIBLE (SACY), Évangile selon saint Matthieu, VI, 24.

5   Notre ennemi, c'est notre maître :
Je vous le dis en bon français.
LA FONTAINE, Fables, VI, 8.

6   (...) un de ses gens entre dans ma chambre et me remet, de la part de sa maîtresse, un paquet (...)
LACLOS, les Liaisons dangereuses, XXXIV.

7   — Les domestiques ici (...) sont plus longs à s'habiller que les maîtres! — C'est qu'ils n'ont point de valets pour les y aider.
BEAUMARCHAIS, le Mariage de Figaro, III, 5.

8   Vos anciens domestiques n'ont fait que changer de maîtres.
G. DUHAMEL, Scènes de la vie future, IX.

Possesseur (d'un animal domestique). *Animal qui reconnaît son maître. Cheval, chien et son maître* (→ Cabrer, cit. 3; gambade, cit. 2). *Fox-terrier aux pieds de sa maîtresse* (→ Étirer, cit. 4). — Par plais. (En parlant des objets familiers). → Geindre, cit. 5; fumeur, cit. 1.

9   Ainsi qu'un chien, craintif et fidèle (...)
Vient à son maistre, et s'endort à ses pieds.
RONSARD, la Franciade, II.

10 Elle s'assit et disposa des coussins derrière elle, tandis que le chien s'étendait sur un pouf aux pieds de sa maîtresse.
J. GREEN, Adrienne Mesurat, I, XIII.

♦ **2.** Personne qui a pouvoir d'imposer aux autres sa volonté (rare au fém.). ⇒ **Chef** (de famille). *Le père romain était juge et maître* (→ Chef, cit. 14). *Père qui est le maître de sa fille* (cit. 4). *L'épouse, le harem* (cit. 3) *et le maître. Maître imposé par la force* (→ Exécrer, cit. 5). — (Av. 1673). Par plais. *Mon seigneur et maître :* mon mari*.

11 (...) je voudrais vous faire oublier que je suis votre maître, pour me souvenir seulement que je suis votre époux.
MONTESQUIEU, Lettres persanes, LXV.

12 Un père n'est le maître de ses enfants que pour leur intérêt (...)
É. DE SENANCOUR, De l'amour..., p. 183.

(En parlant de l'homme par rapport à une femme qui lui est soumise). → Entendre, cit. 7; esclave, cit. 10.

12.1 Maître, maître, le voilà le maître-mot de toutes nos soumissions à la grandeur de l'homme. La voilà la plus pernicieuse et la plus obscure de nos évidences : le meilleur est maître, et le maître est meilleur. Saurons-nous jamais penser hors de cette tyrannique loi du maître?
(...) il n'y a pas de maître de fait, il n'y a que des maîtres voleurs, violeurs et usurpateurs. Maître de la vie et de la mort, maître d'école et maître de famille, maître des arts et des lettres, maître de lois, maître de soi et maître-queue, il n'y a qu'un seul maître, c'est celui qui possède. Le maître n'est rien d'autre qu'un maître propriétaire.
Annie LECLERC, Parole de femme, p. 29.

(1532). Loc. *Maître, maîtresse de maison :* personne qui dirige la maison, y commande, est responsable de ce qui s'y passe. *Le maître de maison est généralement le chef* de famille* (→ Hargneusement, cit. 2; honorer, cit. 14). — Au fig. Astrol. *Le maître de la maison** (I., 7). — *Maître, maîtresse de maison qui reçoit* ⇒ **Amphitryon, hôte.** *Le maître et les convives* (→ Friand, cit. 9). *Parfaite maîtresse de maison.* — Vieilli. *Le maître, les maîtres du logis* (cit. 2). *Maître et seigneur de ce logis* (→ Coutume, cit. 7). — Vx. *Le maître :* le maître de maison.

13 A-t-on servi, il se met le premier à table (...) Il n'a nul discernement des personnes, ni du maître, ni des conviés (...)
LA BRUYÈRE, les Caractères, V, 12.

14 La maîtresse du logis vient au-devant de moi, et m'installe à l'étage le plus élevé (...)
DIDEROT, la Religieuse, Pl., p. 419.

15 (...) quelle est l'occupation d'un maître de maison qui sait vivre? Il s'amuse et amuse ses hôtes; chez lui, c'est tous les jours une nouvelle partie de plaisir.
TAINE, les Origines de la France contemporaine, t. I, I, p. 170.

16 Ma femme, à moi, plus sérieuse, plus triste, plus distinguée peut-être, appartenant, je crois, à une classe un peu meilleure, s'essaie à la maîtresse de maison (...)
LOTI, Mᵐᵉ Chrysanthème, XII.

Vx. *Le maître d'un hôtel.*

16.1 Les rares voyageurs qui étaient descendus à l'hôtel étaient partis. Jean resté seul dans l'hôtel dont il était comme le maître, plus que le maître, puisque le maître était avec Jean comme avec le maître les domestiques, se mêlait de plus en plus à leur vie. Souvent quand le maître faisait atteler sa voiture (...) Jean se préparait, prenait un bon paletot et montait à côté de lui. Souvent ils faisaient des lieues sans rencontrer personne; quand ils traversaient des villages, Jean répondait au salut des passants qui considéraient le maître d'hôtel et plus encore le jeune étranger assis à côté de lui.
PROUST, Jean Santeuil, Pl., p. 380-381.

Mod. **MAÎTRE D'HÔTEL.** ⇒ **Hôtel.**

(XIIᵉ). Au masc. *Le maître d'un peuple, d'un pays,* celui qui y exerce effectivement le pouvoir. ⇒ **Dirigeant, gouvernant.** *Richelieu maître absolu* (cit. 3) *du royaume. Les maîtres de l'Allemagne* (→ Germanique, cit. 1). — (Déb. XVIIᵉ). *Les maîtres de la terre, du monde,* tous ceux qui exercent un pouvoir (→ Les puissants* de ce monde; et aussi arbitre, cit. 10; financier, cit. 3). *Devenir le maître du monde.* ⇒ **Assujettir; dictateur; dominateur, tyran.** *Les Romains furent les maîtres du monde* (→ Jusque, cit. 53). — Spécialt. ⇒ **Souverain** (→ Faveur, cit. 3). *Le règne éclatant d'un maître fastueux* (cit. 3). *Les maîtres et les gouvernés* (→ Égalité, cit. 4). *« Allez dire à votre maître... »* (→ Arracher, cit. 40, Mirabeau). *Peuple qui se donne, qui se choisit un maître.*

17 Mais Rome veut un maître, et non une maîtresse.
RACINE, Britannicus, IV, 2.

18 Parle : peut-on le voir sans penser comme moi
Qu'en quelque obscurité que le sort l'eût fait naître,
Le monde, en le voyant, eût reconnu son maître?
RACINE, Bérénice, I, 5.

19 C'est de ses maîtres même, rois, princes, ministres, prélats, magistrats, intendants, que nous allons apprendre les extrémités où il *(le peuple de France)* était parvenu. Ce sont eux qui vont caractériser le régime sous lequel on tenait le peuple.
MICHELET, Hist. de la Révolution franç., Introd., II, II.

20 La race des maîtres existe; je la connais au pas, et à un certain air de gouvernement. Je ne la hais point; car ce sont de pauvres hommes (...)
ALAIN, Propos, 22 sept. 1930, L'esclave dormant.

21 (...) une fois encore s'allait justifier le mot de Saint-Évremond : *Le Français est surtout jaloux de la liberté de se choisir son maître.*
Louis MADELIN, Hist. du Consulat et de l'Empire, Le Consulat, XIV.

N. m. (Fin XVᵉ). En parlant du Créateur. ⇒ **Dieu.** *Le Maître du monde* (→ Instinct, cit. 14), *de la nature; le maître absolu* (cit. 1). *Le maître tout-puissant, adorable* (cit. 1). *Le Seigneur* et maître* (→ Avouer, cit. 1).

22 Je lève la main vers l'Éternel, le Dieu Très-Haut, maître du ciel et de la terre (...)
BIBLE (SEGOND), Genèse, 14, 22.

♦ **3.** N. m. (V. 1460). *Être maître, le maître quelque part :* avoir pleine autorité, toute licence là où l'on est (→ Despote, cit. 2). *Être le maître chez soi,* dans sa maison ou dans son pays (→ Expansionnisme, cit. 2). — Prov. *Charbonnier* est maître dans sa maison. « J'étais maître en ces lieux, seul j'y commande* (cit. 26) *encore »* (Voltaire). *Le capitaine* d'un bateau est seul maître à bord, est maître après Dieu* (XIXᵉ). — Par anal. *Les lacs où sont maîtres les crocodiles* (→ Jungle, cit. 1). — Par ext. *Être le maître dans une action ou une entreprise commune* (→ Défendre, cit. 11).

23 Est-ce donc que (...)
Je n'aurais pas l'esprit d'être maître chez moi?
MOLIÈRE, les Femmes savantes, V, 2.

24 (...) maître chez moi, j'y pouvais vivre à ma mode sans que personne eût à m'y contrôler.
ROUSSEAU, les Confessions, IX.

25 (...) elle rentrait maintenant dans ce ménage comme un capitaine sur son bateau, hissait son pavillon au mât et ne tolérait plus d'autre maître à bord.
A. MAUROIS, Ariel..., I, X.

Jeu. *Être maître à une couleur :* avoir la carte la plus forte, être en mesure de faire la levée. *Je suis maître à carreau.*

♦ **4.** N. m. (1668). Loc. *L'œil* du maître :* la vigilance du maître à qui rien n'échappe. *Avoir l'oreille du maître,* en être écouté, avoir sa faveur. — *Ni Dieu ni maître,* devise de Blanqui, et des anarchistes. — (1538). *Parler, agir en maître,* avec l'autorité, la liberté d'un maître. *Décider, commander en maître :* imposer sa volonté (cf. Faire la pluie et le beau temps). *Régner en maître :* exercer sa domination. — *Trouver son maître,* celui à qui l'on doit se mettre, obéir.

26 C'est à vous d'en sortir, vous qui parlez en maître!   MOLIÈRE, Tartuffe, IV, 7.

27 La femme, telle que Marie Stuart, mobile, ardente et entraînée, avec le sentiment de sa faiblesse et de son abandon, aime à trouver son maître et par moments son tyran dans celui qu'elle aime, tandis qu'elle méprise vite en lui son esclave et sa créature, quand il n'est rien que cela; elle aime mieux un bras de fer qu'une main efféminée.
SAINTE-BEUVE, Causeries du lundi, 11 août 1851.

♦ **5.** (Av. 1662). Choses. Ce qui gouverne* qqn, commande* sa conduite. — (Au masc.). *L'argent, maître du monde.* — Prov. *L'argent* (cit. 54) *est un bon esclave et un méchant maître, un bon serviteur et un mauvais maître.* — Au fém. *La nécessité, maîtresse des hommes et des dieux* (→ Justifier, cit. 6). *L'expérience* (cit. 19) *est une maîtresse impérieuse. L'imagination, maîtresse du monde* (→ Imaginaire, cit. 1). *La raison décide en maîtresse* (→ Courber, cit. 1). *L'inconstance* (cit. 9) *était maîtresse de tes actions.*

28 (...) la raison ne doit-elle pas être maîtresse de nos mouvements?
MOLIÈRE, le Bourgeois gentilhomme, II, 3.

29 (...) quand les passions sont les maîtresses, elles sont vices.
PASCAL, Pensées, VII, 502.

30 L'argent est le maître de l'homme d'État comme il est le maître de l'homme d'affaires. Et il est le maître du magistrat comme il est le maître du simple citoyen.
Ch. PÉGUY, Note conjointe, p. 292.

31 Notre tempérament, notre caractère, nos passions, sont nos maîtres. Nos actions, nos goûts, notre conduite, sont commandés par eux.
Paul LÉAUTAUD, Propos d'un jour, p. 86.

♦ **6.** (1538). **Par rapport aux autres. ÊTRE MAÎTRE (MAÎTRESSE) DE SOI, ÊTRE SON MAÎTRE** : être libre et indépendant, n'avoir d'autre maître que soi-même. ⇒ **Indépendant** (→ Ne dépendre* de personne, n'avoir de comptes* à rendre à personne). *« Tout homme est né libre et maître de lui-même »* (→ Esclave, cit. 2, Rousseau). *L'homme* (cit. 50), *cette créature qui n'est pas seulement maîtresse de soi. Être suffisamment riche pour être son maître. Elle qui veut devenir sa maîtresse* (→ Acheter, cit. 12). *« En Angleterre, les enfants vont seuls, les filles sont leurs maîtresses »* (→ Bride, cit. 9, Hugo). — Spécialt. N'être engagé à personne (par mariage, liaison, etc.). ⇒ **Appartenir** (s').

32 Vous êtes veuve, et ne dépendez que de vous. Je suis maître de moi (...)
MOLIÈRE, le Bourgeois gentilhomme, III, 15.

33 Sitôt qu'il *(l'homme)* est en âge de raison, lui seul étant juge des moyens propres à le conserver, devient par là son propre maître.
ROUSSEAU, Du contrat social, I, II.

34 Depuis dix ans qu'elle était riche et veuve, maîtresse d'elle-même par conséquent (...)
BARBEY D'AUREVILLY, les Diaboliques, « Dessous de cartes... », p. 234.

Par ext. *Être maître, le maître de ses actes, de sa conduite, de son sort, de son destin..., de ses heures* (cit. 9) *de loisir, de son emploi du temps.* ⇒ **Disposer** (→ Heureux, cit. 23).

35 Je vous l'avais prédit, qu'en dépit de la Grèce,
De votre sort encor vous seriez la maîtresse. RACINE, Andromaque, III, 8.

36 (...) quoi qu'on fasse, tout homme est toujours maître de sa vie.
ROUSSEAU, Julie, II, II.

(Par rapport à soi-même). ÊTRE MAÎTRE (MAÎTRESSE) DE SOI : avoir de l'empire* sur soi-même. ⇒ **Dominer** (se), **maîtriser** (se) ; **maîtrise** (de soi). → Magnanimité, cit. 1. *Rester maître de soi-même.* ⇒ **Calme, ferme.** *Il faut être patient pour devenir maître de soi* (→ Impatience, cit. 1). *Maître de lui-même, il ne dit que ce qu'il veut* (→ Impénétrable, cit. 18). — Par ext. *Un cœur maître de lui.*

37 Je suis maître de moi comme de l'univers ;
Je le suis ; je veux l'être (...) CORNEILLE, Cinna, V, 3.

38 Ainsi n'attendez pas que l'on puisse aujourd'hui
Vous répondre d'un cœur si peu maître de lui :
Il peut, Seigneur, il peut, dans ce désordre extrême,
Épouser ce qu'il hait, et punir ce qu'il aime. RACINE, Andromaque, I, 1.

39 Tiens, quand elle me regarde d'une certaine façon, ses yeux bleus me semblent le paradis, et je ne suis plus mon maître, surtout quand il y a quelques jours qu'elle me tient rigueur. BALZAC, la Rabouilleuse, Pl., t. III, p. 1063.

40 Point d'écrivain qui soit plus maître de soi, plus calme d'extérieur, plus sûr de sa parole *(que Montesquieu).* Jamais sa voix n'éclats ; il dit avec mesure les choses les plus fortes. Point de gestes ; les exclamations, l'emportement de la verve, tout ce qui serait contraire aux bienséances répugne à son tact, à sa réserve, à sa fierté. Il semble qu'il parle toujours devant un petit cercle choisi de gens très fins et de façon à leur donner à chaque instant l'occasion de sentir leur finesse.
TAINE, les Origines de la France contemporaine, t. II, II, p. 89.

41 J'étais maître de moi, très calme, sans colère et même sans rancune.
G. DUHAMEL, Chronique des Pasquier, VI, XIX.

Par ext. *Être maître de sa colère, de sa peur* (→ Courage, cit. 6), la *commander, la dominer. Elle est peu maîtresse de ses craintes et de ses imaginations* (→ Brouiller, cit. 8). *On n'est pas toujours maître, le maître de ses paroles, de ses gestes.* — *L'âme est la maîtresse de ses passions* (→ Liberté, cit. 36).

42 Qui de ses passions
Est maître absolument. RONSARD, Pièces retranchées, « À un sien ami ».

43 — En vérité, sainte-Thérèse, tu es bien incommode avec tes inquiétudes (...) — Je le sais, mais je ne suis pas maîtresse de mes sentiments (...)
DIDEROT, la Religieuse, Pl., p. 367.

44 Il lui coupa la parole dans un mouvement d'impatience dont il ne fut pas maître.
MAUPASSANT, Bel-Ami, II, II.

45 Cependant, elle n'était pas toujours maîtresse de la révolte de ses muscles, elle répondait par un soufflet, à la volée ; et, alors, il y avait des batailles (...)
ZOLA, la Terre, IV, II.

46 On peut être le maître de ses muscles, on n'est pas le maître de ses vaisseaux, on n'est pas le maître des pensées et des images. Voilà tout le secret de la timidité.
G. DUHAMEL, Chronique des Pasquier, VIII, IV.

♦ **7.** (1667). **(ÊTRE) MAÎTRE DE FAIRE QUELQUE CHOSE** : avoir entière liberté de... (⇒ **Libre**). *Vous êtes maître de refuser ou d'accepter. Elle est maîtresse de faire ce qu'il lui plaît* (→ Fantaisie, cit. 17) ; *d'arrêter l'exécution* (cit. 2) *d'un ordre. Celui qui a versé des arrhes* (cit. 1) *est maître de s'en départir.* — REM. L'emploi de cette expression avec l'article est vieilli ou littéraire : *Ce journal leur appartient, ils sont les maîtres d'y insérer ce qu'ils veulent* (→ Forcer, cit. 7).

47 L'on n'est pas plus maître de toujours aimer qu'on ne l'a été de ne pas aimer.
LA BRUYÈRE, les Caractères, IV, 31.

48 (...) en tout état de cause, un peuple est toujours maître de changer ses lois, même les meilleures ; car, s'il lui plaît de se faire mal à lui-même, qui est-ce qui a droit de l'en empêcher ? ROUSSEAU, Du contrat social, II, XII.

49 Cette fois, madame de Vaudremont ne devait pas être maîtresse de quitter à son gré le salon où elle arrivait alors en triomphe.
BALZAC, la Paix du ménage, Pl., t. I, p. 1001.

50 Je laisse mon fils maître de faire ce qu'il voudra.
BALZAC, Paméla Giraud, Pl., t. V, p. 9.

♦ **8.** Personne qui possède une chose, en dispose (⇒ **Avoir, posséder**). *Maître d'un bien.* — Dr. *Bien, chose sans maître.* ⇒ **Abandonné.** *Les choses sans maître sont susceptibles d'appropriation*.

Ma fille est majeure et maîtresse de son bien (→ Cultiver, cit. 4). *Rester maître, se rendre maître d'un bien. Voiture, cheval, maison... de maître,* dont l'usager est le propriétaire (opposé à *de louage*). *Maison de maître* (par ext.) : maison grande et cossue.

51 Tous les biens vacants et sans maître (...) appartiennent au domaine public.
Code civil, art. 539.

Par ext. *Maître de pouvoirs extraordinaires* (→ Finance, cit. 2). *Se rendre maître de qqch.* (se l'approprier), *de qqn* (le capturer, le maîtriser), *d'un pays* (le conquérir, l'occuper). *Se rendre maître d'un incendie, d'un fléau,* l'arrêter, le maîtriser.

52 Un cœur, vous le savez, à deux ne saurait être,
Et je sens que du mien Clitandre s'est fait maître.
MOLIÈRE, les Femmes savantes, V, 1.

53 Une fois maîtres de la clef, il nous restera quelques précautions à prendre contre le bruit de la porte et de la serrure (...) LACLOS, les Liaisons dangereuses, LXXXIV.

54 (...) cette armée (...) se rend maîtresse de tout.
BOSSUET, Oraison funèbre d'Henriette-Marie de France.

(Choses abstraites). Être en possession de... *Se trouver maître d'un secret* ⇒ Irréconciliable, cit. 1). *Être maître de ses moyens. Demeurer maître de son talent jusqu'à un âge avancé* (→ Et, cit. 30). — Disposer à son gré de... *Être maître de son sujet,* le dominer*. *César se rendit maître des élections.* ⇒ **Assurer** (s'). → Acheter, cit. 6. *Être maître, rester maître de la situation, des événements.* ⇒ **Arbitre.**

55 (...) de manière (...) que les tribuns et les ambitieux ne pussent se rendre maîtres des suffrages, et que le peuple même ne pût pas abuser de son pouvoir.
MONTESQUIEU, Grandeur et décadence des Romains, VIII.

56 (...) Prévan s'étant bientôt rendu maître de la conversation, prit tour à tour différents tons, pour essayer celui qui pourrait me plaire.
LACLOS, les Liaisons dangereuses, LXXXV.

57 *(Fouché)* donnait l'ordre de fermer (...) les barrières de Paris, afin de rester maître de la situation. Louis MADELIN, Hist. du Consulat et de l'Empire,
« Ascension de Bonaparte », XXIV.

B. MAÎTRESSE n. f.

a Vx. (Langue class. et jusqu'au XIXᵉ). *La maîtresse de qqn,* la jeune fille ou la femme aimée de lui (ainsi nommée à cause de l'empire qu'elle exerce). — REM. Ce mot n'implique ni n'exclut les relations charnelles. ⇒ **Amie, amante** (cit. 16), **aimée, belle, bien-aimée, dame, dulcinée, mignonne** (→ Aimer, cit. 13 et 14 ; foudre, cit. 14). *Une maîtresse cruelle.*

58 Ah ! les jours et la nuit viennent, pleins de tristesse
À celui, fût-il Dieu, qui languit sans maîtresse. RONSARD, Élégies, X.

59 Maîtresse : (...) celle pour qui on a un attachement particulier, soit que cet attachement soit galant ou sincère. RICHELET, Dict., art. *Maîtresse.*

60 (...) le mot de *maîtresse* (...) communément (...) veut dire une femme qui a donné son cœur, et qui veut le vôtre (...) MARIVAUX, le Paysan parvenu, p. 274.

61 Ce n'est pas que je soupçonne votre maîtresse d'inconstance ; mais elle est bien jeune ; elle a grand-peur de sa maman (...)
LACLOS, les Liaisons dangereuses, LXXXIX.

Spécialt. ⇒ **Fiancée.** *« Il faut venger un père et perdre une maîtresse »* (Corneille) → Animer, cit. 20. *« Il fait de beaux présents de noce à sa maîtresse, à son accordée »* (Furetière, *Dictionnaire*).

62 Je ne veux pas pour cela qu'on trompe un jeune homme en peignant un modèle de perfection qui ne puisse exister ; mais je choisirai tellement les défauts de sa maîtresse, qu'ils lui conviennent, qu'ils lui plaisent et qu'ils servent à corriger les siens. ROUSSEAU, Émile, IV.

b (1678). Mod. *La maîtresse d'un homme,* la femme qui s'est donnée à lui (sans être son épouse). ⇒ **Femme, amie** (bonne amie)... (→ Cesse, cit. 8 ; gouverneur, cit. 1 ; instrument, cit. 13 ; irrégulier, cit. 4). *Ils sont amant et maîtresse* (→ **Amant** (les amants). *Avoir une maîtresse* (→ Jupe, cit. 7) ; *prendre une maîtresse.* ⇒ **Liaison.** *Il en a fait sa maîtresse* (→ Ignorer, cit. 49). *Il vit avec sa maîtresse.* ⇒ **Concubine.** *Maîtresse d'un homme marié.* ⇒ **Adultère.** *Entretenir* une maîtresse. *Avoir des maîtresses à la douzaine* (→ Guilledou, cit.). *Courir de maîtresse en maîtresse* (→ Escompter, cit. 3). *La première maîtresse d'un jeune homme.* (→ Homme, cit. 157 ; jalousie, cit. 21). *Ancienne maîtresse* (→ Bégueule, cit. 2). *Vieille maîtresse* (→ Chaîne, cit. 24). *Maîtresses des grands princes.* ⇒ **Favorite** (cit. 12). *Maîtresse en titre* (→ 2. Général, cit. 11). *Maîtresse aimée* (→ Lieu, cit. 37), *adorée, idolâtrée. S'attacher* (cit. 66) *à une maîtresse. Maîtresse qui s'impose comme épouse* (→ Ascendant, cit. 9), *qui se fait épouser.* — Par ext. *Être la femme et la maîtresse* (→ Dépraver, cit. 5). *Épouse et maîtresse* (→ Fatal, cit. 10). — Allus. littér. *« Aimer est le grand point, qu'importe la maîtresse »* (→ Flacon, cit. 6, Musset). — *Une vieille maîtresse,* roman de Barbey d'Aurevilly.

63 Crois-tu, Ibben, qu'une femme s'avise d'être la maîtresse d'un ministre pour coucher avec lui ? Quelle idée ! c'est pour lui présenter cinq ou six placets tous les matins (...) MONTESQUIEU, Lettres persanes, CVIII.

64 — Je vis avec une maîtresse, lui disais-je, sans être lié par les cérémonies du mariage : M. le Duc de... en entretient deux, aux yeux de tout Paris ; M. de... en a une depuis dix ans, qu'il aime avec une fidélité qu'il n'a jamais eue pour sa femme ; les deux tiers des honnêtes gens de France se font honneur d'en avoir.
Abbé PRÉVOST, Manon Lescaut, p. 185.

65 Crois-moi, choisis un autre amant, comme j'ai fait une autre maîtresse... Adieu, mon ange, je t'ai prise avec plaisir, je te quitte sans regret (...)
LACLOS, les Liaisons dangereuses, CXLI.

66 Je suppose que mon oncle recevait des cadeaux de ses maîtresses riches, et avec cet argent s'habillait magnifiquement et entretenait ses maîtresses pauvres.
STENDHAL, Vie de Henry Brulard, 6.

67 Il est marié à une femme... la plus belle, la meilleure, la plus séduisante qui soit peut-être dans ce royaume, et il trouve une maîtresse dans une épouse fidèle.
A. DE MUSSET, Carmosine, II, 7.

68 Elle se laissa tomber en arrière et là, devant ce feu, sur ces coussins, fut ma maîtresse. Je n'éprouvais aucun sentiment d'amour, mais je la désirais et je me disais : « Si je ne la prends pas, j'aurai l'air d'un lâche. »
A. MAUROIS, Climats, I, XV.

★ **II.** (XIIe). Personne qualifiée pour diriger. — REM. Le fém. est théoriquement *maîtresse,* mais on emploie parfois *maître.*

♦ **1.** (V. 1155). Personne qui exerce une fonction de direction, de surveillance. ⇒ **Chef.** — (1611). Vx. *Maître des hautes œuvres* ⇒ **Bourreau, exécuteur.** — *Maître de forges**. — Vx. *Maîtresse d'atelier* ⇒ **Contremaîtresse.** — Vx. *Maître de café; maîtresse d'auberge* (→ Bourg, cit.). ⇒ **Patron, patronne.** — *La Fontaine était maître des Eaux et Forêts* (→ Grume, cit. 1).

N. m. Mod. *Maître de l'ouvrage :* personne, collectivité ou organisme qui conclut un marché et pour le compte duquel on construit. — *Maître d'œuvre :* personne physique ou morale, ou service administratif, désigné par le maître de l'ouvrage pour diriger et contrôler, en son nom, l'exécution des travaux faisant l'objet d'un marché. — Fig. Directeur de travaux intellectuels. *Diderot fut le maître d'œuvre de l'Encyclopédie.*

(1809). *Maître des requêtes au Conseil d'État* (fém. *maître*). — *Maître de ballet :* celui qui dirige un ballet dans un théâtre (fém. *maître* ou *maîtresse*). — *Maître de chapelle**. *Maître des cérémonies* (cit. 6). *Maître d'hôtel* (→ Hôtel, cit. 15 et 16). — Milit. *Maître de camp.* ⇒ **Mestre.** — (1873). Mar. Officier marinier. *Premier-maître, quartier-maître...* ⇒ **Maistrance.** *Maître de manœuvre; maître d'équipage.* ⇒ **Bosco, bosseman.** — *Grand Maître de l'ordre :* chef d'un ordre* militaire. *Le grand maître des Templiers, de l'ordre de Malte* (⇒ **Magistère**). — (1834). Anc. *Grand Maître de l'Université,* nom donné au ministre de l'Éducation nationale. — *Maître de conférences* (nom d'abord donné aux professeurs de l'École normale Supérieure) : personne chargée d'un cours dans une grande école ou enseignant dans une université avant d'accéder au titre de professeur (→ Aiguiser, cit. 14) [fém. *maître*]. — *Maître de recherches* (fém. *maître*). *Maître assistant* (invar. : *elle est maître assistant*). — *Maître d'étude**, qui surveille une étude. ⇒ **Pion, surveillant.** *Maître d'internat* (fém. *maîtresse*). — Vx. *Maître d'école,* celui qui dirigeait une école (→ ci-dessous, 2., au sens d'instituteur).

69 Chaque castor agit, commune en est la tâche;
Le vieux y fait marcher le jeune sans relâche.
Maint maître d'œuvre y court, et tient haut le bâton.
LA FONTAINE, Fables, IX, Disc. à Mme de La Sablière.

70 Dans son cabinet de travail (...) M. Bergeret, maître de conférences à la Faculté des lettres, préparait sa leçon sur le huitième livre de l'*Énéide.*
FRANCE, le Mannequin d'osier, Œ., t. XI, I, p. 225.

71 — Ces messieurs prendront peut-être une pêche au marasquin, dit le maître d'hôtel. Sa voix était douce et persuasive, et ses regards vigilants parcouraient l'étendue des tables servies. FRANCE, M. Bergeret à Paris, Œ., t. XII, IX, p. 360.

72 Comme tous les ordres de chevalerie, l'Ordre de Santiago déchoit : il ne brûle plus vraiment que dans le cœur de votre père. Ce n'est pas sans raison qu'on surnomme votre père « le Maître de Santiago », bien qu'il n 'y ait plus de Grand Maître de cet Ordre. MONTHERLANT, le Maître de Santiago, I, 1.

Quand le maître est absent, les subordonnés n'en font qu'à leur tête (→ Quand le chat* n'est pas là, les souris dansent).

♦ **2.** (V. 1155). Personne qui enseigne. *Maître, maîtresse :* personne qui enseigne aux enfants dans une école, ou dans le particulier. ⇒ **Éducateur, enseignant, instituteur, pédagogue, précepteur, professeur, régent.** — (Déb. XIIIe; fém., 1567). *Maître, maîtresse d'école :* instituteur, institutrice (→ Classe, cit. 13). *Le maître et les élèves, les écoliers* (→ Cahier, cit. 3). *Maître qui interroge* (cit. 5 et 7) *un élève. Obéir à sa maîtresse. Maître chargé de telle classe. Les maîtres d'un élève. Ses maîtres en sont très contents* (→ Enseigner, cit. 4). *Maîtresse auxiliaire.* — En Afrique. *Maître coranique :* maître d'une école coranique. — *Maître de musique* (→ Comme, cit. 43). *Maîtresse de piano* (→ Leçon, cit. 6). *Maître de chant,* (vx) *à chanter* (→ Déchiffrer, cit. 6). *Maître de danse* (→ Farceur, cit. 2), (vx) *maître à danser* (→ Gambade, cit. 3). — (1670). *Maître d'armes,* qui enseigne l'escrime* (→ Botte, cit. 1).

73 (...) je ne veux pas qu'on emprisonne ce garçon. Je ne veux pas qu'on l'abandonne à l'humeur mélancolique d'un furieux maistre d'école.
MONTAIGNE, Essais, I, XXVI.

74 (...) veux-tu que je te donne un maître pour te montrer à jouer du clavecin?
MOLIÈRE, l'Amour médecin, I, 2.

75 Un nombre infini de maîtres de langues, d'arts et de sciences, enseignent ce qu'ils ne savent pas; et ce talent est bien considérable : car il ne faut pas beaucoup d'esprit pour montrer ce qu'on sait; mais il en faut infiniment pour enseigner ce qu'on ignore. MONTESQUIEU, Lettres persanes, LVIII.

76 Dans chaque université allemande plusieurs professeurs étaient en concurrence pour chaque branche d'enseignement; ainsi, les maîtres avaient eux-mêmes de l'émulation, intéressés qu'ils étaient à l'emporter les uns sur les autres, en attirant un plus grand nombre d'écoliers. Mme DE STAËL, De l'Allemagne, I, XVIII.

77 Il *(le père Madeleine)* allouait de ses deniers aux deux instituteurs une indemnité double de leur maigre traitement officiel, et un jour, à quelqu'un qui s'en étonnait, il dit : « Les deux premiers fonctionnaires de l'État, c'est la nourrice et le maître d'école. » HUGO, les Misérables, I, V, II.

78 Lacretelle y eut pour professeur André Bellessort, maître fougueux et tonnant, qui éveillait ses élèves par ses paradoxes.
A. MAUROIS, Études littéraires, « Lacretelle », I.

(1662). *Le temps est un grand maître,* donne de l'expérience. *L'amour est un grand maître* (→ Enseigner, cit. 14). — *L'imagination* (cit. 10), *maîtresse d'erreur et de fausseté.*

♦ **3.** (XIIIe). N. m. Dans le système corporatif, Artisan qui dirige le travail et enseigne aux apprentis. *Les maîtres, les compagnons** (cit. 10) *et les apprentis* (cit. 2) *d'une corporation. L'artisan devenait maître en recevant les lettres de maîtrise**. *Compagnon qui passe maître.* — Prov. *Apprenti* n'est pas maître.* — Fig. *« L'homme est un apprenti* (cit. 9), *la douleur est son maître »* (Musset). — (1845). Par anal. *Dans la franc-maçonnerie* (cit. 1), *Maîtres, compagnons et apprentis d'une loge.* — (1765). *Grand Maître :* chef d'une obédience maçonnique. *Le Grand Maître du Grand Orient de France.*

(V. 1170). *Être maître dans le métier, dans l'art* de...* ⇒ **Adroit, compétent, expert, savant.** *Être maître à...* (vx). *Passer maître dans l'art de... :* devenir expert en fait de ... (→ Argumentation, cit. 2; bien, cit. 115). *Il est passé maître dans l'art de tromper, en fait* (cit. 46) *de tromperie.* — (1538). Loc. *De main de maître :* avec l'habileté* d'un maître. ⇒ **Magistralement.** *Portrait fait de main de maître* (→ Filer, cit. 9; implacable cit. 9). — *La griffe* (cit. 15) *du maître :* la marque du maître. — *Coup de maître :* coup admirable, magistral. *Des coups* (cit. 56) *de maître* (Corneille) (→ Jeu, cit. 59). — (XIIIe). *Trouver son maître,* quelqu'un de supérieur à soi, de plus adroit, de plus compétent. *Il a trouvé son maître en fait de mensonge* (→ aussi cette expression au sens I., 1.).

(...) des pièces d'éloquence (...) faites de main de maîtres (...) 79
LA BRUYÈRE, Discours de réception à l'Académie, Préface.

(...) il lui suffit de penser qu'il n'a point fait l'apprentissage d'un certain métier, 80
pour se consoler de n'y être point maître. LA BRUYÈRE, les Caractères, XI, 84.

Maître renard, par l'odeur alléché, 81
Encore un maître! mais pour celui-ci c'est à bon titre : il est maître passé dans les tours de son métier. ROUSSEAU, Émile, II.

Il est passé maître dans l'art de tout dire en peu de mots, sans jamais être obscur. 82
P.-J. STAHL, Chamfort, Conclusion.

♦ **4.** N. m. Peintre, sculpteur qui dirigeait un atelier et travaillait souvent avec ses élèves à une même œuvre. *Attribuer au maître l'œuvre d'un élève. Le maître de...* (suivi d'un nom de lieu, du titre de l'œuvre...), désignation d'un peintre ancien anonyme dont l'œuvre a la qualité de celle d'un maître d'atelier. *Le Maître de Moulins.*

(...) le domaine de l'atelier est celui d'un artisanat. « Œuvre d'atelier », aujourd'hui 83
encore, veut dire pour les experts : œuvre exécutée dans l'atelier du maître, sous sa direction et sous son contrôle, — et parfois achevée par lui.
MALRAUX, les Voix du silence, p. 362.

(Le) génie de Gislebert d'Autun, des anonymes rhénans, des maîtres du Portail 84
Royal de Chartres (...) MALRAUX, les Voix du silence, p. 228.

♦ **5.** N. m. (Fin XIIe). Personne dont on est le disciple ou que l'on prend pour modèle. ⇒ **Initiateur, modèle.** *Les disciples d'Aristote et leur maître* (→ Assembler, cit. 1). *Les maîtres d'un auteur, d'un écrivain* (→ Froisser, cit. 25), *d'un peintre, d'un sculpteur...* (→ Imagier, cit. 3). *Les crocheteurs du Port-au-Foin étaient les maîtres de Malherbe pour le langage* (cit. 20). ⇒ **Exemple.** *Les maîtres d'un savant.* — *Prendre pour maître. Se réclamer d'un maître. Maître vénéré. Mon maître et ami. Notre confrère et notre maître à tous.* — Fig. *La nature doit être notre maître, le vrai modèle du goût* (→ Imitation, cit. 10 et 13).

(...) d'autant que les fautes qu'on y peut faire sont selon notre maître, Hippocrate, 85
d'une dangereuse conséquence. MOLIÈRE, l'Amour médecin, II, 5.

Il est donc clair que les hommes que nous appelons nos *maîtres,* ne sont en effet 86
que des *moniteurs* (...) nous n'avons point d'autre *maître* dans les sciences, Philosophie, Mathématiques (...) que la *Sagesse éternelle qui habite en nous* (...)
MALEBRANCHE, Entretiens sur la métaphysique..., Préface, p. 34.

À mon très-cher et très-vénéré 87
Maître et ami
Théophile Gautier
BAUDELAIRE, les Fleurs du mal, Dédicace.

Une génération trouve parfois ses maîtres chez elle-même, mais toujours dans la 88
génération précédente les professeurs par lesquels et contre lesquels elle se fait.
A. THIBAUDET, Hist. de la littérature franç., p. 262.

L'idée du chef ne m'est pas absolument étrangère, pourtant elle m'est moins sen- 89
sible que celle du maître... Ce que je demande, ce n'est pas de me délivrer de toute responsabilité, ce n'est pas de marcher les yeux clos, ce que je demande, c'est de la nourriture, de la substance. Je veux un enseignement.
G. DUHAMEL, Chronique des Pasquier, VI, II.

Rembrandt, dans *Le Prophète Balaam* de 1626, ne s'applique pas à représenter 90
la vie, mais à parler la langue de son maître Latsmann... C'est sur ce pastiche que tout artiste se conquiert d'abord (...) MALRAUX, les Voix du silence, p. 310.

Mais le mot maître a un autre sens qui l'oppose seulement à disciple dans une 90.1
relation de respect et de gratitude (...) À la fin, le maître se réjouit lorsque le disciple le quitte et accomplit sa différence, tandis que celui-ci gardera toujours la nostalgie de ce temps où il recevait tout, sachant qu'il ne pourrait jamais rien rendre. CAMUS, Sur « les Îles » de Jean Grenier, *in* Essais, Pl., p. 1160.

♦ **6.** N. m. (1690). Artiste, écrivain ou savant qui excelle dans son art, qui a fait école (cit. 28). *Les maîtres de la littérature française, de la peinture espagnole, de la sculpture gothique...* (→ Les grands noms*). Les maîtres de l'art (cit. 63). *Création d'un maître* (→ Imagerie, cit. 4). *Maître éminent. « Admirons les grands maîtres, ne les imitons pas »* (Hugo). *Les Maîtres d'autrefois,* études de peinture d'E. Fromentin.

Les journaux, unanimes en faveur d'un talent ignoré, retentissaient encore de 91

louanges sincères. Les artistes eux-mêmes reconnaissaient Schinner pour un maître, et les marchands couvraient d'or ses tableaux.
BALZAC, la Bourse, Pl., t. I, p. 332.

92 (...) les Grecs resteront toujours les maîtres divins du marbre comme ils le sont de la poésie et comme ils l'étaient sans doute de la peinture.
Th. GAUTIER, Portraits contemporains, « Simart ».

Petit maître : peintre de qualité considéré comme mineur. *Un petit maître de la Renaissance.*

★ **III.** (XIIIᵉ). Titre. ♦ **1.** N. m. (V. 1460). Titre qui remplace Monsieur, Madame en parlant des gens de loi ou en s'adressant à eux (avoué, avocat, huissier, notaire...). *Par devant maître X, notaire. « Maître Hareng, huissier* (cit. 8) *à Buchy ». Maître X, avocate à la cour* (abrév. : *Mᵉ*). *Maître Bolbec et son mari,* comédie de Louis Verneuil.

93 Germaine Berton comparut le 18 décembre 1923 devant la Cour d'assises, défendue par Mᵉ Henry Torrès. Les débats furent pleins d'incidents et menés avec une rare violence.
Maurice GARÇON, la Justice contemporaine, XIX.

94 La défense avait beau jeu. Vous n'avez qu'une certitude morale, plaidait Maître Lancry.
M. AYMÉ, la Tête des autres, I, 2.

♦ **2.** Vx. (Suivi du nom ou du prénom). Titre donné autrefois familièrement aux hommes qu'on ne pouvait appeler « Monsieur », et encore au XIXᵉ siècle aux paysans, aux artisans (→ Père). *Maître Simon* ⇒ Agissant, cit. 9). *Maître Jacques.* ⇒ **Jacques.** *Maître Aliboron. Maître François. Maître Cornille, le meunier.* — Par plais. (dans les fables). *Maître Corbeau, maître Renard* (→ Allécher, cit. 1 ; arbre, cit. 6). — Littér. *La Bête à Maît' Belhomme,* conte de Maupassant.

95 Le père Rouault lui fit la conduite ; ils marchaient dans un coin de la haie, et enfin, quand on l'eut dépassée : — Maître Rouault, murmura-t-il, je voudrais bien vous dire quelque chose.
FLAUBERT, Mᵐᵉ Bovary, I, III.

96 — Eh bien, maît' Caniveau, dit-il, ça va-t-il comme vous voulez? L'énorme campagnard (...) répondit en souriant (...)
MAUPASSANT, Monsieur Parent, « La bête à Maît' Belhomme ».

REM. On rencontre parfois le féminin *maîtresse* pour une paysanne, une fermière. — (Régional). *Maîtresse Jacqueline.*

97 Dans les grandes occasions, maîtresse Fruytier accompagnait son mari.
René BAZIN, Il était quatre petits enfants, II, *in* GREVISSE.

♦ **3.** N. m. (1866). Titre que l'on donne en s'adressant à un professeur éminent, à un artiste ou un écrivain célèbre. *Monsieur (Madame) et cher Maître.* — REM. Au féminin → cit. 98.

97.1 « Mon cher Maître... » Maître est le mot adopté depuis quelque temps à Paris par les auteurs dramatiques et les hommes de lettres lorsqu'ils s'écrivent entre eux. Autrefois les avocats seulement et les gens du palais employaient ce terme. Mais il est très bien reçu maintenant dans la littérature ; il flatte celui qui le reçoit.
Ch. PAUL DE KOCK, la Grande Ville, p. 102.

98 Vous êtes triste, pauvre amie et chère maître (...)
FLAUBERT, Correspondance, 876, 12 nov. 1866.

99 Mon cher Maître,
Avez-vous assez de moi ? Pourriez-vous me dire ce qu'il faut lire pour connaître un peu le mouvement néo-catholique vers 1840? -
FLAUBERT, Correspondance, 841, 12 mars 1866.

100 (...) tel vieux raté obscur se croit glorieux parce qu'il reçoit de temps en temps une coupure de l'*Argus,* et que trois pelés et quatre tondus lui serrent la main en l'appelant « Maître » au café.
J. ROMAINS, les Hommes de bonne volonté, t. XI, V, p. 38.

★ **IV.** (1080). En appos. ou adj. **MAÎTRE, MAÎTRESSE.**

A. (Personnes). ♦ **1.** Qui est le maître, la maîtresse (au sens I, 1). *Servante maîtresse :* servante, domestique qui est devenue maîtresse d'une maison. *La Servante maîtresse,* opéra-bouffe de Pergolèse. — REM. Dans cette expression il y a jeu de mot sur *maîtresse,* la servante qui a cette autorité étant généralement la maîtresse du maître de maison.

101 Depuis que la fille à Cognet, le cantonnier de Rognes, la Cognette comme on la nommait, quand elle lavait la vaisselle de la ferme à douze ans, était montée aux honneurs de servante-maîtresse, elle se faisait traiter en dame, despotiquement.
ZOLA, la Terre, I, I.

♦ **2.** Qui a les qualités d'un maître, d'une maîtresse. — Vx. *Un maître homme.* — (1669). Mod. **MAÎTRESSE FEMME :** femme qui a de l'énergie, qui sait organiser et commander. ⇒ **Énergique** (→ Commode, cit. 9).

102 Dans toute sa personne il y a je ne sais quoi
Qui d'abord fait juger que c'est un maître roi (...) MOLIÈRE, Mélicerte, I, 3.

103 (...) nous restâmes à le voir filer, ce maître-couple, — la femme étalant sa traîne noire dans la poussière du jardin, comme un paon, dédaigneux jusque dans son plumage.
BARBEY D'AUREVILLY, les Diaboliques, « Le bonheur dans le crime », p. 133.

♦ **3.** (1080 ; anciennt). Qui est le premier, le chef de ceux qui exercent la même profession dans un corps de métier, une entreprise. ⇒ **Chef, premier.** — (1835). *Maître maçon* (→ Forteresse, cit. 1). *Maître compagnon. Maître fondeur. Maître calfat. Maître cuisinier, maître coq** ou *maître queux**. *Maître clerc** (→ Étude, cit. 52). — (1846). *Maître chanteur* (trad. de l'all. *Meistersinger*) : « compositeur allemand reçu dans une corporation à la suite d'épreuves pédantesques » (L. Réau). *Les Maîtres Chanteurs,* opéra de Wagner (dans un autre sens ; ⇒ **Chanteur**). *Maître sonneur :* maître de la corporation des sonneurs de cornemuse. *Les Maîtres sonneurs,* roman de George Sand.

Je suis, dit-il au sergent, le maître garçon de ce cabaret. 104
A. R. LESAGE, le Diable boiteux, VII.

(...) au bout d'une quinzaine il devint maître compagnon, fut logé, nourri chez 105 Frappier qui lui montra le calcul et le dessin linéaire.
BALZAC, Pierrette, Pl., t. III, p. 719.

Par maîtres-artisans, il y a lieu d'entendre les travailleurs autonomes de l'un et 106 de l'autre sexe exerçant personnellement et à leur compte (...) accomplissant leur travail seul ou avec le concours de leur conjoint, des membres de leur famille, de compagnons ou d'apprentis.
Code du travail, Loi du 26 juil. 1925.

REM. Cet emploi de *maître* connaît, depuis 1960, un regain d'emploi pour former des composés désignant des artisans qualifiés : *maître-artisan, maître-fabricant, maître-rôtisseur,* etc. (*in* P. Gilbert).

(1690). Par ext. et péj. Vieilli. (Renforçant une qualification injurieuse). ⇒ **Fieffé.** *Maître filou* (cit. 1). *Maître fripon* (→ Avaricieux, cit. 1). *C'est un maître sot.*

Voilà un maître fou. Je me flatte que personne n'a pu adopter une idée aussi extra- 107 vagante.
VOLTAIRE, l'Homme aux 40 écus, VII.

B. (XIᵉ). Vx ou régional. (Choses). Qui est important, ou qui est le plus important. *Un maître chou* ⇒ Gîter, cit. 1, La Fontaine) : un très gros chou. — Cour. *Maîtresse branche d'un arbre,* la plus grosse. ⇒ **Principal** (→ Buse, cit. 2). — (Av. 1850). *Maîtresse poutre** *d'un comble. Cheville maîtresse* (→ fig. Centre, cit. 9). — (XVIᵉ). *Maître-autel :* autel principal d'une église, placé dans l'axe de la nef. *Des maîtres-autels.*

Au fond de l'église, face à l'entrée, est la merveille du sanctuaire, le maître-autel 108 entièrement fait d'agate brune, avec mosaïques en pierres rares de différentes couleurs où le blanc domine.
LOTI, Figures et Choses..., p. 65.

(...) une bûche, une maîtresse bûche, une vraie bûche de Noël (...) 109
FRANCE, le Crime de S. Bonnard, t. II, I, p. 334.

Des maigres fumées montent encore des décombres. Des nuées d'urubus, de vau- 109.1 tours, de corbeaux à bec rouge se disputent les charognes des chevaux et des bestiaux épars dans les champs. À la maîtresse branche d'un figuier sauvage se balance la carcasse de Jean Marchais.
B. CENDRARS, l'Or, *in* Œ. compl., t. II, p. 229.

(...) une grande fente qui a partagé le mur maître depuis la fondation jusqu'aux 110 tuiles.
J. GIONO, Regain, III.

(1765). **MAÎTRE-COUPLE** ou **MAÎTRE COUPLE** : couple* situé dans la plus grande largeur du navire. *Des maîtres-couples.* — (1962). Section maximale du fuselage (d'un avion).

(Par anal. avec un navire). *Maître-couple :* la plus grande largeur d'un poisson.

(Chez le labre) la plus grande section du corps — appelée maître-couple — est 110.1 située au niveau des nageoires pelviennes, c'est-à-dire à peu près à mi-longueur. À ce détail, on reconnaît que le Labre n'a pas une nage très rapide, le maître-couple se trouvant reporté, chez les bons nageurs, dans une position plus antérieure.
R. et M.-L. BAUCHOT, les Poissons, p. 9.

Qui a de la force, de l'efficacité. **MAÎTRE-MOT** ou **MAÎTRE MOT** (→ ci-dessus, cit. 12.1). *Les maîtres-mots des magiciens* (cit. 4).

On en parlait souvent, de la retraite, et comme d'une opération de haute magie, 110.2 qui transforme un maître d'école en rentier. La retraite, c'était le grand mot, le maître-mot.
M. PAGNOL, le Château de ma mère, p. 344.

(1845). Cartes. *Atout** *maître. Garder ses cartes maîtresses,* celles qui peuvent faire une levée. — Fig. *Longue négociation où l'on finit par jouer ses cartes maîtresses.* → Abattre (son jeu).

Voilà un maître coup qui m'arrive ; il s'agit de le parer ou de l'encaisser propre- 111 ment.
ALAIN, Propos, 24 sept. 1911, « Une cure ».

(1580). Fig. et littér. Essentiel. *La pièce maîtresse d'une collection, d'un dossier... Idée maîtresse d'une explication, d'un texte, d'un auteur. Un maître argument. La science maîtresse sera la philosophie* (→ Gouverner, cit. 32). *L'éducation doit respecter notre « forme maîtresse », selon Montaigne. La qualité maîtresse d'une personne.* ⇒ **Majeur** (→ Homme, cit. 151). *La théorie de la « faculté maîtresse » chez Taine.*

C'est le maistre *(maître)* jour, c'est le jour juge de tous les autres *(celui de la* 112 *mort) ;* c'est le jour, dit un ancien, qui doit juger de toutes mes années passées.
MONTAIGNE, Essais, I, XIX.

(...) j'ose dire que cet heureux poème n'a si extraordinairement réussi que parce 113 qu'on y voit les deux maîtresses conditions (permettez-moi cette épithète) que demande ce grand maître aux excellentes tragédies (...)
CORNEILLE, le Cid, Avertissement.

Il *(Taine)* suppose en principe « que les facultés d'un homme, comme les organes 114 d'une plante, dépendent les unes des autres (...) qu'il y a en nous une faculté-maîtresse dont l'action uniforme se communique différemment à nos différents rouages (...) Une fois qu'on a saisi la faculté-maîtresse (...) on voit l'homme se développer comme une fleur ». Il y a ici l'annonce et comme l'inauguration d'une nouvelle méthode en critique (...) je me bornerai (...) à faire voir ce qu'elle a, selon moi, d'excessif, d'artificiel et de conjectural (...)
SAINTE-BEUVE, Causeries du lundi, 16 mars 1857.

C'était au ministre de Lessart que Talleyrand avait (...) exposé dès janvier 1792, 115 son idée maîtresse *(l'alliance de la France et de l'Angleterre) :* toute sa vie il y restera fidèle (...)
Louis MADELIN, Talleyrand, I, V.

CONTR. Esclave. — Domestique, serviteur, valet. — Inférieur, subalterne. — Disciple, élève. — Apprenti. — Accessoire, secondaire.

DÉR. Maîtrise, maistrance.

COMP. Contremaître. — Petit-maître. — Quartier-maître ; sous-maître. — Maître-à-danser, maître-chien.

HOM. Mètre, mettre.

MAÎTRE-À-DANSER [mɛtʀadɑ̃se] n. m. — 1765 ; par anal. de forme (les branches étant comparées aux jambes).

♦ Techn. Compas d'épaisseur à branches croisées.

MAÎTRE CHANTEUR [mɛtʁəʃɑ̃tœʁ] n. m. ⇒ **Chanteur.**

MAÎTRE-CHIEN [mɛtʁəʃjɛ̃] n. m. — Attesté v. 1980 ; de *maître*, et *chien* ; par une composition inhabituelle.

♦ Personne responsable du dressage et de l'emploi d'un chien (à la surveillance de lieux publics, à la recherche de disparus dans une avalanche, etc.). « *Un maître-chien qui assure la surveillance d'une discothèque* » (*Sciences et Avenir*, juin 1981, p. 75). *Des maîtres-chiens.*

MAÎTRESSE [mɛtʁɛs] n. f.

♦ **1.** Fém. de *maître* dans plusieurs acceptions. ⇒ **Maître.**

♦ **2.** Spécialt. ⇒ **Maître,** I., B.

COMP. **Sous-maîtresse.**

MAÎTRISABLE [mɛtʁizabl] adj. — 1845 ; de *maîtriser.*

♦ Qui peut être maîtrisé (surtout en parlant des émotions, des réflexes). *Une peur irraisonnée, difficilement maîtrisable.*

CONTR. **Insurmontable, irrépressible.**

MAÎTRISE [mɛtʁiz] n. f. — xvɪᵉ ; *maistrie, mestrise,* v. 1175 ; de *maître.*
Qualité de maître.

★ **I.** ♦ **1.** (xvᵉ). Vx ou didact. Qualité, fonction d'une personne qui commande, qui exerce sa domination. ⇒ **Autorité, domination, pouvoir, souveraineté** (→ Garder, cit. 88). *Maîtrise et servitude.*

1 (...) les idéologies contemporaines (...) ont appris de Hegel à penser l'histoire en fonction de la dialectique maîtrise et servitude (...) au premier matin du monde, il n'y a qu'un maître et un esclave (...)   CAMUS, l'Homme révolté, p. 172.

♦ **2.** (1907). Mod. MAÎTRISE DE SOI : qualité de celui qui est maître* de soi, qui se domine. ⇒ **Contrôle, empire, gouvernement** (de soi-même) ; → Estimer, cit. 29 ; hédoniste, cit. *Avoir, garder, perdre, reprendre, retrouver la maîtrise de soi.* ⇒ **Calme, sang-froid ; reprendre** (se), **ressaisir** (se). — Absolt. « *Conserver sa maîtrise dans une circonstance troublée ou périlleuse* » (Académie).

2 (...) si, après l'abandon de Jacques, elle avait pu guérir et reprendre la maîtrise de soi, c'était seulement parce qu'elle avait eu la chance, en ce temps-là, de pouvoir écarter jusqu'au plus fugitif espoir.   MARTIN DU GARD, les Thibault, t. VI, p. 80.

3 (...) le vent d'espoir qui se levait avait allumé une fièvre et une impatience qui leur enlevaient toute maîtrise d'eux-mêmes. Une sorte de panique les prenait à la pensée qu'ils pouvaient, si près du but, mourir peut-être (...)   CAMUS, la Peste, p. 292.

Par ext. *La maîtrise d'une émotion, d'un geste.*

4 Sa sensibilité lui échappait. Nouée la plupart du temps, durcie et desséchée, elle crevait de loin en loin et l'abandonnait à des émotions dont il n'avait plus la maîtrise.   CAMUS, la Peste, p. 210.

♦ **3.** (V. 1930). Possession (d'une chose dont on use à son gré). *Avoir la maîtrise de la matière* (→ Main, cit. 15). — Spécialt. Contrôle militaire (d'un lieu). *Maîtrise d'une zone opérationnelle. L'Angleterre avait la maîtrise des mers.* ⇒ **Prépondérance, suprématie.**

5 — Je pense que nous n'avons pas de grandes forces devant nous (...) Mais ne seraient-ils que cinquante, ils possèdent la maîtrise du terrain.   P. MAC ORLAN, la Bandera, XVII.

★ **II.** ♦ **1.** (xɪɪɪᵉ). Qualité, grade, fonction de maître dans certains corps ou métiers. — Vx. *Maîtrise ès arts* : grade universitaire autrefois supérieur à la licence (→ Licence, cit. 2). — (1893). Mod. *Maîtrise de conférences* : fonction, poste de maître de conférences. — *La grande maîtrise de Malte* : la dignité de grand maître de Malte (⇒ **Magistère**). (1835). Absolt. Fonction du maître de chapelle*. — (1734). École d'éducation musicale des enfants de chœur d'une église, dirigée par le maître de chapelle ; l'ensemble des chanteurs. *Diriger la maîtrise d'une paroisse.* ⇒ **Manécanterie.**

6 Et derrière ce défilé de jupes sombres, sonnèrent telles que des fanfares les robes vermillon de la maîtrise.   HUYSMANS, la Cathédrale, p. 157.

Par anal. (*maîtrise laïque*). *La maîtrise de l'O. R. T. F.*

♦ **2.** (xvᵉ). Qualité de maître dans une corporation. *Pour parvenir à la maîtrise il fallait que l'artisan eût fait un chef-d'œuvre*. *Lettres de maîtrise par lesquelles le compagnon passe maître* (→ Artisan, cit. 2). — (1873). Par anal. Troisième grade de la hiérarchie maçonnique. — (1776). Par ext. Ensemble des maîtres d'une corporation (cit. 1). *Les maîtrises et les jurandes de l'Ancien Régime* (→ Association, cit. 10) *furent abolies en 1791.*

(xxᵉ). *Agents de maîtrise,* nom donné à certains techniciens qui forment les cadres subalternes d'une entreprise.

♦ **3.** (1966). Grade universitaire qui sanctionne le second cycle de l'enseignement supérieur. *Une maîtrise de sociologie. Préparer, faire sa maîtrise.*

♦ **4.** (xɪɪᵉ, «habileté», repris xɪxᵉ). Fig. Perfection digne d'un maître

dans la technique. ⇒ **Habileté, maestria, métier, virtuosité.** *Exécuté avec maîtrise.* ⇒ **Magistral ; main** (de main de maître). *Faire montre de maîtrise* (→ Étymologique, cit. 1). *Tableau qui témoigne d'une maîtrise exceptionnelle.*

7 (...) c'est une jeune fille (*E. Brontë*) qui a conçu, qui a inventé et agencé cela (*les Hauts de Hurle-Vent*), avec une maîtrise, une logique, une autorité merveilleuses, jointes au plus habile esprit de combinaison dramatique.   Émile HENRIOT, Portraits de femmes, p. 418.

8 Je ne sache pas de danger plus insidieux ni de malédiction plus mesquine que ceux d'un temps où *maîtrise* et *perfection* désignent à peu près l'artifice et la convention vaine (...)   J. PAULHAN, les Fleurs de Tarbes, p. 27.

9 (...) si l'enfant est souvent artiste, il n'est pas *un* artiste. Car son talent le possède (*l'enfant*), et lui ne le possède pas (...) À la maîtrise, il substitue le miracle.   MALRAUX, les Voix du silence, p. 283.

CONTR. **Servitude.** — **Apprentissage.** — (Cf. les contr. de 1. Calme).
DÉR. **Maîtriser.**

MAÎTRISER [mɛtʁize] v. tr. — Fin xɪɪᵉ ; de *maîtrise.*

♦ **1.** Vx. Soumettre à sa domination. *Maîtriser un peuple.* ⇒ **Asservir, assujettir, gouverner, soumettre.** — Par ext. (vieilli). *La vérité nous persuade et nous maîtrise* (→ 1. Faux, cit. 45). — Fig. *Écrivain supérieur qui sait maîtriser la langue* (→ Enhardir, cit. 4).

1 (...) lorsqu'elle (*la volupté*) est en son plus grand effort, elle nous maîtrise de façon que la raison n'y peut avoir accès (...)   MONTAIGNE, Essais, II, xɪ.

2 Je connais la force de la coutume, et jusqu'où elle maîtrise les esprits (...)   LA BRUYÈRE, les Caractères, xɪv, 35.

3 Sans qu'il élève la voix la fermeté du ton maîtrise l'attention.   MARTIN DU GARD, Jean Barois, « Le semeur », ɪɪ.

♦ **2.** (1867). Mod. Se rendre maître de, par la contrainte physique. *Maîtriser un animal, un cheval fougueux.* ⇒ **Bride** (tenir la bride haute). *Maîtriser un agité en lui passant la camisole* de force. *Maîtriser qqn qui se débat en l'immobilisant, en lui tenant bras et jambes. Maîtriser par le regard.* ⇒ **Fasciner.**

4 Le procédé qui consiste à venir vous surprendre la nuit, à vous passer la camisole de force ou de toute autre manière à vous maîtriser (...)   A. BRETON, Nadja, p. 184-185.

(1665). *Maîtriser les forces de la nature.* ⇒ **Discipliner, enchaîner.** *Maîtriser un incendie, un fléau,* l'arrêter. *Maîtriser une voie d'eau.*

5 L'apprenti sorcier a mis en mouvement le balai porteur d'eau ; le flot monte de toutes parts et l'apprenti ne connaît pas les mots magiques au moyen desquels on maîtrise le redoutable serviteur.   G. DUHAMEL, Scènes de la vie future, Introd., p. 20.

♦ **3.** (Mil. xvɪᵉ). Dominer* (une passion, une émotion, un réflexe). ⇒ **Commander** (à), **contenir, dompter, guerre** (faire la guerre à), **refouler, réprimer, surmonter, triompher** (de), **vaincre.** *Maîtriser sa colère, son émotion. Maîtriser ses désirs.* ⇒ **Calmer** (→ Danse, cit. 5). — Au p. p. *Un mouvement d'impatience mal maîtrisé.*

6 (...) l'on dirait que ce digne monarque a voulu faire voir ici qu'il sait maîtriser pleinement l'ardeur de son courage (...)   MOLIÈRE, le Grand Divertissement royal, Appendice à George Dandin, ɪ.

7 Vers la fin de l'épreuve, M. Reichel n'avait pu maîtriser son émotion. Son cœur s'était gonflé. Des larmes lui avaient jailli des yeux.   J. ROMAINS, les Hommes de bonne volonté, t. I, ɪ, p. 29.

8 (...) je maîtrisais complètement mes nerfs (...)   A. MAUROIS, Climats, II, xx.

9 La véritable sérénité n'est pas absence de passion, mais passion contenue, élan maîtrisé.   G. DUHAMEL, Chronique des Pasquier, VI, vɪɪɪ.

10 Devant une passion qui s'affirme, son jugement est vite désarmé. Mais il ne maîtrise pas une surprise irritée, où se glisse de la rancune (...)   MARTIN DU GARD, les Thibault, t. IV, p. 30.

▶ **SE MAÎTRISER** v. pron. réfl. (1867).
Se rendre maître* de soi, se dominer*. ⇒ **Contenir** (se), **contrôler** (se) ; cf. Prendre sur soi, se tenir à quatre. *Faire des efforts pour se maîtriser. Parvenir à se maîtriser, à cacher son émotion. Allons, maîtrisez-vous, un peu de sang-froid !*

11 Quand il pensait à la fameuse scène du restaurant où il s'était maîtrisé au point de se rompre les veines des tempes et du cou, il ne pouvait s'empêcher de pleurer comme un enfant.   P. MAC ORLAN, la Bandera, ɪɪɪ.

CONTR. **Obéir, soumettre** (se). — **Délivrer.** — **Abandonner** (s'). — **Éclater, écrier** (s'). — **Indompté.**
DÉR. **Maîtrisable.**

MAÏZENA [maizena] n. f. — 1853 ; angl. *maizena,* de *maize* « maïs ».

♦ Fécule de maïs préparée pour être utilisée en cuisine (marque déposée).

MAJA [maʒa ; maxa] n. f. ⇒ 1. **Majo.**

MAJE [maʒ] adj. m. ⇒ 2. **Mage.**

MAJESTÉ [maʒɛste] n. f. — V. 1120 ; lat. *majestas.*

★ **I.** ♦ **1.** «Caractère de grandeur qui fait révérer les puissances souveraines» (Furetière). ⇒ **Gloire, grandeur** ; → Appartenir, cit. 20, Bossuet. *Dieu* (cit. 38) *de majesté. Insulter* (cit. 4) *à la majesté de Dieu, de Jésus-Christ.* — *Majesté impériale, princière, royale,* *souveraine* (→ 1. Faste, cit. 6 ; hautain, cit. 4). *Atteinte à la majesté du souverain.* ⇒ **Lèse** (lèse-majesté).

1 Or, quand le Fils de l'homme viendra dans sa majesté, accompagné de tous ses anges, il sera assis sur le trône de sa gloire (...)
BIBLE (SACY), Évangile selon saint Matthieu, XXV, 31.

2 La majesté est l'image de la grandeur de Dieu dans le prince.
BOSSUET, Politique tirée... de l'Écriture sainte, V, IV, I.

3 La majesté des rois inspire plus de respect que de tendresse ; c'est une espèce de religion civile et de culte politique, qui nous fait révérer ces traits que la main de Dieu a gravés sur le front de ceux à qui il daigne communiquer sa puissance.
FLÉCHIER, Oraison funèbre de la duchesse de Montausier.

4 Si la souffrance et la prière
N'atteignent pas ta majesté
Garde ta grandeur solitaire,
Ferme à jamais l'immensité.
A. DE MUSSET, Poésies nouvelles, « L'espoir en Dieu ».

Par ext. *La majesté du trône, de l'empire ; de l'autel...*

5 Quoi ? vous pourriez, Seigneur, par cette indignité
De l'Empire à vos pieds fouler la majesté ?
RACINE, Bérénice, IV, 8.

6 Le trône vaut par lui-même et il impose *la dignité,* c'est-à-dire une autorité plus obéie, *la majesté,* et tout ce qui sert la majesté : l'éclat, la pompe, la magnificence.
Louis MADELIN, Hist. du Consulat et de l'Empire, « Avènement de l'Empire », VIII.

Icon. *Christ, Vierge de majesté,* représentés de face, dans une attitude hiératique, généralement assis sur un trône. *Christ en majesté.*

♦ **2.** (V. 1360). Dignité souveraine ; pouvoir royal. *Le respect de la majesté et des lois* (→ Factieux, cit. 1). *L'appareil* (cit. 5) *de la majesté.*

7 (...) la majesté des rois d'Angleterre serait demeurée plus inviolable, si, contente de ses droits sacrés, elle n'avait point voulu attirer à soi les droits et l'autorité de l'Église.
BOSSUET, Oraison funèbre de Henriette-Marie de France.

Antiq. rom. *Loi de majesté :* loi qui punissait les attentats contre le souverain (contre le peuple, sous la République ; contre l'empereur, sous l'Empire).

8 Il y avait une *loi de majesté* contre ceux qui commettaient quelque attentat contre le peuple romain. Tibère (...) l'appliqua (...) à tout ce qui put servir sa haine ou ses défiances.
MONTESQUIEU, Grandeur et Décadence des Romains, XIV.

(Av. 1380). Par ext. Le souverain (→ Fils, cit. 16 ; indécent, cit. 1).

9 Louis-Philippe était un homme rare (...) très premier prince du sang tant qu'il n'avait été qu'altesse sérénissime, mais franc bourgeois le jour où il fut majesté (...)
HUGO, les Misérables, IV, I, III.

♦ **3.** (1375). Titre qu'on donne aux souverains héréditaires. ⇒ **Empereur, prince, roi** (→ Excellence, cit. 5.

10 (...) il n'y avait alors *(au XIe siècle)* aucune formule de titres usitée en Europe ; on disait aux rois votre excellence, votre sérénité, votre grandeur, votre grâce, indifféremment. Le titre de majesté était rarement donné aux empereurs ; et c'était plutôt une épithète qu'un nom d'honneur affecté à la dignité impériale.
VOLTAIRE, les Annales de l'Empire, « Henri IV », p. 1077.

11 Louis XI fut le premier roi de France à qui on donna quelquefois le titre de majesté, que jusque-là l'empereur seul avait porté (...)
VOLTAIRE, Essai sur les mœurs, XCIV.

Votre Majesté, Vos Majestés (par abrév. : *V. M., VV. MM.*), se dit en parlant aux souverains ⇒ **Sire** (→ Appartenir, cit. 1 ; emploi, cit. 11) ; *Sa Majesté, Leurs Majestés* (abrév. : *S. M., LL. MM.*), en leur parlant *(Que Sa Majesté daigne me permettre...)* ou en parlant d'eux *(Leurs Majestés ont décidé...).* → Exercer, cit. 23 ; 2. garde, cit. 6 ; justifier, cit. 19.

Sa Majesté très chrétienne (le roi de France), *Sa Majesté catholique* (le roi d'Espagne), *très fidèle* (le roi du Portugal). *Sa Majesté britannique, suédoise, danoise ; Sa Majesté le roi d'Angleterre, le roi des Belges. Sa Gracieuse Majesté la reine d'Angleterre.*

Figuré :

12 (...) je m'en remets, sur tous les futurs contingents, aux ordres de sa sacrée majesté le Hasard, ou plutôt aux ordres plus réels de sa divine majesté la Destinée.
VOLTAIRE, Lettre au roi de Prusse, 302, 19 mars 1773.

REM. 1. Avec *Votre Majesté,* on peut employer la deuxième personne : « *Sire, répond l'agneau, que Votre Majesté Ne se mette pas en colère...* » (La Fontaine, Fables, I, 10). « *Assez d'autres sans moi soutiendront vos lauriers ; Que Votre Majesté désormais m'en dispense...* » (Corneille, Horace, V, 3) ou la troisième :

13 (...) je supplie votre majesté de daigner lire avec attention cet ouvrage, qui est en partie l'exposition de vos idées, et en partie celles des exemples que vous donnez au monde. VOLTAIRE, Lettre au roi de Prusse, 176, 5 sept. 1752.

2. L'adjectif, le participe, le pronom s'accordent en principe avec le titre (au féminin). Quand le titre est suivi d'un nom *(Sa Majesté le roi, Sa Majesté Louis XIV, Sa Majesté la reine Élisabeth),* c'est avec le nom que se fait l'accord.

14 (...) Votre Majesté se donnant à Dieu, se rendra plus que jamais attentive à l'obligation (...) qu'il vous impose (...) BOSSUET, Lettre à Louis XIV, 42, 10 juil. 1675.

15 (...) Votre Majesté partira quand elle voudra (...) VOLTAIRE, Candide, XXVI.

16 Sa Majesté le roi viendra-t-il ? A. HERMANT, *in* le Temps, 9 févr. 1939.

3. Le nom attribut ou apposition se rapportant à *Majesté* se met au genre de la personne désignée. *Sa Majesté, Votre Majesté est le maître, le père de son peuple, le protecteur des arts,* etc.

N. B. Les remarques sur *Majesté* s'appliquent également à d'autres titres *(Altesse, Éminence, Grâce,* etc.).

★ **II.** (V. 1220). Caractère de grandeur, de noblesse dans l'appa-

rence, l'allure, les attitudes. *Un air de majesté.* ⇒ **Majestueux** (→ Aisance, cit. 3 ; empreindre, cit. 2). *Force et majesté de l'homme* (cit. 92). *Majesté naturelle, native* (→ Casque, cit. 3). *Paraître avec majesté* (→ Autorité, cit. 43). *Plein de majesté. Majesté grave* (⇒ **Gravité**), *solennelle... La majesté d'un visage* (→ Inaccoutumé, cit. 1).

17 Il est nécessaire que vous ayez une certaine majesté dans votre extérieur (...)
FÉNELON, Télémaque, X.

18 On ne saurait imaginer l'élégance et la majesté de ces Effendis aux caftans de soie, aux ceintures de cachemire hérissées de poignards qui, avec le flegme le plus dédaigneux, trônent sur leurs divans au milieu d'un déballage de brocarts, de velours, de soieries (...) Th. GAUTIER, Voyage en Russie, II.

18.1 — Vraiment, dit M. Santeuil avec indifférence, et laissant retomber ses bras sur son gilet blanc il se remit à regarder l'appui de la fenêtre avec une majesté qu'il avait contractée au cours de sa vie publique (...)
PROUST, Jean Santeuil, Pl., p. 212.

(Déb. XVIIe). Choses. ⇒ **Beauté, grandeur.** *Majesté d'une scène* (→ Gisant, cit. 12), *d'un monument* (→ Gothique, cit. 3), *d'un cloître* (→ Égaler, cit. 5). *La majesté de la nature* (→ Contempler, cit. 1), *d'un paysage* (→ Estomper, cit. 6), *des forêts* (→ Évoquer, cit. 25), *d'une ville* (→ Barbare, cit. 4)...

19 Cette admirable ruine avait toute la majesté des grandes choses détruites.
BALZAC, le Cabinet des Antiques, Pl., t. IV, p. 343.

20 On éprouve, en entrant dans nos cathédrales gothiques, une sensation sévère, presque triste. Leur grandeur est imposante, leur majesté frappe, mais ne séduit pas.
MAUPASSANT, la Vie errante, « La Sicile ».

21 (...) Meknès, avec ses portes géantes, divinement ornées, qui s'ouvrent sur le souvenir d'une majesté défunte et les vestiges mélancoliques d'une puissance abolie (...) Jérôme et Jean THARAUD, Marrakech, I.

La majesté d'une vertu, d'une qualité (→ Grand, cit. 70, Hugo).

22 J'aime la majesté des souffrances humaines (...)
A. DE VIGNY, la Maison du berger, III.

23 (...) chez ces simples, il y a le sentiment, le respect inné de la majesté de *l'épouse ;* un abîme la sépare de l'amante, chose de plaisir (...)
LOTI, Pêcheur d'Islande, IV, VIII.

Gramm. *Pluriel de majesté :* emploi de la 1re pers. du plur. au lieu du sing. (ex. : *le Roi dit : Nous voulons...*).

CONTR. Vulgarité.
DÉR. Majestueux.
COMP. Lèse-majesté.

MAJESTUEUSEMENT [maʒɛstɥøzmɑ̃] adv. — 1609 ; de *majestueux.*

♦ Avec majesté ; d'une manière majestueuse (→ Glace, cit. 20). *S'avancer, marcher majestueusement* (→ Babouche, cit. 1). *Fleuve qui se déroule majestueusement* (→ Gabarit, cit. 1).

Il *(l'albatros)* fend le tourbillon des rauques étendues,
Et, tranquille au milieu de l'épouvantement,
Vient, passe, et disparaît majestueusement.
LECONTE DE LISLE, Poèmes tragiques, « L'albatros ».

MAJESTUEUX, EUSE [maʒɛstɥø, øz] adj. — 1605 ; *magestueux,* 1576 ; de *majesté,* refait d'après des adj. comme *somptueux.*

♦ **1.** (1617). Qui a de la majesté. ⇒ **Auguste** (cit. 11), **imposant** (→ Impératrice, cit. 2). *Souverain majestueux. Personnages graves* (cit. 2) *et majestueux. Un majestueux vieillard. Femme* (cit. 101), *matrone majestueuse.*

1 D'un air placide et triomphant
Tu passes ton chemin, majestueuse enfant.
BAUDELAIRE, les Fleurs du mal, « Spleen et idéal », LII.

2 (...) il est aussi difficile aux vieillards de paraître majestueux qu'aux jeunes gens de ne pas avoir l'air efféminé. E. FROMENTIN, Une année dans le Sahel, p. 90.

3 Plus majestueux qu'un Suisse d'église, le portier du Pennsylvania désigne, de la paupière, mes bagages à l'un des garçons.
G. DUHAMEL, Scènes de la vie future, XIV.

Iron. *Une bedaine majestueuse, un majestueux abdomen* (→ Boucler, cit. 1).

Air, port* majestueux ; allure, démarche*, taille* majestueuse.* ⇒ **Fier, grave, noble, solennel** (→ Caparaçonner, cit. 1). *D'un pas majestueux* (→ Hôte, cit. 12). *Noble et majestueuse expression* (→ Contrefaire, cit. 4). *Majestueuse immobilité* (cit. 7). ⇒ **Olympien.**

4 Et vous aussi, vous avez été belle ! sous ce long voile qui vous entoure, l'œil reconnaît le port majestueux d'une reine.
A. DE MUSSET, les Caprices de Marianne, I, 12.

5 Son mouvement de tête est majestueux.
J. ROMAINS, les Hommes de bonne volonté, t. IV, XXII, p. 244.

♦ **2.** (V. 1620). Qui est d'une beauté pleine de grandeur, de noblesse. ⇒ **Beau, grandiose, monumental, pompeux ; colossal, énorme.** *Architecture* (cit. 4) *majestueuse. La simplicité majestueuse du forum* (cit. 2). *Édifice, vestibule majestueux* (→ Architrave, cit. 2 ; hôtel, cit. 12). — *Paysage, fleuve majestueux.* — *Spectacle, cortège majestueux. Les développements majestueux de la liturgie* (→ Culte, cit. 4). — *Musique, mélodie majestueuse* (→ Exécuter, cit. 15). — Littér. *Les vers majestueux de Corneille.* — Par ext. *Le majestueux Corneille* (→ Coulant, cit. 3).

6 Pour peindre les caractères, il faut nécessairement s'écarter du ton majestueux exclusivement admis dans la tragédie française ; car il est impossible de faire con-

naître les défauts et les qualités d'un homme, si ce n'est en le présentant sous divers rapports ; le vulgaire, dans la nature, se mêle souvent au sublime (...)
Mᵐᵉ DE STAËL, De l'Allemagne, II, XV.

7 Ce monument, rude, trapu, pesant, âpre, austère, presque difforme, mais à coup sûr majestueux et empreint d'une sorte de gravité magnifique et sauvage (...)
HUGO, les Misérables, IV, VI, II.

N. m. *Le majestueux.* — Ironiquement :

8 Je n'en ai pas moins toujours regardé mon ventre comme un ennemi redoutable ; je l'ai vaincu et fixé au majestueux (...)
A. BRILLAT-SAVARIN, Physiologie du goût, t. II, p. 31.

9 (...) son ventre *(du baron Hector Hulot),* contenu par une ceinture, se maintenait, comme dit Brillat-Savarin, au majestueux.
BALZAC, la Cousine Bette, Pl., t. VI, p. 173.

CONTR. Grossier, vulgaire. — Mesquin, ordinaire, simple.
DÉR. Majestueusement.

MAJEUR, EURE [maʒœʀ] adj. et n. — XVIᵉ ; cf. provençal *majer,* XIIᵉ ; var. de *maieur* (→ Maïeur), cas régime du lat. *major.* → 2. Mage, major, majorité.

★ **I.** ♦ **1.** Adj. compar. Plus grand, plus important (opposé à *mineur).* — (1564). *La majeure partie** : le plus grand nombre* (→ Germen, cit. 2). *En majeure partie* (→ Généalogique, cit. 2) : pour la plupart.

(1701). Relig. *Ordres* majeurs. Excommunication* majeure. Les causes majeures,* celles dont le pape est seul juge.

(XXᵉ). Log. *Terme majeur d'un syllogisme*,* et, n. m., *le majeur :* le terme qui sert de prédicat à la conclusion (et qui a généralement la plus grande extension). *La prémisse majeure,* et, n. f. (XIVᵉ), *la majeure,* celle qui contient le majeur (→ Conclusion, cit. 5).

Mar. *Voiles majeures :* voiles basses qui sont établies sur les *mâts majeurs* (grand mât, mât de hune et mât de misaine).

1 L'ourque continuait éperdument sa course. Ses deux voiles majeures surtout faisaient une fonction effrayante. HUGO, l'Homme qui rit, I, II, VIII.

Mus. *Intervalle majeur,* plus grand d'un demi-ton chromatique que les intervalles mineurs, en parlant des intervalles «susceptibles de variation» (Rousseau). — (1690). *Seconde, tierce, sixte, septième majeure. Ton, mode majeur,* où la tierce et la sixte au-dessus de la tonique sont majeures. *Gamme majeure. Ut majeur et son relatif mineur. Symphonie en si bémol majeur.* — N. m. *Morceau en majeur.*

2 (...) la tierce, la sixte et la septième, diffèrent toujours d'un demi-ton du *majeur* au *mineur* (...) Ainsi la tierce mineure a un ton et demi, et la tierce *majeure* deux tons (...)
Majeur se dit aussi du mode, lorsque la tierce de la tonique est *majeure,* et alors souvent le mot *mode* ne fait que se sous-entendre. *Préluder en majeur, passer du* majeur *au mineur,* etc. ROUSSEAU, Dict. de musique, Majeur.

Géom. *Arc* majeur d'un cercle.*

(1867). Cartes. *Tierce, quarte, quinte majeure :* suite des trois, quatre, cinq cartes supérieures dans la même couleur.

♦ **2.** (1690). Très grand, très important. ⇒ **Considérable, exceptionnel, important** (avec quelques subst.). *Force* majeure ; cas de force majeure* (→ Avarie, cit. 5 ; censé, cit. 3). *Empêchement* (cit. 2) *majeur ; ennui majeur,* insurmontable. *Tâche majeure* (→ Endormir, cit. 10). *Soin majeur* (→ Largesse, cit. 2), principal. *Intérêt* majeur.*

3 De toutes les réalités majeures de l'esprit, il se fait des images vives, capricieuses, difformes. G. DUHAMEL, Défense des lettres, II, IV.

4 (...) leur unique étude, leur préoccupation majeure (...)
G. DUHAMEL, Salavin, III, XVII.

★ **II.** (XIIᵉ, *maire, maiour).* Personnes. Qui a atteint l'âge de la majorité* légale (→ Électeur, cit. 2). *Fille majeure* (→ Cultiver, cit. 4). *Héritier majeur.* — Fam. *Il est majeur, il sait ce qu'il fait* (→ N'avoir pas besoin de tuteur*). — N. m. *Un majeur, les majeurs* (→ Étude, cit. 52). *Majeur incapable*, interdit* (assimilé au mineur). → Fureur, cit. 2.

(XXᵉ). Par ext. *Peuple majeur,* capable de se diriger lui-même.

5 Dans les climats chauds (...) les passions se font plus tôt sentir (...) on s'y marie de meilleure heure : on y peut donc être majeur plus tôt que dans nos climats d'Europe. En Turquie, la majorité commence à quinze ans.
MONTESQUIEU, l'Esprit des lois, V, XV.

6 Leurrées de respects apparents, dans une servitude réelle ; traitées en mineures pour nos biens, punies en majeures pour nos fautes (...)
BEAUMARCHAIS, le Mariage de Figaro, Préface.

7 — (...) Attends quinze jours, et je ne te gênerai plus, si c'est ça que tu demandes. Oui, dans quinze jours, j'aurai vingt et un ans, je filerai. — Ah ! tu veux être majeure, ah ! c'est donc ça que tu as calculé, pour nous faire des misères ! (...)
ZOLA, la Terre, IV, V.

★ **III.** ♦ **1.** N. m. pl. (V. 1120). Vx (langue classique). *Les majeurs :* les ancêtres*.

♦ **2.** N. m. (1907, Larousse). Le doigt* le plus long. ⇒ **Médius.**
CONTR. Mineur. — Insignifiant, petit.

MAJIDÉS [maʒide] n. m. pl. — Mil. XXᵉ ; du lat. *maja* (→ Maïa), et *-idés.*

♦ Zool. Famille de crabes à carapace triangulaire, couverts en partie de poils en crochets. — Au sing. *Un majidé.*

1. MAJO [maʒo ; maxo] fém. MAJA [maʒa ; maxa] n. — 1775 ; au fém. 1787, *in* D. D. L. ; mot espagnol.

♦ Vx ou didact. Jeune homme élégant, jeune femme élégante d'une classe sociale modeste, en Espagne et notamment en Andalousie. *Le Figaro de Beaumarchais est décrit par son auteur comme devant être «en habit de majo»* (le Barbier de Séville, personnages). — Didact. (arts). *Les majas de Goya.*

Un ouvrier qui a gagné quelques réaux laisse là son ouvrage, met sa belle veste brodée sur son épaule, prend sa guitare, et va danser ou faire l'amour avec les majas de sa connaissance.
Th. GAUTIER, Tra los montes (1843), II, p. 96 (*in* D. D. L.).

REM. Dans le même texte, Gautier glose *majo* par «paysan de bel air».

2. MAJO [maʒo] adj. et n. — V. 1970 ; de *majorité.*

♦ Polit. Abrév. fam. pour *majoritaire* «de la majorité». *Un, des candidats majo* (souvent invar.).

MAJOLIQUE [maʒɔlik] ou MAÏOLIQUE [majɔlik] n. f. — 1556, *majolique ; maïolique,* 1867 ; ital. *majorica, majolica,* littéralt «de l'île Majorque».

♦ Faïence* italienne, et, spécialt, faïence de la Renaissance. *Poterie en majolique.*

1 Ce sont (...) les faïences hispano-moresques à lustre métallique, importées des Baléares, qui ont servi au XVᵉ siècle de premiers modèles aux potiers italiens de Faenza, d'Urbino, de Deruta : de là, ce nom espagnol de *majoliques,* qui désigne les faïences italiennes de la Renaissance, tandis que le mot français qui désigne nos *faïences* (...) est emprunté au nom de la ville italienne de Faenza.
Louis RÉAU, Dict. d'art et d'archéologie, art. *Majolique.*

2 Par la réflexion de cette femme j'étais au fait du sentiment de propriété. — Elle arrosera sa plante, me disais-je. Elle lui achètera un cache-pot de majolique. Elle l'exposera au soleil. Elle la chérira (...)
Jean GENET, Journal du voleur, p. 147 (1949).

MA-JONG [maʒɔ̃g] n. m. ⇒ **Mah-jong.**

MAJOR [maʒɔʀ] adj. et n. m. — XVIᵉ, Rabelais «plus grand» ; en provençal, XIIIᵉ ; lat. *major,* compar. de *magnus* «grand».

★ **I.** Adj. invar. Supérieur par le rang (dans quelques composés). — Vx. *Quinte major* (Molière, les Fâcheux, II, 2). ⇒ **Majeur.** — Milit. *Sergent-major.* ⇒ **Sergent.** *Tambour-major.* ⇒ **Tambour.** *Médecin-major, chirurgien-major* (→ ci-dessous, II., n. m.). — *Infirmière-major* (qui dirige un service d'hôpital) ; ellipt., n. f. (argot des hôpitaux), *la major :* l'infirmière-major.

1 La Major escamote le chariot, s'assure que nulle cigarette ne fume aux recoins des tablettes (...) A. SARRAZIN, l'Astragale, p. 82.

État*-major. — Mar. *Canot-major,* affecté au service de l'état-major.

★ **II.** N. m. ♦ **1.** (1660). Ancient. Premier capitaine d'un régiment de cavalerie. Troisième officier d'un régiment d'infanterie. *Major d'une place :* officier qui commandait la place après le gouverneur et le lieutenant du roi.

♦ **2.** (1660 ; empr. à l'esp.). Officier supérieur chargé de l'administration, du service. *Depuis que les bataillons forment corps, le major du régiment est remplacé par des officiers de détail de bataillon.* — (Av. 1679). *Major général :* chef d'état-major du généralissime, en temps de guerre. — Mar. Contre-amiral commandant un arsenal et dirigeant ses services.

♦ **3.** Chef de bataillon (⇒ **Commandant**), dans certaines armées étrangères (→ Houblonnière, cit.). *Grade, galon de major. Le major X. «Un uniforme de major de l'armée suisse»* (l'Est Vaudois, 1ᵉʳ sept. 1977).

♦ **4.** (1825). Appellation des médecins* militaires (→ Capitulation, cit. 3). — REM. Appellation abandonnée en 1928.

2 Il y avait là (...) un médecin militaire (...) — Vous êtes fort, lui dit-il après l'avoir ausculté. — Oui, monsieur le... major. Gilieth hésita sur le grade.
P. MAC ORLAN, la Bandera, III.

♦ **5.** (Déb. XIXᵉ). Candidat reçu premier au concours d'une grande école. *Le major de la promotion. Sortir major de Polytechnique, de Centrale...*

3 La *salle* était à l'X une réalité vivante (...) Chaque salle se trouvait dès lors placée sous le commandement de l'un des premiers, qu'on nommait son *crotale.* La première année, j'eus ainsi la chance de tomber avec le major de l'École (...)
Raymond ABELLIO, les Militants, p. 20-21.

♦ **6.** Régional (Suisse). *Major* ou *major de table :* celui qui préside une table (dans un banquet, une fête).

MAJORAL, AUX [maʒɔʀal, o] n. m. — 1906 ; provençal *majouran*, bas lat. *majoralis*.
Régional (Provence).

♦ **1.** (1902). Berger en chef d'un grand troupeau, en Provence.

♦ **2.** (1888). Chacun des cinquante membres du consistoire félibrige.
DÉR. Majoralat.

MAJORALAT [maʒɔʀala] n. m. — 1902, Larousse ; de *majoral*.

♦ Régional, littér. Dignité de majoral (2.).

MAJORANT [maʒɔʀɑ̃] n. m. — Mil. xxᵉ ; de *majorer*.

♦ Math. *Majorant d'une partie d'un ensemble ordonné**, élément de cet ensemble supérieur ou égal à tous les éléments de la partie (opposé à *minorant*). *Le plus petit des majorants d'un ensemble.* ⇒ **Borne** (supérieure). — *Majorant d'une fonction*, majorant de l'ensemble image de la fonction.

MAJORAT [maʒɔʀa] n. m. — 1701 ; *majorasque*, 1679 ; esp. *mayorazgo*, de *mayor* « plus grand ».

♦ Anciennt. Bien inaliénable et indivisible attaché à la possession d'un titre de noblesse et transmis avec le titre au fils aîné d'une famille. *L'institution, la constitution du majorat était un fidéicommis, une substitution fidéicommissaire. Les majorats, prohibés en 1792, furent rétablis sous l'Empire (1806) et subsistèrent jusqu'en 1849. Hérédité* (cit. 7) *des majorats.*
— *Le majorat, madame, dit maître Solonet, est une fortune inaliénable, prélevée sur celle des deux époux et constituée au profit de l'aîné de la maison, à chaque génération, sans qu'il soit privé de ses droits au partage général des autres biens.*
BALZAC, le Contrat de mariage, Pl., t. III, p. 150.

MAJORATION [maʒɔʀasjɔ̃] n. f. — 1867 ; de *majorer*.

♦ **1.** Action de chiffrer plus haut (ou trop haut) une évaluation. ⇒ **Surestimation.** « *La majoration d'un mémoire d'entrepreneur* » (Académie). *Majoration des stocks, dans un bilan.* — Par métaphore :
Grâce à cette échelle immensément agrandie à laquelle nous voyons les choses, si petites qu'elles soient, au milieu desquelles nous mangeons, nous causons, nous menons notre vie réelle, grâce à cette formidable majoration qu'elles subissent et qui fait que le reste, absent du monde, ne peut lutter avec elles et prend, à côté, l'inconsistance d'un songe (...)
PROUST, À la recherche du temps perdu, t. VI, p. 131.

♦ **2.** (1930). Augmentation* (de prix). ⇒ **Hausse, relèvement** (→ Conclure, cit. 5). *Majoration de prix* (→ Importer, cit. 1).
Dr. fisc. *Majoration de retard. Majoration (d'impôts)* : pénalité fiscale applicable en cas d'insuffisance de la déclaration d'impôts sur le revenu, lorsque la bonne foi du contribuable n'est pas reconnue et, en matière de taxes sur le chiffre d'affaires, en cas de taxation d'office. ⇒ aussi **Redressement.**

CONTR. Sous-estimation. — Baisse, diminution, rabais.

MAJORDOME [maʒɔʀdom] n. m. — 1552, Rabelais ; *majourdosme*, 1515 ; ital. *maggiordomo*, lat. médiéval *major domus* « chef de la maison ». → Maire.

♦ **1.** (1596). Chef des domestiques, du service intérieur de la maison d'un souverain. *Majordome du roi, du pape.*

1 Le majordome-major du roi est notre grand maître de France (...) Tous les palais du roi, tous les meubles, toutes les provisions (...) l'ordre, l'ordonnance, la disposition de toutes les fêtes (...) tout cela est de la charge du majordome-major, qui a sous lui quatre majordomes, tous quatre de la première qualité (...) Ils ont sous les maîtres d'hôtel et toutes sortes d'autres officiers sous eux.
SAINT-SIMON, Mémoires, I, LVIII.

2 On me prenait pour le majordome, on s'adressait à moi pour être présenté à la mère de Henri V. CHATEAUBRIAND, Mémoires d'outre-tombe, t. VI, p. 210.

♦ **2.** (1835). Maître d'hôtel* de grande maison. *Le butler, majordome anglais.*

3 Choisir les meilleurs laquais était l'affaire de son majordome (...)
BALZAC, le Lys dans la vallée, Pl., t. VIII, p. 992.

MAJORÉ, ÉE [maʒɔʀe] adj. — Mil. xxᵉ ; de *majorer*.

♦ Math. Qui admet un majorant*. *Partie majorée d'un ensemble. Fonction majorée. Suite majorée*, dont l'ensemble des termes est majoré.

MAJORER [maʒɔʀe] v. tr. — 1870 ; du lat. *major*.

♦ **1.** Porter (une évaluation, un compte) à un chiffre plus élevé (ou trop élevé). *Majorer une facture.* — (Déb. xxᵉ). Fig., fam. Donner une importance excessive à. ⇒ **Enfler, exagérer, surfaire** (→ Agrandir, cit. 7).

Depuis longtemps j'ai remarqué l'avidité avec laquelle vous saisissez la moindre

occasion de souffrir et de vous plaindre. Tout ce qui nous arrive de mauvais, tout ce qui nous est hostile, vous le majorez (...) A. MAUROIS, Terre promise, XLIV.

♦ **2.** (1893). Augmenter (le prix d'un bien). ⇒ **Augmenter, élever, hausser.** « *Vous avez majoré vos prix* » (Académie). — *Majorer un impôt.* ⇒ **Majoration.**

♦ **3.** (Mil. xxᵉ). Math. Munir d'un majorant*. — Être un majorant pour (un ensemble).

CONTR. Baisser, diminuer, minorer.
DÉR. Majorant, majoration, majoré.

MAJORETTE [maʒɔʀɛt] n. f. — V. 1955 ; mot amér., de *major* « commandant », ou d'après *tambour-major* ; abrév. de *drum majorette* (1938), de *drum major* (1598) « tambour-major », et suff. *-ette.*

♦ Jeune fille qui défile en uniforme militaire de fantaisie, et en maniant une canne de tambour-major. « *Pour distraire les visiteurs qui feront la queue à l'entrée des pavillons* (de l'exposition internationale de Montréal), *on leur dépêchera quatre théâtres ambulants, des fanfares de majorettes* » (*Science et Vie*, n° 594, p. 74).
L'on vit soudain paraître deux rangées magistrales et bien nettes de majorettes cuisses nues, jupettes, képis bleus, bâtons blancs fanfreluchés de rouge et lancés en cadence, tambours vibrants sanglés de fines cordelettes pourpres (...)
P. GRAINVILLE, les Flamboyants, p. 65.

MAJORITAIRE [maʒɔʀitɛʀ] adj. — 1911 ; de *majorité*.

♦ **1.** Se dit du système électoral dans lequel la majorité l'emporte, sans qu'il soit tenu compte des suffrages de la minorité. *Scrutin, système, vote majoritaire.*
Dans le scrutin majoritaire pur et simple, le candidat qui obtient le plus grand nombre de voix est proclamé élu, quel que soit le total des voix obtenues par ses adversaires ; c'est le système anglo-saxon. Dans le scrutin à deux tours, il faut, pour être élu, obtenir la moitié des voix plus une, c'est-à-dire la majorité absolue ; sinon, on procède à un second tour de scrutin, dit « scrutin de ballottage », pour lequel la majorité relative suffit.
Maurice DUVERGER, Manuel de droit constitutionnel..., p. 75.

♦ **2.** (Mil. xxᵉ). Par ext. Qui fait partie d'une majorité. — N. *Au Congrès de ce parti, les majoritaires ont eu du mal à faire triompher leur point de vue.* — Fam. ⇒ **Majo.**

♦ **3.** (V. 1950). Dr. comm. Qui détient dans une société la majorité des actions, des parts. *Gérant majoritaire.*

CONTR. Minoritaire.
DÉR. Majoritairement.

MAJORITAIREMENT [maʒɔʀitɛʀmɑ̃] adv. — Attesté mil. xxᵉ ; de *majoritaire*.

♦ D'une manière majoritaire ; par une majorité. *La loi a été adoptée majoritairement.* — En majorité. « *Ce sont les enfants des classes populaires, majoritairement, qui sortiront vers le circuit professionnel* » (le *Nouvel Obs.*, 17 mars 1975).

MAJORITÉ [maʒɔʀite] n. f. — 1510 ; « supériorité », v. 1270 ; lat. *majoritas*, de *major* « plus grand », et, pour le sens III, angl. *majority*.

★ **I.** (1510). Dr. Âge légal à partir duquel une personne « devient pleinement capable ou responsable » (Capitant). ⇒ **Majeur.** *Émancipation* survenant avant la majorité.* — (1873). *Majorité civile, électorale* : âge fixé pour l'exercice des droits civils, électoraux. — (1931). *Majorité pénale* : âge où cesse la présomption de non-discernement (18 ans). — Absolt. Cour. *Majorité civile. Avant, jusqu'à la majorité de l'enfant* (cit. 22, → Famille, cit. 19). *Legs* (cit. 4) *remis à la majorité*, à l'âge de 18 ans.
La majorité est fixée à dix-huit ans accomplis ; à cet âge on est capable de tous les actes de la vie civile (...) Code civil, art. 488.

★ **II.** (1690 ; de *major*). Vx. Emploi, titre de major. — (1867). Mar. Bureaux du major général, dans un port militaire. — Personnel de l'état-major.

★ **III.** ♦ **1.** (1760, Voltaire ; 1735, Chavigny, à propos de l'Angleterre ; angl. *majority*). — REM. On employait auparavant *pluralité.* Cf. aussi « Prendre les voix à la majeure » (Montesquieu, *Lettres persanes*, LXXXVI). — Groupement de voix qui l'emporte par le nombre dans un vote, dans une réunion de votants. *La majorité des suffrages*, des voix, des votes, des membres présents, des votants.* — (1789). *Majorité absolue*, réunissant la moitié plus un des suffrages exprimés ou, dans certains cas, la moitié plus un des membres composant une assemblée, un corps électoral (→ Investir, cit. 5 ; lecture, cit. 14). — (1867). *Majorité relative* (ou *simple*) : groupement de voix supérieur en nombre à chacun des autres groupements, mais inférieur à la majorité absolue. *Majorité renforcée*, exigeant un nombre de voix supérieur à celui de la majorité absolue. *Majorité des deux-tiers, des trois-quarts.* — Absolt. *La décision du jury* (cit. 1) *se forme à la majorité. Avoir la majorité* (→ Instruction, cit. 12). — *Imposante* (cit. 9), *forte majorité.* ⇒ **Élection** (cit. 7). *Majorité compacte*.*

2   (...) si vous ne pouvez pas obtenir la majorité des voix *(pour l'élection de Diderot à l'Académie)*, obtenez-en assez pour faire voir qu'un philosophe n'est point incapable d'être de l'académie dont vous êtes.
> VOLTAIRE, Lettre à d'Alembert, 70, 24 juil. 1760.

3   Égoïste et sans préjugés, Louis XVIII voulait sa tranquillité à tout prix : il soutenait ses ministres tant qu'ils avaient la majorité ; il les renvoyait aussitôt que cette majorité était ébranlée et que son repos pouvait être dérangé (...)
> CHATEAUBRIAND, Mémoires d'outre-tombe, t. IV, p. 101.

Par ext. *Une voix de majorité* (→ Amendement, cit. 2).

♦ **2.** (1789). *Parti, fraction qui réunit la majorité des suffrages. Une majorité républicaine* (→ Invalider, cit. 2). *Appartenir à la majorité. Membre de la majorité. Les partis* de la majorité. La majorité et l'opposition. Les députés de la majorité.*

4   (...) sous la conduite de meneurs qui ne mènent rien du tout, qui ne sont en réalité que des chefs de majorités de congrès et des orateurs applaudis.
> J. ROMAINS, les Hommes de bonne volonté, t. IV, XVI, p. 176.

5   Supposons qu'aux prochaines élections, il y ait une majorité «bloc des gauches»... Un Président hostile peut la dissocier et former un ministère de concentration ; un Président favorable peut au contraire la cimenter en parlementant avec les chefs socialistes (...)
> A. MAUROIS, le Cercle de famille, III, XI.

♦ **3.** Par anal. *Réunir la majorité des actions d'une société,* la majorité relative ou plus de la moitié. — Absolt. *Avoir la majorité.*

6   On dit qu'il assure à Frédéric la majorité des actions, c'est-à-dire le droit d'être gérant après lui.
> J. CHARDONNE, les Destinées sentimentales, p. 123.

♦ **4.** (1802). Par ext. (sans idée de suffrage). *Le plus grand nombre. Assemblée composée en majorité d'avocats* (cit. 9). *Élément qui domine en grande majorité* (→ Cosmopolite, cit. 3). *Les Français, dans leur immense majorité, pensent que...*

(1970 ; trad. et calque de l'amér. *silent majority*). *La majorité silencieuse :* les classes moyennes, dont l'opinion inexprimée est invoquée, en général à l'encontre des opinions évolutives, réformistes, contestataires et comme témoignage de stabilité profonde de l'opinion. *La majorité des esprits* (cit. 171, Chateaubriand). ⇒ **Généralité.** *La majorité des publics* (→ Amusant, cit. 5), *de l'humanité* (→ Ilotisme, cit. 2). *Dans la majorité des cas.* ⇒ **Majeur** (majeure partie), **plupart** (la) ; → Information, cit. 4. — Absolt. *Se rallier à l'opinion de la majorité.*

7   Cependant l'immense majorité des gens qui n'ont pas l'âge d'Arnolphe aiment encore mieux une Agnès religieuse qu'une Célimène en herbe.
> BALZAC, Une fille d'Ève, Pl., t. II, p. 70.

8   Les sots depuis Adam sont en majorité.
> C. DELAVIGNE, Poésies diverses, Épître à MM. de l'Académie franç.

9   Vous êtes la majorité, — nombre et intelligence ; — donc vous êtes la force, — qui est la justice.
> BAUDELAIRE, Curiosités esthétiques, Salon de 1846, Aux bourgeois.

10   La presque totalité s'indique comme tous les nombres approximatifs par *à peu près, presque : à peu près tous ; presque tous.*
Dans d'autres cas, on marque qu'il s'agit seulement du plus grand nombre, on dit alors : *en général, généralement, en grande partie, pour le grand nombre, pour la plupart.* On passe de là à l'idée de *majorité.*
> F. BRUNOT, la Pensée et la Langue, p. 128.

11   Quand on a un bon culot, ça suffit, presque tout alors vous est permis, absolument tout, on a la majorité pour soi et c'est la majorité qui décrète de ce qui est fou et de ce qui ne l'est pas.   CÉLINE, Voyage au bout de la nuit, p. 61.

CONTR. Minorité. — Tutelle.
DÉR. Majoritaire.

MAJORQUIN, INE [maʒɔʀkɛ̃, in], MAYORQUIN, INE [majɔʀkɛ̃, in] ou MAJORCAIN, AINE [maʒɔʀkɛ̃, ɛn ; majɔʀkɛ̃, ɛn] adj. et n. — 1873 ; de *Majorque.*

♦ De Majorque, la plus grande des îles Baléares. — N. Personne qui habite Majorque ou qui y est née. *Un Majorquin, une Majorquine.*

MAJUSCULE [maʒyskyl] adj. et n. f. — 1529 ; lat. *majusculus.* → Minuscule.

♦ **1.** *Lettre majuscule :* lettre plus grande, d'une forme particulière, qui se met au commencement des phrases, des vers, de certains membres de phrases (paroles précédées de :), des noms propres (et de certains noms de choses personnifiées). *Caractère, lettre majuscule. Un A, un H* (cit. 3) *majuscule* (→ Épingle, cit. 8). — Par ext. *Écriture majuscule,* formée de lettres majuscules.
N. f. (1718). *Une majuscule.* ⇒ **Capitale, lettrine.** *Majuscule ornée, enluminée.*

1   La lettre était écrite en grosse bâtarde, les mots parfaitement alignés, avec de grands traits de plume aux queues des majuscules. C'était un compliment de bonne année (...)
> A. DE MUSSET, Nouvelles, « Margot », I.

2   Il y a beaucoup de contradictions et de flottements dans l'emploi qu'on fait des *majuscules.* En principe, on ne met pas de majuscules en tête des noms communs, sauf quand on personnifie un nom de choses, comme : *la Gloire, la Patrie* (...) ou, pour les noms de personnes, quand on parle (...) d'un personnage isolé nommément désigné. De là les deux graphies : *Le Chef d'État est en déplacement,* mais : *Un chef d'État a de grosses responsabilités...* Quant aux autres noms qu'on affuble pompeusement d'une majuscule, c'est à tort le plus souvent. On a tendance à abuser aujourd'hui de cette graphie dans les titres de livres et d'articles, ainsi que dans la publicité.
> René GEORGIN, Pour un meilleur français, p. 233-234.

♦ **2.** (1611). Fig., plais. (Usage emprunté à celui de *minuscule*). Grand, important. *Le grain majuscule d'un chapelet* (→ Cuculle, cit. Rostand). *« Une colère* (cit. 16) *majuscule »* (Duhamel).

3   Avec ses larges corbillards
Ornés de plumes majuscules (...)
> VERHAEREN, les Villes tentaculaires, « La mort », p. 187.

4   Les hauts magistrats de l'État, les grands commis, les administrateurs majuscules (...)
> G. DUHAMEL, Manuel du protestataire, I, p. 39.

5   (...) on voit bien que le prestige exercé sur elle *(la Grande Catherine)* par ce chambellan majuscule *(Potemkine)* était d'un ordre tout physique.
> Émile HENRIOT, Portraits de femmes, p. 208.

CONTR. Minuscule.

MAKÉMONO [makemɔno] n. m. — 1907 ; *makimono,* 1893 ; mot japonais.

♦ Peinture japonaise sur soie ou papier, beaucoup plus large que haute (⇒ **Kakémono**). *Makémono roulé.*

MAKE UP [mɛkœp] n. m. invar. — 1922, « maquillage », *in* Höfler ; mot angl., de *to make up* « arranger ».

Anglicisme.

♦ **1.** Fond de teint.

Son teint (...) semble voilé d'une subtile pellicule de make-up.
> A. SARRAZIN, la Traversière, p. 129.

♦ **2.** Maquillage (du visage). *« Le genre "Jolie Madame", make-up pêche et perle à l'oreille »* (le Nouvel Obs., 28 nov. 1977).

MAKI [maki] n. m. — 1756 ; mot malgache.

♦ Mammifère lémurien *(Lémuridés),* scientifiquement appelé *lémur,* à museau pointu, à pelage épais, laineux, à queue longue et touffue. ⇒ **Vari.** *Des makis.*

1. MAL, E [mal] adj. — IXᵉ ; du lat. *malus* «mauvais».

♦ **1.** (Vx et dans quelques loc. où l'adj. est antéposé). Mauvais, funeste, mortel. *Souffrir de male faim* (→ Aboyer, cit. 3, Rabelais). — (1523). *À la male heure :* à l'heure de la mort. *« Va-t-en à la malheure* (ou *male heure), excrément de la terre... »* (Malherbe, *Prophétie du Dieu de Seine). Mourir de male mort,* de mort violente (⇒ **Malemort**). — Vx. *Male rage,* ancien juron (⇒ **Malepeste**). — Vx. *Male rage :* désir violent. *Crever de male rage de faim.* — Sens atténué : *« Il est venu à la male heure nous troubler »* (Furetière), à l'heure inopportune. ⇒ **Malheure.** — REM. Depuis le XVIIᵉ s. l'emploi de cet adjectif est archaïque ou littéraire.

1   Et bien à la male-heure est-il venu d'Espagne,
Ce courrier qui la foudre ou la grêle accompagne (...)   MOLIÈRE, l'Étourdi, II, 10.

2   Persuadé que le gain est toujours possible, pourvu que le destin y consente (...) il suffit que la male fortune regarde ailleurs, un clin d'œil, et l'on gagne.
> André SUARÈS, Trois hommes, « Dostoïevski », V.

3   Rien n'est changé ni nos cœurs ne le sont
C'est toujours l'ombre et toujours la mal'heure
Sur les chemins déserts où nous passons
France et l'Amour les mêmes larmes pleurent
Rien ne finit jamais par des chansons.   ARAGON, les Yeux d'Elsa, p. 32.

♦ **2.** (V. 1560). Mod. (Dans certaines expressions, au masc. et antéposé). *Bon gré mal gré** (cit. 14 et 15). *Bon an, mal an** (cit. 8). (Premier élément de n. comp.). *Mal(-)connaissance :* connaissance insuffisante. *« La (...) mal-connaissance des matières que les hommes entendent traiter et dominer est la caractéristique de cette période des grandes erreurs »* (l'Express, 18 déc. 1967). *Mal-information* ou *malinformation :* information incomplète.

3.1   C'est le moyen qui, souvent, convient le mieux au tempérament français, mais bien souvent par ignorance et mal information.   A. SAUVY, Croissance zéro ?, p. 284.

♦ **3.** (Av. 1654). En attribut. Contraire à un principe moral, une obligation, une convenance. *Faire, dire qqch. de mal. Qu'ai-je fait de mal ? — C'est mal, il est mal de fuir* (cit. 29) *ce que suit tout le monde. Il n'est pas mal de...* (→ Assurer, cit. 44). *Il n'est pas mal que les amants s'instruisent* (cit. 23). ⇒ **Mauvais.**

4   Croyez-vous que je ne sache pas que ce que vous voulez est bien mal ?
> LACLOS, les Liaisons dangereuses, CXVII.

5   — L'aimerais-tu donc déjà ? Ce serait mal. — Mal, reprit Eugénie, pourquoi ? Il te plaît, il plaît à Nanon, pourquoi ne me plairait-il pas ?
> BALZAC, Eugénie Grandet, Pl., t. III, p. 537.

6   — Mais laisse-la donc, cette enfant ! elle est gentille, elle ne fait rien de mal.
> ZOLA, l'Assommoir, t. II, X, p. 115.

♦ **4.** (1867). *Pas mal* (adj.). ⇒ 2. **Mal** (V.).

COMP. Malchance, maldonne, malefaim, malemort, malencontre, malepeste, malfaçon, malformation, malherbe, malheur, maltôte.
HOM. 2. Mal, 3. mal, malle.

2. MAL [mal] adv. — 1080 ; du lat. *male.*

★ I. ♦ **1.** D'une manière contraire à l'intérêt ou aux vœux de qqn.

⇒ **Malencontreusement.** *Ça commence mal! Affaire qui va mal,* qui périclite (→ Battre de l'aile*). *Mal gérer sa fortune. Les choses vont mal, très mal, de plus en plus mal.* — Fam. *Ça va mal pour lui.* — « *Ça va aujourd'hui?* — *Mal, très mal* ». *Cela faillit* (cit. 17) *finir mal pour moi. Tourner* mal* (→ Casser, cit. 2).
⇒ **Gâter** (se). *Augurer* (cit. 9) *mal d'un projet, d'une aventure :* prévoir une issue fâcheuse. — *Se trouver mal de qqch.* (→ Étourdi, cit. 4). *Cela lui a mal réussi. Il est mal dans ses affaires* (vieilli). *Le moment est mal choisi. Tomber mal,* d'une façon inopportune. *Ça tombe mal. Il a été mal inspiré de se fier à ce filou.* — *Maison mal située, au bord d'une route bruyante. Blessure mal placée.*

1   Il était dit que tout serait fatal
    À notre époux; ainsi tout alla mal (...)   LA FONTAINE, *Contes,* v, « Belphégor ».

2   (...) j'ai à vous entretenir de ceux qui sont mal dans leurs affaires (...) s'ils n'ont pas assez de bien pour subsister honnêtement, et tout ensemble pour payer leurs dettes, on leur permet d'en mettre une partie à couvert en faisant banqueroute à leurs créanciers.   PASCAL, *les Provinciales,* VIII.

3   « Aïe ! » se dit Maykosen, « cela commence mal ». Il ne voyait plus guère comment amener l'entretien dans les voies qu'il avait préparées.
    J. ROMAINS, *les Hommes de bonne volonté,* t. XIV, XXV, p. 264.

Mal lui en prit : les conséquences furent fâcheuses pour lui. — REM. Littré et Hatzfeld considèrent ici *mal* comme un subst., alors qu'en traitant de l'expression similaire *bien lui en prit,* ils considèrent *bien* comme un adverbe. En fait, même si *mal* est dans cette expression aujourd'hui senti comme un substantif, il s'agit, dans les deux cas, d'un adverbe employé avec l'impersonnel *il lui prend,* comme le prouve cette phrase de Commynes (citée par Damourette et Pichon à propos d'*être* employé comme auxiliaire de certains verbes, V, 45) : « *Il lui en estait bien mal prins* ». Précédé de *bien* qui le renforce, *mal* est ici évidemment adverbe.

4   (...) il *(Brévan)* se jeta sur son épée. Mal lui en prit, car mon valet de chambre, brave et vigoureux, le saisit au corps et le terrassa.
    LACLOS, *les Liaisons dangereuses,* LXXXV.

5   Mal en prit à Louis Bonaparte.   HUGO, *Histoire d'un crime,* III, XIII.

♦ **2.** Avec malaise, douleur, désagrément. *Se sentir, se trouver mal :* éprouver un malaise. ⇒ **Défaillir, évanouir** (s'); → Tourner de l'œil ; et aussi faillir, cit. 6 ; gagner, cit. 35 ; haleter, cit. 1. *Être mal portant, se mal porter** (littér.), *mal se porter* (cour.). — Fam. *Être, se sentir mal fichu*. Être mal en point** (→ Avoir du plomb* dans l'aile). *Il est, va mal* (→ 1. Garde, cit. 17), *très mal :* son état est grave, très grave. *Elle est au plus mal,* à la dernière extrémité. — (Sens atténué). *Être, se trouver mal dans un lit, dans un fauteuil inconfortable.* — *Être mal dans sa peau.*

6   — Comment vous portez-vous ? ajouta-t-il. — Mal, répondit Emma. Je souffre.
    FLAUBERT, Mme *Bovary,* II, VI.

★ **II.** En termes ou d'une façon défavorable, avec malveillance, en mauvaise part. → Défavorablement. *Traiter mal qqn. Recevoir très mal qqn* (→ Comme un chien* dans un jeu de quilles). *Mal parler de qqn.* ⇒ **Calomnier.** *Juger mal de qqn* (cit. 10), *de qqch.* (→ Bon, cit. 83). — *Lieu mal famé*.* — *Mal interpréter* (cit. 5) *la conduite de qqn. Avoir l'esprit mal tourné*.* — *Prendre mal un propos, une remarque, un conseil, une plaisanterie,* l'interpréter de façon désobligeante pour soi-même (→ Trouver mauvais ; se fâcher ; prendre la mouche). *Il l'a mal pris.* — *Être, se mettre mal avec qqn, avec sa famille,* en mauvais termes (→ Chemin, cit. 45 ; homme, cit. 78). *Être mal en cour** (→ Boutique, cit. 5), en défaveur. *Être mal vu* de qqn.*

7   (...) il pourrait se trouver des gens qui prendraient mal vos discours, et qui vous reprocheraient de tourner les choses de la Religion en raillerie.
    PASCAL, *les Provinciales,* VIII.

8   *(Le Roi)...* me dit : « Mais aussi, Monsieur, c'est que vous parlez et que vous blâmez ; voilà ce qui fait qu'on parle contre vous ». Je répondis que j'avais grand soin de ne parler mal de personne (...)   SAINT-SIMON, *Mémoires,* III, XXV.

9   C'était un garnement de dieu fort mal famé.
    HUGO, *la Légende des siècles,* XXII, « Le satyre », Prologue.

10 Pour ne pas se mettre mal avec Romuald, ils diront peut-être, tu sais, ni oui, ni non... D'un autre côté, ils tiennent à ne pas se mettre mal avec la police (...) Ça se comprend.   J. ROMAINS, *les Hommes de bonne volonté,* t. IX, X, p. 92.

★ **III.** Autrement qu'il ne convient. — REM. Dans cet emploi, l'adverbe n'a qu'un sens très indéterminé et reçoit sa valeur du mot auquel il est appliqué.

♦ **1.** De façon contraire à un modèle idéal. *Travail mal fait.* ⇒ **Mauvais** (→ fam. En dépit* du bon sens ; n'importe comment...). *C'est du boulot mal fait, saboté, salopé. Vous vous y prenez mal.* ⇒ **Maladroitement.** — *Pianiste amateur qui joue mal, exécute mal un morceau. Acteur qui joue mal* (→ Galerie, cit. 9). *Instruments mal accordés* (cit. 9). *Mots mal choisis. La musique de cet opéra s'accorde mal avec le sujet. Notions qui s'accordent mal à une société,* lui sont inassimilables (cit. 2). *Ils vont mal ensemble, forment un couple mal assorti. Mariage mal assorti* (cit. 18).

11 Tes trente-deux dents
    De jeune animal
    Ne vont point trop mal
    À tes yeux ardents.   VERLAINE, *Parallèlement,* « Filles », v.

Incorrectement. Mal arranger (cit. 2) *ses mots. Idée mal exprimée. Mal parler (parler mal)* une langue étrangère (→ Baragouiner). *Il s'exprime très mal.* — *Écrivain qui écrit mal.* ⇒ **Cacogra-**

phe. *Devoir mal rédigé. Raisonner mal* (→ Fort, cit. 69 ; intelligent, cit. 1). *Langage* (cit. 19) *mal fait.*

12 Pourquoi aussi ces intonations toujours traînantes, ou gouailleuses, comme s'il y avait plaisir à parler mal (...)
    J. ROMAINS, *les Hommes de bonne volonté,* t. IV, XIX, p. 212.

Par ext. En se méprenant (→ la rac. Mé-) ; de travers. *Mal comprendre un philosophe, mal interpréter un texte. Opinion mal fondée. Lire* (cit. 17) *vite et mal un auteur.* — *Mal connaître une personne. Mal comprendre ses proches.*

13 Il nous semble volontiers, parce que ce sentiment s'est trouvé mal fondé, qu'il nous paraissait tel dès l'origine — et qu'un certain doute, une nuance d'indécision, ne pouvait manquer d'annoncer en lui l'erreur à venir.
    J. PAULHAN, *Entretien sur des faits divers,* p. 52.

♦ **2.** D'une façon anormale, éloignée de la normale. *Être mal fait, mal foutu* (cit. 16), *mal fichu* (→ Boiteux, difforme, laid). *Grande femme mal bâtie.* — *Arbre mal venu. Aliments mal digérés, mal assimilés.*

14 (...) Jeanet le sauteriot, qui la suivait en clopant, vu qu'il était ébiganché et mal jambé de naissance.   G. SAND, *la Petite Fadette,* IX.

D'une manière défectueuse, imparfaite. *Appareil mal monté. Écrou mal serré. Moteur, machine qui tourne mal, fonctionne* (cit. 5, fig.) *mal. Porte qui ferme mal. Gerbes mal liées* (cit. 2). — *Vêtements qui s'ajustent mal* (→ Fort, cit. 5). *Lettres mal formées. Enfant qui écrit mal. Timide qui articule* (cit. 6) *mal.* — Fig. *Esprit mal équilibré* (→ Gourmander, cit. 6). *Côte* mal taillée. Tout est mal arrangé, va mal dans le monde.* ⇒ **Guingois** (de, cit. 4). — REM. Certains emplois semblent vieillis, notamment avec des participes passés n'appartenant pas au premier groupe.

15 (...) un enfant mal instruit est plus loin de la sagesse que celui qu'on n'a point instruit du tout.   ROUSSEAU, *Émile,* II.

♦ **3.** D'une façon qui choque le goût, les convenances (au physique ou au moral). *Individu mal habillé*, mal fagoté* (cit. 3), *mal peigné. Troupes mal tenues* (→ Autant, cit. 42). — *Il est toujours sale et mal tenu.* — *Vêtement mal nettoyé,* sans soin. *Braies* (cit. 2) *mal nouées.* — *Personne mal élevée* (cit. 74), *mal polie* (→ Grossier, cit. 4). *Enfant qui se tient mal, qui parle mal, répond mal à ses parents,* sans respect. — *Il marque* mal :* il a vilaine allure. — Fam. *Ça la fout mal.*

15.1 Ainsi cet homme plus que mal habillé c'est-à-dire médiocrement habillé, qui ne savait ni saluer, ni entrer dans un salon, donnait à toutes ses manières quelque chose de saisissant et de doux que n'auraient pas eu les manières d'un prince.
    PROUST, *Jean Santeuil,* Pl., p. 269.

Spécialt, vx. *Personne mal née** (→ Affront, cit. 12), *mal apparentée** (cit. 2).

♦ **4.** Insuffisamment (en qualité ou en quantité). ⇒ **Médiocrement.** *Enfant qui réussit mal en classe. Enfant mal doué pour les études.* ⇒ **Peu.** *Leçon mal apprise, mal sue. Gargote où l'on mange mal. Mal dormir,* peu, ou d'un sommeil agité. *Travailleur, emploi mal payé, mal rétribué* (→ Atmosphère, cit. 20). — *Employer mal son temps,* de façon peu profitable. ⇒ **Incomplètement.** *L'homme est mal sorti du chaos* (cit. 1, Gide). *Il est mal remis de sa maladie.*

16 — Voici, reprit l'Évêque, une lampe qui éclaire bien mal.
    HUGO, *les Misérables,* I, II, III.

En comp. (adj. et n.). *Mal(-)aimé :* qui n'est pas aimé, apprécié. *La Chanson du Mal Aimé,* d'Apollinaire (1909). — Fig. Impopulaire. « *Les fonctionnaires du Marché commun sont des mal-aimés. Mal-aimés des Européens, mal aimés des six gouvernements, qui les considéreraient, pour un peu, comme des parasites ; mal aimés même de l'administration interne de la commission* » (*le Monde,* 18 janv. 1968). « *Une sorte de disgrâce fait de l'agrégation la mal-aimée de l'Université* » (*le Monde,* 4 nov. 1966). — Vulg. *Mal-baisée.* ⇒ 1. **Baiser,** II. — *Mal-pensant*.* — *Mal-logé*.* — *Mal-nourri.* « *Les besoins des mal-nourris du "Tiers-monde"* » (*le Monde,* 23 juin 1966).

Les mal-voyants : les personnes atteintes de graves troubles de la vue. *Les aveugles et les mal-voyants.*

Mal-entendant. ⇒ **Malentendant.**

MAL, équivalent à une négation légèrement affaiblie (cf. le lat. *male,* par ex. dans l'expr. *male sanus,* c.-à-d. *insanus,* et aussi les comp. *maladroit, malsain,* etc.). Peu, pas. — Littér. *Être mal content* (→ Mécontent), *mal satisfait de son sort* (→ Agir, cit. 21). — Cour. *Être mal à l'aise, mal à son aise* (cit. 8) *en ce lieu, en cette compagnie* (→ Atrocité, cit. 5 ; copain, cit. 4 ; dépaysé, cit. 5 ; imprimerie, cit. 6). *Mal à propos*.*

17 Et nous aurions le ciel à nos vœux mal propice (...)   CORNEILLE, *Horace,* V, 3.

18 (...) ils sortent mal satisfaits d'ici.   MOLIÈRE, *les Précieuses ridicules,* II.

19 Le caractère variable, non pas mécontent, mais mal content du comte, rencontra donc chez sa femme une terre douce et facile (...)
    BALZAC, *le Lys dans la vallée,* Pl., t. VIII, p. 813.

♦ **5.** Difficilement ; avec peine, effort. ⇒ **Malaisément, péniblement.** *Rhumatisant qui marche mal. Asthmatique, personne angoissée qui respire mal* (→ Angoisse, cit. 5). *Lire* (cit. 2) *mal le petit caractère.* — *Phénomène qu'on s'explique mal* (→ Iris, cit. 2). *Je comprends mal comment il a pu en arriver là.*

★ **IV.** Contrairement à une loi supérieure (morale ou religieuse).

Vivre mal (→ Amender, cit. 4). Littér. *Se mal conduire.* Cour. *Mal se conduire. Agir mal* (→ Excès, cit. 10). *Mal faire* (→ Incliner, cit. 10). *Faire mal* (→ Immonde, cit. 5; langueur, cit. 16). — REM. Ne pas confondre cette expression avec *faire mal* au sens de provoquer de la douleur (→ 3. Mal). — Littér. *En user mal avec qqn* (→ Cadet, cit. 2). — Cour. *Finir mal. Tourner mal. Ça a commencé mal, mais ça s'est arrangé.* — Fortune (→ Gérer, cit. 5), *richesse mal acquise* (cit. 6).

Prov. *Bien mal acquis ne profite jamais* (→ 2. Bien, cit. 56, Léautaud).

Adj. (→ 1. Mal). *Distinguer entre ce qui est bien et ce qui est mal.*

20 Si vous faites bien, n'en serez-vous pas récompensés ? et si vous faites mal, ne porterez-vous pas aussitôt la peine de votre péché ? BIBLE (SACY), Genèse, IV, 7.

21 Il *(mon-frère)* prit le train du libertinage, même avant l'âge d'être un vrai libertin... Enfin mon frère tourna si mal, qu'il s'enfuit et disparut tout à fait.
ROUSSEAU, les Confessions, I.

22 Comme je ne me soucie d'être aimée que de vous, et que vous verrez bien si je fais mal, il n'y aura pas de ma faute, le reste me sera bien égal (...)
LACLOS, les Liaisons dangereuses, CXVII.

★ **V. ♦ 1.** Loc. adv. (avec négation). **PAS MAL** : assez bien, bien. *Ce tableau ne fera pas mal sur ce mur. Vous ne ferez* (cit. 71) *pas mal de les avertir. Cela ne vous irait pas mal. Ça va, aujourd'hui ? — Pas mal, et vous ? Pas mal répondu ! Pas mal, continuez. Pas mal pour un début ! Il ne s'en est pas mal tiré.*

23 Le Père Adam les montrait comme un chef-d'œuvre à Voltaire, qui disait, en souriant, que ce n'était pas mal pour un enfant de cet âge.
SAINTE-BEUVE, Causeries du lundi, 30 déc. 1850.

23.1 Si blasé que dût être un journaliste parisien sur ces effets que la mise en scène moderne a portés loin, Alcide Jolivet ne put retenir un léger mouvement de tête qui, entre le boulevard Montmartre et la Madeleine, eût voulu dire : « Pas mal ! pas mal ! »
J. VERNE, Michel Strogoff, p. 340.

Adj. (employé comme attribut). *Ce tableau n'est pas mal, n'est pas mauvais, est assez bon.* — *Cette jeune fille n'est pas mal, elle est jolie, bien faite. Elle n'est pas mal du tout !*

24 — Électre est la plus belle fille d'Argos. — Enfin, elle n'est pas mal.
GIRAUDOUX, Électre, I, 2.

25 Il la déshabillait à contre-cœur. Elle n'était pourtant pas mal, qu'est-ce qu'il avait à faire le difficile ? ARAGON, les Beaux Quartiers, II, V.

25.1 On part de l'idée que les gens sont restés les mêmes et on les trouve vieux. Mais une fois que l'idée dont on part est qu'ils sont vieux, on les retrouve, on ne les trouve pas si mal. PROUST, le Temps retrouvé, Pl., t. III, p. 948.

♦ **2.** Loc. adv. (sans négation). **PAS MAL** : assez, beaucoup. «*Ainsi employé, pas mal forme une expression positive, et marque un degré qui se place sensiblement entre* assez *et* beaucoup» (Le Bidois). *Il a pas mal voyagé.* ⇒ **Passablement.** *Vous vous fichez* (cit. 13) *pas mal de lui !* — (Avant un adj.). *Il est pas mal froussard.*

26 Ah ! je m'en moque pas mal ! dit Charles en faisant une pirouette.
FLAUBERT, Mme Bovary, II, IX.

27 (...) son Herbert avait toujours été pas mal reître (...)
Alphonse DAUDET, l'Immortel, II.

28 Elle se fiche pas mal de lui. Guy MAZELINE, les Loups, II, I.

REM. L'emploi postposé paraît vieux ou régional :

28.1 Le ciel est sombre pas mal ; mais dans les voitures tout est joie et beau temps.
Rodolphe TÖPFFER, Voyages en zigzag, p. 204.

♦ **3.** (Sans négation). **PAS MAL DE...** : un assez grand nombre de, bon nombre de, beaucoup. *J'avais appris pas mal de choses* (→ Bribe, cit. 6). *Il y avait pas mal de monde dans la salle. J'en aurais pas mal à dire sur son compte.*

REM. La langue classique employait ordinairement la négation *ne* (→ cit. 29), aujourd'hui supprimée.

29 Pour une jeune fille, elle n'en sait pas mal ! MOLIÈRE, l'École des maris, II, 5.

30 (...) comme ils gagnaient à eux deux près de neuf francs par jour, on calculait qu'ils devaient mettre de côté pas mal d'argent.
ZOLA, l'Assommoir, t. I, IV, p. 120.

31 (...) une ville du Languedoc, où l'on trouve comme dans toutes les villes du Midi, beaucoup de soleil, pas mal de poussière (...)
Alphonse DAUDET, le Petit Chose, I, I.

32 Nous avons à penser à pas mal d'autres choses, n'est-ce pas ?
Pierre BENOIT, Axelle, XV.

♦ **4. TANT BIEN QUE MAL** ou (VX) **QUE BIEN, QUE MAL.** ⇒ **Bien, tant.**

♦ **5. DE MAL EN PIS** : de plus en plus mal. *Les choses vont de mal en pis.*

CONTR. 1. Bien. — Divinement, élégamment, joliment. — Juste (II.).

COMP. Maladresse, maladroit, malaise, malappris, malavisé, malbâti, malcontent, maldisant, mal-en-point, malentendu, mal-être, malévole, malfaire, malfaisance, malfaisant, malfaiteur, malgracieux, malhabile, malheureux, malhonnête, malintentionné, mal-jugé, malmener, malodorant, malplaisant, malpropre, malsain, malséant, malsonnant, maltraiter, malveillant, malvenant, malvenu, malversation, malverser. — Maudire, maupiteux, maussade. — V. aussi le préf. Mé-, més-.

HOM. 1. Mal, 3. mal, malle.

3. MAL [mal] n. m. — 980 ; du lat. *malum.*
REM. Le pluriel *maux* [mo] n'est usité qu'aux sens I et II.

★ **I. ♦ 1.** Ce qui cause de la douleur, de la peine, du malheur ; ce qui est mauvais, nuisible, pénible (pour qqn). ⇒ **Dommage, perte, préjudice, tort.** *Faire du mal à qqn* (→ 2. Bien, cit. 8 et 15 ; impuné-

ment, cit. 2). *Prendre plaisir à faire du mal* (⇒ **Cruauté, méchanceté, perversité**). *Quel mal ai-je causé, quel mal vous ai-je fait ?* — (Fin Xᵉ). Loc. *Vouloir mal à qqn* (VX). *Vouloir du mal à un ennemi*, à une personne que l'on déteste, que l'on hait. Ne vouloir, ne faire, ne causer de mal à personne. Il ne ferait pas de mal à une mouche* (fam.) : *c'est un homme doux.* — *Rendre le mal pour le mal* (⇒ Œil* *pour œil, dent pour dent). Rendre le bien pour le mal.* — *Le mal est fait* (→ Calomnie, cit. 5). *Les faibles* (cit. 19) *font souvent plus de mal que les méchants. Cela lui a fait du mal. L'ignorance* (cit. 13) *n'a jamais fait de mal.* ⇒ **Nuire.** *Craindre un mal* (→ Crier, cit. 27). *Tomber d'un mal en un mal plus grand* (cf. De Charybde en Scylla).

1 Voyez-vous comment ils ont soin de défendre d'avoir l'intention de rendre le mal pour le mal, parce que l'Écriture le condamne ? PASCAL, les Provinciales, VII.

2 (...) c'est merveille
Qu'il n'ait eu seulement que la peur pour tout mal. LA FONTAINE, Fables, V, 20.

3 Souvent la peur d'un mal nous conduit dans un pire. BOILEAU, l'Art poétique, I.

4 Il vaut encor mieux
Souffrir le mal que de le faire. FLORIAN, Fables, II, 3.

5 Désirer du bien à une femme, est-ce vouloir du mal à son mari ?
BEAUMARCHAIS, le Mariage de Figaro, I, 9.

6 Peyrade, de qui la Flamande avait dit à la cuisinière de l'épicier : — Il ne ferait pas de mal à une mouche ! passait pour le meilleur des hommes.
BALZAC, Splendeurs et Misères des courtisanes, Pl., t. V, p. 760.

7 Personne n'est méchant, et que de mal on fait !
HUGO, l'Année terrible, Juin 1871, XIII.

8 On fait toujours du mal à quelqu'un. Les uns me font du mal, je fais du mal à d'autres. C'est dans l'ordre.
R. ROLLAND, Jean-Christophe, Buisson ardent, p. 1372.

9 — Moi, j'aime bien la guerre. Je ne suis pas méchant. Je ne veux de mal à personne. Mais j'aime bien la guerre. GIRAUDOUX, Ondine, I, 2.

UN MAL, DES MAUX. ⇒ **Affliction, désolation, épreuve, malheur, peine.** « *La vie sans les maux est un hochet* (cit. 4) *d'enfant* » (Chateaubriand). *Souffrir avec constance les maux qu'on ne peut éviter* (cit. 26). *Les maux journaliers* (cit. 1), *quotidiens. Les maux de la guerre.* ⇒ **Violence.** *Les maux réels et les maux imaginaires. De deux maux choisir le moindre. Les maux qui frappent l'humanité.* ⇒ **Calamité, plaie.** *Supporter un mal, des maux* (→ Force, cit. 20). *Les maux qui affligent* (cit. 6) *la terre, les hommes. La guerre* (cit. 4), *mal qui déshonore le genre humain.* — *L'absence* (cit. 3) *est le plus grand des maux. L'argent* (cit. 47), *cause de tous les maux.* — *Les maux de qqn,* ceux qu'il subit. — Collectivt. *Tout le mal répandu sur la terre* (→ Essentiel, cit. 2). — *Le mal est que...* ⇒ **Inconvénient** (→ Cachette, cit. 2 ; indispensable, cit. 1). *Quel mal y a-t-il à manquer du superflu ?*

10 La santé et les richesses, ôtant aux hommes l'expérience du mal, leur inspirent la dureté pour leurs semblables (...) LA BRUYÈRE, les Caractères, XI, 79.

11 Le Danube, en perdant sa solitude, a vu se reproduire sur ses bords les maux inséparables de la société : pestes, famines, incendies, saccagements de villes, guerres, et ces divisions sans cesse renaissantes des passions ou des erreurs humaines.
CHATEAUBRIAND, Mémoires d'outre-tombe, t. VI, p. 24.

11.1 C'était cette tristesse que les maux seuls des autres leur inspirent et qui, tendresse impuissante et blessée, jaillit, s'élance vers ceux qu'elle ne peut rejoindre, sur qui elle voudrait se répandre en bien-être, en soulagement, en consolation.
PROUST, Jean Santeuil, Pl., p. 658.

Loc. fam. (1784). *Il n'y a (y a) pas de mal* : ce n'est pas grave, ne vous excusez pas. *Pardon ! — Y a pas de mal.*

Allus. myth. *Les maux de la boîte** (cit. 12) *de Pandore.*

12 Pandore portait avec elle une boîte, et Prométhée, se méfiant, refusa de la recevoir. Pandore se tourna vers le frère du Titan, Épiméthée, qui, moins prudent, accueillit la jeune femme et l'épousa. Il voulut savoir ce que la boîte contenait ; il l'ouvrit ; les maux qui y étaient contenus s'envolèrent et se répandirent par le monde. — C'était le beau cadeau que Jupiter voulait faire à Prométhée et aux hommes, pour se venger du feu volé. Émile HENRIOT, Mythologie légère, p. 117.

(1080). Par ext. (surtout au sing. collectif : *le mal*). Dommage causé aux choses. *La grêle a fait du mal aux récoltes. Réparer le mal causé par un incendie* (→ Dégât, cit. 2). *Il n'y a pas grand mal. Ce n'est que demi*-mal.*

13 — Et puis, il y a eu le gros orage (...) — Et il en a fait du mal ! — Oui, il en a fait du mal, reprend le père Valigrane qui a bien regardé au-dedans de lui des souvenirs de champs de blé (...) J. GIONO, Regain, II, II.

♦ **2.** (XIIᵉ). Souffrance, malaise physique. ⇒ **Douleur, supplice.** *Un mal, des maux physiques. Mal insupportable, intolérable.* ⇒ **Souffrir** (souffrir mille morts, etc.). *Les maux du corps épuisent* (cit. 22) *l'âme. Souffrir d'un mal de gorge*, de violents maux de tête* (⇒ **Migraine,** et, méd. **céphalalgie, céphalée** ; → Charivari, cit. 4 ; importun, cit. 6 ; indisposer, cit. 7). *Maux de dents* (⇒ **Odontalgie**), *d'oreilles* (⇒ **Otite**). *Maux de reins* (→ État, cit. 6). *Mal de ventre* (⇒ **Colique**).

14 (...) mon père a été pris, à peine parti de Rouen, d'un mal d'yeux opiniâtre qui le forçait, dans les villes, à garder sa chambre (...)
FLAUBERT, Correspondance, 97, 15 juin 1845.

(Dans les loc. de sens négatif ; collectiv : *le mal, du mal*). *Sans mal.* ⇒ **Douleur.** *Se tirer sans mal d'un accident. Il n'y a pas eu de mal.* — Fam. *Il n'y a pas de mal* (cf. Pas de bobo).

15 (...) toutes furent culbutées dans la litière, au milieu de cris et de jurons. — Ça ne fait rien, il n'y a pas de mal ! déclara Lise, qui avait roulé jusqu'au mur et qu'on se hâtait de relever ! ZOLA, la Terre, III, V.

Faire du mal à qqn. Il a eu plus de peur* que de mal. — (1538). Loc. (compl. de *avoir, faire, donner* [plus rare], sans art.). **AVOIR MAL :** souffrir, éprouver de la douleur. *Où as-tu mal ? Avoir mal à la tête,* à la poitrine (→ Avaler, cit. 17). — (1538) *Avoir mal au cœur** (cit. 11, 12) : éprouver des nausées. — Fam. *Avoir mal aux cheveux**. — REM. Ces expressions coexistent avec les syntagmes nominaux : *le, un mal à... Un mal de cœur tenace.*

FAIRE MAL : faire souffrir (le sujet peut être externe : *il m'a fait mal,* ou interne, désignant une partie du corps). *Vous me faites mal.* → Frapper, cit. 20. *Les jambes lui font mal* (→ Fatiguer, cit. 18). — Fig., fam. *Cela me fait mal, mal au ventre, au cœur* (cit. 13) *de voir, d'entendre cela* : cela me donne du chagrin*, m'inspire de la pitié, du regret, du dépit*, du dégoût*... (→ aussi Honte, cit. 33 ; horreur, cit. 11). — Ellipt. *Cela me ferait mal* : je ne supporterais pas cela, c'est impossible, jamais de la vie. — *Se faire mal. Il est tombé et s'est fait mal. Tu ne t'es pas fait mal, au moins ?*

16 — Je n'ai pas mal, je me plains parce que je suis mal couchée, je me sens les cheveux en désordre, j'ai mal au cœur, je me suis cognée contre le mur.
PROUST, À la recherche du temps perdu, t. VII, p. 180.

17 (...) de les entendre discuter comme ça là-dessus pendant des heures ça me donnait mal au ventre ! CÉLINE, Voyage au bout de la nuit, p. 408.

18 (...) quand on a une affection du cœur, on n'a jamais mal au cœur. On a mal à l'estomac, à la rate, ou au pied au besoin, pas au cœur.
J. ANOUILH, Ornifle, II, p. 77.

Loc. fam. (Avec un sujet n. de chose). *Faire mal* : être efficace contre qqn ou qqch. *Une nouveauté technique comme celle-là, ça va faire mal* (à la concurrence).

Loc. (1532). Vx. *Femme en mal d'enfant,* sur le point d'accoucher (cit. 2, par métaphore), dans les douleurs de l'enfantement (→ aussi Clinique, cit. 2).

Loc. *En mal de* (seulement avec quelques compléments) : qui a de la difficulté à obtenir (telle chose). *Journaliste en mal de copie,* qui n'a pas de sujet sur lequel écrire. *Écrivain en mal d'inspiration,* qui a de la difficulté à trouver l'inspiration.

Loc. MAL DE... — (XVIe). *Mal de mer* : malaise dû au mouvement d'un bateau, caractérisé notamment par des nausées, des vomissements. ⇒ Naupathie.

Sur le modèle de *mal de mer.* — (1912). *Mal de l'air,* causé par l'avion. — Rare. *Mal du rail, de la route* (on dit couramment : *il a le mal de mer en voiture*). — (1867). *Mal des montagnes, des hauteurs,* qui se manifeste au cours d'ascensions, par suite de l'oxygénation insuffisante (bourdonnements d'oreilles, vomissements, torpeur ou syncope). *Mal des Andes.* ⇒ Puna.

♦ 3. (XIIe). Maladie. — (1669). *Un mal. Être accablé de maux. Mal inconnu, curieux* (→ Épidémie, cit. 3), *incurable.* « *Un mal qui répand la terreur* » (→ Fureur, cit. 17). *Être atteint, frappé d'un mal subit qui force à garder la chambre* (cit. 8). *Le mal s'aggrave, empire* (cit. 4). *Attouchement* (cit. 2) *qui écarte le mal. Enrayer* (cit. 2) *la progression du mal. Un mal sans gravité.* ⇒ Bobo. — Fig. *Trouver la cause, le siège du mal* (cf. Mettre le doigt sur la plaie). *Attaquer** (cit. 40) *le mal dans ses racines. Couper le mal à la racine.*

Prov. *Aux grands maux les grands remèdes.* — *Le remède** est pire que le mal.*

19 La reine était attaquée des écrouelles (...) Son mal l'empêchait de suivre le roi aux chasses continuelles et aux promenades... *(Noailles et Aguilar)* prirent le roi par le faible qu'ils lui connaissaient sur sa santé, et lui firent peur (...) de gagner le mal de la reine en continuant de coucher avec elle (...)
SAINT-SIMON, Mémoires, III, LXII.

20 — Ça va, Boudou ? Et ce pied ? — Comme ça... S'il n'y a pas du mieux jeudi, je le laverai, et après j'y mettrai une chaussette de coton et une chaussette de laine.
— Aux grands maux les grands remèdes, Boudou ! COLETTE, Mitsou, I.

Loc. *Prendre du mal.* — (Sans art.). *Prendre mal. Attraper mal.*

21 Tu es mouillé, trempé. De quoi prendre du mal.
G. DUHAMEL, Chronique des Pasquier, III, V.

(XIVe). Méd. Vx. *Mal caduc, comitial, sacré ; haut mal.* ⇒ Épilepsie. *Grand mal* : attaque majeure d'épilepsie, caractérisée par des convulsions. *Petit mal* : forme mineure d'épilepsie, de courte durée, sans perte de connaissance. ⇒ Absence. — *Mal de Bright.* ⇒ Néphrite. *Mal de Pott,* ou *mal vertébral* : tuberculose vertébrale. — (XVIe). Vx. *Mal de Naples, mal napolitain, mal français, mal de Vénus...* ⇒ Syphilis. *Mal des Ardents*.* — *Mal perforant buccal, plantaire,* ulcération profonde causée par une névrite. — (1893). Mod., cour. *Mal blanc* : panaris superficiel. — *Mal des rayons* : troubles consécutifs à une exposition intensive aux rayons ionisants. Vétér. *Mal de brout*.*

♦ 4. (Fin XIIe). Souffrance, douleur morale. ⇒ Douleur, martyre, torture. *Les maux de l'âme, de l'esprit* (→ Imprimer, cit. 4). *Le mal, un mal d'amour. Soulager les maux de deux amants* (cit. 11). *Être sensible aux maux d'autrui* (→ Aimer, cit. 4). *L'amour, mal étrange* (→ Farcin, cit.). *Phèdre, atteinte* (cit. 6) *d'un mal qu'elle s'obstine à taire. Mon mal, c'est de n'être pas aimé* (→ Haïr, cit. 10, Sainte-Beuve).

(1833). Loc. *Le mal du siècle* (→ Inquiétude, cit. 6), *le mal de René* (→ Dégoût, cit. 11) : ennui*, mélancolie profonde, dégoût de vivre dont la jeunesse romantique avait trouvé la peinture dans *René,* de Chateaubriand.

(1810). *Le mal du pays.* ⇒ Nostalgie.

22 (...) ce qu'on appelle le mal du pays, ce regret indéfinissable de la patrie, qui est indépendant des amis mêmes qu'on y a laissés, s'applique particulièrement à ce

plaisir de causer, que les Français ne retrouvent nulle part au même degré que chez eux. Mme DE STAËL, De l'Allemagne, I, XI.

23 La nostalgie est le regret du pays natal ; aux rives du Tibre on a aussi le *mal du pays,* mais il produit un effet opposé à son effet accoutumé : on est saisi de l'amour des solitudes et du dégoût de la patrie.
CHATEAUBRIAND, Mémoires d'outre-tombe, t. V, p. 3.

24 Ce mot d'*ennui,* pris dans son acception la plus générale et la plus philosophique, est le trait distinctif du mal d'Oberman ; ç'a été en partie le mal du siècle (...)
SAINTE-BEUVE, Article sur «Oberman», 15 mai 1833, in Chateaubriand..., note à XIVe leçon.

25 Nous disions, en faisant allusion à ce sentiment de nostalgie qu'on appelle le mal du pays, qu'il avait le mal du ciel ! LAMARTINE, Raphaël, Prologue.

26 Le mal dont j'ai souffert s'est enfui comme un rêve.
A. DE MUSSET, Poésies nouvelles, «La nuit d'octobre».

REM. Les syntagmes *avoir, faire mal, du mal* (ci-dessus) s'emploient aussi dans ce sens. *Trouver les mots qui font le plus de mal* ⇒ Blesser (→ Bouche, cit. 20).

(Déb. XXe). *Être en mal de* : souffrir de l'absence, du défaut de (quelque chose).

27 (...) la plus étonnante aventure qu'aucune châtelaine de loisir et en mal d'amour ait pu rencontrer dans les romans les plus pathétiques.
Émile HENRIOT, Portraits de femmes, p. 344.

♦ 5. (1690). *Du mal, un mal* (qualifié) : difficulté, effort, peine. *Avoir du mal à faire qqch., à joindre les deux bouts. Quitter un emploi qui donne trop de mal.* ⇒ Tintouin. *Donner du mal à qqn, du fil* à retordre. Se donner du mal, un mal du diable* (→ Enclencher, cit.), *un mal de chien, un mal fou pour faire qqch., pour qqn.* ⇒ Dépenser (se) ; → Se décarcasser, peiner. *Cela lui a coûté bien du mal* (→ Des larmes* de sang). — *Ce n'est pas sans mal que j'ai obtenu ce résultat. On n'a rien sans mal.*

28 Je me suis laissé conter qu'il y a des pays où la terre donne un mal de chien. Ainsi, dans le Perche, il n'ont que des cailloux (...) ZOLA, la Terre, I, V.

29 Les petits voulaient toujours être portés, ils n'en étaient jamais las ; et quand Christophe ne pouvait plus, c'étaient des pleurs sans fin. Ils lui donnaient bien du mal, et il était souvent fort embarrassé d'eux.
R. ROLLAND, Jean-Christophe, L'aube, p. 32.

★ II. Choses mauvaises, défauts, imperfections qu'on voit en qqn, à qqch. ; jugement qui en découle. — Vx. *Un mal, des maux* (cit. 30) ; mod. *du mal. En lui le bien l'emporte sur le mal, le bon l'emporte sur le mauvais. Penser du mal des femmes, des hommes.* ⇒ Dire, penser (cit. 45) *du mal.* ⇒ Calomnier, médire (→ Chacun, cit. 13 ; imputer, cit. 21 ; ironie, cit. 9). *Le mal qu'on dit de nous* (→ Avertir, cit. 19), *d'une œuvre* (→ Calculer, cit. 5). *Dire beaucoup de mal, pis que pendre de qqn.*

EN MAL : en envisageant les mauvais aspects. *Prendre qqch. en mal. Il tourne tout en mal. Il lui ressemble, mais en mal.*

30 Mais quand on considère les biens et les maux qui peuvent être en une même chose, pour savoir l'estime qu'on en doit faire (...) on prend le bien pour tout ce qui s'y trouve dont on peut avoir quelque commodité, et on ne nomme mal que ce dont on peut recevoir de l'incommodité (...)
DESCARTES, Lettre à Élisabeth, XXVII, janv. 1646.

31 On aime mieux dire du mal de soi-même que de n'en point parler.
LA ROCHEFOUCAULD, Maximes, 138.

32 Ce qu'elle ne voyait pas en mal, elle le voyait en ridicule (...)
ROUSSEAU, les Confessions, X.

33 Pour dire du mal d'un homme illustre, il faut attendre qu'il en ait fait.
Joseph JOUBERT, Pensées, VIII, 86.

34 Les hommes, ma chère, m'ont paru généralement très laids. Ceux qui sont beaux nous ressemblent en mal.
BALZAC, Mémoires de deux jeunes mariées, Pl., t. I, p. 148.

35 Mais si, pour quelques-uns, et non des moindres *(esprits),* le mal leur est toujours plus clair que le bien, et si c'est une nécessité de leur esprit que de déprécier pour croire comprendre, nous ne les suivrons pas dans cet abus. L'homme n'est pas si simple qu'il suffise de le rabaisser pour le connaître.
VALÉRY, Variété IV, p. 161-162.

★ III. ♦ 1. (1080). LE MAL, DU MAL : ce qui est contraire à la loi morale, à la vertu, au bien*. *Le bien* (cit. 70) *et le mal* (→ aussi Bonté, cit. 4 ; innocence, cit. 4). *Le vice et le faux* (cit. 44). *Faire le mal. Enclin* (cit. 2) *au mal. Être innocent, exempt du mal, qui n'est pas souillé par le mal.* ⇒ Faute, péché. *Cet enfant a le génie, le démon du mal. Faire le mal pour le mal. Je veux le bien* (cit. 60), *c'est le mal que je fais. L'arbre* (cit. 48 et 49) *de la science du Bien* (cit. 59) *et du Mal. Discerner le mal et le bien* (→ L'ivraie* et le bon grain). *La conscience* (cit. 14), *juge du bien et du mal. Par delà le Bien et le Mal,* ouvrage de Nietzsche (1883). *La conscience du mal* (→ Honte, cit. 20). *Qu'y trouvez-vous de mal ? Ne pas croire au mal* (→ Innocence, cit. 3). *Il voit le mal partout.* — Loc. prov. *Honni** (cit. 6) *soit qui mal y pense.* — *Quel mal y a-t-il à cela ?* ⇒ Crime. *Il n'y a pas de mal, pas grand mal à cela* (→ Jurer, cit. 9). — Vx. *Je n'y entends* (cit. 26) *point de mal.*

À MAL, AU MAL. *Penser, songer à mal* : avoir des intentions mauvaises. *Sans songer à mal* (→ 1. Garde, cit. 35). *Induire* (cit. 3), *inciter, encourager, porter qqn au mal, à mal.* ⇒ Pervertir ; perversion, perversité. — Vx. *Mettre à mal* : mettre dans le mal, pousser au mal. — (1648). Spécialt, vx. *Mettre une fille, une femme à mal,* la séduire. — Fig. Corrompre.

36 (...) quel mal y a-t-il d'aller dans un champ *(écrit Mendoça),* de s'y promener en attendant un homme, et de se défendre si on l'y vient attaquer ?
PASCAL, les Provinciales, VII.

37 Ciel offensé, lois violées, filles séduites, familles déshonorées, parents outragés, femmes mises à mal, maris poussés à bout (...) MOLIÈRE, Dom Juan, V, 6.

38 Messieurs, vous vous damnez, si vous croyez qu'il y ait du mal entre nous ; je vous assure que nous sommes comme frère et sœur.
Mme DE SÉVIGNÉ, 162, 27 avr. 1671.

38.1 Mais, vous disent les sots, le mal ne rend point heureux ; non, quand on est convenu d'encenser le bien ; mais déprisez, avilissez ce que vous appelez le bien, vous ne révérez plus que ce que vous aviez la sottise d'appeler le mal ; et tous les hommes auront du plaisir à le commettre (...) SADE, Justine...., t. I, p. 119.

39 On n'est jamais excusable d'être méchant, mais il y a quelque mérite à savoir qu'on l'est ; et le plus irréparable des vices est de faire le mal par bêtise.
BAUDELAIRE, le Spleen de Paris, XXVIII.

40 Beautés mises à mal et bourgeois déconfits
Eussent bondé ma vie et soûlé mon cœur d'homme.
VERLAINE, Jadis et Naguère, « Dizain mil huit cent trente ».

41 (...) personne n'osait penser à mal, le lieu étant si impropre à toute entreprise coupable (...) LOTI, les Désenchantées, IV, XXVI.

41.1 Il faut tout faire bien même le mal.
CLAUDEL, Journal, janvier-février 1934, Pl., p. 50.

REM. *Un mal, des maux,* est rare dans ce sens. — *Je n'y vois qu'un mal insignifiant. Je n'y vois aucun mal.*

♦ **2.** (1080). Absolt. LE MAL : ce qui « est l'objet de désapprobation ou de blâme, tout ce qui est tel que la volonté a le droit de s'y opposer légitimement et de la modifier si possible » (Lalande). — *Le Mal,* incarnation de cette idée. *Le bien et le mal* (→ Hiérarchie, cit. 15). *Le problème philosophique du Mal* (→ Esquisser, cit. 2), *de l'existence du Mal. Le mal conçu comme une réalité, comme une absence* (cit. 14) *de bien, comme nécessaire au bien* (→ Effort, cit. 14). *Pourquoi Dieu a-t-il créé le mal si grand ?* (→ Épouvanter, cit. 9, Musset). *Mal métaphysique,* imperfection propre aux créatures. *Systèmes philosophiques et religieux qui voient le monde partagé entre le Bien et le Mal* (⇒ **Dualisme, manichéisme**). — *Le mal et l'enfer*. Le Démon, l'Esprit* (cit. 32) *du Mal* (→ aussi Génie, cit. 1). *Belzébuth ou Satan, incarnation du Mal.* — *Les Fleurs du Mal,* poèmes de Baudelaire (1857).

42 Pourquoi existe-t-il tant de mal, tout étant formé par un Dieu que tous les théistes se sont accordés à nommer *bon* ?
VOLTAIRE, Dict. philosophique, Pourquoi (les).

43 Le mal moral est incontestablement notre ouvrage, et le mal physique ne serait rien sans nos vices, qui nous l'ont rendu sensible... Homme, ne cherche plus l'auteur du mal ; cet auteur, c'est toi-même. Il n'existe point d'autre mal que celui que tu fais ou que tu souffres, et l'un et l'autre te vient de toi. Le mal général ne peut être que dans le désordre, et je vois dans le système du monde un ordre qui ne se dément point. Le mal particulier n'est que dans le sentiment de l'être qui souffre ; et ce sentiment, l'homme ne l'a pas reçu de la nature, il se l'est donné.
ROUSSEAU, Émile, IV.

44 Mal et Doute ! En un mot je puis les mettre en poudre ;
Vous les aviez prévus, laissez-moi vous absoudre
De les avoir permis. — C'est l'accusation
Qui pèse de partout sur la Création !
A. DE VIGNY, Poèmes philosophiques, « Mont des Oliviers », II.

45 Des poètes illustres s'étaient partagé depuis longtemps les provinces les plus fleuries du domaine poétique. Il m'a paru plaisant, et d'autant plus agréable que la tâche était plus difficile, d'extraire la *beauté du Mal.*
BAUDELAIRE, Projet de préface aux Fleurs du mal, I.

46 (...) le mal n'est pas une réalité extérieure à l'homme, le résultat d'une volonté étrangère, d'un Ahriman aussi fort que le dieu du Bien, Ormuzd, ainsi qu'on le voit dans le mazdéisme. Le mal n'est rien, rien qu'une absence, la démission de l'homme, la sanction de ses trahisons ; il n'est que l'absence du bien.
DANIEL-ROPS, Ce qui meurt..., p. 238-239.

Spécialt. *Le mal physique.* « *Le mal et la douleur, farces* (2. Farce, cit. 8), *sinistres* » (A. France). *Protester contre le mal et la mort* (→ Illogique, cit. 2).

47 Il entendait monter les hosannas serviles,
Les cris des égorgeurs, les *Te Deum* des rois,
L'appel désespéré des nations en croix
Et des justes râlant sur le fumier des villes.
Ce lugubre concert du mal universel (...)
LECONTE DE LISLE, Poèmes barbares, « Tristesse du diable ».

Relig. *Le péché, la concupiscence.* « *Nous sommes pleins de mal* » (→ Exciter, cit. 23, Pascal). *La haine* (cit. 34) *du mal. Un monde sans le mal et sans le péché* (→ Harmonie, cit. 5). « *Notre Père qui êtes aux cieux (...) délivrez-nous du mal* » (Bible, saint Matthieu, VI, 9, trad. Sacy). — REM. On trouve aussi les traductions : *le Malin, le Mauvais,* qui désignent le Tentateur.

(1657). *Faire le mal :* pécher (→ Janséniste, cit. 1).

48 (...) nous pouvons sans beaucoup de peine empêcher le mal par la mortification de nos sens (...) Heureux, trop heureux, si, sages à nos dépens, nous empêchons qu'il n'augmente et ne nous précipite dans les enfers.
MALEBRANCHE, Traité de morale, I, XI.

49 (...) une situation qui soit elle-même faite de mal et de péché, façonnée au moule diabolique du mal et du péché.
J. ROMAINS, les Hommes de bonne volonté, t. V, XXVI, p. 269.

50 À notre âge que hante le problème du mal et qui en a perdu le sens ; qui oppose toujours à Dieu l'existence du désordre dans le monde (...) qui se rue au péché, qui en subit l'attrait, et qui pourtant le nie avec passion ; qui oublie la loi du bien et du mal (...) rien n'est plus opportun que de redire le mot de saint Augustin (...) Tout ce que nous nommons mal n'est autre chose que le péché ou la peine du péché. J. CHEVALIER, le Sens du péché, in l'Homme et le Péché, p. 107.

CONTR. **Bien.**
HOM. 1. **Mal,** 2. **mal, malle.**

MALABAR [malabaʀ] adj. et n. — 1911 ; p.-ê. de *Malabar* « Indien de la côte de Malabar » ; pour le sens → Lascar.

♦ Argot. Homme très fort, robuste. *Un type malabar. De (des) drôles de malabars.*

Le p'tit *(sic)* type examina le gabarit de Gabriel et se dit c'est un malabar, mais les malabars c'est toujours bon, ça profite jamais de leur force, ça serait lâche de leur part. R. QUENEAU, Zazie dans le métro, Folio, p. 10.

MALABARE [malabaʀ] adj. et n. — 1732 ; de *Malabar.*

♦ De la côte de Malabar (en Inde). *Population malabare. Les Malabares.*

REM. On a employé *malabarais, aise* [malabaʀɛ, ɛz]. «*À une Malabaraise* » (Baudelaire).

MALABSORPTION [malapsɔʀpsjɔ̃] n. f. — Av. 1969 (Quillet) ; de *mal,* et *absorption.*

♦ Pathol. Défaut de résorption digestive (de certains éléments nutritifs), dû à une perturbation au niveau gastrique, hépatique, pancréatique ou intestinal. *Malabsorption des lipides, des protéines, des glucides, des vitamines, de l'eau, d'électrolytes. Malabsorption du calcium.* — *Syndrome de malabsorption :* ensemble des troubles entraînés par une malabsorption.

MALACHITE [malakit ; malaʃit] n. f. — 1685 ; *melochite,* XIIe ; lat. *molochitis,* mot grec, de *molokhê* ou *malakhê* «mauve (plante)».

♦ Carbonate naturel de cuivre*, pierre d'un beau vert diapré utilisée dans la fabrication d'objets d'art. *Écritoire* (cit. 4) *en malachite.* — Ellipt. *Des malachites :* des objets d'ornement en malachite.

La teinte de la malachite avec son éclat métallique, ses vertes nuances de cuivre étranges et charmantes à l'œil, son parfait poli de pierre dure, surprend par sa beauté et sa magnificence. Th. GAUTIER, Voyage en Russie, XV.

COMP. **Calcomalachite.**

MALACIE [malasi] n. f. — 1732 ; *malacia,* 1694 ; lat. *malacia,* grec *malakia* «mollesse».

♦ Vx. Dépravation* de l'appétit*, goût morbide pour des substances excitantes ou acides. ⇒ **Pica.**

MALACO- Élément de mots savants, du grec *malakos* «mou».

MALACODERME [malakɔdɛʀm] adj. — 1765 ; de *malaco-,* et *-derme.*

♦ Didact. Qui a des téguments mous.
N. m. pl. *Les Malacodermes :* groupe de coléoptères aux téguments mous *(Cléridés et Téléphoridés).* — Au sing. *Un malacoderme.*

MALACOLOGIE [malakɔlɔʒi] n. f. — 1814 ; de *malaco-,* et *-logie.*

♦ Zool. Étude des mollusques.

Le rivage, suivi par les colons, était semé d'innombrables coquillages, dont quelques-uns eussent fait la joie d'un amateur de malacologie.
J. VERNE, l'Île mystérieuse, t. I, p. 182.

DÉR. **Malacologique, malacologiste.**

MALACOLOGIQUE [malakɔlɔʒik] adj. — 1825 ; de *malacologie.*

♦ Didact. Qui a rapport à la malacologie.

Et quant à ce qui regarde les débris animaux qui figurent dans ces dépôts, l'étude de la faune malacologique actuelle de la Mer Blanche n'oblige donc en aucune façon à supposer un changement de climat d'une telle importance.
O. NORDENSKJÖLD, le Monde polaire, 1913, in D. D. L., II, 2.

MALACOLOGISTE [malakɔlɔʒist] n. — 1825, n. m. ; de *malacologie.*

♦ Didact. Zoologiste spécialiste des mollusques.

MALACOPTÉRYGIENS [malakɔpteʀiʒjɛ̃] n. m. pl. — 1770 ; de *malaco-,* et grec *pterugion* «nageoire».

♦ Zool. Vx. Ancien ordre de poissons osseux *(Téléostéens)* à nageoires molles. — Au sing. *Un malacoptérygien.*

MALACOSTRACÉS [malakɔstʀase] n. m. pl. — 1802 ; de *malaco-,* et *-ostracé.*

♦ Zool. Sous-classe de crustacés à abdomen distinct (ex. : l'écrevisse). — Au sing. *Un malacostracé.*

MALADE [malad] adj. et n. — 1126, n. ; *malabde,* 980 ; du lat. *male habitus,* proprt «qui se trouve en mauvais état».

★ I. (1155). Adj. ♦ **1.** Dont la santé* est altérée ; qui souffre de troubles organiques ou fonctionnels (→ **Maladie**). *Être malade. Il est bien malade, gravement, sérieusement malade.* ⇒ **Atteint, mal ;** → Être en mauvais état*, mal en point* ; fam. avoir du plomb* dans l'aile ; filer un mauvais coton*. *Malade comme une bête, un chien ; malade à crever, à mourir. Tu as l'air malade.* ⇒ **Incommodé, indisposé, souffrant.** *Une personne très délicate, toujours malade.* ⇒ **Chétif, maladif, malingre, valétudinaire.** *Se sentir* plus faible et plus malade que de coutume.* ⇒ **Abattu, déprimé, dolent ;** fam. **fichu** (mal fichu), **patraque** (→ Faiblesse, cit. 3). — Loc. *Tomber* malade. Ne buvez pas cette eau glacée, vous allez vous rendre malade.* → Attraper du mal, prendre mal*. *Soldat qui se fait porter* malade.* ⇒ (argot milit.) **Pâle, raide.**

1 J'ai été assez souvent malade ; j'ai trouvé, sans leurs secours *(des médecins),* mes maladies aussi douces à supporter (...) qu'à nul autre (...) il ne me faut autres commodités, étant malade, que celles qu'il me faut étant sain.
MONTAIGNE, Essais, II, XXXVII.

2 La santé de l'âme n'est pas plus assurée que celle du corps ; et quoique l'on paraisse éloigné des passions, on n'est pas moins en danger de s'y laisser emporter que de tomber malade quand on se porte bien.
LA ROCHEFOUCAULD, Maximes, 188.

3 Mais le pain (...) l'avait rendu malade, et pendant plusieurs semaines encore il lui fut impossible de toucher sans danger à un mets quelconque.
BAUDELAIRE, les Paradis artificiels, « Mangeur d'opium », II.

4 À force de se croire malade, on le devient, on maigrit, on n'a plus la force de se lever (...)
PROUST, À la recherche du temps perdu, I, p. 61.

5 Le lendemain, elle se fit porter malade, se coucha et dîna dans sa chambre.
COCTEAU, les Enfants terribles, p. 171.

6 Sans doute, ses traits tirés, la fièvre dont il frissonne chaque soir, montrent qu'il est malade (...)
R. DORGELÈS, les Croix de bois, VI.

(1673). *Être malade du cœur, des reins ; malade de la grippe, de la jaunisse* (cit. 1). — Spécialt, fam. *Malade du cerveau.* ⇒ **Fatigué.** *T'es pas un peu malade ?* ⇒ **Fou ; cinglé, dingue.**

7 — (...) De quoi dit-il que vous êtes malade ? — Il dit que c'est du foie, et d'autres disent que c'est de la rate. — Ce sont tous des ignorants : c'est du poumon que vous êtes malade.
MOLIÈRE, le Malade imaginaire, III, 10.

8 (...) ajoutez des nuances délicates, légèrement violacées qui révèlent un mal profond (...) Malade, profondément malade ! et à ne guérir jamais (...) Malade de cœur et de corps (...)
MICHELET, Hist. de la Révolution franç., III, VI.

(Mil. XIVe). Par exagér. *Être malade d'inquiétude, de jalousie... Rire à en être malade.* — Fam. *J'en suis malade, cela me rend malade rien que d'y penser* (→ En faire une maladie*).

9 (...) la terre de la pluie, de la pluie éternelle, où l'homme est malade d'attendre la lumière, et où sa folie lui fait réclamer le soleil.
André SUARÈS, Trois hommes, « Ibsen », I.

10 Quelle bombe, ma chère ! On leur passe de la bière sous le rideau, et des madeleines, on est malades de rigoler !
COLETTE, Mitsou, I.

Fig. *Société malade* (→ Engourdir, cit. 17). *Un monde malade* (→ Hérésie, cit. 7).

Hist. *L'homme malade :* l'empire turc, au XIXe siècle.

11 Depuis son avènement il *(le tsar Nicolas Ier)* attendait l'heure d'ouvrir et de recueillir (...) la succession de celui qu'il allait appeler « l'homme malade ». Et voilà que les réformes d'Abdul-Medjid, l'énergie de Réchid pacha modifiant ses conditions d'existence, le malade se reprenait à la vie.
A. MALET, *in* LAVISSE et RAMBAUD, Hist. générale du IVe s. à nos jours, t. XI, p. 199.

◆ **2.** (1570). Animaux. *Oiseau malade* (→ Aile, cit. 5). *Agneau malade* (→ Avant-poste, cit. 1). *Vétérinaire* qui soigne une bête malade.* — *Les animaux malades de la peste,* fable de La Fontaine (VII, 1).

12 « Mais, maman, Saha est malade ! Elle a mauvais poil, elle ne pèse rien... » Il berçait la chatte contre sa poitrine (...)
COLETTE, la Chatte, p. 73.

(Plantes). *Arbre, plante, graine* (cit. 14) *malade. La vigne est malade cette année.*

◆ **3.** (1640). Fam. (Objets). Détérioré, en mauvais état, très usé. *De vieux bouquins à la reliure bien malade.*

13 Le pourpoint déjà malade du poète *(Gringoire)* rendit le dernier soupir dans cette lutte.
HUGO, Notre-Dame de Paris, II, VI.

◆ **4.** (1611). Déréglé dans ses fonctions ou altéré dans sa constitution. *Corps malade* (→ Aller, cit. 111). *Gorge, poitrine malade* (→ Brûler, cit. 25 ; faim, cit. 3). *Appliquer* (cit. 3) *une compresse sur un œil malade. Intestins malades.* ⇒ **Dérangé, fatigué.** *Dent malade.* ⇒ **Gâté.**

(1549). Fig. *Guérir* (cit. 13) *un esprit malade. Cœur bien malade,* agité, troublé par quelque passion violente, et, spécialt, par l'amour (→ État, cit. 37). *L'âme malade du pécheur. Orgueil malade* (→ Genou, cit. 23).

14 Nos jugements sont encore malades, et suivent la dépravation de nos mœurs.
MONTAIGNE, Essais, I, XXXVII.

15 La conscience malade, voilà le théâtre de la fatalité moderne.
André SUARÈS, Trois hommes, « Ibsen », V.

◆ **5.** (1549). Dont l'activité, le fonctionnement sont gravement compromis. *Entreprise, industrie malade, qui végète, qui périclite. Le ministère est bien malade, il n'en a plus pour longtemps.*

★ **II.** N. (V. 1130). Personne malade. ⇒ (vx) **Égrotant, grabataire.** *Une malade. Malade qui garde la chambre, le lit, qui reste au lit ; malade alité. Demander des nouvelles d'un malade* (→ 2. Honoraire, cit. 5). *Malade qui va mieux, dont on espère la guérison*

(cit. 7). *Malade en piteux, triste état, dont l'état s'aggrave, empire, s'améliore. État désespéré*, fâcheux* (cit. 3), satisfaisant, stationnaire d'un malade. Malade qui traîne*. Le malade est bien bas*, abandonné par les médecins, condamné*, perdu*. Le malade est au plus mal, n'ira pas loin, ne passera pas la journée, est à la dernière extrémité* (⇒ **Moribond**), reçoit l'extrême-onction* (cit. 2). Un grand malade.* ⇒ aussi **Infirme, invalide** (→ Coudoyer, cit. 3). *Malade inopérable, intransportable.* — *Malade qui tousse, expectore* (cit. 1), *qui geint* (1. Geindre, cit. 3) *sur son lit de douleur*, de misère, qui connaît un moment de calme*, de répit.* — *Mauvaise mine, visage terreux, respiration saccadée* (→ Intermittent, cit. 1), *sommeil léthargique* (cit. 1) *d'un malade. Malade exigeant* (cit. 2), *patient...* — *Les malades du poumon.*

(Dans le contexte des soins, de la médecine). *Assister, soigner les malades.* ⇒ **Clinique, dispensaire, hôpital, infirmerie ;** médecine, soin (les, des soins), **thérapeutique** (→ Équiper, cit. 7 ; habit, cit. 19). *Mettre un malade en observation*. Guérisseur* (cit. 3) *qui traite un malade. Guérir* (cit. 2 et 3), *sauver la vie d'un malade. Opérer un malade. Droguer, médicamenter, sustenter un malade. Soulager, guérir* un malade. Mener un malade aux eaux* (→ Languir, cit. 5). *Mettre un malade à la diète, au régime.* — *Appeler qqn, être, veiller au chevet* (cit. 5) *d'un malade. Prendre la garde* (→ 1. Garde, cit. 17 et 20) *auprès d'un malade.* ⇒ **3. Garde** (cit. 1), **garde-malade.** *Transporter un malade sur un brancard*, une civière*, en ambulance*. Malade qui consulte un médecin, entre en clinique*, en maison* de santé, qui se présente à la consultation* (cit. 5), *qu'on évacue* (cit. 7) *à l'hôpital* (cit. 2 et 3) ⇒ **Hospitaliser.** *Isolement* (cit. 7) *des malades contagieux. Désinfecter les maisons des malades en cas d'épidémie* (cit. 4). *Un, les malades d'un médecin.* ⇒ **Client, patient.** *Médecin qui visite, suit ses malades.*

16 (...) le traitement sera d'autant plus difficile, que la malade refuse avec obstination toute espèce de remèdes : c'est au point qu'il a fallu la tenir de force pour la saigner (...)
LACLOS, les Liaisons dangereuses, CXLVII.

17 Les médecins qui ont exercé ne voient que la maladie ; moi, je vois encore le malade (...)
BALZAC, le Père Goriot, Pl., t. II, p. 1065.

18 (...) la femme n'est pas seulement une malade, mais une blessée.
MICHELET, la Femme (→ Femme, cit. 6).

19 C'est l'heure où les douleurs des malades s'aigrissent ! La sombre Nuit les prend à la gorge (...)
BAUDELAIRE, les Fleurs du mal, « Tableaux parisiens », XCV.

20 Je fis asseoir la malade en bas de l'escalier dans le vestibule, et je montai prévenir ma mère. Je lui dis que ma grand-mère rentrait un peu souffrante, ayant eu un étourdissement.
PROUST, À la recherche du temps perdu, t. VII, p. 174.

21 (...) cette distance du chemin de fer est excellente pour la fidélité de la clientèle. Les malades ne vous jouent pas le tour d'aller consulter au chef-lieu.
J. ROMAINS, Knock, I.

22 (...) la pathologie a jusqu'à présent (...) peu retenu ce caractère qu'a la maladie d'être vraiment pour le malade *une autre allure de la vie.* Certes la pathologie est en droit de suspecter et de rectifier l'opinion du malade qui croit savoir aussi, du fait qu'il le sent autre, en quoi et comment il est autre. Parce que le malade se trompe manifestement sur ce second point, il ne s'ensuit pas qu'il se trompe aussi sur le premier.
G. CANGUILHEM, Essai sur les problèmes concernant le normal et le pathologique, p. 49.

MALADE IMAGINAIRE : personne qui se croit malade mais qui ne l'est pas. — *Le Malade imaginaire* (1673), comédie de Molière.

23 Dès que l'on a un souci on perd le sommeil. Voilà donc notre malade imaginaire qui passe des nuits à écouter sa respiration, et ses journées à raconter ses nuits... Voilà un neurasthénique de plus.
ALAIN, Propos, 30 mai 1907, Sollicitude.

MALADE MENTAL : personne qui souffre d'une maladie mentale. ⇒ **Fou** (cour.), **psychopathe** (didact.). *Interner* (cit. 1) *un malade mental.*

Ellipt. *C'est un malade, un détraqué* (→ Hérédité, cit. 16).

CONTR. Dispos, portant (bien portant). — **Sain.**
DÉR. Maladie, maladif, maladrerie.

MALADIE [maladi] n. f. — 1150 ; de *malade*.

★ **I.** Altération organique ou fonctionnelle considérée dans son évolution, et comme une entité définissable.

1 (...) il est conforme à nos habitudes d'esprit de considérer comme anormal ce qui est relativement rare et exceptionnel, la maladie par exemple. Mais la maladie est aussi normale que la santé, laquelle, envisagée d'un certain point de vue, apparaît comme un effort constant pour prévenir la maladie ou pour l'écarter.
H. BERGSON, les Deux Sources de la morale et de la religion, I, p. 26-27.

2 La maladie, c'est ce qui gêne les hommes dans l'exercice normal de leur vie et dans leurs occupations et surtout ce qui les fait souffrir (...) La notion s'impose que la maladie de l'homme malade n'est pas la maladie anatomique du médecin (...) Sous les mêmes dehors anatomiques on est malade et on ne l'est pas (...) La maladie ne nous apparaît plus comme un parasite vivant sur l'homme et vivant de l'homme qu'elle épuise. Nous y voyons la conséquence d'une déviation, initialement minime, de l'ordre physiologique. Elle est, en somme, un ordre physiologique nouveau, auquel la thérapeutique doit avoir pour but d'adapter l'homme malade.
R. LERICHE, *in* Encycl. française (DE MONZIE), t. VI.

◆ **1.** (Chez l'homme). ⇒ **Affection, 3. mal, syndrome ; -pathie.** *Maladie bénigne* (⇒ **Incommodité,** vx), *curable, grave* (1. Grave, cit. 24), *incurable* (cit. 2 et 3), *inguérissable, mortelle. Maladie aiguë, chronique* (2. Chronique, cit. 3). *Maladie générale* (⇒ **Diathèse**), *locale. Maladie ambulatoire*. Maladies incompatibles, intercurrentes. Maladie acquise, adventice, allergique, congénitale, héréditaire. Maladie essentielle, idiopathique, primitive. Maladie organique*, secondaire, symptomatique ; contagieuse* (cit. 1 et 2), *endé-*

mique, épidémique (cit. 1 ; ⇒ **Épidémie**, vx pestilence), *récidivante, sporadique, transmissible. Maladie spécifique*. Maladie causée par un agent mécanique* (⇒ **Traumatisme**), physique (⇒ **Brûlure, gelure, insolation**), chimique (⇒ **Intoxication**; absinthisme, alcoolisme, botulisme, caféisme, ergotisme). Maladies professionnelles* (→ ci-dessous). Maladie infectieuse, inflammatoire (⇒ suff. -ite). Maladie bacillaire, microbienne, parasitaire, virale (ou à virus). Eau souillée qui contient des germes de maladie.* ⇒ **Morbifique, pathogène ; microbe.**

(1877). *Maladie infantile*. — Maladie de cœur, de foie, de peau. Maladies de carence* : avitaminoses. Maladie bronzée*. — (1837). Maladie bleue* (cit. 7.4) : tétrade de Fallot. — Maladies mentales (psychoses, névroses graves). — Prodromes*, symptômes*, syndromes*, signes cliniques d'une maladie.* ⇒ **Séméiologie, symptomatologie.** *Incubation*, invasion d'une maladie. Attraper (cit. 26), contracter, couver, faire* (cit. 122, 123) une maladie. Réceptivité*, résistance aux maladies. Sujets réfractaires à une maladie. Communiquer, donner une maladie.* ⇒ **Contagion, infection.** *Maladie qui s'attrape* (cit. 26), qui sévit. Se croire frappé, atteint d'une maladie (→ Autosuggestion, cit.). Simuler une maladie. — Maladie qui débute par un accès* (cit. 9) de fièvre (⇒ Attaque, atteinte), qui se déclare*, suit son cours*. Foyer*, siège d'une maladie (⇒* **Métastase**)*. Durée, développement, évolution*, marche, périodes, phases (⇒ Crise), stades d'une maladie. L'acmé* d'une maladie. — Aggravation, exacerbation, exaspération*, progrès, paroxysme, recrudescence d'une maladie. Accidents, complications qui surviennent au cours d'une maladie. Douleurs*, malaises, troubles qui accompagnent les maladies : algidité, anorexie, céphalée, colique, constipation, délire, diarrhée, dyspnée, extase, fièvre, flux, incontinence, insomnie, pyorrhée, rétention; abcès, adénome, anthrax, bouton, bubon, calcul, chancre, condylome, desquamation, éruption, fibrome, fistule, hernie, irritation, lésion, pustule, tache, tumeur. Maladie qui condamne à l'immobilité* (cit. 4). Aphonie, enrouement causés par une maladie de la gorge. — Être emporté, enlevé par une maladie qui ne pardonne* pas. Au huitième jour de la maladie, il entra en agonie. — Déclin, décours, rémission*, intermittences, rémittences, guérison* (cit. 3) d'une maladie. Maladie qui guérit* (cit. 37). Guérir* (cit. 32), réchapper*, relever* d'une maladie.* ⇒ **Analepsie, convalescence** *(→ S'en tirer*; revenir de loin*). Stigmates, suites d'une maladie.* ⇒ **Reliquat, séquelle.** *Infirmité* résultant d'une maladie. Affaiblissement, affaissement, amaigrissement consécutif à une maladie (⇒* **Adynamie, asthénie, cachexie, consomption, étisie**)*. Être affaibli* (cit. 3), aigri (cit. 16), épuisé* (cit. 20) par la maladie. Joues creusées par la maladie. — Retour d'une maladie.* ⇒ **Rechute, récidive.** *Bénéfice* psychologique d'une maladie.*

3   Je suis aux prises avec la pire de toutes les maladies, la plus soudaine, la plus douloureuse, la plus mortelle et la plus irrémédiable (...)
                                        MONTAIGNE, Essais, II, XXXVII.

4   La nature, d'elle-même, quand nous la laissons faire, se tire doucement du désordre où elle est tombée. C'est notre inquiétude, c'est notre impatience qui gâte tout, et presque tous les hommes meurent de leurs remèdes, et non pas de leurs maladies.
                                        MOLIÈRE, le Malade imaginaire, III, 3.

5   Il y a de même des maladies caractérisées, comme l'hydropisie, la phtisie, l'apoplexie, etc.; et d'autres qui ne peuvent être désignées que par les noms généraux de malaises, d'incommodités, de douleurs, de fièvres innommées, etc.
                                        J. DE MAISTRE, les Soirées de Saint-Pétersbourg, 1er Entretien.

5.1 Quant au médecin Custos, c'était un honorable praticien, qui, à l'exemple de ses confrères, guérissait ses malades de toutes les maladies, excepté de celle dont ils mouraient. Fâcheuse habitude prise, malheureusement, par tous les membres de toutes les Facultés en quelque pays qu'ils exercent.
                                        J. VERNE, le Docteur Ox, p. 31.

6   Pascal disait que la maladie est insupportable pour celui qui se porte bien, justement parce qu'il se porte bien. Une maladie grave nous accable sans doute pour que nous n'en sentions plus enfin que l'action présente.
                                        ALAIN, Propos, 12 déc. 1910, Maux d'esprit.

(1908). **Spécialt.** *Maladie professionnelle* : « état pathologique d'un salarié résultant de l'exercice d'une profession déterminée (ex. : la silicose des mineurs) sans être la suite d'un accident » (Capitant). *Responsabilité de la Sécurité sociale en matière de maladies professionnelles. Déclaration médicale obligatoire des maladies professionnelles. Principales maladies professionnelles.* ⇒ **Ankylostomiase, bérylliose, hydrargyrisme, phosphorisme, pneumoconiose, saturnisme, sidérose, silicose.**

Absolt. *La maladie : la maladie qui sévit, l'épidémie. Extension* (cit. 5) *de la maladie. Évacuation* (cit. 4) *immédiate, mise en quarantaine*des personnes présentant des signes de la maladie.*

7   (...) leur affolement et (...) leurs pâleurs au moindre mal de tête depuis qu'ils savent que la maladie commence par des céphalées (...)   CAMUS, la Peste, p. 215.

Par euphém. *Maladie honteuse, vilaine maladie :* maladie vénérienne*.

8   J'ai vu passer au spéculum toutes les filles, avec leurs maladies.
                                        Ch.-L. PHILIPPE, Bubu de Montparnasse, I, V.

Les maladies et la médecine. Étude et science des maladies.* ⇒ **Nosographie, nosologie, pathologie.** *Diagnostic* et pronostic* d'une maladie. Traitement curatif, préventif des maladies.* ⇒ **Thérapeutique; -thérapie.** *Médecin qui étudie, traite, une maladie* (⇒ **Cas**, cit. 14)*. Étude des causes des maladies.* ⇒ **Étiologie.** *Hôpital* (cit. 3 et 4) *où l'on soigne diverses maladies. — Prophylaxie**

des maladies contagieuses (⇒ **Quarantaine, vaccination**)*. Inoculer* une maladie.* ⇒ **Vacciner.** *Immuniser* contre une maladie. Interruption provoquée d'une maladie.* ⇒ **Abortion.** — *Prise en charge des frais de maladie par la Sécurité* sociale. Arrêt de travail pour maladie.* — **Fam.** *Se faire mettre en arrêt de maladie. — Longue maladie :* régime spécial accordé aux malades nécessitant des traitements, une interruption de travail de longue durée. — *Certificat* de maladie* (→ Ignorer, cit. 36). *Faire remplir et signer une feuille de maladie par le médecin.*

PRINCIPALES MALADIES ET AFFECTIONS :

Abasie	Ecthyma	Paludisme
Adénopathie	Eczéma	Pancréatite
Adipose	Éléphantiasis	Pandémie
Adrénalinémie	Embarras (gastrique...)	Paramnésie
Agraphie	Embolie	Paratyphoïde
Aï (2. Aï)	Emphysème	Parotidite
Albinisme	Encéphalite	Pelade
Allergie	Endocardite	Pellagre
Alopécie	Endonéphrite	Péricardite
Amaril	Engorgement	Périostite
Amaurose	(d'un organe)	Péripneumonie
Amblyopie	Engouement (intestinal)	Périsplénite
Aménorrhée	Entérite	Péritonite
Amétropie	Éosinophilie	Pérityphlite
Amnésie	Épididymite	Peste
Amygdalite	Épilepsie (cit. 2)	Pharyngite
Anasarque	Érysipèle	Pharyngo-laryngite
Angine	Érythème	Phlébite
Ankylose	Exanthème	Phlegmasie
Anoxie	Exophtalmie	Phtiriase (ou *maladie*
Anthracose	Fièvre*	*pédiculaire*)
Aortite	Filariose	Pierre
Aphasie	Fluxion (de poitrine)	Pityriasis
Apoplexie	Folie	Pleurésie
Appendicite	Folliculite	Pleurite
Artériopathie	Furonculose	Pleuropneumonie
Artériosclérose	Gale	Plique
Artérite	Gangrène	Pneumonie
Arthrite	Gastrite	Polioencéphalite
Arthritisme	Gingivite	Poliomyélite
Arthropathie	Glaucome	Porrigo
Ascite	Gonorrhée	Pourpre (ou Purpura)
Aspermatisme	Gourme (cit. 2)	Presbytie
Aspermie	Goutte	Psittacose
Asthme	Gravelle (cit. 3)	Psora
Astigmatisme	Grippe	Psoriasis
Asystolie	Helminthiase	Psychasthénie
Ataxie	Hémolyse	Psychose
Athérome	Hépatisme	Puerpérale (fièvre)
Athrepsie	Hépatite	Punaisie
Atonie (intestinale,	Herpès	Purpura
musculaire)	Herpétisme	Pyélite
Atrésie	Hydropisie	Rachitisme
Atrophie	Hygroma	Rage
Avitaminose (cit. 1)	Hyperchlorhydrie	Ramollissement (cérébral)
Bacillurie	Hypocondrie (cit. 1)	Rash
Balanite	Hypoglossite	Rétinite
Benzolisme	Hystérie (cit. 2)	Rhinite
Béribéri	Hystérite	Rhumatisme
Blennorragie	Ichtyose	Rhume
Blépharite	Iléus	Roséole
Bradycardie	Impétigo	Rougeole
Bradypepsie	Infarctus	Rubéole
Bronchite	Influenza	Salpingite
Broncho-pneumonie	Intertrigo	Scarlatine
Brucellose	Iritis	Scorbut
Byssinose	Jaunisse	Scrofule
Cancer	Kératite	Silicose
Cardiopathie	Laryngite	Silico-tuberculose
Cardite	Lèpre	Sinusite
Carie (des os)	Leucophlegmasie	Spina-ventosa
Carnification	Lichen	Spirillose
Cataracte	Lithiase	Splénite
Catarrhe	Lupus	Sporotrichose
Cécité	Lymphangite	Stéatose
Cellulite	Lymphatisme	Stomatite
Charbon	Malaria	Synovite
Chlorose	Mastite	Syphilis
Choléra	Mastoïdite	Tabès
Cholestérolémie	Méningite	Teigne
Chorée	Mentagre	Tétanos
Cirrhose	Métrite	Thrombose
Colibacillose	Miliaire (fièvre)	Trachéite
Colite	Muguet	Trachome
Coma	Mycose	Trichinose
Congestion	Myélite	Trichophytie
(cérébrale, pulmonaire)	Myocardite	Trombidiose
Conjonctivite	Myopie	Trophonévrose
Coqueluche	Néoplasie	Trypanosomiase
Coryza	Néoplasme	(ou *maladie du sommeil*)
Coxalgie	Néphrite	Tuberculose
Croup (cit. 1)	Névrite	Typhlite
Cyanose (ou *maladie*	Névrose	Typho-bacillose
bleue)	Nyctalopie	Typhoïde
Cystite	Obstruction ou	Typhus
Dartre	Occlusion	Ulite
Delirium tremens	(intestinale)	Urétérite
Démence	Œdème	Vaginite
Dermatose	Œsophagite	Varicelle
Diabète	Ophtalmie	Variole
Diphtérie	Orchite	Vérole (petite)
Duodénite	Oreillons	Vitiligo
Dysenterie	Ostéite	Vomito-negro
Dysménorrhée	Ostéomalacie	Vulvite
Dyspepsie	Otite	Vulvo-vaginite
Éclampsie	Ovarite	Xérodermie
Écrouelles	Ozène	Zona

⇒ aussi les suff. **-algie, -émie, -ite, -manie, -pathie, -phobie, -urèse, -urésie, -urie.** — N. B. De nombreuses maladies ou formes de maladies portent le nom du médecin qui les a étudiées. Ex. : *la maladie de Parkinson* ou *paralysie agitante, la maladie d'Addison* (→ Addisonien). → aussi Mal (de Bright, de Pott...). D'autre part, on se reportera utilement aux articles traitant des différents organes (cœur, foie, ...) qui peuvent être le siège d'affections particulières.

LA MALADIE : l'état des organismes malades ; l'ensemble des troubles pathologiques. *« La maladie c'est ce qui gêne les hommes dans l'exercice normal de leur vie, et surtout ce qui les fait souffrir »* (Leriche). *Être miné, rongé par la maladie. Assurance-maladie.* Loc. fam. (1867). *En faire une maladie :* être très contrarié* de quelque chose. (Souvent en tournure négative). *Il n'y a pas de quoi en faire une maladie.*

♦ **2.** (Chez l'animal). *Maladie des animaux* (⇒ **Vétérinaire**). — (1836). *La maladie :* affection contagieuse virale qui frappe les jeunes chats et les jeunes chiens. *Vacciner un cocker contre la maladie. Chiot qui fait sa maladie.*

9 — C'est une chienne ( ) Treize mois, la maladie faite, les oreilles coupées, propre à l'appartement (...)
   COLETTE, la Paix chez les bêtes, Petite chienne à vendre.
10 Le sucre est l'ennemi des chiens. J'ai entendu dire que ça leur donnait des maladies de peau épouvantables (...)
   J. ROMAINS, les Hommes de bonne volonté, t. III, VII, p. 117.

La flacherie, la pébrine, maladies les plus graves du ver à soie.
REM. Certaines maladies sont communes à l'homme et aux animaux (ex. : le charbon, la rage...). D'autres, spéciales aux animaux, sont mentionnées à l'article traitant des genres, familles ou espèces auxquels ils appartiennent (ex. : le farcin du cheval*, le tournis du mouton*...).

♦ **3.** (Chez les végétaux). *Maladies des plantes, des arbres, des graminées, des céréales*, du blé, de la pomme de terre, de la vigne... Maladie des feuilles... Maladie végétale à caractère épidémique.* ⇒ **Épiphytie.** — REM. Les maladies spéciales aux végétaux sont mentionnées à l'article traitant des genres, familles ou espèces auxquels ils appartiennent.

♦ **4.** (1867). Par ext. Altération biochimique. *Maladie du vin.* — *Maladies de la pierre.*

★ **II.** (XIIIe). Fig. ♦ **1.** (V. 1240). Ce qui apporte le trouble (dans les facultés morales, dans le comportement). *Les maladies de l'esprit. Maladies spirituelles* (→ Bistouri, cit. 3). *L'ennui* (cit. 15 et 24), *la jalousie* (cit. 7 et 19), *maladies de l'âme. L'amour* est une maladie* (⇒ Dérèglement, cit. 3, Lesage). — *La maladie incurable* (cit. 7) *de l'ambition.* ⇒ **Vice.** *L'orgueil, maladie française* (→ Idée, cit. 18, Chateaubriand). *« C'est une maladie naturelle à l'homme de croire qu'il possède la vérité... »* (→ Incompréhensible, cit. 5, Pascal). — *La maladie du pays* (⇒ **Nostalgie**), *du siècle.* ⇒ **Mal.**

11 La présomption est notre maladie naturelle et originelle.
   MONTAIGNE, Essais, II, XII.
12 Toute la maladie du siècle présent vient de deux causes ; le peuple qui a passé par 93 et par 1814 porte au cœur deux blessures. Tout ce qui était n'est plus ; tout ce qui sera n'est pas encore. Ne cherchez pas ailleurs le secret de nos maux.
   A. DE MUSSET, la Confession d'un enfant du siècle, I, II.
13 (...) un homme ne naît pas jaloux, il apporte seulement un état de réceptivité qui le rend apte à contracter cette maladie (...) A. MAUROIS, Climats, I, VIII.

♦ **2.** (1673). Habitude, comportement anormal, excessif. ⇒ **Manie.** *Avoir la maladie du scrupule* (→ Honnête, cit. 9), *de la nouveauté* (→ aussi Individu, cit. 25). — Par exagér. (fam.). *Elle a la maladie de se mêler des affaires d'autrui.* — *Tu fais toujours répéter, c'est une vraie maladie. La maladie de faire des livres* (cit. 15). ⇒ **Passion.**

14 (...) est-il possible qu'il n'y ait pas moyen de vous guérir de la maladie des médecins (...) ? MOLIÈRE, le Malade imaginaire, III, 4.
15 Elles avaient la maladie de la musique ; elles en rêvaient, elles en perdaient le boire et le manger ; elles n'aimaient rien autre chose au monde.
   Th. GAUTIER, Fortunio..., « Nid de rossignols ».

♦ **3.** (1530). Par anal. Ce qui entrave la prospérité, le fonctionnement (d'une entreprise, d'une institution...). *La maladie de l'inflation* (cit. 1). Par métaphore :
16 C'est mystérieux. D'ordre social probablement. Une maladie de croissance de la démocratie. J. ROMAINS, les Hommes de bonne volonté, t. IV, XXII, p. 238.

CONTR. Santé.

MALADIF, IVE [maladif, iv] adj. — 1342 ; (saison) «propice aux maladies», 1256 ; de *malade*.

♦ **1.** (En parlant d'une personne). Qui est de constitution fragile ; souvent malade ou sujet à l'être. ⇒ **Cacochyme** (cit.), **chétif, égrotant** (vx), **malingre, souffreteux, valétudinaire ; patraque** (fam.). *Enfant maladif.* ⇒ **Rachitique.** *Créature maladive* (→ Fantastique, cit. 7). — Par ext. *Tempérament maladif. Vieillesse maladive.* ⇒ **Infirme.**

1 (...) un pauvre enfant bien laid (...) éclopé de naissance, chétif, maladif (...) toujours en souffrance, le pauvre gars ! G. SAND, la Petite Fadette, XIX.

Comme j'étais très frêle et maladif, mes parents n'avaient pas voulu m'envoyer à l'école. Alphonse DAUDET, le Petit Chose, I, I. 2

♦ **2.** (1580). Qui dénote une constitution très fragile ou présente le caractère de la maladie. *Apparence* (cit. 2), *pâleur maladive. Air maladif. Transparence maladive des mains* (→ Amaigrir, cit. 6). *Beauté maladive et frêle* (→ Émaciation, cit. 1). — *Faiblesse* (cit. 2) *maladive. État maladif* (⇒ **Étiolement**).

3 (...) cette maladive délicatesse qui le rendait impropre aux violents exercices en vogue dans le collège (...) BALZAC, Louis Lambert, Pl., t. X, p. 369.
4 Et ces larmes qui font aux belles affligées
   L'œil terne, le teint pâle et le regard pensif,
   Et la joue amaigrie, et le front maladif. BAUDELAIRE, Premiers poèmes, IX.

♦ **3.** (1580). Anormal, excessif et irrépressible. *Excitabilité* (cit. 1), *impressionnabilité* (cit.), *sensibilité, timidité maladive. Curiosité maladive.* ⇒ **Morbide** (→ Kermesse, cit. 1). *Amour maladif* (→ Courtisane, cit. 2).

5 Ils ne faisaient aucun bruit dans la maison ; ils avaient une peur maladive de gêner leurs voisins, d'autant plus qu'ils souffraient d'être gênés par eux (...)
   R. ROLLAND, Jean-Christophe, Dans la maison, p. 965.
6 Aurelle se nourrit de romans par un besoin maladif de vivre la vie d'un autre être (...) A. MAUROIS, les Silences du colonel Bramble, XIX.

CONTR. Fort, robuste.
DÉR. Maladivement.

MALADIVEMENT [maladivmã] adv. — 1842 ; de *maladif*.

♦ D'une manière maladive (au propre et au fig.). → Irréfléchi, cit. 2.
Tout l'art maladivement élégant du second Empire est là.
   HUYSMANS, l'Art moderne, p. 95.

MALADRERIE [maladʀəʀi] n. f. — XIIe ; altér. de *maladerie*, dér. de *malade*, par croisement avec *ladre, ladrerie*.

♦ Vx. Hôpital de lépreux. ⇒ **Ladrerie, léproserie** (cit.).
Souvent il lui arrivait de chercher les vestiges des maladreries et de rêver indéfiniment sur les villages où furent allumés le plus de bûchers.
   M. BARRÈS, la Colline inspirée, XVI.

MALADRESSE [maladʀɛs] n. f. — 1731, Marivaux (→ Humiliant, cit. 2) ; de *maladroit*, d'après *adresse*.

♦ **1.** (1740). Manque d'adresse* (dans les mouvements, dans l'exécution d'un ouvrage, l'accomplissement d'une tâche). ⇒ **Inhabileté, lourderie** (vx), **malhabileté.** *Maladresse d'un tireur, d'un joueur de tennis. Homicide* (2. Homicide, cit. 3) *par maladresse. Tu as encore cassé deux verres : tu es d'une maladresse !* ⇒ **Brise-tout** (→ Avoir la main malheureuse*). *Maladresse d'un apprenti.* ⇒ **Inexpérience.**

1 (...) la maladresse incroyable de Rex dès qu'il s'agissait de ranger du linge et de plier des vêtements. A. HERMANT, l'Aube ardente, XIV.
2 Lentement, avec maladresse, des hommes en blouse transportèrent le cercueil dans le char funèbre. J. CHARDONNE, les Destinées sentimentales, p. 57.

♦ **2.** (1731). Manque d'habileté, de savoir-faire, de tact... *Agir avec beaucoup de maladresse.* ⇒ **Maladroitement.** *On ne peut lui confier aucune mission délicate ; il est d'une maladresse insigne. « Tout s'excuse* (cit. 28) *ici-bas, hormis la maladresse »* (Musset). — Spécialt. *La timidité, cause* (cit. 22) *de la maladresse. Sa maladresse à dire ce qu'il ressent.*

3 J'étais fort empressé d'avoir cette lettre ; mais soit ruse encore, ou maladresse, ou timidité, elle ne me la remit que le soir, au moment de se retirer chez elle.
   LACLOS, les Liaisons dangereuses, XXV.
4 Elle l'accusait de maladresse envers sa fille, se repentait de la lui avoir donnée. Elle attribuait à cette maladresse de Jacques le brusque changement survenu dans le caractère de sa fille. R. RADIGUET, le Diable au corps, p. 100.

♦ **3.** Par ext. Caractère de ce qui est maladroit. *La maladresse enfantine* (cit. 5) *de ses gestes.* — *Maladresse d'un essai* (cit. 18), *d'un dessin. La maladresse de ses louanges* (→ Censure, cit. 2), *de son intervention.*

5 Pour devenir un homme de valeur, qu'un enfant doive se sauver lui-même, cela prouve la maladresse de nos leçons, cela ne prouve pas leur impuissance (...)
   MONTHERLANT, la Relève du matin, p. 140.

♦ **4.** (Fin XVIIIe). Une, des maladresses. Action maladroite*. *Équiper dans un mauvais jour, qui accumule les maladresses.* — Fig. ⇒ **Balourdise, bêtise, bévue,** 2. **blague** (fam.), **boulette,** 1. **bourde** (fam.), **brioche** (fam., vx), **connerie** (fam.), **couillonnade** (fam.), **erreur, faute, gaffe, imprudence, ineptie, ours** (pas de l'), **clerc** (pas de), **ours** (pavé de l'). *Commettre, faire une maladresse énorme* (→ Battre, cit. 11), *insigne* (1. Insigne, cit. 7). *Une série de maladresses. Vous lui avez demandé son âge ? Quelle maladresse !* ⇒ **Impair.**

6 La maladresse qu'on avait faite en arrêtant la sacristine parut alors dans son énormité. RENAN, Souvenirs d'enfance... Œ. compl., t. II, I, IV, p. 748.
7 (...) une maladresse avait dû révéler à M. Thibault les relations assidues que Jacques (...) entretenait, à Maisons, avec les Fontanin.
   MARTIN DU GARD, les Thibault, t. III, p. 259.

(1934). Spécialt. ⇒ **Défaut** (II., 4.). *Maladresses d'élocution, de style.*

8 S'il lui reste des maladresses de langage, on les mettra sur le compte de ce dépaysement ; elles auront une couleur.
J. ROMAINS, les Hommes de bonne volonté, t. V, XXIII, p. 213.

CONTR. Adresse, aisance, brio (cit. 4), chic, dextérité, grâce, habileté. — Entregent, finesse.

MALADROIT, OITE [maladʀwa, wat] adj. et n. — 1538 ; de 2. *mal*, et *adroit*.

♦ **1.** Qui coordonne mal ses gestes, échoue à faire vite et bien une suite d'opérations matérielles. Qui manque d'adresse, qui n'est pas adroit*. ⇒ **Inhabile, malhabile.** *Maladroit dans ses mouvements, son maintien.* ⇒ **Empaillé, empoté, gauche, godiche, godichon, gourde, pataud.** *Elle n'est pas maladroite de ses mains* (→ *N'être pas manchot*). *Tireur qui devient maladroit, faute d'entraînement.* ⇒ **Rouiller** (se) ; cf. *Perdre la main.* — *Ouvrier maladroit* (⇒ **Sabot, saboteur, sabreur,** fam. et vx **savetier**). *Copiste maladroit* (→ **Glose,** cit. 4). *Orateur maladroit* (→ **Fil,** cit. 39). *Débutant maladroit* (⇒ **Novice**).

1 Ôtez-moi mes coiffes. Doucement donc, maladroite, comme vous me saboulez la tête avec vos mains pesantes !   MOLIÈRE, la Comtesse d'Escarbagnas, II.

2 (...) l'on dit de soi qu'on est maladroit, et qu'on ne peut rien faire de ses mains (...)   LA BRUYÈRE, les Caractères, XI, 67.

3 Il est entendu aussi que M. Ingres est un grand dessinateur maladroit qui ignore la perspective aérienne (...)   BAUDELAIRE, Curiosités esthétiques, II.

N. *C'est un maladroit, il casse tout ce qu'il touche. Quel gros maladroit !* ⇒ **Gnaf** (vx), **massacreur, propre** (à rien), **savate** (→ Casquette, cit. 3). *Une maladroite.*

Par ext. *Mains maladroites. Langue maladroite* (→ Engourdir, cit. 12).

♦ **2.** (1642). À propos du comportement, des relations sociales. Qui agit sans efficacité, d'une manière qui attire des jugements défavorables. *Femme maladroite, qui fait immanquablement* (cit. 2) *ce qu'il ne faut pas faire* (→ aussi Impétueux, cit. 6 ; inconnu, cit. 30). *Ce qu'il a l'air maladroit !*

4 (...) je serais donc bien maladroite, si je ne savais pas gagner un procès, où je n'ai pour adversaires que des mineures encore en bas âge, et leur vieux tuteur !   LACLOS, les Liaisons dangereuses, CXIII.

5 — Hélas ! Mon Dieu, que je suis donc à plaindre d'être si maladroit et de dire si mal ce que je pense !   G. SAND, la Mare au diable, XI.

6 Il allait la voir chez elle, et les parents de Jeanne riaient un peu de ce prétendant silencieux et maladroit.   CAMUS, la Peste, p. 96.

N. *Un maladroit, une maladroite.* ⇒ **Ballot** (fam.), **balourd** (cit. 3), **gaffeur, gourde** (fam.), **lourdaud.** *Avoir affaire* (cit. 66) *à un maladroit. Être exaspéré par les compliments des maladroits* (→ Flatter, cit. 41). *Il s'y est mal pris, il s'en est très mal tiré, c'est un maladroit. A-t-on idée de s'adresser à un pareil maladroit !* (→ Endosser, cit. 7).

7 Ce n'était que Molière, et nous savons de reste
Que ce grand maladroit, qui fit un jour *Alceste,*
Ignora le bel art de chatouiller l'esprit
Et de servir à point un dénouement bien cuit.
A. DE MUSSET, Poésies nouvelles, « Soirée perdue ».

8 Ce ne sont pas du tout les « méchants » qui font le plus de mal en ce monde. Ce sont les maladroits, les négligents et les crédules.   VALÉRY, Mélange, p. 181.

9 — Petite maladroite ! lui dit Mme Legras presque dans l'oreille. J'en sais assez sur toi pour t'envoyer en cour d'assises !   J. GREEN, Adrienne Mesurat, III, II.

♦ **3.** (Av. 1654). Par ext. Qui dénote de la maladresse.
Physique. *Gestes maladroits.*

10 Si bien que son bâton, parachevant sa mine,
Lui donnait la tournure et le pas maladroit
D'un quadrupède infirme (...)
BAUDELAIRE, les Fleurs du mal, « Tableaux parisiens », XC.

11 (...) tu ne pousses pas de petits cris autour de moi, avec des battements de mains et des baisers maladroits, comme celles qui se sont amusées de moi un instant (...)
COLETTE, la Paix chez les bêtes, Petite chienne à vendre.

(1801). Moral. *Un mot maladroit qui gâterait* (cit. 16) *tout. Reproche maladroit.* ⇒ **Malavisé, sot** (→ Fermer, cit. 22). *Mensonge maladroit.* ⇒ **Grossier.** *Zèle maladroit.* ⇒ **Inconsidéré** (→ Imperméable, cit. 2). *Il ne faut pas l'interroger, ce serait maladroit* (⇒ **Maladresse**). *Manœuvre maladroite.* ⇒ **Faux** (fausse manœuvre). — *Style maladroit.* ⇒ **Lourd.**

12 Elle n'aimait pas cet homme ; ses manières timides, son obséquiosité maladroite lui déplaisaient (...)   J. GREEN, Léviathan, II, II.

13 Il sentit qu'il serait maladroit de la presser ; qu'il fallait feindre de trouver exquises par elles-mêmes les circonstances préalables de ce premier rendez-vous.
J. ROMAINS, les Hommes de bonne volonté, t. III, XX, p. 275.

CONTR. Adroit, capable, dégourdi, dessalé, habile. — Diplomatique. — Aisé, facile.
DÉR. Maladroitement. — V. Malagauche.

MALADROITEMENT [maladʀwatmɑ̃] adv. — XVIe ; de *maladroit*.

♦ D'une manière maladroite (au physique ou au moral). ⇒ **Gauchement, mal.** *S'y prendre, s'en tirer maladroitement. Exécuter maladroitement une besogne.* ⇒ **Massacrer, saboter, saveter.** *Chirurgien qui opère maladroitement.* ⇒ **Charcuter.** *Ouvrir maladroitement une boîte* (→ Intempestif, cit. 3). *Courir, tomber maladroitement* (→ Course, cit. 2 ; fracturer, cit. 2). *Dépenser maladroitement ses*

forces (→ Adresse, cit. 4). *Se laisser maladroitement surprendre* (→ 2. Garrot, cit. 2). *S'exprimer maladroitement.* ⇒ **Lourdement.**

1 Il s'empara maladroitement du *Bottin*, dont l'énorme masse croula sur une assiette de confiture (...)   J. ROMAINS, les Copains, I.

2 Je n'avais jamais déshabillé de femmes (...) Aussi je m'y pris maladroitement, commençant par ôter ses souliers et ses bas.
R. RADIGUET, le Diable au corps, p. 142.

CONTR. Adroitement.

MALAGA [malaga] n. m. — 1761 ; de *Malaga*, ville d'Espagne.

♦ **1.** (1867). Vin liquoreux de la région de Malaga. *Un verre de malaga. Malaga muscat.*

♦ **2.** (1873). Raisin sec de Malaga. *Une caisse de malaga.*

MALAGAUCHE [malagoʃ] adj. — 1864, *in* Wartburg ; de *maladroit*, et *gauche*.

♦ Pop., vx. Maladroit.
Ils se contemplèrent, hagards.
— Fichu malagauche, dit Croquebol, comment diable qu't'as fait ton compte.   COURTELINE, le Train de 8 h 47, p. 120.

MALAGUETTE [malagɛt] n. f. ⇒ **Maniguette.**

MAL-AIMÉ, ÉE [maleme] adj. et n. ⇒ 3. **Mal.**

MALAIRE [malɛʀ] adj. — 1765 ; du lat. *mala* « mâchoire, joue ».

♦ Anat. Qui a rapport à la joue. *Région malaire. Os malaire* : os de la pommette. ⇒ **Zygomatique.** *Apophyse, trous malaires.*

MALAIS, AISE [malɛ, ɛz] adj. et n. — XVIIIe ; *malai, aie, in* Littré ; angl. *malay* (1598), du malais.

♦ De Malaisie. *Péninsule malaise. Kriss* (cit.) *malais* (→ Attaquer, cit. 46). *L'amok* malais. Poison malais.* ⇒ **Antiar.** *Poésie malaise.* ⇒ **Pantoum.** — Spécialt. *Race malaise* : race de coqs de combat.
N. *Habitant de la Malaisie. Un Malais, une Malaise. Les Malais.*
N. m. (1714). *Le malais* : la langue du groupe indonésien parlée dans la péninsule de Malacca et dans de nombreuses régions de Java, Sumatra, Bornéo.

COMP. Malayo-polynésien.

MALAISE [malɛz] n. m. — V. 1131, en emploi adv. *malaise, à grand malaise*, comp. en moy. franç. → ci-dessous, cit. 7, Marot ; fém. dans tous les dictionnaires jusqu'à celui de l'Académie (1718) ; de 2. *mal*, et *aise*.

♦ **1.** (1625). Vx. *Le malaise* : l'état de celui qui n'est pas à son aise, du point de vue des ressources pécuniaires. ⇒ **Embarras, gêne, mésaise** (vx). *Être dans le malaise* : être à l'étroit, mal dans ses affaires (Littré). *La soif du bien-être,* opposée à *l'appétit* (cit. 24, France) *du malaise.*

1 Pour qu'une révolution éclate, il faut que les classes inférieures souffrent d'un terrible malaise ou d'une grande oppression. Mais il faut aussi qu'elles aient un commencement de force et par conséquent d'espoir.
JAURÈS, Hist. socialiste..., t. I, p. 45.

♦ **2.** (Déb. XVIIe). Sensation pénible (le plus souvent vague et difficile à localiser) d'un trouble dans les fonctions physiologiques.

ⓐ Vieilli. (*Le malaise*). Ressentir, éprouver du malaise. Causer du malaise à qqn.

ⓑ Mod. (*Un, des malaises*). ⇒ **Dérangement, embarras, gêne, incommodité, indisposition, mal, maladie, mal-être** (vx), **souffrance, trouble.** *Éprouver un malaise.* ⇒ **Mal** (se sentir, se trouver). *Avoir de fréquents malaises. Maladies qui commencent par des malaises légers* (→ Accès, cit. 9). *Malaises nerveux. Malaises de la menstruation, de la grossesse.* ⇒ **Incommodé, indisposé** (cit. 9). *Malaises dus à l'ivresse, à la drogue.* ⇒ **Vide** (avoir la tête vide) ; → Kief, cit. 2. *Malaise passager. Être pris de malaises et de nausées.*
Spécialt. Évanouissement. *Elle a eu un malaise.*

2 Le malaise des besoins s'exprime par des signes quand le secours d'autrui est nécessaire pour y pourvoir : de là les cris des enfants. Ils pleurent beaucoup ; cela doit être. Puisque toutes leurs sensations sont affectives, quand elles sont agréables, ils en jouissent en silence ; quand elles sont pénibles, ils le disent dans leur langage, et demandent du soulagement.   ROUSSEAU, Émile, I.

3 Vers la fin du mois de mars, Mme Graslin avait éprouvé déjà quelques-uns de ces malaises que cause une première grossesse et qui ne peuvent plus se cacher.
BALZAC, le Curé de village, Pl., t. VIII, p. 580.

4 (...) il éprouvait un tel malaise, une telle pesanteur de tête, qu'il se mit péniblement debout, avec l'idée de prendre l'air, avant de dîner et de se coucher pour la nuit.   ZOLA, Germinal, II, v.

5 Il fut soulagé, à la façon d'un malade, qui, souffrant d'un malaise général, vague et énervant, le voit se préciser en une douleur aiguë, localisée sur un point.
R. ROLLAND, Jean-Christophe, Le matin, p. 196.

5.1 (...) tant c'est avec nos soucis qu'est faite notre tristesse comme c'est avec notre malaise qu'est fait notre mal être, de sorte qu'un fiévreux claque des dents au soleil et qu'un malheureux pleure dans la joie générale parce que c'est en nous qu'est le bonheur et le malheur. PROUST, Jean Santeuil, Pl., p. 648.

♦ **3.** (XVIᵉ, « affliction »). Fig. Sentiment pénible et irraisonné dont on ne peut se défendre. ⇒ **Angoisse, inquiétude** (cit. 8), **souffrance, tourment, tristesse...** (→ Crise, cit. 5). *Tristesse, inquiétude, malaise qu'on ne peut cacher* (cit. 20). *Malaise vague* (→ Escamotage, cit. 3), *inexplicable* (→ Expliquer, cit. 30), *indéfinissable... Malaise qui grandit, s'accroît* (cit. 13), *se dissipe* (cit. 18). *Provoquer un malaise.* ⇒ **Troubler.** *Malaise qu'on éprouve devant la misère d'autrui* (cit. 26). *Il ressentait un malaise dans ce milieu, il étouffait.* — (En parlant d'un sentiment collectif). *Le malaise actuel, du monde actuel* (→ Crise, cit. 11). *Un malaise général.*

6 Le *malaise* est une peine qui consiste à être mal à l'aise, peu commodément. Sans exprimer précisément le mal, ce mot suppose l'absence du bien, et le soupçon d'un mieux possible, indéterminé. C'est une incommodité légère (...) L'*ennui*, le *malaise*, et l'*inquiétude* ont un caractère commun, le vague. Dans l'*ennui*, on languit, sans trop savoir pourquoi ; dans le *malaise*, on n'est pas ou on ne se trouve pas bien, sans trop savoir pourquoi ; dans l'*inquiétude*, on ne tient pas en place, on s'agite, sans trop savoir pourquoi.
 LAFAYE, Dict. des synonymes, Mal, peine..., III.

7 Voilà comment je languis en mal aise,
 Sans nul espoir de liesse plus forte. Clément MAROT, Rondeaux, XXVIII.

8 C'est comme le malaise d'un lourd mensonge, impatiemment supporté, qui se dissipe soudain. JAURÈS, Hist. socialiste..., t. II, p. 50.

9 Il y avait un malaise dans la salle à manger. Le malaise consécutif à une discussion que l'on espère abandonnée, et qui renaît de ses cendres.
 Pierre BENOIT, Mˡˡᵉ de la Ferté, p. 167.

10 Actuellement, le malaise du monde vient de l'incapacité où sont les hommes à penser leur commune destinée hors de leurs intérêts personnels et immédiats.
 DANIEL-ROPS, le Monde sans âme, p. 56.

(1873). Par euphém. Crise, mécontentement larvés. *Le malaise paysan.*

CONTR. **Aise, bien-aise, bien-être, euphorie.**

MALAISÉ, ÉE [maleze] adj. — XIVᵉ ; adj., 1530 ; p. p. de l'anc. franç. *malaaisier, malaisier* « blesser, mettre à mal » ; de 2. *mal,* et *aise.*

Littéraire. Qui n'est pas aisé.

♦ **1.** Qui ne se fait pas facilement. ⇒ **Difficile.** *Un projet malaisé et périlleux. Tâche malaisée.* ⇒ **Ardu, délicat.** — Impers. *Il est malaisé de...,* avec l'inf. (→ Braver, cit. 4 ; cesser, cit. 11 ; embrouillement, cit. 2 ; forcer, cit. 17 ; individu, cit. 6). — Rare. *Il est malaisé que...* (avec le subj.) : il peut difficilement se faire que...

1 Et qu'il est malaisé que sans être amoureux
 Un jeune prince soit et grand et généreux MOLIÈRE, la Princesse d'Élide, I, 1.

2 Rien n'est tel que de commencer pour voir combien il sera malaisé de finir.
 HUGO, les Travailleurs de la mer, II, I, IX.

Malaisé à... (avec l'inf.) : difficile à... *Degrés malaisés à définir* (→ Brouiller, cit. 11). *Ces grands corps* (les États) *malaisés à relever* (→ Abattre, cit. 14).

3 (...) le Roi pourrait perdre beaucoup de gens considérables qui ne lui seraient pas si malaisés à remplacer que celui-là.
 MOLIÈRE, le Grand Divertissement royal, I, Appendice à G. Dandin.

4 L'auteur ne veut que de la vertu et de la probité, qui sont si malaisées à rencontrer (...) VOLTAIRE, Correspondance, 3082, 27 mars 1767.

♦ **2.** (1538). Vieilli. Qui présente des obstacles difficiles à surmonter. ⇒ **Incommode, pénible.** « *Cet escalier est malaisé* » (Académie). « *Dans un chemin* (cit. 16) *montant, sablonneux, malaisé* » (La Fontaine). ⇒ **Abrupt, escarpé.** *D'un abord malaisé.*

♦ **3.** (V. 1534). Vx. Qui manque de ressources, peu fortuné, gêné.

5 (...) une de ces beautés malaisées dont le meilleur revenu consiste en un joli visage (...) MARIVAUX, le Paysan parvenu, V, p. 294.

6 Il *(Robespierre)* se fit avocat (...) Quoique fort malaisé, on dit qu'avec un louable scrupule, il ne plaidait pas toute cause, il choisissait.
 MICHELET, Hist. de la Révolution franç., IV, V.

CONTR. **Aisé, commode, facile.** — **Fortuné.**
DÉR. **Malaisément.**

MALAISÉMENT [malezemã] adv. — 1538 ; *malaisiement,* v. 1350 ; de *malaisé.*

♦ Littér. ou style soutenu. D'une manière malaisée. ⇒ **Difficilement, peine** (à grand-peine). *Accepter, supporter malaisément qqch.* (→ Existence, cit. 22 ; imparfait, cit. 11). *Les hommes d'action* (cit. 4) *peuvent malaisément être sceptiques.*

Je pense que l'auteur du film a reculé devant la crainte du scandale et que le public, en effet, eût admis malaisément ces données.
 GIDE, Journal, 17 mars 1928.

CONTR. **Aisément, facilement.**

MALANDRE [malãdR] n. f. — V. 1398 ; du lat. *malandria.*

♦ **1.** Zootechn., vétér. Dermatose propre au cheval, aux animaux de trait, caractérisée par l'apparition de fissures ou de crevasses dans le pli du genou. ⇒ **Solandre.**

♦ **2.** (1600). Techn. Partie pourrie dans les bois de construction, particulièrement à l'endroit des nœuds.
DÉR. **Malandreux.**

MALANDREUX, EUSE [malãdRø, øz] adj. — 1723 ; de *malandre.*

♦ Zootechn. Qui a des malandres. *Jument malandreuse.* — Techn. *Bois malandreux.*

MALANDRIN [malãdRɛ̃] n. m. — V. 1360, en parlant des brigands de la région de Naples ; ital. *malandrino,* du rad. de l'occitan *landra* « battre le pavé », selon P. Guiraud. Cf. *landrin,* régional, « fainéant ».

♦ **1.** Hist. Brigand appartenant à des bandes de pillards qui ravagèrent la France au XIVᵉ siècle.

1 Un fléau, formé en France, au milieu des guerres funestes d'Édouard III et de Philippe de Valois, se répand dans l'Allemagne. Ce sont des brigands qui ont déserté de ces armées indisciplinées, où on les payait mal (...) on les appelle *malandrins, tard-venus, grandes compagnies.* VOLTAIRE, les Annales de l'Empire, 1365.

♦ **2.** Vieilli ou littér. Voleur ou vagabond dangereux. ⇒ **Bandit, brigand.** *Canailles, truands, malandrins de la Cour* des Miracles.*

2 Ce truand, ce ruffian, ce malandrin qui coula la plus grande part de ses jours dans les cabarets, dans les geôles et dans les bouges publics (...)
 Jules LEMAÎTRE, Impressions de théâtre, III, « Villon ».

MALAPPRIS, ISE [malapRi, iz] adj. — V. 1230 ; de 2. *mal,* et *appris* (→ Apprendre, III. et p. p., 2.).

♦ **1.** Adj. Vieilli. Qui a reçu une éducation mauvaise ou insuffisante, et, par ext., mal élevé*. ⇒ **Grossier, impoli, malhonnête.** *Un enfant malappris. Gamin* (cit. 8) *au regard malappris.*

♦ **2.** N. Mod. *Un malappris, une malapprise* : personne sans éducation. *Espèce de malappris !* ⇒ **Goujat, malotru.**

1 (...) je ne pus éviter, sous peine d'être un arrogant et un malappris, de lui rendre sa visite, et d'aller faire ma cour à Mᵐᵉ la Maréchale (...)
 ROUSSEAU, les Confessions, X.

2 On voit bien, mal-appris, que vous n'êtes habitué à parler qu'à des chevaux.
 BEAUMARCHAIS, le Barbier de Séville, II, 13.

3 Soupçonnant véhémentement M. Ménage d'avoir fait ce dessin injurieux, elle l'en traita de polisson et d'olibrius, et m'interdit, à nouveau, toute familiarité avec un tel malappris. FRANCE, le Petit Pierre, XVI.

MALARD ou (plus rare) MALART [malaR] n. m. — V. 1188, *malart ; malard,* 1873 ; du flamand *maskelaar,* avec attraction de *mâle.*

♦ Canard sauvage mâle. — Par ext. (Régional ; particult en Normandie). Canard domestique mâle.

Il sentit déjà la tristesse monotone de ce voyage (...) les souvenirs des nuits bien rondes, les doux oublis du temps passé, murmuraient en lui des plaintes nostalgiques, pareilles à de longues rivières bordées de saules où les malards volent bas, entre des haillons de fumées. J.-M. G. LE CLÉZIO, la Fièvre, p. 66.

MALARIA [malaRja] n. f. — 1821, *in* D. D. L. ; ital. *malaria,* de *mala,* et *aria* « mauvais air ».

♦ Fièvre paludéenne. ⇒ **Paludisme.** *La malaria a longtemps sévi dans la campagne romaine. Une crise de malaria.*

Son temps d'école fini, Hébert se mit à parcourir la campagne de Rome (...) Hébert, après cette longue absence de sept années, revint en France. Il exposa à plusieurs salons (...) mais sa popularité date de la *Mal'aria,* qui fit un grand effet au Salon de 1850 (...) Quelle grâce malade et quel charme attendrissant avait cette jeune femme minée par la fièvre (...)
 Th. GAUTIER, Portraits contemporains, « Hébert ».

DÉR. **Malariologie, malarique.**

MALARIOLOGIE [malaRjɔlɔʒi] n. f., MALARIOLOGUE [malaRjɔlɔg] n. ⇒ **Paludologie, paludologue.**

MALARIQUE [malaRik] adj. et n. — 1903, *Rev. gén. des sc.,* n° 3, p. 158 ; de *malaria.*

Rare.

♦ **1.** De la malaria (var. : *malarien, ienne,* 1903, *Rev. gén. des sc.*).

♦ **2.** Atteint de malaria.

Une vieille tient mon ménage. Elle arrive chaque matin par le chemin de sable, d'une ferme au bord de l'étang. Elle a des jupes noires, l'œil noir, un teint jaune de malarique. Jean JOUBERT, l'Homme de sable, p. 8.

MALAVISÉ, ÉE [malavize] adj. — V. 1330 ; de 2. *mal,* et *avisé.*

♦ Littér. Qui n'est pas avisé, qui agit mal à propos. ⇒ **Bête, écervelé, étourdi, imprudent, inconsidéré, indiscret, maladroit, sot.** *Il a été bien malavisé de refuser ce qu'on lui offrait. Un solliciteur malavisé.* — N. *Un malavisé, une malavisée.*

Le *malavisé* manque de finesse, il ne sait pas *voir.* L'*inconsidéré* manque d'attention, il ne se donne pas la peine de *considérer*, de regarder. L'*imprudent* manque de réserve, il n'est pas précautionné ou sage.   LAFAYE, Dict. des synonymes.

2 Si votre père a été marchand, tant pis pour lui ; mais pour le mien, ce sont des malavisés qui disent cela.   MOLIÈRE, le Bourgeois gentilhomme, III, 12.

3 La Reynie, l'un des présidents de cette chambre *(ardente)* fut assez malavisé pour demander à la duchesse de Bouillon si elle avait vu le diable ; elle répondit qu'elle le voyait dans ce moment, qu'il était fort laid et fort vilain, et qu'il était déguisé en conseiller d'État. L'interrogatoire ne fut guère poussé plus loin.
          VOLTAIRE, le Siècle de Louis XIV, XXVI.

4 Le malavisé qui, par une distraction de la portière, serait monté vers onze heures ou midi chez madame Rabourdin, l'eût trouvée, au milieu du désordre le moins pittoresque, en robe de chambre, les pieds dans de vieilles pantoufles (...)
          BALZAC, les Employés, Pl., t. VI, p. 1009.

5 Il n'était pas assez malavisé pour laisser sa raison dans son verre, et il gardait la mesure.   R. ROLLAND, Jean-Christophe, Le matin, p. 123.

MALAXAGE [malaksaʒ] n. m. — 1873 ; de *malaxer.*

♦ Action de malaxer. *Malaxage du beurre, du béton, du ciment.*
Les buts du malaxage sont l'élimination d'une partie de l'eau du beurre, et surtout sa répartition uniforme et homogène dans la masse (...) On se sert d'un malaxeur, composé d'une table circulaire mobile qui se déplace sous un rouleau cannelé, animé d'un mouvement de rotation (...) Il est préférable d'effectuer le malaxage directement dans une baratte-malaxeur. Cet appareil comporte des rouleaux cannelés entre lesquels le beurre est obligé de passer.
          Nouveau Larousse agricole, art. *Beurrerie.*

MALAXATION [malaksasjɔ̃] n. f. — 1829 ; attestation isolée, déb. XVIIᵉ ; de *malaxer.*

♦ Techn. ou littér. Action de malaxer ; résultat de cette action.
Une seconde opération commença (...) qui consista, à l'aide de nouvelles malaxations chimiques, à expulser (...) tout parfum stendhalien du nom de la princesse *(de Parme)...*   PROUST, le Côté de Guermantes, Pl., t. II, p. 427.

MALAXER [malakse] v. tr. — 1377 ; lat. *malaxare* « amollir ».

♦ **1.** Pétrir* (une substance) pour la rendre plus molle, plus ductile, plus homogène. *Malaxer un emplâtre, une pâte à pilules. Malaxer l'argile, le mortier, le plâtre. Malaxer le beurre* (⇒ **Malaxage**).

1 La quantité, la qualité de pâte *(à papier)* changent sur-le-champ toute espèce de question. Quand vous teniez dans une bassine une portion d'ingrédients (...) vous pouviez agir sur toutes les parties uniformément, les lier, les *malaxer,* les pétrir, à votre gré, leur donner une façon homogène (...)
          BALZAC, Illusions perdues, Pl., t. IV, p. 1044.

♦ **2.** Manier pour assouplir. ⇒ **Pétrir, triturer.**

2 Quinette, très ennuyé, tripote sa barbe, comme s'il avait le pouvoir de la faire disparaître, ou de la modifier en la malaxant.
          J. ROMAINS, les Hommes de bonne volonté, t. II, IV, p. 31.

Fig. Remuer ensemble de manière à mêler.

3 Nous avons étalé jusqu'ici sur la table des éléments variés et singulièrement disparates. Demandons-nous si ces éléments, malaxés dans le fameux *melting pot,* ont abouti à constituer une personnalité propre ?
          André SIEGFRIED, l'Âme des peuples, VII, III.

DÉR. Malaxage, malaxation, malaxeur.

MALAXEUR [malaksœʀ] n. m. — 1864 ; *Rev. des cours sc.* 1865, t. I, p. 681 ; de *malaxer.*

♦ Techn. Appareil, machine servant à malaxer. *Malaxeur à mortier, à béton.* ⇒ **Bétonnière.** *Malaxeur-broyeur. Malaxeur à beurre. Baratte-malaxeur.* → Malaxage, cit.

MALAYALAM [malajalam] n. m. — 1870, *malayala,* Pierre Larousse, art. *Dravidien ;* mot de cette langue.

♦ Ling. Langue dravidienne parlée dans l'État de Kerala, en Inde.
REM. La transcription adoptée par les spécialistes comporte un tiret suscrit sur le troisième *a.*
Le *malayalam,* langue d'environ 9 millions d'hommes sur la côte de Malabar, est un dialecte détaché du tamoul, attesté épigraphiquement dès le Xᵉ siècle.
          J. BLOCH, *in* MEILLET et COHEN, les Langues du monde, p. 488.

MALAYO-POLYNÉSIEN, ENNE [malɛjɔpɔlinezjɛ̃, ɛn] adj. — 1890 ; de *malais,* et *polynésien,* d'après l'angl. *malayo-polynesian* (1842).

♦ Ling. *Langues malayo-polynésiennes :* groupe des langues formé par l'indonésien (malais, philippin, javanais, malgache, etc.) et le polynésien. *L'unité malayo-polynésienne est reconnue depuis Humboldt.*

MALBÂTI, IE [malbɑti] adj. et n. — 1666 ; *malbasty,* av. 1493 ; de 2. *mal,* et *bâti.*

♦ Fam., vieilli (ou régional). Qui n'est pas bien bâti*, dont le corps est mal formé, mal proportionné. ⇒ **Contrefait, difforme, mal** (fait, fichu, foutu...).

REM. *Malbâti* peut s'écrire en deux mots quand il est employé adjectivement (→ Bâtir, cit. 51).

N. *Un grand malbâti. Rare. Une malbâtie.*

1 Mais quel est ce grand malbâti de Romain qui vient (...) ?
          BOILEAU, le Héros de roman, Dialogue.

2 — (...) Ah ! qu'il est bien fait, Frontin ! — Il ne faut pas être malbâti pour donner de l'amour à une coquette.   A. R. LESAGE, Turcaret, II, 8.

MALCHANCE [malʃɑ̃s] n. f. — 1867, Littré ; *malecheance,* XIIIᵉ, disparu depuis ; de *mal(e),* adj. « mauvais(e) », et *chance.*

♦ **1.** Mauvaise chance, mauvaise fortune qui semble condamner à l'échec. ⇒ **Adversité, déveine ;** (fam., argotique) **cerise, guigne, guignon, poisse...** *Avoir de la malchance, beaucoup de malchance. Être victime de la malchance, d'une malchance persistante. Accuser la malchance. La malchance le poursuit.* ⇒ **Malédiction.** *Avec ma malchance habituelle... Par malchance. La malchance a voulu que...* ⇒ **Malheur.**
REM. On a écrit *malechance* (encore attesté au XXᵉ s. → cit. 3).

1 Il en parut très troublé, timide au fond, malgré ses gros poings, inquiet des choses dont il n'avait pas l'usage. En voilà une longue machine *(le drapeau)* qui était gênante dans les bras ! et pourvu qu'elle ne lui portât pas malechance !
          ZOLA, la Terre, V, IV.

2 Car la malchance n'aime pas s'en tenir aux demi-mesures.
          J. ROMAINS, Psyché, Lucienne, IV.

Loc. *Jouer* de malchance.*

♦ **2.** Manifestation particulière de cette mauvaise chance. *C'est une malchance.* ⇒ **Tomber** (mal). *Il avait cette malchance de...* (→ Kaiser, cit.). *Une série de malchances.* ⇒ **Hasard** (malheureux), **mésaventure, tuile.**

3 Elles *(les vieilles familles bourgeoises)* sommeillent tranquillement, et se croient aussi éternelles que le sol qui les porte. Mais le sol est mort sous elles, il n'y a plus de racines : il suffit d'un coup de pioche pour tout arracher. Alors, on parle de malechance, de malheur imprévu. Il n'y eût pas eu de malechance, si l'arbre eût été plus résistant (...)   R. ROLLAND, Jean-Christophe, « Antoinette », p. 846.

4 (...) par son énergie, il *(Antiochus III)* mérita le surnom de Grand que lui donnèrent les Antiques et s'il eut la malchance de se trouver sur le chemin de Rome, il fit ce qu'il put pour conjurer le sort.
          DANIEL-ROPS, le Peuple de la Bible, IV, II.

CONTR. Chance ; bonheur, veine. — Aubaine.
DÉR. Malchanceux.

MALCHANCEUX, EUSE [malʃɑ̃sø, øz] adj. — 1876 ; de *malchance.*

♦ Qui a de la malchance. ⇒ **Malheureux.** *Un candidat, un joueur malchanceux.* — N. *C'est un malchanceux. Une malchanceuse.*
(...) la maladie (...) emportait trois ou quatre malades dont on espérait la guérison. Ils étaient les malchanceux de la peste, ceux qu'elle tuait en plein espoir.
          CAMUS, la Peste, p. 291.

CONTR. Chanceux, heureux, veinard.

MALCOMMODE [malkɔmɔd] adj. — 1920 ; de 2. *mal,* et *commode.*

♦ **1.** Qui n'est pas commode*, qui est peu pratique. *Tiroir trop profond et bien malcommode. C'est malcommode d'avoir à se déranger pour consulter cet ouvrage.* ⇒ **Gênant.** *Vêtement malcommode.*
La soutane qu'il me couvrait me parut être une draperie bien malcommode pour déambuler comme dans la bouillabaisse des zones.
          CÉLINE, Voyage au bout de la nuit, p. 305.

♦ **2.** (V. 1935). Rare. Qui est difficile à vivre (personnes). ⇒ **Impossible, insupportable, pénible.** *Un vieillard, un malade malcommode.*

CONTR. Commode, pratique. — Accommodant, facile, sociable.

MALCONTENT, ENTE [malkɔ̃tɑ̃, ɑ̃t] adj. et n. — XIIIᵉ ; de 2. *mal,* et *content.*

♦ **1.** Adj. Vx, littér. ou régional. Qui n'est pas content, pas satisfait. ⇒ **Mécontent.**
Malcontent, il se laissa traîner jusqu'à la table avec la complaisance d'un cochon que l'on va égorger.   J. GIONO, Naissance de l'Odyssée, p. 163.

♦ **2.** N. (Av. 1678). Hist. Membre du parti des catholiques qui prônaient la tolérance lors de la Saint-Barthélemy. *Le parti des malcontents.*

MALDISANT, ANTE [maldizɑ̃, ɑ̃t] adj. — XVIᵉ ; de *mal,* et *disant,* de *dire.*

♦ **1.** Vx ou littér. ⇒ **Médisant.**

♦ **2.** Qui parle mal, s'exprime de manière grossière. « *Coluche (...) bienfaisant dans ses dénonciations vengeresses, mais si grossièrement maldisant !* » (*l'Express,* 16 juin 1979, p. 106).

MALDONNE [maldɔn] n. f. — 1827 ; de *mal*, et *donner*.

♦ **1.** Mauvaise donne*, erreur dans la distribution des cartes. *Faire une maldonne, faire maldonne. Mais il y a maldonne, j'ai encore deux cartes ! Maldonne, à refaire !* — Par métaphore :

1 Que de gens que de gens qui souhaitaient maldonne
Et tout recommencer avant d'être chez eux.
ARAGON, le Roman inachevé, p. 160.

Par ext. Erreur dans un partage, un apport. *« Vous me rendez trop, il y a maldonne »* (Académie).

♦ **2.** (1924). Fig. Erreur, malentendu (en particulier au point de départ). *Il y a maldonne.*

2 Rien de plus divergent pourtant que ces deux êtres *(Vielé-Griffin et Régnier) ;* leur amitié, comme celle qui m'unissait à Pierre Louÿs, avait pour base une maldonne.
GIDE, Si le grain ne meurt, I, x, p. 265.

3 On ne lui disait donc pas d'en haut qu'il y avait méprise ? Abominable erreur ? Maldonne ? Qu'on s'était trompé ?
CÉLINE, Voyage au bout de la nuit, p. 19.

MÂLE [mɑl] n. et adj. — XIIᵉ, *masle, mascle ;* du lat. *masculus.*

★ **I.** N. m. ♦ **1.** Individu appartenant au sexe* doué du pouvoir de fécondation*. *Le mâle et la femelle* (→ Approche, cit. 12 ; copulation, cit. 2 ; créer, cit. 1 ; enfanter, cit. 1 ; faisan, cit. ; faucon, cit. 1 ; femelle, cit. 1 à 4 ; homme, cit. 142 ; incubation, cit. 2). *Rôle du mâle dans l'accouplement, la fécondation. Le mâle dans l'espèce humaine.* (→ Homme, cit. 143). *Nom donné aux mâles dans certaines espèces animales où les deux sexes ont des noms différents.* ⇒ **Bélier, bouc, bouquin, bourdon** (faux), **brocard, cerf, coq, étalon, jars, lièvre, malard, matou, sanglier, singe, taureau, verrat...** *Le mâle en tant que géniteur** (cit. 2), *reproducteur** (→ Fécondant, cit. 1 ; infécond, cit. 3). *Mâle agaceur. Organes génitaux* du mâle. Castrer, châtrer, émasculer un mâle.*

1 Presque tous les animaux se mangent les uns les autres, et dans l'espèce humaine, les mâles s'exterminent par la guerre. Il semble encore que Dieu ait prévu cette calamité en faisant naître parmi nous plus de mâles que de femelles (...)
VOLTAIRE, Philosophie, Traité de métaphysique, IX.

2 À deux mois, on châtrait les mâles, qu'on élevait pour la vente ; tandis qu'on gardait les femelles, afin de renouveler le troupeau des mères, dont on vendait chaque année les plus vieilles ; et les béliers couvraient les jeunes, à des époques fixes, des disleys croisés de mérinos, superbes avec leur air stupide et doux, leur tête lourde au grand nez arrondi d'homme à passions.
ZOLA, la Terre, II, I.

Spécialt (dans un contexte donné, désignant le mâle d'une espèce). *Un grand mâle, un vieux mâle.*

♦ **2.** (1616). Fam. Homme considéré particulièrement dans la puissance sexuelle. *Désir du mâle* (→ Exciter, cit. 40). *S'accuser d'être un mâle impuissant* (cit. 8) *ou maladroit. Un beau mâle. Partisan de la domination du mâle dans la société.* ⇒ **Macho, phallocrate.**

3 (...) Mazet était beau mâle,
Et la galande à le considérer
Avait pris goût (...)
LA FONTAINE, II, Contes, XVI.

4 (...) le Français est un mâle supérieur. Comme soldat, il vit partout, et comme amant, il crée partout.
MICHELET, la Femme, p. 214.

5 (...) un mâle brutal, habitué à trousser les filles au fond des fossés, et dont les rigolades secouraient les cloisons (...)
ZOLA, la Terre, III, I.

6 Un superbe mâle, d'ailleurs, aux épaules ondulantes, avec de fortes pommettes et des lèvres gonflées ; le soir, la bonne humeur de ses muscles satisfaits par les exercices du jour, resplendissait dans ses yeux bleus et ses joues lustrées.
MARTIN DU GARD, les Thibault, t. II, p. 107.

Dr. Individu du sexe masculin. *Transmis de mâle en mâle* (→ Agnat, cit.). *Les mâles dans une famille, une succession, une lignée* (→ Cognat, cit. ; héréditaire, cit. 6 ; hériter, cit. 8).

★ **II.** Adj. ♦ **1.** Qui appartient, qui est propre au sexe doué du pouvoir de fécondation. ⇒ **Masculin.** *Enfant mâle* (→ Exposition, cit. 14). *Héritier* (cit. 3 et 19), *hoir* (cit. 2), *descendant mâle. Être mâle* (→ Genre, cit. 23 et 27). *La population mâle d'un pays* (→ Guerre, cit. 40). *Attributs mâles* (→ Hermaphrodite, cit. 5). — *Les animaux mâles. Crapaud mâle* (→ Féminiser, cit.). *Perdrix, vipère mâle. « Les escargots* (cit. 1) *ont le bonheur d'être à la fois mâles et femelles »* (Voltaire). ⇒ **Hermaphrodite.**

7 (...) dans les batailles on ne détruit que l'espèce mâle, toujours plus nombreuse que la femelle (...)
VOLTAIRE, Essai sur les mœurs, CLXXX.

(1873). Par ext. Bot. *Fleur* mâle,* qui ne porte que des étamines. *Organes mâles des fleurs.*

Biol. *Cellule mâle* (→ Fécondation, cit. 2). *Germes* (cit. 3) *mâles* (→ Féconder, cit. 1). *Gonades* (cit.) *mâles. Gamète* mâle.*

Spécialt. *Encens** (cit. 5) *mâle.*

♦ **2.** (1678). Se dit d'une pièce, d'un mécanisme qui vient s'insérer dans un autre dit *femelle** (II., 5.). ⇒ **Tenon.** *Pièce mâle d'une charnière*. Cône mâle d'un embrayage. Prise mâle et prise femelle d'une rallonge électrique.*

♦ **3.** (Mil. XVIᵉ). Qui se caractérise par les attributs traditionnels de la virilité. — REM. Dans ce sens, qui reflète le caractère masculin de la majorité du lexique et correspond à une valorisation, l'adj. *femelle* n'est évidemment pas symétrique. → Viril. — *Visage, air, traits mâles* (→ Appétit, cit. 4 ; creuser, cit. 25). *Mâle et robuste tournure* (→ Farandole, cit. 2). *Voix grave* et mâle* (→ Homme, cit. 156). *Mâle beauté. Formes mâles* (→ Homme, cit. 67). *Mâle gaieté*

(cit. 13). *Une mâle assurance* (cit. 7). *Mâle courage, mâle résolution.* ⇒ **Courageux, énergique.**

8 Jamais des mâles cœurs les louanges ne meurent (...)
RONSARD, Premier Livre des poèmes, « Harangue du duc de Guise ».

9 J'estime en un soldat cette mâle fierté (...)   VOLTAIRE, Tancrède, 1, 2.

10 Je ne conçois pas un homme sans un peu de *mâle énergie*, de constance et de profondeur dans les idées (...)   STENDHAL, Souvenirs d'égotisme, IV.

11 Il *(Loustalot)* écrivit sa dernière feuille, pleine d'éloquence et de douleur, une mâle mâle, sans larmes (...)   MICHELET, Hist. de la Révolution franç., IV, III.

12 Ce n'est pas qu'il *(Corneille)* doutât de son génie. Il en a toujours parlé avec une mâle fierté et une généreuse franchise, bien préférable aux feintes modesties qui ne trompent personne ; toujours fidèle à son caractère qui était fait de simplicité et de générosité, de timidité et de courage, de bonhomie et de grandeur.
Émile FAGUET, Études littéraires, XVIIᵉ s., « Corneille », p. 139.

Littér. Plein de force, de vigueur, d'énergie. ⇒ **Fort, hardi, noble, vigoureux.** *« Admirons le génie mâle de Corneille »* (Voltaire). *Une poésie mâle* (→ Assemblage, cit. 23). *De mâles accents. Style mâle et énergique.* — (1867). Spécialt (archit.). *Proportions mâles,* celles de l'ordre dorique, qui, selon Vitruve, sont modelées sur celles de l'homme (celles de la femme ayant inspiré l'ordre ionique).

13 Quel son mâle et hardi, quelle bouche héroïque,
Et quel superbe vers entends-je ici sonner ?
RONSARD, Pièces hors recueils, Épigramme, « À Robert Garnier ».

14 Dites-nous, célèbre Arouet, combien vous avez sacrifié de beautés mâles et fortes à notre fausse délicatesse !...   ROUSSEAU, Discours sur les sciences et les arts, II.

15 Ce talent si fin est en même temps mâle et robuste.
Th. GAUTIER, Souvenirs de théâtre..., « Meissonnier ».

♦ **4.** Propre aux hommes en tant que dominateurs dans la société, par rapport aux femmes. *Lutter contre la domination mâle* (ou : *mâliste*). — *Chauvinisme* mâle.*

♦ **5.** Par ext. Mar. Vx. *Bâtiment mâle,* qui résiste bien à la lame, qui tient la mer. *Mer mâle,* aux fortes lames.

CONTR. Femelle, femme. — Efféminé, féminin.
DÉR. (Du rad. lat.) Masculin.
COMP. Surmâle.

MALEBÊTE [malbɛt] n. f. — 1648 ; de *mal,* adj., et *bête.*

♦ **1.** Vx, littér. Personne dangereuse. *« Les pernicieuses malebêtes de la Chambre »* (Huysmans, *in* G. L. L. F.).

♦ **2.** (1867). Vx. Bête dangereuse et cruelle.

MALECHANCE [malʃãs] n. f. ⇒ **Malchance.**

MALÉDICTION [malediksjɔ̃] n. f. — 1375 ; lat. *maledictio* « médisance » en lat. class. ; sens ecclés. IVᵉ ; a éliminé l'anc. franç. *maléïçon,* et le pop. *maudiçon.*

Action de maudire ; résultat de cette action.

♦ **1.** Littér. Paroles par lesquelles on souhaite qu'il arrive du mal à qqn, en appelant sur lui la colère de Dieu. ⇒ **Anathème, exécration, imprécation, vœu.** *Les malédictions des prophètes* (→ Cracher, cit. 7). *Malédictions du pauvre contre des princes exécrables* (cit. 5). *S'attirer, encourir des malédictions. Père qui donne à son fils sa malédiction. La malédiction paternelle,* tableau de Greuze. *Les malédictions que le Christ a prononcées dans l'Évangile* (contre les riches, les scribes, les pharisiens...). *Formule de malédiction.* ⇒ **Malheur** (à...), **maudit...** — Ellipt. *Malédiction sur les tyrans !*

1 Écoutons bien ces *Væ :* « Malheur à vous » (...) c'est une malédiction sortie de la bouche de Jésus-Christ : c'est une sentence prononcée, qui sera suivie d'une autre : « Allez, maudits ».
BOSSUET, Méditations sur l'Évangile, Dern. semaine du Sauveur, LVIII.

2 Dieu, qui voyez mon trouble et mon affliction,
Détournez loin de moi sa malédiction *(d'Athalie).*   RACINE, Athalie, V, 7.

3 Éloignez-vous de moi, enfant ingrat et dénaturé. Je vous donne ma malédiction (...)
DIDEROT, le Père de famille, II, 6.

4 Ces malédictions, ces blasphèmes, ces plaintes (...)
BAUDELAIRE, les Fleurs du mal, « Spleen et idéal », VI.

5 Antoine croyait entendre la voix rageuse de son père, debout, dressé, jetant sa malédiction dans la nuit.   MARTIN DU GARD, les Thibault, t. IV, p. 36.

Malédiction de..., prononcée contre...

6 (...) et ces malédictions des richesses doivent tomber, non tant sur les riches que sur ceux qui désirent de l'être.
BOSSUET, Panégyrique de saint François d'Assise, II.

Par ext. (l'appel à Dieu n'étant plus guère ou n'étant plus du tout présent à l'esprit). *Opprobres, injures et malédictions du monde* (→ Attirer, cit. 1). *Peuple versatile qui fait succéder les malédictions aux bénédictions* (→ Engouement, cit. 2). *C'est un tyran qui encourt les malédictions de tout un peuple. Donner, adresser une, des malédictions à qqn.* — *Paroles de haine et de malédiction.* ⇒ **Exécration.** *Poursuivre qqn de ses malédictions* (→ Interdire, cit. 19).

7 Je leur donne tout bas cent malédictions.   MOLIÈRE, Amphitryon, III, 1.

8 Ces deux décrets furent le signal du cri de malédiction qui s'éleva contre moi dans toute l'Europe, avec une fureur qui n'eut jamais d'exemple. Toutes les gazettes, tous les journaux, toutes les brochures, sonnèrent le plus terrible tocsin.
ROUSSEAU, les Confessions, XII.

9   Que se dégageait-il du premier *(le bagne)?* Une immense malédiction, le grincement de dents, la haine, la méchanceté désespérée, un cri de rage contre l'association humaine, un sarcasme au ciel.   HUGO, les Misérables, II, VIII, IX.

10   (...) il avait tellement pris l'habitude (...) d'entendre Parapine dans le cours de
ses malédictions, pour ainsi dire quotidiennes, qu'il tenait à présent ces propos, si
exorbitants fussent-ils, pour absolument académiques et insignifiants.
                                CÉLINE, Voyage au bout de la nuit, p. 259.

♦ **2.** Condamnation au malheur prononcée par Dieu ; état, en ce
monde, de qui en est la victime. *La malédiction de Dieu, la malédiction divine les poursuit.* ⇒ **Réprobation.** *Malédiction de Yahvé
sur la maison du méchant* (→ Juste, cit. 6). *Puissent la malédiction et la damnation tomber sur moi* (→ Ligne, cit. 51). *Terre de
malédiction,* maudite (→ Embraser, cit. 2).

11   (...) Seigneur (...) je ne demande pas d'être exempt des douleurs ; car c'est la
récompense des Saints ; mais je demande de n'être pas abandonné aux douleurs de
la nature sans les consolations de votre Esprit ; car c'est la malédiction des Juifs
et des Païens.   PASCAL, Opuscules, I, III, XI (Petite éd. Brunschvicg).

12   (...) sermon magnifique rempli d'un bout à l'autre de textes sacrés prouvant les
peines éternelles, les supplices, les tourments, les damnations, les châtiments ine-
xorables, les brûlements sans fin, les malédictions inextinguibles, les colères de la
Toute-Puissance (...)   HUGO, les Travailleurs de la mer, I, III, XII.

13   L'amour tel que le concevaient les anciens n'était-il pas une folie, une malédiction, une maladie envoyée par les dieux ?
                         FLAUBERT, Correspondance, 747, 23-24 déc. 1862.

Par ext. (par laïcisation de l'idée, la notion de fatalité se substitue
à celle de vengeance divine). Malheur, mal fatal, auquel on semble
voué par la destinée ou par un sort constamment contraire. ⇒ **Fatalité, malchance.** *Malédiction qui pèse sur quelqu'un. Rien ne me
réussit, c'est une malédiction.* — Interj. (marquant le dépit de la victime). *Malédiction ! il m'a encore échappé !*

14   Elle a cela de mauvais, la douleur, qu'elle nous fait trop sentir la vie. Elle nous
donne à nous-mêmes comme la preuve d'une malédiction qui pèse sur nous. Elle
humilie, et cela est triste pour des gens qui ne se soutiennent que par l'orgueil.
                          FLAUBERT, Correspondance, 430, 30 sept. 1853.

15   La guerre. Depuis son enfance, Jerphanion vit sous la malédiction de la guerre.
Quand il avait six ans, de quoi lui parlait-on à l'école du village ? du système métrique ; mais aussi de l'Alsace-Lorraine et de Reischoffen.
                  J. ROMAINS, les Hommes de bonne volonté, t. I, xv, p. 164.

16   (...) l'antique malédiction du pain gagné à la sueur du front s'appesantit plus
lourde sur certains hommes que sur d'autres. Il importe que ce poids soit mieux
réparti.   DANIEL-ROPS, Ce qui meurt..., p. 153.

Au plur. (Rare). Malheur, infortune, revers.

17   Qu'est-ce donc que la vie humaine ? Ô vertu ! à quoi m'avez-vous servi ? (...) Tout
ce que j'ai fait de bien a toujours été pour moi une source de malédictions, et je
n'ai été élevé au comble de la grandeur que pour tomber dans le plus horrible
précipice de l'infortune.   VOLTAIRE, Zadig, VIII.

CONTR. Bénédiction, charme. — **Bonheur, chance.**

MALEFAIM [malfɛ̃] n. f. — Fin XVIe ; de 1. *mal,* et *faim.*

♦ Vx. Très grande faim. *Souffrir la malefaim.*

MALÉFICE [malefis] n. m. — 1273 ; «méfait» 1213, jusqu'au XVIe ;
lat. *maleficium* «méfait», mais déjà *maleficum,* neutre subst. de l'adj.
maleficus, a, chez Tacite, le sens de «enchantement, charme».

♦ **1.** Sortilège malfaisant, opération magique* visant à nuire à qqn,
dans sa personne ou dans ses biens. ⇒ **Diablerie, ensorcellement,
envoûtement, fascination, magie, œil** (mauvais œil), **philtre, sorcellerie, sortilège** (→ Essentiel, cit. 6). *On l'accusait de faire mourir des
troupeaux par maléfice. Sociétés, milieux où l'on croit aux maléfices. Il prétend être victime d'un maléfice.* ⇒ **Sort** (jeter un). *Les
ignobles maléfices employés par la Montespan pour tenir le roi*
(→ Luxure, cit. 5). *Nouer l'aiguillette*par maléfice. Objets destinés à écarter les maléfices.* ⇒ **Amulette, fétiche, mascotte.**

1   (...) la déclaration du roi de 1672 (...) défendit aux tribunaux d'admettre les simples accusations de sorcellerie (...) si, depuis 1672, il y a eu encore des accusations de maléfices, les juges n'ont condamné, d'ordinaire, les accusés que comme
des profanateurs, qui d'ailleurs employaient le poison.
                     VOLTAIRE, le Siècle de Louis XIV, XXXI.

2   (...) l'arrêt, que l'on trouve encore dans les pièces de ce procès, en date du 18 août
1639, *déclarant Urbain Grandier dûment atteint et convaincu du crime de magie,
maléfice, possession, ès-personnes d'aucunes religieuses ursulines de Loudun* (...)
                              A. DE VIGNY, Cinq-Mars, V.

3   (...) l'automne, qui est une saison où les sorciers et les follets commencent à se
donner du bon temps, à cause des brouillards qui les aident à cacher leurs malices
et maléfices.   G. SAND, la Petite Fadette, XI.

4   (...) comme rien n'expliquait un mal si subit, on était généralement d'accord qu'un
maléfice avait été jeté sur lui, et on se demandait d'où venait le coup. Les uns
prétendaient savoir que les Mouradzyys l'avaient commandé, les autres accusaient
tout bas le vieil Osman d'être le meurtrier et d'avoir payé l'assassinat magique à
un docteur juif.   J. A. DE GOBINEAU, Nouvelles asiatiques, p. 235.

♦ **2.** Rare. Objet utilisé pour cette opération.

5   On ouvrit la chambre du sorcier ; on y trouva les maléfices et il fut condamné à
être pendu.   VOLTAIRE, *in* LAFAYE, Dict. des synonymes, Magie, maléfice...

CONTR. Conjuration.

MALÉFICIER [malefisje] v. tr. — 1508, au p. p. ; bas lat. *malefi-
ciare* ; lat. class. *malefacere,* de *maleficium* → Maléfice.

♦ Vx. Frapper par l'effet d'un maléfice. ⇒ **Ensorceler.**

---

1   Ils ont condamné à mort telle canaille, qui maléficiait les blés et autres fruits de
la terre.   P. NODÉ, Déclam. cont. l'err. exécr. des maléficiers, p. 55 (*in* HUGUET).

Par ext. Rendre pénible.

2   La loge coûtait à peine cent sous, je ne possédais pas un traître liard (...) je n'osais
pas aller mendier un secours à Finot (...) Cette gêne constante maléficiait toute
ma vie.   BALZAC, la Peau de chagrin, Pl., t. IX, p. 129.

▶ **MALÉFICIÉ, IÉE** p. p.

Vx. Atteint par l'effet d'un maléfice, en particulier, en parlant
d'hommes frappés d'impuissance. « *Refroidi, maléficié et impotent
à génération* » (Rabelais, III, 31). — N. *Les maléficiés :* les victimes
d'un maléfice.

3   Je commence par cette question en faveur des pauvres impuissants, *frigidi et
maleficiati,* comme disent les *Décrétales* (...) Ceux qu'on appelait les *maléficiés*
étaient souvent réputés ensorcelés. Ces charmes étaient fort anciens. Il y en avait
pour ôter aux hommes leur virilité (...)
                     VOLTAIRE, Dict. philosophique, Impuissance.

4   (...) je dois diviser les êtres atteints d'incubat et de succubat en deux classes (...)
La seconde est composée de gens auxquels l'on a imposé, par voie de maléfice, la
visite de ces Esprits (...) Ordinairement, ces victimes finissent par la folie (...) Un
thaumaturge que je connais a sauvé bien des maléficiés qui hurleraient, sans lui,
sous le fouet des douches !   HUYSMANS, Là-bas, IX.

(1546). **Par ext. (vx).** Affligé, abîmé par la maladie.

5   Je suis vieux (...) malade, borgne d'un œil, et maléficié de l'autre.
                     VOLTAIRE, Correspondance, 3012, 19 janv. 1767.

MALÉFIQUE [malefik] adj. — 1488, «criminel» ; lat. *maleficus.*

♦ **1.** (1564). Astrol. Qui exerce une influence malfaisante. *Étoiles,
planètes maléfiques.* ⇒ **Ennemi** (→ Cataclysme, cit. 2).

1   Les *planètes* (...) ont des attributs (...) chacune a sous son contrôle certaines propriétés physiques, ou physiologiques, ou mentales, des humains, ou certains facteurs de la vie sociale. Chaque planète est, au total, intrinsèquement bienfaisante
ou malfaisante, bénéfique ou maléfique. Le Soleil, la Lune, Jupiter, Vénus sont
bénéfiques, en principe. Saturne et Mars sont maléfiques (...)
                          Paul COUDERC, l'Astrologie, p. 26.

♦ **2.** (Déb. XVIe). Cour. Doué d'une malfaisance occulte. *Charme,
signes maléfiques.* ⇒ **Malin** (→ Arabesque, cit. 9 ; intérieur, cit. 11).

2   Son père (...) l'avait affublé (...) du nom de Caïn, à l'inexprimable effroi de sa
mère qui s'était empressée de le faire baptiser sous le vocable chrétien de Marie-
Joseph (...) le nom maléfique, inscrit au registre de l'état civil, ne fut exhumé que
plus tard (...)   Léon BLOY, le Désespéré, p. 29.

3   Autant que Paule y fût accoutumée, elle n'avait jamais eu une conscience si claire
de son pouvoir maléfique sur les êtres avec lesquels il lui fallait vivre.
                          F. MAURIAC, le Sagouin, p. 35.

CONTR. Bénéfique, bénin, bienfaisant.

MALÉIQUE [maleik] adj. — 1834, Pelouze ; altér. de *malique,*
l'anhydride *maléique* étant obtenu en chauffant l'acide *malique.*

♦ Chim. *Acide maléique :* acide éthylénique isomère de l'acide fuma-
rique* ; son anhydride. *Cristaux solubles d'acide maléique. L'anhydride maléique fond à 55 °C.*

Chauffé, il *(l'acide malique)* entre en fusion (...) et se décompose à + 176° en
eau, et en deux acides pyrogénés auxquels le professeur Pelouze a donné le nom
d'Acides *maléique* et *paramaléique.*
       A. DUPONCHEL, *in* FLOURENS, Dict. universel d'histoire naturelle (1846).

MALEMORT [malmɔr] n. f. — V. 1220 ; de 1. *mal,* et *mort.*

♦ Vx. Mort brutale, par meurtre ou par accident. *Mourir de malemort.*

MALENCONTRE [malɑ̃kõtr] n. f. — XIIIe ; de 1. *mal,* et anc. franç.
encontre «rencontre».

♦ Vx ou par archaïsme. Mauvaise rencontre (à l'origine, avec l'idée
d'un mauvais présage attaché à cette rencontre, cf. Sainéan, *Langue
de Rabelais,* I, 306).

Par ext. Événement funeste. ⇒ **Accident, mésaventure.** « *La malencontre est une mauvaise rencontre, une rencontre qui vient mal à
propos, soit pour le temps, soit pour le lieu* » (Lafaye). — Loc.
littér. *Par malencontre.*

1   (...) j'ai appris (...) que les œufs cassés et le poisson mort signifient malencontre.
                       MOLIÈRE, les Amants magnifiques, I, 2.

2   (...) nous étions treize à table ; il ne faut pas se moquer des vieilles croyances.
Remerciez Dieu de ce que vous êtes le seul auquel il ne soit pas arrivé malencontre (...)   A. DE VIGNY, Cinq-Mars, XXV.

3   Ils étaient, à la vérité, arrivés sans malencontre jusqu'à la maison de leur parent
Iousèf (...)   J. A. DE GOBINEAU, Nouvelles asiatiques, p. 244.

DÉR. Malencontreux.

MALENCONTREUSEMENT [malɑ̃kõtrøzmɑ̃] adv. — 1690 ;
de *malencontreux.*

♦ D'une façon malencontreuse, mal à propos (→ Égout, cit. 6).
*C'était lui rappeler bien malencontreusement un passé qu'il vou-
lait oublier.*

MALENCONTREUX, EUSE [malɑ̃kɔ̃tRø, øz] adj. — V. 1400 ; de l'anc. franç. *malencontre*, de 1. *mal*, et anc. franç. *encontre* « rencontre ».

♦ **1.** Qui survient à contretemps, qui se produit mal à propos. ⇒ **Ennuyeux, fâcheux.** *Un retard malencontreux. Aventure, maladie malencontreuse. Malencontreuse nouvelle.* ⇒ **Désagréable.** *Une remarque, une allusion, un mot malencontreux.* ⇒ **Malheureux.**

Les Feuillants se montraient bien plus orgueilleux qu'habiles. Leur premier acte, l'adresse du 17 aux sociétés affiliées, avait été en tous sens impolitique et malencontreuse ; adresse *mal datée*, du jour du massacre ; *mal signée*, du nom de Salles qui avait défendu le roi ; *mal envoyée*, sous le couvert du ministre, suspecte par cela seul (...) MICHELET, Hist. de la Révolution franç., V, IX.

♦ **2.** (1588). Vx. (Personnes). Sujet à éprouver des malencontres ; qui a de la malchance. ⇒ **Malchanceux** (cf. Molière, *l'Étourdi*, v, 6).

CONTR. Opportun. — Chanceux, heureux.
DÉR. Malencontreusement.

MALENDURANT, ANTE [malɑ̃dyRɑ̃, ɑ̃t] adj. — 1611 ; de 2. *mal*, et *endurant*.

♦ Vx. Peu disposé à endurer ; peu patient ; peu tolérant.

Le *laïcisme*, qui était un système de neutralité en matière de foi et de métaphysique et en somme un système de la liberté de conscience, est devenu (...) un des plus malendurants, un des plus tyranniques (...) un des plus redoutables systèmes d'oppression des consciences (...) Ch. PÉGUY, la République..., p. 323.

MAL-EN-POINT ou **MAL EN POINT** [malɑ̃pwɛ̃] adj. ⇒ **Point.**

MALENTENDANT [malɑ̃tɑ̃dɑ̃] adj. et n. — V. 1960 ; de 2. *mal*, et *entendant*.

♦ Didact. Se dit des personnes dont l'acuité auditive est diminuée. *On considère souvent comme sourds des sujets qui ne sont que malentendants. Aide aux malentendants.*

MALENTENDU [malɑ̃tɑ̃dy] n. m. — 1558 ; de *mal*, adv., et *entendu*, de *entendre*, II., le sens de « mésentente » semblant apparaître dans les exemples les plus anciens, mais celui de « méprise » étant seul retenu par Furetière et Richelet.

♦ **1.** Divergence d'interprétation entre personnes qui croyaient s'être entendues sur le sens de certains propos, de certains actes, de certains faits. ⇒ **Équivoque, erreur, méprise, quiproquo.** *Mots qui provoquent des malentendus* (→ Fortune, cit. 40). *Langage clair préservant de malentendus dangereux* (→ Équivoque, cit. 21). *Amour passionné qui repose sur un malentendu* (→ Erreur, cit. 5). « *Dans l'amour, l'entente cordiale est le résultat d'un malentendu* » (Baudelaire). → Incommunicabilité, cit. *Dissiper, faire cesser un malentendu. Notion qui paraît claire mais prête à des malentendus.*

1 (...) c'est encore bien pis en ce pays *(la Provence)*. Je vous jure que j'ai autant besoin d'interprète qu'un Moscovite en aurait besoin dans Paris (...) hier (...) ayant besoin de petits clous à broquette (...) j'envoyai le valet de mon oncle en ville, et lui dis de m'acheter deux ou trois cents de broquettes : il m'apporta incontinent trois boîtes d'allumettes. Jugez s'il y a sujet d'enrager en de semblables malentendus. RACINE, Lettres, 13, 11 nov. 1661.

2 Nous touchons ici à un des problèmes sur lesquels il importe le plus de se faire des idées claires et de prévenir les malentendus. RENAN, Discours et conférences, « Qu'est-ce qu'une nation ? », Œ. compl., t. I, II, II, p. 897.

3 (...) c'est chose entendue *(de 1848 à 1914)* qu'il vaut mieux être méconnu que célèbre, que le succès, s'il va jamais à l'artiste de son vivant, s'explique par un malentendu. SARTRE, Situations II, p. 161.

Par ext. Désaccord qu'implique une telle divergence et qui ne dure qu'autant qu'elle échappe aux deux parties. *Leurs thèses n'étaient pas vraiment opposées, mais le malentendu se prolongeait. Mais nous sommes d'accord, c'était un simple malentendu ! Il y a entre nous plus qu'un malentendu, un désaccord total.*

REM. Le mot *malentendu* est devenu un euphémisme diplomatique, dans les contestations entre États. *Envoyé extraordinaire chargé de dissiper les malentendus entre deux pays.*

4 (...) des mathématiciens français et allemands disputèrent sur la force des corps en mouvement. Les disciples de Leibnitz prétendaient que cette force était en raison composée du carré de la vitesse et de la pesanteur des corps. Les Français, au contraire, ne mesuraient cette force que par la vitesse multipliée par la masse. M. de Mairan exposa le malentendu avec beaucoup de clarté. VOLTAIRE, Des singularités de la nature, XXV.

5 Il y a ainsi entre le pays et sa représentation non pas un malentendu, ce qui serait grave, non pas un malentendu, ce qui serait plus grave, mais un faux entendu perpétuel et universel, à qui on est sûr que rien ne peut entendre. Ch. PÉGUY, la République..., p. 82.

♦ **2.** (1894). Sur le plan sentimental. Mésentente entre deux êtres qui se comprennent mal (notamment quand l'un attend de l'autre ce qu'il ne peut lui donner). *Graves, douloureux malentendus. Malentendu muet* (→ Dissiper, cit. 8). *Il y a eu des malentendus entre nous* (→ Froisser, cit. 22).

6 (...) chez les campagnards ou chez les gens du peuple, les petits drames profonds et intimes se jouent sans paroles, avec des malentendus jamais éclaircis, des phrases seulement devinées et d'obstinés silences. LOTI, Ramuntcho, I, IX.

Un plus grave malentendu encore séparait le roi de France et le divisait de la plus grande sainte de France et du monde. Elle était venue vers un roi chevalier. Et elle trouva un roi commerçant. Elle était venue vers un roi de justice. Et elle trouva un roi misérablement calculateur. Elle était venue vers un roi de guerre. Et elle trouva un roi de tremblements. Elle était venue vers un roi de grâce. Et elle trouva un pauvre négociateur. Ch. PÉGUY, Note conjointe..., p. 156. 7

CONTR. Entente.

MALEPESTE [malpɛst] n. f. — 1579 ; de 1. *mal*, et *peste*.

Vieux.

♦ **1.** Peste mauvaise, mortelle. *La malepeste l'emporte !*

♦ **2.** Fig. (Imprécation). « *Malepeste du sot que je suis aujourd'hui...* » (Molière, *l'Étourdi*, II, 5). Interj. (marquant l'étonnement). ⇒ **Peste.** « *Malepeste ! ceci est plus sérieux que je ne pensais* » (Daudet, *in* G. L. L. F.).

MAL-ÊTRE [malɛtR] n. m. — 1580 ; de 2. *mal*, et *être* ; repris au xxᵉ, d'après *bien-être*.

♦ **1.** Vx (remplacé par *malaise* à la fin du xvIIIᵉ). État d'une personne qui ne sent pas bien. ⇒ **Malaise** (sens 1 et 2).

♦ **2.** (V. 1970). Mod. État d'une personne qui est mal dans la société, qui n'y trouve pas sa place ou la vit mal. *Le mal-être des jeunes, des femmes.*

MALÉVOLE [malevɔl] adj. — 1651 ; *malivole*, xvIᵉ ; lat. *malevolus*.

♦ Vx. ⇒ **Malveillant.**

REM. Ce mot, déjà archaïque en français classique, se rencontre assez tard dans la langue littéraire, au xvIIIᵉ s. (Voltaire, Bachaumont, *in* Littré) et au xIXᵉ s.

J'ai cherché une périphrase pendant vingt secondes et n'ai rien trouvé de clair. Si cette liberté rend le lecteur malévole, je l'engage à fermer le livre (...) STENDHAL, Mémoires d'un touriste, t. I, p. 22.

CONTR. Bénévole.

MALFAÇON [malfasɔ̃] n. f. — V. 1268, *malefaçon* ; de *male*, fém. de 1. *mal*, adj., et *façon*.

♦ **1.** Imperfection, défectuosité dans un ouvrage qui n'a pas été exécuté suivant les règles de l'art. ⇒ **Défaut, imperfection** (→ Exécutant, cit. 2). « *Il y a eu malfaçon dans ce mur, dans cette charpente* » (Académie). *Malfaçon due à une erreur de l'entrepreneur, à la négligence des ouvriers... Malfaçons donnant lieu à des dommages-intérêts.*

Sévère pour les malfaçons, il eût été indulgent pour les retards. J. ROMAINS, les Hommes de bonne volonté, t. V, XXVII, p. 289.

♦ **2.** (1690). Vx. Profit illicite. « *Les malfaçons sur les voitures et la distribution du sel* » (Vauban, *in* G. L. L. F.).

MALFAIRE [malfɛR] v. intr. — V. 1130 ; de 2. *mal*, et *faire*.

♦ Vx. Faire le mal, du mal, nuire (encore *in* Rousseau, *Émile*, III).

DÉR. Malfaisant.

MALFAISANCE [malfəzɑ̃s] n. f. — 1738 ; de *malfaisant*.

Littéraire.

♦ **1.** Disposition à faire du mal à autrui.

(...) de vilains sujets devenus rois, et qui ont des passions d'envie, d'orgueil et de « malfaisance ». ARGENSON, Journal 1738, I, p. 293, *in* BRUNOT, Hist. de la langue franç., t. VI, p. 116, note 1. 1

♦ **2.** *Une, des malfaisances :* action, influence mauvaise, nuisible (d'une personne). — Résultat de cette action.

Voilà précisément quelle était une des malfaisances, pour ne pas dire un des principaux crimes du socialisme démocratique. Il avait ruiné, émasculé l'idée de parti et l'idée de chef. J. ROMAINS, les Hommes de bonne volonté, t. IV, XVI, p. 175. 2

♦ **3.** Rare. Action nuisible (d'une chose). ⇒ **Méfait.** *Malfaisance de certaines inoculations* (→ Détracteur, cit. 3).

CONTR. Bienfaisance, bienfait.

MALFAISANT, ANTE [malfəzɑ̃, ɑ̃t] adj. — xIIᵉ ; p. prés. de *malfaire*.

♦ **1.** Qui fait ou cherche à faire du mal à autrui, aime à nuire. ⇒ **Mauvais, méchant, nuisible.** *Être, individu malfaisant.* ⇒ **Vipère** (fig.). *Les hommes les plus malfaisants* (→ Après, cit. 88, France ; complaisant, cit. 1, Molière) ; *des animaux* (cit. 9) *malfaisants. Panurge était « malfaisant, pipeur... »* (→ Batteur, cit. 3, Rabelais). — *Astre malfaisant.* ⇒ **Ennemi, maléfique.** — *Bête malfaisante* (→ Infréquenté, cit.). *Insecte, taon malfaisant* (→ Aragne, cit. 2).

Voltaire, en paraissant toujours croire en Dieu, n'a réellement jamais cru qu'au 1

diable, puisque son Dieu prétendu n'est qu'un être malfaisant qui, selon lui, ne prend de plaisir qu'à nuire.
ROUSSEAU, les Confessions, IX.

2 Non, une femme ne saurait être une statue malfaisante, à la fois vivante et glacée !
A. DE MUSSET, le Chandelier, III, 2.

3 Le peuple effaré se raconte d'abord que de méchantes fées, que des génies malfaisants dispersent sa géniture (...)
HUYSMANS, Là-bas, XI.

♦ **2.** (1686). Dont les effets sont néfastes, nuisibles. *Idées, pensées dangereuses et malfaisantes.* ⇒ **Corrosif, pernicieux** (→ Langage, cit. 17). *Influence malfaisante.* ⇒ **Préjudiciable.** *Les gens superstitieux attribuent un pouvoir malfaisant à l'opale.* ⇒ **Maléfice, maléfique.**

4 Il lui semblait injuste que Mme Legras pût mûrir tous les projets qu'il lui plaisait, qu'elle pût porter dans son cerveau les pensées les plus malfaisantes, sans qu'elle, Adrienne, l'objet même de ces méditations criminelles, en sût rien.
J. GREEN, Adrienne Mesurat, II, II.

Spécialt. Vx. Nuisible à la santé. *« Les vins frelatés sont malfaisants »* (Académie).

CONTR. Bienfaisant, bienfaiteur, bon, innocent.
DÉR. Malfaisance.

MALFAIT, MALFAITE [malfɛ, malfɛt] adj. — Mil. XVIIe, Guez de Balzac ; de 3. *mal*, et *fait*, cf. *mal fait*.

♦ Vx. (Le mot s'est délexicalisé, alors que le syntagme *mal fait* est courant). Mal exécuté ; laid. — Subst. Personne mal bâtie (*in* Molière).

MALFAITEUR [malfɛtœR] n. m. — V. 1160, *maufaitour, -teur* ; adapt. du lat. *malefactor, malefactorem*, d'après la famille de *faire*.

♦ **1.** (V. 1200). Homme qui commet, qui a commis des méfaits, des actes criminels. ⇒ **Apache, assassin, bandit, brigand, criminel** (cit. 9), **gangster, gredin, malfrat, scélérat, truand, voleur** (→ Gens de sac et de corde, sans aveu, gibier de potence, et aussi assassinat, cit. 4). *Malfaiteur endurci. Dangereux malfaiteur. Repaire* de malfaiteurs. Association** (supra cit. 14), *bande de malfaiteurs.* ⇒ **Maffia.** *L'argot* (cit. 2) *des malfaiteurs, du milieu*. Le Christ fut crucifié* (cit. 1) *entre deux malfaiteurs.* ⇒ **Larron.** — *Malfaiteur que la justice recherche* (→ Identité, cit. 13), *que donne un indicateur* (→ cit. 2). *Passer les menottes à un malfaiteur. Punition des malfaiteurs* (→ Écarteler, cit. 3 ; extradition, cit. 2). — *Se cacher* (cit. 31) *comme des malfaiteurs, un vulgaire malfaiteur* (→ Gracier, cit.).

REM. Le fém. *malfaitrice* est inusité.

1 (...) tout malfaiteur, attaquant le droit social, devient par ses forfaits rebelle et traître à la patrie ; il cesse d'en être membre en violant ses lois, et même il lui fait la guerre.
ROUSSEAU, Du contrat social, II, V.

2 Dans toutes les grosses insurrections il y a des malfaiteurs semblables, gens sans aveu, ennemis de la loi, rôdeurs sauvages et désespérés, qui, comme des loups, accourent partout où ils flairent une proie. Ce sont eux qui servent de guides et d'exécuteurs aux rancunes privées ou publiques.
TAINE, les Origines de la France contemporaine, t. I, III, p. 23.

3 (...) des crimes communs, provenant de malfaiteurs isolés et non de bandes organisées comme jadis.
MAUPASSANT, la Vie errante, « La Sicile ».

4 (...) des chaudes nuits d'orage pendant lesquelles nous errions dans la campagne comme des malfaiteurs (...)
LOTI, Aziyadé, III, LI.

♦ **2.** (XIVe). Personne qui commet des méfaits, dont l'action est dangereuse. *Malfaiteur public :* homme politique dont les fautes retombent sur la nation entière. *C'est un véritable malfaiteur !*

CONTR. Bienfaiteur.

MALFAMÉ, ÉE [malfame] adj. Vx. ⇒ **Famé** (mal).

MALFONCTIONNEMENT [malfõksjɔnmã] n. m. — 1974 ; de 1. *mal*, et *fonctionnement*.

♦ Rare. Mauvais fonctionnement, troubles du fonctionnement. ⇒ **Dysfonctionnement.** *« Cette diminution* (du tonus) *est due à un mauvais fonctionnement du système nerveux (...) La cause de ce malfonctionnement est à ce jour complètement méconnue »* (la Recherche, févr. 1974, p. 126).

MALFORMATION [malfɔRmasjõ] n. f. — 1867, Littré ; de 1. *mal*, et *formation*.

♦ Anomalie, vice de conformation congénitale. ⇒ **Défaut, difformité, dystrophie, infirmité.** *Les monstruosités diffèrent des malformations « par leur gravité et les troubles qu'elles apportent aux fonctions », tandis que les déformations* « sont... en général acquises »* (Poiré). *Malformation luxante de la hanche.*

(...) les deux derniers doigts (d'une main) en étaient inséparablement joints (...) Il fallut (...) que le jeune homme lui montrât son autre main, qui présentait la même malformation.
A. BRETON, Nadja, p. 83.

MALFRAT [malfRa] n. m. — 1877 ; dial., fém. *anfra, malfaras*, languedocien *malfar* « mal faire ».

♦ Fam. Malfaiteur ; homme du milieu (souvent employé plaisamment). ⇒ **Truand.** *Un petit malfrat.*

1 Elles *(les chaussettes à clous)* brisent joyeuse danse
Les tibias et la résistance
Des malfrats vaincus qu'on confesse.
B. VIAN, Textes et chansons, « La java des chaussettes à clous », p. 124.

2 Y'a encore par là-haut, en lisière des maraîchers, des coins retirés, hantés par des malfrats d'un autre âge, et qui restent voués au détroussage du passant (...)
Albert SIMONIN, Touchez pas au grisbi, p. 90.

3 Reprenant tout en main, Le Moël commença par établir un fichier de tous les malfrats en les classant par spécialité : les casseurs, les monte-en-l'air, les dingues du hold-up, les experts en coffiots (coffre-forts), de l'enlèvement (...)
Martin ROLLAND, la Rouquine, p. 234.

REM. La var. *malfrin* est attestée chez Céline (le Pont de Londres, p. 51 ; Guignol's band, p. 44).

MALGACHE [malgaʃ] adj. et n. — 1873 ; *Malégaches*, 1769, Encyclopédie ; mot de Madagascar.

♦ De Madagascar. ⇒ **Madécasse** (vx).

N. Habitant de Madagascar ; personne qui y est née. *Un, une Malgache. Les Malgaches.*

N. m. *Le malgache :* la langue malayo-polynésienne parlée à Madagascar.

MALGRACIEUSEMENT [malgRasjøzmã] adv. — 1403, *maugracieusement* ; de *malgracieux.*

♦ Rare. D'une façon malgracieuse.

Vous me refusez rudement et malgracieusement.
Mme DE SÉVIGNÉ, 1024, 14 juin 1687.

MALGRACIEUX, EUSE [malgRasjø, øz] adj. — 1382 ; de *mal*, adv., et *gracieux*.

♦ **1.** Vx ou régional. Qui manque de bonne grâce, de politesse, de civilité, de douceur. ⇒ **Bourru, incivil, rude.** *Un employé malgracieux* (→ État, cit. 134). *Un homme malgracieux, désagréable...* — Par ext. *Réponse, façon rogue et malgracieuse* (→ Gentillesse, cit. 8).

1 On dit bien *mal-gracieux*, comme *vous êtes bien mal-gracieux*, qui est opposé au premier et vrai sens de *gracieux*, et qui veut dire *rude*, mais il est bas, et je ne le voudrais pas écrire dans le style noble.
VAUGELAS, Remarques sur la langue franç., p. 526.

2 (...) Monsieur votre père, le plus malgracieux des hommes, m'a chassé dehors malgré moi (...)
MOLIÈRE, l'Avare, II, 1.

♦ **2.** Littér. Qui manque de grâce, d'élégance, de délicatesse. ⇒ **Disgracieux.**

REM. *Malgracieux* est beaucoup moins fort que *disgracieux*, qui implique une absence de grâce ou de bonne grâce allant jusqu'à la laideur, la grossièreté, la vulgarité...

3 (...) il y avait des mioches en bas âge, qui s'approchaient de moi, me regardaient avec sympathie, et une bouleversante confiance (tout de même, si j'avais été une mauvaise fée ?), mettaient leurs petites pattes malgracieuses sur mes genoux.
MONTHERLANT, les Lépreuses, I, IV.

CONTR. Aimable, 2. gentil, gracieux, poli.
DÉR. Malgracieusement.

MALGRÉ [malgRe] prép. — XIVe, réfection de *maugré* (XIIe-XVIe) ; de *mal*, adj., et *gré*.

★ **I.** ♦ **1.** Contre le gré* (de qqn), en dépit de son opposition, de sa résistance. ⇒ **Contre** (→ Illégitime, cit. 2). *Il a fait cela malgré son père, malgré ses parents.*

1 (...) presque tous ceux qui se sont fait un nom dans les beaux-arts les ont cultivés malgré leurs parents (...)
VOLTAIRE, la Vie de Molière.

(Suivi d'un pron. pers.). *Malgré soi :* de mauvais gré, contre son gré*, sans y consentir, et, par ext., involontairement (sans idée d'opposition). ⇒ **Contrecœur** (à), **corps** (à son corps défendant). *Phèdre « malgré soi perfide, incestueuse »* (cit. 1). *Presque malgré moi* (→ Hésitant, cit. 7) ; *bien malgré lui* (→ Irrécusable, cit. 2).

2 Titus, qui aimait passionnément Bérénice, la renvoya de Rome, malgré lui et malgré elle (...)
RACINE, Bérénice, Préface.

3 Madame, j'ai entendu malgré moi ce que vous venez de dire.
FRANCE, le Crime de S. Bonnard, t. II, I, II, p. 305.

4 Oui, pendant une semaine nous avons été amants ; nous ne l'avions pas été avant, et nous ne l'avons jamais été depuis ; c'était comme si, malgré nous-mêmes, en dehors de nous-mêmes, sa vie et la mienne s'aimaient.
Valery LARBAUD, Amants, heureux amants, p. 145.

♦ **2.** (1650). En dépit de (qqch.). ⇒ **Contre ; dépit** (en dépit) ; **nonobstant...** (→ Au préjudice* de...). *Malgré cela...* ⇒ **Cependant.** *Malgré les efforts, la volonté de qqn* (→ Arrêter, cit. 60). *Malgré son mérite.* ⇒ **Avec** (→ Bal, cit. 4)... *Malgré ma timidité, je n'hésitai pas...* (→ Attirant, cit. 5). *Malgré vos prétentions, vos allégations...* (→ Ne vous en déplaise*). *Malgré les critiques, les ragots* (→ Quoi qu'on dise*). *Malgré les ordres reçus.* ⇒ **Mépris** (au mépris de). *Malgré l'apparence* (cit. 28), *les apparences. Malgré les années* (→ Age, cit. 20), *le faix* (cit. 4) *des ans.* — *Malgré* les obstacles, les barrières (cit. 13)... *Malgré le mauvais temps, la chaleur, le soleil... ; malgré l'hiver* (→ Février, cit.), *les averses* (cit. 2). — (En parlant d'objets concrets). *Il roulait vite, malgré les pavés.*

5 Les deux amants, malgré leurs pères, malgré le sort, malgré tout, excepté leurs cœurs, s'aiment, se cherchent et se retrouvent dans la vie et dans la mort.
Mᵐᵉ DE STAËL, De l'Allemagne, II, XVIII.

6 Malgré la chaîne et les boucles d'oreilles, sa toilette était presque simple (...)
A. DE MUSSET, Nouvelles, « Deux maîtresses », IV.

7 Malgré la guerre et tous ses maux
Nous aurons de belles surprises.
APOLLINAIRE, Ombre de mon amour, XVI.

8 (...) malgré le pressant besoin de mon âme, je sentais bien que mon livre n'était pas mûr (...)
GIDE, Si le grain ne meurt, I, IX, p. 243.

8.1 Elle a prononcé cette dernière phrase avec une telle véhémence qu'il se sent obligé de la renseigner, dans la mesure de ses moyens, malgré la fatigue que lui procure cette conversation, malgré le peu d'intérêt qu'il porte lui-même à ce point particulier, malgré la peur qu'il a de décevoir par l'insignifiance de la réponse.
A. ROBBE-GRILLET, Dans le labyrinthe, p. 207.

(1867). **MALGRÉ TOUT** : malgré tous les obstacles ; quoi qu'il arrive ou qu'il puisse arriver (→ Quand le diable* y serait ; envers* et contre tous ; à toute force*). « *Malgré tout, vous réussirez* » (Académie). On dit aussi *malgré vents et marées.* ⇒ **Contre.** — Par ext. Quand même ; de toute façon (→ Chair, cit. 13 ; champion, cit. 5). *C'était quelqu'un, malgré tout* (→ Anoblir, cit. 6), quoi qu'on en dise ou pense. *Très habile* (cit. 11) *et malgré tout prodigieusement naïf.*

9 Eh bien, malgré tout, il m'est arrivé une fois de me laisser prendre à vos simagrées (...)
F. MAURIAC, le Nœud de vipères, I, IX.

★ **II.** Loc. conj. **MALGRÉ QUE.**

♦ **1.** (Fin XIIIᵉ). Littér. Suivi du verbe *avoir* au subj. dans la loc. *malgré que j'en aie, qu'il en ait :* malgré mes (ses) réticences, mes (ses) hésitations. ⇒ **Avoir ; dépit** (en dépit que...).

10 On n'a besoin d'élever que les hommes vulgaires (...) Les autres s'élèvent malgré qu'on en ait.
ROUSSEAU, Émile, I.

11 La combinaison *mal gré* (= mauvais gré) se prêtait à former avec le verbe *avoir* un tour de valeur adversative. Il apparaît dès le XIIᵉ siècle. *Que ne tarda pas à s'y joindre : « Maugré qu'il en ait... » Doon de May.* 5332 ; il fait désormais partie intégrante de la locution : « *Il faut être de son sentiment, malgré qu'on en ait* » MOL., *Crit. Éc. femmes*, III ; « *Voilà un garçon qui me surprend, malgré que j'en aie* » MARIV., *Jeu de l'am.*, I, 7 ; « *J'étais, malgré que j'en eusse, obligé de passer... dans des endroits très agités* » DUHAMEL, *Conf. minuit*, 59... — Comme on le voit, le tour est à peu près figé, et nécessite l'emploi de *en* et du verbe *avoir* au subjonctif.
G. et R. LE BIDOIS, Syntaxe du franç. moderne, § 1557.

♦ **2.** (Fin XVIIIᵉ). *Malgré que... :* bien* que..., encore* que..., quoique*..., tout*... que. — REM. Ce tour, condamné par Littré et l'Académie (8ᵉ éd.), « rencontre des adversaires irréductibles » (Brunot, *la Pensée et la Langue*, p. 860). De très nombreux exemples littéraires (Sand, Daudet, France, Barrès, Claudel, Proust, Colette, Mauriac, Romains, Aragon, Céline, Cocteau, etc.) en sont donnés par Le Bidois, Grevisse et Georgin (qui note : « Ce qui est plus grave, c'est de construire ce *malgré que* avec un indicatif », *Prose d'aujourd'hui*, p. 103). Claudel (→ Gripper, cit. 4) et Gide (ci-dessous, cit. 13) ont pris la défense de cette construction.

12 (...) je puis vous y signaler plusieurs fautes de français. Vous avez mis *observer* pour *faire observer*, et *malgré que*. Malgré veut un régime direct.
BALZAC, Illusions perdues, Pl., t. IV, p. 644.

12.1 Mais comme on déjeunait tard, malgré que les promeneurs commençassent à passer dans la rue, on apportait seulement la grande tarte aux pommes (...)
PROUST, Jean Santeuil, Pl., p. 343.

13 J'ai écrit avec Proust et Barrès, et ne rougirai pas d'écrire encore : *malgré que*, estimant que, si l'expression était fautive hier, elle a cessé de l'être. Elle ne se confond pas avec *bien que*, qui n'indique qu'une résistance passive ; elle implique une opposition.
GIDE, Incidences, Lettre à P. Souday, 13 oct. 1923.

14 Mon cousin (...) — pour qui je ressentais déjà une sympathie des plus vives, malgré qu'il eût vingt ans de plus que moi — (...)
GIDE, Si le grain ne meurt, I, III, p. 79.

15 Malgré que rien ne puisse servir à rien, nous faisons sauter les ponts quand même, pour jouer le jeu.
SAINT-EXUPÉRY, Pilote de guerre, XIII.

16 Malgré que le soir fût d'une tiédeur extrême, Liette voulut pour le retour une voiture fermée.
F. MAURIAC, la Robe prétexte, XXVII.

CONTR. Grâce (à). — Gré (au gré de...).
DÉR. Maugréer.

MALHABILE [malabil] adj. — 1538 ; fin XVᵉ, « difficile », en parlant de choses ; de 2. *mal*, et *habile*.

♦ Qui manque d'habileté, de savoir-faire. ⇒ **Gauche, inhabile, maladroit, malagauche** (pop., vx) ; → Exemple, cit. 22 ; habile, cit. 7. *Malhabile en affaires. — Malhabile à faire quelque chose.* — Par ext. *Bouche, mains malhabiles* (→ Amphibologie, cit. ; instrument, cit. 11).

1 Notre révolution s'est chargée de fournir un nom à cette espèce d'hommes généreux et malhabiles à conduire les affaires : c'est un girondin.
STENDHAL, Promenade dans Rome.

2 Elle espérait que ces quinze jours de permission accordés à Jacques transformeraient peut-être ses sentiments. Il fut malhabile. Celui qui aime agace toujours celui qu'il n'aime pas.
R. RADIGUET, le Diable au corps, p. 67.

3 Les yeux gris, si malhabiles à mentir, me montraient leur perplexité (...)
COLETTE, la Maison de Claudine, p. 50.

CONTR. Adroit, capable, habile.
DÉR. Malhabilement, malhabileté.

MALHABILEMENT [malabilmɑ̃] adv. — 1636 ; de *malhabile*.

♦ D'une manière malhabile. ⇒ **Maladroitement.** *Il s'essayait malhabilement au tennis. Il a agi malhabilement.*

MALHABILETÉ [malabilte] n. f. — XVᵉ ; de *malhabile*.

♦ Vieilli. Manque d'habileté. ⇒ **Inhabileté.**
(La comtesse de Roucy) ... toujours occupée de ses affaires, que son opiniâtreté, son humeur et sa malhabileté perdaient (...) SAINT-SIMON, Mémoires, I, XXII.
CONTR. Adresse, habileté.

MALHERBE [malɛʀb] n. f. — 1671, Littré ; de 1. *mal*, et *herbe*.

♦ Régional. Mauvaise herbe, notamment dentelaire* ou garou*.

MALHERBOLOGIE [malɛʀbɔlɔʒi] n. f. — 1969, in *la Banque des mots* ; de 1. *mal*, *herbe*, et *-logie*.

♦ Didact. Science des mauvaises herbes, des végétaux nuisibles et de leur destruction (⇒ **Herbicide**). — REM. Le mot a été contesté, mais l'Institut de recherches agronomiques l'a adopté.

MALHEUR [malœʀ] n. m. — Av. 1526 ; loc. *a mal eür* « de façon funeste », mil XIIᵉ ; de 1. *mal*, et *heur.*

♦ **1.** *Un, des malheurs.* Événement qui affecte (ou semble de nature à affecter) péniblement, douloureusement, cruellement (qqn). ⇒ **Fortune ; accident ; affliction ; calamité, catastrophe, coup, désastre** (cit. 2), **deuil, disgrâce, échec, épreuve, fatalité** (cit. 6), **fléau, inconvénient** (vx), **infortune**, 3. **mal, malchance, misère, perte, revers, ruine, traverse** (→ Cataclysme, cit. 2). *Grand, affreux, horrible, terrible, irrémédiable, irréparable malheur* (→ Épuiser, cit. 14). *Le plus grand malheur des hommes...* (→ Gouvernement, cit. 24). *Le grand malheur est que..., c'est un grand malheur que... Un malheur sans égal* (cit. 23), *sans exemple** (cit. 27). — Loc. (avec arriver). *Un malheur est si vite arrivé ! Il lui est arrivé malheur. Il lui arrivera malheur. — Un malheur n'arrive* (cit. 57), *ne vient jamais seul*. Abîme* (cit. 6), *gouffre, avalanche, engrenage* (cit. 4) *de malheurs. Malheurs qui arrivent coup* (cit. 75) *sur coup. — Les malheurs qui assaillent* (cit. 9), *atteignent* (cit. 43), *frappent* qqn, *fondent* (cit. 22) *sur* qqn. *S'écrouler* à l'annonce d'un malheur. S'exposer à de grands malheurs* (→ Incertitude, cit. 12). *Conjurer* (cit. 5), *éviter, prévenir, réparer un malheur. Prévoir, redouter... un malheur* (→ Avenir, cit. 11). *En cas de malheur* (→ Caser, cit. 2). *Accepter* (cit. 15), *supporter un malheur. Tirer une leçon* (cit. 19) *de chaque malheur. — Le spectacle d'un malheur. Malheur qui attriste* (cit. 6) *le public. — Les malheurs de la vie, de l'existence. Les malheurs inévitables* (cit. 9) *à la condition humaine. Vie accablée de malheurs* (→ Expier, cit. 3). *Il a eu bien des malheurs.*

1 Des malheurs qui sont sortis
De la boîte de Pandore (...)
LA FONTAINE, Fables, III, 6.

2 Mais quoi ! dit Zadig, il est donc nécessaire qu'il y ait des crimes et des malheurs ? Et les malheurs tombent sur les gens de bien ! Les méchants, répondit Jesrad, sont toujours malheureux
VOLTAIRE, Zadig, XX.

3 (...) l'histoire n'est que le tableau des crimes et des malheurs.
VOLTAIRE, l'Ingénu, X.

4 Des malheurs évités le bonheur se compose.
A. KARR, les Guêpes, « Les femmes », janv. 1842.

5 La crainte qu'il arrivât malheur à Marthe me soutint pendant ce travail absurde (...)
R. RADIGUET, le Diable au corps, p. 135.

6 — Et tous les malheurs possibles, la maladie, la solitude, la mort, se concentrent dans la maison (...)
J. CHARDONNE, les Destinées sentimentales, p. 252.

7 (...) elle s'accommoda du grand malheur qui la frappait (...) et les ravages du sort furent en somme dramatiquement bienvenus.
CÉLINE, Voyage au bout de la nuit, p. 249.

8 (...) cette passion de vivre qui croît au sein des grands malheurs.
CAMUS, la Peste, p. 136.

(1569). Prov. *À quelque chose malheur est bon* (cit. 94) : tout événement pénible comporte une compensation* (cf. La Fontaine, *Fables*, VI, 7).

9 — À quelque chose malheur est bon ! Là-bas, au front, il y aura du travail pour nous autres.
MARTIN DU GARD, les Thibault, t. VII, p. 295.

(1834). *Avoir des malheurs* (s'emploie quelquefois plaisamment ou ironiquement en parlant d'infortunes, d'ennuis*).

10 Âgée d'environ cinquante ans, madame Vauquer ressemble à toutes les *femmes qui ont eu des malheurs* (...) Qu'avait été monsieur Vauquer ? Elle ne s'expliquait jamais sur le défunt. Comment avait-il perdu sa fortune ? Il s'était mal conduit envers elle, ne lui avait laissé que les yeux pour pleurer (...)
BALZAC, le Père Goriot, Pl., t. II, p. 852-853.

11 Je définis un patois *une ancienne langue qui a eu des malheurs*, ou encore une langue toute jeune et qui n'a pas fait fortune.
SAINTE-BEUVE, Causeries du lundi, 7 juil. 1851.

Le malheur, les malheurs de qqn : les événements malheureux qui lui arrivent, ou qui sont jugés tels par celui qu'ils affectent (→ Abattre, cit. 7 ; invincible, cit. 4). *Les Malheurs de Sophie*, récit de la comtesse de Ségur. « *Ma naissance fut le premier de mes malheurs* » (→ Coûter, cit. 17, Rousseau). *L'auteur de mes mal-*

heurs (→ Assassin, cit. 3). « *Mon malheur passe mon espérance* » (cit. 4, Racine). — *Sentir, s'exagérer* (cit. 14) *son malheur.* ⇒ **Douleur, peine.** *Pleurer, gémir* (cit. 7) *sur son malheur, lamenter* (cit. 3) *son malheur.* — *Malheur cruel, inconsolable* (cit. 1). — *Pour son malheur...* (→ Audacieux, cit. 9).

12 Sans parents, sans amis, désolée et craintive,
    Reine longtemps de nom, mais en effet captive,
    Et veuve maintenant sans avoir eu d'époux,
    Seigneur, de mes malheurs ce sont là les plus doux.
                                      RACINE, Mithridate, I, 2.

13 Et c'est nous trop souvent qui faisons nos malheurs.
                                      M.-J. DE CHÉNIER, Fénelon, III, 2.

14 (...) il se dit qu'on ne connaît pas son malheur, qu'on n'est jamais si heureux qu'on croit.   PROUST, À la recherche du temps perdu, t. II, p. 184.

15 Notez en outre que l'affaire Sureau marque le début de mes malheurs. Quand je dis « malheurs », je n'entends pas surtout les grands désagréments qui ont résulté, pour moi, de la perte de ma place. Je pense plutôt à la détresse morale dans laquelle je patauge depuis cette époque et d'où je ne sortirai peut-être jamais plus.   G. DUHAMEL, Salavin, I, II.

Quel malheur pour lui que..., de... (→ Apologiste, cit. 3; jouet, cit. 7).

Par exagér. Événement plus ou moins fâcheux*, regrettable*. ⇒ **Désagrément, ennui...** *C'est un petit malheur.* — Iron. *Le grand malheur !* — *Le malheur de vous déplaire, de perdre votre estime...* (→ Indigne, cit. 2). *Quel malheur qu'il soit arrivé trop tard ! Le malheur, c'est que...* ⇒ **Inconvénient.**

16 Nicodème se jette aussitôt avec précipitation à ses pieds (...) Javotte se baisse, de son côté, pour le prévenir ; et, se relevant tous deux en même temps, leurs deux fronts se heurtèrent avec telle violence, qu'ils se firent chacun une bosse. Nicodème, au désespoir de ce malheur, voulut se retirer promptement.
                                      FURETIÈRE, le Roman bourgeois, I, p. 53.

17 Tu serais, parbleu ! bien à plaindre quand on te mettrait ce soir dans les bras une jolie fille (...) Voyez un peu le grand malheur, et comme il y a de quoi faire l'ombrageux !   A. DE MUSSET, Il ne faut jurer de rien, I, 1.

18 Le malheur, c'est que la nuit fût si lente à couler.   FRANCE, le Lys rouge, XXXIII.

19 (...) Phili menaçait de quitter sa femme (...) Comme je murmurais : « Le beau malheur ! » elle reprit vivement (...)   F. MAURIAC, le Nœud de vipères, XVII.

(1867). Fam. *Faire un malheur,* un éclat qui pourrait avoir des conséquences fâcheuses. *Retenez*-moi, ou je fais un malheur !*

Par allus. aux manifestations de la salle et par antiphrase. Argot de spectacle, cour. *Faire un malheur :* remporter un énorme succès, un triomphe. *Partout où il est passé, il a fait un malheur.* — Par ext. :

19.1 En Guadeloupe, elle aurait fait un malheur... Mais ici, les filles ne manquaient pas.
                                      Claude COURCHAY, La vie finira bien par commencer, p. 214.

♦ **2.** (Av. 1530). LE MALHEUR : situation, condition pénible, triste, douloureuse dans laquelle l'homme voit souvent l'action d'un mauvais destin, d'un sort rigoureux. ⇒ **Adversité, affliction, chagrin, détresse, fortune** (vx), **infortune** (cit. 4), **misère, peine.** *Le malheur de l'homme* (cit. 31). *Bonheur et malheur, heur* (cit. 4 et 5) *et malheur.* — Prov. *Le malheur des uns fait le bonheur des autres.* —*Alternatives* (cit. 1) *de joie et de malheur. Jours, période, atmosphère* (cit. 18) *de malheur.* — *Cause, source, germe de malheur* (→ Crime, cit. 8 ; grâce, cit. 36). *Faire le malheur de ce qu'on aime* (cit. 24). *Tout le malheur des hommes vient de...* (→ Chambre, cit. 4, Pascal). — *Être destiné au malheur* (→ Avance, cit. 14). *Avoir du malheur, bien du malheur. Connaître le malheur. Succomber sous le poids du malheur. Accepter, supporter le malheur* (→ Boire le calice*, la coupe* jusqu'à la lie). *Accoutumance* (cit. 4) *au malheur ; habitude* (cit. 31) *du malheur. Attrait* (cit. 24) *romantique pour le malheur. Éluder* (cit. 2), *fuir le malheur.* — *Le baptême du malheur* (→ Acheter, cit. 13, Musset). *« Il n'y a pas d'âge légal* (cit. 2) *pour le malheur »* (Chateaubriand). *Le creuset* (cit. 5) *du malheur. Le malheur est un grand maître* (→ Enseigner, cit. 17). *Peuple édifié dans le malheur et la gloire* (→ Guerre, cit. 30). — *Égaux* (cit. 11) *par le malheur ; grand par le malheur* (→ Épreuve, cit. 29). — *Un excès, un luxe de malheur* (→ Frêle, cit. 6). *Le comble* du malheur. Être au bord* du malheur, dans le malheur* (→ Ami, cit. 1). *Tomber* dans le malheur. Courage dans le malheur* (→ Estime, cit. 9). *Soutenir qqn dans le malheur. S'appuyer* (cit. 37) *sur qqn dans son malheur. Précipiter qqn dans le malheur.*

20 Quand le malheur ne serait bon
    Qu'à mettre un sot à la raison,
    Toujours serait-ce à juste cause
    Qu'on le dit bon à quelque chose.
                                      LA FONTAINE, Fables, VI, 7
                                      (→ ci-dessus : À quelque chose malheur est bon).

21 Le prétexte ordinaire de ceux qui font le malheur des autres est qu'ils veulent leur bien.   VAUVENARGUES, Réflexions et Maximes, 160.

22 Nous ne savons ce que c'est que bonheur ou malheur absolu. Tout est mêlé dans cette vie ; on n'y goûte aucun sentiment pur, on n'y reste pas deux moments dans le même état.   ROUSSEAU, Émile, II.

23 Qui se songe qu'à soi quand sa fortune est bonne
    Dans le malheur n'a point d'amis.   FLORIAN, Fables, IV.

24 Il faut encore plus exercer les hommes à plaindre le malheur qu'à le souffrir.   Joseph JOUBERT, Pensées, V, LXXII.

25 Le malheur qui se perpétue produit sur l'âme l'effet de la vieillesse sur le corps ; on ne peut plus remuer ; on se couche.
                                      CHATEAUBRIAND, Mémoires d'outre-tombe, t. VI, p. 310.

(...) il sentait le vague saisissement de cette poignante angoisse universelle. Il avait   26
la vision de toute cette écume du malheur sur le sombre pêle-mêle humain.
                                      HUGO, l'Homme qui rit, II, II, X.

Nous avons essuyé des fortunes diverses,   27
Ce qu'on nomme malheur, adversité, traverses,
Sans trembler, sans fléchir, sans haïr les écueils.
                                      HUGO, les Contemplations, V, XII.

(...) il n'est pire douleur   28
Qu'un souvenir heureux dans les jours de malheur.
                                      A. DE MUSSET, Premières poésies, « Le saule », I.

Le malheur abêtit, je le sais bien.   29
                                      FRANCE, le Crime de S. Bonnard, t. II, VI, p. 495.

(...) la première expérience du malheur est féroce ! Béni soit celui qui a préservé   30
du désespoir un cœur d'enfant !
                                      BERNANOS, Journal d'un curé de campagne, p. 63.

Vous ne ferez rien de durable pour le bonheur des hommes parce que vous n'avez   31
aucune idée de leur malheur. Me suis-je bien fait comprendre ? Notre part de bonheur, en effet, notre misérable bonheur tient de toutes parts à la terre, il y rentre avec nous au dernier jour, mais l'essence de notre malheur est surnaturelle.
                                      BERNANOS, les Grands Cimetières sous la lune, p. 72.

Le malheur exalte, le bonheur relâche (...)   32
                                      A. MAUROIS, Études littéraires, « André Gide ».

Tout le malheur des hommes vient de l'espérance (...)   33
                                      CAMUS, l'Homme révolté, p. 47.

Pour mon malheur : malheureusement pour moi.

Pour son malheur, elle se tourna vers moi à un moment, afin de me montrer son   34
bouquet (...)   Paul BOURGET, le Disciple, IV, IV.

Pour le malheur de René, je lui avais trop bien fait partager mon vice.   35
                                      R. RADIGUET, le Diable au corps, p. 49.

(1724). *Le malheur des temps :* les conditions misérables, lamentable d'une époque troublée.

Par métonymie. Littér. *Le malheur :* les malheureux.

Malheureuse, j'appris à plaindre le malheur.   Nicolas GILBERT, les Héroïdes, I.   36

♦ **3.** Mauvaise chance, sort funeste*. ⇒ **Malchance, malédiction ; cruauté** (du sort). *Le malheur le poursuit, l'accable. Le malheur l'a frappé.* ⇒ **Destin, fortune, sort.** *Les coups*, les injures du malheur.* — *Le malheur veut que..., a voulu que...* (→ Ange, cit. 14 ; gagner, cit. 8). — *Le malheur est sur nous* (→ Gorger, cit. 6), *est sur la famille, sur la maison. Appeler le malheur sur...* ⇒ **Maudire.** *Attirer le malheur.* — *Le malheur personnifié. Les victimes du malheur.*

L'heur et le mal'heur *(malheur)* sont à mon gré deux souverains puissances.   37
C'est imprudence d'estimer que l'humaine prudence puisse remplir le rôle de la fortune.   MONTAIGNE, Essais, III, VIII.

C'est l'effet du malheur qui partout m'accompagne.   38
                                      CORNEILLE, le Menteur, I, 3.

Si les hommes voulaient être francs, ils reconnaîtraient peut-être que jamais le   39
malheur n'a fondu sur eux sans qu'ils aient reçu quelque avertissement patent ou occulte. Beaucoup n'ont aperçu le sens profond de cet axe mystérieux ou visible qu'après leur désastre.   BALZAC, Une ténébreuse affaire, Pl., t. VII, p. 562.

Personne ici *(en Occident)* ne croit au destin ; nul ne divinise le malheur.   40
                                      ALAIN, Propos, Le Dieu cruel, 5 nov. 1927.

Avoir le malheur d'être infirme, orphelin... (→ Apparenter, cit. 2). *Le malheur d'avoir trop d'esprit,* comédie de Griboïedov. — *Jouer* de malheur, de malchance.* ⇒ **Passe** (être dans une mauvaise). *Un malheur continuel au jeu* (→ Houspiller, cit. 3). *Par surcroît* (→ Guider, cit. 5), *pour comble de malheur* (→ Humiliation, cit. 5).

Porter malheur : avoir une influence* néfaste (→ Glacer, cit. 17).

Oh ! je porte malheur à tout ce qui m'entoure !   HUGO, Hernani, III, 4.   41

Elle (...) prit un morceau *(de sucre)* qu'elle croqua, puis un autre qu'elle lui tendit   42
de loin. — Non, merci, dit-il en riant. — Sans quoi ça porte malheur, cria-t-elle, en lui lançant le sucre, qu'il attrapa au vol.
                                      MARTIN DU GARD, les Thibault, t. IV, p. 109.

(1696). *De malheur :* qui porte malheur. ⇒ **Funeste** (→ Beau, cit. 76 ; empoisonner, cit. 13). *Oiseau* de malheur.* — Fam. *Encore cette pluie de malheur.* ⇒ **Maudit.**

Qu'arrivera-t-il ? Quelles calamités vont tomber sur nous ? Ne sommes-nous pas   43
assez éprouvés ? Fille de malheur, retourne chez toi ! Laisse-nous !
                                      J. A. DE GOBINEAU, Nouvelles asiatiques, p. 236.

(1668). *Par malheur :* par l'effet du malheur, de la malchance (→ Accoutumer, cit. 19 ; calculateur, cit. 1).

♦ **4.** MALHEUR À... : exclamation par laquelle on appelle le malheur sur qqn, on lui souhaite ou on lui prédit de la malchance, un destin funeste... ⇒ **Malédiction** (→ Abandonner, cit. 25 ; arrêter, cit. 52 ; auteur, cit. 28 ; bénir, cit. 5 ; fouetter, cit. 7). *Malheur aux vaincus !* ⇒ **Vae victis.**

Malheur à l'homme seul (...)   BIBLE (SACY), l'Ecclésiaste, IV, 10.   44

— Malheur à toi, si tu joues avec ma colère ! — Oui, malheur à moi ! malheur à   45
moi !   A. DE MUSSET, Lorenzaccio, III, 6.

Absolt. MALHEUR ! : interjection qui exprime la surprise douloureuse, le désespoir, le désappointement, etc.

Ah, mon Dieu ! Ah, malheur ! Quel étrange accident !   46
                                      MOLIÈRE, le Malade imaginaire, III, 12.

Malheur ! c'est mon neveu ! malheur ! car si Roland   47
Appelle à son secours, ce doit être en mourant.
                                      A. DE VIGNY, Livre moderne, « Le cor », III.

Régional (oud de France). Exclamation familière exprimant la surprise, l'admiration, etc. *Oh, malheur ! qu'elle est belle !*

CONTR. Béatitude, bonheur, félicité, fortune, heur.
DÉR. Malheureux.
COMP. Porte-malheur.
HOM. Malheure.

MALHEURE [malœR] n. f. — XVIIe ; *a la malle heure* «pour mon malheur», 1501 (→ Malheur ; de *male*, fém. de 1. *mal*, et *heure*).

♦ Loc. littér. *Va, allez à la malheure :* sois, soyez maudit.

Si j'ai choisi de parler de la coccinelle c'est par dégoût des idées. Mais ce dégoût des idées? C'est parce qu'elles ne me viennent pas à bonheur, mais à malheur. Allez à la malheure, allez, âmes tragiques !
Francis PONGE, le Parti pris des choses, p. 193.

HOM. Malheur.

MALHEUREUSEMENT [malœRφzmᾶ] adv. — XIVe ; de *malheureux*.

♦ 1. Rare. Après le verbe ou entre l'auxiliaire et le verbe. D'une manière très fâcheuse, pénible (→ 2. Fin, cit. 19 ; ignorer, cit. 23). *Il est tombé malheureusement et s'est fait très mal.* ⇒ **Malencontreusement.**

♦ 2. (1687). Cour. Avant le verbe ou entre l'auxiliaire et le verbe. Par malheur (→ Beaucoup, cit. 37 ; 1. garde, cit. 88 ; laideur, cit. 7 ; 2. lieu, cit. 19). *C'est malheureusement impossible. J'achèterais bien ce livre, malheureusement je n'ai pas d'argent sur moi.* ⇒ **Seulement.**

En tête de la phrase. *Malheureusement, je ne peux pas vous répondre...* (→ Approbation, cit. 10 ; intervalle, cit. 3). *Malheureusement pour lui.*

1 Elle est arrivée là bien malheureusement.
MOLIÈRE, le Bourgeois gentilhomme, IV, 2.

2 Malheureusement (et pourquoi faut-il que ce soit un malheur ?) en vous connaissant mieux je reconnus bientôt que cette figure enchanteresse (...) était le moindre de vos avantages (...)
LACLOS, les Liaisons dangereuses, XXXVI.

3 Ce n'était alors (J.-J. Rousseau) qu'un petit vagabond, qui, malheureusement pour lui, trouvait d'autres abbés que M. Jérôme Coignard, sur les bancs des promenades désertes de Lyon.
FRANCE, les Opinions de J. Coignard, t. VIII, p. 321.

CONTR. Heureusement.

MALHEUREUX, EUSE [malœRφ, φz] adj. et n. — V. 1050 ; de *malheur.*

♦ 1. Qui est dans le malheur, accablé* de malheur. ⇒ **Déplorable** (vx), **éprouvé, frappé** (par le malheur), **infortuné, misérable, piteux, pitoyable** (→ Ambition, cit. 10 ; besoin, cit. 70 ; épreuve, cit. 29). *Être malheureux, bien, très, trop malheureux. Le plus malheureux des hommes* (→ Ange, cit. 19 ; bambin, cit. 2). *Les délicats* (cit. 26) *sont malheureux. Ceux qui sont plus malheureux que nous* (→ Avaler, cit. 29). *Se croire, se sentir malheureux, plus malheureux qu'on n'est* (→ Bonheur, cit. 29 ; heureux, cit. 27 et 28). *Il n'est pas difficile* (cit. 6) *d'être malheureux. Être malheureux toute sa vie* (→ Aller, cit. 60), *éternellement* (→ Anéantir, cit. 1). *— Rendre quelqu'un malheureux, se rendre malheureux* (→ Abus, cit. 2). *Être malheureux par sa faute* (cit. 45), *par la faute* (cit. 46) *d'un autre. — Malheureux que je suis, de...* (→ Frasque, cit. 1 ; infâme, cit. 10). *Se trouver malheureux de quelque chose. — Malheureuse victime* (→ Barbare, cit. 22). *Enfant* (cit. 6) *malheureux* (→ Gamin, cit. 4). *De malheureux vieillards* (→ Hospice, cit. 1). *— (En parlant d'animaux).* → Bénitier, cit. 3 ; boiteux, cit. 2 ; languissant, cit. 2. *— Par ext. Âme malheureuse* (→ Élever, cit. 69). *Nature malheureuse.*

1 Il est assez puni par son sort rigoureux ;
Et c'est être innocent que d'être malheureux.
LA FONTAINE, Élégie pour M. Fouquet.

2 On se console souvent d'être malheureux par un certain plaisir qu'on trouve à le paraître.
LA ROCHEFOUCAULD, Maximes supprimées, 573.

3 Quand je suis assez malheureuse de ne vous avoir plus, ma consolation toute naturelle, c'est de vous écrire (...)
Mᵐᵉ DE SÉVIGNÉ, 407, 14 juin 1675.

4 Quand vous vous trouverez malheureux, songez aux plus malheureux que vous : la recette est infaillible.
Mᵐᵉ DE MAINTENON, Lettre à d'Aubigné, 20 oct. 1681.

5 Le plus malheureux de tous les hommes est celui qui croit l'être ; car le malheur dépend moins des choses qu'on souffre, que de l'impatience avec laquelle on augmente son malheur.
FÉNELON, Télémaque, V.

6 Il y a aujourd'hui à Naples cinquante mille hommes qui ne vivent que d'herbe, et n'ont pour tout bien que la moitié d'un habit de toile ; ces gens-là, les plus malheureux de la terre, tombent dans un abattement affreux à la moindre fumée du Vésuve : ils ont la sottise de craindre de devenir malheureux.
MONTESQUIEU, Grandeur et Décadence des Romains, XIV.

7 On prétend qu'on en est moins malheureux quand on ne l'est pas seul (...)
VOLTAIRE, Zadig, XVII.

8 Ceux qui aiment toujours n'ont pas le loisir de se plaindre et de se trouver malheureux.
Joseph JOUBERT, Pensées, V, XXXII.

9 Que dirai-je de l'amour ? répondit l'invité. C'est le nom qu'on donne à la douleur pour consoler ceux qui souffrent. Il n'y a que deux manières d'être malheureux : ou désirer ce qu'on n'a pas, ou posséder ce qu'on désirait.
Pierre LOUŸS, Aphrodite, III, II.

(...) la sagesse des gens non amoureux, qui trouvent qu'un homme d'esprit ne devrait être malheureux que pour une personne qui en valût la peine (...)   10
PROUST, À la recherche du temps perdu, t. II, p. 169.

Le propre de ces natures malheureuses est que les autres deviennent malheureuses à leur contact.   Edmond JALOUX, la Chute d'Icare, p. 32.   11

Loc. fam. *Malheureux comme les pierres.*

Mais vous serez malheureux comme les pierres d'égout avec une femme que vous aurez épousée ainsi.   BALZAC, le Père Goriot, Pl., t. II, p. 935.   12

J'ai quelquefois recommencé (...) dix fois la même page, le même chapitre. J'étais   13
malheureux comme les pierres.   Paul LÉAUTAUD, Journal littéraire, 6 mai 1903.

Famille malheureuse (→ Adversité, cit. 2). *Peuple malheureux, nation malheureuse et persécutée. L'humanité malheureuse* (→ Indélébile, cit. 5). *— Par ext. Malheureuse ville, malheureux pays.*

Qui exprime le malheur. *Un air, un visage malheureux.* ⇒ **Triste ; piteux.** *— Qui est marqué par le malheur, où règne le malheur. Existence* (cit. 16), *vie malheureuse. État* (cit. 29) *malheureux ; condition, situation malheureuse.* ⇒ **Pitoyable.** *Destin malheureux.* ⇒ **Cruel, noir.** *Temps malheureux, époque malheureuse.* ⇒ **Calamiteux, difficile, dur, rude.**

Spécialt. Qui est victime d'une catastrophe, qui est blessé, tué dans un accident. *Les malheureux passagers du Lusitania. Les malheureuses victimes de l'accident. — N. Les malheureux ne survécurent pas à leurs blessures.*

L'opinion de Négrel était que pas un des malheureux ne survivait, les quinze   14
avaient à coup sûr péri, noyés ou asphyxiés ; seulement, dans ces catastrophes des mines, la règle est de toujours supposer vivants les hommes murés au fond (...)
ZOLA, Germinal, VII, IV.

Par exagér. Qui est à plaindre. ⇒ **Pauvre.** *Les malheureux rois...* (→ Bon, cit. 107). *La malheureuse Pompadour...* (→ Exécration, cit. 5). *— Contrarié, mal à l'aise. Il est très malheureux, parce qu'il ne peut pas fumer* (→ Fumerie, cit. 2).

N. UN MALHEUREUX, UNE MALHEUREUSE : une personne qui est dans le malheur (→ Aimer, cit. 4 ; faible, cit. 34 ; famille, cit. 22 ; forger, cit. 6 ; grelotter, cit. 5 ; hâve, cit. 4). *Les heureux* (cit. 50 et 51) *et les malheureux. Le malheureux qui souffre* (→ Briser, cit. 2). *Aider, secourir un malheureux* (→ Gaieté, cit. 1). *Insulter* (cit. 8) *au sort d'un malheureux. Une malheureuse* (→ Exténuer, cit. 2).

J'ai fait des malheureux, sans doute ; et la Phrygie   15
Cent fois de votre sang a vu ma main rougie.   RACINE, Andromaque, I, 4.

— Hé ! monsieur, peut-on voir souffrir des malheureux ?   16
— Bon ! cela fait toujours passer une heure ou deux.
RACINE, les Plaideurs, III, 4.

Nous querellons les malheureux pour nous dispenser de les plaindre.   17
VAUVENARGUES, Réflexions et Maximes, 172.

Assez de malheureux ici-bas vous implorent :   18
Coulez, coulez pour eux (...)   LAMARTINE, Premières méditations, « Le lac ».

— Oh ! si j'étais puissant, comme je viendrais en aide aux malheureux !... Que   19
puis-je ? rien. Il se trompait. Il pouvait beaucoup pour les malheureux. Il les faisait rire.   HUGO, l'Homme qui rit, II, II, X.

Spécialt. ⇒ **Indigent** (cit. 3), **miséreux, pauvre** (→ Leçon, cit. 15 ; juge, cit. 11). *Faire l'aumône à un malheureux. Un pauvre malheureux.* ⇒ **Diable** (pauvre diable).

À tous les malheureux je rendrai désormais   20
Ce que dans mes malheurs je dus à ses bienfaits.
André CHÉNIER, Bucoliques, « Le mendiant ».

Dans les petites villes, il semble qu'une malheureuse soit nue sous le sarcasme   21
et la curiosité de tous.   HUGO, les Misérables, I, V, IX.

♦ 2. Vx. Qui annonce du malheur. *Malheureux augure* (cit. 7). *Étoile malheureuse.* ⇒ **Maléfique** (→ Heureux, cit. 14). *Les angles malheureux des lignes* (cit. 3) *de la main.*

Mod. Marqué par la malchance. ⇒ **Fatal, funeste, néfaste.** *Jours malheureux.*

Je suis tenté, mon très cher philosophe, de croire, avec messieurs de l'antiquité,   22
qu'il y a des jours, des mois, et des années malheureux.
VOLTAIRE, Lettre à d'Alembert, 2 juin 1773.

Par ext. De triste ou fâcheuse conséquence. ⇒ **Affligeant, déplorable, désagréable, désastreux, fâcheux, malencontreux, préjudiciable, triste.** *Accident* (cit. 7) *malheureux. Cette affaire a eu des suites malheureuses. Combinaison malheureuse* (→ Hasard, cit. 9). *« Par un malheureux hasard... »* (→ Carabinier, cit. 2). *— Un malheureux effet de l'âge* (→ Cacher, cit. 46).

Qui est mal venu, mal inspiré. *Avoir un mot malheureux,* qui dépasse, traduit mal ce que l'on voulait dire et offense ou peine l'interlocuteur. *Il eut une phrase malheureuse* (→ Indécence, cit. 7). *Jeu de mots malheureux.*

Ce malheureux amour, dont votre âme est blessée.   VOLTAIRE, Zaïre, V, 3.   23

Un malheureux hasard voulut qu'ils ne fussent point réunis pour le déjeuner à la   24
même petite table.   ALAIN-FOURNIER, le Grand Meaulnes, VI.

(...) par une fortune malheureuse, elle *(la pensée révolutionnaire du XXᵉ siècle)*   25
a puisé une grande partie de son inspiration dans une philosophie du conformisme (...)   CAMUS, l'Homme révolté, p. 185.

Il est malheureux que... : il est triste, il est dommage que... (→ Arranger, cit. 14 ; incomplet, cit. 4). *C'est malheureux, bien malheureux.* ⇒ **Regrettable.** *— Fam. Si c'est pas malheureux, de voir une chose pareille !* ⇒ **Lamentable.**

26   (...) dans un soupir il exhala son amertume de n'être qu'un soldat errant et ennuyé (...) — Si c'est pas malheureux... à des époques civilisées !
René BENJAMIN, Gaspard, V.

26.1 Ce serait malheureux à mon âge s'il fallait que je donne des explications pour sortir.
M. PAGNOL, Marius, p. 47.

Par exagér. (Placé avant le nom, et en parlant de choses). Dont on a lieu de se plaindre, que l'on trouve regrettable. ⇒ **Maudit, sacré, satané.** *Mon malheureux nom de famille* (→ Inélégant, cit.).

27   Le voilà fou, dit mon père à ma mère, si vous ne lui faites pas quitter ce malheureux latin (...)
MARMONTEL, Mémoires, I.

♦ **3.** Qui a du malheur* (3.), de la malchance ; qui ne réussit pas. *Malheureux au jeu, dans toutes ses entreprises.* ⇒ **Malchanceux.** — Prov. *Heureux au jeu, malheureux en amour.* — Spécialt. *Mari malheureux.* ⇒ **Cocu.** — *Adversaire malheureux,* qui a été vaincu. *Rendre hommage au courage malheureux :* honorer un adversaire vaincu. *Candidat, concurrent malheureux,* qui a échoué*. *Soupirant malheureux,* qui a été éconduit.

28   Concurrent malheureux à cette place insigne,
Votre orgueil l'attendait, mais en étiez-vous digne ?
VOLTAIRE, Rome sauvée, I, 5.

29   Il *(Sainte-Beuve)* a été malheureux littérairement : poète et romancier à la suite, et de seconde zone... Quand il s'est résolu, ou résigné, à n'être qu'un critique (...) il était trop tard : l'amertume de l'échec l'emportait.
Émile HENRIOT, les Romantiques, p. 220.

Par ext. *Avoir la main malheureuse :* casser tout ce que l'on touche. ⇒ **Maladroit.** — Fig. Faire un mauvais choix ; réussir mal dans ce que l'on entreprend.

(En parlant des actions, des expériences). Qui ne réussit pas. *Entreprise, initiative, tentative malheureuse,* qui a échoué, ou est vouée à l'échec (→ Influence, cit. 15).

30   (...) convenons que c'est un grand homme *(Corneille)* qui fut trop souvent différent de lui-même, sans que ses pièces malheureuses fissent tort aux beaux morceaux qui sont dans les autres.
VOLTAIRE, Commentaires sur Corneille, Tite et Bérénice, I, 3.

31   (...) les personnes qui croient prouver leur patriciat moral en déclarant leur estime systématique pour ceux qui «réussissent», leur mépris pour l'effort malheureux.
Julien BENDA, la Trahison des clercs, p. 215.

Spécialt. *Passion malheureuse, amour malheureux,* qui n'est pas partagé (→ Empoisonner, cit. 22 ; image, cit. 55).

♦ **4.** (Placé avant le nom). Qui mérite peu d'attention, qui est sans importance, sans valeur. ⇒ **Insignifiant, pauvre.** *Un malheureux valet* (→ Gouverner, cit. 8). *Un malheureux scribouillard de rien du tout.* *De malheureux histrions* (cit. 3). — *En voilà des histoires pour un malheureux billet de cent francs. «Un procès qu'il a eu pour un malheureux arpent de terre l'a ruiné totalement»* (Académie).

32   Alors j'ai pensé à un bureau de tabac ; pas sur les boulevards, bien entendu (...) Non ! simplement un petit bureau de province (...) Voilà tout ce que je demande. Pas grand-chose, n'est-ce pas ? (...) Eh bien, c'est le diable pour y arriver (...) Ah ! les bandits ! ils me l'auront fait payer cher ce malheureux bureau de tabac. Depuis six mois je me promène dans tous les ministères avec ma pétition.
Alphonse DAUDET, Lettres de mon moulin, « Le portefeuille de Bixtou ».

♦ **5.** (Du sens anc. «méchant, scélérat»). Spécialt.

Adj. Coupable. *Les dérèglements* (cit. 7) *où Henri VIII tomba par ses malheureuses amours. Malheureuse incrédulité* (cit. 2, Bossuet).

N. Personne que l'on méprise et que l'on plaint. ⇒ **Misérable** (→ Fureur, cit. 36 ; gredin, cit. 2). *Un malheureux, un fainéant* (cit. 2) *qui n'aime qu'à boire.*

33   La présidente Boirouge (...) fulmina des censures horribles contre une femme capable de publier une pareille infamie. — La malheureuse commet tout ce qu'elle a écrit ! disait-elle. Peut-être finira-t-elle comme son héroïne (...)
BALZAC, la Muse du département, Pl., t. IV, p. 148.

Exclam. **MALHEUREUX !,** exprime la colère, l'indignation contre quelqu'un. *Malheureux ! qu'avez-vous fait ? Malheureux que vous êtes !*

34   Malheureuse, quel nom est sorti de ta bouche ?
RACINE, Phèdre, I, 3.

Par ext. Fou, imprudent, insensé. *Veux-tu laisser ce couteau, petit malheureux !*

35   — Mais, malheureuse, tu ne sais pas qu'il y a le loup dans la montagne (...) Que feras-tu quand il viendra ?
Alphonse DAUDET, Lettres de mon moulin, « La chèvre de M. Seguin ».

36   — J'ai pensé à me jeter à la mer.
— Malheureuse ! ne fais jamais ça !
M. PAGNOL, Fanny, p. 98.

CONTR. Bienheureux, brillant, fortuné, heureux, riche. — **Faste.** — **Agréable, avantageux.** — **Chanceux, veinard** (fam.), **sûr** (main), **réussi, partagé** (amour). — **Considérable, important.**
DÉR. Malheureusement.

MALHONNÊTE [malɔnɛt] adj. — 1406 «délabré» ; de *mal,* adv., et *honnête.*

♦ **1.** (V. 1462). Vx. Qui manque à la décence, à la pudeur. *Une malhonnête femme* (vieilli). — Contraire à la pudeur. ⇒ **Déshonnête, inconvenant, indécent, laid, malpropre, vilain.** *Paroles, désirs malhonnêtes.*

1   Apprenez, lui dit la belle dame chez laquelle il soupait, que celles qu'on appelle quelquefois de malhonnêtes femmes ont presque toujours le mérite d'un très honnête homme (...)
VOLTAIRE, Vision de Babouc.

Aucun désir malhonnête ne lui venait de cette croupe en l'air, de ces mollets tendus, de cette femme à quatre pattes, suante, odorante ainsi qu'une bête en folie. Il songeait simplement qu'avec des membres pareils, on en abattait, de la besogne.
ZOLA, la Terre, II, III.

♦ **2.** (1674). Vx. Qui manque à la civilité, à la politesse, aux convenances. ⇒ **Grossier, impoli, incivil, incorrect, malappris.** *Une personne, un homme malhonnête, de mauvaise compagnie*. « Ce jeune homme est bien malhonnête, de n'aller pas reconduire cette dame »* (Furetière). — Par ext. *Un ton, des manières malhonnêtes. D'une façon* (cit. 26) *malhonnête. Il est fort malhonnête de....* (→ Hoqueter, cit. 1).

3   — Ma patience est poussée à bout, et il *(George Dandin)* vient de me dire cent paroles injurieuses.
— Corbleu ! vous êtes un malhonnête homme.
MOLIÈRE, George Dandin, III, 7.

4   — Par votre foi, est-ce ma personne qui vous a pris le cœur ?
— Oh, je l'ai assez dit. Oui, c'est vous, malhonnête que vous êtes !
MARIVAUX, l'Épreuve, XVIII.

N. Vieilli. *Tais-toi, petit malhonnête !*

♦ **3.** (1680). Mod. Cour. Qui manque à la probité ; qui n'est pas honnête. ⇒ **Déloyal, improbe.** *Un malhonnête homme* (→ Assez, cit. 28, La Bruyère ; éreintage, cit.1). *Un commerçant, un négociant malhonnête.* ⇒ **Canaille, escroc, faisan, fripouille, trafiquant.** *Associé, employé, serviteur malhonnête.* ⇒ **Indélicat, infidèle.** *Financier malhonnête.* ⇒ **Véreux.** *Joueur malhonnête.* ⇒ **Tricheur.** *Il est foncièrement malhonnête.*

5   Pour un client malhonnête, cinq au moins tiendraient leur parole (...)
J. ROMAINS, les Hommes de bonne volonté, t. IV, IV, p. 28.

Par ext. *Action, projet... malhonnête.* ⇒ **Immoral** (→ Criminel, cit. 5).

CONTR. Honnête, convenable, décent. — **Civil, galant.** — **Brave, consciencieux, fidèle, intègre, loyal, probe.**
DÉR. Malhonnêtement, malhonnêteté.

MALHONNÊTEMENT [malɔnɛtmã] adv. — 1665 ; de *malhonnête.*

♦ **1.** D'une manière malhonnête. *Répondre malhonnêtement,* avec impolitesse, incivilité.

♦ **2.** (1690). Sans probité. *Il a agi malhonnêtement avec ses clients, ses associés.*

CONTR. Honnêtement.

MALHONNÊTETÉ [malɔnɛtte] n. f. — 1676 ; de *malhonnête.* Défaut d'honnêteté.

♦ **1.** Vx. ⇒ **Impolitesse, incivilité, incorrection.** *Il est d'une malhonnêteté révoltante.*

(1690). *Une, des malhonnêtetés.* Parole, acte impoli. ⇒ **Grossièreté.**

1   Vous croyez que je suis pareille à ma grande-mère, qui, pourvu qu'on lui baille quelque argent, supporte les malhonnêtetés et les insolences du monde.
G. SAND, la Petite Fadette, XIII.

2   Je m'aperçois que j'ai dit une malhonnêteté en voulant dire quelque chose de spirituel et faire l'agréable.
FLAUBERT, Correspondance, 69, 16 nov. 1842.

♦ **2.** Mod. Caractère d'une personne malhonnête (3.). ⇒ **Déloyauté, improbité, infidélité, malpropreté** (morale) ; **canaillerie, friponnerie.** *La malhonnêteté d'un agent d'affaires, de ses procédés.* — Par ext. *Malhonnêteté intellectuelle :* emploi de procédés malhonnêtes, déloyaux ; mauvaise foi.

(1873). Rare. Acte contraire à l'honnêteté. *Il a commis de petites malhonnêtetés.* ⇒ **Indélicatesse.** *C'est une malhonnêteté inexcusable !* ⇒ **Escroquerie, vol.**

♦ **3.** (1902). Vx. Inconvenance, indécence. *La malhonnêteté d'un couplet.*

CONTR. Honnêteté, décence, pudeur. — **Civilité, conscience, fidélité, honneur, intégrité, loyauté, probité.**

MALI [mali] n. m. — D. incert. ; du lat. *aliquid mali* «quelque chose de mauvais ».

♦ Régional (Belgique). Comm. Déficit.

CONTR. Boni.

MALICE [malis] n. f. — V. 1131 ; du lat. *malitia* «méchanceté ».

♦ **1.** Vieilli ou littér. Aptitude et inclination à faire le mal*, à nuire*, par des voies détournées. ⇒ **Malignité, méchanceté** (→ Langueur, cit. 16). *La malice des hommes* (→ Authentique, cit. 6). *Malice et perfidie humaine* (→ Anonyme, cit. 3). *« La meilleure* (femme) *est toujours en malice féconde »* (→ 1. Engendrer, cit. 4, Molière). *Bassesse* (cit. 11), *fausseté et malice. Méchanceté faite par pure malice.* — Par ext. ⇒ **Astuce, ruse.**

Emplois négatifs. — (V. 1692). *Sans malice :* sans méchanceté, sans détour*, simple* ou même naïf, ingénu (cit. 2). — *Ne pas entendre* malice à quelque chose, n'y rien voir de mal.

(1869 ; ~~sans entendre la malice~~, XVᵉ). *Sans y entendre malice, sans y mettre aucune malice :* sans songer à mal, sans mauvaise intention. — Vx. *Un innocent fourré de malice,* qui cache une mauvaise action, une fourberie, sous un air innocent.

1 (...) la *malice* implique plus évidemment encore que la *malignité* l'emploi de la ruse, des moyens subtils et artificiels.
LAFAYE, Dict. des synonymes, Méchanceté, malice.

2 Tout ce que des enfers la malice étudie
A-t-il rien de si noir que cette perfidie ?   MOLIÈRE, Don Garcie, IV, 8.

3 (...) comme je suis sans malice, vous auriez le plus grand tort du monde, si vous me trompiez (...)   MOLIÈRE, l'École des femmes, III, 4.

4 On est d'ordinaire plus médisant par vanité que par malice.
LA ROCHEFOUCAULD, Maximes, 483.

5 Elle pèche sans malice, disais-je en moi-même ; elle est légère et imprudente, mais elle est droite et sincère.   Abbé PRÉVOST, Manon Lescaut, p. 166.

6 Alors, tout naïvement, sans y entendre malice (...) l'abbé me commença une historiette légèrement sceptique et irrévérencieuse (...)
Alphonse DAUDET, Lettres de mon moulin, « Élixir du R. P. Gaucher ».

7 (...) le doigt mis sur les ridicules à la mode (...) de l'esprit, de l'entrain, beaucoup de gaîté dans beaucoup de méchanceté, — ou de malice, si vous préférez un mot moins fort.   Paul LÉAUTAUD, le Théâtre de M. Boissard, XVII.

Une malice : une ruse*, un méchant tour*. *Malice noire* (→ Chatière, cit.), *féroce* (→ Glisser, cit. 49). *Malice cousue de fil* (cit. 7) *blanc. La malice est un peu grosse* (⇒ **Ficelle**). *Malices couvertes de bonhomie* (→ Damner, cit. 7).

8 Aux malices du sort enfin dérobez-vous.   RACINE, Esther, III, 1.

9 (...) au moment de monter en voiture, la prétendue malade, par une malice infernale, prétexta à son tour, et peut-être pour se venger de mon absence, un redoublement de douleurs (...)   LACLOS, les Liaisons dangereuses, XL.

♦ **2.** (1667). Mod. Tournure d'esprit rusée et plaisante de celui qui prend plaisir à s'amuser aux dépens d'autrui. *Malice finaude* (cit. 1) *des Normands. Une agilité* (cit. 2) *et une malice toutes simiesques. Un peu, un grain* (cit. 29) *de malice. Une pointe de malice et de moquerie* (→ Commissure, cit. 1). *Réponse pleine de malice.* ⇒ **Esprit, raillerie.** *Des yeux pétillants de malice* (→ In petto, cit. 2). *Éclair* (cit. 14) *de malice dans le regard.*

10 Voltaire rajeunir pour s'égayer à ses dépens ; en vers, en prose, sa malice fut plus légère, plus piquante, plus féconde en idées originales et plaisantes qu'elle n'avait jamais été. Une saillie n'attendait pas l'autre. Le public ne cessait de rire aux dépens du triste Lefranc *(de Pompignan).*   MARMONTEL, Mémoires, VII.

10.1 Il lui arrivait bien, parfois, de s'égayer aux dépens de ses petits pensionnaires et de leur tirer la queue, mais c'était malice et non méchanceté, car ces petites queues tortillées l'amusaient comme un jouet, et son instinct était celui d'un enfant.
J. VERNE, l'Île mystérieuse, t. I, p. 416-417.

11 Puis il dit après un long silence, et non pas sans une malice secrète qui fit un instant briller ses yeux (...)   BERNANOS, Sous le soleil de Satan, I, I.

♦ **3.** Parole, action pleine de malice. *Dire des malices.* ⇒ **Blague, facétie, plaisanterie.** *Innocentes* (cit. 16) *malices. Elle faisait des malices aux garçons.* ⇒ **Diablerie, espièglerie, farce, misère, mistoufle, taquinerie, tour** (→ Becqueter, cit. 3). *La belle malice ! Cette malice !,* exclamations ironiques à propos de qqn qui croit avoir été malin. — *Boîte à malice, à malices,* à attrape*. *Sac à malice :* sac des prestidigitateurs. — Par ext. Ensemble des ressources, des tours dont qqn dispose.

12 (...) j'ai pensé que peut-être, ç'avait été de votre part une malice de produire cet effet sur l'auditeur, à peu près comme l'Arioste quand il déconcerte le lecteur en rompant mille fois son fil.   SAINTE-BEUVE, Correspondance, 34, 13 févr. 1827.

CONTR. Bénignité, bonté, candeur, innocence. — Naïveté, niaiserie, simplicité.
DÉR. (Du même rad.) **Malicieux.**

MALICIEUSEMENT [malisjøzmã] adv. — V. 1190, *maliciousement ; de malicieux.*

♦ **1.** Vx. Avec malice, méchanceté ⇒ **Méchamment** (→ Lâche, cit. 2). *Agir malicieusement, pour nuire à qqn.*

1 Je demande si malicieusement tu n'irais point faire courir le bruit que j'en ai *(de l'argent caché).*   MOLIÈRE, l'Avare, I, 3.

♦ **2.** Mod. D'une manière malicieuse, en s'amusant aux dépens d'autrui. *Faire qqch. malicieusement* (→ Sans avoir l'air d'y toucher*). *Interroger* (cit. 6) *malicieusement qqn. Regarder, sourire malicieusement.*

2 (...) depuis longtemps je dessinais mes nus d'après Marthe. Je ne sais pas si mon père le devinait ; du moins s'étonnait-il malicieusement (...) de la monotonie des modèles.   R. RADIGUET, le Diable au corps, p. 120.

CONTR. Bonnement, candidement.

MALICIEUX, EUSE [malisjø, øz] adj. — Fin XIIᵉ, *malicios ; lat. malitiosus* « méchant », *de malitia* → Malice.
Qui a de la malice.

♦ **1.** Vx. ⇒ **Mauvais, méchant.** *Un homme malicieux.* — Par ext. Qui emploie de méchantes ruses. ⇒ **Astucieux, roué, rusé.**

1 Ouais ! Serait-elle bien si malicieuse que de s'être tuée pour me faire pendre ? (...) La méchanceté d'une femme irait-elle bien jusque-là ?
MOLIÈRE, George Dandin, III, 6.

2 (...) on prétend que vous êtes un ignorant ; cela ne me fait rien ; mais on ajoute que vous êtes malicieux, et cela me fâche, car je suis bon homme.
VOLTAIRE, l'Écossaise, I, 1.

Par ext. Vx. (Choses). Où il y a de la malice, qui exprime la malice. *Les malicieuses subtilités de vos équivoques* (cit. 17).

3 *(Je)...* crois qu'il y a quelque art à distinguer les visages débonnaires des niais, les sévères des rudes, les malicieux des chagrins (...) et telles autres qualités voisines.
MONTAIGNE, Essais, III, XII.

4 (...) arrêter le progrès d'une procédure malicieuse.
BOSSUET, Oraison funèbre de Le Tellier.

♦ **2.** (1690). Mod. Qui s'amuse, rit volontiers aux dépens d'autrui. ⇒ **Coquin, espiègle, farceur, futé, malin, railleur, spirituel, taquin.** *Le farfadet* (cit. 1), *lutin malicieux. Avoir un esprit vif et malicieux* (→ Avoir de l'esprit comme un démon*). — Par ext. *Œil, regard* (→ Lueur, cit. 8), *rire, sourire malicieux.* ⇒ **Coquin, narquois.** *Réflexion, réponse malicieuse.* ⇒ **Piquant.** *Malicieuse légende* (→ Égayer, cit. 9).

5 J'aimais surtout ses jolis yeux,
Plus clairs que l'étoile des cieux,
J'aimais ses yeux malicieux.
VERLAINE, Romances sans paroles, « Aquarelles, Streets », I.

CONTR. Bénin, bon, candide. — Naïf, niais, nigaud.
DÉR. **Malicieusement.**

MALIEN, ENNE [maljɛ̃, ɛn] adj. — V. 1960 ; de *Mali.*

♦ Du Mali, république d'Afrique occidentale.

N. Habitant du Mali ; personne qui y est née. *Un Malien, une Malienne. Les Maliens.*

MALIGNEMENT [maliɲmã] adv. — Déb. XVIᵉ ; de *malin, maligne.*

♦ **1.** Vx. Avec malignité, méchanceté.

♦ **2.** (1727 ; « avec ruse », av. 1679). Mod. Avec malice, astuce. ⇒ **Malicieusement.** *Sourire malignement* (→ Faute, cit. 18).

L'on s'attend au passage réciproquement dans une promenade publique (...) rien n'échappe aux yeux, tout est curieusement ou malignement observé (...)
LA BRUYÈRE, les Caractères, VII, I.

CONTR. Bénignement.

MALIGNITÉ [maliɲite] n. f. — V. 1120, *malignitet ; lat. malignitas.* → Malin.

♦ **1.** Vieilli ou littér. Caractère d'une personne qui cherche à nuire à autrui de façon dissimulée et souvent mesquine. ⇒ **Bassesse, haine, malice, malveillance, méchanceté, perfidie, perversité.** « *Le masque de l'hypocrisie* (cit. 3) *cache la malignité ». La malignité de notre nature* (→ Imiter, cit. 10). *Cœur cruel et plein de malignité* (→ 2. Charme, cit. 19). *Le noir venin* * *de sa malignité* (→ Humble, cit. 23). *Médisance, calomnie, rapport, dénonciation... faits par malignité. Malignité d'un critique.* ⇒ **Causticité.** *Être l'objet, la proie de la malignité publique.*

1 Cherche-t-il seulement le plaisir de leur nuire ?
Ou plutôt n'est-ce point que sa malignité
Punit sur eux l'appui que je lui ai prêté ?   RACINE, Britannicus, II, 1.

2 (...) il y a en nous une certaine malignité (...) qui a répandu dans nos cœurs le principe de tous les vices.
BOSSUET, Second Sermon pour le IVᵉ dim. de Carême, « Sur l'ambition », I.

3 La méchanceté suppose un goût à faire du mal ; la *malignité* une méchanceté cachée.   VAUVENARGUES, De l'esprit humain, LXV.

4 Je donne assez de prise à la malignité des hommes par mes récits sans lui en donner encore par mon silence.   ROUSSEAU, les Confessions, II.

5 La médisance est le soulagement de la malignité.
Joseph JOUBERT, Pensées, VIII, LXXXIV.

6 Madeleine (...) me faisait rire par des observations étonnantes et pleines d'un esprit moqueur sans malignité, mais qui n'épargnait personne.
BALZAC, le Lys dans la vallée, Pl., t. VIII, p. 847.

Par ext. *Malignité du sort.*

7 (...) tu dois te défier de ton étoile, dont tu n'as que trop souvent éprouvé la malignité.   A. R. LESAGE, Gil Blas, VII, XV.

8 (...) j'ignorais encore avec quelle malignité les événements dérobent à nos yeux le côté par où ils nous intéresseraient davantage (...)   GIDE, Isabelle, I.

Psychiatrie. Perversion qui consiste en une « disposition active à faire le mal intentionnellement en faisant appel aux ressources de l'intelligence et de l'imagination » (Porot). *Malignité infantile, sénile, conjugale. Malignité acquise, due à une encéphalopathie, à une viciation du développement affectif. Malignité périodique de certains mélancoliques.* — Action motivée par cette perversion. « *Dupré a remarquablement profilé le type de certains "arrivistes" capables des pires malignités* » (Porot).

♦ **2.** (V. 1190). Vx. Propriété malfaisante, nuisible, qu'une chose recèle. ⇒ **Nocivité.** *Malignité des exhalaisons* (cit. 2).

9 Est-ce qu'une vapeur, par sa malignité,
Amphitryon, à dans votre âme
Du retour d'hier au soir brouillé la vérité ?   MOLIÈRE, Amphitryon, II, 2.

Méd. Mod. Tendance qu'a une maladie (surtout, un cancer) à s'aggraver, à évoluer vers l'issue fatale. *Malignité d'une tumeur* (→ Tumeur maligne*).

♦ **3.** (Av. 1662). Rare. Caractère de celui qui est malin. ⇒ **Malice** (2.), **malin** (3.).

10   (...) étourdi, badin, malin, mais d'une malignité gaie.
                                                    ROUSSEAU, les Confessions, VI.

11   (...) cet âne, un gros âne, vigoureux, de couleur rousse, la grande croix grise sur l'échine, était un animal farceur, plein de malignité : il soulevait très bien les loquets avec sa bouche, il entrait chercher du pain dans la cuisine (...)
                                                    ZOLA, la Terre, II, III.

CONTR. Bénignité, bonté.

MALIN, MALIGNE [malɛ̃, maliɲ] adj. et n. — V. 1460 ; *maligne* pour les deux genres, v. 1120 ; *maline*, vx ou dial. ; *lat. malignus* « méchant ».

♦ **1.** Qui a de la malignité, qui se plaît à faire du mal, à nuire à autrui. — Vx. (En parlant des personnes). ⇒ **Mauvais, méchant.** *Un critique malin qui flétrit* (2. Flétrir, cit. 5) *la vertu.*

Mod. Littér. *Les esprits* malins :* les démons* (→ Homme, cit. 60 ; infestation, cit.). *Être possédé d'un esprit malin* (→ Exorciste, cit. 1). — Spécialt. *L'esprit malin,* ou, n. m., *le malin :* le démon, Satan. ⇒ **Démon** (→ Le mauvais*). *Les traits enflammés du malin* (→ Bouclier, cit. 6).

1   (...) ne nous induis pas en tentation, mais délivre-nous du malin.
                                                    BIBLE (SEGOND), Évangile selon saint Matthieu, VI, 13.

2   — *Jésus, Maria,* s'écriait une vieille femme, qui aurait jamais cru que le malin esprit eût choisi notre bonne ville pour demeure ! — Et que les bonnes ursulines eussent été possédées ! disait l'autre.   A. DE VIGNY, Cinq-Mars, II.

3   Décidément le diable me guettait (...) C'est alors que survint l'angélique intervention que je vais dire, pour me disputer au malin.
                                                    GIDE, Si le grain ne meurt, I, IV, p. 122.

(V. 1536). Par ext. Littér. *Maligne interprétation.* ⇒ **Malveillant** (→ Intentionné, cit. 1). *Un malin vouloir.* — Cour. *De malins propos.* ⇒ **Satirique.** *Éprouver un malin plaisir, une joie maligne* (cf. Rire sous cape, rire dans sa barbe) *à importuner, à faire souffrir quelqu'un.*

4   (...) ce doucet est un chat.
     Qui, sous son minois hypocrite,
     Contre toute ta parenté
     D'un malin vouloir est porté.   LA FONTAINE, Fables, VI, 5.

5   On dirait que cet homme se fait un malin plaisir de m'estropier de toutes les manières possibles.   BEAUMARCHAIS, le Barbier de Séville, II, 14.

♦ **2.** (1552). Vx. (Choses). Qui a un effet néfaste, dangereux. ⇒ **Mauvais, nocif, pernicieux.** *Vapeurs malignes. Influences malignes d'un mauvais principe* (→ Extraordinaire, cit. 8). *L'influence* (cit. 2) *maligne ou bienfaisante de son étoile.* ⇒ **Maléfique.** — Par métaphore. *Sève maligne et corrompue* (→ Écorce, cit. 9).

6   Quel sort malin, quel astre me fit être
     Jeune et si fol, et de malheur si plein ?
                                                    RONSARD, Premier livre des Amours, « Amours de Cassandre », LVI.

7   (...) les tentations de la chair sont pernicieuses et malignes.
                                                    HUGO, Notre-Dame de Paris, II, XI, I.

(1539). Mod. « Se dit d'une maladie qui présente un caractère grave et insidieux, ou d'une tumeur susceptible de se généraliser et d'amener la mort du malade » (Garnier). *Fièvre*, tumeur* maligne* (opposé à *bénin*). ⇒ **Cancer.**

8   (...) il en est de même de la petite vérole. Lorsqu'elle est accompagnée d'une fièvre maligne (...) la saignée est indispensable (...)
                                                    VOLTAIRE, Correspondance, 56, janv. 1724.

9   Il fallait pressentir que cette maladie tournerait mal. Une espèce de typhoïde maligne... contre laquelle tout ce que je tentais venait buter, les bains, le sérum... le régime sec... les vaccins... Rien n'y faisait.
                                                    CÉLINE, Voyage au bout de la nuit, p. 253.

Psychiatrie. Où se manifeste de la malignité*. *Forme maligne de mythomanie.*

♦ **3.** (1669). Courant. **a** Qui a de la ruse et de la finesse, qualités qui permettent de se divertir aux dépens d'autrui, de se tirer d'embarras, de s'imposer, de réussir... ⇒ **Astucieux, combinard, débrouillard, dégourdi, déluré, fin, finaud, futé, habile, malicieux, roublard, rusé...** (→ fam. Démerdard, mariol, marle...). *Être malin* (cf. Avoir le nez fin ou creux, être une fine mouche, s'y connaître, s'y entendre...). *Malin comme un singe*, comme une fouine*. Enfant malin et espiègle*. « Le Français* (cit. 8) *né malin »* (Boileau). *Les Français sont malins* (→ Chansonnier, cit., Voltaire). *Il est trop malin pour se laisser prendre à ce piège. Jouer au plus malin.*

b Intelligent*. *Bien malin qui trouvera ! Vous vous croyez malin ! Elle n'est pas bien maligne* (cf. Ne pas avoir inventé la poudre). — REM. On trouve aussi en ce sens dans la langue familière le fém. *maline* [malin], forme pop. du xve s.

10   J'étais malin et je disais des bons mots qui m'ont valu force coups de poing (...)
                                                    STENDHAL, Vie de Henry Brulard, 29.

11   Madame, pour avoir de beaux chevaux, il faut être ou très malin ou très malin.
                                                    FRANCE, le Lys rouge, III.

N. *C'est un malin, une petite maligne. Un vieux roublard*, un vieux malin* (→ Blaguer, cit. 2 ; guigner, cit. 3). — Prov. *À malin, malin et demi :* on trouve toujours plus malin que soi (se dit d'un malin qui est lui-même dupé). — Par antiphr. *Regardez ce gros malin qui s'est fait prendre !* ⇒ **Lourdaud, nigaud.** — (1854). *Faire* (cit. 164) *le malin et l'entendu* (cit. 99). Cf. Faire le faraud, le

mariol : vouloir faire de l'esprit... *On veut faire le malin et on fait des bêtises* (→ Fourrer, cit. 18).

12   (...) vous avez une si grande habitude du commerce que vous savez raisonner vos entreprises, vous êtes un malin.   BALZAC, César Birotteau, Pl., t. V, p. 427.

13   Ce gaillard-là, toutefois (...) ne vivait pas de l'air du temps. Oh ! c'était un malin, il savait s'arranger (...)   ZOLA, l'Assommoir, VIII.

14   Il a toujours su s'y prendre. Il a toujours été précoce. Il a toujours été le roi des malins.   Ch. PÉGUY, Victor-Marie, comte Hugo, p. 142.

15   Il fait le malin. Il s'imagine peut-être qu'on ne sait pas où il a été !
                                                    ALAIN-FOURNIER, le Grand Meaulnes, I, VI.

(1761). Par ext. *Un regard, un sourire malin.* ⇒ **Entendu, railleur.** *Coquetterie maligne et railleuse* (→ Désorienter, cit. 3).

♦ **4.** (1808). Fam. Impers. ⇒ **Fin, intelligent.** *Il serait plus malin d'attendre sa réponse. Ce n'est pas malin d'avoir fait cela !* ⇒ **Fort.** *Ce n'est pas malin de ta part !* — Par antiphr. *C'est malin ! Tu peux être fier de toi !* ⇒ **Spirituel.**

16   Évidemment, c'était pas malin non plus de ma part de l'avoir enfermée dans cette boîte avec nous (...)   CÉLINE, Voyage au bout de la nuit, p. 440.

(1873, P. Larousse). Par ext. Qui demande de la finesse, de l'intelligence, de l'adresse... (seulement en tournure négative). *Un enfant saurait le faire, ce n'est pas bien malin.* ⇒ **Compliqué, difficile ; sorcier.** *Ce n'est pas plus malin que ça !*

17   Mélodiquement, ce n'était pas bien malin ce qu'ils faisaient là : l'homme jouait et elle chantait à l'unisson une mélodie assez simplette (...)
                                                    ARAGON, les Beaux Quartiers, I, XVIII.

CONTR. Bénin, bon, innocent. — **Benêt, dupe, jobard, nigaud.**
DÉR. Malignement.

MALINE [malin] n. f. — xvie ; esp. *malina,* bas lat. *malina,* de *malus* « mauvais ».

♦ Mar. Vx. Grande marée* des syzygies. *Grandes malines :* marées d'équinoxe.

MALINES [malin] n. f. — 1752 ; de *Malines,* ville de Belgique d'où est originaire cette dentelle.

♦ Dentelle très fine à fleurs brodées d'un fil plat. *Pochette, blouse de malines.*

(...) considérez donc cette rosace merveilleuse que fait une rondelle de l'aubier du sapin examinée au microscope ! comparez-moi la plus belle malines à cela !
                                                    HUGO, les Misérables, V, I, XVI.

HOM. Maline ; fém. de **malin.**

MALINGRE [malɛ̃gʀ] adj. et n. — 1598 ; *malingros,* 1225 ; p.-ê. anc. franç. *mingre* « chétif », *haingre* « faible, décharné », avec infl. de *mal, malade* ou *encore* (P. Guiraud) croisement de *malignus* et du dér. lat. **linicus* « mince » (**malignicus* ?).

♦ **1.** Qui est d'une constitution faible et d'une santé fragile (ou qui semble tel). ⇒ **Chétif, débile, délicat, faible, fragile, frêle, maladif, souffreteux.** *Enfant malingre. Elle était maigre, mais pas du tout malingre.* — REM. La paronymie de *maigre* et *malingre* fait que ce mot est senti comme apparenté.

1   Elle était de cette espèce malingre qui reste longtemps en retard, puis pousse vite et tout à coup. C'est l'indigence qui fait ces tristes plantes humaines.
                                                    HUGO, les Misérables, III, VIII, VI.

2   Saint-Simon était un petit homme, malingre, d'apparence chétive, de mine tirée, lèvres minces, nez retroussé et pointu, nerveux et bilieux à l'excès ; de tempérament ferme encore, mais de race appauvrie déjà et déclinante.
                                                    Émile FAGUET, Études littéraires, XVIIe siècle, Saint-Simon, III.

(En parlant d'animaux).

3   (...) les bêtes défectueuses, malingres ou médiocres furent promptement vendues et remplacées par de beaux sujets.
                                                    BALZAC, le Médecin de campagne, Pl., t. VIII, p. 354.

4   Toute femelle, dans ses portées, rejette les sujets malingres, mal venus, mal conformés.   Paul LÉAUTAUD, Propos d'un jour, p. 82.

N. *Un, une malingre* (rare). *À Sparte on supprimait les malingres* (→ Chétif, cit. 3).

5   Vie de malingre, vie insupportable, mort continuelle avec des moments de résurrection (...)   VOLTAIRE, Lettre à d'Alembert, 283, 27 juil. 1770.

♦ **2.** Fig. Rare. *Des ambitions malingres* (→ Banlieue, cit. 2).

CONTR. Fort, robuste, costaud.
DÉR. Malingreux.

MALINGREUX, EUSE [malɛ̃gʀø, øz] adj. et n. — 1628, *malingros ;* de *malingre.*

♦ Vx ou archaïsme. Personne à l'apparence malingre (cf. Hugo, *Notre-Dame de Paris,* I, 2.).

Hiver est un sot malingreux
Un ventre vide, un songe-creux
Qui sans cesse geint et grelotte
                                                    Gabriel VICAIRE, les Quatre Saisons, « Hiver ».

MALINKÉ [malɛke] adj. et n. — 1894 ; mot de cette langue.

♦ *Didact.* Qui a trait aux ethnies africaines de langues mandé. *Les cultures malinké.*

N. Personne qui appartient à l'une de ces ethnies.

Les gens qu'on appelle officiellement les Malinké s'appellent eux-mêmes en haute-Guinée : *mànìnkà* (...) Ce sont les Malinké ou Maninka qui ont fondé l'ancien état du Mali dont les limites ont varié (...)
　　　　Maurice HOUIS, *in* les Langues dans le monde ancien et moderne, t. I, p. 66.

REM. On écrit parfois au pluriel *malinkés.*

N. m. *Le malinké :* l'ensemble des parlers du groupe mandé* (sous-groupe manding), en usage au Sénégal, en Gambie, au Mali, en Guinée, Sierra-Leone, Côte-d'Ivoire et Haute-Volta.

MALINOIS, OISE [malinwa, waz] adj. et n. — 1931 ; de *Malines,* ville de Belgique.

♦ **1.** De Malines.

♦ **2.** N. Chien de berger belge, de robe grise ou fauve marquée de noir.

Il est cependant incontestable que le malinois a plus de vigueur que notre berger allemand, continuait le commandant. Aussi résiste-t-il mieux aux privations, au froid : qualités fort précieuses lorsqu'on est en campagne (...)
　　　　Pierre GASCAR, les Bêtes, p. 162.

MALINTENTIONNÉ, ÉE [malɛ̃tɑ̃sjɔne] adj. — 1649 ; *bien ou mal intentionné,* 1626 ; de 2. *mal,* et *intentionné.*

♦ Qui a de mauvaises intentions, l'intention de nuire. ⇒ **Méchant** (→ Intentionné, cit. 1). *Bruits malveillants que font courir des gens malintentionnés.* — N. « *Les malintentionnés et les dévots font ici courir des bruits préjudiciables* » (Colbert, *in* Hatzfeld).

1　(...) il était à craindre qu'un jour ceux mêmes qui avaient animé le prince contre son père (...) ne tâchassent d'anéantir une renonciation imposée par la force (...) Il était donc important de connaître les malintentionnés ; et le czar menaça encore une fois son fils de mort, s'il lui cachait quelque chose.
　　　　VOLTAIRE, Hist. de Russie, II, X.

2　(...) ces grands esprits *(Condé, Retz),* ces cœurs impétueux et égarés, n'étaient point à l'origine aussi malintentionnés ni aussi livrés à leur sens tout personnel et pervers qu'ils le parurent depuis, quand les passions et les cupidités de chacun furent déchaînées.
　　　　SAINTE-BEUVE, Causeries du lundi, 20 oct. 1851.

CONTR. **Bénévole, bienveillant, intentionné** (bien).

MALIQUE [malik] adj. m. — 1787, «de la pomme» ; dér. sav. du lat. *malum* «pomme».

♦ *Chim. Acide malique :* acide découvert en 1785 par Scheel dans le suc de pommes aigres, et qui existe dans un très grand nombre de végétaux. *Acide malique et acide malonique**

Mais en outre il existe deux isomères *optiques* de l'acide malique, qui possède un carbone asymétrique (...)　　Jacques MONOD, le Hasard et la Nécessité, p. 72.

MALITORNE [malitɔʀn] adj. — 1642, Oudin ; altér. de *Maritorne,* d'après *mal (mal tourné).* → Maritorne.

♦ Vx. Gauche, maladroit. N. *Un malitorne.*

MAL-JUGÉ [malʒyʒe] n. m. — 1680 ; de 2. *mal,* et *juger**

♦ *Dr.* Fait, pour un jugement, de n'être pas conforme à l'équité, au droit naturel, bien qu'il ne contrevienne à aucune disposition de la loi. *Le mal-jugé d'une sentence.*

(...) l'injustice flagrante d'une sentence qui ne contrevient à aucune disposition de loi constitue un simple *mal-jugé* ne tombant pas sous la censure de la Cour de cassation.　　DALLOZ, Nouveau répertoire, Cassation, 91.

CONTR. **Bien-jugé.**

MALLARMÉEN, ENNE [malaʀmeɛ̃, ɛn] adj. — 1885, *in* D.D.L. ; de *Mallarmé* (1842-1898).

♦ Relatif à Mallarmé, à sa poésie (le plus souvent avec une connotation d'exigence, de caractère ésotérique, etc.).

MALLARMÉISME [malaʀmeism] ou **MALLARMISME** [malaʀmism] adj. — 1909, *mallarmisme ;* déjà *mallarmiste,* 1887, Verhaeren ; de *Mallarmé.*

♦ *Didact.* Poésie mallarméenne.

Que toute opération de liberté peut être littéraire ! Vais-je avoir à prendre congé du romantisme, du symbolisme, du mallarméisme !
　　　　GIRAUDOUX, les Aventures de Jérôme Bardini, p. 45.

MALLE [mal] n. f. — Fin IXᵉ, *male ;* francique **malha.* Cf. anc. haut all. *malaha, malha* «sacoche».

★ **I.** ♦ **1.** Coffre destiné à contenir les effets qu'on emporte en voyage. ⇒ **Bagage, cantine, chapelière, coffre, colis, marmotte, valise.** *Malle de bois, de cuir, d'osier... Malle à soufflet. Malle-*

cabine, utilisée pour les voyages en bateau. *Malle cerclée, cordelée, cordée. Fût, couvercle* (→ Convexe, cit.), *serrure, cadenas d'une malle. Vieilles malles* (→ Effondrer, cit. 12 ; grenier, cit. 10 et 11). *Faire sa malle, ses malles,* y ranger les objets que l'on doit emporter (→ ci-dessous, loc. fig.). *Fermer, boucler sa malle. Défaire ses malles* (→ Camp, cit. 8). *Chercher, fouiller dans une malle* (→ Frusque, cit. 1).

Le baron sonna, donna l'ordre à Mariette de rassembler tous ses effets, de les mettre secrètement et promptement dans des malles.　　　1
　　　　BALZAC, la Cousine Bette, Pl., t. VI, p. 431.

La postérité, de plus en plus, me paraît ressembler à un voyageur pressé qui fait sa malle, et qui ne peut y faire entrer qu'un petit nombre de volumes choisis.　　2
　　　　SAINTE-BEUVE, Causeries du lundi, 15 sept. 1851.

Nous venions d'arriver. Pendant que maman et Marie s'occupaient à défaire les malles, j'échappai.　　GIDE, Si le grain ne meurt, I, IV, p. 117.　　3

Fig. *Faire sa malle :* se préparer à partir. ⇒ **Valise ;** → Huit, cit. 2.

Chez nous, après ça, la situation d'un souverain serait devenue impossible. Il n'aurait plus eu qu'à faire un coup d'État, ou qu'à faire ses malles.　　4
　　　　J. ROMAINS, les Hommes de bonne volonté, t. IV, IX, p. 89.

Fam. *Se faire la malle :* partir.

Elle était là, dans mon bureau, secouée, plaquée, accrochée à son sac, en déluge, parce que son mari s'était fait la malle, en la laissant avec ses trois enfants.　　4.1
　　　　Geneviève DORMANN, le Bateau du courrier, p. 24.

(Sujet n. de chose). S'en aller, s'envoler.

De gros morceaux de granit posés sur les ardoises de la toiture les empêchaient de se faire la malle par grand vent.　　4.2
　　　　J.-P. MANCHETTE, Trois hommes à abattre, p. 108.

♦ **2.** Vieilli. Coffre à bagages d'une voiture. *Mets les paquets dans la malle.* — Loc. mod. *La malle arrière.*

★ **II.** ♦ **1.** *Malle-poste* (1793) ou *malle.* Ancienn. Voiture des services postaux, destinée au transport des malles renfermant le courrier, et pouvant recevoir quelques voyageurs (→ Comme, cit. 57). *Courrier de la malle :* employé chargé d'accompagner les lettres et de les distribuer aux divers bureaux.

Le service des postes d'Arras à M.-sur-M. se faisait encore, à cette époque, par de petites malles du temps de l'Empire. Ces malles étaient des cabriolets à deux roues, tapissés de cuir fauve au dedans, suspendus sur des ressorts à pompe, et n'ayant que deux places, l'une pour le courrier, l'autre pour le voyageur.　　5
　　　　HUGO, les Misérables, I, VII, V.

Derrière elle, dans un nuage de poussière et emportée par la descente, une malle-poste au grand galop se précipitait comme une trombe.　　6
　　　　FLAUBERT, Trois contes, « Un cœur simple », IV.

♦ **2.** (1867 ; d'après l'angl. *mail*). Hist. *Malle de l'Inde, des Indes :* service, par chemins de fer et bateaux, assurant le courrier de Londres aux Indes, par Calais et Marseille. — Mod. Service maritime entre Calais et Douvres. *La malle arrive au port.*

DÉR. **Malletier, mallette.**

MALLÉABILISATION [maleabilizasjɔ̃] n. f. — 1801 ; de *malléabiliser.*

♦ *Techn.* Opération par laquelle on rend un métal, un alliage plus malléable (recuit avec un long refroidissement).

MALLÉABILISER [maleabilize] v. tr. — 1801 ; de *malléable.*

♦ *Techn.* Rendre plus malléable. *Malléabiliser des fontes blanches.*

DÉR. **Malléabilisation.**

MALLÉABILITÉ [maleabilite] n. f. — 1676 ; de *malléable.*

♦ **1.** Propriété de ce qui est malléable. *Degré de malléabilité des métaux usuels* (dans l'ordre : or, argent, aluminium, cuivre, étain, platine, zinc, fer, nickel).

La *ductilité* consiste dans la propriété que possède un métal de se laisser tirer en fils plus ou moins fins ; la *malléabilité* dans celle de se laisser réduire en marteau en lames plus ou moins minces ; mais l'une de ces propriétés n'est pas toujours une conséquence de l'autre (...)
　　　　FLOURENS, Dict. universel d'hist. naturelle, art. *Métaux.*

♦ **2.** (1867). Docilité. *Malléabilité d'un caractère, d'un esprit.*

MALLÉABLE [maleabl] adj. — XIVᵉ ; du lat. *malleare* «marteler», représenté seulement par le p. p. *malleatus,* de *malleus* «marteau».

♦ **1.** Qui a la propriété de s'aplatir et de s'étendre sous le marteau (ou par l'action du laminoir*) en lames ou en feuilles plus ou moins minces. ⇒ **Ductile, extensible** (vx), **liant.** *L'or est le plus malléable des métaux. Rendre un métal malléable par martelage, par laminage.* — Par ext. *Malléable à chaud.* ⇒ **Plastique.**

♦ **2.** (1829). Fig. Qui se laisse manier, façonner, influencer. ⇒ **Docile, doux, élastique, facile, flexible, gouvernable, maniable, obéissant, pliable, souple.** *Âme* (→ Empreinte, cit. 9), *caractère, esprit* (→ Gaufrier, cit. 1), *homme* (→ Assimilable, cit. 3), *nature malléable. Influences* (cit. 18) *qui marquent sur un enfant malléable.*

Mais pour rendre ductile une femme si peu malléable, ce poignet de fer dont parlait de Marsay à Paul était nécessaire.

    BALZAC, le Contrat de mariage, Pl., t. III, p. 105.

CONTR. Cassant.
DÉR. Malléabilité.

MALLÉAL, ALE, AUX [maleal, o] ou MALLÉAIRE
[maleɛR] adj. — 1840, Académie, *Compl.*; dér. sav. du lat. *malleus* « marteau ».

♦ Anat. Du marteau de l'oreille. *Les muscles malléaires.*

MALLÉER [malee] v. tr. — 1774; du lat. *malleus*. → Malléable.

♦ Techn. Battre et étendre (un métal) au marteau.

MALLÉINE [malein] n. f. — 1931, *Larousse du xxᵉ siècle*; du lat. *malleus* « morve », et *-ine*.

♦ Didact. (vétér.) Substance extraite de cultures de bacilles de la morve*.

DÉR. Malléiner.

MALLÉINER [maleine] v. tr. — 1931; de *malléine*.

♦ Injecter de la malléine à (un cheval) pour établir le diagnostic de la morve (opération de la *malléinisation*).

MALLÉOLAIRE [maleɔlɛR] adj. — 1814, Nysten, *in* D.D.L.; de *malléole*.

♦ Anat. Qui se rapporte aux malléoles. *Artères, ligaments malléolaires.*

MALLÉOLE [maleɔl] n. f. — 1546; lat. *malleolus*, dimin. de *malleus* « marteau ».

♦ Anat. Saillie osseuse de la cheville. *Malléole externe* ou *péronière* : éminence du péroné; *malléole interne* ou *tibiale*, du tibia.

DÉR. Malléolaire.

MALLE-POSTE [malpɔst] n. f. ⇒ Malle.

MALLETIER [maltje] n. m. — 1379; de *malle*.

♦ Techn. Ouvrier fabriquant des malles. — Commerçant qui vend des malles, des valises.

MALLETTE [malɛt] n. f. — xvᵉ; « petit coffre », v. 1330; de *malle*.

♦ **1.** Petite valise, généralement rectangulaire, contenant souvent un nécessaire de voyage ou de travail. ⇒ **Attaché-case** (→ Enraciner, cit. 7); **porte-documents, serviette.** *Mallette d'un représentant de commerce.*

(...) en français (...) le dérivé tend à s'isoler du mot simple, à se spécialiser (...) Le phénomène est surtout frappant pour les diminutifs (...) depuis quelques années, « mallette » n'est plus une petite malle, mais un type spécial de valise (l'espagnol, pour ce mot, nous a précédés dans cette évolution).

    A. DAUZAT, Études de linguistique française, p. 32 (1945).

♦ **2.** Belgique. Cartable d'écolier.

MAL-LOGÉ, ÉE [mallɔʒe] n. — 1965; de *mal*, et *loger*.

♦ Personne dont le logement est trop petit ou manque de confort. (Surtout au plur.). *Les mal-logés.* « La "cité de transit" destinée à héberger "provisoirement" les mal-logés particulièrement démunis » (*le Monde*, 12 juin 1969).

MALM [malm] n. m. — 1899, Berthelot; 1856-1858, en all., Albert Opel, *in* É. Haug; de l'angl. *malm* « roche crayeuse », du gotique *malma* « sable ».

♦ Didact. (géol.). Division de l'ère secondaire (*mésozoïque*) correspondant au jurassique supérieur. *Étages du Malm : Portlandien* (ou *Tithonique*), *Kimeridgien, Oxfordien* et *Callovien.* ⇒ **Jurassique.**

MALMENAGE [malmənaʒ] n. m. — 1972; de *malmener*.

♦ Rare. Fatigue excessive due à des rythmes de travail mal adaptés. *Le malmenage des écoliers. Malmenage et surmenage.*

MALMENER [malməne] v. tr. — V. 1130; de 2. *mal*, et *mener*.

♦ **1.** Traiter rudement, sans ménagement. ⇒ **Maltraiter; brutaliser...** *Le voleur fut sérieusement malmené par la foule.* ⇒ **Battre;**
arranger (fam.)..., **parti** (faire un mauvais). *Malmener son chien. Le bateau fut malmené par la tempête.*

♦ **2.** (Abstrait). Traiter brutalement en paroles. *Cet avocat a malmené son adversaire dans le procès. La critique l'a rudement malmené.* ⇒ **Éreinter, esquinter.** *Être accablé de reproches et malmené par tout le monde.* ⇒ **Houspiller, rudoyer.** — Au p. p. *Humanité malmenée qui s'insurge enfin* (→ Hors-la-loi, cit.).

Ils firent aussi courir une lettre contre lui (...) Mais prenez garde de quelle sorte il y répond dans son livre (...) je déclare hautement et publiquement à ceux qui me menacent que ce sont des imposteurs insignes, et de très habiles et très impudents menteurs (...) En vérité, mes Pères, vous voilà malmenés (...)

    PASCAL, les Provinciales, XV.

Je ne le suis plus lorsque, avec sa manière si comiquement péremptoire, il *(Moréas)* se livre à l'exécution sommaire de grands écrivains... Par exemple, comment ne pas sourire lorsqu'il malmène Victor Hugo?

    Georges LECOMTE, Ma traversée, p. 203.

♦ **3.** Sports. Mettre (l'adversaire) en danger, par une action vive. *L'équipe française a malmené les visiteurs pendant la première mi-temps. Éléments avancés qui se font surprendre et malmener par l'ennemi. Malmené dans les premiers rounds, il semblait vouloir abandonner.*

CONTR. Câliner, flatter, ménager.
DÉR. Malmenage.

MALMIGNATTE [malmiɲat] n. f. — 1878; p.-ê. d'orig. ital., du rad. du lat. *malus* « mal », et p.-ê. de celui de *minacciare* « menacer ».

♦ Régional. Araignée dangereuse, commune en Corse et en Italie.

MAL-NOURRI, IE [malnuRi] adj. ⇒ 2. Mal.

MALNUTRITION [malnytRisjɔ̃] n. f. — 1956; angl. *malnutrition*, 1862; de *mal*, et *nutrition*, même mot que le franç. *nutrition*.

♦ Didact. Mauvaise adaptation des conditions d'alimentation aux besoins d'un individu, d'une population (insuffisance quantitative, carences, etc.). *Mourir de malnutrition. Conséquences de la malnutrition sur le développement des enfants.* ⇒ **Dénutrition.**

L'état de famine aiguë est aujourd'hui rare et dû le plus souvent à des circonstances particulières (Biafra en 1968-1970, Bengale en 1971), mais dans une grande partie du monde, surtout dans les zones tropicales, les hommes souffrent de sous-alimentation et de malnutrition et particulièrement du manque de protéines. Il en résulte une faiblesse générale et diverses carences (...)

    A. SAUVY, Croissance zéro?, p. 143.

MALOCCLUSION [malɔklyzjɔ̃] n. f. — 1963; angl. *malocclusion*; de *mal*, et *occlusion*.

♦ Méd. Fermeture défectueuse des dentures (implantation anormale de certaines dents, anomalie de position des mâchoires).

MALODORANT, ANTE [malɔdɔRɑ̃, ɑ̃t] adj. — 1907, *Nouveau Larousse illustré, Suppl.*; de *mal*, et *odorant*.

♦ Qui a une mauvaise odeur*. ⇒ **Puant; fétide...** *Haleine malodorante. Un réduit malodorant.*

Moins torrentielle, bruyante et malodorante que celle d'aujourd'hui, la circulation *(à Paris en 1885)* avait un plus agréable aspect d'élégance et de vie.

    Georges LECOMTE, Ma traversée, p. 57.

MALONIQUE [malɔnik] adj. — 1858, Dessaignes; de *malique*, arbitrairement modifié.

♦ Chim. *Acide malonique :* diacide obtenu primitivement par oxydation de l'acide malique. *L'acide malonique est préparé par saponification de l'acide cyanacétique* (ou *nitrile malonique*).

MALOTRU, UE [malɔtRy] adj. et n. — V. 1160, *malostruz*; p.-ê. de *malastru*, lat. pop. *male astrucus* « né sous un mauvais astre ». Cf. provençal *astruc, benastruc* « heureux, né sous une bonne étoile »; ou (P. Guiraud) de *mal* et *ostruz*, du lat. *obstructus* « obstrué ».

♦ **1.** Adj. et n. Vx. « Terme populaire qui se dit des gens mal faits, mal bâtis et incommodés, soit en leur personne, soit en leur fortune » (Furetière).

Celle-ci fit un choix qu'on n'aurait jamais cru,
Se trouvant à la fin tout aise et tout heureuse
De rencontrer un malotru.

    LA FONTAINE, Fables, VII, 5.

♦ **2.** N. (Fin xvIᵉ). Mod. Personne sans éducation, de tournure et de manières grossières. ⇒ **Élevé (mal), goujat, grossier, huron** (vx), **mufle, rustre...** *Des façons de malotru* (→ Gentillesse, cit. 8). *En voilà un malotru! Une société de malotrus et de mufles* (→ Littérature, cit. 22).

— En voilà encore un malotru! dit-elle en mettant les poings sur les hanches, d'un air indigné. Il m'invite à dîner, et il part en perm'! Et il y a une heure que je l'attends! Émile HENRIOT, la Rose de Bratislava, II.

CONTR. Distingué, galant (homme), gentleman, poli.

MALOUIN, INE [malwɛ̃, in] adj. et n. — 1740, *in* Trévoux ; de *(Saint)-Malo.*

♦ De Saint-Malo. *Les corsaires malouins.* — N. *Un Malouin, une Malouine.*

MAL-PENSANT, ANTE [malpãsã, ãt] n. et adj. — 1968 ; de 2. *mal,* et *pensant,* d'après *bien-pensant.*

♦ Dont les idées vont à l'encontre du consensus idéologique majoritaire (celui des *bien-pensants*). — N. *Un mal-pensant, une mal-pensante. Des mal-pensants.* ⇒ **Pensant** (3.).

MALPIGHIE [malpigi] n. f. — 1765, *Encyclopédie ; malpighia,* 1752, Trévoux ; de *Malpighi,* célèbre anatomiste et botaniste italien.

♦ Arbre exotique *(Malpighiacées)* à feuilles épineuses dont les fruits comestibles portent le nom de *cerise des Antilles.*

MALPLAISANT, ANTE [malplɛzã, ãt] adj. — XIIIᵉ ; de 2. *mal,* et *plaisant.*

♦ Vx ou littér. Déplaisant, désagréable. ⇒ **Fâcheux.** *Un malplaisant personnage* (→ Fâcheux, cit. 10).

Voyez combien la forme des salutations, qui est particulière à notre nation, abâtardit par sa facilité la grâce des baisers (...) C'est une déplaisante coutume, et injurieuse aux dames, d'avoir à prêter nos lèvres à quiconque a trois valets à sa suite, pour malplaisant qu'il soit. MONTAIGNE, Essais, III, v.
Ce coup du sort abattit pendant quelque temps l'humeur malplaisante du meunier. G. SAND, François le Champi, IV.

CONTR. Agréable, plaisant.

MALPOLI, IE [malpɔli] adj. et n. — 1636, *mal poli* ; de 2. *mal,* et *poli.*

♦ Fam. (le mot lettré est *impoli*). Impoli, grossier. — N. *Un malpoli, une malpolie. Vous n'êtes qu'un malpoli.*

Il est bien vrai, dit-elle, que les malpolis le sont autant avec les femmes qu'avec les dieux. J. GIONO, Naissance de l'Odyssée, p. 47.

MALPOSITION [malpozisjɔ̃] n. f. — 1951 ; angl. *malposition* ; de *mal,* et *position.*

♦ Méd. Position anormale d'un organe. *Dent en malposition.*

L'extraction prématurée *(d'une dent de lait)* hâte l'éruption de la dent sous-jacente (...) C'est aussi une des causes principales des malpositions dentaires. P.-L. ROUSSEAU, les Dents, p. 70.

MALPROPRE [malpRɔpR] adj. — V. 1460 ; de 2. *mal,* et *propre.*

★ **I.** Vx (Écrit aussi en deux mots). Qui n'a pas les dispositions ou les qualités requises (pour telle ou telle chose), qui n'est pas fait, qualifié pour... ⇒ **Propre.**

★ **II.** ♦ **1.** (Av. 1559). Vx. Qui ne prend pas soin de soi, qui est sans élégance.

(...) il se fit habiller depuis les pieds jusqu'à la tête et se donna du linge. Il avait été malpropre toute sa vie, mais l'amour, qui fait de plus grands miracles, le rendit soigneux de sa personne sur la fin de ses jours. Il prit du linge blanc plus souvent qu'il n'appartenait à un vieil comédien de campagne et commença de se teindre et raser le poil (...) SCARRON, le Roman comique, I, XIX.
Et l'on voit les amants vanter toujours leur choix (...)
La malpropre sur soi, de peu d'attraits chargée,
Est mise sous le nom de beauté négligée (...) MOLIÈRE, le Misanthrope, II, 4.
(...) je ne croirais jamais qu'un homme aussi malpropre ait été un homme de goût. Le goût, après tout, n'est que le plus subtil des sens.
SAINTE-BEUVE, Correspondance, t. I, éd. Calmann-Lévy, p. 320.

♦ **2.** Qui manque de netteté, de propreté. ⇒ **Sale.** — Spécialt. Péj. Qui a été mal lavé, qui est mal entretenu. *Enfant* (→ Hébétement, cit. 1), *vieillard malpropre. Un homme négligé, aux mains malpropres. Vêtements, torchons malpropres. Hôtel douteux aux chambres malpropres.* — (1873). Par ext. *Travail malpropre,* mal fait, grossièrement exécuté.

♦ **3.** (1862). Fig. et littér. (Paroles, écrits). Qui manque à la décence. ⇒ Grossier, immoral, inconvenant, indécent, obscène. *Employer un mot malpropre* (→ Cru, cit. 8 ; gifler, cit. 6 ; grossièreté, cit. 10).

Le père Duroy mis en joie par le cidre et quelques verres de vin, lâchait le robinet de ses plaisanteries de choix, celles qu'il réservait pour les grandes fêtes, histoires grivoises et malpropres arrivées à ses amis, affirmait-il.
MAUPASSANT, Bel-Ami, II, I.

♦ **4.** (1873). Qui manque de probité, de délicatesse. ⇒ **Malhonnête, sale.** *Un individu malpropre. Combinaisons, conduite, procédés malpropres.* — N. *Je ne me laisserai pas insulter par ce mal-*

propre. ⇒ **Salaud, saligaud.** — *De malpropres questions d'argent.* ⇒ **Sordide.**

CONTR. Propre. — Blanc, immaculé, net, reluisant, soigné. — Décent, honnête.
DÉR. Malproprement, malpropreté.

MALPROPREMENT [malpRɔpRəmã] adv. — 1539 ; de *malpropre.*

♦ D'une façon malpropre. ⇒ **Salement.** *Cet enfant mange malproprement. Travailler malproprement.*

MALPROPRETÉ [malpRɔpRəte] n. f. — 1663 ; de *malpropre.*

♦ **1.** Caractère, état d'une personne, d'une chose malpropre*. ⇒ **Saleté.** *Négligé jusqu'à la malpropreté* (→ Essentiel, cit. 9 ; jour, cit. 40). *Vivre dans la malpropreté* (→ Entrer, cit. 14 ; huppe, cit. 1). *Malpropreté d'un bouge* (cit. 2).

(...) à force de haïr le faste, il *(le duc de Vendôme)* en vint à une malpropreté cynique dont il n'y a point d'exemple. Son frère (...) avait tous ces mêmes défauts (...) Il était étonnant de voir (...) deux princes, petits-fils de Henri IV, plongés dans une négligence de leurs personnes, dont les plus vils des hommes auraient eu honte. VOLTAIRE, le Siècle de Louis XIV, XVIII. [1]
La malpropreté de leurs longues barbes rendait ces soldats encore plus hideux. BALZAC, Adieu, Pl., t. IX, p. 769. [2]
Si le peuple a l'air sale, cette malpropreté n'est qu'apparente et tient aux vêtements d'hiver coûteux à renouveler (...) Th. GAUTIER, Voyage en Russie, XVI. [3]
Leurs pieds glissaient dans les flaques d'eau et d'immondices ; ils étaient insouciants de leur malpropreté comme des animaux en détresse. LOTI, Mon frère Yves, XXVIII. [4]

Par ext. Littér. *Une malpropreté :* un acte, une chose malpropre.

Il ne leur épargne aucune de ces malpropretés dégoûtantes, capables d'ôter l'appétit aux plus affamés (...) LA BRUYÈRE, les Caractères, XI, 121. [5]

♦ **2.** Fig. Acte ou discours indécent, indélicat. ⇒ **Grossièreté, indécence, indélicatesse, malhonnêteté,** et, fam., **cochonnerie, saloperie.** *Faire, commettre une malpropreté. Tous ces sales tours et ces malpropretés me dégoûtent.*

CONTR. Propreté.

MALSAIN, AINE [malsɛ̃, ɛn] adj. — XIVᵉ ; de 2. *mal,* et *sain.*

♦ **1.** Vieilli. Dont la nature n'est pas saine ; qui porte en soi le germe d'une maladie. ⇒ **Maladif.** *Personne malsaine. Enfant chétif et malsain. Grand escogriffe* (cit. 2) *jaune, bilieux, malsain.* — Par ext. *Tempérament malsain. Apparence malsaine. Adolescence malsaine* (→ Impunément, cit. 8).

(...) ces enfants même sont le plupart du temps faibles et malsains, et se sentent de la langueur de leur père. MONTESQUIEU, Lettres persanes, CXV. [1]
— Vous voulez donc que j'en prenne une laide ? dit Germain, un peu inquiet. — Non point laide, car cette femme te donnera d'autres enfants, et il n'y a rien de si triste que d'avoir des enfants laids, chétifs et malsains. G. SAND, la Mare au diable, III. [2]

♦ **2.** (Av. 1577). Fig. Qui n'est pas normal, qui manifeste de la perversité. ⇒ **Pervers.** *Esprit malsain, imagination, curiosité malsaine.* ⇒ **Morbide.** *Guérir* (cit. 31) *d'une passion malsaine.*

J'ai un esprit malsain dans un corps malsain. Je n'aime rien.
Paul MORAND, Champions du monde, p. 25. [3]

♦ **3.** (XVIᵉ). Qui engendre la maladie, est contraire à la santé. ⇒ **Nuisible.** *Eaux malsaines,* dangereuses* à boire. ⇒ **Impur.** *Viande écœurante* (cit. 1) *et malsaine. Huître* (cit. 2) *malsaine. Humidité, vapeur* (→ Flot, cit. 4) *malsaine. Métier, travaux malsains* (→ Exercer, cit. 15). — *Logement malsain. Côte marécageuse et malsaine.* ⇒ **Insalubre.** *Cloaque* (cit. 2) *impur et malsain. Climat, temps malsain.* ⇒ **Pourri.**

Ou les vents mal-sains *(sic)* de l'automne
Qui soufflent la peste en la terre (...) [4]
RONSARD, Pièces retranchées, « À Gaspard d'Auvergne ».

Mar. *Côte malsaine,* dangereuse pour la navigation. *Passage malsain.*

Par ext. Fam. *Filons d'ici, le coin est malsain, ça devient malsain, il y a du danger.*

♦ **4.** (Av. 1850). Fig. Qui corrompt l'esprit, est contraire à la morale. *Littérateurs malsains.* ⇒ **Immoral.** *Doctrines malsaines et pernicieuses.* ⇒ **Funeste.** *Influence malsaine.*

CONTR. Sain.

MALSÉANCE [malseãs] n. f. — Fin XVIᵉ ; de *malséant.*

♦ Littér. Caractère de ce qui est malséant.

CONTR. Bienséance, convenance.

MALSÉANT, ANTE [malseã, ãt] adj. — V. 1165 ; de 2. *mal,* et *séant.* → Messéant.

♦ Littér. Qui est contraire à la bienséance* ; qui sied mal en certaines circonstances ou pour certaines personnes. ⇒ **Messéant** (vx). —

(Dans le domaine de la politesse, des convenances). *Parole, remarque malséante.* ⇒ **Grossier, incongru, inconvenant, incorrect, malsonnant.** *Reproches malséants dans la bouche d'un fils. Gaieté malséante en un lieu solennel.* ⇒ **Déplacé.** — (Dans le domaine de la pudeur, de la morale). *Attitude, tenue malséante.* ⇒ **Choquant.** *Action malséante.* ⇒ **Laid.** — *Estimer malséant de...* (→ Blanc, cit. 20). *Il est malséant de...* (→ Côté, cit. 36).

1 N'insultons pas ce qui a été grand. Les huées seraient malséantes devant l'ensevelissement des héros. HUGO, Shakespeare, III, III, v.

2 Avec leurs longues hérédités musulmanes, révéler son visage leur paraissait une chose malséante (...) LOTI, les Désenchantées, III, XIII.

CONTR. Bienséant, convenable. — Décent, honnête, poli.
DÉR. Malséance.

MALSEMÉ, ÉE [malsəme] adj. — 1655; de 2. *mal*, et *semé*.

♦ Vén. *Andouillers malsemés* (ou *mal-semés*), en nombre inégal du côté droit et gauche des bois. — Par ext. *Tête* (de cerf, de daim, de chevreuil...) *malsemée.*

MALSONNANT, ANTE [malsɔnɑ̃, ɑ̃t] adj. — 1467, au sens 2; de 2. *mal*, et *sonnant*.

♦ **1.** (1740). Vx. Théol. Dont le sens ne s'accorde pas avec l'orthodoxie. « *Propositions sentant l'hérésie, malsonnantes, téméraires* » (Voltaire, *le Siècle de Louis XIV*, XXXVII).

1 Il n'a manqué à la gloire du Cid que d'être canonisé; il l'aurait été si, avant de mourir, il n'avait pas eu l'idée arabo-hérétique et malsonnante de vouloir qu'on enterrât avec lui son fameux cheval Babieca : ce qui fit douter de son orthodoxie.
Th. GAUTIER, Voyage en Espagne, p. 36.

♦ **2.** Mod. Littér. ou style soutenu. Contraire à la bienséance. *Propos malsonnants, qui sonnent mal aux oreilles.* ⇒ **Inconvenant.** *Injures, épithètes malsonnantes.* ⇒ **Grossier.** — Rare. Qui manque d'harmonie. *Langue malsonnante.* ⇒ **Barbare.**

2 Il n'est pas convenable de parler en société d'actes réputés grossiers ou déshonnêtes (...) On a pour désigner ces actes des locutions variées, qui se maintiennent jusqu'au jour où elles deviennent à leur tour grossières et malsonnantes.
J. VENDRYES, le Langage, p. 257.

CONTR. Agréable, convenable.

MALSTROM [malstrɔm] n. m. ⇒ **Maelstrom.**

MALT [malt] n. m. — 1702; angl. *malt*.

♦ Céréale (particulièrement, l'orge) germée artificiellement et séchée, puis séparée de ses germes. *Poudre de malt, employée comme antiscorbutique*. Utilisation du malt en brasserie comme moût. Bière de malt. Malt légèrement torréfié pour la préparation de l'ale*. Malt vert : orge qui a commencé à germer, mais n'a pas encore subi le touraillage. Malt utilisé pour la fabrication du whisky. Whisky pur malt* (ellipt. *du, un pur malt*).

DÉR. Maltase, malté, malter, malterie, maltose.
HOM. Malthe.

MALTAGE [maltaʒ] n. m. — 1808; de *malter*.

♦ Techn. Opération qui transforme l'orge en malt; son résultat. *Le maltage, première étape de la fabrication de la bière. Le trempage, la germination, le touraillage sont les principales opérations du maltage.*

MALTAIS, AISE [maltɛ, ɛz] n. et adj. — 1790, «pièce d'or»; de *Malte*.

♦ **1.** N. (1846). De Malte. *Un Maltais, une Maltaise.* — (1764, *maltois*, in *D.D.L.*). *Le maltais* : dialecte arabe parlé à Malte et écrit à l'aide de l'alphabet latin complété. — Argot anc. *Une maltaise* : pièce d'or.

♦ **2.** Adj. et n. — N. m. (1931). *Chien maltais* (ou *maltais*, n. m.) : petit chien d'agrément à poil blanc, long et soyeux. — N. f. *Orange maltaise. Une livre de maltaises bien mûres.*

MALTALENT [maltalɑ̃] n. m. — V. 1120; de 1. *mal*, et *talent*.

♦ Archaïsme médiéval (encore employé au XVIIᵉ). Mauvaise disposition à l'égard de qqn. Var. : *mautalent* [motalɑ̃].

MALTASE [maltaz] n. f. — 1902; de *malt*, et suff. *-ase*.

♦ Biochim. Enzyme qui active la décomposition du maltose en deux molécules de glucose.

MALTÉ, ÉE [malte] adj. — 1808, in Höfler; de *malter*, dér. de *malt*.

♦ **1.** Converti en malt. *Orge malté.*

♦ **2.** (Angl. *malted*). Mêlé de malt grillé. *Lait malté.*

MALTER [malte] v. tr. — 1808; de *malt*.

♦ Convertir (une céréale) en malt.
DÉR. Maltage, malteur.

MALTERIE [maltəʀi] n. f. — 1872; de *malt*.

♦ **1.** Usine où l'on prépare le malt. *Aire, germoir d'une malterie.*

♦ **2.** Magasin à malt d'une brasserie. *Sacs d'orge entreposés dans une malterie.*

♦ **3.** Industrie du malt. *Opération de malterie.*

MALTEUR [maltœʀ] n. m. — 1838; de *malter*.

♦ Techn. Ouvrier qui prépare le malt. — Adj. *Ouvrier malteur.* ⇒ **Brasseur.** — REM. Le fém. *malteuse* est virtuel.

MALTHE [malt] n. f. — 1556; du lat. *maltha* «goudron», empr. du grec.

♦ Rare. ⇒ **Bitume.**
HOM. Malt.

MALTHUSIANISME [maltyzjanism] n. m. — 1869; de *malthusien**.

♦ **1.** Doctrine de Malthus, qui préconisait la contrainte morale pour remédier au danger de la surpopulation du globe. — Par ext. Doctrine qui préconise les pratiques anticonceptionnelles. ⇒ **Néo-malthusianisme.**

1 Bien qu'elles préconisent des méthodes que Malthus aurait vraisemblablement rejetées comme immorales, qu'en tout cas il n'a jamais proposées lui-même, les théories favorables à la restriction des naissances, à la limitation volontaire de la population sont généralement rangées sous le vocable de malthusianisme.
ROMEUF, Dict. des sciences économiques, art. *Malthusianisme.*

♦ **2.** (V. 1955). *Malthusianisme économique* : politique visant à la restriction de la production. *Réduire le personnel d'une entreprise par malthusianisme.*

2 Par une extension paradoxale on appelle *malthusianisme économique* les pratiques de restriction volontaire de la production, voire de destruction des richesses produites en vue de restreindre d'une manière définitive l'offre sur le marché et de maintenir les prix.
ROMEUF, Dict. des sciences économiques, art. *Malthusianisme.*

Par anal. Attitude malthusienne (2.). *Malthusianisme universitaire.*
COMP. Néo-malthusianisme.

MALTHUSIEN, IENNE [maltyzjɛ̃, jɛn] adj. — 1841, in D.D.L.; de *Malthus*, économiste anglais (1766-1834), auteur d'un *Essai sur le principe de la population.*

♦ **1.** Écon. Qui a rapport aux théories de Malthus. ⇒ **Malthusianisme.**

Par ext. Qui a rapport au malthusianisme démographique ou économique. *Pratiques malthusiennes.* — N. Partisan de la restriction des naissances ou de la limitation de la production. — REM. On emploie aussi en ce sens *néo-malthusien.*

1 (...) contrairement à ce qu'on croit et à ce qu'enseignent aujourd'hui les néomalthusiens, Malthus n'a jamais préconisé la limitation des enfants *dans le mariage* (...) Charles GIDE, Cours d'économie politique, p. 563, note 2.

2 (...) Don Juan est le plus zélé serviteur du précepte : «Croissez et multipliez». Si vous effrayez le séducteur par l'idée des responsabilités qu'il encourt, vous en ferez un malthusien. J. BAINVILLE, Doit-on le dire?, p. 89.

3 On qualifie de malthusiennes deux conceptions apparemment contradictoires en ce que l'une s'applique à la population et l'autre à la production des richesses. Ces deux conceptions ont en commun la restriction volontaire.
ROMEUF, Dict. des sciences économiques, art. *Malthusianisme.*

4 Cette dernière affirmation qui attribue la misère à la seule surpopulation provoque les mêmes réactions des socialistes; de même que les vues de Dunoyer qui rejette ouvertement sur les ouvriers la responsabilité de leur misère, en leur reprochant d'avoir trop d'enfants.
Chez le plus grand nombre de ces malthusiens, la frayeur est motivée par l'atteinte à l'ordre social. A. SAUVY, Croissance zéro?, p. 41.

♦ **2.** Qui tend à réduire, à limiter (une activité sociale). *Attitude malthusienne. Réactions malthusiennes.*
DÉR. Malthusianisme.

MALTINE [maltin] n. f. — 1871; de *malt*, et *-ine*.

♦ Techn. Enzyme de l'orge germé (que le malt renferme).

MALTOSE [maltoz] n. m. — 1871 (découvert en 1847); de *malt*, et suff. *-ose*.

♦ Chim. Sucre formé de deux oses (diholoside) obtenu par l'hydrolyse enzymatique de l'amidon de l'orge germé *(sucre de malt)*.

MALTÔTE [maltot] n. f. — 1350; *mautoste*, 1262; de *mal*, adj., et anc. franç. *tolte* «imposition»; lat. *tollita*, p. p. de *tollere* «enlever».

♦ Hist. Impôt extraordinaire. — (1662). Par ext. Perception de cet impôt. — (Av. 1660). Corps des agents du fisc. — Bureau des collecteurs d'impôts.

Enfin *(sous Philippe le Bel)*, l'on eut recours à un moyen plus direct, l'impôt universel de la maltôte. Ce vilain nom, trouvé par le peuple, fut accepté hardiment du roi même. MICHELET, Hist. de France, V, II.

DÉR. Maltôtier.

MALTÔTIER [maltotje] n. m. — 1660; *maletostier*, 1607; de *maltôte*.

♦ Hist. ou ancient, péj. Homme qui percevait les impôts. — Par ext. Employé du fisc.

Puis, lorsque la guerre faisait trêve, les maltôtiers du roi suffisaient au continuel tourment du pauvre monde; car le nombre et le poids des impôts n'étaient rien, à côté de la perception fantasque et brutale, la taille et la gabelle mises à ferme, les taxes réparties au petit bonheur de l'injustice, exigées par des troupes armées qui faisaient rentrer l'argent du fisc comme on lève une contribution de guerre (...) ZOLA, la Terre, I, V.

DÉR. Maltôtière.

MALTÔTIÈRE [maltotjɛʀ] n. f. — D. i.; de *maltôtier*.

♦ Hist. Épouse d'un maltôtier.

MALTRAITER [maltʀete] v. tr. — V. 1520, *maltreter*; de *mal*, adv., et *traiter*.

♦ **1.** Traiter* avec violence, brutalité; accabler de mauvais traitements. ⇒ **Battre, brutaliser, frapper, malmener...** *Maltraiter un enfant* (→ Enflammer, cit. 15), *un prisonnier sans défense, un animal. Femme maltraitée par son mari. Ceux qui vous haïssent* (cit. 1) *et vous maltraitent.*

1   À Athènes, on punissait sévèrement, quelquefois même de mort, celui qui avait maltraité l'esclave d'un autre. MONTESQUIEU, l'Esprit des lois, XV, XVII.

2   — Et cette fille, alors (...) vous ne me direz pas que vous ne l'avez pas... presque tuée... Qu'aviez-vous donc contre elle pour la maltraiter ainsi? Elle aurait pu mourir. J. GREEN, Léviathan, II, XI.

Par métaphore. *Maltraiter sa langue, la grammaire.*

♦ **2.** (V. 1520). Traiter avec rigueur, dureté*, inhumanité. ⇒ **Brimer, malmener, rudoyer.** *Le sort l'a beaucoup maltraité.* — Au p. p. *Père maltraité par ses enfants ingrats* (cit. 4). — Fig. *Maltraité par le régime politique* (→ Exportation, cit. 3, Voltaire), *par le destin.*

3   Tu t'imagines que la terre a pris le deuil et que la beauté s'est voilée, et que tous les visages sont en larmes, et qu'il n'y a plus ni espérances, ni joies, ni vœux comblés, parce que dans ce moment la destinée te maltraite. E. FROMENTIN, Dominique, IX.

Vx. Traiter avec défaveur. *Maltraiter un courtisan, une dame de la cour* (→ Haut, cit. 56). — (1665). Spécial (style précieux). *Femme qui maltraite un soupirant,* qui le fait languir.

4   Il est plus difficile d'être fidèle à sa maîtresse quand on est heureux que quand on en est maltraité. LA ROCHEFOUCAULD, Réflexions morales, 331.

♦ **3.** (V. 1520). Traiter sévèrement en paroles, soit (vx) une personne à qui l'on parle (⇒ **Malmener, secouer**), soit (mod.) une personne dont on parle (⇒ **Abîmer, accommoder, arranger, assaisonner, assassiner, critiquer, éreinter, houspiller, lapider, ravauder;** claie [traîner sur la]). «*Cet auteur a été très maltraité par la critique*» (Académie). *Être maltraité dans des pages fielleuses* (cit. 2). — Par ext. *Maltraiter un ouvrage, une pièce de théâtre dans un article.*

5   (...) quand enfin l'on est auteur, et que l'on croit marcher tout seul, on s'élève contre eux *(les anciens)*, on les maltraite, semblable à ces enfants drus et forts d'un bon lait qu'ils ont sucé, qui battent leur nourrice. LA BRUYÈRE, les Caractères, I, 15.

6   (...) la comédie des *Philosophes*, dans laquelle je fus tourné en ridicule et Diderot extrêmement maltraité. ROUSSEAU, les Confessions, X.

7   Ne pouvant avilir l'esprit, on se venge en le maltraitant. BEAUMARCHAIS, le Mariage de Figaro, V, 3.

8   Pour un rien, elle était appelée bête et stupide, sotte et maladroite. Pierrette, incessamment maltraitée en paroles, ne rencontra chez ses deux parents que des regards froids. BALZAC, Pierrette, Pl., t. III, p. 708.

REM. *Traiter mal* et *maltraiter* : «traiter mal c'est simplement ne pas traiter avec tous les égards, avec toutes les attentions qu'on mérite, user de procédés mauvais... *Maltraiter,* c'est traiter beaucoup plus rudement, se porter à des injures et à des violences... On *maltraite* géné-

ralement, habituellement; on *traite mal* dans une circonstance particulière» (Lafaye).
CONTR. Câliner, caresser, gâter.

MALUS [malys] n. m. — 1970; lat. *malus* «mauvais».

♦ Assurances. ⇒ **Bonus-malus.**

MALVACÉES [malvase] n. f. pl. — 1747, sing.; lat. *malvaceus,* de *malva* «mauve».

♦ Bot. Famille de plantes (dicotylédones dialypétales) répandues surtout dans les régions tropicales. *Les malvacées comprennent des herbes annuelles ou vivaces, des arbres et arbustes. Principales malvacées.* ⇒ **Alcée, baobab, cacaoyer, cotonnier, dombéya, durion, fromager, guimauve, ketmie, kola, mauve, théobrome.** — Au sing. *Une malvacée.*

MALVALES [malval] n. f. pl. — Mil. XXᵉ; dér. sav. du lat. *malva.*

♦ Bot. Ordre de plantes dicotylédones dialypétales comprenant les familles des *malvacées*, tiliacées, bombacacées, sterculiacées...* — Au sing. *Une malvale.*

MALVEILLAMMENT [malvɛjamã] adv. — 1596, *malvueillamment;* de *malveillant.*

♦ Littér. D'une manière malveillante. *Parler malveillamment de qqn.*
CONTR. Bienveillamment.

MALVEILLANCE [malvɛjãs] n. f. — V. 1240, *malvoillance; mauvoillance,* v. 1160; de *malveillant.*

♦ **1.** Mauvais vouloir* à l'égard de quelqu'un, disposition* d'esprit qui conduit à juger autrui défavorablement, à lui vouloir du mal. *Regarder qqn avec malveillance.* ⇒ **Hostilité.** *Son échec au concours est dû à la malveillance du jury. J'avais deviné son antipathie* avant d'éprouver sa malveillance. Il est plein de rancune, de ressentiment, méfiez-vous des effets de sa malveillance. Malveillance ouverte, manifeste.* ⇒ **Agressivité, animosité, désobligeance.** *Malveillance envers le talent et la vertu* (→ Célébrité, cit. 5). *Malveillance des critiques envers un ouvrage, un auteur* (→ Enterrer, cit. 17). «*La malveillance et le dénigrement* (cit. 1) *sont les deux caractères de l'esprit français*» (Chateaubriand). ⇒ **Malignité, méchanceté.**

1   C'est si terrible de vivre entouré de malveillance, d'avoir toujours peur, d'être toujours sur le qui-vive (...) Alphonse DAUDET, le Petit Chose, I, VII.

1.1   Mais quand la pensée du vice n'a plus rien d'horrible, qu'on fait société avec lui, parler du vice n'est plus rien de si terrible, et être ami des gens, puisqu'on peut avoir des amis tels, n'est plus rien de si sacré. La malveillance devient le compromis naturel entre l'indignation et l'amitié. PROUST, Jean Santeuil, Pl., p. 873.

2   Étourdi, oubliant tout, il passa sans transition de la plus agressive malveillance au plus spontané, au plus illusoire élan de tendresse (...) MARTIN DU GARD, les Thibault, t. IV, p. 257.

3   (...) cette vieille fille que sa maladie prédisposait à la malveillance (...) J. GREEN, Adrienne Mesurat, I, IV.

♦ **2.** Spécialt. Intention de nuire, visée criminelle. *Incendie, accident dû à la malveillance.* ⇒ **Sabotage.**

4   En famille, on discutait indéfiniment sur les causes du sinistre : une cigarette jetée? la malveillance? F. MAURIAC, Thérèse Desqueyroux, VIII.

CONTR. Amitié, amour, complaisance, faveur, grâce, obligeance, sympathie. — Bienveillance.

MALVEILLANT, ANTE [malvɛjã, ãt] adj. — V. 1160, *mauvoillant;* de *mal*, adv., et *vueillant*, anc. p. prés. de *vouloir.*

♦ **1.** Qui a de la malveillance. *Personne malveillante. Voisins malveillants* (→ Judas, cit. 2). *Critique malveillant. Jaloux et malveillants.* ⇒ **Haineux, malévole** (vx), **mauvais, méchant** (→ Grincheux, cit. 3). — *Un malveillant, une malveillante* (rare, surtout utilisé au plur.). *Les insinuations des malveillants.* ⇒ **Méchant.**

1   Que faire entre des malveillants qui disent étourdiment le mal dont ils ne sont pas sûrs, et des amis qui taisent prudemment le bien qu'ils savent ? RIVAROL, Rivaroliana, I.

♦ **2.** (1830). Qui exprime la malveillance, est inspiré par la malveillance de personnes malintentionnées, hostiles. *Cancans, commérages malveillants. Remarques malveillantes.* ⇒ **Agressif, aigre, malin.** *Propos malveillants.* ⇒ **Désobligeant, hostile.** *Regards malveillants* (→ Engouffrer, cit. 7); *intention, arrière-pensées* (cit. 3) *malveillantes. Curiosité, susceptibilité malveillante. Un milieu malveillant.*

2   (...) une tempête de critiques et d'insinuations malveillantes (...) Georges LECOMTE, Ma traversée, p. 213.

CONTR. Affectueux, ami, amical, bénévole, bienveillant, complaisant, cordial, obligeant, sympathique.
DÉR. Malveillamment, malveillance.

MALVENU, UE [malvəny] adj. — 1908; «indésirable», v. 1155; de 2. *mal*, adv., et *venu*.

♦ **1.** (V. 1172). Littér. MALVENU À, DE (faire qqch.) : qui n'est pas fondé à..., qui n'a pas le droit de (faire telle chose). *« Il est malvenu à se plaindre »* (Académie).

1 Quant à se mettre *(s'habiller)* bien, je crois, sans me flatter
Qu'on serait mal venu de me le disputer. MOLIÈRE, le Misanthrope, III, 1.
2 (...) je trouve la justice humaine malvenue à juger des crimes entre époux (...)
BALZAC, la Muse du département, Pl., t. IV, p. 115.

♦ **2.** Hors de propos. ⇒ **Déplacé**. *Requête, doléance malvenue.*

♦ **3.** Rare. Qui n'est pas développé normalement, qui n'est pas venu à son complet développement. *Arbre, enfant malvenu.* — N. *« Toute sélection implique la suppression des malvenus »* (→ Haras, cit. 4).

CONTR. **Bienvenu.**

MALVERSATION [malvɛʀsɑsjɔ̃] n. f. — 1387; de *malverser*.

♦ **1.** Faute grave, généralement inspirée par la cupidité, commise dans l'exercice d'une charge, d'un emploi ou d'un mandat. *Fonctionnaire corrompu, coupable de malversations.* ⇒ **Concussion, corruption, déprédation** (cit. 3), **détournement, exaction, infidélité, prévarication, trafic** (d'influence), **tripotage**. *Commettre des malversations en percevant de l'argent de façon illicite. Malversation d'un caissier, d'un dépositaire, d'un fonctionnaire* (⇒ **Forfaiture**). *Les malversations et les tripatouillages d'un magouilleur.* ⇒ **Magouille.**

1 Aristide fut atteint de concussion et de malversation au gouvernement de la chose publique. J. AMYOT, Aristide, 65.
2 (...) l'avocat célèbre qui avait écrit en faveur des jeunes gens coaccusés *(le chevalier de la Barre et ses compagnons)* est le seul qui soit pleinement instruit des malversations horribles qui furent commises dans Abbeville (...) il compte dévoiler tous ces mystères d'iniquité (...)
VOLTAIRE, Correspondance, 4263, 27 déc. 1775.

♦ **2.** Vx. Désordre de conduite, acte d'infidélité.

MALVERSER [malvɛʀse] v. intr. — 1535; sans doute plus ancien (→ Malversation); de 2. *mal*, et de *verser*; d'après l'expr. lat. *male versari* «se comporter mal».

♦ Vx. Commettre des malversations. *« Il est accusé d'avoir malversé dans sa gestion »* (Académie).

DÉR. **Malversation.**

MALVOISIE [malvwazi] n. m. — V. 1360; var. *malvesy*, 1393; de *Malvesie*, îlot grec, ital. *malvasia.*

♦ **1.** Vin grec célèbre, doux et liquoreux (→ Argent, cit. 1; avaler, cit. 23).

Il faut quelque temps pour se faire à ce raffinement hellénique, nécessaire sans doute à la conservation du véritable malvoisie, du vin de commanderie ou du vin de Ténédos. NERVAL, Voyage en Orient, «Femmes du Caire», II, v.
Cépage qui donne ce vin.

♦ **2.** (1690). Vin obtenu avec le cépage malvoisie. *Malvoisie d'Espagne, de Madère* (⇒ **Madère**), *des Pyrénées-Orientales.*

MAL-VOYANT, ANTE [malvwajɑ̃, ɑ̃t] adj. et n. ⇒ 2. **Mal** (III., 4.).

MAMALIGA [mamaliga] n. f. — 1873, P. Larousse; mot roumain.

♦ Purée de maïs consommée avec un plat ou en galette. → Polenta.

(La table)... où durcissait un morceau de mamaliga, cette coriace galette de maïs qui nous avait tant déçus, car à sa couleur nous la croyions pétrie de beurre et d'œufs. Roger VERCEL, Capitaine Conan, VII, p. 122.

MAMAMOUCHI [mamamuʃi] n. m. — 1670, Molière; forgé d'après l'arabe *mā-menou schi* «non chose bonne», d'où «propre à rien».

♦ Haut dignitaire turc de l'invention de Molière.

— (...) et pour avoir un beau-père qui soit digne de lui, il *(le Grand Turc)* veut vous faire *Mamamouchi,* qui est une certaine grande dignité de son pays. — *Mamamouchi?* — Oui, *Mamamouchi;* c'est-à-dire, en notre langue, Paladin.
MOLIÈRE, le Bourgeois gentilhomme, IV, 3.

MAMAN [mamɑ̃] n. f. — 1256; *mamme*, 1560, *mam-ma*, 1584; formation enfantine par redoublement, fréquente en d'autres langues. Cf. grec et lat. *mamma.*

♦ **1.** Terme affectueux par lequel les enfants, même devenus adultes, désignent leur mère*, et dont se servent familièrement les personnes qui leur parlent d'elle. *Dis, maman...* (→ Jurer, cit. 18). *Oui maman. Merci, maman. Ah! vous dirai-je, maman...,* chanson. *Poupée qui dit « Maman ». Maman et papa sont sortis.* — REM. Les enfants encore petits disent souvent *ma maman,* mais plus tard *maman*

(→ Attrister, cit. 12; 1. bien, cit. 24; gifle, cit. 7; intraitable, cit. 2; là, cit. 44; lavande, cit.). *Où est ta maman? Comment va votre maman, votre chère maman?* (→ Fâcher, cit. 16). *Je ne sais pas, mon petit, demande à maman.* — (Dans la bouche de la mère elle-même). *Maman va venir.*

1 (...) soyez en repos de votre chère maman, qui se conserve pour vous (...)
Mᵐᵉ DE SÉVIGNÉ, 1208, 21 août 1689.
2 Ma seule consolation, quand je montais me coucher, était que maman viendrait m'embrasser quand je serais dans mon lit.
PROUST, À la recherche du temps perdu, t. I, p. 24.
2.1 Tout en lui parlant de choses utiles, il se dit : «Maman, maman, tu es là, approche-toi, je veux t'embrasser, oh! je ne t'embrasserai pas d'ici longtemps, maman, ma petite maman, maman!» Il voit que sa mère se fatigue; il ne comprend plus distinctement ce qu'elle lui dit... Il sonne. C'est fini.
PROUST, Jean Santeuil, Pl., p. 361.
3 (...) il regardait cette vieille femme haletante qu'il avait été au moment de frapper et dont il était né. Il regardait... et enfin, brisant une dure écorce, l'obscure tendresse de l'enfance jaillissait dans un cri misérable : — Maman!
F. MAURIAC, Génitrix, X.
4 Elle mourut en prononçant ces mots qui tirent les larmes : Maman... maman... la vie... c'est beau! Émile HENRIOT, Portraits de femmes, p. 444.

REM. 1. Quand il n'est pas employé en appellatif, le mot, dans la situation ou dans un contexte déterminé, peut s'employer avec un déterminant : généralement un possessif *(maman va venir/ta, ma, sa maman va venir);* l'absence de possessif avec un adj. est archaïque (voir cit.); en revanche le possessif en appellatif *(oui, ma maman)* ne s'emploie plus.

4.1 Papa m'a défendu de jamais parler de ce naufrage, de pauvre maman (...)
Cˢˢᵉ DE SÉGUR, les Vacances, Naufrage de Sophie.
(Cf. plus loin : «elle t'aimerait comme t'aimait ta pauvre maman»).

2. Dans certaines familles, le père, s'adressant à la mère, l'appelle *maman,* comme ferait un enfant.

♦ **2.** Mère de famille. *Une jeune maman. Elle lui a parlé comme ferait une maman. Jouer* (cit. 17) *à la maman.* — *Vêtements spéciaux pour futures mamans.* ⇒ **Mère.**

♦ **3.** Par ext. Appellation affectueuse dont on use envers une belle-mère ou une femme avec laquelle on entretient des rapports analogues à ceux d'un fils ou d'une fille avec sa mère.

5 Dès le premier jour, la familiarité la plus douce s'établit entre nous... *Petit* fut mon nom; *Maman* fut le sien; et toujours nous demeurâmes *Petit* et *Maman,* même quand le nombre des années en eut presque effacé la différence entre nous... ces deux noms rendent à merveille l'idée de notre ton, la simplicité de nos manières, et surtout la relation de nos cœurs. Elle fut pour moi la plus tendre des mères (...)
ROUSSEAU, les Confessions, III.

REM. Diverses prononciations populaires sont parfois notées : [mãmã] *manman,* [mɔmã] *môman,* [mmã] *m'man.* «Momman» (G. Sand, 1827, *in* D. D. L.). *Oui, m'man.*

6 Mais, manman, tu sais bien que tu étais arrivé juste au bon moment, la dernière fois. R. QUENEAU, Zazie dans le métro, Folio, p. 11.

COMP. **Belle-maman, bonne-maman, grand-maman.**

MAMBO [mãmbo] n. f. — V. 1950 (1951, *in* D.D.L.); mot sud-américain.

♦ Danse* moderne à quatre temps sur un rythme sud-américain.

(...) le titre du mambo joué par l'orchestre (...)
Albert SIMONIN, Touchez pas au grisbi, p. 135.

MAME [mam] n. f. ⇒ **Madame.**

MAMELÉ, ÉE [mamle] ou **MAMELLÉ, ÉE** [mamele; mamɛle] adj. — 1907, *mamelé; mamellé,* 1772; de *mamelle.*

♦ Sc. Qui a des mamelles. ⇒ **Mammifère.**

MAMELLAIRE [mamelɛʀ; mamɛlɛʀ] adj. — 1845; de *mamelle.*

♦ Vx. Qui a rapport aux mamelles. ⇒ **Mammaire.** *Sécrétion mamellaire.*

MAMELLE [mamɛl] n. f. — V. 1119; *mamele,* fin XIᵉ, au sens 2; du lat. *mamilla.*

★ **I.** ♦ **1.** Organe glanduleux (glande mammaire) spécial aux femelles des mammifères et sécrétant le lait.

a (Espèce humaine). Vx et méd. Sein. *Mamelle droite, gauche. Sucer* la mamelle (→ Instinct, cit. 12). *Les Amazones* (cit. 1) *se brûlaient la mamelle droite. Femme qui a de grosses mamelles.* ⇒ **Poitrine,** et, plais., **mamelu.** — (1675). Loc. *Enfant à la mamelle,* qui tète encore. Par ext. En bas âge.

(...) elle trouva moyen de dérober (...) le petit Joas encore à la mamelle, et le confia avec sa nourrice au grand-prêtre (...) RACINE, Athalie, Préface.
Vous *(les femmes)* êtes les grâces du jour, et la nuit vous aime comme la rosée. L'homme sort de votre sein pour se suspendre à votre mamelle et à votre bouche (...) CHATEAUBRIAND, Atala, «Les chasseurs».

Mod. et péj. Sein (gros ou flasque).

3 (...) mamelles qui pendent comme des sacs vides sur les cercles du thorax (...)
LOTI, l'Inde (sans les Anglais), V, IX.

(XVIᵉ). Fig. Littér. *Dès la mamelle* : dès la plus tendre enfance
(→ Lettre, cit. 10).

b (Animaux). Mod. *Mamelles d'une tigresse* (→ Impitoyable,
cit. 4). *Mamelles de la brebis, de la chèvre* (→ Bique, cit.), *de la
vache...* ⇒ **Pis.** *Les douze mamelles de la truie.* ⇒ **Tétine.** *Bout de
la mamelle.* ⇒ **Tette, trayon.** *Inflammation des mamelles.* ⇒ **Mammite.**

4 Les vierges aux seins d'ébène (...)
Faisaient jaillir des mamelles
De leurs dociles chamelles
Un lait blanc sous leurs doigts noirs.   HUGO, les Orientales, I, III.

5 Petit faon encore aux mamelles, il se tenait debout (...) auprès de sa mère allongée. Il (...) fouillait de son menu nez noir sous la lourde cuisse repliée.
M. GENEVOIX, la Dernière Harde, I, I.

♦ **2.** Par ext. Vx. Le même organe, mais atrophié et rudimentaire
chez l'homme (→ Clou, cit. 5). — Par métaphore. *Sous la mamelle
gauche* : dans le cœur (→ Débauche, cit. 6). *N'avoir rien sous la
mamelle gauche* : n'avoir ni cœur ni courage.

6 Quand il n'y a rien sous la mamelle gauche, il ne peut y avoir rien de complet
dans la tête. Le génie, c'est un grand cœur.
HUGO, Post-Scriptum de ma vie, «Tas de pierres», VI.

♦ **3.** (1553). Fig. Ce qui alimente, ce qui est source de richesses.
« *Labourage* (cit. 1 et 2) *et pâturage sont les deux mamelles dont
la France est alimentée* » (Sully).

7 Paris! feu sombre ou pure étoile! (...)
Mamelle sans cesse inondée
Où pour se nourrir de l'idée
Viennent les générations!   HUGO, les Voix intérieures, IV, II.

Par allusion à la phrase de Sully :

8 Où sont l'éloquence et l'esprit, ces deux mamelles du dialogue?
André SUARÈS, Trois hommes, «Ibsen», II.

★ **II.** ♦ **1.** (1867). Techn. Chacune des deux parties de la pince d'un
fer* à cheval.

♦ **2.** (1690). Rembourrage du collier d'un cheval, qui protège l'encolure.

DÉR. **Mamelé** ou **mamellé, mamellaire, mamelliforme, mamelon, mamelu.**

MAMELLIFORME [mameliform; mamɛllifɔʀm] adj. — 1834; de
mamelle, et *forme*.

♦ Didact. et rare. En forme de mamelle ou de mamelon.

MAMELON [mamlɔ̃] n. m. — V. 1560, *mamellon*; *memellon* (attestation isolée), XVᵉ; de *mamelle*.

♦ **1.** Bout du sein, saillie charnue, brune ou rose, à surface
rugueuse, où s'ouvrent par de nombreux petits orifices les vaisseaux
galactophores. ⇒ **Bouton, tétin.** *Aréole* (cit.) *du mamelon. Succion
que le nourrisson exerce sur le mamelon.*

1 Dès le début de la grossesse, les seins augmentent de volume et présentent souvent à cette époque une grande fermeté. Le mamelon s'hypertrophie, s'érige et
devient sensible (...) Au cours de la grossesse, la pigmentation du mamelon et de
l'aréole s'accentue. Elle ne rétrocède pas complètement, d'ailleurs, après l'accouchement.   A. BINET, les Formes de la femme, p. 161.

♦ **2.** (1611). Par ext. Protubérance* arrondie.
Techn. (serrurerie). *Mamelon d'une paumelle.*
(Fin XVIIIᵉ). Spécialt. Sommet* arrondi d'une colline, d'une montagne.
Petite élévation de terrain. ⇒ **Colline, éminence, hauteur.** *Village
construit sur un mamelon* (→ Cramponner, cit. 9). *À Waterloo, la
garde* (1. Garde, cit. 73) *était massée derrière un mamelon.*

2 (...) hauteurs, dites montagnes de Bohême; mamelons dont le bout est marqué par
des pins, et le galbe dessiné par la verdure des moissons.
CHATEAUBRIAND, Mémoires d'outre-tombe, t. VI, p. 45.

3 De là on découvrait au loin les vieux mamelons des collines. L'ombre ne touchait
pas encore les hautes terres.   H. BOSCO, l'Âne Culotte, p. 30.

DÉR. **Mamelonné.**

MAMELONNÉ, ÉE [mamlɔne] adj. — 1850; anat., 1753; de
mamelon.

♦ **1.** Littér. ou didact. Qui est couvert de proéminences en forme de
mamelons. ⇒ **Arrondi.** *Une région mamelonnée.*
Tout ce pays est bossué, mamelonné, plein d'accidents de terrain (...)
Th. GAUTIER, Souvenirs de théâtre, Statist. départ. de l'Ain.

♦ **2.** Méd. *Gastrite, glossite mamelonnée,* où la muqueuse est couverte de petites saillies arrondies.

DÉR. **Mamelonner.**

MAMELONNEMENT [mamlɔnmɑ̃] n. m. — 1890, Goncourt; de
mamelonner (se).

♦ Rare. Aspect mamelonné; ensemble de mamelons.

MAMELONNER (SE) [mamlɔne] v. pron. — 1850, Flaubert;
de *mamelonné.*

♦ Rare. Prendre un aspect mamelonné. *Collines qui se mamelon-
nent dans les lointains.*

Transitif :

D'énormes cumulus qui mamelonnaient leurs masses blanches à six cents mètres
furent coupés par les aérostats.   A. ROBIDA, le Vingtième Siècle, p. 347.

DÉR. **Mamelonnement.**

MAMELOUK, MAMELUCK ou **MAMELUK** [mamluk]
n. m. — 1834, *mamelouk*; *mameluck*, v. 1840; *mameluk*, 1611;
mamelu, v. 1460; *mamelos*, 1192; arabe d'Égypte *māmlūk*, proprt
«celui qui est possédé», les milices de *mamelouks* étant formées
d'esclaves.

♦ **1.** Ancienn. Cavalier d'une milice égyptienne, garde du corps du
sultan. *En 1250, les mamelouks déposèrent le sultan et fondèrent une nouvelle dynastie.* — Adj. *Cavalerie mamelouke* ou *mame-
luke.*

1 (...) l'Égypte était gouvernée et défendue par une milice formidable d'étrangers,
semblable à celle des janissaires. C'étaient des Circasses venus encore de la Tartarie : on les appelait *Mamelucs*, qui signifie esclaves (...)
VOLTAIRE, Essai sur les mœurs, CLIX.

Par anal. Soldat d'un escadron de la garde impériale de Napoléon Iᵉʳ. *Sabre, turban des mameluks* (→ 1. Hymen, cit. 5).

2 Le mamelouk bronzé, le goth plein de vaillance (...)
Prêtent leur force aveugle à ses ambitions.   HUGO, Odes et Ballades, III, VI, III.

♦ **2.** (1867). Vx. Serviteur dévoué d'un homme ou d'un parti, zélé
jusqu'au fanatisme.

3 Bompard, le mameluck de Roumestan, est comme un quatrième secrétaire qui fait
le dehors, va aux nouvelles, promène dans Paris la gloire du patron.
Alphonse DAUDET, Numa Roumestan, VI.

MAMELU, UE [mamly] adj. — 1549; de *mamelle.*

♦ Plais. Qui a de grosses mamelles, de gros seins (→ Gabarit,
cit. 2). *Une grosse femme mamelue.*

M'AMIE ou **MAMIE** [mami] n. f. (toujours appellatif).

♦ Terme d'affection, abréviation ancienne et familière de «*ma
amie*», par élision de la voyelle finale du possessif féminin devant
une initiale vocalique. ⇒ **Mie** (→ Fendre, cit. 4; gueule, cit. 7). —
REM. La forme moderne *mon amie* apparaît dès le XIIᵉ s. — On trouve
parfois la forme masculine *m'ami.*

1 Vous avez pris céans certaines privautés
Qui ne me plaisent point; je vous le dis, mamie.   MOLIÈRE, Tartuffe, II, 2.

2 Vois-tu, m'ami, ce qui est beau, c'est d'être simple et droit comme toi, d'avoir
vingt ans et de bien s'aimer (...)   Alphonse DAUDET, Sapho, II.

MAMIE ou **MAMMY** [mami] n. f. — Mil. XXᵉ; mot angl. *mammy*
«maman».

♦ Fam. Nom donné par les enfants à leur grand-mère. ⇒ **Mémé,
maman** (grand-, bonne-).

REM. Cet anglicisme ou américanisme correspond au vieillissement des
appellatifs français *mémé, bonne maman*, et au caractère populaire de
mémère; sa ressemblance phonétique avec les termes français facilite
son implantation, alors que l'anglicisme *granny* — qui s'entend dans
certains milieux bourgeois — reste un snobisme peu répandu.

Par ext. Vieille femme. «*Mammy (c'est ainsi qu'on appelle les
vieilles malades à l'hôpital)...* » (*le Nouvel Obs.*, 24 juin 1974).

MAMILLAIRE [mami(l)lɛʀ] adj. et n. f. — XVᵉ, «des mamelles»;
du lat. *mamilla.*

★ **I.** Adj. Sc. nat. et anat. Qui a la forme d'un mamelon; relatif
au mamelon. *Tubercule mamillaire d'une vertèbre. Muscle mamill-
laire.*

La tumeur occupait l'espace interpédonculaire refoulant latéralement les deux
pédoncules cérébraux, en arrière les corps mamillaires, en avant le chiasma et les
bandelettes optiques dont la partie interne apparaissait manifestement aplatie.
B. CENDRARS, Moravagine, in Œ. compl., t. IV, p. 259.

★ **II.** N. f. (1845). Bot. Cactacée à grosses fleurs parfumées portant de petites éminences épineuses. — Nom sc. : *Mamillaria*
[mami(l)laʀja] (écrit *mamilaria*, 1875, Zola).

MAMILLOPLASTIE [mami(l)loplasti] n. f. — 1907; du lat.
mamilla, et suff. *-plastie.*

♦ Chir. Intervention chirurgicale modifiant le mamelon* (⇒ **Mammoplastie**).

MAMM- ⇒ **Mammo-.**

MAMMA [mama ; mamma] n. f. — Mil. xxᵉ ; mot italien.

♦ Mère de famille italienne. *Des mammas* (forme francisée).

MAMMAIRE [mamɛʀ] adj. — 1654 ; du lat. *mamma* «sein maternel».

♦ Anat. Relatif à la mamelle, au sein. *Glandes mammaires. Artère mammaire.*

COMP. **Sous-mammaire.**

MAMMALIEN, IENNE [mamaljɛ̃, jɛn] adj. — 1949 ; du lat. *mammalis,* de *mamma* «mamelle».

♦ Zool., sc. nat. Qui se rapporte aux mammifères. *Faune mammalienne. Caractères mammaliens chez certains reptiles fossiles.* «*Un nouveau reptile mammalien*» (*la Recherche*, juin 1970, p. 181).

MAMMALOGIE [mamalɔʒi] n. f. — 1803 ; du lat. *mamma,* et suff. *-logie.*

♦ Zool. Étude des mammifères.

DÉR. **Mammalogique, mammalogiste.**

MAMMALOGIQUE [mamalɔʒik] adj. — 1836 ; de *mammalogie.*

♦ Zool. De la mammalogie.

MAMMALOGISTE [mamalɔʒist] n. — 1828 ; de *mammalogie.*

♦ Zool. Vx. Spécialiste des mammifères.

MAMMECTOMIE [mamɛktɔmi] n. f. — xxᵉ ; du lat. *mamma,* et *-ectomie.*

♦ Méd. Ablation d'une mamelle, d'une glande mammaire.

MAMMIFÈRE [mamifɛʀ] adj. et n. — 1791 ; du lat. *mamma* «mamelle», et suff. *-ère.*

♦ **1.** Adj. Didact. Qui porte des mamelles. *Femelle mammifère. Animaux mammifères.*

♦ **2.** N. m. **MAMMIFÈRES.** Classe d'animaux (tétrapodes), à température constante, respirant par des poumons, à système nerveux central développé, dont les femelles allaitent leurs petits à la mamelle. *Les mammifères sont généralement vivipares** (→ Embryon, cit. 3), *rarement ovipares. Les mammifères ont un cœur à quatre cavités. Mammifères aériens, aquatiques, arboricoles, terrestres. Mammifères quadrupèdes*. Mammifères carnivores, insectivores, omnivores, végétariens. Mammifères ruminants*.* — *Mammifères à fourrure* (cit. 7). *Mammifères qui hibernent* (→ Hibernation, cit. 1). — *Sous-classes des mammifères :* didelphes, monodelphes (→ Placentaire), ornithodelphes. *Ordres des mammifères :* carnivores (ou carnassiers), cétacés, chiroptères, édentés, insectivores, marsupiaux, monotrèmes, ongulés, primates, proboscidiens (→ Pachydermes), rongeurs, siréniens. *Sous-ordres de mammifères :* artiodactyles, périssodactyles ; hominiens, lémuriens (ou prosimiens), simiens. *Principales familles de mammifères :* bovidés (ou, vx, cavicornes), canidés, cervidés, équidés, félidés, hyénidés, léporidés, macropodidés, mustélidés, ovinés, sciuridés, suidés, vespertilionidés... — *Mammifères fossiles :* amblyopodes, anoplothérium, glyptodon, hipparion, mastodonte, mégathérium, paléothérium... — Au sing. *Un mammifère.*

1   Mammifères voisins des Insectivores, Mammifères voisins du Tarsier, Mammifères proches des Singes, Mammifères anthropoïdes et préhumains : voilà quelques-uns des derniers jalons de l'évolution organique jusqu'à la forme humaine.
                         Jean ROSTAND, l'Homme, VIII.

2   La première classe que fit Laulerque, le matin de la rentrée, se terminait par une leçon sur les mammifères. — «La baleine a du lait, comme la chèvre ou la vache, et donne à téter à ses petits (...)»
                         J. ROMAINS, les Hommes de bonne volonté, t. IX, XXVI, p. 218.

Noms de mammifères :

Agouti	Buffle	Chien	Éléphant
Aï (ou Paresseux)	Cabiai	Chimpanzé	Eyra
Alouate	Cachalot	Chinchilla	Fennec
Alpaca	Campagnol	Civette	Fouine
Âne	Castor	Coati	Fourmilier
Antilope	Cercopithèque	Cobaye	Furet
Aurochs	Cerf	Cyon	Galéopithèque
Babiroussa	Chacal	Daim	Gazelle
Babouin	Chameau	Dauphin	Gerbille
Baleine	Chamois	Desman	Gerboise
Belette	Chat	Dolichotis	Gibbon
Bison	Chauve-souris	Dromadaire	Girafe
Blaireau	Chèvre	Échidné	Glouton
Bouquetin	Chevreuil	Écureuil	Gorille
Bradype	Chevrotin	Élan	Grizzly

Hamster	Mangouste	Paradoxure	Sarigue
Hérisson	Marmotte	Pécari	Singe
Hippopotame	Marsouin	Péramèle	Souris
Homme	Martre	Petit-gris	Spalax
Hyène	Mégaptère	Pétrogale	Spermophile
Jaguar	Morse	Phacochère	Surmulot
Kangourou	Mouffette	Phalange	Tamandua
Kinkajou	Mouflon	Phascolome	Tanrec
Lama	Mouton	Phoque	Tapir
Lamantin	Mulot	Polatouche	Tarsier
Lapin	Musaraigne	Porc	Tatou
Lemming	Myopotame	Porc-épic	Taupe
Léopard	Narval	Potorou	Taureau
Lièvre	Onagre	Priodonte	Thylacine
Linsang	Ondatra	Protèle	Tigre
Lion	Ornithorynque	Puma	Tupaia
Loir	Orang-outang	Putois	Vampire
Loris	Oryctérope	Rat	Vigogne
Loup	Otarie	Ratel	Vison
Loutre	Otocyon	Raton	Xérus
Lycaon	Ouistiti	Renard	Yack
Lynx	Ours	Renne	Yapok
Macaque	Ovibos	Rhinocéros	Zèbre
Macroscélide	Panda	Rhinolophe	Zébu
Magot	Pangolin	Roussette	Zibeline
Maki	Panthère	Sanglier	Zorille

MAMMISI [mamizi] n. m. — 1902, Encyclopédie Berthelot, art. *Temple ;* mot copte «lieu de naissance».

♦ Archéol. Petit édifice placé en avant des temples ptolémaïques d'Égypte. Plur. *Des mammisis* ou *des mammisi.*

Au Temple sont annexés des *mammisi,* bâtiments où, chaque année, les déesses se rendent à l'anniversaire de la naissance de leurs enfants divins ; ils sont le plus souvent composés d'une pièce unique entourée d'un portique, et précédés parfois d'une cour et d'un grand portail. -
             G. CONTENEAU et V. CHAPOT, l'Art antique, p. 90.

MAMMITE [mamit] n. f. — 1836 ; du lat. *mamma,* et suff. *-ite.*

♦ Zootechn. Inflammation de la mamelle. *Mammite de la vache.* — Méd. Inflammation du sein (appelée aussi cour. *mastite*).

Le médecin ne signalait aucune maladie contagieuse sur le territoire de la commune ; les poules n'avaient pas à craindre le tournis, les cochons le rouget, les dindons la pépie, les vaches la mammite, les chiens la rage et les chevaux la morve.
             R. QUENEAU, le Chiendent, p. 204.

MAMMO-, MAMM- Élément, du lat. *mamma* «sein». ⇒ **Masto-.**

MAMMOGRAPHIE [mamogʀafi] n. f. — 1945, Garnier-Delamare ; de *mammo-,* et *-graphie.*

♦ Méd. Radiographie de la glande mammaire. *Mammographie aux rayons X. Mammographie par ions lourds.*

MAMMOPLASTIE [mamoplasti] n. f. — Mil. xxᵉ ; de *mammo-,* et *-plastie.*

♦ Méd. Réfection chirurgicale du sein pour des raisons d'esthétique. ⇒ **Mammilloplastie.**

MAMMOUTH [mamut] n. m. et adj. — V. 1705, *mammut ;* mot russe, d'une langue sibérienne, *mamout.*

♦ **1.** Gigantesque éléphant fossile du quaternaire. *On a retrouvé de nombreux restes de mammouths en Sibérie et en France (Dordogne).*

(...) un homme qui vécut au temps du mammouth, pendant l'âge des glaces (...)   1
             FRANCE, le Livre de mon ami, «Livre de Pierre», IV.

♦ **2.** (1867). Fig. Chose très grande, géante.

(...) enfin on s'arrêtait pour contempler le géant ou le *Mammouth* des canons.   2
             L. FIGUIER, l'Année scientifique et industrielle 1868, p. 117 (1867).

♦ **3.** (1963 ; Larousse, *pompe mammouth*). Adj. (Épithète postposée) De très grande taille. ⇒ **Énorme, immense.** *Navire, avion mammouth.*

MAMOURS [mamuʀ] n. m. pl. — 1608 ; de *m'amour, ma amour,* terme d'affection. → M'amie.

♦ Fam. Démonstration de tendresse. ⇒ **Caresse.** *Faire des mamours à quelqu'un.*

Existez hardiment l'un pour l'autre, faites-vous des mamours, faites-nous crever de rage de n'en pouvoir faire autant, idolâtrez-vous.   1
             HUGO, les Misérables, V, VI, II.

Figuré :

(...) l'Allemagne a découvert qu'elle n'avait rien contre la Russie, et le Tsar et le   2
Kaiser se sont faits des mamours.
             J. ROMAINS, les Hommes de bonne volonté, t. IX, XXXII, p. 280.

MAM'SELLE ou **MAM'ZELLE** [mamzɛl] n. f. ⇒ **Mademoi-selle.**

MAN [mɑ̃] n. m. — 1835 ; francique *mado.

♦ Larve du hanneton, dite aussi *ver blanc.*
HOM. Formes du v. **mentir.**

-MAN Élément tiré de l'angl. *man* « homme » (pluriel : *men*), et qui figure dans un certain nombre d'emprunts et de faux anglicismes. Ex. : *bluesman, rugbyman, tennisman* (pluriel : *des bluesmen, des rugbymen, des tennismen*).

MANA [mana] n. m. — 1864, *Rev. des cours sc.,* t. I, p. 101 ; mot mélanésien.

♦ Sociol., ethnol. Puissance surnaturelle impersonnelle et principe d'action, dans certaines religions (d'abord en parlant des Mélanésiens).

1 *(Le pouvoir)* fait qu'un ordre est exécuté. Il se présente comme une vertu invisible, surajoutée, irrésistible, qui se manifeste dans le chef (...) Cette vertu qui force d'obéir à ses injonctions est la même qui donne au vent la capacité de souffler, au feu celle de brûler, à l'arme celle de tuer. C'est elle que désigne, sous des diverses formes, le mot mélanésien *mana* et ses nombreux équivalents américains. L'homme qui possède du *mana* est celui qui sait et qui peut faire obéir les autres.   Roger CAILLOIS, l'Homme et le Sacré, p. 111-112.
2 Comme l'honneur, le destin est un mana où l'on collecte pudiquement les déterminismes les plus sinistres de la colonisation.
                                          R. BARTHES, Mythologies, p. 139.

MANADE [manad] n. f. — 1867 ; provençal *menada,* du lat. *manus* « main ».

♦ En Provence, Troupeau de bœufs, de chevaux, de taureaux conduits par un *gardian.*
DÉR. Manadier.

MANADIER [manadje] n. m. — 1955, *Dict. des métiers ;* de *manade.*

♦ Techn. et régional. Éleveur de taureaux en Camargue. *Le manadier et ses gardians.*

MANAGEMENT [manaʒmɑ̃ ; menedʒment] n. m. — 1921, H. Fayol ; mot angl. « conduite, direction d'une entreprise ».
REM. On rencontre en 1898 la forme *managérat.*

♦ Anglic. Écon. Ensemble des techniques d'organisation* et de gestion* d'une affaire, d'une entreprise. ⇒ **Administration, conduite direction, exploitation.** « *Le fameux "management" est avant tout un climat de dynamisme* » *(la Croix,* 11 juil. 1970).
Le Club du Livre de Management sélectionne, traduit et publie chaque année les quelques livres de portée internationale qui jettent un éclairage absolument neuf sur les problèmes décisifs du management : grâce à eux, les dirigeants français ont accès parmi les premiers aux techniques de direction et de gestion les plus avancées et se retrouvent à égalité avec les managers américains, allemands ou japonais.   l'Express, 11 juin 1973, publicité, p. 33.
REM. Cet anglicisme a été adopté par l'Académie française, avec une prononciation francisée.

1. MANAGER [manadʒœʀ ; manadʒɛʀ] n. m. — 1857 ; mot angl., du v. *to manage* « manier, diriger ».

♦ **1.** Personne qui veille à l'organisation matérielle de spectacles, concerts, matches..., ou qui s'occupe particulièrement de la vie professionnelle et des intérêts d'un artiste (⇒ **Impresario**), d'un champion (⇒ **Entraîneur**). — Recomm. off. : *manageur.*

1 Pour le divertissement de quelques touristes, un manager avait organisé une soirée de danses (...)   GIDE, Nouveaux prétextes, « Journal sans dates », VI.
2 Le gong retentit. Chacun des deux adversaires tomba assis (...) l'Allemand n'avait plus forme humaine... Son manager lui faisait la critique du combat, tout en lui massant le cœur (...)   Paul MORAND, Champions du monde, p. 110.

♦ **2.** (1865, attestation isolée, in *le Tour du monde* ; répandu mil. XXᵉ). Chef, dirigeant d'une entreprise ; personne qui exerce une fonction de management*. ⇒ **Cadre, gestionnaire.** « *Manager technico-commercial d'un bureau de création* » *(l'Express,* 10 juil. 1972).

3 La séparation croissante entre la propriété et la gestion effective des entreprises, confiée à des managers salariés, fait de la propriété une survivance, désormais parasitaire, d'une époque où le propriétaire était entrepreneur, assumant la responsabilité, la direction et le risque.   Roger GARAUDY, Parole d'homme, p. 137.

2. MANAGER [manadʒe] v. tr. — 1927 ; de l'angl. *to manage* « mener, diriger (une affaire) ».

Anglicisme.

♦ **1.** Sports. Diriger l'entraînement de (un sportif, une équipe), en être le manager. *Manager une équipe.*

♦ **2.** (1969). Écon. Diriger (une affaire), organiser (une activité).

⇒ **Administrer, conduire, gérer.** *Manager une entreprise. Manager ses temps de loisir.*

MANANT [manɑ̃] n. m. — XIIᵉ, « habitant », et aussi « riche, puissant » ; p. prés. de l'anc. v. *maneir, manoir* « demeurer », du lat. *manere.*

♦ **1.** (1690). Au moyen âge, Habitant d'un bourg ou d'un village (→ Étape, cit. 2), et, spécialt (par oppos. à *bourgeois,* I., 1.), roturier* assujetti à la justice seigneuriale. ⇒ **Vilain.**
1 Des esclaves en fuite, des manants révoltés, des bâtards sans fortune, toutes sortes d'intrépides affluèrent sous son drapeau, et il se composa une armée.
          FLAUBERT, Trois contes, « Légende de St Julien l'Hospitalier », II.

♦ **2.** (1610). Péj. et vx. Paysan. *Manant qui sème du chanvre* (cit. 1). — Spécialt. Terme de mépris à l'adresse d'un homme du peuple. ⇒ **Bonhomme.** *Hors d'ici, manant* (→ aussi Espèce, cit. 6).
2 Holà ! dérange-toi, manant, pour que je passe.
          A. DE MUSSET, Premières poésies, « La coupe et les lèvres », I, 3.
3 — Misérable *manant !* s'écria-t-il, en lui donnant le sobriquet par lequel les Royalistes outrageaient les Ligueurs.   BALZAC, l'Enfant maudit, Pl., t. IX, p. 678.
4 Cependant, on ne saurait marcher toujours ; une voiture passe, une charrette attelée d'un petit cheval vigoureux et conduite par un manant assez poli, qui engage l'entretien.   SAINTE-BEUVE, Causeries du lundi, 13 oct. 1851.

♦ **3.** (1694). Fig. et littér. Homme grossier, sans éducation. ⇒ **Rustre.** *Cet homme n'est qu'un manant* (→ Engouer, cit. 4 ; et aussi badaud, cit. 2). — Adj. → ci-dessous, cit. Stendhal.
5 — Sans doute il vous a regardé, mais c'est au moment où il me demandait qui vous êtes ; c'est un homme qui est *manant* avec tout le monde, il n'a pas voulu vous insulter.   STENDHAL, le Rouge et le Noir, I, XXIV.
6 Michel *(Francisque)* est un manant et un *animal,* il ne faut pas lui écrire.
          SAINTE-BEUVE, Correspondance, 1184, 19 févr. 1841.

CONTR. Gentilhomme.

MANCEAU, CELLE [mɑ̃so, sɛl] adj. et n. — 1690, *manseau ;* du nom de *Le Mans,* ville française.

♦ Du Mans ; du Maine. *Le bocage manceau. Races mancelles de bovins, de porcins.*

MANCELLE [mɑ̃sɛl] n. f. — 1680 ; *manselles,* fin XIVᵉ ; du lat. pop. *manicella,* de *manus* « main ».

♦ Techn. Chaîne, courroie joignant les attelles du collier d'un cheval à chacun des limons de la voiture.

MANCENILLE [mɑ̃snij] n. f. — 1527 ; esp. *manzanilla,* dimin. de *manzana* « pomme ».

♦ Fruit du mancenillier, qui a l'aspect d'une petite pomme.
DÉR. Mancenillier.

MANCENILLIER [mɑ̃snije] n. m. — 1658 ; de *mancenille.*

♦ Arbre d'Amérique *(Euphorbiacées)* qui produit un latex très vénéneux (on l'appelle aussi *arbre de poison, arbre de mort,* et son ombre passait pour être mortelle).
Il ne faut s'endormir, ni à l'ombre d'un mancenillier, ni à l'ombre d'une armée.
          HUGO, les Misérables, II, II, III.

1. MANCHE [mɑ̃ʃ] n. f. — V. 1150 ; lat. *manica,* de *manus* « main ».

♦ **1.** Partie du vêtement qui entoure le bras. *Manches longues,* qui s'arrêtent au poignet (→ Fuseau, cit. 3) ; *manches courtes,* qui s'arrêtent au coude ou au-dessus du coude (→ Liquide, cit. 8). *Manches au coude, manches trois-quarts... Ouverture où s'adapte la manche.* ⇒ **Emmanchure, entournure.** *Manche montée, raglan. Parties de la manche.* ⇒ **Botte, coude, mancheron, parement, poignet, rebras, revers.** *Manches étroites, collantes ; manches larges,* évasées (→ 1. Faste, cit. 6). *Grandes manches* (→ Calotte, cit. 2), *manches plates, froncées, bouffantes, bouillonnées, tailladées. Manches à crevés*, à sabots. Manches chemisier, tailleur ; manches ballon*, gigot*, pagode** (→ Bras, cit. 1)... *Manche en amadis* (vx). *Manche kimono** (cit. 3). *Manches d'habit* (→ Épousseter, cit. 2), *de veste, de capote, de robe. Gilet à manches. Vêtement sans manches* (→ 1. Cape, cit. 1 ; culotte, cit. 1). *Robe sans manches. Manches fermées des camisoles de force. Chevrons*, insignes portés sur la manche d'un uniforme. Bras nu entre la manche et le gant. Bras maigres qui sortent des manches* (→ Cotillon, cit. 2). *Manches trop longues où les mains disparaissent* (→ Fringuer, cit. 2). *Passer, enfiler les manches d'un vêtement. Se moucher dans sa manche. — Fausses manches :* demi-manches portées sur les manches d'un vêtement pour les protéger du coude au poignet. ⇒ **Garde-manche, manchette.** *Des manches de lustrine.*

1 Ses bras, à la fois mignons et potelés, sortaient de manches à sabots fourrées de dentelles.   BALZAC, la Cousine Bette, Pl., t. VI, p. 289.
2 Elle avait aux pieds de grosses galoches de bois (...) et des manches de sa camisole rouge dépassaient deux longues mains, à articulations noueuses.
          FLAUBERT, Mᵐᵉ Bovary, II, 8.

3 Leur veste, d'une couleur éclatante et couverte de broderies en style ancien, a des manches qui s'arrêtent au-dessus du coude ; c'est pour laisser échapper les très longues manches pagodes, taillées en pointe à la façon de notre quinzième siècle, de la robe d'en dessous (...)
LOTI, Jérusalem, IV.

4 Élise portait une robe de lingerie garnie de rose... La manche courte, au-dessus du coude, se complétait d'un petit volant de même dentelle.
ARAGON, les Beaux Quartiers, III, IV.

5 Il (...) se la jeta *(sa veste)* sur les épaules sans passer les manches.
ARAGON, les Beaux Quartiers, I, XXVI.

Loc. *En manches de chemise* (en parlant d'un homme) : en chemise, sans veste. ⇒ **Bras** (en bras de chemise). *Être, se mettre en manches de chemise.*

6 Il faisait très chaud. Les hommes retirèrent leurs redingotes et continuèrent à manger en manches de chemise.
ZOLA, l'Assommoir, III, t. I, p. 108.

Relever, retrousser ses manches (pour être plus à l'aise, pour travailler). → Belluaire, cit. 1 ; 2. leur, cit. 2. *Manches relevées, retroussées jusqu'au coude* (→ Exhibition, cit. 3 ; incomparable, cit. 5 ; 1. pique, cit. 2). — Fig. *Retroussons nos manches :* mettons-nous au travail. ⇒ **Mêlée**, cit. 4.

7 Alors le temps des palabres sera passé ! Et nous retrousserons nos manches, parce que l'heure de l'action sera venue, parce que nous l'aurons enfin, la *prise sur les choses !*
MARTIN DU GARD, les Thibault, t. V, p. 97.

8 Le type prend le chandail d'un air craintif, il l'enfile docilement et reste immobile, les bras écartés. Les manches sont trop longues, elles lui tombent sur les ongles. Brunet rit : « Retrousse-les ».
SARTRE, la Mort dans l'âme, p. 215.

Tirer qqn par la manche, l'amener, le retenir auprès de soi. — (1834). Fig. Attirer son attention, le solliciter*. — (1769). *Se faire tirer la manche, par la manche :* se faire prier.

9 (...) je suis si aise de les voir partir que je n'ai garde de les tirer par la manche pour les retenir (...)
VOLTAIRE, Correspondance avec d'Alembert, 133, 2 mars 1764.

10 On assure que le pape cordelier se fait beaucoup tirer la manche pour abolir les jésuites.
D'ALEMBERT, Lettre au roi de Prusse, 7 août 1769.

11 Quiconque découvre une évidence tire chacun par la manche pour le lui montrer.
SAINT-EXUPÉRY, Pilote de guerre, XXIV.

(1673). Fig. (Vieilli). *Être dans la manche de qqn,* être à sa disposition pour servir ses intérêts. — (1690, mod. ; *tenir qqn dans sa manche,* 1601). *Avoir qqn dans sa manche,* en disposer à son gré. —
REM. L'expression vient de ce qu'on mettait autrefois dans sa manche, comme dans une poche, sa bourse et divers objets (→ Poche).

12 (...) deux ou trois personnes soupçonnées d'avoir assassiné son père (...) avaient été recherchées en justice pour ce fait, mais s'étaient trouvées blanches comme neige attendu qu'elles avaient dans leur manche, juges, avocats, préfets et gendarmes.
MÉRIMÉE, Colomba, III.

Loc. fig. (XXᵉ). *Garder qqn dans sa manche :* garder en réserve comme moyen d'action, comme atout décisif.

(1611). Fig. et fam. *C'est une autre paire de manches :* c'est tout à fait différent*, et, spécialt, beaucoup plus difficile.

13 *On fait l'amour, et quand l'amour est fait, c'est une autre paire de manches...* Ce proverbe rappelle un usage pratiqué au douzième siècle par des individus de sexe différent qui voulaient former ensemble un tendre engagement. Ils échangeaient une paire de manches comme gage du don mutuel qu'ils se faisaient de leur cœur (...) ainsi qu'on le voit dans une nouvelle du troubadour Vidal de Besaudun, où il est parlé de deux amants qui se jurèrent de *porter manches et anneaux l'un de l'autre.* Ces enseignes ou livrées d'amour, destinées à être le signe de la fidélité, devinrent presque en même temps celui de l'infidélité ; car toutes les fois qu'on changeait d'amour en changeait aussi de manches (...) et, en définitive, *c'était toujours une autre paire de manches.*
P.-M. QUITARD, Proverbes sur les femmes, p. 252.

14 Me voilà donc excusé de ce côté-là. Mais il fallait aborder l'autre, et ce que j'avais à lui dire était une autre paire de manches.
DIDEROT, le Neveu de Rameau.

15 Notre conception moderne peut être juste quand on regarde l'histoire humaine du point de vue de Sirius, ou sur une phase de dix siècles ; autrement dit quand la distance écrase les détails ; mais quand il s'agit de savoir si, en ce moment même, le tsar Nicolas donne ou ne donne pas au roi de Serbie le conseil de marcher contre l'Autriche, c'est une autre paire de manches.
J. ROMAINS, les Hommes de bonne volonté, t. I, X, p. 112.

♦ **2.** (1803). Jeux, sports (les deux parties liées que l'on joue étant comparées à des manches ; on lit dans P. Larousse, 1873, « *Vous avez gagné deux manches, vous avez l'habit complet* »). Partie liée à une autre, qui constitue un jeu. *Première manche, seconde manche* (⇒ **Revanche**) *et belle*. *Partie* de bridge en deux ou trois *manches.* — (1840). *Être à manche,* à égalité (→ Jouer, cit. 21). — *Finale en deux ou trois manches.* — Fig. *Il a gagné la première manche, mais ce n'est pas fini.*

16 Il a gagné la première manche, moi la seconde. Je sais que c'est lui qui gagnera la belle, son jeu est truqué : il a tous les as.
J. ANOUILH, Ornifle, IV, p. 234.

♦ **3.** (1771). Large tuyau, généralement d'une matière souple, servant à conduire un fluide. — Mar. *Manche à lavage. Manche à incendie. Manche à vent :* conduit installé sur le pont pour aérer l'entrepont et la cale. *Manche à air :* conduit en tôlerie monté sur pied, à pavillon orientable, destiné au même usage ; tube en toile placé en haut d'un mât pour indiquer la direction du vent (sur un aérodrome, au bord d'une route). ⇒ (argot) **Biroute, boudin.**

17 Il demandait de l'air, de l'air ; mais il n'y en avait nulle part les manches à vent n'en donnaient plus (...)
LOTI, Pêcheur d'Islande, III, II.

Aérostation. *Manche d'un ballon, d'un aérostat,* par où s'échappe le gaz.

Techn. *Manche d'appendice*.*

♦ **4.** (1611, « *la Manche d'Angleterre* »). Vx. Bras de mer. ⇒ **Détroit.**

« *La manche de Bristol, la manche de Danemark* » (*Encyclopédie,* art. *Manche*).

Absolt. Mod. *La Manche :* le bras de mer qui sépare la France de l'Angleterre (→ Golfe, cit. 1).

DÉR. Manchette, manchon. — 1. Mancheron.
COMP. Emmanchure, sous-manche.

2. MANCHE [mɑ̃ʃ] n. m. — XIIᵉ, *menche ;* du lat. pop. *manicus,* de *manus* « main », proprt « ce qu'on saisit avec la main ».

♦ **1.** Partie (d'un outil, d'un instrument) qui sert à tenir. *Manche long, court* (⇒ **Manicle**), *droit, courbe. Manche de bois, de métal, de corne...* (cit. 4). *Douille*, virole* d'un manche. Manche d'outil* (→ Copeau, cit.), *de fourche, de pioche, de pelle, de hache* (cit. 7). *Fléau* (cit. 1) *à long manche. Manche de couteau** (cit. 4). *Lame qui rentre dans le manche* (→ Eustache, cit.). *Manche de cuiller, de fourchette* (cit. 2). *Manche de casserole.* ⇒ **Queue.** *Manche de pinceau.* ⇒ **Ente.** *Manche de fouet* (cit. 1 et 2). ⇒ **Perpignan.** *Le manche d'un balai.* Loc. *Manche à balai*.* — *Manche de manivelle, de raquette... Manche d'un cachet. Bougeoirs à manches et bougeoirs à poignées. Manche d'un drapeau, d'une bannière, d'une lance...* ⇒ **Hampe ; bâton.** *Manche orné, manche à embout d'un parapluie.*

1 (...) un énorme couteau dans le manche duquel il y avait un tire-bouchon.
BALZAC, Z. Marcas, Pl., t. VII, p. 743.

2 Elle mit un canotier de paille blanche... et prit son ombrelle foncée à long manche.
J. CHARDONNE, les Destinées sentimentales, p. 105.

Aviat. Absolt. **MANCHE** : manche à balai*.

3 On pilote manche sur le ventre... On porte dans les mains l'avion en équilibre comme un bol trop plein.
SAINT-EXUPÉRY, Courrier Sud, III, VI.

Loc. fig. *Branler** (cit. 3) *dans le manche.* — *Jeter le manche après la cognée*.* — (1854). Fam. *Être, se mettre du côté du manche,* du bon côté, du côté du plus fort ou de ses intérêts (proprt : du côté de celui qui expulse les autres d'un coup de balai. → Balai, cit. 5).

4 Il n'avait aucune chance, les électeurs des campagnes le traitaient en ennemi public, du moment où il n'était pas du côté du manche.
ZOLA, la Terre, II, V.

Loc. vieillie. *Dormir, s'endormir sur le manche* (de l'outil) : ne rien faire (cit. 71). *Manche de charrue.* ⇒ **Mancheron.**

(1611). Mus. Dans les instruments à archet et dans certains instruments à cordes pincées, Partie allongée le long de laquelle sont tendues les cordes. *Touches, clefs d'un manche d'instrument. Manche de violon, de guitare* (cit. 5). *Faire un barré** à la cinquième case du manche.*

♦ **2.** (1690). Partie par laquelle on tient un gigot, une épaule pour les découper ; os (de gigot, de côtelette). *Côtelette à manche et côtelette découverte.*

5 Chez les Grésandage on mettait aux manches des côtelettes les petits étuis de papier qu'on leur voit dans certains restaurants.
ARAGON, les Beaux Quartiers, III, IV.

(1834). *Manche à gigot :* pince réglable munie d'un manche, que l'on adapte à l'os et que l'on tient pour découper la viande.

♦ **3.** (XVIᵉ). Vulg. Membre viril (cf. Rabelais, IV, 9).

(1914). Fig. Pop. *Tomber sur un manche :* rencontrer une difficulté imprévue. (cf. Tomber sur un bec).

DÉR. et COMP. 2. Mancheron. — Démancher, emmancher.

3. MANCHE [mɑ̃ʃ] n. m. et adj. — XXᵉ ; 1920, *in* Wartburg ; croisement de 2. *manche* (3., vulg.) et des dér. du lat. *mancus* (*manchot, manchet,* régional), souvent employés au fig. « maladroit, bon à rien ».

♦ Fam. Maladroit, lourdaud. ⇒ **Couillon** (fam.), **idiot, imbécile.** *Quel manche ! Il s'est débrouillé, il s'y est pris comme un manche.*

1 J'ai commencé à m'marrer quand un d'ces manches a dit : « Faut fermer les volets, c'est plus prudent ! » Mon vieux, on était à une pièce de deux cents kilomètres de la ligne de feu, mais c'vérolé-là, i' voulait faire croire qu'y aurait danger d'bombardement d'aéro (...)
H. BARBUSSE, le Feu, t. I, p. 52.

2 On ne lui avait jamais dit qu'il était intelligent. On lui avait plutôt répété qu'il se conduisait comme un manche ou qu'il avait des analogies avec la lune.
R. QUENEAU, Pierrot mon ami, p. 19.

3 Avec le marché noir, je me suis démerdé comme un manche.
R. QUENEAU, Zazie dans le métro, Folio, p. 38.

Adj. *Il, elle est un peu manche.*

CONTR. Habile, malin.

4. MANCHE [mɑ̃ʃ] n. f. — 1790 ; « gratification », 1532 ; du provençal *mancho* « quête », ital. *mancia* « offrande ».

♦ Argot. Quête. *Faire la manche :* mendier. « (...) il joue de la guitare électrique (...) J'ai eu le temps d'apprendre (...) qu'il navigue entre sa ferme de Marrakech et la France, où il fait la manche plus ou moins régulièrement » (le Monde de la musique, juin 1978, p. 45).

1. MANCHERON [mɑ̃ʃnõ] n. m. — V. 1205, de 1. manche.

♦ **1.** Anciennt. Garniture du haut de la manche, dans les robes de femme (→ Écarlate, cit. 1).

♦ **2.** (1515). Mod. Petite manche couvrant le haut du bras. — Haut de la manche.

HOM. 2. Mancheron.

2. MANCHERON [mɑ̃ʃRõ] n. m. — 1217 ; de 2. manche.

♦ Techn. Chacune des deux tiges de direction placées à l'arrière d'une charrue ou d'un motoculteur (on dit aussi *manche*). *Laboureur qui tient les mancherons de sa charrue.*

1 Tout de suite, Jean enraya, à la place où il avait dérayé la veille ; et, faisant mordre le soc, les mains aux mancherons de la charrue, il jeta à son cheval le cri rauque dont il l'excitait.   ZOLA, la Terre, V, III.

2 (...) solidement agrippé aux mancherons de son motoculteur rouge, il continue de butter des choux dans le potager.   Hervé BAZIN, Cri de la chouette, p. 89.

HOM. 1. Mancheron.

MANCHETTE [mɑ̃ʃɛt] n. f. — 1606 ; *manchete* « manche d'habit », v. 1193 ; dimin. de 1. *manche.*

★ **I.** ♦ **1.** Anciennt. Garniture cousue ou adaptée au bas d'une manche. *Une paire de manchettes. Manchettes de chemise en dentelle. Col et manchettes de percale* (→ Linge, cit. 6). *Manchettes de deuil.* ⇒ **Pleureuse.** — Mod. et cour. Poignet à revers, fixe ou amovible, d'une chemise d'homme. ⇒ **Poignet.** *Manchettes de toile. Manchettes empesées, glacées. Boutons* de manchettes.*

0.1 (...) il y avait aux manches de la veste de Monsieur, ainsi qu'à celles de la robe de Madame, une vieille paire de manchettes cousues après l'étoffe, et que je lavais tous les Samedis au soir (...)   SADE, Justine..., t. I, p. 30.

1 Quelques esprits superficiels s'obstinent à voir dans Buffon l'écrivain poudré et à manchettes ; ils ne sortent pas des anecdotes sur Montbard, et ils en sont restés sur son compte aux plaisanteries de d'Alembert ou de Rivarol (...)
                      SAINTE-BEUVE, Causeries du lundi, 10 avril 1854.

2 (...) une grosse manchette ronde, fermée par un gros bouton de nacre rond, et pareille à un pot de pharmacie, s'échappait sa manche de jaquette.
                      J. ROMAINS, les Hommes de bonne volonté, t. III, XXII, p. 288.

3 Pauline suivait à pied la longue rue (...) son costume de drap sombre garni d'un haut col et de manchettes de batiste blanche (...)
                      J. CHARDONNE, les Destinées sentimentales, p. 190.

Partie qui prolonge le gant* au-dessus du poignet. *Des gants à manchettes brodées* (→ Crispin).

(1726). Loc. *Chevalier de la manchette* : homosexuel (→ 1. Être, cit. 80, Rousseau).

♦ **2.** (1812). Fausses manches* qui protègent un vêtement. *Des manchettes de lustrine* (on a dit aussi *garde-manche**).

(XXᵉ ; avec infl. de 2. *manche*). Garniture en papier blanc découpé que l'on place sur les manches des côtelettes et des gigots.

(XXᵉ). Techn. Couronne de papier assemblant un bout-filtre au corps de la cigarette.

♦ **3.** (1800). Fam. ⇒ **Menottes.**

(1829). Marque sur un poignet qui a été serré, blessé.

4 Clémence lui passa son fer ; l'apprentie (...) empoigna celui-là si maladroitement, qu'elle se fit une manchette, une longue brûlure au poignet.
                      ZOLA, l'Assommoir, t. I, V, p. 187.

♦ **4.** (1722). Rembourrage garni d'étoffe au milieu des accotoirs ou des bras de fauteuil.

Techn. *Manchette de garantie* : couche de maçonnerie servant de protection.

♦ **5.** (1840). Escrime. *Coup de manchette* : coup de taille au poignet de la main qui tient le sabre. — (XXᵉ). Lutte. *Une manchette* : un coup donné avec l'avant-bras.

★ **II.** ♦ **1.** (1765). Imprimerie. Addition marginale, note écrite en marge* d'un texte, à gauche ou à droite. *Texte, note en manchette.*

5 Les *imprimeurs* appellent un ouvrage *à manchettes* un manuscrit dont les marges sont chargées d'additions.   Encycl. (DIDEROT), art. *Manchette.*

♦ **2.** (1878). Cour. Titre très large et en gros caractères, à la première page d'un journal. *La manchette évoque généralement le fait, l'événement considéré comme le plus important de la journée. Lire* (1. Lire, cit. 23) *d'abord la manchette. Manchettes des éditions spéciales* (→ Arborer, cit. 7).

6 Le crieur s'avance au pas de course, la manchette du journal bien étalée sur sa poitrine.   J. ROMAINS, les Hommes de bonne volonté, t. III, XXIII, p. 304.

7 C'était le *Petit Niçois*, Odette Delorme voyait la manchette en gros caractères : « Du sang-froid », et en s'appliquant, elle put déchiffrer le sous-titre : « M. Chamberlain adresse un message à Hitler ».   SARTRE, le Sursis, p 24.

MANCHON [mɑ̃ʃõ] n. m. — 1561 ; « manche fourrée ornementale », XIIIᵉ ; de 1. *manche.*

♦ **1.** Pièce d'habillement constituée par un fourreau ouvert aux deux bouts et dans lequel on peut mettre les mains pour les protéger du froid. *Manchon plat, cylindrique, rond. Manchon de four-*

*rure** (cit. 1), *de vison, d'astrakan..., de satin, de velours. Manchon ouaté, garni de duvet... Donner du lustre à un manchon. Mettre ses mains dans un manchon, au fond* (cit. 22) *d'un manchon.*

1 La bonne dame plongea dans un manchon ses mains jusqu'aux coudes (...)
                      Aloysius BERTRAND, Gaspard de la nuit, « Vieux Paris », IX.

(1690). *Chien de manchon* : chien minuscule que les femmes portaient dans leur manchon, au XVIIIᵉ siècle.

♦ **2.** (1881). Techn. Feutre qui recouvre les formes en bois sur lesquelles on travaille les chapeaux.

♦ **3.** (1765). Par anal. Pièce cylindrique. *Manchon d'accouplement, d'assemblage.* ⇒ **Anneau, bague, douille.** *Manchon réunissant deux arbres* de transmission. Manchon fixe, articulé. Manchon assemblant deux tuyaux*. — Poser un manchon. — Manchon (ou manche) d'un ballon*. — Mar. Manchon d'écubier* : garniture qui entoure l'ouverture. Manchon de gouvernail* : garniture du trou de jaumière.*

(1931). Tube métallique ajouré qui entoure le canon d'armes automatiques pour éviter l'échauffement et protéger les servants de l'arme.

1.1 (*Il*) tenait à la main une arme d'un modèle que l'étudiant n'avait jamais vu, avec le canon entouré d'un manchon percé de trous (...)
                      Claude SIMON, le Palace, p. 108.

Anat. Organe de protection cylindrique. *Manchon fibreux d'une articulation* (→ Articulaire, cit. 1), *manchon capsulaire.*

Techn. Support magnétique utilisé dans les machines à dicter, pour l'enregistrement.

Techn. Rouleau de feutre sur lequel se fabrique le papier.

♦ **4.** *Manchon à incandescence* : gaine de tissu incombustible imprégnée de nitrates de thorium et de cérium, qui augmente l'éclat de la flamme qu'elle entoure. *Lampe à manchon. Changer le manchon.*

2 Des lampes à manchon sont rangées sur une longue table (...)
                      Th. GAUTIER, Voyage en Russie, XIV.

DÉR. Manchonner.

MANCHONNAGE [mɑ̃ʃɔnaʒ] n. m. — Mil. XXᵉ ; de *manchonner.*

♦ Techn. Action de poser un manchon ; résultat de cette action. *Faire un manchonnage. J'espère que le manchonnage tiendra.*

Le grand mât (marconi) sera bientôt posé, en deux éléments, avec un manchonnage à hauteur des barres de flèche. Henry n'avait pas le choix mais c'était du solide.   Bernard MOITESSIER, Cap Horn à la voile, p. 86.

Chir. Procédé d'ostéosynthèse par adaptation d'une prothèse ayant la forme d'un manchon.

MANCHONNER [mɑ̃ʃɔne] v. tr. — Mil. XXᵉ ; de *manchon.*

♦ Techn. Garnir d'un manchon. *Manchonner une pièce.* — Spécialt. *Manchonner (une forme de chapellerie).*

Chir. Ajuster (des os) par une prothèse cylindrique. ⇒ **Manchonnage.**

MANCHOT, OTE [mɑ̃ʃo, ɔt] adj. et n. — 1502 ; de l'anc. adj. *manc, manche* « manchot, estropié », du lat. *mancus.* → Manquer.

★ **I.** Adj. et n. ♦ **1.** Qui est privé d'une main, d'un bras, ou des deux. *« Il est manchot de la main droite »* (Académie). *« Qu'on me rende impotent, cul* (cit. 14) *-de-jatte... manchot... »* (La Fontaine). Par exagér. Qui a un bras perclus, immobilisé.

1 Mon malheureux rhumatisme m'a repris ; il s'est niché cette fois sur le bras droit, et je suis absolument manchote.   LACLOS, les Liaisons dangereuses, CXII.

N. (→ Estropié, cit. 10). *Le moignon d'un manchot, d'une manchote.*

2 (...) des manchots parviennent, à force d'exercice, à faire avec leurs pieds tout ce que nous faisons de nos mains (...)
                      ROUSSEAU, De l'inégalité parmi les hommes, note C.

3 (...) le grand Cervantès, qui avait perdu le bras à la bataille de Lépante... appelé *vieux et ignoble manchot* par les écrivailleurs de son temps (...)
                      BALZAC, Illusions perdues, Pl., t. IV, p. 630.

♦ **2.** (1680). Fam. Maladroit. ⇒ 2. **Manche.** Surtout en négation. *N'être pas manchot* : être habile, adroit, avoir de la dextérité, de la force. — Nom :

4 (...) je demande (...) mille ouvriers, et pas des manchots, pas des malingres (...)
                      G. DUHAMEL, Salavin, III, IV.

★ **II.** N. m. (1760). Oiseau palmipède (*Sphéniscidés*) des régions antarctiques (semblable au pingouin qui vit dans l'Arctique). Par ext. Nom donné à tous les sphéniscidés (*manchot, gorfou*, et *sphénisque*). — REM. On confond souvent les *manchots* avec les *pingouins** ; le mot le plus connu est *pingouin.*

5 (*La nature*)... a produit des oiseaux qui, moins oiseaux par le vol que le poisson volant, sont aussi poissons que lui par l'instinct et par la manière de vivre. Telles sont les deux familles des pingouins et des manchots (...)
                      BUFFON, Hist. naturelle des oiseaux, Pingouins et manchots.

6 À leur débarquement, quelques centaines de pingouins les regardèrent d'un œil candide. Les colons, armés de bâtons, auraient pu facilement les tuer, mais ils ne songèrent pas à se livrer à ce massacre deux fois inutile, car il importait de ne point effrayer les amphibies, qui étaient couchés sur le sable, à quelques encablu-

res. Ils respectèrent aussi certains manchots très innocents, dont les ailes, réduites à l'état de moignons, s'aplatissaient en forme de nageoires, garnies de plumes d'apparence squameuse. J. VERNE, l'Île mystérieuse, t. I, p. 194.

MANCHY [mɑ̃ʃi] n. m. — 1852, Leconte de Lisle ; mot réunionnais.

♦ Anciennt. Chaise à porteurs (à Madagascar, à La Réunion).

-MANCIE, -MANCIEN, ENNE Éléments, du grec *manteia* « divination », qui servent à former des termes désignant des sciences divinatoires (⇒ **Divination, magie ; horoscope**) et ceux qui les pratiquent (⇒ **Devin**). *La capnomancie, divination par l'interprétation* des fumées ; la gonomancie (graines), l'hydromancie (eau), l'œnomancie (vin), etc.* ⇒ **Aéromancie, arithmomancie, astromancie, bibliomancie, cartomancie, chiromancie, gyromancie, météoromancie, nécromancie, oniromancie, ornithomancie, rhabdomancie.**

(...) Asmodée (...) s'avance et propose aux assistants de leur dire la bonne aventure. — Son état de diable lui donne de grandes facilités pour cette noble profession ; il est passé maître en chiromancie, rabdomancie, cartomancie, nécromancie, alectryomancie et autres sciences en *cie*. Th. GAUTIER, Souvenirs de théâtre, Beautés de l'Opéra, IV.

MANCIE [mɑ̃si] n. f. — Mil. XVIᵉ ; grec *manteia*. → -mancie.

♦ Didact. Procédé de divination. ⇒ **Mantique.** — Spécialt :
Une mancie est l'ensemble des réponses que le consultant attend du devin dans une circonstance particulière : guerre, famille, santé, amour, affaires. A chaque élément correspond un signe et les signes sont tirés au sort, le Destin étant supposé guider la main qui tire les bâtonnets ou la cendre ou le sable (...) Pierre GUIRAUD, la Sémiologie, p. 74.

MANCIENNE [mɑ̃sjɛn] n. f. — Fin XVIᵉ ; *maussane*, 1562 ; du lat. pop. **mantanea*, class. *mattus* « mou ».

♦ Régional. Viorne (plante).

MANCIPATION [mɑ̃sipasjɔ̃] n. f. — 1546 ; lat. jurid. *mancipatio*. → Émanciper.

♦ Dr. rom. Acte de transfert de la propriété, au moyen de formules prononcées en présence d'un porteur de balance symbolique et de cinq témoins, et pouvant s'appliquer aux meubles, aux immeubles, aux esclaves et aux fils de famille.

MANCIPIUM [mɑ̃sipjɔm] n. m. — 1902 ; mot latin.

♦ Dr. rom. Pouvoir exercé par un homme libre sur un autre homme libre qui dépend de lui.

MANDAÏTE [mɑ̃dait] adj. et n. ⇒ **Mendaïte.**

MANDALA [mɑ̃dala] n. m. — 1873 ; mot sanskrit, proprt « cercle ».

♦ Didact. Représentation symbolique de l'univers, dans le brahmanisme et le bouddhisme. *Des mandalas.*
Celui qui est né dans la nuit
son vent refera son Mandala. Henri MICHAUX, Moments, p. 12.

MANDALE [mɑ̃dal] n. f. — 1849 ; p.-ê. de l'argot ital. *mandolino* « coup de pied ».

♦ Argot ou régional. Gifle. ⇒ **Baffe.** *Une paire de mandales.*
Elle a un regard ultra-flétrisseur, puis murmure :
— Pauvre con !
Y'en a qui tolèrent, moi pas.
Et je ne peux pas m'empêcher de lui filer une mandale. Tu sais que ça la calme ? SAN-ANTONIO, Remets ton slip, gondolier !, p. 203.

MANDANT, ANTE [mɑ̃dɑ̃, ɑ̃t] n. — 1789 ; p. prés. de *mander*.

♦ Dr. Personne qui confère un mandat* (2.) à une autre (le mandataire*). ⇒ **Commettant.** *Le mandant, les mandants d'un fondé de pouvoir, d'un délégué (⇒ Délégant), d'un représentant. Les électeurs sont les mandants de leur élu.*
1 Le droit de choisir son représentant par soi-même diffère si essentiellement du droit de déléguer ce choix à un autre, qu'il importe de supprimer toutes les filières qui permettent de détourner le choix des premiers mandants. MIRABEAU, Collection, t. II, p. 387.
2 Le mandant est tenu d'exécuter les engagements contractés par le mandataire, conformément au pouvoir qui lui a été donné. Code civil, art. 1998.
CONTR. **Mandataire.**

1. MANDARIN [mɑ̃daʁɛ̃] n. m. et adj. — 1581 ; port. *mandarin*, altér., d'après le verbe *mandar* « mander, ordonner », du malais *mantari*, sanscrit *mantrin* « conseiller d'État ».

A. N. m. ♦ **1.** Haut fonctionnaire civil ou militaire de l'empire chinois (→ 2. Bande, cit. 8). *Les mandarins étaient généralement*

recrutés par concours, parmi les lettrés (→ Face, cit. 20 ; financier, cit. 3).
C'était un homme gigantesque, somptueusement vêtu d'une robe de brocart, et coiffé d'une toque à boule de corail rouge uni, marque de la plus haute classe des mandarins chinois. Claude FARRÈRE, la Bataille, V. 1
Allus. littér. *Tuer le mandarin,* allusion à un célèbre dilemme moral, formulé par Chateaubriand (le *Génie du christianisme,* I, VI, II). — REM. Depuis Balzac, cette locution est souvent attribuée à Rousseau.
(...) As-tu lu Rousseau ? — Oui. — Te souviens-tu de ce passage où il demande à son lecteur ce qu'il ferait au cas où il pourrait s'enrichir en tuant à la Chine par sa seule volonté un vieux mandarin, sans bouger de Paris ? — Oui. — (...) J'en suis à mon trente-troisième mandarin. BALZAC, le Père Goriot, Pl., t. II, p. 960. 2

♦ **2.** (1830, Lamartine, *Corresp. gén., in* D.D.L.). Fig. Personne d'un grand savoir, et très puissante. *Les mandarins de l'université :* les professeurs. *Des « subtilités de mandarin déliquescent »* (→ Chinoiserie, cit. Proust). — *Les Mandarins,* roman de S. de Beauvoir.
Chacun sait aujourd'hui quand il fait de la prose ;
Le siècle est, à vrai dire, un mandarin lettré.
A. DE MUSSET, Poésies nouvelles, « Une bonne fortune », II. 3
Les difficultés ou les raffinements du français en font, qu'on le veuille ou non, une langue de mandarins. La simplicité relative de l'anglais en fait un langue de commerçants ou d'hommes d'action. A. THÉRIVE, Libre histoire de la langue franç., p. 308. 4
Par ext. Personnage important, influent.
Tous trois appartenaient à la maison Vedel et Gayet, où Édouard avait, depuis peu, pris figure de mandarin. Ils lui marquèrent donc cette déférence hostile que l'ambition déçue réserve au triomphe d'autrui. G. DUHAMEL, Salavin, III, XXIX. 5

♦ **3.** (1867). Ling. Vx. *Le mandarin :* le chinois littéraire, savant, tel que les mandarins savaient l'écrire, le parler. — Appos. ou adj. :
Il y aura un français littéraire qui s'opposera au français vulgaire comme les deux espèces d'arabe s'opposent l'une à l'autre, comme le chinois mandarin s'oppose aux langues parlées en Chine. J. VENDRYES, le Langage, p. 328. 6
Mod. Dialecte du chinois moderne, parlé notamment à Pékin. ⇒ **Chinois.**

B. Adj. ♦ **1.** Des mandarins.

♦ **2.** *Langue mandarine :* le mandarin.

♦ **3.** Hist. *Route mandarine :* importante route de l'empire d'Annam.

♦ **4.** (1873). *Canard mandarin :* canard d'une espèce répandue en Extrême-Orient.
DÉR. **Mandarinal, mandarinat.**

2. MANDARIN [mɑ̃daʁɛ̃] n. m. — Déb. XXᵉ ; marque déposée, de *mandarine.*

♦ Apéritif à base d'extrait de mandarine. *Mandarin curaçao.*

MANDARINAL, ALE, AUX [mɑ̃daʁinal, o] adj. — 1776 ; de 1. *mandarin.*

♦ **1.** Relatif au mandarinat chinois.
Ce dédain mandarinal pour le commerce. VOLTAIRE, Lettres chinoises et indiennes, VII. 1
La Chine était également dominée par les gens instruits. La classe mandarinale a toujours été très réduite par rapport aux illettrés. La Chine était donc gouvernée par une littérocratie et non par une aristocratie de sang. Han SUYIN, in Planète, n° 4, févr. 1969, p. 116. 2

♦ **2.** Fig. Qui relève de l'autorité d'une classe privilégiée. ⇒ **Élitiste.**
« Recruter les étudiants sans distinction de caste mandarinale » (le *Monde,* 26 mai 1968).
C'est que notre vie du dehors, à nous tous coloniaux et voyageurs, fait de nous les adversaires irréductibles de l'« esprit de bouton », des rivalités d'uniformes, d'administrations et de bureaux, de l'esprit mandarinal (...) L.-H. LYAUTEY, Paroles d'action, p. 5. 3

MANDARINAT [mɑ̃daʁina] n. m. — 1732 ; de *mandarin.*

♦ **1.** Charge, dignité de mandarin.

♦ **2.** Corps des mandarins. — Fig., péj. Corps social prétendant former une classe à part, privilégiée, exerçant une autorité intellectuelle, ou moins arbitraire ; cette autorité (⇒ **Élitisme** ; → aussi antitotalitaire, cit.). *Mandarinat littéraire, artistique, politique.*

♦ **3.** Système d'épreuves, de concours pour accéder à la dignité de mandarin. Fig. Système analogue, où les postes, les honneurs... sont répartis suivant la hiérarchie des diplômes, des titres universitaires. — REM. Dans ce sens, on emploie aussi *mandarinisme* (1842).
N'existe-t-il donc plus d'effort artistique valable ? Si, mais à l'écart, hors des courants du monde tel qu'il va. Jamais le mandarinat ne fut autant à l'honneur (...) DANIEL-ROPS, Ce qui meurt..., p. 87.

MANDARINE [mɑ̃daʁin] n. f. — 1773, Bernardin de Saint-Pierre ; esp. *(naranja) mandarina* « (orange) des mandarins ».

A. ♦ **1.** Fruit du mandarinier*, de forme analogue à l'orange, mais plus petit, doux et parfumé. ⇒ **Agrume.** *Mandarines et clémentines*.

1 À l'exemple de M. Hume, nous confondrons tous ces citrus *(citrus nobilis, delliciosa* et groupe des *satsumas)* sous la dénomination générale de *mandariniers.* Tous, en effet, ont une qualité commune : celle de produire des fruits à peau lâche se détachant très facilement de la pulpe et à graines à albumen vert. Le nom de mandarines donné à ces fruits semble attester la prééminence que les Chinois leur attribuaient sur les autres agrumes : ils étaient les premiers parmi les citrus comme le mandarin parmi ses concitoyens.
P. ROBERT, les Agrumes dans le monde, p. 25.

♦ **2.** Par anal. Pop. ⇒ **Sein.**

B. Adj. invar. Par ext. De couleur orange. *Des bas mandarine.*

2 (...) une jeune brune habillée de liberty mandarine bordé de cygne blanc.
ARAGON, les Beaux Quartiers, II, V.

3 Héroïquement dissimulée sous son fard mandarine, l'œil agrandi, une petite bouche rouge peinte sur sa bouche pâle, la femme récupère, grâce à son mensonge quotidien, une quotidienne dose d'endurance, et la fierté de n'avouer jamais (...)
COLETTE, les Vrilles de la vigne, p. 130.

DÉR. 2. **Mandarin, mandarinier.**

MANDARINIER [mɑ̃daʀinje] n. m. — 1867 ; de *mandarine.*

♦ Arbre *(Aurantiacées),* du genre citrus, dont le fruit est la mandarine. ⇒ **Agrume** (cit.). *Le clémentinier* (cit.), *hybride du mandarinier.*

MANDAT [mɑ̃da] n. m. — 1488 ; lat. *mandatum* « chose mandée », de *mandare.* → Mander.

♦ **1.** Dr. canon. Rescrit du pape ordonnant de nommer quelqu'un de son choix au premier bénéfice (cit. 9) vacant. *Mandat apostolique.*

♦ **2.** (1628, *mandate).* — REM. Le dict. de Trévoux (éd. 1771) oppose le *mandat,* « qui ne peut être que verbal » à la *procuration,* écrite ; l'Encyclopédie étend le sens du mot. — Acte par lequel une personne (⇒ **Mandant)** donne à une autre (⇒ **Mandataire)** le pouvoir « de faire quelque chose pour le mandant et en son nom » (Code civil, art. 1984). *Écrit qui constate le mandat.* ⇒ **Pouvoir, procuration.** *Le mandat constitue un contrat* unilatéral, contrat qui « ne se forme que par l'acceptation du mandataire » (Code civil, art.1984). *Donner un mandat, donner mandat à qqn (de faire qqch.).* ⇒ **Mandater.** *Titre donnant à quelqu'un un mandat de payer une somme (→ infra,* 2. Somme ; et aussi chèque, cit.). *Mandat donné par acte public, par écrit sous seing privé, par lettre, verbalement. Le mandat domestique, mandat tacite de la femme mariée. Mandat exprès* (→ Gestion, cit. 7). *Mandat général ; spécial* (Code civil, art. 1987). *Mandat « conçu en termes généraux »* (actes d'administration : Code civil, art. 1988). — *Mandat gratuit ; salarié* (des avoués, huissiers, agents de change...). *Mandat d'un commissionnaire.* ⇒ **Commission.** — *Extinction, expiration, révocation du mandat.*

1 *(La)* ... définition du mandat par l'art. 1984 est trop étroite : le Code civil fait consister l'essence du mandat dans la *représentation juridique* du mandant par le mandataire (...) pour l'étendre il conviendrait de dire que le mandant charge le mandataire d'agir *en son lieu et place* (...)
M. PLANIOL, Traité élémentaire de droit civil, t. II, § 2231.

Procéd. *Mandat légal,* conféré par la loi, qui désigne ou fait désigner (par le tribunal, le conseil de famille...) un mandataire (tuteur, administrateur légal). — *Mandat ad litem,* conféré par l'autorité judiciaire pour représenter certaines personnes dans un procès.

(1789). *Mandat représentatif. Mandat impératif.* — Par ext. *Mandat législatif, parlementaire :* fonction de membre élu d'un Parlement. ⇒ **Députation, député** (→ Incompatibilité, cit. 7).

Absolt. *Conserver son mandat* (→ Démagogique, cit.). *Solliciter le renouvellement de son mandat. Frais occasionnés par le mandat* (→ Indemnité, cit. 5). *Régularité du mandat* (→ Invalidation, cit.).

2 La pensée juridique française a réalisé une ingénieuse synthèse (...) en élaborant la théorie dite du *mandat représentatif.* Les élus *(sont)* ... des représentants des électeurs (...) Mais (...) il s'agit (...) d'un mandat collectif donné par la nation entière à l'ensemble des élus.
Maurice DUVERGER, Manuel de droit constitutionnel..., p. 96.

3 Tout mandat impératif est nul. Constitution du 5 oct. 1958, art. 27.

(1919). Mandat confié à un État d'assister *(mandats d'assistance ou mandats A)* ou d'administrer *(mandats d'administration ou mandats B, C)* certains États ou territoires. ⇒ **Association** (d'États) ; **colonie.** *Territoire sous mandat. Le système des mandats a été remplacé par celui de la tutelle* (ou *trusteeship), qui ne s'applique pas aux États.*

4 En 1919, le Pacte de la S. D. N. (...) créa le système dit des mandats (ainsi désigné par une expression assez malheureuse empruntée au droit civil), qui consiste dans une attribution de compétence faite à un État par une autorité internationale, en vue de guider un peuple moins avancé vers l'émancipation.
L. DELBEZ, Manuel de droit international public, p. 161.

♦ **3.** a (1771). *Mandat de paiement :* titre par lequel une personne donne à une autre mandat d'effectuer un paiement. ⇒ **Effet** (de commerce). *Mandat de virement*.

5 (...) une espèce de lettre de change ou de « mandats » acquittables à la volonté du porteur.
Abbé BAUDEAU, Première introd. à la philosophie économique (1771), II, *in* BRUNOT, Hist. de la langue franç., t. VI, p. 152.

b (1873). Cour. *Mandat postal* ou *mandat-poste :* titre constatant la remise d'une somme à l'Administration des Postes par un expéditeur avec mandat de la verser à une personne désignée *(destinataire). Des mandats-poste.* — (1902). *Mandats-cartes.* — (1907). *Mandats-lettres :* mandats transmis sous la forme de cartes postales, de lettres. — *Mandat télégraphique. Mandats internationaux. Envoyer, recevoir, toucher un mandat.* — (1911). *Mandat-contributions :* mandat-carte servant à régler les contributions directes.

Par ext. Somme versée par mandat.

c Législ. fin. Titre de paiement délivré par un ordonnateur secondaire (par oppos. à l'*ordonnance de paiement de l'ordonnateur principal).*

♦ **4.** (1790, « mandat à la barre »). Dr. pén. Ordre, généralement donné par le juge d'instruction, de faire comparaître devant la Justice*, d'arrêter, de détenir... quelqu'un. *Mandat d'arrestation* (cit. 3), *d'arrêt** (cit. 6), *de dépôt**. ⇒ **Emprisonnement, incarcération** (cit.). *Mandat de comparaître, de comparution ; mandat d'amener* (→ Arrêter, cit. 36).

6 En matière criminelle ou correctionnelle, le juge d'instruction pourra ne décerner qu'un mandat de comparution, sauf à convertir ce mandat, après l'interrogatoire, en tel autre mandat qu'il appartiendra.
Si l'inculpé fait défaut, le juge d'instruction décernera contre lui un mandat d'amener. Code d'instruction criminelle, art. 91.

♦ **5.** (1850 ; par ext. du sens 1). Charge, fonction donnée par une personne à une autre pour qu'elle la remplisse en son nom. ⇒ **Commission, délégation, mission.** *Donner mandat.* ⇒ **Mandater.** *Recevoir, remplir un mandat.* ⇒ **Représentant** (→ Jusque, cit. 14). *Confier un mandat à quelqu'un en lui laissant le choix des moyens.* ⇒ **Blancseing.**

7 (...) je ne m'occupe pas plus de ma mission que du roi de Prusse. Pour « remplir mon mandat » exactement, il eût fallu renoncer à mon voyage. C'eût été trop sot.
FLAUBERT, Correspondance, 259, 4 juin 1850.

DÉR. **Mandater, mandatif.** COMP. **Contre-mandat.** — **Mandat-carte, mandat-contributions, mandat-lettre, mandat-poste...** (cf. ci-dessus, à l'article).

MANDATAIRE [mɑ̃dateʀ] n. — 1537 ; lat. *mandatarius,* de *mandare.* → Mander.

♦ **1.** Relig. Bénéficiaire d'un mandat du pape.

♦ **2.** Personne à qui est conféré un mandat. ⇒ **Agent, commissionnaire, délégué, fondé** (de pouvoir), **gérant** (→ Gérance, cit.), 2. **intermédiaire** *(supra* cit. 10), **représentant.** *Obligations du mandataire* (→ ci-dessous, cit. 1 ; et aussi compromettre, cit. 2 ; gestion, cit. 4). *Un, une mandataire.*

1 Le mandataire est tenu d'accomplir le mandat tant qu'il en demeure chargé, et répond des dommages-intérêts qui pourraient résulter de son inexécution (...) Tout mandataire est tenu de rendre compte de sa gestion et de faire raison au mandant de tout ce qu'il a reçu en vertu de sa procuration, quand même ce qu'il aurait reçu n'eût point été dû au mandant. Code civil, art. 1991-1993.

2 — Signez ce papier où vous nommez monsieur Tabareau votre mandataire, relativement à toutes les affaires de la succession.
BALZAC, le Cousin Pons, Pl., t. VI, p. 768.

2.1 (...) chacun de nous devait écrire une lettre à l'un des siens, dans le but d'obtenir une rançon dont l'importance varierait suivant l'apparence extérieure du signataire ; ce travail achevé, Séil-kor, marchant vers le nord avec un nombreux détachement d'indigènes, se rendrait à Porto-Novo afin d'expédier en Europe la précieuse correspondance ; une fois possesseur des sommes exigées, le fidèle mandataire achèterait diverses denrées que ses hommes, toujours sous sa conduite, rapporteraient à Éjur. Raymond ROUSSEL, Impressions d'Afrique, p. 290-291.

(1896). Comm. *Mandataire aux Halles* :* commissionnaire* ayant reçu mandat de vendre certaines denrées aux Halles de Paris. *Les mandataires ont remplacé les jurés-vendeurs* (1567-1791) *et les facteurs** (1807-1896). ⇒ **Consignataire.**

3 Il est expressément interdit aux mandataires des expéditeurs d'acquérir pour leur propre compte les denrées qu'ils sont chargés de vendre (...) et, d'une manière générale, d'en faire le commerce par eux-mêmes ou par personnes interposées (...) Ils ne doivent être rémunérés que par la commission librement débattue entre eux et leurs mandants.
Loi du 11 juin 1896, art. 3 (cf. aussi Décret du 8 oct. 1907).

(1792). Par ext. *Les députés*, mandataires de leurs électeurs.*

4 Que le peuple ait des mandataires, chargés d'accorder ou de refuser les impôts, voilà qui est juste, et qui a existé de tout temps (...)
BALZAC, le Médecin de campagne, Pl., t. VIII, p. 444.

Dr. internat. publ. *Pays, État mandataire.*

♦ **3.** Personne chargée d'agir pour le compte de quelqu'un, pour défendre des intérêts... ⇒ **Défenseur** (→ Ignoble, cit. 4).

Figuré :

5 *(Washington)* agit avec lenteur ; on dirait qu'il se sent le mandataire de la liberté de l'avenir, et qu'il craint de la compromettre.
CHATEAUBRIAND, Voyage en Amérique, t. VI, p. 56.

CONTR. **Commettant, mandant.**

MANDAT-CARTE, MANDAT-CONTRIBUTIONS, MANDAT-LETTRE n. m. ⇒ **Mandat.**

MANDATEMENT [mãdatmã] n. m. — 1873 ; de *mandater*.

♦ Action de mandater, d'acquitter un mandat de paiement. *Mandatement d'une allocation.*

MANDATER [mãdate] v. tr. — 1823 ; de *mandat*.

♦ **1.** Fin. Payer sous la forme d'un mandat. *Mandater une somme.* Spécialt. Inscrire (une somme à payer) sur un mandat. ⇒ **Libeller.**

♦ **2.** (1902). Cour. Investir d'un mandat. *Mandater qqn pour la gestion d'une affaire.* ⇒ **Confier** (à), **déléguer.** *Les électeurs qui ont mandaté tel élu.* ⇒ **Députer.**

1 S'il s'agissait d'un petit diplomate ordinaire, je me dirais que Berlin hésite à le mandater pour une conversation décisive. Mais de Schoen ! Avec l'énorme situation qu'il a (...)
J. ROMAINS, les Hommes de bonne volonté, t. X, xxv, p. 261.

2 Les hommes qui (...) détiennent nominativement une parcelle du pouvoir (...) sont, tout d'abord, liés avec un parti qui les a mandatés, qui les surveille, les contraint et les morigène. G. DUHAMEL, Manuel du protestataire, p. 39.

▶ **MANDATÉ, ÉE** p. p. adj. *Délégué, commissionnaire mandaté.* N. *Un mandaté.* ⇒ **Mandataire.**
DÉR. Mandatement.

MANDATIF, IVE [mãdatif, iv] adj. — 1867 ; de *mandat*.

♦ Rare. Relatif à un mandat.

MANDCHOU, OUE ou **MANCHOU, OUE** [mãtʃu] adj. et n. — 1756, *mantchou* ; de *mandjou*, mot toungouze.

♦ Originaire de Mandchourie. *La dynastie mandchoue fut la dernière à régner sur la Chine.* — N. m. *Les Mandchous.* — Vx. *Les Mandchoux.*

1 Les Tartares Mantchoux, maîtres de la Chine, n'ont fait autre chose que se soumettre, les armes à la main, aux lois du pays dont ils ont envahi le trône.
VOLTAIRE, Essai sur les mœurs, I (1756).

2 (...) on voyait des Mandchoux, rasés au front et aux tempes, cheveux nattés, robes longues, ceinture serrant la taille sur une chemise de soie, bonnets ovales de satin cerise à bordure noire et frange rouge ; puis, avec eux, d'admirables types de ces femmes de la Mandchourie, coquettement coiffées de fleurs artificielles que maintenaient des épingles d'or et des papillons délicatement posés sur leurs cheveux noirs. J. VERNE, Michel Strogoff, p. 323-324.

Le mandchou (mandjou) : langue toungouze méridionale, la seule du groupe à posséder une littérature écrite. — Adj. *La littérature mandchoue.* Sous la forme graphique ancienne *mantchou* :

3 La langue mantchoue est belle, harmonieuse, mais surtout d'une admirable clarté. L'étude en sera agréable et facile, surtout depuis la publication des *Éléments de la grammaire mantchoue*, par H. Conon de la Gabelentz. Ce savant orientaliste a exposé avec une heureuse lucidité le mécanisme et les règles de la langue.
E.-R. HUC, Souvenirs d'un voyage dans la Tartarie..., t. I, p. 153 (1844-1846).

MANDE [mãd] n. f. — 1902 ; « corbeille à deux anses », 1202 ; moyen néerl. *mande* « panier ».

♦ Archéol. Corbeille à deux poignées.

MANDÉ ou **MENDÉ** [mãde] adj. et n. invar. — 1929, Delafosse ; mot de cette langue.

♦ Didact. Relatif aux langues parlées par les ethnies malinké, fondatrices de l'ancien État du Mali. *Les langues mandé* (ou *du groupe mandé*) *comprennent le bambara, le dioula* (dyula), *le malinké* (groupe *Mandé-tan* de Delafosse, ⇒ **Mandingue**) *et de nombreuses autres langues, dont la classification est douteuse* (dont le *soninké*).
N. m. Spécialt. *Le mandé* : la langue du groupe mandé parlée en Sierra Leone et au Libéria.

MANDÉEN, ENNE, ou **MENDÉEN, ENNE** [mãdeɛ̃, ɛn], **MENDAÏTE**, ou **MANDAÏTE** [mãdait] adj. et n. — 1873, *in* P. Larousse ; de l'araméen *Mandé*, nom d'un envoyé de Dieu.

♦ Relig. Du mendéisme, « gnose où se retrouvent des conceptions babyloniennes, perses, juives et manichéennes » (R. Pyke, in *Dict. des religions*). ⇒ **Sabéen, sabéisme.** *La secte mendaïte.*
DÉR. Mandéisme.

MANDÉISME ou **MENDÉISME** [mãdeism] n. m. — xxᵉ ; de *mandéen**, *mendéen*.

♦ Didact. (hist. relig.). Secte gnostique et communauté religieuse baptiste des *Mendéens*. *Le mandéisme existe encore en basse Mésopotamie.*

Le mandéisme est une gnose extraordinairement complexe, où se retrouvent des éléments babyloniens, iraniens, juifs et manichéens. Tel que nous le connaissons, il est l'aboutissement (vers le vᵉ siècle après J.-C.) d'une longue évolution : les

Mandéens se réclament de Jean le Baptiste, et leur origine première semble être légèrement antérieure au christianisme (...) Serge HUTIN, les Gnostiques, p. 92.

MANDEMENT [mãdmã] n. m. — V. 1120 ; de *mander*.

♦ **1.** Vx. Ordre écrit « qu'un supérieur envoie afin qu'on l'exécute » (Furetière). ⇒ **Demande** (impérative), **instruction.** *Mandement du Roi.*
Anc. dr. Ordre de payer une somme. ⇒ **Mandat** (3.), **rescription.** (V. 1460). « Injonction de venir » (Furetière). ⇒ **Mandat** (4.).
(1840). Mod. *Mandement* (ou *bordereau*) *de collocation*. Mandement d'exécution* : formule exécutoire*. ⇒ aussi **Contrainte** (4.).

1 Le monde (...)
Croit que, pour m'inspirer sur chaque événement,
Apollon doit venir au premier mandement.
BOILEAU, Épîtres, VI.

♦ **2.** (1611). Dr. canon. Écrit par lequel un évêque donne aux fidèles de son diocèse des instructions ou des ordres relatifs à la religion. ⇒ **Instruction** (pastorale). *Mandement de l'archevêque* (cit. 2), *de l'évêque* (cit. 3). *Mandement de carême.*

2 Nous vous mandons de publier, dans vos prônes et prédications, la Constitution ci-dessus traduite, avec notre présent mandement, pour être suivie et exécutée dans tout notre diocèse (...) BOSSUET, Mandement du 3 sept. 1699.

3 (...) il me paraît bien hardi dans ce siècle de mettre son nom et ses titres à la tête de ses œuvres. Les évêques n'y manquent pas ; et dans les gros *in-quarto* qu'ils nous donnent sous le titre de *Mandements*, on remarque d'abord leurs armoiries (...) ensuite il est dit un mot de l'humilité chrétienne, et ce mot est suivi quelquefois d'injures atroces contre ceux qui sont, ou d'une autre communion, ou d'un autre parti. VOLTAIRE, Dict. philosophique, Auteurs.

MANDER [mãde] v. tr. — V. 980, sens 2 ; du lat. *mandare*.

♦ **1.** (xiiᵉ). Vx. Transmettre, faire tenir à quelqu'un (un ordre, une instruction). ⇒ **Mandat** (2.), **mandement ; communiquer, ordonner.** *Mander à quelqu'un de...* (suivi de l'infinitif). → Broderie, cit. 5, Saint-Simon. *Mander que...* (suivi du subjonctif). *Mandons et ordonnons que* (telle chose soit faite), formule des mandements faits au nom du souverain, sous l'Ancien Régime. *Mander à quelqu'un la conduite qu'il doit tenir.* ⇒ **Marquer.**

Mais vous ne dites point ce que vous mande un père.
RACINE, Andromaque, II, 1.

2 Messieurs les Maréchaux, dont j'ai commandement,
Vous mandent de venir les trouver promptement.
MOLIÈRE, le Misanthrope, II, 6.

♦ **2.** Vieilli ou littér. Faire venir (quelqu'un) par un ordre ou un avis. ⇒ **Appeler, convoquer.** *Mander quelqu'un d'urgence. Le roi manda ses vassaux. Gentilshommes mandés des provinces* (→ Furtivement, cit. 3).
Spécialt. *Individu mandé par la justice.* ⇒ **Mandat** (4.).

3 Et n'est-ce pas pour moi que vous l'avez mandée ! RACINE, Iphigénie, IV, 6.

4 À son air pressé, ces messieurs le crurent mandé par l'évêque et le laissèrent passer. STENDHAL, le Rouge et le Noir, I, XVIII.

5 Ce jour-là, dans la seconde semaine de mars, M. Denizet, le juge d'instruction, avait mandé de nouveau à son cabinet, au Palais de Justice de Rouen, certains témoins importants de l'affaire Grandmorin. ZOLA, la Bête humaine, IV.

6 Le ministre de la Guerre, et celui de la Marine, étaient mandés d'urgence à l'Élysée, où se trouvait déjà le Président du Conseil (...)
MARTIN DU GARD, les Thibault, t. VII, p. 88.

6.1 San Antonio, vous ne devinerez jamais la raison pour laquelle je vous ai mandé ! « Mandé ! » C'est tout lui. Quand il jacte, on se croirait à une réception chez le marquis du Trou-Fignon. SAN-ANTONIO, le Secret de Polichinelle, p. 26.

♦ **3.** (1080). Vx ou par archaïsme. Faire connaître, faire savoir, par lettre, par message. ⇒ **Écrire.** *Mander quelque chose à quelqu'un. Mander des nouvelles. Mander que...* (→ Étriquer, cit. 2, Voltaire).
— REM. Cet emploi de *mander* est caractéristique du style épistolaire du xviiᵉ s., et spécial de Mᵐᵉ de Sévigné (→ 2. Botte, cit. 2 ; effusion, cit. 2 ; glisser, cit. 13 ; et aussi faire, cit. 165, Proust).

7 — Et tu tiens ces nouvelles de mon oncle ? (...) À qui mon père les a mandées par une lettre ? MOLIÈRE, les Fourberies de Scapin, I, 1.

8 Vous ne me mandez point ce qu'ont fait les peintres ; écrivez-moi un peu quelques détails sur cela. VOLTAIRE, Correspondance, 43, 3 janv. 1723.

9 La chance peut tourner. Patience et persévérance peuvent beaucoup, mandait-il à Addington (...) Louis MADELIN, Hist. du Consulat et de l'Empire, Avènement de l'Empire, XVIII.

DÉR. Mandant, mandement. — V. Mandat.
COMP. Contremander. — V. Commander, demander.

MANDIBULAIRE [mãdibylɛʀ] adj. — 1812 ; de *mandibule*.

♦ Sc. Qui a rapport aux mandibules (des animaux), à la mandibule (de l'homme).

MANDIBULE [mãdibyl] n. f. — 1314, *mandibulle* ; bas lat. *mandibula* « mâchoire », de *mandere* « manger ».

♦ **1.** Sc. Maxillaire* inférieur.

0.1 Les paléontologistes ont établi, par le secours de l'embryologie autant que des fossiles, que la mandibule des vertébrés doit dériver d'un des arcs qui soutiennent les branchies. A. LEROI-GOURHAN, le Geste et la Parole, t. I, p. 46.

♦ **2.** Fam. Mâchoire (→ Lâcher, cit. 5). — (1867). *Jouer des man-dibules* : manger.

Les gens qui possèdent une encolure de taureau et une mandibule de dogue met-tent tout leur personnage dans la nuque et dans la mâchoire.
G. DUHAMEL, Salavin, III, II.

♦ **3.** (1770, Buffon). Zool. Chacune des deux parties cornées qui constituent le bec de l'oiseau. *Mandibule supérieure, inférieure.*

Qu'on se figure deux lames de couteau très courtes, appliquées l'une contre l'autre par le tranchant, c'est le bec du macareux (...) les deux mandibules étant réunies sont presque aussi hautes que longues (...)
BUFFON, Hist. nat. des oiseaux, Le macareux.

♦ **4.** (1834). Zool. Chacune des deux pièces buccales de certains insectes *(Arthropodes)* et crustacés, qui leur servent à saisir et à broyer la nourriture.

DÉR. **Mandibulaire.**
COMP. V. **Démantibuler.**

MANDILLE [mãdij] n. f. — Mil. XVIᵉ; 1570, *mandil*, n. m.; anc. pro-vençal *mandil*; lat. *mantile* « serviette ».

♦ Vx. Manteau court porté notamment par les laquais aux XVIᵉ et XVIIᵉ siècles. — Loc. *Porter la mandille* : être de basse condition (cf. Boileau, *Satires,* V; Regnard, *le Joueur,* V, 6).

MANDINGUE [mãdɛ̃g] adj. et n. — 1765, in *Encyclopédie*; nom d'une tribu de Sierra Leone : *Mandingo*; mot de la langue mandé.

♦ Relatif aux *Mandings,* groupe ethnique d'Afrique occidentale (Mali, Guinée, Côte-d'Ivoire, Haute-Volta, Sénégal) auquel appar-tiennent les Bambaras, les Malinkés, les Dioulas, etc. *Castes man-dingues* ou *manding.* — N. *Les Mandingues* ou *Manding.*
Ling. Relatif au sous-groupe de langues mandé* dit *mandé-tan* (tan signifiant « dix », racine commune à ces langues). ⇒ **Bambara, dioula, malinké.** — N. m. *Le mandingue* ou *manding* : ce sous-groupe de langues. — REM. Les spécialistes écrivent aujourd'hui *manding.*

(...) le mandingue ou « mandingo » (...) parlé de façon continue depuis le Bani à l'Est jusqu'à la basse Gambie à l'Ouest (...) et, d'une région disséminée, dans de nombreuses et populeuses colonies citadines (...) idiome de très grande extension, qui tend à se répandre dans toute l'Afrique occidentale; nombreux dialectes (...)
M. DELAFOSSE, *in* MEILLET et COHEN, les Langues du monde, p. 828.

MANDOLE [mãdɔl] n. f. ⇒ **Mandore.**

MANDOLINE [mãdɔlin] n. f. — 1759; ital. *mandolino,* dimin. de *mandola.* → Mandore et aussi mandale.

♦ Instrument de musique originaire d'Italie, de la famille du luth*, à caisse de résonance bombée et à cordes pincées par une courte lame de corne, d'écaille, d'ivoire, etc. ⇒ **Guitare, luth** (→ Média-tor). *Mandoline milanaise,* à six cordes doubles. *Mandoline napo-litaine,* à quatre cordes doubles. *Au son des mandolines* (→ Endor-mir, cit. 20).

1 Je suis dans un salon comme une mandoline
Oubliée en passant sur le bord d'un coussin.
Elle renferme en elle une langue divine,
Mais si son maître dort, tout reste dans son sein.
A. DE MUSSET, Premières poésies, « À quoi rêvent les jeunes filles », I, 4.

2 (...) elle chante à sa fenêtre en s'accompagnant d'une mandoline précieuse.
LOTI, l'Inde (sans les Anglais), IV, VI.

3 J'aime ce village, où sous les orangers,
Sans se voir, deux jeunes filles se disent leurs amours
Sur deux infiniment plaintives mandolines.
Valery LARBAUD, Barnabooth, Poésies, « Mers-el-Kebir ».

DÉR. **Mandoliniste.**

MANDOLINISTE [mãdɔlinist] n. — 1882; de *mandoline.*

♦ Joueur, joueuse de mandoline.

(...) des tonnes de guirlandes sculptées et peintes à la machine, de bureaux minis-tres, de nudités surprises et de mélancoliques mandolinistes à tricorne vêtus de soie brillante (...)
Claude SIMON, le Palace, p. 9.

MANDORE [mãdɔR] n. f. — 1548; *mandoire,* 1285; altér. lat. *pandura,* grec *pandoura;* ou, selon P. Guiraud, du rad. lat. *amygdala* « amande », *mandole* (→ Mandoline) étant la forme initiale.

♦ Ancien instrument de musique à cordes pincées, comparable au luth et à la mandoline.

1 Çà et là, les flacons d'un souper en débris;
Des vins, mille parfums; à terre, une mandore
Qu'on venait de quitter, et frémissant encore (...)
A. DE MUSSET, Premières poésies, « Don Paez », I.

2 Mais, chez qui du rêve se dore
Tristement dort une mandore
Au creux néant musicien (...)
MALLARMÉ, Poésies, Autres poèmes et sonnets, III
(cf. Ibid., Autres poèmes, « Sainte »).

MANDORLE [mãdɔRl] n. f. — 1930; ital. *mandorla* « amande »; du lat. *amygdala,* mot grec.

♦ Relig. et arts. Gloire ovale en forme d'amande dans laquelle appa-raît le Christ de majesté, dans les représentations du Jugement der-nier.

MANDRAGORE [mãdRagɔR] n. f. — V. 1265; *mandegloire,* v. 1170 (altér. d'après *main* de gloire*); lat. *mandragoras,* mot grec.

♦ Plante *(Solanacées)* dont la racine fourchue ressemble vaguement à une petite poupée, et dont le fruit jaunâtre a une odeur et une saveur désagréables. *Mandragore officinale,* aux propriétés narcoti-ques et purgatives. *Racine sculptée de mandragore servant autre-fois de talisman et douée de vertus magiques.* ⇒ **Main-de-gloire.** *Propriétés aphrodisiaques et fécondatrices jadis attribuées à la mandragore* (d'où, littér., la comédie de Machiavel, *la Mandragore,* dont La Fontaine a tiré un conte du même titre).

1 Je l'allai voir : il m'apprit cent secrets,
Entre autres un pour avoir géniture (...)
Cette recette est une médecine
Faite du jus de certaine racine
Ayant pour nom mandragore (...)
LA FONTAINE, Contes, III, II.

2 (...) la mandragore, plante chaude et aqueuse, qui se peut assimiler à l'être humain dont elle singe la ressemblance (...)
HUYSMANS, la Cathédrale, X.

MANDRE [mãdR] n. f. — V. 1590; « parc à mouton », v. 1150; grec *mandra* « lieu cloisonné ».
Didactique.

♦ **1.** Cellule d'ermite.

♦ **2.** (1765). Monastère, dans l'église d'Orient.

MANDRILL [mãdRil] n. m. — 1744; mot d'une langue de la Guinée.

♦ Grand singe cynocéphale de l'Afrique Occidentale.

Cette espèce de babouin se trouve à la côte d'Or et dans les autres provinces méri-dionales de l'Afrique, où les nègres l'appellent *boggo* et les Européens *man-drill* (...)
BUFFON, Hist. nat. des animaux, Le mandrill.

1. MANDRIN [mãdRɛ̃] n. m. — 1676; mot occitan, du provençal *mandre* « manivelle », lat. *mamphur,* et gotique *manduls.*

♦ Techn. Outil ou pièce mécanique, de forme généralement cylin-drique. *Mandrin de tourneur* (support). *Mettre une mèche dans le mandrin d'une perceuse. Mandrin d'emboutissage. Mandrin d'enroulement.* ⇒ **Roule.** *Mandrin de diamantaire,* ou *calibre*.*

DÉR. **Mandriner.**

2. MANDRIN [mãdRɛ̃] n. m. — 1793; de *Mandrin,* bandit fran-çais (1724-1755).

♦ Vx. Criminel, brigand.

MANDRINAGE [mãdRinaʒ] n. m. — 1897; *Année sc. et industr.,* 1898, p. 275; de *mandriner.*

♦ Techn. Action de forer à l'aide d'un mandrin.

MANDRINER [mãdRine] v. tr. — 1765; de 1. *mandrin.*

♦ Techn. Travailler (une pièce, un matériau) à l'aide d'un mandrin, d'une machine-outil munie d'un mandrin, de mandrins.

DÉR. **Mandrinage, mandrineur, mandrineuse.**

MANDRINEUR, EUSE [mãdRinœR, øz] n. — 1931, Larousse; de *mandriner.*

♦ Techn. Ouvrier, ouvrière qui mandrine.

MANDRINEUSE [mãdRinøz] n. f. — 1931, Larousse; de *mandri-ner.*

♦ Techn. Tour destiné à régulariser l'osier, en vannerie.

MANDUCATION [mãdykasjõ] n. f. — 1495; Rabelais, 1546, *alté-ration inextinguible et manducation insatiable,* Prologue au Tiers Livre; bas lat. *manducatio,* de *manducare* « manger ».

♦ **1.** Didact. ou littér. Action de manger.

(1793). Spécialt., physiol. Action de manger, ensemble des opéra-tions antérieures à la digestion (préhension, mastication, insaliva-tion, déglutition).

Nous nous attablâmes au fond de l'estaminet, et j'offris à dîner à mon compagnon qui fit d'abord quelques difficultés.

— Je vous assure, mon cher, que pour se préparer à réciter les louanges du Très-Haut, mieux vaudrait faire jeûne.
— Je ne suis pas de votre avis, vous réciterez mal et j'entendrai plus mal encore.
— Vous insistez pour la manducation.
— J'insiste.
— Je vous cède. J'ai tort.
— Mangeons.   Léonce de LARMANDIE, Histoire de J.-G. Nouveau, *in* G. NOUVEAU, Œ. compl., p. 1042.

♦ **2.** (1541). Théol. Action de recevoir le corps du Christ sous la forme de l'hostie. ⇒ **Communion, eucharistie.** *Manducation de l'hostie.* — Par anal. *Manducation de l'agneau pascal* (chez les Juifs).

1. -MANE Élément, du lat. *manus* «main» (ex. : *bimane, quadrumane*).

2. -MANE Élément, du grec *-manês* «fou de (ce que signifie le formant initial)», qui entre dans la composition de noms et d'adjectifs correspondant aux noms de comportements en *-manie** et qui se rapporte aux personnes (ou êtres animés) affectées de ces comportements. Ex. : (avec idée d'excès) *anglomane, bibliomane... ;* (avec idée d'état pathologique) *cleptomane, cocaïnomane ...* — REM. Dans *mélomane*, l'idée péjorative a disparu.

MANÉCANTERIE [manekɑ̃tʀi] n. f. — 1836; lat. médiéval *manicantaria ;* du lat. class. *mane* «le matin», et *cantare* «chanter».

♦ Didact. (musique). Maîtrise* des chanteurs de matines. — École qui forme les enfants de chœur d'une paroisse, leur enseigne à chanter, à servir la messe... *La manécanterie de Saint-Sulpice. La « Manécanterie des Petits chanteurs à la croix de bois ».*

(...) on nous envoya à la manécanterie de Saint-Nizier. C'était très amusant la manécanterie !... on nous apprenait à servir la messe du grand et du petit côté, à chanter les antiennes, à faire des génuflexions, à encenser élégamment (...)   Alphonse DAUDET, le Petit Chose, I, II.

MANÈGE [manɛʒ] n. m. — XVIᵉ; *maneggio,* de *maneggiare* «manier», du français.

★ **I.** ♦ **1.** Vx. Hippologie, hippotechnie.
Mod. Exercice (cit. 5) que l'on fait faire à un cheval pour le dresser*, le dompter*. ⇒ **Équitation.** *Faire le manège.* ⇒ **Manéger.** *Mouvements de manège :* voltes*, passades*... ⇒ **Mouvement.** *Manège d'ensemble* (⇒ **Carrousel**). *Cheval bon pour le manège. Fouet de manège.* ⇒ **Chambrière.** *Salle de manège.*

1 Il n'y a d'un peu voyant *(à Paris le 1ᵉʳ mai 1909)* que (...) la garde à cheval qui fait son manège place de la République, un rang puis un autre balayant lentement la chaussée comme les pales d'une roue.   J. ROMAINS, les Hommes de bonne volonté, t. V, XXVIII, p. 300.

Termes de manège, vocabulaire du manège : termes d'équitation, de dressage, ou concernant le cheval.
Chorégraphie. Mouvement qui consiste, en pivotant sur soi-même, à tourner en rond autour de la scène.

♦ **2.** Lieu où l'on dresse, monte les chevaux. *École d'équitation installée dans un manège. Manège couvert. Être familiarisé* (cit. 9) *avec le manège.* — Par ext. *Piste d'un cirque.*

2 287 chevaux sont exercés tous les jours dans les deux manèges *(de Versailles, sous Louis XVI)*...   TAINE, les Origines de la France contemporaine, t. I, I, p. 144.

♦ **3.** (1812). Techn. Appareil utilisant la force d'un animal pour faire mouvoir une machine. *Arbre de transmission vertical, engrenages d'un manège. Machines agricoles* (treuil, pompe, batteuse...) *autrefois mues par un manège. Cheval de manège qui tourne en rond, les yeux bandés* (cit. 3).

♦ **4.** (1893). Cour. *Manège de chevaux** de bois*, et, absolt, *manège :* attraction foraine où des chevaux, des animaux de bois, de métal, etc. servant de montures aux enfants, sont disposés circulairement autour d'un axe et entraînés par celui-ci. *Manèges d'une fête* (cit. 14) *foraine. Faire un tour de manège à la foire*. Manèges des ducasses flamandes.* ⇒ **Carrousel.**
Par ext. *Manège de bicyclettes, d'autos. Manège à sièges tournants* (→ Limonaire, cit.).

3 Les modestes chevaux de bois, gloire de nos enfances, sur lesquels je n'osais pas monter, sont devenus de somptueux manèges (...) Des manèges à vapeur et à l'électricité (...) Où est le vieux cheval aux yeux bandés qui du matin au soir tournait, tournait le manège comme pour faire monter l'eau d'un puits ?   Ch. PÉGUY, Victor-Marie, comte Hugo, p. 60.

♦ **5.** Techn. *Manège d'avions :* ensemble d'avions qui tournent en l'air à des hauteurs différentes en attendant de pouvoir se poser (→ Empilage, pile d'attente).

★ **II.** (1671, Mᵐᵉ de Sévigné). Fig. ♦ **1.** Vx. Manière, art de se comporter envers des êtres ou des choses. Absolt. *Avoir du manège :* savoir se comporter habilement. *Esprit d'intrigue** et de manège* (→ Écouter, cit. 9).

4 (...) il y a bien des petites choses qu'il faut encore lui apprendre pour le manège de la société et de la conversation.   Mᵐᵉ DE SÉVIGNÉ, 1110, 22 déc. 1688.

Genlis (...) avait de l'esprit et du manège, et n'avait d'autre connaissance ni d'autre protection que celle dont il avait tout reçu.   SAINT-SIMON, Mémoires, I, XIV.

♦ **2.** Mod. Comportement habile et artificieux pour arriver à ses fins. ⇒ **Agissements, artifice, astuce, intrigue, machination, manœuvre, rouerie.** *Manège de courtisans, d'hommes politiques. S'apercevoir d'un manège. Je comprends son petit manège.*

Plusieurs étrangers (...) trouvaient ces expectatives de successions si avantageuses à l'Espagne, qu'ils croyaient un manège caché de propositions bien avantageuses que le roi d'Espagne avait faites au Régent.   SAINT-SIMON, Mémoires, V, LII.

(...) il ignora la souplesse du manège, la bassesse de l'intrigue, et tous ces moyens méprisables qui mènent aux dignités par l'avilissement (...)   D'ALEMBERT, Discours de réception à l'Académie, 19 déc. 1754.

Spécialt. *Se laisser prendre au manège d'une coquette. Manège de coquetterie* (→ Échanger, cit. 12). *Manèges par lesquels les amants cherchent à plaire.* ⇒ **Jeu** (→ Cour, cit. 24).

Christophe (...) suivait le manège de la fille avec des yeux ardents et furieux : il avait l'esprit libre assez pour n'être pas dupe de ses roueries ; mais il ne l'avait pas assez pour ne pas s'y laisser prendre (...)   R. ROLLAND, Jean-Christophe, La révolte, p. 612.

Son obstination à me séduire et à me repousser, ce manège qui durait depuis un an déjà (...) arrivait à exaspérer ma tendresse la plus patiente.   Pierre LOUŸS, la Femme et le Pantin, VIII.

Par ext. Manière d'agir qui paraît incompréhensible ou ridicule.

Longtemps j'ai considéré ces manèges *(des mortifications excessives)* comme extravagants, et pour le moins superflus.   G. DUHAMEL, Salavin, Journal, 10 mars.

DÉR. V. **Manéger.**

MANÉGER [maneʒe] v. — 1615; de l'ital. *maneggiare* «manier».

♦ **1.** V. tr. Équit. Exercer au manège. *Manéger un cheval.* — Au p. p. *Cheval manégé,* dressé aux exercices du manège.

♦ **2.** V. intr. (Fin XVIIᵉ). Littér. Faire un manège (II., 2.) de coquetterie.

(...) elles vont par les rues et à la promenade en cheveux, un œillet rouge à chaque tempe, groupées dans leurs dentelles noires, et filent le long des murs en manégeant de l'éventail avec une grâce, une prestesse, incomparables.   Th. GAUTIER, Voyage en Espagne, p. 155.

▶ **MANÉGÉ, ÉE** p. p. adj.
Littér. Dont le comportement est apprêté; qui fait des manèges (II., 2.).

Quand Marie tomba dans les bras de son rude époux, celui-ci fut étonné de trouver une vierge en cette fille si peu naïve et déjà si manégée.   Louis BERTRAND, Louis XIV, II, III, p. 145.

MÂNES [man] n. m. pl. — 1564; lat. *manes.*

REM. Certains écrivains dont Bossuet, Furetière, Lesage, ont considéré le mot comme féminin, suivant l'usage du XVIᵉ siècle.

♦ **1.** Hist. Âmes des morts, dans la religion romaine. ⇒ **Esprit, lare** (cit. 1), **ombre.** *Apaiser les mânes d'un mort par un sacrifice* (→ aussi Auguste, cit. 5; évoquer, cit. 6).

Aux mânes paternels je dois ce sacrifice (...)   CORNEILLE, Cinna, I, 2.

♦ **2.** (Fin XVIᵉ). Fig. et littér. Âmes des morts. *Invoquer, interroger les mânes des ancêtres* (cit. 8).

(...) je ne puis trop conjurer votre majesté de faire rendre aux mânes de Voltaire, dans l'église catholique de Berlin, les honneurs funèbres que les Welches s'obstinent à lui refuser.   D'ALEMBERT, Lettre au roi de Prusse, 14 avril 1781.

MANET [manɛ] n. m. — 1769; orig. incert., p.-ê. du rad. de *main* (idée de «prise») ou de *manica* «manche».

♦ Techn. Filet dans lequel le poisson peut se prendre et être retenu par les ouïes.

MANETON [mantɔ̃] n. m. — 1893; de *manette.*
Technique.

♦ **1.** Poignée d'une manivelle*.

♦ **2.** (1931). Partie d'un vilebrequin sur laquelle est articulée la bielle. *Manetons d'un arbre moteur d'automobile.*

MANETTE [manɛt] n. f. — 1803; *mainette* «petite main», v. 1215; dimin. de *main.*

♦ **1.** Clef, levier, poignée commandant un mécanisme et que l'on manœuvre à la main. *Manette de réglage d'un rhéostat, d'un affût de canon, d'une machine à vapeur. Manette des gaz d'un avion* (→ Face, cit. 49), *d'un bateau. Manette d'un percolateur, d'un robinet de pression* (→ Corbeille, cit. 2; grouiller, cit. 8).

Au sommet de chaque cylindre, une manette tournant facilement sur elle-même servait à régler l'ouverture d'un robinet intérieur communiquant par le conduit de métal avec la cage en verre (...)   Raymond ROUSSEL, Impressions d'Afrique, p. 54-55.

Si elle *(la bombe accrochée sous l'avion)* ne se larguait pas cette fois, tous sautaient. Saïdi abaissa les deux manettes de déclenchement à la fois, à les casser.   MALRAUX, l'Espoir, III, III.

♦ **2.** (1840). Agric. Appareil formé d'un cylindre creux, destiné à l'arrachage des plants avec la terre qui entoure les racines.

DÉR. Maneton.
HOM. Mannette.

MANEZINGUE [manzɛ̃g] n. m. — 1842 ; de *malzingue* (1836), maltais «cabaretier», argot des soldats d'Afrique, avec suff. pop., selon Esnault, qui signale que «le *zinc* des cabarets n'est notoire qu'en 1876 » ; d'après Guérin, le mot est déjà chez Chateaubriand ; selon Wartburg, *mannezingue, malzingue* seraient issus de 1. *mannequin**.

♦ Pop. et vieilli. Marchand de vin ; cabaretier. ⇒ **Mastroquet.**

Le samedi, il va dîner avec une autre chez un mannezingue, où il a commandé d'avance son dîner (...)   Ed. et J. DE GONCOURT, Journal, t. II, p. 152.
(1879, Huysmans). Cabaret.

MANGABEY [mãgabɛ] n. m. — 1766, Buffon, *Histoire naturelle*, t. IV, p. 61 : «nom précaire que nous donnons à cet animal (...) comme il se trouve à Madagascar, dans les terres voisines de *Mangabey*, cette dénomination en rappellera l'idée aux voyageurs».

♦ Singe d'Afrique tropicale (nom sc. : *cercocebus*).

Les MANGABEYS *(cercocebus)* de formes plus lourdes que les précédents ont des poils plus fins et laineux, gris fumée en général, et qui peuvent présenter d'assez vives couleurs, où domine le roux. Leur fourrure a une certaine valeur.
                                              René THÉVENIN, les Fourrures, p. 75.

MANGANATE [mãganat] n. m. — 1840 ; de *mangan(èse),* et suff. *-ate.*

♦ Chim. Sel de l'acide manganique (⇒ **Permanganate**).

MANGANÈSE [mãganɛz] n. m. — 1774 ; «magnésie noire», 1578 ; nom anc. du peroxyde de manganèse ; ital. *manganesa,* p.-ê. altér. de *magnesia.*

♦ Corps simple, métal d'un blanc grisâtre (symb. *Mn*), dur et cassant, de densité 7,2 fondant à 1 240° (n° at. 25). *Le manganèse existe dans le sol à l'état d'oxyde* (acerdèse, braunite, haussmannite), *de bioxyde* (pyrolusite) *ou de sulfures* (alabandine). *Acier, bronze au manganèse, ferromanganèse* (→ le préf. Ferro-). *Emploi du sulfate de manganèse comme engrais. Nodules de manganèse trouvés au fond des océans.*

DÉR. Manganate, manganésien, manganeux, manganifère, manganin, manganique.

MANGANÉSIEN, IENNE [mãganezjɛ̃, jɛn] adj. — 1840 ; de *manganèse.*

♦ Sc. Relatif au manganèse. — Qui contient du manganèse. ⇒ **Manganifère.**

MANGANEUX [mãganø] adj. m. — 1831, Berzélius ; de *mangan(èse),* et suff. *-eux.*

♦ Chim. *Oxyde manganeux,* MnO (se dit aussi des sels de cet oxyde).

MANGANIFÈRE [mãganifɛʀ] adj. — 1873 ; *manganésifère,* 1842 ; de *mangan(èse),* et *-fère.*

♦ Sc. Qui contient du manganèse. ⇒ **Manganésien.**

MANGANIN [mãganɛ̃] n. m. — 1922, *manganime* ; de *mangan(èse),* et suff. *-ine* ; marque déposée.

♦ Techn. Alliage de cuivre (83 %), manganèse (13 %) et nickel. *Bobinage de résistance électrique en fil de manganin.*
REM. On écrit aussi *Manganin* (M majuscule).

MANGANIQUE [mãganik] adj. — 1840 ; de *mangan(èse),* et suff. *-ique.*

♦ Chim. *Anhydride manganique,* MnO₃. *Acide manganique :* acide non isolé qui correspond à l'anhydride MnO₃. *Oxyde manganique,* Mn₂O₃ (se dit aussi des sels de cet oxyde).

MANGANISME [mãganism] n. m. — 1938 ; de *manganèse.*

♦ Méd. Intoxication par le manganèse. *Le manganisme, maladie le plus souvent professionnelle, se traduit par des troubles nerveux ressemblant à ceux de la maladie de Parkinson (tremblements, rigidités).*

MANGANITE [mãganit] n. m. — 1872 ; de *mangan(èse),* et suff. *-ite.*

♦ Chim. Oxyde double (MnO₂) du bioxyde de manganèse et d'un sesquioxyde métallique.

MANGANO- Premier élément de mots didactiques, tiré de *manganèse.*

MANGEABLE [mãʒabl] adj. — V. 1190, *manjable* ; rare au XVIIᵉ ; de *manger.*

♦ **1.** Rare. Qui peut se manger. ⇒ **Comestible.**

Les animaux sont bornés dans leurs goûts (...) L'homme, au contraire, est *omnivore ;* tout ce qui est mangeable est soumis à son vaste appétit (...)   [1]
                          A. BRILLAT-SAVARIN, Physiologie du goût, t. I, p. 62.

♦ **2.** (1690). Cour. (surtout en emplois négatifs). Qui est tout juste bon à manger. ⇒ **Bouffable** (fam.). *Cette soupe, cette viande n'est pas mangeable. Ce n'est pas bon, mais enfin c'est mangeable.* ⇒ **Acceptable, potable.**

(...) il n'y a que les Français qui ne savent pas manger, puisqu'il faut un art si particulier pour leur rendre les mets mangeables.   ROUSSEAU, Émile, II.   [2]
Un morceau de viande est toujours mangeable *(pense-t-elle).* Le boucher ne s'amuse pas à lui envoyer des déchets, ou du mou pour les chats.   [3]
                          J. ROMAINS, les Hommes de bonne volonté, t. I, V, p. 62.

CONTR. Immangeable.

MANGEAILLE [mãʒaj] n. f. — 1398, *mangaille* ; *mangeille,* 1264 ; de *manger.*

♦ **1.** Vx. Nourriture, pâtée pour animaux domestiques. « *Faire de la mangeaille pour les poulets* » (Académie).

(Il alla) jusqu'à envoyer tous les jours de sa vie des têtes de lapin et d'autres mangeailles à sa chienne (...)   [1]
                          SAINT-SIMON, Mémoires, III, XXVII.

♦ **2.** Mod. et fam. Nourriture* de l'homme (⇒ **Victuailles, vivres**), et, spécialt, nourriture abondante, lourde, médiocre (⇒ 2. **Bouffe, boustifaille**). «*Assassiner* (cit. 7) *les gens à force de mangeaille*» (Molière). *L'abus de la mangeaille et de la bière* (→ Gros, cit. 5). *Odeur de mangeaille* (→ Affronter, cit. 4 ; gargote, cit. 3). *Il ne pense qu'à la mangeaille. Parler de mangeaille* (→ Mangerie, cit. 2). «*Il se crève de mangeaille*» (Académie).

Rabelais est l'Eschyle de la mangeaille (...)   HUGO, Shakespeare, I, II, XII.   [2]
(...) un lourdaud d'Allemand, qui s'empiffrait de mangeaille, attentif seulement à ne pas perdre une goulée.   [3]
                          R. ROLLAND, Jean-Christophe, Foire sur la place, p. 676.

Par ext. (péj.). Repas plantureux.

Ces florissantes commères, ces superbes ivrognes, toutes ces poitrines et toutes ces trognes de brutes débridées et empiffrées, ont peut-être trouvé dans les mangeailles du temps quelques figures analogues.   [4]
                          TAINE, Philosophie de l'art, t. I, p. 37.

REM. Le verbe *mangeailler* est attesté chez Balzac (*Correspondance,* 1819, *in* D.D.L.).

MANGE-DISQUE ou MANGE-DISQUES [mãʒdisk] n. m. — V. 1972, *in Sciences et Vie,* n° 105, 1974, p. 146 ; de *manger,* et *disque.*

♦ Appareil de reproduction sonore, qui joue un disque microsillon 45 tours introduit par une fente, sans que l'on ait besoin de poser une tête de lecture sur le sillon de départ (la mise en marche de l'appareil et la mise en place de la tête de lecture s'opèrent automatiquement).

MANGE-MIL [mãʒmil] n. m. invar. — Mil. XXᵉ ; de *manger,* et *mil.*

♦ Cour. en Afrique francophone. Passereau mangeur de graines ; spécialt, tisserin*.

(Les enfants) avaient veillé raisonnablement aux épis contre ces ravageurs impudents que sont les mange-mil.   [1]
                          Birago DIOP, Nouveaux contes d'Amadou Koumba, *in* Pages africaines, t. II
C'était l'aube. Toujours l'aube. Les mange-mil, dans les feuillages virevoltaient, annonçant le jour.   Keita FODEBA, Aube africaine,   [2]
                          in Panorama de la littérature négro-africaine, p. 95.

MANGEOIRE [mãʒwaʀ] n. f. — V. 1175 ; de *manger.*

♦ **1.** Auge destinée à contenir les aliments de certains animaux domestiques. Spécialt. Auge placée au-dessous du ratelier*, dans une écurie*, une étable* et où l'on met l'avoine, le son, etc., pour les chevaux, les bêtes de somme, le bétail. ⇒ **Crèche.** Par ext. ⇒ **Musette.**

(...) Charles, en rentrant, mettait lui-même son cheval à l'écurie (...) pendant que la bonne apportait une botte de paille et la jetait, comme elle le pouvait, dans la mangeoire.   FLAUBERT, Mᵐᵉ Bovary, I, IX.   [1]
Auge où l'on met la nourriture de certains oiseaux de basse-cour* (cit. 1). ⇒ **Trémie.** *Mangeoire à double face, à rouleau.* — (1660). Auget pour les oiseaux en cage.

♦ **2.** (1867). Par métaphore. Fam. Endroit où l'on mange.

2 (...) cette mangeoire prétentieuse, évidemment calculée pour l'attraction des pensionnaires exotiques. Cela tenait du buffet de gare, de la loge de concierge (...)
Léon BLOY, la Femme pauvre, I, XIX.

3 Oh! côté mangeoire, on avait bien fait les choses. C'était le repas de fiançailles, que ne le disiez-vous! Caviar, volaille, truffes, et des bouteilles extrêmement provocantes.   MONTHERLANT, les Lépreuses, I, VIII.

Loc. prov. *S'engraisser à la mangeoire de quelqu'un*, se nourrir, vivre à ses dépens.

4 Notre terre a été l'asile de la prospérité, de l'indépendance, de la douceur de vivre. L'étranger le savait si bien que les réfugiés de toutes races sont venus s'engraisser à notre mangeoire.   R. DORGELÈS, la Drôle de guerre, XXIII.

MANGEOTTER [mɑ̃ʒɔte] v. tr. — 1787, Féraud; de *manger*, et suff. *-otter*.

♦ Fam., rare. Manger peu ou manger souvent, sans grand appétit. ⇒ **Grignoter, pignocher.**

1. MANGER [mɑ̃ʒe] v. tr. — XIIIᵉ; *mangier*, 1080; du lat. pop. *manducare*, rac. *mandere* «mâcher». → Manducation.

♦ **1.** a Avaler pour se nourrir (un aliment solide ou consistant) après avoir mâché. ⇒ **Absorber, avaler, consommer, dévorer, ingérer, ingurgiter, prendre;** fam. **becqueter, bouffer, boulotter.** → S'enfiler, s'enfoncer, s'envoyer, se taper, se mettre dans le cornet*, dans le fusil*, dans la tirelire, etc. *Manger un aliment dur, qu'on doit mâcher* (⇒ **Croquer, grignoter, gruger** [vx], **mâcher, mastiquer, ronger**). *Manger une purée, une soupe*, un œuf. Manger qqch. sans mâcher, d'un seul coup, en l'avalant tout rond* (⇒ **Avaler, gober**). *Manger une friandise à petites bouchées*, en la dégustant* (⇒ **Déguster, savourer**). — *Ce que l'on mange* (⇒ **Aliment, mets, nourriture, pitance;** → pop. **Becquetance, bouffe...**). *Chose bonne à manger* (⇒ **Comestible, mangeable**), *mauvaise à manger.* ⇒ **Immangeable, incomestible.** *Manger de bonnes choses, des choses saines* (→ Bon, cit. 11), *un mets friand* (cit. 9), *délicieux, excellent* (⇒ **Régal**). *Qui mange d'une chose.* ⇒ les suff. *-phage, -vore.* — *Manger du pain, un pain* (→ Bon, cit. 116; cherté, cit. 1). Allus. hist. «*S'ils n'ont pas de pain, qu'ils mangent de la brioche* (cit.).» *Manger du pain trempé dans un liquide.* ⇒ **Trempette.** *Ne manger que les croûtes*. Manger de la chair* (cit. 64), *de la viande* (→ Boudin, cit. 1; bouilli, cit. 2; gigot, cit. 2; grillade, cit.). *Manger le maigre, le gras... Manger du poisson, du homard* (cit. 3 et 4), *des huîtres... Ne manger que des végétaux.* ⇒ **Végétarien, végétalisme, végétarisme.** — Allus. bibl. *Les pères ont mangé des raisins verts...* (→ Agacer, cit. 1). — *Manger des gâteaux, des bonbons* (cit. 3), *une glace* (cit. 14). *Manger de qqch. Avez-vous mangé de ce plat?* ⇒ **Goûter** (à), **prendre** (de), **tâter** (à). *Manger de tous les plats* (→ Faire honneur* à...). *Manger sa part, sa ration.* Fam. *Manger un morceau*: faire un repas léger (⇒ Casser une croûte). *Manger tout le plat*, *tout manger* (→ Nettoyer* le plat, faire un sort* à...). *Il mange tout ce qui lui tombe sous la dent. Se servir d'un mets plus qu'on n'en pourra manger* (cf. Avoir les yeux plus gros que le ventre, la panse). *Commencer à manger qqch.* ⇒ **Attaquer, entamer.** *Ne rien manger.* ⇒ **Toucher.** *Tout ce qu'il mange lui reste dans la gorge* (→ Arrêter, cit. 60). *Digérer ce que l'on a mangé. Il ne mange rien : il mange très peu. — Il mange de tout, il n'est pas difficile. — Il mange tout, il n'est pas difficile. — Le médecin ne lui permet pas de manger de tout* (⇒ **Régime**). — *Donner à manger à qqn.* ⇒ **Nourrir** (→ Boire, cit. 5). — *Il y a qqch. à manger, il y a à manger* (→ Bousculer, cit. 4). Fig. *Il y a à boire* et à manger. — *Pas de quoi manger* (→ Approche, cit. 18). *N'avoir rien à manger, à se mettre sous la dent*. ⇒ **Buffet.** *(danser devant le), **ceinture** (se mettre la); **claquer** (du bec), **crever, mourir** (de faim).

1 Certain jour (...) qu'on le voulait faire téter une de ses vaches (...) il (...) vous prend ladite vache par-dessous le jarret et lui mangea les deux tétins et la moitié du ventre, avec le foie et les rognons (...)   RABELAIS, Pantagruel, IV.

2 Nous prenions les *berniques* au bout de nos couteaux, et nous les mangions toutes vivantes, en mordant à même dans nos tartines.   LOTI, Mon frère Yves, XXI.

3 On peut aller manger un morceau chez le mastroquet dont la devanture brille en face (...)   J. ROMAINS, les Hommes de bonne volonté, t. II, XVII, p. 199.

Manger son déjeuner, son dîner. ⇒ **Repas** (→ Agape, cit. 2). *Manger la Pâque* (→ Ceindre, cit. 6). — *Manger de la bonne cuisine* (→ Fameux, cit. 7). *Manger de la tambouille.* Par plais. *Manger des calories* (cit. 3).

4 (...) vraiment il n'y a qu'une mère qui puisse savoir dans certains cas faire manger en entier le repas à un enfant qui s'impatiente.   BALZAC, Mémoires de deux jeunes mariées, Pl., t. I, p. 278.

Animal qui mange de la viande, de la chair (⇒ **Carnassier** [cit. 1], **carnivore; proie**), *des fruits, des plantes, de l'herbe* (⇒ **Frugivore, herbivore...; brouter, paître, pâturer, viander**). *Manger l'herbe d'autrui* (cit. 8, La Fontaine)... *Manger du foin* (→ Imputer, cit. 5).

5 Eh bien! ne mangeons plus de chose ayant eu vie; Paissons l'herbe, broutons; mourons de faim plutôt.   LA FONTAINE, Fables, X, 5.

Loc. métaphorique et fig. *Manger son pain blanc le premier. Manger son pain à la fumée* (cit. 9) *du rôt. Je ne mange pas de ce pain-là.* ⇒ **Pain.** — Relig. *Manger le pain de vie* (⇒ **Manducation**). «*Qui mange ma chair et boit mon sang...* » (→ Eucharistie, cit. 1 et 2). — Vulg. *Manger le Bon Dieu*: communier.

(Elles) sont allées manger le bon Dieu à Saint-Étienne dès huit heures.   BALZAC, le Père Goriot, Pl., t. II, p. 878.

Manger son blé en herbe (cit. 20), *en vert* (→ Fantaisie, cit. 17; froment, cit. 1). — *Être bête* à manger du foin. — Manger les pissenlits* par la racine. — Manger la laine* (cit. 11 et 13) *sur le dos, manger la soupe* sur la tête de qqn. — Manger de la vache* enragée. — Manger le morceau* (cf. Se mettre à table). — Manger la grenouille* (cit. 6).

Fam. *Manger la soupe sur la tête de (à) qqn*, le dépasser (en taille).

Vx ou régional. *Manger le vert et le sec* : dilapider tout son avoir (ce qu'on vient de gagner : le vert, comme ses économies : le sec).

6.1 Cependant, le fabricant de chaussures mangeait le vert et le sec pour son amie de Paris.   M. AYMÉ, Maison basse, p. 150.

b Porter à la bouche, mâchonner sans avaler. *Cesse de manger tes cheveux!*

6.2 Quand tu manges tes perles, c'est que cela va mal.   J. ANOUILH, le Bal des voleurs, p. 178.

♦ **2.** Dévorer (un être vivant, une proie). *Manger une proie. Cannibales, anthropophages qui mangent leurs prisonniers. «On tira à la courte paille, pour savoir qui serait mangé* » (vers de la chanson enfantine «Il était un petit navire »). — *Le loup, le lion mange les moutons* (→ Arriver, cit. 69; emporter, cit. 1; espèce, cit. 8). Prov. *Qui se fait brebis*, le loup le mange. Brebis* comptées, le loup les mange. — Le chat mange les souris. — Les gros* poissons mangent les petits. Être mangé par les poissons* (→ Fortune, cit. 17). — Loc. plais. *Il deviendra quelqu'un, si les petits cochons ne le mangent pas!* : on entendra parler de lui, si sa carrière ne tourne pas court.

7 Qu'importe qui vous mange, homme ou loup?   LA FONTAINE, Fables, X, 4 (→ Jour, cit. 34).

8 (...) les Iroquois mêmes, qui mangent leurs prisonniers, en ont un *(droit des gens)*.   MONTESQUIEU, l'Esprit des lois, I, III.

(1694). Fig. *Manger quelqu'un des yeux*, le regarder avidement, avec admiration, amour, convoitise, désir... ⇒ **Dévorer** (des yeux). — (1873). *Manger quelqu'un de baisers*, de caresses* (cit. 2), l'en couvrir, l'en accabler. — Absolt. (→ Bouchonner, cit. 2, Molière). *Ce bébé est adorable, on le mangerait!* ⇒ **Adorable, charmant** (→ Il est à croquer*). — Loc. *On en mangerait!* : c'est appétissant, attrayant.

9 Cette bonne petite princesse *(Mademoiselle de Blois)* est si tendre et si jolie, que l'on voudrait la manger.   Mᵐᵉ DE SÉVIGNÉ, 765, 27 déc. 1679.

Fam. *Manger qqn*, s'emporter contre lui.

10 Eh! ne me mangez pas, Monsieur, je vous conjure.   MOLIÈRE, l'École des femmes, II, 2.

Manger qqn, le mettre à mal, l'abattre (→ Hâbleur, cit. 3), le dépouiller, l'éliminer... *Il veut le manger tout cru*. À quelle sauce* sera-t-il mangé?

11 J'admire le train de la vie humaine! Nous plumons une coquette; la coquette mange un homme d'affaires; l'homme d'affaires en pille d'autres : cela fait un ricochet de fourberies le plus plaisant du monde.   A.-R. LESAGE, Turcaret, I, 10.

12 (...) le temps est venu où tous les philosophes doivent être frères, sans quoi les fanatiques et les fripons les mangeront tous les uns après les autres.   VOLTAIRE, Correspondance, 1768, 11 août 1760.

(1868). *Il ne vous mangera pas* : il n'est pas si terrible que vous le croyez, ne soyez pas intimidé, ne craignez rien de lui. *Je ne vais pas te manger!*

12.1 — Eh bien, tu as peur que je te mange?
— Non, dit l'enfant, j'ai pas peur.
— Alors, dis-moi où je vais, par là.
— Je ne sais pas, dit l'enfant.   A. ROBBE-GRILLET, Dans le labyrinthe, p. 35.

Fig. (en franç. d'Afrique). *Manger l'âme, le cœur, le sang de qqn*, l'envoûter, le détruire par sorcellerie.

(1896). *Manger (bouffer) du prêtre, du curé* : être violemment anticlérical.

13 (...) le vieux Jeannin mangeait volontiers du prêtre, mais il savait aussi manger avec prêtre, quand le prêtre mangeait bien (...)   R. ROLLAND, Jean-Christophe, Antoinette, p. 830.

♦ **3.** Absolt. Absorber, prendre des aliments (en général, et particulier au cours d'un repas). ⇒ **Alimenter** (s'), **nourrir** (se), et les pop. **becqueter, bouffer, boulotter, brichetonner, briffer, casser** (la croûte*, la graine), **croustiller, croûter, grailler, tortorer;** et aussi **bec, bouche, gueule.** *Désir, envie, besoin de manger.* ⇒ **Appétit** (cit. 6 et 16), **faim** (cit. 3, 5, 8 et 16). *L'appétit* (cit. 17) *vient en mangeant. Manger au-delà du besoin* (→ Aliment, cit. 1). *Manger et boire. Manger sans boire* : Faire un repas de brebis*. « *Il faut manger pour vivre* (→ Frugalité, cit. 1) *et non pas vivre pour manger* » (Molière). *On ne s'ennuie* (cit. 20) *point de manger tous les jours. Manger abondamment* (cit. 1), *avidement* (cit. 6), *avec avidité* (→ Tomber* sur les plats). *Manger beaucoup, avec excès, gloutonnement* (cit. 1), *goulûment* (cit. 1), *avec voracité*... ⇒ **Bâfrer, bouffer, bourrer** (se), **boustifailler, briffer, dévorer, empiffrer** (s'), **emplir** (s'), **engloutir** (cit. 2 et 3), **friper** (2), **gaver** (se), **goberger** (se), **gobichonner, godailler, goinfrer, gorger** (se), **gueuletonner, lester** (se), **piffrer** (se). → (fam. ou pop.) Affûter ses meules*, s'en donner par les babines*, se caler* les joues, s'emplir, se garnir, se remplir l'estomac*, le jabot*, la panse, le sac*, le ventre*; s'en coller dans le fusil*; s'en foutre, s'en mettre jusque-là, jusqu'aux yeux, plein la gueule, la lampe, la panse, s'en donner jusqu'à la garde* ; jouer, travailler de la mâchoire, des mandibules ; se taper la tête, la cloche... *Personne qui mange beaucoup, exagérément.* ⇒ **Avaleur, bâfreur, glouton, goinfre** (cit. 4 et 5), **goulu** (cit. 1), **mangeur** (gros), **morfal** (fam.), **ogre.** *Repas où l'on mange beaucoup.* ⇒ **Repas ; bombance** (faire), **gueuleton, ripaille, ventrée...** *Manger* (bouffer) *comme un chancre*. Manger de bon appétit, de grand appétit, avec appétit* (→ Couper, cit. 3), *en faisant honneur* (cit. 98 et 99) *aux plats* (→ Avoir un bon coup de fourchette* ; bien se tenir à table*). *Manger à belles* dents, de toutes ses dents. Manger à en crever* (cit. 12), *à éclater* [⇒ **Surcharger** (son estomac)], *à se faire péter la sous-ventrière ; à ventre déboutonné. Trop manger, manger à s'en ruiner la santé* (→ Creuser sa fosse* avec ses dents). *Attaquer, entamer, manger comme quatre.* — (1835). *Manger haut* (cit. 116), *bruyamment, salement, comme un cochon*.* ⇒ **Gargoter** (vx). — (1893 ; 1873, *manger sa faim). Manger à sa faim, à satiété, tout son soûl.* ⇒ **Rassasier** (se), **repaître** (se), **repu.** *Manger pour reprendre des forces.* ⇒ **Refaire** (se), **restaurer** (se), **sustenter** (se). — *Bien manger.* ⇒ **Chère** (faire bonne chère, chère lie). *Manger avec plaisir, avec raffinement.* ⇒ **Régaler** (se). — *Art de bien manger.* ⇒ **Gastronomie** (cit.), **table** (fig.). *Plaisir de manger. Aimer à manger, à bien manger.* ⇒ **Gastronome** (cit. 1 et 3), **gastrolâtre, gourmand** (cit. 1, 3 et 4), **gourmet, gueule** (fine). *Restaurant où l'on mange bien.* — *Manger chaud, froid, gras, maigre.* — *Se lécher* les babines après avoir bien mangé. Avoir trop mangé* (→ Avoir le ventre comme une outre, comme un tambour). — *Manger peu, sans appétit, du bout des dents.* ⇒ **Chipoter, grignoter, mangeotter, pignocher.** *Qui mange peu, raisonnablement, sans excès.* ⇒ **Frugal, sobre.** *Manger comme un oiseau, très peu.* — *Ne pas manger, se priver de manger.* ⇒ **Abstinence, diète** (cit. 5) ; **jeûne, jeûner** (→ Avoir, cit. 35). *Sans avoir mangé.* ⇒ **Jeun** (à). *Bien manger après avoir fait abstinence.* ⇒ **Décarêmer** (se), vx. — *Ustensiles servant à manger* (couteau, cuiller, fourchette... ⇒ **Service, table, vaisselle**). — *Faire manger un enfant.*

14 Pour moi je ne mange jamais trop tard ; l'appétit me vient en mangeant, et point autrement ; je n'ai point de faim qu'à table.   MONTAIGNE, *Essais*, III, IX.

15 La modération est comme la sobriété : on voudrait bien manger davantage, mais on craint de se faire mal (...)   LA ROCHEFOUCAULD, *Maximes supprimées*, 566.

16 Les animaux se repaissent ; l'homme mange ; l'homme d'esprit seul sait manger. Dis-moi ce que tu manges, je te dirai ce que tu es. Le Créateur, en obligeant l'homme à manger pour vivre, l'y invite par l'appétit, et l'en récompense par le plaisir. Ceux qui s'indignent ou qui s'enivrent ne savent ni boire ni manger. A. BRILLAT-SAVARIN, *Physiologie du goût*, «Aphorismes... », III, IV, V, X.

17 On mangeait à la maison avec une rare propreté et des soins recherchés. On me recommandait par exemple de ne faire aucun bruit avec la bouche. STENDHAL, *Vie de Henry Brulard*, 9.

18 Jusqu'au soir, on mangea.   FLAUBERT, *Mme Bovary*, I, IV.

19 Chargé d'un service d'information, il ne dort plus, il ne mange plus, met sur les dents hommes et bêtes.   Alphonse DAUDET, *la Petite Paroisse*, X.

20 Mélanie prit le pain (...) Puis elle se servit de la salade et elle commença à manger. Elle mangeait avec une grande lenteur, régulièrement, d'un air grave, la tête baissée sur son assiette. De ses mains osseuses elle brisait le pain par petites bouchées.   H. BOSCO, *Hyacinthe*, p. 202.

Allusion biblique :

21 Mangeons et buvons, car demain nous mourrons !
                Bible (SEGOND), *Ésaïe*, XXII, 13.

22 (...) celui qui ne veut point travailler, ne doit point manger.
                Bible (SACY), *IIe Épître de saint Paul aux Thessaloniciens*, III, 10.

(1835). Loc. fig. *Il y a à boire et à manger,* du bon et du mauvais.

(En parlant des animaux). *Le troupeau mange dans les friches* (cit. 3). ⇒ **Paître.** *Bassin, récipient, où mangent les bêtes.* ⇒ **Auge, mangeoire.** *Donner à manger aux bêtes. Faire manger les oiseaux, leur donner à manger.* ⇒ **Appâter** (→ Jeter, cit. 11). *Faire manger de force.* ⇒ **Gaver, gorger.** *Bêtes qui viennent manger dans la main*.* — Loc. fig. *Manger à tous les râteliers*.* — Vx. *Manger à l'auge*.* — *Manger dans la main de qqn :* être d'une grande familiarité.

23 J'avais été dans l'obligation de me créer *une auréole de crainte ;* autrement, surgi comme je l'ai fait du milieu de la multitude, un grand nombre m'eussent mangé dans la main et frappé sur l'épaule. NAPOLÉON, *in* MADELIN, Hist. du Consulat et de l'Empire, De Brumaire à Marengo, VI.

♦ **4.** Prendre un repas*, ses repas. ⇒ **Collationner, déjeuner, dîner, souper.** *S'attabler** (cit. 1) *pour manger.* ⇒ **Table** (se mettre à). *Les convives mangeaient à deux tables* (→ Hausser, cit. 1). *L'heure de manger. Inviter qqn à manger. Manger ensemble* (⇒ **Commensal, convive, convivialité ; tablée**). *Manger en tête à tête avec qqn* (→ Communion, cit. 2). *La bonne mangeait avec ses patrons* (→ Hôte, cit. 4). — *Manger chez soi, chez des amis, en famille, en ville, à la cantine* (cit. 2), *au mess, à l'ordinaire, au réfectoire, à la gamelle, au buffet...* — *Salle* à manger.* — *Manger à la table d'hôte* (cit. 6). *Manger à la carte, à prix fixe, au menu. Parasite, pique-assiette qui mange chez les uns et les autres. Donner à manger à des clients.* ⇒ **Traiter ; restaurateur, traiteur.** — *Manger sans cérémonie, à la fortune* (cit. 19) *du pot, à la bonne franquette. Manger rapidement, sur le pouce*. Avoir fini de manger* (→ Sortir* de table). *Il partira après, avant manger.*

24 (...) vous m'avez hier donné parole de venir manger avec moi.
                MOLIÈRE, *Dom Juan*, V, 6.

(...) il est du dernier ignoble et tout à fait indigne d'un homme qui fait profession   25 de sensualité élégante de manger autrement qu'aux bougies.
                Th. GAUTIER, *Fortunio...*, XVI.

reste un peu ici   25.1
je peux pas je reviendrai après manger (...)
                Tony DUVERT, *Paysage de fantaisie*, p. 67.

♦ **5.** (1422, p. p.). Ronger (insectes, rongeurs). *Les mites ont mangé la couverture. Être mangé aux rats,* par les rats. — *Cadavre mangé des vers* (→ Hautain, cit. 4, Malherbe).

Quelques touffes de cheveux qu'on dirait mangées aux mites.   26
                G. DUHAMEL, *Salavin, Journal*, 24 janv.

(V. 1240). Par ext. (surtout au p. p. ; qualifiant des choses). Attaquer, entamer. *Plaque de fer mangée par la rouille* (→ Café, cit. 7). *Muraille mangée d'une lèpre jaune* (→ Lèpre, cit. 2). — *Peau mangée d'ulcères. Chat mangé de gale* (→ Galeux, cit. 2).

(...) le meuble, caché sous des housses blanches, dormait discrètement dans le   27 demi-jour des persiennes toujours tirées, pour que la clarté trop vive ne mangeât pas le bleu tendre du reps (...)   ZOLA, *le Ventre de Paris*, t. I, II, p. 86.

Fig., fam. *Être mangé par la maladie, par la passion.* ⇒ **Dévorer ; ronger.** — *Manger le sang, les sangs de qqn,* le miner, détruire ses forces (→ Étique, cit. 2). *La maladie, l'inquiétude lui mangent les sangs.* — *Se manger les sangs :* se faire beaucoup de souci.

(...) ne vous mangez pas les sangs comme ça, reprit Madame Olivier. Madame   28 vous aime et n'aime que vous (...)   BALZAC, *la Cousine Bette*, Pl., t. VI, p. 299.

S'il avait pu voir ce que j'avais dans le cœur, mon pauvre Sylvinet, c'est du coup   29 qu'il aurait été mangé par la jalousie.   G. SAND, *la Petite Fadette*, XX.

Il était malade. Une sorte de douleur sombre et sourde lui mangeait le foie.   30
                J. GIONO, *Jean le Bleu*, IX.

♦ **6.** (1682, mar.). Faire disparaître en cachant, en recouvrant. *Chemin que mangent les herbes folles* (→ Labyrinthe, cit. 11). — Au p. p. *Navire mangé par la mer, par les lames. Visage mangé de barbe* (→ Dandiner, cit. 2). *Front mangé par une frange* (→ Chafouin, cit. 2).

On est sous l'ombre que donne la haute église mangée par le lierre.   31
                J. GIONO, *Regain*, II, III.

Loc. fig. (En parlant d'yeux très grands qui font oublier le reste du visage.)

Ses yeux étonnés mangeaient l'étroit visage (...)   MONTHERLANT, *le Songe*, I, II.   32

(1752). Fig. *Manger l'espace* (⇒ **Dévorer**), *des kilomètres* (⇒ **Avaler**).

♦ **7.** (1669). Fig. *Manger ses mots, la moitié des mots,* les prononcer indistinctement. ⇒ **Bredouiller.** — *Manger la consigne.* ⇒ **Oublier, transgresser.**

♦ **8.** (1660). Absorber, consommer, user. *Le foyer* (cit. 6) *mangeait ses cinq mille kilos de houille.* ⇒ **Consommer, consumer.**

Loc. fig. *Ça ne mange pas de pain ! :* ça ne coûte rien.

(V. 1240). Fig. *Manger du temps :* faire perdre du temps. — *Ma matinée a été mangée par la correspondance* (cit. 6).

L'humble prêtre (...) balbutiait (...) qu'à lui aussi la lecture mangeait du temps.   33
                Alphonse DAUDET, *la Petite Paroisse*, XIV.

(1538 ; p. p., fin XVe). Spécialt. ⇒ **Dépenser, dilapider, dissiper.** *Manger son capital*, sa fortune, son argent*, son héritage...* ⇒ **Claquer** (fam.). → Dégourdir, cit. 5 ; gaupe, cit. 2. *Il a mangé ses économies, ses quatre sous...* (→ **Mange-tout**).

Par plaiderie on peut manger son bien (...)   Clément MAROT, *Épîtres*, XIV.   34

(...) un débauché, un traître, qui me mange tout ce que j'ai ? — Tu as menti, j'en   35 bois une partie.   MOLIÈRE, *le Médecin malgré lui*, I, 1.

Jean s'en alla comme il était venu,   36
Mangea le fonds avec le revenu (...)
                LA FONTAINE, *Pièces diverses*, II, «Épitaphe d'un paresseux».

Celui qui mange dans l'oisiveté ce qu'il n'a pas gagné lui-même le vole (...)   37
                ROUSSEAU, *Émile*, III.

Les femmes s'entendent bien plus à manger une fortune qu'à la faire.   38
                BALZAC, *Mme Firmiani*, Pl., t. I, p. 1043.

Au bout de vingt ans, si le travail marchait bien, ils pouvaient avoir une rente, qu'ils 39 iraient manger quelque part, à la campagne.   ZOLA, *l'Assommoir*, t. I, IV, p. 137.

Fam. *Manger de l'argent,* en perdre, faire une opération déficitaire. *Même en vous faisant ce rabais, il ne mange pas d'argent.*

♦ **9.** *Manger qqn, son argent,* le ruiner, lui prendre toute sa fortune. *Le fisc* (cit. 2) *mange les fortunes privées* (→ Indirect, cit. 5). *L'amour du jeu le mange* (vieilli). *On nous mange, on nous gruge* (cit. 2).

▶ **SE MANGER** v. pron. (sens passif). *Le fromage se mange avant le dessert.* — (Sens récipr.). *Cannibales qui se mangent les uns les autres* (⇒ S'entre-manger). *Les loups* ne se mangent pas entre eux.* — Fig. (⇒ Calomnier, cit. 3). — *Se manger le blanc** (cit. 23) *des yeux, se manger les yeux.* — *Se manger le nez*.*

Est-ce drôle que vous vous mangiez toujours entre femmes !   ZOLA, *Nana*, VIII. 40

Vous me faites songer à Robinson Crusoé qui détruisait les sauvages à coups de   41 mousquet pour les empêcher de se manger entre eux.
                G. DUHAMEL, *Salavin*, V, IX.

CONTR. Jeûner.
DÉR. Mangeable, mangeaille, mangerie, mangeoire, mangeure.
COMP. Entre-manger.

2. MANGER [mɑ̃ʒe] n. m. — V. 980, *mangier;* du précéd.

♦ **1.** Vieilli. Ce que l'on mange, ce dont on se nourrit (→ Chambarder, cit.). *Le manger et le boire** (2. Boire, cit.). ⇒ 2. **Bouffe.** — Mod., pop. Repas. *Préparer le manger. On peut apporter son manger.*

(...) ces violoneux qui viennent d'Italie (...) et paient avec de la musique pour le sommeil et leur manger. ARAGON, les Beaux Quartiers, II, XXIV.

♦ **2.** (Fin XIᵉ). Action de manger (→ Homme, cit. 74; ingestion, cit.). *Les règles du manger et du boire* (→ Contrevenir, cit. 2). — *En oublier, en perdre le boire** et *le manger* (→ Étuver, cit. 2).

COMP. Bien-manger, blanc-manger.

MANGERIE [mɑ̃ʒʀi] n. f. — XIIIᵉ; de *manger.*

♦ **1.** Littér. Avec une nuance péj. Action de manger beaucoup; repas* copieux et long.

1 (...) il y a quatorze couverts à chaque table (...) cela fait une assez grande mangerie. Mᵐᵉ DE SÉVIGNÉ, 191, 5 août 1671.

2 (...) les grands dîners, les mangeries interminables, où l'on parlait de mangeaille, avec science et volupté : car il n'y avait là que des connaisseurs; et la gourmandise est, en province, la grande occupation, l'Art par excellence.
R. ROLLAND, Jean-Christophe, Antoinette, p. 835.

♦ **2.** (XVᵉ). Au plur. Fig., vx. Spoliations, exactions. *Les mangeries de la chicane.*

MANGE-TOUT [mɑ̃ʒtu] n. m. — 1834; «qui mange tout», 1558; de *manger,* et *tout.*

★ **I.** Vx. Celui qui mange, dissipe tout son bien. ⇒ **Dépensier, dilapidateur, dissipateur, panier** (panier percé), **prodigue.**

Eh bien! moi, j'aime mieux un mange-tout, passionné comme toi pour les femmes, que ces froids banquiers sans âme (...)
BALZAC, la Cousine Bette, Pl., t. VI, p. 433.

★ **II.** (1812; aussi *mangetout*). Mod. Variété de pois, de haricots, dont on mange la cosse avec la graine. ⇒ **Goulu** (pois goulus). *Haricots, pois mange-tout; des mange-tout* ou *des mangetouts.*

MANGEUR, EUSE [mɑ̃ʒœʀ, øz] n. — XIIIᵉ, *mangeor; mangiere,* fin XIIᵉ; de *manger.*

♦ **1.** Rare. Personne qui mange. — Cour. (avec une épithète). Personne qui mange (beaucoup, peu). *Gros* (cit. 20), *grand mangeur.* ⇒ **Bâfreur, bouffeur, boustifailleur, briffaud** (vx), **briffeur** (vx), **gargantua, glouton, goinfre, gosier** (grand). → Avoir un beau, un bon, un fameux coup de fourchette*. *Un gros mangeur boulimique. Petit, piètre mangeur* (→ Échoir, cit. 4).

1 (...) ces hommes, grands mangeurs, grands buveurs, bourrés de victuailles échauffantes (...)
BARBEY D'AUREVILLY, les Diaboliques, «À un dîner d'athées», p. 310.

1.1 À table, Quenu le bourrait de nourriture, se fâchait parce qu'il était petit mangeur et qu'il laissait la moitié des viandes dont on lui emplissait son assiette.
ZOLA, le Ventre de Paris, t. I, p. 91.

2 Je n'ai plus faim, non, vrai, là; tu sais que je ne suis pas une grosse mangeuse.
HUYSMANS, En ménage, XI.

3 Ces corps de gros mangeurs, issus d'une race oisive et trop nourrie, n'ont que l'aspect de la puissance. F. MAURIAC, Thérèse Desqueyroux, IV.

Mangeur de... : personne qui mange (telle sorte d'aliments). ⇒ *-phage, -vore. Un mangeur de viande. Un mangeur de légumes :* un végétarien. *Mangeuses de galettes* (→ 2. Gent, cit. 3). Spécialt. *Mangeurs d'hommes,* (vx) *de gens.* ⇒ **Anthropophage** (→ aussi sens 3, *mangeuse d'hommes,* dans un autre sens). — Par plais. *Mangeurs de grenouilles* (les Français, au dire des Anglais), *de choucroute* (les Allemands, au dire des Français), *de macaroni* (les Italiens).

4 (...) les grands mangeurs de viande sont en général cruels et féroces plus que les autres hommes (...) ROUSSEAU, Émile, II.

5 Le nègre a des idoles féroces, mangeuses d'hommes (...)
MAUPASSANT, Clair de lune, «Lég. Mont St-Michel».

Vieilli. *Mangeur d'opium.* ⇒ **Opiomane.** *Un mangeur d'opium,* œuvre de Baudelaire, d'après Th. de Quincey *(Confessions d'un mangeur d'opium).* → Guérison, cit. 4; guttural, cit.

Fig. *Mangeur d'images* (Rabelais, II, XV), et, vulg., *de crucifix, de bon Dieu :* bigots hypocrites. — *Mangeur de curés :* anticlérical. — Mar. *Mangeur d'écoutes.*

6 Après tout, ce ne sont pas là de désagréables maîtresses que ces diseuses d'*oremus,* que toutes ces mangeuses de bon Dieu (...)
BARBEY D'AUREVILLY, les Diaboliques, «À un dîner d'athées», p. 322.

(En parlant d'animaux). *Mangeurs d'herbe* (→ Gagnage, cit. 1). *Oiseaux mangeurs de graines. Tigres mangeurs d'hommes.* — Spécialt. *Mangeur de fourmis :* fourmilier; *d'huîtres* (cit. 1) : huîtrier...

7 Il y avait des fauvettes, des mésanges de toutes les sortes, des rossignols, des verdiers, des carmines, des pies, des corbeaux, tous les habitants de la ronce ou de la forêt, mais rien que des mangeurs de viande. Pas des mangeurs de graines.
J. GIONO, le Chant du monde, III, I.

♦ **2.** (XIIIᵉ). Fig. Personne qui dépense, qui gaspille. *Mangeur*

d'argent. ⇒ **Mange-tout** (I.). — *« Les mangeurs de temps »* : les fâcheux (cit. 14).

8 Nous étions même d'assez mauvais sujets, joueurs, libertins, coureurs de filles, duellistes, ivrognes au besoin, et mangeurs d'argent sous toutes les espèces.
BARBEY D'AUREVILLY, les Diaboliques, «À un dîner d'athées», p. 330.

♦ **3.** Vieilli. Personne qui gruge, qui exploite les autres, qui vit ou réussit à leurs dépens (⇒ **Exploiteur**). *Mangeurs du peuple.* — Absolt et vx (ou métaphorique) :

9 Nous ne trouvons que trop de mangeurs ici-bas :
Ceux-ci sont courtisans, ceux-là sont magistrats. LA FONTAINE, Fables, XII, 13.

10 Le succès n'est pas aimé, surtout par ceux dont il est la chute. Il est rare que les mangés adorent les mangeurs. HUGO, l'Homme qui rit, II, III, IV.

Vieilli (ou, mod., par plais.). *Une mangeuse d'hommes :* une courtisane, une demi-mondaine qui dépouille ses amants.

CONTR. Abstinent.

MANGEURE [mɑ̃ʒyʀ] n. f. — 1690; «pâture», v. 1354; de *manger.*

♦ Vieilli. Endroit mangé, rongé (d'une étoffe, d'un livre). *Livre, étoffe qui a des mangeures.*

MANGLE [mɑ̃gl] n. f. — 1555; mot esp., du taïno (langue des Antilles).

♦ **1.** Vx. Manglier.

♦ **2.** (1873). Mod. Fruit du manglier (ne pas confondre avec *mangue*).
DÉR. Manglier.

MANGLIER [mɑ̃glije] n. m. — 1716; de *mangle.*

♦ Palétuvier *(Rhizophoracées)* dont le fruit est la mangle.

(...) les mangliers dont les branches pleureuses se replantent et se multiplient en innombrables arcades (...) Th. GAUTIER, l'Orient, t. I, p. 309.

MANGLIETIA [mɑ̃glijetja] n. m. — 1873; *mangliétie,* P. Larousse; orig. incert. (probablt d'un nom propre).

♦ Bot. Magnolia (genre *manglietia,* famille des *Magnoliacées*), dont une espèce fournit un bois très résistant qui passe pour avoir des propriétés conservatrices et qui est utilisé à ce titre dans l'île de Java pour la construction des cercueils.

MANGO [mɑ̃go] n. m. ou f. — D. i.; forme directement empruntée aux langues africaines.

♦ En franç. d'Afrique, Mangue sauvage, non greffée, plus petite et fibreuse que la mangue cultivée. — REM. On écrit aussi *mangot* [mɑ̃go].
DÉR. Mangotier.

MANGONNEAU [mɑ̃gono] n. m. — XIIIᵉ; *mangoneaus; mangonel;* v. 1130, *mangonel;* du bas lat. *manganum,* du grec *magganon* «machine de guerre».

♦ Hist. Machine* de guerre utilisée au moyen âge pour lancer des traits et des pierres (⇒ **Catapulte**).

MANGOTIER [mɑ̃gɔtje] n. m. — D. i.; de *mango(t).*

♦ En français d'Afrique, manguier sauvage, non greffé.

MANGOUSTAN [mɑ̃gustɑ̃] n. m. — 1598; port. *mangustão,* du malais.

♦ **1.** Arbre des régions tropicales *(Clusiacées)* donnant un fruit très estimé.

♦ **2.** Vieilli. Ce fruit. ⇒ 1. **Mangouste.**

MANGOUSTANIER [mɑ̃gustanje] ou **MANGOUSTIER** [mɑ̃gustje] n. m. — Mil. XXᵉ; de *mangoustan.*

♦ Arbre des régions tropicales qui fournit la mangouste. ⇒ **Mangoustan.**

1. MANGOUSTE [mɑ̃gust] n. f. — 1733; de *mangoustan.*

♦ Fruit du mangoustan, de la taille d'une orange, au goût de framboise.

Le brave garçon avait acheté quelques douzaines de mangoustes, grosses comme des pommes moyennes, d'un brun foncé au-dehors, d'un rouge éclatant au-dedans, et dont le fruit blanc, en fondant entre les lèvres, procure aux vrais gourmets une jouissance sans pareille.
J. VERNE, le Tour du monde en 80 jours, p. 138.

2. MANGOUSTE [mãgust] n. f. — 1703; *mangouzo*, 1697; port. *mangusto* ou esp. *mangosta*, de *mangus*, mot d'une langue de l'Inde.

♦ Petit mammifère carnivore *(Viverridés)* de l'Afrique et de l'Asie tropicales, rappelant la belette, facilement apprivoisable, utilisé pour la destruction des reptiles et des rats. *On dresse les mangoustes à la chasse au serpent.*

La mangouste (...) se dégagea d'un coup de reins, se rejeta en arrière, tandis que le serpent déroulé se lovait de nouveau.
                                   Roger VERCEL, l'Île des revenants, p. 159.

MANGROVE [mãgʀɔv] n. f. — 1902; mot angl., du malais.

♦ Géogr. Association végétale halophile caractéristique des régions littorales de la zone tropicale, où croissent en pleine vase des forêts impénétrables de palétuviers.

Les lumières de la piste du Raizer sont allumées, pointillé orange vers la mangrove, vers la mer.
                                   Claude COURCHAY, La vie finira bien par commencer, p. 127.

1. MANGUE [mãg] n. f. — 1604; 1540, *manga*; port. *manga*, du tamoul.

♦ Fruit du manguier, de la taille d'une grosse pêche, à chair jaune très parfumée, à odeur de térébinthine.

Et de son bec furtif le bengali siffleur
Boit, comme un sang doré, le jus des mangues mûres.
                                   LECONTE DE LISLE, Poèmes barbares, «Sommeil de Leïlah».

DÉR. Manguier.

2. MANGUE [mãg] n. f. — 1873, P. Larousse; anc. provençal *manga, manega*, du lat. *manica* «manche».

♦ Techn. Régional. Filet de pêche en forme de poche.

MANGUIER [mãgje] n. m. — 1688; de *mangue*.

♦ Arbre tropical de l'Inde et de l'Amérique du Sud *(Térébinthacées).*

(...) il lit sa Bible, taille un sommaire calendrier dans le bois, et boit son thé de feuilles de manguier (...)   F. MALLET-JORIS, le Jeu du souterrain, p. 208.

Par ext. *Manguier du Gabon.* ⇒ **Oba.**

MANHATTAN [manatan] n. m. — 1908, P. Bourget; 1907 «*manhattan cocktail*»; nom de l'île où la partie centrale de New York est bâtie.

♦ Cocktail à base de whisky (bourbon ou rye), de vermouth et de bitter. *Préparer, boire un manhattan. Des manhattans.*

MANIABILITÉ [manjabilite] n. f. — 1876; de *maniable*.

♦ Qualité de ce qui est maniable. *Maniabilité d'un livre. Maniabilité d'un avion, d'une voiture.* ⇒ **Manœuvrabilité.**

Techn. *Maniabilité d'un béton,* facilité à le couler.

MANIABLE [manjabl] adj. — XIVᵉ; «agile», XIIᵉ; de *manier*.

♦ **1.** Vx. Qui est souple à la main, qui prend aisément et garde la forme donnée par la main. ⇒ **Souple.** *Drap, cuir maniable. La cire, l'argile sont maniables.* ⇒ **Ductile, flexible, malléable, mou.**

1 Prenons par exemple ce morceau de cire (...) il est dur, il est froid, il est maniable (...) Mais voici que pendant que je parle on l'approche du feu (...) il devient liquide, il s'échauffe, à peine le peut-on manier (...)
                                   DESCARTES, Méditations, II.

Par métaphore :

2 (...) retâtant et pétrissant cette nouvelle matière *(la pensée humaine),* la remuant et l'échauffant... *(je la)* rends plus souple et plus maniable.
                                   MONTAIGNE, Essais, II, XII.

♦ **2.** (1868). Qui se prend, s'utilise facilement avec les mains. ⇒ **Commode, pratique.** *Un objet maniable,* peu encombrant, bien en main*. Outil, instrument, arme... maniable* (⇒ **Gymnastique,** cit. 4; impotence, cit.). *Des livres de petit format très maniables.* — (1690). Que l'on conduit, manœuvre avec facilité, en parlant d'un véhicule. *Une voiture, un avion, un radeau maniable* (→ Gouvernail, cit. 2).

♦ **3.** (1771). Mar. *Vent maniable, temps maniable,* qui permet au navire toute espèce de manœuvre (vent modéré, mer belle).

3 (...) si la mer restait dure, le temps devenait nettement maniable (...)
                                   Roger VERCEL, Remorques, V.

♦ **4.** (1538). Fig. (Personnes). Qui se laisse aisément diriger, dont on fait ce qu'on veut. ⇒ **Commode, docile, doux, facile, malléable, obéissant, souple, traitable.** *Personne, caractère maniable. Électeurs peu maniables* (→ Censitaire, cit.).

Tant que la confiance règne, les gens sont très patients, très maniables. Du jour où ils prennent peur, c'est le diable !
                                   J. ROMAINS, les Hommes de bonne volonté, t. VIII, XIII, p. 166.   4

CONTR. **Dur, rigide. — Encombrant, incommode. — Difficile, exigeant, indocile, intraitable, rétif, têtu.**
DÉR. **Maniabilité.**

MANIACO-DÉPRESSIF, IVE [manjakodepʀesif, iv] adj. — 1905, *in* D.D.L.; de *maniaque,* et *dépressif.*

♦ Psychiatrie. Relatif à la psychose maniaque* dépressive. ⇒ **Maniaque** (1.). *Constitution maniaco-dépressive.*

MANIAGE [manjaʒ] n. m. — 1694; de 1. *manier,* et suff. *-age.*

♦ **1.** Vx. Action de manier. ⇒ **Maniement.**

♦ **2.** (1840). Techn. Pétrissage de l'argile avant moulage.

♦ **3.** (1873). Techn. Opération par laquelle le batteur d'or fait glisser les feuilles de métal en les étageant.

MANIAQUE [manjak] adj. — V. 1300; lat. médiéval *maniacus,* de *mania* «folie». → Manie.

♦ **1.** Adj. Ⓐ Vx. (Jusqu'au XIXᵉ). Qui est atteint de folie, «possédé de manie» (Littré). ⇒ **Aliéné, fou*** (cit. 5), **frénétique, lunatique.** N. Mod. *Un dangereux maniaque.*

Ⓑ Mod. Spécialt. Psychiatrie. Qui est atteint de manie* (*supra* cit. 2). — N. *Un maniaque. Agitation motrice, excitation psychique, attitude extatique* (cit. 3) *des maniaques.*

♦ **2.** Psychiatrie. Qui est propre à la manie*, qui en a les caractères. *Excitation maniaque* (→ Interner, cit. 2). — *Psychose maniaque dépressive :* affection mentale caractérisée par des accès alternés d'excitation (manie) et de dépression (mélancolie) ou par des accès périodiques uniquement maniaques ou uniquement dépressifs, ou encore combinant les deux aspects (états mixtes). — On dit aussi *cyclothymie, folie* circulaire, psychose périodique.* ⇒ aussi **Maniaco-dépressif.**

N. *Un maniaque-dépressif. Une maniaque-dépressive.*

♦ **3.** (1893). Cour. Ⓐ Qui a une idée fixe, une habitude contraire à la raison, parfois vicieuse, perverse. ⇒ **Bizarre, fantasque, original.** — Par ext. *Un besoin maniaque.*
N. *C'est un maniaque, un redoutable maniaque.*

Je compris qu'il ne se vantait point, et qu'érudit et sanguinaire, l'homme à qui j'avais affaire était un maniaque du meurtre.
                                   APOLLINAIRE, l'Hérésiarque..., p. 45.   1

Tous nos patriotes folliculaires ne rêvent qu'une chose : nous rendre enfin semblables à l'ennemi. Et ils y travaillent assidûment avec adresse, ces professionnels de la haine, ces maniaques de la représaille (...)
                                   G. DUHAMEL, Récits des temps de guerre, IV, XIX.   2

Ⓑ (1803). Qui est passionné par un objet particulier au point de paraître singulier et parfois ridicule. *Un maniaque de la philatélie, de l'organisation, de l'ordre...* ⇒ **Obsédé** (→ Bâtisse, cit. 1).

— Vilain maniaque, va, dit Jeanne, te voilà encore à regarder tes vieux bibelots.
                                   HUYSMANS, En ménage, XI.   3

♦ **4.** (Fin XIXᵉ). Qui est exagérément attaché à de petites habitudes. *Les personnes âgées sont souvent maniaques. Célibataire maniaque. Être maniaque dans son travail.* — Par ext. *Soin maniaque.* ⇒ **Exigeant, méticuleux, pointilleux, vétilleux** (→ Garder, cit. 90). *Un besoin, un souci maniaque.*
N. *Un vieux maniaque. Une vieille maniaque insupportable.*

(...) une maniaque, une vieille enfant gâtée, insupportable, elle sait bien que c'est ce qu'elle est pour eux (...)   N. SARRAUTE, le Planétarium, p. 14.   4

DÉR. **Maniaquement, maniaquerie.**
COMP. **Hypomaniaque, maniaco-dépressif.**

MANIAQUEMENT [manjakmã] adv. — 1845, Richard de Radonvilliers; de *maniaque.*

♦ D'une façon maniaque, par une idée fixe ou une habitude fixée.

Élisabeth détestait qu'on fraye; elle méprisait *les autres,* ou bien s'engouait d'une personne, de loin, maniaquement.   COCTEAU, les Enfants terribles, V, p. 82.

MANIAQUERIE [majnakʀi] n. f. — 1888; de *maniaque.*

♦ Caractère d'une personne maniaque. *Il est d'une maniaquerie insupportable.*

MANICHÉEN, ENNE [manikeɛ̃, ɛn] n. et adj. — 1688; bas lat. ecclés. *manichaeus;* grec *Manikhaios,* nom grec du Persan *Mani* ou *Manès, Manichée* au XVIᵉ.

♦ **1.** Didact. Personne qui professe la doctrine de Mani, le manichéisme*. *Les manichéens sont des hérétiques.* — Adj. Relatif au manichéisme. *Doctrine manichéenne* (→ Construction, cit. 5).

(...) répondre aux objections des manichéens qui reconnaissaient deux dieux, dont l'un est bon, et l'autre méchant.   VOLTAIRE, Dict. philosophique, Bien.

♦ **2.** Adj. Relatif à une conception dualiste du bien et du mal. *Interprétation manichéenne du monde.* ⇒ **Manichéiste** (plus cour.).

DÉR. Manichéisme, manichéiste.

MANICHÉISME [manikeism] n. m. — 1688 ; de *manichéen.*

♦ **1.** Didact. Religion syncrétiste du Persan Mani (IIIe s.) alliant des éléments du christianisme, du bouddhisme et du parsisme, et pour laquelle le bien et le mal sont deux principes fondamentaux égaux et antagonistes. *Le manichéisme condamné comme hérésie par l'Église chrétienne. Les Albigeois, les Priscillianistes se réclamaient du manichéisme.*

(...) je pencherais assez volontiers vers le manichéisme, dit des Hermies ; c'est une des plus anciennes et c'est la plus simple des religions (...) Le Principe du Mal et le Principe du Bien, le Dieu de Lumière et le Dieu de Ténèbres, deux rivaux se disputant notre âme, c'est au moins clair (...) — « Mais le manichéisme est impossible, cria le sonneur. Deux infinis ne peuvent exister ensemble ! »
                                                         HUYSMANS, Là-bas, V.

♦ **2.** Par ext. Conception dualiste du bien et du mal*. *Manichéisme d'un moraliste.*

Psychiatrie. *Manichéisme délirant* (av. 1959, Dide et Guiraud) : délire dans lequel le malade assiste en spectateur détaché à la lutte de tenants du Bien et du Mal, qui s'opposent à son sujet.

MANICHÉISTE [manikeist] adj. — V. 1970 ; de *manichéen.*

♦ **1.** Didact. Qui apprécie les choses en termes de bien et de mal, sans aucune nuance intermédiaire. — REM. En ce sens, on emploie plus souvent *manichéen*.*

1   (...) D'entrée, les termes brutaux comme *exploitation* (au sens péjoratif du mot), *impérialisme,* etc. ferment la voie à une étude positive et surtout à la recherche d'une solution, l'affectivité assurant, par elle-même, la satisfaction manichéiste de l'esprit.   A. SAUVY, Croissance zéro ?, p. 291-292.

♦ **2.** Didact. Adepte du manichéisme. ⇒ **Manichéen.**

2   Les bogomiles ou patarins étaient des manichéistes dont l'hérésie a gagné au XIIe siècle le midi de la France.   S. DE BEAUVOIR, Tout compte fait, p. 260.

MANICHORDION [manikɔrdjõ] ou MANICORDE [manikɔrd] n. m. — 1471, *manicordion* ; v. 1155, *monacorde* ; du grec *monochordon* «instrument à une corde» par attraction de *manus* «main».

♦ Mus. Instrument à cordes frappées en usage en France avant le XVIe siècle, sorte de cithare à clavier de deux octaves (on écrit aussi *manicordion*).

MANICLE [manikl] ou MANIQUE [manik] n. f. — V. 1160, *manicle ; manique,* 1680 ; du lat. *manicula,* proprt «petite main».

♦ **1.** Hist. MANICLE. [a] Large manche (de certains costumes antiques).

[b] Brassard métallique de protection. *Manicle de gladiateur,* protégeant le bras droit. — *Manicle d'archer.*

♦ **2.** (XVIe). MANICLE, MANIQUE. Techn. Gant* de protection pour la main des ouvriers qui travaillent avec des fils poissés, etc. ⇒ **Gantelet.** *Manicle de bourrelier, de cordonnier. Manicle de voilier.* ⇒ **Paumelle.** *Manique de cuisinier :* carré d'étoffe isolante pour saisir les plats chauds.
Loc. Vx. *Tirer la manique :* être cordonnier. — *Être de la manique* (argot anc.), du métier (attesté chez Balzac).

♦ **3.** (1723). Techn. Manche, poignée (de quelques outils).

MANICORDE [manikɔrd] n. m. ⇒ **Manichordion.**

MANIE [mani] n. f. — V. 1398 ; bas lat. médical *mania* «folie», mot grec.

♦ **1.** (V. 1398). Ancienn (jusqu'au XIXe). Égarement d'esprit. ⇒ **Folie ; aliénation, frénésie, furie.**

1   Ah ! que me dites-vous ? Quelle étrange manie
    Vous peut faire envier le sort d'Iphigénie ?   RACINE, Iphigénie, IV, 1.

(Mil. XVIe). Mod. (Psychiatrie). *Manie,* ou *manie aiguë :* syndrome mental caractérisé par divers troubles de l'humeur (exaltation euphorique, hyperactivité, versatilité, expansivité, incohérence des idées et de l'activité motrice). *La manie peut être un épisode de la psychose maniaque* dépressive. Manie confusionnelle, délirante. Manie réactionnelle. Forme atténuée de la manie.* ⇒ **Hypomanie.**

2   Si l'on excepte les manies symptomatiques qui admettent des étiologies variées, on considère généralement que la psychose maniaque est d'origine constitutionnelle.   F. RAMÉE, *in* A. POROT, Manuel alphabétique de psychiatrie, art. *Manie.*

♦ **2.** (V. 1628). Trouble de l'esprit possédé par une idée fixe.

⇒ **Monomanie** (vx) ; **hantise, idée** (fixe), **obsession.** *Manie de la persécution.* ⇒ **Folie,** et aussi les suff. **-mane, -manie,** qui servent à former des composés (→ Dipsomanie, kleptomanie, mythomanie...).

♦ **3.** (1665). Cour. Goût excessif, déraisonnable (pour un objet ou une activité). *La (une) manie de... Avoir la manie de...* ⇒ **Fièvre, frénésie, fureur, maladie, rage.** *Avoir la manie de la propreté, du lavage* (cit. 1), *du linge* (cit. 1). *Manie de l'exactitude, des heures* (cit. 26) *fixes. Manie de la contradiction, du paradoxe, du calembour... Manie de* (et inf.) → Atermoiement, cit. 2 ; belliqueux, cit. 4 ; fait, cit. 12. *Il a la manie de réparer, de bricoler* (→ Ingénieux, cit. 2). *Les enfants ont la manie d'interroger* (cit. 9). *Manie de faire des cachoteries. La manie lui prit de* (et inf.). ⇒ **Démangeaison.** *Manie de bouger.* ⇒ **Bougeotte.**

3   (...) de bonne heure elle aima à écrire, à faire son journal, à retracer *l'histoire de son âme.* C'était la mode et la manie à cette date (...)
                              SAINTE-BEUVE, Causeries du lundi, 10 juin 1850.

4   Mme Bovary mère ne trouvait rien à blâmer, sauf peut-être cette manie de tricoter des camisoles pour les orphelins, au lieu de raccommoder ses torchons.
                                             FLAUBERT, Mme Bovary, II, XIV.

♦ **4.** (1750). Cour. Habitude bizarre et tyrannique, souvent agaçante ou ridicule. *Chacun a ses répulsions et ses manies* (→ Grouper, cit. 6 ; huis, cit. 6). ⇒ **Bizarrerie, dada, fantaisie, marotte, tic, toquade, turlutaine** (vx). *Vices, défauts, tics et manies de quelqu'un* (→ Auteur, cit. 40 ; gâter, cit. 33). *Manie invétérée. Fâcheuse, ridicule manie. Douce manie. Manie innocente. Manie de célibataire ; manie d'écrivain, de collectionneur... Manie pédantesque* (→ Enseignant, cit. 1)... *Manie qui se prend, s'attrape* (cit. 26), *se perd. Donner dans une manie* (→ Fredaine, cit. 4).

5   On n'a pas idée du mal qu'on a avec les vieilles gens ! C'est plein de manies, de mauvaises habitudes, et ils en crèveraient, plutôt que de se corriger (...)
                                                      ZOLA, la Terre, IV, I.

6   Mon grand-père, vers ses soixante-dix ans, prit le dégoût des aliments solides, et vécut de lait pendant cinq ans au moins. On disait que c'était une manie (...)
                          ALAIN, Propos, 24 août 1912, Puissance de l'oubli.

7   Il y a ainsi chez l'homme quelque chose de plus profondément à lui que son visage, de petites habitudes, des manies.   ARAGON, les Beaux Quartiers, I, V.

DÉR. et COMP. Hypomanie. (V. aussi **Maniaque**).

-MANIE Élément de noms féminins, du grec *-mania* «état de qui est fou de (ce que désigne le formant initial)», de *mainomai* «je suis fou», et qui exprime :

[a] l'idée d'un excès, condamnable ou ridicule, dans un goût, une habitude. Ex. : *anglomanie, antiglomanie, bibliomanie, bronzomanie, gallomanie, mélomanie, métromanie, musicomanie.* — REM. Il peut jouer dans ce cas le rôle d'intensif relativement à *-philie.*

[b] dans des noms issus de l'ancienne nosologie psychiatrique (Esquirol), l'idée d'un état pathologique (passion morbide, comportement pulsionnel ou délire limité à un thème particulier : monomanie). Ex. : *cleptomanie, cocaïnomanie, démonomanie, dipsomanie, érotomanie, éthéromanie, graphomanie, lypémanie, mégalomanie, morphinomanie, mythomanie, nymphomanie, opiomanie, potomanie, toxicomanie.* — REM. Aux noms féminins ainsi formés correspondent généralement des noms d'agents et adjectifs en *-mane*.*

MANIEMENT [manimã] n. m. — 1237 ; de *manier,* et *-ment.*

Action de manier.

♦ **1.** (Fin XIIIe). Vieilli. Action de tâter, de palper. *Maniement d'une étoffe.*

(1855). Par métonymie. Chacun des amas graisseux superficiels, perceptibles à la main, qui permettent de juger de l'état d'engraissement d'un animal de boucherie.

♦ **2.** Action ou façon de manier, d'utiliser avec les mains. ⇒ **Emploi, manipulation, usage.** *Maniement d'un outil, d'un pinceau, d'une javeline* (cit.). *Maniement d'une machine. Appareil, produit d'un maniement délicat. Maniement d'un fusil. Maniement d'armes :* suite de mouvements exécutés au commandement par les soldats avec leurs armes. (⇒ **Manœuvre**).

1   Il se sentait de nouveau gêné, ayant peur de commettre quelque erreur dans le maniement conventionnel de la fourchette, de la cuiller ou des verres.
                                               MAUPASSANT, Bel-Ami, I, II.

2   Il *(Apollon)* est de première force au maniement de l'arc, dont il se sert à l'occasion pour tuer ou blesser (...)   Émile HENRIOT, Mythologie légère, p. 50.

3   (...) la difficulté était de trouver des ouvriers connaissant le maniement des machines (...)   ARAGON, les Beaux Quartiers, I, VII.

Par ext. Façon d'utiliser. *Expliquer à qqn le maniement des chèques.*

♦ **3.** Fig. Action, manière d'employer, de diriger, d'administrer. *Le maniement des hommes. Le maniement d'une langue* (→ Exploitation, cit. 8), *des idées...* ⇒ **Emploi.**

4   Ma race, ma famille, ma ville natale (...) en me rendant absolument impropre à tout ce qui n'est pas le maniement pur des choses de l'esprit, avaient fait de moi un idéaliste (...)   RENAN, Souvenirs d'enfance..., Œ. compl., t. II, II, II, p. 760.

Spécialt. ⇒ **Gestion.** *Maniement de l'argent, des deniers publics.*

Maniement de fonds d'un comptable. S'entendre au maniement des affaires. ⇒ **Administration, direction, gouvernement.**

5 (...) elle n'avait plus le maniement de son cher argent, elle qui s'était vue libre de dépenser ce qu'elle voulait (...)   BALZAC, la Vieille Fille, Pl., t. IV, p. 321.

Être d'un maniement aisé, facile, difficile.

Spécialt. (Jeux). Au bridge, façon de jouer les cartes d'une couleur afin d'obtenir un nombre maximal de levées.

1. MANIER [manje] v. tr. — Conjug. *prier.* — V. 1160, *maneir;* de *main.*

♦ **1.** Vx. Tâter, palper. ⇒ **Palper, patiner** (vx), **toucher.** *Manier une étoffe pour juger de sa qualité.*

1 Innocent, lui dit-elle, ce feu-là *(le follet)* ne brûle point, et si tu étais assez subtil pour le manier, tu verrais qu'il ne laisse pas seulement sa marque.
                                                      G. SAND, la Petite Fadette, XIII.

♦ **2.** (V. 1190). Avoir en main, entre les mains (un objet, un être que l'on déplace, remue, presse...). *Manier un paquet avec précaution* (→ Étiquette, cit. 2). ⇒ **Manipuler.** *Manier un haltère* (cit. 2) *avec adresse. Enfant qui manie un jouet* (cit. 1) *nouveau. Rien n'avait été manié, profané* (→ Intact, cit. 6). ⇒ **Malaxer, tripoter** (fam.), **tripatouiller** (fam.). *Impotent qui se laisse manier comme un cadavre* (cit. 6). *Manier quelqu'un brutalement* (cit. 2).

2 Il ne se sert à table que de ses mains; il manie les viandes, les remanie, démembre, déchire (...)   LA BRUYÈRE, les Caractères, VI, 121.

3 Chaque soir, en maniant un col, une cravate, il lui semblait recommencer les préparatifs de ce grand jour.
                                            J. ROMAINS, les Hommes de bonne volonté, t. III, v, p. 79.

♦ **3.** Spécialt. Façonner, modeler avec la main. ⇒ **Modeler, pétrir.** *Manier de la cire* (→ Maniable, cit. 1), *de l'argile.* Vieilli. Façonner avec un outil, mettre en œuvre. *Manier le bronze.*

4 Bernin n'a pas manié le marbre ni traité toutes ses figures d'une égale force.
                              LA BRUYÈRE, Discours de réception à l'Académie, 15 juin 1693, Préface.

5 Dès qu'il s'agissait d'aller à l'atelier du Gros-Caillou, manier la glaise et réaliser la maquette (...)   BALZAC, la Cousine Bette, Pl., t. VI, p. 320.

♦ **4.** Utiliser* avec les mains, se servir de (un outil, un instrument, etc.) avec plus ou moins d'habileté. *Manier les armes* (cit. 3), *les armes blanches* (→ Escrime, cit. 2 et 3), *le poignard* (→ Gladiateur, cit. 2), *l'escopette* (cit. 2). *Manier des outils* (→ Hache, cit. 3; hoyau, cit. 2), *le pinceau* (→ Coutume, cit. 1). *Savoir manier un livre pour y retrouver un passage* (→ Érudition, cit. 5).

(En parlant d'une machine, d'un véhicule). Utiliser pour une manœuvre*. *Véhicule facile, difficile à manier.*

6 C'est que vous croyez avoir affaire à quelque barbier de village, et qui ne sait manier que le rasoir?   BEAUMARCHAIS, le Barbier de Séville, III, 5.

7 Sa main, si molle, si fluide, maniait un pistolet, un fusil, avec la vigueur d'un chasseur exercé.   BALZAC, Une ténébreuse affaire, Pl., t. VII, p. 483.

8 (...) elle passait souvent ses matinées dans le potager; elle savait manier à propos la serpe, le râteau et l'arrosoir (...)   A. DE MUSSET, Nouvelles, « Margot », v.

9 Avion assez rapide, avec de fortes réserves d'essence, mais difficile à manier.
                                                      MALRAUX, l'Espoir, II, I, v.

Loc. fig. *Manier la brosse* à reluire. *Manier de l'argent.* ⇒ **Brasser, manipuler.** *Caissier qui manie des sommes considérables* (→ Des sommes considérables lui passent par les mains*). — Par ext. *Manier des fonds.* ⇒ **Gérer.**

10 Il est aussi capable de manier de l'argent que de porter les armes.
                                                      LA BRUYÈRE, les Caractères, I, 153.

11 (...) il avait fini par se trouver maître du comptoir après avoir désintéressé ces vieux banquiers, tous deux retirés à la campagne et qui lui laissèrent leurs fonds à manier, moyennant un léger intérêt.
                                            BALZAC, le Curé de village, Pl., t. VIII, p. 551.

Techn. (Hippol.). Vieilli. *Manier un cheval,* le mener, le faire manœuvrer, évoluer. ⇒ **Travailler.**

12 S'il monte un cheval que l'on lui a prêté, il le presse de l'éperon, veut le manier, et lui faisant faire des voltes ou des caracoles, il tombe lourdement et se casse la tête.   LA BRUYÈRE, les Caractères de Théophraste, « Tardive instruction ».

♦ **5.** (Fin XVᵉ). Fig. (Compl. n. de personne). Mener à son gré. ⇒ **Conduire, diriger, manœuvre, mener.** *Manier les masses* (→ Instituteur, cit. 3). *Un caractère difficile, facile à manier.* ⇒ **Gouverner; maniable.**

13 Non, l'on n'a point vu d'âme à manier si dure,
Ni d'accommodement plus pénible à conclure (...)
                                                      MOLIÈRE, le Misanthrope, IV, 1.

14 (...) la comtesse, qui avait deviné son intendant, le surveillait adroitement, et savait si bien le manier, qu'elle en avait déjà tiré un très bon parti pour l'augmentation de sa fortune particulière.
                                            BALZAC, le Colonel Chabert, Pl., t. II, p. 1122.

♦ **6.** (Compl. désignant des idées, des mots...). Employer de façon plus ou moins habile. *Manier les idées avec prudence* (→ Force, cit. 69). ⇒ **Traiter, utiliser.** *Manier des principes* (→ Géomètre, cit. 4), *une vérité* (→ Épuiser, cit. 13), *un argument. Sujet aisé à manier* (→ Ingrat, cit. 9). *Manier savamment une langue* (→ Évocatoire, cit. 15). ⇒ **User** (de). *Être habile à manier les mots* (→ Idée, cit. 15). *Savoir manier l'ironie, le paradoxe...* — Iron. *Manier la gaffe.*

15 On considère maintenant en France, et avec raison, comme le complément néces-

saire d'une éducation élégante, une certaine facilité à manier ce qu'on est convenu d'appeler le style épistolaire.
                        HUGO, Littérature et Philosophie mêlées, « Fantaisie », avr. 1820.

16 Au théâtre, nul depuis Victor Hugo n'a manié l'alexandrin dramatique d'une façon plus magistrale.   Th. GAUTIER, Portraits contemporains, « L. Bouilhet ».

17 (...) il maniera la plaisanterie comme un humoriste audacieux (...)
                                            G. DUHAMEL, les Plaisirs et les Jeux, II, XI.

▶ **SE MANIER** v. pron.

♦ **1.** (Au sens passif). Être manié. *Cheval qui se manie très bien* (→ Courbette, cit. 1). *Outil qui se manie aisément.*

♦ **2.** (Au sens réfl.). **a** Vx. Se conduire avec adresse et diligence.

18 Châteauneuf savait se manier, et s'était mis fort avant dans la confiance de la princesse des Ursins, à qui il ne fut pas inutile.   SAINT-SIMON, Mémoires, II, XXII.

b Mod. et fam. **SE MANIER** [manje] (seult inf.) ou **SE MAGNIER** [maɲe] : faire diligence, se remuer, se dépêcher*, se grouiller*. *On t'attend, tu feras bien de te manier* (→ Fascicule, cit.). *Maniez-vous, les gars ! Magne-toi !*

19 (...) *becqueter,* manger, *piqueter,* boire (...) et se *manier,* se remuer, qu'il faut bien écrire *becter, picter, magner,* puisqu'ils se conjuguent : *je becte, je picte,* ou *magne-toi.*   A. DAUZAT, l'Argot de la guerre, VI.

20 Il y a des meubles, derrière la caserne, des matelas, des brocs, des pots à eau, il n'y a qu'à se baisser pour les prendre, mais il faut vous manier parce que c'est la foire d'empoigne.   SARTRE, la Mort dans l'âme, p. 222.

21 Si je tournais pas les pouces, que je me magne du matin au soir et la nuit encore, que je drope comme un zèbre, je devais y arriver peut-être en quinze à vingt jours. C'est-à-dire juste pour les épreuves !   CÉLINE, le Pont de Londres, p. 121.

(Même sens). *Se manier, se magner le train, le pot, le popotin.*

22 Ce n'est pas trop tôt, dit-il. Enfile-moi cet uniforme, là, oui, c'est ça, eh bien, grouille-toi, fais fiça, magne-toi le pot, le popotin si tu préfères, enfin t'y voilà (...)   R. QUENEAU, Pierrot mon ami, Folio, p. 81.

REM. La graphie *magner* correspond à une hésitation dans la prononciation, entre [manje] et [maɲe].

▶ **MANIÉ, ÉE** p. p. adj. *Outil bien, mal manié.* — Spécialt. Cuis. *Beurre manié,* malaxé et mêlé à une substance (farine, etc.) par un pétrissage manuel.

DÉR. Maniable, maniage, maniement, maniette, manieur.
COMP. Remanier.

2. MANIER [manje] n. m. — Fin XVIᵉ, d'Aubigné, *au manier;* inf. substantivé de *manier.*

♦ Rare. Maniement. *« Vous reconnaîtrez cette étoffe au manier »* (Académie, 1936).

MANIÈRE [manjɛR] n. f. — 1120; subst. de l'anc. adj. *manier, ère,* du bas lat. *manuarius* «de la main, en main».

★ **I.** ♦ **1.** Forme particulière que revêt l'accomplissement d'une action, le déroulement d'un fait, la nature ou l'extérieur d'un être, d'un objet. ⇒ **Façon, forme** (II.), **genre, mode.**

1 MANIÈRE, FAÇON. La synonymie est très étroite entre ces deux mots, mais difficile à exprimer. De cette manière ou de cette façon, c'est ainsi; de quelle manière ou de quelle façon, c'est-à-dire comment et comme.
                                            LAFAYE, Dict. des synonymes, art. Manière, façon.

Manière de voyager rapide, mais incommode (cit. 3). ⇒ **Moyen.** *Les étourneaux* (cit. 1) *ont une manière de voler qui leur est propre. Manière de marcher* (⇒ **Démarche**). *Les différentes manières de préparer le poisson* (→ Assaisonnement, cit. 3). ⇒ **Procédé, technique, tour** (de main). *Trouver la manière de faire jouer* (cit. 8) *un verrou.* ⇒ **Art, méthode, système, truc.** *Manière de s'acquitter d'une dette.* ⇒ **Modalité.** *Manière de prononcer les lettres* (cit. 9). *Manière de s'exprimer, de parler* (⇒ **Expression, tour, tournure;** → 2. Causer, cit. 9). *Sa manière de parler est bizarre, incorrecte.* *Manière d'agir, de se conduire, de se comporter à l'égard d'autrui.* ⇒ **Agissements, comportement, conduite*, politique; commerce** (→ Attirer, cit. 36). — Au plur. *Je n'aime pas ses manières d'agir.* ⇒ **Façon** (II., cit. 14), **procédé** (→ Brutalité, cit. 2). *Manière de faire* (→ Gouverner, cit. 32), *de punir* (→ Humiliation, cit. 4), *de faire la guerre* (→ Humaniser, cit. 10). *Manière d'être, de se tenir.* ⇒ **Attitude** (cit. 9), **état, tenue** (→ Homme, cit. 106). *Les qualités d'un homme, son caractère, sa condition se manifestent dans sa manière d'être.* — *Manière de vivre.* ⇒ **Genre, régime** (de vie; → Agréable, cit. 9; exaltation, cit. 4). — *Manière de penser* (→ Imposteur, cit. 1), *de sentir* (→ Ligne, cit. 17), *de voir.* ⇒ **Avis, jugement, opinion, vue** (point de vue); **disposition, tour** (d'esprit). — aussi Contradiction, cit. 12; contre-épreuve, cit. 1; enfance, cit. 9. — Prov. *La manière de donner vaut mieux que ce qu'on donne.* ⇒ **Façon.** — Vx. *Trouver manière de..., moyen et manière de...* — (Avec un compl. introduit par une autre préposition que de). *La manière la meilleure pour réussir une opération* (→ Casier, cit. 2).

2 Mais ce lion (qui jamais ne fut grue)
Trouva moyen et manière et matière,
D'ongles et dents, de rompre la ratière (...)   Clément MAROT, Épîtres, XII.

3 Ce n'est jamais par là que l'on en vient à bout :
Il faut une autre manière (...)   LA FONTAINE, Fables, X, 10.

4 La première condition pour écrire, c'est une manière de sentir vive et forte.
Mme DE STAËL, De l'Allemagne, II, I.

5 Il y a autant de beautés qu'il y a de manières habituelles de chercher le bonheur.
BAUDELAIRE, Curiosités esthétiques, III, II.

6 Peut-être tout le mérite de son histoire était-il dans sa manière de la raconter (...)
BARBEY D'AUREVILLY, les Diaboliques, « Dessous de cartes », p. 261.

7 Il avait une manière ferme et douce de traîner la voix sur certains mots, sans que son visage s'animât (...) MARTIN DU GARD, les Thibault, t. I, p. 228.

Absolt. Loc. fam. *Avoir la manière :* savoir s'y prendre. — *Il y a la manière,* la façon de procéder. *On peut refuser un cadeau, mais il y a la manière.* — *La manière forte* :* des procédés dépourvus de ménagements, l'emploi de la force.

♦ **2.** (XIIIe, archit.). Mode d'expression caractéristique d'un artiste, d'une école. — *Manière de...* (et inf.). ⇒ **Genre, style.** *Manière de peindre* (→ Blanchâtre, cit.), *de sculpter, d'écrire* (→ Familiarité, cit. 15). — Absolt. *La manière heurtée* (cit. 34), *vague et floue* (cit. 3) *d'un peintre.* ⇒ **Expression, touche.** *Brutalité de manière* (→ Férocité, cit. 5). *Manière d'un auteur* (cit. 40), *d'un écrivain* (→ Large, cit. 11). *Manières successives, première manière.* ⇒ **Période.** — *La manière d'un acteur.* ⇒ (plus fréquent) **Jeu.** — Par ext. (En parlant d'une œuvre d'art ou d'un ouvrage de l'esprit). ⇒ **Facture, faire** (cit. 226), **goût.** *Sonate dans la manière classique. Tableau dans la manière flamande* (⇒ **École**).

8 (...) vous en verrez de ma manière *(des portraits)* qui ne vous déplairont pas.
MOLIÈRE, les Précieuses ridicules, IX.

9 Dans la manière grecque et dans le goût romain,
MOLIÈRE, la Gloire du Val-de-Grâce.

10 MANIÈRE, *en Peinture,* est une façon particulière que chaque peintre se fait de dessiner, de composer, d'exprimer, de colorier (...) « Manière ». Le même peintre a successivement trois *manières* et quelquefois davantage (...)
Encycl. (DIDEROT)

11 Ce que l'on appelle les diverses manières des maîtres, n'est-ce pas l'expression des successives transformations de leur être? G. SAND, Elle et Lui, I.

Péj. (Vx). Recherche* excessive, affectation. ⇒ **Maniéré, maniérisme.** *« À force de soigner son style, on peut tomber dans la manière »* (Académie). *Confondre l'art* (cit. 54) *et la manière.*

12 La *manière* est un vice commun à tous les beaux-arts (...) elle est plus insupportable à l'homme de goût que la laideur (...)
DIDEROT, Salon de 1767, De la manière.

13 (...) le caractère principal de la manière est le défaut de sincérité dans le sentiment comme dans l'imitation (...) E. DELACROIX, Journal, 25 janv. 1857.

14 Aimer et chérir Molière, c'est être antipathique à toute *manière* dans le langage et dans l'expression; c'est ne pas s'amuser et s'attarder aux grâces mignardes, aux finesses cherchées, aux coups de pinceau léchés, au marivaudage en aucun genre, au style miroitant et artificiel.
SAINTE-BEUVE, Nouveaux lundis, 13 juil. 1863, « Molière », III.

Au plur. (rare). *Les manières opposées de Raphaël et de Michel-Ange.*

♦ **3.** (Tournures particulières). **a** (Avec un adjectif possessif; au sing.). Forme de comportement, de pensée, d'expression... particulière et habituelle à quelqu'un. *C'est sa manière d'arriver en retard.* ⇒ **Coutume, habitude.** *Avec sa manière de tout crier sur les toits...* (→ Esbroufeur, cit. 2). Absolt. *À ma, ta, sa... manière. Protester à sa manière* (→ Absorber, cit. 1). *Être heureux* (cit. 34) *à sa manière. Un homme inculte* (cit. 6), *mais éloquent à sa manière.* — Par ext. (En parlant de choses). *Chacun de ces instruments* (cit. 8) *peut, à sa manière, offrir toute l'échelle des sons.*

15 Je n'aime pas qu'on ajoute de mauvaises plaisanteries à de mauvais procédés; ce n'est pas plus ma manière que mon goût. Quand j'ai à me plaindre de quelqu'un, je ne le persifle pas; je fais mieux : je me venge.
LACLOS, les Liaisons dangereuses, CLIX.

16 Cela rentre dans ma manière, du reste, de clore mes existences exotiques par une fête; dans des pays divers, j'ai déjà fait ainsi. LOTI, Mme Chrysanthème, LI.

17 (...) Lyautey (...) arriva, à sa manière, brillant, aisé, rapide, en cavalier qui sait que des regards de cavalier le guettent (...) Jérôme et Jean THARAUD, Rabat, VII.

b **LA MANIÈRE DONT... :** la manière selon laquelle... *La manière dont il s'y prend* (→ Carotte, cit. 2), *dont on soutient une lutte* (→ Adversité, cit. 1), *dont on oblige* (→ Engager, cit. 10)... *Manière dont les bons auteurs parlent la langue* (→ Fixer, cit. 15). — *La manière dont se distribuent et se consomment les richesses* (→ Économie, cit. 11). *La manière dont le monde extérieur s'impose à nous* (→ Interprétation, cit. 7).

18 Les Allemands mettent trop peu d'importance au sujet d'un poème, et croient que tout consiste dans la manière dont il est traité.
Mme DE STAËL, De l'Allemagne, II, XII.

19 La manière dont nous aimons ce que nous croyons être une vérité a plus d'importance que la vérité même. MAETERLINCK, la Sagesse et la Destinée, XCVI.

19.1 Comme un géomètre qui, dépouillant les choses de leurs qualités sensibles, ne voit que leur substratum linéaire, ce que racontaient les gens m'échappait, car ce qui m'intéressait, c'était non ce qu'ils voulaient dire, mais la manière dont ils le disaient, en tant qu'elle était révélatrice de leur caractère ou de leurs ridicules (...) PROUST, le Temps retrouvé, Pl., t. III, p. 718.

c Loc. adv. **DE (TELLE OU TELLE) MANIÈRE.** *De cette manière, de cette manière-là.* ⇒ **Ainsi** (→ Intervertir, cit. 1). *De toutes les manières* (→ Apprendre, cit. 13; buter, cit. 2). *D'une manière ou d'une autre. De manière ou d'autre* (→ Indigent, cit. 3). — *De toute manière :* en tout cas, quoi qu'il arrive... → De toutes façons*.— *De quelle manière?* ⇒ **Comment.** *D'aucune manière. S'y prendre* d'une manière adroite, prudente... Vivre d'une manière austère* (cit. 7), *sordide* (→ Âpre, cit. 18). — *De la manière que... Sois miséricordieux de la manière que tu le pourras* (→ Aumône, cit. 1, Bible). ⇒ **Comme, selon.** *Si les choses se sont passées de la manière que vous dites.* — *De la manière dont il s'y prend...* — *Interpréter* (cit. 9) *un rôle d'une manière conforme aux intentions de l'auteur. Il voit, il entend les choses d'une tout autre manière.* ⇒ **Autrement, diversement** (→ Libre, cit. 31). *Concevoir un sujet d'une certaine manière, de la manière la plus simple, de la même manière* (⇒ **Pareillement**), *de même manière* (→ Absolument, cit. 3). *Dire quelque chose d'une manière gauche, empruntée* (cit. 29). ⇒ **Air.** *Parler, chanter d'une manière monotone.* ⇒ **Ton.** — Iron. et vieilli. *De la belle** (cit. 72 et 73) *manière* (→ Dauber, cit. 1) : rudement, sans ménagement.

Et vous, qui lui donnez de si douce manière 20
Votre main à baiser, la gentille bergère (...) MOLIÈRE, Mélicerte, II, 4.

(...) tout ce que je sais, je l'ai appris à mes dépens; aussi je le sais bien, c'est pourquoi je l'exprime parfois d'une manière un peu tranchante. 21
LOTI, Aziyadé, III, XXIII.

D'une manière générale : dans la totalité, ou dans la plupart des cas. *Les chats sont carnivores d'une manière générale.* — *On peut dire, d'une manière générale, que... :* en gros, sans se référer aux cas particuliers.

d **EN... MANIÈRE.** *Imagination* (cit. 3, Voltaire) *qui combine les images en mille manières.* — REM. On dit plutôt de nos jours *de mille manières.* — *Cela ne vous regarde en aucune* manière,* aucunement (→ Ficher, cit. 13). *En quelque manière.* ⇒ **Dire** (pour ainsi dire), **sens** (en un certain sens; → Jalousie, cit. 9).

e **À LA MANIÈRE,** suivi d'un adj. ⇒ **Le** (1. Le, *supra* cit. 35). *Élever son fils à la manière spartiate.* — Loc. prép. **À LA MANIÈRE DE.** ⇒ **Comme.** *À la manière des paysans* (→ 2. Fin, cit. 18), *des moines* (→ Frère, cit. 24), *des médecins* (→ Funeste, cit. 5)... — Spécialt. (Littér., bx-arts, mus.). ⇒ **Imitation** (à l'imitation de). *Vers à la manière de Catulle* (→ Hendéca-, cit. 2), imitant sa manière. — N. m. *Un « à la manière de ».* ⇒ **Pastiche.**

(...) j'aurais péché contre l'usage des maximes, qui veut qu'à la manière des oracles elles soient courtes et concises. LA BRUYÈRE, les Caractères, Introd. 22

(...) je dirai qu'il *(Delacroix)* est mort à la manière des chats ou des bêtes sauvages qui cherchent une tanière secrète pour abriter les dernières convulsions de leur vie. BAUDELAIRE, Curiosités esthétiques, XIV. 23

(...) il salua à la manière arabe, la tête inclinée, un baiser du bout des doigts, et (...) sortit avec la gravité d'un aga (...) 24
Alphonse DAUDET, Contes du lundi, « Un décoré du 15 août ».

(...) Frédéric le patron, coiffé d'un foulard rouge noué derrière la nuque à la manière des pêcheurs du Sud. P. MAC ORLAN, Quai des brumes, I. 25

f **DE MANIÈRE À...,** loc. prép. suivie de l'inf., marque la conséquence d'une action avec, le plus souvent, l'idée que cette conséquence a été voulue à l'égal d'un but. ⇒ **Afin** (de), **pour.** *Matelasser une cloison de manière à intercepter* cit. 5) *tout bruit. Manœuvrer de manière à soutenir sa réputation* (→ Immutabilité, cit. 3). Autres ex. : → Accommoder, cit. 17; amplification, cit. 1; appliquer, cit. 6; gâter, cit. 7. — REM. La tournure *d'une manière à...* est vieillie (→ Langage, cit. 11).

Entre seize et dix-huit ans, je me suis adonné à l'étude des sciences exactes de manière à me rendre malade, vous le savez. 26
BALZAC, le Curé de village, Pl., t. VIII, p. 690.

Le peintre à fresque (...) prend ses mesures de manière à abréger par des travaux préparatoires le travail définitif. E. DELACROIX, Journal, 25 janv. 1857. 27

Apprends donc un métier et tâche de l'exercer de manière à gagner ta vie honorablement sans y gaspiller toutes tes forces. 28
G. DUHAMEL, Défense des lettres, II, XI.

g Loc. conj. **DE (TELLE) MANIÈRE QUE...,** suivi de l'indic., introduisant une conséquence de fait (→ Bas-côté, cit. 1; fossé, cit. 6) ou du subj., introduisant une conséquence voulue, possible... (→ Assembler, cit. 3; brûler, cit. 1; intervertir, cit. 3). ⇒ **Façon** (de façon, de telle façon que), **point** (au point que), **si** (bien que), **sorte** (de telle sorte que), **tellement.** *« Il a parlé, il a agi de manière que l'on a vu clairement ses intentions »* (Académie). *Ils le garrotèrent* (cit. 1) *de manière qu'il ne pût remuer les jambes.* — REM. *De manière que* peut être suivi d'un conditionnel marquant une hypothèse.

C'était le mois prochain qu'ils devaient s'enfuir (...) Elle aurait eu soin d'envoyer chez Lheureux son bagage, qui serait directement porté à l'*Hirondelle,* de manière que personne ainsi n'aurait de soupçons (...) 29
FLAUBERT, Mme Bovary, II, XII.

h **DE MANIÈRE À CE QUE... :** de manière que (conséquence voulue). → Ça, cit. 1, Zola; incompressible, cit. Barbey d'Aurevilly. — REM. Cette locution assez lourde, condamnée par Littré et par certains puristes, est employée par de bons auteurs pour marquer nettement l'intention, le but à atteindre (cf. Grevisse citant Hugo, Flaubert, Mérimée, Villiers de l'Isle-Adam, France, Gide).

Le cabinet de Fouquier-Tinville (...) se trouvait placé de manière à ce que l'accusateur public pût voir défiler dans leurs charrettes les gens que le tribunal révolutionnaire venait de condamner. 30
BALZAC, Splendeurs et Misères des courtisanes, Pl., t. V, p. 928.

De sorte, de façon, de manière s'unissent régulièrement par *que* au verbe de la conséquentielle (...) Cependant, par analogie avec le tour infinitif *(de façon à, de manière à...),* sans doute aussi en vue d'accentuer le caractère analytique de l'expression, on en est venu à introduire devant le *que* de ces constructions le démonstratif *ce.* En 1868, Littré protestait déjà contre cette surcharge : « *De manière à ce que* est une locution vicieuse dont il faut se garder... » N'empêche que beaucoup d'écrivains n'hésitent pas à l'écrire : « Je le ferai *de manière à ce qu'*il croie que tout le monde est de mon côté ». Th. Gautier, Mlle de Maupin, 173 (...) G. et R. LE BIDOIS, Syntaxe du franç. moderne, no 1522. 31

i De la manière que (vieilli), de la manière dont... : étant donné la manière selon laquelle, d'après la manière dont... — REM. De la manière que, bien que vieilli, s'emploie encore dans des phrases comme de la manière qu'il s'y prend, qu'il travaille, il n'aboutira à rien.

32 Néanmoins, il y a trois ou quatre personnages qui n'étaient pas bêtes, de la manière qu'ils sont ici dépeints (dans ce passage de l'Odyssée)...
RACINE, Remarques sur l'Odyssée, VI.

33 (...) de la manière dont vous m'écrivez, il faut bien que je pleure en lisant vos lettres.
Mme DE SÉVIGNÉ, 136, 18 févr. 1671.

◆ **4.** (XIIᵉ). Littér. **a** UNE MANIÈRE DE... (et subst.). ⇒ Espèce, sorte, variété. L'amitié (cit. 14, Cocteau) entre homme et femme est une manière d'amour. Une manière d'apostasie (→ Habit, cit. 18). Une manière d'hippodrome (→ 1. Lice, cit. 5). Une manière de salut. ⇒ Apparence, semblant. Une manière de philosophe (→ Affranchissement, cit. 3), de jeune seigneur (→ Inconnu, cit. 27).

34 (...) nous avons concerté ensemble une manière de stratagème (...)
MOLIÈRE, l'Amour médecin, III, 3.

35 Quand j'aurai ma retraite, j'irai dans une manière de trou, j'en serai le maire (...)
BALZAC, le Médecin de campagne, Pl., t. VIII, p. 509.

b Loc. prép. EN MANIÈRE DE... : sous forme* de..., en forme de... Roman construit en manière de poème (→ Généralité, cit. 6). En manière de chant (→ Injurier, cit. 3). — En manière de consolation. ⇒ Guise (en guise de), pour (→ Indétermination, cit. 1).

36 Le théâtre est une grande salle, en manière d'amphithéâtre (...)
MOLIÈRE, les Amants magnifiques, VIᵉ Intermède.

37 (...) il se contentait de dire, avec son chauffeur, en manière de plaisanterie, qu'elle (la locomotive) avait, à l'exemple des belles femmes, le besoin d'être graissée trop souvent.
ZOLA, la Bête humaine, V.

c Loc. prép. PAR MANIÈRE DE... Vx ou littér. Par manière de civilité (cit. 2), de passe-temps (→ Jargon, cit. 4)... : pour être poli, pour passer le temps. Par manière de plaisanterie. Faire quelque chose par manière d'acquit*. Il a dit cela par manière de parler et (de nos jours), ellipt (fam.), il a dit cela manière de parler, incidemment, négligemment, sans y attacher d'importance. — REM. On dit, dans le même sens : c'est manière de parler, c'est une manière de parler.

38 (...) et par manière de plaisanterie, histoire de manifester son enthousiasme, (il) lança à plat dans la poitrine du brigadier, un coup de soulier « à la vache ».
COURTELINE, le Train de 8 h 47, I, VI.

39 (...) deux ou trois gamins du bourg, par manière de jeu, s'approchèrent à pas de loup et regardèrent par-dessus son épaule.
ALAIN-FOURNIER, le Grand Meaulnes, I, VII.

◆ **5.** Gramm. De manière : qui marque de quelle manière est qqn, qqch., se fait qqch. Complément de manière. Adverbes (cit. 2) de manière. ⇒ Adverbe, et suff. -ment (ex. : il avance avec lenteur, lentement.) Prépositions de manière. ⇒ Préposition. Locutions conjonctives de manière. Propositions circonstancielles de manière. L'idée de manière peut être exprimée aussi par un gérondif* (s'enfuir en courant), un infinitif (parler sans réfléchir), un attribut (être en mauvais état).

★ **II.** Extérieur* d'une personne.

◆ **1.** Au sing. (Vx). ⇒ Air, allure, tournure. Homme bien fait (cit. 259), d'agréable manière.

40 — Sa physionomie? — Toute honnête, et pleine d'esprit. — Son air et sa manière? — Admirables, sans doute.
MOLIÈRE, l'Avare, I, 4.

◆ **2.** (XVIIᵉ). Au plur. LES MANIÈRES : le comportement; l'ensemble des gestes*, des procédés d'une personne dans la vie de société, considérés surtout au regard de l'effet qu'ils produisent sur autrui. ⇒ Attitude (cit. 14), extérieur. Les manières des grands (→ Entêtement, cit. 1). Homme qui en impose par ses manières (→ Empire, cit. 7; liant, cit. 5). Être froid dans ses manières (→ Laconique, cit. 2). Manquer de hardiesse (cit. 11) dans ses manières. Femme excentrique de manières (→ Impossible, cit. 22). — Avoir, prendre de mauvaises manières. ⇒ Genre. Manières cavalières, dégagées, désinvoltes. ⇒ Allure. — Manières affables, amènes, avenantes (cit. 4). Manières câlines (→ Câlinerie, cit. 2). ⇒ Coquetterie. Manières patelines, paternes (→ Patte* de velours). Manières arrogantes (cit. 3), déplaisantes, insolentes (cit. 9). Manières affectées. — Vx. Manières de carrefour*, de courtisan*. — Manières élégantes, exquises, raffinées du gentleman (cit. 1). Manières convenables, correctes, courtoises, distinguées (⇒ Distinction). Manières choquantes, communes, grossières, vulgaires, frustes (cit. 5), rudes. En voilà des manières! Arrondir* ses manières. Aisance, simplicité (⇒ Bonhomie) des manières. Affectation* (cit. 5), recherche dans les manières. ⇒ Mignardise, minauderie, préciosité, singerie. — Apprendre les bonnes, les belles manières, les usages du monde (→ aussi Impersonnel, cit. 4). ⇒ Usage.

41 Les manières, que l'on néglige comme de petites choses, sont souvent ce qui fait que les hommes décident de vous en bien ou en mal : une légère attention à les avoir douces et polies prévient leurs mauvais jugements.
LA BRUYÈRE, les Caractères, V, 31.

42 Ses manières tenaient le milieu entre l'homme de cour qu'il n'avait jamais été et l'homme de robe qu'il aurait pu être.
HUGO, les Misérables, III, II, II.

43 Ses manières affables, toutes rondes, un peu trop familières peut-être pour certains, un peu trop expansives, un peu peuple, lui avaient acquis dans sa petite ville et dans les campagnes alentour une popularité de bon aloi.
R. ROLLAND, Jean-Christophe, « Antoinette », p. 831.

44 Ce beau secret, si simple, il est dans ces hautes manières, nobles sans morgue, affables sans condescendance, polies sans familiarité (...)
Jérôme et Jean THARAUD, Rabat, VII.

44.1 Mais si l'on songe que l'automatisme appelé bonnes manières détruit toute spontanéité, tout exercice véritable de l'esprit, toute possibilité de poésie, on concevra aussi que le véritable exercice de l'esprit, la poésie, détruise tout automatisme et toutes bonnes manières.
PROUST, Jean Santeuil, Pl., p. 525.

Fig. Les manières et le caractère (cit. 69) d'une nation (→ aussi Goût, cit. 18).

Absolt. Les usages* du monde. ⇒ Civilité, politesse, urbanité. Acquérir (→ Inné, cit. 1), avoir des manières. Donner des manières à qqn, l'éduquer (→ Empire, cit. 5). Manquer de manières, d'éducation (→ Être sans-gêne*).

Fam. (Avec une nuance dépréciative). Mod. ⇒ Cérémonie, chiqué, embarras, façon. Se réunir en famille (cit. 24) sans manières. Elle en fait des manières! quelle poseuse! ⇒ Chichi, contorsion, magne (pop.).

Spécialt. Attitude hésitante d'une personne qui se fait prier* pour se rendre à une invitation, accepter une offre... ⇒ Histoire, simagrée. Ne fais pas tant de manières, accepte donc. Il fait bien des manières pour avaler sa potion.

DÉR. Maniéré, maniérer, maniériste.

MANIÉRÉ, ÉE [manjeʀe] adj. — 1679; «dressé», v. 1360; de manière, et -é.

◆ **1.** Qui manque de naturel, de simplicité; qui montre de l'affectation (dans sa tenue, ses propos...). ⇒ Affecté, affété, compassé, guindé, poseur. Un être maniéré (→ Dépouiller, cit. 33). Société fine et maniérée (→ Élite, cit. 5). Femme maniérée. ⇒ Mijaurée. — Par ext. Politesse maniérée (→ Façon, cit. 47). Ton maniéré. ⇒ Pincé, prétentieux. (→ Intonation, cit. 6).

1 Tout personnage qui s'écarte des justes convenances de son état ou de son caractère, un magistrat élégant, une femme qui se désole et qui cadence ses bras, un homme qui marche et qui fait la belle jambe, est faux et maniéré.
DIDEROT, Salon de 1767, « De la manière ».

2 Cet homme qui semblait simple avait un esprit contourné : lorsqu'il s'abandonnait, il avait toujours besoin de compliquer les choses simples et de donner à ses sentiments les plus vrais un caractère d'ironie maniérée.
R. ROLLAND, Jean-Christophe, Dans la maison, p. 1001.

◆ **2.** Arts et littér. Qui manque de spontanéité, qui est trop recherché. Écrivain, peintre maniéré (⇒ Maniériste). — Par ext. « Une composition maniérée » (Académie). Style maniéré. ⇒ Apprêté, contourné, précieux, recherché. Genre maniéré. — N. m. Tomber dans le maniéré (⇒ Manière, maniérisme).

3 En effet l'expression est maniérée en cent façons diverses. Il y a dans l'art, comme dans la société, les fausses grâces, la minauderie, l'affèterie, le précieux, l'ignoble, la fausse dignité ou la morgue, la fausse gravité ou la pédanterie, la fausse douleur, la fausse piété : on fait grimacer tous les vices, toutes les passions; ces grimaces sont quelquefois dans la nature : mais elles déplaisent toujours dans l'imitation (...)
DIDEROT, Salon de 1767, « De la manière ».

4 Les talents maniérés ne peuvent éveiller un intérêt véritable : ils peuvent exciter la curiosité, flatter un goût du moment (...)
E. DELACROIX, Journal, 25 janv. 1857.

CONTR. Aisé, naturel, simple.

MANIÉRER (SE) [manjeʀe] v. pron. — Conjug. céder. — XVIIIᵉ, Diderot; 1695, maniérer, v. intr.; XVIIIᵉ, maniérer qqch., v. tr., «faire d'une manière affectée; rendre affecté»; de manière, et -er.

◆ Littér. Se comporter d'une manière affectée.

Voici que je me fais très bien à ce Japon mignard maintenant, je me rapetisse et je me maniére; je sens mes pensées se rétrécir et mes goûts incliner vers les choses mignonnes, qui font sourire seulement; je m'habitue aux petits meubles ingénieux, aux pupitres de poupée pour écrire, aux bols en miniature pour faire la dînette.
LOTI, Mme Chrysanthème, XLIX, p. 256.

MANIÉRISME [manjeʀism] n. m. — 1823, Boiste, in D.D.L.; ital. manierismo, de maniera «manière».

◆ **1.** Cour. Tendance au genre maniéré dans les arts, dans les lettres; défaut de l'artiste ou de l'écrivain qui s'abandonne à cette tendance (⇒ Maniéré, 2.). Maniérisme insupportable (→ Faussement, cit. 2).

1 (...) Molière lui-même, quoiqu'il ait fait les Précieuses ridicules, quoique ce soit le génie du monde le moins entaché d'affectation, offre beaucoup d'endroits d'un maniérisme qui nous semblerait fort étrange, et il ne s'est pas autant dérobé à l'influence d'Honoré d'Urfé qu'on pourrait bien le croire.
Th. GAUTIER, les Grotesques, VII, p. 220.

Par ext. Manières affectées. Le maniérisme crispant (cit. 5) d'une actrice.

◆ **2.** (1955; de l'emploi de manierismo par Vasari, v. 1550).
Hist. de l'art (et sans aucune valeur péjorative; cf. la même évolution de valeur pour baroque*). Tendance artistique de la seconde partie de la Renaissance (XVIᵉ siècle), précédant le baroque et affirmée en particulier en Italie, dont les caractères principaux sont le raffinement technique et la recherche d'un effet par la mise en évidence

de l'artifice. *Le maniérisme correspond en Italie au déclin des cités. Maniérisme français (école de Fontainebleau), espagnol, flamand.*

2 Michel-Ange : *Jean-Baptiste*, très Donatello, d'une excessive jeunesse ; d'un maniérisme sans fadeur, cou étrangement long, torse grêle (...)
GIDE, *Journal*, janv. 1907 *(Berlin, Musée).*

3 Si l'on pense qu'il faille (...) le placer *(le XVIᵉ siècle)* sous une étiquette qui le différencie de la Renaissance, on se demande s'il convient de l'appeler déjà baroque. Depuis quelques années, on accorde la faveur à une autre expression : le maniérisme, et on discute pour savoir si le maniérisme est un concept de style ou un concept de civilisation (...) Le maniérisme nous paraît à la fois l'intérêt pour le secret d'un genre, l'adoption d'une technique ou d'un goût et d'autre part, une recherche de grâce, d'élégance apprêtée, un raffinement sur ce qui était acquis déjà.
V.-L. TAPIÉ, *le Baroque*, p. 19.

♦ **3.** (1952, Porot). Psychiatrie. Attitude apprêtée, affectée, qui se rencontre dans différents troubles mentaux (hystérie, débuts d'accès maniaques, délires chroniques, schizophrénie...). *Maniérisme du langage, des gestes. Maniérismes observés dans l'hystérie.* ⇒ **Théâtralisme.**

4 (...) tous les *processus dissociatifs* s'extériorisent par des mimiques désadaptées, maniérées et discordantes. Aussi, le maniérisme a-t-il été signalé depuis longtemps comme un signe révélateur et de grande valeur dans la démence précoce et la schizophrénie.
(...) lorsque le processus dissociatif ou la dégradation mentale vont en s'accentuant, certains maniérismes peuvent passer à l'état de véritables «stéréotypies».
A. POROT, *Manuel alphabétique de psychiatrie*, art. *Maniérisme.*

MANIÉRISTE [manjeʀist] adj. et n. — 1668 ; de *manière*, et *-iste.*

♦ **1.** Qui tombe dans le maniérisme (1.), manque de naturel, de simplicité. ⇒ **Maniéré.**

♦ **2.** Hist. de l'art. Relatif au maniérisme (2.). *Peinture, architecture maniériste du XVIᵉ siècle italien. Sculpteurs maniéristes.*
N. Artiste appartenant au maniérisme. *Un, une maniériste. Bronzino, Pontormo, le Parmesan furent parmi les plus grands maniéristes, en peinture.*

MANIETTE [manjɛt] n. f. — 1701, Furetière ; de *manier*, et *-ette.*

♦ Techn. Pièce de feutre, utilisée par l'imprimeur en taille douce pour frotter les bords d'une planche gravée.

MANIEUR, EUSE [manjœʀ, øz] n. — Fin XIVᵉ ; de *manier*, et *-eur.*

♦ *Manieur de :* personne qui manie (telle chose). Spécialt. Personne habile à utiliser (une arme, un instrument). *Fin manieur d'épée.*
(...) ses maîtres (...) qu'il ne craint pas moins que ses ancêtres gaulois, les dieux manieurs du tonnerre.
ARAGON, *les Beaux Quartiers*, II, XXIX.
Fig. *Manieur d'argent :* homme d'affaire. ⇒ **Banquier, financier.** — *Un manieur d'hommes, de foules* (→ Glorieux, cit. 6). ⇒ **Meneur.**

MANIF [manif] n. f. — 1952, → cit. ; de *manifestation.*

♦ Fam. (Étudiants, argot polit.). Manifestation* (3.).

1 (...) la manifestation Ridgway, le 28 mai 1952 (...) Il y avait une sorte de bouillonnement dans la jeunesse, au Quartier¹ (...) C'est je crois bien, vers ce temps-là que j'ai noté ce petit fait linguistique dans le Quartier, entre eux disant sous une forme abrégée *la manif (Alors, c'est pour quand, la manif ?).* Ça ne s'est généralisé que plus tard, pour s'écrire sur les murs.
ARAGON, *Blanche...*, III, II, p. 414.
1. Le quartier latin.

2 Chaque semaine, en «communion» avec les paumés, elle salissait un peu ses vêtements avant de se rendre aux réunions et autres manifs.
Pierre GOMBERT, *le Prix d'un taxi*, p. 15.

MANIFESTANT, ANTE [manifɛstã, ãt] n. — 1849, Proudhon ; adj., 1842 «qui fait connaître» ; de *manifester.*

♦ Personne qui prend part à une manifestation. *Cortège de manifestants. Manifestants arrêtés par la police.*
Un convoi d'artillerie, qui arrivait des Invalides, venait de rencontrer une colonne de manifestants italiens qui gravissait la rue des Saints-Pères, précédée de quatre tambours et d'un drapeau.
MARTIN DU GARD, *les Thibault*, t. VII, p. 262.
COMP. **Contre-manifestant.**

MANIFESTATION [manifɛstasjõ] n. f. — Fin XIIᵉ ; lat. ecclés. *manifestatio*, du supin de *manifestare.* → Manifester.

♦ **1.** Théol. Fait, moyen par lequel Dieu se manifeste, devient sensible. *Manifestation du Messie.* ⇒ **Apparition, épiphanie.** «*Le Seigneur fit une manifestation de sa gloire sur le mont Thabor*» (Furetière). *Le Christ, manifestation du Père.* ⇒ **Émanation, incarnation** (→ Expression, cit. 47).

♦ **2.** (1749). Action ou manière de manifester, de se manifester ; résultat de cette action. ⇒ **Expression ; affirmation, marque, témoignage.** *Manifestation de la conscience* (→ Intégrité, cit. 3). *Manifestation d'un sentiment, d'une opinion* (→ Inquiéter, cit. 4, Déclaration des droits de l'homme). *Manifestations physiques de l'émotion* (cit. 11). ⇒ **Signe.** *Se laisser aller, se livrer, s'abandonner à des manifestations déplacées. Manifestations violentes.* ⇒ **Acte**

(de violence) ; **explosion** (→ Évader, cit. 13). *Manifestation de joie* (cit. 8), *de mécontentement* (⇒ **Protestation**), *d'humeur* (⇒ **Bouffée**). *Manifestations d'amitié* (⇒ **Démonstration**), *de tendresse* (⇒ **Effusion**).
Dr. *Manifestation de volonté** (→ Juridique, cit.). *Manifestations affectées* (⇒ **Attitude**), *indirectes, déviées, transférées* (⇒ **Transfert**) *d'un sentiment. Les manifestations d'une foule ivre d'enthousiasme* (cit. 23). *Manifestations hostiles d'un groupe, d'un attroupement**. ⇒ **Démonstration.** — *Manifestations de la puissance humaine* (→ Grandiose, cit. 3), *du génie humain, de l'aspiration de l'homme vers le bonheur* (⇒ **Image ;** → 2. Idéal, cit. 20), *vers la beauté* (→ Enthousiasme, cit. 6). — *Les manifestations extérieures d'une religion..., son apparat, ses rites et cérémonies* (→ Francmaçonnerie, cit. 2).

1 La vertu (...) est un principe dont les manifestations diffèrent selon les milieux (...)
BALZAC, *Mémoires de deux jeunes mariées*, Pl., t. I, p. 201.

Spécialt. (Méd. et physiol.). *Les manifestations vitales* (→ Eau, cit. 9). *Manifestations de la vie mentale.* ⇒ **Phénomène** (→ Encéphalite, cit.). *Manifestations cliniques, histologiques* (cit. 3) *d'une maladie.* ⇒ **Marque, signe, symptôme, trouble.** *Manifestation soudaine d'un mal.* ⇒ **Éclosion, poussée.**

2 (...) pour combattre l'*encrassement organique* et les manifestations très variées qui s'y rattachent.
J. ROMAINS, *les Hommes de bonne volonté*, t. V, XXII, p. 177.

3 (...) à partir de cette date, les manifestations déraisonnables *(chez G. de Nerval)* se succèdent à intervalles plus serrés.
Émile HENRIOT, *les Romantiques*, p. 408.

♦ **3.** (Av. 1865). Démonstration* collective, publique et organisée d'une opinion ou d'une volonté. ⇒ **Meeting, réunion ; rassemblement ;** fam., manif. *Manifestation populaire* (→ Fulminer, cit. 2). *Manifestation organisée par un parti contre le gouvernement. Manifestation marquée par des discours, un cortège, le vote d'une motion. Parcours, banderoles, slogans d'une manifestation. La manifestation s'est déroulée dans le calme. Manifestation pacifique, discrète, silencieuse, solennelle. Manifestation bruyante, houleuse, tumultueuse, qui se termine en échauffourée* (cit. 2). *Manifestation qui dégénère en émeute. Manifestation brutale et sanglante.* ⇒ **Révolte, sédition, trouble.** *Interdire une manifestation.*

4 (...) ils étaient venus regarder la manifestation ; ils avaient assisté à la bagarre et vu tomber Olivier.
R. ROLLAND, *Jean-Christophe, Buisson ardent*, p. 1325.

DÉR. et COMP. Manif. — Contre-manifestation.

1. MANIFESTE [manifɛst] adj. — V. 1190 ; lat. *manifestus* ou *manufestus* «pris avec la main, sur le fait».
Dont l'existence ou la nature est évidente.

♦ **1.** (En parlant des personnes). Vieilli ou littér. *Faussaire, voleur* (→ Alarme, cit. 6), *plagiaire, menteur manifeste. L'instigateur manifeste d'une rébellion.*

♦ **2.** (XIIIᵉ). Cour. (En parlant des choses). Qui est clairement, évidemment tel. ⇒ **Certain, évident, indéniable, indiscutable, indubitable.** *Erreur, injustice manifeste.* ⇒ **Criant, éclatant, flagrant.** *Cette pièce est un faux manifeste. Présence manifeste de Dieu* (→ Cacher, cit. 39). *Contradictions, différences manifestes. Goût manifeste pour la musique.* ⇒ **Décidé.** *Signes manifestes de fatigue, d'ennui...* ⇒ **Visible.** *Sa douleur est manifeste.* → Écrite* sur son visage. *Fait manifeste, connu de tous.* ⇒ **Notoire, public.** «*L'amour, folie* (cit. 31) *manifeste*» (Bossuet). «*L'approbation* (cit. 3) *que l'on manifeste..., il apparaît clairement que...* ⇒ **Clair, patent ;** → Cela crève les yeux, cela saute aux yeux (→ Affirmation, cit. 2 ; ignorer, cit. 23).

1 Je veux qu'il y ait *(dans l'Écriture)* des obscurités qui soient aussi bizarres que celles de Mahomet ; mais il y a des clartés admirables, et des prophéties manifestes et accomplies.
PASCAL, *Pensées*, IX, 598.

2 À de semblables instants, le ravage physique apparaissait plus manifeste encore que lorsque Antoine mesurait sous ses doigts le dépérissement des organes.
MARTIN DU GARD, *les Thibault*, t. III, p. 126.

3 (...) on pouvait y lire sur les traits du petit vieux une tristesse et un désarroi de plus en plus manifestes.
CAMUS, *la Peste*, p. 130.

CONTR. Douteux, obscur. — Implicite, latent, tacite.
DÉR. 2. Manifeste, manifestement.

2. MANIFESTE [manifɛst] n. m. — 1365 ; du précédent.

♦ **1.** Dr. mar. Liste des marchandises constituant la cargaison d'un navire, à l'usage des Douanes. — Par anal. Document de bord d'un avion (itinéraire, passagers, fret).

♦ **2.** (1574 ; ital. *manifesto*). Déclaration écrite, publique et solennelle, par laquelle un gouvernement, une personnalité ou un groupement politique, etc., justifie son attitude, expose ses vues, son programme... ⇒ **Adresse, proclamation, profession** (de foi). *Rédiger, lancer, afficher un manifeste* (→ Jumeau, cit. 7), *publier un manifeste. Manifeste lancé par des insurgés.* ⇒ **Pronunciamiento.** *Le manifeste de Brunswick* (1792). *Le Manifeste communiste, de Marx et Engels* (1848).

Le manifeste du général prussien Brunswick (...) était, avec ses menaces insolentes de détruire Paris, conçu dans les termes les plus propres à blesser la fierté des Français (...) J. BAINVILLE, Hist. de France, XVI, p. 361.

Deux de ses ouvrages *(de Karl Marx)* ont exercé une influence considérable : *Le Manifeste communiste*, écrit en collaboration avec Engels et publié en 1847, et *Le Capital* (...) PIROU et BYÉ, Introd. à l'étude de l'économie politique, p. 267.

♦ **3.** (1828). Par ext. Exposé théorique lançant un mouvement littéraire. *Manifeste littéraire, poétique. Manifeste du mouvement Dada* (cit. 5). *Manifeste du surréalisme* (1924).

L'illustration de la langue françoise par Joachim Du Bellay est comme le manifeste de cette insurrection soudaine (...)
SAINTE-BEUVE, Tableau de la poésie française au XVIᵉ s., p. 45.

Il ne fallait pas que sa première pièce *(de Hugo)* se présentât sans un manifeste, qui fut la préface de *Cromwell* : un manifeste, c'est une proclamation, et une proclamation, cela se fait sur une estrade (...)
A. THIBAUDET, Hist. de la littérature franç., II, V.

MANIFESTEMENT [manifɛstəmã] adv. — 1190; de 1. *manifeste*, et *-ment*.

♦ D'une manière manifeste (→ Hausse, cit. 2; infini, cit. 16; intervertir, cit. 2). *Ce calcul est manifestement faux. S'ennuyer manifestement* (→ Incitation, cit. 3). *Déclarer manifestement qqch.* ⟹ **Ouvertement.**

Ces deux propositions sont également fermes et certaines. L'Écriture nous le déclare manifestement lorsqu'elle dit (...) PASCAL, Pensées, VII, 434.

MANIFESTER [manifɛste] v. — V. 1120; lat. impérial *manifestare*.

★ **I.** V. tr. Rendre manifeste*; faire ou laisser apparaître.

♦ **1.** (Sujet n. de personne). **a** Faire connaître de façon manifeste. ⟹ **Affirmer, connaître** (faire), **déclarer, dire, exprimer, révéler.** *Manifester sa volonté* (→ Institution, cit. 5), *son désir* (→ Incorporer, cit. 11), *son intention.* ⟹ **Découvrir, ouvrir** (s'), **part** (faire). *Manifester son inquiétude*, *son étonnement* (→ Explication, cit. 9). ⟹ **Extérioriser, montrer.** *Manifester à quelqu'un sa mauvaise humeur, sa haine* ⟹ **Crier, exhaler** (→ Donner libre cours* à), *son agacement* (cit. 1), *son mécontentement. Manifester sa confiance* ⟹ **Alanguir,** cit. 3), *sa gratitude* (→ Justifier, cit. 13), *son amitié, son admiration en s'extasiant... Personne démonstrative, expansive qui manifeste librement ses sentiments, se laisse aller à des démonstrations... Manifester brutalement, soudainement* ⟹ **Éclater** (faire). *Manifester son énergie par des actes.* ⟹ **Agir.** — *Manifester clairement* (⟹ **Émettre**), *publiquement* (⟹ **Proclamer, publier**) *son opinion. Écrits où sont manifestés des principes.* ⟹ **Lumière** (mettre en).

1 Marat (...) sommait le peuple de courir à l'Assemblée, de manifester hautement, violemment, son opinion, *de chasser les députés infidèles.*
MICHELET, Hist. de la Révolution franç., IV, IX.

2 Il imaginait les futurs malheurs qui pourraient fondre sur Salavin et qui lui fourniraient à lui, Édouard, de nouvelles et brillantes occasions de manifester son amitié, son dévouement. G. DUHAMEL, Salavin, III, XXI.

3 L'homme poussa un soupir de résignation. Puis il manifesta l'envie de s'en aller.
J. ROMAINS, les Hommes de bonne volonté, t. I, IX, p. 94.

Faire ou laisser apparaître clairement. ⟹ **Apparaître, paraître** (faire ou laisser). Cf. Donner des signes, des marques, des preuves de... *Manifester sa fatigue* (→ Estimer, cit. 26), *sa docilité* (→ Hypnose, cit. 4), *sa délicatesse* (→ Lettre, cit. 13), *une agitation subite* (→ 1. Fessier, cit.), *son émotivité* (cit. 1), *du dépit, de l'humeur* (⟹ **Broncher, sourciller**), *de l'inquiétude.* — *Manifester des qualités* (→ Homme, cit. 151), *un talent prononcé* (→ Instinct, cit. 27) ⟹ **Briller.** *Une occasion de manifester son courage.* ⟹ **Déployer, développer.**

4 J'ai nourri mes chagrins sans les manifester (...) VOLTAIRE, Sémiramis, I, 5.

b V. pron. réfl. (1387). SE MANIFESTER : se révéler clairement dans son existence ou sa nature. *Le jour de la Pentecôte, Jésus-Christ se manifesta aux apôtres. Personne qui se manifeste en de rares occasions, à intervalles réguliers* (→ Charge, cit. 32). *Donner à quelqu'un l'occasion de se manifester, de révéler ses qualités, sa valeur. Choisir le moment opportun pour se manifester.* ⟹ **Entrer** (en scène). *Il ne s'est pas manifesté depuis un mois :* on ne l'a pas vu, il n'a pas fait parler de lui depuis un mois.

5 (...) et puis, quand ces gens-là *(au visage ordinaire)* viennent à se manifester, vous voyez des vertus qui sortent de dessous terre.
MARIVAUX, le Paysan parvenu, I, p. 41.

6 (...) la douleur tient une place dans la vie humaine et procure aux âmes supérieures l'occasion de se manifester (...) J. ROMAINS, Lucienne, VIII.

♦ **2.** (Sujet n. de chose). **a** Faire ou laisser apparaître clairement. *Visage qui manifeste de la joie* (⟹ **Luire, respirer**)*, de l'inquiétude* (⟹ **Trahir**)*. Geste qui manifeste de la haine* (→ Éclater, cit. 24). *Pratiques odieuses qui manifestent la démoralisation d'une société* (→ Appartement, cit. 6). ⟹ **Annoncer, déceler, indiquer, révéler, traduire.** *« L'ivresse* (cit. 4) *manifeste ce que nous portons en nous »* (Gide). ⟹ **Ressortir** (faire). *« Le beau manifeste le vrai »* (→ Absolu, cit. 19, Hugo).

7 Et l'étendue manifeste l'œuvre de ses mains *(de Dieu).*
BIBLE (SEGOND), Psaumes, XIX, 2.

Si la vie réalisait un plan préétabli, elle manifesterait, au cours de l'histoire du monde, une harmonie de plus en plus grande. 8
A. MAUROIS, Études littéraires, « Bergson », III.

b V. pron. passif. SE MANIFESTER : apparaître, se montrer. ⟹ **Traduire** (se). *Son mal ne se manifestait que par un rhume* (→ Guetter, cit. 12). *Activité qui se manifeste par des mouvements* (→ Agissant, cit. 1). *La pensée se manifeste par des signes, par le langage* (cit. 6). *Leur haine se manifestait par de continuels lazzi* (cit. 3). *L'égoïsme se manifeste dans la gourmandise* (cit. 5). *La crise* (cit. 13) *de civilisation se manifeste par des troubles de toute sorte.* ⟹ **Sentir** (se faire sentir). *L'épuration* (cit. 2) *s'est manifestée par des règlements de compte.*

(...) comme toutes les révolutions, avant de se manifester par des faits extérieurs, elle *(la révolution monarchique)* s'est manifestée par des idées. 9
FUSTEL DE COULANGES, Leçons à l'Impératrice, p. 199.

Absolt. *Les premiers symptômes du mal se manifestent.* ⟹ **Apparaître, montrer** (se); **déclarer** (se). *Âme impatiente de se manifester* (→ 1. Geste, cit. 9). *La satisfaction se manifeste sur son visage, dans ses yeux.* ⟹ **Éclater, répandre** (se). *Irritation* (cit. 1), *génie* (cit. 46), *puissance* (→ Héroïsme, cit. 13) *qui se manifestent. Leurs qualités ne peuvent pas se manifester.* ⟹ **Révéler** (se); **éclore.** *La vie telle qu'elle se manifeste sur la terre* (→ Activité, cit. 1). *Des divergences se sont manifestées* (→ Interprétation, cit. 4). ⟹ **Surgir, survenir.** *Tôt ou tard la vérité se manifeste.* ⟹ **Découvrir** (se), **dégager** (se), **dévoiler** (se), **émerger, sortir** (de l'ombre, etc.).

La tendresse ne se manifeste pas toujours au dehors; la sensibilité se déclare par des signes extérieurs. 10
D'ALEMBERT, Synonymes, Tendresse, sensibilité, Œ. compl., t. IV, p. 272.

★ **II.** V. intr. Participer à une manifestation (3.) publique. *Parti, organisation politique qui invite la population à manifester. Refuser de manifester. Manifester bruyamment contre quelqu'un.* ⟹ **Conspuer.**

(...) vous avez vu ce qui s'est passé à Belgrade? — Oui, on a manifesté dans les rues. Mais plutôt en faveur de la Turquie, à ce qu'il m'a semblé? 11
J. ROMAINS, les Hommes de bonne volonté, t. I, X, p. 103.

(...) à Salonique, les Grecs avaient chassé à coups de canon le petit détachement bulgare qui y campait. Les Roumains manifestaient dans les rues de leur pays, acclamant la guerre. ARAGON, les Beaux Quartiers, III, VII. 12

CONTR. Cacher (se). — Comprimer, disparaître, envelopper.
DÉR. (Du même rad.) **Manifestant.**
COMP. **Contre-manifester.**

MANIFOLD [manifɔld] n. m. — 1932; mot angl., pour *manifold paper* « papier à copies multiples ».
Anglicisme.

♦ **1.** (1932). Carnet comportant plusieurs séries de feuilles et de papier carbone, permettant d'établir des doubles de documents.

♦ **2.** (1963). Techn. Ensemble de vannes et de conduits orientant un fluide vers un réservoir ou des canalisations.

MANIGANCE [manigãs] n. f. — 1541; « forme méridionale de *maniance*, lui-même doublet de *maniement*, d'après *maneier*, de **manicare* doublet de **manidiare*, avec infl. de *gance* » (P. Guiraud, Dict. des étym. obscures).

♦ Fam. Intrigue*, manœuvre secrète et suspecte, sans grande portée ni gravité. ⟹ **Agissements, combinaison, détour, machination, magouille** (fam.), **manœuvre, micmac** (fam.), **trame** (vx). *Être victime de manigances. Se douter d'une manigance* (→ Drôle, cit. 8). *Manigance dont on ne peut découvrir l'origine.* ⟹ **Diablerie.**

La machination est donc quelque chose de plus compliqué, de plus grand que la manigance. D'ailleurs manigance est du langage familier, et machination de tous les styles. LITTRÉ, Dict., art. *Manigance.* 1

Il se trouve là-dessous quelque manigance que tu n'aperçois pas, tu es trop probe et trop loyal pour soupçonner des friponneries chez les autres. 2
BALZAC, César Birotteau, Pl., t. V, p. 333.

(...) ce feu c'est encore quelque manigance dans le genre de celles qui sont déjà arrivées ces temps-ci (...) J. GIONO, Colline, p. 168. 3

DÉR. **Manigancer.**

MANIGANCER [manigãse] v. tr. — Conjug. *placer.* — 1691; de *manigance*, et *-er*.

♦ Fam. Tramer (une manigance). ⟹ **Combiner, comploter, fricoter, machiner, ourdir, tramer.** *« C'est lui qui a manigancé toute cette affaire »* (Académie). *Manigancer un coup* (cit. 61). *Que peut-il manigancer?* (→ 2. Épier, cit. 5).

(...) en voyant la Sévère entrer dans le patural, il se douta bien qu'elle y venait manigancer quelque chose contre Madeleine (...) 1
G. SAND, François le Champi, XXII.

(...) de vieilles dames obligeantes intervenant pour suggérer et manigancer des unions matrimoniales. Georges LECOMTE, Ma traversée, p. 111. 2

Je suis loin d'insinuer qu'elle ait manigancé un complot par esprit de vengeance. 3
J. ROMAINS, les Hommes de bonne volonté, t. VIII, IX, p. 105.

Pron. *Une drôle d'affaire qui se manigance.*

▶ **MANIGANCÉ, ÉE** p. p. adj. *Affaire bien, mal manigancée.*

MANIGUETTE [manigɛt] n. f. — 1544; var. de *malaguette;* bas. lat. *melegeta;* orig. italienne.

♦ Bot. Graine de goût poivré provenant d'une variété d'amome et dite aussi *poivre de Guinée, graine de paradis**, utilisée comme condiment.

1. MANILLE [manij] n. f. — 1696; *malille*, 1660; esp. *malilla*, dimin. de *mala*, proprt « la petite malicieuse ».

♦ **1.** Vx. Carte, variable selon les jeux, affectée d'une valeur particulière (et élevée).
Mod. Carte maîtresse (le dix), au jeu de manille. *Manille de carreau :* dix de carreau (→ Manillon, cit.).

♦ **2.** (Fin xixe; Littré et P. Larousse désignent sous ce nom un jeu différent). Jeu de cartes où le dix *(manille)* et l'as (⇒ **Manillon**) sont les plus fortes cartes. *Manille parlée; muette, à l'envers, contrée* (ou *coinchée*), se jouant à quatre. *Manille aux enchères* (→ Consommation, cit. 10). *Jouer à la manille. Faire une manille. Joueurs de manille.* ⇒ **Manilleur.**
Il y en a quatre qui font la manille en buvant l'apéritif. Les autres sont debout et les regardent jouer (...)   SARTRE, la Nausée, p. 66.
DÉR. 1. Maniller, manillon.

2. MANILLE [manij] n. f. — 1543; du lat. *manicula.* → Manicle.

♦ **1.** (1543). Anciennt. Anneau porté aux poignets, aux chevilles, comme ornement.
(1680). Anneau auquel on fixait la chaîne d'un galérien, d'un forçat.
Un forçat (...) avait demandé (...) la permission de risquer sa vie pour sauver le gabier. Sur un signe affirmatif de l'officier, il avait rompu d'un coup de marteau la chaîne rivée à la manille de son pied (...)   HUGO, les Misérables, II, II, III.

♦ **2.** (1907, Larousse). Techn. (mar.). Anneau ou étrier de métal servant à relier deux longueurs de chaîne, à fixer des câbles.
DÉR. 2. Maniller.

3. MANILLE [manij] n. m. — 1846, Nerval; nom de l'une des îles Philippines.

♦ **1.** (1846). Cigare de Manille. *Fumer des manilles.*
(...) on a bien vite satisfait tous les caprices inhérents à la couleur locale, comme de boire un verre de porter (...), de fumer un manille authentique (...)   NERVAL, Notes de voyage, « Un tour dans le Nord », I.

♦ **2.** (1907, Colette, « paille de Manille »). Chapeau* de paille de Manille.

♦ **3.** Mar. Filin en chanvre* de Manille (⇒ **Abaca**).

1. MANILLER [manije] v. intr. — Fin xixe; de 1. *manille*, et *-er.*

♦ Rare. Jouer à la manille.
DÉR. Manilleur.

2. MANILLER [manije] v. tr. — 1868, Littré; de 2. *manille*, et *-er.*

♦ Techn. (mar.). Assembler*, réunir par des manilles.

MANILLEUR, EUSE [manijœʀ, øz] n. — Déb. xxe; de 1. *maniller*, et *-eur.*

♦ Personne qui joue à la manille.
1   (...) les manilleurs beuglèrent. « As de pique, roi de cœur, carreau, il faut être imbécile pour jouer comme ça. »   R. QUENEAU, le Chiendent, p. 16.
2   Ah! Vous eussiez mieux fait de rester ailleurs
Que d'entrer dans c'café plein de manilleurs.
Charles TRÉNET, Au grand Café (chanson).

MANILLON [manijɔ̃] n. m. — 1893, Courteline, *in* D. D. L.; de 1. *manille*, et *-on.*

♦ L'as, seconde carte au jeu de manille.
— Et un tour d'atout!... Manille de carreau. — Ô bonne mère! le manillon sec!
M. PAGNOL, Marius, III, 4.

MANIOC [manjɔk] n. m. — 1614; *manihot*, 1558; tupi *manihoca.*

♦ **1.** ⓐ Arbrisseau des régions tropicales, dont la racine fusiforme fournit une fécule alimentaire (famille des *Euphorbiacées*). *Culture de manioc. Manioc doux, amer. Fécule* de manioc cuite et granulée.* ⇒ **Tapioca.** *Pâte de farine de manioc frite.* ⇒ **Calalou.**

ⓑ Racine de cette plante; matière amylacée qu'elle contient, servant d'aliment. *Galette de manioc.* ⇒ **Cassave.**

(...) de pauvres familles de blancs, nées dans l'île, qui n'avaient jamais mangé de pain d'Europe (...) réduites à vivre de manioc au milieu des bois (...)
BERNARDIN DE SAINT-PIERRE, Paul et Virginie, p. 57.

♦ **2.** Par ext. (autres plantes).
Franç. d'Afrique (Côte-d'Ivoire). *Manioc de savane :* plante ressemblant au manioc, utilisée pour ses vertus thérapeutiques.
Manioc à caoutchouc. ⇒ **Céara.**

MANIP [manip] n. f. — 1880, Esnault; abrév. de *manipulation.*
Familier.

♦ **1.** Scol. Manipulation scientifique, travaux pratiques. *Les manip(s) de chimie.* ⇒ **T. P.**

♦ **2.** Manipulation (4. et 5.), manœuvre.

MANIPULABLE [manipylabl] adj. — xxe; de *manipuler*, et *-able.*

♦ Que l'on peut manipuler.
(...) si le sujet humain est moins manipulable que l'animal, il présente le grand avantage de pouvoir en général décrire verbalement une partie de ses réactions.
J. PIAGET, Épistémologie des sciences de l'homme, p. 70.

MANIPULATEUR, TRICE [manipylatœʀ, tʀis] n. et adj. — 1738, *in* D. D. L.; de *manipuler*, et *-ateur.*

★ **I.** N. ♦ **1.** (1738). ⓐ Personne qui procède à des manipulations. ⇒ **Opérateur.** *Manipulateur de laboratoire :* assistant des expérimentateurs. *Manipulateur radiographe :* assistant des radiologues.

ⓑ Spécialt. Prestidigitateur spécialisé dans la manipulation.

♦ **2.** (1874, cit.; 1861 dans un autre sens, mécanique, *Année sc. et industr.*, 1862, p. 441).
Techn. Appareil en forme de levier servant à la transmission des signaux télégraphiques.
Deux piles avaient été fabriquées, l'une pour Granite-house, l'autre pour le corral, car si le corral devait communiquer avec Granite-house, il pouvait être utile aussi que Granite-house communiquât avec le corral.
Quant au récepteur et au manipulateur, ils furent très simples. Aux deux stations, le fil s'enroulait sur un électro-aimant, c'est-à-dire sur un morceau de fer doux entouré d'un fil.   J. VERNE, l'Île mystérieuse, t. II, p. 560-561.

★ **II.** Adj. (1968, G. Martinet). Qui manipule, qui influence de manière occulte.
(...) le soir les émissions de télévision, avec ses faux théâtres, ses faux jeux télévisés, ses films policiers, ses informations manipulatrices, bref, tout ce qui me confirme et me confine dans une vie où je n'existe pas mais où je fonctionne.
Roger GARAUDY, Parole d'homme, p. 80.

MANIPULATION [manipylɑsjɔ̃] n. f. — 1762, Académie; « traitement du minerai d'argent », 1716; calque de l'esp. *manipulacion;* de 2. *manipule* « poignée », et *-ation.*

♦ **1.** ⓐ Action, manière de manipuler (des substances, des produits, des appareils). *Manipulations chimiques, physiques. Soumettre un minerai, une matière première à des manipulations* (⇒ **Opération, traitement**). *Manipulation délicate, dangereuse.* ⇒ **Maniement.** *Pharmacien qui fait ses manipulations dans son arrière-boutique, derrière son comptoir* (→ Famille, cit. 34). *Manipulations radioactives. Manipulations automatiques, à distance.* ⇒ **Télémanipulation.**
(...) j'étais en train de faire une manipulation délicate, à l'atelier, quand j'entends s'ouvrir brusquement la porte de mon magasin (...)
J. ROMAINS, les Hommes de bonne volonté, t. II, XIII, p. 132.
Spécialt. Exercice scolaire tendant à familiariser les élèves, les étudiants à ce genre d'opérations (en physique, chimie, pharmacie). → Travaux pratiques. *Cahier, salle de manipulations.* — Abrév. (1880). ⇒ **Manip.**

ⓑ Par ext. *Manipulation de colis.* ⇒ **Manutention.**

♦ **2.** Méd. Manœuvre manuelle consistant à mobiliser certaines articulations par pression ou étirements modérés. *Manipulations vertébrales. Les manipulations d'un kinésithérapeute.*

♦ **3.** Branche de la prestidigitation reposant sur la seule habileté des mains. *Apprendre la manipulation.*

♦ **4.** Manœuvre malhonnête. *Manipulations politiques, électorales.* ⇒ **Magouille, tripotage.**

♦ **5.** (1969, *in* P. Gilbert). Action de manipuler, d'influencer; emprise occulte exercée sur un groupe (ou un individu). *La manipulation des foules, de l'opinion.* ⇒ **Action** (psychologique), **intoxication.**
Absolt. *Une, des manipulations.* Manœuvre destinée à influencer.
DÉR. Manip.

1. MANIPULE [manipyl] n. m. — 1380; lat. médiéval *manipulus*, dit aussi *mappula* « petite serviette ».

♦ Liturg. rom. Ornement* sacerdotal, bande* d'étoffe « que portent à l'avant-bras gauche l'Évêque, le Prêtre, le Diacre et le Sous-Diacre pour la célébration de la Messe» (Dom J. Roux in *Dict. liturg.*). *Le manipule, bande de soie ornée d'une croix grecque et dont les extrémités sont généralement élargies en forme de trapèze, de queue d'aronde.* ⇒ **Fanon**. *Porter l'étole et le manipule.*

2. MANIPULE [manipyl] n. m. — 1478, «poignée» (mesure, en pharmacie); «gerbe», 1519; lat. *manipulus* «poignée, gerbe».

★ **I.** ♦ **1.** (1478). Poignée de plantes, de graines entrant dans la composition d'un remède.

Vx ou littér. Dans un sens plus général. Poignée (d'herbe, de blé, de fleurs); végétal formant un faisceau.

Le pin pousse dans des sols pierreux et secs (...) Obligé de prendre l'eau par mesure, il ne s'élargit point comme un calice. Celui-ci, que je vois, divise sa frondaison, écarte de tous côtés ses manipules; au lieu de feuilles qui recueillent la pluie, ce sont des houppes de petits tubes qui plongent dans l'humidité ambiante et l'absorbent. CLAUDEL, Connaissance de l'Est, « Le pin », éd. Seghers, p. 129.

♦ **2.** Poignée servant à retirer un récipient du feu.

★ **II.** (1660). Antiq. ♦ **1.** Enseigne, étendard d'une compagnie militaire romaine.

L'infanterie punique tout entière revint sur les Barbares; elle les coupa. Leurs manipules tournoyaient, espacés les uns des autres. Les armes des Carthaginois plus brillantes les encerclaient comme des couronnes d'or.
FLAUBERT, Salammbô, Pl., p. 1016.

♦ **2.** Unité militaire, division de la cohorte (un tiers), formée de deux centuries*.

Pour repousser les manipules serrés en couronnes autour d'eux, ils pivotaient (...)
FLAUBERT, Salammbô, Pl., p. 884.

DÉR. (Du sens de «poignée») **Manipulation, manipuler.**

MANIPULER [manipyle] v. tr. — 1765, *Encyclopédie*; de 2. *manipule* «poignée».

♦ **1.** Manier avec soin en vue d'expériences ou d'opérations scientifiques ou techniques. ⇒ **Arranger, manier; manipulateur, manipulation.** *Chimiste, physicien qui manipule des instruments de précision. Manipuler des flacons, des bouteilles* (→ Laboratoire, cit. 5).

(...) il y a la théorie de l'art et la *manipulation*. Tel homme sait à merveille les principes et ne saurait *manipuler*; tel autre au contraire sait manipuler à merveille, et ne saurait parler (...) Encycl. (DIDEROT), Manipulation (1765). Mon père se prend à manipuler des tubes, des fioles et des seringues.
G. DUHAMEL, Chronique des Pasquier, V, V.

Manipuler des substances, des drogues. ⇒ **Malaxer, mélanger, mêler.** *Pharmacien qui manipule des drogues.*

♦ **2.** Cour. Manier et transporter. ⇒ **Déplacer, palper, pétrir, tâter, tripoter.** *Manipuler des colis, des matériaux* (→ Hottée, cit.). *Objet fragile, à manipuler avec précautions. Il casse tout ce qu'il manipule.* ⇒ **Toucher** (→ Tout ce qui lui passe* entre les mains).

Je n'aime pas beaucoup qu'un monsieur, même diplômé à cet effet, palpe quelque partie que ce soit de ma personne après avoir manipulé plusieurs douzaines de mes semblables. G. DUHAMEL, Scènes de la vie future, I.

♦ **3.** Fig. Manier, modeler à son gré (une chose abstraite). *Pétrir et manipuler la matière de la langue* (→ Faire, cit. 227).

♦ **4.** (Compl. n. de personne). Influencer, faire agir en exerçant un pouvoir occulte. *Il s'est laissé manipuler par son associé. La grande presse, la propagande, les médias sont accusés de manipuler l'opinion. Manipuler la base d'un parti, les militants. Ne pas se laisser manipuler.* — Au p. p. *Des foules manipulées* (par la propagande, etc.).

DÉR. **Manipulable, manipulateur.** (V. Manipulation).

MANIQUE [manik] n. f. ⇒ **Manicle.**

MANITOBA [manitoba] n. m. — 1931, *in* Larousse; nom indien d'un lac, devenu nom d'une province du Canada.

♦ Comm. Blé dur originaire de la prairie canadienne.

MANITOU [manitu] n. m. — 1627, Champlain; mot algonquin, «grand esprit».

♦ **1.** Didact. Esprit du bien *(bon, grand manitou)* ou du mal *(méchant manitou)*, chez certaines peuplades indiennes. ⇒ **Divinité, esprit.**

Par ext. et vieilli. Fétiche (cit. 1).

(...) une superstition commune à tous les Indiens (...) c'était celle des *manitous*. Chaque sauvage a son manitou, comme chaque nègre a son fétiche : c'est un oiseau, un poisson, un quadrupède, un reptile, une pierre, un morceau de bois, un lambeau d'étoffe, un objet coloré (...)
CHATEAUBRIAND, Voyage en Amérique, « Religion ».

♦ **2.** (1842, D.D.L.). «Extension de sens favorisée par l'homonymie *manie-tout*» (Dauzat).

Fam. Personnage haut placé, puissant, influent ou dont le nom fait autorité. *Son père est un grand manitou..., une huile* (cit. 36). *Les manitous de la médecine.* ⇒ **Patron** (grand patron), **mandarin.**

Il avait bien entendu dire, à Arago, que le «fils Lebeau» avait succédé à son père, mais de là à penser que ce danseur mondain fût le manitou, fût le maître (...)
MONTHERLANT, les Célibataires, I, IV.

MANIVEAU [manivo] n. m. — 1642; dér. possible de 2. *manne*.

♦ Techn. Petit panier* plat d'osier sur lequel on place certains comestibles pour la vente. *Un maniveau de champignons, d'éperlans.*

MANIVELLE [manivɛl] n. f. — V. 1560, Paré; *manevelle*, 1449; *menivelle*, 1325; *manevele*, fin XIᵉ; d'un lat. pop. *manabella*, class. *manibula*, var. de *manicula*. → Manicle.

♦ **1.** Pièce ou organe mécanique qui consiste en un bras perpendiculaire à un arbre* et qui détermine la rotation de cet arbre. *Parties d'une manivelle.* ⇒ **Manche, maneton.** *Corps, poignée* (⇒ Nille), *tête de manivelle. Manivelle mue par la force humaine* (manivelle à main, à bras; ⇒ aussi **Pédale**), *par un moteur, à l'aide d'une bielle* articulée. Manivelle d'un cric*, d'un treuil* (⇒ **Giron**). *Manivelle de mise en marche d'une automobile*. — Loc. Retour* (cit. 5 et *supra*) de manivelle. — Manivelle d'un moulin à café, d'un phonographe, d'un orgue de barbarie* (→ Geindre, cit. 5), d'une broche* (cit. 4), d'un rideau de fer* (→ Fermer, cit. 9). Tourner* la manivelle.*

La musique partait de ma chambre : j'y trouvai Aziyadé tournant elle-même la manivelle d'une de ces grandes machines assourdissantes, orgues de Barbarie du Levant (...) LOTI, Aziyadé, IV, VII.

Spécialt. *Manivelle des anciens appareils de prise de vues cinématographiques.* — Absolt. (Fig.). *Le premier tour de manivelle :* le début du tournage d'un film.

♦ **2.** Techn. *Manivelle de machine, de moteur,* servant généralement à transformer un mouvement rectiligne alternatif en mouvement circulaire. *Manivelle transformant le mouvement d'un balancier*. — (1882, D.D.L.). *Arbre-manivelle d'un moteur à explosion.* ⇒ **Vilebrequin.** *Manivelle d'essieu de locomotive à vapeur.* Partie du pédalier d'une bicyclette qui porte la pédale. *Appuyer sur les manivelles :* faire effort pour pédaler (plus vite; dans une montée, etc.).

1. MANNE [man] n. f. — V. 1120; lat. ecclés. *manna*, hébreu *man*.

♦ **1.** (V. 1120). T. bibl. LA MANNE : la nourriture miraculeuse tombée du ciel pour nourrir les Hébreux dans le désert (*Exode*, XVI, 15; *Nombres*, XI, 7-8).

Je m'explique. Cette manne tombait du ciel, et c'était l'aliment dont Dieu les avait pourvus dans le désert, et qu'il prenait soin lui-même de leur distribuer chaque jour à proportion de leurs besoins. BOURDALOUE, Sermon pour la Vᵉ semaine de Carême, I.

«Qu'est-ce que c'est?» dit la foule. «C'est le pain que Dieu vous envoie!» répond Moïse. Ce pain, c'est la manne, la nourriture divine. «Grosse comme la graine de coriandre, ressemblant à la résine»; broyée et cuite, «elle a le goût d'un gâteau à l'huile (...)» DANIEL-ROPS, le Peuple de la Bible, II, I.

Tu me fais penser à l'histoire des Hébreux dans le désert. Ils devaient consommer dans la journée la manne qui leur tombait du ciel, mais ne pouvaient sous aucun prétexte en garder pour le lendemain.
Geneviève DORMANN, la Fanfaronne, p. 116.

(Fin XVIᵉ). Par ext. Aliment abondant, inespéré, providentiel. *Une manne abondante, providentielle.*

(...) le Français abattit quelques régimes de fruits mûrs (...) et il s'assura en goûtant cette manne inespérée, que l'habitant de la grotte aurait cultivé des palmiers. BALZAC, Une passion dans le désert, Pl., t. VII, p. 1074.

♦ **2.** (XIVᵉ). Par métaphore ou fig. Bienfait, don céleste.

Spécialt. Relig. *La manne céleste, cachée :* la nourriture spirituelle, et, aussi, la parole divine. ⇒ **Pain** (céleste).

Noble enfant, de bonne heure né,
À toute douceur destiné,
Manne du ciel, céleste don (...)
VILLON, Poésies diverses, Le dit de la naissance de Marie d'Orléans.

La manne cachée, c'est la vérité; la manne cachée, sont les consolations spirituelles; la manne cachée, c'est le sacré corps de Jésus.
BOSSUET, Élévation... sur tous les mystères..., IX, VI (→ aussi Faible, cit. 12).

Littér. Bienfaits, dons (humains). « *Il a répandu sur toute cette famille la manne de ses bienfaits* » (Académie).

♦ **3.** (1868). Loc. *Manne (des poissons) :* éphémères qui abondent sur les rivières et dont les poissons se nourrissent.

♦ **4.** (XIVᵉ). Par anal. Exsudation sucrée de divers végétaux (frêne, mélèze, eucalyptus). *La manne s'écoule par les piqûres que des insectes* (cigales) *font à l'arbre, ou par des incisions. Constituants de la manne :* mannite* (⇒ **Dulcite**), sucre, dextrine, résine.

Par ext. *Manne d'Australie* (eucalyptus), *de Briançon* (mélèze), *du Sinaï* (tamarinier, tamarix), *du Liban* (cèdre).

DÉR. Mannite, mannose.

2. MANNE [man] n. f. — 1467; *mande,* 1202; moy. néerl. *mande.*

♦ Grand panier* d'osier rectangulaire ou cylindrique. ⇒ **Banne, corbeille, panière** (→ Fripier, cit. 1). *Manne cylindrique de boulanger. Manne rectangulaire et plate de pâtissier. Fabrication des mannes.* ⇒ **Vannerie.**

1 Les compteurs-verseurs, très-affairés, enjambant les tas, arrachaient d'une poignée la paille des bourriches, les vidaient, les jetaient, vivement; et, sur les larges mannes rondes, en un seul coup de main, ils distribuaient les lots, leur donnaient une tournure avantageuse. ZOLA, le Ventre de Paris, t. I, p. 148.

2 Ils *(les frères)* marchaient, silencieux, les uns, portant sous un bras de grands pains ronds, les autres, tenant (...) des mannes pleines de foin et d'œufs (...) HUYSMANS, En route, II, II.

DÉR. Mannée, mannette.

MANNÉE [mane] n. f. — 1845, Bescherelle; de *2. manne.*

♦ Rare. Contenu d'une manne.

1. MANNEQUIN [mankɛ̃] n. m. — 1680; «figurine, statuette», XIIIᵉ; moy. néerl. *mannekijn,* dimin. de *man* «homme».

♦ **1.** (XVIIᵉ). Statue articulée imitant le corps humain (ou un corps d'animal), à laquelle on peut donner diverses attitudes, et servant de modèle aux peintres, sculpteurs... («Son principal usage est de jeter et ajuster les draperies» *Encyclopédie*). *Mannequin de cire, de bois. On se sert encore de petits mannequins articulés pour l'apprentissage du dessin.*

1 Sur la table de pose, se dresse un mannequin drapé, simulant les attitudes de la vie. Th. GAUTIER, *in* Moniteur universel, 1-2 juin 1868.

(1806). Cout. *Mannequin de couturière* (→ Grenier, cit. 11), *de tailleur :* figure, armature ou moulage servant de modèle pour la confection des vêtements et sur lequel on fait les essayages. ⇒ **Poupée** (vx). *Mannequin de dimensions courantes.*

(XXᵉ). *Taille mannequin,* conforme aux mesures, aux proportions d'un mannequin type. — *Mannequin sur mesures. Mannequin «transformateur» à armature flexible.*

2 Par la mode du moins, la France est encor reine,
Et jusqu'au fond du Nord portant nos goûts divers,
Le *mannequin despote* asservit l'univers.
DELILLE, l'Imagination, III, *in* BRUNOT, Hist. de la langue franç., t. XII, p. 312, Note 3.

3 Tout à coup, il vit à travers ses larmes le mannequin d'osier sur lequel madame Bergeret taillait ses robes (...) De tout temps, M. Bergeret s'était senti agacé par cette machine qui lui rappelait à la fois les cages à poulets des paysans et une certaine idole de jonc tressé, à forme humaine (...) et dans laquelle les Phéniciens brûlaient, disait-on, des enfants. FRANCE, le Mannequin d'osier, t. XI, VI, p. 303.

Mannequin servant à présenter des vêtements, des modèles de coiffures, etc., dans les devantures, les étalages (→ Inclinaison, cit. 6). *Mannequins des étalages. Être habillé comme un mannequin,* avec une élégance trop conformiste et apprêtée.

4 (...) quel est ce jeune homme qui a l'air d'un mannequin habillé à la porte d'un tailleur. BALZAC, *in* P. LAROUSSE, Mannequin.

5 J'aimais surtout les hautes glaces illuminées de globes, derrière lesquelles (...) des mannequins vêtus de clair paraissaient vivre en plein soleil (...) H. BOSCO, Un rameau de la nuit, p. 115.

Par ext. Figure imitant grossièrement un être humain. *Mannequin de paille, de son. Mannequin servant d'épouvantail** (cit. 1), *de personnage de carnaval*, de cible. Mannequin pour s'exercer à la lance* (⇒ **Quintaine**).

6 Une autre troupe de paysans, hommes, femmes et enfants, apportait *le père Carnaval* (...) C'était un mannequin en paille, — moitié vivant et moitié homme; depuis trois jours on le promenait dans les environs et chaque ferme avait ajouté une pièce ou un chiffon à sa toilette. NERVAL, le Marquis de Fayolle, I, XII.

7 (...) un de ces mannequins qu'on suspend dans les vergers ou dans les vignes pour effrayer la gourmandise des oiseaux. Th. GAUTIER, le Capitaine Fracasse, XI.

♦ **2.** (1776). Fig. Vieilli ou littér. Homme sans caractère, faible, que l'on mène, que l'on dirige à loisir (→ Bonhomme, cit. 2). ⇒ **Fantoche, pantin.**

Spécialt. Homme de paille*, personnage représentatif mais sans influence réelle.

8 Ils vont faire de moi une sorte de mannequin, une figure représentative. G. DUHAMEL, le Voyage de P. Périot, I.

Personnage tout d'une pièce, dénué de vie (dans une œuvre littéraire, un spectacle...).

9 (...) des types tout d'une pièce, comme dans les tragédies! Où y a-t-il des prostituées comme Fantine, des forçats comme Valjean (...)? Pas une fois on ne les voit souffrir (...) Ce sont des mannequins, des bonshommes en sucre (...) FLAUBERT, Correspondance, 729, juil. 1862.

♦ **3.** (1814, cit.). Vx. Homme sur qui on essayait les vêtements lors de la fabrication.

9.1 (...) tous les trois mois les tailleurs renouvellent la forme des habits; alors ils mandent un de ces messieurs, l'habillent et le font courir. Le jeune homme, appelé *mannequin,* se montre dans les lieux consacrés par la présence des incroyables; il

écoute et recueille les avis, et selon la majorité, l'habit est rejeté s'il est *abominable*; mais s'il est jugé *divin,* alors il est adopté unanimement. Étienne-François BAZOT, Nouvelles Parisiennes, t. I, p. 215 (*in* D. D. L.).

(Fin XIXᵉ; *«demoiselle-mannequin»* chez Goncourt). Mod. et cour. Jeune femme, jeune fille sur qui les couturiers essayent leurs modèles et, par ext. (XXᵉ), qui les présentent au public. → Couturier, cit. 1, France. *Mannequin qui présente une collection, des robes, qui pose pour une revue de modes. Elle est mannequin; c'est un mannequin. Elle est trop petite, trop forte pour devenir mannequin. La profession de mannequin. C'est une très jolie femme, un ancien mannequin.*

9 Puisqu'à bâtons rompus (...) je parle ici des industries qui touchent de si près à l'amour en embellissant les jolies filles qui le vendent, je ne saurais oublier les gentilles personnes qui chiffonnent robes, dentelles et chapeaux, les mannequins (le mot est passé dans la langue de Parus) sur lesquelles le couturier artiste drape les étoffes somptueuses qui doivent tenter les belles clientes (...) GORON, l'Amour à Paris, t. II, p. 659.

10 L'étrange profession du mannequin a connu ses temps de gloire et d'orages, lorsqu'elle était dévolue à des jeunes femmes admirables, enviées, sûres d'elles (...) Le mannequin, vers 1905, avait sa place dans la chronique de Paris, les potins et les petits scandales. Il y eut des drames de mannequins, d'éclatantes promotions de mannequins à la scène, des mariages de mannequins dans la pairie anglaise (...) COLETTE, Belles saisons, p. 94.

(Repris mil. XXᵉ). Homme qui présente des vêtements au public.

DÉR. (Sens 1) Mannequinage, mannequiner, mannequineur.

2. MANNEQUIN [mankɛ̃] n. m. — 1467; *mandequin,* 1242; moy. néerl. *mannekijn, mandekijn,* par l'interm. de *2. manne.*

♦ **1.** Vx. Petite hotte*.

♦ **2.** Techn. Petit panier rectangulaire d'horticulteur. ⇒ **Manne, panier.** *Mannequin de vannerie*, à couvercle.*

MANNEQUINAGE [mankinaʒ] n. m. — 1564, «sculpture grotesque»; de *1. mannequin,* et *-age.*

♦ Techn. Décoration exécutée en plâtre et toile sur des armatures métalliques.

MANNEQUINER [mankine] v. tr. — 1762; de *1. mannequin,* et *-er.*

♦ Arts. Vieilli. Figurer d'après un mannequin (d'une manière académique, peu naturelle).

MANNEQUINEUR, EUSE [mankinœR, øz] n. — XXᵉ; de *1. mannequin,* et *-eur.*

♦ Techn. Personne qui fabrique un mannequin, qui exécute un mannequinage.

Au milieu du hall (...) trois mannequins montaient une garde dérisoire (...) Pour ne pas se tromper de peinture les mannequineurs avaient pris les vêtements de travail des ouvriers caricaturés. Pierre HAMP, la Peine des hommes (Moteurs), p. 142.

MANNETTE [manɛt] n. f. — 1453; selon Bloch, dimin. de *2. manne.*

♦ Inus. Petite manne. ⇒ **Emballage, 2. mannequin.**

HOM. Manette.

MANNEZINGUE [manzɛ̃g] n. m. ⇒ **Manezingue.**

MANNITE [manit] n. f. — 1826, *in* D. D. L.; de *1. manne.*

♦ Chim. Substance organique (sucre six fois alcool) qu'on rencontre notamment dans la manne du frêne (⇒ **Fraxine**), dans certains champignons, le céleri, les olives, le cidre... *La mannite est un alcool* hexavalent (hexite) isomère de la dulcite*. Le mannose, sucre dérivant de la mannite.*

DÉR. Mannité, mannose.

MANNITÉ, ÉE [manite] adj. — 1894, cit.; de *mannite,* et *-é.*

♦ Techn. Dont le sucre s'est transformé en mannite, acides lactique et acétique (des boissons fermentées). *Les vins mannités sont aigres.*

Enfin nous indiquerons le ferment des vins mannités qui est dû à une fermentation défectueuse (...) L. FIGUIER, l'Année scientifique et industrielle 1895, p. 457 (1894).

MANNOSE [manoz] n. m. — 1902, Larousse; de *1. mann(e),* et *-ose.*

♦ Biochim. Substance glucidique, isomère du glucose, contenue dans les baies et les graines de certains végétaux.

MANOCAGE ou **MANOQUAGE** [manɔkaʒ] n. m. — 1851 ; de *manoque*, et *-age*.

♦ Techn. Opération par laquelle on met le tabac en manoques.

MANODÉTENDEUR [manodetɑ̃dœʀ] n. m. — 1895 ; du nom de l'inventeur *Mandet*, d'après *mano(mètre)*, et *détendeur*.

♦ Techn. Dispositif permettant d'abaisser la pression d'un gaz comprimé et d'en régler l'utilisation.

MANŒUVRABILITÉ [manœvʀabilite] n. f. — 1934, *in* G. L. L. F. ; de *manœuvrable*, et *-ité*.

♦ Aptitude (d'un véhicule, d'un navire, d'un avion) à être manœuvré. ⇒ **Maniabilité**. *« Les ingénieurs procèdent à des tests de manœuvrabilité (de navires) par modèles téléguidés »* (in *Science et Vie*, n° 595, p. 83).

MANŒUVRABLE [manœvʀabl] adj. — 1902, Larousse ; en anc. franç. *manovrable* (homme) *«qui doit la corvée»* (au seigneur) ; → Corvéable ; de *manœuvrer*, et *-able*.

♦ Apte à être manœuvré (en parlant d'un véhicule, d'un bateau, d'un avion). ⇒ **Maniable**.

DÉR. **Manœuvrabilité**.

MANŒUVRANT, ANTE [manœvʀɑ̃, ɑ̃t] adj. — 1867, *Rev. des Deux-Mondes* ; p. prés. de *manœuvrer*.

♦ Techn. Mar. Qui obéit (plus ou moins bien) à la manœuvre, en parlant d'un navire.

1. MANŒUVRE [manœvʀ] n. f. — 1409 ; *maneuvre*, 1309 ; *manuevre*, 1248 ; *manevre*, v. 1180 ; du lat. carolingien *manuopera*, de *manus* «main», et *opera* «travaux» ; littéralt «travaux effectués avec les mains». → Manœuvrer.

★ **I.** Opération impliquant un mouvement de main.

♦ **1.** Mar. **a** Action sur les cordages, les voiles, le gouvernail, etc., destinée à régler le mouvement d'un navire. *Manœuvre d'un navire. Manœuvre à quai, à bord. Commander, exécuter une manœuvre. Matelot prompt à la manœuvre* (→ Cordage, cit. 3), *fort* (1. Fort, cit. 11) *sur la manœuvre. Manœuvre audacieuse, dangereuse* (→ Canal, cit. 5), *rude* (→ Déhaler, cit.). *Manœuvres de mauvais temps. La manœuvre de l'homme à la mer. Diverses manœuvres :* accostage, appareillage, atterrissage... ; changement de voilure ; carguer, larguer (cit. 1).

1 L'art de la navigation consiste en deux parties : le pilotage qui regarde principalement l'usage de la boussole, et la manœuvre qui regarde la disposition des voiles, du gouvernail et du vaisseau par rapport à la route qu'on veut faire et aux avantages qu'on peut tirer du vent.
    FONTENELLE, Éloge du chevalier Renau, *in* LITTRÉ, art. *Navigation*.

2 Renaud s'était remis debout au vent, afin d'empêcher les mauvais paquets de mer d'enlever les hommes à la manœuvre.   Roger VERCEL, *Remorques*, V.

b Par métonymie (souvent au plur.). Câble, cordage, filin appartenant au gréement. ⇒ **Agrès, cordage, gréement.** *Ballant, courant, dormant d'une manœuvre. Boucles des manœuvres.* ⇒ **Capelage.** *Bosser une manœuvre. Manœuvre terminée par une patte* d'oie. Manœuvres dormantes*, aux deux extrémités fixes, servant à immobiliser ou à raidir un espar. ⇒ **Étai, hauban, pataras.** *Manœuvres courantes*, mobiles, dont l'une des extrémités est fixe, servant à hisser, à étarquer, à orienter la voilure... ⇒ **Balancine, bosse, bouline, bras, cargue, drisse, écoute, halebas.** *Manœuvres volantes :* cordages sans utilisation définie. ⇒ **Bout, cordage, filin.** *Fausses manœuvres :* manœuvres supplémentaires qu'on installe provisoirement par mauvais temps.

3 Ses genoux reposaient sur une grosse manœuvre, tendue raide et allant du pied du beaupré à l'un des bossoirs.
    BAUDELAIRE, Trad. E. POE, *les Aventures d'A. Gordon Pym*, X.

♦ **2.** Action, manière de régler le mouvement d'un véhicule. *Manœuvre d'une locomotive, d'une rame de wagons, d'un avion. Attention à la manœuvre ! Une fausse manœuvre*, faite mal à propos. *Accident résultant d'une fausse manœuvre. — Automobiliste qui manque sa manœuvre.*

4 (...) un accident qui avait eu lieu en gare. Une fausse manœuvre. Un cheminot écrasé.   ARAGON, *les Beaux Quartiers*, I, XVIII.

Spécialt. Opération par laquelle on déplace une automobile pour la garer, la ranger.

♦ **3.** (1694). Milit. Exercice du temps de paix que les instructeurs font faire aux soldats pour leur enseigner le maniement des armes, les mouvements des troupes... ⇒ **Déploiement, évolution, exercice, marche** (et contremarche), **mouvement, ralliement, revue.** *Manœuvre de soldats qui s'alignent, défilent... Aller à la manœuvre. Soldat exempt* (cit. 5) *de manœuvre. Manœuvre de cadres*. Grandes*

manœuvres, mettant en mouvement de gros effectifs. *Les Grandes Manœuvres*, film de René Clair (1955).
Évolutions ordonnées, prescrites par le commandement en temps de guerre, à des fins tactiques ou stratégiques. *Manœuvre hardie. Thème d'une manœuvre. Manœuvre grandiose* (→ Globalement, cit.). *Manœuvre enveloppante, de débordement par les ailes, de déploiement, de repli... Manœuvre favorite d'un stratège* (→ Combattre, cit. 8). *Manœuvre d'intimidation* (⇒ **Démonstration**). — *Les principes de la manœuvre.* ⇒ **Théorie.**

5 — Les grandes manœuvres sont une image de la guerre, mais c'est une image infidèle sous ce rapport que tout y est prévu, tandis que la part de l'imprévu est considérable à la guerre.
    FRANCE, *Crainquebille*, «Grandes manœuvres à Montil».

6 Il est impossible de démêler le sens de l'immense manœuvre où notre régiment roule comme un petit rouage, ni ce qui se dessine dans l'énorme ensemble du secteur.   H. BARBUSSE, *le Feu*, II, XIX.

Camp* de manœuvre. Terrain de manœuvre. Champ* de manœuvre.

♦ **4.** Opération manuelle exercée sur une personne dans une intervention chirurgicale. *Manœuvres opératoires* (→ Hyperesthésie, cit. 2). — Procédé manuel par lequel le médecin imprime un mouvement, un changement de position, à une partie du corps, dans un but thérapeutique (⇒ **Manipulation**), ou afin de préciser un diagnostic. *Manœuvre obstétricale*, destinée à faciliter l'expulsion du fœtus lors de l'accouchement.
Par ext. *Manœuvres psychologiques provoquant un état hypnotique* (cit. 3).

7 (...) avec cette sage-femme j'aurais eu des ennuis (...) je n'allais tout de même pas me lancer dans des manœuvres opératoires devant tout le monde, fatigué comme j'étais !   CÉLINE, *Voyage au bout de la nuit*, p. 276.

Péj. *Femme victime de manœuvres abortives, criminelles* (→ ci-dessous le sens II).

♦ **5.** Maniement permettant le fonctionnement d'un appareil ou d'une machine. *Manœuvre d'un appareil, d'un outil. La manœuvre d'une serrure, d'un loquet. Connaître* (cit. 11), *ignorer la manœuvre d'un fusil, d'une pièce de canon.* ⇒ **Maniement.** — *Contremaître, ingénieur qui surveille, dirige une manœuvre de levage, de pose... exécutée par une équipe. Ne gênez pas la manœuvre.*
Par ext. (l'action directe de l'homme étant remplacée par celle d'un mécanisme). *Manœuvre automatique, électrique, hydraulique... d'un pont. Câbles de manœuvre* (→ **Commande**).

★ **II.** (1690, Furetière). Fig. Moyen ou ensemble de moyens mis en œuvre pour atteindre un but, d'ordinaire en usant de ruse ou d'artifice. ⇒ **Combinaison, combine, intrigue, machination, magouille** (fam.), **magouillage** (fam.), **manigance, maquignonnage, ruse.** *Tromper quelqu'un par une manœuvre habile, subtile. Manœuvres dilatoires. Manœuvres souterraines, machiavéliques* (→ Endormir, cit. 13), *louches* (→ Coup, cit. 48), *corruptrices* (→ Invalider, cit. 2). ⇒ **Agissements, approche, brigue, manège.** *De sombres manœuvres électorales, politiques. Manœuvres politiques habiles.* ⇒ **Tactique.** *Manœuvre menée par un diplomate* (→ Consommer, cit. 9), *un préfet* (→ Instruction, cit. 12). *Être victime des manœuvres de ses ennemis* (→ Exécration, cit. 2). ⇒ **Collusion, menée.** *S'opposer à une manœuvre.* ⇒ **Contrebatterie, contre-mine.** — *Fausse manœuvre :* décision, démarche, initiative maladroite ou inopportune. ⇒ **Maladresse.** — *Avoir, laisser à quelqu'un une complète liberté* de manœuvre.* ⇒ **Action** (→ Envergure, cit. 6).

8 Grâce à ces manœuvres sentimentales, romanesques et romantiques, Valérie obtint, sans avoir rien promis, la place de sous-chef et la croix de la Légion d'honneur pour son mari.   BALZAC, *la Cousine Bette*, Pl., t. VI, p. 218.

9 (...) les manœuvres inconscientes d'une âme pure sont encore plus singulières que les combinaisons du vice.   R. RADIGUET, *le Bal du comte d'Orgel*, p. 15.

10 La manœuvre était subtile et perfide. L'adversaire abattu, le comble de l'habileté était bien de s'emparer du cadavre et d'en faire un symbole de loyalisme gouvernemental, de s'en servir comme d'une arme (...)
    MARTIN DU GARD, *les Thibault*, t. VII, p. 215.

Dr. *Manœuvres frauduleuses, dolosives**, destinées à induire une personne en erreur. ⇒ **Dol** (cit.), **fraude** (→ Escroquer, cit. 4).
Absolt et fam. (incluant les sens concrets 1, 2 et 5). *Il connaît la manœuvre.* ⇒ **Musique.** *Ça y va, il y va à la manœuvre !*

COMP. **Contre-manœuvre.**

2. MANŒUVRE [manœvʀ] n. m. — 1559 ; *manneuvre*, 1480 ; *menevre*, 1449 ; déverbal de *manœuvrer*.

♦ **1.** (1449). Vx. Travailleur manuel. ⇒ **Ouvrier** (→ Forger, cit. 1).

♦ **2.** (1468). Mod. Ouvrier exécutant des tâches élémentaires qui n'exigent pas d'apprentissage préalable (par oppos. à *ouvrier qualifié*). ⇒ **Apprenti, manouvrier, manuel** (travailleur), O.S. → Égalité, cit. 7 ; interchangeabilité, cit. *Manœuvre léger. Manœuvre de force. Jeune manœuvre dans les mines, les houillères.* ⇒ **Galibot.**

(...) le manœuvre à la chaîne, l'homme automatique, qui décharge les briques sur un quai ou qu'il place trois boulons, toujours les mêmes, au même point d'un châssis d'automobile, celui-là ne peut pas trouver dans sa besogne le moindre contenu spirituel.   DANIEL-ROPS, *Ce qui meurt...*, p. 149.

Manœuvre spécialisé, ayant reçu une formation particulière pour un certain type de travail. — (V. 1958). Fam. *Manœuvre-balai :*

ouvrier sans aucune spécialisation, généralement préposé aux travaux de nettoyage et situé à la base de la hiérarchie des salaires. *Des manœuvres-balais.*

Fig. *Travail de manœuvre,* qui ne demande aucune qualification, aucune initiative.

Par métaphore. (→ Mari, cit. Chamfort).

Fig. Péj. *Ce n'est qu'un mauvais peintre, un manœuvre qui fait de la peinture au mètre. Un manœuvre des lettres.* ⇒ **Tâcheron.**

MANŒUVRER [manœvʀe] v. — V. 1283; *manovrer,* v. 1160; *manuvrer,* 1080, *Chanson de Roland;* du bas lat. *manu operare,* littéralt «travailler avec la main». → Manœuvre.

★ **I.** V. tr. ♦ **1.** (1690, Furetière). Manier de façon à faire agir, à faire fonctionner, à mouvoir où l'on veut. *Manœuvrer le levier de changement de vitesse, les vitesses* (→ Grogner, cit. 4), *le volant d'une automobile. Manœuvrer des fusils* (cit. 3). *Manœuvrer un cordage, le gouvernail d'un navire* (→ Courant, cit. 6). ⇒ **Manœuvre** (I., 1.). *Manœuvrer un navire, une embarcation* (⇒ **Gouverner**), *une automobile* (⇒ **Conduire, diriger**). — Pronom. (sens passif). *Embarcation qui se manœuvre facilement* (→ Baleinier, cit.).

1   De temps à autre, quelque pêcheur croisait leur route (...) en silence (...) trop affairé à pousser du fond, debout dans sa barque et manœuvrant sa perche avec de beaux gestes plastiques.   Loti, Ramuntcho, I, ii.

2   (...) cette dame que j'ai entendue dire un jour, dans l'ascenseur d'un grand magasin de Paris, à propos de l'employé qui le manœuvrait : Comment ce garçon peut-il faire cela toute la journée? Moi je n'ai qu'à y monter une fois pour être malade.   J. Romains, les Hommes de bonne volonté, t. IX, XVIII, p. 147.

Par anal. *Métiers d'une filature* (cit. 1) *qui manœuvrent les fils.*

♦ **2.** (1873, Larousse). Faire agir (qqn) comme on le veut, par une tactique habile. *Manœuvrer quelqu'un, une foule, une assemblée.* ⇒ **Gouverner, manier, mener.** *Il s'est laissé manœuvrer comme un enfant.*

Par ext. *Manœuvrer l'opinion.*

3   Ainsi, en tout, les Jacobins manœuvraient la Gironde, la tenaient par sa peur de ne pas sembler assez républicaine (...)   J. Bainville, Hist. de France, XVI, p. 366.

4   Les puissances d'argent (...) continuent à disposer du travail, et à tenir les masses sous leurs griffes; elles continuent à manœuvrer la presse (...)   Martin du Gard, les Thibault, t. V, p. 225.

5   (...) il *manœuvrait* la causerie à sa guise.   Louis Madelin, Talleyrand, V, XL.

6   Lorsque la discussion se développerait, il serait temps de tenir compte des humeurs individuelles, et de manœuvrer les gens suivant leurs réactions.   J. Romains, les Hommes de bonne volonté, t. V, XXII, p. 172.

★ **II.** V. intr. ♦ **1.** (1690, Furetière). Effectuer ou faire effectuer une manœuvre, la manœuvre sur un bateau, un véhicule. *Commandant de navire qui manœuvre habilement. Manœuvrer à bras, à vapeur, à la rame.* ⇒ **Navigation, naviguer.** *Automobiliste qui manœuvre pour se garer. Il ne sait pas manœuvrer.*

7   Sur un trois-mâts, on se battait, on manœuvrait. On avait sous les pieds un bateau qui vibre, obéit au tour de main du capitaine.   Roger Vercel, Remorques, VI.

(Avec un n. de chose pour sujet). *Embarcation légère qui manœuvre bien. — Gare de triage où manœuvrent des trains, des rames de wagons* (→ 2. Fourgon, cit. 3).

♦ **2.** (1732). Milit. Effectuer ou commander* une manœuvre en temps de guerre. *Ce général manœuvre habilement.* ⇒ **Manœuvrier** (→ Guerre, cit. 21). *Ne pas laisser à l'ennemi le temps de manœuvrer. — Faire l'exercice; exécuter* une manœuvre. *Les soldats manœuvrent dans la cour de la caserne, sur l'esplanade* (⇒ **Parader**). *Escadre, corps d'armée qui manœuvre.* ⇒ **Évoluer.**

8   C'était un fait que nous manœuvrions négligemment. Nos cent mains ne claquaient pas un seul battement sur la bretelle du fusil; nos cent crosses ne retombaient pas sur le sol d'un seul coup sec.   A. Maurois, Mémoires, I, V.

♦ **3.** (1752, Trévoux). Fig. Employer des moyens adroits pour atteindre le but qu'on se propose. *Politicien qui manœuvre habilement. Il a mal manœuvré. Manœuvrer de manière à...* (→ Immutabilité, cit. 3), *de telle façon que...* (→ Gémir, cit. 6). *Elle a manœuvré pour se faire épouser.*

9   Ça n'est pas difficile de passer pour fort (...) On manœuvre, on esquive la difficulté, on tourne l'obstacle (...)   Maupassant, Bel-Ami, I, I.

10   (...) tu me sembles manœuvrer comme un maître, et c'est à Talleyrand, à Metternich, au duc de Morny, à d'autres seigneurs de cette lignée qu'on songe en te lisant.   J. Romains, les Hommes de bonne volonté, t. VIII, III, p. 23.

11   Et voici qu'aujourd'hui, plongée dans cette vie, elle y manœuvre d'instinct avec la souplesse et la ruse de ces vieux renards qui l'émerveillaient.   Montherlant, le Songe, I, VI.

DÉR. (Du même rad.) **Manœuvrable,** 2. **manœuvre; manœuvrier, manouvrier.**

MANŒUVRIER, IÈRE [manœvʀije, ijɛʀ] n. et adj. — 1678; *maneuvrier,* 1584, au sens anc. et fig.; de *manœuvrer,* et *-ier.*
Qui manœuvre habilement.

♦ **1.** (1678). Mar. et milit. Personne qui sait manœuvrer (marine,

armée). *Un habile manœuvrier. Ce commandant de navire, ce général est un fin manœuvrier* (→ Combattre, cit. 8, par métaphore).

Adj. *Un général manœuvrier.*

Par ext. *Une flotte, une armée manœuvrière,* qui exécute bien les manœuvres. *Faute d'exercice, l'armée avait perdu son habileté manœuvrière.*

1   Jean Cornbutte proposa de nouveau à André Vasling de reprendre son rang à bord. Le second du brick était un manœuvrier habile, qui avait fait ses preuves en ramenant *La Jeune-Hardie* à bon port.   J. Verne, Un hivernage dans les glaces, p. 227.

2   Je laisse à d'autres le soin d'éprouver le degré d'instruction militaire et les qualités manœuvrières des troupes que le gouvernement de la République vous a confiées.   J. Romains, les Copains, V.

♦ **2.** (1830). Fig. Personne habile à persuader les autres d'agir selon ses intérêts ; personne qui manœuvre habilement (dans la politique, les affaires). *Clemenceau, remarquable manœuvrier, était redouté des gouvernements, lorsqu'il était dans l'opposition.*

♦ **3.** Vx. ⇒ **Manouvrier.**

MANOGRAPHE [manɔgʀaf] n. m. — 1931, Larousse; de *mano-* dans *manomètre**, et *-graphe.*

♦ Sc. Manomètre enregistreur.

MANOIR [manwaʀ] n. m. — V. 1175; *maneir,* v. 1155; inf. substantivé de l'anc. verbe *maneir, manoir,* du lat. *manere* «demeurer».

♦ **1.** Vx (archaïsme médiéval) et poét. Séjour, demeure.

Loc. « *Le sombre, le triste manoir* » (Académie, 1694) : les Enfers.

♦ **2.** Mod. Logis seigneurial, petit château* ancien, situé d'ordinaire à la campagne. ⇒ **Gentilhommière.** *Manoir féodal. Manoir délabré* (cit. 4, → Hobereau, cit. 5) *d'un gentilhomme campagnard.*

1   Enfin, au bout de la clairière,
Je découvre du vieux manoir
Les tourelles en poivrière
Et les hauts toits en éteignoir.   Th. Gautier, Émaux et camées, «Château du souvenir».

2   Elle aurait voulu vivre dans quelque vieux manoir, comme ces châtelaines au long corsage qui, sous le trèfle des ogives, passaient leurs jours, le coude sur la pierre et le menton dans la main, à regarder venir du fond de la campagne un cavalier à plume blanche qui galope sur un cheval noir.   Flaubert, Mᵐᵉ Bovary, I, VI.

3   C'était un manoir comme tant d'autres, une ferme soignée, d'apparence ancienne, entourée d'un long et haut mur, de belle teinte grise.   Renan, Souvenirs d'enfance..., Œ. compl., t. II, I, III, p. 736.

♦ **3.** Poét. Demeure. *Le manoir liquide :* la mer (→ La Fontaine, *Fables,* XI, 3). *Le manoir ténébreux, de Pluton... :* l'enfer.

MANOKO [manɔko] n. m. — 1931, Larousse; mot malgache.

♦ Techn. Arbre de Madagascar *(Moracées)* dont le bois imputrescible est utilisé en construction hydraulique.

MANOLA [manɔla] n. f. — 1840, Gautier; mot espagnol.

♦ Vx. Femme* espagnole de mœurs faciles. ⇒ **Grisette.**

MANOMÈTRE [manɔmɛtʀ] n. m. — 1705; du grec *manos* «rare, clairsemé, peu dense», et suff. *-mètre,* proprt «qui sert à mesurer ce qui est peu dense».

♦ Phys. Appareil* servant à mesurer la tension d'un gaz, d'une vapeur, la pression d'un fluide contenu dans un espace fermé. ⇒ **Indicateur.** *Manomètre indiquant la pression dans une chaudière à vapeur. Manomètre métallique, à air libre, à air comprimé, à ressort. Manomètre anéroïde**. *Cadran d'un manomètre. Manomètre enregistreur. — Utilisation du manomètre comme indique***-fuite.*

À peine, de temps à autre, jetait-il un coup d'œil sur le manomètre, tournant le petit volant de l'injecteur, dès que la pression atteignait dix kilogrammes.   Zola, la Bête humaine, V.

DÉR. **Manométrie, manométrique, manostat.**

MANOMÉTRIE [manɔmetʀi] n. f. — 1836, Académie; de *manomètre,* et *-ie.*

♦ Phys. Mesure des pressions.

MANOMÉTRIQUE [manɔmetʀik] adj. — 1836, Académie; de *manomètre.*

♦ Qui concerne le manomètre et son utilisation. *Mesures manométriques.*

MANOQUAGE [manɔkaʒ] n. m. ⇒ **Manocage**.

MANOQUE [manɔk] n. f. — 1700; mot dial. des Flandres, « poignée », du lat. *manus* « main ».
Technique.
♦ **1.** Petite botte de feuilles de tabac réunies par leurs pétioles.
♦ **2.** Mar. Pelote de lusin*, de bitord* ou de merlin*. *Rouler un filin* en manoque.*
DÉR. Manocage ou manoquage; manoquer.

MANOQUER [manɔke] v. tr. — Fin xixᵉ, *Dict. gén.*; de *manoque*, et suff. *-er.*
♦ Techn. Mettre (du tabac) en manoques, en petites bottes (⇒ **Emballer**).
DÉR. Manocage ou manoquage.

MANOSTAT [manɔsta] n. m. — 1963, Larousse; *manoscope*, 1793; de *mano(mètre)*, et *-stat.*
♦ Didact. Techn. Appareil automatique qui indique par la manœuvre d'un contact une pression déterminée, pour un fluide. « *Un navire est tâté en de nombreux points par des thermostats, manostats... contacts à flotteurs, etc.* » (*Science et Vie*, nº 592, p. 68).

MANOTTE [manɔt] n. f. — 1931, Larousse; orig. incert., p.-ê. de 2. *manne.*
♦ Techn. Nid de pigeon aménagé dans une écurie, une étable, communiquant avec l'extérieur par des trous percés dans le mur.

MANOUCHE [manuʃ] n. — 1898, Esnault, *manouch*, attestation isolée, « forain »; du tzigane *mnouch.*
♦ Argot. Gitan nomade. ⇒ **Romanichel; bohémien, boumian**. *Une caravane de manouches.*
1 Elle *(une détenue)* s'est fait un maquillage violent... ce qui s'accorde avec le reste disparate de son accoutrement : la robe pied-de-poule de la Chef, la veste bleu passé qu'elle avait en arrivant..., le foulard jaune, le...
— Une vraie manouche... A. SARRAZIN, la Cavale, p. 279.
2 (...) les démonstrateurs de nœuds de cravate, les Arabes qui proposent des montres, les manouches qui proposent n'importe quoi.
R. QUENEAU, Zazie dans le métro, Folio, p. 47.

MANOUVRIER, IÈRE [manuvʀije, ijɛʀ] n. — Fin xiiᵉ; du rad. de *mano(u)vrer*, forme anc. de *manœuvrer*; on trouve fréquemment aux xviᵉ et xviiᵉ la forme *manœuvrier*.
♦ Vx ou régional. Ouvrier, ouvrière employés à de gros travaux à la journée. ⇒ **Journalier, 2. manœuvre**.
Tous ces pauvres diables, ajoutait-il, manouvriers dès l'enfance, ont vécu, jusqu'à leur arrivée ici, de lait caillé et de pain noir.
STENDHAL, le Rouge et le Noir, I, XXVI.

MANQUANT, ANTE [mɑ̃kɑ̃, ɑ̃t] adj. — 1572; p. prés. de *manquer.*
♦ Qui manque, qui est en moins, qui est absent. *Somme manquante. Remplacer les pièces manquantes d'un service, les livres manquants d'une bibliothèque... Numéros manquants d'une série. Élève, soldat manquant.* ⇒ **Absent**.
Subst. *Un manquant, une manquante. Les manquants :* les absents, les objets qui manquent. *Punir les manquants.*

1. MANQUE [mɑ̃k] adj. — xivᵉ, « manchot »; de *manc* (1185), lat. *mancus.*
♦ **1.** (xviᵉ). Vx. Défectueux, faible, incomplet.
♦ **2.** (1791; p.-ê. de 2. *manque*). Mod. Loc. fam. *À la manque :* raté, défectueux, mauvais (→ À la gomme, à la flan, à la mie de pain, à la noix...). « *Ce ministre est un Richelieu à la manque* » (Académie).
1 Ce maigre Provençal aux yeux tendres, cette espèce d'ingénieur et de combinard à la manque (...)
CLAUDEL, Partage de Midi, I, p. 24.
2 (...) tu as autre chose à faire qu'à débrouiller toutes ces histoires de conspirations à la manque. J. ROMAINS, les Hommes de bonne volonté, t. X, V, p. 73.

2. MANQUE [mɑ̃k] n. — 1594; déverbal de *manquer.*
★ **I.** N. m. ♦ **1.** (1606). **ⓐ** Fait de manquer, absence ou grave insuffisance (d'une chose nécessaire). ⇒ **Absence, carence, défaut, insuffisance** (cit. 5). *Manque de vivres* (⇒ **Disette, rareté**), *d'argent* (⇒ **Besoin, déficit, dénuement, embarras, paupérisme, privation**), *de logements, de main-d'œuvre...* (⇒ **Crise, pénurie**). *Le manque de repos, de sommeil nuit à la santé* (→ Excitant, cit. 9). *Manque de*

distractions, d'imprévu (→ Engrener, cit. 2). *Le manque de chance* (⇒ **Malchance**; → aussi ci-dessous c). *Manque d'égards, de respect envers quelqu'un.* ⇒ **Manquement**. *Un manque d'idées désolant* (⇒ **Indigence, pauvreté**). *Manque d'imagination. Manque de mémoire*. ⇒ **Défaillance** (→ Mémoire à éclipses*). *Un manque total de goût* (→ Cuistre, cit. 4), *de naturel* (→ Indigeste, cit. 3), *de distinction* (→ Camembert, cit.). *Manque de conviction* (→ Froideur, cit. 5), *de foi* (→ Croyance, cit. 10). *Manque d'ordre et de méthode* (→ Assimilation, cit. 4)... *Préfixes servant à exprimer le manque de quelque chose* ⇒ **A-, dés-, in-**.
De l'orgueil féminin naît ce que les femmes appellent les *manques de délicatesse.* 1
STENDHAL, De l'amour, XXVIII.
Ce manque de parole au rendez-vous lui semblait un outrage (...) 2
FLAUBERT, Mᵐᵉ Bovary, III, VI.
Les chaleurs de l'été, le manque absolu d'eau, avaient séché la terre qui se fendait (...) 3
ZOLA, la Terre, IV, I.
(...) il n'est pas certain que le bonheur survenu trop tard, quand on ne peut plus 4
en jouir, quand on n'aime plus, soit tout à fait ce même bonheur dont le manque nous rendit jadis si malheureux.
PROUST, À la recherche du temps perdu, t. IV, p. 39.
D'autres ont le sentiment de ce qu'ils ont, dit-il *(Olivier)*; je n'ai le sentiment que 4.1
de mes manques. D'argent, manque de poumons, manque d'esprit, manque d'amour. Toujours du déficit; je resterai toujours en deçà.
GIDE, les Faux-Monnayeurs, in Romans, Pl., p. 1162.
J'ai connu le manque de tout qui dure depuis des années 5
Quand une épingle est un trésor... ARAGON, le Roman inachevé, p. 186.

ⓑ (Mil. xxᵉ). Spécialt. *État de manque; manque :* état d'un toxicomane privé de sa drogue. « *Une jeune fille (...) a été poignardée, mercredi après-midi, dans son appartement, boulevard Barbès à Paris, par un psychopathe drogué en pleine crise de* "*manque*"... » (*l'Express*, 28 août 1972, p. 24). — Recomm. off. : *état de privation.* — Loc. *Être en manque.*
Par ext. État de qqn qui est privé d'une satisfaction habituelle ou espérée.

ⓒ (Locutions).
Loc. adv. (Vx ou régional). *De manque... :* en moins, absent. ⇒ **Moins**. *Vingt francs de manque dans une somme. Trouver quelqu'un de manque dans son cœur* (→ Absence, cit. 7, Pascal).
Loc. prép. (vieilli). **MANQUE DE**. ⇒ **Faute** (de)... *On a peine à tourner la tête de ce côté-là, manque d'habitude* (→ Esprit, cit. 125, Pascal; et aussi égarer, cit. 16).
Mod. *Par manque de... Il a échoué par manque de patience.*
(...) et alors nous tomberons tout à coup, manque de soutien. 6
BOSSUET, Sermon pour vendr. de la IVᵉ sem. carême, « Sur la mort », I.
Les vrais colons, les pauvres, ceux qui s'exilent faute de pain, sont rejetés dans le 7
désert, où il ne pousse rien, par manque d'eau. MAUPASSANT, Bel-Ami, I, II.
Eh bien! voilà : c'est fini (...) Ma fiancée ne viendra pas. Par scrupule, par crainte, 8
par manque de foi (...) ALAIN-FOURNIER, le Grand Meaulnes, XVI.
Mod. et fam. Loc. à valeur adv. *Manque de chance, de pot, de bol. Il allait réussir, gagner; manque de pot, il s'est fait doubler au dernier moment.*

♦ **2.** (1656). Par ext. Chose qui manque. ⇒ **Insuffisance** (cit. 1), **lacune, omission, vide**. *Présenter des manques. Un manque intellectuel.*
À côté des images les plus claires je trouve des *manques* dans ce souvenir, c'est 9
comme une fresque dont de grands morceaux seraient tombés.
STENDHAL, Vie de Henry Brulard, 11.
Devant Claudel je n'ai sentiment que de mes manques; il me domine; il me sur- 10
plombe; il a plus de base et de surface, plus de santé, d'argent, de génie, de puissance, d'enfants, de foi, etc., que moi. Je ne songe qu'à filer doux.
GIDE, Journal, 15 mai 1925.
Le petit peu que je veux, jamais tu ne l'apportes. 11
À cause de ce manque, j'aspire à tant.
À tant de choses, à presque l'infini (...)
À cause de ce peu qui manque, que jamais tu n'apportes.
Henri MICHAUX, La nuit remue, « Ma vie ».
Techn. Maille ou point omis dans la confection d'un filet, d'une tapisserie...
Didact. *Le manque (d'être, à être) du pour-soi, du sujet* (dans l'existentialisme).
Psychan. Écart, espacement entre les « signifiants » (chez Lacan).
(C'est) sous l'incidence où le sujet éprouve dans cet intervalle Autre chose à le 12
motiver que les effets de sens dont le sollicite un discours, qu'il rencontre effectivement sous l'incidence de l'Autre (...)
Ce qu'il va y placer, c'est son propre manque sous la forme du manque qu'il produirait chez l'Autre de sa propre disparition.
J. LACAN, Écrits, Position de l'inconscient, p. 844.

★ **II.** N. f. (1834, Landais). Employé sans déterminant. À la roulette, à la boule, première moitié de la série de numéros (1 à 18), opposé à *passe*. *On peut miser sur passe ou sur manque en chance simple. Impair, rouge et manque.*

★ **III.** N. m. MANQUE à... (et inf.) : faute commise (en quelque chose). Jeu. *Un manque à toucher* (billard) : faute que fait le joueur qui n'atteint pas la bille.
Loc. cour. *Un manque à gagner :* une occasion qu'on laisse échapper de faire une affaire profitable; par ext., la somme qu'on aurait pu gagner.

13 Compte tenu des réactions devant la difficulté créatrice et de la pente normale de la croissance, l'économie peut ne souffrir que de manques à gagner, accompagnés, bien entendu, d'orientations différentes. A. SAUVY, Croissance zéro?, p. 263.

CONTR. **Abondance, affluence, comble, don, excédent, excès** (cit. 10), **foison.** V. aussi **Beaucoup.**

MANQUÉ [mãke] n. m. — 1807, in D. D. L.; de manquer.

♦ Techn. (Pâtiss.). Genre de biscuit recouvert de pralin ou de fondant aux fruits. *Moule à manqué :* moule plat et rond, à bord assez haut.

HOM. Manquer (et p. p.).

MANQUEMENT [mãkmã] n. m. — XIVe; manchement «diminution, manque», v. 1300; de manquer, et -ment.

♦ **1.** (1575). Vx. *Manquement de... :* fait de manquer (de quelque chose). ⇒ **Défaut, manque.** *« Le défaut ou manquement de quelque perfection »* (→ Erreur, cit. 10, Descartes).

♦ **2.** (1588). Mod. *Manquement à... :* fait, pour une personne, de manquer à (un devoir, un ordre...). *Manquement au devoir, à la morale* (⇒ **Écart, erreur, faute, péché**). *Manquement à la loi, au règlement, aux règles de prudence...* ⇒ **Infraction, délit, irrégularité** (→ Faute, cit. 26). *Des manquements graves aux nouvelles dispositions* (→ Instruire, cit. 21). *Manquement à la discipline* (⇒ **Insubordination**). *Manquement involontaire, faute par omission.* ⇒ **Oubli.**

Absolt. *Se plaindre des manquements d'un subordonné. De graves manquements.*

1 Lorsqu'un homme a commis un manquement dans sa conduite (...) ne dit-on pas toujours : «Un tel a fait un mauvais pas dans une telle affaire?» MOLIÈRE, le Bourgeois gentilhomme, I, 2.

2 Le moindre manquement faisait d'un acte sacré un acte impie. FUSTEL DE COULANGES, la Cité antique, III, VIII.

3 (...) tous les manquements auxquels les matelots sont sujets, avec, en regard, le tarif des peines encourues — depuis les désordres légers qui se paient par quelques nuits à la barre de fer jusqu'aux grandes rébellions qu'on punit par la mort. LOTI, Mon frère Yves, I.

4 Elle était même portée au scrupule. Les petits manquements ne la tracassaient pas moins que les gros péchés. J. ROMAINS, les Hommes de bonne volonté, t. III, VIII, p. 127.

5 Redoutant toujours quelque manquement à la stricte discipline, le directeur avait coutume de rappeler leurs devoirs à tous ses subordonnés (...) G. DUHAMEL, Chronique des Pasquier, VIII, II.

CONTR. **Observance, observation.**

MANQUER [mãke] v. — 1398; ital. mancare «être insuffisant, faire défaut»; de l'adj. manco «défectueux», du lat. mancus. → Manchot.

★ **I.** Idée d'absence.

A. (1635). V. tr. ind. MANQUER DE... : ne pas avoir*, lorsqu'il le faudrait ; ne pas avoir en quantité suffisante (⇒ **Dépourvu, sans**). *Manquer d'argent* (→ Être à court* d'argent). Absolt. *Avoir peur, craindre de manquer,* d'être dans le besoin*. (→ ci-dessous, cit. 4). *Manquer du minimum, manquer de tout* (→ Entraide, cit.). ⇒ **Dénué.** *Manquer de pain. Il ne manque de rien :* il vit dans le confort, il est bien soigné, il a tout ce qu'il lui faut.

Comm. *Manquer d'un article, d'un produit,* en être démuni. *Avez-vous ce modèle en telle couleur? — Nous en manquons pour l'instant. Pays qui manque de charbon, de capitaux, de main-d'œuvre... « L'agriculture manque de bras »* (cit. 40). *Compagnie qui manque de personnel* (→ 1. Flotte, cit. 3; improviser, cit. 10). *« Rome ne manque pas de généreux guerriers »* (→ Assez, cit. 53, Corneille). *Le monde n'a jamais manqué de charlatans* (→ Fertile, cit. 3). — *Langue qui manque de mots* (→ Appauvrir, cit. 2). ⇒ **Défectueux, incomplet.** *Manquer de preuves, de renseignements.*

1 Oisif et gras à lard, le jeune solitaire
S'ennuya, se laissa de ne manquer de rien (...) FLORIAN, Fables, II, 10.

2 Nous avons des terres immenses en friche; nous manquons de bras (...) DIDEROT, Suppl. au voyage de Bougainville, Pl., p. 1020.

3 Arrivé à Nice, au quartier général de l'armée d'Italie, Bonaparte trouve les soldats manquant de tout, nus, sans souliers, sans pain, sans discipline. CHATEAUBRIAND, Mémoires d'outre-tombe, t. III, p. 85-86.

4 (...) à cet âge, ne sachant pas ce que c'était que *manquer* et travailler désagréablement pour gagner le nécessaire, l'argent n'était pour moi que satisfaction de fantaisies (...) STENDHAL, Vie de Henry Brulard, p. 33.

5 Quand les pommes de terre manquaient par trop d'huile (...) ZOLA, le Dr Pascal, X.

6 L'organisation du service sanitaire est mauvaise. Vous manquez d'hommes et de temps. CAMUS, la Peste, p. 141.

Être dépourvu (d'une qualité). *Personne qui manque de force. Il manque de souffle. Manquer d'expérience* (→ Âge, cit. 20), *de bon sens* (→ Grain, cit. 26), *de jugement. Manquer d'adresse, de patience, de moyens..., de dignité* (→ Amour-propre, cit. 9). *Manquer de confiance* (cit. 12) *en soi, de sang-froid. Manquer de chance, manquer de pot* (pop.). *Manquer de respect à quelqu'un* (→ Familièrement, cit.). *Manquer de parole* (→ Autoriser, cit. 16; employer, cit. 19). *Femme qui manque de chic, de grâce* (→ Liant,

cit. 2). *Teint qui manque d'éclat* (cit. 32). *Garçon* (cit. 12) *qui manque pas d'esprit. Vous ne manquez pas d'audace, de toupet !* — *Une critique* (2. Critique, cit. 6) *qui manque d'aménité. La comparaison manque de justesse* (→ 2. Instant, cit. 5). *Pensée qui ne manque pas de finesse* (→ Étonnant, cit. 7), *tableau qui ne manque pas d'expression* (cit. 27).

7 S'ils ont manqué de fidélité, ils ne croient pas avoir violé leur serment (...) CHATEAUBRIAND, Mémoires d'outre-tombe, t. II, p. 313.

8 Il se reprochait d'avoir manqué de réflexion, et presque de tact. J. ROMAINS, les Hommes de bonne volonté, t. III, XX, p. 277.

9 *(La princesse Palatine)* ne manquait ni de solide culture ni de goût. Émile HENRIOT, Portraits de femmes, p. 89.

10 — Le gars ne manque pas de culot, déclara le clairon Mulot (...) P. MAC ORLAN, la Bandera, V.

11 — Tout ce que je peux dire, c'est qu'on ne m'a jamais manqué de respect, à moi ! G. CHEVALLIER, Clochemerle, VII.

B. V. intr. ♦ **1.** *(Manquer à, dans, parmi...).* Ne pas être, lorsqu'il le faudrait; être en moins dans un ensemble (qui, de la sorte, n'est pas achevé, complet). *Argent qui manque dans un compte :* déficit. *Boutons qui manquent à une chemise* (→ Linge, cit. 5). *« Il ne manque pas un bouton de guêtre* * *» :* tout est fin prêt. *Rien ne manquait au festin* (cit. 1). *Voyez si rien ne manque, si tout est là. Mot qui manque dans un texte, une phrase...* (→ 1. Garde, cit. 51). *Fournir ce qui manque* (⇒ **Compléter, suppléer**).

Impers. *Il manque deux pages à ce livre. Vers boiteux* * *auquel il manque une syllabe. Il n'y manque pas un iota*.* Fam. *Il lui manque toujours un sou, dix-neuf sous pour faire un franc.* — *Il lui manque un bras, un œil* (→ Dessert, cit. 1). *Un homme à qui il ne manque rien pour y arriver* (cit. 34), *qui a tout ce qu'il faut pour... « Il n'a manqué à Molière que d'éviter le jargon et le barbarisme »* (cit. 2, La Bruyère). *Il ne manque que la parole,* se dit d'une bête intelligente, et aussi, d'un portrait, d'une statue où la ressemblance, la vie sont parfaitement rendues (→ Caractère, cit. 23). *Il ne manque qu'une chose à notre bonheur, à notre satisfaction* (→ Espèce, cit. 21).

12 Intrépide, et partout suivi de la victoire,
Charmant, fidèle enfin, rien ne manque à sa gloire. RACINE, Andromaque, III, 3.

13 Rien ne manque à sa gloire, il manquait à la nôtre. VOLTAIRE, Sur le buste de Molière, in GUERLAC.

14 ... *(ce seigneur)* à qui il ne manquait que d'être noble pour être gentilhomme. MARIVAUX, le Paysan parvenu, I, p. 193.

15 Quand on est roi, que peut-il manquer? — d'être Dieu. STENDHAL, Armance, X.

16 Rien n'est complet; à tout il manque quelque chose. HUGO, la Légende des siècles, XLVIII, I.

17 (...) il eut tout à coup la sensation qu'il lui manquait quelque chose, comme il arrive lorsque l'on vient de perdre la bague que l'on portait toujours au doigt. MARTIN DU GARD, les Thibault, t. II, p. 80.

Loc. (XIXe). Par antiphr. *Il ne manquait plus que cela !,* se dit d'une chose qui met « le comble à une situation qui déjà n'était pas trop bonne, mais où *manquait,* pour être détestable, cette dernière circonstance » (G. et R. Le Bidois, *Syntaxe du franç. mod.,* II, 1924). ⇒ **Bouquet** (c'est le bouquet !), **comble** (c'est un, le comble !), **complet** (c'est complet !). *Voilà son fils malade ; il ne manquait plus que cela ! — Excusez-moi, je ne l'ai pas fait exprès. Il ne manquerait plus que cela ! — Il n'a pas insisté. Il n'aurait plus manqué que cela.* (Avec une subordonnée). *Il ne manquerait plus qu'il refusât !* : il ne manquerait plus que le fait que...

18 Il ne manquerait plus qu'il ne vînt pas voir sa mère avant tout le monde ! DUMAS fils, le Fils naturel, IV, 5.

Swann t'a présenté à Bergotte? Excellente connaissance, charmante relation ! s'écria ironiquement mon père. Il ne manquait plus que cela ! PROUST, À la recherche du temps perdu, t. III, p. 181.

♦ **2.** Être absent ou insuffisant (eu égard au besoin ou à une norme) soit en général (emploi absolu), soit par rapport à qqn *(manquer à qqn)* ou à un lieu *(manquer sur le marché, en magasin...).* ⇒ **Faute** (faire), **rare** (se faire)... *Le pain, le nécessaire manquait* (→ Abréger, cit. 5; gaspiller, cit. 2). *Les vivres vinrent à leur manquer* (→ Boucaner, cit. 1). *Denrées qui manquent sur le marché* (→ Fabuleux, cit. 9). *Ça ne manque pas. Produit qui manque en magasin. L'argent, les capitaux manquent* (→ Agent, cit. 3). *« C'est le fonds* * *(cit. 5) qui manque le moins »* (La Fontaine). *Le temps nous manque pour...* (→ 2. Frais, cit. 8). *Les mots me manquent pour vous dire mon émotion* (→ Je ne trouve pas de mots...). *La foi, l'affection lui a manqué* (→ Affectueux, cit. 3; aile, cit. 15). *Ce n'est pas cela qui lui manque :* il n'en manque pas, il en a beaucoup. *Ce ne sont pas les amis qui lui manquent. Les occasions ne manquent pas. Il n'y va pas, mais ce n'est pas l'envie qui lui en manque.*

Impers. *Il lui manque des fonds.*

20 Là où la charité manque, la loi est toujours cruelle. VOLTAIRE, Politique et Législation, Comment. liv. délits et peines, I.

21 La forêt ici manque et là s'est agrandie. HUGO, les Rayons et les Ombres, XXXIV.

22 Qu'est-ce que le monde peut m'offrir de bon? *Tout doit te manquer, tu dois manquer de tout !* Voilà l'éternel refrain qui tinte aux oreilles de chacun de nous (...) NERVAL, Trad. GŒTHE, Faust, I, p. 68.

23 Le mot ne manque jamais quand on possède l'idée. FLAUBERT, Correspondance, 1570, 10-14 mars 1876.

♦ **3.** (1546, Rabelais). Être absent (en parlant des personnes). *Man-*

quer à une convocation, à l'appel*. Élève qui manque trop souvent. ⇒ aussi **Absent, disparu, manquant.**

24 On se les montrait du doigt. On se chuchotait leurs noms. Pas un ne manquait à l'appel.   MARTIN DU GARD, les Thibault, t. VII, p. 54.

♦ **4.** *Impers.* Il vous manque un véritable ami. Il ne manque pas de gens qui pensent, pour penser que..., il y en a qui... Il ne manque pas de mauvaises langues (→ Incrimination, cit.).

25 Il ne manquait d'ailleurs pas de gens (...) pour me reprocher dans les réunions publiques, mes deux mille hectares de bois et mes vignobles.
                                       F. MAURIAC, le Nœud de vipères, II.

♦ **5.** (En parlant de personnes, de choses auxquelles on est très attaché). Faire cruellement défaut (à qqn). *Ses enfants lui manquent beaucoup depuis qu'ils sont en pension. New York leur manquait* (→ Intoxiquer, cit. 2).

(Av. 1654). Par euphém. ⇒ **Disparaître.** *Si vous veniez à nous manquer...*

Allus. littér. « *Un seul être* (cit. 21) *vous manque et tout est dépeuplé !* » (Lamartine).

♦ **6.** Ne pas être tel qu'il le faudrait. ⇒ **Faillir.**

a Ne pas tenir, ne pas soutenir. ⇒ **Dérober** (se). *La terre manqua sous ses pieds, lui manqua sous les pieds. Le pied lui manque.* ⇒ **Glisser.**

Par ext. Ne plus faire son office. *La voix lui manque* (→ Expirer, cit. 1). *Le cœur* (cit. 109) *lui manque.* ⇒ **Défaillir.**

26 (...) le terrain venant à manquer sous les pieds de leurs chevaux, ils les font nager (...)   RACINE, la Campagne de Louis XIV.

27 Effaré, les yeux obscurcis de larmes, Fouan trébucha, comme si la terre lui manquait, avec cette petite main qui se retirait de lui.   ZOLA, la Terre, V, II.

28 Trois pas plus loin, le pied vous manquait. On se retenait avec effroi. Et la femme disait : — Attention! Vous avez une marche à descendre!
                                       J. ROMAINS, les Copains, III.

b (Choses). Ne pas réussir. ⇒ **Échouer.** *L'expérience* (cit. 48) *a manqué. Il a fait manquer le coup.* ⇒ **Rater.**

29 (...) il ferait manquer le mariage (...) et échouer tous nos projets (...)
                                       LACLOS, les Liaisons dangereuses, LXVI.

30 Ce plan si sage, conçu si rapidement, exécuté en partie, devait manquer par un jeu du Hasard qui modifie tout ici-bas. BALZAC, Une fille d'Ève, Pl., t. II, p. 159.

c (Personnes). *Vx.* Commettre une faute, se tromper*. « *Tous les hommes peuvent manquer* » (Académie, 8e éd.). → **Nul** n'est infaillible*.

31 Il était (...) persuadé que ce prince ne pouvait manquer dans la conduite de ses entreprises.   RACINE, Hist. de Port-Royal.

32 (...) n'ai-je pas d'ailleurs conservé la modestie d'une jeune fille bien née? Si j'ai manqué en cela, dites-le moi, je me corrigerai.
                                       Th. GAUTIER, le Capitaine Fracasse, V.

★ **II.** *V. tr. ind.* MANQUER À... Idée d'action non réalisée.

♦ **1.** MANQUER À QQN, ne pas lui témoigner ce qu'il attend, ce qu'on lui doit (en fait de respect, d'égards, de fidélité,...). *Manquer aux hommes et à Dieu* (→ Culte, cit. 1). *Un enfant impoli*, irrévérencieux, qui manque à ses parents* (→ Dénaturer, cit. 10). *Il m'a gravement manqué.* ⇒ **Offenser** (→ Excuse, cit. 15). « *Je ne vous ai jamais manqué* », *paroles d'Henriette d'Angleterre mourante à l'adresse de son mari.*

33 S'il était possible que dans un âge de raison, j'eusse manqué essentiellement à mon père, je serais malheureux toute la vie, et que je n'est plus, et que ma faute serait aussi irréparable que monstrueuse. E. DE SENANCOUR, Oberman, XXXVIII.

34 Louis XIV jette sa canne par la fenêtre pour ne pas être tenté de frapper Lauzun qui lui avait manqué. TAINE, Philosophie de l'art, t. I, p. 87.

35 (...) à force d'avoir entendu, depuis le collège, les plus estimés de mes camarades ne pas souffrir qu'on leur manquât, ne pas pardonner un mauvais procédé, j'avais fini par montrer dans mes paroles et dans mes actions une seconde nature qui était assez fière. PROUST, À la recherche du temps perdu, t. XII, p. 109.

36 Un homme à qui on a manqué fera mille raisonnements d'abord pour confirmer l'offense; il cherchera des circonstances aggravantes, et il en trouvera (...)
                                       ALAIN, Propos, 24 déc. 1913, « À genoux ».

37 Comme il avait sans cesse peur qu'on ne lui manquât, j'étais sans cesse en souci de ne paraître point lui manquer. GIDE, Si le grain ne meurt, I, X, p. 268.

Spécialt. Manquer à soi-même, à son propre honneur, au respect de soi-même, à sa conscience. — *Pron. Se manquer à soi-même.*

38 Il est bientôt fait de couvrir de ce qu'on doit aux autres un certain art de se manquer à soi-même. ALAIN, Propos, 1er sept. 1923, Manteau d'Agamemnon.

♦ **2.** MANQUER À QQCH... : ne pas se conformer à (qqch. qu'on doit observer). *Manquer à son devoir* (cit. 17). ⇒ **Dérober** (se), **soustraire** (se). *Il manque à tous ses devoirs* (généralt employé iron., par plais.). *Manquer à l'honneur* (cit. 31), *à sa réputation*, *à sa naissance.* ⇒ **Déroger.** *Manquer à sa parole**. ⇒ **Dédire** (se); **trahir; déloyal, infidèle** (→ Déranger, cit. 7; facile, cit. 7). *Manquer à ses engagements* (cit. 4). ⇒ **Écarter** (s'), cit. 22; **éloigner** (s'). *Manquer à ses principes.* ⇒ **Écarter** (s'). *Manquer à une règle* (→ Abdiquer, cit. 3), *à un devoir* (→ Coutume, cit. 4), *aux lois du beau langage* (→ Cuisine, cit. 5). ⇒ **Enfreindre, violer.** *Manquer aux convenances* (→ Café, cit. 5).

39 (...) rester toujours maître de tenir ma parole, ou d'y manquer (...)
                                       LACLOS, les Liaisons dangereuses, XL.

40 (...) Julien se sentit bientôt parfaitement isolé au milieu de cette famille. Tous les

usages lui semblaient singuliers, et il manquait à tous. Ses bévues faisaient la joie des valets de chambre.   STENDHAL, le Rouge et le Noir, II, III.

41 Manquer à tout à la fois, à l'amour, à l'amitié, à sa parole! Donner à sa poltronnerie le prétexte du patriotisme!   HUGO, les Misérables, IV, XIII, III.

Par ext. (Sujet n. de chose). *Définition qui manque à l'exactitude* (cit. 17). ⇒ **Pécher** (contre).

42 (...) ces carnets manquent à l'objectivité et font place à des considérations personnelles.   CAMUS, la Peste, p. 296.

♦ **3.** *Vx ou littér.* MANQUER À... (et inf.) : négliger (de faire) ou ne pas parvenir (à faire). *Manquer à donner un conseil.*

43 Et voilà qu'on la chasse avec un grand fracas,
A cause qu'elle manque à parler Vaugelas.   MOLIÈRE, les Femmes savantes, II, 7.

44 Toutes les bonnes maximes sont dans le monde; on ne manque qu'à les appliquer.
                                       PASCAL, Pensées, VI, 380.

45 Au dernier moment, il le rappela, lui fit signe de se pencher, comme s'il craignait que sa voix ne manquât à se faire entendre (...)
                                       GIDE, les Faux-Monnayeurs, III, X.

46 On ne manquera pas à observer que des stylistes au-dessus de toute contestation n'ont pas trouvé place dans ce panorama du « bien écrire ».
                                       Yves GANDON, le Démon du style, p. XVII.

Mod. (toujours négatif). *Je n'y manquerai pas :* je le ferai à coup sûr (→ Honorer, cit. 11). *Rappelez-moi au bon souvenir de vos parents — Je n'y manquerai pas.*

Vx (sans compl.). SANS MANQUER : sans faute*. ⇒ **Immanquablement.**

47 Je dois faire aujourd'hui vingt postes sans manquer.   LA FONTAINE, Fables, II, 15.

(1773). *Mar. Manquer à virer* (pour un voilier) : ne pas pouvoir achever la manœuvre de virement de bord.

♦ **4.** *Vieilli ou littér.* MANQUER DE... (et inf., en tournure positive) dans le même sens que *manquer à...* — REM. On trouve encore ce tour chez de bons écrivains, mais l'emploi courant de *manquer de...* au sens de « faillir » (→ *infra*), tend à en restreindre l'usage.

48 On manqua aussi de payer à la princesse d'Orange quelques sommes promises à son mari.   RACINE, Fragments et notes historiques, XXXVI.

49 Je vais ne rien épargner pour vous mériter; et, si je manque d'y réussir, ce ne sera pas faute d'attention.   A.-R. LESAGE, Turcaret, III, 11.

50 (...) oui, j'ai péché plusieurs fois par gourmandise; j'ai manqué de faire maigre deux fois, pour la vigile de la Pentecôte (...)
                                       J. ROMAINS, les Hommes de bonne volonté, t. VIII, VIII, p. 81.

51 Il avait une grande amitié pour les bêtes et manquait de vendre un cheval à bon prix pour le plaisir de le garder huit jours de plus (...)
                                       M. AYMÉ, la Jument verte, II.

Mod. (Toujours négatif). ⇒ **Négliger, omettre, oublier.** *Ne pas manquer de faire... Ne pas manquer d'aller visiter quelqu'un* (→ Album, cit. 1), *de venir le voir* (→ Fâcherie, cit. 3). *Elle ne manquait jamais de m'accueillir* (→ Appliquer, cit. 33). *Par plais. Il ne manquait pas d'y faillir** (cit. 10, Molière). — *Ne pas manquer d'être...* : être certainement. *On ne peut manquer d'être frappé* (cit. 45) *par... Elle ne manquera pas d'être étonnée par cette nouvelle.* ⇒ **Laisser.**

52 Mon cher président, je ne manquerai pas de vous informer dès que nous aurons le pied à l'étrier (...)   J. ROMAINS, les Hommes de bonne volonté, t. V, VI, p. 46.

53 (...) on n'avisait les premiers de la liste (...) qui ne manquaient pas de se présenter.
                                       CAMUS, la Peste, p. 195.

(Sujet n. de chose). *Manquer de* (avec la valeur de « ne pas »). *Ça ne peut manquer d'arriver :* ça arrivera certainement, inévitablement, ça ne peut pas ne pas arriver (⇒ **Immanquablement**). *La nouvelle ne manquera pas de faire scandale.*

Ellipt. et fam. Ça n'a pas manqué : c'est arrivé inévitablement.

54 (...) et qui vous empêcherait d'acheter un petit fonds de commerce qui ne manquerait pas de prospérer?   A. DE MUSSET, Nouvelles, « Croisilles », III.

55 Ça n'a pas manqué : sitôt le café ouvert, voilà cette créature qui commence son vilain manège (...)   G. CHEVALLIER, Clochemerle, VIII.

(Semi-auxiliaire). Être sur le point, être tout près (de faire, d'être...). ⇒ **Faillir, penser, risquer.** *Il a manqué de tomber, de mourir...* (→ Il s'en est fallu* de peu que...). *Manquer d'être renversé, de se faire écraser par une voiture.*

REM. 1. La construction de *manquer* sans la préposition *de* (par attraction de *faillir*) qui était jugée fautive par Littré est aujourd'hui admise par l'Académie : *Il a manqué mourir.* → ci-dessous cit. 58, 59.

2. *Manquer* est d'un emploi plus restreint que *faillir* et ne se dit que de choses désagréables qui ne se sont pas réalisées, le plus souvent d'accidents.

3. Académie, 8e éd. définit *manquer* par « être sur le point d'éprouver... », mais on le trouve employé avec un infinitif suivi d'un objet (→ ci-dessous cit. 57, Beaumarchais, et 60, Cocteau).

56 La langue moderne exprime qu'une chose a été tout près de se réaliser par les verbes *faillir* ou *manquer* suivis d'un infinitif : *Le coup a failli l'atteindre; nous avons manqué de verser.*   F. BRUNOT, la Pensée et la Langue, p. 526.

57 — Après que j'ai manqué, pour ces maudits cent écus, d'assommer vingt fois monsieur, qui se trouve aujourd'hui mon père!
                                       BEAUMARCHAIS, le Mariage de Figaro, III, 16.

58 Pendant une éclipse, elle avait manqué mourir.   FLAUBERT, Salammbô, III.

59 — Les servantes avaient trop savonné les dalles (...) J'ai manqué glisser moi aussi.
                                       GIRAUDOUX, Électre, II, 8.

60 Gérard traversait une rue. Dargelos avait manqué de l'écraser en pilotant une petite voiture.   COCTEAU, les Enfants terribles, p. 199.

61 Celle-ci *(Déjanire)*, pour passer un fleuve, ayant accepté l'offre du Centaure Nessus de la prendre en croupe, manqua d'être violée par ce Nessus.
                          Émile HENRIOT, *Mythologie légère*, p. 109.

★ III. V. tr. dir. (1652, La Rochefoucauld). Idée d'échec.

♦ 1. Ne pas réussir. ⇒ **Louper, rater.** *Manquer un travail, une photo, un gâteau... Manquer son coup** (cit. 57). *La flèche a manqué son coup* (cit. 24). *Ironie corrosive* (cit. 5) *qui manque rarement son effet.* — *Manquer sa vie* (faute de réaliser les espoirs, les aspirations, les ambitions que l'on nourrissait).

62 Prends garde, mon Bourreau, de ne te point troubler !
Tu manqueras ton coup, car je te fais trembler !
                          CYRANO DE BERGERAC, *Œuvres diverses*, « Mort d'Agrippine », v, 8.

63 (...) Désespéré d'avoir manqué son crime,
Sans doute il a voulu prendre cette victime.   RACINE, *Bajazet*, v, 10.

64 Alors la sensation d'avoir tout manqué dans sa vie, sensation dont il était depuis longtemps obsédé, s'abattit sur lui et l'anéantit. Il n'avait rien fait, rien réussi, rien obtenu, rien vaincu.   MAUPASSANT, *Notre cœur*, II, VI.

65 Et voilà que je suis tué, dans une embûche,
Par derrière, par un laquais, d'un coup de bûche !
C'est très bien. J'aurai tout manqué, même ma mort.
                          Edmond ROSTAND, *Cyrano de Bergerac*, v, 6.

♦ 2. Ne pas atteindre (un but), ne pas toucher. *Manquer une cible, son objectif.* — Ne pas attraper. *Manquer une balle.*

Loc. verb. *La manquer belle* (vx) : rater une bonne balle, et, fig., une bonne occasion (→ ci-dessous, cit. 67). — REM. On dit de nos jours *l'échapper* belle.* ⇒ **Beau** (cit. 78).

66 Un écureuil sautant, gambadant sur un chêne,
Manqua sa branche, et vint, par un triste hasard,
Tomber sur un vieux léopard.   FLORIAN, *Fables*, v, 9.

67 Ah ! que nous l'avons manqué belle ! il allait me donner le trousseau. La clef de la jalousie n'y est-elle pas ?   BEAUMARCHAIS, *le Barbier de Séville*, III, 6.

Spécialt. Ne pas réussir à tuer. *Manquer une proie, une victime. Manquer un grèbe* (cit. 1) *à la chasse. Il le guetta* (cit. 4) *et le manqua de peu.* — Pron. *Se manquer :* ne pas réussir son suicide.

68 Depuis l'aube, dit-il, je cours, dans cette plaine,
Après un vieux chevreuil que j'ai manqué deux fois,
Et qui m'a mis tout hors d'haleine.   FLORIAN, *Fables*, I, 12.

69 Un médecin de village allait visiter un malade au village voisin. Il prit avec lui un fusil pour chasser en chemin et se désennuyer. Un paysan le rencontra, et lui demanda où il allait. — Voir un malade. — Avez-vous peur de le manquer ?
                          CHAMFORT, *Caractères et anecdotes*, « Le médecin armé ».

70 D'ailleurs peut-être manquerez-vous votre coup ! ce serait impardonnable, on ne doit jamais manquer sa femme quand on veut la tuer.
                          BALZAC, *le Colonel Chabert*, Pl., t. II, p. 1132.

71 (...) tu le laisses sans le sou ; et tu te tues, toi, il se manque. Un suicide manqué, c'est aussi ridicule qu'un duel sans égratignure.
                          BALZAC, *Une fille d'Ève*, Pl., t. II, p. 164.

72 Les armes qui nous ont manqués rajustent leur tir.
                          SAINT-EXUPÉRY, *Pilote de guerre*, XXI.

Par ext. *Le destin ne l'a pas manqué,* l'a pris comme victime (→ Avertir, cit. 26).

Fig. *Ne pas manquer quelqu'un,* l'atteindre à coup sûr en lui donnant une leçon, en lui portant tort... *Je ne manquerai pas le premier qui me manquera* (→ Insulte, cit. 3, Rousseau). *La prochaine fois, je ne te manquerai pas :* je me vengerai de toi, je t'aurai.

♦ 3. Ne pas rencontrer (la personne que l'on voulait voir). → Jeter, cit. 41. *Je vous ai manqué de peu.* — Pron. (sens récipr.). *Il m'attendait à la gare, mais nous nous sommes manqués.*

73 Car deux moments plus tard, je vous manquais encore.
                          MOLIÈRE, *les Fâcheux*, III, 2.

♦ 4. S'abstenir d'assister, d'être présent à. *Manquer un cours, la classe* (→ fam. Sécher).

Par ext. *Manquer l'école, la messe* (→ Coutume, cit. 16), *le début de la séance, un rendez-vous* (→ Faire faux bond* à). *Un spectacle à ne pas manquer. Il ne manquait pas un seul de ses discours* (→ Boire, cit. 32).

74 Souvent, il avait tort, et ses injustices exaspéraient la petite. Elle en vint à manquer l'atelier (...)   ZOLA, *l'Assommoir*, t. II, XI, p. 175.

75 Tous ceux des passagers qui ne croient pas en un Dieu trop rancunier et qui avaient manqué la messe (...)   GIRAUDOUX, *Suzanne et le Pacifique*, III.

♦ 5. Ne pouvoir prendre (un moyen de transport public) parce qu'on est en retard. *Manquer son train* (→ Crier, cit. 21), *un bateau, un courrier* (cit. 4), *la correspondance.* — Loc. fig. *Manquer le coche*.*

76 (...) vous voulez nous faire manquer le train ?
                          COURTELINE, *le Train de 8 h 47*, II, VIII.

♦ 6. Laisser passer, laisser échapper* (quelque chose de profitable). ⇒ **Perdre** (cf. Passer à côté de...). *Manquer une occasion* (⇒ **Gâcher**), *une offre, une vente* (→ Coucheur, cit. 2). *Ne pas manquer une occasion de faire plaisir* (→ Attacher, cit. 82). — Ellipt., fam. *Il n'en manque pas une !* (une occasion de dire des bêtises, de faire une maladresse, des gaffes). *Vous n'avez pas vu ce film ? Eh bien, vous n'avez rien manqué !* (→ Vous n'avez pas perdu* grand-chose).

77 — Tu as manqué ta vocation, fit-il en ricanant. Tu étais né policier !
                          MARTIN DU GARD, *les Thibault*, t. IV, p. 78.

Nous ne voulons rien manquer de notre temps : peut-être en est-il de plus beaux, mais c'est le nôtre (...)   SARTRE, *Situations II*, p. 13. 78

▶ MANQUÉ, ÉE p. p. et adj. (1560).

♦ 1. Qui n'est pas réussi. ⇒ **Raté.** *Coup manqué. Des projets manqués. Tentatives inutiles et expériences manquées* (→ Frauder, cit. 7). *Une vie manquée, gâchée** (→ Cri, cit. 23). *Essai, livre manqué* (→ Injurier, cit. 1). *Tout est manqué !* ⇒ **Fichu, foutu, perdu, râpé.**

Fruit sec des concours, il regrettait Paris, et c'était la conscience de sa vie manquée qui lui donnait un air morose.   FLAUBERT, *Bouvard et Pécuchet*, VI. 79

Voici les photos d'Eyoub, lui dit-elle (...) mais elles sont manquées. Nous recommencerons aujourd'hui même (...)   LOTI, *les Désenchantées*, III, XIII. 80

♦ 2. (En parlant de personnes). Vx. Qui n'a pas réussi. « *Un poète, un général manqué,* qui n'a pas ce qu'il faut pour être bon général, bon poète » (Hatzfeld).

Mod. *Un politicien, un juriste... manqué,* qui en a la vocation, sans en avoir l'état ; qui est tel par occasion et non par profession (→ Manquer, rater* sa vocation). *Le docteur est un cuisinier manqué,* il cuisine admirablement quand il s'en mêle.

Loc. *Un garçon manqué :* une fille qui a des allures, des occupations, des goûts de garçon.

(...) il m'a toujours semblé que la femme brune était un garçon manqué. 81
                          BALZAC, *Mémoires de deux jeunes mariées*, Pl., t. I, p. 295.

♦ 3. Qui n'est pas atteint, qui n'est pas touché. *Objectif manqué. Touché ! Manqué !*

♦ 4. À quoi l'on a été absent. *Cours manqué ; leçon manquée.*

Un rendez-vous manqué, c'est déjà très pénible. 82
                          J. ROMAINS, *les Hommes de bonne volonté*, t. III, XXIII, p. 322.

♦ 5. Qu'on a laissé échapper, laissé perdre. *Une occasion manquée.*

(...) une occasion manquée se retrouve, tandis qu'on ne revient jamais d'une démarche précipitée.   LACLOS, *les Liaisons dangereuses*, XXXIII. 83

CONTR. Avoir, plein (être plein de), regorger. — Abonder, exister, surabonder. — Acquitter (s'). — Exécuter, respecter, tenir (ses engagements). — Réussir. — Aboutir, arriver (au but), atteindre, attraper, saisir, toucher. — Rencontrer. — Assister (à), présent (être). — Avoir, prendre (un véhicule). — Saisir (une occasion).
DÉR. Manquant, 2. manque, manqué, manquement.
COMP. Immanquable, immanquablement.

MANSARD ou **MANSART** [mɑ̃saʀ] n. m. — 1549, *-ard ; coulon manssart,* 1420 ; orig. obscure, p.-ê. du lat. médiéval *mansa.*

♦ Régional. Pigeon ramier.

MANSARDE [mɑ̃saʀd] n. f. — 1676, du nom de l'architecte *Mansard,* considéré, à tort, comme l'inventeur de ce mode de couverture, qu'il utilisa admirablement.

♦ 1. Comble* brisé à quatre pans, dit aussi *comble à la Mansard* ou *à la mansarde. Mansardes d'un toit* (→ Entablement, cit. 2 ; établissement, cit. 8). — *En mansarde,* disposé avec ce type de comble

♦ 2. (1782). Cour. Chambre* aménagée dans un comble brisé (⇒ **Galetas, grenier**) ; pièce dont un mur au moins est en pente du fait de la toiture. *Lucarnes*, plafond bas d'une mansarde. Mansarde aux murs jaunes et sales* (→ Étude, cit. 6). *Coucher dans une mansarde* (→ Grenier, cit. 7).

Pour la grisette et pour l'artiste, 1
Pour le veuf et pour le garçon,
Une mansarde est toujours triste :
Le grenier n'est beau qu'en chanson.
                          Th. GAUTIER, *Émaux et Camées*, « La mansarde ».

C'est une petite chambre au cinquième, une de ces mansardes où la pluie tombe 2
droite sur les vitres à tabatière, et qui — la nuit venue, comme maintenant — semblent se perdre avec les toits, dans le noir et dans la rafale.
                          Alphonse DAUDET, *Contes du lundi*, « La soupe au fromage ».

(...) je m'étais réfugié dans une des mansardes, au grenier. Elles étaient lambrissées 3
très bas, recevaient peu de jour, peu d'air, se révélèrent brûlantes en été, sibériennes dès novembre.   G. DUHAMEL, *Chronique des Pasquier*, III, VI.

♦ 3. Abusivt. Petite fenêtre (ou lucarne) pratiquée dans un comble brisé (→ Fermer, cit. 36).

DÉR. Mansardé.

MANSARDÉ, ÉE [mɑ̃saʀde] adj. — 1844, Balzac ; de *mansarde.*

♦ 1. Archit. Disposé en mansarde. *Membron* d'un comble mansardé.*

♦ 2. Cour. *Chambre, pièce mansardée,* dont une paroi est en pente du fait de l'inclinaison du toit (→ Horizon, cit. 14 ; et aussi fermer, cit. 19). — *Étage mansardé,* dont les chambres sont des mansardes.

On nous avait donné une chambre assez jolie. Elle était très légèrement mansardée. Deux fenêtres, petites et propres, s'enfonçaient loin dans le mur.
                          J. ROMAINS, *le Dieu des corps*, v.

1. MANSE [mãs] n. m. — 1732; *mans*, XIIᵉ; lat. médiéval *mansus*, fém. *mansa*, p. p. de *manere* «demeurer».

♦ Hist. Petit domaine féodal constituant une unité d'exploitation agricole.

1 Le monastère de Saint-Martin d'Autun possédait sous les Mérovingiens cent mille manses. La manse était un fonds de terre dont un colon se pouvait nourrir avec sa famille, et payer le cens au propriétaire.
CHATEAUBRIAND, Analyse raisonnée de l'hist. de France, 2ᵉ race, p. 34.

Par ext. Vx. Toute habitation* ou propriété rurale.

2 À l'angle de la manse se dresse un clocheton de pierre (...)
Th. GAUTIER, Souvenirs de théâtre..., «Dessins de V. Hugo».

HOM. Mense.

2. MANSE [mãs] ⇒ **Mense**.

MANSION [mãsjõ] n. f. — V. 1155, «demeure, habitation»; lat. *mansio, mansionem* «séjour, demeure».

♦ 1. (1596). Antiq. rom. Étape, relais* de poste.

♦ 2. (XIIIᵉ). Théâtre. Chaque partie du décor simultané, sur une scène de théâtre, au moyen âge. *Les mansions utilisées dans la représentation des mystères.*

Comme dans la fresque (...) le vaste plateau dramatique juxtapose scènes et lieux divers que symbolisent les *mansions* (littéralement, les «demeures»), parmi lesquelles certaines, obligées, circonscrivent l'espace mythique du chrétien : le paradis (avec ses anges musiciens, sa roue solaire, etc.), les limbes et l'enfer (...) Quant aux autres mansions, tout un système de signes permettait au spectateur de les reconnaître : ainsi, dans la *Passion de Valenciennes*, l'ensemble des signes concourt à faire du palais «un blason complet de la royauté ou du pouvoir»...
(E. Konigson).   J.-P. RYNGAERT et D. COUTY, *in* le Théâtre, p. 20-21.

DÉR. Mansionnaire.
HOM. Mention.

MANSIONNAIRE [mãsjɔnɛʀ] n. m. — XVIᵉ; de *mansion*, et *-aire*.

♦ 1. Antiq. rom. Intendant chargé de diriger une mansion.

♦ 2. Hist. ecclés. Clerc* préposé à la garde et à l'entretien d'une église.

MANSUÉTUDE [mãsɥetyd] n. f. — V. 1265; *mansuetume*, v. 1190; *mansuetudine*, v. 1170; rare jusqu'au XVIIIᵉ; lat. *mansuetudo*.

♦ Littér. Disposition à pardonner généreusement. ⇒ **Bénignité, bienveillance, bonté, douceur, indulgence** (cit. 9; → Gamme, cit. 12). *Mansuétude touchante qui gagne* (cit. 32) *le cœur. Juger un forfait avec mansuétude* (→ Complaisance, cit. 14).

1 (...) tout son visage, toute sa personne (...) respiraient une ineffable bonté. Elle avait toujours été prédestinée à la mansuétude; mais la foi, la charité, l'espérance, ces trois vertus qui chauffent doucement l'âme, avaient élevé peu à peu cette mansuétude jusqu'à la sainteté.   HUGO, les Misérables, I, II, II.
2 Vous êtes pleine de mansuétude. Moi, il y a des jours où la colère m'étouffe.
FLAUBERT, Correspondance, 1224, 14 nov. 1871.
3 L'Église a des trésors de mansuétude pour le pécheur.
Louis BERTRAND, Louis XIV, III, IV.

CONTR. Inclémence, rigueur, sévérité.

MANTA [mãta] ou **MANTE** [mãt] n. f. — D. i. (XXᵉ ?); lat. zool. *manta*, de l'esp. *manta*, proprt «couverture», attesté comme nom de ce poisson en Amérique du Sud dès le XVIIIᵉ.

♦ Zool. Raie* cornue (dite aussi *diable de mer*).

Enfin la Mante ou Raie-Cornue *(manta birostris)* peut atteindre de grandes dimensions : 8 m d'envergure et un poids de plusieurs tonnes; chaque pectorale se prolonge en avant de la tête en une espèce de rostre.
R. et M.-L. BAUCHOT, les Poissons, p. 63.

HOM. 1. Mante, 2. mante (mante religieuse), menthe, formes du verbe mentir.

1. MANTE [mãt] n. f. — 1404; anc. provençal *manta*, lat. médiéval *manta*, var. fém. du bas lat. *mantus*.

♦ 1. Ancienn. Grand voile de crêpe noir traînant jusqu'à terre que portaient les dames aux deuils de la cour.

♦ 2. Vêtement* de dessus, ample et sans manches, généralement porté par les femmes et quelquefois par les hommes. ⇒ **Manteau** (→ Haillon, cit. 1; harpe, cit. 2). *«S'envelopper chaudement dans une mante»* (Académie). *Mante à capuchon.*

(...) les femmes enveloppées dans leurs grandes mantes brunes où les enfants se serraient et s'abritaient.
Alphonse DAUDET, Lettres de mon moulin, «Trois messes basses».

♦ 3. Manteau que portent certaines religieuses.

HOM. Mante (V. Manta), 2. mante, menthe, formes du verbe mentir.

2. MANTE [mãt] n. f. — 1734; lat. zool. *mantis*, mot grec «prophétesse», par allus. à «la position favorite de l'insecte, les pattes antérieures repliées et jointes» (Dauzat).

♦ Insecte dictyoptère* *(Mantidés)*, carnassier des régions tempérées appelé aussi *prie-Dieu, religieuse*, pour son attitude évoquant la prière. (→ Conglutiner, cit. 1). *La mante femelle dévore souvent le mâle après l'accouplement.* — REM. Le syntagme *mante religieuse* est un pléonasme étymologique.

1 (...) ce sont les femelles des mantes bien plus fortes que les mâles (...) qui se livrent à la lutte pour l'amour (...) Elle est polyandre, cette femelle terrible. Alors que les autres insectes refusent le mâle, quand leurs ovaires ont été fécondés, la mante en accepte deux, trois, quatre, jusqu'à sept : et cette barbe-bleue, l'œuvre accompli, les croque sans rémission.
R. DE GOURMONT, Physique de l'amour, XIV.

2 *(toi)* Qui donnas à la mante un aspect religieux
Pour le mâle croqué qui se souvient des cieux.
R. QUENEAU, Petite cosmogonie portative, p. 141.

Fig. *Une mante religieuse :* une femme cruelle à l'égard des hommes, qui les «dévore».

HOM. Mante (V. Manta), 1. mante, menthe, formes du verbe mentir.

MANTEAU [mãto] n. m. — V. 1300; *mantel*, v. 980; du lat. médiéval *mantellus*, dimin. de *mantus*. → 1. Mante.

★ I. ♦ 1. Vêtement* avec ou sans manches, qui se porte par-dessus les autres vêtements et recouvre le corps depuis les épaules jusqu'au-dessous de la ceinture au moins, généralement pour protéger contre le froid, les intempéries.

REM. La plupart des dictionnaires, à la suite de Littré, définissaient le manteau comme un vêtement «sans manches», du moins pour le manteau masculin. De nos jours, le manteau d'homme est en général avec manches. La longueur du manteau est variable selon les circonstances de temps et de lieu depuis le manteau court des mousquetaires jusqu'à l'ample burnous des Arabes.

Manteau de drap, de loden (ellipt, *un loden*), *de tweed, de velours* (→ Brillant, cit. 18). *Manteau de pourpre* (→ Épine, cit. 1). *Manteau de caoutchouc* (cit.), *de cuir... Manteau de peau. Manteau de fourrure. Manteau de loutre* (→ Fond, cit. 22), *de vison... Manteau en peau de chèvre* (⇒ **Limousine**; → Jupe, cit. 9), *de mouton, en poil de chameau... Manteau chaud, doublé, fourré* (cit. 36; ⇒ **Pelisse**), *léger* (⇒ **Cache-poussière**), *ouaté. Doublure d'un manteau. Manteau court.* ⇒ **Auto-coat** (cit.), *paletot, trois-quarts. Manteau habillé, (de) sport. — Manteau à capuchon* (⇒ **Capot**, vx), *à ceinture, à collet** (cit. 3), *à martingale*. Pans d'un manteau* (→ 1. Basque, cit. 2; crgot, cit. 2). — (1909). *Manteau de pluie* (⇒ **Gabardine, imperméable, mackintosh, waterproof**). — *Manteaux sans manches.* ⇒ **Burnous, cagoule, cape, chape** (cit. 1), **macfarlane, 1. mante, mantelet, manteline** (vx), **pèlerine, poncho, rotonde** (vx).

Vieux manteau râpé (→ Envahissement, cit. 3). *Manteau élégant qui dissimule des habits misérables* (⇒ **Cache-misère**). — *Le long manteau qui la couvre* (→ Gracieux, cit. 8). — *Prendre son manteau* (→ 2. Exprès, cit. 5), *jeter un manteau sur ses épaules, pour sortir. Sortir sans manteau* (→ En taille*) *Homme drapé, emmitouflé dans un manteau, enveloppé d'un manteau* (→ Groupe, cit. 3). *Dégrafer* (cit. 1), *défaire, déboutonner, ouvrir son manteau. Accrocher* (cit. 1) *son manteau à un porte-manteau*. Laisser son manteau au vestiaire*. — Arrêter, attraper, prendre, tirer qqn par son manteau* (→ Avec, cit. 1), *par le bord, le pan de son manteau.* — Allus. bibl. *Le manteau de Noé* (→ ci-dessous, cit. 1).

1 Noé (...) but du vin, s'enivra, et se découvrit au milieu de sa tente. Cham (...) vit la nudité de son père, et il le rapporta dehors à ses deux frères. Alors Sem et Japhet prirent le manteau, le mirent sur leurs épaules, marchèrent à reculons et couvrirent la nudité de leur père (...)   BIBLE (SEGOND), Genèse, IX, 20 à 23.
2 Nous n'eûmes sur le dos jamais un bon manteau.   Mathurin RÉGNIER, Satires, II.
3 Les manteaux relevés par la longue rapière,
Hélas! ne passaient plus dans ce jardin sans voix.   HUGO, les Voix intérieures, XVI.
4 (...) n'oubliez pas un manteau brun garni d'un capuchon, qui sert de couverture et de matelas.   MÉRIMÉE, Mosaïque, «Mateo Falcone».
5 Pendant un hiver plus rude que d'ordinaire (...) il *(saint Martin)* rencontre à la porte d'Amiens un pauvre tout nu (...) Martin n'avait que son manteau; il avait donné tout le reste; il prend son épée, le coupe en deux et en donne la moitié au pauvre. Quelques-uns des assistants se mirent à rire de le voir ainsi demi-vêtu et comme écourté (...) Mais la nuit suivante Jésus-Christ lui apparut couvert de cette moitié de manteau dont il avait revêtu le pauvre.
MICHELET, Hist. de France, I, III.

Ancienn. *Manteau à la Crispin*, dit aussi *Crispin** (→ Houppelande, cit. 2). — *Abbé* (cit. 3) *en manteau court, en petit manteau,* en «petit manteau de soie noire qui ne dépassait pas le genou et que les ecclésiastiques mettaient avec l'habit court lorsqu'ils allaient dans le monde» (Académie). — Loc. *Manteau couleur de muraille :* manteau de couleur terne (grise; sombre) porté par ceux qui ne voulaient pas être remarqués quand ils se rendaient à un rendez-vous galant, à une réunion de conspirateurs, etc.

Spécialt. ▣ *Manteau d'homme.* ⇒ **Pardessus, raglan, ulster; balandran** (vx). *Manteau d'ecclésiastique* (⇒ **Douillette**), *de marin* (⇒ **Caban**), *de soldat* (⇒ **Capote**). — Ancienn. *Manteau des Gaulois* (⇒ **Saie**), *des hommes d'armes du moyen âge* (⇒ **Tabard**), *des mousquetaires* (⇒ **Casaque**, cit. 2), *des laquais* (⇒ **Mandille**)... — Antiq. grecque et rom. ⇒ **Chlamyde, épitoge, himation** (cit.), **pallium, toge.**

6 Le manteau de spahi, rouge, et de drap fin (...)
COLETTE, la Maison de Claudine, p. 125.

7   Les officiers attendaient, bien enveloppés dans leurs grands manteaux kaki, qu'ils avaient fait doubler de flanelle blanche.

P. MAC ORLAN, la Bandera, XIII.

b *Manteau de femme.* — Spécialt. Mod. Vêtement féminin à manches, droit, cintré ou ample, qui se porte sur la robe ou sur le tailleur. *Manteau de lainage, de fourrure. Manteau habillé, sport, de voyage. Manteau court. Manteau à capuche. Manteau d'hiver, d'été, de demi-saison. Manteau de voyage.*

c Hist. Grand manteau sans manches (porté par de grands personnages). *Manteau de cérémonie, à traîne. Manteau de cour. Manteau ducal* (→ Fleuron, cit. 1), *royal* (→ Hostile, cit. 4). ⇒ **Mantelet.**

d Par anal. *Chien de luxe en manteau écossais.*

♦ **2.** Littér. Par compar. *Humidité* (cit. 2) *qui tombe sur les épaules comme un manteau glacé.*

Par métaphore. *Manteau d'ignorance* (cit. 15). — Poét. *Le manteau de la nuit* : le firmament (→ Étoile, cit. 11).

8   Le temps a laissé son manteau
De vent, de froidure et de pluie.   Ch. D'ORLÉANS (→ Froidure, cit. 2).

9   Et quand descend le soir au manteau d'écarlate (...)

BAUDELAIRE, les Épaves, Pl., t. I.

10   Quand des jours se passent ainsi sans des lettres de vous, un lourd manteau de tristesse nous écrase les épaules, et tout devient terne, et la mer, et le ciel, et nos cœurs.   LOTI, les Désenchantées, V, XXXVII.

Par ext. Ce qui recouvre entièrement quelque chose. *Le mur disparaissait sous un manteau de vigne-vierge.*

11   (...) c'étaient des forêts et des forêts : à perte de vue, sur les collines et les montagnes, s'étendait ce superbe et sauvage manteau vert, qui abrite encore ses brigands et ses ours.   LOTI, les Désenchantées, IV, XXV.

Fig. Ce qui sert à cacher, à dissimuler (⇒ **Enveloppe, voile**). *Se faire un bouclier du manteau de la religion* (→ Hypocrisie, cit. 10). *Un manteau d'hypocrisie* (cit. 7). — *Amour qui se couvre* du manteau de l'indifférence (⇒ **Masque**), *qui se cache sous le manteau de l'amitié.* ⇒ **Abri** (à l'abri de), **prétexte, semblant.**

12   — L'imposteur! — Comme il sait, de traîtresse manière,
Se faire un beau manteau de tout ce qu'on révère !   MOLIÈRE, Tartuffe, V, 7.

13   Enfin, j'ai trouvé dans ma renommée de bienfaisance et dans mes pieuses occupations un manteau pour protéger ma conduite.   BALZAC, le Curé de village, Pl., t. VIII, p. 763.

14   Toutes les folies meurtrières et sadiques, ils les couvrent alors de l'antique et pieux manteau de l'Exorcisme !   HUYSMANS, Là-bas, V.

Loc. cour. SOUS LE MANTEAU. ⇒ **Clandestinement, secrètement** (→ Sous-main). *Ouvrage satirique vendu sous le manteau, qu'on se passe sous le manteau* (→ Écueil, cit. 5). *Livre publié sous le manteau.*

15   Gautier lui écrivait des lettres absolument impubliables — et qui ont été publiées, pourtant, sous le manteau.   Émile HENRIOT, Portraits de femmes, p. 386.

15.1   Papa adorait raconter cette histoire sous le manteau.

Hervé BAZIN, Cri de la chouette, p. 33.

★ **II.** Par anal. ♦ **1.** (XIIIᵉ). Zool., vén. Dos (d'un animal) quand il est d'une autre couleur que le reste du corps. *Chien blanc à manteau feu.* ⇒ **Mantelure, mantelé.**

(1803). Zool. Membrane charnue des mollusques*; repli du tégument qui double la coquille* et en secrète la matière calcaire.

♦ **2.** (1332). *Manteau de cheminée* : partie de la cheminée en saillie au-dessus du foyer (→ Chenet, cit. 1 ; cuisine, cit. 2). *Hotte et manteau d'une cheminée.*

16   L'objet le plus apparent et le plus pompeux était une immense cheminée dont le manteau était formé par une pierre de granit bleu.

BALZAC, les Chouans, Pl., t. VII, p. 957.

Fig. *Sous le manteau de la cheminée,* en cachette.

17   (...) enfin toutes les infamies qui se pratiquent sous le manteau d'une cheminée ou autrement dans un but de plaisir ou d'intérêt personnel (...)

BALZAC, le Père Goriot, Pl., t. II, p. 941.

♦ **3.** (1681). Blason. « Draperie doublée d'hermine qui enveloppe entièrement les armoiries » (Réau).

♦ **4.** (1834). Théâtre. *Manteau d'Arlequin* : encadrement d'une scène de théâtre figurant des rideaux relevés.

♦ **5.** Loc. (désignant des animaux). — (1867). *Manteau gris* : corbeau à plumes grises. — (1867 ; sous la forme *bleu manteau,* 1791). *Manteau bleu* : le goéland à « manteau » (II., 1.) gris. — *Manteau noir* : le goéland noir. — (1736). *Manteau ducal* : coquillage aux couleurs nacrées, du genre peigne. — (1776). *Manteau royal* : ancolie des jardins (plante).

♦ **6.** (V. 1940 ; all. *Mantel*). Géol. Partie de la sphère terrestre entre l'écorce et le noyau central en fusion.

♦ **7.** Phys. at. Enveloppe de matière susceptible d'être rendue fissile, qui entoure le « cœur » de certains réacteurs (dits *à surgénération*).

DÉR. et COMP. Portemanteau. — (De la forme *mantel*) Démanteler, mantelé, mantelet, manteline, mantelure. — Mante.

MANTELÉ, ÉE [mɑ̃tle] adj. — 1767 ; *corneille emmantelée,* 1690 (*in* D. D. L.) ; de *mantel,* et *-é.* → Manteau.

♦ **1.** Zool. Qui a le dos d'une couleur différente de celle du reste du corps. *Corneille* mantelée.

Blason. *Lion mantelé.*

♦ **2.** (XXᵉ). Littér. Revêtu d'un manteau (fig.). *« Les arêtes rocheuses mantelées de verglas ».* (Frison-Roche, *in* G.L.L.F.).

MANTELET [mɑ̃tlɛ] n. m. — 1138, « petit manteau » ; de *mantel.* → Manteau.

★ **I.** ♦ **1.** (1680). Anciennt. Grand manteau* sans manches des prélats, fendu par devant, descendant jusqu'aux genoux et laissant passer les bras par deux ouvertures latérales. *Mantelet rouge d'un cardinal. Évêque qui porte un mantelet violet sur son rochet.*

(1743). Par anal. Courte cape de femme couvrant les épaules et les bras. *Mantelet de soie.*

   Lola appela le garçon et paya, elle jeta son mantelet de velours sur ses épaules.   SARTRE, l'Âge de raison, II. 1

♦ **2.** Grande pièce de cuir qui se rabattait sur le devant et les côtés de certaines voitures à chevaux pour protéger les voyageurs de la pluie ou du vent. *Mantelet d'une calèche*.*

   Le devant *(de l'omnibus)* est une sorte de coupé garni d'un mantelet vitré qui se rabat, préservant les voyageurs du vent et de la pluie, sans leur ôter la vue du parcours.   Th. GAUTIER, Voyage en Russie, II. 2

★ **II.** ♦ **1.** (XIVᵉ). Anciennt. Art milit. Abri* léger, sorte de parapet portatif et roulant utilisé pour l'attaque ou la défense des places fortes.

♦ **2.** (1702). Par ext. Mar. Volet d'un hublot, d'un sabord. *Mantelet brisé, plein.*

   (...) il faisait très sombre : on avait été obligé, à cause de la houle, de fermer les mantelets en fer des sabords (...)   LOTI, Pêcheur d'Islande, III, II. 3

MANTELINE [mɑ̃tlin] n. f. — 1467 ; *mantelyne,* XIVᵉ ; de *mantel* (→ Manteau), et *-ine.*

♦ **1.** (XIVᵉ). Anciennt. Petit vêtement porté sur l'armure, au moyen âge.

♦ **2.** (1690, Furetière). Vx. Petit manteau sans manches de paysanne.

MANTELURE [mɑ̃tlyʀ] n. f. — 1655 ; de *mantel* (→ Manteau), et *-ure.*

♦ Zool. Pelage du dos d'un chien, quand il n'est pas de la même couleur que le reste de la robe. ⇒ **Manteau** (II., 1.).

MANTILLE [mɑ̃tij] n. f. — 1810 ; « fichu à trois pointes », 1726 ; esp. *mantilla,* du lat. *mantellus.* → Manteau.

♦ (1810). Longue et large écharpe de soie ou de dentelle, généralement noire, dont les femmes espagnoles se couvrent la tête et les épaules. — (1840, Académie). Par anal. Coiffure* féminine imitée de la mantille espagnole. ⇒ **Fichu.** *Voiler ses cheveux d'une mantille* (→ Crisper, cit. 4).

   Ses grands yeux noirs brillaient sous la noire mantille.   HUGO, les Orientales, XXXIII, III. 1

   La mantille espagnole (...) est en dentelles noires ou blanches, plus habituellement noires, et se pose à l'arrière de la tête sur le haut du peigne ; quelques fleurs placées sur les tempes complètent cette coiffure qui est la plus charmante qui se puisse imaginer. Avec une mantille, il faut qu'une femme soit laide comme les trois vertus théologales pour ne pas paraître jolie (...)   Th. GAUTIER, Voyage en Espagne, p. 64-65. 2

   (...) elle défit sa mantille, qui était attachée avec quatorze épingles à ses cheveux et à son corsage (...)   Pierre LOUŸS, la Femme et le Pantin, VIII, p. 149. 3

MANTIQUE [mɑ̃tik] n. f. — 1837 ; *mantice, mantie,* XVIᵉ ; adj. *mantique,* 1587 ; grec *mantikos* « divination ».

♦ Didact. Pratique divinatoire. ⇒ **Mancie.** *Étude sémiologique des mantiques.*

   Les mantiques sont des arts de la divination et des moyens de communiquer avec les dieux, l'au-delà, le destin. Ce sont des systèmes de signes. Les plus connus sont chez nous la divination par les astres (astrologie), par les cartes (cartomancie), par les lignes de la main (chiromancie), par les rêves (oniromancie) ; sans parler du marc de café, de la boule de cristal, etc., car les procédés sont innombrables.-   Pierre GUIRAUD, la Sémiologie, p. 70. 1

   Le discours amoureux est d'abord une mantique : déchiffrer correctement les signes qu'émet le corps aimé pour connaître ce qu'il en est de l'intention qui l'habite.   Marcel HENAFF, Sade, Invention du corps libertin, p. 24. 2

MANTISSE [mɑ̃tis] n. f. — 1872 ; lat. *mantissa* « surplus de poids ».

♦ Math. Partie décimale d'un logarithme* (opposé à *caractéristique*).

MANTRA [mɑ̃tʀa] n m — 1873, *mantram*, Larousse ; mot sanscrit « moyen de pensée ».

◆ Didact. (relig.). Formule sacrée du brahmanisme, émanation matérielle du principe divin. *Des mantra* ou *des mantras*.

1 (...) les armées indiennes utilisèrent toujours comme arme de combat les Mantras, formules magiques.   Henri MICHAUX, *Un barbare en Asie*, p. 22.

REM. On rencontre aussi la forme *mantram* (ici francisé en *mantrame*).

2 On peut, ce spectre d'âme, le voir comme intoxiqué des cris qu'il propage, sinon à quoi correspondraient les mantrames hindous, ces consonances, ces accentuations mystérieuses, où les dessous matériels de l'âme traqués jusque dans leurs repaires viennent dire leurs secrets au grand jour.   A. ARTAUD, *le Théâtre et son double*, Idées Gall., p. 198.

MANUALISER [manɥalize] v. tr. — 1785, Sade, *120 journées*, I, 1 ; de *manuel*, et *-iser*.

◆ Masturber. — Pron. *Se manualiser* : se masturber. REM. On trouve aussi *manuéliser*.
Fig. « *En jouant avec ses doigts et en se manuélisant le cerveau* » (Balzac).

MANUALITÉ [manɥalite] n. f. — XXe (*in* Piéron, 1951) ; de *manuel*, et *-ité*.

◆ Didact. (méd., psychol.). Emploi d'une main par préférence à l'autre, pour accomplir certains mouvements. *Manualité droite.*
⇒ **Dextralité.** *Manualité et latéralité.*

MANUBRIUM [manybʀijɔm] n. m. ou **MANUBRIE** [manybʀi] n. f. — 1890, *manubrie* ; lat. *manubrium* « manche, poignée ».

◆ **1.** Bot. Chacune des huit cellules composant l'anthéridie* des algues characées.

◆ **2.** Zool. Tube central portant la bouche, au milieu inférieur de l'ombrelle d'une méduse.
Au centre de la concavité de l'ombrelle s'insère, comme un battant de cloche, le manubrium, portant la bouche.   Paul BOUGIS, *le Plancton*, p. 23.

◆ **3.** Anat. (1928). *Manubrium sternal* : segment supérieur du sternum, auquel s'articulent les deux clavicules.

MANUCODE [manykɔd] n. m. — 1775, Buffon ; du lat. sav. *manucodiata*, du malais *manouq* « oiseau » ; refait en *manucaude*, d'après *manus*, et *cauda* « queue », par allus. à la disposition des plumes.

◆ Oiseau exotique, paradisier de la taille du merle (n. sc. : *Cicinnurus*).
Le manucode, que je nomme ainsi d'après son nom indien ou plutôt superstitieux, *manucodiata*, qui signifie *oiseau de Dieu* (...)   BUFFON, *Hist. nat. des oiseaux*, « Le manucode ».

1. MANUCURE [manykyʀ] n. — 1877, « *manicure* ou *manucure* » *in* Littré, *Suppl.*, Additions ; du lat. *manus* « main », et *curare* « soigner » d'après *pédicure*.

◆ Personne chargée des soins esthétiques des mains, des ongles chez un coiffeur (cit. 3), dans un institut de beauté. *Il, elle est manucure. Les coiffeuses, les manucures d'un institut de beauté.*
Babette, la manucure, changeait de lime, de repoussoir, de vernis, se perdait dans un arsenal de poupée, s'esclaffant, soupirant, se reprenant dans un bavardage de boîte à musique, à la voix aiguë, vulgaire, parisienne.   ARAGON, *les Beaux Quartiers*, II, XXXIII.

DÉR. **Manucurer, manucurie.**

2. MANUCURE [manykyʀ] n. m. — 1967, Aragon ; déverbal de *manucurer*.

◆ Opération qui consiste à soigner les mains, faire les ongles ; fait de manucurer quelqu'un.
Dommage qu'on n'ait pas des hommes pour le manucure. Marie-Noire changeait de couleur d'ongles deux fois par semaine.   ARAGON, *Blanche...*, I, I, p. 13.

MANUCURER [manykyʀe] v. tr. — V. 1960 ; de 1. *manucure*, et *-er*.

◆ Fam. Faire les mains de (qqn). *Se faire manucurer chez le coiffeur.*

DÉR. 2. **Manucure.**

MANUCURIE [manykyʀi] n. f. — V. 1970 ; de 1. *manucure*.

◆ Profession, activité de manucure ; soins esthétiques des mains.

1. MANUEL, ELLE [manɥɛl] adj. — V. 1200 ; lat. *manualis*, de *manus* « main ».

◆ **1.** Vx. Qui se fait avec la main (dans certaines expressions seu-

lement). « *Seing manuel* » (Furetière). *Don manuel*, fait de la main à la main. *Correction manuelle*, infligée, appliquée avec la main.

◆ **2.** (V. 1200). Mod. Qui se fait avec la main ; où l'activité physique joue un rôle essentiel (par oppos. à *intellectuel, spirituel* ou encore à *esthétique*). *Travail*, exercice manuel, activités manuelles* (→ Exercice, cit. 4 ; facilité, cit. 2 ; instruire, cit. 25). — *Métiers* manuels. Arts manuels*, s'est dit des arts mécaniques. ⇒ **Artisan** (→ Art, *supra* cit. 64). — *Habileté manuelle*, dans le travail manuel.

1 — Sais-tu ce qu'il faudrait à ta femme ? reprenait la mère Bovary. Ce seraient des occupations forcées, des ouvrages manuels !   FLAUBERT, *Mme Bovary*, II, VII.

2 C'était merveille d'entendre le baron faire cet éloge du travail manuel — ou plutôt ce n'était pas merveille, puisque le caractère *sacré* du travail manuel est une trouvaille purement et spécifiquement bourgeoise.   MONTHERLANT, *les Célibataires*, I, V.

◆ **3.** (Personnes). Qui emploie surtout ses mains. *Travailleur manuel* (ouvrier*, manœuvre* ; → Carrure, cit. 1).
N. *Un manuel, une manuelle* : une personne qui exerce un métier manuel, ou qui a le goût des travaux manuels, plus d'aptitude à l'activité manuelle qu'à l'activité intellectuelle... *Manuels et intellectuels.*

◆ **4.** (Déb. XXe). Qui fait appel à l'intervention humaine (par oppos. à *automatique*). *Commande manuelle.*

CONTR. **Intellectuel. — Automatique.**
DÉR. **Manualité, manuelle, manuellement.**

2. MANUEL [manɥɛl] n. m. — 1539 ; bas lat. *manuale* « étui de livre », puis « livre portatif », de *manualis*, → 1. Manuel.

◆ Ouvrage didactique qui présente sous un format pratique, maniable, les notions essentielles d'une science, d'une technique, d'un art..., et, spécialt, les connaissances exigées par les programmes scolaires. ⇒ **Abrégé, cours, livre.** *Manuel de physique à l'usage des classes. Ce manuel est le résumé, l'abrégé du Traité de X...* ⇒ **Abrégé, précis.** *Manuel de littérature, d'histoire, d'iconographie* (cit. 1). Littér. *Manuel de la philosophie d'Épicure*, de Gassendi (1649).

1 Le libraire (...) emballa pêle-mêle tout ce qui avait cours pour lors dans le négoce des livres pieux. C'étaient de petits manuels par demandes et par réponses (...)   FLAUBERT, *Mme Bovary*, II, XIV.
Les manuels, symbolisant l'enseignement traditionaliste et ses routines. *Les résumés, les formules, la sécheresse des manuels* (→ Gaver, cit. 5 ; informer, cit. 17). *Ces choses-là ne s'apprennent pas dans les manuels.*
Par ext. Recueil de conseils, de recettes, de règles... *Manuel du parfait jardinier, du collectionneur de porcelaines...* — Fig. *Un manuel d'erreurs* (→ Absurdité, cit. 3). *Manuel ou Code* (cit. 5) *de la vie à deux. Véritable manuel à l'usage de...* (→ Itinéraire, cit. 6).

2 Mon admiration pour Shakespeare croît tous les jours. Cet homme m'ennuie jamais et est la plus parfaite image de la nature, c'est le manuel qui me convient.   STENDHAL, *Journal*, éd. Charpentier, p. 91.

CONTR. **Intellectuel.**
DÉR. **Manuellement.**

MANUÉLIN, INE [manɥelɛ̃, in] adj. — 1935 (*in* D.D.L. ; port. *manoelino*, de *Manoel, Manuel Ier*, roi de Portugal.

◆ Didact. (Arts). Se dit d'un style architectural et décoratif qui se développa au Portugal autour de 1500, assez proche du style plateresque* espagnol (sculptures ornementales sur des structures gothiques, avec influences mauresques ou orientales).

1 (...) après la prospérité de la grande aventure et des découvertes, que traduisit dans l'art l'exubérance du manuélin, la période où le baroque s'est épanoui en Europe fut pour le Portugal celle des difficultés et du repliement.   V.-L. TAPIÉ, *le Baroque*, p. 107.

REM. On rencontre aussi la forme francisée *manuélien, ienne*.

2 Il est un corollaire ou mieux une composante du baroque dont l'art manuélien, portugais, est ibérique, dont donné d'étonnantes images. L'on pourrait considérer Le Greco et Goya comme les archétypes picturaux de cet Expressionnisme.   Maurice GIEURE, *la Peinture moderne*, p. 56.

MANUELLE [manɥɛl] n. f. — 1868, Littré ; fém. de 1. *manuel*.

◆ Techn. Seau à poignée utilisé pour puiser le vin au pressoir ou à la cuve.

MANUELLEMENT [manɥɛlmɑ̃] adv. — 1334 ; de 1. *manuel*, et *-ment*.

◆ **1.** Vx. De la main à la main. « *Donner, recevoir manuellement* » (Bescherelle, Littré).

◆ **2.** Mod. En se servant de la main, de ses mains ; en travaillant physiquement. *Travailler manuellement* : faire un travail manuel (→ Apprenti, cit. 2).

♦ 3. Par une opération simplement manuelle. *Allumer manuellement un poste de télévision.*

MANUFACTURABLE [manyfaktyʀabl] adj. — 1877, Littré; de *manufacturer*, et *-able*.

♦ Qui peut être manufacturé. *Matières manufacturables.*

MANUFACTURE [manyfaktyʀ] n. f. — 1511, «travail manuel»; lat. médiéval *manufactura* «action de faire à la main».

♦ 1. Vx. Fabrication (à la main ou à l'aide de machines). ⇒ **Fabrique.** *Entreprise* (cit. 11) *de manufactures.*

1 Si un ouvrage est à un prix médiocre (...) les machines qui en simplifieraient la manufacture, c'est-à-dire qui diminueraient le nombre des ouvriers, seraient pernicieuses (...)   MONTESQUIEU, l'Esprit des lois, XXIII, XV.

Loc. *École centrale des Arts et Manufactures,* des techniques et des fabrications (⇒ **Art,** I.).

Par ext. Vx. *Produits manufacturés.*

♦ 2. (1623). Vx. Hist. écon. Grand établissement industriel, grande fabrique; bâtiment ou ensemble de bâtiments qui l'abritent. ⇒ **Fabrique, entreprise** (→ Artisan, cit. 4; industrie, cit. 12; industriel, cit. 1). *Création des premières manufactures en France sous le règne de Louis XIV* (manufactures royales). — Hist. *Manufacture royale, impériale, nationale,* titres donnés, sous les divers régimes, aux manufactures qui appartenaient à l'État.

REM. 1. D'après certains auteurs *manufacture* ne désignerait que les grands établissements industriels des XVIIe et XVIIIe siècles, où le travail s'effectuait à la main, au moins en partie (→ ci-dessous, cit. 3, Ch. Gide). Mais l'usage ne fait entre *fabrique** et *manufacture* qu'une différence d'importance, ce dernier mot désignant aussi les usines mécanisées.

2. L'usage contemporain, dans ce sens général, est d'employer *usine** ou *atelier**.

2 (...) une rue large, sale, noire de la poussière de charbon des manufactures voisines (...)   ZOLA, l'Assommoir, t. I, VI, p. 206.

3 La manufacture a déjà tous les caractères de l'entreprise moderne au point de vue économique (...) mais, au point de vue technique, elle n'a pas encore son caractère type qui est le machinisme. En effet, comme le nom le dit, la *manufacture,* c'est le travail à la main. Pourtant, elle emploie déjà des machines (...) mais ces machines sont mues uniquement par la force de l'homme (...) à la fin du XVIIIe siècle, la force motrice apparaît sous la forme de machine à vapeur et la manufacture devient la fabrique.   Charles GIDE, Cours d'économie politique, t. I, p. 275.

♦ 3. Établissement industriel où la qualité de la main-d'œuvre est primordiale. *La manufacture de porcelaines de Sèvres. La manufacture de tapisseries des Gobelins. Manufacture de soieries. Manufacture d'armes,* produisant des armes de petit calibre.

4 On ne pouvait augmenter personne, dans une manufacture où les frais de main-d'œuvre représentent la moitié du prix de revient.   J. CHARDONNE, les Destinées sentimentales, p. 82.

En parlant d'établissements d'État ou d'entreprises ayant conservé leur appellation. *La manufacture des tabacs. La manufacture d'armes et cycles de Saint-Étienne. Manufacture de draps* (draperie).

DÉR. Manufacturer, manufacturier.

MANUFACTURER [manyfaktyʀe] v. tr. — 1601; de *manufacture*.

♦ 1. Vx. Fabriquer (à la main ou à la machine).

1 (...) depuis Élisabeth, ils *(les Anglais)* manufacturèrent les plus beaux draps de l'Europe.   VOLTAIRE, Essai sur les mœurs, CLXXXII.

♦ 2. Par ext. (XVIIIe). Faire subir à (une matière première) une transformation industrielle.

2 Les colons sont possesseurs de certaines matières premières qu'ils n'ont pas le droit de manufacturer.   DIDEROT, Lettres d'un fermier, *in* LITTRÉ.

▶ MANUFACTURÉ, ÉE p. p. adj.

(Plus cour.). Qui a été transformé, travaillé, mis en œuvre ou qui a été fabriqué, produit industriellement. ⇒ **Ouvré.** *Cotons bruts et cotons manufacturés. Articles manufacturés. Produits manufacturés,* issus de la transformation industrielle des matières premières (opposé à *brut*). (→ Industrialiser, cit. 3). Par ext. *Exportation* (cit. 5) *manufacturée.*

DÉR. Manufacturable.

MANUFACTURIER, IÈRE [manyfaktyʀje, jɛʀ] n. et adj. — 1664; de *manufacture*, et *-ier.*

★ I. N. Vx. Personne qui possède, dirige une manufacture. ⇒ **Fabricant** (→ Entrepreneur, cit. 8). *Habiles manufacturiers* (→ Damassé, cit.).

★ II. Adj. (1766). Industriel, producteur de produits manufacturés. ⇒ **Industriel.** «*Industries manufacturières*» (J.-B. Say). *Ville manufacturière.* «*Le régime du Pacte colonial, selon lequel les métropoles seules étaient manufacturières.*» (A. Siegfried.)

MANULUVE [manylyv] ou **MANILUVE** [manilyv] n. m. — 1839, Boiste; du lat. *manus* «main», et *luere* «laver».

♦ Méd. Didact. Bain de mains. → Pédiluve.

MANU MILITARI [manymilitaʀi] loc. adv. — 1882; mots lat. signifiant «par la main (la force) militaire».

♦ En employant la force armée, la force publique. *Il a fallu expulser les perturbateurs manu militari.* — Par ext. Par la force.

MANUMISSION [manymisjɔ̃] n. f. — 1324; lat. *manumissio,* de *manus* «main», et *mittere* «envoyer».

♦ Dr. rom. et féod. Affranchissement (d'un esclave, d'un serf). (⇒ **Mainmise**) avec les formalités légales. Par ext. ⇒ **Affranchissement, libération.**

(Linguet) affirme, ce qui est très vrai, que les princes chrétiens n'affranchirent les serfs que par avarice. C'est en effet pour avoir l'argent amassé par ces malheureux qu'ils leur signèrent des patentes de manumission.   VOLTAIRE, Dict. philosophique, Esclave.

MANUSCRIT, ITE [manyskʀi, it] adj. et n. m. — 1594, adj. et n.; lat. médiéval *manuscriptum,* de *manus,* et *scriptus,* adj., «écrit à la main».

★ I. Adj. Qui est écrit à la main. *Livres*, ouvrages* manuscrits* (→ Auteur, cit. 37; bibliothécaire, cit.). *Pages, lignes manuscrites* (→ Imprimerie, cit. 4). *Fragment* (cit. 4) *manuscrit. Annotations, notes manuscrites. Faire-part* (cit. 1) *manuscrit. Affiche, annonce, inscription manuscrite. Donnez-nous votre texte manuscrit ou dactylographié.*

1 Sur le piano traînaient les feuillets manuscrits d'un nocturne que Djénane venait de composer (...)   LOTI, les Désenchantées, V, XXXII.

2 (...) au mois de juin 1857, le volume des *Fleurs du Mal* a paru. Et madame Sabatier a pu y lire (...) dans un bel exemplaire sur hollande (...) les vers qui lui avaient été (...) adressés manuscrits.   Émile HENRIOT, Portraits de femmes, p. 390.

★ II. N. m. **♦ 1.** Texte, ouvrage écrit ou copié à la main (par oppos. à *imprimé*). ⇒ **Écrit, livre.** *Manuscrit sur papier, sur papyrus* (⇒ **Papyrus**), *sur vélin* (⇒ **Vélin**). *Manuscrit opisthographe*, palimpseste* (⇒ **Palimpseste**). *Manuscrit en lettres d'or* (⇒ **Chrysographie**). *Manuscrit égyptien en écriture hiératique* (cit. 2). *Manuscrit enluminé, historié, à miniatures* (→ Imagier, cit. 1). *Premiers mots d'un manuscrit.* ⇒ **Incipit.** *Manuscrit de quatre feuillets.* ⇒ **Quaternion.** *Collection, recueil de manuscrits.* ⇒ **Archives, bibliothèque** (→ Former, cit. 14). *Collection d'autographes et de manuscrits. Fac-similé, photocopie d'un manuscrit. Département des manuscrits, à la Bibliothèque nationale* (→ Érudit, cit. 7). — *Compulser, déchiffrer, examiner des manuscrits* (→ Érudit, cit. 6). *Le manuscrit archétype* (cit. 7) *d'une œuvre et ses copies. Collation* (cit. 2) *des manuscrits pour l'établissement d'un texte. Gloses* (cit. 4), *annotations sur un manuscrit. Manuscrits médiévaux.*

3 J'ai un petit cabinet de manuscrits fort précieux et fort chers : quoique je me tue la vie à les lire, j'aime beaucoup mieux m'en servir que des exemplaires imprimés, qui ne sont pas si corrects, et que tout le monde a entre les mains.   MONTESQUIEU, Lettres persanes, CXLII.

4 C'est un manuscrit d'environ cent pages, au papier jauni, à l'encre déteinte, dont les feuilles sont réunies avec des faveurs d'un rose passé (...)   NERVAL, les Filles du feu, «Angélique», IV.

Abrév. *ms,* plur. *mss.*

♦ 2. (1690, Furetière). Œuvre originale* écrite par l'auteur et destinée à être reproduite. *Manuscrit autographe** (cit. 1). *Manuscrit de premier jet, annoté, corrigé, couturé de ratures, raturé, remanié...* ⇒ **Brouillon** (→ Correction, cit. 8). *Repentirs* d'un manuscrit* (→ Imparfait, cit. 4). — *Porter un manuscrit chez l'éditeur* (cit. 3 et 4), *chez le libraire* (cit. 5), *le faire imprimer* (→ Impression, cit. 5). *Manuscrit inédit.* «*La Revue n'est pas responsable des manuscrits qui lui sont envoyés.*» *Mettre au propre, calibrer, composer, saisir un manuscrit. Édition conforme au manuscrit. Lire un livre en manuscrit.*

5 Mes manuscrits (...) attestent la peine qu'ils m'ont coûtée. Il n'y en a pas un qu'il ne m'ait fallu transcrire quatre ou cinq fois avant de le donner à la presse.   ROUSSEAU, les Confessions, III (→ Barbouiller, cit. 8).

6 M. de Chateaubriand rentra en France au printemps de 1800; le naufragé aborda au rivage en tenant son manuscrit à la main, comme Camoëns. Ou plutôt (...) comme l'impression de son ouvrage *(le Génie du christianisme)* avait été déjà commencée à Londres, il rapportait avec lui les *bonnes feuilles* tirées (...)   SAINTE-BEUVE, Chateaubriand..., t. I, p. 152.

(Déb. XXe). Par ext. Texte original dactylographié, plus ou moins corrigé de la main de l'auteur.

7 Aujourd'hui où tous les textes d'articles ou de livres sont dactylographiés, on peut difficilement dire à un rédacteur en chef (...) ou à un éditeur : *Je vous apporte mon manuscrit.* Il arrive tout de même qu'on risque cette impropriété, faute de mieux. Après tout, c'est bien un manuscrit, puisque, même avec une machine, la main intervient (...) On pourrait sans doute se contenter de *texte,* mais le mot

semble trop abstrait ( ) Mais j'ai vu que Georges Duhamel employait *dactylo-gramme* qui me paraît excellent, clair et bien formé.
René GEORGIN, Jeux de mots, p. 116.

REM. 1. Contrairement à cet exemple, *manuscrit* est le terme le plus courant, dans cet emploi ; *dactylogramme** et *tapuscrit** restent rare ; *copie* est un terme d'imprimerie.

2. Le mot est parfois abrégé en *manus, manusse* [manys].

8 (...) si le cœur vous y poussait *(à écrire une chanson patriotique)* ... prendriez pseudonyme, si bon vous semblait. Les manusses doiv'être déposés le 20 au soir au plus tard n'allez pas vous fâcher pour ça, au moins ?
G. NOUVEAU, Correspondance, Lettre à E. Delahaye, in Œ., Pl., p. 849.

9 Reçu lettre de Lepelletier (affaires) ; il se charge des Romances (...) Demain, je lui enverrai manusse.
VERLAINE, Lettre à Rimbaud, 18 (mai 1873), in RIMBAUD, Œ. compl., Pl., p. 274.

CONTR. Imprimé.

MANUTENTION [manytɑ̃sjɔ̃] n. f. — 1478, «maintien» ; «gestion» fin XVIᵉ ; sens mod., 1820 ; lat. médiéval *manutentio*, de *manu tenere*, «tenir avec la main». → Maintenir.

♦ **1.** (1478). Vx. Action de maintenir ; maintien. *Cassation* (cit. 1) *ou manutention d'un arrêt* (Saint-Simon), *des lois* (Condillac).

♦ **2** (Fin XVIᵉ). Vx. Dr. ⇒ **Administration, gestion.** « *Manutention des deniers publics, des subsistances* » (Capitant, *Voc. juridique*).

♦ **3.** (1820, en parlant du tabac). Mod., cour. Manipulation, déplacement manuel ou mécanique d'objets, de marchandises, etc. (notamment en vue de l'emmagasinage, de l'expédition et de la vente). *La manutention comprend les transports jusqu'au lieu de travail, au cours de la fabrication, le pesage, le conditionnement, les transports de distribution, l'emmagasinage...* (⇒ Gerbage, gerber, palettisation, palettiser). *Manutention des colis et fardeaux* (par bennes, convoyeurs, tapis roulants... ; chariots, wagons). ⇒ **Chargement, transport.** *Manutention du ciment, des produits bruts, des produits liquides, du pétrole... Appareils de manutention :* appareils de levage et de transport ; appareils d'emballage. *Conducteur d'engins de manutention.* ⇒ **Cariste.**

1 Treuils, poulies, machines simples, et toutes ces manœuvres de manutention qui de la rive dans les cales, de la cale sur la rive transposent la matière des échanges (...)
VALÉRY, Variété II, p. 32.

Employé chargé de la manutention des bagages dans un hôtel, un aéroport. ⇒ **Bagagiste.**

♦ **4.** Par ext. Local où se fait la manutention des marchandises. *La manutention d'un grand magasin.*

2 La population correcte des employés du Bon Marché se déversait vers les manutentions et se pressait aux portes réservées (...)
J. CHARDONNE, les Destinées sentimentales, p. 189.

(1835, Académie). Spécialt. Établissement où se fabrique le pain pour l'armée ; boulangerie* militaire.

♦ **5.** Techn. Stade industriel de transformation «qui fait subir au produit textile — tissu ou autre — son *achèvement* par le blanchiment, la teinture ou l'impression et par les divers apprêts destinés à lui conserver ou conférer des qualités particulières» (P. de Calan, *le Coton et l'Industrie cotonnière*, p. 37).

DÉR. Manutentionnaire, manutentionner.

MANUTENTIONNAIRE [manytɑ̃sjɔnɛʀ] n. — 1788, «manutentionnaire des vivres», in Brunot ; de *manutention*, et *-aire*.

♦ **1.** (1788). Chef d'une manutention militaire.

♦ **2.** (1907). Mod. Personne employée à la manutention des marchandises, des colis. *Manutentionnaire dans une fabrique* (cit. 5), *un entrepôt, un magasin, une gare.*

MANUTENTIONNER [manytɑ̃sjɔne] v. tr. — 1819 ; de *manutention*, et *-er*.

♦ **1.** Techn. Préparer* (des marchandises) par les opérations de manutention.

♦ **2.** Faire confectionner* (le pain de l'armée).

DÉR. Manutentionneur.

MANUTENTIONNEUR [manytɑ̃sjɔnœʀ] n. m. — XXᵉ ; 1874, in D.D.L., fig. ; de *manutentionner*, et *-eur*.

♦ Techn. Personne chargée de la manutention du produit textile pour le compte du fabricant.

(Le fabricant transformateur)... charge un manutentionneur d'effectuer à façon les opérations industrielles correspondantes : blanchiment, teinture, impressions, apprêts. Pierre DE CALAN, le Coton et l'Industrie cotonnière, p. 38.

MANUTERGE [manytɛʀʒ] n. m. — Déb. XIXᵉ ; du lat. *manutergium*, de *manus*, et *tergere* «essuyer».

♦ Didact. (Relig.). Linge dont se sert le prêtre pour s'essuyer les mains au lavabo* de la messe. ⇒ **Linge.**

MANZANILLA [mɑ̃dzanija] n. m. ou (plus rare) f. — 1836, *mansanilla*, dans un texte sur l'Espagne (in D.D.L.) ; répandu fin XIXᵉ ; mot espagnol.

♦ Variété de vin de Jerez. ⇒ **Xérès.**

Maria fait une moue de regret.
— Je voudrais un autre verre de manzanilla, dit-elle.
Le client le lui commande. Lui aussi boit de la manzanilla.
M. DURAS, Dix heures et demie du soir en été, p. 10.

MAO [mao] n. ⇒ **Maoïste.**

MAOÏSME [maɔism] n. m. — V. 1965 ; de *Mao Tsê-tung*, et *-isme*.

♦ Mouvement marxiste-léniniste prochinois se réclamant de la doctrine de Mao Tsê-tung. (Surtout répandu à partir de 1968). ⇒ **Maoïste.** « *Trotskisme, maoïsme et autres courants gauchistes* » (*le Monde*, 16 nov. 1969).

La tolérance, la collaboration, l'admiration du maoïsme, comme elles ont fleuri quand il ne fut plus possible d'investir sans risque dans l'U.R.S.S. ! Il y a le maoïsme mais aussi le maoïsme élargi, et sans ce front démocratique autour de lui, il n'aurait pas vécu plus d'un printemps dans nos pays.
Claudie et Jacques BROYELLE, le Bonheur des pierres, p. 83.

MAOÏSTE [maɔist] adj. et n. — V. 1965 ; de *Mao Tsê-tung*, dirigeant politique de la Chine communiste (1893-1976), et *-iste*.

♦ Qui est partisan de Mao Tsê-tung, de sa doctrine, de sa politique, de ses méthodes. ⇒ **Prochinois.** — Propre au maoïsme. *Idéologie maoïste.* « *Troubles et incidents sanglants entre maoïstes et anti-maoïstes* » (*l'Express*, 2 juil. 1967).

1 Elles *(les étudiantes)* étaient en révolte contre cette société ; leurs positions se sont précisées ; elles sont marxistes ou maoïstes et, à quelques nuances près, nous nous trouvons d'accord sur l'essentiel. S. DE BEAUVOIR, Tout compte fait, p. 69.

2 Qu'on veuille bien nous suivre de Paris à Pékin. On pourra aussi atterrir en d'autres temps et d'autres lieux. Sans doute nous ne sommes-nous pas exemplaires, mais la banalité de l'histoire du militant maoïste rend tous les repères bien interchangeables. Claudie et Jacques BROYELLE, le Bonheur des pierres, p. 18.

REM. On trouve souvent l'abréviation *mao* [mao] adj. et n. (v. 1965).

Les organisations maos. Subst. *Un, une mao. Mao spontex : maoïste spontanéiste (jeu de mots sur le nom d'une marque d'éponge).*

3 (...) Ces maos purs, romantiques, durs, au fond plus rousseauistes que léninistes, constituaient en même temps, bizarrement, le surgeon le plus concret du gauchisme : ils s'intéressèrent vraiment (...) aux immigrés, au travail à la chaîne, à la pollution, à l'avortement.
O. TODD, Où sont les maos d'antan ?, in l'Express, p. 81, 23 janv. 1978.

Col mao : col droit, à la façon des cols des vestes chinoises. *Costume mao.*

4 Les altesses faisaient bande à part, tout en portant un costume mao bleu, une caméra à la main. Jean CAYROL, Histoire d'un désert, p. 194.

MAORI, IE [maɔʀi] adj. et n. — 1842, in D.D.L. ; mot indigène.

♦ Relatif aux populations polynésiennes de Nouvelle-Zélande. Fém. *Une femme maori* ou *maorie. Les populations maori* ou *maories.* Plur. masc. : *maoris.*

À Knossos, ni désert ni palmiers : nos arbres, et l'écroulement violet des bougainvillées sur les vestiges d'une civilisation sous-marine où déjà les dauphins annoncent Amphitrite... C'est bien la première civilisation blanche, mais c'est aussi le lagon étincelant d'un monde maori. MALRAUX, la Métamorphose des dieux, p. 40.

N. Personne appartenant à ces populations. *Un, une Maori. Les Maoris.*

N. m. *Le maori :* la langue polynésienne parlée par les Maoris.

MAOUS ou **MAHOUS, -OUSSE** [maus] adj. — 1895, *Français moderne* ; cf. Dauzat, *Argot de la guerre*, p. 107 ; yiddish d'Alsace et d'Allemagne, de l'hébreu médiéval *má'ót* «argent», plur. de *má'á* «monnaie» ; ou encore (P. Guiraud) du régional (manceau) *mailleux* «bossu, noué», du rad. lat. *malleus* «maillet» avec prononc. dial. ; argotiqe, puis pop. et familier.

Argot, puis familier.

♦ **1.** Gros ; de grande taille. (Cf. *Maous pépère ; maous poil-poil*). *La Bête mahousse,* roman de J. Perret.

1 *(Il fallait voir ce qu'ils)* nous ont balancé là d'où je reviens justement. Et rien que des maous : des 380, des 420, des deux 44. H. BARBUSSE, le Feu, II, XIX.

♦ **2.** Vieilli. Superbe, magnifique. *Une gonzesse maousse.*

2 Moi, j'ai monté une combine maousse. Je fais les parquets dans le quartier.
B. CENDRARS, la Main coupée, Œ. compl., t. X, p. 282.

MAPPE [map] n. f. — V. 1330, «serviette» ; 1829, Boiste, «rouleau de linge» ; lat. *mappa* «serviette de table».

♦ **1.** Vx. Carte. ⇒ **Mappemonde.**

♦ **2.** (1931). Mod. Feuille de papier portant le quadrillage cartographique, sur laquelle on dessine les cartes.

MAPPEMONDE [mapmɔ̃d] n. f. — xıı^e, *mapamonde ;* lat. médiéval *mappa mundi,* de *mappa* «plan, carte» («serviette, nappe» en lat. class.) et *mundus* «monde». Cf. le mot *mappe,* n. f., «carte», encore *in* Rousseau (→ Lavis, cit.).

♦ **1.** Carte plane représentant le globe* terrestre divisé en deux hémisphères projetés côte à côte. ⇒ **Carte, planisphère** (→ Aphorisme, cit.). *Les avantages de la projection stéréographique lui « ont valu (...) d'être universellement employée pour les mappemondes »* (E. de Martonne, *Géogr. phys.,* t. I, p. 64). — Par anal. Astron. *Mappemonde céleste :* carte plane de la voûte céleste, portant les constellations.

♦ **2.** Abusivt, cour. Sphère représentant le globe terrestre. ⇒ **Globe.**
REM. Cet emploi abusif est assez répandu pour avoir donné naissance à des figures populaires et plaisantes (→ Hémisphère, cit. 6).

1. MAQUE [mak] n. f. ⇒ **Macque.**

2. MAQUE [mak] n. m. ⇒ **Mac.**

MAQUÉE [make] n. f. — Aussi *makée,* d. i. ; d'un rad. roman *makk-,* expressif. → Mâchure.

♦ Régional (Belgique). Fromage blanc réputé du genre caillebotte. *Tarte à la maquée.*
HOM. Maquer.

MAQUER [make] v. — 1889, *in* Esnault ; de *mac, maque,* et *-er.*
Populaire.

♦ **1.** V. pron. (1889). *Se maquer :* se marier ou se mettre en ménage (avec qqn).
1　Vous voulez peut-être des nouvelles? Allez donc voir votre bergère! Elle fout le camp avec le Nelson! Ils se maquent voilà tout!
　　　　　　　　　　　　CÉLINE, le Pont de Londres, p. 101.

♦ **2.** V. tr. (1939). Marier (avec ou sans le maire). *On les maque quand ces deux-là ?* — Épouser.

(Au passif). *Être maqué avec :* être en ménage avec, et, fig., être d'intelligence, de connivence avec.
2　Tu sais bien, en province, le bêcheur *(avocat),* le Président, le Chef de la maison d'arrêt et le Commissaire principal sont tous cousins et maqués ensemble (...) C'est pourquoi le Chef en sait quelquefois plus long que nous sur nos affaires.
　　　　　　　　　　　A. SARRAZIN, la Cavale, p. 327.
HOM. Maquée.

MAQUERAISON [makʀɛzɔ̃] n. f. — 1873, Larousse ; de 1. *maquereau,* et *-aison.*

♦ Techn. (Pêche). Saison de la pêche au maquereau.

1. MAQUEREAU [makʀo] n. m. — Fin xıv^e ; *makerel,* v. 1138 ; p.-ê. emploi fig. du suivant (légende des maquereaux accompagnant les bancs de jeunes harengs dans leur migration, et leur servant d'«entremetteurs»); ou, selon P. Guiraud, de *maquerer* «tacheter» (comme *mâchurer).*

♦ Poisson osseux *(Scombridés),* fusiforme, au dos vert et bleu, au ventre nacré, vivant en bancs et faisant l'objet d'une pêche importante. *Banc de maquereaux. Le sansonnet, variété de maquereau. Pêche au maquereau, à la ligne* (⇒ **Libouret, mitraillette**), *au chalut. Bateau de pêche au maquereau.* ⇒ **Maquereautier ;** 2. **maquilleur.** — *Maquereau frais* (→ 1. Frais, cit. 25), *salé, frit, mariné au vin blanc. Filets de maquereau. Fritures de maquereaux.* — *Le garum* (cit. 1) *était tiré des entrailles marinées du maquereau.*
(...) les maquereaux dorés, le dos strié de brunissures verdâtres, faisaient luire la nacre changeante de leurs flancs (...)
　　　　　　　　　ZOLA, le Ventre de Paris, t. I, p. 149-150.
*Groseilles** (cit. 1) *à maquereau.*
DÉR. Maqueraison, maquereautier, 2. maquilleur.

2. MAQUEREAU [makʀo] n. m. — xve ; *maqueriau* au xııı^e, Rutebeuf ; du moyen néerl. *makelâre* «courtier», dér. de *makein* «trafiquer», de *maken* «faire».
REM. Le fém., de la forme *makerel,* est contemporain. → Maquerelle.
Vulgaire.

♦ **1.** Homme qui vit de la prostitution des femmes (⇒ **Entremetteur, mac, proxénète ;** → Bordel, cit. 2, Rousseau).
Spécialt. Celui qui vit aux dépens d'une ou de plusieurs prostituées qu'il «protège». ⇒ **Souteneur** (cit.) ; pop., argotique. 1. **Barbeau,** 2. **barbichon,** 2. **barbillon, barbiquet, brochet, dos** (dos vert), **mac, marle, marlou,** 3. **poisse, poisson.** *Être habillé comme un maquereau,* avec une élégance voyante et vulgaire.

Un maquereau c'est un type qui (...) cherche à mettre la main sur une petite poule　1　comme toi, jolie et un peu gourde (...) il l'envoie faire le trottoir (...)
　　　　　　J. ROMAINS, les Hommes de bonne volonté, t. IV, v, p. 41.

♦ **2.** Proxénète qui prostitue des hommes.
De temps à autre pendant la danse, le cornac ou maquereau qui les a amenés　2　folâtre autour d'eux, leur embrassant le ventre, le cul, les reins, et disant des facéties gaillardes pour épicer la chose qui est déjà claire par elle-même.
　　　　　　　　FLAUBERT, Correspondance, Pl., p. 572.

MAQUEREAUTAGE [makʀota3] ou **MAQUERELLAGE** [makʀɛla3] n. m. — 1867 ; xııı^e ; de *maquereauter, -maquereller,* et *-age.*

♦ **1.** Métier, conduite de maquereau, de souteneur ; action de prostituer des femmes. ⇒ **Proxénétisme.**
(...) j'appris d'un garçon de cabine qu'on s'accordait à me trouver poseur, voire insolent (...) Qu'on me soupçonnait de maquereautage (...)
　　　　　　　　CÉLINE, Voyage au bout de la nuit, p. 107.

♦ **2.** (1874). Fig. *Maquereautage (maquerellage) politique.*

MAQUEREAUTER [makʀote] ou **MAQUERELLER** [makʀele] v. — 1867, *maquereauter ; maquereller,* 1358, de *maquereau, maquerelle,* et *-er.*

♦ **1.** V. tr. Pop. Prostituer (qqn) ; exercer le proxénétisme.
Des personnages banalisés par ma mémoire m'ont ébahie par l'incongruité de leur conduite : entre autres Abraham quand il maquereaute cyniquement sa femme.
　　　　　　　　S. DE BEAUVOIR, Tout compte fait, p. 196.

♦ **2.** V. intr. (1956, *in* D. D. L.). *Maquereauter :* vivre aux dépens de quelqu'un.
DÉR. Maquereautage ou maquerellage.

MAQUEREAUTIER [makʀotje] n. m. — 1940, Larousse ; de 1. *maquereau* et *-ier.*

♦ Techn. (pêche). Pêcheur de maquereau. — Navire pratiquant la pêche au maquereau.
Appos. *Chalutier-maquereautier.*

MAQUERELLAGE [makʀɛla3] n. m. ⇒ **Maquereautage.**

MAQUERELLE [makʀɛl] n. f. — V. 1265 ; forme fém. de *makerel.* → Maquereau.
Vulgaire.

♦ **1.** Femme proxénète. ⇒ **Entremetteuse.**
Ces dames (...) par l'entremise de la bonne maquerelle faisaient des passes pour　1　leur plaisir et aussi pour un peu d'argent.
　　　　　　FLAUBERT, Correspondance, t. I, Pl., p. 668.
(...) un homme saoul (...) qui jurait à faire rougir une maquerelle.　　　2
　　　　　　ARAGON, les Beaux Quartiers, I, xv.

♦ **2.** *Maquerelle, mère maquerelle :* tenancière* ou sous-maîtresse de maison close. (→ Indicateur, cit. 3).
Les filles assises sur chaque côté d'un lit font tapisserie (...) les garçons restés vêtus　3　en garçon jouent les clients ils avancent fument des cigares sans fumée frappent toc-toc dans l'air à la porte et la maquerelle (...) leur dit
hélas mes beaux messieurs avez-vous quelque argent?
c'est combien? demandent les garçons
oh! là là c'est cher cher! dit la patronne.
　　　　　　Tony DUVERT, Paysage de fantaisie, p. 102.

♦ **3.** Juron équivalant à *putain** (⇒ **Macarelle,** régional).

MAQUERELLER [makʀele] v. tr. ⇒ **Maquereauter.**

MAQUETTAGE [makɛta3] n. m. — Mil. xxe ; de *maquette,* et suff. *-age* ; le verbe *maquetter* s'emploie notamment au participe passé.

♦ Techn. Réalisation de la maquette d'un livre ou d'un journal. « *La détermination par ordinateur du volume de copie, appelée abusivement maquettage automatique* » (Ph. Gaillard, *Technique du journalisme,* p. 122).

MAQUETTE [makɛt] n. f. — 1752, Trévoux ; ital. *macchietta* «petite tache», de *macchia* «tache», du lat. *macula.*

♦ **1.** Arts. Ébauche, modèle en réduction (d'une sculpture). ⇒ **Ébauche, projet.** *Maquette en cire, en terre glaise d'un monument équestre.* — (S'est dit aussi en peinture, au xvııı^e s.).
Maquette (...) signifie (...) une première ébauche faite par un peintre ou par un　1　sculpteur, pour un ouvrage qu'il a dessein d'exécuter. C'est la première pensée (...) qui ne paraît que comme un ouvrage informe, ou un assemblage de taches, à ceux qui n'ont aucune connaissance des arts.
　　　　　　Dict. de TRÉVOUX (1771), art. *Maquette.*

♦ **2.** Peint. « Esquisse* d'ensemble d'un panneau décoratif » (Réau). ⇒ **Étude.**

Par ext. Original en couleur que doit reproduire une page illustrée, une affiche. *La maquette d'une affiche, d'une couverture de livre, d'un numéro de journal...*

Par anal. ou fig. ⇒ **Canevas.**

Sauf pour *Monte-Cristo*, l'idée du roman, le plan et la rédaction de premier jet sont de Maquet. Sur la maquette, Dumas travaille, brode, s'amuse, jette la vie.
A. THIBAUDET, Hist. de la littérature franç..., p. 244.

♦ **3.** (1875 in Littré, *Suppl.*). Cour. Modèle réduit d'un décor de théâtre, d'un bâtiment, d'un ensemble architectural.

Modèle réduit, projet ou copie (de bâtiments, de constructions, etc.). *La maquette d'un immeuble, d'un ouvrage d'art, d'un port... Maquettes servant aux trucages cinématographiques.*

Modèle à échelle réduite (d'un appareil, d'un véhicule). ⇒ **Modèle** (réduit).

Reproduction à échelle réduite ou grandeur nature, destinée aux études de prototypes. *Maquette d'avion soumise à des essais en soufflerie. Maquette volante. Maquette de navire. Maquettes d'aménagement.*

♦ **4.** Imprimerie, édition, presse, arts graphiques. Projet graphique comportant la disposition du texte composé (composition), des illustrations et des légendes, et destiné à permettre le montage des pages (d'un livre, d'un journal, etc.). ⇒ **Mise** (en pages). *Réalisation d'une maquette par un maquettiste.* ⇒ **Maquettage.** — *Maquette de couverture.*

La rédaction a pour tâche de fournir à l'imprimerie, en temps utile pour chaque édition, le volume de copie, de titres, d'illustrations et de légendes nécessaire à la fabrication du journal, le tout accompagné des maquettes de chaque page et des indications typographiques adéquates.
Philippe GAILLARD, Technique du journalisme, p. 17-18.

Réalisation provisoire de quelques pages d'un ouvrage projeté.

Réalisation fictive (pages blanches reliées aux dimensions définitives) d'un livre en projet. *Maquette pour représentants.*

DÉR. **Maquettisme, maquettiste.**

MAQUETTISME [maketism] n. m. — Av. 1973 (in *la Clé des mots*); de *maquette*, et *-isme.*

♦ Fabrication de maquettes de constructions, de navires, de locomotives, de véhicules, etc.

MAQUETTISTE [maketist] n. — Mil. xxᵉ; de *maquette*, et *-iste.*

♦ **1.** Spécialiste chargé d'exécuter des maquettes (construction, mécanique).

♦ **2.** Personne qui conçoit et réalise une page comportant texte et figures. *Dessinateur maquettiste.*

Compositeur typographe chargé de la composition d'une telle page. *Maquettiste publicitaire. Le maquettiste et le metteur en pages.*

Au lieu d'aligner simplement les articles et de les faire tourner de la fin d'une page au début de la suivante, des maquettistes allaient pouvoir donner libre cours à leur fantaisie, équilibrer titres, textes et illustrations (des journaux).
Philippe GAILLARD, Technique du journalisme, p. 93.

MAQUIGNON, ONNE [makiɲɔ̃, ɔn] n. — 1279, *maquignon de chevaux*, pris absolt 1538; probablt du même rad. que 2. *maquereau.*

♦ **1.** N. m. Marchand de chevaux. *Métier de maquignon* (→ Gitan, cit. 1). *Discussions, querelles de maquignons.*

(...) si je voulais vendre ma mule, il connaissait un honnête maquignon qui l'achèterait.
A.-R. LESAGE, Gil Blas, I, II.

Spécialt. Marchand de chevaux qui dissimule frauduleusement les défauts, les vices des animaux qu'il vend.

Honoré connaissait toutes les ficelles du métier de maquignon, mais l'exemple de son père n'avait jamais pu le décider à maquiller une bête ou à dissimuler les imperfections d'un cheval.
M. AYMÉ, la Jument verte, II.

♦ **2.** (1541). Fig. Personne qui réalise des profits illégitimes ou illicites dans les affaires où elle s'entremet. ⇒ **Entremetteur.** *« Ces maquignons de mariages »* (Regnard, *la Sérénade*, I). Au fig. (1690, Furetière). *Une maquignonne d'affaire* (→ Courtier, cit. 2, Voltaire).

DÉR. **Maquignonnage, maquignonner.**

MAQUIGNONNAGE [makiɲɔnaʒ] n. m. — 1507; de *maquignon* (ou de *maquignonner*), et *-age.*

♦ **1.** (1507). Métier de maquignon.

♦ **2.** (1636). Péj. Moyens que les maquignons emploient pour vendre leurs chevaux plus cher, en dissimulant leurs défauts, leurs vices.

♦ **3.** (1585). Par ext. Fig. Moyens frauduleux, procédés indélicats employés dans les affaires, les négociations, les transactions; marchandage honteux, trafic malhonnête. ⇒ **Artifice, manœuvre, rouerie; trafic.**

(...) comme il (...) n'aimait plus le travail, il chercha son aubaine dans les marchés de peu de foi et dans un petit maquignonnage d'affaires (...)
G. SAND, François le Champi, IV.

Son mariage n'avait relevé que du maquignonnage électoral (...) [2]
ARAGON, les Beaux Quartiers, II, III.

MAQUIGNONNER [makiɲɔne] v. tr. — 1511; de *maquignon*, et *-er.*

♦ **1.** (1543). Vx. Négocier (un cheval) en le faisant paraître meilleur qu'il n'est, en dissimulant ses vices... *Maquignonner un vieux canasson, une rosse.*

♦ **2.** Par ext. Traiter (une affaire) de façon indélicate, en usant de moyens dignes d'un maquignon. *« Maquignonner une affaire »* (Académie), *une vente.*

(1511). Traiter, négocier comme une chose vénale. *Maquignonner un mariage* (Bachaumont, *Mémoires*)... ⇒ **Trafiquer.**

Quand je songe que là où l'aïeul aurait de nouveau risqué sa tête, le fils maquignonne notre honneur (...) [1]
É. ESTAUNIÉ, Tels qu'ils furent, II, VIII.

(...) ça faisait plus d'un an que Ralph, Bob, Dorothée, le vieil Opphoff et tous les [2] autres maquignonnaient l'affaire en attendant de mes nouvelles; ils s'y étaient mis à plus de dix, des salauds que je ne connaissais même pas, que je n'avais jamais vus et qui en voulaient tous à mon argent.
B. CENDRARS, Moravagine, in Œ. compl., t. IV, p. 208.

MAQUILLAGE [makijaʒ] n. m. — 1858, Esnault; 1628, « travail », mot d'argot; de *maquiller*, et *-age.*

♦ **1.** (1858). Action ou manière de maquiller, de se maquiller. *Acteur qui soigne son maquillage* (⇒ **Grimage**; → Cothurne, cit. 2). *Crayon, pinceau servant au maquillage des yeux. Produits de beauté utilisés pour le maquillage* (⇒ **Fard,** 1.). *Crème à maquillage. Table de maquillage. Trousse à maquillage, de maquillage.*

(...) l'artiste philosophe trouvera facilement la légitimation de toutes les pratiques [1] employées (...) par les femmes pour consolider et diviniser, pour ainsi dire, leur fragile beauté (...) pour nous restreindre à ce que notre temps appelle vulgairement *maquillage*, qui ne voit que l'usage de la poudre de riz (...) a pour but (...) de créer une unité abstraite dans le grain et la couleur de la peau, laquelle unité (...) rapproche immédiatement l'être humain de la statue, c'est-à-dire d'un être divin et supérieur? Quant au noir artificiel qui cerne l'œil et au rouge qui marque la partie supérieure de la joue ... (ils) représentent la vie, une vie surnaturelle et excessive (...)
BAUDELAIRE, Curiosités esthétiques, XI, « Éloge du maquillage ».

Depuis que je soigne et maquille mes contemporaines, je n'ai pas encore rencontré [2] une femme de cinquante ans qui fût découragée, ni une sexagénaire neurasthénique. C'est parmi ces championnes qu'il fait bon tenter — et réaliser — des miracles de maquillage (...) Nous détenons des gammes à enivrer un peintre. L'art d'accommoder les visages, l'industrie qui fabrique les fards, remuent presque autant de millions que la cinématographie (...)
COLETTE, les Vrilles de la vigne, « Maquillages », p. 129-130.

(...) le comédien doit savoir s'habiller (...) se maquiller. Connaissant son masque [3] et toutes les ressources qu'il peut en tirer, il doit apprendre à le transformer par cet art du maquillage (...) pour lequel des notions de peinture, d'éclairage, voire de physiologie, lui sont nécessaires.
L. JOUVET, l'Art du comédien, in Encycl. franç. (DE MONZIE), t. XVII, 64.11.

Par ext. Résultat de cette action. *Maquillage de théâtre*, de cinéma, maquillage comportant une perruque, une fausse* barbe...* — *Maquillage féminin. Enlever, refaire son maquillage* (⇒ **Toilette**). *Maquillage réussi, léger, discret...* (→ Khôl, cit. 3).

Germaine s'attardait à refaire son maquillage, à soigner ses ongles, à changer de [4] costume (...)
J. ROMAINS, les Hommes de bonne volonté, t. II, XI, p. 109.

♦ **2.** Ensemble des éléments (fond de teint, fards, poudres, rouge, ombres) servant à se maquiller; produits de beauté employés à l'embellissement du visage. *Maquillage du jour, du soir. Maquillage léger, lumineux.*

♦ **3.** (1847, argot). Opération ayant pour but de modifier frauduleusement l'aspect (d'une chose). *Maquillage d'une voiture volée. Maquillage d'un passeport.* ⇒ **Altération.**

MAQUILLER [makije] v. tr. — 1840, argot de théâtre; argot « faire », 1450; « travailler », 1628; p.-ê. du moy. néerl. *maken* « faire »; anc. picard *makier* « faire, feindre ». P. Guiraud évoque une forme *masquiller*, dér. de *masque.*

♦ **1.** Modifier ou embellir certains caractères du visage (de qqn), par des procédés (fards*, produits de beauté...). ⇒ **Farder, peindre** (vieilli). *Maquiller un acteur de théâtre, de cinéma.* ⇒ **Grimer; maquilleur.**

V. pron. (1840). *Se maquiller* : se grimer (théâtre); se farder. *Se maquiller avant d'entrer en scène. Femme qui se maquille avant de sortir.* ⇒ **Farder** (se).

P. p. adj. *Acteur mal maquillé. Femme maquillée, trop maquillée.* ⇒ **Peinture** (pot de); **tableau** (vieux tableau); → Lèvre, cit. 16. *Des yeux trop maquillés, charbonneux.*

Qu'elles sont adroites, nos filles d'aujourd'hui! La joue ombrée, plus brune que [1] rose, un fard insaisissable, comblant, bleuâtre ou gris, un vert sourd, l'orbite; les cils en épingles et la bouche éclatante, elles n'ont peur de rien. Elles sont beaucoup mieux maquillées que leurs aînées.
COLETTE, les Vrilles de la vigne, p. 128.

C'était la tragédienne Adinolfa qui venait de se dresser brusquement, maquillée [1.1] avec un art étrange; sa face entière, bien enduite d'un fard jaune d'ocre, tranchait avec ses lèvres vertes, affectant la teinte du moisi; s'ouvraient un rictus terrifiant.
Raymond ROUSSEL, Impressions d'Afrique, p. 162.

♦ **2.** (1815, argot). Par anal. Altérer*, modifier l'apparence (d'une chose) en vue de tromper*... ⇒ **Déguiser.** *« Batterie d'artillerie, mitrailleuse maquillée »* (Académie). ⇒ **Camoufler.** *Maquiller une voiture volée,* en changer l'apparence pour la revendre. *Voiture d'occasion adroitement maquillée. Maquiller un cheval* (→ Maquignon, cit. 2). — Spécialt. *Maquiller une œuvre d'art, un manuscrit, un timbre-poste, des pièces d'identité.* ⇒ **Dénaturer, falsifier.**

Argot. *Maquiller les cartes*, les brèmes :* marquer certaines cartes pour pouvoir les reconnaître à l'insu des autres joueurs. ⇒ **Tricher** (cf. argot Faire la maquille).

2   Cet ami (...) réparait des timbres-poste rares et en maquillait également. Il gagnait bien sa vie.   P. MAC ORLAN, Quai des brumes, X.

3   Un faussaire clandestinement célèbre avait inventé de faire tisser, puis maquiller, des tapisseries médiévales dont le dessin était un puzzle de fragments authentiques ; il en emplit des musées, et, la supercherie sur le point d'être dévoilée, se tua.   MALRAUX, les Voix du silence, p. 370.

♦ **3.** Dénaturer, fausser. *Maquiller la vérité.* ⇒ **Déguiser, farder.** *Maquiller les chiffres d'une statistique, les résultats d'élections...* ⇒ **Fausser, truquer.** *Maquiller un meurtre en accident* (→ Complicité, cit. 1).

4   J'ai toujours eu le plus grand mal à maquiller la vérité.   GIDE, les Faux-Monnayeurs, I, XI.

5   Il y eut, à Paris, au moins quatre cents tués ; Hugo dit : douze cents ; Viel-Castel : deux mille. Rien n'est plus facile, pour une censure, que de maquiller les chiffres un lendemain d'émeute.   A. MAUROIS, Olympio, VII, IV.

♦ **4.** Argot. (Reprise du sens initial). Faire. ⇒ **Fabriquer, ficher, foutre.**

6   Et Félicie, que maquille-t-elle en ce moment ? Elle doit promener Antoine le long du champ de courses de Saint-Cloud.   SAN-ANTONIO, Remets ton slip, gondolier !, p. 143.

▶ **MAQUILLÉ, ÉE** p. p. adj. Voir ci-dessus.

CONTR. et COMP. Démaquiller. — Rétablir.

DÉR. Maquillage, 1. maquilleur.

1. MAQUILLEUR, EUSE [makijœr, øz] n. — 1867 ; argot, 1847 ; *macquilleux* « faussaire », 1561 ; de *maquiller*, et -eur.

♦ **1.** Spécialiste en maquillage. *Maquilleur, maquilleuse de théâtre, de studio* (cinéma, télévision). *Le maquilleur d'un acteur. Elle est maquilleuse dans un institut de beauté.*

♦ **2.** Fig. Personne qui maquille (les cartes, etc.). ⇒ **Tricheur.** — Spécialt. Faussaire.

2. MAQUILLEUR [makijœr] n. m. — 1680 ; dér. irrég. du rad. de 1. *maquereau.*

♦ Pêche. Bateau servant à la pêche au maquereau.

HOM. 1. Maquilleur.

MAQUIS [maki] n. m. — 1829 ; *mackis*, 1775, var. *makis* ; corse *macchia* « tache », « ces sortes de buissons épais formant comme des taches sur les pentes des montagnes » (Bloch).

♦ **1.** Formation végétale (arbustes, buissons touffus) provenant d'une dégradation de la forêt méditerranéenne sur les sols siliceux. — Sol qui porte cette végétation. ⇒ **Garrigue.** *Le maquis, lande* broussailleuse, caractéristique de la Corse, des Maures, de l'Estérel. — Prendre le maquis. Les bandits corses prennent le maquis pour échapper à la police,* se cachent dans le maquis.

1   En sortant de Porto-Vecchio (...) après trois heures de marche (...) on se trouve sur le bord d'un *maquis* très étendu. Le maquis est la patrie des bergers corses et de quiconque s'est brouillé avec la justice (...) C'est cette manière de taillis fourré que l'on nomme maquis. Différentes espèces d'arbres et d'arbrisseaux le composent (...) Ce n'est que la hache à la main que l'homme s'y ouvrirait un passage, et l'on voit des maquis si épais et si touffus, que les mouflons eux-mêmes ne peuvent y pénétrer.
Si vous avez tué un homme, allez dans le maquis de Porto-Vecchio, et vous y vivrez en sûreté (...)   MÉRIMÉE, Mosaïque, « Mateo Falcone ».

Par anal. Couvert, taillis inextricable. *Ce jardin est un véritable maquis.*

1.1   Après une heure de course en pleins bois, les deux enfants se trouvèrent devant un inextricable fouillis d'arbres, marquant le début d'une vaste futaie inexplorée que les gens du pays appelaient le « Maquis ». Cette désignation était justifiée par un extraordinaire enchevêtrement de branches et de lianes ; nul ne pouvait s'aventurer dans le Maquis sans courir le danger de s'y perdre à jamais.   Raymond ROUSSEL, Impressions d'Afrique, p. 232-233.

♦ **2.** (1902, Larousse). Fig. Complication inextricable. *Le maquis du réel* (→ Avenue, cit. 9), *de la connaissance* (→ Fur, cit. 3). *Un maquis de formalités* (cit. 6) *administratives. Le maquis de la procédure.*

2   On se perd dans ces maquis de mémoires et de répliques, d'apologies et de libelles.   M. BARRÈS, la Colline inspirée, II.

♦ **3.** (1942 ; de *prendre le maquis,* en Corse). Sous l'occupation allemande, Lieu boisé, montagneux, peu accessible, où se réfugiaient et se regroupaient les résistants pour échapper à l'occupant et le harceler. *Prendre le maquis.*
Par ext. Organisation de résistance armée qui avait pris le maquis (⇒ **Maquisard**). *Le maquis du Vercors* (Dauphiné).

Dans tous les regards où je plongeais les miens, je lisais la fierté des armes. Tant est vivace la plante militaire française !
Les maquis le prouvent, de leur côté. Jusqu'à la fin de 1942, ils étaient rares et de faible effectif. Mais, depuis, l'espoir a grandi (...) En outre, le service obligatoire du travail... *(pousse)* beaucoup de réfractaires dans la clandestinité. Par groupes plus ou moins importants, les maquis se multiplient et entament la guérilla qui va jouer un rôle de premier ordre dans l'usure de l'ennemi (...)   Ch. DE GAULLE, Mémoires de guerre, t. II, p. 249-250.

HOM. Maki.
DÉR. Maquisard.

MAQUISARD [makizar] n. m. — V. 1942 ; de *maquis*, et -ard.

♦ Combattant, résistant, appartenant à un maquis, en France, pendant l'occupation allemande (1940-1944). ⇒ **Franc-tireur.** *Maquisards appartenant aux F.F.I., aux F.T.P., à l'armée secrète.*

(...) le chef d'une petite troupe de maquisards avait plus d'initiative, plus de prestige et d'autorité réelle que Laval n'en a jamais eu.   SARTRE, Situations III, p. 51.

On se réunit par bandes de quelques dizaines de compagnons (...) On cantonne dans des abris creusés, des huttes, des grottes (...) Il faut supporter la dure, le froid, la pluie, surtout l'angoisse. Les maquisards sont sans cesse en alerte, prêts à filer ailleurs (...)   Ch. DE GAULLE, Mémoires de guerre, t. II, p. 250-251.

REM. Le fém. *maquisarde* (« résistante ») est virtuel.

MARA [mara] n. m. — 1846, Bescherelle ; mot esp. d'Amérique, probablt de l'araucan.

♦ Zool. Lièvre de Patagonie ou des pampas *(Caviidés)* rongeur d'Amérique du Sud *(dolichotis patagonica).*

Des citoyens de l'Union ne pouvaient hésiter à donner à ces rongeurs le nom qui leur convenait. C'étaient des « maras », sorte d'agoutis, un peu plus grands que leurs congénères des contrées tropicales, véritables lapins d'Amérique, aux longues oreilles, aux mâchoires armées sur chaque côté de cinq molaires, ce qui les distingue précisément des agoutis.   J. VERNE, l'Île mystérieuse, t. I, p. 156.

MARABOUT [marabu] n. m. — 1651 ; *morabuth,* 1575 ; port. *marabuto* ; arabe *murābiṭ* « attaché à la garde d'un poste frontière », du verbe *rābaṭa* « camper » (en parlant d'une armée).

★ **I.** ♦ **1.** Moine-soldat de l'ancien empire arabe. — Pieux ermite, saint de l'islam, dont le tombeau est un lieu de pèlerinage. *Tombeau d'un marabout.* ⇒ **Koubba** (cit. 2).

Il faut un intermédiaire plus humble entre lui *(Allah)* si grand et elles *(les femmes musulmanes)* si petites. Cet intermédiaire, c'est le marabout... C'est donc au tombeau du saint, dans la petite chapelle où il est enseveli, que nous trouverons la femme arabe en prière.   MAUPASSANT, la Vie errante, « D'Alger à Tunis », IV.

Par anal. (→ Invoquer, cit. 5).

Bonaparte tenait à maintenir solidement sa réputation de thaumaturge ou tout au moins de porte-bonheur, — de *marabout.*
     Louis MADELIN, Hist. du Consulat et de l'Empire, « Ascension de Bonaparte », XVII.

Franç. d'Afrique. Musulman sage et respecté. *« Les marabouts instruisent les enfants, célèbrent baptêmes, mariages et obsèques, confectionnent des gris-gris »* (I.F.A.).

Musulman réputé pour ses pouvoirs magiques ; envoûteur, sorcier. ⇒ **Marabouter.**

♦ **2.** (1845, Bescherelle). Tombeau d'un marabout. — REM. Dans l'usage français, ce mot a supplanté le mot arabe *koubba*. ⇒ **Mausolée.**

(...) ce marabout est un petit cube de plâtre autrefois blanc, devenu jaune, avec une kouba (sic) conique et une saillie dentelée à chaque angle.
     E. FROMENTIN, Un été dans le Sahara, p. 130.

Il y avait tout juste près de là un vieux *marabout* (tombeau de saint) à coupole blanche, avec les grandes pantoufles jaunes du défunt déposées dans une niche au-dessus de la porte, et un fouillis d'ex-voto bizarres (...)
     Alphonse DAUDET, Tartarin de Tarascon, III, V.

★ **II.** Par anal. ♦ **1.** (1740, Trévoux ; de la forme du tombeau). Vx. Bouilloire à ventre assez large et couvercle articulé en forme de coupole (⇒ **Cafetière**), primitivement importée de Turquie.

(...) la simplicité de la batterie de cuisine qui consistait en un cuisinière, un chaudron, un gril, une casserole, deux ou trois marabouts, et une poêle à frire.
     BALZAC, le Cousin Pons, Pl., t. VI, p. 789.

Par appos. *Tente marabout :* tente conique.

On vivait pourtant dans la plus complète promiscuité : douze hommes dans chaque tente marabout.   Raymond ABELLIO, les Militants, p. 70.

♦ **2.** (1820 ; l'oiseau étant comparé à un saint homme en prière). Grand échassier au plumage gris et blanc, à gros jabot (n. sc. : *leptopilus*), parfois appelé *cigogne à sac* ou *philosophe.* ⇒ **Adjudant** (zool.).

Ce sont *(les marabouts)* de fort laids oiseaux, dont le cou ne présente que quelques plumes duveteuses et dont la tête est nue (...)
     P. POIRÉ, Dict. des sciences, art. *Marabout.*

(1823, in D.D.L.). Par métonymie. Plume de la queue de cet oiseau (à la mode sous la Restauration). *Chapeau, aigrette de marabout* (→ Flou, cit. 5).

♦ **3.** (Par anal. de forme avec la plume). Vieilli. Organsin* très fin.

Tissu léger d'organsin et de tulle. *Écharpe de marabout* (→ Chanter, cit. 8). — Ruban de gaze*. *Nœud de marabout.*

REM. Le mot est le premier d'une série formant une sorte de poème absurde fondé sur le calembour, et ressortissant, au même titre que les comptines, à un fonds culturel enfantin de transmission orale : *marabout, bout de ficelle, selle de cheval*, etc.

DÉR. **Maraboutique, maraboutisme.**

MARABOUTAGE [maʀabutaʒ] n. m. — D. i. ; de *marabouter.*

♦ Franç. d'Afrique. Pratiques magiques et religieuses des marabouts. — Fait de marabouter, d'envoûter, de jeter des sorts.

MARABOUTER [maʀabute] v. tr. — D. i ; de *marabout*, spécialt.

♦ Franç. d'Afrique. Jeter un sort à (qqn), l'envoûter en recourant aux pratiques d'un marabout. — (Au passif). *Être marabouté* : subir les effets d'un maraboutage, être victime d'une pratique magique.

MARABOUTIQUE [maʀabutik] adj. — 1878 ; de *marabout*, et *-ique.*
Didactique.

♦ **1.** Relatif au maraboutisme. *« De puissantes maisons maraboutiques »* (*Rev. gén. des sc.* 1903, nº 4, p. 206).

♦ **2.** Qui pratique le maraboutisme. *Tribu maraboutique.*

MARABOUTISME [maʀabutism] n. m. — 1963, Larousse ; de *marabout*, et *-isme.*

♦ Didact. Culte des marabouts. *Le maraboutisme islamique.*

L'orthodoxie musulmane s'est insurgée, à maintes reprises, contre ce qu'on a appelé le maraboutisme : culte de saints locaux, légendes, miracles, manifestations frénétiques, transes (...)
Eva DE VITRAY-MEYEROVITCH, Rûmi et le soufisme, p. 170-171.

MARABUNTA [maʀabunta] n. f. — Mil. xxᵉ ; mot indien du Brésil, par le portugais.

♦ Didact. Migration massive de fourmis, dévorant tout ce qui est comestible sur leur passage.

MARACAS [maʀakas] n. m. pl. — 1837, *Dict. des dictionnaires ;* esp. d'Argentine *maracá.*

♦ Instrument de percussion, sphères creuses où quelques corps durs sont enfermés, qui sont munies d'un manche et que l'on agite pour marquer le rythme, dans les orchestres de musique sud-américaine. *Les maracas étaient d'abord des calebasses* séchées où on laissait les graines.*

Dans la lumière bleue des projecteurs, à la cadence des maracasses (*sic*), les belles cuisses des mômes, rangées en ligne au fond de la piste, rythmaient à contretemps le passage tendre d'une conga. Albert SIMONIN, Touchez pas au grisbi, p. 53.

MARACUDJA [maʀakudʒa] ou MARACUNJA [maʀakunʒa] n. m. — Répandu v. 1975 ; mot indien du Brésil, par le portugais.

♦ Fruit de la passiflore, au goût acidulé. Syn. cour. : *fruit de la passion*.*

MARAÎCHAGE [maʀeʃaʒ] n. m. — 1884, in F.E.W. ; de *maraîcher*, d'après *jardinage.*

♦ Culture maraîchère.

La population de Virelay avait baissé de moitié. Ceux qui possédaient des terres sur le plateau avaient étalé le coup ¹ tant bien que mal, en développant à outrance le maraîchage, qui rapporte gros. Roger IKOR, les Fils d'Avrom, Prologue, p. 29.
1. Supporté la chose.

MARAÎCHER, ÈRE [maʀeʃe, ɛʀ] n. et adj. — 1762, Académie ; *maraischor*, 1690, Furetière ; *maresquier*, 1551 ; *marequier*, 1497 ; forme picarde dér. de *marais*.*

★ **I.** N. Jardinier* qui se livre spécialement à la culture des légumes. ⇒ **Agriculteur, horticulteur.** *Voiture, charrette de maraîcher* (→ Bringuebaler, cit. 1 ; halle, cit. 5).

1 Venaient ensuite les masures et les clos des maraîchers, personnages hybrides, à demi paysans, ouvriers à demi, qui, derrière des murs jaloux, torturaient d'étroits lopins et leur faisaient, à force d'eau, de fumier, de cloches et de châssis rendre d'énormes fardeaux de légumes qu'ils portaient eux-mêmes, la nuit, dans des carrioles somnolentes, jusqu'aux Halles de Paris.
G. DUHAMEL, Chronique des Pasquier, III, III.

★ **II.** Adj. (1812). Propre au maraîcher, relatif à la culture des légumes et primeurs. *Jardins maraîchers. Production maraîchère. Culture maraîchère des légumes et primeurs.* ⇒ **Maraîchage.**

Par ext. (Littér.). Relatif aux jardins maraîchers, aux légumes et à leur culture.

(...) j'aurais aimé cette vieille rue à pignons et à auvents, la lueur feutrée de ses lampes, et jusqu'à l'odeur maraîchère qui l'emplissait (...) Elle était bordée (...) d'étranges cafés-fruiteries, où des tas de choux croulaient entre les tables (...)
Roger VERCEL, Capitaine Conan, p. 47. 2

★ **III.** (1873, Zola, *le Ventre de Paris*). N. m. Variété de melon.
DÉR. **Maraîchage.**

MARAÎCHIN, INE [maʀeʃɛ̃, in] adj. et n. — 1840, Académie, n. ; de *marais.*

♦ **1.** Géogr. Des marais poitevin et breton. *Les villages maraîchins.*

♦ **2.** N. f. (xxᵉ). Danse paysanne de la région maraîchine.

MARAIS [maʀɛ] n. m. — 1459 ; *maresc*, 1086 ; *mareis*, xiᵉ ; d'un francique *marisk.* Cf. angl. *marsh*, all. *Marsch*, du rad. germanique *mari*- « mer, lac ».

♦ **1.** Nappe d'eau stagnante généralement peu profonde recouvrant un terrain détrempé, et partiellement envahie par la végétation. ⇒ **Étang, marécage, palus ; palud** (dial.). *Marais des Ardennes* (⇒ **Fagne**), *des Dombes, de la Sologne, des pays tropicaux* (⇒ **Marigot**). *Boue, bourbe, vase des marais. Végétation, faune d'un marais.* ⇒ **Palustre ; paludine, planorbe.** *Joncs, roseaux d'un marais* (⇒ **Roselier**). *Marais empesté* (cit. 5), *malsain.* — *S'enfoncer* (cit. 21) *dans un marais. Assécher* (cit. 1) *un marais. Extraction de la tourbe d'un marais* (⇒ **Tourbière**). *Assèchement, desséchement, drainage d'un marais. Lancer une chaussée* (ou *anternon*) *à travers les marais, un pont sur les marais* (→ 1. Frayer, cit. 3). *Marais littoral endigué et asséché* (⇒ **Polder**). — *Gaz des marais* (⇒ **Méthane**). *Fièvre des marais* (vx). ⇒ **Malaria, paludisme ; paludéen.** — *Les marais Pontins*, dans la campagne romaine.

Oswald et Corinne traversèrent ensuite les marais Pontins, campagne fertile et pestilentielle tout à la fois (...) Les lieux marécageux et malsains, dans le Nord, sont annoncés par leur effrayant aspect (...) Mᵐᵉ DE STAËL, Corinne, XI, I. 1

L'exploration fut reprise, et les colons arrivèrent à la limite où commençait la région marécageuse. 1.1

C'était bien un marais, dont l'étendue, jusqu'à cette côte arrondie qui terminait l'île au sud-est, pouvait mesurer vingt milles carrés. Le sol était formé d'un limon argilo-siliceux, mêlé de nombreux débris de végétaux. Des conferves, des joncs, des carex, des scirpes, çà et là quelques couches d'herbages, épais comme une grosse moquette, le recouvraient. Quelques mares glacées scintillaient en maint endroit sous les rayons solaires. J. VERNE, l'Île mystérieuse, t. I, p. 278.

(...) l'étroit marais fleuri où l'eupatoire, la statice, la scabieuse apportent trois nuances de mauve (...) COLETTE, la Naissance du jour, p. 84. 2

Région marécageuse. *Le marais poitevin, breton.* ⇒ **Maraîchin.**

♦ **2.** (1680). Terrain (d'abord en lieu bas et humide) consacré à la culture maraîchère. ⇒ **Jardin.** *Hortillonnage pratiqué dans les marais de Picardie.*

Tandis qu'il rêve et qu'il s'afflige
De ne point pénétrer ces importants secrets,
Il n'arrose point son marais (...) FLORIAN, Fables, I, 10. 3

J'ai promis à cet homme un marais et une maison de maraîcher contiguë à la loge du concierge de la rue Saint-Maur. BALZAC, Honorine, Pl., t. III, p. 277. 4

Le Marais, nom d'un quartier de Paris (auprès de la place des Vosges) où s'étendaient autrefois ces terrains cultivés.

♦ **3.** (Fin xviᵉ). **MARAIS SALANT** : bassin creusé à proximité du rivage pour extraire le sel* de l'eau de mer par évaporation. ⇒ **Saline.** *Circulation de l'eau de mer dans un marais salant, à travers des graduations*, des bassins d'évaporation.* ⇒ **Aderne, œillet, varaigne, vasière** (→ 1. Courant, cit. 2). *Chemins pour circuler à travers les marais salants.* ⇒ **Vie.** *Tas de sel extraits des marais salants.* ⇒ **Camelle, meulon, 1. pilot.** *Ouvrier travaillant dans les marais salants.* ⇒ **Paludier.** *Exploitant de marais salants.* ⇒ **Marayon.**

(...) on fait le sel en France par la seule évaporation, en attirant l'eau de la mer dans de grands terrains qu'on appelle des marais salants. 5
BUFFON, Hist. nat. des minéraux, Sel marin et sel gemme.

♦ **4.** Fig. Forme d'activité, genre de vie où l'homme risque de se souiller, de s'enliser dans la bassesse. ⇒ **Bas-fond, boue, marécage.** *Le marais de la vie politique* (→ Fangeux, cit. 2). *Tomber dans un marais d'ennui* (→ Hébéter, cit. 8).

(1792). Hist. *Le Marais*, sous la Révolution, Nom donné par dérision au Tiers Parti, parti modéré siégeant au centre de l'Assemblée législative et de la Convention (et parfois dénommé *la Plaine*).

Il était peut-être nécessaire alors d'opposer la masse des Brissotins et des patriotes du côté droit aux bas côtés et au Marais de la législature La Législative. 6
CHABOT, 14 oct. 1792, in AULARD, la Société des Jacobins, IV, p. 385 (in D. D. L.).

♦ **5.** Didact. (Météor.). *Marais barométrique* : zone de pression, basse ou moyenne, où les masses* d'air ont des variations de pression très faibles (par oppos. à *front*).

DÉR. **Maraîcher, maraîchin, marayon, marécage.**

MARANTE [maʀɑ̃t] ou MARANTA [maʀɑ̃ta] n. f. — 1693, *marante* et *maranta* ; de *Maranta*, botaniste du xviᵉ s.

♦ Plante *(Marantacées)* de l'Amérique tropicale, dont une espèce fournit l'*arrow-root*.

HOM. Marrante (fém. de marrant).

1. MARASME [maʀasm] n. m. — 1538; grec *marasmos* «consomption».

♦ **1.** (1538). Méd. Forme très grave de dénutrition, spécialement chez l'enfant, avec maigreur extrême, atrophie musculaire et apathie. ⇒ **Athrepsie, cachexie.**

1 (...) les indigènes dans ces parages souffraient jusqu'au marasme de toutes les
   maladies attrapables (...)   CÉLINE, Voyage au bout de la nuit, p. 156.

♦ **2.** (Déb. XIXᵉ). Cour. Accablement, apathie profonde. ⇒ **Ankylose, apathie, langueur.** *Tomber dans le marasme. Sortir du marasme* (→ Fat, cit. 5).

2 Insensiblement, Granville, accablé de travail, sevré de plaisirs et fatigué du monde
   où il errait solitaire, tomba vers trente-deux ans dans le plus affreux màrasme.
   La vie lui fut odieuse.   BALZAC, Une double famille, Pl., t. I, p. 975.

♦ **3.** (V. 1790). Fig. Stagnation. «*Marasme politique*» (Mirabeau). *Le marasme des affaires* (→ Dégringoler, cit. 1). *Marasme économique.* ⇒ **Stagnation.**

3 (...) un certain nombre de grands possédants (...) se plaignent à tort ou à raison
   du marasme des affaires, et s'imaginent que la guerre donnerait un coup de fouet
   à la vie économique. J. ROMAINS, les Hommes de bonne volonté, t. X, XIX, p. 204.

CONTR. Prospérité.

2. MARASME [maʀasm] n. m. — 1923, *in* Larousse; de 1. *marasme*, ce champignon se desséchant sans pourrir.

♦ Petit champignon à pied coriace *(Agaricacées)*, dont une variété est appelée *mousseron d'automne.*

MARASQUE [maʀask] n. f. — 1845; *cerise marasque,* 1776; ital. *amarasca* ou *marasca* «cerise aigre», de *amaro* «amer».

♦ Arbor. Variété de cerise acide du bassin méditerranéen. *Liqueur de marasque.* ⇒ **Marasquin.**

MARASQUIN [maʀaskɛ̃] n. m. — 1739; de l'ital. *maraschino,* de *marasca.* → Marasque.

♦ Liqueur de cerise* faite avec des marasques*. *Marasquin de Zara. Une bouteille de marasquin* (→ Kirsch, cit.). *Glace* (cit. 14) *au marasquin.*

Elle mangeait alors une glace au marasquin, qu'elle tenait de la main gauche dans
une coquille de vermeil, et fermait à demi les yeux, la cuiller entre les dents.
                                    FLAUBERT, Mᵐᵉ Bovary, Folio, p. 83.

MARATHON [maʀatɔ̃] n. m. — 1896; de *Marathon,* ville grecque d'où courut, jusqu'à Athènes, le soldat portant la nouvelle de la victoire.

♦ **1.** Course à pied de grand fond sur route, ainsi nommée en souvenir du soldat de Marathon. *Le marathon se court sur une distance de 42 km 750. Le vainqueur du marathon aux Jeux olympiques.* «*Le marathon figure au programme olympique depuis sa création, due à l'initiative du professeur Michel Bréal (1896)*» (G. Petiot, *Dict. de la langue des sports*).

♦ **2.** Fig. Épreuve ou séance prolongée, qui exige une grande résistance. *Disputer un marathon de danse. La durée et le nombre des épreuves font de ce concours un véritable marathon.*

Polit. Négociation, délibération longue et laborieuse. *Les négociations ont souvent tourné au marathon. Le marathon budgétaire, diplomatique, agricole.* — Appos. *Une discussion, une séance-marathon.*

DÉR. Marathonien.

MARATHONIEN [maʀatɔnjɛ̃] n. m. — 1896, *in* G. Petiot; de *marathon,* et *-ien;* 1873, «de la ville de Marathon».

♦ Coureur de marathon.

Parmi les coureurs de cent mètres quelle immense variété! et parmi les coureurs
de quinze cents, et les marathoniens eux-mêmes...
                                    Jean PRÉVOST, Plaisirs des sports, p. 180.

MARATISME [maʀatism] n. m. — 1793; de *maratiste.*

♦ Attitude politique des maratistes.

MARATISTE [maʀatist] adj. et n. — 1792; de *Marat.*

♦ Hist. De Marat. Partisan de Marat, sous la Révolution.

DÉR. Maratisme.

MARÂTRE [maʀɑtʀ] n. f. — 1530; *marastre,* v. 1138; lat. tardif *matrastra* «femme du père», de *mater.*

★ **I.** ♦ **1.** (V. 1138). Vx ou péj. Femme du père, par rapport aux enfants qu'il a eus d'un premier mariage. ⇒ **Belle-mère** (2.). — REM. Du XIIIᵉ au XIXᵉ s., *marâtre* s'est parfois employé sans l'idée péjorative qui s'y attache de nos jours.

1 Ce qu'une marâtre aime le moins (...) ce sont les enfants de son mari : plus elle
   est folle de son mari, plus elle est marâtre.   LA BRUYÈRE, les Caractères, v, 46.

2 Vous savez que, si rien au monde ne vaut une mère, rien n'est pire qu'une
   marâtre, — si ce n'est une belle-mère. — Donc Françoise de Plaix, comme une
   vraie marâtre qu'elle était, aimait peu les enfants de l'autre lit, et tâchait de favoriser les siens de tout ce qu'elle pouvait tirer de son côté et du leur.
                                    Th. GAUTIER, les Grotesques, X, p. 341.

   LE BOUFFON. — Bernardo, trop jeune, on dit que l'image de sa sœur le console.   2.1
   Certes, Lucrétia, sa marâtre, le berce, mais c'est Béatrice qui le nourrit.
                          A. ARTAUD, les Cenci, I, 1, *in* Œ. compl., t. IV, p. 330.

(1964). Franç. d'Afrique. Épouse du père autre que la mère, pour les enfants d'un polygame.

♦ **2.** (1626). Mère dénaturée* qui maltraite ses propres enfants, mauvaise mère. *On a retiré à cette marâtre la garde de ses enfants.* — Fig. *La fortune l'a traité en marâtre.*

3 Mais la société, plus marâtre que mère, adore les enfants qui flattent sa vanité.
                                    BALZAC, le Lys dans la vallée, Pl., t. VIII, p. 891.

Adj. «*Marâtre nature*» (→ Durer, cit. 6, Ronsard). ⇒ **Cruel.**

★ **II.** (1757, *Encyclopédie*). Métall. Grosse pièce de fonte consolidant la paroi supérieure d'une embrasure de fourneau.

MARAUD, AUDE [maʀo, od] n. — 1549; *marault,* XVᵉ; orig. obscure, p.-ê. du nom dialectal désignant le matou dans les parlers du centre, du rad. expressif *marm-,* ou encore (P. Guiraud) du lat. *mas, marem* «mâle».

♦ (1580, Montaigne). Vx et péj. Personne méprisable. *C'est un maraud.* «*Le maraud m'embarrassait*» (→ Envelopper, cit. 22, Beaumarchais). *Étriller* (cit. 6) *un maraud.* ⇒ **Bonhomme, canaille, coquin, drôle, faquin** (→ Fâcher, cit. 5). *Le petit maraud.* ⇒ **Garnement.** — *Une maraude.* ⇒ **Drôlesse.** — (Souvent en appellatif). ⇒ **Bélître** (cit.), **coquin, drôle, faquin.** *Allez, maraud!*

1 (...) Quoi! je vous vois, maraude?   MOLIÈRE, les Femmes savantes, II, 6.

2 (...) tout ce qu'il y avait à Paris de marauds, de voleurs oisifs et de vagabonds disponibles (...)   HUGO, Notre-Dame de Paris, I, II, III.

DÉR. Maraude, marauder.

MARAUDAGE [maʀodaʒ] n. m. — 1775; de *marauder,* et *-age.*

♦ **1.** Action de marauder, de pratiquer la maraude*. ⇒ **Larcin, vol.** *Soldats qui vivent de maraudage et de rapines.* ⇒ **Maraude, pillage.**

♦ **2.** (1836). Dr. Vol de récoltes ou autres productions utiles de la terre avant que celles-ci ne soient détachées des arbres ou du sol. *Le maraudage, contravention de simple police, devient délit correctionnel s'il a lieu la nuit, ou à l'aide de sacs, paniers, voitures...*

1. MARAUDE [maʀod] n. f. — 1679; déverbal de *marauder.*

♦ **1.** Vol de denrées (fruits, légumes, volailles...) dans les jardins et les fermes, commis par des soldats en campagne, et, par ext., par toute personne. ⇒ **Chapardage, larcin, maraudage, picorée, rapine.** *Aller à la maraude. — En maraude. Être en maraude. — Punir la maraude. Vagabond en maraude.* — Par anal. *Animal, fauve en maraude.*

1 (...) un paresseux et un ivrogne, qui, à son retour du service, après avoir fait les
   campagnes d'Afrique, s'était mis à battre les champs (...) vivant de braconnage et
   de maraude (...)   ZOLA, la Terre, I, II.

Fig. *Plagiaire qui va à la maraude dans les ouvrages d'autrui.*

2 Chénedollé (...) allait à la maraude dans mes ouvrages.
                          CHATEAUBRIAND, Mémoires d'outre-tombe, t. II, p. 189.

3 (...) On risque, par ces soirs de juin, de trouver des filles attardées le long des chemins, ou bien des garçons, derrière les haies, en maraude d'amour.
                                    LOTI, Ramuntcho, I, XX.

♦ **2.** (1867). Vx. Prise en charge irrégulière par une voiture louée à la journée.

(xxᵉ) Mod. *Taxi en maraude* (→ Croiser, cit. 5), qui roule à vide et lentement à la recherche de clients.

HOM. Maraude (fém. de *maraud*), formes du v. **marauder**.

2. MARAUDE [maʀod] n. f. ⇒ Maraud.

MARAUDER [maʀode] v. intr. — 1549, « mendier »; de *maraud*, et *-er*.

♦ **1.** (1700). Pratiquer la maraude*, le maraudage*. ⇒ **Chaparder, picorer, piller, voler.** *Un homme qui maraudait dans les jardins* (⇒ **Maraudeur**).

♦ **2.** (1805 : cochers). *Taxi qui maraude,* qui est en maraude.

DÉR. Maraudage, maraudeur.

MARAUDEUR, EUSE [maʀodœʀ, øz] n. et adj. — 1679, Brunot; de *marauder,* et *-eur*.

♦ **1.** [a] Personne qui maraude. *Arrêter un maraudeur* (→ Identité, cit. 13). ⇒ **Fourrageur, fricoteur, pillard, voleur.**

1 (...) ordre de passer par les armes quiconque serait pris en flagrant délit; mais la rapine est tenace. Les maraudeurs volaient dans un coin du champ de bataille pendant qu'on les fusillait dans l'autre. HUGO, les Misérables, II, I, XIX.

2 Quand il surprenait des maraudeurs en train d'en cueillir *(des prunes)...* il entrait dans des fureurs terribles. R. DORGELÈS, le Cabaret de la belle femme, p. 177.

Cocher, chauffeur de taxi qui maraude. — Adj. *Taxi maraudeur.*

[b] Adj. (D'un animal). *Oiseau maraudeur* (→ Grive, cit. 1).

♦ **2.** N. m. Modèle de voilier, dériveur lesté pour le camping nautique. *Un Maraudeur.*

MARAVÉDIS [maʀavedis] n. m. — 1555; *malavedis,* fin xvᵉ; esp. *maravedi* « monnaie des Almoravides »; arabe *mūrābīṭīyy* « qui est relatif aux Almoravides » [dynastie de « marabouts »], de *mūrābīṭ* → Marabout.

Didactique.

♦ **1.** Monnaie d'or et d'argent frappée sous les Almoravides (fin xIᵉ-déb. xIIᵉ).

♦ **2.** Ancienne monnaie de billon espagnole. — Plais. et vieilli. *Pas un maravédis :* pas un sou.

Comment, Marie, vous, héritière de dix mille sequins de rente, vous parlez à... Ai-je la berlue?... c'est ce damné mécanicien qui n'a pas un maravédis. BALZAC, les Ressources de Quinola, I, 11.

MARAYON [maʀɛjɔ̃] n. m. — 1868; de *marais*.

♦ Techn. Colon partiaire, exploitant un marais salant.

MARBRAGE [maʀbʀaʒ] n. m. — xxᵉ; de *marbrer,* et *-age*.

♦ **1.** Techn. Procédé d'ajustage* qui consiste à « frotter sur un marbre la pièce à ajuster enduite d'un produit colorant, de façon à pouvoir repérer les aspérités et à les faire disparaître par grattage » *(Larousse industr.,* art. *Ajustage).*

♦ **2.** Savonnerie. Opération qui consiste à introduire dans le savon des veines imitant celles du marbre.

1. MARBRE [maʀbʀ] n. m. — V. 1050; du lat. *marmor.*

♦ **1.** Roche calcaire, formée de cristaux de calcite* ou de dolomite, souvent veinée de couleurs variées. *Les marbres, calcaires (ou dolomies) métamorphosés, forment des pierres dures, blanches ou colorées, unies ou veinées, susceptibles de poli. Calcaire transformé en marbre* (⇒ **Marmoriser**). — *Marbre pur, blanc.* ⇒ **Carrare, paros.** *Marbre du Pentélique. Marbre noir vrai, noir veiné* (grand antique). *Marbres colorés, jaspés*, tachés, veinés*. Marbre rubané (marbre-onyx).* ⇒ **Albâtre.** *Marbres filandreux* (→ Fil, cit. 29). *Marbres de teintes variées* (→ Gris, cit. 20). *Marbre polychrome.* ⇒ **Brocatelle.** *Marbre gris micacé* (⇒ **Cipolin**), *marbre sarrancolin gris ou rouge, marbre rouge et brun* (⇒ **Griotte**), *marbre rouge de Flandres, marbre orangé* (⇒ **Abricotine**), *marbre bleu* (⇒ **Turquin**), *vert* (⇒ **Ophite, serpentine**), *violet. Certains marbres sont des brèches calcaires. Marbre à fossiles.* ⇒ **Lumachelle.**

1 Il n'y a que peu de marbres (...) qui soient d'une seule couleur. Les plus beaux marbres blancs ou noirs sont les seuls que l'on puisse citer, et encore sont-ils souvent tachés de gris et de brun; tous les autres sont de plusieurs couleurs (...) on en connaît des rouges et rougeâtres; des orangés, des jaunes et jaunâtres; des verts et verdâtres; des bleuâtres plus ou moins foncés et des violets (...) et du mélange de ces diverses couleurs il résulte une infinité de nuances différentes dans les marbres gris, isabelles, blanchâtres, bruns ou noirâtres. BUFFON, Hist. nat. des minéraux, Du marbre.

Extraction du marbre. Carrière de marbre.* ⇒ **Marbrière.** *Marbre brut. Marbre débité. Débitage, sciage, dressage, polissage du marbre. Bloc* de marbre. Polir le marbre* (⇒ **Gratteler, rabattre**);

marbre poli. Marbre patiné* (→ **Patine**). — *Marbre antique,* provenant de carrières épuisées (paros).

(En parlant du marbre débité, poli, tel qu'il est utilisé). *Emploi du marbre en architecture, en décoration* (→ Architecture, cit. 1). « *Plus que le marbre dur...* » (→ Ardoise, cit. 1, Du Bellay). *Palais, temple de marbre* (→ Architrave, cit. 2; incrustation, cit. 1). *Façade* (cit. 2), *escalier, degrés de marbre. Colonnes* (→ Albâtre, cit. 2; équarrir, cit. 1). *balustrade* (cit. 1), *grille* (cit. 9), *tombeau de marbre.* — *Décoration de marbre, de plaques de marbre. Marbre incrusté* (cit. 1). *Dallage, pavage de marbre.* — *Baignoire* (cit. 1), *bassin* (cit. 5), *fontaine* (cit. 7), *de marbre. Étagère* (cit. 3), *guéridon* (cit. 2), *comptoir, table de marbre.* — *Cheminée* de marbre.* — *Imitations de marbre* (→ *infra* 4.). *Porcelaine imitant le marbre.* ⇒ **Biscuit** (II.), **parian.**

2 — Avec quel charme est nuancée
Cette dalle à moitié cassée!
Voyez-vous ces veines d'azur,
Légères, fines et polies,
Courant, sous les roses pâlies,
Dans la blancheur d'un marbre pur? A. DE MUSSET, Poésies nouvelles, « Sur trois marches de marbre rose ».

3 (...) c'est la pâleur diaphane, la splendeur muette et blanche; on est arrivé parmi les marbres. Tout est blanc, les dalles, les murs, les colonnes, les voûtes, les balustres ciselés au bord des terrasses qui regardent les profonds lointains (...) l'usure du temps n'a sur le marbre qu'une prise très lente (...). LOTI, l'Inde (sans les Anglais), VI, III.

4 Je regardais, par contenance, le marbre de la table. Un vieux marbre roux, onctueux, où les sirops et les liqueurs avaient lentement pénétré, et que veinaient de grandes branches minérales. H. BOSCO, le Jardin d'Hyacinthe, p. 113.

Spécialt. *Table de marbre de la salle du Palais,* autour de laquelle se réunissaient certains tribunaux (connétablie, amirauté, eaux et forêts). Par ext. Ces juridictions. *Le marbre blanc utilisé en sculpture* (marbre statuaire). → Bloc, cit. 1. *Ciseau* (cit. 3), *boucharde de sculpteur pour sculpter*, travailler le marbre. Buste*, frise* (1. Frise, cit. 1), *statue de marbre.* Par ext. *Animer* (cit. 8) *le marbre.*

5 Le marbre blanc, chair froide et pâle,
Où vivent les divinités (...). Th. GAUTIER, Émaux et Camées, « Symphonie en blanc majeur ».

♦ **2.** (xIIIᵉ). **UN MARBRE :** un bloc, une dalle, un objet... en marbre taillé et poli. *Un marbre votif.* — Spécialt. La plaque de marbre qui forme le dessus de certains meubles (→ Barman, cit. ; humide, cit. 4). *Le marbre d'une commode.*

6 (...) la place où la Vierge enfanta le Rédempteur des hommes (...) est marquée par un marbre blanc incrusté de jaspe et entouré d'un cercle d'argent (...) CHATEAUBRIAND, Itinéraire..., III, p. 283.

7 La commode surtout lui était chère (...) elle n'osait parler, était d'avoir une pendule pour la mettre au beau milieu du marbre, où elle aurait produit un effet magnifique. ZOLA, l'Assommoir, t. I, IV, p. 122.

Vieilli. Bloc de marbre utilisé par le sculpteur. *Façonner un marbre* (→ Ébaucher, cit. 2; forme, cit. 16). *Œuvre plastique* (statue, bas-relief) *en marbre. Marbre antique* (→ Bacchanale, cit.). *Les marbres d'un musée* (→ Cruauté, cit. 7).

♦ **3.** Loc. métaphorique et fig. *Blancheur de marbre* (→ Jupe, cit. 2). — *Froid** (→ 1. Froid, cit. 20) *comme le marbre, comme un marbre,* se dit d'une chose très froide, d'une personne transie de froid, glacée par la peur, et, fig., d'une personne qui reste impassible, glaciale... — *Être, rester de marbre.* ⇒ **Impassible, insensible, marmoréen.** *Cœur* de marbre, visage de marbre,* insensible.

8 (...) croit-il que vous soyez de marbre? MOLIÈRE, l'Amour médecin, I, 4.

9 La cour est comme un édifice bâti de marbre : je veux dire qu'elle est composée d'hommes fort durs, mais fort polis. LA BRUYÈRE, les Caractères, VIII, 10.

10 Je restai comme un marbre à ce discours (...). MARIVAUX, le Paysan parvenu, I, p. 25.

11 (...) des femmes qui n'ont pas plus de tempérament qu'un marbre de cheminée. J. ROMAINS, les Hommes de bonne volonté, t. V, III, p. 22.

11.1 (...) pour un observateur moins averti que nous, votre conduite laisserait croire que vous êtes un homme de marbre. J. ANOUILH, le Voyageur sans bagage, Folio, p. 13.

♦ **4.** Par anal. (du sens 1). Matière ressemblant au marbre ou imitant le marbre. *Marbre artificiel :* calcaire tendre desséché et plongé dans des bains de sels métalliques. ⇒ **Stuc.** *Marbre feint, factice.*

Peinture imitant les couleurs, les veines, les taches du marbre (⇒ **Marbrer**). — Spécialt. (Reliure). Teinte qu'on donne aux pages de garde, aux tranches d'un livre. ⇒ **Marbrure.**

Méd. *Maladie des os de marbre,* autre nom de l'ostéopétrose (parce que la radiographie montre chez les sujets atteints de cette maladie que les os sont uniformément denses).

♦ **5.** Par ext. (Surface plane).

[a] Techn. Table, surface de pierre (de marbre à l'origine), de métal sur laquelle on effectue certaines opérations (en mécanique, verrerie, poudrerie : broyage des couleurs, des drogues; coulage des glaces...).

[b] (1622). Spécialt. Plateau de fonte polie, placé sur un bâti *(pied*

du marbre). — *Table de la presse à bras sur laquelle on place la forme** (cit. 82).

Loc. fig. *Livre, article sur le marbre :* prêt à être imprimé. Par métonymie. *Le marbre :* les manuscrits en attente, prêts pour l'impression.

(Journalisme). *Avoir du marbre,* des articles composés qui n'ont pu être imprimés, faute de place, et qui restent *sur le marbre* pour être utilisés ultérieurement.

Par ext. Salle, service de mise en pages, dans un journal. *Secrétaire au marbre.*

11.2 Lorsqu'il a envoyé toute la copie et tous les titres à la composition, toutes les illustrations à la gravure, le secrétaire de rédaction a achevé son travail de la journée dans son bureau. Mais il ne quitte pas le journal pour autant ; il se rend au marbre. Le marbre, nous l'avons vu, désigne par extension la salle de mise en pages. Lorsque le secrétaire de rédaction y arrive, la plupart des textes des pages dont il est responsable sont tombés, c'est-à-dire que la composition a été déposée, de même que les titres correspondants, sur le marbre (au sens strict cette fois) où ils vont être montés.   Philippe GAILLARD, *Technique du journalisme,* p. 118-119.

☐ Mécan. Tablette de métal (acier, le plus souvent) poli, parfaitement plane, utilisée pour la vérification des surfaces planes, le traçage...

12 Je voyais les autres, d'abord les traceurs dont le travail exige calme, concentration. Debout devant des surfaces marbres, ils poussaient le trusquin (...)
G. NAVEL, *Travaux, in la Classe de français,* 1953-1954, p. 61.

DÉR. **Marbrer, marbrier, marbrière.** (Cf. les dér. sav. du lat. *marmor*).

2. MARBRE [maʀbʀ] n. m. — XVIIIᵉ, Trévoux ; par corruption d'*arbre.*

♦ Mar. Tambour* horizontal sur lequel s'enroule une drosse.

MARBRÉ n. m. ou **MARBRÉE** [maʀbʀe] n. f. — 1735 ; du p.p. de *marbrer.*

♦ **1.** Vx. Ragoût fait de diverses viandes ou poissons. ⇒ **Arlequin.**

♦ **2.** N. m. Techn. *Le marbré :* la graisse intermusculaire des animaux de boucherie.

MARBRER [maʀbʀe] v. tr. — Déb. XVIIᵉ, « changer en marbre » ; de 1. *marbre,* et *-er.*

♦ **1.** Marquer (une surface) de veines, de taches, pour donner l'apparence du marbre, en imiter les nuances. *Marbrer une boiserie.* — *Marbrer du papier, la tranche d'un livre* (⇒ **Jasper**).

♦ **2.** Marquer (la peau) de marbrures. *Le froid, la maladie lui marbraient le visage. Bleus, contusions qui marbrent la peau.*
Par analogie :

1 De larges plaques de lèpre jaune marbraient les tuiles brunies et désordonnées des toits (...)   Th. GAUTIER, *le Capitaine Fracasse,* I.

▶ **MARBRÉ, ÉE** p.p. adj.

♦ **1.** Qui présente des marbrures. ⇒ **Jaspé, veiné...** *Peau marbrée. Visage marbré de taches blanches* (→ Grenu, cit. 1). *Joues marbrées de bleu* (→ Guenille, cit. 9). *«Arbres rouges, marbrés de vert »* (Chateaubriand, *Atala*). *Truffes marbrées,* dont l'intérieur est gris et blanc. — Cuis. *Gâteau marbré,* veiné de chocolat.

2 Il faut voir comme il *(Saint-Amand)* a un respect profond, une vénération presque tendre pour le fromage marbré de vert et de bleu (...)
Th. GAUTIER, *les Grotesques,* V, p. 155.

3 (...) des avenues de platanes centenaires, aux peaux marbrées de serpents colossaux.   COLETTE, *Belles saisons,* « Mes cahiers », p. 151.

♦ **2.** Qu'on a marbré. *Papier marbré. Tranches marbrées. Cuir marbré. Reliure en veau marbré ou raciné.* — *Étoffes marbrées.*

DÉR. **Marbrage, marbré, marbreur, marbrure.**

MARBRERIE [maʀbʀəʀi] n. f. — 1765 ; de *marbrier.*

♦ **1.** Art, métier du marbrier ; atelier du marbrier.

♦ **2.** Industrie de la transformation et de la mise en œuvre (débitage, façonnage, polissage) des marbres et autres roches susceptibles de prendre le poli. *Marbrerie d'ameublement, de bâtiment. Marbrerie funéraire.*
Fabrication de certains ouvrages de marbre. *Ouvrages de marbrerie* (cheminées, marches d'escalier, marbres de commodes, plaques, supports ...).

MARBREUR, EUSE [maʀbʀœʀ, øz] n. — 1680 ; de *marbrer,* et *-eur.*

♦ Techn. (reliure). Ouvrier, ouvrière spécialiste en marbrure, qui marbre le papier, les tranches, les couvertures de livres.

MARBRIER [maʀbʀije] n. m. et adj. — 1311 au sens I, 1 ; de *marbre,* et *-ier.*

★ **I.** ♦ **1.** Ouvrier spécialisé dans le sciage, la taille, le polissage des blocs ou objets en marbre ou pierre du même genre.

♦ **2.** (1723). Fabricant, marchand d'ouvrages de marbrerie. *Ciseau de marbrier.* ⇒ **Couteau** (à pierre), **ognette.** *Arçon, rondelle*, scie* (⇒ **Sciotte**), *spatule de marbrier.* — (Av. 1832). Par ext. Fabricant, marchand de monuments funéraires (en marbre ou en toute autre matière). → Funèbre, cit. 12.

♦ **3.** (1868, Littré). Peintre en bâtiment spécialisé dans l'imitation du marbre.

★ **II.** Adj. (1845, Bescherelle). **MARBRIER, IÈRE :** relatif au façonnage et à l'utilisation du marbre. *Industrie marbrière.*

DÉR. **Marbrerie.**

MARBRIÈRE [maʀbʀijeʀ] n. f — 1562 ; de *marbre,* et *-ière (-ier).*

♦ Carrière de marbre. *Les marbrières de Carrare.*

MARBRURE [maʀbʀyʀ] n. f. — 1680 ; de *marbrer,* et *-ure.*

♦ **1.** Imitation des veines, des taches du marbre. ⇒ **Jaspure.** Spécialt. Dessin, coloris du papier marbré, de la tranche marbrée d'un livre. — Peinture imitant le marbre (sur une boiserie...).

♦ **2.** (1829). Marques, empreintes* violacées sur la peau, comparables aux taches, aux veines du marbre. *Marbrures aux pommettes* (→ Affection, cit. 16). ⇒ **Couperose.** *Marbrures causées par le froid. Marbrure autour d'une plaie, d'une contusion.* ⇒ **Cerne.**

♦ **3.** Disposition naturelle de teintes différentes sur la peau ou le plumage (des animaux). *Marbrure des peaux.* ⇒ **Jaspure, racinage.**

♦ **4.** Nuances de couleurs comparées à la surface du marbre. *Des marbrures de toutes couleurs, des irisations produites par le soleil.*

1. MARC [maʀk] n. m. — V. 1138 ; d'un francique **marka* ; cf. all. *Mark.*

♦ **1.** Didact. Ancien poids de huit onces de Paris (244,5 g) servant à peser les métaux précieux.
Par ext. *Marc d'or, marc d'argent :* quantité d'or, d'argent pesant un marc ; monnaie de ce poids.

♦ **2.** Dr. Loc. *Au marc la livre* (vx), *au marc le franc :* d'une manière proportionnelle (le marc valant un nombre déterminé de livres, de francs). *« Les créanciers chirographaires du failli sont payés au marc le franc »* (Capitant), au prorata de leurs créances*. *Partage, répartition au marc le franc.*

Si vous devez dix mille francs, et que vos créanciers saisissent par opposition mille francs, ils ont chacun tant pour cent de leur créance, en vertu d'une répartition *au marc le franc,* en termes de Palais, c'est-à-dire au prorata de leurs sommes (...)
BALZAC, *Un homme d'affaires,* Pl., t. VI, p. 818.

HOM. **Mark.**

2. MARC [maʀ] n. m. — 1539, *march,* XVᵉ ; déverbal de *marcher,* au sens d'« écraser ».

♦ **1.** Résidu des fruits que l'on a pressés, dont on a extrait le jus, pour la fabrication de boissons (vin, cidre...), d'huile, etc. *Marc de raisin, de vendange. Marc de pommes, de poires, d'olives.* — Absolt. *Marc de raisin. Retirer le marc du pressoir*. Le marc frais peut servir à la fabrication de vin de deuxième cuvée, de piquette, ou être distillé.*

♦ **2.** Par ext. Eau-de-vie de marc de raisin distillé. *Marc de Bourgogne, de Champagne. Boire un petit verre de marc, un petit marc, un vieux marc.*

1 Il ne vous est jamais arrivé de boire avec eux (...) le petit marc de l'amitié.
BERNANOS, *les Grands Cimetières sous la lune,* p. 66.

♦ **3.** Résidu d'une substance que l'on a fait infuser, bouillir, pour en extraire le principe, le suc (ne se dit guère que du café). *Marc de café* (servant à des pratiques de divination). *Lire l'avenir dans le marc de café* (cit. 1). → Horoscope, cit. 4.

2 Tu crois au marc de café,
Aux présages, aux grands jeux :
Moi je ne crois qu'en tes grands yeux.   VERLAINE, *Chansons pour elle,* XX.

3 La nuit s'achevait au Bar-Bac, comme si notre avenir le plus immédiat eût été invariablement inscrit dans les marcs de ce café.
A. BLONDIN, *Monsieur Jadis,* p. 73.

HOM. **Mare,** 1. **marre,** 2. **marre,** formes du verbe **marrer.**

MARCAIRE [maʀkɛʀ] n. m. — 1768, *Encyclopédie* ; altér. de l'all. *Melker* « trayeur », de *melken* « traire », de *Melk* « lait ».

♦ Régional (Vosges). Ouvrier agricole, s'occupant des vaches et de la fromagerie à l'alpage.

DÉR. Marcairerie ou marcairie.

MARCAIRERIE [maʀkɛʀi] ou MARCAIRIE [maʀkɛʀi] n. f. — 1701, marcarerie ; de marcaire.

♦ Régional (Vosges). Local où l'on fabrique les fromages.

MARCASSIN [maʀkasɛ̃] n. m. — 1549 ; marquesin, 1496, mot picard ; probablt de marque, la bête portant des raies sur le dos, et d'un suff. diminutif.

Zoologie, vénerie.

♦ **1.** Petit sanglier* qui suit encore sa mère. *Les chasseurs comptent le marcassin parmi les bêtes fauves noires. La laie et ses marcassins.* — Cuis. *Rôti de marcassin, civet de marcassin.*
Adj., par plais. *La gent marcassine* (La Fontaine, *Fables*, III, 6).

♦ **2.** Par anal. Jeune pécari (→ Laie, cit.).
La vase liquide (...) était parcourue de remous visqueux lorsqu'un marcassin dont seul émergeait le grain moucheté venait de coller au flanc maternel (...)
M. TOURNIER, *Vendredi...*, p. 37.

MARCASSITE [maʀkasit] n. f. — V. 1560 ; marquascite, 1536 ; marcasite, 1490 ; lat. médiéval marchasita, arabe mărqăšīṭā, mot d'orig. persane.

♦ Didact. Bisulfure de fer naturel ($Fe S_2$), cristallin, qui se présente en masses à structure fibreuse, souvent radiées (utilisé en bijouterie). *La marcassite (ou pyrite blanche) diffère de la pyrite* par sa structure cristalline. Bijoux, parures en marcassite.*

MARCEAU [maʀso] n. m. ⇒ Marsault.

MARCELINE [maʀsəlin] n. f. — 1833, Gautier, les Jeunes-France, I, in D.D.L. ; du prénom de femme.

♦ Vx. Étoffe de soie à armure toile (taffetas de soie). *Doublure de marceline.*

MARCESCENCE [maʀsesɑ̃s] n. f. — 1812, Boiste ; de marcescent.

♦ Bot. État d'une plante, d'une fleur qui se flétrit. ⇒ **Dépérissement, étiolement, flétrissure.**
Par métaphore :
Arquant leurs fémurs de pierre les piliers foulent les morts dont les corps de marcescence se tordent sous le feu clair !
A. JARRY, la Revanche de la nuit, Pl., p. 250.

MARCESCENT, ENTE [maʀsesɑ̃, ɑ̃t] adj. — 1798 ; lat. marcescens, de marcescere « se flétrir ».

♦ Bot. Qui se flétrit sur la plante sans s'en détacher. *Sépales marcescents, feuilles marcescentes.*
Par métaphore :
Nef
dont l'avant tombe à pic et bref,
abats tes mâts, tes voiles, noires trames ;
glisse sur les flots marcescents
sans
rames.
A. JARRY, les Minutes de sable mémorial, Pl., p. 200.

CONTR. Labile.
DÉR. Marcescence.

MARCESCIBLE [maʀsesibl] adj. — 1519 ; lat. marcescibilis, de marcescere → Marcescent.

♦ Littér. Qui est sujet ou destiné à se flétrir* (au propre et au fig.).
CONTR. Immarcescible.

MARCHAGE [maʀʃaʒ] n. m. — 1530 ; de marcher, et suff. -age.

♦ **1.** Vx. Action de marcher longtemps sur qqch.

♦ **2.** (1840). Techn. anc. Malaxage des terres et des pâtes céramiques par piétinement.

♦ **3.** (1902, Larousse). Pression alternative régulière sur les pédales du métier à tisser non mécanique.

MARCHAND, ANDE [maʀʃɑ̃, ɑ̃d] n. et adj. — 1486 ; marchant, v. 1290 ; marcheand, v. 1155 ; marchaant, v. 1050 ; marchedant, v. 980 ; du lat. pop. mercatantem, accus. de mercatans, p. prés. d'un verbe mercatare (de mercatus « marché »), du lat. class. mercari « commercer ».

★ **I. N.** ♦ **1.** Commerçant* chez qui l'on achète une ou plusieurs sortes de marchandises (denrées ou articles de consommation, d'utilité courante) qu'il fait profession de vendre. ⇒ **Négociant, trafiquant ; fournisseur** (cit. 2), **vendeur.** — REM. L'Académie a conservé dans la huitième édition (1935) du *Dictionnaire* la définition qu'elle donnait dans la première (1694), à une époque où *commerçant* n'était pas encore admis : « Celui, celle qui fait profession d'acheter et de vendre ». Les textes juridiques (Code civil, code de commerce) emploient généralement *marchand* comme synonyme de *commerçant. Marchand* a perdu ce sens très général et ne s'applique pas à des commerçants tels que les banquiers, les agents de change, les commissionnaires... D'ordinaire, il ne s'applique pas non plus aux producteurs, industriels, artisans. Il est plus courant avec un déterminant *(marchand de bois, de journaux... marchand en gros)*. Dans le vocabulaire économique, c'est « un mot vieilli qui ne désigne proprement ni une activité économique, ni une catégorie sociale » (Romeuf, *Dict. des sc. écon.*). — On retrouvera à l'article *Métier* les termes désignant spécialement différents marchands.

MARCHAND (...) personne qui négocie, qui trafique ou qui fait commerce ; c'est-à-dire, qui achète, troque, ou fait fabriquer des marchandises, soit pour les vendre en boutique ouverte ou en magasin, soit aussi pour les débiter dans les foires et marchés, ou pour les envoyer pour son compte dans les pays étrangers.
Encycl. (DIDEROT), art. *Marchand.*   1

L'action des marchands pour les marchandises qu'ils vendent aux particuliers non marchands se prescrit par deux ans.   Code civil, art. 2272.   2

Clientèle d'un marchand. ⇒ **Achalandage, acheteur, chaland, client...** *Marchand en gros* (⇒ **Grossiste**), *au détail* (⇒ **Débitant, détaillant**). *Marchand sédentaire, en boutique* (⇒ **Boutique, boutiquier ; magasin**). *Marchand ambulant.* ⇒ **Camelot, colporteur, déballeur.** *Baladeuse*, éventaire* de marchand ambulant. Marchand à la sauvette*. Marchand qui fait son boniment. Le bagout* (cit.) d'un marchand. Marchands des foires* (→ 1. Foire, cit. 1).* ⇒ **Forain** (cit. 1, 2 et 4). *Marchands des halles* (⇒ **Hallier**), *des marchés** (→ Exotique, cit. 1 ; 3. fort, cit. 77). *Caravane* de marchands, en Orient... — Marchand étalagiste*, qui étale* (cit. 4) sa marchandise. Étalage, montre d'un marchand* (→ Afin, cit. 6). — Gros, riche marchand. Marchand malhonnête.* ⇒ **Mercanti, trafiquant.** *Marchand ruiné, en faillite* (→ Invendable, cit.). — *Convenir* (cit. 9), discuter* (⇒ **Marchander**) d'un prix avec le marchand. Le marchand achète, vend, trafique... (→ Larron, cit. 1). — Mercure, dieu des marchands. — Allus. bibl. Jésus chassant les marchands du temple* (Évangile selon saint Jean, II, 14).

(...) partout où le commerce prend un certain développement, le marchand ambulant ne tarde pas à faire place au marchand sédentaire, au *boutiquier.* Avant, c'était le marchand qui allait chercher le client : désormais, c'est le client qui ira chercher le marchand. Seulement, il faut alors que le marchand attire l'attention du passant : — soit par des *enseignes parlantes* (...) — soit par l'*étalage* des marchandises (...) dans des devantures resplendissantes (...) ; — soit encore, quand il faut attirer le client de loin, par des *annonces, réclames, prospectus, catalogues,* ou par les *commis voyageurs* (...)   3
Charles GIDE, Cours d'économie politique, t. I, p. 371.

Il était petit marchand ambulant ; il allait de village en village, portant sur son dos un gros ballot, où il y avait de tout : de l'épicerie, de la papeterie, de la confiserie, des mouchoirs, des fichus, des chaussures, des boîtes de conserve, des almanachs, des chansons et des drogues. Plusieurs fois, on avait tenté de le fixer quelque part, de lui acheter un petit fond, un bazar, une mercerie.   4
R. ROLLAND, Jean-Christophe, L'aube, p. 88.

Dr. *Marchande publique* : femme commerçante (→ Autorisation, cit. 3, Code civil).

Hist. écon. *Communauté, corporations*, corps des marchands* (gilde, hanse). *Prévôt* des marchands* (→ Façon, cit. 26). *Artisans* (cit. 4) *et marchands.*

(Syntagmes). *Marchand de meubles* (→ Inventorier, cit. 1), *de tableaux* (→ Croûte, cit. 9), *de gravures* (cit. 5). — Vx. *Marchande de nouveautés* ; marchande à la toilette*. — Marchand d'étoffes* (→ Huissier, cit. 8), *de chaussures.* — *Marchand d'habits* (pop. *chand d'habits ;* → Chand) : fripier. *« Marchand d'ail »* a donné le mot *« chandail ». Marchand de tapis*. Marchand de journaux* (→ Belvédère, cit.). *Marchand de tabac* (→ Enfourcher, cit. 3). — Vieilli. *Marchand de vin* : débit de vins et de boissons alcoolisées où l'on peut consommer. ⇒ **Bistrot, bougnat** (→ Chambrer, cit. 3 ; cour, cit. 4). — Cuis., mod. *Entrecôte marchand de vin,* préparée avec une sauce au vin rouge. — *Marchand de marrons, de frites* (cit. 1 ; → Friture, cit. 4). — Fig. *Marchand de frites* : personne qui fait commerce de diverses choses, mesquinement. — *Marchande de poisson aux halles.* ⇒ **Poissarde.** — *Marchand d'eau,* dans les pays chauds où l'eau potable est rare... — (1634). *Marchand de couleurs* : droguiste.

Je suis certainement le plus malheureux de tous les hommes (...) J'ai été, de l'aveu de tout le monde, le plus célèbre marchand de fromages à la crème dans Babylone, et j'ai été ruiné.   5
VOLTAIRE, Zadig, XVII.

Tout de même, on n'était pas mal chez le marchand de vin ; on rigolait, on restait là cinq minutes. Ça ne déshonorait personne. Les poseurs seuls affectaient de crever de soif à la porte.   6
ZOLA, l'Assommoir, t. I, IV, p. 157.

(...) le marchand d'eau du quartier avec son outre sur les reins.   7
LOTI, les Désenchantées, III, XIII.

Le visage du marchand de vêtements qui, avec sa perche, raccroche une robe à la tringle de la devanture (...)   8
J. ROMAINS, les Hommes de bonne volonté, t. IV, VII, p. 59.
Marchand, marchande des quatre-saisons, qui vend des fruits, des légumes et qui transporte son éventaire dans une petite voiture. —

Marchand d'oriétan (→ Charlatan, cit. 3). — *Marchand de biens,* qui achète et revend des immeubles, des terrains, des domaines ruraux (→ Fulminer, cit. 8). *Marchand de fonds* (de commerce).

9 (...) je me charge de vous avoir la terre au meilleur marché possible par un sous-seing privé, comme cela se fait pour les marchands de biens (...)
BALZAC, le Cousin Pons, Pl., t. VI, p. 732.

10 Jérôme Crainquebille, marchand des quatre-saisons, allait par la ville, poussant sa petite voiture et criant : *Des choux, des navets, des carottes !*
FRANCE, Crainquebille, II.

Péj. *Marchand de canons :* fabricant et vendeur d'armes de guerre. Loc. fig. *Marchand de soupe :* mauvais restaurateur, et, fig., affairiste d'une institution d'enseignement privé, qui ne songe qu'à tirer le plus de profit possible des élèves pensionnaires ou demi-pensionnaires. — *Marchand de chair humaine :* trafiquant d'esclaves (⇒ **Négrier**) ; proxénète. — *Marchande d'amour, d'illusions, de plaisir... :* prostituée. — *Marchand de sommeil :* logeur qui exploite sa clientèle en louant un emplacement pour dormir. *Un marchand de sommeil qui héberge des ouvriers immigrés dans sa cave.*

Fig. (souvent péj.). *Marchands de vacances, de voyages, de cinéma, de sexe, de culture, de main-d'œuvre.*

11 Marchands de grec ! marchands de latin ! cuistres ! dogues
Philistins ! magisters ! je vous hais, pédagogues ! HUGO, les Contemplations, I, XIII.

12 Les émanations des liqueurs répandues se mêlaient à l'odeur des corps et à celle des parfums violents dont la peau des marchandes d'amour est pénétrée (...)
MAUPASSANT, la Femme de Paul, p. 13.

(Fam., vieilli). Loc fig. *Marchand de mort subite :* médecin.

13 (...) le médecin en chef (...) avait des regards minces et perçants comme des vrilles. Tous les marchands de mort subite vous ont de ces regards-là.
ZOLA, l'Assommoir, t. II, XIII, p. 259.

♦ **2.** Par ext. Vx. S'est dit aussi « de tous ceux qui achètent, quoiqu'ils n'en fassent pas métier » (Académie 1694). *Attirer, faire venir, tromper les marchands. Trouver marchand,* acheteur, preneur (au propre et au fig.).

★ **II.** Adj. ♦ **1.** Comm. Propre au commerce. *Denrées marchandes.* — Par ext. *Prix marchand :* prix de facture*, auquel le marchand a acheté ses produits. — Cour. *Valeur marchande :* valeur commerciale (→ Assigner, cit. 13 ; estimation, cit. 3).

14 Évidemment, la valeur marchande d'une œuvre ne saurait renseigner sur sa valeur réelle. M. Georges Ohnet ne s'est-il pas énormément vendu ?
BERNANOS, les Grands Cimetières sous la lune, p. 335.

Qualité marchande, courante (par oppos. à *extra-fine, surfine, supérieure,* etc. ⇒ **Qualité**).

Taille marchande, propre à la vente. — Par ext. Qui a la taille marchande.

14.1 Pour être « marchande », l'huître doit avoir au minimum 5 cm pour la plate et 6 pour la portugaise, la moule 4 cm (...)
Louis LAMBERT, les Coquillages comestibles, p. 100.

♦ **2.** Vx. Qui fait du commerce ; où l'on fait du commerce. ⇒ **Commerçant.** *Place marchande,* où l'on vend bien. *Nations marchandes.* ⇒ **Mercantile** (vx).

Mod. *Quartier marchand, ville marchande,* qui vit grâce au commerce. *Galerie marchande,* où se trouvent de nombreux commerces.

15 (...) une grande maison appartenant à la commune de Verrières, vieille, mais vaste et commode, et située vis-à-vis de l'église, dans l'endroit le plus marchand de la ville.
STENDHAL, le Rouge et le Noir, I, XXIII.

♦ **3.** Mod. *Marine marchande,* qui effectue les transports commerciaux (par oppos. à *marine de guerre, marine militaire.* ⇒ Arsenal, cit. 1). — *Navigation marchande* (→ Cabotage, cit. 1). *Navire, vaisseau marchand* (→ Cale, cit. 1). — *Capitaine marchand,* d'un navire marchand.

♦ **4.** Fig., vx. Péj. « Qui sent le bourgeois et la manière d'agir de marchand » (Richelet). ⇒ **Bourgeois.**

16 Il ne se peut rien de plus marchand que ce procédé.
MOLIÈRE, les Précieuses ridicules, IV.

CONTR. Client.
DÉR. Chand, marchander, marchandise.
HOM. Marchant.

MARCHANDAGE [maʀʃɑ̃daʒ] n. m. — 1845 ; de *marchander,* et *-age.*

♦ **1.** (1867). Action de marchander ; discussion pour obtenir ou vendre quelque chose au meilleur prix. ⇒ **Barguignage** (vx). *Long, laborieux marchandage. Les marchandages des souks orientaux* (→ Marchander, cit. 2). *Marchandages de maquignons* (⇒ **Maquignonnage**).

1 Personne, dans les marchandages, ne montrait plus d'entêtement.
FLAUBERT, Trois contes, « Un cœur simple », I.

2 — Eh bien, prenez-les à ce prix-là, monsieur, dit la mère, pressée à présent d'en finir avec un marchandage commencé. LOTI, Matelot, XIV.

Fig. Péj. Tractation dans laquelle on discute sans s'embarrasser de scrupules pour obtenir quelque avantage, pour parvenir à ses fins. *Honteux marchandage. Marchandage électoral. Marchandages de couloirs* (dans les assemblées politiques).

3 (...) dans un système politique libéral, réglé par le marchandage et le chantage, tout appartient aux trafiquants (...) M. BARRÈS, Leurs figures, p. 77.

♦ **2.** Spécialt. Dr. du trav. Contrat illégal par lequel un sous-entrepreneur (⇒ **Marchandeur**) « s'engage à faire effectuer un travail par une main-d'œuvre recrutée par ses soins, sans fournir aucun des matériaux » (Capitant). *Exploitation de l'ouvrier par voie de marchandage.*

4 L'exploitation des ouvriers par des sous-entrepreneurs ou marchandage est interdite.
Décret du 2 mars 1848, repris par le Code du travail, I, art. 30 b.

MARCHANDAILLER [maʀʃɑ̃daje] v. tr. — 1839, Boiste ; de *marchander,* et *-ailler.*

♦ Vieilli. Marchander longuement, mesquinement, pour de toutes petites sommes.

MARCHANDER [maʀʃɑ̃de] v. tr. — V. 1200 ; de *marchand,* et *-er.*

♦ **1.** (XIVe). Essayer d'acheter (une chose) à meilleur marché, en discutant avec le vendeur ; débattre (le prix). *Marchander un livre d'occasion, un bibelot ancien... Paysans, maquignons qui marchandent une bête.* « *Comment... Panurge marchande avec Dindenault un de ses moutons* » (Rabelais, IV, VI).

1 (...) elle observait les marchandises d'occasion, elle en marchandait, elle entrait dans la boutique, et la quittait sans exciter le moindre soupçon (...)
BALZAC, la Cousine Bette, Pl., t. VI, p. 308.

2 Un Juif (...) qui marchandait une paire de perdrix à un Riffain *(sic)* se débattait comme si l'enjeu de ce marché passionnant eût été sa propre vie. L'Arabe, découragé, le laissa partir (...) puis le rappela (...) Le Juif revint sur ses pas, et le marchandage recommença sur des bases nouvelles. P. MAC ORLAN, la Bandera, XV.

Absolt (ou intrans.). Discuter* longuement avant de conclure un marché. ⇒ **Barguigner** (vx), **bibeloter, chipoter, marchandailler.** « *Celui qui marchande et qui connaît... le prix de l'argent* » (→ Épargner, cit. 2). *Marchander sou à sou, avec rapacité* (→ Gain, cit. 8). *Marchander pour obtenir un rabais, une réduction... Payer sans marchander.*

3 Il n'est rien que je haïsse comme à marchander. C'est un pur commerce de tricoterie et d'impudence ; après une heure de débat et de barguignage, l'un et l'autre abandonne sa parole et ses serments pour cinq sous d'amendement.
MONTAIGNE, Essais, I XIV.

4 (...) un client te demande ton dernier prix ; tu le lui fais honnêtement (...) Crois-tu qu'il apprécie ta bonne foi et renonce à marchander ? Pas du tout. Il admet a priori que tu te trompes. A. MAUROIS, Bernard Quesnay, IX.

Fig. *Marchander avec sa conscience,* essayer de transiger avec elle (→ Casuiste, cit. 3, Rousseau).

♦ **2.** Dr. Conclure un contrat de marchandage*. *Entrepreneur qui marchande un travail à forfait.*

♦ **3.** Vieilli. Essayer d'obtenir pour de l'argent. ⇒ **Acheter.** *Marchander les consciences.*

5 Ah ! périsse l'homme indigne qui marchande un cœur et rend l'amour mercenaire ! c'est lui qui couvre la terre des crimes que la débauche y fait commettre.
ROUSSEAU, Julie, VIe partie, VI.

6 Aujourd'hui le plus grand comme le plus petit banquier déploie son astuce dans les moindres choses : il marchande les arts, la bienfaisance, l'amour, il marchanderait au pape une absolution.
BALZAC, Splendeurs et Misères des courtisanes, Pl., t. V, p. 743.

♦ **4.** Vx. (Fig., l'accent étant mis sur l'idée de discussion, de longueur). « Ménager (qqn) en traînant les choses en longueur, en hésitant à agir » (Cayrou). — Compl. n. de chose :

7 (...) il n'est pas de ces médecins qui marchandent les maladies : c'est un homme expéditif (...) MOLIÈRE, Monsieur de Pourceaugnac, I, 5.

♦ **5.** Fig. Ne consentir à céder, à accorder ou à donner (qqch.) qu'avec parcimonie*, après bien des hésitations ou des exigences en retour. ⇒ **Chicaner.** *Marchander son appui, son concours.* — (S'emploie surtout à la forme négative). *Il ne lui a pas marchandé les éloges, les félicitations. Ne pas marchander sa vie, l'exposer sans hésitation.* — Au p. p. *Chose donnée* (cit. 83) *et non marchandée.*

8 Frappez, ne marchandez point les coups. ROUSSEAU, Émile, II.

9 Du moins serais-je heureux si, avant de mourir, je vois un autre se dévouer à cette grande mission et en trouver les moyens de l'accomplir, et Dieu sait que je ne lui marchanderai ni mes encouragements, ni les secours qu'il sera en mon pouvoir de lui fournir. G. PARIS, in Revue des Deux-Mondes, 1901, 15 sept.-15 oct., p. 419.

10 (...) il avait si fort accoutumé de faire siennes les affirmations de son patron, qu'il ne pouvait, aujourd'hui encore, lui marchander son assentiment.
MARTIN DU GARD, les Thibault, t. III, p. 242.

♦ **6.** Vx. MARCHANDER À... suivi de l'inf. ⇒ **Hésiter.**

11 On y voit venir du beau monde, qui ne marchande point à vous rendre tous les respects qu'on saurait souhaiter. MOLIÈRE, la Comtesse d'Escarbagnas, II.

CONTR. Prodiguer.
DÉR. Marchandage, marchandailler, marchandeur.

MARCHANDEUR, EUSE [maʀʃɑ̃dœʀ, øz] n. — 1836 ; « vendeur », XVIe ; de *marchander,* et *-eur.*

♦ **1.** Personne qui marchande souvent, beaucoup.

♦ **2.** Dr. Sous-entrepreneur qui s'engage à effectuer un travail à prix convenu et qui ne fournit que la main-d'œuvre (⇒ **Marchandage**).

MARCHANDISAGE [maʁʃãdizaʒ] n. m. — 1974 ; de *marchandise*, et suff. *-age*.

♦ Écon., comm. Étude des problèmes de création, d'amélioration, de présentation et de distribution des marchandises en fonction de l'évolution des besoins.

REM. Le terme a été proposé pour traduire *marketing* dans une partie de ses emplois ; et pour franciser l'angl. *merchandising*.

MARCHANDISE [maʁʃãdiz] n. f. — V. 1160 ; *marcheandise*, v. 1130 ; de *marchand*, et *-ise*.

♦ **1.** Chose mobilière pouvant faire l'objet d'un commerce, d'un marché (⇒ **Article ; denrée**, vx ; **produit**), et, spécialt (dr. comm), Objet mobilier destiné à la vente, à l'exclusion des produits alimentaires (dits *denrées*). *Une marchandise. La marchandise d'un commerçant. Commerce, échange* (cit. 4) *des marchandises.* ⇒ **Commerce ; débit, débouché, écoulement, marché, vente** (→ Augmentation, cit. 2 ; 1. échanger, cit. 3 ; escompte, cit. 2). *Débiter, écouler, vendre des marchandises. Valeur, prix d'une marchandise* (→ Argent, cit. 2 et 13 ; concurrence, cit. 8). *Opérations, spéculations sur les marchandises.* ⇒ **Bourse.** *Bourse de marchandises et bourse de valeurs. Marché à terme, cours* d'une marchandise. Avance sur marchandises* (warrant). *Liste, relevé de marchandises.* ⇒ **Bordereau.** *Facturer* une marchandise. — Celui qui vend des marchandises.* ⇒ **Commerçant, marchand, vendeur.** *Fournir des marchandises à un client.* ⇒ **Fournisseur, fourniture.** *Proposer, offrir sa marchandise* (→ Endormir, cit. 34 ; herbe, cit. 4). *Exposition* (⇒ **Déballage, étalage** [cit. 1]), *vente des marchandises.* ⇒ **Bazar, boutique, magasin, marché.** *Fonds de marchandises d'un commerçant.* ⇒ **Assortiment** (cit. 6), **choix.** *Catalogue* de marchandises. Transporter sa marchandise avec soi.* ⇒ **Colporter ; colporteur** (cit.). *Voyageur* de commerce qui place* des marchandises.* ⇒ **Placement.** *Échantillon* d'une marchandise. La plus petite marchandise du lot.* ⇒ **Nonpareille** (vx). *Groupement de marchandises en lots.* ⇒ **Allotissement** (2.). *Commander des marchandises.* ⇒ **Commande** (1.). *Achat de marchandises d'usage courant.* ⇒ **Emplette.** *Accaparement* (cit.1), *stockage de marchandises.* — *Marchandises en gros, au détail* (cit. 1) ; *d'origine, neuves, d'occasion. Brocanter* des marchandises. Marchandise de bon aloi* (cit. 1), *de choix*, de première, de seconde qualité*. Marchandise contrôlée, garantie, vérifiée. Cachet, tampon, contremarque, étiquette*, label d'une marchandise. Marchandise falsifiée. Marchandise de mauvaise qualité, de peu de valeur, qui se vend mal.* ⇒ **2. Came, camelote, garde-boutique** (vx), **pacotille, rossignol.** *Marchandises laissées pour compte*. Marchandises hétéroclites, dépareillées.* ⇒ **Bric-à-brac.** *Vendre des marchandises au rabais, à perte.* ⇒ **Liquider, solder.** *Perdre sur une marchandise.* — *Compte, comptabilité «marchandises», «marchandises générales».*

> Vous êtes orfèvre, Monsieur Josse, et votre conseil sent son homme qui a envie de se défaire de sa marchandise.
> MOLIÈRE, l'Amour médecin, I, 1.

> Le marchand fait des montres (*expositions*) pour donner de sa marchandise ce qu'il y a de pire (...)
> LA BRUYÈRE, les Caractères, VI, 43.

> Les Noirs de la côte d'Afrique ont un signe des valeurs sans monnaie (...) Le prix se forme par la comparaison qu'ils font de toutes les marchandises entre elles : pour lors, il n'y a point de monnaie particulière, mais chaque portion de marchandise est monnaie de l'autre.
> MONTESQUIEU, l'Esprit des lois, XXII, VIII.

Absolt. La marchandise. Tromper sur la marchandise → Exploiter, cit. 10 (au fig., → ci-dessous). *Farder* (2. Farder, cit. 5) *la marchandise.*

Loc. *Déployer, étaler sa marchandise. Débiter sa marchandise.*

Conservation des marchandises. ⇒ **Entreposer ; entrepôt, magasin, magasinage, stock, stockage** (→ Halle, cit. 2). *Marchandises consignées* (⇒ **Consignation**), *mises en dépôt chez un commissionnaire*.* — *Transport, manutention* des marchandises. Transport de marchandises par chemin de fer*.* — *Train, wagon, gare* (→ 1. Gare, cit. 2) *de marchandises* (par oppos. à *de voyageurs*). — *Marchandises transportées par bateau* (⇒ **Cargo**), *avion...* ⇒ **Cargaison, fret.** *Marchandises transportées par route, par camion. Charger des marchandises.* ⇒ **Chargeur.** *Marchandises en cale*. Embarquer, arrimer, désarrimer, débarquer des marchandises.* — *Envoyer, expédier* (cit. 14) [⇒ **Expéditeur, expédition**], *recevoir des marchandises. Délivrer, livrer des marchandises.* ⇒ **Livraison.** *Marchandises en disponible, à livrer, en cargaison flottante... Reçu, liste de marchandises* (⇒ **Connaissement, manifeste**). *Arrivée de marchandises.* ⇒ **Arrivage.** *Faire assurer* (cit. 16) *des marchandises.* — *Marchandises transportées en vrac*. Estivage* des marchandises. Emballage* (cit. 1) *des marchandises.* ⇒ **Emballer ; 2. balle, ballot, caisse, colis... ; emballage.** *Avaries* (cit. 1), *pertes de marchandises. Perte de poids d'une marchandise.* ⇒ **Discale, freinte.** *Marchandises de cubage,* dépassant un mètre cube à la tonne.

Marchandises exportées, importées (→ 1. Importer, cit. 1). ⇒ **Exportation, importation** (→ Importateur, cit.). *Droits sur les marchandises.* ⇒ **Douane.** *Marchandises importées en fraude.* ⇒ **Contrebande.** *Marchandises confisquées*, saisies* (→ Capture, cit.). *Frapper* une marchandise de droits. S'engager à payer les droits sur une marchandise par un acquit-à-caution. Marchandises de provenance* étrangère, exotique* (cit. 1).

Loc. (propre et fig.). *Le pavillon couvre la marchandise.* ⇒ **Pavillon.**

♦ **2.** Loc. *Faire valoir sa marchandise, la marchandise,* au fig., présenter les choses sous un jour favorable. — *Tromper sur la marchandise :* vendre une marchandise falsifiée ; et, fig., donner autre chose que ce qu'on avait promis. — *Débiter sa marchandise :* faire valoir ce qu'on dit par la manière de le dire.

♦ **3.** Par ext., vx. Action de faire du commerce. *Faire métier et marchandise d'une chose* (fig.) : la faire habituellement, et, aussi, en faire trafic.

DÉR. **Marchandisage, marchandiseur.**

MARCHANDISEUR [maʁʃãdizœʁ] n. m. — 1975 ; de *marchandise*, d'après l'angl. *merchandiser*, et *-eur*.

Économie, commerce.

♦ **1.** Spécialiste chargé de mettre en œuvre, au point de vente, les techniques du marchandisage.

♦ **2.** Matériel de présentation utilisé au cours d'une action de marchandisage.

MARCHANT, ANTE [maʁʃã, ãt] adj. — 1781 ; p. prés. de *marcher.*

♦ **1.** (1830). Rare. Qui marche*.

♦ **2.** (1781). Milit. *Aile marchante,* celle qui marche, par oppos. à celle qui pivote (→ Pivot), dans un mouvement tournant. — Loc. *L'aile marchante d'un parti,* sa fraction la plus agissante.

HOM. **Marchand.**

MARCHANTIA [maʁʃãtja] ou **MARCHANTIE** [maʁʃãti] n. f. — 1902, *marchantia,* Larousse ; 1873, *marchantie,* Larousse ; 1839, *marchante,* Boiste ; de *Marchant,* botaniste français.

♦ Bot. Plante cryptogame (*Hépatiques**), mousse qui croît dans les régions tempérées, dans les endroits humides.

1. MARCHE [maʁʃ] n. f. — 1080, *Chanson de Roland ;* du francique **marka.*

♦ Ancienn. Province frontière* d'un État, et, spécialt, district militaire établi sur une frontière pour repousser une éventuelle invasion (→ Couvrir, cit. 33). *« Les Marches de Lorraine »* (Académie). *Chef d'une Marche.* ⇒ **Margrave, marquis** (étym.).

> (...) on allait à créer, de la Hollande à Naples, des républiques, filles de la Grande, qui, en réalité, constitueraient les marches de la France déjà si agrandie.
> Louis MADELIN, Talleyrand, I, VI.

DÉR. (Du même rad.) V. **Marquis.**
HOM. 2. **Marche,** formes du v. **marcher.**

2. MARCHE [maʁʃ] n. f. — V. 1354 ; déverbal de *marcher.*

★ **I.** Endroit où se pose le pied.

♦ **1.** (1514). Vén. Trace* d'un animal. *Marches de cerf*, de loutre...*

♦ **2.** (1528, D.D.L.). Archit. et cour. Surface plane sur laquelle on pose le pied en franchissant d'un pas l'espace qui sépare deux plans horizontaux de hauteur différente, et par ext. (dans le cas des *marches pleines* ou *massives*), Ensemble formé par cette surface et la contremarche* (partie verticale). *Dessus* (⇒ **Foulée**), *largeur* (⇒ **Giron**), *hauteur* (⇒ **Contremarche**) *d'une marche. Marches gironnées, à giron droit. Marche palière*. Délarder* une marche.* — *Marches d'un escalier** (cit. 4), *d'un perron* (cit. 1). *Marches du chœur d'une église* (cit. 16). ⇒ **Degré.** *Estrade à deux ou trois marches* (→ Baldaquin, cit. 1). *Accéder au vestibule par une simple marche. Marches de bois, de marbre, de pierre... Marches de fer d'un escalier roulant. Marches branlantes, déjetées* (cit. 1), *glissantes* (cit. 1), *polies, usées. Descendre, gravir, monter* (cit. 24) *des marches, les marches. Suivre qqn de marche en marche* (→ Harceler, cit. 8). — *Attention à la marche !* ⇒ **Pas.** *Manquer une marche. Trébucher sur une marche* (→ Gaz, cit. 6). — Par anal. (d'usage). *Marches d'une échelle de meunier* (⇒ **Échelon**), *d'un marchepied de train* (⇒ **Degré**).

> Dites-nous, marches gracieuses,
> Les rois, les princes, les prélats,
> Et les marquis à grand fracas,
> Et les belles ambitieuses,
> Dont vous avez compté les pas ;
> Celles-là surtout, j'imagine,
> En vous trouvant ne pesaient pas.
> A. DE MUSSET, Poésies nouvelles, « Sur trois marches de marbre rose ». [1]

> À ses pieds, une vingtaine de marches, hautes, étroites, frustes, presque à pic, sans rampe à droite ni à gauche, sorte de crête de pierre pareille à un pan de mur biseauté en escalier, entraient et s'enfonçaient dans une cave très creuse. Elles allaient jusqu'en bas.
> HUGO, l'Homme qui rit, III, IV, VIII. [2]

> Arrivée au bas de l'escalier qui la menait à sa chambre, elle (...) commença à gravir les marches dont chacune criait sous sa large chaussure (...) Soufflant un peu, attentive à bien placer le pied sur la marche suivante, elle montait sans hâte.
> J. GREEN, Léviathan, II, IV. [3]

3.1 Voici que la trace s'arrête, brusquement, devant une porte toute semblable aux autres, mais dont le battant n'est pas complètement clos. La marche qui en forme le seuil est très étroite et peut être franchie d'un pas sans poser le pied dessus.
A. ROBBE-GRILLET, *Dans le labyrinthe*, p. 117.

Fig. Être né sur les marches du trône : être appelé à régner quelque jour, par droit de naissance.

♦ **3.** Techn. **a** Pédale d'un métier à tisser, d'un tour, d'un orgue.
Par ext. **b** Touche d'un clavier de vielle.

★ **II.** (1508). Action de marcher*.

♦ **1.** **a** Mode de locomotion* naturel à l'homme et à certains animaux. ⇒ **Ambulation.** *La marche est constituée par une suite de pas*. Phases d'appui* (cit. 3) pendant la marche et la course (cit. 1). Qui concerne la marche.* ⇒ **Ambulatoire.** *Stade de la marche, qui succède chez l'enfant au stade de la reptation. Troubles de la marche :* antépulsion, ataxie, boiterie, claudication, déhanchement. *Les appuis* (cit. 1) *dans la marche. — Divers types de marche : marche en avant, à reculons, en flexion, à quatre pattes... Marche sur un plan ascendant, descendant. — La marche,* pratiquée pour le plaisir (⇒ **Déambulation, promenade**), par hygiène ou comme sport (⇒ **Footing**). *Bienfaits et joies de la marche* (→ Abandonner, cit. 33; branle, cit. 6). *Aimer la marche. Chaussures de marche.* ⇒ **Brodequin.** — Spécialt. *Marche athlétique. Épreuve de marche. L'épreuve Paris-Strasbourg à la marche.*

4 La marche se compose donc d'une succession de doubles appuis et d'appuis unilatéraux alternativement droits et gauches.
Paul RICHER, *Nouvelle anatomie artistique...*, t. III, p. 115.

5 La souplesse, la force et l'adaptabilité des membres inférieurs dont les oscillations pendulaires déterminent la marche et la course, n'ont jamais été égalées par nos machines, qui utilisent seulement le principe de la roue.
Alexis CARREL, *l'Homme, cet inconnu*, III, x.

6 — Je préfère rentrer à pied. — Ah! vous avez raison. La marche est encore le meilleur des exercices. GIDE, *Robert ou l'Intérêt général*, III, 1.

b Façon de marcher. Mouvement* d'une personne, d'un animal qui marche. ⇒ **Pas.** *Accélérer, précipiter* (→ Fermer, cit. 3), *ralentir sa marche. Marche lente, rapide* (⇒ **Train**). *Régler sa marche sur celle d'un enfant. Marche irrégulière, soutenue*. — Spécialt. ⇒ **Allure, démarche.** *Marche vive d'un jeune garçon* (→ Envie, cit. 13). *Marche souple et silencieuse du montagnard en espadrilles* (cit.). — *Marche élastique des félins. Marche pesante de l'éléphant.*

7 (...) c'était une marche si extraordinaire que celle de cet homme, et il était si excessivement changé, que Mᵐᵉ de Vins crut absolument qu'il lui venait dire la mort de M. de Pompone (...) Mᵐᵉ DE SÉVIGNÉ, 754, 22 nov. 1679.

8 Il *(Haendel)* allait, les jambes arquées, d'une marche lourde et balancée (...)
R. ROLLAND, *Voyage musical...*, III.

9 (...) les jeunes filles avancent, reculent en une marche régulière et souple, puis tournent lentement, leur buste mince un peu renversé sur le bras des danseurs.
J. CHARDONNE, *les Destinées sentimentales*, p. 375.

Par anal. *Marche sur les mains.*

c Fig. ⇒ **Voie.** *Indiquez-moi la marche à suivre pour obtenir ces papiers.* ⇒ **Méthode, moyen, tactique.**

10 Dis-le moi franchement, et en même temps donne-moi la marche à suivre pour les départs. SAINTE-BEUVE, *Correspondance*, 67, 23 avr. 1829.

♦ **2.** **a** Action de se déplacer en marchant. ⇒ **Cheminement.** *Poursuivre* (→ Daigner, cit. 8), *suspendre sa marche. — Faire marche vers la ville.* ⇒ **Route.** — Spécialt. Action de marcher, considérée sous le rapport de la distance, de la durée. *Longues marches dans le désert* (→ Erg, cit. 1). *Faire de longues marches pour combattre l'embonpoint* (cit. 6), *pour visiter une région...* ⇒ **Course, excursion, promenade, randonnée.** *Une petite marche de vingt minutes.* ⇒ **Tour.**

11 Mon père commençait alors une promenade, qui ne cessait qu'à l'heure de son coucher (...) nous nous taisions quand il se rapprochait de nous. Il nous disait, en passant : « De quoi parliez-vous ? » Saisis de terreur, nous ne répondions rien ; il continuait sa marche. CHATEAUBRIAND, *Mémoires d'outre-tombe*, I, III, 3 (t. I, p. 110, éd. Levaillant).

12 Alors il reprit cette marche monotone et lugubre qui troublait dans ses rêves et réveillait en sursaut l'homme endormi au-dessous de lui. Cette marche le soulageait et l'enivrait en même temps. HUGO, *les Misérables*, I, VII, III.

b Par ext. Trajet* parcouru ou à parcourir à pied. *La rivière est à une bonne heure de marche d'ici.*

13 Elle (...) demanda à un employé où était la ville. Il (...) lui répondit qu'elle en avait pour une demi-heure de marche... J. GREEN, *Adrienne Mesurat*, II, IV.

♦ **3.** Mouvement d'un certain nombre de personnes (ou d'animaux) qui marchent dans un ordre déterminé (⇒ **Défilé**). *Cérémonial qui règle la marche d'un cortège*, d'une procession* (→ Étiquette, cit. 8). *Marche processionnelle. Marche de protestation, du silence, silencieuse.* ⇒ **Manifestation.** — *Ordre de marche d'une caravane* (cit.). *Conduire, ouvrir la marche :* marcher le premier*, en tête d'un défilé. *Clore*, fermer* la marche :* marcher le dernier* en queue d'un défilé. Par ext. :

14 Le capitaine (...) descendit d'une Ford qui fermait la marche du cortège (...)
P. MAC ORLAN, *la Bandera*, x.

Milit. *Marche d'une armée en campagne, en manœuvres. Marche en colonne*, au pas cadencé, redoublé, au pas de route. Arrière*-garde, serre*-file qui ferme la marche. Couvrir, dérober sa marche. Flancs-gardes qui protègent la marche d'une troupe. Marche de flanc, de front. Marche régressive* (⇒ **Retraite**), victorieuse*

(⇒ **Avance**). *Rédiger un ordre de marche. Commander la marche. Clairons qui donnent le signal de la marche* (→ Guetter, cit. 9), *qui sonnent la marche. La marche au canon. — Angle* de marche. — Campements* (cit. 1), étapes et marches. Haltes* (cit. 3) qui coupent les marches. Marche forcée,* prolongée au delà d'une étape normale. — *Bataillon de marche.*

La force de leurs exercices, les chemins admirables qu'ils avaient construits, les mettaient *(les Romains)* en état de faire des marches longues et rapides.
MONTESQUIEU, *Grandeur et décadence des Romains*, II.

La retraite (...) c'était le fond de tous leurs récits : la Retraite, la terrible marche forcée, de Charleroi à Montmirail, sans haltes, sans soupe, sans but, les régiments mêlés (...) R. DORGELÈS, *les Croix de bois*, I.

On avançait sur des chemins défoncés, traversant des villages reconquis (...) Journées de marches sans repos, presque sans vivres, le plus souvent sans gite (...)
J. CHARDONNE, *les Destinées sentimentales*, p. 346.

En avant, marche !, commandement pour donner à une troupe le signal du départ.

Tout à coup je fus frappé de ces mots prononcés distinctement en français : « En avant! Marche !» Je tournai la tête, et j'aperçus une troupe de petits Arabes tout nus qui faisaient l'exercice avec des bâtons de palmier.
CHATEAUBRIAND, *Itinéraire...*, III, p. 276.

— À droite par quatre !... En avant !... marche! Le régiment s'ébranla... Le départ avait été pesant, mais, déjà, la cadence se faisait plus nette, et les pieds talonnaient la route d'un rythme régulier. R. DORGELÈS, *les Croix de bois*, XI.

Hist. *La Marche sur Rome. La Longue Marche* (des communistes chinois).

Pour les millions d'hommes agglomérés sur le rocher de Hong Kong, l'immensité qui s'étend derrière la barre noire de l'horizon n'est pas le pays des communes populaires, des hauts fourneaux individuels et des usines géantes, ni même de la bombe atomique, c'est le pays de la Longue Marche et de son chef (...)
MALRAUX, *Antimémoires*, p. 485.

Mus. *Air de marche,* dont le rythme très accusé (généralement à deux temps) peut régler le pas d'une troupe, d'un cortège, d'un groupe de marcheurs. *Chanson de marche.*

(1718). *Une marche. Marche militaire* (→ Cagibi, cit. 1). *Clairons* (cit. 2) *qui jouent une marche, la marche du régiment. Les Marches militaires de Schubert. La Marche lorraine. — Marche pompeuse et bruyante* (→ Éclater, cit. 9). *Marche de circonstance* (cit. 12). *Marche funèbre* (cit. 7). *Marche triomphale. Marche nuptiale,* de Mendelssohn. *Marche turque,* de Mozart. *Marche de Tannhäuser* (→ Exprimer, cit. 37), de Wagner.

(...) et la danse commença, au son d'une sorte de marche belliqueuse jouée par un fifre et un tambourin. LOTI, *Figures et Choses...*, « Danse des épées ».

(...) la colonne s'ébranla aux sons d'une marche de chasseurs pour défiler d'un pas rapide devant le colonel satisfait. P. MAC ORLAN, *la Bandera*, VI.

La musique prit la tête de la colonne, et joua la *Marche Lorraine*. Son intention était certainement de ragaillardir tout le monde.
J. ROMAINS, *les Hommes de bonne volonté*, t. XVI, XII, p. 91.

♦ **4.** (Choses). Déplacement continu dans une direction déterminée. *Sens de la marche d'un train, d'un autobus... Auto qui fait marche arrière*. Commande, train de marche arrière* (→ Inverseur). — Fig. *Faire marche arrière :* reculer (dans ses prétentions, ses intentions), renoncer.

(1895, *in D.D.L.*). Par métonymie. *Marche arrière :* celui des engrenages de la boîte de vitesses d'une automobile* qui commande le déplacement en arrière. *Casser une dent de la marche arrière.* ⇒ 1. **Arrière** (I., 3.).

Spécialt. (Sous le rapport de la vitesse ou de la direction). *Marche d'un train.* — Techn. *Marche à vue, marche de sécurité :* conduite manuelle des trains, à faible vitesse, permettant en toutes circonstances l'arrêt immédiat (en cas d'anomalie de signalisation). — *Vents qui contrarient* la marche d'un voilier (→ Hauteur, cit. 17).

(La locomotive) était douce, obéissante, facile au démarrage, d'une marche régulière et continue... *(Le mécanicien)* ne la bousculait jamais non plus, lui gardait une marche régulière, évitant de se mettre en retard, ce qui nécessite ensuite des sauts de vitesse fâcheux. ZOLA, *la Bête humaine*, V.

Par métaphore. ⇒ **Progression.** *Arrêter la marche d'un fleuve débordé* (cit. 21). ⇒ **Avance.** — Fig. *La marche ascendante* (cit. 1). *de l'Église vers la souveraineté.* ⇒ **Acheminement.** *Mettre un frein* (cit. 9) *à la marche inquiétante* (cit. 2) *d'une politique, d'une doctrine.* ⇒ **Développement, progrès, propagation.**

Chaque ville, quand elle pouvait répondre, avant la destruction des lignes, signalait la marche du cyclone, comme celle d'une invasion. « Ça vient de l'intérieur de la Cordillère. Ça balaie toute la route, vers la mer (...) »
SAINT-EXUPÉRY, *Vol de nuit*, XIII.

Spécialt. *Marche d'une comédie, d'une tragédie...,* le développement de l'action en vue du dénouement.

♦ **5.** Mus. *Marche d'harmonie* (ou *harmonique*) : répétition à intervalles égaux d'un petit groupe d'accords appelé *modèle* (⇒ **Progression**). *Marche ascendante, descendante. Marche modulante, unitonique.*

♦ **6.** Spécialt. Mouvement* d'un mobile, d'un appareil, selon les lois naturelles, physiques ou mécaniques auxquelles il est soumis. *Marche d'un astre* (⇒ **Ascendance, révolution**). → Décoration, cit. 7. — *Marche diurne d'un chronomètre*. — *Régler la marche d'une horloge* (→ Heure, cit. 1).

♦ **7.** Fig. ⇒ **Cours.** *La marche de la nature* (→ Guider, cit. 10), *du monde, des saisons* (→ Halte, cit. 8), *du temps* (→ Carillonner, cit. 1) ; *du progrès. Marche d'une maladie* (→ **Procès, processus**), *d'une épidémie* (→ Inversement, cit.). *La marche des sociétés humaines.* ⇒ **Évolution** (→ Flexueux, cit.). *La marche actuelle des choses, des événements.* ⇒ **Courant, déroulement, train** (→ Funeste, cit. 10).

25 Quand ce fut décidé irrévocablement, la marche des jours sembla se précipiter davantage, comme dans ces mauvais rêves où le temps n'a plus de durée.
LOTI, Matelot, XV.

26 (...) le désir déraisonnable de revenir en arrière ou au contraire de presser la marche du temps (...)
CAMUS, la Peste, p. 85.

♦ **8.** ⇒ **Fonctionnement.** *Levier*, dispositif qui commande la marche d'un mécanisme. Commande électrique de marche et d'arrêt.* ⇒ **Interrupteur.** — Fig. *La marche d'une affaire* (→ Liquide, cit. 7). *Assurer la marche d'une entreprise* (⇒ **Direction**), *la bonne marche d'un service.* — *En état de marche :* capable de marcher, de fonctionner. *Moteur en état de marche.* — Fig. *Organisation, maison en état, en bon état de marche,* où tout fonctionne bien.

27 Même si c'était matériellement possible, l'administration ne serait pas longue à trouver cela beaucoup trop romanesque pour la bonne marche du service.
J. ROMAINS, le Dieu des corps, p. 202.

♦ **9.** Loc. adv. EN MARCHE : en train d'avancer. *Se mettre en marche.* ⇒ **Ébranler** (s'). → Emboîter, cit. 4 ; errance, cit. 1 ; 1. exode, cit. 5. *Se remettre en marche. Foule en marche* (→ Graviter, cit. 2 ; imploration, cit. 1).

28 On voit des Calabrais qui se mettent en marche pour aller cultiver les terres, avec un joueur de violon à leur tête (...)
Mme DE STAËL, Corinne, XI, II.

29 (...) des milliers d'ouvriers, comme un régiment en marche au pas de route, entraient dans la fabrique proche (...)
J. CHARDONNE, les Destinées sentimentales, p. 72.

Locomotive en marche (→ Graisser, cit. 3). *Avions, trains en marche* (→ Ligne, cit. 22). *Ne montez pas en marche.*
En fonctionnement. *Mettre un moteur en marche.* ⇒ **Partir** (faire). *Mise en marche d'un ascenseur* (→ Borborygme, cit.). *Machine qui se met* en marche.* ⇒ **Démarrer** (→ Arrêter, cit. 8).

30 Il songea, un moment, à descendre du train en marche, avant la station ; il ouvrit même la portière du wagon ; mais il était trop tard : on arrivait.
R. ROLLAND, Jean-Christophe, La révolte, p. 626.

31 Lentement le train se remit en marche, poursuivi par les soldats qui s'accrochaient aux wagons (...)
J. CHARDONNE, les Destinées sentimentales, p. 360.

Fig. *L'esprit humain est toujours en marche* (→ Fixer, cit. 16, Hugo ; houle, cit. 6).

32 La vérité est en marche ; rien ne peut plus l'arrêter.
ZOLA, in le Figaro, 25 nov. 1897.

CONTR. Arrêt, halte.
DÉR. Marchette.
COMP. Contremarche (cit.).
HOM. 1. Marche ; formes du v. marcher.

MARCHÉ [maʀʃe] n. m. — V. 1213 ; *marchié,* v. 1175 ; *marchiet,* 1080 ; *marched,* v. 980 au sens II. — les deux sens sont probablement aussi anciens ; du lat. *mercatus,* rac. *merx, mercis* « marchandise ».

★ **I.** ♦ **1.** (1080, Chanson de Roland). Convention portant sur la fourniture de marchandises, de valeurs ou de services. ⇒ **Accord, affaire, contrat, convention ; achat, échange, vente.** *Conclure, clore* (vx), *passer un marché* (→ Encaisser, cit. 1 ; gagner, cit. 12). *Faire un marché,* (vieilli) *faire marché avec qqn* (→ Gargotier, cit. 1). *Marché conclu après de longues discussions, des marchandages ; par un accommodement*, un arrangement* entre les parties, moyennant un pot-de-vin... Marché verbal, par écrit. Conclusion, exécution d'un marché. Donner des arrhes* dès la conclusion du marché. Annuler*, résilier*, rompre* un marché. Marché ferme*, définitif. Marché honnête, loyal. Marché léonin*. Marché avantageux, désavantageux. Marché de dupe*.*

1 (...) la double ruse des marchés est compatible avec la probité stricte. Considérez attentivement l'acheteur et le vendeur autour d'une vache ; le vendeur ne cesse pas de faire croire, par les paroles et l'attitude, qu'il n'est pas pressé de vendre ; et l'acheteur, au contraire, fait entendre par une comédie parfaitement jouée, qu'il n'a point envie d'acheter, que cette vache ne lui plaît pas du tout. Ce double mensonge est dans les règles du jeu ; et remarquez que l'on n'a trouvé rien de mieux pour fixer les justes prix.
ALAIN, Propos, 25 avril 1921, Fruits de la confiance.

Loc. *Mettre à qqn le marché à la main* (vx), *en main,* le sommer d'accepter ou de rejeter sans autre délai les conditions du marché. — Fig. Lui donner à choisir entre deux solutions, le placer devant une alternative, sans plus admettre de discussion (→ C'est à prendre* ou à laisser).

2 Je repartirai sans avoir fait ce que je suis venue faire : sans lui avoir mis le marché en main.
MONTHERLANT, les Lépreuses, I, III.

Vx. *Faire le marché d'autrui* (fig.) : agir pour le compte, au bénéfice d'autrui.

3 Il est force gens comme lui,
Qui prétendent n'agir que pour leur propre compte,
Et qui font le marché d'autrui.
LA FONTAINE, Fables, VIII, 13.

♦ **2.** Loc. PAR-DESSUS LE MARCHÉ : au-delà de ce qui a été convenu, en supplément. (On disait aussi au XVIIIe siècle, *sur le marché,* cf. Racine, *les Plaideurs,* I, 1). — Fig. En plus, avec cela. ⇒ **Aussi, avec, outre** (en), **plus** (en).

4 Il lui donna lui-même un sac plein de pistoles,
Par-dessus le marché quelques douces paroles (...)
A. DE MUSSET, Premières poésies, « Namouna », III, VII.

5 Allez-vous-en ! Allez-vous-en ! Déjà vous avez perdu la guerre, vous *(n')* allez pas nous faire tuer par-dessus le marché.
SARTRE, la Mort dans l'âme, p. 198.

♦ **3.** LOC. BON MARCHÉ [a] N. m. (1615). Marché avantageux. — (Vx). *Avoir bon marché d'une chose,* l'acheter au meilleur prix, en concluant un marché avantageux. — Fig. *Avoir bon marché de qqn,* avoir facilement l'avantage sur lui.
Mod. Fig. *Faire bon marché d'une chose,* en tenir peu de compte, n'en pas faire grand cas, la traiter avec dédain*. *Faire bon marché de sa réputation, de sa place, de sa situation,* à tel point qu'on n'hésite pas à la risquer, à la sacrifier (→ Importance, cit. 15).

6 Ma foi, tant pis ! Je ferai toujours bon marché des théories et des traditions d'école quand il s'agit d'être vrai et d'exprimer la vérité.
Paul LÉAUTAUD, le Théâtre de M. Boissard, XXVIII.

7 On voit que je fais assez bon marché de la partie considérable de son œuvre qui est consacrée à tous les sujets dont il *(Descartes)* a appris l'existence ou l'importance par les autres.
VALÉRY, Variété IV, p. 227.

(XIIIe). Loc. adv. À BON MARCHÉ : à bas prix. *Acheter, vendre à bon marché* (→ Emmagasiner, cit. 2 ; herbe, cit. 20). *Marchander* qqch. pour l'avoir à meilleur marché, au meilleur marché possible. Vendre sa marchandise à trop bon marché* (à vil prix). *Fabriquer à meilleur marché,* moins cher (→ Grand, cit. 15). — Par ext. *Vivre à bon marché,* en dépensant peu. *Ces denrées, ces marchandises sont à bon marché,* coûtent* peu. — Adjectivt. *Édition à bon marché ; habitations à bon marché.*

8 (...) vous ne l'avez point pressé de vendre son blé lorsqu'il était à bon marché.
RACINE, Lettres, 94, 15 mai 1692.

9 Il y avait là, au plein air de la rue, sur le trottoir même, un éboulement de marchandises à bon marché, la tentation de la porte, les occasions qui arrêtaient les clients.
ZOLA, Au bonheur des dames, I.

(V. 1360). Fig. *À bon marché :* à peu frais, à bon compte. ⇒ **Compte** (supra cit. 9). *En être quitte à bon marché,* sans avoir à souffrir de trop graves inconvénients. *Se retirer, s'en tirer à bon marché.*

10 Ce n'est pas assez que le feu expie en public mon offense, j'en serais quitte à trop bon marché (...)
MOLIÈRE, Tartuffe, 1er Placet au roi.

11 Elle veut que je sois *son ami.* Mais moi (...) je ne prétends pas l'en tenir quitte à si bon marché (...)
LACLOS, les Liaisons dangereuses, LXX.

12 Non, vous pouvez croire que mes labeurs aient été vains, ni qu'en théologie on puisse avoir raison à si bon marché que le croient les rieurs.
RENAN, Souvenirs d'enfance..., in Œ. compl., t. II, III, I, p. 789.

(Sans la préposition *à*). *Acheter, vendre... bon marché,* loc. condamnée par Littré et par certains puristes mais qui est entrée dans le bon usage. « *On vous a fait cet objet très bon marché* » (Académie). — REM. Littré lui-même écrit *vendre bon marché* à l'art. *Vendre,* 3° (cf. Grevisse, *le Bon Usage,* § 915, REM. 3).

13 Vendons un des chevaux, dit la vieille (...) Il y avait dans la même hôtellerie un prieur de bénédictins (...) il acheta le cheval bon marché.
VOLTAIRE, Candide, X.

[b] Adj. invar. Abordable, avantageux (contr. : *cher, coûteux*). *Articles, produits bon marché, meilleur marché qu'ailleurs.*

14 (...) un jeune Grenoblois (...) cherchait un logement bon marché (...)
STENDHAL, Mémoires d'un touriste, t. I, p. 155.

15 Qu'est-ce qui est bon marché à présent ? Tout est cher.
HUGO, les Misérables, III, VIII, II.

16 (...) elle m'a parlé d'une cheviotte anglaise, affichée en face dix sous meilleur marché, la même que chez nous, paraît-il.
ZOLA, Au bonheur des dames, I.

17 (...) nous trouverons sûrement que c'est très bon marché, à côté du prix qu'on nous aurait fait.
J. ROMAINS, les Hommes de bonne volonté, t. V, XXII, p. 182.

N. m. *Le bon marché d'un produit,* son prix peu élevé, avantageux. « *Le bon marché de cette étoffe m'a tenté* » (Académie).

♦ **4.** Spécialt. (Comm., dr.). [a] (1826, *marché ferme, à prime...*). Comm., bourse. (1842). *Marché au comptant :* marché dans lequel l'exécution de la convention (livraison de l'objet vendu, paiement du prix) doit s'effectuer immédiatement ou dans un bref délai fixé par les règlements. *Marché à terme,* dans lequel l'exécution doit s'effectuer à une date plus ou moins éloignée (il est aussi appelé *marché, vente à livrer,* pour les marchandises). *Exécution, liquidation des marchés à termes* (⇒ **Compensation**). *Marché de fournitures,* portant sur les livraisons successives de marchandises. *Marché à option.* — (1826). *Marché à prime,* où chaque partie garde la faculté de résilier le marché contre paiement d'une prime (par oppos. à *marché ferme*). *Marché à double prime.* ⇒ **Stellage.** *Marché à forfait.* ⇒ **3. Forfait ; abonnement.** *Marché de gré à gré :* transaction pour laquelle le prix est fixé librement par accord entre le vendeur et l'acheteur en fonction de l'offre et de la demande.

[b] Dr. *Marché (de travaux publics),* conclu entre une administration publique et un entrepreneur et portant sur la création, l'entretien d'un ouvrage public. *Adjudication* publique d'un marché* (⇒ **Soumission**). *Marché sur appel d'offres. Les dispositions du marché sont portées sur le cahier des charges. Marché de gré à gré,* dans lequel l'Administration choisit librement son co-contractant (par oppos. à *marché sur adjudication*). *Marché sur concours. Marché à forfait*, à prix global. Marché à prix unitaires. Marché de travaux en régie. Marché clés en main,* où l'entrepreneur

s'engage à assurer la totalité de l'opération. — *Marché de l'État, des communes...*

Marché de fournitures :

18 Le marché de fournitures est un accord intervenant entre une personne morale de droit public et un particulier. En vertu de cet accord, le particulier (fournisseur) s'oblige à procurer à la personne morale, pendant un certain temps, des objets mobiliers... (matériel, denrées, etc.) ou des prestations, moyennant un certain prix, conformément aux dispositions d'un cahier des charges.
Louis ROLLAND, *Précis de droit administratif*, § 705.

♦ **5.** Par ext. Arrangement fait avec quelqu'un. ⇒ **Pacte.**

19 Agnès me regardait sans me parler, c'était notre marché (...)
Mme DE SÉVIGNÉ, 131, 6 févr. 1671.

20 (...) se laisser marier comme des esclaves (...) Et voici qu'elle-même venait de consentir à un marché pareil (...)
LOTI, *les Désenchantées*, I, III.

★ **II.** Lieu où s'effectuent des transactions commerciales. Personnes qui les effectuent. Ensemble des transactions.

21 Le commerce éveille l'idée de marché. Le marché est le lieu où se rencontrent les acheteurs et les vendeurs de telle ou telle catégorie de marchandises ; par extension, on a pris l'habitude d'appeler marché l'ensemble même des offres et des demandes qui sont en situation de se rencontrer et de donner lieu à des échanges ; le marché du blé, le marché du café, le marché du coton, c'est l'ensemble, en un lieu donné, à Paris, au Havre, à Liverpool, des offres et des demandes de ces produits. L'aire géographique sur laquelle un marché s'étend est quelque chose de très variable : pour certaines denrées vendues au détail, un village, un quartier d'une ville, une rue (...) forment un marché ; pour le commerce de gros des produits de grande consommation, on peut parler d'un marché mondial.
Henri TRUCHY, *Cours d'économie politique*, t. I, p. 289.

♦ **1.** (V. 980). Lieu public de vente de biens et de services, et, spécialt, lieu où se tient une réunion périodique des marchands de denrées alimentaires et de marchandises d'usage courant ; la réunion des marchands. ⇒ **Bazar** (cit. 1), **foirail**, **halle** (cit. 2). *Marché à ciel ouvert, marché couvert. Un beau marché couvert du XVIe siècle. Hangar, bâtiment qui sert de marché. Place du marché.* ⇒ **Minage** (vx). *Dans l'Antiquité romaine, le forum* était la place du marché. Marché forain : marché de détail qui se tient dans des emplacements différents, d'un quartier ou d'une ville à l'autre. Marché oriental, arabe...* ⇒ **Khan** (ou Kan), **souk**. — *Marché d'esclaves, aux esclaves. — Marché aux grains, aux fleurs, aux fourrures* (cit. 2), *aux herbes, aux poissons* (herberie, poissonnerie...). *Marché aux bestiaux.* — Loc. *Marché-gare :* marché où les denrées sont acheminées directement par voie ferrée. *Le marché-gare de Rungis. Des marchés-gares.*

22 (...) à gauche, la coupole de la halle aux blés (...) puis le marché à la volaille ; à droite, le marché au beurre, et plus loin la construction inachevée du marché à la viande.
NERVAL, *Nuits d'octobre*, XI.

23 Elle descendit la rue Tronchet, se trouva au marché aux fleurs de la Madeleine, un de ces marchés de mars, si fleuris de primevères et d'azalées, dans les jours pâles de l'hiver finissant.
ZOLA, *la Bête humaine*, V.

Spécialt, absolt. *Marché :* réunion périodique de commerçants dans une localité, où ils exposent et vendent des produits alimentaires, des articles de consommation courante. ⇒ **Foire.** *Marché annuel où on liquide des soldes.* ⇒ **Braderie.** *Marché hebdomadaire, quotidien. Jours de marché* (→ Bourg, cit. ; fondouk, cit. 2). *Paysan qui porte des volailles, des légumes au marché. Vendre au marché, dans les marchés* (→ Herbe, cit. 4). *Marchand* ambulant qui fait les marchés et les foires.* ⇒ **Forain.** *Les étals* (cit. 1) *du marché* (→ Étaler, cit. 2, Samain). *Aller au marché pour faire ses provisions* (→ Filet, cit. 12).

24 Nous rougissons, avec raison, de voir les marchés publics établis dans des rues étroites, étaler la malpropreté, répandre l'infection, et causer des désordres continuels.
VOLTAIRE, *Politique et Législation*, « Embell. de Paris ».

25 Il la retrouva, deux ou trois jours après, au marché de la ville, au milieu des montagnes de carottes, de tomates, de concombres et de choux. Il flânait, regardant la foule des marchandes, qui se tenaient debout, alignées devant leurs paniers, comme des esclaves à vendre.
R. ROLLAND, *Jean-Christophe, La révolte*, p. 610.

26 Comme tous les marchés maures, celui de Bir Djedid sentait le suint de mouton, le beurre rance, la sauterelle grillée et cette odeur spéciale aux djellabas (...)
P. MAC ORLAN, *la Bandera*, XII.

Loc. *Faire son marché, faire le marché :* aller acheter (au marché) les denrées nécessaires à la vie quotidienne.

♦ **2.** (Av. 1778, Voltaire). Par ext. *Cette ville est un important marché, est le principal marché de tel produit* (→ Bible, cit. 7 ; entrepôt, cit. 5). — *Le marché des sucres, des cuirs... d'une ville ; le marché de Londres, de New York :* l'endroit où se négocient, dans ces villes, les marchés portant sur ces marchandises (⇒ **Bourse**). — Spécial. Endroit d'une Bourse de Commerce réservé à certaines transactions. *Le marché de la rente, des actions...*

♦ **3.** Écon. polit. Ensemble des opérations commerciales, financières, concernant une catégorie de biens dans une zone géographique ; cette zone ; les personnes qui y sont en relations commerciales.

27 Au point de vue économique, on entend par marché, soit une zone géographique, soit *l'ensemble des personnes* qui sont en relations d'affaires pour vendre ou acheter un produit dans des conditions telles que les transactions (...) tendent à se faire au même moment toutes au même prix (...) on donne aussi le nom de marché à *la masse elle-même des offres et des demandes qui s'y rencontrent (dans les centres d'affaires).* REBOUD et GUITTON, *Précis d'économie politique*, t. I, p. 377.

L'offre et la demande sur un marché. Formation, état des prix* sur un marché. Prix d'équilibre de marché. — *Marché de produits, de services. Marché du travail. Dominer, truster un marché.*

⇒ **Monopole, trust** (→ Accaparement, cit. 1). *Mettre, offrir, jeter lancer* (un produit) *sur le marché* (→ Commerce, cit. 2 ; entreprise, cit. 12). *Inonder le marché* (→ Exportation, cit. 4). *Spéculer sur un marché.*

28 Tous ces arbres arrachés, inutilisables, il les acheta, songeant à se rendre, du jour au lendemain, par cette opération audacieuse, le maître du marché des bois dans le département.
Pierre BENOIT, Mlle de la Ferté, p. 19.

29 John Pierpont Morgan est l'homme qui a compris (...) que la libre concurrence, le stimulant ancien des affaires, a fait son temps, et qu'à l'anarchie de surenchère qui amenait catastrophe sur catastrophe dans l'industrie, il fallait enfin substituer des alliances entre les puissances productives, pour dominer le marché, en régler les fluctuations (...)
ARAGON, *les Beaux Quartiers*, II, II.

29.1 Les théoriciens de la « société de consommation » (...) affirment qu'autrefois, au début de l'économie capitaliste et de la production industrielle, dans cette préhistoire de la société moderne, les besoins n'orientaient pas cette production. Les entrepreneurs ne connaissaient pas le marché, ignoraient les consommateurs. Ils produisaient au hasard, lançant leurs marchandises sur le marché en attendant l'acheteur, en espérant le consommateur.
Henri LEFEBVRE, *la Vie quotidienne dans le monde moderne*, p. 106.

Spécialt. Géogr., écon. *Marchés internationaux. Marché mondial de l'étain, du thé. Grands marchés des matières premières. Marché de la zone dollar, de la zone franc.* — **MARCHÉ COMMUN :** forme spéciale d'union économique entre la France, l'Allemagne de l'Ouest, l'Italie, les Pays-Bas, la Belgique et le Luxembourg auxquels se sont joints la Grande-Bretagne, l'Irlande, le Danemark et la Grèce. — Par ext. *Le Marché commun :* l'ensemble des pays membres du Marché commun. ⇒ **Communauté.**

29.2 Lorsque les conditions d'existence sont à peu près égales entre les pays, comme c'est le cas pour le Marché commun, la liberté de déplacements n'entraîne pas de migrations notables, mais, lorsque les conditions sont inégales, aucun pays ne tient porte ouverte.
A. SAUVY, *Croissance zéro?*, p. 118.

29.3 Le 27 novembre, de Gaulle rappelle que l'Angleterre est une île, et s'oppose à son entrée dans le Marché commun.
Alain BOSQUET, *les Bonnes Intentions*, p. 215.

Finances. *Marché financier, de capitaux* « où les entreprises sont la partie demandante, tandis que les banques sont la partie offrante » (Romeuf). *Marché monétaire* (marché des changes, chambres de compensation, etc.).

Bourse. *Marché au comptant, à terme :* ensemble des transactions effectuées au comptant, à terme. *Marché officiel à terme. Marché de la coulisse.* — *Cours du marché. État d'un marché, du marché : marché ferme, lourd, résistant, soutenu ; actif, agité ; faible, hésitant... Fragilité d'un marché* (→ Inopportunité, cit.).

Marché officiel, dans une économie à prix dirigés (par oppos. à *marché libre*). *Marché parallèle,* pratiquant des prix fixés librement, différents des prix officiels, mais autorisés.

MARCHÉ NOIR : marché clandestin résultant de l'insuffisance de l'offre (en période de rationnement, de taxation...). *Marché noir et marché ordinaire* (→ Fabuleux, cit. 9). Cour. *Faire du marché noir :* vendre clandestinement, à des prix élevés, des marchandises rationnées, rares.

30 Les paysans (...) tenaient la dragée haute aux habitants des villes ; ceux-ci, en retour, les accusaient d'alimenter le marché noir et d'affamer les populations urbaines.
SARTRE, *Situations* III, p. 40.

Absolt. *Économie de marché,* dans laquelle les mécanismes économiques obéissent à la loi de l'offre et de la demande (par oppos. à *économie dirigée, planifiée*).

(Dans les relations sociales). Situation comparée à un marché économique. *La facilité à communiquer est bien cotée sur le marché social.*

♦ **4.** Comm. « Débouché régulier solvable » (Romeuf). ⇒ 3. **Débouché.** *Conquérir un marché* (⇒ **Clientèle**). *Marché actuel* (d'une firme, d'un producteur), *marché potentiel, théorique. Avantages économiques de grands marchés.* — REM. On peut employer dans ce sens, en n'envisageant que la demande, de nombreuses expressions classées sous le sens 3, plus général (ex. : *le marché intérieur des États-Unis, le Marché commun européen...*).

31 Nous sommes obligés de réduire nos prix de revient, ou nous perdrons le marché de l'Amérique.
J. CHARDONNE, *les Destinées sentimentales*, p. 310.

Absolt. *Étude, analyse de marché :* étude des conditions de la distribution et de la consommation (pour augmenter les ventes, par ex.). ⇒ **Marketing.** *Science des marchés* (→ Implacablement, cit. 3). *Connaissance du marché* (→ Intermédiaire, cit. 12).

HOM. Marcher.

MARCHÉAGE [maʁʃeaʒ] n. m. — 1974 ; de *marché*, et *-age*.

♦ Écon. Branche du marketing* ayant pour objet les techniques d'application pratique de la vente. ⇒ **Mercatique.**

MAR-CHEF [maʁʃɛf] n. m. — 1874, Daudet ; abrév. de *maréchal* (des logis) *chef*.

♦ Fam., vx. Maréchal des logis chef (fam., mod. : *margis chef*).

MARCHEPIED [maʁʃəpje] n. m. — 1330 ; « sorte d'engin de pêche », 1279 ; de *marcher*, et *pied*.

♦ **1.** (1330). Petit banc où l'on pose les pieds quand on est assis. *Marchepied d'un siège de cocher, d'un fauteuil de dentiste...*
Par ext. *Marchepied d'une échasse.* ⇒ **Étrier.**
(1678). Mar. Cordage placé sous une vergue et servant d'appui aux pieds des matelots qui font la manœuvre des vergues. *Étriers* des marchepieds.*

♦ **2.** (1474). Rare. Dernier degré* de l'estrade (d'un autel, d'un trône...) sur lequel l'officiant, le monarque... pose les pieds. *Gravir le marchepied d'un autel.* — Par ext. *Les degrés d'une estrade.*

♦ **3.** (1690, Furetière). Cour. Degré ou série de degrés, généralement métalliques, fixes ou pliants, qui servent à monter dans une voiture ou à en descendre. *Déplier le marchepied d'une voiture* (→ Houppelande, cit. 1). *Voyageurs accrochés par grappes* (cit. 10) *aux marchepieds d'un train. Grimper sur le marchepied d'un camion, d'une automobile** (anciennt).
Les dernières voitures roulaient dans la cour de l'hôtel; j'entendais relever les marchepieds et le bruit sec des panneaux vitrés qu'on fermait.
E. FROMENTIN, Dominique, XII.
Quand le train entra en gare, Marthe était debout sur le marchepied du wagon. «Attends bien que le train s'arrête», lui cria sa mère (...)
R. RADIGUET, le Diable au corps, p. 30.
(1390). Par ext. Petite échelle d'appartement, dont les échelons sont remplacés par des marches assez larges. ⇒ **Escabeau, escabelle.** «*Il vous faut un marchepied pour atteindre à ce rayon de bibliothèque*» (Académie).

♦ **4.** (1835, Académie). Fig. Moyen de parvenir à ses fins, de réaliser ses ambitions (⇒ **Échelon**). *Se faire un marchepied du vice* (→ Gascon, cit. 2). *Servir de marchepied à qqn* (→ Grandeur, cit. 17).
(...) il nourrissait un ambitieux désir poursuivi avec une profondeur digne de Sixte-Quint : il voulait se marier avec une vieille fille riche, sans doute dans l'intention de s'en faire un marchepied pour aborder les sphères élevées de la cour.
BALZAC, la Vieille Fille, Pl., t. IV, p. 217.

♦ **5.** Techn. Chemin qui longe un cours d'eau sur la rive opposée au chemin de halage*. — Dr. *Servitude de marchepied,* impliquant pour les propriétaires riverains d'un cours d'eau navigable ou flottable l'obligation de laisser libre un espace de 3,25 m sur le bord où il n'existe pas de chemin de halage (→ Halage, cit. 2).

1. MARCHER [maʀʃe] v. intr. — V. 1354 ; *marchier,* trans., «piétiner», XIIᵉ ; du francique **markôn* «marquer, imprimer le pas».

★ **I.** V. tr. ♦ **1.** Vx. Piétiner.

♦ **2.** Techn., vx. Pétrir avec les pieds. ⇒ **Fouler.** *Marcher l'argile.*

★ **II.** V. intr. **A.** Aller*, se mouvoir*.

♦ **1.** Se déplacer* par mouvements et appuis successifs des jambes et des pieds sans quitter le sol. (⇒ **Marche, pas**). *Levez-vous* (→ 1. Lever, cit. 27, Bible) *et marchez! Enfant qui apprend, qui commence à marcher* (→ Entraîner, cit. 27; homme, cit. 147), *qui marche seul, sans lisières** (cit. 2 et 4). *Impotent, infirme, handicapé* (cit. 3) *qui ne peut pas marcher.* (⇒ **Abasie**). *Goutteux* (cit. 3), *infirme qui marche soutenu par qqn, appuyé* (cit. 42) *sur qqn. Être trop faible* (cit. 1), *trop fatigué* (cit. 7) *pour marcher. Avoir besoin de prendre l'air et de marcher, de se donner du mouvement*. Je vais marcher un peu.* → Faire un bout de chemin*, une petite promenade*... *Personne qui marche en dormant.* ⇒ **Somnambule.**
(...) je ne puis méditer qu'en marchant (...) ROUSSEAU, les Confessions, IX.
À l'entrée de la rue des Prouvaires, la foule ne marchait plus. C'était un bloc résistant, massif, solide, compact (...) de gens entassés (...) Quoique pas un ne marchât, on entendait un piétinement dans la boue. HUGO, les Misérables, IV, XIII, I.
Il marcha trente jours, il marcha trente nuits,
HUGO, la Légende des siècles, II, «La conscience».
Si je dis : marche! le mouvement n'est pas assez bien défini par cet ordre. L'homme peut aller en avant, en arrière, obliquement ou de travers (...)
VALÉRY, Eupalinos, p. 63.
Allus. littér. *Prouver le mouvement* en marchant.*
Par anal. (En parlant des animaux). *Les lionceaux* (cit.) *marchent à deux mois.*
Par exagér. et par plais. *Fromage qui marche tout seul,* qui grouille de vers (aussi : dont la pâte, très molle, coule et s'étale).
Spécialt. (Danse). Faire des pas ordinaires. — Au p. p. *Pas marché,* effectué en marchant (cet emploi suppose une transitivité).
Ils adoptent pour danser (...) un pas marché de valse, feutré, subtil, légèrement chaloupé. J. ROMAINS, les Hommes de bonne volonté, t. XI, XXXIII, p. 306.
a (Façons et manières de marcher). *Allure, démarche, marche. Marcher à longues enjambées*, à pas comptés* (cit. 7). *Marcher à petits pas rapides* (⇒ **Trotter, trottiner**), *à pas de géant, de loup, de tortue*... Marcher d'un pas délibéré, ferme* (1. Ferme, cit. 6), *inégal* (cit. 11), *lent* (cit. 6), *tranquille...* ⇒ **Cheminer.** *Marcher bon train*, grand train, à vive allure* (⇒ **Courir, galoper**). *Marcher plus vite.* ⇒ **Doubler, forcer, presser** (le pas). *Marcher doucement, lentement* (cit. 1), *pesamment.* *Homme gros* (cit. 4) *qui marche avec peine.* ⇒ **Traîner** (se). *Je suis crevé : je ne peux plus marcher.* ⇒ 3. **Arquer.** *Marcher en cadence* (cit. 5). *Marcher comme un automate* (cit. 6), *un fauve en cage* (⇒ **Tourner**). *Marcher comme*

un canard, en boitant (cit. 2, ⇒ **Clocher, clopiner**), *en se déhanchant* (cit. 1). *Blessé qui marche en chancelant, en titubant. Marcher en aveugle, en étendant* (cit. 3) *la main, à tâtons*, à l'aveuglette. Marcher avec assurance, avec ostentation.* ⇒ **Pavaner** (se).
Loc. *Marcher des épaules** (cit. 21), *en roulant les épaules, les mécaniques* (fam.). — *Marcher le front haut, la tête basse, les bras ballants, les yeux au sol* (⇒ **Ficher**, cit. 4)...
Il n'y a point de chemin trop long à qui marche lentement et sans se presser (...) 6
LA BRUYÈRE, les Caractères, XII, 108.
(...) nous commençâmes à marcher avec tant de vitesse et de légèreté, qu'à peine 7
touchions-nous la terre, malgré le fardeau que nous portions.
A.-R. LESAGE, Gil Blas, VI, I.
Je ne sais où va mon chemin, 8
Mais je marche mieux quand ma main
Serre la tienne. A. DE MUSSET, Poésies nouvelles, «À mon frère».
À te voir marcher en cadence 9
Belle d'abandon,
On dirait un serpent qui danse
Au bout d'un bâton.
BAUDELAIRE, les Fleurs du mal, «Spleen et idéal», XXVIII.
Elle marchait, en effet, d'une si agréable façon qu'il prenait le plus beau plaisir du 10
monde à entendre le petit claquement de ses bottines sur la terre dure de l'allée. Jamais il n'avait fait attention au balancement de sa taille, à la traînée vivante de sa jupe, au suivi d'un frôlement de couleuvre.
ZOLA, la Faute de l'abbé Mouret, II, XI.
(...) l'homme qui marche à petits pas ridicules pour se mettre au pas de la femme 11
à son bras (...) MONTHERLANT, le Songe, II, XV.
Marcher pieds nus (→ Croquant, cit. 2), *en sabots, avec des chaussures neuves.* — *Marcher avec un bâton*, des béquilles** (⇒ 2. **Béquiller**), *une canne*, des échasses*.*
Marcher sur la pointe* des pieds, à quatre pattes* (→ Bête, cit. 24)... — Par anal. (de mouvement). *Acrobates qui marchent sur les mains* (→ Fortifier, cit. 4), *la tête en bas* (→ Antipode, cit. 1 et 2).
(...) je suis tellement fatigué par ce pavé en pointe de diamant, que j'ai envie 12
de me retourner et de marcher un peu sur les mains, comme les clowns, pour reposer mes pieds endoloris. Th. GAUTIER, Voyage en Espagne, p. 125.
Animaux qui marchent sur les doigts (⇒ **Digitigrade**), *sur la plante des pieds* (⇒ **Plantigrade**). *La gerboise* (cit.) *marche à petits sauts.* ⇒ **Sauter, sautiller ; saltigrade.** *Chasseur qui voit marcher des perdrix.* ⇒ **Piéter.**
b (Avec un compl. de lieu). *Marcher dans la rue, sur le trottoir, sur une route* (→ Indicateur, cit. 6). ⇒ **Piéton.** *Marcher dans la campagne, dans la brousse* (⇒ **Brousser**), *le long d'un ruisseau* (⇒ **Longer**), *à travers champs* (→ Espace, cit. 11)... — *Marcher par la ville* (vieilli), *à travers, dans la ville.* ⇒ **Déambuler, promener** (se). → Battre* le pavé.
Qui a vu St-M. G. marcher dans la rue a conçu tout de suite l'idée d'une grande 13
oie infatuée d'elle-même (...)
BAUDELAIRE, Journaux intimes, «Mon cœur mis à nu», LVIII.
(...) nous marchions dans un layon obscur, entre les taillis de jeunes charmes (...) 14
M. GENEVOIX, Forêt voisine, IX.
Par métaphore. Avancer. *Marcher dans la voie* des hommes de bien* (→ 2. Bien, cit. 74), *dans la voie étroite* (cit. 6) *de l'Évangile. Esprits qui marchent servilement dans la même voie.* — Fig. *Marcher dans la voie* (→ Briser, cit. 29), *dans la carrière* (2. Carrière, cit. 8) *de la gloire...*
Ô jeunes gens! quelle leçon! Marchons avec candeur dans le sentier de la vertu. 15
BEAUMARCHAIS, la Mère coupable, V, 7.
c (Direction dans laquelle on marche). Avancer, progresser à pied, en marchant. *Marcher en avant, en arrière, de long en large, vers le haut* (⇒ **Monter**), *vers le bas* (⇒ **Descendre**). — *Écrevisse* (cit. 3) *qui marche à reculons* (⇒ **Rétrograder**). — *Marcher en biaisant* (⇒ **Obliquer**). *Ivrogne qui marche en zigzags.* — *Marcher droit** (1. Droit, cit. 25), *droit devant soi* (→ Humain, cit. 9). — Loc. fig. *Marcher droit** (cit. 33).
(...) il marcha le dernier et à reculons, afin d'observer les plus légers changements 16
qui surviendraient sur tous les points de cette scène que la nature avait faite si ravissante (...) BALZAC, les Chouans, Pl., t. VII, p. 787.
Marcher vers la ville. ⇒ **Diriger** (se) ; **porter** (ses pas) ; **rendre** (se) ; **route** (faire). *Marche avec moi jusqu'au coin de la rue.* ⇒ **Venir ; accompagner.** *Marcher au supplice* (→ Goût, cit. 8). — *Marcher sans but, à vue de pays, à l'aventure* (cit. 29, fig.), *au hasard* (→ Indescriptible, cit. 3 ; inexcusable, cit. 2). ⇒ **Errer, flâner** (cit. 1), **trimarder, vagabonder.**
Trébuchant dans les plis de sa pourpre en lambeaux, 17
Elle *(la France)* marche au hasard, errant sur des tombeaux.
A. DE MUSSET, Poésies nouvelles, «Treize juillet», XXXI.
(...) il marchait droit au Nil. Un essaim de voiles couvrait les hautes eaux du 18
fleuve. FRANCE, Thaïs, p. 281.
Spécialt. *Marcher sur qqn :* aller vers lui avec violence, hostilité.
Fig. (Sujet n. de chose). ⇒ **Aller, tendre.** *Pays qui marche à la ruine, vers son déclin* (→ Faîte, cit. 6). *«Le monde marche vers une sorte d'américanisme»* (cit. Renan). *«Le monde avec lenteur* (cit. 2) *marche vers la sagesse»* (Voltaire).
Ô poète! il est dur que la nature humaine, 19
Qui marche vers son terme en une fin certaine,
Doive encor s'y traîner en portant une croix (...)
A. DE MUSSET, Poésies nouvelles, «Lettre à Lamartine».

20 Nous marchons vers des temps meilleurs, plus intelligents, plus humains.
MICHELET, la Femme, III, V.

Spécialt, fam. ⇒ **Aller.** *Marcher sur ses quarante ans.*

20.1 Dame, il *(le docteur)* prend de l'âge! On n'est pas toujours jeune. Il marche sur ses quatre-vingt-six. Il n'est plus le même qu'autrefois.
PROUST, Jean Santeuil, Pl., p. 342.

21 Mais il y avait une fille à pourvoir (...) Elle marchait sur ses vingt ans; elle était presque fiancée (...)   Émile HENRIOT, Aricie Brun, III, II.

d (Ordre dans lequel marchent deux ou plusieurs êtres animés).
Enfant qui marche à côté de sa mère. Marcher devant quelqu'un (⇒ **Passer, précéder**). *Emboîter* le pas à quelqu'un et marcher derrière lui.* ⇒ **Filer** (→ Filature, cit. 3). — *Marcher escorté* (cit. 2 et 3) *d'une suite, à la tête d'une troupe, en tête d'un cortège, d'une procession* (→ Autodafé, cit. 1). ⇒ **Avancer** (s'). *Jars* (1. Jars, cit.) *qui marche en tête d'un troupeau d'oies.* — *Marcher le dernier, en queue*, à la queue* (→ Clore, fermer la marche). — *Marcher sur deux rangs* (→ File, cit. 6), *en colonne, en file*, à la file* (cit. 8 ⇒ **Défiler**), *en ligne, de front.*

22 (...) quand on passe du salon à la salle à manger, c'est toujours Mme de Rosemonde qui marche la dernière.   LACLOS, les Liaisons dangereuses, LXXXIV.

23 Quand nous marchons de front dans les rues, il me semble toujours que je le tiens au bout de mon bras, comme un pantin articulé, par des ficelles.
Valery LARBAUD, A. O. Barnabooth, Journal, 3 juin.

Par métaphore. (Idée d'accord; → ci-dessous, 3., au fig.). *Marcher avec qqn, la main* dans la main, comme un seul homme, en parfait accord*. Marcher de compagnie* (cit. 3), *de conserve, du même pas...*

24 Ici, tout le monde pensait que les deux révolutions *(française et belge)* allaient agir ensemble et marcher du même pas. Le plus brillant de nos journalistes, Camille Desmoulins, avait, sans attendre, uni en espoir les deux sœurs, intitulant son journal : *Révolutions de France et de Brabant.*
MICHELET, Hist. de la Révolution franç., III, V.

Par ext. Fig. (En parlant de choses). Aller ensemble, être compatible. *Intérêts qui marchent de front* (cit. 40), *de pair. Faire marcher de concert* (cit. 8) *des choses très différentes.*

♦ **2.** Avancer, faire mouvement (en parlant de troupes qui manœuvrent ou qui font campagne). *Marcher l'arme à la bretelle, au pas de route.* — Loc. (avec sur..., à...). *Marcher sur une ville, contre un adversaire supérieur en nombre. Marcher à l'ennemi* (→ Arrière-garde, cit. 1). *Marcher à l'assaut, au combat.* ⇒ **Monter.**

25 Aux armes, citoyens! Formez vos bataillons.
Marchons! Marchons!
Qu'un sang impur abreuve nos sillons!   ROUGET DE LISLE, la Marseillaise (refrain).

26 (...) Et nous, les petits, les obscurs, les sans-grades,
Nous qui marchions fourbus, blessés, crottés, malades,
Sans espoir de duchés ni de dotations;
Nous qui marchions toujours et jamais n'avancions (...)
Edmond ROSTAND, l'Aiglon, II, 9.

27 Le 7e corps (Augereau) marcherait immédiatement sur Mlawa (...)
Louis MADELIN, Hist. du Consulat et de l'Empire, Vers Emp. Occident, XX.

Marcher sous le drapeau, les enseignes (cit. 15) *d'un régiment, d'un chef* (⇒ **Servir**). — Par anal. *Marcher sous la conduite*, sous les ordres de qqn.* ⇒ **Obéir, soumettre** (être soumis). — *Faire marcher...* (ci-dessous 4.).

Fig. (Avec une idée d'hostilité, de violence ou de conquête). *Marcher contre le gouvernement.* ⇒ **Attaquer.** *Marcher résolument à la gloire* (→ Habiller, cit. 3), *à la conquête du monde.* ⇒ **Courir, élancer** (s').

28 Oui, Caillaux, Clemenceau avaient marché contre leur ancien collaborateur. Mais Perchot, Herriot, un tas ne les avaient pas suivis.
ARAGON, les Beaux Quartiers, II, XX.

Absolt. Remplir son devoir de soldat, payer de sa personne dans l'intérêt de la patrie. *Mutins qui refusent de marcher.*

29 — L'autre nuit, après l'attaque, on l'a désigné de patrouille. Comme il avait déjà marché la veille, il a refusé.   R. DORGELÈS, les Croix de bois, IX.

♦ **3.** (1852). Fig., fam. **a** Acquiescer, donner son adhésion (à qqch). ⇒ **Accepter, consentir.** *On peut compter sur lui, je suis sûr qu'il marchera* (cf. *Marcher dans la combine, dans le coup...*). *Rien à faire, je ne marche pas.*

30 (...) vous tentez de nous refaire sur la commission!... Non, monsieur! Je ne marche pas!   MALRAUX, l'Espoir, II, I, I, IV.

b Fam. Croire naïvement quelque histoire. *Pas moyen de plaisanter avec lui; il marche à fond tout de suite* (→ Grimper, monter à l'échelle*). *Il ne marche pas, il court, il fait plus encore que marcher* (⇒ **Donner dans le panneau, se faire avoir**). — REM. On dit aussi *marcher dans une histoire.*

31 Ell m'a écouté avec attention. Elle a marché très bien dans mes histoires d'agent littéraire à l'affût du sensationnel.
J. ROMAINS, le Besoin de voir clair, « Carnet... », XI.

♦ **4. FAIRE MARCHER...** *Faire marcher le ban* (cit. 2), appeler au combat les hommes qui le composent, les enrôler.

Par ext. *Faire marcher qqn,* obtenir de lui ce qu'on veut par la force (cit. 55), la menace, la persuasion, la ruse... *Savoir faire marcher les hommes* (→ Exciter, cit. 28). — *Faire marcher ses enfants à la baguette, au doigt* et à l'œil, à la trique...* ⇒ **Mener.**

32 Avec cette *terreur* il faisait marcher les sept à huit cents commis du bureau de la guerre (...)   STENDHAL, Vie de Henry Brulard, 41.

On ne fait pas marcher un peuple par surprise plus vite qu'il ne veut. Malheur à qui tente de lui forcer la main! Un peuple ne se laisse pas faire.   3
HUGO, les Misérables, V, I, XX.

Ainsi, maîtresse absolue de son terrain, vénérée et crainte, entourée d'un troupeau de huit enfants (...) et, faisant marcher tout cela dans un ordre, un silence et une componction louables, Zemroud-Khanoum était une excellente femme.   3
J.-A. DE GOBINEAU, Nouvelles asiatiques, p. 102.

(Au sens 3 de *marcher*). Abuser (qqn) en (lui) faisant prendre pour vrai ce qui ne l'est pas. ⇒ **Berner, tromper; boîte** (7., mettre en).

Aimée de Coigny ne comprenait-elle pas que le prince se moquait d'elle et, ainsi qu'on s'exprime aujourd'hui, la faisait marcher?   3
Louis MADELIN, Talleyrand, III, XXV.

— Ça vous intéresse vraiment? Vous n'essayez pas seulement de me faire marcher?   J. ROMAINS, les Hommes de bonne volonté, t. IV, X, p. 102.   3

♦ **5.** Avancer dans un véhicule, à cheval, etc. *Cavaliers qui ont marché toute la nuit pour arriver* (cit. 5) *à Paris.* ⇒ **Voyager.** *Nous avons très bien marché au début, mais à Lyon la voiture est tombée en panne.* ⇒ **Rouler.**

♦ **6.** (En parlant de choses). Se mouvoir de manière continue. *Automobile, train qui marche à 150 km à l'heure.* ⇒ **Rouler.** *Voitures qui marchent à la file. Escadres marchant à la rencontre l'une de l'autre.* ⇒ **Cingler, naviguer, converger** (→ Formation, cit. 1; locomotive, cit. 6). *Le bâtiment marchait droit contre le vent* (→ Cape, cit. 6). *Jonque qui marche à la godille* (cit. 1).

Par métaphore. *Le temps qui marche* (→ Argent, cit. 4). ⇒ **Écouler** (s'). *« Les rivières sont des chemins* (cit. 15) *qui marchent »* (Pascal).

Fig. ⇒ **Avancer.** *« Ce train toujours égal* (cit. 29) *dont marche l'univers ». La nature marche par nuances.* ⇒ **Procéder** (→ Homme, cit. 4). — *Convalescence qui marche vite.* ⇒ **Progresser.** *Les choses, les événements marchèrent si vite que...* ⇒ **Précipiter** (se).

Tout marche par cabale et par pur intérêt (...)   3
MOLIÈRE, le Misanthrope, V, 1.

L'humanité marche et s'éclaire;   3
Le progrès est l'immense aimant (...)   HUGO, la Légende des siècles, XXXIII, II.

Spécialt. (En parlant d'une pièce de théâtre, d'un roman...). S'avancer vers son dénouement. *Le drame de Shakespeare marche avec une sorte de rythme éperdu* (→ Chanceler, cit. 4, Hugo).

♦ **7.** Par ext. (En parlant d'un mécanisme, d'un organe...). ⇒ **Aller fonctionner.** *Machine qui marche à faible pression* (→ Entraîner, cit. 1). *Montre, pendule qui marche mal. Vieillard dont le cœur marche encore très bien.* ⇒ **Comporter** (se). — *Faire marcher une machine* (⇒ Capital, cit. 4), *un appareil* (→ Chadouf, cit.), *des robinets à gaz.* — Par anal. (En parlant d'une administration, d'une entreprise, d'une collectivité à diriger...). *Faire marcher l'usine par des moyens de fortune* (cit. 21). ⇒ **Tourner.**

Ma mère a une très petite rente. Avec ce revenu et le peu que je gagne elle fait très bien marcher la maison.   G. DUHAMEL, Salavin, III.   3

(...) il avait une voiture neuve à laquelle il avait appliqué de si nombreux perfectionnements qu'elle ne marchait plus du tout.   4
A. MAUROIS, Bernard Quesnay, XIX.

♦ **8.** (1875). Produire l'effet souhaité (en parlant d'activités industrielles ou commerciales). *Commerce qui marche bien* (→ Imposer, cit. 50), *à merveille* (→ Appréciable, cit.). — *Les affaires* ont l'air de marcher.* ⇒ **Prospérer** (→ Histoire, cit. 49). — (En parlant d'une activité individuelle ou collective). *Besogne qui marche à souhait* (→ Intelligence, cit. 22). *Ses études marchent bien.* — Fam. *Ça marche.* ⇒ **Gazer, tourner** (rond). → fam. *Ça biche, ça boume, ça colle, ça carbure, ça gaze, ça ronfle... Ce procédé, cette ruse a marché. Ça marche (comme) sur des roulettes** (→ Humeur, cit. 48). ⇒ **Aller.** *Comment ça marche? Plutôt mal. Tout marchera bien, vous verrez. Alors, c'est entendu? On fait l'affaire? — Ça marche, d'accord.* → On y va, on fait comme ça.

Après ce moment scabreux (...) la négociation marcha comme sur des roulettes (Note de Stendhal : « Style de 1750 »).   41
STENDHAL, Romans et nouvelles, « Le rose et le vert », VIII.

(...) triste ou gai selon l'état des récoltes, gueulant contre ses enfants, parce que ce n'était plus ça, que c'était leur faute, si rien ne marchait.   ZOLA, la Terre, III, I.   42

Tout ne marchait pas aussi bien dans le royaume de France que l'avait rêvé Colbert dont les vastes projets d'organisation n'avaient pu être réalisés qu'en partie.   43
J. BAINVILLE, Hist. de France, XIII, p. 255.

B. **MARCHER SUR** (ou **DANS**)...

♦ **1.** Mettre le pied sur (qqch.) tout en avançant, en marchant. *Défense de marcher sur les pelouses. Il a voulu marcher sur la glace; elle s'est brisée sous son poids.* — *Marcher sur le velours*.*

— Nous marchions, sans parler, dans l'humide gazon,   44
Dans la bruyère épaisse et dans les hautes brandes (...)
A. DE VIGNY, Destinées, « La mort du loup », I.

Par exagér. *Marcher sur les talons de qqn.* ⇒ **Talon; talonner.**

Loc. *Marcher sur les pas** (→ Aller, cit. 36), *sur la piste*, sur les traces*, dans le sillage* de qqn.* ⇒ **Suivre** (au propre et au fig.). — Au fig. ⇒ **Imiter.** — *Marcher sur les brisées* d'un rival. Marcher sur les plates-bandes de qqn.* — *Marcher sur le corps, sur le ventre d'un concurrent.* ⇒ **Passer** → Fouler* aux pieds). — *Marcher sur des charbons** (cit. 3) *ardents, sur des épines*, sur la corde* raide, sur des lames de rasoir* (→ Compte, cit. 35), *sur des œufs*.*

♦ 2. Poser le pied sur (ou dans qqch.), sans idée d'autre mouvement. *Marcher sur la patte d'un chien* (→ Imiter, cit. 4), *dans une flaque d'eau* (⇒ **Barboter**). *Il a marché en plein dedans. Marcher sur une araignée pour l'écraser.* ⇒ **Piétiner.** — *Marcher sur les pieds de quelqu'un.* ⇒ **Pied.**

Une ronce la retenait par la jupe. — Tiens! je croyais que c'était toi qui marchais exprès sur ma robe (...) ZOLA, la Faute de l'abbé Mouret, II, x.

Fig. *Marcher sur ses principes* (cf. Fouler aux pieds ; pop. s'asseoir dessus). ⇒ **Piétiner.**

CONTR. Arrêter (s'), stopper. — Bloquer. — Déranger.

DÉR. et COMP. Démarche, 2. marc, marchage, marchant, 2. marche, marchepied, 2. marcher, marcheur, remarcher.

HOM. Marché.

2. MARCHER [maʀʃe] n. m. — 1538 ; subst. verbal de *marcher*.

♦ Vx. Action ou manière de marcher. *Le marcher lent de l'éléphant* (cit. 2). ⇒ **Marche.**

MARCHETTE [maʀʃɛt] n. f. — 1660, Oudin ; *in* Rabelais, 1532, « touche d'un clavier d'orgue » ; de *marche*, et suff. *-ette.*

♦ 1. Techn. anc. Petite marche sur laquelle on appuie pour abaisser les lames du métier à tisser à bras.

♦ 2. (1873, Larousse). Vx. Petit tapis jouant le rôle de paillasson*.

MARCHEUR, EUSE [maʀʃœʀ, øz] n. — 1669 ; de *marcher*, et *-eur.*

★ I. ♦ 1. Personne qui marche, et, spécialt, qui peut marcher longtemps, sans fatigue. *Un bon, un grand, un extraordinaire marcheur* (→ Élasticité, cit. 4 ; halte, cit. 5). *Elle est bonne, mauvaise marcheuse.*

(Il) s'arrange pour faire la dernière partie du chemin à pied ; car il est grand marcheur, tant par goût que par souci professionnel.
J. ROMAINS, les Hommes de bonne volonté, t. IV, II, p. 14.

Je dois peut-être signaler ici que j'étais un marcheur très lent. Je ne traînais pas, je ne flânais pas, rien à voir, je marchais très lentement, un point c'est tout, petits pas courts et le pied une fois en l'air très lent à retrouver le sol.
S. BECKETT, Têtes-mortes, p. 15.

Par anal. Vx. Véhicule, navire (qui va plus ou moins vite).

Est-il donc si rare que les meilleurs marcheurs des lignes transocéaniennes éprouvent des retards de deux ou trois jours ?
J. VERNE, le Tour du monde en 80 jours, p. 33.

♦ 2. (V. 1960). Polit. Personne qui participe à une marche de protestation. *Marcheur de la paix.* « *Les marcheurs ont organisé leur manifestation comme une véritable opération stratégique. Ils ont des tentes pour dormir, des cuisines roulantes qui fourniront des repas chauds et, aussi, des hôpitaux de campagne pourvus de tous les médicaments nécessaires* » (l'Aurore, 10 mars 1965, p. 6, in D.D.L.)

♦ 3. N. f. MARCHEUSE : figurante muette dans un music-hall, un opéra.

★ II. N. m. (1898, in D.D.L.). Péj., vieilli. *Un vieux marcheur :* un homme d'un certain âge qui flâne en quête d'aventures galantes, qui suit et aborde les femmes dans la rue (→ Coureur, suiveur). — Par ext. (avec effacement de l'idée de marcher). Un homme qui courtise les femmes en dépit de son âge avancé. ⇒ **Galant.**

Il lui donna l'assurance que Loyer, un vieux marcheur, ne refuserait pas cela à une jolie femme. FRANCE, l'Anneau d'améthyste, Œ., t. XII, XV, p. 198.

★ III. .Adj. (1791). Qui a l'habitude de marcher en parlant d'une espèce où domine un autre mode de locomotion. *Oiseaux marcheurs.*

MARCHITE [maʀʃit] n. f. — 1968, Larousse, *Premier Suppl.*

♦ Minér. Iodure naturel de cuivre.

MARCONI [maʀkɔni] adj. invar. — Déb. XXᵉ ; du n. pr. *Marconi*, à cause du mât à pible et de son haubannage, évoquant une antenne de T.S.F.

♦ Mar. *Gréement marconi*, caractérisé par une grand-voile triangulaire hissée au moyen d'une drisse unique (par oppos. aux *gréement aurique* et *houari*, notamment). *La plupart des yachts modernes ont un gréement marconi.* — Par ext. *Ketch, yawl marconi.*

MARCOTIN ou **MARQUOTIN** [maʀkɔtɛ̃] n. m. — Mil. XXᵉ ; de *marqué*, même sens, et suff. pop. *-otin*, cf. *purotin*, etc.

♦ Argot. Durée d'un mois*.

Chez Drouant, il a choisi de traiter Paulo, se rendant compte qu'après six marcotins de bectance à la table d'Irène, son pote n'encaisserait plus la graille de gargote. Albert SIMONIN, Hotu soit qui mal y pense, p. 47.

MARCOTTAGE [maʀkɔtaʒ] n. m. — 1826, *in* D.D.L. ; de *marcotter*, et *-age.*

♦ Arbor., hortic. Mode de multiplication d'un végétal qui consiste à enterrer une de ses branches pour lui faire prendre racine. *Marcottage naturel. Le marcottage diffère du bouturage en ce que la nouvelle plante n'est séparée* (⇒ **Sevrage**) *de la plante mère qu'après la pousse des racines adventives. Marcottage artificiel de la vigne.* ⇒ **Provignage** (ou *provignement*). *Marcottage simple, en arceaux ; en l'air* (dans un pot) ; *par recépage* ou en cépée.* — Par ext. *Marcottage par racines*, en provoquant la naissance de tiges sur les racines. *Marcottage par drageons* (ou plutôt *drageonnage*), en isolant les rejets ou drageons.

MARCOTTE [maʀkɔt] n. f. — 1538, *marquotte*, var. *margotte* ; *marquot*, 1397 ; du lat. *marcus* ou (P. Guiraud) d'un bas lat. **marīcus*, de *mas, marem* «mâle», par un v. **marcotter* «marier, joindre».

♦ Arbor., hortic. Tige, branche d'une plante qui a pris racine ; cette branche quand elle est devenue une plante autonome séparée de la plante mère. *Sevrer* une marcotte. La multiplication par marcottes est plus aisée que par boutures*. Marcotte de vigne.* ⇒ **Provin, sautelle.** — Par ext. *Drageon** qu'on a isolé pour former une plante nouvelle.

DÉR. Marcotter.

HOM. Formes du v. **marcotter.**

MARCOTTER [maʀkɔte] v. tr. - 1551 ; de *marcotte*, et *-er.*

♦ Arboric., hortic. Multiplier par marcottes. *Marcotter des rosiers, des œillets... Marcotter la vigne.* ⇒ **Provigner.**

DÉR. Marcottage.

HOM. Voir **Marcotte.**

MARDELLE [maʀdɛl] n. f. — 1346, *mardelle*, Godefroy ; mot régional ; du lat. *margella.* → Margelle.

♦ Géomorphol. Enfoncement, de 2 à 3 m de diamètre et de 1 à 2 m de profondeur, que l'on trouve sur certains plateaux.

1. MARDI [maʀdi] n. m. — Fin XIIᵉ ; *marsdi*, v. 1119 ; du lat. *martis dies*, jour de Mars.

♦ Troisième jour de la semaine* (en comptant à partir du dimanche). *Mardi dernier* (→ Allègrement, cit. 2 ; bourrer, cit. 7). *Nous partirons mardi, mardi prochain, mardi en huit. Le mardi 3 mars. Venez mardi. Il vient régulièrement le mardi, tous les mardis.*

MARDI GRAS (parfois écrit *mardi-gras*) : dernier jour du carnaval*, qui précède le carême. ⇒ **Carême-prenant.** *Déguisements, masques pour le mardi gras. Cavalcade du mardi gras.* — Fam. *Ce n'est pas mardi gras aujourd'hui*, se dit pour se moquer d'une personne ridiculement accoutrée.

Les masques abondaient sur le boulevard (...) Paris s'était déguisé en Venise. On ne voit plus de ces mardis gras-là aujourd'hui. HUGO, les Misérables, V, VI, I.

(1735). Fig., vx. *Un mardi gras :* une personne qui fête joyeusement le mardi gras, le carnaval. « *Soûls comme des mardi-gras* » (Balzac, *Illusions perdues*). — REM. Balzac fait le mot invariable.

HOM. 2. **Mardi.**

2. MARDI [maʀdi] interj. — 1685 ; altér. de *par la mère Dieu*, d'où *Mère Dieu* (XVᵉ) influencé probablt par *merde* cf. Rabelais : *par la merdé.*

♦ Vx. Juron paysan (dans le théâtre class. : Marivaux, par ex.). Cf. l'euphémisme fam. mod. *Mercredi!* (pour *merde !*).

HOM. 1. **Mardi.**

MARE [maʀ] n. f. — V. 1180 ; francique *mara.* → Marais.

♦ 1. Petite nappe d'eau peu profonde qui stagne dans une excavation naturelle ou artificielle, en général de manière permanente. *La mare est plus petite que l'étang.* ⇒ **Étang, flache, flaque, lagon.** *Mare fangeuse* (→ Brusque, cit. 6). *Mare dans un bois, un pré, une cour de ferme* (→ Fruitier, cit. 2). *Mare aux canards.* ⇒ **Barbotière, canardière.**

Dehors, la pluie entretenait la mare, qui était la seule eau pour les bêtes et l'arrosage. Chaque matin, il fallait descendre à la fontaine, en bas, sur la route, chercher l'eau de la table. ZOLA, la Terre, II, III.

Devant lui, une toute petite mare, une flaque d'eau très claire, où se reflétait le ciel mélancolique. Elle était close d'une palissade, et bordée de deux arbres.
R. ROLLAND, Jean-Christophe, La révolte, p. 628.

L'œil bleu des mares veille au sous-bois fléché d'or.
ARAGON, les Yeux d'Elsa, p. 54.

(1926). Loc. plais. *La mare aux harengs :* l'Atlantique Nord.

♦ 2. (1690, Furetière). Par ext. Grande quantité de liquide répandu. *Une mare de vin, de sang* (→ Hémorragie, cit. 2).

4   (...) l'émotion de cette nouvelle assit Gervaise dans la mare d'eau sale qui emplissait la boutique. Elle demeura suante, essouflée, avec sa brosse à la main.
ZOLA, l'Assommoir, t. II, XI, p. 187.

Figuré :

5   (...) c'est comme une mare d'indifférence qui s'est épaissie sur la mémoire des Baillard, aux lieux mêmes où ils ont le plus agi.
M. BARRÈS, la Colline inspirée, I, IV.

Allus. hist. « *Les mares stagnantes* » : expression employée par Briand à propos des circonscriptions électorales françaises sous le système du scrutin d'arrondissement.

6   (...) à travers toutes les petites mares stagnantes, croupissantes qui se forment et s'élargissent un peu partout dans le pays, il convient de faire passer au plus vite un large courant purificateur (...)
A. BRIAND, Discours de Périgueux, 10 oct. 1909, *in* GUERLAC.

HOM. 2. Marc, 1. marre, 2. marre.

MARÉCAGE [maʀekaʒ] n. m. — 1530 ; *marescage*, v. 1360 ; *mareschage*, adj. « marécageux », v. 1213 ; de *maresc*, anc. forme de *marais*, suff. *-age.*

♦ **1.** Lieu inculte et humide à flore particulière où s'étendent des marais. ⇒ **Marais** ; *étang, gâtine, grenouillère, maremme. Plantes des marécages* (Jonc, roseau, œnanthe...). *Crapaud des marécages* (→ Froisser, cit. 6). *Boue, vase, miasmes des marécages* (→ Corrompre, cit. 1). *Marécages alternant* (cit. 3) *avec des prairies. Marcher à travers les marécages sur des échasses* (cit. 1). *Patauger, s'embourber dans un marécage.*

1   Ce terrain était sans doute un vaste marécage, car les herbes qui le couvraient avaient cet air chevelu, onduleux et déjà presque liquide des végétations aquatiques, mer de joncs et de longues tiges gladiolées (...)
A. MAUROIS, le Côté de Chelsea, p. 106.

♦ **2.** Fig. ⇒ **Bas-fond, marais.**

2   (...) il tendait la main à cette jeunesse et à cette pureté pour les entraîner dans le marécage où il avait conscience d'enfoncer lui-même.
J. ROMAINS, les Hommes de bonne volonté, t. V, XXIV, p. 228.

DÉR. Marécageux.

MARÉCAGEUX, EUSE [maʀekaʒø, øz] adj. — 1636 ; *marescageux*, 1539 ; *maresquageux*, 1532 ; cf. anc. franç. *marcageus*, 1398 ; de *marécage*, et *-eux.*

♦ **1.** (Fin XIVᵉ). Qui est de la nature du marécage. ⇒ **Bourbeux.** *Terrain, bas-fond marécageux.* ⇒ **Fondrière.** *Plaine marécageuse.*

1   (...) les tristes embouchures du Rhône, obstruées et marécageuses, comme celles du Nil et du Pô.
MICHELET, Hist. de France, III, « Tableau de la France ».

♦ **2.** (1668). Qui vit dans les marécages. ⇒ **Aquatique, uliginaire.** *Plantes marécageuses.* « *La gent* (cit. 2) *marécageuse* » (La Fontaine) : les grenouilles*.

2   L'herbe avait fait place aux plantes marécageuses, auxquelles l'humidité, aidée de la chaleur estivale, donnait des proportions gigantesques.
J. VERNE, Michel Strogoff, p. 217.

MARÉCHAL [maʀeʃal] n. m. — 1636 ; *mareschal*, XIIᵉ ; *marescal*, 1086, anglo-normand ; d'un anc. francique *marhskalk*, proprt « domestique chargé de soigner les chevaux ».

★ **I.** ♦ **1.** Anciennt. Domestique chargé de soigner les chevaux.

♦ **2.** Mod. MARÉCHAL, et, plus souvent, MARÉCHAL-FERRANT (1611, pour éviter la confusion avec le sens II, 2). Artisan dont le métier est de ferrer les chevaux (et les animaux de trait ou de bât comme les bœufs, les ânes, les mulets). ⇒ **Fer, ferrer, ferrure.** *Outils, matériel de maréchal-ferrant.* ⇒ **Bédane, bouton** (de feu), **boutoir, brochoir, bute, cure-pied, enclume, ferretier, ferrière, forge** (cit. 4), **mailloche, morailles, paroir, plate-longe, rénette, rivet, rogne-pied, travail, tricoises, trousse-pied.** *Blessure faite par un maréchal-ferrant au cheval qu'il ferre.* ⇒ **Encloure.** *Forgerons* (cit.) *qui font le métier de maréchaux-ferrants.*

1   Le maréchal laissait à petits coups pesants et clairs retomber son marteau sur l'enclume. Il regardait, en l'approchant de son tablier de cuir, le morceau de fer qu'il avait travaillé.
ALAIN-FOURNIER, le Grand Meaulnes, I, III.

2   Le cheval était en honneur alors et les vétérinaires si rares que le maréchal-ferrant les suppléait, même dans les villes, usurpait en même temps qu'un peu de leur art un peu de leur dignité.
M. JOUHANDEAU, Chaminadour, Contes brefs, « Le maréchal-ferrant ».

★ **II.** (Officier). ♦ **1.** Anciennt. Officier préposé au soin des chevaux. — Officier de cavalerie.

♦ **2.** Mod. MARÉCHAL DES LOGIS : sous-officier de cavalerie et par la suite d'artillerie, qui était à l'origine chargé du logement des troupes (argot milit. : *margis**). *Les grades de maréchal des logis et de maréchal des logis-chef correspondent à ceux de sergent et de sergent-chef dans l'infanterie.*

♦ **3.** (XIIIᵉ). Hist. Officier général. *Maréchal de camp* (vx), ancien nom de l'actuel général de brigade.
Maréchal de France, et, absolt, *maréchal* : à l'origine, officier supérieur et fonctionnaire royal exerçant des pouvoirs de commande-

ment et de juridiction avec l'aide de ses prévôts. ⇒ **Maréchaussée.** *Le maréchal était avant 1627 le second du connétable. Tribunal des maréchaux pour juger les affaires d'honneur entre gentilshommes* (Molière, *le Misanthrope,* II, 6). — Mod. Officier général qui a la dignité la plus élevée dans la hiérarchie militaire. *Général élevé à la dignité de maréchal.* ⇒ **Maréchalat.** *Le maréchal de Vauban, de Richelieu. Murat, maréchal d'Empire* (→ Caracoler, cit. 2). *On dit « Monsieur le Maréchal », le maréchalat étant une dignité et non un grade comme celui de général* (auquel on dit « Mon général »). *Bâton de maréchal.* ⇒ **Bâton** (*infra* cit. 14 ; giberne, cit. 1).

DÉR. et COMP. Maréchalat, maréchale, maréchalerie, maréchaliste. — Feld-maréchal, maréchaussée.

HOM. 1. Maréchale, 2. maréchale.

MARÉCHALAT [maʀeʃala] n. m. — 1840, Académie ; de *maréchal,* et *-at.*

♦ Dignité de maréchal de France.

(...) ce matin l'empereur a parlé de vous avec éloge, et votre promotion au maréchalat n'est pas douteuse.
BALZAC, la Paix du ménage, Pl., t. I, p. 1008.

MARÉCHAL DES LOGIS [maʀeʃaldəloʒi] n. m. ⇒ **Maréchal** (II., 2.).

1. MARÉCHALE [maʀeʃal] n. f. et adj. — 1623 ; *mareschale*, 1617 ; de *maréchal,* et *-e.*

♦ **1.** (1617). Épouse d'un maréchal de France (→ Imposant, cit. 5). *Madame la maréchale. La maréchale de Rochefort* (→ Grappin, cit. 4). *La maréchale d'Ancre,* pièce d'A. de Vigny.

♦ **2.** *Poudre à la maréchale* (vx) : poudre pour les cheveux.
HOM. Maréchal, 2. maréchale.

2. MARÉCHALE [maʀeʃal] n. f. — 1864 ; de *maréchal-ferrant.*

♦ Charbon pour la forge, utilisé par les forgerons et les maréchaux-ferrants. — Adj. *Houille maréchale.*
HOM. Maréchal, 1. maréchale.

MARÉCHALERIE [maʀeʃalʀi] n. f. — 1533 ; de *maréchal,* et *-erie.*

♦ Techn. Métier de maréchal-ferrant.
Atelier d'un maréchal-ferrant. *Maréchalerie où l'on ferre* (cit. 1) *les bêtes.*

Les Indiens construisaient des ponts, des routes, des canaux, des moulins sous la direction des moines ou travaillaient dans les différents ateliers : maréchalerie, serrurerie (...)
B. CENDRARS, l'Or, Œ. compl., t. II, p. 166.

MARÉCHAL-FERRANT [maʀeʃalfɛʀɑ̃] n. m. ⇒ **Maréchal** (I.).

MARÉCHALISTE [maʀeʃalist] n. et adj. — V. 1941 ; de *maréchal,* et *-iste.*

♦ Vx. Partisan du maréchal Pétain (syn. : *pétainiste* ou *pétiniste*) et de sa politique pendant la Deuxième Guerre mondiale. (⇒ **Collaborateur.**)

1   Il connut des jours enivrants, tel ce samedi après-midi où il égorgea un trafiquant du noir *(marché noir),* un maréchaliste et une mauvaise femme qui s'était donnée à un militaire allemand sous l'occupation.
M. AYMÉ, le Vin de Paris, « Le faux policier », p. 161.

2   Tandis qu'on finassait, les vieilles haines remontaient. Surtout depuis que Pierre Laval était revenu au pouvoir « sur de nouvelles bases », qui ne plaisaient pas du tout aux prisonniers, maréchalistes compris.
Armand LANOUX, le Commandant Watrin, p. 371.

MARÉCHAUSSÉE [maʀeʃose] n. f. —1680 ; *mareschaussée*, fin XVIᵉ ; *marescalcie*, 1340 ; *mareschaucie*, 1282 ; *mareschalcie*, fin XIᵉ ; de *maréchal.*

♦ **1.** Anciennt. Juridiction, tribunal des maréchaux de France.

♦ **2.** Sous l'Ancien Régime, corps de cavaliers* placé sous les ordres d'un prévôt des maréchaux, et chargé des fonctions de la gendarmerie actuelle. ⇒ **Gendarmerie, police.** *Les archers de la maréchaussée* (⇒ **Gendarme**).

1   La Chalotais obéit quand la maréchaussée le traîne en prison à Loches, à l'âge de soixante et quatorze ans (...)
VOLTAIRE, Correspondance, 4092, 7 mars 1774.

Mod., fam. Gendarmerie. « *J'emmerde les gendarmes et la maréchaussée* » (Chanson).

2   De temps à autre, on vit paraître un gendarme à l'impasse des Moines, mais la maréchaussée comptait un personnel trop restreint pour que la faction durât longtemps.
G. CHEVALLIER, Clochemerle, VII.

MARÉE [maʀe] n. f. — V. 1268 ; dér. anc. de *mer.*

♦ **1.** Mouvement journalier d'oscillation de la mer dont le niveau monte et descend alternativement en un même lieu. *Marée montante* (ou, absolt, *marée*). ⟹ **Flux, montant**. *La marée monte*. ⟹ **Flot** (cit. 7). *Marée haute*. ⟹ **Mer** (haute mer, pleine mer), **plein** (battre son plein). *Mer étale* entre deux marées*. *Marée qui renverse**. ⟹ **Renversement** (ou *reversement*). *Marée qui descend* (⟹ **Déchaler**). *Marée descendante*. ⟹ **Jusant, perdant, reflux**. *Marée basse*. ⟹ **Mer** (basse mer). → Gésir, cit. 4. — Loc. adv. *À marée haute, basse, à la marée haute, basse* : lorsque la mer est haute, basse (→ Enfouir, cit. 4). — *Les marées sont provoquées par l'attraction de la lune* et celle, plus faible, du soleil* (→ Gravitation, cit. 1). — *Grandes marées* : marées à fortes amplitudes (⟹ **Maline**; **vif** [vives eaux]), lorsque l'attraction du soleil se conjugue avec celle de la lune (⟹ **Syzygie**). *Faibles marées* : marées à faibles amplitudes (⟹ **Morte-eau**), lorsque les attractions s'opposent (⟹ **Quadrature**). *Marée qui croît**. ⟹ 2. **Marner**. *Lignes de marées sur le rivage*. ⟹ **Laisse** (ou *lais*). *Terres, plages couvertes et découvertes par les marées*. ⟹ **Cordon** (littoral), **laisse, relais, sèche**. *Marée qui pénètre dans un estuaire* (cit. 2) *et provoque un mascaret** (⟹ **Barre**). — *Ras de marée*. ⟹ **Ras** (ou *raz*). — *Utilisation de la force des marées*. ⟹ **Houille** (bleue); **marémoteur**. *Coefficient de marée* : grandeur indiquant l'importance des marées en fonction de l'époque (de la position de la lune et du soleil). *Courant* de marée*. *Échelle* de marées*.

1 La périodicité diurne et semi-mensuelle est le caractère le plus général des marées, et ce caractère éveille naturellement l'idée d'un rapport avec les mouvements des astres. Le phénomène en lui-même apparaît d'ailleurs comme un mouvement ondulatoire ayant une longueur d'onde infiniment plus grande qu'aucune vague.
E. DE MARTONNE, Traité de géographie physique, t. I, p. 371.

2 (...) des mers fort différentes (...) dont l'une, par exemple, est assujettie à la marée, la plus ample et la plus haute qui soit, tandis que ce phénomène est imperceptible dans l'autre. VALÉRY, Regards sur le monde actuel, p. 180.

3 Une ville de rêve s'élevait derrière la plage, que battait la marée haute.
MARTIN DU GARD, les Thibault, t. III, p. 102.

4 — Nous n'avons pas de temps à perdre, dit-il, il est cinq heures et demi, la marée est à sept, et ça montera vite. Roger VERCEL, Sous le pied de l'archange, IV.

5 (...) les bateaux traversaient l'estuaire à marée haute.
J. CHARDONNE, les Destinées sentimentales, p. 367.

Galères (cit. 2) *dont les rames « domptent le vent et la marée »*. — Loc. fig. *Contre vents et marées* (ou, plus rarement, au singulier, *contre vent et marée*) : malgré tous les obstacles.

6 Conseils, objurgations, rien n'y fit : ce que maman reconnaissait pour son devoir, elle l'accomplissait contre vent et marée. GIDE, Si le grain ne meurt, I, VI, p. 165.

♦ **2.** (XIVᵉ). Fig. ⟹ **Flot**. *Marée humaine* (→ Coude, cit. 9; effriter, cit. 2; 2. lieu, cit. 11). *« La marée montante des jeunes »* (*Entreprise*, 11 mai 1968). — *Marée de haine, de colère...*

7 (...) la sinistre marée envahissante des meurt-de-faim est arrêtée comme un flot par une écluse (...) LOTI, l'Inde (sans les Anglais), V, VI.

8 (...) il sentait l'angoisse monter en lui comme une marée (...)
SARTRE, la Mort dans l'âme, p. 125.

9 Il avait le sentiment que quelque chose de grand et de beau était entré dans sa vie. Une marée de bonheur montait en lui.
A. MAUROIS, les Roses de septembre, II, III.

♦ **3.** (Fin XIVᵉ). Poissons, crustacés, fruits de mer frais destinés à la consommation. *Manger de la marée fraîche* (1. Frais, cit. 24). *Marchand de marée*. ⟹ **Mareyeur**; **chasse-marée** (→ Fort, cit. 77). *Train de marée*. *Odeur de marée*. — Loc. fig. *Arriver comme marée en carême**, inévitablement.

10 (...) Vatel (...) croit qu'il n'aura point d'autre marée (...) Vatel monte à sa chambre, met son épée contre la porte, et se la passe au travers du cœur (...) il tombe mort. La marée cependant arrive de tous côtés.
Mᵐᵉ DE SÉVIGNÉ, 161, 26 avril 1671.

11 On déchargeait, on déballait la marée, dans l'enceinte fermée de bancs, et jusque sur les trottoirs. C'était, le long du carreau, des amoncellements de petites bourriches, un arrivage continu de caisses et de paniers, des sacs de moules empilés laissant couler les rigoles d'eau (...) Quand des mannes fraîches s'étalèrent, Florent put croire qu'un banc de poissons venait d'échouer là (...)
ZOLA, le Ventre de Paris, t. I, III, p. 148.

♦ **4.** (1967; trad. de l'angl. *black tide*). **MARÉE NOIRE** : vaste nappe d'hydrocarbures répandue accidentellement à la surface de la mer (naufrage de pétrolier, rupture d'une tête de puits sous-marin, etc.) et risquant de polluer ou polluant effectivement les côtes. *« La marée noire qui pollue quelque 200 kilomètres de côtes dans le Finistère et les Côtes-du-Nord ne paraît pas avoir gagné en étendue au cours des dernières quarante-huit heures »* (*le Monde*, 31 mars 1978, p. 12).

Fig. Phénomène regrettable qui s'étend inexorablement. *« Le gouvernement ne sait que faire pour enrayer cette marée noire des concurrents déloyaux* (le « travail noir ») *pour les artisans qui ont pignon sur rue »* (*l'Express*, 23 déc. 1968, in Gilbert 1971).

DÉR. Mareyage, mareyeur.
COMP. Chasse-marée. — Contre-marée. — Marégraphe, maréomètre, marégramme, marémoteur, mareyage, mareyeur.
HOM. Marrer (se).

MARÉGRAMME [maregram] n. m. — 1912, *in* D.D.L.; de *marée*, et -*gramme*.

♦ Techn. Graphique tracé par un marégraphe*, et qui indique à tout moment la hauteur de l'eau.

MARÉGRAPHE [maregraf] n. m. — 1846; de *marée*, et -*graphe*.

♦ Techn. Instrument enregistreur de la hauteur des marées qui trace une courbe, un graphique *(marégramme)* permettant de connaître à tout moment la hauteur de l'eau (→ Indicateur* de marée).

(...) les observations sont faites sur toutes les mers, soit au moyen d'une échelle de port, soit au moyen d'appareils spéciaux, connus sous le nom de marégraphes, qui enregistrent sur un cylindre mû par une horloge les mouvements d'un flotteur placé dans un puits communiquant avec la mer.
L. FIGUIER, l'Année scientifique et industrielle 1891, p. 104-105 (1890).

DÉR. Marégraphique.

MARÉGRAPHIQUE [maregrafik] adj. — 1890 (→ Marégraphe, cit.); de *marégraphe*.

♦ Techn. D'un, du marégraphe; qui a trait à l'enregistrement des marées.

Var. anc. *Maréographique* (*Rev. gén. des sc.* 1903, nᵒ 20, p. 1060).

MARÈGUE [mareg] n. f. — 1877, Littré, *Suppl.*; orig. inconnue.

♦ Ancient. Gros tissu de laine dont on faisait les limousines* des charretiers.

MARELLE [marel] n. f. — 1498; *merelles*, déb. XIVᵉ; *merele*, fin XIᵉ; du rad. préroman *marr- «pierre, caillou».

♦ **1.** (Déb. XIVᵉ). Jeu qui consiste à pousser des jetons, pions ou cailloux sur un carré, le gagnant étant celui qui parvient à aligner ses trois jetons sur l'une des quatre lignes médianes ou diagonales du carré. — REM. Ce jeu que les dictionnaires appellent généralement *marelle assise* porte d'autres noms en différentes régions.

♦ **2.** (1677). Cour. Jeu d'enfants qui consiste à pousser à cloche-pied un palet* dans les cases numérotées d'une figure tracée sur le sol. *Jouer* (cit. 18) *à la marelle*. *Partie de marelle*.

(1868, Littré). Par ext. Figure tracée à terre utilisée dans ce jeu. *Dessiner une marelle à la craie*.

(...) il regardait à terre, effaçant rêveusement, de la pointe du pied, les traits d'un jeu de marelle dessiné à la craie sur le bitume. G. DUHAMEL, Salavin, II.

MAREMMATIQUE [marematik] adj. — 1855, Nysten; de *maremme*, et -*atique*.

♦ Didact. Propre aux maremmes. — Méd. *Fièvres maremmatiques*. ⟹ **Paludéen**.

MAREMME [marem] n. f. — 1831, Michelet; nom propre, 1755; XIVᵉ, *mareme* «côte»; de l'ital. *maremma*.

♦ Géogr. Terrain marécageux et insalubre du littoral italien. — Par ext. Terrain littoral comparable à celui de la maremme italienne.

Personne ne pouvait parler du taureau comme Jean de Dieu, fils de la maremme andalouse, et qui savait imiter, par un sifflement mystérieux, perdu dans la distance, la double voix nocturne du vent du fleuve et des troupeaux.
Joseph PEYRÉ, Sang et Lumières, p. 103.

DÉR. Maremmatique.

MARÉMOTEUR, TRICE [maremotœr, tris] adj. — D. i. (mil XXᵉ); de *maré(e)*, et -*moteur*.

♦ Techn. Qui exploite, qui utilise l'énergie des marées. *L'usine marémotrice de la Rance*. — *Énergie marémotrice* : énergie hydraulique* des marées.

L'utilisation de l'énergie hydraulique a été, comme pour l'énergie atomique, stoppée par la concurrence du pétrole, mais des réserves importantes sont encore disponibles. L'énergie marémotrice a donné lieu à quelques essais (...) et présente de grandes possibilités. A. SAUVY, Croissance zéro?, p. 179-180.

MARENGO [marɛ̃go] n. invar. — 1836; n. f., 1825; de *Marengo*, village d'Italie où Bonaparte livra bataille (1800) et où lui fut servie, dit-on, une volaille dont la recette s'est conservée.

♦ **1.** Cuis. *Poulet, veau... à la marengo*, ou, plus souvent, *poulet, veau marengo*, qu'on a fait revenir dans l'huile avec des tomates, des champignons, etc. *Du veau marengo*.

♦ **2.** N. m. (1837). Drap noir mêlé de petits points blancs. *Du marengo*. *Du drap marengo*. — Par ext. Nuance très foncée de brun rouge piqueté de blanc. — REM. Cette définition, traditionnelle dans les dictionnaires, semble être démentie par une attestation ancienne :

La petite redingote grise de Napoléon, après sa victoire de Marengo, fut appelée de ce nom : gris marengo; la mode, dans ses annales, en a consigné le souvenir avec un respect religieux, et depuis, le gris marengo, comme le bleu, le noir, n'a cessé d'être la couleur favorite des Français.
le Musée des modes, nov. 1837, in D. D. L.

MARENNES [maren] n. f. pl. — 1902, Larousse; de *Marennes*, nom de lieu.

♦ Huître de Marennes. *Une douzaine de marennes.*
HOM. Marraine.

MARENNINE [maʀenin] n. f. — 1909, in *Larousse mensuel;* angl. *marennin,* créé en 1885 par Ray-Lankester; de *Marennes.*

♦ Techn. Pigment produit par la navicule bleue, qui provoque le verdissement des huîtres en se fixant dans les branchies.

MARÉOMÈTRE [maʀeɔmɛtʀ] n. m. — xxᵉ; de *marée, -o-* de liaison, et *-mètre.*

♦ Techn. Appareil servant à mesurer l'amplitude des marées. *Maréomètre enregistreur.* ⇒ **Marégraphe.**

MAREYAGE [maʀeja3] n. m. — Fin xixᵉ; de *marée* (2.).

♦ Comm. Travail de stockage et de placement des produits comestibles de la pêche.

MAREYEUR, EUSE [maʀejœʀ, øz] n. — xviiᵉ; 1612, *mareyeux;* de *marée* (2.).

♦ Comm., cour. Marchand, marchande de marée. *Les mareyeurs du carreau des halles; une mareyeuse.* ⇒ **Poissonnier** (cit. 5). *Mareyeur expéditeur : grossiste qui achète sur place les produits de la pêche et les expédie aux marchands de poisson.*

(...) un mareyeur de leurs cousins (qui même avait apporté, comme présent de noces, une paire de soles) ...   FLAUBERT, Mᵐᵉ Bovary, I, IV.

MARFIL [maʀfil] n. m. ⇒ 1. **Morfil.**

MARGAILLE [maʀgɑj] n. f. — D. i.; du gaul. *marga* «boue»; → Margouillis.

♦ Régional (Belgique). Fam. Bagarre, mêlée bruyante. — Fig. Désordre. *C'est une belle margaille!* ⇒ **Bordel.**

MARGARINE [maʀgaʀin] n. f. — 1813, d'après *(acide) margarique,* mot formé sur le grec *margaron* «perle», à cause de la couleur de cet acide.

♦ Graisse alimentaire ressemblant au beurre, constituée par un mélange de corps gras d'origine végétale et animale (palmitine, stérine, acide margarique, suif). *Autrefois tirée de l'axonge* et du suif*, la margarine est maintenant extraite principalement des corps gras végétaux. La margarine, succédané du beurre. Un paquet de margarine. Beurre falsifié au moyen de margarine.*

Elle portait un petit panier avec des pommes et des tartines de margarine.
                                                      SARTRE, le Sursis, p. 12.

DÉR. Margarinerie, margarinier.

MARGARINERIE [maʀgaʀinʀi] n. f. — V. 1960; de *margarine.*

♦ Techn. Fabrication de la margarine. *«Une huile utilisée en margarinerie»* (P. de Calan, *le Coton et l'Industrie cotonnière,* p. 28). Usine où l'on fabrique la margarine.

MARGARINIER, IÈRE [maʀgaʀinje, jɛʀ] n. — Mil. xxᵉ; de *margarine.*

♦ Techn. Fabricant de margarine. — Personne qui travaille dans la margarinerie.

MARGAUDER [maʀgode] v. ⇒ **Margoter.**

MARGAY [maʀgɛ] n. m. — 1765; 1575, *margaia;* mot empr. à une langue d'Amérique centrale.

♦ Zool. Chat sauvage *(Félidés)* de l'Amérique centrale et méridionale, appelé aussi *chat-tigre.*

MARGE [maʀ3] n. f. — xiiiᵉ, *marce;* du lat. *margo, marginis* «bord, marge».

♦ **1.** Vx ou littér. Bordure. — (V. 1560). Spécialt, sc. Bord de certains organes, de certains orifices anatomiques. *Marge de l'anus.* — (xxᵉ). *Marge continentale :* ensemble formé par la plate-forme continentale et le talus qui la limite. — Urbanisme. *Marge d'isolement :* espace libre autour d'une construction.

♦ **2.** (1538, *marge*). Cour. Dans une page, espace blanc autour du texte écrit ou imprimé. ⇒ **Bord, bordure.** *Les marges d'un livre*. Un livre à grandes marges. Rogner les marges à la reliure*

(⇒ **Émarger**). *Marge de droite, de gauche. Dans la marge, en marge. Gloses* (cit. 4) *insérées en marge d'un texte.*
Spécialement :

a L'espace blanc laissé sur le bord extérieur d'une page imprimée, à droite du recto, à gauche du verso. *La marge (de) droite, (de) gauche. Dans la marge. — En marge. Souligner, noter en marge un passage, un endroit* (cit. 19) *d'un livre Notes inscrites en marge.* ⇒ **Marginal; apostille; manchette.**

b Espace blanc à gauche d'une page manuscrite. *Laisser une marge. Mots écrits* (cit. 4) *sur la marge. Apostiller* (cit. 2) *des lettres en marge. Rectifications en marge* (→ Indispensable, cit. 13). *Note du maître en marge d'un devoir* (→ Faible, cit. 14). *Signer en marge.* ⇒ **Émarger.** *Écrire à mi-marge, en laissant une marge égale à la moitié de la page.*

Il était d'usage d'écrire au roi à mi-marge, et le roi mettait la réponse à côté.
                CHAMFORT, Caractères et anecdotes, «La femme de M. Vergennes».
Il les mit au net *(ses vers)* sur une belle feuille de parchemin, et dessina sur les marges des oiseaux et des fleurs qu'il colora soigneusement.   [2]
                A. DE MUSSET, Nouvelles «Fils du Titien», III.

(xxᵉ). Bordure (d'une estampe, d'un timbre). *Timbre court de marge.*

♦ **3.** Par ext. Lisière, bordure (d'une route, d'un bois...).
(...) la lune jetait sa lueur sur la marge de la forêt (...)   [3]
                BALZAC, Une ténébreuse affaire, Pl., t. VII, p. 477.

♦ **4.** (1835). Fig. **MARGE DE... :** intervalle d'espace ou de temps, latitude dont on dispose... entre certaines limites. *Marge de liberté* (→ Emprunt, cit. 7). *Marge de réflexion.* ⇒ **Délai.** *Prévoir une marge d'erreur.* ⇒ **Écart; différence.**

Il lut son altitude : mille sept cents mètres (...) puis, sur la carte, vérifia la hauteur des collines : cinq cents mètres. Pour se conserver une marge, il naviguerait vers sept cents.   SAINT-EXUPÉRY, Vol de nuit, XII.   [4]
Cécile, toute droite, attendit une grande minute, comme si, d'instinct, elle eût senti le besoin d'une pause préalable, d'une belle marge de silence.   [5]
                G. DUHAMEL, Chronique des Pasquier, II, II.

Spécialt. Possibilité d'action entre une limite pratique et une limite théorique, absolue. *Marge de tolérance*.*

Spécialt. *Marge de sécurité :* disponibilités dont on est assuré au delà des dépenses prévues. ⇒ **Volant.** *Une dépense inattendue a réduit notre marge de sécurité. —* Par anal. *Prévoir une marge de sécurité dans un calcul de résistance des matériaux, dans la durée de vol d'un avion...*

(Sans compl. en *de...*). *De la marge :* de la distance; des possibilités d'action. — (1762). *Avoir de la marge* (pour qqch., pour faire qqch.). — (1835). *Se donner de la marge. Laisser de la marge à qqn pour faire qqch.* ⇒ **Facilité, latitude.** *Ne vous pressez pas, vous avez de la marge. — Entre vouloir et pouvoir, il y a de la marge.* ⇒ **Loin.**

Ça nous laisse de la marge pour manœuvrer.   [6]
                J. ROMAINS, les Hommes de bonne volonté, t. II, VI, p. 71.

♦ **5.** **EN MARGE DE... :** à la limite ou à une distance plus ou moins grande hors* de la limite. *En marge de l'actualité. — Vivre en marge de la vie commune* (→ Apport, cit. 6; inassimilable, cit. 3), *de la vie sociale, de la société* (→ Marginalisme, cit.), *de l'époque* (→ Isolement, cit. 5). — Absolt. *Vivre en marge, se mêler à la société ou sans y être accepté.* ⇒ **Marginal.** *Un homme en marge, un destin en marge.*

«Nous (le *Mercure* et les gens du *Mercure*) sommes nés en marge, et sommes restés et nous resterons en marge». C'est bien cela, en marge. Et d'ailleurs, quel meilleur poste pour observer, sentir et juger!   [7]
                Paul LÉAUTAUD, Journal littéraire, 27 oct. 1906.
Le bruit courait déjà que j'étais franc-maçon; mes idées me mettaient en marge du monde; sans le prestige de la famille, elles m'eussent fait le plus grand tort.   [8]
                F. MAURIAC, le Nœud de vipères, VII.
À cette catégorie *(des gens au parler franc)* appartiennent par définition ceux qui vivent en marge de la société, qui par nécessité ou par bravade ignorent ou méprisent les conventions; les hors-la-loi, pour qui la liberté de langage est une sorte de manifestation permanente d'anarchie (...)   [9]
                J. MAROUZEAU, Aspects du français, V.

♦ **6.** (Déb. xxᵉ). Spécialt. Comm. *Marge bénéficiaire :* «différence entre le prix d'achat tel qu'il a été facturé et le prix de vente brut pour le commerce et (...) différence entre le prix de revient et le prix de vente pour l'industrie» (Romeuf). — Absolt. *Calculer la marge. Marge brute, nette.*

Dans la réglementation d'alors *(en 1941)* ... le nombre des transactions successives entre le producteur et le consommateur était limité par l'octroi à certains intermédiaires de *marges bénéficiaires fixes.*   [10]
                P. ROBERT, les Agrumes dans le monde, p. 362.

Marge brute d'autofinancement : au bilan de fin d'exercice d'une entreprise, Total constitué par les amortissements, tout ou partie des provisions, et le résultat net après impôts. ⇒ **M. B. A.;** (anglic.) **cash-flow.**

COMP. et DÉR. Émarger, émarginé. — Marger, margeur.

MARGELLE [maʀ3ɛl] n. f. — xiiᵉ; lat. pop. **margella,* dimin. de *margo, inis.*

♦ Assise de pierre, généralement circulaire, qui forme le rebord (d'un puits, du bassin d'une fontaine). ⇒ **Bord.** — Par ext. *La margelle d'un abreuvoir, d'un mur.*

Alors, ils firent le tour d'une plate-bande, et allèrent s'asseoir près de la terrasse sur la margelle du mur. FLAUBERT, Mme Bovary, II, XII.

MARGEOIR [maʀʒwaʀ] n. m. — 1902 ; 1765, « instrument de verrier » ; de *marger.*

♦ Techn. Instrument servant à appliquer le papier à plat sur la « table de marge » d'une presse (⇒ **Marger,** 1.).

MARGER [maʀʒe] v. tr. et intr. — Conjug. *bouger.* — 1680 ; XIIIe, *margiet,* adj., « muni d'un bord » ; 1549, « écrire sur la marge d'un livre » ; de *marge.*

Technique ou littéraire.

♦ **1.** Imprim. Placer (la feuille d'imprimerie, ou le papier du rouleau) en position de tirage sur la forme ou sous le rouleau de la rotative.

♦ **2.** (1935). Placer le margeur d'une machine à écrire pour déterminer une marge plus ou moins grande.

♦ **3.** (1599 ; repris au XIXe). Littér. Border en constituant une marge.
Le jardin, d'environ un demi-arpent, est margé par la Brillante, ainsi nommée à cause des parcelles de mica qui paillettent son lit (...)
BALZAC, la Vieille Fille, Pl., t. IV, p. 247.
Techn. Border en traçant une marge, en garnissant d'une marge.
(...) un autre homme en blouse grise, encrant et chargeant une planche de cuivre sur la boîte, l'essuyant avec la paume de sa main, la tamponnant avec de la gaze, la bordant et la margeant avec du blanc d'Espagne (...)
Ed. et J. DE GONCOURT, Journal, t. I, p. 209.

MARGEUR, EUSE [maʀʒœʀ, øz] n. et adj. — 1730 ; de *marge.*
Technique.

★ **I.** N. ♦ **1.** N. m. Ouvrier chargé de fermer les ouvreaux d'un four à glaces.

♦ **2.** N. (1836). Imprim. Ouvrier, ouvrière qui marge (1.) les feuilles. *Margeur offset.* — N. m. (1868). *Margeur automatique :* appareil remplissant cette fonction.

♦ **3.** N. m. (XXe). Dispositif servant à régler la marge dans les travaux de dactylographie.

★ **II.** Adj. (XXe). Photogr. *Cadre margeur :* cadre qui maintient dans une position donnée la feuille de papier sensible pour le tirage et qui permet de réserver des marges blanches sur une photographie. — N. m. *Un margeur.*

MARGINAL, ALE, AUX [maʀʒinal, o] adj. et n. — XVe ; du lat. *margo, marginis* « marge ».

★ **I.** Adj. ♦ **1.** Didact. Qui est mis dans la marge. *Note marginale, scholie marginale.*

♦ **2.** Par anal. Didact. ou littér. Qui est sur le bord de qqch. — (1804). Méd. Se dit d'éléments situés sur le bord d'un organe. *Poils marginaux. Fracture marginale :* fracture du bord articulaire d'une extrémité osseuse. *Fracture marginale du tibia.*

♦ **3.** (1910 ; angl. *marginal* — *marginal cost,* 1887 — de l'angl. *margin*). Écon. *Utilité* marginale* (dite aussi *limite* ou *finale*). *Entreprise marginale,* qui est à la limite du bénéfice et du déficit, en équilibre précaire. — *Coût marginal :* coût théorique correspondant à la fabrication d'une unité supplémentaire d'un produit.

♦ **4.** Psychol. *Conscience marginale :* « contenu de la conscience plus ou moins confus en marge de la conscience claire focalisée, l'expression étant due à William James » (Piéron, *Voc. de psychologie*). *Faits psychiques marginaux.*
Le territoire qui s'étend au-delà de la conscience claire est difficile à décrire (...) On a distingué d'abord, à la limite, une conscience « marginale » qui est la portion « non localisée » de la conscience actuelle et répond au minimum d'attention. Puis en s'éloignant de la lumière, le subconscient (...) Enfin, plus loin encore, l'inconscient. »
Th. RIBOT, Psychologie affective, p. 164, in FOULQUIÉ, Dict. de la langue philosophique.

♦ **5.** (1960, G. Balandier : *l'homme marginal*). Fig. (sens général). Qui n'est pas au centre, qui évolue en marge d'une situation, d'une activité prise comme point de repère. « *Les étudiants nihilistes (...) venus de certains milieux socialistes marginaux...* » (*le Figaro littéraire,* 9-15 sept. 1968). *Rendre marginaux, considérer comme marginaux les éléments d'un parti.* ⇒ **Marginaliser.** *Occupations, activités marginales.* — N. *Les marginaux.* « *Les marginaux de la majorité* » (*l'Express,* 17-23 juil. 1967).
Passons aux intellectuels. Ils y sont. Ils ont métier, femme, enfants, emploi du temps, vie privée, vie de travail, vie de loisirs, logement ici ou là, etc. Ils sont dedans mais quelque peu marginaux, de telle sorte qu'ils se pensent et se voient dehors et ailleurs.
Henri LEFEBVRE, la Vie quotidienne dans le monde moderne, p. 143.

★ **II.** N. (V. 1960 ; répandu après 1968). Personne qui vit en marge de la société et qui en refuse les normes. ⇒ **Asocial.**
Car le système est un ensemble où tout le monde a sa place (même si elle n'est pas bonne) ; les époux, les amants, les trios, les marginaux eux-mêmes (drogue, drague), bien logés dans leur marginalité : tout le monde sauf moi. [3]
R. BARTHES, Fragments d'un discours amoureux, p. 55.
Lorsqu'on est une femme et qu'on essaie presque par inadvertance de faire coïncider sa vie et ses idées, on se retrouve dans la position radicale où je suis, marginale ou clocharde ou rebelle ou dissidente. [4]
Michèle PERREIN, Entre chienne et louve, p. 144.
Adj. *Des communautés marginales. Mouvements hippies, écologistes plus ou moins marginaux. Il est un peu marginal.*

DÉR. Marginalement, marginaliser, marginalisme, marginalité, marjo.

MARGINALEMENT [maʀʒinalmɑ̃] adv. — V. 1965 ; de *marginal.*

♦ De façon marginale, dans la marge.
Figuré :
(...) Et pourtant nous sommes les directeurs de la plus grande usine de rêves du monde, dit Nehru à mi-voix, comme marginalement. [1]
MALRAUX, Antimémoires, p. 355.
Spécialt (au sens 2 de *marginal*). *Élément situé marginalement et non centralement.* — Au sens 3 :
Une comptabilité bien tenue ferait entrer en ligne de compte l'espace urbain (gratuit marginalement, sauf dans quelques cas) et les morts sur la route (gratuits eux aussi marginalement dès l'instant que l'assurance est générale et obligatoire). [2]
A. SAUVY, Croissance zéro?, p. 213.

MARGINALISATION [maʀʒinalizasjɔ̃] n. f. — V. 1970 ; de *marginaliser.*

♦ Action de marginaliser ; son résultat. Fait de se marginaliser. *La marginalisation des jeunes.* — « *La marginalisation des contestataires "de gauche"* » (*le Nouvel Obs.,* 22 mai 1978, p. 50), le fait de les mettre à part, de les rendre minoritaires.

MARGINALISER [maʀʒinalize] v. tr. — V. 1970 ; de *marginal.*

♦ Rendre (qqn, un groupe) marginal. *Marginaliser des opposants,* les isoler en les considérant comme marginaux, de manière à les priver d'influence (dans un parti politique, un groupe). « *La société marginalise les familles nombreuses dont le père est smicard, chômeur ou immigré* » (*le Monde,* 20 juin 1978).
Pron. *Se marginaliser :* devenir marginal.
Au p. p. « *Le quartier devient (...) une zone morte dans laquelle s'installent des petites populations extrêmement marginalisées.* » (*Sciences et Avenir,* n° 25, p. 17).

MARGINALISME [maʀʒinalism] n. m. — XXe ; de *marginal,* dér. de *marge ;* d'après l'angl. *marginalism,* au sens 1.

♦ **1.** Écon. Théorie selon laquelle la valeur d'échange est déterminée par celle de la dernière unité disponible d'un produit.

♦ **2.** Rare. État de communautés marginales. ⇒ **Marginalité.**
Dans l'admirable Journal de Californie (...) E. Morin nous parle d'une commune vivant en marge de la société, marginalisme intérieur, bien entendu.
A. SAUVY, Croissance zéro?, p. 276.

DÉR. Marginaliste.

MARGINALISTE [maʀʒinalist] adj. et n. — Mil. XXe ; de *marginalisme.*

♦ Écon. Partisan du marginalisme ; qui relève du marginalisme (1.). « *L'absence de ressources inexploitées et l'absence de notion marginaliste* » (A. Sauvy, *Croissance zéro?,* p. 26).

MARGINALITÉ [maʀʒinalite] n. f. — V. 1965 ; de *marginal.*

♦ Caractère, état de celui ou de ce qui est marginal (cit. 3). ⇒ **Asociabilité.** « *Les hors-la-loi du théâtre, les vedettes de la marginalité* » (*l'Express,* 3 juil. 1972, p. 51).
Je n'avais rien à perdre, rien à défendre et j'étais encore patriote. La suite des événements allait tout balayer et me faire basculer dans la haine et la marginalité.
Francis GUILLO, le P'tit Francis, p. 106.

MARGINÉ, ÉE [maʀʒine] adj. — 1799 ; dér. sav. du lat. *margo, inis.*

♦ Didact. (zool.). Qui présente une zone marginale déterminée. *Élytres marginées.*

HOM. Marginer.

MARGINER [maʀʒine] v. tr. — 1738, p. p. ; dér. sav. du lat. *margo, marginis* « marge ».

♦ Didact. Annoter* (un livre, un manuscrit) en écrivant* dans les marges. *Exemplaire marginé.*

COMP. Bimarginé.
HOM. Marginé.

MARGIS [maʀʒi] n. m. — 1888; *marchis*, 1881; altéré en *machi*, 1854, H. Monnier *in* D.D.L.; abrév. de *maréchal des logis.*

♦ Argot milit. Maréchal des logis. *Margis-chef.*

MARGOT [maʀgo] n. f. — Déb. xive; de *Margot*, dimin. de *Marguerite.*

♦ **1.** Régional. Pie*. — Comme nom propre :
L'aigle, reine des airs, avec Margot la pie (...)
Traversaient un bout de prairie.   LA FONTAINE, Fables, XII, 11.

♦ **2.** (Mil. xvie). Vx. Par ext. Femme bavarde. ⇒ **Margoton.** → Goton.

MARGOTER ou **MARGOTTER** [maʀgɔte] v. intr. — 1680, *margoter; margotter*, 1762; de *margot*, nom d'oiseaux (pie, etc.).

♦ Chasse. Pousser son cri, en parlant de la caille. — On dit aussi *margauder* [maʀgode] (1794).

1. MARGOTIN [maʀgɔtɛ̃] n. m. — 1840; 1803, *marcottin*; de *marcotte*.*

♦ **1.** Vx ou régional. Petit fagot de menu bois* ou de brindilles* utilisé comme allume-feu.

♦ **2.** (1868). Techn. Assemblage de crins tordus, dont on fait des lignes pour la pêche.

HOM. 2. Margotin.

2. MARGOTIN [maʀgɔtɛ̃] n. m. — Déb. xxe; dimin. de *Margot* «poupée».

♦ Vx. Petite marionnette en bois.

HOM. 1. Margotin.

MARGOTON [maʀgɔtɔ̃] n. f. — V. 1850, dimin. de *Margot, Marguerite.*

♦ Fam. Fille, femme. — REM. Ce mot est vieilli; cependant il s'entend encore, alors que *margot, goton* ne sont plus en usage.
Ne lis pas tant dans les livres et regarde un peu plus les margotons. Les coquines ont du bon, ô Marius!   HUGO, les Misérables, III, VI, I.

MARGOUILLAT [maʀguja] n. m. — Attesté 1890, P. Larousse, *Deuxième Suppl.*, au sens I, 1; dans des emplois fig., 1845, aux Antilles (Esnault); orig. incert., le dial. *margouillat* «mare, bourbier», de *margouiller* (→ Margouillis), n'ayant pas de rapport sémantique avec le sens I, 1; en revanche, le croisement avec les dérivés du gaulois *marga* «boue» est incontestable au sens 2; le sens 1 pourrait provenir d'un mot d'une langue africaine; cf. la forme *mabouya*, 1865, signalée par Esnault.

★ **I.** ♦ **1.** Argot colonial (puis franç. d'Afrique). Agame, reptile voisin du lézard.
1   Quantité prodigieuse de lézards (margouillats) de toutes tailles. — *Note.* Les plus grands (...) ne dépassent pas la longueur de l'avant-bras. Certains semblent peinturlurés (...) Au repos, ils hochent la tête continuellement.
          GIDE, le Retour du Tchad, 31 mars, *in* Souvenirs, Pl., p. 951.
Loc. fig. *Décoller le (son) margouillat* : boire, s'humecter le gosier. *Cracher son margouillat.*
2   (...) je leur devais une tournée (...) quant à M. Profusi, il me répond, avec un sourire fat et humble, qu'ayant à cracher son margouillat, il se réserve l'usage d'un mélange de lui connu (...)   J.-R. BLOCH, Cacaouettes et Bananes, p. 77.

♦ **2.** Argot milit. (Troupes d'Indochine, 1916). Cafard; idées noires.

★ **II.** Attesté dans divers parlers (cf. Wartburg); du gallo-romain *marga* «boue».

♦ **1.** Régional, fam. Flaque d'eau sale; bourbier.

♦ **2.** Fig. Désordre, gâchis. ⇒ **Margouillis.**

MARGOUILLIS [maʀguji] n. m. — 1630; de l'anc. v. *margouiller*, «salir», p.-ê. de *mare*, et *goille*, francique *gullja.*

♦ **1.** Fam. Boue mêlée d'ordures. ⇒ **Boue, ordure.** *Chemin rempli de margouillis.*

♦ **2.** (1750). Fig. Mélange informe ou répugnant, embarras, confusion... ⇒ **Gâchis.**

(...) c'est la plus simple des religions *(le manichéisme)*, celle, dans tous les cas, qui explique le mieux l'abominable margouillis du temps présent.
          HUYSMANS, Là-bas, V.
Vous déshonorez Dieu en le mêlant à moi. Ce margouillis soulève le cœur.
          MONTHERLANT, les Jeunes Filles, p. 60.

MARGOULETTE [maʀgulɛt] n. f. — 1756, Vade; du lat. *gula* «gueule», et de *margouiller*, au sens de «manger salement»; mot poissard, répandu au xixe.

♦ Pop., vieilli (cour. régionalement). Bouche*, mâchoire. *Il lui a cassé la margoulette.* ⇒ **Gueule.** *Se faire sauter la margoulette d'un coup de pistolet.* ⇒ **Tête.**
(...) un mal aux cheveux terrible qui le tenait tout le jour les crins défrisés, le bec empesté, la margoulette enflée et de travers.
          ZOLA, l'Assommoir, t. I, V, p. 191.

MARGOULIN, INE [maʀgulɛ̃, in] n. — V. 1840, au sens de «petit marchand forain»; de *margouliner*, dial. «vendre de bourg en bourg», d'orig. obscure; P. Guiraud suppose un dimin. de *marcou* «matou», le maître mercier étant parfois désigné par un nom de matou.

♦ **1.** (Déb. xxe). Argot de Bourse. Spéculateur sans envergure. *Un petit marché de margoulins* (→ Cours, cit. 21).
(...) les opérations de Bourse changent d'aspect selon le sexe. Avec les hommes, on les croit sérieuses, scientifiques, de grande envergure. La femme n'est qu'une «margouline», contente de petits gains récoltés au hasard.
          J. BAINVILLE, Doit-on le dire?, p. 25.
Vx. Petit patron de l'industrie ou du commerce.
Prends mon cas, Lucien. Je suis un petit patron, ce qu'on appelle un margoulin dans l'argot parisien. Eh bien! je fais vivre cent ouvriers avec leurs familles.
          SARTRE, le Mur, l'Enfance d'un chef, p. 189.

♦ **2.** (1873). Mod. Individu incompétent, peu scrupuleux dans les affaires, l'exercice de sa profession. ⇒ **Mercanti.**
— J'avais perdu connaissance. — Tant pis! Il fallait vous laisser sans connaissance, quels qu'en soient les risques, jusqu'à l'arrivée d'un homme de l'art. C'est une règle absolue ou sinon n'importe quel margoulin peut tuer notre malade avant nous!   J. ANOUILH, Ornifle, IV, p. 210.
— J'ai pris mes renseignements (...) sur tes fameuses affaires d'achat et vente de voitures! (...) Tu es en pleine illégalité, et cela finira par te coûter cher (...) tu n'es pas encore un escroc. Tu es déjà un margoulin.
          Michel DE SAINT PIERRE, les Aristocrates, XVI.

MARGRAVE [maʀgʀav] n. — 1732; 1495, *marckgrave*, xvie, *marcgrave*, de l'all. *Markgraf* «comte (gouverneur) d'une marche*».
REM. Le fém. *margravine*, parfois employé, vient de l'all. *Markgräfin.*

♦ Titre donné autrefois à certains princes souverains d'Allemagne.
J'ai perdu dans madame la margrave de Bareith *(Bayreuth)* une princesse qui m'honora toujours d'une bonté inaltérable (...) Mais, madame, pourquoi vous parler de nouvelles? Il est plus doux de s'entretenir de monseigneur le margrave et de vous.   VOLTAIRE, Lettre à la margrave de Bade-Dourlach, 37, 2 févr. 1759.

DÉR. Margravial, margraviat.

MARGRAVIAL, ALE, AUX [maʀgʀavjal, o] adj. — 1840; de *margrave.*

♦ Anciennt. Relatif à un margrave, au margraviat.

MARGRAVIAT [maʀgʀavja] n. m. — 1752, Trévoux; de *margrave.*

♦ Anciennt. Dignité de margrave.
État gouverné par un margrave.

MARGRITIN [maʀgʀitɛ̃] n. m. — 1730; de l'ital. *margheritine*, «perles de verre».

♦ Techn. Fine rocaille utilisée pour l'ornementation des jardins.
Ma maison! (...) La douce et vieille maison de Stanworth Street, sentant bon l'excellente cuisine d'Elfrida, et la fraîche amertume des lauriers-tin en cuvelle de mon jardinet, où un jet d'eau, svelte comme une liane, taquinait les petits rochers de margritin (...)   Jean RAY, les Derniers Contes de Canterbury, p. 62.

MARGUERITE [maʀgəʀit] n. f. — xiie, *margarite* ou *margerite*, au sens de «perle» et comme nom de fleur; du lat. *margarita* «perle».

♦ **1.** (1535). Vx. Perle (dans la loc. prov. suivante, calquée du latin). *Jeter des marguerites aux pourceaux, devant les pourceaux*.*

♦ **2.** a Plante rustique des prés (Composacées), à fleur formée de pétales blancs rayonnants et cœur jaune. *Petite marguerite.* ⇒ **Pâquerette.** *Grande marguerite* : chrysanthème* des prés. — Par appos. *Reine marguerite* : aster* des prés. — Spécialt. La fleur elle-même, blanche à cœur jaune. *Une humble marguerite* (→ Épanouir, cit. 2; et aussi hâtif, cit. 4). *Effeuiller* la marguerite.
Vous vous souvenez, madame, de ces marguerites que les enfants effeuillent brin à brin? *Beaucoup*, disent-ils à la première feuille : *passablement* à la seconde, et, à la troisième, *pas du tout.*
          A. DE MUSSET, Nouvelles, «Deux maîtresses», I.

La marguerite, belle dame en robe blanche à longs plis, avec un petit canotier doré sur la tête.   J. RENARD, Journal, 1er juin 1906.

b Par anal. Hélice horizontale (d'un hélicoptère). *« Quant aux hélicoptères, ils ont toujours leur "marguerite" qui bat l'air au-dessus de nos têtes »* (*Sciences et Avenir*, l'Avion demain, p. 4). Disque portant un ensemble de caractères de machine à écrire (analogue à la boule). *« Si on veut changer la forme des lettres, il faut changer de "boule" ou de "marguerite" »* (la Recherche, juin 1981, p. 698).

♦ **3.** (1964). Mar. Cordage qui, fixé sur un autre, aide à manœuvrer ce dernier. Ensemble formé par ce dispositif. *Faire marguerite, une marguerite.*

♦ **4.** (1841). Techn. Outil de corroyeur, pour crépir le cuir.

COMP. **Reine-marguerite.**

MARGUILLIER [maʀgije] n. m. — 1510, *marreglier, marrugler*, XIIe; du bas lat. *matricularius* « teneur de registre », du bas lat. *matricula*. → Matricule.

♦ **1.** Vieilli. Chacun des membres composant le bureau du conseil de fabrique* d'une paroisse (→ Chantre, cit. 5; haut, cit. 33). *Banc d'œuvre* réservé aux marguilliers.* — Loc. prov. *Être marguillier dans sa paroisse :* jouir d'une haute considération dans son pays, son milieu.

♦ **2.** Mod. Par ext. Laïc chargé de la garde et de l'entretien d'une église.
Il est devenu l'homme le plus charitable, le plus pieux de Nemours; il est marguillier de la paroisse et s'est fait la providence des malheureux.
    BALZAC, Ursule Mirouët, Pl., t. III, p. 478.
Sentant qu'il fallait être quelque chose dans l'État, il avait choisi la carrière de marguillier.   HUGO, les Misérables, III, V, IV.

♦ **3.** (XIIIe). Régional (Suisse). Dans une paroisse, Sonneur de cloches, sacristain.
Voilà la messe du Gros-de-Vaud. O marguilliers en manches de chemises! O moustaches nationales!   Jacques CHESSEX, Portrait des Vaudois, p. 30.

MARI [maʀi] n. m. — V. 1155; du lat. *maritus*.

♦ Homme uni à une femme par le lien du mariage. ⇒ **Conjoint, époux** (cit. 1 et REM.). *Devoirs et droits du mari.* ⇒ **Conjugal** (cf. Code civil, Art. 212 et suivants). *Adultère* (cit. 3) du mari.*
Les paroles de la bénédiction nuptiale (paroles que Dieu même prononça sur le premier couple du monde), en frappant le mari d'un grand respect, lui disent qu'il remplit l'acte le plus important de la vie; qu'il va, comme Adam, devenir le chef d'une famille, et qu'il se charge de tout le fardeau de la condition humaine.
    CHATEAUBRIAND, le Génie du christianisme, I, I, X.
L'obligation d'assumer ces charges *(du mariage)* pèse, à titre principal, sur le mari.
    Code civil, art. 214.
Autrefois le père choisissait un mari pour sa fille (cit. 4). *Donner un mari à sa fille* (→ Épouser, cit. 6). *Le mari de sa fille.* ⇒ **Gendre.** *Chercher, prendre un mari.* ⇒ **Marier** (se). *Refuser un mari, un homme proposé pour mari* (→ Impertinence, cit. 6). *Accepter de prendre qqn pour mari. Le mari de Mme X. Mon mari* (→ Histoire, cit. 52). → (plais.) *Mon seigneur et maître;* fam. *mon homme, mon jules, mon mec...*

Vx. *Monsieur mon mari* (→ Gentilhomme, cit. 1).

Le mari et la femme.* — (Qualifié). *Jeune, vieux mari. Un bon mari. Mari docile, qui porte les jupes* (→ Culotte, cit. 4). *Mari fidèle, infidèle* (cit. 9), *volage* (→ Infidélité, cit. 13); *jaloux* (→ Guitare, cit. 1; jubilant, cit.), *soupçonneux. Mari complaisant*, commode* (→ Corne, cit. 2). *Mari trompé* (→ Égayer, cit. 11; indice, cit. 9). ⇒ **Cocu.** *Mari grossier et brutal* (→ Félin, cit. 3), *mari qui bat* (cit. 2) *sa femme.* — *Brouiller, réconcilier un mari avec sa femme. Incompatibilité* (cit. 2 et 3) *entre un mari et sa femme. Mari qui a perdu sa femme.* ⇒ **Veuf.** *Le premier* (→ Défaire, cit. 20), *le second mari d'une veuve*, d'une divorcée. C'est son ancien, son ex-mari. Elle change* (cit. 36) *de mari comme de chemise. Son mari travaille, est au chômage, travaille à mi-temps pour s'occuper des enfants.* — Prov. *Les maris sont comme les melons*, il faut en essayer plusieurs pour en trouver un bon.*

Oui, son mari, vous dis-je, et mari très marri (...)   MOLIÈRE, Sganarelle, IX.
Comment? parce qu'un homme s'avise de nous épouser, il faut d'abord que toutes choses soient finies pour nous, et que nous rompions tout commerce avec les vivants? C'est une chose merveilleuse que cette tyrannie de Messieurs les maris (...)   MOLIÈRE, George Dandin, II, 2.
Un mari est une espèce de manœuvre qui tracasse le corps de sa femme, ébauche son esprit et dégrossit son âme.
    CHAMFORT, Maximes et pensées, Sur les femmes et le mariage, XXVII.
La femme est pour son mari ce que son mari l'a faite.
    BALZAC, la Physiologie du mariage, Pl., t. X, p. 770.
(...) elle a déjà eu trois maris, et l'on pense que, sans la honte d'en avoir un quatrième, elle prendrait Le Prévost; elle est romantique comme on ne l'est pas à Paris (...)   SAINTE-BEUVE, Correspondance, 124, 13 mai 1830.

(...) tu ressembles à ces cornichons de jeunes maris qui se flattent « d'étudier leur femme » alors qu'elle a pris leur mesure, en long et en large, du premier coup.   BERNANOS, Journal d'un curé de campagne, p. 106.   8
(Dans d'autres civilisations). *Les maris d'une femme polyandre*.*
DÉR. **Marital.**
HOM. **Marri.** — Formes du v. **marier.**

MARIABLE [maʀjabl] adj. — Fin XIIe; de *marier*.

♦ Qui est en état de se marier. *Avec un pareil caractère, il n'est guère mariable.*
On me dit : « Mariez-vous ». Mais je ne suis pas mariable, si je n'aime pas infiniment.   MONTHERLANT, les Lépreuses, I, IV.
Spécialt. Qui est en âge de se marier (⇒ **Nubile**).
CONTR. **Immariable.**

MARIAGE [maʀjaʒ] n. m. — XIIe; de *marier*.

★ **I.** ♦ **1.** Dr. et cour. Union légitime d'un homme et d'une femme. *Couple* uni par le mariage. Contracter* mariage, un mariage.* ⇒ **Alliance, amadouage** (vx), **conjungo** (fam.), **hymen** (vx ou littér.), **union; époux, femme, mari.**
Le mariage, dans l'ordre civil, est une union légitime de l'homme et de la femme pour avoir des enfants, pour les élever, et pour leur assurer les droits des propriétés sous l'autorité de la loi. Afin de constater cette union, elle est accompagnée d'une cérémonie religieuse, regardée par les uns comme un sacrement, par les autres comme une pratique du culte public (...)   1
    VOLTAIRE, Dict. philosophique, Droit canonique, VI.

a Dr. civ. *Mariage civil,* contracté devant l'autorité civile. *Le mariage, institution* (cit. 12) *sociale. Conjoints* unis par les liens du mariage* (⇒ **Conjugal**). *Qualités et conditions requises pour pouvoir contracter mariage* (art. 144 à 164 du Code civil). *Âge minimum exigé pour le mariage.* ⇒ **Nubile.** *Consentement* (cit. 3) *des époux au mariage. Consentement des parents au mariage des enfants mineurs. Mineur émancipé* par le mariage. Empêchements*, oppositions* au mariage. Prohibition du mariage entre parents en ligne directe, entre proches collatéraux. Délai de viduité* imposé à la femme veuve ou divorcée pour contracter un nouveau mariage.*
L'homme avant dix-huit ans révolus, la femme avant quinze ans révolus, ne peuvent contracter mariage.   Code civil, art. 144.   2
S'il n'y a ni père, ni mère, ni aïeuls, ni aïeules, ou s'ils se trouvent tous dans l'impossibilité de manifester leur volonté, les mineurs de dix-huit ans ne peuvent contracter mariage sans le consentement du conseil de famille. Code civil, art. 159.   3
(1690). *Contrat* de mariage* (→ Capacité, cit. 10; instrumenter, cit.). ⇒ **Accordailles; matrimonial** (régime).
*Formalités antérieures à la célébration** (cit. 1) *du mariage.* ⇒ **Prénuptial** (examen prénuptial), **publication**(s). *Le mariage est célébré à la mairie devant l'officier de l'état civil* (maire ou adjoint). *Après le « oui » des époux, le mariage est scellé par la formule d'union de l'officier de l'état civil. Signature des témoins* sur le registre des mariages.* — (1804). *Acte de mariage* (→ Légitime, cit. 5). — *Livret de famille remis aux époux à l'issue de la célébration du mariage.*
Il *(l'officier de l'état civil)* recevra de chaque partie, l'une après l'autre, la déclaration qu'elles veulent se prendre pour mari et femme; il prononcera, au nom de la loi, qu'elles sont unies par le mariage et il en dressera acte sur-le-champ.   4
    Code civil, art. 75 (in fine).
(...) les formalités, la lecture du Code, les questions posées, la signature des pièces, furent expédiées si rondement, qu'ils se regardèrent, se croyant volés d'une bonne moitié de la cérémonie... *(On)* remit à Coupeau le certificat de mariage (...)   5
    ZOLA, l'Assommoir, t. I, III, p. 83.
Enfants nés du mariage, conçus* (cit. 6) *pendant le mariage, hors mariage* (→ Enlèvement, cit. 4; légitimation, cit. 2). *Enfants nés d'un premier, d'un second mariage.* ⇒ **Lit.**
Nullités de mariage : vices de consentement, erreur (cit. 39) sur la personne, impuberté, bigamie*, inceste... *Mariage nul* (1629), *invalide* (cit. 6). *Mariage putatif*. Dissolution du mariage par divorce** (ou conversion de la séparation de corps en divorce) *ou par décès de l'un des conjoints* (→ Dissoudre, cit. 9). — *Contracter un second mariage.* ⇒ **Remariage; noce** (secondes noces).
On ne peut contracter un second mariage avant la dissolution du premier.   6
    Code civil, art. 147.
Fidèle par tendresse, par devoir, par fierté, elle se rembrunissait à mon premier divorce, davantage à mon second mariage (...)   7
    COLETTE, la Naissance du jour, p. 45.

b Dr. ecclés. *Mariage religieux* (qui, en France, ne peut être célébré par les ministres du culte qu'après le mariage civil). *La sainte institution* (cit. 10 et 12), *la sainteté* du mariage.* — Relig. cathol. *Le Sacrement* de mariage. Promesse* de mariage. La publication des bans* et la bénédiction* du mariage à l'Église. Indissolubilité* du mariage* (→ Indissolublement, cit. 1). — *Annulation d'un mariage en cour de Rome.*

♦ **2.** (V. 1660). Par anal. (Théol.). *Mariage mystique, chaste, mariage d'une âme avec Dieu, avec Jésus-Christ* (→ Époux, cit. 12).

♦ **3.** (Dans d'autres sociétés). *Formes diverses du mariage, selon les civilisations, les époques...* ⇒ **Polyandrie, polygamie,** et les suff.

-game, -gamie; et aussi **concubinat, lévirat; morganatique** (*mariage morganatique*). *Mariage patrilocal, matrilocal.*

8 Le mariage (*parmi les nomades*) n'y sera pas aussi assuré que parmi nous, où il est fixé par la demeure et où la femme tient à une maison : ils peuvent donc plus aisément changer de femmes, en avoir plusieurs, et quelquefois se mêler indifféremment comme les bêtes. MONTESQUIEU, l'Esprit des lois, XVIII, XIII.

En franç. d'Afrique. *Mariage coutumier,* conforme aux coutumes, non enregistré par l'État civil.

♦ **4.** Loc. *Mariage de la main* gauche.*

♦ **5.** *Mariage entre hommes, mariage d'homosexuels.* ⇒ **Androgamie.**

★ **II.** Cour. ♦ **1.** Action, fait de se marier. *Garçon, fille en âge* (⇒ **Nubilité, puberté**), *en état de contracter mariage* (⇒ **Mariable**). *Mariages précoces* (→ Eugénique, cit. 1). *S'unir par le mariage.* ⇒ **Convoler, épouser** (s'), **marier** (se). *Célibataire qui se décide, se résout au mariage. Cette liaison* (cit. 11) *devient un quasi-mariage. Régulariser par le mariage une union illégitime. Faire des projets de mariage pour ses enfants.* ⇒ **Établissement.** *Mariage décidé, arrangé par les familles. Mariage par relations, par l'intermédiaire d'une agence matrimoniale*. Fréquenter une jeune fille en vue du mariage.* ⇒ **Motif** (pour le bon motif). *Entrer dans une famille par le mariage; s'allier par mariage à une famille.*

9 (...) le mariage est une plus grande affaire qu'on ne peut croire (...) il y va d'être heureux ou malheureux toute sa vie (...) MOLIÈRE, l'Avare, I, 5.

10 De toutes les choses sérieuses, le mariage étant la plus bouffonne (...) BEAUMARCHAIS, le Mariage de Figaro, I, 9.

10.1 Elle lui cita la fille d'une de leurs voisines, qui s'étant échappée de la maison paternelle, était aujourd'hui richement entretenue et bien plus heureuse, sans doute, que si elle fût restée dans le sein de sa famille; qu'il fallait bien se garder de croire que ce fût le mariage qui rendît une jeune fille heureuse. SADE, Justine..., t. I, p. 9-10.

11 (...) le comte Paul fut si attentif auprès de Nathalie, que le monde le considéra comme lui faisant la cour. Ni la mère ni la fille ne paraissaient songer au mariage. BALZAC, le Contrat de mariage, Pl., t. III, p. 100.

12 Sa réponse ordinaire était qu'il avait passé l'âge où l'on se marie par entraînement, et que le mariage, comme tous les actes capitaux ou dangereux de la vie, demandait un grand élan d'enthousiasme. F. FROMENTIN, Dominique, II.

13 L'idée de mariage rôde sans cesse dans toutes les maisons à grandes filles et prend toutes les formes, tous les déguisements, tous les moyens. MAUPASSANT, Contes, « Mlle Perle », p. 177.

14 Toutes les mères, par principe, ne souhaitent rien tant pour leurs fils que le mariage, mais désapprouvent la femme qu'ils choisissent. R. RADIGUET, le Diable au corps, p. 162.

Démarches en vue du mariage, pour conclure (cit. 2) *un mariage. Le mariage de M. X, de M. X avec Mlle Y. Faire une demande en mariage. Elle a reçu, repoussé de nombreuses demandes en mariage.* ⇒ **Prétendant.** *Demander* (cit. 34) *une jeune fille en mariage.* ⇒ **Main** (demander la main). — *Promettre le mariage à qqn. Donner sa fille, son fils en mariage à...* ⇒ **Fiancer.** *Rompre un mariage, un projet de mariage.* ⇒ **Fiançailles.** *S'opposer à un mariage* (→ Attendre, cit. 119), *en parlant des parents qui refusent leur consentement.* — *Elle adore faire des mariages.* ⇒ **Marieur.** — Littér. *Le Mariage forcé* (1664), comédie-ballet de Molière. *Le Mariage de Figaro* (1784), comédie de Beaumarchais.

15 — (...) Sur quelle pensée (...) la voulez-vous donner (*votre fille*) en mariage, au fils d'un médecin?... Par cette raison-là, si votre petite était grande, vous lui donneriez en mariage un apothicaire? MOLIÈRE, le Malade imaginaire, III, 3.

16 Plusieurs cavaliers des plus considérables d'Espagne me recherchèrent en mariage. A.-R. LESAGE, Gil Blas, I, XI.

Faire un mariage d'argent* (II., 2.), *d'intérêt. Riche mariage, beau mariage* (→ Héritier, cit. 22); *mariage avantageux* (→ Flatter, cit. 11), *inespéré* (→ Caste, cit. 3). ⇒ **Parti** (un riche parti). *Mariage de raison*, de convenance*, d'amour, d'inclination* (cit. 16).

17 Or, les pairs de France chercheront tous de riches héritières pour leur fils, n'importe où elles se trouveront. La nécessité où ils sont tous de faire des mariages d'argent durera plus de deux siècles. BALZAC, le Bal de Sceaux, Pl., t. I, p. 92.

18 J'étais parvenu à transformer (...) ce mariage d'amour, ou plutôt d'amourette, en un mariage de raison, et lequel ! puisque la raison n'y tenait aucune place, chacun ne trouvant chez l'autre que les avantages qu'offre un mariage d'amour. R. RADIGUET, le Diable au corps, p. 46.

19 Mon père avait fait un mariage de raison qui s'était, comme il arrive si souvent, transformé en mariage d'amour. Il avait été heureux à sa manière qui était silencieuse et grave. Il n'avait jamais eu d'aventures amoureuses, au moins depuis son mariage (...) A. MAUROIS, Climats, I, III.

(1746). Loc. fam. Vx. *Mariage de garnison :* concubinage.

♦ **2.** (1643). Spécialt. La cérémonie du mariage. ⇒ **Noce; épousailles** (vx). *Fixer la date, le jour du mariage. Assister à un mariage. Mariage célébré dans la plus stricte intimité. Mariage clandestin. Mariage en grande pompe. Un beau, un grand mariage.* — *Faire*-part de mariage. Présents, cadeaux, corbeille, dragées de mariage. Poème composé à l'occasion d'un mariage.* ⇒ **Épithalame.** *Habits* (→ Gentil, cit. 7) *de mariage. Messe de mariage.* ⇒ **Bénédiction** (nuptiale). *Cortège de mariage.* ⇒ **Demoiselle, garçon** (d'honneur). — Absolt. *Il y a eu deux mariages ce matin.* — *Repas, lunch, dîner de mariage* (→ Candélabre, cit. 2). *Partir en voyage de noces après le mariage.*

(*Il*) ne songea plus qu'à réparer, par la pompe et la magnificence de son mariage, la rigueur dont il avait usé avec Zaïre. VOLTAIRE, Zaïre, « Lettre à M. de La Roque ».

La mode du mariage n'était pas en 1833 ce qu'elle est aujourd'hui (...) on ne pratiquait pas le mariage au grand trot. On s'imaginait encore à cette époque, chose bizarre, qu'un mariage est une fête intime et sociale, qu'un banquet patriarcal ne gâte point une solennité domestique, que la gaîté, fût-elle excessive, pourvu qu'elle soit honnête, ne fait aucun mal au bonheur (...) HUGO, les Misérables, V, VI, I.

(...) ils assistèrent à trois mariages, perdus dans trois noces bourgeoises, avec des mariées en blanc, des fillettes frisées, des demoiselles à ceintures roses, des cortèges interminables de messieurs et de dames sur leur trente-et-un (...) ZOLA, l'Assommoir, t. I, III, p. 82.

♦ **3.** (Fin XIVe). État d'une personne mariée, d'un couple marié. *Nostalgie du mariage* (→ Célibataire, cit. 2). *Il y a des garçons* (cit. 17) *qui ne pensent qu'au mariage. « Le mariage surtout et la province vieillissent un homme »* (→ Étonnamment, cit., Stendhal). *Les joies, les liens, les chaînes* (cit. 19) *du mariage. Mariage et célibat** (cit. 5 et 6).

J'ai souvent pensé que si l'on pouvait prolonger le bonheur de l'amour dans le mariage, on aurait le paradis sur la terre. ROUSSEAU, Émile, V.

Aujourd'hui, une femme de qualité et de tempérament réellement passionné s'accommode très mal d'un amant... Elle veut épouser l'homme qu'elle aime. C'est dans le plein jour, l'aisance, la légalité du mariage que se déploie tout le cœur d'une amoureuse. Par le mariage, elle obtient la présence de l'homme et sa soumission (...) J. CHARDONNE, Éva, p. 105.

(...) le mariage est un enfer s'il y a chambre commune; chambres distinctes, il n'est plus que le purgatoire; sans cohabitation (se rencontrant deux fois par semaine), il serait peut-être le paradis. MONTHERLANT, les Lépreuses, II, XXI.

Les premiers jours (→ Écueil, cit. 6), *les premiers temps du mariage.* ⇒ **Lune** (de miel). → Grâce, cit. 83. *Couple qui fête ses vingt-cinq, ses cinquante années de mariage.* ⇒ **Noce** (noces d'argent, d'or).

♦ **4.** *Le mariage* considéré dans les relations des conjoints. ⇒ **Ménage, union.** *Mariage mal assorti* (cit. 18) *du fait de l'inégalité des conditions sociales* (⇒ **Mésalliance**). *Mariage mal équilibré* (→ Insatisfait, cit. 3). *Mariage harmonieux, heureux* (→ Exceptionnel, cit. 7).

Il y a de bons mariages, mais il n'y en a point de délicieux. LA ROCHEFOUCAULD, Réflexions morales, p. 113.

Répondant à une réflexion de Vivian Bell sur le mariage et l'amour : — Il faut qu'une femme choisisse, dit-il. Avec un homme aimé des femmes, elle n'est pas tranquille. Avec un homme que les femmes n'aiment pas, elle n'est pas heureuse. FRANCE, le Lys rouge, XIII.

Les liens sacrés du mariage. Garder, rompre, violer la foi du mariage (→ Souiller la couche* nuptiale). — Loc. fam. *Donner des coups de canif* dans le contrat de mariage.*

Spécialt. *Le mariage et les relations charnelles entre conjoints. Consommer* (cit. 1) *le mariage. Mariage blanc,* qui n'a pas été consommé. *« L'œuvre de chair ne désireras qu'en mariage seulement »* (IXe commandement du Décalogue).

(...) je trouve le mariage une chose tout à fait choquante. Comment est-ce qu'on peut souffrir la pensée de coucher contre un homme vraiment nu? MOLIÈRE, les Précieuses ridicules, IV.

Les mariages, pendant quelque temps, sont soutenus par le désir; une journée de scènes ou de silences est équilibrée par vingt minutes de nuit. MONTHERLANT, les Lépreuses, I, VI.

(*Lucile de Chateaubriand*) avait consenti, en 1796, au mariage avec un vieillard parce qu'elle avait cru ce mariage destiné à rester blanc (...) A. MAUROIS, Chateaubriand, V, I.

♦ **5.** L'institution sociale du mariage (→ le sens I).

(...) on interroge, on cuisine l'acteur J. D. sur ses rapports avec sa femme (elle-même comédienne); l'intervieweur a envie que ce bon mari soit infidèle; cela l'excite, il exige un mot trouble, un germe de récit. Le mariage donne ainsi de grandes excitations collectives : si l'on supprimait l'œdipe et le mariage, que nous resterait-il à raconter? Eux disparus, l'art populaire mutera de fond en comble. (Lien de l'œdipe et du mariage : il s'agit de « l » avoir et de « le » transmettre.) R. BARTHES, Roland Barthes, p. 125.

★ **III.** Fig. ♦ **1.** (1588, *in* D. D. L.). Action d'associer, d'assortir des choses; résultat de cette action. ⇒ **Accord, alliance, association, assortiment, mélange, réunion, union.** *Mariage de deux couleurs, de deux parfums.* — *Mariage de la poésie et de la musique dans le lied* (cit. 2). *Heureux mariage de mots* (→ Esprit, cit. 109).

♦ **2.** Loc. fig. (Fam.). *Le mariage de la carpe et du lapin,* se dit d'une alliance saugrenue, d'une association contraire à la nature des choses.

J'ai trop sacrifié à l'idée d'apaisement... Il y a des mariages de la carpe et du lapin auxquels on a tort de s'obstiner. J. ROMAINS, les Hommes de bonne volonté, t. IX, VII, p. 67.

♦ **3.** (1534). Spécialt. (T. de jeu). Réunion dans la même main du roi et de la reine d'une même couleur. — (1840). Par ext. Jeu de cartes où l'on cherche à faire des « mariages ». ⇒ **Brisque.** *Le bésigue* était proche du mariage.*

♦ **4.** Vx. Billet de bal pour un couple.

Rien de plus facile que de se procurer des billets de bal; il y a des restaurants, des

cafés où l'on en trouve toujours : vous demandez un *mariage*, et l'on vous donne sur-le-champ des billets pour un cavalier et pour une dame.
Ch. PAUL DE KOCK, la Grande Ville, t. I, p. 374.

COMP. **Formariage.**

MARIAL, ALE, AUX [maʀjal, o] adj. — 1922 ; n. m., XVIᵉ, « Livre contenant l'office de la vierge Marie » ; de *Marie*, nom de la Vierge.

♦ Liturgie cathol. Relatif à la Vierge Marie. *Culte marial. — Congrès marial. Année mariale*, consacrée à des solennités en l'honneur de la Vierge Marie.

REM. On rencontre aussi le plur. masc. *marials.*

MARIALOGIE [maʀjalɔʒi] ou **MARIOLOGIE** [maʀjɔlɔʒi] n. f. — XXᵉ ; de *maria-, mario-*, éléments tirés du bas. lat. *Maria* « Marie ».

♦ Théol. cathol. Partie de la théologie se rapportant à Marie, mère du Christ.

MARIANISTE [maʀjanist] n. m. — 1935, Académie ; *marianite*, 1907 ; du lat. *Maria* « Marie ».

♦ Relig. Membre de la société de Marie de Bordeaux.

MARIANNE [maʀjan] n. f. — Fin XIXᵉ ; prénom féminin, de *Marie* et *Anne*, par une motivation controversée : prénom de la jeune femme qui servit de modèle pour le premier buste de ce type, ou allusion à une société de conspirateurs républicains, *la Marianne*, sous le Second Empire.

♦ Buste de personnage féminin, jeune, coiffé du bonnet phrygien, et symbolisant la République française. *La Marianne de plâtre de la mairie. Des Mariannes.*

MARIDA [maʀida] adj. invar. et n. m. — 1889 ; de *marida*, v. tr. et pron. *(se marida)*, de *marier.*

♦ **1.** Argot. Marié.

1 J'suis pas marida avec ta frangine, mon pote. Et c'est pas toi qui vas me faire la morale.   Jean GENET, Querelle de Brest, p. 183.

♦ **2.** N. m. Mariage.

2 C'est un volailleux des Halles qui me l'a finalement emballée, un marida légitime !
Albert SIMONIN, Touchez pas au grisbi, p. 121.

3 Charles, lui, il me parle marida. — Ah ! il se décide, dit le téléphone avec indifférence.   R. QUENEAU, Zazie dans le métro, Folio, p. 136.

MARIÉ, ÉE [maʀje] adj. et n. — V. 1155 ; → Marier.

♦ **1.** |a| Adj. Qui est uni à une personne du sexe opposé ; (plur.) qui sont unis par le mariage. *Êtes-vous célibataire ou marié ? Je suis marié* (→ Indiscrétion, cit. 13). *Homme marié, femme mariée. Être bien marié, mal marié* (→ Entreprenant, cit. 5).

8 Vous devriez vous marier, ça vous irait très bien. Vous avez l'air déjà marié. Vous promenez votre célibat dans des vêtements de jeune père de famille, vous êtes épris du coin du feu, tendre, jaloux, têtu, paresseux comme un époux gâté, et despote, au fond, et monogame de naissance !   COLETTE, la Vagabonde, p. 119.

9 — Un Padre ne devrait pas être marié, dit le docteur. Vous savez ce qu'a dit saint Paul : « Un homme marié cherche à plaire à sa femme et non à Dieu. »
A. MAUROIS, les Silences du colonel Bramble, IX.

|b| N. (XIIᵉ). *Jeune marié(e)* : celui, celle qui est marié(e) depuis peu. *De jeunes mariés* (→ Couple, cit. 8). *Deux mariés de longue date, deux vieux mariés* (→ Flamme, cit. 19). *— Mémoires de deux jeunes mariées*, roman de H. de Balzac.

10 Et ce qui leur sied tant aux commencements,
En nous, vieux mariés, aurait mauvaise grâce.   MOLIÈRE, Amphitryon, I, 4.

11 (...) elle s'abandonna avec une gentillesse de jeune mariée amoureuse.
J. ROMAINS, les Hommes de bonne volonté, t. V, XXVI, p. 260.

♦ **2.** N. (1690). Personne dont on célèbre le mariage. ⇒ **Épousée** (vx). *La mariée et le marié. On attendait les mariés devant la mairie. Robe, voile, couronne, bouquet* (cit.) *de mariée. Cadeaux faits à la mariée* (→ Habiller, cit. 4). *Trousseau de mariée.* « *Vive la mariée !* » *— Le coucher de la mariée. Nuit de noces des nouveaux mariés. —* Loc. prov. *Se plaindre que la mariée est trop belle :* se plaindre d'une chose dont on devrait se féliciter, se réjouir, mais que l'on juge excessive.

12 Deux mariées pompeusement habillées de blanc, chargées de rubans, de dentelles, de perles et couronnées de bouquets de fleurs d'oranger dont les boutons satinés tremblaient sous leur voile (...)   BALZAC, la Vendetta, Pl., t. I, p. 909.

♦ **3.** N. f. (1752). Jeu de cartes dans lequel le mariage du roi et de la dame de cœur constitue le plus gros avantage. (Ce jeu est aussi nommé *guimbarde*).

MARIE-COUCHE-TOI-LÀ [maʀikuʃtwala] n. f. invar. — 1867 ; de *Marie*, nom propre, *se coucher*, et *là*.

♦ Fam. Fille de mauvaise vie, prostituée. — Var. : *Marie-couche-toi.*
Il venait chez elle tous les soirs dans sa boutique, bien close, bien chauffée et

la femme, qui se donnait pour de l'argent, se demandait pourquoi elle n'était pas traitée par le vieillard comme une Marie-couche-toi.
Francis CARCO, Brumes, p. 142.

MARIE-GALANTE [maʀigalɑ̃t] n. f. — 1868, Littré ; nom d'une île des Antilles.

♦ Vieilli. Variété de quinquina (quinquina corymbifère).

MARIE-GRAILLON [maʀigʀajɔ̃] n. f. — 1649, *in* D. D. L. ; de *Marie*, prénom féminin, et *graillon.*

♦ Fam., vx. Femme malpropre. ⇒ **Souillon.**

MARIE-JEANNE [maʀiʒan] n. f. — V. 1968 ; trad. littér. de l'esp. *Maria Juana*, pour *Marijuana* par les prénoms français *Marie* et *Jeanne*, sur le modèle de mots comme *Marie-galante*.*

♦ Fam. Marijuana*.
(...) il se roule une pipe de Marie-Jeanne, de la vraie, de la feuille d'or qu'il se garde en réserve...   André HARDELLET, Lourdes, lentes..., p. 110.

1. MARIE-LOUISE [maʀilwiz] n. f. — XXᵉ ; prénom.

♦ Passe-partout fixé sur le bord intérieur d'un cadre. *Marie-louise biseautée, à gorge. Des maries-louises.*
Encadrement constitué par une bordure en harmonie avec la couleur dominante d'une image (affiche, etc.).

HOM. 2. **Marie-Louise.**

2. MARIE-LOUISE [maʀilwiz] n. m. pl. — XIXᵉ ; de *Marie-Louise de Habsbourg-Lorraine* (cf. D. U. N. P., t. III, p. 258) ; nom donné par métonymie aux conscrits de 1814.

♦ Homme inexpert. ⇒ **Bleu, conscrit, novice.** « *M. Chaix (...) voulait-il défendre les "marie-louise" de la police lyonnaise à qui la presse locale reproche d'accumuler les échecs ?* » (*L'Express*, 12 déc. 1977, p. 178).

HOM. 1. **Marie-louise.**

MARIER [maʀje] v. tr. — Conjug. *prier*. — XIIᵉ ; du lat. *maritare.*

★ I. ♦ **1.** Unir (un homme et une femme) en célébrant le mariage. ⇒ **Mariage ; amadouer** (vx), **unir.** *C'est le maire en personne, c'est le premier adjoint qui les a mariés.* — Absolt. Célébrer la cérémonie du mariage. *On ne marie pas le dimanche.*

♦ **2.** Établir* (qqn) dans l'état de mariage. *Marier son fils* (→ Coureur, cit. 7), *sa fille* (→ Infortune, cit. 5). ⇒ **Conduire** (à l'autel). *Fille bonne à marier, fille à marier*, en âge d'être mariée. *On les a mariés contre leur gré. — Marier sa fille avec* (→ Faim, cit. 11), *à un jeune homme riche, pauvre...* — Par ext. *Ils ont été mariés par une amie de leurs familles. —* REM. Cet emploi actif tend à vieillir, du fait de l'évolution des mœurs. — (Au passif). *Être marié avec...* (→ Assemblage, cit. 6), *à...* (→ Hétéroclite, cit. 4). — Absolt. *Depuis trente ans qu'ils étaient mariés* (→ Chamailler, cit. 1). — Au p. p. *Une fois mariée, elle est devenue bégueule* (cit. 2). *Marié à vingt ans. — Ils sont mariés sous le régime de la communauté.* ⇒ **Matrimonial** (régime).

1 (...) vous voudriez marier votre fille avec un médecin ?
MOLIÈRE, le Malade imaginaire, I, 5.

2 Le premier moyen qui s'offre pour résoudre cette difficulté est de le marier bien vite (...)   ROUSSEAU, Émile, IV.

Spécialt. (En parlant de la cérémonie du mariage). *Quel jour marient-ils leur fille ?*

Loc. fig. (au passif). *Être marié ensemble* : être du même bord. *Tout ce beau monde est depuis longtemps marié ensemble*, fricote, tripote ensemble. — (À la forme négative). *Ne pas être marié (ensemble)* : ne rien se devoir. *Après tout, on n'est pas mariés !*

♦ **3.** Régional (Nord, Belgique, Canada) ou pop. (faute de syntaxe). Épouser ; se marier avec. *Elle a marié le fils Dubois.* Le verbe normal est *épouser* (ou *se marier avec*).

2.1 Celui qui la marierait en prenant le petit — à condition d'avoir fait pour, naturellement — ça ne serait pas une mauvaise affaire pour lui, j'ai idée.
G. CHEVALLIER, Clochemerle, p. 163.

2.2 Elle veut me courir après et me marier. R. QUENEAU, le Dimanche de la vie, p. 46.

2.3 (...) quand Baptiste se prononçait le nom (intérieurement...) il ne pouvait s'empêcher d'y glisser une pointe d'accent méridional. Hé ! il l'aurait volontiers mariée, sa Jeanne ! Seulement, il était promis à Catherine (...)
Roger IKOR, les Fils d'Avrom, Les eaux mêlées, p. 518.

★ II. V. pron. SE MARIER.
♦ **1.** (Récipr.). S'unir par le mariage, en parlant de deux époux. *Il se sont mariés civilement.* « *On ne se doit point marier pour se faire enrager l'un l'autre* » (→ Complaisance, cit. 1, Molière). *Se marier à l'église, religieusement.*

3 (...) nous avons fait mauvais ménage, comme les gens qui se marient vieux.
FLAUBERT, Correspondance, 210, fin 1847.

4 (...) tu serais consentante, un peu plus tard, quand nous serons d'âge, à nous marier tous deux ?
LOTI, Ramuntcho, I, v.

Loc. fam. *Se marier au 13e* (vx), *au 21e* (mod.), *arrondissement** (à Paris) : vivre en concubinage.

♦ **2.** (Réfl.). Contracter mariage, en parlant d'une personne. *Se marier avec un ami d'enfance, avec une inconnue* (→ Blanc, cit. 33). ⇒ **Épouser** (cit. 6).

5 Cependant, très amoureux de Suzanne, jeune camériste de la comtesse Almaviva, il va se marier avec elle (...)
BEAUMARCHAIS, le Mariage de Figaro, Notice.

Absolt. Contracter mariage. *Il s'est marié.* ⇒ **Femme** (prendre). *Elle s'est mariée* (cf. vx. Dénouer sa ceinture). *Se marier par amourette* (cit. 1). *Il est délicat* (cit. 9) *de se marier, de prononcer le grand oui*. *Il pensait à faire une fin** (cit. 13), *à se marier. Elle, il aura bien du mal à se marier* (→ fam. Trouver couvercle* à sa marmite, chaussure à son pied). — (En parlant de la cérémonie.) *Se marier en grande pompe.*

6 Laid comme je suis et pauvre, je dus renoncer à me marier.
BALZAC, Mme de La Chanterie, Pl., t. VII, p. 287.

7 (...) la Warmestré, qui, après maintes aventures, finit par trouver chaussure à son pied, se maria benoîtement et même eut beaucoup d'enfants.
G. DUHAMEL, Refuges de la lecture, p. 171.

▶ **MARIÉ, ÉE** p. p. adj. (cit. 8 à 12). Voir à l'ordre alphabétique.

★ **III.** ♦ **1.** (1672). Unir, associer (des éléments qui peuvent se convenir). ⇒ **Allier, apparier, associer, assortir, combiner.** *Marier des couleurs qui s'harmonisent. Marier des fleurs. Marier les vivacités de la conversation aux formes pures du style écrit* (cit. 51). ⇒ **Joindre.** *Marier la vigne à l'ormeau.* ⇒ **Entrelacer.**

13 Partout les haies, les enclos sont égayés par des vignes mariées, comme en Italie, à de petits ormes dont le feuillage se donne aux bestiaux.
BALZAC, le Médecin de campagne, Pl., t. VIII, p. 318.

14 (...) je ne désespère pas d'une nation qui marie, dans sa riche et curieuse texture, des Bretons et des Savoyards, des Champenois et des Basques.
G. DUHAMEL, Inventaire de l'abîme, XIV.

15 (...) l'esprit français marié à l'humour belge, et une parfaite entente familiale (...)
COLETTE, Belles saisons, p. 216.

Loc. prov. *Marier la faim et la soif* : unir par le mariage deux personnes qui sont dans la gêne.

16 (...) une belle jeune fille riche, il ne l'obtiendrait pas dans un pays où tout est calcul ; une belle fille pauvre il lui est interdit de l'aimer ; ce serait, comme disent les provinciaux, marier la faim et la soif (...)
BALZAC, la Vieille Fille, Pl., t. IV, p. 238.

♦ **2.** Pron. (Choses). Se combiner de façon harmonieuse. ⇒ **Mêler** (se). *Les odeurs de cuisine venaient se marier dans le puits de l'escalier* (cit. 6). *Se marier à, avec qqch.*

17 Le bruit des choses réveillées
Se marie aux brouillards légers (...)
VERLAINE, Jadis et Naguère, « L'Angélus du matin ».

Spécialt. S'entrelacer ; s'accompagner, s'accorder, s'unir harmonieusement.

18 Là, sous les orangers, sous la vigne fleurie,
Dont le pampre flexible au myrte se marie,
Et tresse sur ta tête une voûte de fleurs (...)
LAMARTINE, Nouvelles méditations, XII.

19 Les riches teintes brunes du bois (...) se mariaient sans discordance à la pourpre triomphale jetée sur le chevet. BALZAC, le Curé de village, Pl., t. VIII, p. 611.

20 Des dessins d'ornementation d'un goût riche et compliqué, d'une exécution parfaite, où se mariaient le vert, le rouge, le bleu, le jaune, le blanc, couvraient les espaces laissés vides. Th. GAUTIER, le Roman de la momie, IV.

21 Sur le tapis cloué, un peu plus clair que les murs, il y avait une carpette où se mariaient, modernes, et le bleu et l'amarante.
ARAGON, les Beaux Quartiers, II, XXIII.

CONTR. **Divorcer.**
DÉR. **Mariable, mariage, marida, marié, marieur.**
COMP. **Démarier, remarier.**
HOM. V. **mari, marié, marri.**

MARIE-SALOPE [maʀisalɔp] n. f. — 1777 ; de *Marie*, nom propre, et *salope*.

♦ **1.** Mar. Bateau, chaland à fond mobile destiné à conduire en haute mer les produits de dragage. *Des maries-salopes.*

1 Les *Marie-Salope (sic)* sont ces péniches où les dragues déversent leurs vases.
Roger VERCEL, Remorques, IV.

♦ **2.** (1831). Pop., vieilli. Femme malpropre ou de mauvaises mœurs. — (Désignant une prostituée) :

2 (...) La grosse dame en rose avec sa crinoline !...
— Ça : c'est Mary-Saloppe, elle a son plein et dort.
Tristan CORBIÈRE, les Amours jaunes, « Le bossu bitor ».

MARIEUR, EUSE [maʀjœʀ, øz] n. — 1585 ; v. 1220, *mariere* ; de *marier*.

♦ Fam. Personne qui aime s'entremettre pour conclure des mariages (surtout au fém.). *Une marieuse enragée, une marieuse de gens.* ⇒ **Apparieur** (cit.).

MARIGOT [maʀigo] n. m. — V. 1688 ; 1654, comme toponyme ; orig. incert. ; p.-ê. d'un mot caraïbe, d'après *mare* ou, selon P. Guiraud, forme de *maresquet, maresquel* « petit marais », en normand et picard.

♦ Dans les régions tropicales, bras mort d'un fleuve. ⇒ **Bayou.** *Franchir* (cit. 3) *un marigot.* — Lieu bas et sujet aux inondations. *Les marigots d'Amazonie.* ⇒ **Marais.**

Peu avant le pont, vers la piste, la femme du caporal et sa fille pêchaient dans un marigot. Il y avait bien une heure qu'elles étaient accroupies dans la boue en train de pêcher. M. DURAS, Un barrage contre le Pacifique, p. 18.

Franç. d'Afrique. Point d'eau ; étendue d'eau utilisable, mare, ruisseau, rivière, etc.

MARIHUANA ou **MARIJUANA** [maʀixwana ; cour. maʀiʀwana] n. f. — Mil. xxe ; mot esp. d'Amérique, d'abord *mariguana*, d'orig. inconnue, altéré d'après *Maria* et *Juana* ; par l'angl. *marijuana* (1924), *mariguan* en 1894.

♦ Stupéfiant fait des feuilles et des tiges du chanvre* indien femelle, séchées et hachées. *Cigarettes de marijuana.* (⇒ **Haschisch, marie-jeanne**). — REM. Il y a eu hésitation sur le genre (« *le marihuana* », Simenon, *in* Rey-Debove et Gagnon).

1. MARIN, INE [maʀɛ̃, in] adj. — V. 1155 ; du lat. *marinus*, de *mare* « mer ».

♦ **1.** Qui appartient à la mer, vient de la mer, se produit ou vit dans la mer. ⇒ **Mer** (de mer). — REM. Certains syntagmes sont didact. (*eaux marines*, géogr. ; la langue cour. dit *eau de mer*), d'autres poét. (*vague marine*). — *Courant marin. Eaux marines* (⇒ Fjord, cit. 2). *Vague marine* (poét. → Flot, cit. 6). *Air marin* (→ Angevin, cit., Du Bellay). *Vent, souffle marin* (→ Incliner, cit. 17). *Brise marine,* poème de Mallarmé. *Odeur marine. Fonds, sédiments marins. Profondeurs marines. Plantes, herbes, algues marines* (→ Grappe, cit. 7). *Christe-marine.* ⇒ **Crithme.** *Sel* marin. Animal, mollusque, fossile marin* (→ Gypse, cit. 2). *Coquille marine* (→ Bourdonnement, cit. 8). — Myth. *Monstres, dieux marins* (→ Jardin, cit. 5). — Spécialt. (Servant à former par anal. le nom cour. de certains animaux marins). *Cheval, éléphant, lion, loup marin ; ours, veau marin. Vache marine.* ⇒ **Dugon.** (On dit aussi *éléphant, lion, loup de mer*). — *Conque marine des tritons. Trompette* marine.*

Scylax dit qu'au delà de Cerné la mer n'est pas navigable, parce qu'elle y est basse, pleine de limon et d'herbes marines (...)
MONTESQUIEU, l'Esprit des lois, XXI, XI.

Les côtes de ces îles abondent, dans la saison favorable, en lions marins, éléphants marins, veaux marins et phoques à fourrure, ainsi qu'en oiseaux océaniques de toute sorte.
BAUDELAIRE, Trad. E. POE, les Aventures d'A. Gordon Pym, XV.

Les effluves salins donnaient à tes lèvres le goût de la mer
Odeur marine, odeur d'amour ; sous nos fenêtres mourait la mer.
APOLLINAIRE, Ombre de mon amour, XLVI.

(1868). Qui se trouve près de la mer, au bord de la mer. ⇒ **Maritime.** *Herpes* marines. Ajoncs* (cit. 2) *marins. Falaises marines* (→ Aiguille, cit. 16). — *Le cimetière marin,* poème de P. Valéry. — (Déb. xxe). Par ext. *Cure marine,* qui se fait au bord de la mer.

♦ **2.** (1636). Qui est spécialement destiné à la navigation sur la mer. *Carte* (cit. 18) *marine. Lunette marine. Mesures marines.* ⇒ **Brasse.** *Lieue* marine. Filer trois milles* marins à l'heure.* ⇒ **Nœud.** — *Bande* (de fréquence) *marine.*

(1835). *Bâtiment marin,* qui a de bonnes qualités pour la navigation. « *Un yacht très marin* » (Gruss.).

Loc. (1673). *Avoir le pied marin* : garder son équilibre, sur un bateau, et, par ext., n'avoir pas le mal de mer malgré le roulis, le tangage. — (1798). Fig., vx. Ne pas être ébranlé dans des circonstances difficiles.

(...) le Czar leur fit dire qu'il était à la hune, et que c'était là où il les verrait. Les ambassadeurs, qui n'avaient pas le pied assez marin pour hasarder les échelles de corde, s'excusèrent d'y monter (...) SAINT-SIMON, Mémoires, I, XXXIII.

Le plancher chavirait. Je n'avais pas le pied marin pour la souffrance. Du reste, je ne crois pouvoir comparer mieux qu'au mal de mer ces vertiges du cœur et de l'âme. R. RADIGUET, le Diable au corps, p. 177.

CONTR. **Terrestre.**
DÉR. **2. Marin, 1. marine, marinier.**
COMP. **Aigue-marine. — Héliomarin. — Sous-marin.**
HOM. **2. Marin.**

2. MARIN [maʀɛ̃] n. m. — 1751 ; 1718 « officier de marine » ; de *marin*.

♦ **1.** Personne qui est habile dans l'art de la navigation sur mer. ⇒ **Navigateur.** *Les Grecs, peuple de marins. Il ne navigue pas depuis très longtemps, mais c'est un excellent marin.*

Il y avait un jeune homme, nommé Bernard Renaud (...) qui, sans avoir jamais servi sur les vaisseaux, était un excellent marin à force de génie.
VOLTAIRE, le Siècle de Louis XIV, XIV.

Admirables marins, sans boussole ni sextant, les Phéniciens avaient acquis de la mer une connaissance prodigieuse. DANIEL-ROPS, le Peuple de la Bible, III, I.

(En parlant d'une femme). *Elle est bon marin.* ⇒ **Navigatrice.**

♦ 2. Homme dont la profession est de naviguer sur mer. → Gens de mer, homme de mer. *Marins de commerce, de la marine marchande; marins de la marine de guerre. Tous les marins, officiers et matelots. Marins qui travaillent à la pêche.* ⇒ **Marin-pêcheur.** *Être, devenir marin. Il veut être marin et naviguer. Les marins et les amateurs, les plaisanciers. Les marins du pont, des machines.* — *Marins commandant une embarcation.* ⇒ **Aconier, batelier, caboteur, gabarier** (vx). *Fonctions, spécialités principales des marins :* armurier, canonnier, charpentier, chauffeur, cuisinier (coq*), détecteur, électricien, fourrier, fusilier, infirmier, manœuvrier, mécanicien, météorologiste, pilote*, radio, timonier, torpilleur, transfiliste, voilier... (→ Bâbordais, canotier, gabier, soutier, tribordais). *Vieux marin expérimenté.* ⇒ **Loup** (de mer). *Marin cap-hornier. Costume de marin; caban*, vareuse, maillot* (cit. 6), *casquette, béret de marin. Chambre, hamac** (cit. 6), *... boujaron* de marin. Marin de service, de quart*. Gratification du marin.* ⇒ **Chapeau.** *Marin à bord*, en mer, à terre, au port. Maison du marin. Marins morts, péris en mer.* — *Marins en permission, en escale, à terre. Marins en bordée*. Bar fréquenté par les marins* (bar à matelots).

> Ces tatouages étaient encore de mode, il y a une dizaine d'années, pour les vrais marins.
> LOTI, Mon frère Yves, I.

> (...) les garçons vont rôder sur le port, causent avec les marins et rêvent de s'embarquer.
> J. CHARDONNE, les Destinées sentimentales, p. 374.

> Sans doute les marins transportés (...) du désir et du besoin de meurtre appartiennent-ils d'abord à la Marine marchande, sont-ils les navigateurs au long cours, nourris de biscuit et de coups de fouets, mis aux fers pour une erreur, débarqués dans un port inconnu, rembarqués sur un cargo pour un trafic douteux, pourtant il est difficile de frôler dans une ville de brouillard et de granit ces costauds de la Flotte de Guerre (...) ces gars souples et forts, sans qu'on les imagine capables d'un meurtre qui se justifie par leur intervention puisqu'ils sont dignes d'en accomplir avec noblesse tous les mouvements.
> Jean GENET, Querelle de Brest, Œ. compl., t. III, p. 173-174.

Loc. prov. *Femme de marin, femme de chagrin :* l'épouse du marin vit dans une perpétuelle inquiétude.

(1811). Par plais. *Marin d'eau douce, de bateau-lavoir :* médiocre marin, marin amateur, d'occasion.

> Un de ces amiraux de lac (...) un de ces marins d'eau douce, crânes, hâbleurs, fumeurs (...) et qui se trouvent avoir eu, en fait d'orages, tempêtes et vitesses, une carrière maritime tout autrement merveilleuse que les marins d'océan.
> Rodolphe TÖPFFER, Voyages en zigzag, p. 138.

Spécialt. **a** Littér. Capitaine d'un navire de guerre, chef d'escadre. Cf. l'emploi analogue de *soldat*.* *Les grands marins d'autrefois. Jean Bart, Suffren, Nelson, ces grands marins. Marins de l'Antiquité.* ⇒ **Navarque.** *Marins qui attaquaient les navires de commerce.* ⇒ **Corsaire, pirate** (s'applique aussi aux hommes d'équipage).

b Cour. Dans la marine militaire ou la marine marchande, Homme d'équipage (et parfois, sous-officier) par oppos. aux officiers de marine* et aspirants*. ⇒ **Matelot.** *Marins de la marine de guerre, de la Marine nationale, de la Royale.* ⇒ **Col** (col bleu), **mataf** (argot). *Fusilier-marin.* ⇒ **Fusilier-marin, 2. marine.** *Inscription des marins sur le rôle de l'équipage.* ⇒ **Inscrit** (maritime); **équipage.** *Grades des marins* (marine de guerre française). ⇒ **Mousse; apprenti** (apprenti marin), **novice; matelot; quartier-maître.** — ⇒ **Maître** (second-maître, maître, premier-maître, maître principal — sous-officiers ou officiers mariniers*). — Allus. littér. « *Ô combien de marins, combien de capitaines...* » (cit. 6, Hugo).

> Eh bien, tous ces marins — matelots, capitaines,
> Dans leur grand Océan à jamais engloutis,
> Partis insoucieux pour leurs courses lointaines
> Sont morts, — absolument comme ils étaient partis.
> Tristan CORBIÈRE, les Amours jaunes, « Gens de mer ».

REM. Dans ces vers, qui répondent à ceux de Hugo rappelés plus haut *marin* a le sens général ci-dessus (2.) et inclut les officiers.

♦ 3. Ellipt. *Col marin :* grand col carré à l'arrière et ouvert en pointe sur le devant comme celui des marins. *Robe de plage à col marin. Costume marin,* ou, n. m., *un marin :* costume bleu de garçonnet, qui rappelle celui des marins. ⇒ **Matelot,** II. (vx).

> Micheline était une fillette de douze ans, en jupe courte et en chaussettes. Roger, un garçon de cinq ans, avait un marin d'été et des gants blancs.
> M. AYMÉ, Travelingue, p. 16-17.

♦ 4. Dr. Personne (homme ou femme) travaillant à bord d'un navire sous l'autorité du capitaine.

> Est considérée comme marin, pour l'application de la présente loi, toute personne, de l'un ou de l'autre sexe, qui s'engage, envers l'armateur ou son représentant, pour servir d'un navire. Le personnel du navire est placé sous l'autorité du capitaine. Il se divise en trois catégories : le personnel du pont, le personnel des machines et le personnel des agents du service général.
> Code du travail, Loi du 13 déc. 1926, art. 3.

♦ 5. (Mil. XVIᵉ; mot attesté à Montpellier au XVIIIᵉ siècle par J.-J. Rousseau.) Vent tiède, accompagné de pluies, soufflant par le sud sur les côtes avoisinant le golfe du Lion.

COMP. Amariner, amarinage. — **Marin-pêcheur.**
HOM. 1. Marin.

MARINA [maʀina] n. f. — 1960; mot anglo-amér., de l'ital. *marina* « plage ».

♦ Anglic. Ensemble touristique aménagé en bordure de mer (port de plaisance et aménagements, logements ... qui le bordent). « (...) il propose qu'aucune opération de type "marina" ou "cité lacustre" ne soit autorisée sur le domaine public maritime avant qu'un schéma d'urbanisme et d'aménagement ne soit établi » (*le Nouvel Obs.,* 8 janv. 1973, p. 28).

MARINADE [maʀinad] n. f. — 1651; de *mariner.*

♦ 1. Mélange de vin, de vinaigre salé, d'épices (poivre, thym, laurier, ail, oignon...) dans lequel on fait macérer du poisson, de la viande pour les parfumer avant cuisson. *Marinade crue, cuite. Viande dans la marinade.* — (1690). Par ext. Aliment mariné.

> (...) des viandes fardées par des marinades, peintes avec des sauces couleur d'égout (...)
> HUYSMANS, Là-bas, V.

♦ 2. (1765). Saumure dans laquelle on met du poisson, de la viande pour les conserver. — Par ext. Aliment préparé pour la conservation.

---

1. MARINAGE [maʀinaʒ] n. m. — 1867; de *mariner.*

♦ 1. Action de mariner, préparation que l'on fait subir à certaines viandes, à certains poissons pour les conserver.

♦ 2. Fam. Le fait de mariner (II., 2.). Spécialt. « *Ceux qui traversent une période de marinage. Ils n'ont pas de boulot précis, ils cherchent leur voie, ils sont cools* » (*Actuel,* févr. 1980, p. 41).

HOM. 2. Marinage.

---

2. MARINAGE [maʀinaʒ] n. m. — V. 1953; de *mariner.*

♦ Techn. Dégagement et enlèvement des déblais issus de l'abattage des terres, après un tir de mine dans le creusement d'une galerie.

HOM. 1. Marinage.

---

1. MARINE [maʀin] n. f. — XIᵉ; de *marin,* adj.

★ I. Vx. **♦ 1.** ⇒ **Mer.** *Haute, basse marine :* haute mer, basse mer.

> Vous, marchands, qui allez les uns sur la marine,
> Les autres sur la terre (...)
> RONSARD, Disc. des misères de ce temps, Remontr. peuple France.

♦ 2. (V. 1138). Vx ou littér. Bord de mer (cf. ital. *marina*). ⇒ **Côte, plage, rivage.**

> Marine, signifie quelquefois Plage ou côte de mer. C'est ainsi qu'on dit, se promener sur la *marine.* De là le terme de *marine* en peinture.
> Dict. de TRÉVOUX, art. *Marine.*

♦ 3. Par ext. (1699). Peinture ayant la mer pour sujet; genre constitué par cette peinture. *Auteur de marines.* ⇒ **Mariniste.** *Marine représentant la pleine mer, le rivage... une tempête, une flotte, une bataille navale... Les marines de Van de Velde, Turner, Vernet, Boudin... Peintre de marine(s).*

> Il y a une infinité de beaux tableaux (...) comme les Paysages (...) les Marines (...)
> Roger DE PILES, Idée du peintre parfait, p. 28 (1699), *in* BRUNOT, Hist. de la langue franç., VI, p. 716, note 5.

> Les peintres de marine ne représentent pas bien la mer en général (...) Ils veulent montrer trop de science, ils font des portraits de vagues, comme les paysagistes font des portraits d'arbres (...)
> E. DELACROIX, Journal, 13 janv. 1857, Mer, marines.

♦ 4. En apposition, après un nom de nombre. Nom d'un format de châssis pour tableaux, dont la hauteur est nettement inférieure à la largeur.

★ II. ♦ 1. (XVIᵉ). Cour. Ce qui concerne la navigation sur mer. ⇒ **Navire** (et **bateau, paquebot, vaisseau, vapeur, voilier...**); **barque; flotte; navigation, naviguer, port; plaisance, plaisancier.** *Relatif à la marine.* ⇒ **Maritime, nautique, naval.** *Termes spéciaux, expressions de marine.* ⇒ (outre les mots ci-dessus) **Cordage, mât, voile, voilure; mer; vent.** *Signaux de marine.* ⇒ **Pavillon, signal.** *Instruments de marine.* ⇒ **Boussole, carte, chronomètre, compas, compteur, sextant, sonde.**

(1840). Ensemble des administrations et services qui régissent l'activité maritime; ensemble des gens de mer.

♦ 2. (Qualifié). Ensemble des navires appartenant à une même nation ou entrant dans une même catégorie. *La marine française* (→ Incorruptible, cit. 2), *anglaise. Marine à voiles* ⇒ ensemble des voiliers (→ Gouvernail, cit. 3). *Marine de plaisance.* ⇒ **Plaisance.** *Marine marchande* (1765), *de commerce* (1902), comprenant des navires de commerce et de pêche. *Marine militaire* (1771), *marine de guerre.* ⇒ **Armée** (de mer), **force** (forces navales). *Marine nationale* (abrév. M. N.), marine de guerre de l'État français.

> C'est alors que le commerce étend partout ses branches. La marine marchande devient l'école de la marine militaire. De grandes compagnies de commerce se forment.
> VOLTAIRE, Œ. philosophique, Propriété.

♦ 3. (1664). Absolt. *Marine de guerre.* ⇒ **Naval** (cf. fam. La Royale [marine française]). *Arsenal* (cit. 1) *de la Marine. Une marine puissante. Notre marine* (→ Irrémédiable, cit. 2). *Convoi de marine. Canon* de marine.* — *Entrer, servir, être dans la marine. Les gars* *de la marine* (fam.) : les marins de la marine de guerre. *Person- nel de la marine. Soldats de marine* (vx). *Sous-officiers de marine ou officiers mariniers* (maistrance). ⇒ **Marin**. *Officiers de marine.* ⇒ **Enseigne ; lieutenant** (de vaisseau) ; **capitaine** (de corvette, de fré- gate, de vaisseau) ; **contre-amiral, vice-amiral ; amiral** ; et aussi com- **mandant, commodore, major, midship, pilotin,** et, fam., **chien** (de bord). *Correspondance des grades dans la marine.* ⇒ **Grade**. *Garde de la marine ou garde marine* (vx). ⇒ **Garde**. *Officiers assimilés de la marine* : officiers mécaniciens, du génie* maritime, du com- missariat de la marine (⇒ **Commissaire**), ingénieurs hydrographes, administrateurs de l'Inscription* maritime, contrôleurs de l'admi- nistration de la marine, adjudants principaux, pilotes majors, méde- cins de la marine. *Auxiliaires de la marine* : marins vétérans, pom- piers de la marine, surveillants des prisons et arsenaux, guetteurs sémaphoriques, armuriers...

(Fin XVIIIᵉ). *Infanterie de marine* (dite *Infanterie coloniale* à l'épo- que de l'Empire français). ⇒ **Marsouin** (fam.). — *Administration de la marine.* ⇒ **Amirauté**. *Commissariat* de la marine. Ministère, ministre de la Marine. École navale,* qui prépare les officiers de marine.*

5   Les Romains ne faisaient cas que des troupes de terre (...) Ils ne destinaient donc à la marine que ceux qui n'étaient pas des citoyens assez considérables pour avoir place dans les légions : les gens de mer étaient ordinairement des affranchis.
MONTESQUIEU, l'Esprit des lois, XXI, XIII.

6   Le roi, craint partout, ne songea qu'à se faire craindre davantage (1680). Il portait enfin sa marine au delà des espérances des Français et des craintes de l'Europe : il eut soixante mille vaisseaux (...) L'Angleterre et la Hollande, ces puissances mari- times, n'avaient ni tant d'hommes de mer, ni de si bonnes lois.
VOLTAIRE, le Siècle de Louis XIV, XIV.

6.1   Le costume de matelot transformait Gil (...) L'âme charmante et nerveuse de l'arme la plus élégante entrait en lui. Il devenait l'un des membres de cette Marine de Guerre dont la destination est plus d'orner la côte française que de la défendre. Elle découpe un feston gracieux sur le bord de la mer, de Dunkerque à Villefranche, avec, ça et là, quelques nœuds épais et serrés qui sont nos ports de guerre.   Jean GENET, Querelle de Brest, Œ. compl., t. III, p. 319.

♦ **4.** Métier de marin (que ce soit dans la marine de commerce ou la marine de guerre).

7   Vingt-sept heures d'escale, c'est beaucoup à la fois pour un pétrolier : « J'ai choisi la marine pour voir du pays, mais nous ne faisons que traverser de l'eau pour nous rendre d'une boîte de nuit à une autre boîte de nuit », se plaint Bill.
Bernard MOITESSIER, Cap Horn à la voile, p. 28.

★ **III.** Ellipt. (1883). BLEU MARINE, ou, simplement, MARINE : bleu foncé semblable au bleu des uniformes de la marine. *Le bleu marine de leur habillement* (cit. 7). *Des chaussettes bleu marine. Tissu marine à rayures blanches.* — REM. *Bleu marine* est invariable. *Marine* est parfois traité comme un adjectif et prend alors la marque du pluriel. → cit. 9. — N. m. *Le marine.*

8   (...) son pantalon de toile blanche et (...) sa vareuse bleu marine (...)
J. CHARDONNE, les Destinées sentimentales, p. 377.

9   (...) des ceintures marines ou rouges tranchant sur la chemise blanche mise pour la fête.   ARAGON, les Beaux Quartiers, I, XXVI.

DÉR. (De 1. *marine*, I.) 1. **Mariné**.
HOM. 2. **Marine**. — Formes du v. **mariner**.

2. MARINE [maʀin] n. m. — 1815, *in* Höfler ; mot américain du franç. *marine.*

♦ Soldat de l'infanterie de marine américaine (Marine Corps) ou anglaise (Royal Marines). *Les marines, corps de débarquement.*

Nebb a mis nos marines de faction dans les ports du Pacifique (...)
Paul MORAND, Champions du monde, p. 52.

HOM. 1. **Marine**. — Formes du v. **mariner**.

1. MARINÉ, ÉE [maʀine] adj. — 1546 ; de *marine* « eau de mer ».

♦ **1.** Trempé, conservé dans la saumure ou dans une marinade. *Harengs marinés. Thon mariné. Filets de maquereaux marinés au vin blanc.* — *Chevreuil mariné.*

(Le) noir quartier de sanglier mariné (...)
COLETTE, Belles saisons, p. 44.

♦ **2.** (1690). Se dit des aliments altérés par l'eau de mer pendant leur transport. *Café mariné.*

HOM. 2. **Mariné**. — Formes du v. **mariner**.

2. MARINÉ, ÉE [maʀine] adj. — 1671 ; de 1. *marine* ou de 1. *marin.*

♦ Blason. Se dit d'un animal dont le corps est terminé par une queue de poisson.

HOM. 1. **Mariné**. — Formes du v. **mariner**.

MARINER [maʀine] v. — 1636 ; → 1. Mariné.

★ **I.** V. tr. Mettre (des poissons, des viandes) dans la saumure*, dans un liquide aromatique alcoolisé pour les conserver (⇒ **Mari- nade**). — Faire tremper (des poissons, des viandes) dans une mari- nade avant de faire cuire. *Mariner du bœuf pour le mortifier*.*

Pron. Rare. *Viandes qui se marinent.* — Par ellipse du pron. pers. *Faire mariner des harengs.*

★ **II.** V. intr. ♦ **1.** Être, tremper dans la marinade. *Cette viande doit mariner plusieurs heures.* ⇒ **Macérer**.

♦ **2.** (1889). Fig., fam. Rester plus ou moins longtemps dans un lieu ou dans une situation désagréable.

On les avait mis à la prison de Martinez. Je les y ai laissés mariner trois jours, trois jours où on ne leur donne à manger que du riz pourri.
Roger VERCEL, la Clandestine, p. 211.

Spécialt. Vivre sans travailler (ce sens donne naissance au dér. *un marineur* ; cf. *Actuel*, févr. 1980, p. 41).

DÉR. **Marinade,** 1. **marinage**.
HOM. V. 1. **Marine,** 2. **marine,** 1. **mariné,** 2. **mariné, marinier**.

MARINESQUE [maʀinɛsk] adj. — 1873, P. Larousse ; ital. *mari- nescho,* de G. B. *Marini.* → Marinisme.

♦ Littér. Relatif à la manière précieuse de Marini, ou marinisme*.

MARINGOTE ou **MARINGOTTE** [maʀɛ̃gɔt] n. f. — 1873 ; de *Maringues,* n. de ville, où ces voitures ont d'abord été fabriquées.

♦ Vx. Petite voiture* à cheval à deux roues avec des barreaux sur les côtés et des bancs mobiles.

Il y a quelque part en dehors d'une barrière une maringotte attelée de deux très bons chevaux.   HUGO, les Misérables, III, VIII, XX.

Vx. Voiture de forain.

MARINGOUIN [maʀɛ̃gwɛ̃] n. m. — 1615 ; 1566, *maringon* ; empr. au tupi-guarani *mbarigui.*

♦ Moustique, cousin* (pays tropicaux ; Canada).

Le bûcher de voyage fut allumé pour faire cuire notre souper et chasser les marin- gouins.   CHATEAUBRIAND, Voyage en Amérique, p. 61.

C'est là une funeste région, que l'homme dispute chèrement aux tipules, aux cou- sins, aux maringouins, aux taons, et même à des milliards d'insectes microscopi- ques, qui ne sont pas visibles à l'œil nu ; mais, si on ne les voit pas, on les sent à leurs intolérables piqûres, auxquelles les chasseurs sibériens les plus endurcis n'ont jamais pu se faire.   J. VERNE, Michel Strogoff, p. 218-219.

Figuré :

(...) tous les insectes, les moustiques, les cousins, les critiques, les maringouins, les envieux, les feuillistes, les libraires, les censeurs, et tout ce qui s'attache à la peau des malheureux gens de lettres (...)
BEAUMARCHAIS, le Barbier de Séville, I, 2.

MARINIER, IÈRE [maʀinje, jɛʀ] adj. et n. — XIIᵉ ; de 1. *marin.*

★ **I.** Adj. Vx. Qui a rapport à la mer, à la marine. ⇒ **Marin**. *L'onde marinière* (Ronsard).

Loc. *Arche* marinière.*

★ **II.** ♦ **1.** N. m. (Vx ou poét. au sens général). Homme de mer, marin*.

Pendant que le parfum des verts tamariniers (...)
Se mêle dans mon âme au chant des mariniers.
BAUDELAIRE, les Fleurs du mal, « Spleen et idéal », XXII.

Mod. (1690). Par appos. *Officier marinier :* sous-officier de la marine* de guerre. ⇒ **Maistrance ; marin, marine**. Dans la marine marchande, Marin qui a un rang intermédiaire entre celui de mate- lot et celui d'officier.

(...) je demande seulement que les commissaires des classes fassent des escouades de huit hommes. Que ces hommes soient commandés par un officier-marinier.
Encycl. (DIDEROT), art. *Marine.*

♦ **2.** (1524, *in* Huguet, concurremment avec le sens de « marin »). Per- sonne dont la profession est de naviguer sur les fleuves, les rivières, les canaux. — Spécialt. Personne qui fait partie de l'équipage d'une péniche*. ⇒ **Batelier** (→ Garder, cit. 15). *Le métier de marinier. Croc de marinier. Le bistrot des mariniers près de l'entrée du canal* (→ Garder, cit. 15). *Chaland* de marinier.*

MARINIER, se dit aussi de ceux qui conduisent les grands bateaux sur les rivières.
FURETIÈRE, Dict., art. *Marinier.*

C'était un demi-matelot, un naturel du village aquatique de Gruissan sur le ver- sant sud de la Clappe, *marinier* plutôt que marin, mais habitué à manœuvrer les périssoires de l'étang de Bages et à tirer sur les sables salés de Sainte-Lucie la traîne pleine de poissons.   HUGO, l'Homme qui rit, I, II, II.

Un canal, avec ses beaux tournants ombragés, ses berges gazonnées, ses écluses bavardes, éveille des sentiments vifs et fait naître une poésie en action (...) Heu- reux mariniers !   ALAIN, Propos, 8 mars 1912, Les mariniers.

N. f. (XIXᵉ ; var. *maronière,* 1530). Femme qui travaille, qui vit sur une péniche.

HOM. (Du masc.) Forme du v. **mariner**. — (Du fém.) **Marinière**.

MARINIÈRE [maʀinjɛʀ] n. f. — 1532, *chausses à la marinière* « culotte large », du précédent.

♦ **1.** (1836). *À la marinière* : à la manière des pêcheurs, des marins.

Moules à la marinière, moules marinière, préparées avec une sauce au vin blanc et aux oignons.

♦ **2.** (1836, *nager à la marinière*). Nage sur le côté dans laquelle on allonge alternativement chaque bras. *Nager la marinière.*

♦ **3.** (1923). Blouse* sans ouverture sur le devant et qui descend un peu plus bas que la taille sans la serrer. *La marinière se porte pardessus la jupe.*

MARINISME [maʀinism] n. m. — 1866, Gautier; dér. de *Marini* écrivain italien du début du xviie siècle.

♦ Hist. littér. Préciosité* dans le style, caractérisée par l'abus des concetti, et mise à la mode au xviie siècle par Marini (cf. Gongorisme). ⇒ **Marinesque.** — Par ext. Affectation, style précieux. *Taxer un écrivain de marinisme et de gongorisme** (cit. 1).

1. MARINISTE [maʀinist] adj. et n. — Déb. xxe, *Nouveau Larousse illustré;* de *marinisme.*

♦ Didact. (hist. littér.). Relatif au marinisme*. — REM. *Marinesque,* adj. (1873; ital. *marinesco*) s'emploie au sens «relatif à G. Marino». Qui appartient à la tendance dite marinisme. *Écrivains marinistes.* — N. *Les marinistes.*

HOM. 2. **Mariniste.**

2. MARINISTE [maʀinist] n. — 1877, Littré. *Suppl.;* de 1. *marine* (3.).

♦ Peint. Rare. Peintre de marines.

HOM. 1. **Mariniste.**

MARIN-PÊCHEUR [maʀɛ̃pɛʃœʀ] n. m. — 1955, *Dictionnaire des Métiers;* de 2. *marin,* et *pêcheur.*

♦ Techn. Inscrit maritime qui pêche en mer à bord d'un navire. *Syndicat de marins-pêcheurs.*

MARIN-POMPIER [maʀɛ̃pɔ̃pje] n. m. — V. 1960; de 2. *marin,* et *pompier.*

♦ Marin embarqué à bord d'un bateau de lutte contre l'incendie.

MARIOL ou **MARIOLLE** [maʀjɔl] adj. et n. — 1726, *Cartouche ou le vice puni;* n. m., «filou», 1578; -*olle*, 1916; ital. *mariolo,* de l'expr. *far le Marie* «faire l'innocent, jouer les Marie»; les formes *mariolet, marjolet* incitent P. Guiraud à supposer un *mareolus «petit mâle», du lat. *mas, marem* «mâle».

♦ **1.** Fam. Malin, habile et rusé. *Il est mariol(le), celui-là! Tu n'es vraiment pas mariolle.*

1   *(Pour)* se planquer, se camoufler, il faut être mariol!
                                              HUGO, les Misérables, IV, VI, III.

1.1 Maintenant, ajoutait-il, ça s'rait pas mariolle de not' part de nous faire piger *(prendre).* A. FORTON, les Aventures des Pieds-Nickelés, *in* l'Épatant, 1909, p. 88.

N. (1878). Personnage habile, généralement prétentieux ou arrogant. *C'est un mariolle.* — *Faire le mariolle :* faire le malin, se vanter.

2   (...) quand les types de la haute sont tout battants neuf d'équipements, de cuirs et de quincaillerie, et font leurs mariolles avec leur attirail de tueurs de petites bêtes! H. BARBUSSE, le Feu, I. II.

3   (...) je ne veux pas faire le mariolle, mais je ne me trompais guère, après leur congrès de Bâle, quand j'ai écrit ce bouquin-là (...)
                                          MARTIN DU GARD, les Thibault, t. VII, p. 146.

4   — Je suis gendarme, tu entends, crapule! Et je te l'apprendrai si tu veux faire le mariolle! M. GENEVOIX, Raboliot, I, II.

♦ **2.** Fam., vieilli. Fou, stupide. ⇒ **Cinglé; barjot.**

5   — Alors tu veux que j'aille témoigner que j'étais à *La Vieilleuse* avec vous? Tu n'es pas un peu mariolle, ma pauvre fille? D'abord c'est le crime de faux témoignage, hein, simplement. Cinq ans de prison, peut-être plus.
                                    J. ROMAINS, les Hommes de bonne volonté, t. IX, X, p. 92.

MARIONNETTE [maʀjɔnɛt] n. f. — 1517, *maryonete;* dér. de *Marion,* dimin. de *Marie,* «statuette de la Vierge».

♦ **1.** Figurine, articulée ou non, représentant un être humain ou un animal, et actionnée à la main par une personne cachée, qui lui fait jouer un rôle muet ou parlant (→ Illusion cit. 2). *Marionnette à fils.* ⇒ **Fantoche.** *Marionnette à gaine.* ⇒ **Pupazzo** (ou *burattino*). *Marionnette à tige du théâtre d'ombres. Marionnettes sur bâtons* (⇒ **Marotte**). *Marionnettes à tringles* (siciliennes). *Marionnette ancienne de grande taille.* ⇒ **Guignol, bamboche** (vx). *Guignol et Polichinelle, personnages traditionnels des théâtres de marionnettes français.* ⇒ **Guignol** (cit. 1). *Marionnettes anglaises, belges, tchèques, siciliennes. Marionnettes japonaises du bunraku. Montreur de marionnettes.* ⇒ **Manipulateur, marionnettiste.** *Manipulations de marionnettes, en élévation* (marionnettes à gaine et à tige; marottes), *horizontales* (bunraku), *surplombantes* (marionnet-

tes à fils et à tringles). *Tirer les fils, les ficelles des marionnettes.* — Plur. *Spectacle de marionnettes. Aimer les marionnettes. Marionnettes filmées.*

1   Ainsi font, font, font,
    Les follettes
    Marionnettes
    Ainsi font, font, font,
    Trois p'tits tours et puis s'en vont.
                          Juste OLIVIER, Chansons lointaines, *in* GUERLAC.

2   Les marionnettes modernes (...) ont aussi une origine pieuse (...) Le nom même de marionnette dérive de Marie, par un diminutif mignard et caressant : Marie, Mariole, Mariotte, Marion, Marionnette. Comme la statuette de la Vierge (...) espèce de poupée de la dévotion enfantine des peuples croyants, se rencontrait à chaque coin de rue (...) elle était mêlée à presque toutes les représentations de mystères (...) Th. GAUTIER, Souvenirs de théâtre..., «Marionnettes».

3   *La marionnette à gaine,* celle que les Italiens appellent «burattino», n'a pas de corps. Sous une tête de bois sont fixés des vêtements vides dont les manches non coudées se terminent par des mains également de bois. Le joueur introduit la main dans ce sac (...) Il joue debout, élevant sa poupée à bout de bras (...) *La marionnette à fils,* que les Italiens appellent «fantoccino», est faite d'un tronc solide auquel se relient par des articulations, aussi souples que possible, une tête, des bras et des jambes, pourvus eux-mêmes d'articulations. Ces poupées sont suspendues soit par une tringle fixée au sommet de la tête, soit par des fils attachés aux épaules. D'autres fils commandent la tête, les coudes, les mains, le dos, les genoux et les pieds... Ces fils (...) se réunissent sur un ou plusieurs bâtonnets que le joueur tient à la main (...)
                  Gaston BATY, les Marionnettes, *in* Encycl. franç. (DE MONZIE), t. XVII, 26.15.

3.1 La marionnette occidentale elle aussi (c'est bien visible dans le Polichinelle) est un sous-produit fantasmatique : comme réduction, reflet grinçant dont l'appartenance à l'ordre humain est rappelée sans cesse par une simulation caricaturée, elle ne vit pas comme un corps total, totalement frémissant, mais comme une portion rigide de l'acteur dont elle est émanée, comme automate, elle est encore morceau de mouvement, saccade, secousse, essence de discontinu, projection décomposée des gestes du corps; enfin, comme poupée, réminiscence du bout de chiffon, du pansement génital, elle est bien la «petite chose» phallique («das Kleine»), tombée du corps pour devenir fétiche. R. BARTHES, l'Empire des signes, p. 180.

Spécialt, techn. *Marionnette,* opposé à *marotte :* marionnette à gaine, à fils, à tige ou à tringles.

♦ **2.** (1787). Par compar. ou fig. *Gesticuler comme une marionnette,* manifester dans ses gestes ou ses attitudes, l'exubérance, l'automatisme d'une marionnette.

4   Ce sont de drôles d'auberges que ces ministres. On y entre et on en sort sans savoir pourquoi; c'est une procession de marionnettes.
                                              A. DE MUSSET, Un caprice, VIII.

5   Ces monstres disloqués furent jadis des femmes (...)
    Ils trottent, tout pareils à des marionnettes (...)
                      BAUDELAIRE, les Fleurs du mal, "Tableaux parisiens", XCI.

6   Dès que nous oublions l'objet grave d'une solennité ou d'une cérémonie, ceux qui y prennent part nous font l'effet de s'y mouvoir comme des marionnettes.
                                              H. BERGSON, le Rire, p. 35.

7   Quand il parlait *(Teste),* il ne levait jamais un bras ni un doigt : il avait *tué la marionnette.* Il ne souriait pas, ne disait ni bonjour ni bonsoir (...)
                                      VALÉRY, Monsieur Teste, p. 19.

♦ **3.** (1738). Fig. Personne qu'on manœuvre à son gré, à laquelle on fait faire ce qu'on veut. ⇒ **Automate, girouette, guignol, pantin.** *Il est faible et influençable*, une vraie marionnette, on le mène par le bout du nez.*

8   (...) ils tirent chacun par le fil de ses passions ou de ses intérêts, et se jouent ainsi des hommes qui leur sont réellement supérieurs, en font des marionnettes et les croient petits pour les avoir rabaissés jusqu'à eux.
                          BALZAC, la Femme de trente ans, Pl., t. II, p. 705.

♦ **4.** (1836). Techn. Réunion de poulies tenues verticalement par deux traverses entre lesquelles elles peuvent pivoter.

DÉR. **Marionnettiste.**

MARIONNETTISTE [maʀjɔnetist] n. — 1852; de *marionnette.*

♦ Personne qui conçoit, qui organise ou qui anime un spectacle de marionnettes. ⇒ **Montreur** (de marionnettes); **manipulateur.** Spécialt. Personne qui anime matériellement des marionnettes.

(...) les marionnettes ne sont vues qu'à mi-corps, elles (...) sont mises en mouvement par la main du marionnettiste, cachée sous leurs jupes.
                              Th. GAUTIER, Souvenirs de théâtre..., «Marionnettes».

MARISQUE [maʀisk] n. f. — 1819; v. 1740, «petite tumeur d'origine vénérienne»; 1564, «variété de figue»; du lat. *marisca* «sorte de petite figue».

♦ **1.** Pathol. Petite tumeur molle, ridée, à l'anus (transformation fibreuse d'une hémorroïde).

♦ **2.** Figue (fruit).

MARISTE [maʀist] n. — 1816; de *Marie,* la Vierge.

♦ Membre de la congrégation religieuse de la Société de Marie. *Un, une mariste. Il a fait ses études chez les Maristes.* — Par appos. *Père, frère, sœur mariste.*

MARITAL, ALE, AUX [maʀital] adj. — Fin xvie; 1495, «conjugal»; empr. au lat. *maritalis,* de *maritus* «mari».

♦ **Dr.** Qui appartient au mari. *Puissance, autorité, autorisation maritale.* — **Littér.** Qui concerne le mari.

Parmi les présents de noces était une grosse poignée de verges que le futur envoyait à la future, pour l'avertir qu'à la première occasion elle devait s'attendre à une petite correction maritale (...) VOLTAIRE, Hist. de l'empire de Russie...

DÉR. Maritalement.

MARITALEMENT [maʀitalmɑ̃] adv. — 1694 ; de *marital*.

♦ **1. Vx.** À la manière d'un mari (s'emploie surtout avec le verbe *vivre*). *Homme qui vit maritalement avec une femme,* en concubinage*.

1 Quand Castanier lui vit mener la conduite la plus régulière et la plus vertueuse (...) il lui manifesta le désir de vivre avec elle maritalement.
BALZAC, Melmoth réconcilié, Pl., t. IX, p. 278.

♦ **2.** (1832, *in* D. D. L.). **Mod. Par ext.** Comme mari et femme. ⇒ **Conjugalement.** *Ils vécurent ensemble maritalement pendant plusieurs années.*

2 Je viens d'entendre dire que vous êtes la maîtresse de monsieur Étienne Lousteau, que vous vivez ensemble maritalement !... Vous avez rompu pour toujours avec la Société (...) BALZAC, la Muse du département, Pl., t. IV, p. 173.

MARITIME [maʀitim] adj. — 1336 ; aussi *maritin, maritain* au XVIᵉ ; empr. au lat. *maritimus,* de *mar* «mer».

Qui a rapport à la mer. ⇒ 1. **Marin.**

♦ **1.** Qui est au bord de la mer, concerne le bord de mer, subit l'influence de la mer. *Ville, cité maritime* (→ Galiote, cit. ; gloire, cit. 53). *Ports maritimes et ports fluviaux. Gare* maritime. Épaves* (cit. 4) *maritimes. Plante, pin* maritime. Climat maritime.* — **Par ext.** *Canal* maritime.*

Au Canada, *les Provinces maritimes ;* ellipt *les Maritimes* (n. f. pl.).

♦ **2.** (1690). Qui se fait sur mer, par mer. *Navigation maritime. Commerce, trafic maritime* (→ Ferry-boat, cit.).

1 (...) les Perses n'étaient pas navigateurs, et leur religion même leur ôtait toute idée de commerce maritime. MONTESQUIEU, l'Esprit des lois, XXI, VIII.

Qui est adonné à la navigation* sur mer, qui a une marine importante. *Les grandes puissances maritimes* (→ Conférence, cit. 2).

2 (...) tous les grands empires ont commencé par des hameaux, et les puissances maritimes par des barques de pêcheurs.
VOLTAIRE, Essai sur les mœurs, CLXIV.

♦ **3.** (1690). Qui concerne la marine*, la navigation, les navires. ⇒ **Naval.** *Forces maritimes. Chantier maritime. Aviation maritime* (→ Baser, cit. 3). *Génie* maritime. Inscription*, inscrit* maritime. Garde* maritime. Travailleur maritime. Préfet*, préfecture maritime. Congé* maritime ou de navigation. Assurance, crédit maritime. Droit maritime. Code maritime.*

3 (...) les Athéniens obtinrent le véritable empire de la mer, parce que cette nation commerçante et victorieuse (...) abattit les forces maritimes de la Syrie, de l'île de Chypre et de la Phénicie. MONTESQUIEU, l'Esprit des lois, XXI, VII.

N. (XXᵉ). *Les maritimes :* les «personnes s'occupant de près ou de loin de la marine, et en particulier de la Marine marchande : armateurs, courtiers, assureurs, hommes de loi, journalistes, etc.» (Gruss).

COMP. Aéromaritime.

MARITORNE [maʀitɔʀn] n. f. — 1798 ; 1642, *malitorne ;* nom d'une servante repoussante dans le «Don Quichotte» de Cervantes.

♦ Femme mal faite, laide, malpropre et désagréable. Servante peu soignée. ⇒ **Souillon.** *Des maritornes aux mains calleuses* (cit. 2).

1 Ne craignez rien, ma petite... Vous seriez faite comme une maritorne que je gagerais sur votre succès. Au lieu de quoi... vous êtes jeune, vous êtes jolie, et riche. J. GREEN, Adrienne Mesurat, I, XIII.

2 Je prenais de hâtifs et rebutants repas à un demi-lieue de là, dans une auberge aux murs de calcaire rose, mangeant de filandreuses viandes roses, un pain rosi par l'ergot, buvant une bière rosée comme un petit vin d'épicerie et servi par une maritorne aux joues, aux lèvres, aux mains roses, roses, roses.
Jean RAY, les Derniers Contes de Canterbury, p. 120-121.

MARIVAUDAGE [maʀivodaʒ] n. m. — 1760, Diderot ; de *Marivaux,* écrivain français du XVIIIᵉ siècle.

♦ **1. Hist. littér.** Préciosité*, recherche dans le langage et le style, et, spécialt, dans la stratégie des rapports sentimentaux (comme dans les pièces de Marivaux).

1 Sans doute le mot de *marivaudage* s'est fixé dans la langue à titre de défaut : qui dit *marivaudage* dit plus ou moins badinage à froid, espièglerie compassée et prolongée, pétillement redoublé et prétentieux, enfin une sorte de pédantisme sémillant et joli ; mais l'homme, considéré dans l'ensemble, vaut mieux que la définition à laquelle il a fourni occasion et sujet.
SAINTE-BEUVE, Causeries du lundi, 23 janv. 1854.

2 (Parler amoureusement (...) c'est dépenser sans terme, sans crise ; c'est pratiquer un rapport sans orgasme. Il existe peut-être une forme littéraire de ce *coïtus reservatus* : c'est le marivaudage.)
R. BARTHES, Fragments d'un discours amoureux, p. 87.

♦ **2. Cour.** Propos, manège de galanterie délicate et recherchée. ⇒ **Badinage.** *Il n'y a eu entre eux que du marivaudage. Marivaudage sentimental* (→ Hésitation, cit. 1).

MARIVAUDER [maʀivode] v. intr. — 1760, Diderot ; même étym. que le précédent.

♦ **1. Littér. Vx.** Écrire à la manière de Marivaux.

Par ext. (Vieilli). Écrire avec affectation, préciosité, recherche.

♦ **2.** Tenir, échanger des propos d'une galanterie délicate et recherchée. ⇒ **Badiner, coqueter.** *Ils marivaudaient à l'écart des invités. Il aime à marivauder.*

— Je sommes iroquoise, dit-elle, et je m'en flattons.
— Il y a de quoi.
— C'est de l'ironie ?
— Non, non. Ne mettez pas d'ire au quoi.
— Je vous avons réveillé ?
— Je mentirais en disant que non.
— Alors vous m'en voulez ?
— Ma mie, ne marivaudez point (...) R. QUENEAU, les Fleurs bleues, p. 38.

MARJO [maʀʒo] adj. et n. — V. 1970 ; de *marginal* (II.).

♦ **Fam.** Marginal. «(Un) *jeune reporter photographe aventureux et un peu "marjo"*» (*le Nouvel Obs.,* 30 janv. 1978, p. 11). *Des marjos.*

MARJOLAINE [maʀʒolɛn] n. f. — XVIᵉ ; *mariolaine,* XIVᵉ ; orig. incert., p.-ê. d'un lat. médiéval *maiorana.*

♦ Plante aromatique *(Labiacées),* utilisée comme aromate, comme assaisonnement et en infusion. ⇒ **Origan.** *La marjolaine a des propriétés stimulantes. Les Elfes, couronnés* (cit. 18) *de thym et de marjolaine.* «*Les abeilles pillotent thym et marjolaine*» (→ Emprunter, cit. 6). — «*Qui est-ce qui passe ici si tard, Compagnons de la marjolaine ?*» (Chanson ancienne) — *Compagnons de la marjolaine,* se disait plaisamment en parlant d'une bande de joyeux drilles.

(...) des plats véhéments, assaisonnés à la marjolaine et au macis, à la coriandre et à la sauge, à la pivoine et au romarin (...) HUYSMANS, Là-bas, VIII.

MARK [maʀk] n. m. — 1873 ; mot all., de l'anc. francique **marka.* → 1. Marc.

♦ **1. Anciennt.** Unité monétaire des pays germaniques.

♦ **2. Mod.** Unité monétaire allemande qui vaut cent pfennigs* (nom off. *deutsche mark ; DM*). *Des milliards de marks* (→ Geler, cit. 23).

1923 : la misère, en Allemagne, touche son fond. L'économie en pleine faillite, le mark s'effondre : en janvier il faut 18 000 marks pour un dollar, il en faut 8 millions en novembre. Raymond ABELLIO, les Militants, p. 120.

♦ **3.** Unité monétaire de la Finlande.

HOM. 1. **Marque,** 2. **marque.** — Formes du v. **marquer.**

MARKETING [maʀkɛtiŋ] n. m. — 1944 ; mot angl. dans *marketing* (ou *market*) *research* «études de distribution» ; de *market* «marché».

♦ **Anglic.** (Écon.). Technique et méthodes de stratégie commerciale, prenant en compte l'évaluation des intentions et des besoins de la clientèle, la composition du marché, la définition des produits, les techniques de publicité, de promotion des ventes et de distribution. ⇒ **Marché** (*infra* cit. 31).

REM. Cet anglicisme, mal adapté en français par *études, technique, science des marchés,* est employé dans les milieux du commerce, de l'industrie : «*Congrès du Marketing et de la Distribution*» (Paris, juin 1967). Il peut être remplacé par plusieurs termes analysant le concept. ⇒ **Marchéage, mercatique ; marchandisage.** — *Techniques de marketing.* ⇒ **Marché** (études de), **motivation** (études de), **promotion** (des ventes), **publicité, sondage.** *Directeur du marketing. Plan de marketing.*

Contrairement à un préjugé fort répandu, la prospective ne peut pas être considérée, au niveau de l'entreprise, comme un service auxiliaire du marketing, et, au niveau de l'État, comme un service auxiliaire de la planification.
Roger GARAUDY, Parole d'homme, p. 166.

Par appos. *L'esprit marketing.*

MARKOVIEN, IENNE [maʀkɔvjɛ̃, jɛn] adj. — De *Markov,* mathématicien russe (1856-1922).

♦ **Didact.** Relatif aux processus dits *chaînes de Markov,* décrivant les probabilités d'évolution d'un système à chaque moment d'une suite d'états discrets.

Étant donné un diagramme d'états, on produit une phrase en traçant un chemin allant du point initial à gauche au point final à droite (...) Chaque nœud du diagramme correspond à un état de la machine. On peut admettre diverses sortes de transitions d'un état à un autre (...) Ce modèle, dit aussi «modèle de Markov» ou «processus markovien», est le plus simple qu'on puisse concevoir d'un mécanisme fini capable d'engendrer un ensemble infini de phrases.
Nicolas RUWET, Introd. à la grammaire générative, p. 92-93.

MARLE [maʀl] adj. et n. m. — 1884 ; de *marlou**, argot, ou, selon P. Guiraud, var. de *masle*, lat. *masculus*.

♦ Argot ou pop. Malin, rusé. *Il est marle.* — (Choses). *C'est pas marle, ce qu'il a fait.*

Elle ajouta, faisant allusion à certaines histoires qu'elle paraissait ne pas ignorer :
— Je sais ce que je sais. Les plus marles sont souvent de la grande Taule.
Francis CARCO, Jésus-la-Caille, I, I, p. 15.

(...) il vient à l'idée des plus marles de me remplacer. Ils grimpent sur l'estrade (...)
R. QUENEAU, Pierrot mon ami, p. 96.

N. m. *Un marle :* un « dur ». « *Les costauds de l'atelier, les marles...* » (P. Hamp).

(...) oui, j'ai beau chercher, je ne trouve rien par où je puisse la chopper, ces Chefs-là étaient de petits marles, chapeau, et c'est encore moi qui ai baissé mon froc, après l'échec de noël !
A. SARRAZIN, la Cavale, p. 343.

MARLI [maʀli] n. m. — 1698, *plat à la Marly ; marlie*, 1765 ; de *Marly* ou de *merles*, drap *merlé, meslé*.

♦ **1.** Vx. Gaze utilisée pour la confection des colifichets (on écrit aussi *marly*).

♦ **2.** Techn. Bord intérieur d'un plat, d'une assiette.

Il n'y a qu'en ce pays soleilleux qu'une table lourde, un siège de paille, une jarre coiffée de fleurs, et un plat au marli noyé d'émail composent un mobilier.
COLETTE, la Naissance du jour, p. 107.

MARLOU [maʀlu] n. m. — 1829 ; 1821 au sens de « méfiant, malin » ; vers 1828, « filou, fainéant » ; de *marlou* « matou », dial. du Nord, du rad. *marn-* (marmonner), p.-ê. croisé avec un dér. de *masle* « mâle ».

♦ Pop. Souteneur. ⇒ **Maquereau, marle ;** → Marmite, cit. 3.1.

La galette que je gagne, c'est pour moi, c'est pas pour les marlous.
GORON, l'Amour à Paris, t. III, p. 1486.

Les professionnels, hommes et femmes, de la prostitution, ne craignaient point d'afficher leur état. Être un jeune marlou constituait un idéal suffisant pour que ceux qui en poursuivaient la réalisation n'hésitassent point à se parer d'un uniforme spécial qui les distinguait de la foule.
P. MAC ORLAN, Quai des brumes, XI.

MARMAILLE [maʀmaj] n. f. — 1611 ; 1560, « gosse » ; de *marmot*, et suff. *-aille*.

♦ Fam. Groupe nombreux, de jeunes enfants, souvent bruyants, exubérants... *Mères causant entre elles et surveillant la marmaille* (→ Incessant, cit. 2).

(...) toute la marmaille grouillait du matin au soir.
MAUPASSANT, les Contes de la Bécasse, « Aux champs ».

Toute la marmaille bigarrée des rues voisines gambadait autour, en piaillant.
MARTIN DU GARD, les Thibault, t. IV, p. 162.

On traversait les cabanes des Italiens, les plus pauvres, et le bruit de ferraille qu'on faisait à passer réveillait la marmaille sans langes derrière les palissades de fortune.
ARAGON, les Beaux Quartiers, I, XII.

MARMELADE [maʀməlad] n. f. — 1610 ; 1573, *mermelade ;* du port. *marmelada* « confiture de coing *(marmelo)* » ; du lat. *melimelum*, mot grec.

♦ **1.** Préparation de fruits écrasés en bouillie et cuits avec du sucre, du sirop... ⇒ **Compote.** — REM. *Confiture* ne se dit proprement que des fruits entiers ou coupés, mais non écrasés. Cependant, en français courant, *confiture* s'emploie dans tous les cas. — *Marmelade fraîche, en conserve. Marmelade de coings* (⇒ **Cotignac**), *de pommes**... ⇒ **Charlotte, chausson.** *Préparer une marmelade, manger de la marmelade.* — (Angl. *marmelade*, du franç.). *Marmelade d'orange.* ⇒ **Confiture.**

(...) il faudra que j'achète dans une maison anglaise un de ces pots de marmelade à l'orange si délicieusement sures *(sic)* ...
HUYSMANS, Là-bas, p. 57.

♦ **2.** Par anal. (1690). EN MARMELADE, se dit d'un aliment trop cuit et réduit en bouillie*. *Viande en marmelade.* — Par ext. Fam. ⇒ **Capilotade.** *Une ruade lui a mis la mâchoire en marmelade*, la lui a fracassée. ⇒ **Fracasser, meurtrir.** *Le boxeur avait le nez en marmelade. Il a retrouvé sa voiture en marmelade.*

♦ **3.** (1932). Fig., fam. Gâchis, mélange informe. *Il a tout mêlé dans son rapport, une vraie marmelade. Être dans la marmelade*, dans l'embarras*, en mauvaise posture* (→ Dans la panade, la purée...). *Il l'a mis dans la marmelade jusqu'au cou.*

Bref, le gâchis complet, le grabuge, le mastic, la marmelade (...)
G. DUHAMEL, Salavin, V, X.

MARMENTEAU [maʀmɑ̃to] adj. m. — 1508 ; 1501, *marmentau ;* de l'anc. franç. *merrement*, d'un lat pop. **materiamentum* « bois de construction » (→ Merrain), de *materia* « Matière »).

♦ Eaux et Forêts. Se dit d'un bois de haute futaie qu'on ne coupe pas et qui sert à la décoration d'un domaine. *Bois de grume* (cit. 1, 2 et 3) *et bois marmenteau* (ou *de marmenteau*). — N. m. (1636). *Les marmenteaux.*

MARMITAGE [maʀmitaʒ] n. m. — V. 1915 ; de *marmiter*.

♦ Vieilli. Bombardement d'artillerie. ⇒ **Pilonnage.**

D'autres explosions. Peu nombreuses. Ce n'était pas même un tir de barrage. Notre escadre avança plus vite, sans donner encore sa plus grande vitesse. A quoi pouvait servir ce marmitage dispersé ? Les Allemands avaient-ils peu d'artillerie ?
MALRAUX, Antimémoires, Folio, p. 316.

MARMITE [maʀmit] n. f. — 1313 ; anc. franç. *marmite* « hypocrite », à cause du contenu caché du récipient, du rad. *marm-* (→ Marmonner), et *mite* « chatte ».

★ **I.** ♦ **1.** Récipient* muni d'un couvercle et généralement d'anses (ou oreilles), dans lequel on fait bouillir l'eau, cuire*, dans un bouillon, des aliments. ⇒ **Pot** (pot-au-feu). *Marmite à pieds, sans pieds. Le couvercle, le corps, les pieds d'une marmite. Marmite en terre* (⇒ **Caquelon, huguenote**), *en acier inoxydable, en cuivre, en fer battu, en fonte. Le fait-tout, marmite basse. Marmite pleine de pommes de terre* (→ Crémaillère, cit.), *où cuit un ragoût* (→ Excitant, cit. 1). *On était là autour de la marmite, l'assiette tendue...* (→ Bouillabaisse, cit. 2). — Spécialt. *Marmite de campement*, en usage dans l'armée.

La flamme faisait bruire une marmite de fer accrochée à la crémaillère. 1
HUGO, les Misérables, I, II, I.

(...) le mousse descendait tout ruisselant de paquets de mer, dans son ciré et ses 2
bottes, tenant par les oreilles la marmite dont le couvercle était solidement amarré, car le fricot en voyait de rudes dans le trajet de la cuisine aux postes.
Roger VERCEL, la Clandestine, p. 58-59.

(1871, → cit. 2.1). *Marmite norvégienne :* récipient à parois et couvercle matelassés, destiné à conserver chaud un récipient intérieur qu'on y introduit. — *Marmite autoclave**, à cuisson sous pression (dite cocotte* minute).

Vous ne connaissez peut-être pas, lecteur, la marmite norvégienne, c'est-à-dire la 2.1
manière de cuire la viande presque sans feu.
L. FIGUIER, in l'Année scientifique et industrielle 1872, p. 185 (1871).

♦ **2.** Par métonymie. Contenu d'une marmite. ⇒ **Marmitée.** *Une marmite de bouillon, de pot-au-feu. La marmite bouillonne* (→ Fourneau, cit. 5). — Par métaphore. « *La tête lui bouillait comme une marmite* » (Balzac, *César Birotteau*, Œ., t. V, p. 350). — (1694). *Écumer la marmite :* enlever l'écume du bouillon. — Fig. Vieilli. Manger pour rien. *Écumeur de marmite :* parasite, pique-assiette.

(1622). Loc. fig. (*La marmite*, symbole de la subsistance). *Faire bouillir* la marmite.

♦ **3.** Argot. Vieilli. Prostituée qui fait vivre un souteneur.

C'était (...) un garçon cocasse (...) vous racontant le plus naïvement du monde la 3
façon dont il activait à coups de souliers le travail de ses marmites.
HUYSMANS, Sac au dos, p. 208.

Le jour de son arrivée au régiment Garnéro s'était rendu célèbre (...) avec tout 3.1
un troupeau de filles, des radeuses et des marmites de La Fourche, où ce jeune marlou tenait ses ébats, parmi lesquelles sa poule.
B. CENDRARS, la Main coupée, Œ. compl., t. X, p. 89.

♦ **4.** Loc. fig. *Trouver couvercle à sa marmite.* ⇒ **Marier** (se). — (1609). *Nez en pied de marmite*, large du bas et retroussé.

Mais à la seule vue de mon nez en pied de marmite, qui frémissait de joie et 4
d'orgueil, Brioux devina que j'avais fait une trouvaille.
FRANCE, le Crime de S. Bonnard, Œ., t. II, II, II, p. 351.

★ **II.** Par anal. ♦ **1.** (1788). Techn. *Marmite de Papin :* « dispositif permettant d'employer la pression de la vapeur d'eau au déplacement d'un piston dans un cyclindre » (R. Massain, *Physique et Physiciens*, p. 231). *La marmite de Papin, machine* à vapeur primitive.* — REM. Au XVIIIe s., on désigne par *marmite de Papin* le digesteur*, véritable marmite autoclave (selon Littré).

♦ **2.** (1868). Géol. *Marmite de géants :* cuvette creusée par l'érosion tourbillonnaire de blocs de roches dures, érosion due à l'action des graviers et des galets au pied des cascades, dans les rapides.

Dans les grandes ruptures de pente, au pied des cascades et dans les rapides, les 5
tourbillons creusent des cuvettes cylindriques ou coniques, les *marmites de géants*, sur les parois desquelles on peut observer les traces de l'usure exercée par le sable et par les galets sous la forme de rainures hélicoïdales.
Émile HAUG, Traité de géologie, t. I, p. 407.

♦ **3.** Argot milit. (1914-1918 ; sens déjà apparu en 1637, puis en 1745 et 1855, d'après Bloch). Obus de gros calibre.

♦ **4.** Fam., vieilli. Pot d'échappement (d'une automobile).

DÉR. **Marmitée, marmiter, marmiton.**
HOM. Formes du v. **marmiter.**

MARMITÉE [marmite] n. f. — 1590, puis xixᵉ; de *marmite*.

♦ Vx ou plais. Contenu d'une marmite. *Une pleine marmitée de soupe.* ⇒ **Marmite** (I., 2.).

HOM. Formes du v. **marmiter.**

MARMITER [marmite] v. tr. — V. 1894, Sachs-Villatte; de *marmite*, II. 3.

♦ Vieilli. ⇒ **Bombarder.**

(...) jamais les Allemands ne tirent par ici. Ils marmitent tout, détruisent le village, toit par toit, mais jamais un obus sur la ferme.
R. DORGELÈS, les Croix de bois, VI.

DÉR. **Marmitage.**
HOM. V. **Marmite, marmitée, marmiton.**

MARMITEUX, EUSE [marmitø, øz] adj. — 1690; v. 1190, «soucieux, malheureux»; de l'anc. loc. *faire le marmite* «l'hypocrite», du rad. *marm-* (→ Marmonner), et *mite* «chatte».

♦ Vx ou littér. (archaïsme plais.). Chétif, mal en point, misérable. ⇒ **Pauvre, piteux.** *« Tous les marmiteux, les calamiteux... »* (Georges Brassens).

1 Je vois avec dépit en plusieurs ménages monsieur revenir maussade et tout marmiteux du tracas des affaires, environ midi, que madame est encore après à se coiffer et attifer (...) MONTAIGNE, Essais, III, IX.

2 Et de nouveau les «Meussieu», les «Meussieu je vous dis», les «Mais, Meussieu», voltigèrent d'un bout à l'autre du compartiment, artillerie brenneuse et polie, boulets miteux et marmiteux que le lecteur de La Croix gobait au passage comme des œufs pourris. R. QUENEAU, le Chiendent, p. 18.

N. *Un marmiteux, une marmiteuse.*

MARMITON [marmitɔ̃] n. m. — 1523; de *marmite*.

♦ Jeune aide de cuisine. ⇒ **Valet** (de cuisine; vx); **casserolier, cuisinier** (aide-cuisinier), **fouille-au-pot** (vx), **gâte-sauce, tournebroche.** → Galopin, cit. 1. *Le gamin* (cit. 1) *cuisinier s'appelle marmiton.*

1 Un valet le portait *(un jambon),* marchant à pas comptés (...)
Deux marmitons crasseux, revêtus de serviettes,
Lui servaient de massiers et portaient deux assiettes (...) BOILEAU, Satires, III.

2 (...) Quenu (...) reprenait son tablier, sa veste blanche et son bonnet blanc de marmiton, tournant autour du poêle, s'amusant à quelque friandise cuite au four.
ZOLA, le Ventre de Paris, t. I, II, p. 67.

HOM. Forme du v. **marmiter.**

MARMONNAGE [marmɔnaʒ] n. m. — Mil. xxᵉ; de *marmonner*.

♦ Syn. de *marmonnement.*

C'est vrai que la voiture la nuit, le carrousel des arbres, l'avalement régulier de la bande jaune par le phare avant gauche favorisent l'éclosion du marmonnage pseudo-psychologique. A. SARRAZIN, la Traversière, p. 250.

MARMONNEMENT [marmɔnmã] n. m. — 1582; de *marmonner*.

♦ Action de marmonner; murmure sourd, indistinct.

MARMONNER [marmɔne] v. tr. — 1534, Rabelais, I, XL; repris déb. xxᵉ; onomat., ou du rad. *marm-*, à rapprocher selon Guiraud de l'anc. adj. *merme* «petit», du v. *mermer* «diminuer», du lat. *minimare* (idée du mouvement des lèvres «diminué») → Marmot, marmotte; marmotter.
REM. Ce verbe, qui semble inusité aux xviiᵉ et xviiiᵉ s., est encore qualifié de vieilli par Hatzfeld (fin xixᵉ).

♦ 1. Dire, murmurer* entre ses dents, d'une façon confuse. ⇒ **Bredouiller, mâchonner, marmotter.** *Le vieillard marmonnait des choses inintelligibles* (cit. 4).

1 Il se tut, mais ses lèvres remuaient comme s'il eût marmonné une prière (...)
MARTIN DU GARD, les Thibault, t. IV, p. 164.

2 Il regardait de tous les côtés, tournait sur lui-même, tentait de percer le noir du couloir, marmonnait des mots sans suite et recommençait à fouiller la rue de ses petits yeux rouges. CAMUS, l'Étranger, I, IV.

♦ 2. Spécialt. Murmurer avec hostilité. *Marmonner des injures, des menaces.* — Absolt. *Qu'est-ce qu'il a à marmonner?*

3 Mécontent, nerveux, s'en prenant aux rafales qui le harcelaient, il marmonna un juron et ferma rageusement son parapluie.
MARTIN DU GARD, les Thibault, t. IV, p. 78.

4 Elle marmonna, la tête cachée dans son bras, une phrase que Thérèse entendit mal. — Ose répéter ce que tu viens de dire.
F. MAURIAC, Fin de la nuit, III, p. 69.

DÉR. **Marmonnage, marmonnement.**

MARMOR-, MARMORI- Premier élément de mots sav., tiré du lat. *marmor* «marbre» (ex. : *marmoriforme,* adj.; 1868, Littré).

MARMORÉEN, ÉENNE [marmɔreɛ̃, eɛn] adj. — 1837, Gautier, au sens 2; dér. sav. du lat. *marmoreus,* de *marmor.* → Marbre.

♦ 1. (1840). Qui a la nature, l'apparence du marbre. *Calcaires marmoréens; roches marmoréennes.*

♦ 2. Fig., littér. Qui a la blancheur, l'éclat, la froideur du marbre. *Épaules marmoréennes. Beauté marmoréenne.*

(...) l'éclat marmoréen de sa chair souple et polie.
Th. GAUTIER, Fortunio, XVI.

(...) la couleur disparut de la joue et de la paupière, laissant une pâleur plus que marmoréenne (...)
BAUDELAIRE, Trad. E. POE, Histoires extraordinaires, « Ligeia ».

La réaction contre les formes dures, arrêtées, métalliques ou marmoréennes de la poésie parnassienne (...) Gustave LANSON, Hist. de la littérature franç., IV, I, 3.

Visage marmoréen, d'une immobilité, d'une froideur marmoréenne. ⇒ 1. **Froid, glacial.**

C'était *(Javert)* le devoir implacable, la police comprise comme les Spartiates comprenaient Sparte, un guet impitoyable, une honnêteté farouche, un mouchard marmoréen, Brutus dans Vidocq. HUGO, les Misérables, I, V, V.

Figure immobile, marmoréenne, excepté dans les moments rares où paraît le sourire (...) LOTI, Mon frère Yves, III.

Var. vieillie : *marmorin, ine* (Balzac, *Séraphîta,* Œ., t. X, p. 471).

MARMORISATION [marmɔrizasjɔ̃] n. f. — 1845; de *marmoriser*.

♦ 1. Géol. Transformation d'un calcaire en marbre.

♦ 2. Pathol. Condensation anormale des os qui prennent la consistance du marbre.

MARMORISER [marmɔrize] v. tr. — 1845, Bescherelle; 1584, «éterniser»; dér. sav. du lat. *marmor* «marbre».

♦ Géol. Transformer en marbre, par une action naturelle. — P. p. *Calcaire marmorisé.*

DÉR. **Marmorisation.**

MARMOT [marmo] n. m. — 1493, «singe», et de là «figurine grotesque» (1548); semble tiré du v. *marmotter* «marmonner» (attesté plus tard) «à cause des mouvements continuels que les singes font avec leurs babines» (Bloch), ou de *mermer, marmer* «raccourcir», du lat. *mīnimare,* à cause du «museau raccourci, camus, de l'animal» (P. Guiraud). → Marmotte. Cf. Rabelais, IV, XV.

♦ 1. Vx. Petite figure grotesque ornementale (servant de heurtoir, etc.). ⇒ **Marmouset.**

♦ 2. (1668; «enfant», 1640). Fam. Petit garçon. ⇒ **Enfant** (cit. 25), **marmouset** (vx). *Un vilain, un gros marmot. Autorité d'une nourrice sur son marmot* (→ Gouverner, cit. 9). — Au plur. Enfants, sans distinction de sexe. ⇒ **Marmaille.** — REM. Le fém. *marmotte* est inusité au sens de petite fille; on dira : *ce gros marmot est une fille.*

1 (...) un *(sic)* idole d'époux et des marmots d'enfants!
MOLIÈRE, les Femmes savantes, I, 1.

2 Il n'est marmot osant crier
Que du loup aussitôt sa mère ne menace. LA FONTAINE, Fables, X, 5.

3 J'ai grand'peur qu'une femme de trente ans, qui ne sait pas encore ce que c'est d'être mère, n'apprenne avec peine à babiller et à raisonner avec des marmots.
G. SAND, la Mare au diable, IX.

4 Quand il passait dans un village, les marmots déguenillés couraient joyeusement après lui et l'entouraient comme une nuée de moucherons.
HUGO, les Misérables, I, V, III.

♦ 3. Loc. fig. (1690). *Croquer** (cit. 5) *le marmot.*

5 On dit (...) qu'un homme a été longtemps à croquer le marmot, pour dire qu'on l'a laissé longtemps à attendre au bas des degrés, dans un vestibule. Ce proverbe vient apparemment des compagnons Peintres, qui, quand ils attendent quelqu'un, se désennuient à tracer sur les murailles quelques marmots ou traits grossiers de quelque figure (...) FURETIÈRE, Dict., art. Croquer.

N. B. Cette explication est abandonnée de nos jours.

6 L'expression *croquer le marmot* fait allusion, dit-on, à l'usage féodal d'après lequel le vassal qui allait rendre hommage à son seigneur devait, en l'absence de celui-ci, réciter à sa porte, comme il l'eût fait en sa présence, les formules de l'hommage, et baiser à plusieurs reprises le verrou, la serrure ou le heurtoir appelé *marmot,* à cause de la figure grotesque qui y était ordinairement représentée (...) en baisant ce marmot, il avait l'air de vouloir le croquer, le dévorer. Les Italiens disent dans le même sens, *mangiare i catucacci,* manger les cadenas ou les verrous.
BESCHERELLE, Dict., art. Marmot.

MARMOTTAGE [marmɔtaʒ] n. m. — Déb. xviiiᵉ, Saint-Simon; de *marmotter*.

♦ Action de marmotter (⇒ **Marmottement**). *Paroles marmottées.*

MARMOTTANT, ANTE [marmɔtã, ãt] adj. — Av. 1896; p. prés. de *marmotter*.

♦ Qui marmotte, qui parle entre ses dents. *« La duègne toujours marmottante, toujours geignante... »* (Goncourt).

MARMOTTE [marmɔt] n. f. — V. 1200; orig. incert.; rapport possible avec *marmotter* ou, comme pour *marmot,* allus. au «nez aplati» de l'animal (P. Guiraud).

♦ **1.** Mammifère rongeur hibernant *(Marmotidés),* au corps ramassé, au pelage fourni. *Sommeil hibernal* (cit.) *de la marmotte. La marmotte est sujette à s'engourdir* (cit. 6) *par le froid. Hibernation des marmottes* (→ Hiberner, cit. 1).

1 (...) un petit Savoyard d'une dizaine d'années qui chantait, sa vielle au flanc et sa boîte à marmotte sur le dos.   HUGO, les Misérables, I, II, XIII.

Loc. fig. *Dormir* comme une marmotte :* dormir beaucoup, profondément.

Fourrure* de marmotte. ⇒ **Murmel.** — *Par ext. Manteau de marmotte.*

♦ **2.** Au XVIIIᵉ siècle, Savoyard ou Savoyarde qui montrait des marmottes, jouait de la vielle.

2 Au dessert, deux marmottes s'approchèrent de notre table avec leurs vielles (...) On les fit boire, on les fit jaser, on les fit jouer.
DIDEROT, Jacques le fataliste, Pl., p. 724.

♦ **3.** (1827). *Anciennt.* Coiffure ancienne de femme, fichu enveloppant la tête. *(Cette coiffure ayant été au XVIIIᵉ siècle, suppose-t-on, celle des petites Savoyardes montreuses de marmottes — ou d'après sa forme, «diminuée des bords»; P. Guiraud y voit le rad. de* marmot, *lat.* minimare*).*

♦ **4.** (Le mot est attesté dès 1823 au sens de «boîte de facteur» et en 1859 au sens moderne; peut-être par allus. à la «boîte à marmotte» des Savoyards). *Marmotte de voyage,* et, *absolt, marmotte,* sorte de malle* formée de deux parties qui s'emboîtent l'une dans l'autre. *Marmotte de commis voyageur* :* boîte à échantillons.

3 Bon. Comme ça, je n'ai plus qu'à signer (...) Mais vous me livrerez le tout dans quatre jours (...) Sans faute!... Pas comme la dernière fois, hein?
Il rit. L'autre rit aussi en refermant sa marmotte d'échantillons (...)
H. TROYAT, le Vivier, p. 70.

♦ **5.** Prune, fruit du marmottier.

DÉR. Marmottier.
HOM. Formes du v. **marmotter.**

MARMOTTEMENT [maʀmɔtmɑ̃] n. m. — 1585; de *marmotter.*

♦ Mouvement de lèvres, murmure d'une personne qui semble marmotter qqch. ⇒ **Marmonnement, marmottage.**

Ses lèvres font ce sourd et long marmottement,
Dernier signe de vie et premier d'agonie (...)
VERLAINE, Poèmes saturniens, Caprices, « Mort de Philippe II ».

MARMOTTER [maʀmɔte] v. tr. — V. 1480; var. de *marmonner,* mot abandonné à l'époque classique.

♦ Dire confusément, en parlant entre ses dents. ⇒ **Barboter** (vx), **bredouiller, mâchonner, marmonner, murmurer.** *De pieuses personnes marmottaient des prières* (→ Chapelet, cit. 2). *Le prêtre marmottait du latin* (→ Galop, cit. 8).

1 Il marmotte toujours certaines patenôtres
Où je ne comprends rien (...)   RACINE, les Plaideurs, I, 1.
2 Cette ardeur d'apprendre devint une manie qui me rendait comme hébété, tout occupé que j'étais sans cesse à marmotter quelque chose entre mes dents.
ROUSSEAU, les Confessions, VI.

Absolt. Parler faiblement, indistinctement; parler à voix basse, tout seul (→ Besoin, cit. 64; caqueter, cit. 1; dent, cit. 23; exclamer, cit. 2).

3 (...) les rabbins, en robes et en lunettes, baisaient leurs talmuds, marmottant, nasillonnant, crachant ou se mouchant (...)
Aloysius BERTRAND, Gaspard de la nuit, « Fantaisies », IV.

DÉR. Marmottage, marmottant, marmottement, marmotteur.
HOM. V. **Marmotte, marmottier.**

MARMOTTEUR, EUSE [maʀmɔtœʀ, ɸz] n. et adj. — 1605; de *marmotter.*

♦ Rare. Qui a l'habitude de marmotter. *Une vieille marmotteuse. Un marmotteur de patenôtres.*

MARMOTTIER [maʀmɔtje] n. m. — 1867; de *huile de marmotte* (1835), nom donné à l'huile tirée de son amande.

♦ Régional. Prunier de Besançon.

HOM. Forme du v. **marmotter.**

MARMOUSET [maʀmuzɛ] n. m. — XIIIᵉ, au sens 1 : *«rue des Marmousets»,* à Paris; même rac. que *marmot,* de l'anc. adj. *marme, merme* «petit», et suff. *-ōsus,* selon P. Guiraud. → Marmot, marmotte.

♦ **1.** Figurine grotesque ou bizarre. ⇒ **Marmot** (1.). *Marmouset de bois sculpté.* — *Spécialt. Marmousets décorant les culs-de-lampe, les miséricordes des stalles, les extrémités des chenets.*

1 Les marmousets pressés dans le marbre de cette cheminée qui faisait face au lit de la comtesse, offraient des figures si grotesquement hideuses, qu'elle n'osait y arrêter ses regards (...)   BALZAC, l'Enfant maudit, Pl., t. IX, p. 655.

♦ **2.** (V. 1460). Vx ou fam. Petit garçon. ⇒ **Marmot** (→ Gifle, cit. 1).

♦ **3.** Vx. Petit homme contrefait. — Jeune homme, personnage insignifiant (→ Étourneau, cit. 2).

2 Corneille a très bien fait de l'ennoblir *(Cornélie);* mais je ne puis souffrir qu'elle traite César comme un marmouset.
VOLTAIRE, Correspondance, 2522, 26 juil. 1764.

Hist. Conseillers de Charles VI (1388-1392). Conspirateurs contre Fleury (1730).

3 Les nouveaux conseillers du roi *(Charles VI),* ces petites gens, ces *marmousets,* comme on les appelait, rendirent à la ville de Paris ses échevins et son prévôt des marchands.   MICHELET, Hist. de France, VII, II.

1. MARNAGE [maʀnaʒ] n. m. — 1641; de 1. *marner.*

♦ Agric. Amendement calcaire d'une terre par un apport de marne.

HOM. 2. **Marnage.**

2. MARNAGE [maʀnaʒ] n. m. — 1908; de 2. *marner.*

♦ Mar. Différence entre la hauteur d'eau à pleine mer et la hauteur d'eau à basse mer. *Forts marnages des marées d'équinoxe. Faibles marnages des marées de morte-eau.*

HOM. 1. **Marnage.**

MARNE [maʀn] n. f. — 1266, *marna*; altér. de *marle,* d'un lat. pop. **margila,* mot gaulois. → Maërl.

♦ Mélange naturel d'argile et de calcaire (glaise). *Marnes argileuses, calcaires* (⇒ **Albugo**), *limoneuses ... Lit boueux creusé dans la marne* (→ Fleuve, cit. 8). *Carrière de marne.* ⇒ **Marnière.** — *Marnes employées comme amendements* et comme engrais*.* ⇒ 1. **Marnage.** — (1868). *Marne à foulon,* utilisée pour l'apprêt des étoffes.

Quant à la *marne,* c'est un mélange en proportions variables d'argile et de calcaire, ce dernier presque toujours prédominant et provenant de la trituration de squelettes d'organismes. C'est donc une roche mixte.
Émile HAUG, Traité de géologie, t. I, p. 110.

DÉR. 1. **Marner, marneux, marnière, marnon.**
HOM. Formes du v. 1. **marner,** 2. **marner,** 3. **marner.**

1. MARNER [maʀne] v. tr. — 1564; *marler* 1207; de *marne.*

♦ Agric. Amender* (une terre, un champ) avec de la marne* (→ Marnière, cit.).

DÉR. 1. **Marnage,** 3. **marner,** 1. **marneur.**
HOM. 2. **Marner,** 3. **marner.** — V. **Marne, marnon.**

2. MARNER [maʀne] v. intr. — 1716; dér. d'une var. non attestée de *marge.*

♦ Régional. Monter au-dessus du niveau moyen, en parlant de la marée. *La marée marne.*

DÉR. 2. **Marnage.**
HOM. V. 1. **Marner.**

3. MARNER [maʀne] v. intr. — 1837, *in* Larchey; probablt de 1. *marner,* le *marnage* des terres étant un travail pénible.

♦ Argot, puis pop. Travailler dur.

1 C'est son homme. Fifi, un beau, un frisé, pas chiqueur. D'ailleurs, elle a d'qui tenir et, quand faut qu'elle marne, elle marne. Mais malheur aux donneurs avec elle (...) elle les sent et elle est terrible.
Francis CARCO, Jésus-la-Caille, III, IV, p. 180.

REM. Il s'agit ici du « travail » d'une prostituée.

2 Je ne veux ni entretenir, ni être entretenue; c'est pourquoi, aussi, je marne comme une enragée à ces casquettes de mort.   A. SARRAZIN, la Cavale, p. 118.
Travailler, gagner sa vie.

3 Si j'avais un peu d'oseille, je pourrais peut-être passer en Espagne. Je connais des types du côté de Perpignan; j'ai marné par là.
Jean GENET, Querelle de Brest, p. 281.

DÉR. 2. **Marneur.**
HOM. V. 1. et 2. **Marner.**

1. MARNEUR [maʀnœʀ] n. m. — 1845; de 1. *marner.*

♦ Agric. Techn. Celui qui marne les terres ou qui travaille dans une marnière*.

On rencontre la variante dialectale *marneux* :

Gargan était fils d'un marneux, d'un de ces hommes qui descendent dans les marnières pour extraire cette sorte de pierre molle, blanche et fondante qu'on sème sur les terres. MAUPASSANT, M. Parent, « Les bécasses », p. 225.

HOM. 2. Marneur.

2. MARNEUR, EUSE [maʀnœʀ, øz] n. — 1881 ; de 3. marner.

♦ Argot, puis pop. Travailleur, euse.

HOM. 1. Marneur.

MARNEUX, EUSE [maʀnø, øz] adj. — 1570 ; de marne.

♦ Géol. Qui a les caractères, la composition de la marne ; qui contient de la marne. *Terrain, sol marneux. Calcaires marneux* (→ Gélif, cit. 2). *Couches marneuses* (→ Gypse, cit. 2). *Terre marneuse.*

MARNIÈRE [maʀnjɛʀ] n. f. — 1373 ; XIIIᵉ, *marliere* ; de marne.

♦ Carrière de marne. → Marneur, cit.

Au milieu d'une vaste plaine, on aperçoit une espèce de hutte, ou plutôt un tout petit toit de chaume, posé sur le sol. C'est l'entrée de la marnière. Un grand puits tout droit s'enfonce jusqu'à vingt mètres sous terre, pour aboutir à une série de longues galeries de mines. On descend une fois par an dans cette carrière, à l'époque où l'on marne les terres.
MAUPASSANT, les Contes de la Bécasse, « Pierrot ».

MARNON [maʀnɔ̃] n. m. — 1732 ; de marne.

♦ Techn. (agric.). Tas de marne déposée à la surface d'un champ.

HOM. Forme des v. 1. marner, 2. marner, 3. marner.

MAROCAIN, AINE [maʀɔkɛ̃, ɛn] adj. et n. — 1630, *langue marroquine* (→ Maroquin) ; de *Maroc.*

♦ **1.** Du Maroc, État du Maghreb. ⇒ **Chérifien.** *Le royaume marocain. L'économie marocaine. Administration marocaine.* ⇒ **Maghzen.** *Troupes de partisans marocains.* ⇒ **Djich, tabor.** *Ceinture, djellabah marocaine.* (→ Cuir, cit. 6). — *L'arabe marocain,* parlé au Maroc. *Les écrivains marocains.*

N. *Un Marocain, une Marocaine.*

♦ **2.** (1924). Spécialt. *Crêpe marocain,* ou, n. m., *du marocain :* étoffe de soie naturelle ou artificielle, rappelant le crêpe*. « *(...) une robe de marocain noir à col de singe* » Colette, in *Demain,* nov. 1924 (*in* D. D. L., qui donne d'autres exemples).

DÉR. Marocanisation.
HOM. Maroquin.

MAROCANISATION [maʀɔkanizasjɔ̃] n. f. — 1974, *le Monde,* in *la Clé des mots* ; de *marocain.*

♦ Fait de rendre marocain, de donner un caractère national à une administration (une entreprise, etc.) marocaine (en y nommant des sujets marocains de préférence à des coopérants étrangers, français notamment). — REM. Le v. *marocaniser* est virtuel.

MAROILLES [maʀwal] ou MAROLLES [maʀɔl] n. m. — XXᵉ, *maroilles ; marolles,* 1723 ; de *Maroilles,* nom d'un village du Nord de la France.

♦ Fromage de lait de vache, à pâte grasse, de forme rectangulaire.

MARONAGE [maʀɔnaʒ] n. m. — 1276 ; *bois de maronage,* 1199 ; de *merrain,* et suff. -age.

♦ Admin. Techn. Droit d'utiliser le bois de service, dans une forêt. — On écrit aussi *maronnage.*

MARONITE [maʀɔnit] n. et adj. — 1512 ; arabe du Liban *mārōnī,* du nom du patriarche *Mārōn.*

♦ Chrétien appartenant au rite oriental de Syrie et du Liban, qui a conservé la liturgie syriaque et fait partie de l'une des églises uniates*. ⇒ **Catholique.** — Adj. *Prêtre, patriarche maronite. Collège maronite de Rome.*

MARONNANT [maʀɔnɑ̃] adj. — 1923, in Larousse ; de *maronner.*

♦ Fam., régional. Qui ennuie, qui fait maronner.

MARONNER [maʀɔne] v. intr. — 1821 ; *marronner,* 1743 ; mot du Nord-Ouest, signifiant à l'origine « miauler » ; même rac. que *maraud, marmotter.*

♦ Fam., régional (plus cour. dans le Sud-Ouest). Maugréer, exprimer sa colère*, son dépit, son mécontentement* en grondant*, en mar-

monnant. ⇒ **Murmurer, rager, râler** (fam.), **rouspéter.** *Ils ont inventé cette histoire pour la faire maronner.* ⇒ **Bisquer.**

Cette bizarrerie avait achalandé sa boutique, et lui amenait des jeunes gens se disant : Viens donc voir *marroner (sic)* le père Hucheloup.
HUGO, les Misérables, IV, XII, I.
(...) et d'autres fines plaisanteries qu'ils affectaient de ne pas prendre pour eux, encore qu'ils en maronnassent sérieusement. COURTELINE, le Train de 8 h 47, I, VII.

DÉR. Maronnant.
HOM. Marronner. — V. 2. Marron, marronnier.

MAROQUIN [maʀɔkɛ̃] n. m. — 1530 ; 1490, *marroquin ;* de *Maroc,* pays où l'on préparait ce cuir.

♦ **1.** Peau de chèvre (⇒ **Menon**), de bouc, et, par ext., de mouton tannée au sumac et à la noix de galle, teinte et souvent grainée (→ Grain, cit. 21). *Maroquin rouge, brun... Maroquin grainé à la peau de chagrin (chagriné). Maroquin à gros, à long, à petit grain. Babouche* (cit. 4), *portefeuille de maroquin. Livre relié en plein maroquin.*

Je me suis vu bientôt maître de feuilleter un gros in-folio relié en maroquin rouge (...) NERVAL, les Filles du feu, « Angélique », II.
Ces maroquins sont si plaisants à l'œil et ces vélins si doux au toucher !
FRANCE, le Crime de S. Bonnard, Œ., t. II, VI, p. 448.
(1835). Par anal. *Papier maroquin :* papier de couleur apprêté de manière à ressembler au maroquin.

♦ **2.** (XXᵉ). Par ext. Portefeuille ministériel, poste de ministre. *Il a fini par obtenir un maroquin.* ⇒ **Ministère.**

DÉR. Maroquiner, maroquinerie, maroquinier.

MAROQUINAGE [maʀɔkinaʒ] n. m. — 1840 ; de *maroquiner.*

♦ Techn. Préparation de peaux à la façon du maroquin.

MAROQUINER [maʀɔkine] v. tr. — 1701 ; de *maroquin.*

♦ Techn. Apprêter (une peau) comme on apprête le véritable maroquin, pour en imiter l'apparence. *Maroquiner de la basane, du veau.* — P. p. *Cuirs* maroquinés. — Par anal. *Maroquiner le papier.*

DÉR. Maroquinage.
HOM. V. Maroquinier.

MAROQUINERIE [maʀɔkinʀi] n. f. — Déb. XVIIIᵉ ; 1636 ; *maroquinerie ;* de *maroquin.*

♦ **1.** (Au XVIIIᵉ). Fabrication, préparation du maroquin ; l'atelier où on le prépare (⇒ **Tannage, tannerie**).

♦ **2.** (XXᵉ). Par ext. Ensemble des industries utilisant les cuirs fins pour la fabrication, et, par ext., pour le revêtement (gainerie) de certains articles (tels que portefeuilles, porte-monnaies, sacs à main, sous-mains, etc.). *La maroquinerie utilise l'agneau, le porc, la vache, le veau, le caïman* (cit.), *le crocodile, le lézard, le phoque, le serpent, l'autruche. Articles de maroquinerie.*

♦ **3.** (1845). Commerce du maroquin, des articles de maroquinerie ; ces articles. *Vendre de la maroquinerie.* — Magasin où l'on vend des articles de maroquinerie, de gainerie. *Elle est allée acheter un portefeuille, une serviette dans une maroquinerie.*

MAROQUINIER [maʀɔkinje] n. m. — V. 1700 : *marroquinoer,* 1562 ; de *maroquin.*

♦ **1.** Ouvrier qui prépare les peaux de maroquin.

♦ **2.** Celui qui fabrique des objets de maroquinerie.

♦ **3.** Commerçant qui tient un magasin de maroquinerie, vend des articles de maroquinerie. *Acheter un sac chez le maroquinier.*

HOM. Forme du v. maroquiner.

MAROTIQUE [maʀɔtik] adj. — 1585 ; du nom de Clément *Marot* (1495-1544).

♦ Littér. Qui imite la langue et le style de Marot, considérés pendant la période classique comme le modèle de la poésie archaïque, « gaie, agréable et tout à la fois simple et naturelle » (*Encyclopédie*).

Le style marotique, employé avec choix et sobriété dans les genres qui le comportent, tels que le conte, l'épigramme, l'épître badine et tout ce qui tient au genre familier, contribue à la naïveté et à la précision. La Fontaine en a fait usage avec beaucoup de succès dans ses Contes.
J.-F. DE LA HARPE, Cours de littérature, p. VI.
Archaïser selon les procédés usuels, c'eût été courir les périls du style marotique, dont le moindre est d'accumuler les disparates.
J. BÉDIER, la Chanson de Roland, Préface, p. XVII.

DÉR. Marotiser, marotisme.

MAROTISER [maʀɔtize] v. intr. — 1840 ; de *marotique.*

♦ Littér. Écrire en imitant le style marotique.

MAROTISME [maʀɔtism] n. m. — V. 1800; de *marotique*.

♦ Littér. Imitation du style marotique.

MAROTTE [maʀɔt] n. f. — 1530; 1468, « poupée »; dimin. de *Marie*; → Marionnette.

★ **I.** ♦ **1.** Sceptre surmonté d'une tête coiffée d'un capuchon bigarré et garni de grelots. *La marotte, attribut symbolique de la folie. Marotte de bouffon, de fou.* — Loc. prov. *À chaque fou sa marotte* (→ ci-dessous, II.).

(...) *en quelque main, c'est* (le savoir) *un sceptre; en quelque autre, une marotte.*
                                                MONTAIGNE, *Essais*, III, VIII.

Le plus jeune, que distinguent son juste-au-corps de velours sang-de-bœuf et sa marotte grelottante, s'égosille de rire (...)
                                Aloysius BERTRAND, *Gaspard de la nuit*, Introduction.

♦ **2.** Tête de femme, en bois, carton, cire..., dont se servent les modistes, les coiffeurs...

♦ **3.** Marionnette* manipulée en élévation au bout d'un bâton.

♦ **4.** (Déb. xxᵉ). Techn. Chevalet de tonnelier.

★ **II.** (1623). Fig. Idée* fixe, manie. ⇒ **Dada, folie, manie, monomanie, turlutaine** (vx). *Un esprit fumeux* (cit. 4) *voué à des marottes. À chacun sa marotte* (→ À chaque fou* sa marotte). *Avoir la marotte de faire qqch. Il a la marotte des mots croisés. C'est devenu une marotte.* (⇒ **Habitude**). *Encore une nouvelle marotte!* (⇒ **Caprice**). *C'est sa marotte, son cheval* de bataille.*

La vie n'est tolérable qu'avec une marotte, un travail quelconque. Dès qu'on abandonne sa chimère, on meurt de tristesse.
                                FLAUBERT, *Correspondance*, 759, 22 juin 1863.

(...) *il lui fallait une marotte : c'était un jeu pour lui, et il en changeait fréquemment. Pour l'instant, il avait la marotte de la bonté. Il ne lui suffisait pas d'être bon, naturellement; il voulait paraître bon; il professait la bonté, il la mimait.*
                                R. ROLLAND, *Jean-Christophe, La révolte*, p. 419.

Vous savez quand on ne peut plus mettre un nom sur une tête. D'abord c'est vexant. Puis on se pique au jeu. Enfin ça devient une marotte.
                                ARAGON, *les Beaux Quartiers*, II, VI.

1. MAROUETTE [maʀwɛt] n. f. ⇒ **Maroute.**

HOM. 2. Marouette.

2. MAROUETTE [maʀwɛt] n. f. — 1780; de la forme d'oc de *mariette*, dimin. de *Marie; maruetto* « marionnette ».

♦ Râle d'eau, petit échassier, au plumage brun semé de gris, de noir et de blanc.

HOM. 1. Marouette.

MAROUFLAGE [maʀuflaʒ] n. m. — 1785; de *maroufler*.

♦ Peint. Opération consistant à maroufler une toile, un panneau, etc. — Toile de renfort sur laquelle une peinture, un panneau... sont marouflés.

1. MAROUFLE [maʀufl] n. m. — 1534, Rabelais; var. de *maraud*.

♦ Vx. Homme grossier et malhonnête (employé souvent comme t. d'injure sans contenu précis). ⇒ **Maraud; bélitre, fripon.** *Ces vauriens, ces maroufles* (→ Faiseur, cit. 10). *Peste soit du maroufle!* (Molière, *Dom Juan*, II, 3).

Je vous déclare, repartit le sénateur, que le marquis d'Argens, Pyrrhon, Hobbes et M. Naigeon ne sont pas des maroufles. J'ai dans ma bibliothèque tous mes philosophes dorés sur tranche.
                                HUGO, *les Misérables*, I, I, VIII.

HOM. 2. Maroufle. — Formes du v. maroufler.

2. MAROUFLE [maʀufl] n. f. — 1688, *marouf*; étym. inconnue; p.-ê. fém. du précédent.

♦ Techn. Colle forte très adhérente.

DÉR. Maroufler.
HOM. 1. Maroufle. — Formes du v. maroufler.

MAROUFLER [maʀufle] v. tr. — 1746; de 2. *maroufle*.

♦ Appliquer (une toile peinte) sur une surface murale, un plafond, ... avec de la maroufle.
Appliquer un support relativement mince et souple (toile peinte, carton, papier ...) sur un autre support plus rigide. *Maroufler un papier sur une toile ou sur un panneau de bois. Maroufler une peinture sur une toile, pour la renforcer. Maroufler un panneau :* le consolider en collant à son envers une toile, de la filasse...

Au p. p. *On appelle parfois improprement « fresque » des peintures sur toiles marouflées.*

(...) *des bahuts à pentures de métal, plaqués de peaux ou de toiles marouflées* (...)
                                HUYSMANS, *Là-bas*, VIII.

DÉR. Marouflage, maroufleur.
HOM. V. 1. Maroufle, 2. maroufle.

MAROUFLEUR [maʀuflœʀ] n. m. — 1955, *Dict. des Métiers*; de *maroufler*, de 2. *maroufle*.

♦ Techn. Peintre en bâtiments spécialisé dans le collage des toiles ou peintures décoratives.
REM. Le fém. *maroufleuse* est virtuel.

MAROUTE [maʀut] ou **MAROUETTE** [maʀwɛt] n. f. — 1611, *maroute; marouette*, 1867; forme déglutinée de l'anc. franç. *amarouste*. → 2. Amourette.

♦ Plante à l'odeur fétide *(Composacées)*, appelée aussi *maroute puante, camomille puante, camomille bâtarde, camomille-des-chiens* (n. sc. : *anthemis cotula*).

MARPEAU ou **MARPAUT** [maʀpo] n. m. — Déb. xviiᵉ, « mendiant »; mot médiéval (xiiᵉ-xviᵉ), péj. « goinfre, vaurien, gueux »; *marpaude*, v. 1500, *in* Godefroy; p.-ê. de même orig. que *maraud*.

♦ Vx. (Archaïsme littér. au xixᵉ : Gautier). Mendiant, escroc, vaurien.

(...) *on pourrait joindre à cette nomenclature les gueux appelés marpauts, dont les femmes prenaient la dénomination de marquise* (...)
                                J.-A. DULAURE, *Hist. physique, civile et morale de Paris*, t. V, p. 381.

MARPRIME [maʀpʀim] n. f. — 1793, Romme, *in le Français moderne*; néerl. *marlpriem* « aiguille pour voile ».

♦ Techn. Poinçon d'ouvrier voilier.

MARQUAGE [maʀkaʒ] n. m. — 1873; 1613, terme de jeu de paume (*in* D.D.L.); de *marquer*.

♦ **1.** Opération par laquelle on marque (des animaux, des arbres, des marchandises, du linge, etc.). *Le marquage du linge de maison. Le marquage du bétail.* — (Au Québec). *Marquage routier :* signalisation portée sur la chaussée.

♦ **2.** Milit. Opération qui précède un bombardement, consistant à encadrer l'objectif avec des bombes ou des fusées éclairantes.

♦ **3.** (xxᵉ). Sports. Action de marquer (I., A., 7.).
REM. On trouve la var. *marcage* (1937, *Miroir des Sports, in* I.G.L.F.).

MARQUANT, ANTE [maʀkɑ̃, ɑ̃t] adj. — 1721; participe adjectivé de *marquer* (I.).

♦ **1.** (Jeux). *Carte marquante*, qui permet de marquer des points.

♦ **2.** (1762; de *marquer*, II., 2.). Qui marque, laisse une trace, un souvenir... ⇒ **Remarquable.** *Traits marquants d'un caractère* (cit. 44). *Particularités marquantes. Événement marquant, mémorable...* — *Personnage marquant*, que sa situation, son talent, son activité mettent en relief. *Les hommes marquants d'un parti* (→ Détriment, cit. 1).

(...) *je connaissais de nom les orateurs marquants dont on parlait.*
                                Georges LECOMTE, *Ma traversée*, p. 43.

CONTR. Insignifiant.

1. MARQUE [maʀk] n. f. — Fin xvᵉ, « droit d'entrée »; déverbal de *marquer*; a remplacé *merc* (1119 en normand), *merche, merque* (→ ci-dessous, cit. 10), dér. de l'anc. normand *merki* « marque ».

★ **I.** ♦ **1.** (1553). Signe matériel, empreinte que l'on met sur une chose pour la distinguer, la reconnaître..., ou qui sert de repère*. ⇒ **Empreinte, signe.** *Marque au couteau, à la scie.* ⇒ **1. Coche, encoche, hoche, trait** (de scie). *Marque faite à l'aide d'un cordeau frotté de craie.* ⇒ **Tringle.** *Marque écrite, imprimée. Marque indélébile, ineffaçable. Enlever, effacer une marque. Marques sur des arbres* (⇒ **Martelage**), *sur les pierres d'une construction* (→ 1. Lire, cit. 3). *Marque de poupe d'un bateau* (en lettres peintes ou métalliques), *indication de son nom et de son port d'attache. Marques de tirant d'eau. — Marque distinctive sur le bras de quelqu'un; porter une marque tatouée* (→ Hiéroglyphe, cit. 6). — *Marque au fer rouge du bétail. Marque de la viande de boucherie.* Cout. *Coudre une marque à son linge*, une petite pièce de tissu portant une marque (initiales, nom, chiffre...). *Enlever la marque.* ⇒ **Démarquer.** Techn. *Signes tracés sur des pierres de taille, des bois de charpente pour indiquer la manière dont les éléments doivent être posés.* — *Marques sur des papiers, des dossiers, pour en faciliter le classement* (⇒ **Cote** [1.].). *Marque numérique* (⇒ **Matricule, numéro**), *littérale, conventionnelle. Faire une marque sur une liste* (cit. 2), *à un mot.* ⇒ **Astérisque, croix, renvoi ; point, pointage ; trait.** *Indiquer, désigner dans un texte, un passage par une marque* (→ Apostille, cit.). *Mettre sa marque sur un message, au bas d'une pièce.* ⇒ **Monogramme, paraphe, seing.**

1 Faisons, dit-il, au galant une marque,
Pour le pouvoir demain connaître mieux.   LA FONTAINE, Contes, II, IV.

2 J'ai l'habitude, fort ancienne et quelque peu ridicule, de faire à mes livres, en les achetant, des marques secrètes. Je viens de constater que la marque est bien à sa place.   G. DUHAMEL, Salavin, V, IV.

(1690). Spécialt. *Signe (par exemple, croix) qu'un illettré appose en place de signature*.* ⇒ **Croix.**

♦ **2.** (XXᵉ). Sports. *Trait, repère que l'on fait sur le sol (pour régler certains mouvements). Marque de départ d'un sauteur en longueur.* — Par ext. *Dispositif assurant une bonne position aux pieds des coureurs de vitesse qui vont prendre le départ.* (⇒ **Butoir, cale, starting-bloc**). *À vos marques ! ... Prêts ? ... Partez !* Au plur. *Repères, balises délimitant un parcours de régates.*

♦ **3.** (1538). Spécialt. *Signe infamant que l'on imprimait sur la peau d'un condamné.* ⇒ **Flétrissure.** *En France, sous l'Ancien Régime, la marque était une fleur de lis. On supprima la marque en 1832.* — Par métaphore. *Imprimer une marque d'infamie sur le front de quelqu'un* (→ Farine, cit. 6).

3 Alors la batiste se déchira en laissant à nu les épaules, et, sur l'une de ces belles épaules rondes et blanches, d'Artagnan, avec un saisissement inexprimable, reconnut la fleur de lis, cette marque indélébile qu'imprime la main infamante du bourreau.   DUMAS, les Trois Mousquetaires, XXXVII.

♦ **4.** (1690). Comm. *Signe attestant un contrôle, le paiement de droits.* ⇒ **Cachet,** 2. **contrôle, estampille, poinçon, sceau.** *Marque de la douane.* Absolt. *Droit de marque.* — *Marque nationale de qualité.* *Signe (conventionnel ou non) par lequel les marchands notent le prix que leur a coûté un objet.*

4 Le marchand (...) a des marques fausses et mystérieuses (...)   LA BRUYÈRE, les Caractères, VI, 43.

♦ **5.** (1690). *Signe distinctif appliqué sur une chose par celui qui l'a faite, fabriquée. Marque d'un artisan, d'un ouvrier, d'un armurier* (→ Lame, cit. 7). *Marque d'orfèvre* (⇒ **Poinçon**), *d'ébéniste* (⇒ **Estampille**)... *Marque sur une pièce de céramique. Reconnaître à la marque l'époque de fabrication d'une assiette ancienne. Marque d'atelier d'une monnaie* antique.* ⇒ **Symbole.** — Par ext. *Marque d'un souverain... sur une monnaie.* ⇒ **Effigie.** *Marque d'imprimeur, d'éditeur,* signe conventionnel adopté comme marque commerciale. Par métaphore et fig. *La marque de l'ouvrier,* ce à quoi l'on reconnaît l'auteur (→ Exploitation, cit. 8). *On reconnaît sa marque, sa griffe*, son style.*

♦ **6.** (1857). Spécialt. *Marque de fabrique* et de commerce,* signe servant à distinguer les produits d'un fabricant, les marchandises d'un commerçant ou d'une collectivité (syndicat...). ⇒ **Cachet, chiffre, estampille, étiquette, label** (cit.), **logo, poinçon, sceau, timbre.** *Marque descriptive* (dénomination), *figurative* (emblème, vignette), *nominale* (nom en caractères particuliers). — (1948). *Marque déposée au greffe du tribunal de commerce et protégée contre les contrefaçons*. Marque de distributeur. Marque déposée.* — Spécialt. Pharm. *Marque déposée d'un médicament,* nom sous lequel un médicament est vendu par le fabricant (à distinguer de sa dénomination commune).

4.1 Ni les armes ni les instruments, contrairement à ce qui se fait d'habitude, ne portaient la marque du fabricant ; ils étaient, d'ailleurs, en parfait état et ne semblaient pas avoir servi.   J. VERNE, l'Île mystérieuse, t. I, p. 322.

5 La marque de fabrique ou de commerce est facultative (...) Sont considérés comme marques de fabrique et de commerce les noms sous une forme distinctive, les dénominations, emblèmes, empreintes, timbres, cachets, vignettes, reliefs, lettres, chiffres, enveloppes et tous autres signes servant à distinguer les produits d'une fabrique ou les objets d'un commerce.   Loi du 23 juin 1857, art. 1.

(1896). Absolt. *Produits de marque,* qui portent une marque connue, appréciée.

6 (...) un litre de verre, mais de marque (...) authentifié par une maison sérieuse (...)   J. ROMAINS, les Copains, I.

♦ **7.** (1866). Cour. *Entreprise qui fabrique des produits de marque* (→ Inonder, cit. 15) ; *ses produits. Les grandes marques d'automobiles. Des marques connues* (→ Courant, cit. 4). *Une grande marque et ses sous-marques. Image* de marque. Publicité de marque.*

6.1 *(Des)* tramways ferraillants, peinturlurés (mais plus les deux sévères triangles accolés, le sceau rouge et noir, bariolés maintenant aux couleurs de marques d'apéritifs ou de lessives, tapageuses, criardes, mercantiles, sans aucune autre fonction qu'attirer l'œil comme des robes ou des maquillages de putains, rien que tapageuses, rien que criardes) ...   Claude SIMON, le Palace, p. 98.

♦ **8.** (1636). *Ce qui sert à faire une marque.* ⇒ **Cachet, poinçon.**

★ **II.** (1530). ♦ **1.** *Trace naturelle dont l'origine est reconnaissable.* ⇒ **Impression, trace.** *Faire, laisser une marque sur qqch. Marques de pas, de roues de voiture dans un chemin. Marques de doigts gras sur une feuille de papier, sur un mur, une porte...* ⇒ **Tache.** *Marques qui restent sur un tissu éraillé* (éraillure...), *déchiré, froissé* (⇒ **Pli**), *sur un fruit picoté* (picoture...), *sur la carrosserie*

d'une voiture (éraflure, raie)... *Marques du feu, de l'incendie sur un mur.* — *Marques de la mer :* traces laissées par la marée. — *Marques sur la peau.* — (1530). *Marques de coups*, de contusions ; de blessures* ; de maladies...* ⇒ **Bleu, cicatrice, couture, ecchymose, marbrure, stigmate, vergeture, zébrure.** *Visage criblé* de marques de petite vérole...* (→ Cicatrice, cit. 4 ; défaut, cit. 19). *Marque de dents* (morsure). — Par métaphore. *La blessure guérit mais la marque reste* (→ Impression, cit. 15). — Fig. *La marque du temps* (→ 1. Flétrissure, cit. 1).

7 (...) j'y fus blessé à la jambe d'un coup de grenade, dont je porte encore les marques.   MOLIÈRE, les Précieuses ridicules, XI.

8 (...) sur leurs joues, sur les bras nus des femmes, des réseaux d'herbes foulées avaient laissé leurs marques (...)   P. NIZAN, le Cheval de Troie, I.

♦ **2.** Par ext. *Signe naturel, tache que l'on compare à une marque. Avoir une marque sur le visage.* ⇒ **Envie, nævus.** *Marques de feu,* sur le pelage d'un animal. *Marques sur les pieds d'un cheval* (→ Balzane, cit.). *Marque en tête,* chez le cheval, tache blanche au milieu du front.

♦ **3.** Par ext. et spécialt. (Vén.). *Trace, indice que laisse une bête et qui permet de l'identifier* (⇒ **Connaissances**).

♦ **4.** Par métaphore. *Signe apparent, témoignage. Marques physiques de l'étonnement* (→ Ahuri, cit. 2). *Porter sur son front* (cit. 12) *les marques d'une conscience* (cit. 11) *bourrelée, la marque de ses vices...* ⇒ **Stigmate.** — *Les marques d'un bonheur passé.* ⇒ **Effluve** (fig.), **vestige** (→ Autrefois, cit. 4).

★ **III.** Par ext. ♦ **1.** (1549). *Ce qui sert à faire reconnaître une chose, à la retrouver* (⇒ **Mémento**). *Mettre une marque dans un livre pour retrouver facilement un passage...* (⇒ **Signet**). — (1723). Vx. *Marque de boulanger :* planchette de bois sur laquelle on faisait des encoches, des marques. — Vx. *Marque de théâtre :* ticket d'entrée (⇒ **Contremarque**).

9 Ce qui ne l'empêcha pas de laisser une marque là où il en était resté de sa lecture, et de la reprendre en cachette dès qu'il le put.   ARAGON, les Beaux Quartiers, I, X.

Spécialt. *Signe ou objet matériel, indiquant une limite, une démarcation*...* ⇒ **Borne, jalon, repère ; brisées.** — Dr. *Marque de mitoyenneté, de non-mitoyenneté* (→ Fossé, cit. 2).

Mar. *Objet naturel ou artificiel repérable et significatif.* ⇒ **Amer, bouée ; balisage.** *Marque fixe* (⇒ **Balise**), *flottante ; de jour, de nuit.*

(1676). Jeu. *Jetons*, fiches*...,* dispositif servant à figurer, à noter les points obtenus par chacun des joueurs. ⇒ **Marqueur.** *Marques de bésigue, de piquet :* tablettes de bois munies de fiches mobiles. — Par anal. *Jeton, signe représentant de l'argent. On convient, en se mettant au jeu, de la valeur des marques* (Académie).

♦ **2.** (1868). Sports, jeux et cour. *Décompte des points*, au cours d'une partie, d'un match. Mener à la marque* (cf. Aux points). *À la mi-temps, la marque était de deux à un.* ⇒ **Score.** *Où en est la marque ?* (Dans les jeux de cartes, bridge, etc.). *Compte de points (de chaque équipe).*

♦ **3.** (1538, «armoiries»). *Attribut d'une fonction, d'un grade, etc. Marques distinctives d'une dignité, d'un grade, d'une fonction.* ⇒ 2. **Insigne, signe, symbole,** et aussi **chevron, galon** (→ Fleuron, cit. 1 ; incognito, cit. 3). Par ext. *Les marques du pouvoir, de la puissance... Les marques de la misère.* ⇒ **Livrée.** — Spécialt. Mar. *Pavillon faisant connaître le grade du commandant d'un bâtiment. La marque de l'amiral.* — Blason. *Marques d'honneur,* pièces extérieures à l'écu, symbolisant une dignité... (collier d'un ordre).

10 Ç'a été une belle invention (...) d'établir certaines marques vaines et sans prix, pour en honorer et récompenser la vertu, comme sont les couronnes de laurier, de chêne, de meurte *(myrte),* la forme de certain vêtement, le privilège d'aller en coche (...) la prérogative d'aucuns surnoms et titres, certaines marques aux armoiries, et choses semblables (...)   MONTAIGNE, Essais, II, VII.

11 D'une longue soutane il endosse la moire,
Prend ses gants violets, les marques de sa gloire.   BOILEAU, le Lutrin, IV.

(Fin XVIᵉ). Fig. et absolt. **DE MARQUE.** ⇒ **Distinction. qualité** (de). *Personnage de marque. Hôtes de marque.*

12 (...) à la proue et à l'arrière du bateau, il y avait quantité de soldats de ses gardes portant la casaque écarlate, en broderie d'or, d'argent et de soie, ainsi que beaucoup de seigneurs de marque.   A. DE VIGNY, Cinq-Mars, XXV.

★ **IV.** ♦ **1.** (1538). Abstrait. *Caractère, signe particulier qui permet de reconnaître, d'identifier, de déceler quelque chose.* ⇒ **Annonce, attestation, attribut, caractère, critère, enseigne, estampille** (fig.), **indication, indice, manifestation, présage, preuve, signe, symptôme, témoignage, témoin, trace.** *Être la marque de quelque chose.* ⇒ **Révéler** (→ Insensible, cit. 1). *Avoir, recevoir une marque de..., que...* (→ Infidèle, cit. 12). *Connaître* (cit. 45) *à certaines marques... — Marque certaine** (cit. 4), *sûre, éclatante, indubitable, ineffable* (cit. 5), *insigne* (1. Insigne, cit. 3). *Marque propre, particulière* (→ Féconder, cit. 6). *Prouver* par des marques.* — *Marque de vérité, de fausseté* (→ Contradiction, cit. 0.1 ; imagination, cit. 10, Pascal). *Instinct* (cit. 9) *et raison, marques de deux natures. Les marques de la faiblesse humaine* (→ Gloire, cit. 7), *de la médiocrité* (→ Conter, cit. 3). *Réflexion qui porte la marque du bons sens* (→ Frappée au coin* du bons sens). *La vraie marque*

d'une vocation (→ Forfaire, cit. 2). — *Donner des marques de...,
recevoir qqn avec des marques de joie.* ⇒ **Démonstration.** *Marques
d'affection, d'amitié, d'amour, d'approbation* (cit. 11), *de bienveillance* (cit. 1), *de compassion* (cit. 3), *de courage, d'estime, de franchise...* ⇒ **Preuve, trait** (→ Fermeté, cit. 5; indifférence, cit. 5).
Marques d'aversion (cit. 9), *de cruauté* (cit. 1), *de haine, de
mépris; d'oubli, de repentir...* (→ Brouillard, cit. 12; frapper,
cit. 52; intervalle, cit. 7).

13 (...) la grande marque d'amour, c'est d'être soumis aux volontés de celle qu'on
   aime.   MOLIÈRE, le Malade imaginaire, II, 6.

14 Il y aurait trop d'obscurité, si la vérité n'avait pas des marques visibles; c'est ainsi
   une admirable qu'elle se soit toujours conservée dans une Église et une assemblée
   visible.   PASCAL, Pensées, XIV, 857.

15 (...) j'ai de l'amitié pour vous, et je veux vous en donner une marque qui ne vous
   permettra pas d'en douter.   A.-R. LESAGE, Gil Blas, V, I.

♦ **2.** Ling. Trait phonologique ou morpho-syntaxique dont la présence ou l'absence dans une unité linguistique donnée fonde une
opposition, binaire *(marques du pluriel, du féminin)* ou non *(marque du futur).* L's *est la marque la plus fréquente du pluriel en
français.* ⇒ **Marqué.**

COMP. Contremarque, sous-marque.
HOM. 1. Marc, mark, 2. marque. — Formes du v. **marquer.**

2. MARQUE [maʀk] n. f. — 1339; provençal *marca,* du v. *marcar*
« saisir à titre de représailles », gotique *markon « délimiter la propriété
de quelqu'un ».

♦ Anc. Dr. Représailles.

(Mil. xvᵉ). Spécialt. *Lettres de marque* : autorisation donnée à un particulier de se faire justice lui-même.

Mar. Commission donnée à un corsaire. *Les lettres de marque distinguaient le corsaire du pirate.*

Le corsaire, pirate légal qui recevait de l'État ses lettres de marque, guettait les
bâtiments de l'ennemi (...) les attaquait quand ils n'étaient pas trop bien armés,
et vendait ses prises au profit de l'armateur.   A. MAUROIS, Chateaubriand, I, I.

HOM. 1. Marc, mark, 1. marque. — Formes du v. **marquer.**

1. MARQUÉ, ÉE [maʀke] adj. ⇒ **Marquer** p. p. adj.

2. MARQUÉ [maʀke] n. m. — 1829, *in* Esnault; selon cet auteur,
de *sou marqué,* ou *marqué* (n. m.) « gros sou qui valait le douzième de
la pièce de 24 sous » (à Cayenne, notamment).

♦ Argot. Mois. *Saper dix marqués de ballon* : être condamné à dix
mois de prison. ⇒ **Marcotin** (argot).

REM. La graphie *marquet* [maʀkɛ] atteste l'ouverture du é [e] en è [ɛ]
dans la prononciation de ce mot.

1 Ce portrait, on me l'avait tiré à Fontevrault, lors de mon dernier sapement, mes
  dix-huit marqués.   Albert SIMONIN, Touchez pas au grisbi, p. 135.

2 On se les farcira comme des grands ces trois mois déjà écornés, ces trois marquets
  de rien du tout. On n'aura de merci à dire qu'au petit père Chronos comme ça.
                                            A. SARRAZIN, la Traversière, p. 178.

DÉR. Marcotin.
HOM. Formes du v. **marquer.**

MARQUER [maʀke] v. — 1510; forme normanno-picarde *(mer-
quier,* fin xIIᵉ); a remplacé *merchier* (xIIᵉ Wace), *mercher...;* de l'anc.
normand *merki « marque ».

★ **I.** V. tr. **A.** (Concret). ♦ **1.** Distinguer, rendre reconnaissable (une
personne, une chose parmi d'autres) au moyen d'une marque* (I., 1.
et 2.), d'un repère (⇒ **Repérer**). *Marquer d'une coche* (⇒ **Cocher**),
d'un cran (⇒ **Créner**), *d'une croix*, d'une empreinte*
(⇒ **Empreindre, estamper, étalonner**), *d'une estampille* (⇒ **Estam-
piller**), *d'une étiquette* (⇒ **Étiqueter**), *d'un matricule, d'un numéro*
(⇒ **Coter, matriculer, numéroter**), *de points* (⇒ **Picoter, pointer,
pointiller**), *d'un timbre* (⇒ **Timbrer**), *d'un signe quelconque*
(⇒ **Signaler; désigner, indiquer, montrer...**). *Marquer un passage
d'un livre au moyen d'un signet. En mathématiques, on marque les
fluxions* (cit. 5) *par des points.* — *Marquer qqch. à la craie*, au
crayon*, à l'encre...* (→ Formidable, cit. 2). *Marquer au poinçon*
(⇒ **Insculper, poinçonner**), *au coin*, au composteur* (par une perforation)... *Poinçon servant à marquer l'or* (→ Falsifier, cit. 4). —
*Marquer des draps, du linge, en brodant un monogramme, en cou-
sant une marque. Marquer un arbre à épargner.* ⇒ 1. **Layer.** *Instruments* (poinçons, marqueurs...) *servant à marquer.*

1 L'unique moyen de réparer votre faute est de corriger promptement toutes les
  bévues de votre édition. Je vous les ai marquées, et vous devez y être très attentifs (...)   VOLTAIRE, Correspondance, 7 juil. 1738 (à ses éditeurs).

2 (...) la petite fille (...) n'entendait point que son linge servît à ses sœurs; on le marquait, on ne voulut plus le marquer; il fallut le marquer elle-même (...)
                                            ROUSSEAU, Émile, V.

3 L'auteur de cet article (...) marque chaque faute d'un coup d'ongle incisif.
                                            FRANCE, le Crime de S. Bonnard, Œ., t. II, VI, p. 489.

Marquer le bétail au fer rouge (⇒ **Ferrade**).
(1669). Spécialt et anciennt. *Marquer un condamné.* ⇒ **Stigmatiser.**

On ne marque pas ses enfants sur le corps : on n'y marque que les esclaves, comme   4
une espèce d'animaux nés pour servir.
                                            BOSSUET, Élévation... sur tous les mystères..., VIII, IX.

On marquait d'un fer chaud le sein fumant des femmes,   5
                                            HUGO, la Légende des siècles, XXXI, II.

On y pousse à coups de fourche les taureaux qu'on veut marquer. Un homme   6
adroit et vigoureux renverse le jeune animal, et pendant qu'on le tient à terre, on
offre le fer rouge à une dame invitée; elle descend et l'applique elle-même sur la
bête écumante.   MICHELET, Hist. de France, III, Tabl. de la France.

Par métaphore. *Des hommes que Dieu a marqués d'un signe*
(→ Investir, cit. 3).

Spécialt et vieilli. *Commerçant, fabricant qui marque ses produits
d'un signe, d'un symbole.* ⇒ **Marque** (I., 3.). → Lis, cit. 10.

♦ **2.** (Sujet n. de chose : action ou marque). Former, laisser une trace
(⇒ **Marque** [II.]), sur... *Marquer la peau de marbrures* (⇒ **Marbrer**), *de taches* (⇒ **Tacher, tacheter**), *de tatouages* (⇒ **Tatouer**), *de
zébrures...* (⇒ **Marqueter, taveler, zébrer**). *Cicatrices, stigmates...
qui marquent un visage. Cyanose qui marque les cuisses* (→ Friction, cit. 2). — *Des traces de doigts marquaient les glaces*
(→ Linge, cit. 7).

Il retourna du côté de la cuisine. La porte en était restée ouverte. Les traces de   7
sang marquaient toujours le bouton de porcelaine blanche.
                                            J. ROMAINS, les Hommes de bonne volonté, t. I, IX, p. 95.

Fam. *Marquer quelqu'un,* lui donner des coups dont la marque restera visible.

Faire (une marque sur quelque chose). ⇒ **Empreindre, imprimer.**
Ces fossettes (cit. 1) *que ses doigts marquent sur sa chair.*

Sc. Introduire un indicateur dans (un corps, une substance) de
façon à en permettre l'identification. *Globules rouges, blancs, marqués par un isotope radioactif.* ⇒ **Marqueur** (B., 3.).

(1672). Par métaphore et fig. *Marquer quelqu'un de son influence,
de son empreinte* (cit. 11). ⇒ **Imprégner.** — Absolt. *La vie, les luttes, la misère l'ont marqué au moral comme au physique.*

D'avoir abîmé la grâce de Marthe, de voir son ventre saillir, je me considérais   8
comme un vandale. Au début de notre amour, quand je la mordais, ne me disait-
elle pas : « Marque-moi ? » Ne l'avais-je pas marquée de la pire façon ?
                                            R. RADIGUET, le Diable au corps, p. 156.

(...) un premier amour marque durement un enfant. Les jours d'Annesley restaient   9
les plus aigus de ces souvenirs tristes et beaux dont Byron aimait à composer
ses voluptueuses rêveries.   A. MAUROIS, la Vie de Byron, I, XII, p. 85.

(...) La vraie école   10
De la vie a marqué ces saints sans auréole.   ARAGON, le Crève-cœur, p. 23.

♦ **3.** Par ext. (du sens 1). Faire un dessin, tracer des signes distinctifs, mettre des repères... sur (quelque chose). Techn. *Marquer les
coupes à faire sur une pièce de métal, de bois... à travailler.* ⇒ **Tracer; ligner, piqueter.**

(1530). Fam. Écrire, inscrire, noter. *Marquer un numéro de téléphone, une adresse sur son carnet.* ⇒ **Écrire.** *Marquer les événements saillants dans son journal* (cit. 2), *dans son almanach*
(→ Bienheureux, cit. 8). *Marquez cela sur vos cahiers.*

La volait-on ? Oubliait-elle de marquer toutes ses dépenses ?   11
                                            J. GREEN, Léviathan, II, IV.

Loc. métaphorique. *Marquer d'un caillou blanc, d'une pierre blanche* (un événement heureux, d'un jour faste, mémorable). On dit
plus rarement : *marquer d'une pierre noire,* en parlant d'une catastrophe, d'un jour néfaste.

Voici le jour lamentable sur terre,   12
Le jour qu'on doit marquer de noire pierre.   Clément MAROT, Traductions, III.

Il me traita d'excellence, dit qu'il marquerait ce jour d'un caillou blanc et me fit   13
asseoir.   FRANCE, le Crime de S. Bonnard, Œ., t. II, II, p. 316.

Fig. Célébrer, commémorer avec éclat. *Marquer un centenaire par
des fêtes, des manifestations.* — (En parlant des manifestations elles-
mêmes) :

(...) au milieu des fêtes qui marquèrent le retour des Bourbons (...)   14
                                            BALZAC, la Femme de trente ans, Pl., t. II, p. 704.

(En parlant d'événements notables). *Les incidents qui ont marqué la
dernière séance.*

♦ **4.** Par ext. Indiquer, signaler par une marque, un jalon. *Marquer une limite, des limites.* ⇒ **Baliser, borner, délimiter, limiter.**
Marquer un alignement. ⇒ **Jalonner, piqueter.** *Marquer par deux
poteaux l'entrée d'un labyrinthe* (cit. 11).

(Choses). ⇒ **Indiquer, signaler.** *Le ruisseau marquait la limite*
(cit. 2) *de la propriété. Borne* (cit. 6) *qui marque un endroit. Guiderope* (cit.) *qui marque une direction.*

Par métaphore et fig. *Marquer une entrée* (cit. 21), *une limite, une
frontière* (cit. 7)... — (Temporel). *Marquer le début, la fin de quelque chose. Les dolmens et les menhirs marquent les débuts de
l'architecture* (cit. 3).

Étalant de nouveau son cordeau (...) et continuant à l'étendre en ligne droite à   15
une distance de cinquante pieds, il marqua un nouveau point éloigné de plusieurs yards (...)
                                            BAUDELAIRE, Trad. E. POE, Histoires extraordinaires, « Le scarabée d'or ».

Le philosophe sait fort bien que l'art d'atteler les bêtes de trait est une des con- 16
quêtes principales de la civilisation et que cette découverte marque une étape considérable dans l'histoire de notre monde.
                                            G. DUHAMEL, Refuges de la lecture, I, p. 47.

♦ **5.** (1694). Spécialt. (En parlant d'un instrument qui donne des indications). *Indiquer. Montre, chronomètre, pendule, horloge, qui marque les heures* (cit. 1; → Cadran, cit. 1; 1. gare, cit. 3). *Le gnomon* (cit.) *marquait les points du solstice. Le calendrier marque la date* (cit. 5). *Le thermomètre marquait dix degrés au-dessous de zéro.*

17 Mais la lune, qui avait commencé de descendre de l'autre côté de sa courbe dans le ciel, marquait, à ce vaste cadran bleu, un peu plus de minuit (...)
BARBEY D'AUREVILLY, les Diaboliques, « Le bonheur dans le crime », p. 172.

18 (...) il l'avait trouvée sur le seuil, étant sortie de sa couche quand le gnomon du palais marquait la troisième heure, l'instant même où il abordait Jésus.
FLAUBERT, Trois contes, « Hérodias », III.

♦ **6.** (1690). Spécialt. (T. de jeu). *Marquer les points, au cours d'une partie,* les enregistrer, en faire le décompte, à l'aide de jetons*, de marques... Marquer les points de levée, au bridge. Marquer les coups.*

19 On ne peut tout seul garder la foi en soi-même. Il faut que nous ayons un témoin de notre force : quelqu'un qui marque les coups, qui compte les points, qui nous couronne au jour de la récompense (...)   F. MAURIAC, le Nœud de vipères, VI.

Fig. **MARQUER LE COUP.**

[a] Souligner, par une manifestation quelconque, l'importance que l'on attache à quelque chose. *Il vient d'être promu, il a voulu marquer le coup en invitant ses amis.*

[b] Manifester par une réaction, volontaire ou non, que l'on a été atteint, touché, offensé par quelque chose. *On a fait des allusions sur son compte, mais il n'a pas marqué le coup.*

20 (...) faut-il accentuer, pour l'extérieur, le changement de régime, ou non; marquer le coup ou l'escamoter ?
J. ROMAINS, les Hommes de bonne volonté, t. III, XVI, p. 219.

Marquer un point : obtenir un avantage sur ses adversaires (dans une contestation, une discussion).

(1924). Par métonymie. *Marquer un but** (au football), *un essai* (au rugby), *un panier* (au basket) : réussir un but, un essai... Absolt. *Il a réussi à marquer.*

21 L'avant-centre perce, essaie de marquer. Le gardien de but plonge et doit mettre en corner (...)   MONTHERLANT, les Olympiques, p. 48.

22 — (...) Pense un peu à toutes les combinaisons, les descentes et les passes qu'il faut faire avant de marquer un but.   CAMUS, la Peste, p. 169.

♦ **7.** (1920). Spécialt. (Dans certains sports d'équipe). *Marquer un joueur,* surveiller ses mouvements; le serrer de près pour l'empêcher d'agir librement. ⇒ **Marquage** (3.).

23 (...) elle était crampon comme un arrière qui vous « marque » au foot, qu'on retrouve tout le temps devant soi.   MONTHERLANT, les Lépreuses, II, XXIII.

Fig. Surveiller (un adversaire, un concurrent).

♦ **8.** (1669). Par ext. Rendre sensible ou plus sensible; accentuer, souligner... ⇒ **Scander.** *Marquer chacune de ses phrases par un geste de la main.* ⇒ **Ponctuer.**

(1835). *Marquer la mesure :* indiquer la cadence par des mouvements des bras, des sons rythmés... (→ Fanfare, cit. 2).

(1812). Loc. **MARQUER LE PAS :** faire sentir la cadence en frappant du pied, et, spécialt, piétiner sur place en cadence (le commandement réglementaire est : *Marquez le pas, Marche*).

(1888). Fig. Ralentir ou s'arrêter. *L'offensive marquait le pas.*

24 (...) Croquebol qui s'était levé marquait le pas sur place, les coudes balancés près des hanches, singeant la classique lourdeur d'un pompier de Fouilly-les-Oies (...)
COURTELINE, le Train de 8 h 47, II, I.

25 (...) douze jeunes filles (...) entrèrent dans la salle d'un pas léger dont la cadence était marquée par une flûte invisible.   FRANCE, Thaïs, p. 165.

26 Yves et moi, nous chantions les basses, et la vieille mère marquait la mesure avec sa tête et la pédale de son rouet.   LOTI, Mon frère Yves, XIX.

27 (...) on entendit un air de danse au gramophone. Les pieds soudain agités se mirent à marquer le rythme.   J. CHARDONNE, les Destinées sentimentales, p. 445.

27.1 (...) Jean sortit, et comme si marchant dans la vie il eût revêtu une éclatante et fine cotte de mailles d'or, la tête levée, l'air intrépide et joyeux, il marchait en marquant le pas et en chantant comme ceux qui suivent les régiments et que le bruit d'or des fanfares, comme les longs rayons de soleil qui éclataient à tout moment devant lui, excite de leur hennissement anxieux et pur.
PROUST, Jean Santeuil, Pl., p. 774.

28 (Le commandant Hugo) marquait toujours tristement le pas sans espoir d'avancement.   Émile HENRIOT, les Romantiques, p. 21.

Faire sentir*. *Marquer un temps d'arrêt, une pause, un repos* (→ Hémistiche, cit. 1), *un temps. On ne marque pas les e muets.* ⇒ **Prononcer.**

29 Il attendit pendant un moment, comme un acteur qui *marque un temps.*
BALZAC, la Cousine Bette, Pl., t. VI, p. 147.

Faire apparaître, faire ressortir nettement, mettre en évidence. *Marquer plus ou moins nettement une distinction, une différence* (→ Goût, cit. 3; graduel, cit. 3).

(1669). Sujet n. de chose. *Corset qui marque la taille* (→ Baleine, cit. 2). *Draperie qui marque le nu* (→ Caresser, ci. 12). *Ligne qui marque les creux* (cit. 21) *et les saillies.*

30 (...) la pente d'une colline, dont des touffes de vigoureux châtaigniers marquent les moindres sinuosités.   STENDHAL, le Rouge et le Noir, I, I.

31 (...) son habit légèrement cintré, marquait une taille mince.
J. CHARDONNE, les Destinées sentimentales, p. 27.

B. (Abstrait). ♦ **1.** (1553). Vieilli. Indiquer*, spécifier (quelque chose à quelqu'un). ⇒ **Désigner, déterminer, fixer, mander.** *Marquer qqch., ce qu'on veut... oralement* (⇒ **Dire**), *par écrit* (⇒ **Écrire**).

(...) les rois éclairés comme vous n'ont pas besoin qu'on leur marque ce qu'on souhaite (...)   MOLIÈRE, Tartuffe, 1er placet au roi.

Vous avez dit que nos contestations étaient pour vous sans importance. Je voudrais vous marquer que votre opinion sur ces contestations est elle aussi de peu d'importance.   MONTHERLANT, Port-Royal, p. 85.

Mod., littér. ⇒ **Assigner, fixer.** *Le destin marque à chacun son aventure* (cit. 2). *Marquer sa place à quelqu'un* (→ Lévite, cit. 1).

♦ **2.** Vx. (Langue class.). Remarquer.

Il tourne à l'entour du troupeau,
Marque entre cent moutons le plus gras, le plus beau (...)
LA FONTAINE, Fables, II, 16.

♦ **3.** Vx. Représenter, dépeindre.

(...) marque-moi bien, pour m'en dégoûter, tous les défauts que tu peux voir en elle.   MOLIÈRE, le Bourgeois gentilhomme, III, 9.

Vieilli. ⇒ **Exprimer, rendre.** *Acteur qui marque la passion sans l'outrer* (→ Charmer, cit. 11). *Marquer que...* (→ Grandiloquence, cit. 1).

Vous faites le poète, vous, et vous devez (...) marquer cet air pédant (...) ce ton de voix sentencieux, et cette exactitude de prononciation qui appuie sur toutes les syllabes (...)   MOLIÈRE, l'Impromptu de Versailles, I.

♦ **4.** (1660). Faire connaître*, extérioriser (un sentiment, une pensée). ⇒ **Dire, exprimer, manifester, montrer, témoigner.** *Marquer son assentiment* (cit. 6), *sa considération* (→ Flatter, cit. 18), *sa désapprobation* (cit. 2), *son mépris, son refus ...* (→ Dérober, cit. 21; indirect, cit. 1). *Marquer de la chaleur* (cit. 8), *de la bienveillance* (→ Empressement, cit. 7), *de l'intérêt* (cit. 22); *de l'indifférence* (cit. 12), *de la rancune* (→ Bouder, cit. 5). — (Vieilli) *Marquer des bontés* (cit. 11) *à quelqu'un. Marquer son ardeur* (→ Gré, cit. 24), *sa fidélité* (→ Éprouver, cit. 11).

37 Il vit que la petite Marie n'avait pas dormi non plus, mais il ne sut rien lui dire pour marquer sa sollicitude.   G. SAND, la Mare au diable, XI.

38 Je le saluai poliment et lui marquai ma surprise (...)
FRANCE, la Rôtisserie de la reine Pédauque, Œ., t. VIII, XIII, p. 105.

♦ **5.** (1660). Littér. (sauf dans quelques loc. : *marquer son âge,* par ex.). Faire connaître, montrer, révéler... par un caractère, un signe. ⇒ **Marque; annoncer, attester, caractériser, dénoncer, dénoter, indiquer, révéler, signaler, témoigner.** *Marquer qqch. par des signes certains* (→ Adultérin, cit. 1). *Marquer du même caractère le vrai et le faux* (→ Imagination, cit. 10). *La grâce qui marque l'adolescence* (cit. 1). *Tout marque en lui le jeune débauché* (→ Gueuser, cit. 2), *le fat* (→ Liberté, cit. 10). *Ses moindres paroles marquent sa bonté.* ⇒ **Respirer.** — *Il ne marque pas son âge,* il ne le paraît pas.

39 (...) Dieu a envoyé Noé, et l'a sauvé, et noyé toute la terre, par un miracle qui marquait assez le pouvoir qu'il avait de sauver le monde, et la volonté qu'il avait de le faire (...)   PASCAL, Pensées, X, 644.

(Sujet n. de chose). *Détail qui marque l'époque d'un tableau* (→ Écartement, cit. 2). *Signe qui marque le grade* (cit. 7). — *Mot, tour, forme qui marque l'antériorité* (→ Antérieur, cit. 7), *la rareté ou la fréquence* (→ Fois, cit. 6).

40 (...) un grand enfant, d'âge incertain car son visage marquait trois ou quatre ans de plus que son corps (...)   GIDE, Isabelle, II.

★ **II.** V. intr. ♦ **1.** (1762). Laisser une trace; imprimer une marque. *Ce tampon marque mal, ne marque plus.* — *Coup qui marque,* qui laisse une marque, et, fig., coup qui porte. — Fig. *Les influences* (cit. 18) *qui ont marqué sur lui.* ⇒ **Déteindre** (→ Formation, cit. 5).

41 Il se méfiait des terres meubles où le pied marque, suivait les talus herbeux, recherchait aussi les routes dures (...) dont l'empierrement de silex ne garde point d'empreintes durables.   M. GENEVOIX, Raboliot, I, III.

♦ **2.** (XVIIe). Fig. Faire une impression assez forte pour laisser un souvenir durable. *Événements qui marquent.* ⇒ **Date** (faire), **dater; marquant, mémorable, remarquable.** *Il n'y a rien qui marque dans ce livre. Les personnalités qui ont marqué pendant cette période.* ⇒ **Distinguer** (se); **marquant.** *Les événements, les épreuves qui ont marqué dans sa vie* (⇒ **Jalonner**).

42 (...) souvent (...) ils (les vieillards) confondent leurs différents âges, ils n'y voient rien qui marque assez pour mesurer le temps qu'ils ont vécu.
LA BRUYÈRE, les Caractères, XI, 47.

♦ **3.** (1694, marquer bien « avoir bel aspect »). Fam. *Marquer mal,* donner une mauvaise impression, par son allure, sa mine, sa mise... ⇒ **Dégoter** (fam.).

43 (...) cette dame que nous avons vue (...) nous avons bien trouvé qu'elle marquait très mal mais nous ne savions pas qu'elle était venue pour la marquise.
PROUST, À la recherche du temps perdu, t. IV, p. 127.

▶ **SE MARQUER** v. pron. (sens passif). *Métal précieux qui se marque au poinçon.* — Figuré :

(Toi...) qui sais à quel coin se marquent les bons vers (...)
BOILEAU, Satires, II.

Visage où se marquent deux grosses veines (→ Gonfler, cit. 15). — *Traits qui se marquent, s'accentuent, se durcissent avec l'âge.*

45 Ses traits s'étaient marqués, ils avaient plus d'esprit et moins de jeunesse.
STENDHAL, la Chartreuse de Parme, XXIV.

Fig. (Vieilli ou littér.). *L'action complète se marque par le préfixe* Par- (→ Achèvement, cit. 1). — *La force du lion* (cit. 2) *se mar-*

que par des bonds prodigieux. La surprise et l'effroi se marquent dans son maintien (→ Calmer, cit. 15.2). *L'instinct* (cit. 13) *se marque par des habitudes suivies.*

46 *(Le style de Napoléon) est simple et nu* (...) *sa brièveté a un cachet de positif. En général, la volonté se marque dans son style.*
                              SAINTE-BEUVE, *Causeries du lundi*, 17 déc. 1849.

47 (...) *sans tenir compte du peu de sympathie qui se marquait sur cette face noiraude et parcheminée, il l'invita à déjeuner.* M. BARRÈS, *la Colline inspirée*, XI.

(Sens réfl.). *Se marquer soi-même d'un signe...* (→ Fatal, cit. 15).

▶ **MARQUÉ, ÉE** p. p. adj. (1640).

♦ **1.** Pourvu, empreint d'une marque. *Briquet marqué,* estampillé. *Linge, drap marqué* (→ Jour, cit. 22).
Sc. *Atomes, éléments marqués,* rendus radioactifs et, par là, décelables. ⇒ **Marqueur.**
(Personnes). *Être marqué, tatoué d'une manière indélébile* (cit. 4). — Spécialt. *Être marqué :* porter la marque du forçat (→ Lis, cit. 11).
Fig. *Être marqué,* être compromis, engagé (cit. 28) ou encore, désigné (comme suspect, coupable... → Faire, cit. 103). *Homme politique marqué à droite, à gauche. Être marqué par le destin.*
Loc. *Être marqué au coin* (cit. 2) *de...* être empreint d'un caractère de... *Réflexion marquée au coin du bons sens*. *Marqué au bon coin,* excellent, de bonne qualité. — *Marqué au sceau, du sceau de...* (→ Comprendre, cit. 35 ; grandiose, cit. 1).

48 *Je suis bien content de cela, me dit-il en montrant les endroits les plus enflés ; voilà des expressions marquées au bon coin.* A.-R. LESAGE, *Gil Blas*, XI, VI.

Plumage, pelage marqué de taches. Femme marquée de petite vérole (→ Laid, cit. 2). *Visage marqué,* fripé*, chiffonné, aux yeux cernés, ou encore ridé, aux traits accusés. — Spécialt. *Homme marqué* (par l'âge, la vie...).

49 *La petite vérole lui vint, elle en fut extrêmement marquée* (...)
                              MARIVAUX, *la Vie de Marianne*, I.

50 (...) *est-il heureux d'être bel homme! Néanmoins, il vieillit, il est marqué* (...)
                              BALZAC, *la Cousine Bette*, Pl., t. VI, p. 238.

♦ **2.** Qui constitue une marque. *Poinçon marqué sur du métal. Filigrane marqué au milieu d'une feuille* (→ Format, cit. 2). — Par métaphore. (→ Griffe, cit. 14).
Spécialt. Écrit, tracé (→ Ensuite, cit. 2). *Ce qui est marqué dans un acte* (→ Inféoder, cit. 1). *Il n'y a rien de marqué sur cette borne, ce poteau...*

♦ **3.** Indiqué, signalé. *Frontière, limite marquée, bien marquée. Ville, région marquée sur la carte.*
Accentué. *Mesure, mélodie marquée* (→ Incolore, cit. 1). *Danse, bourrée* (1. Bourrée, cit. 2) *bien marquée. Gestes* (1. Geste, cit. 1) *bien marqués. — Taille marquée,* soulignée par les vêtements. — *Traits marqués,* accusés*.

51 (...) *la tête* (...) *du jeune homme, son visage blond, un peu gras, ses traits frais à peine marqués où seules semblaient bien dessinées* (...) *les dents très blanches.*
                              J. CHARDONNE, *les Destinées sentimentales*, p. 372.

Spécialt. Assigné, fixé, désigné. *Heures marquées pour la prière* (→ Fréquentation, cit. 10). *Moments marqués* (→ Fièvre, cit. 2 ; 1. frai, cit. 1).

52 *Que le lieu de la scène y soit fixe et marqué.*
                              BOILEAU, *l'Art poétique*, III.

53 (...) *cette année 89 si prédite, si marquée, si annoncée pour de grands événements* (...)   Mme DE SÉVIGNÉ, 1114, 31 déc. 1688.

Sports. ⇒ **Marquer** (I., A., 6.). *Joueur étroitement marqué qui cherche à se démarquer.*

54 *Un homme marqué est celui sur lequel l'adversaire « a l'œil »* (...)
                              MONTHERLANT, *les Olympiques*, p. 103 (note).

♦ **4.** (1835). Abstrait. Qui se reconnaît facilement. ⇒ **Net, prononcé.** *Distinction, différence marquée* (→ Fusionner, cit. 1). *Ironie marqué* (→ Imperceptible, cit. 8). *Changement marqué* (→ Irrespect, cit. 3). *Saisons marquées,* nettement différenciées. *Préférence marquée* (→ Itinérant, cit. 2). *Influence marquée* (→ Indicatif, cit. 2). *Habitude marquée.*

55 *Et dans votre billet ils (vos sentiments) sont si bien marqués, Que quand il les verra de la sorte expliqués* (...) MOLIÈRE, *Don Garcie*, I, 1.

56 *Lorsqu'elle commença à se tenir debout et à marcher, une curiosité très marquée lui fit examiner et toucher tous les objets qui l'environnaient* (...)
                              A. DE MUSSET, *Contes*, « Pierre et Camille », III.

♦ **5.** Didact. Qui porte un caractère particulier (par rapport à un terme neutre, *non marqué*). Coursier, étalon des termes marqués, *par rapport* à cheval. *Forme marquée du substantif* (féminin pluriel) *par rapport à la forme non marquée* (masculin singulier).

57 *La double tendance existant dans la langue en raison du système de distribution des marques, celle de l'invariabilité du substantif et celle de la lexicalisation des pluriels marqués, est concrétisée dans le cas de aïeul, qui fonctionne au singulier et pluriel au sens de « grand-père » et « grands-parents », et qui sous la forme aïeux* [ajø] *est devenu une sorte d'intensif (les ancêtres»).*
                              Jean DUBOIS, *Grammaire structurale du français (nom et pronom)*, p. 30.

DÉR. **Marquage, marquant, marqueté, marqueur, marquoir.**
COMP. **Démarquer** — V. **Remarquer.**
HOM. V. **Mark, 1. marque, 2. marque, 2. marqué.**

MARQUÉSAN, ANE [maʀkezã, an] ou **MARQUÉSIEN, IENNE** [maʀkezjɛ̃, jɛn] adj. et n. — 1902, Larousse ; du nom des îles *Marquises*.

♦ Des îles Marquises. — N. *Les Marquésans.* — On dit, on écrit aussi *marquisien, -ienne.*

MARQUETÉ, ÉE [maʀkəte] adj. — 1379 ; dér. de *marquer.*

♦ **1.** Marqué, parsemé de taches de couleur. ⇒ **Bigarré, tacheté.** *Chat* (→ Humble, cit. 25), *léopard marqueté. Chien, cheval marqueté.* ⇒ **Truité.**

1 *Un manchon de ma peau tant elle est bigarrée, Pleine de taches, marquetée, Et vergetée, et mouchetée.*   LA FONTAINE, *Fables*, IX, 3.

2 (...) *la poule pierrée, dont le plumage fond blanc est marqueté de noir ou de chamois, ou d'ardoise ou de doré* (...)   BUFFON, *Hist. nat. des oiseaux, Le coq.*

♦ **2.** Formé ou décoré de pièces de marqueterie.

3 *Le plafond* (...) *était marqueté de vieilles armoiries peintes* (...)
                              CHATEAUBRIAND, *le Génie du christianisme*, IV, V, IV.

DÉR. **Marqueter, marqueterie.**
HOM. Formes du v. **marqueter.**

MARQUETER [maʀkəte] v. tr. — Conjug. *acheter.* — 1538 ; de *marqueté.*

♦ **1.** Rare. Marquer, parsemer de marques. *« Des mouettes posées marquetaient en troupe la plage mouillée »* (Chateaubriand).

♦ **2.** Former, décorer par de la marqueterie.

DÉR. **Marqueteur.**
HOM. V. **Marqueté, marquette.**

MARQUETERIE [maʀkətʀi ; maʀkɛtʀi] n. f. — 1416 ; de *marqueté.*

♦ **1.** Assemblage* décoratif de pièces de bois précieux, d'écaille, d'ivoire, de nacre ou de métal, appliquées par incrustation* ou plus souvent par placage* sur un fond de menuiserie, de manière à former des dessins. *Marqueterie en mosaïque. Bibelots* (cit. 1), *boîte, coffret en marqueterie. Table de marqueterie* (→ Condamner, cit. 14). *Gaine* (cit. 12) *d'horloge enrichie de marqueterie.*

1 *Les marqueteries (dans le mobilier Louis XV) dessinent soit de grands compartiments, arrondis ou ondulés, qui continuent la mode Louis XIV et dont le dessin est identique à celui des bronzes, soit de menus motifs qui décorent les larges compartiments précédents ou ornent les divers panneaux du meuble ; ce sont des losanges traités «à la manière de mosaïques», des quatrelobes, des damiers, des cubes, des chevrons, parfois de véritables tableaux de fleurs, trophées, oiseaux, personnages, paysages* (...)   P. VERLET, *le Style Louis XV*, IV, II.

Par anal. *Marqueterie de marbre,* sur fond de pierre (→ Lapicide, cit.).

♦ **2.** (1868). Par ext. Branche de l'ébénisterie* appliquée à la fabrication de ces ouvrages. *Bois de marqueterie :* anis, carouge ; ébène (cit. 1), myrte...

♦ **3.** (1588). Fig. Ensemble composé de parties disparates. ⇒ **Bigarrure, mosaïque.**

2 *Mon livre est toujours un. Sauf qu'à mesure qu'on se met à le renouveler* (...) *je me donne loi d'y attacher (comme ce n'est qu'une marqueterie mal jointe) quelque emblème supernuméraire.*   MONTAIGNE, *Essais*, III, IX.

3 *C'est* (...) *de toutes ces surfaces brillantes juxtaposées en faisceau que se compose ce poème bigarré, le trophée qu'on appelle sa vie (de Chateaubriand). Unité d'artiste, unité factice, car c'est une unité faite de pièces et de morceaux, une vraie marqueterie.*   SAINTE-BEUVE, *Chateaubriand...*, t. I, p. 237.

MARQUETEUR, EUSE [maʀkətœʀ, tøz] n. — 1756 au masc. ; *marquetier,* 1508 ; de *marqueter.*

♦ Techn. Ouvrier, ouvrière ébéniste* spécialisé(e) dans les ouvrages de marqueterie.

MARQUETTE [maʀkɛt] n. f. — 1714 ; esp. *marqueta.*

♦ Techn. Pain de cire* vierge.

HOM. Formes du v. **marqueter.**

MARQUEUR, EUSE [maʀkœʀ, øz] n. — XVIe ; de *marquer.*

A. ♦ **1.** (1582). Personne qui marque, appose des marques. *Un marqueur de bétail. « Une marqueuse de draps »* (Académie).

♦ **2.** (1613 au masc., t. de jeu de paume ; *in* D.D.L.). Personne qui compte les points, les inscrit (jeux, sports). *Les marqueurs d'un champ de tir se servent de palettes* pour indiquer les points d'impact aux tireurs.*

(1929). Par ext. N. m. *Marqueur automatique* (de billard, etc. — cit. 2, Cocteau).

1 (...) *un bien mauvais champ de tir sans doute, à cause des difficultés qu'avaient* (...) *les marqueurs à le traverser.*
                              Pierre BENOIT, Mlle *de la Ferté*, p. 36.

2 Écoute, dit Paul (il posait le doigt sur le marqueur automatique) ... Le marqueur marquant à toute vitesse, emplissait la clairière d'un crépitement de télégraphe (...)
COCTEAU, les Enfants terribles, p. 211.

3 Les complications du jeu dans une grande partie font que les deux arbitres sont assistés de chronométreurs et marqueurs qui enregistrent les pénalisations, tiennent la marque et décomptent les « temps morts » (suspension de jeu à la demande d'un capitaine, d'un entraîneur ou de l'arbitre).
Jean DAUVEN, Technique du sport, Le basket-ball, p. 105.

♦ **3.** (xxᵉ). Sports. Joueur qui marque des buts.

REM. Le fém., rare, doit s'employer dans les sports féminins.

B. N. m. Instrument pour marquer (⇒ **Marquoir**).

♦ **1.** Instrument analogue à un crayon, cylindre contenant une matière souple (feutre...) imprégnée d'encre. *Acheter des stylos à bille et des marqueurs.* ⇒ aussi **Feutre.**

4 Gérard loyalement se laisse mesurer par un autre il recopie la liste au gros marqueur rouge et il l'affiche sur un mur du dortoir.
Tony DUVERT, Paysage de fantaisie, p. 203.

♦ **2.** (1976). Didact. Moyen de balisage d'un point de la surface terrestre.

♦ **3.** Sc. Élément repérable destiné à marquer. *Marqueurs radioactifs.* ⇒ **Indicateur, radio-indicateur, radiotraceur, traceur ; marquer** (I., A., 2.). *Marqueurs génétiques.*

Adj. Qui sert à marquer, à reconnaître (qqch.). *Atomes marqueurs.*

(...) il est nécessaire de disposer d'un système où l'on soit sûr que les plantes régénérées proviennent bien de fusion, et non de la régénération des protoplastes des seuls parents. (...) on choisit un système de caractères marqueurs permettant d'analyser les événements qui ont donné naissance aux plantes obtenues.
la Recherche, nov. 1978, p. 1027-1028.

C. N. f. (Techn.). MARQUEUSE : machine qui imprime la marque sur un produit.

MARQUIS [maʀki] n. m. — 1226 ; *marchis*, 1080 ; du rad. de 1. *marche.*

♦ **1.** Hist. À l'époque franque, Gouverneur militaire d'une marche*.

1 Le nom de Carol (...) était le nom le plus glorieux d'un des plus puissants chefs venus jadis du Nord pour conquérir et féodaliser les Gaules. Jamais les Carol n'avaient plié la tête (...) Chargés autrefois de défendre une Marche française, leur titre de marquis était à la fois un devoir, un honneur, et non le simulacre d'une charge supposée (...)
BALZAC, le Cabinet des Antiques, Pl., t. IV, p. 335.

♦ **2.** (1651). Titre seigneurial attaché à la possession d'une terre érigée en marquisat* ; (1668) le seigneur qui portait ce titre.

2 Enfin, il se tint à la fille d'un marquis de je ne sais quel marquisat ; car c'est la chose du monde dont je voudrais le moins jurer, en un temps où tout le monde se marquise de soi-même (...)
SCARRON, le Roman comique, I, IX.

Titre de noblesse* qui, dans la hiérarchie nobiliaire, prend rang après le duc et avant le comte ; celui qui porte ce titre. *Monsieur le Marquis. Le marquis de Bassompierre. Couronne* (cit. 6) *de marquis.*

3 En attendant Saint-Loup, je demandai au patron du restaurant de me faire donner du pain. « Tout de suite, monsieur le baron. — Je ne suis pas baron, lui répondis-je avec un air de tristesse pour rire. — Oh ! pardon, monsieur le comte ! » Je n'eus pas le temps de faire entendre une seconde protestation, après laquelle je fusse sûrement devenu « monsieur le marquis » (...)
PROUST, À la recherche du temps perdu, t. VIII, p. 40.

(xviiᵉ). Spécialt. et péj. Personnage de comédie, généralement fat et ridicule, appartenant ou prétendant appartenir à la noblesse. *Les marquis de Molière* (→ Effaroucher, cit. 6).

4 Le marquis aujourd'hui est le plaisant de la comédie ; et comme dans toutes les comédies anciennes on voit toujours un valet bouffon qui fait rire les auditeurs, de même, dans toutes nos pièces de maintenant, il faut toujours un marquis ridicule qui divertisse la compagnie.
MOLIÈRE, l'Impromptu de Versailles, I.

♦ **3.** Fig., vx. Au xviiiᵉ siècle, Homme élégant, raffiné, désinvolte dans sa mise, ses manières... *Vous êtes vêtu comme un marquis* (→ Chatouiller, cit. 8). *Des grâces de petit marquis. Les marquis de Watteau. Marquis et marquises du xviiiᵉ siècle* (→ Futilité, cit. 5).

5 Nos petits marquis rengorgés.
VOLTAIRE, Temple du goût.

Allus. littér. *Un marquis de Carabas :* un homme qui se vante faussement de posséder de grands biens (par allus. au conte de Perrault, *le Chat botté ;* → Hacher, cit. 5).

Allons ! saute ! Marquis !, exclamation de contentement mise par Regnard dans la bouche d'un faux *marquis* s'applaudissant de ses succès et qualités (*le Joueur,* IV, 10).

DÉR. **Marquisat, marquise.**

MARQUISAT [maʀkiza] n. m. — 1474 ; de *marquis.*

♦ **1.** Hist. Terre frontière soumise à l'autorité du marquis (⇒ 1. **Marche**), puis Terre qui conférait à son possesseur le titre de marquis. *Terre érigée en marquisat. Acheter un marquisat.*

♦ **2.** (1552). Dignité de marquis.

(...) son snobisme, ses prétentions nobiliaires, sa calèche armoriée et son marquisat (...)
Émile HENRIOT, les Romantiques, p. 353.

MARQUISE [maʀkiz] n. f. — 1472 ; *marcise*, xiiᵉ ; fém. de *marquis.*

★ **I.** ♦ **1.** Femme d'un marquis*. *Madame la Marquise. La marquise de Sévigné, de Pompadour* (→ Élévation, cit. 8).

1 — (...) J'ai du bien assez pour ma fille, je n'ai besoin que d'honneur, et je la veux faire marquise. — Marquise ? — Oui, marquise.
MOLIÈRE, le Bourgeois gentilhomme, III, 12.

(1868). Iron., vx. Femme* affectée, qui se donne des allures, des airs de grande dame. *Les belles marquises.*

♦ **2.** Vx. Femme d'un marpeau* (cit.).

★ **II.** ♦ **1.** (1690, Furetière). Variété de poire fondante.

♦ **2.** (1718). Toile tendue au-dessus de l'entrée d'une tente d'officier.

(1839). Par anal. Auvent* généralement vitré construit au-dessus d'une porte d'entrée, d'un perron pour servir d'abri contre la pluie (⇒ **Véranda**).

Par ext. *Marquises d'une gare* (1. Gare, cit. 3), vitrages* qui abritent les quais, les voies... (→ Halle, cit. 3).

2 (...) la gare, bâtie une des premières de la ligne, était insuffisante, indigne du Havre, avec sa remise en vieille charpente, sa marquise de bois et de zinc, au vitrage étroit, ses bâtiments nus et tristes, lézardés de toutes parts.
ZOLA, la Bête humaine, III.

3 La marquise, au-dessus de la porte, a des vitres fêlées, et la peinture gris-argent en est soulevée par la rouille.
J. ROMAINS, les Hommes de bonne volonté, t. I, x, p. 98.

Techn. Superstructure du poste de pilotage, sur une péniche (équivaut à la *passerelle,* en mer).

♦ **3.** (Fin xixᵉ). Bague* à chaton oblong. *Marquise Louis XVI entourée de brillants.*
Diamant taillé en forme de navette.

♦ **4.** (1770). Fauteuil à siège large, profond et à dossier bas.

♦ **5.** (1849, in D.D.L.). Vx. Ombrelle en dentelle doublée de soie, à la mode au milieu du xixᵉ siècle.

♦ **6.** (1849, in D.D.L.). Vx. Petit paletot lâche à la taille, à gros boutons, à la mode au milieu du xixᵉ siècle.

MARQUISIEN, IENNE [maʀkizjɛ̃, jɛn] adj. ⇒ **Marquésan.**

MARQUOIR [maʀkwaʀ] n. m. — 1771 ; de *marquer.*

Technique.

♦ **1.** Instrument servant à marquer. — Spécialt. Instrument dont se servent les tailleurs, les couturières.

♦ **2.** (1836). Modèle de lettres pour marquer le linge.

MARRADE [maʀad] n. f. — 1952, in Esnault ; de *se marrer,* et *-ade,* comme dans *(rigol)ade.*

♦ Fam. ⇒ **Rigolade.** « *La marrade. On redouble de chahut* » (*le Nouvel Obs.,* 16 janv. 1978, p. 62).

MARRAINE [maʀɛn] n. f. — xiiiᵉ ; *marrenne*, 1080 ; d'un lat. pop. *matrina,* de *mater* « mère ».

♦ **1.** Femme qui tient (ou qui a tenu) un enfant sur les fonts* du baptême*. ⇒ **Commère** (vx). *Le parrain* et la marraine de qqn. Fonction de marraine.* ⇒ **Parrainage** (*marrainage* serait plus normal). *Marraine qui gâte son filleul*. Porter le prénom de sa marraine, un nom choisi par sa marraine* (→ Entendre, cit. 5). *Avoir une fée pour marraine* (→ Coquet, cit. 10 ; douer, cit. 2). — *Marraine,* appellation dont use un filleul à l'égard de sa marraine.

1 Dès le samedi soir, madame Lorilleux apporta ses cadeaux de marraine : un bonnet de trente-cinq sous et une robe de baptême, plissée et garnie d'une petite dentelle (...)
ZOLA, l'Assommoir, t. I, IV, p. 132.

♦ **2.** (1690). Femme qui préside au baptême d'une cloche, au lancement d'un navire...

(...) j'ai vu madame la duchesse, marraine de nos cloches, le jour de Sainte-Andoche, donner à la fabrique cinquante louis en or (...)
P.-L. COURIER, Lettres, 12 nov. 1819.

♦ **3.** (1868). Femme qui en présente une autre dans une société.

♦ **4.** (Depuis la guerre 1914-1918). Jeune fille ou femme qui se charge d'un militaire, l'« adopte », entretient une correspondance avec lui, lui envoie des colis, le reçoit éventuellement chez elle. *Marraine de guerre.*

(...) les marraines de guerre (dit Jerphanion), cette admirable invention de l'arrière

pour maintenir chez le poilu une légère chaleur amoureuse, dont on escompte bien qu'il la transformera tout entière en ardeur patriotique.
J. ROMAINS, les Hommes de bonne volonté, t. XVI, XXIV, p. 232.
HOM. Marennes.

MARRANE [maʀan] n. — 1690; «espagnol», XVᵉ; esp. *marrano*, t. d'injure, «porc» (Xᵉ), arabe *moḥarramah* «chose interdite par la religion».

♦ Didact. Juif d'Espagne ou du Portugal converti au christianisme par contrainte, et resté fidèle à sa religion.
Adj. «*J'avais eu des aïeuls* (sic) *marranes; ils s'appelaient Acevedo et étaient de souche judéo-portugaise*» (Interview de J.-L. Bory, in *le Nouvel Obs.*, 14 nov. 1977, p. 146).
(...) ces disciples (...) permettent à Spinoza de mener au cours de longues années un dialogue philosophique où il prend de mieux en mieux conscience de lui-même et des implications de sa pensée; dans ce dialogue, certes, il ne se livre jamais tout entier (son cachet porte comme devise : CAUTE, «Méfie-toi» — Spinoza descend des Juifs Marranes...) Robert MISRAHI, Spinoza, p. 18.

MARRANT, ANTE [maʀɑ̃, ɑ̃t] adj. — 1901, *in* Esnault; de *se marrer*.
Familier, courant.

♦ **1.** Amusant*. ⇒ **Bidonnant, comique, drôle, gondolant, rigolo, tordant.** *Histoire marrante. Il est marrant, ce type. Ce n'est pas (c'est pas) marrant ce qui t'arrive.*

♦ **2.** Bizarre, curieux, étonnant. ⇒ **Drôle.**
(...) il n'y a pas de problème; il n'y a que des solutions. L'esprit de l'homme (...) voit des problèmes partout. C'est marrant. (C'est la première fois que j'emploie ce mot affreux; je ne sais même pas comment l'écrire... Mais c'est le seul qui convient.) GIDE, Journal, nov. 1947.
(Personnes). Dont le comportement, les paroles sont étranges. → Drôle. *T'es marrante, toi, si tu crois qu'on a le temps d'aller au cinéma!*
CONTR. Triste.
HOM. Marante.

1. MARRE [maʀ] n. f. — XIIᵉ; du lat. *marra*.
♦ Régional, techn. Outil de vigneron. ⇒ **Houe.**
HOM. 2. Marc, mare, 2. marre. — Formes du v. marrer (se).

2. MARRE [maʀ] adv. — 1895, *j'en ai mar*; p.-ê de *se marrir* «s'affliger», *maré* «excédé» (1895, Chautard) → Marri, ou esp. *marearse* «avoir la nausée», de *mar* «mer»; P. Guiraud rattache le mot à l'anc. franç. *marre* «caillou», d'où *merel, marreau* «jeton», d'où *merel* «part due», par la loc. *prendre son marre*, comme *prendre son pied*, *son taf*.
♦ Fam. Loc. *En avoir marre* : être excédé, dégoûté. ⇒ **Assez.** → En avoir ras* le bol, sa claque*, plein le dos*. *Je commence à en avoir marre de tes simagrées. Elle en avait marre de lui.*
— On en a marre, mon lieutenant, lui déclara Sulphart, avec une ferme dignité d'homme libre. On ne s'en ressent pas pour défiler devant les péquenots.
R. DORGELÈS, les Croix de bois, XI.
Le duc s'obstinait à cheminer, mais tombait dans des fourrés ou s'écrasait le nez contre des chênes séculaires en poussant des hurlements de rage et en jurant de la façon la plus malséante qui fût, sans respect pour la nocturne beauté de ces lieux. Il commençait à en avoir marre, mais vraiment marre, lorsqu'il aperçut, piquée sur le sombre satin des ténèbres, une lueur.
R. QUENEAU, les Fleurs bleues, Folio, p. 105.
Très fam. *Il y en a (y'en a) marre* : ça suffit, c'est assez.
Allez. Allez, fini le marché aux puces, y en a marre, de ces trucs-là!
Roger IKOR, les Fils d'Avrom, Les eaux mêlées, p. 488.
Pop. *C'est marre!* (même sens). *Allez, c'est marre, on se tire. Laisse tomber, c'est marre! Ellipt. Fini! Marre!*
Je t'en prie, répéta-t-elle durement. Ne recommence pas (...) C'est marre.
Francis CARCO, Brumes, p. 87.
DÉR. Marrer (se).
HOM. 2. Marc, mare, 1. marre. — Formes du v. marrer (se).

MARRER (SE) [maʀe] v. pron. — 1920, par antiphrase; d'abord «s'ennuyer», 1886; de *marre*.
♦ Fam. S'amuser, rire. ⇒ **Rire; bidonner** (se), **poiler** (se), **rigoler.** *On s'est bien marré. Il y a de quoi se marrer.*
— (...) Visez la gueule du cuistot s'il s'amuse à trier son riz et ses punaises (...) Non, quelle armée! Et on parle de chasser les Boches? Laissez-moi me marrer (...)-
R. DORGELÈS, les Croix de bois, II.
(Factitif; avec ellipse de *se*). *Faire marrer qqn. Tu me fais marrer.*
DÉR. Marrant.
HOM. Marée. — V. 1. marre, 2. marre, 1. marron.

MARRI, IE [maʀi] adj. — XIIᵉ; p. p. de l'anc. v. *marrir*, «affliger»; d'un anc. francique *marrjan*.

♦ Vx ou littér. → **Contrit, fâché** (→ 2. Bien, cit. 4*l*; mari, cit. 3, Molière).
(...) le brave homme se montre si marri, se confond tellement en excuses que la danseuse n'a pas la force de lui garder rancune (...)
Th. GAUTIER, Souvenirs de théâtre..., «Beautés de l'Opéra», IV.
«C'est l'élixir, monseigneur, c'est l'élixir qui m'a surpris,» disait-il en se frappant la poitrine. Et de le voir si marri, si repentant, le bon prieur en était tout ému lui-même. Alphonse DAUDET, Lettres de mon moulin, «l'Élixir du R. P. Gaucher».
HOM. Mari. — Formes du v. marier.

1. MARRON [maʀɔ̃] n. m. — 1532; mot d'origine lyonnaise, d'un rad. préroman *marr- «caillou». → Marelle.

★ **I.** ♦ **1.** Fruit comestible du châtaignier cultivé. ⇒ **Châtaigne.** *Marrons bouillis, grillés. Dinde (farcie) aux marrons. Crème, purée de marrons. Entremets, gâteau aux marrons. ⇒ **Mont-blanc.** — Marchand de marrons*, qui fait griller des châtaignes en plein air et les vend toutes chaudes aux passants. *Chaud les marrons! — Marrons glacés* : châtaignes confites dans du sucre (confiserie). *Acheter une boîte de marrons glacés à la confiserie.*
(...) un dindon farci de saucisses ou de marrons de Lyon.
A. BRILLAT-SAVARIN, Physiologie du goût, t. I, p. 100.
Je ne puis pas (...) me rappeler ces vers (...) sans revoir l'Auvergnat soufflant dans un sac de papier et sans sentir à mon côté la chaleur de la poêle où rôtissaient les marrons. FRANCE, le Livre de mon ami, «Livre de Pierre», X.
(1648). Loc. *Tirer les marrons du feu* : s'exposer à des risques, se donner de la peine pour le seul profit d'autrui (par allus. à la fable de La Fontaine *Le Singe et le Chat*).
Aussitôt fait que dit : Raton avec sa patte,
D'une manière délicate,
Écarte un peu la cendre (...)
Tire un marron, puis deux, et puis trois en escroque.
Et cependant Bertrand les croque. LA FONTAINE, Fables, IX, 17 (→ Jeu, cit. 59).
(...) le peuple se lassait de payer aux bourgeois les marrons qu'il tirait des cendres, en se brûlant les pattes (...) ZOLA, l'Assommoir, t. I, IV, p. 136.

♦ **2.** (1718). MARRON D'INDE : graine non comestible du marronnier* d'Inde (abusivement considérée parfois comme un fruit). *Emploi thérapeutique de la teinture ou de l'intrait de marron d'Inde.*
Le bruit d'un marron d'Inde éclatant sur le sol me procure le même contentement qu'autrefois : on dirait que là-haut, dans les feuilles, un minuscule druide a coupé la tige juste à l'instant où vous passiez. La cosse verte se fend; un lutin acajou, bien ciré, en jaillit et sautille. Il est possible d'en capturer quelques-uns, qui perdent bientôt leur vivacité et leur éclat (...)
André HARDELLET, Lourdes, lentes..., p. 88.
(...) j'ai vu, par exemple, introduire en médecine les extraits de marron d'Inde. Je me suis alors rappelé que les paysans périgourdins portaient un marron d'Inde dans la poche de leur blouse quand ils souffraient d'hémorroïdes, ce qui, je veux bien le reconnaître, est le comble de la discrétion thérapeutique.
G. DUHAMEL, Biographie de mes fantômes, X.

♦ **3.** (1765). Par appos. *Couleur marron.* — De couleur brun ou rouge brun. *Habit marron* (→ Landau, cit.). *Yeux marron. Écharpe marron clair* (⇒ **Bronze; havane**). — N. m. *Du marron. Un marron foncé.*
(...) le rosier n'ose n'ose que des surgeons d'un marron rose, d'une vivante couleur de lombric (...) COLETTE, les Vrilles de la vigne, p. 57.

★ **II.** Vx. ♦ **1.** (1680). Grosse boucle de cheveux nouée avec un ruban.

♦ **2.** (1752). Techn. Jeton* ou plaque de métal numérotée servant à contrôler la présence d'un ouvrier à son poste de travail, le passage régulier d'un gardien, d'un soldat... chargé d'une ronde.
(...) au moment de mettre son marron dans la boîte à marrons; — c'est le moyen qu'on employait pour s'assurer que les surveillants faisaient exactement leur service; toutes les heures un marron devait tomber dans toutes les boîtes clouées aux portes des dortoirs (...) HUGO, les Misérables, IV, II, II.

♦ **3.** (1752). Techn. Pétard formé d'une boîte cubique de carton entourée d'une ficelle goudronnée.

♦ **4.** (1782). Au plur. le plus souvent. Noyau coagulé dans une pâte mal pétrie, dans du plomb mal fondu. ⇒ **Grumeau.**

★ **III.** (1881). Fam. Coup* de poing (sur le *marron* : la tête). ⇒ **Beigne, châtaigne.**
(...) Riboulingue qui ne se sent plus — en a-t-il de la veine! — se reprécipite sur sa victime et lui laisse tomber sur le portrait une collection de marrons qui n'ont rien de comestible et dont la saveur laisse à désirer.
L. FORTON, les Aventures des Pieds-Nickelés, in l'Épatant, 1909, p. 52.
Allons, viens, toi, la grande brune, et il pensait à sa mère, morte aussi, et qui lui avait tant distribué de marrons qu'il en sentait encore les bleus, croyait-il.
R. QUENEAU, Pierrot mon ami, Folio, p. 15.
DÉR. Marronnier.
HOM. 2. Marron, 3. marron. — Forme du v. marrer (se).

2. MARRON, ONNE [maʀɔ̃, ɔn] adj. — 1640; mot des Antilles; altération de l'hispano-américain *cimarrón* «esclave fugitif».

♦ **1.** Ancienn. *Esclave marron*, qui s'est enfui dans les bois pour y vivre en liberté.

(...) une négresse marronne se présenta sous les bananiers qui entouraient leur habitation (...) Elle se jeta aux pieds de Virginie (...) et lui dit : « Ma jeune demoiselle, ayez pitié d'une pauvre esclave fugitive ; il y a un mois que j'erre dans ces montagnes, demi-morte de faim, souvent poursuivie par des chasseurs et par leurs chiens. Je fuis mon maître, qui est un riche habitant de la Rivière-Noire : il m'a traitée comme vous le voyez. »
BERNARDIN DE SAINT-PIERRE, Paul et Virginie, p. 31.

Par anal. (en parlant d'un animal domestique). Qui s'est échappé, a été abandonné et est revenu à la vie sauvage. *Cheval marron.*

♦ **2.** (1819, *in* D.D.L.). Fig. Qui se livre à l'exercice illégal* d'une profession ou à des pratiques illicites* au sein de cette profession. ⇒ **Clandestin, irrégulier.** *Courtier, médecin marron.*

DÉR. Marronner.
HOM. 1. Marron, 3. marron. — (Du fém.) Formes des v. maronner, marronner.

3. MARRON [maʀõ] adj. invar. — 1855 ; de *marron paumé* (1811), *paumé marron* (1815) ; Esnault suppose comme origine *rôti comme un marron,* non attesté ; *paumer* signifiant « attraper, prendre », on peut penser à 2. *marron.*

♦ En attribut. Attrapé, fait*, refait. *Être, être fait marron. Elle a été fait marron.*

1 J'ai fait acheter par le planton un stock de gitanes, pour ne pas être marron en attendant la cantine.   A. SARRAZIN, la Cavale, p. 12.
2 Sachant que même dans les secteurs autorisés et de surplus aux heures ouvrables, les filles se faisaient parfois emballer, aller faire la gracieuse sur les boulevards dénotait un certain culot. Faite marron, la délinquante descendait à Nanterre pour huit ou quinze jours et ce n'était pas rien.
Martin ROLLAND, la Rouquine, p. 250.

HOM. 1. Marron, 2. marron.

1. MARRONNAGE [maʀɔnaʒ] n. m. — Mil. xxᵉ ; p.-ê. de 1. *marron* (à cause de l'aspect des marrons d'Inde lorsqu'ils se dessèchent).

♦ Techn. Craquelures dans un revêtement de route.

HOM. 2. Marronnage.

2. MARRONNAGE [maʀɔnaʒ] n. m. — 1826 ; 1671, *maronage, in* D.D.L. ; de *marronner.*

♦ **1.** Anciennt. État d'esclave marron.

♦ **2.** Vx. État d'une personne qui se livre à l'exercice illégal d'une profession.

HOM. 1. Marronnage.

MARRONNER [maʀɔne] v. intr. — 1771 ; de 2. *marron.*

♦ Anciennt. Être esclave marron, vivre en esclave marron.

DÉR. Marronnage.
HOM. Maronner. — V. 2. Marron, marronnier.

MARRONNIER [maʀɔnje] n. m. — 1560 ; de 1. *marron.*

♦ **1.** Cour. Châtaignier* cultivé.

♦ **2.** (1668). Bot. *Marronnier d'Inde,* ou, cour., *marronnier :* plante dicotylédone *(Hippocastanacées)* originaire d'Orient, scientifiquement appelée *aesculus hippocastanum,* grand arbre d'ornement aux feuilles digitées longuement pétiolées, à fleurs blanches ou rouges disposées en pyramides dressées. *Le fruit du marronnier, capsule coriace hérissée de pointes, renferme la graine* (⇒ 1. **Marron,** I., 2.). *Tanin contenu dans l'écorce du marronnier.* ⇒ **Esculine.** *Bois de marronnier.* — *Feuillage, frondaison* (cit. 2) *des marronniers* (→ Cribler, cit. 7 ; horizon, cit. 14).

1 Les marronniers du parc et les chênes antiques
Se berçaient doucement sous leurs rameaux en pleurs.
A. DE MUSSET, Poésies nouvelles, « Lucie ».
2 (...) Les marronniers ronds vont fleurir en un jour à travers Paris, comme des lustres qui s'allument.   MAUPASSANT, Notre cœur, III, I.
3 Quelquefois, ayant besoin de se délasser un peu plus, il allait jusqu'à la fenêtre jusqu'à laquelle s'étendait un côté du marronnier rose de M. le curé, masse immense et qui faisait supposer une espèce plus prodigieux encore qu'il n'était. Pendant tout le mois de mai il était en fleurs. Et ses tours de fleurs s'élevaient innombrables, les unes non loin des autres, en pente tantôt insensible et tantôt escarpée, au-dessus du feuillage énorme et tranquille, comme une forêt rose sur la descente inégale d'une montagne verte.   PROUST, Jean Santeuil, Pl, p. 310.

♦ **3.** Fig., vx. Tableau de contrôle où chaque ouvrier d'une usine, d'un chantier... est tenu, à l'entrée et à la sortie, d'accrocher ou de décrocher un jeton numéroté (⇒ 1. **Marron,** II., 2.).

HOM. formes des v. maronner, marronner.

MARRUBE [maʀyb] n. m. — 1387, *marrubre* ; lat. *marrubium.*

♦ Bot. Plante dicotylédone *(Labiées)* herbacée, vivace, à odeur musquée, des régions tempérées d'Europe et d'Asie. *Marrube noir.* ⇒ **Ballote** (fétide). *Marrube d'eau.* ⇒ **Lycope.** *Propriétés dépuratives du marrube.*
Par ext. *Faux marrube.* ⇒ **Agripaume.**

MARS [maʀs] n. m. — V. 1215 ; du lat. *martius,* de *Mars,* dieu de la guerre.

♦ **1.** Troisième mois de l'année dans le calendrier actuel (⇒ **Ventôse** et **germinal,** dans le calendrier républicain). *Mars a 31 jours. Le 26 mars. Il viendra à Paris au mois de mars, en mars.* — *Mars, mois du printemps* (→ Anémone, cit. 2). *Giboulées, ondées de mars* (→ Bon, cit. 118). « *Mars, qui rit malgré les averses* » (cit. 2, Gautier).

Comme février, mars fut dur ; il ne faillit pas à sa mauvaise réputation. Mais alors qu'on l'attend tout giboulées et tout bourrasques, cette année-là, il se montra pluvieux.   H. BOSCO, Un rameau de la nuit, p. 115.

Loc. prov. *Arriver comme mars en carême.* ⇒ **Carême.**

♦ **2.** (1234). Agric. *Blé de mars,* qu'on sème en mars. — N. m. pl. (1283). *Les mars :* les grains semés en mars (avoine, orge, millet...).

♦ **3.** Papillon diurne, scientifiquement appelé *apatura.*

♦ **4.** (Du nom du dieu). *Champs de Mars.* ⇒ 1. **Champ.**

DÉR. (Du même rad.) Mardi, martial. — Martien.

MARSALA [maʀsala] n. m. — Déb. xxᵉ ; de *Marsala,* n. d'une ville de Sicile.

♦ Vin doux produit en Sicile, autour de Marsala.

MARSAULT, MARSAUX, MARSEAU ou **MARCEAU** [maʀso] n. m. — xiiiᵉ-xivᵉ ; du lat. *marem salicem* « saule mâle ».

♦ Vx ou régional. Variété de saule* qui pousse au bord des marais.

Mais une de mes navigations les plus fréquentes était d'aller de la grande à la petite île, d'y débarquer et d'y passer l'après-dînée (...) au milieu des marceaux, des bourdaines, des persicaires, des arbrisseaux de toute espèce (...)
ROUSSEAU, les Rêveries..., vᵉ promenade.

MARSEILLAIS, AISE [maʀsɛjɛ, ɛz] adj. et n. — 1605, *marseillois, in* D.D.L. ; de *Marseille.*

♦ **1.** De Marseille (⇒ aussi **Massaliote**). *Accent marseillais. Histoires* marseillaises* (→ Galéjade). — *Les Marseillais.*

1 Dans le monde entier, mon cher Panisse, tout le monde croit que les Marseillais ont le casque et la barbe à deux pointes, et qu'ils se nourrissent de bouillabaisse et d'aïoli, en disant « bagasse » toute la journée.   M. PAGNOL, Fanny, I, 7.

♦ **2.** N. f. *La Marseillaise :* chant de guerre, composé en 1792 par Rouget de Lisle et décrété hymne national français par la Convention en 1795. *La Marseillaise, d'abord intitulée* Chant de guerre de l'armée du Rhin, *fut popularisée par le régiment des Marseillais lors de la marche vers Paris* (d'où son nom). *Entonner la Marseillaise, une vibrante Marseillaise.*

2 (...) il fut donné à la grande âme de la France, en son moment désintéressé et sacré, de trouver un chant, — un chant qui, répété de proche en proche, a gagné toute la terre (...) Il fut trouvé à Strasbourg, à deux pas de l'ennemi (...) il ne lui fallut pas deux mois pour pénétrer toute la France. Il alla frapper au fond du Midi, comme par un violent écho, et Marseille répondit au Rhin. Sublime destinée de ce chant ! il est chanté par des Marseillais à l'assaut des Tuileries, il brise le trône au 10 août. On l'appelle *la Marseillaise.*
MICHELET, Hist. de la Révolution franç., VI, IX.

MARSHAL [maʀʃal] n. m. — 1862, *in* Rey-Debove et Gagnon ; mot amér. ; angl. *marshal* (xiiiᵉ), du franç. *marescal.* → Maréchal.

♦ Anglic. Aux États-Unis, Officier de police fédéral dans un comté ou un district fédéral. ⇒ **Shériff.**

MARSHMALLOW [maʀʃmalo] n. m. — Mil. xxᵉ ; mot angl. (1884), nom de la racine de guimauve.

♦ Anglic. Confiserie, faite de gomme arabique ou de sirop de maïs, de gélatine et de sucre, en cubes de couleurs pastels, de consistance élastique. *Des marshmallows.*

MARSOUIN [maʀswɛ̃] n. m. — Déb. xiᵉ ; du scandinave *marsvin (soin),* littéralt « cochon de mer ».

♦ **1.** Mammifère cétacé carnivore des mers froides et tempérées, plus petit que le dauphin, à museau obtus et bombé dépourvu de bec, à courte nageoire dorsale triangulaire *(Delphinidés). Le marsouin a été appelé* cochon de mer. *Marsouin des mers polaires.* ⇒ **Bélouga.**

Il parlait, avec l'abondance d'un poète, des thons et des marsouins, au milieu des bonds et des libertés desquels il avait si longtemps vécu. Il chantait leurs grands corps polis comme des armes ; leurs museaux comme écrasés par la masse de l'eau opposée à leur marche ; leurs ailerons et leurs nageoires, rigides comme le fer et coupants comme lui (...)   VALÉRY, Eupalinos, p. 111.

♦ **2.** (1464). Fig., vx. Homme laid*, malpropre.

♦ **3.** (1858 ; « marin », 1828). Soldat ou gradé de l'infanterie de marine* (de l'infanterie coloniale à l'époque de l'Empire français).

♦ **4.** (1758). Par anal. de forme. Mar. Forte pièce de bois reliant la carlingue* d'un navire à l'étrave et à l'arcasse. (1840). Tente du gaillard d'avant.

DÉR. Marsouiner.

MARSOUINAGE [maʀswinaʒ] n. m. — V. 1975 ; de *marsouiner.*

♦ Aéron. Oscillations longitudinales, régulières et de basse fréquence d'un aéronef en vol. — Tangage spontané (d'un hydravion) provoqué par son instabilité au moment où il se pose sur l'eau.

MARSOUINER [maʀswine] v. intr. — V. 1968 ; de *marsouin.*

♦ Techn. (mar.). En parlant d'un bateau, Être animé d'un mouvement de tangage rappelant les sauts hors de l'eau des marsouins (cabrages puis plongées de l'avant dans la lame).

Il fallait réduire au minimum l'angle du moteur avec le tableau arrière pour que la coque ne se mette pas à «marsouiner».
A. RONDEAUX, *in* Revue «Bateaux», n° 100, sept. 1966, p. 81.

Aéron. ⇒ **Marsouinage.**

DÉR. Marsouinage.

MARSUPIAL, ALE, AUX [maʀsypjal, o] adj. et n. m. — 1736 ; dér. sav. du lat. *marsupium* «bourse», du grec *marsipion.*

★ **I.** Adj. Zool. *Poche marsupiale, repli marsupial,* en forme de bourse, cavité incubatrice *(marsupium).* — *Os marsupiaux :* os du bassin qui, chez les femelles des Marsupiaux, soutiennent la poche ventrale. — *Incubation marsupiale,* qui se produit dans la cavité incubatrice *(marsupium).*

Rainette marsupiale, dont le mode de reproduction comporte une phase incubatrice dans la poche marsupiale.

★ **II.** N. ♦ **1.** N. m. pl. LES MARSUPIAUX : ordre de mammifères* vivipares, dits aussi *didelphes,* dont le développement embryonnaire effectué dans l'utérus de la mère n'est que peu avancé à la naissance et s'achève dans une poche ventrale *(marsupium)* qui renferme les mamelles. *Marsupiaux aquatiques, arboricoles, terrestres. Marsupiaux carnivores, insectivores, végétariens.* — Principaux Marsupiaux : ⇒ **Acrobate, chironecte, dasyure** (ou macroure), **kangourou, koala, opossum, péramèle, pétrogale, phalanger, phascolome** (ou **wombat**), **potorou, sarigue, thylacine, yapok.** *Les macropodidés*, famille de marsupiaux.* — Au sing. *Un marsupial.*

♦ **2.** Fam. (Apostrophe plaisante). *Tas de marsupiaux !* ⇒ **Zigoto.** — Sing. *Qu'est-ce que c'est que ce marsupiau ?*

DÉR. Marsupialisation.

MARSUPIALISATION [maʀsypjalizasjɔ̃] n. f. — Déb. xxᵉ ; dér. sav. de *marsupial.*

♦ Chir. Ouverture et suture à la peau d'une cavité naturelle ou pathologique.

DÉR. Marsupialiser.

MARSUPIALISER [maʀsypjalize] v. tr. — xxᵉ ; de *marsupialisation.*

♦ Chir. Pratiquer la marsupialisation de (une cavité naturelle ou pathologique).

MARTAGON [maʀtagɔ̃] n. m. — Fin xivᵉ ; esp. *martagón,* même sens.

♦ Lis* rose tacheté de pourpre, variété de lis des régions montagneuses. — Par appos. *Lis martagon.*

MARTE [maʀt] n. f. ⇒ **Martre.**

MARTEAU [maʀto] n. m. — 1380 ; *marteaus,* plur. de *martel,* déb. xiiᵉ ; du lat. pop. *martellus.* → Martel.

A. ♦ **1.** Outil de percussion, composé d'une masse métallique (fer, acier forgé...) fixée à un manche (ordinairement en bois). ⇒ **Maillet** (vx). *Panne, pointe, tête, œil d'un marteau. Cogner, enfoncer (cit. 1) un clou avec un marteau. Aplatir, battre, écrouir du fer avec un marteau, à coups de marteau.* ⇒ **Marteler.** *Forger* (cit. 1) *au marteau. Le marteau du forgeron* (cit.) *frappe l'enclume*, sonne sur l'enclume* (cit. 1, 2 et 3, par métaphore). Bruit des coups de marteau.* ⇒ **Martèlement** (→ Cyclope, cit. 1 ; hacher, cit. 14). — *Marteau de calfat* (cit.), *de carrier* (⇒ **Mail** [vx] ; **mailloche, masse, massette, picot**), *de charron* (⇒ **Châsse**), *de cordonnier, de couvreur* (⇒ **Asseau**), *de forgeron* (⇒ **Frappe-devant**), *de maçon* (⇒ **Boucharde**), *de maréchal* (cit. 1) *-ferrant* (⇒ **Brochoir, ferretier**), *de tailleur de pierre* (⇒ **Smille, têtu**), *de vitrier* (⇒ **Besaiguë**)... *Petit marteau de ciseleur, d'orfèvre. Marteau à emboutir, à épinceter*

(⇒ **Épinçoir**), *à river* (→ **Matoir, rivoir**). *Marteau à panne tranchante.* ⇒ **Aissette, laie, merlin, rustique, tille...** — REM. À la différence de *marteau,* mot courant, la plupart de ces termes sont du langage technique.

Quand la barre fut blanche, il la saisit avec les pinces et la coupa au marteau sur une enclume, par bouts réguliers, comme s'il avait abattu des bouts de verre, à légers coups (...) Cependant les autres ouvriers tapaient aussi, tous à la fois (...) des éclaboussements d'étincelles partaient sous les marteaux, rayonnaient comme des soleils, au ras des enclumes. ZOLA, l'Assommoir, t. I, VI, p. 210-211. 1

Contre elle, il y a aussi un marteau pour «frapper devant». Le bois du manche luit du même bon air que l'enclume. Tout le jour, quand il s'ennuie, Gaubert vient, met les deux mains au marteau, le lève et tape sur l'enclume. J. GIONO, Regain, I, Pl., t. I, p. 332. 2

Le marteau, symbole du travail industriel. *La faucille et le marteau.* ⇒ **Faucille.**

Loc. fig. (Av. 1585). *Avoir* (*reçu*) *un coup de marteau* (*sur la tête*).

Tels farouches esprits ont un coup de marteau,
Engravé de naissance au milieu du cerveau,
RONSARD, Pièces posthumes, Poèmes inachevés. 3

Il semble que la science entête les gens et leur donne, comme on dit, un coup de marteau à la tête. Pierre CHARRON, De la sagesse, III, 14. 4

(1889). Ellipt. Adj. Fam. *Être marteau,* fou, cinglé. *Tu n'es pas un peu marteau ?* «*Complètement marteau. Piqué, givré, ravagé*» (*Actuel,* n° 4, févr. 1980).

Quand vingt-cinq bonshommes deviennent marteaux (...) chacun tire sa folie à son tonneau, et, après tout (...) à partir du moment où l'on est dingue, on est bien libre de l'être à son idée. 5
G. DUHAMEL, Récits des temps de guerre, V, Vingt-cinq.

*Être entre le marteau et l'enclume** (cit. 7). — *Il faut être enclume** (cit. 8 et 9) *ou marteau.*

♦ **2.** (Souvent qualifié en formant un nom composé). Machine-outil agissant par percussion (⇒ **Broyeur**). *Marteau pour aplatir les métaux.* ⇒ **Aplatissoir.** *Gros marteau de forge.* ⇒ **Marteau-pilon.** *Marteau à bascule.* ⇒ **Martinet.** — *Marteau pneumatique,* dans lequel un piston d'acier fonctionnant à l'air comprimé frappe avec force sur un outil de forme variée : *marteau-perforateur, marteau-piqueur du mineur* (⇒ **Perforatrice**)...

À peine entre-t-on dans la ville que l'on est étourdi par le fracas d'une machine bruyante en apparence. Vingt marteaux pesants, en retombant avec un bruit qui fait trembler le pavé, sont élevés par une roue que l'eau du torrent fait mouvoir. Chacun de ces marteaux fabrique, chaque jour, je ne sais combien de milliers de clous. STENDHAL, le Rouge et le Noir, I, I. 5.1

— Quel est ce bruit ?... On fait des essais ? s'enquit Rouletabille.
— Non !... C'est le gros marteau de 50000 kilos qui fonctionne (...) Il a coûté 2 millions et demi (...) Il est soutenu par trois fondations gigantesques : une en maçonnerie, une en troncs de chênes venant de la forêt de Teutoburg, et une autre en bronze, formée de cylindres solidement reliés entre eux (...) Il forge des blocs de 400 quintaux ! Ça s'entend ! G. LEROUX, Rouletabille chez Krupp, p. 127. 5.2

Un laboratoire tenu par des savants de huit à douze ans mettait au point (...) le vieillissement précoce pour garçonnets (pouvant avoir des cheveux blancs et des rides en quelques heures). Ils créaient également des sources modulées de bruits (marteaux-piqueurs devant les maternelles, engins de chantier dans les cimetières, karting devant les hôpitaux, etc.). Jean CAYROL, Histoire de la mer, p. 171. 5.3

Les bruyants soubresauts des compresseurs les (les jeunes Sénégalais) effrayaient. Parfois, cassant sa bride de serrage, un des longs tuyaux qui amenaient l'air comprimé aux marteaux de forage se détachait brusquement de son outil et se mettait à se tordre sur le sol en vastes ondes sifflantes qui faisaient gicler la poussière en tous sens. Alors ils jetaient leurs pelles et s'enfuyaient en criant au «grand serpent». Raymond ABELLIO, les Militants, p. 70. 5.4

♦ **3.** (1854). Instrument servant à frapper des coups sur un objet, un corps. *Marteau de commissaire-priseur* (→ Commissaire, cit. 3), dit aussi *marteau d'ivoire :* petit maillet* en ivoire ou en os dont le commissaire-priseur frappe un coup sur la table quand un objet mis aux enchères (cit. 3) est adjugé. — Fig. *Passer sous le marteau :* être vendu à l'encan.

Méd. *Marteau à percussion, à réflexes,* utilisé pour provoquer les réflexes rotuliens, plantaires...

Chir. Instrument servant à faire pénétrer les clous dans un os (⇒ **Ostéosynthèse**).

Eaux et Forêts. Instrument analogue, dont la tête porte une marque en relief (initiales, armoiries...), que les agents forestiers impriment sur les arbres destinés à l'abattage ou à la réserve. ⇒ **Martelage** (→ Falsifier, cit. 4).

Archéol. *Marteau d'armes :* arme de choc, en forme de marteau à bec d'acier pointu, pour défoncer les armures.

♦ **4.** (1690). Mus. Pièce de bois en forme de marteau dont l'extrémité supérieure feutrée frappe une corde du piano et la met en vibration, quand on abaisse la touche correspondante du clavier.

♦ **5.** Techn. Pièce d'horlogerie formée d'une tige portant un disque de métal qui frappe les heures sur un timbre. *Marteau d'une horloge* (→ Couper, cit. 23), *manié par un personnage de bois ou de métal* (⇒ **Jaquemart**).

♦ **6.** (xivᵉ). Battant de fer ou de bronze, de forme variable, fixé au vantail d'une porte et servant de heurtoir (→ Gîte, cit. 3). *Lever* (→ 1. Lever, cit. 14) *le marteau d'une porte.* — Fig. *Graisser** (cit. 8) *le marteau.*

(Javert) soulevant le lourd marteau de fer battu historié, à la vieille mode, d'un bouc et d'un satyre qui s'affrontaient, frappa un coup violent. 6
HUGO, les Misérables, V, III, X.

B. Fig. Être ou objet dont la forme évoque plus ou moins celle d'un marteau.

♦ **1.** Zool. *Marteau,* ou (plus cour.) en appos., *requin marteau.* Poisson sélacien vivipare *(Squales)* des mers tropicales, à long corps et dont la tête présente deux prolongements latéraux symétriques portant les yeux. ⇒ **Maillet, zygène.**

♦ **2.** (1611). Anat. Un des quatre osselets de l'oreille* moyenne, des Mammifères, dont la tête s'articule avec l'enclume*.

♦ **3.** (1757). Anciennt. *Coiffure, perruque à marteaux,* qui comportait, derrière la tête, une longue boucle entre deux nœuds.

7 On les voit, à travers les vitres, agiter leurs longues manches noires et incliner doctoralement leurs perruques à marteaux (...)
  Alphonse DAUDET, Lettres de mon moulin, Ballades..., « Mort du Dauphin ».

♦ **4.** (1900). Sphère métallique, reliée par un fil d'acier à une poignée en forme de boucle, et que les athlètes lancent après une phase d'élan (deux moulinets de bras, trois rotations du corps). *Lancement, lancer du marteau. Cage de lancement du marteau.* — Exercice consistant à lancer le marteau. ⇒ **Lancer,** n. m. *Être champion au marteau.*

DÉR. (Du même rad.) **Martel, martelet, martelette.**
COMP. Marteau-pilon, marteau-piolet, marteau-revolver.

MARTEAU-PILON [maʀtopilɔ̃] n. m. — V. 1850 ; de *marteau,* et *pilon.*

♦ Marteau mécanique de grosse forge, constitué par une masse pesante mue verticalement à la vapeur, à l'air comprimé ou à l'électricité (→ Cadence, cit. 8). *Chapeau d'un marteau-pilon.*

(...) et tout au bout de l'atelier (...) un marteau-pilon gigantesque, remuant un poids de trente mille kilogrammes, glisse lentement entre ses deux montants de fonte (...) Alphonse DAUDET, Jack, II, II.

MARTEAU-PIOLET [maʀtopjɔlɛ] n. m. — 1941, cit. ; de *marteau,* et *piolet.*

♦ Alpin. Marteau d'escalade servant de piolet, utilisé à la fois pour poser des pitons et entailler la glace. *Tailler des marches au marteau-piolet.* Plur. *Des marteaux-piolets.*

J'ai bien peur que ça ne passe plus (...) Faudrait m'envoyer le marteau-piolet : peut-être qu'en taillant des encoches (...)
  R. FRISON-ROCHE, Premier de cordée, 1941, p. 147.

MARTEAU-REVOLVER [maʀtoʀevɔlvɛʀ] n. m. — xxᵉ ; de *marteau* (A., 2.), et *revolver.*

♦ Marteau pneumatique ou à ressort qui a une forme comparable à celle d'un pistolet. Plur. *Des marteaux-revolvers.*

La mitraillade des marteaux-revolvers de la chaudronnerie reprenait le dessus sur le vacarme des machines. Georges NAVEL, Travaux, p. 92.

MARTEL [maʀtɛl] n. m. — xiiᵉ, « marteau » (→ Marteau) ; sens mod. fig. av. 1559 ; lat. pop. **martellus,* de *martulus, marculus.*

♦ Loc. mod. *Se mettre martel en tête :* se faire du souci, se laisser obséder par une inquiétude.

1 Vous êtes un peu timbré, je pense, de vous fourrer martel en tête parce qu'un employé de chez vous a commis une extravagance sous le coup d'un transport au cerveau. COURTELINE, Messieurs les ronds-de-cuir, vIᵉ Tableau, II.

2 (...) ne te mets pas martel en tête. Je cours très peu de danger.
  J. ROMAINS, les Hommes de bonne volonté, t. X, XIII, p. 146.

3 Mais elle n'a plus, comme dit sa mère « à se mettre martel en tête ».
  F. MALLET-JORIS, le Jeu du souterrain, p. 170.

HOM. Formes du v. **marteler.**

MARTELAGE [maʀtəlaʒ] n. m. — 1530 ; de *marteler,* et *-age.* Action de marteler.

♦ **1.** (1530). Opération de métallurgie qui consiste à façonner au marteau, à chaud ou à froid, les métaux malléables. *Martelage des lames de couteaux* (⇒ **Coutellerie).**

♦ **2.** (1669). Eaux et Forêts. Opération qui consiste, dans les forêts, à marquer au marteau les arbres d'une coupe qui doivent être conservés (⇒ **Balivage)** ou abattus.

♦ **3.** (1868, Littré). Vx. Mode de castration (des animaux) consistant à écraser les artères testiculaires.

MARTÈLEMENT ou MARTELLEMENT [maʀtɛlmɑ̃] n. m. — 1579, *martelement* ; *martellement,* 1576 ; repris mil. xIxᵉ (→ Affouillement, cit., Hugo), de *marteler,* et *-ment.*

♦ **1.** (Fin xvIᵉ). Au propre et au fig. Action de marteler ; résultat de cette action.

♦ **2.** (1612). Bruit, choc du marteau battant le fer. ⇒ **Battement.**

1 (...) Victor (...) son enclume entre les genoux, battait sa faux. Depuis cinq minu-

tes, au milieu du grand silence frissonnant de l'air, on ne distinguait plus que ce martèlement obstiné, les coups pressés du marteau sur le fer.
  ZOLA, la Terre, II, IV.

♦ **3.** (1579). Fig. Bruit cadencé qui rappelle celui des coups de marteau.

(...) un bruit lourd monta de la rue endormie, un martèlement de pas cadencés sur les pierres (...) LOTI, Matelot, XXIX. 2

La force de sa voix, son martèlement sur chaque mot, son insistance (...) 3
  M. BARRÈS, la Colline inspirée, VI.

MARTELER [maʀtəle] v. tr. — Conjug. *geler.* — V. 1175 aux sens 1 et 2 ; de *martel* « marteau », et *-er.*

♦ **1.** Battre, frapper à coups de marteau. *Marteler un métal sur l'enclume* (cit. 4, par métaphore). — Spécialt. Forger, façonner à coups de marteau. *« Marteler de la vaisselle d'étain »* (Académie). — Au p. p. Travaillé au marteau. *Ouvrage martelé à facettes* (→ Imbriquer, cit. 1).

(...) des casseroles de cuivre ancien, martelées (...) 1
  COLETTE, Prisons et Paradis, p. 77.

Par métaphore :

Dans le désir de rendre son fils capable d'exercer ses fonctions, le père se tuait 2
de lui marteler la cervelle à coup de leçons pour en faire un routinier.
  BALZAC, le Cabinet des Antiques, Pl., t. IV, p. 436.

Spécialt. Eaux et Forêts. *Marteler les arbres à abattre,* les marquer au marteau. ⇒ **Martelage.**

Horlog. *Le jaquemart* (cit.) *martelait midi,* frappait les douze coups de midi.

♦ **2.** Frapper fort et à coups répétés sur (qqch.), contre (qqch.)..., comme avec un marteau. *Il martèle l'air de ses poings* (→ Congestionner, cit. 3).

Le danseur évincé de Lorchen, un solide valet de ferme, avait empoigné la tête 3
d'un soldat qui l'avait insulté tout à l'heure, et le martelait contre un mur.
  R. ROLLAND, Jean-Christophe, La révolte, p. 618.

Il l'avait prise par la tignasse et lui martelait la figure à coups de poing. 4
  Francis CARCO, les Belles Manières, III, Ix.

Par ext. *L'artillerie martelait les lignes ennemies.* ⇒ **Pilonner.**

Sous la lune, cette plaine apparaissait d'une blancheur laiteuse (...) avec un semis 5
de petites dépressions noirâtres, qui donnaient l'idée d'un sol martelé (...)
  J. ROMAINS, les Hommes de bonne volonté, t. XV, VII, p. 82.

♦ **3.** Ébranler, faire résonner, faire vibrer comme sous un coup de marteau. *Le fracas des bombes lui martelait le crâne* (→ Éclatement, cit. 1).

(...) ce tocsin qui, de seconde en seconde, lui martelait le cerveau (...) 6
  MARTIN DU GARD, les Thibault, t. VII, p. 246.

♦ **4.** Par métaphore. Frapper, écraser, soumettre à des épreuves dures et répétées.

Ceux de la génération de mon grand-père gardaient vivant encore le souvenir des 7
persécutions qui avaient martelé leurs aïeux (...)
  GIDE, Si le grain ne meurt, I, II, p. 45.

♦ **5.** (Le sujet désigne un souci, une préoccupation). Obséder, revenir sans cesse à l'esprit. → Se mettre martel* en tête.

Pour Sylvie, être trompée par ce colonel était une idée qui lui martelait la cervelle. 8
  BALZAC, Pierrette, Pl., t. III, p. 726.

♦ **6.** (1798, Académie). Fig. (Par allus. au bruit cadencé des marteaux sur l'enclume). Prononcer en articulant* avec force, en détachant nettement les syllabes (⇒ **Accentuer).** *Marteler un ordre, une déclaration.* — Au p. p. Émis avec force et en détachant les sons. *Tons aigus* (cit. 6) *et martelés. Chant* (cit. 5) *puissamment martelé.* — Par anal. Mus. *Notes martelées. Trille martelé.*

(...) forçant sa voix et martelant ses mots pour se faire entendre (...) 9
  MARTIN DU GARD, les Thibault, t. VII, p. 123.

DÉR. Martelage, martèlement, marteleur.
HOM. V. **martel, martelet.**

MARTELET [maʀtəlɛ] n. m. — V. 1265, au plur., « testicules » ; sens mod., fin xIVᵉ ; de *martel,* anc. forme de *marteau,* et *-et.*

♦ Techn. Petit marteau (d'orfèvre, de couvreur...).

HOM. Formes du v. **marteler.**

MARTELETTE [maʀtəlɛt] n. f. — 1937, in D.D.L. ; du rad. de *marteau,* et dimin. *-ette* ; cf. *martelet,* 1360 ; la *martelette* des maçons est probablt un empr. au provençal moderne *marteleto.*

♦ Techn. Petit marteau de maçon.

Quand je ne lui avais pas passé assez vite la martelette, le morceau de planche ou le serre-joint qu'il demandait, mon maçon m'engueulait.
  Georges NAVEL, Travaux, p. 42.

MARTELEUR [maʀtəlœʀ] n. m. — V. 1361 ; *martellour,* xIIIᵉ ; de *marteler,* et *-eur.*

♦ (XIIIᵉ). Techn. Ouvrier qui travaille au marteau. — (1743, Trévoux). Spécialt. Ouvrier qui manœuvre un marteau de grosse forge.

MARTELIÈRE [maʀtəljɛʀ] n. f. — 1600; anc. provençal *marteliera*; de *martel* «marteau»; lat. pop. *martellus*.

♦ Techn., régional (côte méditerranéenne). Vanne rudimentaire permettant le contrôle de l'écoulement des eaux entre partènements et tables salantes.

MARTELINE [maʀtəlin] n. f. — 1611; d'un dér. ital. de *martello* «marteau».

♦ Techn. Marteau utilisé par les sculpteurs pour égrener la pierre, le marbre.

MARTENSITE [maʀtɛsit] n. f. — 1903, *Rev. gén. des sc.*, nº 3, p. 160; du nom de l'ingénieur allemand A. *Martens* (1850-1914), et suff. *-ite*.

♦ Techn. (métall.). Mélange intime de carbone et de fer (par solution) qui entre dans la constitution des aciers trempés.

La perlite se transforme en martensite et la fonte atteint une dureté très élevée (plus de 300 à l'échelle Brinell). Cela justifie sa très large utilisation dans les constructions mécaniques (...) dans les machines-outils, etc.
                                        Gaston COHEN, le Cuivre et le Nickel, p. 89.

DÉR. Martensitique.

MARTENSITIQUE [maʀtɛsitik] adj. — 1948, Larousse; de *martensite*, et *-ique*.

♦ Techn. Qui renferme de la martensite. *Fontes martensitiques.*

1. MARTIAL, ALE, AUX [maʀsjal, o] adj. — 1511; lat. *martialis*, de *Mars*, dieu de la guerre.

♦ 1. ⓐ Littér. Relatif à la guerre, aux combats, à l'armée. *Il n'est pas fait pour une vie martiale.* — Spécialt. Qui montre, dénote du goût, de l'aptitude pour la guerre; qui encourage à la guerre, au combat. *Nation martiale. Discours martial.* ⇒ **Guerrier.**

ⓑ Loc. *Arts* martiaux* (angl. *martial arts*, 1933).

♦ 2. (Souvent iron.). Qui dénote ou rappelle les habitudes militaires. *Démarche, voix martiale.*

1 (...) il avait retrouvé son ancienne élégance martiale. Il se tenait droit (...) À le voir, les passants eussent facilement reconnu en lui l'un de ces beaux débris de notre ancienne armée, un de ces hommes héroïques sur lesquels se reflète notre gloire nationale.   BALZAC, le Colonel Chabert, Pl., t. II, p. 1123.

♦ 3. Littér. Qui fait preuve d'énergie, de goût pour la lutte, le danger. *Âme martiale. Caractère martial.* ⇒ **Courageux.**

♦ 4. Qui est propre à l'état de guerre (dans quelques syntagmes). — (1789). *Loi martiale,* autorisant le recours à la force armée pour la répression intérieure. *Proclamer la loi martiale.*

2 Ce fut pour la municipalité l'occasion de demander une loi de sévérité et de force. L'Assemblée décréta la loi martiale, qui armait les municipalités du droit de requérir les troupes et la garde citoyenne, pour dissiper des rassemblements.
                                        MICHELET, Hist. de la Révolution franç. III, I.

(1765, *Encyclopédie*). Milit. *Cour martiale :* tribunal militaire exceptionnel, qui ne fonctionne qu'en période d'état de siège ou en temps de guerre et dont la procédure est sommaire.

3 Pour aller plus vite, mieux effrayer les hommes et atteindre plus sûrement les chefs, on organisa une Cour martiale, placée sous la présidence d'un officier de carrière, le colonel Rosse (...) Aucune procédure n'était prévue.
                                        Maurice GARÇON, la Justice contemporaine, IV.

DÉR. Martialement. — REM. Balzac *(le Médecin de campagne)* emploie le dér. *martialité,* n. f.
HOM. 2. Martial.

2. MARTIAL, ALE, AUX [maʀsjal, o] adj. — 1694; de *Mars* «fer» en alchimie.

♦ 1. Sc. Qui contient du fer. *Pyrite martiale.*

♦ 2. (1922). Méd. *Fonction martiale :* constitution de réserves de fer dans le foie. — *Traitement martial,* par des préparations contenant du fer (dans certaines anémies).
HOM. 1. Martial.

MARTIALEMENT [maʀsjalmɑ̃] adv. — 1842, in D.D.L.; de 1. *martial,* et *-ment.*

♦ Littér. ou iron. D'une manière martiale (1. Martial). *Il bombait martialement le torse.*

MARTIEN, IENNE [maʀsjɛ̃, jɛn] adj. et n. — 1530; de *Mars.*

♦ 1. (1839). De la planète Mars. *Difficultés de l'observation martienne.*

♦ 2. (1530). Astrol. Qui est sous l'influence attribuée à la planète Mars. *Type martien.*

♦ 3. N. (1900, *marsien,* Gide, à propos de H. G. Wells; *martien,* 1913; in D.D.L.). Habitant présumé de la planète Mars.

Oui, continua Zazie, je serai astronaute pour aller faire chier les Martiens.
                                        R. QUENEAU, Zazie dans le métro, Folio, p. 24.
Fig. Personnage insolite, bizarre, qu'on croirait venu d'un autre monde. *Qu'est-ce que c'est que ce martien?*

MARTIN [maʀtɛ̃] n. m. — 1775, Buffon; du nom propre.

♦ Oiseau, passereau insectivore*, plus petit que le merle et voisin de l'étourneau*. *Martin roselin,* ou *merle rose. Le martin détruit les criquets*.*

Les sauterelles sont (...) une des proies favorites du martin : il en détruit beaucoup, et par là il est devenu un oiseau précieux pour les pays affligés de ce fléau (...)   BUFFON, Hist. nat. des oiseaux, Le martin.
DÉR. et COMP. (Du nom propre *Martin*) Martinet. — Martin-chasseur, martin-pêcheur.

MARTIN-CHASSEUR [maʀtɛ̃ʃasœʀ] n. m. — 1775, Buffon; de *martin,* et *chasseur,* d'après *martin-pêcheur.*

♦ Oiseau passereau lévirostre, insectivore *(Alcédinidés),* voisin du martin-pêcheur *(alcedo),* mais de mœurs terrestres. — REM. Ce mot est moins courant que *martin-pêcheur.*

MARTINER [maʀtine] v. tr. — 1845, Bescherelle; de 1. *martinet,* I.

♦ Techn. Battre au martinet. *Martiner du fer.*
HOM. V. 1. martinet, 2. martinet.

1. MARTINET [maʀtine] n. m. — 1315; probablt du nom propre *Martin.* → Merlin.

★ I. Techn. Lourd marteau* (A., e.) à soulèvement, mu par la vapeur, par un moulin à eau, etc. (→ Fourneau, cit. 2). *Martinet de ferronnier, de forge*.* ⇒ **Marteau-pilon.**

★ II. (Déb. XIXᵉ). Par métaphore de *martinet* (I.), ou dér. de *Martin,* au sens plaisant de «bâton» (cf. *martin-bâton,* Rabelais, III, 12; La Fontaine, *Fables,* IV, 5). Fouet* à plusieurs lanières de cuir. *Battre les habits avec un martinet. Menacer un enfant du martinet. Correction, punition* au martinet.*

1 Le dimanche, la trompette les assemble à l'église *(les moines),* où l'on voit accrochés trois martinets qui servent à punir les délinquants, les voleurs et les intrus (...)-
                                        FLAUBERT, la Tentation de saint Antoine, I.

2 — Bougres! ne seriez-vous que des bourgeois pour m'oser lamponner de la sorte! Les curés sont tout permis, maintenant. Je ne sais ce qui me retient de rosser ces bêtes à bon Dieu.
— Joachim! s'écria la duchesse, tu n'es qu'un vilain féodal.
— Toi, cocotte, tu mérites la fessée.
Il la prit par le poignet. Russule n'était pas d'accord. Le duc prend l'autre poignet. Russule trépigne. Le duc tire : il l'entraîne vers la chambrette aux martinets.
                                        R. QUENEAU, les Fleurs bleues, Folio, p. 174.

Spécialt. (Mar). Cordage qui tient les cornes à leur extrémité *(faux-martinet)* ou en leur centre.
HOM. 2. Martinet. — Formes du v. martiner.

2. MARTINET [maʀtine] n. m. — 1315; dér. du nom propre *Martin* ou de *saint Martin.* Cf. *Oiseau Saint-Martin,* au sens de «martin-pêcheur».

♦ 1. Cour. Oiseau passereau, à longues ailes, au vol rapide. *Le martinet ressemble à l'hirondelle* (→ Ciel, cit. 40). Martinet noir* (⇒ **Alérion**), des murailles; martinet alpin.*

1 (...) le soir, quand les martinets avaient fini de se poursuivre avec leurs cris aigus, alors les chauves-souris sortaient (...)   E. FROMENTIN, Dominique, III.

2 (...) les cris délirants des martinets, qui fendaient l'air lumineux et patinaient dans le ciel.   R. ROLLAND, Jean-Christophe, Dans la maison, p. 937.

2.1 Dans un ciel mauve volaient les premiers martinets.
                                        Claude COURCHAY, La vie finira bien par commencer, p. 62.

♦ 2. (1564; «ainsi nommé par comparaison avec le martinet qui vole les pattes repliées sous le ventre» in Bloch et Wartburg). Vieilli. Chandelier* plat muni d'un manche, d'un crochet.

3 (...) madame Saillard (...) s'éclairait avec un martinet en cuivre d'où s'élevait une haute chandelle cannelée par différents coulages.
                                        BALZAC, les Employés, Pl., t. VI, p. 901.
HOM. 1. Martinet. — Formes du v. martiner.

MARTINGALE [maʀtɛ̃gal] n. f. — 1534, Rabelais (*chausse à «la martingualle,* qui est un pont-levis de cul pour plus aisément fienter»); provençal *martegalo,* selon Guiraud, «cordage servant de sous-barbe», d'où «attache», de *Martigues,* nom d'un port des Bouches-du-Rhône.

★ I. ♦ 1. (1611, par anal. des «*chausses à la martingale*»). Courroie* du harnachement du cheval, qui relie la sangle (sous le ventre de l'animal) à la muserole. ⇒ **Harnais.** *La martingale empêche le cheval de donner de la tête.* — Par analogie :

1 (...) cette espèce de lien, appelé dans les prisons martingale, qui part de la nuque, se bifurque sur l'estomac et vient rejoindre les mains après avoir passé entre les jambes. HUGO, les Misérables, V, I, VI.

Par anal. Mar. «Cordage* qui sert de sous-barbe pour le bout-dehors de beaupré» (Gruss).

♦ **2.** (XIXᵉ). Bande de tissu, de cuir, de fourrure, etc., placée horizontalement dans le dos d'un vêtement, à hauteur de la taille, pour en retenir l'ampleur... (⇒ **Patte**). *Martingale d'une capote* (cit. 1), *d'un manteau, d'une veste. Martingale cousue, boutonnée...*

1.1 Il exhibe d'étonnants costumes de sport à martingales et à poches multiples. B. CENDRARS, Moravagine, Œ. compl., t. IV, p. 180.

★ **II.** Fig. (1762 ; du provençal *jouga* «jouer» *a la martegala* ; *à la martingale* a signifié «bizarrement, absurdement» au XVIᵉ). Manière de jouer qui consiste à miser à chaque coup le double de ce qu'on a perdu sur le coup précédent. *Jouer la martingale à la roulette.* — Par ext. Combinaison, basée sur le calcul des probabilités, au jeu (cit. 43). *Inventer, suivre une martingale. Martingale qui oblige le joueur à des calculs compliqués.*

2 Pour les ambitieux, Paris est une immense roulette, et tous les jeunes gens croient y trouver une victorieuse martingale. BALZAC, Z. Marcas, Pl., t. VII, p. 747.

3 Favorisé par la chance qui accompagne, dit-on, les premières tentatives, Séil-kor gagna promptement à l'aide d'une martingale et put commander, chez le meilleur pâtissier de l'endroit, un monstrueux gâteau de Savoie destiné à paraître au milieu de la fête. Raymond ROUSSEL, Impressions d'Afrique, p. 225.

DÉR. Martingalé.

MARTINGALÉ, ÉE [maʀtɛ̃gale] adj. — XXᵉ ; de *martingale*, au sens I, 1.

♦ Cour. Muni d'une martingale. (→ Encenser, cit. 4, Colette.)

MARTINI [maʀtini] n. m. — V. 1930 ; marque déposée par la firme Martini et Rossi.

♦ **1.** Apéritif (vermouth) produit par la firme Martini et Rossi. *Martini rouge, blanc. Du martini.* — Verre de cet apéritif. *Prendre un martini.*

1 Angioletti, qui était une grosse bête sans malice, et qui a raconté tout ce qu'elle savait après deux martinis (...) J. DUTOURD, les Horreurs de l'amour, p. 463.

2 Que prendrez-vous ! demanda-t-il. Un martini ?
— Va pour un martini. S. DE BEAUVOIR, les Mandarins, p. 67.

♦ **2.** Anglic. (aux États-Unis). Cocktail de gin et de vermouth blanc sec.

MARTINIQUAIS, AISE [maʀtinikɛ, ɛz] adj. et n. — 1931, Larousse ; de *Martinique.*

♦ Relatif à la Martinique, ou à ses habitants. — Qui habite la Martinique ou qui en est originaire. — N. *Un Martiniquais, une Martiniquaise.*

MARTINISME [maʀtinism] n. m. — 1785, *in* D. D. L. ; de *Martinez.*

♦ Didact. Panthéisme mystique de Martinez Pasqualis (1727-1779), dont les disciples (Saint-Martin, Cagliostro) illustrèrent la pensée. — Secte illuministe de Martinez et de ses disciples. *Le martinisme a joué un rôle dans le mysticisme laïque de la Révolution française.*

Au lieu de Mesmérisme, c'est le Martinisme (...) les chefs du Martinisme s'attribuent le pouvoir d'évoquer des Ombres qui vous racontent des choses ineffables de l'autre monde. Correspondance littéraire secrète, 25 août 1785, *in* PROSCHWITZ, p. 343.

DÉR. Martiniste.

MARTINISTE [maʀtinist] adj. et n. — 1783 ; de *martinisme*, et *-iste.*

♦ Didact. Du martinisme. — Adepte du martinisme.

Déjà les illuminés d'Allemagne s'étaient montrés à peu près païens ; ceux de France, comme nous l'avons dit, s'étaient appelés *martinistes*, d'après le nom de Martinès *(sic)*, qui avait fondé plusieurs associations à Bordeaux et à Lyon (...) NERVAL, les Illuminés, «Cagliostro», V.

MARTIN-PÊCHEUR [maʀtɛ̃pɛʃœʀ] n. m. — 1573 ; a remplacé *martinet-pêcheur,* 1553 ; de *martin,* et *pêcheur.* → Martin.

♦ Oiseau passereau *(Alcédinidés),* au corps épais, à long bec, à plumage bleu, qui se nourrit de poisson (nom sc. : *alcedo*). → Grèbe, cit. 4 ; guêpier, cit. 1 ; immobile, cit. 13.

1 Le nom de *martin-pêcheur* vient de *martinet-pêcheur,* qui était l'ancienne dénomination française de cet oiseau, dont le vol ressemble à celui de l'hirondelle-martinet (...) C'est le plus bel oiseau de nos climats, et il n'y en a aucun en Europe qu'on puisse comparer au martin-pêcheur pour la netteté, la richesse et l'éclat des couleurs : elles ont les nuances de l'arc-en-ciel, le brillant de l'émail, le lustre de la soie ; tout le milieu du dos «...» est d'un bleu clair et brillant (...) BUFFON, Hist. nat. des oiseaux, Le martin-pêcheur.

2 De nombreux oiseaux aquatiques fréquentaient les rives du petit Ontario, dont

---

les «mille îles» de son homonyme américain étaient représentées par un rocher qui émergeait de sa surface, à quelques centaines de pieds de la rive méridionale. Là, vivaient en commun plusieurs couples de martins-pêcheurs, perchés sur quelque pierre, graves, immobiles, guettant les poissons au passage, puis, s'élançant, plongeant en faisant entendre un cri aigu, et reparaissant, la proie au bec. J. VERNE, l'Île mystérieuse, t. I, p. 158.

MARTRE [maʀtʀ] ou **MARTE** [maʀt] n. f. — 1080, *martre, Chanson de Roland* ; var. *marte,* XVIᵉ ; d'un francique **marthor.* Cf. all. *Marder.*

♦ **1.** (1080). Mammifère carnivore *(Mustélidés),* au corps allongé, au museau pointu, au pelage brun (→ 1. Bas, cit. 77 ; hargne, cit. 2). *Martre commune, à gorge rousse. Martre du Canada.* ⇒ **Pékan.** — Par ext. Se dit des *Mustélidés* du genre « *Martes* » : *martre zibeline* (⇒ 2. **Sable, zibeline**) ; *martre fouine* (⇒ **Fouine**). *La fourrure de martre est très estimée. La martre qui fournit le kolinski est appelée commercialement « loutre* de Sibérie ».*

La marte (...) est un peu plus grosse que la fouine (...) elle a les jambes plus longues, et court par conséquent plus aisément ; elle a la gorge jaune, au lieu que la fouine l'a blanche ; son poil est aussi bien plus fin, bien plus fourni (...) Il ne faut pas la confondre avec la marte zibeline (...) dont la fourrure est bien plus précieuse. La zibeline est noire, la marte n'est que brune et jaune. BUFFON, Hist. nat. des animaux, La marte.

♦ **2.** (Déb. XIIIᵉ). Fourrure de martre. *Manteau, col de martre ; velours fourré de martre* (→ Enharnacher, cit. 1).

♦ **3.** *Martre blanche.* ⇒ **Hermine.**

MARTYR, YRE [maʀtiʀ] n. — XIIIᵉ ; *martir,* v. 1050 ; lat. chrét. *martyr,* du grec *martur* «témoin (de Dieu)» ; cf. anc. franç. *martre* (dans *Montmartre*).

♦ **1.** (V. 1050). Personne qui a souffert la mort pour avoir refusé d'abjurer la foi chrétienne. *Martyrs des persécutions* romaines des trois premiers siècles de notre ère* (depuis Néron jusqu'à Dioclétien, dont le règne est appelé *Ère des martyrs*). *La plupart des Saints* des premiers siècles sont des martyrs. Saint Étienne, le premier martyr.* — *Polyeucte, martyr ; Théodore, vierge et martyre,* pièces de Corneille. *Les Martyrs,* œuvre de Chateaubriand (1809). — *Culte des martyrs. Récit des souffrances des martyrs.* ⇒ **Passionnaire.** *Liste des martyrs.* ⇒ **Martyrologe.** *Chœur* des martyrs. Commun* des martyrs.* Fig., vieilli. *Être du commun des martyrs :* «ne se faire distinguer par aucun talent, aucune qualité» (Académie). — *Messe, office des martyrs. Tombeau* (⇒ **Martyrium**), *reliques d'un martyr* (→ Autel, cit. 24). — *Le sang des martyrs* (→ Enivrer, cit. 24). — Par ext. (En parlant d'autres religions). *«Les Musulmans considèrent comme martyrs les croyants tués pour la défense de la foi»* (R. Pyke, *Dict. des religions*).

1 Martyr et témoin, c'est la même chose. On appelle *martyrs de Jésus-Christ* ceux qui, souffrant pour la foi, en ont témoigné la vérité par leurs souffrances et l'ont signée de leur sang. BOSSUET, IIᵉ panégyrique de saint Gorgon.

2 (...) quels barbares ont jamais fait plus de martyrs que nos barbares ancêtres ? (...) Le nombre des martyrs réformés, soit vaudois, soit albigeois, soit évangéliques, est innombrable (...) Je vous ferais trembler si je vous disais voir la liste des martyrs que les protestants ont conservée. VOLTAIRE, Philosophie, Conseils à M. Bergier, XXIII.

3 Les sanglots des martyrs et des suppliciés
Sont une symphonie enivrante sans doute,
Puisque, malgré le sang que leur volupté coûte,
Les cieux ne s'en sont point encore rassasiés !
BAUDELAIRE, les Fleurs du mal, « Révolte », CXVIII.

4 J'admire les martyrs. J'admire tous ceux qui savent souffrir et mourir, et pour quelque religion que ce soit. GIDE, Journal, 1ᵉʳ juil. 1942.

Loc. fig. *Souffrir comme un martyr :* souffrir beaucoup. *Prendre, se donner des airs de martyr, jouer les martyrs :* affecter une grande souffrance, se donner pour persécuté.

5 Il arrive qu'on lui marche un peu sur la patte (...) elle *(la chatte)* pousse un cri rauque, bref, et ronronne stoïquement, avec des yeux de martyre (...) COLETTE, la Paix chez les bêtes, Prrou.

♦ **2.** (V. 1175). Personne qui meurt, qui souffre pour une cause qu'il défend... *Martyr d'un idéal* (→ Absolu, cit. 9) *de la liberté* (→ Affranchissement, cit. 3), *de la vérité* (→ Établir, cit. 34)... *La chasteté* (cit. 3) *eut ses martyrs. Martyr de la science, de l'intelligence* (→ Immoler, cit. 12). — *Louis XVI, le roi martyr* (→ Féal, cit. 2). — Allus. littér. *Vie des martyrs,* de G. Duhamel *(Récits des temps de guerre,* I), qui décrit les souffrances de grands blessés de la guerre de 1914-1918 (→ Martyre, cit. 6).

6 Elle *(une assistante de laboratoire)* ne voulait pas la gloire. Elle ne l'aura d'ailleurs pas. C'est une martyre très obscure. G. DUHAMEL, Chronique des Pasquier, VI, XV.

Être le martyr de qqn, souffrir de sa tyrannie, de ses mauvais traitements (→ Souffre-douleur). — (1840, Académie). Par appos. *Enfant martyr.* — *Peuple martyr. La Pologne martyre.*

Fig. *Être le martyr de ses opinions, de ses passions.*

7 *(Le courtisan...)* Tyran de la société et martyr de son ambition (...) LA BRUYÈRE, les Caractères, VIII, 62.

CONTR. Bourreau.
DÉR. (Du lat.) V. Martyre, martyriser, martyrologe. — Martyrium.
HOM. Martyre, n. m.

MARTYRE [maʀtiʀ] n. m. — 1080, *Chanson de Roland*; var. *martire*, 1080; lat. ecclés. *martyrium*, du grec. → Martyr.

♦ **1.** La mort, les souffrances qu'un martyr, une martyre endure pour sa religion, pour ne pas renier sa foi. ⇒ **Baptême** (de sang), **supplice, torture.** *L'auréole** (cit. 11), *la couronne, la palme du martyre. Demander, souffrir, endurer le martyre. Aller, marcher au martyre. Le martyre de saint Sébastien,* œuvre de d'Annunzio (musique de Debussy).

1   Aveugles pour la terre, ils *(les chrétiens)* aspirent aux cieux;
     Et croyant que la mort leur en ouvre la porte,
     Tourmentés, déchirés, assassinés, n'importe (...)
     La mort la plus infâme, ils l'appellent martyre.
                                    CORNEILLE, Polyeucte, III, 3.

2   Plus ils *(les protestants)* étaient persécutés, plus leur nombre croissait; le martyre dans tous les temps a fait des prosélytes.
                                    VOLTAIRE, Hist. du Parlement de Paris, XXII.

3   Cependant le peuple torturait les confesseurs, et la soif du martyre m'entraîna dans Alexandrie. La persécution avait cessé depuis trois jours.
                                    FLAUBERT, la Tentation de saint Antoine, I.

♦ **2.** La mort ou les souffrances que qqn endure pour une cause qu'il défend (→ Épidémique, cit. 3; immoler, cit. 20).

4   Le martyre est une sublimation, sublimation corrosive. C'est une torture qui sacre.
                                    HUGO, les Misérables, V, VI, IV.

5   Ce penseur, si héroïquement indépendant qu'il eût marché au martyre, à une autre époque, pour ses convictions, avec la fermeté d'un Bruno ou d'un Vanini (...)
                                    Paul BOURGET, le Disciple, III.

6   Tu n'es pas un héros, Fumat! Tu n'es qu'un martyr. Et nous te portons dans la terre de France, rassasiée d'un martyre innombrable.
                                    G. DUHAMEL, Récits des temps de guerre, I.

7   Il n'est pas de martyre que dans le sublime. On peut donner sa vie en choisissant de toutes les morts, la plus basse.
                                    F. MAURIAC, Génitrix, XI.

♦ **3.** (V. 1119). Peine cruelle, grande souffrance (physique ou morale). ⇒ **Calvaire, crucifiement, douleur, mal, supplice, torture, tourment** (→ Endurance, cit. 3). *Sa maladie fut un martyre. Le martyre des lépreux* (cit. 2). *Sa vie fut un long martyre* (→ Épreuve, cit. 29). — *Martyre moral. Le martyre d'être séparés* (→ Altérer, cit. 10). — Spécialt (dans le langage précieux). *Le martyre, l'amoureux martyre :* les peines de l'amour.

8   Toi qui vois tout mon cœur, juge de son martyre;
     L'ambition l'entraîne, et l'amour le déchire.   CORNEILLE, Tite et Bérénice, I, 1.

9   (...) en vérité c'est un martyre que cette séparation.
                                    Mme DE SÉVIGNÉ, 1065, 22 sept. 1688.

Loc. *Souffrir le martyre :* souffrir intensément.

10   Lorsqu'elle vient me voir, je souffre le martyre :
     Il faut suer sans cesse à chercher que lui dire,   MOLIÈRE, le Misanthrope, II, 4.

11   Mais j'ai souffert un dur martyre,
     Et le moins que j'en pourrais dire,
     Si je l'essayais sur ma lyre,
     La briserait comme un roseau.
                                    A. DE MUSSET, Poésies nouvelles, « Nuit de mai ».

(V. 1160). Situation pénible, désagréable. *Pour une personne aussi active, l'inaction est un martyre* (→ Hébéter, cit. 5). *Cette interminable conférence nous a fait souffrir le martyre.*

MARTYRISER [maʀtiʀize] v. tr. — V. 1225; *martirizier,* v. 1138; lat. chrét. *martyrizare,* de *martyr.*

♦ **1.** (V. 1138). Rare. Livrer au martyre. *Néron, Dioclétien martyrisèrent de nombreux chrétiens.* ⇒ **Persécuter.**

♦ **2.** (Fin XVIe). Cour. Faire souffrir beaucoup, physiquement (→ Apoplexie, cit. 2) ou moralement (→ Cueillir, cit. 10). ⇒ **Crucifier, supplicier, torturer, tourmenter.** *Ses rhumatismes le martyrisent. C'étaient des parents indignes qui martyrisaient leur enfant.*

1   Enfin trois sortes de gens sont envoyés au monde tout exprès pour martyriser l'homme pendant la vie : l'Avocat tourmente la bourse, le Médecin le corps, et le Théologien l'âme.
                                    CYRANO DE BERGERAC, Lettres satiriques, « À un comte de bas aloi ».

2   Les juifs de Berlin et de Vienne, ceux des camps de concentration, je les plains et puis ça me fait rager de penser qu'il y a des hommes qu'on martyrise.
                                    SARTRE, le Sursis, p. 79.

DÉR. Martyriseur.

MARTYRISEUR [maʀtiʀizœʀ] n. m. — 1840, Académie, qui le signale comme « vieux »; de *martyriser,* et *-eur.*

♦ Littér. Celui qui martyrise qqn. ⇒ **Bourreau.**

(...) à condition qu'ils fussent membres de la société et ne remplissent leurs devoirs de martyriseurs que porteurs de leur insigne.
                                    A. JARRY, Spéculations, La société protectrice des enfants martyrs, Œ. compl., t. VII, p. 39.

MARTYRIUM [maʀtiʀjɔm] n. m. — 1840, Académie; *martyrion,* 1764, Voltaire; *martyre,* 1546; mot lat. « martyre ».
Religion.

♦ **1.** Crypte, chapelle renfermant le tombeau d'un martyr.

(...) les petites chapelles qu'on leur érigea depuis *(aux chrétiens morts ou tourmentés dans les supplices)* reçurent le nom de *martyrion.*
                                    VOLTAIRE, Dict. philosophique, Martyrs.

♦ **2.** Église placée sous l'invocation d'un martyr, d'une martyre.

MARTYROLOGE [maʀtiʀɔlɔʒ] n. m. — 1354; lat. chrét. *martyrologium.* → Martyr.

♦ **1.** Relig. Liste, catalogue des martyrs. — Liturgie cathol. Livre liturgique contenant la liste officielle des saints que l'Église romaine célèbre chaque jour de l'année, et leur éloge. *Martyrologe romain, grec* (⇒ **Ménologe**).

1   Cet homme, digne de la primitive Église qui n'existe plus que dans les tableaux du seizième siècle et dans les pages du martyrologe, était marqué du sceau des grandeurs humaines qui approchent le plus des grandeurs divines (...)
                                    BALZAC, le Curé de village, Pl., t. VIII, p. 615.

♦ **2.** Littér. Liste de ceux qui ont souffert, sont morts pour une cause. ⇒ **Martyr** (2.). *Le martyrologe de la science.*

2   N'était-ce pas justice d'inscrire au-dessus des ouvrages du poète *(Edgar Poe)* le nom de celle qui fut le soleil moral de sa vie? Il embaumera dans sa gloire le nom de la femme dont la tendresse savait panser ses plaies, et dont l'image voltigera incessamment au-dessus du martyrologe de la littérature.
                                    BAUDELAIRE, Trad. E. POE, E. A. Poe, sa vie et ses œuvres, II.

DÉR. Martyrologie.

MARTYROLOGIE [maʀtiʀɔlɔʒi] n. f. — 1611; de *martyrologe.*

♦ Relig. Histoire des martyrs; étude du martyre.

DÉR. Martyrologique, martyrologiste.

MARTYROLOGIQUE [maʀtiʀɔlɔʒik] adj. — 1873; de *martyrologie.*

♦ Relig. De la martyrologie.

MARTYROLOGISTE [maʀtiʀɔlɔʒist] n. — 1704, *in* D. D. L.; de *martyrologie.*

♦ Relig. Auteur d'un martyrologe.

MARXIEN, IENNE [maʀksjɛ̃, jɛn] adj. — Av. 1925; de *Marx,* et *-ien.* → Marxisme.

♦ Didact. De Karl Marx. *L'analyse marxienne du capitalisme est basée sur la théorie de la plus-value.*

Ce communiste, en faisant une infidélité à l'évangile marxien et en trahissant ses camarades pour les capitalistes occidentaux, va, par le truchement de sa future épouse, récupérer une parcelle de la fortune russe nationalisée.
                                    M. DEKOBRA, la Madone des sleepings, 1925, p. 214, *in* D. D. L. II, 9.

MARXISANT, ANTE [maʀksizɑ̃, ɑ̃t] adj. — V. 1964; de *marxiste.*

♦ Didact. Qui se rapproche du marxisme. *Des analyses marxisantes. « Les discours marxisants des syndicats »* (*l'Express,* 23 avr. 1973). *Des intellectuels marxisants.* ⇒ **Communisant.**

(...) en se contentant du modèle marxiste ou marxisant de la production pour paradigme de la narration, on se voue d'emblée à méconnaître les forces pulsionnelles qui sont en jeu partout, aussi bien dans l'industrie des choses que dans celle des mots.
                                    J.-F. LYOTARD, Des dispositifs pulsionnels, p. 182.

MARXISATION [maʀksizɑsjɔ̃] n. f. — 1969, *le Monde;* de *marxiser,* et *-ation.*

♦ Didact. Action de marxiser; son résultat. *La marxisation de certains mouvements chrétiens.*

MARXISER [maʀksize] v. — 1928, *in* D. D. L.: de *marxiste.*
Didactique.

♦ **1.** V. tr. Rendre marxiste. *Marxiser un pays.*

♦ **2.** V. intr. (1928). Rare. Agir ou juger en marxiste.

♦ **3.** V. pron. (réfl.). Devenir marxiste. *« Avant que le capitalisme ne se marxise »* (la Croix, 9 févr. 1969).

DÉR. Marxisation.

MARXISME [maʀksism] n. m. — V. 1880; du nom de Karl Marx (1818-1883).

♦ Doctrine philosophique (matérialisme dialectique), sociale (matérialisme historique) et économique élaborée par Karl Marx, Friedrich Engels et leurs continuateurs. *Aspect politique et économique du marxisme* (⇒ **Bolchevisme, collectivisme, communisme, socialisme**). *Partis politiques* (communistes, socialistes), *syndicats, États se réclamant du marxisme. Néo-marxisme réformiste. Critiques du marxisme. Hostilité au marxisme.* ⇒ **Antimarxisme.**

1   Non seulement le marxisme continue l'économie politique classique (...) mais, ce

qui paraîtra plus surprenant, il respecte *le capitalisme*. Il admire le grand œuvre
que celui-ci a accompli : il lui sait infiniment de gré pour le rôle vraiment révolutionnaire (...) qu'il a joué et pour avoir si bien préparé le nid où le collectivisme s'installera (...)   GIDE et RIST, Hist. des doctrines économiques..., p. 557.

2   Si l'on accepte cette définition large du « marxisme » comme *conception du monde*
(...) il est clair que le « marxisme » ne se réduit pas à l'œuvre de Karl Marx (...)
Effectivement, et d'après Marx lui-même, l'élaboration rationnelle (...) des données
de l'expérience et de la pensée moderne commencent bien avant lui (...) Enfin, il
convient de ne pas oublier que le mot « marxisme » contient une sorte d'injustice ;
dès le début, le « marxisme » résulta d'un véritable travail collectif (avec Engels).
                              Henri LEFEBVRE, le Marxisme, p. 16-18.

3   Le marxisme n'est pas scientifique ; il est, au mieux, scientiste. Il fait éclater le
divorce profond qui s'est établi entre la raison scientifique, fécond instrument de
recherche, de pensée, et même de révolte, et la raison historique, inventée par
l'idéologie allemande dans sa négation de tout principe.
                              CAMUS, l'Homme révolté, Pl., p. 624.

CONTR. Capitalisme (cf. les contr. de **matérialisme**).
DÉR. Marxiste.
COMP. Antimarxisme, marxisme-léninisme.

MARXISME-LÉNINISME [marksismleninism] n. m. — 1933,
(→ cit.) in D.D.L. ; répandu v. 1965 ; de *marxisme*, et *léninisme*.

♦ Polit. Doctrine philosophique et politique issue des doctrines de
Marx interprétées par Lénine.

(...) Je suis étonné par le trait d'union de *marxisme-léninisme*. Est-ce qu'il indique le fusionnement complet des deux systèmes philosophiques et économiques ?
J'étais habitué à rencontrer ces paroles dans une autre combinaison : marxisme
et léninisme. Naturellement, on peut, en supprimant *et*, mettre une virgule. Mais
je considère qu'un trait d'union qui réunit les deux mots change le sens, en insistant davantage sur la profonde parenté des deux systèmes.
            I. EHRENBOURG, Nouvelle revue française, p. 30-31, janv. 1933, *in* D.D.L., II, 12.

MARXISTE [marksist] adj. et n. — V. 1880 ; de *marxisme*, et *-iste*.

♦ Relatif au marxisme. *Philosophie, matérialisme, socialisme
marxiste. Analyse marxiste du capital*, par le marxisme
(⇒ **Marxien** : de Karl Marx lui-même). — N. *Un, une marxiste :
partisans du marxisme* (→ Homme, cit. 89 ; humaniste, cit. 9).
⇒ **Communiste, socialiste.**

CONTR. Capitaliste.
COMP. Antimarxiste, marxiste-léniniste.

MARXISTE-LÉNINISTE [marksistleninist] adj. et n. — 1932,
in D.D.L. ; de *marxiste*, et *léniniste*.

♦ (1933). Relatif au marxisme-léninisme. — N. (1936, *in* D.D.L.). *Un,
une marxiste-léniniste.*

Les marxistes-léninistes français l'emporteront, car ils ont la vérité.
            Claude COURCHAY, La vie finira bien par commencer, p. 198.

MARXOLOGUE [marksɔlɔg] n. — 1957, M. Rubel ; de *Marx*, et
-logue, d'après le russe (Riazanov, 1925).

♦ Didact. Spécialiste de l'œuvre de Karl Marx.

MARYLAND [marilɑ̃d] n. m. — 1762 ; nom d'un État des États-
Unis.

♦ Tabac à fumer originaire de l'État de Maryland. *Cigarette de
maryland* (→ 1. Lieu, cit. 20).

(...) vous êtes les démocrates, c'est pourquoi vous chiquerez du caporal, tandis que
ces messieurs fumeront du maryland (...)
            Th. GAUTIER, les Jeunes-France, « Le bol de punch » (1833).

(1901, *in* D.D.L.). Rare. D'une couleur marron clair. *« Vos yeux
maryland »* (Colette, *Claudine à Paris*).

MAS [mɑs ; mɑ] n. m. — Répandu v. 1860 ; mot languedocien et pro-
vençal (*in* Rabelais, *Quart-Livre, Prologue*), anc. franç. *mès*, lat. *man-
sum*, de *manere* «demeurer». → Maison, manoir.

♦ Ferme ou maison de campagne de style traditionnel, en Provence
(→ Changer, cit. 4 ; chien, cit. 23 ; frisson, cit. 30, Daudet). ⇒ **Bastide.** *Airial d'un mas. Le mas Théotime*, roman d'H. Bosco (→ Frottement, cit. 4). *Des mas.*

Pour aller au village, en descendant de mon moulin, on passe devant un *mas* bâti
près de la route au fond d'une grande cour plantée de micocouliers. C'est la vraie
maison du *ménager* de Provence, avec ses tuiles rouges, sa large façade brune irrégulièrement percée, puis tout en haut la girouette du grenier, la poulie pour hisser les meules, et quelques touffes de foin brun qui dépassent (...)
            Alphonse DAUDET, Lettres de mon moulin, « l'Arlésienne ».

DÉR. Maset ou **mazet.**

MASAÏ [masaj] adj. et n. — 1890, P. Larousse, *Deuxième Suppl.* ;
mot de cette langue : *il-máásái* (pluriel).

♦ Didact. Qui appartient, qui est relatif aux ethnies africaines
parlant le *masaï* (→ ci-après n. m.) et vivant dans le sud du
Kenya et le nord de la Tanzanie. *Pasteurs masaï.* — N. invar. Personne qui appartient à l'une de ces ethnies. *Un, une Masaï. Les
Masaï.*

N. m. *Le masaï :* la langue paranilotique (nilo-chamitique dans les
anciennes classifications) orientale appartenant au groupe dit *bari-
massaï*, et parlée au Kenya (réserve masaï) et en Tanzanie. — REM.
Les spécialistes écrivent plutôt *maasai.*

MASCARA [maskaRa] n. m. — 1903, *mascaro*, in D.D.L. ; mot
anglo-américain.

♦ Fard à cils utilisé pour allonger, épaissir et colorer les cils.

Avec cette façon qu'elle s'était maquillée avec du rouge à lèvres gras et épais
qu'elle mouillait tout le temps avec sa langue, le noir, le bleu, le blanc, surtout le
bleu et le blanc sur les paupières, et avec chaque cil couvert personnellement de
mascara (...)   É. AJAR (R. GARY), l'Angoisse du roi Salomon, p. 112.

MASCARADE [maskaRad] n. f. — 1554 ; *mascarata*, var. de *mas-
cherata*, de *maschera*. → Masque.

♦ **1.** (Av. 1660). Divertissement dont les participants sont déguisés et
masqués. ⇒ **Déguisement, momon** (vx), **travesti** (→ Exercice, cit. 1 ;
farder, cit. 7). *Faire, organiser une mascarade. Les mascarades du
Carnaval, de la mi-carême.*

Laurence regarda la mi-carême comme un excellent jour, car il permettait de se   1
défaire des gens. Les mascarades attiraient les paysans à la ville (...)
            BALZAC, Une ténébreuse affaire, Pl., t. VII, p. 563.

Groupe de personnes déguisées et masquées ; défilé de masques.
Regarder passer une mascarade (Académie).

♦ **2.** (1554). Anciennt. Ballet travesti alternant des figures de danse
et des récitations de vers galants ; spectacle allégorique où des
acteurs déguisés récitaient des compliments aux souverains. — Hist.
littér. Vers composés pour une mascarade. *Les Mascarades, combats
et cartels*, recueil de Ronsard (1565). — *Le ballet du « Mariage
forcé »* est appelé par Molière *une « comédie-mascarade »* (livret de
1664, Argument).

Mascarade et Cartel ont pris leur nourriture,   2
L'un des Italiens, l'autre des vieux Français,
            RONSARD, Pièces posthumes, « Églogues et mascarades ».

♦ **3.** (1863, Littré). Cour. Déguisement, accoutrement, affublement
(cit. 2) ridicule ou bizarre (→ Habillement, cit. 8).

♦ **4.** (1690, Furetière). Actions, manifestations hypocrites (⇒ **Hypocrisie** [2.]) ; mise en scène fallacieuse, trompeuse (⇒ vx **Momerie**).
*Ce procès n'est qu'une mascarade, les accusés sont condamnés
d'avance.*

— Comte de Gondreville ! reprit l'aîné des d'Hautesserre. Ah ! la bonne mascarade !   3
Au fait, on dit Sa Majesté à Bonaparte.
            BALZAC, Une ténébreuse affaire, Pl., t. VII, p. 561.

MASCARET [maskaRɛ] n. m. — 1580 ; mot gascon « bœuf
tacheté », dér. de *mascara* « mâchurer, tacheter », par une métaphore
sur l'état de l'eau brouillée, salie (Guiraud), plutôt que par allus. à un
bœuf bondissant (explication traditionnelle).

♦ **1.** Longue vague déferlante produite dans certains estuaires par
la rencontre du flux et du reflux. *Le mascaret de la Gironde, de la
Seine, de l'Amazone...* (⇒ **Fleuve**). *Le mascaret* (⇒ **Barre**) *se forme
en avant du courant de flot.* ⇒ **Flot** (cit. 9), **raz.** *Franchir le mascaret.*

Ils s'arrangeaient pour être sur le pont, vers les cinq heures, afin de ne pas man-   1
quer le mascaret. C'est, au moment de la marée, une grande masse d'eau qui
remonte avec impétuosité la Garonne, et, refluant sur la descente du fleuve, y
développe une longue frange d'écume blanche sur l'eau bourbeuse.
            Émile HENRIOT, Aricie Brun, V.

Par comparaison :

Ce fut un ouragan, sans intermittence, qui dura du 18 au 26 mars (...) Villes   2
renversées, forêts déracinées, rivages dévastés par des montagnes d'eau qui se
précipitaient comme des mascarets, navires jetés à la côte (...)
            J. VERNE, l'Île mystérieuse, t. I, p. 2.

♦ **2.** Littér. Déferlement violent, raz de marée. *Un mascaret de feu*
(G. Duhamel, *Récits des temps de guerre*, I, p. 73). — Fig. *Un mascaret de sottise et d'ignorance* (→ Évertuer, cit. 7).

MASCARON [maskaRɔ̃] n. m. — 1633 ; ital. *mascherone*, augmen-
tatif de *maschera*. → Masque.

♦ Archit. Décoration. Tête, figure, masque fantastique ou grotesque,
en ronde-bosse ou en bas-relief, décorant les clefs d'arcs, les chapiteaux, servant d'ornement. *Mascarons jetant l'eau d'une fontaine.*

(...) ce mascaron grimaçant, dont l'œil s'arrondit en prunelle de hibou, dont la   1
barbe se contourne en volutes d'ornement (...)
            Th. GAUTIER, les Grotesques, Préface, p. XI.

Un mascaron, coiffé d'un casque, faisait encore sa grimace héroïque sur la clef   2
de voûte et dominait la porte cochère (...)   FRANCE, Jocaste, Œ., t. II, p. 11.

MASCOTTE [maskɔt] n. f. — 1867, Zola ; provençal *mascoto*
« sortilège », dér. de *masco* « sorcière » (→ 2. Masque), mot répandu
par l'opérette d'Audran : *la Mascotte* (1880).

♦ **1.** Animal, personne, fétiche, objet considéré comme portant bonheur. ⇒ **Porte-bonheur, porte-chance.** *Le bélier, mascotte de certains régiments d'Afrique du Nord* (→ Guetter, cit. 9).

— Tu es sa mascotte... Elle rit. — Pilote est plus gentil que toi, Pat'... Il ne dit pas «mascotte», lui. Il dit «ange gardien».
MARTIN DU GARD, les Thibault, t. V, p. 110.

REM. Outre un sens techn., le mot a eu (chez Vallès, *in* D. D. L.) la valeur de «jeune fille».

♦ **2.** Pâtiss. Gâteau formé d'une génoise recouverte de crème au moka.

MASCULIN, INE [maskylɛ̃, in] adj. — 1200; lat. *masculinus.* → Homme.

★ **I.** ♦ **1.** Qui est propre à l'homme*. ⇒ **Mâle.** *Sexe, organisme masculin. Type masculin* (→ Homme, cit. 1). *Caractères masculins.* ⇒ **Masculinité.** *Force masculine.* ⇒ **Viril.**

(...) quand l'intérêt personnel ne nous arme point les unes contre les autres, nous sommes toutes portées à soutenir notre pauvre sexe opprimé contre ce fier, ce terrible (...) et pourtant un peu nigaud de sexe masculin.
BEAUMARCHAIS, le Mariage de Figaro, IV, 16.

Elle était intimement préservée par le contact même de la rudesse masculine, la compagnie des garçons qui ne se souciaient pas de plaire (...)
J. CHARDONNE, les Destinées sentimentales, p. 457.

♦ **2.** Qui a les caractères de l'homme, tient de l'homme. *Femme aux traits masculins. Voix masculine* (→ Brusque, cit. 3). *Elle est assez belle, mais trop masculine.* ⇒ **Hommasse.** *Traits masculins de l'inconscient féminin, dans la psychanalyse jungienne* (→ Animus).

♦ **3.** Qui a rapport à l'homme. *Métier masculin. Descendance masculine* (→ Agnation, cit.). *Prérogatives masculines.*

♦ **4.** Qui est composé d'hommes. *Population masculine. Main-d'œuvre masculine.*

♦ **5.** Par ext. (Rare). En parlant des animaux, des plantes. ⇒ **Mâle.**

★ **II.** (XIVe, attestation isolée). ♦ **1.** Ling. Qui s'applique aux êtres mâles, mais le plus souvent (en français) à des êtres et à des choses, sans rapport avec l'un ou l'autre sexe. *Genre* (cit. 23) *masculin. Mot, substantif masculin* (→ Bannir, cit. 27; forme, cit. 66). — N. m. *Le masculin*, le genre masculin. *Nom du masculin.* — *Forme masculine (d'un mot). Le masculin d'un mot* (→ 2. Air, cit. 25). *Masculins qui désignent des femmes* (→ Genre, cit. 28). *Mettre au masculin.*

♦ **2.** (1690). Versification. *Rime* masculine,* qui ne se termine pas par *e* muet (à l'exception des terminaisons en *ent* qui suivent une voyelle, par ex. : *chantaient*). *Vers masculin,* à rime masculine (→ Féminin, cit. 8).

CONTR. Féminin.
DÉR. Masculiniser, masculinité, masculinement.

MASCULINEMENT [maskylinmɑ̃] adv. — 1612; de *masculin.* Rare.

♦ **1.** De manière masculine.

♦ **2.** Selon la branche masculine d'une lignée.

MASCULINISATION [maskylinizɑsjɔ̃] n. f. — 1918, *in* D. D. L.; cour. mil. XXe; de *masculiniser,* et *-ation.*

♦ Action de masculiniser, fait de se masculiniser; leur résultat. ⇒ **Virilisation.** — On trouve aussi la forme *masculination* (vx).

Au risque de se faire traiter de vile réactionnaire et d'esprit rétrograde par Mme Ponto, elle osa devant elle articuler quelques plaintes et déplorer les fatales conséquences de la masculination de la femme.
A. ROBIDA, le Vingtième Siècle, p. 245.

Biol. « *Le contact d'une femelle peut-il déclencher la masculinisation* (chez les Crépidules) *comme cela se passe chez d'autres animaux?* » (*Sciences et Avenir,* n° 373, mars 1978, p. 55).

MASCULINISER [maskylinize] v. tr. — 1521, v. pron., t. de gramm.; de *masculin,* et *-iser.*

♦ **1.** Rendre masculin, donner des caractères masculins, des manières d'homme à (une femme). ⇒ **Viriliser.** *Mode qui masculinise les femmes.* — Pron. *Elle s'est masculinisée.*

Au participe passé :

(...) les grandes élégantes arborèrent les toilettes archéologiques, des costumes Louis XVI, Louis XIII, ou moyen âge, ou 1830, toujours arrangés et masculinisés.
A. ROBIDA, le Vingtième Siècle, p. 43.

♦ **2.** Biol. Provoquer l'apparition de caractères sexuels masculins.
CONTR. Féminiser.
DÉR. Masculinisation.

MASCULINISME [maskylinism] n. m. — Av. 1931, Larousse; de *masculin,* et *-isme.*

♦ Pathol. Qui, étant du sexe féminin, présente des caractères sexuels secondaires masculins.

MASCULINITÉ [maskylinite] n. f. — V. 1265; de *masculin,* et *-ité.*

♦ **1.** (V. 1265). Caractère masculin. — Ensemble des caractères masculins. Qualité d'homme, de mâle. *Enfant qui prend conscience de sa masculinité.* — Psychan. ⇒ **Féminité.**

♦ **2.** Dr. anc. *Privilège de masculinité :* «privilège en vertu duquel dans les successions nobles, en ligne collatérale et égalité de degré, *le mâle forclot* (exclut) *la femelle*» (Lepointe). ⇒ **Salique** (loi).

♦ **3.** Didact. (démogr.). *Taux de masculinité :* pourcentage des naissances masculines par rapport à l'ensemble total des naissances.

CONTR. Féminité (cit. 2).

MASER [mazɛR] n. m. — 1954; mot angl., abrév. de *Microwave Amplification by Stimulated Emission of Radiation.* → Laser.

♦ Phys. Amplificateur obtenu par enrichissement en atomes ou molécules susceptibles d'émettre une radiation de fréquence donnée inférieure aux fréquences lumineuses (⇒ **Laser**) au profit des atomes ou des molécules susceptibles de l'absorber (et rendant ainsi l'énergie émise supérieure à l'énergie absorbée). *Les travaux de A. Kastler sur les niveaux énergétiques des électrons ont permis la découverte des masers et lasers (ou masers optiques).* — *Maser à ammoniaque, à césium. Masers à inversion magnétique.* En appos. *Oscillateur maser.*

MASET ou MAZET [mazɛ] n. m. — 1109, *in* F. E. W., «petit mas»; de *mas*.*

♦ Régional. Petite maison ou ferme paysanne du Midi surtout provençal.

(...) maintenant on passe les jours en visites décourageantes : mazets trop isolés ou pas assez, pans de pierre aussi ruineux que ruinés (...)
A. SARRAZIN, la Traversière, p. 230.

MASKINONGÉ [maskinɔ̃ʒe] n. m. — 1709; mot algonquin «brochet difforme ou très gros».

♦ Régional (Canada). Poisson d'eau douce du Canada, apparenté au brochet. « *Des poissons d'une beauté sans pareille, pour leur grosseur, comme brochets, depuis deux pieds jusqu'à trois ou quatre pieds de long, des maskinongés, nommés ainsy en sauvage, à peu près ressemblants au brochet.* » Boucault (voyageur).

MASO [mazo] adj. et n. — V. 1970; abrév. de *masochiste.*

♦ Fam. Masochiste. *Être un peu maso.* « *Le loisir maso, à base de fatigue totale et de glace impitoyable, dans un environnement à rebrousse-poil* » (*le Nouvel Obs.,* 11 mars 1974, p. 50). *Ils sont maso ou masos.*

N. *Un maso, une maso. Les masos.*

HOM. Mazot.

MASOCHISME [mazɔʃism] n. m. — 1896, *in* D. D. L.; t. dû à Krafft-Ebing, de *Sacher-Masoch,* romancier autrichien du XIXe, qui, dans ses œuvres, a décrit avec complaisance cet érotisme pathologique.

♦ **1.** Psychiatrie. Perversion sexuelle par laquelle une personne ne peut atteindre l'orgasme qu'en subissant une souffrance morale ou physique, des sévices (flagellation, insultes, etc.). — REM. À distinguer de *algophilie*.*
Masochisme allié au sadisme. ⇒ **Sadomasochisme.**

(...) ce besoin d'effusion, d'adoration, de mysticisme, cet inassouvissement (...) qui fait appel à la jalousie et à la vengeance, aux crimes, aux mensonges, aux trahisons, cette idolâtrie, cette mélancolie incurable, cette apathie, cette profonde misère morale, ce doute définitif et navrant, ce désespoir, tous ces stigmates ne sont-ils point les symptômes mêmes de l'amour d'après lesquels on peut diagnostiquer, puis tracer d'une main sûre le tableau clinique du masochisme?
B. CENDRARS, Moravagine, Œ. compl., t. IV, p. 116.

Dans le *masochisme* (...) le sujet n'arrive à la volupté qu'à condition de souffrir ou d'être humilié.
A. BINET, Vie sexuelle de la femme, p. 263.

♦ **2.** Psychan. et cour. Comportement d'une personne qui trouve du plaisir à souffrir, qui recherche par goût la douleur et l'humiliation (opposé à *sadisme*). ⇒ **Cruauté** (envers soi-même), **délectation** (dans la souffrance). — Psychan. *Masochisme moral,* dû à un sentiment de culpabilité inconscient. *Masochisme secondaire,* retournement du sadisme contre la personne propre. ⇒ **Agression** (3.).

(...) on n'a jamais vu chez une si grande dame (*Catherine de Russie*) un plus parfait esprit de soumission et de modestie, au point qu'on pourrait même se demander s'il n'entrait pas déjà un peu de masochisme dans son cas. Être la maîtresse

0.1

1

2

d'un monde, et goûter tant de joie à s'humilier devant le vainqueur qu'on s'est choisi !　　　　　　　　　Émile HENRIOT, Portraits de femmes, p. 208.

DÉR. Masochiste.
COMP. Sadomasochisme.

MASOCHISTE [mazɔʃist] adj. et n. — 1896, *in* D. D. L. ; de *masochisme,* et -*iste.*

♦ **1.** Qui est atteint de masochisme (1. et 2.). *Personne masochiste. Attitude masochiste. Tendances à la fois sadiques* et masochistes* (sadomasochistes).

1　L'amour est masochiste. Ces cris, ces plaintes, ces douces alarmes, cet état d'angoisse des amants, cet état d'attente, cette souffrance latente, sous-entendue, à peine exprimée, ces mille inquiétudes au sujet de l'absence de l'être aimé, cette fuite du temps, ces susceptibilités, ces sautes d'humeur, ces rêvasseries, ces enfantillages, cette torture morale où la vanité et l'amour-propre sont en jeu (...)
　　　　　　　　　　B. CENDRARS, Moravagine, Œ. compl., t. IV, p. 115.

2　Sacher-Masoch l'avait pris pour le modèle de sa dame d'honneur dans son roman sur l'Allemagne, et elle en avait conçu pour elle-même et pour l'auteur une admiration qui l'avait poussée à s'inscrire, bien innocemment, à toutes les sociétés masochistes, dont elle ignora toujours le véritable but.
　　　　　　　　　　GIRAUDOUX, Siegfried et le Limousin, p. 108.

♦ **2.** Cour. Dont le comportement implique un certain plaisir à souffrir, à échouer, à être humilié ; qui refuse la satisfaction, le plaisir.

Abrév. fam. ⇒ **Maso.** *Ne soyez pas masochiste : distrayez-vous.*

MASQUAGE [maskaʒ] n. m. — 1956, *masquage du ton, in* D. D. L. ; de *masquer.*

♦ Action de masquer ; son résultat.

Spécialement :

[a] Physiol. Perception plus faible ou nulle d'un son, causée par la superposition d'un autre son de fréquence différente.

[b] Photogr. Technique de retouche opérée au moyen de masques. « *Un nouveau transistor qui ne requiert que trois étapes de masquages photolithographiques...* » (*la Recherche,* juin 1970, p. 165).

[c] Ling., sociol. Procédé par lequel un locuteur fait disparaître de son discours une forme de langue qui le désigne comme appartenant à un groupe social ; procédé par lequel une personne ne produit pas un signe d'appartenance sociale.

MASQUANT, ANTE [maskɑ̃, ɑ̃t] adj. — 1967, Aragon ; p. prés. de *masquer.*

♦ Littér. Qui masque, cache, rend invisible.

1. MASQUE [mask] n. m. — 1511, souvent fém. au XVIᵉ et employé aussi au sens de « mascarade » ; ital. *maschera ;* p.-ê. d'un rad. prélatin **mask-* ; cf. bas lat. *masca* « sorcière ; masque », ou, selon Guiraud, du bas lat. *mascha, masca,* p.-ê. d'un adj. *massica « de pâte », de *massa* « pâte ». → Mâchurer.

★ **I.** ♦ **1.** Objet rigide couvrant le visage humain et représentant lui-même une face (humaine, animale, imaginaire...). *Masque moulé, sculpté, peint, décoré. Masque expressif, grimaçant, grotesque, effrayant, hideux.*
Spécialt. [a] *Masques du théâtre antique,* en bois ou en cuir munis d'une ouverture en porte-voix (→ Cothurne, cit. 1). *Les acteurs grecs et latins ne jouaient qu'avec des masques. Masque tragique, comique, satirique. Masque de vieillard, de femme, de dieu... — Masques du théâtre japonais. Les masques anciens de Kabuki sont des objets d'art. — Masques de la comédie italienne, des acteurs comiques et des danseurs du théâtre français, au XVIᵉ et au XVIIᵉ siècles. Masque d'Arlequin, de Polichinelle...*

1　L'usage des masques empêchait donc qu'on ne vît souvent un acteur, déjà flétri par l'âge, jouer le personnage d'un jeune homme amoureux et aimé... Le visage sous lequel l'acteur paraissait, était toujours assorti à son rôle, et l'on ne voyait jamais un comédien jouer le rôle d'un honnête homme, avec la physionomie d'un fripon parfait.　　　　　　　　　Encycl. (DIDEROT), art. *Masque.*

2　(...) les masques terrifiants ou hilares dont la peinture, brune ou blanche, identifiait le sexe, mâle ou féminin, des personnages, tandis que les costumes drapés à la grecque ou à la romaine en situaient l'action et la condition sociale (...)
　　　　　　　　　　J. CARCOPINO, la Vie quotidienne à Rome..., p. 258.

2.1　(...) les masques de la tragédie grecque avaient une fonction magique : donner à la voix une origine chthonienne, la déformer, la dépayser, la faire venir de l'au-delà souterrain.　　R. BARTHES, Fragments d'un discours amoureux, p. 132.

[b] *Masque,* utilisé à des fins religieuses, symboliques ou ludiques (dans de nombreuses sociétés). *Masques africains, esquimaux, polynésiens. Les masques incarnent les vertus magiques liées à un esprit que représente le porteur de masque* (d'après I. F. A.).

2.2　Et comme l'efficacité des masques, qui servent aux opérations de magie de certaines peuplades, s'épuise, — et ces masques ne sont plus bons qu'à rejeter dans les musées —, de même s'épuise l'efficacité poétique d'un texte (...)
　　　　　　　　　　A. ARTAUD, le Théâtre et son double, Idées/Gallimard, p. 119.

3　L'intérêt des masques nègres n'est pas d'ordre esthétique seulement. Sous leur sty-

lisation linéaire, architecturale et décorative, ces curiosités singulières ont un sens religieux, ces symboles sont chargés de pouvoirs. Terrifiants, monstrueux ou calmes, tournés parfois à l'abstraction pure et simplifiés intentionnellement jusqu'au style, figures d'extase ou de cauchemar, ces masques disent aux initiés les secrets aperçus du monde, les lois redoutées de la nature, l'éternelle puissance de l'instinct (...)　　　Émile HENRIOT, Masques, *in* le Monde, 9 juin 1948.

Par ext. (franç. d'Afrique). Ensemble formé par le masque traditionnel, ses accessoires, la parure.

[c] Masque constituant un élément de déguisement de carnaval*, du mardi gras, de la mi-carême. ⇒ **Mascarade.** *Masque de carnaval en carton peint. Mettre un masque.*

Les gens du peuple ont des *masques* grotesques de cent sortes de figures.
　　　　　　　　　　FURETIÈRE, Dict., art. *Masque.*

Quoi de plus lugubre que le masque, face morte promenée dans les joies !
　　　　HUGO, Post-Scriptum de ma vie, « Promontorium somnii », I.

(...) ces masques de mardi gras qui deviennent effrayants quand de vrais hommes vivants les portent sur leurs visages.　SARTRE, Situations I, p. 19.

♦ **2.** (1599). Objet souple ou rigide dissimulant une partie du visage. ⇒ **Loup.** *Masque vénitien. Masque de velours noir, de satin blanc... Le masque se portait pour garder l'incognito* (cit. 8), *dans les fêtes et dans la vie courante ; on le met de nos jours le mardi gras et dans les bals* masqués. — Sortir, aller en masque* (→ Honorer, cit. 11). *Agir sous le masque* (vx), *dissimulé par un masque. Lever, ôter, poser son masque pour se faire reconnaître. Arracher le masque de celui qu'on veut identifier.*

(...) sans vous faire outrage,
Peut-on lever le masque et voir votre visage ?　MOLIÈRE, l'Étourdi, III, 8.

On tient que c'est Popea femme de Néron qui inventa le masque pour conserver la délicatesse de son teint contre le soleil et le hâle (...) Maintenant on porte des loups. Les masques de campagne sont fort grands ; ceux de ville sont fort petits. Le noir du velours des masques fait paraître davantage la blancheur de la gorge.
　　　　　　　　　　FURETIÈRE, Dict., art. *Masque.*

J'écris toujours avec un masque sur le visage ;
Oui, un masque à l'ancienne mode de Venise,
Long, au front déprimé,
Pareil à un grand mufle de satin blanc.
　　Valery LARBAUD, A. O. Barnabooth, Poésies, « Le masque ».

Allus. hist. *L'homme au masque de fer, le masque de fer :* personnage mystérieux qui ne quittait pas son masque (de fer, selon la légende, mais en réalité de velours noir) dans la prison où le maintenait Louis XIV.

♦ **3.** (1532). Par métonymie. Vieilli. Personne qui porte un masque, et, par ext., personne déguisée. *Cris d'une troupe d'enfants qui poursuit un masque* (→ Glapir, cit. 3). ⇒ **Chienlit.** *Gondoles chargées de masques et de musiciens* (→ Fond, cit. 19). *Masques et bergamasques* (cit. Verlaine).

Une troupe de masques entre dans un bal (...)
　　　　　　　　　　LA BRUYÈRE, les Caractères, XVI, 26.

Nous courons quelquefois les hommes qui nous ont imposé par leurs dehors, comme de jeunes gens qui suivent amoureusement un masque, le prenant pour la plus belle femme du monde, et ils le harcèlent jusqu'à ce qu'ils l'obligent de se découvrir, et de leur faire voir qu'il est un petit homme avec de la barbe et un visage noir.　　VAUVENARGUES, Réflexions et Maximes, 258.

En franç. d'Afrique. Porteur de masque traditionnel dans les cérémonies. *Danse de masques. La sortie des masques.*

♦ **4.** (XVIᵉ). Par métaphore, fig. Dehors trompeur. ⇒ **Apparence, dehors, extérieur.** *Sa douceur n'est qu'un masque.* « *La bienséance* (cit. 11) *n'est que le masque du vice* » (Rousseau). « *Le masque de l'hypocrisie* (cit. 3) *cache la malignité* » (La Bruyère). *Se faire, se composer un masque* (→ Attitude, cit. 19). *Adopter un masque de convention* (cit. 13). *Masque de gaîté contrainte* (cit. 1) *qu'on se colle au visage. Sous ce masque débonnaire, il était prêt à tout* (→ Circonspect, cit. 3).

Au travers de son masque on voit à plein le traître (...)
　　　　　　　　　　MOLIÈRE, le Misanthrope, I, 1.

Et rendre même honneur au masque qu'au visage,
Égaler l'artifice à la sincérité (...)　MOLIÈRE, Tartuffe, I, 5.

(...) je n'en ai guère vu *(des familles)* qui ne fussent plongées dans l'amertume, tandis qu'au dehors, couvertes du masque du bonheur, elles paraissaient nager dans la joie (...)　　　　　　　VOLTAIRE, l'Ingénu, XIX.

(...) cette attitude qu'elle m'impose, ce masque d'indifférence qu'elle me force à revêtir (...)　　　　　　GIDE, Journal intime, 12 oct. 1921.

Nous avons beau faire, nous ne pouvons pas être absolument naturels, et nous n'avons pas grand avantage à l'être. Le sourire du marchand, la manière du médecin, l'allure militaire. Ce sont des masques grossiers, mais dès qu'on les quitte on est contraint d'en mettre d'autres.
　　　　　　　Valery LARBAUD, Amants, heureux amants, p. 135.

Absolt. *Sous le masque :* incognito, en cachette, hypocritement. ⇒ **Manteau** (sous le). *Il s'est fait sous le masque mon plus cruel calomniateur* (...)

Baudelaire découvrait à sa correspondante, sous le masque, une partie de soi vulnérable : ce besoin d'une admiration, d'une tendresse, d'une pureté qui ne faisaient point partie de son personnage habituel (...)
　　　　　　　Émile HENRIOT, Portraits de femmes, p. 388.

Ôter son masque, poser, lever, jeter le masque : se montrer tel qu'on est, révéler* ce qu'on cachait (→ Décharger, cit. 14 ; erreur, cit. 11). *Quitter son masque de componction* (→ Héritier, cit. 5). *Lever, arracher* (cit. 18) *le masque de qqn, à qqn,* dévoiler sa fausseté*. ⇒ **Confondre, démasquer.** *Faire poser le masque à une âme hypocrite* (cit. 16).

18 (...) la figure du forçat devint férocement significative en déposant le masque bénin sous lequel se cachait sa vraie nature.　BALZAC, le Père Goriot, Pl., t. II, p. 1012.

19 Car, dans sa disgrâce actuelle, c'était un surcroît de calamité que de ne pouvoir tout à fait jeter le masque, de ne pouvoir avouer à personne combien cet accident ridicule l'offensait (...)　MARTIN DU GARD, les Thibault, t. III, p. 159.

Par ext. (En parlant de choses personnifiées qui ne sont pas ce qu'elles paraissent).

20 Le passé un visage, la superstition, un masque, l'hypocrisie. Dénonçons le visage et arrachons le masque.　HUGO, les Misérables, II, VI, XI.

21 Le génie de Goya veut arracher au monde son masque d'imposture, mais celui de Giotto veut lui arracher son masque de douleur.
　　　　　　　　　　　　　　　　MALRAUX, les Voix du silence, p. 339.

♦ **5.** (1832). Aspect, modelé du visage. ⇒ **Facies, physionomie, visage.** *Un masque inerte où le sourire avait disparu* (→ Humain, cit. 4). *Masque impénétrable. Masque de tristesse.* ⇒ **Air, expression.** *Avoir le masque noble, un masque de lutteur, de conquérant, de tragédienne...*

22 Plus loin une vieille femme, pâle et froide, présentait ce masque repoussant du paupérisme en révolte (...)　BALZAC, l'Interdiction, Pl., t. III, p. 27.

23 Le portrait de M. Guizot est célèbre (...) le masque est d'une étonnante finesse de modelé dans son harmonie grise (...)
　　　　　　　Th. GAUTIER, Portraits contemporains, « Paul Delaroche ».

24 Défiguré, à l'âge de trois ans, par une petite vérole maligne et confluente, sur laquelle sa mère, pour l'achever, s'avisa d'appliquer je ne sais quel onguent, il *(Mirabeau)* acquit ce masque qu'on sait, mais où la physionomie, qui exprimait tout, triomphait de la laideur.　SAINTE-BEUVE, Causeries du lundi, 7-8 avr. 1851.

24.1 La Berma avait, comme dit le peuple, la mort sur le visage (...) Ses artères durcies étant déjà à demi pétrifiées, on voyait de longs rubans sculpturaux parcourir les joues, avec une rigidité minérale. Les yeux mourants vivaient relativement, par contraste avec ce terrible masque ossifié, et brillaient faiblement comme un serpent endormi au milieu des pierres.　PROUST, le Temps retrouvé, Pl., t. III, p. 998.

25 Il était chauve, il avait une face rasée, un peu lourde. On lui disait souvent qu'il avait le masque de Napoléon, de Mussolini (...)
　　　　　　　　　　　　　　　P. NIZAN, le Cheval de Troie, I, v.

Pathol. Aspect anormal du visage, caractéristique d'un état physiologique ou pathologique. *Masque cachectique* (cit.) *d'un malade. Le masque de la mort.* — (1836). *Masque de grossesse :* pigmentation brune et passagère du teint, surtout au front, qui peut survenir dans les derniers temps de la grossesse. ⇒ **Chloasma.** *Absolt. Femme qui a le masque.*

(En parlant de la peau, de la couleur du visage). *Le hâle* (cit. 3) *avait posé son masque jaune sur les visages.*

26 Il avait le sombre masque du vent et de la mer.
　　　　　　　　　HUGO, les Travailleurs de la mer, Œ. compl., t. XI, I, VI.

★ **II.** ♦ **1.** Représentation plastique d'un visage. — Empreinte prise sur le visage d'une personne, spécialt, d'un mort ; reproduction de cette empreinte. *Masque mortuaire, funéraire, de mort* (→ Étrange, cit. 11). *Le masque de Napoléon.*

27 Nous voici de nouveau dans la salle mortuaire. Bourdelle est venu prendre le masque *(Charles-Louis Philippe)* ; sur le plancher s'écrasent des éclaboussures de plâtre.　GIDE, Nouveaux prétextes, p. 174.

28 Devant son masque mortuaire *(de Gœthe)* où, sur tant de sérénité intérieure, ses paupières se sont à jamais refermées, j'évoque les masques ravagés ou tragiques et douloureux de Dante, de Pascal, de Beethoven, de Nietzsche, de Leopardi (...)
　　　　　　　　　　　　　　　　GIDE, Attendu que..., p. 127.

♦ **2.** (1540). Face (et, spécialt, mascaron*) sculptée. *Les masques de marbre d'une fontaine* (cit. 8).

29 Dans un jardin romain, un vieux masque de pierre
　M'attirait : à travers ses lèvres, ses paupières
　On voyait fuir, jaillir l'azur torrentiel ;
　　Csse DE NOAILLES, Poésies, « Les vivants et les morts, dans l'azur antique ».

♦ **3.** Appareil protecteur qui se pose sur le visage. *Masque de protection. Masque d'escrime :* écran de toile métallique à mailles serrées garni de bourrelets.

30 Toute la journée le fleuret à la main, et la figure sous les mailles de son masque d'armes (...) elle ne sortait guère de la salle de son père (...)
　　　　　BARBEY D'AUREVILLY, les Diaboliques, « Bonheur dans le crime », p. 145.

Masque d'apiculteur. Masque d'ouvrier soudeur. — *Masque antiseptique des médecins, des chirurgiens,* en gaze hydrophile (cit.), qui couvre le nez et la bouche.

Masque à gaz : appareil destiné à protéger des fumées et gaz* asphyxiants, les voies respiratoires et le visage.

30.1 Étienne tâta ses poches, sa musette où deux jours de vivres et des grosses chaussettes de laine pour les futures tranchées d'hiver ; il avait bien son casque ; il n'oubliait pas son masque à gaz.　R. QUENEAU, le Chiendent, p. 391.

(1864). **Chir.** Dispositif placé sur le visage d'une personne pour lui faire respirer des vapeurs anesthésiques (→ Approche, cit. 29).

31 — Je fabrique un masque pour t'endormir à l'éther.
　— Je vous remercie, l'odeur du chloroforme m'est si pénible.
　　　　　　　G. DUHAMEL, Récits des temps de guerre, « Le sacrifice ».

Masque d'Ombredanne : ancien modèle d'appareil anesthésique (on dit aussi *appareil d'Ombredanne*).

♦ **4.** Couche de crème, etc., appliquée sur le visage, pour resserrer, tonifier, adoucir... l'épiderme. *Masque facial. Masque de beauté.*

♦ **5.** (1873). **Milit.** Abri militaire, masse de terre destinée à cacher, protéger les hommes et les ouvrages, sans aménagement défensif.

Par ext. Obstacle naturel formant écran et qui a la même utilité. *Installer une pièce de mortier derrière un masque.*

♦ **6.** **Techn.** Outil pour la ciselure, petit poinçon portant une tête gravée en creux ou en relief, et qui sert à former des figures sur le métal.

♦ **7.** **Pharm.** Substance dont l'addition à un appât toxique dissimule la saveur ou l'odeur de la matière active.

♦ **8.** **Techn.** (électron.). Plaque métallique très mince, percée de trous (utilisée pour la réception de la télévision en couleurs). *Tube à masque.*

★ **III.** (Fin XVIIIᵉ). **Zool.** Lèvre inférieure allongée qui couvre une partie de la tête des larves de libellules.

DÉR. Masquer.
HOM. 2. Masque. — Formes du v. masquer.

2. MASQUE [mask] n. f. — 1562 ; provençal *masco* « sorcière » ; anc. provençal *masca* ; → Mascotte.

♦ **Vx.** Fille, femme effrontée.

1 — Ah! Ah! petite masque, vous ne me dites pas que vous avez vu un homme (...)
　　　　　　　　　　　MOLIÈRE, le Malade imaginaire, II, 8.

2 — C'est comme moi, dit la petite fille...
　— Tais-toi, petite masque ! dit Tord-Chêne... Je te connais bien... Tu es la reine des poissons (...)
　　　NERVAL, Chansons et légendes du Valois, « La reine des poissons ».

HOM. 1. Masque. — Formes du v. masquer.

MASQUER [maske] v. — 1550 ; de *masque,* et *-er.*

★ **I.** V. tr. ♦ **1.** Rare. Couvrir d'un masque, cacher sous un masque. *Masquer un enfant pour le carnaval.*

Par ext. Vx. Couvrir d'un déguisement complet. ⇒ **Déguiser, travestir.** *Masquer qqn en Scaramouche, en Arlequin* (Dict. de Trévoux). — **Pron.** *Se masquer pour le bal.*

1 Allons donc nous masquer avec quelques bons frères (...)
　　　　　　　　　　　　　MOLIÈRE, l'Étourdi, III, 5.

Par métaphore :

2 On a grand tort de la peindre *(la philosophie)* inaccessible aux enfants, et d'un visage renfrogné sourcilleux et terrible. Qui me l'a masquée de ce faux visage, pâle et hideux ? Il n'est rien *(de)* plus gai, plus gaillard, plus enjoué (...)
　　　　　　　　　　　　MONTAIGNE, Essais, I, XXVI.

♦ **2.** (Mil. XVIᵉ). Déguiser sous une fausse apparence. ⇒ **Camoufler, dissimuler, enrober, farder, recouvrir, voiler.** *Masquer la vérité par des lâchetés* (→ Artifice, cit. 11). *Il masque ses lubriques approches* (cit. 14) *de religieuses exhortations.* — **Pron.** *Un hypocrite qui se masque sous les dehors de la dévotion* (Académie).

3 Je veux que l'on soit homme (...)
　(...) et que nos sentiments
　Ne se masquent jamais sous de vains compliments.
　　　　　　　　　　MOLIÈRE, le Misanthrope, I, 1.

4 L'intention de Pierre était de masquer son entreprise contre Azof par une démonstration sur le Dnieper.　MÉRIMÉE, Hist. du règne de Pierre le Grand, p. 74.

5 Il consultait peu sa jeune femme, bien qu'il fît parade, pour elle, de son autorité et qu'il prît soin de masquer, à l'occasion, son incertitude par des ordres brefs.
　　　　　　　　　　　　　　　　　COLETTE, Chéri, p. 91.

6 Nos concitoyens qui, jusque-là, avaient continué de masquer leur inquiétude sous des plaisanteries, semblaient dans les rues plus abattus et plus silencieux.
　　　　　　　　　　　　　　　　CAMUS, la Peste, p. 75.

♦ **3.** (1721, Trévoux). Empêcher de voir. ⇒ **Cacher, dérober.**

(Sujet n. de chose). **Par ext.** Cacher* à la vue. *Cette maison masque le paysage, la vue.* ⇒ **Empêcher ; dérober.** *Des tentures masquaient les murs.*

(Sujet n. de personne). *On a masqué le défaut de cette architecture* (→ Coup, cit. 30). *Masquer les lumières* (⇒ **Black-out**).

Mar. *Masquer les feux,* les rendre invisibles de l'extérieur du bâtiment.

7 J'ai déjà dit que sa retraite
　Masquait le devant du palais.
　Le vizir veut d'abord, sans forme de procès,
　Qu'on abatte la maisonnette (...)　FLORIAN, Fables, I, 8.

8 L'entrée *(de la mosquée)* en est masquée par un mur qu'on dirait bâti en neige argentée, encadré de carrelages en faïence verte (...)
　　　　　　　MAUPASSANT, la Vie errante, « D'Alger à Tunis », I.

9 (...) elle mit le costume de crêpe marocain marron, fait sur mesure, ample pour masquer la taille (...)　J. CHARDONNE, les Destinées sentimentales, p. 472.

(1718). **Milit.** Cacher à l'ennemi en interposant quelque chose. *Masquer aux vues. Masquer une batterie, un mouvement de troupes.* Vx. *Masquer une place forte,* y laisser un corps de troupes pour la surveiller sans en faire le siège.

10 Il méprisa les places fortes qu'il se contenta de masquer, s'aventura dans le pays envahi et gagna tout à coups de batailles.
　　　　　　CHATEAUBRIAND, Mémoires d'outre-tombe, t. III, p. 174.

Par ext. (Mar. à voiles). Gêner en interceptant le vent. *Voile qui en masque une autre. Être masqué par un bâtiment.*

(1783). **Cuis.** Recouvrir entièrement (un mets) d'une sauce épaisse.

♦ **4.** Dissimuler (un goût, une odeur) par un goût, une odeur de nature différente. *Masquer une mauvaise odeur en répandant du parfum. Épices qui masquent le goût d'aliments avariés.*

11 (...) je découvrais (...) les effroyables ingrédients qui masquaient le goût des poissons désinfectés (...) HUYSMANS, Là-bas, V.

♦ **5.** Mar. Manœuvrer de manière à mettre vent debout (le bateau ; sa voilure). *Masquer les voiles, le navire.*

★ **II.** V. intr. ♦ **1.** (V. 1495). Vx. Se mettre un masque, aller en masque. *« Cette troupe de jeunes gens a masqué pendant tout le carnaval »* (Furetière).

♦ **2.** (1848). Mar. Se dit d'un navire dont les voiles reçoivent le vent debout, et non par derrière. *Le navire masque.*

▶ **MASQUÉ, ÉE** p. p. adj.

♦ **1.** Couvert d'un masque. *Comédien, danseur, Arlequin masqué. Demoiselles masquées. Paladins masqués de fer* (→ Heaume, cit. 1). *Chirurgien, infirmier* (cit. 2) *masqué de blanc.* — *Bandit masqué* (→ 1. Garrotter, cit. 1).

12 (...) tandis que je regardais, non pas le roi (...) mais bien le bourreau masqué, cette idée me vint, ainsi que je vous l'ai dit, de savoir qui il était. DUMAS, Vingt ans après, LXXI.

♦ **2.** Se dit d'un divertissement où l'on porte des masques. ⇒ **Travesti.** *Bal* (cit. 7) *masqué* (→ Joie, cit. 27). *Nuits masquées* (→ Éperdument, cit.).

13 Le jour de la mi-carême, elle ne rentra pas à Yonville ; elle alla le soir au bal masqué. Elle mit un pantalon de velours et des bas rouges avec une perruque à catogan (...) FLAUBERT, Mme Bovary, III, VI.

♦ **3.** Fig. Déguisé.

14 Les hommes, à force de s'observer mutuellement, moisissaient dans cette contrainte infectée d'hypocrisie que l'on nomme la politesse. Soigneusement masqués, contenus, leurs défauts et leurs vices ne pouvaient se répandre librement que dans l'étouffante intimité. G. DUHAMEL, Scènes de la vie future, VI.

♦ **4.** Par ext. Caché, dissimulé.

15 (...) au fond de la sacristie derrière l'autel, est une porte masquée dans la boiserie qu'un ressort ouvre (...) SADE, Justine..., I, p. 161.

Milit. *Batterie masquée. Tir masqué,* à pointage indirect.

Biol. *Virus masqué d'une infection virale.*

CONTR. Montrer ; dévoiler, exhiber, manifester.
DÉR. Masquage, masquant.
COMP. Démasquer.
HOM. V. 1. masque, 2. masque.

MASSACRANT, ANTE [masakrɑ̃, ɑ̃t] adj. — 1777, Voltaire, « ennuyeux, fâcheux » ; p. prés. de *massacrer.*

♦ **1.** (1868, Littré.). Vx. Qui massacre ; où l'on massacre.

♦ **2.** Fig. *Humeur massacrante :* mauvaise* humeur par laquelle on maltraite les gens. ⇒ **Insupportable** (→ Humeur, cit. 46).

1 Toutefois, avec tant de motifs de prendre la vie en patience et en joie, Messire Robert (...) s'était éveillé le matin (...) fort bourru et de massacrante humeur. HUGO, Notre-Dame de Paris, I, VI, I.

2 Penellan, lui, devenait d'une humeur massacrante ; il donnait tout le monde au diable et ne cessait, à chaque occasion, de se fâcher contre la faiblesse et la lâcheté de ses compagnons, plus timides et plus fatigués, disait-il, que Marie, laquelle aurait été au bout du monde sans se plaindre. J. VERNE, Un hivernage dans les glaces, p. 276.

MASSACRE [masakr] n. m. — 1564 ; *maçacre,* mil. XIIe ; *macecre,* fin XIe, « abattoir » ; déverbal de *massacrer.*

★ **I.** ♦ **1.** Action de tuer une grande quantité d'animaux, de gibier. *Un massacre de chevreuils. Sonner le massacre,* la curée.

♦ **2.** (1551). Chasse. Tête de daim, de cerf séparée du corps et placée sur la peau de l'animal, après la curée. — (1753, Buffon). Bois de cerf muni de l'os frontal qui le supporte. *Massacre conservé comme ornement, comme trophée.*

(1581). Blason. Figure de l'écu représentant un bois de cerf complet, avec ou sans os frontal.

1 Au-dessus de la cheminée de forme antique, un massacre de cerf dix-corps épanouissait son bois (...) Th. GAUTIER, le Capitaine Fracasse, I.

★ **II.** Cour. Action de massacrer.

♦ **1.** (Mil. XIIe). Action de tuer avec sauvagerie et en masse des gens qui ne sont pas en état de se défendre ; résultat de cette action. ⇒ **Assassinat, boucherie, carnage, hécatombe, holocauste, immolation, tuerie.** *Le massacre des Innocents*. Les vêpres* siciliennes, massacre des Français de Palerme (1282). Massacre de la Saint-Barthélemy (1572). Massacres de septembre (1792).* ⇒ **Septembrisade.** *Massacre d'un peuple, d'une minorité ethnique...* ⇒ **Anéantissement, destruction, extermination ;** et aussi **génocide.** *Massacre de populations civiles* (→ Inhumain, cit. 1). *Massacres de la guerre* (cit. 14 et 41). *Le combat* (cit.) *dégénéra en massacre. Envoyer des soldats au massacre,* les exposer à une mort certaine. *Le massacre, l'incendie et le pillage* (→ Complot, cit. 5). ⇒ **Dévastation, sac**

(mettre à sac), **sang** (mettre à feu et à sang). *Donner le signal du massacre. Échapper au massacre.*

Un massacre signifie un nombre d'hommes tués (...) On ne dit point « il s'est fait le massacre d'un homme » ; et cependant, on dit « un homme a été massacré » ; en ce cas on entend qu'il a été tué de plusieurs coups avec barbarie. VOLTAIRE, Dict. philosophique, Massacres.

La différence entre le massacre des Innocents et nos règlements de compte est une différence d'échelle (...) de 1922 à 1947, 70 millions d'Européens, hommes, femmes et enfants, ont été déracinés, déportés ou tués (...) CAMUS, Actuelles II, p. 33.

Par exagér. Combat dans lequel celui qui a le dessus met à mal sa victime. *Ce match de boxe a tourné au massacre.*

(1893). **JEU DE MASSACRE :** jeu forain qui consiste à abattre des poupées à bascule, en lançant des balles de son ; la baraque de foire où l'on joue à ce jeu. Jouet d'enfant imitant le jeu forain. *Exercer son adresse au jeu de massacre.*

Fig. *La médisance allait bon train, c'était un vrai jeu de massacre.*

La combinaison *(le licenciement d'employés)* peu à peu tournait au jeu de massacre. Dix morts restèrent sur le carreau en moins de temps qu'il n'en faut pour le dire. COURTELINE, Messieurs les ronds-de-cuir, VIe Tableau, I.

♦ **2.** (1873). Fig. Destruction totale ou massive. *On a piétiné toutes les fleurs, quel massacre !* (⇒ **Saccager ; gâchis**). *Un massacre de vaisselle.*

Ils en font un massacre dans la cuisine et dans tout l'appartement ! ZOLA, Nana, IV.

♦ **3.** (1868). Fait d'endommager involontairement, par brutalité ou par maladresse ; travail très mal exécuté (⇒ **Massacrer**). *Il a peint à toute vitesse, en laissant couler la peinture partout : un vrai massacre !*

(...) elle était tondue comme une brebis d'or (...) L'infâme perruquier qui l'avait volée, d'ailleurs, avait rétabli tant bien que mal (...) l'harmonie de sa tête, mais le massacre était évident et horrible (...) Léon BLOY, le Désespéré, p. 126.

Spécialt. Exécution ou interprétation exécrable, qui défigure une œuvre. *Cette interprétation de la Cinquième Symphonie fut un massacre.* — *Piano* massacre.*

(...) le massacre que vos chantres en font *(de cet air italien),* corrigés par vous, est un martyre pour ce pauvre Vorei (...) Mme DE SÉVIGNÉ, 421, 31 juil. 1675.

HOM. Formes du v. massacrer.

MASSACRER [masakre] v. tr. — 1553 ; *maçacrer,* v. 1307 ; *macecler,* v. 1165 ; du lat. pop. *matteuculare,* de *matteuca* « massue ».

A. ♦ **1.** (1564). Compl. désignant des personnes. Tuer* avec sauvagerie et en masse (des êtres qui ne peuvent pas se défendre). ⇒ **Détruire, exterminer, immoler.** *Massacrer des vaincus, des prisonniers, les habitants d'un pays occupé. Les Romains furent massacrés, se firent massacrer par centaines* (→ Hécatombe, cit. 6). *Hérode fit massacrer les enfants. Massacrer une famille* (→ Guerre, cit. 8). Absolt. *Troupes qui pillent et massacrent.*

Les choses recommencèrent avec un caractère nouveau et singulier d'atrocité (...) Tous ensemble furent massacrés et jetés à la rivière. MICHELET, Hist. de France, t. XI, p. 397.

Absolument :

On ne massacre jamais que par peur, la haine n'est qu'un alibi. BERNANOS, les Grands Cimetières sous la lune, p. 126.

♦ **2.** (V. 1185). Assassiner (une seule victime) qui ne peut se défendre. *Il s'est fait massacrer.* ⇒ **Assassiner, bousiller** (fam.), **égorger, exterminer** (→ Massacre, cit. 2).

César a-t-il été massacré au milieu du Sénat ? LA BRUYÈRE, les Caractères, XVI, 22.

Fam. Mettre à mal (un adversaire en état d'infériorité). Pop. ⇒ **Amocher, démolir, écharper, esquinter.**

Il idolâtrait Ram et son terrible punch. Ram saurait bien massacrer n'importe quel Européen de sa catégorie (...) Paul MORAND, Champions du monde, p. 104.

♦ **3.** V. pron. *Se massacrer,* se tuer les uns les autres ou l'un l'autre en un combat sanglant. ⇒ **Détruire** (se).

Et il paraît qu'ils vont se battre, tous ces imbéciles, se massacrer, en plein été, au mois de juin, quand ils pourraient s'en aller, avec une créature sous le bras, respirer dans les champs l'immense tasse de thé des foins coupés. HUGO, les Misérables, IV, XII, II.

Jamais ils ne s'adressaient la parole. Peut-être bien que, le jour où éclaterait une querelle, ils se massacreraient. ZOLA, la Terre, V, I.

B. (Mil. XVIe). Fig. et fam. ♦ **1.** Mettre (une chose) en très mauvais état. ⇒ **Abîmer, saccager.** *Massacrer les pousses d'un arbre à coups de cravache* (→ Hacher, cit. 10). *Massacrer le bras de qqn avec son poignard* (→ Guerre, cit. 8). *« Je massacrai l'albâtre, et la neige et l'ivoire »* (cit. 3, Hugo).

Hier, dans Broadway, une vieille dame maigre, habillée comme la Vertu, massacrait une devanture à coups de parapluie (...) Paul MORAND, Champions du monde, p. 77.

♦ **2.** (1640). Endommager involontairement, par un travail maladroit et brutal, par une mauvaise exécution. ⇒ **Bousiller** (fam.), **gâter.** *Massacrer une volaille en la découpant.* — Au p. p. *Chevelure massacrée par un coiffeur maladroit.* — *Massacrer un texte* *en le disant, en le traduisant.* ⇒ **Défigurer.** *Pianiste qui massacre une sonate.*

Du Châtelet fut alors requis d'accompagner monsieur de Bartas qui massacra le grand air de Figaro.   BALZAC, Illusions perdues, Pl., t. IV, p. 548.

DÉR. Massacrant, massacre, massacreur.
HOM. V. Massacre.

MASSACREUR, EUSE [masakRœR,øz] n. — 1574 ; « arme », 1543 ; de *massacrer*, et *-eur.*

♦ **1.** Personne qui massacre. ⇒ **Assassin, tueur.** *Les massacreurs de la Saint-Barthélemy.*

Les archers (...) les piquaient de chambre en chambre pour qu'ils se précipitassent par les escaliers ou par les fenêtres dans la cour, où les massacreurs, en rang, les piques serrées, les recevaient, les achevaient.
                                        MICHELET, Hist. de France, t. XI, p. 382.
Alors la brute se déchaîne et le placide, l'honnête, le doux moujik barbu et pieux devient le massacreur, viole les femmes enceintes, leur ouvre le ventre (...)
                                        Roger IKOR, les Fils d'Avrom, Prologue, p. 40.

♦ **2.** (1834). Personne qui, par maladresse, gâte quelque chose, exécute mal un travail. ⇒ **Maladroit.** *Ce pianiste est un massacreur.*

MASSAGE [masaʒ] n. m. — 1812 ; de 2. *masser* et *-age.*

♦ Action de masser. ⇒ 2. **Masser.** *Massage avec les mains, avec des instruments. Manœuvres de massage :* claquement, effleurage, friction, hachure, percussion, pétrissage, pincement, pression, tapotement, vibration... *Massage thérapeutique, hygiénique ; sédatif, stimulant. Massage abdominal, massage facial. Massage cardiaque. Lit à massage.*

Quand les visages relevés et tendus par le chirurgien s'effondrent, quand les massages ne suffisent plus à réprimer l'envahissement de la graisse, celles qui ont gardé si longtemps l'apparence de la jeunesse deviennent pires qu'étaient, au même âge, leurs grand-mères.   Alexis CARREL, l'Homme, cet inconnu, p. 212.

Massage thaïlandais : massage corps à corps pratiqué par de jeunes femmes (d'abord, en Thaïlande).

COMP. Automassage, vibro-massage.

MASSALIOTE [masaljɔt] adj. — 1842 ; de *Massilia*, nom grec de *Marseille*, ville fondée par les Phocéens.

♦ Didact. De Marseille, relatif à Marseille du temps qu'elle était colonie grecque. ⇒ **Phocéen ;** et aussi **marseillais.** *Population massaliote. Commerce massaliote en Méditerranée.*

(...) ce que l'on appelle un peu pompeusement la *Gallia græca* n'est guère au IIIᵉ siècle *(av. J.C.)* que la liste des localités de Gaule méridionale où la présence de poteries campaniennes et de monnaies massaliotes atteste l'activité des trafiquants grecs.   J.-R. PALANQUE, in Encycl. Pl., Hist. universelle, t. I, p. 889.

1. MASSE [mas] n. f. — V. 1050 ; lat. *massa*, du grec *maza* « pâte » ; encore utilisé en ce sens au XVIIᵉ, mais la plupart des sens actuels sont très anciens.

★ **I. ♦ 1.** (V. 1170). Quantité relativement grande de substance solide ou pâteuse, qui n'a pas de forme définie, ou dont on ne considère pas la forme. *Masse de pâte, d'argile, de graisse, de chair. Masse protoplasmique* (→ Contractile, cit. ; excitation, cit. 12). *Masse de substance coagulée (coagulum). Masse de lave ardente* (→ Globe, cit. 9). *Les masses de neige, de boue, de rochers qui se détachent d'une montagne* (avalanche, éboulis...). *Masse calcaire* (→ Cavité, cit. 1). *Masse de plomb. Masse de bois sur lequel on fait un ouvrage* (billot, bloc...). *Masse adaptée au manche de certains outils. Masse molle* (→ Fruit, cit. 6), *visqueuse. Masse dure, solide.* ⇒ **Bloc, morceau.** *Masse informe. Énorme masse* (→ Effriter, cit. 4). *Masse pesante, lourde, immobile, mouvante...*

(Le philosophe voit) dans le rocher, les masses de pierre dont on élèvera des palais aux rois et des temples aux dieux (...)
                                        DIDEROT, Essai sur la peinture, VII.

Loc. *Personne qui tombe, s'affaisse, s'écroule... comme une masse,* pesamment, comme une chose inanimée. *Le soir je tombe comme une masse de plomb* (→ Lassitude, cit. 5). *Elle tomba d'une masse aux pieds de son père* (→ Évanouir, cit. 18).

Mais, tout d'un coup (...) il devint blême et s'abattit devant le buffet, comme une masse. Il était ivre mort.   ZOLA, Nana, IV.

Par ext. Quantité relativement grande (d'une matière fluide) formant une unité autonome, ou considérée comme telle. *Une masse d'eau de mer venait se plaquer sur eux.* ⇒ **Paquet** (→ Bondir, cit. 13). *Évaporation* (cit. 1 et 2) *des masses liquides. Masse d'air froid* (→ Front, cit. 36). *Masse gazeuse* (→ Espace, cit. 18). *Masse d'eau que roule un fleuve.* ⇒ **Volume.**

Météor. *Masse d'air :* flux d'air dont les caractéristiques physiques ont une certaine homogénéité. ⇒ **Front.**

♦ **2.** *La masse de quelque chose,* la masse que constitue cette chose. *La masse solide d'une colonne* (→ Appui, cit. 15). *Souche dont la masse soulève le sol* (→ Fût, cit. 2). *La masse ciselée de sa chevelure* (cit. 6) *blonde.*

À intervalles réguliers la femme de lessive versait sur le lit de cendres un broc d'eau bouillante qu'elle filtrait dans la masse du linge (...)
                                        COLETTE, Journal à rebours.

(...) il arrivait aussi à plus d'un promeneur nocturne de sentir sous son pied la masse élastique d'un cadavre *(de rat)* encore frais.   CAMUS, la Peste, p. 26.

Absolt. *Pris, taillé... dans la masse,* dans un seul bloc de matière. *Bibelot, statuette d'ivoire sculptés dans la masse,* sans aucune partie rapportée.

♦ **3.** Être, chose qui fait impression par sa puissance, sa taille, son volume, son poids (aux sens 1. et 2.).

Le roi et le comte de Blois et de Champagne s'efforçaient de mettre un peu de sécurité entre la Loire, la Seine et la Marne, petit cercle resserré entre les grandes masses féodales de l'Anjou, de la Normandie, de la Flandre (...)
                                        MICHELET, Hist. de France, IV, IV.
La montagne, lointaine, ne terrasse pas ici *(à Ferney)* par sa masse surhumaine.
                                        R. ROLLAND, le Voyage intérieur, II.

Péjor. Chose, être gros, lourd et informe. *L'éléphant, masse informe* (cit. 3) *et sans beauté. Une grosse masse.*

Rien ne le rebuta, ni sa vue éraillée,
Ni sa masse de chair bizarrement taillée :
Et trois cent mille francs avec elle obtenus
La firent à ses yeux plus belle que Vénus.
                                        BOILEAU, Satires, X.

♦ **4.** (V. 1265). Accumulation de nombreux éléments distincts (mais généralement de même nature) réunis en un ensemble perçu comme une totalité. ⇒ **Agglomérat, agrégat, amas, conglomérat, magma.** *Masse de pierres, de cailloux* (cit. 4). ⇒ **Monceau, tas.**

(...) ils (...) prenaient un canot parmi la masse des petites embarcations agglomérées au bord du quai (...)
                                        J. CHARDONNE, les Destinées sentimentales, p. 238.

♦ **5.** Par ext. Ce qui est perçu comme une unité, un ensemble, dont on ne peut ou ne veut distinguer les éléments constitutifs.
Arts. Ensemble de l'œuvre, par rapport aux éléments, aux détails dont elle se compose. *Introduire les détails sans détruire la masse* (→ Ensemble, cit. 3). — *Une masse d'architecture moitié gothique, moitié sarrasine* (→ Encorbellé, cit.). *Colonnade qui allège la masse d'un édifice.*

Les distributions d'ombre et de lumière
Sur chacun des objets, et sur la masse entière (...)
                                        MOLIÈRE, la Gloire du Val-de-Grâce.

Au plur. Principaux éléments d'une composition picturale, d'une œuvre architecturale considérés les uns par rapport aux autres, abstraction faite de leurs détails. *Répartition des masses dans un tableau. Deux grandes masses s'équilibrent dans cette composition. Indications* (cit. 7) *schématiques des grandes masses. Masses d'ombre, de lumière. Masses d'un édifice.*

Le peintre doit (...) concevoir de grandes parties comme de puissantes masses, soit dans les groupes, soit dans les ombres, soit dans les couleurs.
                                        M. TESTELIN, Conférences, 1678, in BRUNOT, Hist. de la langue franç., t. VI, p. 736, note 4.
La couleur est composée de masses colorées qui sont faites d'une infinité de tons, dont l'harmonie fait l'unité : ainsi la ligne, qui a ses masses et ses généralités, se subdivise en une foule de lignes particulières (...)
                                        BAUDELAIRE, Curiosités esthétiques, « Salon de 1846 », VII.
(...) je procède par addition, non par esquisse ; j'ai le goût préalable (premier) du détail, du fragment, du *rush,* et l'inhabileté à le conduire vers une « composition » : je ne sais pas reproduire « les masses ».   R. BARTHES, Roland Barthes, p. 97.

Mus. Ensemble d'instruments, de voix, qui jouent, chantent en même temps et forment une unité sonore. *Masse instrumentale, orchestrale, vocale.* — Groupe d'instruments de même famille, de voix, qui forment une unité sonore dans un ensemble. *Rarement l'art du compositeur avait déployé d'aussi grandes masses* (→ Harmonie, cit. 4). *On distingue le hautbois* (cit. 1) *au milieu de masses orchestrales considérables.*

Cour. Ce qu'on voit globalement, sans distinguer les détails ou les parties. *La masse sombre des végétations* (→ Distinguer, cit. 33). *Il ne distinguait plus la masse du ciel de celle de la terre* (→ Gyroscopique, cit. 1).

Il était quatre heures ; l'aube, incertaine encore, éclairait la masse blanche de Salonique, les masses noires des navires de guerre (...)   LOTI, Aziyadé, I, XXI.

♦ **6.** (V. 1050). Par métaphore et fig. ⇒ **Ensemble, quantité.** Ensemble de nombreuses choses qui font corps. *Réunir une masse de matériaux, de fiches, de documents en vue d'une œuvre* (→ Embrasser, cit. 22 ; exécution, cit. 12). *Une masse énorme de souvenirs* (→ Accrocher, cit. 12), *de passions* (→ Bouillonnement, cit. 2). *La masse des connaissances humaines.* ⇒ **Somme.**

Malgré les incroyables efforts du défenseur, la masse des témoignages positifs accabla Michu.   BALZAC, Une ténébreuse affaire, Pl., t. VII, p. 604.
Une action ne prouve rien. C'est la masse des actions, leur poids, leur somme qui fait la valeur d'un être humain.   FRANCE, le Lys rouge, III.

(V. 1080). L'ensemble d'une même chose (qui peut exister sous forme dispersée). ⇒ **Totalité.** *La masse du sang de l'organisme. La masse de l'or et de l'argent* (cit. 13) *qui est dans le monde. La masse d'argent qu'un pays possède et qui forme son capital* (cit. 7).

♦ **7.** (1615, dr.). Somme d'argent. — Somme formée par les retenues faites sur la paie de chaque soldat.
(1718). Ensemble des retenues faites sur le salaire d'un prisonnier et qu'on lui remet à sa libération.

15 J'ai de l'argent, ma masse. Cent neuf francs quinze sous que j'ai gagnés au bagne par mon travail en dix-neuf ans.   HUGO, les Misérables, I, II, III.

(1789). Allocations réglementaires en espèces, attribuées à un corps de troupe pour subvenir à ses dépenses. *Masse d'habillement, de couchage.* ⇒ **Caisse.**

(1842). *Bourse commune d'un atelier d'élèves des Beaux-Arts* (⇒ 1. **Massier**).

Somme d'argent engagée au jeu. ⇒ **Mise.** *Jouer ses masses* (→ Lessive, cit. 4). *Doubler sa masse.*

Dr. « Ensemble de biens, de créances ou de dettes groupés pour arriver au calcul de certains droits » (Capitant). *Masse active, passive. Masse successorale.*

16 La masse des biens indivis *(d'une succession)* comprend non seulement les biens recueillis au décès, mais ceux qui sont rapportés à la masse (...)
                    M. PLANIOL, Traité élémentaire de droit civil, t. III, p. 579.

Masse salariale (⇒ **Salaire**).

♦ **8.** *La masse, la grande masse de... :* la majorité. *La masse des mots français courants provient du latin.*

Fam. Grande quantité* (sans idée d'ensemble). *Une masse d'affaires à régler, de lettres à écrire. Il lui vient une masse d'idées.* —
(1854). *Il n'y en a pas des masses :* il n'y en a pas beaucoup.

17 Il va nous arriver une masse de marchandises d'Europe, et nous allons avoir un fort travail.   RIMBAUD, Correspondance, XLV, 15 janv. 1881.

♦ **9.** Comm. Cent quarante-quatre douzaines ou douze grosses. Nom d'une quantité importante déterminée par l'usage (dans chaque commerce).

★ **II.** En parlant d'êtres vivants.

♦ **1.** (V. 1175). Ensemble nombreux (de personnes ou d'animaux) assemblés et concentrés d'une manière temporaire ou pour un objet momentané. ⇒ **Groupe; foule, rassemblement.** *Masse d'abeilles en essaim* (cit. 2). *Une masse imposante de douze cents hommes* (→ Individualité, cit. 10). *La masse autrichienne vint buter sur le front de Joubert* (→ Infrangible, cit. 2). *D'énormes masses d'envahisseurs qui déferlent* (cit. 4). *Mettre en masse.* ⇒ 1. **Masser.**

18 La masse hérissée de bayonnettes et lancée au pas gymnastique arriva irrésistible, et l'épais front de bataille de la colonne d'attaque apparut dans la fumée au haut de l'escarpement.   HUGO, les Misérables, V, I, XXII.

19 (...) il essaya de se glisser dans la foule pour les rejoindre... Mais il était prisonnier de cette masse qui l'enserrait.   MARTIN DU GARD, les Thibault, t. VII, p. 64.

20 Au centre de la pièce, une masse humaine agglutinée et silencieuse se mouvait sur place au rythme de la musique, se gonflait et s'affaissait tour à tour comme sourdement travaillée par des fermentations profondes.
                    J. CHARDONNE, les Destinées sentimentales, p. 459.

Milit. *Masse de manœuvre :* masse d'hommes en réserve, disponibles pour telle ou telle manœuvre, telle ou telle opération. — Fig. Réserve d'argent, fonds disponibles, mobilisables.

Dr. *Masse des créanciers :* groupement légal des créanciers d'un débiteur en faillite* ou en liquidation judiciaire. — *Masse des obligataires,* chargée de défendre les intérêts des obligataires d'une même société.

♦ **2.** Multitude (de personnes) constituant un vaste corps, un ensemble permanent. *Les grandes masses qui peuplent la majeure partie des continents* (→ Ethnie, cit.). *Masse d'individus* (→ Asservir, cit.7; élucidation, cit.). *La masse humaine* (→ Culturel, cit.; fuite, cit. 7). *Les masses populaires, laborieuses* (→ Fraternité, cit. 10).

21 (..) l'ascension constante des masses populaires vers les hauteurs sociales (...)
                    BALZAC, le Curé de village, Pl., t. VIII, p. 602.

(Fin XVIIIᵉ). Absolt. LES MASSES : les couches populaires. ⇒ **Foule, peuple.** *Agir sur l'imagination des masses* (→ Gouvernement, cit. 14). *Entraîner, enflammer* (cit. 9), *déchaîner les masses* (→ Anarchie, cit. 4). *L'esprit de subordination des masses allemandes devant la chose militaire* (→ Attaquer, cit. 40). *Démagogue qui flatte les passions des masses. Vivre de la crédulité des masses. Psychologie des masses.*

22 Les masses sont, suivant les circonstances, meilleures ou plus mauvaises que les individus qui les composent.   Mᵐᵉ DE STAËL, in P. LAROUSSE.

23 (...) il est à souhaiter que les hommes de talent n'oublient pas l'excellence du grandiose et de l'idéal dans tout art qui s'adresse aux masses. Les masses ont l'instinct de l'idéal.
                    HUGO, Littérature et Philosophie mêlées, But de cette publication (1834).

24 (...) il n'hésitait pas à reconnaître que l'accession des masses à la liberté politique, dans les sociétés modernes, avait été une satisfaction très importante donnée à la raison, à notre besoin de justice, à notre idée de la dignité humaine (...)
                    J. ROMAINS, les Hommes de bonne volonté, t. XII, XI, p. 110.

25 Lorsqu'à la cantilène a succédé la radio, à la xylographie la photo des magazines, au roman de chevalerie le roman policier, on a parlé d'art des masses ; c'est-à-dire confondu l'art et les moyens de fiction. Il y a un roman des masses, pas de Stendhal des masses ; une musique des masses, pas de Bach — ni de Beethoven, quoi qu'on en dise ; une peinture des masses, pas de Piero della Francesca, ni de Michel-Ange.   MALRAUX, les Voix du silence, p. 512.

♦ **3.** L'ensemble qui fait corps, la majorité (par oppos. aux individus qui font exception). ⇒ **Gros** (le gros de), **majorité.** *La masse de l'armée a bon moral, malgré quelques mauvaises têtes. La masse, la grande masse des électeurs a voté pour X.*

Choisissez parmi les plus riches afin de sacrifier moins de citoyens ; mais choisissez : car ne faut-il pas qu'un petit nombre périsse pour sauver la masse du peuple ?-   26
                    MIRABEAU, Sur la contribution du quart, 26 sept. 1789.

La masse des hommes. ⇒ **Commun** (des hommes), **multitude** (→ Épreuve, cit. 28).

Absolt. LA MASSE (généralement opposée à l'individu et, spécialt, à l'élite). *La pression de la masse* (→ Grégarisme, cit. 1). *Rôle de la masse et des fortes individualités* (→ Contempteur, cit. 2). *La petite élite* (cit. 2) *et la grosse masse. Ce spectacle, ce livre plaît à la masse.* ⇒ **Public** (grand public). *La masse anonyme. Transformer une société en masse.* ⇒ **Massifier, massification.**

(...) pour juger du caractère d'une nation, c'est la masse commune qu'il faut examiner. Les gens de génie sont toujours compatriotes entre eux ; mais pour sentir vraiment la différence des Français et des Allemands, l'on doit s'attacher à connaître la multitude dont les deux nations se composent.   27
                    Mᵐᵉ DE STAËL, De l'Allemagne, I, X.

(...) tu peux (...) te placer au-dessus des lois générales, des idées reçues, des préjugés admis, des convenances adoptées (...) Moi, j'appartiens à la masse. Je dois jouer le jeu selon les règles de la société dans laquelle je suis forcé de vivre.   28
                    BALZAC, le Contrat de mariage, Pl., t. III, p. 88.

(...) la glorification de la masse, c'est-à-dire de ce qui est le moins haut, le moins différencié, le moins capable de penser son destin au lieu de le subir.   29
                    DANIEL-ROPS, Ce qui meurt..., p. 101.

Loc. DE MASSE : qui concerne, qui s'adresse à la masse. *Civilisation de masse, culture de masse. Communications de masse.* ⇒ **Mass-média.**

♦ **4.** Fam. Grande quantité de personnes (sans idée d'ensemble). *Il a une masse, des masses d'amis.* ⇒ **Foule, quantité.**

Des fidèles, il en avait des masses, mais pas beaucoup qui le payaient.   30
                    CÉLINE, Voyage au bout de la nuit, p. 305.

★ **III.** Loc. adv. EN MASSE.

♦ **1.** En formant une masse, tous ensemble en un groupe nombreux. ⇒ **Bloc** (en), **foule** (en), **nombre** (en). *Oiseaux migrateurs qui apparaissent en masse* (→ Annonciateur, cit. 3). *Levée* en masse* (→ Arrière-ban, cit.). *Assiégés* (cit. 2) *qui font une sortie en masse. On ne voulait partir qu'en masse, en troupe, en corps d'armée* (→ Laisser, cit. 41).

Toute la bonne compagnie se transporte en masse d'un salon à l'autre trois ou quatre fois par semaine.   Mᵐᵉ DE STAËL, De l'Allemagne, I, VIII.   31

♦ **2.** (XIVᵉ). Fam. En grande quantité. *De l'argent, il en a en masse.*

— Mais, mon cher ami, j'ai encore des courses et des emplettes... en masse ! Figurez-vous que ma malle n'est pas encore commencée !   32
                    Edmond JALOUX, le Jeune Homme au masque, IX.

★ **IV.** (XVIIIᵉ). Physique et mécanique.

♦ **1.** (1721). Quantité de matière d'un corps ; rapport constant qui existe entre les forces* qui sont appliquées à un corps et les accélérations correspondantes. *La masse, grandeur* (cit. 41) *fondamentale. La masse, coefficient d'inertie du corps. Le poids* est proportionnel à la masse. Unités de masse :* gramme-masse, kilogramme-masse. *Masses égales* (→ Équilibre, cit. 3). *Mesure d'une masse.*

Vieilli. *Masse spécifique d'une substance :* masse de l'unité de volume. ⇒ **Densité.** *Corps de masse spécifique constante* (homogène), *variable* (hétérogène).

Chim. *Principe de conservation des masses.*

Astron. *Les corps célestes s'attirent proportionnellement à leurs masses* (→ Force, cit. 62). *Masse des étoiles* (cit. 18). *Masse totale de l'univers.*

Mécan. *Point géométrique auquel est attribuée une masse.* ⇒ **Point** (matériel).

Phys. *Masse du proton, du neutron, de l'électron* (cit. 2). *Masse atomique* d'un élément. Nombre de masse :* nombre de nucléons dans un noyau d'atome. *Spectrographe de masse. Masse moléculaire* (ou *masse molaire*) *d'un corps. Masse critique :* la plus petite masse nécessaire au maintien d'une réaction en chaîne dans une substance soumise à la fission. — *Masse au repos. Équivalence entre masse et énergie.*

MASSE (...) en Mécanique, est la quantité de matière d'un corps (...) La *masse* se distingue par là du volume (...) On doit juger de la *masse* des corps par leur poids ; car M. Newton a trouvé par des expériences fort exactes, que le poids des corps était proportionnel à la quantité de matière qu'ils contiennent.   33
                    Encycl. (DIDEROT), art. *Masse.*

Cette remarque *(sur les expériences concernant la masse)* conduit à la proportionnalité de la masse et du poids, la masse étant la qualité du corps qui cause son inertie, sa résistance au mouvement, tandis que le poids est l'intensité de la force mise en jeu par la pesanteur lorsque le corps peut tomber en chute libre.   34
                    Émile BOREL, Évolution de la mécanique, I, III, 24.

♦ **2.** (1923, Larousse). Électr. *Masse électrique, magnétique :* grandeur sur laquelle un champ (électrique, magnétique) exerce son action pour produire une force. *Deux masses égales éloignées d'un centimètre et exerçant l'une sur l'autre une force d'une dyne correspondent à l'unité de masse électrique.*

Cour. Conducteur commun auquel sont reliés les divers points d'un circuit qui doivent être affectés du même potentiel, en principe celui du sol. *Mettre à la masse,* relier électriquement à la masse. *Faire masse.* ⇒ **Terre.**

CONTR. **Bribe, brin, grain, parcelle. — Individu.**
DÉR. **Masselotte, 1. masser, 1. massier, massif, massifier, massique, massule.**
COMP. **Amasser. — Biomasse.**
HOM. **2. Masse, 3. masse. — Formes des v. 1. masser, 2. masser, 3. masser.**

2. MASSE [mas] n. f. — V. 1228; *mace,* v. 1131, «arme»; 1508, «outil»; d'un lat. pop. *mattea, mattia,* qu'on rapproche de *mateola* «outil pour enfoncer»; ou, selon Guiraud, d'un dér. roman *macteare,* de *mactare* «abattre», d'où «assommer». → Massacre, mat (adj.).

♦ **1.** (1508). Techn. Gros maillet* de bois ou de métal (⇒ aussi **Marteau**) utilisé pour enfoncer, frapper, dégrossir une matière brute. ⇒ 1. **Massette.** *Masse de carrier*, de charron, de mineur, de corroyeur* (⇒ **Bigorne**), *de piseur* (⇒ **Pisoir**). *Sculpteur qui dégrossit un bloc à la masse.*

> Le camarade avait pris contre le mur deux masses de vingt livres (...) que les ouvriers nommaient Fifine et Dédèle (...) Bec-Salé (...) se renversa, donna le branle à Dédèle, des deux mains (...) il se cassait à chaque volée du marteau, sautait du sol comme emporté par son élan. ZOLA, l'Assommoir, t. I, VI, p. 214.

(V. 1131). Archéol. **MASSE D'ARMES** ou **MASSE** : arme* de choc formée d'un manche et d'une tête de métal, souvent garnie de pointes ou évidée en ailettes. ⇒ **Casse-tête, massue, plommée** (→ Caparaçon, cit.; frapper, cit. 17; heaume, cit. 2). *Se servir d'un bâton* comme d'une masse, pour frapper, assommer quelqu'un.*

> L'autre lève sa masse et frappe comme il faut.
> Fadrique, chancelant, veut dégainer sa lame ;
> Mais la masse de fer est brandie à nouveau,
> Retombe, rompt la nuque, écrase le cerveau,
> Et le sang noir écume et fait ruisseler l'âme.
> LECONTE DE LISLE, Poèmes tragiques, « Romance de Don Fadrique ».

> Mais, encore une fois, ne l'ai-je pas vu *(Ubu)* en songe vous frappant de sa masse d'armes et vous jetant dans la Vistule (...) A. JARRY, Ubu Roi, Pl., p. 361.

> (...) elle s'était, effectivement, crue supérieure à lui, le lui avait sans doute fait sentir. S'était armée de sa fidélité comme d'une masse d'armes (...) F. MALLET-JORIS, le Jeu du souterrain, p. 271.

(1935). Loc. fam. **COUP DE MASSE,** se dit d'un choc émotif violent, accablant. *Ça lui a donné, il a reçu un coup de masse,* et, absolt, *le coup de masse* (→ Coup de massue*).
Spécialt. (En parlant d'un prix excessif, d'une note, d'une facture anormalement élevée). *N'allez pas dans ce restaurant, c'est le coup de masse !* (→ Coup de barre*, de fusil*...).

♦ **2.** (1323). Bâton à tête d'or, d'argent, etc., porté dans un cortège par les huissiers (⇒ 2. **Massier**) qui précèdent certains personnages de marque (roi, chanceliers, sous l'Ancien Régime; recteurs, doyens d'université, de nos jours).

> Discours en latin du *Public Orator,* très amusant. Lord B(aldwin) nous admet, la masse dans la main. Banquet, discours de l'Amb(assadeur) d'Amérique, M. Kennedy. CLAUDEL, Journal II, Pl., p. 272.

♦ **3.** Vx. Queue de billard à large bout, dont on se servait autrefois pour jouer certains coups.
(1721). Par ext. Gros bout d'une queue de billard. *Jouer avec la masse* (⇒ **Massé, masser**).

♦ **4.** Bot. *Masse d'eau.* ⇒ **Massette.**

DÉR. **2. Masser, 3. masser, 1. massette, 2. massier.**
COMP. **Masse-tige.**
HOM. **V. 1. masse.**

3. MASSE [mas] n. f. — 1339; du lat. *mataxa* «faisceau, botte». → Matasse, mateau.
Technique.

♦ **1.** Vx. Écheveau; paquet (de branches, de chanvre, de foin... selon les régions).

> À l'entrée du Bourg, étaient trois Filles, épaisses, l'air hommasses, qui cueillaient le chanvre : leur activité, leur ardeur au travail, leur force à transporter les masses (on nomme ainsi de gros faisceaux de chanvre)... RESTIF DE LA BRETONNE, la Vie de mon père, p. 105.

♦ **2.** Mod. (Comm., depuis 1723). Quantité importante déterminée par l'usage (dans le commerce de gros).
Spécialt. Cent quarante-quatre douzaines ou douze grosses. — REM. De nos jours, ce sens est compris comme une spécialisation du mot 1. Masse. (I., *infra* cit. 17).

HOM. **V. 1. Masse.**

MASSÉ [mase] n. m. — 1867; p.p. de 3. *masser.*

♦ Au billard, Coup donné en massant*. *Faire un beau massé.* — Fig. (Aragon, *in* G. L. L. F.). Coup (sur le crâne).

HOM. **Formes des v. 1. masser, 2. masser, 3. masser.**

MASSELOTTE [maslɔt] n.f. — 1704, Trévoux; *machelotte,* attestation isolée, XIIIᵉ, «petite masse»; de 1. *masse.*
Technique.

♦ **1.** Portion de métal en excédent qui adhère à une pièce de fonderie. ⇒ **Bavure.**
Spécialt. Partie supérieure d'un lingot, où se trouvent les soufflures et qu'on enlève pour la seconde fusion.

♦ **2.** (1949). Petite pièce agissant par inertie, dans un mécanisme. *Masselotte de fusée,* qui vient percuter l'amorce par inertie, au moment du choc. *Masselotte de régulateur.*

MASSEPAIN [maspɛ̃] n. m. — 1544; «boîte», XVᵉ; altér. de l'ital. *marzapane,* arabe *mărtăbăn.*

♦ Pâtisserie faite d'amandes* pilées, de sucre et de blancs d'œufs.

> (...) le majordome fit placer près du lit un en-cas de blancs-mangers et de massepains (...) Th. GAUTIER, le Capitaine Fracasse, XVI.

1. MASSER [mase] v. tr. — XIIIᵉ, rare avant le XIXᵉ; Littré n'en donne aucun exemple littéraire; de 1. *masse,* et *-er.*

♦ **1.** Disposer, rassembler en une masse*, en masses. ⇒ **Agglomérer, amasser, assembler, bloquer** (1.), **rassembler.** *Elle massait ses cheveux* (cit. 25) *derrière sa tête.*
Spécialt. *Masser des hommes, des prisonniers sur une place.* ⇒ **Rassembler, réunir** (→ Encadrer, cit. 5).
Pron. *Ils se sont massés dans les rues avoisinantes* (cit. 2). *La foule s'était massée pour protester.* ⇒ **Ameuter** (s').

> (...) des quatre extrémités du monde il voyait des populations affluer à son petit musée, se masser, muettes d'admiration, devant la jumelle marine et les deux chandeliers Louis XIII. COURTELINE, Messieurs les ronds-de-cuir, 1ᵉʳ Tableau, III.

> À la nuit tout un peuple sortait des cases de la ville indigène et se massait devant la pagode (...) CÉLINE, Voyage au bout de la nuit, p. 134.

Milit. *Masser des troupes,* les disposer en ordre serré. ⇒ **Serrer.** — Pron. *Régiment qui se masse.*
Fig. Rassembler, réunir.

> L'accusateur public (...) massa les preuves, les semi-preuves, les probabilités, avec un talent que stimulait la récompense certaine de son zèle, et il s'assit tranquillement en attendant le feu des défenseurs. BALZAC, Une ténébreuse affaire, Pl., t. VII, p. 607.

♦ **2.** Arts. Disposer en masses* (les éléments d'un tableau). *Masser les lumières.* — Absolt (vieilli). *Ce peintre masse bien.*

▶ **MASSÉ, ÉE** p. p. adj. *Cheveux* (cit. 11) *massés sous un chapeau. Foule massée devant un monument. La garde* (1. Garde, cit. 73) *était massée derrière un mamelon.*

> Le corps de Lannes et la Garde étaient maintenant massés sur le plateau. Massés est le mot : la poitrine des hommes de chaque régiment aligné touchait, en effet, presque le dos de ceux du régiment précédent. Louis MADELIN, Hist. du Consulat et de l'Empire, Vers l'Empire d'Occident, XV.

CONTR. **Disperser, écarter, échelonner, éparpiller, espacer.**
HOM. **2. Masser, 3. masser. — V. 1. masse, massé** (n. m.).

2. MASSER [mase] v. tr. — 1779; arabe *măssă* «toucher, palper».

♦ Frotter, presser, pétrir les téguments de (qqn), avec les mains* ou à l'aide d'appareils spéciaux, dans une intention thérapeutique ou hygiénique. ⇒ **Massage; frictionner, frotter, malaxer, palper, pétrir, presser.** *Masser les membres* (→ Masseur, cit.), *les articulations* (⇒ **Assouplir**), *le tronc, le cou... Masser qqn.* ⇒ **Massage, masseur.** — Pron. *Se masser le visage, les joues.* — *Se faire masser.*

> (...) des femmes presque trop belles qui ont la fortune, le temps d'être attentives à leur corps, de reposer leur visage, de faire masser leur ventre (...) Elles paraissent incorruptibles comme des statues (...) P. NIZAN, le Cheval de Troie, I, I.

> Son manager lui faisait la critique du combat, tout en lui massant le cœur (...) Paul MORAND, Champions du monde, p. 110.

DÉR. **Massage, masseur.**

3. MASSER [mase] v. tr. — 1867, Littré; de 2. *masse* (3.), et *-er.*

♦ Billard. Frapper la bille de haut en bas, au moyen de la queue tenue verticalement, de manière à lui imprimer un mouvement tournant. ⇒ **Massé, n. m.**

MASSÉTER [masetɛʀ] n. m. — 1541, *in* D.D.L.; grec *masêtêr* «masticateur».

♦ Anat. Muscle élévateur du maxillaire* inférieur (⇒ **Joue, mâchoire**). *Le masséter est un des muscles masticateurs; comme le temporal, il sert à élever le maxillaire inférieur.*

DÉR. **Massétérin.**

MASSÉTÉRIN, INE [maseteʀɛ̃, in] adj. — 1845, Bescherelle; de *masséter,* et *-in.*

♦ Méd. Relatif au masséter. *Aponévrose massétérine. Nerf massétérin.*

MASSE-TIGE [mastiʒ] n. f. — Mil. xxᵉ ; de 2. *masse*, et *-tige*.

♦ Techn. Tige de forage massive servant de lest, ou de guide pour les autres tiges du train. *Des masses-tiges.*

1. MASSETTE [masɛt] n. f. — 1778 ; *macete*, 1266 ; de 2. *masse*, et *-ette*.

★ **I.** (1803 ; cf. anc. franç. *macete*, 1266). Techn. Gros marteau de tailleur de pierre, de cantonnier. — Spécialt. *Les massettes d'une machine casse*-pierres.*

Couteau, grattoir de maroquinier.

Archéol. Massue légère et cannelée, en usage dans les tournois.

★ **II.** (1778). Plante aquatique *(Aracées)*, monocotylédone, à épis compact, appelée aussi *canne de jonc, lambourdeau, masse d'eau, quenouille...* (n. sc. : *typha*).

(...) de grandes massettes la traversaient de leurs quenouilles à pointes aiguës.
M. GENEVOIX, Raboliot, I, IV.

2. MASSETTE [masɛt] n. f. — 1888, Daudet ; provençal *massetto*, de l'anc. provençal *massa* « masse d'armes », lat. pop. *mattea*. → 2. Masse.

♦ Régional (Provence). Baguette de tambourin.

MASSEUR, EUSE [masœʀ, øz] n. — 1779 ; de 2. *masser*, et *-eur*.

♦ **1.** Personne qui pratique professionnellement le massage*. *Métier de masseur. Masseur attaché à un sportif* (⇒ **Soigneur**). *Masseur qui pratique la kinésithérapie : masso-kinésithérapeute ; masseur-(masseuse-)kinésithérapeute.* ⇒ **Kinésithérapeute, physiothérapeute.**

(...) le masseur lui massait les jambes (mollets duvetés et cuisses imberbes)... les mains artistes montaient en frémissant comme des flammes (...)
MONTHERLANT, les Olympiques, p. 94.

♦ **2.** Instrument, appareil servant à masser. ⇒ **Automasseur, vibromasseur.** *Masseur à rouleau.*

COMP. **Automasseur, vibromasseur.**

1. MASSICOT [masiko] n. m. — 1480 ; altér. de l'ital. *marzacotto* « vernis des potiers », esp. *mazacote* ; de l'arabe *Šăbb qŭbṭĭyy-ī* « alun d'Égypte ».

♦ Techn. Protoxyde de plomb* (PbO) brusquement refroidi par trempe. ⇒ **Cendrée** (1.).

2. MASSICOT [masiko] n. m. — 1877 ; du nom de l'inventeur Guillaume Massicot (1797-1870). — N. B. Le nom de cet imprimeur semble s'être écrit aussi *Massiquot*, mais son acte de naissance, à Issoudun, 1797, porte bien *Massicot*.

♦ **1.** Imprim. Machine à rogner le papier. *Massicot à bras, à moteur. Les massicots d'une imprimerie, d'un atelier de reliure. Rogner au massicot.* ⇒ **Massicoter.**

♦ **2.** Techn. Machine analogue au massicot à papier, qui coupe aux dimensions requises une feuille d'une matière quelconque (contreplaqué, plastique, métal...).

DÉR. **Massicoter, massicoteur, massicotier.**

MASSICOTAGE [masikotaʒ] n. m. — xxᵉ ; de *massicoter*, et *-age*.

♦ Techn. Opération par laquelle on coupe aux dimensions prescrites, à l'aide du massicot.

Dans un premier cas, le ruban de placage est enroulé sur de larges bobines avant massicotage, opération qui consiste à débiter en continu des feuilles de placage à des mesures fixées à l'avance (...) en tenant compte du retrait au séchage et des chutes au sciage : c'est le massicotage en vert.
J.-C. REGGIANI, Industries et Commerce du bois, p. 48.

MASSICOTER [masikote] v. tr. — 1877, Littré, *Suppl.* ; de 2. *massicot*, et *-er*.

♦ Techn. Couper aux dimensions (le papier, une feuille de matériau mince) au massicot.

DÉR. **Massicotage.**

MASSICOTEUR, EUSE [masikotœʀ, øz] n. — 1877, Littré ; de 2. *massicot*, et *-eur*.

♦ Techn. Ouvrier, ouvrière qui découpe au massicot (à papier, à bois, etc.).

MASSICOTIER, IÈRE [masikotje, jɛʀ] n. — xxᵉ ; de 2. *massicot*, et *-ier*.

♦ Techn. Ouvrier relieur, ouvrière relieuse qui découpe les feuillets aux dimensions requises par la reliure ou le brochage.

1. MASSIER, IÈRE [masje, jɛʀ] n. — 1907 ; de 1. *masse* (I., 6.), et *-ier* ; autre sens, 1775.

♦ Bx-arts. Dans un atelier d'artistes (spécialt, d'élèves de l'École des Beaux-arts), Personne chargée de recueillir les cotisations formant la masse destinée aux dépenses communes.

Jamais deux êtres ne furent moins faits pour vivre ensemble, mais la drogue en avait jugé différemment. Je savais que le commandant avait servi jadis dans la marine de guerre et que Malepatte se targuait d'avoir été massier à l'École des Beaux-arts.
Francis CARCO, Ombres vivantes, p. 270.

2. MASSIER [masje] n. m. — V. 1350 ; de 2. *masse*, et *-ier*.

♦ Huissier, appariteur qui portait une masse, dans certaines cérémonies (→ Marmiton, cit. 1, Boileau).

(...) que tous les professeurs en Sorbonne, individuellement invités, entrent en robe, derrière leur massier, pour occuper sur l'estrade les stalles marquées à leur nom.
Georges LECOMTE, Ma traversée, p. 383.

À midi et demie la cérémonie. Cortège, Lord Baldwin dans sa simarre dorée en tête, appuyé sur sa canne, les massiers. Nous sommes six docteurs *honoris causa* en simarre écarlate et mortier de velours à la Holbein.
CLAUDEL, Journal II, Pl., p. 272.

MASSIF, IVE [masif, iv] adj. et n. m. — 1480 ; *massis*, 1180 ; de 1. *masse*, et *-if*.

★ **I.** Adj. ♦ **1.** (1503). Qui constitue une masse, qui présente l'apparence d'une masse épaisse, lourde ou compacte. ⇒ **Épais, gros, lourd, mastoc** (fam. et péj.), **pesant.** *Socle massif et épaté* (cit. 8). *Un massif essieu* (cit. 3) *de fer. Monture de diadème un peu massive* (→ Joyau, cit. 2). *Montants de porte* (→ Arc-bouter, cit. 4), *pieds de lit* (cit. 5) *massifs. Colonne, tour massive* (→ Crypte, cit. 1 ; façade, cit. 3). *Portes massives* (→ Barricader, cit. 4).

(Michel-Ange) fit les piliers *(de Saint-Pierre de Rome)* si massifs, que ce dôme, qui est comme une montagne qu'on a sur la tête, paraît léger à l'œil qui le considère.
MONTESQUIEU, Essai sur le goût, « Progression de la surprise ».

(...) As-tu vu que les grappes sont déjà massives et teintes en bleu, si serrées qu'une guêpe n'y entrerait pas ?
COLETTE, la Naissance du jour, p. 160.

(1690). Spécialt. *Visage, corps massif.* ⇒ **Épais** (cit. 21), **lourd.** *Joues massives* (→ 1. Barbe, cit. 17). *Formes massives* (→ Embellir, cit. 3). *Un homme massif et trapu. Traits massifs.* ⇒ **Grossier.**

Et, creusant par derrière un sillon sablonneux,
Les pèlerins massifs suivent leur patriarche.
LECONTE DE LISLE, Poèmes barbares, « Les éléphants ».

Ce fut elle réellement qui le débaucha, séduite par les membres forts de ce gros garçon, dont la face régulière et massive annonçait un mâle solide.
ZOLA, la Terre, II, I.

Le docteur était non pas obèse, mais massif, comme une statue à peine dégagée du bloc primitif.
G. DUHAMEL, Salavin, VI, VII.

Assistance massive, qui groupe de nombreuses personnes.

Ce ne sont plus seulement les populations plus rares, plus dispersées du Midi, qui s'assemblent ; ce sont les massives, les compactes légions des grandes provinces du Nord (...)
MICHELET, Hist. de la Révolution franç., III, V.

Par métaphore et fig. Épais, compact (→ Femme, cit. 52 ; hiver, cit. 5).

La clarté du soupirail expirait à dix ou douze pas du point où était Jean Valjean (...) Au delà, l'opacité était massive (...)
HUGO, les Misérables, V, III, I.

Péj. *Un esprit massif,* peu délié, épais. ⇒ **Matériel** (→ Indigeste, cit. 3).

♦ **2.** (1480). Dont la masse occupe tout le volume apparent ; qui n'est pas creux (⇒ **Plein**) ; dont la matière extérieure, apparente, ne constitue pas un simple revêtement. *Argent, or massif* (→ Élytre, cit.). *Bijou d'or massif. Porte en chêne massif* (→ Cabine, cit.).

Géol. *Roche massive* (→ Caverne, cit. 3).

♦ **3.** (1922). Fig. Qui est fait, donné, se produit en masse. *Dose massive* (→ Assimilation, cit. 10 ; funeste, cit. 3). — *Attaque massive, bombardement massif. Départs massifs au début des grandes vacances.*

(...) je propose de prévoir deux cent mille francs pour une publicité massive : journaux, affiches, etc.
J. ROMAINS, les Hommes de bonne volonté, t. V, XXII, p. 187.

(...) c'est l'hémorragie qui s'est décidée, mais alors abondante, interne, massive.
CÉLINE, Voyage au bout de la nuit, p. 448.

★ **II.** N. m. (xivᵉ, *massis*). ♦ **1.** (1546, in D. D. L.). Archit. Ouvrage de maçonnerie*, formant une masse pleine et servant de soubassement, de contrefort (→ Échelon, cit. 1). *Massif en béton* (→ Fonder, cit. 1). *Massif de pierre, sans blocage. Massif d'ancrage d'un pont suspendu.*

L'angle qu'elle faisait *(la muraille)* avec le pignon du grand bâtiment était rempli, dans sa partie inférieure, d'un massif de maçonnerie de forme triangulaire (...) Ce remplissage (...) des coins de mur est fort usité à Paris. Ce massif avait environ cinq pieds de haut.
HUGO, les Misérables, II, V, V.

♦ **2.** Mar. Pièce de bois placée dans l'angle que forment la quille et l'étambot. Pièce recevant le pied d'un mât.

♦ **3.** (1694). Cour. Groupe compact (d'arbres*, d'arbrisseaux, dans un parc). ⇒ **Bois, bosquet.** *Massif d'euphorbe* (cit. 2).

11 De loin en loin s'élevaient des massifs de peupliers, d'acacias et de pins, au sein desquels on entrevoyait des statues noircies par le temps.
NERVAL, Aurélia, I, VI.

Massif de fleurs* : ensemble de fleurs groupées d'une manière décorative dans un parc, un jardin, ... (→ Floraison, cit. 1). *Massif de roses* (→ Lanterne, cit. 5). *Petit massif de fleurs dans une jardinière, une corbeille* (→ Éployer, cit. 1).

12 Quelques rosiers des quatre saisons, des giroflées, des scabieuses, des lis et des genêts d'Espagne composaient le massif, autour duquel on plaçait pendant la belle saison des caisses de lauriers, de grenadiers et de myrtes.
BALZAC, la Vieille Fille, Pl., t. IV, p. 245.

Par ext. Espace de terre sur lequel pousse un massif de fleurs. ⇒ **Corbeille.** *Parterres et massifs.*

13 Dans le jardin, un étroit gazon et ses petits monticules de buis entourait la terre des massifs dégarnis entre deux floraisons printanières.
J. CHARDONNE, les Destinées sentimentales, p. 468.

♦ **4.** (1873, P. Larousse). Ensemble montagneux de forme massive (par oppos. à *chaîne*) généralement constitué par des terrains primaires. *L'érosion a réduit les anciennes chaînes hercyniennes, primaires, à des massifs isolés. Massif armoricain. Massif schisteux rhénan. Le Massif central (français). Les massifs, « parties de l'écorce terrestre qui ont été soulevées à des époques anciennes »* (Poiré), *s'opposent aux bassins* (cit. 8).

14 Les Alpes françaises, où les charriages ne règnent pas partout (...) sont (...) un champ d'étude très intéressant. Leurs massifs cristallins autochtones appelés « Massifs Centraux » sont particulièrement remarquables (...) ces massifs ne sont en effet rien autre que des fragments du socle hercynien.
E. DE MARTONNE, Traité de géographie physique, t. II, p. 801.

♦ **5.** Anat. *Massif facial osseux* : squelette de la face.

CONTR. Élancé, léger, svelte. — Éparpillé, épars. — Creux. — Plaqué.
DÉR. Massivement, massiveté.

MASSIFICATEUR, TRICE [masifikatœʀ, tʀis] adj. — V. 1970 ; de *massifier*, et *-ateur*.

♦ Didact. Qui a pour effet de massifier. *La société massificatrice et dépersonnalisante.*

MASSIFICATION [masifikɑsjɔ̃] n. f. — 1954, *in* D. D. L. ; de *massifier*, et *-ation*.

♦ Didact. Transformation (d'un groupe social, d'un ensemble humain) en masse anonyme.

1 Les barrières sautent ; les communications de toutes sortes (matérielles, sociales, mentales) se multiplient, se complexifient. C'est un aspect ou l'aspect essentiel de la mondialisation. D'autre part, dans cette massification, dans cette perspective planétaire, où l'individu semble disparaître, surviennent de curieux phénomènes d'individuation.
Henri LEFEBVRE, la Vie quotidienne dans le monde moderne, p. 281.

2 (...) une philosophie pluraliste se fait jour : hostile à la massification, tendue vers la différence, fouriériste en somme ; l'utopie (toujours maintenue) consiste alors à imaginer une société infiniment parcellée, dont la division ne serait plus sociale, et, partant, ne serait plus conflictuelle.
R. BARTHES, Roland Barthes, p. 81.

MASSIFIER [masifje] v. tr. — V. 1780 ; rare avant mil. xxᵉ ; de 1. *masse*, et *-fier*.
Didactique.

♦ **1.** (V. 1780). Faire une masse anonyme de (un groupe d'individus).

♦ **2.** (1965, *le Monde*). Adapter à la masse. *Massifier la culture.*
DÉR. Massificateur, massification.

MASSIQUE [masik] adj. — 1911 ; de 1. *masse*, et *-ique*.

♦ **1.** Phys. De la masse. *Volume massique d'une substance,* par unité de masse (1 kg).

♦ **2.** Ling. (Trad. de l'angl. *mass noun*). Se dit des noms désignant des réalités non dénombrables (ex. : du blé, de l'eau ; la liberté). Syn. : *non comptable.*

MASSIVEMENT [masivmɑ̃] adv. — 1584 ; de *massif*, et *-ment*.

♦ **1.** D'une manière massive. *Édifice massivement construit.* ⇒ **Lourdement, pesamment.**

♦ **2.** En masse, en grande quantité, en grand nombre. *Médicament administré massivement. Les Français ont massivement répondu à cet appel,* en masse.

MASSIVETÉ [masivte] ou MASSIVITÉ [masivite] n. f. — 1538 ; 1952, *in* D. D. L. ; de *massif*.

♦ Didact. ou littér. Caractère, état de ce qui est massif.

(...) l'Escurial, dont l'âpreté farouche, la nudité inexorable, la massivité brutale, recherchée à dessein pour inspirer la crainte, offrent quelque chose d'analogue à l'architecture militaire des Romains.
Louis BERTRAND, le Livre de la Méditerranée, p. 97.

MASS-MEDIA ou MASS MEDIA [masmedja] n. m. pl. — 1953 ; mot amér. *« moyens* de communication *de masse »,* du lat. *media* « moyens ».

♦ Anglicisme. Ensemble des supports de diffusion massive de l'information (presse, radio, télévision, cinéma, publicité, etc.). *« Le développement prodigieux des mass-media »* (*Entreprise,* 5 avr. 1969). ⇒ **Media, 3. médium.**

1 Quand on parle de Radio et de Télévision, il s'agit d'émetteurs collectifs et l'on a affaire à ces « communications de masses », que les sociologues appellent aujourd'hui *mass-media,* ce terme s'appliquant également au cinéma et à la presse.
Jean CAZENEUVE, Sociologie de la radio-télévision, p. 7.

2 Ils *(les lycéens)* se méfient des adultes et tout ce qu'un professeur peut leur dire est d'avance déconsidéré. Ils ne se rendent pas compte que les évidences qu'ils lui opposent, ce sont en fait des adultes qui les leur ont inculquées, à travers les mass media.
S. DE BEAUVOIR, Tout compte fait, p. 233.

3 Aujourd'hui l'essentiel de l'éducation d'un enfant ne se fait ni dans la famille, ni à l'église, ni même à l'école, mais surtout par les mass media : la presse, le cinéma, la radio, la télévision surtout (...).
Roger GARAUDY, Parole d'homme, p. 83.

Rare. **MASS-MEDIUM** (cf. M. Clavel, interview au *Nouvel Obs. ; Magazine littér.,* déc. 1974, p. 34).

MASSORAH [masɔʀa] ou MASSORE [masɔʀ] n. f. — 1798 ; 1690, Furetière ; mot hébreu.

♦ Relig. Travail critique, exégèse sur le texte hébreu de la Bible, fait par les *massorètes.*

MASSORÈTES [masɔʀɛt] n. m. pl. — 1690, Furetière ; *massoret,* 1532, Rabelais ; de l'hébreu *massôrâh.*

♦ Relig. Groupe de docteurs juifs auteurs de travaux d'exégèse sur le texte biblique.
DÉR. Massorétique.

MASSORÉTIQUE [masɔʀetik] adj. — 1690, Furetière ; de *massorètes.*

♦ Relig. Relatif à la massorah, aux massorètes.

MASSUE [masy] n. f. — V. 1380 ; *maçue,* v. 1155 ; *maçuage, maçuge,* fin xiᵉ ; d'un lat. **matteuca.* → 2. Masse.

♦ **1.** (Fin xiᵉ). Bâton* à grosse tête noueuse, servant d'arme contondante. ⇒ **Batte, casse-tête, 2. masse.** *Massue hérissée de pointes de fer. Massue plombée. La massue d'Hercule. Assommer quelqu'un d'un coup de massue* (→ Affaisser, cit. 3). *Recevoir un coup de massue sur la tête* (→ Flageoler, cit. 2).

1 Il fermait en sa dextre une dure massue.
De sauvage olivier, de toutes parts bossue
De nœuds, armée de clous (...)
RONSARD, Second livre des Hymnes, Pollux et Castor.

2 (...) cinq sauvages s'élancèrent sur nous d'une petite caverne et terrassèrent Peters d'un coup de massue.
BAUDELAIRE, Trad. E. POE, les Aventures d'A. Gordon Pym, XXIV.

Par ext. Objet servant d'arme contondante.

3 L'autre m'assène joyeusement de gros coups de massue avec une bouteille de vin de Moselle, ou avec un de ces gros doubles-litres de Chianti, comme il y en a (...).
Henri MICHAUX, La nuit remue, p. 103.

Fig. *Coup de massue* : coup brutal, décisif, et, fam., événement accablant et imprévu, catastrophe.

4 (...) durant « ce printemps fiévreux » de Finkenstein, il s'assurait, avec son activité ordinaire, toutes les chances pour que le coup de massue fût assené aux troupes russes, — un Marengo, un Austerlitz, un Iéna, — dès qu'il prendrait fantaisie à celles-ci de lui présenter, de nouveau, la bataille.
Louis MADELIN, Hist. du Consulat et de l'Empire, Vers l'Empire d'Occident, XXII.

5 La crise, nous avions beau l'annoncer, ça a été le coup de massue (...)
P. NIZAN, le Cheval de Troie, I, I.

(V. 1930). Par appos. *Des arguments massue,* qui font sur l'interlocuteur l'effet d'un coup de massue, qui le laissent sans réplique. — Si *massue* est considéré comme adj., il peut s'accorder :

6 De ces raisons, il y en avait dont il usa sans les développer, sans même les regarder de près ; à la façon de raisons massues. Les raisons massues sont souvent aussi des raisons « croquemitaines ». L'esprit, qui au fond se méfie peut-être de leur valeur, évite de les examiner, précisément pour qu'elles restent efficaces.
J. ROMAINS, les Hommes de bonne volonté, t. XII, IV, p. 50.

♦ **2.** a (1845, Bescherelle). Sc. nat. Par anal. de forme. Partie aérienne de certains champignons. — (1902, Larousse). Renflement terminal de certains organes (antennes, etc.) ressemblant à une massue.

b Sports (gymnastique). Instrument servant à développer les muscles du poignet et du bras. ⇒ **3. Mil.**

MASSULE [masyl] n. f. — Av. 1931, Larousse ; dimin. de 1. *masse*.

♦ Bot. Masse de grains de pollens agglomérés dans les pollinies de certaines fleurs (orchidées, par ex.).

MAST-, MASTO- Élément, tiré du grec *mastos* « mamelle », et qui entre dans la composition de mots didactiques. ⇒ **Mastocyte, mastologie, mastopathie ; mastite, mastodonte.**

MASTABA [mastaba] n. m. — 1888, Larousse ; arabe *măṣṭăbăh* « banc, banquette ».

♦ Arts. Tombeau de l'ancienne Égypte, en pyramide tronquée, à l'intérieur duquel s'ouvre un puits aboutissant à une chambre funéraire souterraine.

1 Quand le visiteur des mastabas, des tombeaux de l'ancienne Égypte a cheminé longtemps dans les entrailles du sol, il arrive enfin en vue des peintures murales qui retracent la vie du défunt et les travaux des serviteurs.
G. DUHAMEL, Chronique des saisons amères, II, VII.

2 Car la sculpture égyptienne rejoint l'éternité de la mort comme celle des constellations — bien que les statues et les bas-reliefs de l'Ancien Empire aient dû s'accorder à la cellule obscure des mastabas, et le sphinx du désert (...)
MALRAUX, la Métamorphose des dieux, p. 9.

MASTAR [mastaʀ] adj. et n. — 1873, *le mastar* « le plomb » ; var. de *mastoc*.

♦ Argot. Gros, énorme. ⇒ **Maouss.**

1 Devant les Templiers, trois voitures stationnaient encore, leurs feux de position allumés. La plus grosse, une Buick mastard *(sic)*, pouvait bien être celle dont m'avait parlé Lili.
Albert SIMONIN, Touchez pas au grisbi, p. 37.

N. *Un, une mastar.*

2 Le gars se tient dans l'encadrement de sa lourde. C'est un mastar de deux cents livres qui a l'air aussi aimable qu'une mitrailleuse jumelée.
SAN-ANTONIO, Des gueules d'enterrement, p. 98.

MASTECTOMIE [mastɛktɔmi] n. f. — 1971 ; du grec *mastos* « sein », et *-ectomie.*

♦ Didact. (Chir.). Ablation d'un sein (notamment en cas de cancer).

MASTIC [mastik] n. m. et adj. — 1256 ; bas lat. *masticum*, du grec *mastikhê* « gomme de lentisque ».

★ **I.** N. m. ♦ **1.** (1256). Résine jaunâtre qui découle d'incisions pratiquées au tronc ou aux branches du lentisque*. *Les orientaux mâchent le mastic.* — Par ext. Liqueur orientale parfumée au mastic.

1 (...) une prostitution étrange, dans les caves où se consomment jusqu'à complète ivresse le mastic et le raki (...)
LOTI, Aziyadé, I, XIII.

♦ **2.** (V. 1560). Cour. Mélange pâteux et adhésif de composition variable, durcissant à l'air et employé à différents usages. *Boucher des trous, remplir des joints, obturer une fuite avec du mastic.* — *Mastic de menuisier.* ⇒ **Futée.** — *Mastic hydrofuge.* — *Mastic pour pâte* à polycopier. — Arbor. *Mastic à greffer.* — *Mastic pour obturation dentaire.* — (1767). Spécialt. *Mastic (de vitrier) :* mélange de craie pulvérisée (ou blanc d'Espagne) et d'huile de lin, utilisé pour fixer les vitres aux fenêtres et assurer des fermetures hermétiques.

2 (...) en le mêlant *(l'asphalte)* avec une petite quantité de poix, on en compose un mastic avec lequel j'ai fait enduire il y a trente-six ans un assez grand bassin au jardin du Roi, qui depuis a toujours tenu l'eau.
BUFFON, Hist. nat. des minéraux, Du bitume.

♦ **3.** (1867). Typogr. Erreur qui consiste à intervertir à l'impression, deux paquets de composition, ou à mélanger les caractères dans les casses ; son résultat. *Faire un mastic.*

3 Le travail de l'imprimerie nous montrait maintenant chaque jour des difficultés nouvelles. De temps en temps l'un d'entre nous, ayant commis quelque faute, voyait, en la soulevant, s'effondrer toute une page. L'atelier hurlait au « mastic ! » (...) Il fallait ensuite remettre en place tout le caractère emmêlé (...) Distribuer des caractères en ordre, ce n'est déjà pas fort drôle, mais débrouiller le mastic, c'est désagréable et c'est lent.
G. DUHAMEL, Chronique des Pasquier, V, IX.

♦ **4.** (Orig. incert. ; il s'agit p.-ê. d'un autre mot). Argot des limonadiers. *Faire le mastic :* faire le ménage.

★ **II.** (1871, Zola, *in* D. D. L.). Adj. D'une couleur beige clair, voisine de celle du *mastic* (2.). *Gants, écharpe, imperméable mastic.*

4 (...) un personnage de petite apparence, vêtu d'un complet mastic fort convenable (...)
G. DUHAMEL, Salavin, V, XVI.

DÉR. 2. **Mastiquer.**
COMP. **Bitumastic.**
HOM. Formes des v. 1. **mastiquer** et 2. **mastiquer.**

MASTICAGE [mastikaʒ] n. m. — 1830 ; de 2. *mastiquer*, et *-age.*

♦ Opération consistant à mastiquer. *Vitrier qui procède au masticage des carreaux.*

MASTICATEUR, TRICE [mastikatœʀ, tʀis] adj. et n. m. — 1817, *in* D. D. L. ; lat. *masticator.*

♦ **1.** Qui est propre à la mastication, qui sert à mâcher. *Appareil masticateur. Muscles masticateurs* (masséter*, temporal*...).

♦ **2.** N. m. ⓐ Ustensile servant à broyer les aliments.

ⓑ Techn. Machine utilisée pour la mastication du caoutchouc.

MASTICATION [mastikɑsjɔ̃] n. f. — XIIIᵉ ; lat. médical *masticatio.*

♦ **1.** (XIIIᵉ). Action de mâcher ; résultat de cette action. *La mastication, phénomène mécanique de la digestion, ayant pour siège la bouche.*

♦ **2.** Techn. Opération de broyage de la gomme dans l'industrie du caoutchouc.

MASTICATOIRE [mastikatwaʀ] n. m. — 1549 ; de 1. *mastiquer,* et *-(at)oire.*

♦ **1.** Substance, médicament qu'on mâche longuement pour exciter la sécrétion salivaire, ou simplement par plaisir. *Le bétel, le tabac sont des masticatoires. Masticatoires pour animaux.* ⇒ **Mastigadour.** — Adj. *Le chewing-gum, pâte masticatoire. Produit masticatoire.*

♦ **2.** (1541). Adj. Qui sert à la mastication ; relatif à la mastication. *Pièces masticatoires des crustacés.* — Spécialt (en prothèse dentaire). *Coefficient* masticatoire.

MASTIFF [mastif] n. m. — 1611, *mestif* ; mot angl., de l'anc. franç. *mastin.* → **Mâtin.**

♦ Chien de garde d'une race anglaise, voisin du dogue.

1 Large et basse comme un porcelet de quatre mois, jaune et rase de poil, masquée largement de noir, elle *(la chienne)* ressemblait plutôt à un petit mastiff qu'à un bouledogue.
COLETTE, la Maison de Claudine, « La Toutouque », éd. L. de poche, p. 98.

2 Il possédait un mastiff, une bestiole délicieuse qui avait déjà étranglé à Saint-Claude un cochon et un quarteron de veaux.
Claude COURCHAY, La vie finira bien par commencer, p. 137.

MASTIGADOUR [mastigaduʀ] n. m. — 1664 ; esp. *mastigador.*

♦ Vétér. Masticatoire* pour chevaux, administré à l'animal à l'aide d'un linge attaché au mors.

MASTIGOTE [mastigɔt] n. m. — D. i. ; du grec *mastigion* « petit fouet ».

♦ Zool. Protozoaire pourvu de flagelle.

1. MASTIQUER [mastike] v. tr. — V. 1560 ; *mastiquer*, 1363 ; *mastiquer* « bien étudier », 1425 ; lat. *masticare.* → **Mâcher.**

♦ Broyer, triturer longuement avec les dents (un aliment avant de l'avaler (cit. 5), ou une substance non comestible qu'on rejette). ⇒ **Mâcher.** *Mastiquer bruyamment une tartine* (→ Éplucher, cit. 2). *Mastiquer du bétel.* — Absolt. *Bien mastiquer en mangeant favorise la digestion.*

1 Il choisit une tablette *(de chewing-gum)*, l'introduisit tout entière dans sa bouche, et commença à mastiquer. MARTIN DU GARD, les Thibault, t. IX, p. 27.

2 Le lendemain, comme les deux amis mastiquaient une entrecôte rebelle, Salavin dit avec dépit : — C'est dur, c'est insignifiant.
G. DUHAMEL, Salavin, III, XVII.

3 (...) la femme de l'ami chez lequel il logeait avait préparé un plat de viande froide, mais il n'en avait pas voulu, c'est-à-dire n'avait pas pu, avait mastiqué, tourné et retourné pendant un moment dans sa bouche un morceau de viande grise jusqu'à ce que c'eût à peu près la consistance et le goût du papier mâché.
Claude SIMON, le Palace, p. 44.

DÉR. **Masticatoire.** — 1. **Mastiqueur.**
HOM. 2. **Mastiquer.**

2. MASTIQUER [mastike] v. tr. — V. 1560 ; de *mastic,* et *-er.*

♦ Coller, joindre ou boucher avec du mastic. *Mastiquer des dalles, des vitres. Mastiquer une fuite.* — *Couteau* à mastiquer.

CONTR. **Démastiquer.**
DÉR. **Masticage,** 2. **mastiqueur.**
COMP. **Démastiquer, remastiquer.**

1. MASTIQUEUR, EUSE [mastikœʀ, øz] n. — 1890 ; de 1. *mastiquer.*

♦ Personne qui mastique. *Des mastiqueurs de chewing-gum.*

2. MASTIQUEUR, EUSE [mastikœʀ, ɸz] n. — 1868, Littré, n. m.; de 2. *mastiquer.*

♦ Ouvrier, ouvrière qui mastique les vitres.

MASTITE [mastit] n. f. — 1814, Nysten; du grec *mastos* «mamelle», et *-ite.*

♦ Méd. Inflammation de la glande mammaire. — Syn. : *mammite.*

MASTO- ⇒ **Mast-.**

MASTOC [mastɔk] n. et adj. — 1834, *mastok*, Balzac; *mastoque*, 1845; p.-ê. all. *Mastochs*, proprt «bœuf à l'engrais» ou mot rouchi, du rad. de *masse, massif.*
Familier.

♦ **1.** N. m. Vx. Homme trapu, aux formes épaisses*. ⇒ **Mastodonte.**

1 Ce jeune homme (...) doué de la beauté vulgaire dont se paient les bourgeois (...) un mastok (de bonnes grosses couleurs, de la chair, une membrure carrée) ...
BALZAC, Modeste Mignon, Pl., t. I, p. 390.

♦ **2.** Adj. invar. Mod. Lourd, épais (en parlant d'une forme). *Silhouette mastoc.* ⇒ **Çorpulent, massif.**

2 C'était une façon de colosse, mastoc et apoplectique, de qui riaient les yeux ingénus de bébé dans une figure de gros mufle.   COURTELINE, Boubouroche, I.

Par ext. (En parlant de choses). À la fois colossal* et sans grâce. *Statue mastoc.* ⇒ **Gros, grossier.**

DÉR. **Mastar.**

MASTOCYTE [mastɔsit] n. m. — Mil. xxᵉ; de *masto-*, et *-cyte.*

♦ Biol. Cellule du tissu conjonctif, de grande taille. *« L'inflammation est due notamment à des cellules particulières contenues dans de nombreux organes au voisinage des vaisseaux, les mastocytes »* (*la Recherche*, oct. 1979, p. 1013).

MASTODONTE [mastɔdɔ̃t] n. m. — 1812, Cuvier; du grec *mastos* «mamelle», et *odous, odontos* «dent», à cause des molaires mamelonnées de cet animal.

♦ **1.** Zool. Très grand mammifère fossile du tertiaire et du quaternaire, voisin de l'éléphant.

1 (...) allez voir au cabinet d'histoire naturelle le mastodonte, ou *dinotherium gigantœum*, merveilleux fossile avec des os comme des barres d'airain (...)
Th. GAUTIER, Voyage en Espagne, p. 81.

♦ **2.** (1873). Cour. Personne très grosse*, d'une énorme corpulence. ⇒ **Mastoc.**

♦ **3.** Par ext. Chose, objet énorme. — Spécialt. Appareil, machine, véhicule de très grande dimension. — Appos. *Un avion mastodonte.* Cf. l'américanisme *jumbo-jet.*

2 Ici *(aux États-Unis)...* les jeunes filles, peintes et poudrées, pilotent des mastodontes pour aller suivre leurs classes.
G. DUHAMEL, Scènes de la vie future, VI.

CONTR. **Animalcule, microbe.**
DÉR. **Mastodontesque.**

MASTODONTESQUE [mastɔdɔ̃tɛsk] adj. — 1920, Gide; de *mastodonte*, et *-esque.*

♦ Fam. Gros comme un mastodonte*. *Fauteuil mastodontesque* (→ Capiton, cit. 1).

MASTOÏDE [mastɔid] n. f. — 1560; grec *mastoeidés* «en forme de mamelle».

♦ Anat. Partie postérieure et inférieure de l'os temporal, située en arrière du conduit auditif externe. — Adj. *Apophyse mastoïde*, partie inférieure en saillie de la mastoïde.

DÉR. **Mastoïdien, mastoïdite.**

MASTOÏDIEN, IENNE [mastɔidjɛ̃, jɛn] adj. — 1654; de *mastoïde*, et *-ien.*

♦ Anat. Qui a rapport, qui appartient à l'apophyse mastoïde. *Canal, muscle mastoïdien.*

MASTOÏDITE [mastɔidit] n. f. — 1855, Nysten; de *mastoïde*, et *-ite.*

♦ Méd. Inflammation de la muqueuse qui tapisse les petites cavités au sein de l'apophyse mastoïde*, généralement consécutive à une otite moyenne suppurée.

MASTOLOGIE [mastɔlɔʒi] n. f. — Av. 1973; de *masto-*, et *-logie.*

♦ Méd. Étude de la conformation, du fonctionnement et des affections du sein.

DÉR. **Mastologue.**

MASTOLOGUE [mastɔlɔg] n. — Av. 1974; de *mastologie*, et *-ogue.*

♦ Méd. Spécialiste de la mastologie.

MASTOPATHIE [mastɔpati] n. f. — xxᵉ; de *masto-*, et *-pathie.*

♦ Méd. Maladie du sein, de la glande mammaire.

MASTROQUET [mastʀɔkɛ] n. m. — 1849; p.-ê. du flamand *meister* «patron» ou (P. Guiraud) d'une forme méridionale de *maître*, lat. *magister;* cf. rouchi *mastricot.*

♦ **1.** Marchand de vin au détail, tenancier d'un débit de boissons. ⇒ **Cafetier, bistro, bistroquet.** *Le mastroquet du coin.*

♦ **2.** (1862). Café*, débit de boissons. Par abrév. ⇒ **Troquet.**

1 (...) des bordées fameuses, une revue générale de tous les mastroquets du quartier, la soûlerie du matin cuvée à midi et repincée le soir, les tournées de casse-poitrine se succédant, se perdant dans la nuit (...)
ZOLA, l'Assommoir, t. II, VIII, p. 33.

2 Si j' trouve encore un mastroquet
D'ouvert, je m' paye eun' petit' fille[1].   A. BRUANT, Dans la rue, p. 132.
1. Petite bouteille de vin. → Fillette.

3 Ils causèrent beaucoup et longtemps, et le pseudo-garçon de recettes, heureux de trouver une femme qui semblait prête à l'aimer sans savoir qu'il était riche, l'emmena dîner chez un mastroquet de la rue Lepic.
GORON, l'Amour à Paris, t. II, p. 693-694.

DÉR. **Troquet.**

MASTURBATEUR, TRICE [mastyʀbatœʀ, tʀis] adj. — 1787, Sade; *mastuprateur*, 1765, *Encyclopédie;* de *masturber*, et *-eur.*

♦ Qui concerne ou permet la masturbation. *Activité masturbatrice.* ⇒ **Onaniste.**

L'activité masturbatrice est une activité déviée de sa fin et privée de la discipline de la réalité.   E. MOUNIER, la Relation sexuelle, Vue d'ensemble, *in* Dʳ WILLY, la Sexualité, t. I, p. 35.

N. Personne qui pratique la masturbation. ⇒ **Onaniste, branleur** (fam.).

MASTURBATION [mastyʀbɑsjɔ̃] n. f. — 1580, Montaigne; lat. *masturbatio*, de *manus* «main», et *stupratio* «action de souiller»; cf. le doublet sav. Manustupration.

♦ Pratique qui consiste à provoquer le plaisir sexuel par l'excitation manuelle des parties génitales (du sujet ou du partenaire). *Masturbation réciproque; masturbation solitaire.* ⇒ **Onanisme, solitaire** (plaisir solitaire); fam. **branlade, branlage, branlée, branlette;** → aussi la **Veuve*** Poignet.

(...) elle a une bague à chaque doigt, et chaque ongle des deux mains est teint d'une couleur différente de ses voisins; celui du médius, plus court, d'un carmin lourd, désigne grassement le doigt de la masturbation.
R. BARTHES, Roland Barthes, p. 166.

DÉR. **Masturbatoire.**

MASTURBATOIRE [mastyʀbatwaʀ] adj. — Mil. xxᵉ (av. 1970); de *masturbation*, et *-oire.*

♦ Qui concerne la masturbation. *Habitudes, pratiques masturbatoires.*

MASTURBER (SE) [mastyʀbe] v. pron. — 1800, Boiste; lat. *masturbare.* → Masturbation, étym.

♦ **1.** V. pron. (réfl.; récipr.). Se livrer à la masturbation. ⇒ fam. **Branler** (se), **toucher** (se); → S'amuser* tout seul.

1 Je n'avais pas honte de m'être branlée puisque, jusqu'à ce jour, je n'avais pas admis que c'était cela que je faisais. La petite fille qui se masturbait au milieu des dictionnaires, dans le soleil qui lui caressait les fesses, n'existait pas. Elle venait de naître sur le divan du docteur du fond de l'impasse.
Marie CARDINAL, les Mots pour le dire, p. 128.

Fig. (faux pron.). *Se masturber l'esprit, le cerveau.* ⇒ **Triturer** (se).

♦ **2.** V. tr. **a** Procurer à (qqn) le plaisir par la masturbation. ⇒ **Branler** (fam.).

b Par métaphore. Manier, manipuler avec insistance.

2 Pedro masturbe avec patience le bouchon *(d'une bouteille),* qui commence à s'échapper lentement.
A. SARRAZIN, l'Astragale, p. 119.

M'AS-TU-VU [matyvy] n. — V. 1800; par allus. à la question que se posaient entre eux les acteurs évoquant leurs rôles et leurs succès.

♦ **1.** Vx. Acteur* médiocre et prétentieux.

♦ **2.** Par ext. Personne vaniteuse. *Une m'as-tu-vu* (ou *une m'as-tu-vue*). — Plur. invar. *Des m'as-tu-vu.*

1   Elles ont l'air d'être en scène et regardent d'ailleurs le public pour s'assurer qu'on les admire. Ô ces « *m'as-tu-vues* » *(sic)* de la piété !
HUYSMANS, les Foules de Lourdes, p. 176, *in* CRESSOT.

2   Ce sont de jeunes *m'as-tu-vu*, tout verts, tout fiers, qui entreront.
Henri MICHAUX, La nuit remue, p. 86.

♦ **3.** Adj. invar. Prétentieux.

3   Quant à l'Église, sous les apparences d'un modernisme m'as-tu-vu, elle n'est rien de plus qu'une puissance médiatrice entre la misère constitutive de l'ouvrier et le pouvoir paternel de l'État-patron.   R. BARTHES, Mythologies, p. 68.

DÉR. M'as-tuvuisme.

M'AS-TUVUISME [matyvɥism] n. m. — 1938, Céline; de *m'as-tu-vu.*

♦ Rare. Attitude de m'as-tu-vu, vanité ostentatoire.

MASURE [mazyʀ] n. f. — XVᵉ; «demeure», fin XIIᵉ; du lat. pop. *mansura.

♦ Petite habitation misérable, maison* vétuste et délabrée. ⇒ **Baraque, cabane.** *Vieilles masures à demi-ruinées* (→ Ébouler, cit. 4). — Régional (Normandie). Habitation, maison rurale.

1   La masure qui me sert d'abri à la chasse quand les rayons trop ardents du soleil dardent à-plomb sur mon individu, n'est assurément pas un monument utile, sa nécessité n'est que de circonstance (...)   SADE, Justine..., t. I, p. 116.

2   (...) une maison, si toutefois ce nom convient à l'une de ces masures bâties dans les faubourgs de Paris, et qui ne sont comparables à rien, pas même aux plus chétives habitations de la campagne, dont elles ont la misère sans en avoir la poésie.
BALZAC, le Colonel Chabert, Pl., t. II, p. 1111.

MASURIUM [mazyʀjɔm] n. m. — 1925; du nom des lacs *Masuriens.*

♦ Chim. Vx. ⇒ **Technétium.**

1. MAT [mat] adj. et n. — V. 1175; arabe *mātă* «être mort». → Échecs.

♦ **1.** Adj. invar. Se dit aux échecs, du roi qui est mis en échec et ne peut plus quitter sa place sans être pris. *Le roi est mat. Échec et mat !* — (V. 1265). Par ext. Se dit du joueur dont le roi est mat, qui a perdu. *On est échec* (cit. 2, par métaphore), *quelquefois mat.*

— Mat ! fit Tainchebraye. Le marquis s'inclina· sur l'échiquier, étudia le jeu avec une sorte de sévérité, une attention si soutenue qu'elle en devenait pénible (...) — J'ai... perdu... exhala-t-il.   J. DE LA VARENDE, Nez-de-cuir, III, IV.

(1868, Littré). Loc. fig. *Faire quelqu'un (échec et) mat*, emporter définitivement l'avantage sur lui. ⇒ **Échec.**

♦ **2.** N. m. *Un mat brillant, imparable. Donner le mat en deux, en trois coups.* — Loc. (vx). *Donner un mat à quelqu'un*, lui infliger un échec (*in* Mᵐᵉ de Sévigné, *Correspondance*).

DÉR. 1. Mater.
HOM. 2. Mat, math, matte. — Formes des v. 1. mater, 2. mater, 3. mater.

2. MAT [mat; vx : ma], **MATÈ** [mat] adj. — XIᵉ, «abattu, affligé»; «sombre», en parlant du temps, 1424; au sens mod., 1615; p.-ê. du bas lat. *mattus*, de *madere* «être humide» ou (P. Guiraud) déverbal de *mater* «écraser, tuer», du lat. *mactare.* → Masse.
Qui n'a pas d'éclat*. ⇒ **Terne.**

♦ **1.** Qui n'a pas de poli ou a été dépoli. ⇒ **Terne.** *Or, argent mat. Dépolir de l'argent pour le rendre mat.* ⇒ **Amatir.** — N. m. *Les mats d'une pièce d'orfèvrerie* : les parties non polies.

1   Je veux que mes cheveux qui ne sont pas des fleurs (...)
(...) Mais de l'or, à jamais vierge des aromates,
Dans leurs éclairs cruels et dans leurs pâleurs mates,
Observent la froideur stérile du métal.   MALLARMÉ, Hérodiade, II.

Techn. *Outils mats*, servant à faire des mats. Syn. : *matoir* (dér. de 2. *mater*).

1.1   Il existe des ciselets appropriés non seulement à chaque genre de décor, mais, pourrait-on dire, à chaque forme que doit prendre le métal. Ils se divisent en deux grandes familles : les *outils clairs*, dont l'extrémité est polie, et les *mats* ou *matoirs* (...)   Luc LANEL, l'Orfèvrerie, p. 16.

♦ **2.** Qui n'est pas brillant. *Côté mat et côté brillant d'un tissu.* Photogr. *Agrandissement sur papier mat.*
Qui n'a pas de brillant. *Couleur mate. Tons mats.* — N. m. *Le mat de la détrempe et de la fresque* (→ Huile, cit. 18).
(Couleurs naturelles). *Le blanc mat de l'hermine* (cit. 1). *Épaules* (cit. 6) *mates. Teint mat.* ⇒ **Pâle.** *Visage mat, presque blême**

d'un convalescent. Peau mate. — Par ext. *Fard mat*, qui fait la peau mate.

Ce blanc mat des femmes de Barbarie se trouve quelquefois en Languedoc et sur toutes nos côtes de la Méditerranée.   BUFFON, Supplément à l'Hist. nat., *in* LITTRÉ, art. *Mat.*

(...) blancheurs mates des vapeurs épandues (...)   TAINE, Philosophie de l'art, t. I, p. 275.

♦ **3.** Qui n'est pas transparent, ne laisse voir aucune couleur. *Un jour mat.* — *Verre mat.* — Vx. Trop épais, trop consistant, compact. *Pain mat. Pâte mate.*

Impossible d'exprimer le jour mat produit par ce ciel immuablement gris (...)   RIMBAUD, Illuminations, p. 93.

♦ **4.** Qui a peu de résonance. ⇒ **Sourd.** *Bruit, son mat. Un galop élastique et mat* (→ Garenne, cit. 4). — Méd. *Poumon qui rend un son mat à l'examen par percussion* (⇒ **Matité**). — Ellipt. *La base du poumon droit est mate.*

Parfois, la nuit, les habitants de la Crouts étaient réveillés par un bruit mat. C'était une racine d'arbre qui venait de faire sauter l'une des lamelles du parquet du salon ou de la salle à manger, posé à même le sol.   Pierre BENOIT, Mˡˡᵉ de la Ferté, p. 120.

Parfois un obus se taisait à bout de souffle et tombait tout près, sans éclater, avec un bruit mat (...)   J. CHARDONNE, les Destinées sentimentales, p. 409.

CONTR. Bruni, poli. — Brillant, éclatant, étincelant, luisant. — Sonore.
DÉR. et **COMP.** Amatir. — 2. Mater (ou *matir* ou *matter*), matité.
HOM. 1. Mat, mat, math, matte. — Formes des v. 1. mater, 2. mater, 3. mater.

MAT' [mat] n. m. — 1935, *in* Esnault; abrév. de *matin.*

♦ Argot. Matin. *Au petit mat'.* « *Vers deux ou trois plombes* (heures) *du mat'* » (A. Sarrazin, la Cavale, p. 292).

HOM. V. 1. **Mat.**

MÂT [ma] n. m. — 1080, *mast*; francique *mast.*

♦ **1.** Pièce de bois à section circulaire ou cylindre métallique creux dressé dans un navire au-dessus du pont pour porter, à bord des voiliers, les voiles et leur gréement, et à bord des bâtiments modernes, les installations radio-électriques, télémétriques, etc. (→ Balancement, cit. 3; ébène, cit. 3; géométrique, cit. 3). *Banderole, drapeau, pavillon qui flotte au sommet d'un mât. Fanal* (cit. 2) *en haut d'un mât. Perdre ses mâts dans la tempête. Couper, abattre les mâts d'un navire.* ⇒ **Démâter, raser.** *Les trois mâts d'une caravelle, d'une frégate. Les deux mâts d'un schooner.* — Ellipt. *Un trois-mâts :* un navire à trois mâts. *Un six-mâts. Le brick, le brigantin, la goélette, le ketch, sont des voiliers à deux mâts, des deux-mâts.* — Ensemble des mâts d'un navire. ⇒ **Mâture.** *Petit mât.* ⇒ **Mâtereau.** *Mât à pible**. *Bas mât.* ⇒ **Bas-mât.** *Mât de hune**, *de perroquet**. — (1690, Furetière). *Grand* (cit. 6) *mât :* mât principal d'un navire, le second à partir de l'avant. — *Caisse, capelage, chouque, emplanture, flèche, guindant, pomme d'un mât. Gabie en haut d'un mât. Étais, étambrais, galhaubans, haubans des mâts. Élongis, gaburon* (ou *jumelle de racage*), *garniture, gréement, gui, jottereaux d'un mât. Voiles, voilure* d'un mât.* ⇒ **Phare.** *Caler, gréer, guinder, haubaner un mât. Principaux mâts.* ⇒ **Artimon, beaupré, cacatois, misaine** (ou, vx, *arbre de trinquet*).

Dans ce port on voit comme une forêt de mâts de navires : et ces navires sont si nombreux, qu'à peine peut-on découvrir la mer qui les porte.
FÉNELON, Télémaque, III.

Le *Saint-Géran* parut alors à découvert avec son pont chargé de monde, ses vergues et ses mâts de hunes amenés sur le tillac, son pavillon en berne, quatre câbles sur son avant, et un de retenue sur son arrière.   BERNARDIN DE SAINT-PIERRE, Paul et Virginie, p. 123.

Grands mâts rompus, traînant leurs cordages épars
Comme des chevelures (...)   HUGO, les Orientales, II.

Premières années (...) années passées la poitrine au vent, à vivre demi-nu en haut de ces grandes tiges oscillantes qui sont des mâts de navires (...)   LOTI, Mon frère Yves, I.

Tous les mâts innombrables; sur une étendue de plusieurs kilomètres de quais, tous les mâts avec leurs vergues, les flèches, les cordages, donnaient à cette ouverture au milieu de la ville l'aspect d'un grand bois mort.
MAUPASSANT, Pierre et Jean, I.

Et, peut-être, les mâts, invitant les orages,
Sont-ils de ceux qu'un vent penche sur les naufrages
MALLARMÉ, Poésies, « Brise marine ».

Les flammes, tout à coup, s'élevèrent jusqu'aux hunes, et les mâts, sapés à la base par le feu qui agissait furieusement dans les cales, s'effondrèrent aussitôt, avec tout leur gréement, comme fauchés, dérobés, abolis (...)   VALÉRY, Variété III, p. 234.

*Mât tripode**. *Mâts-tours, à étages multiples, des bâtiments de combat, portant les projecteurs, les tourelles de télépointage...*

(1868). *Mâts de charge*, servant à l'embarquement et au débarquement des marchandises sur un cargo.

Par ext. *Mât de charge d'un quai.* ⇒ **Derrick.** — *Mât-pilote*, dressé au bord de la mer pour indiquer le chenal. — Par métonymie. *Mâts du Nord*, pins et sapins de Russie, de Scandinavie, utilisés pour faire des mâts.

♦ **2.** Par anal. Perche, poteau. *Mât soutenant une tente. Mâts d'un chapiteau.* — Long poteau de bois planté sur la voie publique

à l'occasion d'une fête et supportant des drapeaux, des écussons...
Mâts du 14-Juillet. — Longue perche lisse où les gymnastes s'exercent à grimper. — Spécialt. *Mât de cocagne*.*
Spécialt (ch. de fer). Support métallique d'un signal optique (⇒ **Pylône**). — *Mât de sémaphore.*
Aviat. (1922). Pièce maintenant l'écartement des plans sur un avion biplan.

DÉR. et COMP. **Bas-mât, deux-mâts.** — **Mâter, mâtier.**

MATABICH, MATABICHE [matabiʃ] n. m. — 1925, Gide ; du port. *matabicho,* de *matar* « tuer » o *bicho* « la bête » ; par les langues bantou.

♦ En Afrique noire, Pourboire, pot de vin (→ **Bakchich**).

[1] (...) nous lui donnons un gros matabiche, qui lui fait venir le sourire aux lèvres et des larmes aux yeux.   GIDE, *Voyage au Congo,* p. 832.
[2] *(Un banquier belge)* Axiome :
Pour rendre traitable le Sauvage, il n'est que deux pratiques : La trique, mon cher, ou bien le matabich !
(...) Suivez l'idée. Que veulent-ils ? Des postes, des titres (...)
Enfin le matabich ! Bon ! Auto, compte en banque,
Villas, gros traitement (...)   Aimé CÉSAIRE, *Une saison au Congo,* IV, p. 21.

MATADOR [matadɔʀ] n. m. — 1660 ; mot esp. *matador* « celui qui tue », de *matar* « tuer », et, fig. (au jeu), « marquer ».

♦ **1.** [a] (1660). Jeux. Vx. Nom des cartes maîtresses à l'hombre*. — Variété du jeu de dominos, de jacquet.

[b] Fig. Vx. Personnage haut placé, puissant. « *Un des matadors de la finance* » (Balzac).

Fam. (et régional). *Faire le matador, faire son matador :* se donner des airs de fanfaron, de matamore*.

♦ **2.** (1776, *in* D.D.L.). Torero* chargé de la mise à mort. ⇒ **Espada** (cit.). *Matador qui estoque* (cit.) *un taureau, lui donne l'estocade* (cit. 2).

Les jeux de la muleta, privilège du matador, durent être exécutés à deux (...) Après quatre ou cinq passes (...) Alban s'arma et, *court et droit,* comme le veulent les règles, planta l'épée jusqu'à mouiller ses doigts dans la plaie.
                                    MONTHERLANT, *les Bestiaires,* III.

MATAF [mataf] n. m. — 1908 ; de *matafian* (v. 1880), de l'ital. *matafione* « garcette ».

♦ Argot de la mar., puis argot fam. Matelot.

Que le patron de « La Féria » prenne les deux kilos d'opium, si Querelle peut les sortir de l'aviso. Les douaniers ouvrent les valises des matafs, même les plus petites. Sauf les officiers, ils fouillent tout le monde au débarcadère.
                                    Jean GENET, *Querelle de Brest,* p. 181.

MATAGE [mataʒ] n. m. — 1873, Larousse ; de 2. *mater,* et *-age.*

♦ Techn. Action de mater, de matir ; son résultat. *Matage d'une dorure. Matage du plomb d'une soudure.*
Matage d'une chaudière, opération qui consiste à en boucher les fuites.

MÂTAGE [mɑtaʒ] n. m. — 1867, Littré ; de *mâter,* et *-age.*

♦ Techn. (mar.). Mise en place des bas-mâts (⇒ **Guindage**). — REM. On dit aussi *mâtement* (1845, Bescherelle).

1. MATAMORE [matamɔʀ] n. m. — 1578, n. pr. d'un personnage de comédie ; esp. *Matamoros,* proprt « tueur de Maures », de *matar* « tuer ».

♦ **1.** Personnage de la comédie espagnole, se vantant à tout propos d'exploits guerriers imaginaires.

[1] Au reste, Cyrano, sous tous les rapports, est bien de son temps : cette folle audace qu'on lui voit dans la pensée et dans l'action n'était pas rare dans ce siècle ; le matamore, type charmant effacé de nos comédies (...) n'était réellement qu'un portrait légèrement chargé.   Th. GAUTIER, *les Grotesques,* VI, p. 194.

♦ **2.** (1645, Scarron). Faux brave, qui n'est courageux qu'en paroles. ⇒ **Avaleur** (de gens), **bravache, capitan** (cit.), **fanfaron, fier-à-bras, rodomont.** *Faire le matamore. Se donner des allures de matamore. N'ajoutez pas foi aux vantardises de ce matamore.* ⇒ **Vantard ; matador** (régional).

[2] Son imagination s'était figuré une sorte de matamore, couvert de chaînes d'or, portant une longue barbe noire, et la toisant constamment de la tête aux pieds ; parlant toujours et fort haut, et lui disant même des choses embarrassantes.
                                    STENDHAL, *Romans et Nouvelles,* « Féder », II.
[3] Un soir qu'ils faisaient la queue au guichet de l'Odéon, ils eurent une vive altercation avec un malotru qui menaçait de les pourfendre. Édouard serrait déjà les poings. Salavin fut admirable. Il dit au matamore : « Frappez, si vous voulez ! Vous entendrez pourtant ce que je dois vous dire. »
                                    G. DUHAMEL, *Salavin,* III, XVII.
Adj. *Genre, style matamore.*

[4] (...) le style matamore du sieur Scudéry ne jure nullement à côté des allures castillanes et des façons chevaleresques du sublime auteur du *Cid.*
                                    Th. GAUTIER, *les Grotesques,* I, p. 5.

DÉR. **Matamorisme.**

2. MATAMORE [matamɔʀ] n. f. et m. — 1617, J. Mocquet, *Voyages en Afrique...,* p. 166 ; arabe *mắṭmūrăh* « fosse souterraine ».
Didactique ou technique.

♦ **1.** Hist. Profond silo, dans les pays du Maghreb. *Les matamores servaient de prison, de cachot, pour les esclaves et captifs chrétiens.*

♦ **2.** (1847, Bescherelle). Agric. Silo profond creusé dans le sol.
REM. Le genre masculin apparaît fin XIXe (1873, P. Larousse), sans doute par confusion avec 1. *matamore.*

HOM. 1. **Matamore.**

MATAMORISME [matamɔʀism] n. m. — 1931, Larousse ; de 1. *matamore,* et *-isme.*

♦ Zool. Procédé de défense utilisé par certains animaux (insectes, reptiles...), qui consiste à déformer leur corps de manière à présenter une apparence effrayante pour l'adversaire.

MATASSE [matas] ou MATASSÉ [matase] n. f. — 1675, *matasse ; matassé,* 1873 ; du lat. *mataxa.* → 3. **Masse.**

♦ Techn. anc. Soie non filée. — (1690). Coton brut.
Hist. Soie grège de provenance espagnole, utilisée au XVIe siècle.

MATASSIN [matasɛ̃] n. m. — Fin XVIe ; *matachin,* 1542, Rabelais ; ital. *mattaccino* « espèce de danse ».

♦ (1584). Ancienn. Bouffon* qui se livrait sur les places publiques à une danse burlesque imitée des danses guerrières des Anciens. *Danse, ballet des matassins.* — Ellipt. *Danser les matassins.*

[1] *Le Ballet des Matassins* (...) Cette sorte de danse se fait (...) en France dans certaines villes, où il y a des troupes en quartier d'hiver : ce sont ordinairement les soldats (...) qui donnent ce spectacle au public (...) Ils dansent l'épée nue à la main, faisant des tours d'adresse avec leurs épées (...)
                                    Ph.-J. LE ROUX, *Dict. comique,* art. *Matassin.*
Par ext., vx. Danseur* comique (dans un ballet, un divertissement...), au XVIIe siècle.
[2] Les deux musiciens, accompagnés des Matassins et des instruments, dansent à l'entour de M. de Pourceaugnac (...)
                                    MOLIÈRE, *Monsieur de Pourceaugnac,* I, 6 *(Jeu de scène).*

MATATAN [matatɑ̃] n. m. — 1873, Larousse ; mot de l'Inde.

♦ Gros tambour indien.

MATCH [matʃ] n. m. — 1819 ; rare av. 1850-1860 ; mot anglais.

♦ Compétition* entre deux ou plusieurs concurrents, deux ou plusieurs équipes (plur. *matchs* ou *matches*). *Match de catch, de lutte, de tennis... Match France-Angleterre de football. Match de boxe.* ⇒ **Combat, rencontre** (→ Honneur, cit. 24). *Match-poursuite de cyclisme.* ⇒ **Course.** — *L'équipe du Brésil a battu l'équipe de France dans le match comptant pour la Coupe du monde de football. Disputer un match. Match-aller, match-retour ou revanche. Match de classement* (⇒ **Criterium**), *de finale.* — (1933, *in* D.D.L.). *Match-vedette.* — *Arbitre, score* d'un match. La mi-temps du match de football... Phases d'un match* (→ Déchaîner, cit. 4). — Loc. *Faire match nul :* terminer à égalité. *Le, un match nul.*

[1] Phelem-ghe-madone défaillait. Kilter lui essuya le sang des yeux (...) — Cessez le match, cria l'assistance.   HUGO, *l'Homme qui rit,* II, I, XII (1869).
[2] (...) les haut-parleurs qui (...) servaient à annoncer le résultat des matches ou à présenter les équipes (...)   CAMUS, *la Peste,* p. 263.
Par ext. Compétition sportive (⇒ **Concours, épreuve**). *Match de bridge, d'échecs.* ⇒ **Tournoi.**
[3] Ses deux mâts s'inclinaient un peu sur l'arrière. Elle portait brigantine, misaine, trinquette, ris, flèches, et pouvait gagner une fortune pour le vent arrière. Elle devait merveilleusement marcher, et, de fait, elle avait déjà gagné plusieurs prix dans les « matches » de bateaux-pilotes.
                                    J. VERNE, *le Tour du monde en 80 jours,* p. 169.
Par métaphore. Compétition, lutte, notamment économique ou politique. « *Match industriel France-États-Unis* » (*l'Express,* 13 oct. 1969).

DÉR. **Matcher.**

MATCHER [matʃe] v. — 1892 ; de *match,* et *-er.*
Rare.

♦ **1.** V. intr. Disputer un match, se mesurer (avec qqn).

♦ **2.** V. tr. (1892). *Matcher qqn.*

Sans me vanter, je tiens encore bien. Il n'y a pas beaucoup de jeunes gens qui pourraient me matcher. N. SARRAUTE, Martereau, p. 79.

Fig. (1894, *Année sc. et industr.* 1895, p. 92). Rivaliser avec (qqn, qqch.).

MATCHICHE ou MAXIXE [matʃiʃ] n. f. — V. 1904 ; port. *maxixe.*

♦ Danse d'origine brésilienne, à deux temps, en vogue au début du siècle.

L'autre femme dansait le cancan français, la cachucha ou la maxixe à volonté.
R. QUENEAU, Loin de Rueil, Gallimard, p. 131.

MATCH-MAKER, MATCHMAKER [matʃmɛkœʀ] n. m. — 1927, *in* Höfler ; de l'angl. *match* (→ Match), et *maker* «celui qui fait».

♦ Anglic. Organisateur de combats de boxe. *Des match-makers.*
«*Les matchmakers — ceux qui organisent les rencontres de boxe (...)*» (le *Nouvel Obs.,* 18 déc. 1972, p. 54).

MATCH-PLAY [matʃplɛ] n. m. — 1930 ; mot angl., de *match* (→ Match), et *play* «jeu».

♦ Anglic. Sports. Compétition de golf qui se joue (entre deux joueurs ou deux équipes) trou par trou. «*Cette formule de match-play par équipes introduit dans le jeu une autre dimension, l'esprit de solidarité*» (*l'Équipe,* 11 sept. 1972). *Des match-plays.*

MATÉ [mate] n. m. — 1716 ; *mati,* 1633 ; mot esp. d'une langue indienne du Pérou.

♦ **1.** Variété de houx* *(Iliacées),* dite aussi (vx) *thé du Paraguay, thé des Jésuites,* qui croît en Amérique du Sud et dont les feuilles* torréfiées et pulvérisées fournissent, infusées dans de l'eau chaude, une boisson* stimulante.

1 On sait que le maté est un arbuste de la même famille que notre yeuse, dont les rameaux, légèrement torréfiés à la fumée d'un foyer souterrain, sont moulus en une poudre grossière, couleur réséda, qui se conserve longtemps en barils.
Claude LÉVI-STRAUSS, Tristes tropiques, p. 144.

♦ **2.** Par ext. Cette boisson, riche en caféine.

2 Pour que ce fût complet, ce soir-là, on servit même le mathé *(sic),* qui est une infusion traditionnelle de l'Amérique du Sud et que l'on boit à l'aide d'un tube de roseau. LOTI, Figures et Choses..., p. 183.

HOM. 1. Mater, 2. mater, 3. mater.

MATEAU ou MATTEAU [mato] n. m. — 1765, *mateau,* Encyclopédie ; *manteau,* 1767 ; d'un prélatin **matta* «buisson, touffe». → 3. Masse, matasse.

♦ Techn. Réunion d'écheveaux de soie grège (quatre «mains» de soie, elles-mêmes formées d'une vingtaine d'écheveaux).

MATEFAIM ou MATE-FAIM [matfɛ̃] n. m. invar. — 1540 ; de 1. *mater,* et *faim.*

♦ Galette, crêpe épaisse, etc.

(...) nous arpentions l'avenue des Ternes, mangeant en guise de dîner des beignets farcis de confiture que nous appelions des *mate-faim.*
S. DE BEAUVOIR, la Force de l'âge, p. 33.

MATELAS [matla] n. m. — 1611 ; *matelat,* 1580, Montaigne ; *mathelas,* av. 1464 ; *materas,* fin XIVᵉ ; *matras,* 1377 ; altér. de *materas* (forme qui a subsisté jusqu'au XVIIᵉ), ital. *materasso,* arabe *maṭraḥ,* proprt «chose jetée par terre».

♦ **1.** (1377). Pièce de literie, long et large coussin rembourré et généralement piqué de place en place, qu'on étend d'ordinaire sur un lit (cit. 9) et qui recouvre tout le sommier. *Bourre d'un matelas. Matelas de crin, de kapok, de laine, de varech, de duvet, de plumes.* ⇒ **Couette, lit** (de plumes). *Matelas grossier, rempli de balle d'avoine, de paille.* ⇒ **Paillasse.** *Enveloppe, housse de matelas en coutil, en futaine* (cit.). — *Carder*, rebattre* un matelas. Donner un matelas à refaire au matelassier*. Un matelas dur, épais, mince, mou.* — *Battre, retourner son matelas. Piqûres d'un matelas.*

1 MATELAS. Plus il est dur, plus il est hygiénique.
FLAUBERT, Dict. des idées reçues.

2 Elle, pour la nuit, avait jeté par terre un matelas, où elle comptait s'étendre, de façon à ne pas quitter sa sœur. ZOLA, la Terre, III, V.

3 Puis il s'élança sur le lit, se colleta, comme un lutteur, avec les matelas, en prit un à bras-le-corps, le souleva de terre, se balança avec, puis d'un coup de reins, l'étala, en soufflant, sur le sommier. HUYSMANS, Là-bas, XXI.

Toile à matelas : toile à rayures utilisée dans la fabrication des matelas.

Par anal. *Matelas à ressorts, semi-métallique.* — *Matelas de caoutchouc,* en mousse de latex dont les cellules emprisonnent l'air. *Matelas de plage,* sur lequel on s'étend pour prendre des bains

de soleil. — *Matelas pneumatique, de camping,* enveloppe de toile caoutchoutée ou de matière plastique qu'on gonfle d'air.

Par ext. ⇒ Lit. *Matelas de feuilles, de foin.*

Techn. (méd.). *Matelas alternatif* (ou *alternant)* : matelas pneumatique formé de deux séries de boudins alternativement gonflés et dégonflés par un dispositif automatique. *Les matelas alternatifs sont utilisés pour prévenir la formation d'escarres chez les malades alités.*

♦ **2.** (1900). Fam. *Un matelas de billets de banque,* une grosse liasse. — Absolt. *Il a le matelas,* un portefeuille bien garni.

♦ **3.** Par anal. Techn. Couche protectrice (quelle qu'en soit la matière) destinée à amortir des chocs, des vibrations (→ Ballast, cit.). — Spécialt. *Matelas d'air :* couche d'air ménagée entre deux parois.

4 (...) la maison a doubles parois : ça fait un matelas d'air isolant contre le chaud et contre le froid. On est là-dedans comme un poussin dans l'œuf.
M. GENEVOIX, Forêt voisine, XIII.

Par métaphore, fig. Ce qui sert de protection (⇒ **Édredon**). *Faire (un) matelas. Servir de matelas* (→ Étreindre, cit. 11).

5 (...) il y laissera des plumes, mais il en sortira... Ses dommages de guerre lui feront un matelas (...) A. MAUROIS, Bernard Quesnay, XXIII.

DÉR. Matelasser, matelassier.

MATELASSAGE [matlasaʒ] n. m. — 1922, → cit. ; de *matelasser.*

♦ **1.** Opération qui consiste à matelasser. *Le matelassage d'un fauteuil, d'un tissu, d'un vêtement.*

♦ **2.** Ce qui matelasse ; revêtement, tissu... matelassé. ⇒ **Rembourrage.** *Un matelassage solide.*

Lui, qui ne portait que du linge blanc, s'enveloppa d'un tricot mauve, d'un caleçon rose, de genouillères vert véronèse, s'armant pour je ne sais quel tournoi avec l'arc-en-ciel (...) il consolida son matelassage d'épingles de nourrice, de chaînettes-supports, relia ses boutons de plastron par un fil de faux argent qu'il agrafa à une chaîne centrale. GIRAUDOUX, Siegfried et le Limousin, p. 98.

♦ **3.** Techn. Surface présentant un aspect matelassé. — Spécialt. Déformation des parois du foyer d'une locomotive à vapeur, présentant cet aspect.

MATELASSÉ, ÉE [matlase] adj. et n. — 1690 ; du v. *matelasser.*

♦ **1.** Rembourré.

(...) la porte matelassée, à battants garnis de cuir (...)
MAUPASSANT, Bel-Ami, I, I.

♦ **2.** Se dit d'un tissu ouaté maintenu par des piqûres formant un dessin en relief. *Doublure matelassée d'un manteau. Poches matelassées.* — N. m. *Du matelassé :* du tissu matelassé. *Un matelassé de laine, de rayonne, de soie.*

♦ **3.** Garni d'une doublure matelassée. *Manteau matelassé.*

DÉR. Matelassure.

MATELASSER [matlase] v. tr. — 1678 ; de *matelas,* et -*er.*

♦ **1.** Rembourrer à la manière d'un matelas. *Matelasser un fauteuil.*

♦ **2.** Rendre matelassé (un tissu). — Doubler de tissu matelassé.
Fig. (ici, au p. p., mais les formes de l'actif sont également susceptibles d'un emploi fig.).

Le ciel est gris, la neige craque sous les sabots. Les buissons et les arbres chétifs aux os menus sont matelassés de blanc. R. ROLLAND, Colas Breugnon, I.

♦ **3.** Garnir d'un revêtement, couvrir d'un vêtement épais. ⇒ **Bourrer, cuirasser.** *Plusieurs épaisseurs de toile et de papier matelassaient la cloison* (→ Intercepter, cit. 5). — Pron. *Se matelasser de chandails superposés.* — Absolt. *Vous vous êtes drôlement matelassé ! Vous craignez le froid?*

MATELASSIER, IÈRE [matlasje, jɛʀ] n. — 1701, Furetière ; *materassier,* 1615 ; de *matelas,* et -*ier.*

♦ Personne dont le métier est de confectionner ou réparer les matelas. *Aiguille de matelassier.* — Appos. *Ouvrier matelassier.*

C'est cette matelassière qui m'a volé la laine de mes matelas et s'est fait chasser de partout pour son ivrognerie. FRANCE, la Vie en fleur, I.

MATELASSURE [matlasyʀ] n. f. — 1867 ; de *matelasser,* et -*ure.*

♦ Techn. Ce qui sert à matelasser, à rembourrer. *Matelassure d'une couverture ouatinée.* ⇒ **Rembourrage.**

MATELOT [matlo] n. m. — V. 1450 ; *mathelot,* XIVᵉ ; var. anc. *matenot;* moyen néerl. *mattenoot,* proprt «compagnon de couche», les *matelots* ne disposant autrefois que d'un hamac pour deux, où ils dormaient à tour de rôle.

★ **I.** ♦ **1.** Homme d'équipage, participant à la manœuvre ou à l'activité d'un navire, sous la conduite des officiers et des maîtres. ⇒ **Marin**, argot **mathurin** (vx), **mataf.** *Enrôler* (cit. 3) *des matelots. Apprenti matelot.* ⇒ **Mousse.** *Jeune matelot.* ⇒ **Novice.** *Matelot amariné, qui a beaucoup bourlingué. Fonctions des matelots :* brigadier, cambusier, canotier, harponneur, lesteur, vigie... *Matelot de quart* (→ Emboîter, cit. 12 ; large, cit. 17), *de service. Matelot qui tient la barre* (cit. 4). *Hamac* de matelot.* ⇒ **Branle** (vx). *Lever et coucher des matelots.* ⇒ **Branle-bas.** *Matelots en bordée*. Le chant des matelots* (→ Entendre, cit. 67). — *Matelots indigènes d'Afrique noire.* ⇒ **Laptot.** *Anciens matelots des Indes.* ⇒ **Lascar.**

1   La Durande, sans compter Clubin, le capitaine, portait sept hommes d'équipage : un timonier, un matelot charbonnier, un matelot charpentier, un cuisinier (...) deux chauffeurs et un mousse.   HUGO, les Travailleurs de la mer, I, VI, II.

Spécialt. Simple soldat de la marine de guerre. *Matelot de première, deuxième, troisième classe. Matelots brevetés, portant sur leurs manches un galon de laine rouge :* canonnier, gabier, mécanicien, timonier... *Solde du matelot.* ⇒ **Matelotage.** *Matelot des compagnies d'abordage et de débarquement.* ⇒ **Fusilier** (marin).

2   (...) portant crânement son col bleu ouvert et son bonnet à pompon rouge ; superbe en matelot, avec son allure roulante et sa haute taille (...)   LOTI, Pêcheur d'Islande, II, V.

♦ **2.** Mar. Chacun des deux matelots amatelotés*, par rapport à son compagnon. *Marin qui s'entend bien avec son matelot.*

♦ **3.** (1690, Furetière). *Matelot d'avant, matelot d'arrière :* « nom donné dans la marine militaire au bâtiment qui précède ou qui suit un autre navire dans une ligne de file » (Gruss).

★ **II.** Vx (au XIXᵉ). Costume marin. ⇒ 2. **Marin** (*supra* cit. 7).

3   Le petit garçon a un matelot dans lequel il est horriblement gêné, mais le tailleur a dit qu'il allait très bien.   Ch. PAUL DE KOCK, la Grande Ville, p. 231.

DÉR. Matelotage, matelote.
COMP. Amateloter.

MATELOTAGE [matlɔtaʒ] n. m. — 1690, Furetière ; « métier de matelot », 1558 ; de *matelot*, et *-age.*

♦ **1.** (1690). Solde, paye des matelots. *Toucher son matelotage.*

♦ **2.** (1773). Vx. Ensemble des connaissances relatives au métier de matelot, et, plus particult, au travail du gabier. Mod. (par spécialisation du sens précéd.). Technique des nœuds et des épissures, et, plus généralt, de tous les ouvrages en cordage (paillets, tresses, macramés, etc.). *Travaux de matelotage et de voilerie.*

MATELOTE [matlɔt] n. f. — 1674 ; *à la matelote* « à la manière des matelots », 1643 ; de *matelot*, et *-e.*

♦ **1.** Mets composé de poissons coupés en morceaux et accommodés avec du vin rouge et des oignons (⇒ **Bouillabaisse**). *Matelote d'anguille, de carpe... Matelote de poisson de rivière.* ⇒ **Pauchouse** (régional). *Matelote à la marinière.* — Par anal. *Veau en matelote,* préparé à la manière du poisson matelote. — Par appos. (1812). *Sauce matelote :* sauce au vin rouge et aux oignons.

On leur servit (...) une matelote d'anguilles dans un compotier en terre de pipe (...)   FLAUBERT, l'Éducation sentimentale, III, I.

♦ **2.** (1776). Vx. Danse au rythme vif, autrefois en vogue chez les matelots.

1. MATER [mate] v. tr. — V. 1080, *Chanson de Roland ;* de 1. *mat,* et *-er.*

♦ **1.** Techn. (Jeu d'échecs). Mettre (le roi) en échec de telle manière qu'il ne puisse plus sortir de sa place sans être pris. *Mater le roi avec le fou.* — Par ext. *Mater son partenaire.* — Absolt. Faire mat*.

♦ **2.** Cour. Soumettre à son autorité, rendre définitivement docile (un être, une collectivité qui tend à se révolter ou à agir d'une manière indépendante). ⇒ **Dompter.** *Mater des écoliers turbulents* (→ Foudroyer, cit. 13). *On saura bien te mater, petit voyou.* ⇒ **Dresser** (III., fam.). *Je vous materai !* — Spécialt (fauconn.). *Mater un oiseau de proie.* ⇒ **Dresser** (III.).

1   Il voulait donc me garder et me mater, en me tenant loin de mon pays et du sien, sans argent pour y retourner (...)   ROUSSEAU, les Confessions, VII.
2   (...) nous avons des allures trop indépendantes, à ce qu'il paraît, et il nous faut des maris qui sachent nous mater.   LOTI, les Désenchantées, VI, XLI.
3   Et en ce moment où ils s'agitent, où on leur a appris à être mécontents, il suffirait encore un gouvernement à poigne pour les mater.   J. ROMAINS, les Hommes de bonne volonté, t. V, XXVIII, p. 305.
4   Non, non, elle ne mourrait pas et, vivante, ne laisserait plus l'adversaire l'accabler (...) Il suffisait de mater sa belle-mère : Fernand, ce ne serait qu'un jeu de lui passer la bride.   F. MAURIAC, Génitrix, III.

♦ **3.** Réprimer ; abattre (qqch.). *Mater une révolte. Mater un soulèvement dès son début.* ⇒ **Étouffer.** *Incendie vite circonscrit* (cit. 3), *puis maté.* — *Mater les résistances* (→ Bonhomie, cit. 3). *Mater la fierté, l'orgueil de qqn.* ⇒ **Abattre, humilier.** — Spécialt.

Mater sa fureur (cit. 33), *son impatience, ses passions,* les dominer, les maîtriser. ⇒ **Calmer.** *Mater sa chair.* ⇒ **Mortifier.**

5   En redescendant l'escalier du commissariat, Quinette mobilise toute sa raison pour mater une panique intérieure.   J. ROMAINS, les Hommes de bonne volonté, t. III, XXI, p. 283.

Pron. (passif) :

6   Vous ne voudriez pas qu'ils laissent ces excités-là aller leur déclencher des grèves tout de même ? Une grève dans un régime sérieux ça se mate, dans l'œuf ! Pas de désordre ! Surtout quand c'est le peuple qui gouverne !   J. ANOUILH, Pauvre Bitos, p. 128.

DÉR. Matefaim.
HOM. Maté, 2. mater, 3. mater.

2. MATER, MATTER [mate] ou MATIR [matiʀ] v. tr. — 1765, *mater ; matir,* 1676 ; *matir* « fatiguer », XIIᵉ ; de 2. *mat,* et *-er, -ir.*
Technique.

♦ **1.** Rendre mat. ⇒ **Dépolir.** *Mater du verre.* — P. p. adj. *Argent maté* ou *mati.* — *Mater une dorure,* en atténuer l'éclat par une couche de colle de parchemin.

♦ **2.** Par ext. Rendre compact. *Mater une pâte.* — Comprimer, refouler (un métal) pour rendre un joint étanche, resserrer un assemblage. *Mater un rivet. Mater une soudure :* tasser, avec le matoir, le plomb qui déborde à la jonction de deux pièces soudées.

DÉR. Matage, 1. mateur, matoir.
HOM. Maté, 1. mater, 3. mater.

3. MATER [mate] v. tr. — 1897, Esnault : « semble être un hispanisme algérois » ; *matar* « tuer ».

♦ Argot. Regarder sans être vu. ⇒ **Lorgner, reluquer, viser.**

1   Ils nous matent les poulets !...
Aux grilles, c'est vrai les « polices » ils s'intéressaient (...) ils reluquaient tous de notre côté (...)   CÉLINE, le Pont de Londres, p. 150.
2   Mieux même que ça, ils entrent en fureur. Deux belles blondes leur passent devant le nez, et ils n'ont pas le droit de mater plus haut que le genou.   R. QUENEAU, Pierrot mon ami, éd. L. de Poche p. 96.
3   Je laisse ma tire à l'entrée du chantier. Je mate : personne. « Ils » sont en retard.   SAN-ANTONIO, J'ai essayé : on peut !, p. 23.

DÉR. 2. Mateur, maton, matuche.

MATER [matɛʀ] n. f. — 1947 ; apocope de la *maternelle* (1880), « mère ».

♦ Fam. (Enfants). Mère. *La mater m'a empêché de venir. Le pater* (le paternel) *et la mater.*

MÂTER [mate] v. tr. — XVIIᵉ ; *master,* 1382 ; de *mât,* et *-er.*

♦ **1.** Mar. Pourvoir (un navire) de mâts ; mettre le ou les mâts en place. *Mâter un bâtiment.*

Mais, à leur sommet, de longues grues à mâter les vaisseaux se dressèrent ; et il en descendit de ces pinces énormes qui se terminaient par deux demi-cercles dentelés à l'intérieur.   FLAUBERT, Salammbô, Pl., t. I, p. 953.

Absolt. *Machine à mâter :* puissante grue, à quai ou sur ponton, servant à mâter les navires ou à déplacer les poids lourds à bord des bâtiments (⇒ **Mâture**).

♦ **2.** (1868, Littré). Par ext. « *Mâter une pièce de construction, une barrique, des avirons,* les dresser verticalement » (Gruss).

MATER DOLOROSA [matɛʀdɔlɔʀoza] n. f. invar. — 1867 ; mots latins, tirés du cantique *Stabat mater* et signifiant « mère douloureuse ».

♦ **1.** Arts. Vierge au pied de la Croix ou soutenant son fils mort. ⇒ **Pietà.**

♦ **2.** Fig., fam. Femme mélancolique.

MÂTEREAU [matʀo] n. m. — 1611 ; *masterel,* 1529 ; *mastereau,* 1541 ; dimin. de *mât.*

♦ Mar. Mât de longueur réduite et de faible diamètre. *Mâtereau de pavillon.*

MATÉRIALISATION [mateʀjalizasjɔ̃] n. f. — 1832, Balzac, *Louis Lambert ;* de *matérialiser,* et *-ation.*

♦ **1.** (1832). Action de matérialiser, de se matérialiser ; résultat de cette action. *Matérialisation d'une idée.*

1   Selon Swedenborg, l'ange serait l'individu chez lequel l'être intérieur réussit à triompher de l'être extérieur *(S'il)* fait prédominer l'action corporelle (...) l'ange périt lentement par cette matérialisation des deux natures.   BALZAC, Louis Lambert, Pl., t. X, p. 380.
2   Le cri de Mᵐᵉ Dargoult jaillit et, pareille à quelque matérialisation de ce cri, une forme humaine, bousculant hommes et bagages, une ombre humaine jaillit aussi.   G. DUHAMEL, Salavin, VI, II.

♦ **2.** (Av. 1934, cit.). Phys. *Matérialisation de l'énergie, d'un rayonnement,* sa transformation en particules pondérables (électrons).

3 « *Nous assistons donc ici à la transformation du rayonnement électromagnétique en matière* ». Sur la proposition de Mme Pierre Curie, on désigne ce processus par le terme de « matérialisation ».
F. JOLIOT et I. JOLIOT-CURIE, in Rev. gén. des sc. 1934, t. 45, p. 233.

♦ **3.** Spiritisme. Phénomène par lequel des médiums rendraient visibles et tangibles les esprits qu'ils évoquent ; esprit matérialisé. *Médium qui produit des matérialisations, des ectoplasmes.*

MATÉRIALISER [mateʀjalize] v. tr. — 1754, au sens 1 ; de *matériel*, et *-iser.*

♦ **1.** Littér. Considérer comme ayant une nature matérielle, comme produit par la matière. *Matérialiser la pensée, l'âme.*

1 (...) dans ce siècle où l'on s'efforce de matérialiser toutes les opérations de l'âme (...) ROUSSEAU, Essai sur l'origine des langues, XV.

♦ **2.** Cour. Représenter (une idée, une action abstraite...) sous forme matérielle. *Gargouilles* (cit. 2) *d'une cathédrale matérialisant les vices.* ⇒ **Symboliser.** *L'art matérialise les idées.* ⇒ **Concrétiser.**

♦ **3.** Donner une nature matérielle, sensible, à. — Au p. p. :

1.1 S'il pouvait retrouver son chèque, toute preuve se trouverait supprimée, cette opération personnelle, ignorée des employés de la Compagnie générale des Grands Travaux, n'étant matérialisée que par cette pièce.
René FLORIOT, La vérité tient à un fil, p. 33.

2 (...) les difficultés matérielles doivent être tellement vaincues, la main doit être si châtiée, si prête et obéissante, que le sculpteur puisse lutter âme à âme avec cette insaisissable nature morale qu'il faut transfigurer en la matérialisant.
BALZAC, la Cousine Bette, Pl., t. VI, p. 322.

▶ **SE MATÉRIALISER** v. pron. (1829, Boiste).
Devenir sensible, matériel.

3 (...) cette idée fixe, touchant le côté voluptueux des choses, ne me quitta pas, mais, en devenant plus profonde, elle se matérialisa pour moi sous une forme bizarre (...) je m'avisai un jour de me soupçonner atteint d'une espèce de laideur qui devait rapidement s'accroître et me défigurer. SAINTE-BEUVE, Volupté, II.

▶ **MATÉRIALISÉ, ÉE** p. p. adj.
Littér. *Âme matérialisée.* — Cour. *Idée matérialisée. Projet matérialisé.* — (1960). Qui est rendu concret, visible, sur une voie de circulation (par une signalisation). *Couloir d'autobus matérialisé.* — *Voies matérialisées d'une autoroute.*

MATÉRIALISME [mateʀjalism] n. m. — 1702 ; de *matériel*, et *-isme.*

★ **I.** Philos. ♦ **1.** (1702). « Doctrine d'après laquelle il n'existe d'autre substance que la matière*, à laquelle on attribue des propriétés variables suivant les diverses formes de matérialisme. » (Lalande). *Matérialisme concevant la matière comme composée d'atomes* (cit. 8). ⇒ **Atomisme.** — *Matérialisme mécaniste.* ⇒ **Mécanisme.** *Matérialisme accordant à la matière d'être dotée de vie* (⇒ **Hylozoïsme**). *Le matérialisme est généralement lié à l'athéisme** (→ Athée, cit. 13 ; incroyance, cit.). *Pour le matérialisme, l'esprit* n'est que le reflet de la matière, la pensée qu'une fonction du cerveau. Matérialisme épiphénoméniste. Matérialisme, vitalisme, spiritualisme, ouvrage de A. Cournot.*

1 Il faut avoir longtemps étudié les corps pour se faire une véritable notion des esprits, et soupçonner qu'ils existent. L'ordre contraire ne sert qu'à établir le matérialisme. ROUSSEAU, Émile, IV.

2 Pour l'expérimentateur physiologiste, il ne saurait y avoir ni spiritualisme ni matérialisme. Ces mots appartiennent à une philosophie naturelle qui a vieilli, ils tomberont en désuétude par le progrès même de la science.
Cl. BERNARD, Introd. à l'étude de la médecine expérimentale, II, I.

3 Je me retourne donc vers le matérialisme et j'entreprends à nouveau de l'examiner. Il semble que sa première démarche soit pour nier l'existence de Dieu et la finalité transcendante, la deuxième pour ramener les mouvements de l'esprit à ceux de la matière, la troisième pour éliminer la subjectivité en réduisant le monde, avec l'homme dedans, à un système d'objets reliés entre eux par des rapports universels. SARTRE, Situations III, p. 138.

4 Il suffit de penser que les réussites, après tout modestes et surtout partielles, de la science expérimentale ont prodigieusement affaibli l'instinct religieux. Encore le matérialisme purement utilitaire du dernier siècle avait-il de quoi rebuter les âmes nobles. Nos modernes réformateurs y intègrent l'idée de sacrifice, de grandeur, d'héroïsme. Ainsi les peuples rompent avec Dieu sans angoisse, et presque à leur insu, dans une ferveur qui ressemble à celle des saints et des martyrs. Rien ne saurait les prévenir que la haine universelle est au bout d'une telle expérience.
BERNANOS, les Grands Cimetières sous la lune, p. 342.

♦ **2.** (1931). *Matérialisme historique, matérialisme dialectique,* noms donnés à la doctrine de Karl Marx et de ses continuateurs. ⇒ **Marxisme.** — REM. La première expression insiste sur le rôle des conditions matérielles dans le développement des événements historiques, la seconde sur la forme que prend ce développement.

5 Sur le plan théorique, on peut admettre que le matérialisme dialectique exige les sacrifices les plus considérables en fonction d'une société juste dont la probabilité sera très forte. Que signifient ces sacrifices, si la probabilité est réduite à rien (...) ? C'est la seule question qui se pose. CAMUS, Actuelles I, p. 191.

5.1 L'originalité de Marx est d'affirmer que l'histoire, en même temps qu'elle est dialectique, est économie. Hegel, plus souverain, affirmait qu'elle était à la fois matière et esprit. Elle ne pouvait, d'ailleurs, être matière que dans la mesure où elle était esprit, et inversement. Marx nie l'esprit comme substance dernière, et affirme le matérialisme historique. CAMUS, l'Homme révolté, p. 602-603.

★ **II.** (1873). Cour. État d'esprit caractérisé par la recherche des jouissances et des biens matériels. *Matérialisme grossier, sordide, glaçant* (cit. 3). *Sombrer dans le matérialisme.* ⇒ **Matérialiste** (2.).

6 (...) qu'est-ce que le matérialisme sinon l'état de l'homme qui s'est détourné de Dieu : il pense qu'il est né de la terre et qu'il retournera à la terre, il n'a plus de souci que pour ses intérêts terrestres. SARTRE, la Mort dans l'âme, p. 238.

CONTR. Idéalisme (cit. 8), immatérialisme, spiritualisme. — Ascèse, ascétisme.

MATÉRIALISTE [mateʀjalist] n. et adj. — 1553, au sens de « chimiste » ; inus. jusqu'au XVIIe ; de *matériel*, et *-iste.*

♦ **1.** (1698, in D.D.L.). Philos. Personne qui adopte ou professe le matérialisme*. *Un matérialiste athée. Les matérialistes de l'antiquité, du XVIIIe siècle français.*

1 Ce qui fait voir que ce qu'il y a de bon dans les hypothèses d'Épicure et de Platon, des plus grands matérialistes et des plus grands idéalistes, se réunit ici (dans l'hypothèse de l'harmonie préétablie).
G. W. LEIBNIZ, Lettre à Bayle, 1702 *(Texte franç. de l'auteur).*

Adj. *Philosophe, savant* (→ Arguer, cit. 3) *matérialiste.* — Par ext. *Doctrines matérialistes de Démocrite, de Karl Marx. Philosophie matérialiste* (→ Fille, cit. 10).

2 La révolution, même et surtout celle qui prétend être matérialiste, n'est qu'une croisade métaphysique démesurée. CAMUS, l'Homme révolté, p. 138.

Spécialt. Du matérialisme (dialectique). *Dialectique matérialiste.* — (En comp.). *Matérialiste dialectique.*

♦ **2.** (1829, Boiste). Cour. Personne qui recherche des jouissances et des biens matériels. *Vivre en matérialiste.* — Adj. *Esprit matérialiste* (⇒ **Positif**). *Siècle, âge matérialiste* (→ Enthousiasme, cit. 15).

3 Notre civilisation est matérialiste. (J'entends ce mot, il va de soi, non dans le sens que la philosophie lui assigne, mais comme la définition d'un état d'esprit qui propose pour principal dessein à l'homme la satisfaction matérielle, même si, dans la réalisation de ce dessein, il use de moyens intellectuels.)
DANIEL-ROPS, le Monde sans âme, p. 128.

CONTR. Spiritualiste. — Ascète, ascétique.
DÉR. Matérialistement.

MATÉRIALISTEMENT [mateʀjalistəmã] adv. — 1917, M. Jacobin, in D.D.L. ; de *matérialisme*, et *-ment.*

♦ Rare. D'une façon matérialiste.

De plus en plus enclin à croire matérialistement qu'une part notable de la beauté réside dans les choses, ainsi que, pour commencer, il avait adoré en Mme Elstir le type de beauté un peu lourde qu'il avait poursuivi, caressé dans ses peintures, des tapisseries (...) PROUST, le Temps retrouvé, Pl., t. III, p. 770.

MATÉRIALITÉ [mateʀjalite] n. f. — 1470, rare av. le XVIe ; de *matériel*, et *-ité.*

♦ **1.** (1470). Caractère de ce qui est matériel*. *Le spiritualisme refuse d'admettre la matérialité de l'âme.* — *Matérialité d'un fait, d'un acte* (distinguée en ce dernier cas de ses motifs). ⇒ **Réalité.**

1 Arrêté peu après le marquis de Nayve reconnut tous les faits dénoncés dans leur matérialité. Maurice GARÇON, la Justice contemporaine, XVII.

♦ **2.** Cour. Caractère matériel (I., 6.). ⇒ **Matérialisme** (II.).

2 Non seulement la matérialité brutale de notre civilisation s'oppose à l'essor de l'intelligence, mais elle écrase les affectifs, les doux, les faibles, les isolés, ceux qui aiment la beauté, qui cherchent dans la vie autre chose que l'argent, dont le raffinement supporte mal la vulgarité de l'existence moderne.
Alexis CARREL, l'Homme, cet inconnu, VIII, XII.

3 (...) sa passion nouvelle pour l'Idole devait demeurer idéale, préservée de toute matérialité (...) Émile HENRIOT, Portraits de femmes, p. 389.

♦ **3.** Didact. Être, objet matériel. ⇒ **Réalité.** *Les matérialités et les idéalités.*

4 Ses habits étaient une enveloppe nécessaire à laquelle il ne prêtait aucune attention, car ses yeux allaient trop haut dans les nues pour jamais se commettre avec les matérialités. BALZAC, Une fille d'Ève, Pl., t. II, p. 65.

CONTR. Allégorie, immatérialité, spiritualité.

MATÉRIAU [mateʀjo] n. m. — Fin XIXe ; sing. refait d'après *matériaux.*

♦ **1.** Techn. Toute matière servant à construire. *La brique, matériau artificiel. Le seul matériau du pays est l'argile* (cit. 3) *qu'on sèche au soleil.*

1 Avec l'argent dans une affaire, les ouvriers touchent, le matériau est solide.
GIRAUDOUX, la Folle de Chaillot, II, p. 152.

2 (...) le gel ayant fendu la pierre, M. de Coëtquidan a fait refaire la tombe entière dans un matériau d'une meilleure qualité (...)
MONTHERLANT, les Célibataires, II, XI.

Figuré :

3 L'institution opère sur ce « matériau », l'organisation, qui opère elle-même sur l'activité sociale. Une bureaucratie compétente, dévouée, fait bientôt main basse sur la chose sociale. Ce qui donne vite lieu à une hiérarchie (ou à plusieurs hiérarchies) ...
Henri LEFEBVRE, la Vie quotidienne dans le monde moderne, p. 189.

◆ **2.** Par métaphore, fig. ⇒ **Matériaux** (2.). *Le matériau d'un livre, d'une étude.*

MATÉRIAUX [mateʀjo] n. m. pl. — 1611 ; *matériaulx*, 1510 ; plur. de *matérial*, var. anc. de *matériel*.

◆ **1.** Les diverses matières* nécessaires à la construction (d'un bâtiment, d'un ouvrage, d'un navire, d'une machine...). *Matériaux de construction*. *Maçon qui procède à l'assemblage des matériaux* (→ Assise, cit. 1). *Bâtir* (cit. 17) *un édifice avec des matériaux de mauvaise qualité. Matériaux utilisés pour la confection d'un ballast* (cit.), *d'un gourbi* (cit. 2), *de galeries* (cit. 14). — *Matériaux bruts, travaillés. Matériaux provenant de démolitions*. *Transporter des matériaux dans une brouette. Emmétrer des matériaux. Matériaux empilés en vrac* (→ Éboulis, cit.). — *Résistance* *des matériaux.* — *Science des matériaux* : science des éléments employés dans la construction des appareils et dispositifs devant subir des contraintes anormales (notamment en astronautique).

1 (...) ce n'est pas assez, avant de commencer à rebâtir le logis où on demeure, que de l'abattre et de faire provision de matériaux et d'architectes (...)
        DESCARTES, Discours de la méthode, III.

2 Il prédisait leur avenir monumental aux informes amas de pierres et de poutres qui gisaient autour de nous, et ses matériaux, à en voir, semblaient voués à la place unique où les destins favorables à la déesse les auraient assignés.
        VALÉRY, Eupalinos, p. 17.

Spécialt (géol.). Matières qui entrent (ou qui entrèrent) dans la composition d'une formation quelconque. *Rôle de l'agent d'érosion* (cit. 1 et 2) *dans le transport des matériaux.*

◆ **2.** Par métaphore ou fig. Éléments constitutifs d'un tout (→ Forme, cit. 79). *Les faits d'expérience, matériaux de la science* (→ Expérimentateur, cit. 2, Cl. Bernard).

Spécialt. Ce qui sert à la composition d'un ouvrage de l'esprit, en fournit la matière. *Rassembler* (→ Historiographe, cit. 1), *recueillir, réunir, mettre en œuvre des matériaux.* ⇒ **Document** (→ Embrasser, cit. 22). *Matériaux amassés pour la rédaction d'un dictionnaire* (→ Exécution, cit. 12).

3 C'était mon *Dictionnaire de Musique*, dont les matériaux épars, mutilés, informes, rendaient l'ouvrage nécessaire à reprendre presque à neuf.
        ROUSSEAU, les Confessions, IX.

4 Il a donc fallu, pour une conception nouvelle, rassembler des matériaux, puis les classer, les interpréter, les discuter, les employer. LITTRÉ, Dict., Préface, X.

5 Et je compris que tous ces matériaux de l'œuvre littéraire, c'était ma vie passée (...)   PROUST, À la recherche du temps perdu, t. XV, p. 48.

MATÉRIEL, ELLE [mateʀjɛl] adj. et n. — V. 1260 ; lat. *materialis*.

★ **I.** Adj. ◆ **1.** (Opposé à *formel*). Philos. *Cause matérielle et cause formelle. Vérité matérielle d'une idée*, consistant dans l'accord de la pensée et de l'expérience.

◆ **2.** (Opposé à *spirituel*). Qui est de la nature de la matière, constitué par de la matière. *Substance matérielle* (→ Feu, cit. 7 ; immatérialisme, cit.). *Objet, être matériel.* ⇒ **Corps ; corporel.** *Les atomes, particules matérielles. Le fétichisme* (cit. 1 et 2), *adoration d'objets matériels. Le monde, l'univers matériel.* ⇒ **Physique.** *Partie matérielle de l'homme* (→ Abandon, cit. 1).

1 L'esprit de l'homme n'étant point matériel ou étendu, est sans doute une substance simple, indivisible, et sans aucune composition de parties.
        MALEBRANCHE, De la recherche de la vérité, I, I.

2 Je crois qu'il n'y a pas là deux mondes séparés, le spirituel et le matériel, et qu'il est vain de les opposer. Ce sont deux aspects d'un même et unique univers ; comme il est vain d'opposer l'âme et le corps. GIDE, Journal, 15 mai 1949.

2.1 Il s'agit pourtant ici d'une réalité strictement matérielle, c'est-à-dire qu'elle ne prétend à aucune valeur allégorique. Le lecteur est donc invité à n'y voir que les choses, gestes, paroles, événements, qui lui sont rapportés, sans chercher à leur donner ni plus ni moins de signification que dans sa propre vie, ou sa propre mort.
        A. ROBBE-GRILLET, Dans le labyrinthe, p. 7.

Math., mécan. *Point* *matériel.*

(1677). Cour. Qui s'exprime, se manifeste dans la matière ou par la matière. *Force matérielle. Obstacles matériels. Barrières* (cit. 16), *impossibilités matérielles. Résistance matérielle. Je n'ai ni le droit ni le pouvoir matériel de faire telle chose, d'agir de telle sorte.*

Temps matériel : le temps nécessaire pour l'accomplissement d'une action, abstraction faite de toutes les circonstances morales ou psychologiques qui peuvent favoriser ou empêcher cette action. *Sa présence à Marseille constitue un excellent alibi pour lui, car il n'aurait pas eu le temps matériel de se rendre à Paris. J'avais bien le temps matériel d'achever ce travail, mais j'étais trop préoccupé.* — Par anal. *Nous disposons de l'espace matériel pour loger ce meuble, mais il jurerait avec notre mobilier.*

3 (...) la vie de chirurgien, si elle laisse souvent des loisirs matériels, laisse peu de liberté d'esprit et s'accommode difficilement d'une activité scientifique latérale (...) J. ROMAINS, les Hommes de bonne volonté, t. XII, II, p. 20.

◆ **3.** Qui concerne le corps humain. ⇒ **Charnel, physique.** *Jouissance matérielle.* — *Être attaché à son confort matériel.*

4 Le labeur corporel *(de Gilliatt)* avec ses détails sans nombre n'ôtait rien à la stupeur de se trouver là et de faire ce qu'il faisait. Ordinairement la lassitude matérielle est un fil qui tire à terre (...)
        HUGO, les Travailleurs de la mer, II, I, X.

◆ **4.** (1858). Qui concerne les aspects extérieurs, visibles, des êtres ou des choses. *Beauté matérielle* (→ Appât, cit. 13). *Organisation matérielle d'un spectacle* (→ Impresario, cit. 2). *La partie matérielle d'un travail, d'une décoration* (→ Gauchissement, cit. 1). *Témoignage matériel* (→ Attendre, cit. 81). ⇒ **Palpable, tangible.** *Preuves matérielles qui viennent confirmer des présomptions.*

Dr. *Faux* *matériel. Fait matériel*, constitué par la matière même d'un fait, d'une chose, indépendamment de l'intention dont ils résultent.

5 Le jury (...) n'est point interrogé sur un fait matériel mais seulement sur la culpabilité de l'individu qui a causé le fait matériel.
        Maurice GARÇON, la Justice contemporaine, XVIII.

Par ext. *Erreur matérielle en comptabilité, en typographie.*

◆ **5.** (V. 1350). (Opposé à *moral, spirituel, intellectuel* ...). Qui est constitué par des biens tangibles (spécialt, de l'argent), ou lié à leur possession. *Échanges matériels et spirituels entre pays* (→ Espéranto, cit.). *Avantages, biens* (2. Bien, cit. 28) *matériels.* ⇒ **Concret.** *Fortune* (cit. 37), *ressources matérielles. Moyens matériels. Aide matérielle.*

6 (...) sachez produire la richesse et sachez la répartir, et vous aurez tout ensemble la grandeur matérielle et la grandeur morale (...)
        HUGO, les Misérables, IV, I, IV.

7 (...) ayant acquis de grands biens matériels, Il commençait à loucher vers les biens spirituels (...) G. DUHAMEL, Chronique des Pasquier, VIII, IV.

(1804). Qui concerne les nécessités de la vie quotidienne, les moyens financiers d'existence. *Conditions matérielles de la vie* (→ Grandiloquence, cit. 2). *Existence* (cit. 22) *matérielle. Besoins* (cit. 23) *matériels. Tranquillité, sécurité matérielle* (→ Avenir, cit. 25). *Gêne, difficultés matérielles. Soucis matériels. La direction morale et matérielle de la famille* (cit. 27).

8 (...) il ne faut pas oublier que, dès que la vie matérielle est bien assurée, dans le sens plein du mot, tout le bonheur reste à faire. Qui n'a point de ressources en lui-même, l'ennui le guette et bientôt le tient.
        ALAIN, Propos sur le bonheur, p. 126.

(1880). Fam. LA MATÉRIELLE (n. f.) : ce qui assure la subsistance, la vie quotidienne. *Gagner sa, la matérielle. Avoir la matérielle assurée.*

9 Elle se frotta à ces milieux, et, comme elle y plaisait par son côté gogo, y tira son épingle du jeu, c'est-à-dire qu'assura ce qu'elle appelait, dans son affreux langage, sa *matérielle.*   MONTHERLANT, les Célibataires, II, VI.

9.1 (...) il gagnait si aisément sa « matérielle » dans les journaux qu'il cessa de persévérer dans une voie où il semblait surpris de me voir engagé moi-même sans résultat appréciable.   Francis CARCO, Ombres vivantes, p. 287.

◆ **6.** (Av. 1525). Fig., péj. *Esprit matériel.* ⇒ **Lourd, massif, pesant.** — Qui est attaché avec excès aux biens terrestres, aux plaisirs charnels. ⇒ **Grossier, sensuel.** *Un désir tout matériel.* ⇒ **Animal, brutal.** *Une personne trop matérielle, un être matériel.* ⇒ **Positif, prosaïque, terre** (terre à terre). — Par ext. *Une civilisation matérielle.* ⇒ **Matérialiste** (→ Futur, cit. 4).

10 L'abstinence et la mortification sont des vertus de barbares et d'hommes matériels, qui, sujets à de grossiers appétits, ne conçoivent rien de plus héroïque que d'y résister (...) RENAN, l'Avenir de la science, Œ. compl., t. III, p. 1050.

10.1 (...) Vésale dont la corpulence, les traits beaux mais gros, la gaieté un peu lourde annonçaient plutôt une existence matérielle. PROUST, Jean Santeuil, Pl., p. 765.

★ **II.** N. m. (1624 ; *material*, v. 1300). ◆ **1.** Didact. Ce qui compose le corps d'une chose, lui donne ses aspects sensibles. — (Par oppos. au *spirituel*). *L'extérieur et le matériel du travail littéraire* (→ Gestation, cit. 6). — Absolt. *Le matériel* : les choses matérielles. — En arts, *la mise en forme*, à *la mise en œuvre.* ⇒ **Matériau, matière.** *Les notes de la gamme, matériel de la musique. Les mots, matériel du discours.*

11 Cependant (...) ni le matériel, ni le spirituel, ne me suffisait dans son livre *(d'Aug. Thierry).* Le matériel, la race, le peuple qui la continue, me paraissaient avoir besoin qu'on mît dessous une bonne forte base, la terre, qui les portât et les nourrît.-
        MICHELET, Hist. de France, Préface de 1869.

◆ **2.** (1822). Cour. Ensemble des objets, instruments, machines... utilisés dans un service, une exploitation quelconque (par oppos. au *personnel*). ⇒ **Équipement,** et aussi **capital.** *Du matériel. Acheter du matériel. Un beau matériel. Matériel d'exploitation* agricole, *de culture* (→ Habitat, cit. 4), *d'imprimerie, de laboratoire, de bureau. Matériel moderne. Compte « matériel » dans la comptabilité d'une entreprise* (⇒ **Équipement, mobilier, outillage**). *Amortissement du matériel. Chef du matériel* (→ Lamenter, cit. 8). — *Rassembler des tonnes de matériel en vue d'une expédition* (cit. 13) *polaire.* — Rare au plur. *Des matériels. Les matériels de ces deux sociétés ont approximativement la même valeur. « D'importants matériels de forge »* (Littré).

12 (...) il fut ravi de voir une charrue dont les mancherons étaient brisés. Alors, il tempêta. Est-ce que ces cinq bougres s'amusaient exprès à casser son matériel ?   ZOLA, la Terre, II, I.

13 Mais le personnel du « Grand Hôtel de Balbec » n'était nullement du pays. Il venait en droite ligne, avec tout le matériel, de Biarritz, Nice et Monte-Carlo (...)
        PROUST, Sodome et Gomorrhe, Pl., t. II, p. 826.

Spécialt. (1867). Ch. de fer. *Matériel roulant* : locomotives, machines*, wagons et autres véhicules circulant sur la voie. — Milit. *Matériel de guerre* (cit. 40). ⇒ **Arme, guerre.** *Dépôt de matériel. Armée qui manque de matériel. Stocks de matériel.*

(1974). Inform. Ensemble des éléments employés pour le traitement automatique de l'information. — Recomm. off. pour *hardware* (opposé à *logiciel*).

Fig. *Matériel humain* : ensemble des hommes employés dans une entreprise collective.

14   (...) nous retrouvons (...) certaines de ces idées de « récupération du matériel humain » (...) qu'il nous a bien fallu tolérer en temps de guerre (...)
G. DUHAMEL, Manuel du protestataire, p. 206.

♦ **3.** Cour. Ensemble des objets nécessaires à une activité, notamment sportive. *Matériel de campement, de camping, de couchage.* — *Matériel de pêche.*

♦ **4.** Didact. (ethnol., sociol.). Ensemble des éléments soumis à un traitement (analyse, classement). ⇒ **Donnée.** *Collecte, classement et analyse du matériel sur le terrain.* ⇒ **Document, matériaux.** — *Matériel de propagande* (tracts, brochures, affiches). *Le matériel rédactionnel d'un journal* : la copie.

Psychan. Ensemble des éléments déterminants de la conduite profonde révélés par l'analyse, et utilisés par l'analyste à des fins thérapeutiques. *Matériel analytique mis en lumière par la libre association d'idées. Signification inconsciente du matériel.*

14.1   Le matériel psychanalytique met en jeu une personnalité totale, la suite de son histoire et l'ensemble de ses rapports avec son entourage et la diversité de ses objets.   Daniel LAGACHE, la Psychanalyse, p. 120.

Biol. *Matériel génétique* : support matériel de l'information* génétique.

15   Pour le généticien, il existe donc trois manières d'analyser l'hérédité. Il peut regarder la fonction à travers les caractères ; la mutation dans leurs changements ; la combinaison par leurs réassortiments. Chacune de ces méthodes lui permet de réduire le matériel génétique à des unités.   François JACOB, la Logique du vivant, p. 243.

♦ **5.** Écon. Produit fini manufacturé nécessitant des approvisionnements en matières, de la main-d'œuvre d'étude et de fabrication, etc. — REM. Le mot étant collectif, son pluriel est rare ; il est néanmoins normal, dans les contextes appropriés. *Réparation des matériels* (dans l'armée). *Divers matériels de bureau, de pêche, etc. ont été présentés.*

CONTR. (De l'adj.) **Abstrait, allégorique, cérébral, idéal, immatériel, incorporel, intellectuel, moral, spirituel.** — **Délicat, éthéré.** — (Du subst.) **Personnel.**
DÉR. **Matérialiser, matérialisme, matérialiste, matérialité.**

MATÉRIELLEMENT [mateʀjɛlmɑ̃] adv. — 1580, Montaigne ; *materialment*, 1314 ; de *matériel*, et *-ment*.

♦ **1.** (1314). Vx. (Opposé à *formellement*). Philos. Par rapport à la matière. « *L'homme est mortel matériellement, et immortel formellement* » (Académie). *Proposition vraie matériellement, mais formellement fausse*, qui énonce un fait exact, au terme d'un raisonnement défectueux.

♦ **2.** Mod. D'une manière matérielle, dans le domaine de la matière. *Fabriquer des choses, créer matériellement* (→ Homme, cit. 12). *S'accomplir matériellement et spirituellement* (→ Gouvernement, cit. 15). *Idéal* (2. Idéal, cit. 19) *réalisé matériellement. Hommes unis matériellement par la famille* (cit. 5).

1   Champenais considérait, de dos, son chauffeur. Cet homme, si proche de lui matériellement, présent à tant d'heures de sa journée, était bien jusqu'à un certain degré un homme comme lui.   J. ROMAINS, les Hommes de bonne volonté, t. I, XVI, p. 171.

(1580). Spécialt. Par rapport au corps, en ce qui concerne le corps. ⇒ **Physiquement** (→ Homme, cit. 55 ; angoisser, cit. 1).

2   (...) je tremble de plus en plus. J'ai beaucoup de mal à écrire, matériellement, et les sanglots m'étouffent.   FLAUBERT, Correspondance, 1549, 18 sept. 1875.

Par rapport aux besoins matériels. *Il est matériellement dans une situation exécrable, mais son moral reste bon. Les gens favorisés matériellement.*

3   Il faut matériellement peu à celui qui vit pour accomplir de grandes choses dans l'ordre moral ; mais quoique vingt sous par jour puissent me suffire, je ne possède pas la rente de cette oisiveté travailleuse.   BALZAC, Louis Lambert, Pl, t. X, p. 410.

♦ **3.** (1829, Boiste). En fait, effectivement. ⇒ **Positivement.** *C'est matériellement, pratiquement impossible. Je n'en ai matériellement pas le temps. Dépenses matériellement exécutées* (→ Gestion, cit. 6).

4   (...) pourquoi le supposer absolument scélérat *(Louis Bonaparte)* ? De si extrêmes attentats le dépassent ; il en est matériellement incapable, pourquoi l'en supposer capable moralement ?   HUGO, Histoire d'un crime, I, I, I.

CONTR. **Immatériellement, moralement, spirituellement.**

MATÉRIOLOGIE [mateʀjɔlɔʒi] n. f. — V. 1970, J. Dubuffet ; du rad. de *matériel*, et *-logie*.

♦ Didact. Nom donné par le peintre Dubuffet à des œuvres où la texture matérielle est essentielle. « *Les titres des matériologies attestent l'inclination, malgré lui, de Dubuffet à la métaphysique : Terre mère, Substance d'astre...* » (le Monde, 5 oct. 1973, p. 23).

MATERNAGE [mateʀnaʒ] n. m. — 1956, Racamier ; du lat. *maternus*, de *mater* « mère », pour trad. l'angl. *mothering*. → Materner.

♦ **1.** Psychiatrie, psychan. Technique de traitement des psychoses visant à recréer entre le patient et le thérapeute (ou l'ensemble du personnel soignant), une « relation analogue à celle qui existerait entre une « bonne mère » et son enfant, sur un mode à la fois symbolique et réel » (d'après Laplanche et Pontalis).

1   La technique de maternage se fonde sur une conception étiologique de la psychose qui rattache celle-ci à des frustrations précoces, essentiellement orales, subies par le sujet dans sa première enfance du fait de la mère.
J. LAPLANCHE et J.-B. PONTALIS, Voc. de la psychanalyse, p. 233.

Par ext. Fait de traiter maternellement quelqu'un.

♦ **2.** Mise en œuvre des moyens propres à assurer le développement d'enfants de la naissance jusqu'à trois ans, dans le cadre d'une collectivité. *Les différents modes de maternage.*

2   (...) Niées en tant que mères, ces femmes sont pourtant jugées en tant que telles : c'est bien contre Inès que se dirige la critique lorsque son enfant s'est trouvé sale. C'est qu'en effet le maternage est considéré comme son travail naturel, exclusivement le sien (...)   Hélène LARRIVE, les Crèches, p. 80.

MATERNALISME [mateʀnalism] n. m. — 1965 ; de *maternel*, d'après *paternalisme*.

♦ Littér., péj. Tendance à imposer sa loi sous couvert de protection. *Maternalisme des mères abusives.* « *"Ses employés" comme elle les présente avec un rien de maternalisme* » (l'Express, 22 mars 1980, p. 141).

Cine! J'étais lasse de ses certitudes, de ses abandons possessifs, de la trace qu'elle croyait avoir laissée sur moi, de son maternalisme (...)
A. SARRAZIN, l'Astragale, p. 16.

MATERNANT, ANTE [mateʀnɑ̃, ɑ̃t] adj. — V. 1972 ; p. prés. de *materner*.

♦ Qui materne ; qui tient du maternage* ou qui l'évoque. — Qui présente un caractère rassurant (comme une mère pour son enfant). ⇒ **Sécurisant.**

MATERNEL, ELLE [mateʀnɛl] adj. — V. 1361, au sens 5 ; dér. sav. du lat. *maternus*, de *mater* « mère ».

♦ **1.** (Fin XIVᵉ). Qui appartient à la mère, est propre à la mère* considérée du point de vue physiologique ou psychologique. *Fœtus* (cit.) *nourri par le sang maternel. Le lait maternel. Enfants élevés dans le giron* (cit. 7) *maternel.* — *Amour*, instinct, sentiment maternel* (→ Animal, cit. 3 ; bon, cit. 32 ; lait, cit. 4). *Affection* (cit. 5), *tendresse maternelle. Cœur maternel.*

1   Vous sentez donc l'amour maternel (...) Eh bien! moquez-vous présentement des craintes, des inquiétudes, des prévoyances, des tendresses, qui mettent le cœur en presse, du trouble que cela jette sur toute la vie ; vous ne serez plus étonnée de tous mes sentiments.   Mᵐᵉ DE SÉVIGNÉ, 230, 23 déc. 1671.

2   (...) l'enfant a-t-il moins besoin des soins d'une mère que de sa mamelle? D'autres femmes, des bêtes même, pourront lui donner le lait qu'elle lui refuse : la sollicitude maternelle ne se supplée point.   ROUSSEAU, Émile, I.

3   (...) l'amour maternel est le plus éminent des sentiments égoïstes, ou, pour dire autrement, le plus énergique des sentiments altruistes, comme Comte l'a montré (...)   ALAIN, Propos, 29 août 1921, Famille.

3.1   (...) chez certaines femmes l'instinct maternel *s'inverse* littéralement et se trouve remplacé par l'aversion, la répulsion, l'antipathie poussée jusqu'à la haine à l'égard de l'enfant.
C'est une telle perversion qui conduit dans les cas extrêmes, à l'infanticide (...)
Ch. BARDENAT, in POROT, Manuel alphabétique de psychiatrie.

De la mère (de qqn). *Il craignait les réprimandes maternelles.*

♦ **2.** Qui ressemble à ce qui vient d'une mère. *Cette jeune fille veillait sur l'enfant avec une sollicitude toute maternelle* (⇒ **Maternellement**). *Gestes maternels. Rechercher une protection maternelle* (→ Bercement, cit. 2). *Amie dont les sentiments ont qqch. de maternel* (→ Cultiver, cit. 22).

♦ **3.** (En parlant des personnes). Qui a le comportement d'une mère, qui en joue le rôle. *Amie, épouse, maîtresse maternelle. Femme bonne et maternelle* (→ Incompatibilité, cit. 4). *Elle a toujours été très maternelle pour moi* (→ Une vraie mère*). *Une institutrice très maternelle.*

4   La pluie continuait à tomber par torrents, et son manteau était presque traversé. Il en sentit un plus épais recouvrir ses épaules ; c'était encore son vieux valet de chambre, qui l'approchait et lui donnait ces soins maternels.   A. DE VIGNY, Cinq-Mars, VI.

5   Hassler fut touché par cet amour naïf ; il se fit plus affectueux encore, il embrassa le petit et lui parla avec une tendresse maternelle.   R. ROLLAND, Jean-Christophe, L'aube, p. 80.

(1887). *École* maternelle* : établissement d'enseignement* (institué par décret du 18 janv. 1887), à personnel essentiellement féminin, et qui accueille les enfants des deux sexes entre deux et six ans. ⇒ **Jardin** (d'enfants). — (1904). N. f. (d'abord fam.). *Entrer à la maternelle.* — *La Maternelle*, roman de Léon Frapié (1904).

♦ **4.** Qui a rapport à la mère, considérée au point de vue de la filiation, de la relation familiale. *Ses origines maternelles, sa famille maternelle* (→ Hérédité, cit. 8). *Un oncle du côté maternel. Parenté en ligne* maternelle* (→ Matriarcat, cit. 2). *Ma grand-mère mater-*

nelle. Aïeul (cit. 2) *maternel. Biens maternels.* — *Elle avait hérité de la fainéantise* (cit.) *maternelle.*

6 (...) l'oncle de Wazemmes — il s'appelait Victor Miraud et n'était son oncle que par alliance du côté maternel (...)
J. ROMAINS, les Hommes de bonne volonté, t. I, XXIV, p. 275.

♦ **5.** (V. 1361, Oresme). *Langue maternelle* : la première langue qu'a apprise un enfant, généralement la langue de sa mère (de ses parents, de son entourage dès le berceau) ou encore la langue de la « mère-patrie ». — REM. Les dictionnaires courants définissent la *langue maternelle* comme «la langue du pays où l'on est né». Cette définition ne recouvre pas la généralité des cas. Pour un Français né au Japon, élevé dans un milieu où l'on parle français, la *langue maternelle* est incontestablement le français. Inversement, un Français dont les parents d'origine étrangère ne parlent plus que le français, pourra fort bien considérer comme sa *langue maternelle* une langue qu'il ignore, celle que parlaient ses ancêtres lointains, si, affectivement, il ne se considère pas comme Français. La *langue maternelle* peut donc être tantôt celle de la mère, tantôt celle de la mère-patrie.

7 On demande volontiers au polyglotte : « En quelle langue pensez-vous ? » Je lui pose plutôt cette question : « En quelle langue souffrez-vous ? » Celle-là, c'est la vraie, la maternelle. G. DUHAMEL, les Plaisirs et les Jeux, VI, XV.

♦ **6.** (1840). Qui concerne les mères, est destiné aux mères, considérées du point de vue social. *Maison maternelle* : établissement public ou privé qui accueille des femmes enceintes quelque temps avant et après l'accouchement. *Centre de protection maternelle et infantile.*

CONTR. Filial.
DÉR. Maternalisme, maternellement.

MATERNELLEMENT [matɛʀnɛlmɑ̃] adv. — XIVᵉ ; de *maternel,* et *-ment.*

♦ D'une manière maternelle (2., 3.). *Veiller maternellement sur un enfant.*
Pendant deux mois il vit en elle une bienfaitrice qui allait s'occuper de lui maternellement. BALZAC, Illusions perdues, Pl., t. IV, p. 509.

MATERNER [matɛʀne] v. tr. — 1956 ; dér. sav. du lat. *maternus,* pour trad. l'angl. *to mother.*

♦ **1.** Psychiatrie. Soigner par maternage*.
♦ **2.** Traiter (qqn) de façon maternelle.
Pron. (récipr.) :
Ce n'est pas seulement besoin de tendresse, c'est aussi besoin d'être tendre pour l'autre : nous nous enfermons dans une bonté mutuelle, nous nous maternons réciproquement ; nous revenons à la racine de toute relation, là où besoin et désir se joignent. R. BARTHES, Fragments d'un discours amoureux, p. 265.

MATERNISATION [matɛʀnizasjɔ̃] n. f. — 1971, *in* la Clé des mots ; de *materniser.*

♦ Techn. Opération qui consiste à materniser un lait animal.

MATERNISER [matɛʀnize] v. tr. — 1743, Trévoux, au sens « ressembler à sa mère » ; sens mod., 1901, *in* D. D. L. ; lat. *maternus,* et *-iser.*

♦ Techn. Donner les propriétés chimiques et biologiques du lait de femme à (un lait animal). *Materniser du lait de vache.* « *Le lait sec peut être maternisé* » (la Croix, 24 déc. 1970).
DÉR. Maternisation.

MATERNITÉ [matɛʀnite] n. f. — V. 1460 ; dér. du lat. *maternus.*

♦ **1.** État, qualité de mère. *Les joies et les peines de la maternité. Femme qui aspire à la maternité, s'épanouit dans la maternité, refuse la maternité... Maternité volontaire, assumée* (supposant la liberté de refus). *Allocations (de) maternité :* prestation accordée aux mères (remplacée par : allocations prénatales et postnatales).

1 (...) je te félicite de ta maternité future, ou probable. Je t'en félicite, parce que c'est l'usage, et parce qu'elle semble répondre à un vœu, au moins de circonstance. J. ROMAINS, les Hommes de bonne volonté, t. IX, XXX, p. 265.

Dr. « Lien qui unit l'enfant à sa mère » (Capitant, *Vocabulaire juridique*).

2 La recherche de la maternité est admise. L'enfant qui réclamera sa mère, sera tenu de prouver qu'il est identiquement le même que l'enfant dont elle est accouchée. Code civil, art. 341.

♦ **2.** Rare. Sentiment maternel, amour (ou désir) de l'enfant. *Pousser la maternité jusqu'au fanatisme, jusqu'à l'obsession. Une maternité abusive.*

3 Oui, la pauvre fille aimerait ses enfants à en perdre la tête, et tous les sentiments qui surabondent chez elle s'épancheraient dans celui qui les comprend tous pour la femme, dans *la maternité* (...)
BALZAC, le Médecin de campagne, Pl., t. VIII, p. 412.

4 Alors toute la violente et sauvage maternité contenue dans les flancs de la bohémienne et qui n'avait point eu d'issue, s'était reportée sur Nello, venu au monde douze ans après son frère (...) Ed. DE GONCOURT, les Frères Zemganno, VIII.

♦ **3.** Fonction reproductrice de la femme. → **Enfantement, génération, procréation** (→ Homme, cit. 142 ; et suff. -pare). *Femme inapte à la maternité. La femme n'est pas définie seulement par la maternité.*

5 (...) si belle qu'elle était, intéressée à l'être toujours, Vénus n'a jamais craint les pénibles travaux de la maternité ; on lui compte presque autant d'enfants qu'elle eut d'amants. Émile HENRIOT, Mythologie légère, p. 37.

Cour. Fait de porter et de mettre au monde un enfant. *Femme fatiguée par une récente maternité, par des maternités répétées, successives, trop rapprochées* (⇒ **Accouchement, grossesse**). — *Assurance maternité :* assurance sociale permettant le remboursement des frais d'accouchement.

♦ **4.** (1834, Boiste ; de l'expression *Hospice de la Maternité,* création de la Convention). Établissement ou service hospitalier réservé aux femmes en couches. *Sage-femme attachée à une maternité. Maternités de la Ville de Paris.* — REM. Les établissements privés du même ordre sont plus couramment désignés sous le nom de «clinique, maison d'accouchement».

♦ **5.** Arts. Tableau représentant une mère avec son ou ses enfants. *Peintre des maternités.*

1. MATEUR [matœʀ] n. m. — 1727 ; de 2. *mater.*

♦ Techn. Ouvrier qui mate le métal poli.

2. MATEUR, EUSE [matœʀ, øz] n. — 1935, *in* Esnault ; de 3. *mater.*

♦ Argot. Celui, celle qui mate, regarde sans être vu. Spécialt. ⇒ **Voyeur.**
Là, on forniquait à l'abri de (...) toutes indiscrétions, hormis celles de probables mateurs et celles, plus compromettantes, des poulets.
Martin ROLLAND, la Rouquine, p. 77-78.

MATH ou MATHS [mat] n. f. pl. — 1880 ; abrév. de *mathématique.*

♦ Fam. Mathématiques. *Un fort en maths.* ⇒ **Matheux.** *Il est nul en math, un peu faible* (cit. 11) *pour les maths. Avoir la bosse* des maths. Faire des maths. Prof de maths.* — Classe de mathématiques. *Math élem.* (mathématiques* élémentaires) ; en appos., anciennt, *Bac Math élem. Math sup* (supérieures). *Math géné* (générales). *Math spé* (spéciales). ⇒ **Taupe.**
DÉR. Matheux.
HOM. 1. Mat, 2. mat, matte.

MATHÉMATICIEN, IENNE [matematisjɛ̃, jɛn] n. — 1370 ; aussi « astronome » jusqu'au XVIIIᵉ ; lat. *mathematicus,* du grec.

♦ Personne qui est versée dans les sciences mathématiques. ⇒ **Mathématique** (II.); **algébriste, analyste, arithméticien, calculateur, géomètre...** (→ Enseigne, cit. 11 ; honnête, cit. 23). *Descartes, Fermat, Gauss, Hilbert, grands, célèbres mathématiciens. La grande mathématicienne russe Sofia Kovalevskaïa. Mathématicien professionnel.* — *La méthode des mathématiciens* (→ Isoler, cit. 6). *Le point de vue du mathématicien.*

1 Il y a orgueil peut-être dans la qualification d'excellent mathématicien à moi attribuée ci-dessus. Je n'ai jamais su le calcul différentiel et intégral, mais dans un temps je passais ma vie à songer avec plaisir à l'art de mettre en équation (...)
STENDHAL, Vie de Henry Brulard, 30.

2 Une «demande» de la physique amène parfois la naissance de théories caillouteuses, le praticien est pressé ; le mathématicien fignole ensuite son travail et la route raboteuse devient la belle autostrade sur laquelle le praticien roule sans difficultés. Le physicien taille son chemin à la serpe, à la pelle, à la pioche. Les mathématiciens trouvent le sentier intéressant, l'aménagent. Si le physicien a besoin que son chemin soit plus large ou aille plus loin, le mathématicien arrive avec son boule-doseur. Puis il perfectionne, et ainsi de suite. Parfois même il trace une route qui traverse une région où le physicien ne se sent pas le besoin d'aller ; mais il y a un temps où le physicien éprouve le besoin de voir un peu de ce côté-là et il se réjouit de trouver la route prête. R. QUENEAU, Bords, p. 13.

MATHÉMATIFICATION [matematifikasjɔ̃] n. f. — 1966 ; de *mathémat(iques),* et *-(i)fication.*

♦ Rare. Syn. de *mathématisation.* ⇒ **Mathématisation**

MATHÉMATIQUE [matematik] adj. et n. f. — 1265 ; lat. *mathematicus,* grec *mathematikos* «scientifique», de *mathêma* «science».

★ **I.** Adj. ♦ **1.** Cour. Relatif aux mathématiques ; propre aux mathématiques, à la mathématique ; qui utilise les mathématiques, s'exprime par elles (dans les acceptions successives du substantif. → *infra,* II.). *Avoir des connaissances mathématiques* (→ Bon, cit. 53), *une formation, une culture mathématique. Le travail, la pratique, la création mathématique. L'univers, l'édifice mathématique* (→ Intelligence, cit. 7). *L'algol, langage à vocation mathématique.* — *Les abstractions mathématiques. La connaissance mathématique* (→ Exactitude, cit. 21). *Certitude* mathématique. Raisonnement, méthode, déduction** (cit. 2), *intuition... mathématique*

(→ Identification, cit. 2; induction, cit. 3). *Types de raisonnements mathématiques* (⇒ **Absurde, contraposition, dualité, induction, itération, récurrence**). *Êtres, objets, propriétés mathématiques. Énoncé, proposition mathématique. Énoncé mathématique vrai* (ou *démontré*). ⇒ **Théorème.** *Hypothèse* sur la vérité d'un énoncé mathématique* (⇒ **Conjecture**). *Démonstration, preuve mathématique* (⇒ **Trivial**). *Formules* mathématiques*, certaines égalités et inégalités remarquables. *Problèmes mathématiques* (→ Équation, cit. 2). *Opérations mathématiques* (→ Infinitésimal, cit. 1). ⇒ **Calcul; action, application, composition** (loi de); **algorithme.** *Opérations mathématiques élémentaires.* ⇒ **Addition, division, multiplication, soustraction.** *Écriture mathématique* (⇒ **Notation, symbole; chiffre, numération; pasigraphie**). *Terminologie mathématique. Termes non mathématiques employés usuellement en mathématiques. Théories mathématiques : théorie des automates, des catastrophes, des catégories, des classes, des corps commutatifs, des ensembles, des fonctions, des graphes, des groupes, des idéaux, de l'intégration, des jeux, de la mesure, des nœuds, des nombres* (entiers, naturels, entiers relatifs, rationnels. ⇒ **Arithmétique, nombre**), *des nombres algébriques, des partitions, des probabilités, des réseaux, des schémas* (géométrie algébrique), *des treillis, des types, etc. Théorie mathématique de l'information* ou *du signal* (syn. : *théorie statistique de la communication*). *Axiomatisation* d'une théorie mathématique. Interprétation, traduction, formulation mathématique d'un problème, d'un principe. Utilisation d'outils, de modèles mathématiques.* ⇒ **Mathématisation, mathématiser.** *Outillage, appareil mathématique. Rapports mathématiques dans la forme d'un objet.* ⇒ **Proportion; canon, module.**

Arts mathématiques au moyen âge. ⇒ **Quadrivium.** *Sciences mathématiques.* ⇒ **Exact** (cit. 18. → Constructeur, cit. 1). *Analyse mathématique* (→ Inconnu, cit. 4). *La logistique* (cit. 1) ou *logique mathématique* (opposé à la *logique formelle*). ⇒ **Calcul** (propositionnel, des prédicats). *Optique, physique mathématiques. Économie mathématique :* «domaine récent des mathématiques, qui englobe l'économétrie et tente de fournir des modèles dynamiques pour l'économie» (Bouvier et George). *Sciences mathématiques appliquées à la physique.* ⇒ **Physico-mathématique.**

Spécialt. Qui constitue une notion ou un objet des mathématiques, qui est considéré par rapport aux mathématiques. *Le temps mathématique. Les espaces* mathématiques, ensembles munis de structures. Espérance* mathématique. Information* mathématique.*

Subst. *«(...) autonomie du mathématique par rapport au logique»* (J. Desanti, in *Encyclopædia Universalis*, t. X, 624 a).

0.1 Utilité future, beauté interne : telles sont les deux raisons qui doivent éviter au débutant les inquiétudes quant au choix de tel axiome plutôt que de tel autre. Utilité, beauté, voilà bien les deux caractères de la mathématique, ceux qui la rapprochent de l'art et l'en différencient. Une théorie mathématique vivante (et vraie en soi — mais c'est une autre histoire) est à la fois belle et utile. Et ceci sans qu'il y ait contradiction entre ces deux aspects. R. QUENEAU, Bords, p. 13.

0.2 (...) alors que les mathématiciens sont divisés, sur un plan philosophique, par la question de l'«existence» des objets mathématiques, ils sont unanimes à reconnaître l'importance des algorithmes, en raison de leur caractère constructif.
F. LE LIONNAIS, *in* BOUVIER et GEORGE, Dict. des mathématiques, art. *Algorithme.*

0.3 Les axiomes et les éléments primitifs d'une théorie s'avèrent vite insuffisants en pratique pour énoncer simplement les théorèmes. Il faut alors introduire des abréviations, et on appelle définition d'un terme mathématique toute proposition dont il est une abréviation.
F. LE LIONNAIS, *in* BOUVIER et GEORGE, Dict. des mathématiques, art. *Définition.*

♦ **2.** Qui présente les caractères de la pensée mathématique ou les qualités qu'elle requiert. ⇒ **Géométrique; précis, rigoureux.** *Esprit mathématique. Une exactitude, une précision mathématique. Ripostes mathématiques d'un escrimeur* (→ Jeu, cit. 69).

1 C'est la rigueur mathématique de votre livre, à vous, mon cher maître, qui s'empara de ma pensée. Paul BOURGET, le Disciple, IV, II.

Spécialt. Abstrait, de l'esprit.

2 Il sentait dans toutes ses fibres la possibilité d'être tué. Ce risque n'était pas pour lui une vue mathématique, mais comme un poison dans ses entrailles.
J. CHARDONNE, les Destinées sentimentales, p. 347.

♦ **3.** Fam. Absolument certain, nécessaire, inévitable. *Il doit réussir, c'est mathématique.* ⇒ **Automatique, logique.**

★ **II.** N. f. ♦ **1.** Sing. LA MATHÉMATIQUE (vx ou didact. → *infra* cit. 7, REM.) ou plur. (XVIe), LES MATHÉMATIQUES (cour.) : ensemble de sciences*, traditionnellement définies comme sciences de la quantité et de l'ordre, qui se caractérisent par leurs méthodes et le fait qu'elles se donnent leurs objets, êtres abstraits posés par leurs seules définitions (sous réserve qu'elles n'entraînent pas de contradiction) et dont l'ensemble des propriétés constitue l'essence. *«Les mathématiques* (ou *la mathématique*) *forment une science dont on ne peut définir de l'extérieur l'objet ni les méthodes»* (A. Warusfel, *Dict. raisonné des mathématiques*, art. *Mathématiques*, § 1).

2.1 Les mathématiques ne sont (...) plus une description du réel (bien qu'évidemment elles en soient le meilleur révélateur, prêtant la géométrie euclidienne aux architectes et celle de Riemann aux utilisateurs de la relativité *générale*). Le système d'Hilbert devient ainsi une construction intellectuelle indépendante, étudiée pour elle-même et non pour les arpenteurs. Hilbert lui-même le soulignait, ses axiomes étant bâtis sur les trois notions, non définies, de point, droite et plan; il fait remarquer que ces dénominations sont parfaitement arbitraires (!) et qu'il aurait pu, tout aussi bien, les appeler verres de bière, chaises et tables : «par deux verres de bière distincts, passe au moins une chaise...» Des signes sur du papier... n'est-ce pas là la bonne définition des mathématiques?
A. WARUSFEL, les Mathématiques modernes, p. 11-14.

Face à son antécédent classique, la mathématique moderne a ceci de singulier et de caractéristique : son intention profonde *de se prendre elle-même comme objet;* et, en particulier, *comme objet de son propre discours.* 2.2
Michel SERRES, Hermès I, la Communication, p. 59.

Les mathématiques sont régies, en chacune de leurs parties, par le principe de non-contradiction. Problèmes de la cohérence, des fondements des mathématiques.* ⇒ **Axiomatique, axiomatisation.** *Logique* et mathématiques.* ⇒ **Logico-mathématique.** *Réflexion des mathématiques sur elles-mêmes.* ⇒ **Métamathématique.**

Principes, bases (cit. 9) *des mathématiques* (axiomes, postulats, définitions). *Notions premières* ou *primitives en mathématiques, notions intuitives, non définies.* ⇒ **Appartenance, appartenir, contenir, élément, ensemble, relation; droite, plan, point.** *Bases d'une démonstration en mathématiques.* ⇒ **Hypothèse.** *Rôle de la déduction, de l'intuition* (cit. 1; → Intuitif, cit. 3), *de l'induction* (raisonnement par récurrence) *en mathématiques.* ⇒ **Hypothético-déductif.**

Branches les plus anciennes des mathématiques. ⇒ **Arithmétique, géométrie.** *Grandes étapes du développement des mathématiques, marquées par l'invention de l'algèbre, de l'analyse** (⇒ **Calcul** [infinitésimal, intégral]), *de la géométrie analytique* (⇒ **Cartésien**), *de la théorie des groupes, où Galois entreprenait de «substituer les idées au calcul». La théorie des ensembles*, tronc des mathématiques contemporaines, dont la topologie et l'algèbre générales, respectivement prolongées par l'analyse et l'algèbre linéaire, formeraient les branches maîtresses, toutes ces disciplines s'interpénétrant dans leurs ramifications* (par ex. : *l'algèbre topologique*), *et trouvant des applications en géomérie, mécanique, calcul des probabilités, etc.* (d'après Warusfel). *Le langage ensembliste*, généralisé en mathématiques. — Hautes mathématiques :* les plus abstraites des mathématiques spéculatives. *Mathématiques pures, abstraites,* indépendantes de toute application concrète.

Mathématiques appliquées (géométrie descriptive; trigonométrie; informatique; statistique; sciences physico-mathématiques). ⇒ **Astronomie, mécanique, physique.**

Les mathématiques concrètes étudient les grandeurs mesurables, et particulièrement l'espace* (⇒ **Géométrie; coordonnées, espace, étendue, position...**) *et le mouvement* (⇒ **Mécanique**). *Les mathématiques pures, abstraites, étudient la quantité* (⇒ **Quantité; nombre**), *sous ses aspects discontinus* (algèbre élémentaire; arithmétique), *ou continus* (calcul différentiel, intégral, infinitésimal, des infiniment petits : ⇒ **Analyse; géométrie** [analytique]), *ainsi que la notion d'ordre* (topologie; théorie des groupes).

Je me plaisais surtout aux mathématiques, à cause de la certitude et de l'évidence de leurs raisons, mais je ne remarquais point encore leur vrai usage, et pensant qu'elles ne servaient qu'aux arts mécaniques, je m'étonnais de ce que, leurs fondements étant si fermes et si solides, on n'avait rien bâti dessus de plus relevé. 3
DESCARTES, Discours de la méthode, I.

MATHÉMATIQUE ou MATHÉMATIQUES (...) c'est la science qui a pour objet les propriétés de la grandeur en tant qu'elle est calculable et mesurable. 4
D'ALEMBERT, *in* Encycl. (DIDEROT), art. *Mathématique.*

(...) quand on se borne à définir les mathématiques comme ayant pour objet la mesure des grandeurs, on en donne une idée fort imparfaite (...) La définition exacte de cette science consiste (...) à dire qu'on s'y propose constamment de *déterminer les grandeurs les unes par les autres, d'après les relations précises qui existent entre elles.* 5
A. COMTE, Philosophie positive, III.

Les spéculations mathématiques auraient pour caractère commun et essentiel de se rattacher à deux idées ou catégories fondamentales : l'idée d'ORDRE, sous laquelle on peut ranger (...) les idées de *situation*, de *configuration*, de *forme* et de *combinaison;* et l'idée de GRANDEUR qui implique celles de *quantité*, de *proportion* et de *mesure.* Au lieu (...) de cette unité (...) que la définition vulgaire des mathématiques («sciences qui traitent de la mesure ou des rapports de grandeur») semble(nt) promettre, nous tombons sur un cas de dualité. 6
A. COURNOT, De l'origine et des limites de correspondance entre algèbre et géométrie, p. 372.

Les mathématiques apparaissent comme la science qui étudie les relations entre certains êtres abstraits définis d'une manière arbitraire, sous la seule condition que ces définitions n'entraînent pas de contradictions. Il faudrait toutefois ajouter (...) que ces définitions ont été tout d'abord suggérées par des analogies avec les objets réels. 7
Émile BOREL, la Définition en mathématiques, *in* Actualités scientifiques, nº 1137.

REM. La forme *la mathématique*, au sing., plus fréquente au XVIe, est devenue plus rare que le pluriel dès le XVIIe (cf. les ex. de Furetière, dans son Dict., 1690). Elle n'a cependant pas cessé d'être employée en philosophie des sciences (cf. Descartes, D'Alembert, Condorcet...), spécialement, à partir d'A. Comte, pour marquer l'idée d'unification, de systématisation des connaissances mathématiques.

La mathématique est la science la plus ancienne et la plus parfaite; cependant l'idée qu'on doit s'en former n'est pas encore bien déterminée : le nom multiple, par lequel on la désigne, indique le défaut d'unité de son caractère philosophique. 8
A. COMTE, Philosophie positive, III.

(...) la mathématique apparaît comme un réservoir de formes abstraites — les structures mathématiques — et il se trouve (...) que certains aspects de la réalité expérimentale viennent se mouler en certaines de ces formes (...) 9
N. BOURBAKI, Architecture des mathématiques, *in* Cahiers du Sud, 1948.

On ignore (...) qu'il y a à peu près autant de différence entre la mathématique contemporaine et la mathématique de l'époque de Poincaré (à ses débuts) qu'entre celle-ci et la mathématique grecque. À vrai dire, on commence à le savoir; des efforts sont faits pour «moderniser» l'enseignement (...) Quant à initier les vieux, ce sera assez difficile; un bon mathématicien qui a terminé ses études vers 1930 et qui n'a pas suivi le développement des mathématiques modernes est encore plus 9.1

dérouté en ouvrant le traité de Bourbaki que quelqu'un qui n'y connaît rien. Des habitudes mentales sont prises et il est difficile de s'en dégager; le «quelqu'un qui n'y connaît rien» a plus de chances de s'y retrouver.
                                        R. QUENEAU, Bords, p. 12.

9.2 De toutes les disciplines, ce sont peut-être les mathématiques qui, dans ces cent dernières années, ont le plus évolué dans leurs intérêts, dans leurs objets, dans leurs méthodes d'approche. À partir de 1830 déjà, a commencé une réflexion systématique des mathématiques sur elles-mêmes qui leur a permis à la fois de mieux assumer leur ambition de cohérence, de connaître les limites de cette ambition et de bénéficier d'une puissance sans commune mesure avec le passé. Il y a eu mutation de ce qu'on peut nommer les «mathématiques classiques» en mathématique une, notre mathématique contemporaine.
                                        A. LICHNEROWICZ, in A. WARUSFEL, Dict. raisonné des mathématiques, p. v.

9.3 La mise en lumière des structures algébriques qui fécondent les ensembles sous-tendant les diverses branches des mathématiques a puissamment transformé, en l'algébrisant, la Mathématique tout entière.
                                        F. LE LIONNAIS, in BOUVIER et GEORGE, Dict. des mathématiques, art. *Algèbre*.

Termes relatifs aux mathématiques. ⇒ **Algèbre, analyse, arithmétique, calcul, catégorie, classe, ensemble, géométrie, logique, mécanique, nombre, probabilité** (calcul des probabilités), **relation, statistique, structure, topologie.**

Apprendre, étudier (cit. 1) *les mathématiques; étude des mathématiques...* (→ Haut, cit. 51; humanité, cit. 14). *Il ne sait pas un mot de mathématiques* (→ Éducation, cit. 5). *Aimer les mathématiques* (→ Génie, cit. 41). *Don, bosse, goût des mathématiques; talent pour les mathématiques* (→ Instinct, cit. 27, et aussi assise, cit. 4). Allus. littér. *«Un homme* (Pascal) *qui, avec des barres et des ronds, avait créé les mathématiques»* (→ Effrayant, cit. 5). — *Enseignement des mathématiques* (→ Enseigner, cit. 7). *Cours, classe, professeur, livre de mathématiques.* (En matière d'enseignement, l'usage courant emploie l'abrév. fam. *math**). *Épreuve de mathématiques. U. V., maîtrise de mathématiques pures, de mathématiques appliquées.* — Cour. *Mathématiques modernes :* présentation des éléments de la mathématique contemporaine, destinée à l'initiation aux mathématiques dans l'enseignement primaire et secondaire.

0 J'ai déjà eu l'occasion d'insister sur la place que doit garder l'intuition dans l'enseignement des sciences mathématiques. Sans elle, les jeunes esprits ne sauraient s'initier à l'intelligence des mathématiques; ils n'apprendraient pas à les aimer et n'y verraient qu'une vaine logomachie (...)
                                        Henri POINCARÉ, Valeur de la science, I, I, IV.

1 Il n'y a pas de *mathématiques modernes.* Ces deux mots anodins font pourtant régner la terreur dans des millions de foyers où les parents, angoissés, «sèchent» sur des problèmes donnés à leurs fils en quatrième. Ces deux mots (...) ont découragé des milliers d'élèves (qui ont parfois même abandonné l'idée d'une carrière scientifique) ainsi, bien souvent, que leurs professeurs, désolés de voir qu'il leur restait à apprendre à leur tour. Pourtant cette appellation internationale est absurde. (...) ces mathématiques-là ne sont ni modernes, ni «nouvelles»; ce sont simplement (...) des mathématiques (...).
Bannissons donc de notre esprit, sinon tout à fait de notre vocabulaire, les mots «modernes», «nouvelles», «contemporaines» ou «d'aujourd'hui», dont l'usage malencontreux a contribué à élargir un fossé qu'il faut bien combler.
(...) dans cinquante ans tous auront sucé le lait des mathématiques modernes dès la mamelle.   A. WARUSFEL, les Mathématiques modernes, p. 6-7.

♦ **2.** (Dans des expressions). Classe spécialisée dans l'enseignement des mathématiques. *Mathématiques élémentaires* (fam. *Math* élem.*) : classe (à côté de *Philosophie* et de *Sciences expérimentales*) préparant naguère au baccalauréat. *Mathématiques spéciales* (⇒ **Taupe**), *supérieures :* classes de préparation aux grandes écoles scientifiques, dans les lycées et dans certains autres établissements (fam. *Math* spé, Math* sup*). — *Mathématiques générales* (fam. *Math* géné*) : certificat de l'ancienne licence ès sciences.

DÉR. **Mathématiquement, mathématiser, mathématisme.**
COMP. Extra-mathématique, logico-mathématique, métamathématique (adj. et n. f.), physico-mathématique.

MATHÉMATIQUEMENT [matematikmã] adv. — 1552; de *mathématique*, et *-ment*.

♦ **1.** Au point de vue mathématique; selon les méthodes des mathématiques (algébriquement, géométriquement...), des mathématiciens. *Considérer* (cit. 5) *les choses mathématiquement, abstraitement.* Par ext. ⇒ **Exactement, rigoureusement.** *Mathématiquement certain. C'est mathématiquement exact.*

♦ **2.** D'une manière nécessaire. *Cela devait mathématiquement arriver.* ⇒ **Nécessairement.**

Trouverait-elle près de lui refuge et assistance? Elle ne pouvait l'affirmer. À quoi M. Fogg répondrait qu'elle n'eût pas à s'inquiéter, et que tout s'arrangerait mathématiquement! Ce fut son mot.
La jeune femme comprenait-elle cet horrible adverbe? On ne sait.
                                        J. VERNE, le Tour du monde en 80 jours, p. 127.

CONTR. **Approximativement.**

MATHÉMATISABLE [matematizabl] adj. — Mil. XXᵉ; de *mathématiser*.

♦ Didact. Qui peut être mathématisé.

MATHÉMATISATION [matematizasjɔ̃] n. f. — 1957; de *mathématiser*, et *-ation*.

♦ Didact. Traitement mathématique (appliqué à un domaine, à un objet qui n'en relevait pas). ⇒ **Mathématiser.** *La mathématisation de la physique au XVIIᵉ siècle.* — REM. On a relevé aussi un emploi isolé du syn. *mathématification :* «(...) le calcul différentiel et intégral, encore aujourd'hui l'un des monuments des mathématiques et de la science de l'ingénieur, d'une importance incomparable dans la "mathématification" du monde actuel» (A. Warusfel, *Dict. raisonné de mathématiques,* art. *Mathématiques,* § 6).

1 L'idée d'une mathématisation de la nature surgit brusquement avec Léonard de Vinci.   R. LENOBLE, in Histoire de la science, Encycl. Pl., p. 454.
2 (...) le problème (...) de la mathématisation possible de certaines fonctions biologiques très générales (...) et de l'usage théorique des modèles logico-mathématiques.   J. PIAGET, in Logique et Connaissance scientifique, Encycl. Pl., p. 58.
3 (...) quand Lévi-Strauss veut caractériser les structures de la parenté, etc., et donner une expression adéquate de son structuralisme anthropologique, il recourt aux grandes structures de l'algèbre générale (groupes, réseaux, etc.), de telle sorte que l'explication sociologique se trouve alors coïncider avec une mathématisation qualitative de nature analogue à celle qui intervient dans la construction des structures logiques, construction dont on peut suivre le développement chez l'enfant, chez l'adolescent, en leur pensée spontanée et non pas en leur apprentissage scolaire.
                                        J. PIAGET, Épistémologie des sciences de l'homme, p. 181.

MATHÉMATISER [matematize] v. tr. — Mil. XXᵉ; 1585, Cholières, intr., «faire des calculs astrologiques»; de *mathématique,* et *-iser*.

♦ Didact. Donner une structure mathématique à (un domaine de connaissance); appliquer les procédés mathématiques à (un objet de savoir).

1 (...) le succès ou l'échec du mécanisme[1] (...) le droit ou l'impossibilité de mathématiser la nature.   Michel FOUCAULT, les Mots et les Choses, p. 71.
1. → Mécanisme, II.
2 Le syllogisme (...) est considéré comme parfaitement adapté à son objet. Il faut simplement en mathématiser l'expression pour en faciliter le maniement.
                                        J.-B. GRIZE, in Logique et Connaissance scientifique, Encycl. Pl., p. 140.

DÉR. Mathématisable, mathématisation.

MATHÉMATISME [matematism] n. m. — 1872, donné comme «néologisme» par P. Larousse; de *mathématique,* et *-isme*.

♦ Didact. Tendance à faire prévaloir les méthodes mathématiques, dans un domaine quelconque. «*Le mathématisme statique des Anciens*» (Piaget, *Logique,* Encycl. Pl., p. 12).
Spécialt. Tendance à considérer les mathématiques comme indépendantes de la logique.

CONTR. **Logicisme, réductionnisme.**

MATHÉSIS [matezis] n. f. — 1966, M. Foucault; mot grec «connaissance, science», cf. *mathema,* qui a pour dér. *mathematikos;* → Mathématique.

♦ Didact. Fondement de la connaissance scientifique dans tous les domaines des sciences exactes.

1 (...) le rapport que tout le savoir classique (...) entretient avec la *mathesis,* entendue comme science universelle de la mesure et de l'ordre.
                                        Michel FOUCAULT, les Mots et les Choses, p. 70.
2 (...) la littérature est une *mathésis,* un ordre, un système, un champ structuré de savoir. Mais ce champ n'est pas infini : d'une part, la littérature ne peut excéder le savoir de son époque; et d'autre part, elle ne peut tout dire : comme langage, comme généralité *finie,* elle ne peut rendre compte des objets, des spectacles, des événements qui la surprendraient au point de la stupéfier (...)
                                        R. BARTHES, Roland Barthes, p. 122.

MATHEUX, EUSE [matø, øz] n. — 1929, Esnault; de *math,* et *-eux*.

♦ Fam. Étudiant, étudiante en maths. *C'est une bonne matheuse : elle espère être polytechnicienne.* — Élève fort en maths.
Une matheuse, Armèle (...) Vêtue avec recherche, elle se ruinait en permanente.
                                        Claude COURCHAY, La vie finira bien par commencer, p. 34.

1. MATHURIN [matyʀɛ̃] n. m. — 1847; probablt de saint *Mathurin,* patron des gens de mer; l'initiale commune *mat-* (avec *matelot*) a évidemment joué un rôle.

♦ Pop. et vieilli. Matelot, marin.

1 Elle donnait la main à manger mon décompte
Et mes avances à manger.
Car, pour un marin faraud, c'est une honte :
De ne pas rembarquer léger.
                                        Tristan CORBIÈRE, les Amours jaunes, Pl., p. 828.
2 Une des grandes vertus du marin français : le sang-froid! Nos mathurins en donnèrent à ce moment une preuve éclatante.
                                        A. ALLAIS, Contes et Chroniques, p. 196.

2. MATHURIN [matyʀɛ̃] n. m. — XVIIᵉ; du nom du saint, à cause de l'église parisienne qui lui était dédiée, et que les Trinitaires reçurent du chapitre de Paris.

♦ Relig. Religieux appartenant à un ordre de Trinitaires qui étaient voués au rachat des captifs d'Afrique (ordre créé par Innocent III en 1198).

MATHUSALEM [matyzalɛm] n. m. — 1678, La Fontaine, «homme remarquable par sa longévité»; sens mod., mil. xxᵉ; du nom d'un patriarche de la Bible, qui est dit avoir vécu plus de 900 ans.

♦ Grosse bouteille de champagne dont la contenance est de huit bouteilles de champagne ordinaires.

MATI, IE [mati] adj. ⇒ 2. **Mater.**

MATICO [matiko] n. m. — 1867, Littré; mot péruvien.

♦ Bot. Plante astringente d'Amérique du Sud. — S'applique à plusieurs espèces, notamment au Poivrier à feuilles étroites *(Pipéracées)* et à une Eupatoire *(Composacées).*

MÂTIER [matje] n. m. — 1955, *Dict. des Métiers;* a remplacé *mâteur,* xviiiᵉ; de *mât,* et *-ier.*

♦ Techn. Charpentier de marine qui construit les mâts.

MATIÈRE [matjɛʀ] n. f. — V. 1175; *matire,* v. 1160; *maiterie, maiteire,* v. 1112; du lat. *materia, materies,* signifiant d'abord «bois de construction», puis «matière».

★ **I.** ♦ **1.** (Mil. xviᵉ). Philos., sc. Substance qui constitue les corps* et «qui est objet d'intuition dans l'espace (cit. 6) et possède une masse* mécanique» (Lalande).

*La structure de la matière. Matière et atomes** (cit. 3 et 5). *Éléments* (cit. 10) *et particules qui constituent la matière. Matière cosmique*. Les états de la matière :* solide, liquide, gazeux. *Théories relatives aux propriétés de la matière.* ⇒ **Hylozoïsme, immatérialisme** (cit.), **matérialisme.** *Éternité* (cit. 18), *impénétrabilité* (cit. 3), *inertie de la matière. Matière et masse, et force, et énergie* (cit. 16), *et mouvement* (→ Imprimer, cit. 13)... — *Nous connaissons la matière par nos sens. Représentation, conception que nous avons de la matière* (→ Faux, cit. 10; idéaliste, cit. 2). *Expérimenter* (cit. 7) *sur la matière. Désintégration, transmutation de la matière. — Matière inorganisée.* ⇒ **Chaos.** *«L'intelligence* (cit. 14) *divine a organisé la matière». — Matière inanimée* (cit. 1), *inerte, brute* (→ Germe, cit. 6) *et matière vivante** (→ Canaliser, cit. 1; capricieux, cit. 5; instinct, cit. 15). *La cellule*, élément constitutif de la matière vivante.* — *Constitué* (⇒ **Matériel**), *non constitué* (⇒ **Immatériel**) *de matière.*

1 (...) en examinant la nature de cette matière *(dont le monde est composé),* je trouve qu'elle ne consiste en autre chose qu'en ce qu'elle a de l'étendue en longueur, largeur et profondeur, de façon que tout ce qui a ces trois dimensions est une partie de cette matière; et il ne peut y avoir aucun espace entièrement vide, c'est-à-dire qui ne contienne aucune matière (...)
　　　　　DESCARTES, Lettre à Chanut, 6 juin 1647.

2 (L'énergumène) — Qu'est-ce que la matière?
　(Le philosophe) — Je n'en sais pas grand'chose. Je la crois étendue, solide, résistante, gravitante, divisible, mobile; Dieu peut lui avoir donné mille autres qualités que j'ignore.
　　　　　VOLTAIRE, Dict. philosophique, Matière, I.

3 À la fin du siècle dernier, la science a proclamé une grande vérité, à savoir, qu'en fait de matière rien ne se perd ni rien ne se crée dans la nature; tous les corps dont les propriétés varient sans cesse sous nos yeux ne sont que des transmutations d'agrégation de matière équivalente en poids.
　　　　　Cl. BERNARD, Introd. à l'étude de la médecine expérimentale, II, I.

4 Les dernières découvertes font apparaître la quasi inexistence de la matière, réduite à n'être plus qu'un vide immense dans lequel tournent des électrons. Cette notion (...) aboutit à nier en principe la matière, mais sans expliquer du tout ce qui fait qu'elle existe, ce mythe de l'apparence grâce auquel une table est une table et non un fragment de vide.
　　　　　DANIEL-ROPS, le Monde sans âme, VII.

5 Le mouvement de l'électron est donc bien associé à la propagation d'une onde et nous savons aujourd'hui qu'il en est de même pour les autres constituants de la matière (proton, neutron, noyaux d'atomes...)
　　　　　L. DE BROGLIE, Nouvelles perspectives en microphysique, p. 122.

(1614). Anc., philos. **LA MATIÈRE,** par opposition à l'*âme* (cit. 18), à la *conscience,* à l'*esprit.* ⇒ **Corps** (→ Arrangement, cit. 4; homme, cit. 3; idéalisme, cit. 1). *L'âme façonne* (cit. 5) *la matière.*

6 *(Si l'on admet cette hypothèse dualiste)* la relation du corps à l'esprit en devient-elle plus claire? (...) la matière est dans l'espace, l'esprit est hors de l'espace; il n'y a pas de transition possible entre eux.
　　　　　H. BERGSON, Matière et Mémoire, p. 249.

Par ext. La nature* matérielle, les choses matérielles. *L'homme* (cit. 29) *commandant à la matière.* ⇒ Mainmise, cit. 2), *assujetti à la matière* (→ Esclavage, cit. 13). *Dégager de la matière.* ⇒ **Spiritualiser; spiritualité.** *Être engagé dans la matière* (→ Ailé, cit. 4). ⇒ **Matériel.**

Spécialt. *Homme incliné à la matière,* aux appétits physiques, charnels (→ Génération, cit. 8).

♦ **2.** Philos. (Sens emprunté à la philosophie scolastique). Fond indéterminé de l'être, que la forme organise (→ Forme, cit. 77 à 79; informer, cit. 1). *Union d'une âme* (cit. 21) *et de la matière.* ⇒ **Substance.**

7 L'idée de la matière n'est réellement que l'idée de ce dont on fait une chose en

lui donnant une forme, et qui passe ainsi d'un état relativement indéterminé et imparfait à un état de détermination et de perfection.
　　　　　F. RAVAISSON, Rapport sur la philosophie en France au XIXᵉ s., p. 189.

Loc. *Avoir la forme, l'esprit enfoncés* (cit. 43 et 44) *dans la matière,* obscurcis, dominés par le corps.

♦ **3.** Par anal. Dr. *Matière d'un délit, d'un crime,* ce qui le constitue (en dehors de l'*intention* qui l'a fait commettre).

★ **II.** (V. 1175). Cour. ♦ **1.** *(Une, des matières).* Substance ayant les caractéristiques de la matière (I.), et connaissable par les sens, qu'elle prenne ou non une forme déterminée. *Le minéral, matière inactive* (cit. 1). *Matières organiques et inorganiques. Matière combustible* (→ Expansif, cit. 1), *inflammable* (cit.), *incombustible* (→ Incandescence, cit.), *calorifuge* (cit.). *Matière sèche* (→ Ballast, cit.), *grasse, friable* (cit.), *fusible* (cit.), *gluante, gommeuse* (cit. 1), *épaisse* (→ Filament, cit.), *opaque* (→ Huile, cit. 18). — *Matière précieuse. Matière immonde, innommable* (cit.), *grossière.*

8 Les colonnes (...) sont de marbres rares, de porphyre, de jaspe, de brèche verte et violette, et autres matières précieuses (...)
　　　　　Th. GAUTIER, Voyage en Espagne, p. 238.

Méd. *Matière médicale :* ensemble des corps bruts ou organisés qui servent à fabriquer les médicaments. — Par ext. Partie de la thérapeutique qui décrit les agents utilisés pour guérir les malades. *Traité de matière médicale.* — *Matière active* (d'une préparation pharmaceutique).
Matières fécales, et, ellipt., *matières.* ⇒ **Excrément, fèces** (cit.), **selles.** (→ Côlon, cit.; étron, cit. 1; excrétion, cit. 2).

Anat. **MATIÈRE GRISE** (du cerveau). ⇒ **Substance.** Fig., fam. L'intelligence, la réflexion. *Faire travailler sa matière grise.* — L'esprit d'invention, d'innovation (en matière économique, technique).

9 En France, on accorde généralement *(dans la société bourgeoise)* beaucoup moins d'importance à ce que dit un auteur qu'à la façon dont il le dit (...) Quand on lit un ouvrage, la tête ne doit pas fonctionner (...) Comprendre, faire travailler sa matière grise n'est pas le fait d'un esprit fin, distingué, sensible, et témoigne plutôt qu'on possède une fausse culture.　　M. AYMÉ, le Confort intellectuel, VI.

9.1 Mademoiselle, dit Labal avec calme, permettez-moi de vous dire que vous raisonnez comme un manche, ne voyez pas plus loin que le bout de votre nez et utilisez de travers votre matière grise.　　R. QUENEAU, les Fleurs bleues, p. 253.

Par ext. Comptab. *Comptabilité** matières. — Fin. *Matière imposable** (cit. 1 et 3).

♦ **2.** Spécialt. Produit destiné à être employé et transformé par l'activité technique, l'industrie, ou l'activité artistique. ⇒ **Matériau.** *Industrie utilisant un foule de matières* (→ Lien, cit. 1). *Tirer la matière d'une mine* (→ Fer, cit. 1). — (1771). Loc. **MATIÈRE(S) PREMIÈRE(S).** *Matière première,* non encore transformée par le travail, par la machine (→ Intégration, cit. 1). *Les matières premières* (par oppos. aux *produits manufacturés), facteurs de la production* (→ Artisan, cit. 4; exportation, cit. 5; guerre, cit. 47; importation, cit. 1; industriel, cit. 3). *Importer des matières premières.*

10 Notre roseau commun, l'*arundo phragmitis,* a fourni les feuilles de papier que tu tiens. Mais je vais employer les orties, les chardons; car, pour maintenir le bon marché de la matière première, il faut s'adresser à des substances végétales qui puissent venir dans les marécages ou sur les mauvais terrains : elles seront à vil prix.　　BALZAC, Illusions perdues, Pl., t. IV, p. 910.

Techn. *Matières d'or et d'argent :* espèces fondues, barres, lingots employés dans la fabrication des monnaies (→ Falsifier, cit. 4).

(Déb. xxᵉ). **MATIÈRES GRASSES** (cit. 2) : substances alimentaires (beurre, crème, huile, margarine...) contenant des corps gras. ⇒ **Graisse.**

Matières plastiques. ⇒ **Plastique.**

LA MATIÈRE. Ce dont une œuvre d'art est faite; ce à quoi l'activité de l'artiste donne forme. *Matière d'une statue, d'un temple, d'une cathédrale... Mouleur gâchant* (cit. 1) *sa matière. Matière d'un peintre* (→ Gamme, cit. 9). — Absolt. (Techn.). *Matière d'une œuvre picturale* (⇒ **Matiérisme**). *Une belle matière* (→ Finesse, cit. 13). *Grossièreté* (cit. 1) *d'une matière.*

11 Je ne dis pas que la matière soit belle, ni que la couleur en soit bien choisie; matière et couleur sont ici subordonnées trop visiblement à des préoccupations de formes pour qu'on puisse exiger beaucoup sous ce rapport quand le dessinateur a tout ou presque tout donné sous un autre.
　　　　　E. FROMENTIN, les Maîtres d'autrefois, «Hollande», V.

♦ **3.** (1922). Gramm. *Complément de matière, introduit par les prépositions* de *et* en (ex. : une table *de* chêne; une coupe *en* cristal). → De, cit. 49 à 51; en, cit. 31 à 36.

★ **III.** (xiiᵉ). Abstrait, surtout dans **LA MATIÈRE DE...,** ce qui constitue l'objet, le champ, le point de départ ou d'application de la pensée.

♦ **1.** (V. 1119). Spécialt. (En parlant des ouvrages, constructions, ou opérations de l'esprit). Contenu, sujet (d'un ouvrage). *Matière d'une encyclopédie* (cit. 2), *d'un reportage intéressant* (cit. 5). *La matière de l'histoire* (cit. 19). *Les souffrances des grands écrivains sont la matière de leurs œuvres* (→ Distance, cit. 4, Proust). *L'amour sert de principale matière aux faiseurs* (cit. 7, Descartes) *de romans. Anecdote, fait réel qui fournit la matière d'un livre. Accumuler* (cit. 5) *des matériaux qui fourniront la matière des plus beaux livres. Sujets fournissant la matière d'un sermon* (→ Discourir, cit. 3). ⇒ **Étoffe.** *Approprier* (cit. 4), *assortir* (cit. 7) *le style à la matière.*

⇒ **Fond, sujet.** *Traiter une matière,* un sujet ou une sorte de sujets. *Traiter* avec brièveté* (cit. 4) *une matière abondante, foisonnante* (cit. 9). — *Entrée* en matière d'un discours* (⇒ **Commencement**). *Épuiser* (cit. 10) *une matière. Changer* (cit. 38) *de matière.* — *Matière traitée sous la rubrique* « Médecine ».*

12 (...) *ces vicieuses imitations de ce qu'il y a de plus parfait ont été de tout temps la matière de la comédie* (...)
MOLIÈRE, *les Précieuses ridicules,* Préface.

13 (...) *une action simple, chargée de peu de matière, telle que doit être une action qui se passe en un seul jour* (...)
RACINE, *Britannicus,* 1ʳᵉ Préface.

14 *Je rends au public ce qu'il m'a prêté; j'ai emprunté de lui la matière de cet ouvrage* (...) LA BRUYÈRE, *les Caractères,* Introd.

15 *De tout petits faits bien choisis, importants, significatifs, simplement circonstanciés et minutieusement notés, voilà aujourd'hui la matière de toute science* (...)
TAINE, *De l'intelligence,* Préface.

16 *En revanche, il n'omit pas une seule fois de résumer au commencement de chaque leçon la matière de la leçon précédente.*
A. BILLY, *Sainte-Beuve, sa vie et son temps,* 40.

Loc. *Table des matières.* ⇒ **Table.**

Par anal. *Interrogatoires* (cit. 3) *qui fournissent la matière d'un dossier* (→ Concluant, cit. 2). — *Entretien* (cit. 13) *qui roule sur une matière délicate* (cit. 8). ⇒ **Question, sujet.**

(1868). **Par ext.** *Ce qui est objet d'études scolaires, d'enseignement.* ⇒ **Discipline.** *Matières d'examen, d'écrit, d'oral. Élève faible en latin, mais brillant dans les autres matières. Matière à option*.*

17 *Quelle que fût l'épreuve, en quelque matière qu'il fallût composer, sciences ou lettres, langues vivantes ou étrangères, Morlot, Laboriette et Chazal étaient toujours les derniers.* FRANCE, *la Vie en fleur,* VII.

Dr. *Ce qui est objet de contrat, de procédure... Matière d'un engagement* (→ Cause, cit. 42). — *Matières sommaires*.*

♦ **2. UNE, DES MATIÈRES.** *Ce sur quoi s'exerce ou peut s'exercer l'activité humaine, en quelque genre et à quelque degré que ce soit.* ⇒ **Sujet.** *Faire des recherches sur une matière* (→ Génération, cit. 2). *Doutes qui s'élèvent sur certaines matières.* ⇒ **Point, question** (→ Honnêteté, cit. 3). *Licence de l'esprit dans les matières de foi* (→ Libertinage, cit. 3). *Reconnaître son incompétence* (cit. 3) *en beaucoup de matières.* ⇒ **Domaine.** *Ample matière offerte aux investigations d'un chercheur.* ⇒ **Champ, domaine, terrain.** *Dans ces matières-là* (→ Autant, cit. 51), *en ces matières* (⇒ Idée, cit. 21). *Je suis incompétent en la matière. Sur cette matière, en pareille matière.* ⇒ **Article, chapitre** (→ Bagatelle, cit. 5). — *Être spécialiste, expert, orfèvre en la matière, très compétent.*

18 *Nous n'entendons point raillerie sur les matières de l'honneur* (...)
MOLIÈRE, *George Dandin,* I, 4.

19 *Mais on n'est jamais sûr de rien en ces matières délicates* (...)
Émile HENRIOT, *les Romantiques,* p. 193.

20 *La nature qui cesse d'être objet de contemplation et d'admiration ne peut plus être ensuite que la matière d'une action qui vise à la transformer.*
CAMUS, *l'Homme révolté,* p. 370.

EN MATIÈRE (suivi d'un adjectif). *En matière poétique* (→ Fond, cit. 58), *sexuelle* (→ Homme, cit. 127)... : en ce qui concerne la poésie, la sexualité...

Spécialt. Dr. *En matière civile, correctionnelle* (cit.), *criminelle* (→ Afflictif, cit. 2), *pénale* (→ Imbu, cit. 3)... : dans le domaine de la juridiction civile, correctionnelle...

(Fin xvᵉ). **EN MATIÈRE DE** : dans le domaine, sous le rapport, à propos de, quand il s'agit de..., en ce qui concerne (tel objet). ⇒ **Fait** (en fait de). *En matière d'avenir* (→ Avant, cit. 70), *de critique* (→ Libéral, cit. 8), *de finance* (→ Impôt, cit. 6), *de religion* (→ Ignorant, cit. 6).

21 *En matière d'art, j'avoue que je ne hais pas l'outrance* (...)
BAUDELAIRE, *l'Art romantique,* XXI, IV.

22 *Ce qui rend défiant en matière d'esthétique, c'est que tout se démontre par le raisonnement.* FRANCE, *le Jardin d'Épicure,* p. 166.

23 *En matière de révolution, c'est comme en médecine : il y a la théorie; et puis il y a la pratique.* MARTIN DU GARD, *les Thibault,* t. V, p. 82.

♦ **3.** (V. 1190). *Ce qui est ou peut être cause d'une action, d'un fait, d'un comportement ou d'une attitude de l'esprit.* ⇒ **Cause, motif, objet, occasion, sujet.**

24 *Si je me plains, ce n'est pas sans matière.*
Clément MAROT, *Complaintes,* II.

MATIÈRE À... (ou, vx, *Matière de...*), suivi d'un substantif ou d'un infinitif. *Ne voir dans le mariage que matière à un beau rôle* (→ Froideur, cit. 4). *Documents qui peuvent être matière à un procès* (→ 2. Envers, cit. 12). ⇒ **Prétexte.** *Sa conduite donne matière à (la) critique.* ⇒ **Lieu; prêter.** *Cet incident fournit, donne matière à réflexion.* — *Donner, fournir, trouver matière à plaisanter* (→ Légèreté, cit. 6). — **REM.** *Cette locution entraîne le plus souvent l'ellipse de l'article défini devant le substantif (donner matière à plaisanterie, à critique, à réflexion, plutôt que à la plaisanterie, à la critique, à la réflexion).*

25 *A-t-elle, pour donner matière à votre haine,*
Cassé quelque miroir ou quelque porcelaine?
MOLIÈRE, *les Femmes savantes,* II, 6.

26 (...) *tirer de tout ce qui passe dans la société matière à roman, à portrait, à dissertation morale, à compliment et à leçon* (...)
SAINTE-BEUVE, *Causeries du lundi,* 12 mai 1851.

CONTR. Esprit, forme.
DÉR. (Du même rad.) Matériau, matériel, matiérisme.
COMP. Antimatière.

MATIÉRISME [matjeʀism] n. m. — V. 1960; de *matière,* et *-isme.*

♦ **Arts.** *Tendance artistique, picturale, regroupant les artistes accordant une importance primordiale à la matière* (II., 2.) *et la travaillant de manière apparente. Dubuffet, Fautrier, Tapies, Burro, tenants du matiérisme.* Cf. Art pauvre.

MATIN [matɛ̃] n. m. — 980, *mattin;* du lat. *matutinum,* d'abord adj. *matutinus,* qui a éliminé le lat. class. *mane,* resté dans *demain*.*

♦ **1.** *Commencement*, début* du jour; moments qui précèdent immédiatement et qui suivent le lever du soleil.* ⇒ **Jour** (cit. 1, 26); **aube, aurore** (cit. 5, 8 et 16), **2. lever, point** (du jour). → Céleste, cit. 6; irradiation, cit. 2. *Le matin arrive, se lève* (1. Lever, cit. 34). *Arrivée, venue, retour du matin.* **Poét.** *L'épanouissement du matin* (→ Hautain, cit. 2). — *Matin froid, glacé* (cit. 5), *glacial, blême* (cit. 6), *grisâtre* (→ Filtrer, cit. 10). *Matin d'automne* (cit.). *Par un matin d'hiver.* — *Du matin.* ⇒ **Matinal, matinier** (vx), **matutinal.** *Le crépuscule** (cit. 6 et 7) *du matin. La lumière, les rayons du matin* (→ Bosse, cit. 6). *L'air frais* (→ Humer, cit. 4), *limpide* (cit. 5), *la fraîcheur, le vent froid du matin* (→ Glacer, cit. 11; léger, cit. 7). *La lumière, le brouillard* (→ Imperceptible, cit. 3), *le givre* (cit. 2), *la rosée du matin* (→ 2. Chagrin, cit. 8). — **Poét.** *Le « vent crispé du matin »* (Verlaine). → Fleurer, cit. 1. *« Le bleu cristal du matin »* (Baudelaire, *les Fleurs du mal,* CVIII). *Les larmes* (cit. 25) *du matin.* — *L'étoile* du matin :* Vénus. *Les portes du matin :* l'aurore.

1 *Nous chanterons ensemble, assis sous le jasmin,*
Jusqu'à l'heure où la lune, en glissant vers Misène,
Se perd en pâlissant dans les feux du matin.
LAMARTINE, *Nouvelles méditations,* « Ischia ».

2 *Le frais matin dorait de sa clarté première*
La cime des bambous et des girofliers.
LECONTE DE LISLE, *Poèmes tragiques,* Le frais matin...

3 *Éclatant, le soleil surgit : c'est le matin!*
Amis, c'est le matin splendide dont la joie
Heurte ainsi notre lourd sommeil (...)
VERLAINE, *Jadis et Naguère,* « Les vaincus », II.

4 *Il est de clairs matins, de roses se coiffant* (...)
(...) *ces matins-là, je vais joyeux comme un enfant.*
Albert SAMAIN, *Au jardin de l'Infante,* « L'allée solitaire, Il est d'étranges soirs... ».

5 *Par un joli matin Paris descend au travail.*
J. ROMAINS, *les Hommes de bonne volonté,* t. I, I, p. 25 *(Sous-titre).*

Loc. *Être du matin :* se lever tôt, être actif le matin. *Exercice* (cit. 13) *spirituel, prière du matin. Repas du matin.* ⇒ **Déjeuner** (petit). *Concert du matin.* ⇒ **Aubade.** — *Relève* du matin.*

Allus. littér. *« Quand on est jeune* (cit. 3), *on a des matins triomphants »* (Hugo). « *Le matin des magiciens* » (Rimbaud).

Absolt. (Emploi adverbial). **LE MATIN** : *au commencement du jour. Éveiller* (cit. 1) *qqn le matin.* — **Prov.** *Tel rit le matin qui le soir pleurera.* — **CE MATIN** : *le matin d'aujourd'hui* (→ Déclore, cit.). — **AU MATIN** : *au début du jour* (→ Embraser, cit. 11). *Ils partirent au matin, au petit matin. Ils dansèrent jusqu'au matin.* — **DE BON, DE GRAND MATIN** : *très tôt.* (→ Habile, cit. 1, Molière). — **DÈS LE MATIN** (→ Bout, cit. 20; inonder, cit. 12).

6 (...) *quelque diligent que je fusse au matin, je trouvais toujours le vieux voyageur levé avant moi* (...)
CHATEAUBRIAND, *le Génie du christianisme,* IV, IV, VIII.

7 *Au matin, plusieurs habitants de Sainte-Agathe sortirent sur le seuil de leurs portes avec les mêmes yeux bouffis et meurtris par une nuit sans sommeil.*
ALAIN-FOURNIER, *le Grand Meaulnes,* II, V.

8 *Dès le matin, la tête encore tournée contre le mur et avant d'avoir vu, au-dessus des grands rideaux de la fenêtre, de quelle nuance était la raie du jour, je savais déjà le temps qu'il faisait. Les premiers bruits de la rue me l'avaient appris, selon qu'ils me parvenaient amortis et déviés par l'humidité ou vibrants comme des flèches dans l'aire résonnante et vide d'un matin spacieux, glacial et pur* (...)
PROUST, *la Prisonnière,* Pl., t. III, p. 9.

Chaque matin (→ Besogne, cit. 10), *tous les matins* (→ Avec, cit. 11).

Le matin et le soir (→ 1. Hier, cit. 3). *Matin et soir. Remède à prendre trois fois par jour, matin, midi et soir.* — **Loc.** *Du soir au matin* (→ Attaquer, cit. 51), *du matin au soir* (→ Aucun, cit. 31; casser, cit. 3; insinuer, cit. 17) : *toute la nuit, tout le jour, et, fig., continuellement*, sans arrêt. Cet enfant braille du matin au soir.* — (Dans un autre sens; vieilli). *En un seul jour, en une seule nuit, et, fig., brusquement, rapidement* (→ Fleurir, cit. 6, Bossuet).

9 (...) *combien en a-t-on vus*
Qui du soir au matin sont pauvres devenus
Pour vouloir trop tôt être riche!
LA FONTAINE, *Fables,* V, 13.

10 Soir et matin, la brise est fraîche :
Hélas ! les beaux jours sont finis !
                    Th. GAUTIER, Émaux et Camées, « Ce que disent les hirondelles ».

(1080, *la Chanson de Roland*). Adv. **MATIN** : au matin, dès le matin. ⇒ **Heure** (de bonne heure), **tôt**. *Se lever* (→ 1. Lever, cit. 29) *matin, trop matin* (→ Aiguail, cit.). ⇒ **Matineux** (ci-dessous dér.) ; **matinal**. *Les coqs* (cit. 3) *chantent matin.* — Prov. *Ce n'est pas le tout de se lever matin, il faut arriver à l'heure.*

11 Je ne sais pas quel plaisir vous prenez à me réveiller si matin (...)
                    MOLIÈRE, le Sicilien..., VI.

12 L'aurore commençait à se montrer, mais Venise dormait encore : cette paresseuse patrie du plaisir ne s'éveille pas si matin.
                    A. DE MUSSET, Nouvelles, « le Fils du Titien », IV.

Loc. *Se lever, partir de grand** (cit. 34), *de bon matin* (→ Braillard, cit. 1).

13 (...) on se levait de bon matin à Rome, et, vers la première ou la deuxième heure du jour, tout était en mouvement sur les places, dans les cours de justice et sur les marchés.
                    NERVAL, les Filles du feu, « Isis », II.

14 Se promener de grand matin, pour qui aime la solitude, équivaut à se promener la nuit, avec la gaîté de la nature de plus.
                    HUGO, les Misérables, IV, III, VIII.

Fig. *Il est matin pour...* (vieilli) : il est prématuré de... — Loc. *Pour l'attraper, le surprendre, il faut se lever matin :* il est difficile à surprendre, on ne l'attrape pas facilement. ⇒ (mod.) **Tôt**. *Il n'y a pas besoin de se lever matin pour... :* il n'est pas bien difficile de...

Le petit matin : le moment où se lève le jour, l'aube. ⇒ **Potron-minet** (→ Glacer, cit. 13). *Il est debout dès le petit matin, au petit matin.*

♦ **2.** (V. 1165). La première partie de la journée, qui commence au lever du jour et se termine à midi. ⇒ **Matinée** (→ An, cit. 21). *Le docteur reçoit le matin et fait ses visites l'après-midi. Ce matin :* la matinée d'aujourd'hui. *Je l'ai rencontré ce matin vers 11 heures.*

AU MATIN, MATIN. (Après un nom désignant un jour). *Le 23 mars au matin* (→ Barrage, cit.). *La veille, l'avant-veille, ce jour-là, chaque jour... au matin. Dimanche, hier, demain... matin* ou (plus rarement) *au matin. Le lendemain matin* (→ Abord, cit. 3).

REM. Dans les expressions du type *dimanche matin*, l'ellipse de *au* fait qu'il est logique de laisser *matin* invariable au pluriel (cf. R. Rolland, J. Romains, Sartre... cités par Grevisse qui note toutefois « qu'il est logique aussi de mettre *matin* et *soir* au pluriel, si l'on considère que, dans la pensée, l'idée de « *tous les matins* »... se superpose à celle de « *tous les lundis* »... le Bon usage, § 916, 10, note 2).

15 Monsieur Fleurant, à ce soir, ou à demain au matin.
                    MOLIÈRE, le Malade imaginaire, III, 4.

16 (...) on résolut de partir un mardi matin, avant le jour, pour éviter tout rassemblement.
                    MAUPASSANT, Boule de suif.

17 Les jeudis matins (...) nous lisions Rousseau et Paul-Louis Courier (...) L'après-midi, c'était quelque visite qui nous faisait fuir l'appartement (...)
                    ALAIN-FOURNIER, le Grand Meaulnes, II, I.

18 Tu connais Chasières, le pâtissier (...) Tous les dimanches matin, le type sortait de là ; il portait un paquet de gâteaux (...)   SARTRE, Morts sans sépulture, III, 1.

Par ext. *Un beau** matin :* un beau jour ; il y a quelque temps. *Un de ces matins :* un de ces jours (→ 1. Lieu, cit. 34). — *Ce n'est pas de ce matin qu'on le connaît,* d'aujourd'hui (→ 2. Le, cit. 18).

19 (...) notre homme, un beau matin,
Va chercher compagnie (...)   LA FONTAINE, Fables, VIII, 10.

Poét. « *L'espace d'un matin* » (→ Destin, cit. 13, Malherbe ; éphémère, cit. 1).

♦ **3.** (1690, Furetière). Dans le décompte des heures. L'espace de temps qui va de minuit à midi, divisé en douze heures. *Une heure..., onze heures du matin* (→ Arriver, cit. 19 ; flottille, cit.). ⇒ (argot) **Mat'.**

20 À quatre heures du matin, l'été,
Le sommeil d'amour dure encore.
Sous les bosquets l'aube évapore
L'odeur du soir fêté.   RIMBAUD, Poésies, Derniers vers, LXXII.

♦ **4.** (1629). Fig., poét. Commencement, début. ⇒ **Aube** (cit. 9), **aurore**. *Le matin de la vie.* ⇒ **Jeunesse**. « *Être dans son matin, à son matin* » (Académie, vx).

21 (...) déjà je n'appartenais plus à ces matins qui se consolent eux-mêmes, je touchais à ces heures du soir qui ont besoin d'être consolées.
                    CHATEAUBRIAND, Mémoires d'outre-tombe, t. III, p. 329.

22 Cueillons, cueillons la rose au matin de la vie (...)
                    LAMARTINE, Nouvelles méditations, II, XI.

CONTR. Soir. — Après-midi.
DÉR. Matinal, matinée, matines, matineux, matinier.
COMP. Réveille-matin.

MÂTIN [matɛ̃] n. m. — 1549 ; *mastin*, v. 1155 ; du lat. pop. **masetinus*, de *mansuetinus*, du lat. class. *mansuetus* « apprivoisé », de *manere* « rester ».

♦ **1.** (V. 1155). Grand et gros chien de garde ou de chasse (→ Curée, cit. 3 ; défendre, cit. 26 ; élancer, cit. 5). — REM. *Mâtin,* qui ne désigne pas une race particulière, est parfois pris comme synonyme de *grand dogue* ou *molosse.* Buffon en faisait une variété voisine du Lévrier (cit. 1) et du Danois. — *Mâtin de Tartarie* (→ Jarret,

cit. 5). *Le corneau* (ou *corniaud*), *chien issu du mâtin et du chien courant.*

♦ **2.** (Fin XIᵉ). Fig. vx. Homme désagréable, grossier, laid...
Par ext. Fam. *Mâtin, mâtine :* personne malicieuse, turbulente. ⇒ **Coquin, luron**. *Ah ! la mâtine !*

(...) il ne veut pas me coucher sur son testament (...) Non, monsieur, il ne le veut pas, il est têtu, que c'est un vrai mulet (...) Voilà dix jours que je lui en parle, le mâtin ne bouge pas (...)   BALZAC, le Cousin Pons, Pl., t. VI, p. 679.

♦ **3.** (1808). Vx. Interjection exprimant la surprise, l'admiration... *Mâtin ! Qu'il est beau !*

— Mâtin, vous ne vous refusez rien, vous, dit André, ravi par l'ordonnance de la table qu'il s'attendait à voir négligée ou sale.   HUYSMANS, En ménage, XIV.

DÉR. Mâtineau, mâtiner. — V. Mastiff.

MATINAL, ALE, AUX [matinal, o] adj. — V. 1120 ; de *matin*, et *-al*.

♦ **1.** Du matin ; qui a lieu, se produit le matin. ⇒ **Matutinal** (vieilli). — (Du temps). *Heures matinales* (→ Debout, cit. 10). — (Phénomènes naturels). *Brise, rosée matinale.* — (Activités). *Chant matinal, hymnes* (cit. 4) *matinales* (→ Incantation, cit. 4). *Messe, prière ; gymnastique, toilette matinale. Faire une petite promenade matinale, sa promenade matinale.*

Ils partirent par un train matinal et descendirent à Maisons-Laffitte.
                    MAUPASSANT, Miss Harriet, « L'héritage », VI.

(...) le lendemain matin, la fièvre avait baissé. Le docteur crut reconnaître encore (...) la rémission matinale que l'expérience l'habituait à considérer comme un mauvais signe.   CAMUS, la Peste, p. 285.

♦ **2.** (1611). Personnes. Qui s'éveille, se lève tôt, de bonne heure (→ Heure, cit. 100). ⇒ **Matineux** (vx). *Vous êtes bien matinal aujourd'hui. Les paysans sont plus matinaux que les citadins.*

Il n'est pas d'oiseau plus matinal que celui-ci. Le rouge-gorge est le premier éveillé dans les bois, et se fait entendre dès l'aube du jour (...)
                    BUFFON, Hist. nat. des oiseaux, Le rouge-gorge.

Bonjour, monsieur Théodore ; vous voilà déjà levé ! Je me croyais la première de la maison (...) Vous êtes donc bien matinal.
                    Henri MONNIER, Scènes populaires, t. I, p. 250.

Le 6 octobre, en se levant, les Parisiens les plus matinaux avaient mis le nez à la fenêtre (...)   J. ROMAINS, les Hommes de bonne volonté, t. I, I, p. 25.

CONTR. Vespéral.
DÉR. Matinalement.

MATINALEMENT [matinalmã] adv. — 1800, Boiste ; de *matinal*, et *-ment*.

♦ Littér. À une heure matinale ; au matin.

MÂTINÉ, ÉE [matine] adj. ⇒ **Mâtiner**.

MÂTINEAU [matino] n. m. — XIVᵉ ; de *mâtin*, et *-eau*.

♦ Vx. Petit, jeune mâtin (cf. La Fontaine, *Fables*, VIII, 18).

MATINÉE [matine] n. f. — V. 1119 ; de *matin*, et *-ée*.

★ **I.** ♦ **1.** La partie de la journée* (considérée dans sa durée ou dans son contenu) qui va du lever du soleil à midi. *Début, fin de matinée* (→ Apaiser, cit. 22 ; esprit, cit. 5). *Matinée de septembre* (→ Levant, cit. 1), *d'hiver* (→ Givre, cit. 4 ; 1. leur, cit. 3). *Par une belle matinée d'octobre...* (→ Grain, cit. 33). *Toute la matinée* (→ Audience, cit. 10 ; correspondance, cit. 6). *Je passerai chez vous dans la matinée. Le travail de la matinée* (→ Fumant, cit. 5).

Par ext. Cette durée. *Une matinée de travail* (→ Exhaustif, cit. 2).

Tout le plaisir des jours est en leurs matinées :
La nuit est déjà proche à qui passe midi.   MALHERBE, Grandes odes, XXII.

La matinée étincela vers midi. L'azur pâlit sous la chaleur, devint gris de perle.
                    Francis JAMMES, le Roman du lièvre, I.

Loc. *Dormir*, faire la grasse** (cit. 43 à 46) *matinée.*

♦ **2.** (1850). Vx. L'après-midi, par opposition à la « soirée » (dans le langage de la vie mondaine). ⇒ **Après-midi**. *De nos jours... on étend souvent la matinée jusqu'à l'heure du dîner, c'est-à-dire jusqu'à six ou sept heures du soir* (Littré 1867). Cf. plusieurs emplois chez Balzac, in Matoré, *Vocabulaire et société sous Louis-Philippe,* p. 61, n° 8.

♦ **3.** (1868, Littré). Mod. Fête*, réception, réunion, spectacle* qui a lieu avant le dîner, l'après-midi. *Matinée musicale, littéraire, dansante. Cinéma qui affiche deux matinées et une soirée le dimanche. Matinées classiques de la Comédie-Française. Matinée de gala.* — *On jouera le « Cid » en matinée.*

(...) l'après-midi de ce même jour fut celui où j'allais enfin entendre la Berma, en « matinée », dans *Phèdre* (...)
                    PROUST, À la recherche du temps perdu, t. III, p. 16.

Maman allant justement à un petit thé chez Mme Sazerat, je n'eus aucun scrupule à me rendre à la matinée de la princesse de Guermantes.
    PROUST, À la recherche du temps perdu, t. XIV, p. 198.

★ **II.** (1880, *in* D.D.L.). Vieilli. Vêtement féminin d'intérieur, déshabillé que l'on porte en principe le matin.

(...) des dames font la sieste, en matinée de toile imprimée, avec des journaux sur le visage, à cause des mouches.   ARAGON, les Beaux Quartiers, I, III.

CONTR. (Du p. p.) **Après-midi, soirée.**

MÂTINER [mɑtine] v. tr. — XVIIe ; *mastiner*, XIIe ; de *mâtin*, et *-er.*

◆ Techn. (zootechn.). Couvrir* (une chienne de race), en parlant d'un chien* de race différente (généralement de race croisée ou commune). *Faire mâtiner une levrette par un chien courant.* ⇒ **Croisement, croiser.**

▶ **MÂTINÉ, ÉE** p. p. adj.

◆ **1.** (1865). Cour. Se dit d'un chien qui n'est pas de race pure. ⇒ **Corneau, corniaud.** Par ext. (d'un autre animal). *Un angora mâtiné de chat de gouttière.* ⇒ **Métissé.**

Un oiseau de proie, mais mâtiné d'échassier.
    MARTIN DU GARD, les Thibault, t. IV, p. 94.

◆ **2.** Fig. Mêlé (de...). *« Il parle un français mâtiné d'espagnol »* (Académie).

La langue que j'avais choisie et qui s'inspirait de Cocteau, de Radiguet, mâtinée de Drieu (...)   Jacques LAURENT, les Bêtises, p. 88.

CONTR. Pur.

MATINES [matin] n. f. pl. — 1080, *Chanson de Roland* ; de *matin,* adapt. du lat. ecclés. *matutinæ (vigiliæ)* « veilles matinales ».

◆ Liturgie cathol. Office nocturne, la plus importante et la première des heures canoniales. ⇒ **Vigile.** *Les matines précèdent les laudes* et prime, et sont généralement chantées entre minuit et le lever du jour. Les trois nocturnes des matines. Aller à matines (→ Chœur, cit. 7). Les cloches appellent (cit. 11) les chantres à matines.* Loc. cour. *Sonnez les matines !* (de la chanson *Frère Jacques*).

On dit là-haut Matines en pleine nuit comme chez les chartreux.
    CLAUDEL, l'Annonce faite à Marie, Prologue.

Vx. *Dès matines, à matines :* très tôt le matin.
Régional (Canada). *Chanter matines* (pour un coq) : chanter le matin.

MATINEUX, EUSE [matinø, øz] adj. — Déb. XIVe ; de *matin,* et *-eux.*

◆ **1.** Vx. (Personnes). Qui a l'habitude de se lever matin, tôt. ⇒ **Matinal** (→ 1. Coq, cit. 3).

(...) les fidèles peu matineux manquaient souvent l'office ; un bon chanoine de Saint-Gudule, pour concilier leur dévotion avec leur paresse autant que faire se pourrait, a imaginé ces années dernières de fonder une messe tardive (...)
    NERVAL, Notes de voyage, Lettres des Flandres, II.

N. *Un, des matineux. La Belle matineuse,* titre commun à deux sonnets, l'un de Voiture, l'autre de Malleville.

◆ **2.** (Fin XIVe). Littér. (Choses). Qui a lieu tôt le matin ; qui se produit, apparaît tôt le matin. *« Quelques barques matineuses »* (Gautier).

MATINIER, IÈRE [matinje, jɛʀ] adj. — 1400, *messe matinière* ; de *matin,* et *-ier.*

◆ Vx. Du matin.
Poét. *L'étoile matinière :* Vénus.

MATIR [matiʀ] v. tr. ⇒ 2. **Mater.**

MATITÉ [matite] n. f. — 1833, *in* D.D.L. ; de *mat,* et *-ité.*
Littér. ou didactique.

◆ **1.** Caractère de ce qui est mat. *« La fausse matité d'un teint poudré »* (Colette).

◆ **2.** (1833). Méd. Diminution d'intensité et absence de timbre appréciable, dans le son obtenu par percussion des régions thoraciques ou abdominale. *Matité pulmonaire.*

MATOIR ou MATTOIR [matwaʀ] n. m. — 1676 ; de 2. *mater,* et *-oir.*
Technique.

◆ **1.** Outil pour la gravure à la manière noire, poinçon d'acier à tête grenue qui sert à matir les parties trop claires de la planche.

◆ **2.** (1694). Ciseau de plombier pour le matage des soudures.

◆ **3.** (1847). Marteau pour river à chaud.

MATOIS, OISE [matwa, waz] adj. — Av. 1573, chez Michel de L'Hospital, au sens de « voleur, bandit » ; de *mate,* terme d'argot ancien, « lieu de réunion des voleurs », p.-ê. de *mater* « tuer », d'où « écraser, tasser ».

◆ Littér. Qui fait preuve dans son caractère, dans sa conduite, de ruse un peu sournoise, dissimulée souvent sous des dehors de simplicité, de bonhomie... ⇒ **Rusé ; fin, finaud, madré.** *Un vieux paysan matois. « Renard fin, subtil et matois »* (La Fontaine, *Fables,* XII, 13).
Par ext. *Physionomie matoise. Air matois. Des manières, des paroles matoises.*

Le tabellion est vêtu de noir (...) Il a bien l'air un peu matois et chicanier, comme il convient à un paysan de sa profession (...)   [1]
    DIDEROT, Salon de 1761, Greuze, L'accordée du village.

N. *Un matois, une matoise, un fin matois. Un gros matois.*

Entre nous, je les soupçonne d'être deux matoises d'autant plus raffinées qu'elles affectent plus de simplicité.   A.-R. LESAGE, Gil Blas, VIII, XII.   [2]

Les plus prudents de nos contemporains, s'appropriant le raisonnement du matois *(Le renard de la fable « Le lion malade et le renard »),* ont donc cessé depuis quelque temps d'abriter leur argent dans des refuges ressemblant parfois à des souricières.   André SIEGFRIED, La Fontaine..., p. 47.   [3]

DÉR. Matoisement, matoiserie.

MATOISEMENT [matwazmɑ̃] adv. — 1718 ; de *matois.*

◆ Rare. D'une manière matoise.

MATOISERIE [matwazʀi] n. f. — XVIe ; de *matois,* et *-erie.*

◆ Vx. Façon d'agir, tour de matois. ⇒ **Fourberie, tromperie.** *« Voilà une belle, une fine matoiserie »* (Académie).
Caractère, qualité du matois. *Matoiserie du renard*. « Vous ne connaissez pas sa matoiserie »* (Académie).

1. MATON [matɔ̃] n. m. — Fin XIe, au sens 1 ; même rad. que dans l'all. dial. *Matte,* même sens.

◆ **1.** Régional. Lait caillé ou réduit en grumeaux*.

◆ **2.** (1812). Techn. Petit amas de laine qui n'a pas été touché par la carde. ⇒ **Peloton.**
(1829). Inégalité, amas de bourre dans un cordage emmêlé. ⇒ **Nœud.**

◆ **3.** (1873). Techn. Marc, résidu de certaines graines dont on a extrait l'huile. ⇒ **Tourteau.**

HOM. 2. Maton.

2. MATON, ONNE [matɔ̃, ɔn] n. — 1926, « mouchard », *in* Esnault ; de 3. *mater,* et *-on.*

◆ (1946). Argot. Gardien, gardienne de prison. Syn. : *matuche.*

Je m'enquiers néanmoins auprès de la matonne des possibilités de toilette dans l'immédiat, ce qui m'attire un : « Vous n'allez pas vous laver ce soir ? » indigné. Je renonce, et je surveille la surveillante pendant qu'elle trie mon bagage (...)
    A. SARRAZIN, la Cavale, p. 11.

HOM. 1. Maton.

MATOU [matu] n. m. — 1571 ; *matoue,* XIIIe ; orig. incert., p.-ê., selon Guiraud, de *mater, matir* « écraser, aplatir », suff. *-ou,* du lat. *oleus,* le chat ayant une face camuse, aplatie.

◆ Chat* domestique mâle et entier. *Un matou de gouttière. Un gros matou. Des matous.*

Matous des caves et des combles, des fortifs et des terrains vagues, le dos en chapelet, avec des cous pelés d'échappés à la corde, — matous chasseurs, sans oreilles et sans queue, rivaux terribles des rats, — matous de l'épicier et de la crémière, allumés et gras, lourds, vite essoufflés (...)
    COLETTE, la Paix chez les bêtes, « Prrou ».

MATRAQUAGE [matʀakaʒ] n. m. — 1947 ; de *matraquer,* et *-age.*

◆ **1.** Action de matraquer. *Le matraquage des manifestants.*

(...) ils sont déjà morts (...) ils sont nus crevés nus sans trace de torture sauf des traînées noires matraquage pas de douleur subtile un écrabouillement et des craquements d'os.   Tony DUVERT, Paysage de fantaisie, p. 182.   [1]

Par ext. Bombardement ou mitraillage intense. *Un matraquage d'artillerie.*

◆ **2.** (V. 1967). Fig. Répétition fréquente et systématique — par les mass* media — d'une information, d'un message publicitaire, d'un slogan, d'une chanson, etc., que l'on veut imposer à l'esprit du public. ⇒ **Intoxication.** *Matraquage publicitaire.*

Il existe dans le langage des professionnels de la radio, le terme, aussi vulgaire que significatif, de « matraquage ». C'est un procédé qui consiste à rebattre les oreilles de l'auditeur d'une ritournelle nouvelle dont on veut faire un succès commercial. Les spécialistes disent que c'est un procédé quasiment infaillible.   [2]
    Tendances, avr. 1970, *in* P. GILBERT, Dict. des mots nouveaux.

◆ **3.** (V. 1970). Fig. *Matraquage des prix :* baisse très importante des prix de quelques articles, destinée à susciter des achats massifs.

MATRAQUE [matʀak] n. f. — 1863, in *le Français moderne*, t. XX, p. 131; arabe d'Algérie *măṭrăq* «gourdin, gros bâton»; arabe class. *mīṭrăq*.

♦ Arme contondante assez courte, généralement équilibrée (plus épaisse et plus pesante à une extrémité), constituée par un bâton de bois, de caoutchouc durci, etc., ou par un dispositif simple (boule montée sur un support...). ⇒ **Casse-tête.**

Les agents abattirent encore cinq ou six personnes et il resta plusieurs corps au soleil. Des manifestants parvinrent à échapper aux matraques de caoutchouc et aux bâtons blancs dont la peinture s'écaillait (...)
P. Nizan, le Cheval de Troie, II, x.

Coup de matraque. ⇒ **Matraquage, matraquer.** — Fig. Prix trop élevé.

DÉR. Matraquer.

MATRAQUER [matʀake] v. tr. — xxᵉ; de *matraque*, et *-er*.

♦ **1.** Frapper à coups de matraque.
Par ext. Milit. Bombarder, mitrailler intensément.
Par ext. Attaquer, accabler (une personne). «*Je reçois une lettre d'un prêtre qui me reproche d'avoir trop "matraqué" dans mon émission les responsables de la société actuelle (...)*» (Cardinal Daniélou, in *le Nouvel Obs.*, 22 juin 1970, p. 59).
(1927). Fig. Donner le «coup de masse», le «coup de matraque»; présenter une addition excessive, etc.

♦ **2.** (V. 1967). Fig. Infliger d'une manière répétée (un message : musique, publicité, thème). ⇒ **Matraquage,** 2. «*Matraquer l'un des mouvements d'un concerto à l'antenne, pendant quinze jours (...)*» (*le Monde*, 23 janv. 1970). «*Selon quels critères les programmateurs de radio et de télévision sélectionnent-ils les vedettes de la chanson dont ils "matraquent" les disques?*» (*l'Express*, 28 juin 1973, p. 97).

DÉR. Matraquage, matraqueur.

MATRAQUEUR, EUSE [matʀakœʀ, øz] n. et adj. — 1936; de *matraquer*, et *-eur*.

♦ **1.** N. Personne qui matraque. — Fig. :
[a] N. m. Argot sportif. Joueur brutal.
[b] (1947). *Il majore systématiquement ses factures d'un tiers, un vrai matraqueur!*

♦ **2.** (1936). Adj. Qui matraque. — Fig. *Publicité matraqueuse.*

1. MATRAS [matʀa] n. m. — Fin xviᵉ; *materas*, v. 1300; *mataraz*, v. 1180; probablt du lat. *matara* «javeline», lui-même d'orig. gauloise.

♦ Archéol. Gros trait d'arbalète terminé par une tête cylindrique ou quadrangulaire (⇒ **Flèche**).

2. MATRAS [matʀa] n. m. — 1651; *materas*, v. 1560; *matheras*, xivᵉ; altér., sous l'influence de 1. *matras*, de l'arabe *măṭărăh* «outre, vase».

♦ Techn. Vase de verre ou de terre au col étroit et long (tube ou ballon à long col) utilisé autrefois en alchimie et, de nos jours, en chimie, en pharmacie pour diverses opérations, notamment la distillation*.

Mais pousser le travestissement jusqu'à rénover les souffleurs du Grand-œuvre! à grand renfort de cornues et de matras à tubulures!
Villiers de l'Isle-Adam, Axël, II, 10.

MATRI- Élément, du lat. *mater* «mère», servant à former des mots, généralement calqués sur des mots en *patri-*; ex. : *une matriarche* (in *l'Express*, 1ᵉʳ avr. 1980, p. 107). *Le Matrimoine*, roman de H. Bazin. Cf. ci-dessous d'autres composés.

MATRIARCAL, ALE, AUX [matʀijaʀkal, o] adj. — 1894; de *matriarcat*, d'après *patriarcal*.

♦ Didact. Relatif au matriarcat. *Société matriarcale. Coutumes matriarcales.*

MATRIARCAT [matʀijaʀka] n. m. — 1894, in D.D.L.; formé d'après *patriarcat*, du lat. *mater* «mère», et du grec *arkhê* «commandement».

♦ Didact. Régime juridique ou social en vertu duquel la mère transmet son nom aux enfants, la seule filiation légale étant la filiation maternelle. *Le matriarcat confère souvent à la femme une grande autorité* dans la famille. *Le matriarcat, conséquence de la polyan-*drie. — REM. On appelle parfois abusivement *matriarcat* le régime ou l'usage qui donne aux femmes une grande autorité dans la vie publique. En ce sens, on dirait plus exactement *gynécocratie.*

En lui-même le système patriarcal est très supérieur au système matriarcal. Voici pourquoi : il y a dans le matriarcat une grave anomalie; la personne qui détermine la relation familiale, la femme, n'est pas le personnage principal, le plus puissant, celui qui dirige la famille, qui y commande, c'est celui des parents qui est le plus faible (...) le moins capable de protéger l'enfant (...)
Grande Encycl. (Berthelot), art. *Famille.*

(...) les critiques les plus récents de la théorie du matriarcat ont soigneusement distingué le *Mutterrecht* et la gynécocratie, le régime de la parenté en ligne maternelle et la domination féminine. Même dans les groupes primitifs, à plus forte raison dans les groupes évolués, la femme peut être le lien sentimental entre les hommes, le centre vivant de la communauté, sans être le chef. Une raison suffit pour qu'elle ne dispose pas de l'autorité : elle est mère très jeune.
Gustave Glotz, la Civilisation égéenne, II, I, I.

CONTR. Patriarcat.
DÉR. Matriarcal.

MATRIÇAGE [matʀisaʒ] n. m. — V. 1902; *matrissage*, 1840; de *matrice*, et *-age*.

♦ Techn. Opération qui consiste à donner à une pièce sa forme définitive en la pressant contre la matrice.

MATRICAIRE [matʀikɛʀ] n. f. — 1539; du lat. *matrix, icis* «matrice».

♦ Didact. (bot., pharm.). Camomille (plante annuelle ou vivace, famille des *Composacées*). *Matricaire officinale*, dite aussi *petite camomille, camomille sauvage, fausse camomille, marguerite, marguerite puante...*, utilisée en infusion comme stomachique, antispasmodique, emménagogue... (n. sc. : *matricaria chamomilla*). *Matricaire odorante*, anthemis suaveotens (⇒ **Anthémis**).

MATRICE [matʀis] n. f. — V. 1265 au sens propre; du lat. *matrix*, même sens.

♦ **1.** Anat. Vx. Utérus. ⇒ **Métrite, métro-.**
Harvey prétend (...) que la seule différence qu'il y ait entre les vivipares et les ovipares, c'est que les fœtus des premiers prennent leur origine, acquièrent leur accroissement, et arrivent à leur développement entier dans la matrice (...)
Buffon, Hist. nat. des animaux, V.

En franç. d'Afrique. Organes sexuels de la femme.
Par anal. *Matrice de l'ongle, du poil.*

♦ **2.** Littér. Milieu d'où un être vivant, un organisme, un sentiment, etc. tire son origine, ou dans lequel il se développe, se nourrit...
(...) du sixième au neuvième siècle (...) il s'était formé et parlé en France une langue romane *unique*, type et matrice de toutes les autres qui se sont produites depuis (...) Sainte-Beuve, Causeries du lundi, 6. oct. 1851.
La terre, inépuisable et suprême matrice (...)
Hugo, la Légende des siècles, «Sacre de la femme», II.

♦ **3.** (1556, imprim.). Techn. Moule qui, après avoir reçu une empreinte particulière en creux ou en relief, permet de reproduire cette empreinte sur un objet soumis à son action (⇒ **Forme**). *Matrices utilisées pour estamper les métaux, dans le travail de la forge.* — Une des deux parties d'un moule à compression. *La matrice d'un disque.*

Gravure. Coin original d'une médaille ou d'une monnaie gravée en creux au poinçon.

Typogr. Bloc de cuivre qui porte, gravée en creux par un poinçon d'acier, l'empreinte du caractère, et dans lequel est coulé l'alliage. *La linotype permet de fondre d'un seul bloc la ligne composée avec les matrices.*

Métrol. (Rare). Étalon* original d'un poids ou d'une mesure qui sert à en étalonner d'autres.

♦ **4.** (Mil. xixᵉ). Math. Ensemble ordonné de *np* nombres (éléments de la matrice) dont chacun est affecté de deux indices variant respectivement de *l* à *n* et de *l* à *p* (*n* et *p* étant des entiers non nuls). — Représentation, usuellement adoptée, d'un tel ensemble sous la forme du tableau à *n* lignes et *p* colonnes, de ses éléments. *Matrices réelles, complexes*, de nombres réels, complexes. *Dimensions d'une matrice* : nombre de lignes et de colonnes qu'elle comporte. *Indice de ligne* (i), *indice de colonne* (j) *de l'élément général* (aij) *d'une matrice. Matrice carrée* (ou *d'ordre n*), dont les deux dimensions, *n* et *p*, sont égales. *Déterminant* d'une *matrice carrée. Opérations définies sur les matrices* (somme, produit, etc.). *Calcul faisant intervenir les matrices.* ⇒ **Matriciel.**

♦ **5.** (1835). Admin. *Matrice du rôle des contributions directes :* «registre contenant la liste des contribuables et l'indication de leurs facultés contributives, en vue de permettre la confection des rôles des impôts directs» (Capitant). *Matrice cadastrale.* ⇒ **Cadastre.**

DÉR. Matriçage, matricer, matriciel.

MATRICER [matʀise] v. tr. — Conjug. *placer.* — 1931, Larousse; de *matrice,* et *-er.*

♦ Techn. Forger (un objet) en soumettant le métal porté au rouge à la pression d'une matrice.

1. MATRICIDE [matʀisid] n. — 1580, *in* Huguet; du lat. *matricida,* de *mater* «mère», et de *cædere* «tuer». → suff. -cide.

♦ Littér., rare. Personne qui a tué sa mère. ⇒ **Parricide.**
Adj. *Enfant, bras, fer matricide.*

2. MATRICIDE [matʀisid] n. m. — 1521, *in* Huguet; du lat. *matricidium.*

♦ Rare. Crime de celui, de celle qui a tué sa mère. ⇒ **Meurtre, parricide.**

MATRICIEL, IELLE [matʀisjɛl] adj. — 1853; de *matrice,* et *-iel.*

♦ **1.** (1853). Admin. Relatif aux matrices (5.) de l'administration. *Loyer matriciel,* qui sert de base à la fixation des cotes en matière de contributions directes.

♦ **2.** Math. Où interviennent les matrices (4.). *Équation écrite sous forme matricielle. Algèbre matricielle. Calcul matriciel. Le calcul matriciel est une branche de l'algèbre linéaire.*

Le calcul doit être fait d'abord sur les produits utilisés directement dans chaque branche; de là le calcul matriciel permet de passer à la quantité directement ou indirectement nécessaire.   A. SAUVY, Croissance zéro?, p. 238.

MATRICLAN [matʀiklɑ̃] n. m. — xxᵉ; de *matri-,* et *clan.*

♦ Ethnol. Clan dont le recrutement est assuré par la voie matrilinéaire* (opposé à *patriclan*).

MATRICULE [matʀikyl] n. — 1460; bas lat. *matricula.*

★ **I.** ♦ **1.** N. f. Admin. Registre, liste, rôle où sont inscrits (⇒ **Immatriculer**), avec un numéro d'ordre, les noms de toutes les personnes qui entrent dans une collectivité, un groupe ou un système organisé. *Médecin radié de la matricule. Les matricules de la Sécurité sociale, d'une Faculté, d'un hôpital, d'une prison, d'un régiment. Extrait de la matricule,* délivré à une personne inscrite. — Par ext. *L'extrait lui-même. Se présenter muni de sa matricule.* — REM. On dit plutôt *carte d'immatriculation.*
Par ext. L'inscription sur la matricule. ⇒ **Immatriculation.** *Montant des droits de matricule.*
Par appos. *Registre matricule d'une école, de l'Inscription* maritime.*

♦ **2.** Adj. Cour. *Livret matricule d'un soldat. Numéro matricule* (→ ci-dessous, II.).

.1 Quand le soldat se décide à lever les yeux sur la jeune femme, celle-ci est assise en face de lui (...) Elle est en train de contempler l'uniforme défraîchi de son visiteur; ses yeux gris remontent jusqu'à la hauteur du cou, là où sont cousus les deux morceaux de feutre rouge marqués du numéro matricule.   A. ROBBE-GRILLET, Dans le labyrinthe, p. 70.

★ **II.** N. m. (Fin xIxᵉ). Cour. Numéro d'inscription sur un registre matricule. *«Tous les effets d'un soldat sont marqués à son matricule»* (Académie). *Le prisonnier matricule 85.*

(*Il*) se chargea de tout, écrivit à l'Assistance publique, où Angélique fut aisément reconnue, grâce au numéro matricule (...)   ZOLA, le Rêve, I.
Ce quadrillage, c'est New York: les rues se ressemblent tant qu'on ne leur a pas donné de nom, on s'est borné à leur assigner, comme aux soldats, un numéro matricule.   SARTRE, Situations III, p. 85.
Argot milit. et fam. *Ça devient mauvais, ça barde pour son matricule :* sa situation devient dangereuse, fâcheuse, inquiétante.
Si c'est pas aujourd'hui, ça sera dans dix ans, mais tu me le paieras, hurlons-nous quand ça va mal pour notre matricule.   A. SARRAZIN, la Cavale, p. 185.

DÉR. Matriculer.

MATRICULER [matʀikyle] v. tr. — 1550; de *matricule.*

♦ Rare. Marquer (un objet) d'un numéro matricule. ⇒ **Immatriculer, numéroter.**
Au p. p. *Un «semblable uniforme couleur cachou, matriculé»* (Claude Simon).

MATRILATÉRAL, ALE, AUX [matʀilateʀal, o] adj. — Mil. xxᵉ; de *matri-,* et *latéral,* probablt par l'anglais.

♦ Ethnol. En ligne maternelle. *Une cousine croisée matrilatérale.*

MATRILIGNAGE [matʀiliɲaʒ] n. m. — Mil. xxᵉ; de *matri-,* et *lignage.*

♦ Ethnol. Ensemble des règles de filiation qui décident qu'un individu acquiert son statut dans le groupe par référence aux liens généalogiques passant par les femmes. ⇒ **Matrilinéaire.**

Le caractère particulier du statut de la femme noire musulmane tient d'abord à sa condition de femme, ensuite aux conditions propres à l'Afrique et enfin à l'influence de l'Islam. (...) l'Islam a, dans l'ensemble, apporté une amélioration à la place de la femme, en particulier en matière successorale. On peut dégager un plan de la femme noire musulmane en l'examinant au cours des trois phases principales de sa vie : la fille et la dot, la femme et la polygamie, la mère et le matrilignage.   Vincent MONTEIL, *in* Encycl. Pl., Ethnologie régionale, t. I, p. 168.

MATRILINÉAIRE [matʀilineɛʀ] adj. — xxᵉ; de *matri-,* et lat. *linearis* (→ Linéaire), d'après l'angl. *matrilinear,* 1910.

♦ Ethnol. Se dit d'un type de filiation (par ext., d'un type d'organisation sociale) qui ne reconnaît que l'ascendance maternelle (opposé à *patrilinéaire*). *Filiation, société matrilinéaire.* → Avunculocal, cit.

Ce débat (*sur le Surmoi*) en appelle un autre et qui porte sur l'universalité du «complexe d'Œdipe» (dont certains anthropologues comme Malinovski estiment qu'il n'affecte pas les sociétés matrilinéaires et qu'il n'a donc pas une valeur universelle) ...   J. DUVIGNAUD, l'Impossible Rencontre, *in* la Nef, nº 31, p. 134.

MATRILOCAL, ALE, AUX [matʀilɔkal, o] adj. — xxᵉ; de *matri-,* et *local;* cf. angl. *matrilocal,* 1906.

♦ Ethnol. Se dit du type de résidence des couples dans lequel le lieu de résidence de la mère de l'épouse détermine le lieu de résidence des nouveaux époux (opposé à *patrilocal*).

Le mariage est affaire collective : à chaque génération, deux groupes échangent leurs garçons, s'il est matrilocal, leurs filles dans le cas contraire.   Roger CAILLOIS, l'Homme et le Sacré, p. 94. 1
(...) une résidence matrilocale où les gendres se groupaient avec leurs femmes au foyer de leurs beaux-parents.   Claude LÉVI-STRAUSS, Tristes tropiques, p. 150. 2

MATRIMONIAL, ALE, AUX [matʀimɔnjal, o] adj. — xIvᵉ; bas lat. *matrimonialis,* de *matrimonium* «mariage».

♦ Qui a rapport au mariage*. *Lien matrimonial.* ⇒ **Conjugal.** *Projets matrimoniaux d'un célibataire.*
Loc. *Agence matrimoniale,* qui s'occupe de mettre en rapport, contre rétribution, des personnes désireuses de contracter mariage. *Annonces matrimoniales.*

Et d'ailleurs, en ce siècle d'affaire, où trouverait-on le temps de se marier soi-même? Recherches, renseignements, démarches, les agences se chargent de tout cela, et elles simplifient même au besoin les formalités quelquefois ennuyeuses de la cour. Tout est avantage. Sécurité, facilité, tranquillité! Plus de demoiselles s'occupant, mornes et désespérées, à tresser les nattes de sainte Catherine, les agences trouvent toujours dans leurs collections de célibataires les âmes sœurs à elles destinées par le ciel.
On ne se marie donc plus guère que par l'intermédiaire des agences ou des journaux matrimoniaux. L'annonce matrimoniale est florissante.   A. ROBIDA, le Vingtième Siècle, p. 343. 1
(...) cette personne m'a chargé de vous porter la réponse qu'elle a cru devoir faire à vos propositions matrimoniales, et cette réponse est négative.   Valery LARBAUD, Barnabooth, Journal, p. 163. 2

Spécialt. Dr. *Régime* matrimonial :* régime juridique régissant les patrimoines respectifs des époux. ⇒ **Communauté, dotal** (régime), **séparation** (de biens). *Convention* matrimoniale. Avantages matrimoniaux,* «libéralités faites par un époux à l'autre, soit dans le contrat de mariage, soit au cours du mariage» (Capitant, *Vocabulaire juridique).*

DÉR. Matrimonialement.

MATRIMONIALEMENT [matʀimɔnjalmɑ̃] adv. — 1495; de *matrimonial,* et *-ment.*

♦ Didact. Au point de vue du mariage, par les liens du mariage.

(...) le but de toute comédie est de conjoindre matrimonialement deux imbéciles de jeunes premiers d'environ soixante ans chacun.   Th. GAUTIER, Préface de Mˡˡᵉ de Maupin, p. 19.

MATROCLINE [matʀɔklin] adj. — xxᵉ; du lat. *mater* «mère» (→ Matri-), et grec *klinein* «pencher vers».

♦ Biol. Se dit d'un individu qui a hérité surtout de caractères venant de sa mère (opposé à *patrocline*).

DÉR. Matroclinie.

MATROCLINIE [matʀɔklini] n. f. — xxᵉ; de *matrocline.*

♦ Biol. Ressemblance plus grande d'un individu à sa mère qu'à son père, du fait de la prépondérance des caractères hérités (opposé à *patroclinie*).

MATROÏDE [matʀɔid] n. m. — Après 1935 ; angl. *matroid*, 1935, Withney ; p.-ê. de *matrix* « matrice ».

♦ Math. Objet mathématique, couple formé par un ensemble fini et un ensemble non vide de parties de cet ensemble, vérifiant certains axiomes. « *La théorie des matroïdes, introduite par Withney en 1935, connaît actuellement un développement rapide* » (Bouvier et George).

MATRONAL, ALE, AUX [matʀɔnal,o] adj. — Déb. XVIᵉ, Lemaire de Belges ; de *matrone*.

♦ Vx ou littér. Des matrones, des dames. « *Matronal orgueil* » (France).

MATRONE [matʀɔn] n. f. — XIIᵉ ; lat. *matrona* « mère de famille, dame ».

♦ **1.** (V. 1355). Antiq. rom. Épouse d'un citoyen romain (mère de famille ou non).

1   Commencée depuis cent ans, l'émancipation des matrones avait d'abord produit, dans la société encore saine du IIᵉ siècle avant notre ère, de parfaites figures de femmes, à la fois intellectuelles et sensibles, raffinées et simples, instruites et fidèles, modestes et majestueuses (...)
        J. CARCOPINO et G. BLOCH, Hist. romaine, t. II, XVII.

♦ **2.** (V. 1220). Vieilli ou littér. Mère de famille d'âge mûr, de caractère grave et d'allure imposante (→ Appareil, cit. 7).

2   Sévèrement élevé par son oncle qui le gardait près de lui comme une matrone garde une vierge (...)   BALZAC, la Recherche de l'absolu, Pl., t. IX, p. 557.

3   (...) deux ou trois respectables matrones, voisines fortes en bec, promptes à la réplique et gardiennes rigides des anciens us.
        G. SAND, la Mare au diable, p. 146.

(1835). Péj. Femme d'un certain âge, corpulente et vulgaire (→ Galerie, cit. 6).

4   Elle ne quitta plus la poissonnerie (...) Aujourd'hui, tassée, avachie, elle portait ses soixante-cinq ans en matrone dont la marée humide avait enroué la voix et bleui la peau. Elle était énorme de vie sédentaire, la taille débordante, la tête rejetée en arrière par la force de la gorge et le flot montant de la graisse (...) la voix haute, le geste prompt, les poings aux côtes (...)
        ZOLA, le Ventre de Paris, t. I, III, p. 174.

♦ **3.** (XIVᵉ). Anciennt. Sage-femme*. « *En termes de Matrone* » (*in* Furetière), de gynécologie.
Mod. Femme qui exerce illégalement le métier d'accoucheuse.

5   (...) on la (*Jeanne d'Arc*) disait vierge (...) et (...) il était notoire et parfaitement établi que le diable ne pouvait faire pacte avec une vierge (...) le régent de Bedford résolut d'éclaircir ce point ; la duchesse, sa femme, envoya des matrones qui déclarèrent qu'en effet elle était pucelle.   MICHELET, Hist. de France, X, IV.

6   Elle (*Mᵐᵉ de Maintenon*) conseille à Madame des Ursins (...) d'apprendre de l'accoucheur, qu'on envoie de Paris, à connaître la *consistance du lait*, et de devenir matrone experte en ce genre.
        SAINTE-BEUVE, Causeries du lundi, 23 févr. 1852.

7   Des enseignes de sage-femmes représentaient une matrone en bonnet, dodelinant un poupon dans une courtepointe garnie de dentelles.
        FLAUBERT, l'Éducation sentimentale, II, I.
Franç. d'Afrique. Accoucheuse professionnelle.

♦ **4.** (1718). Péj. Tenancière d'une maison de prostitution. ⇒ **Entremetteur** ; (pop.) **maquerelle, matrulle, sous-maîtresse, taulière**.

DÉR. **Matronal**.

MATRONYMAT [matʀɔnima] n. m. — Mil. XXᵉ ; de *matronyme*, et *-at*.

♦ Didact. Transmission des noms par les femmes.

(...) la transmission des titres et des pouvoirs dans le matronymat, où la mère ne possède pas les noms, mais demeure l'intermédiaire indispensable entre l'oncle et le neveu.   SARTRE, Situations II, p. 103.

MATRONYME [matʀɔnim] n. m. — Attesté mil. XXᵉ (mais antérieur → Matronymique) ; de *mater* « mère », d'après *patronyme*.

♦ Didact. Nom de famille transmis par la mère (opposé à *patronyme**).

DÉR. **Matronymat, matronymique**.

MATRONYMIQUE [matʀɔnimik] adj. — 1903, *Rev. gén. des sc.,* nᵒ 13, p. 730 ; de *matronyme*, et *-ique*.

♦ Didact. Du matronymat. *Nom matronymique* (opposé à *patronymique*).

MATRULLE [matʀyl] n. f. — 1831 ; moy. grec *matrullê*, du grec class. *matrullerion* « mauvais lieu ».

♦ Didact. Entremetteuse, matrone (sens 4).

Le roi Blas a jadis eu d'Inez la matrulle
Deux bâtards (...)   HUGO, la Légende des siècles, X, V.

MATTE [mat] n. f. — 1627 ; orig. obscure.

♦ Techn. Mélange de sulfures de fer et de cuivre, provenant de la première fusion d'un minerai sulfuré.
HOM. 1. **Mat**, 2. **mat**, math. — Formes des v. 1. **mater** et 2. **mater**.

MATTER [mate] v. ⇒ 2. **Mater**.

MATTHIOLE [matjɔl] n. f. — 1765, *Encyclopédie* ; du nom de *Matthiole*, botaniste italien.

♦ Bot. Plante dicotylédone (*Crucifères*), variété de giroflée* rouge communément appelée *giroflée des jardins* ou *violier*, et cultivée pour ses fleurs odorantes.

MATU [maty] n. f. Régional. (Suisse). ⇒ **Maturité**, 5.

MATUCHE [matyʃ] n. m. — 1926, « mouchard », *in* Esnault ; *mater* « épier », et *-uche*.
Argot.

♦ **1.** Agent de la sûreté, policier. « *À coups de pèlerines roulées, les matuches refoulaient les braillards vers la bouche du métro* » (A. Le Breton, *Langue verte et noirs desseins*).

♦ **2.** Gardien de prison. ⇒ 2. **Maton**.

En taule, quel que soit leur côté de barrière, quelles que soient leurs raisons de s'y trouver, les gens ont toujours l'air de s'en excuser : les matuches, en nous faisant de petites faveurs ; nous, en acceptant de les en remercier.
        A. SARRAZIN, la Cavale, p. 186.

MATURATEUR, TRICE [matyʀatœʀ, tʀis] adj. et n. — 1897, *Année biol.,* 1899, p. 92 ; de *maturation*, et suff. *-eur*.

♦ **1.** Adj. Biol. Qui assure une maturation, la maturation.

♦ **2.** N. m. (1902). Techn. *Maturateur* : récipient où l'on dépose le miel recueilli des ruches.

MATURATIF, IVE [matyʀatif, iv] adj. — XIIIᵉ, *maturatif ; maturative*, XIVᵉ ; de *maturation*, et *-if*.

♦ Méd. Qui mûrit les abcès, qui hâte la formation du pus. *Processus maturatif*. — N. m. Un *maturatif*.

MATURATION [matyʀɑsjɔ̃] n. f. — V. 1300 ; dér. sav. du lat. *maturare* « mûrir ». → Maturer.

♦ **1.** Fait de mûrir ; processus par lequel une plante mûrit.

Bot. « Ensemble des transformations ou phases successives par lesquelles passent les semences et les tissus qui les enveloppent depuis la fécondation de l'ovule jusqu'à la maturité de la graine » (Poiré, *Dict. des sciences*).

Cour. Fait de mûrir. ⇒ **Mûrissage, mûrissement**. *Hâter la maturation des fruits.* ⇒ **Forcer**. *Maturation du raisin* (⇒ **Véraison**).

Figuré :
(...) l'essentiel était pour elle (*Katherine Mansfield*) son travail, la maturation de son talent, le développement exclusif de sa personnalité.
        Émile HENRIOT, Portraits de femmes, p. 458.

♦ **2.** Biol. Ensemble des modifications subies par les cellules sexuelles, les rendant aptes à la fécondation. ⇒ **Méiose**. *Maturation du fœtus*, au cours des derniers mois de la grossesse, le rendant viable.

♦ **3.** Méd. Évolution, progrès* d'un abcès vers une suppuration bien circonscrite. *Hâter la maturation d'un phlegmon au moyen d'un maturatif**.

♦ **4.** Techn. *Cave de maturation*, où l'on fait séjourner les fromages. *Maturation de la crème avant le barattage*.

DÉR. **Maturateur, maturatif**.
COMP. **Surmaturation**.

MATURE [matyʀ] adj. — 1495, « mûr » ; « posé, sensé », v. 1240 ; lat. *maturus* « mûr ».

♦ **1.** Techn. *Poisson mature*, prêt à frayer.

♦ **2.** Biol. (probablt repris à l'anglais *mature* « mûr »). Se dit d'une cellule (animale, végétale), d'un organisme, etc. parvenu au terme de son développement.

Se dit d'un système qui a acquis son plus haut degré de développement. *Écosystème mature* (ex. : *la forêt*).

CONTR. Immature.

MÂTURE [mɑtyʀ] n. f. — 1680 ; de *mât*, et *-ure*.

♦ **1.** Ensemble des mâts d'un navire (⇒ **Gréement**). *Gabier* (cit. 2) *perché dans la mâture. Tempête qui emporte la mâture* (→ **Embardée**, cit. 1). — Manière dont un navire est mâté. *Goélette* (cit. 1 et 2) *à la mâture élancée, très inclinée sur l'arrière.*

(...) les barques de pêches et les grands voiliers aux mâtures légères glissant sur le ciel, traînés par d'imperceptibles remorqueurs (...)
MAUPASSANT, Pierre et Jean, I.

Je partirai ! Steamer balançant ta mâture,
Lève l'ancre pour une exotique nature !   MALLARMÉ, Poésies, « Brise marine ».

♦ **2.** Vx. Ce qui sert à mâter. *Bois de mâture,* et, ellipt., *mâture.* — *Ponton-mâture :* puissante machine à mâter* sur ponton.

♦ **3.** Vx. Atelier, magasin où sont entreposés les bois de *mâture,* où sont confectionnés et réparés les mâts.

MATURER [matyʀe] v. tr. — Fin xvᵉ, en méd., «faire aboutir, rendre mûr (un abcès)» ; repris en 1874 (*in* Littré, *Suppl.*) ; lat. *maturare* «faire mûrir», de *maturus* «mûr».

♦ **1.** Techn. Traiter (les feuilles de tabac) en éliminant une partie de leur humidité.

♦ **2.** (1902). Techn. Vx. Affiner (un métal). — Mod. Durcir (un alliage léger) par séjour en température ambiante (après la trempe). Intrans. (En parlant d'un métal). Durcir. *Faire maturer des rivets posés après la trempe.*

♦ **3.** Sc. (Angl. *to mature*). Causer la maturation (1., 2.) de... ; rendre mature. « *Lorsqu'un ovocyte est extrait de son follicule* (...) *et cultivé in vitro, il peut être "maturé" dans ces conditions* » (*la Recherche,* juil. 1979, p. 783).

MATURISTE [matyʀist] n. m. — xxᵉ ; de *maturité*.

♦ Régional (Suisse). Étudiant qui prépare ou qui a obtenu sa maturité (5.).

MATURITÉ [matyʀite] n. f. — 1485 ; lat. *maturitas*.

♦ **1.** État, qualité de ce qui est mûr*, parvenu à son complet développement*.

(Plantes). *Cueillir des fruits* (cit. 11) *avant leur complète maturité.* — *À maturité. Fleur arrivée à maturité* (→ **Fécondant**, cit. 2). *La capsule de la graine de coton* (cit. 3) *s'ouvre d'elle-même à maturité.* — *Degré de maturité* (→ **Aoûté**, cit. ; **cru**, cit. 5). *Point de maturité. Maturité insuffisante* (→ **Fibrille**, cit. 2), *précoce* (⇒ **Précocité**), *tardive* (⇒ **Tardiveté**).

Ces oiseaux *(les bec-figues),* dont le véritable climat est celui du Midi, semblent ne venir dans le nôtre que pour attendre la maturité des fruits succulents dont ils portent le nom (...)   BUFFON, Hist. nat. des oiseaux, Le bec-figue.

Biol. *Glande génitale arrivée à maturité* (→ **Hermaphrodite**, cit. 7).
Méd. *Inciser un phlegmon parvenu à maturité.*
Sc. État mature.

♦ **2.** Par métaphore, fig. *Idée* (→ **Gris**, cit. 13), *projet qui vient à maturité. Talent en pleine maturité,* parvenu à un point de perfection*. ⇒ **Plénitude**. *Maturité d'esprit.*

♦ **3.** (1685). État de développement complet (de l'organisme humain) ; l'âge mûr, celui qui suit immédiatement la jeunesse (cit. 16) et confère à l'être humain la plénitude de ses moyens physiques et intellectuels. *Il est en pleine maturité.* ⇒ **Force** (de l'âge). *Atteindre, toucher à la maturité* (→ **Berceau**, cit. 8). *Charmes de la maturité chez la femme* (→ **Désirable**, cit. 4 ; **épanouir**, cit. 24). *Les désillusions de la maturité.* ⇒ **Automne** (de la vie).

La maturité a ses défauts, comme la verdeur, et pires.
MONTAIGNE, Essais, III, XII.
Me voilà dans la maturité de l'âge, dans toute la force de l'entendement. Déjà je touche au déclin (...)   ROUSSEAU, les Rêveries..., IIIᵉ promenade.
(...) elle touchait au mois d'août des femmes, époque tout à la fois de réflexion et de tendresse, où la maturité qui commence colore le regard d'une flamme plus profonde, quand la force du cœur se mêle à l'expérience de la vie, et que, sur la fin de ses épanouissements, l'être complet déborde de richesses dans l'harmonie de sa beauté.   FLAUBERT, l'Éducation sentimentale, II, VI.
Les plaisirs de l'amour n'ont toute leur saveur que dans la maturité.
Paul LÉAUTAUD, Propos d'un jour, p. 23.

♦ **4.** *Maturité de l'esprit, d'esprit ;* ellipt., *maturité :* sûreté de jugement, qui s'acquiert d'ordinaire avec l'âge, l'expérience, l'habitude de la réflexion. *Manquer de maturité.* ⇒ **Circonspection, sagesse.** *Maturité précoce* (→ **Enfantin**, cit. 7). *Regard qui atteste* (cit. 6) *la maturité.*

Il joint à l'amabilité à laquelle nos Français prétendent à tort ou à droit, une maturité de raison à laquelle malheureusement ils ne prétendent pas.
D'ALEMBERT, Lettre au roi de Prusse, 15 sept. 1775.

(...) la maturité de son regard, l'autorité inattendue qui émanait de sa personne.   7
MARTIN DU GARD, les Thibault, t. IV, p. 74.

♦ **5.** En Suisse, Examen correspondant au baccalauréat. *Certificat de maturité. Avoir, obtenir sa maturité. Maturité fédérale.* — Abrév. fam. : *matu.*

Qu'est-ce que tu vas faire s'il rate sa matu, hein, adieu la noce (...)
CLAVIEN, le Partage, p. 254.

CONTR. Enfance, enfantillage. — Infantilisme.
DÉR. Maturiste.

MATUTINAIRE [matytinɛʀ] n. m. — 1721, Trévoux ; bas lat. ecclés. *matutinarius* «psaume de l'office du matin». → Matin.

♦ Vx. Livre contenant l'office des matines. — Fig., littéraire :

Mon amour, disait Jean. — Mon amour, murmurait Marie-Anne. C'était l'antienne unique de leur matutinaire.
Paul GUIMARD, l'Ironie du sort, *in* À la page, oct. 1968, p. 1146.

MATUTINAL, ALE, AUX [matytinal, o] adj. — V. 1190 ; rare av. la fin du xviiiᵉ ; dér. sav. du lat. *matutinus.* → Matin.

♦ Vx ou littér. Qui appartient au matin*. ⇒ **Matinal** (cour.).

En province, dans la langueur matutinale,
Tinte le carillon, tinte la douceur
De l'aube qui regarde avec des yeux de sœur (...)
G. RODENBACH, le Règne du silence.

Méd. *Vomissements matutinaux.* ⇒ **Pituite.**

MAUBÈCHE [mobɛʃ] n. f. — 1808, Boiste ; mot dial. (Ouest) (→ **Mauvis**) ; de 2. *mal,* et du lat. *beccus* «bec».

♦ Bécasseau* de grande taille vivant au nord de l'Europe.

MAUDIRE [modiʀ] v. tr. — *Je maudis, tu maudis, il maudit, nous maudissons, vous maudissez, ils maudissent ; je maudissais, nous maudissions ; je maudis, nous maudîmes ; je maudirai, nous maudirons ; je maudirais, nous maudirions ; que je maudisse, maudissons, maudissez ; que je maudisse ; maudissant ; maudit, ite.* — V. 1175 ; *maldire,* 1080, Chanson de Roland, «dire du mal de» ; du lat. *maledicere* «dire* du mal de» de *male* et *dicere.*

♦ **1.** Vouer (qqn) au malheur ; appeler* sur (qqn) la malédiction*, la colère divine. ⇒ **Détester** (vx). *Bénissez ceux qui vous maudissent* (→ **Haïr**, cit. 1). *Le clergé catholique maudissait jadis les protestants.* ⇒ **Anathématiser** (→ **Fonction**, cit. 7).

Qui maudit son père et sa mère
verra s'éteindre sa lampe au cœur des ténèbres.   1
BIBLE (Jérusalem), Proverbes de Salomon, 20, 20.
Sérapion lui dit : — Si ton nom est Satan,   2
Démon, chien, réprouvé, je te maudis ! Va-t'en !
LECONTE DE LISLE, Poèmes barbares, « Le corbeau ».
Lorsque, huit mois plus tard, enceinte, elle vint au lit de mort de sa mère, celle-   3
ci la déshérita et la maudit (...)   ZOLA, le Rêve, I.

Maudire Dieu. ⇒ **Blasphémer.** *Damnés qui grinceront des dents en maudissant Dieu* (→ **Fin**, cit. 8).
Par exagér. Vouer à l'exécration (une personne, une chose que l'on hait, méprise...). ⇒ **Abominer, exécrer, haïr, injurier ; diable** (envoyer au) ; **emporter** (s'), **indigner** (s'), **pester** (contre). *Mendiants qui maudissent les passants s'ils n'en reçoivent point d'aumône* (cit. 8). *Maudire le jeu et les joueurs* (→ **Carte**, cit. 5), *un ennemi, la guerre* (cit. 15). *Je maudis cette fichue idée que j'ai eue* (→ **Ficher**, cit. 16).

Pestant fort contre vous dans ce fâcheux martyre,   4
Et maudissant vingt fois l'ordre dont vous parlez.   MOLIÈRE, Amphitryon, II, 1.
Que je maudis mon incroyable bêtise, qui m'a si souvent donné l'air vil et cou-   5
pable, quand n'étais que sot et embarrassé !
ROUSSEAU, les Confessions, X.
Puis elle se mettait à crier, horriblement. Elle maudissait le poison, l'invectivait,   6
le suppliait de se hâter (...)   FLAUBERT, Mᵐᵉ Bovary, III, VIII.
Il s'arrêta pour avaler la moitié de son grog, maudit le soldat Brommit qui l'avait   7
fait trop léger (...)   A. MAUROIS, les Discours du Dʳ O'Grady, IV.

♦ **2.** (En parlant de Dieu). Vouer à la damnation éternelle. ⇒ **Condamner, réprouver.** « *Caïn a été maudit de Dieu* » (Académie), *par Dieu.*
(...) la simplicité de l'Esprit de Dieu, qui maudit ceux qui sont doubles de cœur, et   8
qui se préparent deux voies (...)   PASCAL, les Provinciales, XIII.

▶ **MAUDIT, ITE** p. p. adj. (1080, *maldit*).

♦ **1.** Qui est rejeté par Dieu ou condamné, repoussé par les hommes, la société. ⇒ **Réprouvé** (→ **Féroce**, cit. 4). *La guerre* (cit. 7) *est maudite de Dieu et des hommes.* — *Les poètes maudits* (1885), essai de Verlaine. — Vx. *L'amour maudit,* contre nature. — Par métonymie. *Lépreux* (cit. 2) *qui traîne sa vie maudite* (⇒ **Infortuné**), *porte le costume maudit.*

Alors il *(le Fils de l'homme)* dira encore à ceux de gauche : Allez, loin de moi,   9
maudits, dans le feu éternel qui a été préparé pour le Diable et ses anges.
BIBLE (Jérusalem), Évangile selon saint Matthieu, 26, 41.
(...) j'ai été chassé, traqué, poursuivi, persécuté, noirci, raillé, conspué, maudit,   10

proscrit. Depuis bien des années déjà, avec mes cheveux blancs, je sens que beaucoup de gens se croient sur moi le droit de mépris ; j'ai pour la pauvre foule ignorante visage de damné (...)   HUGO, les Misérables, I, I, X.

11   (...) elle était comme ces poètes qui savent que la vraie poésie est chose « maudite », mais qui, malgré leur certitude, souffrent parfois de ne pas obtenir les suffrages qu'ils méprisent.   R. RADIGUET, le Diable au corps, p. 107.

Spécialt. Littér. (En manière d'imprécation* et souvent par hyperb.). *Maudit qui brise* (cit. 13) *une femme... Que maudit soit le jour où...* (→ Grigou, cit. 1).

12   Maudite soit d'abord la haute opinion dont l'esprit s'enivre lui-même ! Maudite soit la splendeur des vaines apparences qui assiègent nos sens ! Maudit soit ce qui nous séduit dans nos rêves, illusions de gloire et d'immortalité ! Maudits soient tous les objets dont la possession nous flatte, femme ou enfant, valet ou charrue ! Maudit soit Mammon, quand, par l'appât de ses trésors, il nous pousse à des entreprises audacieuses, ou quand, par des jouissances oisives, il nous entoure de voluptueux coussins ! Maudite soit toute exaltation de l'amour ! Maudite soit l'espérance ! Maudite la foi, et maudite, avant tout, la patience !
                                    NERVAL, Trad. GOETHE, Faust, I, p. 69.

13   Oh ! sois maudit, maudit, maudit, et sois maudit,
      Ratbert, empereur, roi, césar, escroc, bandit !
      Ô grand vainqueur d'enfants de cinq ans ! maudits soient
      Les pas que font tes pieds, les jours que tes yeux voient (...)
                                    HUGO, la Légende des siècles, XVIII, Confessions du marquis Fabrice, XIV.

♦ **2.** Par exagér. (Avant le nom). Dont on a sujet de se plaindre. ⇒ **Détestable, exécrable, haïssable** ; et fam. **damné, fichu, sacré, sale, satané.** *Maudit espion* (cit. 1). *Maudit animal* (→ Galeux, cit. 4 ; jambe, cit. 28). *Maudite cohue* (→ Grommeler, cit. 1), *engeance* (→ Gâter, cit. 1). *Maudit moment à passer.* ⇒ **Désagréable, mauvais** (→ Dehors, cit. 3). *Cette maudite histoire le tracasse beaucoup.* ⇒ **Malheureux.** — REM. En ce sens atténué, *maudit* se place presque toujours avant le substantif (→ par exception Crainte, cit. 2, La Fontaine).

14   *(La vertu)* dans ce maudit siècle est toujours poursuivie.
                                    MOLIÈRE, l'Étourdi, III, 4.

15   Sans mon maudit amour pour les arts qui me rend trop difficile sur le beau dans tous les genres (...)   STENDHAL, Journal, p. 418.

Vx. (En manière d'apostrophe). *Te tairas-tu, maudit ?*

16   Je ne sais qui me tient, maudite, que je ne vous fende la tête (...)
                                    MOLIÈRE, le Bourgeois gentilhomme, IV, 2.

REM. Cet emploi reste très vivant au Québec, où le mot a des emplois familiers. Comme adj., *maudit* s'emploie traditionnellement dans l'expression : *maudits Français.*

♦ **3.** N. Vx. *Les maudits :* les damnés (→ Grandir, cit. 1 et ci-dessus cit. 9). *Le Maudit :* le démon*.

CONTR. Adorer, bénir. — Béni, bienheureux.
DÉR. Maudissable, maudissement, maudisseur, maudisson.

MAUDISSABLE [modisabl] adj. — 1295 ; du rad. du p. prés. de *maudire*, et *-able.*

♦ Littér. Qui est digne, qui mérite d'être maudit.

MAUDISSEMENT [modismã] n. m. — V. 1515, *mauldissement ;* du rad. du p. prés. de *maudire*, et *-ment.*

♦ Littér., rare. ⇒ **Malédiction.**
Lu le SOUVENIR DE SOLFERINO du médecin suisse, Dunant. Ces pages me transportent d'émotion. (...) on sort de ce livre avec le maudissement de la guerre.
                                    Ed. et J. DE GONCOURT, Journal, t. II, p. 97.

CONTR. Bénédiction.

MAUDISSEUR, EUSE [modisœr, øz] adj. et n. — V. 1515, *mauldisseur ;* en picard *(maudicheur),* v. 1375 ; du rad. du p. prés. de *maudire*, et *-eur.*

♦ Rare. Qui maudit.
Pour finir, je réponds à un groupe de lectrices maudisseuses de nouilles, de macaroni et de semoule : vous cuisez vos pâtes trop longtemps.
                                    COLETTE, De ma fenêtre, 3 avr. 1941, p. 107.

CONTR. Bénisseur.

MAUDISSON [modisõ] n. m. ou f. — XIIe ; du rad. du p. prés. de *maudire*, et *-on.*

♦ Vx. Malédiction.

MAUDIT, ITE [modi, it] adj. et n. ⇒ **Maudire.**

MAUGE [moʒ] ou **MAUGÈRE** [moʒɛR] n. f. — 1708 ; étym. obscure.

♦ Techn., mar. Cuir employé à bord pour faire des manches, des garnitures de dalots*, de vergues*...

MAUGRABIN, INE [mogRabɛ̃, in] ou **MAUGREBIN, INE** [mogRəbɛ̃, in] n. et adj. — 1840, *maugrabin ; maugrebin,* 1808, Boiste.

♦ Vx. ⇒ **Maghrébin.**

Sa mère était la vieille maugrabine
D'Antequera (...)   HUGO, les Rayons et les Ombres, XXII.
Le Tarasconnais cherche sa mauresque (...) Il lui faut sa Maugrabine !
                                    Alphonse DAUDET, Tartarin de Tarascon, II, VIII.

MAUGRACIEUX, EUSE [mogRasjø, øz] adj. — 1373 ; un ex. du XXe in G.L.L.F. ; var. de *malgracieux.*

♦ Vx. Désagréable, disgracieux (personnes et choses). ⇒ **Malgracieux.**

MAUGRÉ [mogRe] prép. — V. 1160 ; var. de *malgré.*

♦ Vx. (Encore au XVIIe, comme terme régional). Malgré.

MAUGREBLEU [mogRəblø] interj. — 1696 ; *maugrebé* une première fois au XIIIe ; altér. de *maugré Dieu* « malgré Dieu ».

♦ Vx. Juron. ⇒ **Sacrebleu.**

MAUGRÉER [mogRee] v. intr. — 1279 ; de l'anc. franç. *maugré* « peine, déplaisir », comp. de 1. *mal*, et *gré*.

♦ Manifester son mécontentement, sa mauvaise humeur, en protestant à mi-voix, entre ses dents. ⇒ **Grogner, pester, plaindre** (se), **ronchonner** (→ Bénitier, cit. 2). *Ce vieux grincheux passe son temps à maugréer contre tout le monde.* ⇒ **Râler, rouspéter** (fam.). *Il maugréait, s'emportait*...*

L'étude du Droit m'aigrit le caractère au plus haut point : je bougonne toujours, je rognonne, je maugrée, je grogne même contre moi-même et tout seul.
                                    FLAUBERT, Correspondance, 63, 26 juil. 1842.
Un voyageur, qui croyait le compartiment vide, ouvrit brusquement la portière et la referma en maugréant.   MARTIN DU GARD, les Thibault, t. IV, p. 303.
Et il continuait à se plaindre, à maugréer, ce qui amusait tout le monde et surtout Poitiers. Il était facile de voir qu'on se moquait toujours de lui de cette manière et qu'il maugréait toujours et prenait d'ailleurs le service très au sérieux. On lui annonçait toutes les corvées du lendemain, et quelquefois on en inventait pour obtenir un grognement plus violent.   PROUST, Jean Santeuil, Pl., p. 562.

MAUPITEUX, EUSE [mopitø, øz] adj. — 1538 ; de 2. *mal*, et *piteux.*
Vx (ou archaïsme littéraire).

♦ **1.** Sans pitié, cruel.

♦ **2.** Malheureux, misérable. — N. *Faire le maupiteux :* faire semblant d'être dans la misère, se plaindre sans motif.
La rue Lepic grouillait d'un piétinement serré. Sur des trottoirs en pente, elle retenait (...) des passants maupiteux et las (...)
                                    Francis CARCO, Jésus-la-Caille, I, IV.

MAURANDIE [moRãdi] n. f. — 1839, Boiste ; du nom de *Maurandy*, botaniste espagnol.

♦ Bot. Plante dicotylédone *(Scrofulariacées)* herbacée, annuelle, d'origine mexicaine, cultivée pour ses fleurs à grande corolle. *Maurandie grimpante décorant une tonnelle.*

1. MAURE ou (vx) **MORE** [moR] adj. et n. — Fin XIVe, *more ;* XIIe, Chrétien de Troyes, *mor ; maure* en 1636 ; lat. *Maurus* « de Mauritanie (au sens romain), Africain ».

A. ♦ **1.** Hist. De l'ancienne *Mauretania*, région du nord de l'Afrique occupée par les Romains. — N. *Numides et Maures* (Berbères). — Au moyen âge, Berbères islamisés qui conquirent l'Espagne. ⇒ **Arabe, Sarrasin** (hist.). *Le combat du Cid contre les Mores.* — Adj. *Invasions, conquêtes maures.*
Ce sont des Égyptiens, vêtus en Mores (...)
                                    MOLIÈRE, le Malade imaginaire, II, 9.
(...) la charmante Galiana, la belle Moresque aux longs yeux teints de henné, aux vestes de brocart constellées de perles, avait posé ses petites babouches sur ce plancher défoncé ; elle s'était accoudée à cette fenêtre, regardant au loin dans la Vega les cavaliers mores s'exercer à lancer le djerrid.
                                    Th. GAUTIER, Voyage en Espagne, p. 120.
On applique le nom de Maures à une population disséminée aujourd'hui en des régions éloignées, composée d'éléments ethniques variables et ne présentant pas partout les mêmes caractères. Elle se compose indubitablement des anciens habitants de l'Afrique du Nord, mêlés aux envahisseurs arabes. Et comme ces anciens habitants appartenaient en grande majorité à la race berbère, on peut dire des Maures qu'ils sont en général et avant tout des Berbères de langue arabe ou arabisés. Mais ces Berbères, avant l'invasion arabe, étaient eux-mêmes très métissés (...) Et il y en avait chez qui s'étaient fondus avec des éléments nègres. Les Maures du Sénégal, qui se disent volontiers Arabes, sont en partie de vrais noirs par la couleur de la peau et par les cheveux.
                                    Grande Encycl. (BERTHELOT), art. *Maures.*

♦ **2.** Mod. (Dans quelques expressions). D'Afrique du Nord, du Maghreb. ⇒ **Maghrébin.** *Café maure. Bain maure :* hammam.

B. Vx ou hist. De Mauritanie, région d'Afrique occidentale. ⇒ **Mauritanien.** — N. (Dans quelques expressions). *Othello, le More de Venise.* — *Tête de More* (vx), *tête de maure :* fromage de Hollande

de couleur orangée, à peau rougie. — Adj. invar. *Tête de maure,* d'un brun foncé. *Des étoffes tête de maure.*
Blason. *Cap (tête) de More :* tête d'Africain noir, en héraldique.
Loc. *Traiter qqn de Turc* à More.* — Prov. (vx). *À blanchir la tête d'un More* (ou *d'un nègre), on perd sa lessive.*

DÉR. et COMP. (Du même rad.) 2. **Matamore, maure, maurelle, mauresque.** — **Moreau, moricaud.** — (Noms propres) **Maures** (massif des), **Maurienne** (*in* D. U. N. P.).

2. MAURE [mɔʀ] n. m. — 1793, *in* D. D. L. ; de 1. *maure.*

♦ **1.** (1793). Singe de l'île de Sri Lanka (Ceylan) et de Guinée.

♦ **2.** (1873). Variété de lin assez long.

MAURELLE [mɔʀɛl] n. f. — 1771, Trévoux ; du lat. *Maurus* «Maure», puis, dans la langue pop. «brun foncé», à cause du colorant brun qu'on extrait de cette plante.

♦ Croton (*Euphorbiacées*) de la variété appelée aussi *tournesol des teinturiers,* ou *herbe de Clytie.*
HOM. Morelle.

MAURESQUE ou **MORESQUE** [mɔʀɛsk] n. f. et adj. — 1379, *À la morisque ;* esp. *morisco ;* → 1. Maure.

★ **I.** N. f. ♦ **1.** (1611). Femme maure. — (En franç. d'Algérie, av. 1960). Employée de maison algérienne (dans une famille européenne).

♦ **2.** Danse de carnaval d'influence maure, dansée en Provence.

♦ **3.** N. f. pl. **MAURESQUES** : rinceaux décoratifs évoquant le style hispano-moresque.

♦ **4.** Boisson faite de pastis et d'orgeat.

★ **II.** Adj. Arts. (1447). Vx. Arabe, musulman. — Spécialt. Hispano-moresque. *Architecture, maison mauresque* (→ Étage, cit. 2 ; labyrinthe, cit. 7).
COMP. Hispano-mauresque.

MAURITANIEN, IENNE [mɔʀitanjɛ̃, jɛn] adj. et n. — 1958, en ce sens ; de *Mauritanie,* et *-ien.*

♦ De Mauritanie, État d'Afrique occidentale au sud du Sahara algérien et au nord du Sénégal.

MAURRASISME [mɔʀasism] n. m. — 1934, L. Daudet (*in* D. D. L.) ; de Charles *Maurras,* et suff. *-isme.*

♦ Rare. Ensemble des idées politiques, nationalistes et traditionalistes, de Ch. Maurras. → Action française. — Conviction politique de ceux qui partagent ces idées.
DÉR. (Du même rad.) V. **Maurrassien.**

MAURRASSIEN, IENNE ou **MAURRASIEN, IENNE** [mɔʀasjɛ̃, jɛn] adj. et n. — 1936 ; *maurrassiste,* 1925 ; de Charles *Maurras* (1868-1952), et *-ien.*

♦ Relatif à Ch. Maurras. Partisan de Maurras, de ses idées politiques nationalistes.
T. M. (*Thierry Maulnier*) a fait tenir en quelques lignes une analyse de l'influence maurrassienne et de ses causes qui est une merveille de justesse et de sagacité.
F. MAURIAC, Bloc-notes 1952-1957, p. 8.
DÉR. (Du même rad.) **Maurrasisme.**

MAUSER [mozɛʀ] n. m. — Fin XIXᵉ ; du nom de l'inventeur allemand de cette arme.

♦ Fusil en usage dans l'armée allemande à partir de 1870. — Modèle de pistolet automatique. *Un Mauser* ou *un mauser. Des mausers.*
Les agents jouaient aux cartes, fusils et Mausers au râtelier.
MALRAUX, la Condition humaine, p. 229.
Quelques territoriaux dépenaillés, le Mauser sur l'épaule, les escortaient.
Claude COURCHAY, La vie finira bien par commencer, p. 224.

MAUSOLÉE [mozɔle] n. m. — 1544 ; *mausole,* v. 1525 ; lat. *mausoleum,* du grec *mausoleion* «tombeau du roi Mausole».

♦ **1.** Somptueux monument funéraire* de très grandes dimensions. ⇒ Tombeau (→ Étiquette, cit. 9). *Mausolée de marbre érigé sur le caveau* d'une famille.*
ARTÉMISE, reine de Carie (...) femme de Mausole, s'est immortalisée par les honneurs qu'elle rendit à la mémoire de son mari. Elle lui fit bâtir dans Halicarnasse un tombeau très magnifique que l'on appela *Mausolée,* qui a été l'une des

sept merveilles du monde, et qui a fait que depuis on a donné le titre de mausolée à tous les tombeaux où la somptuosité paraissait avec éclat.
BAYLE, Dict. historique, art. *Artémise.*
(...) Charles se décida pour un mausolée qui devait porter sur ses deux faces principales «un génie tenant une torche éteinte». FLAUBERT, Mᵐᵉ Bovary, III, XI. [2]
De tous ces mausolées, qui dressent leurs tours pointues vers le ciel, le plus somptueux est celui où dort, depuis peu d'années, le précédent Maharajah. Le grès et le marbre blanc y sont travaillés avec magnificence (...) [3]
LOTI, l'Inde (sans les Anglais), V, XI.

♦ **2.** Par ext. ⇒ **Catafalque.**

♦ **3.** Monument funéraire à fonction religieuse. *Mausolée d'un saint de l'islam.* ⇒ **Marabout.**

Ils ne voulaient pas entendre parler de réconciliation avec des parents qui avaient déserté la tribu, avaient causé sa perte, laissant la mosquée détruite, le mausolée sans étendard. Kateb YACINE, Nedjma, p. 150. [4]

MAUSSADE [mosad] adj. — Av. 1493 ; *malsade,* 1370 ; de 2. *mal,* et de l'anc. franç. *sade,* du lat. *sapidus* «savoureux, agréable».

♦ **1.** Qui est peu gracieux, peu avenant ; qui laisse voir de la mauvaise humeur*. ⇒ **Chagrin, grimaud** (vx), **grognon, revêche.** *Vieillard maussade. Ils doivent le trouver bien maussade.* ⇒ **Désagréable** (→ Frivole, cit. 8). *Cet enfant est anormalement maussade.* — Par ext. *Caractère maussade.* ⇒ **Acariâtre, acrimonieux, hargneux.** *Humeur maussade.* ⇒ **Méchant** (méchante humeur). *Air grognard* (cit. 2) *et maussade. Regard maussade* (→ Claquement, cit. 1). *Mine maussade.* ⇒ **Boudeur, mécontent, rechigné, renfrogné.** *Il nous a fait un accueil plutôt maussade* (→ Grise* mine). *Il nous a tenu des propos assez maussades.* ⇒ **Désabusé, mélancolique, pessimiste.**

Ils arrivèrent dans un jardin, où deux enfants à l'air maussade, un garçon et une fille, à peu près de même âge que Christophe, semblaient se bouder l'un l'autre. [1]
R. ROLLAND, Jean-Christophe, L'aube, p. 35.
Je devenais triste, maussade et ne fréquentais mes camarades que parce que je ne pouvais faire autrement. GIDE, Si le grain ne meurt, I, IV, p. 109. [2]

♦ **2.** Qui inspire de l'ennui. ⇒ **Ennuyeux, terne, triste.** *Ciel, paysage, temps maussade. La plus maussade uniformité* (→ Bienséance, cit. 12). *Chapelle d'un style pauvre et maussade* (→ Cintrer, cit.).
C'était une grande maison maussade et noire (...) [3]
Alphonse DAUDET, Lettres de mon moulin, «Les vieux».
CONTR. Accort, amène, charmant, enjoué, gai, jovial. — **Divertissant.**
DÉR. Maussadement, maussaderie.

MAUSSADEMENT [mosadmɑ̃] adv. — 1530 ; de *maussade,* et *-ment.*

♦ Vx ou littér. D'une manière maussade.
(...) je vis dans la préface de si grosses louanges de moi, si maussadement plaquées et avec tant d'affectation, que j'en fus désagréablement affecté.
ROUSSEAU, Rêveries..., IIᵉ promenade.

MAUSSADERIE [mosadʀi] n. f. — 1740, Académie ; de *maussade,* et *-erie.*

♦ Littér. ou style soutenu. Humeur maussade. ⇒ **Acrimonie** (→ Épanouir, cit. 7 ; hostilité, cit. 4 ; intuition, cit. 5). *Rien ne le distrait de sa maussaderie.* ⇒ **Ennui.**
Elle me permit plusieurs fois de lui donner un baiser ; ce que je fis avec ma maussaderie ordinaire. Au lieu des gentillesses qu'un autre eût dites à ma place, je restais là muet, interdit (...) ROUSSEAU, les Confessions, X. [1]
Son silence et sa maussaderie gênaient toute la table. [2]
A. MAUROIS, Bernard Quesnay, XIX.
Par ext. *Rebuter qqn par des maussaderies* (⇒ **Rebuffade**).
CONTR. Amabilité, aménité.

MAUVAIS, AISE [movɛ, ɛz ; mɔvɛ, ɛz] adj., adv. et n. — 1080, *malvais,* Chanson de Roland ; du lat. pop. **malifatius,* proprt «qui a un mauvais sort *(fatum)»* ; le mot a toutes ses acceptions dès le XIIᵉ siècle.
REM. En épithète, *mauvais* est le plus souvent placé avant le nom.
Qui n'est pas bon* (cit. 2).
Mauvais est le contraire de *bon ;* il en a toute la généralité. Ce qui *est mauvais* [1] pèche ou laisse à désirer sous quelque rapport que ce soit (...) *Dangereux, nuisible, pernicieux* et *malfaisant* ont une signification plus restreinte (...) Un homme a-t-il de *mauvais* sentiments, c'est un homme à blâmer ou à plaindre (...) Que si *mauvais* se prend aussi dans l'acception particulière à ses synonymes, il en diffère en ce qu'il représente l'idée commune sans aucun accessoire.
LAFAYE, Dict. des synonymes, Mauvais,... malfaisant.

★ **I.** (Opposé à *bon*). ♦ **1.** Qui présente un défaut, une imperfection essentielle ; qui a une valeur faible ou nulle (dans le domaine utilitaire [⇒ **Inefficace, impropre, inutile**], esthétique [⇒ **Laid**], ou logique [⇒ **Incorrect, faux...**]). ⇒ aussi **Défectueux, imparfait,** 2. **mal** (III., mal fait...) ; **minable, moche, ringard, tarte** (fam.), et le préf. **caco-.** *Assez mauvais.* ⇒ **Médiocre.** *Très mauvais.* ⇒ **Abominable, épouvantable, exécrable, horrible, infect, lamentable, nul.** *Plus mauvais* (⇒ **Pire**). *Moins mauvais.* — *Mauvaise qualité*. Mauvaise* *apparence, mauvaise mine* (→ Casaque, cit. 2). — (En parlant de choses concrètes, dans le domaine utilitaire). *Mauvaise marchandise, mauvais produit...* (→ Lancement, cit. 2), *mauvais instrument, mauvais outil.* ⇒ **Sabot** (fig.). *Mauvaise chambre, mauvais lit* (→ Accommoder, cit. 19 ; analyser, cit. 1).

Loc. (1846). *Filer un mauvais coton*. — Être dans de mauvais draps*.*

Mauvais chemin. Mauvaise chaussée, mauvaise route (→ Cahincaha, cit. 2). — *Mauvaise monnaie* (→ Fâcheux, cit. 13). *Mauvaise créance :* créance suspecte, véreuse*. — Spécialt. *Mauvaise nourriture, mauvaise boisson,* d'une qualité médiocre (→ Grossier, cit. 2). *Les bons et les mauvais morceaux. Mauvaise viande :* carne. *Mauvais alcool* (⇒ **Bistouille**). → aussi II. pour le sens de « désagréable au goût ».

(V. 1165). Qui rapporte peu. *Mauvaise affaire* (cit. 54). *Mauvaise récolte.* ⇒ **Chétif.** *La récolte a été mauvaise, insuffisante. Mauvais métier,* peu lucratif. — *Mauvaise période, mauvaise saison,* défavorable pour un commerce, une activité (→ Faiseur, cit. 5). — *Mauvaise cause, mauvais procès,* difficile à gagner (→ Avocat, cit. 15).

2 L'aventure n'a pas été mauvaise pour vous (...) mais moi, de quoi y ai-je profité (...) ?
                                          MOLIÈRE, George Dandin, I, 4.

3 (...) la gloire d'un bon avocat consiste à gagner de mauvais procès.
                                          BALZAC, Ursule Mirouët, Pl., t. III, p. 346.

(En parlant d'œuvres, de travaux). Mal fait, mal conçu. ⇒ **Défectueux, déplorable, désastreux, détestable, moche** (fam.), **raté.** *Mauvaise copie, mauvaise écriture...* (→ Barbouillage, cit. 1 ; lisible, cit. 1). — (Sur le plan esthétique). Sans valeur, laid. *Mauvais livre* (cit. 21 ; sans idée de condamnation morale). *Mauvaise pièce, mauvais film* (→ Inanité, cit. 7). *Mauvais vers* (→ Impubliable, cit.). *Mauvais style* (→ 1. Faux, cit. 52). *Mauvaise littérature* (→ Illisible, cit. 4). — *C'est bien mauvais ; très mauvais.* ⇒ **2. Mal.** Cf. *Ça ne vaut rien. Ce n'est pas (trop) mauvais.*

(Sur le plan logique). Qui ne suit pas la logique ou les règles. ⇒ **Faux, inexact.** *Mauvais calcul. Mauvais compte. Mauvais raisonnement. Mauvaise définition* (→ Animal, cit. 8). *Mauvaise estimation* (cit. 4). *Mauvaise interprétation* (cit. 6). *Mauvaise lecture d'un manuscrit. Mauvaise expérience* (cit. 46), fausse ou sans intérêt. — Spécialt. Qui n'est pas conforme à la règle. ⇒ **Incorrect.** *Parler en mauvais français. Mauvaise façon de parler.*

4 Nos écrits sont mauvais ; les siens valent-ils mieux ?
                                          BOILEAU, Épîtres, II.

5 Un autre défaut de la mauvaise poésie est d'allonger la prose, le caractère de la bonne est de l'abréger.   VAUVENARGUES, Réflexions et maximes, 501.

(L'idée d'imperfection, de fausseté, entraînant celle de malfaisance. → ci-dessous, II., 1.). *Mauvaise doctrine, mauvaise religion* (→ Alchimiste, cit. 1 ; athée, cit. 5).

(En parlant des facultés psychiques). ⇒ **Faux.** *Mauvais jugement. Mauvaise mémoire,* infidèle (→ Frime, cit. 2). — *Mauvais goût* (cit. 17, 44 et 45). ⇒ **Corrompu, douteux.** *Il a mauvais goût, du mauvais goût. Son mauvais goût ne l'empêche pas d'avoir du talent.* — Spécialt. *Mauvaise honte** (cit. 39).

(En parlant d'organes qui ne fonctionnent pas correctement). *Avoir de mauvais yeux* (→ Lièvre, cit. 2), *un mauvais estomac. La mauvaise jambe, la jambe mauvaise d'un boiteux.* — Par ext. (en parlant du fonctionnement des organes, de l'état de l'organisme). *Mauvaise digestion, mauvaise vue. Mauvaise santé* (→ Languissant, cit. 3). *Être en mauvais état* (cit. 4). ⇒ **Malade.** — *Mauvaise mine*,* trahissant la maladie. ⇒ **Triste** (→ Amaigrissement, cit. ; blafard, cit.).

Vx. *Avoir mauvais visage,* mauvaise mine.

6 — J'ai ouï dire que Monsieur était mieux, et je lui trouve bon visage. — Que voulez-vous dire avec votre bon visage ? Monsieur l'a fort mauvais (...)
                                          MOLIÈRE, le Malade imaginaire, II, 2.

7 *(Flick)* s'en allait, fléchissant à chaque pas sur sa jambe mauvaise (...)
                                          COURTELINE, le Train de 8 h 47, I, II.

(1858). *Mauvaise graisse :* embonpoint malsain.

♦ **2.** (V. 1160). En parlant des personnes. Qui ne remplit pas correctement son rôle. ⇒ **Lamentable, pauvre...** *Mauvais élève. Mauvais commerçant. Mauvais artiste, mauvais peintre, mauvais poète... Cet acteur était bien mauvais dans le rôle d'Hamlet. Mauvais général* (2. Général, cit. 3 ; aventurier, cit. 3). — Loc. fam. *En route, mauvaise troupe*.* — *Mauvaise politique* (→ Filer, cit. 11). *Mauvais gouvernement* (cit. 28). — (→ aussi III., 2., avec l'idée de condamnation morale : *mauvais prêtre, mauvais berger,* etc.).

8 On voit de mauvais généraux gagner des batailles ; la chance y a autant et plus de part que le talent. On ne voit jamais de mauvais artistes faire de beaux ouvrages.
                                          E. DELACROIX, Écrits, t. II, p. 93.

Spécialt (d'un élève). *Il est mauvais en français, en maths.* ⇒ **Faible.** *Très mauvais.* ⇒ **Nul.**

♦ **3.** Qui est mal choisi, ne convient pas dans telles ou telles circonstances, n'est pas approprié à l'objet considéré. *Mauvais à* (vieilli), *pour quelque chose. Mauvais moyen, mauvaise méthode* (→ 1. Lire, cit. 28). *Jouer la mauvaise carte. Il a tiré le mauvais numéro. Miser sur le mauvais cheval* (⇒ **Tocard**). *Prendre la mauvaise route, la mauvaise direction :* se tromper (→ Égarer, cit. 19). *C'est une mauvaise heure pour venir le voir. Arriver, se décider au mauvais moment.* — Fig. *Se placer sur un mauvais terrain* (→ Attaquer, cit. 35). *Prendre un mauvais parti. Mauvais prétexte* (→ Humeur, cit. 22). *Mauvaises raisons. Mauvaise querelle.*

Aidons-nous des mauvais motifs pour nous fortifier dans les bons desseins.
                                          VAUVENARGUES, Réflexions et maximes, 471.

(Impers. et négatif). *Il ne serait pas mauvais de...* (→ Forme, cit. 40). *Il ne serait pas mauvais de s'en souvenir. Il n'est pas mauvais que...* (→ Éveiller, cit. 25 ; jour, cit. 19) : il serait, il est convenable, indiqué de... ⇒ 1. **Mal.** *Il n'est pas mauvais qu'il en fasse l'expérience.*

★ **II.** (Opposé à *bon, beau, heureux...*). Qui cause ou peut causer du mal*. ⇒ **Néfaste, nuisible ; désagréable.**

♦ **1.** Qui annonce du malheur. *Mauvaise chance.* ⇒ **Défavorable, 1. mal** (vx). *Mauvaise aventure* (cit. 1). *Mauvaise fortune** (cit. 12, 13 et 15). ⇒ **Funeste, sinistre.** *Mauvais augure** (cit. 12), *mauvais présage, mauvais sort. Mauvaise étoile. Il a le mauvais œil*. C'est mauvais signe*.*

C'est notre étoile qu'il faut observer. Elle est bonne ou mauvaise ; elle est pâle ou puissante ; et toutes les forces de la mer n'y pourraient rien changer.
                                          MAETERLINCK, le Trésor des humbles, x.

♦ **2.** Qui est cause de malheur, d'ennuis, de désagréments. ⇒ **Dangereux, nuisible, pernicieux.** *Mauvaise affaire* (cit. 42). ⇒ **Sale** (fam.). *Sortir d'un mauvais pas*. L'affaire prend une mauvaise tournure, un mauvais tour* (→ Humeur, cit. 41). *Très mauvaise situation.* ⇒ **Catastrophique, désastreux.** *Être en mauvaise posture,* (vx) *en mauvais équipage* (cit. 15), *en mauvais arroi* (cit. 3). — Absolt. *Ça devient mauvais pour son matricule*.* ⇒ **Barder** (fam.). — *Mauvaise habitude,* à la fois néfaste et condamnable (→ ci-dessous III. ; et gamin, cit. 3 ; infidélité, cit. 10). *Mauvaise maladie, mauvaise fièvre* (→ Atteinte, cit. 17), *mauvaise fracture* (→ Fracturer, cit. 2). — (par antiphrase) **Beau, bon** (infra cit. 29), **fameux.** *Recevoir un mauvais coup* (→ Large, cit. 26). *On lui a joué un mauvais tour*. Faire un mauvais parti à qqn. Le café est mauvais pour les nerfs. Mauvais pour l'intestin.* — *Mauvais air** (1. Air et 2. air). *La mer est mauvaise,* très agitée, dangereuse pour la navigation. — *Mauvaise plaisanterie, mauvaise farce...* Par ext. *Mauvais plaisant*. Faire courir de mauvais bruits sur qqn,* des bruits calomnieux. — (Sur le plan intellectuel ou moral). *Mauvais avis, mauvais conseils.* Par ext. *Mauvais conseiller* (→ Intellectuel, cit. 8). *Mauvais livres, mauvais exemple* (cit. 8, 9 et 10) ; *mauvaise influence* (cit. 7). *Mauvaise éducation. Mauvaise compagnie** (cit. 5). *Mauvaises rencontres...* (→ Corrompre, cit. 11). *Mauvaise plaisanterie.* — (Le caractère nuisible découlant du peu de valeur). *Mauvaises lois, mauvaises institutions* (→ Abroger, cit. 2 ; appliquer, cit. 10). — Loc. fig. *Mauvaise herbe** (cit. 10 et 11). *Mauvaise graine*.*

(...) la nature, en cuisine comme en amour, nous donne rarement le goût de ce qui nous est mauvais.   BAUDELAIRE, Essais, notes et fragments, I.

♦ **3.** a Désagréable (au goût, à l'odorat). *Cette viande a mauvais goût, a un mauvais goût.* ⇒ **Imbuvable, immangeable ; cochonnerie, drogue, saloperie** (vulg.). *Faire un mauvais repas :* manger mal. Absolt. *C'est mauvais, très mauvais* (→ par exagér. Ignoble, infect...). Fam. *Pas mauvais :* assez bon (aussi : très bon). *C'est (ce n'est) pas mauvais du tout, ce truc-là.* — *Mauvaise odeur*. Mauvaise haleine.* — Par ext. *Avoir la bouche* mauvaise.*

b (En parlant des circonstances atmosphériques, par oppos. à *beau*). *Mauvais temps*.* — (par exagér.) **Atroce, épouvantable, horrible, maudit...** *La mauvaise saison :* la saison des intempéries. — *Faire mauvais* (impers.). *Il fait mauvais, trop mauvais pour sortir* (⇒ **Laid**).

Ainsi de la mauvaise saison, dont le nom même, en nous empêchant de nous en promettre du plaisir, en ne laissant pas les autres supposer que nous avons pu y avoir du plaisir, garde à ce plaisir qu'elle nous donne cette innocence qui n'a pas besoin d'être rachetée par la peine, cette pureté sans mélange que l'homme ne trouve plus sur la terre dans les plaisirs depuis le péché originel (...)
                                          PROUST, Jean Santeuil, Pl., p. 510.

c Pénible. *Faire (un) mauvais effet* (cit. 23) ; *faire (une) mauvaise impression. Maison de mauvaise réputation.* ⇒ **Borgne, famé** (mal).

Mauvais rêve : cauchemar (→ Fléau, cit. 6). — *Mauvaise nouvelle* (→ Inquiétude, cit. 18).

On ne saurait assez se rappeler que, dans l'antiquité, les porteurs de mauvaises nouvelles étaient mis à mort. C'est toujours vrai : on se trouve mal le plus souvent d'avoir dit la vérité à ses amis. C'est pour cela que les puissants sont si mal conseillés.   André SIEGFRIED, La Fontaine..., p. 215.

d Pénible à vivre. *Mauvais jours :* jours de malheur, de misère... ⇒ **Misérable** (→ Attacher, cit. 100). *Mauvais moments* (→ Humeur, cit. 15). *Passer un mauvais quart* d'heure. Traverser une mauvaise passe.* ⇒ **Difficile.**

L'amour d'une sœur n'a ni mauvais lendemain, ni moments difficiles.
                                          BALZAC, le Lys dans la vallée, Pl., t. VIII, p. 973.

La pluie s'annonçait. Mme de Saint-Selve avait passé une assez mauvaise nuit. Elle toussait.   Pierre BENOIT, Mlle de la Ferté, p. 154.

e Négatif. *Mauvaise opinion* (→ Avouer, cit. 16). — *Mauvaise note** (→ Infliger, cit. 2). *Savoir mauvais gré** (cit. 25 et supra). *Voir qqch. d'un mauvais œil*. Prendre qqch. en mauvaise part*.*

— Absolt. *Trouver mauvais que...* ⇒ **Trouver.** Fam. *La trouver, l'avoir mauvaise* (sous-entendu : la chose, l'affaire...). ⇒ **Saumâtre.**

4.1 (...) si je vous demandais cent sous, vous la trouveriez mauvaise et vous auriez raison (...) vous voyez bien que je ne suis pas fou, je suis très lucide, avouez-le donc (...)-
Léonce DE LARMANDIE, Histoire de J.-G. Nouveau, *in* G. NOUVEAU, Pl., p. 1048.

4.2 La porte s'ouvrit : on annonça la duchesse de Réveillon. Mme de Thonnes se leva, sentant bien que si même une amie fût restée chez elle quand lui serait venue Mme Marmet ou quelque autre qui fût pour elle ce que la duchesse de Réveillon était pour Mme Desroches, elle « l'eût trouvée mauvaise ».
PROUST, Jean Santeuil, Pl., p. 784.

5 — Oh! dit Boris vivement, depuis le temps qu'on me répète qu'il va y avoir la guerre! Il rougit un peu et ajouta : « C'est quand on est marié qu'on doit l'avoir mauvaise ».
SARTRE, le Sursis, p. 264.

Spécialt. *Mauvaise conscience* (pénible, douloureuse et négative).

[f] (En parlant du caractère, des facultés de l'âme, de l'esprit...). Peu accommodant. *Mauvaise humeur* (cit. 45, 47 et 49). ⇒ **Détestable, difficile, fichu, foutu** (fam.), **odieux.** *Mauvais caractère* (cit. 49 et 50). *Mauvaise tête*. *Mauvaise tête, mais bon cœur. Mauvais esprit* (infra cit. 128). *Mauvaise volonté*. *Mauvais vouloir*. *Mauvais gré* (cit. 2). *Mauvaise grâce* (cit. 90, 93 et 98). Fam. *Être de mauvais poil*. *Faire mauvais visage à qqn,* le traiter froidement, avec sécheresse... — Par ext. *Mauvais coucheur* (cit. 1 et 2). *Mauvais joueur* (supra cit. 4). — *Mauvaise foi* (cit. 17 et supra). ⇒ **Duplicité.**

★ **III.** Opposé à *bon* (cit. 85), *honnête.* ♦ **1.** Qui est contraire à la loi morale. ⇒ **Mal** (3.). *La nature humaine est mauvaise.* ⇒ **Corrompu.** *Mauvais instincts* (cit. 6), *mauvais penchants; mauvaises inclinations...* (→ Guerre, cit. 12; homme, cit. 32 et 83; honnête, cit. 2; liberté, cit. 37). *Mauvaise action.*

6 Les choses que je sais être mauvaises, comme d'offenser son prochain et désobéir au supérieur, soit Dieu, soit homme, je les évite soigneusement.
MONTAIGNE, Essais, III, XII.

Spécialt. ⇒ **Déshonnête, impur.** *Mauvaises pensées* (→ Brûler, cit. 29). *Mauvaises habitudes* (cit. 22) : euphémisme pour *masturbation.*
Mauvaise conduite : conduite immorale, et, par exagér., légère, déraisonnable*. *Mauvaise vie, mauvaises mœurs.* Loc. *Femme de mauvaise vie* : prostituée (⇒ **Courtisane, créature**). — On a dit aussi dans ce sens *mauvaise femme.* — Par ext. *Coureur* (cit. 3.1) *de mauvais lieux*.
Qui incarne le mal. *Mauvais ange* (cit. 16). *Mauvais démon* (→ 1. Fou, cit. 8). *Mauvais esprit*. *Mauvais génie* (cit. 1 à 4).

♦ **2.** (En parlant des personnes). Qui fait le mal, et, spécialt, qui fait ou aime à faire du mal à autrui. ⇒ **Méchant; cruel, dur, injuste, malfaisant, malicieux** (vx), **malin** (vx), **malveillant, méchant, sadique, vache** (fam.). → Hargne, cit. 3; hargneux, cit. 4; infect, cit. 6. *Foncièrement* (cit.) *mauvais. Mauvais comme la gale, comme une teigne. Se faire plus mauvais qu'on n'est :* se calomnier*. — Vieilli. *Mauvais homme, mauvaises gens* (1. Gens, cit. 12). → Gloire, cit. 41. — Mod. *Ce n'est pas un mauvais homme, un mauvais bougre* (fam. *C'est pas le mauvais type, le mauvais cheval*). *Mauvaise bête.*

7 Il n'était pas un mauvais homme, mais un homme demi-bon, ce qui est peut-être pire, faible, sans aucun ressort, sans force morale (...)
R. ROLLAND, Jean-Christophe, L'aube, p. 31.

Par exagér. Mordant*, sarcastique*, moqueur. *Vous êtes bien mauvaise, tous vos propos sont des épigrammes* (Littré). — Par métonymie. *Avoir la dent mauvaise.* On emploie dans le même sens *mauvaise langue*. ⇒ **Calomnieux, médisant.**
Mauvais garçon, se dit d'un homme « prompt à en venir aux coups » (Littré), et, spécialt, d'un homme ou d'un « milieu ». — N. B. *Mauvais garçon* peut perdre tout contenu péjoratif. *Les mauvais garçons et les caves.*

8 Quinette sent germer en lui cette idée à demi surnaturelle de la police, qui hante le sommeil des mauvais hommes et fait d'elle à leurs yeux une divinité fascinante.
J. ROMAINS, les Hommes de bonne volonté, t. II, XVI, p. 191.

Par exagér. *Mauvais garnement* (cit. 1), *mauvais drôle, mauvais sujet* (→ Amender, cit. 2), se dit d'enfants, de jeunes gens dont on blâme ou dont on affecte de blâmer la conduite. ⇒ **Bandit, coquin, gredin** (fam.).

Allus. bibl. *Le mauvais riche* (→ Immonde, cit. 2), *le mauvais larron*.

Spécialt. ⇒ **Indigne.** *Mauvais prêtre* (→ Insulter, cit. 10). *Mauvais berger.* *Mauvais fils.*

9 Aussi peut-être n'y a-t-il pas de mauvais enfants sans mauvaises mères; car l'affection qu'ils ressentent est toujours arrière en raison de celle qu'ils ont éprouvée (...)
BALZAC, la Grenadière, Pl., t. II, p. 192.

♦ **3.** (Peut s'employer après le nom). Qui dénote de la méchanceté, de la malveillance. *Mauvais rire, mauvais sourire* (→ Blesser, cit. 16; faute, cit. 34). *Il a eu un rire mauvais. Une mauvaise joie; une joie mauvaise.* ⇒ **Cruel.** — (Avant le n.). *Mauvaise action** (cit. 21). ⇒ **Coupable, crapuleux; méfait** (→ Accomplir, cit. 15; blâmer, cit. 14). *Mauvais coup** (supra cit. 59). *Mauvais tour.* ⇒ **Pendable.** *Mauvais procédés. Mauvaises intentions, mauvais desseins.* ⇒ **Malveillant** (→ Fabriquer, cit. 12; flambée, cit. 1). *Mauvais traitements.*

★ **IV.** Adv. *Sentir mauvais :* avoir une odeur désagréable. ⇒ **Sentir.** Fig. *Ça sent mauvais :* les choses prennent une mauvaise tournure. — Littér. *Il fait mauvais,* suivi d'un infinitif. ⇒ **Faire.**

★ **V.** N. ♦ **1.** N. m. (V. 1550). Ce qui est mauvais. ⇒ 3. **Mal.** *Le bon* (cit. 131 et 132) *et le mauvais* (→ Équilibrer, cit. 5). *Le bon et le mauvais d'une affaire.* ⇒ **Faible.** Fam. *Il va y avoir du mauvais.* ⇒ **Vilain.**

20 (...) cette confusion de toutes les mesures, qui fait qu'on pervertit les idées les plus simples, qu'on arrive à ne plus s'entendre sur rien, ni sur le bien, ni sur le vrai, ni sur le mauvais, ni sur le pire (...)
E. FROMENTIN, Dominique, XII.

21 Allons, dors. S'il y avait du mauvais, Chien se plaindrait. Les chiens, ils ont des pressentiments (...)
MONTHERLANT, le Songe, I, X.

♦ **2.** N. m. ou f. (Vieilli ou plais.). Personne méchante. *Les mauvais* (→ Laver, cit. 4). *Oh! la mauvaise!* — Absolt. *Le Mauvais :* le Tentateur, le Démon. ⇒ **Malin, maudit.**

CONTR. **Bon, correct, divin, excellent, formidable, intéressant.** — **Adroit, habile.** — **Bien** (fait, choisi), **infaillible** (moyen), **réussi.** — **Favorable, heureux.** — **Benoît, brave, charmant, heureux, joyeux** (caractère...). — **Droit, honnête, louable...**
DÉR. **Mauvaisement, mauvaiseté.**

MAUVAISEMENT [movɛzmɑ̃; mɔvɛzmɑ̃] adv. — V. 1160; *malvaisement,* 1080, *Chanson de Roland;* de *mauvais,* et -*ment.*

♦ Littér., rare. Méchamment.
Elle riait si mauvaisement que, d'un haussement d'épaules, il sembla rejeter bien loin, comme détails de peu d'importance, Mme Hulin et son veuvage.
Alphonse DAUDET, Rose et Ninette, III.

MAUVAISETÉ [movɛzte; mɔvɛzte] n. f. — 1701; *mauvaisetié,* 1580; *malvaistié,* v. 1120; de *mauvais.*

♦ Rare. Méchanceté (→ Chagriner, cit. 2, Sand).
Un « psychologue » à la Stendhal, tout sensualiste qu'il est, a besoin de la mauvaiseté de notre nature. Que deviendraient les hommes d'esprit sans le péché originel?
VALÉRY, Variété II, p. 121.

MAUVÂTRE [movɑtʀ] adj. — 1959; de 1. *mauve,* et -*âtre.*

♦ Rare. D'une couleur qui tire sur le mauve.
(...) les cinq ouvertures rectangulaires sont remplacées par cinq séries de six carrés mauvâtres, vaguement lumineux, qui laissent diffuser une lueur comparable à celle des ampoules bleues de la nuit (...).
A. ROBBE-GRILLET, Dans le labyrinthe, p. 133.

1. MAUVE [mov] n. et adj. — 1256; du lat. *malva.*

★ **I.** N. f. ♦ **1.** Plante dicotylédone (*Malvacées**), herbacée, vivace, à fleurs roses ou d'un violet pâle dont l'infusion est calmante; la fleur de cette plante. *Grande mauve, mauve sauvage,* à fleurs émollientes*. ⇒ **Alcée.** *Petite mauve.* — *Fausse mauve :* malope.

Loc. fam. *Fumer* (cit. 26) *les mauves par la racine :* être mort et enterré.

1 — J'aimerais bien justement qu'il soit vivant.
— En fait d'aimer bien, tu n'es pas seul. Il y a de grandes chances pour que ton Giuseppe fume des mauves. On meurt tous ces temps-ci, tu as bien vu?
J. GIONO, le Hussard sur le toit, p. 177.

♦ **2.** Vx. Infusion, tisane de mauve.

2 Madame Ducroquet (...) se fait de la tisane. Elle boit de la mauve, parce qu'elle croit qu'elle va avoir une affection de poitrine, ou une affection nerveuse.
Ch. PAUL DE KOCK, la Grande Ville, p. 68.

★ **II.** ♦ **1.** (1834, *in* D.D.L.). Adj. D'une couleur violet* pâle, semblable à celle de certaines fleurs de mauve (→ Fleur, cit. 5). *Grappes mauves de la glycine* (cit.).

3 Elle (*Fantine*) avait une robe de barège mauve.
HUGO, les Misérables, t. I, I, III.

♦ **2.** (1892). N. m. *Le mauve,* couleur mauve (→ Ardoise, cit. 5; ardoisé, cit. 3; colchique, cit. 2). *Bleu tirant sur le mauve.* ⇒ **Pervenche.**

4 En mauve toute, depuis les bas jusqu'à l'ombrelle, et sur ce mauve le blanc poudré de sa perruque d'aïeule, la dame paraissait peu sensible au flatteur étonnement du rapin ou de l'étudiant (...)
Alphonse DAUDET, Rose et Ninette, X.

DÉR. **Mauvâtre,** 3. **mauve, mauvéine.**
HOM. 2. **Mauve,** 3. **mauve.**

2. MAUVE [mov] n. f. — 1373; *mave,* v. 1119; de l'anglo-saxon *maew* « mouette ». → Mouette.

♦ Régional. Mouette.

Mais John Bunsby avait confiance en sa *Tankadère*, qui s'élevait à la lame comme une mauve, et peut-être n'avait-il pas tort.
                                             J. VERNE, le Tour du monde en 80 jours, p. 172.
HOM. 1. Mauve, 3. mauve.

3. MAUVE [mov] n. f. — Fin XIXᵉ, Huysmans ; de 1. *mauve*.

♦ Fam., vx. Grand parapluie de couleur vive (comparé plaisamment à une fleur de mauve).
HOM. 1. Mauve, 2. mauve.

MAUVÉINE [movein] n. f. — 1878, Larousse, *Premier Suppl.* ; de 1. *mauve*, et -*ine*.

♦ Chim. Colorant violet dérivé de l'aniline.

MAUVIETTE [movjɛt] n. f. — 1694 ; de *mauvis*, et -*ette*.

♦ **1.** Vieilli. Alouette* commune (ou petit oiseau analogue : lulu, etc.) lorsqu'elle est grasse et bonne à manger. *Pâté, brochette* (cit.) *de mauviettes.* — (1840). Loc. fam. *Manger comme une mauviette,* très peu.

1 Ah ! si de cette fenêtre (...) était seulement tombée (...) une mauviette rôtie au lieu de cette fleur fanée !
                               Aloysius BERTRAND, Gaspard de la nuit, « Le vieux Paris », v.

♦ **2.** Fig., cour. (1808, d'après Wartburg). Personne faible*, chétive*, au tempérament délicat*, maladif. *Quelle mauviette ! C'est une vraie mauviette.*

2 Pour moi, ce qui me charme (...) c'est la bravoure de la jeune fille. Cette mauviette ! Cela n'a pas deux onces de chair sur les os et cela loge dans l'étroite cage de sa maigre poitrine un vrai cœur de lion ou de héros antique.
                                             Th. GAUTIER, le Capitaine Fracasse, XII.

MAUVIS [movi] n. m. — V. 1160 ; *mauviz*, v. 1160 ; p.-ê. de l'anglo-saxon *maew* « mouette » (→ 2. Mauve) ou, selon Guiraud, de l'anc. franç. *malvis*, var. de *mauvais*, la grive étant un oiseau pillard.

♦ Vx ou régional. Variété de grive*, plus petite que la litorne. Par appos. *Grive, merle mauvis.*
DÉR. Mauviette.

MAX [maks] n. m. — V. 1970 ; de *maximum*.

♦ Fam. Maximum. « *Leur philosophie est courte. Elle consiste (...) disent-ils* (les rockers) *à faire un max de conneries* » (le *Nouvel Obs.*, 16 oct. 1978, p. 79). *Ça va coûter un max,* beaucoup.
On a divorcé au bout de cinq ans et je lui ai pompé un max de blé.
                                             J.-P. MANCHETTE, Trois hommes à abattre, p. 137.

MAXI [maksi] adj. ou adv. — 1970 ; abréviation.

♦ Fam. Abrév. de *maximal* ou de *(au) maximum. Vitesse maxi, 90 km/h. Prix maxi 2 000 F.*

MAXI- (1966). Premier élément de mots, tiré de *maximum* sur le modèle des termes en *mini-*.

Maxi- s'ajoute à un substantif concret, avec le sens de « très grand », « très long » et par opposition au composé en *mini-* ; il sert à former des termes de mode, de publicité, etc. Ex. : *maxi-robe.* « *On y retrouve... avec une saison d'avance, les maximanteaux de Dior* » (le *Nouveau Candide*, 3 déc. 1967). « *La maxijupe concurrence désormais la mini* » (l'*Express*, 22 janv. 1968). *Maxi-short. Maxi-lunettes. Maxibouteille* (1969), bouteille en plastique de un litre et demi. « *Des supercuisines, des maxichambres à coucher* » (l'*Express*, 14 août 1972, p. 44).
Adj. (Spécialt). *La mode maxi* (opposé à *mini*).
N. m. *Le maxi* (même sens).
CONTR. Mini.

MAXILLAIRE [maksilɛʀ] adj. et n. m. — 1488 ; *maxillere*, 1363 ; lat. *maxillaris*, de *maxilla* « mâchoire ».

♦ **1.** Anat. Relatif aux mâchoires*. *Os* (→ Barbe, cit. 8), *muscles* (→ Gonflement, cit. 2), *sinus, nerfs, glandes maxillaires. Angle, artère maxillaire.*

1 (...) ses os maxillaires saillants, et ses joues creuses (...) tout (...) contribuait à donner à sa physionomie un air étrange (...)
                                             BALZAC, l'Illustre Gaudissart, Pl., t. IV, p. 32.

♦ **2.** Anat. et cour. Chacun des deux os symétriques, soudés en un seul (appelé aussi *maxillaire supérieur*), et formant la mâchoire supérieure. — Par ext. *Maxillaire inférieur.* ⇒ **Mandibule.** *Maxillaire inférieur s'articulant au temporal par un condyle* (cit.). → Face, cit. 9. — *Avoir les maxillaires serrés.* ⇒ **Mâchoire** (→ Écume, cit. 13).

Chez lui, le grand nez des Fouan s'était aplati, tandis que le bas de la figure, les maxillaires s'avançaient en mâchoires puissantes de carnassier.
                                             ZOLA, la Terre, I, II.
COMP. Sous-maxillaire.

MAXILLE [maksil] n. f. — 1314, « mâchoire » ; sens mod., 1894, *in* D.D.L. ; lat. *maxilla*.

♦ Zool. Pièce buccale des insectes, des crustacés, en arrière des mandibules (syn. : *mâchoire*).

MAXILLITE [maksilit] n. f. — 1873, P. Larousse ; du lat. *maxilla*, et -*ite*.

♦ Vétér. Inflammation de la glande maxillaire, notamment chez le cheval et le bœuf.

MAXILLULE [maksilyl] n. f. — Mil. XXᵉ ; dér. sav. de *maxille*.

♦ Zool. Chacune des deux pièces formant la première mâchoire des crustacés.

MAXIMA (A) [amaksima] loc. adj. (→ Maximum).

♦ Dr. *Appel a maxima,* formé par le ministère public pour faire diminuer la peine.

MAXIMAL, ALE, AUX [maksimal,o] adj. — Av. 1877 ; de *maximum*.

♦ Didact. Qui constitue un maximum. ⇒ **Maximum.** *Températures maximales.* — (V. 1953). Par ext. *Vitesse, efficacité maximale.*
La quantité maximale de plomb par litre d'essence a été fixée à 0,84 gramme (...).
                                             A. SAUVY, Croissance zéro ?, p. 236.
Math. *Élément maximal d'un ensemble ordonné :* élément de cet ensemble pour lequel il n'existe pas dans l'ensemble d'élément strictement supérieur (ou majorant* strict). ⇒ **Maximum.**
CONTR. Minimal.
DÉR. Maximaliser, 2. maximaliste.

MAXIMALISATION [maksimalizɑsjɔ̃] n. f. — 1974 ; de *maximaliser*.

♦ Didact. Action de maximaliser. ⇒ **Maximation.**

MAXIMALISER [maksimalize] v. tr. — Mil. XXᵉ ; de *maximal*, et -*iser*.

♦ Didact. Donner la plus haute valeur à... « *Cette stratégie consiste à maximaliser les chances de survie des rejetons afin qu'ils puissent se reproduire à leur tour* » (la *Recherche*, nº 91, juil.-août 1978, p. 667). — Syn. : *maximiser.*
DÉR. Maximalisation.

1. MAXIMALISTE [maksimalist] n. m. — 1910, *in* D.D.L. ; de *maximum*.

♦ Hist. Bolchevik*.

2. MAXIMALISTE [maksimalist] n. et adj. — Mil. XXᵉ ; de *maximal*, et suff. -*iste*.

♦ Didact. Partisan (dans un débat, une discussion) d'une position maximale. *Une hypothèse maximaliste.*

(...) Ces influences se sont jointes, pour constituer un système cohérent, à « mélange de formalisme logico-mathématique (...), de linguistique générale (portant surtout sur la syntaxe comme étant la composante créatrice) et de psycholinguistique (connaissance implicite que le locuteur a de sa propre langue) » (Piaget, *Structuralisme*, p. 71). Les minimalistes jugeront que la linguistique se dissout dans ce mélange, les maximalistes estimeront qu'il s'agit d'une vision insuffisamment englobante.
                                             Claude HAGÈGE, la Grammaire générative, réflexions critiques, p. 227.
CONTR. Minimaliste.

MAXIMANT, ANTE [maksimɑ̃, ɑ̃t] adj. — 1873, *in* P. Larousse ; de *maximum*, et suff. -*ant*.

Sciences.

♦ **1.** Phys. (vx). Qui atteint un maximum.

♦ **2.** Math. *Valeur maximante :* valeur d'une variable pour laquelle une fonction est maximale.

MAXIMATION [maksimɑsjɔ̃] ou MAXIMISATION [maksimizɑsjɔ̃] n. f. — Mil. XXᵉ, *maximation ; maximisation*, 1930 ; de *maxima, maximiser*, et -*ation*, par l'angl. *maximation* (1891), de *to maximate*, et *maximization*.

♦ Didact. (Écon.). Action de porter à son maximum. — Syn. : *maximalisation.*

Si la raison d'être du monopole demeure la maximation du gain monétaire, il reste vrai que le monopole est un régime moins favorable à l'intérêt général que la concurrence.

H. GUITTON, *in* ROMEUF, Dict. des sciences économiques, art. *Monopole.*

(...) le choix effectif n'est pas le résultat d'une procédure de décision rationnelle fondée sur une information parfaite et visant un objectif bien déterminé (la maximisation du profit), mais se fait sur une information toujours imparfaite et «coûteuse», à travers le processus sociologique de «décision» au sein de la bureaucratie dirigeante (...)

Cornelius CASTORIADIS, les Carrefours du labyrinthe, p. 242.

MAXIME [maksim] n. f. — V. 1378; lat. médiéval *maxima (sententia)* «(sentence) la plus grande, la plus générale».

♦ **1.** (1538). Règle de conduite, règle morale (⇒ **Précepte, principe; moralité, règle**); appréciation ou jugement d'ordre général. ⇒ **Axiome** (cit. 3), **proposition, vérité.** *Maxime bonne* (cit. 18), *fructueuse* (cit. 3), *vraie* (→ Égard, cit. 8). *Le droit naturel se compose de quelques maximes* (→ Équité, cit. 19). *Connaître les maximes du point d'honneur* (cit. 13). *Avoir, tenir pour maxime que...* ⇒ **Devise, vérité** (→ Exalter, cit. 11; grand, cit. 50). *L'apologue* (cit. 5), *démonstration d'une maxime par un exemple. Mettre en pratique, suivre une maxime; conformer* (cit. 2) *sa conduite à ses maximes.*

Toutes les bonnes maximes sont dans le monde; on ne manque qu'à les appliquer.

PASCAL, Pensées, VI, 380.

Les esprits faux changent souvent de maximes.

VAUVENARGUES, Réflexions et maximes, 108.

(...) laissons les maximes générales, dont on fait souvent beaucoup de bruit sans jamais en suivre aucune (...) et l'on sait bien que tout homme qui pose des maximes générales entend qu'elles obligent tout le monde, excepté lui.

ROUSSEAU, Julie ou la Nouvelle Héloïse, III, XXII.

Les maximes générales sont surtout bonnes contre les peines et les erreurs du voisin. Mais contre un fureur d'amour trompé ou d'ambition, ou d'envie, que pourrait une maxime? Autant vaudrait, contre la fièvre, lire l'ordonnance du médecin.

ALAIN, Propos, 19 déc. 1910, Zadig amoureux.

Vx (langue class.). Précepte. «*La ballade* (cit. 5), *asservie à ses vieilles maximes*» (Boileau).

Philos. Chez Kant, Règle de conduite valable seulement pour celui qui l'applique. ⇒ **Loi** (*supra* cit. 53).

♦ **2.** Spécialt. Formule lapidaire énonçant une maxime (au sens 1) ou une vérité présentée comme générale. ⇒ **Aphorisme, sentence.** *Maxime populaire, traditionnelle* (⇒ **Adage, dicton, dit, proverbe**), *maxime d'un auteur célèbre* (⇒ **Pensée**). *Maxime courte, concise* (cit. 1), *condensée* (cit. 4), *découpée à l'emporte-pièce* (cit. 1). *Maximes de sagesse* (→ Frapper, cit. 8). — Littér. Le genre littéraire qui consiste à élaborer et à rassembler des maximes. *La maxime s'est illustrée surtout à la fin du XVIIe siècle et au XVIIIe siècle, en France. L'art de la maxime.* — (Titres). *Réflexions ou sentences et maximes morales,* de La Rochefoucauld (1665). *Réflexions et maximes,* de Vauvenargues (1746). *Maximes et Pensées,* de Chamfort (1795. → Infirmer, cit. 2).

(...) le meilleur parti que le lecteur ait à prendre est de se mettre d'abord dans l'esprit qu'il n'y a aucune de ces *Maximes* qui le regarde en particulier, et qu'il en est seul excepté, bien qu'elles paraissent générales; après cela, je lui réponds qu'il sera le premier à y souscrire (...)

LA ROCHEFOUCAULD, Réflexions et maximes, Avis au lecteur, Préface de 1665.

Ce ne sont point (...) des maximes que j'ai voulu écrire : elles sont comme des lois dans la morale, et j'avoue que je n'ai ni assez d'autorité ni assez de génie pour faire le législateur (...)   LA BRUYÈRE, les Caractères, Préface.

Les «Maximes» de M. de la Rochefoucauld sont les proverbes des gens d'esprit.

MONTESQUIEU, Cahiers, p. 89.

Une maxime est l'expression exacte et noble d'une vérité importante et incontestable. Les bonnes maximes sont les germes de tout bien; fortement imprimées dans la mémoire, elles nourrissent la volonté.

Joseph JOUBERT, Pensées, IX, XLIII.

(...) la plupart des maximes, quand elles ne sont pas tout à fait misérables, semblent tout de suite piquantes et ingénieuses — justement parce qu'elles ont un petit air d'oracle, parce qu'on nous les jette à la tête sans explications et sans preuves, parce qu'elles sont, pour ainsi dire, coupées de leurs racines.

Jules LEMAÎTRE, les Contemporains, II, p. 197.

Il n'est pas de sentences, de maximes, d'aphorismes, dont on ne puisse écrire la contrepartie.   Paul LÉAUTAUD, Propos d'un jour, p. 127.

DÉR. Maximer.

MAXIMER [maksime] v. tr. — Mil. XIXe; de *maxime.*

♦ Vx, didact. Donner la valeur d'une maxime, d'un précepte à (un texte, un comportement, une action).

MAXIMISATION [maksimizɑsjɔ̃] n. f. ⇒ **Maximation.**

MAXIMISER [maksimize] v. tr. — 1828, en philos.; de *maximum,* et *-iser,* par l'angl. *to maximize* (1802, Bentham).

♦ **1.** Didact. Donner la plus haute valeur, la plus grande importance à (qqch.). — Syn. : *maximaliser.*

Que la poésie résulte d'une analyse (...) Il est des circonstances qui maximisent la sensibilité et la volonté de l'analyse, parmi lesquelles est l'habitude de s'y livrer.

VALÉRY, Cahiers, vol. 7, p. 82 (C. N. R. S., 1958).

♦ **2.** (Mil. XXe). Porter à son maximum. «*La personnalité qui maximise les chances de succès*» (*Entreprise,* 30 janv. 1971).

(...) du point de vue des excès commis par la société de consommation ou de l'utilité d'une vie qui maximise la production.

A. SAUVY, Croissance zéro?, p. 215.

♦ **3.** (1968). Math. Trouver les valeurs des paramètres («*maximantes*») d'une expression qui la rendent maximale. — Syn. : *maximaliser.*

CONTR. Minimiser.
DÉR. Maximisation.

MAXIMORUM [maksimɔʀɔm] ⇒ **Maximum.**

MAXIMUM [maksimɔm], pl. **MAXIMUMS** [maksimɔm] ou **MAXIMA** [maksima] n. et adj. — 1718, en sc.; mot lat., adj. neutre substantivé, «le plus grand».

★ **I.** N. m. ♦ **1.** Math. *Maximum* (ou *maximum strict,* ou *maximum absolu*) admis par une fonction numérique définie sur un ensemble E en un point a de cet ensemble, valeur de cette fonction pour *a,* supérieure aux valeurs prises pour tout élément de E différent de *a.* (Opposé à *minimum*). ⇒ **Extremum.** *Fonction qui n'admet pas de maximum. Maximum relatif* (ou *local*), valeur d'une fonction en un point *b* de E, supérieure aux valeurs qu'elle prend pour les éléments de E voisins de *b. Premier, second maximum d'une fonction, d'une courbe, d'un graphique.* ⇒ **Pointe.** *Le plus grand maximum relatif d'une fonction numérique est appelé son* maximorum [maksimɔʀɔm].

Maximum d'un ensemble ordonné, élément de cet ensemble, supérieur à tous ses autres éléments. (On dit aussi *plus grand élément,* ou *élément maximum* [de l'ensemble considéré]). *Si un ensemble admet un maximum, celui-ci est le seul élément maximal* de cet ensemble. La borne* supérieure d'un ensemble, si elle lui appartient, est son maximum.

♦ **2.** (1751). Cour. Valeur la plus grande* atteinte par une quantité variable; limite supérieure. ⇒ 1. **Comble, période, plus** (le). *Maximum de vitesse, d'altitude* (⇒ **Plafond**), *de capacité* (cit. 1). *Maximum de chances,* la plus grande quantité*, le plus grand nombre (→ Équiper, cit. 7). *Maximum d'intensité d'une maladie* (acmé ou acumen). *Atteindre un maximum de..., son maximum.* ⇒ **Culminer.** — *Au maximum* : au plus haut degré (→ Équivoque, cit. 22; guerre, cit. 40). *Absolt. Au maximum* : tout au plus*, au plus... *Mille francs au maximum* (abrév. fam. : *maxi**). — Par pléonasme. *Au grand maximum.* — Spécialt. (Dr. pén.). *Maximum de la peine* (→ Falsifier, cit. 4). *Absolt. Il a été condamné au maximum, il a eu le maximum.* — (En parlant d'une valeur, d'une somme d'argent). *Maximum de prix*, de dépense, de bénéfice... Absolt. Jouer le maximum, dans une maison de jeu. Loi du maximum* (1793), fixant une limite supérieure de prix, pour certaines denrées. — REM. Brunot (H. L. F., t. IX, p. 1174) montre que cette loi imposa «par la force et la menace» le mot qui jusque-là «n'avait pas été naturalisé». *Fixer* (cit. 21) *le maximum du blé.*

(...) si nous changeons si souvent de mode (...) c'est, dira-t-il (le P. *André*), que cette conformation, la plus parfaite relativement à l'usage, est très difficile à rencontrer; c'est qu'il y a là une espèce de *maximum* (...) autour duquel nous tournons sans cesse : nous nous apercevons à merveille quand nous en approchons (...) mais nous ne sommes jamais sûrs de l'avoir atteint.

DIDEROT, Traité du beau (paru dans l'Encycl. en 1751, art. *Beau*).

Météor. *Maximum barométrique* : anticyclone* (⇒ contr. **Cyclone, dépression, minimum**).

Loc. *Thermomètre à maxima et à minima,* indiquant les températures extrêmes atteintes dans un temps donné.

REM. Au plur. Au langue scientifique emploie plus volontiers la forme latine *maxima* (→ Cyclone, cit. 3, Martonne) admise par l'Académie, dans sa 7e éd. (1878). *Déterminer les maxima et les minima d'une fonction* (Académie). Cependant, conformément au souhait de Littré, la tendance actuelle est d'écrire : *les maximums* (au XVIIIe siècle, Rousseau faisait déjà le mot invariable : «*les maximum* de force et de faiblesse», in *Contrat social,* III, 7).

★ **II.** (Fin XIXe). Adj. (Cet emploi, signalé par Hatzfeld comme abusif, est admis par l'Académie, 8e éd., 1935). Qui constitue un maximum; le plus grand. ⇒ **Maximal.** *Rendement, accomplissement maximum* (→ Courbe, cit. 6; gouvernement, cit. 15). *Chiffre, tarif maximum* (Académie). — Math. *Élément maximum d'un ensemble.* ⇒ ci-dessus I., 1.

Ton organisme ne peut pas réaliser son harmonie fonctionnelle, ton cerveau ne peut atteindre son rendement maximum, si tu t'obstines à donner à ton corps une alimentation putréfiée, un régime de charognard (...)

MARTIN DU GARD, les Thibault, t. VI, p. 239.

Il a relu le texte, en détachant le sens de chaque phrase, en faisant l'effort maximum pour se l'assimiler.

J. ROMAINS, les Hommes de bonne volonté, t. II, II, p. 15.

Au fém., l'Académie n'enregistre que *maxima* : *Tension, pression...*

température maxima. Amplitude maxima (G. Marcel, *in* Grevisse). Cependant, la langue scientifique préfère laisser *maximum* invariable au féminin. *Utilisation maximum* (→ Géniteur, cit. 2), *intensité maximum* (→ Glissement, cit. 5), *aire maximum* (d'un anticyclone). Au pluriel, l'usage tend à accorder la forme *maximum* (*prix maximums*, La Varende) et à laisser invariable *maxima*. *Les prix maximums ou maxima* (Grevisse, *le Bon Usage*, § 295, REM. 2). *Pressions maximums ou maxima.*

REM. Pour éviter la confusion des accords de *maximum* l'usage contemporain tend à employer, au moins dans le langage technique (météorologie) et administratif, l'adjectif *maximal**, *ale, aux*, déjà signalé par Littré (Suppl.) et préconisé par Dauzat.

4   Cet adjectif *(minimal)*, ainsi que maximal (appartenant à un maximum), sont dus au docteur Foret, de Lausanne. Ils méritent d'être adoptés.
                                        LITTRÉ, Dict. (Suppl.), art. *Minimal.*

5   Je suis tout à fait d'accord avec A. Thérive pour préférer, suivant l'usage de la Suisse romande et les recommandations du « Bulletin départemental du Calvados », les adjectifs *maximal* et *minimal* aux neutres latins *maximum* et *minimum* qu'on accole habituellement à un nom, sans bien savoir comment les accorder... Roger Ikor parle, dans *Mise au net*, de *dose minimale* et de *dose maximale*. Je ne lui donne pas tort.   René GEORGIN, Jeux de mots, p. 62.

CONTR. **Minimum** (et **minima, minimal**). — REM. Les remarques sur le pluriel et l'usage comme adjectif de *maximum* s'appliquent également à *minimum* (cf. aussi Optimum).
DÉR. **Maximal, maximiser.**

MAXITON [maksitɔ̃] n. m. — V. 1950 ; de *maxi(mum)*, et *ton(us)* ; nom déposé.

♦ Médicament excitant (amphétamine) qui augmente les possibilités intellectuelles, en faveur parmi les étudiants. *Un comprimé de maxiton.*

Un entretien avec une femme qu'on aime produit un effet comparable à celui de l'ortédrine ou du maxiton.   J. DUTOURD, les Horreurs de l'amour, p. 525.

MAXIXE [matʃiʃ] n. f. ⇒ **Matchiche.**

MAXWELL [makswɛl] n. m. — 1900, Congrès d'électricité de Paris ; du nom du physicien *Maxwell* (1831-1879).

♦ Phys. Unité de flux magnétique du système C. G. S. (flux traversant une surface de 1 cm² normale à un champ de 1 gauss). — Symb. : *M*.

DÉR. **Maxwellien.**

MAXWELLIEN, IENNE [makswɛljɛ̃, jɛn] adj. — Mil. xxᵉ ; du nom de *Maxwell*, → ci-dessus.

♦ Phys. Relatif à Maxwell, à ses théories en électromagnétisme.

1. MAYA [maja] adj. et n. — 1877 ; mot indigène.

♦ Relatif à une civilisation précolombienne d'Amérique centrale (Yucatan). *Art, civilisation maya.*

Subst. *Les Maya(s)*. N. m. *Le maya*, leur langue, encore parlée de nos jours. — REM. Les spécialistes font le mot invariable : *les Maya* ; *une mythologie maya* (J. Soustelle, *in* Encycl. Pl., Hist. des littératures, t. I, p. 1503-1504) ; *la civilisation maya* (M. Cohen, *Matériaux pour une sociol. du langage*, p. 144).

(...) depuis les vieilles langues sacrées (...) jusqu'au phénicien et peut-être à l'étrusque — qui continue à résister, avec le maya, à toutes les tentatives de déchiffrement de la science moderne — l'Empire offrait une espèce de marqueterie des langages les plus hétéroclites.   J. D'ORMESSON, la Gloire de l'empire, p. 22.

HOM. 2. **Maya,** 3. **maya.**

2. MAYA ou **MÂYÂ** [maja] n. f. — 1840, Académie ; *maïa*, Lamennais, 1840 ; mot sanskrit *māyā*.

♦ Didact. (dans le *Vedanta*). *La Maya :* l'illusion fondatrice qui donne naissance au monde de l'Homme.

On appelle « exotisme », je crois, tout repli diapré de la *Maya*, devant quoi notre âme se sent étrangère (...)
                    GIDE, les Faux-Monnayeurs, Romans, Pl., p. 1047.
HOM. 1. **Maya,** 3. **maya.**

3. MAYA [maja] n. f. — 1931, Larousse ; mot bulgare.

♦ Rare. Boisson bulgare à base de lait caillé.
HOM. 1. **Maya,** 2. **maya.**

MAYE [mɛ] n. f. — 1762 ; *maie*, fin xiᵉ ; var. de *mait*. → Maie.

♦ Techn. Auge de pierre destinée à recevoir l'huile d'olive, dans un pressoir.
Récipient où tombe la poudre (à canon, de chasse) que l'on crible.
HOM. **Mai, maie, mais, mets.**

MAYEN [majɛ̃] n. m. — 1417 ; *maeyn*, 1304 ; du lat. *maius* « mai ».

♦ Régional (Suisse). Pâturage d'altitude moyenne (au-dessous de l'alpage) avec bâtiment, où le bétail séjourne au printemps et en automne. *La montée aux mayens. Passer l'automne aux mayens.* Chalet sur un mayen. Les *« mayens où l'on vient habiter deux fois pendant l'année »* (Ramuz).

MAYONNAISE [majɔnɛz] adj. et n. f. — 1756, d'après Brunot (*H.L.F.*, t. VI, p. 1099-1301), date de la prise de *Port-Mahon* par le duc de Richelieu ; attesté en 1807 seulement, sous la forme adj. « *à la mayonnaise* », selon le *Dictionnaire général* ; altér. de *Mahonnaise* ; étym. douteuse ; P. Guiraud propose de rattacher le mot au rad. de *mailler* « battre ».

♦ **1.** Adj. *Sauce mayonnaise :* sauce* froide composée d'huile*, d'œufs, et d'assaisonnements variés (sel, et parfois poivre, moutarde, vinaigre, ail...) battus jusqu'à prendre de la consistance, par l'émulsion de l'huile dans le jaune d'œuf.

Princes et grands seigneurs d'Europe tiennent à compter, dans leur domesticité, un cuisinier français qui leur prépara les poulets Villeroy ou la sauce mayonnaise ainsi baptisée en l'honneur de la prise de Port-Mahon à Minorque par un corps de débarquement français.
            J. GODECHOT, le Siècle des Lumières, *in* Hist. universelle, t. III,
                                                    Encycl. Pl., p. 231.

♦ **2.** N. f. (plus cour.). *La mayonnaise. Réussir une mayonnaise. Battre la mayonnaise. Mayonnaise ratée. Mayonnaise mousseline* (avec des blancs d'œufs battus en neige). *L'ailloli, mayonnaise mélangée d'ail pilé. Mayonnaise aux fines herbes* (sauce verte). *Chaud-froid* de volaille à la mayonnaise.* Ellipt. *Colin mayonnaise, œuf mayonnaise*, à la mayonnaise. — Par ext. *Mayonnaise de... :* morceaux de ... servis avec une sauce mayonnaise. *Mayonnaise de langouste, de légumes.* (On dit plutôt *macédoine*).

Ce n'était d'ailleurs pas la seule merveille que l'on vendît dans cette baraque ; on y proposait également à l'avidité des esprits pratiques un fouet à mayonnaise avec un petit entonnoir laissant tomber l'huile goutte à goutte (...)
                                        R. QUENEAU, le Chiendent, p. 79.

MAZAGRAN [mazagrɑ̃] n. m. — 1864, *in Année sc. et industr.* 1865, p. 316 ; de *Mazagran*, ville d'Algérie ; « l'idée est de café bu à la va-vite, comme à Mazagran en 1840 » (G. Esnault, *in le Français Moderne*, avril 1952).

♦ **1.** Vieilli. « Café, chaud ou froid, servi dans une chope... au lieu de l'être dans une tasse » (Delvau). — Spécialt. Café froid étendu d'eau, servi dans un verre*.

Quand j'ai lu mon journal et bu mon mazagran,
Je rentre à pas de loup au bureau (...)
            VERLAINE, Poèmes divers, « Promenades... », II.

« Vous me voyez entrer et vous ne m'apportez pas mon mazagran ! »
Gavard commanda deux autres mazagrans. Rose se hâta de servir les trois consommations, sous les yeux sévères de Logre, qui semblait étudier les verres et les petits plateaux de sucre.   ZOLA, le Ventre de Paris, t. I, p. 166.
Dans une demi-heure, ils vont tempêter dans la salle *(du music-hall)*... et sonner sur les verres avec leurs cuillers à mazagrans...
                                        COLETTE, la Vagabonde, p. 21.

♦ **2.** Mod. Verre à pied, en porcelaine épaisse, pour consommer le café.

MAZARIN [mazaʀɛ̃] n. m. ou **MAZARINE** [mazaʀin] n. f. — 1750, *in D.D.L.*, au fém. ; de *Mazarin*.

♦ Entremets sucré fait de pâte à génoise, de fruits confits, d'amandes et de marmelade.

MAZARINADE [mazaʀinad] n. f. — V. 1648, cf. Scarron, *« La Mazarinade »* (1651) ; de *Mazarin*, et -*ade*.

♦ Hist. Chanson ou pamphlet publié contre Mazarin, pendant la Fronde (par Scarron, Patru, Retz, etc. et surtout par des anonymes).

En laissant courir les mazarinades, il *(le Parlement)* châtia (...) les écrits trop sincères.   MICHELET, Hist. de France, t. XIV, XXI, p. 286.

MAZARINE [mazaʀin] n. f. — 1680, *assiette à la mazarine* ; 1735, *une mazarine* ; de *Mazarin*.

♦ **1.** Hist. Assiette creuse, les premières à être employées en France à la place des écuelles.

♦ **2.** *Chaises à la mazarine, chaises mazarine,* de style Louis XIII.

George, en qualité de maître de la maison, se prélasse sur un grand fauteuil de cuir de Cordoue ; les autres ont des chaises plus petites, de la forme dite aujourd'hui mazarine, en ébène et revêtues de lampas cerise et blanc d'une exquise rareté.   Th. GAUTIER, Fortunio, I, p. 10.

MAZDÉEN, ENNE [mazdeɛ̃, ɛn] adj. — 1846, Bescherelle ; de l'anc. perse *mazda* « sage ».

♦ Relig. Relatif au mazdéisme. *Prêtres mazdéens.*

MAZDÉISME [mazdeism] n. m. — 1846, Bescherelle ; de l'anc. perse *mazda* « sage », et *-isme*.

♦ Relig. Religion zoroastrienne de l'Iran antique, dualiste, opposant un principe du Bien et un principe du Mal. *Le mazdéisme est encore pratiqué par les Guèbres, les Parsis.*

DÉR. (De *Mazda*) Mazdéen.

MAZÉAGE [mazeaʒ] n. m. — 1846, Bescherelle ; de *mazer*, et *-age*.

♦ Techn. Action de mazer. ⇒ **Affinage, finage.**

MAZER [maze] v. tr. — 1842 ; p.-ê. du moyen haut all. *mase*.

♦ Techn. Traiter (la fonte*) par un premier affinage.

DÉR. **Mazéage.**

MAZET [maze] n. m. ⇒ **Maset.**

MAZETTE [mazɛt] n. f. — 1622 ; p.-ê. emploi métaphorique du normand et du franc-comtois *mazette* « mésange » ; ou (P. Guiraud) de l'anc. franç. *maez, maïs* « mauvais », du lat. *malifatus*.

♦ **1.** Vx. Mauvais petit cheval.

(...) et le général de piquer sa mazette qui caracolait comme une bête éreintée, suivie de deux autres Rossinantes glissant sur le pavé et prêtes à tomber sur le nez entre les jambes de leurs cavaliers.   CHATEAUBRIAND, Mémoires d'outre-tombe, t. V, p. 219.

♦ **2.** (1640). Vieilli. Personne inhabile, maladroite au jeu. — Par ext. (1648, Scarron). Personne faible, molle, sans ardeur ou incapable*. *Quelle mazette !*

Il *(M. de Valois)* acceptait les mazettes et savait en tirer parti *(au jeu).*   BALZAC, la Vieille Fille, Pl., t. IV, p. 214.

— Ne vous acharnez pas à vouloir être ouvrier. Commencez si tard, vous ne serez jamais qu'une mazette, et, à cause même de votre éducation, vous seriez malheureux.   J. VALLÈS, le Bachelier, IV.

Une grande pitié mêlée de mépris leur est venue à l'égard du reste de l'humanité. « Le monde n'a jamais été si vil et si misérable. Il n'est composé que de canailles et de mazettes ».   DUHAMEL, Salavin, III, XI.

Oh ! non, non, le docteur Bonfant est mort, c'est bien, nous avons le devoir de nous taire, mais le moins qu'on pourrait dire, si le silence au-dessus d'une tombe n'était pas sacré, c'est qu'il était une mazette et un criminel.   J. ANOUILH, le Voyageur sans bagage, p. 19.

♦ **3.** (1842, *in* D.D.L.). Interj. (Régional). Exclamation d'étonnement, d'admiration. *Un million ? — Mazette ! ce n'est pas rien !*

Ces messieurs lisent la gazette,
Dînent en ville assez bien mis ;
Quelquefois courtisent Lisette ;
J'approuve cela, mais, mazette !
Je n'en... gueule pas mes amis.   G. NOUVEAU, Valentines, Pl., p. 618.

MAZOT [mazo] n. m. — 1614 ; du lat. *mansus* (→ Mas), et suff. *-ottu.* Régional (Valais).

♦ **1.** Habitation temporaire appartenant à un propriétaire forain, dans le vignoble de la région de Martigny.

♦ **2.** Petit bâtiment rural.

Var. graphique (Alpes franç.) : *mazeau.*

HOM. **Maso.**

MAZOURKA [mazuʀka] n. f. Vx. ⇒ **Mazurka.**

MAZOUT [mazut] ; parfois [mazu] n. m. — 1899, *in* Encyclopédie Berthelot, art. *pétrole* ; russe *mazût,* de l'arabe *mähzûlât* « déchets ».

♦ **1.** Résidu de la distillation du pétrole, formé d'un mélange de carbures solides et liquides ; liquide épais, visqueux, brun, utilisé comme combustible (pour le chauffage domestique, la chauffe de chaudières, de fours...). *Plage polluée par le mazout. — Four, chaudière, poêle à mazout* (→ Cuire, cit. 5 ; cuisson, cit. 1). *Chauffage au mazout.*

Des hangars (...) ont pris feu, ainsi qu'un navire empli de mazout, qui répandit dans le ciel pur des torrents d'épaisse fumée noire (...)   GIDE, Journal, 17 juil. 1943.

REM. 1. Dans le lang. technique, en particulier chez les industriels, on emploie plutôt le terme anglais *fuel*.* → Huile (lourde).

2. On rencontre au Québec les expressions synonymes impropres *huile à (de) chauffage, huile à (de) fournaise.*

♦ **2.** Franç. d'Afrique. Fam. Mélange de whisky et de coca-cola.

DÉR. **Mazouter.**

MAZOUTAGE [mazutaʒ] n. m. — Mil. xxᵉ ; de *mazouter*, et *-age*.

♦ **1.** Opération par laquelle un bateau fait son plein de mazout.

♦ **2.** Souillure par le mazout. *Le mazoutage des plages bretonnes par les marées noires.*

MAZOUTER [mazute] v. — V. 1945 ; de *mazout*, et *-er*.

♦ **1.** V. intr. Mar. Faire le plein de mazout. *Cargo qui fait une escale pour mazouter.*

♦ **2.** V. tr. (surtout au passif). Souiller de mazout. — Au p. p. Pollué, souillé par le mazout, par la marée* noire. *Des plages mazoutées. Oiseaux mazoutés.*

DÉR. **Mazoutage, mazouteur.**

COMP. **Démazouter.**

MAZOUTEUR [mazutœʀ] n. m. — Mil. xxᵉ ; de *mazouter*, et *-eur*.

♦ Techn. Navire spécialisé dans le transport de mazout. ⇒ **Pétrolier.**

MAZURKA [mazyʀka] n. f. — 1836 ; *mazourka*, 1829 ; nombreuses variantes : *masurka*, 1834 ; *masourque* (Littré), *mazurke, mazoure*... ; mot polonais.

♦ **1.** Anc. Danse à trois temps, d'origine polonaise ; air sur lequel on la danse.

♦ **2.** Mus. Courte composition musicale utilisant le rythme, les thèmes de la mazurka. *Les mazurkas de Chopin* (→ Exécutant, cit. 1).

DÉR. **Mazurker.**

MAZURKER [mazyʀke] v. intr. — 1869 ; *mazourker*, 1846 ; de *mazurka (mazourka)*, et *-er*.

♦ Anc. Danser la mazurka.

M.B.A. [ɛmbea] n. f. — 1974 ; abréviation.

♦ Écon., fin. Marge* brute d'autofinancement (expression et abrév. recommandées par l'administration pour remplacer l'anglicisme *cash-flow*).

ME [mə] pron. pers. — 842, *Serments de Strasbourg* ; de l'accusatif lat. *me* « moi, me », en position inaccentuée.

REM. 1. Me s'élide en *m'* devant une voyelle ou un *h* muet : *il m'envoie, il m'honore, vous m'y invitez, elle m'en donne.*

2. Me est le pronom personnel de la première personne du singulier pour les deux genres. → Je, moi. Il accompagne toujours un verbe ou les présentatifs *voici, voilà.*

★ **I.** (Emplois de *me*).

♦ **1.** *Me,* complément d'objet direct, représentant la personne qui parle ou qui écrit. *On me voit. Il m'a envoyé chercher. Il l'a envoyé me chercher. Tu me présenteras à lui.* « *Vous m'eussiez condamnée sans m'entendre* » (cit. 62, Musset). *Un songe m'abuse* (cit. 11).

Dans quel trouble nouveau cette flamme me plonge !   RACINE, Iphigénie, II, 7.   1

On me dit une mère et je suis une tombe.   A. DE VIGNY, Poèmes philosophiques, « La maison du berger », III.   2

♦ **2.** *Me,* complément d'objet indirect. À moi.

a *Me,* énonçant les rapports de destination, d'attribution, d'intérêt, d'appartenance qu'expriment les prépositions *à* ou *pour. On me l'avait prédit...* (→ Attendre, cit. 98). *Plus il se livre* (cit. 23), *plus il me plaît. Les longs* (cit. 3) *ouvrages me font peur. Il me fait pitié. Il veut me parler. Donnez-m'en.*

(...) je compte tous les instants qui s'écoulent : mon impatience me les allonge toujours (...)   MONTESQUIEU, Lettres persanes, CLV.   3

Je la promenais partout, aux Tuileries, au Palais-Royal, aux Boulevards. Il était impossible qu'elle me demeurât.   DIDEROT, le Neveu de Rameau.   4

5   (...) je fus averti qu'une maigre pension (...) me serait versée les premiers du
    mois (...)   GIDE, les Caves du Vatican, II, VII.

    Spécialt. *Me,* comme complément d'un verbe d'attribution ou de juge-
    ment et marquant un rapport d'appartenance plus ou moins explicite
    (→ **Lui,** *supra* cit. 7).

    b *Me,* complément d'un adjectif ou d'un nom attribut construit avec
    être, devenir, sembler... Pour moi.

6   Ton amitié m'est le plus grand des biens.
                                    R. ROLLAND, Jean-Christophe, Le matin, p. 155.

7   Rien qui me soit plus étranger que le prosélytisme.
                                                    MONTHERLANT, Carnets, XXVI.

    REM. De nos jours, on n'use guère de la forme atone *me* que dans le
    cas où le verbe être est construit avec un adjectif ou un nom pris adjec-
    tivement ayant fonction d'attribut. Quand l'attribut introduit par le verbe
    être est un nom, l'emploi de la forme *me* est vieilli. On dirait : *c'est
    un supplice pour moi de...* plutôt que *ce m'est un supplice...* (cf. G. et
    R. Le Bidois, *Syntaxe du franç. mod.,* t. I, § 245).

    c *Me,* faisant office de possessif (mon, ma, mes) avec un nom dési-
    gnant une partie du corps ou une faculté de l'âme. *Vous
    m'avez fermé la bouche* (cit. 15). *Les bras m'en tombent.*

8   (...) la plume me tombe des mains (...)
                                        MONTESQUIEU, Lettres persanes, CLXI.

9   Il me passa toutes sortes de projets par la tête.
                                                DIDEROT, le Neveu de Rameau.

10 Le cœur me battait fort en poussant la barrière du jardin.
                                                    GIDE, la Porte étroite, III.

    Par ext. (Fam.). *Il m'a sauté dessus* (cit. 9). *Ils m'ont couru*
    (cit. 4) *après.*

    (Avec un nom désignant une affection physique ou un sentiment, un
    désir, une émotion...). *Il me vint une grande fatigue. Le désir me
    vint de...*

    Me, comme pronom explétif d'intérêt personnel (renforce un
    ordre, etc.). *Va me fermer cette porte !*

11 Qu'on me l'égorge tout à l'heure; qu'on me lui fasse griller les pieds, qu'on me
    mette dans l'eau bouillante, et qu'on me le pende au plancher.
                                                        MOLIÈRE, l'Avare, V, 2.

    ♦ **3.** *Me,* sujet d'un infinitif régi par *faire, laisser,* ou un verbe de per-
    ception. *On me fit voir les cabanes* (→ **Magnanerie,** cit. 1). *Il me
    laissa lire cette lettre. Vous m'entendez souvent répéter...*

12 (...) et quelle erreur fatale
    M'a fait entre mes bras recevoir ma rivale ?   RACINE, Iphigénie, II, 5.

    ♦ **4.** *Me,* avec un verbe de forme pronominale.

    a En emploi réfléchi, comme objet direct ou indirect, *me* renvoyant
    au pronom sujet *je. Je me console. Je me fais du mauvais
    sang. Les livres que je me suis achetés.*

13 Je me dirai, j'imite Julie, et me croirai justifié.
                            ROUSSEAU, Julie ou la Nouvelle Héloïse, II, V.

    b Avec un verbe pronominal non réfléchi. *Je me suis écrié. Je ne
    me souviens pas.*

    ♦ **5.** *Me,* employé avec un présentatif. *Me voici. Me voilà tranquille.
    M'y voici arrivé. M'en voilà tiré.*

14 Ah! m'y voilà donc enfin au feu! se dit-il... Me voici un vrai militaire.
                                        STENDHAL, la Chartreuse de Parme, III.

    ★ **II.** (Place de *me*). ♦ **1.** (Par rapport à un verbe).

    a *Me,* placé devant un verbe à l'indicatif, au conditionnel, au subjonc-
    tif ou au participe présent. *Tu m'affliges. M'a-t-on jamais vu
    manquer à mes promesses? Me voyant. M'ayant rencontré...*

15 Et vous me conseilleriez de l'imiter?   DIDEROT, le Neveu de Rameau.

16 Il ne se consolait pas (...) que Paris m'eût laissé mauvais souvenir.
                                            GIDE, les Caves du Vatican, II, VII.

    b Avec un verbe à l'impératif.

    Avec un impératif négatif, *me,* placé avant le verbe. *Ne me poussez
    pas. Ne me donnez rien.*

    Avec un impératif positif : employé seul, le pronom objet de la pre-
    mière personne est *moi* et se place après le verbe. ⇒ **Moi.** *Poussez-
    moi. «Quitte tout et suis-moi»* (Bible). → ci dessous, 2., a. — REM.
    Dans la langue classique, quand deux impératifs positifs étaient coor-
    donnés, le personnel de la première personne pouvait prendre la
    forme atone *me,* et précéder le second impératif. Ce tour est devenu
    archaïque ou poétique. *Poète, prends ton luth* (cit. 6) *et me donne
    un baiser.*

    c Avec un verbe à l'infinitif.

    Me, complément d'objet d'un infinitif dépendant d'un premier verbe
    (aller, croire, devoir, oser, penser, pouvoir, savoir, vouloir...) et placé
    normalement entre ce verbe et l'infinitif lorsque tous deux ont le même
    sujet. *Vous ne pensiez pas me revoir si tôt. Il a voulu me parler*
    (→ **2. Le,** I., 4., C.).

17 Quoi? Madame, un barbare osera m'insulter?   RACINE, Iphigénie, III, 6.

18 (...) ils me jugent et voudraient me conduire selon leurs principes.
                                                    MONTHERLANT, Carnets, XXVI.

    Par archaïsme. (→ **2. Le,** REM. *supra* cit. 20).

    J'abordai la rue Clovis, qui m'allait conduire au lycée.   1
                                    G. DUHAMEL, Chronique des Pasquier, II, IV.

    Me, placé avant le verbe régissant, quand celui-ci n'a pas le même
    sujet que l'infinitif. *Il me voit venir. Vous m'entendez chanter. Elle
    me fit partir. Il me ferait condamner par le juge.*

    Me verra-t-on sans vous partir avec la Reine?   RACINE, Iphigénie, II, 5.   2

    (...) je parierais bien que je ne me ferai jamais imprimer ni représenter.   2
                                        FLAUBERT, Correspondance, 28, 24 févr. 1839.

    REM. Dans ce tour, *me* est généralement complément d'objet du verbe
    régissant et en même temps sujet de l'infinitif. Il peut cependant arriver
    que, même placé devant le premier verbe, il soit le complément d'objet
    du second malgré l'équivoque qui en résulte parfois. Ex. : *On m'a fait
    chercher inutilement* (on m'a obligé à chercher *ou bien* on a envoyé
    quelqu'un me chercher). — **Spécialt.** Avec *falloir* et l'infinitif, la place de
    me change le sens : *il faut me parler* (à moi); *il me faut parler* (que
    je parle).

    ♦ **2.** (Par rapport à un autre pronom).

    a *Me,* placé régulièrement devant *le, la, les. On ne me le don-
    nera pas.*

    REM. 1. Après un impératif positif, *me* est remplacé par *moi,* qui se
    place après *le, la, les. Donnez-les-moi. Rends-la-moi.* ⇒ **Moi.**

    À votre place je ne me le tiendrais pas pour dit, j'essayerais.   2
                                                    DIDEROT, le Neveu de Rameau.

    Je ne me le fais pas présenter. On me le présente.   FRANCE, le Lys rouge, I.   2

    2. Si le verbe régissant et l'infinitif ont chacun un pronom personnel
    complément d'objet direct ou indirect, on place chaque pronom devant
    son verbe. *Vous m'envoyez le chercher. Vous l'envoyez me chercher.*
    — REM. Avec *faire, laisser* et les verbes de perception → **2. Le, la, les**
    (I., 4., D. et REM. *supra* cit. 26). *On m'a vu l'emmener de force. On
    me l'a vu emmener de force.*

    (...) un signe de toi m'aurait fait te suivre de l'autre côté de la terre (...) 2
                                                    Alphonse DAUDET, Sapho, XV.

    En m'entendant lui avouer mon admiration pour la *Nuit d'Octobre,* il avait fait 2
    éclater un rire bruyant (...)
                                    PROUST, À la recherche du temps perdu, t. I, p. 126.

    Les raisons qui me font le fuir?   2
                            GIDE, la Porte étroite, «Journal d'Alissa», Lundi soir 3 mai.

    b *Me,* employé avec *lui, eux, leur. Tu me présenteras à lui* (et non
    pas : *tu me lui présenteras). Tu me présenteras à eux* (et
    non : *tu me leur présenteras).* — REM. Dans la langue familière on
    peut joindre *me* à *lui, leur,* si *me* est pronom explétif d'intérêt person-
    nel. *Tu me leur flanqueras une bonne correction.*

    c *Me,* placé toujours devant *en* et *y. Vous m'en reparlerez. On ne
    m'y reprendra plus.* — (À l'impératif). *Donnez-m'en. Croyez-
    m'en. Mène-m'y* (on dit plutôt *mènes-y-moi**).

    Quand je m'y suis mis quelquefois, à considérer les diverses agitations des hom-
    mes, et les périls et les peines où ils s'exposent (...)
                                                        PASCAL, Pensées, II, 139.

    Ah! si je m'en croyais (...)   RACINE, Iphigénie, IV, 1.   2

    ★ **III.** (Répétition de *me*). ♦ **1.** *Me,* normalement répété devant cha-
    que verbe juxtaposé ou coordonné (→ **2. Le,** I., 6., et REM). *Il m'admire
    et me respecte. Il m'a abordé et m'a interrogé. «Elle m'a écrit de
    Florence et envoyé son livre»* (A. France).

    Si j'entre dans la salle, le sourire de Mathouillet m'attend et m'accueille.   2
                                        G. DUHAMEL, Récits des temps de guerre, I, IX.

    ♦ **2.** *Me,* nécessairement répété quand il est complément de deux
    verbes n'ayant pas la même construction. *Il m'a aidé et m'a prêté
    de l'argent.* — REM. En pareil cas, l'omission de *me* devant le second
    verbe n'est pas conforme à l'usage courant.

    Tout m'afflige et me nuit, et conspire à me nuire.   RACINE, Phèdre, I, 3.   3

    Il m'a pris par le cou et demandé pardon (...)   3
                                        G. DUHAMEL, les Plaisirs et les Jeux, IV, III.

    ★ **IV.** Omission de *me* devant un infinitif pronominal, après *faire*
    (cit. 196 et *supra*) et *laisser* (cit. 10). *Il me laissa asseoir. Vous me fai-
    tes repentir. Vous me ferez souvenir de...* — REM. Certains écrivains
    emploient parfois *me* dans ce cas avec une valeur stylistique (→ ci-
    dessous, cit. 33, Gide).

    Ces réflexions tristes mais attendrissantes, me faisaient replier sur moi-même.
                                                    ROUSSEAU, les Confessions, IX.

    (...) ce sont des raisons sentimentales qui me font m'efforcer de trouver un ter-
    rain de conciliation (...)   GIDE, Journal, 9 janv. 1933.

    ★ **V.** (Renforcement de *me*). ⇒ **Moi** (moi-même).

    MÉ- ou **MÉS-** Préfixe péjoratif, du francique *missi,* même sens
    (all. *miss-*). → **Mésalliance, mécompte, mépris, mésestimer...**

    MEA-CULPA [meakylpa] n. m. invar. — 1560; mots latins tirés du
    Confiteor et signifiant «par ma faute».

    ♦ Ne s'emploie que dans l'expression *faire* (ou parfois *dire*) son *mea-
    culpa :* avouer sa faute, s'en repentir; reconnaître sa propre respon-
    sabilité dans un malheur qui arrive. ⇒ **Confiteor** (dire son).

    Oui, nous nous sommes abîmés dans le dilettantisme, nous tous, vous aussi, rap-

pelez-vous, vous pouvez faire comme moi votre *mea culpa*, nous avons été trop dilettantes.   PROUST, le Temps retrouvé, Pl., t. III, p. 808.
REM. On écrit aussi *meâ culpâ*.

MÉANDRE [meɑ̃dʀ] n. m. — 1552, Bloch ; du lat. *Mæander*, transcription du grec *Maiandros*, nom d'un fleuve sinueux de Phrygie.

♦ **1.** Sinuosité d'un fleuve, d'une rivière. ⇒ **Courbe, courbure ; contour, détour.** *Méandres encaissés, capricieux* (→ Guider, cit. 15). — Par anal. *Méandre d'une route.* ⇒ **Coude, lacet, zigzag.** *Méandres d'un mur, d'un rempart...*
Le train accepte tous les détours que lui proposent les méandres d'un petit cours d'eau, et ces courbes continuelles l'obligent à une extrême lenteur.
GIDE, Journal, « Marche turque », avril 1914.
Puis nous avons cherché d'autres chemins (...) surtout pour allonger le retour (...) Nous savions trouver le méandre qui ajoutait cinq minutes au trajet (...)
J. ROMAINS, les Hommes de bonne volonté, t. III, XIX, p. 270.

♦ **2.** (1721). Techn. (Arts). Ornement* d'architecture ou de dessin formé de baguettes, de lignes entrecroisées ou brisées. ⇒ **Frette, grecque, zigzag.**

♦ **3.** Par métaphore, fig. Démarche compliquée. *Méandres d'un exposé, d'un récit, d'une phrase* (→ Enrouler, cit. 4). — *Les méandres de la diplomatie, de la politique.* ⇒ **Détour, ruse.**
Perdu dans les méandres de sa propre pensée, il était à cent lieues de Siron (...)
MARTIN DU GARD, les Thibault, t. VIII, p. 40.
Albert Sorel, reprenant le personnage *(Alexandre Ier)* a, en tout cas, vu en lui « un des hommes les plus *suivis* qu'il y ait eu, malgré *les méandres de sa politique* ».
Louis MADELIN, Hist. du Consulat et de l'Empire, Vers Emp. Occident, XXIII.

DÉR. **Méandreux, méandrine.**

MÉANDREUX, EUSE [meɑ̃dʀø, øz] adj. — 1609, *in* F.E.W. ; repris xxᵉ ; de *méandre*, et -*eux*.

♦ Rare, littér. Plein de méandres, tortueux. ⇒ **Méandrique.**

MÉANDRINE [meɑ̃dʀin] n. f. — 1828 ; *méandrite*, 1765, Encyclopédie ; de *méandre*, et -*ine*.

♦ Zool. Madrépore *(Fongidés)* comprenant des polypiers à calices vermiculés et disposés en rangées sinueuses.

MÉANDRIQUE [meɑ̃dʀik] adj. — 1813, Stendhal ; bas lat. *maeandricus* « du Méandre ».

♦ Rare. Sinueux. *Chemin méandrique.* ⇒ **Méandreux.**

MÉAT [mea] n. m. — V. 1560 ; dès 1500, *méate*, au sens général de « passage, conduit » ; anc. provençal *meat*, xivᵉ ; lat. *meatus* « passage, canal ».

♦ **1.** Anat. Canal, conduit ou orifice d'un canal. *Méat urinaire :* orifice externe de l'urètre. *Méats inférieur, moyen, supérieur, du nez :* cavités des fosses nasales limitées par les cornets nasaux.

♦ **2.** Bot. Interstice entre les cellules d'un tissu végétal. ⇒ **Lacune.**

MEC [mɛk] n. m. — 1827, Esnault ; *mecque* « roi », 1821 ; *meg, meck*, v. 1834 ; orig. obscure.

♦ **1.** Argot anc. Chef, homme énergique. *Un mec à la redresse.* ⇒ **Dur.** *Les mecs et les caves.* — Par ext. Souteneur. ⇒ **Maquereau.**

♦ **2.** (V. 1850). Mod. (pop., puis fam.). Homme, individu. *Qu'est-ce que c'est que ce mec-là ?* ⇒ **Bonhomme ; type.** *Un petit mec.* ⇒ **Mecton.**
Spécialt. Individu masculin (opposé à un mot signifiant « *femme* »). *Les mecs et les bonnes femmes, et les nanas.*
I' voulait jouer au soldat avec moi. J'y ai fabriqué un petit flingot. J'y ai expliqué les tranchées, et lui (...) i' m'tirait d'ssus en gueulant. Ah ! le sacré p'tit mec, il en mettait !   H. BARBUSSE, le Feu, t. II, p. 36.
A *(elles)* cognent comme des mecs, admirait le type en casquette (...) Oh, là, là, qu'est-ce qu'elle y *(lui)* passe la grande !
Francis CARCO, Jésus la Caille, III, 4, p. 183.
Le petit mec, celui dont je vous parle, depuis quelque temps il m'a l'air de tourner autour.   J. ROMAINS, les Hommes de bonne volonté, t. IV, p. 19.
(Avec un possessif). Compagnon (d'une femme). ⇒ **Homme, jules.** *Claudine choisit son homme moins comme son mari que comme son « mec »* (F Magazine, août 1978, p. 67).

MÉCANICIEN, IENNE [mekanisjɛ̃, jɛn] n. et adj. — 1696 ; de *mécanique*, sur le modèle de *mathématicien*.

★ **I.** N. ♦ **1.** Didact. Physicien, physicienne spécialiste de la mécanique.
(...) les questions que nous venons de proposer sur la nature du temps et de l'espace, nous fourniront l'occasion d'un éclaircissement utile sur la définition que les mécaniciens donnent de la vitesse.
D'ALEMBERT, Éléments de philosophie, Œ. compl., t. I, p. 316.

♦ **2.** Personne qui invente des machines, qui en dirige la construction (→ Hydraulique, cit. 2 ; législateur, cit. 2, par métaphore). *Vaucanson, célèbre mécanicien, constructeur d'automates.* — Par appos. *Ingénieur-mécanicien.*

♦ **3.** (1840, Académie). Cour. Personne qui a pour métier de monter (⇒ **Monteur**), d'entretenir ou de réparer (⇒ **Dépanneur**) les machines. *Mécanicien spécialisé dans les machines-outils. Bleu, combinaison* (cit. 15), *cotte de mécanicien.* — Par appos. *Ouvrier mécanicien.* — *Conduire sa voiture chez le mécanicien* (→ Garagiste, cit. 1 et 2). ⇒ **Garage.** *Les mécaniciens d'un garage.* ⇒ **Mécano.** — Par ext. *Il répare sa voiture lui-même, il est bon mécanicien* (→ Accroc, cit. 2). *Bonne, excellente mécanicienne.* — Mar. (vx). *Mécanicien de la marine : officier mécanicien* (mod. : *ingénieur de marine*), *mécanicien en chef ou chef mécanicien. Premiers-maîtres mécaniciens. Élèves mécaniciens des écoles de mécanique de la marine.* — Aviat. *Mécanicien d'avion. Mécanicien d'hélicoptère. Mécanicien navigant.*
L'avion semble neuf. Horlogerie délicate à quoi touchaient les mécaniciens avec leurs doigts d'inventeurs.   SAINT-EXUPÉRY, Courrier Sud, I, II.
Le chef mécanicien, Lauran (...) était debout devant les cadrans des manomètres, devant les trois dynamos qui actionnaient les pompes (...) Deux autres mécaniciens adossés à la paroi le regardaient.   Roger VERCEL, Remorques, VI.

♦ **4.** (1834). N. m. Celui qui conduit une locomotive. ⇒ **Conducteur** (→ Dépôt, cit. 12 ; grouiller, cit. 4 ; immobiliser, cit. 2 ; insensible, cit. 17). — Celui qui fait fonctionner une batteuse (→ Chanson, cit. 7), un véhicule de transports en commun. ⇒ **Machiniste.** *Mécanicien agricole.*
(...) une batteuse à vapeur, louée à un mécanicien de Châteaudun, qui la promenait de Bonneval à Cloyes.   ZOLA, la Terre, III, VI.

♦ **5.** (1955). *Mécanicien-dentiste :* aide-dentiste spécialisé dans la fabrication des appareils de prothèse dentaire. *Une mécanicienne-dentiste. Des mécaniciens-dentistes.* — On dit aussi par abréviation *mécanicien.*

♦ **6.** N. f. (1877). *Mécanicienne* (vx) : ouvrière couturière travaillant à la machine à coudre.

★ **II.** Adj. *Civilisation mécanicienne* (→ Bauge, cit. 4), caractérisée par le développement du machinisme.

DÉR. **Mécano.**

MÉCANICISME [mekanisism] n. m. — 1962, Foulquié ; 1836, *in* F.E.W. (en médecine) ; du lat. *mecanicum* « mécanique ».

♦ Philos. Syn. de *mécanisme* (II.). « *La théorie d'après laquelle une certaine catégorie de faits n'est que du mécanique, constitue un mécanicisme* » (Foulquié, *Dictionnaire de la langue philosophique*, p. 429). ⇒ **Matérialisme** (I.).

MÉCANICISTE [mekanisist] adj. et n. — 1953, Quillet ; du lat. *mecanicum* « mécanique ».

♦ Philos. Qui a trait au mécanisme (II.), notamment aux théories de certains philosophes du XVIIIᵉ siècle. *Théories mécanicistes.* ⇒ **Mécanistique.**
N. *Un mécaniciste.* ⇒ **Mécaniste.**

MÉCANIQUE [mekanik] adj. et n. — 1265, adj. ; lat. *mechanicus* ; grec *mêkhanikos*, de *mêkhanê* « machine », et n. f. (1559) du lat. impérial *mecanica*.

★ **I.** Adj. ♦ **1.** (V. 1370). Qui est exécuté par un mécanisme, une machine ; qui utilise des mécanismes, des machines. *Procédés mécaniques* (→ Gravure, cit. 2 ; illustration, cit. 10). *Agencement* (cit. 4) *mécanique. Transformer une matière première par des procédés mécaniques. Rendre mécanique une opération.* ⇒ **Mécaniser.** — Imprim. *Composition* mécanique. — *Emploi de dispositifs mécaniques pour traiter les opérations logiques.* ⇒ **Mécanographie.** — Agric. *Battage* (cit.) *mécanique.* — *Industrie mécanique. Tissage mécanique. Équipement* (cit. 6) *mécanique.* — *Tuile* *mécanique.*
(...) la production mécanique permettant d'atteindre des couches de consommateurs plus nombreux, l'entreprise qui s'est caractérisée s'étend.
PIROU et BYÉ, Traité d'économie politique, t. I, p. 43.
Qui est mû par un mécanisme. *Engins* (cit. 3) *mécaniques. Escalier* *mécanique. Machine à calculer mécanique.* — Ancienmt. *Orgue* (→ Fox-trot, cit. ; hennissement, cit.) *mécanique. Piano* *mécanique. Faucheuse, lit mécanique. Rasoir* *mécanique.* ⇒ **Lame,** cit. 5). — *Jouets mécaniques : cheval*, *poupée, train mécanique.*

♦ **2.** Qui évoque le fonctionnement d'une machine (par oppos. à *réfléchi, intelligent*). *Acte, geste mécanique* (→ Fléau, cit. 1 ; grattage, cit.). ⇒ **Automatique, machinal ; irréfléchi, réflexe.** *Mouvements convulsifs, saccadés et mécaniques.*
Une tâche habituelle, avec ses mouvements mécaniques, est très proche de la rêverie (...)   J. CHARDONNE, l'Amour du prochain, p. 70.

♦ **3.** Vx. (Loc.). *Les arts* (cit. 64) *mécaniques* (→ Artisan, cit. 9 et 10).

3 Il n'y a point d'art si mécanique ni de si vile condition où les avantages ne soient plus sûrs *(que dans la carrière des sciences et des lettres).*
LA BRUYÈRE, les Caractères, XII, 17.

♦ **4.** Qui concerne le mouvement et ses propriétés; qui est l'objet de la mécanique (→ ci-dessous, II.). *Lois mécaniques. Problème mécanique* (→ Indétermination, cit. 3).

4 (...) le mathématicien, pour la commodité de ses déductions, considère un petit nombre d'éléments mécaniques : forces, poids, masses, etc., en faisant abstraction de tout le reste de l'univers (...)
Émile BOREL, Évolution de la mécanique, I, I, 4.

Par ext. (fam.). *Ennuis mécaniques,* de moteur. ⇒ **Panne.**

♦ **5.** Qui consiste en mouvements, est produit par un mouvement. *Énergie mécanique et énergie thermique* (thermodynamique), *et électricité* (→ Électricité, cit. 6) *produite. Érosion* (cit. 1) *provoquée par des agents mécaniques* (→ Intensif, cit. 1). *Réactions mécaniques de la matière vivante* (→ Contractile, cit.). *Phénomènes mécaniques de la digestion* (→ Assimilable, cit. 1). — *Pierre gravée par un moyen mécanique* (par oppos. à *chimique, électrique...*).

♦ **6.** Philos. Qui peut être expliqué par les notions utilisées en mécanique (→ ci-dessous, II.). *Phénomène mécanique, réduit à ses aspects mécaniques.* — Didact. Qui utilise les notions dont fait usage la mécanique. *Explication, théorie mécanique de l'univers.* ⇒ **Mécanisme.**

5 (...) la philosophie est devenue bien mécanique? — Si mécanique, répondis-je, que je crains qu'on en ait bientôt honte. On veut que l'univers ne soit en grand que ce qu'une montre est en petit, et que tout s'y conduise par des mouvements réglés, qui dépendent de l'arrangement des parties.
FONTENELLE, Entretiens sur la pluralité des mondes, 1ᵉʳ soir.

★ **II.** N. f. (1559). ♦ **1.** Didact. Science qui a pour objet l'étude du mouvement et de l'équilibre des corps*, ainsi que la théorie des machines. ⇒ **Machine.**

6 La Mécanique est, en effet, une véritable science et, non pas seulement une branche d'une science plus vaste (...) C'est au progrès de la mécanique que nous devons la plus grande partie des innombrables machines grâce auxquelles s'est développée la civilisation et transformée notre vie matérielle (...) si une telle explication *(de l'Univers)* doit être trouvée un jour, elle le sera grâce à des branches nouvelles de la science, telles que la mécanique ondulatoire, issues à la fois de la mécanique, de la physique et du calcul des probabilités.
Émile BOREL, Évolution de la mécanique, Préface.

Mécanique rationnelle, ou, ellipt., *mécanique :* mécanique théorique (considérée comme une partie des mathématiques). *Branches de la mécanique.* ⇒ **Cinématique, dynamique, statique.** *Formules* (cit. 8), *lois, principes de la mécanique. Mécanique et géométrie* (cit. 3 et 7). *Notions fondamentales de la mécanique.* ⇒ **Accélération, force, masse, mouvement, vitesse.** *Termes de mécanique.* ⇒ **Action, cinétique, composition** (des forces), **couple, déplacement, énergie, équilibre, frottement, gyroscopique, inertie, moment, pesanteur, point** (matériel), **potentiel** (n. et adj.), **pression, réaction, résultante, rotation, traction...** — *Mécanique (rationnelle) classique, fondée par Galilée, développée par Descartes, Newton... Mécanique relativiste*, *quantique*, *ondulatoire*. — *Aspects de la mécanique : mécanique du point matériel, du solide, des milieux continus. Mécanique analytique :* partie de la mécanique utilisant des développements mathématiques issus des équations de Lagrange. *Mécanique statistique,* étudiant une collection de mouvements possibles (mouvements aléatoires).

7 (...) la mathématique concrète, qui se compose, d'une part, de la géométrie générale, d'une autre part, de la mécanique rationnelle.
A. COMTE, Cours de philosophie positive, IIᵉ leçon, III.

Mécanique appliquée. Mécanique céleste. ⇒ **Astronomie; astrodynamique.** *Mécanique des fluides,* ou *hydraulique.* ⇒ **Hydrodynamique, hydrostatique.** *Mécanique et énergie thermique.* ⇒ **Thermodynamique.** *Mécanique du vol.* ⇒ aussi **Astronautique, balistique.** *Mécanique des sols, des roches,* étude de leur comportement physique et mécanique. ⇒ **Géotechnique.** *Mécanique des êtres vivants.* ⇒ **Biomécanique.** *Ingénieur spécialiste de la mécanique.* ⇒ **Mécanicien.**

8 (...) Galilée, qui prend décidément pied sur la terre promise en traitant par une méthode expérimentale les problèmes de la mécanique terrestre comme de la mécanique céleste.
Léon BRUNSCHVICG, Descartes, p. 8.

Unités de mesure utilisées en mécanique (dyne, erg...).
Instruments et appareils utilisés en mécanique. ⇒ **Compteur, dynamomètre, manomètre, tachymètre...**

♦ **2.** Cour. Science de la construction et du fonctionnement des machines (⇒ **Machine**). *Termes de mécanique (pièces) :* arbre, bielle, cardan, chaise, chapeau, clé, collet, couteau, crémaillère, électromoteur, excentrique, glissière, guide, joint, mécanisme, modérateur, moteur*, propulseur, transmission, tympan.

♦ **3.** (XVIIᵉ). Cour. *Une mécanique :* un assemblage, une combinaison de pièces destinés à produire, transmettre ou transformer un mouvement. *Mécanique d'une horloge, d'une montre.*
Absolt. ⇒ **Mécanisme; machine.** *Une mécanique* (→ Automatiquement, cit.; effort, cit. 7; hélicoptère, cit. 2). *Mécanique compliquée* (→ Jambe, cit. 26). *Rouages d'une mécanique* (→ Centre, cit. 9; guide, cit. 3). — *Dentelle (faite) à la mécanique.*

9 Que penserons-nous d'une mécanique de bois et de métal qui non seulement peut

computer les tables astronomiques et nautiques (...) mais encore confirmer la certitude mathématique de ses opérations (...)?
BAUDELAIRE, Trad. E. POE, Histoires grotesques..., « Joueur d'échecs... »

Fam. *Mécanisme simple.*

Heureusement, nous avions franchi le col, et la route descendait sur Aubagne. Le voisin desserra son frein, qu'on appelait la mécanique, et fouetta le petit cheval, qui n'eut qu'à se laisser emporter par le poids de l'équipage.
M. PAGNOL, la Gloire de mon père, t. I, p. 9.

Par métaphore. (D'un corps vivant). *Je ne me sens pas bien, la mécanique est fatiguée.*

Ce petit arrêt me fut quand même salutaire. Il faut si peu de chose pour me rendre heureux. Le grave est qu'il en faut encore moins pour me détraquer. Ah! pauvre mécanique!
G. DUHAMEL, Salavin, I, II.

Loc. fam. *Remonter la mécanique :* rassembler toute son énergie. — Pop. *Rouler les mécaniques,* les épaules (⇒ **Rouler,** I., 5.). *Rouleur de mécaniques :* celui qui roule des épaules.

Je commençais à les prendre en horreur, ces rouleurs de mécanique *(sic),* avec leur prétention à la grande vedette (...)
Albert SIMONIN, Touchez pas au grisbi, p. 16. 10

♦ **4.** Le fonctionnement de la machine. — Par métaphore. *La mécanique du corps* (cit. 16) *humain.* — Fig. *La mécanique de l'âme* (→ Dérégler, cit. 2), *des passions, de la politique.*

Cet homme m'inquiète! il me paraît mieux posséder la mécanique de l'amour que l'amour de la mécanique.
BALZAC, les Ressources de Quinola, I, 17.

DÉR. **Mécanicien, mécaniquement.**
COMP. **Biomécanique, télémécanique.** — (Du même rad.) **Mécaniser.**

MÉCANIQUEMENT [mekanikmã] adv. — Fin XVᵉ «de façon vile»; 1490 «en ouvrier»; de *mécanique,* adj., et *-ment.*

♦ **1.** D'une manière mécanique. ⇒ **Automatiquement, machinalement.** *Réciter mécaniquement un poème, imiter mécaniquement* (→ Harmonie, cit. 23; figure, cit. 6).

Appliquer mécaniquement des préceptes stricts, il y avait certainement des Juifs qui réduisaient leur religion à ce froid conformisme (...)
DANIEL-ROPS, le Peuple de la Bible, IV, III.

♦ **2.** Du point de vue de la mécanique (→ Fondation, cit. 1).

MÉCANISAGE [mekanizaʒ] n. m. — V. 1975; de *mécaniser,* et *-age.*

♦ Techn. Usinage par des moyens mécaniques.

MÉCANISATION [mekanizɑsjõ] n. f. — 1870, Goncourt; de *mécaniser,* et *-ation.*

♦ Action de mécaniser; résultat de cette action. *Mécanisation d'une industrie, des moyens de locomotion.*

Quant aux foules malheureuses (...) Elles ont cru, de grand cœur, que la mécanisation du monde les délivrerait des fardeaux les plus lourds et travaillerait à leur félicité.
G. DUHAMEL, Manuel du protestataire, IV.

Leurs récoltes, sur un même terrain, sont deux ou trois fois plus abondantes qu'au début du siècle grâce à l'irrigation du sol, à la mécanisation du travail agricole, à la quantité d'engrais qu'ils utilisent (...)
S. DE BEAUVOIR, Tout compte fait, p. 311.

MÉCANISER [mekanize] v. tr. — 1580 « avilir »; du rad. de *mécanique,* adj., et suff. *-iser.*
Rendre mécanique.

♦ **1.** (1823). Vx. Rendre semblable à une machine. *Le travail à la chaîne mécanise l'ouvrier.* — Par ext. Rendre semblable à ce qui est produit par une machine (→ Girl, cit. 1).

♦ **2.** (1931). Mod. Réduire à un travail mécanique (par l'utilisation de machines*). *Le machinisme mécanise la production* (→ Mécanique, cit. 1). ⇒ **Industrialiser, motoriser.**

♦ **3.** (1834). Fig., fam. (Vx). *Mécaniser qqn,* le tourmenter, le taquiner.
DÉR. **Mécanisation.**

MÉCANISME [mekanism] n. m. — 1701, Furetière; du lat. *mechanisma.*

★ **I.** ♦ **1.** (1701). Combinaison, agencement de pièces, d'organes, montés en vue d'un fonctionnement d'ensemble. ⇒ **Mécanique** (II., 3.). *Mécanisme d'une machine* (cit. 3), *d'une horloge, d'un automate, d'un jouet* (→ Engin, cit. 3). *Mécanisme délicat, compliqué, simple, robuste. Démonter le mécanisme d'un fusil. Fonctionnement, réglage, remontage d'un mécanisme. Mécanisme qui s'enraye, se dérange, se détraque. Divers types de mécanismes :* accélérateur, compteur, déclic, échappement, embrayage, engrenage, modérateur, roulement... — REM. *Mécanisme* se distingue de la *machine* dont il fait partie, et qui peut en comporter plusieurs. De plus, le terme de *machine* a rapport à un but, celui de *mécanisme* aux moyens par lesquels la machine peut remplir son office. ⇒ **Machine.**

(...) pour agir, nous commençons par nous proposer un but ; nous faisons un plan, puis nous passons au détail du mécanisme qui le réalisera.
H. BERGSON, l'Évolution créatrice, p. 44.

Le mécanisme règle et transforme un mouvement dont l'impulsion lui est communiquée. Mécanisme n'est pas moteur (...) Naturellement, des mécanismes peuvent être combinés, par superposition ou par composition.
G. CANGUILHEM, la Connaissance de la vie, p. 126.

(1791). Par ext. ⇒ **Machine.** *Le corps* (cit. 16) *humain, mécanisme infiniment perfectionné.*

Fig. *Le mécanisme économique* (→ Entrepreneur, cit. 9), *administratif. Les mécanismes psychologiques de l'esprit* (→ Lourd, cit. 16).

(...) l'administration est devenue comme une machine sans âme qui accomplirait les œuvres d'un homme. La France est trop portée à supposer qu'on peut suppléer à l'impulsion intime de l'âme par des mécanismes et des procédés extérieurs.
RENAN, l'Avenir de la science, Œ. compl., t. III, p. 750.

(...) un arrêt net brise tous les rouages de ce mécanisme compliqué *(une armée en cours de mobilisation),* et les rend pour longtemps inutilisables.
MARTIN DU GARD, les Thibault, t. VI, p. 212.

♦ **2.** (Mil. XVIIIᵉ). Mode de fonctionnement (d'une machine, ou de ce qu'on assimile à une machine). *Le mécanisme d'une action physique* (→ Géographie, cit. 2). *Je ne suis pas habitué au mécanisme de cette machine, de cette serrure.* — Par ext. *Mécanismes biologiques, organiques.* ⇒ **Processus.**

Comme nous le savons, les mécanismes adaptifs qui nous protègent contre les microbes et les virus varient suivant chacun de nous.
Alexis CARREL, l'Homme, cet inconnu, VII, IV.

(1758). Abstrait. *Le mécanisme de la pensée* (→ Critique, cit. 11), *de la parole* (→ Langue, cit. 12). *Comprendre le mécanisme d'une action.* ⇒ **Comment** (subst.).

Didact. Se dit de certains types de processus psychologiques, notamment en psychanalyse. *Mécanismes de défense, de dégagement.*

Le terme *mécanisme* est utilisé d'emblée par Freud pour connoter le fait que les phénomènes psychiques présentent des agencements susceptibles d'une observation et d'une analyse scientifique (...)
D. Lagache oppose les mécanismes de dégagement aux mécanismes de défense : alors que ceux-ci n'ont pour fin que la réduction urgente des tensions internes, conformément au principe de déplaisir-plaisir, ceux-là tendent à la réalisation des possibilités, fût-ce au prix d'une augmentation de tension.
J. LAPLANCHE et J.-B. PONTALIS, Voc. de la psychanalyse.

♦ **3.** (1867). Mus. La partie du talent qui n'a trait qu'à l'habileté, à la virtuosité dans l'exécution. *Ce pianiste, ce violoniste a un remarquable mécanisme. Études de mécanisme transcendantes.*

(...) il semblait pétrir le piano. Son jeu ne rappelait rien que j'eusse jamais entendu (...) ce qu'on appelle « mécanisme » lui faisait complètement défaut et je crois qu'il aurait trébuché dans une simple gamme (...)
GIDE, Si le grain ne meurt, I, VI, p. 161.

★ **II.** (1867). Philos. Théorie philosophique admettant qu'une classe de faits, ou l'ensemble des phénomènes, sont susceptibles d'être ramenés à une combinaison de mouvements physiques. *Mécanisme matérialiste.* ⇒ **Atomisme, matérialisme.** *Le mécanisme cartésien expliquait les phénomènes « par les figures et les mouvements ».* ⇒ **Machinisme** (vx). *Mécanisme et dynamisme ou énergétisme en physique. Mécanisme et finalisme* (cit.) *en biologie.*

Le mécanisme radical implique une métaphysique où la totalité du réel est posée en bloc, dans l'éternité, et où la durée apparente des choses exprime seulement l'infirmité d'un esprit qui ne peut pas connaître tout à la fois.
H. BERGSON, l'Évolution créatrice, p. 39.

CONTR. Dynamisme, finalisme.
DÉR. (De *mécanisme.* II.) Mécaniste.
COMP. Iatromécanisme.

MÉCANISTE [mekanist] adj. et n. — 1687 « médecin professant la médecine mécaniste » ; sens mod. 1867 ; de *mécanisme,* et *-iste.*

♦ Philos. Propre au système philosophique appelé mécanisme. *Théorie, explication mécaniste. Matérialisme mécaniste.* — Qui adopte le mécanisme. — N. *Un mécaniste :* un philosophe mécaniste.

Huyghens rendra à Galilée un hommage émouvant. Son œuvre, en effet, tient du prodige (...) Quant à sa philosophie mécaniste, « science nouvelle » dont il est le premier maître (...) nous allons voir qu'elle était décidément la philosophie du siècle. Avec lui est né un nouvel âge de la pensée.
R. LENOBLE, in Histoire de la science, Encycl. Pl., p. 477.

Sade niera Dieu au nom de la nature — le matériel idéologique de son temps le fournit alors en discours mécanistes — et il fera de la nature une puissance de destruction.
CAMUS, l'Homme révolté, Pl., p. 449.

DÉR. Mécanistique.

MÉCANISTIQUE [mekanistik] adj. — 1907, Bergson ; de *mécaniste,* et *-ique.*

♦ Philos. Relatif à la doctrine mécaniste*. Syn. : *mécaniste.*

La philosophie mécanistique est à prendre ou à laisser : il faudrait la laisser si le plus petit grain de poussière se déviait et déviant sa trajectoire prévue par la mécanique, manifestait la plus légère trace de spontanéité.
H. BERGSON, l'Évolution créatrice, in FOULQUIÉ, Dict. de la langue philosophique.

Pour la biologie la difficulté est d'un autre ordre. Les interactions élémentaires sur quoi tout repose sont d'apprehension relativement facile grâce à leur caractère

mécanistique. C'est la phénoménale complexité des systèmes vivants qui défie toute représentation intuitive globale.
Jacques MONOD, le Hasard et la Nécessité, p. 178.

MÉCANO [mekano] n. m.— 1907, in D.D.L. ; abrév. de *mécanicien*.*

♦ Fam. Mécanicien (→ Légume, cit. 6 ; main, cit. 7). *Le Mécano de la Générale* (nom d'une locomotive), titre d'un film de et avec Buster Keaton.
HOM. Meccano.

MÉCANO- Élément, tiré du grec *mêkhanê* « machine », servant à former des mots savants. ⇒ **Mécanographe, mécanographie, mécanothérapie.**

MÉCANOGRAPHE [mekanɔgʀaf] n. — 1911, Larousse ; de *mécano-,* et *-graphe.*

♦ Techn. Personne spécialisée dans les travaux de mécanographie.

MÉCANOGRAPHIE [mekanɔgʀafi] n. f. — 1911, Larousse ; de *mécano-,* et *-graphie.*

♦ Techn. Emploi de machines ou de dispositifs mécaniques pour les opérations logiques (calculs, tris, classements) effectuées sur des documents (administratifs, comptables, commerciaux, techniques, scientifiques).
DÉR. Mécanographique.

MÉCANOGRAPHIQUE [mekanɔgʀafik] adj. — 1911 ; de *mécanographie.*

♦ Techn. Qui a rapport, qui a recours à la mécanographie. *Machines, classements mécanographiques ou électroniques. Cartes mécanographiques, cartes perforées*. Ordonnancement mécanographique. Comptabilité mécanographique.*
DÉR. Mécanographiquement.

MÉCANOGRAPHIQUEMENT [mekanɔgʀafikmã] adv. — Mil. XXᵉ ; de *mécanographique,* et *-ment.*

♦ Techn. Par la mécanographie.

MÉCANOTHÉRAPIE [mekanoteʀapi] n. f. — 1901, in D.D.L. ; de *mécano-,* et *-thérapie.*

♦ Méd. Traitement des maladies par des appareils mécaniques exerçant le corps à certains mouvements. *Rééduquer un infirme, un poliomyélitique par la mécanothérapie.*

MECCANO [mekano] n. m. — 1926 ; marque déposée ; mot angl. forgé par Hornby sur le rad. de *mech(anics).*

♦ Jeu de construction métallique.

On avait trop souvent l'impression que le communisme restait pour lui un jeu sérieux, une espèce de mécano *(sic)* à l'usage des personnes instruites.
M. AYMÉ, Uranus, p. 75.

... *(puisque)* tu aimes bricoler, voici pour toi la grande boîte de *Meccano* et tout un attirail de clés anglaises et d'autres outils (...), des boulons de toutes dimensions dans ces boîtes (...), ramasse tout ça, et tu pourras construire des grues, des ponts, des gares, des wagons, un gros camion, un grand navire, un aéroplane, tout ce qui te passera par la tête (...)
B. CENDRARS, Bourlinguer, p. 258.
HOM. Mécano.

MÉCÉNAT [mesena] n. m.— 1867 ; de *mécène,* et *-at.*

♦ Qualité, fonction de mécène et exercice de cette fonction. *Le mécénat des Médicis. De telles dépenses découragent le mécénat* (→ Film, cit. 1).

MÉCÈNE [mesɛn] n. m. — 1680 ; *mecenas,* 1526, Marot ; lat. *Mæcenas,* nom d'un ministre d'Auguste, protecteur des lettres et des arts ; déjà n. commun en latin.

♦ Personne riche et généreuse* qui aide les écrivains, les artistes. ⇒ **Bienfaiteur, protecteur.** *Écrivain qui vit de la générosité d'un mécène* (→ Fonder, cit. 21). *Cette riche héritière est le mécène d'un groupe de peintres.* — REM. *Mécène* s'écrit aussi avec un M majuscule.

— Voyons, mon petit ! Soyez mon Mécène ! Protégez les arts !
FLAUBERT, l'Éducation sentimentale, II, II.

DÉR. Mécénat.

MÉCHAGE [meʃaʒ] n. m. — 1873 ; de *mécher,* et *-age.*

♦ **1.** (1873). Techn. Action de mécher (un tonneau). *Le méchage a* *pour but d'emplir le tonneau de gaz sulfureux, toxique pour les ferments de moisissures.*

♦ **2.** (1950, *in* D. D. L.). Chir. Pose d'une mèche chirurgicale, drainage d'un abcès par une mèche.

MÉCHAMMENT [meʃamɑ̃] adv. — XVIIe ; *meschanment*, v. 1361 ; pour *méchantement*, de *méchant*, et *-ment*.

♦ **1.** D'une façon méchante (II.), avec méchanceté. ⇒ **Cruellement, durement, mauvaisement.** *Agir, parler méchamment. Tourner méchamment en ridicule* (→ Imposer, cit. 31). *S'emparer* (cit. 14) *méchamment des faiblesses d'autrui. Rire méchamment* (→ Étudier, cit. 27).

(...) il s'appliqua alors méchamment à prendre un air indifférent à la suite de l'histoire ; ce qui peinait le pauvre vieux.
R. ROLLAND, Jean-Christophe, L'aube, II, p. 44.

♦ **2.** Fam. Fortement, puissamment. *Il a méchamment bossé, travaillé pour y arriver.*

CONTR. Bénignement, gentiment, humainement.

MÉCHANCETÉ [meʃɑ̃ste] n. f. — 1596 ; *meschanceté*, XIVe ; dér. de l'anc. franç. *mescheance*, pour servir de subst. à *méchant*.

★ **I.** (1687). Vx. Caractère de ce qui est méchant (I.), médiocre. ⇒ **Médiocrité.**

★ **II.** Mod. (1596 ; de *méchant*, II.). ♦ **1.** (1596). Caractère, comportement d'une personne méchante*. ⇒ **Cruauté, dureté, malice** (cit. 7), **malignité** (cit. 3), **malveillance, mauvaiseté** ; fam. **vacherie.** *Méchanceté diabolique* (→ Hyper, cit. 1), *infernale ; raffinée ; agressive, brutale... envieuse* (→ Flèche, cit. 11). *Méchanceté noire.* ⇒ **Scélératesse.** *Méchanceté poussée jusqu'au sadisme* (→ Guerre, cit. 12). *Agir avec, par méchanceté.* ⇒ **Méchamment.** *Préjudice causé à autrui par méchanceté* (→ Faute, cit. 26). *Il y a en lui plus de bêtise* (cit. 5) *que de méchanceté* (→ Plus bête que méchant*). *C'est de la pure méchanceté. Les meilleurs d'entre les hommes ont un petit fonds de méchanceté* (→ Humilier, cit. 22). *La méchanceté des hommes, du monde* (→ Abattement, cit. 8 ; anodin, cit. 6 ; 1. insigne, cit. 3). *La méchanceté humaine est faite de jalousie* (cit. 6) *et de crainte. Méchanceté de l'homme civilisé opposé au « bon sauvage »* (→ État, cit. 99, Rousseau). — (Par personnification). *La méchanceté gratifie* (cit. 8) *de noms injurieux les objets de sa haine.*

1   L'Éternel vit que la méchanceté des hommes était grande sur la terre, et que toutes les pensées de leur cœur se portaient uniquement vers le mal.
BIBLE (SEGOND), Genèse, VI, 5.

2   Toute méchanceté vient de faiblesse ; l'enfant n'est méchant que parce qu'il est faible ; rendez-le fort, il sera bon : celui qui pourrait tout ne ferait jamais de mal.
ROUSSEAU, Émile, I.

3   La parole humaine pour lui, c'était toujours une raillerie ou une malédiction. En grandissant, il n'avait trouvé que la haine autour de lui. Il l'avait prise. Il avait gagné la méchanceté générale. Il avait ramassé l'arme dont on l'avait blessé.
HUGO, Notre-Dame de Paris, VIII, IV, III.

4   (...) Augustine, hargneuse, d'une méchanceté sournoise de monstre et de souffre-douleur, cracha par derrière sur sa robe, sans qu'on la vît, pour se venger.
ZOLA, l'Assommoir, t. I, V, p. 177.

4.1   (...) ce n'est jamais par leur puissance d'être que les hommes sont méchants, mais plutôt par les blessures de rencontre ; ainsi leur méchanceté n'est point d'eux ; c'est comme un malheur qu'ils ont rencontré.
ALAIN, Propos, p. 692.

4.2   (...) à l'inverse de son temps, il (*Sade*) codifie la méchanceté naturelle de l'homme. Il construit méticuleusement la cité de la puissance et de la haine, en précurseur qui va, jusqu'à mettre en chiffres la liberté qu'il a conquise.
CAMUS, l'Homme révolté, Pl., p. 454.

Par ext. (En parlant de l'expression, de l'air). *Méchanceté de l'expression* (cit. 38) *du visage. Un rire incoercible* (cit. 2), *sans méchanceté.*

(En parlant des actions, des pensées, des paroles, des écrits...). *La méchanceté d'un procédé.* ⇒ **Indignité, noirceur.** *Méchanceté d'une allusion, d'une répartie, d'un écrit satirique. Idée reçue où la bêtise coudoie* (cit. 4) *la méchanceté.*

♦ **2.** (XIVe). *Une, des méchancetés.* Parole ou action par laquelle s'exerce la méchanceté. ⇒ **Rosserie, tour** (mauvais, vilain, sale...), **vacherie** (fam.), **vilenie.** *Faire des méchancetés.* ⇒ **Misère, crasse, mistoufle, saloperie.** *Dire une méchanceté* (⇒ **Médisance**), *de petites méchancetés.* ⇒ **Épingle** (coup d'), **pique.** *Une plate méchanceté* (→ Calomnie, cit. 5). *Une méchanceté gratuite.*

5   — En conséquence de cette calomnie ou médisance du portier, on se crut autorisé à faire mille diableries, mille méchancetés à ce pauvre père Ange dont la tête parut se déranger.
DIDEROT, Jacques le fataliste, Pl., p. 540.

6   Le Marquis de XXX, qui ne perd pas l'occasion de dire une méchanceté, disait hier, en parlant d'elle, que sa maladie l'avait retournée, et qu'à présent son âme était sur sa figure.
LACLOS, les Liaisons dangereuses, CLXXV.

7   Rulhière disait un jour à C... : « Je n'ai jamais fait qu'une méchanceté dans ma vie. — Quand finira-t-elle ? demanda C...
CHAMFORT, Caractères et Anecdotes, « Réponse de Rulhière ».

(...) quand une méchanceté est exploitée par les femmes, elle va vite et loin.
G. SAND, la Petite Fadette, XXVIII.

CONTR. Bénignité, bienveillance, bonté, débonnaireté, gentillesse, grâce, humanité.

MÉCHANT, ANTE [meʃɑ̃, ɑ̃t] adj. et n. — 1549 ; *meskant*, déb. XIVe ; *mescheant*, XIIe ; p. prés. de l'anc. franç. *meschoir*, proprt « tomber mal », d'abord « malchanceux », puis « misérable ».

★ **I.** (Précédant toujours le nom). ♦ **1.** (1580, Montaigne). Vx ou littér. Qui ne vaut rien (en son genre, ou pour qqn). ⇒ **Mauvais*, médiocre, misérable.** *Un méchant livre. Méchant sonnet* (→ Brouiller, cit. 14). *Une méchante petite jupe* (→ Habillement, cit. 4). *Un méchant cabaret* (→ Hôte, cit. 3). — À la fois médiocre et mauvais. *Être en méchante compagnie. Méchante habitude* (→ Griffonner, cit. 9). *Méchante plaisanterie* (→ Aliénation, cit. 4). *C'est une méchante raillerie que de se railler du ciel* (→ Libertin, cit. 7). *Méchante cause* (→ Battre, cit. 91).

Qu'ils deviennent pareils à ces méchantes herbes
Dont jamais moissonneur n'a ramassé de gerbes.
CORNEILLE, Office de la Vierge.

La voix de ces Messieurs me condamnera-t-elle
À trouver bons les vers qui font notre querelle ?
(...) Je les trouve méchants.
MOLIÈRE, le Misanthrope, II, 6.

C'est un méchant moyen de se faire aimer de quelqu'un que de lui faire violence.
MOLIÈRE, le Malade imaginaire, II, 6.

(...) un méchant ameublement composé de rideaux en calicot jaune, de fauteuils de bois verni couverts en velours d'Utrecht, de quelques peintures à la colle (...)
BALZAC, le Père Goriot, Pl., t. II, p. 861.

(...) quand ces braves gens étaient venus s'installer dans ce vallon du Sahel, ils n'avaient trouvé qu'une méchante baraque de cantonnier, une terre inculte (...)
Alphonse DAUDET, Lettres de mon moulin, « Les sauterelles ».

♦ **2.** Mod. Dangereux ou désagréable. *S'attirer une méchante affaire* (cit. 46), qui peut causer de graves embarras, des dangers. *Méchante humeur** (cit. 44), *mauvaise humeur.* ⇒ **Acariâtre, bourru, maussade** (→ Gâter, cit. 44).

(En parlant des personnes qui font mal leur métier, remplissent mal leur fonction). *Méchant écrivain* (→ Auteur, cit. 31), *méchant médecin* (→ Bon, cit. 47). *De méchants danseurs* (→ Bal, cit. 1).

♦ **3.** (1534, Rabelais). Vieilli. Insignifiant, négligeable (dans l'ordre de la quantité, ou de la gravité). ⇒ **Malheureux** (4.), **misérable, pauvre, petit, rien** (de rien du tout). *Il n'avait qu'une méchante bibliothèque composée de quelques livres.*

Pour un méchant soupir que tu m'as dérobé,
Ne me présume pas tout à fait succombé (...)
CORNEILLE, la Place royale, IV, 6.

Voilà bien du bruit pour un méchant billet de deux cents louis !
Émile AUGIER, les Effrontés, I, 2.

★ **II.** (1549 ; en picard, XIVe). Placé avant ou après le nom. ♦ **1.** Qui fait délibérément du mal* ou cherche à faire du mal à autrui, le plus souvent de façon ouverte et agressive. ⇒ **Cruel, dur, malfaisant, malicieux** (vx), **malin** (1.), **malintentionné, malveillant, rosse** (fam.), **sans-cœur, vache** (fam.) ; **affreux, brutal, dangereux, félon** (vx), **fielleux, fier** (vx), **indigne, injuste, nuisible, odieux, pervers** (→ 3. Mal, cit. 9 et 39). *Un homme méchant, un méchant homme* (→ Bout, cit. 23 ; chose, cit. 35.1 ; excepter, cit. 10 ; fielleux, cit. 1). *Femme méchante.* (⇒ **Bête** ; colère, cit. 19). *Noms désignant une personne méchante.* ⇒ **Bête** (sale bête), **carcan, carne, chameau, charogne, chipie, choléra, coquin, démon, furie, gale, harpie, mégère, méphistophélès, ogre, peste, poison, rosse, serpent, sorcière, suppôt** (de Satan), **teigne, tison** (d'enfer), **vache, vipère...** *Être méchant ; méchant comme un âne rouge, comme un diable, comme la gale, comme la grêle, comme une teigne. Naturellement méchant. Rendre méchant, devenir méchant* (→ Galérien, cit. 1). *Bonne* (cit. 70) *par tempérament et méchante par caprice.* — Loc. *Plus bête que méchant* : plus nuisible par bêtise que par mauvaise intention. *Bête et méchant.* — *Être méchant envers, avec qqn, (vx) à qqn* (→ Bon, cit. 67). *Méchant en actions, en paroles ; méchante langue** (cit. 22). ⇒ **Acerbe, acrimonieux, médisant.** *« Nul ne mérite d'être loué de sa bonté* (cit. 2) *s'il n'a pas la force d'être méchant »* (La Rochefoucauld). *L'homme est méchant et malfaisant* (→ Après, cit. 88). *L'homme* (cit. 83) *n'est ni bon ni méchant. Nul n'est méchant volontairement,* aphorisme socratique.

Les faibles veulent quelquefois qu'on les croie méchants ; mais les méchants veulent passer pour méchants.
VAUVENARGUES, Réflexions et maximes, 192.

L'homme n'est point né méchant ; il le devient, comme il devient malade.
VOLTAIRE, Dict. philosophique, Méchant.

— Est-il bon ? Est-il méchant ? — L'un après l'autre. — Comme vous, comme moi, comme tout le monde.
DIDEROT, Est-il bon ? Est-il méchant ?, IV, 8.

Moi, je suis méchante : ça veut dire que j'ai besoin de la souffrance des autres pour exister. Une torche. Une torche dans les cœurs. Quand je suis toute seule, je m'éteins.
SARTRE, Huis clos, V.

♦ **2.** (Dans un sens atténué). Qui se conduit mal, qui est turbulent (en parlant des enfants). ⇒ **Désagréable, insupportable, intraitable, turbulent, vilain.** *Méchant galopin* (cit. 2). *Mater de méchants drôles* (→ Foudroyer, cit. 13). *Ne sois pas méchante !*

♦ **3.** (1873). En parlant des animaux. Qui cherche à mordre, à griffer... *Chien méchant.* ⇒ **Hargneux.**

♦ **4.** (V. 1361). Par ext. (En parlant des choses). *Expression* (cit. 40)

méchante (→ Mâchonner, cit. 2); *air, regard, sourire méchant.*
⇒ **Démoniaque, diabolique, haineux ; fielleux, satanique, sinistre.**
Méchantes pensées, passions méchantes (→ Insurrection, cit. 5).
Caractère méchant. Jalousies, intrigues bassement (cit. 1) *méchan-*
tes. Action, parole méchante. ⇒ **Méchanceté** (→ par antiphr. Gentillesse). *Méchant tour* (⇒ **Pendable**), *méchant propos* (→ Importance, cit. 8). *Propos extrêmement méchant.*

12   Elle a une façon d'être bonne, très méchante.
                                          J. RENARD, Journal, 27 déc. 1887.

Vieilli. Écrit, libelle, feuilleton (cit. 1) *méchant.* ⇒ **Corrosif, fielleux,**
mordant, venimeux. *La plume méchante d'un critique* (⇒ **Enfiellé**).

♦ **5.** (1858). Fam. Qui fait du mal à qqn. (Généralement employé au
négatif). *Un petit verre de vin, ce n'est pas méchant !*

13   Tout valsait. C'est méchant sur le Pernod, le champagne.
                                          ARAGON, les Beaux Quartiers, I, XX.

Qui est grave, dangereux, tire à conséquence. Ce n'est qu'une petite
éraflure, rien de méchant. Ils ont flirté quelque temps, ce n'était
pas bien méchant. — Se dit aussi, à la forme négative, en parlant
d'ouvrages médiocres, anodins ou, encore, qui n'ont rien de subversif
ni d'osé. *Vous pouvez laisser lire ce livre à votre fille, ce n'est pas*
bien méchant.

★ **III.** (1922 ; argot sportif). Fam. Remarquable, extraordinaire.
⇒ **Formidable, terrible.** *Une méchante voiture de course.* — REM.
L'adj. est antéposé mais se rattache plutôt au sens II (cf. l'évolution de
formidable) qu'au sens I (il serait alors une antiphrase pour « médiocre », ce qui est peu probable).

★ **IV.** N. (XIVe). Littér. ou vieilli (sauf dans le lang. enfantin). Personne
méchante. *Un méchant, une méchante ; les méchants et les bons,*
les justes (cit. 6 ; et → dent, cit. 10). ⇒ **Criminel, scélérat.** *Le bon-*
heur des méchants « comme un torrent s'écoule » (cit. 8, Racine),
« est un crime (cit. 7) *des dieux »* (Chénier). *Les faibles* (cit. 19)
sont les instruments des méchants. *Arrêter* (cit. 23) *les complots*
des méchants. Faire la guerre (cit. 50) *aux méchants. Être bon*
(cit. 66), *complaisant* (cit. 1) *aux méchants. Encourager* (cit. 9)
les méchants par une coupable complaisance (→ Complice). *« Ce*
qu'on donne (cit. 25) *aux méchants toujours on le regrette »* (La
Fontaine). — Loc. cour. (1690, Furetière). *Faire le méchant :* faire
éclater sa colère*, s'emporter, menacer autrui. Par ext. (fam.). Protester violemment, opposer de la résistance (→ ci-dessous, cit. 19).

14   Ce que je désire *(dit le Seigneur)* ce n'est pas que le méchant meure, c'est
     qu'il change de conduite et qu'il vive.   BIBLE (SEGOND), Ézéchiel, XXXIII, 11.

15   Tenez toujours divisés les méchants :
     La sûreté du reste de la terre
     Dépend de là.   LA FONTAINE, Fables, VII, 8.

16   Il y a des méchants qui seraient moins dangereux s'ils n'avaient aucune bonté.
                                          LA ROCHEFOUCAULD, Maximes, 284.

17   Le monde, pour elle, se présentait comme partagé nettement en deux, les bons et
     les méchants, c'est-à-dire tout ce que l'imagination humaine, dans
     les heures de paix et de régularité sociale, ose à peine se représenter à nu, la bru-
     talité dans toute sa grossièreté et sa bassesse, le vice et l'envie dans toute l'ivresse
     ignoble de leur triomphe et dans la cruauté de leurs raffinements (...)
                                          SAINTE-BEUVE, Causeries du lundi, 3 nov. 1851.

18   Tous les méchants sont buveurs d'eau :
     C'est bien prouvé par le déluge.
                                          L.-Ph. SÉGUR, Contes, fables..., « Chanson morale », p. 222.

19   Thérèse aurait intérêt à tout cacher (...) en admettant même que Camille *(le mari)*
     découvrît tout et se fâchât, il l'assommerait d'un coup de poing, s'il faisait le
     méchant.   ZOLA, Thérèse Raquin, VI.

20   La force des méchants, c'est qu'ils se croient bons, et victimes des caprices
     d'autrui.   ALAIN, Propos, 15 oct. 1911, Les méchants.

(En parlant à un enfant). *Oh, le méchant !, la méchante !* ⇒ **Vilain.**

CONTR. Bon, excellent. Anodin, bénin, bienveillant, bon, débonnaire, doux, gracieux, humain, innocent, inoffensif.
DÉR. **Méchamment.**

1. MÈCHE [mɛʃ] n. f. — XIVe ; *mece,* v. 1130 ; d'un lat. pop. *micca,*
du lat. class. *myxa,* mot grec, « mèche de lampe », par croisement avec
mucus « morve » ; ou, selon P. Guiraud, par croisement avec un dér. de
mixa « mêlé » (**mixticare ?*), qui expliquerait *être de mèche.* → 2. Mèche.

★ **I.** ♦ **1.** (V. 1130). Bande, tresse, cordon de fils de coton, de
chanvre, destiné à être mis en contact avec un combustible dont
il s'imprègne, et qu'on fait brûler par son bout libre, pour obtenir
une flamme de longue durée. *Mèche de bougie*, de chandelle*, de*
cierge, d'une lampe* à huile, à alcool. Bout de mèche d'une bougie,
d'une lampe. ⇒ **Champignon, lumignon** (cit. 1), **moucheron.** *Pincer,*
couper une mèche brûlée. ⇒ **Émécher, moucher ; mouchette.** *Régler*
la flamme (cit. 1) *d'une lampe par la longueur de la mèche.*
Remonter la mèche (→ Éteindre, cit. 35). *Mèche de réchaud à*
alcool, de briquet* à essence. — Mèche enduite de cire pour éclai-
rer. ⇒ **Rat-de-cave.**

0.1 Les mèches, après plusieurs essais, furent faites de fibres végétales, et, trempées
     dans la substance liquéfiée, elles formèrent de véritables bougies stéariques, mou-
     lées à la main, auxquelles il ne manqua que le blanchiment et le polissage. Elles
     n'offraient pas, sans doute, cet avantage que la flamme, des mèches, imprégnées d'acide bori-
     que, ont de se vitrifier au fur et à mesure de leur combustion, et de se consumer
     entièrement (...).   J. VERNE, l'Île mystérieuse, t. I, p. 261.

Salavin l'éteint *(la lampe),* la démonte ; le verre est chaud, il s'y brûle les doigts.   1
La mèche est irrégulière, il faut la couper. Où sont les ciseaux ?
                                          G. DUHAMEL, Salavin, III, IX.

Mèche de chanvre soufrée que l'on fait brûler dans les tonneaux.
⇒ **Mécher ; méchage.**

♦ **2.** (V. 1398). Par ext. Cordon fait d'une matière qui prend feu aisé-
ment, et destiné à enflammer. *Mèche d'amadou. La mèche était*
l'amorce* des anciennes armes à feu. Fusil à mèche (→ Escorte,
cit. 2). *Mèche fumante* (cit. 2) *des fusils, des escopettes* (cit. 1).
Mèche d'étoupe des anciens canons. ⇒ **Étoupille. Bombe* à mèche...**
— *Mèche pour mettre le feu à un baril de poudre, un explosif.*
Mèche d'une mine. ⇒ **Cordeau.** *Mèche fusante, lente.* ⇒ **Bickford.**
Éventer* une mine, une mèche.

Il me montra les deux fusées avec leurs bouts de mèche en papier que la flamme   2
avait coupés, noircis (...) Se baissant avec précaution, il mit le feu à la mèche.
                                          ALAIN-FOURNIER, le Grand Meaulnes, I, 1.

♦ **3.** Loc. fig. (XVIe). *Éventer* (cit. 3), *découvrir la mèche :* découvrir
le secret d'un complot, une machination, etc. *Ils avaient vite éventé*
la mèche et deviné le dessous des cartes (→ Frotter, cit. 33).
(1868). Par ext. *Vendre la mèche :* trahir le secret d'un complot,
dévoiler un dessein qui devait être tenu caché.

Ah ! Michaud se mêle de nos petites affaires ! (...) C'est lui qu'est l'auteur de   3
tout ce tapage-là ; c'est lui qu'a découvert la mèche le jour où ma mère a coupé le
sifflet à son chien.   BALZAC, les Paysans, Pl., t. VIII, p. 302.

Je ne suis pas assez bête pour croire que vous me vendrez la mèche.   4
                                          J. ROMAINS, les Hommes de bonne volonté, t. III, XI, p. 158.

★ **II.** ♦ **1.** (1538). Chir. Petite bande de gaze, de toile qu'on introduit entre les lèvres d'une plaie ou dans un trajet fistuleux, pour
permettre l'écoulement de la sérosité, du pus, et pour éviter une
cicatrisation prématurée. *Drainage* d'une plaie par mèche ou par*
drain. — *Mèche hémostatique,* pour empêcher l'hémorragie.

— « Une mèche, à tout hasard », marmonna Antoine, penché sur l'abcès. « Bon.   5
Et la bande un peu serrée, il faut ça... » — « Allez, mes petits, sauvez-vous, je suis
pressé... Je passerai rue de Verneuil, entre six et huit, pour changer la mèche. »
                                          MARTIN DU GARD, les Thibault, t. III, p. 113-114.

♦ **2.** Ficelle* (de fouet). Petite corde serrée au bout d'un fouet de
cocher. — Mar. Toron qui occupe le milieu d'un cordage.

(...) pauvre diable, touche, touche tant que tu voudras... tu useras plus d'une mèche   6
à ton fouet, avant que d'inspirer à ce maraud-là *(le cheval)*... quelque goût pour
le travail (...)   DIDEROT, Jacques le fataliste, Pl., p. 724.

♦ **3.** (Av. 1453). Cour. Petite touffe de cheveux plus ou moins distincts dans l'ensemble de la chevelure par leur position, leur forme,
leur couleur. ⇒ **Cheveu** (→ Enrouler, cit. 1). *Mèche tombante,*
rebelle aux coiffures (cit. 8), *folle* (→ Cou, cit. 6). *Mèches bou-*
clées. ⇒ **Boucle, accroche-cœur.** *Mèche grise, blanche dans une che-*
velure. Épaisse mèche de cheveux arrachés (⇒ Grumelé). *Mèche*
grise, blanche dans une chevelure. Couper une mèche de cheveux.
Donner une mèche de cheveux en
souvenir. ⇒ **Accroche-cœur, boucle, épi, guiche, rouflaquette.**

Comme à cette parole, il montrait son sein nu,   7
Don Paez, sur son cœur, une mèche noire
Que gardait sous le verre un médaillon d'ivoire (...)
                                          A. DE MUSSET, Premières poésies, « Don Paez ».

Elle défit son peigne ; tous ses cheveux blancs tombèrent. Elle s'en coupa, bruta-   8
lement, à la racine, une longue mèche. — Gardez-les ! adieu !
                                          FLAUBERT, l'Éducation sentimentale, III, VI.

(...) une mèche sombre, à reflets dorés, et que la main relevait sans cesse avec   9
impatience, retombait toujours sur la tempe et ombrageait une partie du front.
                                          MARTIN DU GARD, les Thibault, t. IV, p. 55.

♦ **4.** (1676). Par ext. Techn. Tige d'acier de forme variable servant
à percer par rotation le bois, le métal... ⇒ **Foret.** *Mèche torse, à*
cuiller, à trois pointes... Mèche d'une drille, d'une vrille, d'un tire-
bouchon, d'un vilebrequin, d'une perceuse.

♦ **5.** (1691). Mar. Axe de gouvernail, de cabestan.

♦ **6.** Dentisterie. « Instrument fin, manuel ou rotatif, destiné à l'alésage des canaux de la dent » (*Dictionnaire odontostomatologique,*
suppl. no 23, janv. 1968).

COMP. Casse-mèche ; émécher.
DÉR. **Mécher, mécheux.**

2. MÈCHE [mɛʃ] n. invar. — 1791 ; ital. *mezzo* « moitié » et
« moyen », dans *esser di mezzo con...* « être de moitié avec » (qqn), d'où
« être d'accord ». → 1. Mèche.

♦ **1.** Fam. *Être de mèche avec qqn :* être d'accord* en secret, généralement dans une affaire qui doit être tenue cachée (complot, intrigue, farce...). ⇒ **Complicité, connivence.** *Il est de mèche avec moi.*
Nous sommes de mèche, complices.

(...) si l'on tenait la preuve que, depuis le début, le parti militaire allemand est de   1
mèche avec l'état-major autrichien !
                                          MARTIN DU GARD, les Thibault, t. VII, p. 22.

(...) la sincérité peut également être mise en doute ; mais le jeu reste plus subtil   2
et l'on invite le lecteur à y participer. Il est « de mèche » avec l'auteur.
                                          GIDE, Ainsi soit-il, p. 66.

♦ **2.** (1808). Fam. *Il n'y a pas (y'a pas) mèche (non c'è mezzo).*
⇒ **Moyen.** *J'ai essayé, mais y'a pas mèche.* ⇒ **Impossible.**

2.1 Alors, maman m'a remis le grappin dessus, mon vieux... plus mèche, fallait y passer (...)   A. JARRY, l'Amour en visite, Pl., p. 871.

3 Edmond se promit de ne se montrer avec lui qu'au minimum, quand il n'y aurait pas mèche de couper à cette corvée.   ARAGON, les Beaux Quartiers, II, II.

MÉCHEF [meʃɛf] n. m. — Déb. XVIIᵉ; *meschief*, v. 1160; de l'anc. franç. *meschever* «mal réussir», même rac. qu'*achever*.

♦ Vx. (déjà archaïque chez La Fontaine). Accident*, mésaventure.

Nous venons, ses œuvres en main, protester enfin contre cette série de méchefs et de contretemps comblés par une terminaison si funeste.
     SAINTE-BEUVE, Portraits littéraires, «Aloïsius Bertrand», juil. 1842.

MÉCHER [meʃe] v. tr. — 1743, Trévoux; de 1. *mèche* et *-er*.

♦ **1.** Techn. Assainir (un tonneau) par la combustion d'une mèche soufrée. ⇒ **Soufrer.**

♦ **2.** (1950, *in* D.D.L.). Chir. Munir (une plaie) d'une mèche. — Absolt. Poser une mèche.

DÉR. Méchage.

MÉCHEUX, EUSE [meʃø, øz] adj. et n. — 1846; de 1. *mèche* et *-eux*.

Technique.

♦ **1.** Qui se présente sous la forme de mèches, en parlant de la laine brute.

♦ **2.** Rare. *Une mécheuse :* une perceuse à mèche.

MÉCHOUI [meʃwi] n. m. — 1922; arabe d'Algérie *mẹšwī* «grillé au feu».

♦ Mouton rôti à la broche sur les braises d'un feu de bois; portion de ce mouton servie au repas.

1 Le dîner arabe commence par un potage poivré, puis nous avons : la pastilla (...), le méchoui (...)   COLETTE, Prisons et Paradis, p. 141.
Réunion, repas où l'on mange le méchoui.

2 (...) Amande l'invita à l'accompagner à un méchoui.
     Claude COURCHAY, La vie finira bien par commencer, p. 178.

MECHTA [meʃta] n. f. — Répandu v. 1950; mot arabe d'Algérie.

♦ Hameau, en Algérie, Tunisie.

1 Quel hypocrite je serais si je feignais de ne pas sentir en moi battre les ailes de cette immense espérance : (...) que les pauvres des mechtas ne connaissent plus d'autre misère que celle d'être pauvres et démunis de tout (...)
     F. MAURIAC, le Nouveau Bloc-notes 1958-1960, p. 57.

2 (...) Alfieri avait vu du pays qu'il racontait volontiers les soirs de grand vent. Il y allait de sa Légion, de sa cuvette de Dien Bien Phu et de ses mechtas de l'Aurès, bouffait du Viet et du Fellouze en lampant des bières (...)
     Geneviève DORMANN, le Bateau du courrier, p. 39.

MÉCOMPRÉHENSION [mekɔ̃preɑ̃sjɔ̃] n. f. — Av. 1951, Gide; de *mé-*, et *compréhension*.

♦ Littér., rare. Fait de ne pas comprendre. ⇒ **Incompréhension.**

MÉCOMPTE [mekɔ̃t] n. m. — XVIIᵉ; *mesconte*, fin XIIᵉ; subst. verbal de l'anc. v. *mécompter* «se tromper», comp. de *compter*, et du préf. *mé-*.

♦ **1.** (Fin XIIᵉ). Vx. Erreur* dans un compte, un calcul. — Spécialt. Ce qui manque à un total, à une somme pour être juste.

1 (...) il trouvait toujours du mécompte à son fait.
     LA FONTAINE, Fables XII, 3 (→ Calculer, cit. 3).

2 M. de Vendôme, qui était un des coupeurs *(au lansquenet)*, eut dispute avec un autre sur un mécompte de sept pistoles.   SAINT-SIMON, Mémoires, I. XV.

♦ **2.** (XIVᵉ). Vieilli. Erreur de conjecture, de prévision; espoir fondé à tort ou avec excès sur qqn ou qqch. ⇒ **Calcul** (faux).

3 Ce qui fait le mécompte dans la reconnaissance qu'on attend des grâces que l'on a faites, c'est que l'orgueil de celui qui donne et l'orgueil de celui qui reçoit ne peuvent convenir du prix du bienfait.   LA ROCHEFOUCAULD, Maximes, 225.
Mod. Déception, désillusion. *Cet échec a été pour lui un grave, un terrible mécompte. Essuyer, supporter des mécomptes.*

4 (...) sa haine contre tout ce qui s'élevait légitimement, accrue de tous ses mécomptes   BALZAC, Mᵐᵉ de La Chanterie, Pl., t. VII, p. 237.

5 Ce n'est pas le bonheur avec les femmes qui apprend à les connaître, ce sont les mécomptes.   Paul LÉAUTAUD, Propos d'un jour, p. 36.

6 J'ai pesé, prévu maintes choses. Je m'attends aux faux pas, aux embûches, aux mécomptes.   G. DUHAMEL, Salavin, Journal, 7 janv.

MÉCONDUIRE (SE) [mekɔ̃dɥir] v. pron. — D. incert.; de *mé-*, et *conduire*.

♦ Régional (Belgique). Se mal conduire. *Il s'est méconduit avec sa femme.*

MÉCONDUITE [mekɔ̃dɥit] n. f. — D. incert.; de *mé-*, et *conduite*.

♦ Régional (Belgique). Mauvaise conduite. *Drame de la méconduite :* drame passionnel.

MÉCONIAL, ALE, AUX [mekɔnjal, o] adj. — 1873; de *méconium*.

♦ Mod. Du méconium.

MÉCONIUM [mekɔnjɔm] n. m. — 1549; mot lat. du grec *mēkonion* «suc de pavot».

♦ Méd. Matière pâteuse brunâtre accumulée dans l'intestin du fœtus à terme et qui constituera la première selle du nouveau-né.

DÉR. Méconial.

MÉCONNAISSABLE [mekɔnɛsabl] adj. — XIIIᵉ; du rad. du p. prés. de *méconnaître*, et *-able*.

♦ Impossible ou difficile à reconnaître*. *Se mettre un masque* (→ Emplâtre, cit. 2), *se déguiser pour se rendre méconnaissable.* ⇒ **Camoufler** (se). *Je ne l'avais pas revu depuis sa maladie; il est méconnaissable.* ⇒ **Changé.** *Ils ont fait faire beaucoup de réparations; leur maison est méconnaissable.* ⇒ **Différent** (tout), **transformé.**

1 Ses chagrins le rendaient pourtant méconnaissable;
Un œil indifférent à le voir eût erré,
Tant la peine et l'amour l'avaient défiguré!   LA FONTAINE, Filles de Minée.
Littér. *Méconnaissable à...* Devenir, être méconnaissable à qqn, aux yeux de qqn.

2 Il avait une faculté spéciale pour prendre des formes méconnaissables aux yeux exercés. Déguisements supérieurs, si je parle en artiste!
     LAUTRÉAMONT, les Chants de Maldoror, VI.
REM. Employé absolument, *méconnaissable* peut avoir deux valeurs opposées : «qu'on ne reconnaît plus tellement il (elle) s'est amélioré(e)» ou au contraire «très dégradé(e)».

ANT. Reconnaissable.

MÉCONNAISSANCE [mekɔnɛsɑ̃s] n. f. — 1637; *mesconoissance*, v. 1175; de *mé-*, et *connaissance*.

♦ Littér. Action de méconnaître; résultat de cette action. ⇒ **Ignorance, incompréhension.** *Il fait preuve d'une totale méconnaissance de la situation.*

L'Américain, en prétendant hâter artificiellement son rythme, méconnaît certaines lois profondes de la maturation et c'est peut-être par cette méconnaissance que sa civilisation périra.   André SIEGFRIED, l'Âme des peuples, IV, III.
Spécial. Action de méconnaître (une personne, ses mérites, sa valeur).

Vieilli. Action de méconnaître des bienfaits. ⇒ **Ingratitude, oubli.**

ANT. Reconnaissance.

MÉCONNAISSANT, ANTE [mekɔnɛsɑ̃, ɑ̃t] adj. — Déb. XVIIᵉ; p. prés. de *méconnaître*.

Vieux (langue classique).

♦ **1.** Qui ne reconnaît pas la réalité. *«Injuste ou méconnaissant»* (Ménage).

♦ **2.** Qui n'a pas de reconnaissance. ⇒ **Ingrat.**

MÉCONNAÎTRE [mekɔnɛtr] v. tr. — Conjug. *connaître.* — Déb. XVIIᵉ; *mesconoistre*, v. 1160; de *mé-*, et *connaître*.

♦ **1.** (V. 1160). Vx. Ne pas reconnaître*, ne pas identifier (qqn, un animal, qqch.). *«Il avait changé d'habit, je le méconnaissais. Ce cheval qui était maigre, est devenu si gras qu'on le méconnaît»* (Académie, 1ʳᵉ éd. 1694).
Par ext. (Vx). Refuser de reconnaître pour sien (un parent, un ami, un acte dont on est l'auteur...). ⇒ **Désavouer.** *Les vilains qui ont fait fortune méconnaissent aisément leurs parents* (Furetière). — Pron. *Se méconnaître :* oublier ses origines ou sa condition, «faire le fat et le glorieux» (Richelet).

♦ **2.** Mod. Ne pas reconnaître* (une chose) pour ce qu'elle est, ne pas discerner les qualités, les caractères de (qqch.). ⇒ **Ignorer, méprendre** (se méprendre sur), **négliger, oublier.** *Nous méconnaissons ce qu'il y a d'enfantin* (cit. 6) *dans ces émotions.* — *Méconnaître une partie de la réalité* (→ Autonome, cit. 3). *Méconnaître le caractère expérimental d'une science, le sens d'une expression* (→ Géométrie, cit. 3; islam, cit. 1). — Pron. (sens réfl.). Se tromper sur soi-même, sur sa propre nature.

1 Car il ne faut pas se méconnaître : nous sommes automate autant qu'esprit (...)   PASCAL, Pensées, IV, 252.

2 (...) elle a été fort émue de ma douleur qu'elle ne pouvait méconnaître, je fondais en larmes en lui parlant.   B. CONSTANT, Journal intime, 3 sept. 1815.

3 (...) il se méprend sur moi et méconnaît profondément qui je suis (...)
GIDE, Journal, 6 nov. 1922.

4 (...) il consultait même quand son parti était pris, « pour s'assurer, dit Thiers, qu'il n'avait pas méconnu quelque côté de la question soumise à son jugement (...) »
Louis MADELIN, Hist. du Consulat et de l'Empire, « De Brumaire à Marengo », VI.

5 (...) Chateaubriand feint de croire que son amour avait été méconnu, et que madame de Beaumont s'en avisait tardivement.
Émile HENRIOT, Portraits de femmes, p. 268.

Spécialt. Ne pas reconnaître pour vrai, valable, ou légitime ; refuser d'admettre, d'accepter.

6 Il a déclaré que je n'avais rien à faire avec une société dont je méconnaissais les règles les plus essentielles et que je ne pouvais pas en appeler à ce cœur humain dont j'ignorais les réactions élémentaires. CAMUS, l'Étranger, II, IV.

Méconnaître que..., en phrase négative ou interrogative, suivi du subjonctif accompagné ou non du *ne* explétif. *Méconnaît-il que ce (ne) soit là un cas particulier? Il ne méconnaît pas que ce (ne) soit là une exception importante,* il le reconnaît. — REM. L'indicatif insiste sur le caractère incontestable du fait envisagé. *Il ne méconnaît pas ou Méconnaît-il que c'est là un cas particulier ?*

♦ **3.** Ne pas apprécier (qqn ou qqch.) à sa juste valeur. ⇒ **Déprécier, méjuger, mésestimer.** *La critique* (2. Critique, cit. 10) *méconnaît les auteurs de son temps.* — Spécialt. Ne pas reconnaître un bienfait, un service, ne pas en être reconnaissant.

7 Ne vous exagérez pas les maux de la vie, et n'en méconnaissez pas les biens, si vous cherchez à vivre heureux. Joseph JOUBERT, Pensées, X, XXXI.

8 À présent, que le bon Dieu me juge ; moi, je pardonne à ceux qui me méconnaissent. G. SAND, la Petite Fadette, XIX.

9 Il avait exalté orgueilleusement ses propres mérites parce que les autres les avaient méconnus. A. MAUROIS, Chateaubriand, VII.

▶ **MÉCONNU, UE** p. p. adj. (plus cour.).
Qui n'est pas reconnu, estimé à sa juste valeur. *Autorité méconnue* (→ Implacable, cit. 5). *« Il n'est pas un homme... qui n'ait été jusqu'à un certain point méconnu »* (→ Escorter, cit. 9, Montherlant). *Un écrivain* (cit. 15), *un génie méconnu. Génération indignement méconnue* (→ Honorer, cit. 8). — Subst. *Jouer les méconnus* (→ Incompris). *Un grand méconnu.*

10 (...) il vous persuadera qu'il est un ange repentant, peut-être même un saint méconnu, et (...) vous serez sa dupe. G. SAND, le Marquis de Villemer, III.

CONTR. Reconnaître ; comprendre, connaître, considérer, entendre (II). — Apprécier. — Reconnu.
DÉR. Méconnaissable.

MÉCONOPSIS [mekɔnɔpsis] n. m. — 1873, P. Larousse ; du grec *mêkôn* « pavot », et *opsis* « vue, apparence ».

♦ Bot. Plante herbacée *(Papavéracées),* dont les fleurs sont jaunes à l'état sauvage et bleues ou pourpres à l'état cultivé.

MÉCONTENT, ENTE [mekɔ̃tɑ̃, ɑ̃t] adj. et n. — 1501 ; *malcontent** au XIIIe ; de *mé-*, et *content.*

♦ **1.** Qui n'est pas content, pas satisfait. *Il est rentré, déçu, dépité et très mécontent.* ⇒ **Choqué, contrarié, ennuyé, fâché** (→ Aigrement, cit. 2). *Moue d'une fille mécontente* (→ Grogneur, cit.). ⇒ **Humeur** (de mauvaise), **nez** (faire un nez...). — Par ext. *Air, visage mécontent.* ⇒ **Maussade** (→ Grognard, cit. 2).

1 (...) je refusai net le ministre, et il s'en retourna mécontent, me faisant entendre que je m'en repentirais. ROUSSEAU, les Confessions, XII.

2 L'ennui et une sorte de résignation mécontente se lisaient sur ses traits.
J. GREEN, Adrienne Mesurat, I, III.

Mécontent de... (qqch., qqn). *Elle est mécontente de tout* (→ Humeur, cit. 47). *Mécontent de son sort. Pensionnaires mécontents de l'ordinaire du réfectoire* (→ Fulminer, cit. 9). *Il est mécontent d'avoir raté son train, de ce que vous lui avez dit, que vous ne soyez pas venu.* ⇒ **Vexé.** *Vous n'avez pas lieu d'être mécontent de sa décision.* ⇒ **Trouver** (se trouver mal). — *Professeur mécontent de ses élèves. Mécontent de soi-même* (→ Impuissance, cit. 6). *Il est mécontent de vous et de votre intervention.* ⇒ **Gré** (savoir mauvais gré).

3 Ces demoiselles (...) m'avaient paru mécontentes de me savoir en si mauvaises mains (...) ROUSSEAU, les Confessions, IV.

4 Mécontent de tous et mécontent de moi, je voudrais bien me racheter et m'enorgueillir un peu dans le silence et la solitude de la nuit.
BAUDELAIRE, le Spleen de Paris, X.

5 *(il)* n'aurait pas été d'ailleurs très mécontent qu'on se figurât *(Odette)* tenant à lui (...) par quelque chose d'aussi fort que le snobisme ou l'argent.
PROUST, À la recherche du temps perdu, t. II, p. 71.

6 Au bruit criard du vantail sur le gond, M. de Séipse tourna la tête, déjà mécontent de ne pas trouver, même à Port-Royal, la solitude.
André SUARÈS, Trois hommes, « Pascal », I.

Ne pas être mécontent de... : être assez satisfait de...

7 Il avait un pardessus gris clair à col de velours noir dont il n'était pas mécontent. ARAGON, les Beaux Quartiers, II, XVI.

♦ **2.** (Av. 1655). *Un perpétuel mécontent. Un éternel mécontent.* ⇒ **Grognon, insatisfait.** *Mécontent qui boude, fulmine* (cit. 1), *maronne, murmure entre ses dents, tempête... Clameurs des mécontents.* — Spécialt (le plus souvent au plur.). « Ceux qui ne sont pas

satisfaits du gouvernement, de l'administration des affaires publiques » (Académie). *Conspirations, ligues de mécontents* (→ Braver, cit. 2 ; établir, cit. 42).

8 (...) Astarbé fit entendre au roi qu'il fallait l'éloigner *(son fils),* de peur qu'il ne prît des liaisons avec les mécontents. FÉNELON, Télémaque, VII.

9 Toutes les fois *(dit un jour Louis XIV)* que je donne une place vacante, je fais cent mécontents et un ingrat. VOLTAIRE, le Siècle de Louis XIV, XXVI.

10 Être toujours sourdement furieux, c'était la situation intérieure d'Ursus, et gronder était sa situation extérieure. Ursus était le mécontent de la création. Il était dans la nature celui qui fait de l'opposition. Il prenait l'univers en mauvaise part. Il ne donnait de satisfecit à qui que ce soit ni à quoi que ce soit.
HUGO, l'Homme qui rit, I, I, IV.

CONTR. Content, heureux, satisfait ; aise (bien).
DÉR. Mécontentement, mécontenter.

MÉCONTENTEMENT [mekɔ̃tɑ̃tmɑ̃] n. m. — 1528 ; de *mécontent,* et *-ment.*

♦ État d'esprit d'une personne mécontente* ; sentiment pénible qu'on éprouve à être frustré dans ses espérances, dans ses droits. ⇒ **Déplaisir, insatisfaction.** *Sujet de mécontentement.* ⇒ **Chagrin, contrariété, ennui** (→ Insignifiance, cit. 2). *Un mécontentement perpétuel* (→ Contradiction, cit. 3). *Causer du mécontentement à qqn.* ⇒ **Contrarier.** *Donner des signes de mécontentement.* ⇒ **Bouder** (→ Déplaire, cit. 14). *Exprimer, manifester, témoigner son mécontentement par une attitude froide, de la froideur, des grognements*, des murmures, des plaintes, des reproches, en grognant, en maugréant, en se renfrognant, en « faisant un drôle de nez* »... Étudiants qui marquent leur mécontentement par un chahut, un charivari, une grève.* — *Une moue de mécontentement.* — Par anal. *Chien qui gronde de mécontentement.*

1 On commence à s'étonner, on se regarde, on parle ; on se questionne sur les sujets de mécontentement qu'on a pu te donner. DIDEROT, Jacques le fataliste, Pl., p. 702.

2 *(L'écureuil)* a (...) un murmure à bouche fermée, un petit grognement de mécontentement qu'il fait entendre toutes les fois qu'on l'irrite.
BUFFON, Hist. nat. des animaux, « L'écureuil ».

3 Mais il y a des âmes tourmentées d'un sublime mécontentement (...)
FRANCE, le Crime de S. Bonnard, Œ., t. I, I, p. 303.

4 Une remarquable période commença pour eux, pendant laquelle le mécontentement fut leur unique étude, leur préoccupation majeure, leur joie. Ils portèrent le découragement jusqu'aux limites de la passion et le dégoût jusqu'à l'extase. Ils décriaient le monde entier et s'humiliaient eux-mêmes avec cette rage que peut seul enflammer un orgueil furieux. G. DUHAMEL, Salavin, III, XVII.

Spécialt. (État d'esprit collectif). *Mécontentement général, populaire, créé, provoqué par la cherté* (cit. 4) *de la vie. Mécontentement qui couve* (→ Comprimer, cit. 16), *ne cesse de grandir* (→ Envisager, cit. 15), *se traduit par une rumeur*... Exciter les masses au mécontentement.* ⇒ **Travailler** (les esprits). *Exploiter le mécontentement public* (→ Escompter, cit. 5).

5 Il arriva que la cour voulut révoquer les dons qui avaient été faits : cela mit un mécontentement général dans la nation (...)
MONTESQUIEU, l'Esprit des lois, XXI, I.

6 Le jeu de mots d'Henri Rochefort, dans le premier numéro de son pamphlet *la Lanterne (1er juin 1868)* n'était pas sans justesse : « La France contient trente-six millions de sujets, sans compter les sujets de mécontentement. »
J. BAINVILLE, Hist. de France, XX, p. 500.

REM. La phrase exacte, d'après le fac-similé, est : « La France contient, dit l'*Almanach Impérial,* ... »

(Un, des mécontentements). Sentiment de mécontentement éprouvé dans une occasion particulière. *Éprouver divers mécontentements. Un bref mécontentement.*

CONTR. Contentement, plaisir, satisfaction.

MÉCONTENTER [mekɔ̃tɑ̃te] v. tr. — XVIe ; *mescontenter,* XIVe ; de *mécontent,* et *-er.*

♦ Rendre mécontent. ⇒ **Chagriner, choquer, ennuyer, fâcher ; déplaire** (à). → Limitation, CIT. 2. *Cette mesure a mécontenté tout le monde. Il ne faut pas la mécontenter en ce moment.*

De peur de mécontenter ses amis royalistes, elle *(Joséphine)* faisait la difficile, et disait à Lemercier : Croiriez-vous bien, mon ami, qu'ils veulent me faire épouser Vendémiaire *(Bonaparte)* ?
MICHELET, Directoire, p. 381, in LITTRÉ, Vendémiaire.

(Passif et p. p.). Être mécontenté par (qqn, qqch.). *Les associés mécontentés par l'absence de bénéfices.* ⇒ **Mécontent** (de).

CONTR. Charmer, contenter, plaire, satisfaire.

MÉCOPTÈRES [mekɔptɛʀ] n. m. pl. — 1931, Larousse ; du grec *mêkos* « longueur, grandeur », et *pteron* « aile ».

♦ Zool. Ordre d'insectes à métamorphose complète, dont la tête verticale en forme de rostre est munie de pièces buccales broyeuses. (Syn. : *Panorpes).* — Au sing. *Un mécoptère.*

DÉR. Mécoptéroïdes.

MÉCOPTÉROÏDES [mekɔptɛʀɔid] n. m. pl. — 1963, Larousse ; de *mécoptère,* et *-oïdes.*

♦ Zool. Super-ordre d'insectes comprenant les mécoptères, diptères, lépidoptères et trichoptères (ou phryganes). — Au sing. *Un mécoptéroïde.*

MÉCRÉANCE [mekʀeãs] n. f.— xviiᵉ; *mescreance,* v. 1112; de *mécréant.*

♦ Vx. ⇒ **Incrédulité.**

MÉCRÉANT, ANTE [mekʀeã, ãt] adj. et n. — xviiᵉ; *mescreant,* 1080, *Chanson de Roland;* p. prés. de l'anc. v. *mescroire,* de *croire,* et du préf. *més-.*

♦ **1.** (1080). Vx. Qui ne professe pas la foi considérée comme vraie. *Peuple mécréant.* — N. ⇒ 1. **Gentil, infidèle.** *Croisade contre les mécréants.*

1 (...) ces temps où la France s'en allait en guerre contre les mécréants et les infidèles.   CHATEAUBRIAND, le Génie du christianisme, II, I, v.

2 Vengeance! mort! rugit Rostabat le géant,
Nous sommes cent contre un. Tuons ce mécréant (...)
     HUGO, la Légende des siècles, XV, « Petit roi de Galice », VIII.

♦ **2.** Mod. et plais. Qui n'a aucune religion. ⇒ **Irréligieux** (→ N'avoir ni foi* ni loi; ne croire ni à Dieu ni à diable*). — N. ⇒ **Impie, incrédule** (cit. 6), **incroyant.** *Un mécréant agressif* (→ Cœur, cit. 50).

3 (...) quant aux mécréants, ils se seraient bien gardés de manifester leur incrédulité, car on les aurait impitoyablement massacrés.
     STENDHAL, Romans et Nouvelles, Souvenirs d'un gentilhomme italien.

4 (...) je me campai le poing sur la hanche et jurai comme un mécréant.
     FRANCE, le Crime de S. Bonnard, Œ., t. II, II, p. 387.

5 Ma mère, mécréante, permit cependant que je suivisse le catéchisme, quand j'eus onze ou douze ans. Elle n'y mit jamais d'autre obstacle que des réflexions désobligeantes, exprimées vertement (...)
     COLETTE, la Maison de Claudine, p. 141.

CONTR. Crédule, croyant, fidèle.
DÉR. (Du même rad.) **Mécréance.**

MÉCROIRE [mekʀwaʀ] v. tr. — Déb. xiiᵉ, *mescroire* « être incroyant »; de *mé- (mes-),* et *croire.*

♦ Vx. (langue class.). Refuser de croire (qqn).

MECTON [mɛktõ] n. m. — 1896, Esnault; de *mec.*

♦ Argot. Petit mec*; (péj.) jeune homme.

C'est en pensant à ça qu'on écoute les boniments d'un petit mecton à lavallière, et qu'on s'en va chez lui au septième étage, à huit heures du soir (...)
     M. AYMÉ, Maison basse, p. 119.

MÉDAILLE [medaj] n. f. — 1496; ital. *medaglia.*

★ **I.** ♦ **1.** (1536). Pièce de métal, généralement circulaire, frappée* ou fondue en l'honneur d'un personnage illustre ou en souvenir d'un événement, d'un fait mémorable. *Médaille d'argent, de bronze... Médaille gravée à l'effigie*, à l'empreinte* (cit. 2) d'un grand homme, d'un héros. Médaille du roi (→ Huissier, cit. 6). Figure, légende*, type d'une médaille. Médaille commémorative d'un combat* (→ Culminer, cit. 1). — Coin, flan, matrice, poinçon d'une médaille. Avers, champ, côté, exergue* (cit. 1 et 2), face, grenetis, listel, module, revers, tête d'une médaille. Médaille contorniate, fourrée, fruste* (cit. 1), inanimée, incuse, saucée. — Le cabinet des médailles de la Bibliothèque nationale. Science des médailles.* ⇒ **Numismatique.** — Appos. *Bronze médaille,* une des couleurs du bronze.

REM. On comprend aussi sous le nom de *médailles* des pièces de monnaie* grecques, romaines... conservées pour leur intérêt historique.

1 L'Administration des monnaies et médailles est chargée (...) de surveiller la fabrication des médailles (...) Il est expressément interdit à toute personne quelle que soit sa profession de frapper des médailles (...) ailleurs que dans l'atelier de la monnaie, à moins d'une autorisation spéciale du Gouvernement (...)
     DALLOZ, Petit dict. de droit, Monnaies et médailles.

2 Avec leurs joues rasées, leurs beaux profils, leurs mentons qui s'avancent, un peu impérieux, au-dessus des muscles puissants du cou, ils rappellent, dans leur immobilité grave, ces figures que l'on voit sur les médailles romaines.
     LOTI, Ramuntcho, I, IV.

Par anal. *Médailles sur bois, sur pierre lithographique.* — Par ext. Moulage (en argile, en plâtre...) d'une médaille.

(Déb. xviᵉ) Archit. (Vx.) Petit bas-relief circulaire représentant une effigie. ⇒ **Médaillon.**

Loc. fig. *Profil, tête de médaille :* visage d'un dessin très pur.

3 Daniel était beau, mais il avait si peu l'air de le savoir, il portait son profil de médaille avec une simplicité si virile (...)
     MARTIN DU GARD, les Thibault, t. VI, p. 92.

Fam. *Le revers* de la médaille.* — Prov. *Toute médaille a son revers.*

♦ **2.** (1758). ⓐ Pièce de métal donnée en prix au lauréat d'un concours*, d'une exposition, et, par ext., le prix lui-même. ⇒ **Diplôme**

(d'honneur). *Médaille d'or, de vermeil, de l'Exposition universelle. Médaille d'or, d'argent, de bronze décernée aux Jeux olympiques.*

(...) dominant un petit bureau d'acajou, les médailles obtenues par le fermier aux comices agricoles, luisaient, encadrées et sous verre.   ZOLA, la Terre, II, 1.

Le jury avait à sa disposition une médaille d'honneur, six médailles d'or, douze médailles d'argent, vingt médailles de progrès et vingt médailles d'encouragement. L'œuvre de M. Barlincourt parut mériter une récompense exceptionnelle; outre la médaille d'honneur, M. Barlincourt reçut du Comité central un bon pour quatre décorations à son choix.   A. ROBIDA, le Vingtième Siècle, p. 283.

Adj. (attribut). *Il a été médaille d'or d'escrime aux derniers Jeux olympiques.*

Spécialt. *Médaille Fields :* distinction accordée tous les quatre ans à un mathématicien (⇒ **Prix**).

Loc. fig. (1872). Vx. *Obtenir la médaille :* avoir la préférence.

(1852). ⓑ Pièce de métal précieux, distinction honorifique donnée en récompense* à une personne qui s'est signalée par ses mérites professionnels ou civiques, par des actes de courage, de dévouement, et, spécialt, par sa conduite aux armées ou sa contribution à la défense nationale. ⇒ **Décoration.** *Décorer qqn de la médaille de la famille française. Conférer, décerner à qqn la médaille de sauvetage, du travail... Médaille d'honneur de la police. — Médaille militaire,* instituée par décret du 22 janv. 1852 «en faveur des sous-officiers et soldats les plus méritants et qu'on donne également aux généraux en récompense de services éclatants» (Académie). — *Titulaire de la croix* de guerre et de la médaille de la Résistance.* ⇒ **Médaillé.** — Par ext. Ruban, barrette... de même valeur honorifique que la médaille proprement dite. *Arborer, porter la médaille coloniale à sa boutonnière.* ⇒ **Insigne.**

Catherine-Nicaise-Élisabeth Leroux, de Sassetot-la-Guerrière, pour cinquante-quatre ans de service dans la même ferme, une médaille d'argent — du prix de vingt-cinq francs!   FLAUBERT, Mᵐᵉ Bovary, II, VIII.

«— Mon général, on m'a coupé ma jambe. » « Mais je le sais bien, mon enfant. Aussi, je t'apporte la Médaille militaire.» — Il a piqué la médaille sur la chemise de Léglise et a embrassé mon ami sur les deux joues (...)
     G. DUHAMEL, Récits des temps de guerre, I, Le sacrifice.

En convalescence, on me l'avait apportée la médaille, à l'hôpital même. Et le même jour, je m'en fus au théâtre, la montrer aux civils pendant les entractes. Grand effet. C'était les premières médailles qu'on voyait dans Paris. Une affaire!
     CÉLINE, Voyage au bout de la nuit, p. 51.

♦ **3.** (V. 1570). Petite pièce de métal, précieux ou non, de formes variées, représentant des sujets divers et portée en amulette*, en breloque, à une chaîne de cou... (→ Babiole, cit. 2). *Médaille aux armes de la Ville de Paris.* — Spécialt. *Médaille pieuse,* représentant un sujet de dévotion*. *Médaille bénite. Médaille de baptême, de première communion. Médaille de saint Christophe.*

(...) la dame avait fouillé dans son sac et en avait sorti une médaille de saint Christophe, en argent : d'un côté, le patron des accidentés avec l'Enfant Jésus sur l'épaule, traversant un fleuve, de l'autre une route avec un soleil couchant et une automobile qui se heurte contre un arbre.
     ARAGON, les Beaux Quartiers, III, IV.

(...) la plupart des gens, quand ils n'avaient pas entièrement déserté leurs devoirs religieux (...) avaient remplacé les pratiques ordinaires par des superstitions peu raisonnables. Ils portaient plus volontiers des médailles protectrices ou des amulettes de saint Roch qu'ils n'allaient à la messe.   CAMUS, la Peste, p. 241.

♦ **4.** (1868, Littré). Plaque* de métal numérotée dont le port est obligatoire (dans certaines professions...). *Médaille des porteurs de la S. N. C. F.*

Par ext. Petite plaque d'identité en forme de *médaille* qui pend au collier d'un chien, d'un chat. *Médaille de la Société protectrice des animaux.*

♦ **5.** (1873, P. Larousse). T. de franc-maçonnerie. Somme d'argent.

★ **II.** (Par anal. de forme). Régional. Lunaire* (plante).

DÉR. Médailler, médailleur, médaillier, médailliste.

MÉDAILLER [medaje] v. tr. — V. 1850; de *médaille,* et *-er.*

♦ Décorer, honorer d'une médaille. *Il s'est fait médailler.*

(...) de remarquables photographies qu'il a prises, développées lui-même, et qu'il a eu la fantaisie ensuite d'envoyer à une exposition européenne pour se faire médailler.   LOTI, l'Inde (sans les Anglais), I, VII.

▶ **MÉDAILLÉ, ÉE** p. p. adj. (1845; « décoré d'une médaille », 1611). Qui a reçu une médaille (2.). *Éleveur médaillé au comice agricole.* — N. (1845, Bescherelle). *Les médaillés militaires. Un médaillé du travail.*

Et moi, Vieublé, soldat de deuxième par protection, médaillé militaire et croix de guerre.   R. DORGELÈS, les Croix de bois, XV.

MÉDAILLEUR [medajœʀ] n. m. — 1808; de *médaille,* et *-eur.*

♦ Techn. Graveur de coins de médailles. ⇒ **Médailliste.**

MÉDAILLIER [medaje] n. m. — 1671; adj., «relatif aux médailles», 1571; de *médaille,* et *-ier.*

♦ Meuble, petite armoire à tiroirs plats divisés en compartiments où l'on range des médailles.

(...) des monnaies d'argent, qui, même enfermées en des médaillers *(sic),* ont séjourné quelques années dans ce pays de la triste et obscurante houille.
Ed. DE GONCOURT, les Frères Zemganno, XXXIV.
Collection de médailles.

HOM. **Médaillé, médailler.**

MÉDAILLISTE [medajist] n. — 1609 ; de *médaille.*

♦ **1.** Didact. Amateur, collectionneur de médailles. ⇒ **Numismate.**

♦ **2.** Techn. Fabricant, graveur de médailles. ⇒ **Médailleur.** Appos. *Graveur médailliste.*

MÉDAILLON [medajɔ̃] n. m. — 1554 ; ital. *medaglione,* augmentatif de *medaglia* «médaille».

♦ **1.** (1554). Médaille de très grande dimension.

♦ **2.** (1740). «Portrait ou sujet sculpté, peint en miniature, dessiné ou gravé dans un cadre circulaire ou ovale» (Réau, *Dictionnaire d'art et d'archéologie). Médaillon représentant une tête de lion.*

♦ **3.** (1740, Académie). Petit bas-relief circulaire représentant une effigie. Archit. ⇒ **Médaille** (→ Force, cit. 76 ; fouiller, cit. 8).

♦ **4.** (1611). Cour. Bijou* de forme ronde ou ovale dans lequel on enferme un portrait, des cheveux (→ Galantin, cit. ; mèche, cit. 2), des reliques... *Médaillon suspendu à une chaîne de cou, à un bracelet* (→ Broche, cit. 5). *Médaillon décoré d'une croix.*

1 (...) un cahot fit tomber sur les genoux de la jeune femme un médaillon suspendu à son cou par une chaîne de deuil, et le portrait de son père lui apparut soudain.
BALZAC, la Femme de trente ans, Pl., t. II, p. 690.

2 (...) Chavegrand ouvrit le petit étui de buis. Il contenait un médaillon d'or comme on en faisait encore au siècle dernier. L'une des faces portait des initiales enlacées, usées, indéchiffrables. L'autre face montrait, sous verre, une photographie presque indistincte, représentant un visage de femme.
G. DUHAMEL, Salavin, VI, IX.

♦ **5.** (XXᵉ). Tranche de viande mince et ronde. *Médaillon de veau.* — Par anal. *Médaillon de foie gras.*

MÈDE [mɛd] n. et adj. — 1740 ; lat. médiéval, grec *medôs.*

♦ Didact. (Hist.). De la Médie, contrée de l'Asie occidentale ancienne, correspondant à l'Iran actuel. ⇒ **Médique.** *Les Mèdes et les Perses.*

MÉDECIN [mɛdsɛ̃] n. m. — XIVᵉ ; *medechin,* v. 1320 ; de *médecine.*

♦ **1.** (V. 1320). Personne habilitée à exercer la médecine après obtention d'un diplôme sanctionnant une période déterminée d'études (en France, le doctorat en médecine). ⇒ **Docteur, mire** (vx) ; **toubib** (fam.). *Un grand médecin.* Cf. par plais. un Esculape, un Hippocrate. *Le but* (cit. 11) *du médecin est de soigner, traiter, guérir* (cit. 2 et 7) *les malades.* ⇒ **Thérapeutique ; thérapeute.** *Le médecin et l'individu* (cit. 7) *humain. Médecins du roi sous l'Ancien Régime.* ⇒ **Santé** (officier de). *Premier médecin d'une cour.* ⇒ **Archiatre.** *Il, elle est médecin. Mᵐᵉ X, médecin-chef, médecin des hôpitaux. S'établir médecin. Monter, ouvrir un cabinet de médecin. Médecins associés dans un cabinet de groupe. Secret professionnel exigé du médecin. Médecin interdit, guérisseur* poursuivi par l'Ordre des *médecins. Droits et devoirs des médecins.* ⇒ **Déontologie.** *— Médecin exerçant.* ⇒ **Clinicien, praticien.** *Médecin qui n'exerce* (cit. 38) *plus, qui ne reçoit que sur rendez-vous. Médecin consultant. Médecin traitant qui suit le malade. Appeler, faire venir, attendre, consulter le médecin, son médecin de famille, son médecin habituel, ordinaire, le médecin de garde*, *de service. Consultation, visite, diagnostic* (cit. 2), *soins, prescriptions, ordonnance** (→ Griffonner, cit. 3), *honoraires* (2. Honoraires, cit. 5) *du médecin. Instruments* (cit. 3), *trousse de médecin. — Intervention du médecin. Le médecin ausculte, examine son client*, le radiographie... *Médecin qui appelle un confrère en consultation, tient conférence avec lui, envisage un nouveau traitement... Bon, grand médecin. Le médecin l'a sauvé, l'a tiré d'affaire* (cit. 44). *Mauvais médecin qui drogue ses patients* (⇒ **Droguer**), *dépêche* (cit. 2 et 3), *expédie ses malades* (ad patres), *les enterre tous.* ⇒ **Charlatan, empirique** (cit. 3 et 5), **empiriste, médicastre** (→ Morticole ; marchand* [cit. 13] de mort subite). *Plaisanter les médecins.* ⇒ **Faculté** (cit. 14).
Médecin de médecine générale. — (1962). *Médecin généraliste*.* ⇒ **Omnipraticien.** *Médecin de quartier, de campagne. Médecin allopathe, homéopathe, humoriste* (vx). — *Médecin-spécialiste.* ⇒ **Spécialiste,** les suff. **-iatre** (pédiatre, psychiatre...), **-logue, -logiste** (anesthésiologiste, bactériologiste, cardiologue, cancérologue, dermatologiste, gynécologue, obstétricien, neurologue, urologue...) ; et aussi **accoucheur, anesthésiste, auriste, chirurgien, oculiste.** — *Médecin des hôpitaux. Médecin-chef de l'hôpital. Médecin-chef d'un établissement* (cit. 9) *hospitalier.* — (1833). *Médecin expert près les tribunaux.* — (1833). *Médecin légiste,* spécialisé dans l'exercice de la médecine légale. — *Médecin du travail,* chargé d'examiner à titre préventif les salariés sur leur lieu de travail. — *Médecin-conseil :* médecin attaché à une administration, consulté sur des déci-

sions médicales. — Fam. *Médecin des morts :* médecin de l'état-civil qui constate les décès et délivre les permis d'inhumer. — Littér. *Le Médecin malgré lui* (1666), comédie de Molière. *Le Médecin de campagne* (1833), roman de Balzac. — Prov. *Mieux vaut aller au boulanger qu'au médecin.*

1 Les médecins ne se contentent point d'avoir la maladie en gouvernement, ils rendent la santé malade, pour garder qu'on ne puisse en aucune saison échapper *(à)* leur autorité.
MONTAIGNE, Essais, II, XXXVII.

2 (ARGAN) — C'est un bon impertinent que votre Molière avec ses comédies, et je le trouve bien plaisant d'aller jouer d'honnêtes gens comme vous (...) de se moquer des consultations et des ordonnances, de s'attaquer au corps des médecins (...) si j'étais que des médecins, je me vengerais de son impertinence ; et quand il sera malade, je le laisserais mourir sans secours (...)
MOLIÈRE, le Malade imaginaire, III, 3.

3 La preuve qu'il ne fut jamais mon médecin,
C'est que je suis encore en vie.
BOILEAU, Épigramme à Perrault (→ Assassin, cit. 10).

4 Tant que les hommes pourront mourir, et qu'ils aimeront à vivre, le médecin sera raillé, et bien payé. LA BRUYÈRE, les Caractères, XIV, 65.

5 Je souhaiterais (...) qu'un jeune médecin se trouvât aux funérailles de son malade comme un lieutenant criminel assiste (...) au supplice d'un coupable qu'il a condamné.
A.-R. LESAGE, le Diable boiteux, XVI.

6 Les lois romaines voulaient que les médecins pussent être punis pour leur négligence ou leur impéritie (...) à Rome, s'ingérait de la médecine qui voulait ; mais parmi nous les médecins sont obligés de faire des études, et de prendre certains grades ; ils sont donc censés connaître leur art.
MONTESQUIEU, l'Esprit des lois, XXIX, XIV.

7 Au mois de juillet 1808, je tombai malade, et je fus obligé de revenir à Paris. Les médecins rendirent la maladie dangereuse. Du vivant d'Hippocrate, il y avait disette de morts aux enfers, dit l'épigramme : grâce à nos hippocrates modernes il y a aujourd'hui abondance.
CHATEAUBRIAND, Mémoires d'outre-tombe, t. III, p. 6.

8 (...) le calme du jeune médecin ne ressemblait pas à de l'indifférence. Il posa quelques questions à son visiteur, commença de l'examiner, le palpa, l'ausculta, le pesa, fit devant lui l'essai des urines, prit la pression artérielle.
J. ROMAINS, les Hommes de bonne volonté, t. XI, XIII, p. 127.

9 — Est-ce que vous avez un bon médecin ? — Aux honoraires qu'il demande, je présume que c'est un bon médecin. MONTHERLANT, les Lépreuses, I, III.

Par appos. *Femme médecin.* ⇒ **Docteur, doctoresse.** — Littér. *L'Amour médecin* (1665), comédie de Molière.

Médecin de l'armée, du Service de Santé. ⇒ **Major.** — (1835). *Médecin militaire. Médecins militaires qui dirigent une ambulance* (cit. 2). *Médecin-major. Médecin-commandant. Médecin-lieutenant, -capitaine. Caducée, képi à bandeau de velours grenat des médecins militaires* (généralement appelés aujourd'hui par leur grade).
Médecin du Service de Santé de la Marine. Médecin de 3ᵉ, 2ᵉ, 1ʳᵉ classe, principal, général... Médecin sanitaire maritime. Médecin de la Marine marchande. Le médecin du bord (→ Lazaret, cit. 2).

♦ **2.** Par métaphore. *«Il n'y a point (...) pour l'homme de médecin plus sûr que son propre appétit»* (cit. 13, Rousseau). — Par ext. Ce qui aide à oublier un chagrin, une peine morale. *«La poésie est un médecin»* (→ Baume, cit. 10, Hugo). *Le Temps, médecin qui guérit* (cit. 24, Musset) *toute chose.*

Fig. *Médecine de l'âme, des âmes :* confesseur, prêtre, directeur de conscience.

10 Aussitôt qu'elle eut repris connaissance, elle me demanda d'envoyer chercher le Père Anselme et elle ajouta : «C'est à présent le seul médecin dont j'aie besoin ; je sens que mes maux vont bientôt finir».
LACLOS, les Liaisons dangereuses, CLXV.

MÉDECINE [mɛdsin] n. f. — V. 1135 ; *medicine,* v. 1119 ; lat. *medicina,* de *medicus* «médecin».

★ **I.** ♦ **1.** (1314). Science, ensemble de techniques et de pratiques qui a pour objet la conservation et le rétablissement de la santé ; art de prévenir et de soigner les maladies de l'homme.

1 *Conserver la santé et guérir les maladies :* tel est le problème que la médecine a posé dès son origine et dont elle poursuit encore la solution scientifique.
Cl. BERNARD, Introduction à l'étude de la médecine expérimentale, Introd.

De la médecine. ⇒ **Médical.** *Sciences utilisées par la médecine.* ⇒ **Anatomie, biologie, microbiologie.** *Étudier la médecine* (→ Faveur, cit. 6). *Faire des études* (cit. 24) *de médecine. Étudiant en médecine* (⇒ **Externe, internat, interne** [cit. 1] ; fam. **carabin**). *Docteur en médecine.* ⇒ **Médecin.** *Agrégation, cours, thèse de médecine. Académie, école, faculté de médecine. — Croire à la médecine* (⇒ Établir, cit. 45). *Cas* étudiés, faits observés en médecine* (→ Indéterminé, cit. 4). *Termes, dictionnaire de médecine.* — *Acte, pratique de médecine courante, ou de petite chirurgie*.* ⇒ **Injection, pansement, piqûre, vaccination.** *Procédés d'examen utilisés en médecine.* ⇒ **Auscultation, exploration, mensuration, palpation, percussion ;** suff. **-graphie, -scopie.** *Lutte de la médecine contre la douleur.* ⇒ **Analgésie, anesthésie.** *Instruments de médecine.* ⇒ suff. **-graphe, -mètre, -scope.** *Parties fondamentales de la médecine.* ⇒ **Histologie, nosographie, pathologie, pharmacologie, physiologie, sémiologie, symptomatologie.** *Médecine préventive* (⇒ **Antisepsie, asepsie, diététique, hygiène, prophylaxie**), *curative* (⇒ **Thérapeutique ; cure, traitement ; médicament, remède ;** suff. **-thérapie**). *Médecine opératoire.* ⇒ **Chirurgie.** — *Branches, spécialités de la* *médecine, selon les objets d'études* (organes, fonctions, maladies). ⇒ suff. *-latrie, -logie. Médecine mentale* (⇒ **Psychiatrie; psychanalyse**). — *Médecine infantile,* qui traite les maladies des enfants (⇒ **Pédiatrie; puériculture**). *Médecine générale,* qui s'occupe de l'ensemble de l'organisme, en dehors de toute spécialisation. ⇒ **Généraliste.** *Être soigné dans le service de médecine générale d'un hôpital,* et, ellipt, *en médecine générale. Médecine interne,* s'intéressant aux phénomènes pathologiques qui atteignent l'organisme dans son ensemble au delà de l'altération de telle ou telle fonction. *Médecine de la femme enceinte.* ⇒ **Obstétrique.** *Médecine des maladies de la femme.* ⇒ **Gynécologie.** *Médecine dentaire.* ⇒ **Odontologie.** *Médecine de la vieillesse.* ⇒ **Gériatrie.** *Médecine des accidents* (⇒ **Traumatologie**), *des épidémies* (⇒ **Épidémiologie**). — *Médecine du travail,* qui s'occupe des maladies, blessures, infirmités d'origine professionnelle. — (1950). Spécialt. *Médecine sociale,* qui concerne la pratique des lois sociales (dispensaires d'hygiène, pouponnières, sécurité sociale et du travail...). — *Médecine légale* (exercée par les médecins légistes) : «branche de la médecine ayant spécialement pour objet d'aider la justice pénale ou civile à découvrir la vérité» (Capitant). *Examen, expertise du ressort de la médecine légale.* ⇒ **Médico-légal.**

2   Lorsqu'un médecin vous parle d'aider, de secourir, de soulager la nature, de lui ôter ce qui lui nuit et lui donner ce qui lui manque, de la rétablir et de la remettre dans une pleine facilité de ses fonctions; lorsqu'il vous parle de rectifier le sang, de tempérer les entrailles et le cerveau, de dégonfler la rate, de raccommoder la poitrine, de réparer le foie, de fortifier le cœur, de rétablir et conserver la chaleur naturelle, et d'avoir des secrets pour étendre la vie à de longues années : il vous dit justement le roman de la médecine.   MOLIÈRE, le Malade imaginaire, III, 3.

3   Mais la médecine est encore dans les ténèbres de l'empirisme, et elle subit les conséquences de son état arriéré. On la voit encore plus ou moins mêlée à la religion et au surnaturel. Le merveilleux et la superstition y jouent un grand rôle. Les sorciers, les somnambules, les guérisseurs, en vertu d'un don du ciel, sont écoutés à l'égal des médecins.
        Cl. BERNARD, Introd. à l'étude de la médecine expérimentale, I, II.

4   En vérité, la médecine doit être à la fois réaliste et nominaliste. Il faut qu'elle étudie l'individu aussi bien que la maladie.
        Alexis CARREL, l'Homme, cet inconnu, VII, IV.

5   Pourquoi avoir été choisir la médecine? La voie la plus longue. Et la grossièreté des internes, même des médecins, des chefs de clinique, cette vulgarité spéciale qu'il avait commencé à connaître dès le P. C. N., cet argot fait de mots scientifiques et d'une petite dégueulasserie de salle de garde, la vie des salles de garde (...)
        ARAGON, les Beaux Quartiers, II, XII.

Par anal. *Médecine vétérinaire*.*

(Qualifié). Technique médicale particulière. *Médecine allopathique* (⇒ **Allopathie**), *empirique* (cit. 1 et 4), *hippocratique, homéopathique* (⇒ **Homéopathie**), *pasteurienne, psychosomatique...* (⇒ **Galénisme, humorisme**). *Médecine traditionnelle et médecine moderne* (en Afrique, en Chine, etc.). *Médecine orientale* (acupuncture*, etc.). *Médecine clinique*, expérimentale** (cit. 1, Cl. Bernard). *Médecine nucléaire.*

6   (...) ce clinicien remarquable, qui s'attachait à · défendre la médecine traditionnelle (...)   Henri MONDOR, Pasteur, IX.

7   Cette médecine *(la médecine clinique)* comporte trois opérations essentielles : le diagnostic, le pronostic et le traitement.
        G. DUHAMEL, Chronique des saisons amères, I, XXIV.

Méthode particulière de traitement. *Médecine agissante, expectante* (cit. 2). ⇒ **Expectation.**

Médecine de groupe, pratiquée par des médecins associés en un seul cabinet. ⇒ **Cabinet** (de groupe).

♦ **2.** (1715). Profession du médecin (→ Honorer, cit. 28). *Docteur* (cit. 6) *qui exerce* (cit. 35) *illégalement la médecine* (⇒ 2. **Marron**). *Expérience* (cit. 39) *acquise par l'exercice de la médecine.*

8   Nul ne peut exercer la médecine en France s'il n'est muni d'un diplôme de docteur en médecine, délivré par le gouvernement français à la suite d'examens subis devant un établissement d'enseignement supérieur médical de l'État (...)
        Loi du 30 nov. 1892, art. 1er.

Par ext. Corps des médecins (→ Accoutrement, cit. 3; 2. efficace, cit. 4).

♦ **3.** Études de médecine. *Faire sa médecine.*

★ **II.** (V. 1119). ♦ **1.** Vx ou régional. Médicament, remède administré par voie orale. ⇒ **Drogue.** *Une bonne médecine fortifiante* (→ Indigène, cit. 2). — Fam. *Médecine de cheval** (cit. 35). — Spécialt. Remède purgatif (→ Expulser, cit. 7). — Vx. *Prendre médecine* : se purger (→ Aller, cit. 15).

9   Par médecine on peut l'homme tuer (...)   Clément MAROT, Épîtres, XIV.

10 Quand on se porte bien, on admire comment on pourrait faire si on était malade; quand on l'est, on prend médecine gaîment (...)   PASCAL, Pensées, II, 109.

11 *(Elle)* avait fait avaler à sa maîtresse une bouteille d'encre double, au lieu d'une médecine que j'avais prescrite.
        BARBEY D'AUREVILLY, les Diaboliques, «Le bonheur dans le crime», p. 181.

♦ **2.** Par compar., métaphore ou fig. Vieilli. Chose déplaisante, rebutante* (par allus. au goût souvent désagréable des potions). *Avaler* (cit. 18) *qqch. une médecine.* — *Avaler la médecine :* prendre son parti d'une chose, s'y résigner*. ⇒ **Pilule.**

DÉR. Médecin, médeciner. — (Du même rad.) **Médical, médicament, médicateur, médication, médicinal, médico-légal.**
COMP. Biomédecine.
HOM. Formes de **médeciner.**

MEDECINE-BALL [mɛdsinbol] ou **MEDICINE-BALL** [medisinbol] n. m. — 1921; *médecine-ball,* 1910; de l'angl. *medicine-ball.*

♦ Anglic. Ballon lesté qui sert à l'entraînement, à la gymnastique (pour les exercices d'assouplissement, etc.). *Des medecine-balls.*

Ce matin, Eugène et Alex *(des prisonniers)* sont allés au Bois pour y effectuer une séance de footing et d'assouplissement au médecine-ball. Alex trottinait autour de la cellule, sautillait sur place, lançait et rattrapait l'imaginaire ballon de cuir rempli de sable.   J. CAU, la Pitié de Dieu, p. 63.

REM. Ici *médecine* est francisé et porte un accent.

MÉDECINER [mɛdsine] v. tr. — V. 1155; *mediciner,* v. 1130; de *médecine,* et *-er.*

♦ Vx. Traiter par un grand nombre de médicaments (→ Droguer).

MÉDERSA ou **MEDERSA** [medɛʀsa] n. f. — 1846, *médressé,* Bescherelle; *medersa,* 1876, *in* Littré, *Suppl.;* arabe *mädrăsäh* «collège».

♦ Didact. Établissement d'enseignement religieux musulman. — Spécialt (en Algérie). École* supérieure musulmane.

(...) une Medersa célèbre que les Mérinides avaient édifiée à grands frais (...) et où naguère enseignait ce Sidi Ben Achir dont le corps repose là-bas (...)   Jérôme et Jean THARAUD, Rabat, IX.

(...) ils étaient musiciens et poètes de père en fils, ne possédant que peu de biens mais fondant un peu partout leurs mosquées et leurs mausolées, parfois leurs medersas quand les disciples étaient assez nombreux.   Kateb YACINE, Nedjma, p. 125.

Franç. d'Afrique. École privée musulmane où l'enseignement, postérieur à celui de l'école coranique, se fait en arabe.

MEDIA ou **MÉDIAS** [medja] n. m. pl. — 1965, P. Gilbert; adapt. de *mass* media.*

♦ *Les media (médias), les media de masse :* l'ensemble des procédés de transmission massive de l'information. ⇒ **Support.** *Les media audiovisuels. Propagande, publicité et media (médias). Répartition des publicités selon les media, les supports* (appelée : *plan media).* — Au sing. *Un media,* ou (rare), *un medium.* (⇒ 3. **Médium**). «*Un nouveau media, la télévision*» (le Monde, 9 juin 1965). *L'audience d'un medium.*

REM. 1. L'emploi au sing. de *un media* entraîne une francisation du pluriel, normale avec l'accent : «*les grands médias populaires*» (le Monde, 27 févr. 1977, *in* Gilbert).
2. L'emploi de *media* tend à l'emporter sur *mass media,* forme initiale de l'emprunt.
3. Au Québec, l'expression *média de masse,* n. m., est normalisée *(Office de la langue franç.,* 20 févr. 1981).

MÉDIAL, ALE, AUX [medjal, o] adj. et n. f. — XVIIIe, Duclos, *Encyclopédie;* lat. *medialis,* de *medius* «qui est au milieu, central».

★ **I.** Adj. ♦ **1.** Didact, vx (gramm.). Placé au milieu d'un mot *(lettre médiale),* et, spécialt (phonét.), entre deux voyelles *(consonnes médiales,* dites aujourd'hui *intervocaliques).* — N. f. *Une médiale.*

♦ **2.** Anat. Se dit d'une structure qui est la plus proche du plan médian sagittal du corps par rapport à d'autres structures analogues (opposé à *latéral*). ⇒ **Interne.** *Artère médiale du tarse.*

★ **II.** N. f. (1963, Larousse). Statist. Valeur qui partage un ensemble d'éléments en deux groupes présentant une égalité. (Ne pas confondre avec *médiane*).

MÉDIAN, ANE [medjã, an] adj. et n. — 1425; lat. *medianus,* la forme *médiant* 1550, «imparfait»; p. prés. de l'anc. v. *médier* (XIVe, Mondeville).

★ **I.** Adj. ♦ **1.** Qui est situé, placé au milieu*. — Spécialt (géom.). *Ligne médiane, plan médian. Triangle médian d'un autre :* triangle qui a pour sommets les milieux des côtés de cet autre triangle (syn. : *complémentaire).* — (V. 1560). Anat. *Ligne médiane du corps, du cerveau* (→ Épineux, cit. 7; hémisphère, cit. 7). *Nerf médian, veine médiane* (du bras et de l'avant-bras). — Bot. *Nervure médiane d'une feuille.* — Aviat. *Aile médiane,* implantée à mi-hauteur du fuselage.

♦ **2.** Phonét. Dont le point d'articulation est dans la partie moyenne du canal vocal. *Voyelle médiane.* — N. f. *Une médiane* (s'est dit également d'un son placé au milieu d'un mot).

★ **II.** N. f. *Médiane.* (*Médiaine,* «veine médiane», 1425).

♦ **1.** (1867). Géom. Segment de droite joignant un sommet d'un triangle* au milieu du côté opposé, un sommet d'un tétraèdre* au centre de gravité du côté opposé. *Les médianes du triangle (du tétraèdre) sont concourantes, et leur point d'intersection est le* *centre de gravité du triangle (du tétraèdre). Médianes d'un rectangle,* joignant les milieux des côtés opposés.

♦ **2.** Statist. Nombre de part et d'autre duquel se répartissent également les valeurs d'un caractère quantitatif étudié sur une population donnée. (Ne pas confondre avec *médiale, moyenne*). *La médiane est la valeur centrale du caractère si la population est impaire; c'est un nombre choisi entre les deux valeurs les plus centrales, si elle est paire.*

MÉDIANOCHE [medjanɔʃ] n. m. — 1671, Mᵐᵉ de Sévigné. → Gondole, cit. 1; le mot daterait de la régence d'Anne d'Autriche (1643-1661); esp. *media noche* «minuit».

♦ Vx ou littér. Repas qui se fait un peu après minuit. ⇒ **Réveillon.** *À l'origine, le médianoche se faisait le lendemain d'un jour maigre ou jeûné* (cf. Mᵐᵉ de Sévigné, 262, 6 avr. 1672).

1 — Ma foi, je vous avoue que je n'ai pas dîné. Elle me fit entrer dans une vaste salle à manger où se trouvait préparé un médianoche confortable.
GIDE, Isabelle, I.

Littér., rare. Milieu de la nuit. ⇒ **Minuit.**

2 Soirs, soirs, quels soirs alors, faits de quoi, et quand cela, je ne sais pas, d'ombre amie, de ciels amis, d'un temps repu, d'un temps de trève, avant la médianoche, je ne sais pas (...)
S. BECKETT, Textes pour rien, p. 193.

MÉDIANTE [medjãt] n. f. — 1556, *consonance médiante* «intermédiaire»; du lat. *medians,* de *mediare* «être au milieu».

♦ (1718). Mus. Troisième degré de la gamme (tierce majeure ou mineure au-dessus de la tonique).

MÉDIANTE. C'est (...) la note qui partage en deux tierces l'intervalle de quinte qui se trouve entre la tonique et la dominante.
ROUSSEAU, Dict. de musique, Médiante.

MÉDIASTIN [medjastɛ̃] n. m. — Av. 1478; var. *mediastine,* 1534, Rabelais; lat. médiéval *mediastinum,* du lat *mediastinus* «qui se tient au milieu».

♦ **1.** Anat. Région du thorax* qui sépare la face interne des poumons. *Le médiastin est limité latéralement par les deux plèvres; il contient le cœur et les gros vaisseaux artériels et veineux, la trachée, l'œsophage et le thymus.*

♦ **2.** Bot. ⇒ **Cloison** (cit. 3).

DÉR. **Médiastinal, médiastinotomie.**

MÉDIASTINAL, ALE, AUX [medjastinal, o] adj. — Mil. xxᵉ; de *médiastin.*

♦ Anat. Du médiastin.

MÉDIASTINOTOMIE [medjastinɔtɔmi] n. f. — Mil. xxᵉ; de *médiastin.*

♦ Chir. Ouverture du médiastin.

MÉDIAT, ATE [medja, at] adj. — 1478; lat. *mediatus;* d'après *immédiat.*

♦ Didact. Qui agit, qui se fait indirectement; qui n'est en rapport avec autre chose que par un intermédiaire*. *Action, cause, relation médiate. Connaissance médiate.* ⇒ **Indirect** (→ Inconnaissable, cit. 1). *Inférence médiate.* —*Auscultation* médiate,* au stéthoscope.

Le rapport que l'écrivain souhaite entretenir avec le lecteur est un rapport médiat, et si ce lecteur reste bien isolé dans sa lecture, sa communication avec l'auteur passe par un intermédiaire obligé qui, lui, est pluriel.
J. GRACQ, Préface, *in* BARBEY D'AUREVILLY, les Diaboliques, p. 5.

CONTR. Direct, immédiat.
DÉR. **Médiatement, médiatiser.**

MÉDIATEMENT [medjatmã] adv. — 1546; de *médiat,* et *-ment.*

♦ Didact. D'une manière médiate.

Il suivit de là que la plupart des seigneurs, qui relevaient immédiatement de la couronne, n'en relevèrent plus que médiatement.
MONTESQUIEU, l'Esprit des lois, XXXI, XXVIII.

CONTR. **Immédiatement.**

MÉDIATEUR, TRICE [medjatœR, tRis] n. et adj. — V. 1265; bas lat. *mediator.*

♦ **1.** (V. 1355). [a] Personne qui s'entremet pour effectuer un accommodement*, un accord* entre deux ou plusieurs personnes, deux ou plusieurs partis... ⇒ 1. **Arbitre** (cit. 3), **conciliateur, intermédiaire, négociateur.** *Médiateur entre deux États.* ⇒ **Diplomate.** *Prendre, choisir pour médiateur, convenir d'un médiateur* (⇒ **Représentant**). *L'entremise*, l'intervention d'un médiateur.* — *Médiateur d'un*

différend, d'un litige, d'une querelle. Médiateur d'un traité, de la paix...

1 (...) il se faisait le médiateur des querelles et des divisions de famille ou l'intermédiaire de la bienfaisance et du malheur.
NERVAL, les Illuminés, Confidences de Nicolas, I, II.

[b] (1972, trad. du suéd. *ombudsman*). Personnalité chargée de veiller au respect par les pouvoir publics des droits des administrés, en centralisant et en réglant les litiges entre l'Administration et les particuliers. — Dr. du travail. Personne désignée pour le règlement amiable des conflits collectifs de travail. — Dr. publ. internat. Personnalité chargée d'une médiation dans un litige international.

Adj. *Puissance, commission médiatrice.*

2 Le comte m'attendait, il m'admettait déjà comme un pouvoir médiateur entre sa femme et lui (...)
BALZAC, le Lys dans la vallée, Pl., t. VIII, p. 875.

♦ **2.** Personne qui s'entremet entre deux ou plusieurs personnes, deux ou plusieurs partis. ⇒ **Entremetteur** (cit. 1), **intermédiaire** (→ Employer, cit. 20).

3 (...) j'eus recours à une médiatrice d'amour, qui eut l'adresse de me ménager en peu de temps une secrète entrevue avec la Génoise (...)
A.-R. LESAGE, Gil Blas, XII, IV.

(V. 1265). Spécialt. Théol. chrét. *Jésus-Christ, médiateur, intercesseur entre Dieu et l'homme* (→ Christ, cit. 1; communication, cit. 7).

♦ **3.** Ce qui produit une médiation (au sens 2.), sert d'intermédiaire. — Adj. *« Une forme médiatrice de la spiritualisation »* (Le Senne, *in* Lalande).

4 L'art de parler aux absents et de les entendre, l'art de leur communiquer au loin sans médiateur nos sentiments, nos volontés, nos désirs, est un art dont l'utilité peut être rendue sensible à tous les âges.
ROUSSEAU, Émile, II.

5 Pour l'homme (...) un moyen terme, un véritable *médiateur* est venu s'intercaler entre l'organisme individuel et les facultés individuelles. Ce moyen terme, ce médiateur n'est autre que le milieu social.
A. COURNOT, Traité de l'enchaînement..., IV, I, § 321.

♦ **4.** (1860). Choses. Sc. Ce qui produit une médiation (au sens 2.), sert d'intermédiaire. *Médiateur chimique :* substance libérée par les fibres nerveuses et produisant un effet sur les cellules voisines. *L'acétylcholine, l'adrénaline* (ou *la noradrénaline*) *représentent les principaux médiateurs chimiques.*

♦ **5.** Géom. Adj. *Plan médiateur :* lieu géométrique, dans l'espace, des points équidistants de deux points donnés.
N. f. (1923). *Médiatrice d'un segment d'un plan :* ensemble des points du plan équidistants des extrémités de ce segment. *La médiatrice est une droite perpendiculaire au milieu du segment. Médiatrices d'un triangle,* médiatrices de ses côtés. *L'intersection des médiatrices du triangle est le centre du cercle circonscrit à celui-ci.*

MÉDIATHÉCAIRE [medjatekeR] n. — 1974; de *médiathèque,* d'après *bibliothécaire.*

♦ Personne préposée à une médiathèque.

MÉDIATHÈQUE [medjatek] n. f. — V. 1970; de *média,* et *-thèque.*

♦ Collection rassemblant des supports d'information de natures diverses (bandes magnétiques, diapositives, disques, films, journaux, etc.), correspondant à différents médias. — Lieu où une telle collection est mise à la disposition du public pour le prêt ou la consultation.

DÉR. **Médiathécaire.**

MÉDIATION [medjasjɔ̃] n. f. — xiiiᵉ, «division»; bas lat. *mediatio,* de *mediare.*

♦ **1.** (1561). Entremise destinée à mettre d'accord, à concilier (cit. 2) ou à réconcilier des personnes, des partis... ⇒ **Arbitrage, conciliation, entremise, intermédiaire, intervention.** *Ils ont fini par s'entendre grâce à sa médiation. Offrir, proposer sa médiation.* — Spécialt. Dr. publ. internat. Procédure de conciliation internationale organisée par le pacte de la S. D. N., puis par la charte de l'O. N. U. (⇒ **Guerre** [droit préventif]).
Dr. du trav. Procédure instituée pour régler à l'amiable les conflits collectifs de travail.

1 Il s'était réconcilié avec vous par la médiation de la reine mère.
FÉNELON, Dialogue des morts, *in* LITTRÉ.

2 L'Allemagne, alors, entrerait en scène : innocente de toute connivence, de toute préméditation, elle offrirait sa médiation pour localiser le conflit et le résoudre par des négociations dont elle prendrait l'initiative.
MARTIN DU GARD, les Thibault, t. VI, p. 102.

♦ **2.** Par ext. (Didact.). Le fait de servir d'intermédiaire; ce qui sert d'intermédiaire. — Philos. Processus créateur par lequel on passe d'un terme initial à un terme final (dans la dialectique de Hegel, de Marx...). → 3. Médium, cit.

♦ **3.** (1701). Mus. Pause que l'on fait au milieu d'un verset de plainchant; «partage de chaque verset d'un psaume en deux parties» (Rousseau, *Dictionnaire de musique*).

♦ **4.** (1840, Académie). Astrol. Heure de midi. — Moment de la culmination d'un astre.

MÉDIATIQUE [medjatik] adj. — 1983 ; de *média*.

♦ Qui concerne les médias ; transmis par les médias.

MÉDIATISATION [medjatizasjɔ̃] n. f. — V. 1832 ; de *médiatiser*, et *-ation*.

♦ **1.** Hist. Action de placer sous la suzeraineté d'un vassal, de l'Empereur (sous le Saint Empire romain germanique).

♦ **2.** Action de médiatiser, de rendre médiat.

MÉDIATISER [medjatize] v. tr. — 1828 ; de *médiat*.

♦ **1.** Hist. Placer (une terre relevant directement de l'Empereur germanique) sous la suzeraineté de l'un de ses vassaux (sous le Saint Empire romain germanique).

♦ **2.** (1893). Didact. Rendre médiat.

Spécialt. Philos. [a] Servir de médiateur, de médiation à.

L'homme d'action prend goût aux moyens en oubliant la fin qu'ils médiatisent, comme l'homme d'affaires prend goût à l'argent et oublie le bonheur qui en est le but. V. JANKÉLÉVITCH, le Pur et l'Impur, *in* FOULQUIÉ, Dict. de la langue philosophique.

[b] Rendre médiat (ce qui était immédiat). « *Découvrir des moyens termes propres à expliquer, en la médiatisant en quelque sorte, la relation de la cause et de l'effet* » (L. Robin, *La pensée hellénique*, *in* Lalande, *Vocabulaire de la philosophie*).

DÉR. Médiatisation.

MÉDIATOR [medjatɔʀ] n. m. — 1907 ; mot lat. → Médiateur.

♦ Mus. Petit plectre utilisé pour jouer de certains instruments à cordes pincées (mandoline, banjo, guitare...). *Médiator de corne, d'écaille, d'ivoire...*

MÉDIATRICE [medjatʀis] n. f. ⇒ Médiateur.

MÉDICAL, ALE, AUX [medikal, o] adj. — 1752 ; « qui guérit », 1660 ; *doigt médical* (le quatrième), 1534 ; du lat. *medicus* « médecin ».

♦ Qui constitue la médecine* ou qui la concerne. *La science, les sciences médicales* (→ Enrichissement, cit. 3 ; enseignement, cit. 5). *La chirurgie, art médical. La profession médicale.* — *Acte* médical. Études médicales* (→ Éprouver, cit. 37). *Prescription, ordonnance médicale. Chronique, revue, librairie médicale.* — *Propriétés médicales d'une substance médicinale*.* ⇒ **Thérapeutique.** — *Visite médicale. Examen médical.*

(1869). En parlant de personnes. *Le corps médical, le monde médical* : l'ensemble des médecins (→ Assurer, cit. 12). *Auxiliaires médicaux* : infirmiers (-ères), masseurs kinésithérapeutes, etc. — *Délégué médical, visiteur médical*, représentant les laboratoires pharmaceutiques auprès des médecins.

DÉR. Médicalement, médicalisation, médicaliser.
COMP. Biomédical.

MÉDICALEMENT [medikalmɑ̃] adv. — 1606 ; de *médical*.

♦ Du point de vue de la médecine.

Bref, il n'est pas médicalement impossible, mais il est tout à fait improbable que, dans les six contacts que vous venez d'avoir avec cette femme, vous ayez contracté le bacille (...) MONTHERLANT, les Lépreuses, II, XIV.

MÉDICALISATION [medikalizasjɔ̃] n. f. — V. 1960 ; de *médical*.

♦ Didact. Admin. Développement des structures médicales ; du recours aux soins médicaux. *La médicalisation des zones rurales.*

En affirmant que « la douleur n'est pas dans l'ordre de la nature », Leriche attirait l'attention du médecin sur toute douleur accusée par le malade (et aussi sur toute demande) même non repérable en termes médicaux. Ce qui a contribué, comme on sait, à des progrès appréciables dans la chirurgie de la douleur (...) Mais ceci finalement reste, dans les meilleurs cas, une médicalisation de la « maladie du malade », c'est-à-dire une extension du champ et du pouvoir médical. Jean CLAVREUL, l'Ordre médical, p. 25.

MÉDICALISER [medikalize] v. tr. — V. 1970 ; de *médical*.

♦ Didact. Admin. Développer le recours à la médecine chez (telle catégorie de personnes), dans (tel domaine), etc.

En rendant moins coûteux le recours aux soins, l'informatique risque de « médicaliser » une grande partie de la population, le moindre malaise devenant prétexte à une multitude d'examens.
S. NORA et A. MINC, l'Informatique de la société, p. 57.

MÉDICAMENT [medikamɑ̃] n. m. — 1314 ; lat. *medicamentum*.

♦ **1.** Substance active employée pour traiter une affection, une manifestation morbide. ⇒ **Drogue, médication, remède ; médicamenteux** (produit), **pharmaceutique ; pharmacie, pharmacopée, spécialité.** *Théorie des médicaments.* ⇒ **Pharmacologie.** *Fabrication, préparation des médicaments* (⇒ **Excipient, ingrédient, véhicule**). *Médicaments de synthèse* (→ Antihistaminique, cit.). — *Emploi des médicaments par la médecine*. Administration, application d'un médicament* (⇒ **Dose, posologie**). *Association de médicaments.* ⇒ **Association, synergie** (médicamenteuse), et aussi **potentialisation.** *Médicament absorbé par voie buccale, respiratoire* (inhalations...), *par les vaisseaux sanguins* (injections, piqûres). *Médicament appliqué par badigeonnage*, cataplasme... Médicaments externes, internes ; officinaux* (inscrits au Codex*), *galéniques, magistraux. Ordonner*, prescrire tel médicament à un malade* (⇒ **Ordonnance**). *Prendre des médicaments sans prescription médicale.* ⇒ **Automédication.** *Effet, efficacité d'un médicament sur un organe* (→ Estomac, cit. 6), *sur une affection, une maladie*. Médicament actif, énergique, violent, de choc... Médicament qui guérit*, soulage... Médicament de remplacement.* ⇒ **Succédané.** *Médicament fictif.* ⇒ **Placebo.** *Médicament à action prolongée. Réaction à un médicament ; tolérance*, intolérance*, allergie à certains médicaments.*

Tout ce qui guérit le mal est *remède* ; il n'y a de *médicaments* que les matières ou les mixtions artificiellement composées, préparées et administrées pour produire cet effet (...) les *médicaments* sont des produits d'une certaine industrie de l'homme (...) Ce qu'on considère dans le *remède*, c'est l'effet, la force, l'efficacité ; et dans le *médicament*, c'est sa composition (...) ou bien l'application qu'on en fait. LAFAYE, Dict. des synonymes, Remède, médicament.

Action spécifique des principaux médicaments. ⇒ **Allopathique, homéopathique ; curatif** (cit.), **préventif ; abluant, absorbant, abstergent** (ou abstersif), **adjuvant, adoucissant, altérant, altératif, amaigrissant, analgésique, anesthésique, anhidrotique, anorexigène, antibiotique, anticonceptionnel, antiseptique, antispasmodique, antipyrétique, antithermique, anxiolytique, aphrodisiaque, astringent, attractif, balsamique, calmant, cardiaque, carminatif, cholagogue, cicatrisant, contraceptif, dépuratif, diurétique, drastique, emménagogue** (cit.), **épithème, errhin, excitant, fébrifuge, fomentation, fortifiant, helminthique, hémostatique, hypnotique, laxatif, liniment, neuroleptique, purgatif, rafraîchissant, réconfortant, reconstituant, relâchant, remontant, résolutif, révulsif, sédatif, sialagogue, somnifère, sternutatoire, stomachique, stomatique, stupéfiant, tonique, topique, tranquillisant, vésicatoire, vulnérable.** *Médicaments du psychique.* ⇒ **Psychotrope.** *Composition, présentation, application,... des médicaments.* ⇒ **Alcalin, alcoolat, alcoolé, ampoule, baume.** 2. **bol, breuvage, cachet, capsule, collutoire, collyre, comprimé, crème,** 1. **dragée, électuaire, élixir, emplâtre, émulsion, extrait, farine, ferrugineux, gargarisme, glycère, goutte**(s), **granule, huile, hydrolé, infusion, julep, liqueur, macération, masticatoire, mellite, mixtion, mixture, mucilagineux, œnologue, onguent, opiacé, opiat, opodeldoch, ovule, pastille, pâte, peptone, pilule, pommade, potion, poudre, saccharide, saccharolé, sel, sinapisme, sirop, solution, stibié, sulfamide, suppositoire, thériaque, vaseline.**

♦ **2.** Franç. d'Afrique. Remède traditionnel ; drogue, potion préparée par un marabout, un charlatan, un guérisseur (aux sens africains de ces mots). *Les médicaments protègent de la maladie, mais aussi du mauvais sort.* ⇒ **Amulette, fétiche, gris-gris.**

DÉR. Médicamenter, médicamenteux.

MÉDICAMENTER [medikamɑ̃te] v. tr. — 1518 ; de *médicament*.

♦ Vx ou péj. Soigner au moyen de médicaments. ⇒ **Médiciner** (vx).

(...) des bataillons agricoles, embauchés au printemps, organisés sur pied d'armée en campagne, vivant en plein air, logés, nourris, blanchis, médicamentés, licenciés à l'automne (...). ZOLA, la Terre, V, IV.

MÉDICAMENTEUX, EUSE [medikamɑ̃tø, øz] adj. — 1541 ; de *médicament*, ou lat. sav. *medicamentosus*.

Didactique.

♦ **1.** Qui constitue un médicament. *Produit médicamenteux, substance médicamenteuse.* ⇒ **Médicament.**

(...) quelques substances médicamenteuses qui ne feront que hâter la disparition des derniers symptômes du mal. LAUTRÉAMONT, les Chants de Maldoror, V.

♦ **2.** Qui concerne les médicaments. *Traitement médicamenteux* (opposé à *chirurgical*). *Synergie* médicamenteuse.* ⇒ **Thérapeutique.** — *Causé par un, par des médicaments. Eczéma médicamenteux.*

MÉDICASTRE [medikastʀ] n. m. — 1560 ; ital. *medicastro*, de *medico* « médecin ».

♦ Péj. (vieilli ou plais.) Médecin sans valeur, charlatan* ignorant la médecine scientifique. ⇒ **Empirique.**

Halpersohn, qui passa, pendant cinq ou six ans, pour un médicastre, à cause de ses poudres, de ses médecines, possédait la science innée des grands médecins. BALZAC, l'Initié, Pl., t. VII, p. 388.

MÉDICAT [medika] n. m. — 1953, « titre » ; du lat. *medicus* « médecin ».
Didactique.

♦ **1.** Concours d'admission à la fonction des médecins des hôpitaux. Titre obtenu après ce concours. *Passer, obtenir le médicat.*

(...) Tessier est plus ou moins mis à l'index dans le milieu des hôpitaux : ses internes homéopathes n'arriveront pas au médicat, pas même Pierre Jousset, qui a pourtant obtenu la Médaille d'or de l'Internat. Pierre VANNIER, l'Homéopathie, p. 41.

♦ **2.** (1963). *Le médicat :* le corps médical des hôpitaux.

MÉDICATEUR, TRICE [medikatœʀ, tʀis] adj. — 1836 ; 1557, n. m., « mauvais médecin, charlatan » ; du lat. pop. *medicator* ou dér. savant du lat. *medicatum.*

♦ Vx. Qui soigne, qui agit comme un médicament. *Vertus médicatrices.*

MÉDICATION [medikasjɔ̃] n. f. — 1314 ; lat. *medicatio.*

♦ Emploi de médicaments* dans un but thérapeutique déterminé. ⇒ **Thérapeutique** (sens plus large). *Médication calmante, fébrifuge. Médicaments*, remèdes employés dans une médication. Le traitement d'une maladie comporte en général plusieurs médications.*

COMP. Automédication, prémédication.

MÉDICINAL, ALE, AUX [medisinal, o] adj. — V. 1560 ; *medecinal*, v. 1160 ; lat. *medicinalis.*

♦ **1.** Vx. (langue class.). Médical (encore au xvıııᵉ, Fontenelle).

♦ **2.** Qui a des propriétés curatives. *Herbe, plante médicinale.* ⇒ **Simple.** *Acheter des plantes médicinales chez un herboriste. Bois* médicinaux.*

(...) de là on en vint à parler des plantes, dont beaucoup sont heureusement médicinales. On les loua donc de guérir des maux contre lesquels les remèdes ordinaires restent impuissants. On en célébra la nature saine, dont témoignent ce goût, ces odeurs, et ce je ne sais quoi de magique, où sans doute résident leurs vertus étrangement thérapeutiques. H. BOSCO, Un rameau de la nuit, p. 208.

♦ **3.** (xıvᵉ). Fig., vx. Qui sert de remède à l'âme (→ Expiatoire, cit. 2, Bourdaloue ; inciter, cit. 10, Bossuet).

DÉR. Médicinalement.

MÉDICINALEMENT [medisinalmɑ̃] adv. — V. 1390, « médicalement » ; de *médicinal.*

♦ Rare. Par l'action des remèdes.

Vivre médicinalement, ce n'est pas toujours vivre malheureux, quoi qu'en dise le proverbe, si, pendant ce temps, on vit en soi, ou avec soi. Joseph JOUBERT, Pensées, VII, 81, p. 97.

MEDICINE-BALL [medisinbol] n. m. ⇒ **Medecine-ball.**

MÉDICINER [medisine] v. tr. — xııᵉ ; de *médecine.* → Médeciner.

♦ Vx. Var. de *médeciner.* ⇒ **Médicamenter.**

MÉDICINIER [medisinje] n. m. — 1765 ; dér. sav. du lat. *medicus*, suff. *-ier*, par *médicinal.*

♦ Bot. Arbrisseau à graines purgatives, appelé *jatropha, pignon d'Inde, ricin d'Amérique* et dont le manioc est une variété (famille des *Euphorbiacées*).

MÉDICO- Premier élément d'adjectifs composés (voir à l'ordre alphabétique), du lat. *medicus* « médecin ».

Certains composés sont rares et occasionnels, par ex. : *médico-électrique* [medikoelektʀik], adj. (1783, vx); *médico-administratif, ive* [medicoadministʀatif, iv], adj. (1903, *Rev. gén. des sc.*).

MÉDICO-CHIRURGICAL, ALE, AUX [medikoʃiʀyʀʒikal, o] adj. — 1801, in D. D. L. ; de *médico-*, et *chirurgical.*

♦ Didact. Qui concerne à la fois la médecine et la chirurgie.

MÉDICO-LÉGAL, ALE, AUX [medikolegal, o] adj. — 1767, in D. D. L. ; de *médico-*, et *légal.*

Droit administratif.

♦ **1.** Relatif à la médecine légale. *Expertise médico-légale.*

♦ **2.** (Déb. xxᵉ). *L'Institut médico-légal :* la morgue* de Paris et l'établissement scientifique qui lui est rattaché (laboratoire de toxicologie ; enseignement de la médecine légale).

— Eh bien, dit le juge d'instruction au commissaire du quartier (...) vous pouvez

faire conduire le corps à l'institut médico-légal, et nous allons faire un scellé des vêtements du défunt. René FLORIOT, La vérité tient à un fil, p. 46.

MÉDICO-PÉDAGOGIQUE [medikopedagɔʒik] adj. — 1861 ; de *médico-*, et *pédagogique.*

♦ Didact. Qui concerne la pédagogie médicale, l'enseignement clinique. *Services médico-pédagogiques d'un hôpital.*

MÉDICO-SOCIAL, ALE, AUX [medikosɔsjal, o] adj. — V. 1960 ; de *médico-*, et *social.*

♦ Didact., admin. Relatif à la médecine sociale. *L'assistance médico-sociale.*

Pendant longtemps, la mortalité a été plus élevée dans les villes que dans les campagnes (...) *Depuis quelque temps, la différence est plutôt en sens inverse,* dans les pays développés, grâce à l'appareil médico-social.
A. SAUVY, Croissance zéro?, p. 202.

MÉDIÉVAL, ALE, AUX [medjeval, o] adj. — 1874, in Littré, *Suppl.* ; du lat. *medium ævum* « moyen âge » ou de l'angl. (→ REM. cidessous).

♦ Didact. ou littér. Relatif au moyen âge. ⇒ **Moyenâgeux.** *Époque, histoire médiévale. Études médiévales. Art médiéval,* gothique (cit. 14), préroman, roman. *Littérature, traditions* (→ Magot, cit. 1) *médiévales. Les foires* (cit. 3) *médiévales. — La France, l'Europe médiévale.*

REM. Le mot n'apparaît dans les dictionnaires qu'avec les suppl. de Littré (1877) et de P. Larousse (1878) ; en anglais *mediaeval,* attesté dès 1826, est dans Ruskin (1856), ainsi que *mediaevalism* et *mediaevalist.* Il est donc probable que le mot français constitue un anglicisme.

MÉDIÉVISME [medjevism] n. m. — Av. 1890, J. Bourdeau, in P. Larousse, *Deuxième Suppl*; du lat. *medium ævum* « moyen âge ». → Médiéval.

♦ Didact. Étude, ou connaissance, et goût du moyen âge. *Le médiévisme des romantiques.*

MÉDIÉVISTE [medjevist] n. — 1867, Littré, selon Guérin (2ᵉ éd. 1892 : « ce mot a remplacé *moyenâgiste,* usité de 1840 à 1850) ; du lat. *medium ævum.*

♦ Didact. Spécialiste du moyen âge (histoire, littérature, etc.).

MÉDIMARÉMÈTRE [medimaʀemɛtʀ] n. m. — 1892, cit. ; de *médi-, marée,* et *-mètre.*

♦ Sc. Instrument mesurant le niveau moyen de la mer, et corrigeant l'influence de la marée.

Les études de M. Lallemand, ingénieur des mines, au moyen du médimarémètre, ont permis de constater que, suivant l'hypothèse antique, les niveaux de la Manche, de l'Océan et de la Méditerranée sont les mêmes à très peu près.
L. FIGUIER, l'Année scientifique et industrielle 1893, p. 553 (1892).

MÉDIMNE [medimn] n. m. — 1732 ; grec *medimnos.*

♦ Antiq. grecque. Unité de capacité athénienne (env. 52,8 l).

MÉDINA [medina] n. f. — 1732 ; arabe *mādīnāh* « ville », avec un sens restreint.

♦ Partie musulmane d'une ville (opposé à *ville européenne*) en Afrique du Nord (spécialt au Maroc).

Sa maison, un bon Fassi *(habitant de Fez)* doit l'avoir dans la Médina, dans cette masse de hautes demeures accolées les unes aux autres (...) et où les rues étroites se frayent un passage par de multiples détours (...)
Jérôme et Jean THARAUD, Fez, I.

Par comparaison :

Et tu m'as laissée seule dans ce café de banlieue, rempli d'Arabes où j'étais la seule femme. Et je me suis sentie gênée, apeurée, en entrant dans cette médina lyonnaise, parce que j'ai senti que mes cheveux blonds dérangeaient ces hommes sombres. Geneviève DORMANN, le Bateau du courrier, p. 100.

MÉDIO- Élément, du lat. *medius* « moyen, au milieu », qui entre dans la composition de mots savants.

MÉDIOCRATIE [medjɔkʀasi] n. f. — 1844 ; de *médio(cre)*, et *-cratie,* sur le modèle de *démocratie, aristocratie...*

♦ **1.** Vx. Gouvernement de la classe moyenne.

(...) ce que la centralisation (...) n'atteindra jamais (...) la puissance contre laquelle elle se brisera toujours, est celle (...) qu'il faut nommer la *Médiocratie.*

(...) le nivellement commencé par 1789 et repris en 1830 a préparé la louche domination de la bourgeoisie, et lui a livré la France.
BALZAC, les Paysans, Pl., t. VIII, p. 144.

♦ **2.** (1869). Littér. Domination des médiocres.

MÉDIOCRE [medjɔkʀ] adj. et n. — 1495; lat. *mediocris,* rac. *medius* «moyen».

♦ **1.** Vx ou littér. Qui est moyen*. — (Quant à l'importance, aux dimensions...). *Taille médiocre* (→ Lévrier, cit. 1). *États grands, médiocres et petits* (→ Gouvernement, cit. 39). — (Quant à l'intensité, à la qualité...). ⇒ **Commun** (cit. 22), **ordinaire, quelconque.** *Passion médiocre.* ⇒ **Modéré.** *Petites, médiocres et grandes obligations* (→ Ingratitude, cit. 1). *Médiocres difficultés.* ⇒ **Insignifiant, négligeable.**

1 Bien meilleure est souvent la médiocre vie,
Sans pompe, sans honneur, sans embûche d'envie,
Que de vouloir passer en grandeur le commun.
RONSARD, Bocage royal, II, Disc. à M. de Cheverny.

2 (...) Aristote, bien éloigné de nous demander des héros parfaits, veut au contraire que les personnages tragiques (...) ne soient ni tout à fait bons, ni tout à fait méchants (...) Il faut donc qu'ils aient une bonté médiocre (...)
RACINE, Andromaque, 1ʳᵉ préface.

3 Au théâtre, il faut toujours prendre les caractères dans un degré élevé; rien de médiocre, ni vertus ni vices. CHAMFORT, Maximes, «Sur l'art dramatique», IX.

♦ **2.** (1588). Mod. et cour. Qui est au-dessous de la moyenne, qui est insuffisant* en quantité ou en qualité. *Loyer* (cit. 6), *salaire médiocre.* ⇒ **Modeste, modique, petit.** *Ressources, revenus médiocres.* ⇒ **Maigre, minime, négligeable, piètre.** *Il a une situation assez médiocre.* ⇒ **Modeste.** *Lumière médiocre d'une lampe* (cit. 10). *Appartement de dimensions médiocres, très médiocres.* ⇒ **Exigu.** — *D'une qualité, d'une valeur* faible, insuffisante; assez mauvais*. ⇒ **Faible, imparfait, inférieur, méchant, pauvre, piètre, pitoyable, quelconque.** *Médiocre nourriture. Sol médiocre,* assez pauvre, peu productif (→ Exploitation, cit. 3). — *Médiocres aventures* (cit. 19). ⇒ **Bas, commun.** *Bonheur, vie médiocre* (→ Étriqué, mesquin (→ Chétif, cit. 5; cicatrisation, cit. 2). *Médiocre intérêt.* ⇒ **Mince, minime.** — *Ouvrage, œuvre, pièce médiocre.* ⇒ **Insignifiant, plat** (→ Auteur, cit. 19; corrompre, cit. 9). *Pages, vers médiocres* (→ Balbutiement, cit. 6; emphase, cit. 1). — REM. Les exemples anciens de cet emploi sont moins péjoratifs que les exemples modernes, mais l'idée d'insuffisance y est présente. — Spécialt. *Note médiocre. Devoir médiocre, à peine passable*. Faire de médiocres études.*

4 En dépit de son besoin d'affection et d'estime, il eût étouffé dans une vie médiocre et renfermée, sans joie, sans peine, et sans air.
R. ROLLAND, Jean-Christophe, Adolescent, p. 364.

5 La stagnation du plus grand nombre possible de représentants d'une humanité médiocre dans un médiocre bonheur quotidien n'est pas un «idéal» dont je puisse m'éprendre. GIDE, Journal, 16 janv. 1941.

♦ **3.** (1752). Personnes. Qui a peu de capacité, qui ne dépasse pas ou qui n'atteint pas la moyenne. ⇒ **Inférieur.** *Esprits médiocres* (→ Bon, cit. 40; entendre, cit. 15). *Écrivain, peintre médiocre.* Spécialt. *Élève médiocre en français.* ⇒ **Faible.** — Vx. (Pour qualifier la situation sociale). ⇒ **Humble.** → ci-dessous, cit. Fénelon.

6 (...) les gens médiocres veulent égaler les grands (...) les petits veulent passer pour médiocres : tout le monde fait plus qu'il ne peut (...)
FÉNELON, Télémaque, XVIII.

7 Un homme médiocre qui prend bien son temps peut, avec de l'adresse et de la patience, jouer un rôle et faire parler de lui.
RIVAROL, Notes, Pensées et Maximes, t. II, p. 51.

8 Rien n'est odieux aux gens médiocres comme la supériorité de l'esprit (...).
STENDHAL, De l'amour, XXXIX.

(1658). Subst. *Un médiocre :* une personne commune, sans talent particulier, et, spécialt, un incapable* (→ Canaille, cit. 12; habile, cit. 18).

9 Je me demande à quoi bon aller grossir le nombre des médiocres (ou des gens de talent, c'est synonyme)...
FLAUBERT, Correspondance, t. II, éd. Charpentier, p. 60.

10 Ce qui infirme nos systèmes d'éducation, c'est qu'ils s'adressent aux médiocres à cause du nombre. R. RADIGUET, le Diable au corps, p. 113.

♦ **4.** (Fin XVIIᵉ). *Le médiocre :* ce qui est médiocre. ⇒ **Médiocrité.** *L'extrême* (cit. 16), *l'excellent* (cit. 7) *et le médiocre.* ⇒ **Milieu, moyen.** — *Le médiocre et le pire* (→ Écrire, cit. 58). *Au-dessous* (cit. 26) *du médiocre :* mauvais.

11 En général, on parvient aux affaires par ce que l'on a de médiocre, et l'on y reste par ce que l'on a de supérieur.
CHATEAUBRIAND, Mémoires d'outre-tombe, t. IV, p. 124.

CONTR. Grand. — Bon, excellent, parfait, supérieur. — Distingué, éminent. — Fameux.
DÉR. Médiocrement.

MÉDIOCREMENT [medjɔkʀəmɑ̃] adv. — 1542; de *médiocre.*

♦ **1.** Vx ou littér. D'une manière médiocre, moyenne. ⇒ **Modérément, ordinairement, passablement** (→ Exceller, cit. 1).

1 En maint endroit de sa relation, le voyageur ne se montre que médiocrement

---

enthousiaste de cette nature que bientôt (...) il nous peindra si magnifique et si embaumée.
SAINTE-BEUVE, Portraits littéraires, Bernardin de St-Pierre, oct. 1836.

♦ **2.** (1580). Mod. Assez peu.

Médiocrement a changé de sens. La quantité qu'indique ce mot a diminué : **médiocrement** *réussi* veut dire *peu réussi,* et non *dans une mesure raisonnable, moyennement : le vieillard fut* **médiocrement** *aimable* (FLAUBERT, l'Éducation sentimentale, I, 168). F. BRUNOT, la Pensée et la Langue, p. 686

♦ **3.** (1857). Assez mal. *Il travaille, il joue du piano médiocrement.*

Aussi cet homme plus que mal habillé, c'est-à-dire médiocrement habillé, qui ne savait ni saluer, ni entrer dans un salon, donnait à toutes ses manières quelque chose de saisissant et de doux que n'auraient pas eu les manières d'un prince.
PROUST, Jean Santeuil, Pl., p. 269.

CONTR. Bien. — Beaucoup.

MÉDIOCRITÉ [medjɔkʀite] n. f. — 1314; lat. *mediocritas.*
État de ce qui est médiocre; chose médiocre.

★ **I.** *(La médiocrité).* ♦ **1.** [a] Vx. Position, situation moyenne; modération, juste milieu. *« Cette médiocrité tempérée en laquelle la vertu consiste »* (Bossuet, *Sermon pour la Visitation,* 3). *« Il faut garder la médiocrité en toutes choses »* (Fénelon, *Solon*). *Médiocrité dorée* (lat. *aurea mediocritas,* Horace), *heureuse. Vivre dans la médiocrité.* ⇒ **Modestie, obscurité.**

L'extrême esprit est accusé de folie, comme l'extrême défaut; rien que la médiocrité n'est bon. PASCAL, Pensées, VI, 378.

[b] (1541). Vieilli. Position sociale moyenne ou basse (⇒ **2. Basse**); état de fortune moyen (→ Fantaisie, cit. 24).

Puis-je n'être, ô Dieu, des grands ni des petits!
La médiocrité fait la personne heureuse.
RONSARD, Pièces retranchées, «Livret de folastries», Traductions.

Retirez-vous, trésors, fuyez; et toi, déesse,
Mère du bon esprit, compagne du repos,
Ô Médiocrité, reviens vite. LA FONTAINE, Fables, VII, 6.

Si l'on pouvait dans la médiocrité n'être ni glorieux, ni timide, ni envieux, ni flatteur, ni préoccupé des besoins et des soins de son état (...) Mais qui peut soutenir son esprit et son cœur au-dessus de sa condition? qui peut se sauver des faiblesses que la médiocrité traîne avec soi?
VAUVENARGUES, Réflexions et Maximes, 8.

♦ **2.** (XVIᵉ). Mod. Insuffisance quant à la qualité, à la valeur, au mérite... ⇒ **Imperfection, mesquinerie, pauvreté, petitesse.** *Médiocrité d'un sentiment* (→ Accabler, cit. 15), *du bonheur* (→ 1. Goûter, cit. 8). *Médiocrité d'une œuvre.* ⇒ **Faiblesse, imperfection, platitude.** *La médiocrité en art, en littérature...* (→ Critique, cit. 5). — *Médiocrité de l'esprit* (→ Conter, cit. 3). *Médiocrité d'un écrivain, d'un artiste. Signe de médiocrité* (→ Impraticable, cit. 3; louer, cit. 10). *Irritante* (cit. 3) *médiocrité.*

Il y a de certaines choses dont la médiocrité est insupportable : la poésie, la musique, la peinture, le discours public. LA BRUYÈRE, les Caractères, I, 7.

En ce genre comme en littérature, le succès, le grand succès est assuré à la médiocrité, l'heureuse médiocrité qui met le spectateur et l'artiste commun de niveau.
DIDEROT, Salon de 1767, *in* LITTRÉ.

Waterloo m'est plus odieux que Crécy. Ce n'est pas seulement la victoire de l'Europe sur la France, c'est le triomphe complet, absolu, éclatant, incontestable, définitif, souverain de la médiocrité sur le génie.
HUGO, France et Belgique, «Belgique», XIII.

Alors ils parlèrent de la médiocrité provinciale, des existences qu'elle étouffait, des illusions qui s'y perdaient. FLAUBERT, Mᵐᵉ Bovary, II, VIII.

♦ **3.** Insuffisance quantitative. *La médiocrité de leurs moyens.*

(...) un de ces petits rentiers dont toutes les dépenses sont si nettement déterminées par la médiocrité du revenu, qu'une vitre cassée, un habit déchiré, ou la peste philantropique d'une quête, suppriment leurs menus plaisirs pendant un mois.
BALZAC, le Cousin Pons, Pl., t. VI, p. 528.

★ **II.** *(Une, des médiocrités).* ♦ **1.** (1762). Personne médiocre (→ Humilier, cit. 25). *Association de médiocrités* (→ Coterie, cit. 2). — *« L'Institut, livré aux médiocrités »* (→ Académie, cit. 6, Hugo).

Aujourd'hui, comme autrefois, les Médiocrités jalouses laissent mourir de misère les penseurs, les grands médecins politiques qui ont étudié les plaies de la France, et qui s'opposent à l'esprit de leur siècle.
BALZAC, le Curé de village, Pl., t. VIII, p. 717.

♦ **2.** Rare. Chose, œuvre médiocre (→ 2. Entonner, cit. 6).
CONTR. Excellence, grandeur, importance. — Génie.

MÉDIODORSAL, ALE, AUX [medjodɔʀsal, o] adj. et n. f. — 1840, Académie; de *médio-,* et *dorsal.*

♦ **1.** Anat. Situé au milieu du dos, de la zone dorsale.

♦ **2.** Phonét. *Consonne médiodorsale,* ou, n. f., *une médiodorsale :* consonne articulée par le soulèvement du dos de la langue au niveau médian.

MÉDIOPALATAL, ALE, AUX [medjopalatal, o] adj. et n. f. — 1933, *in* Marouzeau; de *médio-,* et *palatal.*

♦ Phonét. *Consonne médiopalatale,* ou, n. f., *une médiopalatale :* consonne articulée à la partie médiane du palais (opposé à *pré-* et *postpalatal*).

MÉDIOPASSIF, IVE [medjopasif, iv] n. m. et adj. — 1902 ; de *médio-*, et *passif*.

Grammaire.

♦ **1.** N. m. Dans certaines langues, Ensemble des formes verbales communes à la voix moyenne et à la voix passive. *Le médiopassif dans les langues indo-européennes.*

♦ **2.** Adj. Commun au moyen (voix moyenne) et au passif. *Désinences médiopassives.* — Qui a le sens du moyen avec les désinences du passif. ⇒ **Déponent.**

MÉDIOTARSIEN, IENNE [medjotaʀsjɛ̃, jɛn] adj. — 1878 ; de *médio-*, et *tarsien*.

♦ Anat. Qui a rapport à l'articulation unissant la première et la deuxième rangée des os du tarse.

MÉDIQUE [medik] adj. — 1808 ; de *Mède*.

♦ Hist. anc. Qui concerne les Mèdes, et, par ext., les Mèdes et les Perses, anciens peuples de l'actuel Iran. *Robe médique* (→ 1. Faste, cit. 6). — *Les guerres médiques,* que les Perses firent aux Grecs au Vᵉ siècle avant J.-C.

MÉDIRE [mediʀ] v. tr. indir. — Conjug. *dire,* sauf *médisez.* — 1160 ; du préf. *més-*, et *dire*.

♦ *Médire de qqn,* en dire du mal ; dire le mal que l'on sait ou que l'on croit savoir sur son compte.
Médire de ses amis. Médire sur qqn (vx). ⇒ **Attaquer, baver** (sur), **bêcher** (vieilli), **critiquer, dauber, débiner** (fam.), **déblatérer, déchirer, décrier, dénigrer, détracter, diffamer, habiller** (fam., vx), **nuire** (à), **taper** (taper sur, fam.). → aussi **Arranger, casser*** du sucre, déchirer à belles dents*, mettre en pièces*, dire des méchancetés*, dire pis que pendre*. *Médire d'un ennemi, d'un rival... Envieux* (cit. 8) *qui médit du monde.* « *Et je sais que de moi tu médis l'an passé* » (→ Frère, cit. 15, La Fontaine). *Tout le monde en médit.* → **Faire jaser*, parler*.** — Absolt. *Personne qui aime à médire.* ⇒ **Médisant ; langue** (bonne, mauvaise, méchante langue, langue de vipère). « *Ceux-là peuvent calomnier : ils médiraient qu'on ne les croirait pas* » (→ Écumeur, cit. 4, Beaumarchais). *Ils sont toujours à médire.* ⇒ **Cancaner, clabauder, croasser, jaser, potiner.** — Par ext. *Il y a des louanges* (cit. 4) *qui médisent.*

REM. À la différence de « calomnier », *médire* implique des propos malveillants, mais que l'on suppose fondés.

1   Ceux qui pour médire font des préfaces d'honneur ou qui disent de petites gentillesses et gausseries, sont les plus fins et vénéneux médisants de tous. Je proteste, disent-ils, que je l'aime et que, au reste, c'est un galant homme ; mais cependant il faut dire la vérité, il eut tort de faire une telle perfidie.
     Saint FRANÇOIS DE SALES, Introduction à la vie dévote, III, XXIX.

2   Ceux de qui la conduite offre le plus à rire
Sont toujours sur autrui les premiers à médire (...)   MOLIÈRE, Tartuffe, I, 1.

3   Muse, changeons de style, et quittons la satire ;
C'est un méchant métier que celui de médire (...)   BOILEAU, Satires, VII.

4   N'ayant jamais pu réussir dans le monde, il se vengeait par en médire.
     VOLTAIRE, Zadig, IV.

5   (...) chacun comprendra que la portière avait pu, dans quelque conversation intime avec les Marneffe, calomnier mademoiselle Fischer en croyant simplement médire d'elle.   BALZAC, la Cousine Bette, Pl., t. VI, p. 185.

(D'une chose). Vieilli. *Médire de la grandeur* (→ Aveindre, cit. 2).

6   Si vous entendez une femme médire de l'amour, et un homme de lettres déprécier la considération publique, dites de l'une que ses charmes passent, et de l'autre que son talent se perd.   DIDEROT, Sur les femmes.

CONTR. **Louer, vanter.**
DÉR. **Médisant.**

MÉDISANCE [medizɑ̃s] n. f. — XVIIᵉ ; *mesdisance,* 1559 ; de *médisant*.

♦ **1.** Action de médire. ⇒ **Dénigrement, détraction, diffamation.** *Être porté à la médisance. Péchés de médisance* (→ Indiscret, cit. 13). *Médisance qui va jusqu'à la calomnie** (⇒ **Médire,** REM.), *jusqu'à la dénonciation.* ⇒ **Délation.**

1   Elles avaient banni de leurs conversations la médisance, qui, sous une apparence de justice, dispose nécessairement le cœur humain à la haine ou à la fausseté (...)
     BERNARDIN DE SAINT-PIERRE, Paul et Virginie, p. 41.

2   La médisance habituelle, dont le loisir des salons et la stérilité de l'esprit font une espèce de nécessité, peut être plus ou moins modifiée par la bonté du caractère ; mais il en reste toujours assez pour qu'à chaque pas, à chaque mot, on entende autour de soi le bourdonnement des petits propos qui pourraient, comme les mouches, inquiéter même le lion.   Mᵐᵉ DE STAËL, De l'Allemagne, I, IX.

3   En êtes-vous encore à tenir compte des commérages du monde ? Quand les femmes ne prêtent plus à la médisance elles s'y adonnent.
     Émile AUGIER, les Lionnes pauvres, III, 7.

(1667). Par ext. Les gens médisants. ⇒ **Langue** (mauvaise). « *Contre la médisance il n'est point de rempart* » (Molière, → Égard, cit. 1). *La médisance garde souvent l'anonymat* (→ On* dit que...).

♦ **2.** (XVIᵉ). Propos de celui qui médit. *Une médisance, des médisances.* ⇒ **Bavardage, cancan, clabaudage, clabauderie, commérage, méchanceté, potin, racontar, ragot ; chronique** (scandaleuse). *Médisance faite par malignité*, par esprit de vengeance...* (→ Donner un coup de dent*, de langue*, de patte* ; répandre, cracher son venin*). *Prêter aux médisances.* ⇒ **Commentaire** (→ Être la fable* de... ; et aussi inconsistance, cit. 2). *Médisance anonyme* (cit. 1).

4   À peu près vers ce temps, Théophile se lia d'amitié avec Balzac l'épistolier, — assez étroitement pour donner lieu à de sottes médisances, ressource ordinaire de la méchanceté qui n'a rien à dire.   Th. GAUTIER, les Grotesques, III, p. 70.

5   C'est pour la mettre à l'abri de médisances, qui sont peut-être des calomnies, que j'interviens avant qu'il soit trop tard.   F. MAURIAC, la Pharisienne, IX.

CONTR. **Apologie, compliment, éloge, louange.**

MÉDISANT, ANTE [medizɑ̃, ɑ̃t] adj. et n. — V. 1155, *mesdisant ;* p. prés. de *médire*.

♦ **1.** Qui médit. ⇒ **Maldisant** (vx), **satirique** (vx). *Célimène, jeune veuve coquette et médisante* (→ Goujat, cit. 6). « *Le noir venin des langues médisantes* » (→ Contrepoison).

1   On est d'ordinaire plus médisant par vanité que par malice.
     LA ROCHEFOUCAULD, Maximes, 483.

2   Je ne sais pas qui a dit (...) qu'elle est médisante. C'est au contraire une excellente créature qui n'a jamais dit du mal de personne, ni fait de mal à personne.
     PROUST, À la recherche du temps perdu, t. VIII, p. 127.

(1619, *in* D.D.L.). *Propos, traits, bavardages médisants.* ⇒ **Diffamatoire** (→ Assouplir, cit. 5 ; grume, cit. 3).

♦ **2.** N. (XIIIᵉ). *Un médisant, une médisante.* ⇒ **Caqueteur, détracteur, diffamateur, langue** (mauvaise, méchante langue ; langue d'aspic, de serpent, de vipère ; langue venimeuse, vipérine...). → Médire, cit. 1. *Défendre un ami auprès d'un médisant* (⇒ Exalter, cit. 11). — Prov. *L'écoutant fait le médisant :* celui qui écoute un médisant est aussi coupable que lui.

3   (...) le serpent a la langue fourchue et à deux pointes, comme dit Aristote ; et telle est celle du médisant, qui d'un seul coup pique et empoisonne l'oreille de l'écoutant et la réputation de celui de qui elle parle (...)
     Saint FRANÇOIS DE SALES, Introd. à la vie dévote, III, XXIX.

CONTR. **Louangeur.**
DÉR. **Médisance.**

MÉDITATIF, IVE [meditatif, iv] adj. et n. — XIVᵉ, rare av. la fin du XVIIᵉ ; lat. *meditativus*. → Méditer.

♦ **1.** Qui est porté à la méditation* (→ Concentrer, cit. 7). *Platon était mélancolique et méditatif* (→ Enjouement, cit. 4). *Caractère, esprit méditatif* (→ Étincelant, cit. 8).

1   Il est impossible que les écrivains allemands, ces hommes les plus instruits et les plus méditatifs de l'Europe, ne méritent pas qu'on accorde un moment d'attention à leur littérature et à leur philosophie.
     Mᵐᵉ DE STAËL, De l'Allemagne, Observations générales.

(1690). *Avoir un air méditatif.* ⇒ **Absorbé, abstrait, pensif, préoccupé, rêveur** (→ Être dans la lune*).

2   Elle demeura un instant la bouche ouverte, décontenancée, et puis elle reprit son air méditatif et son visage se referma.   SARTRE, l'Âge de raison, IV.

♦ **2.** N. (1751). *C'est un méditatif.* ⇒ **Penseur, rêveur.**

DÉR. **Méditativement.**

MÉDITATION [meditasjɔ̃] n. f. — XIVᵉ ; *meditacium,* v. 1120 ; lat. *meditatio*.

Action de méditer.

♦ **1.** (V. 1380). Action de méditer, de soumettre à une longue et profonde réflexion. ⇒ **Approfondissement, étude.**

1   (...) il y a dans la méditation des pensées honnêtes une sorte de bien-être que les méchants n'ont jamais connu ; c'est celui de se plaire avec soi-même.
     ROUSSEAU, Julie ou la Nouvelle Héloïse, IVᵉ partie, XI.

♦ **2.** (1580). Absolt. Réflexion qui approfondit longuement un sujet. ⇒ **Application, attention** (intérieure) ; **concentration, contention** (d'esprit), **réflexion.** *Matière, sujet, élément de méditation* (→ Élaboration, cit. 3). *S'absorber*, se plonger dans la méditation.* ⇒ **Abstraire** (s'). *La méditation dans la retraite.* ⇒ **Contemplation** (cit. 2). *Préférer l'action* (cit. 11) *à la méditation. L'étude et la méditation avaient élargi* (cit. 2) *son entendement. L'« Émile » coûta* (cit. 10) *à Rousseau vingt années de méditation.*

2   Tous ces divers projets m'offraient des sujets de méditation pour mes promenades : car, comme je crois l'avoir dit, je ne puis méditer qu'en marchant.
     ROUSSEAU, les Confessions, IX.

3   (...) il se livrait aux silencieuses orgies de la méditation.
     FRANCE, l'Anneau d'améthyste, Œ., t. XII, VI, p. 100.

4   La méditation est un vice solitaire, qui creuse dans l'ennui un trou noir que la sottise vient remplir.   VALÉRY, Mon Faust, I, 2.

5   (...) la méditation, c'est-à-dire l'effort d'analyse sur ces données fugitives que four-

nit la conscience, la constante référence à ce que la conscience elle-même, d'autre part, connaît comme de précises certitudes.

DANIEL-ROPS, Ce qui meurt..., VI, p. 219.

(XIIe). Spécialt. (Relig.). Oraison mentale. *Entrer en méditation.* ⇒ **Recueillement.** *Importance de la méditation dans le bouddhisme.*

♦ **3.** (1580). *Une, des méditations.* Pensée profonde, attentive, portant sur un sujet particulier. ⇒ **Réflexion.** *Méditation profonde* (→ Besoin, cit. 77), *bien menée* (→ Fort, cit. 76). *Des méditations confuses* (→ Guise, cit. 4). *Se livrer à de longues méditations. Le fruit de ses méditations* (→ Intercaler, cit. 1). *Méditation philosophique, religieuse. Méditation sur la cause d'un phénomène* (→ Force, cit. 62.)

6   Elle se tenait devant Guéret, plus jeune et plus fraîche qu'il n'avait osé l'imaginer dans les méditations impures de sa solitude.   J. GREEN, Léviathan, I, VI.

(Dans un titre d'ouvrage philosophique ou religieux). *Les Méditations métaphysiques,* de Descartes (1641). *Commentaires et méditations sur l'Écriture* (→ Absurdité, cit. 3). *Méditations sur l'Évangile,* de Bossuet. — Par ext. (Œuvres poétiques). *Les Méditations,* de Lamartine *(Méditations poétiques,* 1820; *Nouvelles Méditations,* 1823).

7   Je vivais loin de la France, j'étudiais mon métier, j'écrivais encore de temps en temps les impressions de ma vie en méditations, en harmonies, en poèmes (...)   LAMARTINE, Premières Méditations, Préface, p. XVIII.

8   Le nom de *Méditations* qu'il a donné à ces différents morceaux en indique parfaitement la nature et le caractère; ce sont en effet les épanchements tendres et mélancoliques des sentiments et des pensées d'une âme qui s'abandonne à ses vagues inspirations. Quelques-unes s'élèvent à des sujets d'une grande hauteur, d'autres ne sont, pour ainsi dire, que des soupirs de l'âme.   E. DE GENOUDE, Avertissement de l'éditeur (éd. orig. des *Méditations*).

MÉDITATIVEMENT [meditativmɑ̃] adv. — 1959; de *méditatif.*

♦ Littér. D'une façon méditative. *Il regardait méditativement la mer.*

MÉDITER [medite] v. — 1495; lat. *meditari* «s'exercer».

♦ **1.** V. tr. (1525). Littér. ou style soutenu. **[a]** Soumettre à une longue et profonde réflexion. ⇒ **Approfondir, réfléchir** (à). *Méditer une pensée, une vérité. Anachorète* (cit. 2) *qui médite les grandeurs de Dieu.* ⇒ **Contempler.**

1   (...) douleur et plaisir, j'observai tout exactement, et ne voyais dans ces diverses sensations, que des faits à recueillir et à méditer.   LACLOS, les Liaisons dangereuses, LXXXI.

2   Je méditais, courbé sur un volume antique,
Les dogmes de Platon et les lois du Portique.   A. DE MUSSET, Poésies posthumes, «Stances».

[b] (V. 1770). Préparer* par une longue réflexion (une œuvre, une entreprise). *Méditer une œuvre, un livre,* l'élaborer (→ Atterrer, cit. 4; isolement, cit. 5).

3   Ce fut *(Joubert)* un de ces heureux esprits qui passent leur vie à penser, à converser avec leurs amis, à songer dans la solitude, à méditer quelque grand ouvrage qu'ils n'accompliront jamais et qui ne nous arrive qu'en fragments.   SAINTE-BEUVE, Causeries du lundi, 10 déc. 1849.

Méditer un projet, un dessein. ⇒ **Échafauder, mûrir, rouler** (dans sa tête). *Méditer une vengeance; une fugue* (cit. 3), *quelque noirceur* (→ Épier, cit. 6). ⇒ **Combiner, conspirer, projeter.**

4   Je médite un dessein digne de mon courage.   RACINE, Mithridate, II, 2.

5   (...) la mémoire du mal qu'il a fait *(Louis XI)* vit sans cesse en lui (...) parce qu'on se rappelle toujours ce qu'on a médité longtemps et qu'il faut bien que le crime, lorsqu'il a été un désir et une espérance, devienne aussi un souvenir.   HUGO, Littérature et Philosophie mêlées, «Sur Walter Scott».

(1718). Avec une proposition pour complément. *Méditer de faire..., d'être...,* en former le projet. *Ils méditèrent de faire un faux* (1. Faux, cit. 54).

(1868). Suivi d'une proposition interrogative. Vieilli ou littér. Se demander. «*Je méditais comment j'éviterais ce danger*» (Académie). «*Je méditais qui je choisirais pour médecin, quel remède serait propre à me soulager*» (Littré).

6   — Il n'y a rien de plus beau qu'un honnête homme. Il se tut un instant, méditant s'il ne conviendrait pas de développer cette pensée (...)   R. ROLLAND, Jean-Christophe, L'aube, p. 5.

♦ **2.** V. intr. (v. 1664). Penser* longuement, profondément (sur un sujet). ⇒ **Réfléchir.** *Méditer sur la condition humaine. Méditer sur un problème, sur des hypothèses.* ⇒ **Arrêter** (s'arrêter sur), **spéculer** (→ Graine, cit. 14).

7   Je méditais donc sur le triste sort des mortels (...)   ROUSSEAU, Émile, IV.

8   Cependant Barefoot, la tête basse, méditait sur les voies de l'armée qui sont impénétrables.   A. MAUROIS, les Discours du Dr O'Grady, VII.

(1647). Absolt. ⇒ **Converser** (avec soi-même), **réfléchir, rêver, songer.** *Méditer en marchant* (cit. 1). *S'isoler pour méditer. Médite, condense ta pensée* (→ 2. Ensemble, cit. 4). «*L'homme qui médite est un animal* (cit. 7) *dépravé*» (Rousseau).

9   (...) mais dans ces régions sauvages, l'âme se plaît (...) à méditer au bord des lacs et des fleuves, et, pour ainsi dire, à se trouver seule devant Dieu.   CHATEAUBRIAND, le Génie du christianisme, I, V, XII.

10   Je médite longtemps, en mon cœur replié (...)   HUGO, Odes et Ballades, V, XVIII, II.

(...) elle sera rentrée à pied, méditant et rêvant, seule, toujours seule (...)   1
   BAUDELAIRE, le Spleen de Paris, XIII.

▶ **MÉDITANT, ANTE** p. prés. et adj.
Littér. Qui médite.

▶ **MÉDITÉ, ÉE** p. p. adj. *Pensée longuement méditée. — Paroles, attentions* (cit. 45), *gestes* (1. Geste, cit. 17), *longuement médités. C'était médité et prémédité.*
CONTR. (Du p. p.) Improvisé, spontané.
DÉR. V. **Méditatif, méditation.**
COMP. Préméditer.

MÉDITERRANÉ, ÉE [mediterane] adj. et n. f. — Lat. *mediterraneus,* de *medius* «qui est au milieu», et *terra* «terre».

♦ **1.** Adj. (1564). Vx. Qui est au milieu des terres, sépare des continents (ne se dit guère que d'une mer). *Les mers méditerranées.* — N. *Les ouvertures des méditerranées* (→ Golfe, cit. 4).

Littéraire et rare :
Notre insensible ciel semble en vain pardonner
Pour un peu de soleil pour un peu de couleur
Ô Grenade du temps cœur méditerrané
Comme un bateau perdu dans les sables de l'heure.
   ARAGON, le Fou d'Elsa, p. 197-198.

♦ **2.** N. f. (1814). Géogr. Mod. *Une méditerranée. —* (1534). Cour. *La Méditerranée :* la mer située entre l'Europe, l'Asie et l'Afrique.
DÉR. Méditerranéen.

MÉDITERRANÉEN, ENNE [mediteraneɛ̃, ɛn] adj. — 1840; «qui est situé au milieu des terres», 1569; de *méditerrané.*

♦ De la Méditerranée; qui appartient, qui se rapporte à la Méditerranée, et, par ext., à ses rivages. *Bassin méditerranéen; régions méditerranéennes* (→ Garrigue, cit. 3). *Climat méditerranéen,* comportant un long été ensoleillé et sec, et un hiver doux. *Monde, peuple méditerranéen. Civilisation* (cit. 16) *méditerranéenne* (→ Helléniser, cit. 3).

(On retrouve ...) le climat méditerranéen en Amérique sur la côte du Pacifique. En effet, la Californie et le Chili ont un climat à été sec, à hiver tempéré et humide.   E. DE MARTONNE, Traité de géographie physique, t. I, p. 271.   1

Les deux hommes de ce type méditerranéen sombre, taciturne, patient et famélique (trace ou plutôt semence ou plutôt brune pollution ou plutôt éjaculation répandue par des générations de conquérants ou pirates arabes tout le long des côtes).   2
   Claude SIMON, le Palace, p. 34-35.

COMP. Atlanto-méditerranéen.

1. MÉDIUM [medjɔm] n. m. — XVIe, «moyen», «milieu»; mot latin.

♦ **1.** (1690). Log. Moyen terme.

♦ **2.** (1701). Mus. Étendue de la voix, registre des sons entre le grave et l'aigu. *Cette alto a un beau médium. Le timbre de la flûte* (cit. 4) *devient expressif dans le médium.* — Se dit aussi de la voix dans le discours (→ Gong, cit. 1).

Un beau *médium,* auquel on suppose une certaine latitude, donne les sons les   1
mieux nourris, les plus mélodieux (...)   ROUSSEAU, Dict. de musique, Medium.
Sans posséder le volume des colossales basses-tailles, le timbre de cette voix plaisait par un médium étoffé, semblable aux accents du cor anglais, résistants et   2
doux, forts et veloutés.   BALZAC, la Vieille Fille, Pl., t. IV, p. 212.

♦ **3.** (XXe). Techn. (peinture). Liquide servant à détremper les couleurs (huile, essence, etc.).

2. MÉDIUM [medjɔm] n. — 1853; de l'anglais.

♦ Personne réputée douée du pouvoir de communiquer avec les esprits*. *Être bon médium. Fluide du médium. Émanation visible du corps du médium.* ⇒ **Ectoplasme.** *Des médiums.* — Par ext. *Le poète inspiré est une sorte de médium* (→ Inspiration, cit. 5).

(...) la première loi à observer dans la Magie et dans le Spiritisme, c'est d'éloigner les incrédules, car bien souvent leur fluide contrarie celui de la voyante ou du médium!   HUYSMANS, Là-bas, IX.

DÉR. Médiumnique, médiumnité.

3. MÉDIUM ou MEDIUM [medjɔm] n. m.

♦ Rare. ⇒ **Media** (au sing.) et **mass-media.**

Le reflet des rapports avec l'objet technique, avec le «médium» (écran de cinéma, poste de radio, téléviseur, etc.) ce reflet d'un reflet, remplace l'art comme «médiation» et joue un rôle analogue (...)
   Henri LEFEBVRE, la Vie quotidienne dans le monde moderne, p. 97.

MÉDIUMNIQUE [medjɔmnik] adj. — 1905; de *médium.*

♦ Didact. Propre au médium (2.). *Pouvoir médiumnique.*
Par extension :

Et de même que le vin devient pour bon nombre d'intellectuels une substance   1
médiumnique qui les conduit vers la force originelle de la nature, de même le biftek est pour eux un aliment de rachat, grâce auquel ils prosaïsent leur cérébra-

lité et conjurent par le sang et la pulpe molle, la sécheresse stérile dont sans cesse on les accuse. R. BARTHES, Mythologies, p. 78.

REM. La variante *médiumnimique* est antérieure et vieillie.

(...) le spectacle auquel l'entrée dans un salon d'une Turque (...) nous fait assister, en animant les figures, les rend plus étranges, comme s'il s'agissait en effet d'êtres évoqués par un effort médiumnimique. PROUST, le Côté de Guermantes, Pl., t. II, p. 191.

MÉDIUMNITÉ [medjɔmnite] n. f. — 1862 ; de *médium.*

♦ Didact. Fait de posséder des pouvoirs médiumniques, d'être médium.

MÉDIUS [medjys] n. m. invar. — 1520 ; lat. *medius (digitus),* « doigt du milieu ».

♦ *Le médius :* le troisième doigt de la main, situé au milieu. *Le médius est le plus long des cinq doigts.* ⇒ **Majeur.** *Croiser le médius et l'index* (→ Illusion, cit. 7). *Les médius des deux mains.*

MÉDOC [medɔk] n. m. — 1789, *in* D. D. L. ; nom d'une pierre brillante, 1765, de *Médoc,* région viticole sur la rive gauche de la Gironde.

♦ Vin très estimé de la région de Médoc. ⇒ **Bordeaux.**

Un coup de ce médoc vous défendra contre l'humidité. Ici, j'enlevai une bouteille (...) et je fis sauter le goulot. BAUDELAIRE, Trad. E. POE, Nouvelles histoires extraordinaires, « La barrique d'Amontillado ».

DÉR. **Médocain.**

MÉDOCAIN, AINE [medɔkɛ̃, ɛn] adj. et n. — 1873, P. Larousse, var. *médoquin ;* de *médoc.*

♦ Du Médoc.

MÉDRANO [medʀano] n. m. — Mil. xxᵉ ; nom d'un célèbre cirque parisien aujourd'hui disparu.

♦ Argot fam. Désordre, « cirque » (⇒ **Barnum**). *Le « médrano législatif »* (Perret, *Bâtons dans les roues,* p. 119).

MÉDULL-, MEDULLO- Premier élément, du lat. *medulla* « moelle », servant à former des mots du vocabulaire médical. Voir ci-après.

MÉDULLA [medyla] n. f. — Fin xixᵉ ; mot lat. « moelle ». → *médulle.*

♦ Didact. (Biol., embryol.) Partie centrale de la gonade embryonnaire.

MÉDULLAIRE [medylɛʀ] adj. — 1560 ; *medulaire,* 1503 ; lat. *medullaris,* de *medulla* « moelle ».

Sciences.

♦ **1.** [a] Qui a rapport à la moelle épinière ou à la moelle des os. ⇒ **Moelle.** *Os médullaire,* qui contient de la moelle. *Canal médullaire :* partie centrale des os longs, qui renferme la moelle.

(1863). Fig. *Suc, substance médullaire* (⇒ **Moelle,** fig.).

(...) Cicéro et autres tels bavards dont les phrases ne sont que viandes creuses et ne contiennent aucun suc médullaire. Th. GAUTIER, le Capitaine Fracasse, XI.

[b] (1762). Bot. *Canal médullaire :* cavité cylindrique qui occupe le centre de la tige des dicotylédones, et où se trouve la moelle*.

♦ **2.** [a] Qui a une constitution semblable à celle de la substance blanche de la moelle épinière. *Lames médullaires du thalamus* (dans le cerveau).

[b] Qui forme la partie centrale (d'un organe). *Substance médullaire de la glande surrénale* (⇒ **Medullo-surrénale**). *Substance médullaire du rein.*

DÉR. **Médullarine.**

MÉDULLARINE [medylaʀin] n. f. — 1965 ; de *médullaire.*

♦ Didact. Biol. Hormone de la gonade embryonnaire sécrétée par la médulla. *La médullarine agit comme inducteur de la différenciation sexuelle.*

La médullarine, responsable de l'évolution vers le type mâle, a une action prépondérante (...) Jean GUIBÉ, les Batraciens, p. 53.

MÉDULLE [medyl] n. m. — 1846, fém. ; lat. *medulla* « moelle ».

♦ Bot. Moelle* des végétaux ligneux.

MÉDULLECTOMIE [medylɛktɔmi] n. f. — 1945 ; de *médull-,* et *-ectomie.*

♦ Méd. Suppression de la partie médullaire de la glande surrénale.

MÉDULLEUX, EUSE [medylø, øz] adj. — Déb. xviᵉ ; lat. *medullosus* « rempli de moelle », de *medulla.*

♦ Bot. Dont la moelle est abondante, en parlant d'une tige. *La tige du sureau est médulleuse.*

MÉDULLISATION [medylizɑsjɔ̃] n. f. — 1869 ; de *medulla* « moelle », et suff. *-isation.*

♦ Méd. Envahissement du tissu compact des os par les éléments de la moelle.

Le 3ᵉ degré (de la syphilis congénitale), c'est la médullisation qui se produit sur des sujets plus âgés que les précédents (...) ce que l'on distingue, c'est une grande activité dans le développement du tissu médullaire, qui se substitue peu à peu à celui des ostéophytes. Dr A. CHARPENTIER, Traité pratique des accouchements, 1883, in D.D.L., II, 8.

MEDULLO-SURRENAL, ALE [medylosy(ʀ)ʀenal] adj. et n. f. — 1938 ; de *medullo-,* et *surrénale.*

♦ Anat. *Glande médullo-surrénale :* partie interne des capsules surrénales, qui sécrète l'adrénaline. *Tissu médullo-surrénal.*

L'adrénaline est à l'origine synthétisée par la glande médullo-surrénale ; les graisses nerveuses sont riches en choline, source de l'acétylcholine. Paul CHAUCHARD, le Système nerveux, p. 58, note.

N. f. *La médullo-surrénale.*

DÉR. **Médullo-surrénalome.**

MÉDULLO-SURRÉNALOME [medylosy(ʀ)ʀenalom] n. m. — Mil. xxᵉ ; de *médullo-surrénale.*

♦ Méd. Tumeur de la médullo-surrénale.

MÉDUSANT, ANTE [medyzɑ̃, ɑ̃t] adj. — 1949 ; de *méduser.*

♦ Littér. Qui méduse, qui frappe de stupeur.

Il regarda ses camarades, son regard périssable rencontra sur eux le regard éternel et médusant de l'histoire : pour la première fois, la grandeur était descendue sur leurs têtes ; ils étaient les soldats fabuleux d'une guerre perdue. SARTRE, la Mort dans l'âme, p. 69.

MÉDUSE [medyz] n. f. — 1754 ; de *Méduse,* n. myth. (→ Méduser, étym.) ; anal. de forme avec la chevelure de Méduse.

♦ Animal marin nageur de l'embranchement des Cnidaires, formé de tissus transparents d'apparence gélatineuse, et affectant la forme d'une cloche (⇒ **Ombrelle**) sous laquelle se trouvent la bouche et les tentacules (→ Fragile, cit. 14). *Les méduses flottent* (cit. 2) *dans l'eau de mer ; leur contact peut être urticant. Gelée de méduse* (→ Colorer, cit. 4).

(...) la plus voluptueuse des danses possibles m'apparut sur un écran où l'on montrait de grandes Méduses (...) êtres d'une substance incomparable, translucide et sensible, chairs de verre follement instables, dômes de soie flottante, couronnes hyalines, longues lanières vives toutes courues d'ondes rapides, franges et fronces qu'elles plissent, déplissent (...) VALÉRY, Degas, danse, dessin, p. 28-29.

Zool. *On doit distinguer les méduses autonomes* (automéduses) *et les méduses d'Hydraires* (forme sexuée de ces cnidaires). — Par appos. *Formes méduses et formes polypes des hydrozoaires.* ⇒ **Hydraires, hydrocoralliaires.** *Les Automéduses et les Siphonophores ne comprennent que des formes méduses.* — *Méduses autonomes* (automéduses) : *hydroméduses* (trachyméduses et narcoméduses) *et acalèphes** ou *siphoméduses* (méduses sans velum ou acraspèdes*).

Certaines (...) méduses représentent la génération sexuée de divers Hydraires ; on les nomme souvent polypoméduses, car elles se forment sur des polypes asexués, puis deviennent libres (...) D'autres méduses, plus évoluées, ne dérivent pas de stades fixes asexués (...) O. TUZET, *in* Encycl. Universalis, art. *Méduse.*

COMP. V. à l'article.

MÉDUSER [medyze] v. tr. — 1606, rare av. 1838 ; du nom propre *Méduse,* du grec *Medousa,* l'une des trois Gorgones, dont la tête hérissée de serpents changeait en pierre ceux qui la regardaient.

♦ Littér. Frapper de stupeur. ⇒ **Pétrifier, stupéfier.** — P. p. adj. *L'étonnement le laissa médusé.* ⇒ **Immobile.**

Rendue à elle-même, dès que la présence du terrible Prosper cessait un instant de la méduser, Estelle se retrouvait, paraissait alors ce qu'elle était réellement : la meilleure des femmes. Émile HENRIOT, Aricie Brun, II, II.

DÉR. **Médusant.**

MEETING [mitiŋ] n. m. — 1786 ; *mitine,* 1733 ; mot angl. de *to meet* « rencontrer ».

♦ 1. Réunion publique, organisée pour discuter une question d'ordre collectif, social... — *Tenir, organiser* (→ Envergure, cit. 7) *un meeting.* ⇒ **Assemblée** (→ Convenable, cit. 9; joute, cit. 3). *Les orateurs d'un meeting. Mot d'ordre répété dans les meetings* (→ Diminuer, cit. 1). *Interdire les meetings* (→ Efflorescence, cit. 2).

1   Sur les trottoirs, au milieu de la chaussée (...) foule innombrable. Des hommes-affiches circulaient au milieu des groupes. Des bannières et des banderoles flottaient au vent. Des cris éclataient de toutes parts (...) C'était un meeting.
J. VERNE, le Tour du monde en 80 jours, p. 217.

2   « — Mercredi », reprit-il, « à Bruxelles, il n'y aura pas seulement réunion du *Bureau socialiste international*, mais aussi, le soir, un grand meeting de protestation, présidé par Jaurès (...) Dans tous les pays, les militants disponibles sont appelés à faire le voyage, pour que ce meeting devienne une formidable manifestation européenne.   MARTIN DU GARD, les Thibault, t. VI, p. 261.

♦ 2. (1845). Réunion de spectateurs à l'occasion de démonstrations sportives. *Un meeting d'athlétisme.*

3   Puis il s'extasia plus encore sur les réunions de yachting que sur les courses de chevaux, et je compris que des régates, que des meetings sportifs (...) pouvaient être, pour un artiste moderne, un motif (...) intéressant...
PROUST, À l'ombre des jeunes filles en fleurs, Folio, p. 565.

(V. 1910). *Meeting d'aviation,* où l'on présente des modèles d'appareils, etc.

MÉFAIRE [mefɛʀ] v. intr. — V. 1130, *mesfaire ;* du préf. *mé-,* et *faire.*

♦ Vx. Faire mal, commettre une action mauvaise.

Apollonius — Je te raconterai d'abord la longue route que j'ai parcourue pour obtenir la doctrine ; et si tu trouves dans toute ma vie une action mauvaise, tu m'arrêteras — car celui-là doit scandaliser par ses paroles qui a méfait par ses œuvres.   FLAUBERT, la Tentation de saint Antoine, Pl., t. I, p. 128.

MÉFAIT [mefɛ] n. m. — 1273 ; *mesfait,* v. 1120 ; p. p. subst. de *méfaire.*

♦ 1. Action mauvaise, nuisible à autrui. ⇒ **Coup** (mauvais coup), **faute.** *Commettre de graves méfaits. Petits méfaits.* ⇒ **Tour.**

J'avais les défauts de mon âge ; j'étais babillard, gourmand, quelquefois menteur. J'aurais volé des fruits, des bonbons, de la mangeaille ; mais jamais je n'ai pris plaisir à faire du mal, du dégât, à charger les autres, à tourmenter de pauvres animaux. Je me souviens pourtant d'avoir une fois pissé dans la marmite d'une de nos voisines (...) Voilà la courte et véridique histoire de tous mes méfaits enfantins.
ROUSSEAU, les Confessions, I.

♦ 2. (1902). Résultat pernicieux (que peuvent entraîner des manières de vivre, des institutions, des phénomènes naturels...). ⇒ **Malfaisance.** *Les méfaits de l'alcoolisme, de la drogue. Les méfaits de la grêle, de la gelée.* ⇒ **Dégât.**

CONTR. Bienfait.

MÉFIANCE [mefjɑ̃s] n. f. — XVe ; de *méfier.*

♦ Disposition à se méfier* ; état de celui qui se méfie. ⇒ **Défiance** (cit. 1), **doute.** *Méfiance d'un peureux, d'un jaloux. Éveiller la méfiance de qqn* (→ Éveil, cit. 6). *Avoir, éprouver de la méfiance à l'égard de qqn.* ⇒ **Suspicion ; soupçonner.** *Précautions inspirées par la méfiance. Méfiance maladive* (→ Démêlé, cit. 2). *Apaiser, dissiper la méfiance de qqn. — Vivre sans méfiance* (→ Jouer, cit. 61).

Loc. prov. *« Méfiance est mère de sûreté »* (→ Expérimenté, cit. 3, La Fontaine) : il faut montrer de la méfiance pour n'être point trompé.

1   Dans l'amour, la tromperie va presque toujours plus loin que la méfiance.
LA ROCHEFOUCAULD, Maximes, 335.

2   (...) Jacques avait trop de sens pour abuser de celle dont il voulait faire sa femme, et se préparer une méfiance qui aurait pu empoisonner le reste de sa vie.
DIDEROT, Jacques le fataliste, Pl., p. 740.

3   Mais nous n'inspirons pas de méfiance, et on nous recommande seulement de ne pas faire de bruit en entrant dans cette chambre du premier (...)
LOTI, Mon frère Yves, X.

4   Démarche motivée, non par des raisons claires, mais par une trouble méfiance. Crainte des commérages, soit ; mais aussi précaution instinctive devant la réserve de Clotilde, prudence obscure envers soi-même, inexplicable et sûr pressentiment. Cet homme était doué pour entendre les présages.
H. BOSCO, Un rameau de la nuit, p. 305.

CONTR. Abandon, assurance, confiance, créance, foi.

MÉFIANT, ANTE [mefjɑ̃, ɑ̃t] adj. et n. — 1642 ; p. prés. de *méfier.*

♦ 1. Qui se méfie, qui est enclin à la méfiance. ⇒ **Défiant, douteux** (vx). *Un homme méfiant* (→ Cabaler, cit. 3).

Par ext. (1847). Qui porte à la méfiance. *Caractère méfiant.* ⇒ **Dissimulé, ombrageux.** *Naturel méfiant.* ⇒ **Craintif, timoré.** *Imagination soupçonneuse* et méfiante* (→ Incurablement, cit. 1).

1   — Et pourquoi avez-vous refusé de les recevoir ? dit Germain avec humeur. On est donc bien méfiant dans ce pays-ci qu'on n'ouvre pas la porte à son prochain ?
G. SAND, la Mare au diable, XIII.

2   Il me semble qu'être intelligent, c'est, au premier chef, être méfiant, même à l'égard de soi-même (...)   Paul LÉAUTAUD, Propos d'un jour, p. 95.

N. (1784). *Un méfiant, une méfiante. Les méfiants* (→ Défiance, cit. 1).

♦ 2. (Av. 1922). Qui exprime la méfiance. *Air méfiant* (→ Hôtel, cit. 16).

CONTR. Confiant.

MÉFIER (SE) [mefje] v. pron. — Fin XVe ; du préf. *mé-,* et *se fier.*

♦ 1. *Se méfier de qqn,* ne pas se fier à lui, se tenir en garde contre ses intentions. ⇒ **Défier** (se défier, REM.), **garder** (se). *Se méfier d'un flatteur, d'un inconnu* (cit. 25), *des étrangers* (cit. 38). *On se méfie de lui, on s'en méfie.*

1   (...) les Soviets, disciples techniques de l'Occident, se méfient de l'Occident et au fond le détestent.   André SIEGFRIED, l'Âme des peuples, VI, III.

Se méfier de qqch. (1690). *Se méfier d'une idée, d'un sentiment* (→ Fragile, cit. 12 ; intérieur, cit. 11). *Méfiez-vous de votre facilité,* ne vous y fiez pas trop*, elle vous jouera des tours*. — *Se méfier du jugement de quelqu'un.* ⇒ **Douter.** *Je me méfie de vos intuitions.*

2   (...) méfiez-vous des idées plaisantes ou bizarres qui vous séduisent toujours trop facilement.   LACLOS, les Liaisons dangereuses, LXXIX.

3   Car il est bon de traiter l'amitié comme les vins, et de se méfier des mélanges.
COLETTE, Belles saisons, II, Les rois.

Fam. Se défier de (qqch.). *Méfiez-vous de cette porte !*

♦ 2. (1868). Absolt. Être sur ses gardes* (→ Entourer, cit. 3 ; filtrer, cit. 1). *Méfiez-vous ! Il y a une marche...,* faites attention !

Allus. hist. *« Taisez-vous ! méfiez-vous ! Les oreilles ennemies vous écoutent »,* texte d'affiches placardées pendant la guerre de 1914-1918.

CONTR. Abandonner (s'), confier (se), fier (se) ; confiance (avoir).
DÉR. Méfiance, méfiant.

MÉFORME [mefɔʀm] n. f. — 1932, *in* Petiot ; du préf. *mé-,* et *forme.*

♦ Sports. Mauvaise forme. *Traverser une période de méforme.* « (... il) *s'était mis à tourner en rond et à verser dans la ballade morose. Après de longs mois de méforme, le voici qui semble enfin sortir de sa léthargie »* (l'Express, 16 juil. 1973, p. 8).

MÉG-, MÉGA- Élément de composition de mots scientifiques, du grec *megas, megalê,* « grand ».

Spécialt. Élément de composition de noms d'unités de mesure, signifiant « un million de ». (Ex. : *mégabarye* [megabaʀi] n. f. ; *mégavoltampère* [megavɔltɑ̃pɛʀ] n. m. ; voir également ci-après à la nomenclature.)

Argot scol. Élément de composition, préfixe intensif. Ex. : *Une mégachiée :* une très grande quantité (⇒ **Chiée**).

MÉGACARYOCYTE [megakaʀjɔsit] n. m. — V. 1900 ; de *méga-, caryo-,* et *-cyte.*

♦ Biol. Cellule géante de la moelle osseuse, contenant un noyau vésiculeux.

MÉGACÉPHALIE [megasefali] n. f. — 1953 ; de *méga-,* et *-céphalie.*

♦ Didact. Anat. Développement considérable, normal ou pathologique du crâne (opposé à *oligocrânie*). ⇒ **Mégalocrânie.** *Mégacéphalie des hydrocéphales.*

MÉGACÉROS [megaseʀɔs] n. m. — 1890 ; de *méga-,* et grec *keras* « corne ».

♦ Paléont. Grand ruminant *(Cervidés)* du quaternaire, aux bois immenses (jusqu'à 3 mètres d'envergure).

MÉGACÔLON [megakolɔ̃] n. m. — 1923 ; de *méga-,* et *côlon.*

♦ Méd. Dilatation anormale du gros intestin, accompagnée d'un épaississement de la paroi.

MÉGACYCLE [megasikl] n. m. — 1931 ; de *méga-,* et *cycle.*

♦ Sc., techn. Un million de cycles, dans l'expression : *mégacycle par seconde* (ou *mégahertz*).
Abusivt. Syn. de *mégahertz.*

MÉGADYNE [megadin] n. f. — 1905 ; de *méga-,* et *dyne.*

♦ Phys. Unité de mesure équivalant au centisthène.

MÉGA-ÉLECTRON-VOLT [megaelɛktʀɔ̃volt] n. m. — Mil. xxᵉ ; de *méga-*, et *électron-volt*.

♦ Sc., techn. Unité d'énergie égale à un million d'électrons-volts (Symb. : *MeV*). « *Un tel accélérateur (...) réclamerait une haute tension de 1 000 MeV* » (*la Recherche*, juin 1980, p. 650).

MÉGAHERTZ [megaɛʀts] n. m. — 1963 ; de *méga-*, et *hertz*.

♦ Sc., techn. Unité de fréquence ; un million de hertz, de cycles par seconde. — Symb. : *MH. Émission sur n mégahertz*.

MÉGAJOULE [megaʒul] n. m. — 1922 ; de *méga-*, et *joule*.

♦ Phys. Un million de joules. — Abrév. MJ. ⇒ **Joule.**

MÉGAL-, MÉGALO- Premier élément de mots didactiques et scientifiques, du grec *megalo-*, de *megas*. ⇒ **Méga-.** Voir ci-dessous.

MÉGALÉCITHE [megalesit] ou **MÉGALÉCITHIQUE** [megalesitik] adj. ⇒ **Télolécithe.**

-MÉGALIE Élément, du grec *megalê* « grand ». (Ex. : *acromégalie*).

MÉGALITHE [megalit] n. m. — 1877, *in* Littré, *Suppl.* ; angl. *megalith* (1853) ; → *Méga-*, et *-lithe*.

♦ Didact. Monument de pierre brute de grandes dimensions. *Mégalithes préhistoriques, des cultures du Pacifique*, etc.

C'est en 1867, au Congrès international d'anthropologie de Paris, que le terme de mégalithe fut définitivement adopté pour désigner les monuments préhistoriques de pierre brute appartenant à la période néolithique et aux premiers temps de l'âge de bronze (...) On distingue généralement cinq espèces de monuments mégalithiques : les *menhirs*, les *cromlechs*, les *alignements*, les *dolmens* ou allées couvertes, et les *trilithes*, appelés jadis *lichavens*. Mais ils se ramènent tous en réalité à deux formes simples, le *menhir*, obélisque brut planté verticalement, et le *dolmen* ou table de pierre.
Louis RÉAU, Dict. d'art et d'archéologie, art. *Mégalithe, mégalithique*.

DÉR. **Mégalithique.**

MÉGALITHIQUE [megalitik] adj. — 1865 ; de *mégalithe*.

♦ Didact. Qui constitue un mégalithe ; qui est composé de mégalithes, caractérisé par des mégalithes. *Monuments mégalithiques :* cromlech, dolmen, menhir, peulven. *Ère, civilisation mégalithique*, caractérisée par la présence de mégalithes.

Dernièrement, un brave homme prétendait éventrer le port de Cherbourg pour en faire surgir une cité mégalithique (...)
F. MALLET-JORIS, le Jeu du souterrain, p. 224-225.

MÉGALOBLASTE [megaloblast] n. m. — 1907 ; de *mégalo-*, et *-blaste*.

♦ Didact. Globule rouge nucléé volumineux de la moelle osseuse, dans certaines maladies (anémie hyperchrome, notamment).

MÉGALOCÉPHALE [megalosefal] adj. — 1878 ; de *mégalo-*, et *-céphale*.

♦ Didact. Qui a une tête anormalement grosse (⇒ **Mégacéphalie**).

MÉGALOCRÂNIE [megalokʀani] n. f. — Mil. xxᵉ ; de *mégalo-*, et grec *kranion* « crâne ».

♦ Didact. (Anat.). « Développement exagéré du volume du crâne, par rapport à celui de la face et du corps » (*Dict. odontostomatologique*, Suppl. nº 23, janv. 1968). ⇒ **Mégacéphalie.** (Opposé à *oligocrânie*).

MÉGALOMANE [megaloman] adj. et n. — 1896 ; de *mégalo-*, et *-mane*.

♦ Méd. Qui est atteint de mégalomanie.
Cour. Qui est d'un orgueil excessif, d'une ambition injustifiée. N. *C'est un mégalomane.* — Abrév. fam. : *mégalo. Il est complètement mégalo. Un, une, des mégalos*.

MÉGALOMANIAQUE [megalɔmanjak] adj. — 1909, cit. ; de *mégalo-* et *maniaque*, d'après *mégalomanie* et *manie, maniaque*.

♦ De la mégalomanie ; qui tient de la mégalomanie. *Le délire mégalomaniaque*. « *L'art éclaboussant, mégalomaniaque, qui vient de la Gründerzeit et pèse sur nous* ». (Octave Mirbeau, in *Larousse mensuel*, mars 1909, art. *Mégalomaniaque*).

MÉGALOMANIE [megalɔmani] n. f. — 1873 ; de *mégalo-*, et *-manie*.

♦ **1.** Méd. Comportement pathologique caractérisé par le désir excessif de gloire et de puissance ou par l'illusion qu'on les possède (idées, délire de grandeur).

♦ **2.** Cour. Ambition, orgueil démesurés ; goût du colossal. ⇒ **Folie** (des grandeurs).

Louis XIV est l'homme qui a révoqué l'Édit de Nantes, — cet Édit que Henri IV eût été probablement amené à révoquer, lui aussi, s'il eût vécu davantage. Cela suffit : tout ce qui est peccadille ou idée géniale chez le grand-père devient mégalomanie ou vice abominable chez son descendant.
Louis BERTRAND, Louis XIV, I, III.

DÉR. **Mégalomane, mégalomaniaque.**

MÉGALOPOLE [megalɔpɔl] n. f. — V. 1960 ; de *mégalo-*, et *-pole*, d'après l'angl. *megalopolis*, désignant la vaste conurbation de la côte Est des États-Unis, autour de New York.

♦ Didact. Agglomération urbaine très importante.

(...) l'auteur est d'autant plus fidèle à ses analyses que les faits lui ont donné en grande partie raison et que la critique des grandes concentrations urbaines (mégalopoles, nécropoles, tératopoles) est devenue à la fois évidence et lieu commun.
A. FERMIGIER, *in* le Nouvel Obs., 18-24 sept. 1972, p. 12.

REM. La forme anglaise *megalopolis* s'emploie aussi en français, notamment en parlant des États-Unis.

MÉGALOPSIE [megalɔpsi] n. f. — 1878, P. Larousse, *Premier Suppl.* ; de *mégalo-*, et grec *opsis* « vision ».

♦ Didact. Vision subjective agrandie des objets.

MÉGALOSAURE [megalozɔʀ] n. m. — 1826 ; de *mégalo-*, et *-saure*.

♦ Paléont. Reptile dinosaurien fossile, de très grande taille.

MÉGAPHONE [megafɔn] n. m. — 1892 ; de *méga-*, et *-phone*, par l'angl. (Edison, v. 1878).

♦ Appareil amplifiant les sons de la voix, utilisé notamment pour parler en plein air devant les assemblées nombreuses. ⇒ **Porte-voix.** *Service d'ordre d'une manifestation qui transmet les mots d'ordre au mégaphone*.

MÉGAPTÈRE [megaptɛʀ] n. m. — 1872 ; de *méga-*, et *-ptère*.

♦ Zool. Genre de mammifère cétacé, du type de la baleine (baleine à bosse). ⇒ **Jubarte.**

MÉGARDE [megaʀd] n. f. — V. 1530 ; *mesgarde*, v. 1138 ; subst. verbal du verbe *mesgarder* ; du préf. *més-*, et de *garder*.

♦ **1.** Vx. Faute d'attention.

♦ **2.** Mod. (xviiᵉ). *Par mégarde* : sans prendre garde, sans faire attention, sans vouloir. ⇒ **Inadvertance** (par), **inattention** (par). *Se fourvoyer, entrer dans un lieu par mégarde* (→ Attaquer, cit. 13 ; larbin, cit.). *Impair échappé, commis par mégarde. Employer par mégarde une expression incorrecte.* ⇒ **Erreur** (→ Lièvre, cit. 7).

(...) *par mégarde* (en se gardant mal, en ne prenant pas garde) indique une *inadvertance* nuisible, qui est ou amène la production d'un mal, un malheur, en un mot (...)
LAFAYE, Dict. des synonymes, art. *Inattention,... mégarde*. [1]

En passant, elle avait, par mégarde, renversé d'une table des objets qui s'étaient brisés (...)
LOTI, Matelot, LIII. [2]

CONTR. **Exprès, volontairement.**

MÉGARIEN, IENNE [megaʀjɛ̃, jɛn] ou **MÉGARIQUE** [megaʀik] adj. et n. — 1873, *mégarien* ; 1765, *mégarique* ; de *Mégare*, ville de l'Attique.

Didact. De Mégare. — Spécialement :

♦ **1.** Philos. *Mégarique* : de l'école philosophique de Mégare (Euclide, v. 400 avant J.-C.), de tendance socratique. *La morale mégarique a influencé le stoïcisme.* — N. *Les mégariques :* les philosophes de cette école.

♦ **2.** Archéol. *Mégarien, ienne,* se dit de récipients de céramique à relief, d'abord découverts à Mégare.

(...) la céramique à relief prend un très vaste développement. Elle se compose principalement de bols sans pied (...) à couverte noire ou brune, revêtus de motifs de toute espèce, et même de scènes à figures prises de la légende. *Bols mégariens*, c'est le nom que leur a valu la découverte initiale, faite à Mégare, de spécimens de cette série.
G. CONTENAU et V. CHAPOT, l'Art antique, p. 301.

MÉGARON [megaʀɔ̃] n. m. — 1899 ; mot grec.

♦ Archéol. Salle rectangulaire à foyer central, type d'habitation archaïque en Grèce (Troie, Mycènes, Crète). — Plur. *Des mégara* ou (francisé), *des mégarons*.

MÉGATHÉRIUM [megateʀjɔm] n. m. — 1797; de *méga-*, et grec *therion* « bête ».

♦ Paléont. Grand mammifère fossile des ères tertiaire et quaternaire (ordre des *Édentés*). « *(...) les diplodocus, les mégathériums, les labyrinthosaures (...)* » (Le Clézio, *le Déluge*, p. 182).

MÉGATHERME [megatɛʀm] adj. — 1813; de *méga-*, et *-therme*.

♦ Didact. *Plantes mégathermes*, qui ne se développent qu'à des températures élevées (plantes tropicales). — Opposé à *mésotherme* et à *microtherme*.

MÉGATONNE [megatɔn] n. f. — V. 1950; de *méga-*, et *tonne*.

♦ Techn., cour. Unité de mesure de la puissance destructrice des bombes atomiques, équivalant à celle d'un million de tonnes de T. N. T. *Une bombe H de cinq mégatonnes.*

DÉR. **Mégatonnique.**

MÉGATONNIQUE [megatɔnik] adj. — 1966; de *mégatonne*.

♦ Techn. Se dit d'un engin dont la puissance destructrice est de l'ordre d'une mégatonne, ou supérieure. *(Ces arguments)* « *ont conduit le général Ailleret à réclamer des engins balistiques mégatonniques de portée mondiale* » (*le Monde*, 30 janv. 1968).

MÉGAWATT [megawat] n. m. — 1963; de *méga-*, et *watt*.

♦ Phys. Unité de puissance valant un million de watts. « *Les premiers lasers (...) atteignaient facilement les mégawatts. Mais cette puissance fabuleuse, ils ne la délivraient que pendant un milliardième de seconde* » (*Science et Vie*, n° 593, p. 78).

MÈGE [mɛʒ] n. m. — V. 1190, *meyge*; graphie anc. *meige* (xive), *mège* en 1694; lat *medicus* « médecin ».

♦ **1.** Vx ou archaïque. (Anc. et moy. franç.). Médecin.

♦ **2.** Régional (Midi de la France). Guérisseur (attesté au xixe chez A. Daudet).

MÉGER [meʒe] n. m. — 1835, Balzac; reprise de l'anc. provençal *mejers* (fin xie), *mejers*; lat. médiéval *mediarius*, de *medius* « demi ».

♦ Régional et vx. Métayer.

MÉGÈRE [meʒɛʀ] n. f. — 1480; lat. *megæra*, du grec *Megaira*, nom d'une des Furies de la mythologie gréco-latine. → Furie (I., 1.).

♦ Femme acariâtre, hargneuse et méchante. ⇒ **Chipie, furie, harpie.** *Mégère enragée* (→ Belle*-fille, cit. 2), *batailleuse* (→ Choquer, cit. 9). — Littér. *La Mégère apprivoisée*, titre français d'une comédie de Shakespeare.

1   Ô haines! ô fureurs dignes d'une Mégère!   CORNEILLE, *Rodogune*, II, 4.

2   (...) quelle Furie supposez-vous assez méchante, pour tramer une pareille noirceur? Vous la connaissez (...) c'est Mme de Volanges. Vous n'imaginez pas quel tissu d'horreurs l'infernale mégère lui a écrit sur mon compte.
            LACLOS, *les Liaisons dangereuses*, XLIV.

3   Le visage de la Thénardier prit cette expression particulière qui se compose du terrible mêlé aux riens de la vie et qui a fait nommer ces sortes de femmes : mégères.   HUGO, *les Misérables*, II, III, VIII.

MÉGERG [megɛʀg] n. m. — xxe; de *méga-*, et *erg*.

♦ Phys. Un million d'ergs. ⇒ **Erg.**

MÉGIE [meʒi] n. f. ou MÉGISSAGE [meʒisaʒ] n. m. — V. 1360, *mégie*; *mégissage*, v. 1950; de *mégir* ou *mégisser*.

♦ Techn. Opération consistant à mégir les peaux. — Travail du mégissier. — REM. *Mégie* généralement remplacé par *mégissage** dans la langue technique, est encore en usage dans la langue littéraire.

Sa négritude même qui se décolorait sous l'action d'une inlassable mégie. Et le mégissier était la Misère.
        Aimé CÉSAIRE, *Cahiers d'un retour au pays natal*, p. 63.

MÉGIR [meʒiʀ] ou MÉGISSER [meʒise] v. tr. — 1720, *mégir*; *mégisser*, 1759; de *mégis*.

♦ Techn. Tanner (une peau, un cuir) avec une préparation à base d'alun. — Au p. p. *Mouton mégi, mégissé*, tanné à l'alun et ayant gardé sa couleur blanche.

(...) la couleur est celle du cuir même, mégissé et assoupli par les procédés primitifs (...)   Th. GAUTIER, *Voyage en Russie*, VIII.

DÉR. **Mégie** ou **mégissage.**

MÉGIS [meʒi] n. m. et adj. — V. 1268; *megeis*, v. 1260; de l'anc. franç. *megier* « soigner »; lat. *medicare*.

♦ **1.** N. m. Vx. Bain d'eau, de cendre et d'alun utilisé pour mégir les peaux.

♦ **2.** Adj. (1902). Mod., techn. *Veau, mouton mégis, cuir mégis*, qui a été plongé dans le mégis.

DÉR. **Mégir** ou **mégisser, mégisserie, mégissier.**

MÉGISSAGE [meʒisaʒ] n. m. ⇒ **Mégie.**

MÉGISSER [meʒise] v. tr. ⇒ **Mégir.**

MÉGISSERIE [meʒisʀi] n. f. — Fin xive; *megeisserie*, v. 1300; de *mégis*.

Technique.

♦ **1.** Technique de la préparation des cuirs utilisés en ganterie et en pelleterie.

♦ **2.** (1549). Industrie, commerce des peaux mégissées. (1636). Lieu où s'exercent cette industrie, ce commerce.

MÉGISSIER [meʒisje] n. m. — V. 1268; *megucier*, 1205; de *megis*.

♦ Techn. Ouvrier qui mégit les peaux, les cuirs. *Tablier de mégissier*. — Par appos. *Ouvrier mégissier*. — REM. Le féminin *mégissière* est virtuel.

MÉGOHM [megom] n. m. — 1888; de *méga-*, et *ohm*.

♦ Phys. Unité de résistance électrique (un million d'homs). — Symb. : $M\Omega$.

DÉR. **Mégohmmètre.**

MÉGOHMMÈTRE [megommɛtʀ] n. m. — 1963; de *mégohm*, et *-mètre*.

♦ Phys. Appareil de mesure des très grandes résistances électriques.

MÉGOT [mego] n. m. — 1872; p.-ê. du dial. *mégauder* « téter » de la famille de *mèque* « petit lait », gaul. **mesigu-* ou, selon Guiraud, du provençal *meg* « petit homme », de *medius* (→ Mi-), au sens de « moitié de cigarette ».

♦ Fam. Bout* de cigare ou de cigarette qu'on a fini de fumer (⇒ **Clope**). *Un mégot aux lèvres* (→ Godillot, cit. 2). *Rallumer son mégot* (→ Cadenasser, cit. 4). *Ramasseur de mégots*.

Je me mis à fureter dans la pièce afin de trouver un vieux bout de cigarette : un mégot bien froid, voilà ce que j'aime. Je laisse des cigarettes inachevées, exprès pour les retrouver le lendemain.   G. DUHAMEL, *Salavin*, I, IV.

Trois jours après que j'étais au cachot, un auxiliaire me fit passer des mégots. C'étaient les détenus de ma cellule où, sans y avoir encore mis les pieds, j'étais affecté, qui me les envoyaient.   Jean GENET, *Journal du voleur*, p. 229.

Loc. pop. *Les étagères à mégots :* les oreilles.

DÉR. **Mégoter.**

MÉGOTAGE [megotaʒ] n. m. — 1960; de *mégoter*.

♦ Fam. Fait de mégoter.

ⓐ Profit ou économie dérisoire, sordide. *C'est du mégotage!* ⇒ **Avarice, ladrerie, lésine.**

ⓑ Activité dérisoire, sans portée ni profit réel.

Manu s'était mouillé dans sa vie, mais jamais pour du mégotage. Toujours pour le compte.   A. LE BRETON, *Langue verte et noirs desseins*, p. 223.

MÉGOTER [megote] v. intr. — 1932; « ramasser les mégots », 1925; « parier un cigare », 1902; de *mégot*.

♦ Fam. Lésiner. *Il ne dépense pas, il mégote. Mégoter sur tout.* Par ext. Vivre chichement, petitement.

Quoique bourré d'oseille, Paulo le Notaire mégotait; à croire qu'il était tondu à zéro.   A. LE BRETON, *Langue verte et noirs desseins*, p. 224.

DÉR. **Mégotage.**

MÉHARÉE [meaʀe] n. f. — Av. 1945; de *méhari*. → Chevauchée.

♦ Expédition, voyage fait avec des méharis. *Organiser une méharée dans le Sahara.*

MÉHARI [meaʀi] n. m. — 1853 ; *méherry*, 1822 ; *el mahari*, 1637 ; arabe d'Algérie *mĕhrī*, arabe class. *măhrī* « de la tribu des Mahra, dans le sud de l'Arabie ».

♦ Dromadaire d'Arabie, domestiqué en Afrique du Nord, et dressé pour les courses rapides. *Des méharis,* ou *des méhara* [meaʀa] (plur. arabe).

(...) c'étaient de grands animaux efflanqués, nerveux, lustrés, presque aussi blancs que de vrais *mahara (sic)* et marchant, comme disent les Arabes « du pas noble de l'autruche ». E. FROMENTIN, Un été dans le Sahara, p. 236.

DÉR. **Méharée, méhariste.**

MÉHARISTE [meaʀist] n. — 1899 ; de *méhari*.

♦ Personne qui monte un méhari. *Caravane de méharistes.*

Spécialt. N. m. Ancienn. Soldat des compagnies sahariennes montées. — Par appos. *Officier méhariste.*

Les ruelles entre les maisons étaient envahies par la troupe (...) et les képis blancs de la Légion étrangère, les chèches kaki des goumiers (...) les serouals des méharistes (...) tout l'Empire était là. R. GARY, la Promesse de l'aube, p. 290.

MEÏJI [mɛjʒi] adj. — V. 1900, *meidji* ; mot japonais, littéralement « politique éclairée ».

♦ Didact. (Hist. du Japon). *L'Ère Meïji :* l'ère du règne (1868-1912) de l'empereur Mutsuhito, ou Meiji-tenno, qui vit la disparition des anciennes structures féodales et la modernisation rapide de la société japonaise (division du pays en arrondissements, disparition de la caste des guerriers — *bushi* — en tant que telle, réforme agraire, adoption d'une constitution, etc.).

MEILLEUR, EURE [mɛjœʀ] adj. — Déb. XIIIᵉ ; *meillor*, 1080 ; lat. *melior,* comparatif de *bonus* « bon ».

★ **I. MEILLEUR.** Comparatif (cit. 1) de supériorité de *bon.*

REM. *Meilleur* peut être intensifié par *bien* (*bien meilleur* et non *beaucoup meilleur*).

MEILLEUR est l'unique comparatif de *bon* (...) L'emploi de *plus bon* n'est correct que s'il s'interpose entre les deux mots un ou plusieurs termes qui en amortissent le choc : « *Plus je suis bon* citoyen, plus je cherche à enrichir, mon pays » Voltaire, Lettre à Maffei (...) Dans trois autres cas, cependant, l'emploi de *plus bon* peut se justifier : — 1º D'abord, dans la formule familière « *plus ou moins bon* », où la symétrie amène l'opposition de *plus* à *moins*. — 2º Dans le cas où le qualificatif *bon* se trouve opposé symétriquement à un autre : « *Il est plus bon que prudent* (...) » — 3º Enfin, quand *bon* qualifie un nom avec lequel il forme une locution consacrée : « Je vais m'accompagner à la guitare..., j'aime ça, c'est *plus bon enfant* » GYP, Bijou, VIII, 117 (...) G. et R. LE BIDOIS, Syntaxe du franç. moderne, Meilleur, § 1206.

♦ **1.** Qui l'emporte dans l'ordre de la bonté. « *Les femmes sont meilleures ou pires que les hommes* » (La Bruyère). *Cet homme est meilleur que je ne pensais. Plus il vieillit, meilleur il est.* — *L'un n'est pas meilleur que l'autre :* l'un vaut l'autre*. — Absolt (avec ellipse du second terme de la comparaison). Les hommes deviennent meilleurs par l'étude* (cit. 3, Montaigne). *Rendre l'homme* (cit. 83), *l'humanité meilleure.* ⇒ **Améliorer** (→ Exploiteur, cit. ; humble, cit. 19).

Que chacun d'eux découvre à son tour son cœur au pied de ton trône avec la même sincérité ; et puis qu'un seul te dise, s'il l'ose : « *Je fus meilleur que cet homme-là.* » ROUSSEAU, les Confessions, I.

Il faut toujours être meilleur
Que l'homme que l'on voudrait être. VERLAINE, Épigrammes, Prologue, III.

Comme on serait meilleur sans la crainte d'être dupe ! J. RENARD, Journal, 18 janv. 1896.

Je ne suis ni meilleur, ni plus sage, ni plus intelligent que ce misérable. G. DUHAMEL, Salavin, III, XXXI.

♦ **2.** Qui l'emporte dans l'ordre de la qualité. *Il a trouvé une meilleure place que nous.* — Absolt. *Souvenirs d'un temps meilleur* (→ Gouache, cit. 2). *Travailler à l'avènement* (cit. 4) *d'un monde meilleur. Espoir d'une vie meilleure* (→ Immortel, cit. 4). *Prendre un meilleur parti* (→ 1. Bien, cit. 41). — *Vin qui devient meilleur en vieillissant.* ⇒ **Bonifier** (se), **gagner, rabonnir.** *Je vous souhaite* (*une*) *meilleure santé,* et, ellipt (fam.), *Meilleure santé !* — (Avec un neutre). *Je ne connais rien de meilleur.* ⇒ **Dessus** (au-dessus). *Quoi de meilleur ?*

Avant que de faire imprimer sa satire, il me la lit. Je lui montre qu'elle est mauvaise et il se sert de mes conseils pour la rendre meilleure. DIDEROT, Lui et Moi.

(...) cette idée d'un monde meilleur, que l'on sent et que la nature n'aurait pas fait (...) É. DE SENANCOUR, Oberman, XXX.

Ils entrèrent dans un restaurant de meilleure apparence que ceux où il la menait d'habitude : des fleurs ornaient la table. F. MAURIAC, Génitrix, VII.

(Emploi impers.). *Il est meilleur de...* ⇒ **Préférable ; mieux** (valoir). « *Il est bon* (cit. 104) *de parler, et meilleur de se taire* » (La Fontaine). *Rien de meilleur que...* (→ Langage, cit. 18).

Spécialt. (Suivi d'un substantif attribut indiquant sous quel rapport se fait la comparaison). *Il est meilleur cavalier que son frère. Il y a peu de meilleurs lecteurs* (cit. 7) *que lui. Il est meilleur peintre que dessinateur. Ce bateau est meilleur voilier que l'autre* (→ Gagner, cit. 50).

(Fin XIIIᵉ ; dans des loc. où *bon* fait corps avec le nom). → ci-dessus, cit. 1 ; ⇒ aussi **Bon,** infra cit. 129, REM. *Être de meilleure humeur. Recevez-le de meilleure grâce. Il est en meilleure santé depuis qu'il se soigne.* ⇒ **Mieux** (aller). *Article de meilleure qualité.* ⇒ **Supérieur.** *Meilleur marché** (cit. 16), *à meilleur marché.* — *Venez de meilleure heure.* ⇒ **Tôt** (plus).

Quiconque a voyagé sait que personne ne fait meilleure chère que les rouliers. HUGO, les Misérables, I, II, I. 9

Sir Herbert quitta le quartier de meilleure heure que d'ordinaire. Pierre BENOIT, Bethsabée, p. 14. 10

♦ **3.** Adv. (1873). *Il fait meilleur aujourd'hui qu'hier,* le temps est meilleur ; la température est plus douce, on se sent mieux. *Cette rose sent meilleur que celle-là.* — REM. Cet emploi, critiqué par certains puristes, qui n'admettent pas de comparatif pour *bon* pris adverbialement, est confirmé par l'usage des meilleurs écrivains depuis La Fontaine. « *Il fait meilleur chez nous* » (La Fontaine, *Fables,* IV, 13).

★ **II. LE MEILLEUR, LA MEILLEURE.** (Superl. de *bon*).

♦ **1.** Adj. Que rien ni personne ne surpasse dans son genre. *Le meilleur des hommes, la meilleure personne du monde* (→ Bourru, cit. 2). *La meilleure femme* (cit. 24). *Les meilleurs esprits.* ⇒ **Excellent, supérieur.** *Le meilleur écrivain de son temps.* ⇒ **Premier.** *Ses meilleurs amis* (→ Inquisiteur, cit. 1). — *Les meilleures maisons de la ville* (→ Linge, cit. 4 ; luxe, cit. 5). *Les meilleures formes de gouvernements* (cit. 39). *Le meilleur des mondes*. Il a du bon sens et du meilleur* (→ Garantie, cit. 5). — *La meilleure place possible* (→ Établir, cit. 44). *Servir les meilleurs morceaux* (de premier choix), *les meilleurs vins* (de grands crus, de derrière les fagots). — *Renseignements puisés aux meilleures sources. Avec, malgré, la meilleure volonté du monde... Prendre la meilleure part** (→ Âme, cit. 43). *Tirer le meilleur parti possible d'une chose* (→ Inégalité, cit. 8). *Agir de la meilleure façon possible.* ⇒ **Mieux** (au). *Dépouiller une chose de ce qu'elle a de meilleur.* ⇒ **Écrémer.** *Une personne du meilleur monde.* — (Déb. XXᵉ). *Je vous adresse mes vœux les meilleurs, mes meilleurs vœux.* — Ellipt. *Meilleurs vœux, meilleurs souhaits.*

(...) dans le meilleur des mondes possibles. VOLTAIRE, Candide, XXX. 11

Schiller était le meilleur ami, le meilleur père, le meilleur époux ; aucune qualité ne manquait à ce caractère doux et paisible que le talent seul enflammait (...) Mᵐᵉ DE STAËL, De l'Allemagne, II, VIII. 12

Ils lui avaient mis des bas, un jupon blanc, une camisole, un bonnet ; enfin son linge le meilleur. ZOLA, l'Assommoir, t. II, IX, p. 82. 13

(...) on sent en eux, dès l'abord, des hommes du meilleur monde, et, ensuite, des érudits. LOTI, Jérusalem, VI. 14

REM. *Meilleur,* superlatif, peut aussi être introduit par un possessif (« *C'est mon meilleur ami* » Molière, *les Précieuses ridicules,* X) ou un démonstratif (« *Ce meilleur ami que j'eusse...* » Stendhal, *Vie de Henry Brulard,* XIV).

Loc. prov. *La langue* (cit. 4) *est la meilleure et la pire des choses. Les plaisanteries** les plus courtes sont les meilleures. Les ouvrages les plus courts* (cit. 1) *sont toujours les meilleurs. La raison* du plus fort est toujours la meilleure. — J'en passe*, et des meilleurs...*

♦ **2.** N. **ⓐ** Personne supérieure aux autres. *Même les meilleurs renoncent* (→ Fatalité, cit. 1). *Les meilleurs de l'humanité* (→ Épreuve, cit. 29). ⇒ **Élite, fleur, fleuron.** *Que le meilleur gagne.*

ⓑ (1759). *Le meilleur de :* ce qu'il y a de meilleur en qqn, dans qqch. *Donner le meilleur de soi-même. Le meilleur d'une vie* (→ Gain, cit. 3). *Le meilleur de son talent* (→ Corde, cit. 20), *de sa force* (→ Aiguillon, cit. 5). *Le meilleur de ses pensées.* ⇒ **Quintessence.**

(1895). *Le meilleur d'une société.* ⇒ (fam.) **Crème, dessus** (du panier), **gratin.** — *Le meilleur de l'histoire*, c'est que...*

(...) je n'accepte que la fleur de tout plaisir et le meilleur de ce qu'il y a de mieux (...) COLETTE, la Naissance du jour, p. 108. 15

Un peuple qui, de force ou de gré, doit consacrer le meilleur de son courage et de son temps aux choses de la politique me semble un peuple en décadence. G. DUHAMEL, Défense des lettres, II, X. 16

(1273). Absolt. *Le meilleur et le bon* (cit. 131).

Loc. (Déb. XXᵉ). *Être unis pour le meilleur et pour le pire,* pour les circonstances les plus heureuses comme pour les plus difficiles de la vie. — *Le meilleur, c'est de... Agir ainsi est, en tous les cas* (cit. 29) *le meilleur.* — *Réserver le meilleur* (→ Atermoiement, cit. 2).

L'Europe a envoyé dans les deux Amériques ses messages, les créations communicables de son esprit, ce qu'elle a découvert de plus positif (...) Je ne dis pas que tout le meilleur ait passé l'Océan, ni que tout le moins bon ne l'ait pas franchi. VALÉRY, Regards sur le monde actuel, p. 110. 17

♦ **3.** (1910). Anglic. Sports. *Prendre le meilleur sur... :* prendre le dessus, l'emporter sur... *Avoir le meilleur :* avoir l'avantage.

CONTR. Pire.

MÉIOPRAGIE [mejopʀaʒi] ou **MIOPRAGIE** [mjopʀaʒi] n. f. — 1897, *méiopragie ; miopragie,* 1923 ; de *méio-,* grec *meiôn* « moindre », et *prassein* « faire, agir ».

♦ Didact. (Pathol., méd.). État d'un organe se trouvant en infériorité fonctionnelle, par suite d'une lésion antérieure.

(Dans la thérapeutique hormonale). Le deuxième point qui nous paraît devoir être retenu est la nécessité de ne traiter que des sujets qui ne présentent pas de déchéances viscérales importantes — ou de méiopragies vasculaires sévères. Nous avons ainsi éliminé les cardiaques en décompensation, les hypertendus artériels, les rénaux, les cancéreux.   Léon BINET, Gérontologie et Gériatrie, p. 98.

MÉIOSE [mejoz] n. f. — 1913; cf. v. 1910, angl. *meiose;* en 1842, « décours d'une maladie »; grec *meiosis* « décroissance ».

♦ Biol. Division de la cellule (⇒ **Mitose**) en deux étapes aboutissant à la réduction de moitié du nombre des chromosomes contenus dans son noyau (passage du stade diploïde au stade haploïde au cours de la formation des gamètes).

REM. Le mot désigne habituellement l'ensemble des deux divisions que comporte la formation des gamètes (ovogenèse et spermatogenèse), la première étant hétérotypique et consistant seule en une réduction (la seconde est homéotypique et équationnelle).

1   Lorsque l'organisme adulte et sexuellement mûr produit les cellules génératrices, c'est un nouveau mécanisme qui intervient, et non moins précis que la mitose, mais dont l'effet est de *réduire de moitié* le nombre des chromosomes. Au lieu de recevoir le double ensemble de chromosomes qui appartient à toutes les cellules du corps (ou cellules *somatiques*), chaque cellule génératrice n'en reçoit qu'un seul ensemble où figure *un seul* chromosome de chaque sorte, lequel peut être ou le paternel ou le maternel (...) si cette réduction chromatique (ou *méiose*) n'avait pas lieu, le nombre total des chromosomes irait en doublant à chaque génération : la *réduction chromatique,* en composant le doublement chromosomique résultant de la fécondation, assure la constance numérique des chromosomes (...)
           Jean ROSTAND, Idées nouvelles de la génétique, p. 9.

2   *Réduction chromatique ou méiose.* L'ovogenèse et la spermatogenèse offrent, dans les deux divisions cellulaires qui les terminent, un processus général et particulièrement important, mis en évidence à la fin du XIXe et au début du XXe siècle, la *réduction chromatique,* ou *méiose...*
           Maurice CAULLERY, l'Embryologie, p. 14.

Spécialt. La réduction chromosomique proprement dite (première division).

DÉR. **Méiotique.**

MÉIOTIQUE [mejɔtik] adj. — 1913; cf. v. 1910, angl. *meiotic;* de *méiose.*

♦ Biol. De la méiose. *Réduction méiotique* (des chromosomes).

MEISTRE ou **MESTRE** [mɛstʀ] n. m. — 1546, *mestre; meistre,* 1762; *arbre de mestre,* 1688; du lat. *magister* « maître ».

Anciennement.

♦ **1.** Milit. ⇒ **Mestre.**

♦ **2.** Mar. Grand mât, maître mât des bâtiments à voile latine (galères, notamment). *Arborer à la penne de mestre la bandière de partance :* arborer à l'antenne du maître mât le pavillon signalant que le bâtiment va prendre la mer.

MÉJANAGE [meʒanaʒ] n. m. — xxe; du provençal *mejan* « mitoyen, moyen », lat. *medianus.*

♦ Techn. Classement des laines par qualité, longueur de fibre, etc.

MÉJUGEMENT [meʒyʒmɑ̃] n. m. — 1845, Richard de Radonvilliers; de *méjuger.*

♦ Littér. Fait de méjuger; appréciation inexacte et injuste.

Rien plus, de moi, ne l'intéresse, ne lui importe; et, comme il faut toujours de l'amour pour comprendre ce qui diffère de vous, je ne sens plus en elle, à mon égard, qu'incompréhension, méjugement, ou, qui pis est, indifférence.
           GIDE, Et nunc manet in te, Journal intime, 3 janv. 1921, p. 94.

MÉJUGER [meʒyʒe] v. tr. — Conjug. *juger.* → Bouger. — XIIIe, *mesjuger;* de *més-,* et *juger.*

♦ **1.** V. tr. ind. *Méjuger de* (littér.) : commettre une erreur d'appréciation qui aboutit à ne pas reconnaître l'importance, la valeur de (qqn, qqch.). ⇒ **Tromper** (se tromper sur). *Méjuger de qqn, des talents de qqn.*

1   Seuls peuvent méjuger de cette race ceux qui la connaissent mal.
           G. DUHAMEL, Inventaire de l'abîme, XIV.

♦ **2.** V. tr. dir. Juger mal. ⇒ **Déprécier, méconnaître, mésestimer.**

2   Ainsi fait l'amoureux qui se désole et méjuge l'amour, d'après celui d'une catin.
           GIDE, Journal, 11 nov. 1924.

♦ **3.** V. pron. réfl. *Se méjuger :* se juger soi-même faussement, par excès de modestie. ⇒ **Sous-estimer** (se).

DÉR. **Méjugement.**

MÊLABLE [mɛlabl] adj. — 1845, Richard de Radonvilliers; de *mêler.*

♦ Rare. Que l'on peut mêler (à autre chose).

MÉLÆNA ou **MÉLÉNA** [melena] n. m. — 1953; du grec *melaina,* fém. de *melas* « noir » (*nosos* « maladie »).

♦ Méd. Évacuation de selles de couleur très foncée, contenant du sang digéré. *Le mélæna provient d'une hémorragie de la partie supérieure du tube digestif.*

MÉLAMPYRE [melɑ̃piʀ] n. m. — 1795; *mélanopyron,* 1615; grec *melampuron,* de *melas* « noir », et *puros* « grain ».

♦ Plante dicotylédone (*Scrofulariacées*) herbacée, annuelle, dont certaines espèces, en particulier le mélampyre des champs (aussi appelé *bédouin, blé de vache, blé rouge, cornette, queue-de-renard, rougeole*) vivent en parasites des céréales*, et en particulier du froment. *Dulcite*, ou* mélampyrine, *extraite du mélampyre.*

DÉR. **Mélampyrisme.**

MÉLAMPYRISME [melɑ̃piʀism] n. m. — 1897; de *mélampyre.*

♦ Méd. Ensemble des troubles gastro-intestinaux provoqués par l'ingestion de farine provenant de grains de blé mélangés de grains de mélampyre.

(Les graines de mélampyre) donnent au pain un goût amer, une odeur repoussante, et provoquent quelquefois (...) des vertiges et des troubles nerveux plus ou moins graves. C'est à l'ensemble de ces phénomènes *(que l'on)* donne le nom de mélampyrisme.   G. DROUINEAU, *in* J. ROCHARD, Encycl. d'hygiène, 1897, IV, p. 777 (*in* D.D.L. II, 8).

MÉLAN-, MÉLANO- Élément de composition de mots savants, du grec *melas, melanos* « noir ». (Ex. : *mélanémie; mélanoderme*).

MÉLANCOLIE [melɑ̃kɔli] n. f. — V. 1175; bas lat. *melancholia,* grec *melagkholia* « bile noire, humeur noire ».

♦ **1.** (1256). Méd. Vx. Bile noire, dont l'excès, selon les théories de la médecine ancienne, entraînait une disposition triste de l'humeur. ⇒ **Atrabile, humeur** (noire), **hypocondrie** (→ Antidote, cit. 4; hypocondriaque, cit. 1; lycanthropie, cit.).

Par métaphore :

(...) votre vue est la rhubarbe, la casse, et le séné qui purgent toute la mélancolie de mon âme.   MOLIÈRE, le Médecin malgré lui, III, 3.

♦ **2.** Psychiatrie. Mod. « État pathologique caractérisé essentiellement par une profonde tristesse, par un envisagement pessimiste de toute chose et par un appauvrissement de toutes les conduites de création et de progrès » (Sutter, *in* Porot, *Manuel alphab. de psychiatrie,* 1975). ⇒ **Dépression, asthénie;** (vx) **lypémanie.** *Mélancolie intermittente ou périodique.* ⇒ **Maniaque** (psychose maniaque dépressive). *Mélancolie anxieuse, délirante. Accès de mélancolie. Mélancolie réactionnelle. Traitement de la mélancolie par électrochocs, par thymoanaleptiques.*

♦ **3.** (XVIIe). Cour. État d'abattement, de tristesse, accompagné de rêverie. ⇒ **Abattement, chagrin, spleen.** *Tomber* (→ Distraire, cit. 4; guérir, cit. 39), *sombrer, être plongé dans la mélancolie* (→ Ensevelir, cit. 14). *Accès, crises* (cit. 4) *de mélancolie.* ⇒ **Cafard, noir, vague** (à l'âme). *Dissiper la mélancolie* (→ Bêtise, cit. 6). ⇒ **Brume** (fig., cit. 5). *Guérir* (cit. 32) *de la mélancolie.* — Loc. (1669). *Ne pas engendrer la mélancolie :* être très gai. — *Mélancolie de l'exilé.* ⇒ **Nostalgie.**

REM. La *mélancolie,* d'abord considérée comme un état désagréable (→ ci-dessous, cit. Vauvenargues), devient, avec le préromantisme surtout (→ ci-dessous, cit. Chénier, Rousseau) un état voluptueux, de rêverie désenchantée, mais douce, thème favori des écrivains.

La *tristesse* est plutôt accablante, et la *mélancolie,* vague : l'une fait gémir, l'autre rêver; l'une accable l'âme par le souvenir douloureux des malheurs qu'on a réellement éprouvés, l'autre n'a pas de cause fixe, c'est une inclination à tout voir en noir, une simple disposition à la tristesse.
           LAFAYE, Dict. des synonymes, Mal,... Tristesse,...

(...) la mélancolie, qui n'est communément qu'un dégoût universel sans espérance, tient encore beaucoup de la haine.   VAUVENARGUES, De l'esprit humain, XXXIX.

(...) la mélancolie est amie de la volupté : l'attendrissement et les larmes accompagnent les plus douces jouissances et l'excessive joie elle-même arrache plutôt des pleurs que des cris.   ROUSSEAU, Émile, IV.

Il vient un moment où presque toutes les jeunes filles et les jeunes garçons tombent dans la mélancolie; ils sont tourmentés d'une inquiétude vague qui se promène sur tout, et qui ne trouve rien qui la calme. Ils cherchent la solitude; ils pleurent; le silence des cloîtres les touche (...)
           DIDEROT, Jacques le fataliste, Pl., p. 652.

Douce mélancolie, aimable mensongère,
Des antres, des forêts déesse tutélaire,
Qui viens d'un air insensible et charmante langueur
Saisir l'ami des champs et pénétrer son cœur (...)   André CHÉNIER, Élégies, XIII.

Une prodigieuse mélancolie fut le bruit de cette vie monastique; et ce sentiment, qui est d'une nature un peu confuse, sert ce se mêlant à tous les autres, leur imprima son caractère d'incertitude : mais en même temps, par un effet bien remarquable, le vague même où la mélancolie plonge les sentiments est ce qui la fait renaître (...)
           CHATEAUBRIAND, le Génie du christianisme II, III, IX (Texte de l'éd. originale).

La mélancolie, c'est le bonheur d'être triste.
           HUGO, les Travailleurs de la mer, III, I, I.

La mélancolie n'est que de la ferveur retombée.
                                                    GIDE, les Nourritures terrestres, p. 23.

L'eau courante a, comme la musique, le doux pouvoir de transformer la tristesse en mélancolie. Toutes deux, par la fuite continue de leurs fluides éléments, insinuent doucement dans les âmes la certitude de l'oubli.   A. MAUROIS, Ariel, I, I.

(...) Ici, on est tous gais (...) On n'engendre pas la mélancolie.
                                                    SARTRE, la Mort dans l'âme, p. 106-107.

Un air (2. Air, cit. 14) *de doute et de mélancolie. Expression de mélancolie* (→ Éteindre, cit. 30). *Visage qui exprime la mélancolie* (→ Enrouler, cit. 8).

Par ext. *Mélancolie d'une âme* (→ Assombrir, cit. 4), *d'une nation*, caractère mélancolique, disposition à la mélancolie.

Je porte en moi la mélancolie des races barbares, avec ses instincts de migrations et ses dégoûts innés de la vie qui leur faisaient quitter leur pays comme pour se quitter eux-mêmes.   FLAUBERT, Correspondance, 113, 6 août 1846.

♦ **4.** *(Une, des mélancolies).* Pensée, sentiment, attitude... qui manifeste un tel état. *Dépeindre ses mélancolies* (→ Imaginatif, cit. 2). ⇒ **Chagrin, papillon** (noir, fig.).

C'est la manière la plus efficace de sortir à la recherche de soi-même; car on peut dire que nous ne valons que ce que valent nos inquiétudes et nos mélancolies.
                                                    MAETERLINCK, le Trésor des humbles, IX.

♦ **5.** (1802). Caractère de ce qui inspire un tel état. *Mélancolie du crépuscule* (↘ Alentir, cit. 2), *d'un paysage* (↘ Emphase, cit. 6), *d'un gîte* (cit. 5). — *Mélancolie des souvenirs* (→ Délectable, cit. 1), *d'un changement* (→ Entrer, cit. 30), *d'une vie.* ⇒ **Brume, grisaille, ombre.**

La grandeur, l'étonnante mélancolie de ce tableau ne sauraient s'exprimer dans les langues humaines; les plus belles nuits en Europe ne peuvent en donner une idée.
                                                    CHATEAUBRIAND, le Génie du christianisme, I, V, XII.

Pour lui, elles s'ajoutaient l'une à l'autre, les mélancolies de toutes ces fins qui arrivaient ensemble : la mélancolie du soir, celle de l'automne — et celle, beaucoup plus profonde, du définitif départ (...)   LOTI, Matelot, XVII.

♦ **6.** La mélancolie personnifiée. « *Le soleil noir de la mélancolie* » (→ Inconsolé, cit. 2, Nerval). — *La Mélancolie* (ou *Melancholia*), gravure d'A. Dürer.

Le soleil noir de la mélancolie, qui verse des rayons obscurs sur le front de l'ange rêveur d'Albert Dürer, se lève aussi parfois aux plaines lumineuses du Nil, comme sur les bords du Rhin, dans un froid paysage d'Allemagne.
                                                    NERVAL, Voyage en Orient, Femmes du Caire, II, I.

CONTR. **Alacrité, gaieté, joie.**
DÉR. (Du même rad.) **Mélancolique.**

MÉLANCOLIQUE [melãkɔlik] adj. et n. — XIVᵉ, *mélancholique*; lat. *melancholicus*, grec *melagkholikos*.

♦ **1.** Qui est relatif à la mélancolie. 🅰 (V. 1361). Vx. (*Mélancolie* au sens 1). *Humeur mélancolique.* ⇒ **Atrabilaire** (cit. 2). — Qui est atteint de mélancolie. *Personne mélancolique* (→ Atrabilaire, cit. 7; flegme, cit. 1). — N. *Un, une mélancolique.* ⇒ **Bilieux, humoriste** (vx), **neurasthénique.**

🅱 Mod. Psychiatrie. (*Mélancolie* au sens 2). *Humeur, dépression, délire mélancolique. Stupeur mélancolique :* forme de mélancolie dans laquelle le malade atteint un état de complète inertie. — N. Personne qui souffre de mélancolie. *Douleur morale du mélancolique. Une mélancolique.*

(...) les mélancoliques nous offrent une image grossie de tout homme affligé. Ce qui est évident chez eux, que leur tristesse est maladie, doit être vrai chez tous (...)-
                                                    ALAIN, Propos, 6 févr. 1911, Mélancolie.

♦ **2.** (V. 1534). Mod. En qui domine la mélancolie (au sens 3). *Un homme rêveur et mélancolique.* ⇒ **Cafardeux, pessimiste, sombre, ténébreux, triste.** *Être, sembler mélancolique* (→ Figure, cit. 22; humeur, cit. 59; là, cit. 42). — (fam.) Être triste comme un bonnet* de nuit, broyer* du noir. — N. *Un, une mélancolique.*

Par ext. *Caractère, tempérament mélancolique* (→ Fiasco, cit. 1). ⇒ **Chagrin** (adj.), **maussade.** — *Sentiment mélancolique* (→ Faix, cit. 3; flotter, cit. 5).

(...) Il n'est rien
Qui ne me soit souverain bien,
Jusqu'au sombre plaisir d'un cœur mélancolique.
                                                    LA FONTAINE, Amours de Psyché..., II.

Par exagér. Qui est momentanément livré à la mélancolie. *Cette nouvelle l'a rendu mélancolique. Je vous vois bien mélancolique aujourd'hui* (→ Avoir, cit. 32).

♦ **3.** (1633). Qui exprime, dénote ou inspire la mélancolie. *Air, attitude, expression, moue*, regard, visage mélancolique.* ⇒ **Amer, cafardeux, désabusé, morne, morose, sombre, triste** (→ Écouter, cit. 4; fixe, cit. 6; forger, cit. 11; highlander, cit.; jouer, cit. 25). — *Une musique, un nocturne mélancolique* (→ Adagio, cit. 1; andante, cit. 2, fig.; effusion, cit. 7). *Livre mélancolique. Une note mélancolique* (→ Escamoter, cit. 6). — Par ext. *Paysage, site, nature mélancolique. Nuit mélancolique* (→ Calice, cit. 2), *saison mélancolique.*

Le changeant mois de mars était arrivé, et avec lui l'enivrement du printemps, joyeux pour les jeunes, mélancolique pour ceux qui déclinent.
                                                    LOTI, Ramuntcho, I, X.

CONTR. **Allègre, gai.**
DÉR. **Mélancoliquement, mélancoliser.**

MÉLANCOLIQUEMENT [melãkɔlikmã] adv. — 1549; de *mélancolique.*

♦ D'une manière mélancolique.
CONTR. **Gaiement.**

MÉLANCOLISER [melãkɔlize] v. tr. — 1863; de *mélancolique.*

♦ Rare, littér. Rendre mélancolique. *Sa lecture le mélancolise.*
REM. Se rencontre encore, employé absolument (ou intransitivement), avec une valeur très littéraire.

(...) et c'est à mon tour de mélancoliser :
— À quels tourments m'avez-vous de nouveau jetée, Hamond?
                                                    COLETTE, la Vagabonde, éd. L. de Poche, p. 165.

MÉLANÉMIE [melanemi] n. f. — 1858; de *mélan-*, et *-émie.*

♦ Didact. Méd. Altération du sang, caractérisée par la présence de pigments.

MÉLANÉSIEN, ENNE [melanezjɛ̃, jɛn] adj. et n. — Fin XIXᵉ; de *Mélanésie*, grec *melas* (→ Mélan-), et *nésos* « îles ».

♦ De Mélanésie. *Race mélanésienne :* race noire des habitants de la Nouvelle-Guinée et des archipels occidentaux de l'Océanie, jusqu'aux îles Fidji. — N. (Déb. xxᵉ). *Les Papous sont des Mélanésiens.*
N. m. *Le mélanésien :* l'ensemble des langues mélanésiennes.

MÉLANGE [melãʒ] n. m. — 1538, *meslange*; *meslinge*, v. 1380; de *mêler.*

♦ **1.** Action de mêler, fait de se mêler. — REM. *Mélange*, subst. correspondant au verbe *mêler*, a aussi et souvent des emplois correspondant au verbe *mélanger. Faire, opérer un mélange, le mélange de divers éléments.* ⇒ **Alliage, alliance, assemblage, association, combinaison, incorporation, mariage, union.** *Mélange juste, tempéré* (⇒ **Tempérament**). *Doser* les éléments d'un mélange. Effectuer le mélange des drogues pour préparer un médicament* (⇒ **Mixtion**). *Mélange de vins* (⇒ **Coupage**). *Mélange de matières à haute température, dans un four* (⇒ **Alliage, amalgame**). *Mélange du ciment*.* *Mélange naturel de minéraux* (→ Impur, cit. 1). *Mélange de deux fluides par diffusion, par osmose.* — Techn. *Mélange en ligne* des produits finis (hydrocarbures).

Le vrai coloriste (...) connaît de naissance la gamme des tons (...) des résultats des mélanges (...) et (...) il peut ainsi faire une harmonie de vingt rouges différents.   **1**
                                                    BAUDELAIRE, Curiosités esthétiques, III, Salon de 1846, III.

Vous savez bien que le cognac que nous allons leur envoyer (...) est destiné à des mélanges pour le grand public. Je veux faire moi-même le mélange.   **2**
                                                    J. CHARDONNE, les Destinées sentimentales, p. 433.

Par métaphore. « *Le mélange des âmes dans l'amitié* » (cit. 1, Montaigne). *Faire le mélange d'une chose et d'une autre, avec une autre* (et, vx, à une autre) : « *De notre sang au leur font d'horribles mélanges,* » (Corneille). ⇒ **Carnage,** cit. 3.

Spécialt, vx. Action d'accoupler, de s'accoupler, en parlant de deux êtres vivants de races différentes. ⇒ **Accouplement, croisement.**

(...) tout ce que nous faisons par art peut se faire (...) par la nature; il est donc souvent arrivé des mélanges fortuits et volontaires entre les animaux, et surtout parmi les oiseaux (...)   BUFFON, Hist. nat. des oiseaux, Plan de l'ouvrage.   **3**

(1694). Par ext. *Mélange et fusion des races, d'éléments ethniques.* ⇒ **Brassage** (→ Assimilation, cit. 9; humaniser, cit. 8), **fusion, métissage.**

Les races les plus énergiques qui ont paru sur la terre sont sorties du mélange *d'éléments opposés* (...) ou, tout au contraire *d'éléments identiques.*   **4**
                                                    MICHELET, la Femme, II, I.

♦ **2.** Vieilli. *Mélange de :* introduction d'un élément étranger, qui vient se mêler à. «*Aucun bien n'est exempt* (cit. 11, Montaigne) *de quelque mélange de mal.* »

Sa vertu (celle de Polyeucte) ... n'a aucun mélange de faiblesse.   **5**
                                                    CORNEILLE, Polyeucte, Examen.

Mod. *Sans mélange de :* pur de... (→ Amour, cit. 15; gaulois, cit. 8). *Joies sans mélange de chagrins* (→ Base, cit.15). — (Av. 1613). Absolt. *Sans mélange :* pur. *Substance à l'état* (cit. 51) *isolé et sans mélange. Un bonheur* sans mélange,* parfait, intense (→ Idyllique, cit. 2).

Tandis que vous vivrez, le sort qui toujours change,   **6**
Ne vous à point promis un bonheur sans mélange.   RACINE, Iphigénie, I, I.

Il n'y a que le mal qui soit pur et sans mélange de bien. Le bien est toujours mêlé   **7**
de mal. L'extrême bien fait mal. L'extrême mal ne fait pas de bien.
                                                    A. DE VIGNY, Journal d'un poète, p. 97.

♦ **3.** (1538). Ensemble résultant de l'union de choses différentes, d'éléments divers. ⇒ **Alliage, alliance, amalgame, amas, assemblage, assortiment, réunion.** *Mélange harmonieux, équilibré. Mélange complexe, compliqué* (⇒ **Complexité**), *intime, inextricable* (⇒ **Emmêlement, enchevêtrement, entrelacement**), *confus, discordant, disparate, hétéroclite* (⇒ **Confusion, désordre, fatras, fouillis, méli-mélo, pêle-mêle**). *Mélange impur* (→ C'est moitié farine moitié son*). *Ingrédients* d'un mélange.* — (1845). Spécialt. Chim., techn. Association de plusieurs éléments, de plusieurs corps rendus distincts, mais qui conservent leurs propriétés spécifiques (de sorte qu'ils demeurent séparables par des moyens mécaniques). ⇒ **Combinaison, composé.** *Les solutions sont des mélanges moléculaires. La thermite, mélange servant à la soudure autogène. Composition, analyse d'un mélange. Mélange pharmaceutique.* ⇒ **Mixture, préparation.** — *Mélange carburant* (⇒ **Carburation**). — Absolt. *Mélange riche, pauvre, détonant, explosif* (cit. 3 et *supra*), *réfrigérant. Séparer les éléments, les composants d'un mélange par distillation* (cit.), *centrifugation**, etc. — *Mélanges utilisés en agriculture. Le méteil*, mélange de seigle et de froment. Le barbotage*, mélange nutritif pour les bestiaux. Le compost*, mélange fertilisant.* — *Mélange de tabacs pour la pipe.* — Spécialt. Préparation culinaire formée de substances mêlées (→ Farine, cit. 4 ; gratiner, cit. 1). ⇒ **Bouillabaisse, fricassée, macédoine, olla-podrida, pot-pourri, ragoût, ratatouille, ripopée, salade, salmigondis** (au sens propre). — *Mélange de boissons*.* ⇒ **Cocktail.** — Fam. *Se méfier* (cit. 3) *des mélanges,* de l'association de boissons alcoolisées différentes (au cours d'une soirée, d'un repas). — *Mélange de couleurs* (⇒ **Bigarrure**), *de lumière et d'ombres.* — *Mélange sonore* (→ Contralto, cit. 1). *Mélange de sons discordants.* ⇒ **Cacophonie.**

8   (...) voulant s'emplir le cerveau de crépuscule, il avait eu recours à cet effrayant mélange d'eau-de-vie, de stout et d'absinthe qui produit des léthargies si terribles.
HUGO, les Misérables, IV, XII, II.

9   Emma se sentit, en entrant, enveloppée par un air chaud, mélange du parfum des fleurs et du beau linge, du fumet des viandes et de l'odeur des truffes.
FLAUBERT, Mme Bovary, I, VIII.

10   Pour se reposer de la danse, il préparait des mélanges, qui tenaient plus de la sorcellerie que de l'art du barman.   R. RADIGUET, le Bal du comte d'Orgel, p. 45.

Poét. « *Un horrible mélange d'os et de chairs* (cit. 5) *meurtris* » (Racine).

Fig. (1549). *Mélange de races, mélange ethnique* (cit. 3), produit d'êtres différents (hybride, métis).

11   Gaulois par sa naissance, Syrien par sa mère, Africain par son père, Caracalla présente ce discordant mélange de races et d'idées qu'offrait l'Empire à cette époque. En un même homme, la fougue du Nord, la férocité du Midi, la bizarrerie des croyances orientales, c'est un monstre, une Chimère.
MICHELET, Hist. de France, I, III.

12   (...) le gros chien Riquet, qui était un affreux mélange de Saint-Bernard et d'épagneul, se roulait à terre, en chassant avec ses pattes les moustiques.
ARAGON, les Beaux Quartiers, I, IX.

(1549). Abstrait. ⇒ **Amalgame, assemblage, composé, réunion.** *Mélange de courage* (cit. 19) *et de faiblesse, de férocité* (cit. 4) *et d'indulgence... Mélange de vérités et de mensonges.* ⇒ **Tissu, tissure.** *Cet homme est un mélange de qualités et de vices.* — (Dans une œuvre, un écrit). *Mélange de bon* (cit. 132) *et de mauvais. Mélange des styles, des genres.* ⇒ **Bariolage** (fig. → Boursouflé, cit. 1 ; fertilité, cit. 4). — Absolt. *Un mélange indigeste* (cit. 4), *illisible.* — *Mélange d'idées, de doctrines.* ⇒ **Syncrétisme.** *Mélange de thèmes littéraires, musicaux.* ⇒ **Pot-pourri, rhapsodie.**

13   C'est un composé de Rembrandt, de Watteau et des songes drolatiques de Rabelais ; singulier mélange !   Th. GAUTIER, Voyage en Espagne, p. 84.

14   M. Clemenceau, voyez-vous, c'est un paradoxal mélange de scepticisme naturel (...) de pessimisme réfléchi (...) et d'optimisme résolu ; mais il faut reconnaître que le dosage est excellent !   MARTIN DU GARD, les Thibault, t. VIII, p. 254.

♦ **4.** (1690). Didact. *Mélanges.* Titre de recueils* de pièces littéraires, de petits écrits* sur des sujets variés. ⇒ **Miscellanées, variétés.** *Mélanges littéraires, mélanges historiques,* de Voltaire. *Mélanges politiques,* de Chateaubriand. — Au sing. :

15   Ce recueil contient la substance d'une sorte d'album que j'ai formé naguère de fragments très divers (...) Il n'est pas de livre dont le titre soit plus vrai que celui-ci. Le désordre qui « règne » (comme on dit) dans MÉLANGE s'étend à la chronologie.   VALÉRY, Mélange, Avis au lecteur.

(1896). Spécialt. Ouvrage composé d'articles réunis et dédiés à un maître par ses amis, ses disciples. « *Mélanges de linguistique, offerts à Albert Dauzat par ses élèves et ses amis.* » *Les Mélanges X, offerts à M., à Mme X.*

CONTR. Discrimination, dissociation, séparation, tri.
DÉR. Mélanger.

MÉLANGÉ, ÉE [melɑ̃ʒe] adj. ⇒ **Mélanger.**

MÉLANGEABLE [melɑ̃ʒabl] adj. — 1845 ; de *mélanger.*

♦ Qu'on peut mélanger.

MÉLANGEOIR [melɑ̃ʒwaʀ] n. m. — 1846 ; de *mélanger.*

♦ Vx. Récipient où s'effectuent certains mélanges.

MÉLANGER [melɑ̃ʒe] v. tr. — Conjug. *bouger.* — 1539 ; de *mélange.*

♦ **1.** Unir (des choses différentes) de manière à former un ensemble, un tout. ⇒ **Allier, associer, combiner, incorporer, marier** (fig.), **mêler, réunir, unir.** *Mélanger des liquides en les agitant, en les brassant. Mélanger des drogues* (⇒ **Mixtionner**), *des métaux*

par fusion (⇒ **Allier, fondre**). — *Mélanger une chose à une autre, avec une autre, et une autre.* — *Altérer des boissons, des vins... en les mélangeant.* ⇒ **Couper, étendre, frelater, recouper, tremper.** *Mélanger des fils, des tissus* (⇒ **Entrelacer**), *des couleurs, des tons.* ⇒ **Barioler, panacher ; fondre** (→ Chair, cit. 22). — Abstrait. *Mélanger des idées.* ⇒ **Amalgamer, combiner.**

Leur architecture mélange agréablement pour l'œil les tons rouges de la brique et les tons blancs de la pierre.   Th. GAUTIER, Voyage en Russie, XVI.

(...) un mastroquet (...) qui mélange l'eau crasseuse des bains publics à un semblant de vieille vinasse (...)   Léon BLOY, le Désespéré, p.191.

D'autres fois, elle se faisait un fond de teint avec des crèmes qu'elle mélangeait dans une soucoupe.   J. GIONO, Jean le Bleu, IX.

REM. Dans ce sens, *mélanger* suppose une intention, un ordre que n'implique pas *mêler.* → **Mêler.**

♦ **2.** (1611). Fam. Mettre ensemble* (des choses) sans chercher ou sans parvenir à (les) ordonner. ⇒ **Désordre** (mettre en) ; **brouiller, emmêler, enchevêtrer, entremêler.** *Il a mélangé tous les dossiers, toutes les fiches, on ne retrouve plus rien.* — *Mélanger des dates dans sa mémoire.* ⇒ **Confondre.**

▶ **SE MÉLANGER** v. pron. (1829). *Ingrédients qui se mélangent. Races qui se mélangent.* ⇒ **Fusionner** (cit. 3). — Abstrait. ⇒ **Mêler** (se).

(...) ces grâces boutiquières où le prétentieux et le patelin se mélangent agréablement.   BALZAC, Gaudissart II, Pl., t. VI, p. 859.

(1928). Pop. S'unir charnellement.

Manger, boire, dormir et le matin se mélanger.
Francis CARCO, *in* LACASSAGNE et DEVAUX, l'Argot du milieu.

▶ **MÉLANGÉ, ÉE** p. p. adj.

♦ **1.** (1777). Qui entre dans un mélange. *Vin mélangé* (avec un autre vin). → Ci-dessous, cit. 7. *Ingrédients mélangés.*

♦ **2.** (1760). Qui constitue un mélange. ⇒ **Mixte.** — *Race mélangée* (⇒ **Bâtard, métis**). *Ensemble mélangé.* ⇒ **Hétéroclite.** *Style mélangé.* ⇒ **Hybride, panaché.** — (1868). Péj. *Une assistance assez mélangée,* composite, formée de personnes de différents niveaux sociaux. ⇒ **Mêlé.**

Ceux qui veulent que les hommes soient tout bons ou tout méchants, absolument grands ou petits, ne connaissent pas la nature. Tout est mélangé dans les hommes ; tout y est limité ; et le vice même y a ses bornes.
VAUVENARGUES, De l'esprit humain, XLIV.

Buvez encore avec plaisir les derniers verres du vin trop mélangé de cette vie.
VOLTAIRE, Correspondance, 4431, 6 juin 1777.

CONTR. Cribler, démêler, dissocier, ranger, séparer, trier. — Pur.
DÉR. Mélangeable, mélangeoir, mélangeur.

MÉLANGEUR, EUSE [melɑ̃ʒœʀ, øz] n. — 1867 ; de *mélanger.*

♦ **1.** (1902). Appareil servant à mélanger diverses substances. *Mélangeur d'eau froide et d'eau chaude.* — Par appos. *Robinet mélangeur.*

Techn. Réservoir rotatif qui reçoit la fonte des hauts fourneaux avant qu'elle soit affinée, et qui l'homogénéise. *Mélangeur en ligne* (industr. des hydrocarbures). *Mélangeur à fûts* (matières plastiques).

Cybern. *Mélangeur-doseur :* élément capable de combiner deux ou plusieurs signaux de même nature dans des proportions déterminées.

♦ **2.** Radio, cin. Dispositif mêlant et dosant les courants reçus de différents micros. *Mélangeur de son.* ⇒ **Mixeur.**

♦ **3.** Rare. Personne qui mélange (qqch.). — (1952). Au cinéma, Ingénieur responsable des mélanges.

MÉLANINE [melanin] n. f. — 1855 ; *mélaïne,* 1846 ; de *mélan-,* et *-ine.*

♦ Biochim. Pigment brun foncé qui donne la coloration normale (pigmentation) à la peau, aux cheveux, à l'iris. *La mélanine est très abondante chez les individus de race noire* (dits *Mélanodermes*). *Présence pathologique de mélanine.* ⇒ **Nævus, mélanome.** *Absence congénitale de mélanine.* ⇒ **Albinisme.**

MÉLANIPPE [melanip] n. f. — 1842 ; nom mythologique.

♦ Zool. Insecte lépidoptère (phalènes).

MÉLANIQUE [melanik] adj. — 1842 ; de *mélan-,* et *-ique.*

♦ Biol. et méd. Relatif à la mélanine, caractérisé par la présence de mélanine. *Pigment mélanique. Sarcome mélanique* (mélanosarcome). *Tumeur mélanique.* ⇒ **Mélanome.** — *Mutation mélanique,* entraînant une variation de la pigmentation.

MÉLANISME [melanism] n. m. — 1840 ; de *mélan-* et *-isme.*

♦ **1.** Biol. Aptitude à fabriquer des pigments mélaniques en grande quantité; état qui en résulte. *On distingue chez les papillons un mélanisme partiel* (individus mélanisants) *et un mélanisme total* (individus mélaniens).

♦ **2.** Méd. Coloration anormalement foncée de la peau. *Mélanisme diffus.* ⇒ **Mélanodermie.** *Mélanisme circonscrit* (⇒ **Éphélide, nævus**).

MÉLANO- ⇒ **Mélan-.**

MÉLANOBLASTE [melanoblast] n. m. — 1963; de *mélano-,* et *blaste.*

♦ Biol. Cellule de la couche profonde de l'épiderme, capable de produire de la mélanine, mais qui n'est pas toujours elle-même pigmentée. ⇒ **Mélanocyte.** *Prolifération pathologique de mélanoblastes.* ⇒ **Mélanosarcome.**

MÉLANOCETUS [melanosetys] n. m. — Fin XIXᵉ; de *mélano-,* et grec *cetos* «gros poisson de mer, cétacé».

♦ Zool. Poisson téléostéen *(Acanthoptères)* appartenant à la faune des abysses.

MÉLANOCYTE [melanosit] n. m. — 1912, *in* D.D.L.; de *mélano-* et *-cyte.*

♦ Biol. Cellule contenant de la mélanine, mais qui normalement ne la fabrique pas elle-même (⇒ **Mélanoblaste**). (On dit, on écrit aussi *mélanophore*). *Mélanocyte du derme, de l'épiderme, des poils, de la choroïde.*

Les mélanocytes sont le siège de la production du pigment noir ou brun noir appelé mélanine. On trouve le même nombre de mélanocytes dans les peaux de race blanche et de race noire. Mais les granules de pigments sont plus nombreux dans ce dernier cas. Jean VERNE et Simone HÉBERT, la Culture de tissus, p. 52.

MÉLANODERME [melanodɛʀm] adj. et n. — Mil. XXᵉ; de *mélano-,* et *-derme.*
Didactique.

♦ **1.** Qui a la peau noire (dans la race humaine). ⇒ **Noir.**

♦ **2.** Qui est atteint de mélanodermie.

MÉLANODERMIE [melanodɛʀmi] n. f. — 1867; de *mélano-,* et *-dermie.* → *-derme.*

♦ Méd. Pigmentation excessive de la peau, régionale ou généralisée. ⇒ **Mélanisme.** *Mélanodermie du paludisme.*

MÉLANOME [melanom] n. m. — 1867; de *mélano-,* et suff. *-ome.*

♦ Pathol. Tumeur constituée par des cellules capables de produire de la mélanine*, le plus souvent pigmentées. *Mélanome bénin.* ⇒ **Nævus.** *Mélanome malin :* mélanoblastome.

MÉLANOPHORE [melanofɔʀ] n. m. — XXᵉ; 1839, Boiste, nom d'un insecte; de *mélano-,* et *-phore.*

♦ Didact. Sc. Cellule pigmentaire contenant de la mélanine. ⇒ **Mélanocyte.**

Les mélanophores, chargés de granules de mélanine noire, occupent la partie profonde de la peau *(chez les Amphibiens)* et sont responsables selon leur état de distension des teintes brune ou noire (...) Jean GUIBÉ, les Batraciens, p. 24.

MÉLANOSARCOME [melanosaʀkom] n. m. — 1869, trad. de Virchow; de *mélano-,* et *sarcome.*

♦ Pathol. Forme très grave, rapidement envahissante, de tumeur cancéreuse, siégeant surtout à l'œil, et consistant en la prolifération de mélanoblastes et de cellules de type musculaire.

MÉLANOSE [melanoz] n. f. — 1824; de *mélano-,* et 2. *-ose.*
Didactique.

♦ **1.** Pathol. Accumulation anormale de mélanine dans les tissus. *Mélanose de la conjonctive, du côlon, de la peau.* ⇒ **Mélanisme.**

♦ **2.** (1888). *Mélanose de la vigne,* maladie cryptogamique se manifestant par des taches sombres sur les feuilles.

MÉLANOSTIMULINE [melanostimylin] n. f. — 1971; de *mélano-,* et *stimuline.*

♦ Biochim. Hormone élaborée par le lobe intermédiaire de l'hypophyse (lorsqu'il est différencié) et qui agit sur les cellules du derme (mélanocytes) pour stimuler la synthèse de la mélanine*. — On dit aussi *hormone mélanotrope* (vieilli), *intermédine.*

MÉLANOTONINE [melanotonin] n. f. — V. 1960; de *mélano-,* le rad. *ton-,* et *-ine,* par l'angl.

♦ Biochim. Substance libérée par la glande pinéale, et jouant un rôle dans le contrôle de la reproduction, chez les mammifères.

MÉLASSE [melas] n. f. — 1664; *meslache,* 1508; esp. *melaza,* de *miel.* → Miel.

★ **I.** Résidu sirupeux de la cristallisation du sucre*. *La mélasse est un sirop visqueux, brun ou jaune foncé. Mélasse de canne, de betterave*. Distillation des mélasses* (⇒ **Alcool; rhum, tafia**). *Séparation du sucre et des mélasses, à l'essoreuse* (sucratage). *Utilisation des mélasses dans l'alimentation des bestiaux* (aliments, produits *mélassés*).

(...) une matière sucrée, sirupeuse, semblable à la mélasse, dont le nom s'est perdu, mais qui fit alors la fortune de l'inventeur. [1]
BALZAC, les Paysans, Pl., t. VIII, p. 257.

★ **II.** Fam. ♦ **1.** (cf. Dauzat, *Argot de la guerre*). **ⓐ** Brouillard épais.

ⓑ Boue. *Patauger dans la mélasse.*

♦ **2.** **ⓐ** (1871). Situation pénible et inextricable. *Être dans la mélasse* (⇒ **Ennui, infortune, misère, purée**). [2]

A travaillait sans aucun goût,
Des fois a faisait rien du tout,
Pendant qu'j'étais dans la mélasse,
A Montparnasse. A. BRUANT, Dans la rue, p. 40.

ⓑ Mélange confus. *Quelle mélasse !*

MÉLASTOME [melastom] n. m. — 1803; n. f., 1816; grec *melas* «noir», et *stoma* «bouche», les fruits de cette plante noircissant la bouche.

♦ Bot. Type principal de la famille des *Mélastomacées* (Phanérogames, angiospermes; dicotylédones, dialypétales). *Le fruit du mélastome est un astringent.*

MELBA [mɛlba] adj. invar. — V. 1900; du nom de la cantatrice Nellie *Melba* (1859-1931).

♦ *Pêches, fraises Melba,* dressées dans une coupe sur une couche de glace et nappées de crème Chantilly.

MELCHIOR [mɛlkjɔʀ] n. m. — 1858; p.-ê. altér. de *maillechort.*

♦ ⇒ **Maillechort.**
(Elle) essuya les plateaux des deux balances de melchior (...)
ZOLA, le Ventre de Paris, t. I, II, p. 103.

MELCHITE [mɛlkit] n. — 1732; *melkite,* 1690; du syriaque *melech* «roi».

♦ Relig. Chrétien orthodoxe ressortissant à l'un des patriarcats d'Alexandrie, de Jérusalem ou d'Antioche. *Les melchites professent les doctrines antimonophysites du concile de Chalcédoine.*

-MÈLE, -MÉLIE Élément de mots didact., du grec *melês,* de *melos* «membre». Ex. : *Phocomèle ; macromélie, micromélie.*

MÊLÉ, ÉE [mele] adj. ⇒ **Mêler.**

MÉLÉAGRICULTEUR, TRICE [meleagʀikyltœʀ, tʀis] n. — V. 1960; du lat. (et grec) *meleagris* «pintade», d'après *apiculteur,* etc.

♦ Didact. Personne qui élève des pintades, qui pratique l'élevage des pintades (*méléagriculture*).

MÉLÉAGRINE [meleagʀin] n. f. — Fin XIXᵉ; «coquille», 1839; de *Méléagre,* nom mythologique.

♦ Zool. Mollusque lamellibranche *(Anisomyaires),* huître* perlière. ⇒ **Pintadine.**

MÊLÉ-CASSE ou **MÊLÉCASSE** [melekas] n. m. — *Mêlé,* 1749; *mêlé-cas',* 1876; abrév. de *mêlé-cassis,* du p. p. substantivé de *mêler,* et de *cassis.*

♦ **1.** Pop., vieilli. Mélange d'eau-de-vie et de cassis.

♦ **2.** (1924). Fam. *Voix de mêlé-casse, de mêlécasse :* voix grave et rauque, comme celle des grands buveurs (de mêlé-casse, etc.).

Un gros homme à la voix de mêlé-casse y appelait les clients (...) [1]
ARAGON, les Beaux Quartiers, I, XXIII.

Adj. Rare, littér. Qui a une voix de mêlécasse.

2 (...) en quelque cime ou profondeur que ma pensée évolue, cette pensée est à la merci d'une mandoline éraillée ou d'un ténor mêlécasse.
                    Jacques PERRET, Bâtons dans les roues, p. 254.

MÊLÉE [mele] n. f. — 1080, *meslée*; de *mêler*.

♦ **1.** 🄰 Confusion de combattants qui se battent au corps* à corps. ⇒ **Bataille, cohue, combat** (cit. 6). → Grenadier, cit. 4; guerrier, cit. 2. *Mêlée confuse, générale, sanglante**.

1 Oh! que vous étiez grands au milieu des mêlées,
Soldats! l'œil plein d'éclairs, faces échevelées
Dans le noir tourbillon (...)   HUGO, les Châtiments, II, VII, I.

2 L'espoir changea de camp, le combat changea d'âme.
La mêlée en hurlant grandit comme une flamme.
                    HUGO, les Châtiments, V, XIII, II.

🄱 (V. 1190). Lutte, conflit. → Lance, cit. 6. — Loc. (Déb. xxᵉ). *Se jeter dans la mêlée. Rester en dehors, se tenir à l'écart de la mêlée.* — Spécialt. (En parlant de la guerre). *«Au-dessus de la mêlée»*, titre d'un article de R. Rolland (*Journal de Genève*, 15 sept. 1914).

3 Je le conçois encore *(Chateaubriand)* essayant de redonner le ton juste à ces mêmes hommes de son parti ou de sa cause, mais non point se jetant à corps perdu avec eux dans la mêlée (...)   SAINTE-BEUVE, Chateaubriand..., t. II, p. 351.

4 (...) de bons lutteurs qui sauront bien retrousser leurs manches dans la mêlée de demain (...)   Julien BENDA, la Trahison des clercs, p. 67-68.

(V. 1210). Spécialt. ⇒ **Lutte, rixe.** *Il a reçu un coup de poing dans la mêlée.* — Fig., fam. Vive contestation, dispute.

5 — Ne vous laissez pas désarçonner, rassemblez vos idées, répétait doucement Aufrère, comme s'il eût éprouvé du plaisir à pousser Salavin dans la mêlée.
                    G. DUHAMEL, Salavin, V, XII.

♦ **2.** (1856). Ensemble de personnes, de choses mêlées, indiscernables, désordonnées et le plus souvent agitées. ⇒ **Confusion** (→ Hourvari, cit. 5 et 6). *Objets qui se confondent dans une affreuse mêlée* (→ Gourde, cit. 2). *Considérer l'histoire comme une mêlée, un chaos* (cit. 8). *Son écriture est une mêlée de jambages galopant les uns après les autres* (→ Furibond, cit. 4).

6 (...) sa hantise de l'antiquité avait atteint au paroxysme, si bien que, lâché à toutes brides dans une mêlée inextricable de guerriers et de philosophes, les prenant les uns pour les autres, exaltant indifféremment le caractère de Régulus et celui de Caligula (...)   COURTELINE, Messieurs les ronds-de-cuir, V, I.

7 Ce n'était plus un bocage, ainsi que dans le bas-fond autour du sanctuaire, une mêlée d'arbustes et de plantes; non, sur cette colline, l'herbe s'étendait rase (...)
                    LOTI, les Désenchantées, III, XI.

♦ **3.** (1931). Sport et cour. Phase du jeu de rugby, dans laquelle plusieurs joueurs de chaque équipe sont groupés autour du ballon à terre *(mêlée spontanée)* ou pour attendre que le ballon soit placé sur le sol, au milieu d'eux *(mêlée ordonnée)*. Cf. R. Cotteaux, *le Rugby*, éd. Bornemann 1957. *Mise du ballon en mêlée. Demi de mêlée.*

Loc. (1948). *Mêlée ouverte. Tourner une mêlée* (rugby).

8 Une *mêlée ouverte* est la confusion qui survient lorsque le ballon se trouvant arrêté en un point, plusieurs joueurs des deux camps cherchent à s'en emparer. Si cette mêlée suit un «tenu» le ballon doit être joué au pied (sinon : coup franc).
Tourner une mêlée consiste, de la part d'un paquet d'avants qui a réussi à s'assurer en mêlée la possession du ballon, à partir en emmenant celui-ci à petits coups de pied dans la direction des buts adverses.
                    Jean DAUVEN, Technique du sport, p. 93.

HOM. Mêler.

MÊLEMENT [mɛlmɑ̃] n. m. — V. 1190, *meslement* «mélange», repris au xv1ᵉ, rare depuis; de *mêler*.

♦ Littér. Choses mêlées. ⇒ **Emmêlement, mélange** (cour.).

Le premier éclair révéla à Peer un mêlement de croupes luisantes, de têtes chevalines (...)   Pierre GASCAR, les Bêtes, p. 13.

MÉLÉNA [melena] ⇒ **Mélæna.**

MÊLER [mele] v. tr. — 1080, *mesler*; *mescler*, v. 980; du lat. pop. *misculare* (ixᵉ), lat. class. *miscere*.

♦ **1.** (V. 1190). Rare en emploi concret. 🄰 Unir, mettre ensemble (plusieurs choses différentes) de manière à former un tout. ⇒ **Agglutiner, amalgamer, combiner, confondre, fondre, fusionner, mélanger, unir.** *Action de mêler.* ⇒ **Mélange.** *Mêler des substances, des liquides.. pour former une pâte, une solution.* ⇒ **Agiter, battre, brasser, brouiller, fatiguer, fouetter, malaxer, touiller.** *Mêler en écrasant* (⇒ **Broyer**). *Mêler des drogues* (⇒ **Manipuler, mixtionner**), *des couleurs* (→ Fondre, cit. 8). *Mêler des sons, des odeurs...*

1 Au-dessus de vos fronts les rameaux frémissants
Mêlent leurs bruits, leurs voix, leurs parfums, leurs encens (...)
                    HUGO, la Légende des siècles, XXXVI, V.

Poét. *« La pâle mort mêlait ses sombres bataillons »* (cit. 5, Hugo). Spécialt. (Mil. xxᵉ). *Mêler deux races de chiens, de chevaux...* ⇒ **Accoupler, croiser, mâtiner.**

🄱 Réunir (des choses abstraites) réellement ou par la pensée de manière à former un ensemble (généralement considéré comme hétérogène par le locuteur). ⇒ **Mélanger; confondre.** *Mêler plusieurs sujets, plusieurs thèmes dans une œuvre* (→ Amphibie,

cit. 3; indiscret, cit. 14). *Napoléon mêlait les systèmes et les chimères* (cit. 7). — *Il mêle dans sa réprobation les gens les plus divers.*

(...) on y veut réunir *(dans ces assemblées)* ce qu'on sépare ailleurs,
Mêler le beau langage et les hautes sciences (...)
                    MOLIÈRE, les Femmes savantes, III, 2.

Par ext. *Amoureux qui mêlent leurs regards, leurs soupirs.* — *Une caresse qui mêlerait leurs deux êtres* (→ Étreindre, cit. 4).

Se livrer tout entier sans rien garder de soi (...) n'être qu'un en deux corps, fondre et mêler ses âmes de façon à ne plus savoir si vous êtes vous ou l'autre (...)
                    Th. GAUTIER, Mˡˡᵉ de Maupin, XV.

(...) leurs yeux, se rencontrant sans cesse, s'interrogeaient, mêlaient leurs regards d'une façon intime, presque sensuelle, comme autrefois.
                    MAUPASSANT, Bel-Ami, I, VI.

L'amour a nos âmes en une âme mêlées.
                    R. ROLLAND, Jean-Christophe, Dans la maison, p. 927.

♦ **2.** (1664). Manifester à la fois dans sa personne (des qualités différentes ou opposées). ⇒ **Allier, joindre.** *Mêler la bonhomie* (cit. 3) *à la force. Mêler des traits de caractère contradictoires.*

Si l'on pouvait mêler des talents si divers, peut-être qu'on voudrait penser comme Pascal, écrire comme Bossuet, parler comme Fénelon.
                    VAUVENARGUES, Fragments, «Bossuet, Pascal, Fénelon».

♦ **3.** (xIIIᵉ). Mettre en désordre (de nombreux éléments rassemblés). ⇒ **Brouiller, embrouiller, mélanger.** *Il a mêlé tous mes papiers, toutes les notes que j'avais prises. Mêler des écheveaux, des fils, des cheveux...* ⇒ **Emmêler, enchevêtrer, entremêler.** — (Fin xvIIᵉ). Vieilli. *Mêler les cartes**. ⇒ **Battre.** Absolt. *C'est à vous de mêler.*

♦ **4.** Ajouter (une chose) à une autre, mettre (une chose) avec une autre, dans une autre, et les confondre en un tout. ⇒ **Mettre; ficher.** — *Mêler à...* *Elle faisait mêler des aphrodisiaques aux aliments* (→ Luxure, cit. 5). *Les genêts* (cit. 1) *mêlent leur arôme aux odeurs. L'automne mêlait son or à la verdure* (→ Goutte, cit. 24). — Fig. *Mêler le réel au fictif* (cit. 3), *la religion à la politique* (→ Argumenter, cit. 4). *Mêler des détails pittoresques à un récit* (→ Intérêt, cit. 25). — *Mêler ses vœux à ceux de ses compagnons* (→ 3. Gaillard, cit.).

Et, mêlant son cri rauque au doux bruit de la mer,
Un long vol de corbeaux tourbillonnait dans l'air.
                    LECONTE DE LISLE, Poèmes barbares, «Massacre de Mona».

(...) mêlant, dans ses protestations, un français farouche à son arabe natal.
                    G. DUHAMEL, Salavin, VI, VI.

(...) des fleurs légères
Que tu mêlais parfois à tes cheveux dorés   ARAGON, les Yeux d'Elsa, p. 33.

Mêler avec... ⇒ **Mettre.** *Mêler un métal avec un autre* (→ Exiger, cit. 15). — *Mêler la danse avec la musique* (→ Effet, cit. 26).

Il mêle avec l'orgueil qu'il a pris dans leur sang
La fierté des Nérons qu'il puisa dans mon flanc.   RACINE, Britannicus, I, 1.

(...) entrez (...) dans cette affaire avec charité, et mêlez-y l'amitié que vous avez pour Mᵐᵉ de Grignan et pour moi avec l'aversion naturelle que l'on a pour les oppressions injustes (...)   Mᵐᵉ DE SÉVIGNÉ, 656, 25 sept. 1677.

Mêler dans, parmi... Mêler de faux (1. Faux, cit. 12) *louis, de fausses pièces parmi d'autres.*

Mêler de... Mêler d'eau un vin, le couper. — Absolt. *Mêler du vin,* le couper ou le frelater en y ajoutant un autre liquide. — Fig. *Mêler un pamphlet d'allusions médisantes.* ⇒ **Entrelarder.**

Nous ne voulons mêler ce dessein d'aucune autre chose (...)
                    Mᵐᵉ DE SÉVIGNÉ, 347, 19 nov. 1673.

Si quelquefois il vend du vin, il le fait mêler (...)
                    LA BRUYÈRE, les Caractères de Théophraste, «De l'impudent...»

♦ **5.** (1538). Faire participer qqn à qqch. *Mêler qqn à une affaire* (⇒ **Associer**), *dans une affaire.* ⇒ **Impliquer; jeu** (mettre en jeu).

▶ **SE MÊLER** v. pron.

A. (V. 1228). Choses. Être mêlé, mis ensemble. *Substances qui peuvent se mêler* (⇒ **Miscibilité, miscible**). *Odeurs qui se mêlent.* ⇒ **Marier** (se); **pénétrer** (se). — *Branches qui se mêlent.* ⇒ **Entrelacer** (s'). — *Peuples, races qui se mêlent.* ⇒ **Fusionner;** → Inévitable, cit. 7. — Par ext. *Creuset* (cit. 3) *où se mêlent les religions, les cultes.* — Fig. *Visions qui se mêlent dans l'esprit* (→ Guerre, cit. 24). *L'ombre où se mêle une rumeur* (→ Élargir, cit. 1, Hugo).

(...) troncs, rameaux, feuilles, fibres, touffes, vrilles, sarments, épines, s'étaient mêlés, traversés, mariés, confondus (...)   HUGO, les Misérables, IV, III, III.

Spécialt. *Les âmes se mêlent en l'amitié* (cit. 1, Montaigne). — (Dans l'amour, et, spécialt, en parlant de l'union charnelle). ⇒ **Unir** (s'); → Assombrir, cit. 12; mariage, cit. 8.

(...) les milieux enfin où l'enfance pousse en liberté, se mêle et s'unit selon ses instincts, sans retenue et sans contrôle (...)
                    Pierre LOUŸS, les Aventures du roi Pausole, IV, X.

Se mêler à..., avec... : se joindre, s'unir pour former un tout. *Sons qui se mêlent à des chants* (→ Funèbre, cit. 4). *«Quand le crime* (cit. 13) *d'État se mêle au sacrilège».* — *Les symptômes de l'admiration se mêlaient sur son visage avec ceux de la joie* (→ Enthousiasme, cit. 12).

L'orgueil sur son beau front, pour la première fois,
Se mêle à la pudeur naïve.   HUGO, Odes et Ballades, IV, III.

À mesure que le râle devenait plus fort, l'ecclésiastique précipitait ses oraisons : elles se mêlaient aux sanglots étouffés de Bovary (...)
FLAUBERT, Mᵐᵉ Bovary, III, VIII.

Lorsque ces magiques syllabes, chargées d'une si riche émotion, se mêlaient au souffle harmonieux de la miraculée, il semblait qu'il subît une incantation.
M. BARRÈS, la Colline inspirée, V.

Son visage était ardent, révolté, presque beau, et l'impatience de vivre s'y mêlait à l'épouvante de mourir.   MARTIN DU GARD, les Thibault, t. II, p. 257.

Les plaisirs sont fades, s'il ne s'y mêle un peu d'amour (→ Agréable, cit. 15). *Il se mêle du dépit à sa colère.* ⇒ **Entrer** (entre... dans...).

Nous avons la chance qu'il se mêle une question de conscience au jeu normal de l'offre et de la demande.
J. ROMAINS, les Hommes de bonne volonté, t. II, VI, p. 70.

B. (Personnes). ♦ 1. (1673). Se joindre* à (un ensemble de gens), aller avec eux pour ne former qu'un seul groupe. *Ils se mêlèrent à nous* (→ Familier, cit. 14). *Se mêler à la foule* (→ Infiltration, cit. 3). — Vieilli. *Se mêler avec, parmi des gens* (→ Courre, cit. 4 ; huile, cit. 10).

Vêtu de noir, le chapeau à la main, l'huissier Maréchal, en effet, était venu se mêler au groupe.   COURTELINE, Messieurs les ronds-de-cuir, VIᵉ tableau, II.

Fig. *Se mêler à la vie de qqn.* Par ext. *Il aurait voulu se mêler à toute cette nature, se fondre en elle* (→ Enivrer, cit. 28).

Du matin au soir, sans se bousculer ni perdre une minute, ils font ce qu'ils ont à faire. Ils croisent d'autres vies sans s'y mêler.
MARTIN DU GARD, les Thibault, t. IV, p. 70.

Il est sensible à l'animation de cette rue. Il marche avec allégresse. Il s'y mêle avec sympathie.   J. ROMAINS, les Hommes de bonne volonté, t. IV, IV, p. 21.

♦ 2. Participer à une activité, prendre part à... ⇒ **Associer** (s'), **participer.** *Assister au culte* (cit. 4) *sans s'y mêler. Se mêler aux récréations de qqn* (→ Gymnastique, cit. 1). *Se mêler à un combat, à une rixe.* ⇒ **Mêlée.** *Se mêler aux querelles théologiques* (→ Gallican, cit. 2), *aux affaires de son temps* (→ Gaieté, cit. 9). — Littér. *Se mêler à...* (un sentiment).

Je n'ose pas aller me mêler à cette douleur (...)
BALZAC, le Médecin de campagne, Pl., t. VIII, p. 381.

Ils appartenaient à un parti. Ils se mêlaient à tous les grands remous sociaux (...)
GIRAUDOUX, Bella, I.

Vieilli. *Se mêler dans quelque activité, dans quelque intrigue.* ⇒ **Immiscer** (s').

♦ 3. (V. 1155). Spécialt. *Se mêler de...* (suivi d'un substantif, d'un infinitif). ⇒ **Occuper** (s'occuper de). *Il est absurde de dire que Dieu ne se mêle point du gouvernement des peuples* (→ Établissement, cit. 2, Bossuet).

L'empereur se mêlait de toutes choses (...)
CHATEAUBRIAND, Mémoires d'outre-tombe, t. IV, p. 61.

La politique est l'art d'empêcher les gens de se mêler de ce qui les regarde.
VALÉRY, Rhumbs, p. 105.

Loc. *Le démon* (cit. 20), *le diable* s'en mêle.
Fig. *Si le cœur* (cit. 158), *la passion s'en mêle. La spéculation s'en était mêlée* (→ Fabuleux, cit. 9). *La famine* (cit. 2) *s'en mêlait.*

(...) c'est ainsi qu'un enfantillage devient grave quand l'orgueil s'en mêle, et qu'on s'est brouillé quelquefois pour moins encore qu'un coussin brodé.
A. DE MUSSET, Nouvelles, « Deux maîtresses », IX.

Que chacun se mêle de ses propres affaires (→ À chacun son métier et les vaches* seront bien gardées). — (XIIIᵉ). Péj. *Mêlez-vous de vos affaires* (cit. 20 et 21), *de ce qui vous regarde. Se mêler des affaires d'autrui* (cit. 27). ⇒ **Entremettre** (s'), **entrer, fourrer** (cit. 14), **immiscer** (s'), **ingérer** (s'), **intervenir, introduire** (s'). → Fourrer son nez* dans, et aussi Calmer, cit. 15.2 ; insinuer, cit. 17 ; intrigant, cit. 1. *Importun qui se mêle de tout.* ⇒ **Ardélion** (vx), **touche-à-tout.** *Se mêler du travail de qqn.* ⇒ **Toucher** (à). — *De quoi se mêle-t-il, celui-là ?* (On emploie parfois dans la langue populaire la première personne pour la deuxième : *De quoi je me mêle ?*). — Loc. fam. *Mêle-toi de tes oignons !* — (1637). Avoir la prétention de... *Se mêler de réformer et de corriger* (cit. 17) *le monde, de faire qqch.* (→ Garçon, cit. 18 ; jamais, cit. 5). *Depuis qu'il se mêle de faire le joli cœur... Il se mêle de publier ses vers, quelle infatuation !*

Mêle-toi de donner à téter à ton enfant, sans tant faire la raisonneuse.
MOLIÈRE, le Médecin malgré lui, II, 1.

Il ne faut point se mêler d'élever un enfant quand on ne sait pas le conduire où l'on veut par les seules lois du possible et de l'impossible.
ROUSSEAU, Émile, II.

— De quoi vous mêlez-vous ? Je suis femme, il me convient de dire des femmes tout ce qu'il me plaira ; je n'ai que faire de votre approbation.
DIDEROT, Jacques le fataliste, Pl., p. 589.

(...) nous nous mêlons de tout maintenant, nous feignons de nous intéresser à des tas de choses qui ne nous regardent pas ; nous voudrions tant nous intéresser à quelque chose !   R. ROLLAND, Jean-Christophe, Foire sur la place, p. 738.

Voilà ce qui arrive quand le bon Dieu se mêle de nos affaires. Et toi, mêle-toi des tiennes !   CLAUDEL, l'Annonce faite à Marie, IV, 1.

♦ 4. S'aviser de... *Lorsqu'il se mêle de travailler, il réussit mieux qu'un autre. Quand il se mêle d'avoir du bon sens, il en a, et du meilleur* (→ Garantie, cit. 5).

▶ **MÊLÉ, ÉE** p. p. adj.

♦ 1. Qui forme un mélange (avec). *Mêlé à... Sucre mêlé au vin*

(→ Cordial, cit. 2). *Fumée mêlée à de la poussière* (→ Flotter, cit. 4). — *Lueur* (cit. 2) *mêlée à un reflet. Chants mêlés au son des guitares* (→ Apporter, cit. 10). — Fig. Uni, joint (à). *Gaminerie* (cit. 1) *mêlée au bon sens.*

(...) la tendresse que j'ai pour vous (...) me semble mêlée avec mon sang, et confondue dans la moelle de mes os (...)   Mᵐᵉ DE SÉVIGNÉ, 869, 8 nov. 1680. 34

Les annales humaines se composent de beaucoup de fables mêlées à quelques vérités (...)   CHATEAUBRIAND, Vie de Rancé, p. 62. 35

Spécialement :

Voilà longtemps que celle avec qui j'ai dormi,
Ô Seigneur ! a quitté ma couche pour la vôtre,
Et nous sommes encor tout mêlés l'un à l'autre,
Elle à demi vivante et moi mort à demi. 36
HUGO, la Légende des siècles, II, « Booz endormi ».

Absolt. *Couleurs mêlées, tons mêlés* (→ Gris, cit. 23). *Voix mêlées* (→ Excuser, cit. 11). — Spécialt. *Races mêlées* (→ Captif, cit. 2). — *Littérature et philosophie mêlées,* de Hugo. — Fig. *Sentiments étroitement mêlés.*

(...) le vin et le pain, mêlés ensemble (...) 37
MOLIÈRE, le Médecin malgré lui, II, 4.

Tout cela bouillonnait ensemble, colère, honte, vague espoir, mêlés dans cette âme trouble.   MICHELET, Hist. de la Révolution franç., III, VI. 38

« Aimons, aimons ! » disaient vos voix mêlées (...) 39
VERLAINE, Parallèlement, « Les amies », III.

Toutes les nations se trouvent ici mêlées, toutes les confessions, toutes les langues.   GIDE, Journal, 21 janv. 1946. 40

Spécialt. Embrouillé. *Cheveux mêlés.* ⇒ **Embroussaillé** (fig.). *Écheveaux* (cit. 6) *mêlés.*

♦ 2. *Mêlé de :* qui est entré en mélange avec (qqch. d'autre). *Vin mêlé d'un autre vin, d'alcool, d'eau.* ⇒ **Mouillé, tempéré** (→ Bord, cit. 14 ; frelaté, cit. 2). *Vert mêlé de bleu. Cris mêlés de rires* (→ Effaroucher, cit. 12). *Grec mêlé d'hébraïsmes* (cit. 1).

(...) quelques plaintes mêlées de beaucoup de sanglots. 41
MOLIÈRE, les Fourberies de Scapin, I, 2.

Par métaphore :

Cinq cents blancs, quinze cents nègres, mêlés de mulâtres, de Javanais et de Chinois composent la population de l'île *(Sainte-Hélène).* 42
CHATEAUBRIAND, Mémoires d'outre-tombe, t. IV, p. 69.

Fig. *Plaisir mêlé de douleur, de peine* (→ Gratter, cit. 22). *Joie mêlée de larmes* (→ Croix, cit. 11 ; élégie, cit. 2). *Trouble mêlé de désirs* (→ Ardent, cit. 35).

Mais chez vous *(dans les grandes villes),* rien n'est pur — au sens brut. Tout est mêlé. Le *oui* est mêlé de *non,* le *non* mêlé de *oui,* et le vrai mêlé de faux, et le sain de gâté.   R. ROLLAND, le Voyage intérieur, p. 127. 43

Absolt. *Vin mêlé. Sang* mêlé.* ⇒ **Mâtiné ; métis.**

♦ 3. [a] Absolt. Qui comporte, qui contient plusieurs choses mêlées, mélangées. *Style mêlé.* ⇒ **Varié** (→ Argot, cit. 9). *Monde mêlé ; assemblée, société mêlée.* ⇒ **Bigarré, composite** (→ Herbe, cit. 22).

Des rassemblements mêlés, peuple et bourgeois, habits et vestes, eurent lieu et dans les cafés, et aux portes des cafés, au Palais-Royal, au faubourg Saint-Antoine, au bout des ponts, sur les quais. 44
MICHELET, Hist. de la Révolution franç., II, VIII.

Spécialt. Qui contient des éléments de valeur, de qualité inégale.

Vous trouverez (...) les rondeaux de Benserade : ils sont fort mêlés ; avec un crible, il en demeurerait peu (...)   Mᵐᵉ DE SÉVIGNÉ, 590, 21 oct. 1676. 45

— Quelle compagnie y trouvèrent-ils ? — Mêlée. — Qu'y disait-on ?
— Quelques vérités, et beaucoup de mensonges. 46
DIDEROT, Jacques le fataliste, Pl., p. 522.

[b] *Mêlé de... et de... :* composé, fait, en tout ou en partie, de... *Sauce mêlée d'huile et de jaune d'œuf* (→ Harmonieusement, cit.). *Discours mêlé de français et d'italien* (→ Incohérent, cit. 3). *« Tout au monde est mêlé d'amertume* (cit. 4) *et de charme », de bien et de mal* (→ Génie, cit. 1).

Comédie mêlée de musique et de danses. 47
MOLIÈRE, *Titre du* Malade imaginaire (1673).

(...) l'eau transparente et sombre, mêlée de reflets et de lueurs (...) 48
Th. GAUTIER, Souvenirs de théâtre..., « Dessins V. Hugo ».

♦ 4. (Personnes). *Être mêlé à un groupe, dans la foule, dans un rassemblement* (→ Individu, cit. 23). — *Les hommes et les femmes sont mêlés dans l'assistance.*

Justiciables et simple public debout, mêlés dans le même cercle (...) 49
CÉLINE, Voyage au bout de la nuit, p. 143.

Impliqué, associé. *Mêlé dans une affaire, à une affaire...*

Et vous êtes mêlés dans cette affaire aussi.   MOLIÈRE, le Misanthrope, V, 4. 50

(...) des scholiastes le soupçonnent d'avoir été mêlé à quelque vol de grand chemin. 51
Jules LEMAÎTRE, Impressions de théâtre, 3ᵉ série, « Villon ».

CONTR. Cribler, démêler, dissocier, isoler, séparer, trier. — Discerner. — Arranger, classer, disposer. — Développer. — Abstenir (s').

DÉR. Mélange, mêlée, mêlement.

COMP. Démêler, emmêler, entremêler, remêler. — Mêlé-casse ou mêlécasse, mêle-tout, méli-mélo, pêle-mêle.

HOM. Mêlée.

MÊLE-TOUT [mɛltu] n. — D. incert. ; de *mêler,* et *tout.*

♦ Régional (Belgique). Personne qui touche à tout. ⇒ **Touche-à-tout.**

— Personne qui se mêle de tout, qui intervient indiscrètement partout.

MÉLÈZE [melɛz] n. m. — 1552 ; mot dauphinois et savoyard, 1336 ; du lat pop. *melacio, du pré-roman *melix, ice (d'où melze, xvie), du lat. mel « miel ».

♦ Arbre de la classe des conifères, à feuilles caduques, à cônes dressés. *Le bois du mélèze, utilisé en menuiserie, fournit aussi une résine (térébenthine* de Venise). Mélèze du Japon.*

Les mélèzes, ainsi qu'une bande barbare, descendaient une pente, drapés dans leurs sayons de verdure tissée, parfumés d'un baume fait de résine et d'encens.
ZOLA, la Faute de l'abbé Mouret, II, XI.

MÉLI- ou **MELLI-** Élément de composition de mots savants, du lat. *mel, mellis* « miel » (ex. : *mellifère*).

MÉLIA [melja] n. m. — 1812 ; grec *melia* « frêne ».

♦ Bot. Plante dicotylédone (type de la famille des *Méliacées*), arbre d'Asie et d'Océanie à fleurs odorantes, dont les feuilles rappellent celles du frêne. *Propriétés fébrifuges de l'écorce de mélia. Le mélia azedarach, dit aussi lilas des Indes ou arbre à chapelet, parce que les noyaux de ses fruits, naturellement percés d'un trou, servent à la confection de chapelets. Le mélia est cultivé en Europe. Les mélias.*

MÉLIACÉES [meljase] n. f. pl. — 1799 ; grec *melia* « frêne ».

♦ Bot. Famille de plantes phanérogames angiospermes *(Dicotylédones, dialypétales)* ayant pour type le *mélia*, arbre ou arbrisseau des régions tropicales, à bois odorant et coloré utilisé en ébénisterie. — Au sing. *L'acajou est une méliacée.*

-MÉLIE ⇒ -mèle.

MÉLIER [melje] n. m. — xiie ; anc. franç. *mesle*, puis *melle* ; du lat. *mespilum*, qui s'est altéré en *nesple*, puis *nesfle*. → Nèfle.

♦ **1.** Régional. Néflier.

Il *(Gilliatt)* pêchait beaucoup de poissons, mais on affirmait que la branche de mélier était toujours attachée à son bateau. Le mélier, c'est le néflier (...) Les pauvres recevaient son poisson, mais lui en voulaient pourtant, à cause de cette branche de mélier. Cela ne se fait pas. On ne doit point tricher la mer.
HUGO, les Travailleurs de la mer, I, VI, p. 36.

♦ **2.** (1538). Cépage blanc.

♦ **3.** (1840). Houx épineux.

MÉLILOT [melilo] n. m. — 1322 ; lat. *melilotum*, grec *melilôtos*, de *meli* « miel », et *lôtos* « lotus ».

♦ Plante dicotylédone *(Légumineuses, Papilionacées)* des régions chaudes et tempérées de l'hémisphère Nord, herbe annuelle ou bisannuelle, à fleurs mellifères très odorantes employées en pharmacie et en parfumerie. *Mélilot bleu. Infusion de mélilot officinal, dit aussi* couronne* royale. *Mélilot blanc, utilisé comme fourrage.*

MÉLI-MÉLO [melimelo] n. m. — 1861 ; méli-méla, 1841 ; melli mello, xve-xvie ; anc. franç. *mesle mesle* avec variation vocalique ; de *mêler*. → Pêle-mêle.

♦ Fam. Mélange très confus et désordonné. *Un méli-mélo de costumes turcs et européens* (→ Coudoyer, cit. 5). *Quel méli-mélo ! une chatte n'y retrouverait pas ses petits.* ⇒ **Capharnaüm, confusion, fouillis, gâchis...** — *Des mélis-mélos.*

(...) pour confectionner leurs sacs de terre, les Allemands s'étaient servis de draps, de cotonnades, de lainages à dessins bariolés, pillés dans quelque magasin de tissus d'ameublement. Tout ce méli-mélo de lambeaux de couleurs, déchiquetés, effilochés, pend, claque, flotte et danse aux yeux.   H. BARBUSSE, le Feu, II, XX.

Fig. *Cette combine, cette affaire, quel méli-mélo !*

MÉLINITE [melinit] n. f. — 1855 ; d'après lat. *melinus*, grec *mêlinos* « couleur de coing », à cause de la couleur jaune de cette poudre.

♦ Explosif très puissant à base d'acide picrique fondu. *Obus à la mélinite.*

À Dompierre, je le tenais en réserve pour bourrer les fourneaux de mine à la dernière minute, charrier les caisses d'explosif et les sacs de terre. Dans la panique

du sauve qui peut, c'était un plaisir de le voir jongler avec les caisses de 50 kilos de mélinite, les barils de poudre noire, les gros saucissons de dynamite (...)
B. CENDRARS, la Main coupée, Œ. compl., t. X, p. 12.

DÉR. **Méliniter.**

MÉLINITER [melinite] v. tr. — 1887, cit. ; de *mélinite*.

♦ Faire exploser, sauter, à la mélinite. → Dynamiter.

Déjà, dans tels clubs des banlieues, on ne rêvait que de dynamiter, de panclastiter même, ou de méliniter, comme par distraction, — « pour voir ce que ça donnerait », — le Corps législatif, le Sénat, la Préfecture de police, l'Élysée, etc. etc.
VILLIERS DE L'ISLE ADAM, Tribulat Bonhomet (1887), p. 30.

MÉLIORATIF, IVE [meljɔratif, iv] adj. et n. — 1897 ; « qui sert à améliorer », v. 1200 ; du lat. *meliorare*, d'après *péjoratif*.

♦ Didact. Ling. Qui présente sous un jour favorable (opposé à *péjoratif*). *Adjectif mélioratif.* — N. *Les mélioratifs.*

Le fait de langage qui apparaît comme expression de cette double face de notre pensée exprimera ou bien essentiellement le sentiment de plaisir ou bien celui du déplaisir ; il y a, comme disent les grammairiens, des expressions *péjoratives*, et d'autres *mélioratives* (qu'on me pardonne le néologisme) ; ou bien elles rendront essentiellement la notion « Ceci est bien » ou au contraire elles exprimeront qu'une chose est mal.
Charles BALLY, Traité de stylistique française, t. I, p. 153 (1921).

MÉLIORATION [meljɔrɑsjɔ̃] n. f. — 1551 ; *mélioracion* « amélioration », 1315 ; conservé comme terme de droit ancien, repris dans le sens actuel d'après *mélioratif* ; du lat. *melioris*.

♦ (1960). Didact. Fait d'emporter une connotation favorable.

CONTR. **Péjoration.**

MÉLIORISME [meljɔrism] n. m. — 1916, *Larousse mensuel* ; du lat. *melior*.

♦ Philos. Doctrine à mi-chemin entre l'optimisme et le pessimisme, selon laquelle il y a plus de bien que de mal dans le monde et que celui-ci peut s'améliorer.

DÉR. **Mélioriste.**

MÉLIORISTE [meljɔrist] adj. et n. — 1931 ; de *méliorisme*.

♦ Philos. Du méliorisme. — N. Partisan du méliorisme.

1. MÉLIQUE [melik] n. f. — 1808 ; du lat. *mel* « miel », par allus. à la saveur douce de cette plante.

♦ Bot. Plante monocotylédone *(Graminacées)* des régions tempérées, herbacée, vivace, qui fournit un fourrage très apprécié des ovins.

2. MÉLIQUE [melik] adj. — V. 1900 ; grec *melikos* « qui concerne le chant ».

♦ Hist. littér. Se dit de la poésie lyrique grecque, et, spécialt, de la poésie chorale.

MÉLISME [melism] n. m. — 1926, cit. ; grec *melismos* « division, modulation », du v. *melizein* « être cadencé », de *melos*. → Mélodie.

♦ Mus. Groupe de notes de valeur brève qui, occupant une durée musicale (longue par rapport à elle), constitue un ornement mélodique. — Par métaphore :

Dans tout ce sable, au milieu de ces pierres croulantes, il semblait que chacun de nos pas trébuchant soulevait une tempête de sons, une bourrasque crépitante (...) Des flûtes guerrières (...) roucoulaient lamentablement et nous faisaient nous retourner, les plus aiguës nous blessaient au vif de l'ouïe, les plus creuses nous frappaient à bout portant, nous faisaient reculer. Certains mélismes nous donnaient le vertige. C'était à devenir fou.
B. CENDRARS, Moravagine (1926), Œ. compl., t. IV, p. 199.

MÉLISSE [melis] n. f. — 1256 ; lat. médiéval *melissa*, grec *melissophyllon*, proprt « feuille à abeilles », parce que cette plante est très recherchée des abeilles.

♦ **1.** Bot. Plante dicotylédone *(Labiacées)* herbacée, vivace, aromatique (encore appelée *citronnelle* et *piment des abeilles*).

(...) je lui mis dans la main une poignée de verdure froissée, dont le parfum de citronnelle adoucie et de géranium la ravit, l'étonna. Elle demanda le nom de l'herbe merveilleuse (...) — Mais, lui dis-je, c'est tout simplement la mélisse des abeilles. — De la mélisse ! s'écria Mme de Noailles, de la mélisse ! Enfin, je connais donc cette mélisse dont j'ai tant parlé !   COLETTE, Belles saisons, p. 227.

♦ **2.** (1694). *Eau de mélisse :* alcoolat d'essence de mélisse. — *Mélisse sauvage.* ⇒ **Mélitte.** *Infusion de mélisse. Le calament* officinal entre dans la composition de l'eau de mélisse.*

(...) Bonsoir, mon petit Frantz. Vous êtes tout pâle, qu'avez-vous ? Vous faut-il de l'eau de mélisse ?
ANOUILH, l'Hermine, II.

MÉLISSIQUE [melisik] adj. — 1873 ; du grec *melissa* « abeille ».

♦ Chim. Se dit d'un alcool dont le palmitate se trouve dans la cire d'abeille.

MÉLITINE [melitin] n. f. — Mil. xxᵉ *(in* Porot, 1952, p. 268 b : *mélithine) ;* de Brucella *melit(ensis),* n. d'un agent de la fièvre de Malte (→ Mélitococcie), et *-ine.*

♦ Méd. Filtrat de cultures du bacille de la brucellose *(Brucella melitensis),* qu'on utilise en injection intradermique pour le diagnostic de cette maladie (on dit aussi *abortine).*

HOM. Mélittine.

MÉLITOCOCCIE [melitokɔksi] n. f. — 14 mars 1911 ; de *Melita,* nom lat. de *Malte,* et *-coccie.*

♦ Méd. Maladie infectieuse due à des bacilles du genre *brucella* (⇒ **Brucellose**), qui se transmet aux ovins, aux bovins et à l'homme, et est caractérisée par une fièvre intermittente, ondulante (syn. : *fièvre de Malte, fièvre ondulante, sudorale,* etc.). *La mélitococcie peut s'accompagner de troubles mentaux.*

MÉLITTE [melit] n. f. — 1826 ; *mélite,* 1803 ; grec *melitta* « abeille », à cause de la prédilection des abeilles pour cette plante.

♦ Plante dicotylédone *(Labiacées)* des régions tempérées, herbacée, vivace, aromatique, dite aussi *mélisse* des bois, mélisse sauvage, herbe saine.*

HOM. Mellitte.

MÉLITTINE [melitin] n. f. — Mil. xxᵉ ; du grec *melitta* « abeille », et *-ine.*

♦ Chim., biol. Polypeptide toxique du venin d'abeille.

HOM. Mélitine.

MELKITE [mɛlkit] ⇒ Melchite.

MELLÂH [mɛ(l)la] n. m. — 1903 ; arabe maghrébin ; arabe classique *millâh* « doctrine religieuse particulière à une communauté ».

♦ Quartier juif (d'une ville marocaine). ⇒ **Ghetto.**

(...) leurs ghettos, qu'on appelle ici des mellahs, — mellah, ce qui veut dire saloir, car de tout temps au Maroc les juifs ont eu le privilège de saler, pour les conserver, les têtes de rebelles qu'on exposait sur les murailles.
Jérôme et Jean THARAUD, Rabat, III.

REM. Cette étymologie est fictive.

MELLI- ⇒ Méli-.

MELLIFÈRE [melifɛʀ ; mɛllifɛʀ] adj. — 1523, repris 1812 ; lat. *mellifer.*

Didactique.

♦ **1.** Qui produit du miel. *Les insectes mellifères.* ⇒ **Mellifique.**

♦ **2.** Qui concerne la production du miel par les insectes. *Plantes mellifères.*

Il semble, dit De Layens, que les abeilles soient parfaitement renseignées sur la localité, la valeur mellifère relative et la distance de toutes les plantes qui sont dans un certain rayon autour de la ruche.
MAETERLINCK, la Vie des abeilles, III, X.

MELLIFICATION [melifikasjɔ̃ ; mɛllifikasjɔ̃] n. f. — 1611 ; du lat. *mellificare.*

♦ Didact. Élaboration du miel par les abeilles.

MELLIFIQUE [melifik ; mɛllifik] adj. — 1529 ; de *melli-,* et *-fique.*

♦ Didact. Qui fabrique du miel. *Insectes mellifiques.* ⇒ **Mellifère.**

MELLIFLUE ou **MELLIFLU, UE** [melifly ; mɛllifly] adj. et n. — 1480 ; lat. *mellifluus.*

♦ **1.** (1648). Vx, littér. Qui distille du miel.

♦ **2.** (1480). Fig., littér. Vieilli. Qui a la suavité du miel.

Il avait jusqu'alors trouvé la vicomtesse pleine de cette aménité polie, de cette grâce mellifue donnée par l'éducation aristocratique (...)
BALZAC, le Père Goriot, Pl., t. II, p. 946.

♦ **3.** (1803). Vieilli. D'une douceur excessive. ⇒ **Doucereux, fade.** *Style mellifue, mellifu ; paroles mellifues. — Un orateur mellifue.*

Ce qu'il y a d'amusant (...) dans les rapports académiques, c'est l'étonnante con-

formité du style baveux, mellifue, avec les noms des concurrents récompensés et le choix des sujets.
BAUDELAIRE, l'Art romantique, XXVI, Rapport Acad.

N. *Un mellifu, une mellifue.*

MELLITTE [melit] n. m. — 1808 ; lat. *mellitus,* adjectif.

♦ Pharm. Médicament sirupeux à base de miel.

HOM. Mélitte.

1. MÉLO [melo] n. m. et adj. — 1872 ; abréviation.

♦ Fam. Mélodrame. *Un mélo, des mélos. Ce film est un pur mélo. — Conversation, discussion qui frise le mélo* (→ Grotesque, cit. 10).

Adj. Mélodramatique. *Ce film est un peu trop mélo.*

Cette réflexion ne m'enchante pas. Je trouve cela niais et mélo.
J. DUTOURD, les Horreurs de l'amour, p. 295.

2. MÉLO- Élément de composition de mots savants, du grec *melos* « membre de phrase musical, chant cadencé ». ⇒ ci-dessous **Mélodrame, mélomane,** et aussi **mélisme, mélodie, mélopée.**

MÉLODE [melɔd] n. m. — 1906, Huysmans ; grec *melodos* « mélodieux » (→ Mélodie) et subst. « poète lyrique ».

♦ Didact. Auteur de chants religieux, dans le christianisme d'Orient.

MÉLODIE [melɔdi] n. f. — V. 1112 ; bas lat. *melodia,* du grec *melôïdia.*

♦ **1.** (V. 1120). « Succession de sons tellement ordonnés selon les lois du rythme et de la modulation qu'elle forme un sens agréable à l'oreille (...) » (Rousseau, *Dict. de musique). —* Composition musicale, formée d'une suite de phrases* ayant ce caractère (⇒ 3. **Air, aria**). *Appogiatures, mélismes, notes, ornements, silences d'une mélodie* (→ Écouler, cit. 10, et ci-dessous cit. 3). *Motif d'une mélodie* (→ Allegro, cit. 2). *Rythme d'une mélodie. Accents berceurs* (→ Archet, cit. 2), *passionnés de la mélodie* (→ Invincible, cit. 8). *Mélodie gaie et orientale* (→ Aubade, cit. 1), *énergique et suave* (→ Éteindre, cit. 10). *La stridente mélodie des flûtes* (→ Exaspérer, cit. 5). — *La mélodie :* la succession linéaire des sons, en musique, indépendamment de la qualité rythmique. *La mélodie et l'harmonie* (cit. 16), *et le rythme.*

L'idée du rythme entre nécessairement dans celle de la *mélodie ;* un chant n'est un chant qu'autant qu'il est mesuré (...) On ne doit (...) pas comparer la *mélodie* avec l'harmonie, abstraction faite de la mesure dans toutes les deux : car elle est essentielle à l'une et non pas à l'autre.
ROUSSEAU, Dict. de musique, Mélodie. [1]

(...) Modeste composait, comme on peut composer sans connaître l'harmonie, des cantilènes purement mélodiques. La mélodie est, à la musique, ce que l'image et le sentiment sont à la poésie, une fleur qui peut s'épanouir spontanément. Aussi les peuples ont-ils eu des mélodies nationales avant l'invention de l'harmonie.
BALZAC, Modeste Mignon, Pl., t. I, p. 388. [2]

Pour la matière, toute mélodie s'affirme par quelques notes *radicales* qui lui servent d'ossature. Celles-ci sont reliées par des notes moins importantes pour le sens de la phrase : on les appelle *Notes de passage.* Autour d'elles peuvent s'enrouler aussi des *notes d'ornement* et des *mélismes,* c'est-à-dire des groupes de notes aux dessins souples et liés.
André CŒUROY, la Musique et ses formes, Mélodie, p. 15. [3]

(...) une mélodie cadencée *(jouée au piano),* qui m'allait droit au cœur par le mouvement de ses phrases et la pureté cristalline de son timbre.
H. BOSCO, Antonin, p. 108. [4]

♦ **2.** (1868). Pièce vocale composée sur le texte d'un poème, avec accompagnement. ⇒ **Chant ; cantabile, cantilène, chanson, lied.** *Mélodie de Fauré, de Debussy sur des vers de Verlaine. Chanter, fredonner une mélodie* (→ Haut, cit. 27 ; jeu, cit. 70). *Mélodie monotone.* ⇒ **Mélopée.** *Accompagner une mélodie au piano. Incantation* (cit. 4) *d'une mélodie.*

— Et le comte fait chanter à Rosine une délicieuse mélodie à laquelle les cantatrices qui jouent ce rôle ont grand tort de substituer de grands morceaux fort difficiles et fort ennuyeux. — Les paroles en sont charmantes (...)
Th. GAUTIER, Souvenirs de théâtre..., « Barbier de Séville ». [5]

(...) il choisit une trentaine de *Lieder* (...) Il s'était bien gardé de prendre ses mélodies les plus « mélodieuses » ; il prit les plus caractéristiques (...) Ces *Lieder* étaient écrits sur des vers de vieux poètes silésiens du dix-septième siècle (...)
R. ROLLAND, Jean-Christophe, la révolte, p. 511. [6]

Par métaphore. (→ Immensité, cit. 5). *Célestes mélodies* (→ 1. Flûte, cit. 6).

(...) mélodie monotone de la houle (...)
BAUDELAIRE, le Spleen de Paris, III. [7]

♦ **3.** Caractère, qualité d'une musique où la mélodie est particulièrement sensible (par rapport à l'harmonie, au rythme). ⇒ **Mélodique** (2.). *Musique sans mélodie* (→ Incolore, cit. 1), *qui manque de mélodie.*

Le chant ainsi dépouillé de toute mélodie, et consistant uniquement dans la force et la durée des sons, dut suggérer enfin les moyens de le rendre plus sonore encore, à l'aide des consonances.
ROUSSEAU, Essai sur l'origine des langues, XIX. [8]

(1765). Fig. Caractère, qualité de ce qui est mélodieux. *Mélodie d'un vers, d'un poème.*

9   (...) les effets de la poésie tiennent encore plus à la mélodie des paroles qu'aux idées qu'elles expriment.   Mᵐᵉ DE STAËL, De l'Allemagne, II, IX.

DÉR. Mélodieux, mélodique, mélodiste, mélodium.

MÉLODIEUSEMENT [melɔdjøzmɑ̃] adv. — V. 1354 ; de *mélodieux.*

♦ Littér. D'une manière mélodieuse. *Chanter mélodieusement.*

MÉLODIEUX, EUSE [melɔdjø, øz] adj. — V. 1280 ; de *mélodie.*

♦ Agréable à l'oreille (en parlant d'un son, d'une succession ou d'une combinaison de sons). ⇒ **Harmonieux** (I.). *Air, chant, gazouillement* (cit. 5) *mélodieux. Voix mélodieuse.* ⇒ **Doux, musical.**

1   Chaque parole sur ta bouche
    Est un écho mélodieux.
                        LAMARTINE, Nouvelles méditations, « Chant d'amour ».

2   (...) chaque vendredi, notre théâtre municipal retentissait des plaintes mélodieuses d'Orphée (...)   CAMUS, la Peste, p. 217.

    Par ext. Qui produit des sons agréables. *Flûte mélodieuse. — Oiseau mélodieux.*

3   Mais toi, lyre mélodieuse (...)
    Des cygnes la troupe envieuse
    Suivra ta trace harmonieuse.
                        LAMARTINE, Nouvelles méditations, « Adieux à la poésie ».

    Fig. (En parlant du discours, du langage). *Vers mélodieux* (→ Impropre, cit. 1).

4   (...) ce langage si doux, si rythmé, si mélodieux, qu'il faisait demander à quoi pouvait servir la musique (...)
                        Th. GAUTIER, Portraits contemporains, « Mˡˡᵉ Mars ».

DÉR. Mélodieusement.

MÉLODIQUE [melɔdik] adj. — 1836 ; *melodic* « qui produit des sons musicaux », 1607 ; de *mélodie.*

♦ **1.** Qui a rapport à la mélodie. *Période, phrase, thème mélodique. Intervalle mélodique. — Dessin, ligne, profil mélodique :* ensemble des rapports de continuité qui existent entre les sons d'une mélodie, relativement à leur hauteur. *Ligne mélodique ascendante, descendante, sinueuse...*

1   Il faut bien reconnaître que si la veine mélodique de Gluck est exquise, elle est peu abondante, et (...) que s'il a écrit quelques-uns des airs les plus parfaits de la musique, le bouquet de ces airs pourrait tenir dans la main.
                        R. ROLLAND, Musiciens d'autrefois, p. 244.

♦ **2.** Qui a les caractères de la mélodie ; où la mélodie est particulièrement sensible (d'une musique).

2   (...) ces deux voix *(de l'alouette et du rouge-gorge)* expriment avec une étrange douceur toutes les tristesses d'octobre. L'une est plus mélodique et ressemble à une petite chanson mêlée de larmes ; l'autre est une phrase en quatre notes, profondes et passionnées.   E. FROMENTIN, Un été dans le Sahara, p. 54.

3   (...) la phrase, qui m'avait paru trop peu mélodique, trop mécaniquement rythmée (...)   PROUST, À la recherche du temps perdu, t. XII, p. 214.

♦ **3.** Phonét. *Accent mélodique :* élévation de la voix sur une syllabe d'une séquence.

DÉR. Mélodiquement.

MÉLODIQUEMENT [melɔdikmɑ̃] adv. — 1840 ; de *mélodique.*

♦ De façon mélodique ; par la mélodie.

MÉLODISTE [melɔdist] n. — 1811, Hoffman, in D.D.L. ; de *mélodie.*

♦ Mus. Compositeur dont les œuvres sont marquées par l'importance ou la qualité de la mélodie.

Musicien qui est doué de la faculté d'inventer de la mélodie. On appelle aussi mélodiste l'amateur de musique qui a un goût passionné pour la mélodie. Il y a en Angleterre une société de mélodistes qui a pour but d'encourager la production des airs populaires.
                        F.-J. FÉTIS, la Musique mise à la portée de tout le monde, 1834,
                                                                        in D.D.L. II, 12.

ʀᴇᴍ. Le second sens défini par Fétis est vieux.

MÉLODIUM [melɔdjɔm] n. m. — XIXᵉ ; de *mélodie.*

♦ Vx. Harmonium.

MÉLODRAMATIQUE [melɔdʀamatik] adj. — 1832 ; de *mélodrame.*

♦ **1.** Didact. Qui a rapport au mélodrame. *Répertoire mélodramatique.*

♦ **2.** Cour. Qui tient du mélodrame, l'évoque par l'outrance des expressions et des sentiments.

(...) il s'attendait à voir une scène de désolation, madame de M*** tout en pleurs

et convenablement échevelée, le mari les poings crispés et arpentant la chambre d'un air mélodramatique (...)
                        Th. GAUTIER, les Jeunes-France, « Celle-ci et celle-là ».

DÉR. Mélodramatiquement, mélodramatiser.

MÉLODRAMATIQUEMENT [melɔdʀamatikmɑ̃] adv. — 1845 ; de *mélodramatique.*

♦ D'une manière mélodramatique.

Donnez-moi cet argent, vous dis-je ! — Et, mélodramatiquement, approchant les billets, dont elle s'était emparée, de la flamme d'une des bougies (...)
— Je préférerais brûler le tout (faut-il dire qu'elle n'en faisait rien) plutôt que de lui donner un liard.   GIDE, Isabelle, in Romans, Pl., p. 657.

MÉLODRAMATISER [melɔdʀamatize] v. tr. — 1876 ; de *mélodramatique.*

♦ Rare. Rendre mélodramatique.

MÉLODRAMATURGE [melɔdʀamatyʀʒ] n. m. — 1829 ; de *mélodrame,* d'après *dramaturge.*

♦ Didact. Auteur de mélodrame.

MÉLODRAME [melɔdʀam] n. m. — 1762, in *Variétés littéraires* de F. Arnaud et J. A. B. Suard, à l'article *« Essai sur le mélodrame ou drame lyrique »* ; de *mélo-,* et *drame,* d'après l'ital. *melodramma.*

♦ **1.** Anciennt (parfois écrit *mélo-drame*). Œuvre dramatique accompagnée de musique. ⇒ **Opéra.**

La scène de *Pygmalion* est un exemple de ce genre qui n'a pas eu d'imitateur. En perfectionnant cette méthode, on réunirait le double avantage de soulager l'acteur par de fréquents repos, et d'offrir au spectateur l'espèce de mélodrame le plus convenable à sa langue. Ainsi cette espèce d'ouvrage pourrait constituer le genre moyen entre la simple déclamation et le véritable mélodrame dont il n'atteindra jamais la beauté.
                        ROUSSEAU, Fragments d'observations sur l'Alceste..., 1774.

♦ **2.** (1834). Drame populaire dont, à l'origine, un accompagnement musical soulignait certains passages et que caractérisent la complexité de l'action, la multiplicité des épisodes violents, l'outrance et la simplification des caractères, le moralisme manichéen, le style souvent relâché et le caractère spectaculaire de la mise en scène (⇒ **Tableau**). Par abrév. *Mélo. Les mélodrames de Pixérécourt. Le traître du mélodrame. La tradition du mélodrame se perpétue dans les drames du Grand-Guignol.*

Et, que tous les pédants frappent leur tête creuse,
Vive le mélodrame où Margot a pleuré !
                        A. DE MUSSET, Poésies nouvelles, « Après une lecture ».

Le général s'était en allé poliment avant la fin du dîner pour conduire ses deux enfants au spectacle, sur les boulevards, à l'Ambigu-Comique ou à la Gaieté. Quoique les mélodrames surexcitent les sentiments, ils passent à Paris pour être à la portée de l'enfance, et sans danger, parce que l'innocence y triomphe toujours.
                        BALZAC, la Femme de trente ans, Pl., t. II, p. 781.

(...) le crime n'était pas toujours puni et la vertu récompensée, aussi régulièrement que dans les mélodrames du beau temps de la Gaîté (...)
                        Th. GAUTIER, Souvenirs de théâtre..., « Hist. de la marine ».

(1840). Péj. ... *de mélodrame :* qui évoque le mélodrame (⇒ ci-dessous, sens 4). *Scène* (→ Inexorable, cit. 4), *style de mélodrame.*

♦ **3.** Péj. Œuvre (théâtrale ou non) qui tient du mélodrame. *Ce cinéaste vient de tourner un mélodrame insipide et pleurnichard.*

♦ **4.** Conduite, comportement, discours... qui évoque le mélodrame par sa sentimentalité excessive, son outrance jouée (surtout dans *faire un, faire du mélodrame*). → Faire du cinéma, une comédie, un drame, une scène, etc.

La passion, je sais ce que c'est. À condition, toutefois, qu'on ne fasse pas de mélodrame. Non, non, de la pudeur. Pas de larmes. Pas de désespoir.
                        G. DUHAMEL, Chronique des Pasquier, IV, XIV.

DÉR. Mélodramatique, mélodramaturge.

MÉLOÉ [melɔe] n. m. — 1700 ; lat. mod., orig. incert., p.-ê. du grec *melos* « noir ».

♦ Zool. Insecte coléoptère *(Méloïdés)* vésicant*, noir ou bleu, caractérisé par des élytres très courts.

Combien je me réjouis de savoir aujourd'hui que les larves primaires des méloés sont ces extraordinaires et mystérieux petits poux que je regardais se dresser, agrippés sur le bout de leur prenante queue, à l'extrême bord des disques de la camomille, lorsque, enfant, j'allais à la chasse aux coléoptères.
                        GIDE, Nouveaux prétextes, p. 219.

MÉLOMANE [melɔman] n. et adj. — 1823, cit. ; de *mélo-,* et *-mane.*

♦ Personne qui aime la musique avec passion. — ʀᴇᴍ. Dans les premiers emplois, le mot est péjoratif.

Le Mélomane véritable, ridicule assez rare en France, où d'ordinaire il n'est qu'une prétention de vanité, se trouve à chaque pas en Italie.
                        STENDHAL, Vie de Rossini, Introduction, III (1823).

— Comment, toi qui m'as toujours refusé une baignoire aux Italiens, sous prétexte que tu ne pouvais pas souffrir la musique, te voilà mélomane, à cette heure !
BALZAC, Melmoth réconcilié, t. IX, p. 291.

Il avait deux amis, comme lui mélomanes (...) Pottpetschmidt chantait, Schulz accompagnait, et Kunz écoutait. Et ils s'extasiaient ensuite pendant des heures.
R. ROLLAND, Jean-Christophe, La révolte, p. 560-561.

Adj. *Un public très mélomane.*

MÉLOMANIE [melɔmani] n. f. — 1781 ; de *mélo-*, et *-manie*.

♦ Rare. Amour passionné et excessif de la musique.

MÉLOMÈLE [melɔmɛl] n. et adj. — 1842, Compl. Académie, n. m. ; t. dû à I. Geoffroy Saint-Hilaire, du grec *melos* «membre», redoublé.

♦ Didact. (Tératologie). Monstre caractérisé par la duplication (rarement la triplication) plus ou moins complète d'un ou plusieurs membres, ou par la présence d'un membre surnuméraire. — Adj. *Monstre mélomèle.*

DÉR. Mélomélie.

MÉLOMÉLIE [melɔmeli] n. f. — 1873, P. Larousse ; de *mélomèle*.

♦ Didact. (Tératologie). Malformation propre aux mélomèles*. *Le plus souvent, la mélomélie est limitée aux extrémités : mains, pieds, doigts, orteils.* ⇒ **Polydactylie.**

MELON [m(ə)lɔ̃] n. m. — XIIIᵉ ; lat. *melonem*, accusatif de *melo*.

♦ **1.** Plante dicotylédone (*Cucurbitacées*), herbacée, annuelle, rampante ou grimpante, dont les fruits sphériques ou ovoïdes, de grosseur variée, à côtes* plus ou moins marquées, ont une chair jaune rougeâtre comestible, juteuse et sucrée. *Cultiver des melons sous cloches, sous châssis, sur couche* (⇒ **Melonnière**). *Maille* d'un melon.* — *Variétés de melons.* ⇒ **Cantaloup, sucrin** (→ aussi Melon brodé*, de Cavaillon).

♦ **2.** Fruit de cette plante, qui se consomme généralement cru. *Savoir choisir un melon. Manger une côte* (cit. 7), *une tranche de melon comme hors-d'œuvre, au dessert. Melon au porto.* — Prov. *Les maris sont comme les melons ; il faut en essayer plusieurs pour en trouver un bon. C'est au cul qu'on sent le melon* (ci-dessous, cit. 3).

Les amis de l'heure présente
Ont le naturel du melon ;
Il faut en essayer cinquante
Avant qu'en rencontrer un bon.   Claude MERMET, le Temps passé, p. 42 (1601).

(...) les melons sont divisés par côtes, et semblent destinés à être mangés en famille (...)   BERNARDIN DE SAINT-PIERRE, Études de la nature, XI, p. 303.

À l'office (...) il trouvait (...) sur la table, six melons superbes, alignés. — Mon frère l'abbé n'en a pas comme ça ! s'écriait Barthélemy à leur vue. Sont-ils bons ? Et sans attendre la réponse, à deux mains, il s'emparait de chacun d'eux, successivement, le palpait, le retournait, le soupesait, le flairait, affirmant chaque fois cet apophtegme (...) «c'est au cul qu'on sent le melon !» ce qu'il faisait aussitôt longuement. Ensuite, dans chacun, il enfonçait une mince sonde d'argent, et, par le pertuis ainsi pratiqué, il retirait un filament doré, juteux, qu'il goûtait à l'instant. Ainsi de suite jusqu'au meilleur, jugé digne de paraître à table. On le mettait alors à rafraîchir jusqu'au repas.   Émile HENRIOT, Aricie Brun, I, IV.

(1660). Par ext. *Melon d'eau.* ⇒ **Pastèque.**

♦ **3.** (1877). *Chapeau* melon,* et, ellipt, *melon* : chapeau d'homme en feutre rigide, de forme ronde et bombée.

Le chapeau melon est une coiffure encore moins disgracieuse que disgraciée (...) en attendant le retour du melon, le succès, la vogue, la frénésie du melon, en attendant cet événement fatal, le chapeau décrié, peut-être un peu ridicule, fait parfois une apparition allusive et presque scandaleuse sur le crâne d'un officier ministériel, d'un gentleman-rider, d'un diplomate invité à quelque cocktail par le gouvernement sud-africain.   G. DUHAMEL, Cri des profondeurs, I.

♦ **4.** (1833, «tête de sot»). Par ext. Fam. Tête.

Je l'ai plié en deux d'une bonne droite, accompagnée d'un coup de melon pas trop méchant, mais qui l'a fait quand même pavoiser.   Albert SIMONIN, Touchez pas au grisbi, p. 112.

♦ **5.** (1838). Argot scol. Élève de première année, à Saint-Cyr.

♦ **6.** (xxᵉ). Pop. et péj. (Injure raciste). Arabe.

DÉR. Melonné, mélonnée, melonnière.

MÉLONGÈNE [melɔ̃ʒɛn] ou MÉLONGINE [melɔ̃ʒin] n. f. — 1667 ; lat. bot. *melongena* (1561), formé, comme *melonge* au XVIᵉ, sur le rad. arabe d'*aubergine*.

♦ Vx. Aubergine (conservé seulement en lat. des botanistes, *Solanum melongena*).

MÉLONIDE [melɔnid] adj. — 1846 ; grec *mêlon* «pomme», et *-ide*.

♦ Bot. Qui ressemble à une pomme, qui a les caractères de la pomme.

MELONNÉ, ÉE [m(ə)lɔne] adj. — 1827, Académie ; de *melon*.

♦ Bot. Qui a la forme d'un melon.

MELONNÉE [m(ə)lɔne] n. f. — 1839 ; de *melon*.

♦ Variété de courge.

MELONNIÈRE [m(ə)lɔnjɛʀ] n. f. — 1537 ; de *melon*.

♦ **1.** Champ, terrain réservé à la culture des melons.

Le vieux Fauchelevent tenait (...) à la main (...) le bout d'un paillasson qu'il était occupé à étendre sur la melonnière. Il en avait déjà ainsi posé un certain nombre (...) Il continua : — «Je me suis dit : la lune est claire, il va geler. Si je mettais à mes melons leurs carricks ?»   HUGO, les Misérables, II, V, IX.

♦ **2.** (1787). Anciennt. Plat destiné à la présentation du melon sur la table.

MÉLOPÉE [melɔpe] n. f. — 1578 ; bas lat. *melopoeia*, d'orig. grecque. → Mélo-.

♦ **1.** Anciennt. «Usage régulier de toutes les parties harmoniques, c'est-à-dire l'art ou les règles de la composition du chant» (Rousseau, *Dict. de musique*).

♦ **2.** (1690). Hist. de la mus. Déclamation sur accompagnement instrumental, en usage chez les Grecs (→ Dérouler, cit. 4).

Le récitatif italien est précisément la mélopée des anciens ; c'est cette déclamation notée et soutenue par des instruments de musique.   1
VOLTAIRE, Dissertation sur la tragédie, I.

Par anal. ⇒ **Récitatif** (→ Intonation, cit. 1).

♦ **3.** (1868). Cour. Chant, mélodie de caractère vague et monotone (→ Faiseur, cit. 2 ; hululement, cit.). *Mélopée pathétique* (→ Couper, cit. 32). *La mélopée des pleureuses.*

Étendons-nous sur les nattes fraîches et écoutons le duo étrange de ces mousmés : une sorte de mélopée lente et lugubre, qui commence sur deux ou trois notes hautes, — et puis qui descend, qui descend à chaque couplet, d'une manière presque insensible, jusqu'à devenir très grave.   LOTI, Mᵐᵉ Chrysanthème, L.   2

MÉLOPHAGE [melɔfaʒ] n. m. — 1839 ; lat. zool. *melophagus* ; du grec *mêlon* «mouton», et *-phage*.

♦ Zool. Insecte diptère (*Hippoboscidés*) vivant en parasite dans la toison des moutons.

MÉLOPLASTIE [melɔplasti] n. f. — 1855, Nysten ; de *mélo*, du grec *mêlon* «pomme», plur. *mêla* «formes arrondies», et *-plastie*.

♦ Chir. Reconstitution de la face par autoplastie*.

MELOS [melɔs] n. m. — 1951 ; mot grec.

♦ Hist. de la mus. Contour mélodique envisagé indépendamment du rythme (*metron*) ou des paroles.

(...) on a la certitude, à examiner la contexture rythmique des chœurs orchestiques (...) que le musicien précédait le poète et créait le «melos», auquel ensuite il adaptait des mots.   M. EMMANUEL, Histoire de la langue musicale, t. I, p. 154.

MELTING-POT [mɛltiŋpɔt] n. m. — 1927, cit. ; mot anglais des États-Unis, «creuset» de *to melt* «fondre», et *pot* «pot».

♦ Anglicisme. Hist. Brassage et assimilation des divers éléments démographiques, lors du peuplement des États-Unis, notamment au XIXᵉ siècle.

La formule du «creuset» (...) répondait à une doctrine généralement appliquée : chacun était persuadé que, par la vertu de ce *melting pot*, le nouveau continent assimilerait, plus ou moins vite mais complètement, un nombre indéfini d'immigrants.   André SIEGFRIED, les États-Unis, p. 9 (1927).

Par anal. «*Les Maisons de la culture devaient devenir le "melting-pot" où les habitants des villes culturellement sous-développées se rencontreraient*» (*l'Express*, 11 nov. 1968).

1. MÉLUSINE [melyzin] n. f. — 1732, *merlusine*, Trévoux ; du nom d'une fée.

♦ Personnage de la mythologie celtique, sirène échevelée à queue de serpent. — *La mélusine du blason des Lusignan.*

Cauchemars entrevus dans le sommeil sans bornes,
Sirènes aux seins nus, mélusines, licornes (...)
HUGO, la Légende des siècles, «Éviradnus», VIII.

2. MÉLUSINE [melyzin] n. f. — 1922 ; p.-ê. du précédent.

♦ Feutre à poils longs et souples utilisé en chapellerie.

MEMBRANE [mɑ̃bʀan] n. f. — V. 1320 ; lat. *membrana*, de *membrum* «membre», proprt «peau qui recouvre les membres».

♦ 1. Mince couche de tissu qui enveloppe un organe, qui tapisse une cavité ou un conduit naturel (⇒ **Muqueuse**). *Membranes fibreuses, muqueuses*, élastiques, séreuses. Fine membrane.* ⇒ **Pellicule.** *Duplicature* d'une membrane. Membrane qui recouvre le corps humain* (⇒ **Peau**), *les os* (⇒ **Périoste**), *les cartilages* (⇒ **Périchondre**), *les muscles* (⇒ **Aponévrose**). *Membrane qui tapisse le canal médullaire* (⇒ **Épendyme**), *la cavité de l'abdomen* (⇒ **Péritoine**), *la bouche... Membrane sous la langue.* ⇒ **Filet.** *Membrane vaginale.* ⇒ **2. Hymen** (cit. 1). *Les membranes du cœur* (⇒ **Endocarde, péricarde**), *du cerveau* (⇒ **Méninges**). *Membrane du tympan, tympanique.* ⇒ **Diaphragme** (→ Grenouille, cit. 5). *La cornée* (cit.), *membrane fibreuse* (⇒ aussi, pathol., **Pannicule**). *Membrane hyaloïde, choroïde de l'œil. La sclérotique, membrane albuginée*.* — (1753). *Membranes fœtales :* amnios*, chorion*, caduque (caduc*, 3.). Absolt. *Rupture des membranes dans l'accouchement.* ⇒ **Poche** (des eaux).

1 Les fœtus des animaux viennent au monde revêtus de leurs enveloppes, et il arrive rarement que les eaux s'écoulent et que les membranes qui les contiennent se déchirent dans l'accouchement (...)
    BUFFON, Hist. nat. des animaux, Développement et accroissement du fœtus.

(1840). *Fausse membrane :* exsudat* riche en fibrine, ayant l'aspect d'une membrane, formé à la surface d'une muqueuse dans certaines inflammations (⇒ **Couenneux**).

(Chez les animaux). *Membrane des mollusques qui sécrète la coquille.* ⇒ **Manteau.** *Membrane qui recouvre les narines des oiseaux.* ⇒ **Opercule.** — Didact. *Membrane nictitante*, ondulante. Membranes alaires de la chauve-souris.*

Bot. Tissu végétal, couche cellulaire servant d'enveloppe, de cloison. — *Membrane qui recouvre la partie aérienne d'une plante* (⇒ **Épiderme**), *sa graine* (⇒ **Épisperme**). *Membranes du fruit.* ⇒ **Endocarpe ; enveloppe.**

♦ 2. Sc. (phys., chim., biol.). Couche mince de matière capable de délimiter un corps et à travers laquelle s'effectue des échanges. *Membrane semi-perméable :* membrane permettant le passage de certaines molécules, et, spécialt, de celles d'un solvant, plus aisément que celles de la matière ou des matières dissoutes (qu'elle permet ainsi de retenir). ⇒ **Osmose.**

Biol. et cour. Couche cytoplasmique différenciée, généralement semi-perméable, constituant une limite. *Membrane cellulaire, plasmatique. Membrane nucléaire,* séparant le noyau du cytoplasme. *Membrane vacuolaire,* délimitant les vacuoles. *Physico-chimie, physiologie des membranes.*

2 Il n'existe pas dans les êtres vivants de membranes qui soient rigoureusement semi-perméables, c'est-à-dire qui arrêtent tous les corps dissous. Ainsi le protoplasma des globules rouges du sang, imperméable aux sels de sodium est perméable à l'urée (...) D'une manière générale on peut penser que les parois de toute cellule sont imperméables pour les substances nécessaires à la vie de la cellule et perméables pour celles qu'elle doit éliminer.
    A. BOUTARIC, Physique de la vie, p. 75.

3 Une membrane sépare la cellule de son environnement et sélectionne les éléments qui doivent y entrer ou en sortir (...) Entourée de sa membrane, la cellule typique contient un *noyau,* généralement lui aussi entouré d'une membrane, la *membrane nucléaire.*   Antoine DANCHIN, Ordre et Dynamique du vivant, p. 24-25.

(Végétaux). *Membrane cellulaire,* essentiellement formée de cellulose. *Membranes lignifiées.*

Techn. Lame, feuille mince de matière. — Spécialt. *Membrane vibrante,* destinée à communiquer à une masse d'air relativement importante les vibrations qui lui sont transmises par l'organe mobile d'un haut-parleur. — (1890). Vx. *Membrane parlante* (même sens). — *Instruments de musique à membranes* (dits *membranophones*).

4 Aussi la membrane parlante du gramophone peut-elle être beaucoup plus mince et, partant, plus sensible que celle du phonographe.
    L. FIGUIER, l'Année scientifique et industrielle 1891, p. 110 (1890).

DÉR. et **COMP. Membrané, membraneux.** — **Membraniforme.**

MEMBRANÉ, ÉE [mɑ̃bʀane] adj. — 1799 ; de *membrane.*
Didactique.

♦ 1. En forme de membrane. *Cloison membranée,* très mince.

♦ 2. Muni d'une ou de plusieurs membranes. *Ailes membranées.*

MEMBRANEUX, EUSE [mɑ̃bʀanø, øz] adj. — 1538 ; de *membrane.*

♦ 1. Anat. Qui est de la nature d'une membrane. *Tissus membraneux.* — Zool. *Ailes membraneuses,* sans chitine (opposé à *élytres*).

♦ 2. Méd. Caractérisé par la présence de fausses membranes. *Bronchite membraneuse.*

MEMBRANIFORME [mɑ̃bʀanifɔʀm] adj. — 1836 ; de *membrane.*

♦ Didact. Qui a la forme ou les caractères d'une membrane.

MEMBRANULE [mɑ̃bʀanyl] n. f. — 1532 ; lat. *membranula ;* dimin. de *membrana.*

♦ Anat. Petite membrane.

MEMBRE [mɑ̃bʀ] n. m. — 1080 ; lat. *membrum.*

★ I. ♦ 1. Anat. et cour. Chacune des quatre parties appariées du corps humain qui s'attachent au tronc. *La tête, le tronc et les membres* (→ Attitude, cit. 13). *Les quatre membres ; membre supérieur :* bras, avant-bras et main (⇒ **Bras,** 1.), *membre inférieur :* cuisse, jambe et pied (⇒ **Jambe,** 1., cit. 1) *et leurs articulations. Extrémités* des membres* (→ Fracas, cit. 5). — *Conformation* (cit. 1) *des membres. Avoir les membres courts, forts* (⇒ **Membru**), *longs et grêles* (→ Eunuque, cit. 4). *Mouvoir ses membres* (→ Maillot, cit. 1). *Plier, fléchir* (cit. 2) *les membres. Tendre, détendre les membres.* ⇒ **Étirer** (s'). *Exercer* (cit. 3) *ses membres. La marche assouplit, dénoue les membres. Le froid* (→ 2. Froid, cit. 4) *paralyse les membres. Membres qui s'engourdissent. Membres gourds* (cit. 1). → Engourdissement, cit. 2. *La vieillesse affaiblit* (cit. 1) *les membres.* — *Absence congénitale des membres ; anomalie des membres.* ⇒ **Amélie,** et **-mèle, -mélie.** *Atrophie d'un membre ; membre atrophié. Contorsion, torsion d'un membre* (→ Entorse, cit. 2). *Perdre un membre à la guerre* (→ Impotent, cit. 6). *Membre gangrené. Priver d'un membre, enlever un membre* (⇒ **Amputer, estropier, mutiler ; mutilation**). *Arracher les membres.* ⇒ **Démembrer, écarteler** (cit. 3). *Moignon* d'un membre coupé* (cit. 6). *Personne sans membres* (→ Homme, femme tronc*). *Membres atrophiés d'un phocomèle*.* — *Membre fantôme* (ou *illusion des amputés*) : sensation, parfois douloureuse, éprouvée et localisée dans un membre amputé, comme si ce membre était encore présent. ⇒ **Asomatognosie.** *Membre fantôme,* le membre ainsi perçu. *Le membre fantôme « est souvent ressenti dans la position qu'il occuperait s'il était utilisé »* (Porot et Sutter, in Porot, 1975). *Troisième membre fantôme :* perception simultanée d'un membre paralysé et du même membre semblant se déplacer (dans l'hémiplégie).

De travailler pour lui *(l'estomac)* les membres se lassant,
Chacun d'eux résolut de vivre en gentilhomme (...)
Ainsi dit, ainsi fait, les mains cessent de prendre,
Les bras d'agir, les jambes de marcher.   LA FONTAINE, Fables, III, 2.

1. Michel Strogoff était haut de taille, vigoureux, épaules larges, poitrine vaste (...) Ses membres, bien attachés, étaient autant de leviers disposés mécaniquement pour le meilleur accomplissement des ouvrages de force.
    J. VERNE, Michel Strogoff, p. 32.

Fluette pour ses quinze ans, elle ne montrait de ses membres, hors du fourreau étroit de sa chemise, que des pieds bleus, comme tatoués de charbon, et des bras délicats, dont la blancheur de lait tranchait sur le teint blême du visage (...)
    ZOLA, Germinal, I, II.

(...) l'enivrement physique de se mouvoir, de sauter, de sentir ses membres jouer comme de souples et violents ressorts (...)   LOTI, Ramuntcho, II, IV.

Les membres sont des leviers articulés, composés de trois segments.
    Alexis CARREL, l'Homme, cet inconnu, III, X.

Par anal. de forme :

Les ormes du mail revêtaient à peine leurs membres sombres d'une verdure fine comme une poussière et pâle.
    FRANCE, le Mannequin d'osier, Œ., t. XI, XII, p. 367.

Zool. et cour. Chacune des quatre parties articulées qui s'attachent au corps des vertébrés tétrapodes, et servent essentiellement à la locomotion. *Membres inférieurs, supérieurs,* ou *antérieurs, postérieurs. Membres qui servent à marcher, sauter, nager...* (⇒ **Patte**), *voler* (⇒ **Aile**). *Membres des quadrupèdes* (⇒ Aplomb, cit. 3 ; genou, cit. 25). *Appui* (cit. 4) *d'un cheval sur ses membres. Membres atrophiés rudimentaires de la baleine, des serpents.*

Que l'on considère l'homme, les animaux quadrupèdes, les oiseaux, les cétacés, les poissons, les amphibies, les reptiles : quelle prodigieuse variété dans la figure, dans la proportion de leur corps, dans le nombre et dans la position de leurs membres (...)
    BUFFON, Hist. nat. des animaux, Discours sur la nature animale.

Par ext. Patte (des arthropodes). *Chaque anneau porte une paire de membres formés de pièces articulées* (cit. 2).

♦ 2. (1580 ; vx). Partie du corps, organe (→ Animal, cit. 1 ; arracher, cit. 7). *Arrache ton œil droit, car il est avantageux qu'un seul de tes membres périsse...* (→ Géhenne, cit. 1, Bible). *« Des membres affreux* (cit. 1) *que des chiens dévorants se disputaient entre eux »* (Racine).

Et les plus plaisants et utiles de nos membres semblent être ceux qui servent à nous engendrer (...)   MONTAIGNE, Essais, I, XIV.

Vx. *Les membres virils :* les organes masculins de la génération (→ Garçon, cit. 1). — Mod. *Membre viril,* et, absolt, *membre :* pénis, verge.

7. « Et suis-je eschaudé asture et ai envie d'accointer quelque belle garse et de me frotter le membre contre la cuisse d'ycelle préalablement, pour irriter les génitales au déduict.»
Réponds-moi une longue lettre de bêtises, inventes-en, ça m'est égal pourvu que tu m'en dises.   FLAUBERT, Correspondance, 1839, in Pl., t. I, p. 55.

★ II. ♦ 1. Par métaphore. (→ ci-dssous, 2.). ⇒ **Partie.** *Retrancher de l'Église un membre malade de peur que le corps ne soit contaminé* (cit. 1).

On s'aime, on aime qu'on est membre de Jésus-Christ. On aime Jésus-Christ, parce qu'il est le corps dont on est membre.   PASCAL, Pensées, VII, 483.

♦ **2.** (Fin XIIIᵉ). Fig. Personne qui fait nommément partie d'un corps*. *Être membre d'un corps constitué.* ⇒ **Appartenir** (à), **partie** (faire partie). *Devenir membre.* ⇒ **Adhérer, affilier** (s'), **entrer, inscrire** (s'). *Incorporation* (cit. 1) *d'un membre par nomination, élection, inscription... Membre actif, honoraire*; membre fondateur, bienfaiteur; membre perpétuel, membre à vie. Carte de membre. Membre d'une association** (cit. 14), *d'une société, d'un parti, d'un club...* ⇒ **Adhérent, affilié, sociétaire.** *Membre d'une société commerciale.* ⇒ **Actionnaire, associé.** *Les membres de l'équipage* (→ Expédition, cit. 13). *Membre d'un comité, d'un conseil, d'un jury* (→ Juré, cit. 1), *d'une académie.* ⇒ aussi **Associé, correspondant.** *Les quarante membres de l'Académie française. Les députés, membres de l'Assemblée nationale, du Parlement* (→ Indemnité, cit. 4). *Membre d'une confrérie* (→ Fatrasie, cit. 1), *d'une gilde* (cit.).

9 (...) le président, aujourd'hui en retraite, membre du Conseil d'administration de la Compagnie de l'Ouest, lui avait donné sa protection.
                                                    ZOLA, la Bête humaine, I.

10 (...) un soir qu'il jouait au bridge dans un cercle très conservateur dont il était membre (...)   J. ROMAINS, les Hommes de bonne volonté, t. V, XXVII, p. 283.

♦ **3.** Groupement, pays qui fait librement partie d'une union. *Les membres d'une fédération* (⇒ **Fédéré**), *d'un cartel, d'une alliance, d'une organisation internationale. Les membres de l'O. N. U. Membres d'un État fédéral* (→ Autonome, cit. 2). Par appos. *Les États membres, les pays membres seront consultés.*

♦ **4.** (V. 1570). Chacune des personnes qui forment une communauté. *Les membres de la société. Individu, membre d'un ensemble* (2. Ensemble, cit. 12). *Membres d'un État* (cit. 113). *Les membres de l'Église* (→ Avouer, cit. 2). *Les membres d'une famille* (cit. 3, 4 et 24).

11 On avait vu des petites sociétés républicaines admettre tous leurs membres à la participation des droits politiques, jamais un grand royaume, un empire, comme était la France.   MICHELET, Hist. de la Révolution franç., I, I.

★ **III.** XVIIIᵉ, «portion, partie (d'un fief, etc.)».

♦ **1.** (Mil. XIIIᵉ). «Fragment (d'énoncé) susceptible de constituer une unité intermédiaire entre le mot et la phrase» (Marouzeau). *Membre de phrase* (→ Arrangement, cit. 6; insistance, cit. 1). — Métrique. Partie de vers entre deux coupes. *Les hémistiches, membres égaux de l'alexandrin.*

♦ **2.** (1669). Archit. Partie constitutive d'un édifice. *Membres agroupés* (cit.). *Accord harmonieux des membres* (→ Eurythmie, cit. 1). Ornement architectural, et, spécialt, moulure.

♦ **3.** (1541). Mar. Chacune des grosses pièces qui forment les couples d'un navire. ⇒ **Membrure.**

♦ **4.** (1691). Chacune des deux parties d'une équation ou d'une inéquation, situées respectivement à droite et à gauche du signe. *Termes des membres de l'équation; faire passer un terme d'un membre dans l'autre.* — Figuré :

12 (...) les deux membres d'une équation, entre lesquels il subsistait une éternelle et nécessaire égalité.   DIDEROT, Suppl. au voyage de Bougainville, IV.

DÉR. Membré, 1. membrer, 2. membrer, membron, membru, membrure (V. aussi membrane).

COMP. Démembrer (V. aussi remembrement).

MEMBRÉ, ÉE [mãbʀe] adj. — V. 1131; de *membre.*

♦ **1.** Rare. Pourvu (bien ou mal) en fait de membres. *Bien membré,* qui a des membres vigoureux. ⇒ **Membru.**

1 (...) un corps nu bien portant, bien membré, bien vivant, de belle pousse païenne et saine (...)   TAINE, Philosophie de l'art, t. II, p. 32.

2 (...) pour avoir une belle oie rôtie qui, magnifiquement membrée et brillante de jus, excitait dans son palais des désirs innocents, il avait fallu épouvanter une bête, lutter avec elle, lui tordre le cou et faire couler des mares de sang vers l'évier de la cuisine (...)   PROUST, Jean Santeuil, Pl., p. 282.

(1875). Spécialt. «*Membré (bien ou mal). Qui a un beau ou un pauvre membre, apte ou inapte aux besognes du lit*» (Delvau, *Dictionnaire érotique moderne;* 1864).

♦ **2.** (V. 1500). Blason. Se dit d'un oiseau qui a les pattes d'un autre émail que celui du corps.

1. MEMBRER [mãbʀe] v. tr. — Mil. XIXᵉ; de *membre* (III., 3.).

♦ Techn. (Mar.). Garnir (un navire en construction) de ses membres, de sa membrure.

La construction du bateau avança rapidement. Il était entièrement bordé déjà, et on le membra intérieurement, de manière à relier toutes les parties de la coque, avec des membrures assouplies par la vapeur d'eau, qui se prêtèrent à toutes les exigences du gabarit.   J. VERNE, l'Île mystérieuse, t. II, p. 474.

2. MEMBRER [mãbʀe] v. intr. — 1874, cit.; de *membre,* probablement au sens de «membre viril», par une métaphore comparable à celle de *branler.*

♦ Argot milit. Vx. Travailler durement.

(...) ils passaient leurs journées dans les cours du quartier, poussant éternellement

---

devant eux une brouette qu'ils avaient soin de laisser éternellement vide, s'arrêtant tous les trois pas pour contempler, de leur air calme de rentiers, les camarades qui membraient (...)
                                                    COURTELINE, les Gaîtés de l'escadron, p. 180 (1874).

MEMBRON [mãbʀɔ̃] n. m. — 1752; de *membre.*

♦ Techn. Baguette servant d'ourlet dans un faîtage. *Membron en zinc. Membron d'un comble mansardé; membrons à bourseaux.*

MEMBRU, UE [mãbʀy] adj. — V. 1131; de *membre.*

♦ Qui a les membres (I., 1.) gros et vigoureux. ⇒ **Membré** (bien). *Un homme court et membru. Femme membrue comme un homme* (→ Graisse, cit. 5).

Dom *Séverino* était un homme (...) d'une belle physionomie, l'air frais encore, taillé en homme vigoureux, membru comme *Hercule* (...)
                                                    SADE, Justine..., t. I, p. 139.

MEMBRURE [mãbʀyʀ] n. f. — 1552; *membreüre,* XIIᵉ; de *membre.*

♦ **1.** Littér. Ensemble des membres d'une personne, considérés dans leur constitution. *Membrure forte, délicate.*
Par anal. de forme. *Membrure fine et puissante d'un arbre* (cit. 31).

♦ **2.** (1690). Techn. Ensemble des membres d'un navire, charpente. *Membrure d'un paquebot* (→ Fouetter, cit. 8). *Poser la membrure.* ⇒ 1. **Membrer** (cit.). — Chacune des «poutres placées dans des plans transversaux, attachées à la quille, soutenant le bordé, et sur lesquelles viennent se fixer les barrots des ponts» (Gruss).
Forte pièce de bois qui sert de point d'appui à une charpente ou à un assemblage. *Membrure d'une porte.*

MÊME [mɛm] adj., pron. et adv. — 1271, *mesme; medisme,* v. 1050 puis *meïsme, mesme;* lat. pop. **metipsimus,* superl. de **metipse,* lat. *egometipse* «moi-même en personne».

★ **I.** Adj. indéf. ♦ **1.** (1080). En fonction d'épithète, placé devant le nom auquel il s'accorde en nombre, et régulièrement précédé d'un article ou d'un déterminatif.

Cet adjectif, sans être de soi un indéfini, peut jouer un rôle syntaxique qui l'apparente à cette sorte de mots (...) *Même,* comme le lat. *idem,* marque proprement l'identité (= qui n'est pas *autre*). Il suppose, comme tel, une comparaison, implicite ou explicite. Celle-ci peut porter soit sur deux états successifs d'un seul être (vous n'êtes plus *le même* qu'autrefois), soit sur des êtres distincts (ce n'est pas *le même* livre que le vôtre). Pris de ces façons-là, *même* est un adjectif qui, pour le sens, est l'antonyme de *autre.*
                                                    G. et R. LE BIDOIS, Syntaxe du franç. moderne, n° 483.

a (Marquant l'identité absolue). *La même personne. Une seule et même chose. Dire toujours la même chose* (cit. 30). *Vouloir et réussir ne sont pas la même chose.* ⇒ **Deux** (cela fait deux). — *Le même jour* (→ Hasard, cit. 4), *au même lieu* (→ Incendie, cit. 6). *S'asseoir sur le même banc* (→ Amoureusement, cit. 2). *Appartenir à la même communauté* (cit. 2). *Mettre tous ses œufs* dans le même panier. Relire sans cesse les mêmes livres. Voir page 9 du même ouvrage.* ⇒ **Ibidem.** *Ils exercent le même métier, sont de la même corporation* (⇒ **Collègue, confrère;** → Apprenti, cit. 2). *Nom commun aux individus d'une même espèce. Tendre vers un même but* (⇒ **Commun; converger**). *Ils font le même trajet, mais en sens inverse*. Du même coup* (cit. 74.1, fig.). *Répéter mécaniquement les mêmes gestes, les mêmes mots* (⇒ **Stéréotyper**). *Il dit tout sur le même ton* (⇒ **Monotone**). *De la même façon* (⇒ **Uniment**). *Elle est bien la même femme qu'autrefois, elle a gardé le même caractère.* ⇒ **Soi** (soi-même; être, rester).

2 (...) quand on joue à la paume, c'est une même balle dont joue l'un et l'autre, mais l'un la place mieux.   PASCAL, Pensées, I, 22.

3 Il s'avança, au milieu des balles et des obus, sans hâte, du même allure morne et indifférente,   ZOLA, la Débâcle, II, I.

4 Vous continuerez d'habiter les mêmes chambres, le même fauteuil, de voir le même horizon dans le cadre de la même fenêtre. Échappez donc à tout cela! Il y a si peu de jours dans la vie : faites que pas un d'eux ne ressemble au suivant.
                                                    Pierre LOUŸS, les Aventures du roi Pausole, I, IX.

4.1 Vivant toujours ensemble dans cette grande demeure où ils partageaient entre eux l'autorité sur les sœurs et les surveillantes, ayant les mêmes études, les mêmes chefs, les mêmes devoirs, les mêmes camarades, les mêmes sujets de préoccupation, de réflexion, de satisfaction, de plaisanteries, leur amitié les réunissait par mille liens différents et entrecroisés (...)
                                                    PROUST, Jean Santeuil, Pl., p. 696.

b (Marquant la simultanéité). *Dans le même temps, en même temps.* ⇒ **Simultanément.** *Ils sont arrivés en même temps.* ⇒ **Ensemble.** *Toutes les portes de la ville s'ouvrent en même temps* (→ Essaim, cit. 2). *Événements qui ont lieu en même temps.* ⇒ **Simultané.** — REM. *En même temps* ne signifie pas toujours «*au même moment, à la même époque*», mais parfois «*aussi bien que, à la fois*» : *avoir en même temps de l'esprit et du goût.*

c (Marquant la similitude). ⇒ **Analogue, pareil, semblable, similaire, tel** (que). «*Plus ça change* (cit. 66), *plus c'est la même chose*» (A. Karr). *Faire la même chose que quelqu'un* (⇒ **Imiter**). *Il fait toujours les mêmes bêtises* (→ Il n'en fait pas d'autres*).

Éléments de même nature (⇒ **Homogène**). *Arguments de la même farine* (cit. 7). ⇒ **Ejusdem farinæ**. *Tous sont du même avis.* ⇒ **Accord** (d'); unanime. — *De la même manière, de la même façon.* ⇒ **Ainsi** (que), **aussi** (aussi bien que), **pareillement.**

5 La cellule est identique pour tous. Tous subissent la même tonsure, portent le même froc, mangent le même pain noir, dorment sur la même paille, meurent sur la même cendre. Le même sac sur le dos, la même corde autour des reins.
HUGO, les Misérables, II, VII, IV.

6 M. Jacques de Féraudy a du sociétaire de la Comédie-Française le même front, les mêmes yeux, le même nez, la même bouche, le même menton, la même voix, le même rictus, les mêmes gestes, la même démarche, les mêmes poses, les mêmes mouvements de physionomie (...)
Paul LÉAUTAUD, le Théâtre de M. Boissard, XXVII.

6.1 Rien n'a changé
Ce sont les mêmes lieux et les mêmes choses,
Presque les mêmes mots (...)
Y. BONNEFOY, Poèmes, p. 271.

d (Marquant l'égalité*). ⇒ **Égal** (cit. 2). *Une même quantité de...* ⇒ **Autant** (de). *Être de même grandeur, de même valeur* (⇒ **Égaler, équivaloir**), *sur le même rang.* ⇒ **Ex æquo** (cit.); **pair** (de). — *Au même degré, au même titre que...* ⇒ **Autant** (que).

7 Sans perdre contact avec ses actions, sans cesser d'en éprouver la saveur avec acuité, elle ne s'en trouvait pas responsable au même degré qu'à Paris.
J. ROMAINS, les Hommes de bonne volonté, t. V, XXVI, p. 264.

REM. 1. L'ellipse de l'article ou du déterminatif, fréquente aux XVIᵉ et XVIIᵉ (*Coucher* [1. Coucher, cit. 8, La Fontaine] *sous même toit*), se fait encore de nos jours après la préposition *de* (*Entre gens de même formation,* cit. 3) et parfois aussi dans la langue littéraire (→ ci-dessous, cit. Musset) ou très familière (« *Et pour vous, qu'est-ce que ce sera ? — Même chose !* »).

8 Toujours mêmes acteurs et même comédie.
A. DE MUSSET, Poésies nouvelles, « Nuit d'août ».

2. Le second terme de la comparaison est généralement introduit par le conjonctif *que* (*Fille de même humeur que son frère* → Lequel, cit. 3), quelquefois par le disjonctif *ou* (*Cela ne signifie pas la même chose pour vous ou pour moi*), plus rarement par le corrélatif *et* (« *Les mots n'ont pas le même sens pour l'un et pour l'autre* », M. Prévost, *in* G. et R. Le Bidois, Syntaxe du franç. mod., nº 1182). — Par ellipse, *même* est parfois en corrélation avec un pronom ou un adverbe relatif. *Nous l'avons revu au même lieu où nous l'avions rencontré l'autre jour :* au même lieu (que celui) où...

♦ **2.** (Placé immédiatement après un nom ou un pronom, pour indiquer qu'il s'agit exactement de l'être ou de la chose en question).

a (1080). Après un nom ou un pronom démonstratif. *Dieu même a parlé en Judée* (→ Attester, cit. 3). ⇒ **Personne** (en). — *À l'heure même de la mort. Ce sont ses paroles mêmes.* ⇒ **Propre** (→ 2. Idéal, cit. 3). *Introduire l'hérésie au sein même de l'Église* (→ Fraude, cit. 9). *C'est cela même. Ceux-là mêmes qui foulent la justice* (cit. 13) *aux pieds.*

9 (...) les connaissances, les faits et les découvertes s'enlèvent aisément, se transportent, et gagnent même à être mises en œuvre par des mains plus habiles. Ces choses sont hors de l'homme. Le style est l'homme même (...)
BUFFON, Discours sur le style.

10 Je suis Parisien, moi, et pas de Pantin, de Paris même.
J. ROMAINS, M. Le Trouhadec..., III, 3.

11 Il nous a dit tout de suite (...) qu'il y avait une friture de poissons qu'il avait pêchés le matin même (...)
CAMUS, l'Étranger, I, VI.

(Au sens de « par soi seul, par l'effet de sa propre nature »). *La pâleur même de son teint indique qu'il est malade :* sa pâleur suffit à montrer qu'il est malade.

12 La vie même, par ce qu'elle est passage de l'adolescence à la vieillesse, fait que le sentiment le plus profond de l'homme ne se conçoit, lui aussi, que selon une métamorphose.
MALRAUX, les Voix du silence, p. 415.

b (V. 1050). Après un nom attribut désignant une qualité physique ou morale, *même* indique que la personne ou la chose en question possède cette qualité au plus haut point. *C'est le dévouement même* (→ Le dévouement incarné, le dévouement en personne). *Il était la jeunesse même* (→ Jeune, cit. 11). « *Sainte Thérèse était la bonté même* » (→ Liguer, cit. 3, Huysmans). — REM. Dans la langue classique, *même,* en ce sens, se plaçait parfois avant le nom (→ ci-dessous, cit. Corneille).

13 Sais-tu que ce vieillard fut la même vertu,
La vaillance et l'honneur de son temps ? Le sais-tu ?
CORNEILLE, le Cid, II, 2.

14 Manon était la douceur et la complaisance même.
Abbé PRÉVOST, Manon Lescaut, I, p. 50.

15 Valtier est une haute conscience, la loyauté même (...)
M. AYMÉ, la Jument verte, III.

REM. Accord de *même* : « Dans un grand nombre de phrases où *même* est placé après un nom ou après un pronom démonstratif, on peut le considérer comme adjectif ou comme adverbe, suivant le point de vue où l'on se place » (Grevisse, nº 459, B, REM. 2). → Ci-dessous, III., 1. *Être au-dessus des atteintes* (cit. 16) *même de tout mal. Les incroyants mêmes conviendront que le désespoir est un attentat* (cit. 12, Sartre) *de l'homme contre lui-même.*

c (V. 1050). Joint par un trait d'union à un pronom personnel accentué ou au réfléchi *soi :* moi-même, toi-même, lui-même, elle-même, nous-mêmes, vous-mêmes, eux-mêmes, elles-mêmes; soi-même. *Il vient ici lui* (cit. 65) *-même. Nous ferons ce travail nous-mêmes.*

REM. 1. Le personnel ainsi renforcé peut servir de pronom réfléchi. *Cet attachement* (cit. 7) *que nous avons à nous-mêmes. On gémit sur soi-même* (→ Grossir, cit. 13).

2. « La clarté avec laquelle ce personnel renforcé désigne la personne est cause qu'en sa présence on peut supprimer le pronom conjoint : « *Lui-même se refusa à tout autre renseignement* » Mauriac, *le Nœud de vipères,* p. 89. C'est aussi cette puissance de désignatif qui en explique l'emploi dans une réponse, quand il s'agit de présenter quelqu'un. « *Monsieur Henri Charrier, je crois ? — Lui-même.* » Augier, *les Effrontés,* IV, 4... Le personnel renforcé par *même...* peut aussi être attribut ou complément d'objet. « *J'ose enfin être moi-même.* » E. Rostand, *Cyrano,* III, 6... « *Dans notre douce France, où l'on aime à se calomnier soi-même.* » Proust, *Guermantes,* I, 220. » (G. et R. LE BIDOIS, *Syntaxe du franç. mod.,* § 284).

3. Le personnel renforcé par *même* peut équivaloir à *moi aussi, lui aussi... (Je peux bien me moquer des Parisiens, car moi-même, je suis Parisien)* ou à l'adverbe *même* (→ ci-dessous, III., 1.). *Lucien lui-même était parti :* Lucien aussi était parti, *même* Lucien était parti.

(1868). *De moi-même, de lui-même,* etc. : de mon, de son plein gré (⇒ **Spontanément**), ou par ses propres moyens. *Il s'est remis de lui-même au travail.*

16 Le monde n'est donc pas un grand animal qui se meuve de lui-même.
ROUSSEAU, Émile, IV.

Subst. (1640). *Un autre moi-même* (⇒ **Alter ego**), *un autre lui-même.*

17 Pauvre charme agreste, à demi évaporé, je ne puis même te léguer à un autre moi-même (...)
COLETTE, la Maison de Claudine, p. 207.

★ **II.** Pron. indéf. ♦ **1.** (1642). *Le même, la même, les mêmes.*

18 À ces acceptions et valeurs héréditaires de *même,* dont le latin rend compte, le français en a ajouté une autre toute nouvelle, celle du *nominal.* C'est le cas, lorsque ce mot, précédé de l'article défini, s'emploie d'une façon absolue, c'est-à-dire sans s'appuyer sur aucun substantif, sans se rapporter à aucun nom (...) On peut douter si c'est encore le nominal qu'on retrouve dans ce genre d'expression où, sans être suivi d'un nom ni pris comme adjectif, il a une valeur qui paraît flotter entre celle du nom et de l'adjectif... « *Vous me reconnaissez exactement la même* ». Becque, *La Parisienne,* II, 5. Quoi qu'il en soit, il s'emploie souvent de cette façon absolue. »
G. et R. LE BIDOIS, Syntaxe du franç. moderne, § 484.

a (En fonction d'attribut). *Elle sera toujours la même. Ils sont tous les mêmes. Ces deux articles de lois sont les mêmes,* exactement semblables. *Une femme qui n'est « ni tout à fait la même ni tout à fait une autre* » (cit. 44, Verlaine; → aussi autre, cit. 133, Pascal). « *Ce sont toujours les mêmes qui se font tuer* » (Phrase attribuée au Maréchal Bugeaud).

19 La nature humaine est toujours la même, quoi que disent les barbouilleurs de couleur locale (...)
Th. GAUTIER, les Grotesques, I, p. 28.

19.1 (...) j'avais connu des personnes portant le même nom, mais si différentes que je ne pouvais croire que ce fussent les mêmes.
PROUST, le Temps retrouvé, Pl., t. III, p. 931.

b (En appos.). « (...) *quelques autres particularités physiques toujours les mêmes (...)* » (Proust, *À la recherche du temps perdu,* t. III, p. 75).

c *Le même,* complément d'objet, direct ou indirect. *Je vois toujours les mêmes. « Pourquoi la vie ouvre-t-elle ses corbeilles toujours aux mêmes ?* » (E. Estaunié, *l'Ascension de M. Baslèvre,* III, 1).

♦ **2.** (XVᵉ). Vx. (Sens neutre). *Le même :* la même chose. « *C'est quasi le même de converser avec les autres siècles que de voyager* » (Descartes, *Discours de la méthode,* I). — Loc. (1671). Mod. « *Cela revient au même* ». ⇒ **Un** (c'est tout). — (1867). Fam. « *C'est du pareil au même* » (→ Kif-kif, c'est du kif).

20 — On dirait que vous avez aimé Argelouse. — Aimé ? non, mais j'y ai tellement souffert que cela revient au même.
F. MAURIAC, la Fin de la nuit, V.

★ **III.** Adv. ♦ **1.** (1551). Employé avec une valeur de renchérissement, particulièrement dans une gradation. *Il est gros et même obèse.* « *Mais fidèle, mais fier, et même un peu farouche* » (Racine). ⇒ **Voire.** *Les étrangers, et même les gens de mon pays* » (→ Instructif, cit. 1). *Son habileté étonnait même les professionnels.* ⇒ **Aussi, jusque.** — *Un nom, une idée, moins même, une intonation.* ⇒ **Encore** (→ Cabrer, cit. 12). — *Ne... pas même* (→ Appui, cit. 15; attente, cit. 22; chanter, cit. 19). *Je ne me rappelle même plus* (→ Brouiller, cit. 20). — *Sans même* (→ Folâtrer, cit. 3).

21 (...) même l'homme robuste faiblit, et même l'homme jeune chancelle (...)
GIDE, Bethsabé, 1.

(Entre un pronom démonstratif et un pronom ou adverbe relatif. → Précisément). *Je suis allé consulter un médecin, celui même que vous m'aviez recommandé. En ces lieux même où je l'ai rencontrée.*

(Déb. XXᵉ). Après un adverbe de lieu ou de temps. Exactement. ⇒ **Précisément.** *C'est ici même que je l'ai rencontré. C'est alors même qu'il arriva.*

♦ **2.** (XVIᵉ). *Même quand, même lors* (cit. 2, 3 et 4), *même alors que, même si...,* suivi d'une proposition à valeur concessive. « *Ces hommes qui ne pourraient pas se montrer justes, même s'ils le voulaient* » (France, *les Opinions de J. Coignard,* XXI, X, p. 242).

REM. 1. *Même quand* n'est pas synonyme de *quand même* et, loin de renforcer l'opposition, l'atténue et met l'accent sur l'indication temporelle. «*Même quand l'oiseau marche, on sent qu'il a des ailes*» (A. Lemierre, *Fastes*, I). Cf. G. et R. Le Bidois, *Syntaxe du franç. mod.*, § 1647.

2. *Si même* renchérit sur une autre supposition. *S'il arrivait en retard, si même il ne venait pas, nous pourrions tout de même commencer à travailler sans lui.*

♦ **3.** (Déb. xxᵉ). *Quand même, quand bien même*, introduisant une proposition concessive au conditionnel. «*Les femmes doivent se soumettre à leurs maris quand même elles n'en approuveraient* (cit. 15) *point les idées*» (équivaut à : même si elles n'approuvent point...). «*Quand même vous auriez arraché les canines* (cit. 3) *du tigre...* ». *Quand bien même cela serait... :* en admettant même que...

(Depuis le déb. du xixᵉ). *Quand même* employé sans verbe au sens de «cependant, néanmoins» (→ Légitimiste, cit.).

22 Si je meurs, ce sera en t'adorant *quand même*, ainsi que j'ai vécu !
                                    STENDHAL, la Chartreuse de Parme, II, XXIII.

23 Toutes les jeunes filles à marier doivent être aimées *quand même* ! Néanmoins, vous n'êtes pas homme à vouloir marier votre chère Modeste sans dot (...)
                                    BALZAC, Modeste Mignon, Pl., t. I, p. 561.

Spécialt. **a** (1839). *Quand même* au sens adversatif de «malgré tout, envers et contre tous» (→ Tout de même). *Je le ferai quand même* (Académie). *Nous passerons quand même.*

b Fam. *Quand même* au sens de «il faut l'avouer, à vrai dire, on en conviendra» «*On travaillerait ensemble et ce serait quand même plus gai*» (Duhamel, *Chronique des Pasquier*, I, XV).

(Déb. xxᵉ). Absolt et exclam. *Quand même, tu exagères ! Tu aurais bien pu m'écrire, quand même !* (→ ci-dessous, Tout de même).

♦ **4.** *Tout de même* (adverbe d'égalité à l'origine), employé au sens de «néanmoins». «*Donne-lui tout de même à boire, dit mon père*» (Hugo).

(1668). Fam. *Tout de même* au sens adversatif *(Il le fera tout de même)* ou dans des tournures exclamatives (→ ci-dessus, Quand même, spécialt, a, b). *Il exagère, tout de même ! Tout de même, c'est un peu fort ! Allez-vous finir ? Non, mais tout de même !*

♦ **5.** Loc. adv. (Av. 1654). *De même, tout de même.* ⇒ **Ainsi, avenant** (à l'), **idem, manière** (de la même), **mêmement, pareillement, semblablement ; dito** (t. de comm.). *Il n'en va pas de même de.* ⇒ **Autrement.** *Il en va de même pour lui, de ses affaires :* c'est aussi son cas, le cas de ses affaires. — REM. Jusqu'au xviiiᵉ *de même* pouvait s'employer avec une valeur d'adjectif au sens de «semblable, pareil».

24 Jamais il ne s'est vu de surprise de même (...)   MOLIÈRE, Tartuffe, IV, 5.

25 Jadis, au couvent du Sacré-Cœur, elle avait aimé Dieu avec passion ; elle le craignait de même en cette circonstance.   STENDHAL, le Rouge et le Noir, I, XIX.

26 (...) il s'agissait d'un dîner de famille offert en voisins, et qu'on serait heureux de nous voir accepter de même.   E. FROMENTIN, Dominique, I.

♦ **6.** Loc. conj. (Av. 1549). *De même que,* (vx) *tout de même que...* ⇒ **Ainsi** (que), **aussi** (bien que), **comme,** et aussi **manière** (de la même manière que).

REM. 1. La proposition comparative introduite par *de même que* se place souvent avant la principale.
2. *De même que* peut être repris dans la principale par *de même, ainsi, aussi* (→ Assemblage, cit. 17 ; autorité, cit. 16).

27 De même que le culte du foyer domestique était secret et que la famille seule avait droit d'y prendre part, de même la culte du foyer public était caché aux étrangers.   FUSTEL DE COULANGES, la Cité antique, III, VI.

28 Et il fallait bien qu'elle fût debout la première, pour la soupe de quatre heures, de même qu'elle se couchait la dernière, quand elle avait servi le gros repas de neuf heures, le lard, le bœuf, les choux.   ZOLA, la Terre, III, IV.

(1839). Pop. *Même que.* (En tête d'une phrase, à l'indicatif ou au conditionnel). Et même, bien plus. «*Même que le colonel Macon vient d'être tué*» (Stendhal, *la Chartreuse de Parme*, III).
À preuve que. «*C'est vrai ; même que je lui ai promis d'intercéder auprès de saint Joseph*» (Clément Vautel, *Mon curé chez les pauvres*, p. 311).

28.1 I s'appelle Étienne Marcel.
— Comme la rue ?
— Oui, même que Dominique lui a fait remarquer.
                                    R. QUENEAU, le Chiendent, p. 63.

♦ **7.** Loc. prép. (Fin xviiᵉ). *À même de...,* suivi d'un infinitif : capable, en état, en mesure, libre de... *Je voudrais connaître cette femme pour être à même de lui rendre service* (→ Attache, cit. 16). *Cela le met à même de gagner honorablement* (cit. 2) *sa vie*, le rend capable, lui permet de...

29 Un système continu de notes met le lecteur à même de vérifier d'après les sources toutes les propositions du texte.
                                    RENAN, Vie de Jésus, Introd., Œ. compl., t. IV, p. 43.

♦ **8.** Loc. ellipt. (V. 1265). *À même... Boire à même la cruche :* à la cruche elle-même, directement. *Mordre à même une lame de jambon* (cit. 4). *Trancher à même la chair* (cit. 11) *vive. Cave creusée à même le roc,* dont les parois sont faites du roc lui-même. *Coucher à même le sol,* sur le sol même.

30 Il saisit la bouteille et but, à même le goulot, à longues gorgées, avec avidité.
                                    MAUPASSANT, Bel-Ami, I, VII.

31 Il y avait un escalier si noir et si puant qu'il semblait percé à même un bloc de crasse.   G. DUHAMEL, Salavin, I, XIII.

32 Je me suis fait cuire des œufs, et je les ai mangés à même le plat, sans pain (...)
                                    CAMUS, l'Étranger, I, II.

CONTR. Autre, contraire, distinct, divers, inégal, inverse.
DÉR. Mêmement.

MÉMÉ [meme] n. f. — xixᵉ; var. dial. de *mémère.*

♦ **1.** Fam. (Généralement en appellatif ou précédé d'un possessif). Grand-mère, dans le langage enfantin et familier (→ Bonnemaman).

L'intervention énergique de cette grand-mère, que nous n'avions pas le droit   1
d'appeler mémé, mais qui avait le cœur de ce diminutif plébéien, nous avait sauvés de sévices inconnus (...)   Hervé BAZIN, Vipère au poing, p. 21.

♦ **2.** (xxᵉ). Péj. Femme d'un certain âge, estimée sans séduction (⇒ **Mémère**). Var. graphique : *mémée.*

Aux yeux des hommes, passé cinquante ans — et je suis large—, une femme n'est   2
plus qu'une mémée.   Benoîte et Flora GROULT, Journal à quatre mains, p. 88.

MÊMEMENT [mɛmmɑ̃] adv. — Mil. xvᵉ ; *meesmement,* xiiᵉ ; de *même.*
Vieux.

♦ **1.** De même, pareillement. *Vendredi chair ne mangeras, ni le samedi mêmement.*

Le romantisme ainsi regardé fut donc ce à quoi le naturalisme riposta, et ce contre quoi s'assembla le Parnasse ; et il fut mêmement ce qui détermina l'attitude particulière de Baudelaire.   VALÉRY, Variété II, p. 134.

♦ **2.** Principalement.

MÉMENTO [memɛ̃to] n. m. — 1373 ; «mémoire», v. 1354 ; mot lat. proprt «souviens-toi» ; de *meminisse* «se souvenir».

♦ **1.** Relig. Prière de souvenir appartenant au canon de la messe. *Mémento des vivants. Mémento des morts.* ⇒ **Commémoration.**
(Av. 1885). Image en souvenir d'un mort.

♦ **2.** (1641). Vieilli. Note, marque destinée à rappeler le souvenir d'une chose passée ou à faire.

♦ **3.** (Av. 1850). Vieilli. Agenda.

♦ **4.** (1902). Vieilli (sauf comme titre). Résumé, aide-mémoire. *Des mémentos. Mémento de géographie.*

MEMENTO MORI [memɛ̃tomɔri] n. m. invar. — 1903 ; expression latine signifiant «souviens-toi que tu es mortel».

♦ Objet de piété, tête de mort (en ivoire, rongée par des serpents ou des vers), qui aide à se pénétrer de l'idée de néant. *Des memento mori.*

MÉMÈRE [memɛr] n. f. — 1833 ; redoublement enfantin de *mère.*

♦ **1.** (xxᵉ). Pop. Nom enfantin pour «grand-mère*» ⇒ **Mémé.**

♦ **2.** Fam. Grosse femme d'un certain âge. *Une grosse mémère à bigoudis* (cit.). *Le chienchien à sa mémère.*

C'est là que j'ai rencontré, pour la première fois, Héloïse, tu sais, la grosse mémère blonde (...)   HUYSMANS, En ménage, III.

1. MÉMOIRE [memwar] n. f. — V. 1138 ; *memorie,* v. 1050 ; lat. *memoria.*

★ **I.** ♦ **1.** Faculté de conserver et de rappeler des états de conscience passés et ce qui s'y trouve associé ; l'esprit, en tant qu'il garde le souvenir du passé. ⇒ **Mnémo-, -mnésie ; souvenir,** (vx) **souvenance.** *La mémoire, réceptacle de connaissances* (→ Étui, cit. 6), *comparée à une cire qui garde l'empreinte des états vécus, à un palimpseste* (→ Embaumer, cit. 2)... *La mémoire garde, enregistre, retient... sélectionne et modifie les souvenirs* (→ Élaboration, cit. 5). *Contenu de la mémoire. L'arrière-fond* (cit. 3), *les trésors obscurs de la mémoire* (→ Chercher, cit. 39). *Mémoire encombrée* (cit. 10) *de souvenirs.* «*L'esprit* (cit. 41) *n'est que sensibilité et mémoire*» (Helvétius). *Rôle de la mémoire dans la vie pratique, dans la création artistique* (→ Bref, cit. 9 ; créateur, cit. 12). *L'imagination** (cit. 22) *et la mémoire.*

Il faut compenser l'absence par le souvenir. La mémoire est le miroir où nous   1
regardons les absents.   Joseph JOUBERT, Pensées, V, LV.

(...) il me paraît, en ce moment, que la mémoire est une faculté merveilleuse et   2
que le don de faire apparaître le passé est aussi étonnant et bien meilleur que le don de voir l'avenir.
                                    FRANCE, le Livre de mon ami, «Livre de Pierre», Dédicace.

Certes, on peut prolonger les spectacles de la mémoire volontaire, qui n'engage   3
pas plus de forces de nous-mêmes que feuilleter un livre d'images (...) je m'étais dit, en cataloguant ainsi les illustrations de ma mémoire : «J'ai tout de même vu de belles choses dans ma vie.»
                                    PROUST, À la recherche du temps perdu, t. XV, p. 15-16.

4 Loin de porter ombrage à l'intelligence, la mémoire l'alimente, la suscite, lui fournit des matériaux. G. DUHAMEL, Inventaire de l'abîme, V.

Avoir, garder dans sa mémoire, en mémoire. ⇒ **Rappeler** (se), **retenir, savoir, souvenir** (se). *Ne plus avoir en mémoire.* ⇒ **Oublier.** *Étudier*, repasser, répéter* (un texte) *pour fixer dans sa mémoire.* ⇒ **Mémoriser.** *Charger sa mémoire d'une connaissance; meubler, enrichir* (cit. 7), *orner sa mémoire. Surcharger, encombrer sa mémoire. On ne peut rien lui faire entrer dans la mémoire* (→ Dans la tête*, la caboche*). *« Ce qui touche le cœur* (cit. 139) *se grave dans la mémoire »* (Voltaire). ⇒ **Marquer.** *Sentiment, événement qui vit* dans nos mémoires* (→ Barbe, cit. 19); *toujours vivant, présent à la mémoire* (→ Gravé en lettres* d'or). *Fait digne de mémoire.* ⇒ **Mémorable.** *Vers qui chantent dans la mémoire* (→ Cou, cit. 5). *Souvenir, passé qui revient*, remonte à la mémoire* (→ Bouffée, cit. 5; félonie, cit.), *à fleur* (cit. 39 et 40) *de mémoire. Souvenir qui s'efface* (cit. 22), *sort de la mémoire, échappe à la mémoire. Rappeler à la mémoire.* ⇒ **Évoquer, penser** (à), **recorder, remémorer** (se), **repasser** (dans), **reporter** (se), **ressouvenir** (se), **revivre, revoir.** *Évocation** (cit. 11) *par la mémoire. Se remettre une chose en mémoire. Chercher, fouiller* (cit. 31) *dans sa mémoire pour trouver un souvenir, un mot* (→ Agression, cit. 2). *Consulter sa mémoire. Efforts* (cit. 10) *de mémoire. Rayer de sa mémoire :* s'efforcer d'oublier (→ Fumée, cit. 14).

5 Nous ne travaillons qu'à remplir la mémoire, et laissons l'entendement et la conscience vide. MONTAIGNE, Essais, I, XXV.

6 Savoir par cœur n'est pas savoir : c'est tenir ce qu'on a donné en garde à sa mémoire. MONTAIGNE, Essais, I, XXVI.

7 J'ai présent à la mémoire, comme si je le voyais encore, le spectacle dont je fus témoin lorsque Louis XVIII, entrant dans Paris le 3 mai, alla descendre à Notre-Dame (...) CHATEAUBRIAND, Mémoires d'outre-tombe, t. III, p. 314-315.

8 Rien de ce qu'il m'a dit ne s'est effacé de ma mémoire, et je le répéterai presque mot pour mot. A. DE VIGNY, Servitude et Grandeur militaires, III, II.

9 Détails oubliés, impressions anciennes nous revenaient en mémoire, tandis que lentement nous regagnions la maison, faisant à chaque pas de longues stations pour mieux échanger nos souvenirs.
ALAIN-FOURNIER, le Grand Meaulnes, III, II.

10 (...) il a tout retenu, parce que sa mémoire, où tout s'imprimait fortement, gardait ses lectures comme gravées dans l'airain.
Louis MADELIN, Hist. du Consulat et de l'Empire, « De Brumaire à Marengo », VI.

11 Ces souvenirs qu'un hasard avait fait lever des bas-fonds de sa mémoire, flottaient obstinément à la surface (...) MARTIN DU GARD, les Thibault, t. III, p. 267.

(XIVe). Faculté collective de se souvenir. *La mémoire de la postérité :* la faculté collective de garder le souvenir des hommes, des événements... *S'inscrire* (cit. 2), *rester, durer dans la mémoire des hommes* (→ Broussaille, cit. 3; illustrer, cit. 3). *Nom resté exécrable* (cit. 5) *dans la mémoire du peuple.* Absolt. *« Ô siècles, ô mémoire, conservez* (cit. 8) *à jamais ma dernière victoire »* (Corneille).

12 Mon esprit, peu jaloux de vivre en la mémoire,
ne considère point le reproche ou la gloire. VOLTAIRE, la Mort de César, III, 2.

13 Ainsi, quand je serai perdu dans la mémoire
Des hommes (...) BAUDELAIRE, les Fleurs du mal, « Spleen et idéal », XLVIII.

(Qualifié ou en contexte). Degrés de tension et de vitalité de la mémoire. *Avoir une bonne mémoire, la mémoire prompte, beaucoup de mémoire* (→ Esprit, cit. 93), *la mémoire tenace. Mémoire fidèle* (cit. 25), *sûre, qui ne laisse rien échapper* (cit. 14). *Mémoire sans défaillance* (cit. 4), *prodigieuse. Il, elle a une mémoire extraordinaire, incroyable. Il faut une bonne mémoire après* (cit. 18) *qu'on a menti.* — (1668). *Si j'ai bonne mémoire :* si mes souvenirs sont exacts. *Si ma mémoire est exacte.* — *Avoir une mauvaise mémoire* (→ Frime, cit. 2), *mauvaise mémoire. Avoir peu de mémoire* (→ Contention, cit. 4). *Avoir la mémoire courte* (cit. 12) : oublier très vite. *Mémoire infidèle, incertaine, labile, défaillante... Les défaillances de notre mémoire.* ⇒ **Oubli; absence** (→ Effacement, cit. 1; imaginaire, cit. 5). *Lacune** (cit. 5), *trou*, lapsus de mémoire* (→ Compte, cit. 23). *Mémoire qui se trouble, vacille dans un récit* (→ Perdre le fil*). *Ma mémoire m'a trahi. Se défier de sa mémoire* (→ Hémistiche, cit. 3). *Perdre la mémoire en vieillissant* (→ Brouiller, cit. 10; gâteux, cit. 3). *Exercer, entraîner, cultiver, fortifier sa mémoire.* ⇒ **Mnémotechnie, mnémotechnique** (→ Augmenter, cit. 3), **mémorisation.** *Exercice de mémoire. Aider la mémoire de qqn.* ⇒ **Souffler; rafraîchir** (les idées). — (1549). *Rafraîchir la mémoire à qqn,* lui remettre qqch. en mémoire.

14 Tout le monde se plaint de sa mémoire, et personne ne se plaint de son jugement.
LA ROCHEFOUCAULD, Réflexions morales, 89.

15 Pourquoi faut-il que nous ayons assez de mémoire pour retenir jusqu'aux moindres particularités de ce qui nous est arrivé, et que nous n'en ayons pas assez pour nous souvenir combien de fois nous les avons contées à une même personne ?-
LA ROCHEFOUCAULD, Maximes, 313.

16 Mais, garçon de quinze ans, si j'ai bonne mémoire (...)
LA FONTAINE, Fables, III, 1.

17 (...) j'ai rafraîchi ma mémoire de tout ce que vingt-deux jours de fièvre m'avaient un peu effacé (...) Mme DE SÉVIGNÉ, 531, 4 mai 1676.

18 Avec une âme de feu, Julien avait une de ces mémoires étonnantes si souvent unies à la sottise. STENDHAL, le Rouge et le Noir, I, V.

19 Il y a là un grand trou dans ma mémoire.
Alphonse DAUDET, le Petit Chose, II, XV.

Loc. adv. (1671). **DE MÉMOIRE :** en usant de sa mémoire, sans avoir la chose sous les yeux. *Dire un texte, réciter* de mémoire.* ⇒ **Cœur** (par cœur). *Citer un auteur de mémoire. Dessiner* (cit. 2) *de mémoire,* sans modèle.

(...) ceux qui s'étonnent qu'un artiste de piano ou de violon puisse jouer de 20
mémoire, font voir simplement qu'ils ignorent l'obstiné travail par quoi on est artiste. ALAIN, Propos, 28 avr. 1921, Épreuves p. caractère.

(Formes, spécialisations de la mémoire). *Mémoire intellectuelle* (→ Illustre, cit. 10), *visuelle, auditive.* — *Mémoire de... :* aptitude à se rappeler spécialement (certaines choses). *Avoir la mémoire des noms, des lieux... des visages* (→ Impératrice, cit. 2).

(...) les enfants, n'étant pas capables de jugement, n'ont point de véritable 21
mémoire. Ils retiennent des sons, des figures, des sensations, rarement des idées, plus rarement leurs liaisons. ROUSSEAU, Émile, II.

Le cœur a sa mémoire à lui. Telle femme incapable de se rappeler les événe- 22
ments les plus graves, se souviendra pendant toute sa vie des choses qui importent à ses sentiments. BALZAC, la Femme de trente ans, Pl., t. II, p. 726.

Précieuse, à vrai dire, m'apparaît la mémoire des lieux, des visages, des odeurs. 23
Celle-là, je prends plaisir à l'exercer par des moyens indirects.
G. DUHAMEL, les Plaisirs et les Jeux, III, V.

Absolt. Bonne mémoire. *Avoir de la mémoire. Il faut de la mémoire pour être exact* (cit. 8). *L'éléphant ne manque pas de mémoire. N'avoir aucune mémoire* (→ C'est une cervelle* de lièvre; ce qu'on lui dit entre par une oreille* et ressort par l'autre).

Moi, je n'ai pas de mémoire. Excepté pour ton anniversaire, chéri. Cela, je ne 24
l'oublie jamais. GIRAUDOUX, Électre, I, 2.

Myth. *Nom de Mnésomyne, déesse de la mémoire. Les filles* de Mémoire.* ⇒ **Muse.** — (1690). Poét. *Le temple de Mémoire :* fiction poétique d'un temple où l'on garderait le souvenir des grands hommes (→ Fastes, cit. 2).

Les muses, filles de la Mémoire, vous enseignent que sans mémoire on n'a point 25
d'esprit (...) VOLTAIRE, Mélanges historiques, « Déf. de mon oncle », XXI.

Fig. *L'histoire* (cit. 13) *est la mémoire des âges.* — Poét. *Rivages sans mémoire* (→ Cours, cit. 14).

♦ **2.** Psychol. Ensemble des fonctions psychiques grâce auxquelles nous pouvons nous représenter le passé et le reconnaître comme tel (fixation, conservation, rappel et reconnaissance des souvenirs). *Mémoire immédiate* (des faits récents), *mémoire différée* (des faits anciens). *Niveaux de la mémoire, en psychologie traditionnelle : répétition* (reproduction identique d'un acte), *habitude* (reproduction plus ou moins transformée de l'acte antérieur, faite dans le même but); *mémoire associative* (déclenchée spontanément par une stimulation, un autre souvenir); *mémoire évocative* (évocation volontaire, en fonction de la situation présente) : *mémoire réflexive* (dirigée, en vue d'un effet créateur). *Niveaux de la mémoire, selon Delay : « mémoire sensori-motrice* (souvenir élémentaire des sensations et des mouvements), *mémoire autistique* (celle des rêves et des rêveries, des délires mêmes, plus ou moins consciente, en rapport avec l'état intérieur et l'affectivité); *mémoire sociale* (par utilisation des fonctions de relation et intégration dans le temps et dans le cadre social des situations passées ou actuelles) » (d'après R. Lafon, *Vocab. de psychopédagogie*). *Mémoire affective :* reviviscence d'un état affectif ancien, agissant sur nos représentations sans que nous en ayons conscience. *« Mémoire volontaire », « mémoire involontaire »* (Proust). *Matière et mémoire,* ouvrage de Bergson (1896). *Relatif à la mémoire.* ⇒ **Mnésique.** *Traces enregistrées dans la mémoire.* ⇒ **Engramme.** *Troubles et anomalies de la mémoire.* ⇒ **Amnésie, dysmnésie, ecmnésie, hypermnésie, paramnésie.**

(...) outre la mémoire corporelle, dont les impressions peuvent être expliquées par 26
ces plis du cerveau, je juge qu'il y a encore en notre entendement une autre sorte de mémoire, qui est tout à fait spirituelle, et ne se trouve point dans les bêtes (...) DESCARTES, Lettre à Mersenne, 6 août 1640.

Il y a, disions-nous, deux mémoires profondément distinctes : l'une, fixée dans 27
l'organisme, n'est point autre chose que l'ensemble des mécanismes intelligemment montés qui assurent une réplique convenable aux diverses interpellations possibles (...) Habitude plutôt que mémoire, elle joue notre expérience passée, mais n'en évoque pas l'image. L'autre est la mémoire vraie. Coextensive à la conscience, elle retient et aligne à la suite les uns des autres tous nos états au fur et à mesure qu'ils se produisent, laissant à chaque fait sa place et par conséquent lui marquant sa date (...) H. BERGSON, Matière et Mémoire, p. 167-168.

En tant que *synthèse mentale* l'acte de mémoire exige la reconnaissance et la cons- 28
cience du temps (...) En tant qu'*automatisme* l'acte de mémoire n'implique ni la reconnaissance ni la conscience du temps (...)
Jean DELAY, Dissolutions de la mémoire, p. 15.

Dans l'état actuel des travaux, il faut distinguer trois grandes catégories de 28.1
mémoire, ou, pour parler avec plus de précision, trois significations différentes attribuées au terme de mémoire, l'un des problèmes essentiels étant alors celui de leurs relations. Il y a d'abord ce que nous appellerons la « mémoire au sens du biologiste », qui est la conservation, durant la vie de l'individu, de tout ce qui est acquis et non pas exclusivement de ce qui est acquis au niveau du comportement (conditionnement, habitudes, intelligence, etc.). Il y a en second lieu la mémoire liée au seul comportement, mais concernant aussi bien la conservation de schèmes sensori-moteurs, comme un schème d'habitudes (...) nous parlerons en ce cas de la « mémoire psychologique au sens large ». Enfin on peut désigner du terme de « mémoire psychologique au sens strict » les conduites comportant une référence explicite au passé et dont les observables sont en particulier *(a)* la récognition ou perception d'un objet présent mais en tant qu'ayant été déjà perçu antérieurement, et *(b)* l'évocation par une image-souvenir d'un objet ou événement non présents mais représentés (par une image mentale, un récit verbal, etc.) en tant qu'ayant été connus dans le passé.
J. PIAGET, Épistémologie des sciences de l'homme, p. 196.

(1846). *Mémoire organique :* « persistance d'une modification correspondant à une action passée avec faculté de la reproduire » (Cuvillier). *Mémoire des muscles; de la main* (→ Chic, cit. 2). — *L'instinct, mémoire de l'espèce.*

(...) les cellules et les humeurs, comme l'esprit, sont douées de mémoire. Chaque 29
maladie, chaque injection de sérum ou de vaccin, chaque invasion de notre corps

par des bactéries, des virus ou des substances chimiques étrangères nous modifient de façon permanente.   Alexis CARREL, l'Homme, cet inconnu, VII, II.

Par anal. *Phys.* (Vieilli). *Mémoire de la matière.* ⇒ **Rémanence.**

Mod. (Sens lié au sens 3). *Biol.* Capacité de retenir et de restituer l'information.

9.1 (...) il est impossible d'ouvrir quelque ouvrage contemporain de biologie sans retrouver sans cesse les problèmes d'information, depuis l'encodage de l'information génétique dans l'ordination des spirales d'ADN (acide desoxyribonucléique constitutif du génome) jusqu'aux problèmes de la conservation acquise ou «mémoire» (ce terme à lui seul suffirait à révéler la tendance dont nous parlions à humaniser les processus élémentaires), mémoire qui suppose probablement l'intégrité de l'ARN.   J. PIAGET, Épistémologie des sciences de l'homme, p. 97.

♦ **3.** (V. 1960). *Techn.* Dispositif permettant de recueillir et de conserver, dans les calculatrices (ordinateurs, etc.), les informations destinées à un traitement ultérieur; support matériel de ces informations. *Mémoires à cartes perforées, à cellules magnétiques, à disques, à tambours magnétiques; mémoires sur films minces, mémoire à supraconductivité. Mémoire à ferrites* (tores magnétiques). — *Mémoire à accès instantané, à accès sélectif, à accès séquentiel. Mémoire centrale d'un ordinateur; mémoires auxiliaires. Capacité d'une mémoire. Mémoire morte,* à informations non modifiables (opposé à *mémoire vive*). — REM. De nombreux autres syntagmes sont utilisés dans la langue technique. — *... EN MÉMOIRE. Mettre une information en mémoire; mise en mémoire* (⇒ **Mémorisation**).

9.2 Dans la mémoire humaine (...) c'est la forme qui se conserve; la conservation même n'est qu'un aspect restreint de la mémoire (...) La machine ne pourrait remplir une semblable fonction que si le ruban magnétique déjà enregistré était supérieur à un ruban neuf pour fixer certaines figures sonores, ce qui n'est pas le cas. La plasticité dans la mémoire humaine est plasticité du contenu lui-même.
     Gilbert SIMONDON, Du mode d'existence des objets techniques, p. 122.

★ **II.** ♦ **1.** [a] (V. 1155). *La mémoire de* : le souvenir de (qqch., qqn). *Avoir mémoire, la mémoire de qqch. Conserver* la mémoire d'un événement. Garder la mémoire d'événements, en fêtant leur anniversaire* (cit. 1). *Immortaliser* (cit. 3) *la mémoire d'un fait héroïque.* ⇒ **Commémoration, immortalité.** *Peuple qui garde la mémoire d'un usage.* ⇒ **Tradition.** *Demeure dont la mémoire est chère* (→ Hôtel, cit. 1). *La mémoire d'un si beau jour me revient* (→ Aucun, cit. 5). *Perdre la mémoire de qqch.* (→ Imprimer, cit. 9).

30 Massacrons tous les saints. Renversons ses autels.
Que de son nom, que de sa gloire
Il ne reste plus de mémoire.   RACINE, Athalie, IV, 6.

31 (...) et la vue de tout ce qui renaît, de tout ce qui est heureux, vous réduit à la douloureuse mémoire de vos plaisirs.
      CHATEAUBRIAND, Mémoires d'outre-tombe, t. II, p. 73.

32 Vous souvient-il de notre histoire?
Moi, j'en ai gardé la mémoire (...)
      A. DE MUSSET, Premières poésies, « À Juana ».

33 Cette mémoire qu'il a de son visage (...) ces soupirs, c'est bien l'amour (...)
      J. CHARDONNE, les Destinées sentimentales, p. 142.

(En parlant des personnes dont on se souvient). *Rare. La mémoire de qqn,* que l'on a de qqn. *Garder la mémoire de qqn. «Avez-vous bien* (cit. 64) *promis d'oublier ma mémoire? »* (Racine). — *Cour. La mémoire de qqch. La mémoire d'un nom* (→ Épitaphe, cit. 3), *d'une famille* (→ Mare, cit. 5). *« Ta mémoire, ton nom, ta gloire vont périr »* (→ Âme, cit. 31, Musset). *Honorer la mémoire d'un mort.* ⇒ **Cendre** (fig.). *Venger la mémoire de qqn.*

34 Le petit être délicieux, dont je voudrais prolonger un peu la mémoire en parlant de lui, était le fils unique de Sylvestre (...)
      LOTI, Figures et Choses..., « Passage d'enfant ».

[b] (1655). *Liturgie.* Commémoration dans l'office du jour. ⇒ **Commémoraison, mémento.** *Faire mémoire des défunts, d'un saint, d'une fête.*

♦ **2.** (XIe). Souvenir (bon ou mauvais) qu'une personne laisse d'elle à la postérité. ⇒ **Renommée, réputation.** *Consacrer la mémoire d'un poète* (→ Laurier, cit. 3). *Illustrer sa mémoire* (→ Besoin, cit. 59). *Les dieux t'ont laissé vivre assez* (cit. 33) *pour ta mémoire.* — (XIIIe). *DE ... MÉMOIRE* (avec un adj.). *Prince de glorieuse mémoire; de triste, de sinistre mémoire. Ternir, souiller la mémoire. Mémoire flétrie* (cit. 4). — *Dr. Réhabiliter* la mémoire d'un condamné défunt,* en obtenant l'annulation, par voie de révision, d'un jugement qui l'a condamné. — (1863). *Loc. Curateur à mémoire,* qui représente le défunt au procès en révision.

35 Sauvons de cet affront mon nom et sa mémoire (...)
      RACINE, Bérénice, III, 1.

36 J'ai fait illustre un nom qu'on m'a transmis sans gloire.
Qu'il soit ancien, qu'importe? Il n'aura de mémoire
Que du jour seulement où mon front l'a porté.
      A. DE VIGNY, Poèmes philosophiques, « L'esprit pur ».

(V. 1360). *EN MÉMOIRE DE* (vieilli), *À LA MÉMOIRE DE :* pour perpétuer, glorifier le souvenir de. *Objet déposé dans une chapelle en mémoire d'une grâce obtenue.* ⇒ **Ex-voto.** *Garder un bibelot en mémoire de qqn. Discours; monument, statue à la mémoire d'un grand homme.* ⇒ **Commémoratif.** *Inaugurer* (cit. 3) *une plaque à la mémoire de qqn. Épitaphe à la mémoire d'un disparu* (→ In memoriam).

♦ **3.** (1413). En phrase négative. *DE MÉMOIRE D'HOMME :* aussi loin

que remontent les souvenirs des hommes. *De mémoire d'homme, rien de tel ne s'était jamais produit.* (S'emploie aussi avec d'autres noms de personnes, et, par plais., d'animaux, de choses).

37 Thémis n'avait point travaillé,
De mémoire de singe, à fait plus embrouillé.   LA FONTAINE, Fables, II, 3.

38 De mémoire d'homme, on n'a point vu de temps si vilain.
      Mme DE SÉVIGNÉ, 312, Jeudi à midi..., 1673.

39 Si les roses qui ne durent qu'un jour, faisaient des histoires (...) elles diraient : « Nous avons toujours vu le même jardinier; de mémoire de rose on n'a vu que lui... assurément il ne meurt point comme nous, il ne change seulement pas. »
      FONTENELLE, Entretiens sur la pluralité des mondes, 5e soir.

♦ **4.** *POUR MÉMOIRE :* pour garder le souvenir. *Épitaphe* (cit. 1) *écrite pour mémoire* (vx). — (1868). *Comptab.* Formule employée pour signaler qu'un article, une valeur ne sont mentionnés qu'à titre de renseignement, sans être portés en compte. — (V. 1950). *Par ext.* À titre de renseignement, d'indication, de rappel. *Je vous signale, pour mémoire, un excellent livre sur la question.*

CONTR. Omission, oubli.

DÉR. 2. Mémoire. — V. aussi **mémorable, mémorandum, mémorial.**

COMP. Aide-mémoire. — V. aussi **commémoration, immémorable, immémorial.**

2. MÉMOIRE [memwaʀ] n. m. — V. 1160, «écrit (pour que mémoire en soit gardée)»; de 1. *mémoire.*
Écrit destiné à rappeler certains faits ou à les faire connaître.

♦ **1.** (1477). Écrit sommaire (exposé, requête, instructions) à l'adresse de qqn. *Écrire, adresser un mémoire à qqn. Mémoire au chef de l'État.* ⇒ **Cahier.** *Mémoire justificatif* (→ Laver, cit. 19).

1 Cependant les ennemis dont il était environné avaient, chacun de leur côté, envoyé au général de l'ordre des mémoires, où ce qu'ils savaient de la mauvaise conduite d'Hudson était exposé.   DIDEROT, Jacques le fataliste, Pl., p. 655.

♦ **2.** (XIVe). *Dr.* Écrit destiné à exposer et à soutenir la prétention d'un plaideur (→ Exemption, cit. 4). *Signifier, notifier un mémoire par exploit d'huissier* (→ Exproprier, cit. 3). *Mémoire d'avocat. Les cinq mémoires de Beaumarchais.* ⇒ **Factum** (vx). *Mémoire ampliatif,* produit par le demandeur en cassation (cit. 3). *Mémoire en défense,* établi par le défendeur. *Mémoire préalable,* «qui doit être adressé au préfet préalablement à l'introduction d'une instance contre l'État ou certaines administrations publiques» (Capitant).

2 Les mémoires de Beaumarchais sont ce que j'ai jamais vu de plus singulier, de plus fort, de plus hardi, de plus comique, de plus intéressant (...)
      VOLTAIRE, Correspondance, 4077, 3 janv. 1774.

♦ **3.** (1834). Dissertation sur un sujet d'étude (histoire, sciences, etc.), généralement destinée à être lue dans une société savante (→ Exponentiel, cit.). *Présenter, soumettre un mémoire à une académie. Mémoire présenté pour l'obtention d'un diplôme d'études supérieures.* — Au plur. Recueil des travaux d'une société savante. *Mémoires de l'Académie des sciences.*

3 À quinze ans, il dévore la *Géométrie* de Legendre. Il rejette les traités élémentaires d'algèbre, qui l'ennuient, et apprend l'algèbre dans Lagrange; à seize ans il commence à inventer. Il envoie mémoires sur mémoires à l'Académie des Sciences.
      ALAIN, Propos, 10 août 1909, Évariste Galois.

♦ **4.** (1551). État* détaillé des sommes dues à un entrepreneur, un artisan, un fournisseur, un officier ministériel. ⇒ **Compte, facture, note.**

4 — Vous souvenez-vous bien de tout l'argent que vous m'avez prêté? — (...) J'en ai fait un petit mémoire.
    MOLIÈRE, le Bourgeois gentilhomme, III, 4 (→ aussi Article, cit. 6).

5 (...) un jardinier qui me coûte à moi douze cents francs de gages, et qui me présente des mémoires de deux mille francs tous les trois mois.
      BALZAC, Honorine, Pl., t. II, p. 277.

♦ **5.** (1552). *MÉMOIRES :* relation, récit qu'une personne fait par écrit des choses, des événements auxquels elle a participé ou dont elle a été témoin. *Mémoires historiques,* qui rapportent des faits historiques, propres à servir à l'histoire. ⇒ **Annale**(s), **chronique**(s), **commentaire**(s); et aussi **mémorialiste.** *Mémoires autobiographiques,* où les confessions se mêlent à l'histoire. ⇒ **Autobiographie, cahier**(s), **journal, souvenir**(s). ⇒ Confession, cit. 8. *Les mémoires de ma vie* (→ Apporter, cit. 39, Chateaubriand). ⇒ **Histoire.** *Écrire ses mémoires* (→ Raconter sa vie*; et aussi fausser, cit. 4; influence, cit. 16). — (Dans un titre, avec la majuscule). *Les Mémoires d'outre-tombe,* de Chateaubriand. *Mémoires d'un touriste,* de Stendhal.

6 Les Mémoires que les gens en place ou les gens de lettres, même ceux qui ont passé pour les plus modestes, laissent pour servir à l'histoire de leur vie, trahissent leur vanité secrète (...)
    CHAMFORT, Maximes, « Sur la science », XXXVII.

7 Roger Martin du Gard, à qui je donne à lire ces Mémoires *(Si le grain ne meurt),* leur reproche de ne jamais dire assez, et de laisser le lecteur sur sa soif (...) Les Mémoires ne sont jamais qu'à demi sincères, si grand que soit le souci de vérité : tout est toujours plus compliqué qu'on ne le dit.
      GIDE, Si le grain ne meurt, I, X, p. 280, Note.

MÉMORABILITÉ [memɔʀabilite] n. f. — 1906; lat. *memorabilis,* de *memoria* «mémoire».

♦ *Didact.* Caractère de ce qui peut être conservé intact par la mémoire.

1 Ce terme a été employé par CLAPARÈDE (1906) pour désigner la plus grande faci-

lité de fixation exacte. Dans la mémoire d'un fait, d'un événement, d'un objet, d'un détail (...) la mémorabilité est numériquement définie par le rapport du nombre de témoignages exacts au nombre total des témoignages relatifs au fait en question.-
Henri PIÉRON, Voc. de la psychologie.

2 *F. Tönnies* et *J. Lachelier* désapprouvaient ce mot : « *Mémorabilité* et *testabilité*, nous a écrit J. LACHELIER, ne me paraissent ni l'un ni l'autre correctement créés. Mémorabilité ne pourrait signifier, en français, que la qualité de ce qui est digne de mémoire ».
A. LALANDE, Voc. de la philosophie, art. *Mémorabilité*, Note.

MÉMORABLE [memɔRabl] adj. — xvᵉ ; lat. *memorabilis*, de *memoria* « mémoire ».

♦ Digne d'être conservé dans la mémoire collective ; dont le souvenir est durable. ⇒ **Ineffaçable, inoubliable.** *Événement mémorable.* ⇒ **Important, marquant** (→ Qui marque*). *Fait, parole mémorable.* ⇒ **Historique** (cf. Qui fait époque). *C'est une action mémorable.* ⇒ **Exploit.** *Jour, date, lieu mémorable* (→ Intituler, cit. 2). *Mémorables séances* (→ Assemblée, cit. 14). ⇒ **Fameux.** *La vie mémorable du prince de Condé* (→ Haut, cit. 36). ⇒ **Glorieux.** *Entretiens mémorables de Socrate, de Xénophon,* et, ellipt., *les Mémorables, de Xénophon.*

(...) un de ces discours éternellement mémorables, qui font que cet homme-là *(Mirabeau),* fût-il plus criminel encore, ne pourra jamais, quoi qu'on fasse, être arraché de la France.   MICHELET, Hist. de la Révolution franç., IV, VII.

CONTR. et **COMP. Immémorable.**

MÉMORABLEMENT [memɔRabləmã] adv. — V. 1780 ; « en gardant une bonne mémoire », mil. xvᵉ ; de *mémorable.*

♦ Rare. D'une manière mémorable.

MÉMORANDUM [memɔRãdɔm] n. m. — 1777 ; angl. *memorandum*, neutre substantivé du lat. *memorandus* « qui doit être rappelé, mérite à être rappelé ».

♦ **1.** « Note écrite par un agent diplomatique au gouvernement auprès duquel il est accrédité, exposant le point de vue de son propre gouvernement sur une question faisant l'objet de négociations diplomatiques » (Capitant). ⇒ **Exposé** (diplomatique). *Des mémorandums.*

♦ **2.** (1833). Note* destinée à rappeler qqch. — Par ext. Carnet où l'on note ce qu'on veut se rappeler. ⇒ **Agenda, mémento.** *Tenir un mémorandum de ses occupations quotidiennes, de ses rendez-vous...* — Journal. *Premier mémorandum,* de Barbey d'Aurevilly (1836-1838).

(...) je n'ai plus, maintenant, de longues notes à transcrire. À dater du 8 juin, j'ai cessé de tenir régulièrement le mémorandum de ma vie à Loselée. Il est des impressions, des pensées, des événements qui s'inscrivent directement dans l'âme même.   H. BOSCO, Un rameau de la nuit, p. 195.

Vx. Chose qui aide à se souvenir.

Plur. *Des mémorandums ;* (vx) *des memoranda.*

♦ **3.** (1903). Comm. Feuille de papier à en-tête imprimé qui sert à transmettre des ordres, des commandes.

MÉMORATION [memɔRasjɔ̃] n. f. — 1959 ; « souvenir », v. 1335 ; lat. *memor, memoris* « qui a le souvenir de ».

♦ Didact. (psychol.). Évocation d'un souvenir plus ou moins récent. ⇒ **Mémoire.** *Processus de mémoration* (→ Mémorisation).

MÉMORIAL [memɔRjal] n. m. — xɪɪɪᵉ ; bas lat. *memoriale,* neutre de *memorialis (liber)* « livre de notes ».

♦ **1.** (1549). Écrit où sont consignées les choses dont on veut se souvenir. *Le Mémorial de Pascal :* écrit conservant le souvenir de l'extase mystique du 23 novembre 1654 (→ Joie, cit. 26). — (Titres). Recueil de faits mémorables. ⇒ **Mémoires.** *Le Mémorial de Sainte-Hélène,* par Las Cases.

(1723, vx). Comptab. Livre de comptabilité* (syn. de *brouillard*).

♦ **2.** (Anglic. ; déb. xxᵉ). Monument commémoratif. *Le mémorial de La Fayette, de Foch...* — Plur. *Des mémoriaux.*

MÉMORIALISTE [memɔRjalist] n. — 1725 ; bas lat. *memorialis* « historiographe ».

♦ **1.** Auteur de mémoires* historiques. ⇒ **Chroniqueur, historien.** *Les grands mémorialistes du xvɪɪᵉ siècle.*

♦ **2.** Écrivain considéré dans la partie de son œuvre qui est un témoignage sur son temps.

(...) le mémorialiste, en lui *(Molé),* mérite d'être mis à part, comme un des peintres les plus qualifiés de son âge, encore souvent si confus à nos yeux simplificateurs.   Émile HENRIOT, les Romantiques, p. 138.

MÉMORISATEUR, TRICE [memɔRizatœR, tRis] adj. — 1911, *Larousse mensuel ;* de *mémorisation.*

♦ Didact. Qui permet de mémoriser.

MÉMORISATION [memɔRizasjɔ̃] n. f. — 1847, mot des pédagogues suisses ; du lat. *memor, memoris* « qui se souvient ». Didactique.

♦ **1.** Acquisition mnémonique volontaire. *Procédés de mémorisation.* ⇒ **Mnémotechnique ; apprentissage.**

♦ **2.** (1968). Techn. (inform.). Opération qui consiste à mettre en mémoire l'information.

DÉR. Mémoriser, mémorisateur.

MÉMORISER [memɔRize] v. tr. — 1907 ; de *mémorisation.* Didactique.

♦ **1.** Fixer dans la mémoire par les méthodes de mémorisation. *Mémoriser ses connaissances.*

(Ebbinghaus) avait réalisé une œuvre solide parce qu'il avait enregistré ce que le sujet lui-même d'ailleurs le plus souvent était capable de mémoriser, mémorisation contrôlée par la récitation, dans des conditions variées.
Paul FRAISSE, la Psychologie expérimentale, p. 17.

♦ **2.** (1968). Informatique. Mettre en mémoire* dans une machine (surtout au passif). *Informations mémorisées. L'ordinateur est capable « de calculer sur des données mémorisées »* (Science et Vie, n° 594, p. 79).

MEMPHITE [mɛfit] adj. et n. — xvɪᵉ ; de *Memphis,* nom grec de *Mén-néfrou,* ville de l'Égypte ancienne.

♦ Didact. De Memphis. — Subst. *Un, une Memphite.*

MENABLE [mənabl] adj. — 1198, *mesnable ;* de *mener.*

♦ Rare. Qui peut être mené.

MENAÇANT, ANTE [mənasã, ãt] adj. — 1380 ; de *menacer.*

♦ **1.** Qui menace, qui exprime une menace. ⇒ **Comminatoire.** *Parole, voix menaçante* (→ Âpre, cit. 6). *Prendre un ton* menaçant* (⇒ **Haut**), *un air menaçant.* ⇒ **Agressif.** *Gestes, moulinets menaçants* (→ Brûlant, cit. 8 ; gourdin, cit.). *Lettre menaçante.* ⇒ **Fulminant** (→ Intimider, cit. 2). *Foule* (cit. 8) *menaçante ; révolution, émeute menaçante.* ⇒ **Grondant.** *Pays qui devient menaçant* (→ Évacuation, cit. 3).

Visages silencieux et tendus. À peine menaçants, si, pour qu'il y ait menace, il faut que se dégage l'idée d'une action prochaine ; mais très effrayants, parce qu'on sentait qu'à leurs yeux aucune action n'était impossible.
J. ROMAINS, les Hommes de bonne volonté, t. I, XVI, p. 169.

♦ **2.** (1798). Qui constitue une menace*, un danger. ⇒ **Dangereux, inquiétant.** *La gueule* (cit. 24) *menaçante d'une arme à feu* (→ Braquer, cit. 2). — *Danger menaçant.* ⇒ **Imminent.** *Avenir*, présage menaçant.* ⇒ **Sinistre.** *Hypothèse menaçante* (→ Acculer, cit. 5). — Spécialt. *Temps* menaçant,* qui fait prévoir une averse, un orage, une tempête, etc. *Mer menaçante. L'orage était menaçant.*

La position, de critique, était devenue menaçante, et de menaçante, allait probablement devenir désespérée.   HUGO, les Misérables, V, I, XVII.
Son cheval était perdu ; ses chiens l'avaient abandonné ; la solitude qui l'enveloppait lui sembla toute menaçante de périls indéfinis.
FLAUBERT, Trois contes, « Légende de saint Julien l'Hospitalier », I.

CONTR. Rassurant.

MENACE [mənas] n. f. — V. 1130 ; *manace,* 1080 ; *manatce,* v. 880 ; lat. pop. **minacia,* attesté au plur. *minaciae,* class. *minae.*

♦ **1.** Manifestation par laquelle on marque à quelqu'un sa colère, son ressentiment, avec l'intention de lui faire craindre le mal qu'on lui prépare. ⇒ **Intimidation ; avertissement ;** → Admonestation, cit. ; exciter, cit. 28. *Qui renferme une menace.* ⇒ **Comminatoire.** *Obtenir qqch. par des menaces.* ⇒ **Extorquer** (cit. 1) **; chantage** (cit. 2). *Contraindre par la menace.* ⇒ **Sommer** (→ Mettre le couteau* sous la gorge). *Accabler qqn de menaces et d'injures* (⇒ **Injure, outrage ;** → Avanie, cit. 4). *Employer* (cit. 6) *la menace, user de menaces, éclater en menaces* (⇒ **Fulminer, menacer.**). *Les prières, les promesses et les menaces* (→ Après, cit. 55 ; clamer, cit. 3). *Échange de menaces* (→ Guerre, cit. 1 ; intempérance, cit. 2). *Braver, craindre* (cit. 2) *les menaces. Interdiction assortie d'une menace.* ⇒ **Peine** (sous peine de...). *Menace d'amende* (→ Limiter, cit. 1). *Terrible, furieuse menace* (→ Effet, cit. 20). *Réprimande* assortie de menaces.* — (1662). *Menaces en l'air,* que l'on n'a pas les moyens de mettre à exécution. *Vaines menaces. Ses menaces sont restées sans effet. Mettre ses menaces à exécution.* — *La menace d'un châtiment,* par laquelle on fait craindre un châtiment. — *Geste de menace. Formules, paroles de menace :* Vous aurez affaire* à moi !

Je vous apprendrai* (à vivre...)! Attendez! attendez un peu! À bon entendeur*, salut! Prenez garde*! Gare* à vous! Je vous montrerai* de quel bois je me chauffe! Vous me le paierez* (cher)! Vous ne l'emporterez pas en paradis*! Vous me trouverez sur votre passage*! Patience*! Vous ne perdez* rien pour attendre! Obéissez! sinon*...! Songez*-y bien!... Je m'en souviendrai*! Tenez-vous-le pour dit! Vous n'avez qu'à bien vous tenir*! Si vous tombez* sous ma main!... Soyez tranquille! Vous trouverez* à qui parler! Je vous écraserai comme un ver*! Qu'il y vienne! Vous verrez! Vous allez voir! Je voudrais bien voir ça!...; (fam.) Numérote tes abattis*; sors un peu, si t'es un homme... (⇒ **Défi, insulte, provocation**).

Les menaces ne m'ont jamais fait mal; et ce sont des nuées qui passent bien loin sur nos têtes. MOLIÈRE, les Fourberies de Scapin, III, 8.

Assez longtemps elle s'en tint à la menace, et cette menace d'un châtiment tout nouveau pour moi me semblait très effrayante (...) ROUSSEAU, les Confessions, I.

Comme dans toute guerre, les chefs se répandent en menaces et en rodomontades. Ils s'insultent copieusement d'un camp à l'autre, ils s'accusent et se provoquent (...) G. DUHAMEL, Refuges de la lecture, I, p. 36.

(Déb. xxᵉ). *Sous la menace* : en cédant à la menace, à la peur, à la contrainte.

À mon sens, pour pratiquer librement ma foi (...) il n'est pas seulement nécessaire de me permettre de la pratiquer, il faut encore ne pas m'y contraindre. On ne saurait aimer Dieu sous la menace. BERNANOS, les Grands Cimetières sous la lune, p. 237.

Dr. et cour. Expression du projet de nuire à autrui (Code pénal, art. 305-308). *Menace, écrite ou verbale. Proférer contre qqn des menaces de mort. Menaces d'incendie, de voies de fait, de violences...*

♦ **2.** (1580). Signe, indice par lequel se manifeste ce qu'on doit craindre de qqch.; indice d'un danger; ce danger*. *Menace précise, imminente*. *Menace lointaine, imprécise, vague. Toutes les menaces ne se réalisent pas* (cf. Le tonnerre ne tombe pas toutes les fois qu'il tonne). — *Menace de guerre, d'invasion.* ⇒ **Spectre**. *Menace de maladie, de rechute* (→ Accident, cit. 14). — *Constituer une menace pour l'ordre public* (→ Expulsion, cit. 2). — *Appréhension* (cit. 6), *crainte, peur d'une menace. Air lourd* (cit. 31) *de menaces.* — *Être sous la menace d'un danger, d'une catastrophe.* ⇒ **Coup** (sous le coup).

Quelle santé nous couvrait la mort que la reine portait dans le sein? De combien près la menace a-t-elle été suivie du coup? BOSSUET, Oraison funèbre de Marie-Thérèse.

(...) les nouvelles circulant depuis quelques jours, la menace d'une guerre prochaine, aggravaient, cette année-là, l'émotion toujours si vive du tirage au sort. Merci! pour aller se faire casser la tête par les Prussiens! ZOLA, la Terre, V, IV.

(...) la menace d'orage qui pesait sur le monde. MARTIN DU GARD, les Thibault, t. V, p. 171.

(...) cette menace multiforme, imprécise, qui traquait Raboliot partout, qu'il traînait nuit et jour, collée à lui. M. GENEVOIX, Raboliot, II, v.

CONTR. V. **Prière, promesse; espoir.**

MENACER [mənase] v. tr. — V. 1380; menacier, xiiᵉ; lat. pop. *minaciare, de minaciae (→ Menace), qui a remplacé minari.

♦ **1.** Chercher à intimider*, à effrayer (qqn) par des menaces. → Se faire craindre*, faire peur*; et, fig., montrer les dents, les griffes*; → Gourmander, cit. 2. *Menacer qqn avec violence.* — *Menacer qqn de l'œil, de la main, d'une arme, le menacer à l'aide de..., avec... Menacer qqn d'un couteau* (→ Faire briller* un couteau, une arme; → aussi fatalité, cit. 17; jalousie, cit. 21). — (V. 1131). *Menacer qqn de (qqch.), le lui faire craindre par la menace. Décret qui menace les contrevenants de peines de prison* (→ Interdiction, cit. 1). *La vengeance dont on les menace* (→ Assurance, cit. 13; fureur, cit. 31). *Menacer qqn de mort, des pires châtiments.* — *Marmot* (cit. 2) *que sa mère menace du loup.* — *Menacer de* (suivi d'un inf.). → Bruit, cit. 24; chamaillerie, cit.; envahir, cit. 1. *Menacer de rompre,* au cours d'un marchandage, d'une discussion (cf. Mettre le marché en mains). — Vx. *Menacer que...* (suivi du conditionnel ou du futur). *Il la menace qu'on dira à l'audience que...* (→ Intimider, cit. 1, Mᵐᵉ de Sévigné).

1 Tous les Grecs m'ont déjà menacé de leurs armes (...) RACINE, Andromaque, I, 4.

2 Tous les gens timides menacent volontiers. C'est qu'ils sentent que les menaces feraient sur eux-mêmes une grande impression. MONTESQUIEU, Cahiers, p. 54.

3 Sur la route, les femmes entraînaient toutes celles qu'elles pouvaient rencontrer, menaçant celles qui ne viendraient pas leur couper les cheveux. MICHELET, Hist. de la Révolution franç., II, VIII.

4 (...) elle me menaçait, en riant, d'une badine à tête d'or qu'elle tenait à la main. NERVAL, les Filles du feu, « Octavie ».

5 (...) vous ne croirez pas qu'il faille sans cesse menacer de mort ces âmes moutonnières (les nouvelles recrues) pour les maintenir dans l'obéissance. FRANCE, le Mannequin d'osier, Œ., t. XI, XI, p. 363.

Absolt. *Il grondait, tempêtait, menaçait.* ⇒ **Aboyer, fulminer**; cf. Montrer sa colère (→ Considérer, cit. 2; gronder, cit. 15; honte, cit. 24; imiter, cit. 1). — Prov. *Tel menace qui tremble.* — Par métaphore. *La mort frappe sans menacer, sans avertir* (cit. 8).

6 (...) un terme de loyer à payer à un propriétaire avare qui menaçait au moindre retard. A. DE MUSSET, Nouvelles, « Deux maîtresses », IX.

7 Mais le Dieu de la Bible est un vieux Juif monomane, un fou furieux, qui passe

son temps à gronder, menacer, hurler comme un loup enragé, délirer dans son nuage. R. ROLLAND, Jean-Christophe, Dans la maison, p. 997.

(Avec un n. de chose pour complément). Vieux, poétique :

8 D'un sinistre avenir je menaçais ses jours. RACINE, Iphigénie, v, 6.

Par ext. Avertir (qqn) qu'il doit craindre qqch. d'un autre. *Menacer qqn de* (la colère de) *Dieu.*

9 (...) l'enfant dont le ciel vous menace (...) RACINE, Athalie, II, 6.

♦ **2.** (Fin xiiᵉ; sujet n. de chose). Mettre en danger*, constituer une menace (2.) pour (qqn). ⇒ **Assombrir** (l'horizon), **gronder**. *Une guerre nous menace* (→ Ancrer, cit. 8). *La mort qui nous menace à chaque instant* (→ Inévitable, cit. 3). *La catastrophe qui le menace.* ⇒ **Attendre** (cf. Pendre au nez). *Les périls qui menacent l'espèce, l'humanité. Menacer de* (et inf.). *La bourrasque menace de submerger la ville* (→ Glacer, cit. 6). — *Être menacé d'une maladie, par une maladie,* risquer de l'attraper (→ Hygiéniste, cit. 2).

10 Songez-vous aux malheurs qui nous menacent tous? RACINE, Iphigénie, I, 2.

11 La misère, la maladie, le deuil, tout ce qui menace chaque homme (...) André SUARÈS, Trois hommes, « Dostoïevski », IV.

Fig., poét. (Vx). *Menacer le ciel, les cieux :* sembler toucher le ciel, par sa hauteur (→ Babel, cit. 2; front, cit. 24).

♦ **3.** **MENACER DE...** (et inf.) : présager, laisser craindre (quelque mal). *Ses temps menaçaient d'éclater* (cit. 4). *Ce mur menace de tomber, de s'écrouler.*

12 La Discorde en ce lieu menace de s'accroître. BOILEAU, le Lutrin, II.

Son discours menace d'être long. ⇒ **Risquer**. — (1694). Loc. *Menacer ruine** : risquer de s'écrouler.

(1888). Absolt. *L'orage, la pluie menace.* ⇒ **Menaçant** (être). *Veiller au péril qui menace* (cf. Veiller au grain).

13 Huit heures du soir. Les orages sourds qui menaçaient se sont dissipés on ne sait comment. LOTI, l'Inde (sans les Anglais), III, II.

14 (...) après un coup d'œil au dehors, Croquebol déclara que le temps menaçait. COURTELINE, le Train de 8 h 47, I, VII.

▶ **MENACÉ, ÉE** p. p. adj.
(1580). Qui court un danger. *Menacé de mort.* — Par ext. *Pays menacé par un voisin plus puissant.* — Absolt. *La Patrie menacée* (→ 1. Ban, cit. 7).

15 (...) à plier sous des sacs plus lourds que des hommes, d'une grange inconnue vers l'autre, engueulés, menacés (...) CÉLINE, Voyage au bout de la nuit, p. 37.

Pays menacé de mort (→ Attendre, cit. 83). *Société menacée des pires maladies spirituelles* (→ Chair, cit. 9). *Menacé de disparition prochaine* (→ Éphémère, cit. 11). — Absolt. En danger. *Ses jours sont menacés. Un œil perdu, l'autre très menacé* (→ Bouillie, cit. 3). — Qui menace de disparaître, qui est compromis. ⇒ **Fragile, incertain**. *Bonheur menacé* (→ Fragilité, cit. 6). *Accord instable et menacé* (→ Équilibre, cit. 12), *beauté menacée.*

16 Ton amour taciturne et toujours menacé. A. DE VIGNY, Poèmes philosophiques, « Maison du berger », III.

17 Une vie envahie de douceur est une vie intimement menacée. VALÉRY, Variété, IV, p. 106.

18 (...) le silence est la seule sagesse des prisonniers : les insectes menacés essaient de se confondre avec les branches. MALRAUX, l'Espoir, I, II, II, IX.

CONTR. **Rassurer.**
DÉR. **Menaçant.**

MÉNADE [menad] n. f. — Av. 1553; mainade, 1546; lat. d'orig. grecque maenas, -adis.

Didactique ou littéraire.

♦ **1.** Myth., antiq. grecque. ⇒ **Bacchante**. *Les Ménades mirent en pièces Orphée* (→ Machinalement, cit. 2). *Les Ménades, danseuses sacrées des Bacchanales.*

Les Ménades couraient en longs cheveux épars
Et chantaient Évoë, Bacchus et Thyonée,
André CHÉNIER, Bucoliques, « Bacchus ».

♦ **2.** (1690). Littér. Vx. « Femme emportée et furieuse qui ne garde aucune mesure d'honnêteté et de justice » (Furetière). Cf. Boileau, Satires, X. — Rare. Femme acariâtre (⇒ **Furie**).

MENAGE [menaʒ] n. m. — 1508; de mener.

♦ Techn. Conduite d'un attelage. « *Le menage, ce mot sans accent sur le "e", est à réapprendre* » (le Figaro, 20 sept. 1973, in la Clé des mots). *Menage à l'anglaise, à l'américaine, à la hongroise, à la russe.*

MÉNAGE [menaʒ] n. m. — V. 1150, monage; mesnage, ménage, xiiiᵉ; de l'anc. v. manoir « demeurer », lat. manere, et suff. -age.

★ **I.** (La vie domestique étant considérée sous ses aspects matériels).

♦ **1.** (V. 1210). Vx. Administration des choses domestiques*. ⇒ **Administration, économie, gouvernement**. *Théâtre d'agriculture et ménage des champs,* œuvre d'O. de Serres (1600). — Spécialt. Administration des revenus. — (xviᵉ). Absolt. Vieilli. ⇒ **Écono-**

mie, épargne. *Esprit de ménage et d'économie.* ⇒ **Ménager,** adj. (→ Éparpiller, cit. 9).

1   C'est un homme qui ferait les *Géorgiques* de Virgile, si elles n'étaient déjà faites, tant il sait profondément le ménage de la campagne (...)
                                        Mᵐᵉ DE SÉVIGNÉ, 806, 8 mai 1680.

♦ **2.** (Av. 1370). Mod. Ensemble des choses domestiques ; ce qui concerne la dépense et l'entretien d'une famille. — REM. Dans ce sens, les *travaux de ménage* comprennent aussi bien la cuisine, les soins aux enfants, etc., que le ménage au sens 3. — *Faire aller* (cit. 91) *son ménage, s'occuper de son ménage* (→ Gendre, cit. 2). *Un ménage de garçon,* roman de Balzac (La Rabouilleuse). *Subvenir aux besoins du ménage* (→ Faire bouillir* la marmite). *Femme qui s'occupe de son ménage, n'aime que son ménage.* ⇒ **Ménagère ; popote, pot-au-feu** (adj. fam.).

2   Elle s'applique toute aux choses du ménage (...)
                                        MOLIÈRE, l'École des maris, I, 2.

3   On observe, en effet, que les travaux les plus pénibles et les plus dégoûtants du ménage demeurent attribués aux femmes, dans le cours des âges, par le consentement unanime des peuples.
                                        FRANCE, M. Bergeret à Paris, Œ., t. XII, I, p. 283.

(Mil. xvᵉ). Cour. Ensemble des soins matériels d'entretien, des travaux domestiques concernant la propreté de l'intérieur. *Préférer le ménage à la cuisine.* (1659). Loc. *Faire le ménage, son ménage* (→ Brider, cit. 1). — *Vaquer aux soins du ménage. Le ménage est fait* (→ Formalité, cit. 10). — *Ustensiles de ménage,* utilisés pour faire le ménage : balais, brosses, chiffons, plumeaux... (→ aussi Appareils ménagers*). *Faire des ménages :* faire le ménage chez d'autres, moyennant rétribution.

4   Sans la splendide queue de ce chat, qui faisait en partie le ménage, jamais les places libres sur la commode ou sur le piano n'eussent été nettoyées.
                                        BALZAC, Une fille d'Ève, Pl., t. II, p. 150.

5   Rien n'aurait pu la décider à interrompre, un seul moment, le saint office du ménage, cette sacro-sainte institution, qui prend chez tant de femmes la place de tous les autres devoirs moraux et sociaux. Elle se serait crue perdue, si elle n'avait aux mêmes jours, aux mêmes heures, frotté le parquet, lavé les carreaux, fait briller les boutons de porte, battu le tapis à tour de bras, remué les chaises, les tables, les armoires.   R. ROLLAND, Jean-Christophe, L'adolescent, I, p. 240.

Femme de ménage, n. f. ⇒ **Femme.**

♦ **3.** Vx. La maison, l'intérieur. ⇒ **Maison.** — REM. Cet emploi ne subsiste plus guère que dans l'expression *tenir le ménage, son ménage,* où l'intérieur est considéré dans son entretien (→ ci-dessus, 2. et 3.). *Son ménage est petit, mais très bien tenu.*

6   J'ai dessein de prendre une femme pour me tenir compagnie dans mon ménage.
                                        MOLIÈRE, le Mariage forcé, IV.

7   (...) notre ménage est très petit, et cependant il faut qu'on y veille. Nous n'avons point de servante, il faut faire à manger, balayer, tricoter et coudre (...)
                                        NERVAL, Trad. GOETHE, Faust, II, p. 129.

♦ **4.** (XIIIᵉ). *De ménage :* fait à la maison. *Pain, jambon, liqueurs de ménage. Le Pain de ménage,* pièce de Jules Renard.

♦ **5.** (XIIIᵉ). Vx. Meubles et ustensiles nécessaires à la vie domestique. — (1665). Mod. *Monter son ménage.*

Petit ménage (1571), *ménage de poupée* (1893), se dit d'un jouet comprenant des ustensiles de ménage en réduction.

★ **II.** (XIIIᵉ, *en ménage*). ♦ **1.** (Dans des expressions). Vie en commun d'un couple. *Entrer* (cit. 28), *se mettre en ménage :* se marier, ou commencer à vivre ensemble (→ Amasser, cit. 5 ; désirer, cit. 10). *En ménage,* roman de Huysmans. — (XIXᵉ). *Chagrins* (→ Éreinter, cit. 6), *querelles, scènes* de ménage* (→ Inégal, cit. 2).

8   (...) petit à petit, elle insinua, comme jadis, qu'ils pourraient vivre plus économiquement, en se mettant en ménage ensemble.
                                        HUYSMANS, En ménage, XII, p. 264.

9   Elle n'eut pas de peine à se faire dire (...) que la manucure avait été plus d'un an la maîtresse de l'électricien, avant de se mettre en ménage avec lui, et que leur mariage régulier, encore tout récent, n'avait été que la troisième étape de leurs relations (...)   J. ROMAINS, les Hommes de bonne volonté, t. III, x, p. 137.

(XVIIᵉ). *Faire bon, mauvais ménage avec qqn :* s'entendre bien, mal, avec son conjoint, et, par ext., avec qqn de son entourage. — Fig. (En parlant des choses). *Faire bon ménage avec... :* aller bien avec, s'accorder* (→ Fatalisme, cit. 4 ; incohérence, cit. 6).

10   Mais nous nous sommes rencontrés déjà plus que mûrs sous le rapport du cœur, ô ma vieille amie, et nous avons fait mauvais ménage, comme les gens qui se marient vieux.   FLAUBERT, Correspondance, 210, Rouen, 1847.

♦ **2.** (1588). Couple constituant une communauté domestique. *Ménage uni, bien assorti, qui vit heureux...* (→ Complaisance, cit. 9). *« Ménage de cœur »* (→ Idée, cit. 32, Goncourt). *Ménages où deux êtres s'exaspèrent* (cit. 16), *se font souffrir.* — (1893). *Jeune, vieux ménage. Ménage sans enfants. Le ménage Un tel.* — *Faux ménage* (1884) : couple non marié.
Brouiller, désunir un ménage, mettre la dissension (cit. 1) *dans un ménage. Mésentente dans un ménage* (cf. fam. Le torchon brûle).

11   (...) ne vous faites jamais un plaisir de troubler la paix des ménages, de détruire l'union des familles et le bonheur des femmes qui sont heureuses.
                                        BALZAC, la Paix du ménage, Pl., t. I, p. 1015-1016.

12   (...) on ne pouvait imaginer jeune épouse plus avenante, ni ménage plus tendrement uni.   GIDE, Ainsi soit-il, p. 161.

Au second habitaient les propriétaires, un vieux ménage, les Coquelombe, des rentiers.
                                        ARAGON, les Beaux Quartiers, I, VI.

(1877). Fam. *Ménage à trois.*

(...) il y a tant de saletés dans la vie, et de plus grosses, que les gens finissaient par trouver ce ménage à trois naturel, gentil même, car on ne s'y battait jamais et les convenances étaient gardées.   ZOLA, l'Assommoir, t. II, VIII, p. 22.

♦ **3.** (1690). Vieilli. Famille. *Un hameau de trente ménages.* ⇒ **Feu** (*infra* cit. 28). *Il y a une dizaine de ménages dans cet immeuble. Un ménage de cinq personnes.*

♦ **4.** Écon. Unité de population définie par une consommation globale (famille ou personne vivant seule). *La consommation annuelle des ménages.*

DÉR. **Ménager** (v.), **ménager** (adj. et n.), **ménagerie, ménagier.**
COMP. **Aménager, déménager, emménager.** — **Brise-ménage.**

MÉNAGEMENT [menaʒmɑ̃] n. m. — 1551 ; de *ménager*.

♦ **1.** (1587). Vx. Administration domestique. — Fig. Conduite, direction. — Spécialt (av. 1615). Action de régler, d'organiser avec mesure, soin.

(...) laissez-moi pour quelque temps le *ménagement* de notre fortune.
                                Abbé PRÉVOST, Manon Lescaut, I, *in* BRUNOT,
                                Hist. de la langue franç., p. 1346.

(Fin xIxᵉ). Littér. Mesure, soin. *« Lumière filtrée* (cit. 2) *avec ménagement »* (Gautier).

♦ **2.** (1655). Mesure, réserve dont on use envers qqn (par égard, par respect ou par intérêt). ⇒ **Circonspection, prudence, réserve.** *Avec beaucoup d'honnêteté* (cit. 17) *et de ménagement. Ne plus connaître ni ménagement ni respect* (→ Impétuosité, cit. 3). *Traiter sans ménagement,* avec brutalité, d'une manière cavalière. ⇒ **Abruptement, crûment** (cf. Comme en pays conquis ; heurter de front).

(...) tâchez de parler de votre maître avec un peu plus de ménagement.
                                MARIVAUX, le Jeu de l'amour et du hasard, II, 10.

(...) le père Barbeau, quoiqu'il eût une préférence secrète pour Landry, montrait à Sylvinet plus de complaisance et de ménagement.
                                G. SAND, la Petite Fadette, VII.

♦ **3.** (1655). Procédé dont on use envers qqn que l'on veut ménager. ⇒ **Attention ; égard, précaution, scrupule.** *Adroits* (cit. 6) *ménagements. La franchise se perd par les ménagements* (→ Discrétion, cit. 8). *Devoir des ménagements à qqn* (→ Expliquer, cit. 20). *Traiter qqn avec trop de ménagements.* ⇒ **Douceur** (avec douceur). *Excès de ménagements* (→ Créer, cit. 22). *Avertissez-le avec de grands ménagements.* ⇒ **Préparer** (→ Prendre des gants*). *Il a abordé la question sans ménagements,* brutalement (cf. À brûle-pourpoint). *Une lettre sans ménagements.* ⇒ **Cheval** (à cheval). *Manifester sa colère sans ménagements* (cf. fig. Casser les vitres). *N'avoir aucun ménagement à garder* (→ Gâterie, cit. 4).

— Quoi ! vous êtes assez bête pour croire qu'un poète vient chercher la vérité chez vous ? — Oui. — Et pour la lui dire ? — Assurément ! — Sans ménagement ? — Sans doute : le ménagement le mieux apprêté ne serait qu'une offense grossière ; fidèlement interprété, il signifierait, vous êtes un mauvais poète ; et comme je ne vous crois pas assez robuste pour entendre la vérité, vous n'êtes encore qu'un plat homme.   DIDEROT, Jacques le fataliste, Pl., p. 534.

Toute sa conduite *(du pape Alexandre III)* avec Henri *(II)* fut pleine de timides et honteux ménagements ; il ne cherchait qu'à gagner du temps par de misérables équivoques, par des lettres et des contre-lettres, vivant au jour le jour, ménageant l'Angleterre et la France (...)   MICHELET, Hist. de France, IV, V.

CONTR. **Brusquerie, brutalité.**

1. MÉNAGER [menaʒe] v. tr. — Conjug. *bouger.* — xvᵉ ; « habiter, vivre en ménage », v. intr., 1309 ; de *ménage.*

★ **I.** ♦ **1.** (xvIᵉ). Vx. « Conduire (son bien, sa fortune) avec raison et jugement, sans profusion » (Furetière).

(...) il ne songeait qu'à contenter ses passions, qu'à dissiper les trésors immenses que son père avait ménagés avec tant de soin (...)   FÉNELON, Télémaque, II.

♦ **2.** (V. 1560). Employer (un bien) avec économie, mesure, de manière à en tirer le plus de profit, à conserver* ou à faire durer* le plus possible. ⇒ **Économiser, épargner, mesurer.** *Ménager une somme d'argent* (cf. Garder une poire pour la soif). *Ménager ses vêtements,* les user le moins possible, en prendre grand soin. *Ménager une étoffe,* l'utiliser au mieux, sans en laisser rien perdre. — (1600). Fig. *Ménager le temps, son temps,* en faire un bon emploi, le passer en occupations utiles (→ Employer, cit. 11).

(...) je crois être d'autant plus obligé à ménager le temps qui me reste, que j'ai plus d'espérance de le pouvoir bien employer (...)
                                DESCARTES, Discours de la méthode, VI.

— Laissez-moi ôter tout cela, ajouta-t-elle, comme si la robe lui eût pesé (...) Prosaïque détail ! voulait-elle *ménager* sa robe ? La robe, c'est l'outil de ces travailleuses (...)
                                BARBEY D'AUREVILLY, les Diaboliques, « Vengeance d'une femme », p. 383.

Il monta tout de suite se déshabiller, autant parce que ses vêtements d'*apparat* le gênaient toujours un peu, que pour les ménager.
                                MONTHERLANT, les Célibataires, I, IV.

(1835). Par anal. *Ménager ses pas, ses gestes.* — (Fin xVIIᵉ). *Ménager ses paroles :* parler peu, être silencieux. *Ménager ses expressions, ses termes* : parler avec circonspection*, modération*, prudence... ⇒ **Mesurer**. — *Ne pas ménager les critiques, les remarques à qqn,* lui faire des critiques, des remarques en abondance. — Rare en tournure positive. *Ménager les critiques, les remarques à qqn.* — Fam. *Une sauce où l'on n'a pas ménagé le poivre, les épices,* où l'on en a mis beaucoup (ou trop).

(...) car l'excellente femme ne m'eût pas plus ménagé les remontrances que les parlements aux rois.   FRANCE, le Crime de S. Bonnard, Œ., t. II, III, p. 361.

♦ **3.** (Av. 1664). Employer ou traiter (un être vivant) avec le souci d'épargner ses forces ou sa vie. *Ménager ses troupes* (→ Hasard, cit. 4). *Ménager son cheval.* — Prov. *Qui veut voyager loin* ménage sa monture* (→ 1. Feu, cit. 15, Racine). — *Ménager une personne fragile, délicate* (→ ci-dessous Se ménager).

Elle consulta plusieurs médecins sur sa santé et ils lui dirent, les uns qu'il fallait le ménager beaucoup, et ne plus lui faire boire que du lait, parce qu'il était faible (...)   G. SAND, la Petite Fadette, XXVII.

Elle est très délicate et il faut qu'on la ménage, d'autant plus qu'elle sera bientôt mère et la moindre émotion pourrait amener un malheur.
    MAETERLINCK, Pelléas et Mélisande, III, 3.

(1679). Par ext. *Ménager sa vie, la vie de qqn,* éviter de l'exposer, de la mettre en péril (→ Aimer, cit. 63 ; éloignement, cit. 1 ; injure, cit. 1).

Dans ses plus grands désordres, durant ces quinze années, elle avait suivi une certaine hygiène ; elle avait toujours ménagé son cœur malade.
    F. MAURIAC, la Fin de la nuit, I.

♦ **4.** (Fin XVIᵉ). Traiter (qqn) avec égard ou prudence, avec le souci de ne pas lui déplaire. ⇒ **Ménagement** (→ Adresse, cit. 11 ; besoin, cit. 56). *Ménager qqn par égard, par respect, par délicatesse, par intérêt. Un homme puissant, à ménager. Un homme indépendant, qui n'a personne à ménager* (⇒ **Indépendance**). *Ne ménager personne* (→ Cynique, cit. 2 ; défendre, cit. 11). *Ménager deux adversaires, deux partis* (→ Nager* entre deux eaux). — Loc. *Ménager la chèvre** (cit. 5) *et le chou.*

Non, non : je ne veux point à votre passion
Imposer la rigueur d'une explication ;
Je ménage les gens, et sais comme embarrasse
Le contraignant effort de ces aveux en face.
    MOLIÈRE, les Femmes savantes, I, 2.

(...) le conseil repoussait chaque année la réparation du presbytère, le maire Hourdequin déclarait le budget trop grevé déjà, seul l'adjoint Macqueron ménageait les prêtres, par de sourdes visées ambitieuses.   ZOLA, la Terre, III, VI.

♦ **5.** (Mil. XVIIᵉ). Traiter avec modération, avec indulgence, sans accabler de sa supériorité. ⇒ **Épargner** ; → Cahier, cit. 4. *Il ne ménage pas ses adversaires.*

Ces gens-là sont nos ennemis. S'ils ne peuvent nous servir à rien, nous n'avons aucune raison de les ménager. Je ne peux supporter ces bourgeois qui sont toujours en coquetterie avec la révolution.   G. DUHAMEL, Salavin, V, XVI.

(1872). Par ext. *Ménager la faiblesse, les préjugés, la susceptibilité de qqn. Ne pas ménager la délicatesse de qqn* (→ Froisser, cit. 22). *N'avoir rien à craindre ni à ménager* (→ Force, cit. 13).

Se faire chaque soir cette question : « Ai-je assez ménagé la vanité de ceux avec qui j'ai vécu aujourd'hui ?... »   STENDHAL, Journal, 8 juil. 1804, note.

★ **II.** ♦ **1.** (Mil. XVᵉ). Conduire, disposer, régler (qqch.) avec soin, mesure, prudence... — (Av. 1553). Vx. Manier, diriger, administrer... avec adresse. *Bien ménager ses pions* (→ 1. Dame, cit. 29, La Bruyère). «*Après avoir (...) ménagé le destin de Rome* » (Massillon).

(...) hommes (...) dévoués aux femmes, dont ils ménagent les plaisirs (...)
    LA BRUYÈRE, les Caractères, VIII, 18.

Spécialt, vieilli. Préparer avec adresse, avec précaution ; s'employer à assurer, à garantir...

Le renard *(devait)* de secrètes pratiques
Et le singe amuser l'ennemi par ses tours.   LA FONTAINE, Fables, V, 19.

(Fin XVIᵉ). Mod. *Ménager l'avenir* (→ Forcené, cit. 2 ; lendemain, cit. 7). — *Ménager un entretien, une rencontre, une négociation.* ⇒ **Arranger, faciliter, procurer**. *Ménager un effet* (cit. 37), *une comparaison, une gradation, une transition, un dénouement.* ⇒ **Amener**. — Peint. *Ménager l'ombre et la lumière dans un tableau,* les distribuer habilement.

(Le poète) combine les scènes, explique les entrées, gradue l'intérêt, prépare les péripéties, ménage d'avance et de loin les dénouements.
    TAINE, Philosophie de l'art, t. I, p. 91.

Ce fut elle qui, plusieurs fois, essayant de s'éclipser, chercha visiblement à nous ménager un tête-à-tête.   Pierre BENOIT, Alberte, XV, p. 142.

(1600). *Ménager qqch. à qqn, pour qqn.* ⇒ **Préparer, réserver**. *Ménager une surprise à un ami. Ménager un châtiment* (cit. 7), *une vengeance, une mauvaise surprise à un adversaire* (→ Garder un chien* de sa chienne). — Par ext. *Le destin, le sort lui a ménagé une consolation.*

Pour cela, il avait besoin que la cour lui ménageât l'appui, la connivence, le silence du moins, des députés royalistes.
    MICHELET, Hist. de la Révolution franç., III, VI.

Je doute si jamais livres, musiques ou tableaux me ménagèrent plus tard autant de joies (...)   GIDE, Si le grain ne meurt, I, IV, p. 101.

Paul voulut profiter vite de la revanche que lui ménageait le sort.
    COCTEAU, les Enfants terribles, p. 128.

Vx. *Ménager de...* (et l'inf.), *que...* (et le subj.) : faire adroitement en sorte que... (cf. Bossuet, Mᵐᵉ de Sévigné, *in* Littré).

♦ **2.** (1690). Installer, disposer, pratiquer après divers arrangements et transformations. *Ménager un escalier dans un bâtiment, une salle de bains dans un appartement. Ménager une perspective, une enfilade. Ménager une ouverture, un passage.*

Au premier étage, l'architecte a ménagé deux grandes chambres accompagnées chacune d'un cabinet de toilette, auxquelles la véranda sert de salon (...)   BALZAC, Modeste Mignon, Pl., t. I, p. 364.   20

Elle brassa une poignée de foin sec, la posa sur le nid, ménagea un passage pour les parents.   COLETTE, Belles saisons, p. 24.   21

La salle à manger, ronde, a gardé la forme de la tour à l'intérieur de laquelle elle fut ménagée.   Pierre BENOIT, Mˡˡᵉ de la Ferté, p. 8.   22

Figuré :

(...) j'aime songer à cette vie de forcené, où Balzac ménageait encore la place d'un roman d'amour, qui devint conjugal.   23
    COLETTE, Belles saisons, « Mes cahiers », p. 177.

▶ **SE MÉNAGER** v. pron.

♦ **1.** (1655). Réfl. Avoir soin de sa personne, de sa santé (→ Courage, cit. 6 ; 1. garde, cit. 38). *Il se ménage un peu trop.* ⇒ **Écouter** (s').

On ne peut raisonnablement pas aimer toutes les femmes. Apollon, celui du Belvédère du moins, est un élégant poitrinaire qui doit se ménager.   24
    BALZAC, Modeste Mignon, Pl., t. I, p. 409.

(Av. 1654). Arranger, régler... pour soi. *Elles se sont ménagé un entretien. — Se ménager une porte de sortie.* ⇒ **Assurer** (s'). *Se ménager une protection.* ⇒ **Couvrir** (se), **procurer** (se).

Un certain Léandre, moins beau que vous, sans doute, mais tout le monde n'a pas le goût bon, s'est ménagé des intelligences dans la place ; votre valeur s'attaque à une forteresse prise.   Th. GAUTIER, le Capitaine Fracasse, V.   25

♦ **2.** (Fin XVIIᵉ). Récipr. *Les adversaires ne se sont pas ménagés.*

♦ **3.** (V. 1950). Passif. *La santé doit se ménager.* — Vx. « *Nous voulons qu'avec soin l'action se ménage* » (→ 1. En, cit. 20, Boileau).

▶ **MÉNAGÉ, ÉE** p. p. adj. (surtout aux sens 4 et 5 de l'actif). Qualifié par un adv. *Bien, mal ménagé. Alliances, négociations habilement ménagées, ménagées de longue main* (cit. 101). *Gradation* (cit. 2) *lente et bien ménagée,* amenée. *Opposition des clairs* (cit. 23) *et des noirs plus ou moins bien ménagée. Effets bien ménagés* (→ Imagination, cit. 5).

Pratiqué (avec un compl. de lieu introduit par *dans, parmi, sur, sous, entre...*). *Enfoncements* (⇒ 2. **Enfoncement**, cit. 4) *ménagés dans l'épaisseur des tours ; galeries* (cit. 12) *ménagées dans l'épaisseur d'un mur.*

(...) un chemin étroit ménagé entre les tombes.   26
    FRANCE, le Crime de S. Bonnard, Œ., t. II, IV, p. 380.

CONTR. Dépenser, dilapider, gaspiller, prodiguer. — Exposer, fatiguer. — Accabler, brusquer, froisser, malmener. — Compromettre (les intérêts...).

2. MÉNAGER, ÈRE [menaʒe, ɛʁ] adj. et n. — Fin XVᵉ ; *mainagier* « homme du petit peuple, journalier », puis « habitant », 1281 ; de *ménage*.

★ **I.** Adj. ♦ **1.** (1666 ; « qui administre bien », XVIᵉ). Vieilli. (Personnes). **MÉNAGER DE** : qui administre (ce qu'indique le compl.) avec économie, mesure. *Il est très, trop ménager de ses deniers.* ⇒ **Avare**. — Fig. Qui ménage, épargne. *Ménager de son temps.* ⇒ **Économie**.

(...) que la raison nous fasse ménagers de notre bien (...)   1
    LA ROCHEFOUCAULD, Réflexions morales, 365.

Le sage est ménager du temps et des paroles.   2
    LA FONTAINE, Fables, VIII, 26.

Nos grands-parents, de tout ménagers, se servaient, en manière de doublures, de ce qu'ils trouvaient sur leurs vieux sièges.   COLETTE, Belles saisons, p. 62.   3

♦ **2.** (V. 1830, Balzac). Mod. (Choses). Qui a rapport au ménage, à l'intérieur domestique. *Travaux ménagers, besognes ménagères. Appareils ménagers* (⇒ **Ménagiste**). *Arts ménagers* : techniques visant à faciliter le travail de la ménagère, à accroître le confort et à agrémenter la vie au foyer. *Le Salon des arts* ménagers.*

Il n'existe aucune école spéciale de *ménagérisme* : on ne stimule *(les jeunes filles)* qu'au servile rôle de satisfaire les fantaisies d'un maître futur. La malencontreuse morale, en condamnant toutes les femmes au rôle de ménagère, ne sait même pas les initier aux notions élémentaires d'industrie ménagère.   4
    Charles FOURIER, la Fausse Industrie morcelée, p. 601 (1836).

Enseignement ménager : branche de l'enseignement technique à l'usage des jeunes filles (travaux ménagers, cuisine, couture, puériculture).

♦ **3.** (Mil. XXᵉ). Qui provient du ménage. *Eaux, ordures ménagères.*

Ça puait là-dedans, des eaux ménagères, du seau plein vidé !   5
    ARAGON, les Beaux Quartiers, I, XVIII.

♦ **4.** (Mil. XVIᵉ). Rare. (Personnes). Qui s'occupe, qui aime à s'occuper de ménage.

Maman était une dame ménagère tout occupée de soins domestiques.   6
    FRANCE, Pierre Nozière, p. 43.

★ **II.** N. ♦ **1.** (XVᵉ). Vieilli. Celui, celle qui administre, qui gère (bien ou mal) un bien. *Être bon ménager, meilleur ménager d'une chose.* — Fig. « *Vauban, le plus avare ménager de la vie des hommes* » (Saint-Simon).

7　Un roi dont la prudence a de meilleurs objets
Est meilleur ménager du sang de ses sujets (...)　　　CORNEILLE, le Cid, II, 6.

Mod. Animateur, gestionnaire d'entreprise (équivalent proposé pour *manager**).

♦ **2.** N. f. (V. 1462). MÉNAGÈRE : femme qui s'occupe de son ménage, qui tient une maison. *Ménagère qui fait le marché* (→ Étal, cit. 1), *reçoit des invités* (→ Convive, cit. 1). *Bonne ménagère.*

8　(...) pour que leurs filles deviennent de bonnes ménagères, il convient qu'elles ne sachent que faire la soupe et compter le linge de cuisine.
　　　　　　É. DE SENANCOUR, Oberman, LVIII.

9　Comme nous rentrions, le soleil dissipait la légère brume du matin : les ménagères sur le seuil des maisons secouaient leurs tapis ou bavardaient (...)
　　　　　　ALAIN-FOURNIER, le Grand Meaulnes, II, IX.

10　(...) elle apprenait le repassage chez ma mère moins pour en faire son métier que pour acquérir le coup de poignet de la ménagère accomplie.
　　　　　　J. GIONO, Jean le Bleu, II.

Spécialt. *Le panier** de la ménagère.

Spécialt, vx. Servante, bonne à tout faire, femme de ménage. ⇒ **Domestique.**

11　(...) il l'avait prise pour ménagère plutôt que pour femme, et, quoiqu'elle n'eût point de dot, il avait fait, en l'épousant, ce qu'on appelle un mariage de raison.
　　　　　　A. DE MUSSET, Nouvelles, « Deux maîtresses », VI.

CONTR. Prodigue.
DÉR. Ménagiste.

MÉNAGÈRE [menaʒɛʀ] n. f. — V. 1462 ; fém. de l'adj. *ménager.*

♦ **1.** ⇒ **Ménager,** II., 2.

♦ **2.** (1931 ; « huilier », 1874). Service complet de couverts de table dans son coffret de rangement.

MÉNAGERIE [menaʒʀi] n. f. — XVIᵉ ; « administration domestique », cf. Montaigne, III, 9, et, spécialt, « administration d'une ferme », 1530 ; de *ménage.*

♦ **1.** (XVIᵉ-XVIIᵉ). Vx. Dépendances d'une ferme (étable, basse-cour), où l'on nourrissait les animaux domestiques. « *Il nous a fait manger des poulets de sa ménagerie* » (Académie, 1694). Cf. La Fontaine, *Fables,* III, 12.

♦ **2.** (1664). Mod. Lieu où est rassemblée une collection d'animaux rares, curieux (exotiques) en vue de les montrer *(ménagerie d'un cirque, d'un montreur de foire)* ou de les étudier scientifiquement (⇒ **Zoo**) ; (1868) par ext., la collection d'animaux. *Ménagerie ambulante, foraine. Ménagerie de fauves, où un belluaire, un dompteur** fait des exhibitions de dressage. Les cages, les stalles* (→ Grille, cit. 4) *d'une ménagerie. La ménagerie du Jardin des plantes de Paris fait partie du Muséum d'histoire naturelle.*

Nos quatre amis, étant arrivés de Versailles de fort bonne heure, voulurent voir avant le dîné *(dîner),* la Ménagerie : c'est un lieu rempli de plusieurs sortes de volatiles et de quadrupèdes, la plupart très rares et de pays éloignés.
　　　　　　LA FONTAINE, Amours de Psyché..., I.

♦ **3.** (1935). Collection de jouets d'enfants reproduisant diverses espèces d'animaux.

♦ **4.** (1899). Fig. Rassemblement hétéroclite d'êtres vivants. *Cette maison, cette famille est une drôle de ménagerie.* — Par métaphore. « *Dans la ménagerie infâme de nos vices...* » (→ Ennui, cit. 27, Baudelaire).

MÉNAGIER [menaʒje] n. m. — Fin XIVᵉ ; de *ménage.*

♦ Hist. littér. Traité d'économie domestique, assorti de considérations morales (au moyen âge).

MÉNAGISTE [menaʒist] n. — 1956, *in* P. Gilbert ; de 2. *ménager,* I., 2. : appareil ménager.

♦ Rare. Personne, entreprise qui fabrique ou vend des appareils ménagers.

MENCHEVIK [mɛnʃevik] n. et adj. — 1903 ; mot russe, de *menchistvo* « minorité ».

♦ Hist. Se dit des membres du parti social-démocrate russe hostiles à Lénine (ils furent mis en minorité par les bolcheviks* au IIᵉ Congrès de 1903).

(...) « durs » et « mous » de l'Iskra se retrouvent d'accord pour refuser au Bund l'autonomie qu'il réclame au sein du parti russe et pour condamner les conceptions des « économistes ». Les délégués du Bund et les « économistes » abandonnent alors le congrès : les « durs », qui détiennent du coup la majorité, peuvent désigner un comité de rédaction et un comité central, formé en majorité des partisans de

Lénine. Ces derniers, désormais, seront les bolcheviks, les majoritaires, les « mous » devenant les mencheviks, les minoritaires.
　　　　　　Pierre BROUE, le Parti bolchevique, p. 32.

CONTR. Bolchevik.
DÉR. Menchevisme.

MENCHEVISME [mɛnʃevism] n. m. — 1924, M. Thorez ; de *menchevik.*

♦ Hist. Tendance des mencheviks.

CONTR. Bolchévisme.

MENDACITÉ [mɑ̃dasite] n. f. — XXᵉ, cit. ; « mensonge, fausseté », 1509 ; lat. *mendacitas* « disposition au mensonge », de *mendax* « menteur ».

♦ Didact. (psychol.). Disposition à la fabulation, au mensonge. « *On considère que l'enfant n'est capable de mentir qu'à partir de l'âge de raison (...) Même après 7 ans, la mendacité n'est pas forcément pathologique* » (Robert Lafon, *Vocabulaire de psychopédagogie,* art. *Mensonge,* p. 545 a, 1973).

MENDAÏTE ou **MANDAÏTE** [mɑ̃dait] adj. et n. ⇒ **Mandéen.**

MENDÉ [mɑ̃de] adj. et n. ⇒ **Mandé.**

MENDÉEN, ENNE [mɑ̃deɛ̃, ɛn] adj. et n. ⇒ **Mandéen.**

MENDÉISME [mɑ̃deism] n. m. ⇒ **Mandéisme.**

MENDÉLÉVIUM [mɛ̃delevjɔm] n. m. — V. 1955 ; de *Mendeleïev,* chimiste russe, auteur de la classification des éléments qui porte son nom.

♦ Chim. Élément chimique transuranien (nᵒ at. 101 ; symb. Mv) dont un isotope a été obtenu artificiellement. — On écrit parfois *mendéléievium* ou *mendéleevium.*

MENDÉLIEN, IENNE [mɛ̃deljɛ̃, jɛn] adj. — 1903, *Rev. gén. des sc.,* nᵒ 3, p. 158 ; de *Mendel,* nom d'un botaniste tchèque (1822-1884).

♦ Biol. Relatif aux lois de Mendel qui posèrent les bases de la génétique moderne (loi de la dominance d'un caractère sur un autre dit récessif ; loi de disjonction de ces caractères). *Hérédité** mendélienne ou simple. Chaque caractère héréditaire mendélien dépend d'un seul gène** et se transmet intégralement.*

La génétique mendélienne est, depuis 1900, une des disciplines les plus actives de la biologie.　　　Maurice CAULLERY, Génétique et Hérédité, p. 38.

MENDÉLISME [mɛ̃delism] n. m. — 1923 ; de *Mendel.* → Mendélien.

♦ Biol. Théorie de l'hérédité formulée par Mendel (lois de l'hybridation : caractères dominants et récessifs).

MENDÉLISTE [mɛ̃delist] n. — 1918 ; de *Mendel.* → Mendélisme.

♦ Biol. Partisan de la doctrine de Mendel.

Peut-être (...) Swann eût-il en tout cas éprouvé une certaine volupté à accoupler à lui, dans un de ces croisements d'espèces comme on pratiquent les *mendélistes* ou comme en raconte la mythologie, un être de race différente, archiduchesse ou cocotte (...)　　　PROUST, À l'ombre des jeunes filles en fleurs, Pl., t. I, p. 470.

MENDÉSISME [mɛ̃desism] n. m. — 1954 ; de *Mendès(-France).*

♦ Hist. Position politique socialiste de Pierre Mendès-France.

(...) ceux de mes confrères de la grande presse que la défaite du « mendésisme » a tant réjouis.　　　F. MAURIAC, Bloc-notes 1952-1957, p. 302.

DÉR. (Du même rad.) Mendésiste.

MENDÉSISTE [mɛ̃desist] n. — 1954 ; de *Mendès(-France).*

♦ Hist. Partisan de Pierre Mendès-France, spécialt, après la scission du parti radical. — Adj. *Député mendésiste.* « *Pierre Mendès-France est-il mendésiste ?* » (Mauriac, *Bloc-notes 1952-1957,* p. 147).

Son plan était de se présenter sous l'étiquette de « radical valoisien », tout en laissant entendre qu'il était fort proche des radicaux mendésistes.
　　　　　　J. DUTOURD, les Horreurs de l'amour, p. 442.

MENDIANT, ANTE [mɑ̃djɑ̃, ɑ̃t] n. — V. 1170 ; de *mendier.*

★ **I.** Personne qui mendie pour vivre. ⇒ **Gueux** (cit. 3), **indigent, mendigot, pauvre.** *Faire la charité, donner aux mendiants* (→ Honteux, cit. 18). *Mendiant qui demande l'aumône* (cit. 7 et 8), *erre* sur les routes (⇒ **Chemineau**), *couche sous les ponts* (⇒ **Clochard**). *Mendiantes qui chantent dans les rues* (⇒ **Chanteur** [des rues]). *Les mendiants de la cour* des miracles.* ⇒ **Truand** (vx). *Besace* (cit. 2), *haillons du mendiant.* — *Le Mendiant,* poème d'A. Chénier. *Le Mendiant ingrat* (Léon Bloy).

> (...) quelques mendiants hâlés, ridés, drapés de lambeaux de toile et de haillons à l'état d'amadou (...)   Th. GAUTIER, *Voyage en Espagne,* p. 74.

> Un mendiant déguenillé, qui ne pouvait faire recette, perdu qu'il était au milieu de la foule (...) avait imaginé de se jucher sur quelque point en évidence, pour attirer les regards et les aumônes. Il s'était donc hissé (...) jusqu'à la corniche (...) et là il s'était assis, sollicitant l'attention et la pitié de la multitude, avec ses haillons et un plaie hideuse qui couvrait son bras droit.   HUGO, *Notre-Dame de Paris,* I, I, II.

> Seuls les mendiants, accroupis sur le trottoir et habitués par profession à un jeûne éternel, semblent ne point souffrir de la soif et de la faim, et sur un rythme lugubre demandent sans relâche à la foule qui passe la charité d'une bougie, d'un morceau de pain, d'une aumône, au nom de Sidi Ibrahim ou de Sidi bel Abbès.   Jérôme et Jean THARAUD, *Rabat,* III.

Adj. (Déb. XIVe ; la fondation des ordres est antérieure : XIIIe). *Ordres mendiants :* ordres religieux, ainsi appelés parce qu'ils faisaient profession de vivre exclusivement de quêtes et d'aumônes. *Les quatre ordres mendiants,* et, ellipt., *les quatre mendiants :* Augustins, Carmes, Dominicains, Franciscains. *Moine, religieux mendiant.*

> François d'Assise, fondateur des ordres mendiants, fit faire, en vertu de cette institution, un pas considérable à l'Évangile, et qu'on n'a point assez remarqué : il acheva d'introduire le peuple dans la religion ; en revêtant le pauvre d'une robe de moine, il força le monde à la charité (...)   CHATEAUBRIAND, *Mémoires d'outre-tombe,* t. VI, p. 256.

★ **II.** (V. 1600 ; allus. aux ordres). Vieilli. *Les quatre mendiants,* nom donné à un mélange de fruits secs (amandes, figues, noisettes, raisins) servi comme dessert. « *Une assiette des quatre mendiants* » (Académie). — Par abrév. Mod. *Une assiette de mendiants.* — (Au sing. collectif ; 1959). *Et comme dessert ?* — *Un mendiant.*

> La conversation se traîna encore pendant qu'elles grapillaient du raisin sec et qu'(...) elles brisaient les amandes et les noisettes avec leurs dents (...) Les mendiants étaient définitivement croqués.   HUYSMANS, *En ménage,* IX, p. 209.

DÉR. Mendigot.

MENDICITÉ [mãdisite] n. f. — V. 1361 ; *mendistiet,* 1080 ; lat. *mendicitas.*

♦ **1.** État, condition de celui qui mendie, qui vit d'aumônes. ⇒ **Gueuserie** (cit. 2). *Être réduit à la mendicité* (→ Besace, cit. 1).

> C'était pour eux un devoir de secourir les pauvres dans leurs maladies, de les retirer de la mendicité : de procurer des places à ceux qui pouvaient servir, de l'ouvrage à ceux qui pouvaient travailler, des aumônes à ceux qui ne pouvaient s'aider eux-mêmes (...)   BOURDALOUE, *Exhortation sur la charité envers les nouveaux catholiques,* I.

> (...) si je mourais, mon père serait à la mendicité.   BALZAC, *Un drame au bord de la mer,* Pl., t. IX, p. 881.

♦ **2.** (1678). Action de mendier. *La mendicité est interdite dans les couloirs du Métropolitain, sur le territoire de la commune...* (cf. Code pénal, art. 274). *Faire coffrer* (cit. 2) *qqn pour mendicité.*

Figuré :

> Son besoin d'être aimée, baisée, prise dans des bras, est une véritable maladie. Quelle honte que cette supplication éternelle, avouée ou non, cette mendicité éternelle, — camouflée quelquefois des grands plumages de la coquetterie !   MONTHERLANT, *les Lépreuses,* Appendice.

♦ **3.** (1810). Vx ou admin. Les mendiants, considérés collectivement. *Dépôt** (cit. 15) *de mendicité* (→ Émettre, cit. 4).

MENDIER [mãdje] v. — V. 1120 ; *mendeier,* 1080 ; lat. *mendicare.*

★ **I.** V. intr. Demander l'aumône*, la charité ; exercer la mendicité*. ⇒ **Main** (tendre la). *Gitanes* (cit. 1), *gueux* (cit. 2) *qui mendient.* ⇒ **Mendiant.** *Un pauvre honteux* (cit. 17) *qui n'ose mendier. Il ne lui restait plus qu'à mendier sur les routes.* ⇒ **Gueuser** (vx), **mendigoter, truander** (vx). — Fig. Faire appel à la générosité, aux subsides de qqn.

> Vous rencontrerez bien encore des malheureux dans notre canton, j'en vois certes beaucoup trop ; mais personne n'y mendie, il s'y trouve de l'ouvrage pour tout le monde.   BALZAC, *le Médecin de campagne,* Pl., t. VIII, p. 359.

> (...) est-ce que ça se refuse, une aumône à un fils ?... J'irai mendier chez les autres, ce sera du propre, ah ! oui, du propre !   ZOLA, *la Terre,* III, II.

★ **II.** V. tr. ♦ **1.** (1533). Demander à titre d'aumône. *Mendier son pain.* — Par métonymie. *Mendier sa vie,* ce qui est nécessaire pour subsister.

> Des enfants (...) galopèrent derrière lui en tendant la main. Leurs regards équivoques et effrontés mendiaient une petite pièce de monnaie.   P. MAC ORLAN, *la Bandera,* XV.

♦ **2.** (V. 1240). Fig. Solliciter humblement (⇒ **Implorer**). *Mendier son pardon, un baiser* (→ Hardiesse, cit. 11).

(Av. 1563). Péj. Solliciter, rechercher avec insistance, d'une manière servile ou importune. ⇒ **Quémander, quêter.** *Mendier des suffrages, des voix* (→ Gratuit, cit. 1).

> Moi, j'irais à ses pieds mendier un asile ?   RACINE, *Alexandre,* V, 2.

> (...) j'eus peur que si je produisais cet ouvrage sur notre théâtre, on ne m'accusât d'abord d'avoir mendié les louanges qu'on m'y donnait.   MOLIÈRE, *l'École des femmes,* Préface.

DÉR. Mendiant, mendieur. — V. (du lat.) **Mendicité.**

MENDIEUR, EUSE [mãdjœʀ, øz] adj. et n. — Cour. au XVIe (R. Belleau, 1578 ; Tahureau, Baïf, etc.) ; une première fois en anc. franç., *in* Godefroy ; de *mendier.*

♦ Littér. Qui demande comme une aumône, qui sollicite humblement (qqch.).

> Au-dessus du bétail ahuri des humains
> Bondissaient en clartés les sauvages crinières
> Des mendieurs d'azur le pied dans nos chemins.
>   MALLARMÉ, *Poésies,* « Le guignon », Pl., p. 28.

MENDIGOT, OTE [mãdigo, ɔt] n. — 1876 ; de *mendiant,* et suff. pop. → Parigot.

♦ Fam. Mendiant. *Une petite mendigote.*

> (...) j'aperçois, debout dans l'encoignure d'une porte, un vieux mendigot, une ruine humaine, un paquet de loques et de poils.   G. DUHAMEL, *Salavin, Journal,* 5 févr.

DÉR. Mendigoter.

MENDIGOTER [mãdigɔte] v. — 1878 ; de *mendigot.*

♦ Fam. Mendier.

> On le voyait s'amener à l'heure de la soupe (...) Il tendait sa gamelle, comptait les portions (...) marchandait (...) mendigotait, pleurnichait (...)   B. CENDRARS, *la Main coupée,* Œ. compl., t. X, p. 13.

Fig. *Mendigoter de l'affection, un avantage, une faveur.*

MENDOLE [mãdɔl] n. f. — 1547 ; anc. provençal *amendolla,* lat. pop. **maenula,* class. *mena* ou *maena.*

♦ Régional. Poisson acanthoptérygien *(Ménidés),* de petite taille, gris argenté à raies brunes, qui vit sur les fonds rocheux méditerranéens.

MENEAU [mǝno] n. m. — 1402 ; *mayneau,* 1398 ; p.-ê. de **meienel,* non attesté, de l'anc. franç. *meien* « moyen » ; lat. *medianus* « qui est au milieu ».

Technique.

♦ **1.** Montant ou traverse de pierre qui, dans les anciennes fenêtres, divisait la baie.

> (...) la grande fenêtre à meneaux trilobés (...)   Th. GAUTIER, *Souvenirs de théâtre..., Dessins de V. Hugo.*

> (...) villa prétentieuse aux fenêtres à meneaux, aux balcons tourmentés (...)   A. MAUROIS, *les Roses de septembre,* I, I.

♦ **2.** Barre verticale ou transversale sur laquelle s'adapte un châssis mobile de fenêtre. *Meneaux de bois, meneaux métalliques.*

♦ **3.** Moulure à jour décorant un gâble, une balustrade.

MÉNECHME [menɛkm] n. m. — 1834, Balzac ; du nom de deux frères jumeaux, personnages d'une comédie de Plaute, imitée par Regnard *(les Ménechmes ou les Jumeaux,* 1705).

♦ Rare. Se dit de deux personnes qui ont entre elles une ressemblance frappante. ⇒ **Jumeau, sosie** (→ Famille, cit. 6).

> Une surprise horrible leur fit couler à tous deux un sang glacé dans les veines (...) En effet, deux Ménechmes ne seraient pas mieux ressemblé. Ils dirent ensemble le même mot : — Lord Dudley doit être votre père ?   BALZAC, *la Fille aux yeux d'or,* Pl., t. V, p. 322.

> Dès que les jumeaux de Simeuse se montrèrent et descendirent de cheval, il y eut un cri général de surprise, causé par leur étonnante ressemblance : même regard, même voix, mêmes façons... Leur mise, absolument la même, aidait encore à les prendre pour de véritables Ménechmes.   BALZAC, *Une ténébreuse affaire,* Pl., t. VII, p. 546.

MENÉE [mǝne] n. f. — 1080, « charge, attaque », et comme t. de vén. ; de *mener.*

♦ **1.** Vén. Route, voie que prend un cerf* en fuite et où il entraîne à sa poursuite la meute et les chasseurs. *Suivre la menée, être à la menée de la bête.*

> (...) toutes ces bêtes en mouvement, les unes pressées et fouaillées, les autres traquées et forcées, toutes hors d'elles-mêmes, les chiens sonnant, les piqueurs chevauchant et cornant la menée.   VALÉRY, *Au sujet d'Adonis, in* Œ., t. I, Pl., p. 85-56.

♦ **2.** N. f. plur. (1647 ; sing., v. 1460). Cour. Agissements secrets et artificieux dans un dessein nuisible. ⇒ **Intrigue, machination, manœuvre.** *Menées habiles, perfides, sourdes, sournoises, souterraines. Être en butte aux menées, victime des menées d'une cabale.* ⇒ **Complot, machination.**

2 Cette lettre, remise aux mains de la police, avait révélé toutes les menées au moyen desquelles M. De Czernicheff était parvenu à corrompre la fidélité des bureaux.
THIERS, Hist. du Consulat et de l'Empire, XLIII.

Spécialt. *Menées antinationales, subversives* (→ Fantoche, cit. 3). *Menées anarchistes*, « incitation à renverser par la violence l'ordre social légalement établi » (Capitant).

♦ **3.** (1644). Régional (Suisse, Franche-Comté). Amas de neige causé par la tempête.

3 (...) ces murs de planches destinés à briser l'élan et empêcher les « menées » de se former sur la route (...) W. DUBOIS, En poussant nos clédards, p. 76.

1. MENER [məne] v. tr. — Conjug. *lever.* — Xᵉ ; lat. pop. *minare* « chasser, pousser devant soi », lat. class. *minari* « menacer ».

★ **I.** Faire aller (qqn) avec soi. ⇒ **Amener, conduire, emmener.** *Mener qqn par la main* (→ Étudier, cit. 22). *Mener un enfant en lisière.* — *Touristes menés par des guides* (cit. 3).

A. MENER à, en, dans ; MENER (et inf.). ♦ **1.** Conduire en accompagnant. ⇒ **Emmener.** *Mener qqn au café* (→ Lier, cit. 16), *au théâtre* (→ Honneur, cit. 111), *jusqu'à sa chambre, dans un jardin... Je ne sais trop où il me mène. Malade qu'on mène aux eaux* (→ Languir, cit. 5), *chez le docteur.* — *Mener les enfants en promenade le jeudi* (cit. 2). — Loc. fig. *Mener qqn en bateau*.* — (1538). *Mener qqn chez (qqn). Un ami influent l'a mené chez le ministre.*

1 Une fois, ayant confiance dans un beau soleil de septembre, Marius s'était laissé mener au bal de Sceaux par Courfeyrac (...) HUGO, les Misérables, III, VIII, I.

2 Un soir, papa dit : «... nous allons mener les enfants à l'Exposition. »
G. DUHAMEL, Chronique des Pasquier, I, VIII.

(Avec une proposition inf.). *Mener promener les élèves d'un lycée* (cit. 1). *Mener qqn fendre du bois* (cit. 35).

3 (...) j'aurais souhaité de pouvoir (...) vous mener voir sur ce chapitre quelqu'une des comédies de Molière. MOLIÈRE, le Malade imaginaire, III, 3.

4 (...) on menait les écoliers baigner tous les jeudis (...)
CHATEAUBRIAND, Mémoires d'outre-tombe, t. I, p. 109.

Spécialt. **a** Vieilli. *Mener une femme au bal*, être son cavalier. — *Père qui mène sa fille à l'autel.* ⇒ **Conduire.** — Fig. *Mener une jeune fille à l'autel, à la mairie, devant M. le Maire...*, l'épouser (→ Conquérant, cit. 4).

5 (...) il répondit par une lettre irréprochable et de ton presque solennel : elle était la première femme qu'il eût jamais voulu mener à l'autel et probablement la dernière. A. MAUROIS, la Vie de Byron, II, XXI.

b Vx. **MENER** (avec soi)... : se faire accompagner, se faire suivre de... ⇒ **Emmener.**

6 Le Roi menait avec lui une partie de son artillerie (...)
RACINE, le Siège de Namur.

Par métaphore. *Mener qqn où l'on en a envie* (→ Arme, cit. 34, Molière). « *L'espérance nous mène au terme de la vie par un chemin agréable* » (cit. 7, La Rochefoucauld).

7 (...) le présent ne nous satisfaisant jamais, l'expérience nous pipe, et de malheur en malheur, nous mène jusqu'à la mort (...) PASCAL, Pensées, VII, 425.

8 On s'étonnerait en vain du paradoxe apparent qui mène la pensée à sa propre négation par les voies opposées de la raison humiliée et de la raison triomphante.
CAMUS, le Mythe de Sisyphe, p. 68-69.

♦ **2.** (V. 1175). Faire avancer (un animal) en marchant à sa tête, à ses côtés, ou en le poussant devant soi. *L'ânier* (cit.) *mène ses ânes.* ⇒ **Guider.** *Mener des vaches à l'abreuvoir, en pâture* (→ Herbage, cit. 1). *Mener un cheval par la bride, un chien en laisse. Mener des bœufs attelés de front. Ce charretier mène ses chevaux à coups de fouet. Bêtes que l'on mène à l'abattoir.* — (Avec un inf.). *Mener paître des moutons.*

9 Elle n'est pas méchante, la Coliche *(une vache)*. Seulement, depuis ce matin, elle nous fait rager, parce qu'elle est en chaleur... Je la mène au taureau, à la Borderie... ZOLA, la Terre, I, I.

10 Deux fois par jour, à onze heures et à six heures, le vieux mène son chien promener. CAMUS, l'Étranger, I, III.

Par anal. *Mener sa voiture au garage. Le mécanicien mène la locomotive au dépôt.*

(Av. 1563). Par métaphore. *Mener des hommes à la boucherie* (→ Guerre, cit. 39). *Des naturels rétifs, difficiles à mener.* ⇒ **Manier** (→ Cabrer, cit. 8).

11 (...) il est bien temps de s'occuper de chevalerie, pendant que M. de Contades (...) mène à la boucherie tous les descendants de nos anciens chevaliers, et leur fait attaquer quatre-vingts pièces de canon (...) Cette horrible journée perce l'âme.
VOLTAIRE, Correspondance, 1649, 15 août 1759.

Fig. Traiter. *Elle le mène avec douceur, rudement* (→ **Malmener**). — (Déb. XVIIᵉ). Loc. fig. *Mener qqn bon train*, tambour* battant, à la baguette*, à la trique*, au doigt et à l'œil.* ⇒ **Marcher** (faire). *Il, elle se laisse, se fait mener par le nez*, par le bout du nez. Vous ne prétendez pas mener en laisse un garçon de vingt ans ?*

12 Comment, disait-elle, madame qui menait monsieur comme un homme si parfait, au doigt et à l'œil, — car, entre nous, il paraît que tu le faisais tourner en bourrique, — comment madame peut-elle se laisser massacrer par ce polichinelle ?
ZOLA, Nana, VIII.

♦ **3.** (1080). Avec un compl. de lieu. Conduire avec autorité, en exerçant un commandement, une influence. *Capitaine qui mène ses troupes au feu* (→ Corps, cit. 26), *au combat* (⇒ **Commander**). *Mener des armées à la victoire* (→ Logistique, cit. 2).

(1080 ; avec une idée de contrainte, de violence). Spécialt. *Mener un coupable en prison* (→ Incarcérer, cit. 2), *à l'échafaud* (→ Guillotiner, cit. 2), *à la potence* (→ Échapper, cit. 21).

Lors que Maillart, juge d'enfer, menait
À Montfaucon Samblançay l'âme rendre (...)
Samblançay fut si ferme vieillard,
Que l'on cuidait *(pensait)*, pour vrai, qu'il menât pendre
À Montfaucon le lieutenant Maillart.
Clément MAROT, Épigrammes, XL.

(...) on lui mettrait des menottes, on le mènerait à la mairie et de là, après quelques jours, à la prison du chef-lieu. J. GREEN, Léviathan, II, XIV.

(XIIIᵉ). Par métaphore. ⇒ **Entraîner.** *Mener un pays à la guerre* (→ Foi, cit. 16), *au bord du gouffre* (cit. 18). *Cette discussion pourrait nous mener à une querelle* (→ Accent, cit. 6). *Jeune homme qui s'abandonne* (cit. 25, Musset) *à une chimère sans avoir où elle le mène.* — (1669). Loc. *Mener loin qqn*, « l'engager dans une affaire plus qu'il ne lui conviendrait » (Académie). *Cela peut (vous) mener loin* (cit. 11), *plus loin que vous ne pensez* : cela peut avoir (pour vous) des conséquences* imprévisibles et incalculables, heureuses ou (plus souvent) funestes. *Une petite plaisanterie qui peut vous mener loin.*

Mademoiselle Temple (...) ne cherchait que l'occasion de se justifier dans son esprit (...) Ces favorables dispositions entre les mains d'un homme comme lui l'auraient pu mener plus loin qu'elle ne le croyait (...)
A. HAMILTON, Mém. du comte de Gramont, XII.

J'ai bien besoin d'avoir cette femme, pour me sauver du ridicule d'en être amoureux : car où ne mène pas un désir contrarié ? LACLOS, les Liaisons dangereuses, IV.

B. MENER qqn, qqch. ♦ **1.** (1170). Être en tête de (un groupe, un cortège, une file). *Mener le deuil*.* — *L'animal qui mène le troupeau.* — Par métonymie. *Mener la danse*.*

(...) la farandole menée par un gars de Barbantane, le pays des danseurs fameux, se mit en marche lentement, déroulant ses anneaux (...)
Alphonse DAUDET, Numa Roumestan, I.

(1949). Sports. *Coureur qui mène le peloton, le train.* — Absolt. *Il a mené jusqu'au dernier virage.* — Avoir l'avantage dans un match, une compétition. *À la mi-temps, l'équipe de France menait par 3 buts à 2.*

La dynamique du Tour ne connaît que quatre mouvements : mener, suivre, s'échapper, s'affaisser. Mener est l'acte le plus dur, mais aussi le plus inutile ; mener, c'est toujours se sacrifier ; c'est un héroïsme pur, destiné à afficher un caractère bien plus qu'à assurer un résultat (...)
R. BARTHES, Mythologies, p. 115.

Par métaphore. *Les hautbois menaient un chœur de voix d'hommes* (→ Castagnette, cit. 3). — *Cornemuses* (cit.) *qui mènent la danse.*

Fig. *Mener le branle*, la danse*.* — *Mener le jeu, la partie* : être le maître de la situation. ⇒ **Dominer.**

Par anal. (En parlant d'activités collectives). ⇒ **Diriger.** *Mener les débats.* ⇒ **Conduire.**

♦ **2.** Fig. Diriger, commander. « *L'homme s'agite* (cit. 17) *mais Dieu le mène* » (Fénelon). *Financiers* (cit. 3) *qui mènent la banque. Dictateur mené par l'opinion publique* (→ Flatter, cit. 42). *Il se laisse mener comme un enfant.* — Absolt. *Se laisser mener* (cf. Se laisser faire). — (Sujet n. de chose). « *Les idées* (cit. 64) *mènent le monde* » (Renan). *Les sentiments qui mènent les hommes* (→ 1. Général, cit. 27). *Le profit n'est pas toujours ce qui mène l'homme. Ce n'est pas son intérêt qui le mène.* ⇒ **Agir** (faire), **animer, guider.**

(...) par un sort qui tout mène (...) MOLIÈRE, l'École des femmes, I, 1.
Ce siècle est grand et fort. Un noble instinct le mène.
HUGO, les Voix intérieures, I.

Dans les jeux, je ne prétendais mener personne, mais je ne voulais pas être mené : je n'étais bon ni pour tyran ni pour esclave, et tel je suis demeuré.
CHATEAUBRIAND, Mémoires d'outre-tombe, t. I, p. 70.

Il *(Rioms)* croyait mener les deux villes, l'Arsenal et Toulon, justement de même manière, comme une chiourme de forçats, à coups de cordes et de lianes, protégeant la cocarde noire, punissant la tricolore.
MICHELET, Hist. de la Révolution franç., III, VI.

Elle me mèna, mais discrètement ; car elle a beaucoup d'esprit. Et sans en tirer un sentiment de domination, parce qu'elle est tendre, et aussi parce qu'elle est très femme, elle porte le sentiment profond et traditionnel d'une certaine subordination de la femme à l'homme. J. ROMAINS, le Dieu des corps, p. 101.

★ **II.** Faire aller (une chose) en la contrôlant.

♦ **1.** (V. 1175). Faire marcher, faire fonctionner. *Mener sa voiture* (→ Courir, cit. 60), *une troïka* (→ Gentleman, cit.). ⇒ **Conduire.** — *Officiers qui mènent le navire* (→ Cap, cit. 3).

Je ne me sens pas d'humeur à aller porter la soupe aux champs ou à mener une charrette (...) BALZAC, le Médecin de campagne, Pl., t. VIII, p. 416.

Par métaphore :

(...) la Gironde, qui semblait mener le vaisseau de la France, n'en avait pas le gouvernail. MICHELET, Hist. de la Révolution franç., VI, VII.

Loc. fig. *Mener la barque*.* (cit. 8 et 9).

(1690). *Femme qui sait mener sa maison, son ménage* (⇒ **Diriger**), *sa fortune* (⇒ **Administrer**).

♦ **2.** (1662). Faire avancer, faire évoluer sous sa direction. *Mener une affaire au trot*, bon train*, négligemment, prudemment, ron-*

dement... *Mener de front** (cit. 39) *deux affaires. Le docteur dut mener l'opération très vite* (→ Fer, cit. 14).

25 (...) *le vieux chat (Mazarin) est bien malade à Narbonne, il va s'en aller* ad patres *; mais il faut mener nos affaires rondement, car ce n'est pas la première fois qu'il fait l'engourdi.*
    A. DE VIGNY, Cinq-Mars, XIV.

26 *J'avais toujours jugé ladite une gaillarde chaude, et je vois que je ne me suis pas trompé. Mais elle a l'air de mener ça bien rondement, cavalièrement.*
    FLAUBERT, Correspondance, 446, 23 déc. 1853.

(Quant au but poursuivi). *Mener une aventure aussi loin* (cit. 9) *que possible.* — (V. 1200). MENER À... Entreprendre (cit. 5) *une chose et la mener à bien**, à fin* (→ Assiduité, cit. 2), *à bonne fin**, à terme**. ⇒ Exécuter, terminer (→ Habiliter, cit. 2).

27 (...) *j'aurais eu besoin, pour mener à bien ce travail, de me reporter à des livres que je ne peux trouver qu'à Paris.*   GIDE, Attendu que..., p. 52.

Spécialt. *L'existence** (cit. 26), *le train**, la vie que l'on mène.* ⇒ Vie. — (1959). *Mener la vie** dure à qqn. Ne pas en mener large** (cit. 25 et 26).

(XIXᵉ). S'adonner, se livrer à une activité soutenue, organisée dans un but précis, et dont on a (plus ou moins) l'initiative. *Mener une offensive, une dure bataille* (→ Aggraver, cit. 8). ⇒ Soutenir. *Mener une négociation.* ⇒ Négocier. *Ce pays « allait mener la lutte jusqu'au bout »* (→ Liquider, cit. 3). ⇒ Poursuivre. *Mener une partie d'échecs* (cit. 19). ⇒ Disputer.

28 *J'ai une lutte sévère à mener contre la police.*
    J. ROMAINS, les Hommes de bonne volonté, t. II, VII, p. 73.

29 *On ne peut mener un procès en annonçant la culpabilité générale d'une civilisation.*
    CAMUS, l'Homme révolté, p. 226.

(XIIᵉ). S'adonner ou participer à une activité, à des manifestations de caractère apparemment désordonné et généralement bruyant ou spectaculaire. *Moucherons qui mènent leur danse* (cit. 14). — Loc. *Mener grand bruit, grand tapage :* faire beaucoup de bruit. — (1690). *Mener grand deuil :* manifester une grande douleur, un vif regret. — Vx. *Mener bruit* (→ Étang, cit. 1), *joie* (→ Fête, cit. 10), *deuil...*

30 (...) *ayant aperçu un de ses domestiques conduit entre les captifs, il se mit à battre sa tête et mena un deuil extrême.*   MONTAIGNE, Essais, I, II.

31 *Nous menions grand boucan de roues derrière ce cheval tout en sabots, de caniveaux en passerelles.*   CÉLINE, Voyage au bout de la nuit, p. 348.

32 (...) *les Curètes et les Corybantes, ivres d'enthousiasme et de fureur, menaient grand bruit, autour des tambours et des sistres.*
    Émile HENRIOT, Mythologie légère, p. 67.

Par métaphore :

33 *Les feuilles de droite menaient tapage autour des manifestations faites par la* Ligue *des Patriotes devant la statue de Strasbourg.*
    MARTIN DU GARD, les Thibault, t. VI, p. 238.

★ III. (Choses). Faire aller (qqn) d'un endroit à un autre.

♦ 1. (V. 1170). Transporter. *Chevaux et voiture qui mènent grand train un haut personnage à un gala* (cit. 1 ; → aussi Fourrer, cit. 33). *Ce train vous mènera à Lyon en moins de trois heures.* ⇒ Conduire.

34 (...) *le tramway T A H qui le mènerait directement chez la papetière* (...)
    J. ROMAINS, les Hommes de bonne volonté, t. IV, XIX, p. 213.

♦ 2. Permettre d'aller d'un lieu à un autre, servir de voie de communication. ⇒ Conduire. *Sentier qui mène à un lac* (→ Asile, cit. 25). *Chemin qui mène à la ville* (→ Enseigner, cit. 1), *qui mène de la route à la maison.*

35 (...) *un corridor menait à un cabinet d'étude* (...)
    FLAUBERT, Trois contes, « Un cœur simple », I.

36 *J'ai peur du sommeil comme on a peur d'un grand trou, Tout plein de vague horreur, menant on ne sait où* (...)
    BAUDELAIRE, Les Nouvelles Fleurs du mal, VIII.

37 *Une rue, puis une autre le menaient de plus en plus bas, vers la petite place et la rivière.*   J. GREEN, Léviathan, I, XI.

38 *Ils parcoururent en silence le chemin bordé d'acacias qui menait à la petite porte.*   MARTIN DU GARD, les Thibault, t. II, p. 221.

(Fin XIIᵉ). Par métaphore. *Chemin qui mène à la perdition* (→ Étroit, cit. 5). *Échelons qui mènent à la gloire* (cit. 22). *Route qui mène aux honneurs* (→ Consentir, cit. 5). *Prendre une route qui ne mène à rien.* ⇒ Cul-de-sac (→ Contraire, cit. 8). — Prov. *Tous les chemins** mènent à Rome.*

39 *Tant de routes mènent à la sagesse.*
    P.-L. COURIER, Éloge de Buffon, p. 557.

Fig. *Cela ne nous mènera, ne le mènera à rien* (→ Écouter, cit. 18). *« Tout mène à la récompense et au châtiment »* (cit. 6, Baudelaire). *« L'immodération* (cit. 2) *mène à de grands vices »* (Vauvenargues). *« La froide tranquillité ne mène pas au bonheur »* (→ Insensible, cit. 2, Laclos). — Allus. *« Le journalisme* (cit. 1) *mène à tout, à condition d'en sortir »* (Janin). — *« L'esprit sert à tout, mais il ne mène à rien »*, mot attribué à Talleyrand (Guerlac, *Cit. franç.*, p. 227).

40 (...) *les excès de la liberté mènent au despotisme; mais les excès de la tyrannie ne mènent qu'à la tyrannie; celle-ci en nous dégradant nous rend incapables de l'indépendance* (...)   CHATEAUBRIAND, Mémoires d'outre-tombe, t. VI, p. 322.

41 *La littérature mène à tout pourvu que l'on en sorte.*
    VILLEMAIN, Discours à l'Académie, 7 déc. 1871.

Spécialt. (En parlant de ce qui se consomme par l'usage ou se dépense). *Mener loin qqn,* fournir longtemps à ses besoins, lui permettre de subsister longtemps. *Il n'a touché que vingt mille francs,*

cela ne le mènera pas bien loin (cf. Il n'ira pas bien loin avec cela). — Absolt. *Vingt mille francs, cela ne mène pas loin par le temps qui court.* — REM. Cette expression s'emploie ordinairement à la forme négative.

★ IV. (1690). Géom. Tracer. *Mener une parallèle à une droite.*

▶ MENÉ, ÉE p. p. adj. Voir ci-dessus (spécialt au sens II ; qualifié).
DÉR. Menable, menage, menée, meneur.
COMP. Amener, emmener, promener, ramener, surmener.

2. MENER [məne] v. intr. défectif. — 1937 ; toujours à l'inf. ; de *(pro)mener,* généralement redoublé.

♦ Fam. (Langage enfantin ou en s'adressant aux enfants). Se promener (généralement précédé du verbe *aller*).
On va aller mener, dit la biquette. — *On va aller menermener,* dit le Gendre, surenchérissant* (...)   MONTHERLANT, le Démon du bien, p. 137.

MÉNESSE [menɛs] n. f. — 1841, « prostituée » ; de *menestre,* ital. *menestra* « potage » (→ Minestrone), selon Esnault ; le sens est analogue à celui de *marmite ; 1847, « femme », en général.

♦ Argot fam. (Semble vieilli sauf dans quelques régions : Nord). Femme, fille. *Une chouette ménesse.*

Et si la gonzesse est vraiment maousse, houlpète, à l'arnache autrement dit, alors c'est une ménesse, quelque chose de tout à fait bien, l'article vraiment supérieur.-   G. DUHAMEL, Chronique des Pasquier, V, XVI, p. 204.   1

Garnero n'avait pas honte. Il avait sa femme dans la peau, comme il me l'avait encore dit l'autre jour (...) Il sautait le mur pour aller rejoindre sa ménesse qui rôdait autour du bastion, seule ou avec des copines (...)
          B. CENDRARS, la Main coupée, Œ. compl., t. X, p. 89.   2

Variante : (1926) *méné.*

MÉNESTREL [menɛstRɛl] n. m. — 1050, « serviteur » ; « artisan », v. 1170 ; repris 1814 ; bas lat. *ministerialis* « chargé d'un service » *(ministerium).*

♦ Hist. Au moyen âge, Poète, musicien et chanteur ambulant qui récitait ou chantait, en s'accompagnant d'un instrument (viole, rebec...), des vers composés par d'autres. ⇒ Chanteur, jongleur. *Baladins et ménestrels* (→ 1. Foire, cit. 1). *Ménestrel chantant les œuvres d'un trouvère, d'un troubadour. Livre... « choyé des châtelaines, des damoiseaux et des ménestrels, florilège* (cit. 1) *de chevalerie »* (Aloysius Bertrand).

MÉNÉTRIER [menetrije] n. m. — 1680 ; *menestrier* « ménestrel », v. 1265 ; var. de *ménestrel.*

♦ 1. Vx. Musicien.

♦ 2. Musicien violoniste de village qui escorte les noces, fait danser les invités. ⇒ Violoneux ; sonneur.

Le ménétrier allait en avant avec son violon empanaché de rubans à la coquille ; les mariés venaient ensuite (...)   FLAUBERT, Mme Bovary, I, IV.   1

Juchés sur une tonne, les deux ménétriers moulent la vielle et raclent le crincrin.   M. GENEVOIX, Raboliot, II, III.   2

MENEUR, EUSE [mənœR, øz] n. — XIIIᵉ ; *meneür,* v. 1155 ; de *mener.*
Celui, celle qui mène.

♦ 1. Vx. Conducteur, guide. *« Un meneur d'aveugles »* (Rutebeuf). — Vieilli. *Galoubet* (cit. 2) *du meneur de chèvres. Meneuses d'oies.* Spécialt. *Meneur d'ours.* ⇒ Montreur. — (1837). *Meneur de loups :* sorcier à qui les paysans attribuaient le pouvoir de se faire suivre des loups.

Patience passait pour un *meneur de loups.* Vous savez que c'est une spécialité cabalistique accréditée en tout pays. Je m'imaginais donc voir paraître ce diabolique petit vieillard escorté de sa bande affamée (...)
          G. SAND, Mauprat, IV.   1

♦ 2. Mod. (Dans un nom de métier). Conducteur, transporteur. *Meneur de bois, de rails* (dans les mines).

Loc. (1493). MENEUR DE JEU : celui qui était chargé de réciter les textes d'enchaînement reliant les scènes dialoguées des drames liturgiques, au moyen âge. — (1949). Par anal. Personne qui anime un spectacle ou une émission de variétés, de jeux-concours.

♦ 3. (XVIIIᵉ). Personne qui prend assez d'ascendant sur les autres pour les entraîner à sa suite dans quelque entreprise, généralement de caractère politique ou social. ⇒ Chef (→ Entretenir, cit. 19 ; führer, cit. 1). *L'un des meneurs du pays* (→ Exercer, cit. 41). *Un meneur d'hommes.* ⇒ Entraîneur. *Les meneurs d'un parti* (⇒ Directeur, dirigeant, leader), *d'une coalition, d'un mouvement, d'un complot* (⇒ Instigateur, protagoniste).

Dans certaines contrées, par exemple dans la Haute-Saône, les curés ne s'associèrent pas seulement à ces mouvements, ils s'en firent le centre, en furent les chefs, les meneurs. Dès le 27 septembre 1789, les environs de Luxeuil, les communes rurales se fédérèrent sous la direction du curé de Saint-Sauveur.
          MICHELET, Hist. de la révolution franç., III, X.   2

3   Celle qui, la première, avait ouvert la bouche et qui semblait la meneuse du périlleux complot, recommença de parler (...)   LOTI, les Désenchantées, II, VI.

4   (...) ces vingt mille représentent l'élément intelligent et actif, le ferment : les meneurs de syndicats et les secrétaires ; les gars éveillés qui comparent et réfléchissent ; ceux qui prennent la parole dans les meetings. En somme, ceux qui constituent l'opinion ouvrière. Le reste n'étant que la masse de manœuvre.
      J. ROMAINS, les Hommes de bonne volonté, t. V, XXIV, p. 224.

Absolt. (Péj.). Agitateur ouvrier (dans le discours de ceux qui s'y opposent). *Émeute déclenchée par des meneurs.* ⇒ **Provocateur.** *« Les excès auxquels se livrent ces meneurs sont inqualifiables »* (A. Maurois).

♦ **4. N. f.** (1706). Vx. MENEUSE : femme chargée de conduire les nourrissons chez une nourrice.

♦ **5. Adj.** Agric. *Poule meneuse :* poule qui élève de jeunes volailles (poussins, mais aussi canetons, etc.).

MENHADEN [menadɛn] n. m. — xxᵉ ; mot angl. (fin xvɪɪɪᵉ), d'orig. indienne (Narraganset) *munnawhatteang.*

♦ Techn. Pêche. Espèce de hareng des côtes atlantiques de l'Amérique du Nord.

MENHIR [meniʀ] n. m. — 1833, cit. ; mot breton, de *men* « pierre », et *hir* « longue ».

♦ Monument mégalithique, mégalithe (cit. 1), formé d'une pierre allongée, dressée verticalement : « Dans divers points de la France, on dit *pierre levée, pierre fitte,* etc. » (Bloch). ⇒ **Peulven** (→ Infrangible, cit. 1). *Alignement, cercle* (⇒ **Cromlech**) *de menhirs. Dolmens* (cit. 2) *et menhirs* (→ Architecture, cit. 3). *Menhir sculpté* ou *statue-menhir.*

0.1   On sait qu'on appelait pierre fiche ou fichée (en celtique, menhir, pierre longue, peulven, pilier de pierre), ces pierres brutes qu'on trouve plantées simplement dans la terre.
      MICHELET, Hist. de France, « Éclaircissements », I, IV (1833).

1   (...) dans les sables et sur les caps *(de Guernesey),* la sombre énigme celtique éparse sous ses formes diverses, menhirs, peulvens, longues pierres, pierres des fées (...) cromlechs, dolmens (...)   HUGO, l'Archipel de la Manche, II.

2   Sous la forme la plus simple, la « pierre levée », le menhir est l'ancêtre du monument. On pense de plus en plus aujourd'hui qu'il était destiné à fixer l'âme d'un mort (...) le menhir exprime déjà cette fonction fondamentale que nous avons désignée dans l'art : créer un intermédiaire entre l'homme et l'univers. Le menhir, en effet, est constitué par une pierre empruntée au monde physique (...) mais cette pierre est soudain chargée par l'homme d'un sens (...) qui en fait un symbole.
      René HUYGHES, l'Art et l'Homme, t. I, I, p. 30.

MÉNIANE [menjan] n. f. — 1676 ; ital. *meniana,* du lat. *maenianum,* du nom de l'inventeur, le censeur *Maenius.*

♦ Archit. rom. et ital. Petite terrasse ou balcon en avant-corps, soutenu par des colonnes.

MÉNIL ou **MESNIL** [menil] n. m. — xɪɪᵉ, *maisnil ;* lat. pop. *mansionile,* de *mansio, mansionem* « maison ».

♦ Mot d'anc. franç., abandonné dès le xvɪᵉ siècle, mais qui subsiste dans des noms propres, au sens de « maison, hameau, village ». Ex. : *Ménilmontant, Dume(s)nil.*

MENIN [menɛ̃], **MENINE** [menin] n. — 1606, saint François de Sales ; esp. *menino,* de même rac. que *mignon.* Histoire.

♦ **1.** (Rare au masc.). Jeune noble (garçon ou fille) attaché à une maison princière espagnole. *Les Menines,* célèbre tableau de Vélasquez représentant la jeune infante Marie-Marguerite d'Autriche et ses menines (dames d'honneur). — REM. Le fém. est souvent écrit *ménine.*

1   Comme les princesses d'Espagne font quand on leur donne des filles pour menines.
      Saint François de SALES, lettres, 351, *in* HUGUET, Dict. du XVIᵉ s., art. *Menine.*

♦ **2. N. m.** (1680). En France, Jeune gentilhomme attaché à la personne du dauphin. ⇒ **Page** (→ Gamin, cit. 1).

2   (...) on donne le fouet au menin quand M. le dauphin a fait une sottise.
      CHATEAUBRIAND, Mémoires d'outre-tombe, t. V, p. 119.

MÉNING-, MÉNINGO- Premier élément, du grec *mênigx, mêniggos* « méninge », et entrant dans la composition de mots d'anatomie, physiologie, médecine.

MÉNINGE [menɛ̃ʒ] n. f. — 1478 ; bas lat. médical *meninga,* de l'accusatif du grec *mênigx.*

♦ **1.** Chacune des membranes* concentriques entourant l'axe encéphalo-médullaire (⇒ **Cerveau; moelle** [épinière]). *Méninge externe, dure* (ou *pachyméninge*). ⇒ **Dure-mère.** *Méninges molles* (ou *lep-*

toméninges). ⇒ **Arachnoïde, pie-mère.** *Méninges rachidiennes, crâniennes.*

La subdivision des enveloppes des centres nerveux en trois membranes (...) n'est pas admise actuellement par nombre d'auteurs qui pensent qu'il n'existe que deux feuillets : une méninge molle et une méninge dure. La méninge molle comprendrait deux couches, l'une interne, la pie-mère : l'autre externe, l'arachnoïde.
      L. TESTUT, Traité d'anatomie, t. III, p. 1.

♦ **2.** (Mil. xxᵉ). Cour. (au plur.). *Les méninges :* le cerveau, l'esprit. *Se torturer les méninges. Il ne se fatigue pas les méninges, il ne se casse pas les méninges,* la tête, le cerveau.

DÉR. **Méningé, méningiome, méningite, méningocoque.**

MÉNINGÉ, ÉE [menɛ̃ʒe] adj. — 1776 ; de *méninge.* Didactique.

♦ **1.** Relatif aux méninges. *Artère méningée.*

Cette tumeur distend ainsi le troisième ventricule (...) Les ventricules latéraux sont légèrement distendus. Nulle part nous ne relevons de modifications méningées ou vasculaires.   B. CENDRARS, Moravagine, Œ. compl., t. IV, p 259.

♦ **2.** (1950). Qui concerne les méninges. *Syndrome méningé :* réaction méningée, symptômes traduisant l'irritation des méninges. *Hémorragie méningée.*

MÉNINGIEN, IENNE [menɛ̃ʒjɛ̃, jɛn] adj. — 1836 ; de *méninge,* et *-ien.*

♦ Didact. (méd.). Qui appartient aux méninges.

L'épanchement de sérosité dans les ventricules cérébraux se fait avec la plus grande promptitude chez les enfants. La moindre irritation méningienne ou cérébrale le détermine.   C. M. BILLARD, Traité des maladies des enfants, 1837, p. 674, *in* D. D. L., II, 8.

MÉNINGIOME [menɛ̃ʒjom] n. m. — 1935 ; de *méninge,* et *-ome.*

♦ Méd. Tumeur méningée, généralement bénigne.

MÉNINGISME [menɛ̃ʒism] n. m. — 1894, *in* D. D. L. ; de *méninge,* et *-isme.*

♦ Méd. Ensemble de symptômes (fièvre, maux de tête, vomissements) qui évoquent la méningite, mais dont la cause n'est pas une inflammation des méninges. *Méningisme des enfants porteurs de vers intestinaux.*

MÉNINGITE [menɛ̃ʒit] n. f. — 1829 ; *méningité,* 1793 ; de *méninge,* et *-ite.*

♦ Inflammation aiguë ou chronique des méninges, par infection microbienne, virale ou intoxication. *Méningite cérébro-spinale épidémique. Méningite tuberculeuse.*

Elle allait (...) chaque jour en grande hâte vers une maison (...) où un enfant se mourait d'une méningite, criant, la nuque rigide, les yeux révulsés.
      J. CHARDONNE, les Destinées sentimentales, p. 420.

(Mil. xxᵉ). Fam. *Il ne risque pas d'attraper une méningite :* il ne fait aucun effort intellectuel.

DÉR. **Méningitique.**

MÉNINGITIQUE [menɛ̃ʒitik] adj. et n. — 1867 ; de *méningite.* Didactique.

♦ **1.** Relatif à la méningite. *La tache dite méningitique.*

♦ **2.** Adj. et n. (1869). Atteint de méningite.

Et vous, fous lucides, tabétiques, cancéreux, méningitiques, chroniques, vous êtes des incompris.
      A. ARTAUD, Bilboquet, « La liquidation de l'opium », Œ. compl., t. I, p. 250.

MÉNINGOCOCCIE [menɛ̃gokɔksi] n. f. — 1931 ; de *méningococque.*

♦ Méd. Maladie, infection générale déterminée par le méningocoque (fièvre, douleurs articulaires, éruption de taches rouges ou rosées). Syn. : *méningococcémie* [menɛ̃gokɔksemi] n. f. (1912, Garnier-Delamare, *in* D. D. L.).

MÉNINGOCOQUE [menɛ̃gokɔk] n. m. — 1900 ; de *méningo-,* et *-coque.*

♦ Méd. Diplocoque*, agent pathogène de la méningite cérébrospinale.

DÉR. **Méningococcie.**

MÉNINGO-ENCÉPHALITE [menɛ̃goɑ̃sefalit] n. f. — 1868 ; de *méningo-,* et *encéphalite.*

♦ Méd. Inflammation associée des méninges et du cerveau.

MÉNINGORRAGIE [meněgɔRaʒi] n. f. — xxᵉ; de *méningo-*, et *-rragie*.

♦ Méd. Hémorragie méningée.

MÉNISCAL, ALE, AUX [meniskal, o] adj. — 1950, *in* D.D.L., de *ménisque*.

♦ Méd. Qui a rapport à un ménisque articulaire. *Hernie méniscale de la colonne vertébrale.*

MÉNISECTOMIE ou **MÉNISCECTOMIE** [menisɛktɔmi] n. f. — 1959, *ménisectomie; méniscectomie*, 1953; de *ménis(que)*, et *-ectomie*.

♦ Chir. Ablation partielle ou totale d'un ménisque articulaire. *Ménisectomie du genou.*

MÉNISQUE [menisk] n. m. — 1671; grec *mêniskos* «croissant», de *mên, mênos* «mois».

♦ **1.** Phys. Lentille convexe d'un côté et concave de l'autre. *Ménisque convergent, divergent.* — (1868). Par ext. Phys. Surface libre (convexe ou concave) d'une colonne de liquide contenue dans un tube capillaire.

♦ **2.** (1823). Anat. *Ménisque (articulaire)* : formation fibrocartilagineuse située entre deux surfaces articulaires mobiles (⇒ **Diarthrose**), qui assure un contact intime entre elles et leur glissement l'une sur l'autre.

♦ **3.** (1845). Techn. (joaill.). Bijou en forme de croissant.

DÉR. Méniscal, ménisectomie.

MENNONITE [menɔnit] ou **MENNONISTE** [menɔnist] n. — xvIIᵉ; du nom de *Menno* Simonsz.

♦ Relig. Membre d'une secte d'anabaptistes (fondée au début du xvIᵉ siècle), nombreux encore aujourd'hui aux Pays-Bas et aux États-Unis. — Adj. *Cette femme est mennonite* (→ Bouton, cit. 8.1, Apollinaire).

MÉNO- Élément de mots, tiré du grec *mên, mênos* «mois», qui entre dans la composition de mots didactiques. ⇒ **Ménorrh-.**

MÉNOLOGE [menɔlɔʒ] n. m. — 1633; grec ecclés. *mênologion* «tableau, description des mois».

♦ Relig. Calendrier ecclésiastique de l'Église grecque contenant les vies des saints, dans l'ordre chronologique de leurs fêtes. ⇒ **Martyrologe.**

MENON [menɔ̃] n. m. — 1600; «bouc châtré», 1432; mot provençal d'orig. obscure.

♦ **1.** Régional. Bouc dressé qui conduit les troupeaux en transhumance.

♦ **2.** (1723). Techn. Chèvre du Levant, dont la peau sert à fabriquer le maroquin*.

MÉNOPAUSE [menopoz] n. f. — 1823; du grec *mên, mênos* «mois», d'où *mêniaia* «menstrues», et *pausis* «cessation».

♦ Fin de la fonction ovarienne (arrêt de l'ovulation et des hémorragies menstruelles); époque où elle se produit. ⇒ **Cycle** (menstruel); **âge** (âge critique*, retour* d'âge).

1 Étymologiquement, la ménopause est la cessation de la fonction menstruelle. En réalité, elle est une période plus ou moins longue, caractérisée cliniquement par un arrêt brusque ou progressif des règles. Anatomiquement, par une transformation scléreuse des ovaires et une atrophie progressive des organes génitaux (...) On distingue la ménopause spontanée et les ménopauses provoquées ou artificielles résultant d'une castration chirurgicale ou d'une castration par les rayons.
A. BINET, *Vie sexuelle de la femme*, p. 341.

2 Un certain nombre de femmes entrent avec sérénité dans ce repos physiologique qui ne trouble en rien leur comportement (...) Mais quelques-unes vont présenter au point de vue psychologique des désordres plus ou moins importants (...) il faut compter avec ce que LÉVY-VALENSI appelait la «ménopause morale», c'est-à-dire l'ensemble des déceptions sentimentales, des désaffections, des frustrations avec le départ des enfants loin du foyer et même avec les deuils, qui ne sont pas rares à cette période de la vie.
A. POROT et Ch. BARDENAT, *in* Manuel alphabétique de psychiatrie, 1975, art. *Ménopause.*

DÉR. Ménopausé, ménopausique. — V. Andropause.

MÉNOPAUSÉ, ÉE [menopoze] adj. — Mil. xxᵉ; de *ménopause*.

♦ Didact. Se dit d'une femme qui a terminé sa ménopause. «*La femme ménopausée peut devenir agressive et, de séduite autrefois,*

devient facilement séductrice» (Dʳ Valensin). — REM. Rare au masculin : *sujet définitivement ménopausé.*

Par ext. Relatif à une femme qui a terminé sa ménopause; qui provient de son organisme. «*Ces molécules sont extraites soit d'hypophyses prélevées sur des cadavres, soit d'urines ménopausées ou de placentas humains.*» (*Le Monde*, 28 févr. 1984, p. 13).

MÉNOPAUSIQUE [menopozik] adj. — 1922; de *ménopause*.

♦ Méd. Qui se rapporte à la ménopause. *Troubles ménopausiques* (bouffées de chaleur, irritabilité, état dépressif). ⇒ **Climatère.** *Virilité ménopausique* (diminution des hormones féminines au profit des hormones viriles). ⇒ **Masculinisation.**

MÉNOPOME [menopom] n. m. — 1846, *menopoma;* lat. zool., du grec *menein* «rester», et *pôma* «couvercle».

♦ Didact. (zool.). Amphibien ovipare de la famille des cryptobranchidés (*Urodèles*) vivant en Amérique du Nord. *La ménopome est une salamandre* d'eau ; ses ouvertures branchiales sont permanentes* (d'où son nom).

MÉNORRAGIE [menɔRaʒi] n. f. — 1836; *ménorrhagie*, 1793; du grec *mên* (→ Ménopause), et *-rragie*.

♦ Méd. Exagération de l'écoulement menstruel (opposé à *aménorrhée*). *Ménorragies douloureuses dans la dysménorrhée.*

MÉNORRH- ; -MÉNORRHÉE Premier et second élément de mots didactiques (physiol., méd.) tiré du grec *mên, mênos* «mois» (⇒ **Méno-**), et de *rhein* «couler» (⇒ **-rrhée**). Ex. : *ménorrhagie* (écrit de nos jours *ménorragie*) ; *aménorrhée, hyperménorrhée.*

MÉNOSTASE [menostaz] n. f. — xIxᵉ; de *méno-*, et *stase*.

♦ Méd. Rétention de l'écoulement menstruel. ⇒ **Stase.**

MENOTTE [menɔt] n. f. — 1545; *manotte*, 1474; dimin. de *main*.

♦ **1.** Petite main mignonne (dans le langage de l'affection, cit. 15; spécialt, main d'un enfant). → Bcau, cit. 20.

1 (...) je me reprocherais de m'être tu sur les mains de cette enfant : ce sont bien les deux plus jolies menottes qu'il soit possible de faire.
DIDEROT, Salon de 1769, «Greuze».

♦ **2.** (Au plur.). Entraves, bracelets métalliques réunis par une chaîne et qui se fixent aux poignets d'un prisonnier. ⇒ **Bracelet** (argot), **cabriolet** (argot), **poucette**(s); **attache, chaîne...** (→ Gendarme, cit. 3). *Passer, mettre les menottes à un prisonnier.* ⇒ **Emmenotter, enchaîner** (cit. 1). *La clé des menottes.*

2 Le fils, douze ans, à son père que les policiers entourent pour lui passer les menottes : — Quelle veine! papa, il fallait me le dire. Je ne le savais pas, moi, qu'on était des bandits.
M. JOUHANDEAU, Chaminadour, Propos et anecdotes, «Le bandit».

(1868). Fig. *Mettre les menottes à qqn*, le paralyser dans son action.

DÉR. Menotter.

MENOTTER [menɔte] v. tr. — V. 1600; de *menotte*.

♦ Rare (sauf en franç. d'Afrique). Mettre les menottes (à qqn). ⇒ **Emmenotter.**

▶ **MENOTTÉ, ÉE** p. p. adj.
(1839). Qui a des menottes aux mains. *Prisonniers menottés.* — Par ext. *Mains menottées.*

1 Zizi est menotté, d'une part à un gars que l'on transfère en même temps que nous, d'autre part à un gendarme, qui tient sa menotte à la main.
A. SARRAZIN, la Cavale, p. 323.

2 Il me regarda comme pour dire agressivement : Alors, expliquez-moi ce qui se passe! Je pensai au geste de mes mains écartées qui eût signifié : je n'en sais pas plus que vous. Mais elles étaient menottées derrière mon dos. Pourtant, ce qui se passait, je croyais le deviner.
MALRAUX, Antimémoires, p. 253.

MENSALE [mãsal] n. f. — 1549; bas lat. *mensala*, de *mensa* «table», et, spécialt, «paume de la main».

♦ Didact. (chiromancie). Ligne qui traverse la paume de la main.

MENS SANA IN CORPORE SANO [měssanainkɔRpɔResano]

♦ Mots latins signifiant «Un esprit sain dans un corps sain», maxime de Juvénal (*Satires*, x) selon laquelle l'homme sage ne doit demander aux dieux que la santé de l'âme et celle du corps.

MENSE [mãs] n. f. — 1603; lat. *mensa* «table», spécialisé en lat. ecclésiastique.

♦ 1. Hist. ecclés. *Mense épiscopale :* revenus affectés à la table d'un évêque.

♦ 2. Dr. canon. « Masse de biens attribués à un prélat ou à une communauté ecclésiastique » (Capitant). *Mense épiscopale, capitulaire. Mense abbatiale, conventuelle.* (On écrit parfois *manse*).

HOM. 1. **Manse.**

MENSONGE [mɑ̃sɔ̃ʒ] n. m. — V. 1180 ; *mençunge*, 1080 ; lat. pop. *mentionica*, du bas lat. *mentio*, du lat. class. *mentiri* «mentir».

♦ 1. *(Un, des mensonges).* Assertion* sciemment contraire à la vérité, faite dans l'intention de tromper. ⇒ **Blague, bobard, boniment, bourde, conte, contre-vérité, craque** (fam.), **fable, fausseté** (vx), **feinte, fiction** (vx), **histoire, inexactitude, invention, menterie** (vieilli), **mystification, salade** (fam. ; au plur.), **tromperie** (cf. Entorse à la vérité, et, argot fam., des bourres, du charre). *Mensonge grave, criminel* (→ Avantage, cit. 55), *détestable* (cit. 3), *éhonté. Gros, grossier mensonge* (→ Gain, cit. 6 ; grève, cit. 11). ⇒ **Fil** (cousu de fil blanc). *Mensonge innocent, bénin, fait en plaisantant* (⇒ **Blague, canular, farce, gausse** [vx]...). *Mensonge officieux,* fait pour rendre service. — *Pieux mensonge,* fait dans l'intérêt de la religion ou pour éviter un chagrin, une peine à autrui. — *Les mensonges d'un fanfaron* (⇒ **Fanfaronnade, galéjade, hâblerie**), *d'un flatteur* (⇒ **Flatterie**), *d'un fourbe, d'un imposteur, d'un simulateur* (⇒ **Artifice, fourberie, imposture, simulation**...), *d'un hypocrite* (⇒ **Escobarderie,** vx)... — *Débiter* (→ 1. Débiter, cit. 11), *dire, lâcher, faire un mensonge, des mensonges. Commettre un mensonge.* ⇒ **Mentir.** *Échafauder* (cit. 3) *un mensonge. Renchérir* sur *un mensonge. Abuser, mystifier, tromper qqn par un mensonge* (→ fam. Monter un bateau*, tirer une carotte*). *Découvrir un mensonge. Être convaincu* de *mensonge.* Loc. fam. *C'est vrai, ce mensonge?,* se dit pour marquer que l'on met en doute une assertion (souvent en parlant à un enfant).

1 Il y a deux sortes de mensonges : celui de fait, qui regarde le passé, celui de droit qui regarde l'avenir. Le premier a lieu quand (...) on parle sciemment contre la vérité des choses. L'autre a lieu quand (...) on montre une intention contraire à celle qu'on a.
ROUSSEAU, Émile, II.

2 (...) les prêtres, voyant que les armées françaises menaçaient d'une invasion les États de l'Église, commencèrent à répandre le bruit que l'on voyait des statues en bois du Christ et de la Vierge ouvrir les yeux ; la crédulité populaire accueillit avec confiance ce pieux mensonge (...)
STENDHAL, Souvenirs d'un gentilhomme italien.

3 À partir de ce moment, son existence ne fut plus qu'un assemblage de mensonges, où elle enveloppait son amour comme dans des voiles, pour le cacher.
FLAUBERT, Mᵐᵉ Bovary, III, v.

3.1 Elle s'employait à démentir les bruits de sorcellerie et de magie qui couraient sur le compte de Zacharius ; mais comme, au fond, elle était persuadée de leur vérité, elle disait et redisait force prières pour racheter ses pieux mensonges.
J. VERNE, Maître Zacharius, p. 152.

4 (...) l'expérience de la vie nous apprend promptement que les mensonges les plus inutiles sont ceux-là qui prétendent masquer après coup les erreurs ou les fautes, les mensonges d'excuse, qu'on pourrait appeler les mensonges de raccroc.
BERNANOS, les Grands Cimetières sous la lune, p. 217.

5 (...) un mensonge découvert offense, mais une faute avouée offense aussi ; l'enfant redoute les signes du blâme et de la colère, et c'est souvent par un sentiment d'amour ou de respect qu'il ajourne le moment difficile (...)
ALAIN, Propos, 12 août 1922, Subtilité sous le mensonge.

6 — Malade? C'est un truc pour que j'ouvre. C'est vrai ce mensonge-là ?
COCTEAU, les Enfants terribles, p. 29.

Les mensonges de la propagande, de la presse, des médias ⇒ **Désinformation.** — *Mensonge par omission** (⇒ **Obreptice ; dissimulation, réticence**).

♦ 2. *(1273). Le mensonge :* l'acte de mentir, la pratique de l'artifice, par le langage. ⇒ **Bidon, bourrage** (de crâne, fam.), **calomnie** (cit. 3), **comédie, duplicité** (2.), **fausseté, fourberie** (cit. 3), **frime** (fam.), **hypocrisie** (2.), **imposture** (cit. 3) ; → Comédien, cit. 4. *Ne trouver dans les livres que le mensonge et l'erreur* (→ Charlatan, cit. 4). *Vérité et mensonge* (→ 1. Faux, cit. 47)... *Haïr, combattre le mensonge et l'injustice. Le mensonge est bienfaisant* (cit. 5, France). *Droit du mensonge, en politique* (→ Machiavéliste, cit.). « *L'enfant ignore le vrai mensonge avant l'âge de raison (6 ou 7 ans)* » (A. Porot, *Manuel alphabétique de psychiatrie,* 1975, art. *Mensonge,* p. 422 b). — *Le mensonge en psychopathologie.* ⇒ **Mythomanie, simulation** ; et aussi **calomnie, confabulation, fabulation.**

7 Si, comme la vérité, le mensonge n'avait qu'un visage, nous serions en meilleurs termes. Car nous prendrions pour certain l'opposé de ce que dirait le menteur. Mais le revers de la vérité a cent mille figures et un champ indéfini.
MONTAIGNE, Essais, I, IX.

8 Nous avons attaché d'autant plus d'infamie au mensonge, que, de toutes les mauvaises actions, c'est la plus facile à cacher, et celle qui coûte le moins à commettre ; mais dans combien d'occasions le mensonge ne devient-il pas une vertu héroïque !
VOLTAIRE, Traité métaphysique, IX.

9 Le mensonge m'a toujours été si odieux et si impossible que je ne voudrais pas même de la suprême félicité du ciel s'il fallait tromper le ciel pour y entrer !
LAMARTINE, Raphaël, XVIII.

10 Le mensonge cherche toujours à imiter la vérité.
FUSTEL DE COULANGES, la Cité antique, II, X.

11 (...) j'aime la vérité. Je crois que l'humanité en a besoin ; mais (...) elle a bien plus

grand besoin encore du mensonge qui la flatte, la console, lui donne des espérances infinies. Sans le mensonge, elle périrait de désespoir et d'ennui.
FRANCE, la Vie en fleur, Postface.

12 Le mensonge est essentiel à l'humanité. Il y joue peut-être un aussi grand rôle que la recherche du plaisir et, d'ailleurs, est commandé par cette recherche. On ment pour protéger son plaisir ou son honneur si la divulgation du plaisir est contraire à l'honneur. On ment toute sa vie, même surtout, peut-être seulement, à ceux qui nous aiment. Ceux-là seuls, en effet, nous font craindre pour notre plaisir et désirer leur estime.
PROUST, À la recherche du temps perdu, t. XIII, p. 236-237.

Machine à détecter le mensonge : appareil enregistrant simultanément les variations de résistance électrique de la peau et de différents phénomènes végétatifs (respiration, rythme cardiaque...), afin de déceler les moments d'exacerbation de l'état émotionnel du sujet quand il ment en répondant à un questionnaire.

Didact. Acte par lequel sont produits des signes destinés à tromper.

12.1 Le mensonge est un acte volontaire destiné à tromper le récepteur. Le message mensonger est toujours faux pour son émetteur, et correspond à «dire ce qu'on ne croit pas» (même si ce que l'on croit est une erreur). Il constitue une des fonctions importantes du langage et n'est pas l'apanage du langage articulé : on peut mentir par des actes. Il existe aussi chez les animaux, sous forme de ruse (primates, renard, etc.).
Josette REY-DEBOVE, Sémiotique, p. 94.

♦ 3. Ce qui est inauthentique, faux, trompeur (dans le comportement, les attitudes). ⇒ **Artifice, faux.** *Vivre à l'aise* (cit. 7) *dans le mensonge. Appuyer* (cit. 2), *construire son bonheur sur le mensonge* (→ Faillite, cit. 5). *Des âmes de mensonge* (⇒ Excuser, cit. 7). — *Mensonge envers soi-même* (→ Agrandir, cit. 7).

13 Nous ne sommes que mensonge, duplicité, contrariété, et nous cachons et nous déguisons à nous-mêmes.
PASCAL, Pensées, VI, 377.

(Déb. xvɪᵉ). L'esprit, le père du mensonge : le démon.

♦ 4. *(V. 1120).* Fiction, en art. ⇒ **Conte, fable, invention** (→ Historique, cit. 7). *Les mensonges du roman* (→ Associer, cit. 25). *Mensonge poétique* (→ 2. Lever, cit. 2 ; ami, cit. 29, La Fontaine).

14 Les mensonges sont continuellement nécessaires *(en peinture),* même pour arriver au trompe-l'œil.
BAUDELAIRE, Curiosités esthétiques, « Salon 1846 », III.

♦ 5. Ce qui est trompeur ; ce qui passe ou peut passer pour une vérité sans être vrai. ⇒ **Erreur, illusion** (→ Esprit, cit. 43 ; 1. feu, cit. 70 ; ignorer, cit. 23 ; imagination, cit. 10, Pascal). *Le bonheur* (cit. 23) *est un mensonge.* ⇒ **Mirage, simulacre.** Prov. *Songes, mensonges :* les rêves sont trompeurs.

15 On n'a dit que peu de choses sur les mensonges imprimés dont la terre est inondée (...) On donnera ici seulement quelques règles générales, pour précautionner les hommes contre cette multitude de livres qui ont transmis les erreurs de siècle en siècle.
VOLTAIRE, Mélanges historiques, « Mensonges imprimés », XXII.

16 Laissez, laissez mon cœur s'enivrer d'un *mensonge,*
Plonger dans vos beaux yeux comme dans un beau songe,
BAUDELAIRE, les Fleurs du mal, «Spleen et idéal», XL.

CONTR. **Réalité, vérité. — Franchise, véracité. — Exactitude, fidélité.**
DÉR. **Mensonger.**

MENSONGER, ÈRE [mɑ̃sɔ̃ʒe, ɛʀ] adj. — xɪɪɪᵉ ; *mençungier,* v. 1120 ; de *mensonge.*

♦ 1. Vx. Menteur. « *Il vaut mieux être véritable que mensonger* » (Montaigne).

♦ 2. *(V. 1190).* Qui contient et transmet un mensonge, des mensonges. ⇒ **Controuvé** (vx), **fallacieux, faux.** « *Les récits mensongers de ses exploits* » (Mac Orlan). *Discours mensonger. Affirmation mensongère.*

1 Sous cette forme un peu mensongère, il y a un fonds vrai.
FUSTEL DE COULANGES, la Cité antique, IV, III.

Didact. Qui transmet un message volontairement faux (par le langage ou d'autres signes).

♦ 3. Qui abuse, trompe. ⇒ **Trompeur.**

2 Et toutes les maisons, depuis des siècles pieusement groupées à son entour *(de l'église),* avouaient que sa protection était inefficace contre la mort, qu'elle était mensongère et dérisoire.
LOTI, Ramuntcho, II, XII.

CONTR. **Sincère, véritable.**
DÉR. **Mensongèrement.**

MENSONGÈREMENT [mɑ̃sɔ̃ʒɛʀmɑ̃] adv. — 1599 ; *mençungierement;* de *mensonge.*

♦ Littér. D'une manière mensongère. *Il a déclaré mensongèrement que...*

MENSTRUATION [mɑ̃stʀɥasjɔ̃] n. f. — 1761 ; de *menstrues.*

♦ Physiol. et cour. Stade du cycle œstral (ou menstruel) de la femme, pendant lequel se produit, normalement tous les 25 à 31 jours, un écoulement de sang par le vagin, dû à la chute de la partie superficielle de la muqueuse utérine, sous l'effet d'hormones sexuelles. *Absence de menstruation.* ⇒ **Aménorrhée.** *Menstruation douloureuse.* ⇒ **Dysménorrhée.**

La quantité de sang perdu à chaque menstruation varie de vingt à cent grammes (...) L'opinion classique admet que la menstruation se produit en moyenne chez la femme non fécondée tous les vingt-huit jours. Celle-ci n'est donc pas l'enfant douze fois impure dont parlait Alfred de VIGNY ; elle l'est treize fois par an.   A. BINET, Vie sexuelle de la femme, p. 124.

L'écoulement de sang lui-même. ⇒ **Menstrues** (nom courant : *les règles*). *Menstruation anormalement abondante* (⇒ **Ménorragie**).

MENSTRUE [mɑ̃stʀy] n. m. — xvᵉ, « dissolvant » ; lat. *menstruum*, à cause de la vertu dissolvante autrefois attribuée au sang menstruel.

♦ Chim. anc. et alchim. Liquide servant à dissoudre les corps solides. *Menstrue des alchimistes. Menstrue blanchi. Menstrue végétal :* eau ardente (essence de térébenthine) sept fois rectifiée.
HOM. **Menstrues.**

MENSTRUÉ, ÉE [mɑ̃stʀye] adj. — xixᵉ ; de *menstrues*.

♦ Rare. Dont les menstrues sont établies. *Jeune fille nubile et menstruée.* — REM. Rare au masculin : *sujet bien menstrué.* ⇒ **Réglé.**
Les règles réapparurent et la jeune fille fut depuis lors définitivement menstruée.
A. BINET, Vie sexuelle de la femme, p. 135.

MENSTRUEL, ELLE [mɑ̃stʀyɛl] adj. — V. 1265 ; lat. *menstrualis*, proprt « mensuel ».

♦ Physiol. Qui a rapport aux menstrues*, à la menstruation. *Sang, flux... menstruel. Période menstruelle.* — *Cycle menstruel, œstrien, génital.*

MENSTRUES [mɑ̃stʀy] n. f. pl. — 1314 ; lat. *menstrua* (plur. neutre), proprt « mensuel ».

♦ Vx. Écoulement de sang de la menstruation*. ⇒ **Règles.**
DÉR. **Menstruation, menstruel, menstrué.**
HOM. **Menstrue.**

MENSUALISATION [mɑ̃sɥalizasjɔ̃] n. f. — V. 1960, Gilbert (attesté 1967, in *la Banque des mots*) ; de *mensuel.*

♦ Fait de rendre mensuel (⇒ **Mensualiser**) ; son résultat. *La mensualisation des rémunérations ; la mensualisation du personnel horaire, des ouvriers.* — *La mensualisation des impôts.*
Le SMIC était traditionnellement un salaire horaire. Il ne protégeait donc pas contre les fluctuations des horaires. Complétant l'indemnisation du chômage partiel, une loi (28 décembre 1972) a créé un SMIC mensuel, comme l'avait demandé dès 1970 le rapport sur la mensualisation.
J.-D. REYNAUD, les Syndicats en France, t. I, p. 207.

MENSUALISER [mɑ̃sɥalize] v. tr. — Av. 1970 ; de *mensuel*, d'après le lat. *mensualis.*

♦ Transformer en salaire mensuel (un salaire horaire), en (salarié) « mensuel » (un « horaire »).
(Au p. p.). *« Ce personnel mensualisé travaillera dans les conditions prévues par la convention collective (...) »* (*le Monde*, 23 févr. 1977).

MENSUALITÉ [mɑ̃sɥalite] n. f. — 1845 ; de *mensuel*, d'après le lat. *mensualis.*

♦ **1.** Rare. Qualité de ce qui est mensuel. *Mensualité d'une réunion, d'un paiement.*

♦ **2.** Somme payée mensuellement. *Payer une mensualité. Cent mille francs comptant, le reste payable par mensualités, en dix mensualités.*

♦ **3.** (1929, Martin du Gard). Somme perçue chaque mois, salaire mensuel. *Toucher sa mensualité* (→ Assurer, cit. 14 ; frais, cit. 4).

MENSUEL, ELLE [mɑ̃sɥɛl] adj. et n. — 1794 ; lat. *mensualis*, de *mensis* « mois ».

♦ **1.** Qui a lieu, se fait tous les mois. *Revue mensuelle. Bulletin mensuel* (→ Cassation, cit. 2), et, n. m., *un mensuel.* — *Visite mensuelle.*

♦ **2.** (1893). Calculé pour un mois et payé chaque mois. *Salaire mensuel, appointements mensuels.* ⇒ **Mensualité.**
N. (1968). *Les mensuels :* les salariés d'une entreprise payés au mois. *« Un mensuel est mieux protégé du chômage partiel qu'un ouvrier payé à l'heure »* (*le Nouvel Obs.*, 30 déc. 1968).
DÉR. **Mensualisation, mensualiser, mensualité, mensuellement.**
COMP. **Bimensuel, semi-mensuel.**

MENSUELLEMENT [mɑ̃sɥɛlmɑ̃] adv. — 1835 ; de *mensuel.*

♦ Tous les mois. *Rétribuer mensuellement un salarié.*

Je séjournais sous un arbre, perdu dans de plaintives rêveries, je lisais là des livres que nous distribuait mensuellement le bibliothécaire.
BALZAC, le Lys dans la vallée, Pl., t. VIII, p. 775.

MENSUR [mɛnsyʀ] n. f. — Mil. xxᵉ (*in* Larousse 1963), mot all. « duel ».

♦ Didact. Duel au sabre pratiqué par certains étudiants allemands (naguère). *Se glorifier des cicatrices d'une mensur.*

MENSURABILITÉ [mɑ̃syʀabilite] n. f. — 1765 ; de *mensurable.*

♦ Rare. Qualité de ce qui est mensurable, mesurable.

MENSURABLE [mɑ̃syʀabl] adj. — 1611 ; bas lat. *mensurabilis*, de *mensurare.*

♦ Rare. Qui peut être mesuré. ⇒ **Mesurable.**
CONTR. **Immensurable.**
DÉR. **Mensurabilité.**
COMP. **Incommensurable.**

MENSURATEUR [mɑ̃syʀatœʀ] n. m. — 1868 ; bas lat. *mensurator*, de *mensurare.* → Mesurer.

♦ **1.** Rare. Personne qui mensure, mesure.
REM. Dans ce sens, le fém. *mensuratrice* est virtuel.
À tour de rôle, les quatre plus jeunes exécutèrent la même manœuvre, choisissant chaque fois pour point de départ le but conventionnel atteint par le dernier mensurateur, et apportant dans l'accomplissement de leur brève étape, merveilleusement réglée, la perfection mathématique réservée d'habitude aux seuls travaux géodésiques.   Raymond ROUSSEL, Impressions d'Afrique, p. 118-119.

♦ **2.** Techn. Appareil servant aux mensurations. — Adj. (1959). *Un appareil mensurateur.*

MENSURATION [mɑ̃syʀasjɔ̃] n. f. — 1520, repris fin xviiiᵉ (cit.) ; bas lat. *mensuratio*, de *mensurare.* → Mesurer.

♦ Détermination et mesure, par les moyens scientifiques, des dimensions caractéristiques ou importantes d'un objet, et, spécialt, du corps humain ; les mesures ainsi obtenues (⇒ **Anthropométrie**). — (1888). *Mensurations judiciaires,* servant à établir le signalement d'un prévenu et à reconnaître un repris de justice.
On a imaginé une autre méthode, qui réduit la difficulté à une seule sensation dans chaque ordre de grandeur, qui fait, par exemple, que la connaissance absolue des longueurs ne dépend plus que d'une seule longueur ; celles des poids, d'un seul poids, etc. Cette méthode est la mensuration, opération par laquelle on détermine le rapport entre une grandeur quelconque et une quantité connue, de la même espèce.   Journal des Arts et Manufactures, nᵒ 10, an IV, p. 313 (1796).
(1836). Méd. Mesure de dimensions qui intéressent le fonctionnement physiologique des organes. *Mensuration de la taille avec une toise, de la cage thoracique, du bassin,* etc.
Mesure d'organes internes accessibles (par appareils spéciaux) pour en déceler les anomalies.
(xxᵉ). Cour. Mesure (au centimètre) des principales parties du corps en vue d'un travail plastique conforme aux canons esthétiques.

MENSURER [mɑ̃syʀe] v. tr. — Fin xixᵉ ; lat. *mensurare.* → le doublet Mesurer.

♦ Rare. Soumettre à la mensuration. *« L'individu arrêté a été mensuré à son arrivée au dépôt »* (Académie).
DÉR. **Mensurateur.**

1. -MENT Élément, du lat. *mens, mentis* « esprit, disposition d'esprit, intention », qui signifie « de manière », et sert à former la plupart des adverbes (ex. : *fort, fortement ; mou, mollement ; bête, bêtement ; méchant, méchamment ; confus, confusément ; gai, gaiement ; vrai, vraiment*).

Dès le latin de la décadence, un certain nombre d'adverbes se formaient par l'adjonction d'un nom latin *mente*, qui signifiait *esprit* (...) l'analogie avait rapidement étendu cette façon à des adjectifs auxquels le mot *esprit* ne s'appliquait plus. *Ment* équivalait là à *façon*, et il était devenu rapidement une sorte de suffixe capable d'enrichir sans cesse la langue de toutes sortes d'adverbes.
F. BRUNOT, la Pensée et la Langue, p. 596.   [1]
REM. La base est en général la forme féminine d'un adjectif — ou de l'emploi adjectif d'un substantif — ; quelques interjections ont servi de base (*bougrement*). Ce suffixe peut fonctionner librement.
(...) celui que nous appelions alors conspirativement *Sourabaya Johnny* (...)
ARAGON, Blanche..., II, I, p. 185.   [2]
(...) un joujou d'enfant, un diable qu'il fait jaillir gaminement de sa boîte, avec le *coui-coui* d'une pratique de polichinelle (...)
Ed. et J. de GONCOURT, Journal, t. I, p. 100 (1856).   [3]
Un point d'appui entièrement encerclé, un autre à demi enlevé. En fait, le brave bataillon réagissait à la manière de Poivre, insultant homériquement le Chleu et lui lançant son casque à la figure, sans penser. Réactions et réflexes d'énorme bête attaquée au système nerveux lent.   [4]
Armand LANOUX, le Commandant Watrin, p. 176.

5   Liquidement, avec une *liqueur* infinie, tintent ces notes.
                                    VALÉRY, Rhumbs, Pl., p. 600.
6   (...) le piquant imprévu d'une grâce exotiquement bourgeoise, louis-philippement indienne.   PROUST, le Côté de Guermantes, Pl., t. II, p. 540.
7   (...) pour certains *(positivistes « logiques »)* la syntaxe et la sémantique suffisent à déterminer univoquement les règles d'utilisation.
                    J. PIAGET, Logique et Connaissance scientifique, Encycl. Pl., p. 85.

2. -MENT Élément servant à former des noms d'action (comme *-age* ou *-[a]tion*), sur un radical verbal. Ex. : *écartement, embourgeoisement, financement, remaniement.*

Une double répartition suffixale tend à se faire ; le suffixe *-age* correspondant à un emploi transitif du verbe, indique une opération industrielle, une phase de fabrication, *-ment,* correspondant à un emploi intransitif, indique un résultat acquis ; il se maintient dans les vocabulaires abstraits, en économie politique, en psychologie, etc. (...) *Arrosage* et *arrosement,* simples variantes morphologiques, se sont différenciés (...) l'*arrosement* est le fait d'être arrosé par la pluie (...) *Barrement* ne se dit plus que des chèques, *barrage* a une valeur d'emploi plus large (...)
                    J. DUBOIS, la Dérivation suffixale, p. 29-30.

MENTAGRE [mãtagʀ] n. f. — XVIᵉ ; lat *mentagra,* comp. hybride du grec *agra* « prise », et du lat. *mentum* « menton ».

♦ Méd. Folliculite* pileuse limitée au menton. ⇒ **Dartre.**

MENTAL, ALE, AUX [mãtal, o] adj. et n. — 1495 ; *mentel,* 1371 ; bas lat. *mentalis,* de *mens, mentis* « esprit ».

♦ **1.** Qui se fait dans l'esprit, sans expression orale ou écrite. *Opérations mentales. Expérience mentale* (→ Imaginaire, cit. 6) *et expérience affective. — Calcul* *mental. — Prière, oraison mentale. Restriction* *mentale.*

1   Toutes les phases du petit drame intérieur qu'elle avait connu, elle aimait à les faire revivre en elle, mais la solitude était nécessaire à cette sorte d'exercice mental (...)   J. GREEN, Léviathan, II, II.

♦ **2.** (1801, *aliénation mentale*). Qui a rapport aux fonctions intellectuelles de l'esprit. *Vie mentale. Développement mental. Attitude mentale.* ⇒ **Mentalité.** *« L'état mental occasionné par le haschisch »* (Baudelaire). *« Nos activités physiologiques et mentales »* (Carrel). ⇒ **Psychique.** *Ralentissement des activités mentales* (dans certaines maladies) : *bradypsychie. Processus mentaux. — Maladies mentales. Troubles mentaux. Arriération** *mentale.* ⇒ **Oligophrénie.** *Anorexie** *mentale. Confusion mentale.* → Confusionnel, cit. *Dégénérescence mentale. Médecine mentale* (vieilli). ⇒ **Psychiatrie.**

Psychol. *Âge mental* : âge correspondant au degré de développement intellectuel chez l'enfant (et, éventuellement, l'adulte). ⇒ **Niveau** (mental). *Mesure de l'âge mental par les tests.* ⇒ **Psychométrie.** *Rapport de l'âge réel* (ou chronologique) *et de l'âge mental.* ⇒ **Quotient** (intellectuel).

2   (*L'âge mental*) correspond à l'âge réel de l'enfant normal moyen capable d'exécuter correctement le test le plus compliqué auquel répond sans faute l'enfant examiné.   M. GARNIER et J. DELAMARE, Dict. des termes techniques de médecine.

3   Un enfant peut avoir un âge mental supérieur ou inférieur à son *âge chronologique.*   R. COUSINET, *in* PIÉRON, Voc. de psychologie, art. *Âge mental.*

4   On a donné le nom de quotient intellectuel (Stern) au rapport entre ces deux données : *âge mental.* On admet généralement que l'âge mental de 12 ans est un minimum nécessaire pour qu'un sujet soit apte à gagner sa vie (loi de Simon).
                    A. POROT, Manuel de psychiatrie, art. *Âge mental.*

Fam. *Ma parole, vous avez dix ans d'âge mental !* : vous vous comportez comme un enfant de dix ans et non comme une grande personne.

N. m. *Le mental* : la vie mentale. ⇒ **Psychisme.** *Le physique et le mental* (des personnes ; emploi critiqué). *Un arriéré** *mental.* ⇒ **Oligophrène.**

CONTR. Écrit, exprimé, parlé. — Physique.
DÉR. Mentalité, mentalement.

MENTALEMENT [mãtalmã] adv. — XVIᵉ ; *mentallement,* XVᵉ ; de *mental.*

♦ **1.** En esprit seulement, par la pensée, de tête. *Calculer mentalement. Formuler mentalement ses conclusions* (→ Corriger, cit. 8).

1   (...) la jeune fille, qui (...) s'était laissé aller aussi à une rêverie pieuse et priait mentalement pour l'âme de Catherine.   G. SAND, la Mare au diable, IX.

2   L'église cathédrale Saint-Vincent était pleine. Et la foule, qui n'y pouvait plus pénétrer, y prenait part mentalement sur le parvis et les alentours (...)
                    Georges LECOMTE, Ma traversée, p. 34.

♦ **2.** (1932). Du point de vue mental (2.).

3   (...) je me trouvais mentalement à peu près dispos, émergeant du marasme dans lequel je me débattais depuis mon débarquement à New York (...)
                    CÉLINE, Voyage au bout de la nuit, p. 193.

CONTR. Physiquement.

MENTALISATION [mãtalizasjɔ̃] n. f. — Déb. XXᵉ ; dér. du lat. *mentalis,* de *mens, mentis* « esprit ».

♦ Psychol. Prise de conscience (d'un phénomène). *Processus de mentalisation.* — REM. On emploie parfois le verbe *mentaliser* (intr.).

Terme proposé par *Éd.* Claparède pour désigner le processus par lequel un phénomène, d'abord spontané et automatique, pénètre dans la vie mentale, de telle manière qu'on en prend conscience ; ou encore l'état du phénomène ainsi intégré à la vie consciente. Ce mot a été imprimé pour la première fois par l'auteur dans *Feelings and Emotions* (1928), mais il s'en servait depuis longtemps dans son enseignement.   A. LALANDE, Voc. de la philosophie, art. *Mentalisation,* Note.

MENTALISME [mãtalism] n. m. — 1951 (une première fois en 1845, Richard de Radonvilliers, comme mot proposé) ; angl. *mentalism* ; de *mental,* et *-ism* (→ -isme).

♦ Didact. Recours à l'introspection, à l'étude des fonctions mentales (en tant que phénomènes irréductibles) en logique, en linguistique ou en sémantique.

D'autres critiques, dirigées contre la psychologie de la vie intérieure, ou, comme on dit maintenant, du « mentalisme », se réfutent aisément (...)
                    A. BURLOUD, Psyschologie, *in* LALANDE, Voc. de la philosophie, art. *Mental.*
(La thèse du positivisme logique) est grosse de conséquences. Du point de vue psychologique, elle tend à réduire, avec le behaviorisme, toute pensée à un langage intériorisé et à condamner sous toutes ses formes le « mentalisme » au profit d'une pure description du comportement.
                    J. PIAGET, Logique et Connaissance scientifique, Encycl. Pl., p. 86.

DÉR. Mentaliste.

MENTALISTE [mãtalist] adj. et n. — 1951 ; de *mentalisme.*

♦ Didact. Relatif au mentalisme. Adepte du mentalisme. *Les mentalistes s'opposent aux fonctionnalistes.*

Si Bloomfield renvoie à la théologie l'étude des fonctions mentales, les psychologues « mentalistes » s'y retrouveront dans la bonne compagnie des mathématiciens qui croient encore aux concepts.
                    J. PIAGET, Logique et Connaissance scientifique, Encycl. Pl., p. 86.

MENTALITÉ [mãtalite] n. f. — 1877 ; « qualité de ce qui est mental », 1842 ; de *mental,* avec infl. probable de l'angl. *mentality.*

♦ **1.** (1922). Sociol. Ensemble des habitudes d'esprit et des croyances qui informent et commandent la pensée d'une collectivité, et qui sont communes à chaque membre de cette collectivité. *La Mentalité primitive,* ouvrage de Lévy-Bruhl. *Mentalité d'une société, d'un milieu, d'une époque, d'une génération... « La mentalité est le lien le plus résistant qui rattache l'individu à son groupe (...) l'élément le plus résistant de notre moi »* (G. Bouthoul). — *La mentalité infantile.*

— (...) Tu t'appelles Jean. — Oui! Jean Moi! Cette réponse me plaît beaucoup. J'ai formé le projet de la rapporter à un philosophe de mes amis qui étudie ce qu'il appelle la « mentalité des enfants ».
                    DUHAMEL, les Plaisirs et les Jeux, IV, I.
(...) derrière toutes les différences et les nuances individuelles il subsiste une sorte de résidu psychologique stable, fait de jugements, de concepts et de croyances auxquels adhèrent au fond tous les individus d'une même société. Cet ensemble constitue la *structure mentale spécifique* de chaque civilisation. C'est ainsi que nous proposons de définir la mentalité du point de vue de la société.
                    Gaston BOUTHOUL, les Mentalités, p. 30.

♦ **2.** (1877). Cour. État d'esprit, dispositions psychologiques ou morales. *« Mentalité me plaît. Il y a comme cela des mots nouveaux qu'on lance »* (Proust). *« La mentalité du public »* (Académie). *Une mentalité de conquérant, de commerçant...* (→ Exporter, cit. 2).

Pour comprendre ce que pouvait être l'état d'âme de Dietrich, il faut songer à cette *mentalité* spéciale qui est celle du permissionnaire, quel qu'il soit, quels que soient son grade, son rang social.   Pierre BENOIT, Axelle, p. 176.

Fam. Attitude mentale. ⇒ **Mœurs, moralité.** *Une mentalité détestable.* → Mauvais esprit*. *Quelle mentalité ! c'est honteux* (→ Fada, cit. 2). Par antiphr. *Belle, jolie mentalité !*

La moralité d'Edmond l'inquiétait bien. Pas seulement parce que c'est mon fils, mais si c'est là la mentalité de la jeunesse (...)
                    ARAGON, les Beaux Quartiers, II, V.

♦ **3.** N. f. pl. Méd. homéopathique. Dispositions mentales propres à la personne malade.

L'ensemble des caractères psychiques d'un individu hors de santé constitue ce que Hahnemann et, après lui, tous les homéopathes ont appelé « les mentalités » individuelles, susceptibles, par leur précision, leur particularité et parfois leur étrangeté (...) d'orienter le diagnostic et le traitement.
                    Pierre VANNIER, l'Homéopathie, p. 82.

MENTERIE [mãtʀi] n. f. — 1214 ; de *mentir.*

♦ Vx. Propos mensonger. ⇒ **Mensonge ; hâblerie** (→ Farder, cit. 7 ; hacher, cit. 4).

On dirait qu'il dit vrai, tant son effronterie
Avec naïveté sait soutenir une menterie.   CORNEILLE, le Menteur, III, 5.
Ce qu'on raconte aujourd'hui de la froideur et de la tristesse dont la légitimité fut accueillie à la première Restauration est une impudente menterie.
                    CHATEAUBRIAND, Mémoires d'outre-tombe, t. IV, p. 323.

(1643). *Une, des menteries* (rural ou par plais.). *Des menteries : des mensonges.*

(...) ma femme me dit : Qu'est-ce qu'est venu ? J'lui fais une menterie que c'étaient des galopins.   Henri MONNIER, Scènes populaires, p. 63.   2

— C'est donc des menteries, ce qu'on raconte, que vous couchez avec votre frère?
ZOLA, la Terre, II, IV.

MENTEUR, EUSE [mɑ̃tœʀ, øz] adj. et n. — V. 1220, menteeur; menteür, v. 1155; de mentir.

♦ **1.** Adj. (Personnes). Qui ment, qui a l'habitude de mentir. ⇒ **Faux, hypocrite.** Être menteur (→ Incommunicable, cit. 9). Femme féline (cit. 3) et menteuse. Il est menteur comme un arracheur de dents. — Loc fam. Menteur comme un soutien-gorge.

(...) qui ne se sent point assez ferme de mémoire, ne se doit pas mêler d'être menteur.   MONTAIGNE, Essais, I, IX.

(...) je ne croyais pas la Madelon si menteuse et si perfide.
G. SAND, la Petite Fadette, XXIII.

..1 On devrait dire menteur comme une épitaphe. Les épitaphes mentent certainement plus que les arracheurs de dents.
Rodolphe TÖPFFER, Voyages en zigzag, p. 47.

Tu sais, quand on a découvert qu'un ami est menteur? De lui tout sonne faux, alors, même ses vérités (...)
GIRAUDOUX, La guerre de Troie n'aura pas lieu, p. 25.

(Choses). ⇒ **Mensonger, trompeur.** Langage menteur de l'imposteur (cit. 3). Éloges menteurs (→ Arrière, cit. 2). L'amour de la gloire, passion menteuse (→ Gouffre, cit. 15).

Ô homme (...) voici ton histoire, telle que j'ai cru la lire, non dans les livres de tes semblables, qui sont menteurs, mais dans la nature, qui ne ment jamais.
ROUSSEAU, De l'inégalité parmi les hommes.

(...) elle n'a point, comme nos femmes coquettes, ce regard menteur qui séduit quelquefois et nous trompe toujours.   LACLOS, les Liaisons dangereuses, VI.

— Le proverbe «Monnaie fait tout» est bien menteur (...)
BALZAC, Ursule Mirouët, Pl., t. III, p. 461.

♦ **2.** N. Personne qui ment, a l'habitude de mentir. ⇒ **Imposteur, mythomane.** Grand, hardi menteur (→ Escroc, cit. 1; 1. être, cit. 32). Menteur effronté. La plus intrépide (cit. 2) menteuse. «Bretteurs et menteurs sans vergogne*» (→ Cadet, cit. 5). Croire un menteur. Se faire le complice (cit. 1) des menteurs et des faussaires* en taisant la vérité. Menteur par vantardise (⇒ **Bluffeur, esbroufeur** [fam.], **hâbleur, vantard**), pour amuser (⇒ **Blagueur**), pour tromper (⇒ **Mystificateur**), par hypocrisie (⇒ **Hypocrite**). — En apostrophe. Menteur! Ce n'est pas vrai! Sale menteur! — Le Menteur, comédie de Corneille. — Philos. Le Menteur, paradoxe dû à Eubulide de Milet, dont la variante la plus connue (dite l'Épiménide) est : «Épiménide le Crétois dit que les Crétois mentent toujours; or il est Crétois : donc il ment. Donc les Crétois ne sont pas menteurs. Mais si les Crétois ne sont pas menteurs, Épiménide dit vrai, etc.» (Lalande, art. Épiménide).

7 Je disais vérité — Quand un menteur la dit,
En passant par sa bouche elle perd son crédit.
CORNEILLE, le Menteur, III, 6.

8 Mais j'étais là, pour une fois, et je suis absolument sûr de ma mémoire. — Alors, M. Devrigny est un menteur? Salavin haussa les épaules avec lassitude. — Non, pas un menteur. Un transfigurateur, peut-être.   G. DUHAMEL, Salavin, V, III.

Par ext. «La popularité, cette grande menteuse» (→ Bercer, cit. 9, Hugo).

♦ **3.** N. f. MENTEUSE (argot) : langue.

9 (...) tout le long de la journée, pour faire la belle, elle tirait la langue. — Cache donc ta menteuse! lui criait sa mère.   ZOLA, l'Assommoir, t. II, XI, p. 156.

0 Elle lèche son rose et fait claquer sa menteuse.
SAN-ANTONIO, Ne mangez pas la consigne, p. 108.

CONTR. Exact, franc, sincère, véridique, vrai.
DÉR. Menteusement.

MENTEUSEMENT [mɑ̃tøzmɑ̃] adv. — XVIe; de menteur.

♦ Rare. D'une manière menteuse. S'exprimer menteusement.

MENTHANE [mɛ̃tan] n. m. — 1931; de menthe, et -ane.

♦ Chim. Hydrocarbure saturé dont la chaîne est un des constituants de la plupart des terpènes monocycliques.
DÉR. Menthanol, menthanone.

MENTHANOL [mɛ̃tanɔl] n. m. — 1931; de menthane, et -ol.

♦ Chim. Alcool dérivé du menthane.

MENTHANONE [mɛ̃tanɔn] n. f. — 1931; de menthane, et -one.

♦ Chim. Cétone dérivée du menthane.

MENTHE [mɑ̃t] n. f. — 1538; mente, v. 1240; lat. menta ou mentha.

A. ♦ **1.** Plante herbacée (Labiatacées), vivace, aromatique, des régions tempérées humides. Variétés de menthe : menthe pouliot*, ou herbe de Saint Laurent; menthe à feuilles rondes ou menthe crêpue, sauvage; menthe aquatique ou menthe rouge; menthe gentille ou baume des jardins; menthe poivrée ou menthe anglaise. La menthe est stomachique, carminative, stimulante, antispasmo-

dique. Parfum de la menthe (→ Aromate, cit. 5; fleurer, cit. 1). Cultiver de la menthe. — Camphre de menthe. ⇒ **Menthol.** Usages de la menthe dans l'alimentation. Thé à la menthe : thé dans lequel on met des feuilles de menthe fraîche (en usage notamment au Maghreb).
Infusion de menthe (fraîche ou séchée). Préférez-vous une menthe ou un tilleul? — Tilleul-menthe : mélange de tilleul et de menthe.

♦ **2.** Essence extraite de la menthe, notamment de la menthe poivrée, et qui sert à faire des liqueurs, à parfumer des bonbons. Alcool de menthe.

♦ **3.** (1874). Liqueur de menthe ou parfumée à la menthe. Prendre une menthe verte (→ Gras, cit. 31), une menthe à l'eau. Diabolo* menthe.

♦ **4.** (1868). Essence de menthe. Bonbons à la menthe. Pastilles de menthe.
Confiserie à la menthe. Tu veux une menthe?

B. (Autres plantes). Menthe de Notre-Dame. ⇒ **Menthe-coq.**
DÉR. Menthane, menthol, menthone.
COMP. Menthe-coq.
HOM. Mante; formes du v. mentir.

MENTHE-COQ [mɑ̃tkɔk] n. f. — 1771; de menthe, et coq.

♦ Régional. Variété de chrysanthème. Syn. : menthe de Notre-Dame. Des menthes-coqs.

MENTHOL [mɑ̃tɔl] n. m. — 1874; de menthe, et -ol.

♦ Chim. Alcool terpénique extrait de l'essence de menthe poivrée, utilisé comme anesthésique (calmant) local, surtout au niveau des muqueuses. Syn. : camphre de menthe. Le menthol est aussi utilisé dans certains parfums et produits d'hygiène (⇒ **Mentholé**), et aromatise certaines boissons.

MENTHOLÉ, ÉE [mɑ̃tɔle] adj. — 1874; de menthol.

♦ Additionné de menthol. Vaseline mentholée. — Dentifrice mentholé.

MENTHONE [mɛ̃tɔn] n. f. — 1922; de menthe, et -one.

♦ Chim. Cétone terpénique qui accompagne le menthol dans l'essence de menthe.

MENTICIDE [mɑ̃tisid] n. m. — 1952, Porot; angl. menticide, t. dû à J. A. M. Meerloo, New York 1951, du lat. mens, mentis «esprit», et -cide (→ -cide).

♦ Rare. Intervention sur le psychisme d'un détenu, visant à infléchir ou détruire sa volonté et sa personnalité. ⇒ **Lavage** (de cerveau).

MENTION [mɑ̃sjɔ̃] n. f. — V. 1167; lat. mentio, -onis, de mens, mentis «esprit».

♦ **1.** Action de nommer, de citer, de signaler; chose mentionnée. La mention de qqch. par qqn. Faire mention d'une personne, d'une chose dans un discours ou un écrit. Dictionnaire qui ne fait pas mention d'un mot (→ Living-room, cit. 2). Être digne de mention, de trouver place*, d'être signalé. — (Impersonnel). Il est fait mention de..., il n'en est pas fait mention (→ Anéantir, cit.). — Faire une courte mention du voyage de qqn (→ Incognito, cit. 6), «en faire une mention élogieuse; n'en faire qu'une légère mention» (Académie). Mériter une mention spéciale dans une étude (→ Île, cit. 4). Mention honorable d'un militaire. ⇒ **Citation.**

Euphorion (...) poète très connu parmi les anciens, et dont Virgile et Quintilien font une mention honorable (...)   RACINE, Iphigénie, Préface.

♦ **2.** (1690). Courte inscription, note qui donne un renseignement, une précision. Faire figurer une mention sur une feuille d'emploi (cit. 17). Biffer les mentions inutiles. Mentions qui constituent une raison sociale (→ Légionnaire, cit. 4). — (1936). Spécialt. Dr. «Énonciation ajoutée au corps d'un acte à la suite, soit plus généralement en marge, afin, soit de le compléter, soit de le rectifier, soit de faire connaître l'accomplissement d'une formalité légale, d'un acte ou d'un événement postérieur» (Capitant).

♦ **3.** (1935). Indication donnée par le jury de certains examens sur son appréciation des candidats reçus. Mention honorable, très honorable... du doctorat. Mention passable, assez bien, bien, très bien (dans un examen). Obtenir la mention bien. — Absolt. Mention favorable. Reçu avec mention (supérieure à «passable»).

(Dans un concours, une exposition; 1796). Mention honorable : distinction récompensant le concurrent qui vient immédiatement après ceux qui ont eu les prix et les accessits.

◆ **4.** Didact. (Opposé à *usage*). Le fait de se servir d'un signe pour en parler, pour le désigner. ⇒ **Autonymie.**

DÉR. Mentionner.
HOM. Mansion.

MENTIONNER [mɑ̃sjɔne] v. tr. — 1432 ; de *mention.*

◆ Faire mention de... ⇒ **Citer, nommer, parler** (de), **signaler.** *Mentionner un collaborateur dans une préface ; un peintre, un tableau dans le catalogue d'une exposition.* — *Ne faire que mentionner une chose,* la signaler seulement. — *Registre public qui mentionne les actes.* ⇒ **Enregistrer** (→ Enregistrement, cit. 1). *Clauses* (cit. 4) *qu'un papier officiel ne peut mentionner.*

1   Bien différent fut le contrat qu'exigea d'un directeur de théâtre une très jolie actrice dont le nom n'est pas assez oublié pour que je le mentionne ici.
              COLETTE, Belles saisons, p. 92.

2   Je suis de caractère ombrageux, aussi je n'ai pas eu beaucoup d'amis. Deux d'entre eux méritent pourtant d'être mentionnés ici.
              G. DUHAMEL, Salavin, Journal, 7 janv.

▶ **MENTIONNÉ, ÉE** p. p. adj. *Les articles mentionnés ci-dessus. Clauses mentionnées.* — Ling. *Mot mentionné,* en mention (4.). ⇒ **Autonyme.**

MENTIR [mɑ̃tiʀ] v. intr. — Conjug. *partir.* — V. 980 ; bas lat. *mentire,* class. *mentiri.*

◆ **1.** Faire sciemment une assertion contraire à la vérité, nier ce qu'on devrait dire, de manière à induire en erreur. ⇒ **Mensonge ;** (argot) **battre** (à Niort) ; → Connaissance, cit. 7 ; imposture, cit. 6. *Personne qui ment.* ⇒ **Menteur.** *Mentir effrontément, impudemment, avec aplomb ; savoir mentir. Mentir comme un arracheur* de dents* (qui affirme qu'il ne fera pas souffrir), *comme un programme* (vx). *Il ment comme il respire,* continuellement et naturellement. *Se tromper n'est pas mentir* (→ Dénonciation, cit. 2). *Tu as menti, je vois ton nez qui bouge ! Mentir en affirmant* (⇒ **Inventer,** cit. 16), *en niant, en modifiant, en fardant la vérité* (⇒ **Broder**). *Mentir par intérêt, par nécessité ; par plaisir, pour amuser* (⇒ **Blaguer, galéjer**). *Mentir à qqn,* le tromper par un mensonge. ⇒ **Accroire** (en faire accroire), **flatter, mystifier, trahir, tromper*** (→ Raconter des histoires ; fam. bourrer* le crâne, le mou, la caisse, monter* le coup, mener en bateau, monter un bateau). *Mentir sur le compte de qqn* (⇒ **Calomnier**), *sur soi-même.* ⇒ **Feindre** (→ Jouer la comédie*). *Ils mentaient sur le prix des objets* (→ Grossir, cit. 7). *Il a menti en cela. Mentir et se contredire.* ⇒ **Enferrer** (s'). *« Il faut bonne mémoire après* (cit. 18) *qu'on a menti »* (Corneille).

1   Quoique les personnes n'aient point d'intérêt à ce qu'elles disent, il ne faut pas conclure de là absolument qu'ils (*sic*) ne mentent point, car il y a des gens qui mentent simplement pour mentir.
              PASCAL, Pensées, II, 108.

2   Mentir pour son avantage à soi-même est imposture, mentir pour l'avantage d'autrui est fraude, mentir pour nuire est calomnie : c'est la pire espèce de mensonge. Mentir sans profit ni préjudice de soi ni d'autrui n'est pas mentir ; ce n'est pas mensonge, c'est fiction.
              ROUSSEAU, Rêveries..., IVe promenade.

3   L'homme du Midi ne ment pas, il se trompe. Il ne dit pas toujours la vérité, mais il croit la dire (...) Son mensonge à lui, ce n'est pas du mensonge, c'est une espèce de mirage (...)
              Alphonse DAUDET, Tartarin de Tarascon, I, VII.

4   (...) je mentais assez souvent, non par intérêt, mais par bonté, par dédain, par la fausse idée qui me porte toujours à présenter les choses à chacun comme il peut les comprendre.
              RENAN, Souvenirs d'enfance..., VI, IV.

5   (...) je crois ferme qu'aucun homme n'aime à tromper celui qui a confiance ; au lieu qu'à celui qui ne croit jamais et se défie toujours, on ment sans remords, et souvent même avec plaisir.
              ALAIN, Propos, 25 avr. 1921, Fruits de la confiance.

6   Il ment comme il respire. Il a offert le mariage à Irma et il est déjà marié.
              GIRAUDOUX, la Folle de Chaillot, II, p. 142.

7   Et puis, tu sais, ne t'imagine pas que je crois la moitié de ce que tu me dis. Tu mens comme un arracheur de dents.   SARTRE, l'Âge de raison, p. 142.

Vx. *Mentir d'une chose.* — *Il en a menti* (vx ou littér.) : il a menti sur la chose dont il est question. *Vous en avez menti !* — (V. 1160). *Sans mentir ; à, pour ne point mentir* : à dire vrai, en vérité, vraiment (souvent ironique).

8   Mais, à n'en point mentir, il serait des moments
    Où je pourrais entrer dans d'autres sentiments.   MOLIÈRE, Don Garcie, I, 3.

9   Sans mentir (...)
    Vous êtes le phénix des hôtes de ces bois.   LA FONTAINE, Fables, I, 2.

10   *Sans mentir, si votre ramage*
    Sans mentir ! on ment donc quelquefois ? Où en sera l'enfant si vous lui apprenez que le renard ne dit *sans mentir* que parce qu'il ment ?
              ROUSSEAU, Émile, II.

11   (...) il y en avait bien, sans mentir, une vingtaine (...)
              Alphonse DAUDET, Lettres de mon moulin, « Installation ».

12   Il faut que la marquise entende Saint-Aubin lui dire, en ma présence, qu'on lui a répété un sot conte, et que ceux qui l'ont forgé en ont menti.
              A. DE MUSSET, Contes, « Secret de Javotte », II.

Prov. *A beau mentir qui vient de loin* (→ Attester, cit. 10) : il est facile d'être cru quand ce qu'on dit n'est pas vérifiable.

(V. 1776). Par ext. Tromper en taisant la vérité (mensonge par omission).

13   (...) mentir, c'est cacher une vérité que l'on doit manifester.
              ROUSSEAU, Rêveries..., IVe promenade.

(...) mais pourquoi, si elle ne m'aimait plus, ne pas me le dire ? pourquoi me tromper ? je ne concevais pas qu'on pût mentir en amour.
              A. DE MUSSET, la Confession d'un enfant du siècle, I, III.

Il ne dit pas de mensonges, mais il ne dit pas *toute* la vérité, ce qui est une façon de mentir.   FLAUBERT, Correspondance, 1741, 9 juil. 1878.

◆ **2.** (V. 1185). Choses. Exprimer une chose fausse, être mensonger. — (1690). Loc. *Faire mentir le proverbe,* le mettre en défaut par son attitude, sa conduite, lui apporter un démenti.

◆ **3.** Trans. dir. MENTIR (qqch.) (vx). *Mentir sa foi, sa promesse :* manquer de parole, ne pas tenir sa promesse. ⇒ **Manquer** (à). (1611). Absolt. Prov. *Bon sang* ne peut mentir.*

Trans. indir. MENTIR À... — Vx. Manquer à (sa foi, sa promesse). — Mod. Démentir.

— Quel supplice, en effet, de voir l'homme que l'on avait choisi mentir à chaque minute à l'idée qu'on s'était faite de lui (...)   Th. GAUTIER, Mlle de Maupin, X.

Elle semblait mentir à sa réputation de femme spirituelle, en ne nuançant sa conduite d'aucune de ces manières d'être personnelles, appelées des excentricités.
        BARBEY D'AUREVILLY, les Diaboliques, « Le dessous de cartes », p. 235.

◆ **4.** N. m. (1580). Vx. *Le mentir :* l'action de mentir. *C'est un vilain vice que le mentir* (Montaigne, *Essais,* II, XVIII).

▶ **SE MENTIR** v. pron.

◆ **1.** Récipr. Mentir l'un à l'autre. *Ils se mentent constamment.*

◆ **2.** Réfl. (1838). Refuser de s'avouer la vérité, se bercer d'illusions. *Se mentir à soi-même* (→ Agrandir, cit. 7 ; idéaliser, cit. 9).

(...) s'il était capable de mentir quelquefois à autrui, il ne se mentait jamais à lui-même ; je veux dire par là qu'il aimait les choses pour ce qu'elles valent et non pour les apparences (...)   A. DE MUSSET, Nouvelles, « Fils du Titien », III.

CONTR. Vérité (dire la vérité).
DÉR. Menterie, menteur. — V. Mensonge.
COMP. Démentir.

MENTISME [mɑ̃tism] n. m. — 1824 ; t. dû à Chaslin, du lat. *mens, mentis* « esprit ».

◆ Didact. (méd.). Trouble psychique caractérisé par un défilé rapide et incoercible de pensées ou d'images ne permettant pas à l'attention de se fixer (cf. cour. Fuite des idées). *Mentisme lié à la fatigue, au surmenage, à l'anxiété. Déclenchement du mentisme dans l'insomnie d'origine nerveuse.*

Un des troubles les plus fréquents et les plus importants des psychoses et des névroses consiste dans des perturbations de cet afflux (*des idées*). Tantôt le débit s'arrête (...) Tantôt au contraire le débit augmente et s'accélère, devient incoercible (...) et la volonté est impuissante à endiguer un flot d'idées qui empêche alors l'attention de se fixer, et qui gêne tout effort productif. C'est là le mentisme et l'automatisme.   Henri BARUK, Psychoses et Névroses, p. 67.

Le mentisme tient de la fuite des idées : l'association y obéit grossièrement aux mêmes automatismes, mais avec cette différence que dans le mentisme elle est critiquée, reconnue comme pathologique et accompagnée d'une sensation pénible.
        Th. KAMMERER, *in* A. POROT,
    Manuel alphabétique de psychiatrie, art. *Mentisme* (1952).

MENTON [mɑ̃tɔ̃] n. m. — V. 980 ; lat. pop. *mento, -onis* à l'accusatif ; du lat. class. *mentum.*

◆ **1.** Partie saillante, médiane, du maxillaire inférieur ; partie de la face qui y correspond. *Menton avancé* (→ Contour, cit. 6), *en galoche** (cit. 5), *pointu, saillant. Menton carré, rond. Menton volontaire* (→ Hardi, cit. 7). *Menton fuyant* (cit. 11). Absolt. *Avoir peu, n'avoir pas de menton :* avoir un menton peu ou pas saillant (→ Élargissement, cit. 2). *Fossette* (cit. 3) *au menton. Frapper* (cit. 4) *qqn à la pointe du menton* (⇒ **Uppercut**). *Baisser ; dresser* (cit. 2) *le menton.* — Loc. fig. (Vx). *Dresser, lever le menton :* faire l'arrogant, le résolu. — *Bride passant sous le menton.* ⇒ **Jugulaire, sous-mentonnière.** *Pièce d'armure protégeant le menton.* ⇒ **Mentonnet, mentonnière.** — (1868). Loc. fig. *En avoir jusqu'au menton,* à satiété. Par ext. (En parlant de la région du menton, comprenant le haut de la gorge). *Plis du menton* ⇒ Col, cit. 8). *Poils du menton.* ⇒ 1. **Barbe** (cit. 2, 3, 6, 10 et 21), **barbiche, bouc** (→ Follet, cit. 3 ; hérisser, cit. 8 ; imberbe, cit. 1). *Menton glabre, rasé. Menton bleu. Dartre du menton.* ⇒ **Mentage.** — Loc. *Menton à double, à triple étage** (→ Descendre, cit. 28). — (1718). *Double, triple menton* (les plis sous le menton étant comparés à deux, trois mentons superposés). → Gros, cit. 5.

(...) je vois, malgré tes soins,
Que ton triple menton, l'honneur de ton chapitre,
Aura bientôt deux étages de moins.   VOLTAIRE, Épîtres, VII.

Le menton, plein de force et de résolution, se relève fermement, et termine par un contour majestueux ce profil, qui est plutôt d'une déesse que d'une femme.
        Th. GAUTIER, Portraits contemporains, « Mlle Georges ».

◆ **2.** (1845). Zool. Chez les insectes broyeurs, Partie de la lèvre supérieure. — Chez les oiseaux, Région à la base de la mâchoire inférieure.

DÉR. Mentonnet, mentonnier, mentonnière.
COMP. Sous-menton.

MENTONNET [mɑ̃tɔnɛ] n. m. — 1604 ; dimin. de *menton*.
Technique.

♦ **1.** Pièce métallique qui reçoit le clenche d'un loquet. — (1765). Pièce saillante, tenon servant d'arrêt... *Roue, arbre tournant à mentonnet.* — Pièce mue par une came. *Mentonnet d'un marteau de forge.*

♦ **2.** (1963). Ch. de fer. Partie saillante ou boudin du bandage* de roue.

L'intensité absorbée augmente et la tension dans la ligne baisse quand la neige s'épaissit, quand la pente se relève, quand le vent latéral pousse les mentonnets des roues contre les rails et augmente le frottement.
        Gilbert SIMONDON, *Du mode d'existence des objets techniques*, p. 53.

♦ **3.** Pièce du chien d'un revolver.

MENTONNIER, IÈRE [mɑ̃tɔnje, jɛʀ] adj. — 1580, *barbe mentonnière* ; de *menton*.

♦ **Didact.** (anat.). Du menton. *Vaisseaux, nerfs mentonniers. Trou mentonnier*, qui fait communiquer le canal dentaire et la face externe du maxillaire.

Anthropologie, anthropométrie. *Point mentonnier :* point situé au milieu du bord inférieur du maxillaire inférieur.

COMP. Sous-mentonnier.

MENTONNIÈRE [mɑ̃tɔnjɛʀ] n. f. — 1373 ; de *menton*.

♦ **1.** Ancienn. Partie inférieure du casque*, protégeant le menton. ⇒ **Armure** (de tête). *Mentonnière fixe, mobile. La visière d'une salade comportait le mézail et la mentonnière.*

.1 On apercevait des jambes, des sandales, des bras, des cottes de mailles et des têtes dans leurs casques, maintenues par la mentonnière et qui roulaient comme des boules ; des chevelures pendaient aux épines.
        FLAUBERT, *Salammbô*, Pl., t. I, p. 933.

♦ **2.** (1832, *in D. D. L.*). Mod. Bande passant sous le menton et retenant une coiffure militaire. ⇒ **Jugulaire.** *Mentonnière d'un casque, d'un képi.*

♦ **3.** (Fin XVIIe). Chir. Bandage du menton.

Il avait tâché de tirer un grand parti d'une blessure qu'il avait reçue à la mâchoire, et, pour le distinguer des autres Laval, on l'appelait la Mentonnière, parce qu'il en conserva une, toute sa vie, de taffetas noir (...)
        SAINT-SIMON, *Mémoires*, V, XXIX.

Spécialt. Bande dont on entoure le menton d'un mort, de manière à maintenir les mâchoires en place.

.1 (...) Mᵐᵉ Daroux, arrivée tout juste pour nouer la mentonnière et Mᵐᵉ Glais, suivant de peu pour entreprendre avec elle la toilette funèbre (...)
        Hervé BAZIN, *Cri de la chouette*, p. 279.

♦ **4.** (1669). Cour. Attache de certaines coiffures, qui passe sous le menton.

(...) le grand chapeau de paille attaché par une mentonnière de cuir (...)
        E. FROMENTIN, *Un été dans le Sahara*, p. 162.

♦ **5.** (1913). Mus. *Mentonnière d'un violon.*

(...) pour diminuer l'effort nécessité par le maintien du violon entre l'épaule et le menton, on a imaginé la *mentonnière*, une plaquette de bois ou d'ébonite légèrement concave fixée à gauche du cordier (...)
        Marc PINCHERLE, *les Instruments du quatuor*, p. 16.

♦ **6.** (1845). Techn. Tasseau pour relever en avant la casse des typographes. — Plateau saillant de certains fourneaux (d'émailleur).

COMP. Sous-mentonnière.

MENTOPLASTIE [mɑ̃tɔplasti] n. f. — Mil. XXᵉ ; de *mento(n)*, et *-plastie*.

♦ Chir. Intervention chirurgicale modifiant la forme du menton.

MENTOR [mɛtɔʀ] n. m. — Déb. XVIIIᵉ, Saint-Simon ; nom de *Mentor*, ami d'Ulysse qui lui avait confié son fils, personnalisé par le *Télémaque* de Fénelon, 1699.

♦ Littér. Guide, conseiller sage, expérimenté. ⇒ **Conseiller, gouverneur, guide.** *Servir de mentor à un jeune homme. Jouer les mentors. Rôle de mentor* (→ Gauche, cit. 5).

(Le roi) choisit le bonhomme la Feuillée, lieutenant général très distingué, de près de quatre-vingts ans, pour être son conseil à l'armée (...) le roi voulait un mentor particulier à son fils.
        SAINT-SIMON, *Mémoires*, I, XI.

MENTULE [mɑ̃tyl] n. f. — 1546, Rabelais ; lat. *mentula*, même sens.

♦ Vx. Pénis, sexe de l'homme.

1. MENU, UE [məny] adj. et adv. — V. 1050 ; lat. *minutus*, p. p. de *minuere* « diminuer ».

Vieilli ou littér., sauf dans quelques expressions : *menus morceaux ; par le menu.*

★ **I.** Adj. ♦ **1.** Qui a peu de volume. ⇒ **Fin, mince, petit.**

Menu est opposé à *gros*, et signifie *petit* quant au volume ou à la circonférence ; *mince* est opposé à *épais*, n'a rapport qu'à (...) l'épaisseur (...)   1
        LAFAYE, *Dict. des synonymes*, Petit, menu,...

Une parcelle menue (⇒ **Grain**). *Herbe, tige menue.* ⇒ **Brin.** *Graine* (cit. 7) *menue.* — (Souvent antéposé). *Couper, déchirer en menus morceaux.* ⇒ **Hacher ; charpie** (→ Friand, cit. 8). — (1690). *Menus grains* (avoine, orge, lentille). *Menues pailles :* balles de céréales. — *Doigts menus* (→ Main, cit. 4) — (Personnes). Petit et mince, fluet. *Un enfant tout menu. Vieillard menu* (→ Chenu, cit. 1). *Vieille fille menue et effacée* (cit. 32). — Par ext. *Pas menus* (→ Ligne, cit. 42). *Menus coups d'ongle* (→ Essaimer, cit. 4). *Écriture fine et menue.* — *Voix menue*, fluette (→ Fade, cit. 14). *Bruits menus.*

Mais les arbres surtout avaient souffert : les menues branches, les fruits, en étaient coupés comme avec des couteaux (...)   2
        ZOLA, *la Terre*, II, II.

(...) il se pratiquait un petit commerce, à peine clandestin, de menus objets et de rogatons divers.   3
        CÉLINE, *Voyage au bout de la nuit*, p. 141.

♦ **2.** Formé d'éléments relativement petits. *Menu fatras* (cit. 6). Spécialt. *Menu bétail :* le petit bétail. *Menu gibier*. *Menu fretin** (propre et fig.). *Menu plomb.*

(...) dans l'espace flotte une poudre d'or tellement menue qu'elle se confond avec la vibration de la lumière.   4   FLAUBERT, *la Tentation de saint Antoine*, I.

♦ **3.** (1080). Fig. Qui a peu d'importance, peu de valeur. *Menues besognes, menues obligations, occupations* (→ Adventice, cit. ; affairement, cit. 2). *Menus propos. Menues délicatesses* (→ Gagner, cit. 33), *menus soins* (→ Chaufferette, cit. 2). *Menus faits* (→ Jargon, cit. 2), *menus détails* (cit. 12) ; *menues difficultés* (→ Énerver, cit. 9). *Menues dépenses**, *menus frais**.

Menues fantaisies. — *Menus plaisirs.* ⇒ **Plaisir.** (On disait aussi ellipt. « *les Menus* », en parlant de l'administration royale).

Permettez-moi de vous faire souvenir des *Scythes*, pour le dernier mois de votre règne des Menus.   5
        VOLTAIRE, *Correspondance*, 3564, 3 déc. 1769.

Plus tard, j'ai su par le menu détail tout ce qui s'était passé là-bas (...)   6
        ALAIN-FOURNIER, *le Grand Meaulnes*, p. 259.

(Fin XIVᵉ). *Le menu peuple. Menue monnaie :* pièces de faible valeur.
À menue gent, menue monnaie.   7   VILLON, *Testament*, CLIII.

★ **II.** Adv. (1314). Vx. Littér. ou par plais. En petits, en menus morceaux. *Couper, hacher* (cit. 5) *menu.* — *Écrire, coudre menu*, en petites lettres, à petits points. — (Av. 1850). *Courir, trotter menu.* — (1668). *La gent trotte-menu :* les souris.

(...) la farine du pain n'était plus que de la pierre pilée menu.   8
        MAUPASSANT, *Au soleil, Le Zar'ez.*

Travailler ayant froid, travailler pour gagner sa vie, coudre menu, achever avant de dormir les ouvrages rapportés chaque soir de Paimpol.   9
        LOTI, *Pêcheur d'Islande*, III, XIV.

Loc. fam. et par plais. *Tu nous les brises menu :* tu nous les casses* (tu nous ennuies).

★ **III.** N. m., dans la loc. adv. (1538). PAR LE MENU : en détail*. *Dire, raconter, expliquer par le menu.*

(...) comme elle connaissait par le menu les détails de la pièce dans laquelle plongeait son regard, son attention se trouva concentrée, d'emblée, sur les deux personnes qui se trouvaient là.   10
        Pierre BENOIT, *Mˡˡᵉ de la Ferté*, p. 102.

★ **IV.** N. m. Techn. ♦ **1.** (1837). Charbon en menus morceaux.

On a reconnu en même temps que ce nouveau procédé permettrait de faire servir au chauffage le menu, c'est-à-dire du charbon en petits fragments que l'on est forcé de rejeter de l'usage des foyers ordinaires.   11
        L. FIGUIER, *l'Année scientifique et industrielle*, 1858, p. 393 (1857).

Au plur. (1868). *Les menus.* ⇒ **Fines.**

Pendant longtemps (...) les travaux de calibrage, confiés aux services de la mine, n'ont pas eu aux yeux des exploitants l'importance qu'ils méritaient en raison du fait que le petit charbon, menus et fines, était considéré comme sans grande valeur marchande.   12
        Jean ROMEUF, *le Charbon*, p. 74.

♦ **2.** (1874). Sel blanc à la surface de l'eau d'un marais salant.

♦ **3.** (XXᵉ ; « abats », 1582). Intestin grêle (d'un animal de boucherie).

♦ **4.** (1803). Petit diamant taillé en brillant ou en rose.

CONTR. Énorme, épais, gros.
DÉR. Menuet.
COMP. Menu-vair. — (Du lat. *minutus, minuere...*) V. **Amenuiser, diminuer, menuiser, menuiserie,** et **mince.**
HOM. 2. Menu.

2. MENU [məny] n. m. — 1718 ; subst. du précéd. proprt « menu détail », → Par le menu (Menu, III.).

♦ **1.** Énumération, liste détaillée des mets dont se compose l'ordonnance d'un repas, le repas considéré dans sa composition. *Quel est le menu du jour ? Qu'y a-t-il au menu ? Menu abondant, copieux, varié. Faire le menu du dîner.*

(...) donne-moi n'importe quoi (...) ne cherche pas à composer des menus, je ne fais jamais attention à ce que je mange (...)   1
        SARTRE, *le Sursis*, p. 98.

(Dans un restaurant). *Menu touristique, gastronomique. Menu à prix fixe* (opposé à *repas à la carte*). *Manger au menu. Prendre le menu. Suppléments au menu.*

2 (...) quelques auberges célèbres, dont le menu alignait autant de mets que de vers
un sonnet. COLETTE, *Belles saisons*, p. 99.

♦ **2.** (Déb. xxᵉ). Document (feuille, cahier...) sur lequel le menu, la carte sont inscrits. *Garçon, le menu, s'il vous plaît. Un menu illustré. Demander, consulter le menu. Le menu et la carte des vins.*

♦ **3.** Fig., fam. Suite d'événements prévus (comparés aux plats d'un repas). *Quel est le menu de la réunion?*

Techn. (inform.). Liste d'opérations proposées sur l'écran d'un ordinateur à l'utilisateur.

MENUAILLE [mənɥɑj] n. f. — 1332 ; du bas lat. *minutalia* «menus objets», de *minutus*. → 1. Menu.
Vieux.

♦ **1.** Menu fretin. *Pêcher de la menuaille.*

Moi, je pêchottais, placide, remplissant peu à peu de menuaille la boutique du
bateau. Hervé BAZIN, *Au nom du fils*, p. 185.

♦ **2.** (1718). Quantité de petites choses. — Spécialt. Menue monnaie. *Payer en menuaille.*

MENUET [mənɥɛ] n. m. — 1670 ; subst. de l'anc. adj. *menuet*, xiiᵉ ; dimin. de *menu*, proprt «pas menu».

♦ **1.** Ancienne danse à trois temps, adoptée à la cour de France au xviiᵉ siècle, à mouvement rapide, puis très modéré. *Révérences, figures, pas du menuet. Allure noble, compassée* (cit. 4) *du menuet. Danser le menuet.* — (1674). Air sur lequel le menuet se dansait. *Jouer un menuet. Attaquer* (cit. 48) *un air de menuet.*

1 Ah! les menuets sont ma danse, et je veux que vous me les voyiez danser.
MOLIÈRE, *le Bourgeois gentilhomme*, II, 1.

2 (...) le caractère du *menuet* est d'une élégante et noble simplicité ; le mouvement
en est plus modéré que vite (...) La mesure du *menuet* est à trois temps légers (...)
Le nombre des mesures de l'air dans chacune de ses reprises doit être quatre ou
un multiple de quatre, parce qu'il en faut autant pour achever le pas du
menuet (...) ROUSSEAU, *Dict. de musique*, Menuet.

3 Marquise, vous souvenez-vous
Du menuet que nous dansâmes?
Il était discret, noble et doux
Comme l'accord de nos deux âmes. François COPPÉE, *Cahier rouge*, «Menuet».

4 Sorti du peuple, chez qui il conservait infiniment de gaieté et de vivacité, le
menuet avait pris à la cour une pompe protocolaire (...)
Francis DE MIOMANDRE, *Danse*, p. 29.

♦ **2.** (1861). Forme instrumentale dans la suite*, dans la sonate (symphonies, quatuors, sonates... à quatre mouvements, dont il constitue d'ordinaire le troisième), comprenant un premier air répété deux fois (*menuet* stricto sensu), encadrant un second menuet (⇒ **Trio**).

5 Le menuet (...) deviendra, dès le milieu du xviiiᵉ s., une forme instrumentale nullement négligeable, en tant que partie de la symphonie classique (Stamitz, Haydn,
Mozart). Auparavant, on le trouve dans la suite (...) et dans les ballets de l'opéra
français (chez Lulli et ses successeurs) [...] D'abord très modéré, le mouvement
du menuet (...) ne cesse de s'accélérer, aboutissant ainsi au scherzo beethovenien
qui lui succède. André HODEIR, *les Formes de la musique*, p. 66.

Spécialt. L'air répété deux fois. *Le menuet et le trio.*

MENU-GROS [mənygʀo] n. m. — 1874, P. Larousse ; de *menu* «petit», et *gros*.

♦ Techn. Morceaux plus ou moins gros de métal précieux (or, argent) retirés des cendres après lavage.

MENUISAGE [mənɥizaʒ] n. m. — 1874 ; de *menuiser*.

♦ Techn. Travail du bois par le menuisier.

MENUISE [mənɥiz] ou **MENUISAILLE** [mənɥizaj] n. f. — V. 1193, *menuise* ; *menuisaille*, v. 1600 ; du lat. *minutia* «parcelle».
Technique.

♦ **1.** Vx. Menu fretin.

♦ **2.** (1752). Techn. Petit plomb de chasse.

♦ **3.** (1871). Techn. Menu bois, petits rondins.

♦ **4.** ⇒ **Menuse.**

MENUISER [mənɥize] v. tr. — 1483 ; «rendre menu, briser, diviser en menus morceaux», v. 1120 ; lat. pop. *minutiare*, de *minutus*. → Menu.
Technique.

♦ **1.** Vx. Amincir, découper (du bois). → Façonner, cit. 7.

♦ **2.** Travailler en menuiserie. ⇒ **Charpenter.** — Au p. p. *Boiseries* (cit. 1) *très finement menuisées.* Par ext. «*La flèche* (cit. 17) *la plus*

hardie, la plus ouvrée, la plus menuisée... » (Hugo). ⇒ **Menuiserie.**
— Absolt. «*Il s'amuse à menuiser*» (Académie).

Il multiplie les étagères les cloisons les recoins il menuise un coffre-placard près
de la porte (...) Tony DUVERT, *Paysage de fantaisie*, p. 199.

DÉR. Menuisage, menuiserie, menuisier. — V. Amenuiser, et aussi mince.

MENUISERIE [mənɥizʀi] n. f. — 1456 ; «ouvrage de bois délicat», 1411 ; de *menuiser*.

♦ **1.** Vx. Fabrication de menus ouvrages ; ces ouvrages (opposé à *grosserie*). Spécialt. (Orfèvr.). Les bijoux, leur fabrication. — (1765). *Menuiserie d'étain* (excluant la vaisselle, les pots).

♦ **2.** (1690). Mod. Travail (assemblage) du bois pour la fabrication des meubles et objets servant à l'agencement et à la décoration des maisons (opposé à *charpente*). *Pièces, assemblages*... de menuiserie.* ⇒ **Abattant, about, alaise, antébois, arasement, aronde** (queue d'), **baguette, bâti, boiserie, brisure, cadre, chevron, cimaise, écoinçon, équerre, feuille, feuillure, filet, flipot, imposte, lambris, montant, moulure, panneau, placage, placard, plinthe, tasseau, tourniquet, traverse, trumeau, tympan, volet...** (aussi **architecture** [ornements] et **charpente**). *Opérations, travaux de menuiserie :* traçage, débitage, façonnage et assemblage ou montage (⇒ **Araser, assembler, boiser, corroyer, désassembler, lambrisser, raboter, rainer, scier, varloper,** etc.). *Entrepreneur* de menuiserie. Bois* de menuiserie. Atelier de menuiserie. Outillage utilisé en menuiserie. Menuiserie d'art.* (⇒ **Ébénisterie**), *de bâtiment.*

À l'entrée, il y a des ateliers de menuiserie qui dégagent une odeur (...) de sciure
et de sapin frais. G. DUHAMEL, *Chronique des Pasquier*, VI, IX.

♦ **3.** (1690). Ouvrages ainsi fabriqués. *De la belle menuiserie. Menuiserie dormante* (décoration fixe, habillage, pose des moulures : chambranles, plinthes, corniches ; lambrissage ; parquetage) ; *menuiserie mobile* (fenêtres, persiennes, portes, châssis mobiles). — *Décoration, plafond en menuiserie. Treillage de menuiserie. Placage sur un fond de menuiserie.* ⇒ **Marqueterie.** — *Menuiserie d'orgue.* ⇒ **Buffet.** *Menuiserie qui entoure une meule de moulin.* ⇒ **Cerce.**

(...) la menuiserie découpée des fenêtres s'ouvrait par places comme une guipure déchirée. NERVAL, *Voyage en Orient*, Femmes du Caire, III, VI.

♦ **4.** (1949). Par ext. *Menuiserie métallique :* fabrication d'éléments de fermeture (portes, fenêtres), en métal (surtout de grandes dimensions) ; systèmes de fermeture ainsi fabriqués.

MENUISIER [mənɥizje] n. m. — 1227 ; de *menuiser*.

♦ **1.** Vx. Ouvrier en menuiserie (1.) fabriquant de petits ouvrages. — Par appos. *Au moyen âge, chaque métier avait ses menuisiers ; il y avait, par exemple, des orfèvres menuisiers* (L. Réau, *Dict. d'art et d'archéologie*).

♦ **2.** (1382). Mod. Artisan, ouvrier qui travaille le bois équarri en planches pour fabriquer meubles et autres ouvrages de menuiserie*. *Menuisier qui exécute des moulures.* ⇒ **Moulurier.** *Menuisier en bâtiments* (→ Bâtir, cit. 12), *en meubles, en sièges. Menuisier d'art.* ⇒ **Ébéniste.** *Outils, instruments, outillage du menuisier.* ⇒ **Alumelle, banc, bec** (d'âne ; ou **bédane**), **bouvet, châssis, ciseau, compas, davier, doucine, équerre, établi, étau, fermoir, feuilleret, goberge, gorget, gouge, grattoir, guillaume, guimbarde, maillet, marteau, onde, pélican, presse, rabot, râpe, râtelier, réglet, riflard, sabot, sauterelle, scie, sergent** (serre-joint), **spatule, tarabiscot, tarière, tenailles, trusquin, valet, varlope, varlopeuse.** *Colle* de menuisier.* Par appos. *Ouvrier menuisier.*

— N'importe, continua-t-il, j'aurais mieux aimé être un ouvrier (...) Tenez, menuisier, par exemple. Ils sont très-heureux, les menuisiers. Ils ont une table à faire,
n'est-ce pas? ils la font, et ils se couchent, heureux d'avoir fini leur table, absolument satisfaits (...) ZOLA, *le Ventre de Paris*, t. I, p. 124.

(...) un menuisier dans son atelier, qui cherche dans les bois s'il a en réserve une
planche convenable, qui fabrique des tables, des armoires et des coffres selon le
goût du public, et même sur commande (...)
ALAIN, *Propos*, 21 mai 1921, Artisans et artistes.

Le menuisier se tient aussi au cœur frais de la place. L'été, il met son établi sous
le platane. Sa boutique est vieille, enfumée et on y voit, quand il travaille (...) des
planches de sapin qui sentent encore la montagne et parfois ces beaux copeaux
bruns tirés d'une pièce de chêne qui portent l'odeur saine de l'aubier.
H. BOSCO, *le Jardin d'Hyacinthe*, p. 19.

REM. Le fém. *menuisière* est exceptionnel. «*Plombière ou menuisière? Une école pour apprendre à bricoler entre femmes*» (*F Magazine*, avril 1978, p. 23).

MÉNURE [menyʀ] n. m. — 1808 ; lat. zool. *menura*, du grec *mênê* «croissant de lune», et *oura* «queue».

♦ Oiseau passeriforme ténuirostre (*Passereaux* ; *Turdidés*), de grande taille, remarquable par sa queue étalée en éventail et dont certaines plumes sont disposées en forme de lyre (on l'appelle *oiseau-lyre**). *Le ménure vit en Australie.*

Ailleurs, sur les rives et sur l'îlot, se pavanaient (...) un ou deux échantillons de
ces ménures splendides, dont la queue se développe comme les montants gracieux
d'une lyre. J. VERNE, *l'Île mystérieuse*, t. I, p. 158.

MENUSE [mənyz] n. f. — 1765; var. de *menuise**, parfois écrit *menusse*.

Collectif : *de la menuse*.

♦ **1.** Alevins de harengs, de sardines, d'alose. ⇒ **Boette**.

♦ **2.** (xxᵉ). Crustacés minuscules, réduits en bouillie, que l'on recueille à marée basse.

MENU-VAIR [mənyvɛʀ] n. m. — 1352; *menu ver*, xɪɪɪᵉ; de *menu*, et *vair*.

♦ **1.** Vx. Petit-gris* (fourrure d'écureuil).

♦ **2.** (1549). Blason. ⇒ **Vair**.

DÉR. Menu-varié.

MENU-VAIRÉ, ÉE [mənyvɛʀe] adj. — 1777; de *menu-vair*.

♦ Blason. Se dit d'un écu couvert de menu-vair.

MÉNYANTHE [menjɑ̃t] n. m. — 1765; *Méniante*, 1694; lat. bot. *menyanthes*, altér. du grec *minuanthês (triphullon)* «trèfle qui fleurit peu de temps».

♦ Bot. Plante herbacée, vivace, aquatique, à feuilles trilobées comme celles du trèfle (on l'appelle aussi *trèfle d'eau*). *Propriétés antiscorbutiques, diurétiques, fébrifuges... du ményanthe. Le ményanthe appartient à la famille des Gentianacées.*

MÉPACRINE [mepakʀin] n. f. — Mil. xxᵉ; orig. inconnue.

♦ Médicament dérivé de l'acridine, prescrit dans le paludisme.

MÉPARTISTE [mepaʀtist] n. m. et adj. — 1847, Courtépée, *Hist. du duché de Bourgogne*, t. II, p. 366; var. de *mi-partiste*, de *mi* (demi), *part*, et suff. *-iste*.

♦ Relig. Régional (Dijon). Ecclésiastique «habitué» dans une paroisse (c'est-à-dire qui y est attaché comme auxiliaire sans titre canonique). — Adj. *« Prêtre mépartiste »* (Huysmans, *l'Oblat*).

MÉPHISTOPHÉLÈS [mefistofelɛs] n. m. — 1827; nom du démon, dans la légende de Faust, personnage popularisé par Goethe (trad. de Nerval en 1828), et, en France, par Berlioz et Gounod.

♦ Littér. Personne d'une méchanceté, d'une adresse diabolique. ⇒ **Démon**, **diable** (abrév. fam. : *méphisto*; 1877).

Je devrais bien noter certaines des questions qu'elle me pose, qui sont énormes, et qui indiquent dans sa caboche on ne sait quel travail de méphistophélès ingénu.
J. ROMAINS, les Hommes de bonne volonté, t. VIII, XXI, p. 231.

DÉR. Méphistophélétique ou méphistophélique.

MÉPHISTOPHÉLÉTIQUE [mefistofeletik] ou **MÉPHISTOPHÉLIQUE** [mefistofelik] adj. — 1833; de *Méphistophélès*.

♦ Littér. Qui évoque Méphistophélès, semble appartenir au Démon. ⇒ **Démoniaque**, **diabolique**, **infernal**, **satanique**. *Habileté, méchanceté méphistophélique. Rire, sourire méphistophélique.*

— Ah! c'est vous, Rodolphe! fit le mari; enchanté de vous voir. Et il n'y avait réellement rien de méphistophélique dans la manière dont il disait cela.
Th. GAUTIER, les Jeunes-France, Celle-ci et celle-là.

REM. La var. *méphistophélétique* est vieillie. On trouve aussi la forme *méphistophélesque*.

MÉPHITIQUE [mefitik] adj. — 1564, Rabelais; bas lat. *mephiticus*, de *mephitis* «exhalaison sulfureuse d'origine volcanique».

♦ **1.** Dont l'exhalaison est malfaisante, toxique, et généralement désagréable, puante. *Air, gaz, vapeur... méphitique. Odeur méphitique.*
Par ext. *Ruisseau méphitique* (→ Gadoue, cit. 1).

1   Les apprentis respirèrent les émanations de la rue avec une avidité qui démontrait combien l'atmosphère de leur grenier était chaude et méphitique.
BALZAC, la Maison du Chat-qui-pelote, Pl., t. I, p. 20.

♦ **2.** (1845). Fig. Impur, malfaisant. ⇒ **Malsain**, **pernicieux**.

2   Elle *(la Virginie de Bernardin de St-Pierre)* tombe ici *(à Paris)* en pleine civilisation turbulente, débordante et méphitique, elle, tout imprégnée des pures et riches senteurs de l'Inde. BAUDELAIRE, Curiosités esthétiques, VI.

CONTR. Embaumé, odoriférant, parfumé.
DÉR. Méphitisme.

MÉPHITISER [mefitize] v. tr. — xvɪɪɪᵉ; du lat. *mephitis*. → Méphitique.

♦ Rare. Infecter d'exhalaisons, d'odeurs méphitiques, faire puer*. — Au p. p. *Air méphitisé.*

MÉPHITISME [mefitism] n. m. — 1782; de *méphitique*.

♦ Didact. Viciation de l'air par des gaz méphitiques.
Fig. (Attesté chez Stendhal). Caractère méphitique.

MÉPLAT, ATE [mepla, at] adj. et n. m. — 1676; de *mé- (més-)*, et *plat*.

★ **I.** Adj. Techn. «Qui a plus de largeur que d'épaisseur» (Félibien, 1676), en parlant d'un bloc de bois, etc.
(1812). Spécial. (Arts). *Lignes méplates*, qui établissent le passage entre deux plans. — *Bas-relief méplat*, où l'on diminue l'épaisseur relative des premiers plans.
Math. *Point méplat d'une courbe plane d'équation cartésienne :* point pour l'abscisse duquel la fonction représentée admet des dérivées jusqu'à l'ordre *n* (*n* > 3 et pair), nulles jusqu'à *(n−1)*, celle d'ordre *n* étant différente de zéro. *En un point méplat, la courbe ne traverse pas sa tangente.*

★ **II.** N. m. (1762; «bois méplat», 1691). ♦ **1.** Chacun des plans par lesquels on représente ou on suggère le modelé des formes. *« Lorsqu'on peint une tête, il faut faire sentir les méplats »* (Académie). *Peintre, sculpteur qui accuse, atténue les méplats*, le modelé. *Méplats de la face, du nez...*

1   Rendre chaudement et avec vérité les veines, les articulations, les reliefs, les méplats (...) DIDEROT, Salon de 1765.

2   Son nez avait été jeté au même moule que le mien, seulement il semblait avoir été retouché par le ciseau d'un statuaire habile; les narines en étaient plus ouvertes et plus passionnées, les méplats plus nettement accusés (...)
Th. GAUTIER, Mˡˡᵉ de Maupin, IX.

Math. *Méplat d'une courbe plane d'équation cartésienne*, point méplat de cette courbe.

♦ **2.** (1758). Cour. Partie relativement plane (du corps) (→ Empreinte, cit. 10). *Méplat de la joue, de la tempe. « Dans toute sa partie inférieure (...) la tempe est un large méplat »* (Richer, *Morphologie de la femme*, p. 147).

3   Le soleil faisait deux taches claires sur le méplat des pommettes.
MARTIN DU GARD, les Thibault, t. VI, p. 51.

(1758). Par ext. Partie relativement plane (d'un objet quelconque), par contraste avec les parties courbes ou arrondies.

4   Le SERVICE. — Prise de raquette : les doigts mordent à peine sur le méplat du manche. L'index peut être allongé, mais non le pouce. Le poignet souple.
Jean DAUVEN, Technique du sport, Le tennis, p. 78.

CONTR. Saillie.

MÉPRENDRE (SE) [mepʀɑ̃dʀ] v. pron. — Conjug. *prendre*. — V. 1215; v. intr. *mesprendre* «mal agir», v. 980 (→ Faim, cit. 9, Villon); de *més-*, et *prendre*.

♦ Littér. Se tromper (en prenant une personne, une chose pour ce qu'elle n'est pas, et, spécial., en la prenant pour une autre). ⇒ **Abuser** (s'), **tromper** (se); **erreur**, **méprise** (→ Bienséant, cit.; lapin, cit. 6).
Vx ou littér. *Se méprendre à qqch. « Ces jumeaux se ressemblent tellement que c'est à s'y méprendre »* (Académie). ⇒ **Confondre**; **ressemblance**. *Il est aisé de s'y méprendre* (→ Goût, cit. 24). — Mod. *Se méprendre sur qqch., sur qqn.* ⇒ **Méconnaître** (cit. 3). *Vous vous méprenez sur mes intentions, sur leur sens.*

1   Mais le plus habile homme enfin peut se méprendre.
RACINE, les Plaideurs, II, 4.

2   La jeune fille s'était si indécemment vêtue, qu'il était impossible de se méprendre à son état (...) DIDEROT, Jacques le fataliste, Pl., p. 658.

3   (...) aux murs, des torchères de zinc singeaient le bronze à s'y méprendre (...)
COURTELINE, le Train de 8 h 47, II, VII.

4   Je crois que, sur le tard, je suis parvenu à la comprendre beaucoup mieux : mais à quel point, durant le plus fort de mon amour, j'ai pu me méprendre sur elle!
GIDE, Et nunc manet in te, p. 10.

5   Je vis que Justin se méprenait au sens de mes paroles.
G. DUHAMEL, Chronique des Pasquier, III, VII.

DÉR. Méprise.

MÉPRIS [mepʀi] n. m. — V. 1225, *mespris*; de *mépriser*.

♦ **1.** *Mépris de :* fait de considérer comme indigne d'attention; «sentiment par lequel on ne tient pas en prix» (Littré), on estime indigne d'attention. ⇒ **Dédain**.
REM. Ce sens est vieux ou archaïque dans les locutions qui suivent : *traiter de mépris* (Corneille, *Polyeucte*, III, 2; Molière, *les Femmes savantes*, I, 1), *avoir, mettre à mépris* (Racan, La Fontaine, in Littré), *faire mépris de (qqn, qqch.).* ⇒ Dépiter, cit. 7.

1   (...) j'ai préparé un document pour ceux de nos arrière-neveux qui n'auront pas à mépris de soulever la poussière des vieilles bibliothèques.
G. DUHAMEL, Défense des lettres, Préface.

Mod. Indifférence, manque de considération à l'égard de (qqch.). *Mépris des règles, des conventions* (→ Bride, cit. 5), *des formes* (cit. 70). *Le mépris qu'il affiche pour l'opinion de ses voisins. Mépris pour les choses de la religion, pour les croyances reçues* (⇒ **Impiété, irrévérence**). — (Avec une nuance de condamnation morale ; → ci-dessous, 3.). *Enseigner le mépris des offenses, des insultes...*

2 (...) Cratès disait que sa patrie à lui c'était le mépris de l'opinion des autres.
FUSTEL DE COULANGES, la Cité antique, V, I.

3 (...) poussant le mépris des scrupules presque aussi loin que le respect de l'étiquette.
PROUST, À la recherche du temps perdu, t. XII, p. 88.

Loc. prép. AU MÉPRIS DE : sans tenir compte de. ⇒ **Contrairement** (à), **dépit** (2., en dépit de), **malgré** (→ Abus, cit. 6 ; effronté, cit. 1). — *Rare. En mépris de...*

4 Parfois, l'un d'eux lance un long jet de salive blanche sur le plancher, au mépris des affiches comminatoires.
G. DUHAMEL, Scènes de la vie future, XV.

♦ **2.** (1580). **MÉPRIS DE** : sentiment par lequel on s'élève au-dessus de (ce qui est généralement apprécié). *Mépris du succès* (→ Absolu, cit. 8), *des grandeurs* (cit. 16), *des honneurs, de l'argent, des richesses.* — *Mépris du danger* (cit. 6), *de la mort.* ⇒ **Courage** (→ Bandeau, cit. 4).

5 Or des principaux bienfaits de la vertu est le mépris de la mort (...).
MONTAIGNE, Essais, I, XX.

6 Ce dont je suis sûr, c'est qu'on fait tuer les jeunes d'abord parce que les hommes très jeunes ont, plus que les autres, le hautain mépris de la vie. Les jeunes hommes consentent plus volontiers que les vieux à mourir.
G. DUHAMEL, Chronique des Pasquier, VI, II.

♦ **3.** *Mépris (de..., pour)* : sentiment par lequel on considère (qqn) comme inférieur ou indigne d'estime, comme moralement condamnable. ⇒ **Dégoût, mésestime** (→ Haine, cit. 9). *Avoir, éprouver du mépris pour, à l'égard de qqn. Avoir la haine et le mépris des traîtres* (→ Félon, cit. 6). *Afficher* (cit. 3), *montrer, témoigner du mépris, son mépris pour, à l'égard de qqn.* ⇒ **Mépriser, réprouver.** *Déverser, épancher, manifester publiquement son mépris.* ⇒ **Conspuer, vilipender.** *Marques, signes de mépris* (→ Bravade, cit. 1 ; intervalle, cit. 7). *Accabler* (cit. 19), *éclabousser, écraser, souffleter qqn de son mépris. Regarder, traiter qqn avec mépris* (→ Traiter de haut* en bas, regarder* sous le nez, de travers*...). *Écarter, reléguer, renvoyer qqn avec mépris. Avoir un geste* (cf. Hausser, lever les épaules ; pied de nez, etc.), *un sourire de mépris. Ricaner* avec mépris. — *Mépris moqueur.* ⇒ **Dérision** (cit. 4) ; **narguer, nique** (faire la nique). *Mépris souverain* (→ État, cit. 84), *sans bornes* (→ Jeu, cit. 74), *excessif* (cit. 4). *Mépris infamant, insultant* (⇒ **Insulte**). — *Le mépris d'autrui* (cit. 14). *Être en butte au mépris de tout le monde* (⇒ **Paria**). *Encourir, mériter le mépris.* ⇒ **Méprisable** (→ Faquin, cit. 3). *Tomber dans le mépris général* (⇒ **Avilissement** [cit. 10], **honte, indignité**).

Allus. hist. *La révolution du mépris,* formule par laquelle Lamartine, le 18 juillet 1847, qualifiait la révolution qui menaçait le régime et devait éclater en 1848. — *Le Temps du mépris,* œuvre de Malraux (1936).

7 La meilleure philosophie, relativement au monde, est d'allier, à son égard, le sarcasme de la gaieté avec l'indulgence du mépris.
CHAMFORT, Maximes et pensées, Œ., t. IV, I, p. 21.

8 Je voudrais les écraser sous mes pieds et leur cracher mon mépris à la figure (...)
Th. GAUTIER, Fortunio, IX, p. 71.

9 L'Anglaise reconnut sa rivale et fut glorieusement Anglaise ; elle nous enveloppa d'un regard plein de son mépris anglais et disparut dans la bruyère avec la rapidité d'une flèche.
BALZAC, le Lys dans la vallée, Pl., t. VIII, p. 975.

10 (...) tout le monde la regardait et personne ne la saluait ; le mépris âcre et froid des passants lui pénétrait dans la chair et dans l'âme comme une bise.
HUGO, les Misérables, I, v, IX.

11 Or Chamfort, dans ses pensées, crache à chaque instant le mépris, d'une façon crue et cynique. « L'homme est *un sot animal,* si j'en juge par moi », dit-il.
SAINTE-BEUVE, Causeries du lundi, 22 sept. 1851.

12 (...) le mépris outrage plus que la haine, et la haine le sait bien ! (...)
BARBEY D'AUREVILLY, les Diaboliques, « À un dîner d'athées », p. 331.

Formules, expressions qui marquent le mépris. ⇒ **Péjoratif. Termes de mépris.** ⇒ **Mépriser.** *Interjections qui expriment le mépris* (cf. *Arrière!, nargue!, quelle pitié!*). *Certains mots employés par antiphrase* (→ *Un beau*, *un joli monsieur*), *ou avec une intention ironique, dépréciative, peuvent exprimer une nuance de mépris* (→ *Un certain* X... ; *la voilà avec son* M. X... ; *oh, vous, avec votre* Untel ; *vous estimez ça*, *vous... ; un pauvre* type ; *une vieille* noix*).

Péj. (En parlant d'une attitude hautaine à l'égard de qqn ou de qqch.). ⇒ **Arrogance** (cit. 5), **morgue** (→ Faire le renchéri*).

♦ **4.** (Déb. XVIIe). *Un, des mépris* : acte, parole qui témoigne du mépris ; manifestation de mépris (→ Honte, cit. 26). ⇒ **Affront, camouflet, rebuffade, refus.** *Souffrir des mépris, cent mépris* (Racine, *Andromaque,* II, 1).

13 *(Jean-Paul)* se rappela les prétentions exaspérées du collégien, ses mépris sifflants.
F. MAURIAC, l'Enfant chargé de chaînes, v.

Vx. (En amour). Manifestation d'indifférence.

CONTR. Admiration, adoration, attention, considération, déférence, égard, estime, intérêt, respect, vénération. — **Crainte** (de la mort), **désir, envie** (des richesses, etc.).

MÉPRISABLE [meprizabl] adj. — XIVe ; de *mépriser,* et *-able.*

♦ **1.** Vx. Négligeable, indigne d'attention, d'intérêt. *Un méprisable*

saltimbanque (→ Histrion, cit. 2). *Chose méprisable* (⇒ **Guenille,** fig.).

Il n'y a rien de méprisable dans la nature, et tous les ouvrages de Dieu sont dignes qu'on les respecte et qu'on les admire (...)
MALEBRANCHE, De la recherche de la vérité, I, VI.

Spécialt. *Considérer les richesses comme méprisables.*

♦ **2.** Mod. Digne de mépris, qui inspire le mépris. ⇒ **Abject** (cit. 1 et 3), **avili, bas, détestable, honteux, ignominieux, indigne, misérable, moche** (fam.), **vil, vilain.** *Espèce* d'hommes, ramassis de gens méprisables.* ⇒ **Boue, canaille, clique, tourbe...**). *Homme, femme méprisable.* ⇒ **Canaille, croquant, drôle, faquin, salaud** (cf. Sale bonhomme, sale type, joli monsieur...) ; **cagne, créature, drôlesse...** et les fig. vulg. **excrément, fumier, ordure, saleté...** *Action méprisable.* ⇒ **Avilissant, lâche.** — *Ce qu'il y a de plus sot et de plus méprisable* (→ Imbiber, cit. 7).

Il n'y a que ceux qui sont méprisables qui craignent d'être méprisés. [2]
LA ROCHEFOUCAULD, Maximes, 322.

La coquetterie des femmes ordinaires, qui se dépensent en œillades, en minauderies et en sourires, lui semblait une escarmouche puérile, vaine, presque méprisable. [3]
A. DE MUSSET, Nouvelles, « Croisilles », IV.

CONTR. Auguste, estimable, prisable, respectable, vénérable. — **Admirable.** — **Désirable.**

DÉR. Méprisablement.

MÉPRISABLEMENT [meprizabləmã] adv. — 1803 ; «avec mépris», v. 1355 ; de *méprisable.*

♦ Rare. D'une manière méprisable. *Agir, se conduire méprisablement.*

MÉPRISANT, ANTE [meprizã, ãt] adj. — 1611 ; *mesprisant,* v. 1220 ; de *mépriser.*

♦ Qui a, qui montre du mépris. ⇒ **Arrogant, dédaigneux, fier.** *Il est prétentieux et méprisant.*

(1629). Qui exprime le mépris. *Air, sourire, ton méprisant. Regards, yeux méprisants* (→ Étudier, cit. 27). *Ricaner de façon méprisante* (→ Collet, cit. 5). *Termes outrageants et méprisants* (→ Compte, cit. 20).

J'ai quelque chose de chagrin et de fier dans la mine : cela fait croire à la plupart des gens que je suis méprisant, quoique je ne le sois point du tout. [1]
LA ROCHEFOUCAULD, Portrait de La Rochefoucauld par lui-même.

(...) en voyant combien les gens sont durs et méprisants pour ceux que le bon Dieu a mal partagés, je me suis fait un plaisir de leur déplaire (...) [2]
G. SAND, la Petite Fadette, XVIII.

CONTR. Admiratif, désireux, respectueux.

MÉPRISE [mepriz] n. f. — 1465 ; *mesprise* «mauvaise action», v. 1190 ; de *méprendre.*

♦ Erreur de la personne qui se méprend, se trompe (en prenant* une chose, une personne pour ce qu'elle n'est pas). ⇒ **Confusion, erreur, fourvoiement.** *La méprise des sens* (→ Hallucination, cit. 3). *Méprise grossière, ridicule ; lourde, sotte, impardonnable méprise.* ⇒ **Bévue.** *Si ce n'est pas une méprise, c'est une gageure* (cit. 5) *ou une impertinence. Méprise quant à, sur qqch. Intrigue de théâtre basée sur une méprise* (⇒ **Malentendu, quiproquo**). — *La Méprise,* comédie de Marivaux. *La Double Méprise,* nouvelle de Mérimée.

L'essence de la méprise consiste à ne pas connaître. [1]
PASCAL, Entretien avec M. de Sacy.

Cette erreur *(à propos de la planète Vénus),...* ne peut être qu'une méprise des yeux, une erreur d'observation, et non de raisonnement. [2]
VOLTAIRE, Philosophie de Newton, III, VIII.

L'on nous apportait bien quelquefois de la chandelle quand nous demandions de l'eau, ou du chocolat, quand nous voulions de l'encre ; mais, à part ces petites méprises, fort pardonnables, tout allait pour le mieux. [3]
Th. GAUTIER, Voyage en Espagne, p. 19.

(Av. 1848). *Par méprise* : à cause d'une erreur, d'une méprise ⇒ **Inadvertance** (par).

J'aime être aimé pour le bon motif et souffre de la louange si je sens qu'elle m'est octroyée par méprise. [4]
GIDE, Si le grain ne meurt, I, IX, p. 249.

MÉPRISER [meprize] v. tr. — XIVe ; *mesprisier,* v. 1180 ; de *mé-,* et *priser.*

♦ **1.** (V. 1160). Estimer (qqn, qqch.) indigne d'attention, d'intérêt. ⇒ **Dédaigner, déprécier, négliger ; cas** (ne faire aucun cas de), **fi** (faire fi). *Ne mépriser aucun* (cit. 6) *fait d'expérience. Mépriser les faits accessoires, secondaires* (→ Enquête, cit. 3), *les détails. Cet avis n'est pas à mépriser.* Loc. prov. *Il ne faut pas mépriser les petites choses.*

Plus cour. *Il ne méprise pas la bonne chère...* ⇒ **Cracher** (sur).

Moquons-nous de cela, méprisons les alarmes. [1]
MOLIÈRE, Sganarelle, XVII.

(...) ses mains ne méprisent point le travail. [2]
FÉNELON, Télémaque, XVII.

⇒ **Braver, transgresser.** *Mépriser les règles, les conventions, les lois.* ⇒ **Fouler** (aux pieds), **jouer** (se jouer de), **litière** (faire), **narguer.** *Mépriser la politesse* (→ Cynique, cit. 4). — *Ceux qui méprisent la morale, la religion.* ⇒ **Contempteur.**

3   Hélas! ce peuple ingrat a méprisé ta loi (...)   RACINE, Esther, I, 4.

♦ **2.** (1564). Estimer indigne d'intérêt (un bien ordinairement prisé et convoité). *Mépriser les biens de ce monde, l'argent* (cit. 44), *la fortune...* ⇒ **Désintéresser** (se); **dédaigner** (cit. 7). *Mépriser la gloire* (→ État, cit. 56), *les honneurs* (cit. 118).

4   (...) cependant, dans le temps que je faisais si peu de cas des biens du monde, je sentais que j'aurais eu besoin d'en avoir du moins une petite partie, pour mépriser encore plus souverainement tout le reste.
            Abbé PRÉVOST, Manon Lescaut, p. 119.

5   (...) je n'ai plus qu'à m'asseoir sur des ruines et à mépriser cette vie que je dédaignais dans ma jeunesse.
            CHATEAUBRIAND, Mémoires d'outre-tombe, t. V, p. 295.

(En parlant d'une chose déplaisante, ordinairement redoutée). *Mépriser la mort* (→ Courage, cit. 7), *le danger, les dangers...* (→ Endurcir, cit. 2). ⇒ **Braver** (cit. 8). — *Mépriser les offenses, les insultes* (cit. 5), *les insinuations* (→ Repousser* du pied).

6   Il voit les masses d'eau, les toise et les mesure,
      Les méprise en sachant qu'il en est écrasé,
         A. DE VIGNY, Poèmes philosophiques, « La bouteille à la mer », III.

Vieilli. (En amour). ⇒ **Dédaigner, ignorer, négliger** (→ Hérisser, cit. 8). — Au p. p. *Amant méprisé* (→ Insister, cit. 10).

7   J'ai méprisé tous ceux qui m'ont aimée, et j'aimerais le seul qui me méprise!
            MOLIÈRE, la Princesse d'Élide, IV, 6.

8   Je feignais de la mépriser. Mais elle était bien jolie pour que ce mépris fût véritable.   FRANCE, la Rôtisserie de la Reine Pédauque, Œ., t. VIII, IV, p. 29.

♦ **3.** (XIIᵉ). Considérer (qqn) comme indigne d'estime, comme moralement condamnable. ⇒ **Honnir** (→ Abhorrer, cit. 4; haine, cit. 9; inégalité, cit. 5). *Mépriser les autres, les hommes, l'homme* (→ Égaler, cit. 1; facilité, cit. 7; gain, cit. 9). *Homme orgueilleux, prétentieux qui méprise tout le monde.* « *J'étais pauvre, on me méprisait* » (→ Foule, cit. 23, Beaumarchais). *Mépriser les étrangers. Tout le monde le méprise, on fait le vide* autour de lui.* — (Au p. p.). *Homme méprisé de la foule, méprisé comme de la boue* (cit. 6).

Absolt. *Haïr et mépriser avec esprit* (→ Gros, cit. 23).

9   On ne méprise pas tous ceux qui ont des vices, on méprise tous ceux qui n'ont aucune vertu.   LA ROCHEFOUCAULD, Maximes, 186.

10   Il est encore assez ordinaire de mépriser qui nous méprise.
            LA BRUYÈRE, les Caractères, XI, 131.

11   Nous méprisons beaucoup de choses pour ne pas nous mépriser nous-mêmes.
            VAUVENARGUES, Réflexions et maximes, 196.

12   On demandait à un homme qui faisait profession d'estimer beaucoup les femmes, s'il en avait eu beaucoup. Il répondit : « Pas autant que si je les méprisais. »
         CHAMFORT, Maximes et pensées, « Sur l'amour », XXI.

13   Mépriser sans connaître est un ridicule trop commun dans ma société pour que j'aie du mérite à l'éviter.   STENDHAL, Romans et nouvelles, « Armance ».

14   Il n'y a pas un homme qui ait le droit de mépriser les femmes.
            A. DE VIGNY, Journal d'un poète, 1834.

15   (...) peut-être le méprisait-il trop pour vouloir lui ôter la vie.
            MÉRIMÉE, Histoire du règne de Pierre le Grand, p. 212.

16   Si laid, si bas que tu sois, sois vrai! J'aime mieux te haïr que te mépriser.
          R. ROLLAND, l'Âme enchantée, t. III, I, p. 75.

17   Je n'ai point d'illusions sur les hommes, et, pour ne point les haïr, je les méprise.
         FRANCE, les Opinions de J. Coignard, Œ., t. VIII, XV, p. 453.

18   Tant que je méprisais le roi,
      Je recevais de lui volontiers ses cadeaux;
      Mais s'il est bien celui que je commence à croire,
      C'est moi que je vais mépriser maintenant d'en recevoir.
            GIDE, le Roi Candaule, I, 1.

19   *Monsieur Fouché méprise les hommes,* disait Talleyrand, *cela tient à ce qu'il s'est beaucoup regardé.*
         Louis MADELIN, Hist. du Consulat et de l'Empire,
            Vers l'Empire d'Occident, III.

Par ext. *Mépriser la paresse, la lâcheté, l'hypocrisie de quelqu'un.*

20   (...) il y a dans les hommes plus de choses à admirer que de choses à mépriser.
            CAMUS, la Peste, p. 331.

▶ **SE MÉPRISER** v. pron.

♦ **1.** Réfl. *Se mépriser soi-même* (→ Désaccord, cit. 4). *Douleur qu'on se méprise d'éprouver* (→ Humiliant, cit. 6).

21   Et que me restera-t-il, répondit froidement Julien, si je me méprise moi-même?... à vue de pays, je me ferais fort malheureux si je me livrais à quelque lâcheté.
         STENDHAL, le Rouge et le Noir, II, XLIV.

♦ **2.** Récipr. *Se mépriser mutuellement, les uns les autres* (⇒ Esprit, cit. 43; goût, cit. 18).

CONTR. Apprécier, considérer, priser. — Observer. — Ambitionner, convoiter, désirer, envier. — Craindre, redouter. — Adorer, courtiser. — Engouer (s'), idolâtrer. — Admirer, considérer, estimer, exalter, honorer.
DÉR. Mépris, méprisable, méprisant.

MÉPRISEUR, EUSE [meprizœr, øz] adj. et n. — XVIᵉ, Amyot; de *mépriser.*

♦ Littér. Qui méprise (qqch.). ⇒ **Contempteur.** *Une école « mépriseuse d'expérience »* (P. Hamp, *in* G. L. E.).

Quand je retournai là-bas pour le projet de mariage avec cette mépriseuse de pauvres.   J. VALLÈS, le Bachelier, 1881, *in* D. D. L., II, 1.

MÉPROBAMATE [meprobamat] n. m. — V. 1970; de *mé(thyl-), pro(pyl),* et *(dicar)bamate.*

♦ Pharm. Tranquillisant qui favorise le relâchement musculaire et facilite l'endormissement.

MER [mɛʀ] n. f. — 1050; lat. *mare,* même sens.

★ **I.** ♦ **1.** Vaste étendue d'eau salée qui couvre une grande partie de la surface du globe terrestre. ⇒ **Océan, flot**(s); → poét. *Onde amère*, humide* empire; plaine liquide; campagnes salées. Relatif à la mer.* ⇒ **Marin, maritime.** *Science qui traite des mers.* ⇒ **Océanographie; hydrographie.**

(V. 1130). *Haute mer* (→ Annonciateur, cit. 3) : partie de la mer la plus éloignée des rivages. ⇒ **Large.** *Relatif à la haute mer.* ⇒ 2. **Pélagien, pélagique.** — *Pleine mer* (même sens). *En pleine mer* (→ ci-dessous, autre sens). — *La mer, opposée à la terre* (→ Élément, cit. 13). — *Une mer, les mers. L'étendue des mers, plus grande que celle des continents.*

(1863). *Brise*, vent* de mer,* qui souffle de la mer vers la terre. *Le niveau de la mer.* ⇒ **Niveau** (→ Goulet, cit.; ascension, cit. 5). *Les régions du bord de la mer,* opposées à celles de l'intérieur des terres. *Le voisinage de la mer, facteur du climat*. Fleuves qui se jettent, se perdent dans la mer* (→ Intérêt, cit. 17). *Sable de mer et sable de rivière. L'eau* de mer, riche en sel*. Salure* de la mer. Recouvert par l'eau de la mer.* ⇒ **Immergé.**

Bord (cit. 8) *de la mer.* ⇒ **Bord, côte, littoral, rivage** (→ Hécatombe, cit. 1). *Galets* (cit.) *que la mer jette sur les rivages. Relatif au bord de la mer.* ⇒ **Littoral, marin, maritime.** *Mer qui baigne** (cit. 3) *une côte.* — *Termes relatifs à la configuration et aux particularités des rivages de la mer.* ⇒ **Cap, crique, fjord, golfe** (cit. 1 et 2); **lagune, lagon** (→ Lac, canal, grau); **grève, plage, falaise** (cit. 1); **brisant** (cit. 2), **récif; banquise.**

Le fond* de la mer. La vase qui se dépose au fond des mers. Science qui traite du fond de la mer. ⇒ **Hydrographie.** *Mesure de la profondeur de la mer.* ⇒ **Bathymétrie.** *Appareil pour mesurer la profondeur de la mer.* ⇒ **Sonde.** *Relief du fond de la mer.* ⇒ **Sous-marin.** — *Termes désignant les accidents du relief sous-marin.* ⇒ **Bas-fond** (cit. 6), **haut-fond, plateau; abysse, fosse; plongée, seuil.**

La surface de la mer. État de la mer. ⇒ **Amollie, bonace, 1. calme, coup** (de chien, de mer), **houle, raz** (de marée), **tempête, temps** (gros* temps). *Mer couverte de brume. Mer belle, calme, étale, immobile, plate, sereine, tranquille. Mer d'huile. Mer creuse, dure, forte, grosse* (→ 1. Calme, cit. 4), *houleuse; agitée, courroucée, déchaînée, démontée, écumante, mauvaise, moutonneuse, soulevée, tempétueuse. La mer moutonne, grossit, calmit, se calme, tombe.* — *Mouvement, ondulations de la mer.* ⇒ **Vague; flot, lame, onde, paquet** (de mer); **ballottement, clapotis, déferlement, moutonnement, ressac, risette.** *Écume* de la mer. La mer brise, se brise, déferle au rivage. Navire balancé, ballotté par la mer* (⇒ **Roulis, tangage**). *Avoir le mal* de mer* (⇒ Payer tribut* à la mer). *Être insensible au mal de mer.* ⇒ **Marin** (avoir le pied marin).
La mer, élément soumis aux marées. ⇒ **Marée; flux, reflux.**

(1690). *Pleine mer :* niveau le plus élevé de l'eau pendant la marée. *La mer est pleine,* a atteint son niveau le plus haut. ⇒ **Gros** (gros de l'eau), **plein** (plein de l'eau; battre son plein); → ci-dessus autre sens.

(1718). *Mer basse :* niveau le plus bas de l'eau pendant la marée. *Mer étale. La mer monte, descend, perd. Terrains que la mer laisse à découvert.* ⇒ **Lais, laisse, relais.**

Les couleurs variées de la mer; l'azur, le bleu (→ Argenté, cit. 6), *la couleur glauque* (cit. 1 et 2) *de la mer.* → Beau, cit. 31; épave, cit. 4; exquis, cit. 11; grève, cit. 4; gris, cit. 25. *Vert de mer. Phosphorescence, brasillement de la mer.*

Le bruit puissant et sourd de la mer (→ Brisant, cit. 2). *Le hurlement* (cit. 7), *le mugissement, le ronflement de la mer* (→ Bercer, cit. 4). *La mer grogne* (cit. 3), *gronde* (cit. 6 et 11)... ⇒ aussi **Bruit, clapotis...**

La flore et la faune de la mer. Chien* de mer. ⇒ **Squale.** *Cochon de mer.* ⇒ **Marsouin.** *Étoile de mer.* ⇒ **Astérie.** *Les albatros, les alcyons, oiseaux des mers. Hirondelle* (cit. 7) *de mer.* ⇒ **Sterne.** *Poissons*, fruits* de mer.*

La mer, peuplée, par l'imagination des anciens, de dieux et de déesses. Aphrodite, née de la mer (Vénus Anadyomède). Neptune, Thétis, divinités de la mer (⇒ **Sirène, triton.**)

Propriétés curatives de l'eau de mer, de l'air de la mer. ⇒ **Thalassothérapie.** *Cure au bord de la mer, ou cure marine*. Bain de mer.* ⇒ **Bain** (→ Flotter, cit. 2). *Boire un coup, boire la tasse en prenant un bain de mer.*

La mer considérée du point de vue de la navigation. ⇒ **Navigation, naviguer; marin, maritime.**

(1636). *Gens de mer, homme de mer.* ⇒ 2. **Marin, marine.** *Habituer un homme, un équipage à la mer.* ⇒ **Amariner.** *Hydravion qui se pose sur la mer.* ⇒ **Amerrir.** *Mer territoriale.* ⇒ **Eau** (infra cit. 7 : eaux territoriales). *Port* de mer. Prendre la mer. Escadre* (cit. 1), *frégate* (cit. 3) *qui prend la mer, quitte le mouillage. Mettre à la* *mer* : quitter le mouillage, le port. Vx. *Se mettre en mer* : s'embarquer (→ Février, cit.). *Tenir la mer.* ⇒ **Cingler, voguer.** *Traverser la mer.*

Par mer, par voie de mer. Commerce par mer. Voyage par mer, au long cours*. — *Sur mer. Entreprises audacieuses sur mer* (→ Forban, cit. 1). *Combat sur mer.* — *Écumeurs des mers. Pirates qui infestaient* (cit. 2) *les mers.* « *Comme un pilote en mer gouverne* (cit. 1) *son navire* ». *Se guider en mer* (→ Lire, cit. 26).— *Fortune* de mer.* — *En mer. Catastrophe en mer* (⇒ **Naufrage**). *Marins péris en mer.* — *Un homme à la mer! Un homme est tombé à la mer* (→ *infra* cit. 4). — *Se jeter à la mer. Jeter qqch. à la mer.* « *La Bouteille à la mer* », poème de Vigny. ⇒ **Bouteille,** cit. 8 et *supra.* — *Débris, objets rejetés par la mer.* ⇒ **Épave ; herpe** (herpes marines). — *Armée de mer.* ⇒ **Marine.** *Armée de mer et de terre.* — *Maîtrise de la mer, des mers. Qui tient la mer, tient la terre* : la maîtrise de la mer assure la supériorité militaire terrestre. *Empire de la mer* (Affecter, cit. 1), *des mers. Tenir la mer sous ses lois.* ⇒ **Thalassocratie.**

1   De là on découvrait la mer, quelquefois claire et unie comme une glace, quelquefois follement irritée contre les rochers, où elle se brisait en gémissant, et élevant ses vagues comme des montagnes.   FÉNELON, Télémaque, I.

2   Toute une mer immense où fuyaient des galères.
J.-M. DE HEREDIA, les Trophées, « Antoine et Cléopâtre ».

2.1   Le sémaphore de Beg-Meil est situé à l'extrémité de cette presqu'île et regarde à gauche la baie de Concarneau qui la baigne à l'ouest, en face de lui et à droite l'océan qui la baigne à l'est, « la grande mer », comme on dit là-bas par opposition à la baie, mais dont les îles Glénan qu'on voit du sémaphore (ont) brisé la force et dont l'eau vient mourir là presque aussi douce que l'eau dormante de la baie.
PROUST, Jean Santeuil, Pl., p. 361.

3   La mer modèle les mœurs, comme elle fait les rivages. Tous les peuples marins ont du caprice, sinon de la folie, dans l'âme.
André SUARÈS, Trois hommes, « Ibsen », I.

4   C'est pourquoi il n'est point de chose insensible qui ait été plus abondamment et plus naturellement *personnifiée* que la mer. On la dit bonne, mauvaise, perfide, capricieuse, triste, folle ou furieuse ou clémente ; on lui donne les contradictions, les sursauts, les sommeils d'un être vivant. Il est presque impossible à l'esprit de ne pas animer naïvement ce grand corps liquide sur lequel les actions concurrentes de la terre, de la lune, du soleil et de l'air composent leurs effets. L'idée du caractère fantasque et violemment volontaire que les anciens prêtaient à leurs divinités, et nous-mêmes parfois attribuons aux femmes, s'impose assez à qui voisine avec la mer. Une tempête s'improvise en deux heures, un banc de brume se condense ou se dissipe par magie.
VALÉRY, Pièces sur l'art, « Regards sur la mer ».

Loc. *Courir la terre et les mers* (→ Assoupissement, cit. 7), *courir terre et mer. Chercher qqn par mer et par terre*, partout, en des lieux difficiles. *Un homme à la mer*, désemparé, à la dérive.

(1627 in D.D.L.). *Il avalerait*, boirait* la mer et les poissons* : il a extrêmement soif. *Apporter de l'eau à la mer* (→ Porter de l'eau*, *supra* cit. 9, à la rivière). *Labourer le rivage de la mer* : prendre une peine inutile. *Ce n'est pas la mer à boire* : ce n'est pas tellement difficile. *C'est une goutte** (cit. 32) *d'eau dans la mer*, se dit d'une chose relativement infime, dont le rôle est dénué d'importance.

(V. 1966). Techn. (milit.). Se dit d'un engin, d'une fusée, d'un missile, lancés d'un navire pour détruire un objectif aérien, marin ou terrestre. *Des engins mer-mer, des missiles nucléaires mer-sol.* ⇒ **Sol-air, sol-sol.**

Hors mer (Canada) : propre à naviguer en estuaire et sur les Grands Lacs. *Cargo* hors mer.*

♦ **2.** (XIXe). *Une mer, des mers.* Bassin océanique, plus ou moins isolé, de dimensions limitées. *Mers secondaires* (cf. Baulig, *Voc. de géomorphologie*, § 294).

5   Nous avons défini les mers des bassins océaniques de dimensions limitées plus ou moins isolés. Par suite de cet isolement, elles se trouvent plus ou moins tenues à l'écart de la circulation générale, qui tend à uniformiser les températures et la salinité (...) À la surface, la température varie toujours beaucoup plus, au cours de l'année, que dans l'océan voisin (...) la salinité est souvent en excès ou en déficit, parfois dans des proportions très fortes.
E. DE MARTONNE, Traité de géographie physique, t. I, p. 393.

Mers bordières : « tous les bassins un peu isolés en bordure des océans, même lorsqu'ils sont désignés sous le nom de golfes ou de détroits » (Martonne). Ex. : *mer du Nord. Bras de mer.* ⇒ **Canal, détroit, fjord** (cit. 2), 1. **manche** (4.) ; → Golfe, cit. 1. — *Mers continentales, intercontinentales* (⇒ **Méditerranée**). Ex. : *mer Rouge, mer Noire, mer Baltique... Mers fermées, mers intérieures. Mer et lac* salé.*

6   À partir du moment où un bassin rempli d'eaux marines est privé de communication avec la grande masse océanique, il est, quelles que soient ses dimensions, destiné à perdre de plus en plus les caractères maritimes (...) On peut se demander si on a affaire à une mer ou à un lac. Dans la pratique, c'est d'après les dimensions que semble avoir été décidée l'épithète. On parle de la mer Caspienne, de la mer d'Aral ; on dit le lac Baïkal... Cependant on dit la mer Morte (...)
E. DE MARTONNE, Traité de géographie physique, t. I, p. 416.

6.1   De là, on pouvait embrasser, sur un vaste périmètre, l'aspect de cette mer intérieure (...) Lac admirable, encadré de belles roches sauvages, à larges assises, encroûtées de sel blanc, superbe nappe d'eau qui couvrait autrefois un espace plus considérable (...)   J. VERNE, le Tour du monde en 80 jours, p. 238.

Mer située au voisinage des pôles. ⇒ **Circumpolaire.** *Mer prise par les glaces durant l'hiver, mais libre pendant l'été. Mer équatoriale,*

tropicale. Mer Égée. ⇒ **Archipel.** *Les deux mers :* l'océan Atlantique et la mer Méditerranée.

♦ **3.** Fig. **[a]** (1721). Vaste étendue plane.

(1860 ; *mer des glaces*, n. commun, 1786, in D.D.L.). *La Mer de Glace*, glacier* des Alpes françaises (mont Blanc).

Que l'homme est petit quand on le contemple du haut de la Mer de Glace.
E. LABICHE, le Voyage de M. Perrichon, II, 7.

Le Sahara, grande mer de sable. Plaine semblable à une mer verte (→ Îlot, cit. 4). *Une mer de feu* (→ Incendie, cit. 3). *La mer des colzas* (→ Étendre, cit. 35 ; espace, cit. 14 ; jauni, cit. 3). — *Mer de nuages.*

Le ciel en fusion verse sa morne flamme
Sur les longs sables roux qu'il inonde et qu'il mord,
Mer stérile, sans fin, sans murmure et sans lame.
LECONTE DE LISLE, Poèmes tragiques, « Le lévrier de Magnus ».

Déjà, l'îlot gris d'un village avait disparu à l'horizon, derrière le niveau croissant des verdures. Il ne restait que les toitures de la Borderie, qui, à leur tour, furent submergées. Un moulin, avec ses ailes (...) la mer de blé envahissante, débordante, couvrant la terre de son immensité verte.   ZOLA, la Terre, III, I.

[b] Grande quantité (de ce qui est comparé à un liquide). *Une mer de vin, de sang. Une mer de documents* (→ Archives, cit. 9). *Une mer de mots* (→ Immersion, cit. 4). ⇒ **Abondance, quantité.**

Rare. « *Élevez une mer de cochons* » (→ Blé, cit. 16, Claudel). ⇒ **Flot, marée.**

[c] (Avec l'idée d'agitation, de fluctuation, de tempête). « *L'air, agité de puissants remous, semble une mer invisible* » (→ Fureur, cit. 24).

Fig. *La mer des passions* (→ Fermenter, cit. 3).

Ceux qui ont voulu nous représenter l'amour et ses caprices l'ont comparé en tant de sortes à la mer, qu'il est malaisé de rien ajouter à ce qu'ils en ont dit : ils nous on fait voir que l'un et l'autre ont une inconstance et une infidélité égales, que leurs biens et leurs maux sont sans nombre, que les navigations les plus heureuses sont exposées à mille dangers, que les tempêtes et les écueils sont toujours à craindre, et que souvent même on fait naufrage dans le port ; mais en nous exprimant tant d'espérances et tant de craintes, ils ne nous ont pas assez montré, ce me semble, le rapport qu'il y a d'un amour usé, languissant et sur sa fin, à ces longues bonaces, à ces calmes ennuyeux que l'on ne rencontre sous la ligne (...)
LA ROCHEFOUCAULD, Réflexions diverses, 6.

[d] Image, figuration de la surface de la mer.

Blason. Lignes ondulées, dans le tiers inférieur de l'écu, représentant la mer.

★ **II.** Fig. ♦ **1.** Vx. Grand récipient de terre (pour le vin). « *Une mer de vin de Chypre* » (Larousse).

♦ **2.** Bibl. *La mer d'airain* : grand bassin de bronze placé dans l'enceinte du Temple, à Jérusalem, et qui servait aux purifications des prêtres.

DÉR. Marée. — (Du même rad.) **Marin, maritime.**
COMP. Amerrir. — **Outre-mer.**
HOM. Maire, 1. **mère**, 2. **mère.**

MÉRALGIE [meralʒi] n. f. — 1900 ; du grec *mêros* « cuisse », et *-algie.*

♦ Méd. Paresthésie douloureuse de la face externe des cuisses *(méralgie paresthésique).*

Pour me rassurer, je me rappelais que, l'an dernier, j'avais souffert d'élancements dans la cuisse gauche dont je m'étais inquiété et qui avaient passé dès après l'avis souriant du médecin diagnostiquant une méralgie — ce qui revenait à me renvoyer en grec ce que je lui avais dit en français.
Jacques LAURENT, les Bêtises, p. 104.

MERCANTI [meʀkãti] n. m. — 1863 ; *mercantiste*, 1842 ; sabir de l'Afrique du Nord, de l'ital. *mercanti*, plur. de *mercante* « marchand ».

♦ **1.** (En Orient ou en Afrique du Nord). Marchand dans un bazar ; commerçant qui suit une armée.

(...) ils s'en allaient, hors de la zone de protection, à quelque cent mètres des baraquements dans un petit hameau formé d'une trentaine de baraques qu'habitaient des mercantis, naturellement très surveillés. L'un d'eux, un Ségovien (...) vendait de la bière, du vin et de la charcuterie.   P. MAC ORLAN, la Bandera, V.

♦ **2.** (1906). Cour. Commerçant ou homme d'affaires avide et malhonnête. ⇒ **Profiteur, trafiquant.**

Quant aux mercantis du vieux Lourdes, ils ne m'intéressent pas plus que ceux du nouveau (...)   HUYSMANS, les Foules de Lourdes, p. 237.

Étiquette infâme. Pour tout l'or du monde, Haverkamp n'aurait pas voulu s'entendre traiter de mercanti.
J. ROMAINS, les Hommes de bonne volonté, t. XVI, XVIII, p. 174.

MERCANTILE [meʀkãtil] adj. — 1611 ; *mercantil*, 1551 ; ital. *mercantile*, de *mercante* « marchand ».

♦ **1.** Vx. Relatif au commerce. *Contrat mercantile.* — Qui se livre au commerce. *Cité, nation mercantile.*

Spécialt. *Système mercantile.* ⇒ **Mercantilisme.**

♦ **2.** (V. 1776). Mod. Digne d'un commerçant cupide et âpre au gain, d'un profiteur. *Spéculation, politique mercantile. Esprit mercantile.*

Ceux qui n'ont pas de grands capitaux ne passeraient plus par la filière de l'astuce mercantile.   MIRABEAU, Collection, t. V, p. 52.

DÉR. **Mercantiliser, mercantilisme.**

MERCANTILISER [mɛʀkɑ̃tilize] v. tr. — 1908 ; de *mercantile.*

♦ Littér., péj. Rendre mercantile. ⇒ **Commercialiser.**

La religion du Nombre — du nombre des spectateurs et du chiffre des recettes — dominait la pensée artistique de cette démocratie mercantilisée.
                    R. ROLLAND, Jean-Christophe, La foire sur la place, I, p. 723.

MERCANTILISME [mɛʀkɑ̃tilism] n. m. — 1811 ; de *mercantile.*

♦ **1.** Hist. écon. Doctrine des économistes des XVIᵉ et XVIIᵉ siècles qui avaient «pour préoccupation essentielle de trouver les moyens par lesquels un État peut se procurer de l'or et de l'argent, qu'ils (considéraient) comme les premières richesses» (Raymond Barre, in Romeuf, *Dict. des sc. écon.*). *Mercantilisme français, sous Colbert, tendant à développer la production nationale pour l'enrichissement du pays. Le mercantilisme, origine du capitalisme.*

Le mercantilisme (...) doctrine (...) pragmatique surtout, orientée vers la conquête de la richesse, peu préoccupée de science ni de morale, — étroitement nationaliste dans ses aspirations, réaliste dans ses méthodes, — à la fois ascétique et cupide, avouant la poursuite du gain et s'en glorifiant, en même temps qu'elle recommandera l'épargne, la simplicité, la restriction de la consommation. Le type français du milieu mercantiliste, ce sera l'industriel huguenot du temps de Colbert (...)
                    René GONNARD, Hist. des doctrines économiques, II, II, p. 68.

♦ **2.** Littér. et péj. Cupidité, âpreté au gain dans l'exercice du commerce.

Par ext. Tendance à ne considérer en toute chose que le gain. *Mercantilisme d'un directeur de théâtre qui monte des pièces médiocres, mais assurées d'un succès facile.*

DÉR. **Mercantiliste.**

MERCANTILISTE [mɛʀkɑ̃tilist] n. m. et adj. — 1846 ; de *mercantilisme.*

♦ Hist. écon. Économiste partisan du mercantilisme.
Adj. *Théories mercantilistes.*

On pourrait voir, dans ce processus (propositions de Law), une transposition du système mercantiliste (...) Cependant, comme le métal précieux, qu'il faut péniblement gagner, est remplacé cette fois par le papier, au coût de revient négligeable, le système est bien plus profitable et ne semble pas comporter de limite.
                    A. SAUVY, Croissance zéro?, p. 23.

MERCAPTAN [mɛʀkaptɑ̃] n. m. — 1845 ; d'abord en all., 1834, contraction de *mercurium captans* «qui capte le mercure».

♦ Chim. anc. ⇒ **Thiol.** *Les mercaptans dégagent une odeur repoussante et attaquent le mercure.*

MERCATICIEN, IENNE [mɛʀkatisjɛ̃, jɛn] n. — 1974 ; de *mercatique.*

♦ Écon. Spécialiste de la mercatique*.

MERCATIQUE [mɛʀkatik] n. f. — 1974 ; dér. du lat. *mercatus* «marché».

♦ Écon. Branche du marketing* qui a pour objectif de prévoir ou de constater les besoins du consommateur, et de réaliser l'adaptation continue de l'appareil productif et de l'appareil commercial d'une entreprise aux besoins ainsi déterminés.

DÉR. **Mercaticien.**

MERCENAIRE [mɛʀsənɛʀ] adj. et n. — XIIIᵉ, *mercennere* ; lat. *mercenarius*, de *merces* «salaire».

★ **I.** Adj. ♦ **1.** Vieilli ou littér. Qui n'agit, ne travaille que pour un salaire. *Médecin mercenaire* (→ Intérêt, cit. 18). *Nourrice mercenaire.*

Depuis que les mères, méprisant leur premier devoir, n'ont plus voulu nourrir leurs enfants, il a fallu les confier à des femmes mercenaires, qui, se trouvant ainsi mères d'enfants étrangers, pour qui la nature ne leur disait rien, n'ont cherché qu'à s'épargner de la peine.   ROUSSEAU, Émile, I.

Spécialt. (Vx ou hist.). *Soldats mercenaires* (→ Garder, cit. 7), *troupes mercenaires* (→ Fiscalité, cit. 1), qui se font payer pour servir dans une armée étrangère. «*Quoi! ces phalanges mercenaires terrasseraient nos fiers guerriers!*» (la Marseillaise, 2ᵉ couplet).

♦ **2.** (1626). Mod., péj. Vénal. *Écrivains mercenaires* (→ Calomniateur, cit. 6). *Âme mercenaire.* ⇒ **Avide, cupide, intéressé, vénal.** (→ Écumeur, cit. 3).

Qu'il a bien découvert son âme mercenaire!
Et que peu philosophe est ce qu'il vient de faire!
                    MOLIÈRE, les Femmes savantes, V, 4.

Puis on s'était procuré, à bas prix, des critiques d'art, de peinture, de musique, de théâtre, un rédacteur criminaliste et un rédacteur hippique, parmi la grande tribu mercenaire des écrivains à tout faire.   MAUPASSANT, Bel-Ami, I, VI.

♦ **3.** (Mil. XVIᵉ). Vieilli. Inspiré par la seule considération du gain, de l'intérêt, de la récompense. *Ouvrages mercenaires* (→ Épître, cit. 4 ; art, cit. 58).

Le véritable amour jamais n'est mercenaire,
Il n'est jamais souillé de l'espoir du salaire.   CORNEILLE, Pertharite, II, 1.

Nous, nous avons trop vécu de la vie assujettie et productive, de la vie prosaïque et mercenaire, et la poésie, cette maîtresse jalouse, s'en est enfuie.
                    SAINTE-BEUVE, Correspondance, éd. Calmann-Lévy, t. I, p. 293.

★ **II.** N. ♦ **1.** (Mil. XIIIᵉ). Vx. Salarié.

Loc. (1868). *Travailler comme un mercenaire* : faire un travail pénible, ingrat, et pour un salaire de misère.

♦ **2.** (Fin XIVᵉ). Hist., mod. Soldat à la solde d'un gouvernement étranger. *Les mercenaires du moyen âge.* ⇒ **Aventurier.** *Chef de mercenaires dans l'Italie du moyen âge et de la Renaissance.* ⇒ **Condottiere.** *Guerre des mercenaires* (ou *guerre inexpiable*) : guerre menée par Carthage contre ses mercenaires révoltés (~ 241-238). Mod., péj. — *Les mercenaires d'Afrique.* ⇒ **Affreux.**

(...) Les Mercenaires (à la solde de Carthage) croyaient qu'ils allaient enfin s'en retourner chez eux, avec la solde de leur sang dans le capuchon de leur manteau. Mais leurs fatigues, leur semblaient (...) trop peu récompensées.
                    FLAUBERT, Salammbô, I.

♦ **3.** (1694). Vx, péj. Homme qui travaille pour de l'argent, défend une cause par intérêt, «avec l'idée qu'il n'a aucune indépendance de caractère» (Littré). — Homme vénal, facile à corrompre. «*Un vil mercenaire*» (Académie).

Mod. (Fig. du 2.). Personne qui accomplit pour de l'argent un travail, une mission normalement accomplie par conviction. *Faute de militants, ce parti emploie des mercenaires. Ces hommes de main sont les mercenaires d'une organisation clandestine.* ⇒ **Nervi.**

J'ai vu souvent de jeunes militants qui avaient besoin d'argent pour leur travail, ne pas le demander par crainte de passer pour des mercenaires. J'y vois seulement la persistance, à l'égard de l'argent, d'une sorte de superstition héritée de l'esprit bourgeois.   Roger VAILLAND, Drôle de jeu, p. 183.

MERCERIE [mɛʀsəʀi] n. f. — XIIIᵉ ; *mercherie*, v. 1187 ; de *mercier.*

♦ **1.** Vx (jusqu'au XVIIIᵉ). Marchandises vendues par le troisième des six corps de marchands *(Corps de la Mercerie),* comprenant outre la *menue mercerie* (sens actuel), les étoffes, tapisseries, la joaillerie, etc. (→ Mercier, cit. 1, Furetière).

♦ **2.** (1835 ; *mercerie meslée*, 1227). Ensemble des marchandises servant aux travaux de couture, à la parure. *La mercerie sert à la réparation des vêtements. Acheter, vendre de la mercerie. De la mercerie de bonne qualité.* —*Articles de mercerie* (aiguilles, fils, boutons, rubans, etc.).

♦ **3.** (1507). Commerce de mercier*. *Il est dans la mercerie.*

♦ **4.** (Fin XIIIᵉ). Boutique, magasin de mercier.

Je projette (...) de m'arrêter à toutes les petites merceries de village, les vraies, celles qui ont encore un portillon et une sonnette, celles qui mettent les boutons dans la boîte à laine, la laine dans le tiroir aux lacets, les lacets dans le compartiment aux fermetures-éclair, celles qui embaument le hareng saur (...)
                    COLETTE, le Fanal bleu, p. 29.

MERCERISAGE [mɛʀsəʀizaʒ] n. m. — 1885 ; de *merceriser,* ou adapt. de l'angl. *mercerizing.*

♦ Techn. Opération consistant à imprégner les fils ou tissus de coton d'une solution de soude caustique qui leur donne un aspect brillant et soyeux.

MERCERISER [mɛʀsəʀize] v. tr. — 1885 ; angl. *to mercerize* (1859), du nom de John Mercer.

♦ Techn. Donner au coton, par un traitement chimique inventé par Mercer, un aspect brillant et soyeux. — Au p. p. Cour. *Du coton mercerisé.*

DÉR. **Mercerisage, merceriseuse.**

MERCERISEUSE [mɛʀsəʀizøz] n. f. — 1935 ; de *merceriser.*

♦ Techn. Machine qui effectue le mercerisage.

MERCHANDISER [mɛʀʃɑ̃dizœʀ] n. m. et adj. — 1971 ; «présentoir utilisé pour promouvoir un produit», in Larousse 1968 ; mot angl., de *to merchandise,* et suff. *-er.*

♦ Anglicisme. Spécialiste du marchandisage (angl. *merchandising*). «*Merchandisers. Des hommes capables de se montrer de réels chefs de produits*» (l'Express, 4 juin 1973, p. 117, annonce). — Francisation partielle : *merchandiseur.*

Adj. Relatif au marchandisage. «*Le pouvoir "consumériste" face au pouvoir "merchandiseur"*» (le Nouvel Obs., 9 oct. 1972, p. 57).

MERCHANDISING [mɛʀʃãdiziŋ; mɛʀʃãdajziŋ] n. m. — 1961 ; mot angl., de *to merchandise* « promouvoir les ventes ».

♦ Anglicisme. Comm. ⇒ **Marchandisage**. *« Le psychologue et le technicien en merchandising peuvent prévoir le comportement du client devant les rayons* (de l'hypermarché) » (*le Nouvel Obs.*, 9 oct. 1972, p. 56).

MERCI [mɛʀsi] n. f. et m. — Fin xiᵉ ; *mercit*, v. 880 ; lat. *merces*, accusatif *mercedem* « salaire », d'où « prix », et lat. tardif « faveur », puis « grâce ».

★ **I.** N. f. ♦ **1.** Vx ou littér. ⇒ **Grâce, miséricorde, pitié**. *Implorer la merci du vainqueur* (⇒ **Quartier**).
Loc. *Crier* (cit. 30), *demander merci*. — *Homme sans merci*. ⇒ **Impitoyable**. *La Belle Dame sans merci* (1424), poème d'Alain Chartier. — Spécialt. *Don d'amoureuse merci*, les dernières faveurs qu'accorde une femme (cf. La Fontaine, *Contes*, *Oraison*).

1 Frères humains qui après nous vivez,
   N'ayez les cœurs contre nous endurcis,
   Car, si pitié de nous pauvres avez,
   Dieu en aura plus tôt de vous merci.
                          VILLON, *Épitaphe*.

2 Sa merci n'est pas franche et sa haine est tenace ;
   Rarement il oublie et jamais ne menace,
   D'autant plus rancunier que les torts sont anciens.
      LECONTE DE LISLE, *Poèmes tragiques*, « Romance de Don Fadrique ».

Mod. *Sans merci :* sans pitié. — *Bataille* (cit. 17), *lutte sans merci, livrée avec acharnement, sans la moindre pitié pour l'adversaire.*

3 (...) La Fontaine, d'un trait sûr et sans merci, qui vibre comme une flèche se fichant au but, nous dit en trois mots tout ce qu'il faut dire.
                          André SIEGFRIED, *La Fontaine...*, p. 62.

3.1 Tante Eugénie, tellement tellement vieille qu'elle en est laide de partout (...) Line et moi la regardons sans merci avec une vilaine curiosité. Je n'ai presque pas de pitié en moi ; la vieillesse me fait peur ;
                          B. et F. GROULT, *Journal à quatre mains*, p. 176.

(1669). Vx. *Merci de moi !* (→ Assouvir, cit. 1), *merci de ma vie !*, loc. exclamatives marquant la surprise, l'impatience, la colère.

4 Hé ! merci de ma vie, il en irait bien mieux,
   Si tout se gouvernait par ses ordres pieux.
                          MOLIÈRE, *Tartuffe*, I, 1.

♦ **2. À LA MERCI DE...,** loc. prép. (1538). *Être à la merci de qqn,* être dans une situation où l'on dépend de sa volonté, de son bon plaisir, de ses caprices. ⇒ **Dépendance** (sous la), **discrétion** (à la). *Être à la merci du premier venu* (→ Coiffer, cit. 19 ; éviter, cit. 28). *Naïf qui tombe à la merci d'un escroc* (→ Sous la patte*). — **À MA, TA, SA... MERCI.** *Tenir qqn à sa merci* (→ Gaucherie, cit. 2 ; inhibition, cit. 3). *Que votre élève sache qu'il est à votre merci* (→ Fort, cit. 34, Rousseau).

5 *(Antiochus)* Me laisse à la merci d'une foule inconnue.   RACINE, *Bérénice*, I, 4.

6 Le vieillard passionné qui s'est livré, pieds et poings liés, aux caprices, à la merci d'une jeune folle, dit depuis le matin jusqu'au soir : Où est ma bonne, ma vieille gouvernante ?   DIDEROT, *Regrets sur ma vieille robe de chambre.*

7 (...) pauvre novice d'un humble bateau de commerce, sans liberté, sans argent, quels projets pouvait-il bien faire ? À la merci absolue de l'homme sombre qui commandait, il ne pouvait rien dire ni rien promettre.   LOTI, *Matelot*, XII.

8 L'esprit est à la merci du corps comme sont les aveugles à la merci des voyants qui les assistent.   VALÉRY, *Suite*, p. 171.

Ellipt. *Serfs taillables* et corvéables à merci* (pour : *à la merci du seigneur*).

8.1 Il fut éveillé à Valence par de tristes êtres qui poussaient devant eux une vieille chose ; à l'habit de Gustin ils le jugeaient corvéable à merci et comptaient sur lui pour qu'il fît place à la chose emmitouflée.
                          Jacques LAURENT, *les Bêtises*, p. 28.

(Mil. xviᵉ). Fig. Dans une situation où l'on est entièrement exposé aux effets (d'une chose). *Être à la merci de ses passions.* — *Navires à la merci du vent* (→ Écueil, cit. 3). — *Bonheurs menacés, à la merci de la fortune* (→ Fragilité, cit. 6).

9 Notre sagesse n'est pas moins à la merci de la fortune que nos biens.
                          LA ROCHEFOUCAULD, *Maximes*, 323.

10 Les brusqueries de l'Océan sont obscures. Elles sont le perpétuel peut-être. Quand on est à leur merci, on ne peut ni espérer ni désespérer.
                          HUGO, *l'Homme qui rit*, I, II, XV.

Être à la merci d'un incident (cit. 6), *des influences* (cit. 6), *des microbes* (→ Arrosement, cit. 3 ; assaut, cit. 12 ; fort, cit. 11). — *Sa vie privée est à la merci d'une indiscrétion* (cit. 13).

11 (...) alors que sa santé fort ébranlée laissait son cœur à la merci d'une trop forte surprise.   GIDE, *Et nunc manet in te*, p. 44.

12 Votre destinée, à laquelle tant d'autres destinées sont liées sans doute, cela est à la merci d'un faux pas, d'un abus même involontaire de la grâce, d'une décision hâtive, d'une incertitude, d'une équivoque.
                          BERNANOS, *Sous le soleil de Satan*, I, III.

♦ **3.** Loc. adv. (1080 ; cf. en anc. franç. *la merci Dieu, merci Dieu*). **DIEU MERCI :** grâce à Dieu (→ 1. Fin, cit. 17 ; fois, cit. 20 ; grand, cit. 59). — *Je ne le vois pas souvent, Dieu merci !*

12.1 Dieu merci, depuis trois ans que je suis avec Pierre, j'ai oublié ce que c'est qu'un ennui.   COLETTE, *Mitsou*, I.

★ **II.** N. m. (1533, *un grand merci* ; masc. par erreur). *« Grand* étant invariable en genre au moyen âge, on disait *une grand merci*, comme on disait *une grand mère*. Quand *grand* eut pris la forme *grande* au féminin, on continua à dire *grand merci* dans la locution figée,

on crut rendre toutes choses régulières en disant *un grand merci...* » Grevisse, *le Bon Usage*, nº 259).

♦ **1.** (V. 1131). Remerciement. *Dites-lui un grand merci, mille mercis de ma part.*

Si je volais d'un bout du salon à l'autre pour lui ramasser son mouchoir, elle ne me disait que le froid merci qu'une femme accorde à son valet.
                          BALZAC, *le Lys dans la vallée*, Pl., t. VIII, p. 782.

♦ **2.** (V. 1160). Terme de politesse dont on use pour remercier*. *Dire merci. Il me dit : merci!* (→ Ingrat, cit. 7). *Grand merci. Merci mille fois, mille fois merci,* et, fam., *merci beaucoup, merci bien.* — *Merci de* (ou *pour*) *votre visite. Merci de tout* (mon) *cœur pour cette photo* (→ Instantané, cit. 3). — (Avec un inf.). *Merci de m'avoir longuement écrit.*

... Seigneur, bonsoir, et grand merci.   MOLIÈRE, *l'Étourdi*, III, 8.
Merci pour *cette bonne promesse.*   DUMAS fils, le Fils naturel, Prologue, VI.
Enfant rieuse au penser grave,
À qui tout mon cœur dit : Merci !   VERLAINE, la Bonne Chanson, XVIII.
Partez, et merci d'être venue... Allons, adieu ; ne m'ôtez pas mon courage (...)
                          Paul BOURGET, le Disciple, IV, VI.
À bientôt, cher monsieur Bernard, et merci de votre adhésion, dont je ne doutais pas.
                          J. ROMAINS, Knock, II, 2.

Par antiphr. (Iron.). *Sortir avec lui? Merci bien! Merci du compliment !*

(...) Ah bien ! merci, elle était jolie, la noce !
                          ZOLA, l'Assommoir, t. I, III, p. 114.

♦ **3.** (1897). Formule de politesse qui accompagne ou atténue un refus. *Encore un peu de café? — Non, merci. — Une cigarette? Merci, je ne fume pas.*

Non, monsieur, merci. Je ne sens jamais la fatigue. Souffrez que je reste debout.
                          COCTEAU, l'Aigle à deux têtes, I, 6.

Iron. *Non, merci! non, merci! non, merci!...* (cf. E. Rostand, *Cyrano*, II, 8).

(1835). Fam. *Merci oui* ou *merci non?*, formule par laquelle on demande à l'interlocuteur si son « merci » est un véritable refus.

COMP. Remercier.

MERCIER, IÈRE [mɛʀsje, jɛʀ] n. m. et f. — V. 1268 ; *merchier*, fin xiiᵉ ; « marchand », puis « colporteur », fin xiᵉ ; de l'anc. franç. *merz* (xᵉ) « marchandise », lat. *merx, mercis* ; spécialisation de sens comme pour *mercerie.*

♦ **1.** Vx. Marchand du Corps de la Mercerie*. — Marchand ambulant qui vendait toutes sortes de menue marchandise. *Mercier colporteur* (cit.). ⇒ **Porteballe**. — Prov. *Petit mercier, petit panier* ou *à petit mercier, petit panier :* il ne faut pas tenter des entreprises au-dessus de ses forces.

Ces gros Marchands Merciers vendent toutes les belles étoffes de soie, d'or et d'argent, et quelque marchandise que ce soit (...) comme étoffes, cuirs, fourrures, tapisseries (...) joailleries, drogueries, métaux, armes (...) Il y a aussi de menus *Merciers* qui colportent, qui étalent de petites marchandises dans les marchés et les foires, qui ne sont pas du Corps des Marchands merciers.
                          FURETIÈRE, Dict., art. *Mercier* (1690).

♦ **2.** (1497). Mod. Personne qui vend de la mercerie. ⇒ **Mercerie** (2.). *Mercier-bonnetier.*

Tous les trottoirs étaient occupés par des paysannes qui offraient leurs volailles à l'examen des passants, tandis que le centre de la place (...) était la proie de merciers et de marchands de légumes.   J. GREEN, Adrienne Mesurat, II, V.

MERCREDI [mɛʀkʀədi] n. m. — 1119, *mercresdi* ; du lat. médiéval *mercoris* (lat. class. *mercurii*) *dies* « jour de Mercure ».

♦ Le quatrième jour de la semaine (en comptant à partir du dimanche). *Elle reçoit le mercredi* (→ Jour, cit. 52), *tous les mercredis. Les séances inaugurales des anciens parlements se tenaient le mercredi.* ⇒ 2. **Mercuriale** (1.). — *Le mercredi des Cendres* : le premier jour du carême, le lendemain du *mardi gras* (→ Effigie, cit. 8).

(...) il faut qu'une personne comme vous (...) ait un concert de musique chez soi tous les mercredis (...)   MOLIÈRE, le Bourgeois gentilhomme, II, 1.

Le mercredi, en France, est le jour de congé scolaire des enfants (remplaçant le jeudi*). *Promener les enfants le mercredi.*

Euphémisme mièvre pour *merde !*

DÉR. (Du même rad.) 2. **Mercuriale.**

MERCURE [mɛʀkyʀ] n. m. — xivᵉ ; du nom de la planète Mercure, lat. *Mercurius*, à laquelle l'analogie alchimique associait ce métal et p.-ê. par allus. à la mobilité du corps, comparée à celle de *Mercure*, messager des dieux.

♦ **1.** Alchim. Le vif-argent (*mercure* au sens mod.) en tant que lié à la planète Mercure et capable de fournir la pierre philosophale. *Mercure animé ; mercure* ou *arbre des philosophes.*

Et cet agent c'est la pierre philosophale, le mercure ; — non le mercure vulgaire qui n'est pour les alchimistes qu'un sperme métallique avorté, — mais le mercure des philosophes, appelé aussi le lion vert, le serpent, le lait de la vierge, l'eau pontique. Seulement la recette de ce mercure, de cette pierre des Sages, n'a jamais été révélée (...)   HUYSMANS, Là-bas, VI.

♦ **2.** Chim. et cour. Corps simple (symb. : Hg, ⇒ **Hydrargyre**), métal d'un blanc argenté (dens. 13,6 ; p. at. 200, 61), liquide à la température ordinaire, fusible à − 39° et qui se trouve dans la nature, à l'état de sulfure (⇒ **Cinabre**), d'où il est extrait par grillage du minerai dans un courant d'air. ⇒ **Hydrargyre, vif-argent.** *Éclat du mercure* (→ Bleu, cit. 12). *Gisement, mine de mercure* (→ Besoin, cit. 11). *Sels de mercure* (⇒ **Mercureux, mercurique**). *Mercure revivifié. Combinaison du mercure et d'un mercaptan*. Alliage du mercure avec d'autres métaux.* ⇒ **Amalgame.** *Utilisation industrielle du mercure pour l'étamage des glaces* (⇒ **Tain**), *la dorure, la construction d'appareils de physique... La colonne de mercure d'un baromètre, d'un thermomètre médical. — Intoxication par le mercure.* ⇒ **Hydrargyrisme.** *— Emploi thérapeutique du protochlorure de mercure* (⇒ **Calomel**), *du cyanure de mercure comme remède spécifique de la syphilis, du bi-iodure de mercure comme antiseptique. Lampe à vapeur de mercure utilisée en héliothérapie. — Préparation pharmaceutique, pommade, onguent à base de mercure.* ⇒ **Mercuriel.**

Il y a des hommes (...) mobiles comme le mercure, ils pirouettent, ils gesticulent (...) LA BRUYÈRE, les Caractères, IX, 32.
Cette substance est d'une divisibilité prodigieuse ; *(le mercure)* se partage en globules parfaitement sphériques, et l'action du feu le dissipe en vapeurs qui ne sont qu'un amas de globules d'une petitesse extrême, qui sont toujours du *mercure* qui n'a point été altéré. Encycl. (DIDEROT).
Il y avait (...) un monumental baromètre à mercure. Les déménageurs l'avaient couché, pour le transport. Une grosse perle liquide était tombée sur le parquet. Quand nous voulûmes la saisir, elle s'enfuit, comme une bête vivante. G. DUHAMEL, Chronique des Pasquier, I, III.
Loc. fig. *Un froid à geler* (cit. 2) *le mercure.*

♦ **3.** (1573 ; de *Mercure*, n. du messager des dieux). Vx. Messager, entremetteur dans une intrigue galante.

Je ne crois pas, après tout, être le premier confident de prince qui ait trahi son maître en matière de galanterie. Les grands seigneurs sont souvent dans leurs Mercures des rivaux dangereux. A. R. LESAGE, Gil Blas, V, I.

DÉR. **Mercureux, mercuriel, mercurique, mercurochrome.**

MERCUREUX [mɛʀkyʀø] adj. m. — 1840 ; de *mercure*.

♦ Chim. Se dit des composés du mercure monovalent (→ Mercurique).

MERCUREY [mɛʀkyʀɛ] n. m. — 1874, P. Larousse ; nom d'une commune de Saône-et-Loire.

♦ Vin de Bourgogne rouge de Mercurey.

MERCURI- Premier élément de mots scientifiques, tiré de *mercure* ; il indique la présence de mercure bivalent. ⇒ **Mercurique.**

1. MERCURIALE [mɛʀkyʀjal] n. f. — XIIIᵉ ; lat. *mercurialis (herba)* « herbe de Mercure ».

♦ Bot. Plante dicotylédone *(Euphorbiacées)* des régions tempérées, herbacée, annuelle, vivace ou ligneuse, à fleurs dioïques verdâtres, mauvaise herbe des jardins communément appelée *aremberge* et (régional, fam.) *caquenlit, chie-mou, chou-de-chien, foirade, foirante, foirasse, foirolle, herbe-des-jardins, ortie bâtarde... Miel de mercuriale utilisé comme laxatif.*

2. MERCURIALE [mɛʀkyʀjal] n. f. — 1535 ; lat. *mercurialis*, pris comme adj. de *mercredi*.*

♦ **1.** Ancienn. Assemblée* semestrielle des cours de justice, qui se tenait les mercredis suivant les vacances de la Saint-Martin et de Pâques. — Par ext. L'allocution prononcée par le président au cours de cette séance pour dénoncer les abus qui avaient pu être commis dans l'administration de la justice.

Il arriva au mois d'avril 1959, dans une assemblée qu'on nomme *mercuriale*, que les plus savants de ce parlement modérés du parlement proposèrent d'user de moins de cruauté, et de chercher à réformer l'Église. VOLTAIRE, Histoire du Parlement de Paris, XXI.
(XVIᵉ). Dr. Discours inaugural prononcé par un membre du Parquet à la rentrée des cours et tribunaux.

♦ **2.** (1672). Fig., littér. Admonestation, remontrance, réprimande. *Une sévère, une verte mercuriale.*

Comme je ne comprenais pas pourquoi je devais me taire, j'allai toujours mon train malgré la défense, et je bavardai tant, que le lendemain un des administrateurs vint de bon matin m'adresser une mercuriale assez vive, m'accusant de commettre l'honneur d'une maison sainte, et de faire beaucoup de bruit pour peu de mal. ROUSSEAU, les Confessions, II.

3. MERCURIALE [mɛʀkyʀjal] n. f. — 1793 ; attestation isolée, 1701 ; lat. *mercurialis* « membre du collège des marchands », *Mercure* étant le dieu du commerce.

♦ Comm. Tableau officiel hebdomadaire portant les prix courants des denrées vendues sur un marché public. — Cours, tarif officiel de ces denrées. *«Afficher la mercuriale »* (Académie). *Établis-*

sement des mercuriales par l'autorité municipale, après la clôture des ventes.

Les jugements qui condamneront à une restitution de fruits, ordonneront qu'elle sera faite en nature pour la dernière année ; et pour les années précédentes, suivant les mercuriales du marché le plus voisin (...) Code de procédure civile, art. 129.
Le marché des bestiaux, des grains, se tenait à Blangy, sur la place, et ses prix servaient de mercuriale à l'arrondissement. BALZAC, les Paysans, Pl., t. VIII, p. 53.

MERCURIEL, ELLE [mɛʀkyʀjɛl] adj. — 1626 ; *mercurial*, 1413 ; de *mercure.*
Didactique.

♦ **1.** Chim., pharm., etc. Qui contient du mercure. *Pommade mercurielle. Vapeurs, poussières mercurielles* (toxiques, provoquant l'hydrargyrisme).

♦ **2.** De mercure (dans un instrument de mercure).

(...) subitement, le froid devint extrêmement vif. Suivant l'estime de l'ingénieur, la colonne mercurielle d'un thermomètre Fahrenheit n'eût pas marqué moins de 8° au-dessous de zéro (22°,22 centigrades au-dessous de glace), et cette intensité du froid, rendue plus douloureuse encore par une bise aiguë, se maintint pendant plusieurs jours. J. VERNE, l'Île mystérieuse, t. I, p. 290.

MERCURIQUE [mɛʀkyʀik] adj. — 1840 ; de *mercure.*

♦ Chim. Se dit des composés du mercure bivalent (→ Mercureux).

MERCUROCHROME [mɛʀkyʀokʀom ; mɛʀkyʀɔkʀɔm] n. m. — 1931 ; nom déposé, de *mercure*, et *-chrome.*

♦ Méd., cour. Dérivé d'une fluorescéine mercurielle utilisé comme antiseptique pour usage externe, en solution aqueuse ou alcoolique de couleur rouge. *Le mercurochrome a un usage comparable à celui qu'avait la teinture d'iode.*

C'est très dangereux les blessures au pied... J'ai du mercurochrome dans ma trousse (...) J. ANOUILH, Ornifle, III, p. 171.
Ils vont sur les brisants ils s'assoient ils s'écorchent ils reviennent on leur met du mercurochrome fesses à tâches rouges une figure d'auguste ils se les voyaient les fesses ils rigolaient. Tony DUVERT, Paysage de fantaisie, p. 217.
Par métaphore :
Mais le pinceau de la philosophie étendait, à la longue, son mercurochrome sur les blessures morales (...) René FALLET, le Triporteur, p. 148.

MERDAILLEUX, EUSE [mɛʀdajø, øz] n. — XIXᵉ ; de *merdaille*, n. f. ; « gens méprisables », XIIᵉ ; « personne méprisable », 1264 ; de *merde.*

♦ Fam., vulg. Merdeux. *Un petit merdailleux.* ⇒ **Merdaillon.**

Il s'amusait bien à me voir essayer de me soulever sur ma paillasse malgré la fièvre qui me tenait. Je vomissais. «Bientôt, allons, merdailleux, vous pourrez ramer avec les autres !» CÉLINE, Voyage au bout de la nuit, p. 168.

MERDAILLON [mɛʀdajõ] n. m. — 1808 ; de *merdaille*, XIIᵉ (→ Merdailleux) ; cf. *merdaillerie*, 1606.

♦ Fam., vulg. Petit merdeux ; personnage insignifiant et ridicule.

Ne dis pas le contraire : je le connais mieux que toi. Ne proteste pas, mon ami, ou j'ajoute : un merdaillon. Il ne sait rien des femmes. G. DUHAMEL, Salavin, V, p. 229.

MERDE [mɛʀd] n. f. et interj. — Fin XIIᵉ, masc. au déb. XIIIᵉ, R. de Clari ; lat. *merda.*
Familier. (Senti comme plus ou moins vulg. mais très courant).

★ **I.** N. f. ♦ **1.** Matière fécale (de l'homme et de certains animaux). ⇒ **Excrément ;** fam. 1. **bran** (vx), **caca, crotte ; mouscaille** (argot). *De la merde. Marcher dans la merde du pied gauche. — Une merde de chien.* ⇒ **Étron** (cit. 1).

En avant dans la merde ! crie le premier de la bande. On s'y lance, étreints par le dégoût (...) Comme le boyau est peu profond, on est obligé de se courber la tête très bas pour n'être pas tué et d'aller, en se pliant, vers le fouillis d'excréments taché de papiers épars qu'on piétine. H. BARBUSSE, le Feu, t. II, p. 56.
Loc. métaphoriques. — (Par allus. au châtiment infligé à un malpropre). *On lui a mis le nez dans sa merde.* ⇒ **Caca.** — *Traîner qqn dans la merde* (→ Dans la boue*). *Couvrir qqn de merde :* l'injurier. *Il s'est fait couvrir de merde par la critique. — Être dans la merde (jusqu'au cou, jusqu'aux yeux) :* se trouver dans une situation fâcheuse, inextricable (→ Entrer, cit. 31), et aussi, dans la mélasse, la mouscaille. — *Avoir de la merde dans les yeux :* ne pas y voir clair (au propre et au figuré).

Prov. *Plus on remue la merde, plus elle pue :* plus on approfondit une vilaine affaire, plus on y découvre de saleté, d'ordure, d'ignominie...

Allusion historique :
(...) l'Empereur marcha droit au prince de Bénévent et le prit à partie (...) «Ah ! tenez, vous êtes de la m... dans un bas de soie !» Louis MADELIN, Talleyrand, III, XXIII.

REM. Jusqu'à une époque récente, le mot était considéré comme très trivial et souvent écrit allusivement *m...*

♦ **2.** Adj. **MERDE D'OIE** : qui a la couleur jaune verdâtre des excréments de l'oie. ⇒ **Merdoie** (→ Caca* d'oie).

2 M. Chabert était un bourgeois assez bien mis mais qui avait toujours l'air endimanché et dans les transes de gâter son habit ou son gilet ou sa jolie culotte de casimir « merde d'oie » (...)　　　　STENDHAL, Vie de Henry Brulard, p. 26.

♦ **3.** (1376). Fig. Être ou chose désagréable, pénible ou méprisable, sans valeur. — *De la merde* : des choses mauvaises (collectif) ou de mauvaise qualité. *On bouffe de la merde, dans ce resto.* — *C'est de la merde, ce bouquin, ce film.* — Loc. *Il ne se croit pas de la merde* : il est content de lui.

2.1 — De toute façon, cher monsieur, paternaliste ou pas, c'est quand même mieux que de rester tout seul dans son coin à bouffer de la merde.
É. AJAR (R. GARY), l'Angoisse du roi Salomon, p. 251.

De merde : méprisable, nul ; désagréable. *Quel temps de merde !* *J'en ai marre, de ce boulot de merde.* ⇒ **Merdique.** — Loc. *Un plat de merde* : un ensemble de choses désagréables, mauvaises.

Argot. *Avoir qqn, qqch. à la merde* : mépriser (cf. argot À la caille). *(Une, des merdes). Ce type est une vraie merde. Sale petite merde ! Ce film est une merde.*

2.2 Les rayons de teck encastrés dans le mur et soutenant plusieurs centaines de volumes, c'est-à-dire presque tous les meilleurs écrits produits par l'humanité et aussi des merdes.　　　　J.-P. MANCHETTE, Trois hommes à abattre, p. 28.

Par antiphrase :

2.3 Merci, bon vieux solide, des deux pièces grecques. Il y avait longtemps que je n'avais reçu quelque chose d'aussi crâne de ta seigneurie (...) — La fin de la pièce, excellente. En résumé, voilà deux bonnes merdes, la première surtout.
FLAUBERT, Correspondance, 10 févr. 1851, t. I, Pl., p. 749.

Loc. *Il ne se prend pas pour une merde* (même sens que la loc. ci-dessus). — *Laisser choir, laisser tomber qqn comme une merde.* Objet, affaire sans importance ; gain dérisoire (*in* Cellard et Rey).

♦ **4.** (1917). Spécialt. Temps bouché, sans visibilité (d'abord argot aviat.). Syn. : *pot au noir, purée de pois.*

♦ **5.** Situation désagréable (⇒ **Embarras ; chierie, emmerdement, merdouille...**). *C'est la merde ; on est dans la merde. Quelle merde !* — Spécialt. État psychique pénible.

2.4 (...) à l'idée qu'il va falloir laisser mourir tous mes parasites (...) la merde m'envahit toute et je flanche pour de bon.　　　　A. SARRAZIN, la Cavale, p. 32.

Spécialt. Désordre (concret ou abstrait) [surtout dans la loc. suivante]. *Foutre la merde* : mettre le désordre (⇒ **Bordel**). *C'est une vraie fouteuse de merde.* — *Range ta merde, on ne sait plus où mettre les pieds.* ⇒ **Merdier.**

★ **II.** Interj. ♦ **1.** (XIIIᵉ). Exclamation d'impatience, de colère ou de mépris. ⇒ **1. Bran** (vieilli), **crotte, zut** ; par euphémisme **mercredi.** *Crier, dire « merde » en butant sur un objet, en se brûlant le doigt...* (→ Par euphémisme Les cinq lettres*, le mot de Cambronne). *Les voisins, on leur dit merde !* (⇒ **Emmerder**). *Merde pour un tel ! Ah ! merde alors, qu'est-ce qu'il te faut ! Merde ! J'ai oublié mes lunettes.* ⇒ **Mince.**

REM. *Merde* entre dans de nombreux jurons.

3 Pareillement : merde pour l'imprimeur,
Lequel nous vient cy *(ici)* rompre les cervelles (...)
　　　　Clément MAROT, Épître, LXXV.

4 (...) un général anglais (...) leur cria : Braves Français, rendez-vous ! Cambronne répondit : Merde ! Le lecteur français voulant être respecté, le plus beau mot peut-être qu'un Français ait jamais dit ne peut lui être répété. Défense de déposer du sublime dans l'histoire. À nos risques et périls, nous enfreignons cette défense. Donc, parmi tous ces géants, il y eut un titan, Cambronne. Dire ce mot et mourir ensuite quoi de plus grand !... Foudroyer d'un tel mot le tonnerre qui vous tue, c'est vaincre.　　　　HUGO, les Misérables, II, I, XIV-XV.

5 Après tout, merde ! Voilà, avec ce grand mot on se console de toutes les misères humaines ; aussi je me plais à le répéter : merde, merde !
FLAUBERT, Correspondance, 97, 15 juin 1845.

(Interrog.). *Oui ou merde ?* : oui ou non ?

6 Veux-tu me la garder ? Oui ou merde ?　　　　CÉLINE, Guignol's band, p. 58.

♦ **2.** (V. 1951). Exclamation d'étonnement, de surprise, d'admiration. *Merde ! Ce qu'elle est belle ! Merde alors ! C'est rudement bien.*

7 Je restais là, la gueule ouverte. Merde alors. C'est tout ce que j'arrivais à penser. Un mec de quatre-vingt-quatre piges qui va consulter une voyante pour qu'elle lui dise ce qui l'attend !
É. AJAR (R. GARY), l'Angoisse du roi Salomon, p. 104.

★ **III.** (Trad. angl. *shit*). Héroïne. — Drogue « dure » (→ Came). — Abrév. : *de la M.*

8 Les mecs, pour l'héroïne, disent tous « la merde ».
É. AJAR (R. GARY), l'Angoisse du roi Salomon, p. 216.

DÉR. et COMP. Démerder, emmerder ; fouille-merde. — **Merdailleux, merdaillon, merder, merdeux, merdier, merdique, merdoie, merdouiller, merdoyer.** — Sous-merde.

MERDER [mɛʀde] v. intr. — 1909, au sens 1 ; sens concret (→ Chier), 1596 ; de *merde.*

Vulgaire.

♦ **1.** Fam. (Scol.). Ne pas savoir répondre ou répondre de travers aux questions d'un examinateur. *J'ai merdé en géographie.* ⇒ **Merdoyer.**

♦ **2.** (Mil XXᵉ). Sujet n. de chose. Ne pas réussir. *Ses projets ont merdé.* ⇒ **Échouer, foirer** (fam.).

REM. S'emploie surtout aux temps composés.

MERDEUSEMENT [mɛʀdøzmɑ̃] adv. — Attesté 1973 ; de *merdeux.*

♦ Rare. De manière merdeuse (surtout fig.).

Un petit salon merdeusement Louis XVI se propose. Papier peint à rayures, gravures faussement frivoles dans des cadres de style chienlit.
SAN-ANTONIO, J'ai essayé : on peut !, p. 218.

MERDEUX, EUSE [mɛʀdø, øz] adj. et n. — 1392 ; de *merde.*

Vulgaire.

♦ **1.** Sali d'excréments. ⇒ vieilli **Breneux, foireux.**

Loc. (1798). *Bâton* merdeux* : personne qu'on repousse avec dégoût et mépris.

♦ **2.** Fig. Mauvais ; nul ou désagréable. ⇒ **Merdique ; foireux, minable.**

♦ **3.** N. (1808). Gamin, blanc-bec ; personne insupportable ou méprisable. *Sale merdeux ! Ce petit merdeux commence à m'énerver.* ⇒ **Merdaillon.**

Cette merdeuse de dix ans marchait une dame devant lui, se balançait, le regardait de côté (...)　　　　ZOLA, l'Assommoir, t. II, VIII, p. 20.

— On ne peut tout de même pas, dit-il, se laisser mettre en boîte par un merdeux pareil !　　　　Francis CARCO, les Belles Manières, II, VI.

DÉR. Merdeusement.

MERDIER [mɛʀdje] n. m. — Fin XIIᵉ ; de *merde.*

Vulgaire.

♦ **1.** Vx. Lieu plein d'excréments. — Mod. Endroit boueux, fangeux. ⇒ **Bourbier.**

— Vos gueules ! crièrent en diverses langues des troglodytes manqués, qui dans leur caravane, qui dans la tente, qui même dans un sac de couchage, ces derniers flottant doucement sur des mares qui s'étaient formées.
Cidrolin traversa péniblement le merdier qui séparait la cabane du gardien de la sortie (...)　　　　R. QUENEAU, les Fleurs bleues, p. 200.

♦ **2.** Mod. (Attesté 1951). Fig. Grand désordre*, confusion inextricable. *«Avec le merdier que son père avait laissé en mourant, c'était inespéré»* (Claude Simon). *Le Grand Merdier,* ouvrage de L. Leprince-Ringuet (1978).

Chose, affaire, situation compliquée et déplaisante. ⇒ **Cagade** (fam.), **chierie, emmerdement.**

MERDIQUE [mɛʀdik] adj. — «Dérivé récent et très usuel de *merde,* qui tend à se substituer à *merdeux* dans certains emplois» (J. Cellard et A. Rey, *D.F.N.C.*).

♦ Fam. Mauvais ; insignifiant, nul. ⇒ **Merdeux.** *Un travail, un boulot merdique.* — Mauvais (d'une situation). *C'est vachement merdique, ton affaire.*

Les coups bas, c'est de règle dans ton canard merdique.
Gabriel BARRAULT, la Foire aux crabes, p. 161.

Avec une valeur d'adverbe :

Ça finira merdique. Pour tous les trois. Je l'ai toujours dit.
René FALLET, Y a-t-il un docteur dans la salle ?, p. 184.

MERDOIE [mɛʀdwa] adj. invar. — 1875 ; *merde* d'oie, 1617 ; *merde oye,* 1611 ; de *merde.*

♦ Vx. D'une couleur jaune verdâtre.

(...) Un pantalon jadis cuisse-de-nymphe-émue.
Couleur tendre à mourir !... et trop tôt devenue
Merdoie... excepté dans les plis rose-d'amour.
Tristan CORBIÈRE, les Amours jaunes, Pl., p. 819-820.

MERDOUILLE [mɛʀduj] n. f. — Mil. XXᵉ ; de *merde,* et suff. péj. *-ouille,* ou déverbal de *merdouiller* qui pourrait être antérieur.

♦ Fam. Situation désagréable. ⇒ **Merde** (fig.), **merdique.** *On est dans la merdouille.*

— Oui, je fais peur aux vieilles femmes et aux enfants. Parfois même aux adultes. Je vis de la lâcheté des autres. Est-ce bête, hein, d'avoir peur ? Qu'est que ça représente comme merdouille au fond de l'âme. N'est-ce pas, meussieu ?
R. QUENEAU, le Chiendent, p. 69.

MERDOUILLER [mɛʀduje] v. intr. — XXᵉ ; de *merde*, et suff. *-ouille*, ou de *merdouille*, et suff. verbal.

♦ Vulg. ⇒ **Merdoyer.**

Elle accaparait de ses trémolos douloureux notre petit monde rétréci où nous étions en train de merdouiller en chœur par sa faute.
       CÉLINE, Voyage au bout de la nuit, p. 239.

REM. On trouve aussi l'adj. participial *merdouillant, ante* (Edmonde Charles-Roux, *Elle, Adrienne*, p. 348).

MERDOYER [mɛʀdwaje] v. intr. — Conjug. *noyer*. — 1884, argot scol. ; de *merde*.

♦ Fam. S'embrouiller dans une explication, dans des démarches maladroites. ⇒ **Vasouiller.** — Argot scol. Sécher. ⇒ **Merder.**

1. MÈRE [mɛʀ] n. f. — V. 1050 ; *madre, medre*, v. 980 ; lat. *mater*.

★ **I. A.** ♦ **1.** Femme qui a donné naissance à un ou plusieurs enfants. *Être mère à vingt ans. Être, devenir mère :* avoir un enfant, accoucher. *Elle va être mère, devenir mère pour la troisième fois. Future mère.* → ci-dessous B., 3. *La joie d'être mère* (⇒ **Maternité**). — (V. 1935). *Fête des Mères.*

(...) la femme n'est dans sa véritable sphère que quand elle est mère ; elle déploie alors seulement ses forces, elle pratique les devoirs de sa vie, elle a en tous les bonheurs et tous les plaisirs. Une femme qui n'est pas mère est un être incomplet et manqué.   BALZAC, Mémoires de deux jeunes mariées, Pl., t. I, p. 251.

Une mère, la mère de qqn. Coûter (cit. 17) *la vie à sa mère. Fille blonde comme sa mère* (→ Ardent, cit. 7). *Une veuve, mère de deux garçons. La mère de sa femme* (⇒ **Belle-mère**), *de son père* (⇒ **Grand-mère, mère-grand**). *Madame* (cit. 9) *votre mère. La mère du roi ;* par appos. *la reine* mère.*

Telle était la mère de Dostoïevski, docile, totalement soumise à son mari, la servante chrétienne de la famille, partagée entre le ménage, les couches, la prière et le soin des enfants.   André SUARÈS, Trois hommes, « Dostoïevski », I.

(1510). *Mère de famille :* femme mariée qui a un ou plusieurs enfants (→ Héroïsme, cit. 13 ; 2. idéal, cit. 7).

Relig. chrét. *Marie, mère de Dieu* (→ Adorer, cit. 4). Par appos. *La Vierge mère* (→ Intégrité, cit. 5). ⇒ **Conception** (Immaculée Conception). *Sanctuaire de la Bonne Mère* (Notre-Dame de la Garde) *à Marseille.* — *Marie, mère de tous les chrétiens.*

Je ne veux plus aimer que ma mère Marie.   VERLAINE, Sagesse, II, I.

(1832). Régional. *Bonne mère !,* exclamation.

(César, *les yeux au ciel*) — Bonne mère, c'est un meurtre, mais c'est lui qui l'a voulu !   M. PAGNOL, Marius, II, 2.

♦ **2.** (XIIIᵉ). En parlant des animaux. Femelle (cit. 3) qui a un ou plusieurs petits. *Un faon* (cit. 2) *et sa mère* (→ Bramer, cit. 1). *Agneau qui tète encore sa mère* (→ Frère, cit. 15). *L'autruche, dès sa naissance, s'éloigne de sa mère* (→ Éducation, cit. 17).

(...) Bijou *(une chatte),* en trois ans quatre fois mère, qui portait à ses mamelles un chapelet de nouveau-nés (...)   COLETTE, la Maison de Claudine, p. 65.

Apic. Reine d'un essaim d'abeilles.

♦ **3.** *Mère porteuse*.*

B. (Emplois spéciaux du sens A, 1). ♦ **1.** Femme, par rapport à ses enfants, dans la société, dans la famille (cit. 15, 19 et 25), devant la loi. *Régime donnant l'autorité légale à la mère.* ⇒ **Matriarcat.** *Parents par leurs mères* (⇒ **Cognat, cognation**) ; *frères* (cit. 1) *et sœurs de mère* (⇒ **Utérin**). *Ascendance du côté de la mère.* ⇒ **Matrilinéaire.** *Orphelin* de mère, de père et de mère. Droits de la mère sur ses enfants* (→ Administrateur, cit. 1 ; contribuer, cit. 4 ; curateur, cit. 4). *Devoir des enfants* (cit. 22) *envers leur mère.* « *Tes père et mère honoreras* » (Bible). ⇒ **Parent.**

Eugénie pourra renoncer purement et simplement à la succession de sa mère (...) Mais, pour obtenir un partage de ce genre, ne la rudoyez pas.
       BALZAC, Eugénie Grandet, Pl., t. III, p. 617.

Les relations entre mère et enfants. Affection (cit. 5 et 15), *amour, caresses* (cit. 5), *dévouement, gâteries* (cit. 1), *sollicitude d'une mère.* ⇒ **Maternel** (cit. 2). *L'instinct de mère.* ⇒ **Maternel.** *Jeune mère qui allaite, berce, cajole son nourrisson* (→ Câlin, cit. 1), *lui donne le sein... Enfants pendus aux jupons* (cit. 3) *de leurs mères. Appeler sa mère* « *Maman** », « *Mère* », « *petite mère* »... *Il faudra que j'en parle à ma mère, et,* pop. (dans le parler rural), *à la mère.* — *Mère qui raffole de son fils* (→ Assortir, cit. 3), *l'élève jalousement* (cit. 2), *le couve.* — Fam. *Mère cigogne*, mère poule*.* — *Mère abusive, castratrice. Enfant sous le joug de sa mère* (→ Indépendance, cit. 3). — *Fils qui a un culte* (cit. 10) *pour sa mère. Enfant dénaturé* (cit. 10), *injuste* (cit. 4) *envers sa mère.* — *Mère dénaturée*.* ⇒ **Marâtre.** *Tuer sa mère* (⇒ 1. **Matricide,** 2. **matricide, parricide**). *Inceste** (cit. 2 et 3) *d'une mère et de son fils.*

L'asile le plus sûr est le sein d'une mère.   FLORIAN, Fables, II, 1.

Oh ! l'amour d'une mère ! amour que nul n'oublie !
Pain merveilleux qu'un dieu partage et multiplie !
Table toujours servie au paternel foyer !
Chacun en a sa part et tous l'ont tout entier !   HUGO, les Feuilles d'automne, I.

(...) et la première pensée des mères est, comme l'a si poétiquement dit Virgile, de serrer leurs enfants sur leur sein au moindre événement.
       BALZAC, le Lys dans la vallée, Pl., t. VIII, p. 927.

On aime sa mère presque sans le savoir, sans le sentir, car cela est naturel comme

de vivre ; et on ne s'aperçoit de toute la profondeur des racines de cet amour qu'au moment de la séparation dernière.
       MAUPASSANT, Fort comme la mort, II, I.

Adj. (attribut). Qui assume la fonction maternelle (d'une femme). *Femme qui est plus mère qu'épouse* (cit. 8), qui aime mieux ses enfants que son mari. *Elle se sentit moins mère,* moins attachée à ses enfants (→ Loger, cit. 20).

Thérèse n'était pas mère, — inexplicablement dénuée de cet instinct qui permet   **11** aux autres femmes de transférer leur propre vie dans les êtres qu'elles ont mis au monde.   F. MAURIAC, la Fin de la nuit, III.

♦ **2.** N. f. (1961). *Mère célibataire :* femme non mariée qui a un ou des enfants. Ce mot composé a remplacé *fille* mère,* considéré comme péjoratif. — REM. On écrit parfois *mère-célibataire.*

C'est la situation classique de la femme absorbée par son travail, dont l'enfant est   **11.1** en crèche. La vie de ces femmes sera mieux décrite, ultérieurement, par les mères célibataires, qui représentent le point ultime de l'aliénation et de l'éclatement.
       Hélène LARRIVE, les Crèches, p. 39.

♦ **3.** (1690). Femme qui a conçu et porte un enfant (syn. : *future mère,* au sens 1). ⇒ **Enceinte.** *Le ventre*, les flancs*, les entrailles*, le sein* de la mère. Union intime du fœtus* (cit.) *et de la mère pendant la gestation.* — *Rendre une femme mère* (→ fam. Mettre enceinte*). *Il refuse d'épouser la jeune fille qu'il a rendue mère.*

On lui choisit un époux. Elle devient mère. L'état de grossesse est pénible pres-   **12** que pour toutes les femmes.   DIDEROT, Sur les femmes.

(Il) Détache la ceinture à la belle étrangère,   **13**
Et la vierge en ses bras devient épouse et mère.
       André CHÉNIER, les Bucoliques, XXV.

★ **II.** ♦ **1.** (1616). Femme qui est comme une mère.

(1893). *Mère adoptive.* — *Servir de mère à une jeune fille* (→ Guide, cit. 4), *être une vraie mère pour elle* (⇒ **Maternel**).

Le général Hugo avait deux objectifs : (...) faire accepter par ses enfants la nou-   **14** velle Mᵐᵉ Hugo qui était, disait-il, « une seconde mère pour vous tous ».
       A. MAUROIS, Olympio, III, I.

Je n'ai aucune sympathie particulière pour votre mère adoptive (...) Mais (...) son   **15** attitude répondait à des sentiments louables. Elle a voulu vous traiter comme son enfant, se faire aimer de vous comme d'un enfant à elle (...)
       J. ROMAINS, Une femme singulière, IV.

(1552). *Mère nourrice :* femme qui allaite et soigne un enfant qu'elle n'a pas elle-même mis au monde.

(1874). Théâtre. *Jouer les mères nobles,* les rôles de femme âgée et d'une condition sociale élevée.

♦ **2.** Celle qui veille aux intérêts d'une communauté, d'une collectivité.

(1612). Spécialt. (Dans des expressions). Supérieure d'un couvent. *La mère prieure. La mère abbesse.*

Ellipt. *La mère Angélique Arnaud. Religieuses qui discutent les ordres de leur Mère* (→ Liguer, cit. 3).

La mère de Moni n'approuvait point ces exercices de pénitence qui se font sur   **16** le corps (...) Elle voulait que ses religieuses se portassent bien, qu'elles eussent le corps sain et l'esprit serein.   DIDEROT, la Religieuse, Pl., p. 297.

Fig., spécialt. *Notre mère la sainte Église*. L'Église, mère des fidèles.*

Titre de vénération donné à une religieuse professe. *Mère Saint-Jean de la Croix.* — (Appellatif). *Merci, ma Mère.*

Les prieures et les mères portent presque toujours des noms empreints d'une gra-   **17** vité particulière, rappelant, non des saintes et des martyres, mais des moments de la vie de Jésus-Christ, comme la mère Nativité, la mère Conception, la mère Présentation, la mère Passion.   HUGO, les Misérables, II, VI, II.

(1580). Dans le compagnonnage*, Femme qui tenait une auberge pour les compagnons.

(V. 1929). *Mère aubergiste,* qui dirige une auberge de la jeunesse*.

♦ **3.** (1798). Appellation familière, pour *madame,* dont on use à l'égard d'une femme d'un certain âge. *La mère Chasle* (→ Hibou, cit. 6). *La mère Plutarque* (→ 1. Lire, cit. 21). *C'est la mère Michel qui a perdu son chat,* chanson enfantine. — *Mère Chose* (→ Machin, cit. 2).

(1736). Appellatif. *Ma petite mère !*

(1874). *La mère !, mère Un tel ! Hé ! la mère, la petite mère !*

Spécialt. *La mère Gigogne** (→ Fécondité, cit. 2). *Contes de ma mère l'Oie*.*

— C'est bien, c'est bien ! dit Emma. Au revoir, mère Rollet !   **18**
       FLAUBERT, Mᵐᵉ Bovary, II, III.

La mère Bouquet, une femme énorme, se défend à son comptoir contre vingt mains   **19** avides.   R. DORGELÈS, les Croix de bois, VI.

Franç. d'Afrique. Terme de respect à l'égard d'une femme plus âgée que soi, avec qui on a des liens affectifs.

♦ **4.** (V. 1265). Littér. Femme qui est à l'origine d'une race. *Ève, notre mère à tous. Les romances que chantaient nos mères.* ⇒ **Aïeul** (→ Inédit, cit. 2).

Myth. *Cybèle, mère des dieux.* — Par ext. *Les déesses mères,* symboles de fertilité, de fécondité, dans les religions primitives (spécialt en Égypte, Phénicie...).

♦ **5.** Littér. Réalité fondatrice. *La terre, notre mère commune,* et, par appos., *la terre mère* (→ Inclinaison, cit. 5). — *La patrie, mère commune d'un peuple* (→ Berceau, cit. 4). — (1774, *in* D.D.L.).

La mère patrie (d'un État, d'une colonie...), l'État qui l'a fondée. ⇒ **Métropole.**

♦ **6.** (1558). Vx ou littér. *Mère de... :* lieu, pays d'origine et d'élection de... *France, mère des arts...* (→ Lait, cit. 5, Du Bellay). *« Italie, mère de mes pensées »* (→ 1. Hypogée, cit. 5, Apollinaire). *La Grèce, mère des ergoteurs* (cit. 3, Taine).

20 Grèce, ô mère des arts, terre d'idolâtrie,
De mes vœux insensés éternelle patrie (...)
A. DE MUSSET, Premières poésies, « Vœux stériles ».

21 *(Lesbos)* Mère des jeux latins et des voluptés grecques (...)
BAUDELAIRE, les Épaves, « Pièces condamnées », II.

♦ **7.** (1552). Origine, source.
Prov. *Méfiance est mère de sûreté* (→ Expérimenter, cit. 3, La Fontaine). *La pauvreté est la mère des crimes* (→ Défaut, cit. 2).

22 La révolte (...) est au principe de ce combat. Mère des formes, source de vraie vie, elle nous tient toujours debout dans le mouvement informe et furieux de l'histoire.
CAMUS, l'Homme révolté, p. 372.

23 L'oisiveté est mère de tous les vices, mais de toutes les vertus aussi.
ALAIN, Propos sur le bonheur, p. 133.

(En appos., fig.). *Branche* mère d'un arbre, d'une rivière. Les deux rues mères d'une ville* (→ Artère, cit. 3). *Maison mère :* établissement dont dépendent d'autres établissements ou succursales. — Biol. *Cellule* mère* (→ Gamète, cit. 2). — Chim. *Eau mère :* ce qui reste d'une solution après cristallisation de la substance qui y était dissoute. — Ling. *Langue mère :* « celle d'où est issue selon une descendance normale telle langue observée : le latin est la langue mère du français » (Marouzeau, *Lexique de terminologie ling.*). — *Fictions mères de toute pensée humaine* (→ Archétype, cit. 5). *Idée mère d'un ouvrage,* celle dont il est le développement.

★ **III.** (Objet, substance qui engendre, produit. ⇒ **Matrice**). Technique.

♦ **1.** (1840). Moule en plâtre obtenu par le surmoulage d'un modèle type et servant à la fabrication des pièces de poterie. — Matrice (en galvanoplastie). *« Des réduplications successives par galvanoplastie (...) fournissent un "père" (en relief) et une "mère" (en creux) »* (*Science et Vie,* 1974, n° 105, p. 76).

♦ **2.** (1867). *Mère du vinaigre :* membrane gélatineuse formée à la surface d'un liquide alcoolique par les mycodermes de la fermentation acétique.

CONTR. Fille, fils.
COMP. Belle-mère, dure-mère, fille-mère, grand-mère, pie-mère. — V. Commère. — Mère-grand.
HOM. Maire, mer, 2. mère.

2. MÈRE [mɛʀ] adj. f. — 1369 ; lat. *mera,* fém. de *merus* « pur ».

♦ Techn. Pur, fin (seulement dans quelques syntagmes).
(...) le plus pur jus de nos récoltes, la mère-goutte de nos cuvées passe par ces gosiers septentrionaux qui ne regardent pas au prix de ce qu'ils avalent.
Th. GAUTIER, Voyage en Russie, XVI.

-MÈRE Élément final, du grec *meros* « partie », entrant dans la formation de mots savants d'après les compar. grecs en -*merês.* Ex. : *antimère, blastomère, centromère, hétéromère, isomère, métamère, pentamère, polymère, tétramère...*

MÉREAU [meʀo] n. m. — XIIe, *marreau ;* forme masc. de *marelle,* proprt « jeton, palet pour jouer à la marelle ».

♦ Ancienn. Didact. Hist. Jeton qui permettait de contrôler la présence des membres d'un chapitre aux offices, des ouvriers sur un chantier.

MÈRE-GRAND [mɛʀgʀɑ̃] n. f. — 1435 ; de 1. *mère,* et *grand.*

♦ Vx. Grand-mère. *Le petit Chaperon rouge et sa mère-grand. Des mères-grands.*
Il est bien certain que pour la matière de ces Contes, de même que pour *Peau d'Âne* qu'il a mise en vers, Perrault a dû puiser dans un fonds de tradition populaire, et qu'il n'a fait que fixer par écrit ce que, de temps immémorial, toutes les mères-grands ont raconté.
SAINTE-BEUVE, Causeries du lundi, 29 déc. 1851.

MÉRÈSE [meʀɛz] ou **MÉRÉSIS** [meʀezis] n. f. — Av. 1969 ; dér. sav., du grec *meros* « partie, fragment », et *(aux)èse*, (aux)ésis.*

♦ Didact. Processus de croissance (d'un tissu végétal) par multiplication cellulaire (mitose). *Développement alliant mérèse (mérésis) et auxésis*. Les méristèmes* sont des territoires de mérésis active, dans les organismes pluricellulaires.*
(...) à l'abri du bourgeon écailleux et dormant, la mérésis n'est pas encore arrêtée, au contraire : il continue à se former des initiums d'organes, des miniatures de feuilles, ou même la transformation en ébauches de fleurs ou d'inflorescences. Puis la mérésis elle-même s'arrête à son tour et la dormance est complète, accompagnée d'une respiration extrêmement réduite.
Pierre CHOUARD, in Encycl. Pl., Physiologie, p. 1116-1117.

MERGER [mɛʀʒe] n. m. — Attesté fin XVIIIe, Restif ; var. bourguignonne de *murgier* (XIIIe), *murger* (1341), *mirger* (1672), formes de l'un des dérivés dialectaux du lat. pop. **muricarium* « tas de pierres ». → Mur.

♦ Régional. Tas de pierres provenant de l'épierrage d'un champ.
Il eut soin de massonner lui-même, avec les pierres les plus larges le bas du merger (c'est le nom qu'on donne à ces tas de pierres) et de mêler dans les entredeux, un peu de terre, avec des touffes de laume et d'autres herbes du genre des graminées, jusqu'à hauteur d'un Homme (...)
RESTIF DE LA BRETONNE, la Vie de mon père, p. 135.

MERGUEZ [mɛʀgɛz] n. f. — V. 1950 ; mot arabe.

♦ Petite saucisse fortement épicée (recette du Maghreb). *« (Ils) sont là, qui vendent leurs brochettes, leurs saucissons, leurs merguez et, de toutes les échoppes, restaurants, épiceries, se fait entendre le chant triomphal de la musique arabe qui règne sur tous les transistors du quartier »* (le Nouvel Obs., 13 févr. 1978). *« (Il) veut s'offrir une merguez grillée (...) »* (l'Express, 28 juil. 1979).

MERGULE [mɛʀgyl] n. m. — 1818 ; lat. zool. *mergulus* (1816), bas lat., de *mergus* « plongeon ».

♦ Zool. Oiseau alciforme *(Palmipèdes, Alcidés),* scientifiquement nommé *alle,* de la taille d'un merle, noir et blanc, voisin du pingouin et du guillemot.

MÉRIDIEN, IENNE [meʀidjɛ̃, jɛn] adj. et n. — V. 1120, *diable méridien* « démon de midi », repris et étendu mil. XVIe ; lat. *meridianus,* de *meridies* « midi ».

★ **I.** Adj. ♦ **1.** Didact. ou littér. De midi (milieu du jour). *Heure méridienne* (→ Luire, cit. 9). *Chaleur, torpeur méridienne* (→ Bourdonner, cit. 2). — (1791). *Ombre* méridienne,* la plus courte. — Astron. *Plan méridien* (1706 ; ainsi appelé parce que le Soleil, dans sa course apparente, le coupe à midi et à minuit) : dans un lieu donné, Plan défini par l'axe de rotation de la Terre et la verticale de ce lieu.
Voici bientôt l'heure méridienne, où il faut absolument s'abriter sous un toit.
LOTI, l'Inde (sans les Anglais), III, XII.

♦ **2.** Sc. Relatif au plan méridien. — (1691). *Hauteur méridienne d'un astre,* sa hauteur au-dessus de l'horizon lorsqu'il est dans le plan méridien.
(...) nous tînmes notre parallèle par double hauteur, matin et soir, et par les hauteurs méridiennes des planètes et de la lune.
BAUDELAIRE, Trad. E. POE, les Aventures d'A. Gordon Pym, XV.
(1874). *Lunette méridienne* (ou *cercle méridien*) : lunette astronomique mobile dont l'axe optique se déplace dans le plan méridien d'un lieu. — *Observations méridiennes.*

★ **II.** N. m. ♦ **1.** (1377). Astron. *Méridien céleste d'un lieu :* grand cercle* imaginaire de la sphère céleste qui passe par les pôles célestes, le zénith et le nadir du lieu, perpendiculaire à l'équateur. *Hémisphères* célestes limités par un méridien. Arc de méridien. Méridiens marquant les saisons.* ⇒ **Colure.** *Point de l'écliptique situé dans le méridien du lieu. Plan du méridien. Projection orthogonale des cercles de la sphère céleste sur le plan du méridien.* ⇒ **Analemme.**

♦ **2.** Géogr. et cour. Cercle imaginaire passant par les deux pôles terrestres. *La longueur du méridien terrestre est à peu près de 40 000 km. Les méridiens sont perpendiculaires à l'équateur et ont tous même longueur. Le méridien, base des mesures linéaires* (cit. 2 ; et, ci-dessous, cit. 4, Carrel). — Demi-cercle joignant les pôles. *Représentation des méridiens et des parallèles* sur les cartes. Méridien d'un lieu,* qui passe par ce lieu. *Méridien et antiméridien* d'un lieu.* — (1680). *Méridien d'origine,* choisi arbitrairement pour la mesure des longitudes. ⇒ **Longitude** (cit. 1). *Heure du méridien de Greenwich.* ⇒ **G.M.T.** — *Arc de méridien mesurant la latitude. Peuples qui vivent sur le même méridien.* ⇒ **Antisciens.** *« Un méridien décide* (cit. 17) *de la vérité »* (Pascal).
(...) nous suivîmes ce méridien jusqu'à ce que nous eussions atteint la latitude d'où nous étions partis.
BAUDELAIRE, Trad. E. POE, les Aventures d'A. Gordon Pym, XV.
Harbert, demanda-t-il au jeune garçon, ne sommes-nous pas au 15 avril ? — Oui, monsieur Cyrus, répondit Harbert. — Eh bien, si je ne me trompe, demain sera un des quatre jours de l'année pour lequel le temps vrai se confond avec le temps moyen, c'est-à-dire, mon enfant, que demain, à quelques secondes près, le soleil passera au méridien juste au midi des horloges.
J. VERNE, l'Île mystérieuse, t. I, p. 172.
(Le mètre) qui est approximativement la quarante millionième partie du méridien terrestre.
Alexis CARREL, l'Homme, cet inconnu, V, I.

♦ **3.** (1751). Phys. *Méridien magnétique d'un lieu :* grand cercle passant par ce lieu et par les pôles magnétiques du globe.

♦ **4.** Math. *Méridien d'une sphère relativement à deux points diamétralement opposés AB :* méridienne (ci-dessous, III.) déterminée par un plan contenant l'axe AB. *Les méridiens de la sphère relativement à AB, orthogonaux aux parallèles* de même axe, en sont les grands cercles passant par AB.* — *Méridiens d'un tore :* les cercles que constituent ses méridiennes.

♦ **5.** Anat. *Méridien oculaire :* plan vertical qui passe par les pôles (antérieur et postérieur) du globe oculaire, perpendiculaire à son « équateur ».

★ **III.** N. f. **A.** Sc. ♦ **1.** (1718). Astron. Intersection du plan méridien et du plan horizontal en un lieu.

♦ **2.** (V. 1750). Géol. Chaîne de triangulation orientée suivant un méridien. *La méridienne de Cassini.*

♦ **3.** Math. *Méridienne d'une surface de révolution :* intersection de cette surface avec un plan passant par son axe de révolution. *Méridiennes d'une sphère, d'un tore.* ⇒ **Méridien.** *Les méridiennes sont des directrices* de la surface de révolution.*

B. Cour. ⇒ *infra* l'art. **Méridienne.**

COMP. Antiméridien.

MÉRIDIENNE [meʀidjɛn] n. f. — xviiᵉ ; fém. de *méridien.*

★ **I.** ♦ **1.** (1680 ; var. *merien[ne],* xiiᵉ ; bas lat. *meridiana [hora]* « heure de midi »). Vieilli ou régional. Sieste que l'on fait vers le milieu du jour.

Par une après-midi de cet été, entre la veille et le sommeil, je faisais la méridienne, comme j'aime, la tête touchant le sol, à l'aise.
							F. MISTRAL, les Îles d'or, La mante religieuse.

♦ **2.** (V. 1750). Canapé de repos à deux chevets de hauteur inégale, en vogue sous l'Empire et la Restauration.

(...) Clémentine se donnait l'air de réfléchir, étalée sur une de ces méridiennes merveilleuses d'où l'on ne peut se lever, tant le tapissier qui les inventa sut saisir les rondeurs de la paresse et les aises du *« far niente ».*
							BALZAC, la Fausse Maîtresse, Pl., t. II, p. 18.

★ **II.** Sc. ⇒ **Méridien** (III.).

MÉRIDIONAL, ALE, AUX [meʀidjɔnal, o] adj. — 1314 ; bas lat. *meridionalis,* de *meridies* « midi, sud ».

♦ **1.** Qui est au sud*. *Pôle méridional* (vx). ⇒ **Austral.** — *La côte méridionale d'un pays, d'une île* (→ Généreux, cit. 19). *La France méridionale.*

Les Portugais, naviguant sur l'océan Atlantique, découvrirent la pointe la plus méridionale de l'Afrique (...)							MONTESQUIEU, l'Esprit des lois, XXI, XXI.

♦ **2.** (1549). Cour. Qui est du Midi (d'un pays, et, spécialt, de la France). ⇒ **Midi.** *Climat, végétation méridionale* (→ Facticité, cit. 1). — Propre aux gens du Midi (souvent, du sud de la France). *Type physique méridional. La magie du verbe méridional* (→ Extérioriser, cit. 2). *Exagération, enflure* (cit. 4), *faconde méridionale* (→ Cautèle, cit. 2). *Accent méridional,* du Midi (des pays occitans, en français).

Eugène de Rastignac avait un visage tout méridional, le teint blanc, des cheveux noirs, des yeux bleus.							BALZAC, le Père Goriot, Pl., t. II, p. 858.

L'accent méridional de son père le mettait hors de lui (...)
							ARAGON, les Beaux Quartiers, II, III.

♦ **3.** N. (Généralement avec un M majuscule). (1840). Personne du Midi de la France. *Un Méridional* (→ Éveilleur, cit. 2 ; intimider, cit. 1) ; *une Méridionale. Méridional qui exècre* (cit. 2) *Paris et son climat. Le débit* (cit. 9) *enflammé des Méridionaux* (→ aussi Feu, cit. 76).

(...) Tartarin de Tarascon, le bras tendu, le poing fermé, la narine frémissante, disait par trois fois d'une voix formidable, qui roulait comme un coup de tonnerre dans les entrailles du piano : « Non !... non !... non !... » ce qu'en bon Méridional il prononçait : « Nan !... nan !... nan !... »
							Alphonse DAUDET, Tartarin de Tarascon, I, III.

CONTR. Septentrional.

MERINGAGE [məʀɛ̃gaʒ] n. m. — 1931, Larousse ; de *meringuer.*

♦ Techn. (cuis.). Opération par laquelle on recouvre, on enrobe de pâte meringuée.

MERINGUE [məʀɛ̃g] n. f. — 1691 ; orig. incert., p.-ê. du polonais *marzynka ;* P. Guiraud évoque un gallo-roman *mellīnīca,* de l'adj. *mellinus* « de miel ».

♦ Gâteau très léger fait d'un mélange de blancs d'œufs battus en neige et de sucre en poudre, cuit au four. *Meringue simple ; merin-*

gue glacée, à la crème fouettée, aux fruits... (⇒ **Vacherin**). *Manger des meringues.* — *De la meringue :* de la pâtisserie de ce genre.

DÉR. Meringuer.

MERINGUER [məʀɛ̃ge] v. tr. — 1737 ; de *meringue.*

♦ Enrober, garnir de pâte à meringue (surtout au p. p.). *Gâteau meringué.*

DÉR. Meringage.

MÉRINOS [meʀinos] n. m. — Av. 1781 ; esp. *merinos,* plur. de *merino,* p.-ê. d'orig. arabe ou du lat. *merinus,* du lat. *merus* « (mouton) de pure race ».

♦ **1.** Mouton de race espagnole (originaire d'Afrique du Nord), introduit en France au xviiiᵉ siècle, à toison épaisse dont la laine fine est très appréciée. *Troupeau de mérinos.* — Par appos. *Bélier, brebis mérinos.*

(...) des dishleys croisés de mérinos, superbes avec leur air stupide et doux, leur tête lourde au grand nez arrondi d'homme à passions.							ZOLA, la Terre, II, 1. [1]

(1867). Loc. fam. *Laisser pisser le mérinos :* laisser dire, laisser courir, laisser faire ; attendre.

Qu'est-ce qu'il a ? Peux-tu me dire ?... — Bah ! dit Pascal, très gentleman. Laisse pisser le mérinos.							Francis CARCO, les Belles Manières, p. 90. [2]

♦ **2.** (1874). Laine de ce mouton. — (1820). Tissu fait de cette laine. *« Sa robe de mérinos »* (France).

La laine (...) sortit du moulin sous forme d'une épaisse nappe de feutre (...) Ce n'était évidemment ni du mérinos, ni de la mousseline, ni du cachemire d'Écosse (...) !							J. VERNE, l'Île mystérieuse, t. II, p. 451. [3]

MERISE [məʀiz] n. f. — V. 1265 ; du lat. *amarus* « amer », avec infl. de *cerise.*

♦ Fruit du merisier, cerise* sauvage, petite et globuleuse, dont la couleur varie du rose au noir, à chair douce et sucrée adhérente au noyau (→ Glaner, cit. 2). *Sirop de merise. Eau-de-vie de merise.* ⇒ **Kirsch.**

DÉR. Merisier.

MERISIER [məʀizje] n. m. — xiiiᵉ ; de *merise.*

♦ **1.** Cerisier sauvage *(Rosacées),* dit aussi *griottier, prunier des oiseaux. Bois de merisier,* rouge brun veiné de jaune, utilisé en ébénisterie et tournerie.

(1874). Bois de cet arbre. *Meuble de merisier.*

Moineau glisse, en soupirant, la belle pipe de merisier dans un étui en peau d'isard.							G. DUHAMEL, Salavin, III, IV.

♦ **2.** (1630). Bouleau du Canada, à écorce foncée.

MÉRISMATIQUE [meʀismatik] adj. — V. 1962 ; de *mérisme.*

♦ Ling. Qui concerne les mérismes. *Le niveau mérismatique.*

MÉRISME [meʀism] n. m. — 1845, hellénisme didact. ; sens mod., v. 1960, É. Benveniste ; grec *merisma* « délimitation ».

♦ Ling. Trait distinctif minimal de la parole, dont la combinatoire produit les phonèmes.

Tous les traits essentiels de la langue ont un caractère discontinu et mettent en jeu des unités discrètes. On peut dire que la langue se caractérise moins par ce qu'elle exprime que par ce qu'elle distingue à tous les niveaux : (...) — distinction des « mérismes » ou traits qui ordonnent les phonèmes en classes (...)
							É. BENVENISTE, Problèmes de linguistique générale, t. I, p. 23.

DÉR. Mérismatique.

MÉRISTÉMATIQUE [meʀistematik] adj. — Av. 1969 ; de *méristème,* et *-atique.*

♦ Didact. Qui a la nature d'un méristème. *Zones, apex méristématiques d'une plantule.* — Propre aux méristèmes. *L'activité méristématique.*

Jusque-là, la cellule œuf et ses premières cellules filles contenaient beaucoup d'inclusions de matière de réserve. Peu à peu, certaines cellules filles prennent une allure de plus en plus « méristématique », c'est-à-dire celle de cellules petites à gros noyau riche en ARN avec un gros nucléole, cytoplasme dense, de moins en moins vacuolisées et de plus en plus riches en ribosomes.
							Pierre CHOUARD, in Encycl. Pl., Physiologie, p. 1132-1133.

MÉRISTÈME [meʀistɛm] n. m. — 1889 ; du grec *meristos* « partage », et *-ème.*

♦ Bot. Tissu jeune qui engendre les autres tissus d'un organe (racine, tige, bourgeon), et dont les cellules très serrées, appelées *initiales,* sont en voie de cloisonnement. *Les méristèmes se développent principalement par mérésis*. Méristème primaire,* dont le grandissement aboutit à la genèse d'un organe (on dit aussi *point* *végétatif). Méristème secondaire,* produisant un épaississement des tissus. ⇒ **Cambium.**

Dans la plante, les auxines se forment à partir d'une substance mère hypothétique, dans certains tissus jeunes non différenciés qu'on appelle des méristèmes (...)
Pierre REY, les Hormones, p. 56.

DÉR. Méristématique, méristémisation.

MÉRISTÉMISATION [meʀistemizasjɔ̃] n. f. — Av. 1969 ; de *méristème, et -isation.*

♦ Didact. Production d'un méristème*.

MÉRISTIQUE [meʀistik] adj. — Mil. xxᵉ ; du grec *meristos* « partage ».

♦ Biol. Se dit des caractères morphologiques (vertèbres, segments de nageoires des poissons, pétales), dont le nombre peut être variable chez la même espèce. *Variation méristique :* variation quantitative des caractères normaux.

MÉRITANT, ANTE [meʀitɑ̃, ɑ̃t] adj. — 1636 ; de *mériter.*

♦ Souvent iron. Qui a du mérite (I., 1.). *Récompenser les élèves les plus méritants.* ⇒ **Digne.** *Aider une mère de famille méritante.* ⇒ **Vertueux.** *Il est bien méritant.*

(...) c'est une petite femme bien méritante, et que je connais beaucoup. Elle est divorcée, elle a un enfant, un garçon, qu'elle aime beaucoup, qu'elle voit en cachette.
COLETTE, Belles saisons, p. 156.

CONTR. Indigne.

MÉRITE [meʀit] n. m. — V. 1119, au fém., « récompense », du lat. *meritum,* de *merere* « mériter ».

★ **I.** (Fin xiiᵉ). ♦ **1.** Ce qui rend une personne digne d'estime, de louange, de récompense lorsque l'on considère la valeur de sa conduite et les difficultés surmontées. *Sans effort, pas de mérite. Avoir un grand mérite à...,* suivi de l'inf. (→ Enjouement, cit. 9). ⇒ **Vertu** (avoir de la vertu). *Elle a du mérite à supporter son mari. Il n'en a que plus de mérite, elle en a d'autant plus de mérite* (→ Apparenter, cit. 2). ⇒ **Méritant.** *C'est tout à son mérite.* ⇒ **Éloge, honneur.** *Je n'ai aucun mérite à cela.* — (Impers.). *Il y a du mérite, quelque mérite à faire cette chose* (→ Excusable, cit. 4). *Où serait le mérite ?* (→ Héros, cit. 15). — *Une action, un acte de mérite.* ⇒ **Méritoire.**

1 Les hommes, n'ayant pas accoutumé de former le mérite, mais seulement le récompenser où ils le trouvent formé, jugent de Dieu par eux-mêmes.
PASCAL, Pensées, VII, 490.

2 (...) les officiers les plus probes sont en même temps les plus braves ; ils y ont d'autant plus de mérite, qu'il en résulte rarement pour eux un avancement brillant et rapide.
Mᵐᵉ DE STAËL, De l'Allemagne, I, XII.

3 Je n'ai jamais trompé ma femme. Aucun mérite : je l'aime.
G. DUHAMEL, Salavin, Journal, 3 juin.

(Suivi d'un compl. déterminatif). *Il a eu le mérite de choisir la voie la plus difficile, de reconnaître ses torts... Il a au moins le mérite de la sincérité. S'attribuer le mérite de... Tout le mérite lui en revient. Il n'a eu qu'un mérite, c'est de... Faire (de qqch.) un mérite (à qqn),* considérer comme un acte de mérite (→ Indifférent, cit. 28). *Se faire un mérite de sa fidélité,... de pratiquer sa religion.* ⇒ **Gloire** (→ Face, cit. 64).

4 Et loin de repousser le coup qu'on vous prépare,
Vous voulez vous en faire un mérite barbare.
RACINE, Iphigénie, IV, 4.

Absolt au plur. *Les mérites de Louis XVI ne rachetèrent pas les fautes de ses aïeux* (→ Expier, cit. 4). *Faire valoir, faire sonner ses mérites :* exagérer ses services.

♦ **2.** (1499). Relig. Ce qui va au delà du devoir strict, a sa source dans la charité et constitue une sorte de créance morale transportable d'une personne à une autre. *Les mérites du Christ.* « *Le mérite de la Passion* » (concile de Trente) : *le mérite du Christ souffrant.* « *La réversibilité des mérites* » (J. de Maistre).

5 (...) ce peuple tantôt châtié, et tantôt consolé dans ses disgrâces, par les différents traitements qu'il reçoit selon ses mérites, rend un témoignage public à la Providence qui régit le monde.
BOSSUET, Discours sur l'histoire universelle, II, XIV.

♦ **3.** *Le mérite de... :* ce qui rend digne d'éloges (une conduite). *Le mérite des bonnes œuvres* (→ Gemme, cit. 1), *des services rendus* (→ Crédit, cit. 9). « *On ôte du mérite au bienfait* (cit. 2) *qu'on retarde* ». *Rehausser le mérite d'une action.*

6 Quel est le mérite d'une résistance conseillée par les préjugés seuls ? N'a-t-elle pas à la fois contre elle les penchants et la réflexion ?
É. DE SENANCOUR, De l'amour..., p. 56.

★ **II.** ♦ **1.** (1628). *Le mérite (de qqn),* ensemble de qualités intellectuelles et morales particulièrement estimables. ⇒ **Valeur.** — REM. Sans être archaïque, le mot est, dans de nombreux emplois, vieilli, littéraire ou d'un usage marqué. — *Mérite supérieur, distingué* (cit. 39), *haut mérite.* ⇒ **Distinction, grandeur.** *L'éclat du mérite.* ⇒ **Lustre.** *Le mérite personnel* (→ Après, cit. 64 ; galanterie, cit. 6). « *Du*

mérite personnel », chapitre II des *Caractères* de La Bruyère. *Avoir du mérite, être pénétré de son mérite* (→ Improbation, cit. 1). *Apprécier le mérite d'autrui, estimer* qqn *à son juste mérite* (→ Appréciateur, cit.). *Homme plein de mérite.* ⇒ **Illustre, incomparable.** *Un homme de ce mérite* (→ Applaudir, cit. 20), *de son mérite* (→ Chambre, cit. 12). *Personne, gens... de mérite, d'un grand mérite. Homme sans mérite,* médiocre (→ Il ne vaut pas cher*, c'est un médiocre, une nullité...). *Égaler* qqn *en mérite. Hommes d'égal* (cit. 6) *mérite. Lutter de mérite.* ⇒ **Émulation** (cit. 1). *Différence de mérite* (→ Ami, cit. 23). *Être inférieur en mérite* (→ Ne pas arriver à la cheville, à la ceinture* de qqn). *Surpasser qui ne doit rien au mérite* (⇒ **Immérité).** *Le mérite et la gloire* (cit. 18). *Les postes, les faveurs auxquels son mérite lui donnait droit* (→ Injustice, cit. 9). *Voir son mérite récompensé, oublié, méconnu. L'amour n'est pas un effet du mérite* (→ Caprice, cit. 3).

Je l'aimai, Stratonice : il le méritait bien ;
Mais que sert le mérite où manque la fortune ?
L'un était grand en lui, l'autre faible et commune (...)
CORNEILLE, Polyeucte, I, 3.

On ne doit pas juger du mérite d'un homme par ses grandes qualités, mais par l'usage qu'il en sait faire.
LA ROCHEFOUCAULD, Maximes, 437.

Une belle femme qui a les qualités d'un honnête homme est ce qu'il y a au monde d'un commerce plus délicieux : l'on trouve en elle tout le mérite des deux sexes.
LA BRUYÈRE, les Caractères, III, 13.

(...) c'est un homme sage et qui a de l'esprit, autrement un homme de mérite (...)
LA BRUYÈRE, les Caractères, XII, 20 (variante).

(1678). Spécialt. ⇒ **Capacité, force, talent.** *Peintre de mérite. Un acteur de grand mérite* (cf. De première classe). « *Tous les sujets deviennent bons par le mérite de l'auteur* » (cit. 41). — Par ext. Vx. *Le mérite :* les gens de mérite. *Un souverain qui sait distinguer, récompenser le mérite* (→ Fâcher, cit. 2). — « *Jamais un envieux* (cit. 6) *ne pardonne au mérite* ».

♦ **2.** (Un, des mérites). Qualité(s) louable(s). *Il a toutes sortes de mérites. Mérites éclatants. Mérites cachés, intérieurs* (→ Augmenter, cit. 20). *Des mérites certains mais sans éclat* (→ Canaille, cit. 12). *L'assiduité* (cit. 7), *premier mérite auprès des femmes.* — *Avoir le rare mérite de* (→ Auteur, cit. 20). *Pour tout mérite* (→ Babil, cit. 1) ; *sans autre mérite.* (→ Bon, cit. 46). — *Vanter, célébrer* (cit. 8), *louer les mérites de* qqn. *Ne pas reconnaître, discréditer* (cit. 2) *les mérites de* qqn, *le déprécier*, être son détracteur*.*

(...) mon esprit adore vos mérites.
CORNEILLE, la Galerie du Palais, V, 5, 11.

Dans les « *Mémoires* » comme dans tous les ouvrages du temps, on nous présente divers personnages de la cour et on nous parle volontiers de leurs mérites. À vrai dire on ne prend jamais la peine de nous expliquer clairement ce que ces mérites peuvent être. Ce sont des mérites de cour et donc inexplicables.
G. DUHAMEL, Refuges de la lecture, IV, p. 160.

Spécialt. Capacités particulières, efforts personnels de qqn. *À chacun selon ses mérites. Avantages répartis au prorata des mérites de chacun* (→ Coopératif, cit. 1).

♦ **3.** (1611). Qualité ou ensemble de qualités estimables (d'un ouvrage, d'une œuvre d'art). ⇒ **Prix.** *Œuvre pleine de mérite.* ⇒ **Accompli.** *Le mérite d'un ouvrage littéraire* (→ Faveur, cit. 26) ; *indestructible,* cit. 2). *Ce livre, cette toile n'est pas sans mérite.*

Deux estampes qui n'étaient pas sans mérite : *la Chute de la manne dans le désert* du Poussin, et l'*Esther devant Assuérus* du même (...)
DIDEROT, Regrets sur ma vieille robe de chambre.

Peut-être tout le mérite de son histoire était-il dans sa manière de la raconter (...)
BARBEY D'AUREVILLY, les Diaboliques, « Le dessous de cartes... », p. 261.

Ce qui fait la valeur (d'une chose). ⇒ **Qualité, valeur.** *Critique* qui apprécie les mérites et les défauts d'une œuvre.* « *Le premier mérite d'un tableau est d'être une fête* (cit. 17) *pour l'œil* » (Delacroix).

♦ **4.** Avantage, utilité propre (de qqch.). *Les mérites comparés de deux recettes, de deux méthodes... Vanter les mérites du célibat. L'argent* (cit. 44), *l'indépendance a son mérite.* ⇒ **Prix.**

La danse peut révéler tout ce que la musique recèle de mystérieux, et elle a de plus le mérite d'être humaine et palpable.
BAUDELAIRE, la Fanfarlo.

Ce détail n'a d'autre mérite que sa scrupuleuse exactitude.
COURTELINE, Boubouroche, Petit historique.

Je ne pouvais plus m'empêcher de discutailler, à l'infini, sur les mérites comparatifs du cacao et du café crème (...)
CÉLINE, Voyage au bout de la nuit, p. 388.

★ **III.** (xviiiᵉ). Nom donné à des ordres, des décorations* qui récompensent des services rendus. *Ordre du Mérite agricole, du Mérite maritime... Être décoré du Mérite civil.*

CONTR. Démérite, faute. — **Défaut, désavantage, faiblesse.**
DÉR. Mériter.
COMP. Démérite. — **Méritocrate.**

MÉRITER [meʀite] v. tr. — xvᵉ ; « récompenser », fin xiiiᵉ ; de *mérite.*

♦ **1.** Être, par la conduite, en droit d'obtenir (un avantage) ou exposé à subir (un inconvénient). ⇒ **Encourir** (cf. Être digne de, passible de). *Mériter une récompense, une faveur* (→ Clé, cit. 10), *une décoration, un prix. Mériter le ciel, le paradis. Mériter un blâme, une punition.* ⇒ **Encourir ; passible** (être passible de). *Mériter la mort* (→ De, cit. 27), *la peine capitale, la corde..., la maison de cor-*

rection (→ Gosse, cit. 3). *Il mérite d'être puni :* il est punissable*. *Mériter le blâme* (être blâmable), *la critique* (être critiquable)... *Mériter des louanges* (→ Humilier, cit. 28 ; incomparable, cit. 8), *l'estime, l'indulgence de qqn* (→ Excuse, cit. 14). *Rendre à qqn les égards qu'il mérite. Mériter la reconnaissance d'un peuple.* — *Mériter le mépris et la haine* (→ Abuser, cit. 4 ; faquin, cit. 3). *Reproches qu'on a bien mérités* (→ Exhortation, cit. 1). « *Je n'ai mérité/Ni cet excès* (cit. 4) *d'honneur ni cette indignité* » (Racine). *Mériter un nom, un surnom* (→ Abbé, cit. 3 ; garder, cit. 76 ; instruire, cit. 26). *Mériter son sort, sa réputation* (→ Fameux, cit. 2), *ses réussites* (→ Créer, cit. 19), *son emploi* (cf. Être à sa place). *Homme heureux* (cit. 6) *qui mérite son bonheur. Vous avez bien mérité ce repos, cette prime...* ⇒ **Gagner** (cf. Ce n'est que justice). *Il a bien mérité ses ennuis, son échec. Il l'a bien mérité !* (→ Il l'a voulu*; il ne l'a pas volé*!; c'est bien* fait). *Vous avez ce que vous méritez* (→ Ajuster, cit. 19). *Voilà tout ce que tu mérites ! Le pauvre, il n'avait pas mérité cela ! Il méritait mieux que cela. Il n'a que ce qu'il mérite.* « *Toute nation a le gouvernement* (cit. 40) *qu'elle mérite* » (J. de Maistre).

1   Allez, vous êtes fou, dans vos transports jaloux,
    Je ne méritez pas l'amour qu'on a pour vous.   MOLIÈRE, le Misanthrope, IV, 3.

2   Quand on est si digne de faire le bien, me dit-elle (...) comment passe-t-on sa vie
    à mal faire ? — Je ne mérite, lui répondis-je, ni cet éloge, ni cette censure (...)
                     LACLOS, les Liaisons dangereuses, XXIII.

3   Pour être parfaitement heureux il ne suffit pas d'avoir le bonheur, il faut
    encore le mériter.
         HUGO, Post-Scriptum de ma vie, « L'esprit », Tas de pierres, II.

♦ **2.** (1636). Être digne d'avoir (qqn) à ses côtés, dans sa vie. *Mériter (un époux, une épouse ; un ami, un chef). On a les amis qu'on mérite.* « *Un homme sans honneur ne te méritait pas* » (→ Généreux, cit. 2, Corneille).

4   Vous méritiez, ma fille, un père plus heureux.   RACINE, Iphigénie, II, 2.

5   Allez, vous ne méritez pas l'honnête femme qu'on vous a donnée.
                     MOLIÈRE, George Dandin, I, 6.

6   On peut dire que le monde antique n'a pas eu les dieux qu'il méritait. Le monde
    chrétien a eu juste le Dieu qu'il méritait ; son Dieu. Le monde moderne a encore
    le Dieu qu'il ne mérite déjà plus.
         Ch. PÉGUY, Note conjointe, « Sur Descartes », p. 179.

♦ **3.** (1559). Entraîner à juste titre (une récompense ou un châtiment). — (Sujet n. de chose). *Œuvre qui mérite la gloire* (cit. 27). *Œuvre qui mérite à peine le nom de livre* (cit. 4, La Bruyère). *Récit qui mérite créance* (cit. 6). *Effort qui mérite d'être signalé.* ⇒ **Méritoire.** — Prov. *Toute peine mérite salaire.* — *Mériter une mention spéciale* (→ Île, cit. 4). *Ceci mérite réflexion, considération.* ⇒ **Réclamer.** *Nouvelle qui mérite confirmation.* ⇒ **Besoin** (avoir).

7   Ces mots remplis d'impertinence
    Eurent le sort qu'ils méritaient.   LA FONTAINE, Fables, VIII, 19.

8   Voici sept ans que je risque ma vie pour la bonne cause, je ne vous le reproche
    pas, mais toute peine mérite salaire.   BALZAC, les Chouans, Pl., t. VII, p. 986.

Vx ou littér. *Qualité, œuvre, action... qui mérite qqch. à qqn,* qui lui donne droit à..., lui fait obtenir. ⇒ **Obtenir, procurer, valoir.** *Ce sont ces traits qui ont mérité à Corneille le nom de grand* (→ Grandeur, cit. 31). « *Le châtiment que lui ont mérité ses crimes* » (Hatzfeld).

9   (...) *Érophile,* à qui le manque de parole, les mauvais offices, la fourberie, bien
    loin de nuire, ont mérité des grâces et des bienfaits (...)
                   LA BRUYÈRE, les Caractères, XI, 26.

♦ **4.** MÉRITER DE... (suivi d'un inf.). *Personne qui mérite d'être louée* (→ Bonté, cit. 2), *d'être adorée* (cit. 8). *Vous méritez de réussir. Il mérite, il mériterait d'être traité comme il nous traite.* — *Un ouvrage qui mérite d'être lu* (→ Appréhender, cit. 7). *Le fait mérite d'être noté.* ⇒ **Valoir** (la peine de) ; → suff. -ation, cit. *Il faut voir cela, cela mérite d'être vu.*

0   (...) ils épargnent aux autres hommes la peine de semer, de labourer et de recueil-
    lir pour vivre, et méritent ainsi de ne pas manquer de ce pain qu'ils ont semé.
                     LA BRUYÈRE, les Caractères, XI, 128.

1   Un homme disait naïvement à un de ses amis : « Nous avons, ce matin, condamné
    trois hommes à mort. Il y en avait deux qui le méritaient bien. »
             CHAMFORT, Caractères et anecdotes, Naïveté d'un juge.

MÉRITER QUE. ⇒ **Valoir.** *Élève qui mérite qu'on s'occupe de lui. Une affaire qui ne mérite pas qu'on s'y intéresse. Il mériterait qu'on lui en fasse autant !* — « *La vie est trop courte pour mériter que je m'en inquiète* » (→ Ennuyer, cit. 12, Vauvenargues).

2   Et votre lâcheté mérite qu'on en rie.   MOLIÈRE, les Femmes savantes, II, 9.

3   (...) de pareilles femmes ne méritaient pas que d'honnêtes gens se battissent pour
    elles.   LACLOS, les Liaisons dangereuses, LXXIX.

♦ **5.** (V. 1662). Absolt. (Littér. ou relig.). Avoir du mérite, des mérites. *Il a beaucoup mérité et peu reçu* (Académie). *Mériter ou démériter* (cit. 2).

4   Debout ! Plus votre cœur répugne à l'accepter
    Plus ce sera pour vous matière à mériter (...)   MOLIÈRE, Tartuffe, IV, 3.

Loc. *Il a bien mérité de la patrie :* il a rendu des services éminents (formule officielle).

5   Mériter de la patrie : Cette phrase est devenue la grande formule de récompenser
    les citoyens patriotiques de leurs vertus et actions civiques en les consacrant dans
    les Fastes de la Nation ou en leur donnant une certaine publicité dans le Bulletin

ou le Livre National des actions héroïques, ou en gravant le nom du citoyen qui
a mérité éminemment de la patrie sur la colonne du Panthéon, le Temple National.-
           SNETLAGE, Nouveau dict. français, 1795, *in* D. D. L., II, 11.

▶ **MÉRITÉ, ÉE** p. p. adj. (sens 1). *Récompense méritée. Succès bien mérité.* — *Punition méritée. Accusations méritées,* exactes (→ Indignation, cit. 3).

CONTR. Démériter.
DÉR. Méritant.

MÉRITHALLE [meʀital] n. m. — 1846 ; lat. sc. *merithallus,* du grec *meros* « partie », et *thalle.*

♦ Bot. ⇒ **Entre-nœud.**

MÉRITOCRATE [meʀitɔkʀat] adj. et n. — 1975, *in la Clé des mots* ; de *méritocratie.*

♦ Didact. Partisan d'une hiérarchie où le pouvoir est détenu par les individus les plus capables, dont le mérite est reconnu.

MÉRITOCRATIE [meʀitɔkʀasi] n. f. — 1972 ; mot hybride, de *mérite, -o-* de liaison, et suff. *-cratie.*

♦ Didact. Hiérarchie sociale, où le pouvoir est détenu par le mérite individuel.

Quoi, la plus grande des Grandes Écoles avec Normale sup., le tremplin le mieux
éprouvé de la promotion sociale, le fleuron de la méritocratie (...) quoi, l'X devra
désormais porter sa croix en forme de jeune fille ?
           Françoise GIROUD, *in* l'Express, 7 août 1972, p. 7.

N. B. Il s'agit de l'entrée des jeunes filles à l'École polytechnique.

MÉRITOIRE [meʀitwaʀ] adj. — V. 1265 ; du lat. *meritorius* « qui mérite ou rapporte un gain ».

♦ Qui a du mérite (I., 3.), est digne d'éloge ou de récompense. ⇒ **Louable.** *Action, œuvre méritoire* (→ Avaricieux, cit. 1). *Élève peu doué qui fait des efforts méritoires. Un dévouement très méritoire de sa part. Conduite méritoire.* ⇒ **Bon, digne** (vieilli), **vertueux.**

1   Cette petite Mimi, que tu as tant calomniée, ne fait-elle pas, en se dépouillant de
    sa robe, une œuvre plus louable, plus méritoire, j'ose même dire plus chrétienne,
    que le bon roi Robert en laissant un pauvre couper la frange de son manteau ?
            A. DE MUSSET, Contes, « Mimi Pinson », VIII.

2   Il *(Nerval)* prodiguait en vingt journaux ses vers, ses contes, ses récits de voyage
    et ses feuilletons, avec une bonne humeur et une verve incomparables, d'autant plus
    méritoires qu'au milieu de tant de souffrances et d'inquiétudes il devait tirer de
    sa plume ses seuls moyens de subsistance.
           Émile HENRIOT, les Romantiques, p. 408.

CONTR. Blâmable, indigne.
DÉR. Méritoirement.
COMP. Déméritoire.

MÉRITOIREMENT [meʀitwaʀmɑ̃] adv. — XVᵉ ; de *méritoire.*

♦ Rare. D'une manière méritoire.

MERL [mɛʀl] n. m. ⇒ **Maërl.**

MERLAN [mɛʀlɑ̃] n. m. — 1530 ; *merlanc, merlenc,* XIIIᵉ ; de *merle,* avec le suff. germanique *-ing,* que l'on retrouve dans *cormoran.*

★ **I.** ♦ **1.** Poisson de la famille des *Gadidés* (⇒ **Gade**), qui se distingue par l'absence de barbillon à la mâchoire inférieure et dont la chair est appréciée. *Merlan frit, au four, au gratin, aux fines herbes...*

Loc. fam. *Faire des yeux de merlan frit :* lever les yeux au ciel d'une manière affectée, ridicule, en ne montrant que le blanc des yeux.

1   Il m'a regardé alors avec des yeux de merlan au gratin et s'est immédiatement
    fait disparaître.   Léon BLOY, le Désespéré, p. 44.

♦ **2.** Par ext. (autres poissons). — Loc. *Merlan jaune.* ⇒ **Lieu** (jaune). — *Merlan noir,* nom (régional ou commercial) donné parfois au colin. ⇒ **Colin, merlu.** — REM. *Merlan* est proscrit au Québec pour désigner *merlu argenté* et *merluche* (O. L. F., 5 sept. 1980).

★ **II.** (1744). Fam., vieilli. Coiffeur (nom donné au XVIIIᵉ siècle aux perruquiers, parce qu'ils étaient blancs de poudre comme les merlans qu'on enfarine avant de les mettre à la poêle). *Aller chez le merlan.*

2   (...) elle avait été coiffée en fleurs, par un coiffeur du genre *merlan* dont la
    main malhabile avait donné, sans le savoir, les grâces de la niaiserie à des che-
    veux blonds adorables.   BALZAC, la Cousine Bette, Pl., t. VI, p. 480.

3   *(Bérurier)* fronce le sourcil en voyant le coiffeur du coin sortir de son immeuble.
    Les merlans sont bouclés une lundi et celui-ci, au lieu d'aller pêcher au pont de
    Suresnes, vient pêcher avec Mme Bérurier.
           SAN-ANTONIO, Des gueules d'enterrement, p. 49.

MERLE [mɛʀl] n. m. — xiiᵉ, souvent fém. en anc. franç.; du bas lat. *merulus*, lat. class. *merula*; le fém. *merlesse* (xivᵉ) est dialectal.

♦ **1.** Oiseau *(Passereaux-Turdidés),* dentirostre, au plumage généralement noir chez le mâle, brun chez la femelle. *Femelle* (merlette), *petit* (merleau) *de merle. Le merle jase*, flûte*. Cri du merle.* ⇒ **Jasement, sifflement.** *Merle siffleur* (→ Bengali, cit.). *Chant de merle* (→ 1. Flétrissure, cit. 2). — *Chasser le merle. Prendre un merle à la glu* (cit. 1). *Merle en cage* (cit. 3). — *Pâté de merle* (spécialité corse). — Loc. *Faute de grives*, on mange des merles.*

1
Un oiseau siffle dans les branches,
Et sautille, gai, plein d'espoir,
Sur les herbes, de givre blanches,
En bottes jaunes, en frac noir.
C'est un merle, chanteur crédule,
Ignorant du calendrier,
Qui rêve soleil et module
L'hymne d'avril en février.　　　　Th. GAUTIER, Émaux et Camées, « Le merle ».

(Qualifié). *Merle noir, commun :* le merle (au sens défini ci-dessus). — (Oiseaux apparentés au merle ou voisins du merle). *Merle à plastron, à collier, merle de montagne* (à poitrine blanche). *Merle doré* (brun à reflets dorés), *merle brun, merle à queue rousse,* oiseaux d'Asie. *Merle grivette, merle solitaire* d'Amérique du Nord (⇒ aussi **Moqueur**). — Par ext. (erroné en zool.). *Merle de roche, merle bleu* (monticole). *Merle d'or* (loriot jaune). *Merle rose* (martin roselin). — En franç. d'Afrique. *Merle métallique :* oiseau *(Sturnidés)* au plumage noir irisé.

♦ **2.** Loc. fig. Vx. *Fin merle :* « un homme fin et rusé » (Académie). — (1696). Vieilli. *Vilain merle, beau merle* (iron.) : personne très désagréable ou peu recommandable. — Interj. « *Halte-là, beau merle, je vous vois venir* » (Académie).

(1611). *Merle blanc :* personne ou chose extrêmement rare, introuvable, et, spécialt, personne qui réunit des qualités rares. *C'est le merle blanc.* — *Histoire d'un merle blanc,* conte de Musset (où il est question d'un véritable merle).

2
J'allais poursuivre mes doléances, lorsque je fus interrompu par deux portières qui se disputaient dans la rue. — Ah! parbleu! dit l'une d'elles à l'autre, si tu en viens jamais à bout, je te fais cadeau d'un merle blanc!... Cette découverte, il faut l'avouer, modifia beaucoup mes idées. Au lieu de continuer à me plaindre, je commençai à me rengorger et à marcher fièrement (...) — C'est quelque chose, me dis-je, que d'être un merle blanc : cela ne se trouve point dans le pas d'un âne.
　　　　A. DE MUSSET, Contes, « Histoire d'un merle blanc », vi.

DÉR. Merleau. — Merlette.

MERLEAU [mɛʀlo] n. m. — 1840; de *merle*.

♦ Petit merle. ⇒ **Merlot.**

HOM. Merlot.

MERLETTE [mɛʀlɛt] n. f. — V. 1360; de *merle*.

♦ **1.** (1840; var. anc. ou régionale *merlesse*). Rare. Femelle du merle.
Ô bonheur! c'était la plus jolie merlette du monde, et elle était encore plus blanche que moi.　　　　A. DE MUSSET, Contes, « Histoire d'un merle blanc », viii.

♦ **2.** Blason. Petit oiseau morné, passant, les ailes serrées.

1. MERLIN [mɛʀlɛ̃] n. m. — 1624; var. *marlin,* dial.; lat. *marculus* « marteau ».

♦ **1.** Hache* à fendre le bois. ⇒ **Coutre.**

♦ **2.** (1803). Masse à long manche pour assommer (cit. 19) les bœufs. *Abattage* au merlin.*
Les nègres tueurs circulent sur un trottoir en surplomb *(aux abattoirs de Chicago).* Ils font halte devant chaque charretée. Ils lèvent leurs bras armés d'un merlin au long manche souple.　　　　G. DUHAMEL, Scènes de la vie future, viii.

2. MERLIN [mɛʀlɛ̃] n. m. — 1636; moy. néerl. *meerlijn,* de *marren* « lier ».

♦ Mar. Petit cordage composé de trois fils de caret commis ensemble. *Pelote de merlin.* ⇒ **Manoque.**

MERLON [mɛʀlɔ̃] n. m. — 1642; ital. *merlone* (→ Merle), 1205; p.-ê. emploi fig. de *merle* « oiseau ».
Technique.

♦ **1.** Partie pleine d'un parapet (entre deux embrasures [cit. 1], deux créneaux...).

♦ **2.** (xxᵉ). Construction ou levée de terre autour de dépôts d'explosifs en surface.

MERLOT [mɛʀlo] n. m. — 1861 au sens II. (→ Cabernet, cit.); de *merle*.

★ **I.** (1872). Rare. Petit du merle. Syn. : *merleau.*

★ **II.** Cépage à raisins noirs, à rendement assez élevé. *Le merlot, dans le Bordelais, est souvent associé au cabernet* (cit.). Vin produit avec ce cépage.
C'est lui qui boit de la bière et méprise le petit vin tessinois, le merlot qui a goût de raisin chaud et frise sur la langue comme le valpolicella dont il est un cousin.
　　　　Michel DÉON, Tout l'amour du monde, p. 265.

HOM. Merleau

MERLU ou **MERLUS** [mɛʀly] n. m. — 1560, *merlu; merlus,* 1285; croisement probable de *merlan,* et anc. franç. *luz* « brochet », lat. *lucius.*

♦ Régional (surtout dans le sud-ouest de la France). Poisson *(Gadidés)* voisin de la morue, n'ayant que deux nageoires dorsales et une anale (appelé aussi *colin**). *Merlu argenté* (nom normalisé au Québec de *Merluccius bilinearis*).

MERLUCHE [mɛʀlyʃ] n. f. — 1603; *morlusse,* 1589; var. mérid. de *merlu.*

♦ Morue ou autre gade* (merlu ou colin, lieu...), que l'on a fait sécher, sans salage (comparer à *stockfisch*). — REM. Le terme est parfois pris dans le sens de *merlu**.
Vos grâces pensent sans doute que la merluche est un régal vulgaire, et en cela elles n'ont pas tort; mais il y a merluche et merluche. Celle-ci a été pêchée sur le banc même de Terre-Neuve par le plus hardi marin du golfe de Gascogne. C'est une merluche de choix, blanche, de haut goût, point coriace, excellente dans une friture d'huile d'Aix (...)　　　　Th. GAUTIER, le Capitaine Fracasse, iii.

MERLUS [mɛʀly] n. m. ⇒ **Merlu.**

1. MÉRO- Premier élément de mots savants, du grec *meros* « partie ». ⇒ aussi **Méristème.**

2. MÉRO- Élément, du grec *mêros* « cuisse », et servant à former des mots de sciences naturelles.

MÉROCRINE [meʀɔkʀin] adj. — 1887; de 1. *méro-,* et grec *krinein* « sécréter ».

♦ Biol. Se dit des cellules qui émettent un produit de sécrétion sans se détruire.

MÉROGAMIE [meʀɔgami] n. f. — xxᵉ; de 1. *méro-,* et *-gamie.*

♦ Biol. Mode de reproduction courant chez les protistes où les cellules végétatives se divisent d'abord en plusieurs gamètes qui s'uniront ensuite entre eux pour former un nouvel organisme.

MÉROGONIE [meʀɔgɔni] n. f. — 1903, *Rev. gén. des sc.,* « mérogonique »; de 1. *méro-,* et *-gonie.* → Gone.

♦ Biol. Développement embryonnaire partiel, réalisé expérimentalement à partir d'un ovule fécondé, mais privé de son noyau, ou d'un œuf sectionné de façon à éliminer le noyau mâle ou femelle. *L'étude de la mérogonie donne des indications sur les rôles respectifs des noyaux (mâle et femelle) et du cytoplasme dans le développement de l'embryon et l'hérédité.*

DÉR. Mérogonique.

MÉROGONIQUE [meʀɔgɔnik] adj. — 1903, *Rev. gén. des sc.,* nᵒ 18, p. 961; de *mérogonie.*

♦ Biol. De la mérogonie. *Fécondation mérogonique.*

MÉROPLANCTON [meʀɔplɑ̃ktɔ̃] n. m. — xxᵉ; de 1. *méro-,* et *plancton.*

♦ Didact. Plancton « temporaire » (formé d'organismes qui ne sont planctoniens que pendant une partie de leur existence).

MÉROSTOMES [meʀɔstɔm] n. m. pl. — 1890; de 2. *méro-,* grec *stoma* « bouche ».

♦ Zool. Arthropodes chélifères aquatiques à respiration branchiale. ⇒ **Limule.** — Au sing. *Un mérostome.*

MÉROTOMIE [meʀɔtɔmi] n. f. — 1903, *Rev. gén. des sc.,* nᵒ 11, p. 614; de 1. *méro-,* et *-tomie.*

♦ Biol. Fragmentation artificielle d'une cellule vivante (le fragment contenant un noyau se régénère seul).

MÉROU [meʀu] n. m. — 1808; *méro*, 1714; esp. *mero*.

♦ Grand poisson téléostéen des côtes de Provence et d'Espagne, ainsi que d'Afrique et d'Amérique du Sud, à la chair très délicate. *Pêche au mérou.*

Tout à coup le fil se tendit violemment. C'était un splendide mérou qui se faisait prendre (...) La tête fut correctement vidée, puis découpée en tranches régulières (...)
Alain BOMBARD, Naufragé volontaire, p. 74.

MÉROVINGIEN, IENNE [meʀɔvɛ̃ʒjɛ̃, jɛn] adj. — 1643; *merovynge*, xvᵉ; lat. médiéval *Merowingi*, de *Merowig*, *Mérovée*, nom d'une tribu de Francs Saliens.

♦ Hist. Relatif à la famille qui régna sur la Gaule franque (Austrasie, Aquitaine, Bourgogne et Neustrie; ⇒ **Neustrien**) depuis Clovis (baptisé en 496) jusqu'à l'élection de Pépin le Bref (751). *La dynastie mérovingienne fut détrônée par les maires* (2.) *du palais d'Austrasie. Écriture de l'époque mérovingienne.* ⇒ **Franco-gallique.** *Cimetière mérovingien.* — N. (surtout plur.). *Les Mérovingiens :* les membres de la dynastie de Mérovée; les habitants de la Gaule franque sous cette dynastie. *Les Mérovingiens et les Carolingiens.*

C'est une assertion pour ainsi dire proverbiale qu'aucune période de notre histoire n'égale en confusion et en aridité la période mérovingienne (...) Il y a dans ce dédain plus de paresse que de réflexion, et si l'histoire des Mérovingiens est un peu difficile à débrouiller, elle n'est point aride.
Augustin THIERRY, Récits des temps mérovingiens, Préface.

MERRAIN [meʀɛ̃] n. m. — Fin xiiiᵉ, «bois de construction»; *mairrien*, v. 1150; du lat. tardif *materiamen*, de *materia* «bois de construction», et, par ext., «matière». → Madrier, marmenteau.

♦ **1.** (1389). Techn. Bois de chêne débité en planches destinées surtout à la tonnellerie. *Planche de merrain utilisée pour faire des douves* (⇒ **Douelle,** 1. **douve**). *Débiter du merrain. Tonneaux, futailles en merrain.* — *Panneaux de lambris, frise de parquet en merrain.*

Une moitié du toit couverte de genêt en guise de paille, et l'autre en bardeau, espèce de merrain taillé en forme d'ardoise (...)
BALZAC, les Chouans, Pl., t. VII, p. 956.
Planche de ce bois. *Des merrains.*

♦ **2.** (Fin xivᵉ). Vén. Tige centrale de la ramure du cerf. *Le merrain et les andouillers*.

MÉRULE [meʀyl] n. m. ou f. — 1846, Bescherelle; lat. bot. *merulius*; autre sens, 1551; lat. *merula* «merle».

♦ Bot. Champignon (*Hyménomycète* à pores) qui se fixe sur le bois, en particulier les poutres des charpentes, et le détruit.

MERVEILLE [meʀvɛj] n. f. — V. 1050; du lat. pop. *miribilia*; altér. de *mirabilia* «choses étonnantes, admirables».

★ **I.** ♦ **1.** Chose, phénomène qui cause une intense admiration, ce qui étonne et séduit par des qualités éminentes, exceptionnelles, et presque surnaturelles (beauté, perfection...). ⇒ **Enchantement, prodige** (fig.). *Merveilles admirables, fugitives* (cit. 13)... *La merveille des merveilles* (→ Grille, cit. 9). *Les merveilles de l'art, de l'activité humaine* (→ Économie, cit. 18), *de la science... Les merveilles de la création, de la nature* (→ Contemplation, cit. 1). — REM. Aux xviiᵉ et xviiiᵉ s., ces expressions étaient souvent employées au sens fort de «prodige, miracle» (→ ci-dessous 2.). — *Les merveilles du ciel, des cieux,* se disait, dans le langage précieux, des qualités, des beautés que l'on voulait célébrer (→ Étaler, cit. 9, Molière).

(Pour les amants)
La géante paraît une déesse aux yeux;
La naine, un abrégé des merveilles des cieux (...)
MOLIÈRE, le Misanthrope, II, 4.

(...) lorsque dans les âges suivants, l'on parlera avec étonnement des victoires prodigieuses et de toutes les grandes choses qui rendront notre siècle l'admiration de tous les siècles à venir, Corneille (...) tiendra sa place parmi toutes ces merveilles.
RACINE, Réponse au discours de réception de Th. Corneille.

(...) un petit bonheur du jour en bois de rose garni de plaques en vieux Sèvres et de cuivres dorés d'une admirable ciselure. C'est une merveille, une merveille, et jamais, dans le joli style Louis XVI, si fort à la mode aujourd'hui, il n'a rien été produit de plus achevé et de plus pur.
Th. GAUTIER, Souvenirs de théâtre..., Collection Villafranca.

Fénelon, on le sait, commence par demander ses preuves de l'existence de Dieu à l'aspect général de l'univers, au spectacle des merveilles qui éclatent dans tous les ordres; les astres, les éléments divers, la structure du corps humain, tout lui est un chemin pour s'élever de la contemplation de l'œuvre et de l'admiration de l'art à la connaissance de l'ouvrier.
SAINTE-BEUVE, Causeries du lundi, 29 mars 1852.

Loc. *Les sept merveilles du monde* (selon la tradition antique : les pyramides d'Égypte, le phare d'Alexandrie, les jardins suspendus de Babylone, le temple de Diane à Éphèse, le tombeau de Mausole, le Zeus olympien de Phidias et le colosse de Rhodes). Loc. fig. *C'est une des sept merveilles,* ou, plus souvent, *c'est la huitième* (cit. 1 et 2) *merveille du monde.*

La Merveille : la principale et plus belle construction de l'abbaye du Mont-Saint-Michel.

Par hyperb. Chose excellente. *Ce vin, cette vieille fine* (cit. 8) *est une merveille.* — *Une merveille de... :* une merveille en matière de..., quant à... *Merveille de beauté, de goût...* ⇒ **Miracle, prodige** (→ Inépuisable, cit. 9). *Une merveille d'architecture* (→ Élancement, cit. 1), *de sculpture* (→ Foyer, cit. 3). — *Merveille d'habileté, d'ingéniosité* (→ Combinaison, cit. 4).

(...) *Passage to India* de Forster (...) ce livre me paraît, pour autant que j'en puisse juger, une merveille d'intelligence, de tact, d'ironie, de prudence et d'habileté.
GIDE, Journal, 24 janv. 1946.

Absolt. Personne admirable, remarquable (par ses qualités, ses talents ou sa beauté). *Son, sa secrétaire est une merveille, une pure merveille, une perle.*

Mais qu'il soit des beautés pareilles
À vous, merveille des merveilles,
Cela ne se peut nullement.
MALHERBE, Poésies diverses, VIII, LXXXIX.

Vx. *Être la merveille de...,* la chose la plus étonnante, la plus admirable de... *« Pic de la Mirandole fut regardé comme la merveille de son siècle »* (Académie).

(...) on peut, en moins de dix ans, faire de Paris la merveille du monde.
VOLTAIRE, Politique et Législation. Embellissements de Paris.

Loc. (Vx). *C'est une merveille, c'est merveille de...* (et l'inf.) : c'est une chose merveilleuse, admirable de... *« Voilà une belle merveille que de faire bonne chère avec bien* (1. Bien, cit. 95) *de l'argent ».* *C'est merveille que...* (et le subj.; → 3. Mal, cit. 2), *si...* (et l'indic.) : c'est une chose étonnante, surprenante, extraordinaire. — Au plur. (Vx). *C'était merveilles de le voir* (→ Aucun, cit. 31, La Fontaine).

Puisque vous logez chez un médecin, ce n'est pas merveille que vous soyez malade.
VOLTAIRE, Correspondance, 1810, 8 oct. 1760.

Ce n'est pas grande merveille que de sortir une colombe d'un chapeau. La preuve en est que cette sorte de tours s'achète, s'enseigne et que ces miracles d'un sou suivent des modes.
COCTEAU, la Difficulté d'être, p. 73.

Absolt. *Faire merveille :* faire un très bon effet, avoir un très bon résultat (→ Grume, cit. 6). Allus. hist. *« Nos fusils Chassepot ont fait merveille »* (Général de Failly, le Moniteur universel, 10 nov. 1867, *in* Guerlac). — REM. La langue classique écrivait aussi *faire merveilles.* — *Dire des merveilles, dire, conter merveilles de... :* vanter. Spécialt. Vx. *Dire, écrire des merveilles,* des choses très agréables, des compliments (cf. Bossuet, Mᵐᵉ de Sévigné, *in* Littré). — *Crier à la merveille* (vx). — Crier (cit. 35), *chanter merveille de qqch., de qqn* : exprimer une grande admiration au sujet de... *Promettre* merveilles, monts* et merveilles. Par ext. *Attendre* (→ Extinction, cit. 4), *espérer* (→ Décliner, cit. 7) *merveille de qqch.*

(...) un flatteur mensonger qui leur conte merveille *(aux Rois).*
RONSARD, Discours des misères de ce temps, Institution pour l'adolescence du Roy.

Elle disait merveilles de l'abbaye de Fontevrault, que c'était comme une ville, et qu'il y avait des rues dans le monastère.
HUGO, les Misérables, II, VI, IX.

♦ **2.** Vieilli. Phénomène étrange, étonnant, inexplicable, et, spécial., surnaturel. ⇒ **Miracle, prodige; merveilleux** (I., 3.; II., 1.). *Alice au pays des merveilles,* traduction du récit fantastique de Lewis Carroll, *Alice in Wonderland.*

Une merveille absurde, est pour moi sans appas :
L'esprit n'est point ému de ce qu'il ne croit pas.
BOILEAU, l'Art poétique, III.

On ne voit plus pour nous ses redoutables mains
De merveilles sans nombre effrayer les humains (...)
RACINE, Athalie, I, 1.

Nous regardons comme une merveille, ou comme une merveille de la Nature, tout ce qui porte la marque d'une application particulière qu'elle a mise à le former. Cette idée attire toute l'attention de l'âme par la surprise et l'étonnement. Mais (...) il faut (...) que les moyens que la Nature a mis en œuvre, nous soient inconnus ou cachés (...) Dès que nous les apercevons, l'illusion se dissipe, et au lieu d'un spectacle étonnant, ce n'est plus qu'un fait ordinaire.
MARMONTEL, Poétique française, Œ. compl., t. VI, X, p. 282.

(Dans le lang. de la religion). *Les merveilles des dieux, de Dieu, de la grâce* (cit. 35).

♦ **3.** Vx. (Sens très courant au xviᵉ). Étonnement, surprise admirative. ⇒ **Émerveillement.**

La surprise me flatte, et je me sens saisir
De merveille à la fois, d'amour et de plaisir.
MOLIÈRE, le Dépit amoureux, V, 8.

♦ **4.** Loc. adv. (Vx). À MERVEILLES (Racine, Mᵐᵉ de Sévigné, *in* Brunot, H. L. F., t. IV, p. 346), (mod.) À MERVEILLE : très bien, parfaitement. ⇒ **Admirablement, 1. bien.** *Se porter à merveille* (→ 1. Frais, cit. 28). *Parler le français* (cit. 19) *à merveille. S'acquitter à merveille de son rôle.*

— Comment se porte votre femme? — Comme il lui plaît; c'est son affaire. — Et vos enfants? — À merveille!
DIDEROT, Jacques le fataliste, Pl., p. 556.

Absolt. *À merveille ! :* très bien!, parfait! (→ Heure, cit. 59).

★ **II.** Spécialt. ♦ **1.** (Fin xviiiᵉ). Régional. Beignet léger de pâte frite découpée (→ Collation, cit. 4, Rousseau).

♦ **2.** *Merveille d'hiver,* variété de poire.

♦ **3.** *Merveille du Pérou :* belle-de-nuit.

CONTR. Horreur, monstruosité.
DÉR. Merveilleux.
COMP. Émerveiller.

MERVEILLEUSEMENT [mɛʀvɛjøzmã] adv. — 1080, *merveillusement; de merveilleux.*

♦ **1.** Vx. Extraordinairement, étonnamment (⇒ **Merveilleux,** I., 3.). *« Pantagruel était si merveilleusement grand (...) »* (→ Lumière, cit. 13, Rabelais). *« C'est un sujet merveilleusement vain (...) que l'homme »* (cit. 22, Montaigne). → Hiatus, cit. 1.

♦ **2.** Mod. Admirablement, parfaitement. *Assaisonner* (cit. 4) *merveilleusement la bonne chère. Flèche merveilleusement élancée d'une cathédrale gothique* (cit. 11). *Salle merveilleusement décorée* (→ Goût, cit. 49). *Mains merveilleusement exercées d'un pianiste* (→ Improviser, cit. 4).

Personne n'aurait remarqué son très joli filet de voix, je le sais. Mais Mademoiselle Marie Tampon est merveilleusement faite, ce qui est une chose importante et nous devons remercier le ciel qu'elle ait, en plus, une jolie voix.
J. ANOUILH, Ornifle, I.

CONTR. **Naturellement. — Horriblement, laidement.**

MERVEILLEUX, EUSE [mɛʀvɛjø, øz] adj. et n. — 1080, *merveillus ; de merveille.*

★ **I.** Adj. ♦ **1.** Qui cause une très vive admiration mêlée d'étonnement. ⇒ **Admirable, étonnant, étourdissant, extraordinaire, mirifique, mirobolant** (fam.), **prodigieux** ; fam. **épatant, extra, formidable, super...** *Événement, fait, succès merveilleux* (→ Croyant, cit. 9 ; espoir, cit. 3). *Cure* (cit. 3), *guérison* (cit. 1), *réussite merveilleuse. Beauté, grâce merveilleuse.* ⇒ **Charmant, éblouissant.** *Merveilleux talent* (→ Exercer, cit. 31). *Avoir un instinct, un flair* (cit. 3) *merveilleux. Les plus merveilleux instincts* (cit. 15) *des insectes.*

1 Il n'est plus question, à l'heure qu'il est, de savoir si Homère, Platon, Cicéron, Virgile, sont des hommes merveilleux, c'est une chose sans contestation (...) il s'agit de savoir en quoi consiste ce merveilleux (...)
BOILEAU, Réflexions... sur Longin, VII.

2 Depuis cette merveilleuse nuit *(la nuit du 4 août)*, plus de classes, des Français ; plus de provinces, une France !
MICHELET, Hist. de la Révolution franç., II, IV.

♦ **2.** (Sans idée d'étonnement). Qui est admirable, remarquable et assez exceptionnel en son genre. ⇒ **Beau, admirable, magnifique.** *Harmonie* (cit. 50) *merveilleuse pour les yeux. Arbre* (→ Exhaler, cit. 20), *jardin* (→ Fort, cit. 24) *merveilleux. Un merveilleux soir* (→ Alizé, cit. 1). *Chant* (cit. 10), *sons merveilleux* (→ Former, cit. 5). *Un spectacle merveilleux.* ⇒ **Féerie.** *— Un merveilleux animateur* (cit. 2), *acteur, artiste, pianiste, conteur, poète...* — *Les joies* (cit. 23) *merveilleuses de l'amitié. La confiance* (cit. 27), *sentiment merveilleux.* — Très bon. ⇒ **Épatant** (fam.), **excellent.** *Nous avons fait un merveilleux repas. Les muscats ont été merveilleux cette année* (Académie).

3 Mon bon père avait un esprit infini et une merveilleuse grâce à conter.
A. DE VIGNY, Journal d'un poète, 1847.

♦ **3.** Vx. Qui surprend, étonne, semble inexplicable ou surnaturel. ⇒ **Surprenant.** *« Cet homme est mort par un merveilleux, par un étrange accident »* (Furetière).

Par ext. Vx. Extraordinaire, extrême.

4 (...) je suis prêt de soutenir cette vérité contre qui que ce soit. — L'audace est merveilleuse.
MOLIÈRE, l'Avare, V, 5.

5 Ô Seigneur, disait le saint homme Job, vous me tourmentez d'une manière merveilleuse !
BOSSUET, Oraison funèbre d'Anne de Gonzague.

♦ **4.** Littér. Qui étonne, qui frappe par son caractère inexplicable, surnaturel*. ⇒ **Féerique, magique** (cit. 1), **miraculeux, prodigieux** (→ Étonner, cit. 24). *Effets merveilleux de la magie* (cit.). *Prestiges*, *pouvoirs merveilleux. Talisman merveilleux. Conte merveilleux. Pays merveilleux.* ⇒ **Fabuleux** (cf. Eldorado, pays de Cocagne).

6 Quand Aladdin fut dans sa chambre, il prit la lampe merveilleuse (...) et il la frotta au même endroit que les autres fois. À l'instant, le génie parut devant lui (...)
GALLAND, les Mille et une Nuits, « Aladdin, ou la lampe merveilleuse ».

7 Elle entrait dans quelque chose de merveilleux où tout serait passion, extase, délire ; une immensité bleuâtre l'entourait, les sommets du sentiment étincelaient sous sa pensée, l'existence ordinaire n'apparaissait qu'au loin, tout en bas, dans l'ombre, entre les intervalles de ces hauteurs.
FLAUBERT, Mᵐᵉ Bovary, II, IX.

Spécialt. Littér. Qui implique des lois différentes des lois naturelles (dans un récit, un discours). *Caractère merveilleux des contes de fées, des œuvres dites de « science-fiction ».* → ci-dessous Le merveilleux.

★ **II.** N. ♦ **1.** N. m. Ce qui est merveilleux, semble inexplicable de façon naturelle ; ensemble des faits qui semblent appartenir à un monde régi par des êtres surnaturels, des puissances occultes... *Le merveilleux et l'exceptionnel* (cit. 8). *Le goût, le sens du merveilleux* (→ Assemblée, cit. 6 ; garder, cit. 47).

8 Le merveilleux frappe l'imagination ; et, quand une fois elle est gagnée, on ne se sert plus de son jugement.
A. R. LESAGE, Gil Blas, VII, IX.

9 J'avais vu l'évêque en prière, et durant sa prière, j'avais vu le vent changer et même très à propos ; voilà ce que je pouvais dire et certifier ; mais qu'une de ces deux choses fût la cause de l'autre, voilà ce que je ne devais pas attester (...) L'amour du merveilleux, si naturel au cœur humain, ma vénération pour ce ver-

tueux prélat, l'orgueil secret d'avoir peut-être contribué moi-même au miracle, aidèrent à me séduire (...)
ROUSSEAU, les Confessions, III.

La réalité est l'absence apparente de contradiction. Le merveilleux, c'est la contradiction qui apparaît dans le réel.
ARAGON, le Paysan de Paris, p. 251.

Littér. Élément d'une œuvre littéraire qui suscite une impression d'étonnement et de dépaysement, due en général à des événements invraisemblables, à l'intervention d'êtres surnaturels impliquant l'existence d'un univers échappant aux lois naturelles (→ Épopée, cit. 2 ; fiction, cit. 8). *Le merveilleux allégorique dans la poésie classique. Merveilleux païen, merveilleux de la mythologie, de la fable* (cit. 10), *et merveilleux chrétien. Emploi du merveilleux chez les romantiques allemands, dans la poésie symboliste, surréaliste... Merveilleux moderne, scientifique, de la science-fiction*. Le merveilleux, le fantastique* et l'étrange.

Chez les Grecs, le ciel finissait au sommet de l'Olympe, et leurs dieux ne s'élevaient pas plus haut que les vapeurs de la terre. Le *merveilleux* chrétien, d'accord avec la raison, les sciences et l'expansion de notre âme, s'enfonce de monde en monde, d'univers en univers, dans des espaces où l'imagination effrayée frissonne et recule.
CHATEAUBRIAND, le Génie du christianisme, II, IV, VIII.

(...) le merveilleux des livres m'intéressait moins que celui des légendes, et je mettais les superstitions locales bien au-dessus des contes de fées.
E. FROMENTIN, Dominique, III.

♦ **2.** N. m. et f. (Vx ou hist.). **MERVEILLEUX, EUSE** (v. 1740, Crébillon fils, etc.) : élégant plus ou moins excentrique, au XVIIIᵉ siècle et au début du XIXᵉ siècle. ⇒ **Élégant** (cit. 8), **excentrique, muscadin.** Spécialt au fém. *Les Incroyables et les Merveilleuses du Directoire.* — REM. Le mot s'est prononcé [mɛvɛjø] et est parfois transcrit *méveilleux,* pour évoquer cette mode du Directoire.

On ne rencontrait aucun de ces merveilleux de province, qui prennent si facilement le dédain pour de la grâce, et l'affectation pour de l'élégance.
Mᵐᵉ DE STAËL, De l'Allemagne, I, XV.

Les mots ne manquent pas pour les désigner *(les hommes à la mode).* C'est tout d'abord celui de *merveilleux.* Le mot est déjà ancien : il date du milieu du XVIIIᵉ siècle. Suivant Lady Morgan, « le merveilleux, comme l'on appelle le dandy parisien, est regardé généralement plutôt comme un ridicule que comme un modèle... » Certains merveilleux se recrutaient (...) parmi les artistes de la « Jeune-France ».
G. MATORÉ, le Vocabulaire et la Société sous Louis-Philippe, p. 45.

CONTR. **Exécrable, horrible, naturel, normal, ordinaire.**
DÉR. **Merveilleusement.**

MÉRYCISME [meʀism] n. m. — 1812 ; grec *mêrukismos* « rumination ».

♦ Méd. Retour anormal des aliments de l'estomac dans la bouche, où ils peuvent être à nouveau mastiqués. ⇒ **Régurgitation.**
Par comparaison et métaphore :

(...) pareil aux enfants ou aux déments atteints de mérycisme, je ravale sans cesse ma blessure et la régurgite. Je roule, je dévide, je trame le dossier amoureux et je recommence (...)
R. BARTHES, Fragments d'un discours amoureux, p. 191.

MERZLOTA [mɛʀzlota] n. f. — 1940 ; mot russe.

♦ Géogr. Couche du sol et du sous-sol qui ne dégèle jamais. *La merzlota de la toundra sibérienne.* Syn. : *pergélisol, permafrost, tjale* (mot scandinave).

MES [me] adj. poss. plur. ⇒ **Mon.**

MES-, MÉS- ⇒ **Mé-.**

MESA [mesa] n. f. — 1923 ; mot esp. « table ».

♦ Géogr. Plateau formé par les restes d'une coulée volcanique, quand l'érosion a abaissé les terrains environnants.

MÉSAIR ou **MÉZAIR** [mezɛʀ] n. m. — 1677 ; ital. *mezzaria.*

♦ Vx. Allure du cheval qui tient le milieu entre le terre à terre et les courbettes.

MÉSAISE [mezɛz] n. m. — V. 1130 ; de *més-,* et *aise.*

♦ **1.** Vx. État où l'on est mal à l'aise (au physique ou au moral). ⇒ **Malaise.**

♦ **2.** (1170). État de fortune où l'on ne dispose pas de l'aisance. ⇒ **Gêne.**

Enfin, ce petit roman est terminé ; la bonne chose que d'avoir le cœur en grève ! l'on ne souffre ni des mésaises d'amour, ni des ruptures !
HUYSMANS, Là-bas, XXI.

CONTR. **Aise, aisance.**

MÉSAL, ALE, AUX [mezal, o] adj. — Après 1950 ; dér. sav. du grec *mesos* « milieu », par l'angl. (*mesial,* 1803 ; *mesal,* 1882). → Mésial.

♦ Didact. (sc.). Qui se trouve dans l'axe médian (opposé à *latéral*).

Plan mésal, ligne mésale, divisant en deux un animal à symétrie bilatérale.

MÉSALLIANCE [mezaljɑ̃s] n. f. — 1666 ; de *mésallier.*

♦ Mariage avec une personne considérée comme inférieure par la naissance ou le milieu auquel elle appartient (→ Mésallier, cit. 1). Par ext. En parlant d'animaux (→ Lignée, cit. 5). — Par anal. *Mésalliance du cœur, de l'esprit :* union entre des personnes trop différentes par les sentiments, la manière de penser.

La pire de toutes les mésalliances est celle du cœur.
CHAMFORT, Maximes, XXVIII.

Une lueur fatale lui fit entrevoir les défauts de contact qui, par suite des mesquineries de son éducation, empêchaient l'union complète de son âme avec celle de Théodore (...) Elle pleura des larmes de sang, et reconnut trop tard qu'il est des mésalliances d'esprit aussi bien que des mésalliances de mœurs et de rang.
BALZAC, la Maison du Chat-qui-pelote, Pl., t. I, p. 54.

Mᵐᵉ Dupin de Francueil, encore qu'elle prétendit se mettre au-dessus des préjugés aristocratiques, continuait à soutenir que mésalliance engendre mésentente.
A. MAUROIS, Lélia, I, II.

MÉSALLIER [mezalje] v. tr. — 1610 ; de *més-,* et *allier.*

♦ (Rare à l'actif). Allier par le mariage à une personne de naissance, de condition inférieure. *Il a mésallié sa fille.*
V. pron. (1651). *Se mésallier :* se marier avec une personne de naissance, de condition inférieure. — Par extension :

Un malheur qui leur arrivait parfois était de se mésallier ; non dans le mariage, ce qui eût été de mauvais goût. Il ne s'agissait que de mésalliances d'amants. Une grande dame oubliait son rang dans les bras d'un roturier d'une suprême distinction personnelle (...)
J. ROMAINS, les Hommes de bonne volonté, t. III, XVIII, p. 243.

Figuré :

Oui, mon vers croit pouvoir, sans se mésallier,
Prendre à la prose un peu de son air familier.
HUGO, les Contemplations, I, V.

▶ MÉSALLIÉ, ÉE p. p. adj. *Une baronne mésalliée.* — N. *Des mésalliés.*
DÉR. Mésalliance.

MÉSANGE [mezɑ̃ʒ] n. f. — V. 1180, *masenge ;* francique **meisinga.*

♦ Petit oiseau *(Passereaux),* qui se nourrit d'insectes, de graines et de fruits. *Mésange charbonnière* ou *pinsonnière :* mésange à tête noire, plus petite que le moineau. *Mésange bleue,* ou *meunière. Mésange nonnette* ou *nonnette des marais. Mésange rémiz. La mésange, comme la fauvette, zinzinule*.*

(...) la ronde pépiante et jacassante, la farandole bleue des mésanges.
M. GENEVOIX, Forêt voisine, XI.

DÉR. Mésangeau, mésangette.

MÉSANGEAU [mezɑ̃ʒo] n. m. — 1930 ; de *mésange.*

♦ Jeune mésange.

Les mésangeaux usent de l'air en maîtres, et des rameaux en gymnastes. Troncs de bouleau ou berceau suspendu, le nid natal ne les revoit jamais.
COLETTE, Histoires pour Bel-Gazou, V, p. 82.

MÉSANGETTE [mezɑ̃ʒɛt] n. f. — 1788 ; de *mésange.*

♦ Techn. Piège, cage à trébuchet pour prendre les petits oiseaux.

MÉSARRIVER [mezaʁive] v. impers. — 1611 ; de *més-,* et *arriver.*

♦ Vx. Arriver malheur. ⇒ **Mésavenir** (ou **mésadvenir**). *Il vous en mésarrivera :* il vous arrivera malheur.

MÉSAVENANCE [mezav(ə)nɑ̃s] n. f. — 1868 ; *mesadvenance,* 1588 ; de *mésavenir.*

♦ Vx. Désagrément.

MÉSAVENANT, ANTE [mezav(ə)nɑ̃, ɑ̃t] adj. — V. 1175 ; de *més-,* et *avenant.*

♦ 1. Vx, littér. *Mésavenant à :* qui ne convient pas à (qqn, qqch.).

♦ 2. Vx, littér. Qui n'est pas agréable. ⇒ **Déplaisant, désagréable.**

MÉSAVENIR [mezav(ə)niʁ] ou MÉSADVENIR [mezadvəniʁ] v. impers. — Conjug. *venir.* — XIIᵉ ; de *més-,* et de l'anc. verbe *avenir, advenir.*

♦ Vx. Arriver malheur, tourner à mal. *Il lui en est mésadvenu :* il lui est arrivé malheur, l'affaire a mal tourné pour lui.
DÉR. Mésavenance, mésavenant, mésaventure.

MÉSAVENTURE [mezavɑ̃tyʁ] n. f. — V. 1130 ; de *mésavenir.*

♦ Aventure fâcheuse, événement désagréable. ⇒ **Accident, malchance, malencontre, méchef** (vx). *Mésaventure dramatique* (→ Aigrir, cit. 10). *Des mésaventures comiques. Il lui est arrivé plusieurs petites mésaventures. Déception** causée par une *mésaventure.* ⇒ **Déconvenue.** *Être penaud à la suite d'une mésaventure. Celui qui a éprouvé une mésaventure.* → *Chat* (supra cit. 17)* échaudé. *Se laisser entraîner imprudemment dans une mésaventure.* → *Que diable allait-il faire dans cette galère* ? (supra cit. 3). Conter, raconter ses mésaventures.*

(...) mainte mésaventure
L'aurait fait retourner chez lui
Avec cette partie en cent lieux altérée :
Chien hargneux a toujours l'oreille déchirée.
LA FONTAINE, Fables, X, 8.

MESCALINE [mɛskalin] n. f. — 1934, *in* D.D.L. ; *mezcaline,* 1907 ; d'une langue indienne du Mexique *mexcalli* « peyotl » ; cf. *mescal* « boisson mexicaine », 1873.

♦ Alcaloïde extrait du peyotl (cactée du Mexique) et qui produit des troubles hallucinatoires. ⇒ **Hallucinogène.**

Le docteur Lagache lui proposa de venir à Sainte-Anne se faire piquer à la mescaline ; cette drogue provoquait des hallucinations.
S. DE BEAUVOIR, la Force de l'âge, p. 216.

DÉR. Mescalinique.

MESCALINIQUE [mɛskalinik] adj. — 1934, *in* D.D.L. ; de *mescaline.*

♦ Méd. Relatif à la mescaline. *Ivresse mescalinique.*

MESCLUN [mɛsklœ̃] n. m. — Répandu mil. xxᵉ ; du lat. *misculare* « mélanger ».

♦ Mélange de feuilles de salades diverses (laitue, trévise, mâche, etc.), vendu au poids.

MESDAMES [medam] n. f. pl. ⇒ **Madame.**

MESDEMOISELLES [medmwazɛl] n. f. pl. ⇒ **Mademoiselle.**

MÉSEMBRYANTHÈME [mezɑ̃bʁijɑ̃tɛm] n. m. — 1846, Bescherelle ; de *méso-, embryo-,* et *-anthème.*

♦ Bot. Plante méditerranéenne *(Ficoïdacées)* à feuilles charnues et à tige sarmenteuse, dont les fleurs s'ouvrent et se ferment avec le soleil.

MÉSEMPLOI [mezɑ̃plwa] n. m. — 1842 ; de *més-,* et *emploi.*

♦ Vx ou littér. Mauvais emploi (de qqch.).

MÉSENCÉPHALE [mezɑ̃sefal] n. m. — 1878 ; de *méso-,* et *encéphale.*

Anatomie.

♦ 1. Vx. Mésocéphale (2.).

♦ 2. (1882). Mod. Partie moyenne de l'encéphale située au-dessus de la protubérance annulaire (pédoncules cérébraux, tubercules quadrijumeaux et pédoncules cérébelleux).
DÉR. Mésencéphalique.

MÉSENCÉPHALIQUE [mezɑ̃sefalik] adj. — 1931, Larousse ; de *mésencéphale.*

♦ Anat. Du mésencéphale (2.).

MÉSENCHYMATEUX, EUSE [mezɑ̃ʃimatø, øz] adj. — 1897 ; de *mésenchyme.*

♦ Biol. De la nature du mésenchyme. *Tissu mésenchymateux.*

Le mésenchyme donne le tissu conjonctif et ses variétés (os, cartilages, ligaments), le sang, la lymphe et même les muscles lisses ; tous ces tissus sont dits pour cette raison *Tissus mésenchymateux.*
P. POIRÉ, Dict. des sciences, Suppl.

MÉSENCHYME [mezɑ̃ʃim] n. m. — 1893 ; de *méso-,* et *-enchyme,* du grec *enkhuma* « infusion, injection », d'après *parenchyme.*

♦ Biol. Tissu conjonctif embryonnaire dérivé du mésoderme, qui donne par différenciation le tissu conjonctif adulte, les cartilages, les os, les muscles et les éléments du sang.

Un organe est souvent constitué de deux tissus associés ; l'un d'eux agit sur l'autre comme « primum movens » de la différenciation et impose à l'autre sa destinée. Ainsi en est-il des deux estomacs des oiseaux. On peut, par des techniques appropriées, dissocier les deux constituants des deux organes, l'épithélium et le mésenchyme, puis les réassocier deux à deux en les échangeant (...)
     E. WOLFF, Préface, in Michel SIGOT, la Culture d'organes.

MÉSENTENDRE [mezãtãdʀ] v. tr. — Conjug. *entendre*. — V. 1138 ; de *més-*, et *entendre*.

♦ Vx ou littér. Comprendre mal, autrement qu'il ne faut. *Nietzsche « mésentend résolument le Christ »* (Gide). — V. pron. (Récipr.). *Se mésentendre :* mal se comprendre. ⇒ **Mésentente.**

MÉSENTENTE [mezãtãt] n. f. — 1848 ; *mesantante* « malentendu », XVIᵉ ; de *més-*, et *entente*.

♦ Littér. ou style soutenu. Défaut d'entente ; mauvaise entente. ⇒ **Brouille, désaccord, dispute,** 2. **froid** (3.), **mésintelligence.** *Une mésentente superficielle* (→ Interruption, cit. 5). *De petites mésententes. Leur mésentente fut durable. La mésentente entre deux personnes, de deux personnes, d'un couple. La mésentente qui régnait entre eux, parmi eux.*

On sait les causes du dissentiment qui avait séparé de sa femme le général *(Hugo)*, et quelle influence a pu exercer la mésentente du ménage sur l'enfant élevé par sa mère seule.   Émile HENRIOT, les Romantiques, p. 32.

CONTR. Accord, concert, entente, harmonie.

MÉSENTÈRE [mezãtɛʀ] n. m. — V. 1370 ; grec *mesenterion*.

♦ Anat. Repli du péritoine qui relie les intestins *(jéjunum* et *iléon)* à la paroi abdominale postérieure. *Inflammation du mésentère.* ⇒ **Mésentérite.** *Mésentère de certains animaux de boucherie.* ⇒ **Coiffe,** 2. **fraise.**

Sa maladie était une inflammation du mésentère, cas souvent mortel, mais dont la guérison entraîne des changements d'humeur et cause presque toujours l'hypocondrie.   BALZAC, le Lys dans la vallée, Pl., t. VIII, p. 810.

DÉR. Mésentérique, mésentérite.

MÉSENTÉRIQUE [mezãteʀik] adj. — 1541 ; de *mésentère*.

♦ Anat. Relatif au mésentère, qui appartient au mésentère. *Artères, veines, vaisseaux, ganglions mésentériques. Tuberculose des ganglions mésentériques* (⇒ **Carreau**).

MÉSENTÉRITE [mezãteʀit] n. f. — 1812 ; *mesenteritis*, 1795 ; de *mésentère*.

♦ Méd. Inflammation du mésentère.

MÉSESTIMATION [mezɛstimasjõ] n. f. — 1874 ; de *mésestimer*.

♦ Littér. Action de mésestimer ; son résultat. *La mésestimation des qualités de qqn, de l'intérêt d'une œuvre.*

MÉSESTIME [mezɛstim] n. f. — 1753 ; de *mésestimer*.

♦ Littér. Défaut d'estime, de considération (pour qqn ou qqch.). ⇒ **Déconsidération, dédain, mépris.** *Avoir de la mésestime pour, à l'égard de qqn.*

Nos maîtres nous méprisèrent, et nous tombâmes également dans le plus affreux discrédit auprès de nos camarades... Cette double mésestime, injuste chez les Pères, était un sentiment naturel chez nos condisciples.
     BALZAC, Louis Lambert, Pl., t. X, p. 377.

CONTR. Estime.

MÉSESTIMER [mezɛstime] v. tr. — 1556 ; de *més-*, et *estimer*. Littéraire.

♦ **1.** Avoir mauvaise opinion de (qqn, qqch.) ; ne pas apprécier à sa juste valeur. ⇒ **Déprécier, dépriser ; méconnaître, méjuger.**

1   Maltraité et mésestimé dans sa vie, il *(Jésus-Christ)* commence à régner après qu'il est mort.   BOSSUET, Sermon pour... l'Exaltation de la sainte Croix.

2   Et, pour ne risquer rien en pratiquant les femmes,
Les adorer en gros toutes confusément,
Et les mésestimer toutes séparément.
     Thomas CORNEILLE, l'Amour à la mode, IV, 1, *in* LITTRÉ.

3   Cartier de Chalmot, monarchiste et chrétien, gardait à la République une désapprobation pleine, silencieuse et simple. Ne lisant point les journaux et ne causant avec personne, il mésestimait par principe un pouvoir civil dont il ignorait les actes.
     FRANCE, l'Orme du mail, Œ., t. XI, VI, p. 60.

4   *(Il)* pensait toujours à cette évasion vers le Sud. Il aimait les images que cette idée lui suggérait. Il n'en mésestimait pas la difficulté. Il savait qu'il était plus facile de déserter de la Légion française que de la Légion espagnole à cause du terrain.
     P. MAC ORLAN, la Bandera, XIII.

♦ **2.** Vieilli. Apprécier une chose au-dessous de sa valeur. ⇒ **Sous-estimer.** *Vous mésestimez ce diamant, cette étoffe* (Académie).

▶ SE MÉSESTIMER v. pron.
Ne pas s'estimer à sa juste valeur.

Vous jugez les choses et les êtres, vous croyez les avoir compris, et vous n'avez rien, parce que vous ne les aimez pas. Apprenez à vous mésestimer. Doutez de vous-même.   J.-M. G. LE CLÉZIO, le Déluge, p. 207.

CONTR. Apprécier, approuver, estimer, surestimer.
DÉR. Mésestimation, mésestime.

MÉSIAL, ALE, AUX [mezjal, o] adj. — Mil. XXᵉ ; dér. sav. du grec par l'angl. (→ Mésal) ; → Méso-.

♦ Anat. Intermédiaire entre les organes distaux et proximaux. Syn. : *médial.* « *Racine mésiale* » (*l'Information dentaire,* nº 13, 28 mars 1968, p. 1330). — Qui se rapproche ou est dirigé vers la pointe antérieure de l'arc dentaire. *La face mésiale ou antérieure des dents. La canine* « *pointue, à pointe légèrement mésiale* » (P.-L. Rousseau, les Dents, p. 13).

MÉSINFORMATION [mezɛ̃fɔʀmasjõ] n. f. — Mil. XXᵉ ; de *mésinformé*.

♦ Rare. Information fausse, insuffisante.

MÉSINFORMÉ, ÉE [mezɛ̃fɔʀme] adj. — Mil. XXᵉ ; de *més-*, et *informer*.

♦ Rare. Qui est peu et mal informé. « *Sous-informés — ou "mésinformés" —, ils sont nombreux à connaître le drame de l'enfant non désiré* » (*le Nouvel Obs.,* 5 déc. 1977, p. 68).

DÉR. Mésinformation.

MÉSINTELLIGENCE [mezɛ̃teliʒãs] n. f. — 1490 ; de *més-*, et *intelligence*.

♦ Littér. Défaut d'accord, d'entente, d'harmonie entre les personnes. ⇒ **Brouille, brouillerie, désaccord, désunion, discordance, discorde, dispute, dissension, dissentiment, dissidence, division,** 2. **froid** (3.), **mésentente, pique, trouble, zizanie.** *Mésintelligence dans un ménage. Entretenir, fomenter la mésintelligence* (Académie). *Désunir, séparer par la mésintelligence. La mésintelligence qui règne entre eux. Il y a de la mésintelligence entre eux. Vivre en mésintelligence avec qqn.* — Fig. « *Quelle mésintelligence entre l'esprit et le cœur !* » (cit. 148, La Bruyère).

Cependant la mésintelligence entre le frère et la sœur croissait tous les jours et faisait prévoir une crise prochaine.
     MÉRIMÉE, Hist. du règne de Pierre le Grand, p. 47.

CONTR. Amitié, accord, amour, camaraderie, concert, concorde, harmonie, intelligence.

MÉSINTERPRÉTATION [mezɛ̃tɛʀpʀetasjõ] n. f. — 1751 ; de *mésinterpréter*.

♦ Didact. ou littér. Mauvaise interprétation. ⇒ **Erreur.** *Éviter les mésinterprétations.*

Et peut-être ce carnet aidera-t-il à empêcher la mésinterprétation de mes œuvres que, si souvent, je vois mal comprises, même sans intention hostile.
     GIDE, Journal, 1ᵉʳ févr. 1931.

MÉSINTERPRÉTER [mezɛ̃tɛʀpʀete] v. tr. — 1752, Brunot, H. L. F., VI, p. 1314 ; de *més-*, et *interpréter*.

♦ Didact., littér. Interpréter faussement ou avec malveillance.

(...) quoique né bon et avec une âme franche, vous avez pourtant un malheureux penchant à mésinterpréter les discours et les actions de vos amis.
     ROUSSEAU, Correspondance, 2 mars 1758.

C'était l'époque où la tradition philosophique française tournait le dos aux découvertes « logistiques », en désignant (ou mésinterprétant) les affirmations de Poincaré (...)   Michel SERRES, Hermès, I, la Communication, p. 47.

CONTR. Entendre.
DÉR. Mésinterprétation.

MÉSIQUE [mezik] adj. — 1968 ; de *méson*.

♦ Phys. Relatif aux mésons. *Charge mésique. Atome mésique.*

MESMÉRIEN, IENNE [mɛsmeʀjɛ̃, jɛn] adj. — 1827 ; de *Mesmer*, médecin allemand.

♦ Hist. Relatif à Mesmer ou au mesmérisme. *Magnétisme mesmérien.*

MESMÉRISME [mɛsmeʀism] n. m. — 1782 ; de *Mesmer*, médecin allemand célèbre, et *-isme.*

♦ Didact. Doctrine de Mesmer sur le magnétisme* animal. — Théorie analogue concernant le magnétisme et l'électricité (autour de 1800).
DÉR. Mesmérien, mesmériste.

MESMÉRISTE [mɛsmeʀist] adj. et n. — 1784 ; de *Mesmer.*
→ Mesmérisme.

♦ Didact. Relatif au mesmérisme. — Partisan, adepte du mesmérisme. *Les mesméristes.*
On disait à Delon, médecin mesmériste : « Eh bien, M. de B... est mort, malgré la promesse à que vous aviez faite de le guérir. — Vous avez, répondit-il, été absent, vous n'avez pas suivi les progrès de la cure : il est mort guéri.
     CHAMFORT, *Caractères et Anecdotes, Progrès d'une cure.*

MESNIL [menil] n. m. ⇒ **Ménil.**

MÉSO- Élément, du grec *mesos* « au milieu, médian », entrant dans la formation de mots de science.

MÉSOBLASTE [mezoblast] n. m. — 1893, Encycl. Berthelot, art. *Embryologie ; de méso-*, et *-blaste.*
♦ Embryol. ⇒ **Mésoderme.**
DÉR. Mésoblastique.

MÉSOBLASTIQUE [mezoblastik] adj. — xxᵉ ; de *mésoblaste.*
♦ Embryol. Relatif au mésoblaste.

MÉSOCARPE [mezokaʀp] n. m. — 1842 ; de *méso-*, et *-carpe.*
♦ Bot. Couche moyenne du péricarpe d'un fruit, qui dans les drupes forme la partie charnue (entre l'épiderme ou ectocarpe — « peau » — et le noyau [endocarpe] ou les graines).

MÉSOCÉPHALE [mezosefal] n. et adj. — 1822 ; de *méso-*, et *-céphale.*
♦ **1.** N. m. Sc. Vx. Région moyenne de l'encéphale.
♦ **2.** Adj. Anthropologie. Qui a une forme intermédiaire entre la tête dolichocéphale et la tête brachycéphale. — N. *Les mésocéphales.* ⇒ **Atlanto-méditerranéen.** *L'indice céphalique des mésocéphales est moyen.*

MÉSOCLIMAT [mezoklima] n. m. — Mil. xxᵉ (1973, *la Recherche*) ; de *méso-*, et *climat.*
♦ Didact. Climat d'une région de faible étendue. *Mésoclimat d'une vallée, d'une forêt.*

MÉSOCÔLON [mezokolɔ̃] n. m. — V. 1560 ; de *méso-*, et *côlon.*
♦ Anat. Repli du péritoine qui enveloppe le gros intestin et l'unit à la paroi abdominale.

MÉSOCRÉTACÉ [mezokʀetase] n. m. — xxᵉ (1931, Larousse) ; de *méso-*, et *crétacé.*
♦ Géol. Crétacé* moyen.

MÉSODERME [mezodɛʀm] n. m. — 1855, bot. ; de *méso-*, et *derme.*
♦ Embryol. Feuillet moyen de l'embryon, formé entre l'ectoderme et l'endoderme, à la fin du stade de la gastrula*. *Les muscles, les os, le sang, les vaisseaux, le cœur, le rein dérivent du mésoderme.* Syn. : *mésoblaste.*
DÉR. Mésodermique.

MÉSODERMIQUE [mezodɛʀmik] adj. — 1896, Le Dantec, *in* D. D. L. ; de *mésoderme.*
♦ Embryol. Relatif au mésoderme. — Dérivé du mésoderme. *Organes mésodermiques.*

MÉSOGLÉE [mezogle] n. f. — Fin xixᵉ ; de *méso-*, et grec *gloios* « glu ».
♦ Zool. Substance gélatineuse extra-cellulaire des cœlentérés.
Leur structure *(des cœlentérés)* se ramène schématiquement à un sac constitué par deux couches de cellules, l'une externe (ectoderme), l'autre interne (endoderme) séparées par une couche gélatineuse (mésoglée).
     Paul BOUGIS, *le Plancton*, p. 23.

MÉSOLITHIQUE [mezolitik] n. m. et adj. — 1909 ; de *méso-*, et *-lithique.*
♦ Didact. Vx. La période moyenne de l'âge de pierre, entre le paléolithique et le néolithique (~ 12000 à 6000). — Adj. *Les temps mésolithiques. L'outillage mésolithique* (⇒ **Azilien**).
Mod. Stade culturel d'un groupe humain dont certaines innovations annoncent le néolithique.

MÉSOLOGIE [mezolɔʒi] n. f. — 1869 ; de *méso-*, et *logie.*
♦ Didact. Rare. Étude des influences réciproques des milieux et des organismes qui y vivent. ⇒ **Écologie.**
DÉR. Mésologique.

MÉSOLOGIQUE [mezolɔʒik] adj. — Fin xixᵉ ; de *mésologie.*
♦ Didact. Relatif à la mésologie. ⇒ **Écologique.**
En effet des vrais jumeaux ayant un seul et même bagage héréditaire, s'ils sont placés dans des milieux différents, tout ce qui les rapproche est de nature héréditaire, tout ce qui les différencie de nature mésologique.
     M. TOURNIER, *le Vent Paraclet*, p. 235.

1. MÉSOMÈRE [mezomɛʀ] n. et adj. — Mil. xxᵉ ; de *méso-*, et *-mère.* → Isomère.
♦ Didact. (chim.). Qui est en état de mésomérie. *Substances mésomères.*

2. MÉSOMÈRE [mezomɛʀ] n. f. — Déb. xxᵉ ; de *méso-*, et *-mère.* → Blastomère.
♦ Didact. (biol.). Blastomère de taille moyenne (intermédiaire entre les micro- et les macromères).

MÉSOMÉRIE [mezomeʀi] n. f. — 1953 ; de 1. *mésomère.*
♦ Didact. (chim.). Structure intermédiaire théorique d'un corps dont la configuration est représentée par plusieurs formules ne différant que par la distribution électronique.

MÉSOMORPHE [mezomɔʀf] adj. et n. — 1931 ; de *méso-*, et *-morphe.*
♦ **1.** *État mésomorphe* : état de la matière intermédiaire entre l'état amorphe et l'état cristallin.
♦ **2.** (V. 1950). Anthropol. Qui est caractérisé par des formes massives et carrées, dans la classification en trois biotypes* établie par W. H. Sheldon. ⇒ aussi **Ectomorphe, endomorphe.** — N. *Un, une mésomorphe.*

MÉSOMORPHIQUE [mezomɔʀfik] adj. — V. 1950 ; de *méso-*, et *-morphique.*
♦ Anthropol. Qui correspond au type mésomorphe (2.).
(...) par contre, les somatotypes des délinquants forment un groupement accusé dans les secteurs influencés par la composante *mésomorphique* avec une forte concentration dans le secteur des endomésomorphes. À l'inverse, les secteurs ectomorphiques sont presque déserts, fort peu de cas présentant cette tendance.
     Pierre GRAPIN, *L'Anthropologie criminelle*, p. 59-60.

MÉSOMORPHISME [mezomɔʀfism] n. m. — V. 1950 ; de *méso-*, et *morphisme.*
♦ Anthropol. Morphologie du type mésomorphe (2.).

MÉSON [mezɔ̃] n. m. — 1953, Larousse ; 1942 en angl. ; *mésoton*, 1940 *in* T. Kahan, *Radioactivité et transmutation des atomes* (A. Colin), p. 212 ; *mesoton* 1939 en angl. ; du grec *mesos* « au milieu ».
♦ Phys. Particule* de masse intermédiaire (entre celle de l'électron et celle du proton). *Méson π (pi)*, 270 fois plus lourd que l'électron ; *méson K* (970 fois plus lourd).
(...) puis fut reconnue l'existence dans les rayons cosmiques de particules ayant une masse intermédiaire entre celle de l'électron et celle du proton, les « mésons » (...) Nous connaissons très bien deux sortes de mésons qui sont tantôt chargées positivement, tantôt négativement et peuvent aussi exister à l'état neutre.
     L. DE BROGLIE, *Nouvelles perspectives en microphysique*, p. 53.

MÉSONÉPHRÉTIQUE [mezonefʀetik] adj. — 1904, *Rev. gén. des sc.*, nᵒ 12, p. 600 ; de *mésonéphros.*
♦ Embryol. Du mésonéphros. « *Le mésenchyme mésonéphrétique* » (Michel Sigot, *la Culture d'organes*, p. 89).

MÉSONÉPHROS [mezonefʀos] n. m. — 1897, *l'Année biol.*, XIV, p. 276 ; de *méso-*, et *nephros* « rein ».

♦ Didact. (embryol.). Organe excréteur, second appareil urinaire des embryons d'amniotes, qui remplace le pronéphros et auquel se substitue le métanéphros.

Anat. Appareil urinaire des anamniotes.

(Le canal de Wolff) se dédouble d'ailleurs en deux : le *canal de Wolff proprement dit,* persistant seulement chez le mâle, et le *canal de Müller,* qui ne persiste que chez la femelle, où il devient l'oviducte. Le rein ainsi constitué, appelé *mésonéphros,* correspond au rein définitif des Batraciens et des Poissons. Mais ce n'est ici qu'un rein embryonnaire provisoire, qui dégénère ensuite, en tant que rein, mais dont les canaux transversaux et longitudinaux (...) subsistent chez le mâle et servent de voies évacuatrices au testicule. Il se forme, en arrière du mésonéphros, un nouvel appareil rénal, celui-là définitif, le *métanéphros,* spécial aux Amniotes.
Maurice CAULLERY, l'Embryologie, p. 95.

DÉR. **Mésonéphrétique.**

MÉSOPHYTE [mezofit] n. et adj. — 1842 ; de *méso-,* et *-phyte.*

♦ **1.** N. m. Bot. Vx. Partie d'une graine d'où sortent les racines et la tige, qui devient la ligne de démarcation entre la tige et la racine de la plante.

♦ **2.** N. f. et adj. Bot. Mod. Plante qui croît dans un milieu modérément humide.

MÉSOPLANCTON [mezoplãktõ] n. m. — xxᵉ ; de *méso-,* et *plancton.*

♦ Sc. Plancton des couches moyennes de l'eau.

MÉSOPOTAMIEN, ENNE [mezɔpɔtamjɛ̃, ɛn] adj. — 1867, Littré ; du grec *mesopotamios,* proprt « situé entre deux fleuves ».

♦ De Mésopotamie, relatif à la Mésopotamie, région de l'actuel Irak où coulent le Tigre et l'Euphrate. *Plaine mésopotamienne. Civilisations mésopotamiennes. Art mésopotamien* (→ Akkadien, assyrien, chaldéen).

MÉSOSCAPHE [mezɔskaf] n. m. — xxᵉ ; de *méso-,* et du grec *skaphos* « embarcation ».

♦ Techn. Engin qui permet l'exploration des mers à profondeur moyenne (distinct du *bathyscaphe*).

MÉSOSPHÈRE [mezɔsfɛʀ] n. f. — V. 1960 ; de *méso-,* et *sphère.*

♦ Sc. Couche de l'atmosphère au delà de la stratosphère.

MÉSOTHÉLIOME [mezoteljom] n. m. — Mil. xxᵉ ; de *mésothélium,* d'après *épithéliome*.*

♦ Méd. Tumeur provoquée par la prolifération désordonnée d'un mésothélium. « *Trois cancers des membranes séreuses par inhalation ou ingestion de poussières d'amiante (...) ce sont les mésothéliomes de la plèvre, du péricarde, du péritoine* » (Sciences et Avenir, nov. 1979, p. 38).

HOM. **Mésothélium.**

MÉSOTHÉLIUM [mezoteljom] n. m. — Mil. xxᵉ ; de *méso-,* et *épi(thélium).*

♦ Anat. Couche de cellules aplaties qui tapissent la surface interne d'une membrane séreuse.

HOM. **Mésothéliome.**

MÉSOTHERME [mezotɛʀm] adj. — 1813, De Candolle ; de *méso-,* et *-therme.*

♦ Didact. Se dit des plantes qui poussent sous les climats tempérés chauds (de 15 à 20 ᵒC pendant une grande partie de l'année, peu de temps au-dessous de 0 ᵒC).

On peut diviser les végétaux selon leur exigence en chaleur : A. P. de Candolle distinguait les *mégathermes* exigeant une température constamment supérieure à 20⁰, les *mésothermes* s'accommodant de la température de 15⁰, les *microthermes* végétant à partir de 0⁰ (...)
E. DE MARTONNE, Traité de géographie physique, t. III, p. 1110.

MÉSOTHORACIQUE [mezotɔʀasik] adj. — 1903 ; de *mésothorax.*

♦ Zool. Du mésothorax.

MÉSOTHORAX [mezotɔʀaks] n. m. — 1842 ; de *méso-,* et *thorax.*

♦ Zool. Segment moyen du thorax des insectes qui porte les ailes supérieures. *L'écu, partie du mésothorax visible entre les élytres.*

DÉR. **Mésothoracique.**

MÉSOTHORIUM [mezotɔʀjɔm] n. m. — xxᵉ ; de *méso-,* et *thorium.*

♦ Sc. Produit obtenu lors de la fabrication du thorium, corps radioactif utilisé en médecine.

MÉSOXALIQUE [mesɔksalik] adj. — xxᵉ ; cf. *mésoxamine* 1903, Rev. gén. des sc. ; de *méso-,* et *(acide) oxalique.*

♦ Chim. *Acide mésoxalique :* acide de formule $CO\ (COOH)_2$ ou $C(OH)_2\ (COOH)$ qui peut se préparer par hydrolyse de l'alloxane*.

MÉSOYAGE [mezwajaʒ] n. m. — 1840 ; de l'anc. franç. *masowier* « maraîcher », xvᵉ ; *masuier* « procureur d'un couvent », 1190 ; bas lat. *mansuarius* « fermier », du class. *manere* « rester ».

♦ Agric. (vx). Petite culture à la bêche*.

MÉSOZOÏQUE [mezozɔik] adj. et n. m. — 1867 ; de *méso-,* et *-zoïque.*

♦ Géol. Se dit des terrains secondaires les plus récents. *Le mésozoïque :* les terrains mésozoïques ; leur époque.

MESQUIN, INE [mɛskɛ̃, in] adj. — 1611, n. m., « garçon vulgaire » ; xiiᵉ, *meschin, ine,* n., « jeune homme, fille » ; ital. *meschino* « pauvre, chétif » ; arabe *mīskīn* « pauvre ».

♦ **1.** Vieilli. Qui est petit et médiocre, sans importance ni valeur. ⇒ **Chétif, misérable, pauvre, piètre.** *Chambre mesquine.* ⇒ **Exigu, minuscule.** *Édifice mesquin pour l'importance de la ville. Faire des affaires mesquines.* ⇒ **Haricoter.** *Économies mesquines.* ⇒ **Insignifiant, maigre** (→ De bout de chandelle*).

Ce tapis mesquin ne cadre guère avec mon luxe, je le sens.
DIDEROT, Regrets sur ma vieille robe de chambre.

Littér. Arts. Qui est maigre, pauvre et plat.

Dans les lettres de l'un comme dans les vers de l'autre tout est mesquin, symétrique et rabougri ; le style pousse la sobriété jusqu'à la lésine : il n'y a rien d'abondant, rien d'ample et de flottant (...)
Th. GAUTIER, les Grotesques, Th. de Viau.

♦ **2.** Mod. (Personnes). Qui est attaché à ce qui est petit, médiocre ; qui manque de largeur de vues, de grandeur d'âme. *Il est un peu mesquin. Un homme mesquin et envieux.* ⇒ **Bas, étriqué, étroit, petit.** *Personne haineuse* (cit. 3) *et mesquine. — Esprit mesquin.*

Elle ne s'obstinera pas contre ma volonté, avec un esprit mesquin, sur un détail de procédure, quand elle connaîtra mes raisons.
J. CHARDONNE, les Destinées sentimentales, p. 176.

Idées, conceptions mesquines. Un procédé mesquin, qui manque de générosité, d'élégance. *Griefs mesquins* (→ Flot, cit. 16). *Attitude mesquine* (→ Bigoterie, cit.). *Nature mesquine. Un orgueil nobiliaire mesquin* (→ Caste, cit. 4). *Les grands scandales et les petites histoires* (cit. 51) *mesquines.* ⇒ **Sordide.** *Tout cela est bien mesquin !* (⇒ fam. **Moche**).

Mais la raison est toujours mesquine auprès du sentiment ; l'une est naturellement bornée, comme tout ce qui est positif, et l'autre est infini. Raisonner là où il faut sentir est le propre des âmes sans portée.
BALZAC, la Femme de trente ans, Pl., t. II, p. 767.

La *(critique)* plus élevée est mesquine presque toujours, parce qu'elle s'attache à la surface et non au fond. A. DE VIGNY, Journal d'un poète, p. 134.

(Sa) première pensée (...) fut de larmoyer et d'arracher vingt francs. Puis, cela lui parut mesquin, un autre plan s'élargissait dans sa tête (...)
ZOLA, la Terre, IV, II.

(...) la plus pure victoire traîne un convoi de satisfactions mesquines, où les basses parties de nous-même ont de quoi boire et manger.
J. ROMAINS, les Hommes de bonne volonté, t. III, I, p. 20.

♦ **3.** (1690). Spécialt. (Personnes). Qui est bassement attaché à de petits intérêts matériels. ⇒ **Avare, avaricieux, chiche.**

(...) c'est bien le plus faquin, le plus chiche, le plus avare, le plus sordide, le plus mesquin (...)
CYRANO DE BERGERAC, le Pédant joué, III, 2.

Par ext. (Choses). *Calcul mesquin. N'offrez pas si peu, ce serait mesquin. Don, cadeau mesquin,* tel qu'en peut faire une personne mesquine. ⇒ **Parcimonieux.**

Carlotta, pourtant, avait prit son air sérieux pour dire : « On ne boira pas de champagne ». C'était évidemment pour elle un sacrifice, et pendant qu'on y était, Edmond trouva même ça légèrement mesquin.
ARAGON, les Beaux Quartiers, I, xxiv.

CONTR. **Ample, copieux, fastueux, grandiose, important, riche. — Éthéré, grand, haut, large** (d'esprit), **noble. — Généreux, large, libéral, magnifique.**
DÉR. **Mesquinement, mesquinerie.**

MESQUINEMENT [mɛskinmã] adv. — 1608 ; de *mesquin.*
D'une façon mesquine.

♦ **1.** Vieilli. Pauvrement, médiocrement. *Vivre mesquinement.*
⇒ **Médiocrement, pauvrement, petitement.**

♦ **2.** Mod. Avec mesquinerie. *Agir mesquinement envers qqn.*
⇒ **Bassement.**

Spécialt (⇒ **Mesquin** 3.). *Économiser, distribuer qqch. mesquinement.* ⇒ **Chichement, parcimonieusement.**

CONTR. Généreusement.

MESQUINERIE [mɛskinʀi] n. f. — 1635 ; de *mesquin.*

♦ **1.** Caractère d'une personne mesquine (2.), qui manque de largeur de vues, de grandeur d'âme. ⇒ **Bassesse, étroitesse** (d'esprit), **médiocrité** (→ Les petits côtés* de quelqu'un). *Manifester sa mesquinerie par de petites susceptibilités, de petites rancunes. Je n'aurai pas la mesquinerie de m'arrêter à ces détails.*

Une des formes de la politesse de Haverkamp envers ses clients était d'user pour leur répondre, quand il était à peu près du même avis qu'eux, des mots mêmes dont ils s'étaient servis. Il jugeait inutile, pour une nuance, de détruire l'illusion si agréable, et si favorable aux affaires, d'un complet accord de pensées (...) d'ailleurs, cette habileté était naturelle et répondait à son manque général de mesquinerie.   J. ROMAINS, les Hommes de bonne volonté, t. V, VI, p. 42-43.

(Choses). *La mesquinerie d'une vengeance.*

Spécialt. Caractère d'une personne bassement attachée à de petits intérêts matériels. ⇒ **Avarice, économie, parcimonie, sordidité.**

J'apportais un équipage de chasse à Jacques, à Madeleine une boîte à ouvrage dont sa mère se servit toujours ; enfin je réparai la mesquinerie à laquelle m'avait condamné jadis la parcimonie de ma mère.
BALZAC, le Lys dans la vallée, Pl., t. VIII, p. 915.

Il trouvait naturel de traiter somptueusement, dans une vaste salle à manger qui donnait sur la mer, un baron hollandais rencontré la veille, et qu'il ne reverrait peut-être jamais. Là-dessus, il n'avait pas de mesquinerie.
J. ROMAINS, les Hommes de bonne volonté, t. III, XIII, p. 182.

(Choses). *La mesquinerie d'une offre, d'un don.*

Cette dernière offre me toucha fort, et me fit oublier la mesquinerie de l'autre.
ROUSSEAU, les Confessions, XII.

♦ **2.** *(Une, des mesquineries).* Attitude, action mesquine. ⇒ **Petitesse.** *Souffrir des mesquineries de qqn. Il est incapable d'une mesquinerie de ce genre.* — Spécialt. *Ses mesquineries lui font une réputation d'avare.*

« Voilà toujours un blanc-bec qui ne travaillera plus pour vous, je suppose !... » Il parut surpris : — « Monsieur de Fontanin ? Et pourquoi donc ? » Il sourit, en grand seigneur qui ne s'abaisse pas à certaines mesquineries (...)
MARTIN DU GARD, les Thibault, III, II.

CONTR. Grandeur, largeur (d'esprit). — **Faste, générosité, largesse, magnificence.**

MESS [mɛs] n. m. — 1831 ; mot angl., empr. au franç. *mes*, anc. orth. de *mets.*

♦ Lieu où se réunissent les officiers ou les sous-officiers d'une même unité, pour prendre leur repas en commun. ⇒ **Cantine, popote.** — REM. Dans la marine, on dit *carré*, gamelle*...* — (1874). Par ext. Se dit du personnel, du matériel affecté à la nourriture des officiers et sous-officiers ; de l'ensemble de ceux qui mangent au mess. *L'organisation du mess. Être membre, être l'hôte* (cit. 10) *du mess.*

On mange en commun, par escouades ; c'est un « mess » qui a ses règlements et où chacun fournit sa part en argent ou en nature.
TAINE, Philosophie de l'art, t. II, p. 185.

Ici, on sable le champagne au mess des sous-officiers.
APOLLINAIRE, Ombre de mon amour, p. 66.

HOM. Messe.

MESSAGE [mesaʒ] n. m. — V. 1050 ; a signifié aussi « envoyé » ; du lat. *missus*, p. p. de *mittere* « envoyer ».

♦ **1.** Charge de dire, de faire connaître, de transmettre qqch. ⇒ **Ambassade, commission.** *S'acquitter d'un message. Remplir un message. Message urgent. Être chargé d'un message* (⇒ **Ambassadeur, exprès, messager**).

Je lisais alors faire mes messages.   ROUSSEAU, les Confessions, I.

Il faudrait citer (...) le motif du message, si important chez M. Blanchot comme chez Kafka. Dans le monde « à l'endroit », un message suppose un expéditeur, un messager et un destinataire, il n'a qu'une valeur de moyen ; c'est son contenu qui est sa fin. Dans le monde « à l'envers » *(du fantastique)* le moyen s'isole et se pose pour soi : nous sommes harcelés de messages sans contenu, sans messager ou sans expéditeur.   SARTRE, Situations I, p. 130.

♦ **2.** Cour. L'objet, l'information, les paroles que le messager transmet. ⇒ **Annonce, avis, communication.** *Message écrit.* ⇒ **Correspondance, dépêche, lettre, missive, pli.** *Message téléphonique, télégraphique.* — (1891). *Message téléphoné :* communication téléphonique transmise au destinataire par voie postale. *Passer un message en morse. Adresser, capter, recevoir, transmettre un message.*

Ce soir donc, si elle ne parlait pas à son fils du message qui venait de leur être transmis, c'est qu'elle devinait le sens de sa rêverie sur les Amériques (...)
LOTI, Ramuntcho, I, IX.

(...) il peut être utilisé par les personnes, si nombreuses, qui (...) reçoivent des messages téléphonés (...)   3.1
L. FIGUIER, l'Année scientifique et industrielle 1892, p. 97 (1891).

Message publicitaire : ensemble d'informations transmises au public dans l'intention de diffuser et faire vendre un produit, quel que soit le support utilisé (recomm. off. pour traduire l'angl. *spot*). *Le service de vente par correspondance a expédié cent mille messages.*

Inform. Ensemble de données destinées à être transmises par un système de télécommunication. — Information que fournit à un utilisateur le système d'exploitation d'un ordinateur, pour lui signaler une erreur.

Par métaphore. *Les messages des sens. Message de l'au-delà, d'outre-tombe.*

Il doit oublier l'école, le magister et les pensums, s'efforcer de regarder face à face les vieux chefs-d'œuvre et chercher quel message ils nous apportent encore à travers les siècles (...)   G. DUHAMEL, Refuges de la lecture, I, p. 25.   4

♦ **3.** (1704) ; angl. *message* (XVIIᵉ), lui-même du franç. *message.* Spécialt. Dr. constit. Communication du souverain, du chef de l'État, au pouvoir législatif. — Spécialt. *Message du président de la République lu devant le Parlement.* ⇒ **Discours.**

♦ **4.** (XXᵉ). Communication, nouvelle importante transmise, révélée à l'homme par un « messager » considéré comme inspiré. *La Bible*, message de Dieu* (→ Littérature, cit. 11). *L'Évangile* (cit. 4 et 7), *message de Jésus* (→ Évangéliste, cit. 2).

Par ext. Leçon, exemple. *Écrivain dépositaire, porteur d'un message. Chanson à message.* — REM. Certains critiques condamnent cet emploi, ou du moins, l'abus qui en est fait (cf. Georgin, *Prose d'aujourd'hui*, p. 26 ; *Pour un meilleur français*, p. 92).

Elle sacre prophète à cause de son ton péremptoire (...) un écrivain qui n'apporte nul message nouveau.   PROUST, À la recherche du temps perdu, t. XV, p. 41.   5

La fortune des mots est étrange : celui de « *message* » dont notre génération use si volontiers, servit à me confirmer dans le parti pris de ne pas choisir.   6
F. MAURIAC, Souffrances et Bonheur du chrétien, p. 97.

Le message d'un écrivain c'est ce que cet écrivain connaît, c'est le trésor personnel qu'il a pu se constituer, par l'effet de ses dons (...), c'est le fruit de ses contemplations, de ses observations, de ses aventures objectives et subjectives.   7
G. DUHAMEL, Chronique des saisons amères, XXII, Le talent et le message.

Les critiques (...) inventent cette notion de message (...) Bien entendu tout est message : il y a un message de Gide, de Chamson, de Breton et c'est, naturellement, ce qu'ils ne voulaient pas dire, ce que la critique leur fait dire malgré eux.   8
SARTRE, Situations II, p. 238.

♦ **5.** (XXᵉ). Sc. (sémiol., théorie de l'information, etc.). Élément ou suite d'éléments matériels par lequel un ensemble d'informations, organisées selon un code*, circule d'un émetteur à un récepteur (concept élargi par rapport au sens courant 2). *Message acoustique, visuel. Chaque message suppose un code. Décoder un message. Dans les langues naturelles* (qui sont autant de codes), *la parole, le discours est fait de messages. Messages émis par les animaux (messages visuels, acoustiques, olfactifs, chimiques...). L'émetteur et le récepteur d'un message.*

Le tableau alambiqué, où chaque détail est représenté avec un soin extrême, est aussi déconcertant que s'il ne représentait rien (...) Il arrive alors que l'amateur se réjouisse de ne pas connaître le code (...) Dans ces conditions, l'auteur ne tarde pas à se lasser de chiffrer un message, quand le plaisir n'est plus de découvrir le secret, mais de laisser sa fantaisie imaginer à son caprice autant de folles explications qu'elle en a envie.   9
Roger CAILLOIS, Esthétique généralisée, III, p. 34.

MESSAGER, ÈRE [mesaʒe, ɛʀ] n. — 1080, *messagier* ; de *message.*

♦ **1.** Personne chargée de transmettre une nouvelle, un objet, de porter* un message. ⇒ **Agent** (II. ; agent de liaison*, etc.), **coureur** (vx), **courrier, envoyé, estafette** (vx), **exprès, porteur...** *Envoyer des messagers. Messager qui annonce*, apporte* (cit. 1) des nouvelles, une lettre. — Être le messager d'un malheur, d'une catastrophe* (→ Lamentable, cit. 3, Bossuet). *Messager de malheur, de mauvais augure,* celui qui apporte, qui a l'habitude d'apporter de mauvaises nouvelles.

Il glissa une poignée de sequins sous la gorgerette de la messagère ; puis, sans en demander davantage, il regagna sa chambre et s'y enferma, décidé à veiller jusqu'au jour.   A. DE MUSSET, Nouvelles, « Fils du Titien », IV.   1

Va, sombre messager, dis-lui bien que je l'aime,
Et que voici mon cœur.   2
LECONTE DE LISLE, Poèmes barbares, « Le cœur de Hialmar ».

(...) il demeurait le dernier lien qui le rattachait à la vie des autres, il servait de messager, quand la nécessité d'un oui ou d'un non devenait absolue. Sa mère l'envoyait, et il rapportait la réponse, car le grand-père, par lui seul, sortait de son silence.   ZOLA, la Terre, V, II.   3

Hist. Transporteur de messages, missives. *Messagers de l'Université, des villes, au moyen âge. Messager des empereurs de Byzance.* ⇒ **Apocrisiaire.** — (1675). Ancient. Agent d'un service de messagerie* ; conducteur d'une voiture faisant un tel service. ⇒ **Facteur** (II., 3.).

(...) le messager de Genève n'étant point encore de retour, je n'ai pas reçu, par conséquent, les deux paquets que vous lui avez remis, et je n'ai pas non plus entendu parler encore du paquet que vous m'avez envoyé par le voiturier.   4
ROUSSEAU, Correspondance, 29 déc. 1764.

Par ext. Vx. Voiture*, véhicule* qui faisait le service des messageries.

♦ **2.** Loc. poét. (1668). *Le messager des dieux :* Mercure ou Hermès (→ Ciel, cit. 45). *La messagère de Junon, des dieux :* Iris. — *La Renommée, messagère « du vrai comme du faux »* (Voltaire). — Relig. *Les anges, messagers de Dieu, messagers célestes.* ⇒ **Ange** (I., 1.) ; **annonciation.**

5 En chaque visiteur, la plus noble des traditions orientales enseigne à voir un messager des dieux (...)   DANIEL-ROPS, le Peuple de la Bible, I, I.
Messager de l'au-delà, d'outre-tombe.

♦ **3.** Littér., rare. Écrivain porteur d'un message.

6 (...) ce gamin mal embouché *(Rimbaud)...* serait, dans le siècle nouveau, non le maître, mais bien, et mieux encore, le messager, le prophète de toute une jeunesse fiévreuse, enthousiaste et rebelle.
G. DUHAMEL, Refuges de la lecture, VII, p. 210.

♦ **4.** (V. 1265). Fig., littér. (Choses). Ce qui annonce qqch. ⇒ **Avant-coureur, avant-courrier, héraut** (fig.). *L'aurore*, messagère du jour. L'hirondelle*, messagère du printemps.*

7 (...) un de ces premiers jours de mars, qui sont les messagers du printemps (...)
A. DE MUSSET, la Confession d'un enfant du siècle, I, V.
Ce qui transmet un message. *Nos sens sont des messagers d'erreur* (→ Courrier, cit. 2). *« Pâle étoile* (cit. 11) *du soir, messagère lointaine ».*

♦ **5.** (1791). Zool. a ⇒ **Serpentaire.**

b (Déb. XIXᵉ). *Messager,* ou, appos., *pigeon messager :* pigeon voyageur.

♦ **6.** (Mil. XXᵉ). En océanographie, Appareil qui permet de commander à distance un engin immergé.

♦ **7.** En appos. Biol. *ARN messager* (abrév. : ARN-m), l'une des formes de l'acide ribonucléique, transportant l'information génétique.

8 En 1961, *(Jacob et Monod)* proposèrent (...) que la fraction d'ARN que l'on peut déceler par incubation de cellules pendant quelques secondes en présence de nucléotides radioactifs est une espèce particulière, l'ARN messager, qui a pour rôle de transporter l'information depuis l'ADN jusqu'au lieu approprié de la synthèse des protéines.
Antoine DANCHIN, Ordre et Dynamique du vivant, p. 193.

MESSAGERIE [mesaʒʀi] n. f. — XIIIᵉ, au sing. « fonction de messager, transport de messages » ; de *messager.*

★ **I.** Vx. Charge, emploi de messager.

★ **II.** MESSAGERIES n. f. pl. ♦ **1.** (1651, *in* D.D.L.). Service de transports de lettres (à l'origine, ⇒ **Postes**), et, spécialt, de colis et voyageurs... (→ Facteur, cit. 8). — (Au moyen âge). *Messageries de l'Université. Messageries communales.* — (1576). Hist. *Messageries royales,* chargées de transporter les sacs de procédure, lettres, marchandises, sommes d'argent... *Baux, fermages des postes et messageries, au XVIIIᵉ siècle.* — (XIXᵉ). Mod. *Entrepreneur de messageries. Messageries maritimes, aériennes ;* transport de courrier, de marchandises par voie maritime, aérienne.

C'était l'heure du départ des malles-poste et des diligences. Presque toutes les messageries du midi et de l'ouest passaient alors par les Champs-Élysées.
HUGO, les Misérables, I, III, IX.

♦ **2.** (1868). Transport de marchandises à grande vitesse (chemin de fer, bateau, voiture). *Train de messageries. Bureau des messageries.* — Ellipt. *Faire enregistrer un colis aux messageries.*

♦ **3.** (XXᵉ). *Messageries de presse :* sociétés commerciales qui se chargent de la répartition et de la distribution des journaux, revues, etc., dans les points de vente. *Les Messageries X...*

1. MESSALINE [mesalin] n. f. — 1771 ; du n. pr. *Messaline,* lat. *Messalina,* n. de la première épouse de l'empereur Claude.

♦ Vx. Femme qui se livre à la débauche.

2. MESSALINE [mesalin] n. f. — 1909, *in* D.D.L. ; du n. propre.

♦ Vx. Soierie pour vêtements féminins. *Une « robe d'après-midi en messaline noire »* (*Psyché,* avr. 1925, *in* D.D.L.).

MESSE [mɛs] n. f. — Xᵉ ; du lat. chrét. *missa* « messe », p. p. substantivé de *mittere* « envoyer », d'après la formule ellipt., *Ite* (allez), *missa est* (d'après Dauzat : « la prière *est envoyée* à Dieu » ; d'après R. Lesage : *« C'est le renvoi. Vous pouvez vous retirer » ;* P. Guiraud suggère une autre origine, de *missum* « mets », d'où « service du pain et du vin sur l'autel ».

♦ **1.** Dans la religion catholique, Sacrifice du corps et du sang de Jésus-Christ sous les espèces du pain et du vin, par le ministère du prêtre et suivant le rite prescrit. ⇒ **Autel** (sacrifice de l'autel), **commémoration** (du sacrifice de la croix), **mystère** (saints mystères), **office** (divin), **sacrifice** (saint sacrifice) ; **culte, liturgie ; eucharistie, hostie.** *Le sacrifice de la messe est un acte de propitiation*. La cérémonie* de la messe. Ordinaire* de la messe. Parties, prières, rites de la messe.* ⇒ **Ablution, agnus dei, alleluia, aspergès, avé,**

bénédiction, 2. **canon** (I., 3.), **collecte, communion, confiteor, consécration, credo, élévation, épître, eucharistie, évangile, gloria, graduel, introït, kyrie, mémento, oblation, offertoire, oraison, pater, postcommunion, préface, prône, purification, répons, sanctus, secrète, séquence...** *Prières préparatoires, préparation à la messe. Célébrer*, dire* la messe.* ⇒ **Officier ; célébrant, officiant, prêtre** (→ Aumônier, cit. 2 ; curé, cit. 5). *Les enfants de chœur servent la messe. Assistant de l'évêque à la messe. Certificat autorisant un prêtre à dire la messe hors du diocèse.* ⇒ **Admittatur, celebret.** *Célébrer deux messes le même jour.* ⇒ **Biner.** *Servir la messe.* ⇒ **Acolyte, diacre, enfant** (de chœur), **répondant, servant, sous-diacre, thuriféraire.** *Chanter la messe.* ⇒ **Chantre, chœur.** *Chants et antiennes* (cit. 1) *de la messe.* — *Vêtements, linges* (⇒ **Amict, aube, chasuble, corporal, dalmatique, étole, manipule, manuterge, nappe, purificatoire**), *vases* (⇒ **Burette, calice, ciboire, navette, patène**), *accessoires liturgiques* (⇒ **Cierge, clochette, crédence, encens, encensoir, pale, pupitre**) *pour la célébration de la messe.* ⇒ aussi **Chapelle** (I., 4.). *Vin* de messe. Livre de messe,* dans lequel les fidèles suivent l'office. ⇒ **Paroissien ; évangéliaire, missel.** — *Lieu, église*,* chapelle où l'on célèbre la messe.

Quel est le premier usage que l'on fait du corps et du sang de Jésus-Christ ? C'est de les offrir en sacrifice à la sainte messe, au Père éternel.
Pourquoi offre-t-on ce sacrifice ? En commémoration de celui de la croix (...)
BOSSUET, Catéchisme de Meaux, II, II.

J'ai oublié de dire que tout petit on me faisait servir ces messes et je ne m'en acquittais que trop bien. J'avais un air très décent et très sérieux. Toute ma vie les cérémonies religieuses m'ont extrêmement ému.
STENDHAL, Vie de Henry Brulard, 18.

Le matin il se recueillait pendant une heure, puis il disait sa messe, soit à la cathédrale, soit dans son oratoire.
HUGO, les Misérables, I, I, V.

Aller à la messe. Entendre (cit. 65) *la messe. Manquer* (cit. 75) *la messe. L'heure de la messe. Sonner la messe. Messe carillonnée :* grand-messe (annoncée par des sonneries de cloches). — *Aller à la messe le dimanche, tous les jours.* — Spécialt. *Ceux qui vont à la messe,* les catholiques (→ Tala, argot de l'École normale). — (1690). *Fonder* (cit. 10), *faire dire des messes* (pour le repos de l'âme d'un mort, etc.). ⇒ **Annuel,** n. m. (→ Fondation, cit. 4). *Messe fondée.*

Je ne suis pas un dévot, je vais à la messe à six heures du matin, quand on ne me voit pas ; je fais maigre le vendredi ; je suis, enfin, un fils de l'Église (...)
BALZAC, les Petits Bourgeois, Pl., t. VII, p. 212-213.

Messe basse (⇒ **Bas**) ; *messe dialoguée* (messe basse où les fidèles répondent en même temps que le servant), *messe lue, chantée.* Vx. *Messe haute :* messe chantée (s'opposait à *messe basse*). *Messe chantée* se dit aussi par oppos. à *messe solennelle* (messe chantée avec diacre et sous-diacre). — REM. *Grand-messe* (1660) s'emploie couramment pour désigner toutes les messes chantées (solennelles ou non). — *Messe ardente,* célébrée avec une grande abondance de luminaire. *Messe capitulaire, de communauté, paroissiale. Messe conventuelle :* « messe, chantée ou lue, qui doit être célébrée chaque jour au chœur des cathédrales, des collégiales et des églises de réguliers tenus à l'office choral » (Lesage, *Dict. de liturgie romaine*). *Messe privée* (non conventuelle et non chantée).

(1874). *Messe du jour,* fixée par le calendrier liturgique. — *Messe ordinaire* (par oppos. à *messe privilégiée*). — *Messe papale, pontificale* (célébrée par le pape, un pontife). — (Suivant le rite). *Messe ambrosienne, grecque...* — *Messe des fidèles,* partie principale du saint sacrifice (à partir du *credo*). — Allus. littér. *Les trois messes basses,* conte d'A. Daudet (*Lettres de mon moulin*). — (1690). *Messe des morts*, des trépassés, de requiem* ; messe d'enterrement, messe mortuaire.* ⇒ **Service** (funèbre). — (1721). *Messe votive,* dite pour une cause particulière. — *Messe nuptiale, messe de mariage* (→ Liturgie, cit. 1). *Messe d'actions de grâce.* — (Fin XVIIᵉ). *Messe de minuit* (⇒ **Noël**). — *Messe du Saint-Esprit.*

La mère et la fille *(Adeline et Hortense)* firent dire trois messes d'actions de grâces, et prièrent Dieu de leur conserver le mari, le père qu'il leur avait rendu.
BALZAC, la Cousine Bette, Pl., t. VI, p. 377.

Allus. hist. *Paris vaut bien une messe,* phrase attribuée à Henri IV au moment de sa conversion au catholicisme.

♦ **2.** (1690). Fam. Somme versée à un prêtre pour qu'il célèbre une messe dans une certaine intention.

♦ **3.** (XIXᵉ). *Messe noire :* parodie sacrilège du saint sacrifice, célébrée en l'honneur du démon*.

— Tu m'as autrefois narré (...) qu'au Moyen Âge, la messe noire se disait sur la croupe nue d'une femme, qu'au dix-septième siècle, elle se célébrait sur le ventre, et maintenant ? — Je crois qu'elle a lieu comme à l'église, devant un autel.
HUYSMANS, Là-bas, XVII.

♦ **4.** (1740). Mus. Ensemble de compositions musicales sur les paroles des chants liturgiques de la messe (Kyrie, Gloria, Credo, Sanctus, Benedictus, Agnus dei). *Messes de Palestrina, de Vittoria, de Mozart* (messe en ut, messe du couronnement)... *Messe en si mineur,* de Bach ; *en ré,* de Beethoven (Missa solemnis), *en sol,* de Schubert... ⇒ aussi **Requiem.**

Un Mozart (...) ne se soucie d'aucune unité de sentiment et de style, même dans sa belle *Messe en ut mineur* (...) Mais Beethoven (...) a décidé de rassembler en un seul Hymne tous les épisodes de chacun des grands Actes de la Messe, tout en

s'attachant à exprimer rigoureusement la signification de chaque phrase, de chaque mot. Ce sera le problème, presque insurmontable, de la *Messe en ré* (...)
R. ROLLAND, Vie de Beethoven, t. III, VIII, p. 378.

HOM. Mess.

MESSÉANCE [meseãs] n. f. — Fin XIIIe ; de *messéant.*

♦ Vx. Caractère de ce qui sied mal.
CONTR. Bienséance.

MESSÉANT, ANTE [meseã, ãt] adj. — Fin XIIe ; de *messeoir.*

♦ Vx ou archaïque. Qui sied mal. ⇒ **Malséant; incongru, inconvenant.** — REM. *Malséant* « signifie une inconvenance de forme », *messéant* « une inconvenance intrinsèque, essentielle ». «*L'air dissipé est malséant, et l'inattention est messéante pour un magistrat* » (Lafaye).

1 (...) aujourd'hui, ma tête est remplie de scènes d'ambition, de politique, de grandeurs et de cours, si messéantes à ma nature.
CHATEAUBRIAND, Mémoires d'outre-tombe, t. II, p. 163.
2 N'eût-ce pas été chose méséante *(sic)* et déplorable que celui que la nature avait créé pour tous, une femme se l'appropriât et prît pour elle seule ?
MICHELET, Hist. de France, IV, IV.

CONTR. Bienséant, séant.
DÉR. Messéance.

MESSEOIR [meswaʀ] v. intr. — Conjug. *seoir;* inus. aujourd'hui, sauf *il messied, messéant.* Les formes *il messiéra, il messiérait, il messayait* étaient en usage au XIXe. — V. 1220; de *més-,* et *seoir.*

♦ Littér. Ne pas convenir; n'être pas séant. *Cette couleur messied à votre âge* (Académie). *Ces qualités ne messiéent pas à un haut fonctionnaire* (cit. 6).

1 Wilfrid (...) contemplait avec une sorte d'ivresse ce tableau plein d'harmonies auquel les nuages de fumée ne messeyaient point.
BALZAC, Séraphîta, Pl., t. X, p. 488.
2 Un vil tombeau messied à de pareils trépas.
J.-M. DE HÉRÉDIA, les Trophées, Moyen Âge et Renaissance, « Tombeau du conquérant ».
3 Poussé par la même règle de race, qui ressemble le moins à un instinct, votre vers perd en pittoresque tout ce qu'il devait perdre, et il serait Racinien, c'est-à-dire le plus beau et le plus difficile de tous à faire, s'il ne vous messeyait de trop détonner.
Germain NOUVEAU, Correspondance, 23 oct. 1889.

DÉR. Messéant.

MESSER [meseʀ] n. m. — 1404 ; de l'ital. *messere,* correspondant au franç. *messire.*

♦ Vx. (Devant un nom). Messire, seigneur. «*Messer lion* » (La Fontaine, *Fables,* II, 19), «*messer loup* » (*Fables,* IV, 16). — Spécialt. *Messer Gaster* [meseʀgasteʀ] (Rabelais), l'estomac.

MESSIANIQUE [mesjanik] adj. — 1845, Bescherelle ; lat. mod. *messianicus,* de *Messiah* ou *Messias* « (le) Messie ».

♦ Didact. ou littér. Relatif à la venue d'un messie, au messianisme. *Espoirs, idées messianiques.*

(...) on avait trouvé que les explications messianiques des Psaumes sont fausses (...)
RENAN, Souvenirs d'enfance..., III, V.

MESSIANISME [mesjanism] n. m. — 1831, cf. Pierre Larousse ; du rad. du lat. mod. *messianicus* (→ Messianique), et *-isme.*

♦ **1.** Didact. ou littér. Croyance selon laquelle un messie personnel viendra affranchir les hommes du péché et établir le royaume de Dieu sur la terre. Spécialt. *Le messianisme juif**.

1 On entend par *messianisme* un courant de pensée qui, très ancien en Israël, prit peu à peu une force et une profondeur considérables, au point de devenir un des aspects caractéristiques de la spiritualité juive, et qui aboutit à révéler l'image d'un être à la fois humain et surnaturel, dont l'apparition sur terre inaugurerait une ère de salut.
DANIEL-ROPS, le Peuple de la Bible, IV, III.
REM. On rencontre souvent, en psychiatrie, le messianisme comme thème délirant.

♦ **2.** (XXe). Fig. *Le messianisme révolutionnaire* (→ Issu, cit. 3). — *Messianisme germanique.*

2 Messianisme de l'entourage du Kaiser, qui voudrait faire de chaque Allemand un croisé dont la mission serait d'imposer l'hégémonie germanique au monde.
MARTIN DU GARD, les Thibault, t. IX, p. 232.

DÉR. Messianiste.

MESSIANISTE [mesjanist] adj. et n. — 1877 ; de *messianisme.*

♦ Didact. Partisan du messianisme, favorable au messianisme. — N. *Un, une messianiste.*

MESSIANITÉ [mesjanite] n. f. — 1868, Littré ; de *messian(isme),* et *-ité.*

♦ Didact. Rare. Caractère, essence d'un messie*. *La messianité d'un prophète.*

MESSIDOR [mesidɔʀ] n. m. et adj. — 1793, Fabre d'Églantine ; comp. du lat. *messis* « moisson », et du grec *dorôn* « présent ». → Fructidor, cit.

♦ **1.** Didact. (Hist.). Dixième mois du calendrier révolutionnaire (du 19 ou 20 juin au 19 ou 20 juillet). — Allus. littér. «*Au grand soleil de Messidor* ». → Cheveu, cit. 3, Barbier.

♦ **2.** (1840). Adj. *Style messidor,* intermédiaire entre le style Louis XVI et le style Directoire. *Des meubles de style messidor.*

MESSIE [mesi] n. m. — XIIIe ; du lat. ecclés. *messia,* hébreu *mâschîakh,* araméen *meschîkhâ* « oint (du Seigneur) », traduit en grec par *khristos.* → Christ.

♦ **1.** Relig. Libérateur désigné et envoyé par Dieu ; oint du Seigneur. ⇒ **Christ** (cit. 1 → aussi Fils, cit. 12 ; gnose, cit. 1). *Attente d'un messie.* ⇒ **Messianisme.** *Annoncer le messie. Avènement, venue du messie. Le serpent, symbole du messie pour les ophites. Suivre un messie* (→ Enfoncer, cit. 11). *Faux messie.* — Cour. *Le Messie, Jésus-Christ. Les chrétiens reconnaissent et adorent en Jésus-Christ le Messie. Seconde venue du Messie* («*parousie* »). — *Le Messie,* oratorio de Haendel.

1 (...) étant venu pour souffrir, il a pris une condition d'esclave ; étant venu pour les pauvres, il a voulu naître pauvre, afin de pouvoir être familier avec eux. C'est le véritable portrait du Messie notre unique libérateur, tel qu'il nous est désigné par les prophéties, tel qu'il nous est montré dans son Évangile.
BOSSUET, Premier sermon pour IIe dim. Avent.
2 (...) il y avait toujours au cœur de la Judée des hommes choisis qui prédisaient la venue de ce Messie, qui n'était connu que d'eux.
PASCAL, Pensées, IX, 613.
3 (...) ce nom de Messie ne s'appliquait pas uniquement à celui que nous appelons maintenant ainsi ; une trentaine de fois, l'Ancien Testament s'en sert pour désigner un roi dont il est même parfois le nom personnel ; en d'autres circonstances, il qualifie un prêtre, un patriarche (...)
DANIEL-ROPS, le Peuple de la Bible, IV, III.
4 Vous autres, chrétiens *(dit Justin Weill),* vous ne pouvez pas mesurer votre misère. Vous êtes des gens sans espoir (...) pour vous, le messie est venu. C'est fini, à tout jamais fini, car il ne viendra pas deux fois. Mais pour nous *(juifs)* quel rêve ! Quel avenir ! Attendre le messie (...) c'est magnifique.
G. DUHAMEL, Chronique des Pasquier, II, I.

♦ **2.** (1690). Loc. *Attendre quelqu'un comme le Messie,* avec grande impatience, grand espoir.

♦ **3.** (1680). Littér. Rédempteur, sauveur ; homme providentiel.

5 Les hommes veulent des prophètes, les hommes veulent des messies, ils en réclament et ils en proclament sans cesse.
G. DUHAMEL, Défense des lettres, II, I.

MESSIED (IL) [mesje] ⇒ Messeoir.

MESSIER [mesje] n. m. — XIIIe ; du bas lat. *messarium,* de *messis* « moisson ».

♦ Vx. Gardien des moissons, des récoltes. ⇒ **Garde** (champêtre).

MESSIEURS [mesjø] n. m. pl. ⇒ Monsieur.

MESSIN, INE [mes̃ε, in] adj. et n. — 1212, comme n. m., *meceain* (*messein, messin* mil. XIVe) au sens de « monnaie de Metz » ; l'adj. n'est attesté qu'au XIXe ; de *Metz,* lat. *Mettis.*

♦ De Metz, ville de Lorraine.

MESSIRE [mesiʀ] n. m. — V. 1175 ; 1080, *mi sir ;* de l'anc. franç. *mes,* cas sujet de *mon,* et *sire.*

♦ Ancienne dénomination honorifique réservée d'abord aux grands seigneurs (⇒ **Monseigneur**), puis ajoutée au titre des personnes de qualité (→ Honorable, cit. 5), ou (1215) placée devant le nom des prêtres, avocats, médecins... ⇒ **Messer.**

Messire Jean Chouart *(le curé)* couvait des yeux son mort.
LA FONTAINE, Fables, VII, 11.

En appellatif. *Oui, Messire.*

MESTRANCE [mɛstʀãs] n. f. ⇒ Maistrance.

MESTRE [mɛstʀ] n. — 1546 ; meistre, 1762, mar. ; ital. *maestro (di campo).*
Anciennement.

♦ **1.** Milit. **MESTRE DE CAMP :** officier commandant un régiment d'infanterie, de cavalerie (⇒ **Colonel**). *Mestre de camp général de la cavalerie,* l'officier qui était après le colonel général.

♦ **2.** Mar. anc. ⇒ **Meistre.**

MESURABLE [məzyRabl] adj. — V. 1120; de *mesurer,* et *-able.*

♦ Qui peut être mesuré; qui est susceptible de mesure. *La quantité extensive est seule mesurable* (→ Étendre, cit. 56; intensif, cit. 2, Bergson). *Pression mesurable* (→ Gazeux, cit. 1). *Une grandeur mesurable est telle que l'on puisse définir l'égalité et la somme de deux de ses valeurs. Le temps passé sur ce travail est difficilement mesurable, n'est pas mesurable avec précision.*
Math. *Espace mesurable :* couple formé par un ensemble et une tribu de parties de cet ensemble.

CONTR. Immensurable.

MESURAGE [məzyRaʒ] n. m. — 1247; de *mesurer.*

♦ Techn. Action de mesurer (une longueur, une surface ou un volume) par un procédé direct et concret. ⇒ **Mesurer; mesure.** *Mesurage d'un champ* (⇒ **Arpentage**), *du drap.* — Par ext. (1701). Procès-verbal de l'arpenteur.

MESURE [m(ə)zyR] n. f. — 1080; du lat. *mensura,* rac. *metiri,* «mesurer».

★ **I.** ♦ **1.** Action de déterminer la valeur de (une grandeur) par comparaison avec une grandeur constante de même espèce, prise comme terme de référence (⇒ 2. **Étalon** [cit. 1], unité. → ci-dessous, II.). — REM. *Mesure* s'est d'abord appliqué à la détermination des longueurs, surfaces et volumes à l'aide d'un étalon concret (→ *infra* II., 1. et mesurer, I., 1.), puis s'est étendu à l'attribution d'un nombre fixant l'état d'une grandeur mesurable, par quelque procédé que ce soit (→ Mesurer, I., 2.). ⇒ **Détermination, évaluation** (cit. 1), **mensuration, mesurage, métrologie*, rapport; calcul, mathématique(s); suff. -mètre.** *La mesure d'une grandeur. La valeur d'une mesure est considérée comme une approximation du nombre réel.* ⇒ **Erreur** (*supra* cit. 38 : *erreur relative, absolue). Degré d'approximation, précision d'une mesure. Rapporter des mesures à une échelle* (cit. 17). *Échelle de mesure. Exactitude* (cit. 21) *d'une mesure. Faire, effectuer des mesures. Procéder à des mesures.* — Absolt. *La mesure. Quantité qui comporte ou non la mesure.* ⇒ **Mesurable, mensurable; immensurable** (→ Inétendu, cit. 2). *Importance, rôle de la mesure dans les sciences exactes, dans les sciences de la nature* (⇒ **Biométrie**). *Introduction de la mesure dans les sciences humaines* (psychologie, sociologie. ⇒ **Test; statistique...**). — *Mesure de l'étendue** (cit. 4), *de l'espace* (⇒ **Dimension; largeur, longueur...**; → aussi géométrie, cit. 2). *Mesure du temps* (horlogerie, minuterie...). *Appareil, instrument de mesure. Unités de mesure* (→ liste ci-dessous). *Méthode de mesure. Étalonner*, vérifier un appareil de mesure.*

1 Dans les sciences expérimentales, la mesure des phénomènes est un point fondamental, puisque c'est par la détermination quantitative d'un effet relativement à une cause donnée que la loi des phénomènes peut être établie.
Cl. BERNARD, Introd. à l'étude de la médecine expérimentale, II, II.

2 *(La physique)* n'est parvenue à sortir de l'état qualitatif pour atteindre celui de science quantitative exacte qu'en s'appuyant constamment sur la mesure, c'est-à-dire en cherchant toujours à caractériser les aspects de la réalité à l'aide de nombres (...)
L. DE BROGLIE, Physique et Microphysique, V.

3 La science des mesures, ou métrologie, était déjà *(au XIXᵉ s.)* une science fort précise. Après les étalons de longueur, de masse et de capacité du nouveau système métrique, d'autres unités avaient vu le jour, et permettaient la mesure de nombreuses grandeurs physiques. Avec la thermodynamique, la température, jusque-là simple repère, prend figure de quantité mesurable. Bref, il n'est rien qui ne puisse être caractérisé par un nombre.
R. VIALLARD et M. DAUMAS, in Encycl. Pl., Hist. de la science, p. 907.

Systèmes de mesures. ⇒ **Avoirdupois, métrique; C.G.S.; M.K.S.; M.T.S.** *Le système SI, système légal de mesure depuis 1961. Divisions* (décimales, centésimales), *multiples* (double*, etc.) *d'une unité de mesure.* ⇒ **Centi-, déca-, déci-, hecto-, kilo-, méga-, milli-, myria-.**
Unités de mesure :
des longueurs. ⇒ **Mètre*** (et comp.); **aune, brasse, doigt, empan, lieue, ligne, palme, pas, pied, pouce, toise; mille, yard** (anglais); **archine, sagène, verste** (russe); **li** (chinois); **coudée, mille, stade** (antiq.); **brasse, encablure, lieue, mille, nœud, touée** (mar.); et aussi **angstrœm, micron; année-lumière, parsec.**
des angles. ⇒ **Degré, grade, minute, radian, seconde, stéradian;** et aussi **sexagésimal.**
des surfaces, des superficies. ⇒ **Carré** (mètre,... carré); **acre, arpent, are** (cit.; et comp.), **bidon, boisselée, canne, journal** (II., 1.). **perche, verge.**
des capacités, des volumes. ⇒ **Cube** (mètre,... cube); **litre*** (et comp.); **barrique, bichet, boisseau** (1.), **boujaron, canon** (6.), **chopine, demi-mesure, feuillette, gallon, hémine, jauge, litron, minot, muid, picotin, pièce, pinte, pipe, poisson, pot, quart, quartaut, quarte, rasière, roquille, sac, setier, tonneau, trémie, velte; cordée, stère** (et comp.), **voie** (combustibles); **conge** (1.), **médimne, mine, modius**

(antiq.); **saa** (Algérie); **yu** (Chine); **jauge** (1.), **tonneau** (mesure du tonnage*, du tirant* d'eau d'un navire).
des vitesses (kilomètre-heure, kilomètre-seconde; nœud...), *des accélérations.*
des masses, des poids. ⇒ **Gramme** (et comp.), **tonne; grain** (6.), **gros** (IV., 2.), 2. **livre** (1.), **marc, once, quintal; as** (antiq.); **arrobe** (esp.); **carat** (joaillerie); **denier** (soierie)...
des pressions. ⇒ **Atmosphère** (2.), **bar, barye, pièze** (et comp.).
des températures. ⇒ **Degré,** et aussi **centigrade.**
de la chaleur. ⇒ **Calorie, thermie; frigorie.**
des forces, des puissances, du travail. ⇒ **Cheval** (II.), **dyne** (et comp.), **erg, horse-power, joule** (et comp.), **kilogrammètre, sthène** (et comp.), **watt** (et comp.).
d'éclairage. ⇒ **Bougie, carcel, dioptrie, lumen, lux, phot.**
Mesures électriques, magnétiques. ⇒ **Ampère, coulomb, farad, gauss, œrsted, ohm, volt.**
de fréquence. ⇒ **Cycle, hertz.**
d'intensité sonore. ⇒ 2. **Bel** (et comp.).
du temps. ⇒ **Âge, an, année, heure, jour** (II., 2.), **lustre, minute, mois, seconde, semaine, siècle, tierce.**

REM. La loi du 2 avril 1919 sur les *unités de mesure* comprend aussi les unités monétaires (franc, décime, centime, millime...). ⇒ **Monnaie.**

APPAREILS ET INSTRUMENTS DE MESURE

Accéléromètre	Échomètre	Pendule
Acétimètre	Éclimètre	Peson
(ou Acétomètre)	Électrodynamomètre	Phonomètre
Acidimètre	Électromètre	Photomètre
Actinomètre	Eudiomètre	Pied à coulisse
Aéromètre	Évaporimètre	Piézomètre
Aesthésiomètre	Fluviomètre	Planimètre
Alcalimètre	Fréquencemètre	Pluviomètre
Alcoomètre	Gabarit	Podomètre
Alidade	Galactomètre	Polarimètre
Altimètre	Galvanomètre	Potentiomètre
Ampèremètre	Gazomètre	Psychromètre
Anémomètre	Glucomètre	Pyromètre
Aréomètre	Goniomètre	Rapporteur
Astromètre	Graphomètre	Rhéomètre
Astrophotomètre	Grisoumètre	Sablier
Audiomètre	Gypsomètre	Saccharimètre
Axiomètre	Héliomètre	Sextant
Balance	Holomètre	Sirène
Baromètre	Horloge	Sismographe
Boussole	Hydromètre	Sonde
Butyromètre	Hydrotimètre	Sonomètre
Calibre	Hygromètre	Spectroscope
Calorimètre	Hypsomètre	Sphéromètre
Canne	Jauge	Spiromètre
Cathétomètre	Lacto-densimètre	Stadia
Céphalomètre	Lactomètre	Stalagmomètre
Chargette	Lignomètre	Stéréomètre
Chronomètre	Magnétomètre	Stéthomètre
Clinomètre	Manomètre	Sulfitomètre
Colorimètre	Mesureur	Tachymètre
Comparateur	Micromètre	Taximètre
Compas	Montre	Télémètre
Compte-gouttes	Moulinet	Thermomètre
Compteur	Octant	Typomètre
Curvimètre	Odomètre	Uromètre
Décamètre	Œnomètre	Vinocolorimètre
Dendromètre	Ohmmètre	Vis (micrométrique)
Densimètre	Oléomètre	Vicosimètre
Diabétomètre	Ophtalmomètre	Voltmètre
Dynamomètre	Palmer	Wattmètre
Ébulliomètre	Pantomètre	

Sciences des mesures. ⇒ **Métrologie; acidimétrie, actinométrie, aérométrie, albuminimètre, alcalimétrie, alco(lo)métrie, anémométrie, anthropométrie, aréométrie, astrométrie, barymétrie, bathymétrie, calorimétrie, céphalométrie, chronologie, densimétrie, ébulliométrie, échométrie, électrométrie, goniométrie, granulométrie, hydrométrie, hygrométrie, hypsométrie, longimétrie, micrométrie, œnométrie, oxymétrie, ozonométrie, phonométrie, photométrie, planimétrie, psychrométrie, saccharimétrie, spectroscopie, sphérométrie, sphygmographie, sulfitométrie, télémétrie, tribométrie, trigonométrie, uranométrie.**
Techniques particulières de mesures des longueurs (⇒ **Aunage, métrage**), *des superficies* (⇒ **Arpentage**), *des volumes, des capacités* (⇒ **Codage, jaugeage, minage, stérage, veltage**).

Math. *Théorie de la mesure :* branche des mathématiques qui étudie les formes linéaires sur certains espaces vectoriels de fonctions numériques. « *Le concept de mesure est beaucoup plus général que celui de mesure au sens usuel utilisé en métrologie dans les autres sciences expérimentales et techniques et qui consiste à affecter à certains sous-ensembles d'un ensemble E un nombre réel positif satisfaisant à certaines conditions (mesure d'un segment, d'un angle, etc.). La théorie de la mesure est aujourd'hui pratiquement synonyme de théorie de l'intégration. Elle comprend comme application importante la théorie des probabilités* » (Bouvier et George).

♦ **2.** (V.1150). Grandeur (et, spécialt, dimension) déterminée par la mesure. *Mesure double d'une autre. Mesure à vérifier. Ajuster qqch. à une mesure.* — Math. *Mesure d'un ensemble :* nombre réel définissant avec précision cette grandeur associée à un ensemble (nul s'il est vide, positif dans le cas contraire). ⇒ **Espace, métrique.** *Prendre les mesures d'une pièce, d'un meuble,* en déterminer les dimensions par des mesures. (Par métaphore → Fil, cit. 27). **Vx.** *Dimension.* ⇒ **Taille.**

4 Le bec de la cigogne y pouvait bien passer,
   Mais le museau du sire était d'autre mesure.   LA FONTAINE, Fables, I, 18.

(V. 1175). *La mesure, les mesures de quelqu'un,* les dimensions caractéristiques de son corps. — *Prendre la mesure, les mesures de qqn. Les mesures d'une star de cinéma, d'un modèle, d'un mannequin* (tour de taille, de poitrine, etc.). ⇒ **Tour.** — *Chapelier qui prend la mesure de la tête avec un conformateur.* — *Tailleur qui fait un vêtement aux mesures de son client.* — (XIXᵉ). **SUR MESURE(S).** *Complet, costume sur mesure,* sur commande (opposé à *de confection, tout fait*). → Long, cit. 11.

Sur mesure, se dit de ce qui est spécialement adapté à une personne ou à un but.

5 Un extérieur simple est l'habit des hommes vulgaires, il est taillé pour eux et sur leur mesure (...)   LA BRUYÈRE, les Caractères, II, 17.

Vx. *Donner mesure :* fournir ses mesures.

6 Vieillard ! va-t'en donner mesure au fossoyeur   HUGO, Hernani, I, 2.

(Déb. XXᵉ). *Fig. Un bonheur* (cit. 32) *sur mesure.*

7 La philosophie bergsonienne veut que l'on pense sur mesure et que l'on ne pense pas tout fait.   Ch. PÉGUY, Note conjointe, « Sur Bergson », p. 23.

8 (...) cette forêt sur mesure où se prolonge Paris *(le bois de Boulogne)*   ARAGON, les Cloches de Bâle, XIX.

♦ **3.** *Fig. Appréciation de la valeur, de l'importance d'une chose.* ⇒ **Évaluation** (→ Enorgueillir, cit. 6). *Ces misères échappent à toute mesure* (→ Futilité, cit. 4).

9 Le temps fuyait, et il *(Philippe)* n'en avait ni le sentiment ni la mesure.   A. HERMANT, l'Aube ardente, VII.

Par ext. Valeur, capacité, dimension (fig.) appréciée ou estimée (souvent par comparaison avec un terme de référence). *La mesure de ses forces, de son talent... L'imagination* (cit. 14) *étend la mesure des possibles,* le champ*, le domaine* des choses possibles (→ aussi Gagner, cit. 45). *Prendre la mesure de son auditoire* (cit. 6), évaluer, estimer ses caractères particuliers, son niveau intellectuel. — (1826). *Donner (toute) sa mesure, la mesure de son talent,* en montrant* ce que l'on sait faire, ce dont on est capable.

10 Il ne faudrait cependant pas attribuer cette hardiesse, qui est le cachet des grands artistes, uniquement à ce don de renouvellement ou de rajeunissement du talent par des moyens nouveaux. Il est des hommes qui donnent leur mesure du premier coup, et dont la sublime monotonie est la principale qualité.
            E. DELACROIX, Écrits, Journal, 1ᵉʳ mars 1859.

♦ **4.** (Dans des loc.). *Proportion, rapport.* — (1550). **À LA MESURE DE :** qui correspond, est proportionné à... ⇒ **Échelle** (cit. 22). → Comprimer, cit. 17; éternel, cit. 18. *Un adversaire* (cit. 8) *à sa mesure. Sa réussite n'est pas à la mesure de son ambition. Une architecture à la mesure de l'homme. Le fléau* (cit. 6) *n'est pas à la mesure de l'homme.*

11 — Penses-tu (...) que Phili soit à la mesure de ce que tu lui donnes ?
            F. MAURIAC, le Nœud de vipères, XX.

(1845). **DANS LA MESURE DE..., OÙ... :** dans la proportion de..., où..., pour autant que... *Dans la mesure du possible* (→ Évolution, cit. 10). *Dans une certaine mesure, dans une plus ou moins large mesure* (→ Incidence, cit. 5), *dans une mesure quelconque* (→ Assouplir, cit. 6). ⇒ **Degré, point** (jusqu'à un certain degré, un certain point). *Dans la mesure, l'exacte mesure où...* (→ Accessible, cit. 5; explicable, cit. 4). — *En quelque mesure* (→ Fonction, cit. 10).

12 (...) il se représenta vivement que les choses désirables de la vie (...) s'éloigneraient ou se rapprocheraient de lui, Wazemmes, exactement dans la mesure où il se rapprocherait et s'éloignerait de cet état de patron (...)
            J. ROMAINS, les Hommes de bonne volonté, t. I, XX, p. 237.

13 Dans la mesure où il permet une action cohérente, dans la mesure où il exprime une situation concrète, dans la mesure où des millions d'hommes y trouvent un espoir et l'image de leur condition, le matérialisme doit enfermer indubitablement des vérités.   SARTRE, Situations III, p. 175.

Loc. prép. À MESURE DE... (vx) : en proportion de. ⇒ **Raison** (en raison de).

14 *(Les Romains)* augmentaient toujours leurs prétentions à mesure de leurs défaites (...)   MONTESQUIEU, Grandeur et décadence des Romains, I.

Loc. conj. À MESURE QUE (marquant la progression dans la durée) : à proportion* que, et, par ext., en même temps que (→ Élargir, cit. 10; esprit, cit. 133). *On s'aime* (cit. 24) *à mesure qu'on se connaît mieux.* — **REM.** Cette expression s'emploie le plus souvent avec un comparatif, ou en rapport avec un verbe de mouvement.

15 À mesure qu'augmentait leur ivresse, ils se rappelaient de plus en plus l'injustice de Carthage.   FLAUBERT, Salammbô, I.

16 (...) Delobelle continuait à engraisser à mesure que sa « sainte femme » maigrissait davantage.   Alphonse DAUDET, Fromont jeune et Risler aîné, IV, III.

AU FUR ET À MESURE. ⇒ **Fur** (cit. 2 à 7, et REM.).

Loc. adv. À MESURE. ⇒ **Peu** (peu à peu), **successivement** (→ Gaspiller, cit. 1; improvisation, cit. 7).

17 Sous le péristyle, au bas de l'escalier, était un amas immense de babouches, laissées à mesure par les entrants.
            NERVAL, Voyage en Orient, « Druses et Maronites », IV, III.

★ **II.** ♦ **1.** *Quantité prise pour terme de comparaison dans l'évaluation des grandeurs de même espèce.* — REM. *Mesure,* dans ce sens ne se dit que des unités de longueur, de surface et de volume (capacité), c'est-à-dire de mesures spatiales, représentées par des étalons concrets (aune, chaîne d'arpenteur, récipient...). — *Poids et mesures.* ⇒ **Poids.** *Mesures de longueur* (cit. 5), *linéaires* (cit. 2), *itinéraires*. *Mesures de superficie, mesures agraires*. *Mesures de capacité* (→ ci-dessus, la liste des unités de mesure). *Mesures volumétriques.* — *La face* (cit. 10), *la tête*, mesure adoptée en art pour l'établissement d'un canon du corps humain. ⇒ aussi **Module.**

18 En 1788, le vœu d'une mesure uniforme fut consigné dans les cahiers de quelques bailliages (...) Le système incohérent de nos mesures (...) avait un vice originel qui en fit hâter l'abolition : la confusion qui y régnait était en grande partie l'ouvrage de *(la)* féodalité... *(Le 8 mai 1790),* l'Assemblée rendit un décret par lequel *le roi était supplié d'écrire à S. M. Britannique, et de la prier d'engager le Parlement d'Angleterre à concourir avec l'Assemblée nationale à la fixation de l'unité naturelle des mesures et des poids.*
            MÉCHAIN et DELAMBRE, in R. MASSAIN, Physique et Physiciens, p. 26.

Loc. fig. *Auner* (cit.) *qqch à sa mesure.* — *Avoir deux poids* et deux mesures, deux mesures, deux balances* (cit. 7). — **Vx.** *Agir avec poids et mesure,* tout faire par compas et par mesure : agir avec circonspection, lenteur, sans rien laisser au hasard.

19 De mesure et de poids je changeais à leur gré.
            RACINE, Athalie, III, 3.

♦ **2.** (V. 1155). *Récipient de capacité connue, servant à l'évaluation des volumes. Une mesure à grains*. Remplir, vider une mesure.*

Quantité (de grains, de liquide) que contient une mesure (ou un récipient déterminé). Donner deux mesures d'avoine à un cheval. ⇒ aussi **Charge, dose, ration.**

20 Comme (...) le fourrier criait : « Eh bien ! et la mesure, tu ne veux pas la bouffer », il perdit la tête et la vida n'importe où (...)
            R. DORGELÈS, les Croix de bois, II.

Loc. fig. (1671). *La mesure est comble.* ⇒ 2. **Comble.** *Combler** (cit. 1 et 2) *la mesure.* — (1550). *Faire bonne mesure.* ⇒ **Donner** (en donner à qqn pour son argent) ; **générosité.**

21 Fouquet essaya enfin, un jour, se de compléter dans cette sorte de ménage et d'établissement royal, en se donnant La Vallière pour maîtresse. Il s'adressa imprudemment à elle, sans se douter à qui elle était déjà. Mais ce jour-là, il avait comblé la mesure, et toutes les colères, depuis plusieurs mois accumulées, débordèrent.
            SAINTE-BEUVE, Causeries du lundi, 12 janv. 1852.

Allus. littér. *Mesure pour mesure,* comédie de Shakespeare (par allus. à la formule de l'Évangile : → Juger, cit. 6 ; et aussi œil* pour œil...).

♦ **3.** **COMMUNE MESURE.** [a] **Math.** *Quantités qui ont une commune mesure.* ⇒ **Commensurable.** *Quantité prise pour unité et servant à exprimer les rapports avec d'autres quantités homogènes. Il n'y a pas de commune mesure entre la diagonale et l'un des côtés du carré, entre le rayon et la circonférence d'un cercle.* ⇒ **Incommensurable** (cit. 5, par métaphore).

[b] *Fig.* (En phrase négative). *Commune mesure :* moyen d'apprécier deux choses l'une par rapport à l'autre. ⇒ **Rapport** (→ Aventure, cit. 19 ; croire, cit. 18). *Il n'y a aucune commune mesure entre Shakespeare et ses contemporains,* sa valeur est incomparablement plus grande.

♦ **4.** *Fig. Moyen d'apprécier une chose de même nature par une sorte d'étalon.*

22 Notre perception de la matière est la mesure de notre action possible sur les corps ; elle résulte de l'élimination de ce qui n'intéresse pas nos besoins et plus généralement nos fonctions.   H. BERGSON, Matière et Mémoire, p. 25.

23 Inconcevables contradictions d'une pensée qui prône l'effort, qui glorifie l'effort et songe à le supprimer. Comme si l'effort n'était pas la mesure même de l'être !
            G. DUHAMEL, Scènes de la vie future, XV.

Allus. philos. *L'homme est la mesure de toutes choses* (Protagoras).

★ **III. A.** ♦ **1.** (V. 1165). **Vx.** *Quantité, dimension déterminée, considérée comme normale, souhaitable... — Loc. De mesure.* « (...) *Son bois saisi pour n'être de mesure* » (Régnier, *Satires,* 15). — **Mod.,** fig. *La mesure ordinaire, naturelle* (→ Besoin, cit. 13). *La juste, la bonne mesure.* ⇒ **Accord, milieu** (juste milieu), **tempérament.** — *Absolt. Dépasser** (cit. 11), *excéder** la mesure.* ⇒ **Borne, limite.** *Au delà de toute mesure.* ⇒ **Extrême** (à l'). — *Prov. Trop et trop peu n'est pas mesure.*

24 (...) vous poussez la tristesse au-delà de toutes les mesures.
            Mᵐᵉ DE SÉVIGNÉ, 254, 4 mars 1672.

25 Je demande à un croquis d'être libre, rapide, incisif, mordant, forcé. Je lui demande de passer la mesure, d'outrer la vérité pour la faire mieux sentir.
            FRANCE, la Vie en fleur, XXIX.

Loc. *Outre mesure.* ⇒ **Excessivement.** — *Sans mesure.* ⇒ **Démesuré, illimité** (→ Autel, cit. 19 ; bienfait, cit. 11 ; bride, cit. 11). — **Vieilli.** *Un courage sans mesure.* ⇒ **Immense.** *Se donner* (cit. 71) *sans mesure.* ⇒ **Immodérément.**

♦ **2.** **Cour.** *Modération dans le comportement.* ⇒ **Circonspection, précaution, retenue** (→ Acheminer, cit. 8). *Dépenser avec mesure.* ⇒ **Économie.** *S'habiller avec mesure, d'une mesure correcte. Parler avec mesure.* ⇒ **Ménagement** (→ Austérité, cit. 15). *Langage plein de mesure* (→ Infériorité, cit. 2). *Dire avec mesure les choses les plus fortes* (→ Maître, cit. 40). *Caractère plein de mesure.*

⇒ **Équilibre** (3.). → Étranger, cit. 16. *Le sens de la mesure* (→ Hyperbole, cit. 2). *Le goût de la mesure et de la symétrie*.

26 La *mesure* est objective : c'est quelque chose qu'on prend en dehors de soi pour se régler. *Modération* et *modestie* annoncent un esprit de douceur et d'humilité (...) Mais *mesure* désigne quelque chose d'extérieur, d'emprunté, qu'on a ou qu'on n'a pas (...) LAFAYE, Dict. des synonymes, Retenue.

27 Idées de Paris, fantaisie de Paris (...) Oui, mais aussi sagesse de Paris. Paris puise en lui-même sa sagesse et sa modération. Il n'est mesure que de Paris. COLETTE, Belles saisons, p. 79.

B. XVIIᵉ, *in* Brunot, *H. L. F.*, t. IV, p. 578. *(Une, des mesures).*

♦ **1.** Manière d'agir proportionnée à un but à atteindre (se dit surtout en parlant d'actes officiels). ⇒ **Acte** (3.), **disposition, moyen...; batterie** (vx), **calcul, combinaison.** *Mesure incomplète, insuffisante.* ⇒ **Demi-mesure.** *Mesures efficaces, décisives, sévères* (⇒ Contentieux, cit. 1). *Mesure arbitraire. Mesures de circonstance*, *d'urgence* (→ Garantir, cit. 18). *Prendre, suivre des mesures* (→ Assurer, cit. 24). *Étudier les mesures à prendre. Prendre toutes mesures pour... Appliquer une mesure* (→ Établir, cit. 22). *— Mesure de justice* (→ Débat, cit. 4), *d'économie. Mesure d'ordre politique* (→ Chose, cit. 28), *de salut public* (→ Maintien, cit. 7). *Mesures exceptionnelles* (cit. 2). *Mesure attentatoire* à la liberté, à la justice...

28 Il y a peu de règles générales et de mesures certaines pour bien gouverner (...) LA BRUYÈRE, les Caractères, X, 32.

29 Une circulaire du ministre de la guerre et du ministre de la Police Générale annonça que des mesures vigoureuses confiées aux chefs des commandements militaires avaient été prises pour étouffer l'insurrection *dans son principe.* BALZAC, les Chouans, Pl., t. VII, p. 818.

Dr. Mesure comminatoire. Mesure disciplinaire. Mesure de sûreté, qui se distingue de la peine en ce « qu'elle n'a pour objet que d'assurer la défense sociale en dehors de toutes considérations d'ordre moral » (Capitant). *Mesures préventives, de prévoyance. Mesure provisoire,* prise pour régler momentanément une situation urgente. *Mesure conservatoire. — Mesure d'instruction,* ordonnée afin d'éclairer le tribunal sur les prétentions du demandeur (dr. civ., procéd. pén.). — *Consigner* un bâtiment par mesure sanitaire.

♦ **2.** Vx. Manière d'agir avec modération ; précaution, ménagement (même valeur que III., A., 2.).

30 Têtebleu ! ce me sont de mortelles blessures, De voir qu'avec le vice on l'on garde des mesures (...) MOLIÈRE, le Misanthrope, I, 1.

C. Succession régulière ou périodique de divisions temporelles d'égale valeur.

♦ **1.** (1538). « Division de la durée (...) en plusieurs parties égales, assez longues pour que l'oreille en puisse saisir et subdiviser la quantité, et assez courtes pour que l'idée de l'une ne s'efface pas avant le retour de l'autre, et qu'on en sente l'égalité » (Rousseau, *Dict. de musique*). ⇒ **Cadence, mouvement, rythme ; métronome.** *Tenir compte de la mesure* (→ Exécutant, cit. 1). *Marquer, scander,* battre* (cit. 26) *la mesure* (→ Fanfare, cit. 2 ; frapper, cit. 46). *Suivre la mesure. Presser, ralentir la mesure. — Loc. adv.* EN MESURE : en suivant la mesure, et, par ext., en cadence, à intervalles répétés. *Battre* (cit. 58), *jouer en mesure* (→ Ignorant, cit. 7).

31 Mais il s'ennuya vite à battre seul, il lui manquait, pour s'échauffer, la cadence double des fléaux, tapant en mesure ; et il appela Françoise, qui tardait souvent à cette besogne (...) ZOLA, la Terre, III, VI.

32 (...) seule la vieille Rose, la face noyée, continuait à fredonner une polissonnerie de l'autre siècle, un refrain de sa jeunesse, dont sa tête branlante marquait la mesure. ZOLA, la Terre, II, VII.

Chacune des divisions formant la mesure. *Une, des mesures. Mesure binaire, à deux, quatre temps*. *Mesure à deux-quatre, deux-huit, deux-seize..., à quatre-quatre,* etc. *Mesure ternaire, à trois temps* (à trois-deux, trois-quatre, trois-huit, six-huit, neuf-huit, douze-huit...). *Attaque sur le temps faible de la mesure.* ⇒ **Contre-temps.** *Compter une mesure pour rien avant de commencer à jouer. Barre* de mesure. Groupe de notes précédant la première barre de mesure.* ⇒ **Anacrouse.** *Mesure simple,* dont chaque temps correspond à une valeur simple, divisible par deux (ex. : trois-quatre, trois noires) ; *mesure composée* où le temps correspond à une valeur pointée, divisible par trois (ex. : neuf-huit, trois noires pointées).

33 Dès qu'on eut pris l'habitude de renfermer chaque *mesure* entre deux barres, il fallut nécessairement proscrire toutes les espèces de notes qui renfermaient plusieurs *mesures.* La *mesure* en devint plus claire (...) Jusque-là la raison triple avait passé pour la plus parfaite : mais la double prit enfin l'ascendant, et le C, ou la *mesure* à quatre temps, fut prise pour la base de toutes les autres. Or la *mesure* à quatre temps se résout toujours en *mesure* à deux temps (...) ROUSSEAU, Dict. de musique, Mesure.

Fig. Une mesure pour rien : un temps, une action inutile.

34 *(les)* jours radieux qui me semblaient revêtir de l'aspect banal de l'universel été cette côte de brumes et de tempêtes, y marquer un simple temps d'arrêt, l'équivalent de ce qu'on appelle en musique une mesure pour rien (...) PROUST, À l'ombre des jeunes filles en fleurs, Folio, p. 570.

(Danse). Suivre la mesure (→ Lourd, cit. 10). *Danser, suivre qqn en mesure* (→ Démener, cit. 2).

♦ **2.** (1580). Versification. Structure métrique du vers (⇒ **Mètre**) ; groupe rythmique constituant un tout et séparé d'un autre groupe par la coupe. ⇒ **Métrique, versification.** *Diversité de la mesure*

(→ Croisure, cit.). *Garder la mesure* (→ Hexamètre, cit. 1). *Vers de mesure inégale* (cit. 5), *à mesure constante* (⇒ **Monomètre**).

35 L'allemand est peut-être la seule langue dans laquelle les vers soient plus faciles à comprendre que la prose ; la phrase poétique, étant nécessairement coupée par la mesure même du vers, ne saurait se prolonger au delà. Mᵐᵉ DE STAËL, De l'Allemagne, II, IX.

36 On appelle didactique un poème dans lequel il est évident que l'idée existait avant la forme que le poète lui a donnée. Il a fait miracle, pourtant, logeant l'idée dans l'étroite mesure, et la bornant par la rime à point nommé. ALAIN, Propos, 24 août 1921, Matière et forme.

Manège. « *La mesure, la cadence d'un cheval* » (Académie).

D. (1626, *rompre la mesure*). ♦ **1.** (Escrime ; dans des loc.). Distance convenable pour porter ou pour parer un coup (à l'épée ou au fleuret). *Être à la mesure, en mesure, hors de mesure. Perdre la mesure, ses mesures. Rompre, lâcher la mesure, les mesures* (→ Expert, cit. 2) : se mettre hors de portée de l'adversaire. *Garder la mesure :* conserver la distance convenable.

37 (...) dans un combat à l'épée (...) les mouvements doivent être plus sobres, les attaques moins fournies à fond. Mais la connaissance des temps y acquiert (...) une bien plus grande importance, de même celle de la mesure. M. MAINDRON, *in* Grande Encycl. (BERTHELOT), art. *Escrime.*

Par métaphore :

38 Tu vas sortir de garde, et perdre tes mesures. CORNEILLE, le Menteur, III, 3.

♦ **2.** (1779). ÊTRE EN MESURE DE... : être à même de..., avoir la possibilité de... ⇒ **État** (en état). *Je ne suis pas en mesure de te répondre. Mettre qqn en mesure de...* (→ Labeur, cit. 3).

39 (...) je ne suis point en mesure de tester, pour des raisons à moi connues. BALZAC, Autre étude de femme, Pl., t. III, p. 246.

40 Quant à la Banque, elle jette au débiteur, du haut de ses comptoirs, cette parole pleine de raison : — Pourquoi n'êtes-vous pas en mesure ? à laquelle malheureusement on ne peut rien répondre. BALZAC, Illusions perdues, Pl., t. IV, p. 922.

CONTR. (Du sens III.) Démesure, exagération, excès, hyperbole. — Dévergondage, emportement, frénésie, indiscrétion, violence. — Partialité.

DÉR. Mesurer. — (Du lat. *mensura*) V. **Mensurabilité, mensurateur, mensuration.**

COMP. Démesure, demi-mesure. — Contre-mesure.

MESURÉ, ÉE [m(ə)zyʀe] adj. ⇒ **Mesurer.**

MESURÉMENT [məzyʀemɑ̃] adv. — V. 1380, *mesureement* ; déb. XIVᵉ « rythmiquement » ; de *mesuré.*

♦ Littér., rare. D'une manière modérée, retenue.

J'exigeai du duc *(de Beauvilliers)* et aussitôt après, du chancelier, qu'ils en parleraient mesurément au conseil *(du jansénisme).* SAINT-SIMON, Mémoires, 311, 66, *in* LITTRÉ.

MESURER [m(ə)zyʀe] v. tr. — 1080 ; du bas lat. *mensurare,* du lat. class. *metiri.*

★ **I.** Évaluer par la mesure. ♦ **1.** Évaluer (une longueur, une surface, un volume) par une comparaison avec un étalon de même espèce. ⇒ **Mesure, II.** ; et aussi **apprécier, estimer** (cit. 2), **évaluer.** *Mesurer qqch. à l'aune* (⇒ **Auner**), *au mètre* (⇒ **Métrer**), *à la toise* (⇒ **Toiser**) ; *au compas* (⇒ **Compasser,** 1.). *Mesurer un terrain à la chaîne d'arpenteur* (⇒ **Arpenter, chaîner.** → Arpentage, cit.). *Mesurer une profondeur à la sonde* (⇒ **Sonder**), *un diamètre en palmes* (⇒ **Palmer**). *Mesurer le volume, la capacité d'un récipient* (⇒ **Cuber, jauger, velter ; niveau ; rader**). *Mesurer du bois* (⇒ **Corder,** 3., **stérer**). *Mesurer une dose* (⇒ **Doser**). — *Mesurer du drap. Mesurer qqn* (→ Grandeur, cit. 34), *sa taille, sa hauteur. Se faire mesurer et peser. On mesure le poisson entre queue et tête* (→ Chaussure, cit. 1). *Mesurer des fruits par calibrage.* ⇒ **Calibrer.**

1 Aussi Valence fait un grand commerce d'oranges ; pour les mesurer, on les fait passer par un anneau, comme les boulets dont on veut reconnaître le calibre ; celles qui ne passent pas forment le premier choix. Th. GAUTIER, Voyage en Espagne, p. 285.

2 Voici que j'étends les bras dans les rayons de soleil, comme un tailleur qui mesure l'étoffe. CLAUDEL, l'Annonce faite à Marie, IV, 5.

2.1 (...) au Breuilh-au-Fa où l'on prend au filet les saumons, Monsieur Claretie qui avait emmené à la pêche mon père, le jour où il eut juste un mètre, et qui l'étendait près des poissons pour les mesurer. GIRAUDOUX, Siegfried et le Limousin, p. 292.

Loc. fig. (→ ci-dessous 2., fig.). *Mesurer les choses, les gens à son aune*. *Allus. bibl.* « *L'on vous mesurera avec la mesure dont vous mesurez* » (→ Juger, cit. 6). — *Vx. Mesurer la terre, le sol* (de son corps). ⇒ **Tomber.** *Mod. Au quatrième round, il l'envoya mesurer le tapis :* il l'étendit, l'envoya par terre.

Mesurer les épées, avant un duel. *Fig. Mesurer ses armes, ses forces... avec, contre un ennemi,* combattre (→ ci-dessous Se mesurer).

♦ **2.** (Sc.). Déterminer la valeur de (une grandeur mesurable). ⇒ **Mesure** (I., 1.). *Quantité que l'on peut* (⇒ **Mesurable**), *que l'on ne peut pas mesurer* (⇒ **Immensurable**). *Mesurer qqch. par l'observation directe, à l'aide d'instruments, par le calcul* (⇒ **Calculer**). *Mesurer la résistance, les propriétés d'un alliage...* (⇒ **Essayer** I.,

1.). *Mesurer le temps, une durée... Mesurer la chaleur* (→ Appliquer, cit. 19), *la pression...*

3 Nous dirons (...) que mesurer une grandeur, c'est lui attribuer un nombre qui fixe, de façon exacte et indiscutable, son intensité ou seulement son état, à l'égard d'autrui comme pour l'auteur même de la mesure, et qui fournisse ainsi (...) le résultat de sa comparaison avec une grandeur quelconque de la même espèce, mesurée de même (...)   A. PÉRARD et J. TERRIEN, les Mesures physiques, p. 10.

Absolt. *Appareils, dispositifs servant à mesurer.* ⇒ **Mesure.** *Échelle*, divisions, degrés* servant à mesurer.*

4 Chercher des rapports ou mesurer, c'est la même chose.
                                        CONDILLAC, Logique, I, v.

♦ **3.** Évaluer approximativement, apprécier (une dimension) par le regard. *Mesurer, mesurer une distance des yeux...* (→ Croupe, cit. 5). — Fig. (1694). *Mesurer qqn des yeux,* le toiser (→ ci-dessous Se mesurer).

5 (...) je le voyais qui me mesurait depuis les pieds jusqu'à la tête.
                                        MARIVAUX, le Paysan parvenu, III, p. 139.

Absolt. « Un archer (cit. 3) *dont l'œil toujours guette et mesure* » (Hugo). — *Mesurer avec justesse* (→ Avoir le compas* dans l'œil).

♦ **4.** (Abstrait). Juger par comparaison. ⇒ **Comparer, déterminer, estimer, évaluer, juger.** *Mesurer et juger* (cit. 23) *qqn. Faire mesurer qqch.; donner à mesurer...* (→ Anéantissement, cit. 7; hauteur, cit. 28). — *Mesurer la portée, l'efficacité* (cit. 4), *l'inefficacité d'un acte* (→ Investigation, cit. 4). *Mesurer la vanité de ses prétentions* (→ Cendre, cit. 6). *Mesurer les risques* (→ Flottement, cit. 2; haut, cit. 119). *Il ne mesure pas le danger qu'il court,* il ne s'en rend pas compte. *Mesurer combien, jusqu'à quel point on est attaché à la vie.* — *Mesurer un travail, un effort, une intention aux résultats,* juger d'après les résultats.

6 Je sais de vos présents mesurer la grandeur (...)
                                        RACINE, Britannicus, II, 3.

7 Quand les périls sont passés, on les mesure et on les trouve grands.
                                        A. DE VIGNY, Servitude et Grandeur militaires, II, XIII.

8 Quand on mesure la passion la plus puissante et l'effort le plus noble de l'âme à l'effet qui les suit, le cœur se brise de tristesse (...)
                                        André SUARÈS, Trois hommes, « Ibsen », VIII.

9 Les gens qui ont la pratique des sports disent que c'est après l'effort que l'on « réalise » sa fatigue. En effet, c'est maintenant que nous mesurons l'étendue de nos sacrifices et de nos pertes.
                                        G. DUHAMEL, Récits des temps de guerre, IV, XXVIII.

10 Il mesure avec sang-froid ses forces qui sont toutes petites.
                                        J. ROMAINS, les Hommes de bonne volonté, t. III, XVII, p. 227.

★ **II.** ♦ **1.** Avoir pour mesure. ⇒ **Faire** (*infra* cit. 119.1), **contenir** (I., 2.), **jauger** (II.). *Cette planche mesure deux mètres, ce flacon mesure un demi-litre.* — Spécialt. (Personnes). Avoir (telle taille*). *Il mesure un mètre quatre-vingt et pèse quatre-vingts kilos.*

11 (...) une masse carrée, mesurant huit pas sur chaque face (...)
                                        CHATEAUBRIAND, Itinéraire..., IV, p. 349.

♦ **2.** Constituer la mesure de..., en parlant des unités de mesure. *Les quelque dix mètres qui mesurent la façade de ce bâtiment.* — Par ext. *Les points de repère qui mesurent et jalonnent* (cit. 5) *le temps.* Fig. *Nos espérances* (cit. 33) *mesurent notre bonheur présent.*

12 (...) pendant deux mille et environ deux cents ans qui ont mesuré sa durée *(de Jérusalem)*   BOSSUET, Sermon pour le IXe dimanche après la Pentecôte, II.

★ **III.** Régler par une mesure, d'après une mesure.

♦ **1.** Vieilli. Vendre à la mesure. *Mesurez-moi un litre de moules, de marrons.*

♦ **2.** (Déb. XIXe). Donner, régler avec mesure. ⇒ **Compter, départir, distribuer** (1.). *Mesurer chichement* (cit. 2) *la nourriture. Mesurer l'argent,* ne le dépenser, ne le donner qu'avec parcimonie*. *Le temps nous a été mesuré.* Prov. *À brebis tondue, Dieu mesure le vent :* Dieu ménage les faibles.

♦ **3.** (1611). Faire, employer avec mesure, modération. ⇒ **Compasser** (2.), **régler.** *Mesurer ses pas, ses gestes..., ses paroles.* ⇒ **Compter, ménager** (→ Garrotter, cit. 5). *Mesurez vos expressions !* — *Mesurer son coup,* le porter avec exactitude, précision... (→ Lancer, cit. 1; justesse, cit. 5). *Il ne se donne le temps de rien mesurer* (→ Impatient, cit. 8).

♦ **4.** (Déb. XVIIe). Déterminer l'importance, l'intensité... de (une chose) par rapport à une autre, généralement de même nature. ⇒ **Proportionner** (à), **régler** (sur). *Mesurer à..., sur..., d'après...* (→ Gain, cit. 10).

13 Le ciel, qui mieux que nous connaît ce que nous sommes,
Mesure ses faveurs au mérite des hommes (...)   CORNEILLE, Andromède, V, 2.

14 Prêtres, vous mesurez au cercueil la prière ;
Longue, si le cadavre est grand ; courte, s'il n'est
Qu'un méchant pauvre mort — le prêtre s'y connaît (...)
                                        HUGO, la Légende des siècles, XLIX,
                                        Dénoncé à celui qui chassa les vendeurs du Temple.

15 Dans l'impuissance où il était de mesurer ses paroles à la hauteur de cette scène, tout à la fois si simple et si élevée, il répondit par des lieux communs sur la destinée des femmes.   BALZAC, la Femme de trente ans, Pl., t. II, p. 767.

16 Peut-être que Dieu mesure nos douleurs et nos travaux aux forces de notre jeunesse et qu'il est un temps marqué pour se reposer et jouir des fatigues du passé.
                                        G. SAND, Lettres à Musset, 15 juin 1834.

Les êtres jeunes et les animaux mesurent leur sommeil sur la durée du jour, et janvier se fait lentement plus clair que décembre.   17
                                        COLETTE, Belles saisons, p. 74.

▶ **SE MESURER** v. pron.

♦ **1.** (Sens passif). Être mesurable. « *Tout ce qui se mesure, finit* » (Bossuet, *Sermon sur la mort,* I). *Se mesurer en mètres, en litres...* — Fig. Être apprécié, estimé... *Se mesurer à...* (→ Aspiration, cit. 5 ; étendue, cit. 12 ; gloire, cit. 4).

La science ne se mesure pas à la barbe (...)   18
                                        MOLIÈRE, l'Amour médecin, III, 5.

Ce que peut la vertu d'un homme ne se doit pas mesurer par ses efforts mais par   19
son ordinaire.   PASCAL, Pensées, VI, p. 352.

(...) le pouvoir se mesure à l'audace.   20
                                        JAURÈS, Hist. socialiste, t. VII, p. 163.

Par ext. Être proportionné à, réglé sur.

Nous voulons qu'elle *(la Sagesse divine)* se mesure à nos intérêts et qu'elle se renferme dans nos pensées.   21
                                        BOSSUET, Sermon pour vendredi IIIe semaine du Carême.

♦ **2.** (Sens réfléchi). S'apprécier, se juger soi-même avec justesse, modération.

C'est un homme qui ne se mesure point, qui ne se connaît point ; son caractère   22
est de ne pas savoir se renfermer dans celui qui lui est propre (...)
                                        LA BRUYÈRE, les Caractères, XI, 141.

Se mesurer avec, à qqn, se comparer à lui par une épreuve, et, spécialt, par une épreuve de force, un combat. ⇒ **Battre** (se, 2.), **lutter** (→ Égratignure, cit. 2). *Se mesurer avec l'obstacle* (→ Découvrir, cit. 42).

Te mesurer à moi ! qui t'a rendu si vain,   23
Toi, qu'on n'a jamais vu les armes à la main ?   CORNEILLE, le Cid, II, 2.

Poét. Se comparer. «*Atome* (cit. 11), *il* (l'esprit de l'homme) *se mesure à l'infini des cieux* » (Lamartine).

♦ **3.** (Sens récipr.). *Se mesurer (des yeux) :* se considérer réciproquement, se toiser, chacun estimant les forces de l'autre.

Ces deux hommes se mesurèrent alors pendant un moment par un regard qui avait   24
en profondeur vingt ans de haine et d'inimitié.
                                        BALZAC, le Cabinet des Antiques, Pl., t. IV, p. 420.

Ils se mesuraient d'un œil hostile. Un grand calme s'était fait en moi : ils se dis-   25
putaient, ils devenaient ennemis.   F. MAURIAC, la Pharisienne, IV.

Par ext. S'affronter, se battre ; mesurer ses forces. *Se mesurer en champ clos.*

L'un l'autre ils vont se mesurant,   26
Hérissent de leur cou l'ondoyante crinière ;
De leur terrible queue ils se frappent les flancs,
Et s'attaquent avec de tels rugissements (...)
                                        FLORIAN, Fables, V, 2.

▶ **MESURÉ, ÉE** p. p. adj.

♦ **1.** Évalué par la mesure (⇒ **Calculé**). *Distance, hauteur, capacité mesurée, exactement mesurée, bien, mal mesurée...* (→ Hexagone, cit.). — Proportionné. *Une récompense mesurée au service.*

Math. *Espace mesuré :* triplet formé par un ensemble, une tribu de parties de cet ensemble (→ Espace mesurable*), et une mesure positive sur cette partie.

♦ **2.** Déterminé, réglé par la mesure. ⇒ **Réglé.** *Pas mesurés.* ⇒ **Régulier** (→ Calmer, cit. 17). *Valeur mesurée des sons* (→ Italien, cit. 1). Spécialt. *Prose mesurée,* rythmée, cadencée. — (1690). *Vers mesurés,* dont le rythme (comme dans la métrique antique) se fonde sur des considérations de longueur des syllabes. — *Effort mesuré.* ⇒ **Calculé** (→ Apathie, cit. 8).

Par ext. (correspond à *mesure* III, 2.). *Ton* de voix grave* (cit. 15) *et mesuré.* ⇒ **Compassé, lent.** *Ironie mesurée.* ⇒ **Circonspect.** *Mot raisonnable et mesuré* (→ Célibat, cit. 6). *Phrase mesurée* (→ Épurer, cit. 11). *Vie placide et mesurée* (→ Esthétique, cit. 6).

Point de place ici pour le ton mesuré qui convient à la discussion des affaires ; il   27
faut crier, et la tension de l'organe se communique à l'âme (...)
                                        TAINE, les Origines de la France contemporaine, t. I, III, p. 170.

♦ **3.** (XIIIe). Personnes. Qui agit avec mesure. ⇒ **Circonspect, modéré** (→ Équilibré, cit. 7). *Mesuré dans ses paroles, ses gestes* (⇒ **Économe**), *ses exigences, ses prétentions* (⇒ **Modeste**).

(...) il décida de rester raisonnable, mesuré, coûte que coûte, quoi que pût dire   28
Mahaut, et pour ne pas lui ressembler.
                                        R. RADIGUET, le Bal du comte d'Orgel, p. 203.

CONTR. Déployer, prodiguer. — (P. p.) Déplacé, disproportionné. — Démesuré, énorme, extrême, gigantesque, hyperbolique, illimité. — Effréné. — Burlesque. — Dévergondé.

COMP. Démesuré, remesurer.

DÉR. Mesurable, mesurage, mesureur. — (De mesuré) Mesurément.

MESUREUR [məzyRœR] n. m. — XIIe ; de *mesurer.*

♦ **1.** Celui qui mesure, qui est chargé de mesurer. Spécialt. Officier public qui mesurait certaines marchandises. *Mesureur de blé, de sel.* — Ski :

Pour mesurer la longueur d'un saut, des *mesureurs* sont échelonnés le long et sur les côtés de la piste de réception.   Jean FRANCO, le Ski, p. 76.

♦ **2.** Se dit de quelques appareils de mesure. *Mesureur de pression... —* (1903, *Rev. gén. des sc.,* n° 18, p. 940). *Mesureur électrique.*
REM. Le fém. *mesureuse* est virtuel.

MESURON [mǝzyʀɔ̃] n. m. — 1934 ; du languedocien *mezuro,* de *mesure.*

♦ Régional. Mesure pour les liquides ; chopine de vin.
Par-dessus son alcool, il venait de boire deux mesurons de vin rouge, là, coup
après coup.   J. GIONO, le Chant du monde, II, v, p. 257.

MÉSUSAGE [mezyzaʒ] n. m. — Déb. xive ; de *mésuser.*

♦ Littér. Mauvais usage (de qqch.).

MÉSUSER [mezyze] v. tr. ind. — 1283, Bloch ; de *més-,* et *user.*

♦ Littér. **MÉSUSER DE...** : user mal (d'une chose). ⇒ **Abuser.** *Mésuser de sa fortune.*
1   Les pauvres sont l'engrais humain où poussent les moissons de vie, les moissons de
joie que récoltent les riches, et dont ils mésusent si cruellement, contre nous (...)
O. MIRBEAU, le Journal d'une femme de chambre, p. 279.
2   C'est à Sion qu'il a été le plus puissant de corps et d'esprit. C'est là qu'il a mésusé
de ses forces (...)   M. BARRÈS, la Colline inspirée, p. 229.
DÉR. Mésusage.

1. MÉTA [meta] n. f. — Fin xixe ; mot lat.

♦ Archéol. Chacune des deux bornes (de bois, de bronze doré) qui
jalonnaient la piste d'un cirque* romain.

2. MÉTA [meta] n. m. — 1953 ; marque déposée ; abrév. de
métaldéhyde.

♦ Métaldéhyde, combustible solide qui brûle sans laisser de résidu.
Réchaud à méta.

MÉTA- Élément, tiré du grec *meta,* exprimant la succession, le
changement, la participation... et entrant dans la composition de
nombreux mots savants.
Outre cette valeur générale, l'élément *méta-* a, dans la science
moderne, deux contenus précis :

a Chim. En chimie minérale, *méta-* sert à former les noms de composés moins hydratés (ex. : acide *métaphosphorique,* moins
hydraté que l'acide *phosphorique*). — En chimie organique, il sert
à désigner la substitution des corps de la série benzénique où un
atome de carbone sépare les deux atomes portant les substituants
(par oppos. à *ortho-* et *para-*). — Parfois *méta-* forme le nom de
polymères (ex. : *métaldéhyde*).

b En philosophie, dans les sciences humaines, en logique, *méta-*
prend le sens de «au delà de » (cf. Métaphysique) pour désigner le
concept qui «englobe», qui «subsume » l'autre concept. ⇒ **Métalangue, métamathématique, etc.**

MÉTABIOSE [metabjoz] n. f. — D. i. ; de *méta-,* et grec *bios* «vie ».

♦ Biol. Changement du mode de vie d'un organisme dû à des causes extérieures.

1. MÉTABOLE [metabɔl] n. f. — 1578 ; bas lat. *metabolé,* mus.
«changement de mode », du grec *metabolê* «changement ».

♦ Rhét. Figure qui consiste à répéter, à l'intérieur d'une même
phrase, des mots déjà employés, mais dans un ordre différent. —
Autre figure consistant à répéter une même idée en termes différents.

2. MÉTABOLE [metabɔl] adj. et n. m. — 1845, Bescherelle ; de
méta ; et suff. *-bole.*

♦ **1.** Adj. (Biol.). Se dit d'un insecte qui subit des transformations importantes au cours de son développement post-embryonnaire
(⇒ **Métamorphose**).

♦ **2.** N. m. (xxe) Zool. Insectes (et, par ext., animaux) à métamorphoses, sortant de l'œuf sous une autre forme que l'insecte ou l'animal adulte.

MÉTABOLIQUE [metabɔlik] adj. — 1855, Nysten ; du grec *metabolê* «changement ».

♦ **1.** Méd. Du métabolisme*. *Anomalies métaboliques. Quotient
métabolique :* rapport du métabolisme maximum au métabolisme
minimum. *Test métabolique d'effort* (A. Durupt, 1947) «Mesure
des variations du métabolisme de base sous l'influence d'un

effort » (Garnier et Delamare, *Dict. des termes techn. de médecine,* 1959).
Les chocs émotionnels aigus et les tensions émotionnelles chroniques nées des complexes affectifs n'engendrent-ils pas des désordres métaboliques considérables, par
le mécanisme des réactions d'alarme et d'épuisement ?
Jean DELAY, Introd. à la médecine psychosomatique,
Notes et observations, p. 114.

♦ **2.** Psychiatrie. *Délire métabolique :* délire de transformation corporelle.

COMP. Antimétabolique.

MÉTABOLISATION [metabɔlizasjɔ̃] n. f. — xxe ; de *métabolisme.*

♦ Physiol. Transformation que subit une substance dans un organisme vivant au cours du métabolisme*. *La métabolisation du calcium.*

MÉTABOLISME [metabɔlism] n. m. — 1858, chim. ; grec *metabolê* «changement ».

♦ (Déb. xxe). Physiol. Ensemble des transformations chimiques et
physico-chimiques qui s'accomplissent dans tous les tissus de l'organisme vivant (dépenses énergétiques, échanges, nutrition...). *Phénomènes d'assimilation du métabolisme.* ⇒ **Anabolisme.** *Phénomènes
de dégradation du métabolisme.* ⇒ **Catabolisme.** *Intensité du métabolisme.* ⇒ **Échange.** *Activateurs* du métabolisme. Qui diminue le
métabolisme.* ⇒ **Antimétabolique, antimétabolite.** *Analyse, mesure
du métabolisme.* — (xxe). *Métabolisme basal* ou *de base :* quantité
de chaleur que produit, par heure et par mètre carré de la surface
du corps, un sujet à jeun et au repos.
On mesure le métabolisme par la quantité d'oxygène absorbé et celle d'acide carbonique dégagé, quand le corps se trouve à l'état de repos complet. Dès que les
muscles se contractent et produisent un travail mécanique, l'activité des échanges
s'élève beaucoup (...) Chose curieuse, le travail intellectuel ne produit aucune élévation du métabolisme (...) Les plus puissantes créations de l'intelligence augmentent beaucoup moins le métabolisme que le muscle biceps quand il se contracte
pour soulever un poids d'une livre.
Alexis CARREL, l'Homme, cet inconnu, III, VI.
Les êtres vivants sont des machines chimiques. La croissance et la multiplication
de tous les organismes exigent que soient accomplies des milliers de réactions chimiques grâce à quoi sont élaborés les constituants essentiels des cellules. C'est
ce qu'on appelle le «métabolisme». Ce métabolisme est organisé en un grand
nombre de «voies», divergentes, convergentes ou cycliques, comprenant chacune
une séquence de réactions. L'orientation précise et le rendement élevé de cette
énorme et microscopique activité chimique sont assurés par une certaine classe de
protéines, les enzymes, jouant le rôle de catalyseurs spécifiques.
Jacques MONOD, le Hasard et la Nécessité, p. 67.
DÉR. Métabolisation, métabolite.

MÉTABOLITE [metabɔlit] n. m. — 1904, *Rev. gén. des sc.,* n° 13,
p. 672 ; de *métabolisme,* et *-ite.*

♦ Biol. Substance organique participant aux réactions du métabolisme (produit de transformation), ou qui est formée dans l'organisme au cours des transformations métaboliques.
L'étiologie de ces troubles *(mal des montagnes)* est multiple : la diminution de la
pression partielle d'oxygène dans l'air alvéolaire (...) la déperdition saline (...) une
auto-intoxication consécutive à un défaut d'oxydation de certains métabolites (on
désigne sous ce terme, toute molécule participant aux processus biochimiques de
la vie cellulaire ou du métabolisme fonctionnel).
Jacques GUILLERME, la Vie en haute altitude, p. 62-63 et note.
On appelle «métabolite» tout corps produit par le métabolisme ; «métabolites
essentiels» les corps universellement requis pour la croissance et la multiplication
des cellules.   Jacques MONOD, le Hasard et la Nécessité, p. 89.
COMP. Antimétabolite.

MÉTACARPE [metakaʀp] n. m. — 1546 ; du grec *metakarpion.*

♦ Anat. Portion du squelette de la main comprise entre le carpe (qui
soutient le poignet) et les phalanges. *Les cinq os du métacarpe.*
⇒ **Métacarpien.**
Et vous préférez me casser, moi ! gémit Pierre en se faisant craquer d'impatience
les jointures du métacarpe.   Paul MORAND, l'Homme pressé, VIII, p. 100.
DÉR. Métacarpien.

MÉTACARPIEN, IENNE [metakaʀpjɛ̃, jɛn] adj. — 1752 ; de
métacarpe.

♦ Anat. Du métacarpe ; qui a rapport au métacarpe. *Ligaments
métacarpiens. Veines métacarpiennes.* — N. m. (1845). *Les métacarpiens :* les cinq os du métacarpe. *Le premier, deuxième métacarpien.*

MÉTACENTRE [metasɑ̃tʀ] n. m. — 1746 ; de *méta-,* et *centre.*

♦ Phys. Point d'application de la résultante des forces qui s'exer-

cent sur un corps solide flottant. Mar. *Déplacement du métacentre d'un navire* (→ Courbe* métacentrique).
DÉR. Métacentrique.

MÉTACENTRIQUE [metasɑ̃tʀik] adj. — 1866, Littré ; de *méta-centre.*

♦ **1.** Phys. Du métacentre.

♦ **2.** Biol. *Chromosomes métacentriques,* dont le centromère est situé au milieu du chromosome.

MÉTACHROMASIE [metakʀɔmazi] n. f. ⇒ **Métachromatisme** (2.).

MÉTACHROMATIQUE [metakʀɔmatik] adj. — Déb. XXᵉ ; de *méta-,* et *chromatique.*

♦ Didact. (Biol.). Se dit des éléments histologiques (organites) doués de *métachromatisme* (2.). « *Un noyau bien défini, puis des corpuscules métachromatiques* » (*Rev. gén. des sc.,* nᵒ 12, p. 683, 1903).

MÉTACHROMATISME [metakʀɔmatism] n. m. — 1866, Littré ; de *méta-,* et *chromatisme.*
Didactique.

♦ **1.** Modification pathologique ou normale (âge) de la couleur de la peau, des poils.
(...) les feux croisés des projecteurs qui tigraient, zébraient le ciel nocturne et faisaient des taches et des ronds (...) de maladie à vilaine et lente évolution comme un métachromatisme sur la peau d'un léopard anémié et captif.
B. CENDRARS, Bourlinguer, p. 294.

♦ **2.** Biol. Propriété de certains éléments histologiques qui réagissent aux colorants différemment des autres (ils sont dits *métachromatiques*). Syn. : *métachromasie,* n. f. (1897).

MÉTACHRONIE [metakʀɔni] n. f. — 1935, Hjelmslev ; de *méta- « au delà »,* et *-chronie,* d'après *diachronie.*

♦ Ling. Diachronie des synchronies ; étude de l'évolution de la langue par le passage d'un état de langue synchronique à un autre.

MÉTACHRONISME [metakʀɔnism] n. m. — 1762, Académie ; du grec *metakhronos « postérieur »,* → Méta- et chrono-.

♦ Didact. Vx. Erreur de chronologie, forme particulière de l'anachronisme*.

MÉTACRITIQUE [metakʀitik] adj. — XXᵉ ; de *méta-,* et *critique.*

♦ Méd. Qui se produit après la phase critique d'une maladie. *Troubles métacritiques.*

MÉTADIALECTIQUE [metadjalɛktik] n. f. — V. 1960, Gonseth, *in* Foulquié ; de *méta- « au delà »,* et *dialectique.*

♦ Didact. Dialectique qui englobe les dialectiques ou toute dialectique.

MÉTADISCOURS [metadiskuʀ] n. m. — V. 1970 ; de *méta-,* et *discours,* d'après *métalangue, métalangage.*

♦ Didact. Discours* dont l'objet est le discours (son fonctionnement, sa nature...) ou la langue (c'est alors un énoncé métalinguistique).
On peut considérer que le métalangage comprend une métalangue (le code), et un métadiscours (les messages) dont la somme serait la norme métalinguistique. Le métadiscours qui introduit des autonymes* possède des règles morphosyntaxiques et prosodiques particulières. Josette REY-DEBOVE, Sémiotique, p. 95.

MÉTADYNE [metadin] n. f. — 1930 ; de *méta-,* et *-dyne,* grec *dunamis « puissance, force ».*

♦ Électr. Machine tournante à auto-excitation, comportant plus d'une ligne de balais par pôle, et utilisable comme génératrice, comme transformateur ou comme moteur. *Servomécanisme à métadyne.*

MÉTAGENÈSE [metaʒenɛz] n. f. — Av. 1888 → Métagénésique ; de *méta-,* et *genèse.*

♦ Biol. Alternance de générations sexuées et asexuées (par exemple chez certaine cnidaires : polypes, méduses).

MÉTAGÉNÉSIQUE [metaʒenezik] adj. — 1968 ; 1888 «relatif à la métagenèse*», (1855, angl. *metagenesis,* Owen, 1849) ; de *méta-,* et *génésique.*

♦ Biol. Qui intervient après la fécondation. *Malformation d'origine métagénésique.*

MÉTAGÉOMÉTRIE [metaʒeometʀi] n. f. — 1931, Larousse ; de *méta- « au delà »,* et *géométrie.*

♦ Didact. Géométrie englobant la géométrie euclidienne et plus générale qu'elle (la géométrie euclidienne étant un cas particulier de la métagéométrie).

MÉTAGRAMMATIQUE [metagʀa(m)matik] adj. — V. 1960 ; de *métagramme.*

♦ Didact. Relatif à un métagramme, fondé sur le métagramme.
L'inventeur à vrai dire d'un système métagrammatique d'écriture lequel permet d'aboutir par un jeu de miroirs analogue à celui des rimes (mais étendu à la phrase) à une création imprévue due à des combinaisons phoniques, fournissant à l'écrivain les éléments mêmes du récit. ARAGON, Blanche..., I, IV, p. 69.

MÉTAGRAMME [metagʀam] n. m. — 1867 ; → suff. -gramme.

♦ Jeu consistant à trouver d'après de courtes définitions, une série de mots dont seule une lettre change (ex. : *boire, foire, moire*).
DÉR. Métagrammatique.

MÉTAHISTOIRE [metaistwaʀ] n. f. — V. 1960 ; de *méta- « au delà »,* et *histoire.*

♦ Didact. Philosophie de l'histoire ; réflexion générale englobant l'histoire et ses fondements.
L'histoire est toujours sur le point de devenir métahistoire : c'est ce qui arrive quand on cherche le sens des événements dans les causes, ou dans l'enchaînement, ou dans le tout de l'histoire.
P. RICŒUR, Préface, *in* THÉVENAZ, l'Homme et sa raison, I, 20 (*in* FOULQUIÉ).

MÉTAIL [metaj] n. m. — V. 1265, *Roman de la rose* ; var. de *métal.*

♦ Vx. (Déb. XVIIᵉ, M. Régnier). Alliage métallique ; spécialt, bronze.

MÉTAIRIE [metɛʀi ; meteʀi] n. f. — 1509 ; XIIᵉ, *moitoierie* ; XIIIᵉ, *meterrie* ; de *métayer.*

♦ **1.** Domaine agricole exploité selon le système du métayage*. ⇒ **Borde, borderie, closeau.** *Exploitant d'une métairie.* ⇒ **Métayer ; bordier.**
(...) il avait fallu résilier les baux, partager ses domaines en quatre grandes métairies, et les avoir à moitié (...) Le propriétaire donne l'habitation, les bâtiments d'exploitation et les semences, à des colons de bonne volonté avec lesquels il partage les frais de culture et les produits.
BALZAC, le Lys dans la vallée, Pl., t. VIII, p. 865.
Par ext. Domaine agricole de petite ou moyenne importance. ⇒ **Ferme.**

♦ **2.** (1690). Bâtiments d'une métairie (→ Colombier, cit. 1 ; gîter, cit. 4).
(...) les champs fertiles où, par les jours de soleil, les métairies font des taches roses et blanches très gaies.
M. GENEVOIX, Rémi des Rauches, *in* Classe de franç., 1953-1954, p. 15.

MÉTAL, AUX [metal, o] n. m. — Déb. XIIᵉ ; lat. *metallum « métal, mine ».*

♦ **1.** Chim. et cour. Corps simple, doué d'un éclat particulier (éclat métallique), bon conducteur de la chaleur et de l'électricité et formant, par combinaison avec l'oxygène, des oxydes basiques. *Un métal, des métaux. Propriétés physiques des métaux. Coloration, conductibilité, ductilité, dureté, fusibilité, malléabilité* (cit.), *ténacité d'un métal. Qui a l'apparence d'un métal.* ⇒ **Métallique, métallin** (vx). — *Principaux métaux usuels.* ⇒ **Aluminium, chrome, cuivre, étain, fer, mercure, nickel, plomb, zinc.** *Métaux précieux,* ou (vx) *métaux parfaits* (→ Inaltérabilité, cit.). ⇒ **Argent, or, platine.** *Métal commun recouvert d'un métal précieux.* ⇒ **Doublé, plaqué, ruolz ; argenture, dorure.** *Imitation de métal précieux.* ⇒ **Clinquant, similor.** *Autres métaux.* ⇒ **Antimoine, béryllium** (ou **glucinium,** vx), **bismuth, cadmium, cérium, césium, cobalt, erbium, gallium, germanium, indium, iridium, lanthane, lithium, magnésium, manganèse, molybdène, osmium, palladium, potassium, rhodium, rubidium, ruthénium, sodium, tantale, terbium, thallium, titane (titanium), tungstène, vanadium, ytterbium, yttrium, zirconium.** *Métaux alcalino-terreux.* ⇒ **Baryum, calcium, radium, strontium.** *Métaux radioactifs.* ⇒ **Actinium, plutonium, polonium, radium, thorium, uranium...** *Les alchimistes espéraient obtenir la conversion, la transmutation des métaux en or. Application d'un métal protecteur sur un métal oxydable.* ⇒ **Chromage, étamage, nickelage.** *Mélange de deux ou plusieurs métaux.* ⇒ **Alliage** (airain*, amalgame*...), **frittage.** *Allier deux métaux ; métaux inalliables. Séparation par fusion de deux ou de plusieurs métaux.* ⇒ **Liquation ; coupellation.** *Les métaux à l'état naturel.* ⇒ **Minerai ; minéralisation, minéraliser ; pépite, pail-**

lette. *Roche, filon, gisement qui contient un métal.* ⇒ **Métallifère.** *Extraction des métaux dans les mines. Détermination de la teneur en métal d'un minerai.* ⇒ **Docimasie** (1). *Étude microscopique, chimique... des métaux.* ⇒ **Métallographie.** *Essais de laboratoire portant sur la résistance, la dilatation des métaux.* — Méd. *Traitement de certaines maladies par les métaux.* ⇒ **Métallothérapie.**

1 Les métaux, tels que nous les connaissons · et que nous en usons, sont autant l'ouvrage de notre art que le produit de la nature ; tout ce que nous voyons sous la forme de plomb, d'étain, de fer, et même de cuivre, ne ressemble point du tout aux mines dont nous avons tiré ces métaux : leurs minerais sont des espèces de pyrites (...) BUFFON, Hist. nat. des minéraux, Concrétions métalliques.

2 Ils allaient conquérir le fabuleux métal *(l'or)*
Que Cipango mûrit dans ses mines lointaines
J. M. DE HÉRÉDIA, les Conquérants.

3 (...) à cette époque, la pierre philosophale passait non seulement pour transmuer les métaux vils, tels que l'étain, le plomb, le cuivre, en des métaux nobles comme l'argent et l'or, mais encore pour guérir toutes les maladies (...)
HUYSMANS, Là-bas, VI.

♦ **2.** Blason. **MÉTAUX** (1868 ; au sing, 1681). Se dit de couleurs du blason* : l'or et l'argent (→ Couleur, cit. 11).

♦ **3.** Cour. Substance métallique (métal ou alliage). *Des outils en métal. Travailler les métaux.* — Loc. (1851). *Métal anglais :* alliage de zinc et d'antimoine, utilisé en orfèvrerie. — (1762). *Métal blanc :* alliage de divers métaux ressemblant à de l'argent.

4 (...) les flambeaux et les crucifix sont en métal anglais, se nettoyant comme l'argent. NERVAL, Voyage en Orient, Introduction, V.
Industrie des métaux. ⇒ **Métallurgie ; métallurgique, métallurgiste ; acier, fonte.** *Usine où l'on extrait les métaux, où on les moule* (⇒ **Fonderie**), *les affine* (⇒ **Affinerie**). *Masse de métal en fusion au sortir du four.* ⇒ **Coulage, coulée ; loupe.** *Premier état d'un métal en fusion.* ⇒ **Matte ;** et aussi **bain.** *Masse de métal moulée.* ⇒ **Gueuse, lingot, saumon.** *Métal en barre, en lingot, en masse, en grenaille... Débris, parcelles fines de métal.* ⇒ **Battiture, cisaille, limaille.** *Métal brut de coulée, brut de fonderie. Métal en excédent adhérant à une pièce fondue.* ⇒ **Masselotte.** *Paille* dans un objet de métal. — De, en métal* (⇒ **Métallique**). *Lame*, plaque*, feuille..., cylindre*, manchon de métal. La lime, outil de métal ; la clé, instrument de métal. Le clou, la vis,... pièces d'assemblage en métal. — Le batteur* réduit les métaux en feuilles minces. Graver les métaux au burin*. Gravure sur métaux.* ⇒ **Chalcographie, métallographie.**

5 Maillecotin regarde se soulever les gros copeaux de métal. Il a toujours le même plaisir à suivre cette coupure irrésistible de l'acier par un acier plus dur (...) Le métal, chauffé par la coupe, dégage son odeur et brunit un peu.
J. ROMAINS, les Hommes de bonne volonté, t. IX, III, p. 27-28.

♦ **4.** (1665). Spécialt. **LE MÉTAL** : moyen d'échange, étalon monétaire. ⇒ **Monnaie ; monnayer** (→ Jeu, cit. 36) ; et aussi **bimétallisme, monométallisme.** *Payer en métal.* ⇒ **Métalliquement** (vx). *La valeur du billet convertible* (cit. 1) *est égale à celle du métal auquel il donne droit.* « *Ce bienheureux* (cit. 12) *métal, l'argent, maître du monde* » (La Fontaine).

6 (...) il est, entre tous, une certaine catégorie d'objets qui (...) n'ont pas tardé, dans toutes les sociétés tant soit peu civilisées à détrôner toute autre marchandise, je veux parler des métaux précieux : l'or, l'argent et le cuivre.
Charles GIDE, Cours d'économie politique, t. I, p. 425.

♦ **5.** (Fin XIIe). Fig., littér. Substance, matière dont est fait (une personne, son caractère). *Être d'un métal pur, trempé** (→ Fondre, cit. 2).

7 De gros os et des muscles à toute épreuve, métal de gabier qui n'a pas de paille (...)
André SUARÈS, Trois hommes, « Ibsen », I.

8 Les collégiens, bons juges de caractère, reconnurent après un an que ce camarade était de métal pur. A. MAUROIS, Vie de Byron, I, V.

DÉR. **Métallerie, métallin, métalliser, métalloïde.**

MÉTALANGAGE [metalɑ̃gaʒ] n. m. — 1957 ; en angl. *metalanguage*, Ch. Morris, 1938 ; créé en polonais, *metajazyk* par Tarski (1931), un des logiciens du Cercle de Vienne.

Didactique.

♦ **1.** Log. Langage supérieur, dit secondaire, qui englobe un langage-objet dit primaire (formalisé ou naturel) et qui sert à établir la vérité (ou la fausseté) des propositions de ce langage primaire et la non-contradiction du système qu'elles forment (consistance). « *Le métalangage des logiciens constitue la métalogique* » (J. Rey-Debove).

♦ **2.** Ling. Langage (formalisé ou naturel) qui décrit le langage naturel. ⇒ **Métalangue.** *Métalangage scientifique,* qui rend compte de façon satisfaisante des structures et du fonctionnement des langues. ⇒ **Linguistique.** *Métalangage familier :* discours quelconque (vrai ou faux) sur le langage. *La base du métalangage est une terminologie* (mots métalinguistiques et autonymes). — REM. On trouve aussi la graphie *méta-langage.*

1 Le mythe lui-même, que j'appellerai méta-langage, parce qu'il est une seconde langue, dans laquelle on parle de la première. R. BARTHES, Mythologies, p. 200.

2 Le métalangage qui parle d'une langue naturelle a pour modèle simulateur que la métalogique ou la métamathématique. S'il est formalisé et dérive les propositions les unes des autres, comme, par exemple, dans la grammaire générative transformationnelle, il s'en rapproche structurellement autant qu'il est possible.

Mais, dans la mesure où le métalangage n'est rien d'autre qu'une fonction d'une langue naturelle, il s'éloigne beaucoup de ce premier modèle. Il reproduit celui de la langue naturelle avec ses imprécisions, ses ambiguïtés. C'est un usage métalinguistique qui ne constitue pas, même chez les linguistes, un langage scientifique ; le métalangage est alors, comme le langage, un objet naturel à décrire.
Josette REY-DEBOVE, le Métalangage, p. 7.

Mais n'ai-je pas droit, habitué que je suis à ce que, sur les traces de Hjelmslev, mes collègues ont appelé métalangage, c'est-à-dire à la pratique d'un langage qui explique la langue-objet, n'ai-je pas droit à me servir métaphoriquement de ce métalangage pour exprimer l'inexprimable, ce qui n'a pas de mots, par exemple les sentiments, la subjectivité (...) n'ai-je pas droit à une sémantique de la douleur, par exemple ? ARAGON, Blanche..., III, II, p. 392.

Sémiotique. Langage naturel qui décrit un système signifiant non langagier (par ex. la critique musicale, etc.).

Un métalangage est un système dont le plan du contenu est constitué lui-même par un système de signification ; ou encore c'est une sémiotique qui traite d'une sémiotique. R. BARTHES, Éléments de sémiologie, IV, 1.

MÉTALANGUE [metalɑ̃g] n. f. — V. 1960 ; de *méta-,* et *langue.*

Didactique. (Linguistique).

♦ **1.** Langue naturelle, en tant qu'elle signifie d'une langue, parle d'une langue (une autre, ou la même). ⇒ **Métalangage.** *La métalangue de description est l'allemand.*

♦ **2.** (Opposé à *métadiscours*). Ce qui est codé dans le métalangage naturel, dans l'optique saussurienne où le langage comprend la langue et le discours. *Les règles de la métalangue.*

REM. On trouve aussi la graphie *méta-langue.*

Déjà, du temps de Le Roy, le type de vérité de l'épistémologie ne peut plus être que d'ordre historico-descriptif. Elle n'est plus science des sciences, mais *discours dans une méta-langue* à propos de chaque langue particulière de chaque région du savoir. Michel SERRES, Hermès, II, la Communication, p. 66.

MÉTALDÉHYDE [metaldeid] n. m. ou (rarement) f. — 1855 ; de *méta-,* et *aldéhyde.*

♦ Chim., techn. Composé solide de l'aldéhyde, corps blanc inflammable, employé comme combustible dans les petits réchauds portatifs. ⇒ **Méta.**

MÉTALENT [metalɑ̃] n. m. — 1743 ; de *mé-,* et *talent.*

REM. Homonyme de *métalent* « mauvaise disposition d'esprit, penchant pour le mal », avant 1757 d'après Littré, de *talent* « humeur, désir », aussi *maltalent,* déb. XIIe, encore dans Voltaire.

♦ Vx., rare (Stendhal). Manque de talent, inhabileté. *Un métalent étonnant pour la danse.*

MÉTALEPSE [metalɛps] n. f. — 1585 ; du grec *metalêpsis* « transposition ».

♦ Rhét. « Figure invoquée par les auteurs de traités de rhétorique pour expliquer de prétendus transferts (...) de signification ; ainsi dans l'emploi de *entendre* au sens de *comprendre,* de *écouter* au sens de *obéir* » (Marouzeau, *Lexique de la terminologie linguistique*).

MÉTALINGUISTIQUE [metalɛ̃gɥistik] adj. — V. 1960 ; de *métalangage,* d'après *linguistique.*

♦ Didact. (Ling.) Du métalangage (2.), qui concerne le métalangage ou constitue un métalangage. *La fonction métalinguistique du langage :* l'une des fonctions de langage, selon Jakobson. *Mots métalinguistiques,* dont le signifié contient la notion de langage (ex. : *dire, nom, grammatical, verbalement*). *Les mots métalinguistiques et les autonymes forment le métalexique.*

La théorie du métalangage se fonde sur les recherches des logiciens, des philosophes, des linguistes (et sur la critique de ces recherches). Rappelons la définition : le métalangage consiste en un message (assemblage de signes) axé sur le code d'un message, un autre ou le même. Il y a métalangage dès que l'on (le locuteur) livre une partie de son code, ne fût-ce qu'en définissant un mot, en revenant en arrière pour expliciter une signification. C'est dire que la fonction métalinguistique est normale, courante, essentielle au discours.
Henri LEFEBVRE, la Vie quotidienne dans le monde moderne, p. 240.

MÉTALLÉITÉ [metaleite] n. f. — 1765 ; probablt du lat. sav. *metalleitas,* Becher, de l'adj. *metalleus* « de la nature du métal ».

♦ Alchim., chim. (vx). Qualité d'un métal parfait ; ensemble des propriétés caractérisant les métaux.

MÉTALLERIE [metalʀi] n. f. — 1974 ; de *métal,* et suff. *-erie.*

♦ Techn. Confection d'ouvrages métalliques (charpentes, menuiseries en aluminium, acier inoxydable, etc.).

REM. Du fait de l'utilisation de métaux autres que le fer, et des nouvelles techniques en usage, le terme *métallerie* tend à remplacer *serrurerie**.
DÉR. **Métallier.**

MÉTALLESCENCE [metalesɑ̃s] n. f. — 1840 ; de *métallescent.*

♦ Chim. (vx). Aspect métallique.

MÉTALLESCENT, ENTE [metalesɑ̃, ɑ̃t] adj. — 1840 ; dér. sav. du lat. *metallum* « métal », et suff. *-escent.*

♦ Chim. (vx). Qui a l'apparence du métal.
DÉR. **Métallescence.**

MÉTALLIER [metalje] n. m. — 1974 ; de *métallerie.*

♦ Techn. Ouvrier spécialisé dans la métallerie. *Un C.A.P. de métallier.* « *Compagnon métallier* » (Annonce, *France-Soir*, 30 mars 1982). — REM. Le fém. *métallière* est virtuel.

MÉTALLIFÈRE [metalifɛʀ] adj. — 1827 ; du lat *metallum*, et *-fère.*

♦ Didact. Qui contient un métal. *Gisement métallifère. Roche métallifère.*

MÉTALLIN, INE [metalɛ̃, in] adj. — XIVᵉ ; de *métal.*

♦ Vx. Qui a la teinte, l'éclat du métal. *Un corps d'aspect métallin.*

MÉTALLIQUE [metalik] adj. — V. 1500, Bloch ; lat. *metallicus*, de *metallum* → Métal.

♦ **1.** Qui est fait de métal, constitué par du métal. *Fil métallique* (→ Câble, cit. 1). *Carcasse* (cit. 11), *charpente métallique. Menuiserie métallique.* ⇒ **Métallerie.** *Coffre métallique.* ⇒ **Coffre-fort.** Spécialt. Qui est en espèces monnayées, en métal d'or, d'argent. *Monnaie* métallique. Encaisse* métallique.*
(1704). Didact. *Histoire métallique* : ensemble de médailles qui représentent des personnages ou des faits historiques.

♦ **2.** Qui appartient au métal, rappelle le métal, a l'apparence du métal. *Éclat, reflet métallique* (→ Caractère, cit. 6 ; élytre, cit.). *Couleur métallique* (→ Aube, cit. 8).
Cela tenait sans doute à la dureté extraordinaire du regard ; les yeux noirs, méfiants, d'un éclat presque métallique étaient en effet ceux d'une vieille femme (...)   J. GREEN, *Léviathan*, I, V.

♦ **3.** Spécialt. Qui semble venir d'un corps fait de métal. *Bruit, son métallique. Vibrations métalliques* (→ Ébranler, cit. 22). Par anal. *Voix métallique,* dure comme un bruit métallique. — Méd. *Bruit métallique* : bruit pathologique perçu à l'auscultation.
(...) une voix métallique, impersonnelle, sortie d'un disque microsillon, sans doute, psalmodia : « Il n'y a plus d'abonné au numéro que vous demandez. Veuillez consulter l'annuaire »   G. DUHAMEL, *l'Archange de l'aventure*, XVIII.
DÉR. **Métalliquement.**

MÉTALLIQUEMENT [metalikmɑ̃] adv. — 1828 ; de *métallique.*

♦ Vx. Avec une monnaie de métal, en espèces. *Se faire payer métalliquement.*

MÉTALLISATION [metalizasjɔ̃] n. f. — 1753 ; de *métalliser.* Didactique.

♦ **1.** Chim. Opération par laquelle on ramène à l'état de métal pur (le métal d'une combinaison).

♦ **2.** (1877). Techn. Opération par laquelle on métallise (une surface). ⇒ **Galvanisation.** — Spécialt. Projection d'un métal en fusion sur un support. *Métallisation sous vide. Métallisation du verre.*

♦ **3.** (1807). Géol. Processus d'imprégnation des dépôts géologiques par des substances métalliques.

♦ **4.** (1976). Techn. Liaison électrique entre les éléments métalliques d'un aéronef, en vue d'obtenir une répartition sûre des charges et des intensités.

MÉTALLISÉ, ÉE [metalize] adj. — XVIᵉ, « transformé en métal ». → Métalliser.

♦ Techn. et cour. Qui a reçu un éclat métallique par métallisation. *Peinture métallisée. Voiture gris métallisé.* — *Un superbe coupé métallisé.*

MÉTALLISER [metalize] v. tr. — XVIᵉ, au p. p. ; de *métal.* Didactique. (Chimie, technique).

♦ **1.** (1751). Ramener à l'état de pureté (les métaux entrant dans une combinaison).

♦ **2.** (1868). Couvrir d'une légère couche de métal. ⇒ **Étamer, galvaniser.** *Métalliser un miroir.*

♦ **3.** Donner à (un corps) un éclat métallique.
DÉR. **Métallisation, métallisé, métalliseur.**

MÉTALLISEUR [metalizœʀ] adj. et n. m. — Mil. XXᵉ ; de *métalliser.*

♦ Techn. Qui sert à métalliser. *Pistolet métalliseur.*
N. m. Ouvrier chargé de la métallisation.

MÉTALLO [metalo] n. m. — V. 1921 ; abrév. de *métall(urgiste)* avec le suff. pop. *-o.*

♦ Fam., cour. Ouvrier métallurgiste (des industries de transformation). *Il est métallo chez Renault. Un syndicat de métallos.*

MÉTALLO- Élément de mots scientifiques et techniques, tiré du lat. *metallum* « métal ».

MÉTALLOCÉRAMIQUE [metaloseʀamik] n. f. — 1963 ; de *métallo-,* et *céramique.*

♦ Métall. Technique de la métallurgie employée pour obtenir des pièces mécaniques, des métaux ou alliages à propriétés particulières, à partir de poudres métalliques comprimées ou moulées soumises au procédé céramique du frittage*. — REM. On dit aussi *métallurgie des poudres, céramique métallique.*

MÉTALLOCHIMIE [metaloʃimi] n. f. — 1868 ; de *métallo-,* et *chimie.*

♦ Didact. Partie de la chimie consacrée aux métaux.

MÉTALLOCHROMIE [metalokʀɔmi] n. f. — V. 1888 ; de *métallo-,* et *-chromie.*

♦ Techn. Technique de la coloration des surfaces métalliques.
DÉR. **Métallochromiste.**

MÉTALLOCHROMISTE [metalokʀɔmist] n. — 1903 ; de *métallochromie.*

♦ Techn. Spécialiste de métallochromie.

MÉTALLOGENÈSE [metaloʒɛnɛz] n. f. — XXᵉ ; de *métallo-,* et *genèse.*

♦ Didact. Formation des gîtes métallifères.

MÉTALLOGÉNIE [metaloʒeni] n. f. — 1904, *Rev. gén. des sc.,* nº 8, p. 387 ; de *métallo,* et *-génie.*

♦ Didact. Science qui a pour objet la formation des gîtes métallifères.

MÉTALLOGRAPHIE [metalɔgʀafi] n. f. — 1548 « traité des métaux » ; de *métallo-,* et suff. *-graphie.*

♦ **1.** (1771). Sc., techn. Étude de la structure et des propriétés des métaux. *Métallographie microscopique, aux rayons X...*

♦ **2.** (1874). Techn. Gravure sur métal.
DÉR. **Métallographique.**

MÉTALLOGRAPHIQUE [metalɔgʀafik] adj. — 1827 ; de *métallographie.*

♦ Sc., techn. Relatif à la métallographie.

MÉTALLOÏDE [metalɔid] n. m. — 1824, adj. ; de *métal,* et suff. *-oïde.* Chimie.

♦ **1.** Anciennt. Corps simple, généralement dépourvu d'éclat, mauvais conducteur de la chaleur et de l'électricité et qui forme avec l'oxygène des composés acides (opposé à *métal*). *Les métalloïdes et les métaux.*

♦ **2.** (1960). Mod. Corps simple qui a des propriétés métalliques, mais aussi des propriétés opposées, et forme en particulier des composés amphotères*. — On les appelle aussi des *non-métaux.* — *Principaux métalloïdes.* ⇒ **Azote, brome, carbone, chlore, fluor, iode, oxygène, phosphore, sélénium, silicium, soufre.**
DÉR. **Métalloïdique.**

MÉTALLOÏDIQUE [metalɔidik] adj. — 1877; de *métalloïde*.

♦ Chim. Relatif aux métalloïdes. *« L'iode en solution transforme l'arsenic métalloïdique en acide arsénieux »* (*Année sc. et industr.*, 1896, p. 138).

MÉTALLOPHONE [metalɔfɔn] n. m. — 1935, *Encyclopédie française*; all. *Metallophon*, Curt Sachs 1913, p.-ê. de l'angl. *metallophone*, 1887; de *metallo-*, et *-phone*.

♦ Mus., ethnol. Genre d'instruments de musique (classe des idiophones*) composés d'un jeu de lames ou de plaques métalliques percutées. *Le xylophone (en bois) est analogue aux métallophones.*

Les danses hiératiques et les drames mimés sont accompagnés *(en Indonésie)* par un orchestre de percussion unique au monde, le Gamelan, composé principalement de métallophones et pouvant grouper soixante-dix instruments (...) Le thème est confié aux saron, métallophones à lames de bronze sans résonateur, de taille décroissant du grave à l'aigu. Les lames de cuivre des métallophones gender, barung (graves) et panerus (aigus) et des slentem sont disposées au-dessus de tubes de bambou «accordés» avec les lames pour produire un son long très harmonieux.
        J.-P. VANDERICHET, les Instruments de percussion, p. 87-88.

MÉTALLOPLASTIQUE [metaloplastik] adj. — Mil. xxᵉ, de *métallo-*, et *plastique*.

♦ Techn. Qui a certaines caractéristiques d'un métal et d'une matière plastique. *Joints de culasse métalloplastiques* (en amiante et cuivre en feuilles).

MÉTALLOPROTÉINE [metaloprɔtein] n. f. — 1968; de *métallo-*, et *protéine*.

♦ Biochim. Hétéroprotéine combinée à un métal (fer, cuivre, magnésium, zinc). *L'hémoglobine, la chlorophylle, sont des métalloprotéines.*

MÉTALLORADIOGRAPHIE [metaloʀadjɔgrafi] n. f. — 1923; de *métallo-*, et *radiographie*.
Science, technique.

♦ **1.** Radiographie dans laquelle l'image est fixée sur une plaque métallique.

♦ **2.** (1963). Métall. ⇒ **Radiométallographie.**

MÉTALLOTHÉRAPIE [metaloteʀapi] n. f. — 1869, cit.; de *métallo-*, et *-thérapie*.

♦ Didact., vx. Thérapeutique pratiquée par application d'un objet métallique.

Connaissez-vous la métallothérapie? (...) cette méthode consiste à appliquer sur le corps des disques, ou une surface un peu étendue, de cuivre et d'acier.
        L. FIGUIER, l'Année scientifique et industrielle, 1870, p. 477 (1869).

MÉTALLURGIE [metalyʀʒi] n. f. — 1611; du lat. sc. *metallurgia*.

♦ **1.** Fabrication des métaux; industrie, technique (ou ensemble d'industries et de techniques) permettant d'obtenir des métaux. *Métallurgie du fer* (⇒ **Sidérotechnie, sidérurgie; acier, fer, fonte**), *métallurgie des métaux non ferreux* (aluminium, cuivre, etc.). *Apparition de la métallurgie dans la protohistoire. Histoire de la métallurgie. Métallurgie utilisant l'électricité.* ⇒ **Électrométallurgie.** *Métallurgie fine* (alliages, aciers spéciaux). *La métallurgie fournit des lingots de métal ainsi que des «semi-produits»* (tôles, profilés...).

REM. Le mot *métallurgie* exclut en principe les opérations d'extraction du minerai* (→ Mine), mais inclut l'enrichissement, la concentration et les divers traitements du minerai. Les économistes parlent souvent, dans cet emploi, de *métallurgie lourde*.

1   *Métallurgie* c'est ainsi qu'on nomme la partie de la Chimie qui s'occupe du traitement des métaux et des moyens de les séparer des substances avec lesquelles ils sont mêlés et combinés dans le sein de la terre, afin de leur donner l'état de pureté qui leur est nécessaire pour pouvoir servir aux différents usages de la vie.
        Encycl. (DIDEROT), art. *Métallurgie.*

Opérations principales et procédés de la métallurgie. ⇒ **Aciérage, aciération, affinage, ajustage, alésage, amalgamation, battage, bleuissage, brasage, brasement, brassage, bronzage, brunissage, calcination, calorisation, cémentation, coulage, décapage, décarburation, décolletage, déphosphoration, dérochage, doucissage, éclaircissage, écrouissage, emboutissage, estampage, étamage, étirage, fonte** (3.), **forgeage, fraisage, fusion, galvanoplastie, grenaillement, grillage, laminage, martelage** (marteler, malléer), **mazéage, métallisation, métallochromie, meulage, moulage, polissage, puddlage, recuite, réduction, repoussage, ressuage, revenu, revivification, soudure, sulfinisation, tirage, tréfilage, trempe, usinage...** → Chaudronnerie, tôlerie... *Substances utilisées par la métallurgie.* ⇒ **Brasque, coke, fon-**

dant, minerai... *Résidus et déchets de la métallurgie.* ⇒ **Cadmie, chiasse, crasse, laitier, scorie.**

Matériel, outillage de métallurgie. ⇒ **Trémie; trieur; convertisseur, four, fourneau** (haut), **têt; casse, échenal; forge, marteau-pilon; étireuse, filière** (tréfilerie), **laminoir, tour** (à métaux, à aléser...). *Établissements, usines où s'effectuent les diverses opérations de la métallurgie.* ⇒ **Fonderie, forge, tréfilerie...**

La métallurgie et l'agriculture furent les deux arts dont l'invention produisit cette grande révolution. Pour le poète, c'est l'or et l'argent; mais pour le philosophe, ce sont le fer et le blé qui ont civilisé les hommes et perdu le genre humain.
        ROUSSEAU, De l'inégalité parmi les hommes, II.

♦ **2.** Par ext. Travail, mise en œuvre des métaux. *Métallurgie de transformation :* ensemble des industries* mécaniques (outillage industriel, construction du matériel de transport, construction automobile et aéronautique, matériel agricole). *Pièce de métallurgie fine* (→ Examen, cit. 8).

REM. Il est préférable d'employer dans ce sens *industrie mécanique,* pour éviter la confusion avec le sens premier. On trouve cependant *métallurgie* et *métallurgique* dans ce sens étendu, en géographie économique : *«Plus de 400 établissements* (dans le Nord de la France) *s'occupent des multiples travaux de la métallurgie (...) ateliers immenses (...) d'où sortent (...) des pièces de forge (...) des wagons (...) des locomotives, seules manquent les usines d'automobiles»* (Demangeon, *Géographie écon. et hum. de la France,* VII, ch. 39, III).
Métallurgie des poudres. ⇒ **Métallocéramique; frittage.**

♦ **3.** Ensemble des entreprises et des installations où l'on travaille les minerais métalliques, et, par ext., les métaux. *La métallurgie française. Les maîtres de la métallurgie. Crise dans la métallurgie.*

DÉR. Métallurgique, métallurgiste.

MÉTALLURGIQUE [metalyʀʒik] adj. — 1752; de *métallurgie*.

♦ Relatif à la métallurgie. *Industries métallurgiques :* métallurgie lourde et métallurgie de transformation.

Les petites industries métallurgiques travaillant pour la clientèle artisanale (...) petite chaudronnerie, robinetterie, plomberie, matériel de chauffage central, serrurerie, horlogerie, coutellerie, se présentent géographiquement sous deux formes : celle d'implantations traditionnelles (...) celle des usines urbaines.
        Pierre GEORGE, Précis de géographie économique, p. 211.

Destiné à la métallurgie. *Coke métallurgique.*

DÉR. Métallurgiquement.

MÉTALLURGIQUEMENT [metalyʀʒikmã] adv. — 1874, P. Larousse; de *métallurgique*.

♦ Rare. Par la métallurgie; du point de vue métallurgique.

MÉTALLURGISTE [metalyʀʒist] adj. et n. — 1719; de *métallurgie*, et suff. *-iste*.

♦ **1.** Adj. Rare. Qui s'occupe de métallurgie (personnes, entreprises). *Industriel métallurgiste. — Ouvrier métallurgiste.*

♦ **2.** N. m. (Cour.). **[a]** Personne qui concourt à la fabrication des métaux, fabrique des métaux. *Les premiers métallurgistes de la préhistoire.*

(...) Cyrus Smith prétendait économiser ces constructions, et voulait former tout simplement, avec le minerai et le charbon, une masse cubique au centre de laquelle il dirigerait le vent de son soufflet. C'était le procédé employé, sans doute, par Tubal-Caïn et les premiers métallurgistes du monde habité.
        J. VERNE, l'Île mystérieuse, t. I, p. 200.

[b] Entrepreneur qui dirige, possède... une entreprise métallurgiste. *«Les grands métallurgistes de l'Est»* (Académie). ⇒ **Fondeur, forge** (maître de forges).

[c] Ouvrier qui travaille dans la métallurgie, et, spécialt, dans la métallurgie de transformation. ⇒ **Métallo** (fam.); **ajusteur, chaudronnier, fondeur, riveur...**

Le 15 au soir, après la paye, il a fermé les ateliers (...) Il n'a rouvert que le 19. La grève ne le menaçait pas directement. Les métallurgistes de l'automobile ne formulaient aucune revendication particulière (...) Ils ne marcheraient que les derniers de tous, et par solidarité pure.
        J. ROMAINS, les Hommes de bonne volonté, t. IX, III, p. 40.

MÉTALOGIQUE [metalɔʒik] adj. et n. f. — 1910, A. Lalande, in D.D.L.; all. *metalogisch*, xixᵉ; lat. *metalogicus* (xiiᵉ); de *méta-*, et *logique*.

♦ Didact. Adj. Qui sert de base à la logique, et, spécialt, concerne la valeur des énoncés.

C'est pourquoi les logiciens sont maintenant enclins à symboliser aussi la métalangue, et à traiter des problèmes métalogiques selon les mêmes méthodes formelles.
        René BLANCHÉ, Introd. à la logique contemporaine, p. 31.

N. f. Étude formalisée des logiques symboliques, notamment de leur consistance et de leur complétude.

MÉTAMATHÉMATIQUE [metamatematik] n. f. et adj. —
V. 1930; de l'all. (Hilbert), d'après *méta-*, et *mathématique*.

♦ N. f. Didact. Étude méthodologique de la mathématique. « (...) *la
métamathématique est, selon Hilbert, la théorie des démonstrations formalisées. Sa partie centrale concerne la non-contradiction
des théories mathématiques* » (Bouvier et George).

REM. On trouve aussi la graphie *méta-mathématique*.

(...) dès cette époque, je l'ai dit, les mathématiques ne pouvaient plus se passer
d'une méta-mathématique qui en dégageât au moins la chaîne et la trame, mais
l'École (Polytechnique) enseignait tout, sauf la philosophie, considérée de bonne
foi par ces savants comme un bavardage inutile.
Raymond ABELLIO, les Militants, p. 17.

Adj. Relatif à cette étude. *Théorème métamathématique.*

MÉTAMÈRE [metamɛʀ] adj. et n. m. — 1874; de *méta-*, et
suff. *-mère*.

♦ **1.** Adj. Chim. Se dit de composés organiques isomères ayant
même fonction.

♦ **2.** N. m. **a** Zool. Chacun des segments articulés ou anneaux* successifs (d'un arthropode, d'un ver).

b Biol., embryol. (1874, en all., Haeckel). Segment résultant de la
division primitive du mésoderme de l'embryon. ⇒ **Métamérie, métamérisé, métamérisation.** — Syn. : *somite*.

Ce sont *(ces)* métamères mésodermiques, qui, dans leur partie dorsale, donnent
naissance à la musculature axiale, composée d'unités successives métamériques,
les *myotomes*. Maurice CAULLERY, l'Embryologie, p. 36.

DÉR. **Métamérie, métamérique, métamériser.**

MÉTAMÉRIE [metameʀi] n. f. — 1874; de *métamère*.

♦ **1.** Chim. Type d'isomérie, caractère des corps métamères.

♦ **2.** Embryol. Division du mésoderme, de part et d'autre de la corde
dorsale, en métamères* (2., b) qui donnent naissance aux tissus
musculaire et squelettique.

MÉTAMÉRIQUE [metameʀik] adj. — 1903, *Rev. gén. des sc.*,
n° 21, p. 1108; de *métamère*.

♦ Biol. Des métamères. *Unités métamériques* (→ Métamère, cit.).
Division métamérique, métamérie.

MÉTAMÉRISATION [metameʀizasjɔ̃] n. f. — 1897; *la métamérisation des myotomes* in *l'Année biol.* 1899, p. 186; de *métamériser (se)*.

♦ **1.** Biol. Formation des métamères des annélides, des arthropodes.

♦ **2.** Syn. de *métamérie.* ⇒ **Métamère.**

MÉTAMÉRISER (SE) [metameʀize] v. pron. — 1904, *Rev. gén.
des sc.*, n° 12, p. 606; de *métamère*.

♦ Didact. (Biol.). Se former par métamérie.

▶ **MÉTAMÉRISÉ, ÉE** p. p. adj.
Formé de métamères.

D'importants remaniements musculaires ont lieu; les muscles métamérisés du
têtard donneront leurs homologues chez l'adulte (...)
Jean GUIBÉ, les Batraciens, p. 80.

DÉR. **Métamérisation.**

MÉTAMORALE [metamɔʀal] n. f. — 1903, *Rev. gén. des sc.*,
n° 19, p. 1011; adj. chez Lévy-Bruhl : « Dans nos systèmes de morale
théorique se trouvent souvent confondues des observations de fait,
et des conceptions métaphysiques que l'on pourrait plus précisément
appeler *métamorales*»; de *méta-* (b) « au-delà », et *morale*.

♦ Didact. Théorie générale de la morale, fondant les prescriptions
particulières de la conscience individuelle ou collective.

MÉTAMORPHIQUE [metamɔʀfik] adj. — 1825; de *métamorphisme*.

♦ Géol. Se dit d'une roche qui a été modifiée dans sa structure par
l'action de la chaleur et de la pression. — Syn. : *cristallophyllien*.
*Le gneiss, roche métamorphique. Forme plus ou moins cristalline
des roches métamorphiques.*

MÉTAMORPHISER [metamɔʀfize] v. tr. — 1894, p. p. *in*
D.D.L.; de *métamorphisme*.

♦ Géol. Transformer par métamorphisme. — Au p. p. *Roches méta-
morphisées.*

MÉTAMORPHISME [metamɔʀfism] n. m. — 1823; de *méta-*,
grec *morphê* « forme », et *-isme*.

♦ Géol. Ensemble des phénomènes qui donnent lieu à l'altération
des roches sédimentaires, à leur transformation en roches cristallophylliennes*.

Si les roches sédimentaires ne sont pas tout à fait identiques aux dépôts formés
aujourd'hui par les eaux (...) cela tient à ce que, postérieurement à leur dépôt, elles
ont subi des modifications physiques et chimiques souvent intenses, sous l'action
des pressions énergiques auxquelles elles se sont trouvées soumises ou encore par
suite du fait qu'elles ont été imbibées par des eaux thermales chargées de principes minéralisateurs (...) L'ensemble de ces transformations est connu sous le nom
de *métamorphisme*. Les roches métamorphiques occupent à la surface du Globe
une surface au moins égale à celle des roches sédimentaires non modifiées.
Émile HAUG, Traité de géologie, I, I.

MÉTAMORPHOSABLE [metamɔʀfozabl] adj. — 1846; de
métamorphoser.

♦ Qui peut être métamorphosé. ⇒ **Transformable.**

MÉTAMORPHOSE [metamɔʀfoz] n. f. — V. 1530, comme nom
commun; en 1488, titre français du poème d'Ovide les *Métamorphoses*; lat. d'orig. grecque *metamorphosis* « changement de forme ».

♦ **1.** Changement de forme, de nature ou de structure, si considérable que l'être ou la chose qui en est l'objet n'est plus reconnaissable. *Les métamorphoses des dieux de la mythologie gréco-latine.
Métamorphoses successives de Vichnou.* ⇒ **Avatar, incarnation.** —
Métamorphose d'un homme en animal (⇒ **Zoomorphisme**).

(...) Métamorphose est une diction grecque vulgairement signifiant transformation,   1
et a voulu Ovide ainsi intituler son livre contenant quinze volumes, parce qu'en
celui-ci il transforme les uns en arbres, les autres en pierres, les autres en bêtes,
et les autres en autres formes.   Clément MAROT, Traductions, IX, « Marot au roi ».

Les Juifs mêmes ont eu aussi leurs métamorphoses. Si Niobé fut changée en   2
marbre, Édith, femme de Loth, fut changée en statue de sel (...) Le bourg qu'habitaient Baucis et Philémon en Phrygie est changé en un lac; la même chose arrive
à Sodome. Les filles d'Anius changeaient l'eau en l'huile; nous avons dans l'Écriture une métamorphose à peu près semblable (...)
VOLTAIRE, Dict. philosophique, Métamorphose.

On ne gouverne pas les eaux sans être soi-même fluide, mobile et changeant, et   3
les métamorphoses de Neptune sont innombrables, tour à tour fleuve, bélier, cheval ou taureau, oiseau ou dauphin, selon la fantaisie, le besoin ou la circonstance.
Émile HENRIOT, Mythologie légère, p. 79.

Alchim. *Métamorphose des métaux en or.* ⇒ **Conversion, transmutation.**

♦ **2.** Zool. et cour. Changement de forme de l'organisme de certaines espèces animales (batraciens, insectes...) au cours de son développement et, à l'issu duquel cet organisme présente toutes les unités morphologiques de l'état adulte. *Métamorphoses des grenouilles. Insectes à métamorphoses complètes, incomplètes. Histogenèse
qui termine la métamorphose. Étapes successives de la métamorphose du papillon* (⇒ **Chenille, chrysalide**...). *Cycle triennal des
métamorphoses du hanneton* (⇒ **Larve, nymphe**...).

Les livres enseignent que le papillon naît de la chenille. Ce n'est pourtant pas au   4
moment de sa métamorphose que nous l'irons chercher, mais plutôt dans le jardin, quand tout à coup, par bandes, il semble naître de la terre : c'est
sa vraie genèse.   SARTRE, Situations I, p. 279.

Par métaphore :

À la fin du siècle dernier, pareille à un insecte qui mue, elle subit une métamor-   5
phose *(la France)*. Son ancienne organisation se dissout; elle en déchire elle-même
les plus précieux tissus et tombe en des convulsions qui semblent mortelles. Puis,
après des tiraillements multipliés et une léthargie pénible, elle se redresse. Mais
son organisation n'est plus la même : par un sourd travail intérieur, un nouvel être
s'est substitué à l'ancien.
TAINE, les Origines de la France contemporaine, t. I, I, p. V.

(...) sous la chrysalide de douleurs et de tendresses qui rend invisibles à l'amant   6
les pires métamorphoses de l'être aimé, le visage a eu le temps de vieillir et de
changer.   PROUST, À la recherche du temps perdu, t. XIII, p. 32.

Par analogie :

Mais l'amour des formes ne se borne pas pour Gœthe à la délectation contempla-   7
tive; toute forme vivante est un élément d'une transformation, et toute partie de
quelque forme est peut-être une modification de quelque autre. Gœthe passionnément s'attache à l'idée de métamorphose qu'il entrevoit dans la plante et dans le
squelette des vertébrés. Il recherche les forces sous les formes, il décèle les modulations morphologiques : la continuité des causes lui apparaît sous la discontinuité
des effets. Il découvre que la feuille se fait pétale, étamine, pistil; qu'il y a identité profonde entre la graine et le bourgeon (...) Il est un des fondateurs du transformisme.   VALÉRY, Variété IV, p. 112.

♦ **3.** Changement d'aspect (d'un être, d'un objet). *Métamorphoses
successives d'un acteur au cours d'une représentation. Les métamorphoses de Fregoli.* — Fig. Changement complet (d'une personne
ou d'une chose) dans son état, ses caractères... ⇒ **Transformation.** *L'amour opère des métamorphoses. Une lente métamorphose.*
⇒ **Évolution.**

En peu de temps cette histoire se répandit dans Paris, tellement changée et défi-   8
gurée qu'il était impossible d'y rien reconnaître. J'aurais dû compter d'avance sur
cette métamorphose; mais il s'y joignit tant de circonstances bizarres (...) que tous
ces mystères m'inquiètaient.   ROUSSEAU, les Rêveries..., IIe promenade.

Que peu de temps suffit pour changer toutes choses!   9
Nature au front serein, comme vous oubliez!
Et comme vous brisez dans vos métamorphoses
Les fils mystérieux où nos cœurs sont liés!
HUGO, les Rayons et les Ombres, « Tristesse d'Olympio ».

Ce qu'il lui a fallu de conduite, de tact, de réserve, de sagacité, de délicatesse,   10 d'intuition, de qualités diverses, pour accomplir cette difficile métamorphose de la femme de théâtre en femme du monde (...)

Th. GAUTIER, Portraits contemporains, « Madame Sontag ».

11 Voltaire (...) n'avait eu, dans sa longue carrière, à subir d'autre métamorphose que celle de son talent de plus en plus libre, de son humeur plus pétulante (...) et plus audacieuse en vieillissant (...)

SAINTE-BEUVE, Chateaubriand..., t. I, p. 39.

12 Quand Simon revint, il put observer la métamorphose. Moktar s'était, en effet, savonné de son mieux. Il avait revêtu un costume de chaouch, très simple, mais net (...)

G. DUHAMEL, Salavin, VI, VI.

DÉR. **Métamorphoser.**

MÉTAMORPHOSER [metamɔRfoze] v. tr. — 1571 ; de *métamorphose.*

♦ **1.** Faire passer (un être) de sa forme primitive à une autre forme. ⇒ **Changer, transformer.** *Fée qui métamorphose une fille en truie* (→ Grogner, cit. 1). — Pron. (sens réfl.). *Jupiter se métamorphosa en taureau pour enlever Europe.* ⇒ **Incarner** (s').

1 *(Des charmes)* Qui métamorphosaient en bêtes les humains.

LA FONTAINE, Fables, XII, 1.

2 (...) un point presque imperceptible devient un ver, ce ver devient papillon ; un gland se transforme en chêne ; un œuf en oiseau ; l'eau devient nuage et tonnerre ; le bois se change en feu et en cendre ; tout paraît enfin métamorphosé dans la nature.   VOLTAIRE, Dict. philosophique, Métamorphose.

3 (...) il fut pris (...) de la manie singulière (...) de se croire métamorphosé en toton. Vous auriez crevé de rire à le voir tourner.

BAUDELAIRE, Trad. E. POE, Histoires grotesques et sérieuses, Syst. Dr Goudron.

♦ **2.** (1665). Zool. SE **MÉTAMORPHOSER**, v. pron. : subir une métamorphose. *Têtards qui se métamorphosent en grenouilles. Larves* (cit. 3) *de coléoptères qui se métamorphosent.*

♦ **3.** Fig. Changer complètement (un être, une chose), modifier* profondément l'aspect, le caractère, la nature de... *Les honneurs l'ont métamorphosé* (Académie). — V. pron. (XIXe) ; sens réfléchi. Changer de caractère, d'aspect. *L'art se métamorphose, s'adapte* (cit. 2, Rolland) *aux circonstances.*

4 Louis a repris sa jeunesse, sa force, sa gaieté. Ce n'est plus le même homme. J'ai, comme une fée, effacé jusqu'au souvenir des malheurs. J'ai métamorphosé Louis, il est devenu charmant. Sûr de me plaire, il déploie son esprit et révèle des qualités nouvelles.

BALZAC, Mémoires de deux jeunes mariées, Pl., t. I, p. 186.

5 Henri Monnier est pour lui la toile blanche sur laquelle il peint son personnage. Son individualité propre disparaît alors tout à fait sous les couleurs dont il la recouvre. Il se métamorphose des pieds à la tête ; il a la chaussure et la coiffure, le linge et l'habit, la figure et les yeux, la voix et l'accent du type qu'il veut rendre ; la ressemblance est extérieure et intérieure, c'est l'homme même.

Th. GAUTIER, Portraits contemporains, « H. Monnier ».

6 Il *(l'argent)* change, en une seconde, toutes les habitudes, bouleverse toutes les idées, métamorphose les passions les plus têtues, en un clin d'œil.

HUYSMANS, Là-bas, I.

Changer complètement (une chose) en (une autre). ⇒ **Tourner** (en).

7 Toutes les victoires de la République étaient métamorphosées en défaites, et si par hasard on doutait d'une restauration immédiate, on était déclaré Jacobin.

CHATEAUBRIAND, Mémoires d'outre-tombe, t. II, p. 87.

DÉR. **Métamorphosable.**

MÉTANÉPHRÉTIQUE [metanefRetik] adj. — D. i. ; de *métané-phros.*

♦ Didact. Du métanéphros.

MÉTANÉPHROS [metanefRos] n. m. — 1897 ; de *méta-*, et grec *nephros* « rein ».

♦ Didact. (Anat., embryol.). Rein des reptiles, des oiseaux et des mammifères. — Rein définitif de l'embryon, précédé au cours du développement embryonnaire par le mésonéphros*. ⇒ **Pronéphros.** « *Le rein définitif ou métanéphros du poulet se forme au cours du 5e jour de la vie embryonnaire* » (M. Sigot, *la Culture d'organes,* p. 41).

DÉR. **Métanéphrétique.**

MÉTAPHASE [metafaz] n. f. — V. 1902 ; de *méta-*, et *phase.*

♦ Biol. Deuxième phase de la mitose.

MÉTAPHONIE [metafɔni] n. f. — Av. 1894, selon *Oxford English Dictionary* ; de *méta-*, et *-phonie.*

♦ Ling. Modification du timbre d'une voyelle voisine d'une autre (on dit aussi *inflexion, mutation vocalique*). ⇒ **Dilation, harmonie** (vocalique), **umlaut.** *Phénomènes de métaphonie synchronique* (ex. : all. *Durst, dürstig*), *diachronique* (ex. : lat. *bestiam,* ital. *biscia*).

DÉR. **Métaphonique.**

MÉTAPHONIQUE [metafɔnik] adj. — 1912 ; de *métaphonie.*

♦ Ling. Relatif à la métaphonie.

MÉTAPHORE [metafɔR] n. f. — 1265 ; lat. d'orig. grecque *metaphora,* proprt « transport », d'où « transposition ».

♦ Figure* de rhétorique, procédé de langage qui consiste dans un transfert de sens (terme concret dans un contexte abstrait) par substitution analogique. ⇒ **Comparaison, image** (concepts différents). *La métaphore désigne un objet du nom d'un autre objet présentant avec le premier des rapports d'analogie** (⇒ **Catachrèse**). « *La racine du mal, une source de chagrins...* » *sont des métaphores. Faire une métaphore* (→ Inclination, cit. 10). *La métaphore, élément de locutions* (cit. 1) *pittoresques. Les métaphores du style figuré* (cit. 15). *Écrivain fertile* (cit.) *en métaphores. Métaphore hyperbolique* (cit. 4), *incohérente* (cit. 1), *usée, vieillie* (→ Emprunter, cit. 16). *Métaphore filée** (⇒ **Allégorie**, cit. 1). — Collectivt. *La métaphore* : le procédé, le style métaphorique.

Les esprits justes, et qui aiment à faire des images qui soient précises, donnent naturellement dans la comparaison et la métaphore.

LA BRUYÈRE, les Caractères, I, 55.

(...) toute métaphore fondée sur l'analogie doit être également juste dans le sens renversé. Ainsi, l'on a dit de la vieillesse qu'elle est l'hiver de la vie, renversez la métaphore et vous la trouverez également juste, en disant que l'hiver est la vieillesse de l'année.

CHAMFORT, Maximes, Philosophie et morale, LV.

Victor Hugo entre autres, a fait sur eux *(les enfants)* une foule de vers adorables, où les métaphores gracieuses sont épuisées : ce sont des fleurs à peine épanouies où ne bourdonne nulle abeille au dard venimeux, des yeux ingénus où le bleu d'en haut se réfléchit sans nuage ; des lèvres de cerise que l'on voudrait manger et qui ne connaissent pas le mensonge (...) tout ce qu'on peut imaginer de coquettement tendre et de paternellement anacréontique.

Th. GAUTIER, Souvenirs de théâtre, Gavarni, II.

Ce fut lui que l'on mangea et que l'on but ; il devint la vraie Pâque, l'ancienne ayant été abrogée par son sang. Impossible de traduire dans notre idiome essentiellement déterminé, où la distinction rigoureuse du sens propre et de la métaphore doit toujours être faite, des habitudes de style dont le caractère essentiel est de prêter à la métaphore, ou pour mieux dire, à l'idée, une pleine réalité.

RENAN, Vie de Jésus, Œ. compl., t. IV, p. 276.

La *métaphore consiste à transporter un mot de sa signification propre à quelque autre signification, en vertu d'une comparaison qui se fait dans l'esprit et qu'on n'indique pas.* C'est une transposition par comparaison instantanée.

Antoine ALBALAT, l'Art d'écrire..., p. 273.

On peut faire se succéder indéfiniment dans une description les objets qui figuraient dans le lieu décrit, la vérité ne commencera qu'au moment où l'écrivain prendra deux objets différents, posera leur rapport, analogue dans le monde de l'art à celui qu'est le rapport unique de la loi causale dans le monde de la science, et les enfermera dans les anneaux nécessaires d'un beau style ; même, ainsi que la vie, quand, en rapprochant une qualité commune à deux sensations, il dégagera leur essence commune en les réunissant l'une et l'autre pour les soustraire aux contingences du temps, dans une métaphore.

PROUST, le Temps retrouvé, Pl., t. III, p. 889.

Parler par métaphore, par métaphores.

Spécialt. (Depuis les formalistes russes et surtout, R. Jakobson). Procédé sémantique agissant par analogie (opposé à *métonymie**) ; spécialt. Procédé sémantique agissant par contiguïté.

REM. *Métaphore,* même dans le discours des spécialistes, désigne erronément et fréquemment d'autres procédés, comme la métonymie* la synecdoque, etc. (G. Genette, *Figures III,* souligne à ce propos que le terme tend à absorber toute la terminologie des tropes*).

DÉR. **Métaphorique.**

MÉTAPHORIQUE [metafɔrik] adj. — V. 1361 ; de *métaphore.*

♦ **1.** Qui tient de la métaphore. *Tournure métaphorique. Mot pris avec une valeur métaphorique* (→ Bigorne, cit. 1).

♦ **2.** (1739). Qui abonde en métaphores. *Style métaphorique. Discours métaphorique* (⇒ **Allégorique**).

(...) deux sortes d'images : celles qui mettent sous les yeux directement les objets du discours ; et celles qui les représentent en mettant sous les yeux d'autres objets, analogues, soit essentiellement par leur nature, soit accidentellement par une disposition individuelle de l'écrivain. Dans le premier cas, le style est concret ou pittoresque. Dans le second, il est métaphorique, comparatif ou symbolique.

Gustave LANSON, l'Art de la prose, p. 159.

DÉR. **Métaphoriquement.**

MÉTAPHORIQUEMENT [metafɔrikmã] adv. — 1642 ; *métaforiquement,* 1486 ; de *métaphorique.*

♦ D'une manière métaphorique ; par métaphore. *Parler métaphoriquement.*

MÉTAPHORISER [metafɔrize] v. — Mil. XVIe ; de *métaphore.*

♦ Didactique, vieilli.

V. tr. Exprimer sous une forme métaphorique.

V. intr. S'exprimer par métaphores.

MÉTAPHOSPHATE [metafɔsfat] n. m. — 1868 ; de *méta-*, et *phosphate.*

♦ Chim. Sel de l'acide métaphosphorique.

MÉTAPHOSPHORIQUE [metafɔsfɔʀik] adj. — 1845 ; de *méta-*, et *phosphorique*.

♦ Chim. Acide métaphosphorique (PO₃ H), l'un des acides dérivés du phosphore. *Sel de l'acide métaphosphorique.* ⇒ **Métaphosphate.**

MÉTAPHRASE [metafʀɑz] n. f. — 1610 ; du grec *metaphrasis* « explication ».

♦ Didact., vieilli. Interprétation*, traduction d'un texte, plus respectueuse du fond que de la forme.

MÉTAPHRASTE [metafʀast] n. m. — XVIIᵉ ; de *métaphrase*.

♦ Didact., vx. Critique, interprète qui explique et commente un texte obscur.

MÉTAPHYSAIRE [metafizɛʀ] adj. — 1963 ; de *métaphyse*.

♦ Anat. Relatif à la métaphyse.

MÉTAPHYSE [metafiz] n. f. — 1963, *in* Larousse ; de *méta-*, et *-physe*, d'après *épiphyse*.

♦ Anat. Segment d'un os long compris entre l'épiphyse et la diaphyse.
DÉR. Métaphysaire.

MÉTAPHYSICIEN, IENNE [metafizisjɛ̃, jɛn] n. — V. 1361 ; de 1. *métaphysique*.

♦ **1.** Personne qui s'occupe de problèmes métaphysiques, compose des ouvrages sur la métaphysique. ⇒ **Philosophe.** *Platon, Descartes, Kant, illustres métaphysiciens.* — Adj. (1810). Qui est tourné vers les problèmes métaphysiques, en philosophie. *Il est plus métaphysicien que moraliste.*

(Leibniz) était métaphysicien, et c'était une chose presque impossible qu'il ne le fût pas, il avait l'esprit trop universel (...) FONTENELLE, Leibniz, *in* Littré.
Je dirais volontiers des métaphysiciens ce que Scaliger disait des Basques : « On dit qu'ils s'entendent ; mais je n'en crois rien. »
CHAMFORT, Maximes, Philosophie et morale, LVI.
Les Romains, très habiles dans les affaires de la vie, n'étaient point métaphysiciens. Mᵐᵉ DE STAËL, De l'Allemagne, III, V.

♦ **2.** (1751). Littér. (souvent péj.). Personne dont l'esprit, tourné vers les abstractions, ne sait plus juger sainement le réel. *Sieyès, un métaphysicien sans bon sens* (→ Croire, cit. 71, Madelin). *Une assemblée de métaphysiciens dirigeait la France* (→ Incertain, cit. 12, Michelet).

1. MÉTAPHYSIQUE [metafizik] n. f. — XIVᵉ ; lat. scolast. *metaphysica*, du grec *(ta) meta (ta) phusika*, littéralt « ce qui suit les questions de physique », titre donné au Iᵉʳ siècle avant J.-C. aux livres d'Aristote traitant de cette matière, et où *meta* n'a qu'une valeur temporelle, interprétée plus tard comme intellectuelle (ce qui englobe, dépasse, transcende la physique, étude de la nature observable).
Didactique.

♦ **1.** Philos. Recherche rationnelle ayant pour objet la connaissance de l'être absolu (⇒ **Ontologie**), des causes de l'univers et des principes de la conscience et de la connaissance. Syn. (vx) : *philosophie première ;* (mod.) *philosophie générale.* — *Objet de la métaphysique,* problème de l'être et du néant ; nature de la matière, de l'espace, du temps (cosmologie rationnelle) ; problèmes de la connaissance, de la vérité et de la liberté... ; primauté de la matière (matérialisme) ou de l'esprit (spiritualisme) ; dans le second cas, problème de l'existence de Dieu ; problème de l'essence et de l'existence. — *La métaphysique traditionnelle et la métaphysique moderne* (→ Cosmos, cit. ; idéologie, cit. 1). *La métaphysique et la morale* (→ Exactitude, cit. 16 ; gouvernant, cit. 12), *et la religion* (→ Hérésie, cit. 4 ; magie, cit. 5), *et la science. Ouvrages, traités, cours de métaphysique. Étudier la métaphysique.* — *La Métaphysique,* titre donné à un ouvrage d'Aristote. *Entretiens sur la métaphysique et la religion* de Malebranche (1688). *Revue de métaphysique et de morale.*

1 Mon Révérend Père, je vous envoie enfin mon écrit de Métaphysique, auquel je n'ai point mis de titre, afin de ne vous en faire le parrain, et vous laisser la puissance de le baptiser. Je crois qu'on le pourra nommer (...) *Meditationes de prima philosophia ;* car je n'y traite pas seulement de Dieu et de l'âme, mais en général de toutes les premières choses qu'on peut connaître en philosophant par ordre.
DESCARTES, Correspondance, 11 nov. 1640, II.
2 S'il existe un moyen de posséder une réalité absolument au lieu de la connaître relativement *(comme fait la science),* de se placer en elle au lieu d'adopter des points de vue sur elle, d'en avoir l'intuition au lieu d'en faire l'analyse (...) la métaphysique est cela même.
H. BERGSON, la Pensée et le Mouvant, Introduction à la métaphysique, p. 205.
3 L'homme se pose toute une série de problèmes métaphysiques (...) Problème de la cause efficiente première, problème des causes finales dernières, problème de la destinée qui attend l'univers et les individus, problème de la capacité même de l'intelligence et de la valeur des

méthodes humaines pour résoudre tous ces problèmes (c'est ce qu'on appelle le problème critique), voilà les questions essentielles de la métaphysique traditionnelle. A. CRESSON, les Systèmes philosophiques, p. 7-10.

Le langage, le vocabulaire de la métaphysique. — (Dans un contexte péj. ; → ci-dessous 3.). *Les abstractions* (cit. 6), *les brouillards* (cit. 11), *le jargon* (cit. 6)... *de la métaphysique. Futilité* (cit. 1) *et vanité de la métaphysique.*

4 (...) on peut être métaphysicien sans être géomètre. La métaphysique est plus amusante ; c'est souvent le roman de l'esprit. En géométrie, au contraire, il faut calculer, mesurer. C'est une gêne continuelle, et plusieurs esprits ont mieux aimé rêver doucement que se fatiguer.
VOLTAIRE, Dict. philosophique, Métaphysique.
5 En voulant s'éclaircir de bonne foi sur ces matières, il s'était enfoncé dans les ténèbres de la métaphysique, où l'homme n'a d'autres guides qu'il y porte (...) ROUSSEAU, Julie, V, V.

♦ **2.** (XVIIᵉ). *La métaphysique de (qqch.) :* réflexion systématique se proposant, après une analyse critique, de dégager les bases de l'activité humaine, de l'art, de la religion... ; résultat de cette réflexion. *Le cartésianisme* (cit.), *métaphysique de la déduction. La métaphysique du droit.* — *Les Fondements de la métaphysique des mœurs,* de Kant.

6 Je veux mourir s'il y a dans toutes ces têtes-là *(les peintres critiqués par Diderot)* le premier mot de la métaphysique de leur art.
DIDEROT, Salon de 1767, *in* Littré.
La métaphysique de qqn, sa conception d'ensemble du monde et de la vie. *Tout homme a sa métaphysique. Se faire sa métaphysique personnelle.* ⇒ **Philosophie.** — *La métaphysique du jour* (cit. 59), *à la mode...*

7 (...) une technique romanesque renvoie toujours à la métaphysique du romancier. La tâche du critique est de dégager celle-ci avant d'apprécier celle-là.
SARTRE, Situations I, p. 71.

♦ **3.** (1691). Péj. Goût excessif ou abus de la réflexion abstraite, qui entraîne l'obscurité de la pensée, en quelque domaine que ce soit. *La discussion sombre dans la métaphysique. Tout cela n'est que de la métaphysique,* ne contient rien de positif.

8 (...) je ne sais quelle métaphysique du cœur, qui s'est emparée de nos théâtres (...)
D'ALEMBERT, Encycl., Discours préliminaire.
9 (...) la métaphysique et le larmoyant ont pris la place du comique. Le public ne sait plus où il en est. VOLTAIRE, Correspondance, 3704, 24 nov. 1770.
Ne pas s'embarrasser de métaphysique, de considérations subtiles et superflues.

10 Mais je suis sûr que depuis son arrivée à Paris il a déjà eu plusieurs aventures, et qu'il ne s'est pas embarrassé de métaphysique.
J. ROMAINS, les Hommes de bonne volonté, t. IV, XX, p. 219.
DÉR. Métaphysicien.

2. MÉTAPHYSIQUE [metafizik] adj. — 1546 ; du lat. scolastique *metaphysicus* de *metaphysica ;* → 1. Métaphysique.

Didact. Qui appartient à la métaphysique.

♦ **1.** Philos. Qui relève de la métaphysique, qui porte sur des sujets de métaphysique... *Les problèmes métaphysiques de la liberté humaine, de l'existence de Dieu...* (→ Éloigné, cit. 26 ; ésotérique, cit. 1). *Systèmes, certitudes* (cit. 3), *inquiétudes, disputes métaphysiques* (→ Ballon, cit. 2, Voltaire). *Sens, emploi métaphysique d'un mot* (→ Figure, cit. 1). — *Qui traite de métaphysique. Méditations métaphysiques,* œuvre de Descartes.

(Fin XVIIIᵉ). Qui est porté vers les sujets de métaphysique. *Avoir l'esprit métaphysique.*

♦ **2.** Qui est d'ordre rationnel, et non sensible. ⇒ **Transcendant.**

1 Tâchez de vous accoutumer aux idées métaphysiques, et de vous élever au-dessus de vos sens. Vous voilà, si je ne me trompe, transporté dans un monde intelligible. MALEBRANCHE, 1ᵉʳ Entretien sur la métaphysique.

Spécialt. (Chez Auguste Comte ; 1830). *Ère* (cit. 7), *état* (cit. 48), *méthode... métaphysiques* (→ Esprit, cit. 47), caractérisés par une explication des phénomènes fondée sur des notions abstraites et non sur l'examen positif des faits d'expérience.

(Chez Bergson). *Intuition métaphysique,* qui atteindrait la réalité spirituelle de façon immédiate.

♦ **3.** Par ext. (Souvent dans une intention péjorative à partir du XVIIIᵉ). Qui présente l'incertitude, l'obscurité qu'on attribue à la métaphysique. *Cette discussion est bien métaphysique.* ⇒ **Abstrait.** *Controverses métaphysiques et extrascientifiques sur l'origine de l'homme* (cit. 7).

2 Je ne sais si je dois vous entretenir des premières méditations que j'y ai faites, car elles sont si métaphysiques et peu communes (...)
DESCARTES, Discours de la méthode, IV.

♦ **4.** Vieilli. Purement spirituel, désincarné.

3 (...) quelques traits de cet amour métaphysique et platonique, si commode pour réchauffer un poète qui ne s'en permet point d'autre.
D'ALEMBERT, Éloge de Destouches.

DÉR. **Métaphysiquement.**

MÉTAPHYSIQUEMENT [metafizikmɑ̃] adv. — 1685; de 2. *métaphysique.*

♦ Didact. D'une manière métaphysique.

MÉTAPHYSIQUER [metafizike] v. — 1737, Mémoires de Trévoux; de *métaphysique.*

♦ Vx (en usage au XVIIIᵉ), péj. **a** V. tr. Traiter par la métaphysique.

b V. intr. Abuser de la métaphysique (encore au XIXᵉ [Proudhon] et au XXᵉ siècles).

Le plus sage, c'était peut-être que je me décommande et que je passe mon après-midi à me dire que je pourrais métaphysiquer avec eux et que j'ai préféré ma solitude.   Cecil SAINT-LAURENT, la Mutante, p. 142.

MÉTAPLASIE [metaplazi] n. f. — 1869; de *méta-,* et *-plasie.*

♦ Physiol. Processus en vertu duquel certains éléments d'un tissu produisent des éléments d'un autre caractère (physiques et chimiques), propres à la constitution sur place d'un nouveau tissu. *Métaplasies intestinales de la muqueuse gastrique.*

DÉR. **Métaplasique.**

MÉTAPLASIQUE [metaplazik] adj. — 1958, Garnier; de *métaplasie.*

♦ Relatif à la métaplasie. *Processus métaplasique,* résultant d'une métaplasie. *Le tissu métaplasique est normal en lui-même et anormal quant à sa localisation.*

MÉTAPLASME [metaplasm] n. m. — 1521; du grec *metaplasmos.*

♦ Didact. (Gramm. anc.). Figure* de diction, changement phonétique en tant qu'il peut être considéré comme une altération du mot par addition (épenthèse, paragoge...) ou suppression d'éléments (élision, syncope...).

DÉR. **Métaplastique.**

MÉTAPLASTIQUE [metaplastik] adj. — 1845; de *métaplasme.*

♦ Didact. (Gramm.). Qui a rapport au métaplasme, contient un métaplasme.

MÉTAPROBLÉMATIQUE [metapʀɔblematik] adj. — 1935, G. Marcel, *Être et Avoir;* de *méta-* (b), et *problématique.*

♦ Didact. Qui se situe au delà des problèmes, dans le mystère.

MÉTAPSYCHIQUE [metapsiʃik] adj. et n. f. — 1907; de *méta-,* et *psychique.*

♦ Didact. Qui concerne les phénomènes psychiques inexpliqués (télépathie, etc.).

1 L'existence de la clairvoyance et de la télépathie, comme celle des autres phénomènes métapsychiques, est contestée par la plupart des biologistes et des médecins. Cette attitude des savants ne peut pas être blâmée. Car ces phénomènes sont fugitifs. Ils ne se reproduisent pas à volonté. Ils sont enfouis dans la masse immense des superstitions, des mensonges et des illusions de l'humanité.
Alexis CARREL, l'Homme, cet inconnu, p. 144 (note).

N. f. (T. dû à Ch. Richet). ⇒ **Métapsychologie, parapsychologie.** *Métapsychique subjective,* celle qui englobe les perceptions recueillies grâce à la sensibilité particulière d'un sujet. ⇒ **Cryptesthésie.**

2 La métapsychique nous donnera peut-être sur la nature de l'être humain des renseignements plus importants que la psychologie normale. Les sociétés de recherches psychiques et, en particulier, la société anglaise, ont attiré sur la clairvoyance et la télépathie l'attention du public.
Alexis CARREL, l'Homme, cet inconnu, p. 314.

MÉTAPSYCHOLOGIE [metapsikɔlɔʒi] n. f. — Mot all. créé v. 1898 par Freud; de *méta-,* et *psychologie.* Didactique.

♦ **1.** Psychologie profonde (au delà des expériences conscientes) élaborée par Freud et prenant en considération les points de vue topique*, dynamique* et économique*. ⇒ **Psychanalyse** (théorique).

La métapsychologie est cette partie de la théorie psychanalytique qui s'essaie à définir la structure de l'appareil psychique en termes de *moi,* de *surmoi* et d'inconscient élémentaire ou *ça.*
R. HELD, le Processus de guérison, *in* la Nef, nº 31, p. 28.

♦ **2.** Toute psychologie dont l'objet est au delà du donné de l'expérience.

DÉR. **Métapsychologique.**

MÉTAPSYCHOLOGIQUE [metapsikɔlɔʒik] adj. — Mil. XXᵉ; de *métapsychologie.*

♦ De la métapsychologie.

MÉTASCIENCE [metasjɑ̃s] n. f. — 1968; de *méta-,* et *science.*

♦ Didact. Métathéorie* scientifique.

(...) la réflexion sur ces langages en cherchant une métascience générale des langages (scientisme positiviste), métalangage des sciences divisées (parcellaires)...
Henri LEFEBVRE, la Vie quotidienne dans le monde moderne, p. 238.

MÉTASIGNE [metasiɲ] n. m. — V. 1975; de *méta-,* et *signe.*

♦ Didact. Signe qui désigne ou signifie un signe.

MÉTASOCIOLOGIE [metasɔsjɔlɔʒi] n. f. — V. 1970; de *méta-,* et *sociologie.*

♦ Didact. Métathéorie sociologique; épistémologie de la sociologie.

(Certains considèrent la dialectique marxiste comme) une «métasociologie» d'un intérêt évident à titre de guide (...) de la recherche mais sans contrôle expérimental possible.   J. PIAGET, Épistémologie des sciences de l'homme, p. 87.

REM. On trouve dans le même texte, p. 55, 63, l'adj. *métasociologique.*

MÉTASPERMATOGÉNÈSE [metaspɛʀmatoʒenɛz] n. f. — 1907; de *méta-,* et *spermatogénèse.*

♦ Biol. Régression ou suspension saisonnière de la spermatogénèse observée chez certaines espèces animales.

MÉTASTABILITÉ [metastabilite] n. f. — V. 1930; de *métastable.*

♦ Caractère d'un système chimique, d'un atome métastable.

(...) l'équilibre stable, dans lequel tout potentiel serait actualisé, correspondrait à la mort de toute possibilité de transformation ultérieure; or, les systèmes vivants, ceux qui précisément manifestent la plus grande spontanéité d'organisation, sont des systèmes d'équilibre métastable; la découverte d'une structure est bien une résolution au moins provisoire des incompatibilités, mais elle n'est pas la destruction des potentiels; le système continue à vivre, à évoluer; il n'est pas dégradé par l'apparition de la structure; il reste tendu et capable de se modifier. Si l'on accepte d'apporter ce correctif et de remplacer la notion de stabilité par celle de métastabilité, il semble que la Théorie de la Forme puisse rendre compte des étapes fondamentales du devenir de la relation entre l'homme et le monde.
Gilbert SIMONDON, Du mode d'existence des objets techniques, p. 163.

MÉTASTABLE [metastabl] adj. — 1903, *Rev. gén. des sc.* nº 2, p. 112; de *méta-,* et *stable.*

♦ Chim. Se dit d'un système chimique dont la vitesse de transformation est très faible et qui a l'apparence de la stabilité; se dit de l'état d'un tel système. *Équilibre, mélange métastable.*

La loi de variation de l'humidité atmosphérique est complexe (...) Il peut arriver que la tension *f* soit supérieure à la pression de vapeur saturante à la température considérée. Il y a alors sursaturation, état de faux équilibre (dit métastable), qui peut cesser brusquement par condensation à la faveur d'un contact étranger. C'est là l'origine des «traînées» qui s'épanouissent après le passage d'un avion dans un ciel pur.   Jacques GUILLERME, la Vie en haute altitude, p. 18.

Se dit d'un atome excité qui conserve cet état pendant une durée plus longue que l'état dit *instable.*

DÉR. **Métastabilité.**

MÉTASTASE [metastaz] n. f. — 1586; grec *metastasis* «changement de place».

♦ **1.** Pathol. Amas de cellules cancéreuses consécutif à la dissémination à distance (par voie sanguine ou lymphatique) à partir du foyer primitif. — Par ext. Foyer infectieux ou parasitaire secondaire, formé en un point éloigné du foyer initial, par migration de l'agent responsable. *Métastase cancéreuse de la moelle épinière au cours d'une leucémie.*

♦ **2.** Rhét. Figure* de pensée, par laquelle un orateur rejette sur le compte d'autrui ce qu'il est contraint d'avouer.

♦ **3.** (1933). Phonét. Phase articulatoire qui succède à l'occlusion, dans l'émission des occlusives (syn. : *détente*).

MÉTASTATIQUE [metastatik] adj. — 1793, Lavoisien; de *métastase.*

♦ Didact. De la nature des métastases; dû à une métastase. *Abcès, complication métastatique.*

REM. On trouve la var. *métastasique* [metastazik] (*la Recherche,* oct. 1981, p. 1171).

MÉTASTERNAL, ALE, AUX [metastɛʀnal, o] adj. — 1903; de *métasternum*, d'après *Sternal*.

♦ Zool. Relatif au métasternum.

MÉTASTERNUM [metastɛʀnɔm] n. m. — V. 1895, Encycl. Berthelot; de *méta-*, et *sternum*.

♦ Zool. (Entomologie). Face ventrale du métathorax.
DÉR. **Métasternal.**

MÉTASYSTÈME [metasistɛm] n. m. — xxᵉ, Gusdorf, par métaphore; de *méta-* (b), «au delà», et *système*.

♦ Didact. Système qui englobe un autre système et sert à en parler, à l'étudier. ⇒ **Métalangue, métalogique.** *Métasystème théorique.* ⇒ **Métathéorie.**
Carnap s'est rallié à cette idée *(de la sémantique générale),* complétant ainsi le système syntaxique des signes par un métasystème sémantique ou analyse des significations.
          J. PIAGET, Logique et Connaissance scientifique, Encycl. Pl., p. 84.

MÉTATARSALGIE [metataʀsalʒi] n. f. — 1900; de *métatarse*, et *-algie*.

♦ Méd. Douleur métatarsienne. — Spécialt. Névralgie, à l'articulation métatarsienne d'une phalange, due à un névrome (syn. : *maladie de T. Morton*).

MÉTATARSE [metataʀs] n. m. — 1586; de *méta-*, et *tarse*.

♦ Anat. Partie du squelette du pied formée par les cinq os (métatarsiens), comprise entre le tarse et les premières phalanges des orteils.

MÉTATARSIEN, IENNE [metataʀsjɛ̃, jɛn] adj. — 1771; de *métatarse*.

♦ Anat. Qui a rapport, appartient au métatarse. *Arcade métatarsienne. Ligaments métatarsiens.* — *Douleur métatarsienne.* — N. m. *Les* métatarsiens (les cinq os du tarse). *Le premier, le deuxième métatarsien.*

MÉTATHÉORIE [metateɔʀi] n. f. — xxᵉ; de *méta-*, et *théorie*.

♦ Didact. Étude des propriétés d'un système formel à l'aide d'un métalangage. ⇒ **Métalangage, métalogique, métamathématique, métasystème.**
DÉR. **Métathéorique.**

MÉTATHÉORIQUE [metateɔʀik] adj. — xxᵉ; de *métathéorie*.

♦ Didact. D'une métathéorie.

MÉTATHÈSE [metatɛz] n. f. — 1587; grec *metathesis* «transposition», en gramm. «changement de lettre».

♦ Ling. Altération d'un mot ou d'un groupe de mots par déplacement, interversion d'un phonème, d'une syllabe, à l'intérieur de ce mot ou de ce groupe.

MÉTATHORACIQUE [metatɔʀasik] adj. — Fin xixᵉ; de *métathorax*.

♦ Zool. Qui appartient au métathorax.

MÉTATHORAX [metatɔʀaks] n. m. — 1844; de *méta-*, et *thorax*.

♦ Zool. Troisième anneau du thorax (d'un insecte). *Partie ventrale du métathorax.* ⇒ **Métasternum.**
DÉR. **Métathoracique.**

MÉTAYAGE [metɛjaʒ] n. m. — 1838; de *métayer*; cf. anc. franç. *moitoiage* «convention par moitié», *moietoierie* «moitié des fruits et des produits, bail à moitié»; de l'anc. v. *moitoier* «partager par moitié».

♦ Mode d'exploitation agricole, louage d'un domaine rural (⇒ **Métairie**) à un preneur (⇒ **Métayer**) qui s'engage à le cultiver sous condition d'en partager les fruits et récoltes avec le propriétaire. ⇒ **Bail** (à colonage* partiaire, à partage ou portion de fruits). *Contrat de métayage. Comptes de métayage. Conversion des baux à métayage en baux à fermage.*
Le *métayage* (qu'on désigne aussi dans la langue juridique sous le nom emprunté au droit romain de *colonat partiaire*) diffère du fermage en ce que la rente, au lieu d'être payable en argent et invariable pour toute la durée du bail, est payable en nature par une part sur la récolte (ordinairement la moitié) et par conséquent varie avec la récolte elle-même (...)
          Charles GIDE, Cours d'économie politique, t. II, p. 227.

Pour beaucoup le métayage est une institution périmée, incompatible avec les exigences d'une culture intensive et progressive, aucune partie n'étant suffisamment intéressée aux résultats pour désirer apporter des améliorations profondes au fonds cultivé (...) Les défenseurs de cette institution par contre vantent l'association si rarement réalisée par ailleurs entre le Capital et le Travail, qui met à la disposition du métayer les capitaux et souvent les connaissances agronomiques de son propriétaire.
          E. SCHLOESING, in ROMEUF, Dict. des sciences économiques, art. *Métayage*.

MÉTAYER, ÈRE [meteje, ɛʀ] n. — xiiᵉ, *meiteir;* de *meitié*, forme anc. de *moitié*.

♦ Dr. Personne qui prend à bail et fait valoir un domaine rural (⇒ **Métairie**) sous le régime du métayage*. ⇒ **Colon** (cf. dial. Bordier, granger ou grangier). — Cour. Personne qui cultive pour le compte d'une autre (propriétaire) sans être salarié (qu'il s'agisse d'un *métayer* au sens strict, d'un *fermier,* etc.).
Paul (...) a été appelé ce matin sur une de nos fermes. Les nouveaux métayers refusent de loger en face d'une maison où habitent d'autres métayers (...)
          J. CHARDONNE, les Destinées sentimentales, p. 123.

MÉTAZOAIRE [metazɔɛʀ] n. m. — 1877; de *méta-*, et grec *zôon* «animal».

♦ Zool. Organisme animal constitué par plusieurs cellules (par oppos. à *protozoaire*,* organisme unicellulaire). *Les métazoaires constituent l'un des deux grands sous-règnes du monde animal.*
L'Homme est un Métazoaire, puisqu'il est formé de nombreuses cellules différenciées.   Jean ROSTAND, l'Homme, I.
Y a beaucoup à parier que l'unicellulaire
n'avait pas dû prévoir que le métazoaire
prendrait tant de plaisir à grimper sa moitié
          R. QUENEAU, Petite cosmogonie portative, p. 140.

MÉTEIL [metɛj] n. m. — xiiiᵉ, *mesteil;* d'un lat. pop *mistilium,* de *mixtus* «mélange».

♦ Agric. Seigle et froment mêlés qu'on sème et qu'on récolte ensemble. *Méteil additionné d'orge.* ⇒ **Champart.** *Pain de méteil.* Par appos. *Blé* (cit. 15) *méteil.*
(...) on distingue à peine (...) le blé froment d'avec les seigles, et l'un ou l'autre d'avec le méteil (...)   LA BRUYÈRE, les Caractères, VII, 21.

MÉTEMPIRIQUE [metɑ̃piʀik] adj. — 1876; angl. *metempirical,* G. H. Lewes 1873, de *meta-*, et *empirical*.

♦ Philos. Qui ne peut être objet d'expérience et ne relève pas, en conséquence, de la science positive. ⇒ **Métaphysique, transcendant.**
— REM. «La valeur de ce terme, qui peut éviter beaucoup d'équivoques, résulte de son opposition à *empirique,* et de leur subordination commune à *métaphysique*» (C. Ranzoli, *in* Lalande).

MÉTEMPSYCHOSE [metɑ̃psikoz] n. f. — 1564; bas lat. *metempsychosis,* mot grec, proprt «déplacement *(meta)* de l'âme». → Psycho-. — REM. La graphie *métempsycose* (vx) est encore la seule orthographe pour l'Académie, 8ᵉ édition.

♦ Philos., relig. Doctrine selon laquelle une même âme peut animer successivement plusieurs corps humains ou animaux, et même des végétaux. ⇒ **Métensomatose, transmigration.** *La métempsychose, dogme fondamental du brahmanisme*.*
Pythagoras emprunta la Métempsychose des Égyptiens; mais depuis elle a été reçue par plusieurs nations, et notamment par nos Druides (...) La Religion de nos anciens Gaulois portait que les âmes, étant éternelles, ne cessaient de se remuer et changer de place d'un corps à un autre (...) Si elle avait été vaillante, *(ils)* la logeaient au corps d'un Lion; si voluptueuse, en celui d'un pourceau (...) ainsi du reste, jusques à ce que, purifiée par ce châtiment, elle reprenait le corps de quelque autre homme.   MONTAIGNE, Essais, II, XI.
DÉR. **Métempsycosiste, métempsychoser.**

MÉTEMPSYCHOSER (SE) [metɑ̃psikoze] v. pron. — 1850; de *métempsychose*.

♦ Didact., vx. S'incarner dans un autre corps par métempsychose. — REM. La graphie *métempsycoser* est archaïque.
Le grand Lama de la lamaserie est en même temps souverain du pays. C'est lui qui rend la justice, fait les lois et crée les magistrats. Quand il est mort, on va, comme de juste, le chercher dans le Thibet, où il ne manque jamais de se métempsychoser.
          É.-R. HUC, Souvenirs d'un voyage dans la Tartarie, t. I, p. 139 (1850).

MÉTEMPSYCHOSISTE [metɑ̃psikozist] adv. et n. — Av. 1787, Galiani, *métempsycosiste;* de *métempsychose*.

♦ Qui croit à la métempsychose.

MÉTENCÉPHALE [metɑ̃sefal] n. m. — xxᵉ; de *méta-*, et *encéphale*.

♦ Embryol. Partie de l'encéphale embryonnaire dérivée de la vésicule cérébrale postérieure. *Le métencéphale est à l'origine de la protubérance annulaire et du cervelet.*

MÉTENSOMATOSE [metãsɔmatoz] n. f. — 1874 ; *métensamotose (sic),* av. 1715, Fénelon, « passage, après la mort, dans un séjour des âmes » ; 1846 « transmutation d'un corps dans un autre » ; lat. *metensomatosis,* grec *metensômatôsis,* de *meta-* exprimant le changement, *en-* « dans », rad. *sômat-* « corps ». → Métempsychose.

♦ Philos., relig. Chaque réincarnation, au cours d'existences successives (⇒ **Renaissance**) ; par ext., doctrine de la transmigration. ⇒ **Métempsychose, samsāra.** *Chez Origène la série achevée des métensomatoses s'oppose à la métempsychose indéfinie des Pythagoriciens.*

MÉTÉO [meteo] n. f. et adj. — Abrév. de *météorologie* (1939) et de *météorologique* (1931, Saint-Exupéry).

♦ **1.** N. f. Météorologie. — Service météorologique. *Il travaille à la météo. Se faire affecter* (cit. 2) *à la météo.* — Bulletin météorologique. *Écouter la météo.*

En attendant, le beau temps persistait sur l'ensemble du territoire, comme la météo persiste à le dire.

        Claude COURCHAY, La vie finira bien par commencer, p. 73.

♦ **2.** Adj. invar. Météorologique. *Le bulletin météo, les messages météo.* → Météorologique, cit.

MÉTÉORE [meteɔʀ] n. m. — V. 1270 ; lat. médiéval *meteora,* mot grec *meteôros* « élevé dans les airs ».

★ **I.** ♦ **1.** (Vx ou didact. au sens général). Phénomène qui se produit dans l'atmosphère. ⇒ **Intempérie ; météorologie.** *Météores aériens* (⇒ **Cyclone, tempête, tornade, trombe, typhon, vent...**), *aqueux* (⇒ **Giboulée, grêle, neige, pluie...**), *ignés* (⇒ **Éclair, feu, tonnerre**). *Météores lumineux.* ⇒ **Arc-en-ciel, aurore** (boréale), **halo, parhélie...** — *Les Météores,* ouvrage d'Aristote ; ouvrage de Descartes. — *Les Météores,* roman de M. Tournier.

1   La foudre est un météore comme la rosée (...)
        J. DE MAISTRE, les Soirées de St-Pétersbourg, IVᵉ entretien.
2   Michel Strogoff savait, pour l'avoir éprouvé déjà, ce qu'est un orage dans la montagne, et peut-être trouvait-il, avec raison, ce météore aussi redoutable que ces terribles chasse-neige qui, pendant l'hiver s'y déchaînent avec une incomparable violence.   J. VERNE, Michel Strogoff, p. 134.

♦ **2.** Vx. Tremblement de terre.

★ **II.** (1671). Cour. Petit corps céleste généralement lumineux qui passe dans le ciel ou tombe sur la terre. ⇒ **Aérolithe, astéroïde, astre, bolide, étoile** (filante), **météorite.** *Coruscation d'un météore. Météore qui éclate* (cit. 1) *et s'éteint.*

2.1   Leur légèreté *(des étoiles filantes)* étant compensée par de grandes vitesses, ces projectiles cosmiques constitueront un danger sérieux pour la navigation interplanétaire. Si l'on peut espérer échapper aux météores sporadiques, il conviendrait du moins de ne pas risquer la rencontre d'un essaim.
        Paul COUDERC, Dans le champ solaire, p. 196.

Par compar. *Passer, briller comme un météore* (→ Gradé, cit.). Fig. Personne, chose qui brille d'un éclat vif et passager ; ou qui passe très rapidement.

3   Sous le Consulat et l'Empire il *(Chateaubriand)* brille du premier jour, dès le premier matin, comme un météore. Sous la Restauration il est à son zénith (...)
        SAINTE-BEUVE, Chateaubriand..., I, p. 37.

★ **III.** (1907). Vx. (T. de mode, autour de 1910). *Satin météore ; météore,* n. m. ou *météor,* n. m. : variété de satin.

DÉR. et COMP. Météorite, météoromancie. — V. **Météorologie, météorique.**

MÉTÉORIQUE [meteɔʀik] adj. — 1580 ; de *météore.*

★ **I.** Vx ou didact. Des météores (I.), relatif aux météores, aux phénomènes météorologiques. *Eaux météoriques et eaux courantes* (→ Aven, cit.).

★ **II.** Cour. Des météores (II.). ⇒ **Météoritique.** *Pierre météorique.* ⇒ **Aérolithe, météorite.** *Fer météorique. Nuage météorique,* formé de météores. — *Cratère météorique,* formé par la chute de météorites.

1. MÉTÉORISATION [meteɔʀizasjɔ̃] n. f. — 1811 ; de *météoriser.*

♦ Méd. Fait de météoriser. — Méd. vétér. Indigestion* des ruminants, qui a pour siège la panse dans laquelle se fait une accumulation de gaz. ⇒ **Ballonnement, empansement, gonflement, tympanite.** *La météorisation a généralement pour cause l'absorption d'herbages humides.* ⇒ **Météorisme.**

2. MÉTÉORISATION [meteɔʀizasjɔ̃] n. f. — V. 1900 ; du grec *meteôra* « phénomène céleste ».

♦ Géomorphologie. Ameublissement des roches résistantes par fragmentation ou par altération due aux agents chimiques.

MÉTÉORISER [meteɔʀize] v. tr. — Fin XVIᵉ, repris XVIIIᵉ ; grec *meteôrizein* « élever, gonfler ».

♦ Méd. Gonfler* l'abdomen de (un animal) par l'accumulation du gaz à l'intérieur. *La luzerne humide météorise les vaches.*

— Au p. p. *Bête météorisée.*

(...) une panse nue, météorisée, énorme (...)   HUYSMANS, Là-bas, XIX.

DÉR. 1. Météorisation.

MÉTÉORISME [meteɔʀism] n. m. — V. 1560 ; grec *meteôrismos.*

♦ Méd. Gonflement de l'abdomen par les gaz qui s'accumulent dans l'estomac et dans l'intestin. ⇒ **Ballonnement, enflure, flatulence, ventosité ; météorisation.** *Souffrir de météorisme.*

MÉTÉORITE [meteɔʀit] n. m. ou f. — 1822 ; de *météore.*

♦ Astron. Fragment de corps céleste qui traverse l'atmosphère et tombe sur la terre. ⇒ **Aérolithe, bolide, étoile** (filante), **météore.** *Météorite pierreux, métallique. Bombardement de météorites, modification du sol par leur chute. Impacts de météorites.* (⇒ **Météorique, météoritique**).

Malgré le matelas atmosphérique et la combustion rapide qu'il détermine, des projectiles cosmiques pesant parfois des dizaines de tonnes parviennent au sol ; on les nomme aérolithes ou météorites (...) Le plus souvent, le sol est criblé de multiples fragments, soit qu'une explosion ait divisé le météorite dans l'atmosphère, soit qu'il s'agisse d'un essaim initial (on évoque alors une petite comète).

        Paul COUDERC, Dans le champ solaire, p. 197.

DÉR. Météoritique.

MÉTÉORITIQUE [meteɔʀitik] adj. — Fin XIXᵉ ; de *météorite.*

♦ Des météorites, relatif aux météorites. ⇒ **Météorique.** *Matériau météoritique trouvé dans un cratère.* « *L'origine du célèbre Meteor Crater (Arizona), devenu, comme son nom l'indique, le type même de cratère météoritique, a été discutée jusqu'en 1953* » (*la Recherche,* janv. 1974, p. 69). *Bombardement météoritique.*

MÉTÉOROGRAPHE [meteɔʀɔgʀaf] n. m. — 1803 ; du lat. médiéval *meteora,* grec *meteôros* « élevé dans les airs », et *-graphe.*

♦ Techn. (Météor.). Appareil qui enregistre à haute altitude les valeurs des principaux éléments atmosphériques.

MÉTÉOROLOGIE [meteɔʀɔlɔʒi] n. f. — 1547 ; grec *meteôrologia,* de *meteôros* (→ Météore) et *logia* (→ -logie).

♦ **1.** Sc., cour. Étude scientifique des phénomènes atmosphériques (⇒ **Atmosphère**), et de leurs variations. ⇒ **Temps ; météore, perturbation.** *La météorologie étudie les pressions** (⇒ **Anticyclone, cyclone, dépression, tempête, vent ; gradient**), *les températures*, la présence de l'eau dans l'atmosphère* (⇒ **Brouillard, givre, grêle, neige, nuage, verglas ; visibilité**). *Les observations de la météorologie.* ⇒ **Météorologique** (observatoire, station) ; **cerf-volant, ballonsonde...** *Détermination, prévision du temps* par la météorologie.* Géogr. *La météorologie apporte les données nécessaires à l'étude des climats** (→ Géophysique, cit.).

(...) Kunz, qui passait pour se connaître admirablement en météorologie, dit, après avoir gravement examiné le ciel (...) — Il fera beau demain.
        R. ROLLAND, Jean-Christophe, La révolte, p. 562.
(...) misère de la météorologie qui ne connaît la vie du ciel que de l'extérieur et prétend la réduire à des modèles mécaniques. Les démentis constants que les intempéries infligent à ses prévisions n'ébranlent pas son obstination stupide (...) Le ciel est un tout organique possédant sa vie propre, en relation directe avec la terre et les eaux. Ce grand corps développe librement et en vertu d'une logique intérieure ses brouillards, neiges, embellies, givres, canicules et aurores boréales. Il manque au physicien pour le savoir une dimension, celle précisément qui plonge en moi.
        M. TOURNIER, les Météores, p. 624.

(1973). *Météorologie spatiale :* branche de la météorologie qui utilise des moyens spatiaux, l'observation extra-terrestre.

♦ **2.** (1949). Service qui s'occupe de météorologie. *Travailler à la météorologie.* — Abrév : **météo** [meteo] n. f.

DÉR. Météorologique.
COMP. Biométéorologie.

MÉTÉOROLOGIQUE [meteɔʀɔlɔʒik] adj. — 1550 ; de *météorologie.*

♦ Sc., cour. Qui concerne la météorologie. *Observations météorologiques. Prévision météorologique par l'étude du trajet et de la vitesse des dépressions. Carte météorologique avec représentation des isobares. Bulletin météorologique de la radio, de la télé-*

vision (abrév. : *la météo*). *Observatoire, station, poste, instrument météorologique* (→ Baromètre, cit. 1). *Satellite météorologique.*

Abrév. : *météo,* adj. invar.

— *Passez-moi les messages météo.*
Chaque aéroport vantait son temps clair, son ciel transparent, sa bonne brise.
          SAINT-EXUPÉRY, *Vol de nuit,* VI.

DÉR. Météorologiquement.

MÉTÉOROLOGIQUEMENT [meteɔʀɔlɔʒikmɑ̃] adv. — 1922, in D. D. L. ; de *météorologique.*

♦ Sc. Par la météorologie. *Phénomène météorologiquement inexplicable.*

Le temps qui précéda le départ de Julot au service fut, météorologiquement parlant, très calme.   Jean FOLLONIER, la Sommelière, p. 46.

MÉTÉOROLOGISTE [meteɔʀɔlɔʒist] ou MÉTÉOROLOGUE [meteɔʀɔlɔg] n. — 1821, *météorologiste ; météorologue,* 1783 ; d'après *météorologie.*

♦ Personne qui s'occupe de météorologie. *Météorologiste* (ou *météorologue*) *amateur, professionnel.* — Par appos. *Aviateur météorologiste.*

Lorsqu'un météorologiste s'est assuré par une suite d'observations exactes, qu'il doit tomber dans un certain pays tant de pouces d'eau par an, il se met à rire en assistant à des prières publiques pour la pluie.
    J. DE MAISTRE, les Soirées de St-Pétersbourg, IVe entretien.
(...) quand on naviguera sur de l'instabilité étudiée, quand le capitaine sera un météorologue, quand le pilote sera un chimiste, alors bien des catastrophes seront évitées.   HUGO, l'Homme qui rit, I, II, I.

MÉTÉOROMANCIE [meteɔʀɔmɑ̃si] n. f. — 1765 ; de *météore,* et suff. *-mancie.*

♦ Didact. Divination par l'observation des météores.

DÉR. Météoromancien.

MÉTÉOROMANCIEN, IENNE [meteɔʀɔmɑ̃sjɛ̃, jɛn] adj. — 1836 ; de *météoromancie.*

♦ Didact. Relatif à la météoromancie. — N. Qui pratique la météoromancie. *Une météoromancienne. Des météoromanciens.*

MÉTÉOROPATHIE [meteɔʀɔpati] n. f. — 1959 ; de *météoro* (logie), et *-pathie.* → Météoropathologie.

♦ Méd. Affection liée à des phénomènes météorologiques, au temps.

MÉTÉOROPATHOLOGIE [meteɔʀɔpatɔlɔʒi] n. f. — 1928, Mouriquand et Charpentier ; de *météoro(logie),* et *-pathologie.*

♦ Méd. Étude des rapports entre les conditions météorologiques et la pathologie humaine ou animale.

MÉTÈQUE [metɛk] n. m. — 1743, *mestèque,* grec *metoikos,* de *meta,* et *oikos* «maison», proprt «qui change de maison».

♦ **1.** Antiq. grecque. Étranger domicilié en Grèce, qui n'avait pas droit de cité.

(...) André Andréadès, estimait que le nombre des citoyens *(Athéniens)* à la veille de la guerre du Péloponèse, devait dépasser sensiblement trente mille hommes ; à ces chiffres, certes, il faut ajouter les non-citoyens : femmes et enfants, et aussi métèques et esclaves (...)
    Yves BÉQUIGNON, la Grèce, *in* Histoire universelle, t. I, Encycl. Pl., p. 571.

♦ **2.** (Repris par Maurras en 1894). Cour., péj. Étranger vivant en France.

REM. Le mot est xénophobe, sinon raciste ; dans l'usage, il désigne surtout l'étranger indésirable, et presque exclusivement des personnes de type méditerranéen ou sud-américain, souvent fortunées. À la limite, c'est un terme injurieux sans contenu précis. *Sale métèque ! Traiter qqn de métèque.*

MÉTHACRYLATE [metakʀilat] n. m. — 1874 ; de *méthacryl* (ique), et suff. *-ate.*

♦ Chim. Ester de l'acide méthacrylique qui, polymérisé, donne les composés méthacryliques.

MÉTHACRYLIQUE [metakʀilik] adj. — 1874 ; du rad. de *méthylique,* et *acrylique.*

Chimie.

♦ **1.** *Acide méthacrylique :* composé obtenu par l'action de l'acide sulfurique sur un nitrile.

♦ **2.** (XXe). Se dit de composés thermoplastiques (esters de l'acide

méthacrylique polymérisés). *Résines méthacryliques,* employées comme verre de sécurité (Plexiglas).

DÉR. Méthacrylate.

MÉTHANATION [metanɑsjɔ̃] n. f. — 1972, in *la Clé des mots ;* de *méthane,* et *-ation.*

♦ Techn. Réduction (des oxydes de carbone) par l'hydrogène, produisant du méthane. *« L'oxyde de carbone doit (...) subir une méthanation pour être substituable au gaz naturel »* (*Sciences et Avenir,* mai 1979, p. 20).

MÉTHANE [metan] n. m. — 1882 ; de *méthylène,* ancien nom de *méthane,* par substitution de finale.

♦ Chim. Carbure d'hydrogène (hydrocarbure saturé, premier de la série des paraffines ou alcanes*) de formule CH_4 et de densité 0,559, gaz incolore, inodore, inflammable, formant un mélange explosif avec l'air. — Syn. : *gaz des marais ;* (vx) *formène. Le méthane prend naissance dans la décomposition des matières organiques ; il provoque des explosions dans les mines de houille.* ⇒ **Grisou.** *Dérivés et composés du méthane.* ⇒ **Méthylique ; méthylène.**

DÉR. Méthanation, méthanier, méthanique, méthanisation, méthanol.
COMP. Triphénylméthane.

MÉTHANIER [metanje] n. m. — Av. 1960 ; de *méthane,* d'après *pétrolier.*

♦ Techn. Navire transporteur de gaz liquéfié (cf. Pétrolier). Appos. *Cargo méthanier.*

Dès 1955, les États-Unis construisirent (...) plusieurs péniches réfrigérées (...) Plus récemment, le British Gas Council et la société américaine Constock Liquid Methane Corp, se sont associés pour réaliser le premier transport maritime de gaz liquéfié depuis la Louisiane jusqu'en Grande-Bretagne. Le voyage de ce premier tanker méthanier, le Methane Pioneer, chargé de 2 000 t de gaz liquide, s'effectua sans incident en février 1959
    Raymond GUGLIELMO, le Gaz naturel dans le monde, p. 22.

MÉTHANIQUE [metanik] adj. — 1968 ; de *méthane,* et suff. *-ique.*

♦ Chim., techn. Qui produit du méthane. *Transformation méthanique des déchets.* ⇒ **Méthanisation.** *« La fermentation méthanique (...) a été mise en évidence en 1776 par Volta qui découvrit le méthane dans le gaz des marais »* (*la Recherche,* juil. 1980, p. 774).

MÉTHANISATION [metanizɑsjɔ̃] n. f. — 1968 ; de *méthane* et *-isation ;* le v. *méthaniser* est virtuel ; *méthanisé* «mélangé de méthane» est attesté en 1953.

♦ Chim., techn. Transformation (de matières organiques) en méthane, par fermentation. *Méthanisation en continu. Production de gaz de fumier par méthanisation.*

MÉTHANOL [metanɔl] n. m. — 1931 ; de *méthane,* et *(alco)ol.*

♦ Chim. Alcool méthylique. *« Depuis 1975, le pays* (Brésil) *s'oriente vers une production à grande échelle de méthanol et d'éthanol »* (*la Recherche,* sept. 1979, p. 909).

MÉTHÉMOGLOBINE [metemɔglɔbin] n. f. — 1902 ; de *méta-,* et *hémoglobine.*

♦ Méd. Forme oxydée d'hémoglobine dans laquelle le fer, passé à l'état ferrique, a perdu son pouvoir de fixer l'oxygène.

MÉTHIONINE [metjɔnin] n. f. — 1953 ; de *méthionique,* de *mé(thylène), thio, n,* et *-ine.*

♦ Biochim. Acide aminé soufré indispensable à l'organisme humain, participant à la synthèse des protéines et d'autres composés organiques. *La méthionine existe dans les œufs, la caséine, le lait.*

(...) il nous faut ajouter, aujourd'hui, des recherches nouvelles portant sur un amino-acide soufré, la *méthionine,* qui a une puissance thérapeutique considérable (...) action hépato-protectrice qui paraît la plus caractéristique, et action antianémique nette (...) La méthionine exerce une action d'épargne à l'égard des protéines de l'organisme. Léon BINET, Gérontologie et Gériatrie, p. 114.

MÉTHODE [metɔd] n. f. — 1537 ; lat. tardif *methodus,* grec *methodos* «poursuite, recherche, etc. » ; de *meta-* « vers » et *hodos* «chemin».

♦ **1.** Philos., sc. Marche, ensemble de démarches que suit l'esprit pour découvrir et démontrer la vérité (dans les sciences). ⇒ **Logique.** *La méthode caractérise la recherche scientifique. Il n'y a pas de méthode rigoureuse pour inventer et découvrir. La perfection de la méthode cartésienne* (→ Exhaustion, cit.). *Les quatre règles* de la méthode selon Descartes. Discours de la méthode, pour bien* *conduire sa raison et chercher la vérité dans les sciences,* de Descartes (1637).

1 (...) je ne mets pas *Traité de la méthode,* mais *Discours de la méthode* (...) pour montrer que je n'ai pas dessein de l'enseigner, mais seulement d'en parler. Car comme on peut voir de ce que j'en dis, elle consiste plus en pratique qu'en théorie, et je nomme les traités suivants des *Essais de cette méthode* (...)
DESCARTES, Correspondance, 27 févr. 1637.

2 (...) si l'on sait la méthode de prouver la vérité, on aura en même temps celle de la discerner, puisqu'en examinant si la preuve qu'on en donne est conforme aux règles qu'on connaît, on saura si elle est exactement démontrée.
PASCAL, Opuscules, III, XV.

3 Les hommes peuvent remarquer, en faisant des réflexions sur leurs pensées, quelle méthode ils ont suivie quand ils ont bien raisonné, quelle a été la cause de leurs erreurs quand ils se sont trompés, et former ainsi des règles sur ces réflexions pour éviter à l'avenir d'être surpris.
Logique de Port-Royal, Premier discours, § 15, *in* LALANDE.

4 (...) dans ce discours de la méthode il n'y a qu'une partie, sur six, la deuxième, qui soit des règles de la méthode. En tout sept pages et demie. Et dans cette deuxième partie même il n'y a que le cœur, en tout vingt lignes, qui soit les règles de la méthode. Ce sont ces vingt lignes qui ont révolutionné le monde et la pensée.
Ch. PÉGUY, Note conjointe, Sur Bergson, p. 51.

La méthode et les procédés généraux de la pensée. Méthode analytique (⇒ **Analyse**), *synthétique* (⇒ **Synthèse**). *Méthode déductive et syllogistique* (→ Habileté, cit. 4), *inductive, objective* (⇒ Introspection, cit. 2). *Méthode scolastique; dialectique. La méthode des idéologues* (cit. 2). *Méthode positive* (→ Esprit, cit. 47).
Ensemble des démarches élaborées et habituellement suivies (au sein d'une discipline donnée).
Les méthodes des mathématiciens (→ Isoler, cit. 6). *Méthode de l'algèbre, des approximations, des fluxions, du calcul des fonctions directes* (→ Équation, cit. 2). *Méthode infinitésimale* (cit. 1). *Méthode expérimentale* (cit. 1). *Méthodes de recherche expérimentale de Stuart Mill (méthode de concordance, de différence, des résidus, des variations concomitantes). Les méthodes de la biologie* (cit.). *Les méthodes de l'histoire* (cit. 7 et 16), *de la psychologie...*

♦ **2.** (1793). Ordre réglant une activité; arrangement qui en résulte. ⇒ **Logique, raison, raisonnement.** *Se fier à la méthode plutôt qu'à l'intuition, à l'inspiration ou au hasard. Manque de méthode.* ⇒ **Discipline, organisation.** *Travailler sans soin ni méthode* (→ Ballotter, cit. 8). — *Absence de méthode qui dépare un ouvrage.* ⇒ **Plan.** *Une méthode de discours* (→ Histoire, cit. 35). *La guerre eut désormais une direction et une méthode* (→ Généralissime, cit.).

AVEC MÉTHODE. ⇒ **Méthodiquement.** *Composer un livre avec méthode. Lire avec méthode* (→ Avidement, cit. 7). *Ne laissez rien au hasard, agissez avec méthode. Le Romain exploite* (cit. 9) *les peuples vaincus avec méthode.*

♦ **3.** Sc. (Vieilli). Système de classification. *La méthode de Linné, de Jussieu,* leur mode respectif de classement des végétaux. ⇒ **Classification, système, taxinomie** (→ Espèce, cit. 26). — *Méthode naturelle* (A. Comte) : classification naturelle.

♦ **4.** Ensemble de démarches (ou de dispositions) raisonnées, suivies dans une activité (ou prises dans un domaine) donnée. ⇒ **Système.** *Méthode de travail* (→ Discipline, cit. 13). *Méthode d'agencement, d'organisation matérielle.* ⇒ **Manière, mode.**
Ensemble de moyens raisonnés employés pour parvenir à un but. ⇒ **Procédé, voie.** *Indiquer à qqn la méthode pour résoudre une difficulté.* ⇒ **Formule, marche** (à suivre). *La bonne et la mauvaise méthode.* ⇒ **Art, façon, manière.** *Il y a deux méthodes d'éreintage* (cit. 1). *Il a trouvé la bonne méthode pour s'enrichir.* ⇒ **Combinaison.** — Absolt. *Bonne méthode, méthode efficace. Vous n'avez pas la méthode.*

Par ext. Manière de se conduire, d'agir, suivie habituellement (sans idée de réflexion préalable). ⇒ **Habitude.** *Chacun a sa méthode* (Académie). *Changez de méthode.*

5 On ne pouvait compter à peu près, pour protéger les Tuileries, que sur la Garde Nationale : Mandat, homme sûr, qui la commandait ce jour-là, fut assassiné sur l'ordre de Danton. Depuis les journées d'octobre, jamais la méthode n'avait changé. La Révolution arrivait à son terme comme elle avait progressé : par l'émeute.
J. BAINVILLE, Hist. de France, XVI, p. 361.

Spécialt. Procédé technique, scientifique. ⇒ **Mode, procédé, technique** (n. f.). *Nouvelles méthodes de culture* (→ Innovation, cit. 4). *Méthodes thérapeutiques. Méthode pasteurienne. Méthode de calcul, d'expérimentation. Découvrir, inventer une méthode dans un domaine. Perfectionner les méthodes d'une industrie. Appliquer une méthode.* — Math. *Méthode de Monte Carlo :* méthode statistique et probabiliste (dérivée des martingales de jeu), utilisée pour la résolution approchée de problèmes rencontrés en théorie des nombres, en physique mathématique, dans la production industrielle.

6 Il avait lu dernièrement l'éloge d'une nouvelle méthode pour la cure des pieds bots (...)
FLAUBERT, Mme Bovary, II, XI.

7 C'est ainsi que les méthodes de culture employées par les colons de la Kabylie et de la Mitidja lui paraissaient prodigieusement retardataires.
Pierre BENOIT, Mlle de la Ferté, p. 11.

♦ **5.** (1546). Ensemble des règles*, des principes* normatifs sur lesquels reposent l'enseignement, la pratique d'un art (→ Formule,

cit. 11). *Les méthodes de l'architecture. Méthode oratoire.* ⇒ **Rhétorique.**

(...) elle jouait de tout à merveille, mais la harpe était de préférence son instrument. La méthode d'en jouer était encore dans l'enfance : Mme de Genlis, avec sa facilité et son adresse naturelle, en réforma et en perfectionna le doigté.
SAINTE-BEUVE, Causeries du lundi, 14 oct. 1850.

Spécialt. Méthode employée en pédagogie : *méthode didactique, active, historique.* — Vx. *Méthode de...* (et inf.). *« Les meilleures méthodes d'apprendre à lire »* (cit. 4, Rousseau). — REM. On dirait aujourd'hui : *méthode pour...* — *Méthode analytique, méthode globale* d'enseignement de la lecture.

♦ **6.** (1680). Par métonymie, de 5. Livre, ouvrage exposant de façon graduelle les règles, les principes d'une technique, d'un art. *Méthode de violon, de piano, de comptabilité.*

CONTR. Désordre, empirisme, errement, hasard, tâtonnement.
DÉR. 2. Méthodisme, 2. méthodiste. — (Du même rad.) Méthodique, méthodologie.

MÉTHODIQUE [metodik] adj. — 1488; lat. *methodicus,* de *methodus,* grec *methodos.* → Méthode.

♦ **1.** Qui est fait, calculé, ordonné avec méthode, résulte de l'application d'une méthode. *Liste méthodique.* ⇒ **Catalogue.** *Classement méthodique. D'une manière méthodique.* ⇒ **Méthodiquement.** *Formation professionnelle méthodique* (→ Apprentissage, cit. 4). *Démonstration, preuves, vérifications méthodiques* (→ Contrôle, cit. 2). *Violence méthodique et organisée.* ⇒ **Systématique** (→ Guerre, cit. 1).

Cet art que j'appelle l'art de persuader, et qui n'est proprement que la conduite des preuves méthodiques parfaites, consiste en trois parties essentielles (...)
PASCAL, Opuscules, III, XV.

(...) tous ces ordres étaient inscrits sur des papiers blancs et roses; un officier debout devant la carte géante faisait manœuvrer soigneusement des petits morceaux de carton de couleur, et cette agitation méthodique rappelait à Aurelle l'aspect d'une grande maison de banque à l'heure de la Bourse.
A. MAUROIS, les Silences du colonel Bramble, XV.

Spécialt. *Doute* méthodique de Descartes.

Didact. De méthode; concernant une méthode.

Pour réussir dans ce projet, le romantisme a dû patiemment se constituer une méthode, comme le classicisme en avait dans sa recherche de la vérité. Or, pour parler vite et ne point s'attarder à ces précisions liminaires, on peut nous accorder encore, sans excessif danger, que la vérité méthodique du romantisme est technique d'*analyse symbolique.*
Michel SERRES, Hermès, I, la Communication, p. 22.

♦ **2.** (V. 1560). Personnes. Qui agit, qui raisonne avec méthode. *Elle est plus méthodique que son frère. C'est un esprit méthodique.* ⇒ **Cartésien, réfléchi.** *Un chercheur très méthodique.* — *Il n'est pas assez méthodique pour réussir en sciences.*

En dehors du croquet, Moineau se montrait timoré, méthodique, scrupuleux et bien digne de la confiance dont il était universellement accablé.
G. DUHAMEL, Salavin, III, III.

(...) de onze heures et demie du matin à minuit — heure à laquelle se couchait le méthodique gentleman — tout était noté, prévu, régularisé. Passepartout se fit une joie de méditer ce programme et d'en graver les divers articles dans son esprit.
J. VERNE, le Tour du monde en 80 jours, p. 13.

N. *Les méthodiques* (→ Fiche, cit. 6).

CONTR. Brouillon, brusque, désordonné, empirique.
DÉR. Méthodiquement.
COMP. Alphabético-méthodique.

MÉTHODIQUEMENT [metodikmã] adv. — XVIe; de *méthodique.*

♦ D'une manière méthodique, avec méthode. *Agir méthodiquement* (→ Géomètre, cit. 3).

On porte dans la dissipation autant d'exactitude que dans les affaires, et l'on perd son temps aussi méthodiquement qu'on l'emploie.
Mme DE STAËL, De l'Allemagne, I, VII.

1. MÉTHODISME [metodism] n. m. — 1760; angl. *methodism,* du même rad. que le franç. *méthode.*

♦ Hist. relig. Mouvement religieux protestant fondé en Angleterre par John Wesley en 1729 (→ Itinérant, cit. 1). *Le méthodisme prit naissance au sein de l'anglicanisme.* — Doctrine de ce mouvement.

2. MÉTHODISME [metodism] n. m. — 1835, Berlioz, *in* D.D.L.; de *méthode.*

♦ Didact. Esprit méthodique érigé en doctrine, en système; attitude d'esprit qui privilégie la méthode.

1. MÉTHODISTE [metodist] adj. et n. — 1760; angl. *methodist.* → 1. Méthodisme.

♦ Relig. Relatif au méthodisme. *La doctrine, l'Église méthodiste. Pasteur méthodiste.* Subst. Celui, celle qui professe le méthodisme. *Un, une méthodiste. Les premiers méthodistes furent des anglicans désireux de revenir à des principes plus stricts.*

2. MÉTHODISTE [metɔdist] adj. et n. — V. 1960 ; de *méthode*.

♦ Didact. Qui considère la méthode comme primordiale, en science.

(...) les conflits entre les fixistes et ceux qui ne le sont pas, ou entre les méthodistes et les partisans du système.
Michel FOUCAULT, les Mots et les Choses, p. 139.

MÉTHODOLOGIE [metɔdɔlɔʒi] n. f. — 1842 ; de *méthode*, et suff. *-logie*.

♦ Didact. « Subdivision de la Logique ayant pour objet l'étude a posteriori des méthodes, et plus spécialement, d'ordinaire, celle des méthodes scientifiques » (Lalande). ⇒ **Épistémologie**. *Certificat de Logique et de Méthodologie des Sciences* (dans la Licence de Philosophie).

Une conception de la maladie qui (...) fait fi de l'effort de la méthodologie réflexive née avec Laënnec.
C. KOUPERNIK, Un traitement d'exception, la Nef, n° 31, p. 154.

DÉR. **Méthodologique.**

MÉTHODOLOGIQUE [metɔdɔlɔʒik] adj. — 1877, Littré, *Suppl.* ; de *méthodologie*.

♦ Didact. Qui concerne l'étude des méthodes.

La pluralité des manifestations mentales est seulement l'expression d'une nécessité méthodologique. Pour décrire la conscience, nous sommes obligés de la diviser.
Alexis CARREL, l'Homme, cet inconnu, p. 161.

MÉTHOXYLE [metɔksil] n. m. — 1888 ; de *méth(yle)*, *oxy(gène)*, et *-yle*.

♦ Chim. Radical univalent CH_3O (présent, notamment, dans la lignine du bois).

DÉR. **Méthoxylé.**

MÉTHOXYLÉ, ÉE [metɔksile] adj. — 1932, Larousse ; de *méthoxyle*.

♦ Chim. *Composés méthoxylés*, contenant le radical CH_3O.

Les vins rouges renferment ordinairement les cinq types d'anthocyanes (...) Les anthocyanes méthoxylées sont ordinairement les plus abondantes et représentent 60 à 70 % de l'ensemble, le malvidol diméthoxylé étant aussi abondant que les deux monométhoxylés (...)   Jules CARLES, la Chimie du vin, p. 46.

MÉTHYL- Préfixe, tiré de *méthyle*, employé en chimie pour former les noms des composés contenant le radical méthyle.

MÉTHYLAMINE [metilamin] n. f. — 1873 ; de *méthyl-*, et *amine*.

♦ Chim. Amine méthylée *(mono-, di- et triméthylamine)*. ⇒ **Méthylcellulose.**

MÉTHYLATE [metilat] n. m. — 1878, P. Larousse, *Premier Suppl.* ; de *méthyl(ique)*, et suff. *-ate*.

♦ Chim. Alcoolat dérivé de l'alcool méthylique.

MÉTHYLATION [metilasjɔ̃] n. f. — 1903 ; de *méthyler*.

♦ Didact. Chim. Introduction du radical méthyle dans les molécules (d'un corps). *« La méthylation est faite sur la cellulose mercerisée sous forme d'alcali-cellulose »* (M. Chêne et N. Drisch, *la Cellulose*, p. 112).

MÉTHYLCELLULOSE [metilselyloz] n. f. — V. 1963 ; de *méthyle*, et *cellulose*.

♦ Didact., techn. Éther-oxyde cellulosique, obtenu par éthérification des groupes hydroxyles de la cellulose.

La méthylcellulose est utilisée comme colloïde protecteur ou comme émulsionnant. Elle est la base de la fabrication d'apprêts permanents pour le textile. On l'utilise également à la fabrication de colles pour papier peint.
M. CHÊNE et N. DRISCH, la Cellulose, p. 113.

MÉTHYLE [metil] n. m. — 1839 ; de *méthylène*.

♦ (1840). Chim. Radical monovalent CH_2. *Chlorure de méthyle,* employé comme fluide frigorifique et comme anesthésique. *Salicylate de méthyle,* employé en parfumerie (Essence de Wintergreen). *Autres composés du méthyle :* arsénidiméthyle (⇒ **Cacodyle**) ; *méthylorangé* (⇒ **Héliantine**), etc.

DÉR. **Méthylé, méthylique.**

MÉTHYLÉ, ÉE [metile] adj. — Av. 1878, Wurtz ; de *méthyle*.

♦ Chim. Se dit d'un composé contenant le radical méthyle.

MÉTHYLÈNE [metilɛn] n. m. — 1834, Dumas ; formé avec les mots grecs *methu* « boisson fermentée », *hulê* « bois », et suff. *-ène*.

♦ **1.** Comm., cour. Alcool méthylique. ⇒ **Carbinol, esprit** (de bois), **méthanol**. *Le méthylène est utilisé pour dénaturer l'alcool éthylique.*

♦ **2.** Chim. Radical bivalent CH_2 dérivé du méthane. *Chlorure de méthylène.* — Loc. cour. *Bleu de méthylène :* colorant aux propriétés antiseptiques utilisé en teinture et en médecine. *Badigeonner qqch. au bleu de méthylène.*

DÉR. **Méthyle.**

MÉTHYLER [metile] v. tr. — 1903 ; de *méthyle*.

♦ Chim. Introduire le radical méthyle dans.

DÉR. **Méthylation.**

MÉTHYLHYDRAZINE [metilidʀazin] n. f. — 1964, dans *monométhylhydrazine* ; de *méthyl-*, et *hydrazine*.

♦ Chim., techn. Dérivé méthylé de l'hydrogène. *Les méthylhydrazines servent comme combustibles de fusées.*

MÉTHYLIQUE [metilik] adj. — 1839 ; de *méthyle*.

♦ Chim. Se dit des composés dérivés du méthane. *Alcool méthylique* (CH_2 OH). ⇒ **Méthylène.**

MÉTICULEUSEMENT [metikyløzmɑ̃] adv. — 1831 ; de *méticuleux*.

♦ D'une manière méticuleuse. *Décrire minutieusement et méticuleusement qqch.* ⇒ **Minutieusement, soigneusement.** *Ranger méticuleusement.*

(...) elle a encore sorti de son sac un crayon bleu et un magazine qui donnait les programmes radiophoniques de la semaine. Avec beaucoup de soin, elle a coché une à une presque toutes les émissions. Comme le magazine avait une douzaine de pages, elle a continué ce travail méticuleusement pendant tout le repas.
CAMUS, l'Étranger, I, v.

CONTR. **Négligemment.**

MÉTICULEUX, EUSE [metikylø, øz] adj. — XVIIIᵉ ; 1547, « craintif » ; 1584, dr. ; lat. *meticulosus* « craintif ».

♦ **1.** Vx. (Personnes). Sujet à de petites craintes, à de petits scrupules. ⇒ **Scrupuleux.**

♦ **2.** (Personnes). Très attentif aux détails, aux minuties. ⇒ **Minutieux, maniaque, pointilleux.** *Il est extrêmement méticuleux dans son travail* (→ Il cherche la petite bête*). *Observateur méticuleux* (→ Fripé, cit. 2). *Être méticuleux dans ses dépenses, méticuleux et regardant*.

Isidore était tout simplement un bureaucrate (...) Méticuleux et pédant, diseur et tracassier, l'effroi de ses employés auxquels il faisait de continuelles observations, il exigeait les points et les virgules (...)   [1]
BALZAC, les Employés, Pl., t. VI, p. 906.

(Choses). *Caractère, esprit méticuleux.* ⇒ **Méticulosité.** *Agir d'une manière méticuleuse.* ⇒ **Méticuleusement.** *Il est d'une politesse méticuleuse.* ⇒ **Cérémonieux.** *Prudence* (→ Contrôle, cit. 2), *propreté* (→ Abeille, cit. 5) *méticuleuse.*

Ses cheveux noirs grisonnaient aux tempes sans qu'elle eût pris la peine de les teindre mais elle était coiffée avec un soin méticuleux.   [2]
J. GREEN, Léviathan, I, v.

CONTR. **Brouillon, désordonné, négligent.**
DÉR. **Méticuleusement, méticulosité.**

MÉTICULOSITÉ [metikylozite] n. f. — 1828 in Littré ; de *méticuleux*.

♦ Littér. Caractère d'une personne, d'une action méticuleuse, minutieuse. *Il poussait le goût de l'ordre domestique jusqu'à la méticulosité* (→ Escamoter, cit. 9).

Chose singulière, Balzac qui méditait, élaborait et corrigeait ses romans avec une méticulosité si opiniâtre, semblait, lorsqu'il s'agissait de théâtre, pris du vertige de la rapidité.   Th. GAUTIER, Portraits contemporains, « Balzac ».

Rare. *(Une, des méticulosités).* Action méticuleuse.

MÉTIER [metje] n. m. — Xᵉ, *menestier, mistier,* « service », « office » ; contraction du lat. *ministerium* (→ Ministère), altéré en **misterium*, infl. de *mysterium*. → Mystère.

Il signifie dans l'origine : service de détail ; métier, c'est ministère (ministerium, dans lequel minus s'entrevoit). Il est intéressant de noter que le langage a utilisé ce mot dans des locutions dont l'une en relève le sens : métier de roi ; l'autre le réduit à désigner une machine : métier à tisser.   [1]
VALÉRY, Regards sur le monde actuel, p. 271.

★ I. ♦ **1.** Genre d'occupation manuelle ou mécanique qui trouve son utilité dans la société. ⇒ **Art** (arts mécaniques), **industrie** ; et ci-dessous 2. *Régime des métiers au moyen âge.* ⇒ **Corporation.** *Les corps de métiers. Livre des métiers. Artisans* (cit. 1) *de tous métiers. Homme, gens de métier* (vx). ⇒ **Artisan, ouvrier.** *Apprendre un métier.* ⇒ **Apprenti** (cit. 2). *Louis XVI connaissait le métier de serrurier. Donner un métier à son fils. Conservatoire, École des Arts* et Métiers.*

2 (...) depuis la fonderie des canons jusqu'à la filerie des cordes, il n'y eut aucun métier qu'il n'observât, et auquel il ne mît la main *(Pierre le Grand)*, toutes les fois qu'il était dans les ateliers. VOLTAIRE, Hist. de Russie, I, IX.

3 MÉTIER (...) on donne ce nom à toute profession qui exige l'emploi des bras, et qui se borne à un certain nombre d'opérations mécaniques, qui ont pour but un même ouvrage, que l'ouvrier répète sans cesse. Je ne sais pourquoi on a attaché une idée vile à ce mot; c'est des *métiers* que nous tenons toutes les choses nécessaires à la vie (...) Le poète, le philosophe, l'orateur, le ministre, le guerrier, le héros, seraient tout nus et manqueraient de pain sans cet artisan objet de son mépris cruel. Encycl. (DIDEROT), art. *Métier.*

4 (...) ce n'est point un talent que je vous demande, c'est un métier, un vrai métier, un art purement mécanique, où les mains travaillent plus que la tête (...) je veux absolument qu'Émile apprenne un métier. Un métier honnête, au moins, direz-vous? Que signifie ce mot? Tout métier utile au public n'est-il pas honnête? ROUSSEAU, Émile, III.

Métier s'employait, et s'emploie parfois encore, en parlant d'une occupation noble, d'un art, pour mettre l'accent sur le travail, la technique qu'il exige. *« C'est un métier de faire un livre comme de faire une pendule »* (La Bruyère → Art. cit. 59). Pour mettre l'accent sur le profit matériel, l'aspect vénal. *« Ils font d'un art* (cit. 58) *divin un métier mercenaire ».* Loc. *Faire métier et marchandise de... :* faire commerce de..., gagner de l'argent avec... (péj.). — (Dans le même sens). *Faire un métier de la dévotion* (→ Libertin, cit. 5). Voir ci-dessous le sens 3.

5 Trente juges étaient tirés des principales villes *(de l'Égypte antique)* pour composer la compagnie qui jugeait tout le royaume (...) Le prince leur assignait certains revenus, afin qu'affranchis des embarras domestiques, ils pussent donner tout leur temps à faire observer les lois. Ils ne tiraient rien des procès, et on ne s'était pas encore avisé de faire un métier de la justice. BOSSUET, Discours sur l'hist. universelle, III, III.

6 — Depuis quand, dit Simon Giguet, de bons citoyens comme ceux d'Arcis voudraient-ils faire métier et marchandise de la sainte mission du député? BALZAC, le Député d'Arcis, Pl., t. VII, p. 663.

♦ **2.** Genre de travail* déterminé, reconnu ou toléré par la société, dont on peut tirer ses moyens d'existence (cit. 22). ⇒ **Profession; fonction*; gagne-pain; boulot, job** (fam.). *Métier manuel, intellectuel... Métier d'homme, de femme. Les femmes ont progressivement accès aux métiers traditionnellement réservés aux hommes. Le métier de cultivateur, d'artisan, de commerçant* (⇒ **Commerce, magasin**), *de comédien* (→ Épancher, cit. 18), *de professeur, de magistrat...* — (1690). Loc. *Le métier de la guerre, des armes* (⇒ **Parti**); (poét. et vx) *le métier de Mars.* ⇒ **Militaire** (→ Héros, cit. 10). *Métier noble. Métier infâme* (cit. 8). — Loc. *Le plus vieux métier du monde,* celui de prostituée. — *Hiérarchie des métiers* (→ Fileur, cit. 2). *Petits métiers :* métiers artisanaux exercés individuellement et qui ont de nos jours un aspect pittoresque. *Ouvrage sur les petits métiers et les cris de Paris au XVIIIe siècle.* — *Métier intéressant, agréable, passionnant; métier fastidieux, odieux, astreignant* (⇒ **Harnais**), *dur* (cit. 16), *rude* (→ Apprentissage, cit. 3). *Métier fatigant, pénible, malsain, dangereux, périlleux* (→ Exercer, cit. 15). — Loc. fig. *C'est un métier de chien,* (vx) *un métier de galère* (cit. 7). Fam. *Fichu, foutu, sale métier! Métier sédentaire. Métier lucratif; qui nourrit bien, qui ne nourrit pas son homme. Un bon métier.* — *Les avantages, les ennuis, les inconvénients, les risques du métier.* — *Choisir un métier.* ⇒ **Carrière.** *Avoir un métier, plusieurs métiers* (→ Avoir plusieurs cordes à son arc*; fortune, cit. 47). *N'avoir aucun métier* (→ Légende, cit. 6), *vivre d'expédients... Faire, exercer un métier* (→ Forgeron, cit.; laveur, cit. 2); *il est resté longtemps sans exercer son métier,* sans travailler. *Exercer le métier de commerçant* (cf. Tenir boutique). *Il a fait tous les métiers. Dans l'exercice* de son métier. Connaître les éléments* (cit. 6), *les finesses* (cit. 7), *les secrets, les ficelles* du métier. Pratique, expérience d'un métier* (→ Machine, cit. 15). *Être jeune, être vieux dans le métier.* — *Savoir, connaître son métier,* l'exercer comme il faut, faire ce qu'on doit faire (→ Atelier, cit. 9; coiffeur, cit. 1; honnêteté, cit. 5; justice, cit. 24). *Parler de son métier* → Parler boutique*. *Il fait bien, mal son métier. Il ne sait pas son métier, c'est un amateur*. C'est son métier de... :* cela fait partie de son métier. *Gâcher, gâter* le métier. Apprendre son métier à qqn* (→ Batteur, cit. 2), lui donner une leçon, et fig. le remettre à sa place. — *S'attacher* (cit. 72) *à son métier, aimer son métier* (→ Élément, cit. 18). *Se spécialiser dans son métier. Changer de métier. Il a fait tous les métiers. Vivre de son métier. N'exercer aucun métier :* être sans profession*. *Il n'avait pour subsister que son métier d'horloger* (cit. 2). — **DE SON MÉTIER.** *Potier, forgeron... de son métier. Il est plombier, garagiste de son métier.* ⇒ **État** (→ Figuline, cit.). — *Dans notre métier...* ⇒ **Corporation.** — **DE, DU MÉTIER.** — *Être du métier :* exercer le métier en question, être spécialiste* du travail dont il s'agit. *Demandez-lui son avis, laissez-lui faire cela, il est du métier* (→ De la partie*). *Un homme de métier,* dont c'est le métier de... ⇒ **Professionnel.** *N'écoutez pas les conseils de n'importe qui, adressez-vous à un homme de métier.* — *Termes de métier.* ⇒ **Technique** (adj.), **technologique.** *Argot de métier* (→ Généraliser, cit. 5). — Prov. *Il n'est point de sot métier :* tous les métiers sont utiles et respectables. *« Chacun son métier, les vaches seront bien gardées »* (Florian) : chacun doit s'occuper de son affaire exclusivement pour que tout marche bien. *Il n'y a aucun métier qui n'ait son apprentissage* (→ École, cit. 14).

REM. Dans le langage administratif, on emploie *profession* pour tout *métier,* bien que *profession* soit d'un usage plus restreint dans le langage courant.

(Paris) Où cent mille artisans, en cent mille façons,
Exercent leurs métiers; l'un aux lettres s'adonne,
Et l'autre, Conseiller, tes saintes lois ordonne;
L'un est peintre, imagier, armurier, tailleur,
Orfèvre, lapidaire, graveur, émailleur;
Les autres nuit et jour fondent artillerie,
RONSARD, Premier livre des hymnes, « Hymne de Henry II ».

L'agriculture est le premier métier de l'homme : c'est le plus honnête, le plus utile, et par conséquent le plus noble qu'il puisse exercer. ROUSSEAU, Émile, III.

(...) je fais un métier périlleux, infâme, peu lucratif, et qui me déplaît, mais la nécessité contraint la loi. DIDEROT, Jacques le fataliste, Pl., p. 605.

Tenez, exemple, j'ai voulu faire apprendre le métier du cartonnage à mes filles. Vous me direz : Quoi! un métier? Oui! un métier! un simple métier! un gagne-pain! Quelle chute, mon bienfaiteur! Quelle dégradation quand on a été ce que nous étions! HUGO, les Misérables, III, VIII, XIX.

— Sans doute, conclut-il, toutes les femmes ne voudraient pas tenir les cabinets. Mais il n'y a pas de sot métier. ZOLA, la Bête humaine, I.

Toujours les mêmes boutiques, sans le moindre vitrage, ouvertes au vent; aussi simples, aussi élémentaires quelle que soit la chose qui s'y fabrique ou s'y brocante, qu'il s'agisse d'étaler de fines laques d'or, des potiches merveilleuses, ou bien des vieilles marmites (...) Et toute sorte de petits métiers impayables exercés à la vue du public, à l'aide de procédés primitifs, par des artisans à l'air bonhomme. LOTI, Mme Chrysanthème, XII.

Ce métier de maréchal-ferrant est dur et même dangereux à cause des coups de pied de chevaux, mais quand l'on est fort, celui-ci ou un autre, tous les métiers se valent pourvu qu'on arrive à manger du pain. Ch.-L. PHILIPPE, Père Perdrix, I, I.

Ses études de médecine avaient été des plus brillantes et ses premiers travaux remporté l'applaudissement des gens de métier. GIDE, Corydon, p. 16.

M. Brunetière est fort savant; il a mieux qu'une teinture de toutes choses. Sur le XVIIe et le XVIIIe siècle, son érudition est imperturbable. Il est visible qu'il a lu tous les classiques, et tout entiers. Cela n'a l'air de rien : combien, même parmi les gens « du métier », en ont fait autant? Jules LEMAÎTRE, les Contemporains, 1re série, p. 218.

N'était vraiment un homme digne de ce nom, pour eux, que l'homme exerçant un métier et l'exerçant avec compétence. Ils ne cachaient pas leur orgueil de posséder le leur à la perfection, ni leur mépris pour les sans-métier. Cela va sans dire. Plus méprisables encore, si possible, leur paraissaient les maladroits, les ignorants, les malhonnêtes qui, ayant choisi un métier — quel qu'il fût — le faisaient mal. H. BOSCO, Un rameau de la nuit, p. 44.

Un ouvrier de cinquante ans, qui, depuis sa quinzième année, n'avait jamais fait que la même tâche qui consistait à planter, avec une machine, des crins dans le manche d'une brosse, s'écriait avec douleur : « Je n'aurai donc jamais de métier! Ce que je fais, ce n'est pas un métier! » Son cri rendait hommage à la réalité créatrice, à la qualité spirituelle du métier véritable, c'est-à-dire de l'effort par lequel l'homme s'affirme au lieu de sentir l'exigence de la besogne comme une fatalité. DANIEL-ROPS, Ce qui meurt..., p. 152.

Il lui aurait fallu une occupation, un métier. Puis-je, avec le fardeau de ma richesse, exiger d'elle qu'elle travaille? Ne m'est-elle pas attachée par cette oisiveté même que je lui permets de poursuivre? Ce serait la perdre que de lui donner les moyens de l'indépendance... ARAGON, les Beaux Quartiers, II, XVI.

J'ai connu la pauvreté à dix-huit ans, au sortir de l'aisance. J'ai fait mille métiers pour gagner ma vie. CAMUS, la Peste, p. 270.

LISTE DES PRINCIPAUX MÉTIERS

Accessoiriste
Accordeur
Acheteur
Acrobate*
Acteur
Adjoint
Administrateur
Aéronaute
Afficheur
Affichiste
Affileur
Affineur
Agent*
Agriculteur*
Aiguilleur
Aiguiseur
Ajusteur
Aléseur
Allumettier
Amareilleur
Anolyste
Ânier
Animateur
Annonceur
Antiquaire
Apiculteur
Appariteur
Arboriculteur
Archéologue
Architecte
Archiviste
Ardoisier
Argenteur
Armateur
Armoiseur
Armurier
Arpenteur
Artificier
Artisan
Artiste*

Assembleur
Assistant
Assureur
Attaché
Aubergiste
Auteur
Aviateur
Aviculteur
Avocat
Avoué

Bahutier
Balancier
Balayeur
Bandagiste
Banquier
Barbier
Bateleur
Batelier
Bâtier
Bedeau
Berger*
Bijoutier
Billardier
Bimbelotier
Bitumier
Blanchisseur
Blatier
Bobineur
Boiseur
Boisselier
Boîtier
Bombagiste
Bonnetier
Bottier
Boucher
Bouchonnier
Bouchoteur
Boueur
Boulanger

Bouquetière
Bouquiniste
Bourrelier
Boursier
Boutonnier
Bouvier
Boyaudier
Brandevinier
Brasseur
Briquetier
Brocanteur
Brocheur
Brodeur
Bronzeur
Brosseur
Brossier
Bruiteur
Brunisseur
Buandier
Bûcheron
Buffetier
Buraliste

Cabaretier
Câbleur
Cadre*
Cafetier
Caissier
Calfat
Camelot
Cameraman
Camionneur
Canneur
Canut
Cantonnier
Cardeur
Caricaturiste
Cariste
Carreleur
Carrier

Carrossier
Cartier
Cartographe
Cartonnier
Cartomancienne
Casquettier
Casseur
Catisseur
Céramiste
Chaînier
Chaisier
Chamoiseur
Champignonniste
Chandelier
Changeur
Chansonnier
Chanteur
Chapelier
Chapier
Charbonnier
Charcutier
Chargé (de ...)
Chargeur
Charpentier
Charretier
Charron
Chasublier
Chaudronnier
Chauffeur
Chaussetier
Chausseur
Chemisier
Chercheur
Chiffonnier
Chimiste
Chineur
Chirurgien
Chocolatier
Chorégraphe
Chromiste
Cigarière
Cimentier
Cinéaste
Cireur
Cirier
Ciseleur
Clerc
Clicheur
Cloutier
Clown
Cocher
Coffretier
Coiffeur
Colleur
Coloriste
Colporteur
Coltineur
Comédien
Commerçant*
Commis
Commissaire-priseur
Commissionnaire
Compositeur
Comptable
Concierge
Conducteur
Confectionneur
Confiseur
Confiturier
Conseil
Conseiller
Conservateur
Constructeur
Contremaître
Contrôleur
Coquetier
Cordier
Cordonnier
Cornac
Correcteur
Correspondancier
Corroyeur
Corsetière
Costumier
Coupeur
Courtier
Coutelier
Couturier*
Couverturier
Couvreur
Crémier
Crêpier
Crépinier
Crinier
Cristallier
Critique
Croque-mort
Croupier
Cuisinier*
Culottier
Cultivateur*
Cureur
Cylindreur
Dactylographe
Dalleur
Damasquineur
Damasseur
Dame* de...
Danseur
Débardeur

Décapeur
Décatisseur
Déchargeur
Décolleteur
Décorateur
Décrotteur
Dégustateur
Démarcheur
Démêleur
Déménageur
Demoiselle* de...
Démonstrateur
Dentellière
Dentiste
Dépanneur
Dépolisseur
Dessinateur*
Détective
Dialoguiste
Diamantaire
Diététicien
Dinandier
Diplomate (V. aussi
   Diplomatie*)
Directeur
Dispacheur
Disquaire
Distillateur
Distributeur
Docker
Docteur (→ Médecin)
Domestique
Dominotier
Dompteur
Doreur
Douanier
Doubleur
Drapier
Droguiste
Ébéniste
Écailler
Économe
Écrivain*
Éditeur
Égouttier
Électricien
Éleveur
Émailleur
Emballeur
Emboutisseur
Empailleur
Employé*
Encadreur
Enlumineur
Entraîneur, euse
Entrepreneur
Éperonnier
Épicier
Épinglier
Équarrisseur
Équilibriste
Esthéticienne
Étalagiste
Étameur
Étaminier
Éventailliste
Exécuteur (des hautes
   œuvres)
Expéditionnaire
Expert
Exploitant
Explorateur
Fabricant
Facteur*
Facturier
Faïencier
Fakir
Féculier
Femme* de...
Ferblantier
Fermier
Ferronnier
Filandière
Filateur
Fileur
Fille* de...
Financier
Fleuriste
Fonctionnaire*
Fondeur
Fontenier
Forestier
Foreur
Forgeron
Formateur
Fossoyeur
Fourreur
Fraiseur
Fripier
Friturier
Fromager
Fruitier
Fumiste
Gainier
Galonnier
Gantier
Garagiste
Garçon* de...
Garde

Gardian
Gardien
Géologue
Géomètre
Gérant
Gestionnaire
Giletier
Glacier
Gobeletier
Goudronneur
Gouvernante
Grainetier
Grainier
Graphologue
Graveur
Greffier
Grutier
Guichetier
Guide
Habilleuse
Harnacheur
Herboriste
Hirudiniculteur
Homme* de...
Horloger
Horticulteur
Hôtelier
Hôtesse
Huilier
Huissier
Hydraulicien
Hydrologue
Illusionniste
Imagier
Impresario
Imprimeur
Industriel
Infirmier
Informaticien
Ingénieur
Inspecteur
Instituteur
Instructeur
Intendant
Interprète
Jardinier
Joaillier
Jongleur
Journaliste*
Jurisconsulte
Laborantine
Lainier
Laitier
Lamineur
Lampiste
Lanternier
Lapidaire
Lavandière
Laveur
Lecteur
Levurier
Lexicographe
Libraire
Limonadier
Lingère
Linotypiste
Liquoriste
Lithographe
Livreur
Lunetier
Luthier
Machiniste
Maçon
Magasinier
Magistrat*
Magnanier
Maître*
Mandataire
Mannequin
Manœuvre
Manucure
Manutentionnaire
Maquettiste
Maquignon
Maquilleur
Maraîcher
Marbrier
Marchand*
Maréchal-ferrant
Mareyeur
Marin
Marinier
Maroquinier
Marqueteur
Masseur*
Matelassier
Mécanicien
Mécanographe
Médecin*
Mégissier
Meneur (de jeu)
Menuisier
Mercier
Métallurgiste
Météorologiste
Metteur en scène
Métreur
Meunier
Militaire
Mineur*

Minotier
Miroitier
Modèle
Modéliste
Modiste
Moniteur
Monteur
Mosaïste
Muletier
Musicien*
Mytiliculteur
Nattier
Navigateur
Notaire
Nourrice
Nurse
Oculariste
Oiseleur
Oiselier
Opérateur
Opticien
Orfèvre
Organisateur
Orthopédiste
Ostréiculteur
Outilleur
Ouvreur, euse
Ouvrier*
Pailleur
Palefrenier
Paludier
Pantouflier
Papetier
Parcheminier
Parfumeur
Parolier
Passementier
Passeur
Pâtissier
Paumier
Paveur
Peaussier
Pêcheur
Pédicure
Peigneur
Peignier
Peintre*
Pelletier
Pépiniériste
Perceur
Perforateur
Perruquier
Pharmacien
Photographe
Picador
Pilote
Piqueur
Placier
Planteur
Plâtrier
Plombier
Plumassier
Poêlier
Poinçonneur
Pointeur
Poissonnier
Policier
Pompier
Pompiste
Ponceur

Porcelainier
Porcher
Porion
Porteur
Poseur
Postier
Potier
Poudrier
Préparateur
Présentateur
Prestidigitateur
Producteur
Professeur
Programmateur
Programmeur
Projectionniste
Prote
Psychanalyste
Publiciste
Puéricultrice
Puisatier
Pyrotechnicien
Quincaillier
Raboteur
Raccommodeur
Radiestésiste
Ramoneur
Réalisateur
Réceptionnaire
Receveur
Rédacteur
Régisseur
Relieur
Remmailleuse
Rémouleur
Rempailleur
Renvideur
Réparateur
Repasseur
Représentant
Restaurateur
Rétameur
Revendeur
Réviseur
Riveur
Robinetier
Rôtisseur
Rouleur
Rubanier
Sabotier
Sage-femme
Saleur
Salinier
Saltimbanque
Sandalier
Saunier
Saute-ruisseau
Savetier
Savonnier
Scaphandrier
Scénariste
Schlitteur
Scieur
Scribe (vx)
Script-girl
Scrutateur
Sculpteur
Secrétaire
Sellier
Sériciculteur

Serrurier
Serveur
Soigneur
Soldat
Sommelier
Soudeur
Soudier
Souffleur
Speaker
Spécialiste
Sportif professionnel
Standardiste
Statisticien
Sténographe
Sténotypiste
Steward
Stoppeur
Striqueuse
Sucrier
Suisse
Surveillant
Tabletier
Taillandier
Tailleur
Talonnier
Tambour
Tanneur
Tapissier
Taraudeur
Tarotier
Technicien
Teinturier*
Télégraphiste
Téléphoniste
Terrassier
Tisserand
Toilier
Tôlier
Tondeur
Tonnelier
Torero
Tourneur
Traducteur
Traiteur
Transitaire
Transporteur
Tricoteuse
Tripier
Tuilier
Tulliste
Typographe
Vacher
Vannier
Veilleur
Vendangeur
Vendeur
Verdurier
Vermicelier
Verrier
Vidangeur
Vigneron
Vinaigrier
Viticulteur
Vitrier
Vivandier
Voiturier
Voyageur
Voyante
Wattman
Zingueur

REM. Cette liste n'est pas exhaustive. Les activités scientifiques relevant plus de la recherche que de l'exercice d'une profession sont répertoriées à l'article *Savant*. D'autre part, l'astérisque (*) renvoie à des articles où se trouvent différents termes relatifs aux branches ou spécialités du métier signalé (ex. : *Médecin*).

♦ **3.** Occupation permanente (qui possède certains caractères du métier (2.). *Le métier de roi, de régner. Le dur métier de missionnaire. — C'est un dur métier que l'exil,* recueil de poèmes de Nazim Hikmet.

Le plus âpre et difficile métier du monde, à mon gré, c'est faire dignement le Roi (...)   MONTAIGNE, Essais, III, VII.   20

Le métier de roi est grand, noble, et flatteur, quand on se sent digne de bien s'acquitter de toutes les choses auxquelles il engage ; mais il n'est pas exempt de peines, de fatigues, d'inquiétudes.
       LOUIS XIV, Mémoires, *in* VOLTAIRE, le Siècle de Louis XIV, XXVIII.   21

Par ext. *Faire le métier de voleur, de proxénète. Vous faites un joli* (cit. 15) *métier ! Jamais empoisonneur* (cit. 1) *ne sut mieux son métier.*

Il n'y a point au monde un si pénible métier que celui de se faire un grand nom : la vie s'achève que l'on a à peine ébauché son ouvrage.
       LA BRUYÈRE, les Caractères, II, 9.   22

Cette veuve de vingt-neuf ans a si bien fait son métier de *voleuse* qu'elle a quarante mille francs de rente pris à deux pères de famille.
       BALZAC, la Cousine Bette, Pl., t. VI, p. 461.   23

Accomplir bien son métier d'homme, c'est faire adhérer pleinement son destin temporel aux vues de la Providence, si l'on croit en elle, — au progrès de l'humanité, si l'on préfère cette autre dénomination.
       DANIEL-ROPS, Ce qui meurt..., p. 167.   24

(1588). Littér. Fonction qui ressemble à un métier (1.). ⇒ **Condition, rôle.** *Le métier de courtisan* (cit. 2), *de plaisant* (→ Aise, cit. 14), *d'honnête* (cit. 13) *femme. Les intellectuels* (cit. 9) *dont le métier* *est de remuer toutes choses, de chercher la vérité* (→ Erreur, cit. 21).

♦ **4.** Habileté technique (manuelle ou intellectuelle) que confère l'expérience d'un métier (2.). ⇒ **Technique ; expérience, habileté, maîtrise.** *Le métier d'un artisan, que possède un artisan.* ⇒ **Tour** (de main). *Métier d'un artiste, d'un écrivain.* — Plus cour. (absolt). *Avoir du métier. Il a des idées mais aucun métier. Jeune professeur qui a peu de métier. Leconte de Lisle devait son excellent métier à Hugo* (→ Ironie, cit. 8). *Le talent, l'art et le métier* (→ Livre, cit. 19). — Péj. La technique sous l'aspect du travail routinier, de la recette (par oppos. à *inspiration*). → Brio, cit. 4 ; frelater, cit. 6. *Il y a une part de métier dans la composition* (cit. 3) *d'un roman par un professionnel.*

★ **II.** ♦ **1.** (Fin xiie). Machine servant à ouvrer les textiles. *Métier à main. Métier mécanique. Métier à filer* la laine, le coton...* ⇒ **Filage, filature** (cit. 1), **jenny.** *Banc à broches* des métiers à filer. Métier continu. Métier à renvider.* ⇒ **Renvideur.** *Métier à retordre la ficelle*.* — Cour. *Métier à tisser,* et absolt, *métier* (⇒ **Tisser**). *Pièces principales d'un métier à tisser.* ⇒ **Arbalète, casse-chaîne, casse-trame, ensouple, navette, poitrinière, semple, tempe, tendoir...** *Métier Jacquard* (→ Machine, cit. 21). *Métier à tisser circulaire. Métier rectiligne sans navette.* — *Métier à tricoter.* ⇒ **Tricoteuse.** *Métier à tapis, à tapisserie* (→ Arabesque, cit. 8). *Métier à dentelle. Métier à broder.*

25 Ces femmes ne sont pas comme nos femmelettes
    Qui font par le métier promener les navettes
    En ourdissant la toile.
                    RONSARD, Premier livre des hymnes, « De Calays et De Zethés ».

26 (...) Jacquard, protégé par Chaptal, vient de mettre, entre les mains de ses compatriotes, le *métier* qui permettra de satisfaire aux vœux de l'Empereur.
                    Louis MADELIN, Hist. du Consulat et de l'Empire,
                    Vers l'Empire de l'Occident, VII.

27 (...) il a fait exprès, une année, le voyage de Lyon, pour passer une journée chez un grand « soyeux » et regarder les métiers, harpes aux mille cordes, inscrire, sur fond de soleil et de lune, de nuit et de jour, un portrait de fleur, des arabesques pleines d'audace, les reflets qui bougent sur la gorge des pigeons, une volée d'atomes, des semences bizarres, des animalcules sous-marins.
                    COLETTE, Belles saisons, p. 76.

♦ **2.** Bâti qui supporte un ouvrage de dames (broderie, dentelle, tapisserie...).

28 Elle s'empressa de retourner à son métier, et eut l'air, pour tout le monde, de recommencer sa tapisserie : mais moi, je m'aperçus bien que sa main tremblante ne lui permettait pas de continuer son ouvrage.
                    LACLOS, les Liaisons dangereuses, XXIII.

♦ **3.** (1640). Fig. (En parlant des ouvrages intellectuels). *Mettre sur le métier.* ⇒ **Entreprendre.** *Une œuvre sur le métier,* qu'on est en train de faire (→ En chantier*). — Allus. littéraire :

29 Vingt fois sur le métier remettez votre ouvrage :
    Polissez-le sans cesse et le repolissez (...)
                    BOILEAU, l'Art poétique, I.

30 J'aurai achevé, j'espère, dans un mois au plus tard, ces deux volumes de roman qui sont, depuis bientôt deux ans, sur le métier.
                    SAINTE-BEUVE, Correspondance, 372, 17 mai 1834.

♦ **4.** (1680). Techn. Cuve utilisée par le vinaigrier pour pressurer la lie du vin.

MÉTIF, IVE [metif, iv] adj. et n. — 1701 ; *mestif,* xvie (Rabelais) ; var. de *mestis,* suff. *-if.* → Métis.

Vx. ou archaïsme littér. (écrit *mestif* jusqu'au xviiie).

♦ **1.** Mélangé. « *Ce vin mestif participant du raisin et de la poire* » (O. de Serres).

♦ **2.** Métis, métisse.

MÉTINGUE [metɛ̃g] n. m. — 1890 ; transcription d'une prononciation francisée aujourd'hui vieillie de *meeting** [mitiɳ].

♦ Vieilli ou par plais. ⇒ **Meeting.**

1   Et c'est comm' ça qu'a fini le métingue,
    Le grand métin' du Métropolitain.   MAC-NAB, Chansons du Chat Noir.

2   Je me rappelle une autre fois, c'était à Valentigney, un métingue des ouvriers de chez Peugeot, les hommes faisaient une forêt serrée qui hurlait comme une tempête.   M. AYMÉ, la Vouivre, p. 117.

MÉTIS, ISSE [metis] adj. — Fin xiie, *mestiz ;* var. *mestif, ive.* → Métif ; du bas lat. *mixticius,* de *mixtus* « mélangé ».

♦ **1.** Vx. Qui est mélangé ; qui est fait moitié d'une chose, moitié d'une autre. *Fer métis,* contenant du soufre, ou de l'arsenic. — Mod. *Tissu métis, toile métisse,* dont la chaîne est en coton et la trame en lin (fil et coton). — N. m. *Du métis. Draps de métis.*

♦ **2.** (*Métice,* 1615 ; du port. *mestiço* de même orig.). Qui est issu du croisement* de races, de variétés différentes dans la même espèce. **a** (Humains). Se dit d'un individu dont le père et la mère sont de races différentes. *Enfant métis.* — N. *Homme métis, femme métisse* (→ Sang* mêlé). *Une métisse* (→ Intendant, cit. 6). *Métis, métisse né(e) d'un Noir et d'une Blanche* (ou *d'une Noire et d'un Blanc.* ⇒ **Mulâtre**), *d'un Indien et d'une Noire* (⇒ 2. **Câpre**), *d'un Euro-*

péen et d'une Asiatique (⇒ **Eurasien**). *Descendant de métis et d'une personne de race déterminée.* ⇒ **Octavon, quarteron** (→ Colonie, cit. 4).

REM. On emploie fréquemment *métis* absolt pour *mulâtre.*

Elle ne prenait pas davantage son parti des cheveux noirs, un rien crépelés, du nez camus, ni de ce teint blond aux ombres chaudes, qui lui rappelaient, plus qu'elle ne l'eût souhaité, la mère de Gisèle, la métisse épousée par le commandant de Waize pendant son séjour à Madagascar.
                    MARTIN DU GARD, les Thibault, t. II, p. 186.
(...) aux États-Unis, les Noirs forment une catégorie distincte qu'une barrière raciale, qui va s'accroissant, sépare des Blancs. En Amérique du Sud au contraire, la population est faite de métis à divers degrés.
                    H.-V. VALLOIS, les Races humaines, p. 122.

b Zool. Se dit d'un animal issu du croisement de races différentes. ⇒ **Hybride** (sens large). *Chien métis.* ⇒ **Bâtard.** *Chien métis du mâtin et du chien courant.* ⇒ **Corneau ; mâtiné.** — Nom. *Un métis* (→ Barbet, cit. 1). *Le lévrier à poil de loup est un métis du mâtin et du franc lévrier* (cit. 1).

c Bot. *Œillet métis.*

CONTR. Pur.

DÉR. Métissage, métisser.

MÉTISATION [metizasjɔ̃] n. f. — 1874, P. Larousse ; de *métis* et *-ation* ou de *métiser* (1854), première forme de *métisser*.*

♦ Techn. Élevage d'animaux (notamment d'ovidés) métis.

MÉTISSAGE [metisaʒ] n. m. — 1834 ; de *métis.*

♦ **1.** Production d'individus métis dans une société. ⇒ **Croisement, mélange** (des races). *L'importance du métissage dans la constitution de la nation brésilienne.*

Ces petites tribus (*indiennes*) sont restées indemnes de mélanges avec les Blancs, mais un certain métissage s'est produit avec les Nègres Boni (*en Guyane*)
                    H.-V. VALLOIS, les Races humaines, p. 103.

♦ **2.** (1877). Zool., bot. ⇒ **Hybridation** (sens large).

CONTR. Pureté (de la race). — Sélection.

MÉTISSER [metise] v. tr. — 1869 ; *métiser,* 1854 ; de *métis.*

♦ **1.** Faire engendrer des métis à (des personnes de races différentes). *Les invasions ont métissé les populations de la plaine.* ⇒ **Métissage,** 1. — Pron. (plus cour.). *Dans ce pays, Noirs et Blancs se sont peu métissés, se sont métissés.*

♦ **2.** Croiser (des individus de races différentes). *Métisser des lapins, des plantes.* — Au p. p. *Chien métissé,* bâtard, métis.

MÉTIVIER [metivje] n. m. — xiiie, *mestivier* « moissonneur » ; 1636, *métivier ;* de l'anc. franç. *mestive* (xiiie) ; du lat. *messis* « moisson ».

♦ Régional. Ouvrier agricole, journalier engagé pour les moissons. (Au xixe). Représentant du propriétaire qui surveille le partage des produits d'une métairie.

Ce partage est surveillé par un *métivier,* l'homme chargé de prendre la moitié due au propriétaire, système coûteux et compliqué que varie à tout moment la nature des partages.
                    BALZAC, le Lys dans la vallée, Pl., t. VIII, p. 865.

MÉTONIEN, IENNE [metɔnjɛ̃, jɛn] adj. — 1771 ; du n. propre *Méton.*

♦ *Cycle métonien.* ⇒ 1. **Cycle.**

MÉTONOMASIE [metonomazi] n. f. — 1690 ; grec *metonomasia* « changement de nom ».

♦ Rare. Transformation d'un nom propre de personne par traduction dans une autre langue. ⇒ **Calque.** *Schwarzerd* (all.) *est devenu Mélanchton* (grec) *et Roger de la Pasture* (franç.) *est devenu Van der Weyden* (flamand) *par métonomasie.*

MÉTONYMIE [metonimi] n. f. — 1521 ; bas lat. *metonymia,* grec *metônumia,* proprt « changement de nom », de *ônoma* « nom ».

♦ Didact. Figure de mots, procédé rhétorique par lequel on exprime un concept au moyen d'un terme désignant un autre concept qui lui est uni par une relation nécessaire (la cause pour l'effet, le contenant pour le contenu, le lieu ou le producteur pour la production, le signe pour la chose signifiée...). ⇒ **Hypallage, métalepse ; synecdoque.** *Boire un verre* (le contenu d'un verre), *ameuter la ville* (les habitants de la ville), *sont des métonymies.*

Le mot de *Métonymie* signifie transposition, ou changement de nom, un nom pour un autre. En ce sens cette figure comprend tous les autres tropes (...) les maîtres de l'art restreignent (sic) la métonymie aux usages suivants. LA CAUSE POUR L'EFFET ; par exemple *vivre de son travail,* c'est-à-dire , vivre de ce qu'on gagne en travaillant (...). L'EFFET POUR LA CAUSE (...) LE CONTENANT POUR LE CONTENU : comme quand on dit, *il aime la bouteille,* c'est-à-dire, *il aime le vin* (...) LE NOM DU LIEU

où une chose se fait, se prend ou LA CHOSE MÊME (...) LE SIGNE POUR LA CHOSE SIGNIFIÉE (...) Ainsi le *Sceptre* se prend pour l'autorité royale (...) LE NOM ABSTRAIT POUR LE CONCRET (...) Les parties du corps qui sont regardées comme le siège des passions se prennent pour les sentiments mêmes (...).
C. DU MARSAIS, *Des tropes*,... II, La métonymie.

La Synecdoque est donc une espèce de métonymie, par laquelle on donne une signification particulière à un mot (qui dans le sens propre a une signification plus générale ou plus particulière). En un mot, dans la métonymie, je prends un nom pour un autre, au lieu que dans la synecdoque, je prends le *plus* pour le *moins*, ou le *moins* pour le *plus*.
C. DU MARSAIS, *Des tropes*, II, La synecdoque.

Spécialt (depuis les formalistes russes et surtout Jakobson, v. 1935). Procédé sémantique utilisant la contiguïté (opposé à *métaphore*, laquelle est fondée sur l'analogie). *Rôle de la métonymie dans la métaphore même.*

Si cette notion (pseudo-spatiale de contiguïté) joue en faveur de la métonymie (contre la synecdoque) ce n'est pas sans opérer, à l'intérieur même du champ de cette figure, une nouvelle réduction, car bien des relations ouvertes par la métonymie classique (l'effet pour la cause et réciproquement, le signe pour la chose, l'instrument pour l'action, le physique pour le moral, etc.) ne se laissent pas si facilement (...) ramener à un effet de contact et de proximité spatiale (...).
À cette réduction progressive des figures de « liaison » au seul domaine de la métonymie spatiale, répond de l'autre côté (...) une réduction sensiblement symétrique qui joue ici au profit de la seule métaphore.
G. GENETTE, *Figures III*, p. 28.

DÉR. **Métonymique.**

MÉTONYMIQUE [metɔnimik] adj. — Av. 1834; de *métonymie*.

♦ Didact. Qui a le caractère de la métonymie, contient des métonymies. *Expression, emploi métonymique. Langage métonymique.*

Les transpositions métonymiques restent assez rares dans l'œuvre de Proust, et surtout aucune d'elles n'est effectivement reçue comme telle par le lecteur (...) le glissement métonymique (dans le syntagme : un tintement ovale et doré) ne s'est pas seulement «déguisé», mais bien transformé en prédication métaphorique.
G. GENETTE, *Figures III*, p. 42.

MÉTOPE [metɔp] n. f. — 1520; bas lat. *metopa*, grec *metopê*, de *meta* «entre», et *opê* «ouverture».

♦ Archit. Intervalle séparant deux triglyphes* d'une frise dorique, et dans lequel se trouve généralement une dalle sculptée. *Les métopes du Parthénon* (→ Corniche, cit. 1).

— Eh! N'est-ce pas ainsi que l'efflorescence de la sculpture et de la peinture, de l'art enfin, se développe sur ces parties des temples grecs et des cathédrales, qui précisément avaient cessé d'être utiles?
— Oui, c'est ainsi qu'on explique la formation des triglyphes et des métopes, par exemple.
GIDE, *Corydon*, IIe dialecte, IV.

(Si Phidias) n'a pas sculpté la tête de centaure où l'on croit voir son portrait, les autres sculpteurs des métopes ne l'ont pas sculptée non plus, car elle ne ressemble guère aux têtes des autres centaures.
MALRAUX, *la Métamorphose des dieux*, p. 72.

MÉTOPIQUE [metɔpik] adj. — 1877, Littré, *Suppl.*; du grec *métôpon* «front», de *meta* «entre», et *ops* «œil».

♦ Didact. Qui est relatif au front. — Anthrop. *Point métopique* : point situé sur une ligne médiane, entre les deux bosses frontales.

MÉTOPOSCOPIE [metɔpɔskɔpi] n.f. — XVIe; du lat. *metoposcopus*, mot grec, de *metôpon* «front», de *skopeïn* «regarder».

♦ Ancienn. Divination par l'inspection des traits du visage et, spécialt, du front.

Il me répondit gravement : Si j'arrête sur vous mes regards, ce n'est que pour admirer la prodigieuse variété d'aventures qui sont marquées dans les traits de votre visage. À ce que je vois, lui dis-je d'un air railleur, votre révérence donne dans la métoposcopie? Je pourrais me vanter de la posséder, répondit le moine, et d'avoir fait des prédictions que la suite n'a pas démenties.
A. R. LESAGE, *Gil Blas*, VII, IX.

REM. On disait aussi *métoponancie*, n. f. (1803; *métopomantie*, 1546; du grec *metôpon*, et -*mancie*).

DÉR. **Métoposcopique.**

MÉTOPOSCOPIQUE [metɔpɔskɔpik] adj. — 1776; de *métoposcopie*.

♦ Didact., anciennt. Relatif à la métoposcopie.

(il) avait commencé son office de devin, interrogeant les nègres émerveillés, examinant les signes de leurs fronts et de leurs mains, et leur distribuant plus ou moins de bonheur à venir, suivant le son, la couleur et la grosseur de la pièce qu'il jetait devant chaque nègre à ses pieds dans une poignée d'argent doré. Biassou lui dit quelques mots à l'oreille. Le sorcier, sans s'interrompre, continua ses opérations métoposcopiques.
HUGO, *Bug-Jargal*, Œ. compl., t. VI, p. 83-84.

MÉTR- ⇒ 1. **Métro-.**

MÉTRAGE [metʀaʒ] n. m. — 1823; de *métrer*.

♦ **1.** Action de métrer, de mesurer au mètre. *Le métrage d'une allée, d'un parquet, d'un ouvrage de maçonnerie...* (⇒ **Métreur**).

♦ **2.** Longueur* en mètres (ou en décimètres, centimètres) d'un

---

objet. — Spécialt. Longueur de tissu vendu au mètre (la largeur* étant généralement connue ou précisée). *Il faut un petit métrage pour faire une jupe. Métrage : 2 m 50 en 140, 75 cm en 90.* Pièce, coupon, d'une longueur donnée.

(...) il détenait un petit stock, l'unique, de tabac en branches et en paquets, quelques litres d'alcool et quelques métrages de coton. [1]
CÉLINE, *Voyage au bout de la nuit*, p. 141.

♦ **3.** Cinéma. (1907). *Métrage d'un film*, longueur totale de la pellicule de ce film, servant souvent à indiquer le temps de projection. *Film de court métrage.*

Par métonymie. Le film lui-même. Loc. (1911). *Long métrage, moyen métrage,* (1924) *court métrage* : film qui a (telle durée : courte moyenne, longue). → ci-dessous cit. 2. *Les documentaires, les dessins animés sont généralement des courts métrages. Séance composée d'un court métrage et d'un long métrage.*

Quel que soit le contenu d'un film — ou sa nature — on appelle «courts métrages» les films dont la longueur est inférieure à 900 m (moins de 33 minutes, moins de 3 bobines, en 35 mm), et «longs métrages» les films dépassant 2.400 m (plus de 1 heure 28 minutes, plus de 8 bobines). [2]
G. COHEN-SÉAT, *Essai sur les principes de la philosophie du cinéma*, p. 220.

(...) vous êtes autorisé à réaliser un court métrage. S'il est bon, un moyen. Et si c'est toujours bon, un long métrage. [3]
Claude COURCHAY, *La vie finira bien par commencer*, p. 260.

MÉTRALGIE [metʀalʒi] n. f. — 1808; de 1. *métro-*, et -*algie*.

♦ Méd. Douleur à l'utérus.

MÈTRE [mɛtʀ] n. m. — V. 1220; lat. *metrum*, même sens, du grec *metron* «mesure».

★ **I.** Didact. ♦ **1.** (V. 1360). Dans la versification grecque et latine, Nature du vers déterminée par le nombre et la suite des pieds qui le composent. — Par ext. Les vers eux-mêmes. *Les mètres d'Horace.*

♦ **2.** Élément de mesure du vers; chaque groupe de deux pieds dans la poésie grecque. ⇒ **Heptamètre, monomètre, tétramètre, trimètre.** — Abusivt. Dans la poésie latine, chaque pied* de l'hexamètre et du pentamètre*.

♦ **3.** Structure du vers moderne, ou par ext., structure de tout vers (⇒ **Mesure**). Type de vers déterminé par le nombre de syllabes et la coupe. *Le choix d'un mètre. Le mètre et sa coupe* (→ Forme, cit. 47). *Le mètre de Chénier* (→ Iambe, cit. 3). ⇒ **Rythme.**

Le même demi-siècle *(fin XIIe s.)* engendre le vers français, l'assonance, la rime, les mètres qui pour huit siècles régiront nos rêves, l'octosyllabe, l'alexandrin, le décasyllabe (dont on a dit qu'il était le plus essentiellement français de tous). [1]
ARAGON, *les Yeux d'Elsa*, Appendice, p. 89.

★ **II.** (1791; repris au grec *metron* «mesure»). Cour. ♦ **1.** Unité principale de longueur, base du système métrique (symb. : m). *Le mètre, d'abord défini par rapport à la longueur du méridien, a été concrétisé par un étalon (1799), conservé depuis, malgré une mesure nouvelle et plus précise du méridien (1903); de nos jours, l'unité est définie (1983) comme « la longueur du trajet parcouru dans le vide par la lumière en 1/299 792 458 seconde »* (après avoir été définie [1927] à partir de la longueur d'onde de la raie rouge du cadmium, puis [1960] d'une radiation du krypton 86).
Le mètre, mesure de longueur, de distance. Multiples du mètre* ⇒ **Décamètre** *(dam),* **hectomètre** *(hm),* **kilomètre** *(km),* **myriamètre** *(Mm).* Sous-multiples du mètre. ⇒ **Décimètre** *(dm),* **centimètre** *(cm),* **millimètre** *(mm),* **micron*,** **micromillimètre.** *Distance de cent mètres. Huit mètres de longueur* (→ Intestin, cit.). *Un homme d'un mètre quatre-vingts* (1 m 80).— REM. Dans le langage courant on évalue en mètres les décamètres et les hectomètres.
Mètre carré [mɛtʀəkaʀe; cour. mɛtkaʀe] (m²) : unité de superficie. ⇒ **Centiare.** *Mètre cube* [mɛtʀəkyb; cour. mɛtkyb] (m³) : unité de volume. ⇒ **Stère.** *Des mètres carrés, des mètres cubes* (⇒ **M. K. S., M. T. S** [système]).
Mètre par seconde (m/s) : unité de vitesse. *Mètre seconde* (ou *mètre-seconde*) *carrée* (m/s²) : unité d'accélération.
(1924). Sports. *Un cent mètres* : une course de cent mètres. *Courir un cent mètres.* Fam. *Piquer** *un cent mètres.* ⇒ **Sprint.** *Un cent dix mètres haies* (course de haies de 110 m).

♦ **2.** Sc. Objet concret, étalon du mètre. *Le mètre international en platine iridié déposé au pavillon de Breteuil à Sèvres; copie de ce mètre déposée aux Archives Nationales. Étalonner* (cit.) *un mètre sur le mètre étalon des Archives.* On écrit parfois *mètre-étalon.*

Elle croyait à la fatalité autant qu'au beau mètre des Arts et Métiers, dont elle m'avait toujours parlé avec respect, parce qu'elle avait appris étant jeune, que celui dont il se servait dans son commerce de mercerie était la copie scrupuleuse de ce superbe étalon officiel. [2]
CÉLINE, *Voyage au bout de la nuit*, p. 91.

J'ai besoin que tu existes et que tu ne changes pas. Tu es comme ce mètre de platine qu'on conserve quelque part à Paris ou aux environs (...) je suis contente de savoir qu'il existe, qu'il mesure exactement la dix-millionième partie du quart du méridien terrestre. J'y pense chaque fois qu'on prend des mesures dans un appartement ou qu'on vend de l'étoffe au mètre. [3]
SARTRE, *la Nausée*, p. 174.

(1868). Cour. Règle ou ruban de la longueur du mètre (ou un peu plus long), généralement divisé en décimètres et centimètres, et qui sert à mesurer. *Mètre rigide en bois, en métal. Mètre pliant. Mètre à ruban,* fait d'un ruban métallique qui s'enroule dans une gaine. *Le mètre souple des couturières mesure environ 1 m 40. Mesurer*, prendre des dimensions avec un mètre.* ⇒ **Métrage, métrer ; centi-mètre,** 2.

DÉR. Métrique (II.), métrer.
COMP. Centimètre, décamètre, décimètre, hectomètre, kilomètre, millimètre, myriamètre. — Mètre-kilogramme, mètre-newton, mètre-seconde.
HOM. Maître, mettre.

-MÈTRE Second élément de nombreux noms tels que : *géomètre, paramètre, périmètre ; heptamètre, hexamètre* (lat. *hexametrus*), *hypermètre, monomètre, pentamètre, trimètre,* du grec *metron* « mesure ».

-mètre entre surtout dans la formation des noms d'instruments de mesure tels que : *baromètre, graphomètre, héliomètre, inductance-mètre, inductomètre, thermomètre...* (→ Mesure) et des noms d'appa-reils et de machines tels que *arithmomètre, plessimètre, voltamètre...* ⇒ **2. Métro-**

MÉTRÉ [metʀe] n. m. — 1836 ; de *métrer.*
Technique.

♦ **1.** Mesure d'un terrain, d'un ouvrage de construction.

♦ **2.** (Déb. xxᵉ). Devis détaillé des travaux, évalués au mètre, dans le bâtiment. ⇒ **Toisé.**

COMP. Avant-métré.

MÈTRE-KILOGRAMME [mɛtʀ(ə)kilɔgʀam] n. m. — 1949, Larousse ; de *mètre,* et *kilogramme.*

♦ Sc. Unité de mesure de moment (d'une force, d'un couple) égale au moment par rapport à un axe, d'une force de un kilogramme-force dont le support est distant d'un mètre et orthogonal à l'axe. *Des mètres-kilogrammes.*

MÈTRE-NEWTON [mɛtʀənøtɔ̃] n. m. — Mil. xxᵉ ; de *mètre,* et *newton.*

♦ Sc. Unité de mesure de moment (d'une force ou d'un couple) égale au moment, par rapport à un axe, d'une force de un newton dont le support est distant d'un mètre et orthogonal à l'axe. *Des mètres-newtons.*

MÉTRER [metʀe] v. tr. — Conjug. *céder.* — 1834 ; de *mètre,* II.

♦ Techn. Mesurer au mètre. *Métrer un terrain* (→ Arpentage). *Maçon qui mètre une construction.*
Au p. p. *Terrain métré.*
DÉR. Métré, métreur.

MÈTRE-SECONDE [mɛtʀ(ə)səgɔ̃d] n. m. ⇒ **Mètre** (II., 1.).

MÉTREUR, EUSE [metʀœʀ, øz] n. — 1845 ; de *métrer.*

♦ Personne qui mètre (spécialt, qui mètre les constructions). *Métreur vérificateur,* qui fait l'évaluation, au mètre, de certains tra-vaux pour le compte de l'entrepreneur.

MÉTRICATION [metʀikasjɔ̃] n. f. — 1971, *le Monde ;* de *métri-que,* et *-ation.*

♦ Techn. Transformation des divers systèmes de mesure par adop-tion du système métrique ; unification du système international de mesure par le système métrique.

MÉTRICIEN, IENNE [metʀisjɛ̃, jɛn] n. — 1846 ; de *métrique.*

♦ Didact. Personne qui fait des recherches, des études de métrique (versification). ⇒ **Poéticien, rhétoricien.**

MÉTRIQUE [metʀik] adj. et n. f. — 1495, sens I. ; lat. *metricus,* grec *metrikos.*

★ **I.** Didact. ♦ **1.** Adj. Qui est relatif à l'emploi de la mesure, du mètre (I.). *Vers métrique,* fondé sur la quantité prosodique des syl-labes, par oppos. à *vers syllabique,* fondé sur le nombre et l'accen-tuation des syllabes. *Valeur métrique d'une syllabe* (→ Élision, cit.).

1   Le style, pour lui *(Flaubert)* consiste à faire des réalités vivantes avec la matière propre de la prose, comme la poésie en fait avec les réalités prosodiques et métri-ques du vers.   Albert THIBAUDET, Gustave Flaubert, p. 217.

2   Même si l'on se borne à la considération des groupes composants du vers, des mem-bres métriques, l'imparité du total des syllabes du vers *(heptasyllabe)* n'empêche pas un certain équilibre des membres.   J. MAROUZEAU, Notre langue, X, p. 223.

♦ **2.** N. f. [a] (xviiiᵉ). LA MÉTRIQUE : étude de la versification, notam-ment de l'emploi des mètres. ⇒ **Prosodie.** *Termes de métrique ancienne.* ⇒ **Arsis, asynartètre, choriambe, hypermètre, mimïambe,** et aussi **mètre** (I.).

[b] (1827). Système de versification ; ensemble des règles qui y sont relatives. ⇒ **Vers.** *La métrique d'un poète.*

— Notre métrique est basée sur le nombre des syllabes sans aucun compte tenu du poids et de l'accent de celles-ci ; surtout de nos jours où, dans les alexandrins bicésurés, tricésurés, acésurés, les poètes en viennent à négliger ces temps forts qui, d'abord, précédaient et marquaient la césure ou précisaient la fin du vers.   GIDE, Attendu que..., p. 153.

★ **II.** (1795 ; de *mètre,* II.). ♦ **1.** Adj. Qui a rapport au mètre unité de mesures. *Système métrique :* système décimal* de poids et mesu-res qui a le mètre* pour base, institué en France le 7 avril 1795, et adopté par de nombreux pays. *Le système métrique donne des équi-valences simples d'unités qui facilitent les calculs* (ex. : un déci-mètre cube d'eau, un litre, un kilogramme). *Échelle* métrique.*

Ce qui a valu au système français, dit système métrique, sa célébrité, ce n'est point la supériorité de son étalon, c'est simplement la conformité de ses divisions avec le système numérique décimal, ce qui simplifie extrêmement les calculs.   Charles GIDE, Cours d'économie politique, t. I, p. 383.

♦ **2.** Math. [a] Relatif aux distances. *Espace métrique :* couple formé par un ensemble et une distance* sur cet ensemble. *Un espace métrique est topologique et séparé. Géométrie métrique :* « étude du groupe des isométries affines d'un espace affine attaché à un espace vectoriel euclidien » (Bouvier et George).

[b] Relatif à la géométrie métrique. *Invariants métriques. Trans-formations, propriétés métriques.*

[c] N. f. *Métrique sur un ensemble :* distance sur cet ensemble. — *La métrique :* théorie de la mesure dans un espace, basée sur la formule de la distance entre deux points de cet ensemble.

DÉR. Métricien.

MÉTRISABLE [metʀizabl] adj. m. — Déb. xxᵉ ; angl. *metrizable,* même sens, 1927 ; all. *metrisierbar,* 1924.

♦ Math. *Espace topologique métrisable :* espace topologique qui peut être muni d'une métrique* dont la topologie associée est la topologie donnée sur ledit espace.

MÉTRITE [metʀit] n. f. — 1807 ; *metritis,* 1795 ; lat. méd. *metritis,* du grec *mêtra* « matrice ».

♦ Méd. Inflammation de l'utérus. ⇒ **Hystérite.** *Métrite cervicale*. Métrite consécutive à une blennorragie, à une fausse couche. La leucorrhée, symptôme de la métrite chronique.*

Certaines (...) étendues sur des chaises longues (...) traînaient des métrites inter-minables.   J. CHARDONNE, les Destinées sentimentales, p. 318.

Vétér. *Métrite de la chienne, de la vache...*

1. MÉTRO [metʀo] n. m — 1891 ; abrév. de *métropolitain,* III.

♦ Chemin de fer urbain, entièrement ou partiellement souterrain ; mode et système de transport ferroviaire comportant souvent des caractéristiques techniques particulières et desservant la partie la plus dense d'une grande agglomération. *Le métro de Paris, de Lon-dres, de New York, de Moscou, de Montréal.* — *Métro régional. Métro léger* (à infrastructure plus légère). *Bouches** (cit. 26), *sta-tions*, rames* de métro. Couloirs, escaliers, galeries, portillons* du métro* (→ aussi Fourmi, cit. 10). *Carte, billet, ticket de métro. Cohue, embouteillage* (cit. 1) *du métro aux heures d'affluence. Atmosphère du métro* (→ Assommer, cit. 17). *Attendre, prendre le métro. Grève, panne du métro.* — *Zazie dans le métro,* roman de R. Queneau.

On nous apprenait que dans le métro, à Paris, une femme honnête peut cepen-dant, avec ce reflet d'elle dans la vitre, toujours vif à cause du souterrain, sourire au jeune homme d'en face (...)   GIRAUDOUX, Suzanne et le Pacifique, p. 15.

(...) le métro aérien de Chicago, de New York, qui roule bruyamment dans les rues centrales, soutenu par de gros piliers de fer et par des poutres transversales qui, de chaque côté, touchent presque aux façades des maisons.   SARTRE, Situations III, p. 105.

(...) il ne cesse de penser à la bouche de métro qui s'ouvrira tout à l'heure à cin-quante mètres de l'arrêt du tram (...) à l'escalier qu'il faudra descendre ; à la queue du guichet (...) ; à la nouvelle dégringolade de marches ; à la fermeture automati-que (...) Pourvu qu'il ne voie pas la voiture de tête entrer et le portillon se rabattre quand il ne lui restera plus que cinq marches à descendre (...)   J. ROMAINS, les Hommes de bonne volonté, t. XXVII, I, p. 7.

Un métro, une rame de métro. Le dernier métro. ⇒ **Balai.** *Les métros ne sont pas très fréquents, à cette heure-là.*

Loc. (1968 ; d'un poème de Pierre Béarn, *Couleur d'usine,* 1951). *Métro, boulot, dodo :* slogan résumant la situation du travailleur parisien et, par ext., la vie urbaine contraignante. *« Un ouvrier pari-sien asphyxié par le métro-boulot-dodo ! »* (le Nouvel Obs., mars 1973).

Techn. (En comp.). *Semi-métro, pré-métro :* système de transport utilisant des éléments d'infrastructure préexistant et pouvant servir d'étape avant la réalisation d'un véritable métro.

2. MÉTRO [metʀo] adj. et n. — D. i. ; abrév. de *métropolitain.* Familier.

♦ **1.** Métropolitain (II.), adj. et n. (cour. dans le français des Départements et Territoires français d'outre-mer : Antilles, Réunion, etc.).
Les Antillais n'en voulaient qu'aux métros.
       Claude COURCHAY, La vie finira bien par commencer, p. 149.
Il pourrait y avoir de la tension si le nombre des métros continuait à augmenter.
       Claude COURCHAY, La vie finira bien par commencer, p. 115.
Métropole. « *Elle n'irait pas en vacances en métro* » (Claude Courchay, *La vie finira bien par commencer*, p. 159).

♦ **2.** Franç. d'Afrique. Unité monétaire française ; franc français (opposé à *franc C. F.A.*). « *Ça fait un bon paquet de métros !* » (Sénégal ; *in* I. F. A.). — Appos. *Des francs métro.*

1. MÉTRO-, MÉTR- Élément tiré du grec *mêtra* « matrice » (⇒ **Hystér-**), et entrant dans la composition de quelques mots savants. ⇒ **Métropathie, métrorragie** (→ aussi Métralgie, métrorrhée, métrotomie...).

2. MÉTRO- Élément tiré du grec *metron* « mesure », et entrant dans la composition de quelques mots savants. ⇒ **Métrologie ; métronome** et aussi **métromane, métromanie.**

MÉTROLOGIE [metʀɔlɔʒi] n. f. — 1780 ; de 2. *métro-,* et *-logie.*

♦ Didact. Sciences des mesures* (cit. 3).
Une métrologie : un traité de métrologie.
DÉR. Métrologique, métrologiste ou **métrologue.**

MÉTROLOGIQUE [metʀɔlɔʒik] adj. — 1828 ; de *métrologie.*

♦ Didact. Qui a rapport à la métrologie*. *Études métrologiques.*

MÉTROLOGISTE [metʀɔlɔʒist] ou **MÉTROLOGUE** [metʀɔlɔg] n. — 1840 ; de *métrologie.*

♦ Spécialiste en métrologie*. « (La précision de la spectrométrie par laser) *conduit les métrologues à revoir la définition de l'unité de longueur* » (*la Recherche,* déc. 1979, p. 1299).

MÉTROMANE [metʀɔman] n. — 1711 ; de *mètre* (I.), et suff. *-mane.*

•♦ Vx. Personne qui a la manie de composer des vers. ⇒ **Versificateur.**

MÉTROMANIE [metʀɔmani] n. f. — 1723 ; de *mètre* (I.), et suff. *-manie.*

♦ Vx. Manie de composer des vers. « *La Métromanie ou le Poète* », comédie de Piron (1738).
J'étais sans bien, sans métier, sans génie,
Et j'avais lu quelques méchants auteurs (...)
(...) Mordu du chien de la Métromanie,
Le mal me prit, je fus auteur aussi.   VOLTAIRE, Poésies, « Le pauvre diable ».

MÉTRONOME [metʀɔnɔm] n. m. — 1815 ; de 2. *métro-,* et *-nome.*

♦ Petit instrument à pendule, souvent de forme pyramidale, servant à marquer la mesure pour l'exécution d'un morceau de musique. *Balancier, graduations d'un métronome. Accélérer, ralentir les battements d'un métronome.*
(...) Mme de Cambremer, en femme qui a reçu une forte éducation musicale, battant la mesure avec sa tête transformée en balancier de métronome dont l'amplitude et la rapidité d'oscillations d'une épaule à l'autre étaient devenues telles (...) qu'à tout moment elle accrochait avec ses solitaires les pattes de son corsage (...)
       PROUST, À la recherche du temps perdu, t. II, p. 150.
Le métronome, symbole de régularité. Avec une régularité de métronome.
DÉR. Métronomique.

MÉTRONOMIQUE [metʀɔnɔmik] adj. — 1903, Larousse ; de *métronome.*

♦ **1.** Du métronome. *Indications métronomiques,* de mesure, d'après les graduations du métronome.

♦ **2.** Fig. *Une régularité, une exactitude métronomique.*

MÉTROPATHIE [metʀɔpati] n. f. — 1870 ; de 1. *métro-,* et *-pathie.*

♦ Méd. Maladie de l'utérus (quelle qu'elle soit).

MÉTROPOLE [metʀɔpɔl] n. f. — XIVe ; bas lat. *metropolis,* grec *metropolis,* de *mêtêr* « mère », et *polis* « ville ».

♦ **1.** Hist. relig. Ville pourvue d'un archevêché*, où réside un métropolitain* (I.).
Colbert, archevêque de Rouen, prétendit soustraire sa métropole à la primatie de Lyon, reconnue par celles de Tours, de Sens et de Paris (...)   [1]
       SAINT-SIMON, Mémoires, II, V.

♦ **2.** Cour. Principale ville d'une province, et, par anal., d'un État. ⇒ **Capitale.** *Paris, Londres, Moscou..., les grandes métropoles européennes. Rome, métropole de l'Italie.*
Carthage sortit de ses ruines, et Strabon assure que de son temps elle était déjà florissante. Elle devint la métropole de l'Afrique, et fut célèbre par sa politesse et par ses écoles.   CHATEAUBRIAND, Itinéraire..., VII, p. 442.   [2]
(1972). *Métropole d'équilibre :* grande ville de province (en France) dont les pouvoirs publics encouragent le développement. (On dit aussi *capitale régionale*).
Fig. *Paris, métropole des libertés* (→ Fleur, cit. 33). *Une métropole du cinéma, de la mode.* — Par ext. *La métropole de la pensée universelle* (→ Édifice, cit. 10).

♦ **3.** (XVIIIe). État, territoire d'un État, considéré par rapport à ses colonies, aux territoires extérieurs, aux pays qui lui sont attachés par un lien politique plus ou moins étroit. ⇒ **Mère-patrie.** *La métropole et les territoires d'outre-mer.*
Le désavantage des colonies, qui perdent la liberté du commerce, est visiblement compensé par la protection de la métropole, qui la défend par les armes, ou la maintient par ses lois.   MONTESQUIEU, l'Esprit des lois, XXI, XXI.   [3]
CONTR. Colonie.
DÉR. (Du même rad.) **Métropolitain, métropolite.**

MÉTROPOLITAIN, AINE [metʀɔpɔlitɛ̃, ɛn] adj. et n. m. — XIVe ; bas lat. *metropolitanus.*

★ **I.** Hist. relig. Qui a rapport, qui appartient à une métropole. *Église métropolitaine.* — *Archevêque métropolitain,* et, n. m. (XIVe), *un métropolitain :* archevêque* (cit. 1) investi de l'autorité spirituelle sur plusieurs évêques (→ Consacrant, cit.).
(...) je fus mené processionnellement à l'église métropolitaine de Saint-Jean pour y faire une abjuration solennelle (...)   ROUSSEAU, les Confessions, II.   [1]
(...) je passai chez le patriarche arménien. Celui-ci s'appelait *Arsénios* (...) il était métropolitain de Scythopoli et procureur patriarcal de Jérusalem (...)   [2]
       CHATEAUBRIAND, Itinéraire..., IV, p. 346.
(...) curés et évêques soumis à l'élection populaire et institués non plus par Rome, mais par le seul métropolitain (...)   Louis MADELIN, Talleyrand, I, IV.   [3]

★ **II.** (1770). Cour. Qui appartient à la métropole (opposée aux *territoires d'outre-mer* ou, naguère, *aux colonies*). ⇒ **Colonial.** *Armée* (cit. 11 et 14), *troupes métropolitaines. Territoire métropolitain et départements d'outre-mer.* ⇒ **Continental** (→ Britannique, cit.).
À la faveur d'une mutation dans un régiment métropolitain, Slimann Ehnni ayant rejoint Isabelle put enfin l'épouser à Marseille, suivant la loi française.   [4]
       Émile HENRIOT, Portraits de femmes, p. 435.
Abrév. fam. : *métro.* ⇒ **2. Métro.**

★ **III.** ♦ **1.** Vx. (Fin XVe). Qui a rapport ou appartient à une capitale.

♦ **2.** (1873 ; angl. *metropolitan* « de la grande ville »). Vx. *Chemin de fer métropolitain* et, n. m. (1874), *le métropolitain* (vx ou admin.) : chemin de fer à traction électrique, partiellement ou totalement souterrain, qui dessert les différents quartiers d'une capitale ou d'une grande ville. *Direction et administration du métropolitain* (À Paris : Régie Autonome des Transports Parisiens).
Tous les hommes maintenant parlaient en même temps, avec des gestes et des éclats de voix ; on discutait le grand projet du chemin de fer métropolitain. Le sujet ne fut épuisé qu'à la fin du dessert, chacun ayant une quantité de choses à dire sur la lenteur des communications dans Paris, les inconvénients des tramways, les ennuis des omnibus et la grossièreté des cochers de fiacre.   [5]
       MAUPASSANT, Bel-Ami, I, II.
Mlle Hildegarde prit un fiacre pour rentrer chez son père, car le métropolitain ne passait pas encore par là.   Valery LARBAUD, Barnabooth, I, VI.   [6]
Sous la forme abrégée *métro* (cit. 7 à 9). ⇒ 1. **Métro.**
CONTR. Colonial.

MÉTROPOLITE [metʀɔpɔlit] n. m. — 1770 ; du rad. de *métropole.*

♦ Relig. Titre donné aux archevêques de l'Église orthodoxe. *Le métropolite occupe un rang intermédiaire entre le patriarche et les évêques.*

MÉTRORRAGIE [metʀɔʀaʒi] n. f. — 1809 ; de 1. *métro-,* et *-rrhagie.*

♦ Méd. Hémorragie utérine. ⇒ **Ménorragie**. (Syn. : *hystéralgie, utéralgie.*) — REM. On a écrit aussi *métrorrhagie*.

DÉR. **Métrorragique**.

MÉTRORRAGIQUE [metʀɔʀaʒik] adj. — 1874; de *métrorragie*.

♦ Méd. Relatif à la métrorragie*. — REM. On a écrit aussi *métrorrhagique*.

METS [mɛ] n. m. — V. 1360; *mes,* v. 1130; du lat. pop. *missum* «ce qui est posé sur la table»; de *mittere* «mettre» → Mess.

♦ Chacun des aliments cuisinés qui entrent dans l'ordonnance d'un repas*. ⇒ **Plat; potage, soupe; hors-d'œuvre; entrée; rôti, viande; légume; entremets; dessert...** (⇒ aussi **Charcuterie, pâtisserie...**). — REM. *Mets* et *plat* sont partiellement synonymes, mais le premier évoque le goût de ce qui est mangé, alors que *plat* concerne plutôt la préparation; en outre *mets* est plus marqué (soit littéraire, légèrement archaïque, soit régional). — *Restaurant où les mets sont variés, peu variés.* ⇒ **Cuisine, menu** (cit. 11), **nourriture, repas** (→ Garçon, cit. 22). — *Accommoder, apprêter, confectionner un mets. Garniture*, ingrédients, recette d'un mets. Mets épicé, relevé; fade, insipide... Mets qui chatouille* (cit. 3) *le palais, flatte l'appétit* (cit. 10). *Mets ragoûtant* (vx). *Manger* des mets délicats* (→ Flatter, cit. 5), *friands* (cit. 9), *succulents* (→ Esprit, cit. 11), *qui allèchent un gourmand* (cit. 7). *Un mets appétissant, sain et savoureux* (→ Fondue, cit. 3), *fortifiant* (cit. 1) *et nourrissant. Il aime les mets délicats, excellents.* ⇒ **Chère** (bonne chère). *Mets frugal, simple* (⇒ **Brouet**, vx), *indigeste, léger, lourd... Goûter à tous les mets* (→ Attacher, cit. 73). *Mets régionaux, étrangers, exotiques.* ⇒ **Spécialité** (culinaire).

1 Le mets qui plaît à l'un à l'autre est déplaisant,
Ce qui est sucre à l'un est à l'autre cuisant;
L'un aime le salé, l'autre aime la chair fade;
L'un aime le rôti, l'autre aime la salade;
L'un aime le vin fort, l'autre aime le vin doux.
Et jamais le banquet n'est agréable à tous.
       RONSARD, Disc. des misères de ce temps, À L. des Masures.

2 Après la soupe, l'on apporta le *puchero*, mets éminemment espagnol, ou plutôt l'unique mets espagnol, car on en mange tous les jours d'Irun à Cadix, et réciproquement.
       Th. GAUTIER, Voyage en Espagne, p. 12.

3 Ce qui parvenait à l'intéresser dans des mets comme le lapin chasseur, ou le rognon sauce madère, c'était le piquant de la préparation.
       J. ROMAINS, les Hommes de bonne volonté, t. IV, XXI, p. 230.

Par métaphore :

4 (...) où il *(Rabelais)* est bon, il va jusques à l'exquis et à l'excellent, il peut être le mets des plus délicats.   LA BRUYÈRE, les Caractères, I, 43.

COMP. **Entremets**.
HOM. **Mais; met, mets** (formes du v. *mettre*).

METTABLE [mɛtabl] adj. — 1160; de *mettre*.

♦ **1.** Qu'on peut mettre, en parlant des habits. ⇒ **Mettre** (I., 6.). *Cette veste, ce manteau n'est plus mettable, il est trop vieux, démodé, trop usé, n'est plus à la taille... Ce costume est encore, à peine mettable.*

1 Tu n'as que deux gilets blancs de mettables, j'ai déjà raccommodé les autres.
       BALZAC, les Illusions perdues, Pl., t. IV, p. 590.

2 Il emporta des vêtements, ceux qui seraient mettables en ville.
       J.-P. MANCHETTE, Trois hommes à abattre, p. 148.

Fig., fam. ⇒ **Honnête, passable, sortable**.

♦ **2.** (Du sens érotique de *mettre*). Fam. et vulg. Désirable sexuellement. ⇒ **Baisable**.

CONTR. **Immettable**.

METTAGE [mɛtaʒ] n. m. — 1812; de *mettre*.

♦ Techn. Préparation de certains travaux (→ Metteur*, mise*).

METTEUR, EUSE [mɛtœʀ, øz] n. — V. 1305, repris 1694; de *mettre*.

Personne qui met. — Inusité, sauf dans les locutions suivantes, ou dans le langage didactique. → Mettre, cit. 21, Damourette et Pichon.

♦ **1.** METTEUR EN ŒUVRE : ouvrier, artisan, technicien qui met en œuvre, réalise un projet, un plan (→ Habilement, cit. 3). — Spécialt. Ouvrier bijoutier* qui monte les perles, les pierres* précieuses (⇒ **Monture**).

Fig. Personne qui met en œuvre. *Cet écrivain est un habile metteur en œuvre des idées d'autrui* (Académie). ⇒ péj. **Plagiaire** (→ aussi Entrepreneur, cit. 9).

1 Veut-on que Napoléon n'ait été que le metteur en œuvre de l'intelligence sociale répandue autour de lui; intelligence que des événements inouïs, des périls extraordinaires, avaient développée ?
       CHATEAUBRIAND, Mémoires d'outre-tombe, t. III, p. 51.

REM. Le fém. *metteuse en œuvre* semble rare. On dit plutôt : *elle fut le metteur en œuvre de ce projet.*

♦ **2.** (1828). METTEUR, EUSE EN PAGES : typographe* qui effectue la mise en pages (⇒ **Imprimerie**). *Les metteurs en pages d'un journal.*

♥ **3.** (1868). METTEUR, EUSE AU POINT : personne qui dégrossit une statue d'après le plâtre; qui met au point un mécanisme (machine, moteur) avant les essais.

♦ **4.** (1873). METTEUR, EUSE EN CARTES : dessinateur, dessinatrice sur tissus projetant sur le papier l'emplacement des points à faire.

♦ **5.** (1874). METTEUR EN SCÈNE : personne qui assure la réalisation, la représentation sur scène d'une œuvre dramatique. ⇒ **Scène, théâtre**.

(Le théâtre balinais) élimine l'auteur au profit de ce que dans notre jargon occidental du théâtre, nous appellerions le metteur en scène; mais celui-ci devient une sorte d'ordonnateur magique, un maître de cérémonies sacrées. Et la matière sur laquelle il travaille, les thèmes qu'il fait palpiter ne sont pas de lui mais des dieux.
       A. ARTAUD, le Théâtre et son double, Sur le théâtre balinais, Idées/Gallimard, p. 90.

Tous les metteurs en scène géniaux font ainsi. Encore heureux que je ne hurle pas, que je ne déchire pas les brochures. Il n'y a pas de mise en scène de génie sans crises de nerfs. L'insulte est la monnaie courante, quelques très grands metteurs en scène vont jusqu'à la gifle. Et ne croyez pas que cela soit gratuit. Cela se sent toujours, après, quand on écoute la pièce, si le maître a été vraiment viril. Une pièce mise en scène par un homme poli, il est bien rare que cela sente le génie. Enchaînez, Sylvia, enchaînez...   J. ANOUILH, la Répétition, p. 50.

(1908). Par ext. Réalisateur*, réalisatrice de films (⇒ **Cinéaste**). — REM. Certains spécialistes (cf. Lo Duca, *Hist. du cinéma*, p. 90) ont proposé l'emploi de *metteur en film*, dans ce sens.

Le *réalisateur* (rappelons qu'en France le terme le plus souvent employé [...] «metteur en scène», appellation moins significative que le mot allemand «régisseur» ou le mot anglais «director») [...]
       R. CLAIR, in Encycl. franç. (DE MONZIE), 1788-11.

REM. *Metteuse en scène (en film)* semble inusité. *Agnès Varda est un remarquable metteur en scène.*

♦ **6.** (1959; d'après *metteur en scène*). METTEUR, EUSE EN ONDES : réalisateur d'émissions radiophoniques. *« J'obtins une situation de "metteuse en ondes" à la radio nationale »* (S. de Beauvoir).

♦ **7.** N. f. METTEUSE EN MAIN : ouvrière qui fait les paquets, les «mains» de soie.

METTRE [mɛtʀ] v. tr. — *Je mets, tu mets, il met, nous mettons, vous mettez, ils mettent; je mettais, nous mettions; je mis, nous mîmes; je mettrai, nous mettrons; je mettrais, nous mettrions; mets, mettons, mettez; que je mette, que nous mettions; que je misse, que nous missions; mettant, mis.* — Xᵉ; lat. *mittere* «envoyer», et «mettre», en lat. pop.

★ **I.** Faire changer de lieu* (ce changement pouvant entraîner ou non une modification d'état). *Action de mettre.* ⇒ **Mise.** *Personne qui met.* ⇒ **Metteur.**

♦ **1.** Faire passer (une chose) dans un lieu, dans un endroit, à une place (où elle n'était pas). ⇒ **Bouter** (régional), **placer**, et les pop. **coller, ficher, flanquer, fourrer, foutre**. *Mettez cela ici, là, ailleurs, autre part.* ⇒ **Changer.** *Où le mettre?* ⇒ **Qu'en faire.**) *On ne sait plus où les mettre. Il faut enlever, ôter cet objet de là et le mettre ailleurs; il faut mettre là où il était* (⇒ **Remettre**). *Je ne trouve plus mon stylo, je l'ai pourtant bien mis quelque part! Mettre vivement, violemment qqch. sur le sol* (⇒ **Jeter**). *Mettre et laisser qqch. quelque part* (⇒ **Établir, fixer**).

Mettre (...) exprime le fait ou l'idée en général, sans aucun accessoire; il a rapport au lieu seul (...) *Placer* (...) a rapport à un certain arrangement, à un certain ordre (...) *Poser* (...) a rapport à un état antérieur de mouvement qu'on fait cesser ou à l'état ultérieur qu'on assure, qu'on rend stable.
       LAFAYE, Dict. des synonymes, Mettre...

— On le met? dit Paul en agitant la seconde photographie. — On met quoi? où ? — Dans le trésor? — Qu'est-ce qu'on met dans le trésor? (...) Verser un nouvel objet au trésor n'était point une baliverne.
       COCTEAU, les Enfants terribles, p. 56-57.

METTRE... SUR... ⇒ **Appliquer, apposer, appuyer, coller, déposer, imposer, poser.** *Mettre une lampe sur une table. Mettre un objet sur le haut d'une étagère.* ⇒ **Percher.** *Mettre un tapis sur le parquet.* ⇒ **Étendre.** *Mettre sa tête sur l'oreiller.* ⇒ **Reposer.** *Mettre des objets les uns sur les autres.* ⇒ **Accumuler, empiler, superposer.** *Mettre un objet sur un véhicule, un animal, pour le transporter.* ⇒ **Charger.** *Mettre une carte sur une autre.* ⇒ **Couvrir.** *Mettre une croix sur une tombe, une fosse,* planter (→ Bois, cit. 44). — Loc. fig. *Mettre* (un travail) *sur le chantier*, sur le métier*. Mettre une question sur le tapis*. Mettre cartes sur table. Mettre de l'huile sur le feu.* — Spécialt. *Mettre une locomotive sur les rails, une voiture sur la route.* — Fig. *Mettre la conversation sur un sujet,* engager (→ Filtrer, cit. 11; lancer, cit. 18). — *Mettre une empreinte sur un objet, les scellés sur une porte.* — Absolt. *Mettre les scellés** (→ Enlèvement, cit. 2). — *Mettre, lancer le grappin* sur qqn.* — Fig. *Mettre l'embargo* sur... — Mettre sur le dos de qqn...* (une charge, un fardeau, au propre et au fig.). ⇒ **Dos** (cit. 21).

Ma femme rapportait des fleurs sur son guidon et moi je mettais des légumes sur mon porte-bagages.   SARTRE, la Mort dans l'âme, p. 247.

Vx. *Mettre un plat sur table*, le servir.

Mettre un disque sur le plateau d'un tourne-disque ou une platine. — Ellipt. *Mettez-nous un disque* (→ ci-dessous, *Mettre la radio*, III., 2.).

(Sans compl. locatif). Spécialt. *Mettre les plats et les assiettes.* — (1690). *Mettre le couvert* (sur la table). ⇒ **Disposer**. Par métonymie (XIIᵉ). *Mettre la table**. ⇒ **Dresser.** → Labourer, cit. 9. — S'oppose à *défaire, desservir.*

Madame Magloire, dit l'évêque, vous mettrez un couvert de plus.
     HUGO, les Misérables, I, II, III.

METTRE SOUS*. ⇒ **Cacher, glisser**... *Mettre qqch. sous globe* (cit. 14), *sous cloche. Mettre la lampe sous le boisseau** (cit. 1). *Mettre la clé* sous la porte, sous le paillasson* (au fig. S'enfuir*). — *Mettre une lettre sous enveloppe* (pour : dans l'enveloppe). *Mettre un message sous pli cacheté, sous scellés. Mettre qqch. sous clé* (au fig. → Loterie, cit. 5). — *Mettre une compresse sous le nez* (→ Inspiration, cit. 6). — (XVIIIᵉ). *Mettre (qqch.) sous les yeux** *(de qqn)* : faire voir, montrer. — *Mettre le couteau* sous la gorge* (pour : *sur la gorge.* Fig. ⇒ **Contraindre**.

Un simple garçonnet de Lacédémone, ayant dérobé un renard (...) et l'ayant mis sous cape (...)   MONTAIGNE, Essais, I, XIV.

Absolt. *Mettre sous presse* : commencer à imprimer. *À l'heure* (cit. 52) *où nous mettons sous presse.*

METTRE DANS*. ⇒ **Enfoncer, insérer, introduire.** *Mettre qqch. dans une case* (⇒ **Caser**), *dans un four* (⇒ **Enfourner**), *une gaine* (⇒ **Engainer**), *une niche* (⇒ **Nicher**)... *Mettre un livre dans son emboîtage.* ⇒ **Glisser; emboîter.** *Mettre des gâteaux dans un panier, dans une corbeille* (⇒ Corbillon, cit. 2). — Loc. *Mettre tous ses œufs* dans le même panier.* — *Mettre un papier dans sa poche* (→ Froisser, cit. 17). *Mettre des habits dans un placard, une garde-robe* (cit. 2), *des livres* (cit. 16) *dans sa bibliothèque, un billet dans ses archives* (cit. 1). *Mettre de la lavande* (cit.) *dans son linge. Mettre de la poudre, une charge* dans une arme à feu. Mettre la clé dans la serrure.* ⇒ **Engager.** *Mettre du vin dans une futaille* (cit. 1), *un tonneau* (⇒ **Entonner**). — *Mettre de l'huile* (cit. 31) *dans le feu* (pour : sur le feu). *Mettre une bûche dans la cheminée, le foyer, le feu.* — Absolt. → ci-dessous, cit. Cocteau. — Loc. fig. *Mettre des bâtons* dans les roues. Mettre les petits plats* dans les grands. Mettre du plomb* dans la tête* (→ Lester, cit. 3). *Mettre dans le même sac*.*

(...) j'hésitais toujours à manger ou à mettre dans mes poches les pêches et les raisins que vous alliez froidement voler pour moi (...)   BAUDELAIRE, la Fanfarlo.

Elle mit les billets de banque dans une enveloppe (...)
     J. GREEN, Léviathan, II. X.

Alors, vous ne savez même plus mettre une bûche ? — J'hésitais à mettre une bûche parce que je ne trouve pas ce feu très utile.
     COCTEAU, l'Aigle à deux têtes, I, 1.

(1868). Abstrait. *Mettre qqch. dans la tête, l'esprit* (cit. 100), *l'idée (de qqn)*, l'imposer. ⇒ **Enfoncer.** — *Mettre des paroles dans la bouche de qqn*, les lui attribuer (→ Appartenir, cit. 19).

Spécialt. Mettre (dans un endroit) en envoyant, en lançant. *Mettre une balle dans la cible*, dans le but. On lui mettra douze balles dans la peau.* — Absolt. *Il a mis en plein dans le mille, dans le noir**...

METTRE EN. — REM. L'absence habituelle de l'article après *en** fait que cette tournure est plus abstraite, moins précise que *mettre dans*... *Mettre en bouteille* (→ Macération, cit. 3). *Mettre du grain en sac* (⇒ **Ensacher**), *en silos* (⇒ **Ensiler**). *Mettre en terre*.* ⇒ **Planter**; et aussi **enterrer.** — Typogr. *Mettre en forme, en pages.* — Fig. *Mettre qqch. en tête (à qqn)*. — Loc. *Mettre son fusil en joue**. — Par métonymie. *Mettre (qqch., qqn) en joue* (cit. 7) : viser.

METTRE À (un endroit). ⇒ **Placer.** *Mettre chaque chose à sa place.* ⇒ **Caser, loger, ranger, serrer.** *Mettre une chose à la place d'une autre.* ⇒ **Intervertir.** *Mettre une chose à côté* d'une autre* (→ 1. Arche, cit. 3). *Mettre au niveau, à la hauteur de...* — *Mettre sa voiture au garage. Mettre au panier, à la poubelle.* ⇒ **Jeter** (→ Livre, cit. 22). « *Il est tout juste bon à mettre au cabinet* » (cit. 13). *Mettre une lettre* (cit. 26) *à la poste, à la boîte aux lettres.* ⇒ **Poster.** *Mettre sa valise à la consigne. Mettre au frais, au chaud* (dans un endroit frais, chaud...). — *Mettre qqch. à la main* (de qqn ou à sa main). — Loc. *Mettre l'épée à la main pour se battre*.* — Fig. *Mettre le marché à la main* (ou au main) *à qqn* (→ Fortune, cit. 5). *Mettre sac au dos.* — *Mettre à terre. Mettre aux pieds de qqn* (propre et fig.). ⇒ **Déposer** (→ Humble, cit. 31). — Loc. *Mettre flamberge** (cit. 1 et 2) *au vent. Mettre les tripes* à l'air à qqn*, l'éventrer. — *Mettre l'eau à la bouche.* ⇒ **Venir** (faire venir). — Fig. *Mettre au bout de son fusil* : prendre pour cible. — Mar. *Mettre un canot, un navire à la mer.* ⇒ **Lancer.**

J'ai quatre pauvres petits enfants sur les bras. — Mets-les à terre.
     MOLIÈRE, le Médecin malgré lui, I, 1.

METTRE DEVANT, DERRIÈRE (qqch.). Loc. *Mettre la charrue* devant* (ou *avant*) *les bœufs. Mettre devant les yeux.* ⇒ **Présenter.** *Mettre devant soi*, pour se protéger. — Spécialt. ⇒ **Poser.** *Mettre un verre, une assiette devant qqn.*

Il est des axiomes généraux qu'on met devant soi comme des gabions; placé derrière ces abris, on tiraille de là sur les intelligences qui marchent.   **10**
     CHATEAUBRIAND, Mémoires d'outre-tombe, t. VI, p. 88.

Dans la salle à manger (...) le couvert est mis (...) Mais Pauline n'a pu supporter la présence du domestique pendant les repas. Il met les plats devant elle (...)   **11**
     J. CHARDONNE, les Destinées sentimentales, p. 313.

METTRE CONTRE* (cit. 2), **PRÈS*, AUPRÈS* DE.** ⇒ **Approcher.** — **METTRE AVEC*.** ⇒ **Attacher, joindre.** — **METTRE LOIN* DE.** ⇒ **Éloigner.** — **METTRE AUTOUR*. METTRE ENTRE*.** ⇒ **Intercaler, interposer.** *Mettre un mot entre guillemets* (cit. 2), *entre parenthèses... Livre à ne pas mettre entre toutes les mains.* — Spécialt. *Mettre une porte* (→ Loquet, cit. 1), *une frontière entre soi et quelque chose.* — Fig. *Mettre un abîme* (→ Combler, cit. 12), *un mur* (→ Conflit, cit. 6) *entre deux choses, deux personnes.* ⇒ **Séparer.** — Vx. *Mettre la paix entre deux personnes* (→ Main, cit. 54). — **METTRE PLEIN*...** *Mettre de l'eau plein un récipient.* — Fig., fam. *En mettre plein la vue à qqn.* — **METTRE PAR*.** *Mettre par terre.* ⇒ **Déposer, poser.** — Régional. *Mettre qqn par côté*, le mettre de côté (pour garder, réserver).

Coupeau mit sa chaise tout contre le lit, et acheva sa pipe, en tenant dans la sienne la main de Gervaise.   **12**
     ZOLA, l'Assommoir, t. I, I, p. 131.

(Suivi d'un adv.). *Mettre dessus*, dessous*.* — *Mettre dehors*.* — Mar. *Mettre toutes voiles dehors.* — Absolt. *Mettre les voiles** (fig. et fam. : s'en aller). → aussi ci-dessous, 13. — *Mettre ensemble.* ⇒ **Assembler** (cit. 3 et 4). — *Mettre plus haut** (⇒ **Lever; hausser**), *plus bas** (⇒ **Baisser**). — Spécialt. *Mettre bas* : poser à terre. — Fig. *Mettre bas les armes** (cit. 12). ⇒ **Capituler.** *Mettre habit bas, chapeau bas, pavillon bas* (⇒ **Bas**, cit. 68, 70 à 73).

♦ **2.** Placer (un membre, une partie du corps) dans une position (avec div. prép. → ci-dessus). *Mettre ses bras en l'air, ses coudes sur la table, ses doigts dans le nez, un genou à terre, ses mains derrière le dos, son menton dans sa main, son nez à la fenêtre, son œil au trou de la serrure, le pied à l'étrier, les poings sur les hanches, les pouces aux entournures...* N. B. *Mettre*, avec une partie du corps pour complément, donne lieu à de nombreuses locutions. → par ex. Doigt (cit. 12 et *supra*), main (cit. 36, 37, 51 et 93...), nez, pied, pouce...

♦ **3.** Placer (un être vivant) à tel endroit. *Mettre un enfant sur sa chaise* (⇒ **Asseoir**), *dans son lit, au lit* (⇒ **Coucher**); *debout* (⇒ **Lever**). — Fig. *Mettre qqn dans de beaux draps*.* — *Mettre des gardes aux portes.* ⇒ **Poster.** *Mettre des soldats sur une même ligne.* — *Mettre son cheval à l'écurie* (→ Licou, cit. 1), *au sec*, au vert*... *Mettre un enfant au piquet, au coin. Mets-toi là et attends ton tour. Mettre un oiseau en cage.*

Il se saisit du port, il se saisit des portes,   **13**
Met des gardes partout (...)   CORNEILLE, Pompée, III, 2.

(...) la sonnerie, continuellement, dérangeait la femme de chambre (...) Après avoir mis des hommes un peu partout, en utilisant les moindres coins, elle venait d'être obligée d'en caser jusqu'à trois et quatre ensemble, ce qui était contraire à tous ses principes.   **14**
     ZOLA, Nana, II.

Mettre une personne à la place d'une autre. ⇒ **Changer** (cit. 27). *Mettre qqn en présence* de...* ⇒ **Confronter.** Loc. fig. *Mettre qqn au pied du mur*. Mettre en l'air* (argot) : tuer. *Mettre en boîte** (→ Merdeux, cit. 2). *Mettre qqn dans sa poche. Mettre qqn dans le bain*. Il les a mis dans le même bain. Mettre qqn dans de beaux draps*.* — *Mettre qqn devant le fait* (cit. 25) *accompli, devant les conséquences de ses actes... Mettre les rieurs de son côté, contre soi.*

(...) votre procédé met tout le monde contre vous.   **15**
     MOLIÈRE, George Dandin, I, 6.

Spécialt. ⇒ **Caser, installer, loger.** *Mettre ses amis dans les meilleures chambres. Où allons-nous mettre tous ces gens-là? On l'a mis, on l'a relégué sous les combles.* ⇒ 1. **Colloquer.** — Faire monter. *Mettre en croupe* (cit. 1), *sur son cheval...* — Faire asseoir. *Mettre qqn au bout de la table, à la place d'honneur.*

Par ext. Conduire, accompagner. *Mettre qqn dans un endroit, jusqu'à la gare, dans le train.* ⇒ **Conduire.** *Mettre qqn sur la route, dans le bon chemin.* ⇒ **Diriger.** *Mettre qqn hors de la voie.* ⇒ **Fourvoyer.** — Fig. *Mettre qqn sur la voie*, sur la piste* (→ Intriguer, cit. 4). — *Mettre qqn sur le bord* (cit. 23) *du tombeau. Mettre ses associés près de la ruine.* — Loc. *Mettre qqn dehors*, à la porte*. Mettre qqn dedans*.*

(Le sujet désigne le chemin, la voie). *Un escalier les mit dans un lieu désert* (→ Galerie, cit. 4). ⇒ **Conduire, mener.**

Spécialt, absolt. **METTRE BAS** (son petit) : accoucher (le sujet désigne une femelle d'animal). ⇒ **Bas** (*supra*, cit. 76); **mise** (mise bas).

♦ **4.** Par ext. Placer (un être vivant, une chose) dans un lieu, une position, une situation, d'où résulte ou qu'accompagne une modification d'état, de condition (le compl. ind. gardant cependant une valeur locative plus nette que dans l'emploi III. ci-dessous).

(Avec un compl. ind. concret). *Mettre qqn sur la paille, sur le grabat* (cit. 4). *Mettre qqn sur le trône*, couronner. *Mettre un condamné en croix*, sur la croix. Mettre qqn dans un couvent* (→ Impertinent, cit. 10), *au couvent..., en pension* (→ Interne, cit. 3), *en prison* (→ Académicien, cit. 4), *au violon, au bloc.* — *Mettre un poulet à la broche* (→ Agnelet, cit.).

(...) je veux mettre dans ma famille les gens dont j'ai besoin.   **16**
     MOLIÈRE, le Malade imaginaire, III, 3.

17 Ordre de le mettre aux fers tout de suite (...) LOTI, Mon frère Yves, XXXI.

(Avec un compl. ind. désignant un lieu indéterminé ou une abstraction). *Mettre qqn, qqch. à l'abri* (cit. 5 et 12). *Mettre à couvert* (cit. 10 et 12). *Mettre en lieu sûr.* ⇒ **Déposer, garder, tenir.** *Mettre en place.* ⇒ **Installer, ranger.** *Mettre qqn sous la garde* (cit. 2), *l'autorité, la puissance* (⇒ **Soumettre**), *la protection de... Mettre en quarantaine*, *en pénitence, aux arrêts.* — Par anal. *Mettre à l'amende. Mettre en apprentissage* (cit. 3). *Mettre un enfant en nourrice.* — Spécialt. *Mettre qqch. en réserve*, *de côté* (cit. 46 et 47). *Mettre à gauche*. — *Mettre qqn à la retraite.* — *Mettre un cheval au rancart*. — Loc. *Mettre qqch. à la portée* de qqn (→ Loyal, cit. 2; machinisme, cit. 1).

(Suivi d'un verbe à l'infinitif marquant l'opération à laquelle on soumet une chose). *Mettre le café à chauffer, de la viande à cuire, du linge à sécher.* — (Avec ellipse de la préposition). *Mettre du linge sécher.* ⇒ **Faire.**

18 Mets bouillir des pommes de terre, nous les mangerons avec un peu de beurre (...) ZOLA, Germinal, II, III.

19 — On ne met pas du linge de couleur à sécher au soleil. J. RENARD, Journal, 17 août 1903.

20 (...) un gros paquet de linge, qu'elle avait dû mettre sécher (...) ALAIN-FOURNIER, le Grand Meaulnes, III, IV.

21 Je mets sécher mon linge. Je mets à sécher mon linge. Il nous semble qu'il y a peut-être une différence sémantique entre ces deux tours, le tour direct donnant le fait qu'exprime l'infinitif comme devant se passer en effet, tandis que le tour avec *à* le donne plutôt comme représentant l'intention du metteur. J. DAMOURETTE ET É. PICHON, Essai de grammaire de la langue franç., t. III, § 1134.

Loc. *Mettre (un enfant) au monde, au jour :* donner naissance à (→ Adam, cit. 2; enceinte, cit. 1; enfanter, cit. 1), et aussi, aider à l'accouchement (en parlant de la sage-femme, du médecin). — Fig. *Mettre au monde un livre* (→ Assouplir, cit. 7). *Mettre une chose à jour, au jour,* en découvrant, en divulguant... ⇒ **Jour** (supra cit. 15).

22 (...) je viens de mettre au monde un fils (...) BEAUMARCHAIS, la Mère coupable, II, 1.

Spécialt. Placer (qqn) dans un emploi; affecter à un travail. ⇒ **Affecter, constituer, placer, préposer.** *On l'a mis à la direction, à la gérance, au service exportation. Mettre une nurse à la garde des enfants, un ouvrier à un travail...* ⇒ **Employer; attacher.** — *Mettre plusieurs ouvriers après* (cit. 57) *un ouvrage.* — *Mettre qqn à faire qqch., à travailler...*

23 (...) il aime à causer, et quand on me met à causer, je ne fais pas trop mal aussi (...) Mᵐᵉ DE SÉVIGNÉ, 640, 21 août 1677.

24 (...) j'ai vu votre sœur à la campagne; on est fort content d'elle où je l'ai mise (...) MARIVAUX, Vie de Marianne, III.

Mettre qqn sur un sujet.

25 Je l'ai mis sur ce mariage (...) MOLIÈRE, les Fourberies de Scapin, II, 5.

Mettre qqn dans une affaire, le faire participer à cette affaire. *Mettre dans le coup, dans la combine, dans son jeu* (cit. 41). → Ci-dessous, III., 2. *Mettre en cause, en jeu...* — *Mettre qqn de...* (vieilli), faire participer à, convier à, admettre à, faire entrer dans.

26 L'estime du roi s'accrut de jour en jour pour Zadig. Il le mettait de tous ses plaisirs (...) VOLTAIRE, Zadig, IV.

♦ **5.** (Abstrait). Placer en esprit à un certain rang, dans un classement, une série... ⇒ **Classer, introduire.** *Mettre en première ligne, sur la même ligne...* ⇒ **Ligne.** *Mettre une personne à tel ou tel rang.* ⇒ **Rang.** *Mettre qqn plus bas* que terre, le mettre *au-dessus* de tout. *Mettre à côté de..., sur le même plan*, au même niveau*... *Mettre une chose à son vrai prix*, à sa vraie valeur, la juger, la considérer comme elle le mérite. *Je mets les bons livres* (cit. 29) *parmi les choses nécessaires.* — *Mettre au nombre de...* ⇒ **Compter.** — *Mettre un événement avant, après..., auparavant* (cit. 5), le situer en esprit avant, après...

♦ **6.** Placer (un vêtement, un ornement, etc.) sur qqn, en l'assujettissant, en le disposant comme il doit l'être. ⇒ **Habiller, vêtir...** *Mettre ses vêtements à un enfant. Mettre un châle* (cit. 2) *sur les épaules de qqn.* ⇒ **Poser.** *Mettre un chapeau*, *un bonnet d'âne, une calotte* (cit. 3), *une couronne* sur la tête, le front de qqn (⇒ **Camper.**). — *Mettre des souliers, des chaussures à qqn.* ⇒ **Chausser** (→ Flagorner, cit. 3). — Fig. *« Je mis un bonnet* (cit. 5) *rouge au vieux dictionnaire »* (Hugo). — *Mettre du fard, de la poudre* (→ Friser, cit. 3) *à qqn,* le farder, le poudrer.

27 Mettez cet habit à Monsieur, de la manière que vous faites aux personnes de qualité. MOLIÈRE, le Bourgeois gentilhomme, II, 5.

Spécialt. *Mettre des menottes à un prisonnier, des chaînes, des entraves à un animal échappé.*

28 (...) on lui mettrait des menottes, on le mènerait à la mairie et de là (...) à la prison du chef-lieu. J. GREEN, Léviathan, II, XIV.

(Le compl. désigne les vêtements du sujet). ⇒ **Passer, revêtir.** *Mettre ses vêtements, ses habits.* ⇒ **Habiller** (s'), *vêtir* (se). *Une veste qu'on peut* (⇒ **Mettable**), *qu'on ne peut plus* (⇒ **Immettable**) *mettre. Mettre un costume* (→ Long, cit. 11), *des bas* (→ Élargir, cit. 7), *des gants* (cit. 3). *Mettre sa ceinture* ⇒ **Ceindre.** — *Mettre son chapeau.* ⇒ **Couvrir** (se). — Absolt. vx (langue class.). *Mettre dessus, mettre :* mettre son chapeau, se couvrir.

Allons, mettez (...) Mon Dieu! mettez; point de cérémonie entre nous (...) Mettez, vous dis-je (...) Je ne me couvrirai point, si vous ne vous couvrez. MOLIÈRE, le Bourgeois gentilhomme, III, 4.

Elle était seule, à présent, et cherchait à tâtons les vêtements qu'elle mettait un à un. J. GREEN, Léviathan, II, XV.

Allons, viens, habille-toi. Je n'ai que ma robe à mettre, je suis prête en dessous (...) COLETTE, Chéri, p. 57.

Par ext. Porter. *Il ne met jamais de chapeau. Il mettait toujours des maillots* (cit. 6) *de marin.*

Mettre ses chaussures. ⇒ **Chausser** (se). — *Mettre ses lunettes* (→ Garde, cit. 87). ⇒ **Chausser.** — *Mettre de la poudre, du blanc* (cit. 37).

Figuré :

(...) je joue; et comme je suis fort heureux, je mets sur moi tout l'argent que je gagne. MOLIÈRE, l'Avare, I, 4.

Par métonymie. **METTRE** (qqn) **EN...** : habiller. *Mettre qqn en uniforme* (→ Lycée, cit. 1), *en civil. Mettre un enfant en bleu. Mettre qqn en chemise, en pyjama.*

♦ **7.** Ajouter* en adaptant, en assujettissant. **a** (Concret). **METTRE** (qqch.) **à** (qqch.) : ajouter une chose à une autre (pour la compléter, la réparer...). *Mettre un fer à une pioche, un soc à une charrue, des roues à une bicyclette. Mettre un couvercle à une marmite* (⇒ **Couvrir**), *un bouchon à une bouteille.* (Fig. et, par plais., *mettre un bouchon :* faire taire). *Mettre des draps propres à un lit.* ⇒ **Changer.** — Ellipt. *Mettre des draps propres, des rideaux...* — *Mettre un cadre* (cit. 1) *à un dessin, à un tableau. Mettre la signature à un chèque, un cachet, un tampon à un acte.* — Fig. *Mettre à un style le cachet* (cit. 5) *d'une époque. Mettre une croix* à : signaler, marquer d'une croix, barrer, et, fig., renoncer. *Tu peux y mettre une croix* (ou faire une croix dessus). *Mettre une étiquette, un prix à une marchandise.* — *Mettre des rubans à un vêtement* (→ Faire, cit. 167), *un bouton à une veste, une pièce* à un pantalon, à un pneu usé, déchiré, percé... — (À un animal). *Mettre une selle, un harnachement à un cheval.*

Allons, on mettra une sourdine à son esprit et un crêpe à son chapeau. BALZAC, Vautrin, III, 10.

(Le compl. direct désigne un animé). Rare. *Mettre un cheval à une voiture,* l'y atteler.

METTRE DANS... ⇒ **Mélanger, mêler.** *Mettre de l'eau dans son vin, du sel dans sa soupe.* ⇒ **Verser.** — Loc. fig. *Mettre du beurre* dans les épinards. — *Mettre divers ingrédients dans la soupe.*

Installer. *Faire mettre l'eau, le gaz, l'électricité, le téléphone (dans une maison, un appartement).*

b (Abstrait). Ajouter à, mêler à, placer dans, sur. *Mettre un accent spécial à un mot* (→ Aujourd'hui, cit. 12). *« Mettre à des discours sensés les grimaces de la coquetterie »* (⇒ **Assortissant,** cit. 1). — *Mettre l'accent* sur... (→ Arête, cit. 7). — *Mettre de la grâce* (cit. 93) *dans ses gestes. Mettre de l'esprit* (cit. 159) *dans tout ce que l'on dit. Elle a mis une note* de gaieté dans la conversation. *Mettre dans son regard une nuance de complicité* (→ Côté, cit. 29). — (Sujet n. de chose). *Mettre un éclair dans le regard* (→ Fond, cit. 23). *La colère lui a mis ces mots à la bouche* (cit. 20).

Je compris tout ce qu'il mit de désespoir dans ce mot malheureusement. Ah! ma chère, il sera, certes, impossible à aucun homme de mettre autant de passion et de choses dans un seul mot. BALZAC, Mémoires de deux jeunes mariées, Pl., t. I, p. 177.

Son accent parisien mettait une note amusante dans ces réunions cosmopolites. MARTIN DU GARD, les Thibault, t. V, p. 54.

Spécialt. (Le sujet désigne le Créateur). *Le ciel a mis telle qualité dans cette plante* (→ Âpreté, cit. 5). *Dieu, la nature a mis en nous tel sentiment, tel caractère* (→ Faiblesse, cit. 37; instinct, cit. 2). — Par métaphore. *« Le ciel a mis l'oubli pour tous au fond* (cit. 3) *d'un verre »* (Musset).

♦ **8.** (Sujet n. de personne). **METTRE** (une qualité, un sentiment) **à** (et inf., ou compl.) : ajouter, apporter (une qualité morale, un sentiment à une action). ⇒ **Apporter, user** (de). *Mettre du soin à se cacher* (cit. 44), *du zèle... à faire qqch.* (→ Abattre, cit. 6; déférent, cit.; fosse, cit. 2). *Il y met du cynisme* (→ Intérêt, cit. 19). *Quelque rage qu'il y mît* (→ Carton, cit. 2). *Sans y mettre d'animosité* (cit. 8). *Mettre de l'entêtement*, *de la mauvaise volonté à un travail, à faire un travail. Y mettre des façons*, (cit. 51 et 52).

(...) il y mit tout son talent, toute son âme, toute sa piété (...) Th. GAUTIER, Portraits contemporains, "Simart".

Loc. **Y METTRE DU SIEN.** *Il y a mis du sien :* il a donné, payé de sa personne, il a travaillé sans compter, ne s'est pas ménagé, et, spécialt, il a fait des concessions*, s'est montré conciliant*, complaisant (cit. 3).

Appliquer, employer à... *Mettre sa gloire* (→ Attacher, cit. 8) *à,* impopulaire, cit. 1), *sa joie* (→ Fourchette, cit. 1), *son plaisir* (→ Fort, cit. 74), *son souci à...* (→ Laine, cit. 4).

(...) Le siècle où nous sommes
À bien dissimuler la vertu des hommes; CORNEILLE, la Veuve, III, 3.

Mettre son orgueil à imiter son maître. — (Avec changement de sujet). *Cet élève met son amour-propre à ce que son maître soit satisfait de lui.*

(Avec en). Placer dans, faire consister* en... *Mettre de grands* *espoirs en qqn.* ⇒ **Fonder.** *Mettre son orgueil* (→ Abaissement, cit. 8), *son espérance, ses espoirs dans...* ⇒ **Investir.** *Il a mis toute son énergie dans ce projet.* — *Mettre la liberté* (cit. 32) *dans l'indifférence.*

♦ **9. METTRE... À, DANS...** Ⓐ Dépenser, employer, utiliser (du temps) à... *Mettre plusieurs jours* (→ Imprenable, cit. 2), *du temps, un temps très long* (→ Calmer, cit. 19) *à faire qqch.* (→ Honorifique, cit.). *Le temps que l'histoire a mis à se faire* (→ Abréger, cit. 3). — *Mettre longtemps à cuire* (→ Heure, cit. 6). *Il y a mis le temps :* il a été bien long.

(...) *il voyageait lentement de l'une (station) à l'autre, mettant une heure pour faire deux cents mètres, tirant sur ses sabots comme sur des voitures lourdes, déhanché, déjeté, dans le roulis cassé de ses reins.* ZOLA, la Terre, V, II.

J'ai mis, à comprendre que mon âpreté était un mensonge, autant de temps qu'à devenir vieille. COLETTE, l'Étoile Vesper, p. 92.

Ⓑ Dépenser (de l'argent) pour. *Mettre mille francs à un achat, à un bibelot. Combien voulez-vous y mettre? Y mettre le prix* (→ Acheter, cit. 6).

Douze sous et demi, ce n'est guère ; vous mettrez bien les treize sous ? — Topc. DIDEROT, Jacques le fataliste, Pl., p. 566.

(...) *ces infortunés étudiants qui, comme le père Goriot et mademoiselle Michonneau, ne pouvaient mettre que quarante-cinq francs par mois à leur nourriture et à leur logement* (...) BALZAC, le Père Goriot, Pl., t. II, p. 853.

Loc. fam. *Il faut y mettre le paquet** (de billets de banque).

Ⓒ (Avec *dans*). Placer* de l'argent. *Mettre son argent dans une affaire, en rentes, en viager.* — (Avec *à...*). *Mettre une somme à la partie, à la boule* (⇒ **Miser**), *à la loterie.* ⇒ **Jouer.** — *Mettre de l'argent à la grosse aventure** (cit. 28).

Si vous êtes heureux au jeu, vous en devriez profiter, et mettre à honnête intérêt l'argent que vous gagnez (...) MOLIÈRE, l'Avare, I, 4.

Ne mettant rien à la partie, j'ai tout gagné (...) *si je fais perdre l'autre.* BEAUMARCHAIS, la Mère coupable, IV, 2.

♦ **10.** Porter, provoquer, faire naître. ⇒ fam. **Flanquer, foutre.** *Il met le désordre, le trouble partout.* ⇒ **Causer, créer, semer.** *Mettre la perturbation dans le pays* (→ Anormal, cit. 3). — *Mettre de l'ordre* quelque part, *dans une affaire* (→ Arrangement, cit. 9). — (Construit avec à...). Apporter. *Mettre des conditions** à qqch. — *Mettre une borne* (cit. 10) *aux dérèglements, un terme à...* ⇒ **Couper** (court), **terminer.** « *Celui qui met un frein à la fureur des flots* » (→ Arrêter, cit. 23). *Mettre le holà** (cit. 6 et 7). — (Sans art.). *Mettre obstacle*. Mettre fin** (cit. 19 et 20). *Mettre bon ordre** à une situation.* — Vx. *Mettre remède à...* ⇒ **Porter.**

Spécialt. *Mettre le feu à (qqch.) :* faire brûler. ⇒ **Feu** (cit. 37, 38).

Par ext. (sans compl. locatif). Faire marcher, amorcer, déclencher. *Mettre le contact. Mettre les gaz.* → ci-dessous, III., 2., absolt, faire fonctionner.

♦ **11.** Écrire, inscrire... ⇒ **Coucher** (par écrit), **écrire, inscrire.** *Mettre son nom sur un album* (cit. 1), *un bon mot sur son agenda* (→ Impromptu, cit. 5). *Mettre qqch. en toutes lettres, en lettres d'or...* (→ Magasin, cit. 1). *Mettez l'adjectif avant, après le nom.* ⇒ **Placer.**

Je voudrais donc lui mettre dans un billet : Belle Marquise (...) *mais je voudrais que cela fût mis d'une manière galante, que cela fût tourné gentiment* (...) *Je ne veux que ces seules paroles-là* (...) *mais tournées à la mode, bien arrangées comme il faut. Je vous prie de me dire* (...) *les diverses manières dont on peut les mettre.* MOLIÈRE, le Bourgeois gentilhomme, II, 4.

Noter, inscrire (sur une liste, dans une énumération). ⇒ **Consigner.** *Mettre un nom, mettre qqn sur la liste, dans son testament* (→ Joliment, cit. 3). — *Mettre un livre à l'index* (au fig., *mettre* ayant la valeur abstraite : III., 2.). *Mettre qqn à l'index* (cit. 10, 12). — *Mettre une somme sur un compte, au compte de qqn.* — Fig. ⇒ **Compte ; attribuer, imputer** (cit. 1). *Mettre qqch. au crédit* de qqn. Mettre qqch. en ligne* de compte.*

Mettez que je suis d'accord.

Mettez qu'il interrompt — Hé ! je n'y pensais pas. RACINE, les Plaideurs, II, 6.

Fig., fam. Admettre, dire. *Mettons que je n'ai rien dit.* ⇒ **Supposer.**

Ça vaut quatre-vingts francs (...) — *Bon ! mettons quatre-vingts, je veux bien faire un sacrifice pour mes enfants.* ZOLA, la Terre, I, II.

Par ext. (Dans une œuvre, un texte). *Mettre des adoucissements* (cit. 5) *à un texte.* — *Mettre dans son livre des extraits d'auteurs.* ⇒ **Compiler.** *Les choses que Balzac a mises dans ses livres* (→ Magistral, cit. 5). *L'auteur a mis beaucoup de lui-même dans ce personnage.* — Absolt. *En mettre. Il a voulu trop en mettre,* trop en dire (→ Hors, cit. 31).

Faire figurer (dans une pièce de théâtre, un scénario...). *Mettre un type, un personnage... en scène*, sur la scène* (→ Courtisane, cit. 3 ; impeccable, cit. 2), *dans une pièce.*

Représenter (dans un tableau, une œuvre plastique). → Calvaire, cit. 3 ; mafflu, cit. 2.

♦ **12.** Fam. Donner (un coup). *Mettre des coups, des gnons... à qqn, sur le nez de qqn.* ⇒ **Coller ; battre.** — Absolt. *Il lui a mis en plein sur, (dans) la gueule. Qu'est-ce qu'il lui met !*

Fig. *En mettre un coup.* ⇒ **Coup.**

Des bicyclistes en mettaient un coup à tous les niveaux de la perspective.   47
ARAGON, les Beaux Quartiers, II, XVII.

Sports. *Ils leur ont mis 5 buts à 0.*

♦ **13.** (1914). Fam. *Mettre les bouts, les bâtons, les cannes* (les jambes) : s'en aller*, partir ; s'enfuir* (→ argot *Mettre les adjas** et, ci-dessus, 1., *mettre les voiles,* et ci-dessus 10., *mettre les gaz*). — Ellipt. *On les met ?*

Des chargeurs boches sur la planchette ! Nous sommes dans le boyau boche !   47.1
— *Mettons-les.*
Il y a un élan des trois hommes pour sortir.
Attention, bon Dieu ! Bougez pas ! (...) H. BARBUSSE, le Feu, t. II, p. 10.

— *Il est onze heures vingt, il est temps que nous les mettions aussi. Demain on*   48
se lève. P. NIZAN, le Cheval de Troie, I, I.

— *C'est maintenant ou jamais qu'il faut que tu les mettes* (...)   49
CÉLINE, Voyage au bout de la nuit, p. 45.

♦ **14.** (1726, in *Glossaire de l'homosexualité*). *Le mettre (à qqn) :* sodomiser. *Se le faire mettre (dans le baba, le cul...), se faire mettre :* se faire sodomiser, et, fig., se faire tromper. ⇒ **Avoir.**

S'ils me posaient une question, c'était pour savoir si je m'étais fait mettre ou si   49.1
j'avais mis, ou eu envie de me faire mettre durant mes quatre années de prison.
Jeanne CORDELIER, la Passagère, p. 217.

★ **II.** Placer dans une position nouvelle (sans qu'il y ait déplacement d'un lieu à un autre, ni modification d'état, pour le complément).

♦ **1.** *Mettre qqn debout*.* ⇒ **Lever.** *Mettre un malade sur son séant.* ⇒ **Asseoir** (→ Inhumain, cit. 2). *Mettre un enfant sur ses pieds.* — Fig. *Mettre (qqch., un projet) sur pied* :* constituer, établir, échafauder... — Loc. fig. *Mettre qqn sur les dents*.*

Mettre bas, à bas (qqn) : abattre, et, spécialt, tuer (→ Daim, cit. 1). — *Mettre qqn à pied** (fig.) : renvoyer.

Mar. *Mettre les voiles** en ciseaux. *Mettre un navire à la voile, à la cape, à l'ancre, à sec ; le mettre sur le nez, sur cul...* — Absolt. *Mettre en travers. Mettre à la voile pour appareiller ; le navire met à la voile.* ⇒ **Voile.**

Tourner (vers). *Mettre le cap** sur...

*Mettre qqch. à l'envers** (cit. 11, fig.), *sens** dessus dessous. ⇒ **Renverser...** — Par métaphore. *Cela lui a mis la tête à l'envers* (→ Déguiser, cit. 2).

♦ **2.** (Sans compl. second). Placer, disposer dans une position particulière. *Voulez-vous le mettre le loquet* (le baisser), *le verrou* (le pousser)...? *Mettez le contact, le starter, le frein à main.*

(...) *elle* (...) *courut mettre elle-même les verrous ; maintenant, ils pouvaient s'entas-*   50
ser à côté, ils ne perceraient pas le mur, peut-être. ZOLA, Nana, II.

★ **III.** Faire passer (qqch., qqn) dans un état, dans une situation nouvelle (l'idée de modification, de transformation des aspects ou de la nature l'emportant sur celle de changement de lieu ou de position → ci-dessus I. 4.). — REM. Dans ce sens *mettre* s'emploie surtout avec les prépositions *en* (ou *dans*) et à.

♦ **1.** (Sens concret). **METTRE EN...** : transformer en... ou donner la forme de... ⇒ **Changer** (en). *Mettre une pierre, une agate en cachet* (cit. 1), *en bague. Mettre une matière textile en écheveau* (→ Lin, cit. 2). *Mettre du blé en gerbe* (→ Grenier, cit. 4). *Mettre du linge en bouchon, en tas ; en charpie*. Mettre une feuille de papier en double. Mettre qqch. en boule.* ⇒ **Conglober.** *Mettre les bras en croix*.* — *Mettre une lampe en veilleuse*.* — *Mettre* (une construction, une ville...) *en flammes* (cit. 11), *en feu*, en cendres** (*supra* cit. 7). — *Mettre en morceaux, en pièces*, en pièces détachées* (fam.), *en quartiers** (→ Attaquer, cit. 13 et 16).

Cuis. *Mettre* (un aliment) *en potage* (→ Cuisiner, cit. 1), *en sauce :* faire un potage, une sauce avec... ⇒ **Accommoder.** — Fig. *Mettre* (qqch.) *en capilotade, en marmelade* (→ Lâcher, cit. 5), *en compote.*

Mettre (qqn) *en sueur, en nage.* — Par exagér. *Mettre qqn en sang*.*

*Mettre un objet en gage** (cit. 34), *en dépôt :* constituer un gage, un dépôt, avec cet objet.

Mettre un champ en blé, en avoine (⇒ **Ensemencer**). *Il a mis son terrain en vigne, en bois* (Académie).

Mettre une fraction, en centimètres. ⇒ **Convertir.** *Mettre en équation*.* — *Mettre en perspective.*

Mettre des paroles en musique (→ Lyrique, cit. 9). *Mettre un texte en français, en anglais* (⇒ **Traduire**). *Mettre en bon français.* ⇒ **Corriger.** *Mettre en forme.* — Littér. *Mettre en poésie la vertu* (→ Littérature, cit. 16).

(...) *je travaille à mettre en madrigaux toute l'histoire romaine.*   51
MOLIÈRE, les Précieuses ridicules, IX.

Tout ce que Montaigne, Charron, La Rochefoucauld et Nicole ont mis en maxi-   52
mes, Richardson l'a mis en action. DIDEROT, Éloge de Richardson.

— *Admirable matière à mettre en vers latins !*   53
A. DE MUSSET, Premières poésies, "Mardoche", VII.

METTRE À... *Mettre un étang, un bassin... à sec.* ⇒ **Tarir** (→ Écouler, cit. 1). — Fig. *Mettre qqn à sec*. Mettre un pneu à plat.* — Fam. *Mettre à plat** : aplatir. — *Mettre un brouillon** au net*, au propre*.* — *Mettre un verbe à la forme passive, au futur ; un substantif au pluriel...*

♦ 2. (Emplois abstraits ou métaphoriques). **METTRE (qqch. ou qqn) DANS, EN, À...** : changer, modifier en faisant passer dans, à un état nouveau. — *Mettre (qqch., qqn) dans un état* (→ Irritabilité, cit. 1), *en un état, en l'état* (→ Attendre, cit. 78). *Mettre qqn dans tous ses états.* — Absolt. *Mettre en état.* ⇒ **Préparer.** *Mettre dans l'ordre, dans un certain ordre, en ordre*, en désordre*. Mettre une pendule à l'heure*, en avance*, en retard*...* — *Mettre qqn en attente* (sur une liste d'attente, sur une ligne de téléphone...) — *Mettre (plusieurs personnes, plusieurs choses) en accord*, en harmonie** (cit. 39). *Mettre d'accord** (cit. 12). *Mettre en commun** (cit. 5 et 6). *Mettre en contact*, en présence*, en relation*, en rapport*. Mettre en contradiction*, en opposition*.* — *Mettre au même ton, au diapason*.* — *Mettre au point* un appareil de photo.* — *Mettre sa comptabilité à jour*.*

Faire avancer, marcher, agir..., ou préparer pour l'action. *Mettre qqch. en état de marche*. Mettre une armée* (cit. 10) *en bataille*, en ordre de marche..., une pièce d'artillerie en batterie*.* — *Mettre en branle* (cit. 5), *en mouvement*, en train*, en marche*. Mettre en circulation*, dans la circulation*, en service*, en vente*. Mettre en course, dans la course.* — *Mettre en action** (cit. 7), *en application*, en exécution* (cit. 6), *en pratique*, en usage*, en vigueur*. Mettre en œuvre*. Mettre tout en œuvre pour.* ⇒ **Metteur** (en œuvre). — *Mettre en mesure* de... Mettre en demeure* de...*

Absolt, fam. Mettre en marche ; faire fonctionner. *Il met la radio à partir de six heures du matin. Mettez le chauffage, il commence à faire froid.*

Mettre qqn au pas*, à l'alignement* (cit. 3), *à la raison...* — *Mettre qqn à l'index** (cit. 10, 12). — *Mettre un cheval au trot, au galop.* — *Mettre en première, en troisième vitesse, en marche arrière* (un véhicule).

♦ 3. Soumettre à un examen qui entraîne un jugement, une conclusion... *Mettre (qqch.) en lumière** (*supra* cit. 30), *en évidence** (cit. 13, 14 et 15), *en valeur*, en relief*, en vedette*... Mettre en avant*.* — *Mettre en considération*, en délibération*, en doute*...* *Mettre en observation. Mettre en cause** (cit. 52 et 53), *en question*, en jeu** (cit. 46 et 80). *Mettre hors de cause*.* — *Mettre au fait** (cit. 40 et 42), *au courant*...* — *Mettre en comparaison*, en parallèle*, en regard*, en balance*.* — *En mettant les choses au pis.*

54   Elle avait eu l'intention de mettre son fils au courant des compromettantes poursuites dirigées contre son mari (...)
MARTIN DU GARD, les Thibault, t. VI, p. 113.

Mettre à l'épreuve* (cit. 7 et 9), *au défi*. Mettre une argumentation à néant*. Mettre à contribution** (cit. 3). *Mettre à profit*, à effet*, à exécution.*

Soumettre. *Mettre une motion aux voix.*

♦ 4. Placer dans telle ou telle situation. *Mettre (qqn, des personnes) en danger*, en péril*. Mettre en déroute*, en fuite*. Mettre hors de combat*.* — *Mettre un prisonnier en liberté*. Mettre dans la nécessité* de... Mettre dans l'embarras*, dans une situation gênante. Mettre dans l'erreur*, en défaut, dans son tort.* — *Mettre qqn à l'aise** (cit. 9 et 11), *à son aise. Mettre au supplice** (cit. 4), *à la gêne** (cit. 2 et 4), *à la torture. Mettre à mal*, à quia*, à bout* (cit. 34). *Mettre à mort*. Mettre à sac*. Mettre à nu.* — *Mettre qqn au ban* de la nation.* — *Mettre en crédit*, en faveur*, en réputation*, en vogue*.*

Mettre dans tel état moral (→ Ardent, cit. 30), *dans telle disposition. Mettre en humeur** (cit. 34) *de... Mettre en fureur*, en furie*, en colère*, en courroux*, en boule* (fig.)... *Mettre en confiance, en défiance, en garde* (cit. 26, 28 à 30). *Mettre en grand trouble, en grand effroi. Mettre en peine, au désespoir... Mettre sa conscience en repos.* — *Mettre hors* de soi, hors de ses gonds.* ⇒ **Transporter.** *Mettre en appétit*.*

(Suivi d'un adv. ou d'un adj.). ⇒ **Rendre.** *Mettre qqn mal* à l'aise. Mettre qqn bien, mal, avec une autre personne. Mettre un boxeur knock-out** (cit.). — Pop. *Il l'a mise enceinte.* — Loc. *Mettre les bouchées* doubles.*

► SE METTRE v. pron.

♦ 1. (Sens réfl.). Venir occuper un lieu, une place. ⇒ **Placer** (se). *Se mettre à un endroit, se mettre à la fenêtre* (→ Accouder, cit. 2). *Mettez-vous ici, là, de ce côté*, du côté de...; dessus, dessous* (→ Cacher, cit. 28). *Se mettre subrepticement dans un endroit.* ⇒ **Glisser** (se). — *Se mettre dans un fauteuil confortable,* s'y asseoir. ⇒ **Carrer** (se), **installer** (s'). *Se mettre au lit* (cit. 10). ⇒ **Coucher** (se). → Machine, cit. 30. — Fig. *Se mettre dans de beaux draps*.* — *Se mettre à l'eau* (au propre et au fig.). — *Se mettre au vert*.* — Fig. *Se mettre dans la peau* de qqn, à sa place. Ils se mirent autour* (⇒ **Entourer, environner**) *deux personnes* (au fig. les séparer). → Chamaillerie, cit. *Se mettre sur les rangs** (→ Bon, cit. 25). *Se mettre (se jeter) aux pieds de qqn* (→ Main, cit. 104). — *Se mettre sur le chemin* de qqn* (fig.). *Mettez-vous à ma place** (fig.).

55   (...) je veux un homme (...) à qui je puisse dire : « Mettez-vous là, mon gendre, et dînez avec moi.   MOLIÈRE, le Bourgeois gentilhomme, III, 12.

Enfin le chien se mit dans le creux d'un vieux chêne,
Et l'écureuil plus haut grimpa pour se nicher.   FLORIAN, Fables, IV, 2.
Elle vint se mettre à côté d'elle, tout près, à toucher son coude.
J. GIONO, Jean le Bleu, VIII.

Par ext. *Se mettre à...* : s'asseoir devant. *Se mettre à table** (au fig. ⇒ **Table**). — *Se mettre au piano** (pour en jouer).
Loc. *Ne plus savoir où se mettre, où se fourrer* : être embarrassé, gêné (⇒ **Embarras, gêne, honte**). → 1. Cape, cit. 4. — Loc. *Ôte-toi de là que je m'y mette,* maxime du sans-gêne.

Elle me fait trembler dès qu'elle prend son ton ;
Je ne sais où me mettre, et c'est un vrai dragon (...)
MOLIÈRE, les Femmes savantes, II, 9.
(...) le libéralisme ne nous livrera plus de bataille rangée (...) il mine en dessous et se prépare à un complet *Ôte-toi de là que je m'y mette !*
BALZAC, les Employés, Pl., t. VI, p. 1044.

♦ 2. (Avec un nom de lieu indéterminé ou un nom abstrait). *Se mettre à l'abri** (cit. 6), *à couvert. Se mettre en condition** (cit. 29, 30) : se placer comme employé(e) de maison. *Se mettre au service de qqn.* — *Se mettre sous la dépendance*, sous la coupe* de... Se mettre dans une situation délicate, dans une sale affaire, dans un mauvais cas*.* (Cf. vulg. *Se mettre dans la merde*). *Se mettre hors du jeu, hors la loi.* ⇒ **Hors.** — *Se mettre de la partie*.* ⇒ **Part** (prendre), **participer.** — Absolt. *Tout le monde s'y met.*

Parbleu ! je me veux mettre aussi de la partie.   RACINE, les Plaideurs, II, 9.
L'homme ne sait à quel rang se mettre.   PASCAL, Pensées, VII, 427.
Ce fut une rumeur de blâme incroyable ; tout le monde s'y mettait.
ALAIN, Propos, 2 sept. 1913, L'anneau dans le nez.

Fig. *Se mettre avec qqn, du côté de qqn,* prendre son parti. *Se mettre du côté des innocents, des victimes* (→ Limiter, cit. 4).

Corbleu ! mon gendre, ne m'échauffez pas la bile : je me mettrais avec lui contre vous.   MOLIÈRE, George Dandin, I, 6.

(Au sens concret). *Se mettre avec qqn* (fam.), vivre avec lui. ⇒ **Concubinage.**

♦ 3. Prendre une position (construit surtout avec *à* et *en*). *Se mettre au garde-à-vous* (cit. 2); *à genoux* (cit. 23), *à deux genoux* (cit. 17). *Se mettre debout*. Se mettre en posture* (→ Cadet, cit. 1). *Escrimeur qui se met en garde.* — Fig. *Se mettre sur le pied* de...*

♦ 4. Devenir (en tel ou tel état physique). *Se mettre en sueur* (→ Essouffler, cit. 1), *hors d'haleine* (cit. 12). *Se mettre en forme*, en train*. Se mettre à l'aise*, à son aise.* — (Sujet n. de chose). *Le temps s'est mis au beau.*

Cela le contraignit à lancer son corps de côté pour ne pas perdre l'équilibre et à se mettre en diagonale, les deux pieds arc-boutés contre la porte (...)
J. GREEN, Léviathan, I, XI.
Le temps s'était mis brusquement au froid, un temps couleur de suie, sans un souffle de vent (...)   ZOLA, la Terre, I, 1.

Par ext. *Se mettre à la mode...* (→ Cajoler, cit. 7), *au goût* (cit. 50) *du jour.*

(En parlant de la mise, du vêtement). *Se mettre en habit, en chemise, en bras de chemise... Se mettre nu*, tout nu.* ⇒ **Dévêtir** (se). — Fam. *Se mettre à poil*.* — Absolt. ⇒ **Habiller** (s'). → Fagoter, cit. 3. — Loc. *Se mettre sur son trente-et-un* (⇒ **Habillement, mise, toilette**).

Voilà ce que c'est de se mettre en personne de qualité. Allez-vous-en demeurer toujours habillé en bourgeois, on ne vous dira point : « Mon gentilhomme ».
MOLIÈRE, le Bourgeois gentilhomme, II, 5.
Il se mettait maintenant si souvent en smoking, le soir (...)
MARTIN DU GARD, les Thibault, t. VI, p. 10.

Loc. fig. *Se mettre en quatre*.*

♦ 5. Devenir quant à l'état psychique, la situation... *Se mettre en colère* (cit. 2), *en courroux*.* — *Se mettre en devoir** (cit. 28) *de... Se mettre en frais*, en peine. Se mettre en garde contre...* — *Se mettre en liaison* (cit. 13), *en communication*.* — *Se mettre d'accord avec qqn. Se mettre dans son tort.*

Je me souviens de ce soir-là, je dansai beaucoup (...) Je ne pouvais tenir en place.   67
Je me mis en frais pour des gens que je ne connaissais ni d'Ève ni d'Adam, je bus plusieurs coupes de champagne (...)
Geneviève DORMANN, la Fanfaronne, p. 15.

(Suivi d'un adv.). *Se mettre bien, mal avec qqn.* ⇒ **Relation** (→ Attirer, cit. 45 ; homme, cit. 78). *Se mettre bien dans l'esprit* (cit. 62) *de quelqu'un.*

Absolt. *Il se met bien* (fam.) : il est dans une situation enviable, il ne regarde pas à la dépense, il ne se refuse rien (souvent ironique).

Un peu confuse, rougissante, elle finit par lâcher le total de la somme qu'elle avait dépensée, plus de trois cents francs. — Fichtre ! dit Roubaud saisi, tu te mets bien, toi, pour la femme d'un sous-chef (...)   ZOLA, la Bête humaine, I.
Je vendais des fleurs ici, dans une petite voiture verte. — Tu te mettais bien, dit Maurice.   SARTRE, le Sursis, p. 13.

♦ 6. SE METTRE EN... (suivi d'un subst. exprimant le mouvement). *Se mettre en chemin*, en route*.* ⇒ **Partir.** *Se mettre en marche*, en mouvement.* ⇒ **Animer** (s'), partir. *Se mettre en campagne** (cit. 8), *en chasse* (cit. 4), *en quête*...*

♦ 7. SE METTRE À... : commencer à faire. — *Se mettre au travail** (→ Librairie, cit. 2), *à l'étude* (→ Ardeur, cit. 46), *au jeu* (→ Gant, cit. 5). *Se mettre à la culture, à la terre* (→ Abattre, cit. 5). *Se* *mettre à l'œuvre**, *à l'ouvrage**. *Se mettre au latin, aux mathé-matiques.* ⇒ **Apprendre.** *Se mettre au courant, au fait.* — S'appli-quer, prendre goût à... *Jusqu'alors il ne mordait pas au latin, aux maths, maintenant il s'y met. Il commence à s'y mettre.* ⇒ **Com-prendre.**

Je ne me suis mis à l'anglais que très tard (...) GIDE, Ainsi soit-il, p. 75.

Accepter un état, un genre de vie nouveau. *Se mettre au régime, à la diète, à l'eau...*

(...) je me mis à l'eau, et si peu discrètement, qu'elle faillit me guérir, non de mes maux, mais de la vie. ROUSSEAU, les Confessions, VI.

(Suivi d'un inf.). Commencer. *Se mettre à faire qqch.* (→ Abusif, cit. 2; feu, cit. 53). *Se mettre à sourire* (→ Aimer, cit. 50), *à rire, à geindre* (cit. 7), *à crier* (→ Frémir, cit. 12), *à hurler* (cit. 18), *à pleurer* (→ Inviter, cit. 5). ⇒ **Prendre** (se prendre à). *Se mettre à manger* ⇒ Assiette, cit. 17). *Elle s'était mise à courir.* — Ellipt. *S'y mettre* (→ Fin, cit. 2). *Il va falloir s'y mettre* (au travail, à travailler). *Quand il s'y met...* (→ Féroce, cit. 7).

Je ne vous écris pas souvent; mais vous m'avouerez que quand je m'y mets, ce n'est pas pour peu. Mme DE SÉVIGNÉ, 1001, 25 oct. 1686.

(...) le diable sait ce que peut chuchoter la chronique de New York, quand elle s'y met (...) COLETTE, Belles saisons, p. 119.

Impers. *Il se met à faire beau, à pleuvoir.*

Par ext. *Se mettre à deux, à dix... pour faire qqch., pour porter un fardeau.*

♦ **8.** (Sens passif). Se placer, s'introduire... *Grain* (cit. 15), *gravier qui se met dans un conduit.* — Par ext. *Les vers s'y sont mis.* — Fig., impers. *« Il se met d'étranges folies dans la tête des hommes »* (Molière, *Dom Juan,* III, 1).

(...) deux mois après la gangrène s'y mit (...) Mme DE SÉVIGNÉ, 844, 21 août 1680.

(...) c'est de la prose où les vers se sont mis. RIVAROL, Rivaroliana, II.

Objets qui doivent se mettre dans un certain ordre. ⇒ **Arranger** (s'), **ranger** (se). — Par ext. *Ce n'est pas là que ça se met, que cela doit se mettre* (→ Écureuil, cit. 1).

♦ **9.** (Récipr.). *Se mettre d'accord**. Fam., absolt. *Qu'est-ce qu'ils se mettent!* (comme coups). *Se mettre sur la gueule :* se battre.

♦ **10.** SE METTRE... (suivi d'un compl. d'objet dir.) : mettre à soi. *Se mettre un sac sur le dos.* — Fig. *Se mettre le doigt* dans l'œil* (pour : mettre son doigt...). — (En parlant de la nourriture) *S'en mettre jusqu'aux yeux, plein la lampe...*

Fig. *Se mettre* (une idée...) *dans la tête, en tête**. *Mettez-vous bien ça dans la tête.* ⇒ **Enfoncer** (s'). — *Se mettre une fantaisie dans la cervelle* (cit. 3), *une crainte dans l'esprit* (cit. 59).

Se mettre (qqn) *à dos*, le fâcher*, l'indisposer* contre soi.*

Se mettre de l'encre sur les doigts, aux doigts. Il est tombé dans la boue, il s'en est mis partout...

Gilieth lui caressa le menton et, machinalement, les cheveux sur les tempes. Il se mit du henné au doigt (...) P. MAC ORLAN, la Bandera, XII.

Spécialt. *Se mettre une couronne.* ⇒ **Couronner** (se). — Pop. *Se mettre la ceinture**. — *Se mettre de la poudre, du rouge* (→ Far-der, cit. 7). — *Sa femme se plaint de n'avoir rien à se mettre* (pour s'habiller décemment, à son goût).

Vulg. (euphém. pour : *au derrière, dans le cul*). *Tu peux te le mettre quelque part* (formule de mépris → Tu peux te torcher* avec) : *çà ne m'intéresse pas, je méprise cela.* ⇒ **Foutre** (je m'en fous).

Et Hitler, la France, si vous voulez mon avis, il se la met quelque part. J. DUTOURD, Au bon beurre, p. 83.

▶ **MIS, MISE** [mi, miz] p. p. adj.

♦ **1.** Placé dans un lieu. *Objet mis dans un endroit, quelque part. Mot mis en bonne place* (→ Juste, cit. 21). — Par ext. *Mis en croix* (cit. 4). — Absolt. *Le couvert* est mis, la table est mise.*

Placé dans une position. *Mis debout. Mis bout* (cit. 15) *à bout.*

♦ **2.** Par ext. *Mis à jour**. — *Mis dans telle situation, tel état...*

♦ **3.** Changé, transformé. *Viande mise en morceaux* (→ Friand, cit. 4). *Mis en pièces**. — *Canons* (cit. 3) *mis en batterie.*

Mis en mouvement*, en train*. — *Moyens mis en œuvre**. — *Mis en joie* (cit. 16), *en colère... Femmes mises à mal** (cit. 37 et 40).

♦ **4.** (Personnes). Habillé. ⇒ **Habillé, vêtu** (→ Commis, cit. 2; fan-taisie, cit. 10). *Mis sans soin* (→ 2. Air, cit. 11). *Bien mis* (→ Bro-derie, cit. 1; gaillard, cit. 79). *Comme vous voilà mis!* ⇒ **Fait** (→ Faire, *supra* cit. 262).

Cette demoiselle, grande Franc-Comtoise, fort bien faite, et mise comme il le faut pour faire valoir un café (...) STENDHAL, le Rouge et le Noir, I, XXIV.

(...) elle peut, quoique simple ouvrière, être mise avec une certaine élégance et ne guère différer des filles de bourgeois (...) Th. GAUTIER, la Toison d'or, *in* Fortunio...

(...) elle fut interrompue par l'entrée brusque de Nénesse, mis comme un garçon de la ville, en veston et en pantalon de fantaisie (...) ZOLA, la Terre, IV, I.

(...) il était mis avec un soin prétentieux : costume de flanelle, gants clairs, escar-pins blancs, nœud de cravate bleu pâle (...) R. ROLLAND, Jean-Christophe, Le matin, p. 149.

CONTR. Enlever, ôter, soustraire.
DÉR. Mettable, mettage.
COMP. Démettre, remettre. — V. aussi Admettre, commettre, omettre, pro-mettre, soumettre.
HOM. Mètre, maître. — (Formes autres que l'inf.) Mais, mets. — Mi.

MÉTURE [metyʀ] n. f. — 1874; gascon *mesturo,* même sens; *méture* (1861), *mesture,* mot dial. au sens de «son, méteil», représen-tent l'anc. franç. *mesture* (cf. *pain de mesture* [XIVe]), l'anc. provençal *mestura* (XIIe); lat. *mixtura* «mélange» (→ Mixture; et aussi meteil), de *mixtus.*

♦ Régional. Pain fait d'un mélange de farines (blé, seigle, maïs).

Elle avait coupé une tranche de méture et la trempait dans le bol de lait qu'elle tenait serré entre ses deux genoux. Pierre BENOIT, Mlle de la Ferté, p. 40.

MEUBLANT, ANTE [mœblɑ̃, ɑ̃t] adj. — XIIIe; p. prés. de *meubler.*

♦ Vx. ou dr. (ou techn. : ameublement). Qui est propre à meubler, qui peut s'employer pour l'ameublement. *« Le damas est bien meu-blant, est une étoffe bien meublante »* (Académie). — Spécialt. (Dr.). *Meubles meublants.*

Les mots *meubles meublants* ne comprennent que les meubles destinés à l'usage et à l'ornement des appartements, comme tapisseries, lits, sièges, glaces, pendules, tables, porcelaines et autres objets de cette nature. Les tableaux et les statues qui font partie du meuble d'un appartement y sont aussi compris, mais non les col-lections de tableaux qui peuvent être dans les galeries ou pièces particulières. Il en est de même des porcelaines : celles seulement qui font partie de la décoration d'un appartement sont comprises sous la dénomination de *meubles meublants.* Code civil, art. 534.

MEUBLE [mœbl] adj. et n. m. — XIIe, *mueble;* du lat. pop. *mobilis,* avec o bref (o long en lat. class.) → Mobile.

★ **I.** Adj. ou n. ♦ **1.** Vx. Qu'on peut mouvoir, remuer, changer de place. — Dr. (Opposé à *immeuble* (cit. 1), à *immobilier*). Qui peut être déplacé, ou qui est réputé tel par la loi. *Biens** (→ 2. Bien, cit. 57) *meubles* (⇒ **Effet** : effets mobiliers) *par nature* (animaux, mobilier, navires, matériaux de construction ou de démolition, mar-chandises... Cf. Code civil, art. 528, 531, 532), *par la détermina-tion de la loi* (créances, rentes, actions des sociétés, fonds de com-merce, droits d'auteur, offices ministériels... → Exigible, cit. 1 et cf. Code civil, art. 529). *Biens immeubles déclarés meubles* (⇒ **Mobi-lisation, mobiliser**), *qui deviennent meubles* (→ Fur, cit. 2). — N. m. (XIIIe). *Le meuble :* l'ensemble des biens meubles (de qqn). ⇒ **Mobi-lier.**

♦ **2.** N. (Vx ou dr.). *Un meuble :* un bien meuble. *N'avoir que son habit pour tout meuble et immeuble.* ⇒ **Fortune** (→ Engager, cit. 1, Regnard). *Meubles corporels, incorporels. Meubles dans la com-munauté* (⇒ **Conquêt,** cit.), *dans le patrimoine. Inventaire* (→ État, cit. 65), *saisie exécutoire* (cit. 3) *des meubles. « En fait de meu-bles, possession* vaut titre »* (Code civil, art. 2279). *« Meubles n'ont pas de suite pour hypothèque* ».*

Le mot *meuble,* employé seul dans les dispositions de la loi ou de l'homme, sans autre addition ni désignation, ne comprend pas l'argent comptant, les pierreries, les dettes actives, les livres, les médailles, les instruments des sciences, des arts et métiers, le linge de corps, les chevaux, équipages, armes, grains, vins, foins, et autres denrées; il ne comprend pas aussi ce qui fait l'objet d'un commerce. Code civil, art. 533.

♦ **3.** Cour. *Sol, terre meuble,* qui se laboure, se fragmente aisément (→ 1. Dégrader, cit. 6; espalier, cit. 1). — Géol. *Dépôts de calcai-res meubles* (→ Falun, cit.). *Le lœss* (cit. 2), *roche meuble.*

(...) quelques terres meubles ou argileuses (...) une croûte de quelques pouces où la culture pouvait mordre (...) BALZAC, le Curé de village, Pl., t. VIII, p. 677.

★ **II.** N. m. (XVIe). ♦ **1.** Vx. Ce qui est destiné au service d'une mai-son, et, par ext. (dans un sens très général), Objet ou ensemble d'objets utiles. *« Ce couteau à plusieurs lames est un meuble fort commode »* (Littré). *« Vous devriez brûler tout ce meuble inutile »* (→ Livre, cit. 5, Molière). — Par métaphore. *« La vertu sans l'argent* (cit. 26) *est un meuble inutile »* (Boileau).

Votre service est médiocre, c'est l'affaire d'un clin d'œil; il s'agit de frotter et net-toyer trois fois la semaine cet appartement de six pièces; de faire nos lits (...) et d'employer quatre ou cinq heures par jour à faire du linge, des bas, des bonnets et autres petits meubles de ménage. SADE, Justine..., t. I, p. 29.

♦ **2.** (Dès le XVIIe et par restriction du sens 1). Mod., cour. Objet mobile de formes rigides, reposant généralement sur le sol, concou-rant à l'aménagement de l'habitation, des locaux privés ou publics. *Les meubles avaient à l'origine une destination essentiellement pra-tique, mais sans fonction technique.* ⇒ **Ameublement, mobilier.**

Principaux meubles. ⇒ **Armoire, bahut, buffet, commode, lit, siège, table** (→ Fauteuil, cit. 2; huche, cit. 1). *Meubles meublants*. Meu-bles d'ornement, d'appui* (⇒ **Console**), *de rangement* (⇒ **Argentier, chapier, chiffonnier, coffre** [cit. 1], **coffret, dressoir, étagère, médail-lier, vaisselier, vide-poches**), *de repos* (⇒ **Canapé, divan, lit**), *de toi-lette. Meubles d'antichambre* (⇒ **Porte-chapeaux, portemanteau**),

de bureau (⇒ **Armoire, bibliothèque, bac, bureau, cartonnier, casier, classeur, fichier, secrétaire, serre-papiers**), *de cuisine* (⇒ **Garde-manger, panetière** [vx]; *et aussi* **ustensile**). *Meubles de salle à manger* (⇒ **Crédence, desserte, servante, table ; chaise**), *de salon... Meuble de coin* (⇒ **Encoignure**), *en écoinçon. Meuble mural.* — *Meubles divers, spéciaux.* ⇒ **Bar, cabaret, jardinière, paravent, prie-Dieu, travailleuse.** *Meuble de radio, de télévision :* menuiserie entourant (parfois cachant) le poste*. *Meuble combiné avec radio et chaîne haute fidélité, avec télévision et magnétoscope. Meubles de jardin en rotin, en vannerie.* — *Meubles scolaires.* ⇒ **Case, pupitre.**
Fabrication des meubles (⇒ **Ébénisterie, menuiserie**). *Menuisier en meubles, qui fait des meubles. Meuble en bois* blanc, en contre-plaqué, en chêne, en laque, en ronce de noyer.* ⇒ **Bois.** *Chambre garnie* (cit. 10) *de meubles d'acajou.* ⇒ **Meubler.** *Placages* de meubles en loupes* (cit. 3) *de noyer. Meubles cirés, vernis, en marqueterie. Tapissier* qui capitonne un meuble. Marchand de meubles d'occasion.* ⇒ **Brocanteur, fripier** (cit. 4), **revendeur.** *Acheter des meubles pour son appartement, sa maison.* ⇒ **Meubler** (se). *L'antiquaire* vend des meubles anciens. Meubles de l'époque Louis XV* (→ Composite, cit. 2), *de style Régence* (→ Ligne, cit. 14). *Meuble Louis XV, Empire* (cit. 17). *Meuble estampillé par un grand ébéniste. Meubles de Boulle*, Meubles rustiques. Meubles anciens, patinés* (→ Couloir, cit. 1) *et luisants* (cit. 3 ; → Luire, cit. 5). *Vieux meubles boiteux, écornés* (→ Écorner, cit. 2), *de rebut.* — *Meubles métalliques de bureau, de clinique. Meuble-caisse,* fabriqué par assemblage de panneaux. — *Meuble à abattants, à tirettes, à tiroirs. Meuble escamotable, pliant, transformable.* — *Corniche, couronnement d'un meuble. Meuble à trois pieds* (⇒ **Trépied**), *à pieds de biche.* — *Encoller, entretenir, réparer, replanir un meuble. Cirer, encaustiquer, essuyer* (cit. 7), *frotter* (cit. 2) *les meubles. Mettre un meuble au garde*-meuble. Déménager* (⇒ **Démeubler**), *déplacer les meubles d'une pièce* (→ Arrangement, cit. 9). *Emménager* ses meubles. Licitation* (cit.), *vente aux enchères de meubles.*

3 Quant à nos misérables meubles de bois plaqué, à tous ces pauvres coffres si nus, si laids, si mesquins, que l'on appelle commodes ou secrétaires, tous ces ustensiles informes et fragiles, j'espère que le temps en aurait assez pitié pour en détruire jusqu'au moindre vestige.
    Th. GAUTIER, Mlle de Maupin, Préface, p. 35.
4 La vaste pièce, à deux fenêtres (...) avec ses meubles de noyer, son lit drapé de cotonnade rouge, son buffet à dressoir, sa table ronde, son armoire normande.
    ZOLA, la Bête humaine, I.
5 Et les meubles se disposaient d'eux-mêmes dans les pièces où Gilles et ses amis couchaient ; çà et là, des sièges seigneuriaux à dosserets, des escabelles et des chaires ; contre les cloisons, des dressoirs en bois sculpté (...) des coffres couverts de cuir de truies, cloutés et ferrés (...) des bahuts à pentures de métal (...)
    HUYSMANS, Là-bas, VIII.
5.1 Le bois, débité en planches, ne manquait pas dans le magasin, et, peu à peu, on compléta le mobilier, en tables et en chaises, solides à coup sûr, car la matière n'y fut pas épargnée. Ces meubles, un peu lourds, justifiaient mal leur nom, qui fait de leur mobilité une condition essentielle, mais ils firent l'orgueil de Nab et de Pencroff, qui ne les auraient pas changés contre des meubles de Boulle.
    J. VERNE, l'Île mystérieuse, t. I, p. 286.
5.2 En un temps où les meubles entraient peu à peu dans une maison selon que celui qui l'habitait les trouvait jolis, les trouvait beaux ou savait que ses parents, ses collègues, les gens de sa classe ou de sa fortune avaient l'habitude de les trouver beaux et de les rechercher, la nuance d'un rideau, la forme d'une chaise, les ornements d'une pendule n'étaient pas choses indifférentes, parce qu'elles semblaient choisies pour ainsi dire par une personne, et une simple chaise pouvait devenir auguste puisque c'était en quelque sorte, conduisant de son geste immense le faible bras d'un homme, toute une époque qui l'avait portée là. Assemblés autour de chaque famille, les meubles semblaient l'entourer des instruments de ses plaisirs, des images de ses goûts, des symboles de son temps.
    PROUST, Jean Santeuil, Pl., p. 434.
6 Un beau mangeur dut choisir autrefois, pour cette salle à manger rectangulaire, les grandes glaces Louis XVI et les meubles anglais de la même époque, dressoirs aérés, desserte haute sur pieds, chaises maigres et solides, le tout d'un bois presque noir, à guirlandes minces.
    COLETTE, Chéri, p. 18.
Loc. *S'installer, se mettre, être, vivre dans ses meubles,* dans un appartement, une maison qu'on meuble ou qu'on a meublée soi-même, à ses frais et selon ses goûts (par oppos. à *garni,* à *meublé*).
7 (...) Mme Dupin, apprenant que je cherchais à me mettre dans mes meubles, m'aida de quelques secours pour cela.
    ROUSSEAU, les Confessions, VIII.
8 Elle la rencontra devant sa maison, jetée elle aussi sur le pavé par son propriétaire, qui venait de faire poser un cadenas à sa porte, contre tout droit, puisqu'elle était dans ses meubles (...)
    ZOLA, Nana, VIII.
Mettre une femme dans ses meubles : l'installer dans un logement dont on lui achète les meubles, et l'y entretenir.
Loc. fig. *Faire partie des meubles* (souvent en parlant d'un être vivant) : être parfaitement intégré, appartenir depuis très longtemps à un groupe, une collectivité, un lieu.
Sauver les meubles : préserver l'indispensable, l'essentiel (lors d'un désastre, d'une déconfiture...)
8.1 (...) lui, Debu, pouvait sauver les meubles, par bonté d'âme, pour limiter les dégâts, simplement.
    Pierre GOMBERT, le Prix d'un taxi, p. 119.
♦ **3.** Au sing. collectif. [a] Vx ou dr. (→ Meublant, cit.). «Toute la garniture d'un appartement, d'une chambre, d'un cabinet, etc., comme tapisseries, lits, sièges, etc., principalement lorsqu'elle est assortie pour les formes et les couleurs» (Académie, 8e éd., qui ne mentionne pas le vieillissement de ce sens). ⇒ **Ameublement, mobilier.**
9 Tendu de damas bleu et blanc, jadis l'étoffe d'un grand lit d'honneur, ce salon, dont le meuble en vieux bois doré était garni de la même étoffe (...)
    BALZAC, Un début dans la vie, Pl., t. I, p. 675.

(Son) ambition (...) eût été de pouvoir acheter un meuble de salon en velours d'Utrecht jaune à rosace et en acajou à cou de cygne avec canapé.
    HUGO, les Misérables, I, I, VI.

[b] Cour. Commerce, fabrication des meubles. *Travailler dans le meuble. Il est dans le meuble.*

♦ **4.** Blason. Nom héraldique de tout objet figuré sur l'écu. *Partitions et meubles de l'écu.*

CONTR. **Bien-fonds, immeuble.**
COMP. et DÉR. **Ameublir, immeuble, meubler.**
HOM. Formes du v. **meubler.**

MEUBLER [mœble] v. tr. — XIIIe ; de *meuble.*

♦ **1.** Vx. Équiper, pourvoir.

♦ **2.** (XIVe). Mod. Garnir de meubles. *Meubler une chambre pour la louer* (→ Concierge, cit.1). — (Sujet n. de choses). Constituer les meubles de... — Par ext. (en parlant de tous les objets d'ameublement). *Tentures de brocart qui meublent un salon.*
(...) l'unique chaise qui meublait sa cellule avec un lit de camp, une table et une armoire en bois blanc qui ressemblait à un buffet de cuisine.
    P. MAC ORLAN, la Bandera, XVIII.

♦ **3.** (Sujet n. de chose). Garnir, décorer, faire l'effet d'un meuble. — Absolt. *Cretonne qui meuble bien,* qui fait bel effet comme tissu d'ameublement*. ⇒ **Meublant.**

♦ **4.** Fig. Remplir* ou orner. «*L'illusion* (cit. 31), *cette espèce de nuit que nous meublons de songes*» (Balzac). *Meubler sa mémoire.* ⇒ **Enrichir.** — *Meubler sa solitude, ses loisirs avec quelques bons livres.* ⇒ **Occuper.** *Les rêveries meublent son imagination.*
(...) le soin et la dépense de nos pères ne vise qu'à nous meubler la tête de science ; du jugement et de la vertu, peu de nouvelles.
    MONTAIGNE, Essais, I, XXV.
Si l'on devait, comme les propriétaires, rester à la campagne, on meublerait son ennui de quelque passion pour les lépidoptères, les coquilles, les insectes, ou la Flore du département (...)
    BALZAC, les Paysans, Pl., t. VIII, p. 29.
La mémoire ne meuble pas seulement l'intelligence, elle l'aiguise.
    Léon DAUDET, la Femme et l'Amour, VI.

Absolt. Occuper le temps, notamment, occuper les temps de silence en parlant.
(...) il ne fut, de la gare à la maison, guère bavard. Je dus meubler. J'avais préparé une homélie sur la nécessité d'une révision complète.
    Hervé BAZIN, Au nom du fils, p. 146.   4

▶ SE MEUBLER v. pron.

♦ **1.** Acquérir des meubles. *Manquer d'argent pour se meubler.* ⇒ **Installer** (s'). — (Avec un compl. dir.). *Se meubler un appartement, deux pièces.*
Élisabeth se meubla une chambre de style Louis XVI.
    COCTEAU, les Enfants terribles, p. 146.

♦ **2.** Recevoir des meubles. *Cette pièce ne se meuble pas vite.*

♦ **3.** Fig. *Se meubler l'imagination.*

▶ MEUBLÉ, ÉE p. p. adj. et n. m.

♦ **1.** *Boudoir meublé avec élégance* (→ Galant, cit. 7). *Galetas* (cit. 2) *pauvrement meublé. Rez-de-chaussée meublé en garçonnière* (cit. 4), *selon le goût* (cit. 49) *chinois. Cabinet meublé d'un mobilier en imitation* (cit. 20) *de Boulle.*
Il trouva charmante la salle à manger qui était hideuse, meublée d'une vieille table ronde, d'un buffet bas, que surmontait un miroir penché, aux cadre vermoulu et de quelques chaises (...)
    HUGO, les Misérables, IV, XV, I.
L'employé de mairie habitait deux pièces, meublées très sommairement.
    CAMUS, la Peste, p. 43.

Absolt. Qui est loué avec tous les meubles, ustensiles et parfois même le linge nécessaire. *Louer* (→ 2. Louer, cit. 9) *un appartement, un cabinet, une chambre meublée.* ⇒ **Garni.** — Vx. *Hôtel* (cit. 2, 9) *meublé. Maison* meublée. — Mod. *Location meublée.* — N. m. (1922). *Locataire principal qui sous-loue un meublé.* ⇒ **Logeur** (→ aussi Habitation, cit. 4). *Habiter, vivre en meublé.*
Ce *meublé,* au premier étage, est une maison de passe, mais au second, où les chambres sont assez basses de plafond, c'est tout simplement un hôtel où on loue au mois et à la semaine, à des prix assez raisonnables, des pièces malsaines et mesquines avec l'eau courante chaude et froide, et l'électricité.
    ARAGON, le Paysan de Paris, p. 21.
(...) si le pavillon de Racine, l'imprimerie de Balzac, l'atelier de Delacroix, le «meublé» où mourut Oscar Wilde sont toujours à leur place, la maison de Baudelaire (...) a disparu.   8
    Francis CARCO, Nostalgie de Paris, p. 49.

♦ **2.** (Personnes). Qui a des meubles. *Une vieille dame richement meublée* (→ Important, cit. 15).
Les Orientaux, bien que très voluptueux, sont tous logés et meublés simplement. Ils regardent la vie comme un voyage, et leur maison comme un cabaret.
    ROUSSEAU, Émile, IV.
(...) une ancienne amie, qu'il voyait encore de temps à autre (...) une fille très chic, meublée en palissandre (...)
    ZOLA, l'Assommoir, t. II, VIII, p. 8.

♦ 3. Fig., fam. *Une cave bien meublée,* bien garnie. — Loc. vieillie. *Avoir la bouche bien meublée,* pourvue de belles dents.

CONTR. Démeubler.
DÉR. Meublant.
COMP. Ameublement, démeubler, remeubler.
HOM. V. Meuble.

MEUGLEMENT [møgləmã] n. m. — 1539 ; de *meugler.*

♦ Cri sourd et prolongé (des bovins). ⇒ **Beuglement, mugissement.** *Le meuglement d'une génisse* (cit. 1).

(...) les prairies où paissaient les vaches bigarrées, dont les meuglements lents remplissaient le silence de la campagne assoupie.
R. ROLLAND, Jean-Christophe, Antoinette, p. 836.

MEUGLER [møgle] v. intr. — 1539 ; altér. par onomat. de *beugler.*

♦ Crier, pousser des meuglements, en parlant des bovins. ⇒ **Beugler, mugir.** *Vaches qui meuglent* (→ Lent, cit. 2).

(...) la vache s'agitait, se battait de sa queue en meuglant (...)
ZOLA, la Terre, I, I.

(XIXᵉ). Trans. Fig. *Meugler des ordres incompréhensibles.* ⇒ **Beugler, mugir.**

DÉR. Meuglement.

MEULAGE [møla3] n. m. — V. 1900 ; de 1. *meule.*

♦ Techn. et cour. Opération d'ajustage par friction d'une meule rotative. *Meulage d'une couronne dentaire.*

MEULARD [mølaʀ] n. m. — 1803 ; de 1. *meule.*

♦ Régional, techn. Grosse meule à émoudre. ⇒ **Meularde.**

MEULARDE [mølaʀd] n. f. — 1723 ; «meule de moulin», 1740 ; de 1. *meule.*

♦ Régional, techn. Petit meulard*.

DÉR. Meulardeau.

MEULARDEAU [mølaʀdo] n. m. — 1723 ; de *meularde.*

♦ Régional, techn. Meule de taillandier.

1. MEULE [møl] n. f. — 1170, *muele* ; lat. *mola.*

♦ 1. Cylindre* massif de forme aplatie, généralement en pierre ou en métal, servant à broyer, à moudre (⇒ **Broyeur, concasseur**). *Meules de moulin* en pierre meulière, en silex meulier, en acier cannelé.* — Techn. *Meule gisante,* qui reste fixe. *Meule courante ou traînante,* qui repose sur la première. *Traquet* qui pousse le grain sous la meule. Cerce* des meules. Retailler, ribler une meule.* — *Ronflement de la meule qui tourne* (→ Bourdonnement, cit. 2 ; farine, cit. 2). *Meule en bois d'un pressoir à cidre. Moulage à la meule.* — *Tourner la meule* (→ Froment, cit. 6). — Antiq. *Esclave condamné à tourner la meule* (→ aussi Esclavage, cit. 13). — Par métaphore → cit. Michelet :

Ce mot profond du moyen âge, si vrai en morale, l'est en politique : « Le cœur de l'homme est une meule qui tourne toujours ; si vous n'y mettez rien à moudre, il risque de se moudre lui-même. »
MICHELET, Hist. de la Révolution franç., VIII, VII.

Et nous avions tous des larmes dans les yeux de voir le pauvre vieux se démener de droite et de gauche, éventrant des sacs, surveillant la meule, tandis que le grain s'écrasait et que la fine poussière de froment s'envolait au plafond.
Alphonse DAUDET, Lettres de mon moulin, « Le secret de Maître Cornille ».

Les quatre châssis qui formaient les ailes avaient été solidement implantés dans l'arbre de couche, de manière à faire un certain angle avec lui, et ils furent fixés au moyen de tenons de fer. Quant aux diverses parties du mécanisme intérieur, la boîte destinée à contenir les deux meules, la meule gisante et la meule courante, la trémie, sorte de grande auge carrée, large du haut, étroite du bas, qui devait permettre aux grains de tomber sur les meules, l'auget oscillant destiné à régler le passage du grain (...), et enfin le blutoir, qui, par l'opération du tamisage, sépare le son de la farine, cela se fabriqua sans peine.
J. VERNE, l'Île mystérieuse, t. II, p. 534.

♦ 2. Techn. et cour. Disque en grès ou en matière abrasive* à grains très fins, servant à aiguiser (⇒ **Affiloir**), à polir (⇒ **Aléseuse**). *Polissoir* à deux meules. Meule en corindon, en émeri. Affûter un couteau sur la meule.* ⇒ **Émoudre.** *Meule en caoutchouc pour polissage fin. Meule à pédale du rémouleur*. Œil, œillard, rabat*-eau ; ripe* d'une meule.*

(...) il y a (...) la machine à aiguiser avec sa lourde meule, en grosse pierre épaisse et ses solides montants de bois qui ne doivent pas trembler quand Gédémus pédale et que la pierre tourne.
J. GIONO, Regain, I, III.

Spécialt. *Meule* (de dentiste), servant à modifier par abrasion la forme d'une dent.

Argot. Dent. *Affûter ses meules* (⇒ **Manger**).

♦ 3. Grand fromage en forme de disque épais. *Une meule de gruyère.*

♦ 4. (V. 1970). Fam. (argot des motards). Motocycle, motocyclette, moto. *Il s'est fait piquer sa meule.* ⇒ **2. Moto.**

DÉR. Meulage, meulard, meularde, meuler, meulerie, meuleton, 1. meulier, 2. meulier. — (Du même rad.) Molaire, molette.
HOM. 2. Meule. — Formes du v. meuler.

2. MEULE [møl] n. f. — 1170, *moule* ; p.-ê. extension métaphorique de 1. *meule,* ou (P. Guiraud) p.-ê. du lat. *mŏles* «masse», avec infl. de 1. *meule.*

♦ 1. Amas, gros tas de foin, de gerbes (cit. 2) d'avoine, de blé (⇒ **Gerbier**)... dressé après la fenaison ou la moisson, et recouvert d'un toit de chaume pour protéger le fourrage ou les grains des intempéries (→ Javelle, cit. 2). *Meule ronde,* en forme de tronc de cône renversé, surmonté d'un cône. *Meule rectangulaire.* (⇒ **Barge**). *Monter une haute meule de paille.* ⇒ 1. **Pailler.** *Se coucher* (cit. 18) *au pied d'une meule.* — *Mettre* (une céréale, du foin) *en meules.* ⇒ **Ameulonner.**

Dans les prés, au bord de l'Aigre, Jean et ses deux faneuses avaient commencé la première meule. C'était Françoise qui la montait. Au centre, posé sur un mulon *(meulon)* elle disposait et rangeait en cercle les fourchées de foin que lui apportaient le jeune homme et Palmyre. Et, peu à peu, cela grandissait, se haussait, elle toujours au milieu, se remettant ⇒ des bottes sous les pieds, dans le creux où elle se trouvait, à mesure que le mur, autour d'elle, lui gagnait les genoux. La meule prenait tournure. Déjà, elle était à deux mètres (...)
ZOLA, la Terre, II, IV.

♦ 2. Techn. Tas de bois recouvert d'herbe ou de feuillage, et qu'on carbonise en forêt pour la fabrication du charbon de bois. *Les meules d'une charbonnière*.*

Maintenant (...) on allait allumer la meule neuve (...) Déjà, d'un bond léger, le gars avait sauté au faîte. Il retirait le piquet vertical, la clé qui bouche la cheminée. Il se penchait un peu, debout dans la feuille et les mousses, pour prendre les tisons tendus : trois ou quatre tisons sur le fer de la pelle. Une secousse du poignet, et déjà c'était fait, les charbons rouges avaient coulé au fond (...) Ils écoutaient ce grillotement imperceptible, ce pétillis follet qui jouait aux entrailles de la meule, puis ce craquement, cet autre (...)
M. GENEVOIX, Forêt voisine, XIII.

♦ 3. Agric. Tas de fumier provenant des couches à champignons ; la champignonnière elle-même.

♦ 4. Fam. (Du sens 1, par anal. de forme). Fesse. ⇒ **Miche.**

Bérurier qui s'est entièrement récupéré, marche au groupe. Il balance un coup de saton (pied) dans les meules du comte.
SAN-ANTONIO, Remets ton slip, gondolier !, p. 137.

DÉR. et COMP. Ameulonner. — Meulette, meulon.
HOM. 1. Meule ; formes du v. meuler.

MEULER [møle] v. tr. — V. 1900 ; var. *mouler,* 1765 ; de 1. *meule.*

♦ Passer, dégrossir à la meule (1. Meule).

DÉR. Meuleuse.
HOM. Voir 1. meule, 2. meule, 1. meulier, 2. meulier, meulon.

MEULERIE [mølʀi] n. f. — 1642 ; *molerie,* 1462 ; de 1. *meule.*

♦ Atelier de fabrication de meules à moudre.

MEULETON [møltɔ̃] n. m. — Mil. XXᵉ ; de *meule,* et suff. *-eton.*

♦ Techn. Petite meule. — Spécialt. Petite meule (1. Meule) utilisée dans le broyage des vieux papiers (fabrication de la pâte à papier). — Meule de finition pour l'amiante-ciment.

MEULETTE [mølɛt] n. f. — 1611 ; de 2. *meule.*

♦ Agric. Petite meule (de foin, de paille).

MEULEUSE [møløz] n. f. — XXᵉ ; de *meuler.*

♦ Techn. Machine à meuler.

1. MEULIER [mølje] n. m. — XIIIᵉ ; de 1. *meule.*

♦ Techn. Ouvrier qui fabrique les meules* (1. Meule) à moudre des moulins.

HOM. 2. Meulier ; forme du v. meuler.

2. MEULIER, IÈRE [mølje, jɛʀ] adj. et n. f. — 1566 ; n. f., fin XVᵉ ; de 1. *meule.*
Technique.

♦ 1. Qui a rapport aux meules à broyer, sert à les fabriquer. → 1. Meule. *Silex meulier.*

♦ 2. *Pierre meulière,* et, n. f., *meulière.*

a Pierre à surface rugueuse, variété de roche* siliceuse employée en maçonnerie*.

Toutes les maisons sont bâties en pierres meulières trouées comme des éponges par les vrilles et les limaçons marins.
NERVAL, les Filles du feu, « Angélique », XII.

b N. f. Carrière* de pierre meulière. *Les meulières d'Île-de-France. Exploiter une meulière.*

DÉR. Meuliérisation.
HOM. 1. Meulier ; forme du v. meuler.

MEULIÉRISATION [møljeʀizasjõ] n. f. — 1963 ; de *meulière*. → 2. Meulier (2.).

♦ Géol. Formation de pierres meulières* (2. Meulier).

MEULON [mølõ] n. m. — 1530 ; *mulon*, XIIIᵉ ; anc. franç. *muillon*, du lat. pop. *mutulio*, par croisement avec 1. *meule* ; de 2. *meule*.

♦ **1.** Régional. ⇒ 2. **Meule.**

♦ **2.** Petite meule, et, spécialt, petite meule de fourrage élevée dans un pré avant la confection des grandes meules ou le transport du foin dans les granges.

♦ **3.** (1690). Techn. Tas de sel extrait d'un marais* salant et recouvert d'argile.

HOM. Voir Meuler.

MEUNERIE [mønʀi] n. f. — 1767 ; du rad. de *meunier*, et suff. *-erie*.

♦ **1.** Industrie de la fabrication des farines (⇒ **Minoterie**) ; commerce du meunier. *Installation de petite, de moyenne meunerie.* ⇒ **Moulin.** *Opérations de meunerie :* blutage, broyage, convertissage, nettoyage, sassage (ou sassement)... ⇒ aussi **Mouture.** *Appareils, matériel de meunerie :* broyeurs à cylindres, convertisseurs.

Notre pays (...) n'a pas toujours été un endroit mort (...) Autre temps, il s'y faisait un grand commerce de meunerie, et, dix lieues à la ronde, les gens des *mas* nous apportaient leur blé à moudre (...)
Alphonse DAUDET, Lettres de mon moulin, « le Secret de Maître Cornille ».

♦ **2.** Ensemble des meuniers. *Chambre syndicale de la meunerie.*

MEUNIER, IÈRE [mønje, jɛʀ] n. et adj. — XIIIᵉ ; anc. franç. *mounier, munier* ; du lat. **molinarius*, de *molinum* « moulin ».

★ **I.** ♦ **1.** Personne qui possède, exploite un moulin* à céréales ou qui fabrique de la farine (⇒ **Minotier**). *Le meunier moud le blé. Farinage* perçu par les anciens meuniers. Corporation des meuniers.* ⇒ **Meunerie.** — Par appos. *Garçon meunier* (→ Enfariner, cit. 1). — « *Meunier, tu dors..., ton moulin va trop vite...* » (Chanson enfantine). *Le Meunier, son fils et l'âne,* fable de La Fontaine (III., 1.). *Le Meunier de Sans-Souci* (1797), conte en vers d'Andrieux. *Le Meunier d'Angibault* (1846), roman de G. Sand.

1 (...) un garçon meunier assis sur des sacs de blé à la porte de la maison.
BALZAC, le Médecin de campagne, Pl., t. VIII, p. 331.

2 Le soir, on rencontrait par les chemins le vieux meunier poussant devant lui son âne chargé de gros sacs de farine.
Alphonse DAUDET, les Lettres de mon moulin, « Le secret de Maître Cornille ».

MEUNIÈRE : épouse d'un meunier. — Mus. *La Belle Meunière* (1824), recueil de lieder de Schubert.

3 (...) Madeleine Blanchet, la jeune meunière du Cormouer, s'en allait au bout de son pré pour laver à la fontaine (...)
G. SAND, François le Champi, I.

♦ **2.** Vieilli. *À la meunière :* d'une manière qui nécessite l'emploi de farine. *Truite à la meunière.* — Mod. Ellipt. *Sole meunière.*

4 (...) J'adore la truite (...) Je la veux au bleu (...) — Au bleu ? Je les réussis surtout meunière, avec du beurre blanc (...)
GIRAUDOUX, Ondine, I, 2.

♦ **3.** Adj. Qui a rapport à la meunerie. *Industrie meunière.*

★ **II.** (Déb. XVIIᵉ). N. m. ♦ **1.** Chevesne*, poisson qui vit près des moulins.

(Au Québec). Poisson d'eau douce du Canada. *Meunier rouge, meunier noir* (noms normalisés de *Catostomus catostomus* et *Catostomus commersoni* ; Office de la langue franç., 7 nov. 1980).

♦ **2.** Perroquet dont le plumage à fond vert « paraît saupoudré de farine » (Buffon).

♦ **3.** (1836). Agric. Variété de raisin noir. (On dit aussi *pineau meunier*).

♦ **4.** (1751). Maladie des laitues.

★ **III.** N. f. Régional. Mésange bleue.

DÉR. Meunerie.

MEURETTE [mœʀɛt] n. f. — Attestation isolée, XVᵉ ; 1582 ; var. régionale (Bourgogne) de *murette* « sauce pour accommoder le poisson ; saumure (1611) » ; de l'anc. franç. *muire* (XIIIᵉ), encore terme techn. au XXᵉ, « eau salée naturelle » ; lat. *muria*.

♦ Régional. Sauce au vin rouge servant à accommoder le poisson, les œufs, etc. ⇒ **Matelote.** *Œufs en meurette* (cf. *Œufs à la murette,* attesté en 1614). — Plat accompagné de cette sauce.

Ils ont mangé du jambon du Morvan à la lie de Bourgogne, du coq au chambertin ou de la meurette d'anguille.
René FALLET, le Triporteur, p. 68.

MEURGER [mœʀʒe] n. m. ⇒ **Merger.**

MEURSAULT [mœʀso] n. m. — 1821, Béranger *in* D.D.L. ; commune de la Côte-d'Or.

♦ Vin blanc ou rouge de la région de Beaune. *Les meursaults rouges sont recherchés pour leur arôme.*

(...) Anne apporta sur un chariot roulant une espèce de souper : du saucisson portugais, du jambon, une salade de riz, et pour fêter le retour d'Henri une bouteille de meursault.
S. DE BEAUVOIR, les Mandarins, p. 129.

MEURT-DE-FAIM [mœʀdəfɛ̃] n. invar. — 1690, sans traits d'union ; var. *mort-de-faim* ; de *mourir*, et *faim*.

♦ Personne qui manque des ressources nécessaires pour se nourrir. ⇒ **Miséreux, pauvre** (→ Crève-la-faim). *Un, une meurt-de-faim.*

Augustine, dit-il, les artistes sont en général des meurt-de-faim. Ils sont trop dépensiers pour ne pas être toujours de mauvais sujets.
BALZAC, la Maison du Chat-qui-pelote, Pl., t. I, p. 45.

C'était un gros avare, un homme brutal, qui les reçut comme des meurt-de-faim, la première fois qu'ils se présentèrent chez lui.
ZOLA, le Ventre de Paris, t. I, II, p. 68.

Et, de temps à autre, derrière moi, il y a bagarre ; cris des gardes chassant les meurt-de-faim attroupés, dont la poussée risque de briser l'enceinte fragile des cordes.
LOTI, l'Inde (sans les Anglais), IV, IX.

MEURT-DE-SOIF [mœʀdəswaf] n. invar. — 1877, *in* Littré, Suppl. ; de *mourir*, et *soif*.

♦ Fam., vx. Personne qui est perpétuellement assoiffée (d'alcool). ⇒ **Ivrogne.**

MEURTRE [mœʀtʀ] n. m. — 1090, *murtre* ; de l'anc. v. *murtrir* « assassiner ». → Meurtrir.

♦ Action de tuer* volontairement un être humain. ⇒ **Crime** (cit. 12), 2. **homicide.** *Meurtre commis avec préméditation.* ⇒ **Assassinat** (cit. 2). *Être arrêté sous l'inculpation de tentative de meurtre par égorgement*, empoisonnement, strangulation..., être condamné pour meurtre. Meurtre perpétré sur la personne d'un nouveau-né* (⇒ **Infanticide**, cit. 2), d'un frère* (⇒ 1. **Fratricide**)... des parents. (⇒ **Matricide, parricide**) d'un roi (⇒ **Régicide** ; **-cide**). — Le meurtre du père (supra cit. 12), en psychanalyse. Meurtre atroce, odieux, sanglant, qui inspire de l'horreur (→ Forteresse, cit. 2)... Commettre une série de meurtres.* ⇒ **Sang** (répandre le sang ; rougir, souiller, tremper ses mains dans le sang). *Maquiller un meurtre en accident* ⇒ **Complicité**, cit. 1). *Exciter* (cit. 21) *au meurtre. Provocation au meurtre. Le meurtre en temps de guerre* (cit. 27). *L'obsession, la pensée du meurtre* (→ Humain, cit. 6). *Meurtre emportant la peine de mort ou celle des travaux forcés à perpétuité* (art. 304 du Code pénal). — *Meurtre d'un malade incurable, inspiré par la pitié.* ⇒ **Euthanasie.** — REM. Les connotations morales négatives du mot empêchent de l'employer ainsi sans arrière-pensées.

L'homicide commis volontairement est qualifié meurtre.
Code pénal, art. 295.

Je ne propose pas, sans doute, l'encouragement du meurtre, mais le moyen de le punir sans un meurtre nouveau.
VOLTAIRE, Politique et Législation, Prix de la Justice..., III.

Ah ! si le meurtre n'était pas une des actions de l'homme qui remplit le mieux ses intentions, permettrait-elle *(la Nature)* qu'il s'opérât ? L'imiter peut-il donc lui nuire ? Peut-elle s'offenser de voir l'homme faire à son semblable, ce qu'elle lui fait elle-même tous les jours ? Puisqu'il est démontré qu'elle ne peut se reproduire que par des destructions, n'est-ce pas agir d'après ses vues que de les multiplier sans cesse ?
SADE, Justine..., t. I, p. 86-87.

Il songeait : — Si je pouvais tuer tous ceux qu'elle a aimés. L'idée de ces meurtres l'emplissait d'une fureur délicieuse. Il méditait d'égorger Nicias lentement, à loisir, en le regardant jusqu'au fond des yeux.
FRANCE, Thaïs, p. 283.

Dès lors, le mobile du meurtre (...) était trouvé : les Roubaud, connaissant le legs, avaient pu assassiner leur bienfaiteur pour entrer en jouissance immédiate.
ZOLA, la Bête humaine, IV.

Il existe peut-être des maniaques du meurtre ; des fauves humains qui, ayant goûté au sang, ne peuvent plus s'en passer et se jettent dans une suite de crimes par un entraînement aveugle que le châtiment arrêtera seul.
J. ROMAINS, les Hommes de bonne volonté, t. XIV, XVII, p. 149.

Hélas, une crainte religieuse m'écarte du meurtre, et me tire à lui. Il risque de faire de moi un prêtre, de la victime Dieu. Pour détruire l'efficacité du meurtre, peut-être me suffira-t-il de la réduire à l'extrême par la nécessité pratique de l'acte criminel. Je saurais tuer un homme pour quelques millions. Le prestige de l'or peut combattre celui du meurtre.
Jean GENET, Journal du voleur, p. 225.

Par ext. Action de mettre à mort un animal avec violence (→ Inhumanité, cit. 1).

Des princes de ses amis l'invitèrent à chasser. Il s'y refusa toujours (...) car il lui semblait que du meurtre des animaux dépendait le sort de ses parents.
FLAUBERT, Trois contes, « Légende de saint Julien l'Hospitalier », II.

Spécialt. *Meurtre de Dieu, du Christ.* ⇒ **Déicide** (cit. 2).

Par exagér., fam. En parlant de choses très fâcheuses, très regrettables. ⇒ **Crime.** *Cueillir des fruits si verts, c'est un meurtre, c'est un vrai meurtre* (Académie).

Il y avait sur l'espalier une pêche beaucoup plus grosse que toutes les autres ; Margot ne pouvait se décider à cueillir cette pêche ; elle la trouvait si veloutée et d'une si belle couleur de pourpre qu'elle n'osait la détacher de l'arbre, et qu'il lui semblait que c'eût été un meurtre de la manger.
A. DE MUSSET, Nouvelles, " Margot ", V.

Loc. fam. *Crier* (cit. 29) *au meurtre* : se plaindre bruyamment de quelque dommage.

Quoi ? toutes deux contre mon cœur, en même temps !... Ah ! c'est contre le droit des gens (...) et je m'en vais crier au meurtre.
MOLIÈRE, les Précieuses ridicules, 9.

DÉR. Meurtrier, meurtrière.

MEURTRIER, IÈRE [mœʀtʀije, ijɛʀ] n. et adj. — 1175, *murtrier* ; de *meurtre.*

★ **I.** N. Personne qui a commis un, des meurtre(s). ⇒ **Assassin, criminel, 1. homicide.** *Le meurtrier s'est servi d'une arme contondante* (cit.). *Meurtrier quittant les lieux* (cit. 17) *du crime. Une main de meurtrier.* ⇒ **Bourreau, égorgeur.** *Un meurtrier professionnel.* ⇒ **Tueur.** *Un meurtrier en herbe* (cit. 22). — Par appos. *Une démente, meurtrière de son enfant* (⇒ 1. **Infanticide**), *de son frère* (⇒ 2. **Fratricide**)... ⇒ aussi suff. **-cide.**

1 Il est juste, grand Roi, qu'un meurtrier périsse.   CORNEILLE, le Cid, II, 8.

2 En pardonnant à son ennemi, à son meurtrier, mon neveu a pu satisfaire à sa générosité naturelle ; mais moi, je dois venger à la fois sa mort, l'humanité et la religion.
LACLOS, les Liaisons dangereuses, CLXIV.

3 Un fou sadique, Landru ? Que non. Il est bien plus impénétrable (...) Nous imaginons à peu près ce que c'est que la fureur, lubrique ou non, mais nous demeurons stupides devant le meurtrier tranquille et doux, qui tient un carnet de victimes (...)
COLETTE, Prisons et Paradis, p. 114.

4 L'instinct savait en elle que les meurtriers frappent coup sur coup, ne peuvent pas reprendre haleine.
COCTEAU, les Enfants terribles, p. 186.

★ **II.** MEURTRIÈRE n. f. (1573) : ouverture, fente verticale pratiquée dans un mur de fortification* pour jeter des projectiles ou tirer sur les assaillants. *Meurtrières d'un château-fort, d'une forteresse* (cit. 1). ⇒ **Archère** (ou archière), **barbacane, canonnière** (vx). *Meurtrière d'un parapet de tranchée.* ⇒ **Créneau** (→ Embrasure, cit. 1).

5 (...) nous allâmes visiter l'église qui, à vrai dire, avait plutôt l'air d'une forteresse que d'un temple : la petitesse des fenêtres percées en meurtrières, l'épaisseur des murs, la solidité des contreforts lui donnaient une attitude robuste et carrée, plus guerrière que pensive.
Th. GAUTIER, Voyage en Espagne, p. 11.

6 Le mur semble prêt à recommencer le combat. Les trente-huit meurtrières, percées par les Anglais à des hauteurs irrégulières, y sont encore.
HUGO, les Misérables, II, I, II.

7 (...) une muraille noire de suie percée d'ouvertures si étroites qu'elles ressemblaient à des meurtrières.
BERNANOS, Journal d'un curé de campagne, p. 285.

★ **III.** Adj. (V. 1220). ♦ **1.** Vx. (Personnes). Qui commet ou a commis un meurtre, des meurtres.

8 Bientôt de Jézabel la fille meurtrière (...)   RACINE, Athalie, IV, 3.

♦ **2.** (1588). Mod. (Choses). Qui cause, entraîne la mort de nombreuses personnes. ⇒ **Destructeur, funeste, sanglant.** *Combats meurtriers* (→ Arrière-ban, cit. 3). *Guérillas, guerres meurtrières* (→ Coup, cit. 49). *Coups meurtriers.* ⇒ **Mortel.** *Épidémie meurtrière.* — *Soldats arrêtés* (cit. 6) *par un feu meurtrier.* — Spécialt. Qui expose à la mort, où de nombreuses personnes trouvent la mort. *L'imprudence des automobilistes rend les routes meurtrières* (→ Gratter, cit. 16). — Par exagér. ⇒ **Dangereux.** *Soleil, rayons meurtriers* (→ Épanouir, cit. 19).

9 Maintenant, trois de ses fils étaient morts sous ce climat meurtrier.
MAUPASSANT, Au soleil, « La province d'Oran ».

Par ext. Qui sert à perpétrer un meurtre. ⇒ **Homicide** (cit. 8). *Arme meurtrière. Animal aux dents meurtrières* (→ Fier, cit. 2).

10 Suivez le fond de la rivière ;
Craignez la ligne meurtrière
Ou l'épervier plus dangereux encor.
C'est ainsi que parlait une carpe de Seine.   FLORIAN, Fables, I, 7.

(1674). Fig. Qui encourage, excite, pousse à tuer. *Loi meurtrière. Fureur meurtrière.*

11 La charité n'est point meurtrière ; l'amour du prochain ne porte point à le massacrer. Ainsi le zèle du salut des hommes n'est point la cause des persécutions ; c'est l'amour-propre et l'orgueil qui en sont la cause.
ROUSSEAU, Lettre à Mgr de Beaumont.

(...) il la sentait jalouse, d'une énergie virile, d'une rancune débridée et meurtrière.   12
ZOLA, la Bête humaine, IX.

♦ **3.** Vx. Qui a trait au meurtre. *Apprêts* (cit. 5) *meurtriers.*

CONTR. Victime.

MEURTRIÈRE [mœʀtʀijɛʀ] n. f.

★ **I.** Fém. de *meurtrier.*

★ **II.** ⇒ **Meurtrier,** II.

MEURTRIR [mœʀtʀiʀ] v. tr. — 1382 ; *murdrir, mordrir,* déb. XIIe ; du francique **murthrjan.*

♦ **1.** Vx. Assassiner, tuer. — Frapper violemment (→ Garçonnet, cit. 1).

♦ **2.** (XVIe). Mod. Blesser* par un choc, un corps contondant, une forte compression au point de laisser sur la peau une tache, une marque livide. ⇒ **Contusionner, écraser, fouler, froisser.** *Il lui serrait le poignet à le meurtrir.* — P. p. adj. *Elle s'est pris la main dans la porte, elle a les doigts tout meurtris.* ⇒ **Écraser, mâchurer ;** fam. **compote** (en), **marmelade** (en) ; **noir.** *Œil meurtri d'un coup de poing.* ⇒ **Pocher.** *Chairs* (cit. 5) *meurtries.*

(Mercure le bat.) SOSIE. De mille coups tu me meurtris (...)   1
MOLIÈRE, Amphitryon, I, 2.

Pour châtier ta chair joyeuse,   2
Pour meurtrir ton sein pardonné,
Et faire à ton flanc étonné
Une blessure large et creuse (...)   BAUDELAIRE, les Épaves, Pièces condamnées, V.

(...) il continua de taper sourdement, follement (...) dans ses yeux pâles, l'alcool   3
flambait, allumait une flamme de meurtre. La blanchisseuse eut le poignet meurtri (...)
ZOLA, l'Assommoir, t. I, VI, p. 247-248.

(...) il se pinçait, en refermant la boîte ; et il faisait de piteuses grimaces, en suçant   4
son doigt meurtri (...)   R. ROLLAND, Jean-Christophe, L'aube, p. 58.

♦ **3.** (1680). Agric. Endommager (un fruit, un légume). ⇒ **Cotir** (régional), **endommager, taler.** — Au p. p. *Jus qui coule de grosses fraises meurtries* (→ Dessert, cit. 3).

Depuis près d'un an, il ne connaissait les légumes que meurtris par les cahots des   5
tombereaux, arrachés de la veille, saignants encore. Il se réjouissait, à les trouver
là chez eux, tranquilles dans le terreau, bien portants de tous leurs membres.
ZOLA, le Ventre de Paris, t. II, IV, p. 67.

♦ **4.** (1913). Marquer de traces semblables à des meurtrissures. La fatigue lui meurtrit le visage. — P. p. *Yeux cernés et meurtris* (→ Féminité, cit. 1).

Et voici les yeux (...) assez reculés dans l'orbite meurtrie (...)   6
André SUARÈS, Trois hommes, « Dostoïevski », II.

On ne se consolerait pas de voir vieillir un beau visage aimé, si on s'en aperce-   7
vait. Meurtri par les années, il prend comme plus de finesse, il devient si délicat
que le moindre fard l'abîme.   J. CHARDONNE, l'Amour du prochain, p. 32.

♦ **5.** (1833). Abstrait. Blesser moralement. ⇒ **Blesser, déchirer, endolorir, peiner.** *Meurtrir qqn par son mépris.* — P. p. *Avoir l'esprit meurtri par une longue réflexion* (→ Courbature, cit. 4). — Fig. *Meurtrir le cœur de qqn.* — P. p. *Ame meurtrie. Cœur meurtri.*

J'imitais les autres, je blessais souvent des âmes fraîches et nobles par les mêmes   8
coups qui me meurtrissaient secrètement.
BALZAC, le Médecin de campagne, Pl., t. VIII, p. 482.

(...) cette dramatique union, où les deux amants ne cessent de s'affronter, de se   9
déchirer, de s'étreindre, que pour se relever plus meurtris et plus persuadés qu'il
n'est pas d'avenir pour eux.   Émile HENRIOT, Portraits de femmes, p. 234.

▶ **SE MEURTRIR** v. pron. (réfl.). *Se cogner contre un mur et se meurtrir le front.* ⇒ **Blesser** (se), **cogner** (se).

▶ **MEURTRI, IE** p. p. adj. ⇒ ci-dessus (cit. 3, 4, 5, 6, 7).

DÉR. Meurtrissant, meurtrissure.

MEURTRISSANT, ANTE [mœʀtʀisɑ̃, ɑ̃t] adj. — 1762 ; de *meurtrir.*

♦ Littér. Qui meurtrit, produit des meurtrissures. *Desserrer des liens meurtrissants* (→ Esquiver, cit. 6).

MEURTRISSURE [mœʀtʀisyʀ] n. f. — 1535 ; de *meurtrir.*

♦ **1.** Action de meurtrir ; résultat de cette action. ⇒ **Blessure, bleu, contusion, coup, noir** (n. m.). *Les meurtrissures rendent la peau livide* (cit. 1). *Corps couvert de meurtrissures* (→ Diaprer, cit. 2). *La gorge de la victime portait des meurtrissures noires* (→ Égratignure, cit. 1). *Meurtrissure à l'œil.* ⇒ **Pochon.** *Meurtrissure causée par un pincement* (⇒ **Pinçon**), *par les dents d'un animal* (⇒ **Morsure**)...

Et ma chute, aux dépens de quelque meurtrissure,   1
De vingt coups de bâton m'a sauvé l'aventure.
MOLIÈRE, l'École des femmes, V, 2.

Pourquoi veux-tu donc que j'étale   2
La meurtrissure de mes fers ?   HUGO, Odes et Ballades, V, XXI.

(...) et il y avait à son cou de fille la meurtrissure du dernier baiser.   3
F. MAURIAC, Génitrix, III.

♦ **2.** (1690). Agric. Tache (sur des fruits, des végétaux endommagés dans leur chute, leur transport...). ⇒ **Blessure, cotissure ; talure.**

♦ **3.** Par exagér. Marque, trace laissée sur le visage, le corps, par la fatigue, la maladie, la vieillesse... (→ Hermétique, cit. 11).

4 Le muguet de son teint avait des meurtrissures, et le pli de ses sourcils sur son front d'opale n'était pas seulement le sillage d'une rêverie qui passe (...)
BARBEY D'AUREVILLY, Une histoire sans nom, p. 108-109.

Par métaphore et fig. ⇒ **Peine, plaie.** *Les meurtrissures du cœur. — Les meurtrissures de l'amour, de la vie.*

MEUTE [møt] n. f. — Déb. xiiie ; *muete* «soulèvement, expédition», v. 1140 ; lat. pop. *movita,* pour le lat. class. *motus,* p. p. de *movere* «mouvoir».

♦ **1.** Troupe de chiens courants dressés pour la chasse à courre. *Meute de griffons vendéens, de hourets* (cit. ; ⇒ aussi **Houraillis**), *de lévriers* (cit. 2), *de Saint-Hubert... Gentilhomme* (cit. 1) *qui a, entretient une meute. Réunir la meute.* ⇒ **Ameuter.** *Lâcher, lancer la meute sur un cerf. Abois* de la meute. Donner la curée* à la meute. Meute féroce* (cit. 2), *hurlante. — Chiens de meute,* ceux qu'on découple les premiers pour attaquer. — Loc. techn. *Attaquer, chasser de meute à mort,* sans relais, soit avec les chiens d'attaque, soit avec la meute entière. *Cerf de meute,* le premier sur lequel on a lancé la meute.

1 Pour mériter le nom de *meute,* il faut que l'assemblage soit un peu nombreux. Cinq ou six chiens courants ne font pas une *meute :* il en faut au moins une douzaine, et il y a des *meutes* de cent chiens et plus. Encycl. (DIDEROT), Meute.

2 (...) son père lui composa une meute. D'abord on y distinguait vingt-quatre lévriers barbaresques, plus véloces que des gazelles, mais sujets à s'emporter ; puis dix-sept couples de chiens bretons, tiquetés de blanc sur fond rouge, inébranlables dans leur créance, forts de poitrine et grands hurleurs. Pour l'attaque du sanglier et les refuites périlleuses, il y avait quarante griffons, poilus comme des ours. La robe noire des épagneuls luisait comme du satin ; le jappement des talbots valait celui des bigles chanteurs.
FLAUBERT, Trois contes, «Légende de saint Julien l'Hospitalier», I → Dogue, cit. 2 ; jarret, cit. 5).

3 Les chiens, derrière lui *(un cerf),* s'étaient rameutés d'eux-mêmes. La tête de meute avait franchi l'allée, empaumant aussitôt sa voie chaude. Elle était passée, sans le voir, plus que du vieux cerf rasé. Et maintenant le gros avait rallié dans la futaie, et les quarante anglo-poitevins galopaient en hurlant de joie, serrés en une masse bariolée qui filait au ras du sol comme une voile soulevée par le vent.
M. GENEVOIX, la Dernière Harde, I, IX.

Par compar. ou métaphore :

4 Ce loup sur qui je lâche une meute de strophes (...)
HUGO, Châtiments, VI, XI.

Par ext. Bande (de chiens, d'animaux familiers, attachés aux pas d'une personne).

5 (...) je connais de grandes dames entourées d'une meute de chiens, sans compter les chats, les perroquets, les oiseaux. DIDEROT, Jacques le fataliste, Pl., p. 649.

6 Elle n'est pas brillante, ma meute, en ce moment !... une demi-douzaine de chiens dont le plus gros tiendrait dans un fond de chapeau.
COLETTE, la Vagabonde, p. 150-151.

♦ **2.** (1812). Fig. Bande, troupe (de gens acharnés à la poursuite, à la perte de qqn). *Une meute de créanciers* (→ Embarras, cit. 10), *d'envieux* (→ Chausse, cit. 4). — *Déchaîner contre soi la meute des clabaudeurs.* ⇒ **Racaille, ramassis.** — Par métonymie. *« La meute hurlante des colères bestiales et des appétits déchaînés »* (→ Églogue, cit. 3, Taine).

7 À l'heure où la meute des hommes d'argent encombre cette espèce de temple, chacun y fait assez de bruit pour que l'on n'entende plus personne.
G. DUHAMEL, Scènes de la vie future, X.

Par ext. (littér.). *Une meute de soucis* (→ Luxueux, cit. 2).

COMP. et **DÉR. Ameuter. — Mutin.**

MeV [ɛməve] Abrév. de *méga-électron-volt.*

MÉVENDRE [mevãdʀ] v. tr. — xiie, *mesvendre ;* du préf. péj. *mé-,* et *vendre.*

♦ Vx. Vendre à perte.
DÉR. Mévente.

MÉVENTE [mevãt] n. f. — 1675 ; de *mévendre.*

♦ **1.** Vieilli. Vente à perte.

♦ **2.** (1846). Mod. Forte chute des ventes (qui compromet la prospérité d'un commerce). *Traverser une période de mévente.* ⇒ **Marasme.** *Commerçant gêné par la mévente* (→ Engagement, cit. 1). *Mode qui entraîne une mévente des chapeaux.*

En cette année, j'ai mis en page l'Espagne, l'Angleterre et l'Italie. Edmond Rigolage était satisfait. La collection «Espace» se vendait comme du gros pain et balançait un peu la mévente des romans.
Geneviève DORMANN, le Chemin des dames, p. 132.

MEXICAIN, AINE [mɛksikɛ̃, ɛn] adj. et n. — 1588 ; de *Mexique.*

♦ Qui se rapporte au Mexique, à ses habitants. *Héros de l'indépendance mexicaine. Poncho, sombrero mexicain. Ruines des anciennes*

civilisations mexicaines. ⇒ **Aztèque, maya.** *L'économie mexicaine. L'espagnol mexicain,* parlé au Mexique.
N. Habitant du Mexique ; personne qui y est née. *Un Mexicain, une Mexicaine. Les Mexicains.*
DÉR. Mexicaniser.

MEXICANISATION [mɛksikanizasjɔ̃] n. f. — 1970 ; de *mexicaniser.*

♦ Action de mexicaniser ; son résultat. Fait de se mexicaniser. *La mexicanisation des industries.*

MEXICANISER [mɛksikanize] v. tr. — V. 1970 ; de *mexicain.*

♦ Rendre mexicain, donner le caractère mexicain à. *Mexicaniser une entreprise.* — V. pron. *Se mexicaniser.*
DÉR. Mexicanisation.

MÉZAIL [mezaj] n. m. — xive-xve ; étym. obscure.

♦ Archéol. Armure de tête, visière mobile d'un casque fermé. *Le mézail, composé du nasal et du ventail.*

MÉZIGUE [mezig] pron. pers. 1re pers. — 1835 ; au xviiie, sous la forme *mes sigue ;* de *zigue* (→ Zig), et du possessif *mes* (id. pour *tes, ses...*).

♦ Argot. Moi (forme tonique, *mézigue* ne s'emploie pas dans les fonctions de *je,* ni de *me*). *C'est pour, c'est à mézigue.*

J'm'appelle Loupé, continua-t-il, sans sourire, Voui. L'môme Loupé et d'mandez-y aux feignants d'la Roquette qui c'est que c'est que mézigue. Pas du charre, ajouta-t-il, en se balançant sur ses petites jambes.
Francis CARCO, Jésus la Caille, p. 169.

Ma Nénette me refera l'ourlet, si elle veut ? Nénette, en l'occurrence, c'est mézigue.
A. SARRAZIN, la Cavale, p. 229.

Il n'y a pas grande différence entre moi (dit mézigue) et deux kilos d'andouille pliés dans de la toile émeri. SAN-ANTONIO, Des gueules d'enterrement, p. 46.

MEZZANINE [mɛdzanin] n. f. — 1676 ; ital. *mezzanino* «entresol», de *mezzo* «milieu, moitié».
REM. Ce mot s'emploie aussi au masculin.

♦ **1.** Petit entresol* ménagé entre deux étages. — Par ext. Petite fenêtre d'entresol. — Adj. *Fenêtre* mezzanine.*

♦ **2.** (xxe). Petit étage entre l'orchestre et le premier balcon. *Mezzanine d'une salle de spectacle.* ⇒ **Corbeille.** *Prendre deux fauteuils à la mezzanine,* et ellipt, *deux mezzanines.*

Marie-Noire ne s'étonne pas du mezzanine, il faudrait être vieux comme Gaiffier pour s'obstiner à appeler balcon cette espèce de fuite d'ombre (...) *Mezzanino,* en italien, c'est l'entresol et, à l'Olympia, on appelle mezzanine le grenier.
ARAGON, Blanche..., p. 143.

Jacques s'était offert du velouteux fauteuil, aux meilleures places, quelque part du côté du mezzanine, dans le coin où ça devient climatisé (...)
R. QUENEAU, Loin de Rueil, Gallimard, p. 143.

♦ **3.** Plate-forme ménagée à quelque distance du sol, dans une pièce haute de plafond, et à laquelle on accède par un escalier. ⇒ **Loggia.**

MEZZA-VOCE ou **MEZZA VOCE** [mɛdzavɔtʃe] loc. adv. — 1758 ; ital. *mezza,* et *voce* «voix».

♦ Mus. ou littér. À mi-voix. *Chanter mezza-voce.*

(La mélodie) est toujours aussi jeune et aussi tendre, mais elle s'exhale mezza voce : c'est pour lui-même que Beethoven a chanté sa mélancolie ; il n'en livre pas la confidence (...) R. ROLLAND, Vie de Beethoven, p. 478.

(1903). Par ext. *Confidence faite mezza-voce.*

MEZZO, MEZZA [mɛdzo, mɛdza] Premier élément, de l'ital. «moyen, moyenne», entrant dans quelques expressions empruntées à l'italien. ⇒ **Mezza-voce, mezzo forte, mezzo-soprano, mezzo-termine, mezzo-tinto.**

MEZZO FORTE [mɛdzofɔʀte] loc. adv. — 1842 ; de *mezzo,* et ital. *forte* «fort».

♦ Mus. Moyennement fort (entre *piano** et *forte**).

MEZZO-SOPRANO [mɛdzosopʀano] n. — 1824, cit. ; de *mezzo,* et *soprano.*
Musique.

♦ **1.** N. m. Voix de femme intermédiaire entre le soprano* et le contralto. Plur. *Des mezzo-sopranos* ou *des mezzo-soprani.*

(...) il me semble que la véritable position de la voix de Mme Pasta est le *mezzo-soprano.* Le maestro qui écrirait pour elle devrait placer le tissu ordinaire de ses

chants dans la voix de *mezzo-soprano,* et se servir ensuite en passant, et par occasion, de toutes les cordes de cette voix si riche.
STENDHAL, Vie de Rossini, p. 477 (1824).

(...) je ne vous dirai pas si Mlle Garcia va de *sol* en *mi* et de *fa* en *ré,* si sa voix est un *mezzo soprano* ou un *contralto,* par la très bonne raison que je ne me connais pas à ces sortes de choses (...)
A. DE MUSSET, Mélanges, Musique, 1er janv. 1839.

Par abrév. *Un beau mezzo.*

Parfois, elle chantait aussi, mais des chansons très simples, de vieilles mélodies. Elle avait une voix de mezzo voilée, grave et fragile.
R. ROLLAND, Jean-Christophe, Antoinette, p. 879.

♦ **2.** N. f. Par métonymie. Chanteuse qui a cette voix. *Mélodies chantées par une mezzo-soprano.*

MEZZO-TERMINE [mɛdzotɛʀmine] n. m. invar. — Fin XVIIᵉ ; de *mezzo,* et ital. *termine* «terme».

♦ Vx. Moyen terme, compromis. *Proposer, adopter un mezzo-termine.*

Il voulait cacher l'admiration que lui donnait le savant mezzo-termine inventé par le précepteur de ses enfants.   STENDHAL, le Rouge et le Noir, I, VII.

MEZZO-TINTO [mɛdzotinto] n. m. inv. — 1688 ; de *mezzo,* et ital. *tinto* «teinte».

♦ Arts. Estampe* sur cuivre, gravure*, dite aussi *à la manière noire,* exécutée en grattant la planche grenée pour obtenir, à partir d'un noir uniforme, des gris plus légers et des blancs purs. — REM. Le mot est parfois francisé en *mezzo-tinte* ou *mezzotinte* [mɛzotɛ̃t].

M. F. [ɛmɛf] n. f. — Abréviation (voir ci-après).
Radio.

♦ **1.** Moyenne fréquence. — Adj. *Les étages M. F. d'un récepteur.*

♦ **2.** Modulation de fréquence. — REM. Dans ce sens, on emploie, concurremment à *M. F.,* l'anglicisme *F. M.*

Mg [ɛmʒe]
♦ Symbole chimique du magnésium.

MHO [ɛmaʃo] n. m. — Déb. XXᵉ, *Nouveau Larousse Illustré ;* mot proposé en 1888 par le physicien anglais Thomson ; de *Ohm,* écrit à l'envers.

♦ Techn. (terme critiqué et vieilli). Unité d'admittance, inverse de l'unité d'impédance (l'ohm). ⇒ **Siemens** (seul nom légal).

MI [mi] n. m. — XIIIᵉ ; première syllabe de *mira* dans l'hymne de saint Jean-Baptiste.

♦ **1.** Mus. Troisième note de la gamme d'ut, cinquième degré de l'échelle fondamentale. *Mi naturel, bémol, dièze. Gamme, ton de mi majeur, de mi mineur.*

♦ **2.** Signe qui représente cette note. *Écrire un mi sur la portée.*

♦ **3.** Corde d'un instrument qui donne le son de cette note. *Le mi du violon* (chanterelle).

HOM. 1. **Mie,** 2. **mie** ; forme du v. **mettre.**

MI- [mi] Préf. (adj. et adv.). — 1080, *Chanson de Roland,* adj. → Demi ; lat. *medius* «qui est au milieu».

♦ **1.** Suivi d'un nom et formant avec lui un nom composé. ⇒ **Mi-bas.** — Spécialt (avec un nom de mois). *La mi-août. La mi-janvier. La mi-février,* etc. *Vers la mi-septembre,* le milieu de (⇒ **Mi-carême**).

1   Dans *la mi-août* (c.-à-d. l'Assomption), c'est le nom *fête* sous-jacent qui rend raison de l'article féminin. Sur le modèle de cette expression, mais sans que le nom *fête* fût sous-jacent, on a formé *la mi-janvier, la mi-février,* et ainsi de suite avec les noms des divers mois ; on a formé de même *la mi-carême* et, en termes de sports, *la mi-temps.*   M. GREVISSE, le Bon Usage, § 269, Remarque 3.

♦ **2.** Loc. adv. *À mi-* suivi d'un nom. *À mi-flanc* (cit. 10). *À mi-marge* (cit. 1). *À mi-hauteur, à mi-distance.* ⇒ **Mi-chemin, mi-côte.** *À mi-montée, à mi-descente. À mi-course. Robe qui descend à mi-mollets, à mi-cuisse.* ⇒ **Mi-corps, mi-jambe.** — *Travail à mi-temps*.

1.1   (...) les cases de village, à l'époque des crues, sont inondées durant un mois et demi. On a de l'eau jusqu'à mi-cuisse.
GIDE, Voyage au Congo, in Souvenirs, Pl., p. 709.

1.2   (...) il reprend une cigarette, et de nouveau de lents et rares pouf-pouf de fumée se traînent à mi-plafond.   R. QUENEAU, Pierrot mon ami, p. 48.
(1762). Vx. *Animal à mi-dents,* dont les dents sont usées.

♦ **3.** Avec un participe passé, pour former un adjectif dont le sens est «à moitié... en partie...». ⇒ **Mi-clos, mi-parti.**

1.3   (...) ils *(des paysans)* arrêtaient un instant leur tâche, levaient la tête en gardant le buste mi-courbé vers le sol (...)   R. FRISON-ROCHE, Premier de cordée, p. 10.

1.4   Paul Mouny, mi-dressé sur sa couchette, lança d'une voix forte : «Ferme ta porte, gamin (...)»   R. FRISON-ROCHE, Premier de cordée, p. 130.

1.5   (...) une cigarette mi-éteinte accrochée à la bouche (...)
R. FRISON-ROCHE, Premier de cordée, p. 106.

Cf. dans le même ouvrage *la neige mi-fondue* (p. 294), *un balcon aérien mi-suspendu dans le vide* (p. 182).

1.6   Joie de voir notre mère Ève, nue sous le pommier, une pomme mi-croquée à la main (...)   J. CAU, la Pitié de Dieu, p. 179.

Spécialt. Répété devant deux ou plusieurs adjectifs successifs (ou deux noms employés avec valeur d'adjectif) pour indiquer que la personne ou la chose ainsi qualifiée participe des différentes qualités à la fois (→ Frère, cit. 29 ; hiéroglyphe, cit. 3 ; hybride, cit. 4 ; lardon, cit. 1).

Un air mi-sérieux mi-plaisant. Elle a dit cela mi-sérieuse mi-riante. Mi-figue, mi-raisin. Étoffe mi-fil, mi-coton.*

1.7   (...) Mme Verdurin, semblant toujours avoir l'air d'admettre entièrement les motifs mi-artistiques, mi-humanitaires, que M. de Charlus lui donnait de l'intérêt qu'il portait à Morel *(un jeune violoniste)*...
PROUST, Sodome et Gomorrhe, Pl., t. II, p. 1043.

2   Il me supplia, mi-riant, mi-pâlissant, de lui rendre un service bizarre.
R. RADIGUET, le Diable au corps, p. 98.

3   On se souvient que l'hôtel contenait une galerie, mi-salle de billard, mi-cabinet de travail, mi-salle à manger. Cette galerie hétéroclite (...)
COCTEAU, les Enfants terribles, p. 155.

3.1   (...) les autres gens, toujours mi-haineux, mi-bienveillants (...)
CÉLINE, Voyage au bout de la nuit, p. 281.

3.2   «Un joli saut à faire, hein!» ajouta Zian, en désignant le vide d'un air mi-sérieux, mi-moqueur.   R. FRISON-ROCHE, la Grande Crevasse, p. 92.

3.3   Nadine a demandé avec un sourire mi-railleur, mi-indulgent : «Tu es furieuse?»
S. DE BEAUVOIR, les Mandarins, p. 198.

3.4   (...) il donnait sur la vie privée d'Henri, de Dubreuilh, d'Anne, de Nadine, un tas de détails mi-vrais mi-faux, choisis de façon à les rendre aussi odieux que ridicules.
S. DE BEAUVOIR, les Mandarins, p. 551.

3.5   (...) le reste du temps, il préférait son magasin d'étoffes multicolores, à l'ombre des arcades de ce quartier mi-indigène, mi-européen.
CAMUS, l'Exil et le Royaume, «La femme adultère», p. 16.

3.6   Les chansons, les fredons et les sifflotis succédant à l'harmonium me font l'âme mi-encanaillée, mi-encuraillée.   A. SARRAZIN, la Cavale, p. 44.

REM. Parfois *mi* peut s'employer comme un adverbe indépendant, sans être rattaché par un trait d'union devant une locution adverbiale.

4   (...) une suite de rues tranquilles et incurvées, modestement bourgeoises, mi à l'ombre, mi au soleil (...)
J. ROMAINS, les Hommes de bonne volonté, t. VIII, xx, p. 212.

♦ **4.** Formant, sans trait d'union, certains composés anciens. ⇒ **Midi, milieu, minuit, parmi.**

COMP. Nombreux composés de noms, d'adjectifs et de participes. Voir à l'ordre alphabétique.

MIAM-MIAM [mjammjam] interj. et n. m. — Attesté XXᵉ ; onomatopée enfantine.
Familier.

♦ **1.** ⓐ Exclamation exprimant le plaisir de manger (= c'est rudement bon! c'est fameux!).

1   Miam-miam, dit un voyageur en dégustant le fin fond de son assiette de choucroute. D'un geste, il signifia qu'il en revoulait.
R. QUENEAU, Zazie dans le métro, Folio, p. 133.

ⓑ Fig. Quel plaisir! Quelle chose agréable!

2   Je dessinerai les moissonneurs et toi les canonniers, puisque c'est ça qu'ils veulent, ces enflés. Tu vas t'en payer une tranche, mon gaillard. Tu me feras un 75 dans tous les détails, miam-miam !   J. DUTOURD, Pluche, p. 245.

♦ **2.** N. m. (lang. enfantin). Fait de manger. *Un bon miam-miam, un gros miam-miam. Il est l'heure de faire miam-miam. Des miams-miams.*

MIAOU [mjau] n. m. — 1619 (*le Français moderne,* XXII, p. 140) ; onomatopée.

♦ Fam. et langage enfantin. Cri du chat. ⇒ **Miaulement.** *On entendait des petits miaous. Le chat fait miaou.*

MIASMATIQUE [mjasmatik] adj. — 1797 ; de *miasme.*

♦ **1.** Littér. Qui contient ou qui produit des miasmes. *Marécage miasmatique.*

♦ **2.** (1847). Méd. Qui est causé par les miasmes. *Fièvre miasmatique. Empoisonnements miasmatiques* (→ Infection, cit. 6).

MIASME [mjasm] n. m. — 1695 ; grec *miasma* «souillure».

♦ Rare au sing. Gaz putrides provenant de substances végétales ou animales en décomposition. *Miasmes transportés par les chaleurs humides.* — Spécialt. Émanations, effluves auxquels on attribuait les maladies infectieuses et les épidémies avant les découvertes pasteuriennes. *Miasmes des marais. Miasmes morbifiques, pestilentiels, puants, putrides* (→ Gangrène, cit. 1).

1   Ne pouvant s'écouler, ces eaux s'amassent, croupissent et, se résolvant par l'évaporation, remplissent l'atmosphère de miasmes pestilentiels.
Th. GAUTIER, Souvenirs de théâtre..., Statist. industr. départ. Ain.

2 Homais (...) était chargé d'une provision de camphre, de benjoin et d'herbes aromatiques. Il portait aussi un vase plein de chlore, pour bannir les miasmes.
FLAUBERT, Mme Bovary, III, IX.
(1842). Odeur désagréable et malsaine.

3 Enfin, peu soigneux de sa personne, Philippe exhalait les miasmes de l'estaminet, une odeur de bottes boueuses (...) BALZAC, la Rabouilleuse, Pl., t. III, p. 907.
Fig. (→ Loin, cit. 29, Baudelaire).

4 (...) minorité efficace, imbue de sa fierté conquérante, il (Israël) imposera ses cadres, son nom, son Dieu, à la population entière de la Palestine et s'arrachera aux miasmes redoutables qu'exhalait ce sol peuplé d'idoles.
DANIEL-ROPS, le Peuple de la Bible, II, III.
DÉR. Miasmatique.

MIAULARD [mjolaʀ] n. m. — 1840 ; de miauler.

♦ Régional. Oiseau marin au cri aigu (mouette ; goéland).

MIAULEMENT [mjolmɑ̃] n. m. — 1564 ; de miauler.

♦ Cri du chat. ⇒ **Miaou.** — Par anal. et abusivt. Les miaulements des hyènes (→ Hurler, cit. 8).
Fig. Bruit ressemblant au miaulement du chat (→ Canon, cit. 5 ; décliner, cit. 14). Le miaulement d'une porte tournant sur des gonds mal graissés.

MIAULER [mjole] v. intr. — XIIIᵉ ; onomatopée.

♦ **1.** Faire entendre le cri propre à son espèce, en parlant du chat et de certains félins (→ Chat, cit. 10 ; froisser, cit. 10). ⇒ **Miaou.**
Et quel fâcheux démon, durant les nuits entières,
Rassemble ici les chats de toutes les gouttières ?
(...) L'un miaule en grondant comme un tigre en furie :
L'autre roule sa voix comme un enfant qui crie. BOILEAU, Satires, VI.

♦ **2.** Fam. Chanter* d'une voix désagréable. — Geindre, se plaindre.

♦ **3.** Fig. Faire entendre un bruit analogue au miaulement du chat. Les balles miaulent (→ Bastos, cit. ; claquer, cit. 3).

▶ **MIAULANT, ANTE** p. prés. et adj. → Essaim, cit. 11 ; mah-jong, cit.
DÉR. Miaulard, miaulement, miauleur.

MIAULEUR, EUSE [mjolœʀ, øz] adj. et n. m. — XVIᵉ ; de miauler.

♦ Qui miaule beaucoup, qui a l'habitude de miauler. Chat miauleur. — On trouve aussi miaulard, arde [mjolaʀ, aʀd].

MI-BAS [miba] n. m. — 1953 ; de mi-, et bas.

♦ Chaussettes montantes. ⇒ **Demi-bas.** Porter des mi-bas.

MI-BOIS [mibwa] n. m. — 1507 ; de mi-, et bois.

♦ **1.** Vx. Taillis.

♦ **2.** Loc. adv. Techn. Assemblage à mi-bois, réalisé en entaillant chacune des deux pièces de bois qui constituent l'assemblage à la moitié de leur épaisseur. → Mi-fer* (à).

MICA [mika] n. m. — 1735 ; lat. mica «parcelle». → Miche.

♦ **1.** Minerai à structure feuilletée, formé de silico-aluminates (de potassium, de fer, etc.), constituant des roches volcaniques et métamorphiques. Le gneiss, le granit, le micaschiste sont des roches à mica. Qui contient du mica. ⇒ **Micacé.** Roches contenant du mica. ⇒ **Gneiss, granit, micaschiste, pegmatite.** Mica contenant du lithium. ⇒ **Lépidolithe.** Écailles, lamelles, paillettes de mica (→ Cribler, cit. 9).
(...) parfois, la vérité luit, de façon furtive, comme une parcelle de mica dans la poussière. G. DUHAMEL, Récits des temps de guerre, IV, I.

♦ **2.** Plaque de mica blanc transparent, utilisé comme vitre, comme isolant thermique (⇒ **Micanite**).
DÉR. Micacé, micanite.
COMP. Micaschiste.

MICACÉ, ÉE [mikase] adj. — 1755 ; de mica.

♦ **1.** Minér. Qui est de la nature du mica, qui contient du mica. Sable, schiste micacé.

♦ **2.** (1848). Semblable au mica par l'aspect, l'éclat.
Une poussière micacée, brillante, pareille à du grès broyé, formait le sol (...)
Th. GAUTIER, le Roman de la momie, Prologue.

MICANITE [mikanit] n. f. — 1948 ; de mica.

♦ Techn. Isolant fait de paillettes de mica (clivures) agglomérées.

L'imprégnation de papiers ou de tissus au moyen de glyptols permet d'obtenir des micanites utilisées pour isoler les collecteurs des génératrices (...)
Jean VÈNE, les Plastiques, p. 73.

MI-CARÊME [mikaʀɛm] n. f. — V. 1250 ; de mi-, et carême.

♦ Jeudi de la troisième semaine du carême (marqué jadis par la rupture, pour un jour, du jeûne prescrit par l'Église, et par diverses réjouissances publiques : bals, mascarades, etc.).
Il y avait bal costumé, à l'Élysée-Montmartre, ce soir-là. C'était à l'occasion de la mi-carême (...) MAUPASSANT, l'Inutile Beauté, «Le masque».

MICASCHISTE [mikaʃist] n. m. — 1817 ; de mica, et schiste.

♦ Minér. Roche composée de mica et de quartz. La structure feuilletée des micaschistes. Les micaschistes renferment de la hornblende.
DÉR. Micaschisteux.

MICASCHISTEUX, EUSE [mikaʃistø, øz] adj. — 1845 ; de micaschiste.

♦ Minér. Qui est de la nature du micaschiste* ou qui en contient. Terrain micaschisteux.

MICELLAIRE [misɛlɛʀ ; misɛllɛʀ] adj. — 1922 ; de micelle.

♦ Sc. Propre aux micelles*. Structure micellaire.

MICELLE [misɛl] n. f. — V. 1900 ; dimin. sav. du lat. mica «parcelle». Sciences.

♦ **1.** Chacune des particules en suspension dans une solution colloïdale (terme dû à Naegeli).

♦ **2.** Molécule de structure caténaire, de poids moléculaire élevé.
DÉR. Micellaire, micellien.
HOM. Missel.

MICELLIEN, IENNE [misɛljɛ̃, jɛn] adj. — 1931 ; de micelle.

♦ Relatif aux micelles.

MICHE [miʃ] n. f. — V. 1175 ; du lat. pop. micca, de mica.

♦ **1.** Vx. Pain* d'une grosseur moyenne (env. une livre). — Par ext. Pain rond assez gros, en usage à la campagne (→ Couteau, cit. 7).
Il n'y avait aucune raison de retarder l'inauguration du moulin, car les colons avaient hâte de goûter au premier morceau de pain de l'île Lincoln. Ce jour-là donc, dans la matinée, deux à trois boisseaux de blé furent moulus, et le lendemain, au déjeuner, une magnifique miche, un peu compacte peut-être, quoique levée avec de la levure de bière (...)
J. VERNE, l'Île mystérieuse, t. II, p. 536.

♦ **2.** Plur. (1875). Fam. Fesses. — Loc. Gare à tes miches : fais attention. Gare tes miches : pousse tes fesses, pousse-toi. — Avoir les miches qui font bravo, les miches à zéro : avoir très peur.
Une nouvelle heure s'écoula.
À un moment donné quelqu'un pissa dans l'eau derrière moi et je lui allongeai un coup de pied dans les miches sans m'occuper de qui c'était (...)
B. CENDRARS, la Main coupée, in Œ. compl., t. X, p. 198.
La femm' d'un ouvrier s'en prit à ma culotte.
« Pas ça, madam', pas ça, mille et un coup de bottes
Ont tant usé le fond que, si vous essayiez
D' la mettre à votr' mari, bientôt, je vous en fiche
Mon billet, il aurait du verglas sur les miches».
Georges BRASSENS, Poèmes et Chansons, p. 309.

MICHÉ [miʃe] n. m. — 1739, «dupe, jobard»; sens mod. dès 1764 ; michet, v. 1860 ; forme pop. de Michel.

♦ Argot. Client d'une prostituée ; homme qui paie les faveurs d'une femme. ⇒ **Micheton.** «Maquerelles, putains, michés, le gratin de la ville...» (le Nouvel Obs., mai 1978). — (1789). Faire un miché : avoir un client, en parlant d'une prostituée.
(...) il existe toujours chez ces dernières (les femmes de Paris), un côté gavroche, un côté blagueur qui embête le miché, en général un être officiel (...)
Ed. et J. DE GONCOURT, Journal, t. VIII, p. 229.
Cette Rachel (...) était brune, pas jolie, mais avait l'air intelligent, et (...) souriait d'un air plein d'impertinence aux michés qu'on lui présentait (...)
PROUST, À l'ombre des jeunes filles en fleurs, Pl., t. I, p. 577.
REM. On trouve aussi la forme michet (vx).

Quand a'tient l'michet dan' un coin,
Moi j'suis à côté... pas ben loin...
Et l'lend'main l'sergot trouv' du rouge
À Montrouge.   A. BRUANT, Dans la rue, p. 100.

DÉR. Micheton.

MICHELANGELESQUE [mikɛlãʒelɛsk] adj. — 1857, *michelangesque* (→ cit. 3); de *Michel-Ange*, peintre de la Renaissance italienne, d'après l'adj. italien.

♦ Didact. De Michel-Ange ; qui rappelle les œuvres de Michel-Ange.

William Platt aborde, en vers spasmodiques, en prose visionnaire, en dessins michelangelesques, en musique fervente, des sujets si vastes qu'il semble, en effet, qu'un mode d'expression non triple serait trop grêle pour les supporter (...)
A. JARRY, Critique littéraire, « William Platt, A three-fold utterance », *in* Œ. compl., t. VII, p. 212.

Alex est en train de piquer la colère d'Adam dont il possède la musculature michelangelesque (...)   J. CAU, la Pitié de Dieu, p. 178.

REM. On trouve aussi la forme *michelangesque.*

Après le colosse qui n'a voulu tenir dans ses mains que la grande lyre ou le ciseau michelangesque, tout le monde ici a tenté de sculpter de grands vers chaussés du cothurne, vêtus de la pourpre, et, par avance, coiffés du laurier.
Th. DE BANVILLE, *in* A. HOUSSAYE, Œ. poétiques, Préface (1857), *in* D. D. L.

MICHELINE [miʃlin] n. f. — V. 1930 ; de *Michelin*, nom de l'inventeur et de la firme constructrice.

♦ Ancienn. Automotrice montée sur pneumatiques (⇒ **Autorail,** cit. 1 et 2). — Abusivt. Autorail.

MI-CHEMIN (À) [amiʃmɛ̃] loc. adv. — 1507 ; de *mi-*, et *chemin.*

♦ Au milieu ou vers le milieu du chemin, du trajet. *Rester à mi-chemin.* — Fig. *S'arrêter à mi-chemin,* sans avoir atteint son but. *Il entreprend beaucoup, mais s'arrête toujours à mi-chemin.* Loc. prép. (1587). *À mi-chemin de :* à la moitié du chemin (cf. À mi-distance).

Meynestrel n'avait pas répondu au sourire de Jacques, dont l'élan s'était arrêté net, à mi-chemin du lit.   MARTIN DU GARD, les Thibault, t. VIII, p. 79.

MICHET [miʃɛ] n. m. ⇒ Miché.

MICHETON [miʃtɔ̃] n. m. — V. 1810, *mich'ton* (chanson), *in* Esnault ; de *michet, miché*, même sens.

♦ **1.** Fam. Client d'une (ou d'un, → cit.) prostitué(e). ⇒ **Miché.** « *Du salon, nous arrivaient les rires des michetons et des gonzesses...* » (Albert Simonin, *Touchez pas au grisbi,* p. 30).

Le récit des quelques opérations que nous réussîmes ne vous apprendrait rien sur ces mœurs. Le plus souvent Robert ou moi mentions avec le pédé. Quand il dormait nous lancions l'argent à Stilitano posté sous la fenêtre. Le matin le micheton nous accusait. Nous nous laissions fouiller par lui mais il n'osait porter plainte. Au début, Robert essaya de justifier ses vols. Le voleur qui débute veut toujours en le dévalisant punir un salaud.   Jean GENET, Journal du voleur, p. 149.

♦ **2.** (1894). Par ext. Niais qu'on peut gruger, dépouiller facilement. ⇒ **Gogo ; cave** (n. m.).

DÉR. Michetonner.

MICHETONNAGE [miʃtɔnaʒ] n. m. — xxᵉ ; de *michetonner.*

♦ Argot. Pratique de la prostitution occasionnelle.

MICHETONNER [miʃtɔne] v. intr. — 1898 ; de *micheton.*

♦ Argot. Se livrer occasionnellement à la prostitution.

DÉR. Michetonnage, michetonneuse.

MICHETONNEUSE [miʃtɔnøz] n. f. — xxᵉ ; de *michetonner.*

♦ Argot. Fille, femme qui « michetonne », qui se livre occasionnellement à la prostitution. ⇒ **Prostituée.** — REM. Le masculin *michetonneur* est virtuel.

MI-CLOS, CLOSE [miklo, kloz] adj. — 1839 ; de *mi-*, et *clos,* p. p. de *clore.*

♦ À moitié clos, à moitié fermé. *Feuilles mi-closes* (→ Carmin, cit.). *L'œil mi-clos* (→ Flairer, cit. 2). *Les yeux mi-clos* (→ Éveil, cit. 5). *Persiennes mi-closes.*

Quand, ta main approchant de tes lèvres mi-closes
Le tuyau de jasmin vêtu d'or effilé,
Ta bouche, en aspirant le doux parfum des roses,
Fait murmurer l'eau tiède au fond du narguilé (...)
LAMARTINE, Recueillements poétiques, I, XXXII.

REM. On trouve chez A. Allais un verbe *(se) mi-clore :* « *leurs yeux... se mi-closent* ».

MICMAC [mikmak] n. m. — 1640, *miquemaque,* n. f. ; p.-ê. altér. de *meutemacre* « rebelle », du moy. néerl. *muytmaker* « mutin » ou (P. Guiraud), lat. de la Vulgate *migma, atis* « mélange ».

Familier.

♦ **1.** Intrigue* mesquine, agissements suspects. ⇒ **Manigance.** *Un micmac écœurant. On ne comprend rien à tout ce micmac, à tous ces micmacs.*

♦ **2.** Désordre, situation embrouillée. *Un affreux micmac jurisprudentiel* (→ Chair, cit. 33).

(...) on a beau se dire qu'il doit y avoir là-dessous bien des micmacs, que Régnier a eu certainement beaucoup de peine à se faire pardonner ses accointances littéraires et son talent (...)
J. ROMAINS, les Hommes de bonne volonté, t. IX, XXXVI, p. 310.

REM. On trouve aussi la graphie *mic-mac.*

Il fut convenu que les Quenu-Gradelle étaient des pas grand'chose, et qu'on les surveillerait.
— Je ne sais quel mic-mac il y a chez eux, dit la vieille fille, mais ça ne sent pas bon... Ce Florent, ce cousin de madame Quenu, qu'est-ce que vous en pensez, vous autres ?   ZOLA, le Ventre de Paris, t. I, p. 118.

MICOCOULE [mikɔkul] n. f. — Mil. xviᵉ ; de *micocoulier.*

♦ Rare. Fruit du micocoulier*, drupe noirâtre et lisse.

MICOCOULIER [mikɔkulje] n. m. — Mil. xviᵉ ; *micacoulier,* 1547 ; grec mod. *mikrokoukouli.*

♦ Plante du genre *orme (Ulmacées),* arbre à bois dur, dont de nombreuses espèces vivent dans les régions chaudes et tempérées. *Micocoulier de Provence. Le micocoulier au bois souple, dur et noirâtre, est utilisé en ébénisterie et pour faire des fouets.* ⇒ **Perpignan.** *Fruit du micocoulier.* ⇒ **Micocoule.**

Sur la rive droite de la rivière s'étageaient de magnifiques échantillons des ulmacées, ces précieux francs-ormes, si recherchés des constructeurs, et qui ont la propriété de se conserver longtemps dans l'eau. Puis, c'étaient de nombreux groupes appartenant à la même famille, des micocouliers, dont l'amande produit une huile fort utile.   J. VERNE, l'Île mystérieuse, t. I, p. 329.

(...) peindre un bout de mur, quatre oliviers ou un vieux puits sous un micocoulier (...)   H. BOSCO, le Sanglier, p. 50.

DÉR. Micocoule.

MI-CORPS (À) [amikɔr] loc. adv. — 1643, Poussin ; de *mi-*, et *corps.*

♦ Au milieu du corps, jusqu'au niveau de la taille (→ Marionnettiste, cit.). *Il entra dans l'eau jusqu'à mi-corps. Portrait à mi-corps,* de la partie supérieure du corps. *Image à mi-corps* (→ Plan* américain, au cinéma).

(...) je tombai juste sur la tête et les épaules de mon camarade, que je trouvai enseveli jusqu'à mi-corps dans une masse de terre molle, et qui luttait avec désespoir pour se délivrer de cette oppression.
BAUDELAIRE, Trad. E. POE, les Aventures d'A. Gordon Pym, XXI.

MI-CÔTE (À) [amikot] loc. adv. — 1690, La Bruyère ; de *mi-*, et *côte.*

♦ Au milieu, à la moitié de la pente d'une côte (→ Côte, cit. 8 ; flot, cit. 8).

J'approche d'une petite ville, et je suis déjà sur une hauteur d'où je la découvre. Elle est située à mi-côte (...)   LA BRUYÈRE, les Caractères, v, 49.

MI-COURSE [mikurs] n. f. — xxᵉ ; de *mi-*, et *course.*

♦ Point, moment se situant à la moitié de la course. *Il a attendu la mi-course pour attaquer. Il était encore attardé à la mi-course, à mi-course.*

C'était dur ? À quel moment avez-vous cru que vous alliez gagner ? Et cette défaillance à la mi-course ?   J. CAU, la Pitié de Dieu, p. 55.

MICRO [mikro] n. m. — 1915, *in* Esnault ; abrév. de *microphone.*

♦ **1.** Microphone. *Régler les micros. Rapprochez-vous du micro. Parler, chanter au micro. Batterie de micros devant un homme politique. Micro omnidirectionnel. Micro baladeur*.*

Joan May a commencé de chanter une chanson américaine. Elle tient le micro dans sa main gauche, micro dissimulé dans un bouquet de fleurs.
Sacha GUITRY, Ils étaient 9 célibataires, p. 117.

Loc. (1963). *Micro cravate :* petit micro portatif.

♦ **2.** Micro-ordinateur (→ Mini, 3.).

MICRO- Premier élément, du grec *mikros* « petit » entrant dans la composition de nombreux termes didact. Voir à l'ordre alphabétique.

REM. 1. Cet élément, comme son antonyme *macro-*, sert de plus en plus à former des composés hybrides (deuxième élément d'origine non grecque). → les mots ci-dessous, et, en outre, *micro-*

aiguille (A. George, in *Échange*, XI, 45), *micro-aimant, microcapsule* (*la Recherche*, juin 1981, p. 729), *microdéfaut* (*le Monde*, 23 févr. 1977), *microgamète* (*Rev. gén. des sc.*, 30 juin 1904), *microgravité* (*Sciences et Avenir*, juil. 1979), *microlame* (*Publicité*, 1972), *microdose*, n. f. (*Science et Vie*, nº 595), *micromarché* (*Sciences et Avenir*, nº 25), *microminiature* (*Ingénieurs et Techniciens*, nº 200), *micro-ophtalmologie* (*Rev. gén. des sc.*, 15 juin 1904), *micropellicule* (*Science et Vie*, nº 588), *microperçage* et *microsoudage* (*Ingénieurs et Techniciens*, nº 200), *microprisme* (*Science et Vie*, nº 592), *micromoteur* et *microréacteur* (*Science et Vie*, nº 592), *microsphère* (*Science et Vie*, nº 592), etc.

2. L'emploi du préfixe *micro-* a été concurrencé depuis 1966 dans le langage courant par la forme *mini-*. Cf. *microprix* (1963, *in* Dauzat) supplanté par *miniprix* (v. 1966-1967).

3. Les textes et les dictionnaires scientifiques et techniques contiennent de nombreux autres composés souvent mal formés, hybrides (cf. REM. 1.) parfois empruntés de l'angl. (ex. : *microbody*, n. m., « organite cellulaire »).

Spécialt. En métrologie, cet élément traduit la division d'une unité par un million. (Ex. : *microseconde* ; symb. : μ).

MICRO-AMPÈRE [mikʀoɑ̃pɛʀ] n. m. — 1923 ; de *micro-*, et *ampère*.

♦ Électr. Un millionième d'ampère (μA). *Des micro-ampères.*

DÉR. Micro-ampèremètre.

MICRO-AMPÈREMÈTRE [mikʀoɑ̃pɛʀmɛtʀ] n. m. — 1923 ; de *micro-ampère*, et *mètre*.

♦ Électr. Ampèremètre* capable de mesurer de très faibles intensités. *Des micro-ampèremètres.*

MICRO-ANALYSE [mikʀoanaliz] n. f. — 1953 ; de *micro-*, et *analyse*.

♦ Sc. Analyse chimique portant sur des masses extrêmement faibles. *Des micro-analyses.*

DÉR. Micro-analyste.

MICRO-ANALYSTE [mikʀoanalist] n. — 1963 ; de *micro-analyse*.

♦ Sc. Spécialiste en micro-analyse.

MICRO-ASSEMBLAGE [mikʀoasɑ̃blaʒ] n. m. — 1968 ; de *micro-*, et *assemblage*.

♦ Techn. Assemblage de composants de très petite taille (spécialt, dans l'industrie électronique). ⟹ **Micro-électronique.**

MICROBALANCE [mikʀobalɑ̃s] n. f. — 1920 ; de *micro-*, et *balance*.

♦ Sc., techn. Balance dont le seuil de sensibilité est de l'ordre du microgramme (μg). — *Semi-microbalance* (sensibilité entre 10 et 100 μg). *Ultra-microbalance* (sensibilité au-dessous de 1 μg).

MICROBE [mikʀob] n. m. — 1878, cf. cit. 1 ; grec *mikrobios* « dont la vie est courte ». → Micro-, et bio-.

♦ **1.** [a] Vx. Micro-organisme invisible à l'œil nu (⟹ **Animalcule** [vx], **micro-organisme**).

[b] Mod., cour. Micro-organisme unicellulaire pathogène. *Les microbes comprennent les bactéries*, des algues, des champignons (actinomycète, aspergille, discomycète, sporotric, trichophyton), des protozoaires.* ⟹ **Hématozoaire ; rhyzopode, sporozoaire.** *Microbe aérobie*, anaérobie*. Association*, antagonisme entre types de microbes. Microbes parasites des organismes vivants. Examiner les microbes au microscope. Solution pour colorer les microbes.* ⟹ **Gram.** *Culture des microbes.* ⟹ aussi **Bouillon** (de culture). *Microbes aux formes arrondies.* ⟹ **Coccacées**, et aussi le suff. *-coque. Microbe allongé en bâtonnet.* ⟹ **Bactériacées ; bacille.** *Microbe muni d'un filament mobile.* ⟹ **Flagellé** (tréponème, trypanosome). *Microbe de forme courbe et infléchie.* ⟹ **Vibrion.** *Microbe spiralé.* ⟹ **Spirille, spirochète.** *Réunion de microbes agglutinés.* ⟹ **Zooglée.** *Microbes agents des putréfactions* (⟹ **Septique**), *des fermentations* (⟹ **Ferment, levure, mycoderme**), *des moisissures* (⟹ **Mucorinées**). *Les microbes nocifs, pathogènes, agents des maladies* contagieuses, infectieuses, spécifiques, virulentes et des épidémies* (cit. 2). *Virulence d'un microbe. Les microbes et les virus*. Poison sécrété par les microbes.* ⟹ **Toxine.** *Moyens de défense naturels contre les microbes.* ⟹ **Antitoxine ; phagocytose.** *Moyens médicaux de défense et de prévention contre les microbes.* ⟹ **Sérum, vaccin ; antibiotique, antimicrobien, microbicide** (substance) ; **antisepsie** (cit.), **asepsie ; pasteurisation, stérilisation.**

1 *Ces germes ont reçu tant de noms différents que l'on finit par s'y perdre. Ainsi*

on les appelle *schizophytes, micrococcus* (...) *bactéries* (...) *micro-organismes* (...) *bacilles, vibrions*, etc. ; j'en passe. Je crois utile de remplacer toutes ces dénominations par un nom générique plus simple, je propose en conséquence le nom général de *microbe* (...) J'ai consulté à cet égard mon ami Littré, qui approuve mon choix.   SÉDILLOT. Applications des travaux de M. Pasteur... (1878), *in* P. LAROUSSE, Deuxième Supplément.

Contre l'incrédulité ou l'hésitation des médecins, la grande période des précisions bactériologiques était en marche. Pasteur découvrit le vibrion septique, microbe responsable de tant de gangrènes mortelles, et cultiva le premier la bactéridie charbonneuse, dont l'admirable Davaine avait, expérimentalement, douze ans plus tôt indiqué l'existence et le rôle.   Henri MONDOR, Pasteur, VII.

Par comparaison :

Les grandes villes sont des organismes monstrueux, où pullulent, ainsi que les microbes de toutes les maladies, tous ceux de l'intelligence.
                R. ROLLAND, le Voyage intérieur, p. 126.

♦ **2.** Fig., fam. Personne petite, chétive et malingre. ⟹ **Avorton.** *Taistoi, microbe !*

CONTR. Mastodonte.

DÉR. Microbicide, microbien, microbiologie, microbisme, microbiurgie.

MICROBICIDE [mikʀobisid] adj. et n. m. — 1889, *la Science illustrée*, t. II, p. 391 ; de *microbe*, et suff. *-cide*.

♦ Didact., vieilli. Qui tue les microbes. ⟹ **Antimicrobien, bactéricide ; antiseptique.** *« Action microbicide de l'acide sulfureux »* (*Année sc. et industr.*, 1890, p. 416).

MICROBIE [mikʀobi] n. f. — V. 1880, du grec *mikrobios*. → Microbe.

♦ Vx, sc. Microbiologie. *« L'Institut comprend six services* (dont un de) *microbie générale »* (*Année sc. et industr.*, 1890, p. 329 [1889]).

MICROBIEN, IENNE [mikʀobjɛ̃, jɛn] adj. — 1888, *in* D. D. L. ; de *microbe*.

♦ **1.** Relatif aux microbes, qui contient des microbes. *Culture microbienne. Prolifération microbienne.*

♦ **2.** Causé, produit par les microbes. *Maladie, affection microbienne. Toxines microbiennes* (→ Antitoxine, cit. 1 et 2).

REM. Le mot a été précédé par l'adj. *microbique* : *« M. Koch institua des cultures microbiques »* (*Année sc. et industr.*, 1884, p. 335 [1883]).

COMP. Amicrobien, antimicrobien.

MICROBILLE [mikʀobij] n. f. — V. 1960 ; de *micro-*, et *bille* (composé hybride).

♦ Techn. Particule (de pigment, d'agent abrasif, etc.) très fine, obtenue par micronisation.

MICROBIOLOGIE [mikʀobjɔlɔʒi] n. f. — 1888, *Séance de l'Académie des Sc.*, in *Année sc. et industr.* 1890, p. 552 ; de *microbe*, et *biologie*.

Didactique.

♦ **1.** Vx. Science qui a pour objet l'étude des microbes.

♦ **2.** Mod. (De *micro-*, et *biologie*). Science qui traite des organismes microscopiques et ultramicroscopiques (⟹ **Bactériologie**). *Autres branches de la microbiologie.* ⟹ **Mycologie, protistologie, virologie.** *Techniques, procédés, matériel de la microbiologie.* ⟹ **Culture** (microbienne), **bouillon** (de culture) ; **gélatine, gélose**, etc. *Découvertes de la microbiologie appliquée à la médecine.* ⟹ **Antisepsie, asepsie ; sérum, stérilisation, vaccin.**

DÉR. Microbiologique, microbiologiste.

MICROBIOLOGIQUE [mikʀobjɔlɔʒik] adj. — 1888 ; de *microbiologie*.

♦ Didact. Qui se rapporte à la microbiologie.

MICROBIOLOGISTE [mikʀobjɔlɔʒist] n. — 1891, in *Année sc. et industr.*, p. 189 ; de *microbiologie*.

♦ Sc. Spécialiste de la microbiologie*.

MICROBIOTE [mikʀobjot ; mikʀobjɔt] n. m. — V. 1970 ; de *micro-*, et l'élément *biote*. → Antibiotique.

♦ Didact. (paléont.). Restes pétrifiés de micro-organismes (précambrien). *Les plus anciens microbiotes connus remontent à environ 2 300 milliards d'années.*

MICROBISME [mikʀobism] n. m. — 1973 ; de *microbe*, et suff. *-isme.*

♦ Méd. Présence de micro-organismes dans un tissu ou dans un milieu organique, n'entraînant pas nécessairement une infection.

MICROBIURGIE [mikʀɔbjyʀʒi] n. f. — 1959 ; de *microbe*, et *-urgie*.

♦ Didact. Ensemble des connaissances scientifiques et techniques utilisant des micro-organismes dans le but d'effectuer industriellement la transformation d'une matière première.

MICROBROUILLARD [mikʀɔbʀujaʀ] n. m. — 1972, *la Clé des mots* ; de *micro-*, et *brouillard*.

♦ Climatologie. Brouillard dense et localisé, souvent dû à une cause accidentelle (pollution, etc.).

MICROBUS [mikʀɔbys] n. m. — Mil xxᵉ ; de *micro-*, et *bus*.

♦ Petit autobus rapide. ⇒ **Minibus.**

MICROCALORIMÉTRIE [mikʀɔkalɔʀimetʀi] n. f. — 1968 ; de *micro-*, et *calorimétrie*.

♦ Technique de la mesure des très faibles quantités de chaleur.

MICROCENTRALE [mikʀɔsɑ̃tʀal] n. f. — 1963 ; de *micro-*, et *centrale* (électrique).

♦ Techn. Centrale hydro-électrique de faible puissance (pour l'exploitation rationnelle des cours d'eau à faible débit).

MICROCÉPHALE [mikʀɔsefal] adj. et n. — 1795, trad. de G. Cullen ; de *micro-*, et *-céphale*.
Didactique.

♦ **1.** Méd. Dont la tête est anormalement peu développée ; qui est atteint de microcéphalie. — N. *Un, une microcéphale.*

♦ **2.** Zool. Dont la tête est très petite (en particulier, par rapport à d'autres formes de la même espèce). *Ouvrières microcéphales et ouvrières macrocéphales, chez certaines fourmis.*

♦ **3.** Bot. *Plante microcéphale,* dont les fleurs sont réunies en petits capitules.

CONTR. **Acromégalique, macrocéphale.**
DÉR. **Microcéphalie.**

MICROCÉPHALIE [mikʀɔsefali] n. f. — 1855, Nysten ; de *micro-céphale*.

♦ Sc. Atrophie de la tête et du cerveau qui s'accompagne souvent d'idiotie.

CONTR. **Macrocéphalie.**

MICROCHIMIE [mikʀɔʃimi] n. f. — 1867 ; de *micro-*, et *chimie*.

♦ Sc. Ensemble des procédés permettant de déceler et de mesurer les quantités très petites de substances chimiques qui se trouvent dans un corps. ⇒ **Histochimie.**

DÉR. **Microchimique.**

MICROCHIMIQUE [mikʀɔʃimik] adj. — 1867 ; de *microchimie*.

♦ Sc. Qui se rapporte à la microchimie* ; qui utilise les méthodes de la microchimie. *Examen microchimique.*

DÉR. **Microchimiquement.**

MICROCHIMIQUEMENT [mikʀɔʃimikmɑ̃] adv. — 1897 ; de *microchimique*.

♦ Par la microchimie ; du point de vue de la microchimie.

MICROCHIRURGICAL, ALE, AUX [mikʀɔʃiʀyʀʒikal, o] adj. — 1974 ; de *microchirurgie*.

♦ Didact. Qui se rapporte à la microchirurgie*. *Techniques microchirurgicales.*

MICROCHIRURGIE [mikʀɔʃiʀyʀʒi] n. f. — 1931 ; de *micro-*, et *chirurgie*.

♦ Didact. Chirurgie des structures vivantes microscopiques ; micromanipulation* chirurgicale. ⇒ **Microdissection.** « *(...) seules des transplantations de noyaux de cellules jeunes dans des cellules plus âgées, ou inversement, permettront d'attaquer le sujet sous un angle authentiquement expérimental. Malheureusement, les techniques de la microchirurgie sont actuellement trop grossières pour*

permettre ce type de manipulation sur les petites cellules de mammifères » (*la Recherche,* févr. 1974).
DÉR. **Microchirurgical.**

MICROCINÉMA [mikʀɔsinema] n. m. — 1910, *microcinématographe* ; de *micro-*, et *cinéma*.

♦ **1.** Appareil de prise de vues cinématographiques adapté à un microscope.

♦ **2.** Microcinématographie.

MICROCINÉMATOGRAPHIE [mikʀɔsinematɔgʀafi] n. f. — 1908 ; de *micro-*, et *cinématographie*.

♦ Didact. Prise de vues cinématographiques de sujets microscopiques.

Les microcinématographies réalisées par Chèvremont et Frédéric sur des cultures en croissance constituent un merveilleux outil didactique pour l'enseignement des processus de la division cellulaire. C'est aussi la microcinématographie qui a permis aux biologistes belges de faire une étude poussée, dans les cellules en culture, de ces constituants, connus sous le nom de mitochondries (...)
Jean VERNE et Simone HÉBERT, la Culture de tissus, p. 24-25.
DÉR. **Microcinématographique.**

MICROCINÉMATOGRAPHIQUE [mikʀɔsinematɔgʀafik] adj. — 1908 ; de *microcinématographie*.

♦ Didact. Qui a trait à la microcinématographie, ou qui l'utilise.

MICROCIRCUIT [mikʀɔsiʀkɥi] n. m. — 1961 ; de *micro-*, et *circuit*.

♦ Techn. Circuit électrique imprimé et miniaturisé. « *On est passé des 100 éléments au décimètre cube des équipements transistorisés aux 100 000 éléments des microcircuits imprimés* (*Science et Vie,* nº 590).

MICROCLIMAT [mikʀɔklima] n. m. — 1945 ; de *micro-*, et *climat*.

♦ Ensemble des conditions climatiques (température, humidité, vent) propres à une très petite étendue de la surface terrestre. — REM. On écrit parfois *micro-climat.*

Vous, le météo en chef, répondez donc à cette question : pleut-il toujours ou ne pleut-il jamais à la Martinique ? Il pleut toujours et il ne pleut jamais : toujours au Morne Rouge, jamais dans le Sud... Parce que notre « département » en plus de deux océans, de deux races et du plus terrible volcan du monde, s'offre au moins une demi-douzaine de micro-climats ! 1
Roger VERCEL, l'Île des revenants, p. 273.
Le taux de ces acides dépend des cépages, mais il dépend aussi beaucoup du (...) microclimat dans lequel s'est développé le raisin. 2
Jules CARLES, la Chimie du vin, p. 63.
DÉR. **Microclimatique.**

MICROCLIMATIQUE [mikʀɔklimatik] adj. — 1963 ; de *micro(-)climat*.

♦ Didact. D'un microclimat ; relatif à un, aux microclimats, à leur étude.

MICROCLIMATOLOGIE [mikʀɔklimatɔlɔʒi] n. f. — 1963 ; de *micro-*, et *climatologie*.

♦ Didact. Étude des microclimats*.
DÉR. **Microclimatologique.**

MICROCLIMATOLOGIQUE [mikʀɔklimatɔlɔʒik] adj. — 1971, *Encycl. Univ.* ; de *microclimatologie*.

♦ Didact. Relatif à la microclimatologie. *Étude des climats à l'échelle microclimatologique.*

MICROCLINE [mikʀɔklin] n. f. — 1897 ; de *micro-*, et du grec *klinein* « incliner ».

♦ Minér. Feldspath potassique ou sodique.

MICROCONTEXTE [mikʀɔkõtɛkst] n. m. — xxᵉ ; de *micro-*, et *contexte*.

♦ Ling. Contexte minimal, entourage immédiat (d'une unité).
CONTR. **Macrocontexte.**

MICROCOPIE [mikʀɔkɔpi ; mikʀɔkopi] n. f. — V. 1963 ; de *micro-*, et *copie*.

♦ Techn. Reproduction photographique obtenue à l'aide d'un dispositif optique réduisant fortement les dimensions du document pho-

tographié. « *La banque Rothschild commandant (...) la réduction photo de tous ses livres de comptes pour devenir ainsi la première société qui ait recouru à la microcopie* » (*l'Express*, juin 1973).
DÉR. Microcopier.

MICROCOPIER [mikʀɔkɔpje] v. tr. — 1969 ; de *microcopie*.

◆ Techn. Faire la microcopie de (un document). ⇒ **Microficher, microfilmer, microphotographier.** — P. p. adj. « *Recherche automatisée d'un document microcopié.* » (*Encycl. Univ.*, art. *Documentation*, 1969).

MICROCOQUE [mikʀɔkɔk ; mikʀɔkɔk] n. m. — 1878 ; de *micro-*, et suff. *-coque*.

◆ Biol. (Vieilli). Micro-organisme en forme de grain arrondi (gonocoque, staphylocoque, etc.). *Certains microcoques agissent comme ferments.*
M. Rohner a fini par isoler une sorte de streptocoque (...) et ce streptocoque ou, pour être plus exact, ce microcoque, donne de bonnes cultures, mais il faut le faire passer sur l'animal vivant pour lui garder sa virulence.
G. DUHAMEL, Chronique des Pasquier, VI, XII.

MICROCOSME [mikʀɔkɔsm ; mikʀɔkɔsm] n. m. — 1314 ; bas lat. *microcosmus*, grec *mikrokosmos*.

◆ **1.** Philos. anc. *Le microcosme :* l'homme, le corps humain considéré comme un petit univers, une image réduite du monde, du macrocosme*, auquel il correspond, partie à partie.

1 Il semble que mon esprit soit un petit monde intérieur où se reflète, sans limite de temps ni d'espace, l'immense monde extérieur. Les philosophes ont quelquefois appelé *microcosme* ce modèle réduit de l'univers (...)
A. MAUROIS, Un art de vivre, I, I.

◆ **2.** Mod., littér. (En parlant d'un tout formant une unité organique). Abrégé, image réduite du monde, de la société.

2 Il y avait là de petits incurables, des infirmes, des malades, des convalescents. Il y avait là des enfants arriérés, des demi-imbéciles, et d'autres très intelligents. Un microcosme, en somme... L'humanité vue par le gros bout de la lorgnette (...)
MARTIN DU GARD, les Thibault, t. IX, p. 247.

3 Les jouets courants sont essentiellement un microcosme adulte ; ils sont tous reproductions amoindries d'objets humains (...)
R. BARTHES, Mythologies, p. 58.

CONTR. Macrocosme.
DÉR. Microcosmique.

MICROCOSMIQUE [mikʀɔkɔsmik] adj. — 1846 ; de *microcosme*.

◆ Didact. Du microcosme*, qui a trait au microcosme.
CONTR. Macrocosmique.

MICROCRISTAL, AUX [mikʀɔkʀistal, o] n. m. — 1949 ; de *micro-*, et *cristal*.

◆ Didact. Cristal microscopique (formant notamment la structure des principaux alliages). « *(...) des pluies artificielles, déclenchées par l'ensemencement des nuages avec des microcristaux d'iodure d'argent* » (*l'Express*, juil. 1972). ⇒ **Microcristallin.**
La présence de ces microcristaux joue un rôle important dans les modifications de certaines des propriétés physiques provoquées par une élévation de température.
Jean VÈNE, les Plastiques, p. 105.

MICROCRISTALLIN, INE [mikʀɔkʀistalɛ̃, in] adj. — 1931 ; de *micro-*, et *cristallin*.

◆ Didact. Formé de microcristaux. « *Une substance microcristalline* » (Jean Vène, *les Plastiques*, p. 105).

MICROCURIE [mikʀɔkyʀi] n. m. — 1950 ; do *micro-*, et *curie*.

◆ Didact. Unité de radioactivité égale à un millionième de curie (⇒ 2. **Curie**), et correspond à 37 100 désintégrations par seconde (symb. μ *Ci*).

MICROCYTE [mikʀɔsit] n. m. — 1878 ; de *micro-*, et *-cyte*.

◆ Méd. Globule rouge ayant subi une diminution de diamètre.

MICRODACTYLE [mikʀɔdaktil] adj. — 1868 ; de *micro-*, et *dactyle*.

◆ Anat. (Rare). Qui a des doigts très courts.

MICRODÉCISION [mikʀɔdesizjɔ̃] n. f. — 1963 ; de *micro-*, et *décision*. → Macrodécision.

◆ Didact. (écon.). Décision individuelle du sujet économique, objet d'étude de l'économie politique traditionnelle (micro-économie).
CONTR. Macrodécision.

MICRODISSECTION [mikʀɔdisɛksjɔ̃] n. f. — 1931 ; de *micro-*, et *dissection*.

◆ Sc. Micromanipulation qui consiste à disséquer des organismes microscopiques, des cellules vivantes. ⇒ **Microchirurgie.**

MICRODONTIE [mikʀɔdɔ̃ti ; mikʀɔdɔ̃si] n. f. — xxᵉ ; de *micro-*, et *-odontie*.

◆ Méd. Petitesse anormale des dents. (On dit aussi *nanisme dentaire*).

MICRO-ÉCONOMIE ou **MICROÉCONOMIE** [mikʀɔekɔnɔmi] n. f. — 1956 ; de *micro-*, et *économie*.

◆ Didact. Étude de l'activité et des comportements économiques des individus. — Ensemble de cette activité, de ces comportements. « *La micro-économie est personnelle, et pourrait se rapprocher de l'économie domestique* » (G. Pasqualaggi, *in* Romeuf, *Dict. des Sciences économiques*).
CONTR. Macro-économie.
DÉR. Micro-économique.

MICRO-ÉCONOMIQUE ou **MICROÉCONOMIQUE** [mikʀɔekɔnɔmik] adj. — 1963 ; de *micro-économie*.

◆ Didact. De la micro-économie*.
Qu'un impôt soit perçu, par des municipalités, pour couvrir le coût des stations d'épuration des eaux, il y aura quelque part ailleurs des réductions d'emploi, par suite de la réduction de leurs ressources.
Quelque part ailleurs, disons-nous. Où ? À cette question classique, l'observateur est incapable de répondre ; de ce fait, le non-visible reste ignoré et l'optique micro-économique peut poursuivre indéfiniment ses ravages.
A. SAUVY, Croissance zéro ?, p. 252.
CONTR. Macro-économique.

MICRO-ÉLECTRONIQUE ou **MICROÉLECTRONI-QUE** [mikʀɔelɛktʀɔnik] n. f. — 1970 (v. 1957 selon G. L. E., *Suppl.*) ; de *micro-*, et *électronique*.

◆ Didact. (techn.). Électronique utilisant les éléments très petits (circuits imprimés, etc.). ⇒ **Miniaturisation.** *Micro-assemblages utilisés en micro-électronique.*

MICRO-ÉVOLUTION ou **MICROÉVOLUTION** [mikʀɔevɔlysjɔ̃] n. f. — 1932 ; J. Rostand, *in* D.D.L. ; de *micro-*, et *évolution*.

◆ Didact. (biol.). Évolution des ensembles biologiques inférieurs ou égaux à l'espèce (sous-espèces, races), en tant qu'on en rendrait compte par des hypothèses différentes de celles qui sont requises pour la *macroévolution.*

MICROFARAD [mikʀɔfaʀad] n. m. — 1888 ; de *micro-*, et *farad*.

◆ Électr. Unité usuelle de capacité égale à un millionième de farad (μ F).

MICROFAUNE [mikʀɔfon] n. f. — V. 1970 ; de *micro-*, et *faune*.

◆ Didact. Faune microscopique. *Microfaune et microflore*.*

MICROFICHAGE [mikʀɔfiʃaʒ] n. m. — 1975, *in* G. L. E., *Suppl.* ; de *microficher*.

◆ Techn. doc. Mise sur une, sur des microfiches.

MICROFICHE [mikʀɔfiʃ ; mikʀɔfiʃ] n. f. — Mil. xxᵉ (Larousse 1963) ; de *micro-*, et *fiche*.

◆ Techn. Document de format normalisé, comportant une série de microphotographies juxtaposées. ⇒ **Microforme.** *Microfiche standard de 105 mm × 148. Microfilm d'un document en deux, trois microfiches. Lecteur*, lecteur-projeteur de microfiches.*
DÉR. Microficher.

MICROFICHER [mikʀɔfiʃe] v. tr. — V. 1960-1965 ; de *microfiche*.

◆ Techn. doc. Microcopier* sur une, sur des microfiches.
DÉR. Microfichage.

MICROFILM [mikʀɔfilm ; mikʀɔfilm] n. m. — 1931 ; de *micro-*, et *film*.

♦ Reproduction très réduite de documents sur film photographique. ⇒ **Microcopie, microforme, microphotographie.** *Microfilm en bobine, en rouleau, en bande. Microfilm coupé.* ⇒ **Microfiche.** *Lire un manuscrit, un journal ancien sur microfilm* (⇒ **Microlecture**). *Microfilm d'un catalogue de bibliothèque. Collection de microfilms.* ⇒ **Filmothèque.** *Microfilm de sécurité,* destiné à remplacer un document en cas de destruction, ou à protéger l'original en cas de consultations fréquentes. *Microfilm de réserve. Microfilm de substitution* (documents administratifs, juridiques). *Microfilm de complément,* reproduisant des documents absents (cf. Archivage de complément).

(...) le microfilm (...) tantôt reste en bande de 30 ou 60 m, tantôt est coupé en petites bandelettes qui, placées dans des «jackets» de la dimension d'une carte postale, deviennent la forme moderne des dossiers (...) Instrument de stockage, de gestion, de diffusion de l'information, le microfilm devient aussi un intermédiaire de l'imprimerie. Des agrandisseurs existent, qui, à partir d'un microfilm, insolent une plaque offset, ce qui permet alors des rééditions de documents anciens dans des formats plus maniables (...)
Jean PRINET et Ginette BLÉRY, la Photographie et ses applications, p. 92-98.
Film vierge destiné à de telles reproductions.

DÉR. **Microfilmer.**

MICROFILMAGE [mikʀɔfilmaʒ ; mikʀofilmaʒ] n. m. — V. 1970 ; de *microfilmer.*

♦ Techn. Action de reproduire par microfilm.

(...) il est extrêmement rare de trouver la collection complète d'un journal et (...) les collections de journaux, même reliées, se fatiguent très rapidement dès qu'elles font l'objet de communications répétées. C'est ainsi que la Bibliothèque nationale de Paris a été amenée tout récemment à entreprendre le microfilmage de journaux et de périodiques (...) pour en constituer sur pellicule une collection (...)
M. FRANÇOIS, *in* l'Histoire et ses méthodes, Encycl. Pl., p. 789.

MICROFILMER [mikʀɔfilme ; mikʀofilme] v. tr. — 1931 ; de *microfilm.*

♦ Photographier sur microfilm*. *Microfilmer un document.* — Au p. p. *Documents microfilmés.*

DÉR. **Microfilmage.**

MICROFISSURE [mikʀofisyʀ] n. f. — 1968 ; de *micro-,* et *fissure.*

♦ Géol., techn. Très petite fissure (en partic. : dans une roche ; dans un élément de construction), invisible ou à peine visible à l'œil nu. « *Les microfissures* (défauts mineurs de soudure) *détectées n'étaient pas évolutives* » (*le Monde,* 23 févr. 1977).

MICROFLORE [mikʀoflɔʀ ; mikʀoflɔʀ] n. f. — V. 1970 ; de *micro-,* et *flore.*

♦ Didact. Ensemble des micro-organismes végétaux qui vivent sur les tissus ou dans les cavités naturelles de l'organisme. *La microflore intestinale. La microfaune et la microflore.*

MICROFORME [mikʀofɔʀm] n. f. — Av. 1978, → cit. ; de *micro-,* et *forme.*

♦ Techn. Document sur support microphotographique. ⇒ **Microfiche, microfilm, microphotographie.**

Un matériel (...) transpose l'information digitale des bandes magnétiques en caractères lisibles directement imprimés sur microforme à quelque 120 000 caractères à la seconde.
Moyen d'engranger l'information en économisant l'espace, de la diffuser, la microforme est maintenant considérée comme un système de gestion de l'information.
Jean PRINET et Ginette BLÉRY, la Photographie et ses applications, p. 90-91.

MICROGÉNITALISME [mikʀoʒenitalism] n. m. — xxᵉ ; de *micro-, génital,* et suff. *-isme.*

♦ Méd. Développement insuffisant des organes génitaux externes.

MICROGLOSSAIRE [mikʀoglosɛʀ] n. m. — V. 1960 ; de *micro-,* et *glossaire.*

♦ **1.** Ling. Vocabulaire spécial à une activité, répertorié et considéré comme indépendant du vocabulaire général.

À la spécialisation grandissante des activités professionnelles, et à la précision croissante des méthodes de travail, correspond dans chaque métier la constitution d'un «micro-glossaire», spécialisé et systématique, qui a ses propres lois de construction des signifiants et de répartition des signifiés.
Henri MITTERAND, les Mots français, p. 100.

♦ **2.** Dictionnaire, répertoire qui classe et décrit ce vocabulaire.

MICROGLOSSE [mikʀoglos] n. m. — Déb. xixᵉ, Cuvier ; de *micro-,* et grec *glôssa* «langue». → -glosse.

♦ Zool. Psittacidé (cacatoès) d'Océanie, à plumage noir, à longue huppe, à langue portée par un pédicule mobile.

MICROGLOSSIE [mikʀoglɔsi] n. f. — 1878 ; de *micro-,* et *gloss(ie).*

♦ Didact. Petitesse anormale de la langue.

CONTR. **Macroglossie.**

MICROGRAMME [mikʀogʀam] n. m. — xxᵉ ; de *micro-,* et *gramme.*

♦ Didact. Unité de masse égale à un millionième de gramme (µg). « *La quantité de fumée est tombée de 250 microgrammes par mètre cube, en 1954, à 50 à Londres* » (A. Sauvy, *Croissance zéro?,* p. 236).

MICROGRAPHE [mikʀogʀaf] n. — 1771 ; de *micrographie.*

♦ Didact. Personne qui s'occupe de micrographie*.

MICROGRAPHIE [mikʀogʀafi] n. f. — 1665 ; de *micro-,* et *graphie.*

♦ **1.** Didact. Ensemble des techniques de microscopie appliquée à l'étude des matériaux, et en particulier à l'étude des matériaux métalliques (préparation des surfaces, éclairage des échantillons, etc.) ; cette étude. *Micrographie des alliages. La micrographie utilise la microphotographie* pour fixer l'image des objets observés.*

♦ **2.** Reproduction photographique d'une microstructure.

DÉR. **Micrographe, micrographique.**

MICROGRAPHIQUE [mikʀogʀafik] adj. — 1834 ; de *micrographie.*

♦ Didact. Relatif à la micrographie. *Analyse micrographique.*

MICROGRENU, UE [mikʀogʀəny] adj. — 1879, Fouqué et Lévy ; de *micro-,* et *-grenu.*

♦ Minér. *Roches microgrenues :* roches volcaniques formées de petits minéraux cristallins à peine visibles à l'œil nu, sans résidu vitreux (opposé à *microlithique*).

MICROHM [mikʀom] n. m. — 1888 ; de *micro-,* et *ohm.*

♦ Électr. Unité de résistance électrique égale à un millionième d'ohm (µΩ).

MICRO-INFORMATIQUE [mikʀoɛ̃fɔʀmatik] n. f. — V. 1980 ; de *micro-,* et *informatique.*

♦ Informatique des micro-ordinateurs. *L'informatique individuelle est généralement une micro-informatique.* «*A en croire le fabricant (du) premier microprocesseur 32 bits sur le marché, l'évolution de la micro-informatique passe par l'intégration dans le silicium d'un grand nombre de fonctions jusqu'alors effectuées par le logiciel* » (*la Recherche,* oct. 1981, p. 1144).

MICRO-INSTRUCTION [mikʀoɛ̃stʀyksjɔ̃] n. f. — V. 1970 ; de *micro-,* et *instruction.*

♦ Techn. (inform.). Instruction élémentaire correspondant au niveau programmable le plus simple d'un ordinateur. *Séquence de micro-instructions.* ⇒ **Microprogrammation.**

MICRO-INSTRUMENT [mikʀoɛ̃stʀymɑ̃] n. m. — 1963 ; de *micro-,* et *instrument.*

♦ Sc. Techn. Très petit instrument employé pour les micromanipulations (*microcouteaux, micro-aiguilles, microscalpels,* etc.).

MICROLECTURE [mikʀolɛktyʀ] n. f. — 1969, → cit. ; de *micro-,* et *lecture.*

♦ Techn. doc. Lecture de microcopies. « *Les appareils de microlecture* (...) *causent une fatigue oculaire quand on travaille longuement sur un document* » (*Encycl. Univ.,* art. *Documentation*).

MICROLÉPIDOPTÈRES [mikʀolepidɔptɛʀ] n. m. pl. et adj. — 1873 ; de *micro-,* et *lépidoptère.*

♦ Didact. Grande division de l'ordre des lépidoptères, comprenant les papillons de petite taille (tordeuses, pyrales, teignes, etc.). — Au sing. *Un microlépidoptère.* — Adj. *Papillon microlépidoptère.*

CONTR. Macrolépidoptères.

MICROLITHE [mikʀolit; mikʀolit] n. m. — 1884, de Lapparent; de *micro-,* et *-lithe.*

♦ **1.** Géol. Petit élément cristallin des roches microlithiques.

♦ **2.** Paléont. Petit outil de pierre, fabriqué à partir d'un éclat, à l'époque paléolithique.

C'est (...) ce type d'industrie (sur lames) qui allait prévaloir à la fin du Pléistocène, vers – 8 000, avec ensuite une tendance à la miniaturisation et l'apparition de microlithes, petits outils retouchés, souvent de formes géométriques.
G. DE BEAUCHÊNE, *in* Encycl. Pl., Ethnologie régionale, t. I, p. 70.

MICROLITHIQUE [mikʀolitik; mikʀolitik] adj. — 1879, Fouqué et Lévy; de *micro-,* et *-lithique.*

♦ Minér. *Roches microlithiques :* roches volcaniques semi-cristallines, dans lesquelles des petits cristaux (microlithes) sont noyés dans une masse vitreuse (opposé à *microgrenu*).

MICROMANIPULATEUR [mikʀomanipylatœʀ] n. m. — Av. 1931; de *micro-,* et *manipulateur.*

♦ Didact. Appareil ou ensemble d'appareils permettant d'intervenir sur des organismes microscopiques. *Micromanipulateur à vis micrométrique* (1921); *à commande pneumatique* (1932).

Grâce à des procédés techniques ingénieux et variés, on a pu, soit enlever une partie de la substance de l'œuf, soit tuer, déplacer, ou écarter telle ou telle des premières cellules formées et ainsi créer des conditions nouvelles de développement. CHABRY avait déjà, en 1887, créé à cet effet, un *micromanipulateur.* D'autres ont été imaginés depuis et le plus élégant, à l'heure présente, est celui de M. DE FONBRUNE, qui permet de réaliser aisément, sous les forts grossissements du microscope, des *micromouvements* dans toutes les directions de l'espace.
Maurice CAULLERY, les Étapes de la biologie, p. 82.

MICROMANIPULATION [mikʀomanipylasjɔ̃] n. f. — Mil. XXᵉ; de *micro-,* et *manipulation.*

♦ Sc. Opération effectuée sur un objet microscopique, dans le champ du microscope (microdissection, injections dans les cellules, microchirurgie, etc.) à l'aide d'instruments très petits *(micro-instruments*)* et de dispositifs spéciaux *(micromanipulateurs*).*

MICROMÉLIE [mikʀomeli] n. f. — 1842; de *micro-,* et grec *mêlos* «membre».

♦ Méd. Atrophie des membres. ⇒ **Achondroplasie.** *Dans la micromélie, la brièveté des membres contraste avec le développement normal du tronc.*

CONTR. Acromélie.

MICROMÈRE [mikʀomɛʀ; mikʀomeʀ] n. m. — 1873; de *micro-,* et *(blasto)mère,* du grec *mêros* «partie».

♦ Didact. (embryol.). Petit blastomère se formant au cours des premières divisions de l'œuf. *Les micromères sont les 4 cellules inférieures, dans le stade embryonnaire primitif à 16 cellules.*

La segmentation est inégale; le premier sillon intéresse un plan méridien, le second également mais perpendiculaire au premier; quant au troisième il est latitudinal et sépare 4 petits blastomères (micromères) au pôle animal, tandis que le reste de l'œuf forme 4 macromères.
Jean GUIBÉ, les Batraciens, p. 74.

CONTR. Macromère.

MICROMÉTÉORITE [mikʀometeɔʀit] n. m. ou f. — 1962; de *micro-,* et *météorite.*

♦ Didact. (astron.) Météorite de très petite taille.

Par contre les micrométéorites sont très nombreuses dans l'espace; leur vitesse est variable entre 11 km/s et 72 km/s. Mais leur masse est très faible puisqu'elle peut atteindre 10^{-11} g !
J. COLIN et Y. HOUDAS, Physiologie du cosmonaute, p. 16.

MICROMÈTRE [mikʀomɛtʀ] n. m. — 1572, «sorte de compas»; 1640 «instrument d'astronomie»; de *micro-,* et *mètre.*
Sciences.

♦ **1.** Phys. Unité de longueur valant un millionième de mètre (symb. μm).

♦ **2.** (1680). Appareil utilisé pour mesurer les dimensions des objets étudiés à l'aide d'un instrument optique à fort grossissement (télescope, microscope).

♦ **3.** (1845). Instrument servant à mesurer les petites grandeurs. *Jauge, palmer à micromètre.*

Dans cet état, il est tourné extérieurement à sa dimension et livré aux mesureurs

qui, au moyen d'un instrument d'une extrême précision, nommé micromètre, mesurent chaque partie avec une exactitude mathématique.
L. FIGUIER, l'Année scientifique et industrielle 1861, p. 123 (1860).

MICROMÉTRIE [mikʀometʀi] n. f. — 1840; de *micro-,* et *métrie.*

♦ Didact. Mesure d'objets microscopiques à l'aide d'un micromètre* (3.).

DÉR. Micrométrique.

MICROMÉTRIQUE [mikʀometʀik] adj. — 1836, cit. 1.; de *micrométrie.*

♦ Didact. (sc., techn.). Relatif à la micrométrie. *Vis micrométrique,* dont le pas très petit permet le réglage d'instruments de haute précision tels que microscope, microtome, etc. *Microscope micrométrique,* muni d'un micromètre.

Vis micrométriques. On emploie très fréquemment la *vis* pour mesurer des longueurs et pour les diviser en parties égales; c'est le moyen le plus parfait que l'on connaisse.
G. LAMÉ, Cours de physique, t. I, p. 11 (1836).

Viaur gardait une conscience aussi lucide, aussi exigeante, aussi éplucheuse du détail, que lorsqu'il travaillait au microscope par un de ses meilleurs jours, quand la molette micrométrique a su trouver sa position rigoureuse, et que le fouet de la lumière frappe avec une justesse d'incidence parfaite l'objet que l'œil a besoin de fouiller.
J. ROMAINS, les Hommes de bonne volonté, t. XII, VI, p. 71.

MICROMILIEU [mikʀomiljø] n. m. — V. 1970; de *micro-,* et *milieu.*

♦ Didact. Milieu restreint, environnement immédiat. — Cour. Environnement humain restreint. ⇒ **Microsociété.** *Le micromilieu des intellectuels parisiens de la Rive gauche.*

MICROMILLIMÈTRE [mikʀomilimɛtʀ] n. m. — 1890; de *micro-,* et *millimètre.*

♦ Didact. Millionième partie du millimètre, ou millième de micron.

MICROMINIATURISATION [mikʀominjatyʀizasjɔ̃] n. f.— 1961; de *microminiaturiser.*

♦ Techn. Miniaturisation poussée, en électronique (à l'aide de circuits imprimés, etc.).

(...) deux activités se développaient qui allaient contribuer puissamment à la naissance de la microminiaturisation : les machines à calculer (...); les fusées, engins et par la suite les satellites où les impératifs de poids et de consommation faibles imposaient l'utilisation de circuits microminiatures à semi-conducteurs.
J. DEZOTEUX et R. PETIT-JEAN, les Transistors, p. 119.

MICROMINIATURISER [mikʀominjatyʀize] v. tr. — 1963; de *micro-,* et *miniaturiser.*

♦ Techn. Réduire à l'extrême les dimensions de (un dispositif électronique).

DÉR. Microminiaturisation.

MICROMOLÉCULE [mikʀomolekyl] n. f. — 1953; de *micro-,* et *molécule.*

♦ Chim. organ. Molécule* de faible poids moléculaire (et de structure simple).

CONTR. Macromolécule.

MICROMORTIER [mikʀomɔʀtje] n. m. — 1972; de *micro-,* et *mortier.*

♦ Techn. Mortier à granulation très fine.

MICROMYCÈTE [mikʀomisɛt] n. m. — 1903; de *micro-,* et *-mycète.*

♦ Bot. Champignon microscopique.

CONTR. Macromycète.

MICRON [mikʀɔ̃] n. m. — 1888; grec *mikron,* neutre de *mikros* «petit».

♦ Unité de longueur (abrév. : μm ou μ) *égale à un millionième de mètre.* ⇒ **Micromètre.**

MICRONISATION [mikʀɔnizasjɔ̃] n. f. — V. 1970; de *micron* et *-isation.*

♦ Sc., techn. Réduction d'un corps solide en particules de très faible dimension, de l'ordre du micron (⇒ **Microbille**).

MICRONUCLÉUS [mikʀɔnykleys] n. m. — 1897, Le Dantec; de *micro-*, et *nucléus*.

♦ Biol. Le plus petit des deux noyaux, chez les Infusoires.

MICRO-ONDE [mikʀoɔ̃d] n. f. — 1931; de *micro-*, et *onde*.

♦ Techn. Onde de très petite longueur, inférieure à 30 cm. ⇒ **Hyperfréquence.** — *Chauffage par micro-ondes :* chauffage par rayonnement d'ondes centimétriques ou décimétriques (⇒ **Hertzien**) qui traversent des parois en cédant de la chaleur. *On utilise les micro-ondes pour la cuisson et la stérilisation des produits alimentaires, le séchage (bois, encres, plastiques), la vulcanisation du caoutchouc, la polymérisation, la soudure et le moulage des matières plastiques, la trempe du verre. Générateurs de micro-ondes :* le magnétron*, le klystron*. — (V. 1975). *Four à micro-ondes.*

MICRO-ORDINATEUR [mikʀoɔʀdinatœʀ] n. m. — 1971; de *micro-*, et *ordinateur*.

♦ Ordinateur* de format très réduit, dont l'unité logique et arithmétique est constituée par un microprocesseur*, et qui est souvent destiné à être utilisé comme un ordinateur individuel. — Abrév. fam. ⇒ **Micro**, 2.

MICRO-ORGANISME ou **MICROORGANISME** [mikʀoɔʀganism] n. m. — 1876; de *micro-*, et *organisme*.

♦ Sc. Organisme vivant visible seulement au microscope ou à l'ultramicroscope. ⇒ **Microbe.** *Micro-organismes bactériens (bactéries), animaux (protozoaires).* ⇒ **Protistes.** *Micro-organismes saprophytes, pathogènes, parasites. Étude des micro-organismes.* ⇒ **Microbiologie.** *Micro-organismes marins.* ⇒ **Plancton.**

Fauvet prépare sa thèse. Un beau sujet : l'influence des vibrations musicales sur les micro-organismes.　　　　G. DUHAMEL, Chronique des Pasquier, VI, IV.

MICROPALÉONTOLOGIE [mikʀopaleɔ̃tɔlɔʒi] n. f. — 1963; de *micro-*, et *paléontologie*.

♦ Science des fossiles microscopiques. « *Certains domaines ont été marqués par l'utilisation de méthodes nouvelles, comme la micropaléontologie bénéficiant du microscope à balayage (...)* » (*la Recherche*, mai 79).

MICROPHAGE [mikʀofaʒ; mikʀofaʒ] adj. et n. — 1903, n. m.; mot créé en 1890 par Metchnikoff; de *micro-*, et *-phage*.

♦ Biol. [a] Se dit des organismes cellulaires se nourrissant par phagocytose de micro-organismes.

[b] Se dit d'animaux qui se nourrissent de très petites proies. « *Comme le hareng, ils* (le sprat et la sardine) *sont microphages* » (R. et M.-L. Bauchot, *les Poissons*, p. 70).

MICROPHONE [mikʀofɔn] n. m. — 1878, → cit. 1.; angl. *microphone*, Hughes, 1877; « instrument qui augmente le son », 1721 (en angl., 1683); de *micro-*, et *-phone*.

♦ **1.** Hist. sc. Instrument augmentant l'intensité des sons, de manière à les rendre perceptibles.

Cet instrument merveilleux (le téléphone) donna ensuite naissance, entre les mains d'autres inventeurs, au *microphone* et au *phonographe*.
　　　　L. FIGUIER, l'Année scientifique et industrielle 1879, p. 104 (1878).
Les nombreux orages parlementaires auxquels il avait assisté dans le cours de sa vie l'avaient sans doute rendu sourd d'un côté, car on lui voyait dans l'oreille droite un petit microphone en ivoire qu'il tournait pendant du côté de ses visiteurs.　　　　A. ROBIDA, le Vingtième Siècle, p. 151.

♦ **2.** Appareil qui transforme les ondes sonores en énergie électrique, laquelle, après avoir été transmise par fil ou par ondes électromagnétiques, peut à son tour être transformée en sons. ⇒ **Micro** (cour.). *Utilisation du microphone en téléphonie* (⇒ vx **Microtéléphone**), *en radiodiffusion.*

DÉR. **Microphonique.**

MICROPHONIQUE [mikʀofɔnik] adj. — 1886; de *microphone*.

♦ Techn. Qui a rapport au microphone*, qui fait partie d'un microphone. *Amplificateur, capsule microphonique.*

MICROPHOTOGRAPHIE [mikʀofɔtɔgʀafi] n. f. — 1890, P. Larousse, *Deuxième Suppl.;* de *micro-*, et *photographie*. Didactique.

♦ **1.** Abusivt. Photographie d'un objet visible au microscope. ⇒ **Photomicrographie.**

♦ **2.** (1931). Photographie utilisant de forts coefficients de réduction (14 couramment, et jusqu'à 100), qui trouve son principal champ d'application dans les techniques documentaires, l'archivage, l'édition... ⇒ **Microcopie.** *Phototypes obtenus par microphotographie.* ⇒ **Microcopie, microfiche, microfilm, microforme.**
Image obtenue par ce procédé. *Agrandissement d'une microphotographie.*

DÉR. **Microphotographier, microphotographique.**

MICROPHOTOGRAPHIER [mikʀofɔtɔgʀafje] v. tr. — xxe; de *microphotographie*.

♦ Didact. Photographier par microphotographie.

MICROPHOTOGRAPHIQUE [mikʀofɔtɔgʀafik] adj. — 1903, *Rev. gén. des sc.* no 8, p. 458; de *microphotographie*.

♦ Didact. De la microphotographie; relatif à la microphotographie. *Reproductions microphotographiques.*

MICROPHOTOMÈTRE [mikʀofɔtɔmɛtʀ] n. m. — 1903, *Rev. gén. des sc.* no 20, p. 1034; de *micro-*, et *photomètre*.

♦ Didact. Appareil qui analyse les variations d'opacité d'une image photographique et les transcrit graphiquement (par une courbe). *Le microphotomètre est utilisé en astrophysique pour l'étude des images planétaires ou galactiques, et surtout pour l'analyse des spectrogrammes.*

MICROPHTALMIE [mikʀoftalmi] n. f. — 1923; de *micro-*, et *-ophtalmie*.

♦ Pathol. Petitesse anormale, congénitale, du globe oculaire.

MICROPHYSIQUE [mikʀofizik] n. f. — 1910; sens mod., v. 1930; de *micro-*, et *physique*.

♦ Didact. Partie de la physique qui étudie l'atome et les phénomènes à l'échelle atomique.

Nous avons choisi comme titre de l'ouvrage « Physique et microphysique » voulant marquer par là l'opposition formelle entre la Physique des phénomènes à grande échelle où les conceptions classiques de localisation dans l'espace et dans le temps, de déterminisme et d'objet individualisé sont pleinement valables et la Physique de l'échelle atomique et corpusculaire où (...) ces conceptions s'estompent et deviennent sujettes à révision (...) Une branche de la Microphysique qui s'est développée depuis quinze ans environ avec une rapidité foudroyante est la Physique du Noyau.
　　　　L. DE BROGLIE, Physique et Microphysique, Préface.

MICROPHYTE [mikʀofit] n. f. — 1868; de *micro-*, et *-phyte*.

♦ Biol. Végétal microscopique unicellulaire.

MICROPLANCTON [mikʀoplɑ̃ktɔ̃] n. m. — V. 1970; de *micro-*, et *plancton*.

♦ Sc. Plancton dont les éléments ne mesurent pas plus de quelques millimètres (opposé à *macroplancton*).

CONTR. **Macroplancton.**

MICROPOLLUANT [mikʀopɔlɥɑ̃] n. m. — 1972; de *micro-*, et *polluant*.

♦ Didact. Polluant susceptible d'être toxique ou gênant à doses infinitésimales.

MICROPOREUX, EUSE [mikʀopɔʀø, øz] adj. — V. 1970; de *micro-*, et *poreux*.

♦ Didact. Qui présente des pores de très petites dimensions.

MICROPROCESSEUR [mikʀopʀɔsesœʀ] n. m. — V. 1976; de l'amér. *microprocessor*, de *micro-*, et *processor*, de *to process* « procéder ».

♦ Inform. Circuit intégré de dimension extrêmement réduite, utilisé comme unité centrale dans la construction des micro-ordinateurs. ⇒ **Puce** (II., 1.). *Systèmes à microprocesseurs.* ⇒ **Micro-informatique.** « *Mais le microprocesseur, contrairement à tous les autres composants qui l'ont précédé sur le marché industriel, nécessite des connaissances à la fois dans les domaines de la logique, de l'informatique et de l'électronique. De ce fait les futurs utilisateurs de microprocesseurs doivent posséder des notions solides dans ces trois secteurs, ainsi qu'une approche méthodique d'un système à microprocesseurs* » (*Sciences et Avenir*, mars 1979).

Des progrès récents, l'évolution des composants électroniques a à coup sûr la plus lourde de conséquences (...). Aujourd'hui, un microprocesseur de quelques millimètres de côté renferme la même puissance de traitement qu'un ordinateur qui

représentait pourtant, il y a dix ou quinze ans, la quintessence technologique et qui aurait occupé une pièce entière.
S. NORA et A. MINC, l'Informatisation de la société, p. 20.

MICROPROGRAMMATION [mikʀopʀɔgʀamasjɔ̃] n. f. — 1968, Larousse ; de micro-, et programmation.

♦ Techn. Programmation (d'un ordinateur) dans laquelle les instructions sont décomposées en séquences d'instructions élémentaires. ⇒ **Micro-instruction.** — REM. On trouve aussi microprogramme [mikʀopʀɔgʀam] n. m., microprogrammer [mikʀopʀɔgʀame] v. tr. et microprogrammé, adjectif.

MICROPROPULSEUR [mikʀopʀɔpylsœʀ] n. m. — V. 1975 ; de micro-, et propulseur.

♦ Techn. (astronaut.). Propulseur de très faible poussée (de l'ordre du gramme) destiné à la stabilisation des satellites artificiels.

MICROPSIE [mikʀopsi] n. f. — 1868 ; de micro-, et grec opsis « vue ».

♦ Méd. Vision d'objets plus petits qu'ils ne sont (anomalie de la vision).
CONTR. Macropsie.

MICROPTÈRE [mikʀoptɛʀ] adj. — 1874 ; de micro-, et grec pteron « plume d'aile ». → -ptère.

♦ Zool. Dont les ailes sont raccourcies (oiseau, insecte).

MICROPYLE [mikʀopil] n. m. — 1888, Cuvier ; de micro-, et grec pylê « porte ».

♦ Bot. Orifice de l'ovule des plantes par lequel le tube pollinique pénètre jusqu'au nucelle lors de la fécondation.

MICROSCOPE [mikʀɔskɔp] n. m. — 1656 ; lat. mod. microscopium (1618) ; du grec ; → Micro- et -scope.
Courant.

♦ **1.** Instrument d'optique qui permet de voir des objets ou des détails invisibles à l'œil nu, grâce à un système composé de plusieurs lentilles. *Le microscope, instrument à images virtuelles, construit sur le principe de la lunette et du télescope, est infiniment plus puissant que la loupe. Microscope qui grossit mille fois. Grossissement* (cit. 2), *puissance du microscope. Champ*, clarté du microscope. Étude, examen des objets visibles au microscope.* ⇒ **Micrographie, microscopie, microtome** (→ Lamelle, cit.). *Qui n'est visible qu'au microscope.* ⇒ **Microscopique.** *Colonne, monture, tube, lentilles, objectif, oculaire, miroir, platine, diaphragme, œilleton, micromètre, vis micrométrique d'un microscope. Microscope monoculaire, binoculaire. Mise au point d'un microscope. Microscope à pouvoir séparateur élevé.* ⇒ **Ultramicroscope.** *Microscope micrométrique, polarisant, à immersion*. Microscope à revolver,* muni de plusieurs objectifs montés sur un mécanisme tournant, et permettant d'obtenir plusieurs grossissements différents.

1   *Le microscope nous a initiés dans la connaissance de la configuration intérieure des corps ; il nous a montré une végétation et des plantes dont nous ne soupçonnions pas même l'existence. Enfin, nous avons vu des animaux cent mille fois au-dessous du plus petit de ceux qu'on aperçoit à l'œil nu* (...)
A. BRILLAT-SAVARIN, Physiologie du goût, t. I, p. 43.

2   *J'avais installé, chez mon père, un petit laboratoire. Je disposais d'un microscope et, le nez contre l'oculaire, je passais des heures à me promener dans l'univers étrange et silencieux de la vie élémentaire.*
G. DUHAMEL, Biographie de mes fantômes, VI.

Par ext. *Microscope électronique,* dans lequel un faisceau d'électrons remplace le rayon lumineux, ce qui donne un grossissement beaucoup plus fort que celui du microscope optique.

♦ **2.** Par métaphore et fig. *Ne rien voir qu'avec* (cit. 60, La Fontaine) *un microscope :* tout exagérer. *Examiner, étudier une chose au microscope,* avec la plus grande minutie. ⇒ **Loupe** (à la loupe).

3   *Le goût est en quelque manière le microscope du jugement ; c'est lui qui met les petits objets à sa portée, et ses opérations commencent où s'arrêtent celles du dernier.*
ROUSSEAU, Julie, I, XII.

4   *Si j'agissais davantage, je n'apercevrais pas toutes ces petites choses, et je n'aurais pas le temps de regarder mon âme au microscope, comme je le fais toute la journée*
Th. GAUTIER, Mlle de Maupin, II.

DÉR. Microscopie, microscopique, microscopiste.
COMP. Ultramicroscope.

MICROSCOPIE [mikʀɔskɔpi] n. f. — 1836 ; de microscope.

♦ Didact. Technique de l'observation au microscope. *Microscopie électronique. Microscopie par émission électronique de champ, par ionisation de champ. Microscopie X,* par rayons X.

MICROSCOPIQUE [mikʀɔskɔpik] adj. — V. 1700 ; de microscope.

♦ **1.** Sc., cour. Visible seulement au microscope, en raison de sa petitesse. *Êtres microscopiques* (→ Erreur, cit. 38). ⇒ **Animalcule, bacille, bactérie, microbe, micro-organisme.**

♦ **2.** Qui se fait à l'aide du microscope. *Examen* (cit. 10) *microscopique.* Par ext. *Préparation microscopique.*
Fig. Vieilli. Très minutieux.
Un obus part, nous voyons une maison du village sur lequel on tire, fumer, et prendre feu. Il est absolument possible que ce soit un feu de cheminée ; mais il y a à parier pour l'obus. C'est dans l'examen sévère et microscopique des concomitances que gisent les découvertes à faire.
STENDHAL, Hist. de la peinture en Italie, II, 46 (1817), in D. D. L., II, 15.

♦ **3.** Cour. Très petit. ⇒ **Imperceptible, infinitésimal, minuscule.** *Finesse microscopique* (→ Héliogravure, cit.). *Veines microscopiques* (→ Affleurement, cit. 1). *Outils, scies* (→ Gras, cit. 23) *microscopiques.*
(...) boire le café de Turquie dans les microscopiques tasses bleues à pied de cuivre (...)
LOTI, Aziyadé, III, VII.
CONTR. Macroscopique. — Colossal, éléphantesque, énorme, immense.

MICROSCOPISTE [mikʀɔskɔpist] n. — 1769, Buffon ; de microscope.

♦ Didact. Observateur au microscope. « *L'électrophysiologie a confirmé ce que les microscopistes du siècle dernier avaient justement pressenti* » (la Recherche, juin 1981, p. 726).

MICROSECONDE [mikʀosəgɔ̃d ; mikʀozgɔ̃d] n. f. — 1931 ; de micro-, et seconde.

♦ Sc. Unité de temps qui vaut un millionième de seconde (symb. μs.)

MICROSÉISME [mikʀoseism] n. m. — 1903, Rev. gén. des sc. nᵒ 20, p. 1018 ; microsisme, av. 1877 ; → Microsismographe, 1881 ; de micro-, et séisme.

♦ Didact. Séisme détectable seulement au moyen d'instruments enregistreurs.
Martin, se retournant à demi, chercha des yeux l'endroit du tas de sable où il avait abandonné le charançon, douze jours auparavant. Mais il ne le retrouva pas. Les microséismes étaient passés par là, ils avaient changé la physionomie de cette parcelle de nature, et le petit insecte poudreux devait être oublié, lui aussi, quelque part à fleur de surface, enterré tout sec entre deux couches de roche concassée (...)
J.-M. G. LE CLÉZIO, la Fièvre, p. 166.
CONTR. Macroséisme.
DÉR. Microséismique.

MICROSÉISMIQUE [mikʀoseismik] adj. — 1903 ; microsismique, 1886 (Année sc. et industr. 1887, p. 266) ; de microséisme.

♦ Didact. Des microséismes* ; relatif à un, aux microséismes. *Agitation microséismique.* On trouve aussi microsismique [mikʀosismik].
CONTR. Macroséismique.

MICROSÉISMOGRAPHE [mikʀoseismɔgʀaf] n. m. — 1903, Larousse ; microsismographe, 1881, Année sc. et industr. 1882, p. 122 ; de micro-, et s(é)ismographe.

♦ Sc. Séismographe très sensible.

MICROSILLON [mikʀosijɔ̃] n. m. — Répandu v. 1950 ; de micro-, et sillon.

♦ **1.** Techn. Sillon très fin d'un disque longue durée.

♦ **2.** Cour. Le disque lui-même. *Acheter des microsillons.* Adj. « *Une voix métallique, impersonnelle, sortie d'un disque microsillon* » (Duhamel, in P. R.). — REM. L'évolution des techniques de reproduction sonore ayant éliminé le disque 78 tours à sillon large, le mot tend aujourd'hui à sortir de l'usage.

MICROSISMIQUE [mikʀosismik] adj. ⇒ **Microséismique.**

MICROSMATIQUE [mikʀosmatik] adj. — Av. 1972 (in Encycl. Univ., art. Olfaction) ; de micro-, et osmatique.

♦ Didact. (zool., physiol.). Qui a naturellement un odorat peu développé (opposé à macrosmatique, osmatique). ⇒ **Anosmatique.** *Les oiseaux sont des animaux microsmatiques.*

MICROSOCIÉTÉ [mikʀosɔsjete] n. f. — 1970 ; de micro-, et société.

♦ Sociol. Groupe humain, société de très petite taille. *Des « émigrés vivant en microsociétés isolées... »* (l'Express, 9 avril 1973, p. 85). ⇒ **Micromilieu.**

MICROSOCIOLOGIE [mikʀɔsɔsjɔlɔʒi] n. f. — Mil. xxᵉ ; de *micro-*, et *sociologie*.

♦ Sc. Sociologie des liaisons sociales élémentaires.

CONTR. Macrosociologie.

-**DÉR. Microsociologique.**

MICROSOCIOLOGIQUE [mikʀɔsɔsjɔlɔʒik] adj. — 1968 ; de *microsociologie*.

♦ Qui se rapporte à la microsociologie.

Réciproquement le sociologue modifie les faits qu'il observe. Ce n'est pas qu'il se livre comme le psychologue à des expérimentations qui placent le sujet en des situations nouvelles pour lui et transforment de ce fait en partie son comportement, puisqu'on n'expérimente pas sur la société en son ensemble. Mais et précisément dans la mesure où la sociologie veut saisir cet ensemble et ne se borne pas à des analyses microsociologiques de rapports particuliers, un tel problème (et cela reste d'ailleurs vrai de la recherche microsociologique elle-même) ne peut recevoir de solution que relativement à des concepts, théoriques ou opérationnels (...)
        J. PIAGET, Épistémologie des sciences de l'homme, 1970, p. 55.

MICROSOMATIE [mikʀɔsɔmati] n. f. — 1868 ; var. *microsomie*, 1874 ; de *micro-*, et *-somatie*.

♦ Anat. Petitesse anormale du corps.

MICROSONDE [mikʀɔsɔ̃d] n. f. — 1968, Larousse ; de *micro-*, et *sonde*.

♦ Sc. Sonde permettant le dosage des éléments et l'analyse sur des quantités de matière très petites. — *Microsonde électronique*, procédant par bombardement d'électrons sur de très petites surfaces entièrement balayées.

MICROSOUDURE [mikʀɔsudyʀ] n. f. — V. 1972 ; de *micro-*, et *soudure*.

♦ Techn. Connexion électrique effectuée par écrasement d'un film métallique très fin sur une surface métallique ou métallisée. *La microsoudure est utilisée dans la construction des microcircuits*.*

MICROSPORANGE [mikʀɔspɔʀɑ̃ʒ] n. f. — 1888 ; de *micro-*, et *sporange*.

♦ Bot. Organe de certaines algues et des cryptogames vasculaires, où se forment les microspores*.

MICROSPORE [mikʀɔspɔʀ] n. f. — 1846 ; de *micro-*, et *spore*.

♦ Bot. Spore mâle, de petites dimensions, de végétaux qui produisent aussi des *macrospores**.

MICROSPORIE [mikʀɔspɔʀi] n. `f. — 1923 ; cf. *microsporidie*, 1904, *Rev. gén. des sc.* nº 17, p. 835 ; de *Microsporum*. → Microspore.

♦ Méd. Maladie de la peau provoquée par des champignons microscopiques appartenant au genre *Microsporum*. ⇒ **Teigne.**

MICROSTHÉSIE [mikʀostezi] n. f. — 1903 ; de *micro-*, et *-sthésie*.

♦ Méd. Anomalie du toucher qui fait paraître moins lourd ou moins gros (ou l'un et l'autre à la fois) un objet soupesé par la main.

MICROSTRUCTURE [mikʀostʀyktyʀ] n. f. — 1903, *Rev. gén. des sc.* nº 5, p. 287 ; de *micro-*, et *structure*.

♦ **1.** Sc. Structure microscopique. *Étudier par la micrographie la microstructure d'un alliage.* « *La microstructure des aciers au nickel* » (*Rev. gén. des sc.*).

♦ **2.** Didact. Structure faisant partie d'une structure plus vaste (ling., sociol., etc.). *La microstructure d'un dictionnaire : la structure interne des articles.*

CONTR. Macrostructure.

MICROTECTONIQUE [mikʀotɛktɔnik] n. f. — 1974 ; de *micro-*, et *tectonique*.

♦ Didact. (géol.) Tectonique à très petite échelle. « *La microtectonique y est insérée* (dans la tectonique) ; *les cassures (...), la schistosité, les linéations et les microplis sont successivement étudiés* » (*la Recherche*, janv. 1974, p. 94-95).

MICRO-TÉLÉPHONE [mikʀotelefɔn] n. m. — 1880 ; mot angl. 1879, Edison ; de *micro-* et *téléphone*.

♦ Didact. Vx. (Hist. des techniques). Téléphone muni d'un microphone (2.). — REM. Le mot désigne le téléphone actuel, et est tombé en désuétude avec la généralisation du procédé.

MM. Paul Bert et d'Arsonval se sont proposé de construire un micro-téléphone.
        L. FIGUIER, l'Année scientifique et industrielle 1881, p. 121 (1880).

DÉR. Micro-téléphonique.

MICRO-TÉLÉPHONIQUE [mikʀotelefɔnik] adj. — 1880, *Année sc. et industr.* 1881, p. 124 ; de *micro-téléphone*.

♦ Didact. Vx. Du micro-téléphone. *Appareil, poste, récepteur microtéléphonique.* ⇒ **Téléphonique.**

MICROTEXTURAL, ALE, AUX [mikʀotɛkstyʀal, o] adj. — V. 1975 ; de *microtexture*.

♦ Didact. Qui concerne les microtextures. « *L'analyse microtexturale* » (*Sciences et Avenir*, mai 1980, p. 36).

MICROTEXTURE [mikʀotɛkstyʀ] n. f. — V. 1975 ; de *micro-*, et *texture*.

♦ Didact. (minér.). Texture très fine.

DÉR. Microtextural.

MICROTHERME [mikʀotɛʀm] adj. — 1813 ; de *micro-*, et *-therme*.

♦ Didact. Qui se développe à une température inférieure à 15 ºC (mais supérieure à 0 ºC), en parlant d'un végétal. *De Candolle distinguait les plantes mégathermes, mésothermes* (cit.), *microthermes.*

MICROTHERMIE [mikʀotɛʀmi] n. f. — 1920 ; de *micro-*, et *-thermie*.

♦ Phys. Unité calorifique (symb. µ*th*) égale à un millionième de thermie. ⇒ **Calorie** (petite).

MICROTOME [mikʀotom] n. m. — 1899 ; de *micro-*, et *-tome*.

♦ Sc. Instrument qui sert à couper dans des tissus animaux ou végétaux les lames très minces destinées à l'observation microscopique. *On durcit généralement à la paraffine les tissus que l'on découpe au microtome. Microtome à main, à bascule, à plan incliné.*

MICROTRAUMATISME [mikʀotʀomatism] n. m. — 1963 ; de *micro-*, et *traumatisme*.

♦ Méd. Lésion minime, ou qui n'est pas visible à l'œil nu.

MICRO-UNIVERS [mikʀoynivɛʀ] n. m. — 1974 ; de *micro-*, et *univers*, sur le modèle de *microsociété*, etc.

♦ Littér. Univers (imaginaire, narratif) limité, décrivant une microsociété, un micromilieu. « *Un micro-univers paysan dégénéré* (dans une bande dessinée) » *Magazine littéraire*, déc. 1974, p. 10.

MICROVILLOSITÉ [mikʀovi(l)lozite] n. f. — Av. 1969 (*in* Quillet) ; de *micro-*, et *villosité*.

♦ Anat. Villosité de diamètre inférieur à 0,2 micron, à la surface de certaines cellules (cellules absorbantes, sécrétantes...). *Feutrage de microvillosités présenté sur leur bordure superficielle par les cellules de soutien de l'épithélium olfactif.* « *Les microvillosités augmentent dans de grandes proportions la surface cellulaire d'échange* » (Manuila).

MICROVISEUR [mikʀovizœʀ] n. m. — 1968 ; de *micro-*, et *viseur*.

♦ Techn. Petit dispositif de visée (dans une porte). ⇒ **Œil** (d'une porte), **judas.**

MICROVOLT [mikʀovɔlt] n. m. — 1888 ; de *micro-*, et *volt*.

♦ Électr. Unité électrique de différence de potentiel, égale à un millionième de volt (µV).

MICROWATT [mikʀowat] n. m. — 1963 ; de *micro-*, et *watt*.

♦ Électr. Unité électrique de puissance égale à un millionième de watt (µW).

MICROZOAIRE [mikʀozɔɛʀ] n. m. — 1846 ; de *micro-*, et *-zoaire*.

♦ Biol. Organisme animal invisible à l'œil nu, microscopique.
⇒ **Micro-organisme**.
CONTR. Macrozoaire.

MICTION [miksjɔ̃] n. f. — 1618 ; bas lat. *mictio*, var. de *minctio*, rac. *mingere* « uriner ».

♦ Méd. Action d'uriner ; écoulement de l'urine* (→ Fourreau, cit. 6). *Miction douloureuse, fréquente, involontaire... Absence de miction.* ⇒ **Rétention**.

MIDDLE-WEST [midœlwɛst] ou **MIDWEST** [midwɛst] n. m. — 1954 ; mot angl. des États-Unis ; de *middle* « milieu », et *west* « ouest ».

♦ Géogr. Région centrale des États-Unis, entre les Appalaches et les Rocheuses. *« Les provinciaux du Middle-West »* (S. de Beauvoir, *in* Rey-Debove et Gagnon, *Dict. des anglicismes*).

MIDI [midi] n. m. — 1080, *Chanson de Roland* ; de *mi-*, et *di* « jour », de l'accusatif lat. *diem*.

★ I. ♦ 1. Milieu du jour, entre le matin et l'après-midi. *Le soleil de midi est haut dans le ciel* (→ Abriter, cit. 4 ; blanc, cit. 3). *La lumière, la chaleur, les ardeurs de midi* (→ Impatience, cit. 3). *Des midis accablants* (cit. 2), *brûlants* (→ Brûler, cit. 22). *Le plein midi* (→ Dame, cit. ; fantôme, cit. 6). *En plein midi* (→ Immobile, cit. 13). Fig. *Ne pas voir* clair en plein midi. — *Le repas de midi* (→ Gamelle, cit. 1 ; huile, cit. 15). *Travailleur qui ne rentre pas chez lui à midi. Sommeil de midi.* ⇒ **Méridienne**. *Magasin, musée qui reste ouvert à midi. Le matin, le midi et le soir.* — Ellipt. *Prendre un cachet matin, midi et soir. Chaque midi, tous les midis, l'autre midi ; ce midi* (critiqué par quelques puristes). *À midi !* — Allus. littér. *« La nuit est déjà proche à qui passe midi »* (Malherbe, → Matinée, cit. 1).

1   Midi, Roi des étés, épandu sur la plaine,
    Tombe en nappes d'argent des hauteurs du ciel bleu
    Tout se tait. L'air flamboie et brûle sans haleine ;
    La Terre est assoupie en sa robe de feu.
                LECONTE DE LISLE, Poèmes antiques, Poésies diverses, II.

2   Pour moi, ce que j'aimais surtout de cet étrange paysage, c'était la terrassante splendeur des pleins midis : une réverbération aussi intense que des solitudes africaines.   Louis BERTRAND, le Livre de la Méditerranée, p. 306.

3   Nous l'attendons pour ce midi.
                GIDE, la Symphonie pastorale, p. 145.

Par métaphore et fig. Âge de la pleine maturité. *Le midi de la vie. Le démon* (cit. 27) *de midi*.

4   (...) les illusions sur lesquelles je tombe sont peut-être aussi belles que les premières ; seulement elles ne sont plus si jeunes ; ce que je voyais dans la splendeur du midi, je l'aperçois à la lueur du couchant.
                CHATEAUBRIAND, Mémoires d'outre-tombe, t. III, p. 5.

Loc. *Nier la lumière en plein midi :* nier l'évidence. *Faire voir à qqn des étoiles en plein midi :* abuser de sa crédulité.

♦ 2. Heure du milieu du jour, douzième heure. ⇒ **Douze** (heures). *Les douze coups de midi. Midi est sonné. Il est midi, midi sonné. Midi juste, très précis* (→ Convoi, cit. 5). *À midi, sur le coup de midi. Midi passé ; midi un quart ou 12 h 15 ; midi moins le quart (11 h 45). Avant midi, après midi.* ⇒ **A. M., P. M.** *De midi à une heure* (→ Cœur, cit. 25). *Entre onze heures et midi. Magasin fermé de midi à deux heures. Vers midi* (→ Entrouvrir, cit. 3 ; goutte, cit. 26). *Pas loin* (cit. 36) *de midi*.

REM. Par confusion avec *douze heures*, *midi* est parfois considéré, incorrectement, comme un pluriel *(midi sonnaient)* ; certains auteurs ont employé l'expression *« sur les midi, dans les midi »* (→ 1. Le, cit. 16), plus familière que fautive. (On dit aussi familièrement avec un singulier « vers les une heure »).

5   (...) mardi prochain vers *les midi* je demanderai à ton portier : « Monsieur Chevalier est-il chez lui ? »   FLAUBERT, Correspondance, 58, 10 avril 1842.

6   Est-ce qu'un jour il n'avait pas mangé douze œufs durs et bu douze verres de vin, pendant que les douze coups de midi sonnaient !
                ZOLA, l'Assommoir, t. I, III, p. 105.

6.1 (...) si je ne me trompe, demain sera un des quatre jours de l'année pour lequel le temps vrai se confond avec le temps moyen, c'est-à-dire, mon enfant, que demain, à quelques secondes près, le soleil passera au méridien juste au midi des horloges.
                J. VERNE, l'Île mystérieuse, t. I, p. 172.

7   Il était vraisemblablement un peu plus de midi. Tout indiquait la proximité de cette heure parfaite : la hauteur du jour, le silence, et ce je ne sais quoi de précis et de simple qui partage le monde en deux parts radieuses.
                H. BOSCO, Antonin, p. 22.

7.1 Après l'explosion mouvementée de midi juste, les rues s'étaient peu à peu vidées.
                J.-M. G. LE CLÉZIO, le Déluge, p. 196.

Loc. fig. (1619, *in* D.D.L.). *Chercher midi à quatorze heures :* chercher des difficultés où il n'y en a pas, compliquer les choses simples. — REM. Selon Richelet, cette locution viendrait de « la coutume d'Italie de compter les heures au-delà de douze et jusques à vingt-quatre, commençant à les compter depuis le coucher du soleil. Or, comme à midi, même dans les plus grands jours, on compte plus de quatorze heures, en ce pays-là, *chercher midi à quatorze heures*, c'est chercher une chose où elle n'est pas » (*Dict.*, art. *Quatorze*).

Oui, il suit toujours le grand chemin, le grand chemin, et ne va point chercher midi à quatorze heures (...)   MOLIÈRE, Monsieur de Pourceaugnac, I, 5.

8   Mais aussi, que Mme de Guitaut est une raisonnable femme d'être accouchée comme on a accoutumé, et de n'aller point chercher midi à quatorze heures, comme Mme de Grignan, pour faire un accouchement hors de toutes les règles.
                Mme DE SÉVIGNÉ, 21 sept. 1675.

Il s'est mis tout de suite à l'écrire *(une pièce)*, sans chercher midi à quatorze heures, comme pour s'amuser lui-même.
                Paul LÉAUTAUD, le Théâtre de M. Boissard, XLIV.

Loc. fam. (1888). *C'est midi sonné, c'est midi ! :* il est trop tard, n'y comptez pas, c'est impossible*.

9   (...) pour me m'ner *(mener)* en bateau, c'est macache et midi sonné. Tu t'es levé trop tard, mon colon.   COURTELINE, le Train de 8 h 47, II, IV.

10 C'est vrai, c'est la misère ! J'ai pus d'mèche. J'en avais quéqu'bouts, mais, allez, partez ! J'ai beau fouiller toutes les poches de mon étui à puces, rien. Et pour en acheter, comme tu dis, c'est midi.   H. BARBUSSE, le Feu, t. II, II, XV, p. 5.

10 Chez moi, on n'a jamais causé argot. Mes vieusoques (= *mes « vieux », mes parents)*, ils auraient pas toléré. Avec eux, c'était midi pour sortir le soir.   M. AYMÉ, le Passe-muraille, « En attendant », p. 262.

Loc. argotique. (Mil. XIXe). *Marquer midi :* être en érection.

★ II. (V. 1138). ♦ 1. L'un des quatre points cardinaux. ⇒ **Sud**. *Du nord au midi* (→ Guerrier, cit. 7). *Fleuve* (cit. 5) *qui coule du midi au nord. Le vent* du midi (→ Chant, cit. 2).

11 La maison était close, au midi, par un jardin long de deux ou trois cents mètres.   Pierre BENOIT, Mlle de la Ferté, p. 112.

♦ 2. Exposition d'un lieu en face de ce point. *Versant, coteau exposé au midi* (→ Filon, cit. 2). *Terre plus meuble, plus fertile au midi qu'au nord* (→ Espalier, cit. 1). *Salon au midi, en plein midi*.

♦ 3. Région qui est au sud d'un pays. (On dit plutôt *Sud* lorsque ce pays n'est pas la France). *Le midi de la France* (→ Maire, cit. 1), *de l'Angleterre*.

♦ 4. Absolt. LE MIDI : [a] Le sud du continent européen. *Les peuples du Nord et les peuples du Midi* (⇒ **Latin, méditerranéen**). *Les contrées du Midi* (→ Irruption, cit. 1). *Climat, mœurs du Midi.* — Par ext. Caractères, attributs du Midi, de ses habitants. *La fusion du Nord et du Midi dans l'esprit français* (cit. 5).

12 Je chéris l'Arioste et j'estime le Tasse ;
    Plein de Machiavel, entêté de Boccace,
    J'en parle si souvent qu'on en est étourdi ;
    J'en lis qui sont du Nord, et qui sont du Midi.
                LA FONTAINE, Pièces diverses, IV, À Mgr l'Évêque de Soissons.

13 Vous trouverez dans les climats du Nord des peuples qui ont peu de vices, assez de vertus, beaucoup de sincérité et de franchise. Approchez des pays du Midi, vous croirez vous éloigner de la morale même : des passions plus vives multiplieront les crimes (...)   MONTESQUIEU, l'Esprit des lois, XIV, II.

14 Il existe, ce me semble, deux littératures tout à fait distinctes, celle qui vient du Midi et celle qui descend du Nord ; celle dont Homère est la première source, celle dont Ossian est l'origine. Les Grecs, les Latins, les Italiens, les Espagnols et les Français du siècle de Louis XIV appartiennent au genre de littérature que j'appellerai la littérature du Midi. Les ouvrages anglais, les ouvrages allemands, et quelques écrits des Danois et des Suédois doivent être classés dans la littérature du Nord (...)   Mme DE STAËL, De la littérature..., I, XI.

15 Le Nord vaut peut-être mieux pour la morale. Mais le Midi vaut mieux pour la vie.   André SUARÈS, Trois hommes, « Ibsen », III.

[b] Sud de la France. *Passer l'hiver dans le Midi. Les villes du Midi* (→ 2. Mal, cit. 31). *Les gens du Midi.* ⇒ **Méridional**. *Accent du Midi* (→ Amuïr, cit.). — Fam. *Tu exagères ! tu n'es pas un peu du Midi ?* (ou : *de Marseille*).

16 Il est temps de s'entendre une fois pour toutes sur cette réputation de menteurs que les gens du Nord ont faite aux Méridionaux. Il n'y a pas de menteurs dans le Midi, pas plus à Marseille qu'à Nîmes, qu'à Toulouse, qu'à Tarascon.
                Alphonse DAUDET, Tartarin de Tarascon, I, VII (→ Mentir, cit. 3).

17 Le Midi saisit un homme du Nord par quelque chose de sec, de net, de rude dans les lignes. Ce sont des montagnes pelées, des terrasses pierreuses, des oliviers plutôt gris que verts, des cyprès sans grâce, et qui semblent noirs.
                ALAIN, Propos, 3 juin 1909, J'aime la pluie.

CONTR. Minuit. — Nord.
DÉR. Midinette.
COMP. Après-midi, avant-midi.

MIDINETTE [midinɛt] n. f. — Fin XIXe ; de *midi*, et *dînette*, proprement « qui se contente d'une dînette à midi ».

♦ 1. Ancienn. Jeune ouvrière ou vendeuse parisienne de la couture, de la mode. ⇒ **Cousette, couturière, modiste, trottin**. *Arpettes* (cit.) *et midinettes qui sortent des ateliers. Gaieté, charme des midinettes.*

(...) c'était tout son passé de midinette qui lui revenait à la bouche (...) Ses déjeuners froids, seule sur un banc des Tuileries, au milieu des pigeons et des moineaux, lorsqu'elle était vendeuse avenue de l'Opéra.
                MARTIN DU GARD, les Thibault, t. V, p. 158.

♦ 2. Mod. Jeune fille de la ville, simple et frivole. *Goûts, sensibilité, conversation, lecture de midinette.*

Cette petite est une folle, une romanesque, une midinette, si ce n'est pis. Tout Paris est sous les réclames irrésistibles. Séduisez-la. Tant pis si nous jouons *Ruy Blas !* Après tout, à quinze ans, nous aimions cela.   J. ANOUILH, la Répétition, p. 100.

MIDSHIP [midʃip] ou, vx, **MIDSHIPMAN** [midʃipman] n. m.

— 1751, *midshipman* ; *midship*, 1858 ; mot angl. (1626) de *midship* « milieu » *(mid)* « du navire » *(ship)*, et *man* ; « homme du milieu du vaisseau », parce qu'on y mettait en sécurité les élèves officiers inexpérimentés.

♦ Mar. Aspirant, dans la marine anglaise.

(Mil. xıxᵉ). Enseigne de vaisseau de deuxième classe, dans la marine française. *Des midships*. (Vx). *Des midshipmen* [midʃipmɛn].

C'est moi qui montais *(dans la hune)* de temps en temps lui faire visite, bien que mon service ne m'y obligeât plus depuis que j'avais franchi le grade de midship (...)
                                    LOTI, *Mon frère Yves*, XI.

MIDWEST [midwest] n. m. ⇒ **Middle-West**.

1. MIE [mi] n. f. — V. 1119 ; « parcelle », spécialt « parcelle de pain » jusqu'au xvııᵉ, alors remplacé par *miette* ; du lat. *mica* « parcelle ».

★ **I. ♦ 1.** Vx. Miette (de pain).

♦ **2.** Adv. Vx ou archaïque. Particule servant à renforcer la négation *ne* (même formation que *ne... pas..., ne... point, ne... goutte*). ⇒ **Pas.** *N'approche mie de ces lieux* (→ Lépreux, cit. 1).

Mie (du lat. *mica*, miette) a été, jusqu'au xvıᵉ siècle, le principal concurrent de *pas* comme auxiliaire de *ne* (...) Dès le xvııᵉ siècle, son emploi était pure fantaisie d'archaïsme : « *N'écoutez mie* » (La Fontaine, Fables, IV, 16).
                            G. et R. LE BIDOIS, la Syntaxe du franç. moderne, § 1776.

Ce jour-là (...) amena pour eux de nouvelles peines auxquelles ils ne s'attendaient mie.
                                    G. SAND, la Petite Fadette, XI.

★ **II.** (1209). ♦ **1.** Partie molle qui est à l'intérieur du pain (opposé à *croûte*). *Manger la mie et laisser la croûte. Talon de pain vidé de sa mie* (→ Gelée, cit. 7). *Couche de mie de pain sur un mets.* ⇒ **Panure.** *Hachis, farce à la mie de pain*, où il entre de la mie. *Boulette de mie de pain.* — Par anal. *Gomme mie de pain* : gomme très molle pour le fusain, le crayon gras, etc.

Prends le pain le plus cuit (...) Ne mange pas tant de mie fraîche (...)
                                  COLETTE, Chéri, p. 63.

(...) ils se mettaient à pomper la sauce à pleine mie.
                                  J. GIONO, Jean le Bleu, VI.

1 Ce lâche et froid sous-sol que l'on nomme la mie a son tissu pareil à celui des éponges : feuilles ou fleurs y sont comme des sœurs siamoises soudées par tous les coudes à la fois. Lorsque le pain rassit ces fleurs fanent et se rétrécissent : elles se détachent alors les unes des autres, et la masse en devient friable (...)
                        Francis PONGE, le Parti pris des choses, p. 46.

Pain de mie : pain à croûte molle utilisé dans la confection des sandwiches, des toasts...

♦ **2.** (1886). Fig., pop. *À la mie de pain, à la mie,* de peu de consistance, sans valeur. *Argument, raisonnement à la mie de pain,* faible, faux. *Un héros à la mie de pain* (cf. A la gomme, à la flan, à la manque...).

Cher monsieur
Vous êtes un mec à la mie de pain.   APOLLINAIRE, Calligrammes, p. 32.

CONTR. Croûte.
DÉR. Miette, mioche.
COMP. (Du sens I) **Émier.**
HOM. Mi, 2. mie ; forme du v. **mettre.**

2. MIE [mi] n. f. — xıııᵉ ; de *amie* sous la forme *m'amie* « mon amie », devenu *ma mie*.

♦ Vx ou littér. Amie, femme aimée. ⇒ **Ami.** *Avec ma mie* (→ Épine, cit. 6), *sa mie* (→ Grand, cit. 75). *Avoir pour mie* (→ Lutin, cit. 3). *Le regard, le cœur de ma mie...* (→ Étoile, cit. 6). « *J'aime mieux ma mie au gué* » (2. Gué, cit.).

(...) l'amour en fait un héros (...) Pour gagner le cœur de sa mie, — la belle Estérelle, — il entreprend des choses miraculeuses (...)
                      Alphonse DAUDET, Lettres de mon moulin, " Mistral ".

Mon cœur ma mie mon âme
Mon ciel mon feu ma flamme
Mon corps ma chair mon bien
Voilà que tu reviens   Jacques BREL, Litanies pour un retour.

HOM. Mi, 1. mie ; forme du v. **mettre.**

MIEL [mjɛl] n. m. — 980, *mel* ; lat. *mel*.

♦ **1.** Substance sirupeuse et sucrée, de couleur ambrée, que les abeilles* élaborent dans leur jabot avec le nectar des fleurs ou d'autres matières végétales, et qu'elles dégorgent dans des alvéoles de cire pour la nourriture de leur communauté. *Les abeilles* (cit. 3 et 5) *vont chercher le nectar des fleurs pour le convertir* (cit. 7) *en miel.* ⇒ **Nectar.** *Plantes mellifères* (labiées, légumineuses, tilleul, robinier...) *que les abeilles butinent pour distiller le miel* (→ Frelon, cit. 1). *Production du miel.* ⇒ **Apiculture.** *Gâteau de miel* : gâteau de cire (cit. 1) divisé en alvéoles* contenant le miel. ⇒ **Gaufre** (cit. 1), **rayon**, **ruche.** → Essaimage, cit. *Séparer la cire de la cire.* ⇒ **Démieller.** *Le miel était le sucre des anciens. Jatte* (cit. 3), *pot de miel. Miel de Narbonne, du Gâtinais... Aliment, boisson, sucrés au miel* (⇒ **Miellé**), *préparés avec du miel.* ⇒ **Condit, hydro-**

mel, nougat, pain (d'épice). *Bonbons au miel. Préparations pharmaceutiques au miel.* ⇒ **Acétomel, électuaire, mellite, opiat.** *Miel rosat*, violat*. Les ours sont friands de miel. Douceur du miel au goût, à l'odorat ; goût, parfum de miel. Fleurs, cigarettes qui sentent le miel* (→ Éparpiller, cit. 5). *Couleur de miel.*

1 C'est un parterre où Flore épand ses biens ;
Sur différentes fleurs l'abeille s'y repose,
Et fait du miel de toute chose.
          LA FONTAINE, Fables, IX, Discours à Mᵐᵉ de La Sablière.

2 L'homme a prélevé sa part de la récolte. Chacune des bonnes ruches lui a offert quatre-vingts cent livres de miel, et les plus merveilleuses en donnent parfois deux cents, qui représentent d'énormes nappes de lumière liquéfiée, d'immenses champs de fleurs visitées, une à une, mille fois chaque jour.
          MAETERLINCK, la Vie des abeilles, VI, III.

2.1 Nous ne noterons qu'au passage le rôle du *miel* si souvent associé au lait dans la poésie et la mystique. Le miel et le lait sont les présents qu'aime la « Bona Dea ». La déesse mère de l'*Atharva Véda* est surnommée *madhukaça*, « déesse au fouet de miel ». Cette association du miel et du lait ne doit point surprendre : dans les civilisations de cueillette, le miel n'étant que doublet naturel de l'aliment le plus naturel qu'est le lait maternel. Et si le lait est l'essence même de l'intimité maternelle, le miel au creux de l'arbre, au sein de l'abeille ou de la fleur est aussi, comme le dit l'*Upanishad*, le symbole du cœur des choses. Lait et miel sont douceur, délices de l'intimité retrouvée.
          Gilbert DURAND, les Structures anthropologiques de l'imaginaire, p. 296-297.

Vx ou dial. *Mouche* à miel* : abeille.

Substance analogue formée par certains insectes autres que l'abeille. *Fourmi* à miel.*

Abusivt. *Miel des fleurs.* ⇒ **Nectar.** *Le miel, suc qui exsude* (cit. 1) *des fleurs.*

3 Ils *(les papillons)* viennent pomper le miel des chanvres roses, des lotiers et des menthes (...)   COLETTE, la Naissance du jour, p. 85.

♦ **2.** [a] Par compar. et métaphore. *Faire son miel de..., avec...,* son profit. *Distiller* (cit. 8) *le miel de l'érudition.*

4 (...) à Paris, nous faisons notre miel de tout ce que nous sûmes amasser durant notre vie provinciale (...)   F. MAURIAC, la Province, p. 38.

Doux comme le miel : très doux. *La vie coulait* (cit. 11) *en moi comme du miel. Sons coulants et doux comme le miel* (→ Fluidité, cit. 2). *Attirer qqn comme le miel attire les mouches* (→ Doucereux, cit. 6).

5 Les seigneurs vont aux rois ainsi qu'au miel les mouches.
          HUGO, la Légende des siècles, XVIII, Ratbert.

Le miel, symbole de ce qui est doux et agréable (⇒ **Ambroisie**). *Le miel et le fiel** (→ Boire, cit. 37). *Le miel et l'absinthe,* opposition biblique (→ Banquet, cit. 6). « *Les lèvres de l'étrangère distillent le miel* » (Bible ; → Absinthe, cit. 1). *Tes lèvres distillent* (cit. 7) *le miel, ma fiancée* (Bible, Cantique des Cantiques).

6 Se donner et se refuser si complètement, mettre dans la même coupe cette douceur et cette amertume, ce miel et cette absinthe, il n'y avait que vous qui fussiez capable d'un pareil contraste.   Th. GAUTIER, le Capitaine Fracasse, X.

[b] Fig. Chose douce, agréable (souvent péj.). ⇒ **Agrément, douceur.** *Paroles de miel.* ⇒ **Emmiellé, mielleux, melliflue.** *Le miel d'un discours* (→ Gargariser, cit. 1).

7 C'est sans doute, Madame, une douceur extrême
Que d'entendre ces mots d'une bouche qu'on aime :
Leur miel dans tous mes sens fait couler à longs traits
Une suavité qu'on ne goûta jamais.   MOLIÈRE, Tartuffe, IV, 5.

8 Le miel qu'ici l'abeille eut soin de déposer
Ne vaut à mon cœur le miel de son baiser.   André CHÉNIER, Élégies, XIII.

9 (...) le miel de la politesse, il en est oint, et les mouches s'y laissent prendre.
          André SUARÈS, Trois hommes, « Ibsen », III.

(Personnes). *Être tout miel, tout de miel* (vieilli) : être doux, affable, conciliant. *Être tout sucre tout miel* : se faire doux, généralement afin d'obtenir plus aisément ce qu'on veut. ⇒ **Doucereux** (cit. 3), **mielleux.**

[c] Prov. *Bouche de miel, cœur de fiel* : la flatterie dissimule souvent la haine. *On prend plus de mouches avec du miel qu'avec du vinaigre*. Faites-vous miel, les mouches vous mangeront* : la bonté, la générosité tournent souvent au désavantage de ceux qui la pratiquent.

♦ **3.** LUNE DE MIEL. ⇒ **Lune.**

♦ **4.** Fam. Euphém. pour *merde. Miel, alors !* ⇒ **Emmieller** (emmerder).

DÉR. Miellaison, miellat, miellé, miellée, mielleux. — V. aussi **Mélasse, mélisse, mélèze, mélilot, mellifère, mellification, melliflue, mellite.**
COMP. Démieller, emmieller. — V. aussi **Acétomel, hydromel.**
HOM. Mielle.

MIELLAISON [mjɛlɛzɔ̃] n. f. — 1868, in Littré, *miélaison* ; de *miel,* suff. *-aison.*

♦ Techn. (apic.). Époque de la floraison des plantes mellifères (miellée).

MIELLAT [mjɛla] n. m. — 1671, in Trévoux 1743 ; de *miel,* et suff. *-at.*

♦ Techn. (apic.) Production sucrée d'insectes parasites vivant sur certaines plantes ; ce produit, recueilli par les abeilles. *Miel de miellat et miel de nectar.* (⇒ **Miellée**).

DÉR. Miellature.

MIELLATURE [mjɛlatyʀ] n. f. — 1876 ; de *miellat.*

♦ Zool. et techn. Production du miellat.

MIELLE [mjɛl] n. f. — 1549 ; de l'anc. scandinave *melr.*

♦ Régional (Normandie). Vallon situé entre des dunes, et dont l'herbe constitue un excellent pâturage pour les ovins.

HOM. Miel.

MIELLÉ, ÉE [mjele] adj. — XIIᵉ ; de *miel.*
Littéraire.

♦ **1.** Qui contient du miel, est sucré au miel. *Boisson miellée,* qui rappelle le miel par la couleur, la saveur, l'odeur...
Pharm. Se dit d'une préparation contenant du miel comme édulcorant.

♦ **2.** Qui évoque l'odeur, le goût... du miel. ⇒ **Melliflue.**

1   *(Les fleurs d'amandier)* exhaleront leur parfum ailé, miellé, reconnaissable entre tous les parfums. COLETTE, Belles saisons, p. 7.

2   Le mois de juin emplissait l'air de petits insectes fous qui se cognaient à tout, tandis que j'avançais légèrement en reniflant au passage, l'odeur miellée des aubépines ou d'un chèvrefeuille invisible.
Geneviève DORMANN, le Chemin des Dames, p. 67.

♦ **3.** Fig. et vx. ⇒ **Mielleux.**

3   Tircis eut beau prêcher. Ses paroles miellées
S'en étant au vent envolées (...) LA FONTAINE, Fables, X, 10.

HOM. Miellée.

MIELLÉE [mjele] n. f. — 1578 « hydromel » ; de *miel.*

♦ **1.** (1808). Bot. Exsudation sucrée, mucilagineuse, qui apparaît en été sur les bourgeons et les feuilles de certains arbres (érable, tilleul, etc.). *Les abeilles sont friandes de miellée.* (On dit aussi *miélat, miellat*).

♦ **2.** Techn. (apic.). Nectar butiné que rapportent les abeilles. — Période de floraison des plantes mellifères.

HOM. Miellé.

MIELLEUSEMENT [mjɛløzmɑ̃] adv. — 1566 ; de *mielleux.*

♦ Littér. D'une manière mielleuse, doucereuse. ⇒ **Doucereusement.**

MIELLEUX, EUSE [mjɛlø, øz] adj. — 1265 ; de *miel.*

♦ **1.** Vx ou littér. Qui a le goût ou l'odeur du miel. *Goût mielleux. « Les mielleuses bananes »* (A. Chénier). *Odeurs chaudes et mielleuses.* ⇒ **Miellé** ; → Exhaler, cit. 3. — Péj. Fade. *Liqueur mielleuse.*

♦ **2.** (XVIIIᵉ). Fig. Vx. Qui est fade, édulcoré. *Lois mielleuses, anodines* (cit. 5, Descartes).

(1771, « ton mielleux »). Mod. Péj. Qui a une douceur affectée. ⇒ **Douceâtre, doucereux, doux, emmiellé.** *Paroles, phrases mielleuses* (→ Cordial, cit. 6). *Air, ton, sourire mielleux.* ⇒ **Hypocrite, onctueux, patelin, sucré.**

1   (...) voilà ce qu'elle trouva au lieu des flatteries empressées et mielleuses du couvent jésuitique où elle avait passé sa jeunesse.
STENDHAL, le Rouge et le Noir, I, VII.

2   Aux nombreuses précautions oratoires qu'elle employa, aux phrases séduisantes intercalées dans son récit, à l'accent mielleux et caressant donné à toutes ses paroles, à ses réticences (...) la danseuse ne s'attendait pas à (la) convertir aisément (...) J.-A. DE GOBINEAU, Nouvelles asiatiques, p. 45.

(Personnes).

3   Ma belle-mère, bonne femme, un peu mielleuse, fit semblant de vouloir me retenir à souper. ROUSSEAU, les Confessions, IV.

CONTR. Aigre ; acide, âpre, bref, brutal, sec.
DÉR. Mielleusement.

MIEN, MIENS [mjɛ̃], **MIENNE, MIENNES** [mjɛn] adj. et pron. poss. de la première personne du singulier. — 842, *Serments de Strasbourg* ; de l'accusatif lat. *meum.*

Qui est à moi, m'appartient ; qui se rapporte à moi.

REM. Comme tous les adjectifs et pronoms dits « possessifs », *mien, le mien* etc. peut marquer un simple rapport personnel ; il équivaut alors au complément déterminatif « *de moi* ».

★ **I.** Adj. poss. ♦ **1.** Vx ou littér. (En fonction d'épithète). ⇒ **Moi** (à moi, de moi). — Précédé d'un déterminatif (article démonstratif ou

indéfini). *Un mien cousin :* un cousin à moi, un de mes cousins. *J'ai vu chez moi un mien ami* (→ Jargon, cit. 4, Montaigne).

REM. *Mien* est prononcé [mjɛn] devant une voyelle ou une *h* muette.

(Sa fille) a mis un mien papier en morceaux (...)
RACINE, les Plaideurs, II, 5.

(...) Un mien cousin, César,
Comte de Garofa, près de Velalcazar. HUGO, Ruy Blas, I, 5.

(...) je pensais maintenant comme à un inestimable avantage, que de cette mienne vie trop connue, dédaignée, Gilberte pourrait devenir un jour l'humble servante (...)
PROUST, À la recherche du temps perdu, t. II, p. 258.

(Placé après le nom). Littéraire :

Je prenais ma part des plaisirs de la journée commençante ; le désir arbitraire — la velléité capricieuse et purement mienne — de les goûter n'eût pas suffi à les mettre à portée de moi (...)
PROUST, À la recherche du temps perdu, t. XI, p. 29.

Il ne me gêne plus *(Valéry)* j'ai fait mon œuvre sur un plan différent du sien — que je comprends trop bien et admire trop pour ne point admettre que cette œuvre mienne ne puisse figurer dans son système et n'ait pas de valeur à ses yeux.
GIDE, Journal, 5 mai 1942.

Vx, ou archaïsme stylistique. En emploi pronominal (ou quasi nominal) avec l'adj. possessif de forme atone *mon, ma,* et un adjectif antéposé, dans le langage de l'affectivité.

C'est la raison pour laquelle je ne t'ai pas parlé, ma pauvre mienne.
Paul BOURGET, la Geôle, IX.

Oh ! ma douce mienne (...)
J. ROMAINS, les Hommes de bonne volonté, t. XV, XXII, p. 265.

♦ **2.** (En fonction d'attribut). Littér. *Ce livre est mien,* m'appartient, est à moi. *Cette terre est mienne* (→ Établir, cit. 18). *Je fais* (cit. 137) *mien tout votre passé. Il n'est pas à moi, mais je le considère comme mien. Des protestations que je fais miennes,* que je prends à mon compte en m'y associant. — Spécialt. (Dans le langage amoureux). *Sois mienne :* appartiens-moi.

Si j'ai compté un beau cheval payé
Il m'est permis de dire qu'il est mien (...)
Clément MAROT, Épigrammes, CLXXVI.

Mon imitation n'est point un esclavage !
Je ne prends que l'idée, et les tours, et les lois,
Que nos maîtres suivaient eux-mêmes autrefois.
Si d'ailleurs quelque endroit plein chez eux d'excellence
Peut entrer dans mes vers sans nulle violence,
Je l'y transporte, et veux qu'il n'ait rien d'affecté.
Tâchant de rendre mien cet air d'antiquité.
LA FONTAINE, Pièces diverses, IV, À Mᵍʳ l'Évêque de Soissons.

Horace ou Despréaux l'a dit avant vous. — Je le crois sur votre parole ; mais je l'ai dit comme mien. LA BRUYÈRE, les Caractères, I, 69.

Les chères mains qui furent miennes,
Toutes petites, toutes belles, VERLAINE, Poésies, " Sagesse ", I, XVII.

Je prenais une tendre blonde dans mes bras et la faisais mienne en pleurant.
GIRAUDOUX, Siegfried et le Limousin, V, p. 152.

Je me grisais (...) de toutes ces paroles qui n'étaient pas miennes, mais me tombaient pourtant des lèvres. G. DUHAMEL, Salavin, I, XVI.

Je n'ai rien de mien à défendre. Je n'ai aucun droit.
J. ROMAINS, les Hommes de bonne volonté, t. VI, XXII, p. 198.

★ **II.** Pron. poss. Cour. *Le mien, la mienne, les miens, les miennes,* pour désigner avec précision l'objet ou l'être lié à la première personne par un rapport de parenté, de possession, etc. *Votre fils et le mien. Voici le mien, un des miens. Ses idées diffèrent des miennes. Son visage était près du mien, tourné vers le mien* (→ Imbiber, cit. 8). *Ils comparent* (cit. 5) *leur profession à la mienne. Une nature plus imaginative* (cit. 1) *que la mienne. Votre caractère ressemble au mien. « Ton premier coup d'épée égale tous les miens »* (Corneille, → Atteindre, cit. 26). *Les préoccupations de tous et les miennes propres,* celles qui me sont particulières, que je ne partage pas avec d'autres. — (Avec un numéral cardinal). *Leurs enfants et les deux miens parlent ensemble.*

(...) La main des Parques blêmes
De vos jours et des miens se joue également. LA FONTAINE, Fables, XI, 8.

(...) je pris sa main que je serrai dans une des miennes (...)
LACLOS, les Liaisons dangereuses, XXV.

Préoccupé du bien public autant ou plus que du mien propre.
GIDE, Thésée, p. 92, in GREVISSE.

Les femmes, c'est pourtant pas ça qui manque. Moi, quand je suis revenu de la guerre, on m'a dit que la mienne s'était barrée (...)
A. MAUROIS, B. Quesnay, X.

REM. 1. Dans la langue moderne, on évite de faire représenter par *le mien, la mienne,* etc., un substantif qui n'est pas accompagné d'un article défini ou d'un adjectif déterminatif. *Elle est fille du marquis et la mienne* (→ Fruit, cit. 29) ; on dirait aujourd'hui : *fille du marquis et de moi.*

(...) elle se laissa tomber à genoux et elle appuya sa tête sur les miens, en cachant son visage de mes mains. Abbé PRÉVOST, Manon Lescaut, II, p. 158.

2. *Le mien, la mienne,* etc., peut représenter un nom qui n'a pas encore été énoncé, à condition que le rapport soit clair.

On a tort, monsieur, de prononcer à côté du mien le nom de Mᵐᵉ de Fleurel.
MAUPASSANT, l'Inutile Beauté, " L'infirme ".

Je me retournai pour voir presque contre le mien son visage ; un visage gonflé, congestionné (...) GIDE, Isabelle, V.

(Attribut). *Ce livre n'est pas le mien, c'est celui d'un ami.* — (En parlant de ce qu'on a en commun, de ce qu'on adopte). *Vos idées sont* les miennes sur ce sujet, les mêmes que les miennes. *Leur décision sera la mienne. Tous ses intérêts sont les miens* (→ Chaîne, cit. 22). *Je ne discute pas, votre prix sera le mien.*

2 Chez les Malet, je n'étais pas heureux; le climat n'était pas le mien.
A. MAUROIS, Climats, I, VII.

★ **III. N. ♦ 1. LE MIEN** (toujours au masc. sing.). Ce qui est à moi, mon bien, ma propriété*. — Vx. *Je ne demande que le mien* (Académie), ce qui me revient de droit, mon dû. — Vieilli ou littér. *Ne confondons pas le tien et le mien,* ce qui t'appartient et ce qui m'appartient (→ Gâter, cit. 44).

3 Ici tout est à tous; et tu nous as prêché je ne sais quelle distinction du *tien* et du *mien.*
DIDEROT, Suppl. au voyage de Bougainville, II.

♦ **2. DU MIEN,** en emploi partitif (après *mettre*, *ajouter*...). De ma personne, de mon fonds, de mes ressources... ⇒ **Sien** (mettre du). *J'ai repris son idée, mais en y ajoutant du mien* (→ Extraire, cit. 5). *Nous avons pu renflouer l'affaire, mais j'y ai mis beaucoup du mien,* de mon argent, de mon travail.

4 Tout ce qui sera d'elle *(la nature)* sera vrai; il n'y aura de faux que ce que j'y aurai mêlé du mien sans le vouloir.
ROUSSEAU, De l'inégalité parmi les hommes, Discours.

Rare. *J'ai fait des miennes* (en parlant de fredaines habituelles). ⇒ **Sien** (faire des siennes, cour.).

♦ **3. LES MIENS** (toujours au masc. plur.). Mes parents, mes amis, mes partisans... ⇒ **Sien**(s). *Je te remercie de l'intérêt* (cit. 23) *que tu portes aux miens. Je réponds des miens* (→ Indiscrétion, cit. 12). *Dans le sein des miens* (→ État, cit. 78). *J'ai rompu avec les miens.*

5 Mais j'ai les miens, la cour, le peuple à contenter.
LA FONTAINE, Fables, III, 1.

6 — Oui ou non, es-tu des nôtres? — Je suis des vôtres, si vous êtes des miens (...)
A. DE MUSSET, Fantasio, I, 2.

7 Je ne dois pas craindre de survivre aux miens tant qu'il y aura des hommes sur la terre, car il en est toujours qu'on peut aimer.
FRANCE, le Crime de S. Bonnard, Œ., t. II, IV, p. 372.

MIETTE [mjɛt] n. f. — V. 1200, *miate;* dimin. de 1. *mie.*

★ **I.** Vx ou dial. ⇒ 1. **Mie** (II.). *La croûte et la miette* (→ Fondre, cit. 16).

★ **II.** Mod. ♦ **1.** Petite parcelle de mie de pain, de gâteau... qui tombe quand on le coupe ou le rompt. *Miettes de pain, de galette...* (→ Finir, cit. 6). *Miettes restées sur la table, sur la nappe après le repas* (→ Couteau, cit. 8). *Donner les miettes aux oiseaux* (→ aussi Glaner, cit. 3). *Mettre du pain en miettes.* ⇒ **Émietter.**

1 Il y avait aussi un pauvre, nommé Lazare (...) qui eût bien voulu se rassasier des miettes qui tombaient de la table du riche (...)
BIBLE (SACY), Évangile selon saint Luc, XVI, 20-21.

2 Le petit Poucet (...) croyait retrouver aisément son chemin, par le moyen de son pain qu'il avait semé partout où il avait passé; mais il fut bien surpris lorsqu'il ne put en retrouver une seule miette : les oiseaux étaient venus, qui avaient tout mangé.
PERRAULT, Contes, « Petit Poucet ».

2.1 Toutes les fois qu'on coupait le pain, il se plaçait une corbeille sous le couteau, afin de recueillir ce qui tombait; on y joignait avec exactitude toutes les miettes qui pouvaient se faire aux repas, et ce mêt, frit le dimanche, avec un peu de beurre, composait le plat de festin de ces jours de repos (...)
SADE, Justine..., t. I, p. 30.

3 (...) le morceau de pain avait disparu, et il était éparpillé en miettes semblables aux grains de sable auxquels il était mêlé.
BAUDELAIRE, le Spleen de Paris, XV.

4 Économe, elle mangeait avec lenteur, et recueillait du doigt sur la table les miettes de son pain (...)
FLAUBERT, Trois contes, "Un cœur simple", I.

♦ **2.** Par métaphore et fig. *Les miettes de sa fortune.* ⇒ **Débris; bribe.**

5 Ces misères-là prennent du prix, en raison des privations qu'on éprouve. Ce sont les miettes de pain tombantes de la table du riche : celui-ci les dédaigne ; mais le pauvre les recueille avidement et s'en nourrit.
LACLOS, les Liaisons dangereuses, CXIII.

6 Je m'en vais, misérable et pauvre, pauvre de votre tendresse, dont quelques miettes m'auraient sauvé.
MAUPASSANT, Notre cœur, II, VII.

7 (...) en entrant dans le salon ce soir-là, elle jeta à tout le monde et même au plus humble, qui était moi, quelque miette de son sourire.
FRANCE, le Livre de mon ami, Livre de Pierre, II, XI.

8 (...) de même que les pauvres bougres se nourrissaient jadis de ce qui tombait de la table des puissants, rien n'empêche les auditeurs de rencontre d'attraper quelques miettes de ces propos.
J. ROMAINS, les Hommes de bonne volonté, t. V, XXVII, p. 284.

♦ **3.** Petit fragment* (d'une matière, d'une chose). *Miette de matière* (→ Infinitésimal, cit. 3), *de faïence* (→ Espingole, cit.). — *En miettes. Mettre, réduire en miettes* ⇒ **Morceau, pièce.** → Fourmi, cit. 3. *Ce vase est en miettes, on ne pourra le réparer.*

9 Il m'appelait son eau vive, son cristal. Eh bien, le cristal est en miettes.
SARTRE, Huis clos, V.

♦ **4.** Le plus petit morceau (d'un aliment). → Goutte (pour les boissons); laper, cit. 1. *Donne m'en juste une miette pour y goûter. Tout est mangé, ils ne m'en ont pas laissé une miette.*

♦ **5.** (Dans des loc.). Un petit peu. *Ne pas perdre une miette d'un*

spectacle, n'en rien perdre. *Il ne s'en fait pas une miette :* il ne se fait aucun souci. ⇒ **Insouciant.**

Adverbe :

Mais, quand on les avait observés un quart d'heure, on voyait que Landry était une miette plus grand et plus fort (...)
G. SAND, la Petite Fadette, II. — 10

COMP. Émietter, ramasse-miettes.

MIEUX [mjø] adv. — IXᵉ, *mielz,* Eulalie ; lat. *melius,* neutre pris adverbialement de *melior* «meilleur».
Comparatif irrégulier de *bien* (au lieu de *plus bien*).

★ **I. MIEUX,** adverbe comparatif de *bien.* D'une manière meilleure, plus avantageuse, plus conforme au bien. ⇒ 1. **Bien** (1.); **comparatif** (cit. 1).

♦ **1.** Employé seul. *Cette lampe éclaire mieux. Je l'estime davantage depuis que je le connais mieux. On voit mieux ses fautes* (cit. 30) *quand elles sont imprimées. Une existence mieux ordonnée, plus équitable* (→ Hisser, cit. 12). — Renforcé par le pron. *en. Je t'en aimerai* (cit. 62) *mieux. Il n'en travaille que mieux.* (→ Fatiguer, cit. 23).

REM. *Mieux* se place le plus souvent avant l'infinitif qu'il modifie. *Reculer pour mieux sauter* (→ Idée, cit. 29). *Je souhaiterais mieux les comprendre* (cit. 34). — L'ordre inverse est devenu fréquent et met en valeur l'adverbe. *J'aurais dû vous interroger mieux* (→ Interview, cit. 2 ; et aussi incorporer, cit. 4).

(...) on vous en donne un autre,
Dont la condition répond mieux à la vôtre (...)
CORNEILLE, Polyeucte, V, 2. — 1

Un livre peut être plus écrit sans être pour cela mieux écrit ; le style a été plus travaillé, il n'y a pas gagné. Quantité et qualité sont deux choses distinctes.
F. BRUNOT, la Pensée et la Langue, p. 730. — 2

Impossible d'exprimer mieux une pensée plus admirable.
GIDE, le Roi Candaule, I, 3. — 3

Littér. Modifiant un adjectif et pour insister sur l'excellence que *plus* n'exprime pas.

Rien de ce que je connus ensuite ne me paraît mieux digne de ce nom (...)
GIDE, la Porte étroite, II. — 4

Loc. verb. **ALLER* MIEUX** (personnes) : être en meilleure santé. ⇒ **Guérir, remettre** (se). *Elle va mieux* (→ Giron, cit. 2; hypocondrie, cit. 3). — (Choses). Être dans un état plus favorable, plus prospère. *On espère toujours que tout ira mieux. Les choses commencent à mieux aller* (→ Idéologue, cit. 3). *Ça ira mieux demain.* — Fam. *Ça (ne) va pas mieux! :* ça ne va pas du tout, c'est le comble.

FAIRE MIEUX DE : avoir intérêt, avoir avantage à... *A-t-il mieux fait de se taire? Il ferait mieux de rester tranquille. Vous feriez mieux de me payer sans lanterner* (cit. 1). *Il aurait mieux fait* (cit. 70) *d'aller se pendre.*

Aimer mieux. ⇒ **Aimer** (cit. 60 à 63). — *Valoir* mieux. ⇒ **Valoir.**

Vx ou littér. *Mieux,* pour *le mieux* (→ ci-dessous, II., 1.). *Lequel* (cit. 22) *vaut mieux, ou posséder ou espérer?* (→ Gagner, cit. 46). *Reste à savoir lequel vaut mieux de périr d'un coup, ou de mourir lentement* (cit. 3)... *De vous deux, qui fera mieux?*

Nous verrons qui tiendra mieux parole des deux.
MOLIÈRE, le Dépit amoureux, II, 2. — 5

♦ **2.** (En corrélation avec *que* comparatif). **MIEUX QUE** (suivi d'un terme de comparaison). *Il travaille mieux que son frère. Les hommes entreprenants* (cit. 4, La Rochefoucauld) *réussissent mieux que les autres.* « *Nul mieux que lui n'est capable de diviser la difficulté...* » (→ Attaquer, cit. 39). *Elle sait mieux que personne ce qui est le meilleur* (→ Conclure, cit. 8 ; gouverner, cit. 36). *Mieux que cela. Mieux que jamais* (→ Fin, cit. 10).

(...) je sais le latin aussi bien que M. le curé, et même quelquefois il a la bonté de dire mieux que lui.
STENDHAL, le Rouge et le Noir, I, VI. — 6

(Suivi d'un adjectif). *Elle est mieux que jolie, elle est adorable.*

Elle était mieux que l'indolente; elle était indifférente (...)
BARBEY D'AUREVILLY, les Diaboliques, "Dessous de cartes", p. 234. — 7

Cette formule est *mieux que commode, elle est nécessaire* (Bourget, Essais de psych. cont., Sur Amiel).
G. et R. LE BIDOIS, Syntaxe du franç. moderne, § 1218 bis. — 8

(Suivi d'une subordonnée comparative). *Il a mieux réussi que je pensais.*

REM. 1. L'emploi de *ne* devant le verbe ou la conjonction est régulier, surtout quand la proposition précédente est affirmative. *Il a mieux réussi que je ne pensais... Ce génie* (cit. 15) *particulier de la femme qui comprend l'homme mieux que l'homme ne se comprend. Les bulletins vous instruiront mieux que je ne pourrais le faire* (→ Fâcheux, cit. 3). *Mieux que je n'eusse pu faire* (→ Glaner, cit. 5).

2. Si la principale est *négative,* l'emploi ou l'omission de *ne* peut changer le sens.

« *Il n'écrit pas mieux* qu'il ne parle : *cette construction (avec ne) n'est parfaitement juste que s'il est question d'un homme qu'on juge ne pas très bien parler...* » (G. et R. Le Bidois, *Syntaxe du français moderne,* § 1216).

♦ **3.** MIEUX, modifié par un adverbe de quantité. *Un peu, bien, beaucoup, infiniment... mieux. Il faut frotter ça un peu mieux* (→ Huile, cit. 34). *Un État bien mieux réglé* (→ Loi, cit. 5 et aussi César, cit. 2; faveur, cit. 25). *Nous ferions beaucoup mieux...* (→ 1. Faux, cit. 29; et aussi auteur, cit. 33; autre, cit. 78 et 91). *J'aime beaucoup mieux me servir des manuscrits* (cit. 3) *que des exemplaires imprimés* (→ Âme, cit. 5; maquillé, cit. 1). *C'est bigrement, bougrement, fichtrement mieux que hier. Ça ne vaut guère mieux.*

♦ **4.** Loc. compar. *Tant mieux.* Loc. adv. ⇒ **Tant.** *D'autant mieux.* ⇒ **Autant** (cit. 60 et 61).

Mieux, en corrélation avec *plus, moins*, marque une augmentation directement ou inversement proportionnelle. *Moins il est pressé, mieux il travaille.*

9 Mieux je saisis ces rapports, plus je m'intéresse à l'œuvre.
                                        FRANCE, le Jardin d'Épicure, p. 85.

Loc. *On ne peut mieux* : d'une manière parfaite (qu'on ne peut surpasser). *Elle a chanté on ne peut mieux*, parfaitement*. Adj. et fam. *C'est on ne peut mieux.* ⇒ **Parfait** (→ Externe, cit. 3).

10 Quinette croit se représenter on ne peut mieux pourquoi l'imprimeur, un jour, est
   devenu assassin.   J. ROMAINS, les Hommes de bonne volonté, t. II, II, p. 17.

11 (...) j'ai tout ça on ne peut mieux présent à l'esprit.
                J. ROMAINS, les Hommes de bonne volonté, t. I, XIX, p. 215.

De mieux en mieux : en allant de plus en plus vers un état meilleur, une amélioration, un perfectionnement* (→ Honorer, cit. 29). *Notre malade va de mieux en mieux. On en verra chaque jour de mieux en mieux les effets* (→ Camion, cit. 3). — REM. On disait autrefois *de bien en mieux.*

Iron. (par antiphr.). *De mieux en mieux, ne vous gênez pas !*

Littér. *Ni pis ni mieux. Il ne va ni pis ni mieux* : son état est stationnaire. *Il ne m'en fera jamais ni pis ni mieux* (→ Concerner, cit. 1, La Bruyère).

À qui mieux mieux : à qui fera mieux (ou plus) que l'autre. ⇒ **Envi** (à l'envi). *Ils buvaient à qui mieux mieux. Les races et les ethnies* (cit.) *s'enchevêtrent à qui mieux mieux.*

12 Les bêtes à qui mieux mieux
   Y font divers personnages.   LA FONTAINE, Fables, IX, 1.

13 Journalistes, professeurs, écrivains, savants, intellectuels, tous, à qui mieux mieux,
   abdiquaient leur indépendance critique, pour prêcher la nouvelle croisade (...)
                                MARTIN DU GARD, les Thibault, t. VII, p. 215.

REM. L'ancienne langue disait *«qui mieux mieux»* (comme *«qui plus plus»*). La préposition *à* est apparue au XVe s. (Alain Chartier), d'abord sous la forme *«à mieux mieux»*, puis sous la forme moderne *«à qui mieux mieux»* : *«C'est à l'envy, à qui mieux mieux»* (Montaigne). Cette dernière locution semble due à «la contamination des deux tours bien distincts *à qui mieux* (par ex. rivaliser *à qui mieux* fera ou dira) et *qui mieux mieux*... L'addition de *à* dans ce groupe s'explique par l'idée de tendance, d'aspiration...» que l'on rencontre dans les tours *«c'est à qui arrivera le premier»* (G. et R. Le Bidois, Syntaxe du franç. mod., § 10 et 509).

★ **II.** MIEUX. Superlatif de *bien.*

♦ **1.** De la manière la meilleure, la plus conforme au bien. *Les gouvernements* (cit. 21) *qui se conduisent le mieux sont ceux dont on parle le moins. Le mot d'assemblée* (cit. 1) *est celui qui convient le mieux. L'école buissonnière* (cit.) *est celle dont j'ai profité le mieux. En amour, celui qui est guéri le premier est toujours le mieux guéri* (cit. 41, La Rochefoucauld). — *La plus aimée, ce qui ne veut pas dire la mieux aimée des maîtresses* (→ 1. Lieu, 2., cit. 37).

14 Ce que je sais le mieux, c'est mon commencement.   RACINE, les Plaideurs, III, 3.

REM. Devant un participe féminin ou pluriel, l'article du superlatif *le mieux* peut rester invariable si l'on veut insister sur le haut degré, sans comparer l'être ou l'objet en question à un autre. Il s'accorde au contraire s'il y a comparaison entre plusieurs êtres ou objets.
Les hommes le mieux doués ou *les mieux doués* (Littré). *Les critiques les mieux disposés* (→ Incompréhension, cit. 2). *Les caractères les mieux assis* (→ Accession, cit. 1). *L'imagination* (cit. 16) *la mieux réglée... Les lampes les mieux suspendues* (→ Fort, cit. 21). ⇒ 1. Le (III., REM.).

(En parlant de deux personnes ou de deux choses). *La postérité jugera qui* (de Corneille ou de Racine) *vaut le mieux des deux* (→ Autre, cit. 110).

REM. Après *lequel des deux, le mieux* est souvent remplacé par *mieux*, dans un style soutenu (→ ci-dessus, I., 1.).

Le mieux que, du mieux que, suivi de *pouvoir* : de la meilleure façon possible. *L'homme joue son rôle le mieux qu'il peut* (→ Galerie, cit. 9). *On vous logera* (cit. 9) *le mieux qu'on pourra. C'est à vous de lui faire avaler* (cit. 25) *la chose du mieux que vous pourrez.*

REM. Par analogie avec les propositions relatives où l'antécédent est un superlatif (→ Le meilleur que je connaisse...), on trouve le subjonctif après *le mieux que.*

15 Si elle meurt, ne manquez pas de la faire enterrer du mieux que vous pourrez.
                                MOLIÈRE, le Médecin malgré lui, III, 2.

Eh! mourez le plus tôt que vous pourrez, c'est le mieux que vous puissiez faire.
                                        MOLIÈRE, Dom Juan, IV, 5.

Tout est bien, tout va bien, tout va le mieux qu'il est possible.
                                        VOLTAIRE, Candide, XXIII.

Par exagér. *Le mieux du monde* : aussi bien qu'il soit possible, à la perfection*. *Cela va le mieux du monde* (Académie).

Je sais que vous parlez, Monsieur, le mieux du monde (...)
                                        MOLIÈRE, le Misanthrope, V, 1.

♦ **2.** AU MIEUX : de la meilleure façon, dans le meilleur état possible. *Faire qqch. au mieux*, excellemment. *Les choses sont au mieux. En mettant les choses au mieux* : en supposant l'état, les conditions les meilleures. *Vendu au mieux* : au meilleur prix du marché quel qu'il soit. — Ellipt. *Au mieux, il réunira deux mille suffrages.*

Et cependant, tout était au mieux! Nous tenions Des Touches!
                BARBEY D'AUREVILLY, le Chevalier Des Touches, VIII.

Être au mieux avec une personne, être en excellents termes avec elle. → par euphém. *Du dernier bien** avec elle.

Mais aussi était-il au mieux avec la veuve, qu'il appelait maman en la saisissant
par la taille (...)   BALZAC, le Père Goriot, Pl., t. III, p. 859.

Au mieux de... : de la façon la plus appropriée, la plus favorable à... *Il faut agir au mieux des circonstances* (→ Attitude, cit. 21). *Je réglerai l'affaire au mieux de vos intérêts.*

♦ **3.** POUR LE MIEUX. Très bien, excellemment; le mieux possible. *Tout est pour le mieux dans le meilleur des mondes**.

Raison : Dieu fait tout pour le mieux.
                VILLON, Poésies diverses, Dit de la naissance de Marie d'Orléans.

♦ **4.** Vieilli. DES MIEUX : extrêmement bien. *Il chante des mieux* : il chante de façon remarquable. — REM. Dans cette locution, que Vaugelas déclarait «très basse» et que l'Académie ne mentionne pas, on explique *des* par la valeur partitive : il est *parmi ceux* qui chantent *le mieux.*

(...) voilà qui va des mieux.
Mais venons au sujet qui m'amène en ces lieux.
                        MOLIÈRE, les Femmes savantes, II, 2.

(...) il est d'autant plus criminel qu'il écrit des mieux quand il s'en veut mêler.
                        Mme DE SÉVIGNÉ, 183, 12 juil. 1671.

Bien, disais-je, cela va des mieux.
        Edmond JALOUX, le Culte secret, in Revue des Deux Mondes,
                                        15 janv. 1942, p. 138.

(Devant un participe passé). *Cet appartement est des mieux meublés. Ces femmes sont des mieux habillées.*

REM. Le participe passé peut rester au singulier s'il est question d'une seule personne ou d'une seule chose. Dans ce cas, *des mieux* est une locution adverbiale signifiant *très bien.*

« *L'exemple est des mieux choisi* » (→ Du Bos in Grevisse).

Je vous en promets à chacune un *(exemplaire)*, et des mieux reliés.
                        MOLIÈRE, les Précieuses ridicules, 9.

(...) un grand et beau carrosse (...) étoffé des mieux (...)
                        Mme DE SÉVIGNÉ, 914, 11 mai 1683.

★ **III.** Adj. (Lorsque *mieux* ne modifie pas un verbe ou un adjectif, mais possède un sens plein exprimant un état, une qualité).

♦ **1.** (Personnes). En meilleure santé. « *La fièvre l'a quitté, il est mieux* » (Littré). *Se sentir mieux. Je vous trouve mieux ces temps-ci.* — Plus agréable, plus beau. *Il est mieux que son frère; il est mieux sans moustache. Je vous trouve mieux avec cette robe* (→ aussi Aller, cit. 74). *Il ressemble à son père, mais en mieux.* — Plus à l'aise. *Mettez-vous dans ce fauteuil, vous serez mieux. Il sera mieux parmi nous.*

Le médecin fut surpris. Elle était mieux. L'oppression était moindre. Le pouls
avait repris de la force.   HUGO, les Misérables, I, VII, VI.

♦ **2.** (Choses). Dans un état meilleur, plus convenable, plus satisfaisant. *Le salon est mieux à présent. Son champ ne s'en trouve pas mieux* (→ Fructifier, cit. 1). *Nous ne nous voyons plus, c'est mieux ainsi. Parler est bien, se taire est mieux.* ⇒ **Préférable.**

DE MIEUX : de meilleur, qui soit mieux. *Quelque chose de mieux, rien de mieux. Si vous n'avez rien de mieux à faire ce soir, je vous emmène au cinéma. On n'a trouvé rien de mieux pour fixer les prix* (→ Marché, cit. 1). — Iron. *Il n'a rien trouvé de mieux que de venir me déranger ici !* — *Il n'y a, on ne peut trouver rien de mieux.* — **Dessus** (au-dessus de cela). *Ce qu'il y a de mieux dans un spectacle* (⇒ **Bouquet**), *dans une société* (⇒ **Gratin**). *Ce qu'il y a, ce qui se fait de mieux dans le genre* (→ Bouffon, cit. 5; effet, cit. 27). *Tout ce qu'il y a de mieux comme...* ⇒ **Nec plus ultra** (→ Grand, cit. 86). — Fam. *Une maison tout ce qu'il y a de mieux* : de bien, de beau...

Voilà le fruit, — à une saison de la vie où je n'accepte que la fleur de tout plaisir
et le meilleur de ce qu'il y a de mieux (...) — le fruit dessaisonné que mûrissent
ma prompte familiarité (...) et une renommée qui rend des sons fort divers (...)
                        COLETTE, la Naissance du jour, p. 108.

Le cabinet florentin avec des tentures était tout ce qu'on fait de mieux comme
confessionnal moderne.   ARAGON, les Cloches de Bâle, II, XXII.

Rendre mieux : améliorer, arranger, réformer, réparer, retoucher...

♦ **3.** Loc. QUI MIEUX EST [kimjøzɛ] : ce qui est mieux encore. *Il a* *réussi et, qui mieux est, en un temps record.* — Par antiphr. *Vous ne venez pas au rendez-vous et, qui mieux est, vous ne vous excusez même pas !*

Le plus grand esprit de ce temps ! Et, qui mieux est, grand esprit et grand cœur.
G. DUHAMEL, *Chronique des Pasquier*, VII, v.

★ **IV.** ♦ **1.** (Emploi nominal). *Mieux* peut être considéré comme un nominal quand il signifie « quelque chose de mieux, une chose meilleure ». Dans cet emploi, il peut être attribut, objet direct ou indirect, mais il est construit sans article ni adjectif déterminatif. *En attendant mieux :* en attendant qqch. ou qqn de meilleur. *En attendant mieux, on s'en contentera. J'attendais, j'espérais mieux de lui. J'ai mieux que cela. Il y a mieux, mais c'est plus cher. Deux mille francs ? Qui dit mieux ? Un prestidigitateur ne ferait pas mieux* (→ Éventail, cit. 1). *Élève qui peut faire mieux. Faire mieux qu'à l'ordinaire.* ⇒ **Surpasser** (se).

(...) ce désir de faire mieux que le vrai, qui est la tentation et le péril de l'art.
J. ROMAINS, *les Hommes de bonne volonté*, t. IV, XIX, p. 210.

Loc. verb. *Ne pas demander mieux.* ⇒ **Demander** (cit. 31).

(Précédé d'une préposition). *Faute de mieux.* ⇒ **Faute** (cit. 10). — *S'attendre à mieux. Je m'attendais à mieux, je suis déçu. Changer en mieux.* ⇒ **Améliorer.** *Il a changé en mieux,* à son avantage*.

Le mets ne lui plut pas : il s'attendait à mieux.
LA FONTAINE, *Fables*, VII, 4.

On a des enfants, on désire qu'ils soient bien un jour, et dès lors on incline insensiblement sa pensée à espérer que le monde n'ira pas de mal en pis, qu'il tournera à mieux.
A. BILLY, *Sainte-Beuve, sa vie et son temps*, p. 327.

MIEUX, suivi d'un terme ou d'une phrase qui explique, précise ou retouche ce qu'on vient de dire (cf. Bien plus). *Il a beaucoup de talent ; mieux, du génie. Une accoutumance* (cit. 4) *au malheur, un endurcissement ou mieux : l'habitude du retrait. Un infini besoin de plaire, ou mieux d'être aimée* (→ Changer, cit. 72). *Il l'a excusé ; mieux que cela, il l'a félicité. Je ne peux pas vous dire mieux : je me rallie d'avance à la solution que vous m'indiquerez* (cit. 8).

Il faut prendre parti : l'on m'attend. Faisons mieux :
Sur tout ce que j'ai vu fermons plutôt les yeux (...)
RACINE, *Bajazet*, IV, 3.

♦ **2.** N. m. Littér. **LE MIEUX :** ce qui est plus accompli, meilleur, le plus haut degré d'excellence possible. *Efforts de l'homme vers le mieux* (→ Espérance, cit. 14). Prov. Cour. *Le mieux est l'ennemi du bien :* on risque de gâter une bonne chose en voulant la rendre meilleure, en cherchant à mieux faire.

REM. Quand *mieux*, substantif, est précédé de l'article *le*, il est parfois difficile de distinguer si l'on a affaire au comparatif *(ce qui est meilleur)* ou au superlatif *(ce qui est le meilleur).*

Le bien vaut mieux que le mieux. Tout ce qui est le meilleur ne dure guère.
Joseph JOUBERT, *Pensées*, X, XXXVII.

Mais un artiste de cette conscience et de cette force ne se contente pas de peu. Le bien ne lui suffit pas ; il cherche le mieux, et ne s'arrête qu'à cette limite où l'imperfection des moyens humains arrête les génies les plus absolus dans la poursuite de l'idéal.
Th. GAUTIER, *Portraits contemporains*, Ingres.

Au sortir de pareilles calamités, la paix semble un paradis ; ce n'est pas le bien qui réjouit l'homme, c'est le mieux (...)
TAINE, *Philosophie de l'art*, t. II, p. 49.

Plus cour. *Le mieux, du mieux, un mieux.* ⇒ **Amélioration.** — (En parlant de la santé). *Aller vers le mieux :* entrer en convalescence, se rétablir. *Le médecin a constaté du mieux ; il y a du mieux, un peu de mieux* (→ 3. Mal, cit. 20), *un mieux sensible. Aucun mieux depuis plusieurs jours.*

Une fille d'ici ne peut plus avoir un mieux dans sa fièvre sans que cela prenne un tour politique (...)
MONTHERLANT, *Port-Royal*, p. 76.

(En parlant de la conduite d'une personne ; de l'état d'une personne ou d'une chose). *Il fait des efforts, il y a du mieux.* ⇒ **Amendement, progrès.** *Aucun mieux dans la situation économique. Nous avons constaté qu'il y a du mieux dans l'organisation de ce service.*

De mon (ton, son...) mieux : aussi bien qu'il est en mon (ton, son...) pouvoir. *Je t'aide de mon mieux* (→ Ingambe, cit. 2). *Le voilà qui déteste et jure de son mieux* (→ Contre, cit. 17, La Fontaine). *Tous s'y sont employés de leur mieux* (→ Gazetier, cit.).

Le temps que Dieu accorde à chacun de nous est comme un tissu précieux que nous brodons de notre mieux.
FRANCE, *le Crime de S. Bonnard*, Œ., t. II, II, I, p. 346.

CONTR. **Bien** (moins bien), **mal** (plus mal), **pis.** — **Pire** (adj. et n. m.).
COMP. **Mieux-disant, mieux-être, mieux-faisant, mieux-vivre.**

MIEUX-DISANT, ANTE [mjødizɑ̃, ɑ̃t] adj. — XVIIIe ; de *mieux*, et *disant* p. prés. de *dire*.

♦ Vx. Qui parle mieux que les autres. — N. *Les mieux-disants.*

MIEUX-ÊTRE [mjøzɛtʀ] n. m. — XVIIIe ; de *mieux*, et *être ;* → Bien-être.

♦ État plus heureux, amélioration du bien-être*. *Travailler au mieux-être du prolétariat* (→ Dynamique, cit.).

Constater l'admirable harmonie de l'univers (...) découvrir les lois physiques pour s'en servir au mieux-être des hommes (...) tel est le rôle historique de notre famille.
Hervé BAZIN, *Vipère au poing*, XI.

MIEUX-FAISANT [mjøfəzɑ̃] adj. — V. 1770 ; de *mieux*, et *faisant*, p. prés. de *faire*.

♦ Rare. Qui agit mieux, se conduit mieux que les autres. — N. *Les mieux-faisants.*

MIEUX-VIVRE [mjøvivʀ] n. m. invar. — 1965 ; de *mieux*, et *vivre*.

♦ Amélioration des conditions de vie (quant à l'élévation du niveau de vie, à la qualité de l'environnement, aux progrès dans le domaine de la santé, etc.).

MIÈVRE [mjɛvʀ] adj. — XIIIe ; *esmievre*, v. 1210 ; p.-ê. anc. scandinave *snoefr* « vif ».

♦ **1.** Vx et fam. ⇒ **Espiègle.** *Enfant mièvre et éveillé* (cit. 34).

♦ **2.** (Fin XVIIe ; « d'une gentillesse affectée » en moy. franç.). Mod. D'une grâce quelque peu enfantine et fade, qui manque de naturel. ⇒ **Affecté.** *Peinture gracieuse et mièvre. Paroles mièvres.* ⇒ **Douceureux.** *Poésie d'un charme un peu mièvre.* ⇒ **Gentil.** *Jeune fille d'une beauté mièvre, aux traits mièvres.*

Cet artiste a peint une foule de petits tableaux charmants, un peu mièvres, peut-être, mais ayant gardé du style sous leur afféterie.
Th. GAUTIER, *in* P. LAROUSSE, art. *Mièvre*.

CONTR. **Vif, vigoureux.**
DÉR. **Mièvrement, mièvrerie, mièvreté.**

MIÈVREMENT [mjɛvʀəmɑ̃] adv. — 1842 ; de *mièvre*.

♦ Rare. D'une manière mièvre. « (Le) *petit doigt mièvrement replié vers la lèvre* » (Gide).

MIÈVRERIE [mjɛvʀəʀi] n. f. — 1718 ; *mivrerie, mivreté*, XVe ; de *mièvre*.
Vieux ou littéraire.

♦ **1.** Vx. Espièglerie. *Un enfant d'une mièvrerie amusante* (Littré). *Acte de mièvrerie.* ⇒ **Puérilité.**

♦ **2.** (XIXe). Mod. Grâce puérile et fade, qui sent l'affectation*, la recherche. *La mièvrerie d'un style. La mièvrerie du joli cœur* (→ Fier-à-bras, cit. 3).

(...) ce qui me déplaît *(chez Barrès)* par-dessus tout : la mièvrerie, la molle joliesse de certaines phrases, où respire une âme de Mimi Pinson (...)
GIDE, *Journal*, 29 févr. *(sic)* 1930.

Je n'admire pas du tout ses vers *(de Sainte-Beuve)*, contournés, raboteux, chevillards, parfois désespérants de mièvrerie et de platitude !
Émile HENRIOT, *les Romantiques*, p. 256.

♦ **3.** *(Une, des mièvreries).* Chose, action, parole mièvre. *Nos mièvreries modernes* (→ Évoquer, cit. 14).

C'est l'escalier du grand temple d'Osueva ; il est en granit, il est large comme pour donner accès à tout un corps d'armée ; il est imposant et simple comme une chose de Babylone ou de Ninive, et le contraste absolument avec les mièvreries d'alentour.
LOTI, *Mme Chrysanthème*, XI.

MIÈVRETÉ [mjɛvʀəte] n. f. — V. 1460 ; de *mièvre*.

♦ Vx. (Langue class.). Caractère d'une personne mièvre (1.), espiègle. ⇒ **Espièglerie.** — *Une mièvreté :* une espièglerie.

REM. Le mot, employé par Furetière dans le *Roman bourgeois*, était familier et « bas » (Académie, 1694).

MI-FER (À) [amifɛʀ] loc. adv. — 1963, *in* Larousse ; de *mi-*, et *fer*. → À mi-bois.

♦ Techn. *Assemblage à mi-fer*, réalisé en entaillant chacune des deux pièces métalliques qui constituent l'assemblage à la moitié de leur épaisseur. ⇒ **Mi-bois** (à).

MI-FERMÉ, ÉE [mifɛʀme] adj. — 1972 ; de *mi-*, et *fermé*.

♦ Ling. (Phonét.). *Voyelle mi-fermée*, formée avec la langue s'élevant vers le palais moins que pour une voyelle fermée (opposé à *ouvert* et *mi-ouvert*). *En français,* [e, ø, o] *sont des voyelles mi-fermées.*

MI-FIN, FINE [mifɛ̃, fin] adj. — XXe ; de *mi-*, et *fin*.

♦ Intermédiaire entre gros et fin (en parlant de denrées, de produits du commerce). *Petits pois mi-fins.* ⇒ **Demi-fin.**

MIG [mig] n. m. invar. — V. 1960 ; mot russe (nom propre).

♦ Avion de chasse soviétique appartenant à la série qui porte ce nom.

Jean aperçoit les dérives des deux Mig 17.
Claude COURCHAY, *La vie finira bien par commencer*, p. 198.

MIGDOL [migdɔl] n. m. — 1903 ; mot hébreu « tour ».

♦ Archéol. Forteresse cananéenne garnie de tours et de créneaux.

Les Cananéens élevaient des forteresses en forme de tour, qui portaient le nom de *migdol ;* il n'en est point parvenu d'intacte jusqu'à nous, mais, de même que les rois d'Assyrie imitaient les constructions des Hittites, le pharaon Ramsès III fit élever à Médinet-Habou une copie d'un migdol cananéen, qui s'est bien conservée. G. CONTENAU et V. CHAPOT, l'Art antique, p. 126-127.

MIGMATITE [migmatit] n. f. — 1931 ; du grec *migma* « mélange », et suff. *-ite.*

♦ Minér. Roche métamorphique, gneissique, d'aspect mélangé, formée d'une « trame » sombre (amphibole, par ext.) et d'un apport magmatique clair (feldspaths, quartz).

MIGNARD, ARDE [miɲaʀ, aʀd] adj. — 1418 ; de *mignon* par changement de suffixe.

♦ **1.** Vieilli. |a| Qui a une douceur mignonne. ⇒ **Gentil.** *Mignardes caresses* (→ Languissement, cit.). *Diminutif mignard et caressant* (→ Marionnette, cit. 2). *Des mots mignards* (→ Gâterie, cit. 2). *Air mignard.* ⇒ **Câlin.**

1 (...) sa sœur Nanette (...) l'avait toujours consolé et réjoui par des soins très doux et des attentions mignardes (...) G. SAND, la Petite Fadette, XXXI.

|b| Péj. ⇒ **Affecté, maniéré, mièvre, précieux, recherché.** *Grâces mignardes* (→ Manière, cit. 14). ⇒ **Afféterie.** — (Personnes). *Une coquette mignarde et minaudière.*

2 L'honneur vous apprend-il ces mignardes douceurs,
Par qui vous débauchez ainsi les jeunes cœurs ? MOLIÈRE, Mélicerte, II, 4.

3 *(Tolstoï)* traitait Beethoven de décadent, et Shakespeare de charlatan. En revanche, il s'engouait de petits-maîtres mignards, des musiques de clavecin qui charmaient le Roi-Perruque (...) R. ROLLAND, Jean-Christophe, Les amies, p. 1179.

♦ **2.** (Choses concrètes). Qui a un aspect mignon, une grâce délicate, de la joliesse. *Bouche mignarde. Bibelot mignard.*

4 Sa bouche est petite, mignarde, enfantine (...) Th. GAUTIER, Portraits contemporains, « Carlotta Grisi ».

5 La petite Indochinoise lui sourit. Elle était mignarde, avec des mains minuscules (...) SARTRE, le Sursis, p. 274.

CONTR. Brutal. — Gigantesque.
DÉR. Mignardement, mignarder, mignardise.
HOM. (Du fém.) Formes du v. **mignarder.**

MIGNARDEMENT [miɲaʀdəmã] adv. — 1798 ; de *mignard.*

♦ Vx ou littér. D'une manière mignarde*.

— Et ma question à moi ? demanda-t-elle mignardement. On y répond pas ? R. QUENEAU, Zazie dans le métro, Folio, p. 100.

MIGNARDER [miɲaʀde] v. tr. — 1418 ; de *mignard.*
Vieux.

♦ **1.** Traiter d'une façon mignarde. ⇒ **Cajoler, caresser, choyer.** *Mignarder un enfant.*

♦ **2.** Emplir d'une grâce affectée, d'afféterie. *Mignarder son style.* (1761, *in* D.D.L.). Absolt. Affecter la mignardise, faire le mignard, la mignarde. *Jeune fille qui fait des grâces et qui mignarde.*

HOM. V. **Mignard.**

MIGNARDISE [miɲaʀdiz] n. f. — 1539 ; de *mignard.*

♦ **1.** Littér. Gentillesse mignonne, grâce délicate. ⇒ **Délicatesse, gentillesse.** *La mignardise de son visage.*

1 Une sorte de mignardise dans la physionomie trompait sur son véritable caractère et sur sa mâle décision. BALZAC, Mme de La Chanterie, Pl., t. VII, p. 303.

Par ext. Action, parole mignarde. *Faire des mignardises à qqn.* ⇒ **Cajolerie, câlinerie, caresse.**

♦ **2.** Délicatesse, grâce affectée. ⇒ **Afféterie.** *La mignardise unie à la grossièreté* (cit. 7) *chez Catulle.*

2 Monsieur du Hautoy était un précieux dandy dont les petits soins personnels avaient tourné à la mignardise et à l'enfantillage. BALZAC, Illusions perdues, Pl., t. IV, p. 535.

3 (...) ces menues pages *(de Balzac),* en elles-mêmes souvent verbeuses, souvent irritantes, où le génie tombe dans l'afféterie et la mignardise (...) Émile HENRIOT, les Romantiques, p. 322.

(Rare au sing.). *Une, des mignardises* ⇒ **Chichi, manière, minauderie.** *Les mignardises d'une coquette. Mignardises de la langue italienne* (→ Allure, cit. 6).

4 Césarin et le sacristain fumaient chacun un cigare maigre, avec toutes les mignardises possibles, ce qui rendait leurs personnes effroyablement ridicules (...) RIMBAUD, Un cœur sous une soutane.

♦ **3.** *Mignardise,* et, en appos., *œillet mignardise :* petit œillet à fleurs très odorantes que l'on met en bordures.

(...) ils disparaissaient jusqu'aux chevilles dans la soie mouchetée des silènes roses, dans le satin panaché des œillets mignardise (...) ZOLA, la Faute de l'abbé Mouret, II, VII.

♦ **4.** Cout. Soutache fine et enjolivée servant de garniture.

♦ **5.** Cuis. Au plur. Friandises, petits gâteaux servis à la fin du repas.

MIGNON, ONNE [miɲõ, ɔn] adj. et n. — V. 1160 ; *mignot,* devenu *mignon* par changement de suff. → Mignoter ; p.-ê. de *minet* « chat » → Minet.

★ **I.** Adj. ♦ **1.** Qui offre de la grâce et de l'agrément avec une apparence délicate, menue. ⇒ **Beau, charmant,** 2. **gentil** (2.), **gracieux, joli, joliet, mignard ;** fam., **croquignolet, mimi.** *Fille jeune et mignonne ; un garçon mignon et aimable.* ⇒ **Bellot, girond.** *Il trouvait sa chatte mignonne, belle et délicate* (→ Fou, cit. 30). *Le nez mignon, la bouche incarnadine* (cit. 2). *Mignonnes oreilles. Bras mignon et potelé* (→ 1. Manche, cit. 1). *Pied mignon.*

Par ext. *Le pas mignon d'une femme jeune et légère* (→ Filer, cit. 23). *Bibelot* (cit. 1) *mignon. Comme c'est mignon, c'est un vrai bijou ! Mignonne dentelle.* ⇒ **Délicat.**

Elle a tout à fait l'air galant et la taille la plus mignonne du monde. MOLIÈRE, la Princesse d'Élide, II, 2.

De ces souliers mignons, de rubans revêtus. MOLIÈRE, l'École des maris, I, 1.

Mademoiselle Galley (...) était encore plus jolie ; elle avait je ne sais quoi de plus délicat, de plus fin ; elle était en même temps très mignonne et très formée, ce qui est pour une fille le plus beau moment. ROUSSEAU, les Confessions, IV.

(...) Emma continuait avec des gestes mignons de tête, plus câline qu'une chatte amoureuse (...) FLAUBERT, Mme Bovary, III, VIII.

Ô la mignonne créature ! mes yeux ne pouvaient se lasser de la regarder. A. DAUDET, Lettres de mon moulin, « Les étoiles ».

Loc. *Péché* mignon.*

♦ **2.** (Bouch.) *Filet mignon,* coupé dans la pointe du filet. — N. m. *Du mignon de veau.*

♦ **3.** Fam. Doux, agréable, complaisant. ⇒ 2. **Gentil** (4.). *Il est bien plus mignon que son frère. Soyez mignonne, aidez-moi à mettre le couvert.* → Régional (Midi). Brave.

★ **II.** ♦ **1.** N. m. Le genre mignon. *Le joli* (cit. 12) *et le mignon.*

♦ **2.** N. m. et f. (mil. XVe). Celui, celle qui est mignon, mignonne (en parlant des enfants, des jeunes gens). *La plus jolie petite mignonne* (→ Accort, cit. 3).

Qu'est-ce que tu veux qu'une vieille bonne femme comme moi aille voir le capitaine ? Il sera beaucoup plus gentil avec une petite mignonne de ton âge. SARTRE, le Sursis, p. 103.

Terme familier d'affection à l'adresse d'une jeune personne. *Belle mignonne* (→ Futur, cit. 6). *Mon mignon.* — Iron. *Alors, mignonne, on est de meilleure humeur ?*

Mignonne, allons voir si la rose (...) RONSARD (→ Déclore, cit.)

Allons, mon mignon, mon fils,
Regagnons notre logis. MOLIÈRE, le Bourgeois gentilhomme, Ballet des Nations.

Il songea involontairement à sa première maîtresse, qu'il avait surnommée *Mignonne* par antiphrase, parce qu'elle était d'une si atroce jalousie, que pendant tout le temps que dura leur passion, il eut à craindre le couteau dont elle l'avait toujours menacé. BALZAC, Une passion dans le désert, PL., t. VII, p. 1080.

Fam. *Une mignonne, une petite mignonne :* une jeune fille, une jeune femme attrayante.

♦ **3.** N. m. (v. 1460). Vx. ⇒ **Favori.** *« Cet enfant est le mignon de sa mère »* (Littré).

Buckingham, mignon de Jacques, et qui troubla les premières années du règne de Charles Ier (...) CHATEAUBRIAND, Stuarts, Charles Ier, *in* LITTRÉ.

(V. 1575, Ronsard). *Les mignons d'Henri III,* ses favoris, très efféminés, ses gitons.

Puisque ce mot de mignons est arrivé sous ma plume, je dois dire pourtant que je ne crois ni certain, ni vraisemblable le sens que tous les partis, acharnés contre Henri III, s'accordèrent à lui donner (...) Il *(Henri III)* avait les manières, les grâces, et, comme elles *(les femmes),* il aimait les jeunes gens hardis et duellistes, les bonnes lames, qu'il supposait plus capables de le protéger. Plusieurs des prétendus mignons furent les premières épées de France ; tels étaient d'Épernon, Joyeuse. MICHELET, Hist. de France, t. XII, V.

♦ **4.** N. f. |a| Typogr. Vx. *De la mignonne :* du caractère de sept points.

|b| (1690). Arbor. *Mignonne :* poire d'une variété rouge foncé ; prune longue d'un blanc jaunâtre.

CONTR. Laid.
DÉR. Mignonnement, mignonnerie, mignonnet. — V. aussi **Mignoter.**

MIGNONNEMENT [miɲɔnmã] adj. — V. 1495 ; de *mignon.*

♦ Rare. D'une manière mignonne.

MIGNONNERIE [miɲɔnʀi] n. f. — Déb. XIXe ; de *mignon.*
Littér. et vieilli.

♦ **1.** Caractère de ce qui est mignon (I., 1.). ⇒ **Gentillesse, graciuseté, mignardise.**

(...) un Saint-Christophe gigantesque, aussi de métal doré, la main appuyée sur un palmier, canne proportionnée à sa grandeur, et portant sur l'épaule avec les contractions de muscles les plus prodigieuses et des efforts à soulever une maison, un tout petit enfant Jésus d'une délicatesse et d'une mignonnerie charmantes.
Th. GAUTIER, Voyage en Espagne, p. 229.

♦ **2.** (Personnes). Affectation charmante.
Par mignonnerie, Arabelle ne disait que la dernière syllabe de mon nom, prononcée à l'anglaise, espèce d'appel qui sur ses lèvres avait un charme digne d'une fée.
BALZAC, le Lys dans la vallée, Pl., t. VIII, p. 974.

CONTR. Grossièreté, laideur, rudesse.

MIGNONNET, ETTE [miɲɔnɛ, ɛt] adj. et n. — V. 1500; dimin. de mignon.

♦ Petit et mignon, assez mignon. ⇒ **Gentillet.** *Enfant mignonnet. C'est mignonnet, chez vous.* — N. f. (T. d'affection). *Ma mignonnette.*
Au reste, ton amour me touche au dernier point, Mignonnette (...)
MOLIÈRE, l'École des maris, II, 10.

MIGNONNETTE [miɲɔnɛt] n. f. — 1697 au sens 1; fém. de l'adj. mignonnet substantivé.

♦ **1.** Satinette de coton clair à rayures de couleur, qui sert à doubler les manches des vêtements d'homme.
(1699). Dentelle simple à réseau fin. *Lingerie d'enfant garnie de mignonnette.*

♦ **2.** (1732, «œillet»). Œillet mignardise*. — Luzerne lupuline. — Saxifrage ombreuse. — Chicorée sauvage.

♦ **3.** (1752). Poivre concassé (pour assaisonner les huîtres, notamment).

♦ **4.** (1896). Fin gravier.
(...) j'étais (...) en train de nettoyer à la lance la mignonnette encrassée de la cour quand vers dix heures le téléphone sonna. Hervé BAZIN, Cri de la chouette, p. 32.

MIGNOTER [miɲɔte] v. tr. — Déb. xvᵉ; de l'anc. franç. mignot «mignon». → Mignon.

♦ **1.** Vieilli. Traiter délicatement, gentiment. Cajoler, caresser, choyer, dorloter. *Mignoter un enfant, une maîtresse.*
Soupirant, je te baise et mignot(t)e sans cesse...
Marc DE PAPILLON, les Amours de Théophile, CLVII.
(...) je voulais une bonne blessure au bras pour pouvoir être pansé, mignoté par la princesse. BALZAC, le Médecin de campagne, Pl., t. VIII, p. 527.
C'est leur plaisir qui est mon plaisir. Je les mignotais, je les caressais, je leur disais des folies et, tout à coup, pan! pan! l'amour!
G. DUHAMEL, Salavin, V, VII.

♦ **2.** (1718). V. pron. *Se mignoter :* faire longuement, soigneusement sa toilette, se parer. ⇒ **Bichonner** (se).

MIGRAINE [migʀɛn] n. f. — Fin xivᵉ; v. 1155, «dépit»; *goutte migraine* xiiiᵉ; lat. méd. *hemicrania* «(douleur) dans la moitié du crâne», du grec *hêmi* «demi», et *kranion* «crâne».

♦ Méd. Douleur intense qui affecte généralement un seul côté de la tête. ⇒ **Céphalalgie, céphalée.** *La migraine, le plus souvent localisée aux régions temporales et orbitaires, s'accompagne souvent de nausées, de vomissements, de troubles vaso-moteurs.*
L'affection dont les ressources sont infinies pour les femmes, est la migraine. Cette maladie, la plus facile de toutes à jouer, car elle est sans aucun symptôme apparent, oblige à dire seulement : «J'ai la migraine».
BALZAC, la Physiologie du mariage, Pl., t. X, p. 853.
Par ext. Cour. Mal* de tête. *Une forte* (→ le sens méd.), *une légère migraine. Avoir la migraine.*
— Qu'est-ce que vous avez donc? Vous êtes nerveux, agité. C'est évidemment à cause de votre migraine. Ne bougez plus, vous aurez moins mal.
— Une migraine? Ne me parlez pas de migraine! N'en parlez pas.
— C'est explicable que vous ayez des migraines, après votre émotion.
IONESCO, Rhinocéros, p. 173-174.
J'ai pris l'habitude de dire *migraines* pour *maux de tête* (peut-être parce que le mot est beau). Ce mot impropre (car ce n'est pas seulement d'une moitié de ma tête que je souffre) est un mot socialement injuste : attribut mythologique de la femme bourgeoise et de l'homme de lettres, la migraine est un fait de classe : voit-on le prolétaire ou le petit commerçant avoir des migraines? La division sociale passe par mon corps : mon corps lui-même est social.
R. BARTHES, Roland Barthes, p. 128.
→ Migraineux, cit. 2.
Par métaphore et fam. *Donner la migraine à qqn,* le fatiguer, le lasser.

DÉR. Migrainer, migraineux.
COMP. Antimigraineux.

MIGRAINER [migʀene] v. tr. — 1882, *migrainé,* Goncourt; aussi *migrainiser,* 1899, Daudet; de *migraine.*

♦ Fam. et rare. Donner la migraine à (qqn).

(...) le visiteur ahuri des musées se laisse étourdir et migrainer par de vagues couleurs. PROUST, le Côté de Guermantes, Pl., t. II, p. 111.
Au p. p. « *Légèrement migrainée ce jour-là...* » (Goncourt).

MIGRAINEUX, EUSE [migʀɛnø, øz] adj. — 1890; de *migraine.*

♦ **1.** Méd. Relatif à la migraine*. *Des accès migraineux.*

♦ **2.** Cour. (Personnes). Qui a des maux de tête.
Pour le moment je ne fais rien; je suis brisé et migraineux.   [1]
J.-R. BLOCH, Deux hommes se rencontrent, p. 261.
Pourquoi, à la campagne (dans le Sud-Ouest), ai-je des migraines plus fortes, plus   [2]
nombreuses? Je suis au repos, à l'air, et c'est plus migraineux.
R. BARTHES, Roland Barthes, p. 128.
N. *Un migraineux, une migraineuse :* une personne qui a la migraine, qui est sujette à la migraine.

COMP. Antimigraineux.

MIGRANT, ANTE [migʀɑ̃, ɑ̃t] adj. et n. — V. 1960; de *migration.*

♦ Didact. Qui participe à une migration. *Les populations migrantes; les groupes migrants.* — *Animaux migrants,* qui, sans être obligatoirement migrateurs*, effectuent une migration.
N. Personne qui migre, ou qui a migré récemment. — Spécialt. Travailleur originaire d'une région économiquement peu développée s'expatriant (⇒ **Émigrant, immigrant**) pour trouver du travail, ou un travail mieux rémunéré. — Par ext. Personne qui accomplit quotidiennement, entre son domicile et son lieu de travail, un trajet relativement long, en utilisant un ou plusieurs moyens de transport.

MIGRATEUR, TRICE [migʀatœʀ, tʀis] adj. et n. — 1843; du rad. de *migration.*

♦ **1.** [a] (Animaux). Qui migre, qui effectue des migrations*. *La bécasse, la bécassine, la cigogne, l'hirondelle, oiseaux migrateurs. Passage d'oiseaux migrateurs.* — N. *Les migrateurs* (→ Frou-frou, cit. 4).

[b] (Personnes).
(...) elle avait eu, comme la plupart des Basques, des ancêtres migrateurs, — de ces qu'on appelle ici Américains ou Indiens, qui passent leur vie aventureuse de l'autre côté de l'Océan et ne reviennent au cher village que très tard, pour y mourir. LOTI, Ramuntcho, I, v.

♦ **2.** (1896, en biol.). Fig. Qui effectue une, des migrations (3., 4.). — Sc. *Cellules migratrices.*

MIGRATION [migʀasjɔ̃] n. f. — 1495; lat. *migratio,* du supin de *migrare* → Migrer.

♦ **1.** Déplacement massif d'hommes, de populations qui passent d'un pays dans un autre pour s'y établir (→ Exode, cit. 4). ⇒ **Émigration, immigration.** *Migration des barbares.* ⇒ **Invasion** (→ Incursion, cit. 4).
(...) les linguistes ont souvent marqué que les mots, aux périodes troublées, conservaient la trace des migrations humaines : une armée barbare traverse la Gaule, les soldats s'amusent de la langue indigène, la voilà faussée pour longtemps.   [1]
SARTRE, Situations II, p. 303.
(1972). Déplacement de populations, et, spécialt, de populations urbaines d'un endroit à un autre. *Migrations alternantes :* déplacements entre le lieu d'habitation et le lieu de travail. *Migrations saisonnières* (vacances, travail saisonnier).

♦ **2.** Déplacement, d'ordinaire périodique, qu'accomplissent certaines espèces animales. *Migration des hirondelles, des cigognes, des anguilles* (cit. 1). *Migration des saumons.* ⇒ **Montaison.** *Migration des troupeaux.* ⇒ **Estivage** (→ 2. Estiver, dér.), **transhumance.** *La saison des migrations.*
L'univers est comme une immense hôtellerie, où tout est sans cesse en mouvement. On en voit sortir, on y voit entrer une multitude de voyageurs. Il n'y a peut-   [2]
être rien de plus beau, dans les migrations des quadrupèdes, que les voyages des bisons à travers les savanes de la Louisiane et du Nouveau-Mexique.
CHATEAUBRIAND, le Génie du christianisme, I, v, ix.

♦ **3.** Fig. (Relig.). *Migration des âmes* (→ Immortalité, cit. 6). ⇒ **Transmigration.**
(...) souvent j'ai suivi des yeux les oiseaux de passage qui volaient au-dessus de   [3]
ma tête. Je me figurais les bords ignorés, les climats lointains où ils se rendent; j'aurais voulu être sur leurs ailes. Un secret instinct me tourmentait; je sentais que je n'étais moi-même qu'un voyageur, mais une voix du ciel semblait me dire : «Homme, la saison de ta migration n'est pas encore venue; attends que le vent de la mort se lève, alors tu déploieras ton vol vers ces régions inconnues que ton cœur demande. » CHATEAUBRIAND, René.
Fin. *Migration de capitaux.*
Sociol. *Migration de cerveaux,* entraînant vers les pays industrialisés les nationaux des pays pauvres d'un haut niveau de qualification scientifique et technique (trad. de l'angl. *brain drain*).
Quant à la migration des cerveaux, un moment dénoncée, elle a déjà proprement   [4]
étouffée, bien qu'elle soit (ou plutôt parce qu'elle est) bien plus dommageable qu'il n'a été dit. A. SAUVY, Croissance zéro?, p. 294.

♦ **4.** Sc. Déplacement d'une structure vivante (cellule, organe, etc.)

au cours de son développement, de sa maturation ; d'une production organique, normale ou pathologique, dans l'organisme qui l'a formée. — Physiol. *Migration des leucocytes.* ⇒ **Diapédèse.** *Migration de l'ovule* (de l'ovaire à l'utérus, par la trompe utérine). — Embryol. *Migration du testicule* (de la cavité abdominale vers les bourses). — Pathol. *Migration des cellules cancéreuses.* ⇒ **Métastase.** *Migration d'un caillot sanguin.* ⇒ **Embolie.**

Déplacement (d'une substance) au sein d'un milieu, (d'un élément) à l'intérieur d'un ensemble. *Migration de l'humus dans le sol, d'un radical dans un isomère.*

DÉR. Migrant, migrateur, migratoire, migrer.
COMP. Émigration, immigration, transmigration.

MIGRATOIRE [migRatwaR] adj. — 1838 ; du rad. de *migration.*

♦ Didact. De migration ; d'une, des migrations ; qui a trait aux migrations. *Mouvement migratoire.*

MIGRER [migRe] v. intr. — 1546 ; repris xxᵉ ; du lat. *migrare.* → **Émigrer.**

♦ Didact. Changer d'endroit, de région, émigrer (en parlant des humains et des espèces animales). — (Sujet n. de chose). *Industrie qui migre vers les régions de main-d'œuvre abondante.* ⇒ **Migration** (3., 4.).

MIHRAB [miRab] n. m. — 1874 ; var. *mihrah,* 1849 ; arabe *miḥrāb.*

♦ Niche pratiquée dans la muraille d'une mosquée et orientée vers La Mecque. *L'iman officie dans le mihrab.*

(...) la *(sic)* Mihrāb, qui indique la Mecque, est une admirable niche de marbre sculpté, peint et doré, d'une décoration et d'un style exquis.
МАUPASSANT, la Vie errante, p. 275.

MI-JAMBE (À) [amiʒãb] loc. adv. — 1606, *mi-jambes,* Nicot, cité par Sainéan (→ Cape, cit. 1) ; de *mi-,* et *jambe.*

♦ Au niveau du milieu de la jambe. *Ayant de l'eau jusqu'à mi-jambe* (→ Gué, cit. 2).

MIJAURÉE [miʒoRe] n. f. — 1640 ; p.-ê. d'un dial. *mijolée,* de *mijoler* «cajoler», de *mijot* (→ Mijoter), ou encore (P. Guiraud) de *mige,* de *mica* «miette» et anc. provençal *aurat* «fou», de *aurar* «souffler», lat. *aura* «brise», d'où «évaporé, écervelé».

♦ Femme, jeune fille aux manières affectées, prétentieuses et ridicules. ⇒ **Pimbêche ; maniéré.** *Faire la mijaurée. Ne fais* (cit. 155) *pas tant ta mijaurée.* — Adj. *Elle est encore plus mijaurée que sa fille.*

Si je pensais que c'est une coquette, je haïrais son manège (...) Ou même simplement une prude mijaurée (...)
J. ROMAINS, les Hommes de bonne volonté, t. V, xx, p. 149.

MIJOTAGE [miʒotaʒ] n. m. — xxᵉ → cit. ; de *mijoter.*

♦ Fait de mijoter ; état de ce qui mijote. *Mijotages à feu doux.*

(...) soudés pour des salaires de disette et à longueur de maturité dans ces petites cuisines à microbes, à réchauffer cet interminable mijotage de raclures de légumes (...) et d'autres incertaines pourritures.
CÉLINE, Voyage au bout de la nuit, p. 255.

MIJOTANT, ANTE [miʒotã, ãt] adj. — Av. 1932 ; p. prés. de *mijoter.*

♦ Qui mijote.

(...) les vingt-cinq serveuses à leur poste derrière les choses mijotantes, me firent signe toutes en même temps (...)
CÉLINE, Voyage au bout de la nuit, 1932, p. 191.

MIJOTER [miʒote] v. tr. — 1742 ; «faire mûrir», 1583 ; de l'anc. franç. *mijot* «lieu où l'on fait mûrir les fruits» ; p.-ê. du germanique *musganda,* ou (P. Guiraud) en rapport avec l'anc. franç. *mijot* «miette».

★ I. ♦ 1. Faire cuire ou bouillir lentement, à petit feu. *Mijoter du bœuf miroton.* — P. p. adj. *Soupe mijotée* (→ Caramélé, cit.). *Lapin* (cit. 4) *mijoté.* — Par ext. Préparer un mets avec soin, avec amour. ⇒ **Mitonner.** *Mijoter de bons petits plats.*

1   (...) de ces plats mijotés que l'on déguste en un quart d'heure mais dont la préparation exige deux jours de soins.
G. DUHAMEL, Biographie de mes fantômes, VII.

♦ 2. Fam. Mûrir, préparer avec réflexion et discrétion (une affaire, un projet, une œuvre, un mauvais coup, une plaisanterie). ⇒ **Fricoter.** → Blague, cit. 2. *Qu'est-ce que vous mijotez encore, tous les deux ?*

2   — Eh ! bien, afin de vous faire sentir mes crocs, je mijotais pour Massin l'acquisition du Rouvre, ses parcs, ses jardins, ses réserves et son bois.
BALZAC, Ursule Mirouët, Pl., t. III, p. 427.

Je maudissais M. Jacob et préparais, à son intention, quelques-unes de ces phrases bien mijotées, qu'en définitive je ne dis jamais.   G. DUHAMEL, Salavin, I, I.

Sans sa dissipation première, il aurait écrit trop tôt des œuvres trop peu mijotées, trop faciles (...)   A. MAUROIS, À la recherche de Marcel Proust, V, I.

♦ 3. (1841). Vx et fam. Traiter (qqn) avec douceur, délicatesse. ⇒ **Mignoter, mitonner.**

REM. On trouve en ce sens le dér. *mijoterie,* n. f. (Vallès, 1869, in D. D. L.).

★ II. Intrans. ♦ 1. Cuire, bouillir à petit feu. *Potage qui mijote. Ragoût de tripes qui mijote à feu* (cit. 24) *doux.*

♦ 2. Fig. *Complot qui mijote,* ou, pron. de sens passif, *qui se mijote.* — Impers. *Il se mijote des affaires louches.*

DÉR. Mijotage, mijotant.

MIKADO [mikado] n. m. — 1827, écrit erronément *mikkado* (Académie) et glosé faussement «pontife de la religion au Japon» (l'empereur a en effet un rôle religieux) ; mot japonais *mikado,* du préf. honorifique *mi,* et *kado* «la porte», spécialt «porte du palais impérial», puis «palais», «empereur, majesté impériale».

♦ 1. Empereur du Japon. — REM. Le mot est inusité en japonais comme chez les spécialistes (on dit *tenno*).

♦ 2. (1903). Jeu d'adresse d'inspiration japonaise, ressemblant au jonchet*, «où il s'agit de prélever de minces baguettes, en s'aidant de l'une d'elles, sans rien déplacer des autres baguettes placées en désordre et plus ou moins emmêlées».

1. MIL [mil] adj. et n. invar. ⇒ 1. **Mille,** I., 1. (REM. 1).

2. MIL [mil] n. m. — Fin xiᵉ ; lat. *milium.*

♦ 1. Vx ou régional. Plante monocotylédone de la famille des graminées *(Pennisetum)* appartenant au groupe des céréales. *Grain de mil* (→ Affaire, cit. 18, La Fontaine). — Par ext. (Autre graminée, *Panicum*). *Mil d'Égypte* ou *mil chandelle.* ⇒ **Millet.**

♦ 2. Franç. d'Afrique. Graminée cultivée : mil proprement dit, sorgho, etc. *Grains, boule, farine, couscous de mil. Bière de mil.* — Loc. (Bénin, Togo). *Gagner son mil,* sa vie.
Gros mil, mil blanc, variétés de sorgho. *Petit mil :* le mil chandelle (millet).

DÉR. et **COMP.** (Du même rad.) Miliaire, millée, millet. — Grémil.
HOM. V. 3. Mil.

3. MIL [mil] n. m. — 1878, P. Larousse, *Suppl. ;* persan *mail* «marteau».

♦ Sports. Petite massue de bois utilisée en gymnastique pour les exercices d'assouplissement.

HOM. 1. Mil, 2. mil, 1. mille, 2. mille.

MILADY [milɛdi] n. f. — 1727, Brunot, H. L. F., t. VI, p. 1233 ; empr. à l'angl. *my lady* «ma dame».

♦ Titre donné à une dame anglaise, femme d'un lord ou d'un baronnet. *Des miladys,* ou *des miladies.* «*Nos* Miladies *les plus huppées*» (F. Faure, *Lettre à Stendhal*).

— Cette femme était Anglaise ? — Il l'appelait Milady.
DUMAS, les Trois Mousquetaires, III.

MI-LAINE [milɛn] adj. et n. m. — 1877, Littré ; de *mi-,* et *laine.*

♦ Se dit d'une étoffe composée pour moitié de laine, pour moitié d'une autre fibre (coton, le plus souvent).

MILAN [milã] n. m. — 1530 ; *millan,* 1500 ; mot provençal, du lat. pop. *milanus,* lat. *miluus.*

♦ 1. Oiseau rapace diurne ou *accipitriforme (Aquilidés). Milan royal* (ou aigle à queue fourchue). ⇒ **Écoufle.** *Milan blanc :* busard, circaète. *Milan noir. On dressait parfois les milans pour la chasse. Le milan chasse les rongeurs, le menu gibier, s'attaque parfois aux basses-cours.*

Sur le linteau, un énorme oiseau roux s'était posé. Contre ses flancs, il avait ramené ses longues ailes. Sa queue plus claire touchait le linteau. Au-dessus du bec dur, crochu, les plumes de la tête, presque blanches, striées de brun, étincelaient dans le soleil (...) Appuyée au treillis, Valérie, fascinée, regardait passionnément le milan royal.   H. BOSCO, Un rameau de la nuit, p. 170.

♦ **2.** (1680). Grondin rouge (poisson). ⇒ **Trigle.**

DÉR. **Milaneau, milanière.**

MILANAIS, AISE [milanɛ, ɛz] adj. et n. — 1606, *milanoise*, nom d'une danse ; de *Milan*, et *-ais.*

♦ **1.** De Milan, la plus grande ville d'Italie du Nord (Lombardie). *Loc. adj.* et *adv. À la milanaise* : pané à la manière lombarde, avec de l'œuf et de la chapelure mêlée de parmesan, en parlant d'un mets, d'un plat. *Escalopes à la milanaise* (ou, même sens, *escalopes milanaises*). — *Timbale milanaise*, confectionnée avec des pâtes, des champignons et du ris de veau.

♦ **2.** *N. m. Un milanais* : une génoise à l'abricot.

♦ **3.** *N. f.* (1849, D. D. L.). Cordonnet très fort, formé d'un fil recouvert de deux brins de soie dont l'un est moins serré que l'autre.

MILANDRE [milɑ̃dʀ] n. m. — 1562 ; altér. du grec *melandrus* « sorte de thon ».

♦ Rare. Petit requin des mers d'Europe, appelé couramment *chien de mer.*

MILANEAU [milano] n. m. — 1803 ; de *milan*, et *-eau.*

♦ Rare. Jeune milan.

MILANIÈRE [milanjɛʀ] n. f. — 1685 ; de *milan*, et *-ière.*

♦ Anc. Chasse. Endroit où l'on élevait des milans pour la chasse.

MILDIOU [mildju] n. m. — 1881 ; *mildew* en franç. sous cette forme, 1874, in Rey-Debove et Gagnon, *Dict. des anglicismes* ; mot angl. très ancien (1340 dans ce sens).

♦ Maladie cryptogamique qui attaque différentes plantes et qui est causée par divers champignons microscopiques. *Mildiou de la pomme de terre* (phytophtora), *de la betterave* (péronospora), *du houblon, de la tomate, du trèfle.* — Spécialt. Maladie de la vigne causée par le *Plasmopora viticola.* ⇒ **Rouille** (des feuilles). *Le mildiou attaque les fleurs, les fruits et surtout les feuilles de la vigne. Vigne attaquée par le mildiou.* ⇒ **Mildiousé.** *Remèdes préventifs contre le mildiou* : sulfatage, bouillie anticryptogamique, bordelaise, bourguignonne.

DÉR. **Mildiousé.**

MILDIOUSÉ, ÉE [mildjuze] adj. — 1882 ; de *mildiou*, et *-é.* Cf. angl. *mildewed*, 1552.

♦ Agric. (vitic.). Atteint du mildiou. *Vigne mildiousée.*

MILE [majl] n. m. — 1866 ; *Rev. des cours sc.*, 1866, t. 4, p. 39 (le mot était francisé en *mille*) ; mot angl. ; lat. *milia.*

♦ Mesure anglo-saxonne de longueur (1 609 m). ⇒ 2. **Mille.** *Le record du monde du mile.*

DÉR. **Milage** (v. Millage), **mileur.**

MILÉSIEN, ENNE [milezjɛ̃, ɛn] ou **MILÉSIAQUE** [milezjak] adj. et n. — 1771, *milésien*, Trévoux ; de *Milet*, et *-ien* ; lat. *Miletus*, grec *Milêtos.*

♦ Didact. De Milet, ville grecque ancienne d'Asie Mineure. *La population milésienne. Fables milésiennes* ou *milésiaques* : contes érotiques attribués à Aristide de Milet (∼ IIᵉ s.) et qui ont inspiré Pétrone, Apulée, Boccace, La Fontaine... *Lettres milésiennes* : formules magiques formées de mots grecs et phrygiens. — N. Habitant de Milet. *Les Milésiaques, les Milésiens. Une Milésienne.*

MILEUR [majlœʀ] n. m. — 1903, in Höfler ; de *mile*, et *-eur.* Sports.

♦ **1.** Cheval que l'on fait courir habituellement sur la distance d'un mile, ou dont on obtient les meilleurs résultats dans des courses sur cette distance.

♦ **2.** Coureur spécialisé dans les distances moyennes dont le mille anglais de 1 609 m est le type.

REM. L'Académie recommande l'orthographe *mileur*, pour éviter la prononciation [mijœʀ] de *milleur.*

1. MILIAIRE [miljɛʀ] adj. et n. f. — V. 1560, Paré ; du lat. *miliarius.*

♦ Didact. Semblable à un grain de mil, de millet. *Glandes miliaires.* — Méd. Se dit de toute élevure de la peau qui présente l'aspect d'un grain de mil. *Éruption miliaire. Tuberculose* miliaire. Acné* miliaire. Fièvre miliaire*, ou, *n. f., la miliaire* : maladie caractérisée par une abondante transpiration et une éruption miliaire. ⇒ **Gale** (bédouine), **suette** (miliaire). *La miliaire est caractérisée par la présence sur la peau de petites vésicules dures et très fines.*

— Qu'est-ce que c'est donc que cela, une fièvre miliaire ?... — Oui (...) c'est une maladie... — Cela attaque donc les enfants ? — Surtout les enfants. — Est-ce qu'on en meurt ? — Très bien, dit Marguerite.   HUGO, les Misérables, I, v, x.

HOM. 2. **Miliaire, milliaire.**

2. MILIAIRE [miljɛʀ] n. m. — 1903, Larousse ; lat. *miliarium* « vase en forme de mil ».

♦ Antiq. rom. Chaudière permettant de chauffer l'eau des bains ou des maisons.

HOM. 1. **Miliaire, milliaire.**

MILICE [milis] n. f. — Fin XVIᵉ, Brantôme ; *milicie*, 1372 ; lat. *militia* « service militaire ».

♦ **1.** Vx. Art, exercice de la guerre ; expédition militaire.

♦ **2.** ⓐ Vx. Armée (→ Infâme, cit. 7).

Rome encor(e) pauvre et attachée à l'agriculture, nourrissait une milice admirable (...)   BOSSUET, Discours sur l'histoire universelle, III, VI.   1

ⓑ Mod. Français de Belgique. Armée belge. — Service militaire, en Belgique. *Certificat de milice.*

♦ **3.** Hist. (Sous l'ancienne monarchie). *Milices communales* (ou *urbaines, bourgeoises*) : « Troupes formées dans les villes de communes par les bourgeois sous le commandement du maire, et auxquelles le roi en confirmant la charte communale imposait certaines obligations militaires à son profit » (Lepointe). *Les milices bourgeoises furent remplacées à la Révolution par la garde nationale. Milices provinciales* : troupes qui servaient de réserves à l'armée régulière et qui étaient formées d'hommes tirés au sort dans chaque paroisse sur une liste dressée par l'intendant. *L'institution des milices provinciales, première ébauche du service militaire. La qualité des nobles les exempte* (cit. 3) *du tirage à la milice.* — (1789). *Milice nationale.*

Il *(Louis XIV)* établit en 1688 trente régiments de milice, fournis et équipés par les communautés. Ces milices s'exerçaient à la guerre sans abandonner la culture des campagnes.   VOLTAIRE, le Siècle de Louis XIV, XXIX.   2

En 1688, Louvois renforça l'armée permanente en créant des *milices provinciales.* Chaque paroisse devait fournir un ou plusieurs miliciens, tirés au sort parmi les hommes valides et non dispensés.   OLIVIER-MARTIN, Précis d'histoire du droit franç., p. 356.   3

♦ **4.** Mod. ⓐ Garde nationale, troupe de police supplétive levée par appel ou enrôlement et qui, dans certains pays ou dans certaines circonstances, remplace ou renforce l'armée régulière. *Milices populaires.*

Ils *(les communistes)* avaient voulu armer, « contre l'ennemi de l'intérieur », les milices patriotiques, que leurs adversaires appelaient, par bienveillante abréviation, les mil-pat : les mille-pattes. Le général *(de Gaulle)* voulait l'amalgame de toutes les unités combattantes avec l'armée régulière, contre la Wehrmacht : armée ou police, la défense de la nation n'appartenait qu'à l'État. Il s'était seul opposé à l'armement des milices, et les milices n'avaient pas été armées.   MALRAUX, Antimémoires, Folio, p. 117.   4

ⓑ (De 1943 à 1944). *La Milice*, corps de volontaires français formé pour soutenir les forces allemandes d'occupation contre la résistance française. Police, dans certains pays.

ⓒ Formation sans caractère officiel chargée par une collectivité (parti politique, groupe de pression, entreprise, etc.) de la défendre ou de défendre ses intérêts, en recourant au besoin à la force, à la violence armée. (Surtout, dans le discours des adversaires de ce parti, de ce groupe). « *Milices patronales* » (*le Nouvel Obs.*, 13 mars 1972, p. 10). « *Milices ouvrières* » ; « *milices multinationales* » (*le Nouvel Obs.*, 13 mars 1972, p. 29). *Une loi de 1934 interdisait la constitution de milices privées.*

ⓓ Poét. (Vieilli). *Les milices célestes* : les troupes des anges.

DÉR. **Milicien.**

MILICIEN, IENNE [milisjɛ̃, jɛn] n. — 1725 ; de *milice*, et *-ien.*

♦ **1.** N. m. Hist. Soldat d'une milice (3.). *Miliciens républicains de la guerre civile espagnole de 1936 à 1938* (→ File, cit. 4 ; fusillade, cit. 3).

♦ **2.** N. m. ou f. (V. 1937). Mod. Personne appartenant à une milice (4.).

— Camarades ! cria une voix de femme. Presque tous se retournèrent, stupéfaits :

une milicienne venait d'arriver. — C'est point un endroit pour toi, dit Barca, sans conviction : car tous lui étaient reconnaissants d'être là.
MALRAUX, l'Espoir, I, I, II, II.

♦ **3.** En Belgique, soldat qui fait son service militaire. ⇒ **Appelé.**

MILIEU [miljø] n. m. — Déb. XIIᵉ ; de *mi-*, et *lieu.*

★ **I.** ♦ **1.** V. 1170. (Dans l'espace). Partie d'une chose qui est à égale distance de ses bords, de ses extrémités. *Partie qui va du bout au milieu.* ⇒ **Moitié.** *Le milieu d'un bâton. Scier une planche en son milieu, dans le sens de la longueur.* ⇒ **Axe.** *Vers le milieu...* (→ Galerie, cit. 1). — Math. *Milieu d'un segment, d'un arc de courbe,* point qui divise ce segment, cet arc, en deux parties isométriques*. — REM. Dans la langue courante, *milieu d'une chose* peut s'entendre de diverses manières. *Le milieu d'une rue* désigne : soit un point situé à mi-distance de ses extrémités (→ Lavoir, cit. 1), soit un point situé à mi-distance de chacun des trottoirs qui la bordent, soit une ligne équidistante des trottoirs ou bordures. *Le milieu de la rue, de la route, est jalonné par une ligne jaune. Le milieu d'une pièce ronde, d'un rond-point,* le centre*. — *Le milieu d'un tapis* (→ Coin, cit. 3). *Le milieu et les contours* (→ Faux, cit. 39). *Le milieu d'un square, d'une place*, d'un cirque* (→ Arène, cit. 6). — *Le milieu d'un terrain de football. Joueur de milieu* (par métonymie : *un milieu de terrain*). *Le milieu de la terre, des terres habitées* (dans la géographie antique). — Loc. *L'empire du Milieu* : l'empire chinois.

1 (...) la taille svelte, le visage rasé, les cheveux séparés par une raie sur le milieu de la tête (...)
J. CHARDONNE, les Destinées sentimentales, p. 259.

(Déb. XXᵉ). *Lit de milieu,* éloigné des murs latéraux d'une chambre.
AU MILIEU DE... : à mi-distance des extrémités ; au centre, dans la partie du centre. *Au milieu de la longueur* (→ Base, cit. 2), *de la hauteur* (cf. A mi-hauteur)... ⇒ les préf. **Méso-, mi-.** *Au milieu du corps.* ⇒ **Ceinture** (à la), **mi-corps** (à). — *Fontaine* (cit. 7), *monument, jet d'eau... au milieu d'une cour* (→ Jardin, cit. 5). *Se placer au milieu d'un cercle* (→ Furetière, cit. 4). *Qui est au milieu d'un espace.* ⇒ **Central, médian.**
DU MILIEU DE...

2 (...) comme le clown qui du milieu de la piste envoie des serpentins à un cercle d'écuyères.
J. ROMAINS, les Hommes de bonne volonté, t. III, XIV, p. 185.

Loc. adv. **AU MILIEU** : au centre. *Les rois Mages* (cit. 3), *le nègre au milieu, défilaient devant lui.* Loc. adj. **DU MILIEU** : qui, parmi plusieurs, occupe la position centrale. *Le doigt du milieu.* ⇒ **Médius.** *Le sillon du milieu* (→ File, cit. 8). *Le rang du milieu et les rangs latéraux.*

3 (...) tandis que le courant du milieu entraîne vers la mer les cadavres des pins et des chênes, on voit sur les deux courants latéraux remonter (...) des îles flottantes (...)
CHATEAUBRIAND, Atala, Prologue.

♦ **2.** 1690, Furetière. (Dans le temps). Partie, période également éloignée du commencement et de la fin. *Le milieu du jour* (⇒ **Midi**), *de la nuit* (⇒ **Minuit**). *Depuis le milieu du XIXᵉ siècle* (→ Individualisation, cit. 3).

4 Que ce milieu du dix-huitième siècle est sot et petit.
VOLTAIRE, Lettre à Mᵐᵉ de Lutzelbourg, 13 nov. 1753, in LITTRÉ.

5 Dieu sait le commencement et la fin ; l'homme, le milieu.
FLAUBERT, Correspondance, 313, 27 mars 1852.

AU MILIEU DE... : à égale distance du début et de la fin de..., et, par ext., pendant*. *Au milieu du jour* (→ Hier, cit. 3), *de la nuit* (→ Intact, cit. 3). *Au milieu du repas. Au milieu de l'été.* ⇒ **Fort** (au fort, au plus fort ; au cœur de...). — *Au milieu de cette vie* (→ Effleurer, cit. 10), *de sa carrière* (→ Frais, cit. 8).

6 Comme un joueur s'opposerait à ce qu'au milieu d'une partie on parlât de changer la valeur des cartes.
J. ROMAINS, les Hommes de bonne volonté, t. III, I, p. 17.

Par ext. (En parlant d'un écrit, d'un discours). *Repos au milieu d'un vers* (→ Hémistiche, cit. 2). *Interrompre* (cit. 10) *quelqu'un au milieu d'une tirade* (→ aussi Forcer, cit. 26).

7 Que le début, la fin répondent au milieu *(du poème).* BOILEAU, l'Art poétique, I.

♦ **3.** (Dans l'espace). **AU MILIEU (DE)** : loin des extrémités, du bord ; à l'intérieur (⇒ poét. **Cœur, entrailles, sein...**), au centre (fig., cit. 5).

Suivi d'un nom au singulier (⇒ **Dans**) ou au pluriel (⇒ **Parmi**). *Au milieu d'un fourré* (→ Aloès, cit.), *des bosquets* (cit. 1), *des roseaux* (→ Fauvette, cit.)... *Au milieu d'un carrefour* (→ Badaud, cit. 1), *de la rue. Au milieu du désert* (→ Bordj, cit.), *d'une région, d'un pays. Fuir au milieu des champs.* ⇒ **Travers** (à). — *« Échevelé* (cit. 2), *livide au milieu des tempêtes ». — Se jeter au milieu des flammes* (→ Honneur, cit. 73), *des voitures* (→ Éviter, cit. 5).

8 Au milieu de mes crayons et de mes pinceaux j'aurais passé des mois entiers sans sortir.
ROUSSEAU, les Confessions, V.

9 Au milieu des flacons, des étoffes lamées
Et des meubles voluptueux,
Des marbres, des tableaux, des robes parfumées (...)
BAUDELAIRE, les Fleurs du mal, CX.

DU MILIEU DE... *La terre contemplée du milieu de la mer* (→ Incertitude, cit. 5).

(Introduisant un complément désignant des personnes). *Au milieu des gens* (cit. 7) *qui nous entourent. Au milieu de sa famille.* ⇒ **Sein** (au) ; **giron** (dans le). *Vivre au milieu d'indifférents* (cit. 20). *Surgir du milieu de la multitude* (→ 1. Manger, cit. 23).

(Avec une valeur à la fois temporelle et spatiale, pour introduire un complément caractérisant la situation, les circonstances). ⇒ **Dans ; sein** (au sein). *Au milieu du bruit, du tohu-bohu...* (→ Appareillage, cit. 2 ; gourmette, cit. 1). — *Au milieu du danger.* ⇒ **Cœur** (I., 4., fig. : au cœur). — *Événement qui survient au milieu de...* (⇒ **Intercurrent**). *Au milieu des rires* (→ Grimper, cit. 21), *des plaisirs* (→ Assiéger, cit. 10), *des honneurs* (cit. 102). ⇒ **Parmi.**

1 Toute une file se suivait, et l'on causait, de voiture à voiture, au milieu de cris et de rires.
ZOLA, la Terre, IV, IV.

♦ **4.** Loc. **AU BEAU MILIEU DE...**, **EN PLEIN MILIEU DE** (employé pour renforcer *au milieu de* dans chacun des sens précédents). ⇒ **Plein** (en). *Au beau milieu de la chaussée* (→ Impatient, cit. 8). — *Il est arrivé au beau milieu, en plein milieu de la séance. — Il est allé se jeter au beau milieu d'une meule de foin.*

1 En rond, au beau milieu d'un val,
Tout le premier guide le bal,
Foulant du pied l'herbe menue.
RONSARD, Épitaphes, " Marulle ".

♦ **5.** *Milieu de table* : pièce de vaisselle ou d'orfèvrerie décorative destinée à être placée au milieu d'une table. ⇒ **Surtout** (n. m.).

★ **II.** Fig. ♦ **1.** Ce qui est éloigné des extrêmes, des excès ; position, état intermédiaire. ⇒ **Entre, entre-deux** (fig.), **intermédiaire.** *Il y a un milieu, il n'y a pas de milieu entre...* (→ Charmant, cit. 2 ; excessif, cit. 4). *Tenir* le milieu entre deux extrêmes. ⇒ **Médial, médian, médiocre** (4.), **mitoyen, mixte, moyen** (→ Extrême, cit. 22 ; manière, cit. 42). *L'homme* (cit. 51, Pascal), *dans la nature est « un milieu entre rien et tout ».*

1 Le milieu *(entre l'avarice et la prodigalité)* est justice pour soi et pour les autres.
LA BRUYÈRE, les Caractères, VI, 66.

1 (...) s'il n'a pas vécu comme un saint, il n'a pas été non plus un mauvais homme. Il tenait le milieu, voilà tout (...)
CAMUS, la Peste, p. 267.

♦ **2.** Parti moyen. ⇒ **Transaction.** *Il n'y a pas de milieu* (→ Fortune, cit. 33). Ellipt et vx. *Point de milieu !* : il faut prendre une décision* énergique, il n'y a qu'une alternative.

1 Écoute, il n'y a point de milieu à cela : choisis d'épouser dans quatre jours, ou Monsieur, ou un couvent.
MOLIÈRE, le Malade imaginaire, II, 6.

1 (...) les hommes s'accommodent presque toujours mieux des milieux que des extrémités.
MONTESQUIEU, l'Esprit des lois, XI, VI.

1 Il se peut bien faire qu'en cherchant un milieu où la Philosophie convient à tout le monde, j'en aie trouvé un où elle ne convienne à personne : les milieux sont trop difficiles à tenir (...)
FONTENELLE, Entretien sur la pluralité des mondes, Préface.

Log. Ce qui peut être intercalé entre deux notions, deux propositions, en participant de l'une et de l'autre ; moyen terme. ⇒ **Médium** (3.), **moyen** (terme), **tiers.** *Principe du milieu* (du tiers) *exclu :* de deux propositions contradictoires, il est nécessaire que l'une soit vraie et l'autre fausse (il n'y a pas de troisième possible).

♦ **3.** Absolt et vx. *Le milieu* : la bonne moyenne, la sage médiocrité (1.).

1 (...) rien que la médiocrité n'est bon (...)
C'est sortir de l'humanité que sortir du milieu.
PASCAL, Pensées, VI, 378 (→ Médiocrité, cit. 1).

Spécialt, mod. **JUSTE MILIEU.** ⇒ **Mesure** (III., 1.), **moyenne** (→ Excessif, cit. 10). *Garder, tenir le juste, un juste milieu* (cf. In medio stat virtus).

1 Se jeter dans les extrêmes, voilà la règle du poète ; garder en tout un juste milieu, voilà la règle du bonheur (...)
DIDEROT, Salon de 1767, in LITTRÉ.

Polit. Méthode de gouvernement modéré, doctrine politique de la monarchie constitutionnelle de Louis-Philippe. (Dans ce sens, on écrit parfois *juste-milieu*).

1 Nous cherchons à tenir dans un juste milieu également éloigné des excès du pouvoir populaire et des abus du pouvoir royal.
LOUIS-PHILIPPE, Disc., in Moniteur, 31 janv. 1831.

2 (...) il est difficile, madame, que vous connaissiez de loin ce qu'on appelle ici le *juste-milieu* ; que Son Altesse Royale se figure une absence complète d'élévation d'âme, de noblesse de cœur, de dignité de caractère (...)
CHATEAUBRIAND, Mémoires d'outre-tombe, t. V, p. 323.

Adj. (vieilli). *Les bourgeois, les salons juste-milieu de la Restauration.*

2 C'est parce que je suis *juste-milieu* que je voudrais voir le juste-milieu de Paris dans un autre état.
BALZAC, la Cousine Bette, Pl., t. VI, p. 233.

21 Monsieur Prudhomme songe à marier sa fille
Avec Monsieur Machin, un jeune homme cossu.
Il est juste milieu, botaniste et pansu.
VERLAINE, Poèmes saturniens, « Monsieur Prudhomme ».

♦ **4.** Didact. Ce qui, interposé entre deux ou plusieurs corps, transmet une action physique de l'un à l'autre. ⇒ **Intermède** (1., vx). — REM. Cette acception, courante dans le langage scientifique du XVIIIᵉ s. (*milieu interstellaire,* etc.), est à l'origine du sens III (→ Lalande, Vocab. philos., art. Milieu).

2 (...) il ne peut y avoir de point de contact que par un milieu.
CHATEAUBRIAND, le Génie du christianisme, I, I, VII.

★ **III.** (Par ext. du sens II, 4). Ce qui entoure, ce dans quoi une chose ou un être se trouve.

♦ **1.** Physique :

3 Quand je conçois qu'un corps se meut dans un milieu qui ne l'empêche point du tout, c'est que je suppose que toutes les parties du corps liquide qui l'environne sont disposées à se mouvoir justement aussi vite que lui (...)
DESCARTES, Lettre au Père Mersenne, 9 janv. 1639.

4 (...) les sens tromperont
Tant que sur leur rapport les hommes jugeront;
Mais aussi si l'on rectifie
L'image de l'objet sur son éloignement,
Sur le milieu qui l'environne,
Sur l'organe et sur l'instrument,
Les sens ne tromperont personne. LA FONTAINE, Fables, VII, 18.

5 Milieu (...) signifie (...) un espace matériel dans lequel un corps est placé, soit qu'il se meuve ou non. Ainsi on imagine l'éther comme un *milieu* dans lequel les corps célestes se meuvent (...) L'air est un *milieu* dans lequel les corps se meuvent près de la surface de la terre (...) Le verre enfin est un *milieu*, eu égard à la lumière (...) D'ALEMBERT, *in* Encycl. (1765), Milieu.

Milieu spatial. ⇒ **Espace** (cit. 6). *Milieu sidéral* (→ Étoile, cit. 19). *La cornée* (cit.), *milieu réfringent.*

♦ **2.** (V. 1830, Geoffroy Saint-Hilaire : *« milieu ambiant »*). Ensemble des objets matériels, des êtres vivants, des conditions physiques, chimiques, climatiques qui entourent et influencent un organisme vivant. ⇒ **Environnement.** *Adaptation* (cit. 1) *au milieu. Hérédité* (cit. 13), *évolution, et milieu, dans le lamarckisme. Influence du milieu sur le plasma germinatif* (cit. 2). — *Le milieu intérieur* (Cl. Bernard, 1878) : l'ensemble des liquides physiologiques de l'organisme. *Milieu favorable* (cit. 9), *stérile* (→ Laboratoire, cit. 2).

6 Ses instincts *(de l'animal)* sont le produit des nécessités que lui imposent les milieux où il se développe. BALZAC, Louis Lambert, Pl., t. X, p. 448.

7 Dans l'expérimentation sur les corps bruts, il n'y a à tenir compte que d'un seul milieu, c'est le milieu cosmique extérieur : tandis que chez les êtres vivants élevés, il y a au moins deux milieux à considérer : le milieu extérieur ou extra-organique, et le milieu intérieur ou intra-organique.
Cl. BERNARD, Introd. à l'étude de la médecine expérimentale, II, I.

Milieu de culture (pour micro-organismes, cellules).

Spécialt. Ensemble des conditions naturelles, des facteurs physicochimiques et biologiques interdépendants (facteurs abiotiques* et biotiques*) dont dépend la vie des organismes dans un lieu donné. ⇒ **Biotope; station** (→ Jungle, cit. 2). *Milieu abiotique,* où la vie est impossible pour les organismes végétaux *(milieu aphytal),* animaux *(milieu azoïque). Milieu biotique. Milieu aérien, aquatique, dulçaquicole, marin. Facteurs climatiques, édaphiques... d'un milieu. Étude du milieu.* ⇒ **Mésologie.** *Le milieu et son peuplement.* ⇒ **Écosystème.** *Ensemble des organismes et de leurs milieux* (terrestres). ⇒ **Biosphère.** *Relations entre organismes et milieux.* ⇒ **Écologie, environnement; antibiose, symbiose.** *Adaptation au milieu.* ⇒ **Acclimatation, accommodat.** *Espèces vivant dans un même milieu.* ⇒ **Biocénose.** *Les milieux géographiques et l'homme.* → Écrasant, cit. 3. Par ext. Ensemble formé par un milieu et son peuplement en interaction.

♦ **3.** Par ext. (1842, A. Comte; Balzac; sens vulgarisé par Taine). Ensemble des conditions extérieures dans lesquelles vit et se développe un individu humain. *L'homme* (cit. 87) *et le milieu, et son milieu.* ⇒ **Société.** *Influence* (cit. 18) *du milieu* (→ Ethnographie, cit. 2; isolement, cit. 7). *Les mœurs dépendent* (cit. 5) *du milieu.* — *Théorie tainienne de la race, du milieu et du moment* (Taine, *Histoire de la littérature anglaise,* V).

8 L'animal est un principe qui prend sa forme extérieure (...) dans les milieux où il est appelé à se développer (...) La proclamation et le soutien de ce système (...) sera l'éternel honneur de Geoffroy Saint-Hilaire (...) Pénétré de ce système bien avant les débats auxquels il a donné lieu, je vis que, sous ce rapport, la Société ressemblait à la Nature. La Société ne fait-elle pas de l'homme, suivant les milieux où son action se déploie, autant d'hommes différents qu'il y a de variétés en zoologie? BALZAC, Avant-propos, Pl., t. I, p. 4.

9 Lorsqu'on a ainsi constaté la structure intérieure d'une race, il faut considérer le *milieu* dans lequel elle vit. Car l'homme n'est pas seul dans le monde; la nature l'enveloppe et les autres hommes l'entourent; sur le pli primitif et permanent viennent s'étayer les plis accidentels et secondaires, et les circonstances physiques ou sociales dérangent ou complètent le naturel qui leur est livré.
TAINE, Hist. de la littérature anglaise, Introd. (1863).

9.1 Quant à l'expression « milieu technique », elle peut se contester. Il est plus correct et plus exact de parler d'un *milieu urbain* que d'un milieu technique. C'est dans et par la ville que la technique entre dans la société et qu'elle produit un « milieu ».
Henri LEFEBVRE, la Vie quotidienne dans le monde moderne, p. 98.

♦ **4.** (V. 1850, cf. Flaubert, *Corresp.,* 1852). Cour. Ce qui entoure matériellement et moralement une personne (⇒ **Ambiance, atmosphère, cadre, climat, décor, entourage, environnement**). Spécialt. Groupe social où vit une personne (pays, classe sociale, profession, famille... ⇒ **Condition, lieu** (1. Lieu, III., 3.), **sphère** (fig.), **société.** *Milieu d'où l'on sort, où l'on vit. Fréquenter* (cit. 10) *un milieu; s'adapter à un nouveau milieu* (⇒ **Acclimater**), *changer de milieu* (⇒ **Dépayser**; → Identique, cit. 5). *Être, se sentir dans son milieu.* ⇒ **Élément** (II, 2.). — *Milieu isolé* (→ Argot, cit. 7), *interdit* (cit. 14), *fermé*; élégant* (cit. 5)... ⇒ **Micromilieu.**

Plur. *Les milieux militaires, littéraires, scientifiques* (→ Intérêt, cit. 26). *On pense généralement dans les milieux bien informés...*

0 Cette femme *(Emma Bovary),* en réalité, est très sublime dans son espèce, dans son petit milieu et en face de son petit horizon.
BAUDELAIRE, l'Art romantique, Mme Bovary, IV.

(...) il respirait largement; il se sentait dans son vrai milieu, presque dans son 31
domaine, comme si tout cela, y compris l'hôtel Dambreuse, lui avait appartenu.
FLAUBERT, l'Éducation sentimentale, III, II.

♦ **5.** (1921). LE MILIEU, groupe social formé en majorité d'individus vivant « des subsides de filles soumises et des produits de vol » (Lacassagne, *Argot du Milieu*), ainsi que de trafics illicites. ⇒ **Mitan** (argot). *Un gars, un mec du milieu.* ⇒ **Dur, mec** (opposé à *bourgeois, cave, demi-sel, pante*). *La loi, la morale du milieu.*

C'était Paris, Montmartre, le « Milieu », le point d'honneur des hommes du 32
Milieu (...) P. MAC ORLAN, la Bandera, III.

Le voleur et l'assassin ne connaissent la camaraderie qu'au fond des prisons où 33
leur valeur est enfin reconnue, acceptée, récompensée, honorée. Il n'existe plus de « milieu », sauf celui des macs qui sont des donneurs. Le cambrioleur et le tueur sont seuls avec quelques amis parfois. J. GENET, Pompes funèbres, p. 129.

CONTR. Bord, bout, confin, contour, côté, extrémité, frontière. — Commencement, fin. — (De *au milieu*) V. **Devant, derrière, dessus, dessous,** etc. — **Écart** (à l').

MILITAIRE [militɛʀ] adj. et n. m. — V. 1355; du lat. *militaris,* de *miles, militis* « soldat ».

★ **I.** Adj. ♦ **1.** (V. 1355). Relatif à la force armée, à son organisation (⇒ **Armée,** cit. 11 et 14), à ses activités, en particulier au cours d'un conflit. ⇒ **Guerre, guerrier** (II.), **martial** (1.). — *L'art militaire* : la stratégie, la tactique. *Talents, connaissances, théories, principes militaires. École Militaire* (→ Invalide, cit. 4). *Administration, organisation, hiérarchie militaire. L'appareil* (cit. 9) *militaire. Groupe militaire.* ⇒ **Corps** (III., 3.). *La force militaire. Budget militaire* (de la Défense nationale). *Circonscription*, région militaire* (⇒ **Chefferie**). — *Carrière, métier, profession militaire* (→ Fils, cit. 7). *Entrer dans la carrière, dans la vie militaire* → cf. Embrasser la carrière des armes, endosser l'uniforme, ceindre l'épée (vx). *L'état militaire* (vx) : le métier des armes. *Instruction militaire* (→ Manœuvrier, cit.). *Préparation militaire* (par abrév. : P. M.). *Service militaire.* ⇒ **Service.** *Faire son service militaire* (⇒ **Servir**). — *Commandement militaire* (→ Instance, cit. 9). *Les autorités civiles et militaires. Code, justice militaire* (→ Conseil* de guerre, cour martiale..., tribunaux militaires). *« La justice militaire est à la justice ce que la musique militaire est à la musique »* (G. Clemenceau). *Police militaire* (abrév. : P. M., n. f.). *Peines, punitions militaires.* ⇒ **Casser; cassation; dégradation; discipline.** *Exécution militaire.* — *Décoration, médaille* militaire. Les honneurs, la gloire militaire* (→ Aristocratique, cit. 1; capitaine, cit. 2). *La discipline* (→ Harnais, cit. 7), *l'honneur* (cit. 22 et 39) *militaire.* — Allus. littér. *Servitude et grandeur militaires,* œuvre de Vigny (1835). — *Action* (cit. 24), *opération* militaire.* *Victoire militaire,* par les armes. *Occupation militaire d'un pays. Accord, convention* militaire. Tenue, habit militaire.* ⇒ **Uniforme** (→ Étudiant, cit. 2; kaki, cit. 2). *Insignes, ornements militaires* (brassard, chevron, épaulette, fourragère, galon...). *Équipement* militaire. Camion, véhicule militaire. Convoi militaire. Camp, bâtiment* (caserne) *militaire. Hôpital militaire. Cercle* militaire. Architecture, génie** (III.) *militaire.* — REM. En parlant des armes, on dit *de guerre* et non *militaire. Armes de guerre et armes de chasse.* — Marine (cit. 7), *aviation militaire* (opposé à *marchande, commerciale...*). *Route, ligne, gare militaire,* affectée à l'armée (à titre provisoire ou définitif). ⇒ **Stratégique.** *Cabinet, maison militaire du président de la République.* — Relig. *Les ordres* militaires.* — *Salut* militaire. Musique* (→ Fanfare, cit. 5), *marche* militaire.* — *Franchise** (cit. 4) *militaire.* — (En parlant des personnes). *Chef militaire* (→ Capitaine, cit. 8). *Médecin militaire* (→ Major, cit.). *Attaché* militaire. Fonctionnaires militaires et civils* (→ Ligue, cit. 7). *Êtes-vous militaire ou civil? Il est militaire dans l'âme.*

(...) l'idée de *militaire* est bien plus étendue que celle (de *guerrier,* de *belliqueux* 1
et de *martial*). Elle embrasse tout ce qui concerne les soldats et les armées hors de la guerre : exercices, pas, habit, vie, grade, service, titre, discipline, honneurs, éloquence, gouvernement, administration, justice, récompense, punition *militaires. Militaire* est (...) le terme technique, le terme le moins poétique, le moins noble (...) LAFAYE, Dict. des synonymes, art. *Militaire...*

Si la vertu militaire enseigne quelques vertus, elle en affaiblit plusieurs; le soldat 2
trop humain ne pourrait accomplir son œuvre; la vue du sang et des larmes, les souffrances, les cris de douleur, l'arrêtant à chaque pas, détruiraient en lui ce qui fait les Césars, race dont, après tout, on se passerait volontiers.
CHATEAUBRIAND, Mémoires d'outre-tombe, t. III, p. 175.

Le peu qui m'est advenu ne servira que de cadre à ces tableaux de la vie mili- 3
taire et des mœurs de nos armées (...)
A. DE VIGNY, Servitude et Grandeur militaires, I.

Puis nous aimerions savoir comment se comportent vis-à-vis les uns des autres ces 3.1
hommes si nettement hiérarchisés et qui cependant doivent, à certains moments, causer autrement qu'en se donnant des ordres, sans garder la position militaire, sans rendre le salut. PROUST, Jean Santeuil, Pl., p. 653.

Par ext. *L'esprit, la fibre* (cit. 3) *militaire* : le goût des armes, de l'armée. *Les excès de l'esprit militaire* (⇒ **Militarisme**).

♦ **2.** (Déb. XVIe). Qui est considéré comme propre à l'armée, aux soldats. *Concision, exactitude* militaire.* Par ext. *L'heure* militaire* : l'heure précise, exacte. — *Allure, raideur, ton militaire.* ⇒ **Martial** (→ 1. Masque, cit. 16). *Mener ses inférieurs avec une discipline, une rigueur militaire, toute militaire.* ⇒ **Militairement.**

Vx. Belliqueux, guerrier.

Ayant régné sept ans, son ardeur militaire 4
Ralluma cette guerre où succomba son frère. CORNEILLE, Rodogune, I, 1.

♦ 3. (1743). Qui est fondé sur l'armée, sur la force armée. *Gouvernement militaire; tyrannie, joug* (cit. 4) *militaire.* ⇒ **Caporalisme** (cit. → Despotisme, cit. 5). — *Coup d'État, putsch, révolution militaire* (→ Pronunciamento).

♦ 4. Littér. et vieilli. Qui est sur le pied de guerre, organisé militairement. *Peuple, population, nation militaire* (→ Héroïque, cit. 25; héros, cit. 18, Michelet).

★ II. N. m. (1658). **♦ 1.** *(Un, des militaires).* Celui qui appartient à l'armée en tant que groupe social, qui fait partie des forces armées. — REM. *Militaire* est plus technique, plus administratif que *guerrier* ou *soldat,* et insiste plus sur l'appartenance à un groupe que sur les activités du combat. Il désigne aussi bien les chefs que les simples soldats. ⇒ **Guerrier** (I.), **guerre** (homme, gens de guerre), **soldat, homme** (de troupe), **officier, sous-officier.** *Militaire de carrière, de métier. Militaire appartenant à l'active, à la disponibilité, à la réserve* (⇒ **Disponible, réserviste**). *Militaire déserteur, insoumis. Ancien militaire à la retraite. Militaire en uniforme. Militaires en garnison* (cit. 4). *Civils et militaires* (→ Assiéger, cit. 5). *Demi-tarif pour les enfants et les militaires en uniforme.* — *Militaire borné, chauvin* (⇒ **Baderne; culotte**), *belliqueux* (→ Traîneur de sabre*), *revanchard.* — Fam. et vieilli (appellatif). *Bonjour, militaire! Pardon, militaire!*

5   — (...) Buvons à la santé de votre capitaine. — S'il est encore vivant. — Mort ou vivant, qu'est-ce que cela fait? Est-ce qu'un militaire n'est pas fait pour être tué?
DIDEROT, Jacques le fataliste, Pl., p. 604.

6   Les militaires considèrent la vie d'une façon spéciale; si on leur donnait à choisir entre le paradis, en perdant leur ancienneté, et l'enfer avec le grade supérieur, fort peu hésiteraient; et parmi ceux qui choisiraient la présence de Dieu, nul doute que leur éternité ne se passât à déplorer leur sacrifice.
J.-A. DE GOBINEAU, Nouvelles asiatiques, p. 78.

Statut général des militaires (loi du 13 juil. 1972), déterminant les droits civils, politiques et syndicaux du personnel des forces armées.

(1768; par attraction probable de *mirliflore*). Fam. *Mirlitaire* [miʀlitɛʀ].

♦ 2. (1765, *Encyclopédie*). Littér. LE MILITAIRE : l'ensemble des militaires (cf. Rousseau, Chateaubriand, *in* Littré); le métier, l'état de soldat, l'armée.

7   (...) M. le duc d'Aiguillon avait très bien servi l'État et le roi, tant dans le militaire que dans le civil.   VOLTAIRE, Correspondance, 3943, 30 oct. 1772.

8   Il me fut répondu que mon cas serait examiné très attentivement. Là-dessus, je pus disposer, comme on dit dans le militaire.
G. DUHAMEL, la Pesée des âmes, XIII.

CONTR. Civil. — Bourgeois, pékin.

DÉR. et COMP. Militairement, militariser, militarisme. — Antimilitaire, militaro-, paramilitaire.

MILITAIREMENT [militɛʀmɑ̃] adv. — 1552; de *militaire,* et -*ment.*

♦ 1. À la manière militaire. *Saluer militairement.* Par ext. *Vivre militairement.*
Par anal. Avec une discipline, une exactitude militaire. *Commander ses subordonnés militairement. Mener militairement une affaire :* avec décision*, tambour battant (⇒ **Rapidement, résolument**).

1   *(Adrien)* maintint la discipline militaire, vécut lui-même militairement avec beaucoup de frugalité.   BOSSUET, Disc. sur l'histoire universelle, I, X.

2   Un jour qu'il allait le voir pour une chose importante, au moment où il arrivait devant chez lui, M. de Brucourt partait en voiture pour une promenade. Jean s'arrêtant se salua pensant qu'il allait le prendre avec lui ou au moins s'arrêter et lui faire des excuses. Le lieutenant répondit militairement au salut sans qu'un muscle de sa figure ne bougeât, comme si c'avait été un militaire qu'il ne connaissait pas et qui lui donnait le salut comme il le lui rendait, en vertu du règlement.
PROUST, Jean Santeuil, Pl., p. 577.

♦ 2. (1743, Trévoux). Par l'emploi de la force armée (⇒ **Manu militari**). *Occuper militairement un carrefour, un pont* (→ Incident, cit. 6). *Contraindre militairement un pays à capituler* (cit. 4).

MILITANCE [militɑ̃s] n. f. — 1938, en polit.; de *militant.*

♦ Relig. Activité militante. *« Les chrétiens constituent (...) un précieux potentiel de militance... »* (*Interview* de Mgr R. Etchegaray, *le Figaro,* 8 mars 1978, p. 1; cf. Église militante). — Polit. ⇒ **Militantisme.**

MILITANT, ANTE [militɑ̃, ɑ̃t] adj. — xive; p. prés. de *militer.* Qui combat, qui lutte.

♦ 1. Relig. *L'Église militante* (par oppos. à *triomphante*). ⇒ **Église.** — Par ext. *Fidèles militants.*

1   Le fidèle, toujours militant dans la vie, toujours aux prises avec l'ennemi (...)
CHATEAUBRIAND, le Génie du christianisme, I, II, III.

♦ 2. (V. 1835). « Qui lutte, qui attaque, qui paie de sa personne » (Académie); qui prône l'action directe, le combat. ⇒ **Actif.** *Doctrine, politique militante. Parti* militant. *Forme militante et forme honteuse* (cit. 19) *d'une opinion, d'un comportement.*

2   Cette saillie, où la raison prenait une forme incisive, était de nature à faire hésiter Lucien entre le système de pauvreté soumise que prêchait le Cénacle, et la doctrine militante que Lousteau lui exposait.
BALZAC, Illusions perdues, t. IV, p. 706.

♦ 3. N. *Un militant, une militante. Militant ouvrier, syndicaliste, communiste, chrétien... Militants d'une secte, d'une doctrine...* ⇒ **Adepte, partisan.** *Un militant de l'anticléricalisme* (→ Agressif, cit. 6), *de l'anticommunisme... Militants de base :* ceux qui, dans un parti, n'ont pas de titre ou de responsabilité particulière dans la hiérarchie. ⇒ **Base** (IV.).

Des organisations ouvrières (...) il connaissait surtout ces « militants de base » anonymes et mis à toutes les sauces, qui étaient le dévouement même de l'Espagne (...)
MALRAUX, l'Espoir, I, I, I, III.

(...) ces militants qui sont l'avant-garde de la classe ouvrière, rompus dès la jeunesse à la parole et à l'action.   ARAGON, les Cloches de Bâle, III, V.

(...) n'y a-t-il pas *toujours* de l'éthique dans le politique ? Ce qui fonde le politique, ordre du réel, science pure du réel social, n'est-ce pas la Valeur? Au nom de quoi un militant décide-t-il (...) de militer?
R. BARTHES, Roland Barthes, p. 130.

DÉR. Militance, militantisme.

MILITANTISME [militɑ̃tism] n. m. — 1963, Larousse; de *militant,* et -*isme.*

♦ Attitude de ceux qui militent activement dans une organisation syndicale, un parti politique, etc. ⇒ **Militance.**

Certes, l'analogie religieuse à propos du parti communiste, de son rite, de ses grand-messes, de ses bréviaires est une vieille analyse, difficilement contestable. Au sujet de l'extrême gauche et du « militantisme diffus », en revanche, elle est moins volontiers acceptée.   J.-C. GUILLEBAUD, les Années orphelines, p. 77-78.

DÉR. Militantiste.

MILITANTISTE [militɑ̃tist] adj. — V. 1970; de *militantisme.*

♦ Du militantisme, caractérisé par le militantisme. *« Les imprécations militantistes* (des militants marxistes) *»* (R. Abellio, *les Militants,* p. 209).

MILITARISATION [militaʀizasjɔ̃] n. f. — 1845; de *militariser,* et -*ation.*

♦ Action de militariser, fait de se militariser; son résultat. *La militarisation d'un pays, d'une région du monde. Armement* et *militarisation.*

CONTR. Démilitarisation.

MILITARISER [militaʀize] v. tr. — 1843, D.D.L.; de *militaire,* et -*iser.*

♦ Organiser d'une façon militaire; pourvoir d'une force armée. *Militariser une région frontière.* Au p. p. *Zone militarisée.* Par ext. *Militariser un peuple, un pays,* lui donner le goût des armes, de la guerre; le mettre sur un pied de guerre (⇒ **Mobiliser**).
Pron. *Se militariser. Organisations de jeunesse qui se militarisent.*

CONTR. Démilitariser.

DÉR. Militarisation.

MILITARISME [militaʀism] n. m. — 1815, *Mémoires* de Mme de Chastenay, *in* Brunot, H. L. F., t. IX, p. 961; du rad. de *militaire,* et -*isme.*

♦ 1. Péj. Prépondérance de l'armée*, de l'élément militaire dans la vie d'une société; goût des armes, de la guerre (⇒ **Bellicisme**; → Crise, cit. 14). *Un militarisme agressif. Lutte contre le militarisme* (→ Bête, cit. 21).

— L'Allemagne et le militarisme *(dit un autre),* c'est la même chose. Ils ont voulu la guerre et ils l'avaient préméditée. Ils sont le militarisme.
H. BARBUSSE, le Feu, II, XXIV.

Il avait la haine du militarisme brutal, qu'il sentait peser sur lui, de ces sabres sonnant sur le pavé, de ces faisceaux d'armes et de ces canons postés devant les casernes, la gueule braquée contre la ville, prêts à tirer.
R. ROLLAND, Jean-Christophe, La révolte, p. 597-598.

♦ 2. Système politique qui s'appuie sur l'armée; gouvernement* par les militaires. ⇒ **Caporalisme.**

CONTR. Antimilitarisme, pacifisme.
DÉR. Militariste.
COMP. Antimilitarisme.

MILITARISTE [militaʀist] adj. et n. — 1892; de *militarisme,* et -*iste.*

♦ Péj. Relatif au militarisme; partisan du militarisme. *Nationalisme militariste et revanchard. Les militaristes et les pacifistes.*

CONTR. Antimilitaire, antimilitariste.
COMP. Antimilitariste.

MILITARO- Élément tiré de *militaire* et servant à former des adjectifs composés signifiant : « qui touche ou qui se rapporte à la fois au domaine militaire et à un autre domaine (qualifié par le deuxième élément) ». Ex. : *militaro-industriel* (1967); *militaro-*

politique (1973), *militaro-scientifique* (1970), *militaro-sidérurgique* (1971).

MILITER [milite] v. intr. — XIIIᵉ, « faire la guerre, combattre », encore au XVIᵉ ; cf. Huguet ; du lat. *militari*, de *miles, -itis* « soldat ».

♦ **1.** (XVIIᵉ, en dr. Cf. un Arrêt du Conseil d'État de 1669, *in* Littré). Fig. (En parlant des choses). *Militer en faveur de..., pour..., contre... :* constituer une raison, un argument pour ou contre, influer, agir en faveur de... ou contre (quelque chose). → Inculpé, cit. 2 ; magie, cit. 2. *Les arguments, les raisons qui militent en faveur de cette décision.*

Tout ce qui militait en 1789 pour le maintien de l'Ancien Régime, religion, lois, mœurs, usages, propriétés, classes, privilèges, corporations, n'existe plus.
CHATEAUBRIAND, Mémoires d'outre-tombe, t. VI, p. 147.

♦ **2.** 1794. (Sujet n. de personne). Agir, lutter pour une cause en s'efforçant de rallier autrui à ses convictions (et notamment à ses convictions politiques, syndicales ou religieuses) par la persuasion. — Spécialt. Être un militant* (de parti, de syndicat...).

Je parle du vrai travail révolutionnaire (...) Moi, je milite à mes heures (...)
G. DUHAMEL, Salavin, V, VI.
(...) il a demandé le régime cellulaire. Ce qui l'empêche pas d'écrire dans son canard, et de recevoir des visites. J'y suis allé avec un copain qui milite à la *Guerre sociale* depuis le début.
J. ROMAINS, les Hommes de bonne volonté, t. I, XXIV, p. 285.

DÉR. Militant.

MILK-BAR [milkbaʀ] n. m. — 1947, B. Vian, *in* Rey-Debove et Gagnon ; mot amér. (1935), de *milk* « lait », et *bar*.

♦ Anglic. Bar, café où l'on ne consomme que des boissons non alcoolisées (spécialt du lait).

Il fait un carton dans un tir du boulevard
Il s'arrête un instant dans une brasserie
À moins qu'il ne se soit assis dans un Milk-Bar.
ARAGON, le Roman inachevé, III, « Paris vingt ans après ».

MILK-SHAKE [milkʃɛk] n. m. — 1946 ; mot amér., de *milk* « lait », et *shake* « secouer ».

♦ Anglic. Boisson composée de lait rafraîchi battu avec une substance aromatisante (pulpe de fruits, le plus souvent), et parfois avec de la farine. *Milk-shake à la fraise, à la banane.* « Cette semaine madame Express a (...) déjeuné sur le pouce d'un hamburger et d'un milk-shake avant d'aller acheter des surgelés (...) » (*l'Express,* 12 mars 1973, p. 164).

MILLADE [mijad] n. f. — 1858 ; anc. provençal *milhada* « sorte de millet », et béarnais *milhade* « bouillie de mil », du lat. *milium*. → 2. Mil. Régional.

♦ **1.** Bouillie de millet, utilisée dans le Sud-Ouest pour engraisser les volailles.

Les métairies de ma mère (...) fournissaient à bon compte notre table dont j'eusse été bien étonné si l'on m'avait dit qu'elle était très raffinée (...) Les poulardes engraissées à la millade, les lièvres (...) n'éveillaient en moi aucune idée de luxe.
F. MAURIAC, le Nœud de vipères, II.

♦ **2.** (Sud-Ouest). Millet sur pied. ⇒ **Millet ; panic.**

Toujours Jean Péloueyre avait aimé l'approche de l'arrière-saison, cet accord secret avec son cœur des champs de millade moissonnés, des landes fauves (...)
F. MAURIAC, le Baiser au lépreux, éd. L. de poche, p. 159.

MILLAGE [milaʒ] n. m. — XXᵉ ; mot du franç. canadien, de 2. *mille,* d'après *kilométrage,* et l'angl. *mileage.*

♦ Canada. Mesure en milles (⇒ 2. **Mille**) ; nombre de milles parcourus. *Millage d'une voiture,* indiqué au compteur. — REM. On écrit aussi *milage.*

MILLAS n. m. ou **MILLASSE, MILLIASSE** [mijas] n. f. — 1488 ; *millace* « céréale » au sens de « bouillie de millet », *millas,* 1796 ; du rad. de *millet* ; gascon *mïas, millas.*

♦ Régional (Béarn). Gâteau de farine de maïs. (Désigne divers gâteaux et pâtisseries).

Seules ma grand-mère et ma mère s'employaient encore, dégraissant et récurant le chaudron de cuivre dans lequel on allait mettre à cuire, toujours selon la tradition, la pâte du *millas,* bouillie à la fois épaisse et fluide de farine de maïs parfumée de quelques zestes de citron ou d'un peu de fleur d'oranger (...) ma mère préparait les caissettes de bois à fond plat où, sur un linge saupoudré de farine, on allait couler le millas en plaques épaisses d'un bon doigt. Il suffirait ensuite de découper en carrés ces plaques justes refroidies puis de les faire frire à la poêle. Le millas se mange tiède et sucré.
R. ABELLIO, Ma dernière mémoire, t. I, p. 70-71.

1. MILLE [mil] adj. et n. invar. — Fin XIIᵉ ; *mile,* v. 1112 ; *milie,* 1080, *la Chanson de Roland ;* du lat. *milia,* plur. de *mille.*

★ **I.** Adj. ♦ **1.** (1080). Numéral cardinal (1 000) : dix fois cent. *Mille, mille un, mille dix, mille cent* (ou, plus souvent, *onze cents*), *mille neuf cent quatre-vingt-dix-neuf. Deux, dix, cent mille ; mille fois mille* (⇒ **Million**). *Qui vaut mille fois plus, mille unités* (⇒ **Kilo-**), *dix mille unités* (⇒ **Myria-**) ; *mille fois moins* (⇒ **Milli- ; millième**). *Polygone à mille côtés* (→ Intellection, cit.). *Mille ans* (cit. 1 et 2). ⇒ **Millénaire, millésime.** *Mille mètres, kilomètres ; mille kilos* (tonne). — (En France). *Billet de mille :* billet de dix francs, de mille centimes (mille « anciens francs »). → fam. Billet, sac...

Ellipt. *Un billet de mille* (francs, quand cette valeur faciale existait). → Main, cit. 74. *Courir un cinq mille* (mètres).

REM. 1. Dans les dates (de l'ère chrétienne), on écrit « de préférence *Mil* devant un autre nombre » (Académie). *L'an mil neuf cent soixante ; l'an deux mil.* « *Mil huit cent onze* » (Hugo). Beaucoup d'auteurs écrivent *l'an mil.*

2. On écrit en principe *vingt et un mille tables, livres de rente, quarante et un mille tonnes,* etc. Mais l'usage tend à accorder *un* avec le nom au féminin et non avec *mille,* comme il se devrait. « *Vingt et une mille livres de rente* » (Mᵐᵉ de Sévigné).

3. *Mille un, deux, trois,* est parfois remplacé par *mille et un, et deux... Les mille et une nuits.* « *Les mille et une brochures écrites sur cet événement* » (Académie). *Les mille et trois conquêtes de Don Juan.*

♦ **2.** (1538). Indéterminé. Un grand nombre, une grande quantité (→ Trente-six, cent). *Un mot entre mille* (→ Incisif, cit. 4). *Être à mille lieues* (cit. 6) *de... Briller de mille feux, de mille attraits* (cit. 19). *Souffrir mille morts. Dire mille folies* (cit. 32 et 33), *faire mille tours* (→ Carpe, cit. 1). — (Dans le langage de la politesse, de l'affection). Vieilli ou emploi stylistique. *Mille grâces* (cit. 53 et 86). *Faire mille amitiés* (cit. 27 et 28). *Mille pardons* (→ Faute, cit. 43). *Mille mercis. Mille choses* (→ Argent, cit. 44). *Je vous embrasse mille fois* (→ Bout, cit. 48). *Mille et mille tendresses.* — (Jurons, imprécations). *Mille dieux !* (altéré en *mildié, milédi*). *Mille tonnerres !* — (Renforcé). *Mille millions** de... — (1790). Vx. *Mille bombes !* — *Mille sabords !*

Mille et mille baisers donne-moi je te prie :
Amour veut tout sans nombre. Amour n'a point de loi.   1
RONSARD, Pièces posthumes, « Sonnets pour Hélène ».
(...) je n'ai qu'un tour dans mon bissac,
Mais je soutiens qu'il en vaut mille.   2
LA FONTAINE, Fables, IX, 14.
Mon âme aux mille voix, que le Dieu que j'adore
Mit au centre de tout comme un écho sonore.   3
HUGO, les Feuilles d'automne, « Ce siècle avait deux ans ».
L'ambitieux refait mille fois ses discours, et l'amoureux mille fois ses prières.   4
ALAIN, Propos, 15 mai 1911, Regarde au loin.
Encore la sensation du temps écoulé et de l'anéantissement d'une petite partie de   4.1
mon passé m'était-elle donnée moins vivement par la destruction de cet ensemble cohérent (qu'avait été le salon Guermantes) que par l'anéantissement même de la connaissance des mille raisons, des mille nuances qui faisait que tel qui s'y trouvait encore maintenant y était tout naturellement indiqué et à sa place, tandis que tel autre qui l'y coudoyait y présentait une nouveauté suspecte.
PROUST, le Temps retrouvé, Pl., t. III, p. 957.

(1833). Spécialt. *Étoffe à mille raies.* ⇒ **Mille-raies.** *Tapisserie à mille fleurs,* et, absolt, *mille fleurs :* « verdure du XVᵉ siècle semée de fleurettes » (Réau). *Mille fleurs* (millefiori), se dit aussi d'une verrerie vénitienne en mosaïque. ⇒ **Millefiori.**

Loc. *Je vous le donne en mille :* vous n'avez pas une chance sur mille de deviner, de gagner votre pari.

(...) hier, pendant plus d'un bon quart d'heure, j'ai pu voir un homme admirable.   5
Tu te demandes qui c'est. Eh bien ! je te le donne en mille. C'était (...) mon père, l'honorable docteur Raymond Pasquier.
G. DUHAMEL, Chronique des Pasquier, VI, XXI.
(...) savez-vous comment je l'ai calmé, finalement ? Je vous le donne en mille, mon-   5.1
sieur Philippe. Voilà : tandis que le jardinier lui nouait un drap autour des épaules (comme on fait pour les fous), l'idée m'est venue de lui chanter une espèce de chanson de nourrice.
BERNANOS, Monsieur Ouine, p. 230.

♦ **3.** Adj. numéral ordinal. ⇒ **Millième.** *Page mille. Le numéro deux mille.*

★ **II.** N. m. ♦ **1.** (1080). Le nombre mille. *Mille plus deux mille cinq cents.* — Spécialt. *Un, deux, dix pour mille* (‰), proportion de cas par millier d'unités, dans une statistique (spécialt, en démographie).

♦ **2.** Partie centrale d'une cible, marquée du chiffre 1 000. *Mettre dans le mille,* dans le but*.

Jean décida de tenter sa chance avec Schnarff, un balzacien. Peut-être qu'en lui   5.2
proposant une thèse complémentaire sur la Muse du département ? Il obtint rendez-vous. Schnarff se jeta sur lui comme sur une fiancée longtemps espérée. Jean avait mis dans le mille.
Claude COURCHAY, La vie finira bien par commencer, p. 29.

♦ **3.** (1636). ⇒ **Millier.** *Objets vendus à tant le mille.* Fam. (1808). *Avoir, gagner des mille et des cents,* énormément (s'emploie surtout sous la forme négative ou interrogative : *je ne gagne pas des mille et des cents. Tu crois donc que je gagne,* etc.).

Toi, qui en as vu du pays et qui es à la coule et qui la connais, va donc faire un   5.3
tour dans les États, il y a une admirable affaire en ce moment qui peut te rapporter des mille et des cent *(sic).*
B. CENDRARS, Moravagine, *in* Œ. compl., t. IV, p. 203.
Si on lui demandait des mille et des cent *(sic)* pour la chambre, qu'est-ce qu'il   6
ferait ? Il fallait ménager sa fortune.   ARAGON, les Beaux Quartiers, II, XXVI.

(XXᵉ). Chaque millier d'exemplaires d'une édition. *Roman qui a dépassé le trois centième mille.*

DÉR. Milliard, milliardaire, milliasse, millième, millier, million, millionième, millionnaire. — V. Billion, trillion...

COMP. 1. Millefeuille, 2. millefeuille, mille-fleurs, mille-pattes, mille-pertuis, mille-pieds, millépore, mille-raies.

2. MILLE [mil] n. m. — XIIIᵉ ; du précédent.

♦ **1.** (1562). Nom de plusieurs anciennes mesures de longueur, de distance (mesures itinéraires). — *Mille romain,* mille pas (1472,5 m). — (XIIIᵉ). Ancienne mesure en usage dans de nombreux pays (France, Italie, Allemagne), avec des valeurs très diverses variant d'environ 1500 m en Italie, à près de 9 km en Suède.

♦ **2.** Mod. (1756 ; *mille d'Angleterre,* 1694). Francisation de l'angl. *mile. Mille anglais* (⇒ **Mile**), utilisé en Grande-Bretagne, aux États-Unis, au Canada. Mesure valant 5280 pieds*, soit 1609 m (abrév. : *mi*). *Faire cinquante-cinq milles à l'heure. Compter les habitants par mille carré.*

À deux milles d'ici vous avez six mille hommes (...)
CORNEILLE, Pompée, IV, 1.

REM. On écrit parfois *mile,* à l'anglaise.

(V. 1800). *Mille marin,* équivalant à la 60ᵉ partie d'un degré de latitude, soit 1852 m. ⇒ **Nautique.** *Dixième de mille* (⇒ **Encablure**). *À cinquante milles de la côte...* (→ Large, cit. 22).

DÉR. (Du même rad.) **Millage, milliaire.**
HOM. 2. Mil, 3. mil.

MILLÉE [mije] n. f. — 1845, Bescherelle ; de 2. *mil,* et *-ée.*

♦ Anciennt ou régional. Graines de millet décortiquées et cuites dans du lait ou dans du bouillon.

1. MILLEFEUILLE ou **MILLE-FEUILLE** [milfœj] n. f. — 1542 ; *millefueille,* 1539 ; *milfoille,* XIVᵉ ; anc. franç. *milfuel ;* d'après le lat. *millefolium ;* de 1. *mille,* et *feuille.*

♦ Achillée* *(Composacées)* d'une espèce également appelée *herbe aux charpentiers, aux voituriers, aux coupures,* employée naguère comme tonique et comme vulnéraire.

2. MILLEFEUILLE [milfœj] n. m. — Fin XIXᵉ ; de 1. *mille,* et *feuille.*

♦ Gâteau fait de pâte feuilletée garnie de crème pâtissière. *Acheter des millefeuilles chez le pâtissier.*

Loc. fam. *C'est (ce n'est pas) du millefeuille :* c'est (ce n'est pas) facile. ⇒ **Gâteau, tarte.**

(...) cette festivité m'aiderait sans doute à noircir ma compagne à zéro. Dans l'atmosphère enfumée et raréfiée d'une cave, ça serait du millefeuille.
Léo MALET, la Nuit de Saint-Germain-des-Prés, p. 34.

Par compar. Techn. *Empilement en millefeuille des planchers de béton dans un tremblement de terre.*

MILLEFIORI [mi(l)lefjɔri] n. m. invar. — 1874, Larousse ; mot ital., proprt «mille fleurs».

♦ Objet décoratif (⇒ **Sulfure**) constitué d'une masse de verre de forme globuleuse dans laquelle ont été noyées à la fusion des baguettes d'émail multicolores. (L'aspect de ces baguettes, vues par leurs sections, évoque un décor floral.) *Les millefiori sont souvent utilisés comme presse-papiers.* — REM. On dit aussi *mille fleurs.* → 1. Mille (I., 2.).

MILLE-FLEURS [milflœʀ] n. f. — XVIIᵉ ; de 1. *mille,* et *fleur.*

♦ **1.** Anc. *Eau de mille-fleurs :* urine de vaches nourries de plantes des prairies, utilisée comme remède dans l'ancienne pharmacopée. *On supposait que l'eau de mille-fleurs contenait les principes actifs des fleurs des prés. Huile de mille-fleurs,* extraite de la bouse par distillation.

♦ **2.** Parfumerie. Extrait de plantes distillées.

♦ **3.** ⇒ 1. **Mille** (I., 2.).

MILLÉNAIRE [mi(l)lenɛʀ] adj. et n. m. — 1495 ; du lat. *millenarius.*

♦ **1.** Adj. Didact. Qui comprend, qui contient mille unités. *Nombre millénaire.* — Cour. Qui a mille ans (ou plus). *Une tradition plus que millénaire, plusieurs fois millénaire. Montagnes millénaires* (→ Entassement, cit. 1). Par exagér. *Des arbres millénaires,* très vieux.

1   Au sortir de la forêt où les ruines sont enfouies, au seuil de la jungle, le *Temple des rochers* a gardé intacts ses dieux millénaires.
LOTI, l'Inde (sans les Anglais), I, II.

Il ne surgit pas tous les matins, ni même tous les siècles, un type d'homme qui perd une relation millénaire avec le cosmos, et conquiert le monde.
MALRAUX, les Voix du silence, p. 589.

♦ **2.** N. m. ⓐ Période de mille ans*. *Les dynasties égyptiennes du second millénaire avant Jésus-Christ. Depuis des millénaires* (→ Écriture, cit. 3 ; fouille, cit. 3).

L'homme est depuis des millénaires en contact avec des outils, auxquels il a toujours appliqué toute son intelligence.
J. CHARDONNE, l'Amour du prochain, p. 149.

Par ext. Millième anniversaire. *Le deuxième millénaire* (bi-millénaire) *de la fondation d'une ville. Le deuxième millénaire de Lyon* (1958).

ⓑ Rare. Millénariste.

DÉR. Millénium.
COMP. Bimillénaire.

MILLÉNARISME [mi(l)lenaʀism] n. m. — 1840, Académie ; du lat. *millenarius,* et *-isme.*

♦ Didact. Mouvement religieux de type nativiste caractérisé par une réinterprétation du concept chrétien de millénium* ou par la découverte indépendant d'une notion semblable.

Les études que j'ai pu faire sur Joachim de Flore, le millénarisme et la place du Saint-Esprit dans la théologie orthodoxe avec l'aide d'Olivier Clément, professeur de théologie orthodoxe à l'institut Saint-Serge, m'ont passionné et enrichi, mais n'ont pas trouvé le prolongement romanesque que j'espérais.
M. TOURNIER, le Vent Paraclet, p. 253.

Par anal. *Millénarisme politique, syndical.*

DÉR. Millénariste.

MILLÉNARISTE [mi(l)lenaʀist] adj. — 1877 ; de *millénarisme,* et *-iste.*

♦ Didact. Du millénarisme. *Prophéties millénaristes. Théories millénaristes des premiers siècles de l'Église.* — Par ext. «*Sa base* (syndicale), *un peu mystique et millénariste*» (le Nouvel Obs., 5 nov. 1973, p. 24).

N. Personne qui espère en le millénium, qui y ajoute foi.

MILLÉNIUM [milenjɔm] n. m. — 1765, *Encyclopédie ;* du lat. *mille* «mille», sur le modèle de *triennum* «espace de trois ans».

♦ Règne de mille ans attendu par les millénaires ou millénaristes (pour qui le Messie régnerait mille ans sur la terre avant le jour du jugement dernier). Par ext. L'âge d'or. *Le millénarisme, croyance au millénium.*

On commençait à dire de telle ou telle chose qu'elle était «fin de siècle». On allait vers une sorte de millénium (...)
J. ROMAINS, les Hommes de bonne volonté, t. XIX, VIII, p. 103.

MILLE-PATTES [milpat] n. m. invar. — 1873 ; *mille-pieds,* 1562 ; de 1. *mille,* et *patte.*

♦ Myriapode* du groupe des *Scolopendres** caractérisé par un corps divisé en vingt et un segments, portant au total quarante-deux pattes.

MILLE-PERTUIS ou **MILLEPERTUIS** [milpɛʀtɥi] n. m. — 1539 ; de 1. *mille,* et *pertuis.*

♦ Plante herbacée ou arbustive *(Hypéricinacées)* vivace, aux nombreuses variétés, également appelée *herbe de Saint-Jean* ou *à mille trous* (→ Anthologie, cit.), et dont les feuilles parsemées de glandes translucides semblent percées d'une multitude de petits trous. *Huile de millepertuis,* utilisée comme vulnéraire.

MILLE-PIEDS [milpje] n. m. ⇒ **Mille-pattes.**

MILLÉPORE [milepɔʀ] n. m. — 1798, Cuvier ; *millepore,* 1742 ; prononc. latinisée de *mille-pore ;* de 1. *mille,* et *pore.*

♦ Zool. Polypier calcaire *(Hydrocoraliaires)* dont le polype constitue une masse compacte prolongée par de très nombreuses digitations courtes et épaisses (genre taxinomique : *Millepora).*

MILLE-RAIES [milʀɛ] n. m. — V. 1900 ; de 1. *mille,* et *raie.*

♦ Tissu à fines rayures ou velours à côtes très fines. Par appos. : *velours mille-raies, imprimé mille-raies.*

MILLERANDAGE [milʀɑ̃daʒ] n. m. — V. 1900 ; de *millerand,* lat. *millium* «millet», *granum* «grain», adj. appliqué aux raisins avortés.

♦ Agric. Avortement partiel ou développement incomplet d'une partie des grains du raisin. *Millerandage causé par la coulure*, par les maladies cryptogamiques...*

DÉR. (Du même rad.) **Millerandé.**

MILLERANDÉ, ÉE [milʀɑ̃de] adj. — V. 1900 ; de *millerand* (→ Millerandage), et *-é.*

♦ Agric. Affecté de millerandage. *Grappes millerandées.*

MILLÉRITE [mileʀit] n. f. — Av. 1873 ; all. *Millerit,* 1845 ; de *Miller,* minéralogiste anglais (1832-1870), et suff. *-ite.*

♦ Minér. Sulfure naturel de nickel (60 à 65 %), mélangé à du fer, du cobalt et du cuivre, en aiguilles très fines.

MILLEROLE [milʀɔl] n. m. — 1544 ; anc. provençal *milherola.*

♦ Anciennt. Mesure qui était utilisée en Provence pour les vins et les huiles. *Un millerole valait de 60 à 64 litres.*

MILLÉSIMAL, ALE, AUX [mi(l)lezimal, o] adj. — D. i. (xxᵉ) ; du lat. *millesimus* «millième», d'après l'angl. *millesimal,* 1719 ; → Centésimal.

♦ Didact. Méd. homéopathique. Se dit d'une préparation où le rapport entre les quantités de médicaments et d'excipient est de 1/1000.

MILLÉSIME [mi(l)lezim] n. m. — 1515 ; lat. *millesimus* «millième», de *mille,* plur. *milia* → 1. Mille.

♦ **1.** Chronologie. Chiffre exprimant le nombre mille, dans l'énoncé d'une date. *Charte datée de 350, au lieu de 1350, par oubli du millésime* (Hatzfeld).

♦ **2.** Par ext. Cour. Les chiffres qui indiquent la date d'une monnaie, d'une médaille (et, par ext., d'un timbre-poste, de certains produits : vins de crus, etc.). — Par ext. Chiffre de la date. *Médaille frappée au millésime de 1661. Bouteille au millésime de 1975. Un bon, un mauvais millésime ; les grands millésimes.* ⇒ **Cru.** *Prévisions s'appuyant sur des calculs où intervient* (cit. 5) *le millésime de l'année.*

DÉR. **Millésimer.**

MILLÉSIMER [mi(l)lezime] v. tr. — 1754, *Encyclopédie* ; de *millésime.*

♦ **1.** Rare. Prendre la millième partie, un élément sur mille de (une série, un ensemble).

♦ **2.** Marquer d'un millésime. *Millésimer les bouteilles d'une grande récolte.*

▶ **MILLÉSIMÉ, ÉE** p. p. adj.
Qui porte un millésime. *Monnaie, bouteille millésimée. Champagne millésimé :* vin de Champagne pur, sans aucun mélange, d'une année remarquable.

Au profond de la terre, dans la cave aux bouteilles, reposent les fruits de tant de soins : flacons jeunes, fioles millésimées ; aînées chenues, habillées lentement d'une fourrure impalpable (...)   COLETTE, Prisons et Paradis, p. 74.

MILLET [mijɛ] n. m. — V. 1380 ; *milet,* 1372 ; *mules,* déb. xiiiᵉ ; dimin. de 2. *mil.*

♦ **1.** Graminée* scientifiquement appelée *Panicum* (différente du mil, *Pennisetum*). ⇒ **Panic.** *Millet commun, millet blanc,* à tiges ramifiées, à inflorescence lâche, allongée. *Millet jaune. Millet des oiseaux, d'Italie, millet à grappes,* à panicules serrés et épillets courts. *Grain de millet* (→ Lotus, cit. 1). *Farine de millet* (millet commun). *L'éleusine des Indes, le fonio du Sénégal, le teff d'Éthiopie sont des espèces de millet.*

Des moineaux habitaient dans une métairie.
Un beau champ de millet, voisin de la maison,
Leur donnait du grain à foison.   FLORIAN, Fables, II, 20.

♦ **2.** (Autres céréales). *Gros millet, millet à balais, millet de Guinée, des Indes.* ⇒ **Sorgho.** — Vx. *Millet noir :* sarrasin. *Millet long.* ⇒ **Alpiste.**

♦ **3.** Méd. *Grain de millet :* petit kyste blanc, rappelant un grain de millet, siégeant à la face (surtout aux paupières) ou sur la peau des organes génitaux externes. (On dit aussi *grain de milium*).

DÉR. **Millade.**

MILLE-TROUS [miltʀu] n. m. invar. — 1923, Larousse ; de *mille,* et *trous.*

♦ Fromage de gruyère dont la pâte présente de nombreux petits trous, dus en général à l'acidité du lait ou à son altération.

MILLETUPLER [miltyple] v. tr. — 1836, Balzac, Œuvres div., *in* D. D. L. ; de *mille,* d'après *centupler.*

♦ Vx. Multiplier par mille (mot balzacien).

MILLI- Élément, du lat. *mille* «mille», indiquant la division de l'unité par mille. ⇒ **Milliampère, milliampèremètre, millibar, millicurie, milligrade, milligramme, millilitre, millime, millimètre, millimicron, millithermie, millivolt, millivoltmètre.**

MILLIAIRE [miljɛʀ] adj. et n. m. — 1506 ; *miliaire,* v. 1240 ; empr. au lat. *milliarius,* dér. de *mille* «mille» ; le mot existait dès le xiiiᵉ au sens de «millésime».

♦ Antiq. rom. (1636). Qui marque la distance d'un mille romain (mille pas). *Borne, colonne, pierre milliaire.* — N. m. Borne, colonne milliaire. *Le milliaire d'or, élevé par Auguste sur le Forum.*
HOM. Miliaire.

MILLIAMPÈRE [miljɑ̃pɛʀ] n. m. — 1881 ; de *milli-,* et *ampère.*

♦ Électr. Millième d'ampère (*mA*).

MILLIAMPÈREMÈTRE [miljɑ̃pɛʀmɛtʀ] n. m. — 1923, Larousse ; de *milli-,* et *ampèremètre.*

♦ Électr. Ampèremètre très sensible, gradué en milliampères.

MILLIARD [miljaʀ] n. m. — 1738, Voltaire ; *milliart,* 1611 ; *miliart,* 1549, *in* D. D. L. ; de *million,* par changement de suffixe.

♦ Nombre de mille millions* (10^9). ⇒ **Billion** (vx). *Les milliards de cellules du corps humain* (→ Individu, cit. 11). *Milliard de francs, de marks, de dollars* (→ Krach, cit.). — REM. Le mot n'appartient pas à la terminologie légale.

Et savez-vous combien un épi porte de grains ?   1
— Ma foi, non.
— Quatre-vingts en moyenne, dit Cyrus Smith. Donc, si nous plantons ce grain, à la première récolte, nous récolterons huit cents grains, lesquels en produiront à la seconde six cent quarante mille, à la troisième cinq cent douze millions, à la quatrième plus de quatre cents milliards de grains. Voilà la proportion.
J. VERNE, l'Île mystérieuse, t. I, p. 265.

Absolt. *Posséder plus d'un milliard* (de francs). ⇒ **Milliardaire.** *Les centaines de milliards du budget* (→ État, cit. 107). Allus. hist. *Le milliard des émigrés*.*
Rosembray, terre récemment achetée par le duc de Verneuil avec la somme que lui donna sa part dans le milliard voté pour légitimer la vente des biens nationaux (...)   BALZAC, Modeste Mignon, Pl., t. I, p. 581.   2
Quantité immense. *Il y en avait des milliards.* ⇒ **Milliasse** (vx).
DÉR. **Milliardaire, milliardième.**

MILLIARDAIRE [miljaʀdɛʀ] adj. et n. — 1877, Daudet ; de *milliard,* et *-aire.*

♦ Qui possède un milliard, ou plus (de francs ou d'une unité monétaire quelconque). *Il est presque milliardaire. Compagnie pétrolière plusieurs fois milliardaire en dollars.* — N. (1877). *Un, une milliardaire :* personne riche à milliards, ou extrêmement riche (→ Épouser, cit. 7 ; fil, cit. 19). ⇒ aussi **Millionnaire.**

Les deux lycéennes brunes étaient les filles du banquier milliardaire Raphaël Ponto, un de ces soleils de la Bourse autour desquels gravite en humbles satellites la foule des petits millionnaires.   A. ROBIDA, le Vingtième Siècle, p. 3.   1

(...) je la vois, la preuve de notre carence spirituelle, dans ce fait que le héros moderne, le héros type vingtième siècle, c'est le grand financier, le milliardaire, envisagé évidemment sous les aspects du plus faux romantisme, mais admiré ou haï, envié toujours, pour ses sacs de bank-notes et ses carnets de chèques.   2
DANIEL-ROPS, le Monde sans âme, IV.

MILLIARDIÈME [miljaʀdjɛm] adj. et n. m. — 1923 ; de *milliard,* et *-ième.*

♦ **1.** Adj. numéral ordinal. Qui occupe le rang indiqué dans une série par le nombre d'un milliard.

♦ **2.** Se dit d'une des parties d'un tout divisé en un milliard de parties égales. — N. m. *Un milliardième.*

1. MILLIASSE [miljas] n. f. — 1479 ; de *millier, million,* et subj. péj. *-asse.*

♦ **1.** Vx ou plaisant. Nombre, quantité immense. *« Il y avait dans les rues de cette ville une milliasse de mendiants »* (Académie).

Pour désigner un nombre énorme, on employait l'expression *milliasse : Tant de milliasses d'hommes enterrés avant nous nous encouragent à ne craindre d'aller trouver si bonne compagnie dans l'autre monde* (Montaigne, I, 171, L.).
F. BRUNOT, la Pensée et la Langue, p. 122.

Très grosse somme (d'argent).

♦ **2.** (1723). Vx. Mille milliards (10^{12}). ⇒ **Billion** (mod.), **trillion** (anciennt).

2. MILLIASSE [mijas] n. f. ⇒ **Millas.**

MILLIBAR [mi(l)libaʀ] n. m. — 1917, *Larousse mensuel ;* de *milli-,* et *bar.*

♦ Météor. Unité de pression atmosphérique (millième de bar, 1 000 baryes ; 0,75 mm de mercure). Symb. : *mb. La pression atmosphérique moyenne au niveau de la mer est de 1 013, 5 mb.*

MILLICURIE [mi(l)likyʀi] n. m. — 1956 ; de *milli-,* et 2. *curie.*

♦ Didact. Unité de radioactivité égale à un millième de curie (⇒ 2. **Curie**) et correspondant à $3,71.10^7$ désintégrations par seconde (symb. : *mC*).

MILLIÈME [miljɛm] adj. et n. m. — 1549 ; *millieme,* 1377 ; *milliesme,* v. 1213 ; du lat. *millesimus ;* de *mille,* et *-ième.*

♦ **1.** Adj. numéral ordinal. Qui occupe le rang indiqué dans une série par le nombre mille ; qui en a neuf cent quatre-vingt-dix-neuf avant lui. — N. *Le, la millième.*
Par ext. Désignant un nombre d'ordre élevé et indéterminé. ⇒ **Dixième, centième.** *C'est bien la millième solution que j'envisage !,* cela fait plus de mille* (indéterminé) solutions.
Spécialt. N. f. *La millième* (d'une pièce de théâtre, d'un spectacle) : la millième représentation (⇒ **Centième,** n. f.).

0.1 *Pour une « millième »* (...)
Werther était avec *Marie-Madeleine* celle de ses œuvres qu'il *(Massenet)* préférait. Voilà donc mille fois qu'on ne l'aura joué à Paris.
G. BAUËR, les Billets de Guermantes, mai 1938, p. 251.

♦ **2.** Adj. numéral fractionnaire. Se dit d'une des parties d'un tout divisé en mille parties égales. *La millième partie d'une somme d'argent.* — N. m. *Un millième de millimètre.* Absolt. *Il est intéressé à cette affaire pour un millième, pour vingt millièmes. Calcul des charges d'un immeuble en copropriété par millièmes.* — Spécialt. Unité d'angle, en artillerie (diamètre d'un objet vu à une distance de mille fois ce diamètre).

1 Six mille deux cents mètres ! Huit millièmes à gauche ! Continuez le feu !
Claude FARRÈRE, la Bataille, XXIX.
Par ext. Très petite partie (d'un tout). *Il n'a pas le millième, la millième partie de l'intelligence de son frère.*

2 (...) nous connaissons assez la nature humaine pour savoir qu'un homme qui peut, avec une cuillerée de confiture *(au haschisch),* se procurer instantanément tous les biens du ciel et de la terre, n'en gagnera jamais la millième partie par le travail.
BAUDELAIRE, les Paradis artificiels, « le Poème du haschish », V.

MILLIER [milje] n. m. — 1080, *la Chanson de Roland ;* de *mille,* et *-ier.*

♦ Nombre, quantité de mille* ou d'environ mille. *Un millier de francs. Quatre milliers d'auditeurs* (→ Immense, cit. 6). *Combien de milliers de manifestants y avait-il ?* Par ext. *Des milliers :* un grand nombre indéterminé. *Des milliers d'exemplaires* (→ Jumeau, cit. 7). *Milliers d'années* (→ Longtemps, cit. 7 ; 1. lustre, cit. 2). *Il y en avait des milliers et des milliers.*

1 Il voulut découvrir comment d'un pois tout seul
Des milliers de pois peuvent sortir si vite (...) FLORIAN, Fables, I, 10.

2 (...) des milliers et des milliers de têtes couvrent maintenant les entours *(du lac),* aussi serrées les unes contre les autres que les galets d'un rivage (...)
LOTI, l'Inde (sans les Anglais), IV, VIII.
Loc. adv. PAR MILLIERS : en très grand nombre. *Les étoiles clignotaient par milliers* (→ Cribler, cit. 10). *S'empiler* (cit. 2) *par milliers.*

MILLIGRADE [mi(l)ligʀad] n. m. — 1923, Larousse ; de *milli-,* et *grade.*

♦ Didact. Unité de mesure d'angle, équivalent à un millième de grade. (Symb. : *mgr*).

MILLIGRAMME [mi(l)ligʀam] n. m. — 1795 ; de *milli-,* et *gramme.*

♦ Didact. et cour. Millième partie du gramme. (Symb. : *mg*).

MILLILITRE [mi(l)lilitʀ] n. m. — 1795 ; de *milli-,* et *litre.*

♦ Didact. Millième partie du litre. (Symb. : *ml*).

MILLIME [milim] n. m. — 1846, Bescherelle ; de *milli-,* d'après *centime.*

♦ Rare. Millième partie du franc, dixième de centime. *« Quant au coût, il n'est que de 7 millimes par document microfilmé (une*

---

simple photocopie coûte, elle, 30 centimes) », l'Express, 4 juin 1973, p. 23 (Publicité).

MILLIMÈTRE [mi(l)limɛtʀ] n. m. — 1795 ; de *milli-,* et *-mètre.*

♦ Didact. et cour. Millième partie du mètre (symb. : *mm*). *Millième de millimètre.* ⇒ **Micron.** *Millimètre carré* (symb. : *mm²*). *Millimètre cube* (symb. : *mm³*). *Millimètre de mercure,* unité de pression (1 333 baryes).
Fig. Distance infime. *Nos troupes ne cèderont pas un millimètre de terrain. La discussion, la négociation avançait millimètre par millimètre.*
DÉR. **Millimitré, millimétrique.**

MILLIMÉTRÉ, ÉE [mi(l)limetʀe] adj. — Déb. xxᵉ ; de *millimètre,* et *-é.*

♦ Gradué, divisé en millimètres. *Papier millimétré* (ou *millimétrique*).

MILLIMÉTRIQUE [mi(l)limetʀik] adj. — 1836, Académie ; de *millimètre,* et *-ique.*

Didactique.

♦ Gradué en millimètres. *Échelle millimétrique. Ondes millimétriques.* « *L'émission thermique du soleil, des planètes et des satellites est particulièrement intense en ondes millimétriques* » (la Recherche, janv. 1980, p. 17). — *Papier millimétrique.* ⇒ **Millimétré.**
Qui étudie, qui utilise des ondes millimétriques. *Radioastronomie millimétrique.*
DÉR. **Millimétriquement.**

MILLIMÉTRIQUEMENT [mi(l)limetʀikmã] adv. — Attesté xxᵉ ; de *millimétrique.*

♦ **1.** Didact. Par millimètres.

♦ **2.** Fig. D'une manière infime ; par une progression très lente. *Les pourparlers avançaient millimétriquement.*

MILLIMICRON [mi(l)limikʀɔ̃] n. m. — 1923, Larousse ; de *milli-,* et *micron.*

♦ Didact. Millième partie du micron, millionième de millimètre. (Symb. : *mμ*).

MILLION [miljɔ̃] n. m. — 1359 ; *millon,* v. 1266 ; ital. *milione* augmentatif de *mille* ⇒ 1. **Mille.**

♦ **1.** Mille fois mille (10^6). *Un million, dix millions d'hommes* (→ Captif, cit. 2 ; franc, cit. 2 ; massacre, cit. 3). *Mille millions* (⇒ **Billion** [vx], **milliard**), *un million de millions.* ⇒ **Billion** (mod.), **milliasse** (vx), **trillion** (anciennt).

♦ **2.** Somme d'un million (d'unités monétaires). *Un million de francs-or, de francs 1980. Un million de dollars* (→ Évaluer, cit. 2). *Un million de centimes :* 10 000 francs. Ellipt. Un million de francs (→ Exemplaire, cit. 4 ; fortune, cit. 45). *Posséder des millions.* ⇒ **Millionnaire.** *Capital* (cit. 6) *de six millions. Jeter les millions sans compter* (cit. 26). *Remuer des millions* (→ Maquillage, cit. 2). *Dot* (cit. 1) *d'un million. Être embarrassé* (cit. 5) *de ses millions. Gagner* (cit. 1) *un million. Revenus dépassant* (cit. 7) *le million. Être riche à millions,* très riche.

(...) je voudrais le marier *(Charles de Sévigné)* à une petite fille qui est un peu juive de son estoc, mais les millions nous paraissent de bonne maison (...)
Mᵐᵉ DE SÉVIGNÉ, 456, 13 oct. 1675.

Un négociant risque-t-il un million ? pendant vingt ans il ne dort, ni ne boit, ni ne s'amuse ; il couve son million, il le fait trotter par toute l'Europe (...)
BALZAC, la Peau de chagrin, Pl., t. IX, p. 99.

Le million semblait la véritable unité monétaire de ces messieurs ; on parlait de 500, de 800, de 1 200, de 1 500 sans ajouter le mot million après, absolument comme s'il se fût agi de 500 malheureux petits francs. Quand il s'agissait de mesquines affaires au-dessous de 200 millions, les banquiers ne daignaient pas s'en occuper et laissaient ce soin à leur commis.
A. ROBIDA, le Vingtième Siècle, p. 305-306.

REM. Dans la langue courante, *un million* est encore ambigu ; il signifie soit « un million de centimes » (dix mille francs) — cf. *Il gagne plus d'un million par mois* (→ Brique, fam.) —, soit « un million de francs » (→ Franc).

♦ **3.** Un très grand nombre (→ Froisser, cit. 2 ; graine, cit. 1 ; inondation, cit. 6).

Je t'envoie un grand million
De saluts, mon ami Lyon (...) Clément MAROT, Épîtres, XXXV.
(...) des millions de soleils éclairent des milliards de mondes (...)
VOLTAIRE, l'Ingénu, XI.

DÉR. **Milliard, milliasse, millionième, millionnaire.** — (Sur le modèle de *million*) **Billion, quadrillion, quintillion, trillion.**

MILLIONIÈME [miljɔnjɛm] adj. et n. — 1550; de *million*, et *-ième*.

♦ **1.** Adj. numéral ordinal. Qui occupe le rang marqué par le nombre d'un million. *Le millionième passager d'une ligne transatlantique; la millionième entrée dans une exposition internationale.* — *Le, la millionième.*

♦ **2.** Adj. numéral fractionnaire. Se dit de chaque partie d'un tout divisé en un million de parties égales. — *Millionième de millimètre.* Par ext. Part infime.

Et qui a honte, à chaque muet millionième de syllabe, et inextinguible infini de remords se creusant, morsure dans morsure, de devoir entendre, de devoir dire, en deçà du moindre murmure, tant de mensonges (...)
S. BECKETT, Textes pour rien, p. 204-205.

MILLIONNAIRE [miljɔnɛʀ] adj. et n. — 1740, Lesage; 1752, Trévoux, admis Académie dès 1762; de *million*, et *-aire*.

♦ **1.** Qui possède un ou plusieurs millions (d'unités monétaires, et, spécialt, de francs). Par ext. Qui est très riche. *Un banquier millionnaire* (→ Grecque, cit. 16). *Il est plusieurs fois millionnaire.* ⇒ **Multimillionnaire.** *Millionnaire en dollars, en livres sterling.*

Thénardier à Montfermeil se ruinait, si la ruine est possible à zéro; en Suisse ou dans les Pyrénées, ce sans-le-sou serait devenu millionnaire.
HUGO, les Misérables, I, III, II.

N. *Un, une millionnaire. Un milliardaire* (cit.) *autour duquel gravitent de petits millionnaires.*

Nous voulons qu'il n'y ait plus de gens manquant de tout et des millionnaires, des suceurs de sang et des victimes!
BALZAC, les Comédiens sans le savoir, Pl., t. VII, p. 62.

♦ **2.** *Ville millionnaire,* qui compte au moins un million d'habitants.
COMP. Archimillionnaire.

MILLIOSMOLE [mi(l)liɔsmɔl] n. f. — Av. 1969 (*in* Garnier et Delamare); de *milli-*, et *osmole*.

♦ Didact. Phys., physiol. Millième partie de l'osmole. *La milliosmole est l'unité de pression osmotique employée le plus couramment en biologie.* (Le mot est parfois écrit avec le trait d'union.) *« Les urines peuvent contenir selon les cas de 70 à 1 400 milli-osmoles par litre »* (*la Recherche,* déc. 1974, p. 1044).

MILLIRŒNTGEN [mi(l)liʀœntgɛn] n. m. — 1969, Larousse, *Premier Suppl.;* de *milli-*, et *rœntgen*.

♦ Didact. Millième du rœntgen (⇒ **Röntgen**).

MILLISECONDE [mi(l)lizgɔd] n. f. — xxᵉ; de *milli-*, et *seconde*.

♦ Didact. Millième de seconde. *Chronomètre sensible à la milliseconde.*

MILLITHERMIE [mi(l)litɛʀmi] n. f. — 1920, *Larousse mensuel;* de *milli-*, et *thermie*.

♦ Didact., techn. Millième de thermie (symb. : *mth*). ⇒ **Calorie** (grande), **kilocalorie.**

MILLIVOLT [mi(l)livɔlt] n. m. — 1923, Larousse; de *milli-*, et *volt*.

♦ Didact. Millième de volt (symb. : *mV*).

MILLIVOLTMÈTRE [mi(l)livɔltmɛtʀ] n. m. — 1963, Larousse; de *milli-*, et *voltmètre*.

♦ Didact. Appareil utilisé pour mesurer les différences de potentiel très faibles, gradué en millivolts.

MILORD [milɔʀ] n. m. — 1578; *millour*, xivᵉ; angl. *my lord* « mon seigneur ». → Lord.

★ **I.** ♦ **1.** (xivᵉ). Vx. Titre donné en France aux lords et pairs d'Angleterre, et, par ext., à tout Anglais riche et titré.

♦ **2.** Grand seigneur étranger, homme riche et puissant (à quelque nation qu'il appartienne).

(...) je crois qu'ils se moqueraient de moi si je n'avais pas d'argent : heureusement je passe pour fort riche. L'aubergiste veut absolument me dire, Milord; et je suis très respecté. Riche étranger, ou Milord sont synonymes.
É. DE SENANCOUR, Oberman, LXIV.

★ **II.** (V. 1835, Balzac, *la Cousine Bette*). Ancienn. Sorte de cabriolet à quatre roues, à siège surélevé pour le conducteur. — Adj. *Cabriolet milord.*

Le cabriolet-milord est une nouvelle invention, qui vous débarrasse de tous ces inconvénients (*du cabriolet courant*). Le cocher n'est plus assis avec vous à l'intérieur; il est sur un siège isolé assez élevé et assez éloigné du cabriolet pour ne plus entendre ce qui se dit derrière lui. Ce nouveau cabriolet a aussi deux petites roues de plus que les anciens (...) Montez, couple fortuné qui voulez aller vite... Je ne

vous dirai pas que le *milord* va comme le vent (...) mais du moins vous jouirez de tous les agréments du cabriolet.
Ch. PAUL DE KOCK, la Grande Ville, t. I, « Cabriolets-Milords », p. 58.

MILOUIN [milwɛ̃] n. m. — 1760; p.-ê. dér. sav. du lat. *miluus* « milan ».

♦ Oiseau palmipède (*Anatidés*) des régions arctiques, canard sauvage à plumage noir, avec la tête et le cou de couleur rousse. *Le morillon* est voisin du milouin.*

MI-LOURD [miluʀ] adj. et n. m. — 1931, Larousse; de *mi-*, et *lourd*.

♦ Sports. *Poids mi-lourd* : catégorie de boxeurs pesant de 72,574 kg à 79,378 kg pour les professionnels et de 75 à 81 kg pour les amateurs, de lutteurs pesant de 75 à 87 kg, d'haltérophiles pesant de 75 à 82,5 kg. — N. m. *Poids mi-lourd,* ou, ellipt., *mi-lourd* : sportif de cette catégorie. *Un combat de mi-lourds.*

MILREIS [milʀɛjs] n. m. — 1877; 1593, *millerais;* mot port., de *mil* « mille », et *reis*. → 2. Réis.

♦ Anciennt. Unité monétaire de compte, au Portugal et au Brésil.

MIMANT, ANTE [mimɑ̃, ɑ̃t] adj. — Mil. xxᵉ; p. prés. de *mimer,* d'après le sens de *mimétisme*.

♦ Sc. nat. Qui a un comportement mimétique. *« Une similitude approximative procure déjà un avantage évident à l'espèce mimante »* (*la Recherche,* mai 1974, p. 425).

MIME [mim] n. m. — 1534; du lat. *mimus,* grec *mimos,* de *mimeisthai* « imiter ».

♦ **1.** Didact. (Antiq. grecque et rom.). Courte comédie bouffonne, en prose ou en vers, dont le texte tenait beaucoup moins de place que les danses de caractère et la gesticulation expressive (⇒ **Mimique**) des acteurs (en particulier chez les Latins).

♦ **2.** (1560). Par ext. Personne qui jouait dans ces pièces (⇒ **Archimime**). *Laberius et Publius Syrus étaient à la fois mimographes et mimes.*

Le mime, en grec μῖμος, en latin *mimus,* désigne à la fois le genre et l'acteur. C'est une farce bouffonne, ou bouffonne et dramatique, calquée d'aussi près que possible sur la réalité (...) Les mimes impériaux furent des acteurs qui accommodaient à leur jeu les scénarios qu'ils avaient plus ou moins combinés, et qui, selon l'impulsion du moment et l'humeur du public, brodaient des variations imprévues sur le thème qu'ils avaient annoncé (...)
J. CARCOPINO, la Vie quotidienne à Rome, II, III, IV.

N. (1834). Cour. Comédien qui mime (1.), qui s'exprime par les attitudes et les gestes, sans paroles. *L'art du mime.* ⇒ **Mimique, pantomime.** *Debureau père et fils, célèbres mimes du Théâtre des Funambules. Le mime Marceau.* — REM. Le fém. est peu usité (→ ci-dessous cit. Gautier), sauf adj. *Elle est mime.*

(...) mademoiselle Rachel fut plutôt une mime tragique qu'une tragédienne dans le sens qu'on attache à ce mot.
Th. GAUTIER, Portraits contemporains, Mⁱˡᵉ Rachel.

Sans doute certaines femmes étaient encore très reconnaissables, le visage était resté presque le même et elles avaient seulement, comme par une harmonie convenable avec la saison, revêtu les cheveux gris qui étaient leur parure d'automne. Mais pour d'autres, et pour des hommes aussi, la transformation était si complète, l'identité si impossible à établir — par exemple entre un noir viveur qu'on se rappelait et le vieux moine qu'on avait sous les yeux — que plus même qu'à l'art de l'acteur, c'était à celui de certains prodigieux mimes, dont Fregoli reste le type, que faisaient penser ces fabuleuses transformations.
PROUST, le Temps retrouvé, Pl., t. III, p. 947.

(1783). Par ext. Personne qui a le talent de contrefaire les manières, les attitudes d'autrui. ⇒ **Imitateur.**

♦ **3.** Sc. nat. Être vivant, animal qui adopte un comportement mimétique (⇒ **Mimétisme**). *« L'évolution du mime étant plus rapide que celle du modèle, le mime a quelque chance de ressembler au modèle »* (*la Recherche,* mai 1974, p. 425).

DÉR. et COMP. Mimer, mimodrame, mimographie, mimologie. — Archimime. — (Du même rad.) Mimétisme, mimique.

MIMÉOGRAPHIER [mimeɔgʀafje] v. tr. — xxᵉ; angl. *to mimeograph* (1895), de *mimeograph* (1889, pour désigner un appareil inventé par Edison); du grec *mimeo(mai)* « j'imite », et *-graph;* → -graphe.

♦ Techn., vx. Reproduire sur stencils. *Appareil à miméographier.* ⇒ **Duplicateur.**

MIMER [mime] v. tr. — 1838; de *mime*.

♦ **1.** Exprimer (des sentiments, une réalité psychique) ou évoquer (des actes, une réalité observable, humaine ou non) par l'activité corporelle (gestes, jeux de physionomie) et sans paroles, dans une intention esthétique, auprès de spectateurs. ⇒ **Mime** (1.). *Savoir* *mimer la peur, la colère; une soirée mondaine. Les grands mimes peuvent tout mimer.*

Accompagner de mimique, souligner par le mime (un texte dit). *Mimer un monologue.*

♦ **2.** Imiter le comportement de (qqn, un être animé), souvent par dérision. ⇒ **Imiter, singer.**

1 L'autre mime, en boîtant, l'infirme qui volait *(l'albatros)*!
    BAUDELAIRE, les Fleurs du mal, «Spleen et idéal», II.

♦ **3.** Évoquer par son comportement (un état psychique non éprouvé). *Mimer l'acharnement* (→ Enquêteur, cit. 1), *la bonté* (→ Marotte, cit. 4).

2 N'importe qui sait proférer des paroles menteuses; les mensonges du corps exigent une autre science. Mimer le désir, la joie, la fatigue bienheureuse, cela n'est pas donné à tous.   F. MAURIAC, Thérèse Desqueyroux, IV.

♦ **4.** Didact. (sens du grec *mimesthai*). Produire par mimesis*.

▶ **MIMÉ, ÉE** p. p. adj. (Sens 1). *Scènes mimées. Théâtre mimé.* — Par ext. *Monologue mimé,* accompagné de pantomime (→ Danse, cit. 9).

DÉR. Mimant.

MIMESIS [mimezis] n. f. — Attesté xxᵉ; mot grec *mimesis,* emprunté notamment à la *Poétique* d'Aristote, du v. *mimeisthai* «imiter, représenter, signifier en produisant le simulacre de...».

♦ Didact. Production artistique par la représentation d'éléments et d'objets naturels. — REM. La *mimesis* aristotélicienne est traditionnellement rendue en français par le mot *imitation**, qui convient mal.

La productivité pure et libre doit ressembler à celle de la nature. Et elle le fait précisément parce que, libre et pure, elle ne dépend pas des lois naturelles. Moins elle dépend de la nature, plus elle ressemble à la nature. La *mimesis* n'est pas ici *(chez Kant)* la représentation d'une chose par une autre, le rapport de ressemblance ou d'identification entre deux étants, la reproduction d'un produit de la nature par un produit de l'art. Elle n'est pas le rapport de deux produits mais de deux productions. Et de deux libertés. L'artiste n'imite pas les choses dans la nature, ou si l'on veut dans la *natura naturata,* mais les actes de la *natura naturans,* les opérations de la *physis.* Mais puisqu'une analogie a déjà fait de la *natura naturans* l'art d'un sujet auteur et, on peut même le dire, d'un dieu artiste, la *mimesis* déploie l'identification de l'acte humain à l'acte divin. D'une liberté à une autre.   J. DERRIDA, Economimesis, in Mimesis Désarticulations, p. 67.

Spécialt (d'après Platon). Création poétique par la production de simulacres humains s'exprimant fictivement en leur propre nom (poésie dramatique, ⇒ **Comédie, théâtre, tragédie),** par oppos. à *diégèsis.*

MIMÉTIQUE [mimetik] adj. — V. 1900; de *mimétisme.*

♦ **1.** Sc. nat. Du mimétisme. *Réactions mimétiques.*

(D'un animal). Qui présente un mimétisme. *Insectes mimétiques.* — (Avec un compl.). «*Les poissons littoraux sont plus ou moins mimétiques de leur milieu*» (R. et M.-L. Bauchot, *les Poissons,* p. 110).

♦ **2.** Didact. (théorie littér.). De la mimesis*.

MIMÉTISME [mimetism] n. m. — 1874, Larousse; dér. sav. du grec *mimeisthai* «imiter».

♦ **1.** (1874). Sc. nat. Propriété que possèdent certaines espèces animales, pour assurer leur protection défensive ou offensive, de se rendre semblables par l'apparence au milieu environnant, à un être quelconque de ce milieu, à un individu d'une espèce mieux protégée, moins redoutée ou plus redoutée (par protection). *Mimétisme des couleurs* (homochromie), *des formes* (homotypie). *Mimétisme permanent, temporaire. Mimétisme agressif, ostentatoire. Le mimétisme, phénomène d'adaptation au milieu. Cas de mimétisme. Mimétisme du caméléon* (⇒ **Caméléonisme**), *de la vanesse... Comportement de mimétisme.* ⇒ **Mimétique.** *Animal doué de mimétisme.* ⇒ **Mime** (3.).

1 (...) vous n'avez pas compris comment j'ai pu échapper aussi complètement à vos regards. C'est bien simple. Il ne faut voir là qu'un phénomène de mimétisme (...) La nature est une bonne mère. Elle a départi à ceux de ses enfants que des dangers menacent, et qui sont trop faibles pour se défendre, le don de se confondre avec ce qui les entoure (...) Vous savez que les papillons ressemblent aux fleurs, que certains insectes sont semblables à des feuilles, que le caméléon peut prendre la couleur qui le dissimule le mieux, que le lièvre polaire est devenu blanc comme les glaciales contrées où (...) il détale presque invisible.
    APOLLINAIRE, L'Hérésiarque..., p.165.

♦ **2.** Processus d'imitation; ressemblance produite par imitation. *Mimétisme volontaire, spontané. Contrefaire* (cit. 4) *quelqu'un par un miracle de mimétisme.* ⇒ **Imitation.** *Mimétisme de l'acteur, de l'interprète* (cit. 16). — *Mimétisme parfait.* ⇒ **Ressemblance.** *Il agit comme son frère par une sorte de mimétisme inconscient.*

2 Car elle *(Mᵐᵉ de Chateaubriand)* écrivait, elle aussi, et il eût été en effet assez surprenant qu'elle ne s'y fût pas mise : ainsi le veut le mimétisme. On ne vit pas

impunément dans l'ombre d'un Chateaubriand sans prendre quelques-unes de ses habitudes (...)   Émile HENRIOT, Portraits de femmes, p. 277.

DÉR. Mimétique.

MIMEUSE [mimøz] adj. et n. f. — 1784; du rad. de *mimosa;* le masc. *mimeux* n'est pas usité.

Botanique.

♦ **1.** Adj. *Plantes mimeuses,* qui se contractent quand on les touche.

♦ **2.** N. f. **MIMEUSE** : sensitive. *Mimeuse pudique.* ⇒ **Mimosa.**

MIMI [mimi] n. m. — 1828, *in* D.D.L.; «coiffure de femme», xviiᵉ; redoublement enfantin de la première syllabe de *minet.*

★ **I.** ♦ **1.** (Dans le langage enfantin). Chat. ⇒ **Minet.** — REM. Un féminin *mimine* se rencontre parfois dans la langue populaire.

1 Elle *(la chatte)* condescendit à écouter, dans la cuisine, l'oiseuse parole de Mᵐᵉ Buque conviant «la mimine» au foie cru.   COLETTE, la Chatte, p. 78.

♦ **2.** Baiser, caresse. *Fais mimi, fais un gros mimi à ta grand-mère.*

1.1 Ne voulant plus pousser l'interrogatoire après les merveilleux instants que nous venons de savourer, je la quitte sur un ultime mimi qui couperait la respiration à un spécialiste de la pêche sous-marine.
    SAN-ANTONIO, le Secret de Polichinelle, p. 77.

♦ **3.** (1823, Sand, *in* D.D.L.). Fam. Terme d'affection, de tendresse.

2 — Qu'a donc le mimi? On est triste? Et, la conversation s'étant renouée, il en vint, comme d'habitude, à des protestations d'amour.
    FLAUBERT, l'Éducation sentimentale, II, II.

★ **II.** Adj. Fam., affecté. ⇒ **Mignon.** *Tu as vu son nouveau chapeau? Il est mimi comme tout.*

MIMÏAMBE [mimiãb] adj. et n. m. — 1721, Trévoux; lat. *mimiambi,* n. m. pl., «mimes en vers ïambiques»; grec *mimianboi.* → Ïambe.

♦ Didact. Prosodie anc. Autre nom du trimètre ïambique scazon*. *Vers mimïambes.* — Par ext. *Pièces écrites dans ce mètre. Les mimïambes de Hérondas de Cnos.*

MIMIQUE [mimik] adj. et n. f. — 1570; lat. *mimicus,* grec *mimikos,* de *mimesthai* → Mimesis, mimétique.

★ **I.** Adj. ♦ **1.** (1570). Didact. Qui a rapport au mime. *Poésie mimique. Auteur, poète mimique.* — N. *Un mimique.*

♦ **2.** (1835). Qui exprime par le geste; qui a trait à l'expression gestuelle. *Langage mimique. Puérilisme mimique observé dans l'hystérie.*

0.1 La *grimace* n'est souvent qu'une fausse note sur le clavier mimique; on sait tout le parti qu'en tirent certains clowns (...)
    A. POROT, Manuel alphabétique de psychiatrie, 1952, p. 274-275.

★ **II.** N. f. ♦ **1.** (1824, *in* D.D.L.). Didact. Art du mime, de l'expression ou de l'imitation par le geste, les jeux de physionomie; action de mimer.

1 Ma foi les gens s'habitueraient vite au mutisme
    La mimique suffit bien au cinéma.   APOLLINAIRE, Calligrammes, p. 192.

♦ **2.** (1868, Littré). Cour. Ensemble des gestes expressifs et des jeux de physionomie, spontanés ou non, qui accompagnent le langage oral ou constituent à eux seuls un véritable langage, avec ses signes conventionnels. ⇒ **Gestuelle.** *La mimique des sourds-muets. Sémiologie psychiatrique des troubles de la mimique (mimique exagérée, appauvrie, discordante, inadaptée).*

1.1 DROMARD... (1909), distinguait : 1° Une *mimique émotive, involontaire* et réflexe correspondant aux centres sous-corticaux; 2° Une *mimique idéative, volontaire,* soumise à l'influence des centres corticaux. Cette distinction reste valable, étant entendu qu'il y a souvent des interférences et des conjonctions entre ces deux pôles, comme l'admettait déjà cet auteur. À mesure que l'homme augmente la maîtrise de soi, il discipline davantage sa mimique inférieure et réflexe.
    A. POROT, Manuel alphabétique de psychiatrie, 1952, p. 273.

(Qualifié, ou avec l'art. indéf.). Expression ou ensemble d'expressions de la physionomie formant un tout. *Mimique lascive qui accompagne une danse* (→ Habanera, cit. 2).

2 C'était un rire bas, gloussant, accompagné d'une mimique telle de l'œil et de la bouche que Simon recula, cachant mal son dégoût.
    G. DUHAMEL, Salavin, VI, IX.

3 Fogar s'arrêta, puis dédia soudain à Bex une étonnante mimique, traçant du doigt plusieurs zigzags d'éclairs et imitant avec son gosier les roulements du tonnerre. Bex fit un signe d'approbative compréhension; le jeune homme venait de lui expliquer, de façon assez claire, que les rongeurs, actuellement épars dans les fourrés, craignaient fort le bruit de l'orage et rentraient peureusement dans leurs terriers aux premiers grondements de la foudre.
    Raymond ROUSSEL, Impressions d'Afrique, p. 358-359.

MIMODRAME [mimɔdʀam] n. m. — 1819, *in* D.D.L.; de *mime,* et *drame.*

♦ Didact. Œuvre dramatique interprétée par gestes, mimiques, danses, sans texte mais avec accompagnement musical. ⇒ **Pantomime.** *Mimes* qui interprètent un mimodrame.*

Quant à la guerre, autre hochet que l'on prépare aux Chambres, la représentation prochaine paraît en être définitivement arrêtée. Ce sera un mimodrame à grand fracas et à grand spectacle, et qui doit éclipser même celui qui, sous le titre « De la république et l'empire », se joue maintenant avec un si beau succès au Cirque Olympique. A. DE MUSSET, *in* Revue des Deux-Mondes, janv. 1833.

Le jeune homme et la mort, est-ce un ballet ? Non. C'est un mimodrame où la pantomime exagère son style jusqu'à celui de la danse. C'est une pièce muette où je m'efforce de communiquer aux gestes le relief des mots et des cris. C'est la parole traduite dans le langage corporel. COCTEAU, la Difficulté d'être, p. 256.

MIMOGRAPHE [mimɔgʀaf] n. m. — Mil. XVIᵉ ; lat. *mimographus*, grec *mimographos*, de *mimos* (→ Mime), et *-graphe*.

♦ Didact., vx. Auteur qui compose des mimes (1.).

MIMOGRAPHIE [mimɔgʀafi] n. f. — 1829, Boiste ; de *mime*, et *-graphie*.

♦ Didact., vx. Écriture, composition des mimes (sens 1) ; art du mimographe.

DÉR. **Mimographique.**

MIMOGRAPHIQUE [mimɔgʀafik] adj. — 1836, Académie ; de *mimographie*, et *-ique*.

♦ Didact., vx. Relatif à la mimographie.

MIMOLETTE [mimɔlɛt] n. f. — XXᵉ (1963, Larousse) ; de *mi-*, et *mollet* « un peu mou ».

♦ Fromage de Hollande à pâte demi-tendre.

MIMOLOGIE [mimɔlɔʒi] n. f. — 1721, Trévoux ; de *mime*, et *-logie*.

Didactique.

♦ **1.** Rare. « Imitation de la voix, de la prononciation et du geste d'un autre » *(Encyclopédie) ;* art de l'imitation par le comportement corporel : geste, et, plus spécialt, voix.

♦ **2.** Langage mimique des sourds-muets.

♦ **3.** Étude de l'imitation, de la mimesis*.

DÉR. **Mimologique.**

MIMOLOGIQUE [mimɔlɔʒik] adj. — XXᵉ ; de *mimologie*.

♦ De la mimologie. — N. m. pl. *Mimologiques*, ouvrage de G. Genette.

MIMOSA [mimoza] n. m. — 1602 ; fém. jusqu'à la fin du XIXᵉ ; var. anc. *mimeuse, mimose ;* mot du lat. bot. mod., tiré de *mimus* « mime », par allus. à la contractilité de certaines espèces quand on les touche.

♦ **1.** Cour. Arbre ou arbrisseau épineux *(Mimosacées)* originaire des régions chaudes, acclimaté dans les régions tempérées, et cultivé pour ses fleurs jaunes (parfois blanches) très odorantes en forme de petites boules duveteuses. *Le mimosa des jardiniers est classé par les botanistes dans le genre* Acacia.

(...) les mimosas charmants semblaient courber leurs grappes pâles de safran sur mon passage (...) Émile HENRIOT, le Diable à l'hôtel, I.

♦ **2.** Cour. *Du mimosa, des mimosas :* des branches fleuries de mimosa (sens 1). *Bouquet de mimosa.* — Appos. Par anal. (couleur ; texture). *Œufs mimosas :* jaune d'œufs durs écrasés, servant de garniture à un plat froid (hors-d'œuvre, etc.).

♦ **3.** Bot. Plante ligneuse *(Mimosacées)* appartenant au genre *Mimosa*, caractérisée par de petites fleurs groupées en épis et par des feuilles qui se replient quand on les touche, et dont la mimeuse*, ou *sensitive*, est le type.

DÉR. **Mimosacées.**

MIMOSACÉES [mimozase] n. f. pl. — 1842, *mimosées* ; de *mimosa*, et *-ées, -acées*.

♦ Bot. Sous-famille des Légumineuses*, comprenant près de 1 500 espèces d'arbres ou d'arbrisseaux des régions chaudes, à fleurs petites et régulières. *L'acacia, le mimosa (1.)..., principaux types de mimosacées.* — Au sing. *Une mimosacée.*

REM. L'ancienne classification botanique groupait sous le nom de *mimosées* la plupart des légumineuses dénommées aujourd'hui *mimosacées*.

D'immenses forêts de lataniers, d'arecs (...), de gigantesques mimosées, de fougères arborescentes, couvraient le pays en premier plan (...) J. VERNE, le Tour du monde en 80 jours, p. 128.

MI-MOYEN [mimwajɛ̃] adj. et n. m. — 1927, *in* D.D.L. ; de 2. *mi-*, et *moyen*, adjectif.

♦ Sports. *Poids mi-moyen :* catégorie de boxeurs pesant de 61,235 kg à 66,678 kg pour les professionnels et de 63,500 kg à 67 kg pour les amateurs, de lutteurs pesant de 66 à 72 kg, de judokas pesant de 64 à 70 kg. — *Poids mi-moyen* ou, n. m., *mi-moyen :* sportif de cette catégorie. *Championnat du monde des mi-moyens.*

MINABLE [minabl] adj. — 1808, Désaugiers, *in* D.D.L. ; « qui peut être miné, détruit par une mine », av. XVᵉ ; de *miner*, et *-able*.

♦ **1.** (1810). Vieilli. Qui semble miné, usé par la misère, la maladie, le chagrin... ; qui en porte les marques au point d'inspirer la pitié. ⇒ **Lamentable, misérable, pauvre, pitoyable.** — *Taudis, tenue minable.*

(...) le père Cognet, un vieil ivrogne, la rouait de coups, et elle était si desséchée, si minable, qu'on lui voyait les os du corps, au travers de ses guenilles. ZOLA, la Terre, II, I.

Je vois encore un chaos de maisons minables parmi lesquelles s'insinuent des ruelles où l'on entend, le soir, chanter les égouts parisiens. G. DUHAMEL, Biographie de mes fantômes, VIII.

♦ **2.** Fam. Très médiocre. ⇒ **Lamentable, miteux, piètre, piteux ;** vulg. **foireux, merdeux.** *Résultats minables. Salaire minable. Réception, spectacle minable. Mener une existence minable.* ⇒ **Étriqué.**

Il riait de lui-même (...) de sa maladresse ridicule, de sa vie, de ses minables passions (...) SARTRE, l'Âge de raison, p. 273.

Par ext. (fam.). *Vous avez entendu sa conférence ? Il a été minable.* ⇒ **Dessous** (au-dessous de tout). *Un comédien minable.* ⇒ **Ringard.**

N. *C'est un, une minable. Pauvre minable ! Bande de minables, vous ne me faites pas peur !*

DÉR. **Minablement.**

MINABLEMENT [minabləmɑ̃] adv. — 1842, *in* D.D.L. ; de *minable*, et *-ment*.

♦ **1.** (1842). Vieilli. D'une manière minable (1.). *Mercenaires minablement vêtus* (→ Jambière, cit.). ⇒ **Misérablement, pauvrement, pitoyablement.**

♦ **2.** Fam. D'une manière minable (2.), très médiocre. ⇒ **Lamentablement, piètrement, piteusement.** *Échouer minablement à un examen.*

Hier Racine et Platon, aujourd'hui « l'éducation sexuelle » minablement positiviste. Décidément l'école s'acharne à nous désapprendre l'amour. Roger GARAUDY, Parole d'homme, p. 31.

1. MINAGE [minaʒ] n. m. — V. 1268 ; de 3. *mine*, et *-age*.

♦ **1.** Féod. Redevance perçue, au nom du seigneur qui fournit l'unité de mesure des grains (→ 3. Mine) par le mesureur chargé de constater légalement la quantité de grains vendue par les marchands.

♦ **2.** Ancienn. Mesurage ou vente des grains par l'unité appelée *mine.* ⇒ 3. **Mine.** *La place du minage du marché aux grains.*

2. MINAGE [minaʒ] n. m. — 1922 ; de *miner*, et *-age*.

♦ **1.** Rare. Opération qui consiste à miner, à saper (un ouvrage), à l'affaiblir au moyen d'une galerie de mine ou de plusieurs. *Minage d'une enceinte fortifiée.* — Cour. Pose de mines explosives. *Minage d'une entrée de port, d'un pont, d'une route.*

♦ **2.** Par métonymie. (Régional). Tranchée où l'on plante la vigne.

CONTR. (Du 1.) **Déminage.**

MINAHOUET [minawɛt] n. m. — 1809 ; du breton *min* « pointe ».

♦ Mar. Petite mailloche* servant à fourrer les cordages minces.

MINARET [minaʀɛ] n. m. — 1654 ; *mineret*, 1606 ; turc *menaret* « minaret » ; arabe *mānārāh* « tour qui éclaire, phare ».

♦ Tour d'une mosquée*, du haut de laquelle le muezzin* invite les fidèles musulmans à la prière (→ Jucher, cit. 3 ; couronne, cit. 19 ; fuseau, cit. 2 ; gosier, cit. 7).

(...) les minarets, élancés comme un millier de mâts au-dessus des édifices, portaient des bagues de lumière, dessinant les frêles galeries qu'ils supportent. NERVAL, « Nuits du Ramazan », I, IV.

Soudain, au milieu des ténèbres, une voix sonore s'élève d'un minaret tout proche, perdu dans la masse des maisons. Jérôme et Jean THARAUD, Marrakech, VIII.

Au-dessus de la ville flottaient des brouillards en nuages que déchiraient les minarets pointus. Les minarets étaient si hauts que les nuées y restaient prises, et l'on eût dit des oriflammes, des oriflammes tendues, sans un pli, malgré l'air fluide où ne remuait pas une brise. GIDE, le Voyage d'Urien, *in* Romans, Pl., p. 21.

MINAUDER [minode] v. intr. — 1645; de 1. *mine.*

♦ Prendre des manières affectées pour attirer l'attention, plaire, séduire... ⇒ **Grimacer** (fig.); 1. **mine** (faire des mines). → fam. Faire la bouche en cœur. *Coquette qui minaude.* ⇒ **Coqueter** (vx).

1 L'abbé Barthélemy fait minauder son esprit. Son érudition est fausse, et ment pour trop vouloir être agréable.
Joseph JOUBERT, *Pensées*, XXIV, IV, LXXII.

2 Madame Gaubertin y jouait le rôle d'une élégante à grands effets, elle faisait de petites façons, elle minaudait à quarante-cinq ans, en mairesse sûre de son fait, et qui avait sa cour.
BALZAC, *les Paysans*, Pl., t. VIII, p. 271.

3 (...) quand Balzac se met à faire le badin, dans son désir de plaire à tout le monde, ses plaisanteries sont détestables; comme il est impossible quand il minaude.
Émile HENRIOT, *les Romantiques*, p. 337.

Trans. Vx. Feindre, contrefaire en minaudant. *Grimaciers* (cit. 3) *qui minaudent la vertu.*

DÉR. **Minauderie, minaudeur, minaudier.**

MINAUDERIE [minodʀi] n. f. — 1580; de *minauder*, et *-erie.*

♦ **1.** Action de minauder; caractère d'une personne qui manque de naturel en voulant plaire, séduire. *Minauderie d'une jeune fille qui pleurniche* (→ Imiter, cit. 1). — *Minauderie dans l'art, le langage, le style.* ⇒ **Affectation** (→ Maniéré, cit. 3).

1 Il entre de la manière, de la minauderie, j'allais dire : de la gaminerie, dans la première partie de la déclaration *(de Phèdre à Hippolyte).*
GIDE, *Attendu que...*, p. 199.

♦ **2.** Par ext. *Une, des minauderies.* (Le plus souvent au plur.). Air, attitude, geste, manière affectée d'une personne qui minaude. ⇒ **Chichi, façon, grimace, manière,** 1. **mine, simagrée, singerie.** *Des minauderies de prude* (→ Formule, cit. 12). *Ne soyez pas dupe de ses minauderies ni de sa bouche** (cit. 1) *en cœur. Minauderies d'une coquette.* ⇒ **Agacerie** (→ Agacer, cit. 5), **mignardise** (vx).

2 Est-ce notre faute si elles *(les femmes)* nous plaisent quand elles sont belles, si leurs minauderies nous séduisent (...)?
ROUSSEAU, *Émile*, V.

3 La coquetterie des femmes ordinaires, qui se dépensent en œillades, en minauderies et en sourires (...)
A. DE MUSSET, *Nouvelles*, «Croisilles», IV.

4 On commence à sentir en quoi, malgré ses légèretés et ses minauderies d'agrément (...) Fontenelle se différencie profondément des écrivains frivoles qui traitent des sujets graves et qui ne prennent point la vérité en elle-même.
SAINTE-BEUVE, *Causeries du lundi*, 27 janv. 1851.

Fig. *Les minauderies insupportables d'une vedette, d'un écrivain, d'un homme politique. Les minauderies d'un style affecté, précieux.*

MINAUDEUR, EUSE [minodœʀ, øz] adj. et n. — V. 1950; de *minauder*, et *-eur.*

♦ Minaudier.

Pour un peu elle se tortillerait avec cet air minaudeur et faussement innocent que prennent certaines fillettes précoces qui font l'enfant (...)
N. SARRAUTE, *Martereau*, p. 8.

MINAUDIER, IÈRE [minodje, jɛʀ] adj. — 1690; du rad. de *minauder*, et *-ier.*

♦ Qui minaude, qui a l'habitude de minauder. ⇒ **Grimacier** (vieilli), **poseur.** *Un joli garçon un peu minaudier. Femme minaudière.* — N. *Une petite minaudière* (→ Expédier, cit. 15). — REM. Les emplois au féminin sont de beaucoup les plus fréquents, sauf au figuré.

1 Jolie femme et minaudière comme toutes les femmes de chambre de grandes dames, qui, mariées, imitent leurs maîtresses (...)
BALZAC, *Un début dans la vie*, Pl., t. I, p. 677.

2 (...) toutes les femmes dont les hommes vantent la beauté et la grâce sont trouvées unanimement abominables et minaudières par tout le troupeau enjuponné (...)
Th. GAUTIER, *Mlle de Maupin*, XII.

3 (...) elle continua, inclinant la tête de côté, minaudière et levant vers moi sa main droite : — Le baron et moi, nous sommes heureux, Monsieur, de vous recevoir à notre table.
GIDE, *Isabelle*, III.

Par ext. *Face* (cit. 1) *minaudière.*

4 (...) elle s'avançait vers lui, gauchement, balayant d'une façon minaudière et navrante une espèce de cabas en tapisserie (...)
F. MALLET-JORIS, *le Jeu du souterrain*, p. 81.

Fig. *Un écrivain trop minaudier. Les grâces minaudières de son style.* ⇒ **Mignard.**

MINBAR [minbaʀ] n. m. — 1931; arabe *mĭnbăr* «estrade un peu élevée au-dessus du sol».

♦ Chaire d'une mosquée. *Minbar surmonté d'un dais bulbeux, pyramidal. Minbar sculpté.*

MINCE [mɛ̃s] adj. et interj. — V. 1307, n. m., «petite monnaie valant un demi-denier»; v. 1460, adj., «misérable, pauvre»; de l'anc. v. *mincier* «couper en morceaux», var. de *menuiser*.

★ **I.** Adj. ♦ **1.** (Déb. XVIe). Opposé à *épais.* Qui a peu, très peu d'épaisseur. ⇒ **Fin.** *Mince barde* (cit. 2) *de lard. Couper de la viande en tranches minces.* ⇒ **Émincer.** *Métal réduit en bandes* (cit. 1), *en plaques minces.* ⇒ **Feuille** (cit. 14), **lame, ruban; laminer.** *Lamelle*, membrane très mince.* ⇒ **Pellicule.** *Lame de verre*

mince et fragile. Mince couche de glace (→ Appuyer, cit. 29), *de neige* (→ Hiver, cit. 5). *Étoffe mince comme du papier à cigarettes, comme une pelure d'oignon*. Grelotter sous une cape trop mince* (→ Bise, cit. 6). ⇒ **Léger.**

1 — Ah bien!... j'allais oublier d'acheter du lard... Madame Quenu, coupez-moi douze bardes, mais bien minces, n'est-ce pas? pour des alouettes (...)
ZOLA, *le Ventre de Paris*, t. I, II, p. 107.

2 (...) mon pardessus beaucoup trop mince pour la saison (...)
CÉLINE, *Voyage au bout de la nuit*, p. 267.

♦ **2.** (Opposé à *large*). Se dit d'une surface ou d'un volume (d'un objet) relativement peu large. ⇒ **Délié, étroit, filiforme, ténu.** *Colonnettes* (cit.) *minces, en minces faisceaux* (cit. 7). *Mince croissant* (cit. 2) *de lune* (cit. 5). *Petit morceau de corde mince.* ⇒ **Ficelle** (cit. 1). *Mince filet d'eau* (→ Cruche, cit. 4), *de sang* (→ 1. Goutte, cit. 38). *Jet* (cit. 5) *mince qui coule d'une outre. Lame* (cit. 7) *d'acier ornée de minces filets d'or. Longue et mince embarcation* (cit. 1).

3 Voici passer une gondole officielle avec le pavillon autrichien... cette autre promène des Anglais (...) celle-là, mince comme un patin, file, mystérieuse et discrète, du côté du large!
Th. GAUTIER, *Voyage en Italie*, XII.

4 On n'osa débarricader la sortie qu'en apercevant, par la fente d'un auvent, un mince rayon de jour.
MAUPASSANT, *les Contes de la Bécasse*, « La peur ».

♦ **3.** (1560). Qui a des formes relativement étroites pour leur longueur, et donne une impression de finesse. — (En parlant d'une personne). *Jeune femme* (cit. 99) *mince, grande et mince, aux formes minces.* ⇒ **Fin, élancé, gracile, svelte.** *Personne longue* (cit. 7) *et mince; trop grande et trop mince* (⇒ **Efflanqué**; → fam. Échalas, cit. 3; perche). *Vêtement qui fait paraître mince.* ⇒ **Amenuiser** (cit. 4), **amincir.** *Devenir plus mince.* ⇒ **Mincir.** — *Taille mince* (⇒ **Délié, élancé**), *mince et flexible* (cit. 2). *Buste, torse mince* (→ Hanche, cit. 2; 2. marche, cit. 9), *jambes minces* (⇒ **Fillette,** cit. 1). *Cou* (cit. 2), *nez, profil long et mince.* ⇒ **Allongé, effilé.** *Lèvres* (cit. 9) *minces* (→ Avaler, cit. 9). —*Attaches* (cit. 10), *poignets minces.* ⇒ **Délicat, fluet, frêle, grêle, menu.** — (En parlant d'animaux). *Jambes minces du lama* (1. Lama, cit.).

5 Vit-on jamais au bal une taille plus mince?
BAUDELAIRE, *les Fleurs du mal*, «Tableaux parisiens», XCVII.

6 Pour le corps, il le fallait mince, avec la jambe longue et noble, le sein bas et petit : nous avons tout cela, sans autre défaut qu'un peu de maigreur au-dessus du genou.
COLETTE, *Mitsou*, I.

♦ **4.** Abstrait. Qui a peu d'importance, peu de valeur. ⇒ **Insignifiant, maigre, médiocre, négligeable.** *Pour un mince profit* (→ Intransigeant, cit. 1). *Un prétexte si mince* (→ Corde, cit. 14). *Son crédit* (cit. 12), *son influence est bien mince. Jouer un rôle très mince dans une affaire. Ce n'est pas une mince affaire que de circuler par ce brouillard.* ⇒ **Petit.** — Fam. *C'est mince, c'est un peu mince : c'est peu, c'est bien peu* (cf. C'est un peu court).

7 (...) je les trouvai échauffés sur une dispute la plus mince qui se puisse imaginer (...)
MONTESQUIEU, *Lettres persanes*, XXXVI.

8 (...) elles ont préféré une honnête modicité à une aisance honteuse; ce qui leur reste est si mince, qu'en vérité, je ne sais comment elles font pour subsister.
DIDEROT, *Jacques le fataliste*, Pl., p. 613.

9 Il lui faut sa Maugrabine! Mais ce n'est pas une mince affaire! Retrouver dans une ville de cent mille âmes une personne dont on ne connaît que l'haleine, les pantoufles et la couleur des yeux; il n'y a qu'un Tarasconnais, féru d'amour, capable de tenter une pareille aventure.
Alphonse DAUDET, *Tartarin de Tarascon*, III, VII.

10 Sainte-Beuve (...) improvise une légère plaidoirie sur un tel sujet : «Le fond en est mince, écrit-il, en jetant un coup d'œil général sur l'ouvrage *(les Mémoires de Gramont, d'Hamilton)*, non pas précisément frivole, comme on l'a dit (...)»
G. DUHAMEL, *Refuges de la lecture*, IV.

11 (...) ce séducteur, que ce n'était pas un mince mérite d'avoir réussi à fixer.
Émile HENRIOT, *Portraits de femmes*, ·p. 246.

Rare. Peu important (concret).

11.1 (...) cette mince ville, de quelques milliers d'habitants tout au plus, n'avait en garnison que nos deux premiers bataillons (...)
BARBEY D'AUREVILLY, *les Diaboliques*, p. 37.

(1652). Personnes. Qui mérite peu de considération, qui a peu de poids. *Un mince barbouilleur de papier* (→ Farrago, cit.). *Une mince poupée* (→ Gâter, cit. 36).

12 (...) un conseiller, et un receveur, sont des amants un peu bien minces, pour une grande comtesse comme vous.
MOLIÈRE, *la Comtesse d'Escarbagnas*, II.

13 (...) Pierre Baudin (...) que, malgré le prestige héréditaire si fort dans notre démocratie, on trouve trop jeune et encore trop mince personnage pour un combat si décisif (...)
Georges LECOMTE, *Ma traversée*, p. 183.

♦ **5.** Adv. *Peindre mince, par couches minces* (⇒ **Maigre**).

★ **II.** Interj. (1878; *mince que...* «combien», 1873; emploi iron.). Fam. Exclamation* d'étonnement, de surprise... (souvent employée par euphémisme de *merde**). *Mince! j'ai perdu mon sac! Ah! mince! Mince alors! Qu'est-ce qu'il te faut?*

14 Mais les jeunes ouvriers (...) ont l'esprit accaparé par les prouesses des aviateurs; spécialement de Wright : — Mince, tu as vu. Vrijte qui décolle avec un gars de 108 kilos et qui fait deux tours?
J. ROMAINS, *les Hommes de bonne volonté*, t. I, I, p. 29.

(Avec un complément exprimant l'admiration). *Mince de bagnole!* (ou, par antiphr., la contrariété, la déception). *Mince de partie de plaisir!*

Wazemmes (...) hocha la tête d'un air de résignation navrée, tout en se disant à lui-même : «Hé bien! mince de rigolade!»
J. ROMAINS, les Hommes de bonne volonté, t. V, XXVII, p. 276.

— Bon; eh bien! puisque vous avez levé le lièvre, ou plutôt le pigeon (...) c'est à vous que je confie le soin d'élucider ce mystère, San Antonio... Mince d'honneur. Je lui octroie une courbette à quatre-vingt-dix degrés.
SAN ANTONIO, le Secret de Polichinelle, p. 30.

CONTR. **Ample, dodu, énorme, épais** (cit. 1), **fort, gros, large.**
DÉR. et COMP. **Amincir, émincer. — Mincer, mincet, minceur, mincir.**

MINCE-PIE [min(t)spaj] n. m. — 1819; loc. angl.; de *pie* «pâté», et *minced* «hachis».

♦ Cuis. Petite tarte aux raisins secs, aux pommes et aux épices, que l'on mange en Grande-Bretagne, principalement au moment de Noël.

MINCER [mɛ̃se] v. tr. — Conjug. *placer.* — Fin XIIᵉ; *mincier*, fin XIᵉ; du lat. pop. *minutiare «couper en menus morceaux». → la famille de *menuis-.*

♦ Vx. Cuis. Couper*, mettre en petits morceaux. *Mincer des oignons, des cornichons, du lard.* ⇒ **Émincer.**
REM. *Mincé*, n. m., s'est employé pour *émincé.*

MINCET, ETTE [mɛ̃sɛ, ɛt] adj. — XVIᵉ; de *mince*, et *-et.*

♦ Vx. Un peu mince.

MINCEUR [mɛ̃sœʀ] n. f. — 1782; de *mince*, et *-eur.*

♦ **1.** Caractère, qualité de ce qui est mince. *Minceur d'une feuille de papier. Minceur d'un fil* de la Vierge.* ⇒ **Ténuité.**

♦ **2.** (En parlant des personnes). *Elle est d'une minceur et d'une élégance remarquables.* ⇒ **Gracilité.** *L'élégante* (cit. 2) *minceur de ses formes, de sa taille* (→ Gamin, cit. 9). ⇒ **Finesse.**
(...) elle donnait à voir, sous des seins volumineux, une taille d'une minceur extraordinaire, toute remuante d'une vie nerveuse.
Ed. DE GONCOURT, les Frères Zemganno, II.
Par appos. *Cuisine minceur.*

♦ **3.** (De *mince*, I., 4.). *La minceur du profit, des preuves.*
CONTR. **Épaisseur, grosseur.**

MINCIR [mɛ̃siʀ] v. intr. — Mil. XXᵉ; de *mince*, et *-ir.*

♦ Devenir plus mince. *Elle a beaucoup minci. Observer un régime pour mincir.* ⇒ **Amincir** (s').

1. MINE [min] n. f. — V. 1464; p.-ê. breton *min* «bec, museau» ou (P. Guiraud) franç. *mine* «minium», lat. *miniare* «colorer en rouge», la *mine* étant d'abord, dans ce cas, l'aspect, la couleur du visage.

♦ **1.** Vieilli. Aspect (d'une personne) qui résulte de la conformation, du maintien de son corps et surtout, des traits et de l'expression de son visage. ⇒ **2. Air, allure, apparence, maintien.** — REM. L'emploi de *mine* se rapportant à l'ensemble de la personne et non pas exclusivement au visage est aujourd'hui un peu vieilli, sauf dans quelques expressions. *«Les beaux habits servent bien à la mine»* (→ Agencer, cit. 2, Régnier). — *Avoir bonne* (cit. 31) *mine* (⇒ vx *Façon*). Absolt. (vx). *Avoir de la mine. Garçon d'agréable mine, de bonne mine* (→ Égrillard, cit. 2; entendre, cit. 95). *Gentleman* (cit. 1) *de belle mine.* ⇒ **Prestance, tenue.** — *Individu de mauvaise mine, à mine patibulaire, à mine de bandit* (cit. 4; → Marquer* mal). *Fille de mine évaporée* (cit. 13). — *Mine assurée* (cit. 67 et 69), *résolue...* ⇒ **Contenance.**

1 M. le comte de Cézy (...) vit même plusieurs fois Bajazet (...) c'était un prince de bonne mine.
RACINE, Bajazet, 2ᵉ préface.

2 Je me promenais un jour avec un de mes amis, qui fut salué par un homme d'assez mauvaise mine (...) J'appris qu'un homme était un espion de police.
CHAMFORT, Caractères et anecdotes, «Espion patriote».

3 Figurez-vous un homme de trente ans environ, de grande mine et de grande tournure, robuste comme un Hercule (...)
Th. GAUTIER, Voyage en Espagne, p. 55.

(1619). *Faire, donner qqch... sur la bonne mine de qqn.*

Fam. (par antiphr.). *Avoir bonne mine :* avoir l'air sot, emprunté, ridicule... *Moi, sortir avec un parapluie? J'aurais bonne mine!*

4 Il imaginait le retour à Maubrun, l'un des jumeaux portant le cadavre de l'autre. «On aura bonne mine.»
Michel de SAINT-PIERRE, les Aristocrates, XVI.

.1 Blandine m'a vu partir en claquant la porte. Vous avez bonne mine quand soudain, la preuve que votre aînée a un amant, c'est votre cadette qui vous la donne avec sa bénédiction de pucelle avertie, trouvant normal que ta sœur se protège !
Hervé BAZIN, Cri de la chouette, p. 101.

♦ **2.** Mod. (Dans certaines expressions). Aspect extérieur, apparence naturelle ou affectée (d'une personne, par oppos. à sa nature profonde, à sa personnalité, à ses sentiments...). ⇒ **Extérieur** (cit. 12). *C'est un passionné, sous sa mine tranquille* (→ Folie, cit. 11).

«*Discerner le cœur d'avec* (cit. 91) *la mine*» (Corneille). *Juger des gens* (cit. 23, La Fontaine) *sur la mine.*

5 J'en réponds sur sa mine, et je le cautionne (...)
MOLIÈRE, l'Étourdi, V, 1.

6 (...) avec cette mine honnête l'on ne vous aurait pas cru capable d'une pareille infamie (...)
Th. GAUTIER, Souvenirs de théâtre..., «Shakespeare aux Funambules».

Fig. (En parlant de choses; surtout dans le syntagme *bonne mine*). *Temple ancien qui du dehors a encore bonne mine*, qui a belle apparence, qui fait encore son effet (→ Entasser, cit. 12). *Jambon* (cit. 2), *poulet, rôti de bonne* (cit. 124) *mine*, appétissant.

7 On a bien tort de juger sur la mine tel antre sordide, à la devanture vermoulue, à la glace fendue (...)
BERNANOS, les Grands Cimetières sous la lune, p. 64.

Loc. div. Vieilli. *Avoir la mine de...* (suivi d'un inf.). ⇒ **Paraître, sembler.** *Il a la mine d'être content. Avoir la mine d'avoir fait, de vouloir faire une chose :* avoir un air, un maintien qui le fait conjecturer. — REM. On dit de nos jours : *«Il a la mine de quelqu'un qui a fait, qui va faire un mauvais coup»*, *mine* étant compris au sens 3.

8 Doucement, s'il vous plaît! cet homme a bien la mine
D'avoir le sang bouillant et l'âme un peu mutine (...)
MOLIÈRE, Sganarelle, XVII.

PAYER DE MINE : avoir un extérieur, un air qui inspire confiance, attire un jugement favorable. — REM. Cette expression s'emploie surtout, de nos jours, à la forme négative. *Une petite auberge qui ne paie pas de mine, mais où on mange très bien.*

9 Vous savez que ce n'est pas mauvais du tout ces petites saletés-là. Ça ne paye pas de mine, mais goûtez-en, vous m'en direz des nouvelles.
PROUST, À la recherche du temps perdu, t. IV, p. 8.

10 Il faut avouer que la garçonnière paye de mine.
J. ROMAINS, les Hommes de bonne volonté, t. IV, XII, p. 124.

11 C'était un garçon de petite taille et qui ne se payait pas de mine. Il était maigre, noiraud, marqué par la petite vérole et, de surcroît, brèche-dent.
G. DUHAMEL, Chronique des Pasquier, V, VIII.

Fig. **FAIRE MINE DE...** (suivi d'un inf.) : paraître disposé à... — Par ext. *Faire semblant* de... Faire mine de bouder* (cit. 3), *de chercher* (cit. 4) *son portefeuille, de s'intéresser à une nouvelle* (→ Indifférence, cit. 7), *de se lever* (→ Intimer, cit. 1).

12 Nimègue fait mine de se défendre, mais on s'en moque.
Mᵐᵉ DE SÉVIGNÉ, 296, 8 juil. 1672.

13 Paix générale, où les rois et les peuples font mine de s'embrasser.
BALZAC, le Médecin de campagne, Pl., t. VIII, p. 459.

14 Il avait pu voir bien des choses; il en soupçonnait beaucoup d'autres, mais faisait mine de ne remarquer rien de ce qu'on prétendait lui cacher.
GIDE, les Faux-Monnayeurs, I, II.

15 J'ai mal entendu ce qu'il lui a dit, mais l'autre a fait mine de lui donner un coup de tête.
CAMUS, l'Étranger, I, VI.

Fam. **MINE DE RIEN :** sans en avoir l'air, comme si de rien n'était. *Tâche de le cuisiner un peu, mine de rien, en douce.*

♦ **3.** (XVIᵉ). **a** Aspect du visage, considéré comme l'expression de la santé, de l'état général du corps. *Avoir bonne, mauvaise mine.* — Loc. fig. (Vieilli). *Avoir une mine de chanoine** (⇒ **Face**). — *Avoir une mine florissante, superbe... ; une mine à faire peur, de papier* maché*. Mine chiffonnée, défaite. Mauvaise mine d'un malade* (→ Amaigrissement, cit.). — Fam. *Tu en as une sale mine.* Absolt. *Tu en as une mine!*

16 (...) Cœlina comparait la maigreur jaune de sa fille, déjà ridée, à la bonne mine de la fille des autres, fraîche et rose.
ZOLA, la Terre, IV, IV.

17 Je me dis que la petite n'a pas bonne mine, que je lui ferai monter une bouteille de Château-Larose pour qu'elle ne prenne pas les pâles couleurs (...)
COLETTE, la Maison de Claudine, p. 145.

b Aspect du visage, considéré comme l'expression du caractère ou de l'humeur. ⇒ **Figure** (par ext.), **physionomie, visage.** *Mine boudeuse, chafouine* (cit. 1), *doucereuse* (cit. 8), *éplorée, froncée* (cit. 10), *hargneuse* (→ Battant, cit. 3), *rébarbative, renfrognée, soucieuse. Mine de fouine* (1. Fouine, cit. 3). — *Mine enjouée* (cit. 1), *éveillée* (⇒ **Minois**), *ouverte, réjouie, souriante* (→ Incliner, cit. 28), *faussement joyeuse* (cit. 5).

18 C'est une faible garantie que la mine; toutefois elle a quelque considération. Et si j'avais à les fouetter, ce serait plus rudement les méchants qui démentent et trahissent les promesses que nature leur avait plantées au front : je punirais plus aigrement la malice en une apparence débonnaire.
MONTAIGNE, Essais, III, XII.

19 Il y a des mines de déconfits bien réjouissantes à voir.
FLAUBERT, Correspondance, 217, mars 1848.

20 — Oui (...) fit Lucas qui avait repris sa mine austère et rogue de policier respecté.
P. MAC ORLAN, la Bandera, XIX.

Avoir la mine longue (cit. 6), *allongée** (→ Héritier, cit. 2). *Faire triste mine :* avoir l'air déçu, dépité, contrarié. ⇒ **Tête.** *Faire une mine de dix pieds de long.* — Vx. *Il fait la mine, sa mine* (→ La tête*, la gueule). ⇒ **Bouder.** Fam. *Il va en faire une drôle de mine.* Absolt. *Il va en faire une mine!*

21 Vous triomphez, ma sœur, et faites une mine
À vous imaginer que cela m'en chagrine.
MOLIÈRE, les Femmes savantes, I, II.

Faire bonne mine à tous. ⇒ **Accueil** (→ Fréquenter, cit. 8). *Faire froide*, grise** (cit. 15) *mine, une mine glacée* (cit. 23) *à quelqu'un*, l'accueillir avec froideur*.

22 (...) elle faisait froide mine aux gens à qui elle n'avait pas envie de plaire.
FRANCE, le Mannequin d'osier, Œ., t. XI, V, p. 280.

♦ **4.** (XVIᵉ). Au plur. **DES MINES**, des jeux de physionomie (⇒ **Gri-**

mace, cit. 2 et 3), des attitudes, des gestes, généralement volontaires. *Petites mines gracieuses d'un bébé* (→ Cabotinage, cit. 3).

23 Et elle s'approcha de lui *(l'enfant),* voulant lui faire des risettes et des mines agréables.
BAUDELAIRE, le Spleen de Paris, II.

24 (...) ils sont là tous trois qui s'observent, avec des petits sourires, avec des petites mines comiques.
LOTI, Mon frère Yves, LXIV.

Mines affectées. ⇒ **Affecter** (cit. 4) ; → Côté, cit. 26. Absolt. *Mines.* ⇒ **Affectation, façon** (façons) ; **maniérisme, minauderie, simagrée** (→ Indécence, cit. 2). — Spécialt. (Vieilli) *Faire des mines* : chercher à séduire par des manières affectées.

25 (...) j'agace toutes les femmes que je vois, jusqu'à ce que j'en rencontre une qui réponde à mes mines.
A.-R. LESAGE, Gil Blas, III, V.

26 Il y a trop de mines, de petites mines, de manière, d'afféterie pour un art sévère.
DIDEROT, Salon de 1765.

DÉR. Minauder, minois.
HOM. 2. Mine, 3. mine, 4. mine.

2. MINE [min] n. f. — 1314 ; p.-ê. d'un gallo-romain **mina,* mot celtique ou (P. Guiraud) du lat. *minuere* «réduire ; mettre en morceaux».

★ **I. ♦ 1.** Vx. «Tout métal qui se trouve minéralisé» *(Encyclopédie).* ⇒ **Minerai.** — REM. C'est en ce sens qu'on trouve chez Buffon *mine métallique* (→ Limoneux, cit. 1), *mine de fer* (→ Géode, cit. ; impureté, cit. 3), *mine cristallisée* (→ Hématite, cit.).
Mod. (dans des expressions). *Mine de platine* : alliage naturel de métaux de la famille du platine. — Cour. (XVᵉ). *Mine de plomb.* ⇒ **Graphite, plombagine.**

♦ 2. (XXᵉ). Petit bâton de graphite, et, par ext., de toute matière laissant une trace, qui constitue la partie centrale d'un crayon. *Crayon* à mine dure, tendre... Mettre une mine rouge dans un porte-mines.*

★ **II.** (Répandu XVIIᵉ ; «terrain où se trouve le minerai», 1314).
♦ 1. Terrain d'où l'on peut extraire un métal*, une matière minérale utile, qui s'y trouve sous forme de gisement (⇒ **Gîte**) ou d'alluvions. *Mine souterraine. Mine en plein air, à ciel ouvert, en gradins* (⇒ **Carrière, gisement**). *Région de mines, sous-sol riche en mines.* ⇒ **Bassin ; minier.** *Prospecter* les mines par sondages*. Découvrir, exploiter* (cit. 1) *une mine. Filons*, veines* d'une mine.* — *Mine de cuivre* (→ Incruster, cit. 7), *de fer* (cit. 1), *de houille, de sel gemme* (⇒ **Saline,** et → Cristallisation, cit. 4)... *Mine d'alunite* (⇒ **Alunière**), *de mercure, de soufre* (⇒ **Soufrière**). *Mine d'argent, de diamant, d'or* (→ Feuille, cit. 15), *de platine, d'uranium.* — *Mines de falun de Touraine.* ⇒ **Falunière.** — *Esclave, prisonnier condamné aux mines,* au travail dans les mines.

1 C'était une coutume généralement adoptée dans l'Amérique espagnole, de réduire les Indiens en *commande,* et de les sacrifier aux travaux des mines.
CHATEAUBRIAND, le Génie du christianisme, IV, IV, IV.

2 — Nous arrivâmes de Golling à Hallein, ignorant jusqu'à l'existence de ces jolies mines de sel dont je parlais (...) Nous allâmes à la mine sans la moindre idée de descendre dans les galeries souterraines (...)
STENDHAL, De l'amour, Appendix, Rameau de Salzbourg.

3 (...) une carrière de pierres n'est qu'une mine en plein air, car le terme n'est pas réservé aux travaux souterrains (...) un puits de pétrole dont le liquide minéral est extrait par une pompe ou projeté par le gaz naturel auquel il est mêlé, est aussi une mine (...)
Michel CAZIN, les Mines, p. 10.

Par métaphore et fig. ⇒ **Filon, fonds, gisement.** *Ces archives sont une mine inépuisable de documents.* — (En parlant d'une personne). *C'est une mine d'érudition.* ⇒ **Puits** (de science). — (Sans compl.). *Cette bibliothèque est une mine.*

4 (...) plus tu iras avec cet homme et plus tu découvriras en lui de trésors. C'est une mine inépuisable de bons sentiments, de choses généreuses, et de grandeur.
FLAUBERT, Correspondance, 26, 30 nov. 1838.

Mine d'or : matière ou ressource fructueuse (cit. 3) pouvant être développée ou exploitée (cit. 4) avec un profit considérable et durable (⇒ **Trésor**).

♦ 2. Didact. (Dr.). Masse de substances minérales ou fossiles renfermée dans le sein de la terre ou existant à la surface, et connue pour contenir, en filons, en couches, ou en amas, des métaux, matières métalliques, sels gemmes, bitumes, pétroles, du charbon de terre ou de pierre... (et autres matières énumérées par la loi du 21 avril 1810, art. 2). *Mines, minières* et carrières.* — *Concession, concessionnaire de mines. Redevance tréfoncière* due au propriétaire de la surface par le titulaire d'un permis d'exploitation de mines. Nationalisation des mines de combustibles minéraux* (Lois des 17 mai 1946 et 23 août 1948). *Gestion des mines de houille nationalisées* (Charbonnages de France).

♦ 3. Répandu XVIIIᵉ ; d'expressions telles que *la coupe, l'exploitation d'une mine* (1., 2.). Cavité* pratiquée dans le sous-sol et ensemble d'ouvrages souterrains aménagés pour l'extraction (cit. 1) d'un minerai. *Parties d'une mine.* ⇒ **Galerie, puits.** *Bouclier* étayant le terrain pendant le fonçage, l'ouverture d'une mine. Boisage, cuvelage*, mur de soutènement d'une mine. Boyaux*, branches, cheminées* d'appel, d'aération* (⇒ **Buse**) *, étages, recettes* d'une mine. Mineurs qui descendent dans la mine* (⇒ **Fond**) *par les cages*. Travailler à la mine, en surface ou au fond* (⇒ **Mineur**). *Travail des mines.* ⇒ **Abattage, dépilage, havage, herschage, roulage.** *Transport et montée des produits d'extraction dans les mines.* ⇒ **Benne,**

berline, bourriquet, cage (d'extraction), **herche, traîneau, wagonnet.** *Lutte contre les eaux d'infiltration dans les mines* (⇒ **Albraque, arrugie, calandre, exhaure, serrement**). *Noyer* une mine.*

Installations de surface, bâtiments de la mine (renfermant les machines d'extraction, les ateliers de préparation et de traitement des minerais, les locaux sanitaires et administratifs...). *Carreau* de la mine. On aperçoit de loin le chevalement d'une mine.* — Par ext. Ensemble des installations souterraines et de surface. *Piquet de grève à l'entrée de la mine.*

Admin. **LES MINES** : la section du ministère des Travaux publics spécialisée dans l'étude géologique des terrains, la topographie et l'exploitation du sous-sol, et la direction de tout travail en souterrain (tunnels...). *Service des Mines. École, ingénieur des Mines. Le service des Mines était chargé de l'immatriculation des automobiles.* ⇒ **Minéralogique,** 2.

Absolt. (Sens le plus cour.). Mine de charbon. ⇒ **Charbonnage, houillère ; fosse.** *Travailler à la mine. Travail de la mine.* ⇒ **Borinage.** *Coup de grisou*, éboulement* (cit. 1) *dans une mine. Utilisation du grisoumètre dans une mine grisouteuse. Terril* d'une mine. Grève dans les mines.* ⇒ **Charbonnage.** *Les mines du Nord et du Pas-de-Calais.* ⇒ **Houillère.**

— Il y a longtemps (...) que vous travaillez à la mine ?... — Longtemps, ah ! oui !... Je n'avais pas huit ans, lorsque je suis descendu, tenez ! juste dans le Voreux, et j'en ai cinquante-huit, à cette heure. Calculez un peu... J'ai tout fait là-dedans, galibot d'abord, puis herscheur, quant j'ai eu la force de rouler, puis haveur pendant dix-huit ans. Ensuite, à cause de mes sacrées jambes, ils m'ont mis de la coupe à terre, remblayeur, raccommodeur, jusqu'au moment où il leur a fallu me sortir du fond, parce que le médecin disait que j'allais y rester. Alors, il y a cinq années de cela, ils m'ont fait charretier... Hein ? c'est joli, cinquante ans de mine, dont quarante-cinq au fond !
ZOLA, Germinal, I, I.

♦ 4. [a] (XVᵉ). Art milit. anc. Galerie ou système de galeries souterraines creusées sous une enceinte fortifiée pour en saper les fondations (⇒ **Miner**). *Travaux de mines.*

[b] (XVIᵉ). Techn. Excavation pratiquée sous un ouvrage défensif, dans un amas de rochers, un pont... pour les faire sauter au moyen d'une charge de poudre ; cet explosif* (cit. 3). *Chambre*, fourneau** (⇒ **Camouflet, fougade, fougasse**), *trou* de mine. Cordeau*, mèche d'une mine. Mettre le feu à une mine* (⇒ **Boudin, saucisson**). *Faire jouer une mine à distance* (⇒ **Exploseur**). *Explosion* (cit. 2) *d'une mine. Coup de mine* (explosion). — *Emploi des mines dans l'exploitation des carrières, des mines de charbon... Dispositif* de mines. Carriers victimes d'un coup de mine, de l'explosion prématurée d'une mine. Mine à retardement*.*

Ce fut dans cette guerre qu'on trouva une nouvelle manière d'exterminer les hommes. Pierre de Navarre, soldat de fortune et grand général espagnol, inventa les mines dont les Français éprouvèrent les premiers effets.
VOLTAIRE, Essai sur les mœurs, CXI.

— On creuse là-dessous... Maroux, Bréval, Sulphart se couchèrent dans la galerie, l'oreille à terre... Nous avions tous compris : une mine... les Allemands creusent une mine. Le génie va peut-être venir pour faire une sape, mais la leur doit être bien avancée pour qu'on puisse la couper.
R. DORGELÈS, les Croix de bois, VIII, p. 165-167.

[c] Fig., vx. Machination secrète, complot. *Découvrir, éventer la mine.*

C'est là *(une promesse de mariage)* une puissante mine pour renverser l'honneur d'une pauvre fille, et il n'y a guère de place qui ne se rende sitôt qu'on la fait jouer.
FURETIÈRE, le Roman bourgeois, I, p. 41.

[d] Zool. Chemin creusé par une larve d'insecte (⇒ **Mineur**) à l'intérieur d'une plante, laissant intacte la paroi externe de l'épiderme de celle-ci.

♦ 5. (XXᵉ ; du sens 4, a). Cour. Engin explosif généralement enterré et camouflé, dont le dispositif de mise à feu se déclenche au passage d'un véhicule *(mines antichars),* d'un homme *(mines antipersonnel)* ou à distance. *Amorcer, piéger* une mine. Mines bondissantes. Pose, neutralisation des mines* (⇒ **Miner, déminer**). *Champ de mines. Détecteur* de mines.*

(...) de tout jeunes enfants mutilés, estropiés, écharpés par les mines dont les Allemands ont truffé les terrains qu'ils abandonnaient.
GIDE, Journal, 29 mai 1943.

Mar. Engin explosif immergé, fixé au fond par un câble *(mine à orin** ou *mine dormante),* ou flottant librement entre deux eaux *(mine flottante* ou *dérivante). Mine magnétique, acoustique... Mouiller* des mines. Dragueur*, mouilleur* de mines. Navire qui saute sur une mine.*

Les autorités du port avaient constaté la veille sans plaisir que des mines flottantes à renversement circulaient dans le chenal.
A. MAUROIS, les Silences du colonel Bramble, X.

DÉR. (Du même rad.) **Miner, minerai,** 1. **minette,** 2. **mineur, minier, minière.**
COMP. Contre-mine. — **Lance-mines, porte-mines.**
HOM. 1. Mine, 3. mine, 4. mine.

3. MINE [min] n. f. — V. 1190 ; altér. de *émine,* du lat. *hemina.*
→ Hémine.

♦ Ancienni. Mesure de capacité pour les grains et matières sèches, qui valait la moitié d'un setier. *Vente du grain à la mine.* ⇒ **Minage.**

DÉR. **Minage, minot.** — (Du même rad.) **Minoterie, minotier.**
HOM. 1. **Mine,** 2. **mine,** 4. **mine.**

4. MINE [min] n. f. — 1562 ; lat. *mina,* du grec *mna.*

♦ Antiq. grecque. Poids de 100 drachmes* et monnaie de même valeur (→ Exprimer, cit. 11).

DÉR. 3. **Minette.**
HOM. 1. **Mine,** 2. **mine,** 3. **mine.**

MINÉ, ÉE [mine] adj. ⇒ **Miner.**

MINENWERFER [minənvɛʀfɛʀ] n. m. invar. — V. 1918 (in *Larousse universel,* 1923) ; mot all., de *Mine* «mine», et *werfen* «lancer».

♦ Techn. (Artill.). Canon de tranchée à tir courbe employé par l'armée allemande au cours de la guerre de 1914-1918. *Le minenwerfer correspond à notre mortier de tranchée ou lance-mines.*

(...) on retrouve des canons de bronze jusqu'à la guerre franco-allemande de 1870 et même à celle de 1914-18, où dans les tranchées françaises on s'est servi de l'ancien mortier Louis-Philippe pour répondre aux *minenwerfer* allemands.
Gaston COHEN, le Cuivre et le Nickel, p. 32.

MINE-ORANGE [minɔʀɑ̃ʒ] n. f. — 1903, Larousse ; de *mine,* forme anc. de *minium,* et *orange.*

♦ Techn. Couleur plus vive que le minium, obtenue par oxydation de la céruse. (Plur. inusité).

MINER [mine] v. tr. — 1190 ; de 2. *mine.*

♦ **1.** Art milit. anc. Saper, détruire par une mine (2. Mine, II., 4.). ⇒ **Saper.** *Les Romains étaient passés maîtres dans l'art de miner les murailles.*

♦ **2.** Mod. Creuser, attaquer la base ou l'intérieur d'une chose, d'une manière progressive ou secrète, de telle sorte qu'il en résulte un écroulement ou une menace d'écroulement. ⇒ **Affouiller, caver, creuser, éroder, fouir, ronger, saper.** *La mer mine les falaises. Fleuve, flot qui mine la rive.*

De Bouteille jusqu'à Orléans, plus loin encore, elle *(la Loire)* coule en des cavernes crayeuses, elle y bouillonne au temps des crues, mine leurs parois, ébranle leurs assises.
M. GENEVOIX, Rémi des Rauches, in Classe de Français, oct. 1953, p. 16.

♦ **3.** Attaquer, affaiblir, ruiner par une action progressive et sournoise. *La maladie qui le mine* (→ Dépérir, cit. 4). ⇒ **Attaquer. Miner la santé, les forces, la résistance de qqn.** ⇒ **Abattre, affaiblir, diminuer, user.** *Le chagrin, l'inquiétude, la passion le mine.* ⇒ **Brûler, consumer, corroder, ronger.** *Miner une réputation.* ⇒ **Défaire.** *Miner un régime, la société.* ⇒ **Détruire, désintégrer, saper.**

Ce combat que les hommes et les choses, où j'ai sans cesse versé ma force et mon énergie, où j'ai tant usé les ressorts du désir, m'a miné, pour ainsi dire, intérieurement.
BALZAC, Albert Savarus, Pl., t. I, p. 814.

D'un gérant d'immeubles qui s'était gâté, on me disait un jour qu'il avait perdu sa fille depuis cinq ans, qu'il avait beaucoup changé depuis et que cette histoire « l'avait miné ». On ne peut souhaiter de mot plus exact. Commencer à penser, c'est commencer d'être miné... Le ver se trouve là qu'il faut le chercher.
CAMUS, le Mythe de Sisyphe, p. 17.

(Déb. XIVᵉ). Pron. *Se miner* : ruiner sa santé, ses forces par le surmenage, les soucis...

♦ **4.** (1680). Garnir d'explosifs pour faire sauter. ⇒ 2. **Mine** (II., 5.). *Miner une tranchée. Miner un viaduc, un pylône, un barrage.* Garnir de mines (2. Mine, II., 5.). *Miner une route. Miner l'entrée d'un port, un estuaire, un détroit.*

▶ MINÉ, ÉE p. p. adj.

♦ **1.** Creusé, attaqué à la base. *Tronc d'arbre, mur miné par le temps* (→ Antique, cit. 2 ; caverneux, cit. 2).

♦ **2.** Affaibli, épuisé. *Organisme miné par la maladie, par un cancer* (cit. 2). — Adj. *« Elle avait perdu le sommeil ; suivant son mot, elle était minée »* (Flaubert).

♦ **3.** Adj. Garni de mines, d'explosifs. *Pont miné. Zone minée. Franchir un terrain miné.*

CONTR. **Consolider, étayer, fortifier.** — **Combler.** — **Guérir, remonter.** — **Déminer.**
DÉR. **Minable,** 2. **minage.**
COMP. **Contre-miner.** — **Déminer.**

MINERAI [minʀɛ] n. m. — 1721, Trévoux ; *minerois,* 1314 (Godefroy), inus. jusqu'au XVIIIᵉ. Le mot apparaît dans Buffon, Académie 1762, qui écrit : « Il semble que ce mot s'est introduit pour éviter l'équivoque que pourrait produire le mot Mine » (utilisé dans ce sens jusqu'alors). → 2. **Mine,** I., 1. ; de 2. *mine.*

♦ Minéral contenant, à l'état pur ou combiné, une ou plusieurs substances chimiques déterminées, en proportions telles qu'on puisse les isoler industriellement. *Les minerais des métaux* se présentent sous la forme de métaux natifs* (⇒ **Pépite**), *d'oxydes, de carbonates, de sulfures, de chlorures. Métal qui se transforme en minerai.* ⇒ **Minéraliser.** *Substance terreuse qui enveloppe le minerai.* ⇒ **Gangue.** *Géologie appliquée à la recherche des minerais. Disposition des minerais.* ⇒ **Filon, gisement, gîte.** *Minerai de fer ou minerai ferreux ; minerai d'étain ou minerai stannifère ; minerai de plomb ou minerai plombifère... Principaux minerais : minerais d'aluminium* (aluminate, bauxite, leucite), *d'alun* (alunite), *d'antimoine* (antimoine natif ; stibine, valentinite), *d'argent* (argent natif ; argentite, argentopyrite, argyrose, cuivre gris argentifère, galène argentifère), *d'arsenic* (arsenic natif ; mispickel, orpiment, réalgar, scorodite), *de bismuth* (bismuth natif ; bismuthine), *de cadmium, de chrome* (chromite), *de cobalt* (érythrine, smaltine), *de cuivre* (cuivre natif ; azurite, bournonite, chalcopyrite, chrysocale, cuivre gris, cuprite, malachite), *d'étain* (cassitérite), *de fer* (hématite brune et rouge, limonite, magnétite, marcassite, minette, oligiste, pyrite, sidérose), *de glucinium* (béryl), *de lithium* (lépidolithe), *de magnésium* (magnésite), *de manganèse* (alabandine, grenat), *de mercure* (mercure natif ; calomel, cinabre), *de molybdène* (molybdénite), *de nickel* (nickeline ; speiss), *de nitrate de soude* (caliche), *d'or* (or natif ; pyrites de cuivre ou de fer aurifères, sylvanite), *de platine, de plomb* (bournonite, galène), *de potasse* (sylvine), *de sélénium, de soufre* (soufre natif ; pyrites), *de strontium* (strontianite), *de tantale, de thorium* (thorite), *de titane, de tungstène* (wolfram), *de vanadium* (vanadinite), *de zinc* (blende, calamine), *de zirconium* (rutile, zircon). *Minerai des métaux radio-actifs.* ⇒ **Pechblende.** *Détermination de la teneur d'un minerai en métal.* ⇒ **Docimasie.** *Extraction des minerais. Extraire un métal d'un minerai.* ⇒ **Métal ; métallurgie.** *Installation pour l'extraction d'un minerai.* ⇒ 2. **Mine.** *Minerai broyé.* ⇒ **Schlich.** *Lieu, usine où on lave le minerai.* ⇒ **Laverie.** *Substance qui sert à faciliter la fonte du minerai.* ⇒ **Castine, fondant** (cit. 3). *Substance qui résulte de la première fonte d'un minerai.* ⇒ **Matte.** *Premier produit obtenu à partir du minerai de fer.* ⇒ **Fonte.** *Opérations et procédés du traitement des minerais :* amalgamation, broyage, calcination, cassage, chauffage, concassage, coulée, débourbage, décapage, désulfurisation, dilution, dissolution, distillation, ébullition, électrolyse, électrothermie, fusion, grillage, hydrolyse, liquation, oxydation, précipitation, réduction, scheidage, soufflage... *Matériel du traitement des minerais :* bocard, condensateur, convertisseur, creuset, cubilot, cuve, cylindre, filtre, four, guculard, haut-fourneau, patouillet, porc, séparateur, table, trémie, trommel, tuyère...

Les minéraux des minerais existent à l'état diffus dans la plupart des roches. Ainsi le basalte renferme de la magnétite, ce qui lui donne la propriété de dévier l'aiguille aimantée. Est-ce à dire que le basalte soit un minerai de fer ? Certes non, et des minéraux comme la magnétite ne deviennent intéressants pour l'homme que s'ils subissent une *concentration locale exceptionnelle* (Raguin) qui rende leur exploitation non seulement rentable, mais techniquement possible. [1]
R. FOUET et Ch. POMEROL, Minerais et Terres rares, p. 11.
Fig., par métaphore (→ Gisement, cit.).

Il avait toujours eu pour l'érudition cet amour qu'inspire aux grands travailleurs le besoin de broyer d'immenses quantités de minerai afin d'occuper un esprit trop actif. [2]
A. MAUROIS, Chateaubriand, IV, III.

MINÉRAL, ALE, AUX [mineʀal, o] adj. et n. — V. 1265 ; lat. médiéval *mineralis,* d'orig. incert. → 2. **Mine.**

★ **I.** Adj. ♦ **1.** Relatif aux corps constitués de matière inorganique. *Le règne* minéral *et le règne végétal. Qui est à la fois végétal et minéral.* ⇒ **Végéto-minéral.** — *Chimie* minérale (opposé à *chimie organique*).

♦ **2.** Constitué de matière inorganique. *Cire* minérale. *Suif* minéral. *Résine* minérale *fossile. Caoutchouc minéral.* ⇒ **Élatérite.** *Huiles* minérales. *Combustibles* minéraux. *Bleus* minéraux. *Colle* minérale, à base de silicate de sodium. *Laine minérale* (→ Calorifuge, cit.). *Sels minéraux. Principes minéraux indispensables à l'existence* (→ Faune, cit. 5).

♦ **3.** *Eau* minérale : eau extraite du sous-sol (par oppos. à l'eau superficielle, de ruissellement ou de nappe phréatique), et présentant des propriétés favorables à la santé. *Les eaux minérales peuvent être ou non minéralisées.*

♦ **4.** Par métaphore. Qui a l'immobilité, la froideur d'un minéral (→ Champignon, cit. 1).

★ **II.** N. m. (XVIᵉ). Corps inorganique. — Spécialt. Élément ou composé naturel de la chimie minérale, constituant de l'écorce terrestre. *État d'un minéral.* ⇒ **Minéralité.** *Étude des minéraux et de leur formation.* ⇒ **Géologie, minéralogie.** *Installation pour l'extraction des minéraux.* ⇒ **Mine.** *État amorphe ou cristallin des minéraux.* ⇒ **Cristal, macle.** *Clivage* des minéraux. *Éclat, réfringence, scintillation* des minéraux. *Minéraux spéculaires*. Principaux minéraux entrant dans la composition des roches* : amphibole, apatite, asbeste, calcite, fluorine, graphite, grès, gypse, mica, pyroxène, quartz (améthyste, aurifère, hyalin), rubellite, sel gemme, silice, smaragdite, spath (feldspath), talc,... ⇒ **Pierre** (d'aigle, d'aimant...). *Minéraux faits de substances métalliques.* ⇒ **Métal, minerai.** *Minéraux précieux.* ⇒ **Pierre** (précieuse). — *Histoire naturelle des minéraux,* œuvre de Buffon.

DÉR. et COMP. Minéralier, minéraliser, minéralité, minéralogie, minéralurgie, minérographe, minérographie.

MINÉRALIER [mineralje] n. m. — XXᵉ ; « ouvrier en métaux », XVIᵉ ; de *minéral,* et *-ier.*

♦ Techn. Cargo conçu pour le transport des minerais. « *Les chantiers de l'Atlantique ont sur cale un charbonnier de 86 000 tonnes (...) un minéralier de 81 000 tonnes* » (*Revue France-Europe,* n° 16, p. 38). *Un minéralier géant. Minéralier-pétrolier :* minéralier pouvant transporter aussi des hydrocarbures en vrac. Appos. *Des cargos minéraliers.*

MINÉRALISANT, ANTE [mineraliză, ăt] adj. — Mil. XXᵉ ; p. prés. de *minéraliser.*

♦ Didact. Qui minéralise, qui apporte des substances minérales. *Eau, source minéralisante.*

MINÉRALISATEUR, TRICE [mineralizatœr, tris] adj. et n. — 1779 ; de *minéraliser,* et *-ateur.*

♦ Qui transforme un métal en minerai. *Le soufre, l'oxygène, les acides, substances minéralisatrices.* — *Agent minéralisateur :* corps qui possède la propriété de rendre cristalline une matière amorphe. — N. *Un minéralisateur.*

MINÉRALISATION [mineralizasjŏ] n. f. — 1751 ; de *minéraliser.* Technique, sciences.

♦ **1.** (1751). Transformation d'un métal en minerai ; état du métal ainsi transformé.

(...) la minéralisation est une altération, une décomposition, en un mot un changement de forme dans la substance même du métal, et ce changement ne peut s'opérer que par des substances actives, c'est-à-dire par les sels et le soufre (...)
BUFFON, Hist. nat. des minéraux, Concrétions métalliques.

♦ **2.** (1801). État d'une eau qui contient certaines substances minérales en dissolution.

♦ **3.** (1903, Larousse). Biochim. Transformation (d'une substance organique) en une substance minérale.

MINÉRALISER [mineralize] v. tr. — 1751 ; de *minéral,* et *-iser.* Technique, sciences.

♦ **1.** Faire passer (un métal) à l'état de minerai. *Minéraliser du cuivre.* — Pron. *Métal qui se minéralise.*

♦ **2.** Modifier l'eau en y ajoutant certaines substances minérales. — Au p. p. *Eau minéralisée,* présentant une teneur en sels minéraux, ou en un sel minéral déterminé, supérieure à la moyenne. *Eau faiblement* (cit. 3) *minéralisée.*

♦ **3.** Physiol. Charger d'éléments minéraux (un tissu vivant). — Pronominal :

Un apport exagéré de vitamine D peut entraîner des conséquences redoutables en détruisant l'équilibre minéral calcium/phosphore. La vitamine D, facteur de mobilisation et de fixation du calcium, dépose celui-ci partout : les artères deviennent dures, perdent leur souplesse (...) les dents se minéralisent à l'excès.
Suzanne GALLOT, les Vitamines, p. 86.

DÉR. Minéralisant, minéralisateur, minéralisation.

MINÉRALITÉ [mineralite] n. f. — 1874, P. Larousse ; de *minéral,* et *-ité.*

♦ Didact. Qualité de minéral, état des corps qui sont des minéraux. → Épandre, cit. Jarry.

MINÉRALOCORTICOÏDE [mineralokortikɔid] adj. et n. m. — Après 1950 ; de *minéral,* et *cortico(stéro)ïde.*

♦ Chim., biol. Se dit des hormones de la corticosurrénale (⇒ **Corticostéroïde**) qui agissent sur le métabolisme (essentiellement en induisant la rétention du sodium et l'excrétion du potassium). — N. m. *Un minéralocorticoïde.* ⇒ **Glucocorticostéroïde.**

MINÉRALOGIE [mineralɔʒi] n. f. — 1649, *le Français moderne,* t. XXIII, p. 64, d'abord « étude des sels minéraux », sens mod. vers 1750 ; de *minéral,* et *-logie.*

♦ Didact. Science qui traite des minéraux* constituant les matériaux de l'écorce terrestre. *La minéralogie, science annexe de la géologie*. Importance de la cristallographie* en minéralogie. Spécialiste de minéralogie.* ⇒ **Minéralogiste.** *Examen du clivage et de la cassure des minéraux en minéralogie.*

Par ext. Ouvrage qui traite de minéralogie. *Minéralogie de la France,* de Lacroix.

DÉR. Minéralogique, minéralogiste.

MINÉRALOGIQUE [mineralɔʒik] adj. — 1751 ; de *minéralogie,* et *-ique.*

♦ **1.** Relatif à la minéralogie ; considéré du point de vue de la minéralogie. ⇒ **Géologique.** *Circonstances botaniques, zoologiques, minéralogiques* (→ Géographie, cit. 1). *L'assiette géologique* (cit.) *et minéralogique du pays. Collection minéralogique.*

♦ **2.** Relatif au service des Mines. ⇒ 2. **Mine** (II., 3.). *Arrondissement minéralogique.* Spécialt. *Numéro minéralogique, lettres minéralogiques :* ensemble de chiffres ou de lettres qui constitue le numéro d'immatriculation d'un véhicule à moteur. *À l'origine le numéro minéralogique était affecté à chaque véhicule par le service des Mines.* — Cour. *Plaque minéralogique d'une automobile :* plaque d'immatriculation*.

DÉR. Minéralogiquement.

MINÉRALOGIQUEMENT [mineralɔʒikmă] adv. — 1845 ; de *minéralogique.*

♦ Rare. Du point de vue de la minéralogie.

MINÉRALOGISTE [mineralɔʒist] n. — 1753 ; de *minéralogie.*

♦ Spécialiste de minéralogie. *Une minéralogiste spécialiste des roches cristallophylliennes.*

MINÉRALURGIE [mineralyrʒi] n. f. — V. 1980 ; de *minéral,* et *-urgie,* de *sidérurgie.*

♦ Techn. Ensemble des procédés et techniques permettant de produire des minéraux utilisables par l'industrie, à partir des minerais bruts extraits des mines.

COMP. Hydrominéralurgie.

MINÉROGRAPHE [minerɔgraf] n. — 1840, Académie ; de *minéral,* et *-graphe.*

♦ Didact., vx. Spécialiste de la description des minéraux.

MINÉROGRAPHIE [minerɔgrafi] n. f. — 1840, Académie ; de *minéral,* et *-graphie.*

♦ Didact., vx. Description des minéraux. ⇒ **Minéralogie** (descriptive).

DÉR. Minérographique.

MINÉROGRAPHIQUE [minerɔgrafik] adj. — 1840, Académie ; de *minérographie.*

♦ Didact., vx. De la minérographie.

1. MINERVAL, ALE, AUX [minerval, o] adj. — V. 1530 ; de *Minerve* (lat. *minervalis*).

♦ Didact. Qui concerne Minerve. *Culte minerval.* — On dit aussi *minervien, ienne* [minervjē, jɛn] (1866).

2. MINERVAL [minerval] n. m. — 1777, cit. ; Trévoux (à propos des écoliers de Rome), 1771 ; de 1. *minerval* ou du lat. *minervalia (munus).*

♦ Régional. En Belgique, Frais de scolarité payés par les élèves de certaines écoles. « *Le minerval à payer par les étudiants étrangers* » (*la Wallonie,* 2 févr. 1983, titre). « *Uniformiser, sans tenir compte de l'état de fortune des parents, un minerval rendu plus coûteux* » (*le Soir,* 10 nov. 1972, p. 2).

Un placard daté du 22 septembre 1777 prescrit pour tous les établissements, officiels ou non, un minerval variant selon les classes des sept à seize florins.
Eugène HUBERT, la Réforme de Marie-Thérèse dans l'enseignement moyen aux Pays-Bas, Gand, 1883, p. 21.

MINERVALES [minerval] n. f. pl. — 1771, Trévoux ; bas lat. *Minervalia.*

♦ Didact. Fêtes célébrées pour honorer Minerve, dans la Rome antique.

1. MINERVE [minerv] n. f. — 1626, « intelligence, esprit » ; n. franç. de *Minerva,* déesse latine de l'intelligence, de la sagesse.

♦ **1.** Vx. Esprit, cerveau. « *Fatiguer leur minerve à maintenir un intarissable flux de paroles* » (Rousseau, *les Confessions*, v).

♦ **2.** Littér. Femme sage et belle. *Une minerve.*

♦ **3.** (1842). Méd. Appareil orthopédique destiné à maintenir la tête en bonne position (dans les cas de torticolis, d'arthrite des articulations vertébrales, de traumatisme des vertèbres cervicales, etc.).

DÉR. Minerval.

2. MINERVE [minɛʀv] n. f. — 1890; nom déposé, → 1. Minerve.

♦ Techn. Petite machine à imprimer qui sert à l'impression des travaux de ville (⇒ **Minerviste**).

C'était une « Minerve » à pédale, suffisante pour imprimer une feuille entière, mais « en blanc », c'est-à-dire d'un seul côté.
G. DUHAMEL, Chronique des Pasquier, V, VIII.

DÉR. Minerviste.

MINERVIEN, IENNE [minɛʀvjɛ̃, jɛn] adj. ⇒ 1. **Minerval.**

MINERVISTE [minɛʀvist] n. m. — Fin XIXᵉ; de 2. *minerve*, et *-iste.*

♦ Imprim. Ouvrier typographe qui conduit une minerve.

MINERVOIS [minɛʀvwa] n. m. — 1903, Larousse; de *Minervois*, nom d'une région vinicole de l'Hérault et de l'Aude.

♦ Vin récolté dans le Minervois. *Une bouteille de minervois.*

MINESTRONE [minɛstʀon] n. m. — XXᵉ; mot italien.

♦ Soupe italienne au riz (ou aux pâtes) et aux légumes. — En apposition :

Nous avons de la soupe minestrone, fit la donna, un bout de fromage.
Francis CARCO, les Belles Manières, p. 111.

MINET, ETTE [minɛ, ɛt] n. — V. 1560 au fém.; p.-ê. de *mine*, nom pop. onomat. du chat en gallo-roman ou, selon Guiraud, d'un lat. pop. **micinus* « petit », de *mica* « miette ».

★ **I.** Fam. ♦ **1.** Petit chat*, petite chatte. ⇒ **Mimi, minou.**

(...) deux élégantes minettes, toutes blanches comme deux hermines, avec le bout de la queue noir. CHATEAUBRIAND, Mémoires d'outre-tombe, t. II, p. 108.
Je ne me ferai plus griffer par le minet.
HUGO, l'Art d'être grand-père, VI, VI.

♦ **2.** N. f. (1874, au plur.). Caresse (le plus souvent au plur.). « *La paille me fait des minettes dans le cou* » (Zola).

♦ **3.** N. f. Érotique. Sexe de la femme. ⇒ **Chatte.** — Loc. *Faire minette.* ⇒ **Cunnilingus.**

★ **II.** ♦ **1.** T. d'affection. *Mon minet, ma petite minette.*
.1 Pauvre minette, ôte ta pelisse, donne-moi ton chapeau.
H. MONNIER, Scènes populaires, p. 189.
Minet-Chéri, tu es pâlotte... Minet-Chéri, qu'est-ce que tu as ?
COLETTE, la Maison de Claudine, p. 25.

♦ **2.** Fam. Jeune homme, jeune fille de la bourgeoisie aisée, à la mode; petit jeune homme, petite jeune fille. *Les minets, les minettes du seizième* (arrondissement, à Paris). « *Le triste alignement des minettes souriantes* » (d'un lycée, en classe de première). » (*Actuel,* févr. 1980, p. 48).

Je vais m'occuper de toi. Je vais faire de toi une vedette, tu vas crever l'écran. Le magnétisme animal, il n'y en a plus. C'est tous des minets, maintenant. Des poids mouche. É. AJAR (R. GARY), l'Angoisse du roi Salomon, p. 57.

[a] Spécialt. Péjoratif. Jeune homme (plus rarement jeune fille) futile que préoccupe surtout la mode vestimentaire et qui se vêt avec trop de recherche.

[b] Spécialt. Mélioratif. Jeune fille (plus rarement jeune homme) au physique attrayant par sa grâce ambiguë, à la fois juvénile et adulte. *Une jolie minette.* ⇒ **Nymphette.** « *La minette (...) ni fillette, ni femme, mais un être inquiétant et attirant à la fois* » (*Noir et Blanc*, 1968). — Par ext. Toute très jeune femme.

REM. On notera les valeurs particulières, respectivement péjorative et méliorative, que peut prendre le mot selon qu'il est employé au masculin ou au féminin.

DÉR. Minou. — V. Minon.

1. MINETTE [minɛt] n. f. — 1846; de 2. *mine*, et *-ette.*

♦ Régional. Minerai de fer, en Lorraine. ⇒ **Limonite.** *Minette lorraine.*

La minette lorraine est un oxyde de fer hydraté, souvent de structure oolithique (...) En outre, elle se caractérise par la présence du phosphore, dans la proportion de 0,7 à 2 p. 100 (...)
DEMANGEON, Géographie universelle, t. VI, p. 726.

2. MINETTE [minɛt] n. f. — Fin XVIIIᵉ; mot normand, du rad. expressif de *minet.*

♦ Régional. Luzerne lupuline, dite aussi *triolet.*

Devant moi s'étendait un herbage épais, de la minette peut-être, quel intérêt, ruisselant de rosée vespérale ou de pluie récente.
S. BECKETT, Nouvelles, « Le calmant ».

3. MINETTE [minɛt] n. f. — 1828; de 4. *mine* « unité de mesure ».

♦ Techn. (Ancient). Auge à sable utilisée par les potiers pour sabler leurs moules (afin d'éviter l'adhérence de la pâte crue).

4. MINETTE [minɛt] n. f. ⇒ **Minet.**

1. MINEUR, EUSE [minœʀ, øz] adj. et n. — V. 1340; lat. *minor,* compar. de *parvus* « petit ».

♦ **1.** (V. 1340). [a] Vx ou didact. Plus petit, inférieur, par oppos. à *majeur.* ⇒ **Moindre.** — Géom. *Arc* mineur d'un cercle.*
Mod. (dans quelques emplois). *L'Asie Mineure :* l'Anatolie (Turquie actuelle).

[b] (1690, Furetière). *Ordres* religieux mineurs.* (1636). *Excommunication* mineure.* — (V. 1360). *Frères mineurs :* groupe de religieux franciscains* (→ Camper, cit. 1).

[c] Log. *Terme mineur d'un syllogisme :* le sujet de la conclusion (qui a moins d'extension que l'attribut). *Proposition mineure.* N. *La mineure :* la seconde des prémisses, qui a pour sujet le terme mineur, et pour attribut le terme moyen (→ Conclusion, cit. 5).

[d] (1671). Mus. *Intervalle mineur :* intervalle réduit autant qu'il peut l'être sans devenir faux. *Seconde mineure* (de mi à fa, par ex.). *Tierce mineure :* tierce d'un ton et demi (→ Majeur, cit. 2). — Par ext. *Gamme* mineure. Mode*, ton mineur. Sonate en ut mineur. En mineur :* sur le mode mineur. — N. m. Mode mineur. *Passer du majeur* (cit. 2) *au mineur. Caractère mélancolique du mineur.*

Les intervalles appelés parfaits, tels que l'octave, la quinte et la quarte, ne varient point et ne sont que *justes;* sitôt qu'on les altère, ils sont *faux.* Les autres intervalles peuvent, sans changer de nom et sans cesser d'être justes, varier d'une certaine différence quand cette différence peut être ôtée, ils sont *majeurs; mineurs* quand elle peut être ajoutée. ROUSSEAU, Dict. de musique, Majeur.   1
Tout en chantant sur le mode mineur (...)
VERLAINE, Fêtes galantes, « Clair de lune ».   2

[e] N. m. Math. *Mineur associé à un élément d'une matrice carrée d'ordre* n (*n* supérieur à 1) *à éléments dans un corps commutatif :* déterminant* de la matrice carrée d'ordre *n*−1 obtenue en supprimant de la matrice à laquelle appartient l'élément considéré la ligne et la colonne à l'intersection desquelles il se trouve.

♦ **2.** (XXᵉ). Mod. D'importance, d'intérêt secondaire*. *Problèmes, soucis mineurs. Arts* mineurs.* ⇒ **Décoratif.** Littér., arts. *Genres mineurs. Œuvre mineure d'un grand écrivain. Peintre, poète mineur,* de second plan (→ Amateur, cit. 5). *Certains écrivains mineurs ont joué un rôle important dans l'histoire littéraire.* ⇒ **Minores.**

Je crois donc voir un certain chemin qui de Stendhal par Mérimée, par le Musset de *Fantasio,* mène peut-être vers les théâtres mineurs du Second Empire, vers les princes et les conspirateurs des Meilhac et Halévy?
VALÉRY, Variété II, p. 78-79.   3
(...) cet écrivain mineur *(Sandeau)* a rencontré un grand sujet, qui le dépasse, et qui eût relevé de Balzac (...) Émile HENRIOT, les Romantiques, p. 420.   4
Mais pourquoi le mélodrame, malgré ses outrances, ne serait-il pas une forme d'art, encore que mineure? A. MAUROIS, les Trois Dumas, IV, I.   5

♦ **3.** (1437). En parlant des personnes. Dr. et cour. Qui n'a pas atteint l'âge de la majorité* (18 ans). *Il, elle est encore mineur(e). Personne mineure* (→ Sous puissance*). *Enfants mineurs et célibataires* (→ Famille, cit. 19). *Usufruit* légal des père et mère sur les biens de leurs enfants mineurs. Délinquants mineurs.* — Spécialt. *Souverain mineur.* ⇒ **Minorité.**

N. *Un mineur, une mineure. En droit, les mineurs et les interdits sont des incapables*.* ⇒ **Incapacité** (cit. 6 et 7). *Droit de garde* sur le mineur. Les protecteurs du mineur désignés par la loi sont les parents légitimes, le parent légitime encore vivant* (⇒ **Puissance** [paternelle]), *ou le tuteur* (⇒ **Tutelle**). *Tuteur* du mineur et conseil de famille* (→ Avis, cit. 23). *Administration des biens des mineurs.* ⇒ **Administrateur** (cit. 1). *Droits des mineurs* (→ ci-dessous, cit. 8 et humanité, cit. 7). *Protection des mineurs. En matière pénale le mineur de moins de 13 ans bénéficie de l'irresponsabilité absolue* (→ Déférer, cit. 2), *le mineur de 13 à 18 ans d'une présomption d'irresponsabilité* (→ Excuse, cit. 10). ⇒ **Responsabilité** (pénale). *Émancipation* du mineur.* ⇒ **Émanciper** (cit. 2). *Le mineur est émancipé* (cit. 1) *de plein droit par le mariage. Détournement* de mineur. Enlèvement* de mineurs.* ⇒ **Kidnappage, kidnapper** (anglicismes).

Le mineur est l'individu de l'un ou de l'autre sexe qui n'a point encore l'âge de dix-huit ans accomplis. Code civil, art. 388.   6
À midi, le Président fut saisi d'un référé intenté par Vinet contre Brigaut et   7

madame veuve Lorrain, pour avoir détourné la mineur Lorrain du domicile de son tuteur. BALZAC, Pierrette, Pl., t. III, p. 765.

8 À côté de la majorité normale, notre droit connaît des *majorités spéciales* qui ouvrent au mineur certaines capacités particulières. Ainsi le mineur peut contracter mariage s'il a 18 ou 15 ans, selon le sexe; un engagement militaire à 20 ans; tester à 16 ans, mais seulement pour la moitié de ses biens; opter à 18 ans pour la nationalité française ou se faire naturaliser; adhérer à 16 ans à un syndicat professionnel, ou à 18 ans à une société de secours mutuels; faire des versements, à partir de cet âge, à la Caisse nationale des retraites pour la vieillesse; faire des dépôts et des retraits dans les caisses d'épargne.
DALLOZ, Dict. de droit, Minorité, 2.

REM. Ce texte est partiellement périmé depuis 1974.

Par compar. et fig. (En parlant des personnes qui sont dans la situation des mineurs). *Traitées en mineures pour nos biens, punies en majeures* (cit. 6) *pour nos fautes* (Beaumarchais).

9 Le Code, mon cher, a mis la femme en tutelle, il l'a considérée comme un mineur, comme un enfant. BALZAC, le Contrat de mariage, Pl., t. III, p. 91.

10 L'homme voué aux travaux désintéressés est un mineur dans les affaires du monde; il faut qu'il ait un tuteur. RENAN, Souvenirs d'enfance..., VI, IV.

CONTR. Majeur. — Important, supérieur.
DÉR. Mino (argot fam.), 1. minoré.

2. MINEUR [minœʀ] n. m. — 1207; *mineeur*, fin XIIe; de 2. *mine*, et *-eur*.

♦ 1. (Fin XIIe). Ouvrier qui travaille dans une mine. ⇒ Mine; carrier. — REM. Dans le langage courant, *mineur* se dit surtout de celui qui travaille dans les mines de houille. → Houilleur. *Travail des mineurs.* ⇒ Galibot, haveur, herscheur, raucheur... *Mineur de fond. Casque* (⇒ Barrette), *lampe de sûreté du mineur. Outils, machines-outils de mineur.* ⇒ Bêche, haveuse, marteau (marteau piqueur, marteau perforateur à fleuret), masse, pic, rivelaine, sape... *Mineurs qui travaillent à l'abattage de la houille, qui étayent* (cit. 1) *une muraille. Mineur de borinage.* ⇒ Borain. *Contremaître de mineurs.* ⇒ Porion. *La silicose, maladie des mineurs. Anémie des mineurs.* ⇒ Ankylostomiase. *Maison, village de mineurs.* ⇒ Coron. — Par appos. *Ouvrier mineur.*

1 C'était la sortie des ouvriers du fond qui commençait (...) à chaque nouveau mineur apparaissant sur la porte du goyot, avec les vêtements en loques et la boue noire du travail, les huées redoublaient (...) ZOLA, Germinal, V, III.

2 Comment trouverait-on des bras pour cultiver la terre, ensemencer les champs, récolter les moissons, lorsqu'il est plus productif de fouiller le sol à coups de pic? Ici, le paysan a fait place au mineur. La pioche est partout, la bêche nulle part. J. VERNE, Michel Strogoff, p. 168.

♦ 2. (V. 1207). Milit. Soldat chargé de la pose des mines* explosives. ⇒ Sapeur, taupin (vx). *Le mineur place, amorce, arme, camoufle les mines* (⇒ Miner); *le démineur les neutralise et les enlève.*

♦ 3. Zool. Insecte phytophage qui creuse des mines, des galeries dans le parenchyme des plantes. — (1764). Adj. *Mineur, euse* [minœʀ, øz].

3 Certains *(insectes)* peuvent être qualifiés de «mineurs permanents» parce qu'ils ont une existence mineuse pendant toute la durée de leur vie larvaire, par opposition aux «mineurs temporaires» dont les larves, mineuses pendant le jeune âge, quittent la mine, deviennent externes (...)
Roger HUSSON, Glossaire de biologie animale, p. 169.

MINI [mini] n. m. et adj. invar. — 1894, Esnault, *piquer le mini* «le minimum»; de *minimum*; repris v. 1970. → Mini-.

♦ 1. (1910). N. m. Vx. Homme, chose minuscule.

♦ 2. (1971). Adj. *Un objet mini,* plus petit que la moyenne, très petit (fonctionne comme le préf. *mini-* et par allus. aux mots en *mini-* les plus usuels). *Un ordinateur mini, une robe mini.* — *La mode mini,* des minijupes. — Par métonymie. *Être mini :* porter des mini-jupes, etc. — Adv. *S'habiller mini.*

(En attribut). «*Tout est mini dans notre vie*» (chanson de J. Lanzmann-J. Dutronc).

N. *La mini :* la minijupe. — *Le mini :* les vêtements (robe, jupe) ultra-courts.

♦ 3. N. m. Mini-ordinateur (→ Micro, 2.).

MINI- Préfixe tiré de composés anglais, emprunté au lat. *mini(mum),* et servant à former des substantifs. Le premier mot français formé avec cet élément doit être *minijupe**, traduit de l'angl. *miniskirt* (un élément lat. *mini-* tiré de *minimum* a fonctionné avant, → Minimètre). Cet élément est devenu très productif, d'abord dans la langue de la mode féminine : *mini* + nom de vêtement ou de partie de vêtement *(minirobe**, *minimanteau,* etc.). Puis, la publicité s'en est emparé, pour conférer à des noms de produits ou d'objets de petite taille une connotation agréable. Enfin, la langue courante l'utilise abondamment, souvent en opposition avec *maxi-.* La valeur de *mini-* est :

1. Très court (spatial) : *mini-jupe**, *mini-robe**, *miniski.*

2. Très petit, dans toutes ses dimensions : *mini-bac, mini-écran* (*Sciences et Avenir,* no 414, p. 36), *miniformat* (photographie), in *Science et Vie,* nos 592, 595; *minimachine, minimodèle* (1963, in Dauzat); *miniperruque* (*Elle,* 9 mars 1967); *miniradar* (*Science et Vie,* no 593); *minirail* (*Science et Vie,* no 594); *minisiège* (*Science et Vie,* no 588); (voiture) *minisport; minitéléviseur* (*Science et Vie,*

no 595); *mini-yacht* (*Bateaux,* no 100); *mini-bicyclette, minibus, etc.*

3. Très court (dans le temps) : *des mini-vacances.*

4. Peu élevé (somme, prix) : *miniprix.*

5. Infime, sans importance (→ Mineur, minime) : *mini-record, un minisport,* les «*mini-vertus* de notre époque» (*Elle,* 9 mars 1967).

6. Qui concerne les jeunes enfants. ⇒ Mini-basket, mini-rugby.

L'exemple littéraire suivant représente un jeu de mots sur : *tout court.*

(...) entre cette minute (...) et la suite de ce récit (...) la juge de cette enfant aura tout naturellement raccourci de vingt bons centimètres... Parce que (...) l'hypothèse Marie-Noire *(cette enfant)* est soumise (...) à l'évolution par exemple de l'histoire du vêtement, et de l'histoire tout court, la mini-histoire.
ARAGON, Blanche..., II, IX, p. 319.

(...) on tarde à la portière, on s'envoie pour la semaine de grandes embrassées de vide et on s'en va, mini-môme[1], malheureux, les pieds lents, le cœur enragé et saturé d'absurdité (...)
A. SARRAZIN, la Traversière, p. 176.

1. Jeu de mots sur *minimum.*

La mode de ce préfixe a été rapide et intense (1966). Elle ne s'est pas étendue aux adjectifs, malgré l'exemple sémantiquement aberrant de *mini-court**, *jupe minicourte* (1966-1967). Cf. cependant «*pilules minidosées*» in *l'Express,* 3 mars 1979, p. 115.

On emploie également *mini* comme adjectif (→ Mini, ci-dessus).

Outre les comp. traités ci-dessous, on observe de nombreuses formations libres, mais la productivité du préfixe semble avoir baissé après 1975-1980. Cf. *mini-aciérie,* n. f. (G. L. E., *2e* Suppl.); *minibéton,* n. m., «couche mince de béton servant de revêtement de sol» (1974, in *la Clé des mots*); *minibolide,* n. m. (*l'Express,* 2 oct. 1972, p. 147); *minicolloque,* n. m. (*la Recherche,* oct. 1981, p. 1054); *minicroisière,* n. f. (*l'Express,* 31 juil. 1972); *minidirigeable,* n. m. (*l'Express,* 28 août 1978, p. 43); *mini-expédition,* n. f. (*l'Express,* 16 sept. 1972); *minireferendum,* n. m. (*l'Express,* 20 nov. 1972); *minitarif,* n. m. (*l'Express,* 4 sept. 1972, p. 16).

Mais rapidement ils s'engagent dans une sorte de mini-lutte de libération contre l'administration, contre le pouvoir médical.
Félix GUATTARI, in le Nouvel Obs., 31 juil. 1972, p. 27.

En franç. d'Afrique. *Mini-boubou* (I. F. A.).

MINIATURE [minjatyʀ] n. f. — 1653; *mignature,* 1645, Corneille; ital. *miniatura,* de *minium**; rapproché dès le XVIIe de *minuscule* ou *mignon.* Cf. la graphie *mignature* au XVIIe (→ ci-dessous, cit. 1 et 3).

♦ 1. (1840, Académie). Didact. Lettre rouge tracée au minium pour orner le commencement des chapitres des manuscrits médiévaux. Par ext. Lettre ornementale de diverses couleurs.

♦ 2. Peinture fine de petits sujets servant d'illustration aux manuscrits, aux missels. ⇒ Enluminure. *Manuscrit à miniatures* (→ Imagier, cit. 1). *Miniatures byzantines, irlandaises, gothiques, persanes... Peintre de miniatures.* ⇒ Miniaturiste, rubricateur.

♦ 3. *(La miniature).* Genre de peinture délicate de petite dimension exécutée à l'aquarelle, à la gouache, à l'huile. *Peindre en miniature.*

(...) ceux qui peignent en grand ou en mignature.
LA BRUYÈRE, les Caractères, XV, 5, note 1.

(...) ses portraits sont parfaitement bien exécutés, et madame de Mirbel a le grand mérite d'avoir apporté la première, dans le genre si ingrat de la miniature, les intentions viriles de la peinture sérieuse.
BAUDELAIRE, Curiosités esthétiques, I, VI.

(1645). *(Une miniature).* L'œuvre elle-même. *Miniature sur vélin, sur ivoire. Les miniatures du XVIIIe siècle. Miniature représentant un portrait**. Porter une miniature en médaillon, en broche... Collectionner des bibelots et des miniatures* (→ Bric-à-brac, cit.).

(...) Je verrai ce que c'est. — C'est une mignature.
— Oh! le charmant portrait! l'adorable peinture!
CORNEILLE, la Suite du Menteur, II, 6.

L'autre *(portrait)*... était une miniature de style Empire, signée d'Élouis.
Émile HENRIOT, Portraits de femmes, p. 296.

♦ 4. Loc. adj. *En miniature :* en très petit, en réduction*. *Ville en miniature* (→ Ksar, cit.).

À l'encontre de ce minime faubourg Saint-Germain se groupent une dizaine de richards, d'anciens meuniers, des négociants retirés, enfin une bourgeoisie en miniature (...) BALZAC, Ursule Mirouët, Pl., t. III, p. 277.

Çà et là, un petit temple en granit, d'une antiquité imprécise, voûté de pierres plates, rappelant en miniature les monuments de l'ancienne Égypte.
LOTI, l'Inde (sans les Anglais), I, II.

Un vrai jardin japonais : un carré minuscule, long de dix mètres, large de quinze (...) où l'on apercevait des montagnes et des plaines, des forêts, une cascade, un torrent, des cavernes et un lac; — tout cela, bien entendu, en miniature.
Claude FARRÈRE, la Bataille, I.

Par appos. *Un jardin miniature.*

(...) la rivière asséchée où les pierres d'un gué avaient l'air des colonnes détruites d'un Pompéi miniature. ARAGON, les Beaux Quartiers, I, XXIV.

Par ext. *Une miniature de... :* un modèle réduit de... ⇒ Diminutif. Spécialt. (En parlant de ce qui est petit et mignon). «*Cette personne est une jolie petite miniature*» (Littré).

Elle s'en venait, la tête baissée, mais point timide, vaguement émue, gentille, charmante, une miniature d'épousée.
MAUPASSANT, Bel-Ami, II, X.

(...) les jardiniers japonais savent, d'un arbre qui normalement aurait ses trente mètres de haut, faire une miniature d'à peine quinze centimètres.
Claude FARRÈRE, Mes voyages, VI.

DÉR. Miniaturé, miniaturiser, miniaturiste.

MINIATURÉ, ÉE [minjatyʀe] adj. — 1840, Gautier ; de *miniature*, et *-é*.

♦ Illustré de miniatures. *Manuscrit miniaturé.* — Peint en miniature. *Portrait miniaturé.*

(...) quelques manuscrits sur vélin avec marges historiées et miniaturées (...)
Th. GAUTIER, Voyage en Espagne, p. 95.

MINIATURISATION [minjatyʀizɑsjɔ̃] n. f. — V. 1960 ; de *miniaturiser*, et *-ation*.

♦ Techn. Action de miniaturiser, réduction des dimensions (d'un appareil, d'un mécanisme). *Techniques de miniaturisation :* techniques permettant la construction d'appareils miniatures (transistors, circuits imprimés, microprocesseurs). ⇒ les préf. **Micro-** (microprocesseur...), **mini-** (mini-ordinateur).

(...) dès avant la guerre de 1940, en fait depuis le début de la T.S.F., on a cherché à réduire le volume et le poids des équipements pour les rendre plus maniables : ce furent les étapes de la miniaturisation et de la subminiaturisation.
J. DEZOTEUX et R. PETIT-JEAN, les Transistors, p. 119.

MINIATURISER [minjatyʀize] v. tr. — V. 1960 ; de *miniature* (4.), et *-iser*.

♦ Techn. Donner à (un objet, un appareil, un mécanisme) les plus petites dimensions possibles. *Miniaturiser un dispositif électronique en utilisant les microprocesseurs. Miniaturiser un circuit électronique à l'extrême.* ⇒ **Microminiaturiser.** — Au p. p. *Dispositif miniaturisé.*

DÉR. Miniaturisation.

MINIATURISTE [minjatyʀist] n. — 1748, Caylus ; de *miniature*, et *-iste*.

♦ Peintre de miniatures. ⇒ **Enlumineur, peintre.** *Les grands miniaturistes du XVᵉ siècle.*

(Marie de France) écrit comme peignent les miniaturistes, à petites touches, en petits vers bien ajustés, à rimes plates.
Émile HENRIOT, Portraits de femmes, p. 18.

MINI-BASKET [minibaskɛt] n. m. — 1967 ; de *mini-*, et *basket*.

♦ Sports. Basket-ball adapté à la morphologie, aux capacités physiques des jeunes enfants (moins de douze ans). « *La Fédération française* (de basket-ball) *généralise aujourd'hui le Mini-Basket dans la France entière* » (Prière d'insérer de : *le Mini-Basket,* 1967). — Par abrév. « *Le but du "Mini" est de donner aux enfants le goût du sport par le jeu* » (ibid.). — N.B. Les majuscules ne sont dues qu'au style. On écrira normalement : *mini-basket.*

MINIBUS [minibys] n. m. — V. 1965 ; de *mini-*, et *bus*.

♦ Petit autobus ; voiture automobile comparable à la fourgonnette, mais comportant un nombre limité de places pour passagers.

MINICALCULATRICE [minikalkylatʀis] n. f. — 1979 ; de *mini-*, et *calculatrice*.

♦ Calculatrice électronique de poche. ⇒ **Calculette.**

MINICASSETTE [minikasɛt] n. f. — 1968 ; de *mini-*, et *cassette* ; marque déposée.

♦ Cassette magnétique de petite dimension de la marque de ce nom. « *La mini-cassette est le dernier-né des moyens de reproduction sonore. Son principe est celui d'une bande sonore enregistrée, sous la forme d'une bande magnétique de forme réduite* » (*Hi-Fi-stéréo,* 29 juin 1972, p. 35).

MINI-CHAÎNE [miniʃɛn] n. f. — V. 1980 ; de *mini-* et *chaîne*.

♦ Chaîne haute-fidélité dont les différents éléments sont de petite taille. *Des mini-chaînes.*

MINIER, IÈRE [minje, jɛʀ] adj. — 1859 ; n. m., déb. XIIIᵉ ; de 2. *mine*, et *-ier*.

♦ **1.** Des mines, qui a rapport aux mines. *Gisement minier. Industrie minière.*

♦ **2.** Où il y a des mines, et, spécialt, des mines de charbon. *Bassin* (→ Exploiter, cit. 3), *pays minier.*

La région du Nord (...) associe sur une superficie réduite une grande bande minière et métallurgique (...), un grand foyer d'industries textiles (...)
Pierre GEORGE, Géographie industrielle du monde, p. 53.

MINIÈRE [minjɛʀ] n. f. — V. 1206 ; de 2. *mine*, et *-ière*.

♦ **1.** Vx. ⇒ **Mine** (→ Extraction, cit. 1, Buffon), **minerai.**

(V. 1206). Terre, roche d'où l'on tire un métal, un minéral.

♦ **2.** (1810). Mod. (Dr. admin., techn.). Mine peu profonde ou à ciel ouvert. *Les minières sont laissées à la disposition des propriétaires du sol.*

Les masses de substances minérales ou fossiles renfermées dans le sein de la terre ou existant à la surface sont classées, relativement aux règles de l'exploitation de chacune d'elles, sous les trois qualifications de mines, minières et carrières.
Les minières comprennent les minerais de fer dits d'alluvion, les terres pyriteuses propres à être converties en sulfate de fer, les terres alumineuses et les tourbes.
Loi du 21 avr. 1810, art. 1 et 3.

MINI-GÉOMÉTRIE [miniʒeɔmetʀi] n. f. — V. 1979 ; de *mini-*, et *géométrie.*

♦ Math. Géométrie sur un espace affine présentant un nombre fini de points, de droites, de plans et plus généralement de variétés affines de dimension donnée.

MINI-GOLF [minigɔlf] n. m. — V. 1970 ; de *mini-*, et *golf.*

♦ Golf miniature. *Des mini-golfs.*

MINI-INFORMATIQUE [miniɛ̃fɔʀmatik] n. f. — 1974, in *la Clé des mots* ; de *mini-*, et *informatique.*

♦ Informatique utilisant les mini-ordinateurs. *Les « sociétés françaises de mini-informatique »* (*le Monde,* 18 févr. 1977, p. 31).

MINI-JUPE [miniʒyp] n. f. — 1966 ; de *mini-*, et *jupe* ; traduit de l'angl. *mini-skirt*, mot formé sur le modèle de *mini-car* ; cf. *Mini-Austin* et *Mini-Morris*, marques d'automobiles (1959). La *mini-skirt* a été créée par la modéliste Mary Quant.

♦ Jupe très courte. ⇒ **Jupette.** *La mini-jupe dégage largement le genou. Vous n'avez plus l'âge de porter une mini-jupe ! Des mini-jupes.*

Les fans femelles *(des idoles)* relèvent leurs jupes, relevées d'ailleurs par nature, puisque ce sont des mini-jupes.   Paul GUTH, Lettre ouverte aux idoles, p. 15.

Abrév. ⇒ **Mini.**

MINIMA [minima] n. m. plur. ou adj. fém. ⇒ **Minimum.**

MINIMA (A) [aminima] loc. adv. — 1706 ; lat. jurid. *a minima pœna* « de la plus petite peine ».

♦ Dr. *Appel a minima* (par oppos. à *appel a maxima*) : appel que le ministère public interjette lorsqu'il estime la peine insuffisante. — REM. Académie, 8ᵉ éd., écrit encore *à minimâ.*

CONTR. Maxima (a).

MINIMAL, ALE, AUX [minimal, o] adj. — 1877, Littré ; dér. sav. de *minimum.*

♦ **1.** (1877). Rare. Qui constitue un minimum. ⇒ **Minimum** (3., adj.). — Math. *Élément minimal d'un ensemble ordonné :* élément de cet ensemble pour lequel il n'existe pas dans l'ensemble d'élément strictement inférieur (ou minorant* strict). ⇒ **Minimum.** — Cour. Météor. *Températures minimales.*

♦ **2.** (Mil. XXᵉ). Arts. *Art minimal* (trad. de l'angl. *minimal art*) : art réduisant au maximum ses moyens d'expression. « *L'art conceptuel..., l'art minimal* » (*l'Aurore,* 29 sept. 1979). — REM. On trouve aussi en français l'anglicisme *minimal art.*

CONTR. Maximal.
DÉR. (De 2.) Minimalisme, minimaliste.

MINIMALISME [minimalism] n. m. — V. 1970 ; de *minimal* (2.), et *-isme.*

♦ Bx-arts. École de peinture qui réduit au minimum les éléments d'un tableau et pour laquelle l'œuvre est un objet structuré. « *Les décorations monumentales d'un Kolli, d'un Altman préfigurent le minimalisme américain des années 60* » (*l'Express,* 9 juin 1979, p. 37). ⇒ **Minimal** (art).

MINIMALISTE [minimalist] n. et adj. — 1923, Larousse ; de *minimal*, et *-iste*.

♦ **1.** Qui défend une position minimale (→ Maximaliste, cit.).

♦ **2.** (V. 1970). Bx-arts. Relatif au minimalisme.

CONTR. (De 1.) **Maximaliste.**

MINIMANT, ANTE [minimã, ãt] adj. — 1866, Littré ; de *minimum*, et *-ant*.

♦ Didact. (Math.). Se dit de la valeur de la variable pour laquelle la valeur de la fonction est minimale.

MINIMARGE [minimaʀʒ] adj. — 1974, *Journ. off.* ; de *mini-*, et *marge*.

♦ Comm. *Magasin minimarge* : magasin de vente au détail pratiquant une politique systématique et généralisée de vente avec marges réduites. — N. *Un minimarge* (terme proposé pour éviter l'anglicisme *discount house*).

MINIMAX [minimaks] n. m. — Mil. xxᵉ ; angl. *minimax*, 1941, d'abord *min-max*, 1928, J. von Neumann, de *mini(mum)*, et *maxi(mum)*.

♦ Math. Dans la théorie des jeux, plus petit des maximums représentant la perte ou le risque encouru (→ Minimisation, cit. Piaget). *Théorème du minimax.*

MINIME [minim] adj. — V. 1361 ; lat. *minimus* «le plus petit».

♦ **1.** Très petit, peu important, en parlant des choses abstraites. ⇒ **Infime, petit.** — REM. Bien qu'issu d'un superlatif latin, *minime* est considéré en français comme un adjectif ordinaire pouvant avoir des degrés de comparaison. ⇒ **Insignifiant** (→ Anormal, cit. 2). *Dégâts* (cit. 2) *relativement minimes. Garder une chance si minime qu'elle soit* (→ Canaliser, cit. 3). *Salaire minime.* ⇒ **Dérisoire.** *Budget assez minime de l'étudiant* (cit. 4). ⇒ **Médiocre, piètre.** *Place minime de l'homme* (cit. 55) *dans l'univers. Forces extrêmement minimes* (→ Fluide, cit. 13).

1   (...) je n'ai rien oublié ! Non, rien ! rien, te dis-je, pas la moindre, pas la plus minime circonstance !   J.-A. DE GOBINEAU, Nouvelles asiatiques, p. 57.

2   Entre la manière que l'un ou l'autre avait de débiter, de nuancer une tirade, les différences les plus minimes me semblaient avoir une importance incalculable.   PROUST, À la recherche du temps perdu, t. I, p. 105.

3   (...) il se produisit un incident très minime (...)   G. DUHAMEL, Chronique des Pasquier, X, XI.

♦ **2.** N. (1606). Religieux, religieuse de l'ordre monastique fondé par saint François de Paule (xvᵉ s.). *Les Minimes se veulent les plus humbles des Frères mineurs*.*

4   (...) le Calabrais saint François de Paule, appelé en France par Louis XI qui en attendait la guérison de ses maux, avait fondé là un de ses couvents de l'ordre des Minimes, baptisant ainsi sans le savoir le futur faubourg.   Raymond ABELLIO, Ma dernière mémoire, t. I, p. 130.

♦ **3.** N. m. (1832, Balzac). Vx. Élève des plus petites classes d'un établissement scolaire (→ Grand, cit. 10).

♦ **4.** (Mil. xxᵉ). Mod. Sports. *Catégorie des minimes* : catégorie d'âge (13 à 15 ans) intermédiaire entre benjamin et cadet. *Équipe, match de minimes.*

CONTR. Considérable, cyclopéen, énorme, gigantesque, grand, immense, retentissant.
DÉR. Minimiser.

MINIMÈTRE [minimɛtʀ] n. m. — 1932, in D.D.L. ; de *minimum*, et *-mètre*, formant les noms d'instruments de mesure.

♦ Techn. Appareil utilisé pour vérifier la mesure intérieure des corps cylindriques. — N.B. Le mot est particulièrement mal formé, sémantiquement.

MINIMISATION [minimizasjõ] n. f. — 1845, Bescherelle ; de *minimiser*, et *-ation*.

♦ Rare. Réduction au minimum. *«Une minimisation des possibilités de conflit»* (Thoenig).
Didact. (théorie des jeux). *Minimisation maximale du risque* (critère *minimax*).

(...) une précaution inconsciente contre l'erreur, donc (...) une «décision» au sens de la théorie des jeux et encore selon le critère *minimax* (minimisation maximale du risque) ...   J. PIAGET, Épistémologie des sciences de l'homme, p. 166.

MINIMISER [minimize] v. tr. — 1842, in Dauzat, *Suppl.* ; rare avant xxᵉ, absent de l'Académie ; de *minime*, et *-iser*.

♦ Présenter en donnant de moindres proportions, réduire l'importance de. ⇒ **Réduire.** *Minimiser des résultats, des incidents... Minimiser l'importance d'une discorde.* ⇒ **Dédramatiser, dépassionner.**

Vont-ils chercher encore à «minimiser» l'importance de leur défaite (...)   GIDE, Journal, 10 mai 1943.

(...) quelles sont ces méthodes qui consistent à salir les témoins de l'accusation pour minimiser des témoignages qui n'en demeurent pas moins écrasants.   CAMUS, l'Étranger, II, III.

Franç. d'Afrique. Diminuer la valeur, l'importance sociale de (qqn) ; mépriser.

CONTR. Amplifier, exagérer, grossir.
DÉR. Minimisation.

MINIMISME [minimism] n. m. — 1907, Larousse ; de *minimiste*, et *-isme*.

♦ Théol. Tendance à réduire le nombre des doctrines imposées à la foi des fidèles.

MINIMISTE [minimist] adj. et n. — 1895, Huysmans ; de *minimum*, et *-iste*.

♦ (1908, Larousse). Théol. Qui veut réduire les croyances et les devoirs des fidèles au minimum.

Jésus a changé l'eau en vin. Mais les minimistes et littéralistes quand ils s'attaquent à la Bible changent le vin en eau.   CLAUDEL, Journal, t. II, Pl., p. 162.

DÉR. Minimisme.

MINIMORUM [minimɔʀɔm] n. m. ⇒ **Minimum.**

MINIMUM [minimɔm] n. m. — Déb. xviiiᵉ au sens math. ; lat. *minimum*, adj. neutre subst. «le plus petit».

REM. Pour le pluriel *minimums* ou *minima* et pour l'adj. fém. *minimum* ou *minima*. → Maximum (1. et 2., REM.).

♦ **1.** Math. *Minimum* (ou *minimum strict*, ou *minimum absolu*) admis par une fonction numérique définie sur un ensemble E *en un point a* de cet ensemble : valeur de cette fonction pour *a*, inférieure aux valeurs prises pour tout élément de *E* différent de *a* (opposé à *maximum*). ⇒ **Extremum.** — *Minimum relatif* (ou *local*) : valeur d'une fonction en un point *b* de *E*, inférieure aux valeurs qu'elle prend pour les éléments de *E* voisins de *b*. *Le plus petit minimum relatif d'une fonction numérique est appelé son* minimorum [minimɔʀɔm].

Minimum d'un ensemble ordonné : élément de cet ensemble, inférieur à tous ses autres éléments. — On dit aussi *plus petit élément*, ou *élément minimum* (de l'ensemble considéré). — *Si un ensemble admet un minimum, celui-ci est le seul élément minimal* de cet ensemble. La borne inférieure d'un ensemble, si elle lui appartient, est son minimum.*

♦ **2.** (1762). Cour. Valeur la plus petite* atteinte par une quantité variable ; limite* inférieure. *Minimum de consommation, de frais. Un minimum de mille francs, de cent kilos... Minimum de durée du service militaire* (→ Enrôlement, cit. 1). *Dans le minimum de temps* (→ Équiper, cit. 7). *Atteindre son minimum, descendre jusqu'au minimum de... Courir le minimum de risques. Un minimum de connaissances est nécessaire.* — *Au minimum* : au plus bas degré, à presque rien. Absolt. Au moins, tout au moins, pour le moins. *Disons au minimum...* ⇒ **Bas** (au bas mot).

Quant aux formalités (...) vous pouvez compter sur moi pour que tout soit réduit au minimum (...)   M. AYMÉ, la Tête des autres, II, 3.
Cela constitue évidemment une rentrée assurée pour nous, avec le minimum de souci.   J. ROMAINS, les Hommes de bonne volonté, t. V, XIX, p. 146.

(1835). Dr. pén. *Minimum de la peine. Condamné au minimum. Avocat qui obtient le minimum.*

Météor. *Minimum barométrique,* dépression. ⇒ **Cyclone,** cit. 3 (contr. : *anticyclone* ; → Haute* pression). *Enregistrer les minima.*

Par ext. *Le minimum* : la plus petite quantité déterminée nécessaire. *La ration alimentaire doit contenir un minimum de matières grasses* (cit. 2). *Minimum* (de points) *exigible à un examen.* → Exigible, cit. 6. Fam. *S'il avait un minimum de savoir-vivre.* ⇒ **Moindre** (le).

(1947). Loc. **MINIMUM VITAL.** **a** (Abrév. de *salaire minimum vital*). Somme permettant de satisfaire le minimum des besoins qui correspondent au niveau de vie dans une société donnée (Code du travail, livre I, art. 31 x).

Si on se reporte au minimum vital actuel, on y trouve des articles tels que le vin, beurre et margarine, dix espèces de fruits, spectacles, cotisations diverses, papeterie, tabac, vacances, etc. Le mot *vital* perd son sens et on se rend compte que l'expression minimum vital est devenue impropre au point de vue biologique.   M. et M.-J. RICOUARD, la Rémunération du travail, p. 82.

Fixé jusqu'en 1950, par voie administrative, le minimum vital national a pris naissance législative en France par la loi du 11 février 1950 (...)   ROMEUF, Dict. des sciences économiques, Salaire.

b Biol., sociol. Minimum nécessaire pour maintenir l'organisme en vie (essentiellement, ration alimentaire dite *métabolisme de base*). *Beaucoup d'habitants des pays du tiers monde n'ont pas le minimum vital.*

(...) même en dehors de toute dépense physique, il y a en quelque sorte des frais généraux impossibles à réduire, en rapport avec le fonctionnement même de nos organes. C'est ce minimum vital qu'il est intéressant de connaître pour établir la ration alimentaire (...) P. VALLERY-RADOT, Notre corps..., VII.

♦ **3.** (1893). Adj. Qui constitue un minimum. *Âge minimum.* ⇒ **Minimal.** *Prix, gain minimum. Pertes minimums (ou minima). Intensité minimum (ou minima). Conditions minima (ou minimums).* *Salaire* minimum interprofessionnel garanti* ou *S. M. I.G.* [smig], devenu *S. M. I. C.* [smik] *(salaire ... de croissance). Degré minimum de température. Dose minimum ou minimale* (contr. : *maximal* → Maximum, cit. 4 et 5).

Une civilisation se juge, se mesure, non par ses sommets mais par son altitude moyenne, elle n'est pas le fait de ses grands hommes mais du niveau minimum des éléments humains qui la composent, surtout des possibilités du moindre de chacun d'eux. André SIEGFRIED, l'Âme des peuples, III, VI.

Plais. *Un maillot de bain minimum.*

CONTR. **Maxima, maximal, maximum.** — **Comble.**

DÉR. **Minimal, minimant, minimiser, miniministe.** — **Mini.**

COMP. **Minimax, minimètre.**

MINI-ORDINATEUR [miniɔrdinatœR] n. m. — V. 1975; de *mini-*, et *ordinateur.*

♦ Ordinateur de petite taille, d'une capacité moyenne de mémoire. ⇒ **Micro-ordinateur.** — Abrév. fam. ⇒ **Mini,** 3.

MINIPILULE [minipilyl] n. f. — V. 1970; de *mini-*, et *pilule.*

♦ Fam. Pilule anticonceptionnelle faiblement dosée en hormones. — Syn. : *pilule minidosée.*

MINI-ROBE ou MINIROBE [minirɔb] n. f. — 1966; de *mini-*, et *robe*, d'après *mini-jupe.* → Mini-.

♦ Robe très courte. *Des mini-robes.*

MINIRUGBY [miniRygbi] n. m. — V. 1970; de *mini-*, et *rugby.*

♦ Sports. Rugby adapté à la morphologie, aux capacités physiques des jeunes enfants.

MINISKI [miniski] n. m. — V. 1965; de *mini-*, et *ski.*

♦ Sports. Ski très court. *«Avec ou sans miniskis, la recherche du mouvement parfait est (...) périmée»* (*l'Express*, 4 sept. 1973, p. 56).

MINISTÈRE [ministɛR] n. m. — Fin XIIᵉ; lat. *ministerium.* Cf. le doublet pop. *métier.*

★ **I.** ♦ **1.** (Au sens général). Vx ou littér. Charge que l'on doit remplir. ⇒ **Charge** (II., 4.), **emploi, fonction.** *Exercer* un ministère* (→ Instituteur, cit. 5). *Les devoirs, les obligations de son ministère... Le ministère du chirurgien* (cit. 2), *du médecin* (→ Euthanasie, cit.). *L'auguste* (cit. 10) *ministère de la justice.*

(...) l'illustre profession *(d'avocat)* dont le ministère est de défendre l'innocence opprimée. VOLTAIRE, Politique et Législation, Lettre à M. Élie de Beaumont, 20 mars 1767.

(1541). Mod. (Relig.). *Le ministère des autels, le saint ministère,* et, absolt, *le ministère* : le sacerdoce (→ Article, cit. 7). *Le ministère du prêtre*, de l'évêque* (cit. 5), *du pape* (→ Exil, cit. 7). *L'exercice* (cit. 24) *du ministère.*

Ce prêtre, après avoir mis toutes les difficultés hypocrites qu'on peut apporter à une intrigue malhonnête, et vendu le plus chèrement qu'il lui fut possible la sainteté de son ministère, se prêta à tout ce que le marquis voulut. DIDEROT, Jacques le fataliste, Pl., p. 622.

(...) il put dire un vers d'Horace. Julien ne savait de latin que sa bible. Il répondit en fronçant le sourcil : — Le saint ministère auquel je me destine m'a défendu de lire un poète aussi profane. STENDHAL, le Rouge et le Noir, I, VI.

Après la séance du matin, où l'on a examiné au temple les moyens de subvenir aux frais du ministère (...) J. CHARDONNE, les Destinées sentimentales, p. 435.

♦ **2.** (1541). Vieilli. Action de celui qui sert d'instrument, de truchement. ⇒ **Concours, entremise, intervention.** *Offrir, proposer son ministère. Vous pouvez compter sur son ministère* (Académie). ⇒ **Office** (bons offices). *Par le ministère de ses exhortations* (→ Conseil, cit. 8). — Dr. *Par ministère d'huissier* (→ Intermédiaire, cit. 4).

Il se servit du ministère
De l'âne à la voix de Stentor. LA FONTAINE, Fables, II, 19.

♦ **3.** (1667). Dr. **MINISTÈRE PUBLIC** : corps de magistrats* établis près des tribunaux* avec la mission de «défendre les intérêts de la société et des incapables..., de veiller à l'exécution des lois et des décisions judiciaires, de contrôler les actes des officiers publics et ministériels, d'exercer l'action disciplinaire... » (Capitant). ⇒ **Magistrature.** *Magistrats du ministère public, établis près d'un tribunal.* ⇒ **Parquet; avocat** (général), **commissaire, procureur** (général), **substitut.** *Poursuite du ministère public* (→ Banqueroute, cit. 2). *Citation* (cit. 1) *faite à la requête du ministère public. Le ministère*

public soutient l'accusation. ⇒ **Accusation, réquisitoire; appel** (a minima).

★ **II.** (XVIIᵉ; d'après *ministre*). Dr. constit. et cour. ♦ **1.** Vx. «Gouvernement de l'État sous l'autorité souveraine » (Furetière). ⇒ **Gouvernement** (II., 1. et 2.). *Le ministère de France* (→ Attache, cit. 5, Voltaire), *le ministère anglais* (→ Base, cit. 13, Mirabeau).

(...) il a su tout le fond et tout le mystère du gouvernement; il a connu le beau et le sublime du ministère (...) LA BRUYÈRE, Discours de réception à l'Académie française. 6

♦ **2.** (Av. 1679). Mod. Corps des ministres* et secrétaires d'État. ⇒ **Cabinet, conseil** (des ministres), **gouvernement** (II., 3.). *Composer, constituer, former un ministère. Composition, constitution du ministère. Entrer dans un ministère. Culbuter, renverser* (→ Discours, cit. 18), *faire tomber le ministère. Chute* (cit. 9) *d'un ministère. Durée d'un ministère. À la tête du ministère* (→ Indiscutable, cit. 3). *Ministère de gauche, de droite, du centre, de coalition, de concentration, de cartel, de bloc national, d'union sacrée, de salut public...* — (1874). Suivi du nom du premier ministre. *Le ministère Poincaré, Herriot, Chirac, Barre, Mauroy...*

Un ministère qu'on soutient est un ministère qui tombe. TALLEYRAND, cité par B. DE LACOMBE, la Vie privée de Talleyrand, p. 247, in GUERLAC. 7

Maintenant, je vais avoir une bien autre part à la chute de ce ministère, s'il tombe toutefois, que je n'en ai eu à sa formation. STENDHAL, Lucien Leuwen, II, LX. 8

Le prince *(au XVIIIᵉ s.)* a son *cabinet* — il n'est pas encore usuel de dire son *ministère* — formé de Secrétaires d'État, de Ministres d'État ou plus simplement de ministres, comme on disait depuis longtemps. BRUNOT, Hist. de la langue franç., t. VI, p. 441. 9

Par ext. Temps que dure un ministère. *Sous le ministère Poincaré. Pendant le second ministère Herriot.*

♦ **3.** Département* ministériel; partie des affaires de l'administration* centrale dépendant d'un ministre (→ Commérage, cit.). *Organisation d'un ministère, en France :* cabinet* du ministre (directeur, chef de cabinet, chefs adjoints, attachés, chef du secrétariat, conseillers...); administration (directions, sous-directions, services*, bureaux*); services extérieurs, commissions, comités et conseils; inspections. *Personnel d'un ministère :* administrateurs civils, secrétaires d'administration, adjoints, employés de bureaux, auxiliaires... (⇒ **Fonctionnaire.** *Employé* (cit. 4) *de ministère. Le nombre et la désignation des ministères varient fréquemment : ministère de l'Agriculture, des Affaires étrangères, de l'Air, des Anciens Combattants* (cf. l'ancien *ministère des Pensions), du Budget, du Commerce et de l'Artisanat, de la Condition féminine, du Commerce extérieur, de la Coopération, de la Culture et de la Communication, de la Défense, de l'Économie, de l'Éducation, de l'Environnement et du Cadre de vie, de l'Industrie, de l'Intérieur, de la Jeunesse, des Sports et des Loisirs, de la Justice, de la Santé et de la Sécurité sociale, des Transports, du Travail et de la Participation, des Universités.*

Après avoir reconnu (...) l'excessive supériorité de ce grand homme d'État *(Fouché)*, Napoléon lui rendit le ministère de la Police. BALZAC, Une ténébreuse affaire, Pl., t. VII, p. 497. 10

(1834). Par ext. Bâtiment où sont installés les services d'un ministère; ensemble de ces services.

(Il) va de bureau en bureau, d'employé en employé, sans jamais trouver l'employeur ni le chef, comme les visiteurs qui ont une requête à faire dans un ministère et qu'on se renvoie indéfiniment de service en service. SARTRE, Situations I, p. 132. 11

♦ **4.** Fonction de ministre (→ Échelon, cit. 2). ⇒ **Maroquin, portefeuille.** — REM. Littré donne, dans ce sens, le mot *ministériat* (vx).

MINISTÉRIALISME [ministeRjalism] n. m. — Fin XVIIIᵉ; de *ministériel*, et *-isme.*

♦ Vx. Opinion de ceux qui soutiennent le ministère. ⇒ **Gouvernementalisme** (→ Guet-apens, cit. 4).

En ce moment, il allait du saint-simonisme au républicanisme, pour revenir peut-être au ministérialisme. BALZAC, Une fille d'Ève, Pl., t. II, p. 90.

MINISTÉRIEL, ELLE [ministeRjel] adj. — V. 1580; lat. *ministerialis.*

♦ **1.** (1595). Vx. Qui a rapport à un office, à une fonction. ⇒ **Ministère** (I., 1.). *Chef ministériel (de l'Église) :* le pape.

Dr. *Officier* ministériel.* ⇒ **Avoué, commissaire** (priseur), **huissier** (II., 2.), **notaire.** *Charge d'officier ministériel.* ⇒ **Office.** *Les greffiers* (cit. 2) *ne sont pas des officiers ministériels.*

♦ **2.** (Av. 1622). Dr. constit. et cour. Relatif au ministère (II., 2.), au gouvernement. *Combinaison* ministérielle. Solidarité ministérielle. Crise* ministérielle.*

(...) ton intervention ne gêne pas. Mais bien entendu par solidarité ministérielle, il souhaite qu'on puisse l'éviter. J. ROMAINS, Les Hommes de bonne volonté, t. III, XVI, p. 208. 1

♦ **3.** (1775). Partisan du ministère; gouvernemental. *Député, parti,* *journal ministériel.* — N. (1789). Vx. *Un ministériel :* un député de la majorité. ⇒ **Ministérialisme** (vx).

2 (...) tout gouvernement (...) ment toujours (...) les *(mensonges)* exécrables sont ceux que personne ne croit et qui ne sont répétés que par les ministériels éhontés.
STENDHAL, Lucien Leuwen, II, XXXIX.

♦ **4.** (1766). Relatif à un ministère (II., 3.) ; qui émane d'un ministre. *Département ministériel. Circulaire, décision, déclaration, lettre ministérielle* (→ Excellence, cit. 6). *Arrêté*, décret* ministériel. Protection ministérielle* (→ Loin, cit. 28).

♦ **5.** Abusivt. De, du ministre (→ Homogène, cit. 8). — Par plais. *Un embonpoint* (cit. 5) *ministériel.*

DÉR. Ministérialisme.
COMP. Antiministériel, interministériel.

MINISTRABLE [ministRabl] adj. — 1894, *in* Sachs-Villate ; 1899, Estaunié ; de *ministre,* et *-able.*

♦ Susceptible de devenir ministre. — N. *On cite Monsieur X... parmi les ministrables.*

1 Le président de la République a bien voulu laisser dire que les personnages ainsi sélectionnés auraient vocation à devenir ministres plus tard. Le titre de « *ministrable* » est officialisé.   P. ROUANET, *in* le Nouvel Obs., 9-15 oct. 1972, p. 25.

2 (...) être un parlementaire ministrable, un personnage consulaire, que l'on redoute et cajole, qui accepte au Parlement toutes les règles du jeu (...)
J. ROMAINS, les Hommes de bonne volonté, t. XII, XXI, p. 219.

3 Cet ouvrage *(Perspectives socialistes)* eut un grand retentissement et devint aussitôt la Bible de tous les parlementaires socialistes français qui se croyaient « ministrables » et voulaient armer leur ambition de quelque appareil.
Raymond ABELLIO, les Militants, p. 93.

MINISTRE [ministR] n. m. (rare au fém., → II., 2., REM.). — V. 1175 ; lat. *minister* « serviteur ».

★ **I.** Vx ou spécialt. Celui qui est chargé d'une fonction, d'un office.

♦ **1.** Relig. Celui qui a la charge (du culte divin), qui agit au nom de Dieu (dans le christianisme, au nom du Christ). *Ministre du Seigneur, de Jésus-Christ, de l'Évangile, de la religion, du culte, des autels...* ⇒ **Ecclésiastique, prêtre** (→ Honneur, cit. 107 ; imprécation, cit. 2). *L'aumônier*, ministre du culte dans une communauté.* — Spécialt. Liturgie rom. *Ministre d'un sacrement. Le prêtre est ministre ordinaire du Baptême, de la Pénitence..., le diacre, ministre extraordinaire du Baptême... L'évêque* (cit. 5), *ministre du sacrement de l'Ordre.*

1 (...) un théologien enseigné de Dieu, un prédicateur apostolique, ministre non de la lettre, mais de l'esprit de l'Évangile (...)
BOSSUET, Oraison funèbre de R. P. Bourgoing.

(XVIᵉ). *Ministre protestant.* ⇒ **Pasteur** (→ 1. Grave, cit. 12). *Ministre luthérien, calviniste* (cit. 1). Absolt. *Le ministre de tel temple* (cf. Ronsard : *Réponse aux injures et calomnies de je ne sais quels prédicants et ministres de Genève...*).

2 (...) madame Cramer engagea un jeune Genevois, qui étudiait pour être ministre protestant, à venir chaque soir, expliquer la Bible à elle et à Aniken (...)
STENDHAL, Mina de Vanghel.

♦ **2.** (V. 1120). Vx. Celui qui est chargé d'une fonction, d'un office, celui qu'on utilise pour l'accomplissement de quelque chose. ⇒ **Instrument, serviteur.** *« Les officiers sont les ministres des rois, qui rendent la justice pour eux »* (Furetière). *Ministre d'une vengeance infaillible* (→ Expiation, cit. 5).

3 Depuis six mois entiers j'ai cru que nuit et jour
Ardente elle veillait au soin de mon amour ;
Et c'est moi qui du sien ministre trop fidèle,
Semble depuis six mois ne veiller que pour elle (...)   RACINE, Bajazet, IV, 4.

Fig., vx. *« Les foudres, les pestes (...) sont les ministres de la vengeance de Dieu »* (Furetière). — Polit. *« Le gouvernement n'est que le ministre du souverain »* (→ Exécutif, cit. 1, Rousseau). — REM. Dans ce sens, on rencontre *ministre* au fém., chez Bossuet : *« Ses principales ministres* (de la justice), *la constance, la prudence et la vertu »,* et chez Racine *(Bajazet, IV, 4).*

★ **II.** (XVIIᵉ). *Ministre d'État,* et, absolt, *ministre.*

♦ **1.** Anciennt (et hist.). « Chef d'un grand service public permanent » (Olivier-Martin). *Louvois, ce grand ministre* (→ Centre, cit. 21). *Le premier ministre Fleury* (→ Hypocrisie, cit. 4). *Le roi et son ministre* (→ Lit, cit. 11), *et ses ministres* (→ Force, cit. 7). *Ministre favori* (→ Autorité, cit. 11). *Ministre dans l'ancien empire ottoman.* ⇒ **Vizir.**

4 Que d'amis, que de parents naissent en une nuit au nouveau ministre !
LA BRUYÈRE, les Caractères, VIII, 57.

5 Le roi avait perdu son premier ministre. Il choisit Zadig pour remplir cette place... *(Zadig)* se mit à exercer son ministère de son mieux. Il fit sentir à tout le monde le pouvoir sacré des lois, et ne fit sentir à personne le poids de sa dignité. Il ne gêna point les voix du divan, et chaque vizir pouvait avoir un avis sans lui déplaire.
VOLTAIRE, Zadig, VI.

6 (...) la place de Ministre fait d'un homme un tout autre homme (...)
MIRABEAU, *in* BARTHOU, Mirabeau, XIV.

♦ **2.** (1611). Mod. Agent supérieur du pouvoir exécutif ; homme d'État placé à la tête d'un département ministériel ou ministère*.

⇒ **Secrétaire** (secrétaire ou sous-secrétaire d'État). *Fonction de ministre.* ⇒ **Ministère** (II., 4.), **portefeuille.** *Ensemble des ministres.* ⇒ **Cabinet, gouvernement** (cit. 34), **ministère** (II., 2.). *Réunion des ministres en Conseil de cabinet.* ⇒ **Conseil.** *Décret* pris en Conseil des ministres. Le président du Conseil et les ministres* (→ Investir, cit. 5). *Le banc* des ministres, dans une assemblée parlementaire. Interpeller un ministre.* ⇒ **Interpellation.** *Contre-seing* des ministres. — Les ministres administrent et gouvernent* (cit. 42). *Cabinet*, secrétariat du ministre. Circulaire, décision émanant du ministre. Sous le couvert, la responsabilité du ministre. Monsieur le ministre. — Être, devenir, redevenir ministre* (→ Échelon, cit. 2 ; éclore, cit. 2 ; filière, cit.). *Monsieur X..., ancien ministre. Nomination, démission, révocation d'un ministre. Mise en accusation d'un ministre devant la Haute* (cit. 39) *Cour.* — Spécialt. *Ministre des Affaires étrangères, de l'Éducation* (grand maître de l'Université), *des Finances* (cit. 2 ; → fam. Grand argentier), *de l'Intérieur* (cit. 12)... *Son Excellence* le ministre...*

(1747, Voltaire). *Premier ministre :* en régime parlementaire, Chef du gouvernement, nommé par le président de la République. Au Canada, Chef du gouvernement et chef du Conseil des ministres (chef du parti politique majoritaire à l'Assemblée nationale, ou d'une coalition). ⇒ **Premier** (anglicisme).

(1835). *Ministre sans portefeuille :* membre du cabinet qui n'est pas à la tête d'un département ministériel. — (Fin XVIIᵉ). *Ministre d'État :* ministre sans portefeuille faisant partie d'un gouvernement pour des raisons d'ordre politique. *Ministre anglais des Finances* (cf. Chancelier de l'Échiquier).

Les ministres (...) 1º (...) préparent et contresignent les décrets ; 2º (...) assurent la direction des services généraux relevant de leur département (...) C'est donc (...) le ministre qui ordonnance les dépenses, gère les biens faisant partie du domaine de l'État, passe les contrats et les marchés (...) 3º Ils ont (...) le pouvoir hiérarchique et le pouvoir disciplinaire (...) 4º Ils exercent la tutelle administrative (...) sur les autorités départementales et communales ; 5º Ils jugent dans certains cas peu nombreux.   Louis ROLLAND, Précis de droit administratif, § 192, éd. Dalloz, 1951.

Le Président de la République nomme le Premier Ministre. Il met fin à ses fonctions sur la présentation par celui-ci de la démission du Gouvernement. Sur la proposition du Premier Ministre, il nomme les autres membres du Gouvernement et met fin à leurs fonctions.
Le Premier Ministre dirige l'action du Gouvernement. Il est responsable de la Défense Nationale. Il assure l'exécution des lois (...) Il peut déléguer certains de ses pouvoirs aux ministres (...)
Les actes du Premier Ministre sont contresignés, le cas échéant, par les ministres chargés de leur exécution.   Constitution de 1958, art. 8, 21 et 22.

Ministre, n. m., s'emploie aussi en parlant d'une femme. *Mᵐᵉ X est ministre, est le ministre de...* ⇒ **Ministresse** (2.). — Au Québec, l'*O.L.F.* recommande le féminin : *une ministre* (6 juil. 1979).

(1931). Par appos. *Bureau ministre :* bureau de grande taille, à tiroirs latéraux. *Des bureaux ministres. — Papier ministre,* de format officiel (0,22 m × 0,34 m).

♦ **3.** Dr. internat. Agent* diplomatique de rang immédiatement inférieur à celui d'ambassadeur et chargé de représenter son gouvernement à l'étranger. *Le ministre est à la tête d'une légation*. Ministre plénipotentiaire** (→ Archive, cit. 4). — *Ministre résident :* agent de la troisième classe (après les ministres plénipotentiaires et avant les chargés d'affaires). → Légation, cit.

(...) de secrétaire d'ambassade que j'étais à Rome, le premier consul m'avait nommé ministre plénipotentiaire au Valais.
CHATEAUBRIAND, Mémoires d'outre-tombe, t. VI, p. 158.

Vx. Tout envoyé, tout représentant d'un gouvernement étranger, ambassadeur.

(...) les sages ministres des Cours étrangères, qui le trouvent *(Louis XIV)* aussi convaincant dans ses discours que redoutable par ses armes.
BOSSUET, Oraison funèbre de Marie-Thérèse d'Autriche.

DÉR. Ministrable, ministresse.
COMP. Sous-ministre.

MINISTRESSE [ministRɛs] n. f. — 1835, Stendhal, *in* D.D.L. ; « femme d'un ministre protestant », 1619 ; « servante », av. 1399 ; de *ministre,* et *-esse.*

♦ **1.** Fam. Femme d'un ministre.

♦ **2.** Femme exerçant les fonctions de ministre.

(...) le saupoudrage infime de ministresses au gouvernement (...)
Michèle PERREIN, Entre chienne et louve, p. 227.

REM. Malgré les efforts des féministes, *ministre,* n. m., s'emploie couramment en parlant de femmes ; *ministre,* n. f., est au Québec la forme officiellement recommandée.

MINITEL [minitɛl] n. m. — 1980 ; nom déposé ; de *mini-* et *-tel* « terminal » et « téléphone ».

♦ Petit terminal de consultation de banques de données commercialisé par les P.T.T.

MINIUM [minjɔm] n. m. — 1690, Furetière ; *minion,* v. 1560, Paré ; *miniem,* XIVᵉ ; lat. *minium.*

♦ **1.** (XIVᵉ). Oxyde de plomb (Pb_3O_4), poudre de couleur rouge. *Le minium était utilisé dans l'enluminure des manuscrits.* ⇒ **Miniature.**

♦ **2.** (1868, Littré). Cour. Peinture au minium utilisée pour préserver le fer* de la rouille*. *Donner une couche de minium à une grille.*

(...) les deux hommes (...) se trouvaient devant un vaste réservoir cylindrique de tôle, monté sur un socle de maçonnerie (...) que trois peintres, accrochés à différentes hauteurs, passaient au minium.
            J. ROMAINS, les Hommes de bonne volonté, t. IX, IV, p. 45.

Par anal. *Minium de fer, d'aluminium :* pigments utilisés à la place du minium de plomb dans des peintures antirouille.

DÉR. (Du même rad.) **Miniature.**
COMP. V. **Mine-orange.**

MINNESANG [minesãŋ] n. m. — XXᵉ ; mot all., de *Minne* «amour», et *Sang* «chant».

♦ Didact. Poésie courtoise allemande, au moyen âge. ⇒ **Minnesinger.**

MINNESINGER [minesiŋɛʀ] n. m. — 1766, *in* D. D. L. ; mot all., de *Minne* «amour», et *Singer* «chanteur, trouvère».

♦ Didact. Poète chanteur allemand, au moyen âge. ⇒ **Trouvère.** *La poésie courtoise des minnesingers.*

(...) le château de la Wartburg, deux fois célèbre par les anciennes luttes de chant et de poésies des *minnesingers* (ménestrels), et par le séjour de Luther, qui y trouva à la fois un abri et une prison.
            NERVAL, Lorely, Souvenirs de Thuringe, III.

MINO [mino] adj. et n. — Mil. XXᵉ ; abrév. de 1. *mineur,* suffixé en *-o ;* confondu avec le régional *minot* (→ 3. Minot).

♦ Argot fam. Adolescent ; mineur. — Spécialt. Délinquant, détenu mineur.

HOM. 1. **Minot,** 2. **minot,** 3. **minot.**

MINOEN, ENNE [minɔɛ̃, ɛn] adj. — XXᵉ ; angl. *Minoan,* mot créé par Sir A. Evans en 1894 ; de *Minos.*

♦ Relatif à la période archaïque de la civilisation crétoise et grecque. *L'art minoen, l'époque minoenne.* — N. m. *Le minoen ancien* (~ troisième millénaire), *moyen* (jusqu'au milieu du second millénaire), *récent* (jusqu'à ~ 1200).

1. MINOIS [minwa] n. m. — 1498, «visage, mine» ; de 1. *mine.*

♦ **1.** 1694, Académie. (À propos d'une jeune fille, d'une jeune femme, d'un enfant). Visage délicat, éveillé, spirituel, plein de fraîcheur et de piquant (cit. 5, Rousseau). *Frais, joli, gentil minois. Minois mutin. Minois de fillettes, minois d'enfant* (→ Frimousse, cit. 3).

(...) un minois qui n'est ni fripon ni futé comme celui des bergères de Watteau, ni douceâtre ni sentimental comme celui des bergères de Gessner ; mais spirituel, ardent, taquin (...)   Th. GAUTIER, Souvenirs de théâtre..., «Diable boiteux».

(...) il souriait de ces minois éveillés et vannés, où il y a de la rouerie et de l'ingénuité, un désir effronté et naïf du plaisir, et, au fond, une brave petite âme, honnête et travailleuse.   R. ROLLAND, Jean-Christophe, Foire sur la place, p. 818.

♦ **2.** (1552). Vx, plais. Aspect, expression du visage. ⇒ **Mine.** *Les démons ont le minois trop hideux* (→ Aspect, cit. 2). *Minois hypocrite* (→ Chat, cit. 2, La Fontaine). *Un minois à tromper les plus fins* (→ Attraper, cit. 8).

♦ **3.** Vx. *Mon petit minois* (t. fam. d'affection). ⇒ **Bec.**

HOM. **Minois** (V. 2. Minot).

2. MINOIS [minwa] n. m. ⇒ **2. Minot.**

MINON [minɔ̃] n. m. — Fin XIVᵉ ; du rad. de *minet.*

♦ **1.** Régional, vieilli. Chaton*, assemblage de plusieurs petites fleurs.

♦ **2.** Fam. Chat. ⇒ **Mimi, minet, minou.**

T. d'affection (mêmes emplois que *minet*). ⇒ **Minou.**

Ces lettres, il les avait sur lui (...)
— Tu les as lues ?
— Pas eu le temps. J'ai seulement vu qu'elles étaient de la même écriture. L'une d'elles adressée à : «Mon gros minon chéri».
         GIDE, les Faux-Monnayeurs, III, V, *in* Romans, Pl., p. 1148.

MINORANT [minɔʀɑ̃] n. m. — Mil. XXᵉ ; de *minorer.*

♦ Math. *Minorant d'une partie d'un ensemble ordonné** : élément (de cet ensemble) inférieur ou égal à tous les éléments de la partie (opposé à *majorant*). *Le plus grand des minorants d'un ensemble.* ⇒ **Borne** (inférieure). — *Minorant d'une fonction :* minorant de l'ensemble image de la fonction.

MINORAT [minɔʀa] n. m. — 1845, Bescherelle ; de 1. *mineur,* et *-at.*

♦ Relig. Dignité du clerc qui a reçu les quatre ordres mineurs.

MINORATIF, IVE [minɔʀatif, iv] adj. et n. m. — 1370 ; lat. scolast. *minorativus* «qui diminue», du supin de *minorare* → Minorer.

♦ **1.** Adj. et n. m. Méd. (Vieilli). Qui purge doucement. *Médicament, remède minoratif. Un minoratif.* ⇒ **Laxatif.**

♦ **2.** Adj. Didact. Qui minore, qui déprécie (opposé à *majoratif*).

MINORATION [minɔʀasjɔ̃] n. f. — Déb. XXᵉ ; «purgation légère», 1363 ; bas lat. *minoratio,* du supin de *minorare* → Minorer.

♦ Comm. Évaluation au-dessous de la valeur réelle.

CONTR. **Majoration.**

1. MINORÉ [minɔʀe] adj. m. et n. m. — 1845 ; cf. *minorique,* 1566 ; *minorite,* 1596 ; de 1. *mineur* par le lat. *minor.*

♦ Relig. Qui a reçu les quatre ordres* mineurs, en parlant d'un clerc.

2. MINORÉ, ÉE [minɔʀe] adj. — Mil. XXᵉ ; de *minorer.*

♦ Math. Qui admet un minorant*. *Partie minorée d'un ensemble. Fonction minorée.*

MINORER [minɔʀe] v. tr. — V. 1361 ; rare dans la langue générale avant mil. XXᵉ ; bas lat. *minorare,* de *minor* → 1. Mineur.

♦ **1.** Didact. Diminuer l'importance de (qqch.). ⇒ **Minimiser.**

(...) du coup, le déclin de la République gaullienne ne s'explique plus que par l'incompatibilité d'humeur grandissante entre de Gaulle et les Français, ce qui minore à l'excès sa signification véritable.
         F. MITTERRAND, la Paille et le Grain, p. 17.

Spécialt. Porter à un chiffre moins élevé.

♦ **2.** (1842). Évaluer au-dessous de sa valeur réelle. ⇒ **Sous-estimer.**

♦ **3.** Math. (Mil. XXᵉ). Munir d'un minorant*. *Minorer l'ensemble des valeurs d'une suite.* — Être un minorant pour (un ensemble). *Zéro minore l'ensemble des entiers naturels.*

CONTR. **Augmenter, hausser, majorer.**
DÉR. **Minorant,** 2. **minoré.**

MINORES [minɔʀɛs] n. m. pl. — XXᵉ ; mot lat., plur. de *minor* «plus petit, moindre».

♦ Didact. (Hist. littér.). Écrivains de moindre importance (dans une époque, une tendance). *Les minores romantiques, symbolistes.* «*Si Jules Sandeau est un de ces* minores, *complètement ou quasi complètement oublié, son étude — et non sa réhabilitation — peut toutefois se justifier à nombre d'égards.*» (Revue *Romantisme,* nº 39, 1983).

MINORITAIRE [minɔʀitɛʀ] adj. et n. — Fin XIXᵉ ; de *minorité,* et *-aire.*

♦ Relatif à la minorité, qui appartient à la minorité. *Parti, tendance minoritaire.* — N. *Les minoritaires.*

CONTR. **Majoritaire.**

MINORITÉ [minɔʀite] n. f. — 1437 ; lat. médiéval *minoritas,* lat. class. *minor* «moindre». → 1. Mineur.

♦ **1.** (1374). Par oppos. à *majorité* (I.). État d'une personne qui n'a pas encore atteint l'âge où elle sera légalement considérée comme pleinement capable et responsable de ses actes. ⇒ **Mineur ; âge, état** (état personnel). *La minorité est «de l'état de l'individu de l'un ou de l'autre sexe qui n'a point encore l'âge de dix-huit ans accomplis»* (Code civil, art. 388 modifié). *La minorité, cause d'incapacité*. La tutelle* cesse à la fin de la minorité. L'excuse* (cit. 10) *atténuante de minorité.*

Dr. *Minorité pénale,* qui a pour effet de soumettre les mineurs délinquants âgés de moins de dix-huit ans à un régime juridique et pénal particulier. *En France, la minorité pénale se divise en trois périodes : jusqu'à treize ans, de treize à seize ans, de seize à dix-huit ans.* — Par ext. Temps pendant lequel un individu est mineur.

La *minorité,* qui cesse à vingt et un ans accomplis, est la situation de l'individu qui est présumé n'avoir pas atteint un degré de formation intellectuel suffisant pour qu'il puisse se gouverner lui-même. L'individu mineur est, en principe, totalement incapable.
         A. COLIN et H. CAPITANT, Cours élém. de droit civil franç., I, III, I.
REM. Ce texte est périmé.

(1680). *Minorité d'un souverain :* temps pendant lequel un souverain, étant trop jeune, ne peut régner par lui-même (→ Indomptable, cit. 3). *Une ordonnance de Charles V* (1374) *avait fixé à quatorze ans la fin de la minorité des rois. Régence pendant la minorité d'un souverain. La minorité de Saint-Louis* (→ Chaloir, cit. 2), *de Louis XIII, de Louis XIV.*

2 La maison de Clovis était tombée dans une faiblesse déplorable : de fréquentes minorités avaient donné occasion de jeter les princes dans une mollesse dont ils ne sortaient point étant majeurs.
BOSSUET, Discours sur l'histoire universelle, I, 11.

(1874, Larousse). Par métaphore. État d'infériorité qui entraîne une sorte de tutelle. *Maintenir quelqu'un dans une perpétuelle minorité.*

3 (...) elle rêvait de prolonger jusqu'à la cinquantaine la minorité de Clarence ; s'efforçant d'éloigner de lui le travail, la maladie, l'amour (...) Avec des ruses maternelles, elle le maintenait enfermé dans un monde infantile (...)
Paul MORAND, Champions du monde, p. 135.

♦ **2.** (1727 ; angl. *minority*). Par oppos. à *majorité* (III., 1.). ⓐ Groupement (de voix) qui est inférieur en nombre dans un vote, une réunion de votants (⇒ **Élection, vote**). *Une petite minorité d'électeurs. — En minorité,* dans la situation de ce groupe. *Être en minorité. L'Assemblée a mis le Ministère en minorité.*

4 Le plus grand de tous les dangers, celui de transporter à la minorité des suffrages l'influence que le bien général donne incontestablement à la majorité (...)
MIRABEAU, Collection, t. I, p. 459, *in* LITTRÉ.

ⓑ Parti, groupe qui n'a pas la majorité des suffrages. *Être dans la minorité. Une minorité de droite, de gauche. La minorité fait une opposition active. Les chefs des différentes minorités. Représentation de la minorité, des minorités dans un système électoral.*

5 *(Cela)* finira par révolter la minorité stupide de la Chambre, qui au fond ne comprend rien ni presque rien à la majorité. STENDHAL, Lucien Leuwen, II, LX.

6 (...) le principe de base de la *représentation proportionnelle* est qu'elle assure une représentation des minorités dans chaque circonscription en proportion exacte des voix obtenues. Maurice DUVERGER, Manuel de droit constitutionnel..., p. 75.

ⓒ Par ext. Groupe peu nombreux d'individus que leurs idées, leurs intérêts... distinguent à l'intérieur d'une collectivité. *Une minorité agissante* (→ Énergumène, cit. 4).

7 La ligue, qui eut à Paris son foyer le plus ardent, était une minorité, mais une minorité active et violente. La petite bourgeoisie, les boutiquiers irrités par la crise économique, en furent l'élément principal.
J. BAINVILLE, Hist. de France, IX, p. 175.

8 La révolution serait faite par des minorités, même dans certains pays par d'infimes mais « hautement énergiques » minorités. Ces minorités à leur tour vaudraient ce que vaudraient les chefs qu'elles auraient pour inspirateurs et guides.
J. ROMAINS, les Hommes de bonne volonté, t. IV, XVI, p. 175.

♦ **3.** (1868, Littré). *La, une minorité de :* le plus petit nombre, le très petit nombre, dans une collectivité ou dans une collection d'objets. *Dans la minorité des cas* (→ Argotique, cit.). *La généralité des hommes sont mus par l'intérêt, mais une petite minorité est désintéressée. Cet ouvrage ne peut intéresser qu'une minorité de lecteurs.*

♦ **4.** (xxᵉ). « Collectivité de race, de langue ou de religion, caractérisée par un vouloir-vivre collectif, englobée dans la population majoritaire d'un État dont ses affinités tendent à l'éloigner » (Capitant). *Minorités ethniques, culturelles, linguistiques* (→ Langue, cit. 31). *Minorité nationale. Droits, protection, indépendance des minorités.*

CONTR. Généralité, majorité.
DÉR. Minoritaire.

MINORQUIN, INE [minɔʀkɛ̃, in] adj. et n. — 1874, Larousse ; de *Minorque,* une des îles des Baléares, et *-in.*

♦ De Minorque.

N. Habitant de Minorque ; personne qui y est née. *Un Minorquin, une Minorquine. Les Minorquins.*

1. MINOT [mino] n. m. — 1260 ; de 3. *mine,* et *-ot.*

♦ **1.** (1260). Mesure ancienne de capacité utilisée en France pour les matières sèches et valant la moitié d'une mine. *Un minot de blé.*

Loc. prov. *Nous ne mangerons pas un minot de sel ensemble* (→ 1. Idiotisme, cit. 2) : nous ne resterons pas longtemps ensemble.

♦ **2.** (1669). Récipient d'une capacité d'un minot.

♦ **3.** (1690, Furetière). *Minot de terre :* surface que l'on pouvait ensemencer avec un minot de grain.

♦ **4.** (xvᵉ ; sens mod., mil. xxᵉ). Farine de blé dur utilisée pour l'alimentation du bétail.

DÉR. Minotier.
HOM. Mino, 2. minot, 3. minot.

2. MINOT [mino] ou **MINOIS** [minwa] n. m. — 1678 ; du breton *min* « bec, pointe », et *-ot, -ois.*

♦ Mar. anc. « Arc-boutant qui fait saillie à chaque épaule d'un

navire et sur lequel s'amure la misaine » (Gruss). — On dit aussi *minot d'amure, pistolet d'amure, porte-lof.*

HOM. (De *minot*) Mino, 1. **minot**, 3. **minot**. — (De *minois*) 1. **Minois**.

3. MINOT [mino] n. m. — 1721, *minault* « jeune chat » (Esnault) ; probablt du rad. lat. *min-* (→ lat. *minor* « plus petit »), et suff. hypocoristique *-ot* (cf. Bellot, petiot), avec infl. de *minou, minet.*

♦ Régional, fam. Petit enfant. *Il a une sœur aînée, et il y a encore deux minots derrière lui.*

HOM. Mino, 1. **minot**, 2. **minot**.

MINOTAURE [minɔtɔʀ] n. m. — 1690, Richelet ; grec *minotauros.*

♦ Animal fabuleux de la mythologie grecque. *Le Minotaure, monstre à tête de taureau et à corps humain qui habitait le labyrinthe* (cit. 3) *de Crète et se nourrissait de chair humaine, fut tué par Thésée.*

Et la Crète fumant du sang du Minotaure.
RACINE, Phèdre, I, 1.

Par métaphore et fig. Ce qui dévore avidement (→ Moloch).

(...) il serait curieux de voir comment l'auteur d'*Eugénie Grandet* et du *Père Goriot* a utilisé dans ses plus grands livres, après les avoir repris, remaniés et refondus, telle anecdote ou tel croquis, telle idée en germe, négligemment jetés en pâture au minotaure journalistique, à travers ces centaines d'articles.
Émile HENRIOT, les Romantiques, p. 320.

DÉR. Minotauriser.

MINOTAURISER [minɔtɔʀize] v. tr. — 1829, Balzac ; de *Minotaure,* et *-iser.*

♦ Par plais., vieilli. Cocufier (en donnant des « cornes »).

(...) l'homme estimable malheureux dans son intérieur, l'homme qui a une femme inconséquente, ou le mari minotaurisé, sont tout bonnement des maris à la façon de Molière. BALZAC, la Physiologie du mariage, Pl., t. X, p. 677.

MINOTERIE [minɔtʀi] n. f. — 1834, Landais ; de *minotier,* de 1. *minot,* et *-erie.*

♦ **1.** (1834). Grand établissement industriel pour la transformation des grains en farine. ⇒ **Moulin.** *Exploitant d'une minoterie.* ⇒ **Minotier.**

Malheureusement, des Français de Paris eurent l'idée d'établir une minoterie à vapeur, sur la route de Tarascon. Tout beau, tout nouveau ! Les gens prirent l'habitude d'envoyer leur blé aux minotiers, et les pauvres moulins à vent restèrent sans ouvrage.
Alphonse DAUDET, Lettres de mon moulin, « Le Secret de maître Cornille ».

♦ **2.** (1868, Littré). Industrie de la mouture des grains. ⇒ **Meunerie.**

(...) la minoterie s'est constituée comme une très grande industrie, avec une tendance fortement marquée à concentrer le travail dans de vastes usines modernes à fonctionnement automatique, vouant à une prochaine disparition les petits moulins de campagne insuffisamment outillés.
Georges RAY, les Industries de l'alimentation, p. 44.

MINOTIER [minɔtje] n. m. — 1791, Bloch ; de 1. *minot,* et *-ier.*

♦ Industriel qui exploite une minoterie*. ⇒ **Meunier.**

REM. Le fém. *minotière* est virtuel.

DÉR. Minoterie.

MINOU [minu] n. m. — 1560 ; « plante », 1398 ; var. de *minet.*
Familier.

♦ **1.** ⓐ Petit chat (lang. enfantin). ⇒ **Minet.**

Pour donner lui-même l'exemple (...) il lança un « Minou ! » sec comme un commandement. Il eut le sentiment d'être ridicule. « Le chat n'avait pas bougé (...)
Pierre GASCAR, les Bêtes, p. 150.

ⓑ T. d'affection. *Alors, mon gros minou, tu te dépêches ?* ⇒ **Minouche,** ci-après.

♦ **2.** Érotique. Sexe de la femme. ⇒ **Chatte, minette.**

DÉR. Minouche.

MINOUCHE [minuʃ] n. f. ; **MINOUCHET, ETTE** [minuʃɛ, ɛt] n. — D. i. ; de *minou,* avec suffixation hypocoristique en *-ch-* et *-et, -ette.*
Familier.

♦ **1.** MINOUCHE. (T. d'affection). *Bonjour, ma minouche.*

♦ **2.** MINOUCHET, ETTE ⓐ (T. d'affection). *Viens faire un gros bécot à maman, minouchet !*

ⓑ Petit enfant. *Et les minouchets, ça va ?* ⇒ 3. **Minot.**

ⓒ Adj. (Surtout en fonction d'attribut, et en parlant d'une personne). Mignon, joli. *Elle est drôlement minouchette, cette petite !*

MINQUE [mɛ̃k] n. f. — Attesté 1867 ; orig. incert. ; probablt terme de criée empr. au flamand.

♦ Régional (Belgique). Halle publique pour la vente du poisson, dans les localités de la côte belge.

Le lendemain, des pêcheurs (...) déchargèrent leur poisson dans des chariots pour le vendre à l'enchère, par chariots, à la minque de Heyst.
Charles de COSTER, La légende d'Ulenspiegel, III, 7, 1867, p. 338 (éd. J. Hanse).

C'est dans ces promenades alternant avec la danse jusqu'au petit matin que nous avons un jour découvert la minque, le marché au poisson, de l'autre côté du chenal (d'Ostende). Marcel THIRY, Nondum jam non, p. 57 (Bruxelles, 1966).

MINUIT [minɥi] n. m. — 1530 ; n. f., xvᵉ ; mie nuit, v. 1130 ; de mi-, et nuit ; fém. jusqu'en 1530, et encore par archaïsme dans la langue littér. → Hauteur, cit. 14, Duhamel.

♦ **1.** (V. 1130). Milieu de la nuit. L'ombre de minuit (→ Écraser, cit. 7). L'agitation (cit. 5) de minuit sur les boulevards. Le pays de la nuit polaire et du jour crépusculaire de minuit (→ Éternel, cit. 35). Soleil de minuit. Les terreurs de minuit. Repas fait un peu après minuit. ⇒ **Médianoche.**

(...) toute la soirée on avait des glaces ou du thé tous les quarts d'heure ; et, sur le minuit, une espèce de souper avec du vin de Champagne.
STENDHAL, le Rouge et le Noir, II, IV.

Par métaphore, fig. (Personnifié). Minuit rit et folâtre (→ Loup, cit. 9).

Et c'est l'heure où minuit, brigand mystérieux,
Voilé d'ombre et de pluie (...) HUGO, la Légende des siècles, III, III.

♦ **2.** (1580, Montaigne). Heure du milieu de la nuit, la douzième après midi*. Minuit correspond à 24 heures, si l'on compte par rapport au jour qui s'achève, à 0 heure si l'on compte par rapport au jour qui commence. L'heure (cit. 27) de minuit. À minuit (→ Finir, cit. 6 ; flambeau, cit. 3). Hier à minuit. À minuit précis. Jusqu'à minuit (→ Équipée, cit. 3 ; insomnie, cit. 4). Avant minuit. À minuit moins le quart (→ Hôtel, cit. 17). Vers minuit. Environ minuit. À minuit et demi passé. Minuit sonné (→ Inaperçu, cit. 4). Un peu plus de minuit (→ Marquer, cit. 17). Minuit un quart, minuit et demi. — REM. On écrit parfois minuit et demie. Cf. Grevisse, nº 387, a. La pendule sonne minuit (→ Engager, cit. 31). Minuit sonne (→ Fêler, cit. 5 ; gondole, cit. 1). Les douze coups de minuit. À minuit sonné. — Messe de minuit, célébrée dans la nuit de Noël*.

Sur un palier de l'escalier de la grande tour, battait une pendule qui sonnait le temps au silence (...) Lorsque les deux aiguilles, unies à minuit, enfantaient dans leur conjonction formidable l'heure des désordres et des crimes, Lucile entendait des bruits qui lui révélaient des trépas lointains.
CHATEAUBRIAND, Mémoires d'outre-tombe, t. I, p. 118.

Le cessez-le-feu, c'est toujours à minuit. — Ou à midi. — Mais non, petite tête, à minuit : à zéro heure, tu comprends ? SARTRE, la Mort dans l'âme, p. 47.

Astron. Minuit moyen, douzième heure à partir de midi moyen. — Minuit vrai : moment auquel le centre du soleil coïncide avec le méridien opposé au méridien du lieu.

Par métaphore (évoquant la clandestinité). Les Éditions de Minuit.

MINUS [minys] n. ⇒ **Minus habens.**

MINUSCULE [minyskyl] adj. et n. f. — 1634 ; lat. minusculus « un peu plus petit, assez petit », de minus → Moins.

♦ **1.** Lettre minuscule : lettre plus petite que la majuscule*, et d'une forme particulière. Caractère minuscule, ou, techn., bas de casse. Une lettre minuscule. Un a, un b minuscule. Par ext. Écriture minuscule, formée de lettres minuscules. Écriture minuscule cursive.

N. f. Une minuscule : une lettre minuscule. — Par ext. Écriture en lettres minuscules. La minuscule cursive. La minuscule carolingienne. La minuscule a succédé à l'onciale.

♦ **2.** (1873). Cour. Très petit. ⇒ **Petit ; étriqué, exigu, infime, mesquin, microscopique, minime, nain, riquiqui** (fam.). Êtres minuscules. ⇒ **Animalcule.** Une minuscule cuvette (→ Grelotter, cit. 6). Une minuscule boîte. Un jeu (cit. 64) de minuscules clochettes. Un jardin minuscule. ⇒ **Miniature.** Un bourg minuscule (→ Incartade, cit. 6). — Son minuscule commerce clandestin (→ Famélique, cit. 6).

Des moucherons voletaient autour de la lampe en chantant de leur voix minuscule. J. GREEN, Adrienne Mesurat, I, VI.

Le petit dieu Amour qu'on voit voltiger nu, ailé, dans le cortège de sa mère, maniant son arc minuscule et jouant avec les colombes (...)
Émile HENRIOT, Mythologie légère, p. 38.

CONTR. Majuscule. — Colossal, cyclopéen, éléphantesque, étendu, géant, gigantesque, gros, immense.

MINUS HABENS [minysabɛ̃s] ou **MINUS** [minys] n. — 1867, Littré ; mots lat. signifiant : « ayant moins ».

♦ Fam., vieilli. Individu incapable ou peu intelligent (→ Engendrer, cit. 2). Un, une minus habens, des minus habens.

Elle (...) traitait Paul comme un minus habens, un matricule, une pauvre loque qu'il fallait plaindre. COCTEAU, les Enfants terribles, p. 71.

Par abrév. Mod. Un minus. C'est un minus. Tas de minus, pauvres types ! Bande de minus ! ⇒ **Crétin, débile, idiot.**

Pontdebois considérait avec une ironie féroce ce pitoyable minus ignorant de la menace suspendue sur sa tête. M. AYMÉ, Travelingue, p. 249.

Adj. (On n'emploie guère minus habens adjectivement). Il est un peu minus, ce pauvre garçon. Mais elle est complètement minus ! ⇒ **Idiot, imbécile.**

MINUTAGE [minytaʒ] n. m. — 1930, sens 1 ; de minuter, et -age.

♦ **1.** Horaire* précis selon lequel est prévu le déroulement dans le temps d'une opération, d'une cérémonie, etc.

(...) ce travail de l'usine, où l'homme, de la sirène de l'entrée à la sirène de la sortie, est possédé par le minutage, et les longues heures ainsi débitées à un geste près (...) ARAGON, les Cloches de Bâle, III, V.

♦ **2.** Dr. Rédaction d'une minute (II., 2.), de minutes.

MINUTAIRE [minytɛr] adj. — 1867, Littré ; n. m., « protocole », 1588 ; de minute II., et -aire.

♦ Dr. Qui est en minute ; qui a le caractère d'une minute, d'un original. Acte, testament minutaire.

MINUTE [minyt] n. f. — V. 1360 ; minuce, xiiiᵉ ; lat. minuta, fém. de minutus « menu ».

★ **I.** (xiiiᵉ). ♦ **1.** Division du temps, soixantième partie de l'heure* (abrév. : min. ou mn quand il n'y a pas d'ambiguïté). ⇒ (argot) **Broquille.** La minute se divise en soixante secondes. Compter (cit. 11) les minutes. De cinq minutes en cinq minutes (→ Gagner, cit. 52).

La grande aiguille de l'horloge se déplace par secousses toutes les minutes, oscille un peu et s'arrête. SARTRE, le Sursis, p. 112.

(Dans la mesure du temps). Deux heures cinq minutes, deux heures quarante-cinq minutes (dans la langue courante : deux heures cinq, trois heures moins le quart. ⇒ **Heure,** supra cit. 27). — Durée équivalant approximativement à cette division. Cinq minutes de réflexion, de travail. Une minute de silence*.

♦ **2.** (1541). Par ext. Court espace de temps. ⇒ **Instant, moment** (→ Heure, cit. 20). Les minutes qui passent, symbole du présent (→ Extraire, cit. 20). La minute présente (→ Chance, cit. 4). La minute qui va suivre (→ Inconscience, cit. 3). Jusqu'à la dernière minute... (→ Hasarder, cit. 13). Une minute de plus et... (→ Haler, cit. 1). Je ne peux pas m'absenter une minute (→ Chaîne, cit. 12), une demi-minute. Je reviens dans une minute. Je n'y crois pas une minute, pas du tout (→ Fidélité, cit. 7). D'ici (cit. 27) quelques minutes, dans cinq minutes. S'arrêter toutes les cinq, toutes les dix minutes (→ Frein, cit. 14).

(D'après le contenu affectif de l'instant). Exaltante (cit. 3) minute. Minute d'anxiété (cit. 9), de distraction, d'inattention. Une bonne, une grande (cit. 25), une petite minute : un instant qui paraît long, court... (→ Interminable, cit. 4 ; marge, cit. 5). — Loc. La minute de vérité*.

Tous, tant que nous sommes, nous n'avons à nous que la minute présente ; celle qui la suit est à Dieu (...)
CHATEAUBRIAND, Mémoires d'outre-tombe, t. II, p. 66.

(...) quand finira mon livre ? Problèmes. Pour qu'il paraisse l'hiver prochain, je n'ai pas d'ici là une minute à perdre.
FLAUBERT, Correspondance, 1988, 28 avril 1880.

Que demande-t-on d'une fleur
Sinon qu'elle soit belle et odorante une minute, pauvre fleur, et après ce sera fini.
La fleur est courte, mais la joie qu'elle a donnée une minute
N'est pas de ces choses qui ont commencement ou fin.
CLAUDEL, l'Annonce faite à Marie, II, 3.

Ce qui divise le plus les êtres, c'est peut-être que les uns vivent surtout dans le passé et les autres seulement dans la minute présente.
A. MAUROIS, Climats, I, VI.

Loc. À la minute où... : au moment où (→ Art, cit. 79). — De minute en minute (→ Bestiole, cit. 1 ; cri, cit. 28) ; minute à minute (→ Gagner, cit. 64). D'une minute à l'autre : dans l'instant, dans un futur très proche, imminent. — À la minute : à l'instant même, tout de suite ; avec exactitude, promptitude (→ Futur, cit. 16 ; locataire, cit. 3). — (1839). « Être à la minute » (Académie), très pressé.

REM. Minute s'emploie en apposition après un substantif désignant un objet, au sens de « que l'on répare, que l'on fabrique sur-le-champ (à la minute) ». Le composé signifie « service, atelier où l'on répare (fabrique) très rapidement ». Ex. : Talon minute (service de cordonnerie assurant la réparation immédiate des talons, des chaussures) ; clé-minute (service de réparation, de confection et de reproduction immédiates de clés).

Entrecôte minute, préparée et servie sur-le-champ. Cocotte-minute (marque déposée d'autocuiseurs).

Attendez une minute, cinq minutes, quelques minutes. — Interj. (fam.). Minute ! : attendez une minute, ne soyez pas si pressé, et, fig., doucement ! je ne suis pas de cet avis. Minute, papillon !

6   Et moi, justement, je vous réponds d'accord. Mais minute, que j'ajoute aussitôt.
     Moi et mon collègue, on travaille dans l'intimité avec Monsieur Alessandrovici.
                                                           M. AYMÉ, la Tête des autres, III, I.

7   Minute, papillon! *(Pause)* Vous n'allez pas partir comme ça (...)
                                                           A. ADAMOV, Paolo Paoli, XII.

7.1 Le gros homme s'approcha et sortit un calepin de sa poche.
     — Minute, dit-il. Tu as un permis de travail?
                                                           J.-M. G. LE CLÉZIO, le Déluge, p. 218.

♦ **3.** (1636). Unité de mesure des angles; soixantième partie d'un
degré* de cercle *(minute sexagésimale). Trois degrés, douze minutes* (3°, 12′).

(1840, Académie). Vx. *Minute centésimale* ′: centième de grade
(⇒ **Centigrade**).

♦ **4.** (1691). Arts. Subdivision du module* (1/12ᵉ, 1/18ᵉ ou 1/30ᵉ
selon les ordres).

★ **II.** (XIVᵉ; du lat. médiéval *minuta* au sens d'«écriture menue»).

♦ **1.** Vx. Petite écriture*, petits caractères. *Écrire en minute.*

♦ **2.** (1549). Dr. Original d'un acte authentique dont le dépositaire
ne peut se dessaisir. ⇒ **Acte** (II., 1.), **écrit, original.** *On conserve
au greffe* les minutes des actes de procédure* (→ Greffier, cit. 1).
Minute d'un jugement* (cit. 1), d'un rapport d'experts. Minutes des actes notariés* (conservées au minutier*). Acte notarié en
minute (opposé à acte en brevet). Copie, expédition* d'une minute
(⇒ **Grosse**, cit. 44 et 45); 'extrait d'une minute. — Dr. internat. publ.
Minutes diplomatiques.*

8   Dans une chemise ouverte sur la table, où les minutes dormaient d'un héritage
     riche en litiges, il en saisit une, au hasard.   P.-J. TOULET, la Jeune Fille verte, I.

(1812). Par ext. Plan levé sur le terrain.

CONTR. (Du sens II) **Copie, expédition, grosse.**

DÉR. (Du sens I) **Minuter, minuterie.** — (Du sens II) **Minutaire, minuter, minutier.**

MINUTER [minyte] v. tr. — 1382; de *minute,* et *-er.*

★ **I.** (De *minute,* II.). ♦ **1.** Dr. Rédiger (un acte) pour servir de
minute, d'original. — REM. Dans la langue classique, et jusqu'au
XIXᵉ siècle, *minuter* se disait aussi de la rédaction d'un brouillon de
lettre, etc. *Minuter un contrat.*

1   (...) elle me remit une lettre très adroite, qu'ils avaient minutée ensemble (...)
                                                           ROUSSEAU, les Confessions, IX.

2   Processif, écrivailleur, il minutait des lettres douces et polies à ses locataires (...)
                                                           BALZAC, César Birotteau, Pl., t. V, p. 393.

♦ **2.** Fig., vx. Calculer, méditer, projeter (une entreprise) en
cachette (cf. Vaugelas, Molière, Saint-Simon, *in* Littré).

★ **II.** (1908; de *minute,* I.). Mod. Organiser (une cérémonie, un spectacle, une opération, un travail...) selon un horaire précis. — Au p. p.
Travail, discours... minuté. Emploi du temps strictement minuté.

DÉR. **Minutage, minuteur.**

MINUTERIE [minytʀi] n. f. — 1786; de *minute,* I., et *-erie.*

♦ **1.** Techn. Partie d'un mouvement d'horlogerie qui communique
aux aiguilles le mouvement de la roue d'échappement. *La minuterie d'une horloge, d'une montre...*

♦ **2.** (1912). Appareil destiné à assurer un contact électrique pendant un nombre déterminé de minutes. — Cour. *La minuterie d'un
escalier d'immeuble,* l'éclairage réglé par une minuterie. — *Minuterie d'un four électrique, d'une machine à laver.* ⇒ **Minuteur.**

1   (...) elles étaient loin, leurs longues conversations d'autrefois sur ce palier, tandis
     que trois, quatre fois, ils devaient rallumer la minuterie (...)
                                                           MONTHERLANT, les Lépreuses, I, V.

2   Le bouton de la minuterie, en porcelaine blanche, est placé juste en haut de l'esca-
     lier, à l'angle du mur. Les deux hommes marchent lentement, sans rien dire, l'un
     derrière l'autre. Le premier, celui qui est vêtu d'une ancienne vareuse de caporal,
     vient d'appuyer au passage sur le bouton de la minuterie (n'y avait-il pas de bou-
     ton au rez-de-chaussée, puisque la montée s'est effectuée dans le noir?); mais le
     déclenchement du système n'a fait entendre qu'un simple déclic; le mouvement
     d'horlogerie, trop atténué, est couvert par le bruit des grosses chaussures à clous
     sur les dernières marches (...)
                                                           A. ROBBE-GRILLET, Dans le labyrinthe, p. 101.

MINUTEUR [minytœʀ] n. m. — V. 1960; de *minuter.*

♦ Minuterie* (d'un appareil ménager). *Minuteur d'un four, d'une
cafetière automatique.*

MINUTIE [minysi] n. f. — 1627; lat. *minutia* «parcelle», dér. de
minutus → Minute.

♦ **1.** Vieilli. *(Une, des minuties).* Petite chose, détail* sans importance. ⇒ **Babiole, bagatelle, insignifiance, pointille** (vx), **rien, vétille...**
(→ Justesse, cit. 3). *Discuter, épiloguer sur des minuties.* ⇒ **Ergo-
ter** (→ Couper les cheveux, du fil en quatre). *Le juge ne s'arrête
pas aux minuties* (cf. l'axiome lat. *De minimis non curat prætor).*

1   En tout, l'esprit de madame des Ursins est un esprit réellement élevé au-

---

dessus des petites choses, et qui ne prend jamais les affaires par leurs petits côtés
ni par les minuties.   SAINTE-BEUVE, Causeries du lundi, 23 févr. 1852.

♦ **2.** (XVIIIᵉ). *(La minutie).* «Application attentive aux menus détails»
(Académie). ⇒ **Méticulosité; minutieux.** *Faire un travail avec conscience et minutie.* ⇒ **Scrupule, soin** (→ Bombe, cit. 7). *Décrire, conter avec minutie.* ⇒ **Exactitude.** *Respecter un cérémonial*, une étiquette avec minutie* (⇒ **Formaliste**). *Travail exécuté avec minutie et
précision* (⇒ **Fignoler, lécher, peigner**). *Corriger, examiner, rechercher avec minutie.* ⇒ **Éplucher, loupe** (regarder à la), **vétiller.** *Poli
jusqu'à la minutie* (⇒ **Raffinement** (→ Familier, cit. 10). *Analyser, noter un sentiment, un état d'âme avec minutie* (→ Appliquer,
cit. 9). *Ouvrage, peinture d'une grande minutie.*

(...) un esprit de détail porté jusqu'à la minutie. Il partageait et fixait d'avance
l'emploi de sa journée par heures, quarts d'heure et minutes, et avec un tel scrupule que si l'heure eût sonné tandis qu'il lisait sa phrase,
il eût fermé le livre sans achever.   ROUSSEAU, les Confessions, VII.

Les ramages des draperies sont exécutés fil par fil, point par point, et d'une
effrayante minutie.   Th. GAUTIER, Voyage en Espagne, p. 29.

CONTR. Négligence.

DÉR. Minutieux.

MINUTIER [minytje] n. m. — 1893; de *minute,* II., et *-ier.*
Droit.

♦ **1.** (1931). Local affecté au dépôt des archives notariales comptant plus de cent vingt-cinq ans de date. *Le minutier central
des Archives.*

♦ **2.** (1893). Registre contenant les minutes des actes d'un notaire.

MINUTIEUSEMENT [minysjøzmɑ̃] adv. — 1812; de *minutieux,*
et *-ment.*

♦ Avec minutie. *Placer, ranger des documents minutieusement*
(→ Coupure, cit. 6). *Noter, raconter, décrire qqch. minutieusement*
(→ Économe, cit. 5; exposition, cit. 3; humour, cit. 3). *Relever
minutieusement les erreurs.* ⇒ **Rigoureusement.**

Il remarqua des taches qu'il lava avec soin (...) Il gratta même par places avec un
couteau (...) Il en examina la lame minutieusement, dans le creux des lettres de
la marque gravée sur l'acier, le long du manche, à la virole.
                                                           P. MAC ORLAN, Quai des brumes, VII.

MINUTIEUX, EUSE [minysjø, øz] adj. — 1750, Brunot; *minu-
cier,* 1737; cf. Brunot, H. L. F., t. VI, p. 44; de *minutie,* et *-eux.*

♦ **1.** (En parlant des personnes). Qui s'attache, s'arrête avec minutie aux détails, y porte grande attention. ⇒ **Consciencieux, exact,
formaliste, maniaque, méticuleux, scrupuleux, tatillon.** *Esprit étroit,
étriqué et minutieux* (→ Grotesque, cit. 14). *Directeur de conscience minutieux et sévère.* ⇒ **Difficile, exigeant.** *Susceptible et
minutieux.* ⇒ **Pointilleux, pointu** (fig.), **vétilleux.**

Observateur minutieux du cœur humain, il *(Marivaux)* s'était fait une étude particulière de reconnaître les plus petits motifs de nos sentiments et de nos déterminations.
                                                           G. DE BARANTE, Tableau de la littérature franç. au XVIIIᵉ s. (1802).

(Cet artiste est) l'observateur le plus patient et le plus minutieux. Il s'asseoit
devant une touffe de plantes, un tronc d'arbre, un rocher, une broussaille, le premier coin de nature venu, et le voilà peignant avec autant de vérité, de scrupule
et de talent qu'aurait pu y en mettre Delaberge, qui faisait soixante-quinze études pour un chardon (...)
                                                           Th. GAUTIER, Souvenirs de théâtre..., «Benjamin de Francesco».

♦ **2.** (En parlant des choses). Qui marque ou suppose de la minutie.
⇒ **Attentif, soigneux.** *Préparation, précaution minutieuse*
(→ Inquiéter, cit. 14), *soin minutieux* (→ Liqueur, cit. 4). *Inspection* (cit. 3), *investigation* (cit. 2 et 4), *observation, recherche minutieuse* (→ Étymologie, cit. 9). *Lent et minutieux travail* (→ Automatique, cit. 1). *Examen minutieux. Vérification, surveillance
minutieuse.* — *Exactitude* (cit. 6), *précision minutieuse. Dessin
minutieux. Exposé minutieux.* ⇒ **Détaillé.** *Travail minutieux.*
⇒ **Soigné.** *Écriture* (cit. 7) *serrée et minutieuse.* — *Les détails*
(cit. 13) *les plus minutieux.*

L'affection des vieilles gens est souvent minutieuse et tracassière.
                                                           BALZAC, le Contrat de mariage, Pl., t. III, p. 169.

(...) ils *(les peintres flamands)* copient avec un minutieux scrupule le réel et tout
le réel, les orfèvreries d'une armure, les luisants d'un vitrail, les ramages d'un
tapis (...)   TAINE, Philosophie de l'art, t. II, p. 19.

Ses propos étaient d'une subtilité si rare et pleins d'allusions si minutieuses, que
l'on courait sur l'extrême pointe du pied pour l'y suivre.
                                                           GIDE, Si le grain ne meurt, I, X, p. 276.

CONTR. Désordonné, négligent. — Grossier.

DÉR. Minutieusement.

MINYANTHE [minjɑ̃t] n. f. ⇒ **Ménianthe.**

MIOCÈNE [mjɔsɛn] adj. et n. m. — 1834, *in* D. D. L.; angl. *miocene*
(1833, Lyell), du grec *meion* «moins», et *kainos* «récent».

♦ Géol. Se dit d'un groupe intermédiaire de terrains tertiaires*
(entre l'éocène et l'oligocène d'une part, et le pliocène). *Époque,*

terrain, faune miocène. — N. m. Troisième période de l'ère primaire qui y correspond. *Étages du miocène :* burdigalien, vindobonien, pontien. *Certains auteurs groupent le miocène et le pliocène en un système « néogène »* (cf. Haug, *Traité de géologie,* t. IV, p. 1599 et 1607). ⇒ **Néogène.** *Le dinothérium, mammifère du miocène.*

MIOCHE [mjɔʃ] n. — 1803, Boiste ; « apprenti », argot, 1787 ; p.-ê. métaphore du sens ancien « mie de pain » (d'où « petit bout »), XVIᵉ ; var. ancienne *mion* (encore dans Hugo, *les Misérables,* Gautier, *les Grotesques,* comme terme d'argot) ; de 1. *mie ;* ou, selon Guiraud, altér. de *moche* « motte de terre », p.-ê. du lat. *muticus,* doublet de *mutilus* « tronqué, coupé ».

♦ Fam. Enfant*. ⇒ **Gamin, lardon** (cit. 4), **marmot, môme, moutard, poupon.** *Mioches en bas âge* (→ Malgracieux, cit. 3). *Bande, grappe* (cit. 9) *de mioches* (→ Cireur, cit.). *Un, une drôle de mioche. Les mioches de qqn. Elle est venue avec son mioche.*

Un homme qui (...) apprend à lire à mes mioches (...)
    BALZAC, le Colonel Chabert, Pl., t. II, p. 1119.
Aie des mioches, torche-les, mouche-les, couche-les, barbouille-les et débarbouille-les, que tout cela grouille autour de toi ; s'ils rient, c'est bien ; s'ils gueulent, c'est mieux ; crier, c'est vivre ; regarde-les téter à six mois, ramper à un an, marcher à deux ans, grandir à quinze ans, aimer à vingt ans.
    HUGO, l'Homme qui rit, II, II, XI.
Alors, l'entrée des nourrices. Des mioches font des pâtés de sable, se chamaillent ; les bonnes les giflent. GIDE, les Faux-Monnayeurs, *in* Romans, Pl., p. 937.

MI-PARTI, IE [miparti] adj. — V. 1190 ; p. p. de l'anc. v. *mipartir* « partager en deux moitiés ».

♦ **1.** (V. 1190). Rare. Divisé, partagé en deux moitiés égales, mais dissemblables. — (1690, Furetière). Blason. *Écu mi-parti.*

♦ **2.** (Fin XVIᵉ ; d'Aubigné). Hist. *Chambres mi-parties,* instituées par l'édit de Nantes et composées, par moitié, de juges catholiques et de juges protestants.

MI-PARTITION [mipartisjɔ̃] n. f. — Fin XVIᵉ ; de l'anc. v. *mi-partir* (→ Mi-parti), d'après *partition.*

♦ Rare. Partage par moitié.

MIQUELET [miklɛ] n. m. — Mil. XVIIIᵉ ; mot catalan.

♦ **1.** Vx. Soldat partisan appartenant à l'infanterie légère, recruté dans le Roussillon, de part et d'autre de la frontière franco-espagnole. *Les miquelets furent organisés et utilisés en Espagne dans les guerres contre la France. Des compagnies de miquelets ou arquebusiers du Roussillon furent utilisés dans l'armée française jusqu'à la Révolution.*
En France, membre d'une « légion » de la Révolution (1793), d'un corps de soldats créé par Napoléon (1808) pour les opposer aux guerilleros espagnols, etc.
(XIXᵉ). Par ext. Bandit espagnol ou catalan.

♦ **2.** (Début XIXᵉ). Personnage chargé de la police auprès de certains hauts personnages espagnols (capitaines généraux, gouverneurs de province, etc.).

MIR [mir] n. m. — 1859, Dumas, *in* D.D.L. ; mot russe.

♦ Hist. Organisme de propriété collective rurale, avant la révolution russe de 1917.

HOM. Mire, myrrhe ; formes des v. **mettre** et **mirer.**

MIRABELLE [mirabɛl] n. f. — XVIIᵉ ; ital. *mirabella,* altér. de *mirobolano* (→ Myrobolan).

♦ **1.** Petite prune ronde de couleur jaune. *Mirabelles de Lorraine. Confiture de mirabelles. Tarte aux mirabelles.*

(...) grimpant sur un prunier, ou lui donnant en passant de petites tapes sournoises, pour faire tomber la pluie des mirabelles d'or, qui fondent dans la bouche comme un miel parfumé. R. ROLLAND, Jean-Christophe, Antoinette, p. 837.

♦ **2.** Eau-de-vie (blanche) de mirabelle. *Une bouteille, un petit verre de mirabelle.*

♦ **3.** Par appos. *Jaune mirabelle* (→ Ardoisé, cit. 1).
Adj. invar. De la couleur jaune ambré de la mirabelle. *Des écharpes mirabelle.*

DÉR. Mirabellier.

MIRABELLIER [mirabelje ; mirabɛlje] n. m. — Fin XIXᵉ ; de *mirabelle,* et *-ier.*

♦ Prunier à mirabelles *(Rosacées).*

MIRABILIS [mirabilis] n. m. — 1874, P. Larousse, au fém. ; mot latin.

♦ Bot. Plante *(Nyctaginacées)* herbacée, vivace, communément appelée *belle-de-nuit. Un mirabilis. Le genre Mirabilis.*

MIRACLE [mirakl ; mirakl] n. m. — V. 1050 ; du lat. *miraculum* « prodige », dans son sens chrétien ; de *mirari* « s'étonner ».

♦ **1.** (V. 1050). Fait extraordinaire où l'on croit reconnaître une intervention divine bienveillante, auquel on confère une signification spirituelle. ⇒ **Merveille** (3.), **mystère, phénomène, prodige, signe** (→ Apparition, cit. 8 ; incrédule, cit. 6). *Vrai, faux* (cit. 23) *miracle. Miracles rapportés par la Bible* (→ Iconographie, cit. 1). *« Et quel temps fut jamais si fertile* (cit. 4) *en miracles ? »* (Racine). *Faire, opérer* des *miracles.* ⇒ **Thaumaturge** (→ Illuminé, cit. 22). *Guéri par un miracle.* ⇒ **Miraculé.** *Les miracles de Lourdes.*

Miracle. C'est un effet qui excède la force naturelle des moyens qu'on y emploie (...) PASCAL, Pensées, XIII, 804. [1]
Cf. toute la section XIII des *Pensées,* les *Questions sur les miracles* et les réponses de Saint-Cyran. → aussi Catholique, cit. 2 ; continuation, cit. 8.
Ce n'est plus en illuminant les aveugles, ni en faisant marcher les estropiés, ni en purifiant les lépreux, ni en ressuscitant les morts, que Jésus-Christ (...) fait connaître aux hommes sa divinité (...) ces miracles sensibles (...) étaient les signes sacrés d'autres miracles spirituels qui (...) regardent également tous les temps et tous les siècles. BOSSUET, Sermon sur IIᵉ dim. Avent. [2]
Un miracle, selon l'énergie du mot, est une chose admirable ; en ce cas, tout est miracle. L'ordre prodigieux de la nature (...) l'activité de la lumière, la vie des animaux, sont des miracles perpétuels. Selon les idées reçues, nous appelons miracles la violation de ces lois divines et éternelles... Plusieurs physiciens soutiennent qu'en ce sens il n'y a point de miracles (...)
    VOLTAIRE, Dict. philosophique, art. *Miracle,* I. [3]
Rien ne caractérise mieux un miracle que l'impossibilité d'en expliquer l'effet par les causes naturelles (...)
    BUFFON, Histoire naturelle, Preuves théor. de la terre, V. [4]
Le miracle est une conception enfantine qui ne peut subsister dès que l'esprit commence à se faire une représentation systématique de la nature... Ce qui me fâche surtout, c'est qu'on dise : « Nous ne croyons pas aux miracles, parce que aucun n'est prouvé »... vit-on un mort ressusciter, le miracle ne serait prouvé que si nous savions ce que c'est que la vie et que la mort, et nous ne le saurons jamais. On nous définit le miracle : une dérogation aux lois de la nature. Nous ne les connaissons pas ; comment saurions-nous qu'un fait y déroge ?
    FRANCE, le Jardin d'Épicure, Œ., t. IX, p. 489. [5]
    → aussi Entreprendre, cit. 23.
On ne donne le nom de miracle qu'à un fait sensible, et à un fait exceptionnel, extraordinaire (...) qu'à un fait qui est significatif dans l'ordre religieux (...) Pour qu'un fait soit qualifié miracle, il faut (...) qu'il ne puisse jamais devenir prévisible à coup sûr ni répétable à volonté. [6]
    Éd. LE ROY, Annales de la philosophie chrétienne, 1906, p. 14-15, *in* LALANDE.
Loc. *Cour des Miracles.* ⇒ **Cour** (cit. 5 et 6).
Loc. *Tenir du miracle.* ⇒ **Étonnant, extraordinaire** (→ Fragilité, cit. 4).
(...) Inouï ! Inouï ! C'est extraordinaire ! Pour moi cela tient du miracle... Du miracle, ou, si vous préférez, car sans doute, êtes-vous un esprit laïque, cela tient du merveilleux. IONESCO, Tueur sans gages, I. [7]
Fam. *Croire aux miracles :* être exagérément optimiste ou crédule (cf. Croire au père Noël).

♦ **2.** Littér. Drame sacré médiéval dont le sujet est emprunté à la vie des saints, à la légende dorée (⇒ **Mystère**). *« Le miracle de Théophile »,* de Rutebeuf.

♦ **3.** (V. 1265). Chose étonnante et admirable qui se produit contre toute attente. ⇒ **Merveille** (1.). — REM. Dans la langue classique, le mot désigne aussi « ce qui est extrêmement beau et estimable » (Furetière), sans idée d'étonnement ou d'improbabilité : *Sans un miracle, il est perdu ! Tout semblait perdu et le miracle se produisit.* — *Les miracles de l'art* (cit. 26), *de l'amour. L'amour est le miracle de la civilisation* (cit. 4, Stendhal). *Le miracle de la création artistique* (→ Maîtrise, cit. 9), *de l'inspiration poétique..*

Demandez à tout bon Français (...) ce qu'il entend par progrès, il répondra que c'est la vapeur, l'électricité et l'éclairage au gaz, miracles inconnus aux Romains. BAUDELAIRE, Curiosités esthétiques, V, Expos. univ. 1855, I. [8]
Je songe à une formule vieille comme mon pays : « En France, quand tout semble perdu, un miracle sauve la France ». SAINT-EXUPÉRY, Pilote de guerre, XII. [9]
Iron. *Vous avez fait là un beau miracle* (Académie), se dit d'une action dont il n'y a pas lieu de se vanter.
Spécialt. *Le miracle grec* (cit. 2, Renan) : le phénomène étonnant que constitue la civilisation grecque, son épanouissement. → Hellène, cit. 3.
Par anal. *Le miracle allemand :* la renaissance économique de l'Allemagne, après 1945. *« Le "miracle" touristique suisse »* (le *Monde,* 27 nov. 1944, *in* Gilbert). *Le miracle économique* (allemand, français, italien, japonais...) selon les époques.
(Déb. XVIIᵉ). *Un miracle de... :* une chose admirable, extraordinaire (dans le domaine qu'indique le complément). ⇒ **Merveille.** *Un miracle d'architecture* (→ Hydraulique, cit. 2), *d'imagination, de talent* (→ Invention, cit. 16). *Miracle de maquillage* (cit. 2). *Un miracle d'équilibre.* — (En parlant des personnes). *Un miracle de grâce, de bonté...*
(...) quand il *(le Ciel)* exposerait à mes yeux un miracle d'esprit, d'adresse et de beauté, et que cette personne m'aimerait (...) [10]
    MOLIÈRE, la Princesse d'Élide, III, 4.
En vérité, il *(Berlioz)* est un miracle, le phénomène le plus prodigieux de l'histoire de la musique au XIXᵉ siècle. Sa grandeur audacieuse domine toute son époque (...) [11]
    R. ROLLAND, Musiciens d'aujourd'hui, p. 27.

12 (...) je lui prends un sein. Un sein, mon ami ! Un miracle de tiédeur et d'élasticité.
                                                              G. DUHAMEL, Salavin, V, X.

Par antiphr. *Un miracle de laideur, de bêtise...*

13 Ce voyage de Varennes fut un miracle d'imprudence. Il suffit de bien poser ce
que le bon sens voulait, puis de prendre le contraire (...)
                                            MICHELET, Hist. de la Révolution franç., IV, XII.

Par appos. *Remède miracle, produit miracle.* — REM. Cette construction donne lieu à des composés de formation libre. Cf. *Arme-mira-
cle, cuisine-miracle, projet-miracle, solution-miracle, lessive-miracle...* in
P. Gilbert.

Loc. *Faire*, accomplir des miracles :* obtenir, avoir des résultats remarquables, extraordinaires (→ Écourter, cit. 1 ; libéralisme,
cit. 1). — *Crier** (cit. 36) *miracle, au miracle.* ⇒ **Extasier** (s'). *Il
n'y a pas de quoi crier miracle.* Par exclam. « *Miracle ! criait-on,
venez voir...* » (La Fontaine, *Fables*, X, 3).

14 (...) elle avait accompli des miracles pour tout arranger, nettoyer, embellir, raccom-
modant elle-même les vieux tristes papiers des murs, posant les modestes rideaux
de mousseline qui jettent autour d'eux la gaîté blanche.
                                                              LOTI, Matelot, XIX.

C'est miracle, ce serait miracle, un miracle, si... (→ Fille, cit. 20).
C'est miracle que (avec le subj.), *que de* (avec l'inf.) : c'est, ce serait
une chose extraordinaire, le résultat d'un hasard improbable et heureux...

15 S'il n'a pas été tué vingt fois, c'est miracle (...)
                                              TAINE, Philosophie de l'art, t. I, p. 185.

16 C'est miracle que d'être ensemble
Que la lumière sur ta joue
Qu'autour de toi le vent se joue
                              ARAGON, le Roman inachevé, « L'amour qui n'est pas un mot ».

17 Ce serait beaucoup de chance si elle trouvait un train pour Lisbonne. À Lisbonne,
ce serait un miracle si elle trouvait un bateau pour New York.
                                                SARTRE, la Mort dans l'âme, p. 21.

(Fin XVᵉ). Loc. adv. **PAR MIRACLE** : d'une façon inattendue et heureuse. ⇒ **Bonheur** (par). → Copie, cit. 6 ; coquin, cit. 11 ; gêne,
cit. 9. *Échapper* (cit. 3) *à qqch. par miracle. Il en a réchappé
par miracle.*

Vx. Loc. adv. **À MIRACLE** : d'une façon parfaite, avec un succès
inespéré et total. ⇒ **Parfaitement** (→ Imperfection, cit. 5). *Faire
qqch. à miracle.*

♦ **4.** (Sans aucune idée d'admiration, ni même d'étonnement). Événement extrêmement improbable (cit. 6).

DÉR. (Du lat. *miraculum*) **Miraculé.**

MIRACULÉ, ÉE [miʀakyle] adj. — 1798, Académie ; du lat. *mira-culum* → Miracle.

♦ Sur qui s'est opéré un miracle. *Malade miraculé,* guéri par un
miracle. — N. *Un miraculé. Une miraculée. Les miraculés de Lourdes.* Spécialt. *Les miraculés, les convulsionnaires* de Saint-Médard*
(→ Hystérie, cit. 2).

Je vais au bureau des constatations. Y verrai-je, après le désolant spectacle de
l'hôpital, la joyeuse scène du miraculé jailli, régénéré, de la piscine ?
                                              HUYSMANS, les Foules de Lourdes, V.

MIRACULEUSEMENT [miʀakyløzmã] adv. — 1377 ; de *mira-culeux,* et -*ment.*

♦ **1.** D'une manière miraculeuse, par un miracle. *Saint Pierre fut
délivré miraculeusement de ses liens par un ange* (Académie).

♦ **2.** (1669). Comme par miracle, extraordinairement (→ Arriver,
cit. 33 ; avouer, cit. 21 ; béatitude, cit. 10).

1 Des hommes lançant dans un bloc de bois des couteaux dont la pointe se fichait
à la place désignée d'une façon miraculeusement précise (...)
                                              Th. GAUTIER, le Roman de la momie, IV.

2 On vit aux aguets, aux écoutes ; des mères dont le fils est parti en mer pour une
exploration dangereuse se figurent à toute minute, et alors que la certitude qu'il
a péri est acquise depuis longtemps, qu'il va entrer miraculeusement sauvé et bien
portant.   PROUST, À la recherche du temps perdu, t. III, p. 203.

♦ **3.** Prodigieusement, extrêmement. *Elle est miraculeusement
belle.*

MIRACULEUX, EUSE [miʀakylø, øz] adj. — 1314 au sens A, 2 ; du lat. *miraculum.*

A. ♦ **1.** (V. 1380). Qui est le résultat d'un miracle, qui tient du mira-
cle*. ⇒ **Surnaturel.** *Guérison miraculeuse* (→ Démoniaque, cit. 3).
Vision, apparition miraculeuse (→ Faire, cit. 181). *La pêche*
miraculeuse.*

1 Une expérience, que rien n'est jamais venu contredire, a enseigné à l'âge moderne
que tout ce qui se racontait de miraculeux avait originairement son origine dans
l'imagination qui se frappe, dans la crédulité complaisante, dans l'ignorance des
lois naturelles.   RENAN, Questions contemporaines, Œ. compl., t. I, p. 161.

N. « *Le miraculeux et le divin...* » (Bossuet).

♦ **2.** (1314). Qui fait, qui peut faire des miracles. *Un homme miraculeux.* ⇒ **Thaumaturge.**

♦ **3.** Où se font des miracles. *La grotte miraculeuse de Lourdes,
où la Vierge est apparue.*

B. ♦ **1.** Par ext. Qui produit des effets incompréhensibles*, inex-
plicables*, des prodiges. ⇒ **Étonnant, merveilleux, prodigieux.** *Un
remède miraculeux* (→ Bourrache, cit. 2). *Il n'y a rien de miraculeux dans le haschisch* (→ Curieux, cit. 3).

♦ **2.** (1606). Qui est extraordinaire (→ Hellénique, cit. 2). *Aubaine*
(cit. 2) *miraculeuse. Femme* (cit. 99), *fille miraculeuse* (→ Enterrer, cit. 11).

Toute vie est miraculeuse. Tout se transforme par magie en bienfaits inattendus.
                                              J. CHARDONNE, l'Amour du prochain, p. 100.

Par hyperb. (Vieilli). Admirable (sans rien d'extraordinaire). → Exécrable, cit. 6, La Bruyère.

CONTR. Naturel, normal. — Ordinaire, quelconque.
DÉR. Miraculeusement.

MIRADOR [miʀadɔʀ] n. m. — 1830, *miradore ;* attestation isolée en 1787, dans une traduction (« un *mirador,* ou petite tour ») ; *in* D.D.L. ; mot esp., rac. *mirar* « regarder ».

♦ **1.** Belvédère au sommet d'un bâtiment, balcon ou loge vitrée
en encorbellement (d'abord en parlant de l'Espagne). *Des miradors*
(→ Encorbeller, cit. Baudelaire).

Nous signalerons aux dessinateurs un balcon intérieur qui échancre l'angle d'un
palais (...) et forme un *mirador* d'un goût tout à fait original.
                                              Th. GAUTIER, Voyage en Espagne, 1842, p. 41.

♦ **2.** Poste d'observation et de guet, et, spécialt, construction surélevée servant de poste de surveillance dans un camp de prisonniers
(→ Entourer, cit. 2).

Deux miradors à cent mètres l'un de l'autre reposent sur la crête du mur : ils sont
vides.   SARTRE, la Mort dans l'âme, p. 207.

Les caméras maudites, celles qui filmaient le spectacle du monde du haut des
miradors, les caméras qui gardaient le monde sous le regard du serpent, basculent
soudain sur leurs pivots et regardent les voyageurs !
                                              J.-M. G. LE CLÉZIO, les Géants, p. 98.

1. MIRAGE [miʀaʒ] n. m. — 1753 ; de *mirer,* et -*age.*

♦ **1.** (1753). Phénomène optique* dû à la réfraction* inégale des
rayons lumineux dans des couches d'air inégalement chaudes et
pouvant produire l'illusion d'une nappe d'eau s'étendant à l'horizon,
où se refléteraient les objets éloignés. ⇒ **Illusion, image** (1.). *Les
mirages du désert** (→ Hyperbole, cit. 3).

(...) parfois, à l'horizon, une forme vague apparaît. On dirait un lac, une île, des
rochers dans l'eau : c'est le mirage.
                                              MAUPASSANT, Au soleil, « La province d'Oran ».

Ce même phénomène optique, produisant simplement sur une route
l'illusion d'une surface mouillée.

(Il) s'assit sur une borne pour regarder les voitures passer. On les voyait venir de
loin, flottant sur place au milieu des flaques des mirages.
                                              J.-M. G. LE CLÉZIO, le Déluge, p. 238.

REM. Gide *(le Voyage d'Urien)* emploie le dér. *miragineux :* « la
cité miragineuse ».

♦ **2.** Par métaphore, fig. Illusion, apparence séduisante et trompeuse. ⇒ **Apparence, chimère, illusion, mensonge, rêve, rêverie, tromperie, trompe-l'œil, vision** (→ Fantasmagorie, cit. 3). *Les mirages
de l'imagination* (→ Griserie, cit. 10), *de l'utopie*... Les mirages
de la gloire, du succès* (⇒ **Attrait, séduction**). « *La légende, mirage
de l'histoire* » (Chateaubriand, *la Vie de Rancé,* II).

REM. Les puristes condamnent comme pléonasme les emplois tels que :
mirage illusoire, décevant, trompeur (→ Attrayant, cit. 4).

Charles X avait vécu des illusions du trône : il se forme autour des princes une
espèce de mirage qui les abuse en déplaçant l'objet et en leur faisant voir dans le
ciel des paysages chimériques.
                                              CHATEAUBRIAND, Mémoires d'outre-tombe, t. V, p. 181.

C'était déjà le délicieux mirage d'amour qui transforme toutes les choses présentes et efface toutes les choses passées (...)   LOTI, Matelot, XXXI.

♦ **3.** (1959). Avion militaire construit en France, appartenant à l'une
des séries qui portent ce nom. *Mirage III, Mirage IV. Versions
différentes du Mirage, adaptées à ses diverses missions* (reconnaissance, chasse, bombardement stratégique).

2. MIRAGE [miʀaʒ] n. m. — XIXᵉ ; de *mirer* (les œufs).

♦ Opération qui consiste à mirer (les œufs).

MIRAILLER [miʀaje] v. intr. — 1644, *miraillé,* t. de blason, « tacheté » ; mot dial. à nombreuses variantes : Provence, Langue-doc, domaine franco-provençal, « regarder ; refléter » ; *se mirailler* « se mirer » ; de l'anc. franç. *mirail* « miroir » (XIIIᵉ) ; lat. *mirari.* → Miroir.

♦ Régional. Miroiter ; briller avec des reflets.

À travers des massifs de trembles, de vergnes, des peupliers en file, entre les taches
d'une verdure inégale, on pouvait voir mirailler la rivière au pied des hauteurs et
des rocs de Ribes.   P.-J. TOULET, la Jeune Fille verte, p. 118.

MIRANDELLE [miʀɑ̃dɛl] n. f. — Attesté 1911, *in* F. E. W. ; du rad. lat. *mirand(us)*, de *mirari* «admirer» et suff. *-elle.*

♦ Régional (Suisse). Ablette *(alburnus lucidus)*, poisson dont les écailles brillantes fournissent l'«essence d'Orient», utilisée dans la fabrication des fausses perles.

> Vous avez des fleuves et rivières qui se repeuplent, paraît-il, en écrevisses et en mirandelles (...)   GIRAUDOUX, Siegfried et le Limousin, p. 46.

MIRAUD, AUDE [miʀo, od] ou **MIRO** [miʀo] adj. et n. — 1928, *in* Esnault ; de *mirauder* «regarder», 1405, de *mirer ;* ou directement de *mirer.*

♦ Fam. Qui voit très mal ; qui est myope. ⇒ **Bigleux.** *Il, elle est un peu miro. Elle est miraude,* ou, par assimilation à la forme en *o,* invariable, *elle est miraud.*

> (...) la fille fait une telle bobine, bouche tombante et dégoûtée, regard agrandi et joue diaphane, qu'il faudrait être plus miraud que je le suis pour ne pas voir que quelque chose ne gaze pas.   A. SARRAZIN, la Cavale, p. 110.

(Négatif). *Je ne suis pas miro :* je vois bien, c'est clair.

> Pour qui me prenait-il ? Évidemment, il était là ! Je n'étais pas miro.
> Geneviève DORMANN, le Chemin des Dames, p. 180.

N. «*Tu m'prends pas pour un miraud, non ? J'tai vu. T'as triché*» (J. Genet, *Querelle de Brest,* p. 218, 1953).

MIRBANE [miʀban] n. f. — 1868, Littré ; orig. obscure.

♦ Techn. (Parfumerie). *Essence de mirbane.* ⇒ **Nitrobenzène.**

1. MIRE [miʀ] n. f. — V. 1460 ; déverbal de *mirer.*

♦ **1.** Vx. Action de «mirer», de viser. — *Prendre sa mire :* viser.

Spécialt. Balist. *Cran de mire.* ⇒ **Cran** (2.). *Ligne* de mire : ligne droite imaginaire déterminée par l'œil du tireur. *Angle* de mire. — REM. *Mire* s'est dit, par ext., du bouton de visée des anciennes armes à feu (⇒ **Guidon**) et se dit parfois de la hausse *(mire à œilleton).*

(1771, d'après Bloch). POINT DE MIRE : point de visée, endroit où l'on veut que le coup porte. Fig. ⇒ **But, cible ; objet, sujet.** *Être le point de mire de tout le monde, de toute une société,* le centre d'intérêt, d'attention (→ Exhiber, cit. 3). *Être le point de mire des convoitises*, *des railleries.* ⇒ **Butte** (en).

> En quelque endroit que vous soyez à la campagne, et quand vous vous y croyez seul, vous êtes le point de mire de deux yeux couverts d'un bonnet de coton. Un ouvrier quitte sa houe, une petite gardeuse de chèvres (...) grimpe dans un saule pour vous espionner.   BALZAC, les Paysans, Pl., t. VIII, p. 15.
> (...) le paysan n'a pas d'autre passion, d'autre désir, d'autre vouloir, d'autre point de mire que de mourir propriétaire.
>   BALZAC, le Curé de village, Pl., t. VIII, p. 715.
> Marius combattait à découvert. Il se faisait point de mire. Il sortait du sommet de la redoute plus qu'à mi-corps.   HUGO, les Misérables, V, I, XXI.
> Elle était le point de mire de toutes les demandes, de toutes les sollicitations (...)
>   SAINTE-BEUVE, Causeries du lundi, 28 juil. 1851.

♦ **2.** Techn. Signal* fixe (jalon, disque, perche) servant à déterminer une direction par une visée. *Mire simple ; graduée, à coulisse* (utilisée pour la détermination des hauteurs, des niveaux. ⇒ **Nivellement**). *Mire parlante* (graduée). *Jalon-mire.* ⇒ **Jalon.** — Objet destiné au contrôle d'un instrument d'optique, des instruments d'optique. *Mire de calage d'un cercle méridien.*

♦ **3.** Techn., opt. Photogr. Dessin permettant de déterminer les limites de netteté (d'un objectif, d'une pellicule). — Télév. Cour. Image de contrôle formée d'éléments géométriques destinée au contrôle de la qualité de l'image. *La mire est émise avant le début des émissions.*

DÉR. Mirette.
HOM. Mir.

2. MIRE [miʀ] n. m. — XIIe ; *mirie,* fin XIe ; vx, depuis la fin du XVIe ; lat. *medicus* «médecin».

♦ Vx. Médecin apothicaire. — Par appos. *Le vilain mire* (c'est-à-dire : le paysan médecin), fabliau dont Molière s'est inspiré dans *le Médecin malgré lui.*

> Il manda les maîtres mires les plus fameux, lesquels ordonnèrent des quantités de drogues.   FLAUBERT, Trois contes, «Légende de St Julien l'Hospitalier», I.

REM. Ce mot, archaïque, est parfois utilisé aujourd'hui pour obtenir des effets plaisants.

> Tandis que Mouscaillot se faisait soigner ses plaies et bosses par un mire de quartier, le duc d'Auge attendait le souper à l'auberge (...)
> Comme Mouscaillot vient d'arriver pansé par le mire, on entame le souper qui débute par trois potages de couleurs différentes (...)
>   R. QUENEAU, les Fleurs bleues, p. 73.

3. MIRE [miʀ] n. f. — 1575 ; de *miré.*

♦ Vx. Défense (de sanglier).

MIRÉ, ÉE [miʀe] adj. — 1564 ; p. p. de *mirer* «considérer, admirer».

♦ Vén. Qui a les défenses tournées en dedans, en parlant du sanglier. *Laie mirée.*

DÉR. 3. **Mire.**

MIRED [miʀɛd] n. m. — Av. 1976 ; mot angl., de *mi(cro)- re(ciprocal) d(egree).*

♦ Photogr. Unité de température de couleur, égale à l'inverse d'un millionième de degré Kelvin (1 mired = $\dfrac{1}{1\ °K \times 10^{-6}} = \dfrac{10^6}{1\ °K}$). *Le mired est utilisé en photographie pour évaluer le coefficient des filtres couleur.*

COMP. **Décamired.**

MIRE-ŒUFS [miʀø] n. m. invar. — 1907, Larousse ; de *mirer,* et *œuf.*

♦ Appareil pour mirer les œufs.

MIREPOIX [miʀpwa] n. m. et adj. — 1868, Littré ; du nom du duc de *Mirepoix.*

♦ Cuis. Préparation à base de légumes (carottes, navets, oignons), de thym, de laurier et d'autres épices pour corser une viande, un poisson, des crustacés. *Mirepoix gras, au jambon,* pour viandes braisées, sauces. *Mirepoix maigre,* pour sauce de poissons. — Adj. *Sauce mirepoix* (ou, ellipt., *une mirepoix).*

MIRER [miʀe] v. tr. — Fin XIe ; du lat. pop. *mirare* «regarder attentivement», du lat. class. *mirari* «s'étonner».

♦ **1.** (Fin XIe). Vx. Regarder* avec attention.

♦ **2.** (XVIe). Viser avec une arme à feu (⇒ 1. **Mire**).

♦ **3.** Fig. Briguer, convoiter. *Mirer une place, un emploi* (Littré).

♦ **4.** Fam., vx (encore vivant en argot → cit.). Regarder pour surveiller. ⇒ **Mater.** — Convoiter. ⇒ **Lorgner, viser.**

> Avec lui nous décidâmes de cambrioler une boutique (...)   0.1
> — Tu tâcheras moyen de ne pas bouger si tu me vois piquer un truc.
> — Qu'est-ce que je ferai ?
> — Rien. Tu mires.   Jean GENET, Journal du voleur, p. 58.

♦ **5.** (1874). Examiner (un, des œufs) à contre-jour, à la lumière naturelle ou artificielle (notamment pour s'assurer qu'ils ne sont pas couvés). ⇒ **Mire-œufs.**

♦ **6.** [a] (V. 1175). (Par attraction de *miroir*). Vx ou littér. Regarder (dans une surface polie : miroir, eau...). — Fig. «*Mirer sa vie dans celle d'autrui*» (→ Étudier, cit. 12, Montaigne).

> Elle polit ses ongles, souffla : «ha» sur une bague ternie, mira de près le rouge   1
> mal réussi de ses cheveux et leurs racines blanchissantes, nota quelques lignes sur un carnet.   COLETTE, Chéri, p. 137.

[b] Faire se refléter (dans l'eau, etc.). → Ébrancher, cit. 4 ; libellule, cit.

> Maints châteaux dans ses eaux claires mirent leurs tours,   2
>   Albert SAMAIN, le Chariot d'or, «Symph. héroïque», Le fleuve.

▶ **SE MIRER** v. pron.

[a] V. 1174. (Sens réfléchi). Vieilli ou littér. Se regarder, se contempler*. *Se mirer dans l'eau, dans une glace, un miroir...* (→ Cerf, cit. 1 ; coquet, cit. 12). — Absolt. → Adoniser, cit. 2 ; image, cit. 1 ; immortel, cit. 20.

> Et le bleu Titarèse, et le golfe d'argent   3
> Qui montre dans ses eaux, où le cygne se mire,
> La blanche Oloossone à la blanche Camyre.
>   A. DE MUSSET, Poésies nouvelles, «Nuit de mai».
> Je m'étais en passant mirée à la rivière (...)   4
>   Albert SAMAIN, Aux flancs du vase, Polyphème, I.
> Il *(Narcisse)* se mira un jour dans une fontaine, et son visage lui plut tant qu'il ne   5
> put quitter le bord de cette eau ; et il en mourut, en effet, de lente consomption,
> devenu amoureux de lui-même. Aux enfers, il se mirait encore dans le Styx.
>   Émile HENRIOT, Mythologie légère, p. 162.

(Av. 1589). Fig. Se voir, se reconnaître. Spécialt. Se complaire, s'admirer.

> On se fait une idole de son esprit : on se mire dans ses pensées (...)   6
>   FÉNELON, Œuvres, t. XVIII, p. 36, *in* LITTRÉ.
> Cieux déchirés comme des grèves,   7
> En vous se mire mon orgueil (...)
>   BAUDELAIRE, les Fleurs du mal, «Spleen et idéal», LXXXII.

[b] (Sens passif). Littér. Se refléter. *Arbre qui se mire dans l'eau* (→ Dôme, cit. 4).

> Le feu se mirait dans une haute psyché ; un drap pendait en dehors d'une   8
> baignoire (...)   FLAUBERT, l'Éducation sentimentale, II, II.

DÉR. Mirage, 1. mire, miré, mirette, mireur, miraud ou miro, miroir.
COMP. Mire-œufs.

MIRETTE [miʀɛt] n. f. — 1903, Larousse ; de *mirer* ou de 1. *mire*.

★ **I.** (1903). Techn. Outil de maçon pour rejointoyer. Instrument de modeleur, de sculpteur, pour enlever les excédents de terre glaise.
Outil de paveur, pour vérifier le niveau des pavages.

★ **II.** (1880, Esnault). Pop. Prunelle de l'œil. — (1837, Vidocq). Par ext. Œil (→ Loucher, cit. 3). *De belles mirettes.* — Loc. fig. *En avoir plein les mirettes :* être très fatigué, être ivre. Aussi : être ébloui (sens propre et sens figuré). *En prendre plein les mirettes.*

1   Voilà bien ces yeux dont la flamme traverse le crépuscule ; ces subtiles et terribles *mirettes,* que je reconnais à leur effrayante malice !
                                                  BAUDELAIRE, le Spleen de Paris (1869), v.

Loc. (vx). *Le jus de mirettes :* les larmes.

2   Puis les nerfs de la femme reprirent le dessus. La fille éclata en sanglots et avoua.
— Il est bien temps de chialer maintenant, fit alors Beaujean, haussant toujours les épaules ; c'était avant qu'il fallait y aller du jus de mirettes !
                                                  GORON, l'Amour à Paris, t. I, p. 29.

MIREUR, EUSE [miʀœʀ, øz] n. — 1849 ; «celui qui se propose un but», déb. xvie ; de *mirer,* et *-eur.*
Rare.

♦ **1.** Techn. Personne qui mire, examine des œufs (1840, Académie).

♦ **2.** N. m. Techn. (Artill.). Vx. Instrument pour évaluer les distances.

MIRIFIQUE [miʀifik] adj. — Av. 1525 ; *mirificque,* fin xve ; lat. *mirificus,* rad. *mirari.* → Mirer.

♦ Iron. Merveilleux. ⇒ **Beau, épatant, étonnant, mirobolant, prodigieux.** *Rêves, promesses mirifiques.*
REM. Le mot, synonyme d'*admirable* au xvie s. (cf. Rabelais), n'a été repris (avec une valeur ironique) qu'au xviiie s. (cf. Voltaire) *in* Littré. Il n'apparaît dans le dictionnaire de l'Académie qu'en 1878.

(...) un avenir tout de repos, de liesse et de divertissement ; balivernes mirifiques avec lesquelles on essaie d'endormir, dans la conscience des multitudes, la sourde angoisse de l'instinct.   G. DUHAMEL, Manuel du protestataire, p. 100.

DÉR. Mirifiquement.

MIRIFIQUEMENT [miʀifikmɑ̃] adv. — Déb. xvie ; de *mirifique,* et *-ment.*

♦ Iron. D'une manière merveilleuse, mirifique.

MIRLICOTON [miʀlikɔtɔ̃] n. m. — xvie, *mirecouton ; mirelicoton,* 1611 ; altér. de l'esp. *melocoton* «pêche», littéralt «pomme-coing».

♦ Vx. Grosse pêche jaune d'une variété automnale.

MIRLIFLOR ou **MIRLIFLORE** [miʀliflɔʀ] n. m. — 1765, *mirliflor ; mirliflore,* 1787 ; var. *mirlifleur ;* p.-ê. altér. de *mille-fleurs,* par une motivation peu claire (utilisation de l'eau de mille-fleurs* dans la fabrication de parfums à la mode, au xviie siècle ?), avec attraction de *mirlifique,* var. burlesque de *mirifique.*

♦ Plais., vieilli. Jeune élégant aux manières affectées. ⇒ **Dandy, élégant** (cit. 9), **fashionable, gandin, muscadin** (→ Joli, cit. 3). *Faire le mirliflore.*

1   Vous lui donnez de beaux habits et du beau linge, il a des jabots d'agent de change, et mon mirliflor va le dimanche aux Tuileries, chercher des aventures.
                                                  BALZAC, Un début dans la vie, Pl., t. I, p. 711.

2   Il ne s'agit plus (*dans le tableau de Rembrandt* la Ronde de nuit) de ces mirliflores avantageux qui aux murs tout autour de la salle sous le pinceau de Van der Helst font des effets de pourpoint, de culottes, de feutre et de nœuds sur la hanche.
                                                  CLAUDEL, Journal, t. II, Pl., p. 27.

Mod. Fier-à-bras, fanfaron content de lui.

MIRLITAIRE [miʀlitɛʀ] n. m. ⇒ **Militaire.**

MIRLITON [miʀlitɔ̃] n. m. — 1752, Trévoux ; paraît être un anc. refrain de chanson populaire.

♦ Tube (de roseau*, de carton, etc.), garni à ses deux extrémités d'une membrane (baudruche, papier fin, peau d'oignon : on l'appelait «flûte à l'oignon») et percé d'une ouverture latérale près de chaque bout, sur laquelle on applique les lèvres pour chantonner, nasiller un air. ⇒ **Flûteau ; bigophone.** *Air de mirliton :* air populaire, sans prétention. — *Vers de mirliton,* du genre de ceux qui sont imprimés sur les bandes de papier qui entourent en spirale les mirlitons ; mauvais vers (→ Vers d'almanach*). *Devises, morales de mirliton* (→ Citation, cit. 6).

1   Et nous aimons bien mieux quelque drame à la mode
Où l'intrigue, enlacée et roulée en feston,
Tourne comme un rébus autour d'un mirliton.
                                                  A. DE MUSSET, Poésies nouvelles, «Une soirée perdue».

2   Encore qu'ils sentent un peu le mirliton, ces vers aimables nous donnent une idée du modèle.   G. DUHAMEL, les Refuges de la lecture, IV, p. 139.

Le mirliton a le son d'un phonographe qui ressuscite l'enregistrement d'un passé — sans doute rien de plus que les joyeux et profonds souvenirs d'enfance alors qu'on nous conduisait à Guignol.
A. JARRY, Conférences sur les pantins (Textes relatifs à Ubu roi), Pl., t. I, p. 422.
Le seul mot articulé, burlesque, emprunté au plus humble vocabulaire des mirlitons, fut le dernier. Alors que le silence s'était fait déjà et qu'il durait, sans même un grésillement des lignes, un silence qui semblait avoir englouti tout le pays, j'entendis soudain une voix ridicule sangloter dans le lointain :
— On les aura !   R. GARY, la Promesse de l'aube, p. 264.

DÉR. Mirlitonner, mirlitonnesque.

MIRLITONNESQUE ou (moins fréquent) **MIRLITONESQUE** [miʀlitɔnɛsk] adj. — Mil. xxe ; de *mirliton,* et *-esque.*

♦ Fam. De mirliton. *Une musique mirlitonnesque. Des vers mirlitonnesques.*

Les vers voulus *mirlitonesques* ne sont-ils pas l'expression à dessein enfantine et simplifiée de l'absolu, sagesse des nations ?
Et puis (...) sont-ils plus mirlitonesques que ceux récités dans les théâtres à personnages humains et que le public applaudit de toute la compréhension de son séant, seul point par lequel il soit bien en contact avec le Théâtre ?
A. JARRY, Conférences sur les pantins (Textes relatifs à Ubu roi), Pl., t. I, p. 423.
Lorsqu'on monte davantage le son devient plus nasillard, voire mirlitonesque (...) On emploie rarement cet aigu du Contrebasson ; il ne peut guère servir qu'à des effets humoristiques.   Ch. KŒCHLIN, les Instruments à vent, p. 63.

MIRLITONNADE [miʀlitɔnad] n. f. — xxe ; de *mirlitonner.*

♦ Rare. Air, musique de mirliton.

Alors les orphéons se déchaînent et couvrent de leurs mirlitonnades les piaillements de l'assistance.   G. DUHAMEL, Scènes de la vie future, XII.

MIRLITONNER [miʀlitɔne] v. intr. — 1833, P. Borel, Champavert ; de *mirliton,* et *-er.*

♦ Rare. Jouer du mirliton.

DÉR. Mirlitonnade.

MIRMIDON [miʀmidɔ̃] n. m. ⇒ **Myrmidon.**

MIRMILLON [miʀmijɔ̃] n. m. — Déb. xviie, d'Aubigné, *in* D.D.L. ; lat. *mirmillo.*

♦ Didact. (Antiq. rom.). Gladiateur* (cit. 2) armé à la gauloise d'un bouclier *(pelta),* d'une épée et d'un casque, et qui était en général opposé au rétiaire.

MIRO [miʀo] adj. et n. ⇒ **Miraud.**

MIROBOLAMMENT [miʀɔbɔlamɑ̃] adv. — V. 1840, Balzac ; de *mirobolant,* et *-ment.*

♦ Rare. D'une manière mirobolante.

MIROBOLANT, ANTE [miʀɔbɔlɑ̃, ɑ̃t] adj. — 1836, *in* D.D.L. ; *mirobolard,* 1767, Collé, en parlant d'un docteur. Cf. aussi *Mirobolan,* nom d'un médecin dans *Crispin médecin* (1673). → Myrobolan ; feuille, cit. 5.

♦ Fam. Admirable, magnifique, mais trop beau pour être vrai, réalisable. ⇒ **Épatant, étonnant, merveilleux, mirifique.** *Promesses mirobolantes.*

(...) bientôt elle fait un bond sur sa chaise ; sa figure s'épanouit, et elle s'écrie :
— C'est cela... c'est bien cela... je tiens mon affaire ! Oh ! ce sera ravissant, mirobolant !... (Mirobolant est un nouveau mot employé à Paris dans le style excentrique, et qui veut dire plus que magnifique.)
                                                  Ch. PAUL DE KOCK, la Grande Ville, t. I, p. 28-29.

Quant aux statistiques, dont on fait si grand cas aujourd'hui dans toutes les querelles, j'avoue qu'elles me font rire, encore qu'elles produisent, sur beaucoup de naïfs, un effet mirobolant.   G. DUHAMEL, la Pesée des âmes, v.

Rare. (Des personnes). *C'est un type mirobolant.*

Nom :

Un p'tit médecin chafouin nous dirait qu'il était paranoïaque. Il a été admiré par les journalistes comme un mirobolant ! Amant d'une actrice célèbre ! Il a cru que c'était arrivé (...)   MALRAUX, Antimémoires, p. 417.
N. B. C'est Cloppique, personnage au langage savoureux, qui parle.

DÉR. Mirobolamment.
HOM. Myrobolan.

MIROIR [miʀwaʀ] n. m. — V. 1268 ; *mireor,* v. 1130 ; *mireür,* v. 1119 ; de *mirer,* et *-oir.*

A. ♦ **1.** (V. 1119). Objet de forme variable, constitué d'une surface polie (autrefois de métal, puis, plus généralement, de verre étamé) qui sert à réfléchir la lumière, à produire l'image (cit. 5) des personnes et des choses. ⇒ **Glace** (II.).

REM. Pour la distinction d'emploi entre *miroir* et *glace*. → Glace, *supra* cit. 29.

Tain d'un miroir. Ternir un miroir. Briller comme un miroir. ⇒ **Miroiter.** *Se regarder, se voir dans un miroir,* ou (vx), *au miroir.* ⇒ **Mirer** (se). → Efféminer, cit. 6 ; légion, cit. 8. *Miroir déformant, grossissant. Miroir de poche, miroir mural* (→ Image, cit. 4). *Miroir d'ameublement.* ⇒ **Psyché.**

Miroir en pied, à trois faces. — 1969. *Miroir de courtoisie* (calque de l'angl. *courtesy mirror*), fixé dans le pare-soleil du passager avant d'une automobile. *Miroir de Venise. Commerce des miroirs.* ⇒ **Miroiterie, miroitier.** — Icon. *Le miroir, attribut de la vérité* personnifiée.*

N'as-tu pas vu, *Thérèse*, des miroirs de formes différentes, quelques-uns qui diminuent les objets, d'autres qui les grossissent ; ceux-ci qui les rendent affreux ; ceux-là qui leur prêtent des charmes ; t'imagines-tu maintenant que si chacune de ces glaces unissait la faculté créatrice à la faculté objective, elle ne donnerait pas du même homme qui se serait regardé dans elle, un portrait tout à fait différent, et ce portrait ne serait-il pas en raison de la manière dont elle aurait perçu l'objet ?
         SADE, *Justine...,* t. I, p. 188.

(...) jetant, toutes les fois qu'il passait devant, un coup d'œil interrogatif au miroir de Venise, lequel, contre l'ordinaire des miroirs, lui faisait à chaque demande une réponse flatteuse.   Th. GAUTIER, le Capitaine Fracasse, XIII.

(...) Ô miroir !
Eau froide par l'ennui dans ton cadre gelée (...)
         MALLARMÉ, Poésies, Autres poèmes, « Hérodiade », II.

Le soir, dans ma chambre d'hôtel, j'allume toutes les lumières, je combine divers jeux de miroirs, je me cherche, tour à tour, de face, de profil, de dos, de trois-quarts.   G. DUHAMEL, Scènes de la vie future, XI.

À Corinthe, en Grèce, on confectionnait des miroirs en bronze blanc ; à Rome on les fit en argent et même en or. Cependant les Égyptiens et les Grecs connaissaient les miroirs de verre ; la feuille transparente était doublée d'une plaque mince de métal... Les miroirs de Venise, les premiers en date, étaient fort petits, en verre soufflé puis étalé. Les premières glaces coulées à Saint-Gobain serviront aussitôt à faire des miroirs qu'on obtenait par étamage de ces glaces (...)
         F. MEYER et P. GRIVET, le Verre, p. 71.

Palais des miroirs (syn. : *palais des glaces*).

L'attraction foraine dite Palais des Miroirs est une baraque dont l'intérieur contient un labyrinthe cloisonné de glaces les unes avec tain les autres transparentes. Après avoir payé on entre, il s'agit qu'on sorte. C'est alors qu'on bute désespérément contre sa propre image ou contre un visiteur coupé de nous par une vitre. Les badauds, de la rue assistent à la recherche du chemin invisible.
         Jean GENET, Journal du voleur, p. 282.

Opt. *Miroir plan. Miroir tournant. Miroirs angulaires, parallèles, triples. Miroir sphérique, concave* ou *convergent, convexe* ou *divergent, hyperbolique, parabolique. Foyer*, axe, plan focal*, ligne, surface caustique*, centre optique, sommet d'un miroir. Champ, convergence, distance focale*, grandissement* ou *grossissement linéaire, ouverture d'un miroir. Théorie, formules des miroirs. Image** (cit. 9) *dans un miroir.* — Technol. *Appareils* ou *instruments utilisant les propriétés des miroirs.* ⇒ **Réflecteur, rétroviseur, réverbère, spéculum, télescope.**

Loc. (1474). *Miroir ardent** (cit. 9 et 10) : miroir concave qui peut enflammer les objets par les rayons solaires. — *Miroir magique,* utilisé autrefois dans l'art de la divination*, et réputé faire apparaître des personnes ou des choses absentes. — Chasse. *Miroir à (aux) alouettes,* ou, absolt, *miroir* (→ Alouette, cit. 4) : engin composé d'une planchette (souvent en forme de silhouette d'oiseau), munie de petits miroirs et tournant sur un axe, que l'on fait scintiller au soleil pour attirer les alouettes et d'autres oiseaux. ⇒ **Piège.** Fig. Ce qui trompe, ce qui fascine (→ Alouette, cit. 5).

Tous les tiroirs remplis de riens inutiles et charmants dont mon enfance était éblouie (miroirs aux alouettes, vieilles boîtes à poudre, encriers, clefs), ont été vidés dans les buissons.   Cl. MAURIAC, le Temps immobile, p. 206.

Psychan. *Stade du miroir* (J. Lacan) : première étape de la structuration du sujet, entre six et dix-huit mois, lorsque l'enfant est apte à reconnaître sa propre image. *Le stade du miroir correspond à l'émergence du symbolique, de l'imaginaire* (image projetée) *et du rapport au réel.*

Psychiatrie. *Signe, symptôme du miroir :* symptôme schizophrénique, longue contemplation de sa propre image dans les miroirs, avec sentiment d'altération, de dépersonnalisation.

Par compar. *Comme un miroir :* lisse, brillant, réfléchissant la lumière. *Eau lisse* (cit. 1) *comme un miroir. Parquet ciré comme un miroir.*

Loc. fig. et fam. *Miroir à putains :* beau jeune homme (iron.).

♦ **2.** (1689). Littér. Surface unie qui réfléchit la lumière ou les objets. *Le miroir des eaux. L'étang* (cit. 3), *profond miroir. Le miroir des lacs profonds et calmes* (→ Cygne, cit. 4), *de la mer* (→ Crépuscule, cit. 2).

(...) nous allâmes parcourir les bois encore enveloppés des brouillards d'automne, que peu à peu nous vîmes se dissoudre en laissant reparaître le miroir azuré des lacs.   NERVAL, les Filles du feu, « Angélique », XI.

(1715). **MIROIR D'EAU :** pièce d'eau de forme géométrique dans un jardin, un parc. ⇒ **Canal.**

Il sortait dès le matin et faisait le tour du parc. Il y avait de fortes gelées blanches. Le « miroir d'eau » portait un plumage de vapeur.
         G. DUHAMEL, Chronique des Pasquier, V, X.

Immeuble miroir (appos.), où la façade en mur-rideau est entièrement vitrée.

♦ **3.** (Fin XIIe). Abstrait. Ce qui offre à l'esprit l'image, la représentation des personnes, des choses, du monde... (→ Individuel, cit. 6 ; insouciance, cit. 3). *Les yeux sont le miroir de l'âme.* « *Homme libre, la mer est ton miroir* » (→ Déroulement, cit. 2, Baudelaire). « *L'exemple* (cit. 3) *souvent n'est qu'un miroir trompeur* » (Corneille). *Le théâtre en France est le miroir des lois et des coutumes* (→ École, cit. 21).

Un roman, c'est un miroir : tout le monde le dit. Mais qu'est-ce que *lire* un roman ? Je crois que c'est sauter dans le miroir. Tout d'un coup on se trouve de l'autre côté de la glace au milieu de gens et d'objets qui ont l'air familiers.
         SARTRE, Situations I, p. 14.

Il me semble qu'on pourrait aussi justement comparer Chrétien *(de Troyes)* à Tolstoï, dont il a été dit par une expression d'une grande beauté qu'il avait été « le miroir de la révolution russe ». Chrétien de Troyes est le miroir de la société féodale française, de ses mœurs, de ses grandeurs et de ses faiblesses (...)
         ARAGON, les Yeux d'Elsa, Appendice, p. 97.

B. Emplois spéciaux (métaphoriques et techniques).

♦ **1.** (1690, Furetière). Entaille sur le tronc d'un arbre, portant une marque au marteau signifiant que l'arbre doit être réservé ou abattu. → Blanchis, flachis.

♦ **2.** (1690). Loc. *Œufs au miroir :* œufs sur le plat (cour.). Aussi en appos. : *œufs miroir.*

♦ **3.** Cavité dans le parement d'une pierre, produite par un éclat (en maçonnerie).

♦ **4.** [a] Tache brillante, mordorée (sur l'aile d'un papillon, le plumage d'un oiseau). *Les miroirs de la queue du paon* (⇒ **Ocelle**).

[b] Spécialt. Fauconn. Moucheture brillante du plumage.

[c] Partie luisante du poil d'un cheval, sur la croupe.

♦ **5.** (Syntagmes). *Miroir de Vénus :* campanule à corolle circulaire. ⇒ **Spéculaire.**
Miroir d'âme, miroir de la Vierge, miroir du pèlerin : gypse laminaire à surface brillante.

♦ **6.** Par anal. Surface de réflexion séparant deux couches de roches de densités différentes, et sur laquelle les ondes sonores se réfléchissent.
Miroir magnétique : dispositif produisant des champs capables de réfléchir un plasma et de le confiner. — *Miroir électronique :* champ électrique faisant rebrousser la trajectoire d'électrons.

♦ **7.** Didact. EN MIROIR : de manière à produire une image spéculaire* (inversée). *Écriture en miroir, souvent exécutée spontanément par les gauchers. Parole en miroir.* « *Parmi ces bizarres aphasies, la "parole en miroir", signalée depuis peu, n'est certes pas la moins bizarre* » (Année scientifique et industrielle, 1897, p. 269, 1896).

C. Didact. ou anc. (Dans les titres de diverses compilations médiévales). *Miroir historial. Miroir de Saxe. Miroir de Souabe.* — Mod. (Dans des titres de périodiques). *Miroir des Arts.*

DÉR. Miroiter, miroitier.

MIROITANT, ANTE [miʀwatɑ̃, ɑ̃t] adj. — 1824 ; p. prés. de *miroiter.*

♦ Qui miroite. ⇒ **Brillant, chatoyant, éclatant, scintillant.** *Parquet miroitant. Surface miroitante de la mer. Soie miroitante. Sables miroitants* (→ 1. Hampe, cit. 3). — Fig. *Style miroitant* (→ Manière, cit. 14).

MIROITÉ, ÉE [miʀwate] adj. — 1732 ; *miroüeté,* 1680 ; *mirouetté,* 1595 ; p. p. de *miroiter.*

♦ Hippol. *Cheval miroité :* cheval bai dont la croupe est marquée de taches d'une couleur plus brillante que le fond de la robe. *Robe miroitée d'un cheval.*

Par ext. (En parlant des choses). Marqué de taches brillantes, de plaques lustrées (⇒ **Miroir,** B., 4.).

Son teint, miroité de bonne heure, avait des tons d'acier.
         BALZAC, les Petits Bourgeois, Pl., t. VII, p. 84.

(...) la touloupe souillée, graisseuse, miroitée du moujik (...)
         Th. GAUTIER, Voyage en Russie, XVI, p. 248.

MIROITEMENT [miʀwatmɑ̃] n. m. — 1622 ; de *miroiter,* et -ment.

♦ Éclat, reflet produit par un objet qui miroite (→ Bâtiment, cit. 9). ⇒ **Brillant, chatoiement, éclat, lustre, reflet, scintillement.** *Miroitement des eaux. Miroitement profond du Rhin* (→ Fermer, cit. 24). *Miroitement fugitif* (cit. 7).

(...) une étincelle jaillissait de sa pupille à travers le miroitement de ses lunettes (...)   FLAUBERT, Mme Bovary, III, VII.

MIROITER [miʀwate] v. intr. — XVIe ; de *miroir,* d'après l'anc. prononc. *miroi.*

♦ **1.** Réfléchir la lumière en jetant des reflets variés et changeants.

⇒ **Briller, chatoyer** (cit. 1), **scintiller** (→ Étoile, cit. 30; limande, cit. 1). *Vitre, eau qui miroite au soleil.*

1 La dame que je suivais, développant sa taille élancée dans un mouvement qui faisait miroiter les plis de sa robe, en taffetas changeant, entoura gracieusement de son bras nu une longue tige de rose trémière (...) NERVAL, Aurélia, I, VI.

2 (...) l'eau agitée en tous sens fourmillait, scintillait, miroitait comme du vif-argent, et ressemblait à un soleil brisé en millions de pièces. Th. GAUTIER, le Roman de la momie, II.

♦ **2.** Fig. *Faire miroiter qqch. à qqn,* le lui présenter de façon séduisante comme accessible, avantageux, afin de l'appâter. ⇒ **Briller** (faire), **promettre** (→ Miroir* aux alouettes). *Faire miroiter un bénéfice aux yeux de qqn. Il lui a fait miroiter les avantages qu'il pourrait en tirer.*

3 En faisant miroiter devant Alexandre une belle part des dépouilles de cet Empire *(l'empire turc)* pour le jour prochain où celui-ci s'effondrerait, il ferait, à bon compte, le grand seigneur (...) Louis MADELIN, Hist. du Consulat et de l'Empire, Vers l'Empire d'Occident, XXIII.

DÉR. Miroitant, miroité, miroitement.

MIROITERIE [miʀwatʀi] n. f. — 1701, Furetière; de *miroitier,* et *-erie.*

♦ **1.** Commerce, industrie des miroirs et des glaces. *Principales opérations de la miroiterie :* biseautage, taillage, étamage, argenture.

♦ **2.** (1842). Atelier de miroitier.

MIROITIER, IÈRE [miʀwatje, jɛʀ] n. m. et f. — 1564; de *miroir,* d'après l'anc. prononc. *miroi.*

♦ Personne qui vend, fabrique, encadre, taille... des miroirs ou des glaces. ⇒ **Glacier** (vx). *Métier de miroitier. Une miroitière. Miroitier-façonnier. Miroitier-poseur. Ancienne corporation des miroitiers-lunetiers.*

DÉR. Miroiterie.

MIRONTON [miʀɔ̃tɔ̃] n. m. — V. 1930; orig. obscure. → le suivant et aussi *miroton.*

♦ Fam. Individu plus ou moins cocasse. ⇒ **Zigoto.** *Un vieux mironton.*

Qu'est-ce que c'est, ce mironton qui est avec toi? Il est marrant, avec sa tribu. A. LE BRETON, les Pégriots, p. 177.

MIRONTON, MIRONTAINE [miʀɔ̃tɔ̃, miʀɔ̃tɛn] mot invar. — Déb. XVIIIe; formes onomatopéiques.

♦ Refrain de chansons populaires.

Malbrough s'en va-t-en guerre
Mironton, mironton, mirontaine. Chanson populaire.

MIROTON [miʀɔtɔ̃] n. m. — 1691, Bloch; orig. incert.; p.-ê. du rad. lat. *mirare* «voir, regarder», comme les régionalismes *mirauder, miroder* «regarder avec attention; soigner», s'agissant d'un plat mijoté (Guiraud).

♦ Plat cuisiné, fait de bœuf bouilli et coupé en tranches, accommodé avec des oignons, du lard, du vinaigre... *Du miroton* (→ Fromage, cit. 7). *Un miroton de bœuf. Bœuf au miroton.* Par appos. *Du bœuf miroton.*

Le garçon, débordé par l'affluence des consommateurs, était insaisissable, n'avait pas de monnaie. Des verres se renversaient, le vin rouge se répandait sous les tables. On trempait dans la friture et le miroton. Geneviève DORMANN, la Fanfaronne, p. 104.

Forme pop. (altérée d'après le refrain). *Mironton*; *bœuf mironton.*

MIRTIL [miʀtil], **MIRTILLE** [miʀtij] n. f. ⇒ **Myrtille.**

MIRUS [miʀys] n. m. — 1944; marque déposée de poêles, du lat. *mirus* «merveilleux».

♦ Appareil de chauffage de la marque de ce nom.

1 (...) la tiédeur constante qu'entretient un «mirus» que je charge et allume tous les matins dès mon lever. A. GIDE, Journal, janv. 1944, p. 201.

2 Michou rentre de l'école avec son gros cartable, il déploie sa science sous la lampe tandis qu'auprès du mirus ronflant se groupe le reste de la famille. R. QUENEAU, Loin de Rueil, p. 224.

MIS, MISE [mi, miz] p. p. et adj. ⇒ **Mettre.**

MIS-, MISO- Élément, du grec *misein* «haïr». ⇒ **Misandre, misanthrope, misogamie, misogyne, misonéiste.**

REM. Le succès des composés en *miso-* dans le discours des controverses pro- et antiféministes, a amené des composés hybrides, formés

de *miso* + un subst. quelconque. Cf. *misomère* («qui hait sa mère»?) in Michèle Perrein, *Entre chienne et louve,* p. 94.

MISAINE [mizɛn] n. f. — 1573; *misayne,* 1530; *mizenne,* v. 1500; altér. d'après l'ital. *mezzana,* de *migenne,* 1382, empr. au catalan *mitjana* «qui est au milieu».

♦ Mar. *Voile de misaine,* ou, plus cour., *misaine :* voile basse du mât de l'avant du navire. — REM. À l'origine le mot désignait la voile du mât du milieu, d'où son nom. — *Arc-boutant servant à amurer la misaine.* ⇒ **Minot, pistolet.**

Ils hissèrent la misaine, levèrent l'ancre, et le bateau, libre, se mit à glisser lentement vers la jetée sur l'eau calme du port. MAUPASSANT, Pierre et Jean, IV.

(Plus cour.). **MÂT DE MISAINE :** «Le premier mât vertical à l'avant du navire» (Gruss); celui qui porte la misaine. *Hune de misaine, gabier de misaine* (→ Beaupré, cit.). *Fortune* gréée sur la vergue de misaine.

MISANDRE [mizɑ̃dʀ] adj. et n. f. — V. 1970; de *mis-, miso-,* et *-andre,* sur le modèle de *misanthrope,* et d'après *misogyne.*

♦ Didact. Se dit d'une femme qui a de la haine ou du mépris pour les hommes (attitude symétrique de la misogynie masculine, alors que la misanthropie s'adresse à tout être humain). ⇒ **Androphobe.** — N. f. *Une misandre.*

Le discours rapporté peut consister en citations de soi-même : la conjonction de «j'invente le mot *misandre*» et de «je ne suis pas hostile aux hommes» donne : «Je ne suis pas "misandre"», qui doit être lu «je ne suis pas misandre, comme je dis (ou, si vous me passez l'expression)». Josette REY-DEBOVE, in Littératures, n° 4, déc. 1971.

CONTR. Androphile.
DÉR. Misandrie.

MISANDRIE [mizɑ̃dʀi] n. f. — V. 1970; de *misandre,* et *-ie.*

♦ Haine ou mépris du sexe masculin, des hommes. ⇒ **Androphobie.** «*Ce film où la misandrie le dispute à la misogynie*» (Horizons du fantastique, n° 33, p. 56).

CONTR. Androphilie.

MISANTHROPE [mizɑ̃tʀɔp] n. et adj. — 1548, Rabelais, *Timon le Misanthrope;* cf. *Le Quart Livre* (1552); grec *misanthrôpos,* de *misein* «haïr», et *anthrôpos* «homme».

♦ **1.** (1548). Sens fort. Personne qui manifeste de la haine, de l'aversion pour le genre humain (→ Atrabilaire, cit. 5; impitoyable, cit. 8). *Timon, ou le Misanthrope,* dialogue de Lucien.

La Rancune donc était de ces misanthropes qui haïssent tout le monde, et qui ne s'aiment pas eux-mêmes (...) SCARRON, le Roman comique, I, V.

(...) il n'est pas vrai qu'il *(Molière)* ait donné cette haine *(des hommes)* à son personnage : il ne faut pas que ce nom de misanthrope en impose, comme si celui qui le porte était ennemi du genre humain. Une pareille haine serait (...) une dépravation de la nature et le plus grand de tous les vices. Le vrai misanthrope est un monstre. S'il pouvait exister, il ne ferait pas rire, il ferait horreur. ROUSSEAU, Lettre à d'Alembert (→ aussi Incartade, cit. 2).

♦ **2.** (1622). Cour. Personne qui a le caractère sombre, aime la solitude, évite la société, est sévère envers l'espèce humaine. ⇒ **Atrabilaire, ours, sauvage, solitaire** (→ Balourdise, cit. 2). *Un vieux misanthrope. Une misanthrope déclarée.* — *Le Misanthrope ou l'Atrabilaire amoureux,* pièce de Molière. *Le Misanthrope et l'Auvergnat,* pièce de Labiche.

Qu'est-ce donc que le misanthrope de Molière? Un homme de bien qui déteste les mœurs de son siècle et la méchanceté de ses contemporains; qui, précisément parce qu'il aime ses semblables, hait en eux les maux qu'ils se font (...) Ce n'est (...) pas des hommes qu'il est ennemi, mais de la méchanceté des uns et du support que cette méchanceté trouve dans les autres (...) Il n'y a pas un homme de bien qui ne soit misanthrope en ce sens (...) ROUSSEAU, Lettre à d'Alembert.

Il est presque impossible qu'un philosophe, qu'un poète ne soient pas misanthropes : 1° parce que leur goût et leur talent les portent à l'observation de la société, étude qui afflige constamment le cœur; 2° parce que, leur talent n'étant presque jamais récompensé par la société (heureux même s'il n'est pas puni!), ce sujet d'affliction ne fait que redoubler leur penchant à la mélancolie. CHAMFORT, Maximes, «Sur la science», XXXVIII.

(...) il était en même temps l'ami le plus généreux du genre humain et le plus sombre des misanthropes. FRANCE, Pierre Nozière, I, XI.

♦ **3.** Adj. Qui hait le genre humain, évite le commerce de ses semblables. ⇒ **Atrabilaire, bourru, chagrin, farouche, insociable** (cit. 2), **sauvage, solitaire.** *Il est, il devient misanthrope, de plus en plus misanthrope* (→ Âge, cit. 56). *Elle est devenue bien misanthrope. Il est misanthrope et misogyne. Esprit misanthrope.*

(...) ce serait un joli poulain calabrais, s'il n'était pas si misanthrope, je veux dire sauvage, ennemi des hommes. P.-L. COURIER, Correspondance, in Œ. compl., Pl., p. 701.

7 Il avait besoin de ne pas trop voir les hommes, pour les aimer. Non qu'il fût misanthrope. Il était trop peu sûr de soi pour ce rôle.
						R. ROLLAND, Jean-Christophe, Dans la maison, I, p. 975.

CONTR. **Philanthrope. — Confiant, sociable.**

MISANTHROPIE [mizɑ̃tropi] n. f. — Av. 1578 ; grec *misanthrô-pia*. → Misanthrope.

♦ Haine du genre humain. — Par ext. Caractère, humeur du misanthrope, sévérité envers le genre humain. *Accès* (cit. 11) *de misanthropie. Âpre misanthropie* (→ Grandissant, cit. 2). *Idées de tristesse et de misanthropie* (→ Égarer, cit. 8 ; flèche, cit. 11).

1 Son caractère contracta nécessairement une intime misanthropie qui jeta certaine teinte d'amertume dans sa conversation et quelque sévérité dans son regard.
						BALZAC, la Vieille Fille, Pl., t. IV, p. 253.
2 J'ai d'affreuses, de mauvaises pensées, des haines, des jalousies, de la misanthropie ; je ne puis plus pleurer ; j'analyse tout avec perfidie et une secrète aigreur.
						SAINTE-BEUVE, Correspondance, 131, 5 juil. 1830.

CONTR. **Philanthrope. — Charité, confiance, coquetterie, sociabilité.**
DÉR. **Misanthropique.**

MISANTHROPIQUE [mizɑ̃tropik] adj. — 1771, Trévoux ; de *misanthropie*, et *-ique*.

♦ Littér. Qui a le caractère de la misanthropie. *Caractère, humeur misanthropique.* ⇒ **Misanthrope** (adj.). *Réflexions, idées misanthropiques.*

Même lorsque Taupe menait sa misanthropique existence, chaque semaine il rencontrait Pic et se mesurait avec lui aux dominos.
						R. QUENEAU, le Chiendent, p. 262.

CONTR. **Philanthropique.**

MISCELLANÉES [miselane] n. f. pl. — 1570 ; lat. *miscellanea* «choses mêlées», rac. *miscere* «mêler».

♦ Didact., rare. Mélanges* scientifiques ou littéraires. ⇒ **Recueil.**
REM. Chateaubriand a employé *miscellanée* au sing., au sens de «mélange». → Gondolier, cit.

MISCIBILITÉ [misibilite] n. f. — 1753 ; de *miscible*, et *-ité*.

♦ Didact. Caractère de ce qui peut se mêler, se mélanger. *La miscibilité de deux liquides.*

MISCIBLE [misibl] adj. — 1757, Macquer et Baume ; du lat. *miscere* «mêler».

♦ Didact. Qui peut se mêler avec une autre substance pour former un mélange homogène. *L'eau et l'alcool sont entièrement miscibles.*

DÉR. **Miscibilité.**

MISE [miz] n. f. — V. 1160 ; de *mettre* au p. p. fém. substantivé.
Action de mettre ; son résultat.
REM. Cette définition théorique est trop large ; comme *metteur*, *mise* ne s'emploie que dans quelques usages du verbe *mettre*. Cependant, la nominalisation *mettre/mise* tend à devenir plus fréquente, notamment dans les syntagmes techniques et scientifiques. Seuls les emplois les plus usuels sont répertoriés ci-dessous ; d'autres sont possibles, mais *mise* «action de mettre» n'est pas normal en emploi libre (*la mise d'une assiette sur la table par qqn*, par exemple, ne se dit guère).

★ I. ♦ 1. (⇒ **Mettre**, I.). Action de mettre (quelque part). *Mise en place. Mise en sacs, en bouteilles* (→ Échantillon, cit. 4). *Mise à l'eau.* — Techn. (Chamoisage). *Mise en chaux, en confit.* — Typogr. *Mise en forme, en pages*. — Radio. *Mise en ondes.* — Bx-arts. *Mise au carreau.*
Fig., fam. *Mise en boîte*.
(1835). *Mise bas* : action de mettre bas. ⇒ **Parturition.** *Mise bas naturelle, aidée. Mise bas d'une chatte, d'une vache.*
Mise à couvert, en lieu sûr. Mise en possession : délivrance (à qqn). *Mise hors de combat d'un boxeur. Mise au secret d'un prisonnier.*

1 Il devait se dire que j'attendais que nous ayons économisé chacun un peu d'argent, pour les frais de mise en ménage.
						J. ROMAINS, les Hommes de bonne volonté, t. IX, xx, p. 156.
MISE EN SCÈNE (1800). Théâtre, art lyrique. Organisation matérielle de la représentation (places, mouvements et jeu des acteurs, choix des décors, etc.). ⇒ **Scénographie.** — Cin., télév. ⇒ **Réalisation.**
Fig. *Il a fait toute une mise en scène.*
1.1 Il n'y a pas de mise en scène de génie sans crises de nerfs.
						J. ANOUILH, la Répétition, p. 50.
1.2 Tant que la mise en scène demeurera, même dans l'esprit des metteurs en scène les plus libres, un simple moyen de présentation, une façon accessoire de révéler des œuvres, une sorte d'intermède spectaculaire sans signification propre, elle ne vaudra qu'autant qu'elle parviendra à se dissimuler derrière les œuvres qu'elle pré-

tend servir. Et cela durera aussi longtemps que l'intérêt majeur d'une œuvre représentée résidera dans son texte, aussi longtemps qu'au théâtre — art de représentation, la littérature prendra le pas sur la représentation appelée improprement spectacle, avec tout ce que cette dénomination entraîne de péjoratif, d'accessoire, d'éphémère et d'extérieur.
						A. ARTAUD, le Théâtre et son double, Lettres sur le langage, Idées/Gallimard, p. 160.
Dr. *Mise en rôle* : inscription d'une affaire à l'audience.
Techn. *Mise hors d'eau* : ensemble des opérations nécessaires pour soustraire une construction aux dégâts provoqués par les pluies, les intempéries ; résultat de ces opérations.

♦ 2. Action de mettre (dans une position nouvelle). ⇒ **Mettre**, II. *Mise sur pied. Mise à pied* (⇒ **Renvoi**). — Mar. *Mise à la voile. Mise à l'heure* (d'une montre). — Par métonymie. (Techn.). *Mise à l'heure, à la date* : mécanisme de mise à l'heure, à la date.

♦ 3. Action de mettre (dans un état nouveau, une situation nouvelle).
MISE EN (+ subst.) : fait de mettre en, de transformer en. ⇒ **Mettre**, III. *Mise en pièces, en morceaux. Mise en gage, en dépôt. Mise en équation, en facteurs... Mise en perspective. Mise en musique. Mise en état, en ordre, en désordre... Mise en contact, en accord, en contradiction.* — Coiffure. *Mise en plis* (⇒ **Cheveu**).
Techn. *Mise en eau* (d'un barrage) : remplissage* du réservoir de retenue par le cours d'eau barré, obtenu en fermant les vannes.
*Mise en branle** (cit. 4), *en jeu, en marche*, en train*, en œuvre*, en pratique*, en vigueur*. Mise en circulation* (→ ci-dessous II., 2. : de mise). *Mise en service*, (1864) *en vente.*
*Mise en demeure** (*supra* cit. 2). *Mise en garde*. (1795). *Mise en liberté* (cit. 4). *Mise en disponibilité d'un fonctionnaire. Mise en valeur.* — Mise en cause (*supra* cit. 52). *Mise en question* (→ Échapper, cit. 32). — Dr. *Mise en accusation* : fait d'accuser, signifié par l'acte d'accusation. *Chambre des mises en accusation* : juridiction suprême d'instruction qui saisit la cour d'assises. *Mise en délibéré, en jugement.*
MISE À... *Mise au net, au propre.* — *Mise au point* (photogr., optique et fig.). *Mise à jour* (*infra* cit. 44). *Mise à feu d'une charge explosive.* — *Mise à prix*. *Mise au pas*, *à la raison. Mise à la retraite* (→ Contracter, cit. 9). *Mise à mort*. — Techn. *Mise à vif* : préparation de la surface (d'un matériau) en vue de son revêtement. — *Mise sous tension d'une installation électrique.*

♦ 4. (1677). Régional (Suisse). Au sing. ou au plur. Vente aux enchères. *Avis de mise. Faire une mise, mettre qqch. en mise. Mise de chédail*. Par voie de mise(s) publique(s).* (L'emploi du singulier tend à se généraliser).

★ II. Spécialt («dépense», mil. XIIIᵉ). ♦ 1. (⇒ **Mettre**, I., 9.). Action de mettre de l'argent au jeu ou dans une affaire ; somme d'argent ainsi engagée.
(Au jeu). ⇒ 3. **Cave, enjeu, masse** (1. Masse, I., 7.) ; **passe, poule.** *Déposer une mise* (⇒ **Caver, miser, remiser**), *doubler la mise* (⇒ **Carrer**). *Sauver la mise* : retirer l'argent engagé, à défaut de gain. — Fig. *Il lui a sauvé la mise* : il lui a épargné une perte, un désagrément.

2 (...) où le hasard règne, après tout, on peut gagner sa mise, et c'est la loi du hasard qu'on ne perde pas à tout coup. André SUARÈS, Trois hommes, « Ibsen », IV.
3 Heureusement que le sieur Meulemester, avec son attirail, éveillait l'attention, me sauvait la mise.
						A. THÉRIVE, Sans âme, III.
(1835, Balzac, *in* D.D.L.). MISE DE FONDS* ou MISE. ⇒ **Investissement, participation, placement** (→ Grossiste, cit.). — Dr. *Mise sociale* : apport financier d'un associé. *Récupérer sa mise.* ⇒ **Avance.**

♦ 2. (Par ellipse de *mise en circulation*). Vx. *Les monnaies décriées ne sont plus de mise* (Furetière).
Fig. Vx. *De mise*, s'est dit des personnes qui peuvent « trouver aisément de l'emploi..., rendre de bons services » (Furetière), et aussi, de celui qui se fait valoir, « est bien fait de sa personne..., a de l'esprit..., est propre au commerce du monde » (Académie 1694).
Mod. DE MISE : qui a cours, qui est reçu, accepté, convenable (souvent dans une proposition négative). *Ces discussions byzantines ne sont plus de mise.* ⇒ **Convenir** (→ Indifférence, cit. 16 ; ingénu, cit. 3). *Ces manières ne sont plus de mise, ne sont pas de mise chez nous.*

4 Ces beautés étaient de mise en ce temps-là, et ne le seraient plus en celui-ci.
						CORNEILLE, Examen du Cid.

♦ 3. (1794 ; admis par l'Académie 1835). Manière d'être habillé. ⇒ **Mettre** (I., 6.) ; **ajustement, habillement, tenue, toilette.** *Mise convenable, respectable* (→ Imposer, cit. 41). *Mise cossue*. Richesse de mise.* ⇒ **Atour, parure** (→ Maintenir, cit. 21). *Mise débraillée, trop libre* (cit. 17). *Mise ridicule* ⇒ **Accoutrement**, *affectée. Juger qqn d'après sa mise.* ⇒ **Extérieur** (Cf. Marquer bien, mal). *Soigner sa mise.*

5 Les plus recherchés dans leur mise se distinguaient par des fracs et des redingotes de drap bleu ou vert plus ou moins râpé.
						BALZAC, les Chouans, Pl., t. VII, p. 767.

6   C'était un grand garçon de trente-huit ans à peine, les cheveux ras, la barbe taillée carrément, avec une mise correcte, sans recherche.   ZOLA, la Terre, IV, v.

★ **III.** (Endroit où l'on met). Techn. Aire de ciment bordée de parois mobiles, où la pâte de savon se refroidit (syn. : *forme*).

7   Dans le cas du savon de ménage, on s'est contenté pendant des années de couler le savon liquide dans des formes appelées *mises* (...)
    Emmanuel MAYOLLE, les Industries du savon et des détergents, p. 67.

★ **IV.** (Objets concrets). Techn. Pièce métallique soudée à une autre pièce de même dimension et servant à manœuvrer cette dernière. — (1762, «renfort soudé d'un ouvrage métallique»; *in* D.D.L.). Taillant d'outil, rapporté, en alliage très dur. *Mise en carbure de tungstène d'un foret à briques.*

DÉR. Miser.

MISER [mize] v. tr. — 1669; v. intr.; de *mise*, et *-er*.

♦ **1.** Déposer, mettre (un enjeu). ⇒ **Caver, coucher, jouer, ponter.** *Miser dix francs. Miser tout sur le rouge, à la roulette.*

1   (...) chaque joueur mise une faible somme. En jouant le joueur est tenu de faire une levée qui se paye au prorata de la mise.
    BALZAC, Béatrix, Pl., t. II, p. 350.

Régional (Suisse). Vendre ou acheter aux enchères.

♦ **2.** Absolt. *Il faut miser avant le coup. Miser sur un cheval, aux courses.* — Fig. *Miser sur les deux tableaux :* se ménager un intérêt dans l'un et l'autre parti.

2   Ainsi j'avais, par goût profond de l'ordre, misé sur le mauvais cheval, joué la mauvaise carte.   G. DUHAMEL, le Cri des profondeurs, X.

3   Un incrédule qui se prend pour un incroyant ! C'est une espèce d'homme sur laquelle nous misons volontiers. — Misez, mon père, misez... mais je vous le répète : misez placé, pas gagnant.   J. ANOUILH, Ornifle, I.

Fam. *Miser sur :* compter, faire fond sur. *On ne peut pas miser là-dessus.*

(1694). Régional (Suisse). *Miser sur qqn,* enchérir sur lui.

♦ **3.** Vulg., argotique (1895). Posséder charnellement (généralement en emploi factitif, cf. cit.).

4   L'Hollandaise court se barricader. Elle a peur de passer à la casserole. Faut dire qu'elle est religieuse, en plus de batave, merde ! Venir en Italie pour se faire miser quand t'appartiens à l'ordre des Sœurs du Caramel ou des Petites Marie-couche-toi-là de l'Enfant Jésus, ce serait bien un comble, non ?
    SAN-ANTONIO, Remets ton slip, gondolier !, p. 39.

MISÉRABILISME [mizeʀabilism] n. m. — 1937, N.R.F.; «état misérable», 1928, A. Breton; de *misérable* et *-isme*.

♦ Didact. Tendance d'un auteur misérabiliste. *Le misérabilisme du peintre Gruber.*

MISÉRABILISTE [mizeʀabilist] adj. et n. — Mil xxᵉ (1964, *in* G.L.L.F.); de *misérable* et *-iste*.

♦ **1.** Se dit d'un artiste (écrivain, auteur dramatique, peintre, cinéaste, etc.), qui dépeint avec insistance les aspects les plus misérables de la vie sociale. ⇒ **Misérabilisme.** *Réalisme misérabiliste.* — Nom. *Un(e) misérabiliste.*

♦ **2.** Qui donne une impression de pauvreté mesquine, d'économie sordide. «*Finies... les affiches misérabilistes, les revues maussades*» (*le Monde,* 27 janv. 1973 *in* P. Gilbert). «*Mise en page misérabiliste*»; «*le meuble... était trop misérabiliste*» (ex. *in* P. Gilbert).

MISÉRABLE [mizeʀabl] adj. — 1336; lat. *miserabilis.*

♦ **1.** (Déb. xvıᵉ). En général placé avant le nom. Qui inspire ou mérite d'inspirer la pitié; qui est dans le malheur, la misère. ⇒ **Déplorable, déshérité, lamentable, malheureux, pitoyable** (→ Accoutumer, cit. 2; appréhender, cit. 8). *Misérables esclaves. Misérables forçats* (cit. 1).

1   Misérable vengeur d'une juste querelle,
Et malheureux objet d'une injuste rigueur.   CORNEILLE, le Cid, I, 6.

2   Ah, pauvre Seigneur Sganarelle !... Ah, misérable père ! que feras-tu quand tu sauras cette nouvelle ?   MOLIÈRE, l'Amour médecin, I, 6.

3   Puisque Vénus le veut, de ce sang déplorable
Je péris la dernière et la plus misérable.   RACINE, Phèdre, I, 3.

4   Le plus heureux est celui qui souffre le moins de peines; le plus misérable est celui qui sent le moins de plaisirs.   ROUSSEAU, Émile, II.

REM. Même dans cette acception, *misérable* a souvent une nuance péjorative que ne comporte pas *malheureux.*

5   Misérables que nous sommes,
Où s'égaraient nos esprits ? (Cantiques spirituels, II).
Infortunés m'était venu le premier; mais le mot de *misérables,* que j'ai employé dans *Phèdre,* à qui je l'ai mis dans la bouche, et que l'on a trouvé assez bien, m'a paru avoir de la force en le mettant aussi dans la bouche des réprouvés, qui s'humilient et se condamnent eux-mêmes.   RACINE, Lettres, 131, 3 oct. 1694.

(Dans un sens moral et métaphysique). À la fois faible et malheureux. ⇒ **Misère.** *L'homme, pour Pascal, est à la fois misérable et grand. L'homme* (cit. 50, Montaigne), «*misérable et chétive créature*».

6   Le seul qui connaît la nature ne la connaîtra-t-il que pour être misérable ? le seul qui la connaît sera-t-il le seul malheureux ?   PASCAL, Pensées, VIII, 556.

→ aussi Argument, cit. 2; connaître, cit. 36; importer, cit. 7; impuissant, cit. 1; indigne, cit. 11.

(En parlant des choses). Triste, pénible. *Misérable vie, misérable existence* (→ Vie de chien*). *La condition misérable du travailleur* (→ Chair, cit. 15). *Misérable sort* (→ 1. Goûter, cit. 5). *Faire une fin misérable.* ⇒ **Triste; funeste, regrettable.** *Jours misérables.* ⇒ **Mauvais.**

Et je suis ici terré dans une attente misérable.
    ALAIN-FOURNIER, le Grand Meaulnes, III, XIV.

Subst. UN, UNE MISÉRABLE : personne malheureuse. *Les misérables et les heureux.* (→ Foi, cit. 34). *La misérable s'épuisait à frotter* (cit. 4).

Oh ! le plus malheureux de tous les misérables !   MOLIÈRE, l'Étourdi, IV, 6.
(...) parler de son bonheur devant des misérables : cette conversation est trop forte pour eux (...)   LA BRUYÈRE, les Caractères, V, 23.

♦ **2.** (Après ou avant le nom). Qui est dans une extrême pauvreté (⇒ **Misère,** 4.); qui est au bas de l'échelle sociale. ⇒ **Besogneux, indigent, pauvre; marmiteux** (vx); et fam., **minable, miteux** (→ Crasseux, cit. 2; franchise, cit. 3; luxe, cit. 4). *Selon que vous serez puissant ou misérable* (→ Blanc, cit. 12, La Fontaine). *Riche ou misérable* (→ Inquiéter, cit. 15).

(En parlant des choses). *Pays, région misérable. Vallée misérable,* très pauvre (→ Arroser, cit. 4). *Récolte misérable.* ⇒ **Chétif.** — *Logement misérable.* ⇒ **Bouge.** *Une misérable chambre d'hôtel* (→ Étudiant, cit. 6). *Vêtements misérables.* ⇒ **Guenille.**

10   Ils s'arrêtèrent dans la plus misérable des auberges. On leur dressa deux lits de sangle dans une chambre fermée de cloisons entr'ouvertes de tous les côtés.
    DIDEROT, Jacques le fataliste, Pl., p. 510.

1   Lisez les voyageurs étrangers des deux derniers siècles, vous les voyez stupéfaits, en traversant nos campagnes, de leur misérable apparence, de la tristesse, du désert, de l'horreur, de la pauvreté, des sombres chaumières nues et vides, du maigre peuple en haillons.
    MICHELET, Hist. de la Révolution franç., Introd., II, II.

Subst. UN, UNE MISÉRABLE. ⇒ **Claquedent, croquant, diable** (pauvre), **gueux, hère, miséreux, paria, pouilleux, purotin, traîne-misère, va-nu-pieds** (→ Fouiller, cit. 14). *Des misérables déguenillés*, affamés. Les misérables et les riches, et les nantis. — Allus. littér. Les Misérables, roman de Hugo (1862).

1.   *Les Misérables* sont donc un livre de charité (...) un plaidoyer pour les *misérables* (ceux qui *souffrent* de la misère et que la misère *déshonore*)
    BAUDELAIRE, l'Art romantique, XXV, IV.

1.   (...) le roman (*Les Misérables*) met en action des personnages qui correspondent aux divers sens de son titre, «misérable» signifiant, suivant les cas, pauvre, malheureux ou méprisable.
    M. ALLEM, Introd., *in* HUGO, les Misérables, Pl., p. VII.

♦ **3.** (Souvent avant le nom). Qui inspire le mépris; qui est sans valeur, sans mérite. ⇒ **Insignifiant, méprisable, piètre.** *Un misérable barbouilleur de rien du tout.* — *Métiers misérables* (→ Art, cit. 57). *Misérables querelles, misérables occupations* (→ Éreinter, cit. 5; humanité, cit. 4). *Misérables soucis* (→ Beau, cit. 102). *Misérables sentiments* (→ Incapable, cit. 7). *Expédient misérable* (→ 2. Expédient, cit. 12). — (Attribut). *La parole est misérable quand on veut exprimer...* (→ Insignifiant, cit. 2).

14   (...) me servir de deux ou trois misérables pensées qui ont été tournées et retournées tant de fois, qu'elles sont usées de tous les côtés.
    MOLIÈRE, Amphitryon, Épître.

1.   Lucrèce était un misérable physicien, et il avait cela de commun avec toute l'antiquité.   VOLTAIRE, Dict. philosophique, Poètes.

1.   — Ah ! tiens ! l'émeute ! disait Frédéric avec une pitié dédaigneuse, toute cette agitation lui apparaissant misérable à côté de leur amour et de la nature éternelle.
    FLAUBERT, l'Éducation sentimentale, III, I.

Spécialt. ⇒ **Malheureux, méchant, pauvre.** *Tant d'histoires, pour un misérable billet de dix francs !*

1.   (...) il ne faut que deux doigts d'un misérable fer
Dans le corps, pour vous mettre un humain dans la bière.
    MOLIÈRE, le Dépit amoureux, V, 1.

♦ **4.** Vieilli. Dont la conduite mérite l'indignation, le mépris (au sens fort). *Il faut être bien misérable pour faire une telle action* (Académie). ⇒ **Honteux, malhonnête, méprisable, mesquin.** — *Une misérable lâcheté.*

Nom. ⇒ **Malheureux; coquin...** (→ Bassesse, cit. 14; dénaturer, cit. 10; fier, cit. 27; gâter, cit. 35; grève, cit. 6; gril, cit. 4). *C'est un misérable. Un tas de misérables* (→ Jouet, cit. 4). *Misérable, qu'as-tu fait ? Ah, le misérable !*

1   (...) elle le désigne (*son fils*) du doigt au patron : «Voyez ce misérable qui m'a ruinée.»   M. JOUHANDEAU, Chaminadour, II, I, «Le pardessus».

(Plais.). *Ah, petit misérable !* ⇒ **Bandit.**

CONTR. Heureux. — Opulent, riche. — Admirable. — Abondant, important, remarquable.

DÉR. Misérabilisme, misérabiliste, misérablement.

MISÉRABLEMENT [mizeʀabləmã] adv. — 1370; de *misérable* et *-ment*.

Littér. D'une manière misérable.

♦ **1.** D'une manière malheureuse; en étant malheureux. ⇒ **Pitoya-**

blement, tristement. *Agoniser* (cit. 2, par métaphore), *mourir misé-rablement. Décliner misérablement* (→ Bas, cit. 65).

♦ **2.** Dans la pauvreté. *Vivre misérablement d'aumônes* (cit. 6). ⇒ **Pauvrement ; besogneusement.**

♦ **3.** Mesquinement. *Lésiner* (cit.) *misérablement* ⇒ **Chichement.** *Un roi misérablement calculateur* (→ Malentendu, ci. 7). ⇒ **Lamentablement, pitoyablement.** *Institutions misérablement per-verties* (→ Gibet, cit. 5).

CONTR. **Heureusement, libéralement. — Richement.**

MISÈRE [mizɛʀ] n. f. — XIIIᵉ ; *miserie*, v. 1120 ; lat. *miseria*, de *miser* « malheureux ».

♦ **1.** (V. 1120). Vieilli ou littér. Sort digne de pitié ; malheur extrême. ⇒ **Adversité, détresse, infortune, malheur.** *Sa misère l'aigrit* (cit. 7). *Deux cœurs qu'assemblait* (cit. 19) *leur misère. La misère de la vie* (→ Journalier, cit. 1), *des temps. Misère morale* (→ Douleur, cit. 20 ; élément, cit. 1). — *Jours de misère. Malade* sur son lit de misère . Quelle misère !*

Il y a des misères sur la terre qui saisissent le cœur (...)
LA BRUYÈRE, les Caractères, VI, 47.

Il n'est pas inutile de dire aux étrangers que *misère* est en poésie un terme noble qui signifie calamité et non pas indigence.
VOLTAIRE, Commentaires sur Corneille, Rem. sur Horace, I, 4.

Interj. *Misère !* (→ Boulanger, cit.). *Misère de moi ! misère de ma vie !* ⇒ **Malheur.**

Ah ! misère de moi ! est-ce que ça ne finira pas ! Mais la mort vaudrait mieux !
FLAUBERT, la Tentation de saint Antoine, I.

Loc. fam. *Collier* de misère.*

♦ **2.** (*Une, des misères*). Ce qui rend le sort de qqn digne de pitié ; événement malheureux, douloureux, pénible. ⇒ **Calamité, chagrin, disgrâce, malheur, peine** (→ Heureux, cit. 32, La Bruyère ; insensibilité, cit. 4, Vauvenargues). *C'est une grande misère, il n'est pire misère que...* (→ Jugement, cit. 14). *Les misères humaines, les misères de la vie* (→ Extrémité, cit. 7). *Compassion aux misères d'autrui.* ⇒ **Miséricorde** (→ Compatir, cit. 5). *Misères endu-rées* (cit. 2), *subies. Braver* (cit. 8) *les misères... Foule grouillante* (cit. 1) *de misères hideuses.* ⇒ **Laideur.** *Les misères de la guerre* (cit. 11 et 23). — *Petites, menues misères.* ⇒ **Ennui** (→ Écarter, cit. 10 ; grossir, cit. 13).

Les grandes misères sont féroces, elles frappent plutôt les faibles ; elles maltrai-tent les enfants, les femmes bien plus que les hommes.
MICHELET, Hist. de la Révolution franç., II, VIII.

Car toutes nos misères véritables sont intérieures et causées par nous-mêmes. Nous croyons faussement qu'elles viennent du dehors, mais nous les formons au-dedans de nous de notre propre substance.
FRANCE, le Mannequin d'osier, Œ., t. XI, I, p. 227.

Spécialt. *Misères physiques. Les misères de l'âge, de la vieillesse.* ⇒ **Incommodité.**

Les vraies misères, ce sont les maladies, les laideurs et la vieillesse ; ni vous ni moi, n'avons ces misères-là ; nous pouvons avoir encore une foule de maîtres-ses, et jouir de la vie.
LOTI, Aziyadé, II, X.

Je plains l'homme sensible et un peu poltron qui est aimé, choyé, couvé, soigné de cette manière-là. Les petites misères de chaque jour, coliques, toux, éternuements, bâillements, névralgies, seront bientôt pour lui d'effroyables symptômes, dont il suivra le progrès, avec l'aide de sa famille (...)
ALAIN, Propos, 30 mai 1907, Sollicitude.

Au plur. Tracasserie. *Faire des misères à qqn*, le tracasser, le taquiner. ⇒ **Malice, méchanceté, mistoufle, taquinerie** (→ Majeur, cit. 7).

♦ **3.** (Mystique). Se dit de la condition de l'homme, de son néant. ⇒ **Bassesse, faiblesse, impuissance** (→ Humble, cit. 9). *La gloire* (cit. 11) *voile la misère de l'homme. — Misère de l'homme sans Dieu et grandeur** (cit. 21, Voltaire) *de l'homme avec Dieu*, selon Pascal (→ Argument, cit. 2 ; aveugle, cit. 7 ; effroi, cit. 1 ; incarna-tion, cit. 2 ; indigne, cit. 11 ; iniquité, cit. 3).

(...) il est également dangereux à l'homme de connaître Dieu sans connaître sa misère, et de connaître sa misère sans connaître le Rédempteur qui l'en peut gué-rir.
PASCAL, Pensées, VIII, 556.

Les misères de l'homme (→ Déposséder, cit. 1 ; divertissement, cit. 1 ; élever, cit. 22 ; enseigner, cit. 15, Pascal). *Le Christ s'est revêtu de nos misères* (→ Humanité, cit. 4, Bernanos).

♦ **4.** (1611). Cour. Extrême pauvreté, pouvant aller jusqu'à la priva-tion* des choses nécessaires à la vie. ⇒ **Besoin, débine, dèche** (fam.), **dénuement, gêne, gueuserie, indigence, mouise** (fam.), **panne, pauvreté, pénurie** ; et fig., **boue, crasse, crotte, mélasse, mouscaille, panade, pastis, purée** (→ Endetter, cit. 1 ; épreuve, cit. 29 ; gueux, cit. 7). *Être, tomber* dans la misère* ⇒ Être sur la paille*, et fam., être à fond de cale*, tirer la langue*, manger de la vache enragée*). *Affameur* qui réduit* à la misère. Enfoncer* (cit. 12), *plonger dans la misère. Être dans la misère jusqu'au cou* ; crever* (cit. 17) *de misère. Se colleter* avec, se débattre* contre la misère. Sortir qqn de la misère. — Misère et bien-être* (cit. 8) *et opulence* (→ Bra-ver, cit. 7). — *L'avilissement* (cit. 9) *par la misère. — Misère cachée, secrète* (→ Gratification, cit. 5). *Misère dorée*, cachée par une apparence d'aisance (→ Inclémence, cit. 4). *Misère noire*, très grande misère. *Effroyable* (→ Affamer, cit. 4), *épouvantable*

(→ Famine, cit. 2), *insondable* (cit. 2) *misère. Misère générale* (→ Captif, cit. 2 ; criant, cit. 41), *universelle. La misère des peu-ples* (→ Fournir, cit. 10). *L'égalité* (cit. 10) *des misères.*

Quatre chercheurs de nouveaux mondes (...)
Demandaient aux passants de quoi
Pouvoir soulager leur misère.
LA FONTAINE, Fables, X, 15. [9]

Dans l'extrême misère, on se trouve riche de peu. Un gueux qui trouve un écu est plus affecté que ne le serait un riche en trouvant une bourse d'or.
ROUSSEAU, Rêveries..., IXᵉ promenade. [10]

Enfin, là règne la misère sans poésie ; une misère économe, concentrée, râpée. Si elle n'a pas de fange encore, elle a des taches ; si elle n'a ni trous ni haillons, elle va tomber en pourriture.
BALZAC, le Père Goriot, Pl., t. II, p. 852. [11]

Si pour beaucoup d'hommes la misère est un tonique, il en est d'autres pour qui elle est un dissolvant, et le comte fut de ceux-ci.
BALZAC, le Lys dans la vallée, Pl., t. VIII, p. 810. [12]

Voilà ce que c'est que la misère. On a beau s'en moquer, avoir un corps de cheval pour la supporter, un courage d'esclave pour le travail, elle vous avilit, elle donne le droit aux butors qui ont de l'argent de vous insulter et de vous plaindre.
G. SAND, Lettres à Musset, IX, 26 juin 1834. [13]

Tant qu'il existera (...) une damnation sociale créant (...) en pleine civilisation, des enfers (...) tant que les trois problèmes du siècle, la dégradation de l'homme par le prolétariat, la déchéance de la femme par la faim, l'atrophie de l'enfant par la nuit, ne seront pas résolus (...) tant qu'il y aura sur la terre ignorance et misère, des livres de la nature de celui-ci pourront ne pas être inutiles.
HUGO, les Misérables, Préface. [14]

La pauvreté peut galvaniser des courages, développer dans le cœur un sentiment de fraternité devant les menaces, de charité authentique qui est fréquent chez les gens du peuple et qui se raréfie à mesure qu'on gravit les barreaux de l'échelle bourgeoise. Mais la misère agit à la façon d'un acide : elle corrode tout. Au der-nier degré, le misérable est comme la bête qui ne connaît que sa faim.
DANIEL-ROPS, Ce qui meurt..., p. 137. [15]

DE MISÈRE : misérable. *Salaire de misère, métier de misère.*

Loc. *Crier* (supra cit. 34), *pleurer misère*, se plaindre de sa pauvreté.

♦ **5.** Méd. *Misère physiologique* : état d'une personne gravement sous-alimentée. ⇒ **Dénutrition.**

(...) elle se trouvait au dernier degré de ce que les savants nomment la misère phy-siologique. Elle était maigre et même décharnée.
G. DUHAMEL, Récits des temps de guerre, Lieu d'asile, XIV. [16]

Par ext. (Choses). État d'abandon, de dégradation. *La misère d'une ville* (→ Aspect, cit. 17), *d'une maison...*

(1675). Par métonymie. *La misère* : les miséreux (→ Avilir, cit. 28 ; hôpital, cit. 3).

♦ **6.** Rare. Caractère de ce qui est digne de mépris (⇒ **Misérable,** 3.) ; insignifiance*. *L'éternelle misère de tout* (→ Fugacité, cit. 1 ; idéal, cit. 2).

L'amour est gai, vif, sans retenue (...) Piètres amants, les muets, les graves, les figés, les cérémonieux. Misère d'une partenaire de ce genre.
Paul LÉAUTAUD, Propos d'un jour, p. 16. [17]

♦ **7.** (*Une, des misères*). **a** (Av. 1719). Chose de peu d'importance, de peu de valeur. ⇒ **Babiole, bagatelle, vétille.** *Les misères appelées félicités* (→ Gaspiller, cit. 3). *Une misère !*

Châtelet lui apprit que son appartement ne lui coûtait que six cents francs par mois. — Une misère, dit-il (...)
BALZAC, Illusions perdues, Pl., t. IV, p. 600. [18]

b (⇒ **Misérable,** 4.). Chose moralement petite, mesquine, vile...

Le bel intérieur de conscience à montrer ! que de misères mises au jour.
MARIVAUX, le Paysan parvenu, Vᵉ partie, p. 253. [19]

CONTR. **Aise, bonheur, félicité. — Santé. — Grandeur. — Abondance, aisance, bien-être, fortune, opulence, richesse. — Importance. — Noblesse.**
DÉR. **Miséreux.**
COMP. **Cache-misère.**

MISERERE ou MISÉRÉRÉ [mizeʀeʀe] n. m. — V. 1112 ; 1546, Ch. Estienne, en méd. ; lat. *miserere* « aie pitié », début d'un psaume de la pénitence.

♦ **1.** (V. 1112). Liturgie cathol. Le psaume « *Miserere mei, Deus* ». *Des miserere* (Académie).

Mus. Air sur lequel le miserere se chante. *Le miserere d'Allegri ; le chant du Miserere.*

♦ **2.** (1662). Le temps de dire, de réciter un miserere.

♦ **3.** (1546). Vx. *Coliques de* (ou *du*) *miserere*, et, absolt, *miserere* : occlusion intestinale.

M. de Saint-Laurent est mort d'une colique de *miserere.*
RACINE, Lettres, 70, 8 août 1687. [1]

Dis, papa, j'ai bien le numéro 9 depuis Jean Rezeau, l'huissier royal pieusement décédé en 1760 d'une colique de miserere ? (...) Il faudra prévoir une rallonge : Marie a mis le 10 en train.
Hervé BAZIN, Cri de la chouette, p. 150. [2]

MISÉREUX, EUSE [mizeʀø, øz] adj. et n. — XIVᵉ ; anc. mot repris vers la fin du XIXᵉ (1884, Goncourt) dans les emplois correspondant au sens 4 de *misère.*

♦ Qui donne l'impression de la misère, d'une extrême pauvreté. ⇒ **Besogneux, famélique, misérable, pauvre.** *Un mendiant miséreux.* Par ext. *Vêtements miséreux* (Académie). *Quartiers miséreux.* — N. *Un miséreux, une miséreuse.* ⇒ **Gueux, malheureux, meurt-de-faim, traîne-malheur.**

Leur philosophie nous enseigne à ne désespérer de rien. Dans la grande foule des [1]

miséreux qui, toutes les nuits, rôde à travers la ville en quête d'un heureux coup, ils font encore partie du mécanisme social, quoiqu'en son rouage le plus humble. Après eux, au-dessous, n'existent guère que des clochards dont nul n'a jamais su de quoi ils vivent, ni ce qu'ils attendent de la vie.
                                                    Francis CARCO, Nostalgie de Paris, p. 65-66.

2 (...) Salavin n'avait plus de voisin attitré ; rien que des miséreux sans attaches et sans histoires, qui arrivaient, le soir, avec juste quinze sous en poche pour s'offrir une vraie nuit et qui repartaient le matin sans s'être rassasiés de sommeil, emportés, comme de vieux papiers, dans la bourrasque qui leur tenait lieu de destin.   G. DUHAMEL, Salavin, II.

CONTR. Aisé, riche.

MISÉRICORDE [mizeʀikɔʀd] n. f. — V. 1120 ; lat. *misericordia*, de *misericors* « qui a le cœur *(cor)* sensible à la détresse, au malheur *(miseria)* ».

★ **I.** ♦ **1.** (V. 1265). Vieilli. Sensibilité à la misère*, au malheur d'autrui. ⇒ **Bonté, charité, commisération, compassion, pitié** (→ Combattre, cit. 9 ; espérer, cit. 9). *Œuvres de miséricorde.* ⇒ **Aumône** (cit. 9). *Sœurs de la Miséricorde. Exercer, pratiquer la miséricorde. Être enclin à la miséricorde.* ⇒ **Miséricordieux.**

1 Pour vous raconter les diverses actions de miséricorde qu'elle a faites, il faudrait vous décrire ici toutes les misères humaines.
                              FLÉCHIER, Oraison funèbre de la duchesse d'Aiguillon.

Loc. (Vx). *Faire miséricorde.*

(1832). Mar. *Ancre* de miséricorde* (ou *de salut*), la plus forte du navire.

♦ **2.** (V. 1120). Pitié par laquelle on pardonne aux coupables. ⇒ **Clémence, indulgence, merci, pardon** (→ Homicide, cit. 9). *Puni sans miséricorde.* ⇒ **Irrémissiblement.** *Demander, crier, obtenir miséricorde.*

2 Il me semble, lui dit-elle, un sanglot séparant chacun de ses mots, que votre cœur justement irrité s'est radouci, et que peut-être avec le temps j'obtiendrai miséricorde.   DIDEROT, Jacques le fataliste, Pl., p. 631.
3 (...) on pendait sans miséricorde tous ceux qui parlaient de traiter avec le roi.
                                    VOLTAIRE, Hist. du Parlement de Paris, XXXII.

(V. 1120). Relig. *La miséricorde divine, de Dieu, du ciel...* ⇒ **Absolution** (→ Abandonner, cit. 35 ; délivrer, cit. 5 ; endurcir, cit. 7 ; endurcissement, cit. 3). *La miséricorde s'épanchait* (cit. 14) *du ciel dans son cœur. Dieu de miséricorde* (→ Infini, cit. 4). — *Vierge de miséricorde* (thème iconographique de la Vierge abritant les pécheurs sous son manteau). — Loc. prov. *À tout péché miséricorde :* toute faute doit pouvoir trouver pardon.

4 Dieu fait miséricorde au pécheur misérable.
                                          MOLIÈRE, le Dépit amoureux, III, 4.
5 Car je voudrais savoir d'où cet animal *(l'homme),* qui se reconnaît si faible, a le droit de mesurer la miséricorde de Dieu, et d'y mettre les bornes que sa fantaisie lui suggère.   PASCAL, Pensées, VII, 430.

♦ **3.** (1680). Interj. (Marquant une grande surprise accompagnée de douleur, de peur, de regret). ⇒ **Misère.** *Miséricorde ! il va se tuer s'il fait cela* (Académie).

6 Et je vis trois gibets sur la colline haute,
   Et trois suppliciés qui pendaient côte à côte.
   — Miséricorde ! dit le moine tout en pleurs,
   C'était le Roi Jésus entre les deux voleurs !
                        LECONTE DE LISLE, Poèmes barbares, « Le corbeau ».

★ **II.** ♦ **1.** (V. 1170). Poignard, dague dont on menaçait l'ennemi abattu pour l'obliger à se rendre, à demander miséricorde.

♦ **2.** (1653). Saillie fixée sous l'abattant d'une stalle d'église, pour permettre aux chanoines, aux moines « de s'appuyer ou de s'asseoir pendant les offices, tout en ayant l'air d'être debout » (Réau). *Miséricordes sculptées, décorées de bas-reliefs.*

♦ **3.** (1680). Repas hebdomadaire des Chartreux, moins frugal que de coutume.

CONTR. Cruauté, dureté.
DÉR. Miséricordieux.

MISÉRICORDIEUSEMENT [mizeʀikɔʀdjøzmɑ̃] adv. — Mil. XVᵉ ; *misericordiosement*, v. 1160 ; de *miséricordieux*, et *-ment.*

♦ Littér. D'une manière miséricordieuse ; avec miséricorde, compassion, pardon...

Murat, si fastueux, fut enterré sans pompe à Pizzo, dans une de ces églises chrétiennes dont le sein charitable reçoit miséricordieusement toutes les cendres.
                              CHATEAUBRIAND, Mémoires d'outre-tombe, t. IV, p. 321.

MISÉRICORDIEUX, EUSE [mizeʀikɔʀdjø, øz] adj. — 1524 ; *misericordieus*, XIIIᵉ ; *misericordios*, v. 1160 ; lat. médiéval *misericordiosus*, de *misericordia* → Miséricorde.

♦ Relig. ou littér. (V. 1160). Qui a de la miséricorde, de la compassion (⇒ **Bon**) ; qui pardonne facilement (⇒ **Clément** ; → Abandonner, cit. 1). *Dieu est miséricordieux* (→ Intolérant, cit. 4). — (Av. 1704). Par ext. *Un regard miséricordieux* (→ Cadavérique, cit. 1).

Les souffles tièdes entraînés par les fenêtres ouvertes, des parfums de fleurs sauvages, envolés des ravins et des collines, erraient mêlés aux haleines du soir, l'espace était calme et miséricordieux.   HUGO, Quatre-vingt-treize, III, III, VII.

N, *Bienheureux les miséricordieux, car ils obtiendront miséricorde* (Évangile selon saint·Matthieu, V, 7).
DÉR. Miséricordieusement.

MISGURNE [mizgyʀn] n. f. — 1874, Larousse ; orig. inconnue.

♦ Régional. Loche d'étang.

MISO- ⇒ Mis-.

MISOGAMIE [mizɔgami] n. f. — 1840, Académie ; de *miso-,* et *-gamie.*

♦ Didact. Mépris, haine du mariage.

MISOGYNE [mizɔʒin] adj. et n. — 1564, cf. Huguet, rare avant 1757 ; grec *misogunês*, de *misein* « haïr », et *gunê* « femme ».

♦ Qui déteste les femmes ou qui les méprise. *Un vieux célibataire misogyne. Il est misogyne et phallocrate.* — N. *Un, une misogyne.*

Il était décidé à ne plus avoir affaire avec des coquettes. Non qu'il fût misogyne : il s'en fallait de beaucoup. Il avait une prédilection tendre pour les jeunes femmes qui travaillent, les petites ouvrières, employées, fonctionnaires (...)
                        R. ROLLAND, Jean-Christophe, Dans la Maison, p. 1013.

MISOGYNIE [mizɔʒini] n. f. — 1812, Boiste ; grec *misogunia* → Misogyne.

♦ Haine ou mépris des femmes.

(...) il est certain qu'entre une fille comme Hélène et une femme comme Léda, ce pauvre Tyndare pouvait parler par expérience. C'est ce qui explique sa misogynie.   Émile HENRIOT, Mythologie légère, p. 94.

Quelques personnes sont réunies pour discuter de l'opportunité de décerner un énième prix littéraire. Quelques personnes cela signifie quelques hommes et une femme. La femme, c'est moi. Je suis alibi. L'alibi dont on tapote la joue, dont on se fout, qui ratifie. Qu'on admet et qu'on n'admet pas. La misogynie sourit et se camoufle. La misogynie à cet endroit est hétérosexuelle, homosexuelle, de droite, de gauche.   Michèle PERREIN, Entre chienne et louve, p. 17.
DÉR. Misogynique.

MISOGYNIQUE [mizɔʒinik] adj. — Mil. XXᵉ ; de *misogynie,* et *-ique.*

♦ Littér. Qui concerne la misogynie ; qui témoigne d'une hostilité pour la femme.

(...) un de ces magazines où les femmes en papier glacé ont l'air d'espèces d'oiseaux (...) une anguleuse silhouette découpée, hérissée d'ongles, de talons, de gestes aigus, pourvue au reste de cet estomac précisément d'échassier, d'autruche, qui lui permet non seulement de digérer mais de faire siennes les misogyniques et haineuses inventions d'un modéliste (...)
                        Claude SIMON, la Route des Flandres, 1960, p. 117.

MISOLOGIE [mizɔlɔʒi] n. f. — 1874, Larousse ; grec *misologia* → Misologue.

♦ Didact., rare. Aversion pour le raisonnement.

MISOLOGUE [mizɔlɔg] adj. et n. — 1801, *in* D.D.L. (cit. *infra*) ; grec *misologos* « qui hait les discours ».

♦ Didact., rare. Qui hait le raisonnement. *« ... des misologues ou ennemis de la méthode scientifique »* (Charles de Villers, *Philosophie de Kant ; in* D.D.L.).

MISONÉISME [mizɔneism] n. m. — 1892 ; de *miso-,* et grec *neos* « nouveau ».

♦ Didact. Hostilité à la nouveauté, au changement (⇒ **Routine**).

La culture se conduit envers l'objet technique comme l'homme envers l'étranger quand il se laisse emporter par la xénophobie primitive. Le misonéisme orienté contre les machines n'est pas tant haine du nouveau que refus de la réalité étrangère.   Gilbert SIMONDON, Du mode d'existence des objets techniques, p. 9.
DÉR. Misonéiste.

MISONÉISTE [mizɔneist] n. et adj. — 1898, *Année sc. et industr.,* 1899, p. 275 ; de *misonéisme* et *-iste.*

♦ Didact. Ennemi de la nouveauté. *Des boulevardiers misonéistes et blagueurs* (cit.).

MISPICKEL [mispikɛl] n. m. — 1765, *mispikket,* Encyclopédie, mot allemand.

♦ Chim. Arsénio-sulfure naturel de fer (pyrite arsenicale), de formule $Fe As S$. *Cristaux de mispickel.*

MISS [mis] n. f. — 1713, *misse,* Hamilton, mot angl. ; XIXᵉ en franç. ; angl. *miss* « mademoiselle », abrév. de *mistress* « madame ».

♦ 1. (1713). Mademoiselle, en parlant d'une Anglaise, d'une Américaine. *Miss Smith. Miss Harriet,* recueil de nouvelles de Maupassant.

1   Maintenant, il n'aurait rien à reprendre à l'écriture de la capricieuse miss (...)
                                Th. GAUTIER, les Jeunes-France, Celle-ci et celle-là.

2   (...) elle alla rejoindre miss Bell et madame Marmet qui l'attendaient au bout de la
     rue.   FRANCE, le Lys rouge, XIV.

♦ 2. (1713). Vx. Demoiselle anglaise. *Une jeune miss. Des misses ou des miss.*

2.1 Ces jeunes misses n'avaient encore jamais rencontré des poilus qui descendaient
     tout chauds du front, c'est vous dire que je sortis bientôt dans le brouillard de la
     nuit, une jeune miss à chaque bras et qu'elles me conduisirent dans une villa pas
     trop éloignée de la gare qui servait de cantonnement à leur détachement.
                                B. CENDRARS, la Main coupée, in Œ. compl., t. X.

♦ 3. Spécialt. Mademoiselle, en parlant d'une institutrice, d'une gouvernante anglaise employée en France. — Absolt. (Vieilli). *Prendre une miss à son service.*

3   (...) la laide, parfaite, providentielle vieille Anglaise (...) donna ses soins à ma fille
     pendant sept ans (...) — Chérie ! Bel Gazou ! Regarde Miss qui nous attend ! Dis
     gentiment bonjour à Miss !   COLETTE, le Fanal bleu, p. 216.

♦ 4. (V. 1930). Jeune reine de beauté élue dans un concours. *Miss Monde. Elle a été élue Miss France.*

4   (...) il ne levait même plus les yeux pour la regarder, elle, si jolie, si faite pour
     jouer les *Miss France.*   MONTHERLANT, le Démon du bien, p. 254.

MISSEL [misɛl] n. m. — V. 1460 ; *missael,* v. 1180 ; réfection de l'anc. franç. *messel* (v. 1119), d'après le lat. ecclés. *missalis liber* « livre de messe ».

♦ Livre liturgique qui contient les prières et les lectures nécessaires à la célébration de la messe pour l'année entière, avec l'indication des rites et des cérémonies qui les accompagnent. ⇒ **Messe** (livre de), **paroissien**. *Rubriques* du missel. Suivre la messe dans son missel. Offrir un missel à un premier communiant. Enluminures* (cit. 2), *miniatures des missels anciens* (→ Exquis, cit. 6 ; image, cit. 21).

La fenêtre en rosace, au-dessus de l'auvent du porche, était enveloppée de campanules bleues comme la première page d'un missel richement peint.
                        BALZAC, le Curé de village, Pl., t. VIII, p. 610.

MISSI DOMINICI [misidɔminisi] n. m. pl. — 1765, *Encyclopédie* ; mots lat. signifiant « envoyés du maître ».

♦ Hist. Inspecteurs royaux qui visitaient les provinces sous les Carolingiens, et notamment sous Charlemagne.

Le système fut mis au point sous les Carolingiens. Le royaume est divisé en un certain nombre de régions d'inspection *(missatica),* régulièrement visitées, chacune, par deux inspecteurs royaux *(missi dominici),* un évêque et un comte. Munis par le roi d'instructions détaillées *(capitularia missorum),* ils vont de comté en comté, provoquant les plaintes des administrés et veillant à l'exécution des lois ; les abus sont redressés sur place ou signalés au roi.
                    OLIVIER-MARTIN, Précis d'hist. du droit français, Introd., IV, 105.

MISSILE [misil] n. m. — XVIᵉ ; sens mod., 1949 ; mot angl., du lat. *missile* « arme de jet ».

♦ 1. (XIVᵉ). Vx, rare. Toute arme de jet. — Par ext. Projectile. « *L'impression donnée au missile soit avec la main, le canon ou autrement...* » (Mersenne, *Nouvel observateur,* II ; in Littré, *Suppl.,* 1877).

♦ 2. (1949, angl. *missile*). Projectile autopropulsé et téléguidé. ⇒ **Engin, fusée.** *Missile balistique muni d'une ogive nucléaire. Missile tactique. Missiles stratégiques,* de grande portée. *Missile antimissile. Missile terre-terre, air-sol, sol-sol, sol-air.*

(...) si on entendait les mots éclater dans l'air les uns après les autres, on pourrait fermer ses oreilles, ou bien envoyer des missiles contre eux. Mais le langage des Maîtres traverse les hommes avant qu'ils l'aient entendu, il frappe, brise et détruit sans laisser de traces.   J.-M. G. LE CLÉZIO, les Géants, p. 171.

DÉR. **Missilier.**
COMP. **Antimissile.**

MISSILIER [misilje] n. m. — 1970 ; de *missile,* et -*ier.*

♦ Milit. Militaire, marin spécialiste des missiles. *Il est officier missilier sur une frégate lance-engins.*

MISSION [misjɔ̃] n. f. — XIVᵉ, sens religieux ; *meission,* v. 1188 ; du lat. *missio* « action d'envoyer », de *mittere* « envoyer ».

♦ 1. (Fin XVIᵉ). Charge donnée à qqn d'aller accomplir qqch., et par ext. (sans idée de déplacement), de faire qqch. ⇒ **Charge, commission, délégation, députation, légation** (vx), **mandat.** *Donner, assigner une mission à qqn. Charger d'une mission, donner les pouvoirs*, les instructions* pour une mission. Recevoir la mission de...* (→ Barrage, cit.). *Accepter une mission. Avoir mission de faire qqch. Remplir sa mission* (→ Exactitude, cit. 7). *S'acquitter d'une mission. Mission accomplie, terminée. Personne chargée de mission.* ⇒ **Délégué, député, émissaire, envoyé, exprès, mandataire,**

représentant. Mission officielle, officieuse, secrète. Mission difficile (⇒ Besogne), *dangereuse, pénible* (→ Inculper, cit. 1), *délicate. Mission restreinte* (→ Couvert, cit. 9), *indéfinie* (cit. 8). *Mission de haut espionnage* (cit. 15).

1   Des regards, plus doux encore que de coutume, et presque caressants, me firent
     bientôt deviner que le domestique avait déjà rendu compte de sa mission.
                            LACLOS, les Liaisons dangereuses, XXIII.

En mission. Être en mission. Envoyer qqn en mission. ⇒ **Commettre, déléguer, dépêcher, détacher.** *Partir en mission.*

Spécialt. **a** Dr. *Mission d'un expert* (cit. 8), délai qui lui est imparti pour le remplir. *Mission donnée à un magistrat de procéder à une information supplémentaire* (→ Informer, cit. 20).

b Diplomatie et comm. internat. *Mission diplomatique.* ⇒ **Ambassade.** *Mission diplomatique des nonces* (→ Légat, cit. 2). *Mission culturelle française à l'étranger. Mission commerciale, économique.* — *Chargé* de mission.* — *Mission de coopération,* chargée de gérer le personnel français, les coopérants*. — Groupe de personnes chargées de mission. *Rappel d'une mission diplomatique. Faire partie d'une mission.*

c Milit. *Mission de reconnaissance*.* — *Ordre* de mission* (→ Instruction, cit. 13). — *Placer un soldat en faction* (cit. 5) *avec mission d'éloigner les passants. Mission aérienne. Mission suicide.* — *En mission. Envoyer une patrouille en mission.*

2   (...) j'inspirais tel que j'étais une paradoxale confiance à notre capitaine (...) qui
     résolut cette nuit-là de me confier une mission délicate. Il s'agissait (...) de me
     rendre au trot avant le jour à Noirceur-sur-la-Lys (...) Je devais m'assurer dans la
     place même, de la présence de l'ennemi.
                            CÉLINE, Voyage au bout de la nuit, p. 39-40.

Personnes (et, spécialt, militaires) en mission. *Envoyer une mission. Missions sacrifiées* (→ Groupe, cit. 13). *Mission à l'étranger.* ⇒ **Armée** (cit. 14).

d *Mission scientifique* (exploration, géologie, archéologie, météorologie, etc.). *Service des voyages et missions scientifiques* (→ Exploration, cit. 2). — Par ext. Les savants, les techniciens qui sont en mission. *La mission Foureau-Lamy devait atteindre le Tchad par le Sahara* (→ Explorateur, cit. 1).

3   Une commission fut réunie au ministère des Travaux publics pour étudier la ques-
     tion *(la jonction entre l'Afrique du Nord et l'Afrique-Occidentale) ;* elle envoya
     une mission dirigée par le colonel Flatters, qui fut massacrée par les Touareg du
     Hoggar.   Augustin BERNARD, l'Algérie, III, IV, VI.

e Techn. *Mission d'un train :* course (d'un train, d'une rame...) caractérisée par la station d'origine, celle d'arrivée et les stations intermédiaires. *Missions différentes en cas de parcours rapide, direct, semi-direct.*

♦ 2. Relig. **a** Ordre divin donné à un fidèle d'accomplir qqch. *La mission de Jeanne d'Arc lui fut révélée par les apparitions. La mission des apôtres. Mission apostolique* (cit. 2) *pour la propagation* de la foi chrétienne.*

4   Nulle pensée, nulle certitude, n'était en eux plus ardente que celle de la mission
     surnaturelle dont, depuis deux mille ans, leur race avait été investie par Dieu.
     D'être le peuple élu, la nation témoin par qui devait être affirmé dans le monde
     le culte de l'Unique, avait suffi, aux heures les plus sombres de leur histoire pour
     qu'ils eussent la force de maintenir, contre tout, leur espérance et leur fidélité.
                            DANIEL-ROPS, Jésus en son temps, I, p. 83.

b Cour. Charge de propager une religion ; prédications et œuvres accomplies à cet effet, propagande religieuse. *Pays de mission,* où la religion doit être répandue. *Pères de la Mission,* chargés de la prédication dans les campagnes. *Prêtre de la Mission.* ⇒ **Lazariste.**

5   Un autre orgueil des Jésuites était de faire des missions dans les villes, comme
     s'ils avaient été chez des Indiens et des Japonais.
                            VOLTAIRE, Dict. philosophique, Jésuite.

♦ 3. (1699, Furetière). **a** Organisation de religieux chargés de la propagation de la foi (⇒ **Missionnaire**). *Mission catholique, protestante... Missions bouddhistes à Ceylan, au Tibet.* — Absolt. Mission catholique. *Service des Missions étrangères de Paris. Accorder l'appui* (cit. 35) *de l'État aux Missions étrangères. Missions d'Afrique noire, d'Extrême-Orient... La Mission de France. Faire des dons aux Missions.* — REM. *Missions,* au pluriel, désigne en général les organisations de propagation de la foi en pays traditionnellement non chrétien. — *Mission intérieure,* en pays de tradition chrétienne. *Mission paroissiale :* organisation d'un cycle d'exercices pieux, retraites, etc. ; ce cycle. — (1941). *Mission de France :* communauté de prêtres séculiers et de clercs chargés de l'évangélisation des milieux déchristianisés (notamment ouvriers).

6   Grâce au concours de tous les catholiques, l'Église s'implante en terres de mission.
     Mais elle n'y est vraiment constituée qu'au moment où sa mission cesse : elle cesse du
     clergé indigène et où ses œuvres peuvent être prises en charge par les autoch-
     tones. La Mission considère alors sa tâche comme terminée et les missionnaires
     laissent les chrétientés nouvelles au soin des évêques indigènes.
                            J.-M. SÉDÈS, Hist. des missions franç., p. 9.

6.1 La Mission de France n'abandonne pas non plus les siens.
                            F. MAURIAC, le Nouveau Bloc-notes 1958-1960, p. 122.

b (1690, Furetière). Par métonymie. Bâtiment où logent les missionnaires.

♦ 4. But, tâche que l'on se donne à soi-même et que l'on considère comme un devoir. *Faire d'une mission un apostolat*. Faillir à la mission qu'on s'est assignée.*

7 Quelle avait été l'efficacité de son influence sur cette nature orgueilleuse qui s'était confiée à lui depuis tant d'années ? Comment avait-il rempli sa mission ?
MARTIN DU GARD, les Thibault, t. IV, p. 135.

8 Il est comme quelqu'un qui se serait fixé une tâche, une mission. Il veut sauver du naufrage une société qui se défend fort bien toute seule.
ARAGON, les Beaux Quartiers, II, XV.

♦ **5.** Action, but auquel un être semble destiné. ⇒ **Fonction, rôle, vocation.** *L'homme a pour mission de perpétuer la race humaine* (→ Contribuer, cit. 2). *La mission de qqn, sa mission. La mission de l'artiste, de l'intellectuel.* — Par ext. *La mission civilisatrice dont un pays s'estime chargé.*

9 SEUL ET LIBRE, ACCOMPLIR SA MISSION. Les Poètes et les Artistes ont seuls parmi tous les hommes le bonheur de pouvoir accomplir leur mission dans la solitude (...) La mission du Poète ou de l'Artiste est de produire, et tout ce qu'il produit est utile, si cela est admiré. A. DE VIGNY, Stello, XL.

Fig. (En parlant des choses). ⇒ **But, destination, fonction.** *La mission de l'art* (cit. 75) *n'est pas de copier la nature. Mot qui exprime ce qu'il a mission d'exprimer* (→ Gausser, cit. 3).

10 Le Réalisme, pour user du mot bête, du mot drapeau, n'a pas en effet l'unique mission de décrire ce qui est bas, ce qui est répugnant, ce qui pue, il est venu au monde aussi, lui, pour définir dans de l'écriture *artiste*, ce qui est élevé, ce qui est joli, ce qui sent bon (...) Ed. DE GONCOURT, les Frères Zemganno, Préface.

11 Des rapports vraiment intimes, l'égalité dans le tête-à-tête, une complète liberté de langage, une considération réciproque sont nécessaires, afin que l'amour accomplisse sa mission. J. CHARDONNE, l'Amour du prochain, p. 28.

DÉR. Missionnaire, missionner.

MISSIONNAIRE [misjɔnɛʀ] n. m. — 1631 ; de *mission*, et *-aire*.

★ **I.** N. ♦ **1.** Prêtre des missions. *Missionnaire catholique, protestant... Missionnaires d'Afrique, d'Extrême-Orient. Le missionnaire va jusqu'au bout* (cit. 21) *de la terre.*

1 (Il faut ...) laisser le pouvoir aux évêques d'envoyer les missionnaires (dans) la part de leur diocèse qu'il leur plaira. SAINT VINCENT DE PAUL, Correspondance, I, p. 114, in D.D.L.

2 Il nous semble que c'était un juste sujet d'orgueil pour l'Europe, et surtout pour la France, qui fournissait le plus grand nombre de missionnaires, de voir tous les ans sortir de son sein des hommes qui allaient faire éclater les miracles des arts, des lois, de l'humanité et du courage, dans les quatre parties de la terre. De là provenait la haute idée que les étrangers se formaient de notre nation et du Dieu qu'on y adorait. CHATEAUBRIAND, le Génie du christianisme, IV, IV, IX.

Franç. d'Afrique. Prêtre européen.

Par anal. *Nous sommes des missionnaires laïques* (cit. 6, Voltaire).

♦ **2.** Fig., vx. Agent, envoyé, propagateur. *« Les missionnaires du socialisme »* (Littré).

♦ **3.** Franç. d'Afrique. Universitaire, fonctionnaire en mission.

★ **II.** Adj. (XIXᵉ). Qui a la mission de propager sa religion. *Religieux, prêtre, sœur missionnaire* (→ Fondateur, cit. 1 ; incantation, cit. 2). Par ext. *Action, œuvre missionnaire. Esprit missionnaire,* de celui qui cherche à convertir à une religion, et par ext., à un idéal (→ Évangéliser, cit. 3).

DÉR. Missionnariat.

MISSIONNARIAT [misjɔnaʀja] n. m. — 1874, Larousse ; de *missionnaire*, et *-at*.

♦ Didact. État, fonction d'un missionnaire, des missionnaires.

MISSIONNER [misjɔne] v. tr. — 1891, Huysmans, au p. p. adj.; de *mission*, et *-er*.

♦ Didact. [a] Envoyer (qqn) pour accomplir une mission religieuse ; envoyer comme missionnaire*.

1 La paix qu'il ne connaîtra jamais, ce prêtre est nommé pour la dispenser aux autres. Il est missionné pour les seuls pêcheurs. BERNANOS, Sous le soleil de Satan, I, III, p. 188.

[b] Envoyer en mission (scientifique, etc.).

2 J'admire l'ingéniosité des écrivains d'aujourd'hui pour monnayer leur littérature (...) J'ai eu trop de prétexte de m'être salué « missionner » pour mon dernier voyage au Niger (... je) préfère ma liberté (...) GIDE, Carnets d'Égypte, in Journal, t. II, Pl., p. 1060.

▶ **MISSIONNÉ, ÉE** p. p. adj.

Envoyé en mission (pour une tâche religieuse).

3 Vis-à-vis de Yahweh, désormais, Ismaël se sent dans une plus grande dépendance. Il est le peuple missionné pour témoigner de lui et accomplir ses œuvres. Yahweh l'a choisi parmi tous et l'a, par miracle, fait sortir d'Égypte.
DANIEL-ROPS, le Peuple de la Bible, II, II, p. 113.

MISSIVE [misiv] adj. f. et n. f. — 1454 ; du lat. *missus*, p. p. de *mittere* « envoyer ».

♦ **1.** Adj. f. *Lettre missive.* [a] Lettre d'affaires destinée à être envoyée immédiatement.

[b] Dr. Écrit qu'une personne envoie à une autre pour s'entretenir

avec elle, lui communiquer sa pensée et qui est confié à un particulier ou à la poste. *Les lettres missives comprennent : les lettres, les cartes postales, les cartes-télégrammes et les télégrammes.*

♦ **2.** N. f. (1580, Montaigne). Cour. Lettre. ⇒ **Babillarde, billet, dépêche, lettre, message, mot, pneumatique.** *Faire, envoyer une missive* (→ Fleur, cit. 15). *Une longue missive.* ⇒ **Épître** (fam.). *Missive galante.* ⇒ **Poulet.**

1 « (...) la lettre et son auteur m'inspirent un égal mépris. On m'obligera de ne m'en plus parler ». En disant ces mots, elle déchira l'audacieuse missive (...)
LACLOS, les Liaisons dangereuses, XXXIV.

2 Une lettre peut, comme un homme, avoir mauvaise tournure. Gros papier, pli grossier, rien qu'à les voir, de certaines missives déplaisent.
HUGO, les Misérables, IV, IX, IV.

3 Sur ce, très chère, adieu. Car voilà trop causer,
Et le temps que l'on perd à lire une missive
N'aura jamais valu la peine qu'on l'écrive. VERLAINE, Fêtes galantes, Lettre.

REM. Le mot est marqué par rapport à *lettre*, et souvent plaisant.

MISTELLE [mistɛl] n. f. — 1902 ; esp. *mistela* de *misto* « mélangé », mot venu par l'Algérie.

♦ Techn. Moût de raisin dont la fermentation a été arrêtée par une addition d'alcool (mutage* à l'alcool). *Les mistelles servent à la préparation des vins de liqueur et des vermouths. Mistelles d'Algérie.*

MISTER [mistœʀ] n. m. — Déb. XXᵉ ; mot angl., var. de *master* « maître », du franç. *maistre, maître.*

♦ Dans certains pays de langue anglaise, titre placé devant le nom d'un homme qui n'est pas noble (→ Lord, sir). *Mister Smith.* Abrév. : *Mr.*

MISTIGRI [mistigri] n. m. — 1827 ; p.-ê. de *miste*, var. de *mite*, nom pop. du chat, et de *gris ;* ou (P. Guiraud) altér. d'un comp. de *miste* « petit, délicat » et *gouri* « paillard », ou *grip*, de *gripper* « griffer ».

♦ **1.** (1840, Académie). Fam. Chat. ⇒ **Matou, minet.**

♦ **2.** (1827). Valet de trèfle entre deux cartes de même valeur, dans certains jeux.

♦ **3.** (1867). Jeu de cartes rappelant le jeu de la mouche, et où le *mistigri* est une carte avantageuse.

MISTON, ONNE [mistõ, ɔn] n. — 1790 ; « individu, type » ; orig. obscure.

♦ Fam., régional. Gamin, gamine.

Lola et sa pote, elles jouaient un drôle de jeu, à ce qu'il semblait. Je devais plus les aborder, ces mistonnes, qu'avec grande prudence.
Albert SIMONIN, Touchez pas au grisbi, p. 78.

MISTOUFLE [mistufl] n. f. — 1866, Esnault ; orig. obscure, l'élément initial semble être celui de *mis(ère).*

♦ **1.** Fam. [a] Méchanceté. *Faire des mistoufles à qqn.* ⇒ **Misère.**

[b] Mauvais procédé, en affaires. ⇒ **Entourloupette ; coup** (fourré).

Il était débrouillard, et il ne m'avait jamais fait de vraies mistoufles. Je l'aimais bien. J. ROMAINS, les Hommes de bonne volonté, t. XXII, p. 25.

♦ **2.** Pop. (Avec infl. de *misère*). ⇒ **Misère, pauvreté.** *Être dans la mistoufle.*

2 (...) ce salopard de Korzakow avait disparu et levé le pied sans crier gare, me plaquant dans la purée et la mistoufle. B. CENDRARS, Bourlinguer, VII, VIII.

MISTRAL [mistral] n. m. — 1625, in D.D.L. ; *mestral*, 1519 ; anc. provençal *maestral* « magistral », proprt « vent maître ».

♦ Régional, cour. Vent violent qui souffle du nord ou du nord-ouest vers la mer, dans la vallée du Rhône et sur la Méditerranée (→ Magistral, cit. 2). *Le mistral soulève des tourbillons de poussière* (→ Limpidité, cit. 3). *Coup de mistral. Le mistral et la tramontane, vents du midi de la France.*

1 Le mistral était en colère, et les éclats de sa grande voix m'ont tenu éveillé jusqu'au matin.
Alphonse DAUDET, Lettres de mon moulin, « Phare des Sanguinaires ».

2 Le *mistral* souffle en Provence du N.N.W., atteignant sa plus grande violence dans la plaine du Rhône. Il amène à Marseille des coups de froid redoutés et assez fréquents pour abaisser la moyenne de janvier au-dessous de celle de Brest.
É. DE MARTONNE, Traité de géographie physique, t. I, II, III.

MISTRESS [misiz ; vx, mistʀɛs] n. f. — Fin XVIIIᵉ, *mistriss*, encore en 1853, *mistress*, in P. Larousse 1874 ; mot angl. du franç. *maîtresse.*

♦ **1.** Madame* (une telle), en parlant d'une Anglaise, d'une Américaine... (abrév. : *Mrs*). *Mrs Dalloway,* roman de Virginia Woolf.

♦ **2.** Vx. Dame anglaise. *Les « ladies et les mistresses »* (Gautier).

« *Une mistriss* (sic) *élégante encore, malgré son embonpoint...* ».
(Balzac, *Traité de la vie élégante,* in Rey-Debove et Gagnon).

MITAGE [mitaʒ] n. m. — 1977, in P. Gilbert ; de *miter.*

♦ Techn. (géogr., urbanisme). *Mitage du tissu urbain :* éparpillement anarchique des constructions.

MITAINE [mitɛn] n. f. — 1180 ; de l'anc. franç. *mite,* même sens, p.-ê. d'un adj. *mitaine « du chat », de *mite* « chat » et suff. *-aine,* dans **patte mitaine.*

★ **I.** ♦ **1.** Vx ou régional (Canada). ⇒ **Moufle.** « *Il suffit d'un bon pantalon de laine chaud, d'un chandail (...) d'une tuque et d'une bonne paire de mitaines* » (Québec, *Chasse et pêche,* déc. 1972). — Argot. Gant de boxe.

♦ **2.** Mod. Gant* qui laisse à nu les deux dernières phalanges des doigts.

1 (...) *pour cacher sa main qui était un peu rouge (...) elle prit des mitaines noires, qui ne laissaient voir que le bout de ses doigts.*
A. de MUSSET, Nouvelles, « Margot », IV.

2 *(Elles) tendaient, hors de la mitaine en tricot, deux phalanges de leur main droite.*
COLETTE, Belles saisons, p. 242.

Loc. Fig., vieilli. *Prendre des mitaines.* ⇒ **Gant** (*infra* cit. 16). « *Il n'a pas pris de mitaines pour lui parler* » (Académie).

★ **II.** (1640). Loc. fam. *Onguent miton mitaine :* remède qui ne fait ni de bien ni de mal. (Tour probablement imité des refrains populaires ; → Mironton mirontaine). ⇒ **Miton.**

3 *D'un autre côté, mes amours perdues m'ont laissé quelques cicatrices qui ne s'effaceraient pas avec de l'onguent miton mitaine.*
A. DE MUSSET, Œ. posthumes, Lettres, XV, sept.-oct. 1840.

COMP. **Croque-mitaine.**

MITAN [mitɑ̃] n. m. — XIIIᵉ ; *moitant,* XIIᵉ ; dial. de l'Est, de *mi,* et *tant.*

♦ **1.** Vx, dial. ou pop. Milieu, centre. — REM. S'est employé au fém. : « *À la mitan du lit la rivière est profonde...* » (vieille chanson). — *En plein mitan* (→ Crevaison, cit.).

Qu'on le critique, il n'en a cure,
Pas plus que de savoir son nez
Au beau mitan de sa figure
Ou de ce que vous devinez (...)
Germain NOUVEAU, Valentines, « Tartarin », Pl., p. 630.

♦ **2.** Argot., vieilli. *Le mitan :* le milieu, la pègre. *Un mec du mitan.*

HOM. **Mi-temps.**

MITANNIEN, ENNE [mitanjɛ̃, ɛn] adj. — 1931, Larousse ; de *Mitanni.*

♦ Hist. Du Mitanni, royaume de l'Est de l'Euphrate (Arménie actuelle), de 1500 à 1300 av. J.-C. *L'art mitannien* (poteries, cylindres-sceaux, céramique) *est influencé par l'art égéen et égyptien.*

COMP. **Mitanno-hittite.**

MITANNO-HITTITE [mitanoitit] adj. — Mil. XXᵉ ; de *mitannien,* et de *hittite.*

♦ Du Mitanni et des Hittites.

(...) *si nous voulons qualifier l'art de l'Asie Occidentale ancienne du Nord de la Mésopotamie, au IIᵉ millénaire avant notre ère, nous y relevons une phase mitannienne ; puis, après la chute du Mitanni, une phase hittite à l'Ouest et assyrienne à l'Est, si nous dénommons cet art d'après les grandes puissances dont il relève ; si nous le nommons d'après ses tendances propres, c'est un art mitanno-hittite (...)*
G. CONTENAU et V. CHAPOT, l'Art antique, p. 83.

MITARD [mitaʀ] n. m. — 1884, in Esnault ; de l'argot *mite, mitte* « cachot », 1800 ; p.-ê. de *cachemitte* (1725), dér. argotique de *cachot,* d'après Esnault.

♦ Argot. Cachot, cellule disciplinaire, dans une prison.

(...) *s'ils ne m'ont pas fourrée au mitard, c'était parce qu'en décembre il n'y fait pas chaud, et que la découverte de mon cadavre glacé au petit matin (...)*
A. SARRAZIN, la Cavale, p. 314.

MITCHOURINIEN, IENNE [mitʃuʀinjɛ̃, jɛn] adj. — Mil. XXᵉ ; de *Mitchourine* biologiste russe et *-ien.*

♦ Didact. De Mitchourine, du mitchourinisme. — Nom. Partisan du mitchourinisme.

DÉR. (De *Mitchourine*) **Mitchourinisme.**

MITCHOURINISME [mitʃuʀinism] n. m. — Mil. XXᵉ ; de *Mitchourine* (→ art. précéd.) et *-isme.*

♦ Didact. Théorie, ensemble des méthodes de Mitchourine et de ses

partisans, selon qui les caractères héréditaires peuvent être modifiés de manière contrôlable par une action sur le milieu (théorie abandonnée aujourd'hui).

MITE [mit] n. f. — XIIIᵉ ; moy. néerl. *mite,* même sens ; si le mot a d'abord désigné les larves, il pourrait s'agir d'une spécialisation de *mite* « petite monnaie », du lat. *mica* « miette » (P. Guiraud).

♦ **1.** Arthropode (en général, acarien ou arachnide) vivant de matières végétales ou animales. ⇒ **Ciron** (vx). *Mite de la farine, du fromage* (⇒ **Tyroglyphe**).

Cour. Petit lépidoptère, papillon blanchâtre de la famille des teignes dont les larves rongent les étoffes et les fourrures. *Protéger ses vêtements, ses lainages des mites en y mettant de la naphtaline, du D. D. T....* (produits antimites). *Habit mangé des mites, troué aux mites* (→ **Mité**). *Une chevelure qu'on dirait mangée* (cit. 26) *aux mites.*

1 (...) *on voyait reparaître les laines bleues, râpées, fanées, trouées de mites et de cancrelats* (...)
LOTI, Matelot, XLIX.

1.1 *Françoise me dirait, en me montrant mes cahiers rongés comme les bois où l'insecte s'est mis :* « *C'est tout mité, regardez c'est malheureux, voilà un bout de page qui n'est plus qu'une dentelle* » *et l'examinant comme un tailleur :* « *je ne crois pas que je pourrai la refaire, c'est perdu. C'est dommage, c'est peut-être vos plus belles idées. Comme on dit à Combray, il n'y a pas de fourreurs qui s'y connaissent aussi bien comme les mites. Ils* (sic) *se mettent toujours dans les meilleures étoffes.* »
PROUST, le Temps retrouvé, Pl., t. III, p. 1034.

2 — *Mais les mites ? cher Philippe. Comment vous arrangez-vous avec les mites ?* (...) — *Les mites ! dit-il, jamais les mites ne viennent ici. Nous glissons partout des plantes odoriférantes. Vous sentez bien le thym et la sariette et l'armoise et la tanaisie. Et puis, aux changements de saison nous faisons brûler des herbes.*
G. DUHAMEL, Chronique des Pasquier, IX, XI.

Fam. *Être mangé, bouffé aux mites :* être troué (tissu), en mauvais état, et, fig., usé, vieux.

3 (...) *Élisabeth de Bavière et l'empereur voulurent se baigner dans le Königsee et Adélaïde leur trouva des maillots, d'ailleurs mangés aux mites. Comme les souverains déshabillés arrivaient au lac, deux jeunes gens sortaient de l'eau, et c'était, en costume aussi délabré, leur fils Rudolf avec Dora Winzer l'actrice.*
GIRAUDOUX, Siegfried et le Limousin, p. 8.

Figuré :

4 *Vous étiez beau, le temps vous a défait,*
Les mites commencent à vous bouffer,
Au Grand Café, au Grand Café.
Charles TRENET, « Au Grand Café ».

♦ **2.** (1867). Fam. Chassie. *Avoir la mite à l'œil.*

DÉR. **Mité, miteux.**
COMP. **Antimite(s).**
HOM. **Mythe.**

MITÉ, ÉE [mite] adj. — 1743, Trévoux ; de *mite,* et *-é.*

★ **I.** ♦ **1.** Mangé, rongé des mites. *Habit mité, fourrure mitée.*

♦ **2.** Fig., fam. Troué, peu présentable. — (Par infl. de *miteux*). Mauvais, médiocre et vieux. ⇒ **Minable.** *Un appartement, un quartier mité.*

★ **II.** Pop. Chassieux. *Avoir les yeux mités.*

DÉR. **Miter.**

MI-TEMPS [mitɑ̃] n. f. — 1901, Larousse ; de *mi-* et *temps.*

♦ **1.** (1907). Temps de repos au milieu d'un match (dans les sports d'équipes : football, rugby, hockey, etc.). ⇒ **Pause.** *Les joueurs se délassent pendant la mi-temps.*

À la mi-temps, chaque équipe passe sur le côté du terrain occupé jusqu'alors par l'autre ; le vent, le soleil, gênants à recevoir de face, sont donc en principe équitablement répartis. MONTHERLANT, les Olympiques, p. 103, note.

♦ **2.** (1901). Chacune des deux moitiés du temps réglementaire dans le match. *Avoir l'avantage en première, en seconde mi-temps.*

♦ **3.** Loc. adv. À **MI-TEMPS.** *Travailler, être employé à mi-temps,* pendant la moitié de la durée normale du travail.

N. m. **MI-TEMPS** : temps de travail de la moitié de la norme ; travail à mi-temps. *Faire un mi-temps comme correcteur dans un journal pour payer ses études.*

HOM. **Mitan.**

MITER [mite] v. — 1931, Larousse ; de *mité,* et *-er.*

★ **I.** V. pron. Être attaqué, abîmé par les mites. *Mettre des vêtements dans des housses pour éviter qu'ils ne se mitent.*

★ **II.** V. tr. (1978, in P. Gilbert). Rendre (un tissu urbain) irrégulier, anarchique, par une politique de construction incohérente. — (Le sujet désignant les constructions). « *Si des constructions dispersées* *mitaient le paysage jusqu'à le faire disparaître»* (*l'Express, in* P. Gilbert).

DÉR. Mitage.

MITEUSEMENT [mitøzmã] adv. — 1944 ; de *miteux,* et *-ment.*

♦ Fam. D'une manière miteuse. ⇒ **Minablement, pauvrement, piètrement.**

Un jour de février à l'heure où la neige tombe, grelottant parce que miteusement vêtu (...)   R. QUENEAU, Loin de Rueil, p. 144.

MITEUSERIE [mitøzʀi] n. f. — xxᵉ ; de *miteux,* et *-erie.*

♦ Fam., rare. Caractère miteux, pauvreté.

Moi qui ai soigneusement écarté toute complication de mon existence, qui en ai banni toute contrainte matérielle, qui en ai fait à force de rigueur un chef-d'œuvre de miteuserie afin d'être constamment dispos pour l'œuvre (...)   J. DUTOURD, Pluche, XV, p. 290.

MITEUX, EUSE [mitø, øz] adj. et n. — 1808, *Dictionnaire du Bas Langage ;* de *mite* et *-eux ;* → Avoir la mite* à l'œil.

♦ **1.** Vx. Chassieux.

0.1   Au milieu des moutons aux yeux miteux, à la laine longue et verdâtre (...)   Georges NAVEL, Travaux, p. 103.

Nom. (1947). Pop., péj. Enfant. *On n'emmène pas les miteux. Taistoi, miteuse !* ⇒ **Pisseuse.**

♦ **2.** (1880, Daudet). Mod. En piteux état ; misérable, d'apparence misérable. ⇒ **Minable.** *Habit miteux,* pauvre, usé. *Mobilier, appartement miteux, quartier miteux.* ⇒ **Pauvre, piètre.** *Aspect miteux d'un objet, d'une personne...* ⇒ **Piteux** (→ Gaze, cit. 4).

1   Par politesse, comme devant le petit cinéma miteux du boulevard Bonne-Nouvelle, Costals feignait de trouver que tel restaurant n'était pas «assez bien»   MONTHERLANT, les Lépreuses, I, VI.

(1893). N. (Fam.). Personne pauvre*, pitoyable dont on ne fait pas grand cas (→ Caser, cit. 3). *C'est un hôtel trop chic pour des miteux comme vous.*

2   (...) ce grand ramassis de miteux dans mon genre, chassieux, puceux, transis, qui ont échoué ici poursuivis par la faim, la peste, les tumeurs et le froid, venus vaincus des quatre coins du monde.   CÉLINE, Voyage au bout de la nuit, p. 14.

DÉR. Miteusement, miteuserie.

MITHRIACISME [mitʀijasism] ou **MITHRACISME** [mitʀasism] n. m. — 1846, Bescherelle ; fin XIXᵉ ; lat. *mithriacus,* de *Mithra,* nom d'un dieu perse.

♦ Didact. Culte de Mithra.

DÉR. (Du même rad.) **Mithriaque.**

MITHRIAQUE [mitʀijak] adj. — 1765, *Encyclopédie ;* lat. *mithriacus.*

♦ Didact. Relatif au culte de Mithra. *Religion, mystères mithriaques.*

N. f. pl. *Les Mithriaques :* les fêtes et les mystères de Mithra, dans l'Antiquité.

MITHRIDATE [mitʀidat] n. m. — 1425, *metridat ;* de *Mithridate,* roi du Pont à qui on attribuait l'invention de cette drogue.

♦ Vx. Électuaire opiacé que l'on considérait comme un antidote. ⇒ **Thériaque.** *Vendeur de mithridate :* charlatan.

Depuis, il trafiqua des chapelets de baume, Vendit du mithridate en maître opérateur.   CORNEILLE, l'Illusion comique, I, 3.

DÉR. Mithridatisme, mithridatisation.

MITHRIDATISATION [mitʀidatizasjɔ̃] n. f. — 1908, *Année sc. et industr.,* 1909, p. 220 ; de *mithridatiser.*

♦ Didact. Action de mithridatiser, fait de se mithridatiser ; son résultat. ⇒ **Mithridatisme.**

MITHRIDATISER [mitʀidatize] v. tr. — V. 1900 ; de *Mithridate* (cf. art. précéd.) et *-iser.*

♦ Didact. Immuniser en accoutumant à un poison. — Pron. *Se mithridatiser.*

Au participe passé :

1   (...) entraînée par une absorption massive de cette drogue, Folcoche était littéralement mithridatisée. Cet excès de belladone lui flanqua seulement une mémorable colique.   Hervé BAZIN, Vipère au poing, p. 179.

2   Tatum m'a dit que cet homme étrange est doué d'une immunité presque magique,

---

qu'il est totalement insensible à tous les poisons des serpents américains, complètement mithridatisé (...)   R. GARY, Chien Blanc, p. 120.

DÉR. Mithridatisation.

MITHRIDATISME [mitʀidatism] n. m. — 1867 ; de *Mithridate* (→ Mithridate) et *-isme ;* de *mithridatiser,* et *-action.*

♦ Didact. (Méd.). Immunité* à l'égard des poisons minéraux ou végétaux, acquise par accoutumance progressive.

MITIGATION [mitigasjɔ̃] n. f. — V. 1560, Paré ; *mitigacion,* XIVᵉ ; lat. *mitigatio,* du supin de *mitigare.*

♦ Didact. Action de mitiger ; son résultat. ⇒ **Adoucissement, atténuation, diminution, modération.**

(1810). Dr. pén. *Mitigation des peines :* «substitution, en vertu de la loi (Code pénal, art. 65) et par égard pour la faiblesse physique du condamné, d'une peine plus douce à la peine ordinaire du crime» (Capitant. → ci-dessous, Mitiger, cit. 1).

CONTR. Aggravation, exagération.

MITIGER [mitiʒe] v. tr. — Conjug. *bouger.* — V. 1560, Paré ; *mittiger,* v. 1355 ; lat. *mitigare* «adoucir», de *mitis* «doux».

♦ Vieilli à l'actif. Rendre plus doux, moins rigoureux. ⇒ **Adoucir, affaiblir, atténuer, diminuer, édulcorer, tempérer.** *Chercher des demimots* (cit. 1) *pour mitiger ce qu'on va dire. Mitiger une peine.* ⇒ **Mitigation.** *« Mitiger une règle trop austère »* (Académie).

1   Nul crime ou délit ne peut être excusé, ni la peine mitigée, que dans les cas et dans les circonstances où la loi déclare le fait excusable, ou permet de lui appliquer une peine moins rigoureuse.   Code pénal, art. 65.

2   (*La Direction générale du Ministère*). Mixte, bâtarde, équivoque, d'une austérité de monastère que mitigerait la banalité d'un magasin à fourrages (...)   COURTELINE, Messieurs les ronds-de-cuir, I, II.

▶ **MITIGÉ, ÉE** p. p. adj. (1660 ; *mitigué,* 1596).

♦ **1.** Vx. Adouci, atténué. *Les limbes* (cit. 1), *espèce d'enfer mitigé.*

♦ **2.** Mod. Moins strict. ⇒ **Relâché.** *Zèle mitigé. Républicains mitigés* (Voltaire).

3   (...) son envie de lâcher la boîte le lendemain, mitigée de sa crainte des complications s'il donnait suite à son projet.   COURTELINE, Messieurs les ronds-de-cuir, II, II.

♦ **3.** Cour. Mélangé, mêlé. *Des compliments mitigés. Il a une attitude assez mitigée,* incertaine, ni bonne ni mauvaise.

REM. Cette évolution de sens peut s'expliquer par les tours du type *mitigé de,* et l'attraction de *mi* «moitié» (Cf. Mi-figue, mi-raisin), de mixte. La même remarque s'applique à *mitiger.*

4   Et il commente (*Criticus*) : « *Les puristes réprouvent cet emploi d'un verbe mitigeant le sens de dire par celui d'une nuance d'attitude ». Mitiger, qui signifie :* atténuer, est ici tout à fait impropre.   René GEORGIN, Jeux de mots, p. 257.

CONTR. Aggraver, exagérer.
DÉR. Mitigeur.

MITIGEUR [mitiʒœʀ] n. m. — 1968, Larousse ; de *mitiger,* et *-eur.*

♦ Techn. Robinet mélangeur à une seule manette pour régler le débit et la température d'un mélange d'eau chaude et d'eau froide.

MITOCHONDRIAL, ALE, AUX [mitɔkɔ̃dʀijal, o] adj. — D. i. (xxᵉ) ; de *mitochondrie.*

♦ Des mitochondries, du chondriosome. *Les « membranes mitochondriales et chloroplastiques »* (*la Recherche,* avr. 1978, p. 337). *Appareil mitochondrial.* ⇒ **Mitochondrie.**

MITOCHONDRIE [mitɔkɔ̃dʀi] n. f. — 1907 ; *mitochondria,* 1898 ; du grec *mitos* «filament», et *khondros* «cartilage».

♦ Biol. Chacun des granulés du cytoplasme cellulaire appartenant au chondriosome* et jouant un rôle fondamental dans la respiration et dans les réactions énergétiques de la cellule vivante.

C'est la microcinématographie qui a permis (...) de faire une étude poussée, dans les cellules en culture, de ces constituants connus sous le nom de mitochondries, qui interviennent dans la vie de la cellule en étant le siège d'activités enzymatiques.   Jean VERNE et Simone HÉBERT, la Culture de tissus, p. 25.

DÉR. Mitochondrial.

MITOCLASIQUE [mitɔklazik] adj. — Mil. xxᵉ ; de *mito-* (grec *mitos* «filament») et *-clasique* (grec *klas-* «casser»).

♦ Biol. Qui provoque la fissuration longitudinale des chromosomes tout en empêchant la division cellulaire (seul le début de la mitose se produit). *L'hydrate de chloral, la colchicine sont mitoclasiques.*

MITOGÈNE [mitɔʒɛn] n. m. — Av. 1980 (Office de la langue franç., 15 févr., 1980, recomm. off. : *mitogène de la phytolaque*) ; de *mito(se)*, et *-gène*, p.-ê. d'après l'angl. *mitogen*, 1963.

♦ Biol. Substance mitogénétique.

MITOGÉNÉTIQUE [mitɔʒenetik] adj. — 1953, Quillet ; de *mito(se)*, et *-génétique*.

♦ Biol. Qui provoque la mitose*. (Comparer à *mitoclasique**).

MITON [mitɔ̃] n. m. — xvᵉ ; de *mite* « gant », même rac. que *mitaine*.

♦ **1.** Archéol. Gantelet formé d'un poucier articulé et d'une plaque de protection pour les autres doigts.

♦ **2.** (1636). Vx. Manchette recouvrant le poignet.

♦ **3.** *Miton mitaine.* ⇒ **Mitaine.**

COMP. **Emmitonner.**

MITONNAGE [mitɔnaʒ] n. m. — 1735 ; de *mitonner*, et *-age*.

♦ Cuisson d'un plat que l'on fait mitonner, qui mitonne. *Un long mitonnage.* ⇒ **Mitonnement.**

MITONNEMENT [mitɔnmɑ̃] n. m. — xxᵉ ; de *mitonner*, et *-ment*.

♦ Action de faire mitonner (⇒ **Mitonnage**) ; fait de mitonner.

Figuré :

Je roupille jusqu'à des huit heures trente, et ne me lève qu'après avoir bâillé des douzaines de fois, et m'être offert un quart d'heure de mitonnement supplémentaire.   J. ROMAINS, *les Hommes de bonne volonté*, t. VIII, II, p. 16-17.

MITONNER [mitɔne] v. — 1546, Rabelais ; du normand *miton* « mie de pain », dér. tardif de *mie*.

★ **I.** V. intr. Cuire longtemps à petit feu dans l'eau ou le bouillon. ⇒ **Bouillir, mijoter.** *Potage qui mitonne. Faire mitonner un plat. Laisser mitonner plusieurs heures.*

(...) la soupe mitonnait en gémissant (...)   J. GIONO, *Regain*, II, IV.

Par métaphore. *Laisser mitonner une affaire* (Académie).

Il existe en province deux conversations, celle qui se tient officiellement quand tout le monde est réuni, joue aux cartes et babille ; puis celle qui *mitonne*, comme un potage bien soigné, lorsqu'il ne reste devant la cheminée que trois ou quatre amis de qui l'on est sûr (...)   BALZAC, *le Député d'Arcis*, Pl., t. VII, p. 643.

★ **II.** V. tr. ♦ **1.** Préparer en faisant cuire longtemps à feu doux. *Mitonner une soupe.* — Par ext. Préparer soigneusement (un mets, une composition). *Elle nous a mitonné un bon petit dîner.*

(...) il avait gardé le goût de la botanique et une disposition marquée à mitonner des remèdes.   G. DUHAMEL, *Inventaire de l'abîme*, IV.

♦ **2.** Par métaphore, fig. Préparer tout doucement (une personne, une chose) pour un résultat. *Mitonner une affaire. Se mitonner un avenir confortable. Mitonner un client éventuel.*

Élisabeth conçut aussitôt de le *mitonner* pour sa fille, et de former elle-même son gendre, en calculant ainsi à sept ans de distance.   BALZAC, *les Employés*, Pl., t. VI, p. 907.

Il prépare cette riposte et la mitonne comme une cuisine empoisonnée.   G. DUHAMEL, *Chronique des Pasquier*, VI, XV.

(1651). Par ext. *Mitonner qqn*, être aux petits soins pour lui. ⇒ **Cajoler, dorloter.**

(...) il *(Ch. de Sévigné)* a bien d'autres affaires qu'à me mitonner (...)   Mᵐᵉ de SÉVIGNÉ, 617, 23 juin 1677.

▶ **SE MITONNER** V. pron. (sens passif).

Mitonner. *Soupe qui se mitonne.* Fig. *Affaire qui se mitonne.* — (Réfl.). « Se procurer toutes sortes d'aises et de commodités » (Littré), se soigner.

(...) je vous ai laissée vous mitonnant dans votre lit, faisant la mignonne.   Mᵐᵉ de SÉVIGNÉ, 1263, 8 févr. 1690.

▶ **MITONNÉ, ÉE** p. p. adj. *Ragoût mitonné. De petits plats mitonnés.* — N. m. Vx. (xviiᵉ). *Un mitonné* : un plat mitonné.

Par métaphore, fig. *Affaire bien mitonnée.*

DÉR. **Mitonnage, mitonnement.**

MITOSE [mitoz] n. f. — Fin xixᵉ ; angl. *mitose*, Fleming, 1882, du grec *mitos* « filament ».

♦ Biol. Division indirecte de la cellule dans laquelle chaque chromosome* se dédouble (⇒ **Caryocinèse**), de sorte que les deux cellules résultant de cette division possèdent, en nombre égal, les mêmes chromosomes que la cellule d'origine. *Phases de la mitose :* prophase, métaphase, anaphase, télophase. *Mitose équationnelle ; mitose réductionnelle.* ⇒ **Méiose.** *Agents inhibiteurs de la mitose.* ⇒ **Antimitotique.**

La multiplication cellulaire se fait de la même façon chez l'homme que chez les animaux et les végétaux, grâce à de curieux mouvements du noyau, qui ont servi

précisément à désigner ce mode de division indirecte, connu sous le nom de *karyokinèse* ou *mitose*.   VALLERY-RADOT, *le Grand Mystère...*, I.

DÉR. **Mitotique.**
COMP. **Amitose.**

MITOTIQUE [mitɔtik] adj. — 1897, in *Année biologique* 1899, p. 33 ; de *mitose*, et *-ique*.

♦ Biol. De la mitose. *Index mitotique :* proportion, dans un tissu, de cellules en mitose.

REM. On a employé la var. *mitosique*, adj. (1897, *Année biologique*, p. 36).

DÉR. **Mitotiquement.**
COMP. **Antimitotique.**

MITOTIQUEMENT [mitɔtikmɑ̃] adv. — 1897, in *Année biologique* 1899, p. 99 ; de *mitotique*.

♦ Biol. Par la mitose. *La cellule se divise mitotiquement.*

MITOUFLE [mitufl] n. f. — 1534, Rabelais ; croisement probable de *mite* « gant » (même rac. que *mitaine*), et de *moufle*.

♦ Vx. Mitaine.

COMP. **Emmitoufler.**

MITOYEN, ENNE [mitwajɛ̃, ɛn] adj. — xivᵉ, *mittoyenne* « au centre » ; réfection d'après *mi* « demi », de l'anc. franç. *moiteen*, de *moitié*.

♦ **1.** Qui est entre deux choses, commun* à l'une et à l'autre. *Cloison mitoyenne qui sépare deux chambres. Un jardinet dont le mur était mitoyen avec la sacristie* (→ Maison, cit. 12).

L'Église ! Familière ; mitoyenne, rue Saint-Hilaire, où était sa porte nord, de ses deux voisines, la pharmacie de M. Rapin et la maison de Mᵐᵉ Loiseau, qu'elle touchait sans aucune séparation.   PROUST, *À la recherche du temps perdu*, t. I, p. 90.   1

Dr. et cour. Se dit d'une clôture, d'un fossé séparant deux fonds contigus* et qui appartient en copropriété aux propriétaires de l'un et de l'autre. *Tout mur est présumé mitoyen « s'il n'y a titre ou marque du contraire »* (Code civil, art. 653). *Mur mitoyen jusqu'à l'héberge** (cit.). *Mur non mitoyen* (⇒ **Mitoyenneté.** → Jour, cit. 20). *Fossé mitoyen, haie mitoyenne. Arbres mitoyens* (art. 670 du Code civil). *Puits mitoyen.*

La réparation et la reconstruction du mur mitoyen sont à la charge de tous ceux qui y ont droit, et proportionnellement au droit de chacun.   Code civil, art. 655.   2

♦ **2.** (1594). Fig., vx. Qui tient le milieu, est situé entre deux choses extrêmes, opposées ; qui participe de deux choses opposées. ⇒ **Intermédiaire, moyen.** *Voie, opinion mitoyenne.* — *État mitoyen :* condition entre la richesse et la pauvreté (→ Inanition, cit. 1).

(L'âme des bêtes) n'est donc pas une substance mitoyenne entre le corps et l'esprit.   BAYLE, *Dict. historique et critique*, Rorarius.   3

(...) la comédie est mitoyenne entre l'art et la vie. Elle n'est pas désintéressée comme l'art pur.   H. BERGSON, *le Rire*, p. 174.   4

DÉR. **Mitoyenneté.**

MITOYENNETÉ [mitwajɛnte] n. f. — 1804 ; de *mitoyen*, et *-té*.

♦ (1804). Qualité de ce qui est mitoyen. — Par ext. Qualité de ce qui est contigu. ⇒ **Contiguïté, voisinage.**

Elle comprit alors la cause de leurs gestes furieux, la charrue de Jean devait avoir entamé leur parcelle. Il y avait là de continuels sujets de dispute, pas un mois ne se passait sans qu'une question de mitoyenneté les jetât les uns sur les autres. Ça ne pouvait finir que par des coups et des procès.   ZOLA, *la Terre*, V, III.

(1829). Dr. Copropriété d'une clôture, d'un mur, d'une haie, d'un fossé séparant deux fonds. *La mitoyenneté entraîne l'indivision** *forcée. Mitoyenneté d'un mur. Non-mitoyenneté d'un fossé* (cit. 2), *d'un mur* (art. 654 du Code civil).

MITRAILLADE [mitʀajad] n. f. — 1794 ; de *mitrailler*, et *-ade*.

♦ **1.** Vx. Décharge de mitraille.

♦ **2.** Mod. (rare). Action de mitrailler. (On dit plutôt *mitraillage*). ⇒ **Bombardement.**

(...) l'inexprimable crime de ces destructions qu'aucune nécessité militaire ne motivait, l'écrasement de toits sans défense, la mitraillade de femmes et d'enfants pourchassés sur les routes, ce féroce anéantissement de tout ce qui se permet de respirer malgré Hitler : ce sont des meurtres à retenir.   R. DORGELÈS, *la Drôle de guerre*, XIX.

Fig. *Mitraillade de la grêle* (cit. 1).

♦ **3.** Projectiles envoyés en mitraillant ; projectiles d'une mitrailleuse, d'une mitraillette.

MITRAILLAGE [mitʀajaʒ] n. m. — xxᵉ ; de *mitrailler* et *-age*.

♦ Action de mitrailler. *Mitraillage au sol :* tir sur des objectifs au sol effectué d'un aéronef.

MITRAILLE [mitʀaj] n. f. — 1375, *mistraille ; mitraille*, 1667 ; altér. de l'anc. franç. *mitaille* « fragments de métaux », de *mite* (1288), moy. néerl. *mite* « monnaie de cuivre », d'un rad. germanique *mit-* « diviser, couper » ; ou (P. Guiraud), de **micitus*, du lat. *mica* « miette ».

♦ **1.** Ferraille, puis balles de fonte qu'on utilisait autrefois dans les canons comme projectiles. *Canons chargés à mitraille. Tir à mitraille. Boulets* (cit. 2) *et mitraille. Déluge de mitraille* (→ Garder, cit. 18 ; flanc, cit. 13 ; fournaise, cit. 8). *Obus à mitraille. Boîte à mitraille :* boîte de ferraille ou de balles dont on chargeait un canon (la mitraille nue détériorant l'âme des canons).

1   Les canons sont tout chauds ; ils ont fait leur devoir,
     La mitraille invoquée a tenu sa promesse.
                              HUGO, les Années funestes, XXXVII, II.

Mod., cour. Décharge d'artillerie, et, spécialt, d'obus et de balles. *Civils que la mitraille et les bombes ont arrêtés dans l'exode* (cit. 6). *Fuir sous la mitraille. Bruit, crépitement de mitraille.*

2   À l'est, au nord, le tir faisait rage : les lignes de défense crachaient sans arrêt leur mitraille (...)   MARTIN DU GARD, les Thibault, t. IX, p. 134.

Fig. *L'apostrophe* (cit. 1) *est la mitraille de l'éloquence* (P.-L. Courier).

♦ **2.** (1701, Furetière). Fam. Petite monnaie de métal. *Je n'ai que de la mitraille sur moi.*

♦ **3.** (Déb. xvᵉ). Vx. Débris de métaux. ⇒ **Ferraille**.

REM. Un homonyme plaisant a servi à désigner sous la Révolution l'ensemble des évêques : *mitraille*, de *mitre* (d'après *canaille*, etc.).

DÉR. **Mitrailler.**

MITRAILLER [mitʀaje] v. — 1794 ; de *mitraille*, et *-er*.

★ **I.** V. intr. Vx. Tirer à mitraille. *« On a mitraillé pendant une heure »* (Académie).

★ **II.** V. tr. ♦ **1.** Prendre pour objectif d'un tir à mitraille (vx) ; d'un tir de mitrailleuse (mod.). *Mitrailler un avion, un train, un poste militaire... Avion qui descend en piqué pour mitrailler une colonne, un terrain.* ⇒ **Arroser** (fam.).

1   (...) en juillet 44, le train qui me ramenait de Chantilly a été mitraillé. C'était un train de banlieue tout à fait inoffensif ; trois avions sont passés ; en quelques secondes il y avait, dans le wagon de tête, trois morts et douze blessés.
                              SARTRE, Situations III, p. 32.

Pron. (récipr.). *Se mitrailler sans répit.*

Fig. Diriger contre (qqn) de nombreux petits projectiles. ⇒ **Bombarder**. *Mitrailler qqn de noyaux de cerise.*

2   Il sortit de sa musette d'autres pommes cuites, et des deux mains il en mitraillait les notabilités.   J. ROMAINS, les Copains, VIII.

♦ **2.** Fam. Photographier ou filmer sans arrêt, de tous côtés. *Vedette de cinéma que les photographes de presse mitraillent à sa descente d'avion.* — Absolument :

3   La mer est devenue splendide sous le soleil (...) je grille deux rouleaux de pellicules (...) Françoise, à son tour, se laisse gagner par ma fringale et propose que nous sortions tous les deux. Elle mitraillera pendant que je barrerai du cockpit. Nous sommes bientôt sur le pont, amarrés comme il convient, et Françoise prend à son tour un rouleau de 36 photos (...)
                              Bernard MOITESSIER, Cap Horn à la voile, p. 237.

DÉR. **Mitraillade, mitraillage, mitrailleur, mitrailleuse.**

MITRAILLETTE [mitʀajɛt] n. f. — V. 1935 ; de *mitrailleuse* par substitution d'un suff. diminutif.

♦ **1.** Arme portative à tir automatique. ⇒ **Pistolet-mitrailleur** (nom officiel), **P. M.**

(...) parti des fenêtres des maisons occupées par les agents, un tir de mitraillette se déclencha.   CAMUS, la Peste, p. 327.

♦ **2.** Ligne de pêche à hameçons multiples. (On dit aussi *mitrailleuse*). *« Le gardon peut approcher et on en fait (...) avec la mitraillette »* (*La Pêche*, n° 261, p. 30). *Mitraillette à maquereaux.* ⇒ **Libouret**.

MITRAILLEUR [mitʀajœʀ] n. m. — 1795 ; de *mitrailler*, et *-eur*.

♦ **1.** (1795). Vx. Celui qui tire ou fait tirer à mitraille sur la foule. *Les mitrailleurs de la Convention* (→ Fusilleur, cit.).

♦ **2.** (1873). Mod. Servant d'une mitrailleuse. *Mitrailleur à bord d'un avion.* (→ Bombardier, cit. 2 ; chasseur, cit. 2 ; 2. décoller, cit. 3 ; 2. froid, cit. 9).

1   (...) seuls, le mitrailleur et son aide pour passer les bandes de la Hotchkiss, n'avaient pas interrompu leur surveillance.   P. MAC ORLAN, la Bandera, XVII.

Par appos. *Chef mitrailleur.*

C'est pas du boulot, dit le chef mitrailleur de Leclerc : pas assez de chasse, pas assez d'avions, du matériel dégueulasse et des mitrailleuses à la noix.
                              MALRAUX, l'Espoir, II, I, I, IV.

COMP. **Fusilier-mitrailleur.**

MITRAILLEUSE [mitʀajøz] n. f. — 1867 ; de *mitrailler*, et *-euse*.

♦ **1.** Arme automatique à tir rapide tirant à balles. *Mitrailleuse lourde*, pour position défensive ou sur véhicule. *Mitrailleuse légère utilisée en campagne. Affût, trépied d'une mitrailleuse. Bande*, chargeur de mitrailleuse. Mitrailleuse capable de tirer à la cadence de 1 200 coups-minute. Mitrailleuses jumelées, couplées. Rafale de mitrailleuse ; crépitement* (cit.) *régulier d'une mitrailleuse. Prendre sous le feu des mitrailleuses. Par les soupiraux, des mitrailleuses fauchaient le village* (→ Effondrer, cit. 6). — *Tireur*, chargeur, servant, pourvoyeur d'une pièce de mitrailleuse.* ⇒ **Mitrailleur**. *Section de mitrailleuses d'une compagnie d'accompagnement. Mitrailleuses de défense aérienne. Train blindé* (cit. 3) *armé de mitrailleuses. Mitrailleuses de char* (cit. 6). — *Mitrailleuse d'avion montée dans une tourelle.*

Alors une mitrailleuse placée de l'autre côté du ravin a balayé la zone où nous étions (...) Le jet de la mitrailleuse a repassé plusieurs fois. On entendait un sifflement perçant au milieu de chaque détonation, les coups secs et violents des balles dans la terre (...)   H. BARBUSSE, le Feu, II, XX.

Au loin, une bande de mitrailleuse part, s'arrête, repart, perdue comme un bruit de machine à coudre dans l'immensité nocturne.
                              MALRAUX, l'Espoir, I, II, II, VII.

REM. On appelle en principe *canon mitrailleur* les armes automatiques tirant des projectiles de plus de 12,7 mm.

♦ **2.** Fig. (Techn.). Lance à eau très puissante pour entraîner les betteraves. — *Mitrailleuse à boue*, pour refouler la boue dans les bassins de décantation. — Vanne mobile forçant l'eau à passer par un petit orifice, en désagrégeant les dépôts, dans un égout.

Pêche. Ligne de pêche à hameçons multiples. ⇒ **Mitraillette** (2.).

DÉR. **Mitraillette.**
COMP. **Automitrailleuse.**

MITRAL, ALE, AUX [mitʀal, o] adj. — 1673 ; de *mitre*, et *-al*.

♦ En forme de mitre.

Anat. *Valvule mitrale* (ou *bicuspide*) : valvule à deux valves, située au niveau de l'orifice de communication entre l'oreillette et le ventricule gauche du cœur. — N. *La mitrale.*

Par ext. Qui a rapport à la valvule mitrale. *Rétrécissement mitral. Insuffisance mitrale. Maladie mitrale* (association de l'insuffisance et du rétrécissement mitraux).

MITRE [mitʀ] n. f. — xiiᵉ ; du lat. *mitra*, mot grec proprt « bandeau ».

★ **I.** ♦ **1.** Antiq. Coiffure comportant un bandeau (turban, etc.).

(...) Hérodias apparut — coiffée d'une mitre assyrienne qu'une mentonnière attachait à son front (...)   FLAUBERT, Trois contes, « Hérodias », III.

♦ **2.** (V. 1175). Haute coiffure triangulaire de cérémonie portée par les prélats et, notamment, par les évêques. *La mitre est formée de deux parties triangulaires rigides, cousues à leur base et reliées en haut par une doublure en soufflet ; elle est ornée de deux fanons* sur la nuque. Mitre simple, orfrayée, précieuse. La mitre est portée par le pape, les cardinaux, les évêques* (→ Gâter, cit. 4), *et les abbés mitrés* (→ Haut, cit. 33), *les protonotaires, les préfets apostoliques, les chapitres de chanoines. La mitre et la crosse* (cit. 2) *épiscopales. Recevoir la mitre :* être nommé évêque. *Coiffer* (cit. 5) *la mitre. La mitre et la tiare*.*

On sait que M. de Luynes, ayant quitté le service pour un soufflet qu'il avait reçu sans en tirer vengeance, fut fait bientôt après archevêque de Sens. Un jour qu'il avait officié pontificalement, un mauvais plaisant prit sa mitre, et, l'écartant des deux côtés (...) « C'est singulier, dit-il, comme cette mitre ressemble à un soufflet. »

CHAMFORT, Caractères et anecdotes, « La mitre et le soufflet de M. de Luynes ».

Le Souverain Pontife porte habituellement la mitre lorsqu'il officie ou assiste au trône. Il ne prend la tiare que dans des circonstances exceptionnelles.

Dom J. ROUX, Dict. de liturgie romaine, art. *Mitre*.

En forme de mitre (⇒ **Mitral**), *pointu comme une mitre* (→ Hélicoïde, cit.). ⇒ **Évêque** (bonnet d'évêque). — Archit. *Arc en mitre :* faux arc formé de deux lignes droites.

★ **II.** Par anal. de forme. ♦ **1.** (1763, *Encyclopédie*). Techn. Couronnement d'un conduit de fumée, de section rectangulaire. ⇒ **Abatvent**.

♦ **2.** Zool. Mollusque gastéropode prosobranche (sous-ordre des *Monotocardes*) dont la coquille longue et pointue présente une ouverture allongée et profondément échancrée. *La mitre vit dans les mers tropicales* (→ Cérite, cit.).

DÉR. **Mitral, mitré, mitron.**

MITRÉ, ÉE [mitʀe] adj. — xiiᵉ ; de *mitre*, et *-é*.

♦ Qui a le droit de porter la mitre, en parlant des abbés ayant reçu la bénédiction abbatiale. *Abbé crossé et mitré.* Par ext. *Abbaye crossée et mitrée.*

MITRON [mitʀɔ̃] n. m. — 1610, cf. cit. 1 ; de *mitre,* à cause de la forme primitive des bonnets de garçons boulangers (si l'on ne retient pas l'étym. plaisante de Béroalde).

♦ **1.** Garçon boulanger ou pâtissier (→ Gamin, cit. 1). — Vx (par dérision). Boulanger.

Le boulanger de la ville tenait à ferme une maison (...) et là y avait un beau jardin (...) Ce jardinier en ayant recueilly des plus beaux et premiers (fruits) appela le Mitron, auquel il commanda d'en porter un quarteron à Monsieur le Conseiller. Qu'est-ce que Mitron. Ho pauvres ignorans : les vallets des boulangers sont ainsi nommés, parce qu'ils n'ont point de haut de chausses, mais seulement une devantière : telle ou semblable à celle des Capucins (...), qui en pure scholastique est nommée une mitre renversée ; la mitre couvre la teste, et ce devanteau le cul, qui sont relatifs.   BÉROALDE DE VERVILLE, le Moyen de parvenir. « Rémission », p. 489 (éd. originale).

Le boulanger ne put s'empêcher de sourire, et tout en coupant le pain blanc, il les considérait d'une façon compatissante qui choqua Gavroche. — Ah ça, mitron ! dit-il, qu'est-ce que vous avez donc à nous toiser comme ça ?
HUGO, les Misérables, IV, VI, II.

Allus. hist. *Le boulanger, la boulangère, et le petit mitron :* le roi Louis XVI, la reine et le dauphin, ainsi nommés par le peuple affamé qui vint les chercher à Versailles le 5 octobre 1789.

Les femmes portaient aux piques de grosses miches de pain, d'autres des branches de peuplier, déjà jaunies par octobre. Elles étaient fort joyeuses, aimables à leur façon, sauf quelques quolibets à l'adresse de la Reine : « Nous amenons, criaient-elles, le boulanger, la boulangère, le petit mitron ».
MICHELET, Hist. de la Révolution franç., II, IX.

♦ **2.** (1903, Larousse). Techn. (Constr.). Couronnement en terre cuite, de forme tronconique, d'un conduit de fumée.

MI-VOIX (À) [amivwɑ] loc. adv. — 1852, Gautier ; de *mi-,* et *voix.*

♦ D'une voix douce ou faible, ni haut ni bas. ⇒ **Mezzavoce.** *Parler* (→ Appartenir, cit. 13), *lire* (→ Bec, cit. 6), *chanter à mi-voix.*

Tout en composant des solfèges,
Qu'aux merles il siffle à mi-voix,
Il sème aux prés les perce-neiges
Et les violettes aux bois.
Th. GAUTIER, Émaux et Camées, « Premier sourire du printemps ».

(Verlaine) avait pu exprimer de vagues et délicieuses confidences, à mi-voix, au crépuscule. Seul, il avait pu laisser deviner (...) des chuchotements si bas de pensées, des aveux si murmurés, si interrompus, que l'oreille qui les percevait, demeurait hésitante (...)   HUYSMANS, A rebours, p. 246.

CONTR. Fort.

MIXABLE [miksabl] adj. — Mil. XXᵉ ; de *mixer,* et *-able.*

♦ Qui peut être mixé. *Amplificateur à entrées mixables.*

MIXAGE [miksaʒ] n. m. — 1934, in D.D.L. ; de l'angl. *to mix* « mélanger », ou de *mixer.*

♦ Audiovisuel. Regroupement sur une même bande de plusieurs enregistrements séparés. *Mixages effectués par l'ingénieur du son.*

Ils semblent ignorer que, seul, un musicien — au courant, bien entendu, de la chose cinématographique — peut donner d'utiles indications dans les opérations délicates du « mixage » et du montage sonore, si souvent fatales à la musique.
J. IBERT, in Revue musicale, déc. 1934, p. 33.

Recomm. off. : *mélange.*

MIXER [mikse] v. tr. — 1934, in D.D.L. ; de l'angl. *to mix* « mélanger ».

♦ Audiovisuel. Procéder au mixage de.

DÉR. Mixable.

MIXER ou MIXEUR [miksœʀ] n. m. — 1934, in D.D.L. ; mot angl. « mélangeur » → Mixage, mixer.
Anglicisme.

♦ **1.** Audiovisuel. ⇒ **Mélangeur.**

♦ **2.** (1952, *mixer* ; 1953, *mixeur*). Cour. Appareil électrique pour la cuisine, servant à mélanger, à battre les préparations (⇒ **Batteur, malaxeur**). — REM. Le Comité du langage scientifique de l'Académie des Sciences (6 février 1956) rejette ce terme et recommande de le remplacer par *mélangeur, broyeur,* etc., suivant le cas.

Un jour, on veut allumer une lampe en se mettant debout dans la baignoire, ou bien on veut presser le bouton du mixer, et l'électricité n'hésite pas. Elle bondit hors de sa cachette en faisant une courte flamme, et elle vous tue.
J.-M. G. LE CLÉZIO, les Géants, p. 199.

MIXITÉ [miksite] n. f. — 1842, in D.D.L. ; pour *mixtité ;* de *mixte,* et *-ité.*
Administratif.

♦ **1.** Caractère de ce qui est mixte. *Mixité des établissements scolaires,* pour filles et garçons.

♦ **2.** Caractère d'une association, d'une réunion de personnes, de collectivités, d'origines (culturelle, ethnique, nationale, etc.) différentes. *Lutte des Noirs américains pour la mixité des établissements scolaires, des transports en commun, etc.*

MIXTE [mikst] adj. et n. m. — XIVᵉ, rare jusqu'au XVIIIᵉ ; lat. *mixtus,* p. p. de *miscere* « mélanger ».

★ **I.** Adj. ♦ **1.** Didact. Qui est formé de deux ou de plusieurs éléments de nature différente ; qui participe de choses différentes. ⇒ **Combiné, complexe, composé, mélangé, milieu** (qui tient le milieu entre). — Géol. *Roche mixte,* composée de deux roches. *La marne* (cit.), *roche mixte, mélange d'argile et de calcaire.* — Biol. *Espèce mixte* (vx). ⇒ **Hybride.** — Transports et mar. *Train, navire, cargo* (cit. 7) *mixte,* assurant à la fois le transport de passagers et de marchandises. *Pont mixte,* pour route et voie ferrée. — Bourse. *Titre mixte.* — Math. *Produit mixte de* n *vecteurs d'un espace vectoriel euclidien orienté de dimension* n : déterminant* de ces *n* vecteurs relativement à une base orthonormée directe arbitrairement choisie (dont il est indépendant). *Dans l'espace euclidien, le produit mixte de trois vecteurs est égal au produit scalaire de l'un d'eux par le produit vectoriel des deux autres.*

(En parlant d'institutions, de communautés, de relations entre des personnes). *Commission, tribunal mixte,* formés de membres, de juges appartenant à des corps, à des pays différents. *Commune mixte,* à double gestion française et indigène. — Relig. *Mariages mixtes,* entre catholiques et chrétiens d'une autre Église. — *Couple mixte,* formé de personnes de races différentes (cour. en franç. d'Afrique).

(...) le bourg l'acceptait comme une autorité mixte placée entre le maire et le garde champêtre.   BALZAC, le Médecin de campagne, t. VIII, p. 343.

Les trois quarts de la Kabylie vivent sous le régime de la commune mixte et du caïdat.   CAMUS, Actuelles III, p. 66.

♦ **2.** Cour. Qui comprend des personnes des deux sexes. — *École, cours, classe mixte,* où filles et garçons sont mêlés (⇒ **Géminé**). — Sports. (Tennis). *Double mixte,* joué par deux équipes composées chacune d'un homme et d'une femme.

★ **II.** N. m. ♦ **1.** Chimie anc. Corps composé.

♦ **2.** Didact. Ensemble, tout formé de parties différentes. ⇒ **Hybride, mixture** (3.).

Ce mixte de morale et de logique, qu'est le bon sens.
R. BARTHES, Mythologies, p. 134.

DÉR. Mixité.
COMP. Mixtiligne.

MIXTILIGNE [mikstiliɲ] adj. — 1732 ; de *mixte,* et *ligne.*

♦ **1.** Géom. (vx). Formé de lignes droites et de lignes courbes. *Figure mixtiligne.*

♦ **2.** Minér. Qui a des faces planes et des faces courbes, en parlant d'un cristal.

MIXTION [mikstjɔ̃] n. f. — V. 1361 ; *mixcion,* v. 1265 ; *mistion,* XIIIᵉ ; lat. *mixtio.*

♦ Didact. Action de mêler, et, spécialt, de mixtionner. — Par ext. Produit de cette opération ; médicament composé. ⇒ **Mixture.**
REM. Ne pas confondre avec *miction.*

DÉR. Mixtionner.

MIXTIONNER [mikstjɔne] v. tr. — 1530 ; de *mixtion,* et *-er.*

♦ Rare. Mélanger (des substances, et, spécialt, des drogues). ⇒ **Mêler.**

(...) Homais tenait à faire son café sur la table, l'ayant, d'ailleurs, torréfié lui-même, porphyrisé lui-même, mixtionné lui-même.
FLAUBERT, Mᵐᵉ Bovary, III, VIII.

Elle mangeait tous les matins des mandragores ; elle dormait la tête sur un sachet d'aromates mixtionnés par les pontifes.   FLAUBERT, Salammbô, Pl., t. I, p. 905.

MIXTURE [mikstyʀ] n. f. — Déb. XIIIᵉ ; *misture,* v. 1190 ; rare av. XIXᵉ ; lat. *mixtura.*

♦ **1.** (V. 1560, Paré). Mélange de plusieurs substances chimiques, pharmaceutiques, généralement liquides. ⇒ **Mélange, mixtion.** Spécialt. Mélange pharmaceutique de médicaments très actifs destiné à être pris par faibles doses (→ Accélérer, cit. 3 ; boisson*, cit. 1). *Prendre quelques gouttes d'une mixture.*

De plus, je ne sais avec quelle mixture de fleurs ou d'herbes elle avait lavé pendant huit jours son visage et ses mains, mais sa figure pâle et ses mains mignonnes avaient l'air aussi net et aussi doux que la blanche épine du printemps.
G. SAND, la Petite Fadette, XXII.

2 Une infusion de centaurée, de bourdaine, d'hysope et de cumin : une délicate mixture qu'on épice, en plus, de bouleau, d'armoise et d'ail.
H. BOSCO, Un rameau de la nuit, p. 100.

♦ **2.** Cour. Mélange comestible (boisson ou aliment) dont on reconnaît mal les composants. — Péj. *Quelle mixture ! Ne buvez pas cette affreuse mixture.* ⇒ **Drogue.**

3 (...) j'allai y goûter. Il entrait dans la mixture du jus d'orange, d'autres aromes que je n'identifiais pas, et une bonne moitié de whisky.
J. ROMAINS, Quand le navire..., IV.

♦ **3.** Fig. Mélange complexe, généralement bizarre (→ Dessin, cit. 1). *Un argot* (cit. 9) *composite, mixture de coq-à-l'âne, d'afféteries, de grossièretés et de mots d'esprit.*

4 *(Gautier)* a voulu mettre dans ce livre *(Mlle de Maupin)* tout ce qu'il aimait : le grotesque Louis XIII, la sensualité païenne, une rêverie à la Shakespeare, la palette du peintre, le poème en prose, la nargue aux bourgeois, le rire de Rabelais (...) Cela fait une mixture étrange (...)   Émile HENRIOT, les Romantiques, p. 211.

5 Ce travail accompli, Séil-kor plaça au pied de la pente abrupte qu'il se proposait de gravir à l'heure opportune certaine mixture promptement composée avec des pierres crayeuses et de l'eau.
Raymond ROUSSEL, Impressions d'Afrique, p. 260.

MIYAGAWANELLOSE [mijagawanɛloz] n. f. — 1971 ; de *miyagawanella*, nom d'une bactérie, de *Miyagawa*, nom propre japonais, *-n-* de liaison, et suff. sc. *-ella.*

♦ Méd. Infection provoquée par la miyagawanella, bactérie ronde qui ne se développe qu'à l'intérieur des cellules vivantes. *L'ornithose, la psittacose, certaines pneumonies et septicémies graves de l'homme sont des miyagawanelloses.*

M. K. S. [ɛmkaɛs] adj. — Sigle de *mètre, kilogramme, seconde.*
Système M. K. S. : système* international d'unités physiques dans lequel les unités sont le mètre, le kilogramme et la seconde (le système M. K. S. A. y ajoute l'ampère). *Unités M. K. S.*

M. L. F. ou **MLF** [ɛmɛlɛf] n. m. — 1970 ; sigle.

♦ Mouvement de libération des femmes (nom propre). *Une manifestation du MLF.*
À la fin de 1970, quelques membres du Mouvement de Libération des Femmes ont pris contact avec moi (...) Pour poursuivre cette campagne, le M. L. F. a organisé le 20 novembre, en liaison avec des manifestations féministes qui se sont déroulées ce jour-là un peu partout dans le monde, un défilé (...)
S. DE BEAUVOIR, Tout compte fait, p. 492-493.

Mlle [madmwazɛl] ⇒ **Mademoiselle.**

MM. [mesjø] ⇒ **Monsieur.**

Mme [madam] ⇒ **Madame.**

Mn [ɛmɛn] Symbole chimique du manganèse.

mn [minyt] Symbole de la minute, unité de temps.

MNÈME [mnɛm] ou **MNÉMÉ** [mneme] n. f. — V. 1930 ; all. *Mneme*, 1904, Semon ; du grec *mnêmê* « mémoire ».

♦ Psychol. Mémoire au sens le plus général, comprenant la mémoire inconsciente et organique. — Trace organique (neuronique) qui serait le support matériel du souvenir. — REM. On dit plutôt, en ce sens, *engramme.*
DÉR. **Mnémique.**

MNÉMIQUE [mnemik] adj. — 1909 ; all. *mnemische*, Semon ; du précéd., et *-ique.*

♦ Didact. De la mnème, de la mémoire entendue au sens le plus général. *Impressions mnémiques.* ⇒ **Mnésique.**

MNÉMO- Élément, du grec *mnêmê* « mémoire ». ⇒ **Mnémotechnie.**

MNÉMONIQUE [mnemɔnik] adj. et n. f. — 1834, Landais ; n. f. en 1800 ; grec *mnêmonikos*, de *mnêmê* « mémoire ».
Didactique.

♦ **1.** Adj. Qui a rapport à la mémoire, qui sert à aider la mémoire. *Procédé mnémonique.* ⇒ **Mnémotechnique.** *Symbole, signe mnémonique.*

♦ **2.** N. f. (1800). Vx. Art de cultiver, d'exercer la mémoire. « *M. G.*

(le peintre C. Guys) *marque avec une énergie instinctive les points culminants ou lumineux d'un objet* (...), *ou ses principales caractéristiques, quelquefois même avec une exagération utile pour la mémoire humaine ; et l'imagination du spectateur, subissant à son tour cette mnémonique si despotique, voit avec netteté l'impression produite par les choses sur l'esprit de M. G.* » (Baudelaire).

MNÉMOTACTISME [mnemotaktism] n. m. — V. 1960 ; de *mnémo-*, et *-tactisme.*

♦ Didact. Réaction d'un organisme vivant qui se prolonge après la disparition du stimulus.

MNÉMOTECHNIE [mnemotɛkni] n. f. — 1823, Boiste ; de *mnémo-*, et *-technie.*

♦ Didact. et rare. Art d'aider la mémoire par des procédés qui facilitent l'acquisition et la restitution des souvenirs.
DÉR. **Mnémotechnique.**

MNÉMOTECHNIQUE [mnemotɛknik] adj. et n. f. — 1827, *in* D.D.L. ; de *mnémotechnie*, et *-ique.*

♦ Didact. Qui aide la mémoire par des procédés d'association mentale facilitant l'acquisition et la restitution des souvenirs. *Méthode mnémotechnique.* ⇒ **Mnémotechnie.** *Termes mnémotechniques de la scolastique.* ⇒ **Baralipton, barbara.**
Il conjecturait que ce retour régulier des mêmes sons *(dans le rire)* avait été à l'origine un moyen mnémotechnique pour des êtres qui, faute d'habitude, n'apprenaient pas facilement.   FRANCE, la Vie en fleur, XVII.

-MNÈSE, -MNÉSIE, -MNÉSIQUE Élément, du grec *mnêsia*, rad. *mimnêskô* « je me souviens ». ⇒ **Amnésie, hypermnésie, paramnésie ; amnésique.**

MNÉSIQUE [mnezik] adj. — Mil. XXe ; du grec *mnêsis* → *-mnésie.*

♦ Didact. De la mémoire ; qui a trait à la mémoire. « *La stabilisation de la trace mnésique* » (*la Recherche*, sept. 1970, p. 352).

Mo [ɛmo] Symbole chimique du molybdène.

MOB [mɔb] n. f. ⇒ **Mobylette.**

MOBILE [mɔbil] adj. et n. — 1301, subst., « bien meuble » ; lat. *mobilis* « qui se meut ou peut être mû », pour *movibilis*, de *movere* « mouvoir ».

★ **I.** Adj. (1377, Oresme). ♦ **1.** Qui peut être mû, dont on peut changer la place ou la position. *La matière* (cit. 2) *est mobile. Objet lourd et peu mobile*, peu maniable. *Pièce mobile d'une machine, d'un dispositif* (⇒ **Chariot, coulisse...**). *Piston mobile dans un cylindre. Roue mobile autour d'un axe, d'un arbre. Porte, fenêtre mobile autour d'une charnière, sur ses gonds, dans une glissière. Menuiserie* mobile. *Cadre* (→ Guichet, cit. 4), *châssis, claie, madrier* (cit. 1)... *mobile. Culasse* mobile. *Pont mobile.* ⇒ **Volant.** — *Carnet, calendrier à feuillets mobiles.* ⇒ **Amovible.** — (1751). Imprim. *Caractères mobiles*, qu'on assemble au moment de la composition et qu'on peut ensuite désassembler (⇒ **Monotype**). *Système qui demeure mobile.* ⇒ **Astatique.** — *Articulations* (cit. 2 et 3) *mobiles.* — *Huppe mobile* (→ Hocco, cit.). *Museau mobile d'un rongeur* (→ Incisive, cit. 1).

♦ **2.** Dont la date, la valeur peut être modifiée, est variable. *Fêtes* mobiles. *Échelle* (cit. 16) *mobile des salaires.*

♦ **3.** (1829). Personnes. Qui se déplace facilement, en parlant d'une troupe ; qui peut aller en opérations. ⇒ Mobiliser. *Troupe, colonne* mobile envoyée en expédition. *La garde* (1. Garde, II., *supra* cit. 72) *mobile.* — Anciennt. *Un garde* (2. Garde, 3., cit. 12) *mobile de la guerre de 1870*, et, subst., *un mobile.* ⇒ **Moblot.** — Mod. *Gardes* (2. Garde, 3., cit. 14) *mobiles affectés au maintien de l'ordre. Brigade mobile. La garde mobile.*

♦ **4.** Qui n'est pas fixe, se déplace souvent. *Population mobile.* ⇒ **Ambulant, nomade.** — *Cellules* (cit. 7) *mobiles de l'organisme.*

♦ **5.** Dont l'apparence change sans cesse. ⇒ **Mouvant.** *Lumière* (cit. 17) *changeante et mobile* (→ Forêt, cit. 3). *Reflets mobiles.* ⇒ **Changeant, chatoyant, fugitif.**
Une petite ombre mobile palpitait derrière ses pas.
Pierre LOUŸS, Aphrodite, I, I.
Visage, regard mobile (→ Aigu, cit. 9), plein de vivacité. ⇒ **Animé.**
Cérizolles, surpris du timbre, et, si l'on peut dire, de la physionomie de sa voix, contempla ce visage si mobile que les moments, les aspects, en étaient insaisissables.   P.-J. TOULET, la Jeune Fille verte, IV.

♦ **6.** Littér. Dont les pensées, l'humeur sont sujettes au changement.

⇒ **Léger, ondoyant, versatile.** *Homme mobile comme le mercure* (cit. 2). *Créature* (cit. 9) *mobile.* — Par ext. (Plus cour.). *Humeur mobile.* ⇒ **Capricieux, changeant, fantasque, instable.** *Sentiments mobiles.* ⇒ **Inconstant.** *Désirs, attention, imagination mobiles.* ⇒ **Errant.** *Détermination, volonté mobile.* ⇒ **Ambulatoire** (vx), **flottant, fluctuant, fragile, fuyant, influençable, vacillant.** — *Esprit mobile et vif.* ⇒ **Agile.**

3   M... est un homme mobile, dont l'âme est ouverte à toutes les impressions, dépendant de ce qu'il voit, de ce qu'il entend, ayant une larme prête pour la belle action qu'on lui raconte, et un sourire pour le ridicule qu'un sot essaye de jeter sur elle.
          CHAMFORT, Caractères et anecdotes, « Portrait de M... »

★ **II. N. m.** ♦ **1.** (1671). Mécan. Corps qui se meut ou est mû, considéré dans son mouvement. *Mouvement, vitesse, direction, masse d'un mobile. Mobile qui se meut dans une courbe* (cit. 12). *Rencontre, choc de deux mobiles.* — *Problème de mobiles,* concernant des corps ou des êtres fictifs en mouvement dans des conditions déterminées. *Soit un mobile se déplaçant à la vitesse de...*

4   (...) la géométrie ne considère dans le mouvement que l'espace parcouru ; au lieu que dans la mécanique on a égard de plus au temps que le mobile emploie à parcourir cet espace (...) la loi la plus simple qu'un mobile puisse observer dans son mouvement est la loi d'uniformité (...)
          D'ALEMBERT, Sur les lois de l'équilibre, Œ. compl., t. I, p. 394-395.

♦ **2.** Didact., vx. Ce qui fournit une impulsion, un mouvement. ⇒ **Moteur.** *Premier mobile* (vx) : objet, force imprimant le premier mouvement à un mécanisme (⇒ **Cause**), et, par ext., personne exerçant la principale influence dans une affaire. Fig. *L'argent, premier mobile des affaires de ce monde* (Voltaire). *L'amour, premier mobile de nos sociétés* (→ Instigateur, cit. 1, Bernardin de Saint-Pierre).

♦ **3.** Mod. Ce qui porte, incite à agir. *Les mobiles des hommes, d'un être* (→ Indifférent, cit. 29). *Mobile d'une action.* ⇒ **Cause, motif** (→ Gouverner, cit. 17). — Comm., publicité. *Mobile d'achat.*

REM. Le *mobile* est une impulsion qui entraîne, détermine la volonté, tout en étant de l'ordre sensible, affectif ou passionnel. La réflexion pèse au contraire les *motifs*, les apprécie, en fait des raisons d'agir ou de s'abstenir. De ce fait, les *mobiles* déterminent d'ordinaire de longues suites d'actions, les *motifs* des actions particulières.

5   (...) l'intérêt n'est pas, comme je l'avais cru, le seul mobile des actions humaines (...)   ROUSSEAU, Julie ou la Nouvelle Héloïse, IV, XII.
6   (...) toutes les actions humaines ont pour mobile la faim ou l'amour.
          FRANCE, l'Orme du mail, Œ., t. XI, xv, p. 187.
7   (...) tous les actes de Paul ont les femmes pour mobile ; toutes ses pensées vont vers elles, ainsi que tous ses efforts et toutes ses espérances.
          MAUPASSANT, les Sœurs Rondoli, I.

Dr. « But particulier et variable par lequel s'explique un acte licite ou illicite » (Capitant). *Les mobiles et les intentions* (cit. 6). *Découvrir les mobiles d'un crime. Meurtre* (cit. 4, Zola) *dépourvu de mobile apparent*, immotivé. Le meurtre avait des mobiles politiques, passionnels.*

8   S'il y a eu crime, on s'explique malaisément qu'une somme aussi importante ait été laissée sur le vêtement de la victime ; cela semble indiquer tout au moins que le crime n'aurait pas eu le vol pour mobile.   GIDE, les Caves du Vatican, V, III.

♦ **4.** (1949 ; de l'angl.). Arts. Ensemble d'éléments construit en matériaux légers (tôle mince, plastique, fils métalliques...) et agencés de telle sorte qu'ils prennent des dispositions variées sous l'influence du vent ou de tout autre moteur. *Les mobiles de Calder.*

9   Avec des matières inconsistantes et viles, avec des petits os ou du fer-blanc ou du zinc, il *(Calder)* monte d'étranges agencements de tiges et de palmes, de palets, de plumes, de pétales. Ce sont des résonateurs, des pièges, ils pendent au bout d'une ficelle comme une araignée au bout de son fil ou bien ils se tassent sur un socle, ternes, rabattus sur eux-mêmes, faussement endormis ; passe un frisson errant, il s'y empêtre, les anime, ils le canalisent et lui donnent une forme fugitive : un « Mobile » est né.   SARTRE, Situations III, p. 307.
10   Elles *(les familles)* n'y sont jamais au complet et le rendez-vous général, bon gré, mal gré, c'est la généalogie : soit sous l'apparence de ces arbres dont nos enfants sont le printemps, soit sous la forme étagée où les lignées, de trait en trait suspendues, ressemblent aux mobiles de Calder.   Hervé BAZIN, Cri de la chouette, p. 23.

Didact. *Mobile commandé :* organe commandé, dans la régulation d'un système en mouvement.

CONTR. (De l'adj.) **Immobile.** — **Dormant, fixe, fixé, solidaire.** — **Figé, sédentaire.** — **Hiératique.**
DÉR. Mobilier, mobiliser, 2. mobilisme, mobiliste. — Moblot. — Cf. Mobilité.
COMP. Aéromobile.

-MOBILE Élément, tiré du lat. *mobilis,* et entrant dans la composition de mots techniques tels que : *automobile, hippomobile, locomobile...*

MOBILE HOME [mɔbilom] n. f. — V. 1970 ; mot amér. « maison, demeure *(home)* mobile », av. 1950.

♦ Américanisme. Maison légère transportable par route ou par rail, et s'installant de manière relativement durable, avec raccordements éventuels d'eau et d'électricité. *Quartiers de mobile homes dans les villes américaines.*

MOBILIER, IÈRE [mɔbilje, jɛʀ] adj. et n. — 1510 ; *mobiliaire,* 1411 ; rare av. xviiiᵉ ; de *mobile,* et *-ier.*

★ **I. Adj.** ♦ **1.** Qui consiste en meubles ; qui se rapporte aux biens meubles. *Propriété, richesse, fortune* (cit. 46) *mobilière.* — *Contributions, cote mobilière,* calculée d'après la valeur locative réelle du logement.

1   (...) leurs richesses, considérables déjà à cette époque, étaient des maisons, des usines, mais surtout, mais essentiellement, des richesses mobilières, celles qu'on peut toujours emporter.   MICHELET, Hist. de la Révolution franç., III, VIII.

♦ **2.** Dr. civ. Qui est de la nature du meuble. *Objet mobilier, chose mobilière* (→ Accession, cit. 3). *Effets mobiliers* (→ Exigible, cit. 1 ; inventaire, cit. 3). *Valeurs* mobilières. Rendre mobilier.* ⇒ **Ameublir, mobiliser.**
Qui concerne les biens meubles. *Succession mobilière. Saisie, vente mobilière. Action mobilière,* qui a pour but la revendication d'un meuble. *Héritier mobilier,* celui qui hérite des biens meubles. — *Société de crédit mobilier,* dont les prêts sont garantis par le dépôt de valeurs mobilières.

★ **II. N. m.** (1771). ♦ **1.** Cour. ⓐ Ensemble des meubles destinés à l'usage et à l'aménagement d'une habitation. ⇒ **Ameublement, ménage** (I., 5., vx), **meuble.** *Le mobilier d'une maison. Un lit, une table, deux chaises, composaient tout le mobilier de cette pièce. Louer* (2. Louer, cit. 2), *acheter du mobilier. Mobilier composite* (cit. 2). *Mobilier de bois* (→ Fourre-tout, cit. 1), *métallique. Mobilier compris dans le matériel d'une entreprise. Inventaire, vente de mobilier.* — *Mobilier Louis XV, Empire. Mobilier rustique, provençal* (→ Installer, cit. 8). — *Mobilier de cuisine, de bureau...*

2   Un lit de serge verte, dit en ruban, une informe couchette d'enfant, un rouet, des chaises grossières, un bahut sculpté garni de quelques ustensiles complétaient, à peu de chose près, le mobilier de Galope-chopine.
          BALZAC, les Chouans, Pl., t. VII, p. 957-958.
3   (...) la machine à coudre, qui complète, avec la table, carrée à coins arrondis, les six chaises, et une cage d'oiseaux sur une petite table de rotin, le mobilier de la salle à manger (...)   J. ROMAINS, les Hommes de bonne volonté, t. I, v, p. 59.
4   Un lit en bois peint, sans rideaux, des couvertures traînantes et souillées de punaises, deux chaises de paille, un poêle de fonte, un ou deux instruments de musique détraqués. Oh ! le triste mobilier !   BAUDELAIRE, le Spleen de Paris, L.

Vx. ⓑ Ensemble d'objets personnels. ⇒ **Bagage** (vx), **meuble** (*supra* cit. 9).

♦ **2.** Dr. « Ensemble des meubles qui dépendent d'un patrimoine ou d'une masse de biens » (Capitant). ⇒ **Meuble.** *Mobilier respectif des époux* (→ Acquêt, cit. 2). *Legs* (cit. 2), *saisine d'une partie du mobilier* (→ Exécuteur, cit. 4), *du mobilier. Partage des immeubles et du mobilier après divorce.*

5   L'expression *biens meubles,* celle de *mobilier* ou *d'effets mobiliers,* comprennent généralement tout ce qui est censé meuble d'après les règles ci-dessus établies.
          Code civil, art. 535 (V. Meuble, *supra* cit. 1 ; et Cf. Meublant, cit.).

Mobilier national : ensemble des meubles meublants qui sont la propriété de l'État et qui servent à garnir les bâtiments nationaux. *Entrepôt du mobilier national,* et, ellipt., *le mobilier national.*

♦ **3.** Admin. *Mobilier urbain :* ensemble des objets, installations, appareils, placés sur la voie ou dans les lieux publics et destinés à assurer ou améliorer la propreté, la commodité ou la décoration de l'espace urbain.

CONTR. (De l'adj.) **Foncier, immobilier.**

MOBILISABLE [mɔbilizabl] adj. — 1842 ; de *mobiliser,* et *-able.*

♦ Qui peut être mobilisé. — (Milit.). *Il n'est pas mobilisable* (→ Engager, cit. 37, et *supra,* mobiliser, cit. 4). — N. *Un mobilisable.*

Bébé Toutout, pour ne pas être écrasé, s'était réfugié dans le filet. Et de là, menait grand train. « Dans les cuirassiers, qu'tu vas ? » avait-on commencé par lui dire. « Dis donc, t'es mobilisable, toi ? ».   R. QUENEAU, le Chiendent, p. 393.

Fig. Auquel on peut faire appel. *Jeter dans une affaire toutes les énergies mobilisables.*

MOBILISATEUR, TRICE [mɔbilizatœʀ, tʀis] adj. — Av. 1970 ; de *mobiliser,* et *-ateur.*

♦ **1.** Milit. Chargé de la mobilisation. *Centre mobilisateur.*

♦ **2.** Qui mobilise. ⇒ **Motivant.** *Un slogan mobilisateur.*

MOBILISATION [mɔbilizasjɔ̃] n. f. — 1771, Trévoux ; de *mobiliser,* et *-ation.*
Action de mobiliser, de rendre meuble ou mobile.

♦ **1.** Dr. ⇒ **Ameublissement.** — Fin. Opération qui consiste à rendre meuble (une valeur commerciale) ; résultat de cette opération. *Mobilisation de capitaux investis, de titres de rente.* — Opération qui consiste à mobiliser (un actif qui a un caractère d'immobilisation).

♦ **2.** Milit., cour. Opération qui a pour but de mettre une armée ou une partie d'une armée sur le pied de guerre ; résultat de cette opération. *Décréter la mobilisation. Mobilisation partielle*, qui concerne seulement certaines classes ou certaines catégories de troupes. ⇒ **Appel, rappel.** *Mobilisation verticale*, concernant tous les effectifs rattachés à une subdivision militaire. *Mobilisation des spécialistes.* — *Mobilisation générale*, affectant la totalité des hommes en état de servir dans l'armée. *Bureaux, centres, plans de mobilisation* (→ Armée, cit. 12). *La mobilisation de 1914, de 1939. « La mobilisation n'est pas la guerre ». Ordre, fascicule de mobilisation.* Par ext. *Mobilisation industrielle*, mettant l'industrie au service de la nation en guerre.

1   (...) le gouvernement russe menaçait de décréter immédiatement sa mobilisation *générale* pour peu que l'Allemagne se permît une mobilisation, même partielle.
    MARTIN DU GARD, les Thibault, t. VI, p. 257.

2   Par ordre du ministre de la Défense nationale et de la Guerre et du ministre de l'Air, les officiers, sous-officiers et hommes de troupes des réserves, porteurs d'un ordre ou fascicule de mobilisation de couleur blanche, portant en surcharge le chiffre « 2 » se mettront en route immédiatement et sans délai, sans attendre une notification individuelle.   SARTRE, le Sursis, p. 69.

3   (...) nous fûmes réveillés par les tambours de la mobilisation. Une seule fois, au régiment, j'avais entendu battre la lugubre « générale ». Elle me bouleversa. De carrefour en carrefour les battements se répondaient et retentissaient dans nos cœurs. Puis les cloches des églises d'Elbeuf, de Caudebec, de Saint-Pierre, se mirent à sonner le tocsin. Tout était consommé.   A. MAUROIS, Mémoires, t. I, VIII.

4   L'équipement de l'homme est tout neuf. La photographie doit remonter au commencement de la guerre, à l'époque de la mobilisation générale ou aux premiers rappels de réservistes, peut-être même à une date antérieure : lors du service militaire, ou d'une brève période d'entraînement.
    A. ROBBE-GRILLET, Dans le labyrinthe, p. 67.

    État de celui qui est mobilisé. *Commerce fermé pour cause de mobilisation du propriétaire.*

♦ **3.** Fig. *Mobilisation des ressources, des forces vives de la nation* (dans une guerre, dans une période de crise...).

♦ **4.** Physiol. Processus par lequel l'organisme utilise des substances de réserve, en les transformant en substances solubles qui sont mises en circulation. *Mobilisation du glycogène du foie, des muscles.*

♦ **5.** Méd. Action de faire bouger (un membre, une articulation) volontairement *(mobilisation active)* ou par intervention d'autrui *(mobilisation passive*, pratiquée, par ex., par un kinésithérapeute).

CONTR. et COMP. Démobilisation. — Immobilisation.

MOBILISER [mɔbilize] v. tr. — 1787, Féraud ; de *mobile*, et *-iser*.

★ **I.** ♦ **1.** Dr., fin. Prendre, déclarer meuble par convention (ce qui est immeuble par nature). ⇒ **Ameublir** (2.). *Par contrat de mariage, on peut mobiliser des immeubles.*

♦ **2.** Dr. comm. Rendre (une valeur commerciale) mobile ; en faciliter la cession, la circulation. ⇒ **Mobilisation** (1.). — Spécialt. *Mobiliser une créance à terme*, la rendre cessible en la constatant dans un titre négociable (une traite, etc.).

★ **II.** Cour. (1836). ♦ **1.** [a] Mettre sur le pied de guerre (une armée), affecter (des citoyens) à des postes où ils sont indispensables à la défense du pays. ⇒ **Appeler, rappeler** (sous les drapeaux) ; **embrigader** (vx), **enrégimenter, enrôler, lever, recruter.** *Mobiliser la première réserve..., les corps de spécialistes.* — (Au passif). *Être mobilisé dans les services auxiliaires* (cit. 3), *sur place, comme affecté spécial.* — Absolt. *Le gouvernement a décidé de mobiliser. Si on mobilisait ?* (→ Ajourner, cit. 3).

1   Sans doute, pour ceux qui sont mobilisés, le port du costume militaire autorise-t-il une plus grande liberté de pensée.   GIDE, Journal, 20 août 1914.

2   (...) si la Russie intervenait en faveur de la Serbie, nous serions forcés de mobiliser (...)   MARTIN DU GARD, les Thibault, t. VI, p. 105.

3   (...) on vient d'apprendre que la Serbie mobilisait trois cent mille hommes (...)
    MARTIN DU GARD, les Thibault, t. VI, p. 135.

4   Je n'étais pas mobilisable. L'eussé-je été que l'on m'aurait, sans le moindre doute, mobilisé sur place (...)   G. DUHAMEL, Cri des profondeurs, v.

[b] Par ext. (En parlant d'un groupement). Organiser pour l'action. *Mussolini mobilisa les Faisceaux* (→ Fasciste, cit. 1). *Organisation syndicale qui mobilise ses adhérents en vue d'une manifestation, d'une grève...*

[c] Fam. Faire agir collectivement. *Il mobilise toute sa famille pour nettoyer le jardin.*

♦ **2.** Fig. Faire appel à..., mettre en jeu (des facultés intellectuelles ou morales). *Mobiliser son courage, sa raison* (→ Mater, cit. 5), *toutes ses forces... Mobiliser les enthousiasmes.*

♦ **3.** (xxᵉ). Méd. *Mobiliser un malade*, et, par ext., *un membre blessé*, le faire mouvoir, lui faire accomplir les mouvements naturels que son état rend difficiles (pour éviter l'ankylose, l'atrophie, l'embolie...).

▶ **MOBILISÉ, ÉE** p. p. adj. *Troupes, unités mobilisées* (→ Armée, cit. 13). — *Réservé, soldat mobilisé.* ⇒ **Rappelé, requis.** N. *Un mobilisé.* — Fém. (armées étrangères). *Les jeunes mobilisées de l'armée israélienne.*

CONTR. et COMP. Démobiliser. — Immobiliser.

DÉR. Mobilisable, mobilisateur, mobilisation.

MOBILISME [mɔbilism] n. m. — 1903, Larousse, terme d'apiculture ; de *mobile*, et *-isme*.

★ **I.** Techn. (Apic.). Élevage des abeilles en ruches mobiles.

★ **II.** (1908, *le Mobilisme moderne*, ouvrage d'A. Chide). Didactique.

♦ **1.** Philos., sc. Doctrine selon laquelle tout est mobile dans l'espace, ou tout change. *Le mobilisme d'Héraclite.*

♦ **2.** Géol., géogr. Théorie de la mobilité, de la dérive des continents.

MOBILISTE [mɔbilist] n. et adj. — 1876, Littré, *Suppl.*, terme d'apiculture ; de *mobile*, et *-iste*.

♦ **1.** Techn. Apiculteur qui utilise les ruches mobiles (⇒ **Mobilisme**).

♦ **2.** Didact. Partisan d'un mobilisme (II., 1.), du mobilisme (II., 2.). — Adj. *Thèses mobilistes.*

MOBILITÉ [mɔbilite] n. f. — Fin xiiᵉ ; du lat. *mobilitas*, de *mobilis* → Mobile.

♦ **1.** Caractère de ce qui est mobile*, de ce qui peut se mouvoir ou être mû, changer de place ou de position spontanément ou sous l'action d'une cause quelconque. *Mobilité des eaux* (→ Frai, cit. 2). *Mobilité d'une roue autour d'un axe, d'une girouette* (cit. 4). — *Mobilité d'un membre, d'un organe.* ⇒ **Motilité.**

    Si l'on considère toutes les causes qui troublent l'équilibre de l'atmosphère, sa grande mobilité due à sa fluidité (...)
    LAPLACE, Expos. syst. du monde, in LITTRÉ.

    Les oreilles bien détachées possédaient une sorte de mobilité comme celle des bêtes sauvages, toujours sur le qui-vive.
    BALZAC, Une ténébreuse affaire, Pl., t. VII, p. 449.

    Mobilité d'une armée (→ Logistique, cit. 3). *Accroître la mobilité d'une armée par la motorisation. La mobilité d'une population, d'une espèce animale. Mobilité de la main-d'œuvre. Mobilité géographique, professionnelle.*

♦ **2.** Caractère de ce qui change rapidement d'aspect ou d'expression. *Mobilité des reflets de l'eau.* — *Mobilité d'un visage* (→ Carnation, cit. 4), *des yeux* (→ Humide, cit. 12 ; imprécis, cit. 2), *de la physionomie...*

    En outre, les coins des lèvres étaient d'une mobilité extrême. Ils changeaient à chaque instant et de forme et d'expression, tantôt presque retroussés, ronds ou minces, pâles ou sombres, animés d'une flamme variable.
    Pierre LOUŸS, la Femme et le Pantin, I, p. 25.

    Le bon sens est l'effort d'un esprit qui s'adapte et se réadapte sans cesse, changeant d'idée quand il change d'objet. C'est une mobilité de l'intelligence qui se règle exactement sur la mobilité des choses. C'est la continuité mouvante de notre attention à la vie.   H. BERGSON, le Rire, p. 140.

♦ **3.** Philos. Caractère essentiel qu'aurait la réalité de n'être jamais identique à elle-même, d'avoir pour loi le changement absolu. ⇒ **Dynamisme.** *Les doctrines d'Héraclite, de Bergson... affirment que la mobilité est le propre de l'être.*

♦ **4.** Caractère de ce qui évolue rapidement, de ce qui change souvent. *Mobilité des sentiments, de l'humeur, de la volonté.* ⇒ **Caprice, fluctuation, inconstance, instabilité, vacillation, variabilité.** *La mobilité de l'esprit français* (→ Engouement, cit. 2, Chateaubriand). *Mobilité de l'imagination qui erre, qui vague.* — *Mobilité de l'intelligence.* ⇒ **Agilité.**

    (...) l'influence de madame de Bargeton ne l'épouvantait pas moins que la funeste mobilité de caractère qui pouvait tout aussi bien jeter Lucien dans une mauvaise comme dans une bonne voie.   BALZAC, Illusions perdues, t. IV, p. 592.

    Littér. Aptitude (d'une personne, d'un groupe) à changer fréquemment (d'idées, de sentiments). ⇒ **Versatilité.**

    La mobilité des Méridionaux, leurs révolutions capricieuses, leurs découragements faciles donnaient beau jeu au roi Henri.   MICHELET, Hist. de France, IV, v.

CONTR. Immobilité. — Fixité, impassibilité.

MOBISTE [mɔbist] n. — 1981, cit. ; de *mob*, abrév. de *mobylette*, et *-iste*.

♦ Fam. Personne qui fait de la mobylette (ou, abusivt, du cyclomoteur, quelle que soit sa marque). « *J'ai 17 ans et une 51 super (mob) et je cherche d'autres mobistes dans la région de Lyon pour balades le week-end (...)* » (*Moto-Revue*, 6 mai 1981, p. 69).

MOBLOT [mɔblo] n. m. — 1848, in Littré, *Suppl.* ; abrév. fam. de *mobile*.

♦ Fam., vx. Soldat de l'ancienne garde nationale mobile, en 1848 et en 1870.

    (...) le poêle ronfle. Trois mobiles de province déjeunent presque dessus. Silencieux, le visage enflammé, les coudes sur la table, les pauvres moblots dorment et mangent en même temps (...)
    Alphonse DAUDET, Contes du lundi, « Aux avant-postes ».

MOBYLETTE [mɔbilɛt] n. f. — 1955, marque déposée ; de *mobile*, et *bicyclette*.

♦ Cyclomoteur de la marque de ce nom. — Abusivt. Cyclomoteur, quelle que soit sa marque. ⇒ **Cyclomoteur**. (Abrév. pop. : *mob*).

Il ne doit pas y avoir beaucoup de cyclistes dans Paris (...) — J'en ai (...) connu un (...) C'était un porteur de journaux (...) — Maintenant les porteurs de journaux doivent avoir des mobylettes.
R. VAILLAND, 325 000 francs, p. 186.

Il dit ami, et pas « copain », cinéma et pas « ciné », mobylette et pas « mob », ce qui lui a fait une réputation de « fille ».
F. MALLET-JORIS, le Jeu du souterrain, p. 74.

DÉR. V. Mobiste.

MOCASSIN [mɔkasɛ̃] n. m. — 1707 ; *mekezen,* 1615 ; angl. *mocassin* ; de l'algonquin *makisin.*

★ I. ♦ 1. Chaussure des Indiens d'Amérique du Nord, en peau non tannée. — REM. On a employé la forme *mocassine :*

Elle *(Atala)* me broda des mocassines de peau de rat musqué avec du poil de porc-épic. CHATEAUBRIAND, Atala, « Les chasseurs », p. 79.

Par analogie :

Par les soins de Penellan, qui avait déjà fait la pêche de la baleine dans les mers arctiques, des couvertures de laine, des vêtements fourrés, de nombreux mocassins en peau de phoque, et le bois nécessaire à la fabrication de traîneaux destinés à courir sur les plaines de glaces, furent embarqués à bord.
J. VERNE, Un hivernage dans les glaces, p. 236.

♦ 2. (1905, Willy in D.D.L.). Chaussure basse (de marche, de sport), généralement sans attaches. *Des mocassins.* — Par appos. *Des chaussures de forme mocassin.*

★ II. (1878 ; angl. *mocassin snake,* 1755). Serpent des marais d'Amérique du Nord (genre *ancistrodon,* fam. des Vipéridés), l'un des serpents les plus dangereux par la toxicité de son venin. *Mocassin d'eau.*

MOCHARD, ARDE [mɔʃaʀ, aʀd] adj. — 1898, Esnault ; de 2. *moche,* et *-ard.*

♦ Fam. Un peu moche, assez moche. *Elle est mocharde. Il est mochard, son dernier bouquin.*

DÉR. Mochardise.

MOCHARDISE [mɔʃaʀdiz] n. f. — Attesté 1972 ; de *mochard.*

♦ Fam. Caractère de ce qui est mochard. ⇒ **Mocheté.** « *Tout cela n'est que toc et mochardise absolue...* » (L. Fermigier, *Nouvel Observateur,* 2 oct. 1972, p. 27).

1. MOCHE [mɔʃ] n. f. — 1723, Dauzat ; d'un francique *mokka* « masse informe », d'après Wartburg.

♦ Techn. Vx. Paquet d'écheveaux réunis en une masse peu dense. *Soie en moches.*

COMP. Amocher.

2. MOCHE [mɔʃ] adj. — 1878 ; orig. incert. ; → 1. Moche.
Familier.

♦ 1. Dont l'aspect extérieur est laid*, piteux. ⇒ **Affreux, vilain.** *Ce qu'il, ce qu'elle est moche! Il est un peu moche, ton chapeau.* ⇒ **Mochard.**

(Il) avait déclaré que ses cravates étaient rudement moches (...)
J. ROMAINS, les Hommes de bonne volonté, t. III, VII, p. 104.

J'ai connu dans un bled, où j'étais le seul médecin, un fonctionnaire français qui, sa maîtresse indigène étant en danger de mort, ne me fit pas venir, parce qu'il craignait que je ne la trouve moche.
MONTHERLANT, les Lépreuses, II, XIV.

♦ 2. Mauvais. ⇒ **Désagréable, fâcheux.** *La pluie va me gâcher mes vacances, c'est moche. C'est plutôt moche, ce qu'il a donné comme pourboire.* ⇒ **Mesquin.** — (Sens moral). *C'est moche ce qu'il a fait là !* ⇒ **Méprisable.**

« C'est moche, les gaz », constata Loulou, en fronçant le museau. « Et puis, moi je trouve que ça n'est pas loyal... pas régulier. »
MARTIN DU GARD, les Thibault, t. IX, p. 62.

Il a toujours des réactions moches. Jamais un grand mouvement. Que dis-je, un grand mouvement ! Jamais un petit mouvement de charité, de compréhension, d'indulgence. J. DUTOURD, les Horreurs de l'amour, p. 406.

Tous ces types qui comptent sur moi, ça serait moche de les décevoir, non ?
S. DE BEAUVOIR, les Mandarins, p. 89.

Régional. Mal à l'aise, malade. *Je me sens moche, aujourd'hui.*

CONTR. Beau, chic.
DÉR. Mochard, mocheté.
COMP. Amochir.

MOCHETÉ [mɔʃte] n. f. — 1936, Esnault ; de 2. *moche,* et *-té.*

♦ 1. Caractère de ce qui est moche. ⇒ **Laideur.**

En 1860, les bourgeois aimaient les fanfreluches ; en 1930, on leur a appris à aimer l'austérité, c'est-à-dire la laideur toute nue, sans recours (...) Je préfère la mocheté travestie, croulant sous les ornements ridicules, à la mocheté sans masque. J. DUTOURD, Pluche, VII, p. 62.

♦ 2. Personne, chose laide. *C'est une vraie mocheté !* Action laide. *Il nous a fait une sacrée mocheté !*

MOCO ou **MOKO** [moko] n. m. — 1854 ; orig. incertaine.

♦ Argot mar. Marin originaire du Sud de la France, de la côte méditerranéenne, par oppos. aux marins des côtes occidentale et septentrionale (Atlantique, Manche, Mer du Nord) ; spécialt. (marine de guerre) marin toulonnais. *Les mocos et les bretons, et les chtimis.*

Tout fragile que soit un teint de blond, jamais un chtimi n'aura l'air aussi sale qu'un moco sale. J.-R. BLOCH, Sur un cargo, p. 128.

Par ext., argot. Homme originaire du Sud de la France, et, plus particulièrement, du Sud-Est, de la Provence.

MOD abrév. ⇒ **Modulo.**

MODAL, ALE, AUX [mɔdal, o] adj. — 1546 ; de 2. *mode,* et *-al.*
D'un mode.

♦ 1. Philos. Qui a rapport aux modes* (de la substance). *Existence modale.*

Log. Relatif aux modes logiques. *Proposition modale,* dont l'affirmation est soumise aux modes de possibilité, d'impossibilité, de nécessité, de contingence. *Proposition absolue et proposition modale.* — Subst. *Une modale. Table des modales.*
Opérateurs modaux. Logique modale, qui utilise ces opérateurs.

Ling. *Auxiliaires modaux,* ou, ellipt. (n. m.), *modaux :* auxiliaires du verbe qui expriment les modalités logiques (nécessaire, probable, contingent). *Pouvoir, devoir sont des auxiliaires modaux. Un modal.*

♦ 2. Relatif aux modes des verbes. *Attraction, forme, valeur modale* (→ Infinitif, cit. 5).

♦ 3. Mus. *Notes modales :* notes qui caractérisent le mode (la tierce et la sixte). — (1963). *Musique modale,* caractérisée par la structure des modes (2. Mode, 2.), c'est-à-dire par la disposition des intervalles — tons et demi-tons — dans les différents systèmes acceptés. *La musique tonale* (caractérisée par les *tons*) *n'a conservé que deux modes, majeur et mineur, pour chaque ton ; la musique modale* (antique, etc.) *en possédait beaucoup plus.*

♦ 4. Statist. *Classe modale.* ⇒ 2. **Mode** (5.).
DÉR. Modaliser, modalité.

MODALISANT, ANTE [mɔdalizɑ̃, ɑ̃t] adj. — D. i. (xxᵉ) ; p. prés. de *modaliser.*

♦ Ling. Qui modalise. *Terme modalisant.* ⇒ **Modalisateur.** *Discours modalisant,* dans lequel le locuteur porte une appréciation sur la valeur de vérité de son discours (ex. : *il me semble que...*). *Style modalisant.*

MODALISATEUR [mɔdalizatœʀ] n. m. — D. i. (xxᵉ) ; de *modaliser.*

♦ Ling. Unité langagière constituant la marque d'une modalisation*. *Les adverbes* peut-être, certainement, *sont des modalisateurs.*

MODALISATION [mɔdalizasjɔ̃] n. f. — D. i. (xxᵉ) ; de *modaliser.*

♦ Ling. Fait de modaliser (un énoncé), de produire une marque ou un ensemble de marques formelles par lesquelles le sujet de l'énonciation exprime sa plus ou moins grande adhésion au contenu de l'énoncé. ⇒ **Modalisateur.** *Modalisation et énonciation*.*

MODALISER [mɔdalize] v. tr. — 1916, → cit. ; de *modal,* et *-iser.*
Didactique.

♦ 1. Différencier selon plusieurs modes (2. Mode, 4.) ou modalités. — Pronominal :

Le protectorat au contraire nous apporte tous les bénéfices du régime le plus souple. Nos lois ne s'y introduisent qu'à mesure des besoins en se modalisant à l'infini ou en s'appropriant aux nécessités locales.
L.-H. LYAUTEY, Paroles d'action, p. 174 (1916).

♦ 2. Former (un énoncé) en exprimant sa plus ou moins grande adhésion au contenu (⇒ **Modalisation**) par des marques. (Ex. :

transformer *il est venu* en *je crois qu'il est venu, il est peut-être venu, je pense qu'il est venu, il me semble qu'il est venu,* etc.).

DÉR. Modalisant, modalisateur, modalisation.

MODALITÉ [mɔdalite] n. f. — 1546, Rabelais ; de *modal,* et *-ité.*

♦ **1.** Philos. Propriété que possède la substance d'avoir des modes. *Les modalités de l'étendue.* — Par ext. Forme, propriété particulière d'une substance. « *La glace, la vapeur sont des modalités de l'eau* » (Académie).

1 La question se réduit à savoir si cette idée de l'étendue est une modalité de l'âme ; je prétends que non, parce que cette idée est trop vaste, qu'elle est infinie, comme je viens de le prouver.
MALEBRANCHE, De la recherche de la vérité, « Rép. à M. Régis », II.

♦ **2.** Cour. Forme particulière d'un acte, d'un fait, d'une pensée, d'un être ou d'un objet. ⇒ **Circonstance, manière, particularité.** *Modalités de paiement.* ⇒ **Formule.** *Les modalités d'application d'une loi, d'un décret. La coopérative de main-d'œuvre* (cit. 4) *est une modalité de l'association ouvrière de production.*

♦ **3.** Ling. *Adverbe de modalité,* qui modifie le sens d'une phrase entière et non pas seulement d'un mot isolé. (On dit aussi : *adverbe de jugement, d'opinion...*).

2 Il semble (...) que le terme de « modalité » convienne surtout aux adverbes d'appréciation ou de jugement, tels que : *heureusement, vraiment, certainement, assurément, franchement, naturellement, peut-être, sans doute, probablement* (...)
G. et R. LE BIDOIS, Syntaxe du franç. moderne, § 975.

Log., ling. Attitude prise par l'énonciateur à l'égard de ce qu'il énonce (le dictum, mise en rapport d'un sujet avec un prédicat). — Syn. : *modus.*

♦ **4.** Dr. « Disposition d'un acte juridique qui a pour but soit de retarder ou de modifier les effets qu'il aurait produits, s'il avait été pur et simple, soit d'éteindre ces effets à un moment donné » (Capitant). *La condition* et le terme* sont des modalités importantes.*

♦ **5.** Mus. Caractère d'un morceau de musique dépendant du mode auquel il appartient. ⇒ **2. Mode; modal** 4.

♦ **6.** Méd. (Homéopathie). Modification des symptômes selon des facteurs spatio-temporels ou psychiques.

♦ **7.** Ling. (chez A. Martinet). Monème* grammatical ne servant pas à marquer une fonction (ex. : article, pronom).

1. MODE [mɔd] n. f. — 1458; empr. au lat. *modus* « manière, mesure ». — REM. *Mode* a été féminin dans tous les sens jusqu'au XVIᵉ s. Le masculin, à l'imitation du latin, a été rétabli au XVIIᵉ s. dans certains sens techniques. → **2. Mode.**

♦ **1.** Vx. Manière individuelle de vivre, d'agir, de penser... *Vivre à sa mode* (→ Bien, cit. 8 ; maître, cit. 24). ⇒ **Convenance, façon, fantaisie, manière, volonté.**

1 Ronsard, qui le suivit par une autre méthode,
Réglant tout, brouilla tout, fit un art à sa mode (...)
BOILEAU, l'Art poétique, 1674, I.

Rare (employé avec un nom en apposition, comme le mot *façon*).

1.1 (...) en train de la regarder travailler les mains dans les poches comme s'il avait eu peur de suer ou de salir ses manchettes affilochées mode dentelle (...)
Claude SIMON, le Vent, p. 51.

REM. *Mode,* au sens de *façon,* est encore d'usage régional. « *Fais à ta mode* » (Bernanos).

♦ **2.** Vieilli (sauf dans l'expression *à la mode de...*). Manière collective de vivre, de penser, de juger propre à une époque, à un pays, à un milieu. *Cette conduite était conforme aux modes de l'époque.* ⇒ **Coutume, habitude, mœurs, pratique, usage.** « *Savez-vous planter les choux à la mode de chez nous* » (vieille chanson). *Cousin*, oncle, neveu à la mode de Bretagne.* — Cuis. *Bœuf* à la mode, bœuf mode. Tripes* à la mode de Caen.*

♦ **3.** Mod. **[a]** Goûts collectifs plus ou moins durables, manières passagères de vivre, de penser, de sentir... qui paraissent de bon ton dans une société déterminée. ⇒ **Engouement, vogue; fashion** (vx). *Mode qui se répand rapidement.* ⇒ **Épidémie.** *Décoration selon la mode du XVIIIᵉ siècle.* ⇒ **Goût, style** (dans le). *L'empire, la tyrannie, les caprices* (cit. 14) *de la mode. Se tenir au courant des modes* (→ Moderniser, cit. 2). *Obéir, se conformer, se soumettre à la mode. Être esclave de la mode. Soumission excessive à la mode.* ⇒ **Snobisme.** *Régler, lancer la mode.* ⇒ **Ton** (donner le). *La mode est, c'est la mode de dire, de faire* (→ Exceller, cit. 4). *C'était alors la mode* (→ Manie, cit. 3). *Maintenant c'est la mode* (de faire, de dire...). *La dernière mode. Une mode déjà ancienne. Une mode des minijupes, de la planche à roulettes. C'est une mode qui passe, qui vieillit, qui tombe. La mode s'en est perdue, en est passée* (→ Aviser, cit. 24).

2 On loue et on blâme la plupart des choses parce que c'est la mode de les louer ou de les blâmer. LA ROCHEFOUCAULD, Maximes, 533.

2.1 « Mais si, moi je trouvais cela très joli. On n'en porte pas parce que cela ne se fait plus en ce moment. Mais cela se reportera, toutes les modes reviennent, en

robes, en musique, en peinture », ajouta-t-elle avec force, car elle croyait une certaine originalité à cette philosophie.
PROUST, le Temps retrouvé, Pl., t. III, p. 1011.

La mode étant l'imitation de qui veut se distinguer par celui qui ne veut pas être distingué, il en résulte qu'elle change automatiquement. Mais le marchand règle cette pendule. VALÉRY, Rhumbs, p. 116.

Assurément les sentiments aussi vieillissent ; il est des modes jusque dans la façon de souffrir ou d'aimer. GIDE, Journal, 20 juin 1931.

À LA MODE... *À l'ancienne, à la vieille mode* (→ Berceau, cit. 16). *À la mode des gens de la campagne...* — Absolt. *À la mode :* conforme au goût du jour. *Être, revenir à la mode. Mettre à la mode. Cela est très à la mode.* ⇒ **Fashionable** (vieilli), **honneur** (en). Cf. *C'est le grand chic, le dernier cri, cela se fait, c'est très bien porté. Villes d'eau, plages à la mode* (→ Interposer, cit. 9). *Chanson à la mode. Auteur, artiste* (→ Imitateur, cit. 6), *actrice* (→ Assiéger, cit. 10) *à la mode.*

Spécialt. *Homme à la mode,* qui jouit d'un grand prestige mondain, qui est très recherché, fêté dans la haute société, les salons. ⇒ **Lion** (vx). *Les hommes les plus à la mode* (→ Émigration, cit. 4). *Je devins à la mode* (→ Enivré, cit. 12). *Une femme à la mode.*

Personne n'est plus ici à la mode que M. l'archevêque de Cambrai ; et, ce qui vous surprendra, c'est par une chose qui n'est peut-être pas trop à la mode, qui est de faire admirablement son devoir d'évêque.
PELLISSON, Lettres historiques, t. III, p. 277, in LITTRÉ.

Enfin, mon cher, ta marquise est une femme à la mode, et j'ai précisément ces sortes de femmes en horreur. BALZAC, l'Interdiction, Pl., t. III, p. 14.

Vx. *De mode :* à la mode. *Ces tatouages étaient alors de mode* (→ 2. Marin, cit.). — Mod. *Passé de mode.* ⇒ **Démodé, désuet, vieillot.** *Hors de mode.*

[b] (XVIIᵉ). Spécialt. Habitudes collectives et passagères en matière d'habillement. *La mode masculine, féminine. La mode d'hiver, de printemps. Brummel était le roi de la mode* (⇒ **Dandy**). *Les couturiers* qui font la mode.* — *Le langage, le discours de la mode. Le Système de la mode,* ouvrage de R. Barthes.

Elles *(les Parisiennes)* sont de toutes les femmes les moins asservies à leurs propres modes. La mode domine les provinciales ; mais les Parisiennes dominent la mode, et la savent plier chacune à son avantage. Les premières sont comme des copistes ignorants et serviles qui copient jusqu'aux fautes d'orthographe ; les autres sont des auteurs qui copient en maîtres, et savent rétablir les mauvaises leçons.-
ROUSSEAU, Julie ou la Nouvelle Héloïse, II, XXI.

À la mode. Être à la mode. Votre manteau n'est plus du tout à la mode, est très à la mode. ⇒ **Faire** (se), **porter** (se). — Adj. invar. *Ce manteau est très mode. Teintes, tissus mode.*

On se demande combien de femmes portent la mode. Un quarteron de mannequins, de « cover-girls », d'Olympiennes. Celles-ci tremblent de ne plus être à la mode, puisqu'elles la font et que, dès lancée, la mode leur échappe et qu'elles doivent trouver une autre mode.
Henri LEFEBVRE, la Vie quotidienne dans le monde moderne, p. 197.

Gravure de mode. Il est habillé comme une gravure de mode, avec une élégance trop recherchée, un peu vulgaire.

Une mode : un ensemble des vêtements qui définissent la mode, à un moment donné ; style vestimentaire de la saison. *Une mode excentrique, extravagante, classique, sage. La mode 1890. De mode,* qui concerne la mode, l'habillement (notamment féminin) selon les tendances les plus récentes. *Journal de mode.*

J'ai sous les yeux une série de gravures de modes commençant avec la Révolution et finissant (...) au Consulat. Ces costumes (...) sont très souvent beaux et spirituellement dessinés ; mais ce qui me frappe le plus, c'est que je suis heureux de retrouver dans tous ou presque tous, c'est la morale et l'esthétique du temps. L'idée que l'homme se fait du beau s'imprime dans tout son ajustement (...)
BAUDELAIRE, Curiosités esthétiques, XVI, I.

On pourrait presque dire que toute mode est risible par quelque côté. Seulement, quand il s'agit de la mode actuelle, nous y sommes tellement habitués que le vêtement nous paraît faire corps avec ceux qui le portent.
H. BERGSON, le Rire, p. 29.

(...) un journal de mode, une de ces revues hebdomadaires où l'on entretient les dames de leur beauté, d'une certaine manière de se peindre les ongles ou de miraculeuses recettes de cuisine.
G. DUHAMEL, Récits des temps de guerre, « Lieu d'asile », XXXVIII.

[c] Commerce, industrie de la toilette féminine. *L'industrie, les commerces de la mode. Travailler dans la mode.* ⇒ **Couture; couturière...**

[d] Au plur. *Modes :* industrie, commerce du vêtement féminin. — Vx. *Un marchand, une marchande de modes.* — (1827, D.D.L.). Mod. Chapellerie féminine. *Magasin de modes.* ⇒ **Chapellerie; modiste.**

DÉR. 2. Mode, 1. modiste.
COMP. Démodé, démoder.

2. MODE [mɔd] n. m. — Fin XVIᵉ; même mot que 1. *mode.*

♦ **1.** Hist. de la philos. Manière d'être (d'une substance). *Étude des modes de l'être* (modi essendi), *des modes de signification* (modi signandi, significandi) *au moyen âge.* ⇒ **Modiste.**

Lorsque je dis ici façon ou mode, je n'entends rien que ce que je nomme ailleurs attribut ou qualité. Mais lorsque je considère que la substance en est autrement disposée ou diversifiée, je me sers particulièrement du nom de *Mode* ou façon (...)-
DESCARTES, Principes de la philosophie, I, 56, in LALANDE.

Spinoza disait que les modes de la pensée et les modes de l'étendue se correspondent, mais sans jamais s'influencer : ils développeraient, dans deux langues différentes, la même éternelle vérité.

    H. BERGSON, *Essai sur les données immédiates de la conscience*, p. 111.

♦ **2.** (Fém., XVIᵉ). Mus. Chacune des dispositions particulières de la gamme, caractérisée par la disposition des intervalles (tons et demitons). — *Abusivt. Les modes de la musique antique* (ce sont des tons). *Principaux modes de la musique grecque : dorien, éolien, ionien, lydien, phrygien, myxolydien; hypodorien, hypolydien, hypophrygien... Des modes grecs dérivent les tons du plain-chant :* authentique, plagal...
Manière dont un ton est constitué selon les intervalles dont la gamme est formée. ⇒ **Modalité; modal.** *Les modes de la musique occidentale, moderne :* majeur et mineur.
Par anal. (Littér.). Manière de traiter un sujet, de s'exprimer. ⇒ **Ton.** *Mode comique, plaisant, tragique. Le mode imprécatoire* (cit.) *ne va pas à la femme.*

♦ **3.** (Fém., XVIᵉ). Ling. «Caractère d'une forme verbale susceptible d'exprimer l'attitude du sujet parlant vis-à-vis du procès-verbal, c'est-à-dire en un certain sens la manière... dont l'action est présentée par lui, suivant par exemple qu'elle fait l'objet d'un énoncé pur et simple (mode indicatif) ou qu'elle est accompagnée d'une interprétation : modes subjonctif, optatif, impératif, injonctif, conditionnel...» (Marouzeau). *Tableau des différents modes d'un verbe*.* ⇒ **Conjugaison.** *Les temps de chaque mode. Modes personnels*.* ⇒ **Conditionnel, impératif, indicatif, subjonctif.** *Modes impersonnels*.* ⇒ **Infinitif, participe.** *Le mode irréel*, potentiel*. L'optatif*, mode grec qui exprime le souhait. Attraction, concordance des modes.* ⇒ **Modal.**
Il s'en faut que tous les modes aient autant de valeur modale les uns que les autres. Certains d'entre eux, comme le conditionnel, qui est de création française, ont des sens nets, et, s'ils ne paraissent pas partout où ils pourraient se rencontrer, du moins, ils ne sont pas davantage des nécessités purement formelles et extérieures à la pensée, comme c'est le cas du subjonctif, qui bien souvent n'exprime plus des modalités, mais *n'est qu'une forme de subordination.*

    F. BRUNOT, *la Pensée et la Langue*, p. 520.

♦ **4.** (Fin XVIIIᵉ). *Mode de* (+ n.) : forme particulière sous laquelle se présente (un fait), s'accomplit (une action). ⇒ **Forme.** *Mode de vie* (→ Exigence, cit. 3; imposer, cit. 13). *Mode d'existence.* (→ Hétérogène, cit. 2). ⇒ **Genre.** *Le mode idéal de l'existence* (→ Magnifier, cit. 2). *Mode de pensée* (→ Humour, cit. 11), *de connaissance* (→ Inconnaissable, cit. 1). *Mode de classement en sciences naturelles.* ⇒ **Classification, système.** *Mode d'expression* (→ Acquérir, cit. 16; émotionnel, cit. 3). *Mode d'action* (→ Légitime, cit. 1). ⇒ **Façon, manière.** *Mode de production* (→ Industriel, cit. 3), *d'exploitation* (→ Jardinage, cit. 3). ⇒ **Méthode.** *Mode de paiement.* ⇒ **Formule, modalité.** *Mode de locomotion* (→ Aviation, cit. 1). *Mode d'emploi** (→ Indication, cit. 8). — *Vieilli ou didact. Mode de* (+ inf.). *Les modes d'agir et de percevoir. — Modes de signifier* (modi significandi).
(...) le mode de vie, engendré par la civilisation scientifique, a rendu inutiles des mécanismes dont l'activité a été incessante, pendant des millénaires, chez les êtres humains.   Alexis CARREL, *l'Homme, cet inconnu*, VI, XII.

♦ **5.** Statist. Valeur d'un caractère quantitatif correspondant à la population la plus dense. *Dans le cas d'une variable statistique continue dont les valeurs sont regroupées en classes de même amplitude, le mode est le centre d'une classe présentant la fréquence la plus élevée* (dite *classe modale*).

♦ **6.** Techn. État de fonctionnement (d'un système informatique). *Mode asservi. Mode programme.*

DÉR. Modal, 2. modiste.

MODELAGE [mɔdlaʒ] n. m. — 1830; de *modeler*, et *-age*.

♦ **1.** ⓐ Action de modeler (une substance plastique) pour donner une forme déterminée. *Modelage d'une pièce céramique. Utilisation du modelage dans certaines industries, en orfèvrerie pour établir des modèles, des maquettes. Modelage de métaux en feuilles* (⇒ **Repoussage, repoussé**). — *Modelage d'une statue en terre glaise, en cire, en plâtre au moyen des doigts, de l'ébauchoir.*

ⓑ (*Un, des modelages*). Ouvrage ainsi modelé. *De beaux modelages.*

♦ **2.** Spécialt. Manipulation de l'épiderme. (→ Massage).

♦ **3.** Techn. Fabrication de modèles, de gabarits en bois pour la fonderie.

♦ **4.** Par métaphore, fig. Action de modeler (4.); son résultat.
(...) ce modelage inconscient de notre cœur à la ressemblance des passions peintes par les poètes.   Paul BOURGET, *le Disciple*, p. 209.

MODELANT, ANTE [mɔdlɑ̃, ɑ̃t] adj. — Mil. XXᵉ; p. prés. de *modeler.*

♦ Didact. Qui modèle (→ Modeler, 2. ou 3.), donne une forme. «*La modulation modelante par la couleur*» (M. Gieure, *La peinture moderne*, p. 65).
Abstrait (calque du russe). *Système modelant* (...) : «chaque système

signifiant complexe traditionnel des codes socioculturels qui organise le monde et impose aux autres systèmes sa macrostructure». (J. Rey-Debove). *Les systèmes modelants secondaires sont des codes culturels qui se superposent au code primaire de la langue.*

MODÈLE [mɔdɛl] n. m. — 1564; *modelle*, 1542, in D.D.L.; ital. *modello.*

♦ **1.** (Av. 1648). Ce qui sert ou doit servir d'objet d'imitation pour faire ou reproduire qqch. ⇒ **Archétype, canon, comparaison** (terme de), **étalon, exemplaire** (vx), **exemple.** *Modèle de déclinaison, de conjugaison.* ⇒ **Paradigme.** *Modèle d'écriture. Texte qui est donné comme modèle à des élèves.* ⇒ **Corrigé, plan** (de devoir). *Modèle de rédaction d'acte juridique.* ⇒ **Formule.** *Donner, offrir, fournir, tracer un modèle. Servir de modèle* (→ Exagérer, cit. 8). *Sa conduite doit être un modèle pour nous.* ⇒ **Règle** (servir de). *Prendre comme modèle, pour modèle* (→ Côté, cit. 21; inclination, cit. 3). ⇒ **Exemple** (prendre pour). *Imitation d'un modèle. Ressemblance avec le modèle. Copier* (→ Inspirer, cit. 13), *suivre* (→ Législateur, cit. 2), *un modèle. Se conformer au modèle* (→ Figer, cit. 10). *S'écarter* (cit. 24) *d'un modèle. Qui est toujours cité comme modèle.* ⇒ **Classique, proverbial.** *Ceci est original*, n'a pas de modèle. — Sur le modèle de...* (→ Colonne, cit. 1; insomnieux, cit. 1). ⇒ **Image** (à l'); **imitation** (à l'). *Ni règles ni modèles* (→ Hardiment, cit. 3, Hugo). *Modèles d'action* (→ Imitation, cit. 9). «*Le poète ne doit avoir qu'un modèle, la nature*» (→ Guide, cit. 8, Hugo). *La jeunesse aime à se donner des modèles.* ⇒ **Maître.** «*Les hommes tiennent à se proposer des exemples* (cit. 18) *et des modèles qu'ils appellent héros*» (Camus).

Quand il (*le curé*) avait un exemple à citer, c'était elle qu'il choisissait. Il lui fit même un jour l'honneur de parler d'elle en plein sermon et de la donner pour modèle à ses ouailles.   A. DE MUSSET, *Nouvelles*, « Margot », II. 1

Molière, dit-on, ferma un jour Plaute et Térence; il dit à ses amis : « J'ai assez de ces modèles : je regarde à présent en moi et autour de moi. »   E. DELACROIX, *Journal*, 30 sept. 1855. 2

Ainsi le jeune Louis XIV vécut, avec son ministre, dans une intimité, si l'on peut dire, de tous les instants. C'était, pour l'apprenti souverain, comme un modèle qu'il eut constamment sous les yeux.   Louis BERTRAND, *Louis XIV*, II, II. 3

Absolt. *Un modèle,* ce qui doit être imité. — *Vieilli.* «*Cet enfant est un modèle*» (Académie). — (Mod.). Adj. *Qui peut servir de modèle. Un employé, un écolier modèle.* ⇒ **Parfait.** *Il a une conduite modèle.* ⇒ **Bon, édifiant, exemplaire.** *Ferme modèle, kolkhoze* (cit.) *modèle.*

Vous vous rappelez, Benjamin Franklin (...) le grand héros, le grand homme de nos maîtres primaires, le plus grand homme du monde selon eux, le seul sage et le seul savant et le seul moral et vraiment le type. Le seul proposé à toute imitation. En lui se résumait, en lui se ramassait tout ce qu'il fallait savoir, et tout ce qu'il fallait dire, et tout ce qu'il fallait faire, et tout ce qu'il fallait imiter. Il était l'homme modèle.   Ch. PÉGUY, *Note conjointe*, « Sur Descartes », p. 236. 4

C'est un hôpital modèle. Tout y est si luisant que la misère des hommes en paraît plus profondément animale.   G. DUHAMEL, *Salavin, Journal*, 22 janv. 5

♦ **2.** Arts (dessin, peinture, sculpture). Personne ou objet dont l'artiste reproduit l'image (→ Contrefaire, cit. 4; fantaisie, cit. 8; figure, cit. 7). ⇒ **Sujet.** *Dessin, dessiner* (cit. 2 et 3) *d'après le modèle. La connaissance et l'étude du modèle vivant* (→ Copier, cit. 3). *Figure dessinée d'après le modèle nu.* ⇒ **Académie.** *Asservissement au modèle* (→ Imiter, cit. 16). *L'art du caricaturiste* (cit. 1) *qui parvient à grimacer ses modèles.*

(...) tout beau qu'il est, ce portrait ne vaut pas (Crois m'en sur ma parole) un baiser du modèle.   A. DE MUSSET, *Poésies nouvelles*, Sonnet, « Béatrix... » 6

Le portrait est le chef-d'œuvre de Gérard; mais il ne me plaît pas parce que j'y reconnais les traits sans y reconnaître l'expression du modèle.   CHATEAUBRIAND, *Mémoires d'outre-tombe*, t. IV, p. 280. 7

Spécialt. Œuvre provisoire ou destinée à la reproduction. ⇒ **Maquette.** *Dessin qui sert de modèle pour l'exécution d'une œuvre de grande dimension.* ⇒ **Carton, esquisse, maquette.** *Façonner le modèle d'une sculpture* (⇒ **Modeler**). — Par anal. Personne réelle évoquée par un écrivain (lorsqu'il crée un personnage imaginaire). *Le comte Robert de Montesquiou, modèle du Charlus de Proust* (→ aussi 1. Héroïne, cit. 6).

♦ **3.** (1676). Spécialt. Homme ou femme dont la profession est de poser pour des artistes. *Être fait comme un modèle,* très bien fait.

J'ai connu un jeune homme plein de goût, qui, avant de jeter le moindre trait sur sa toile, se mettait à genoux, et disait : «Mon Dieu, délivrez-moi du modèle».   DIDEROT, *Essai sur la peinture*, I. 8

(...) pendant tout le temps de la pose, j'étais tout tremblant de la crainte que le modèle ne se fatigue; je me retiens tout le temps pour ne pas le prier de se reposer.   GIDE, *Si le grain ne meurt*, I, IX, p. 229. 9

Modèle de modes, de magazine. ⇒ (anglic.) **Cover-girl, pin-up** (girl). *Des mannequins* et des modèles. Elle est modèle et travaille pour plusieurs photographes, pour une agence.*

♦ **4.** UN, LE MODÈLE DE... : personne, fait, objet possédant au plus haut point certaines qualités ou caractéristiques qui en font le représentant d'une catégorie. *Modèle de fidélité, de générosité.* ⇒ **Héros, parangon.** *Harpagon, modèle de l'avare.* ⇒ **Type.** *Le corps du lion* (cit. 2) *paraît être le modèle de la force jointe à l'agilité. C'est le modèle du genre* (→ Conte, cit. 7). *Le plus parfait modèle du mauvais goût* (→ Entortillage, cit. 2). ⇒ **Type.**

10 (...) le jeune génie *(Liszt)* représentait le modèle accompli de l'enfant du siècle, en ses aspirations effrénées et son mépris des conventions (...)
Émile HENRIOT, *Portraits de femmes*, p. 329.

Par ext. Ce qui représente sous une forme concrète ou restreinte une classe, une catégorie d'êtres, d'objets, de faits semblables. *Cette phrase de Montaigne nous fournit un modèle de ce qu'était la langue française au XVIᵉ siècle.* ⇒ **Échantillon, spécimen.**

Catégorie, variété particulière, définie par un ensemble de caractères et à laquelle peuvent se rapporter des faits ou objets réels. ⇒ **Type.** *Les différents modèles d'organisation industrielle. Un certain modèle d'agrément et de beauté* (cit. 3).

♦ **5.** Objet, type déterminé selon lequel des objets semblables peuvent être reproduits à de multiples exemplaires par l'industrie. ⇒ **Standard, type.** *Modèle reproduit en grande série. Machines faites d'après des modèles anglais.* ⇒ **Prototype.** *Modèle courant, nouveau. Créer, lancer, présenter un modèle. Présentation d'un modèle, de modèles. Sabots d'un modèle élégant* (→ Guillochure, cit. 3). *Chapeau* (cit. 9) *de femme qui est seul de son modèle.*

11 J'ai pourtant fait tout ce qu'il fallait, disait le pauvre chemisier. Sans doute mes modèles étaient vieux-jeu; mais maintenant je me suis mis au goût du jour (...)
Valery LARBAUD, *Barnabooth*, I, II.

Ellipt. (Surtout dans le langage militaire). *Fusil modèle 1916, modèle 1936, modifié 1939.*

12 Tu n'entends pas le moteur comme il tourne régulier. C'est un Messerschmidt, oui. Modèle 37.   SARTRE, la Mort dans l'âme, p. 38.

Dr. *Modèle de fabrique,* et, absolt, *modèle* : «objet servant de prototype à une fabrication industrielle» (Capitant). *Protection des dessins et modèles* (loi du 14 juil. 1909). *Dépôt des modèles. Modèle déposé. Contrefaçon d'un modèle déposé.*

♦ **6.** Objet de même forme qu'un objet plus grand mais exécuté en réduction. ⇒ **Maquette.** *Modèle de navire, de machine, d'un édifice, d'un monument. Modèle en petit* (→ Élever, cit. 2).

MODÈLE RÉDUIT. *Modèle réduit au 1/100ᵉ. Modèles réduits de bateaux, de trains, d'avions.* ⇒ **Modélisme, modéliste; aéromodélisme...** — Par appos. *Faire voler un avion modèle réduit.* — Fig. *Ce barrage est une sorte de Génissiat modèle réduit, en modèle réduit* (cf. En petit, en réduction; ⇒ **Miniature** 4.).

Objet matériel dont on reproduit la forme, les contours pour obtenir des objets du même type. *Modèle en bois, en carton, en métal... d'après lequel on découpe, taille, confectionne un objet, un vêtement...* ⇒ **Gabarit, moule, patron.** *Calquer* sur un modèle. Menuisier spécialisé dans le façonnage des modèles de fonderie.* (⇒ **Modeleur**).

♦ **7.** Didact. (D'abord en économie, puis dans la plupart des sciences humaines). Représentation simplifiée et plus ou moins formalisée d'un processus *(modèle dynamique),* d'un système *(modèle statique). Modèles de structure* (ou *rétrospectifs*) et *modèles de fonctionnement* (ou *prévisionnels), en économie. Modèles linguistiques.* ⇒ **Modéliser, modélisation.** *Construire un modèle mathématique de, pour qqch.* (Ne pas confondre avec *infra,* 8.). ⇒ **Mathématiser.**

13 Ici, le roman cherchait dans la vie ce *modèle,* au sens cybernétique, l'explication de l'être imaginaire par une femme réelle, comme si la marche avait inversé sa marche (...)   ARAGON, Blanche..., III, III, p. 463.

14 L'usage des modèles (...) est l'une des caractéristiques de la pensée scientifique contemporaine. Un modèle n'est autre que le schéma simplifié et symbolique destiné à expliquer une réalité quelconque. Il peut être exprimé en langage vulgaire, en termes de logique aristotélicienne ou bien en langage mathématique (...) Dans le domaine de la science économique, le mot modèle, schéma simplifié de fonctionnement d'un ensemble, est synonyme de théorie.
J.-R. BOUDEVILLE, in ROMEUF, Dict. des sciences économiques.

15 L'observation des faits, et l'élaboration des méthodes permettant de les utiliser pour construire des modèles, ne se confondent jamais avec l'expérimentation au moyen des modèles eux-mêmes. Par «expérimentation sur les modèles», j'entends l'ensemble des procédés permettant de savoir comment un modèle donné réagit aux modifications, ou de comparer entre eux des modèles du même type ou de types différents (...) il n'y a pas de contradiction, mais intime corrélation, entre le souci du détail concret propre à la description ethnographique, et la validité et la généralité que nous revendiquons pour le modèle construit d'après celle-ci. On peut en effet concevoir beaucoup de modèles différents, mais commodes (...) pour décrire et expliquer un groupe de phénomènes. Néanmoins, le meilleur sera toujours le modèle vrai, c'est-à-dire celui qui, tout en étant le plus simple, répondra à la double condition de n'utiliser d'autres faits que ceux considérés, et de rendre compte de tous.
Claude LÉVI-STRAUSS, Anthropologie structurale, p. 307-308.

Par ext. Représentation simplifiée, formalisée ou non, scientifiquement testée ou non, dans un domaine quelconque. *Modèles socioculturels. Les images idéologiques et les modèles correspondant à une réalité observée.*

Cour. Type d'organisation et de fonctionnement (représentable par un modèle) dans les domaines économiques et sociopolitiques. *Modèles de croissance, de développement, adoptés par les pays en voie de développement. Le modèle libéral, socialiste. Le modèle scandinave, français, japonais.*

♦ **8.** Log. math. *Modèle d'une théorie :* structure dans laquelle tout énoncé de cette théorie est vrai. ⇒ **Réalisation.** *Théorie d'un modèle :* ensemble des énoncés d'un langage vrais dans ce modèle.

16 (...) dans les sciences humaines, on entend généralement par modèle une théorie conçue pour expliquer un ensemble de phénomènes, alors qu'en logique mathématique on parle des modèles d'une théorie (...) Toute étude des structures mathé-

matiques dans laquelle les questions de langage interviennent de façon essentielle fait partie de la théorie des modèles.
Encyclopædia Universalis, art. *Logique mathématique,* vol. X, p. 65 a.

♦ **9.** Ling. Suite de morphèmes, par rapport à ses expansions, lorsque celles-ci ont même distribution.

CONTR. Copie, imitateur, imitation.
DÉR. Modeler. — Modélisme, modéliste.

MODELÉ [mɔdle] n. m. — 1835, Académie; p. p. substantivé de *modeler.*

♦ **1.** (1835). Relief des formes tel qu'il est rendu dans une sculpture, un dessin, une peinture... (→ Arrondir, cit. 5). *Le modelé des surfaces* (→ Hachure, cit. 2). *Force, finesse du modelé* (→ Importer, cit. 4; masque, cit. 23).

Comme modelé et comme pâte, c'est incomparable; l'épaule nue vaut un Corrège.
BAUDELAIRE, Curiosités esthétiques, I, II.

Par ext. *Le modelé du corps.*

♦ **2.** (1868, Littré). Géogr. Configuration du relief (→ Glissement, cit. 6). *Le modelé d'une région.*

MODELER [mɔdle] v. tr. — Conjug. *geler.* — 1583, *in* Huguet; de *modèle.*

♦ **1.** (1690, Furetière). Façonner (un objet) en donnant une forme déterminée à une substance molle. *Modeler une poterie.* — Spécialt. Façonner en glaise, en cire... le modèle d'une statue, d'un objet. *Modeler un groupe.*

Elle trouva Chaudet, en sarrau bleu, modelant sa dernière statue (...)
BALZAC, la Rabouilleuse, Pl., t. III, p. 869.

Au participe passé :
(...) ma fée était une statuette modelée en cires colorées (...)
FRANCE, le Crime de S. Bonnard, Œ., t. II, III, p. 365.
Absolt. Faire un modèle de cire, de glaise. *Apprendre à modeler, puis à sculpter.* — Peint. Rendre le relief, le modelé (→ Estompe, cit.).

(...) modeler avec de la couleur, c'est dans un travail subit, spontané, compliqué, trouver d'abord la logique des ombres et de la lumière, ensuite la justesse et l'harmonie du ton (...)   BAUDELAIRE, Curiosités esthétiques, I, II.

♦ **2.** Par ext. Pétrir (une substance molle ou flexible) pour lui imposer une certaine forme, un certain relief. ⇒ **Manier.** *Matière susceptible d'être modelée.* ⇒ **Plastique.** *Modeler de la cire* (⇒ **Céroplastique**). *Pâte*, terre à modeler.*

♦ **3.** Conférer une certaine forme à... *Dieu avait modelé la femme en forme d'amphore* (→ Grossièreté, cit. 1). — Au p. p. *Le front, les joues, le menton semblaient modelés à coups de pouce* (→ Fouiller, cit. 9). *Modeler son corps au gré de la mode* (→ Guêpe, cit. 6). — Géol. *L'érosion modèle le relief.*

(...) les jardiniers du Roi avaient là de l'eau et des bois en abondance, toute une matière incomparable qu'ils allaient modeler selon le goût et pour le plus grand plaisir de leur royal client.   Louis BERTRAND, Louis XIV, III, III.

Au p. p. *Une épaule bien modelée* (→ Joli, cit. 9).

♦ **4.** (1738, Voltaire). Fig. *Modeler son goût sur celui de qqn.* ⇒ **Former, régler.** *Nous modelons la destinée* (cit. 21). *Modeler toute la vie humaine d'après un type préconçu* (→ Élan, cit. 7). ⇒ **Façonner.** *La mer* (cit. 3) *modèle les mœurs comme elle fait les rivages.*

Modeler une statue et lui donner la vie, c'est beau; modeler une intelligence et lui donner la vérité, c'est plus beau encore. Cimourdain était le Pygmalion d'une âme.   HUGO, Quatre-vingt-treize, II, I, III.

De même que nous modelons notre corps par les exercices appropriés, des massages appropriés, voire un régime approprié, nous devons sans cesse modeler notre être (...) jusqu'à ce que nous soyons exactement et parfaitement ce que nous sommes.   MONTHERLANT, les Olympiques, p. 147-148.

Elle trouve que son mari ne s'occupe pas assez d'elle, de ses goûts; qu'il prétend la modeler, la transformer, et qu'il ne se donne aucun mal pour lui plaire.
A. MAUROIS, Terre promise, XXVI.

▶ **MODELÉ, ÉE** p. p. adj. → ci-dessus.

▶ **SE MODELER** v. pron. (1764). *Se modeler sur (qqn, qqch.)* : se façonner en empruntant les caractères de, en se réglant sur. ⇒ **Conformer** (se), **mouler** (se). *Notre figure* (cit. 14) *se modèle peu à peu sur nos états de conscience. Elle s'est modelée sur lui au point de le suivre en tout.*

Comme elle avait l'esprit prompt et facile, et, en même temps, ce penchant à l'imitation qui est naturel aux jeunes gens, elle n'eut pas plus tôt causé une heure avec madame Doradour, qu'elle essaya de se modeler sur elle.
A. DE MUSSET, Nouvelles, «Margot», III.

DÉR. Modelage, modelant, modelé, modeleur.

MODELEUR [mɔdlœʀ] n. et adj. — 1598; de *modeler,* et *-eur.*
Didactique, technique.

♦ **1.** (1598). **ⓐ** «Sculpteur qui exécute des modèles en terre ou en cire» (Réau).

ⓑ Par ext. Personne qui fabrique ou qui vend des statuettes.

♦ **2.** (1845, Boschorelle). Techn. Ouvrier qui confectionne des modèles (de machines, etc.). — Spécialt. Menuisier spécialiste du façonnage des modèles de fonderie en bois (l'empreinte de ces modèles en ronde-bosse, dans une terre de composition spéciale, constitue la matrice qui reçoit la coulée de métal en fusion). — Appos. *Menuisier modeleur.*

MODÉLISATION [mɔdelizɑsjɔ̃] n. f. — 1975, G. L. E., *Deuxième Suppl.* ; de *modéliser*, et *-ation.*
Didactique.

♦ **1.** Établissement de modèles ; mise en modèle (en informatique, en recherche opérationnelle). *Modélisation d'un processus, d'un phénomène.*
On peut déguiser aussi cette extrapolation en méthode de modélisation, en théorie des jeux, appliquée surtout à la prévision militaire.
           Roger GARAUDY, Parole d'homme, p. 168.

♦ **2.** Sémiol. Organisation de la connaissance du monde par les systèmes culturels idéologiques (mythes, légendes, théologies).

MODÉLISER [mɔdelize] v. tr. — 1975, G. L. E., *Deuxième Suppl.* ; de *modèle*, et *-iser.*

♦ Didact. Établir le modèle de (qqch.) ; présenter sous forme de modèle (notamment de modèle formel, en informatique, en recherche opérationnelle).
DÉR. Modélisation.

MODÉLISME [mɔdelism] n. m. — V. 1950 ; de *modèle*, et *-isme.*

♦ Construction de modèles réduits. *Section de modélisme d'une Maison des Jeunes et de la Culture. Modélisme des amateurs de modèles volants d'avions.* ⇒ **Aéromodélisme.** *Modélisme naval* (modèles réduits de bateaux).

MODÉLISTE [mɔdelist] n. — 1832, modelliste, d'après l'ital. ; de *modèle*, et *-iste.*

♦ **1.** Personne qui conçoit ou qui exécute des modèles (surtout, dans le domaine de la mode, de la haute couture). *Elle est modéliste chez un grand couturier.* ⇒ **Dessinateur.** — Appos. *Ouvrier, ouvrière modéliste.*
(...) nous savons (...) qu'une modéliste, de qui l'imagination fleurit en féeriques robes du soir, est souvent une forte commère, obstinée à sa jaquette de tricot et à sa jupe qui pend par derrière.   COLETTE, Belles saisons, p. 78.

♦ **2.** Personne qui fabrique des modèles réduits (d'avions, de bateaux, de véhicules routiers ou ferroviaires, etc.). *Concours de modélistes. Modéliste qui construit des modèles réduits d'avions.* ⇒ **Aéromodéliste.**
COMP. Aéromodéliste.

MODEM [mɔdɛm] n. m. — 1968, Larousse ; de 2. *mo(dulateur)*, et *dém(odulateur).*

♦ Inform. Appareil utilisé dans le traitement à distance de l'information, comprenant un modulateur et un démodulateur, et qui est placé près des unités d'entrée et de sortie. « Un "modem", appareil adaptateur raccordé au poste de télévision » (l'Express, 24 mars 1979, p. 120).

MODÉNATURE [mɔdenatyʀ] n. f. — 1572 ; ital. *modanatura*, de *modano* « modèle ».

♦ Archit. « Profil des moulures déterminant par l'alternance des saillies et des retraits des jeux d'ombre et de lumière » (Réau) ; proportions qui définissent ce profil. *Modénature d'une corniche.*
À la base, donnée par le sol national, la pierre véritablement fine, la plus propre qui soit à la taille précise et savante ; pierre d'un grain parfait, qui n'a ni la sécheresse du marbre ni la dureté cristalline des granits, pierre qui séduit et qui se prête aux élégantes liaisons, aux modénatures charmantes, à toute hardiesse calculée.   VALÉRY, Regards sur le monde actuel, p. 184.
L'architecture d'une belle époque usait des modénatures les plus exquises et les plus calculées pour raccorder les surfaces successives de son œuvre.
           VALÉRY, Variété V, p. 92.

MODÉRABILITÉ [mɔderabilite] n. f. — 1931, Larousse ; de *modérer.*

♦ Techn. Caractère d'un mécanisme dont l'effort peut être modifié de manière continue.

MODÉRABLE [mɔderabl] adj. — 1963 ; de *modérer*, et *-able.*

♦ Techn. Dont l'effort, l'application peuvent être modifiés de manière continue (mécanisme, et, spécialt, frein). — « *Distributeur*

---

modérable au serrage et au desserrage » (la Vie du rail, 14 avr. 1963, p. 23).

MODÉRANTISME [mɔderɑ̃tism] n. m. — 1792, *in* D.D.L. ; de *modérant*, p. p. de *modérer.*

♦ Hist. Doctrine politique, opinion des modérés (ou *modérantistes*), spécialt, sous la Révolution.
(...) tous ces prétendus Girondins allaient dans le modérantisme (le mot fut créé pour eux) bien plus loin que les Girondins de la Convention.
           MICHELET, Hist. de la Révolution franç., X, IX.
CONTR. Extrémisme.

MODÉRANTISTE [mɔderɑ̃tist] adj. — 1796 ; de *modérant*, et *-isme.*

♦ Hist. Du modérantisme, qui a trait au modérantisme. — N. Partisan du modérantisme.
CONTR. Extrémiste.

MODÉRATEUR, TRICE [mɔderatœr, tris] n. et adj. — 1416 ; lat. *moderator.*

♦ **1.** Personne, chose qui tend par son action ou ses effets à modérer ce qui est excessif, à tempérer les opinions extrêmes, à concilier les partis opposés... *Il est le modérateur de son parti* (Académie). *La raison, modératrice des passions.*
Adj. Qui modère. *Action, force, influence modératrice. Il est l'élément modérateur de son groupe.*
Paris était en littérature ce que Londres était en politique : le frein modérateur de l'esprit européen.   R. ROLLAND, Jean-Christophe, Foire sur la place, p. 717.   1
(...) l'imagination et la raison accordées dans l'art, le classicisme modérateur et le romantisme inventeur finiront un jour par s'entendre (...)   2
         Émile HENRIOT, les Romantiques, p. 470.
Physiol. (1879, *in* D.D.L.). Qui ralentit l'activité d'un organe ou d'une fonction.
On admet généralement que le nerf pneumogastrique est un nerf modérateur du cœur ; sa section supprime cette action modératrice et par suite accélère les battements ; son excitation exagère cette action modératrice, et par suite ralentit les battements.   M. DUVAL, Cours de physiologie, p. 272, 4e éd., 1879, *in* D. D. L.   3

♦ **2.** (1845). Mécan. Instrument, mécanisme qui a pour fonction de régulariser le fonctionnement d'un appareil, d'une machine en ralentissant sa vitesse lorsqu'elle tend à dépasser une certaine limite. ⇒ **Régulateur.** *Les freins*, les sabots*, les volants* sont des modérateurs. Modérateur d'un tournebroche, d'une horloge.* — *Lampe à modérateur*, ou, ellipt, *modérateur* (→ Lampisterie, cit.) : lampe munie d'un dispositif qui régularise l'ascension de l'huile dans la lampe.

♦ **3.** (Mil. xxe). Corps qui permet la régulation de la réaction en chaîne, dans une pile atomique. ⇒ **Ralentisseur.** *Principaux modérateurs :* eau lourde, graphite, béryllium, cadmium.

♦ **4.** (1792). Hist, polit. Partisan du modérantisme. ⇒ **Modérantiste.**
Déjà les modérateurs qui chérissent le sang des coupables et qui apparemment ne veulent pas épargner celui des vrais patriotes, crient à la barbarie.   4
       Compte rendu au peuple souverain, sept. 1792,
      in WALTER, la Révolution franç. vue par ses journaux, p. 273-274.

♦ **5.** Adj. *Ticket* modérateur.*
CONTR. Excitateur. — Accélérateur.

MODÉRATION [mɔderɑsjɔ̃] n. f. — xvie ; *moderacion*, v. 1355 ; lat. *moderatio*, du supin de *moderare* → Modérer.

♦ **1.** Caractère, comportement d'une personne qui est éloignée de tout excès dans sa conduite, son caractère, ses sentiments, ses paroles.. (→ Autoriser, cit. 20 ; excès, cit. 8 ; manger, cit. 15). *Qui est plein de modération.* ⇒ **Modéré.** *Mirabeau voulait que la modération s'associât* (cit. 26) *au courage. La modération des généraux romains* (→ Innocence, cit. 1). *Avec modération* (→ Lettre, cit. 29). ⇒ **Modérément.** *Sans modération* (→ Abréger, cit. 6 ; intention, cit. 7). ⇒ **Immodérément.** *Faire preuve de modération dans la conduite, les procédés...* ⇒ **Circonspection, convenance, mesure, réserve, retenue, sagesse.** *User d'une faveur, d'une permission avec modération.* ⇒ **Discrétion.** *Modération dans les idées* (→ Fermeté, cit. 3), *les paroles, les expressions, le style, le ton.* ⇒ **Douceur, ménagement, tempérament.**
La modération est l'état d'une âme qui se possède ; elle naît d'une espèce de médiocrité dans les désirs et de satisfaction dans les pensées, qui dispose aux vertus civiles.   VAUVENARGUES, De l'esprit humain, XLV.   1
(...) l'esprit de modération doit être celui du législateur ; le bien politique, comme le bien moral, se trouve toujours entre deux limites.   2
        MONTESQUIEU, l'Esprit des lois, XXIX, I.
Quelle modération dans les propos presque amoureux de la Princesse (*Éléonore d'Este dans Le Tasse de Gœthe*)! Elle ne cesse pas d'être maîtresse de son cœur.   3
        GIDE, Attendu que..., p. 116.
Spécialt. Absence d'excès ; mesure dans la façon de vivre (→ Foyer, cit. 8). *Modération dans les dépenses.* ⇒ **Économie, épargne.** *Modération dans le boire et le manger.* ⇒ **Frugalité, sobriété, tempé-**

rance. *Pousser la modération jusqu'à la continence*, l'abstinence*, le renoncement*.*

4 La sobriété, la modération et les mœurs pures de ce peuple lui donnent une vie longue et exempte de maladies.   FÉNELON, Télémaque, VII.

Par ext. *Acte, caractère, ouvrage, reproche, style plein de modération. La modération des cœurs* (→ Indépendant, cit. 4).

♦ **2.** Action de modérer, de diminuer (qqch.). *Modération de la vitesse.* ⇒ **Diminution.** *Loi de modération, relative à l'équilibre chimique. Modération des passions.* ⇒ **Assagissement.**

5 La sagesse a ses excès et n'a pas moins besoin de modération que la folie.   MONTAIGNE, Essais, III, V.

♦ **3.** Dr. Action de rendre moins rigoureuse (une loi, une règle, une peine...). *Modération d'une peine.* ⇒ **Adoucissement, mitigation, réduction.**

6 Beaucoup de mes pièces en manqueront *(de l'unité de lieu)* si l'on ne veut point admettre cette modération (...)   CORNEILLE, Discours des trois unités.
Modération de droit : « dégrèvement partiel d'impôt accordé au contribuable à titre gracieux » (Capitant). *Demande de modération ou de remise*.* ⇒ **Réduction, remise, transaction.**

CONTR. Abus, agressivité, âpreté, colère, dévergondage, dissipation, exagération, excès, frénésie, fureur, furie, gourmandise, immodération, incontinence, intempérance, prodigalité.

MODERATO [mɔdeʀato] adv. — 1834, *in* D.D.L. ; mot italien, p. p. de *moderare* « modérer ».

Musique.

♦ **1.** De manière modérée (terme indiquant le mouvement, intermédiaire entre l'andante et l'allegro, d'un morceau). *Allegro moderato. Moderato cantabile.*

— Veux-tu lire ce qu'il y a d'écrit au-dessus de ta partition ? demanda la dame.
— Moderato cantabile, dit l'enfant.
La dame ponctua cette réponse d'un coup de crayon sur le clavier. L'enfant resta immobile, la tête tournée vers sa partition.
— Et qu'est-ce que ça veut dire, moderato cantabile ?
— Je sais pas.   M. DURAS, Moderato cantabile, p. 11.

♦ **2.** N. Morceau qui est écrit et doit être joué dans ce mouvement.

MODÉRÉ, ÉE [mɔdeʀe] adj. et n. — 1361 ; p. p. de *modérer*.

♦ **1.** Qui fait preuve de modération, de mesure, qui se tient éloigné de tout excès. *« Qui veut être modéré parmi les furieux* (cit. 1) *s'expose à leur furie »* (Rousseau). *« Les Français naissent légers* (cit. 21), *mais ils naissent modérés »* (Joubert). *Être modéré dans ses prétentions, ses désirs* (⇒ **Modeste, sage**), *modéré dans ses paroles* (⇒ **Mesuré**). *Modéré dans ses dépenses.* ⇒ **Économe.** *Modéré dans le boire et le manger.* ⇒ **Abstinent, frugal, sobre, tempérant.**

1 Quand ils étaient d'avis différents, ils étaient si modérés à soutenir ce qu'ils pensaient de part et d'autre, qu'on aurait cru qu'ils étaient tous d'une même opinion.-   FÉNELON, Télémaque, V.

2 Ce que c'est d'être modéré dans ses principes ! Je passe, en France, pour avoir peu de religion, et en Angleterre pour en avoir trop.
                    MONTESQUIEU, Cahiers, p. 11.

3 Comme je n'ai encore aimé aucun homme, l'excès de ma tendresse s'est en quelque sorte épanché dans mes amitiés avec les jeunes filles et les jeunes femmes ; j'y ai mis le même emportement et la même exaltation que je mets à tout ce que je fais, car il m'est impossible d'être modérée en quelque chose, et surtout dans ce qui regarde le cœur.   Th. GAUTIER, Mlle de Maupin, XII.

Spécialt. Qui est, par tempérament ou par principe, éloigné de toute doctrine, de toute opinion extrême. — **Nom :**

4 Il y a de faux modérés, de faux équitables, qui voudraient qu'on épargnât les hérésiarques.   BOSSUET, Rem. sur l'Hist. des conciles, II, X.

♦ **2.** (À partir de la Révolution de 1789). Qui professe des opinions politiques éloignées des extrêmes (et, spécialt, en France, conservatrices). ⇒ **Centriste, modérantiste.** *Un ministre modéré. Les députés modérés.*

5 Chez le préfet dînaient maître Chatelain qui avait été maire modéré et que l'alliance des socialistes et des radicaux avait éloigné de ce qu'il appelait la première magistrature municipale (...)   P. NIZAN, le Cheval de Troie, I, V.
Parti, programme modéré. Majorité, politique, tendance modérée.

6 Confident des royales pensées, le Conseiller d'État était insensiblement devenu l'un des chefs les plus influents et les plus sages de ce parti modéré qui désirait vivement, au nom de l'intérêt national, la fusion des opinions.
                    BALZAC, le Bal de Sceaux, Pl., t. I, p. 80.
N. *Les modérés et les enragés sous la Révolution. Système politique des modérés.* ⇒ **Milieu** (juste), **modérantisme.**

7 Robespierre nous accuse d'être devenus tout à coup des « modérés », des « feuillants ». Nous, modérés ! Je ne l'étais pas le 10 août, Robespierre, quand tu étais caché dans ta cave ! Des modérés ! Non, je ne le suis pas dans ce sens que je veuille éteindre l'énergie nationale (...) mais c'est au législateur à prévenir autant qu'il le peut les désastres de la tempête par de sages conseils ; et si, sous prétexte de révolution, il faut, pour être patriote, se déclarer le protecteur du meurtre et du brigandage, je suis modéré !
                    P. VERGNIAUD, Discours à la Convention, 10 avril 1793.

8 Il *(Chateaubriand)* n'avait pas en lui cette continuité, cet équilibre et cette modération nécessaire, jointe à la force, pour opérer l'union, la fusion entre les modérés des deux partis, si elle eût été possible et s'il y avait eu assez de modérés pour cela.   SAINTE-BEUVE, Chateaubriand..., t. II, p. 341.

♦ **3.** Qualifiant un état affectif, les paroles qui l'expriment, etc. Peu intense, assez faible. *Amitié* (cit. 22) *modérée. Sentiment modéré de soi-même.* ⇒ **Médiocre.** *Style modéré* (→ Grave, cit. 12). *Faire un reproche modéré.* ⇒ **Discret.**

Adorez donc, ô grand roi, celui qui vous fait régner, qui vous fait vaincre, et qui vous donne dans la victoire, malgré la fierté qu'elle inspire, des sentiments si modérés.   BOSSUET, Oraison funèbre de Marie-Thérèse d'Autriche.
(En parlant de choses susceptibles de variations de grandeur, d'intensité, de quantité). ⇒ **Moyen.** *Prix modéré.* ⇒ **Bas, faible, raisonnable.** *Habitation* (cit. 10) *à loyer modéré* (H. L. M.). *Chaleur, température modérée.* ⇒ **Doux, tempéré.** *Vent modéré. Dose modérée.*

Il se paya un déjeuner succulent dans un bon restaurant à prix modérés qu'il connaissait (...)   MAUPASSANT, Bel-Ami, I, IV.

♦ **4.** Mus. ⇒ **Moderato.**

CONTR. Abusif, agressif, âpre, copieux, déraisonnable, désordonné, dévergondé, dévorant, effréné, élevé, énorme, exagéré, excessif, exorbitant, extravagant, extrémiste, forcené, fort, furieux, immodéré, incontinent, intempérant, violent... —
(De 2.) **Extrémiste, ultra.**
DÉR. Modérément.

MODÉRÉMENT [mɔdeʀemɑ̃] adv. — Fin XVe ; *modereement*, 1370 ; de *modéré*, et *-ment*.

♦ Avec modération, d'une manière modérée. *Boire, manger* (→ Et, cit. 12) *modérément. User modérément du vin, de l'alcool. Louer* (cit. 10) *modérément.*

Je ne vois point de créature
Se comporter modérément.   LA FONTAINE, Fables, IX, 11.
(...) elle aimerait mieux n'être point aimée que de l'être modérément.
                    ROUSSEAU, Émile, V.

CONTR. Excessivement, fortement, immodérément.

MODÉRER [mɔdeʀe] v. tr. — 1361 ; lat. *moderare, moderari*, de *modus* « mesure ».

♦ Diminuer l'intensité de (un phénomène, un sentiment), réduire à une juste mesure (ce qui est excessif). ⇒ **Adoucir, arrêter, attiédir, diminuer, mitiger, réprimer.** *Modérer sa bile, sa colère.* ⇒ **Apaiser, retenir.** *Modérer les sentiments* (→ Galant, cit.), *les passions.* ⇒ **Apaiser, assagir, bride** (tenir en), **calmer** (cit. 5). *Modérer ses ambitions, ses désirs, ses prétentions.* ⇒ **Borner** (→ Mettre de l'eau* dans son vin). *Modérer la vivacité, la brutalité d'une parole, d'une expression.* ⇒ **Affaiblir, atténuer, tempérer.** *Modérez vos expressions ! Modérer ses dépenses.* ⇒ **Régler.** *Modérer son allure, sa vitesse.* ⇒ **Freiner, ralentir.** *Modérer le feu d'un fourneau.*

Elle *(la morale)* enseigne aux hommes à modérer leurs passions (...)
                    MOLIÈRE, le Bourgeois gentilhomme, II, 4.
Modérez des bontés dont l'excès m'embarrasse.   RACINE, Phèdre, II, 2.
Aristée obtint de Jupiter les vents étésiens pour modérer l'ardeur de la canicule.
                    CHATEAUBRIAND, Itinéraire..., VI.
Nous gagnons la Kasbah — mais je ne puis modérer assez mon allure pour la mettre au pas de mes deux compagnons.   GIDE, Journal, 28 mars 1923.
Modère ton langage ou tu vas en apprendre long sur ta grand-mère.
                    R. QUENEAU, Zazie dans le métro, p. 90.

▶ **SE MODÉRER** v. pron.

(Personnes). Se tenir dans une juste mesure, éloigné de tout excès, dans la conduite, les paroles... *Modère-toi dans tes dépenses* (→ Galette, cit. 5).

Absolt. ⇒ **Contenir** (se) ; → Déchaîner, cit. 13. *Modérez-vous !*
(...) il faut vous modérer, le laisser dire, et dissimuler avec lui.
                    BEAUMARCHAIS, la Mère coupable, II, 18.

▶ **MODÉRÉ, ÉE** p. p. adj. ⇒ **Modéré.**

CONTR. Accélérer, accentuer, augmenter, aviver, corser, exagérer, exaspérer, outrer, surcharger.
DÉR. Modérabilité, modérable, modéré. (V. aussi modérantisme, modérantiste).

MODERNE [mɔdɛʀn] adj. et n. — 1361 ; bas lat. *modernus*, de *modo* « récemment ».

Qui est du temps de celui qui parle ou d'une époque relativement récente (par rapport à une époque plus ancienne).

★ **I. ♦ 1.** ⇒ **Actuel, contemporain, présent.** *L'âge, l'ère, l'époque moderne. Les temps modernes. Le monde moderne* (→ Apparaître, cit. 20 ; équilibre, cit. 20 ; fuite, cit. 7 ; lier, cit. 11). *La vie moderne* (→ Effort, cit. 7 ; futuriste, cit.). *Civilisation* (cit. 6), *société moderne* (→ Homme, cit. 88). — *États modernes* (→ Aristocratie, cit. 7). *La France moderne* (→ Loi, cit. 21). *Industrie moderne. Guerre moderne.* — *Science, technique moderne. Esprit*, pensée, sensibilité moderne. Humanisme* (cit. 4 et 7) *moderne. Français moderne* (→ Lien, cit. 2). — *Dans ce dictionnaire, on désigne par moderne* (mod.) *les mots et les emplois vivants de nos jours* (opposé à *vieux, vieilli*). — *Les historiens* (cit. 2), *les artistes modernes* (→ Éducation, cit. 13). *Art moderne.*

Berlin, cette ville toute moderne, quelque belle qu'elle soit, ne fait pas une impression assez sérieuse; on n'y aperçoit point l'empreinte de l'histoire du pays, ni du caractère des habitants (...) Mᵐᵉ DE STAËL, De l'Allemagne, I, XVII.

Il ne manquait ni de goût, ni d'intelligence; mais il ne pouvait prendre son parti d'admirer ce qui était moderne. Il eût tout aussi bien dénigré Mozart et Beethoven, s'ils eussent été de son temps, et reconnu le mérite de Wagner ou de Richard Strauss, s'ils eussent été morts depuis un siècle. Sa nature chagrine se refusait à admettre qu'il pût y avoir encore, de son vivant, des grands hommes vivants : cette pensée lui déplaisait. R. ROLLAND, Jean-Christophe, L'adolescent, I, p. 239.

Rien ne peut vaincre cette banalité que, pour un homme du XIIIᵉ siècle, le gothique était moderne. MALRAUX, les Voix du silence, p. 63.

L'art populaire agonise vers 1860 (lorsque naît l'art moderne) avec les feux de la Saint-Jean, le Carnaval et les arbres de Mai; et il entre dans l'univers des artistes au moment même où il cesse de vivre. MALRAUX, les Voix du silence, p. 499.

♦ **2.** Qui bénéficie des progrès récents de la technique, de la science... ⇒ **Neuf, nouveau, récent.** *Confort* (cit. 1) *moderne. Matériel, fusils* (cit. 2) *très modernes,* d'un modèle récent. *Mathématiques* modernes. Algèbre* moderne* (vieilli).

(...) une imprimerie (...) vétuste quant à sa structure d'ensemble, moderne seulement par le détail de l'outillage (...) J. ROMAINS, les Hommes de bonne volonté, t. V, XXV, p. 241.

♦ **3.** (Personnes). Qui tient compte de l'évolution récente, dans son domaine. *Peintre exclusivement* (cit. 2), *absolument moderne. Cette jeune fille est trop moderne pour mon goût* (Académie). *Il n'est pas moderne, il est vieux jeu.*

Il faut être absolument moderne. RIMBAUD, Une saison en enfer, « Adieu ».

Ce qui paraîtra bientôt le plus vieux, c'est ce qui d'abord aura paru le plus moderne. GIDE, les Faux-monnayeurs, I, VIII.

♦ **4.** N. m. (xxᵉ). *Il est meublé en moderne. Il n'aime que le moderne.*

★ **II.** Par oppos. à *ancien, antique.* ♦ **1.** Qui appartient à une époque postérieure à l'Antiquité (*les temps modernes,* en ce sens, comprennent le moyen âge et l'époque contemporaine). *Auteurs* (cit. 37) *anciens et modernes. Littérature ancienne et moderne* (→ Familier, cit. 5). *Le grec moderne. La Rome moderne. Médailles et raretés antiques et modernes* (→ Bibliothécaire, cit.).

Ah! madame, toutes nos langues modernes sont sèches, pauvres, et sans harmonie, en comparaison de celles qu'ont parlées nos premiers maîtres, les Grecs et les Romains, VOLTAIRE, Correspondance, 1206, 12 mai 1754.

Voltaire est celui de nos grands poètes tragiques qui a le plus souvent traité des sujets modernes. Il s'est servi, pour émouvoir, du christianisme et de la chevalerie (...) Mᵐᵉ DE STAËL, De l'Allemagne, II, XV.

N. (Hist. littér.). *Les anciens* (cit. 15) *et les modernes :* les grands écrivains de l'Antiquité et des temps modernes (→ Historien, cit. 3). *Querelle des anciens et des modernes,* des partisans des uns et des autres. — *Homme des temps modernes.*

On s'est fait illusion sur la liberté chez les anciens et pour cela seul la liberté chez les modernes a été mise en péril. FUSTEL DE COULANGES, la Cité antique, Introd.

♦ **2.** Hist. *Époque moderne, temps modernes,* et, par ext., *histoire moderne,* de la fin du moyen âge (traditionnellement fixée à 1453, date de la chute de Constantinople) à la Révolution française (1789), début de l'époque dite « contemporaine ».

♦ **3.** Spécialt. *Enseignement moderne* (sciences et langues vivantes), par oppos. à l'enseignement classique à base d'humanités. *Classe de première moderne.*

CONTR. **Ancien, antique, classique, haut** (haute époque), **passé.** — **Archaïque, arriéré, attardé, désuet, antédiluvien, préhistorique** (fig.). — **Rococo.**
DÉR. **Moderniser, modernisme, modernissime, moderniste, modernité.**
COMP. **Ultra-moderne.** — V. **Modern style.**

MODERNISATEUR, TRICE [mɔdɛʀnizatœʀ, tʀis] n. et adj. — Mil. xxᵉ; de *moderniser,* et *-ateur.*

♦ Personne qui modernise. « *On* (leur) *permet de jouer aux réformateurs et aux modernisateurs* » (*le Monde,* 12 oct. 1966).

Adj. « *Une élite modernisatrice* » (*le Monde,* 15 janv. 1974, *in* P. Gilbert).

MODERNISATION [mɔdɛʀnizasjɔ̃] n. f. — 1876, Littré, *Suppl.;* de *moderniser,* et *-ation.*

♦ Action de moderniser; son résultat. *La modernisation de l'équipement d'une usine. La modernisation d'une économie, d'une industrie. Agriculture en cours, en voie de modernisation. Processus de modernisation. — Modernisation d'une description, d'une encyclopédie.* ⇒ **Actualisation.** — *Des modernisations coûteuses.*

MODERNISER [mɔdɛʀnize] v. tr. — 1754; de *moderne,* et *-iser.*

♦ **1.** Rendre moderne. *Moderniser l'orthographe d'un texte du XVIᵉ, du XVIIᵉ siècle, le style d'un auteur du moyen âge.*

Au bout de quinze jours, Creighton rapporta lui-même à la tragédienne le manuscrit, accompagné de deux copies, la première scrupuleusement conforme au texte plein d'archaïsmes et d'obscurité, la seconde parfaitement claire et compréhensible, véritable traduction modernisée comme langue et comme caractères. Raymond ROUSSEL, Impressions d'Afrique, p. 308.

♦ **2.** Organiser d'une manière conforme aux besoins, aux moyens

modernes. *Moderniser la technique, les méthodes.* ⇒ **Transformer.** *Commerçant qui modernise son magasin.* ⇒ **Rajeunir, rénover.** *Moderniser un ouvrage de référence.* ⇒ **Actualiser.**

Je compte beaucoup sur ton dévouement pour me tenir au courant de toutes les modes. Dans son enthousiasme, mon beau-père ne me refuse rien et bouleverse sa maison. Nous faisons venir des ouvriers de Paris et nous modernisons tout. BALZAC, Mémoires de deux jeunes mariées, Pl., t. I, p. 169.

Pron. *Se moderniser.*

(...) un prêtre peut-il porter une montre-bracelet? M. l'abbé Petitjeannin m'a affirmé que oui. Il dit que l'Église se modernise. Je ne trouve pas ça très bien, mais enfin, on ne me demande pas mon avis. ARAGON, les Beaux Quartiers, II, X.

DÉR. **Modernisateur, modernisation.**

MODERNISME [mɔdɛʀnism] n. m. — V. 1879, Huysmans; attestation isolée, 1845; de *moderne,* et *-isme.*

♦ **1.** Goût de ce qui est moderne, actuel. *Modernisme en peinture* (→ Main, cit. 72). — Quelquefois avec une nuance péj. Goût excessif de ce qui est moderne, recherche du moderne à tout prix.

Il y a de cela quelques années, un artiste étranger, se promenant avec M. de Neuville dans les salles d'une exposition officielle de peinture, rencontra Fromentin. M. de Neuville partit et la conversation s'engagea entre les deux amis sur « le modernisme ». L'auditeur a sténographié les très curieuses paroles qui vont suivre. « Vous m'embêtez avec votre modernité, s'écria Fromentin. » HUYSMANS, l'Art moderne, Salon de 1879, p. 40.

(...) ces trois petites créatures, dont il avait senti déjà le modernisme extrême, qui lisaient Mᵐᵉ de Noailles et pouvaient à l'occasion parler comme les jeunes Parisiennes (...) LOTI, les Désenchantées, III, XI.

♦ **2.** Relig. Mouvement chrétien préconisant une nouvelle interprétation des croyances et des doctrines traditionnelles, en accord avec les découvertes de l'exégèse moderne. *Condamnation du modernisme par l'Église* (Encyclique *Pascendi,* 1907). → Fond, cit. 6, Péguy.

CONTR. **Archaïsme, classicisme, traditionalisme.**

MODERNISSIME [mɔdɛʀnisim] adj. — D.i.; de *moderne,* et *-issime.*

♦ Fam. Très moderne.

MODERNISTE [mɔdɛʀnist] adj. et n. — 1769, Rousseau, *Correspondance;* de *moderne,* et *-iste.*

♦ **1.** Qui adopte les idées modernes; qui préfère ce qui est moderne (souvent avec une nuance péj.). *Un écrivain, un penseur, un peintre moderniste.* — N. *Les modernistes.*

(...) le public, qui avait résisté aux modernistes de la littérature et de l'art, suit ceux de la guerre, parce que c'est une mode adoptée de penser ainsi et puis que les petits esprits sont écrasés, non par la beauté, mais par l'énormité de l'action. PROUST, le Temps retrouvé, Pl., t. III, p. 779.

♦ **2.** Relig. Partisan du modernisme; relatif au modernisme en religion. — N. *Les modernistes* (→ Allant, cit. 4).

CONTR. **Archaïque, traditionaliste.**

MODERNITÉ [mɔdɛʀnite] n. f. — 1823, Balzac; de *moderne,* et *-ité.*

♦ Caractère de ce qui est moderne, notamment dans le domaine de l'art (→ Grandiose, cit. 1, Gautier).

La vulgarité, la modernité de la douane et du passeport, contrastaient avec l'orage, la porte gothique, le son du cor et le bruit du torrent. CHATEAUBRIAND, Mémoires d'outre-tombe, t. IV, p. 183.

(Repris v. 1950). Caractère moderne. *La modernité d'un pays industriel avancé. Un symbole de modernité.*

CONTR. **Antiquité, archaïsme.**

MODERN STYLE [mɔdɛʀnstil] n. m. et adj. — 1896, *le Figaro;* mots angl. « style moderne ».

♦ Tendance artistique née dans les dernières années du XIXᵉ siècle et développée au début du XXᵉ, caractérisée par l'utilisation presque exclusive de courbes naturelles stylisées, inspirées le plus souvent de la flore.

(...) c'était dans le domaine de ces derniers (*les arts appliqués*) que naissait (...) l'art sylvestre et floral d'Émile Gallé (...) Dûment stylisée, cette flore sinueuse commençait d'envahir le socle des monuments publics et la façade des hôtels bourgeois. Le « modern style » se constituait : iris, vigne vierge, feuilles de platane et de marronnier (...) le décor entier de notre vie s'abîmait dans une orgie de fleurs en bois sculpté et des rameaux en bronze. Lucien FEBVRE, l'Enquête continue, *in* Encycl. franç., XVII, 94.4.

Adj. (1911). *Bouches de métro modern style de Guimard.*

On le conduit dans un boudoir modern style, gris souris et rose pâle. J. ROMAINS, les Hommes de bonne volonté, t. II, XIV, p. 154.

REM. Dans ses premiers emplois, l'expression était parfois francisée et écrite *moderne style.*

3　Le croiseur s'appelait « Jeanne d'Arc », ce que M. Loubet, bon historien, jugea très suffisamment première croisade et moderne style.
　　　　A. JARRY, Gestes, Le loubing the loub, *in* Œ. compl., t. VII, p. 126 (1902).

MODESTE [mɔdɛst] adj. — 1355 ; lat. *modestus*, de *modus* « mesure ».

A. ♦ 1. (1355). Qui a de la modération, qui évite les excès. ⇒ **Modéré, réservé.** — Par ext. *Un courroux modeste* (→ Attendre, cit. 56, Racine).

1　Le brodeur et le confiseur seraient superflus, et ne feraient qu'une montre inutile, si l'on était modeste et sobre (...)　　　　LA BRUYÈRE, les Caractères, VIII, 12.

Mod. *Être modeste dans ses prétentions, dans ses exigences.*

♦ 2. (XVIᵉ). Par ext. Mod. Qui est simple, sans faste ou sans éclat. *Habit, jupe simple et modeste* (→ Atour, cit. 8). *Modeste garde-robe* (→ Jeu, cit. 65). *Mise*, tenue* modeste,* qui n'attire pas l'attention (→ dans un autre sens, ci-dessous, B., 2.). *Salaire, loyer, train de vie modeste.* ⇒ **Médiocre, limité.** *Modeste repas. Acceptez ce modeste présent. Installation* (cit. 2), *intérieur, logis modeste* (→ Facteur, cit. 13 ; luxueux, cit. 1). *Trois modestes fleurs* (→ Lis, cit. 9). *Modeste revenu.* ⇒ **Modique, pauvre.**

2　Nos repas sont charmants encore que modestes,
　　Grâce à ton art profond d'accommoder les restes (...)
　　　　　　SULLY PRUDHOMME, Odes en son honneur, XIII.

♦ 3. De peu d'importance. ⇒ **Petit.** *Un modeste affluent de l'Oise* (→ Car, cit. 10). *Les plus modestes entrepreneurs* (cit. 10).

3　Me plier à des simagrées, peut-être ridicules, pour assister ensuite à des parlottes avec des gens d'une qualité intellectuelle très modeste.
　　　　　　J. ROMAINS, les Hommes de bonne volonté, t. IV, X, p. 113.

Emploi adverbial. Familier :

3.1　Les affaires en or, je les regarde passer et je vis sur mon capital. Mes économies, elles ne sont pas lourdes, mais j'y vais modeste.
　　　　　　M. AYMÉ, le Vin de Paris, « L'indifférent », p. 12.

♦ 4. Qui concerne les couches sociales peu favorisées, ou qui en fait partie. *Il est d'une origine très modeste, il est issu d'un milieu plutôt modeste.* ⇒ **Humble.**

B. ♦ 1. (1611). Personnes. Qui a une opinion modérée, réservée, de son propre mérite, qui se juge avec sagesse et mesure, et se comporte avec modestie. ⇒ **Effacé, humble** (cit. 12), **réservé ; modestie** (→ Apprécier, cit. 2 ; empiéter, cit. 4). *Un homme simple et modeste, timide et modeste. Femmes modestes qui n'ont pas la vanité de vouloir être admirées* (→ Fidèle, cit. 6). *Vous êtes trop modeste.*

4　(...) un homme modeste ne parle point de soi.
　　　　　　LA BRUYÈRE, les Caractères, XI, 66.

5　Je me connais trop bien pour n'être pas modeste.
　　　　　　VOLTAIRE, Correspondance, 2846, 26 mai 1766.

6　L'homme modeste a tout à gagner, et l'orgueilleux a tout à perdre : car la modestie a toujours affaire à la générosité, et l'orgueil à l'envie.
　　　　　　RIVAROL, Notes, pensées et maximes, t. II, p. 49.

7　Sois modeste ! c'est le genre d'orgueil qui déplaît le moins.
　　　　　　J. RENARD, Journal, 30 sept. 1895.

(Apparence, actions...). ⇒ **Discret, effacé, réservé.** *Air modeste* (→ Acquiescer, cit. 3). *Manière d'être* (→ Homme, cit. 106), *mine modeste. Ton modeste.*

8　(...) il faut encore que toutes ses reparties soient accompagnées d'une hardiesse modeste qui, ne tenant en rien de l'effronté ni du timide, se maintienne dans un juste tempérament (...)　　　　Th. GAUTIER, les Grotesques, IX, p. 326.

N. *Faire le modeste. Jouer les modestes. Les modestes et les orgueilleux.*

♦ 2. (1607). Qui a de la pudeur, de la retenue, de la décence. ⇒ **Chaste, décent, prude, pudique.** *Jeune fille modeste.* — Par ext. *Air, mine, beauté modeste* (→ Affectation, cit. 3 ; angélique, cit. 2). *Mise, tenue modeste.*

9　(...) elle a la gorge aussi bien qu'il soit possible de l'avoir, et, quoiqu'elle soit très modeste, elle trouve bon qu'on s'en aperçoive.
　　　　DIDEROT, Entretien d'un philosophe avec la Marquise de ***, p. 1206.

10　(...) avec une démarche modeste, et les yeux baissés, elle foula l'herbe du gazon (...)　　　　LAUTRÉAMONT, les Chants de Maldoror, II.

C. N. Vx. **♦ 1.** N. f. (1660). Jupe de dessus.

♦ 2. N. m. (1706). Fichu avec lequel les femmes voilaient leur décolleté. ⇒ **Modestie, 4.**

CONTR. Ample, considérable, éclatant, élevé (prix...), exagéré, excessif, fastueux, grand, luxueux. — Ambitieux, arrogant, audacieux, doctoral, dogmatique, dominateur, fanfaron, faraud, fat, faux, fier, glorieux, hardi, haut, hautain, impératif, infatué, insolent, orgueilleux, présomptueux, prétentieux, vaniteux. — Audacieux, dévergondé, effronté, égrillard, éhonté, fripon, grivois, hardi, immodeste, impudent, impudique, indécent.

DÉR. Modestement.

MODESTEMENT [mɔdɛstəmã] adv. — 1455 ; de *modeste,* et *-ment.*

D'une manière modeste.

♦ 1. Vx. Avec modération (→ Bon, cit. 5 ; magnifique, cit. 7,

La Bruyère). — Spécialt. *Vivre modestement,* sans faste, sans luxe. ⇒ **Médiocrement, pauvrement, petitement.**

♦ 2. Avec modestie. ⇒ **Humblement.** *Attendre modestement* (→ Espérer, cit. 28). *Parler, se comporter modestement.* ⇒ **Simplement.**

♦ 3. Avec pudeur. → Écart, cit. 12.

(Elle) descendait modestement, les yeux baissés, les degrés au bas desquels je l'attendais.　　　　LAMARTINE, Graziella, III, XV.

CONTR. Amplement, coûteusement, fastueusement. — Fièrement, hardiment, orgueilleusement. — Immodestement.

MODESTIE [mɔdɛsti] n. f. — 1355 ; bas lat. *modestia,* de *modestus* → Modeste.

♦ 1. (1355). Vx. Modération (→ Économie, cit. 20, La Bruyère ; largement, cit. 1). — Spécialt. Goûts modestes, simples.

La Sauviat laissait sa fille libre de s'acheter pour ses vêtements les étoffes qu'elle désirait. Le père et la mère furent heureux de la modestie de leur fille, qui n'eut aucun goût ruineux.　　　　BALZAC, le Curé de village, Pl., t. VIII, p. 544.

♦ 2. (1553). Mod. Modération, retenue dans l'appréciation de soi-même, de ses qualités. ⇒ **Honte** (vx), **humilité** (cit. 5 et 16), **réserve, retenue, simplicité...** (→ Effacement, cit. 3 ; éloigner, cit. 8 ; fierté, cit. 6 ; hypocrisie, cit. 3). *L'améthyste* (cit.), *la violette*,* symboles de modestie. *Avoir la modestie, l'extrême modestie de...* (→ Après, cit. 65 ; battre, cit. 88). *Céder par modestie* (→ Empiéter, cit. 4). *Blesser* (cit. 20) *la modestie de qqn. Accoutumer la modestie à l'éloge* (cit. 5). *S'envelopper* (cit. 11) *dans sa modestie. Trouble dû à un excès de timidité*, de modestie...* ⇒ **Confusion.** *Se cacher par modestie* (→ Rester dans l'ombre*, à sa place*...). — *Modestie naturelle charmante. Modestie étudiée, feinte* (→ Mâle, cit. 12), *hypocrite* (cit. 28). *Modestie excessive, outrée* (→ Farder, cit. 2).

La *simplicité* est *simple,* sans faste, sans art, spontanée, naïve, une disposition naturelle du caractère ; la *modestie,* au contraire, est une vertu (...) *L'humilité* ressemble moins à la *simplicité* qu'à la *modestie... (elle)* renchérit sur la *modestie :* elle est dans les sentiments plutôt que dans les actes et dans l'extérieur (...) et elle consiste proprement (...) à se mépriser, et non pas seulement à *modérer* (...) l'opinion qu'on a de soi-même (...)
　　　　LAFAYE, Dict. des synonymes, Suppl., « Simplicité ».

La modestie, qui semble refuser les louanges, n'est en effet qu'un désir d'en avoir de plus délicates.　　　　LA ROCHEFOUCAULD, Maximes, 596.

La modestie est au mérite ce que les ombres sont aux figures dans un tableau : elle lui donne de la force et du relief.　　　　LA BRUYÈRE, les Caractères II, 17.

La modestie extrême a ses dangers ainsi que l'orgueil. Comme une témérité qui nous porte au delà de nos forces les rend impuissants, un effroi qui nous empêche d'y compter les rend inutiles.
　　　　ROUSSEAU, Julie ou la Nouvelle Héloïse, IV, XII.

(Elle) jugeait sévèrement ces écrivains *(Chateaubriand, Balzac, Hugo)* parce qu'ils avaient manqué de cette modestie, de cet effacement de soi (...) de ces qualités de modération de jugement et de simplicité, auxquelles on lui avait appris qu'atteint la vraie valeur (...)
　　　　PROUST, À la recherche du temps perdu, t. IV, p. 136-137.

Tout ce que j'écrivais alors concernant l'excessive modestie de Madeleine me paraît exact ; il est vrai qu'elle ne cherchait jamais à paraître et à se faire valoir.
　　　　GIDE, Et nunc manet in te, p. 82, note 1.

Fausse modestie : modestie affectée.

La fausse modestie est le plus décent de tous les mensonges.
　　　　CHAMFORT, Maximes, « Sur les sentiments », XXX.

♦ 3. (1573). Pudeur, retenue dans la mise, le comportement. ⇒ **Décence** (cit. 4), **honnêteté, pudeur, vertu** (→ Couvrir, cit. 7 ; honnêteté, cit. 12). *La rougeur de la modestie.* — *Modestie des gestes, du langage.*

N'est-ce pas la modestie de notre sexe qui nous oblige d'user d'adresse pour repousser les agaceries des hommes ?　　　　ROUSSEAU, Julie, VI, V.

Nous avons vu (...) les autres sœurs, Agnès, Claire, etc. sortir de la modestie de leur sexe par des gestes passionnés ou des rires immodérés.
　　　　A. DE VIGNY, Cinq-Mars, IV.

♦ 4. (1868, Littré). Vx. Fichu, mouchoir porté avec une robe décolletée et cachant la naissance de la gorge. ⇒ **Modeste, C., 2.**

CONTR. Éclat, faste. — Ambition, amour-propre, arrogance, audace, braverie, cynisme, fanfaronnade, fatuité, fierté, forfanterie, hardiesse, hauteur, infatuation, insolence, jactance, morgue, orgueil, présomption, prétention, suffisance, vanité. — Dévergondage, immodestie, impudence, impudeur, impudicité, indécence.

MODEUSE [mɔdøz] n. f. — 1821 ; de 1. *mode,* et *-euse.*

♦ Techn. Dentellière en point d'Alençon qui fait les points dans les fleurs ou les parties à jour.

MODI (ESSENDI, SIGNANDI, SIGNIFICANDI) [mɔdi(esɛ̃di, siɲɑ̃di, siɲifikɑ̃di)] n. m. pl. — Plur. du lat. *modus* « mode ».

♦ Hist. de la philos. Modes (d'être, de se constituer en signe, de signifier). Le sing. *modus* est rarement employé. ⇒ 2. **Mode,** 1. **modiste.**

MODICITÉ [mɔdisite] n. f. — 1584 ; bas lat. *modicitas,* de *modicus* → Modique.

♦ 1. (1584). Caractère de ce qui est modique (pécuniairement).

⇒ **Exiguïté, petitesse.** *La modicité de sa fortune* (cit. 43), *de son revenu. Modicité d'un prix, d'une somme, d'un loyer...* — Absolt, vx. État de fortune modeste, médiocre.

(...) elles ont préféré une honnête modicité à une aisance honteuse ; ce qui leur reste est si mince, qu'en vérité je ne sais comment elles font pour subsister.
DIDEROT, Jacques le fataliste, Pl., p. 613.

Et l'on s'étonnait autour d'eux de la modicité de leurs pourboires (...)
GIDE, Si le grain ne meurt, II, I, p. 295.

♦ **2.** (1773, Diderot). Médiocrité, petitesse.

Elle se raccrochait, la malheureuse, à la modicité de ses espoirs.
ARAGON, les Beaux Quartiers, II, XXX.

MODIFIABLE [mɔdifjabl] adj. — 1611 ; de *modifier*, et *-able*.

♦ Qui peut être modifié. ⇒ **Transformable.**

Nous sommes intuitives et illuminables, mais changeantes, impressionnables, modifiables par ce qui nous entoure.
MAUPASSANT, Notre cœur, I, I.

(...) comme l'avenir est ce qui n'existe que dans notre pensée, il nous semble encore modifiable par l'intervention *in extremis* de notre volonté.
PROUST, À la recherche du temps perdu, t. XIII, p. 9.

MODIFIANT, ANTE [mɔdifjã, ãt] adj. — V. 1830 ; p. prés. de *modifier*.

♦ Didact. Qui modifie. *Facteur modifiant.*

MODIFICATEUR, TRICE [mɔdifikatœʀ, tʀis] adj. et n. — V. 1820, *modificateur* ; *modificatrice*, 1830 ; « réformateur », 1797 ; lat. *modificator*, du supin de *modificare* → Modifier.

♦ Qui a la propriété de modifier. *Agent modificateur.* ⇒ **Transformateur.** *Action modificatrice* (→ Hormonal, cit.). — N. (1845, Bescherelle). *Un modificateur.*

MODIFICATIF, IVE [mɔdifikatif, iv] adj. — 1490 ; de *modification*, et *-if.*

♦ Qui modifie. *Paragraphe, texte modificatif. Addendum, postscriptum, erratum modificatif. L'avenant*, acte modificatif. Note modificative.* — N. m. *Reportez-vous au modificatif daté du 3 de ce mois.*

Ling. *Termes modificatifs ; propositions modificatives.* — N. m. *Les adverbes sont des modificatifs.*

MODIFICATION [mɔdifikasjõ] n. f. — 1385 ; lat. *modificatio.*

♦ **1.** Didact. Manière d'être accidentelle d'une substance ; relation du mode à la substance qu'il détermine. ⇒ **Modalité** (1.) ; 2. **mode** (1.). *Les modifications successives du moi, de l'âme* (→ Image, cit. 43). *Les passions ne sont que des modifications de l'amour de soi* (→ Antérieur, cit. 1, Rousseau).

♦ **2.** Cour. Changement qui n'affecte pas l'essence de ce qui change. ⇒ **Altération, changement, différence, métamorphose** (cit. 7), fig., **transformation, variation.** *Modifications physiques d'une substance* (évaporation, fusion, liquéfaction, solidification ; cristallisation, fermentation, etc.). *Modification quantitative* (⇒ **Addition, agrandissement, augmentation, extension ; diminution, division**). *Modification par remplacement*, substitution* d'un élément. Modification en mieux* (⇒ **Amélioration, amendement, correction**), *en pire* (⇒ **Aggravation, altération**). *Dégradations* (cit. 4) *et modifications des couleurs.* — *Modifications de force* (⇒ **Atténuation ; renforcement**), *d'activité, de vitesse* (⇒ **Accélération, ralentissement**). *Modification d'une fonction, d'un organe.* ⇒ **Adaptation** (cit.). — *Modification brusque* (→ Exclamation, cit. 2), *rapide ; imperceptible* (cit. 13), *progressive* (→ Influence cit. 12). *Subir, entraîner de profondes modifications. Réaction, adaptation* (cit. 2) *à une modification de milieu, de régime... Subir, éprouver une lente modification. La Modification*, roman de M. Butor.

(...) il suffit d'un déplacement de rien du tout à la base, dans les éléments de base ; d'une modification infime dans les prix de revient, pour que ces profits qui paraissent si gros s'évanouissent.
J. ROMAINS, les Hommes de bonne volonté, t. III, XVI, p. 211.

♦ **3.** (1515, *modiffication* [d'un texte] ; *in* D.D.L.). Changement apporté à qqch. *Il faudra faire quelques modifications à ce projet, à ce plan, à ce texte.* ⇒ **Correction, rectification, refonte, remaniement, révision ;** et aussi **addition, suppression.** *Son brouillon ne comporte aucune modification.* ⇒ **Rature, variante.** *Modification apportée à un projet de loi* (⇒ **Amendement**), *à un texte juridique, à un contrat* (⇒ **Assouplissement, dérogation, restriction...** ; et aussi **résiliation, suppression**).

CONTR. **Fixité, immobilité, maintien, permanence, stabilité.**
DÉR. **Modificatif.**

MODIFIER [mɔdifje] v. tr. — 1355 ; lat. *modificare*, de *modus*, et *facere* « faire ».

♦ Changer (une chose) sans en altérer la nature, l'essence. ⇒ **Changer, transformer** (→ Imagination, cit. 22 ; inventer, cit. 6 ; manquer, cit. 30). *Modifier un peu, légèrement, beaucoup. Modifier complètement* (⇒ **Métamorphoser**). *Ne modifiez rien.* ⇒ **Toucher** (à). *Modifier en bien* (⇒ **Amender, corriger**), *en mal* (⇒ **Altérer, truquer...**). *Modifier pour mettre en harmonie, en accord* (⇒ **Adapter**). *Modifier l'ordre, l'arrangement de choses.* ⇒ **Bouleverser, défaire.** *Modifier un projet de loi* (⇒ **Amender**), *un contrat*, un droit* (→ Juridique, cit.). — *Modifier son style.* ⇒ **Corriger ; changer.** *Modifier un passage dans un écrit.* ⇒ **Refondre, remanier.** *Modifier pour supprimer les erreurs.* ⇒ **Rectifier, réviser.** *Modifier sa conduite* (→ Intelligence, cit. 9), *ses plans* (→ Initiative, cit. 2). *Modifier la marche des événements* (⇒ **Efficacité**, cit. 3). *Modifier les phénomènes naturels* (→ Expérimentateur, cit. 1). *Modifier des substances, des matières premières par un traitement.* ⇒ **Traiter.** — *Modifier un prix, la valeur d'un timbre par une surcharge, un contre-timbre.* — *Modifier les idées, le comportement de qqn.* — *Être modifié par différents facteurs.*

L'homme est aux prises avec la nature ; sans cesse il la modifie, et sans cesse il est modifié.   G.-T. RAYNAL, Hist. philosophique..., XIX, 6.   1

Toute existence ressemble à une lettre, que modifie le post-scriptum.   2
HUGO, l'Homme qui rit, II, II, I.

Une lettre peint la personne à qui l'on écrit, aussi bien que celle qui écrit ; car, malgré nous, nous modifions le style selon son caractère et selon ce qu'elle attend de nous.   3
A. DE VIGNY, Journal d'un poète, 1840.

La religion, les habitudes, les mœurs, les coutumes, ont nécessairement modifié les types humains, depuis l'antiquité jusqu'à nos jours.   4
Th. GAUTIER, Souvenirs de théâtre..., Gavarni, I.

Sur l'achat de l'immeuble lui-même on demeurait d'accord. Le projet primitif n'avait été modifié que dans le détail.-   5
J. ROMAINS, les Hommes de bonne volonté, t. V, XVIII, p. 124.

(1845, Bescherelle). *L'adverbe* (cit. 1) *modifie le verbe.*

▶ **SE MODIFIER** (1738) v. pron. *Impression* (cit. 48) *qui se modifie sans cesse.* ⇒ **Changer, évoluer, varier.** *Vivre, c'est se modifier* (→ Exister, cit. 22 ; insensiblement, cit.). *L'énergie* (cit. 1) *se modifie.*

(...) s'il faut beaucoup de temps pour que les croyances humaines se transforment, il en faut encore bien davantage pour que les pratiques extérieures et les lois se modifient.   6
FUSTEL DE COULANGES, la Cité antique, I, II.

▶ **MODIFIÉ, ÉE** p. p. adj. Individu modifié par le milieu ⇒ **Façonné ;** → Hérédité, cit. 13. *Chose modifiée, profondément, légèrement modifiée.* — *Modèle de fusil 1914, modifié 1936.*

CONTR. **Fixer, laisser, maintenir.**
DÉR. **Modifiable, modifiant.**

MODILLON [mɔdijõ] n. m. — 1549 ; *modiglion*, 1545 ; ital. *modiglione*, du lat. pop. *multulio.* → Mutule.

♦ Techn. (Archit.). Ornement en forme de console, placé sous la saillie d'une corniche (⇒ aussi **Corbeau**) ou appliqué à un mur pour supporter un vase, un buste... (→ Galerie, cit. 12). *Corniche* (cit. 3) *à modillons. Modillon ionique, corinthien, composite.*

Je l'avais rencontrée un de ces jours néfastes pour les fillettes, où elle était tombée sur la mosaïque de la villa grecque de Stuck, où elle s'était ouvert le front à un stylobate, où elle avait déchiré sa robe à un modillon spartiate.
GIRAUDOUX, Siegfried et le Limousin, p. 131.

MODIQUE [mɔdik] adj. — V. 1461, rare av. 1675 ; lat. *modicus.*

♦ Qui est peu considérable, en parlant d'une somme d'argent. ⇒ **Bas, faible, infime, insignifiant, maigre, médiocre, minime, modeste, petit.** *Salaire modique* (→ Instrument, cit. 6). *Ses revenus sont assez modiques. Prix modique.* ⇒ **Abordable.** *Modique avoir* (cit. 1), *pécule, fortune* (→ Existence, cit. 29). *Modiques ressources.* ⇒ **Exigu.** — *Caractère de ce qui est modique.* ⇒ **Modicité.**

La princesse *(de Cadignan)* demeurait rue de Miromesnil, dans un petit hôtel, à un rez-de-chaussée d'un prix modique.   1
BALZAC, les Secrets de la princesse de Cadignan, Pl., t. VI, p. 14.

Sa famille n'était pas riche, et ne lui donnait qu'une modique pension (...)   2
A. DE MUSSET, Nouvelles, « Frédéric et Bernerette », I.

REM. L'adj. est le plus souvent placé après le nom, dans l'usage contemporain ; l'antéposition est marquée (stylistique, etc.) sauf dans l'expression suivante : *pour la modique somme de cent francs* (peut s'employer ironiquement, avec une somme élevée).

Par extension :

M. Bergeret était à table et prenait son repas modique du soir (...)   3
FRANCE, M. Bergeret à Paris, Œ., t. XII, I, p. 281.

CONTR. **Ample, considérable, grand, important, inappréciable.**
DÉR. **Modiquement.**

MODIQUEMENT [mɔdikmã] adv. — 1680, Richelet ; de *modique*, et *-ment.*

♦ Rare. D'une façon modique. ⇒ **Faiblement, maigrement, modestement, petitement.** *Être modiquement payé, rétribué...*

CONTR. **Amplement, considérablement.**

1. MODISTE [mɔdist] n. — 1636, «qui affecte de suivre la mode»; de 1. *mode*, et *-iste*.

★ **I.** N. m. et f. (1777). Vx. Marchand, marchande de «modes» (ajustements et vêtements féminins).

★ **II.** ♦ **1.** N. f. (1827, *in* D.D.L.). Mod. Fabricante et marchande de coiffures féminines (chapeaux*, couronnes de mariées, bérets...). ⇒ **Chapelier.** *Atelier, boutique de modiste* (→ Inconcevable, cit. 7).

1   (...) ma mère m'a dit que nous irions ensemble chez les modistes pour les chapeaux, afin de me former le goût et me mettre à même de commander les miens.-
BALZAC, Mémoires de deux jeunes mariées, Pl., t. I, p. 140.

2   En attendant que nos modistes reviennent à une conception décente du chapeau, la femme lie des relations de plus en plus étroites avec le coiffeur.
COLETTE, Belles saisons, p. 85.

♦ **2.** Ouvrière qui confectionne les chapeaux de femme (pour une modiste en magasin, une maison de couture). ⇒ **Midinette, trottin.** *L'apprêteuse*, modiste qui pose les ornements. Champignon, marotte* de modiste.*

2. MODISTE [mɔdist] n. m. — Attesté xxᵉ; de 2. *mode*, 1.

♦ Hist. de la ling. Se dit de grammairiens du latin (xIIᵉ et xIIIᵉ siècles) qui fondèrent la théorie universelle des modes *(modi essendi, signandi, significandi),* origine de la grammaire générale. *Michel de Marbais, Siger de Courtrai, Thomas d'Erfurt, modistes célèbres.*

Adj. *La théorie modiste.*

MODIUS [mɔdjys] n. m. — 1732, Trévoux; mot latin.

♦ Didactique. Mesure de capacité romaine pour les matières sèches (8,80 l).

MODULAIRE [mɔdylɛʀ] adj. — Av. 1845, Bescherelle, cit.; *Encycl. des gens du monde,* 1831-1844; de *module,* et *-aire.*

Didactique ou technique.

♦ **1.** Archit. **a** (Av. 1845). Qui est fondé sur l'emploi du module* (1.). *Architecture modulaire.*

b (V. 1974). Qui utilise des modules, ou éléments préfabriqués d'habitation, que l'on peut grouper de diverses façons pour constituer un logement. *Appartement modulaire.*

♦ **2.** (1687). Math. Du module. *Mesure modulaire* (ou arithmétique) *d'un vecteur.* — *Treillis modulaire :* ensemble muni d'une relation d'ordre large, tel que pour tout triplet *(x, y, z)* d'éléments, avec *x* inférieur ou égal à *z,* la borne supérieure de la paire formée par *x* et la borne inférieure de la paire *{y, z}* soit égale à la borne inférieure de la paire formée par la borne supérieure de *{x, y}* et *z.*

♦ **3.** Phys. D'un module, qui a rapport à un module caractérisant la résistance d'un matériau. *Rigidité modulaire.*

MODULANT, ANTE [mɔdylã, ãt] adj. — 1875, Littré, *Suppl.;* p. prés. de *moduler.*

♦ **1.** Mus. Qui constitue ou produit une modulation. *Marche modulante. Phrase modulante.*

♦ **2.** (Au sens pictural de *moduler*). Qui rend par des modulations* (cit. 6) les valeurs picturales.

(En plus de la couleur modulante et modelante) il *(Cézanne)* a renouvelé fondamentalement l'art de peindre, reprenant le problème à sa base, à ses valeurs essentielles parce que compositionnelles.
Maurice GIEURE, la Peinture moderne, p. 63.

1. MODULATEUR, TRICE [mɔdylatœʀ, tʀis] n. — 1842; du rad. de *modulation,* et *-ateur.*

♦ Mus. Compositeur, improvisateur, musicien qui use de modulations dans ses créations. *Contrapuntiste profond et modulateur subtil, ce jeune compositeur a été la révélation du concert.*

2. MODULATEUR [mɔdylatœʀ] n. m. — V. 1930; de *moduler, modulation,* et *-ateur.*

♦ Techn. Appareil, ensemble d'appareils qui modulent un courant, une onde (→ Lampe, cit. 24). *Modulateur magnétique.* — Spé-

cialt. Appareil capable de faire varier la brillance d'une source lumineuse.

Adj. *Dispositif modulateur, démodulateur.* ⇒ **Modem.**

COMP. **Modem.**

MODULATION [mɔdylasjɔ̃] n. f. — 1495, rare av. 1626; lat. *modulatio;* repris au xvIIᵉ, de l'ital. *modulazione.* → Moduler.

♦ **1.** Chacun des changements d'intensité ou de hauteur... dans l'émission d'un son (spécialt de la voix*). ⇒ **Inflexion; ton, tonalité** (hauteur), et aussi **accent.**

Le régisseur connaissait toutes les modulations de la voix de Couraut (...)
BALZAC, Une ténébreuse affaire, Pl., t. VII, p. 458.

À tout instant des coups de sifflet prolongés ou courts passaient dans la nuit, les uns proches, les autres à peine perceptibles, venus de là-bas, du côté d'Asnières. Ils avaient des modulations comme des appels de voix.
MAUPASSANT, Bel-Ami, I, III.

Suite des modulations d'un son; action ou façon de moduler (la· parole, un chant)... → Diction, cit. 4.

(...) la modulation d'une goutte d'eau qui, de seconde en seconde, tombait du robinet avec un son cristallin. MARTIN DU GARD, les Thibault, t. V, p. 162.

Par ext. Variation. *« Les modulations de la grâce humaine »* (→ Ligne, cit. 11).

Je ne sais rien de plus véritablement poétique à concevoir que cette modulation extraordinaire qui fait parcourir à un être, dans l'espace de quelques heures, les degrés inconnus de toute sa puissance nerveuse et spirituelle, depuis la tension de ses facultés d'analyse, de critique et de construction, jusqu'à l'énivrement de la victoire, à l'explosion de l'orgueil d'avoir trouvé (...) VALÉRY, Variété V, p. 218.

Vx. Art de moduler, variété dans le style... (Cf. Marmontel, *in* Littré).

♦ **2.** (xvIIᵉ, d'après l'ital.). Mus. **a** Passage d'une tonalité (appelée «mode», voir *supra*) à une autre; transition par laquelle s'opère ce passage, conformément aux règles de l'harmonie*. *Modulation aux tons voisins* (qui ne diffèrent que par une altération); *aux tons éloignés* (par un accord commun altéré, par des accords intermédiaires; une marche modulante). *Modulations passagères, caractérisées. Ton principal et modulations d'un morceau. Modulations en la mineur, en sol majeur..., d'un motif en ut majeur.*

(...) le chant sort des profondeurs et se maintient à mi-hauteur, jusqu'à la modulation de *sol dièze* à *sol naturel* (...)
R. ROLLAND, Vie de Beethoven, VII, p. 289.

b Par anal. (Arts plastiques).

Les plus beaux tableaux modernes (...) sont (...) ceux qui renferment le plus grand nombre de *modulations* (mot emprunté à la musique, introduit dans le langage pictural par Cézanne, et qui signifie rapprochement de tons chauds et froids de valeur équivalente). A. LHOTE, *in* Encycl. franç. (DE MONZIE), XVI, 30-9.

♦ **3.** (V. 1930). Techn. Opération par laquelle on fait varier l'amplitude, l'intensité, la fréquence, la phase d'un courant ou d'une oscillation (onde porteuse), en vue de transmettre un signal. Superposition de ce signal à l'onde porteuse. *Modulation d'amplitude, en amplitude,* obtenue par les variations de potentiel du courant fourni par le microphone agissant sur le courant d'émission. *Modulation de fréquence. Modulation d'intensité entraînant une variation des crêtes*. Modulation de phase.* — *Modulation télégraphique, téléphonique.*

REM. *Modulation de fréquence* (abrév. *F. M.*) est devenu du langage courant, depuis que la radiodiffusion utilise largement, et la télévision exclusivement, ce procédé qui permet une excellente qualité de reproduction sonore. *Écouter un concert en modulation de fréquence. Il y a la modulation de fréquence, sur votre radio?*

La musique qu'entendent les téléspectateurs (le son est meilleur qu'à la radio, grâce à la modulation de fréquence) procure un plaisir assez différent de celui du concert. F. MAURIAC, le Nouveau Bloc-notes 1958-1960, p. 177.

♦ **4.** (V. 1973; de *moduler,* → ci-dessus 1., par ext.). Action d'adapter qqch. à différents cas particuliers; résultat de cette action. *« Le stationnement payant serait généralisé sur l'ensemble du territoire de la capitale. Une modulation des tarifs serait prévue suivant les quartiers »* (le Monde, 18 janv. 1975).

DÉR. **Modulateur.**

MODULE [mɔdyl] n. m. — 1547; lat. *modulus,* dimin. de *modus* «mesure».

♦ **1.** Archit. Unité de mesure servant à déterminer les proportions des membres (éléments normés) d'architecture. *Le module des architectes grecs était le demi-diamètre du fût de colonne* à sa base. Recherche d'un module dans l'architecture moderne.*

On a pris *(pour établir les proportions d'une colonne),* le demi-diamètre de base comme *module* (comme étalon permanent de mesure [...] qui permet d'établir les spécifications et les proportions de l'ensemble de l'édifice); on pourra dire, alors, qu'une colonne dorique a 13 ou 14 modules de hauteur (...)
M. GHYKA, Proportion dans arts plastiques, *in* Encycl. franç., (DE MONZIE), 28, 4.

Par ext. Unité de mesure, étalon. — Spécialt. *Module d'une médaille,* son diamètre. *Module d'une cloche,* son épaisseur à l'endroit où le battant doit frapper.

Techn. *Module d'un engrenage,* quotient de son diamètre par le nombre de dents. *Module d'une voie ferrée.* — Loc. (plus cour.).

De... module, qualifiant une dimension. *Cigarette de gros module. De même module, de modules différents.*

(...) quelques tronçons de tortillard (...) comme la voie de soixante centimètres de Clermont à Dombasles, ou le réseau de même module circulant à travers la place de Verdun. J. ROMAINS, les Hommes de bonne volonté, t. XVI, III, p. 31.

Unité de mesure de débit (de l'eau d'une pompe, d'une fontaine) équivalant à 10 m³ par 24 h. — Par ext. Appareil pour la mesure des débits.

♦ **2.** Phys. Coefficient caractérisant une propriété de résistance mécanique des matériaux. *Module de rigidité* (de Coulomb); *module de traction; module de torsion*, se dit de divers coefficients d'élasticité. *Module d'inertie, de résistance d'une section d'une pièce.*

♦ **3.** Math. *Module d'un nombre réel*, sa valeur absolue; *d'un nombre complexe* : racine carrée (positive) de la somme des carrés de sa partie réelle et de sa partie imaginaire. *Module d'un vecteur*, sa mesure arithmétique (on dit aussi *mesure, longueur, grandeur du vecteur*). ⇒ aussi **Norme**. *Module d'une subdivision*, plus grande différence, en valeur absolue, existant entre un terme de celle-ci et celui qui le précède. — *Module d'une congruence**. ⇒ **Modulo**. — *Module sur un anneau commutatif unitaire A* (noté A-*module*) : ensemble muni d'une structure algébrique définie par la donnée d'une loi de composition interne et d'une loi de composition externe, action de l'anneau sur l'ensemble, telle que certaines relations soient satisfaites pour tout couple d'éléments de l'anneau et tout couple d'éléments de l'ensemble. — *Module des logarithmes décimaux* : logarithme décimal du nombre de Néper *e* (symb. *M*). *Le module et son inverse permettent de définir le logarithme décimal à partir du logarithme népérien et réciproquement.*

♦ **4.** Techn. Système équivalent, pour les montres non mécaniques, au mouvement des montres classiques.

♦ **5.** Unité constructive (d'un ensemble). — Spécialt. Archit. *Module d'habitation* : maisons préfabriquées groupées entre elles pour constituer un logement individuel ou collectif. Élément d'un véhicule spatial. *Module lunaire.*

(...) des jeux qu'on peut utiliser au lit attendent sur la table de formica boîtes de puzzles figurant des fables de La Fontaine modules à emboîter pour construire des animaux stylisés ou des objets quotidiens.
Tony DUVERT, Paysage de fantaisie, p. 166.

Didact. Groupe de travail intégré à un réseau. *Module de terminologie.*
Unité d'enseignement (programme, temps...).

♦ **6.** (En parlant d'un objet technique destiné à s'intégrer dans un fonctionnement). Loc. *Module urbain de service* (in *le Monde*, cité par *la Clé des mots*) : petite automobile conçue pour l'usage urbain.

DÉR. **Modulaire, modulor.**

MODULER [mɔdyle] v. — 1488, rare avant le XVIIᵉ; lat. *modulari*, de *modulus*, au sens de «cadence», repris à l'ital. *modulare*, au XVIIᵉ.

♦ **1.** V. tr. Articuler, émettre (une mélodie, une suite de sons) avec des variations réglées de hauteur et d'intensité. *Moduler un air. Moduler un air en le sifflant* (⇒ **Siffler, siffloter**).

(...) de tous les coins de la ville on entend leurs cris aigus modulés sur tous les tons et variés de cent mille manières (...)
Th. GAUTIER, Voyage en Espagne, p. 69.

Sénac fit deux ou trois mouvements de déglutition, haussa les épaules et modula d'une voix douce, obstinée (...) G. DUHAMEL, Chronique des Pasquier, V, II.

Fig., poét. ⇒ **Chanter.**
Modulant tour à tour sur la lyre d'Orphée
Les soupirs de la sainte et les cris de la fée.
NERVAL, Poésies, «Chimères», El Desdichado.

♦ **2.** V. intr. (XVIIᵉ, ital.). Mus. Effectuer une ou plusieurs modulations, passer d'un ton à un autre selon les règles de l'harmonie (→ Bémol, cit. 2, Grétry). — Trans. *Moduler une phrase, un passage.*

♦ **3.** Techn. En radiophonie, faire varier les caractéristiques d'un courant électrique ou d'une onde. ⇒ **Modulation.** — Au p. p. *Courant à fréquence modulée. Courant modulé.*

♦ **4.** (Sens introduit par Cézanne; au sens de *modulation* [cit. 6], et par métaphore de l'emploi musical). Exprimer (les volumes, les valeurs plastiques) par des variations, des modulations (cit. 6) picturales.

Maurice Denis a dit excellemment : «Avec un sens extraordinairement fin de la tonalité, il *(Cézanne)* se joue à travers un enchevêtrement de gammes chromatiques où les couleurs, comme des points de tapisserie, comme une sorte de mosaïque, légèrement fondues, épousent les volumes, en manifestent le galbe, définissent les objets». C'est ce qu'il appelait *moduler* plutôt que modeler.
Maurice GIEUVRE, la Peinture moderne, p. 36-37.

♦ **5.** (V. 1967). Adapter (qqch.) à différents cas particuliers. *Moduler des prix, des tarifs.* «*Grâce à une souplesse de conception on peut moduler sa maison : nombre de pièces et disposition intérieure*» (*Femmes d'aujourd'hui*, 4 nov. 1970). — Au p. p. «*Poli-*

tique de vente d'armes modulée selon de mystérieux critères» (*le Monde*, 22 mars 1967).

DÉR. **Modulant, 2. modulateur.**

MODULO [mɔdylo] prép. — XIXᵉ; lat. *modulo*, ablatif de *modulus* «nombre relativement auquel d'autres nombres sont congruents», introduit dans cet emploi par Gauss, 1801.

♦ Math. Suivant la relation d'équivalence (indiquée par le symbole, chiffré ou littéral, qui suit. ⇒ aussi **Congruence**. — REM. On écrit *modulo-6* ou *modulo 6* et, par abréviation, *mod 6* ou *mod. 6*. — *Deux nombres réels* x *et* y *sont dits congrus modulo* n, *n étant un nombre réel, s'il existe un entier rationnel dont le produit par* n *est égal à la différence* x - y.

Par appos. *Touche modulo d'une machine à calculer.*

MODULOR [mɔdylɔʀ] n. m. — 1942, Le Corbusier; de *module*, et nombre d'or.

Didact. Système de mesure destiné à fixer les proportions des ouvrages d'architecture; suite dont chaque terme est obtenu en multipliant le précédent par le nombre d'or $\dfrac{1 + \sqrt{5}}{2}$.

MODUS OPERANDI [mɔdys ɔpeʀãdi] n. m. — 1891; mots lat. signifiant «manière, mode de procéder».

♦ Didact. Manière de faire, de procéder; suite d'opérations requises. «*Nous nous attacherons* (...) *à décrire la composition de l'injection et le modus operandi...*» (*la Science illustrée*, t. I, 1891, p. 327).

MODUS PONENS [mɔdys pɔnɛ̃s] n. m. — Loc. lat., littéralement «mode qui pose».

♦ Log. Règle de déduction selon laquelle, si une proposition A implique une proposition B, on peut déduire, A étant vraie, que B l'est également. (On dit aussi *règle de détachement*). *Modus ponens et modus** *tollens.* «*Le modus ponens est une des règles d'inférence fondamentales dans les présentations axiomatiques courantes du calcul propositionnel et du calcul des prédicats*» (Bouvier et George).

REM. Il existe aussi un *modus tollendo-ponens* [mɔdystɔlɛndopɔnɛ̃s] «mode qui pose en supprimant», raisonnement du type : «Ou A est vrai, ou B est vrai; or A n'est pas vrai; donc B est vrai» (Lalande, art. «Disjonctif»), utilisé dans le syllogisme disjonctif.

MODUS TOLLENS [mɔdys tɔlɛ̃s] n. m. — Loc. lat., littéralement «mode qui supprime».

♦ Log. Règle de déduction selon laquelle, si un proposition A implique une proposition B, on peut déduire, B n'étant pas vraie, que A ne l'est pas non plus. *Le modus tollens joue, avec le modus** *ponens, un rôle crucial dans la théorie du syllogisme hypothétique.*

REM. Il existe aussi un *modus ponendo-tollens* [mɔdyspɔnɛndotɔlɛ̃s] «mode qui supprime en posant», raisonnement du type : «Ou A est vrai, ou B est vrai; or A est vrai; donc B n'est pas vrai» (Lalande, art. «Disjonctif»), utilisé dans le syllogisme disjonctif.

MODUS VIVENDI [mɔdys vivɛ̃di] n. m.— 1869, *Revue des Deux Mondes*, in D.D.L.; mots lat. signifiant «manière de vivre».

♦ Accommodement, transaction mettant d'accord deux parties en litige. *Trouver un modus vivendi. Rester dans une communauté en vertu d'un modus vivendi* (→ Effraction, cit. 4).

DAISY, se calmant.
Il faut être raisonnable. Il faut trouver un modus vivendi, il faut tâcher de s'entendre avec. IONESCO, Rhinocéros, p. 235.

MOELLE [mwal] n. f. — XIVᵉ, *moele; moele* par métathèse; *meole, meule*, 1265; *meüle*, v. 1119; du lat. *medulla*.

★ I. ♦ **1.** Substance molle et grasse de l'intérieur des os, formée de cellules conjonctives remplies de graisse (dite aussi *moelle jaune*). — Anat. *Moelle rouge* (ou *sanguine*), riche en cellules conjonctives jeunes et en vaisseaux sanguins. *Moelle grise*, riche en trame conjonctive (stade du vieillissement).

Dans la partie centrale de l'os, la destruction du cartilage n'est pas suivie de la formation de matière osseuse; il y reste une cavité (...) occupée par les vaisseaux sanguins et les cellules conjonctives qui les accompagnent; beaucoup de celles-ci se remplissent de graisse et c'est ainsi que se trouve constituée la moelle (...)
A. PIZON, Anatomie et Physiologie humaines, I, I, 6.

♦ **2.** Loc. fig. *La moelle des os* : l'intérieur du corps. *Le froid* (cit. 6), *la brume pénètre jusqu'à la moelle des os** (→ Humide, cit. 7). — Le fond intime, le tréfonds de l'être.

Littér. «*Percé jusqu'aux moelles des aiguillons* (cit. 6) *du désir charnel*». *Son désespoir l'imprégnait* (cit. 12) *jusqu'aux moelles.*

2 (...) le bibliothécaire de la ville me vint saluer à propos de ma renommée, la première du monde, selon lui, ce qui réjouissait la moelle de mes os.
CHATEAUBRIAND, Mémoires d'outre-tombe, t.VI, p. 256.

3 Mais soudain, je frissonnai jusqu'aux moelles. Je venais de reconnaître un pied, puis une jambe dressée ; le corps entier et l'autre jambe disparaissaient sous l'eau.-
MAUPASSANT, Miss Harriet, III.

4 Cette idée le faisait frissonner jusqu'aux moelles profondes ; il ne concevait pas bien d'avance ce que serait une pareille ivresse (...)
LOTI, Pêcheur d'Islande, IV, IV.

♦ **3.** Moelle comestible de certains animaux (bœuf, notamment) → 1. Farce, cit. — *Os à moelle,* contenant une grande quantité de moelle, substance d'un goût délicat. *Entrecôte à la moelle.*

Loc. métaphorique. *« Rompre l'os et sucer la substantifique moelle »* (→ Livre, cit. 24, Rabelais), ce qu'il y a de meilleur, de plus précieux et de plus profond. *C'est la substantifique moelle de sa théorie.* — Fig. *La moelle et la substance d'une œuvre* (→ Gouverneur, cit. 3), *d'une théorie* (→ Fuir, cit. 9). ⇒ **Essence, quintessence.** *Écrivain qui tire toute la moelle d'un sujet* (→ Exploiter, cit. 8).

5 Mais pour sucer la moelle il faut qu'on brise l'os,
Pour savourer l'odeur il faut ouvrir le vase (...) Th. GAUTIER, Albertus, CXXII.

6 Autant qu'il est permis d'en juger, la substance de sa pensée musicale est formée de la moelle des grands classiques de la fin du XVIIIᵉ siècle (...)
R. ROLLAND, Musiciens d'aujourd'hui, p. 92.

(En mauvaise part). *Sucer, vider quelqu'un jusqu'à la moelle,* en tirer tout ce qu'on peut, le réduire à rien.

7 Quand elle eut de mes os sucé toute la moelle,
Et que languissamment je me tournai vers elle (...)
BAUDELAIRE, Épaves, « Pièces condamnées », VII.

★ **II.** Par anal. ♦ **1.** (1667 ; *moelle spinale,* XVIᵉ). Anat. et cour. *Moelle épinière :* cordon nerveux qui, parti de l'encéphale, est abrité dans le canal rachidien. ⇒ **Cordon** (médullaire). *La moelle épinière et l'encéphale* (cit.) *forment le système nerveux central. Substance grise centrale* (corps des neurones) *et substance blanche périphérique* (fibres nerveuses à myéline*) *de la moelle, formant des cordons* ou *faisceaux. Canal et membranes de la moelle.* ⇒ **Épendyme ; méninges.** *La moelle épinière donne naissance à trente et une paires de nerfs rachidiens. Relatif à la moelle épinière.* ⇒ **Médullaire, rachidien, spinal.** *Maladies de la moelle épinière.* ⇒ **Myélite, poliomyélite.** *Lésion de la moelle épinière par rupture de l'échine, déplacement de vertèbre...* Par plais. (→ Échine, cit. 5). — Par ext. (vx). *Moelle allongée*.* ⇒ **Bulbe** (rachidien).

8 Si la moelle épinière est coupée tout entière, ce qui arrive par exemple dans des chutes graves où la colonne vertébrale est complètement rompue, la sensibilité et le mouvement sont supprimés dans toutes les parties du corps dont les nerfs ont leur origine au-dessous de la section.
A. PIZON, Anatomie et Physiologie humaines, I, II, 6.

Bouch., cuis. *Moelle de veau, de mouton.* ⇒ **Amourettes.**

♦ **2.** Bot. et cour. Substance molle (parenchyme médullaire) contenue au centre de la tige et de la racine des plantes dicotylédones. *La moelle est logée dans le canal médullaire*. Moelle des végétaux ligneux, d'un arbre.* ⇒ **Médulle.** *Rayons médullaires reliant la moelle à l'écorce. Moelle de palmier.* ⇒ **Palmite.** *Moelle blanche de sureau. Plante à moelle abondante.* ⇒ **Médulleux.**

9 De quelle moelle de roseau,
A-t-on fait le blanc de sa peau ?
Th. GAUTIER, Émaux et Camées, « Symph. blanc majeur ».

DÉR. Moelleux, moellier.

MOELLEUSEMENT [mwalφzmã] adv. — 1765, *Encyclopédie* ; de *moelleux,* et *-ment.*

♦ D'une manière moelleuse. *Moelleusement étendu sur des coussins.*

(...) elle *(la lune)* descendit moelleusement son escalier de nuages, et passa sans bruit à travers les vitres. BAUDELAIRE, le Spleen de Paris, XXXVII.

MOELLEUX, EUSE [mwalφ, φz] adj. — 1478 ; de *moelle,* et *-eux.*

A. ♦ **1.** Vx. Qui contient de la moelle. ⇒ **Médullaire.**

♦ **2.** Mod. Qui a du corps, de la douceur et de la mollesse au toucher. ⇒ **Doux, mou.** *Étoffe* (cit. 1) *moelleuse. Envelopper dans des vêtements moelleux.* ⇒ **Emmitonner, emmitoufler.** *Duvet serré, moelleux et soyeux* (→ Fourrure, cit. 7). *Un moelleux édredon* (l'antéposition est stylistique). *Siège, lit, coussin, tapis... moelleux, où l'on enfonce confortablement.* ⇒ **Élastique.** *Fauteuil moelleux, à capitons.*

1 *(Onuphre)* est habillé (...) d'une étoffe fort légère en été, et d'une autre fort moelleuse pendant l'hiver (...) LA BRUYÈRE, les Caractères, XIII, 24.

B. Par anal. ♦ **1.** Agréable au palais, au goût ; qui a du corps et de la douceur. *Chocolat moelleux.* ⇒ **Onctueux, savoureux.** *Vin moelleux* (→ Un velours*). *Eau-de-vie moelleuse et fruitée* (cit. 1).
Nom. *Vin qui a du moelleux.*

♦ **2.** Agréable à l'oreille, qui a une sonorité pleine et douce. *Son moelleux. Timbre moelleux.* ⇒ **Velouté.** *Voix moelleuse.*

♦ **3.** Qui a de la mollesse, de la grâce (en parlant des lignes, de for-

mes). ⇒ **Gracieux, souple.** *Le moelleux arrondi* (cit. 12) *des épaules. Courbe moelleuse et séductrice* (→ Graisse, cit. 8). — Arts. Se dit d'une exécution souple, d'un modelé fondu (notamment en peinture). *Ligne, touche moelleuse.*

(...) les moelleuses ondulations de ces contours plus souples et plus veloutés que le cou des cygnes ! Th. GAUTIER, Mˡˡᵉ de Maupin, XI.

♦ **4.** N. m. Caractère moelleux. *Le moelleux d'un tissu, d'un siège. Le moelleux des vins de Touraine. Moelleux des contours, des gestes, des mouvements. Voix qui a du moelleux.*

(...) vous ne devez pas avoir de succès comme orateur populaire. Vous devez manquer un peu de moelleux, de laisser-aller. Vous êtes trop naturel pour le paraître.-
A. MAUROIS, B. Quesnay, XVII.

CONTR. Coriace, dur, raide, sec.
COMP. Moelleusement.

MOELLIER [mwalje] adj. m. — 1869 ; *os moellier* « os médullaire », v. 1770 ; de *moelle* et *-ier.*

♦ Régional. *Chou moellier :* chou fourrager à moelle abondante.

MOELLON [mwalɔ̃ ; mwɛlɔ̃] n. m. — 1508 ; *moillon,* fin XIIᵉ ; altér. orth. d'après *moelle* de l'anc. franç. *moilon,* XIVᵉ s. ; *moulon,* XIIᵉ ; lat. pop. *modiolo, -onis,* de *modiolus* « moyen ».

♦ **1.** Pierre* de construction, très maniable en raison de son poids et de sa forme. *Moellon calcaire, siliceux... Moellons naturels ou bruts. Empilage de moellons bruts sur mortier* (opus incertum). ⇒ **Limousinage.** *Moellons de blocage*. Moellons équarris* (⇒ **Libage**), *taillés* (taille éclatée, bossagée, brochée, pointée, smillée). — *Tas de moellons* (→ Édifice, cit. 4, entasser, cit. 1). *Élever des moellons au brayer. Maison en moellons* (→ Loger, cit. 16). *Le crépi tombé par écailles* (cit. 7) *mettait à nu les moellons.*

Pauvre maison en loques, tassée, lézardée et branlante, raccommodée partout de bouts de planches et de plâtras ! Elle avait dû être construite en moellons et en terre ; plus tard, on refit deux murs au mortier (...) ZOLA, la Terre, II, III.

Mon pas inégal résonnait sous la voûte comme un grelot funèbre. De guerre lasse, je passais derechef tout mon temps sur la paillasse, les yeux fixés aux murs. Les moellons en étaient mal équarris, sans aucun plâtrage, avec des bavures de ciment dans les joints. B. CENDRARS, Moravagine, in Œ. compl., t. IV, p. 98.

♦ **2.** Géol. Pierre de grosseur intermédiaire entre le bloc et le caillou.

DÉR. Moellonage, moellonneur.

MOELLONAGE ou **MOELLONNAGE** [mwalɔnaʒ ; mwɛlɔnaʒ] n. m. — 1873, P. Larousse ; *moilonage,* 1752, Trévoux ; *mollonaige,* v. 1400 ; de *moellon,* et *-age.*

♦ Techn. Construction en moellons.

MOELLONNEUR [mwalɔnœR ; mwɛlɔnœR] n. m. — 1387, *moilonneur* ; de *moellon* et *-eur.*

♦ Techn. Ouvrier qui prépare les moellons taillés. — REM. Le fém. est virtuel.

MOERE [mwɛR] n. f. — 1874 ; *moer,* 1611 ; *moure,* v. 1460 ; *more* « marais », v. 1138 ; moy. néerl. *moer* « marais », anglo-saxon *mor* pour *more.*

♦ Régional. En Flandre, Lagune d'eau douce comblée et desséchée (⇒ **Wateringue**), qui est mise en culture.

MŒURS [mœR], plus cour. et critiqué [mœRs] n. f. pl. — XIVᵉ ; *meurs,* v. 1283 ; *mors,* v. 1155 ; *murs,* v. 1112 ; du lat. *mores,* masc. pluriel.

★ **I.** ♦ **1.** Habitudes (d'une société, d'un individu) relatives à la pratique du bien et du mal. ⇒ **Conduite, morale.** *La religion* (→ Ancre, cit. 4), *les lois* et *les mœurs* (→ Caractère, cit. 69), *esprit,* cit. 176). *Influence des arts sur les mœurs* (→ Influer, cit. 6). *Être utile aux mœurs.* ⇒ **Édification, éducation** (cit. 7). *Bonnes, mauvaises mœurs* (→ Léger, cit. 24). *Bonté, régularité, austérité, sévérité, pureté des mœurs. Mœurs qui s'épurent* (cit. 2), *épuration des mœurs. Excessive pureté de mœurs et de principes.* ⇒ **Moralisme, rigorisme ; janséniste** (cit. 2), **moraliste, puritain.** *Irréprochable* (cit. 1) *dans ses mœurs et dans sa foi. Mœurs austères* (cit. 6), *rigides, sévères. Mœurs qui deviennent plus libres* (⇒ **Libertin,** cit. 1), *se relâchent. Le luxe corrompt les mœurs. Relâchement* (→ Hypocrisie, cit. 13), *légèreté, dérèglement, dépravation, corruption des mœurs.* ⇒ **Débauche.** *Perversion, impudicité des mœurs. Mœurs corrompues, crapuleuses, cyniques, déréglées, désordonnées, dissolues*, impures, licencieuses, relâchées... Contraire aux bonnes mœurs.* ⇒ **Immoral, impudique.** — Spécialt. *Femme aux mœurs faciles, légères, équivoques. Mœurs spéciales, mœurs inavouables* (→ Homosexualité). — Allus. bibl. *Les mauvaises compagnies corrompent* (cit. 11) *les bonnes mœurs.*

1 Ô temps, ô mœurs ! J'ai beau crier.
Tout le monde se fait payer.-
LA FONTAINE, Fables, XII, 6 (cf. l'adage lat. *O tempora ! o mores !*).

2 Les mœurs et les manières sont des usages que les lois n'ont point établis, ou n'ont pas pu, ou n'ont pas voulu établir. Il y a cette différence entre les lois et les mœurs, que les lois règlent plus les actions du citoyen, et que les mœurs règlent plus les actions de l'homme. Il y a cette différence entre les mœurs et les manières, que les premières regardent plus la conduite intérieure, les autres l'extérieure.-
MONTESQUIEU, l'Esprit des lois, XIX, XVI.

3 Mais si le progrès des sciences et des arts n'a rien ajouté à notre véritable félicité ; s'il a corrompu nos mœurs et si la corruption des mœurs a porté atteinte à la pureté du goût (...) ROUSSEAU, Disc. sur les sciences et les arts, II.

4 Le travail engendre forcément les bonnes mœurs, sobriété et chasteté, conséquemment la santé, la richesse (...)
BAUDELAIRE, Journal intime, « Mon cœur mis à nu », XCIV.

♦ **2.** Dr. BONNES MŒURS : « ensemble des règles imposées par la morale et auxquelles les parties ne peuvent déroger par leurs conventions » (Capitant). *Loi qui intéresse l'ordre public et les bonnes mœurs* (→ Convention, cit. 4). *La clause* (cit. 43) *contraire aux bonnes mœurs est illicite. Outrage* aux bonnes mœurs. Certificat de bonne vie et mœurs* : certificat attestant la bonne conduite et la moralité d'un individu. — *Police des mœurs* : police chargée de la recherche des infractions aux lois sur la prostitution. *Brigade des mœurs.* — Ellipt. *Les mœurs.*

5 Autrefois, elle couchait avec un agent des mœurs, pour qu'on la laissât tranquille ; à deux reprises, il avait empêché qu'on ne la mît en carte (...)
ZOLA, Nana, VIII.

6 Il avait d'abord pensé à l'emmener dans un hôtel et à appeler les « mœurs » pour causer un scandale et la faire mettre en carte. CAMUS, l'Étranger, I, III.

.1 « Les mœurs », nantis de sa photographie, feront une enquête de leur côté.
G. SIMENON, les Mémoires de Maigret, p. 169.

♦ **3.** Absolt. Bonnes mœurs, respect et pratique des vertus. *Avoir des mœurs, ne pas avoir de mœurs.* ⇒ **Moralité, principe**(s). *Il n'y a plus de mœurs !* (→ Dépravation, cit. 4). *Maintien des mœurs* (→ Chantage, cit. 3). *Les mœurs sont l'hypocrisie* (cit. 6) *des nations* (Balzac). — Dr. Mod. *Crime contre les mœurs. Attenter* aux mœurs* (⇒ **Débauche,** cit. 1). *Attentat* aux mœurs* : crimes et délits portant atteinte aux bonnes mœurs (attentat à la pudeur, viol, adultère, bigamie, prostitution...).

7 (...) les peuples qui ont des mœurs surpassent ordinairement en bon sens et en courage les peuples qui n'en ont pas. ROUSSEAU, Émile, IV.

8 Entouré de gens sans mœurs, j'ai imité leurs vices (...)
LACLOS, les Liaisons dangereuses, XXIII.

9 (...) tout ce que je puis faire, c'est de ne pas vous livrer aux autorités pour attentat aux mœurs... A-t-on idée de cette putain qui déshonorait ma maison !
ZOLA, la Terre, II, VII.

1 Vous savez, dit Narcense, je ne suis pas un quelconque criminel. Je n'ai commis aucun crime, malgré la boue de mes souliers. Tout au plus, outrage aux mœurs.-
R. QUENEAU, le Chiendent, p. 34.

Par ext. Usages, savoir-vivre.

0 (...) les jeunes gens *(sont)* durs, féroces, sans mœurs ni politesse (...)
LA BRUYÈRE, les Caractères, VIII, 74.

1 Avoir de l'urbanité, comme Gédoyn l'entend, c'est avoir des *mœurs*, non pas des mœurs dans le sens austère, mais dans le sens antique : Horace et César en avaient. Avoir des mœurs en ce sens délicat, qui est celui des honnêtes gens, c'est ne pas s'en croire plus qu'à personne, c'est ne pas se prêcher, n'injurier personne au nom des mœurs. SAINTE-BEUVE, Causeries du lundi, 28 oct. 1850.

Rhét. (Vx). *Mœurs oratoires* : qualités morales que doit montrer l'orateur pour se concilier son auditoire (⇒ **Éthos**).

★ **II.** ♦ **1.** Habitudes* de vie, coutumes d'un peuple, d'une société. ⇒ **Coutume**(s), **usage**(s). *La variété des mœurs* (→ Inconstant, cit. 14) *et leur relativité selon les lieux et les temps. Les mœurs françaises, espagnoles, anglo-américaines* (→ Existence, cit. 11). *Mœurs des peuples primitifs. Les mœurs des anthropophages* (→ Abrutissement, cit. 3). *Mœurs grossières, barbares* (⇒ **Barbarie**), *rudes, étranges, extravagantes* (→ Corruption, cit. 2). *Mœurs policées*, civilisées. Âpreté* (cit. 6), *rudesse, grossièreté des mœurs. Les mœurs antiques, féodales. Les mœurs de son temps* (→ Fonction, cit. 19 ; heure, cit. 42). *Les mœurs et les goûts de notre époque.* ⇒ **Mode.** *Changement dans les mœurs. Usage qui entre, s'introduit, passe dans les mœurs* (→ Gaulois, cit. 7). *C'est entré dans les mœurs. Prendre, emprunter, adopter les mœurs anglaises* (→ S'angliciser), *américaines* (→ S'américaniser)... *Adoucissement* (cit. 3) *des mœurs avec le progrès*. Améliorer les mœurs, polir la rudesse des mœurs. Évolution des mœurs. Révolution des mœurs, dans les mœurs* (→ Infraction, cit. 2 ; luminaire, cit. 1). *Anciennes et nouvelles mœurs* (→ Éliminer, cit. 1 ; exercice, cit. 23). *Les mœurs n'ont plus bon caractère. Qui n'est plus conforme aux mœurs d'une époque.* ⇒ **Anachronique ; anachronisme.** — Prov. *Autres temps, autres mœurs* : les mœurs changent avec les époques (→ Instruire, cit. 3).

2 (...) cette maxime, la plus générale de toutes celles qui sont parmi les hommes : que chacun suive les mœurs de son pays (...) PASCAL, Pensées, V, 294.

3 Et qu'un si grand courroux contre les mœurs du temps
Vous tourne en ridicule auprès de bien des gens. MOLIÈRE, le Misanthrope, I, 1.

4 On ne comprendra jamais ce qu'il y avait de bonté dans ces vieux Celtes, et même de politesse et de douceur de mœurs. RENAN, Souvenirs d'enfance..., II, III.

♦ **2.** Habitudes communes à un groupe humain. *Les mœurs du peuple et les mœurs du grand monde* (→ Hypocrite, cit. 21). *La bienséance veut qu'on suive les mœurs de son milieu. Mœurs bour-*

geoises, paysannes, champêtres. Les mœurs des enfants (→ Assez, cit. 45). « Chaque âge (cit. 21) a ses plaisirs, son esprit et ses mœurs » (Boileau). Mœurs cénobitiques. Mœurs politiques.

15 Les femmes d'à présent sont bien loin de ces mœurs :
Elles veulent écrire, et devenir auteurs.
MOLIÈRE, les Femmes savantes, II, 7.

Étudier (cit. 16) *les mœurs d'un pays, d'une société, d'une époque, d'un milieu... Tacite écrivit sur les mœurs des Germains* (→ Abréger, cit. 2). *L'histoire** (cit. 5) *étudie les mœurs. L'éthologie* (cit.), *science historique des mœurs. Étude descriptive des mœurs.* ⇒ **Éthographie.** — « *Les caractères* (cit. 63), *ou les mœurs de ce siècle* », de La Bruyère. *Essai sur les mœurs et l'esprit des nations,* de Voltaire. *Madame Bovary, mœurs de province,* de Flaubert. *Études de mœurs,* première des trois grandes parties de la *Comédie humaine* de Balzac.

16 Si j'ajoute du mien à son invention,
C'est pour y peindre nos mœurs (...) LA FONTAINE, Fables, IV, 18.

17 Des siècles, des pays, étudiez les mœurs :
Les climats font souvent les diverses humeurs. BOILEAU, l'Art poétique, III.

18 (...) j'ai moins pensé à lui faire lire *(au public)* rien de nouveau qu'à laisser peut-être un ouvrage de mœurs plus complet, plus fini et plus régulier, à la postérité.
LA BRUYÈRE, les Caractères, Introd.

19 J'étudiai nos mœurs dans les romans ; nos opinions dans les philosophes (...)
LACLOS, les Liaisons dangereuses, LXXXI.

Vx (langue classique). Manière d'être qui convient aux personnages selon leur condition, leur pays, leur époque (« On dit aujourd'hui plus souvent couleur locale » Littré).

20 En termes de Poésie, on dit, que *Les mœurs sont bien gardées dans une Tragédie, dans un Poème,* pour dire, qu'on y a bien observé ce qui concerne les coutumes du pays et du temps dont il y est question, ou le caractère des personnages qui sont introduits dans le Poème. ACADÉMIE (1762), Mœurs.

♦ **3.** Habitudes de vie individuelles, comportement d'une personne. ⇒ **Habitude.** *Avoir des mœurs simples, des mœurs bohèmes, des mœurs solitaires* (→ Attendre, cit. 117). ⇒ **Vie.** *Une grande simplicité de mœurs. Démocrate par nature, aristocrate* (cit. 4) *par mœurs. Décrier les mœurs et le caractère de quelqu'un* (→ Exégète, cit. 2). — Rhét. (Vx). *Peinture des mœurs d'un personnage* (⇒ **Éthopée**). — Fam. *Quelles mœurs ! Drôles de mœurs ! En voilà, des mœurs !* (⇒ **Mentalité**).

21 Allons ! un bon coup de bâton pour la calmer ! (...) Telles sont les mœurs conjugales de ces deux descendants d'Ève et d'Adam (...)
BAUDELAIRE, le Spleen de Paris, XI.

♦ **4.** Par anal. Habitudes de vie d'une espèce animale. *Les mœurs des abeilles. Mœurs curieuses du fourmilion* (cit. 1). *Mœurs sociales de l'éléphant* (cit. 3). *Innocence des mœurs de l'écureuil* (→ Gentillesse, cit. 1).

HOM. Formes du v. **mourir.**

MOFETTE [mɔfɛt] ou **MOUFETTE** [mufɛt] n. f. — 1741, *mofette* « gaz nocif, émanation » ; *moufette,* 1753 ; ital. *mofetta,* de *muffa* « moisissure », mot longobard.

★ **I.** Vx. Chim. Gaz impropre à la respiration (oxyde de carbone, gaz carbonique, hydrogène sulfuré, etc.). *Mofette inflammable.* ⇒ **Grisou.**

Mod. Géol. Émanation de gaz carbonique froid qui succède aux éruptions volcaniques. ⇒ **Fumerolles** (froides).

Le chaudron d'été, où recuire la concentration des odeurs : effluves de menthe, de sauge, d'armoise, mofettes remontées — en bulles dansantes — des vases en travail, brochant sur le reste, liés entre eux par l'échange nourricier, le relent du roui qui accompagne toutes les marinades de verdure, le relent du mucus, lubrifiant des poissons. Hervé BAZIN, Cri de la chouette, p. 226.

★ **II.** Moufette (animal).

MOFLER [mɔfle] v. tr. — D. i. ; du wallon (liégeois) *mofe* « moufle, gros gants » ; d'où « frapper d'un coup au visage ».

♦ Régional (Belgique). Lang. des étudiants. Recaler, faire échouer à un examen (syn. : *buser*). — REM. On écrit aussi *moffler.*

Le graveur François Maréchal, président du jury, fit décider que tous les dessins se ressemblant étaient médiocres *(et)* il fit moffler toute la classe.
Jean DONNAY, Mes maîtres et mes amis,
in « La vie wallonne », t. 54, Liège, 1980, p. 166.

MOGHOL, OLE ou (vx) **MOGOL, OLE** [mɔgɔl] adj. — 1665, La Fontaine ; d'un mot mongol.

♦ Se dit de la dynastie mongole en Inde, du XVIᵉ au XIXᵉ siècle. *Le Grand Moghol,* titre des empereurs de cette dynastie.

Peshawar était bien la capitale des Provinces-Frontières ; dans l'Islam rugueux des montagnes, surgissait la luxuriance de l'architecture moghole qui, lorsqu'elle n'est pas en ruine, tient à la fois de l'épopée et de la sucrerie.
MALRAUX, Antimémoires, Gallimard, p. 112.

MOGRABIN ou **MOGHRABIN, INE** [mɔgʀabɛ̃, in] adj. et n. Vx. ⇒ **Maghrebin, maugrabin.**

MOHA [mɔà] n. m. — 1873; orig. obscure.

◆ *Moha de Hongrie,* nom du *panis germanicum* (⇒ **Panic**), céréale qui fournit un fourrage abondant et nutritif *(Graminacées).*

MOHAIR [mɔɛʀ] n. m. — 1860; mot angl.; arabe *muḫ̄ayyǎr* proprt « select, de choix », par attraction de l'angl. *hair* « poil ». ⇒ **Moire.**

◆ Poil de la chèvre angora* (⇒ **Laine**), long, droit, fin et soyeux, dont on fait des étoffes légères et des laines à tricoter. *Un pull over en mohair.* Par appos. *Laine mohair.* — Étoffe de mohair. *Costume de mohair.*

> Le mohair, c'était un genre d'alpaga, en plus tombant, tu vois?
> COLETTE, la Fin de Chéri, p. 173.

MOHAR [mɔaʀ] n. m. — 1874, Larousse; mot hébreu.

◆ Au Proche-Orient, Somme versée par les parents du fiancé aux parents de la future épouse.

MOHARRAM [mɔaʀam] ou **MOHARREM** [mɔaʀɛm] n. m. — 1732, Trévoux; mot arabe, rac. *hamara* « défendre ».

◆ Didact. Premier mois de l'année musulmane, au cours duquel les Chiites célèbrent une fête religieuse (commémoration du martyre de Al-Hosaïn, petit-fils du Prophète).

MOHATRA [mɔatʀa] n. m. — XVIIᵉ; esp. *mohatra,* arabe *muḫāṭǎráh* « risque ».

◆ Vx et hist. Marché fictif et usuraire par lequel on vend cher à crédit ce qu'on rachète aussitôt à bas prix en payant comptant. — (1803). Par appos. *Contrat mohatra.*

> Le Mohatra est quand un homme, qui a affaire de vingt pistoles, achète d'un marchand des étoffes pour trente pistoles, payables dans un an, et les lui revend à l'heure même pour vingt pistoles comptant. PASCAL, les Provinciales, VIII.

MOI [mwa] pron. pers. et n. m. — V. 1150; *mei,* v. 1150; *me,* v. 980; du lat. *me,* devenu *mei, mi, moi,* en position accentuée.

⇒ **Me** (forme inaccentuée).

1 Le mot de la langue le plus difficile à prononcer et à placer convenablement, c'est *moi.* A. DE VIGNY, Journal d'un poète, 1835.

★ **I.** Pron. pers. (forme tonique) de la 1ʳᵉ personne du sing. et des deux genres, représentant la personne qui parle ou qui écrit. ⇒ **Je** (→ aussi, pop. ou fam., 2. Bibi, mézigue, ma pomme,...).

REM. Sans préposition, *moi* ne peut être sujet ou complément d'objet que dans les cas étudiés ci-après.

◆ **1.** *Moi,* complément d'objet après un impératif positif. *Regarde-moi. Laissez-moi là...* (→ Cacher, cit. 38). *Fais-moi bondir* (cit. 4). — Après un autre pronom personnel. *Donnez-la-moi. Rends-le-moi.*

2 (...) Allumez-moi une cigarette (...) Mettez-la-moi dans la bouche. R. DORGELÈS, les Croix de bois, XI.

REM. *Moi* se réduit à *m'* devant *en* et *y. Donnez-m'en.* « *Fais-m'y penser cet hiver* » (Romains, *les Hommes de bonne volonté,* t. I, XXIV, p. 287). — Pour *Mène-m'y.* ⇒ **Me,** supra cit. 27 (Dans la langue pop. on trouve les tournures : *Donne-moi-z-en* [dɔnmwazã]; *mènes-y-moi* [mɛnzimwa]).

Spécialt. *Moi,* pronom explétif marquant l'intérêt personnel atténué. *Regardez-moi cet imbécile!* « *Dressez-lui-moi son procès, comme larron* » (cit. 3, Molière). ⇒ **Me,** cit. 11 et supra.

3 C'est dégoûtant! voyez-moi comme ces bougres-là nettoient! ZOLA, la Bête humaine, III.

◆ **2.** *Moi,* sujet d'un verbe à l'infinitif. — Dans une phrase exclamative : *Moi, vous remercier!* (→ Cesser, cit. 15; honnête, cit. 28). — Avec un infinitif de narration introduit par *de. Et moi de conclure...*

4 Moi régner! Moi ranger un État sous ma loi (...)! RACINE, Phèdre, III, 1.

5 Et moi de me débattre, de frapper Alphonsine des poings et des pieds, de hurler, de fondre en larmes. FRANCE, le Petit Pierre, III.

6 Mais dénoncer des collègues, moi? Jamais de la vie! J. ROMAINS, les Hommes de bonne volonté, t. VIII, IX, p. 106.

(Avec un participe). *Moi parti, que ferez-vous? Moi compris* (→ Expression, cit. 4).

7 Moi excepté, moi effacé, moi oublié, qu'arriverait-il de tout ceci? HUGO, les Misérables, I, VII, III.

◆ **3.** *Moi,* sujet d'une proposition elliptique. — (Dans une réponse). *Qui est là? — Moi.* (Dans une prop. coordonnée ou juxtaposée). *Vous fumez? Moi aussi* (→ Luxe, cit. 10). *Il a gagné la première manche* (cit. 16) *et moi la seconde.*

8 Elle se mit à sourire, et me dit : — Moi d'abord, toi ensuite. Je sais que cela doit arriver ainsi. MÉRIMÉE, Carmen, III.

9 Qui donc m'appelle? — Moi. — Qui, moi? Edmond ROSTAND, Cyrano de Bergerac, III, 6.

REM. *Moi* s'emploie parfois pour décomposer un sujet global *(Nous).*

Toi et moi, vous et moi, moi et lui... On s'installe, moi là, elle à côté.

Oui, nous nous aimons. Seulement, moi, c'est l'adoration pour un être tellement au-dessus de moi! Paul BOURGET, Lazarine, p. 270.

◆ **4.** *Moi,* sujet ou complément, coordonné à un nom, un pronom. — (Sujet). *Mon avocat et moi sommes de cet avis* (Académie). *Lui ou moi ferons cela* (Littré). — REM. Le verbe se met normalement à la première personne du plur., sauf parfois dans les tournures négatives *(Ni moi ni personne n'en peut secouer le joug).*

Le roi, l'âne ou moi, nous mourrons. LA FONTAINE, Fables, VI, 19.

(...) car je savais la Bible par cœur, et ce livre et moi étions tellement inséparables que pendant les plus longues marches il me suivait toujours. A. DE VIGNY, Servitude et Grandeur militaires, II, I.

Elle ni moi ne pûmes oublier, dans les plus vifs de nos transports, l'épouvantable situation qu'elle nous faisait à tous les deux. BARBEY D'AUREVILLY, les Diaboliques, « Rideau cramoisi ».

(...) ni mes cousines ni moi n'avions avec elle une grande intimité. GIDE, la Porte étroite, II.

(Compl. d'objet). *Il a invité ma femme et moi; il nous a invités, ma femme et moi* (→ ci-dessus, 3., REM.). — *Toi et moi,* poèmes de Géraldy.

Il contemplait la foule sans distinguer ni moi ni personne. FRANCE, l'Étui de nacre, p. 219.

Mes hommes et moi — dans les rapports je disais : « mes hommes », mais ici en famille je dis : « mes hommes et moi » parce qu'il n'y a plus de discipline entre nous; il n'y a plus que de l'amitié. René BAZIN, Baltus le Lorrain, p. 128, in SANDFELD.

◆ **5.** *Moi* (sujet ou compl.), dans une phrase comparative, après *plus que, moins que, aussi... que, autre que, comme,* etc. — *Plus fort* (cit. 57) *que moi.* « *Qui doit prendre à vos jours plus d'intérêt* (cit. 21) *que moi?* » (Racine). *Il joue au tennis aussi bien que moi. À bien d'autres* (cit. 59) *qu'à moi. Personne autre* (cit. 71) *que moi. Ne faites pas comme moi. Des gens* (cit. 6) *comme toi et moi.*

(Après *Ne... que...*). *Je n'en accuse que moi* (→ Imputer, cit. 4). *Il n'y a que moi sur la terre* (→ Arrogant, cit. 1).

◆ **6.** *Moi,* renforçant le pronom *je. Moi, je...* ⇒ **Je** (cit. 1, 2 et 3). *Moi aussi* (cit. 46), *j'y suis allé.*

REM. *Moi* peut se placer après le verbe (tour plus familier) : *je n'invente* (cit. 13) *rien, moi* (→ aussi Jargon, cit. 5, Molière).

Car, vous ne savez pas, moi, je suis un bandit! HUGO, Hernani, I, 2.

Moi, renforçant le pronom complément *me. Moi, il m'a complètement oublié. Et moi, il me suffit de... On ne m'a jamais manqué* (cit. 11) *de respect, à moi.*

Moi, renforçant ou précisant le possessif. *Moi, ce qui fait ma force* (cit. 28)*... Ce qui fait ma force, à moi... Mes souvenirs à moi.* « *Mon dictionnaire à moi...* » (→ Emprunter, cit. 12).

◆ **7.** *Moi,* sujet antécédent du pronom relatif *qui* et suivi du verbe à la première personne du singulier (→ Attendre, cit. 99; étreindre, cit. 7). *Moi qui vous parle...*

REM. Après *Ne... que... moi qui* est parfois suivi de la troisième personne : « *Il n'y avait que moi qui le pût informer* » (La Rochefoucauld, in Brunot).

Et moi qui vous avais prise pour un homme! Paul MORAND, l'Europe galante, p. 223.

Moi, antécédent du relatif *qui,* normalement repris par *je* devant le verbe de la principale (ce qui n'était pas toujours le cas en français classique (→ Être, cit. 3, Descartes, et ci-dessous Pascal, La Bruyère).

(...) et moi qui écris ceci, ai peut-être cette envie (...) PASCAL, Pensées, II, 150.

Peut-être que moi qui existe n'existe ainsi que par la force d'une nature universelle (...) LA BRUYÈRE, les Caractères, XVI, 36.

Moi qui vous parle, j'ai connu, peu s'en faut, les bruits et les embarras de Paris, tels que Boileau les décrivait, vers 1660, dans son grenier du Palais. FRANCE, la Vie en fleur, III.

◆ **8.** *Moi,* attribut. *Cet assemblage* (cit. 18) *prodigieux de molécules qui est moi. Ce qui me fait moi.* « *L'art, c'est moi; la science c'est nous* » (→ Impersonnalité, cit. 1). « *L'État* (cit. 131), *c'est moi.* » « *Parce que c'était moi* » (→ Aimer, cit. 8, Montaigne). *Ce ne sera pas moi* (→ Écho, cit. 1).

Je veux montrer à mes semblables un homme dans toute la vérité de la nature; et cet homme ce sera moi. ROUSSEAU, les Confessions, I.

Tout ce qui nous arrive de bien et de mal ici-bas est écrit là-haut. Savez-vous, monsieur, quelque moyen d'effacer cette écriture? Puis-je n'être pas moi? Et étant moi, puis-je faire autrement que moi? DIDEROT, Jacques le fataliste, Pl., p. 509.

C'est moi, c'est toujours moi, ce n'est que moi! HUGO, les Misérables, I, VII, III.

Grand Dieu! Pourquoi suis-je moi? STENDHAL, le Rouge et le Noir, II, XXVIII.

(...) enfin une aventure m'arrive et quand je m'interroge, je vois qu'*il m'arrive que je suis moi et que je suis ici;* c'est *moi* qui fends la nuit, je suis heureux comme un héros de roman. SARTRE, la Nausée, p. 76.

LOC. *C'est moi...,* suivi d'une proposition relative (→ ci-dessus, 7. : Moi qui...) *C'est moi qui vous le dis. C'était moi qui réglais tout*

(→ Intendant, cit. 5). *C'est moi qu'on accuse* (→ Jeter, cit. 28). *C'est moi dont...* (→ Labyrinthe, cit. 1).

Quand ses jeunes amies ne venaient pas la chercher ou que son cousin ne l'accompagnait pas à l'église, c'était souvent moi qui la conduisais et qui l'attendais, assis sur les marches du péristyle.   LAMARTINE, Graziella, III, XV.

C'est moi que vous cherchez, messieurs ?
                Alphonse DAUDET, Tartarin sur les Alpes, p. 208.

Ce n'est pas moi qui y trouverai à redire.
                FRANCE, les Désirs de J. Servien, XI, p. 86.

C'est moi qui vous le dis, moi qui ai porté comme une blessure dix ans de ma vie ce refus de porter les armes (...)   ARAGON, la Semaine sainte, X.

REM. En français classique, *c'est moi qui* pouvait être suivi d'un verbe à la troisième personne. *«Ce ne serait pas moi qui se ferait prier»* (Molière, *Sganarelle*, 2). Cet accord est aujourd'hui populaire.

♦ **9.** *Moi*, précédé d'une préposition. *«On fait de moi, avec moi, devant moi, tout ce qu'on veut»* (→ Formaliser, cit. 4). *«Je ne pensais pas..., on pensait en moi, à travers moi, envers et contre moi»* (→ 2. Frais, cit. 9, Duhamel). — *Avec moi* (→ Finir, cit. 25). *Chez moi* (→ Assez, cit. 20 ; jour, cit. 52). *Contre moi* (→ Armer, cit. 4). *Derrière moi, devant moi* (→ Bouffon, cit. 6 ; loi, cit. 30). *En moi* (→ Aspect, cit. 9 ; instinct, cit. 10). *Sur moi* (→ Image, cit. 63 ; lame, cit. 1). *Vers moi* (→ Cahier, cit. 3). — *Malgré moi* (→ Insinuer, cit. 17). *Par moi* (→ Immoler, cit. 6). *Sans moi. Selon moi* (→ Assortir, cit. 20). — *Au fond* (cit. 28) *de moi. Après* (cit. 1), *autour* (cit. 9) *de moi. Hors de moi ; près, loin de moi...*

Mon Dieu, quelle guerre cruelle !
Je trouve deux hommes en moi (...)   RACINE, Cantiques spirituels, III.

Si vous n'avez rien à me dire,
Pourquoi venir auprès de moi ?   HUGO, les Contemplations, II, IV.

DE MOI. *L'idée n'est pas de moi, mais de lui. Pauvre* de moi !* (exclam. fam.). *Je vous donnerai une photo de moi. C'en est fait de moi.* ⇒ **Faire** (supra cit. 53). *«Je suis maître* (cit. 37) *de moi comme de l'univers».* — REM. L'emploi de la préposition *de* pour marquer la possession n'est plus possible aujourd'hui qu'en combinaison avec un autre nom ou pronom (→ ci-dessous, à moi, b).

Restez, je vais vous le faire connaître. C'est un grand ami (...) de mon mari et de moi.   DANIEL-ROPS, Mort, où est ta victoire ? II, II, 2, p. 299.

POUR MOI : à mon égard, en ma faveur. *Elle fut pour moi la plus tendre des mères* (→ Maman, cit. 5). — *Quant à moi, pour ma part. Et je lui crois, pour moi, le timbre un peu fêlé* (→ Après, cit. 19, Molière). ⇒ **Pour.**

a À MOI. Absolt. Cri* pour appeler à l'aide. *«À moi, Auvergne ! voilà les ennemis !»* (cri attribué au chevalier d'Assas, cf. Voltaire, *le Siècle de Louis XV*, XXXIII). — Interpellation. *«À moi, comte, deux mots»* (Corneille).

Un fracas et je n'entends plus rien... Puis des cris : — À moi ! vite... Dans la fumée, des blessés se sauvaient.   R. DORGELÈS, les Croix de bois, XI.

b Marquant l'appartenance, après un nom (*Un ami à moi*, un mien* ami, un de mes amis) ou après le verbe *être. Ceci est à moi* (⇒ À, 1., et cit. 1, Rousseau). *Ton épée est à moi* (Corneille, *Cid*, I, 3) — Fig. *Vous n'êtes pas à lui, mais à moi* (→ Importer, cit. 11).

Mien, tien. «Ce chien est à moi, disaient ces pauvres enfants ; c'est là ma place au soleil». Voilà le commencement et l'image de l'usurpation de toute la terre.   PASCAL, Pensées, V, 295.

Nini, cette vie ne peut plus durer (...) Il faut que tu sois à moi, rien qu'à moi (...)   ARAGON, la Semaine sainte, IV.

c Remplaçant *me**, après certains verbes (énonçant le mouvement, au sens propre, la pensée, l'intérêt, etc.) après les verbes pronominaux et après les locutions verbales. *Laissez venir à moi les petits enfants* (cit. 1, Bible). — *Pensez à moi. — Je m'attachai à lui, il s'attacha à moi.* ⇒ aussi **Me.** — *Elle ne fait pas plus attention à moi qu'à une borne* (cit. 7). *Il ne tiendrait qu'à moi de m'en fâcher* (→ Insolence, cit. 1). ⇒ **Tenir ;** → aussi le tour *Parler** à moi. — En phrase coordonnée. *Vous lui devez beaucoup plus qu'à moi. «Immolez* (cit. 7) *non à moi, mais à votre couronne»* (Corneille).

Et c'est ainsi, qu'à moi, comme à bien d'autres Parisiens, aucune des misères de ce triste temps n'aura été épargnée (...)
                Alphonse DAUDET, Souvenir d'un homme de lettres, «Le naufrage», p. 102.

Spécialt. (Devant un participe passé). *Une lettre à moi adressée. Des figures à moi connues* (→ Garnir, cit. 11, et la construction semblable de *lui*, cit. 54 et *supra*).

Loc. À PART MOI : dans mon for* intérieur. ⇒ **Part.** — QUANT À MOI : pour ma part. ⇒ **Quant*.** — DE VOUS À MOI : entre nous, confidentiellement.

De vous à moi, je crois que ce Manilof m'en voulait à cause d'une petite Russe (...)
                Alphonse DAUDET, Tartarin sur les Alpes, V.

d C'EST À MOI... — *Est-ce à moi que vous parlez ? — C'est à moi de faire, à faire... : c'est mon rôle, c'est mon tour de faire ; il m'appartient* de faire. C'est à moi, est-ce à moi de...?* (→ Borner, cit. 9 ; finement, cit. 3 ; forfait, cit. 1). — Ellipt. *À moi de jouer.*

(...) c'est à vous à parler, ce n'est pas à moi.   FRANCE, le Lys rouge, XXII.

Est-ce à moi, à dire les bienfaits du soir ?
                GIRAUDOUX, Siegfried et le Limousin, II.

♦ **10.** Loc. MOI-MÊME, forme renforcée de *moi.*

a (En appos. ⇒ **Même**, I., 2., REM. 3). → Goût, cit. 3 ; juger, cit. 22.

Je t'ai cherché moi-même au fond de tes provinces (...)   41
                RACINE, Andromaque, IV, 5.

Je sentais que je n'étais moi-même qu'un voyageur (...)   CHATEAUBRIAND, René.   42

b Sujet (sans *je*. → **Même**, I., 2., REM. 2).

(...) je (...) couvrais mes livres favoris d'indications à son usage, soumettant à l'intérêt qu'elle y pourrait prendre l'intérêt que moi-même y cherchais.   43
                GIDE, la Porte étroite, IV.

c Attribut. *Je suis* (cit. 47) *toujours moi-même. Enfin, je redeviens moi-même.*

Ce quelque chose en toi, mon enfant, c'est moi-même !   44
                Edmond ROSTAND, l'Aiglon, I, 13.

d En apposition à *me* compl. d'objet direct. *Je m'approuve* (cit. 25) *moi-même.*

Vous me trompiez, Seigneur. — Je me trompais moi-même.   45
                RACINE, Andromaque, I, 1.

À force de construire, me fit-il en souriant, je crois bien que je me suis construit moi-même.   VALÉRY, Eupalinos, p. 33.   46

e Introduit par une préposition. *Importune* (cit. 8) *à moi-même. Étranger* (cit. 12) *à moi-même. De moi-même.* ⇒ **Même** (supra cit. 16). *Par moi-même. Je me disais en moi-même* (→ Cerise, cit. 1).

f *Moi-même*, pris subst. *Un autre* (cit. 30) *moi-même* (cit. 17).

Je me disais que, pour être tel que j'étais, il fallait que, pour la première fois, j'eusse devant moi ce moi-même dont jusqu'à ce jour l'existence m'avait été cachée, et si profondément qu'en le découvrant tout à coup je pensais rencontrer un autre. Cet autre n'était pas un autre : c'était moi (...) Mais tout autant, et plus passionnément que l'autre, cette présence inattendue de moi-même en moi-même agitait mon cœur.   H. BOSCO, Un rameau de la nuit, p. 112.   47

MOI, renforcé par *seul. C'est moi seul qui suis responsable.*

REM. 1. *Moi seul*, sujet (sans *je*), *moi seul pouvais...* (Mauriac). → ci-dessous Balzac.
2. *À moi seul, à moi tout seul*, se construit en apposition au sujet.

Moi seul, comme elle l'avait dit, connaissais les secrets de Clochegourde.   48
                BALZAC, le Lys dans la vallée, Pl., t. VIII, p. 848.

Pour moi, j'assiégerai Narbonne à moi tout seul.   49
                HUGO, la Légende des siècles, X, «Aymerillot».

Je souffre de ce que vous ne viviez pas de moi seul et pour moi seul.   50
                FRANCE, le Lys rouge, XIX.

C'est moi seul maintenant que vous appelez votre frère.   51
                CLAUDEL, l'Otage, II, 2.

MOI AUSSI* (cit. 46).
MOI NON PLUS*.

★ **II.** MOI, n. m. invar. (1583). ♦ **1.** *Le moi : le mot «moi». Le moi, le je reviennent très souvent dans ses vers* (→ Égotiste, cit.). ⇒ **Je,** cit. 7, et égoïsme, cit. 1.

♦ **2.** Ce qui constitue l'individualité*, la personnalité* d'un être humain. ⇒ **Esprit** (IV., 3.) ; **individu** (supra cit. 10 ; → aussi Espèce, cit. 32). *Le jeu* (cit. 2) *permet à l'individu de réaliser son moi. Le moi en contact* (cit. 9) *avec le monde. — Le Culte du moi,* trilogie de Maurice Barrès.

Le moi de l'auteur s'y manifeste, tourné vers le Moi du lecteur, l'invitant à faire réflexion sur soi pour atteindre le fond intérieur de son être, la vérité suprême qui est la racine commune de toute pensée et de toute existence.   52
                Léon BRUNSCHVICG, Descartes, p. 30.

Je ne connais pas d'homme qui voudrait changer vraiment et totalement d'essence avec qui ce soit. D'un autre, on aimerait les dents, le teint, les traits, la prestance, le savoir, la fortune. Pas la racine, pas l'être profond, pas cette chose qui est le moi, ce moi que l'on préfère, malgré tout, même en le haïssant.   53
                G. DUHAMEL, Salavin, «Journal», 15 août.

Ce monde, je puis le toucher et je juge encore qu'il existe. Là s'arrête toute ma science, le reste est construction. Car si j'essaie de saisir ce moi dont je m'assure, si j'essaie de le définir et de le résumer, il n'est plus qu'une eau qui coule entre mes doigts.   CAMUS, le Mythe de Sisyphe, p. 110.   53.1

Par ext. Ce qui constitue la personnalité d'un groupe. *Le « Contrat social » donne un moi commun à la cité* (cit. 1, Rousseau).

Spécialt. (Dans le langage de l'amour). *Tout moi, tout mon moi t'appartient.*

En ce moment, tout moi retourne avec amour vers toi.   54
                HUGO, Lettre à Juliette Drouet, 20 mai 1851.

Tu es seul, seul, seul, entends-tu ? dans mon âme, dans tout moi.   55
                FRANCE, le Lys rouge, XXVIII.

♦ **3.** La personnalité, dans sa tendance à ne considérer que soi, à ne parler que de soi. ⇒ **Égocentrisme, égoïsme, égotisme** (→ Amour-propre, cit. 2). *Le moi est haïssable* (cit. 9, et *supra*, Pascal). *L'enflure du moi chez les égoïstes* (cit. 4).

En un mot, le moi a deux qualités : il est injuste en soi, en ce qu'il se fait centre du tout ; il est incommode aux autres, en ce qu'il les veut asservir : car chaque *moi* est l'ennemi et voudrait être le tyran de tous les autres !   PASCAL, Pensées, VII, 455.   56

Ce triomphe enivre l'orgueil, la vanité, l'amour-propre, enfin tous les sentiments du *moi*. Cette perpétuelle divinisation grise si violemment, que je ne m'étonne plus de voir les femmes devenir égoïstes, oublieuses et légères au milieu de cette fête.   BALZAC, Mémoires de deux jeunes mariées, Pl., t. I, p. 253.   57

(...) Au diable ton « moi » ! Pense donc un peu au « toi » ! (...)   58
                R. ROLLAND, Jean-Christophe, Les amies, p. 1201.

♦ **4.** *Les moi :* les diverses formes que prend une même personne à des moments différents de son existence. *Notre vrai moi*

(→ Essence, cit. 5). *Nos moi successifs. Lamartine a substitué le moi poétique à son moi réel* (→ Généraliser, cit. 6).

59 *Moi, reprit-elle, de quel* moi *parlez-vous? Je sens bien des moi en moi? Ces deux enfants, ajouta-t-elle en montrant Madeleine et Jacques, sont des* moi.
BALZAC, le Lys dans la vallée, Pl., t. VIII, p. 938.

60 *Le moi que j'étais alors, et qui avait disparu si longtemps, était de nouveau si près de moi* (...)
PROUST, À la recherche du temps perdu, t. IX, p. 202.

61 *(...) car ce petit bonhomme est une ombre; c'est l'ombre du* moi *que j'étais il y a vingt-cinq ans* (...) *Il valait mieux, en somme, que les autres* moi *que j'ai eus après avoir perdu celui-là.*
FRANCE, le Livre de mon ami, Livre de Pierre, II, X.

♦ **5.** Philos. *Le moi :* « la personne humaine en tant qu'elle a conscience d'elle-même, et qu'elle est à la fois le sujet et l'objet de la pensée » (Littré). ⇒ **Personnalité, personne.** — « *Ce moi, c'est-à-dire l'âme...* » (→ 1. Être, cit. 3, Descartes). *L'idée du moi est caractérisée par le sentiment de son unité et par celui de son identité* (cit. 11). *La mémoire, seule forme de constance* (cit. 12) *du moi.* — *La conscience** (cit. 4) *et le moi. L'intuition* (cit. 2, Bergson) *nous permet de saisir notre moi qui dure. Connaître son moi,* se connaître. *Le Je* (cit. 10) *et le Moi. Le moi superficiel et le moi profond selon Bergson. Le moi transcendantal* (Kant); *le moi absolu* (Fichte).

62 *(...) vous m'avez obligé de m'avertir du passage de saint Augustin, auquel mon* Je pense, donc je suis *(...) je trouve qu'il s'en est servi pour convertir sa certitude de notre être (...) au lieu que je m'en sers pour faire connaître que ce* moi, *qui pense, est une substance immatérielle (...)*
DESCARTES, Lettre à Colvius, 14 nov. 1640.

63 *Je sens que je puis n'avoir point été, car le moi consiste dans ma pensée (...)*
PASCAL, Pensées, VII, 469.

64 *Je sens mon âme, je la connais par le sentiment et par la pensée; je sais qu'elle est, sans savoir quelle est son essence; je ne puis raisonner sur des idées que je n'ai pas. Ce que je sais bien c'est que l'identité du moi ne se prolonge que par la mémoire, et que pour être le même en effet, il faut que je me souvienne d'avoir été.*
ROUSSEAU, Émile, IV.

65 *Qu'entendons-nous par un moi, en d'autres termes, par une personne, une âme, un esprit? (...) Ce que nous affirmons, c'est d'abord un quelque chose, un être (...) Ce que nous affirmons en second lieu, c'est qu'il est un être permanent (...) Ce que nous affirmons en troisième lieu, c'est que ce quelque chose est lié à tel corps organisé (...)*
TAINE, De l'intelligence, II, III, I.

66 *(...) je ne trouve pas matière à une analyse dans ce qui fut une réelle aliénation, une abdication de tout mon Moi ancien dans le martyre. Cette idée de la mort sortie des profondeurs intimes de ma personne (...)*
Paul BOURGET, le Disciple, IV, VI.

REM. On trouve sous la plume de Leconte de Lisle (1891; *in* D. D. L.) le dérivé *moiiste* appliqué à M. Barrès, pour *égotiste*.

♦ **6.** Psychan. (trad. de l'all. *Ich* dans l'œuvre de Freud). Une des trois « instances » de l'appareil psychique, dans la théorie de Freud (opposé au *Ça* et au *Surmoi*), chargée de la médiation entre les pulsions, les interdits et les impératifs du surmoi et les exigences de la réalité. *Le moi correspond à la partie consciente du psychisme.* ⇒ **Ego.**

67 *Le* Moi, *parfois le* Je *(en allemand, das* Ich; *en anglais, the* Ego), *ne doit absolument pas être confondu avec le moi de la psychologie non analytique. Génétiquement, il se développe par la différenciation de l'appareil psychique au contact des réalités extérieures (...) L'activité du Moi est consciente (...) préconsciente et inconsciente (mécanismes de défense). La structure du Moi est dominée par le principe de réalité (...) C'est au Moi (...) que revient la défense de la personnalité et son ajustement à l'entourage, la solution des conflits entre l'organisme et la réalité ou entre les besoins incompatibles de l'organisme; il contrôle l'accès à la conscience et à l'expression motrice (...)*
D. LAGACHE, la Psychanalyse, p. 35.

68 *Du point de vue* dynamique, *le moi représente éminemment le conflit névrotique le pôle défensif de la personnalité; il met en jeu une série de mécanismes de défense (...). Du point de vue* économique, *le moi apparaît comme un facteur de liaison des processus psychiques.*
J. LAPLANCHE et J.-B. PONTALIS, Voc. de la psychanalyse.

69 *Le rôle des identifications dans la genèse du Moi, l'origine de l'énergie dont il dispose, sa force — Moi forts et faibles — sont encore discutés par les analystes.*
A. POROT et G. PASCALIS, *in* POROT, Manuel alphabétique de psychiatrie, 1975.

COMP. Chez*-moi. — Non-moi. — Quant-à-moi.
HOM. Moie; mois.

MOÏ [mɔj] adj. et n. invar. en genre. — Attesté 1888; mot vietnamien, « sauvage ».

♦ Se dit des peuples montagnards du Sud de l'Indochine, du Cambodge et du Laos. *Populations moïs.*

N. m. *Le moï :* l'ensemble des langues et dialectes parlés par les moïs d'Indochine.

REM. Cette appellation est critiquée. Voir *Dict. univ. des noms propres.*

MOIE [mwa] n. f. — V. 1180; du lat. *meta.*
Régional.

♦ **1.** [a] Meule de foin.

[b] (1868). Tas (de sable, de blé).

♦ **2.** (1903). Techn. Couche plus tendre d'une pierre dure.
HOM. Moi, mois.

MOIGNON [mwaɲɔ̃] vx [mɔɲɔ̃] *in* Littré, n. m. — V. 1155; *moinun,* fin XIᵉ; de l'anc. franç. *moignier, esmoignier* « mutiler », de l'anc. provençal, probablt de **mundiare* « couper pour nettoyer », de *mundus* « pur ».

♦ **1.** (Fin XIᵉ). Extrémité d'un membre amputé; portion comprise entre la cicatrice et l'articulation qui se trouve au-dessus (→ Couper, cit. 6; douloureux, cit. 3; enflammer, cit. 5). *Le moignon, les moignons d'un manchot, d'un amputé, d'un mutilé de guerre...* (⇒ **Amputation.**)

Ses moignons bourgeonnent bien. Dans l'après-midi, on l'assied sur son lit... Je lui explique comment il pourra marcher avec des jambes artificielles.
G. DUHAMEL, Récits des temps de guerre, « Vie des martyrs », Le sacrifice.

♦ **2.** (1701). Par anal. Ce qui reste d'une grosse branche cassée ou coupée, d'un arbre dont on a coupé les branches... — Par métaphore. *Moignons de brancards* (cit. 3).

Les vignerons recèpent la vigne tous les ans et ne laissent qu'un moignon hideux et sans échalas au milieu d'un entonnoir.
BALZAC, la Rabouilleuse, Pl., t. III, p. 941.

♦ **3.** (1868). Par ext. Membre rudimentaire. *Les moignons d'ailes des oiseaux marcheurs, d'un manchot, d'une autruche* (→ Déchirer, cit. 13).

Ils (les colons) respectèrent aussi certains manchots très innocents, dont les ailes, réduites à l'état de moignons, s'aplatissaient en forme de nageoires, garnies de plumes d'apparence squameuse.
J. VERNE, l'Île mystérieuse, t. I, p. 194.

MOINDRE [mwɛ̃dʀ] adj. compar. — V. 1360; *meindre,* v. 1112; du lat. *minor* (→ Mineur), compar. de *parvus* « petit ».

★ **I.** (Compar.). Plus petit* (en quantité, en importance...), plus faible. ⇒ **Inférieur; moins.** *Rendre moindre.* ⇒ **Amoindrir, diminuer.** *Nombre moindre ou supérieur* (⇒ **Différent**). *Prix moindre* (⇒ **Bas**). *Pouvoir d'achat* (cit. 2) *moindre. — État de moindre réaction. Un vin de moindre qualité. Moindre importance* (→ Bref, cit. 9). *Une bonté non moindre* (→ Éternité, cit. 10). *Temps, durée moindre* (⇒ **Abrégé**).

Et nous l'avons vu même à ses cruels soupçons
Sacrifier deux fils pour de moindres raisons.
RACINE, Mithridate, I, 5.

REM. 1. En parlant d'une grandeur mesurable, *moindre* ne se dit guère que des notions générales : *moindre distance, moindre étendue; espace moindre* (→ Infini, cit. 28); *volume moindre* (→ Contracté). On ne dirait pas : *ce champ, cet arbre... est moindre* (que cet autre), mais : *est plus petit.*

(...) tout le monde sait qu'une route qui monte de deux mètres sur une longueur moindre donne plus de peine au cheval, mais qu'il tire alors moins longtemps (...)
ALAIN, Propos, 16 avr. 1911, Pourquoi le couteau coupe-t-il?

Vx. (En parlant des personnes). Qui est de moindre mérite, de moindre rang (Littré). ⇒ **Inférieur, subalterne.**

En France, le pair fut un faux roi; en Angleterre, ce fut un vrai prince. Moins grand qu'en France, mais plus réel. On pourrait dire : moindre, mais pire.
HUGO, l'Homme qui rit, VIII, 2.

Je lis ce matin dans *Sertorius :* (...) Curieux emploi du mot « moindre » : — *De suivre les drapeaux d'un chef moindre que vous* (Acte I, sc. 1). — *Ils étaient plus que rois; ils sont moindres qu'esclaves* (Acte III, sc. 1).
GIDE, Journal, 25 déc. 1943.

2. [a] On peut renforcer *moindre* par bien ou par beaucoup. *L'inconvénient sera beaucoup moindre, moindre de beaucoup* (Académie). — *Moindre* peut être complément de *rien.* « *Les éloges brillants... me permettaient pas d'espérer rien de moindre* » (Corneille, *Sertorius,* III, 2).

[b] Le complément de *moindre* est introduit par *que* (→ Boa, cit. 1). *Se farder* (cit. 7) *est un moindre crime que parler contre sa pensée. Notre condition est moindre que la leur.* ⇒ **Dessous** (au). — Devant un nom de nombre, on met *de,* comme pour moins (cf. J. de Maistre, *in* G. et R. Le Bidois, Syntaxe du franç. mod. § 1208).

(...) cette impiété, ces inimitiés (...) diminuent ou grandissent à tous les changements de personnes. Elles sont moindres aujourd'hui qu'elles n'étaient hier.
FRANCE, l'Orme du mail, Œ., t. XI, XIII, p. 144-145.

★ **II.** (V. 1220). Précédé de l'art. défini ou d'un autre déterminatif. Superlatif.

♦ **1.** LE MOINDRE : le plus petit, le moins important, le moins remarquable. « *Le moindre grain de mil...* » (→ Affaire, cit. 18, La Fontaine). *La moindre brindille* (cit. 1 et 2). *Les moindres incidents le déconcertent. Les moindres détails. À la moindre alerte* (cit. 3), *au moindre appel* (cit. 5). *Le moindre effort** (cit. 26). *S'il avait eu le moindre bon sens...* ⇒ **Minimum.** *Menacer* (cit. 6) *au moindre retard. Utiliser les moindres coins* (→ Mettre, cit. 14).— (Avec poss.). « *C'est là son moindre défaut...* » (→ Emprunteur, cit. 1, La Fontaine).

On a dit que *moindre* précédé de l'article défini (ou d'un autre déterminatif) prêtait à l'amphibologie; citons ici Lemaire : « *C'est là son moindre défaut* signifie également : ce défaut est le moindre de ceux qu'il peut avoir, ce n'est pas là un grand défaut; ou bien, ce défaut est celui qu'il a le moins; donc il ne l'a pas du tout. »
G. et R. LE BIDOIS, Syntaxe du franç. moderne, § 1208.

C'est la moindre des choses : c'est une chose toute naturelle, évidente (s'emploie souvent en réponse à un remerciement). *C'est le moindre de mes soucis.* ⇒ **Cadet, dernier.** — Prov. *De deux maux, il faut choisir le moindre.*

La bienséance est la moindre de toutes les lois, et la plus suivie.
LA ROCHEFOUCAULD, Maximes, 447.

(...) cette histoire intéressera, ou n'intéressera pas : c'est le moindre de mes soucis.
DIDEROT, Jacques le fataliste, Pl., p. 700.

♦ **2.** (Précédé d'une négation). ⇒ **Aucun, nul.** *Il n'y a* (cit. 85) *pas le moindre doute ; sans le moindre doute* (→ Ligne, cit. 23). *Cela ne présente pas le moindre intérêt* (→ Glace, cit. 13). *Je n'en ai pas la moindre idée* (cit. 27). *Sans la moindre preuve* (→ Avancer, cit. 4). *Boutique sans le moindre vitrage* (→ Métier, cit. 12). *Il n'a pas touché le moindre sou. Sentez-vous là quelque douleur ? Pas la moindre* (Académie).

9   (...) *il faut traverser ce livre* (*l'Essai de Locke*), *comme les sables de Libye, et sans rencontrer même la moindre oasis, le plus petit point verdoyant où l'on puisse respirer.* J. DE MAISTRE, les Soirées de St-Pétersbourg, 6ᵉ entretien.

0   *Je n'avais pas la moindre envie de parler aux gens qui m'entouraient. Je n'osais même pas les regarder en face.* G. DUHAMEL, Salavin, I, XIII.

♦ **3.** Vx. (Personnes). ⇒ **Inférieur, subalterne, subordonné...** *Les moindres soldats* (→ Ardeur, cit. 41). *Le moindre homme* (→ Fortune, cit. 32). — *On dit encore, de nos jours : le moindre d'entre eux, d'entre nous* (→ Extrapolation, cit. 1), *de chacun d'eux* (→ Minimum, cit. 6). *Certains hommes, et non des moindres...* (→ Légion, cit. 6 ; 3. mal, cit. 35).

1   *La liberté d'une grande conscience tourne à l'esclavage des moindres.* André SUARÈS, Trois hommes, « Ibsen », IV.

CONTR. Meilleur, supérieur. — V. Plus.
DÉR. Moindrement.

MOINDREMENT [mwε̃drəmɑ̃] adv. — Fin xivᵉ ; de *moindre*, et *-ment*.

♦ Littér. D'une manière moindre, plus petite. — Plus souvent au superl., avec une nuance de préciosité. *Le moindrement,* dans une phrase négative (cf. Le moins du monde). *Il ne s'est pas le moindrement étonné.*

Mon petit-fils est malade, il est vrai, monsieur ; mais sa raison n'a jamais *été le moindrement* du monde altérée. BALZAC, Ferragus, Pl., t. V, p. 80.
Pendant le brouhaha, le cardinal (...) s'était (...) retiré avec toute sa suite, que cette foule, que son arrivée avait remuée si vivement, se fût le moindrement émue à son départ. HUGO, Notre-Dame de Paris, I, v.
Sans que son charmant laisser-aller m'eût paru le moindrement changé (...) VILLIERS DE L'ISLE-ADAM, Isis, p. 79.
Ça fait que comme ça on est d'accord... on se saisit sans s'être entendus... sans s'être consultés le moindrement. CÉLINE, Guignol's band, p. 29.

MOINE [mwan] n. m. — Déb. xiiᵉ ; *muine*, v. 1119 ; *munie*, 1080, *Chanson de Roland* ; adapt. anc. du lat. ecclés. *monachus*, mot grec, « solitaire », dér. de *monos* « seul » ; « toutefois *moine* représente une forme altérée *monicus* » (Bloch) ; les formes *monge, mogne* seraient expliquées par **mundicare.* → Moineau (Guiraud).

★ **I.** Religieux chrétien vivant à l'écart du monde, soit seul (⇒ **Anachorète, ermite**), soit, le plus souvent, en communauté, après s'être engagé par des vœux* à suivre la règle* d'un ordre. ⇒ **Cénobite, frère, frocard** (péj.), **monial, père, religieux* ; convers, monacal, monachisme ;** → Laïc, cit. 3. — REM. Au sens large et dans le lang. courant, on appelle *moines* de nombreux membres du clergé* régulier (moines mendiants ; congréganistes ; chanoines ou clercs réguliers). « *Les capucins et autres moines* » (→ Griser, cit. 7, Michelet).
Au sens strict, les *moines* sont les réguliers reclus dans la clôture d'un couvent (⇒ **Cloître**), qui vivent séparés du monde (Bénédictins*, cisterciens* et trappistes* ; ermites de Saint-Paul, Chartreux*, Antonins, et Basiliens) ⇒ **Caloyer ;** et aussi **monastique** (ordres monastiques). — *Communauté de moines.* ⇒ **Couvent** (cit. 2), **monastère.** *L'abbé** (cit. 1), *le prieur* et les moines.* ⇒ aussi **Supérieur ; provincial** (d'un ordre). *Les moines s'appellent* « *frère* » (cit. 24). *Moines occupés aux travaux manuels.* ⇒ **Convers.** *Nourriture des moines.* ⇒ **Pitance ; pitancier** (vx). *Cellule de moine. Habit** (*supra* cit. 16) *de moine.* ⇒ **Froc** (cit. 3) ; **défroque.** *Capuchon, cagoule* (cit. 2), *capuce de moine. Robe de moine* (→ Mendiant, cit. 4). — *Stages effectués avant d'être moine.* ⇒ **Juvénat, noviciat, postulat ; frère, lai, novice.** *Moine qui prononce ses vœux, prend l'habit.* ⇒ **Prise** (d'habit) ; **profès, profession ; encapuchonner** (*supra* cit. 2). *Personne qui vit avec les moines sans prononcer de vœux.* ⇒ **Oblat.** *Moine qui quitte l'habit, abjure ses vœux ; moine apostat.* ⇒ **Défroquer** (cit. 1). *Prison de moine.* ⇒ **In pace.**

Les moines sont d'abord (...) des solitaires. Les autres chrétiens admirent les mortifications souvent surhumaines auxquelles ils se livrent, mais craignent (...) les abus inévitables dus à l'absence de tout contrôle (...) Pour y remédier, une solution s'impose : rassembler les solitaires, leur donner une règle de vie, une organisation, un chef ; autrement dit, substituer à l'*érémitisme* originel le *cénobitisme.* H. MARC-BONNET, Hist. des ordres religieux, p. 8.
(...) quand la Trappe fut détruite, un porteur de la haire de Rancé demanda asile au canton de Fribourg. Les moines quittèrent leur monastère ; chaque religieux avait dans son sac sa robe et un peu de pain. CHATEAUBRIAND, Vie de Rancé, p. 136.
Les moines tondus se promènent là-bas, silencieux et méditatifs, un rosaire à la main, et mesurent lentement, de piliers en piliers, de tombes en tombes, le pavé du cloître, qu'habite un faible écho. Aloysius BERTRAND, Gaspard de la nuit, La cellule.
Il n'était pas un moine, il n'avait pas un tempérament à renoncer au monde ; surtout, il n'en avait pas l'âge. R. ROLLAND, Jean-Christophe, La révolte, p. 509.

Loc. *Vivre comme un moine,* comme un ascète.

J'aime le vin ; je ne bois pas. Je suis joueur et je n'ai jamais touché une carte. La débauche me plaît et je vis comme un moine. FLAUBERT, Correspondance, 320, 8 mai 1852.

(Qualifié). *Les moines blancs :* les Cisterciens. *Les moines noirs :* les Bénédictins de Cluny.

Par ext. *Moine bouddhiste* (⇒ **Bonze**), *lamaïste. Les thérapeutes, moines juifs d'Égypte.*

Prov. *L'habit ne fait pas le moine.* ⇒ **Habit** (*supra* cit. 20). *Pour un moine l'abbaye* ne faut pas. Nous l'attendons comme les moines font l'abbé*.*

Loc. prov. (par allus. à la vie paresseuse et dissolue qu'une tradition populaire ancienne attribuait aux moines). *Mener une vie de moine.* (⇒ **Chanoine**). *Être gros, gras*, glouton comme un moine* (→ Gras, cit. 45).

Vous qui êtes, à peu de choses près, mon contemporain, et qui êtes gras comme un moine, n'oubliez pas le plus maigre des Suisses, qui vous aime de tout son cœur. VOLTAIRE, Correspondance, 1573, 17 sept. 1758.

★ **II.** Fig. (1740, *moine des Indes* « rhinocéros »). ♦ **1.** (Par allus. à la forme conique du capuchon des moines). Se dit de divers objets (ou animaux) de forme conique. — Coquille univalve, du genre cône. — Jouet d'enfant, sorte de toupie.

Techn. Marteau en tronc de cône. Boursouflure, de l'acier, du fer, lorsqu'on le forge. — Morceau d'amadou pour allumer un fourneau de mine.

♦ **2.** (Par allus. à l'aspect du moine encapuchonné). Variété de phoques (*Pinnipèdes*). ⇒ **Phoque.** — Macareux* commun.

♦ **3.** (Par allus. à l'habit noir et blanc de certains moines).

a Imprim. Endroit d'une feuille imprimée resté blanc par suite « de l'interposition d'un morceau de papier entre la forme et la feuille à imprimer » (H. Leduc, *Composition typographique*).

b Insecte coléoptère noir, au thorax blanc (souvent utilisé comme appât par les pêcheurs).

c (1611). Pierre bicolore.

— Si tu me les donnes, je te donne la moitié de mes moines.
— Ça ne m'intéresse pas. Des moines, il y en a partout.
— Même celui qui a trois raies ? J.-M. G. LE CLÉZIO, le Déluge, p. 246.

♦ **4.** Ancienn. Ustensile formé d'un bâti ou d'un cylindre creux formant un réchaud, et servant à chauffer un lit (comme la bouillotte ou la bassinoire).

(...) la princesse de Fürstenberg (...) lui dit qu'elle se mourait (...) que, depuis deux heures, qu'elle est au lit, les artères lui battent, la tête lui fend, et qu'elle a une sueur à tout percer (...) Mᵐᵉ de Foix (...) en se fourrant doucement pour ne pas incommoder son amie (...) se heurte contre du bois fort chaud : elle s'écrie ; une femme de chambre accourt (...) elles trouvent un moine dont on avait chauffé le lit, que le Fürstenberg n'avait point senti, et qui, par sa chaleur, l'avait mise dans l'état où elle était. SAINT-SIMON, Mémoires, III, LIX.
Le soir, quand Jean entrait dans sa chambre, il voyait un grand feu, et pendant qu'il se déshabillait, on frappait. C'était la cuisinière qui venait apporter une boule que là-bas on appelait un moine, et qu'elle apportait seulement, parce que Mᵐᵉ Santeuil lui avait dit, pour qu'elle restât bien chaude, de ne l'apporter que quand M. Jean serait déjà en train de se déshabiller. PROUST, Jean Santeuil, Pl., p. 277-278.

DÉR. Moineau, moinerie, moinesse, moinifier (se), moinillon. — V. Monial.

MOINEAU [mwano] n. m. — xiiᵉ, *moinel* ; « dér. de *moine* d'après la couleur du plumage » (Dauzat) ; ou d'un gallo-roman **mundicare,* d'où l'anc. franç. *manger* « couper, mutiler », croisé avec *monachus,* d'où l'anc. franç. *monge, mogne* « moine », pour désigner un « petit » oiseau (Guiraud).

♦ **1.** Oiseau (*Passereaux* ; Fringillidés*), conirostre, à livrée brune striée de noir. *Moineau franc, très commun et familier.* ⇒ **Piaf** (pop.), **pierrot.** *Moineau montagnard.* ⇒ **Friquet** (cit.). *Moineau des bois, moineau soulcie. Cri du moineau.* ⇒ **Guilleri, pépiement ; pépier.** *Épouvantail* à moineaux. Volée de moineaux* (→ Abattre, cit. 21). Par compar. *Enfants qui partent comme une volée de moineaux.*

Dans ce champ, lit fatal de la sieste dernière
Des moineaux francs faisaient l'école buissonnière. HUGO, les Contemplations, I, XVIII.
(...) dans la maison, il y avait un pullulement extraordinaire de mioches, des volées d'enfants qui dégringolaient les quatre escaliers à toutes les heures du jour, et s'abattaient sur le pavé, comme des bandes de moineaux criards et pillards. ZOLA, l'Assommoir, t. I, v, p. 196.
Les moineaux, réunis en bande dans le mur plein font un vacarme assourdissant, où se détachent, comme dans les jeux d'une troupe d'enfants, trois ou quatre voix, toujours les mêmes, plus criardes que les autres. R. ROLLAND, Jean-Christophe, L'aube, p. 14.

Spécialt. *Le moineau mâle* (opposé à *moinelle*).

♦ **2.** Loc. fig. *Tête de moineau :* charbon d'une variété à usage domestique. *Manger comme un moineau,* très peu. *Tirer sa poudre* aux moineaux.* « *Pour nicher ensemble, il faut être des moineaux de même plumage* » (→ Généralité, cit. 7).

♦ **3.** Fig. *Vilain, sale moineau :* individu désagréable ou méprisable. *C'est un drôle de moineau,* un drôle de type. ⇒ **Oiseau.**

♦ **4.** *Moineau de mer :* plie (poisson plat).
DÉR. Moinelle.

MOINELLE [mwanɛl] n. f. — 1903, Larousse ; de *moin(eau),* et *-elle.*
♦ Moineau femelle.

MOINERIE [mwanʀi] n. f. — XIIIᵉ ; de *moine.*
Péjoratif et vieux.

♦ **1.** Ensemble de moines (ou : des moines). — Couvent, monastère.

♦ **2.** Esprit, condition monastique. *« Tâter de la moinerie »* (Saint-Simon, *in* Littré).

(...) il est clair que, si tous les garçons et toutes les filles s'encloîtraient, le monde périrait ; donc la moinerie est par cela seul l'ennemie de la nature humaine (...)
VOLTAIRE, l'Homme aux quarante écus, VIII.

MOINESSE [mwanɛs] n. f. — Déb. XVᵉ ; *moignesse,* XIVᵉ ; *moness,* 1276 ; fém. de *moine.*

♦ Vx (encore chez Proust) et péj. ⇒ **Religieuse, sœur.**

MOINIFIER (SE) [mwanifje] v. pron. — 1846, Balzac ; de *moine* et *-ifier.*

♦ Par plais. et vx. Vivre comme un moine.

Mes enfants auront tout leur bien, celui de leur mère et le mien ; mais ils ne veulent sans doute pas que leur père s'ennuie, se moinifie et se momifie ! (...)
BALZAC, la Cousine Bette, Pl., t. VI, p. 397.

MOINILLON [mwanijɔ̃] n. m. — 1612 ; de *moine.*

♦ Jeune moine. — Péj. Moine peu estimable, quel que soit son âge.
Les chefs se liguèrent contre lui, et ameutèrent les moinillons envieux de sa place (...)
ROUSSEAU, les Confessions, V.

MOINS [mwɛ̃] adv. — XIVᵉ ; *mains,* fin XIIᵉ ; *meins,* v. 1130 ; du lat. *minus,* neutre de *minor* pris adv. ; *moins* (XVᵉ) provient d'une «fausse régression» (Dauzat). → Avoine. Comparatif irrégulier de *peu.*

★ **I.** Adverbe comparatif de *peu.* Comparatif (cit. 1) d'infériorité*.

♦ **1.** Absolt (modifiant un verbe). *Il travaille moins. Cela vous plaira moins* (→ Expression, cit. 33). — (Modifiant un adj.). *Il est moins heureux, moins grand, moins riche* (→ Adversaire, cit. 4 ; hisser, cit. 6 ; langoureux, cit. 2). *Devenir moins grand, moins important...* (⇒ **Décroître, rétrécir**) ; *moins beau, moins cher* (⇒ **Perdre** [sa valeur]). *Rendre moins grand* (⇒ **Amenuiser, amoindrir, diminuer, rabaisser, ramoindrir, réduire**), *moins vif, moins fort* (⇒ **Amortir, atténuer**). *Dégradation du clair au moins clair* (→ Arrondir, cit. 5). *« On est moins malheureux* (cit. 7) *quand on ne l'est pas seul ».* — (Modifiant un adverbe). *Tâchez d'arriver moins tard. Moins bien* (→ Acanthe, cit. 1 ; énoncer, cit. 8). *C'est un peu moins mal.* — Loc. *En moins grand, en moins bien...*

1 Achille nous menace, Achille nous méprise ;
Mais ma fille en est-elle à mes lois moins soumise ? RACINE, Iphigénie, IV, 8.

2 Il faut l'avouer, les femmes ont fini par prendre part à l'immoralité qui détruisait leur véritable empire : en valant moins, elles ont moins souffert.
Mᵐᵉ DE STAËL, De l'Allemagne, I, IV.

REM. 1. *Moins* se place avant l'adjectif ou l'adverbe qu'il modifie, et généralement après le verbe. Aux temps composés il peut se placer avant ou après le participe passé : *il a moins parlé, il a parlé moins.*
2. *Moins* modifiant un attribut (nom, expression, proposition). *Être moins mère, moins honnête femme* (→ Loger, cit. 20). — *J'ai moins faim, moins froid, moins chaud.*

♦ **2.** (En corrélation avec *que* comparatif). **MOINS QUE...** *Il travaille moins que son frère, moins qu'avant, moins que je ne croyais. Moins que jamais* (→ Condamnation, cit. 8). *Moins que personne* (→ Jeune, cit. 11). — *Il est moins intelligent que son frère, moins qu'il ne le croit. Être moins inquiet qu'irrité* (→ 2. Froid, cit. 20). *Rien n'est moins sincère* (→ Garant, cit. 4), *moins commode* (→ Licence, cit. 17) *que... Il est moins rare, moins dangereux de faire telle chose que de...* (→ Antipathie, cit. 3 ; athée, cit. 5). *Moins bien que...* (Modifiant un nom. → ci-dessus 1. REM. 2). → Manchot, cit. 5.

3 L'ivresse dont je fus saisi (...) fut si durable et si forte qu'il n'a pas moins fallu, pour m'en guérir, que la crise imprévue et terrible des malheurs où elle m'a précipité. ROUSSEAU, les Confessions, IX.

4 L'amour qu'il ressentait pour Mˡˡᵉ Aglaé, moins ardent et moins furieux que celui de Mendès, mais plus intime et plus profond, était tourné chez lui en une manie acharnée.
FLAUBERT, l'Éducation sentimentale, *in* BRUNOT, la Pensée et la Langue, p. 729.
(Suivi d'un adjectif). *Il est moins que génial, mais on peut dire qu'il a du talent.*

(Construit avec des propositions subordonnées). *Moins parce que... que parce que...* (→ Fou, cit. 43).

Et de ses vœux troublés lui rapportant l'hommage,
Soupirer à ses pieds moins d'amour que de rage. RACINE, Andromaque, I, 1.
On plaignait donc le capitaine d'Auverney, moins pour les pertes qu'il avait souffertes que pour sa manière de les souffrir. HUGO, Bug-Jargal, II.

♦ **3.** (Accompagné d'un adverbe qui précise la comparaison). *Un peu moins* (→ Lors, cit. 1). *Un peu plus ou un peu moins* (→ Inaccessible, cit. 15). *Guère* (cit. 25) *moins que... D'autant* (cit. 62) *moins que... Beaucoup* (cit. 38 et 39) *moins que... Bien* (cit. 80) *moins que... Infiniment, nettement moins. Encore* moins que* (→ Fait, cit. 21), *moins encore...* (→ Finance, cit. 4, La Fontaine).

Je crois à l'amitié moins encor qu'à l'amour.
FLORIAN, Fables, IV, 5.

Précédé de *une, deux, trois... fois* (→ Jésuite, cit. 3). — REM. Cette tournure exprime généralement l'idée de division (*A est trois, quatre fois moins grand que B*) et, rarement, l'idée de soustraction (*A est une fois moins grand que B*).

♦ **4.** Précédé d'une négation, et exprimant une égalité (et parfois même, par euphémisme, une supériorité). *Non moins que...* ⇒ **Ainsi** (que) ; **comme.** → Autant, cit. 28. *Non moins bon archer* (cit. 2) *que mauvais raisonneur. Non moins fameux* (cit. 3) *que...*

Non, c'est du Père Corneille, si scrupuleux, du non moins correct que tendre Racine, et de ce Molière non moins correct ni point si tendre, qu'il retourne.
VERLAINE, Poètes maudits, V, « Villiers de l'Isle-Adam ».

Rien de moins ; rien moins, rien de moins que... ⇒ **Rien.**
Pas moins : tout autant (→ Fabriquer, cit. 3 ; malade, cit. 2). *Le lendemain, ma décision n'était pas moins ferme* (→ Fausser, cit. 3). *« Tu me haïssais* (cit. 6) *plus, je ne t'aimais pas moins »* (Racine). — *N'en... pas moins :* malgré, nonobstant (→ Griffe, cit. 9 ; maigre, cit. 3). *Il n'est pas moins vrai que... :* il est cependant vrai (→ Changer, cit. 57).

On ne peut moins : moins que personne, le moins qui soit possible.
Mais j'étais alors on ne peut moins sceptique, et, de plus, parfaitement ignorant, incurieux même, des œuvres de la chair. GIDE, Si le grain ne meurt, I, II, p. 60.

♦ **5.** Loc. *Plus ou moins :* locution exprimant «l'incertitude dans l'expression de la quantité» (Le Bidois). ⇒ **Plus. Ni plus* ni moins.** — *De moins en moins :* en diminuant par degrés*, graduellement (cit. 2). → Force, cit. 84 ; gouffre, cit. 7 ; intelligible, cit. 7.

À mesure que le pouvoir se sécularisait et passait en des mains incrédules, le peuple juif vivait de moins en moins pour la terre (...)
RENAN, Vie de Jésus, Œ. compl., t. IV, I, p. 95.

En corrélation avec *moins* ou *plus,* pour marquer une diminution directement ou inversement proportionnelle (cf. Vx. *Tant plus... tant moins*). — REM. «L'addition de *et* devant le second membre ôte au système un peu de sa raideur» (Le Bidois, *Syntaxe du français moderne,* § 1226). *Moins il travaille (et), moins il réussira. Moins... plus...* (→ Apte, cit. 2 et 7 ; exiger, cit. 12). *Plus... moins.* ⇒ **Plus.** — *D'autant mieux établi que moins juste* (cit. 25).

Moins vous l'aimez, et plus tâchez de lui complaire (...)
RACINE, Mithridate, IV, 2.

Moins on mérite un bien, moins on l'ose espérer.
MOLIÈRE, Tartuffe, IV, 5.

On le croyait d'autant moins que sa défense était plus compliquée et son argumentation plus subtile. MAUPASSANT, Miss Harriett, « La ficelle ».

★ **II.** LE MOINS, superlatif de *peu.*

♦ **1.** *Le, la, les moins.* ⇒ 1. **Le.** *Au moment où il s'y attend* (cit. 100) *le moins. « C'est le fonds* (cit. 5) *qui manque le moins ». Ce qu'il nous faut le moins,* ce dont nous avons le moins besoin. — *Les actes* (cit. 5) *les moins calculés. Le sentiment le moins généreux* (→ Égoïste, cit. 1). *Le moins fainéant* (cit. 5) *des hommes. L'humain* (cit. 12), *le moins humain. L'oreille la moins délicate* (→ Instrument, cit. 5). — *Les bois* (cit. 25) *qui pourrissent le moins vite. Le moins bien, le moins mal. Le moins souvent possible.*

Le moins du monde : aussi peu que possible. ⇒ **Moindrement.** — REM. Cette locution s'emploie d'ordinaire à la forme négative (*pas le moins du monde ; sans s'inquiéter le moins du monde*) avec le sens de «pas du tout, nullement* » (→ Falsifier, cit. 6).

♦ **2.** Loc. div. AU MOINS, appliqué à une condition qui atténuerait ou corrigerait le caractère d'un événement, d'une situation que l'on regrette, que l'on déplore. *Si, au moins, il était arrivé à temps !* ⇒ **Seulement.** *« Gardez* (cit. 56) *belle nature, au moins le souvenir ». Goûte-le, au moins, avant de dire que tu ne l'aimes pas.*

Puisque tu ne fiches rien, dit-elle à sa sœur, rentre au moins à la maison... Tu feras ta soupe. ZOLA, la Terre, III, IV.

Au moins, s'emploie absolument pour insister sur une recommandation (au sens de «surtout»).
Ne vas pas dépouiller un blessé, au moins (...)
STENDHAL, la Chartreuse de Parme, I, IV.

Dans une interrogation (familier) :
«Et autrement, vous savez la nouvelle, au moins ? — Et autrement, quoi donc ? (...) le départ de Tartarin, au moins ? » Car à Tarascon toutes les phrases (...) finissent par *au moins,* qu'on prononce *au mouain.*
Alphonse DAUDET, Tartarin de Tarascon, p. 62.

Avec un numéral, *au moins* indique la limite inférieure d'une évaluation. ⇒ **Minimum** (au). → Fiction, cit.·8 ; filer, cit. 24 ; manie, cit. 6. *Il y a au moins une heure.* ⇒ **Bien.** *Cela lui rapportera au moins un million* (→ Au bas mot*).

Lettres ! Envoie aussi des lettres, ma chérie...
Une par jour au moins, une au moins, je t'en prie.
APOLLINAIRE, Ombre de mon amour, p. 39.

Le Père d'Exiles avait fait *au moins trente* kilomètres vers l'Ouest quand (...)
P. BENOIT, Lac salé, *in* LE BIDOIS, Syntaxe du franç. moderne, § 1706.

Vx. *Au moins* s'employait au XVIIe au sens fort de *du moins.*

C'est, Monsieur, votre père, au moins à ce qu'il dit (...)
MOLIÈRE, l'Étourdi, I, 2.

DU MOINS (valeur restrictive). *Il a été reçu premier ; du moins il l'affirme.* ⇒ **Plutôt** (→ Arrangement, cit. 1 ; cesser, cit. 33 ; juger, cit. 11). *S'il a reçu des menaces, du moins il n'est pas en danger.* ⇒ **Néanmoins, pourtant.** *Prêtez-le moi, si du moins vous n'en avez pas besoin.* — REM. *Du moins* est considéré par l'Académie, Littré, Hatzfeld, comme un synonyme de *au moins,* mais l'usage moderne fait une distinction (qui n'a rien d'absolu) entre ces deux locutions. De même, *au moins* ne peut être substitué à *du moins* dans l'expression *si du moins...* L'inversion est plus fréquente après *du moins (du moins le prétend-il)* qu'après *au moins (au moins, vous êtes franc !).*

Nous dirions volontiers, d'une façon un peu simpliste, mais en somme assez claire : *au moins* corrige, sans effacer, *du moins* corrige en effaçant, parfois même en annulant presque complètement l'assertion qui précède. C'est (...) une véritable substitution qu'énonce *du moins* dans cette phrase : « Je prendrai un nouvel amant, *du moins* on le croira dans le monde » (Stendhal, la *Chartreuse de Parme,* XVI, 317) : la marquise, en effet, n'a nullement l'intention de prendre un nouvel amant (...)
G. et R. LE BIDOIS, Syntaxe du franç. moderne, § 1704.

Vx. *Du moins,* employé avec un numéral au sens de *au moins.*

Je vais gager qu'en perruques et rubans, il y a du moins vingt pistoles (...)
MOLIÈRE, l'Avare, I, 4.

TOUT AU MOINS (→ Canaliser, cit. 3 ; forcer, cit. 18 ; ivre, cit. 4 ; languir, cit. 6), **À TOUT LE MOINS, POUR LE MOINS** (→ Attendre, cit. 99 ; évidence, cit. 3 ; loin, cit. 37 ; manège, cit. 10) sont employés dans des sens très voisins de *au moins.*

Pour le moins et *tout au moins* ont aussi chacun sa nuance propre. *Pour le moins* paraît mieux convenir quand il s'agit de quantité (...) Mais *tout au moins* est préférable par rapport à l'état ou à la qualité.
LAFAYE, Dict. des synonymes, Au moins, Du moins, 1.

J'ai pour le moins autant de colère que vous (...)
MOLIÈRE, le Dépit amoureux, II, 4.

(...) une pareille entreprise est prodigieuse et probablement au-dessus de l'esprit humain. À tout le moins, pour l'exécuter, celui-ci n'a pas trop de toutes ses forces et ne peut trop soigneusement se mettre à l'abri de toutes les causes de trouble et d'erreur.
TAINE, les Origines de la France contemporaine, t. I, III, p. 170.

DES MOINS. Parmi les moins. *« Un portrait des moins flatteurs »* (Sainte-Beuve, *in* Grevisse), qui pourrait compter parmi les moins flatteurs. — Loc. adv. *Il chante des moins juste ; il n'écrit pas des moins mal* (Grevisse).

N'est-ce pas que cet homme est des moins ordinaires ?
Edmond ROSTAND, Cyrano de Bergerac, I, 2.

★ **III. Emploi nominal** (sans déterminant).

◆ **1.** Une quantité moindre ; une chose moindre. *Cela coûte moins. On ne peut pas faire moins. Il s'attendait à moins. Il en sait encore moins que moi. Il fit moins encore... Il y en a moins ici que là.*

Je viens de l'acheter moins encor qu'il ne vaut.
MOLIÈRE, l'Étourdi, II, 7.

Moins que rien : extrêmement peu. — Nom. *Un, une moins que rien :* une personne sans valeur, méprisable.

En corrélation avec *de...* (devant un nom de nombre ou avec la valeur de « déterminatif indéfini numéral ou quantitatif » (Grevisse). *Moins de vingt kilos. Cela coûtera moins de cent francs* (Académie). *Il y a moins de généreux* (cit. 13) *qu'on pense. En moins de...* (→ Force, cit. 61 ; merveille, cit.7). *Il a moins de vingt ans.* — Ellipt. (fam.). *Les moins de vingt ans,* ceux qui ont moins de vingt ans. *Film interdit aux moins de seize ans.*

Je laboure la terre ; je grimpe dans la montagne ; je perce la forêt ; je parcours une lieue de la plaine en moins d'une heure.
DIDEROT, Suppl. au voyage de Bougainville, II.

REM. 1. *Moins de...* amène le plus souvent au pluriel le verbe qui en dépend. *Moins de deux ans se sont passés* (plur. régulier, mais illogique).

2. On emploie *moins que* devant un nom de nombre « quand on veut donner au second terme de la comparaison un relief plus accusé ou lui faire prendre une signification mathématique ». *Il ne m'avait pas fallu moins que ces sept années pour...* (F. Gregh, *in* Grevisse, *le bon usage,* § 851).

Loc. *En moins de rien* (→ Déserter, cit. 14 ; flamme, cit. 8 ; instabilité, cit. 2). *En moins de temps qu'il ne faut (ou n'en faut) pour le dire.* — Fam. *En moins de deux :* très vite. *Pour moins de dix francs. Avec moins de cinq collaborateurs.*

(Précédé d'une négation). *Il n'en fera pas moins. Ni plus* ni *moins* : exactement autant. *Je n'attendais* (cit. 75) *pas moins de... Pas moins que..., de.*

(...) soixante mille hommes, qui ne se promettaient pas moins que de conquérir la Picardie et la Champagne (...)
RACINE, la Campagne de Louis XIV.

(Tarquin) est peu religieux, fort incrédule ; il ne faut pas moins qu'un miracle pour le convaincre de la science des augures. 29
FUSTEL DE COULANGES, la Cité antique, IV, III, 4°.

Il ne faudrait pas moins d'un Dieu (...) pour donner une réalité à des apparences. 30
BERNANOS, les Enfants humiliés, *in* GREVISSE.

◆ **2.** Par oppos. à *trop.* Quantité insuffisante (→ Pas assez*, trop peu*).

On doit avoir la plus grande attention à ne leur donner que très peu de choses (...) et en tout plutôt moins que trop de nourriture. 31
BUFFON, Hist. nat. des oiseaux, *in* DAMOURETTE et PICHON, § 2713.

◆ **3. À MOINS DE..., QUE...** Loc. (désignant une limite au-dessous de laquelle, et, par ext., une condition en dehors de laquelle une chose n'est pas possible, pas réalisable ou tolérable).

À moins de... : à un prix* inférieur à... *À moins de cent francs.* ⇒ **Dessous** (au). — Fig., vx. En dehors d'une certaine condition (cet emploi est encore vivant avec un futur, un conditionnel) : *je ne lui pardonnerai pas à moins d'une rétractation publique* (Académie). ⇒ **Sauf.** *Il n'accepterait pas à moins d'une augmentation, à moins qu'il reçoive une augmentation, à moins de recevoir une augmentation.*

— À moins d'un songe, on ne peut pas sans doute 32
Excuser ce qu'ici votre bouche me dit.
— À moins d'une vapeur qui vous trouble l'esprit
On ne peut pas sauver ce que de vous j'écoute.   MOLIÈRE, Amphitryon, II, 2.

À moins de... (et subst.) : sauf*.

— Si je n'avais plus ces quatre cents francs, qu'est-ce qu'on deviendrait ? (...) À 33
moins d'un héritage ? s'écria-t-il, comme s'il venait de faire une découverte.
MARTIN DU GARD, les Thibault, t. III, p. 240.

Vieilli. *À moins que...* (et v. à l'inf.) : en dehors de (la condition désignée par l'infinitif).

Toute puissance est faible à moins que d'être unie.   LA FONTAINE, Fables, IV, 18. 34

Mod. *À moins de...* (et infinitif).

(...) à moins d'être tout à fait stupide, le public doit en avoir quelque soupçon. 35
J. ROMAINS, les Hommes de bonne volonté, t. I, XV, p. 162.

Loc. conj. **À MOINS QUE...** : si ce n'est que..., sauf le cas où. ⇒ **Hors.**
— REM. *À moins que* régit le subjonctif, habituellement accompagné du *ne* dit explétif. *À moins qu'une belle femme ne soit un ange* (cit. 19)...
— Le *ne,* souvent omis dans la langue classique, l'est parfois encore de nos jours. «Le sens varie selon que l'on met après *à moins que* le simple *ne* ou la négation complète : À moins que l'on *ne* dise = en exceptant le cas où l'on dirait. À moins que l'on *ne* dise pas = en exceptant le cas où l'on ne dirait pas» (Grevisse, *le bon usage,* § 882).

À moins de. — On a hésité sur la forme (*à moins que de* était très classique) [...] 36
En subordination, on se sert d'*à moins que* (...) Dans la langue moderne, *à moins que* exige souvent à sa suite le *ne* modal. On l'omettait au XVIIe s. (...) — *du plaisir ne me chaut* À moins qu'il soit mêlé d'un peu de peine (LA FONT., IV, 298).
BRUNOT, la Pensée et la Langue, p. 881.

Il se peut que l'on pleure, à moins que l'on ne rie (...) 37
A. DE MUSSET, Premières poésies, «Au lecteur des deux pièces...»

Et c'est la Mort, à moins que ce ne soit le Roi. 38
HUGO, la Légende des siècles, XXVI.

À MOINS : pour une chose moindre, une quantité, un prix moindre. *On s'effraie* (cit. 8) *à moins. Il est furieux ; on le serait à moins ! Inutile de marchander, vous ne l'aurez pas à moins.*

Par Apollo ! cent vers ! je devrais être las ; 39
On le serait à moins, mais je ne le suis pas.
Th. GAUTIER, Poésies diverses, «La bonne journée».

Il est fou (...) — Je le plains. Mais on perdrait la tête à moins (...) 40
GIRAUDOUX, Ondine, III, 4.

◆ **4. DE MOINS, EN MOINS** (exprimant l'idée de manque, d'insuffisance ou de restriction, de diminution). ⇒ **Manque** (*infra* cit. 5 : *de manque*) ; **défaut, déficit, diminution** (→ Homme, cit. 139). *Être en moins.* ⇒ **Manquer.**

Ainsi se termina cette échauffourée, qui semblait pouvoir enfanter de grands malheurs ; personne n'y fut tué ; les cavaliers, avec quelques égratignures de plus, et quelques-uns avec leurs bourses de moins, à leur grande surprise, reprirent leur route près des carrosses par des rues détournées (...) 41
A. DE VIGNY, Cinq-Mars, XIV.

★ **IV. Nom.** ◆ **1. LE MOINS** : la plus petite quantité, la moindre chose. *Qui peut le plus peut le moins* (loc.). *Différer du plus ou du moins. La litote fait entendre le plus en disant le moins.* — *Le moins que j'en pourrais dire* (→ Martyre, cit. 11). *Le moins que l'on en puisse dire, c'est qu'il a été bien maladroit. C'est bien le moins qu'on puisse faire.* ⇒ **Minimum.** — Absolt. *C'est bien le moins ! Le moins qu'il vous sera possible* (→ Gesticuler, cit. 1).

Les hommes composent ensemble une même famille : il n'y a que le plus ou le 42
moins dans le degré de parenté.   LA BRUYÈRE, les Caractères, IX, 47.

Si une quantité peut croître et diminuer, si l'on y aperçoit pour ainsi dire le *moins* 43
au sein du *plus* n'est-elle pas par là même divisible ?
H. BERGSON, Essai sur les données immédiates de la conscience, I.

Le moins de... : la plus petite quantité de... *Le pays où il y a le moins de miséreux* (→ aussi Escompter, cit. 7 ; ligueur, cit. 2).

Les œuvres les plus belles sont celles où il y a le moins de matière (...) 44
FLAUBERT, Correspondance, 303, 16 janv. 1852.

◆ **2.** Math. *Le signe moins* (−) : le signe de la soustraction ; le signe qui affecte les nombres négatifs, en algèbre. *Mettez un moins.*

45 (...) je m'aperçus que personne ne pouvait m'expliquer comment il se faisait que : moins par moins donne plus ($- \times - = +$)? (C'est une des bases fondamentales de la science qu'on appelle *algèbre*). STENDHAL, Vie de Henry Brulard, 34.

★ **V.** Adj. (Employé comme attribut). *Il est moins qu'il paraît* (→ ci-dessous, cit. Giono). — Spécialt. *Il est, c'est moins que rien** (→ Imposer, cit. 38). — N. (1943, Cl. Roy, *in* D.D.L.). *Un, une moins que rien :* une personne dépourvue de toute qualité, de tout intérêt ; une personne peu estimable. Aussi : une personne sans importance sociale, sans influence, sans pouvoir.

46 Mais je ne peux pas lui faire grâce de ce qu'il est moins qu'il paraît, moins que ce qu'il dit, moins que ce qu'on dit, moins que ce que je croyais. Presque rien. Non, ça je ne peux pas. C'est trop tromper. J. GIONO, le Chant du monde, I, IX.

★ **VI.** Prép. ♦ **1.** En enlevant, en ôtant, en soustrayant... *Six moins quatre font deux* (⇒ **Soustraction** ; → ci-dessus IV., 2.). *Les mêmes, moins Copeau* (→ Lancer, cit. 36). ⇒ **Sauf.**

47 Graslin retrouva dans un coin du secrétaire les sommes qu'il avait remises à sa femme, moins l'argent des aumônes et celui de la toilette (...)
BALZAC, le Curé de village, Pl., t. VIII, p. 567.

Spécialt. Dans le décompte de l'heure. *Dix heures moins une, moins dix* (minutes), *moins un quart, moins le quart* (→ Fermer, cit. 27 ; filer, cit. 28). — Ellipt. (En sous-entendant l'heure). *Dépêchez-vous, il est presque moins dix. Elle est partie à moins le quart.*
Loc. *Il était moins une, moins cinq* : il s'en fallait d'une, de cinq minutes, de très peu.

48 Je reprochai à Albertine d'avoir été si désagréable. «Cela lui apprendra à être plus discrète. Ce n'est pas une mauvaise fille, mais elle est barbante. Elle n'a pas besoin de venir fourrer son nez partout. Pourquoi se colle-t-elle à nous sans qu'on lui demande? Il était moins cinq que je l'envoie paître. D'ailleurs, je déteste qu'elle ait ses cheveux comme ça, ça donne mauvais genre.»
PROUST, À l'ombre des jeunes filles en fleurs, Folio, p. 554.

♦ **2.** (Indiquant un nombre négatif, une valeur négative). *Il fait moins dix* (degrés). *Dix puissance moins sept* (10^{-7}). *Moins l'infini.* — REM. Dans cet usage, *moins* peut s'opposer à l'absence de marque (ex. *Dix puissance sept*), ou à *plus* (ex. *Plus l'infini*).

CONTR. Autant. — Autrement, davantage, plus.
COMP. Moins-disant, moins-perçu, moins-value.

MOINS-DISANT, ANTE [mwɛ̃dizɑ̃, ɑ̃t] adj. — 1970, *le Monde* ; de *moins*, et *disant*, p. prés. de *dire*.

♦ Dr., admin. Qui fait l'offre la plus basse, dans une adjudication. *Les deux entreprises moins-disantes font la même offre.*

MOINS-PERÇU [mwɛ̃pɛʀsy] n. m. — 1838, Académie ; de *moins*, et *percevoir*.

♦ Dr., fin. Ce qui, étant dû, n'a pas été perçu. *Des moins-perçus.*
CONTR. Trop-perçu.

MOINS-VALUE [mwɛ̃valy] n. f. — 1868 ; d'après *plus-value*.

♦ Écon., comm. Diminution de la valeur d'une chose ; perte de valeur. — Spécialt. Différence entre le produit réel et le produit théorique (d'une taxe, d'un impôt). ⇒ **Budget.** — Plur. *Des moins-values.*
CONTR. Plus-value ; boni.

MOIRAGE [mwaʀaʒ] n. m. — 1763 ; de *moirer*, et *-age*.
Technique.

♦ **1.** Opération par laquelle on donne l'apprêt de la moire à une étoffe. *Le moirage s'obtient avec une calandre, dont un des rouleaux est rayé.* — Par ext. *Moirage du papier. Moirage du fer-blanc, du zinc* (⇒ **Galvanoplastie**).

♦ **2.** «Figure formée de lignes entrelacées qui se superpose à l'image de télévision lorsque l'émission (...) est brouillée» par un autre émetteur (J.-F. Arnaud, *Dict. de l'électronique*).

MOIRE [mwaʀ] n. f. — 1690, Furetière ; *mouaire*, 1650 ; adapt. de l'angl. *mohair.* → **Mohair.**

♦ **1.** Vx. Étoffe en poils de chèvre, fabriquée en Asie Mineure (⇒ **Mohair**).

1 *Tabis* (...) c'est ce qu'on appelle improprement *moire* (...) La véritable moire n'admet pas un seul fil de soie. VOLTAIRE, Dict. philosophique, Tabis.

♦ **2.** (1650). Mod. Apprêt que reçoivent certains tissus par écrasement irrégulier de leur grain (à la calandre*, au cylindre...) et qui leur donne un éclat changeant, une apparence ondée et chatoyante. ⇒ **Moirage.** *Cette popeline a bien pris la moire* (Académie). *Moire à petites, à grandes ondes.* — Aspect du tissu qui a subi cet apprêt. ⇒ **Moiré.**
Par ext. Tissu d'armure, toile qui présente des parties mates et des parties brillantes par suite de l'apprêt dit «moire». *Moire de soie, de rayonne. Ruban de moire* (→ Fichu, cit.). *Velours doublé de*

moire blanche (→ Franger, cit. 2). *Moire tabisée* (⇒ **Tabis**). *Moire antique,* à grandes ondes.

♦ **3.** (XIXᵉ). Littér. Aspect ondé, changeant, chatoyant d'une surface comparée à de la moire. ⇒ **Moiré.** *Des moires qui jouaient sur la mer* (→ Cerne, cit. 2). *La moire de l'eau* (→ Dent, cit. 3).

Le paysage, ineffablement assoupi, avait cette moire magnifique que font sur les prairies et sur les rivières les déplacements de l'ombre et de la clarté (...)
HUGO, Quatre-vingt-treize, I, IV, VII.

Un vacillement pâlissait les teintes, des moires de vieil or couraient le long des blés, les avoines bleuissaient, tandis que les seigles frémissants avaient des reflets violâtres. Continuellement, une ondulation succédait à une autre, l'éternel flux sous le vent du large. ZOLA, la Terre, III, I.

DÉR. Moiré, moirer.

MOIRÉ, ÉE [mwaʀe] adj. et n. m. — V. 1540 ; rare av. 1740, Académie ; de *moirer*.

♦ **1.** Adj. Qui a reçu l'apprêt, qui présente l'aspect de la moire. *Ruban blanc moiré* (→ Fleur, cit. 7).

La gracieuse maîtresse de maison qui — chut! — nous prépare, dit-on, d'autres merveilles *(et)* portait une robe de satin noir à doubles volants moirés blancs, un chef-d'œuvre signé Morin-Boissier, a fait les honneurs de la soirée avec sa grâce accoutumée. PROUST, Jean Santeuil, Pl., p. 796.

Les murs tendus de soie moirée vieux rose, les meubles lourds et riches (...)
Valery LARBAUD, Fermina Marquez, XVIII.

Par anal. *Papier moiré.* — *Fer-blanc moiré* (→ ci-dessous, 3. ; et kaléidoscope, cit. 1).

♦ **2.** Qui présente des reflets chatoyants. ⇒ **Ondé.** *La peau bleue et moirée de la mer* (→ Chatouiller, cit. 2.2). *Les ailes moirées des corbeaux* (cit. 3). *Rivière moirée de plis d'argent* (→ Froncer, cit. 7).

♦ **3.** N. m. LE MOIRÉ : le caractère, l'aspect d'une étoffe moirée. *Moiré antique ; moiré français.*

(1864, *Année sc. et industr.*). Par ext. *Moiré métallique* : tôle étamée (⇒ **Fer-blanc**) chauffée et passée à l'acide, ce qui lui donne un aspect moiré.

MOIRER [mwaʀe] v. tr. — 1765, *mohérer*, Savary ; de *moire.*

♦ **1.** Techn. Traiter (une étoffe) par l'apprêt du moirage, couvrir d'ondes, de reflets semblables à ceux de la moire. ⇒ **Apprêter, tabiser.** *Moirer de la soie, au cylindre, à la calandre.* (⇒ **Calandrer**). *Moirer des rubans.* ⇒ **Moirage, moire** (2.).

♦ **2.** Fig., littér. Rendre chatoyant. (⇒ **Moire,** 3.).

Un soleil étincelant moirait la mer de rubans de feu et se réverbérait sur les maisons blanches d'une côte inconnue. LAMARTINE, Graziella, Épisode I.

Devant nous, la Méditerranée n'avait pas un frisson sur toute sa surface qu'une grande lune calme moirait. MAUPASSANT, Contes de la Bécasse, « La peur ».

▶ SE MOIRER v. pron. (passif). *Étoffe qui se moire facilement.* — (Réfl.) Figuré :

(...) elle passait et repassait devant ma fenêtre comme un paon qui se moire au soleil sur le toit (...) LAMARTINE, Graziella, III, XV.

DÉR. Moirage, moiré, moireur, moirure.

MOIREUR, EUSE [mwaʀœʀ, øz] n. — 1846, n. m. ; de *moirer*, et *-eur*.

♦ Ouvrier, ouvrière qui effectue le moirage des étoffes, du papier, du fer-blanc, du zinc,...

MOIRURE [mwaʀyʀ] n. f. — 1894, *in* D.D.L. ; de *moirer*, et *-ure*.

♦ Effet du moiré ; reflet de la moire ou d'une surface moirée ; couleurs* chatoyantes de ce qui est moiré. *Les moirures d'un plan d'eau au clair de lune.*

(...) les médaillons bombés à l'arrondi parfait, découpés dans l'épaisseur du chêne, faisaient jouer ses fines moirures (...) N. SARRAUTE, le Planétarium, p. 10.

MOIS [mwa] n. m. — V. 1175 ; *meis*, 1080, *Chanson de Roland* ; lat. *mensis*.

♦ **1.** (1080). Chacune des douze divisions de l'année* (⇒ **Mensuel**). *Mois de trente, de trente et un jours. Le mois de février compte vingt-huit ou vingt-neuf jours* (en année bissextile). *Mois civil* ou *commun, différent du mois astronomique* ou *naturel, calculé d'après la durée de la révolution terrestre ou lunaire. Mois solaire*. Mois lunaire.* ⇒ **Lunaison.** *Mois intercalaire,* ou *embolismique.* ⇒ **Embolisme.** *Division des mois des Romains.* ⇒ **Calendres, ides, nones.** *Mois du calendrier républicain.* ⇒ **Calendrier.** *Noms des mois.* ⇒ **Janvier, février, mars, avril, mai, juin, juillet, août, septembre, octobre, novembre, décembre.** *Un mois de décembre très froid* (→ Grelotter, cit. 4). *Les mois froids* (→ Gelée, cit. 3). *Au mois de mai. Dans le mois de mars* (→ Anémone, cit. 2). *Le mois dernier* (→ Loterie, cit. 3). *Le mois prochain* (→ Manière, cit. 29). *De mois en mois* (→ Chute, cit. 15). *Les jours, les mois, les années* (→ Abîme, cit. 16). *Le début, le milieu, le cours*, le courant* du* mois. *Le quantième* du mois. Dans le mois en cours. Le 20 ou 25 du mois* (→ **Ban**, cit. 1). *La fin du mois, ses derniers jours. Une fin de mois*, période finale d'un mois, correspondant généralement à une échéance financière (avant le salaire, la paye). *Elle a des fins de mois difficiles. Période de trois mois* (⇒ **Trimestre**), *de six mois* (⇒ **Semestre**). *Qui a lieu une fois par mois, tous les mois, chaque mois, une fois* (cit. 9) *le mois* (⇒ **Mensuel, mensuellement**), *deux fois par mois* (⇒ **Bimensuel, semi-mensuel**), *tous les deux mois* (⇒ **Bimestriel**), *tous les trois mois* (⇒ **Trimestriel**). *Être payé tous les mois, au mois. Toucher sa rétribution chaque mois.* ⇒ **Appointement(s), mensualité.** *Gagner tant par mois de fixe* (cit. 11. → aussi **Gages**, cit. 21).

Spécialt. *Mois de Marie :* mois de mai, consacré à la Vierge, dans la liturgie catholique. — Par ext. Cérémonie célébrée pendant ce mois en l'honneur de la Vierge. *Assister au mois de Marie.*

(...) puis on partait pour l'église. C'est au mois de Marie que je me souviens d'avoir commencé à aimer les aubépines (...)
PROUST, *À la recherche du temps perdu*, t. I, p. 154.

♦ **2.** Par ext. Espace de temps égal à trente jours exactement et commençant un jour quelconque. *Un mois d'emprisonnement* (→ **Banqueroute**, cit. 3), *de vacances. Mois légal :* période de trente jours, qui sert dans le calcul des intérêts, etc.

(1640). Par ext. Espace de temps égal à trente jours environ. *Vivre quelques mois dans l'effroi* (→ **Affreux**, cit. 6). *Il faudra de longs mois* (→ **Argile**, cit. 8). *Trois mois de séjour* (→ **Attendre**, cit. 39). *Ce mois de solitude* (→ **Aplomb**, cit. 14). *D'ici à un mois. Dans huit jours, dans un mois, n'importe* (→ **Falloir**, cit. 23). *Cela fait* (cit. 121) *des mois que... Voilà huit mois que...* (→ **Cachet**, cit. 7). *Il y a un mois que... Femme enceinte de trois mois, de six mois.*

Dans un mois, dans un an, comment souffrirons-nous,
Seigneur, que tant de mers me séparent de vous ?   RACINE, *Bérénice*, IV, 5.

(...) Les hommes
Sont ainsi, — leur toujours ne passe pas six mois.
L'amour s'en est allé (...)   Th. GAUTIER, *Albertus*, LVI.

Les mois, les jours, les flots de mers, les yeux qui pleurent,
Passent sous le ciel bleu ;
Il faut que l'herbe pousse et que les enfants meurent ;
Je le sais, ô mon Dieu !   HUGO, *les Contemplations*, IV, XV.

(1080). Spécialt. Espace de temps compris entre un quantième quelconque d'un mois et le même quantième du mois suivant. *Billet à un mois, à trois mois, à six mois d'échéance* (→ **Gémir**, cit. 6). *Marchandises livrées* (cit. 17) *à trois mois.*

♦ **3.** (Fin XVIᵉ). Par métonymie. Salaire, rétribution correspondant à un mois de travail. ⇒ **Mensualité.** *Toucher son mois. Mois double, dit parfois treizième mois, accordé au personnel d'une entreprise, d'un établissement,* pour le dernier mois de l'année. — Somme due pour un mois de location, de services, de prestations... *Il doit deux mois à son propriétaire, au boucher, au laitier. Avancer* (cit. 24) *les mois dus à une nourrice. Payez-moi mon mois.*

HOM. **Moi, moie.**

MOISE [mwaz] n. m. — 1328 ; du lat. *mensa* « table ».

♦ Techn. Assemblage formé de deux pièces jumelles équarries, fixées par des boulons de chaque côté d'une ou de plusieurs autres pièces, qu'elles relient et qu'elles maintiennent. *Moise de décharge, dans la charpente* d'un comble.* — Chacune de ces deux pièces.

DÉR. **Moiser.**

MOÏSE [mɔiz] n. m. — 1889 ; du nom propre *Moïse.*

♦ Petite corbeille capitonnée qui sert de berceau et de couchette aux nouveau-nés. ⇒ **Berceau, corbeille.**

MOISER [mwaze] v. tr. — 1694 ; de *moise,* et *-er.*

♦ Techn. Lier, assembler au moyen de moises. *Moiser une ferme.* — Au p. p. *Jambette moisée. Bois moisés.*

MOISIR [mwaziʀ] v. — V. 1200 ; du lat. pop. *mucere.* → **Mucus.**

★ **I.** V. intr. ♦ **1.** (V. 1200). S'altérer, se détériorer, se gâter sous l'effet de l'humidité, de la température... *Cet amas* (cit. 4) *de papier qui moisit. Vieux meubles abandonnés qui moisissent au fond d'une cave.*

Spécialt. S'altérer, se gâter en se couvrant de moisissure*. ⇒ **Chancir.** *Substance qui moisit, puis pourrit*. Ce pain moisit, a moisi.*

♦ **2.** (1580, Montaigne). Par ext. Rester inactif, improductif.

Ces avares (...) ont (...) des cassettes où leur argent est en dépôt, qu'ils n'ouvrent jamais, et qu'ils laissent moisir dans un coin de leur cabinet (...)
LA BRUYÈRE, *les Caractères de Théophraste, De l'épargne...*

Sa lance n'aime pas moisir au râtelier.
HUGO, *la Légende des siècles*, XV, « Éviradnus », II.

♦ **3.** (V. 1460, Villon). Fig., fam. (En parlant des personnes). Attendre, rester longtemps au même lieu, dans la même situation, s'y ennuyer,

y perdre son temps. ⇒ **Croupir, languir.** *Nous n'allons pas moisir ici toute la journée ! Les hommes moisissaient dans cette contrainte infectée d'hypocrisie* (→ **Masquer**, cit. 14). *Moisir dans la condition de travailleur* (→ **Classe**, cit. 9).

(...) Je vais t'introduire chez le patron, sans quoi tu pourrais moisir jusqu'à sept heures du soir.   MAUPASSANT, *Bel-Ami*, I, III.   3

★ **II.** V. tr. Altérer par l'effet de l'humidité, etc. ⇒ **Gâter.** — Spécialt. Gâter en couvrant de moisissure*. *L'humidité moisit les raisins.*

▶ **SE MOISIR** v. pron. *Le pain s'est moisi.* — Par ext. :

(...) et ma plume fertile,   4
Faute de l'exercer, se moisit inutile.
RONSARD, *Second livre des poèmes*, « Disc. contre Fortune ».

▶ **MOISI, IE** p. p. adj. et n. m.

♦ **1.** Adj. Attaqué, gâté par la moisissure. *Confiture, boule de pain moisie* (→ **Évider**, cit. 2). — Par ext., fig. (→ **Effondrer**, cit. 2 ; exhumer, cit. 4 ; licenciement, cit.).

(...) si les vieux châteaux sont mauvais à quelques-uns, croyez-moi, c'est que ceux   5
qui les habitent n'ont pas une Madame de Guitaut comme vous. Avec une telle
compagnie je vous défie tous deux d'être moisis.
Mᵐᵉ DE SÉVIGNÉ, 948, Début 1685.

♦ **2.** N. m. *Le moisi :* la partie d'une chose qui est moisie. *Enlever le moisi d'un fromage. Empester* (cit. 2), *sentir le moisi* (→ **Guitoune**, cit. 1). — Spécialt. *Odeur, goût de moisi :* odeur, goût spécifiques des choses, des substances qui sont attaquées par la moisissure ou qui sont altérées pour avoir séjourné dans une atmosphère humide. *Vin qui a le goût de moisi.*

Cette première pièce exhale une odeur sans nom dans la langue (...) Elle sent le   6
renfermé, le moisi, le rance ; elle donne froid, elle est humide au nez (...)
BALZAC, *le Père Goriot*, Pl., t. II, p. 851.

DÉR. **Moisissure.**

MOISISSURE [mwazisyʀ] n. f. — V. 1400 ; *moisiseure,* v. 1380 ; de *moisir,* et *-ure.*

♦ **1.** (V. 1380). Altération, corruption plus ou moins superficielle d'une substance organique, attaquée et couverte par certaines végétations cryptogamiques. ⇒ **Chancissure.** *Confiture gâtée par la moisissure. La moisissure précède souvent la décomposition. Être altéré par la moisissure.* ⇒ **Chancir, moisir.**

♦ **2.** Végétation cryptogamique (filaments du thalle ou du mycélium de champignons parasites) qui se présente sous la forme d'une sorte de mousse formant des taches veloutées. *Moisissure blanche, verte. Effluence* (cit. 1), *odeur de moisissure. Sentir la moisissure.* ⇒ **Moisi.** *Fleur de moisissure* (→ **Chancir**, cit.). *Moisissure du fromage* (⇒ **Barbe**), *du vin, du vinaigre.* ⇒ **Fleur** (*supra* cit. 37). *La moisissure est formée des filaments porteurs de sporanges, émis par certains champignons parasites* (⇒ **Ascomycètes, aspergille, mucor, mucoracées, mycoderme, pénicillium, puccinie, sporotric**). *Maladies de l'homme* (⇒ **Muguet**), *des plantes* (⇒ **Mildiou, oïdium, rouille**) *dues à des moisissures. Utilisation des moisissures dans les fermentations* (⇒ **Ferment**) *et comme antibiotiques.*

Les magnifiques moisissures de la mer mettaient du velours sur les angles du gra-   1
nit.   HUGO, *les Travailleurs de la mer*, II, I, XIII.

L'antagonisme des microbes et des moisissures a été entrevu et signalé par un   2
Français, Duchène de Lyon, qui n'a pas poursuivi ses recherches assez loin.
G. DUHAMEL, *Turquie nouvelle*, III.

Par anal. Rare. *Moisissure de roche :* amiante (à cause de l'aspect filamenteux de ce minéral).

♦ **3.** Par métaphore, fig. Pourriture (→ **Loin**, cit. 14).

Parlez souvent ensemble, afin de ne point oublier votre langue : c'est ce qui vous   3
a si bien préservés jusques ici de la moisissure qui arrive quasi toujours en province (...)   Mᵐᵉ DE SÉVIGNÉ, 703, 18 sept. 1678.

(...) on sent là, à pleines narines, toute l'écume du monde, toute la crapulerie dis-   4
tinguée, toute la moisissure de la société parisienne.
MAUPASSANT, *la Femme de Paul*, p. 11.

♦ **4.** (1694, Académie). Partie d'une substance, d'un objet qui est atteint de moisissure. *Enlever la moisissure d'un fromage.*

MOISSAC [mwasak] n. m. — 1963, Larousse ; de *Moissac,* nom d'une ville du Tarn-et-Garonne.

♦ Techn. (Vitic.). Variété de chasselas.

MOISSINE [mwasin] n. f. — XIIIᵉ, Dauzat ; orig. incert., p.-ê. du rad. de *mensa ;* → **Moise.**

♦ Vitic. Bout de sarment auquel tient encore la grappe et par lequel on la suspend quand on veut la conserver fraîche.

MOISSON [mwasɔ̃] n. f. — 1160, *meisson ;* du lat. pop. *messio,* lat. class. *messis.*

♦ **1.** Travail agricole qui consiste à récolter les céréales, particuliè-

rement le blé, lorsqu'elles sont parvenues à maturité. ⇒ **Août** (vx).
Faire la moisson. ⇒ **Moissonner.** *Celui qui fait la moisson.* ⇒ **Aoû-teron** (vx), **moissonneur.** *La moisson permet de récolter le grain et la paille. Les labours* (→ Cheval, cit. 2), *les semailles et la moisson. La moisson faite, on laisse la terre en jachère* (cit. 1). *La moisson commençait* (→ Main, cit. 96). *Achever* (cit. 5) *la moisson. La moisson, sous nos climats, se fait en été. Messidor*, mois des moissons. Fêtes de la moisson. Instruments et machines agricoles qui servent à faire la moisson.* ⇒ **Faucille, faux, sape; moissonneuse, moissonneuse-batteuse.** *Faire la moisson à la main, à la machine. La faucille*, symbole de la moisson. Mise en meule*, en gerbe*, du blé après la moisson.* ⇒ **Ameulonner, gerber; gerbier, javelle, moyette.** *Partie de la tige qui reste sur pied après la moisson.* ⇒ **Chaume, chaumage; éteule.** *Glanage* après la moisson.* ⇒ **Glaner.**

1 La moisson est déjà fort avancée (...)
RACINE, *Lettres*, 33, 13 juin 1662.

2 (...) ce n'est pas celui qui fait la moisson qui mange la galette.
BALZAC, *les Chouans*, Pl., t. VII, p. 988.

♦ **2.** Époque, saison à laquelle se fait la moisson. ⇒ **Aoûtage.** *La moisson approche.* — Par métonymie, poét. (vieilli). Année. *Depuis trois moissons.*

♦ **3.** Les céréales elles-mêmes qui sont ou seront l'objet de la moisson. ⇒ **Récolte.** *Rentrer, engranger* la moisson. Gardien des moissons.* ⇒ **Garde-messier.** *Abondante, ample, opulente, riche moisson. Moisson maigre, pauvre. Moisson perdue* (→ Abattre, cit. 21). *Des moissons nouvelles* (→ Épuiser, cit. 23). *« La moisson de nos champs lassera les faucilles »* (cit. 2, Malherbe). *Cérès, déesse des moissons.* — Littér. *Les moissons, trésors de Cérès. La verdure des moissons* (→ Mamelon, cit. 2). *La moisson blondissante* (cit. 3), *jaunissante. Les moissons dorées* (→ Fructidor, cit.). *La moisson d'or* (→ Grain, cit. 12). *L'or des moissons. « Les sillons que la moisson dore »* (→ Inodore, cit. 2, Hugo). *La moisson ondoyante. La moisson roule, ondule, déferle* (cit. 3). — Prov. *Il ne faut pas jeter la faux en la moisson d'autrui :* il ne faut pas empiéter sur les droits, les biens, les attributions d'autrui.

3 Et mon œil tour à tour, distrait, suit dans l'espace
Chaque arbre du chemin qui paraît et qui passe,
Les bois verts, le flot d'or de la jaune moisson (...)
HUGO, *Odes et Ballades*, V, XIX, II.

Par anal. Réunion d'objets nombreux et serrés.

4 Le docteur montra d'un geste large les fils de fer tordus et rouillés, les murs éventrés, les arbres déchiquetés, et la moisson serrée des croix de bois qui montait de cette terre dévastée. A. MAUROIS, *les Discours du Dr O'Grady*, XIV.

♦ **4.** Par métaphore, fig. Action de recueillir, d'amasser en grande quantité (des récompenses, des gains, des renseignements...). Ce qu'on recueille (→ Glaner, cit. 6; glanure, cit.; idée, cit. 53). *Moissons de lauriers* (cit. 6). *« Mars nous fait recueillir d'amples* (cit. 5) *moissons de gloire »* (La Fontaine). *Une moisson d'images et de conjectures* (→ Germer, cit. 9), *de souvenirs.*

5 Je reçois votre volume, que je lis et où je vais faire moisson d'idées et de faits.
SAINTE-BEUVE, *Correspondance*, 1238, 29 août 1841.

6 Leurs prières, leur amour ont jeté dans l'esprit de l'enfant les semences de foi, dont le vieillard devait voir se lever la moisson.
R. ROLLAND, *Vie de Tolstoï*, p. 10.

Spécialt. (Relig.). En parlant des âmes à convertir.

7 (...) jetant les yeux sur les vastes campagnes des Indiens et des sauvages, et croyant y voir une moisson jaunissante qui n'attendait que la main des ouvriers (...)
FLÉCHIER, *Oraison funèbre de la duchesse Aiguillon*, *in* LITTRÉ.

8 Alors il dit à ses disciples : La moisson est grande, mais il y a peu d'ouvriers. Priez donc le maître de la moisson qu'il envoie des ouvriers en sa moisson.
BIBLE (SACY), *Évangile selon saint Matthieu*, IX, 37-38.

DÉR. Moissonner.

MOISSONNAGE [mwasɔnaʒ] n. m. — 1860, cit.; *messonnage* « récolte », v. 1450; de *moissonner*, et *-age*.

♦ Agric. (Qualifié). Façon particulière de moissonner. *Moissonnage mécanique.*

Ce constructeur ingénieux et persévérant est revenu avec une machine un peu améliorée, mais qui ne résout pas complètement le problème du moissonnage mécanique, surtout au point de vue du javelage.
Louis FIGUIER, *Année scientifique et industrielle*, 1861, p. 436 (1860).

MOISSONNER [mwasɔne] v. tr. — Fin XIIᵉ; de *moisson*, et *-er*.

♦ **1.** (XIIIᵉ). Couper et récolter (des céréales). ⇒ **Faucher, saper** (vx). *Moissonner du blé, du seigle, de l'orge.*

1 Et comme en la saison le rustique moissonne
Les ondoyants cheveux du sillon blondissant,
Les met d'ordre en javelle, et du blé jaunissant
Sur le champ dépouillé mille gerbes façonne (...)
DU BELLAY, *Premier livre des Antiquités de Rome*, « Au Roy », XXX.

Par ext. *Moissonner un champ.* — Pron. *Se moissonner* (→ Dernier, cit. 8).

Absolt. Faire la moisson.

2 On commençait à moissonner par places, et dans les champs attaqués par les faux

---

on voyait les hommes se balancer en promenant au ras du sol leur grande lame en forme d'aile. MAUPASSANT, *Pierre et Jean*, VI.

♦ **2.** Fig., littér. Recueillir, amasser (qqch.) en grande quantité. ⇒ **Cueillir, gagner, ramasser.** *Moissonner des lauriers, des images* (→ Glorieux, cit. 20).

(...) Joyeuse, et d'une main ravie,
Elle allait moissonnant les roses de la vie (...) HUGO, *les Orientales*, XXXIII, VI.

Quand elle arrivait dans un salon, les regards se concentraient sur elle, elle moissonnait des mots flatteurs, quelques expressions passionnées qu'elle encourageait du geste, du regard (...)
BALZAC, *la Duchesse de Langeais*, Pl., t. V, p. 158.

Spécialt. Recueillir qqch. comme résultat de ses actes. — Absolt. (→ Allégresse, cit. 2; joie, cit. 14). — Prov. *Comme tu sèmeras, tu moissonneras :* comme tu agiras, tu seras récompensé. Celui qui sème l'injustice moissonnera le malheur (...)
BIBLE (SACY), *Proverbes*, XXII, 8.

(...) ils ont semé du vent, et ils moissonneront des tempêtes (...)
BIBLE (SACY), *Osée*, VIII, 7.

♦ **3.** Par métaphore, littér. (En parlant d'une guerre, d'une épidémie...). Détruire, faire périr (→ Boire, cit. 23; faucher, cit. 3; guerre, cit. 10). *La guerre, l'épidémie moissonne les vies humaines.*

(...) demain, trente mille hommes seront morts, morts pour leur pays! Il y a chez les Prussiens, peut-être, un grand mécanicien, un idéologue, un génie qui sera moissonné. BALZAC, *Une ténébreuse affaire*, Pl., t. VII, p. 625.

▶ **MOISSONNÉ, ÉE** p. p. adj. *Les champs moissonnés* (→ Labour, cit. 3).

DÉR. Moissonnage, moissonneur.

MOISSONNEUR, EUSE [mwasɔnœʀ, øz] n. et adj. — 1538; *moissonneor*, XIIIᵉ; *messonoour*, fin XIIᵉ; de *moissoner*, et *-eur*.

♦ **1.** Personne qui fait la moisson (→ Éclore, cit. 4; essoufflement, cit. 2; glaneur, cit. 1; lier, cit. 2; méchant, cit. 1). *Les moissonneurs sont souvent des ouvriers agricoles saisonniers. Moissonneur qui se sert de la faux, de la sape.* ⇒ **Faucheur, sapeur.** *Les glaneurs* passent dans les champs après les moissonneurs.* — Par métaphore. *« Quel dieu, quel moissonneur de l'éternel été (...) »* (Hugo).

Ainsi qu'un moissonneur parmi des gerbes mûres,
Dans les rangs écrasés, seul debout, j'apparais.
HUGO, *Odes et Ballades*, Vᵉ ballet, « Le géant».

Près des meules, qu'on eût prises pour des décombres,
Les moissonneurs couchés faisaient des groupes sombres (...)
HUGO, *la Légende des siècles*, II, «Booz endormi».

♦ **2.** N. f. (1834, *in* D.D.L.). Machine agricole qui sert à moissonner. ⇒ **Faucheuse.** *Moissonneuse-batteuse. Moissonneuse-batteuse-lieuse* (→ Lieu, cit. 2). — (1878, *in* *Année sc. et industr.*, 1879, p. 353). *Moissonneuse-lieuse* (→ Machine, cit. 13). *Moissonneuse-javeleuse.*

MOITE [mwat] adj. — V. 1213; *moiste*, v. 1206; *muste*, v. 1190; p.-ê. du lat. *mucidus* «moisi», par croisement avec *musteus* «juteux», de *mustum* «moût», ou dér. du v. lat. *muscitare* «mélanger», d'où «mouiller d'eau (le vin)», selon P. Guiraud.

♦ **1.** Légèrement humide. *Main toute moite* (→ Agonie, cit. 8). *Sol, papier moite* (→ Imprimerie, cit. 6). ⇒ **Mouillé.** — Par ext. *Pénombre verte et moite* (→ Illuminer, cit. 5). *Atmosphère, chaleur moite.*

(...) ces paumes moites qu'il essuyait avec un mouchoir, avant de vous serrer la main. F. MAURIAC, *Thérèse Desqueyroux*, VI.

Brandi dans l'air moite, le bourgeon en dit aussi long sur la saison et ses progrès, que la fleur qu'il couve. COLETTE, *l'Étoile Vesper*, p. 187.

REM. Le mot suggère en général la chaleur.

(Avec un compl.). *Peau moite de sueur* (⇒ **Habitueux**, didactique).

♦ **2.** Vx. Liquide. *Le moite élément :* la mer.

♦ **3.** Par métaphore. (Vieilli). Mou, sans énergie, sans consistance.

Ce même esprit me paraît lâche, moite. ROUSSEAU, *Émile*, II.

CONTR. Sec.
DÉR. Moiteur, moitir.

MOITEUR [mwatœʀ] n. f. — V. 1380; *moisteur*, v. 1265; de *moite*, et *-eur*.

♦ **1.** Légère humidité accompagnée de chaleur. *Moiteur de l'air. Moiteur étouffante* (cit. 2). — État de ce qui est moite.

♦ **2.** Spécialt. État de transpiration dans lequel la peau se couvre d'une légère sueur (→ Brûlure, cit. 4). *Être, entrer en moiteur. Moiteur provoquée par la chaleur, la fièvre.*

Une moiteur froide baignait la tempe et les joues pâles de Soliman (...)
NERVAL, *Voyage en Orient*, « Nuits du Ramazan », III, XI.

Visage inondé de moiteur (→ Clore, cit. 9). *« Et les moiteurs de mon front blême »* (→ 2. Le, cit. 22, Verlaine).

La sueur ruisselait le long de ses membres; brusquement, excédée de cette moiteur qui collait sa chemise à sa chair, Angèle saisit un mouchoir et s'en frotta le cou, les épaules et les flancs.   J. GREEN, Léviathan, XV.

MOITIÉ [mwatje] n. f. — XII⁰; *moitiet*, XII⁰; *meitiet*, 1080; du lat. *medietas, -atem* «milieu, moitié», de *medius* «moyen».

A. ♦ **1.** Sens strict. Chacune des deux parties rigoureusement égales (d'un tout); l'une de ces deux parties. *Le diamètre partage le cercle en deux moitiés. Cinq est la moitié de dix. La moitié des voix plus une* (→ Majoritaire, cit.). *La moitié de la perte, de la portion héréditaire* (cit. 1). *La moitié d'une heure, d'une douzaine...* ⇒ **Demi**(e).

Par ext. Partie à peu près égale à la moitié (au sens strict d'un ensemble dont les éléments peuvent se compter, d'un tout qui peut se mesurer, s'évaluer...). *Qui est la moitié d'un tout.* ⇒ **Demi, mi, semi.** *Partager* en deux moitiés. Une bonne, une grosse moitié :* un peu plus de la moitié, au moins la moitié. *La moitié des combattants* (→ Gladiateur, cit. 2). *La moitié de son épaisseur* (→ Bosse, cit. 9), *du poids. Une moitié de gigot* (cit. 2). *La moitié de sa vie, de son existence* (cit. 21). *La moitié de la tâche. Renoncer chacun à la moitié de ses prétentions* (→ Partager* la poire en deux). *Il perd la moitié de son temps en bavardage.* ⇒ **Partie** (une bonne). *Raccourcir, réduire de moitié. Partager par moitié.* — Fig. *Faire la moitié du chemin* (supra* cit. 53).

1 La dernière crise avait absorbé les réserves. On ne pouvait augmenter personne, dans une manufacture où les frais de main-d'œuvre représentent la moitié du prix de revient.   J. CHARDONNE, les Destinées sentimentales, p. 82.

Spécialt. L'une des deux parties, égales ou à peu près égales (d'un tout), considérée comme unité autonome et opposable à l'autre. *La première moitié du XII⁰ siècle* (→ Exclure, cit. 9). *La seconde moitié du moyen âge* (→ Gothique, cit. 10). — Loc. (Vieilli). *La plus belle moitié du genre humain :* les femmes. — *Point, ligne qui marque la limite entre deux moitiés d'une chose.* ⇒ **Milieu.** *Bloc divisé en deux moitiés symétriques* (→ Hémisphère, cit. 7). *Vêtement, objet composé de deux moitiés égales, mais dissemblables.* ⇒ **Mi-parti, mi-partition.**

2 L'école de Salerne dit : «Manger peu et souvent». Ursus mangeait peu et rarement; obéissant ainsi à une moitié du précepte et désobéissant à l'autre (...)   HUGO, l'Homme qui rit, I, I, I.

REM. Quand *moitié*, sujet d'un verbe, est suivi d'un complément de nom au pluriel l'accord peut se faire, suivant l'idée, soit avec *moitié*, soit avec son complément :

La moitié des passagers (...) n'avait pas même la force de s'inquiéter du danger. L'autre moitié jetait des cris (Voltaire, *Candide*, V). *La moitié de mes amis me reprochent (...)* (Duhamel, *le Voyage P. Périot*, p. 112. Cf. Grevisse, *le Bon Usage*, § 806, a, Remarque).

3 (...) j'ai parcouru plusieurs provinces. Il y en a où la moitié des habitants est folle (...)   VOLTAIRE, Candide, XXI.

4 La moitié des caves de la section n'ont pas encore été fouillées.   FRANCE, Les dieux ont soif, p. 131.

5 La moitié des hommes ne sauraient pas se servir de leurs armes.   MALRAUX, la Condition humaine, I, «Une heure du matin».

Spécialt. (Avec un complément de nom indiquant de quoi est composée la moitié d'un tout). *Une moitié d'huile, une moitié de vinaigre. Une bonne moitié de chicorée* (→ Filtre, cit. 1).

Absolt. *Une moitié, un tiers* (→ Legs, cit. 2).

♦ **2.** Par ext. ⇒ **Milieu.** *Parvenu à la moitié de son existence. À la moitié d'une côte.* ⇒ **Mi*-côte** (à). *Repos à la moitié d'un vers* (→ Hémistiche, cit. 2).

6 La plupart des gens ne se doutent pas de tout ce qui peut se passer entre la moitié de la nuit et le commencement du jour.   P. MAC ORLAN, Quai des brumes, VI.

♦ **3.** Fig., vx. *Moitié de la vie, de l'âme de qqn :* chose, personne très précieuse à qqn (s'employant aussi comme terme de tendresse).

7 Pleurez, pleurez, mes yeux, et fondez-vous en eau !
La moitié de ma vie a mis l'autre au tombeau (...)   CORNEILLE, le Cid, III, 3.

8 La moitié de mon âme est dans la nef fragile
Qui, sur la mer sacrée où chantait Arion,
Vers la terre des dieux porte le grand Virgile.   J.-M. DE HEREDIA, les Trophées, «Pour le vaisseau de Virgile».

♦ **4.** (1542). Mod. (Régional ou fam.). Épouse, femme. — REM. Le mot était littéraire dans la langue classique (→ Chaste, cit. 1, Corneille).

9 Je vous conjure de faire mes compliments (...) à votre chère moitié.   Mme DE SÉVIGNÉ, 57, 26 nov. 1664.

♦ **5.** Partie d'un tout qui ne se mesure pas, ne s'évalue pas, mais constitue un élément très important, essentiel.

0 (...) la barbe fait plus de la moitié d'un médecin.   MOLIÈRE, le Malade imaginaire, III, 14.

B. Loc. adv. À MOITIÉ : à demi, et, par ext., partiellement. *Ne rien faire à moitié. Dire les choses à moitié* (→ Lettré, cit. 3). *Remplir un verre à moitié* (→ Filet, cit. 1). *À moitié sauvage* (→ Farouche, cit. 10). ⇒ **Demi** (à). *Verre à moitié plein* (→ Demi-plein, demi-rempli), *à moitié vide. Malles à moitié défaites* (→ Camp, cit. 8).

1 Je ne veux point, Créon, le haïr à moitié (...)   RACINE, la Thébaïde, IV, 1.

(...) la sonnerie, continuellement, dérangeait la femme de chambre, qui laissait madame à moitié lacée, chaussée d'un pied seulement.   ZOLA, Nana, II.   12

Loc. prép. *À moitié chemin* (→ Arrêter, cit. 30; berne, cit.; gouffre, cit. 7). ⇒ **Mi*-chemin** (à). *À moitié route* (→ Isolé, cit. 3). *À moitié prix :* pour la moitié du prix.

Spécialt. Répété devant deux mots différents. ⇒ **Mi-.** *Fonctions à moitié civiles, à moitié militaires* (→ Amphibie, cit. 4).

C. (XII⁰). MOITIÉ... MOITIÉ... : à demi... à demi. *Masse d'architecture moitié gothique, moitié sarrasine* (→ Gnome, cit.). *Moitié lui répondant et moitié l'écoutant* (→ Livre, cit. 33). *Moitié chair, moitié poisson. Moitié farine et moitié son* (→ Mi-figue* mi-raisin; être d'une nature équivoque*, indécise*). *Moitié sous terre, moitié sous l'eau* (→ In pace, cit. 1). *Propriété située moitié dans la ville, moitié dans la campagne.* ⇒ **Entre.**

(...) une vieille petite rue, moitié escalier, moitié sentier de chèvre, qui mène à la ville.   LOTI, Mme Chrysanthème, IV.   13

Fam. *Êtes-vous content de votre voyage? — Moitié-moitié* (→ Couci-couça). — *Partageons les bénéfices moitié-moitié* (→ Fifty-fifty, part à deux).

Ce que c'est d'être pingre tout en étant superbe ! Mme Rezeau parut souffrir, tout   13.1
en se rengorgeant. Puis sa folie pour Salomé aida son orgueil à l'emporter sur l'avarice (...) Moitié, moitié, ça t'ira? fit-elle, dans une grimace tendre.   Hervé BAZIN, Cri de la chouette, p. 170.

D. Loc. DE... MOITIÉ. *Décroître de moitié, d'une moitié, de la moitié. Raccourcir* (→ Avance, cit. 37), *abréger de moitié* (→ Gâter, cit. 24). *Taille réduite de moitié* (→ Figure, cit. 7). *Réduire de moitié. En rabattre* de moitié, de la moitié.*

Il vint des partis d'importance.   14
La belle les trouva trop chétifs de moitié.   LA FONTAINE, Fables, VII, 5.

Agir, être, se mettre de moitié, en participation à égalité avec qqn, dans les bénéfices et les pertes.

PAR MOITIÉ. *Partager par moitié, par la moitié,* par le milieu, en deux parties égales. *Fendu par moitié* (→ Hachette, cit.). — Fig. *Partager par moitié des revenus, des bénéfices.*

Dr. À MOITIÉ. *Avoir, louer à moitié.* ⇒ **Métayage** (→ Métairie, cit. 1).

Ce fermier tenait une ferme *à moitié* qui dépérissait entre ses mains, faute d'une   15
fermière.   BALZAC, les Paysans, Pl., t. VIII, p. 47.

Figuré :

Depuis le jour que je le perdis *(La Boétie)* je ne sais que traîner languissant (...)   16
nous étions à moitié de tout ; il me semble que je lui dérobe sa part (...)   MONTAIGNE, Essais, I, XXVIII.

POUR MOITIÉ. *Être pour moitié* (→ Honoraire, cit. 3), *pour la moitié dans... :* être cause, responsable d'une chose dans la proportion d'une moitié, pour une bonne part.

— Monsieur, je suis heureux de l'occasion que me présente le hasard (...) de vous   17
peindre ma reconnaissance pour le bel article que vous avez bien voulu me faire au Journal des Débats. Vous êtes pour la moitié dans le succès de mon livre.   BALZAC, Illusions perdues, Pl., t. IV, p. 698.

CONTR. Bloc (en). — Double.
DÉR. (Du même rad.) Métayer, mitoyen.

MOITIR [mwatiʀ] v. tr. — V. 1283; *moistir*, v. intr., v. 1265; de *moite*.

♦ Rare ou littér. Rendre moite; imprégner d'eau. *Moitir le papier,* l'imbiber d'eau de manière régulière.

MOKA [mɔka] n. m. — 1773, d'après *le Français moderne,* XVII, p. 296; *môcha,* 1721; arabe *mūḫā,* nom d'un port du Yemen, sur la mer Rouge, d'où l'on embarquait le café d'Arabie.

♦ **1.** Café d'une variété originaire de l'Arabie méridionale. *Cultiver le moka.* — Infusion faite avec la graine de ce café. *Boire du moka. Glace au moka. Crème de moka :* boisson alcoolisée faite avec du moka.

(...) une de ces petites tasses pleines d'un moka brûlant que l'on tient dans une   1
sorte de coquetier doré pour ne pas se brûler les doigts.   NERVAL, Voyage en Orient, «Femmes du Caire», I, IV.

Je suivais Guillaume et Gremnitz au café Mauguin où nous savourions un «moka»   2
sur le vieux comptoir d'acajou qui occupait le pourtour de la salle.   Francis CARCO, Nostalgie de Paris, p. 154.

♦ **2.** Gâteau constitué d'une pâte génoise, fourrée d'une crème au beurre parfumée au café (ou au chocolat). *Manger un moka.*

MOKO [mɔko] n. m. ⇒ **Moco.**

MOL [mɔl] adj. m. ⇒ **Mou.**

1. MOLAIRE [mɔlɛʀ] adj. et n. f. — Av. 1478; adj. lat. *(dens) molaris* «(dent) en forme de meule».

♦ **1.** Adj. Vx. *Dents molaires,* qui broient les aliments (→ 1. Fougue, cit. 2). ⇒ **Mâchelier** (vx).

♦ **2.** N. f. Mod. Dent de la partie postérieure de la mâchoire, dont la fonction est de broyer les aliments. *Molaires de l'homme et des mammifères. Les molaires ont une couronne large et aplatie, hérissée de tubercules. L'homme adulte possède douze molaires, réparties par trois. Petites molaires ou prémolaires. Grosses molaires. Racine de molaire* (→ Flanchage, cit.). *Les troisièmes molaires ou dents* de sagesse.*

2. MOLAIRE [mɔlɛʀ] adj. — Mil. xxᵉ ; de *mole*, et *-aire*.

♦ Chim. Relatif à une mole*. *Solution molaire,* qui contient une mole de soluté par litre. *Volume molaire* (d'un corps pur gazeux) : volume occupé par une mole de ce corps pur. *Dans les conditions normales de température et de pression, le volume molaire d'un corps pur gazeux est de 22,4 l.* — *Masse molaire d'un corps :* masse d'une mole de molécules de ce corps. ⇒ **Moléculaire** (masse moléculaire).

DÉR. Molarité.

3. MOLAIRE [mɔlɛʀ] adj. — 1921, Meyerson ; du lat. *moles* « masse ».

♦ Didact. (Philos.). Considéré comme un tout. ⇒ **Global, total, unitaire.** « *Les deux mouvements, moléculaire et molaire* » (Meyerson, *De l'explication dans les sciences,* I, 307, *in* Lalande).

La psychologie est une étude molaire du comportement ; elle envisage l'organisme comme un tout provisoirement inanalysable ; la psychologie est une étude moléculaire du comportement.
P. GUILLAUME, Introd. à la psychologie, *in* FOULQUIÉ, Dict. de la langue philosophique.

CONTR. Atomiste, moléculaire.

MÔLAIRE [mɔlɛʀ] adj. — 1883, *in* D. D. L. ; de 1. *môle* (1.), et *-aire*.

♦ Méd. Relatif à la môle* (1. Môle).

La môle vésiculaire est rare, et se rencontre surtout chez les femmes de 25 à 40 ans, et chez les multipares ; et il semble qu'une grossesse môlaire prédispose jusqu'à un certain point à la récidive.
Dʳ A. CHARPENTIER, Traité pratique des accouchements, I, p. 878 (1883).

MOLARD [mɔlaʀ] n. m. ⇒ **Mollard.**

MOLARISATION [mɔlaʀizɑsjɔ̃] n. f. — Av. 1972 ; du rad. de *molaris,* étymon lat. de 1. *molaire,* et *-isation*.

♦ Didact. Transformation (d'une dent) en molaire, au cours de l'évolution d'une espèce (→ Mâchelier, cit.).

MOLARITÉ [mɔlaʀite] n. f. — 1954, *Larousse mensuel ;* de 2. *molaire*.

♦ Chim. Concentration molaire d'une solution (rapport entre le nombre de moles du soluté et le volume de la solution).

MOLASSE [mɔlas] n. f. ⇒ 2. **Mollasse.**

MOLDAVE [mɔldav] adj. — 1874, *in* Larousse ; de *Moldavie,* all. *Moldau,* ancienne principauté danubienne.

♦ Hist. De Moldavie.

MOLDO-VALAQUE [mɔldovalak] adj. — 1894 ; de *Moldavie,* et *Valachie,* nom de deux principautés danubiennes.

♦ 1. Rare. De Moldavie et de Valachie.

♦ 2. Fam., vieilli. D'un pays inconnu et bizarre. — N. m. (nom de langue). Charabia, volapük.

Le principal effort des jeunes littérateurs contemporains consiste, comme je le crois, à découvrir la Pléiade et à la traduire en moldo-valaque.
TAILHADE, cité par J. HURET, Enquête sur l'évolution littéraire, *in* D. D. L., II, 10.

MOLE [mɔl] n. f. — V. 1930 ; mot angl., de *molecule* → Molécule.

♦ Chim. Unité de quantité de matière (symb. : *mol*), quantité de matière d'un système contenant autant d'entités élémentaires qu'il y a d'atomes dans 12 g de carbone 12 (soit environ $6{,}022 \cdot 10^{23}$: nombre* d'Avogadro, noté N). *Une mole contient N particules. Une mole d'atomes, de molécules, d'ions... Volume, masse... d'une mole.* ⇒ **Molaire.** *Masse d'une mole d'atomes d'un élément.* ⇒ **Atomique** (masse atomique) ; **atome-gramme.** *Masse d'une mole de molécules d'un corps.* ⇒ **Moléculaire** (masse moléculaire) ; **molécule-gramme.** *Masse d'une mole d'électrons.* ⇒ **Électron-gramme.**

DÉR. 2. Molaire.
HOM. Mol.

1. MÔLE [mol] n. f. — 1372 ; empr. au lat. méd. *mola,* proprt « meule ».

♦ 1. Pathol. Croissance anormale du placenta dont les villosités du chorion se transforment en nombreuses vésicules groupées en grappes, et qui aboutit à l'avortement précoce. *La môle peut dégénérer en cancer.*

♦ 2. Bot. Maladie cryptogamique parasitaire du champignon de couche *(Psalliota Campestris),* qui entraîne la formation de tumeurs et rend le champignon impropre à la consommation.

DÉR. Môlaire.

2. MÔLE [mol] n. m. — 1546, *in* D. D. L. ; ital. *molo*.

♦ 1. Vx. Construction massive. *Le môle d'Adrien :* le tombeau en forme de tour de l'empereur romain Adrien.

♦ 2. « Construction en maçonnerie, destinée à protéger l'entrée d'un port et s'élevant au-dessus du niveau des plus fortes marées » (Gruss). ⇒ **Brise-lames, digue, jetée.** *Môle à la tête d'une jetée, supportant un phare.* ⇒ **Musoir.** *Môle allongé. L'allée du môle* (→ Exotique, cit. 1).
Par ext. Terre-plein qui s'avance à l'intérieur d'un bassin pour faciliter l'embarquement ou le débarquement des marchandises. ⇒ **Embarcadère** (→ Débarcadère, quai).

Nous arrivâmes au petit môle du *Perthuis,* qui s'avance dans le lac, et où l'on amarre les bateaux (...)
LAMARTINE, Raphaël, XXIII.
— De cette façon, tu ne nous confondras pas avec la foule qui encombre le môle quand partent les transatlantiques.
MAUPASSANT, Pierre et Jean, IX.

3. MÔLE [mol] n. f. — 1560 ; lat. *mola* « meule ».

♦ Poisson *(Gymnodontes)* dont le corps, en forme de disque aplati, peut atteindre jusqu'à deux mètres de longueur. ⇒ **Lune** (de mer ; poisson de lune).

MOLÉCULAIRE [mɔlekylɛʀ] adj. — 1797 ; de *molécule,* et *-aire*.

♦ Chim. De la molécule, qui a rapport aux molécules*. *Attraction* (cit. 5) *moléculaire. Association moléculaire. Structure, constitution moléculaire* (→ Génétique, cit. 1). *Formule* moléculaire :* représentation d'un composé chimique par la juxtaposition des symboles des éléments (atomes) qui le constituent. *Formule moléculaire développée :* formule analytique représentant les positions, les liaisons et les valences des atomes. *Composés ayant même formule moléculaire brute et des formules développées différentes.* ⇒ **Isomère.** *Transformation moléculaire* (→ Magistère, cit. 2).
Masse moléculaire (d'un corps existant à l'état de molécules) : masse d'une mole* de molécules de ce corps ; nombre qui mesure cette masse (→ Molécule-gramme). *La masse moléculaire d'un corps se calcule en effectuant la somme des masses atomiques des atomes présents dans la molécule. Masse moléculaire et poids moléculaire.* — REM. On dit aussi *masse molaire.*

Écrire la formule de l'alcool propylique normal CH_3-CH_2-CH_2-OH s'appelle *développer* cette formule. Ce mode de représentation, plus explicite que les formules brutes, permet de schématiser les relations entre les atomes de l'édifice moléculaire et, en particulier, de mettre en évidence les groupements fonctionnels.
Georges CHAMPETIER, la Chimie générale, p. 103.

Par ext. (dans la langue non scientifique). Qui concerne des molécules, de très petites parties. → Atome.

Tout à coup un mouvement moléculaire se produisit dans les fibres de la plante lumineuse. L'image perdit sa pureté de coloris et de contours. Les atomes vibraient tous à la fois, comme cherchant à se fixer suivant un nouveau groupement inévitable.
Raymond ROUSSEL, Impressions d'Afrique, p. 175.

Par métaphore. Qui procède par petits éléments discrets.

C'est lorsque la technicité est saisie au niveau des éléments que l'évolution technique peut s'accomplir selon une ligne continue. Il y a corrélation entre un mode d'existence moléculaire de la technicité et une allure continue de l'évolution des objets techniques.
Gilbert SIMONDON, Du mode d'existence des objets techniques, p. 114.

DÉR. Molécularité.

MOLÉCULARITÉ [mɔlekylaʀite] n. f. — xxᵉ ; de *moléculaire*.

♦ Chim. Nombre de molécules réagissant effectivement, pour la réalisation complète d'une réaction chimique irréversible.

MOLÉCULE [mɔlekyl] n. f. — 1674, *in* D. D. L. ; lat. mod. *molecula,* Gassendi (1592-1655) ; dimin. de *moles* « masse ».

♦ 1. Vx. Particule* (d'une matière). *Molécules ténues de calcaire* (→ Incrustation, cit. 2). *Molécules qui forment une concrétion* (cit.). « *Molécules organiques* » (→ Indestructible, cit. 1, Buffon). — *Molécule intégrante* (la molécule au sens moderne). *Molécules élémentaires ou constituantes* (l'atome). *Attraction, affinité des molécules permettant les combinaisons chimiques* (→ Attractif, cit. 2).

Mon esprit refuse tout acquiescement à l'idée de la matière non organisée se mou-

vant d'elle-même, ou produisant quelque action (...) J'ai fait tous mes efforts pour concevoir une molécule vivante, sans pouvoir en venir à bout.
          ROUSSEAU, Émile, IV, p. 329, note.

Cour. (Vieilli). Corpuscule.

(...) une molécule de je ne sais quelle matière étrangère, se logeant dans le coin de mon œil, me rendit, pour le moment, complètement aveugle.
      BAUDELAIRE, Trad. E. POE, Hist. grotesques et sérieuses, «l'Ange du bizarre».

♦ **2. Mod.** (Déb. XIXᵉ, Ampère). **Chim.** Ensemble électriquement neutre d'atomes unis les uns aux autres par liaison chimique. *La molécule d'un corps est formée d'atomes* (⇒ **Atome**); *sa composition est exprimée par la formule* moléculaire. Une molécule, deux molécules d'eau* (H_2O, H_2O). *Molécule d'un corps simple formée de plusieurs atomes* (polyatomique); *de deux atomes* (biatomique* ou diatomique, ex. : H_2 molécule d'hydrogène); *d'un seul atome* (monoatomique, ex. : Zn, molécule de zinc). *Mouvement des molécules de la matière. Grande mobilité des molécules d'un gaz* (→ **Gazeux**, cit. 1), *d'un fluide* (cit. 5). *Très grosses molécules.* ⇒ **Macromolécule, micelle.** *Assemblage* (cit. 18), *association* (cit. 1), *cohésion des molécules. Désagréger les molécules d'un corps par un liquide.* ⇒ **Dissoudre.** *Molécule minérale, organique. Combinaison de molécules complexes* (→ **Gène**, cit. 1). *Synthèse d'une molécule.* — *Molécule-gramme* (vx) : *masse moléculaire d'un corps exprimée en grammes* (ex. : $H_2O = 18$ g). ⇒ **Mole.**

(...) on distingue aujourd'hui la molécule de l'atome : on suppose la première formée de plusieurs de ceux-ci, lesquels, par leur position respective, donnent à la molécule sa forme spéciale, ce qui constitue la diversité des substances (...)
      BOISTE, Dict. (1839), art. *Molécule.*

(...) la molécule d'un corps ou composé est la particule ultime de ce corps susceptible d'exister à l'état isolé. L'atome est la particule ultime d'un corps simple susceptible d'entrer en réaction (...) Pour les métaux à l'état de vapeur, la molécule s'identifie avec l'atome mais, pour de nombreux corps simples, la molécule est formée de plusieurs atomes identiques. Les corps composés résultent de l'union d'atomes différents (...)
      G. CHAMPETIER, la Chimie générale, p. 17.

REM. Certains emplois de la langue non scientifique relèvent probablement du sens 1, mais la valeur scientifique moderne est difficile à éliminer.

Bogo le Muet regardait tout ça, l'immense plage de galets, le ciel, le soleil, la mer, et il ne comprenait pas pourquoi tout était si dur et féroce. Peut-être qu'il y avait une menace, quelque part, derrière les choses, dans les molécules de l'air, ou caché dans les plis de l'eau verte.
      J.-M. G. LE CLÉZIO, les Géants, p. 101.

DÉR. Moléculaire.
COMP. Macromolécule. — Molécule-gramme.

MOLÉCULE-GRAMME [molekylgRam] n. f. — V. 1930; de *molécule,* et *gramme.*

♦ **Chim. Vieilli.** Masse (exprimée en grammes) d'une mole* de molécules d'un corps. ⇒ **Moléculaire** (masse moléculaire). — Plur. *Des molécules-grammes.*

REM. *Molécule-gramme* s'est employé au sens de *mole.*

MOLÈNE [molɛn] n. f. — XIIIᵉ, *moleine;* p.-ê. pour *molaine,* dér. de *mol* «mou». Cf. angl. *mullein,* de l'anc. français.

♦ **Bot.** Plante dicotylédone, herbacée, annuelle ou bisannuelle, à feuilles isolées et molles, à fleurs en épis de cymes (famille des *Scrofulariacées,* n. sc. : *verbascum*). *La molène commune* (*verbascum thapsus*) *vulgairement nommée* bouillon blanc, bonhomme, chandelier, cierge de Notre-Dame, herbe de Saint-Pierre, de Saint-Fiacre, *est une plante médicinale pectorale qu'on utilise en tisane. Molène blattaire* (*verbascus blattaria*) ou *herbe aux mites.*

MOLEQUIN [molkɛ̃] adj. — 1671; la forme *molequin,* n. m. «étoffe de grand prix; vêtement fait de cette étoffe» (v. 1265) n'est peut-être pas de même origine; lat. *molochinus* «de couleur mauve», de *moloche,* par *malache* «variété de mauve», du grec *malakhê.*

♦ **Techn. Vx.** *Vert molequin :* vert de mauve, utilisé autrefois en teinturerie.

MOLESKINE ou **MOLESQUINE** [molɛskin] n. f. — 1857, *moleskine; molesquine,* 1872; *mole-skin,* 1838; empr. à l'angl. *mole-skin,* proprt «peau de taupe».

♦ **1.** Tissu de coton très fort présentant une face satin et une face croisée, généralement utilisé comme doublure de vêtements masculins.

♦ **2. Cour.** Toile de coton revêtue d'un enduit mat ou verni imitant le cuir. *Cartable, sous-main de molesquine* (→ Écran, cit. 1; 1. livre, cit. 7). *Fauteuils, sièges recouverts de molesquine* (→ 2. Caler, cit. 2). *L'utilisation des plastiques a restreint celle de la molesquine.*

(...) l'étroite salle, avec ses trois lustres, ses banquettes de moleskine, son escalier tournant drapé de rouge.
      ZOLA, Nana, I.

C'était un fauteuil en moleskine noire, avec des bourrelets et des coutures apparentes. Il luisait bizarrement comme l'anthracite, il était neuf et glacé. Le dossier était de six bourrelets verticaux terminés par un bourrelet horizontal à la hauteur de la nuque.
      J.-M. G. LE CLÉZIO, les Géants, p. 267.

MOLESTATION [molɛstasjɔ̃] n. f. — XIVᵉ; de *molester,* et *-ation.*

♦ **Rare.** Action de molester; mauvais traitement, brutalité. ⇒ **Persécution, tracasserie, vexation.**

MOLESTER [molɛste] v. tr. — Fin XIIᵉ; bas lat. *molestare,* rac. *molestus* «fâcheux, pénible».

♦ **1.** (Fin XIIᵉ). **Vieilli.** Tourmenter* (qqn) en suscitant des désagréments. ⇒ **Importuner, persécuter, tracasser, vexer** (→ Être après* qqn). «*Il les a fort molestés par ses chicanes, par ses propos, par ses sarcasmes*» (Académie).

Si j'avais su que tu écoutais, je n'aurais pas dit devant toi ce que j'ai dit, car je n'ai nulle envie de te molester. Tu es un bon garçon, très tranquille et complaisant.   1
      G. SAND, François le Champi, V.

♦ **2.** (XIIᵉ; rare avant fin XIXᵉ). **Mod.** Maltraiter* physiquement, bousculer, rudoyer. ⇒ **Brutaliser, malmener, rudoyer.** *Il a été pris à partie et s'est fait molester par la foule.*

Quelque navire a naufragé, sur une côte japonaise... Quelques naufragés américains ont été molestés. Et l'Amérique réclame impérieusement! Le Japon hausse les épaules. Mais voici que le commandant de cette escadre américaine ouvre le feu sur Kagoshima.   2
      Claude FARRÈRE, Mes voyages, V.

▶ **MOLESTÉ, ÉE** p. p. adj. *Manifestants molestés. Orateur politique molesté par des adversaires.*

Julie jetait des cris... des cris perçants qui déchiraient mon âme; des pleurs coulent sous son bandeau, et tombent en perles sur ses belles joues, *Rodin* n'en est que plus furieux... Il reporte ses mains sur les parties molestées, les touche, les comprime, semble les préparer à de nouveaux assauts.   3
      SADE, Justine..., t. I, p. 108.

DÉR. Molestation.

MOLETAGE [moltaʒ] n. m. — 1840, Académie; de *moleter,* et *-age.*

♦ **1. Techn.** Action de moleter (une tête de vis, un boulon, etc.).

♦ **2.** Quadrillage moleté.

MOLETÉ, ÉE [molte] adj. — Av. 1874; 1845, n. m. «ornement appliqué à la molette, sur une pâte céramique»; p. p. de *moleter.*

♦ **Techn.** (Plus cour. que *moleter*). Strié, quadrillé à la molette. *Bouton moleté.* «*Il suffit de tourner une bague moletée en nickel*» (*Année sc. et industr.,* 1900, p. 88).

MOLETER [molte] v. tr. — Conjug. *jeter.* — 1382; de *molette.*

♦ **1. Techn.** Travailler à la molette.

♦ **2.** Faire un striage ou un quadrillage à la molette (ou comme à la molette) sur une tête de vis, un boulon, etc., pour pouvoir les tourner à la main plus aisément.

DÉR. Moletage, moleté, moletoir.

MOLETOIR [moltwaR] n. m. — 1765, *Encyclopédie;* de *moleter,* et *-oir.*

♦ **Techn.** Instrument, molette pour polir les glaces.

1. MOLETTE [molɛt] n. f. — Mil. XIIIᵉ; dimin. sav. de *meule,* d'après le lat. *mola,* et suff. *-ette.*

A. Vx. Petite meule pour broyer les couleurs; petit pilon de pharmacien.

B. (1482). Petite roue.

♦ **1. Vx.** Poulie.

♦ **2. Mod.** **ⓐ** Petite roue étoilée, en acier, à l'extrémité d'un éperon, avec laquelle le cavalier peut piquer le flanc du cheval.

Aussi, sans que l'aiguë et massive molette   1
Le morde aux flancs, le bon cheval hennit vers l'eau
      LECONTE DE LISLE, Poèmes tragiques, «Le lévrier de Magnus».
Le cheval de Michel Strogoff, talonné par ces venimeux diptères, bondissait   2
comme si les molettes de mille éperons lui fussent entrées dans le flanc.
      J. VERNE, Michel Strogoff, p. 219.

ⓑ Blason. Meuble de l'écu figurant une molette.

♦ **3. Techn.** Outil fait d'une roulette mobile placée au bout d'un manche. *Molette de graveur, de ciseleur, de potier. Molette à dents, de sellier, de cordonnier.*

♦ **4.** (1846). **Techn.** Disque d'acier taillé en scie sur le champ et en lime sur le plat, qui, animé d'un mouvement de rotation, sert à travailler les corps durs. ⇒ **Fraise.**

♦ **5. Cour.** Roulette à surface striée ou quadrillée qui sert à manœuvrer certains dispositifs mobiles. *Molette de mise au point d'un microscope. Clé à molette.*

Manuel tournait la molette des jumelles.   MALRAUX, in P. R. 1.   3

4   Malgré un coup de pouce à la molette *(du pèse-personne)* pour bien mettre l'aiguille sur zéro (...) je ne fais pas tout à fait soixante-quinze.
                                                                    Hervé BAZIN, *Cri de la chouette*, p. 8.

♦ **6.** Petite roue taillée en lime qui, par le mouvement qu'on lui imprime, allume la flamme (d'un briquet).

♦ **7.** Métrol. *Molette métrique :* instrument à petite roue dentée marquant les demi-centimètres et les centimètres par perforation, et qu'on passe sur une courbe pour la mesurer. ⇒ **Curviligne.** *Mesurer la longueur d'une rivière sur une carte avec une molette.*

DÉR. Moleter.

2. MOLETTE [mɔlɛt] n. f. — Mil. XIVᵉ ; *molete (-tt-* au XVIIᵉ) ; de *mol* « mou », et suff. *-ette*.

♦ Vétér. Tare molle aux extrémités du membre du cheval. *Molette du boulet.*

3. MOLETTE [mɔlɛt] n. f. — 1903, Larousse ; de *mol* « mou », et suff. *-ette*.

♦ Vitic. Cépage de Savoie. *Molette de Seyssel.*

MOLIÈRE [mɔljɛʀ] n. f. — 1690, Furetière ; *mollière*, 1499 ; *moliera* en anc. provençal, XIVᵉ ; du lat. *mola*. → 1. Meule, meulière.

♦ Régional. Carrière de pierre ; pierres dont on fait les meules. Monticule, tertre (sous la forme *molar[d]*, du lat. *molaris*). ⇒ **Molaire.**
Nous suivîmes parmi les molières un petit cours d'eau qui mettait en mouvement des usines.   CHATEAUBRIAND, *Mémoires d'outre-tombe*, t. VI, IV, III, p. 38.

MOLIÉRESQUE [mɔljeʀɛsk] adj. — 1687, P. Lacroix, *collection moliéresque* ; de *Molière*, écrivain franç. du XVIIᵉ, et *-esque*.

♦ Didact. Relatif aux œuvres, à l'art de Molière ; qui est dans la manière de Molière. *Verve moliéresque.*

MOLIÉRISTE [mɔljeʀist] n. — 1875 ; de *Molière*, et *-iste*.

♦ Didact. Érudit, critique spécialisé dans l'étude de Molière.

MOLINISME [mɔlinism] n. m. — 1656, Pascal, *les Provinciales*, III ; de *moliniste*, et *-isme*.

♦ Hist. relig. Doctrine de Molina et de ses partisans. *Le molinisme fut accusé de pélagianisme.*

MOLINISTE [mɔlinist] n. et adj. — XVIIᵉ ; de *Luis Molina*, jésuite espagnol, 1536-1600.

♦ Hist. relig. Catholique partisan des opinions de Molina sur la grâce* (prédestination conciliable avec le libre arbitre). *Les jésuites étaient pour la plupart molinistes au XVIIᵉ siècle, et s'opposaient aux dominicains qui étaient thomistes. Attaques de Pascal contre les molinistes (les Provinciales,* 1). → Congruiste, cit., Tournier.
(...) M. Jurieu nous objecte que nos « molinistes sont demi-pélagiens », et que l'Église romaine « tolère un pélagianisme tout pur et tout cru » (...) Tout ce que dit M. Jurieu pour soutenir celle-ci *(cette calomnie),* c'est « qu'on donne à l'homme le pouvoir de résister à la grâce ». Si c'est là être pélagien, il y a longtemps que les luthériens le sont (...)
                        BOSSUET, *Avertissements aux Protestants*, IIᵉ Avertiss., XVIII.
Adj. *Jésuite moliniste. Doctrine moliniste.*

DÉR. Molinisme.

MOLINOSISME [mɔlinozism] n. m. — 1694, Boileau ; de *molinosiste*, et *-isme*.

♦ Hist. relig. Doctrine quiétiste de Molinos et de ses partisans. *Le molinosisme fut condamné comme hérésie en 1687.* ⇒ **Quiétisme.**

MOLINOSISTE [mɔlinozist] n. — XVIIᵉ ; de *Molinos*, prêtre catholique espagnol mort en 1696.

♦ Hist. relig. Partisan des opinions de Molinos qui professait le quiétisme*.

DÉR. Molinosisme.

MOLLAH [mɔ(l)la] n. m. — Fin XVIIᵉ, *moullah* ; *molla*, 1656, *in* D.D.L. ; arabe *mäwlä*, proprt « maître, seigneur ».

♦ Dans l'Islam, Savant docteur en droit canonique. — Spécialt. Chef religieux. *La « révolution des mollahs », en Iran.*
(...) après avoir conféré avec les rabbins juifs (...) les mollahs turcs, les verbiests arméniens (...) loin d'avoir éclairci aucune des trois mille cinq cents questions de la Société royale, il n'avait contribué qu'à en multiplier les doutes (...)   BERNARDIN DE SAINT-PIERRE, *la Chaumière indienne*, p. 157.

REM. 1. Ce mot, uniquement didactique auparavant, s'est diffusé (comme *ayatollah**) avec la révolution islamique d'Iran (1978).
2. Les var. graphiques *mullah, mullā* [mu(l)la] sont plus proches de la graphie arabe.

MOLLARD ou **MOLARD** [mɔlaʀ] n. m. — 1865 ; du rad. de *moelle, moelleux.*

♦ Pop. et vulg. Crachat.
Ils crachent à présent tous les deux... tout autour de nous... des molards énormes... je m'écarte... C'est la grande rigolade... que j'évite le jet.
                                        CÉLINE, *le Pont de Londres*, p. 395.

DÉR. Mollarder.

MOLLARDER ou **MOLARDER** [mɔlaʀde] v. intr. — 1866, Esnault ; de *mollard.*

♦ Pop. et vulg. Cracher.

1. MOLLASSE [mɔlas] adj. — 1551, *in* D.D.L. ; de *mou, mol,* et suff. péj. *-asse,* ou de l'ital. *molaccio.*

♦ **1.** Mou et flasque. ⇒ **Flasque, mou.** *Des chairs mollasses. Aliment mollasse.* ⇒ **Pâteux.** *Tissu mollasse,* qui ne se tient pas.
(...) la pulpe mollasse de leur cerveau (...)   Léon BLOY, *le Désespéré*, p. 79.

♦ **2.** (Personnes). Qui est trop mou, qui manque d'énergie physique (⇒ **Apathique, endormi, indolent, lent, mou, nonchalant, paresseux**) et morale (⇒ **Faible, inconsistant, lâche**). *Une grande fille mollasse* (→ Horripilant, cit. 1). *Il est mollasse,* sans activité ni volonté. *Il, elle est mollasse avec ses enfants,* trop indulgent(e). — (1903, *in* D.D.L.). Subst. (Rare). *Un, une mollasse.*
Par ext. Sans vigueur.
(...) poésie vide et vieillotte, bavardage de trouvères usés, enfilade de phrases rimées où le rythme est aussi mollasse que la pensée.
                                        TAINE, *Philosophie de l'art*, t. II, p. 15.

CONTR. Dur, résistant. — Actif, ardent, décidé, empressé, énergique, entêté, ferme, impétueux, opiniâtre, rude, vif, volontaire. — Vigoureux.
DÉR. Mollasserie, mollasson.
HOM. 2. Molasse.

2. MOLLASSE [mɔlas] n. f. — XVIIIᵉ ; *pierre molasse,* déb. XVIIᵉ ; forme substantivée de l'adj. *mollasse,* ou forme péj. de *meulière.*
Scientifique ou technique.

♦ **1.** Grès tendre calcaire, mêlé d'argile, de quartz... *Les mollasses résistent mal à l'érosion* (→ Grès, cit. 4). — Var. orthographique : *molasse.*
La base de la colline est un grès tendre qui porte dans le pays le nom de molasse.
                        H.-B. DE SAUSSURE, *Voyage dans les Alpes*, t. I, *in* LITTRÉ.

♦ **2.** Par anal. «Pierre calcaire de médiocre qualité qu'on emploie comme moellon» (Réau).

♦ **3.** Dépôt terreux remplissant une cavité, dans une pierre à bâtir (défaut de la pierre).

HOM. 1. Mollasse.

MOLLASSERIE [mɔlasʀi] n. f. — 1838, Barbey d'Aurevilly, cit. ; de 1. *mollasse,* et *-erie.*

♦ Rare. Excessive mollesse. *Quelle mollasserie ! Un peu de courage ! — (Une, des mollasseries).* Façon d'agir, attitude d'une personne mollasse.
Pauvre femme ! me fait l'effet d'être roulée dans un inextricable réseau que l'absence de caractère, les petitesses de l'esprit, les mollasseries du cœur ont tissé autour d'elle (...)
                        BARBEY D'AUREVILLY, *Deuxième memorandum, in* D.D.L., II, 15.

MOLLASSON, ONNE [mɔlasɔ̃, ɔn] n. et adj. — 1887, Zola ; de *mollasse,* et *-on.*

♦ Fam. Personne mollasse. *Cet enfant, cette fille est un mollasson. Allons, dépêche-toi, gros mollasson !*
Certes, leur fille Estelle avait de la poigne et de la tête ; mais, décidément, leur gendre Vaucogne, ce mollasson d'Achille, ne la secondait pas. Il passait les journées à fumer des pipes (...)   ZOLA, *la Terre*, III, VI.

MOLLÉ [mɔle] n. m. — 1702, Furetière ; mot espagnol d'Amérique, du quechua.

♦ Bot. Plante à feuilles persistantes et à fruits rouges, appelée aussi *poivrier (Térébinthacées),* cultivée comme ornement dans le midi de la France, et dont la tige produit un suc résineux utilisé au Pérou et au Chili comme masticatoire sous le nom de *mastic d'Amérique* ou *résine mollé.*

MOLLEMENT [mɔlmã] adv. — XIIIᵉ ; de *molle* (fém. de *mol, mou*), et *-ment*.

D'une manière molle. ⇒ **Mou.**

♦ **1.** Sur un objet mou et confortable. *Il était mollement couché, allongé. La tête s'enfonçait* (cit. 33) *mollement dans l'oreiller.*

> Leur berger, mollement étendu sous un hêtre,
> Faisait des vers pour son Iris (...)
>   FLORIAN, Fables, I, 3.

> Madame Garain, le menton mollement assis sur sa poitrine, sommeillait (...)
>   FRANCE, le Lys rouge, III.

♦ **2.** Avec douceur et lenteur, avec abandon. ⇒ **Doucement, indolemment, lentement, nonchalamment.** *Fleuve qui coule mollement.* ⇒ **Paresseusement, tranquillement.** *La mer jetait mollement sa frange d'écume* (→ Argenter, cit. 6). *Mollement balancé dans un hamac* (cit. 4). *Femmes balançant* (cit. 4 et 5) *mollement le torse, leurs tailles nonchalantes, leurs hanches. Un sourire relevait mollement le coin de sa bouche* (cit. 5).

> Un vent tiède remuait les bruyères, les vapeurs rampaient mollement dans les branchages (...)
>   HUGO, Quatre-vingt-treize, III, VII, VI.

> Je vis près du rivage une barque légère
> Se bercer mollement sur les flots argentés.
>   NERVAL, Poésies diverses, « Mélodie irlandaise ».

♦ **3.** Sans vigueur, sans énergie (par manque de décision, de volonté, de conviction). ⇒ **Faiblement.** *Travailler mollement, sans ardeur, sans empressement* (⇒ **Lâchement,** vx). *Les artilleurs tiraient mollement, sachant les points inexpugnables* (cit. 2). *L'assemblée réclama faiblement* (cit. 1), *mollement.* ⇒ **Timidement.** *Résister, refuser mollement, sans conviction* (→ Indécision, cit. 1).

> Les gardes du corps, comme pour l'acquit de leur conscience, parcouraient la foule des duellistes en disant mollement : — Allons, messieurs, de la modération.
>   A. DE VIGNY, Cinq-Mars, XIV.

> Et il allongeait son bras et lui entourait la taille. Elle tâchait de se dégager mollement. Il la poussait ainsi, en marchant.
>   FLAUBERT, Mᵐᵉ Bovary, II, IX.

> (...) elle avait eu l'idée de lui faire fendre du bois (...) et, comme il besognait mollement, elle restait là, au fond du bûcher, à le couvrir d'injures.
>   ZOLA, la Terre, V, II.

♦ **4.** Dans un confort excessif, d'une manière efféminée. *Vivre mollement. Élever des enfants trop mollement.* ⇒ **Délicatement** (→ Dans du coton*).

> Et de l'art des plaisirs mollement occupés (...)
>   CHÉNIER, Élégies, XIV, in LITTRÉ

CONTR. Durement. — Brutalement, fortement, rudement. — Activement, ardemment, carrément, énergiquement, fermement, impétueusement, opiniâtrement, vivement. — Âprement.
DÉR. Mollo.

MOLLESSE [mɔlɛs] n. f. — XIVᵉ ; *molece*, v. 1190 ; dér. de *mol, mou,* et *-esse*.

A. (Concret). ♦ **1.** (Déb. XIIIᵉ). Caractère de ce qui est mou. *Mollesse d'un coussin, d'un lit. Un fauteuil* (cit. 1) *dont la mollesse invite au repos.* ⇒ **Moelleux** (subst.). *Duvet d'une mollesse extrême* (→ Fourrure, cit.). *Mollesse des chairs, des tissus, des muscles. Mollesse d'un fruit blet.* — Absence de rigidité, de tenue. *Mollesse d'une tige, d'une étoffe.*

> (...) les bras, pâmés et morts, ont une flexibilité, une mollesse d'écharpe dénouée ; on dirait que les mains peuvent à peine soulever et faire babiller les castagnettes (...)
>   Th. GAUTIER, Voyage en Espagne, p. 217.

♦ **2.** (1845). Caractère d'une forme souple, douce, arrondie, parfois imprécise. *Mollesse des contours, des formes.*

♦ **3.** Caractère d'un climat mou*. *La mollesse de ce climat est débilitante.*

♦ **4.** Douce lenteur. *La mollesse de la Loire et l'impétuosité du Rhône* (→ Fleuve, cit. 6). *Se balancer avec mollesse.*

B. (Abstrait). ♦ **1.** (1764). Vieilli. (Arts, littér.). Grâce nonchalante de la langue, du style, de la pensée. *La mollesse de l'élégie* (→ Enfiévrer, cit. 5). *Mollesse d'une phrase* (→ Enrouler, cit. 4 ; italien, cit. 1).

♦ **2.** Mod. (Péj.). Manque de vigueur, de fermeté dans le style ou l'exécution d'une œuvre plastique ou musicale. *Mollesse et imprécision du style. Mollesse de la touche, du pinceau. Ce chef d'orchestre conduit avec mollesse. Il y a de la mollesse dans cette chorégraphie.*

> Que prétend la faiblesse étudiée de ce langage forcé, cette violente expression qui met les lecteurs à la torture, pour ne produire que de la mollesse et de l'afféterie ?
>   GUEZ DE BALZAC, Socrate chrétien, in LITTRÉ.

> Cela est d'une négligence, d'une mollesse de pinceau, d'une paresse de tête qui fait pitié (...)
>   DIDEROT, Salon de 1767.

♦ **3.** (1690, Furetière). Paresse, engourdissement physique et intellectuel. ⇒ **Abattement, affaiblissement, apathie, atonie, cagnardise, indolence, langueur, nonchalance, paresse, somnolence.** *La mollesse d'un élève paresseux. Mollesse geignarde* (cit. 3) *d'elle-même. Envahie par une mollesse où elle perdait conscience* (cit. 3) *d'elle-même.*

(V. 1190). Manque de volonté, de caractère, de fermeté. ⇒ **Abandon, faiblesse, laisser-aller.** *Lâcheté* (cit. 4) *et mollesse. Solution de facilité* adoptée par mollesse. *Faiblesse, indécision, mollesse et incu-*

rie des gouvernements (cit. 35). *Résister, refuser avec mollesse, mollement*, d'un air peu convaincu.

> (...) s'il était venu ce n'était que par lâcheté, par mollesse et pour s'épargner à lui-même les regrets d'avoir négligé une occasion qui lui était offerte (...)
>   J. GREEN, Léviathan, VI.   4

Spécialt. Manque de sévérité morale. *Mollesse et indulgence pour soi* (→ Confirmer, cit. 7). *Mollesse d'un père envers son fils,* douceur* excessive.

> Il faut avec vigueur ranger les jeunes gens,
> Et nous faisons contre eux à leur être indulgents (...)
> Est-ce que vous voulez qu'un père ait la mollesse
> De ne savoir pas faire obéir la jeunesse ?
>   MOLIÈRE, l'École des femmes, V, 7.   5

♦ **4.** (Fin XIIᵉ). Vx ou littér. Manière de vivre facile, délicate et voluptueuse. *Mollesse des sybarites.* ⇒ **Sybaritisme** (→ Bannir, cit. 8). *Vivre dans la mollesse.* « *J'aime* (cit. 47) *le luxe* et même la *mollesse...* » (Voltaire). « *Flottant* (cit. 15) *entre la mollesse et la vertu* » (Rousseau). ⇒ **Volupté.** *Son cœur nage dans la mollesse* (→ Endormir, cit. 14). *La destinée m'arracha à la mollesse* (→ Filer, cit. 4). *Élever un enfant dans la mollesse, avec trop de délicatesse** (→ Endurcir, cit. 2).

> Que les dieux me fassent périr plutôt que de souffrir que la mollesse et la volupté s'emparent de mon cœur !
>   FÉNELON, Télémaque, I.   6

> Tu crois que les arts amollissent les peuples et par là sont cause de la chute des empires. Tu parles de la ruine de celui des anciens Perses, qui fut l'effet de leur mollesse (...)
>   MONTESQUIEU, Lettres persanes, CVII.   7

> (...) vous n'êtes ni assez riches pour vous laisser énerver par la mollesse et perdre dans de vaines délices le goût du vrai bonheur (...)
>   ROUSSEAU, De l'inégalité parmi les hommes.   8

CONTR. Dureté, fermeté, rigidité. — Vigueur. — Activité, agilité, allant, dynamisme, endurance, entrain, vivacité. — Acharnement, ardeur, décision, détermination, empressement, énergie, force, impétuosité, opiniâtreté, rudesse. — Sévérité. — Ascétisme.

1. MOLLET, ETTE [mɔlɛ, ɛt] adj. — Fin XIIᵉ ; dimin. de *mol, mou.*

♦ **1.** Un peu mou, agréablement mou au toucher. *Lit mollet.* ⇒ **Douillet, doux** (→ Édredon, cit. 1). Par ext. *Logis mollet* (→ Cordial, cit. 7).

♦ **2.** (Loc.). Spécialt. *Pain mollet :* petit pain blanc à mie légère (→ Herbe, cit. 14). — *Œuf mollet :* œuf cuit dans sa coquille le temps nécessaire pour que le blanc soit bien pris et le jaune encore liquide (→ Frugal, cit. 6).

DÉR. 2. Mollet, molleterie, molleton.
HOM. (Du fém.) Molette.

2. MOLLET [mɔlɛ] n. m. — 1560 ; de l'adj. *mollet.*

♦ Partie charnue et plus ou moins saillante à la face postérieure de la jambe, entre le jarret et la cheville. ⇒ **Gras** (de la jambe) ; → argot Molleton. *Le mollet est formé par le triceps sural** (jumeaux et soléaire). *Le gras du mollet. Mollet rond, parfaitement tourné, beau mollet. Gros mollets. Mollets maigres* (→ Culotte, cit. 2), *musclés. Mollets de coq :* mollets nerveux et peu charnus d'une jambe maigre. *Il a des mollets de cycliste,* très musclés.

> (...) mollets qui font plaisir à voir (...) mollets gros et musclés, mollets d'un pourtour *cossu,* mollets antiques, rassurants, bonhommes, loyaux, primitifs, bourgmestres ; mollets alpestres, assortis à une grande nature, et granitiques suffisamment. Pour nous, nous ne saurions nous ennuyer tout-à-fait nulle part, si seulement une paire de mollets de cette sorte va, vient, se pose ou se promène autour de nous ; ça tient compagnie.
>   Rodolphe TÖPFFER, Voyages en zigzag, p. 308.   0.1

> La jambe prêtée par Alphonsine (...) montrait la cheville et le bas du mollet, un ferme mollet de petite femme souple et forte.   MAUPASSANT, Pierre et Jean, VI.   1

> (...) un garçonnet turbulent, rageur, autoritaire, aux mollets de coq (...)
>   GIDE, Si le grain ne meurt, I, IV, p. 103.   2

DÉR. Molletière.

MOLLETERIE [mɔlɛtʀi ; mɔltʀi] n. f. — 1777 ; de 1. *mollet,* et *-erie.*

♦ Techn. Cuir mou, souple (veau, vache, cheval). *Tannage et corroyage de la molleterie.* ⇒ **Corroyer, tanner.** *La molleterie, cuir à chaussures.* — Par appos. *Cuir molleterie.* (On écrit parfois *mollèterie*).

MOLLETIÈRE [mɔltjɛʀ] n. f. — Fin XIXᵉ ; de 2. *mollet,* et *-ière.*

♦ Jambière de cuir, d'étoffe qui s'arrête en haut du mollet. ⇒ **Jambière, leggins.** *Molletières cirées des gardes* (→ 2. Garde, cit. 14) *mobiles.* — Adj. *Bande molletière :* bande de drap de laine qu'on enroule autour de la jambe, jusqu'au jarret. *Les chasseurs alpins portaient des bandes molletières* (→ aussi Culotte, cit. 2).

> Il y en avait qui portaient les leggins, des bottes de cheval : c'étaient des jeunes gens qui faisaient de la préparation militaire. D'autres portaient simplement des bandes molletières (...)
>   P. NIZAN, le Cheval de Troie, II, VII.   1

> Comme le soldat ne va pas vite, l'enfant a le temps de bien l'examiner, de haut en bas : les joues mal rasées (...) les bandes molletières enroulées à la hâte, sans aucune régularité (...)
>   A. ROBBE-GRILLET, Dans le labyrinthe, p. 33.   2

> Haut soulevée par les bonds, la jupe régionale montre brune la peau des cuisses entre le slip et les bas blancs, au-dessus des bandes molletières qu'à la façon des garçons la fille porte.
>   A. PIEYRE DE MANDIARGUES, la Marge, p. 107.   3

MOLLETON [mɔltɔ̃] n. m. — 1664; de 1. *mollet*, et *-on.*

♦ Tissu de laine ou de coton gratté sur une ou deux faces. *Le molleton est pelucheux, doux, chaud et léger. Langes, veston* (→ Flanelle, cit. 1), *peignoir de molleton* (→ Frangipane, cit.). *Imperméable, gants doublés de molleton* (→ Molletonné). *Molleton d'une planche à repasser :* morceau de ce tissu (→ Lingerie, cit. 2).

Pharm. *Filtre de molleton.* ⇒ **Blanchet.**

1 Vêtu de molleton gros bleu, il avait des chaussons fourrés et une calotte ecclésiastique, qu'il portait dignement, en gaillard dont la vie s'était passée dans des fonctions délicates (...)
                                                                ZOLA, la Terre, I, III.
2 Max arrivait par la rue Lepio : je le reconnaissais de loin à son ciré doublé de molleton rouge et à son vieux chapeau melon (...)
                                                Francis CARCO, Ombres vivantes, p. 242.

DÉR. **Molletonner, molletonneux.**

MOLLETONNAGE [mɔltɔnaʒ] n. m. — Mil. xxe; de *molletonner,* et *-age.*

♦ Rare. Action de molletonner. Résultat de cette action.

(...) vingt-quatre heures sur vingt-quatre à tirer sur une aiguille ou manier des ciseaux ou porter des rouleaux de tissus ou fabriquer des rembourrages d'épaulettes ou des molletonnages (...)
                                        Claude SIMON, la Route des Flandres, p. 246 (1960).

MOLLETONNER [mɔltɔne] v. tr. — 1903, Larousse; au p. p., 1876; de *molleton,* et *-er.*

♦ Doubler, garnir de molleton. *Molletonner une veste.* — Au p. p. (plus cour.). *Pardessus, gants molletonnés.* ⇒ **Fourré.**

DÉR. **Molletonnage.**

MOLLETONNEUX, EUSE [mɔltɔnø, øz] adj. — 1846, Bescherelle; de *molleton,* et *-eux.*

♦ De la nature du molleton. *Étoffe molletonneuse.* ⇒ **Pelucheux.**

MOLLIFICATION [mɔlifikasjɔ̃] n. f. — xvie; de *mollifier.*

♦ Vx, rare. Action de mollifier. ⇒ **Amollissement, ramollissement.**

CONTR. **Durcissement.**

MOLLIFIER [mɔlifje] v. tr. — 1425; du lat. *mollificare* «rendre mou».

♦ Vx, rare. Amollir, ramollir.

La pitié détend toutes mes fibres et mollifie mes nerfs.
                                        BALZAC, le Lys dans la vallée, Pl., t. VIII, p. 833.

CONTR. **Durcir.**
DÉR. **Mollification.**

MOLLIR [mɔliʀ] v. — Conjug. *finir.* — xve; dér. de *mol, mou.*

★ I. V. tr. ♦ 1. Vx. Rendre mou. ⇒ **Amollir, ramollir.** « *Mon grand mal de pitié mollirait une roche* » (Baïf, *in* Huguet).

♦ 2. Mar. *Mollir un cordage,* le détendre, lui donner du mou.

★ II. V. intr. (xviie). Devenir mou. ♦ 1. Rare. Prendre une consistance molle. *Fruit qui mollit.* — Plus cour. : *(se) ramollir.*

1 Souvent, dans ces sables mouvants, brûlants et vibrants de soleil, une sorte de vertige particulier me prenait à sentir sans cesse, sous les pas, le sol mollir (...)
                                        GIDE, Journal, « Feuilles de route », 11 avr. 1896.

♦ 2. Perdre sa force. *Sentir ses jambes mollir de fatigue, d'émotion.* ⇒ **Chanceler.**

2 Il leur arrive *(aux pilotes),* quand une croix noires *(les avions allemands)* viennent bombarder, de prendre leur vol sous les éclatements, et ceux qui sentent leurs jambes mollir enjambent la carlingue du même air résolu parce qu'on les regarde.
                                        R. DORGELÈS, la Drôle de guerre, xx.

Mar. *Vent qui mollit,* qui perd de sa force.

3 Tant d'anxiétés (...) nous avaient empêchés de prendre garde que mars était venu et que le vent avait molli. ALAIN-FOURNIER, le Grand Meaulnes, II, vi.

♦ 3. Commencer à céder*; abandonner peu à peu ses résolutions, opposer une moindre résistance. ⇒ **Abandonner** (s'), **attendrir** (s'), **dégonfler** (se), **faiblir, flancher, lâcher** (prise), **plier** (→ Perdre courage*, perdre pied*). *Gouvernement qui mollit en donnant satisfaction à l'opposition.*

4 Toute autorité qui mollit est perdue. On ne peut ni respecter ni craindre un pouvoir qui retire aujourd'hui la loi qu'il a faite hier.
                                        MICHELET, Hist. de la Révolution franç., VI, I.

5 Il voulut riposter, brava la belle figure un peu meurtrie sous la poudre (...) puis il mollit et céda d'une manière qui ne lui était pas habituelle (...)
                                                                COLETTE, Chéri, p. 53.

Par ext. *Son courage mollit.* ⇒ **Diminuer, faiblir.** *Sa résolution a molli.*

6 (...) nous étions extrêmement rapprochés. Vous avez sûrement remarqué combien, dans cette situation, à mesure que la défense mollit, les demandes et les refus se

passent de plus près; comment la tête se détourne et les regards se baissent, tandis que les discours, toujours prononcés d'une voix faible, deviennent rares et entrecoupés. Ces symptômes précieux annoncent (...) le consentement de l'âme (...)
                                        LACLOS, les Liaisons dangereuses, XCIX.

Fam. Hésiter, flancher. *Forcez, mollissez pas! Il s'agit de ne pas mollir, maintenant. Il a pas molli, il a foncé dans le tas.*

CONTR. **Durcir, raidir.** — **Entêter** (s'), **persister, résister, tenir** (bon). — **Accroître** (s').
COMP. **Amollir** (et **ramollir**).

MOLLO [mɔlo] adv. — 1933, Esnault; de *mollement.*

♦ Pop. Doucement. *Vas-y mollo!*

Ça, c'est de la lavasse, du jus de chaussettes (...) — Mollo! T'as qu'à te le faire ton café. Je suis pas ta bonne.   J. CAU, la Pitié de Dieu, p. 213.
Tu vas y aller mollo, hein? l'paraît qu'ça fait pas du bien.
                                        Jean GENET, Querelle de Brest, p. 218.

Var. graphiques : *molo* (Céline, San-Antonio), *mollot.*

MOLLUSCIDE [mɔlysid] n. m. — xxe; de *mollusque,* et *-cide.*

♦ Didact. Substance ou préparation destinée à détruire les mollusques. *On emploie les molluscides contre les mollusques vecteurs de maladie* (bilharziose, etc.).

MOLLUSCUM [mɔlyskɔm] n. m. — 1836, Académie; mot lat., proprt «nœud de l'érable».

♦ Méd. Petite tumeur fibreuse de la peau.

MOLLUSQUE [mɔlysk] n. m. — 1771; lat. sc. *molluscus,* créé par Cuvier d'après le lat. *mollusca (nux)* «noix à écorce molle».

♦ 1. Animal invertébré au corps mou. Spécialt (zool.). *Les mollusques :* l'embranchement du règne animal, comprenant les métazoaires, au corps mou (invertébrés) non divisé en segments, le plus souvent enfermé dans une coquille calcaire (⇒ **Coquillage**). *Un mollusque :* un animal de cet embranchement. *Classes de mollusques.* ⇒ **Amphineures, céphalopodes, gastéropodes, lamellibranches, scaphopodes.** *Les mollusques possèdent un cœur, un tube digestif, un appareil respiratoire* (branchies et parfois poumons) *et un système nerveux; beaucoup sont hermaphrodites, et presque tous ovipares. Coquille, conque de mollusque.* ⇒ **Coquille,** (cour.) **coquillage** (→ Escalier, cit. 6). *Mollusque univalve, bivalve; producteur de nacre. Manteau*, pied; opercule, tentacule, cirres de mollusques. Mollusques brouteurs. Mollusques ptéropodes. Œufs de certains mollusques céphalopodes.* ⇒ **Raisin** (de mer). *Mollusques comestibles. Étude des mollusques.* ⇒ **Malacologie.** *Mollusques fossiles* (ammonite, baculite, bélemnite, hippurite, nérinée...). → Gypse, cit. 2.

Le mollusque est un *être* — *presque une* — *qualité. Il n'a pas besoin de charpente mais seulement d'un rempart, quelque chose comme la couleur dans le tube.*
                                        Francis PONGE, le Parti pris des choses, p. 50.

Principaux mollusques :

Céphalopodes : ammonite, argonaute, baculite, bélemnite, calmar (ou encornet), nautile, poulpe (ou pieuvre), seiche.

Gastéropodes : buccin (ou trompette), casque, cérite, cône, doris, escargot (ou hélix, limaçon), fuseau, haliotide (ou ormeau), harpe, janthine, limace, limnée, littorine (ou bigorneau, vignot), mitre, murex (ou rocher), nérinée, nérite, olive, ombrelle, paludine, patelle, planorbe, pleurobranche, porcelaine, pourpre, pupa (ou maillot), strombe, terebellum, testacelle, triton (ou trompette), troque, turbinelle, turbo, turritelle, vermet.

Lamellibranches : anodonte, avicule, huître *(Ostracés),* isocarde, lime, moule, mulette, palourde, pedum, peigne (ou pecten, coquille Saint-Jacques), pétoncle (ou amande de mer), pholade, pinne, praire, solen (ou manche de couteau), spondyle, taret, tridacne (ou bénitier), vénéricarde, vénus.

♦ 2. Fig., fam. Personne molle. ⇒ **Mollasson.**

DÉR. **Molluscide.**

MOLOCH [mɔlɔk] n. m. — 1860; du nom propre Moloch, dieu des Ammonites, célèbre par sa cruauté.

♦ Zool. Reptile saurien *(Crassilingues)* à corps massif semblable à celui du crapaud, hérissé d'épines écailleuses.

1. MOLOSSE [mɔlɔs] n. m. — 1555, Ronsard; du lat. *molossus,* mot grec «chien du pays des Molosses», en Épire.

♦ 1. Littér. Gros chien de garde (spécialt, chien de berger, dogue*). → Gardien, cit. 1.

Maintenant les maisons s'étaient toutes refermées comme des citadelles, derrière les murs desquelles grognaient les rudes molosses aux crocs puissants (...)
                                        L. PERGAUD, De Goupil à Margot, p. 81.

Appos. (1840). Vieilli. *Chien molosse.*

◆ **2.** (1818). Par anal. Chauve-souris d'Amérique du Sud, au museau renflé comme celui d'un dogue.

2. MOLOSSE [mɔlɔs] n. m. — 1611 ; du lat. *molossus,* grec *molossos,* pied «du pays des Molosses», en Épire.

◆ Didact., vx. Pied (d'un vers grec ou latin) de trois syllabes longues.
DÉR. Molossique.

MOLOSSIQUE [mɔlɔsik] adj. — 1840, Académie, nom d'une danse antique, *in* Rabelais ; de *molosse.*

◆ Didact., vx. *Vers molossique :* vers grec, latin, constitué de molosses.

MOLTIFAO [mɔltifao] n. m. — 1874, Larousse ; de *Moltifao,* n. d'une commune de Corse.

◆ Techn. Marbre de Corse, bigarré, appelé aussi *marbre mosaïque.*

MOLTO [mɔlto] adv. — Attesté XIXᵉ ; mot ital. ; cf. anc. franç. *moult.*

◆ Mus. Très. (Dans une loc. adv. ital.). *Allegro molto vivace.*

MOLUSSON [mɔlysɔ̃] n. m. — Fin XIXᵉ ; dér. altéré de *Montluçon.*

◆ Techn., régional. Bateau (⇒ **Péniche**) de petite taille, construit pour la navigation dans les canaux du centre de la France.

MOLVE [mɔlv] n. f. — 1837, *Dict. des Dict.* ; lat. zool. *molva,* probablt tiré de *molue,* var. de *morue ;* cf. anc. ital. *molua.*

◆ Poisson osseux *(Gadidés)* appelé aussi *lingue.* « *La lingue ou molve est considérée comme le plus prolifique des poissons* » (R. et M.-L. Bauchot, *les Poissons*).

MOLY [mɔli] n. m. — XVIᵉ ; mot lat., grec *môlu.*

◆ **1.** Myth. Plante (p.-ê. la serpentaire, *Arum cunculus,* selon certaines conjectures) donnée par Hermès à Ulysse pour le préserver des enchantements de Circé, dans l'Odyssée.

Ensuite, avec le vin, il versait aux héros
Le puissant népenthès, oubli de tous les maux ;
Il cueillait le moly, fleur qui rend l'homme sage
André CHÉNIER, Bucoliques, IV, « L'aveugle ».

◆ **2.** Bot. Plante du genre *allium* (ail* doré).

MOLYBD-, MOLYBDO- Élément, tiré de *molybdène,* indiquant la présence de molybdène dans un composé *(molybdoferrite).*

MOLYBDATE [mɔlibdat] n. m. — D. i. ; de *molybdène,* et *-ate.*

◆ Chim. Sel de l'acide molybdique*.

MOLYBDÈNE [mɔlibdɛn] n. m. — 1782 ; XVIᵉ, Du Pinet, «veine d'argent mêlée de plomb» ; lat. *molybdæna,* mot grec, de *molubdos* «plomb» ; mot, utilisé au XVIIIᵉ pour désigner la plombagine (cf. Buffon, *les Minéraux*), a été repris en 1782 pour désigner le métal découvert par Hjelm, fém. jusqu'en 1787.

◆ Chim. Corps simple (symb. *Mo*), métal blanc, dur, de poids atomique 95,95, de densité 10,2, fusible à 2 620⁰. *Le molybdène s'extrait de la molybdénite, par grillage du minerai et par réduction de l'oxyde au four électrique. Aciers spéciaux au molybdène.*
DÉR. Molybdate, molybdénite, molybdique.

MOLYBDÉNITE [mɔlibdenit] n. f. — 1818 ; de *molybdène,* et *-ite.*

◆ Minér. Minerai de molybdène, sulfure naturel de ce métal, de formule MoS_2.

MOLYBDIQUE [mɔlibdik] adj. — Fin XVIIIᵉ ; de *molybdène.*

◆ Chim. Qui contient du molybdène, en parlant d'un composé. *Anhydride molybdique MoO_3, acide molybdique MoO_4H_2, dont les sels sont les molybdates.*

MOLYSMOLOGIE [mɔlismɔlɔʒi] n. f. — 1973 ; du grec *molusma* «tache, souillure», et *-logie.*

◆ Didact. Science des pollutions.

MOMAN Représentation graphique de la prononc. pop. [mɔmɑ̃] de *maman.* « *Une photo qui le représente aux côtés de sa bonne vieille moman* » (San-Antonio, *le Secret de Polichinelle,* p. 147).

MÔMAQUE [momak] n. m. — 1836 ; de *môme.*

◆ Vx. Môme. — Var. graphique : *momacque.* — REM. Le mot est attesté chez E. Sue *(les Mystères de Paris),* Hugo *(les Misérables).*
Avec un jeu de mots sur *maque(reau) :*

Gueule d'Amour vient de la vendre et l'colis, à l'heure qu'il est, navigue pour l'Amérique. Aussi, cette idée de marcher dans les boniments d'Gueule d'Amour. Tu le vois (...) c'est encore plus marchand de viande que mômacque (...)
Francis CARCO, Jésus la Caille, II, IV, p. 105.

MÔME [mom] n. — 1821 ; mot pop. d'orig. obscure ; on a évoqué un rad. expressif *mom-* qu'on trouve dans *momon* «masque», *momier* «grimacier» ; l'enfant est un «grimacier», un «petit singe» ; P. Guiraud allègue le rad. *mamm-* «téter», avec labialisation du [a].

◆ **1.** Fam. Enfant*. ⇒ **Chiard, gosse, moujingue, moutard.** *Une petite môme de cinq ans. Vous allez vous taire, sales mômes !*

Ce fut vers ce coin de la place (...) que le gamin dirigea les deux «mômes» (...) En arrivant près du colosse *(l'éléphant de la Bastille),* Gavroche (...) dit : — Moutards ! n'ayez pas peur. Puis il (...) aida les mômes à enjamber la brèche. Les deux enfants, un peu effrayés, suivaient sans dire mot Gavroche (...) — Vous avez peur, mômes ! s'écria Gavroche (...) Eh bien, cria-t-il, montez donc, les momignards !
HUGO, les Misérables, IV, VI, II.   1

Adj. (1834). *Il est encore tout môme,* tout petit.

Jusqu'à la gare, où le débarquement des troupes s'effectuait dans le plus grand ordre, des badauds stationnaient sous les arbres (...)
— Y en a de tout mômes ! Et des malingres ! disait parfois un spectateur (...)
Francis CARCO, les Belles Manières, p. 32.   1.1

◆ **2.** (1864). Pop. *Une môme :* une jeune fille, une jeune femme. *Une belle môme. La môme Nini. Jolie môme,* chanson de Léo Ferré. *C'est sa môme,* sa maîtresse.

Inviter *(à danser)* une môme qu'on ne connaît pas ? (...) Vous pouvez vous attirer une impolitesse de la part d'un mec avec qui vous ne saviez pas qu'elle était.
J. ROMAINS, les Hommes de bonne voloné, t. XI, XXXIII, p. 303.   2

REM. On rencontre parfois le fém. *mômesse* (Vallès, 1865, *in* D.D.L.), vx.

◆ **3.** N. f. ou m. Jeune homosexuel. ⇒ **Giton.**
COMP. Mômaque, momichon, momignard, mômillon, mominette.

MOMENT [mɔmɑ̃] n. m. — V. 1119 ; lat. *momentum,* contraction de *movimentum* «mouvement».

★ **I.** ◆ **1.** Espace de temps limité (relativement à une durée totale), considéré le plus souvent par rapport aux faits qui le caractérisent. ⇒ **Temps** ; 2. **instant, intervalle ; heure, minute, seconde.** *Moment de la journée* (cit. 3). ⇒ **Heure.** *Ce moment de l'année...* ⇒ **Saison.** *Moments de la vie, de l'existence* (cit. 17). ⇒ **Heure, jour ; époque** (→ Autorité, cit. 47 ; expansif, cit. 5). *Moment où un événement s'est produit.* ⇒ **Date, époque.** *Les grands, les principaux moments de l'histoire de France.* ⇒ **Tournant.** — *Moments futurs*, passés*, présents*.* Spécialt. *Le moment présent* (→ Garder, cit. 58), *actuel** : le présent.

(...) un *moment,* quoique court, l'est encore moins qu'un *instant* (...) Le *moment* se représente comme un espace de quelque étendue ; on y conçoit une succession, suivant l'étymologie du mot, *momentum* pour *movimentum,* mouvement (...) *Moment* se prend quelquefois dans le sens général de temps, abstraction faite de toute idée de brièveté : au *moment que* (...)
LAFAYE, Dict. des synonymes, Moment.   1

Absolt. *Le moment :* le moment, l'époque dont on parle, où l'on se trouve (insiste sur le caractère fugitif du temps). *Les plus grands poètes du moment,* de l'heure* (→ Lied, cit. 2). *Les puissants, les maîtres du moment* (→ Accumuler, cit. 4). *Les événements* (⇒ **Actualité**), *les passions* (→ Flatter, cit. 26) *du moment. Succès* du moment. L'impulsion* (cit. 12), *le plaisir du moment* (→ Habitude, cit. 38).

◆ **2.** Durée quelconque (courte ou longue) estimée subjectivement.

a Court* instant (⇒ **Momentanément**). *Un éclat d'un moment,* passager, fugitif (→ Beauté, cit. 24). *Moments fugitifs* (→ Fixer, cit. 7), *qui s'enfuient* (→ Irrévocable, cit. 4). « *Le moment où je parle est déjà loin de moi* » (→ Fuir, cit. 17, Boileau). — *La vie* n'est qu'un moment.* « *Plaisir d'amour* (cit. 27) *ne dure qu'un moment* ». — *En un moment.* ⇒ **Rapidement ; coup** (tout d'un coup) ; → Amitié, cit. 4 ; amour, cit. 29. *Il ne s'en fallut* (cit. 1) *que d'un moment. Un moment a suffi... à tout changé. Un moment avant* (cit. 19), *après.* — Loc. *Pour un moment :* pour peu de temps. *Je n'en ai que pour un moment, attends-moi. Dans un moment :* dans peu de temps ; bientôt. — *En un moment* (syn. plus cour. : *en un instant**).

Un moment l'a fait naître, un moment va l'éteindre.
CORNEILLE, le Cid, II, 3.   2

Est-il aucun moment
Qui puisse m'assurer d'un second seulement ?   LA FONTAINE, Fables, XI, 8.   3

Au bout d'un moment, il entendit partir sept à huit coups de fusil (...)
STENDHAL, la Chartreuse de Parme, I.   4

Ah ! les femmes, ça n'a qu'un moment, c'est comme la vigne en fleur.
G. SAND, François le Champi, I.   5

Qu'est-ce qu'un moment, — un éclair ? Sinon précisément ce qui accumulé ne saurait composer un temps. L'antipode d'une durée, non son élément.
VALÉRY, Analecta, p. 220.   6

Attendez un moment, un petit moment ! Ellipt. *Un moment ! J'arrive.*
⇒ **Minute, seconde.**

7 Debout, dit l'avarice, il est temps de marcher.
Hé ! laisse-moi. — Debout ! — Un moment. — Tu répliques !
BOILEAU, Satires, VIII.

8 — (...) qu'a dit Madame du Barry en montant sur l'échafaud ?
— Elle a dit : « Encore un petit moment, Monsieur le Bourreau, encore un petit moment (...) » GIRAUDOUX, Intermezzo, II, 4.

Adv. *Un moment :* pendant un moment (→ Léthargique, cit. 1 ; 2. marche, cit. 30). *Je vais travailler un moment. Il crut un moment heure arrivée. Il ne faut pas hésiter un moment* (→ Infidélité, cit. 6). *Pas un moment, il ne s'est douté que..., pas un seul instant.*

9 Albine, il ne faut pas s'éloigner un moment. RACINE, Britannicus, I, 1.

10 On ne parle bien des héros qu'en l'étant soi-même un moment.
MICHELET, la Femme, I, XIII.

b Durée (qui paraît longue, est ressentie comme telle). *Un long* (cit. 15) *moment. Il nous a fait attendre un grand moment. Vous venez d'arriver? Non, je suis là depuis un moment déjà. Un bon moment* (→ Gouvernail, cit. 2). *J'en ai pour un bon moment, veuillez m'attendre.*

♦ **3.** (En insistant sur le contenu objectif ou affectif). ⇒ **Circonstance.**
Circonstance temporelle caractérisée par son contenu. *Moment d'angoisse* (cit. 10), *de gêne* (cit. 10), *d'humeur* (cit. 58). *Moment de bonheur* (→ Fort, cit. 23), *d'ivresse* (→ Bien-aimé, cit. 5). *Il a eu un moment d'absence, de panique, d'indécision, puis il s'est repris.* — *Demander un moment d'audience* (cit. 2 et 3). — *Moments passés à faire qqch., auprès de qqn* (→ Attacher, cit. 35). *Moments qui séparent de...* (→ Attente, cit. 9). *Moments agréables, exquis, splendides* (→ Autorité, cit. 47). *Bons et mauvais moments. Moments désagréables.* — REM. *Bon moment* est ambigu (moment agréable, moment positif, dans un contexte qui ne l'est pas ; et dans d'autres sens «moment favorable» et «long moment»; → *supra* et *infra*). — *C'est un mauvais moment à passer* (cf. Le quart d'heure de Rabelais, au fig.). — *Moment important, crucial, décisif.*

11 Phénice ne vient point? Moments trop rigoureux,
Que vous paraissez lents à mes rapides vœux !
RACINE, Bérénice, IV, 1.

12 Elle remit son âme entre les mains de Celui qui l'avait créée; moment fatal pour tant de pauvres dont elle était la mère et la protectrice ! moment heureux pour elle, qui entrait en possession de l'éternité ! moment triste mais utile pour nous, si nous apprenons à vivre et à mourir comme elle !
FLÉCHIER, Oraison funèbre de la duchesse d'Aiguillon.

13 Ce moment fut le plus beau de la vie de Fabrice, sans aucune contestation.
STENDHAL, la Chartreuse de Parme, II, XVIII.

14 C'est dans ces moments décisifs de la vie qu'on sent bien sa faiblesse et son infériorité. SAINTE-BEUVE, Correspondance, t. II, p. 3.

Avoir des moments vides*, *libres, sans emploi* (→ 2. Dîner, cit. 6). *N'avoir pas un moment à soi :* avoir un emploi du temps très chargé (⇒ **Occupé**). *Vous pourrez faire cela à vos moments perdus* (cf. A temps perdu). *Ne pas trouver un moment pour faire quelque chose.*

15 (...) je n'ai pas trouvé, ma chère âme, un seul petit moment pour t'écrire.
BALZAC, Mémoires de deux jeunes mariées, Pl., t. I, p. 245.

16 Elle n'avait pas un moment à elle, à laver dès sept heures du matin, à ne pas quitter la boutique, sauf pour faire la cuisine, l'appartement de Madame (...)
ARAGON, les Beaux Quartiers, I, XIII.

Les premiers, les derniers moments d'une chose (→ Éternel, cit. 28). *Dès le premier moment. Attendre le dernier moment pour...* — (V. 1684). Spécialt. *Les derniers* (cit. 2) *moments de qqn,* ceux qui précèdent immédiatement sa mort*.

♦ **4.** (En considérant la liaison, la conjonction entre un point* précis de la durée et un événement). Point de la durée (qui correspond ou doit correspondre à un événement). ⇒ **Occasion.** *Profiter* du moment, saisir* le moment. Est-ce bien le moment de...? Ce n'est pas le moment* (→ Gifle, cit. 7). *C'est le moment ou jamais.* ⇒ **Cas** (I., 1.). *Chaque grand* (cit. 60) *homme ne peut venir qu'à son moment, qu'à son heure.* — *Attendre* (cit. 38 et 43), *épier* (cit. 11 et 12), *guetter le moment convenable*, favorable*, opportun, le bon moment* (→ L'heure du berger*, au fig.). *Le moment psychologique* (→ ci-dessous, III.). *Le moment habituel, normal pour faire qqch.* (→ C'est l'heure* de...). — *Choisir le moment, le moment précis où...* (→ Intuition, cit. 4), ou, par archaïsme, *le moment que...* (cit. 18).

17 Il n'y a qu'un moment pour chaque chose. Ici, c'était le 10 juin, pas plus tôt, pas plus tard. MICHELET, Hist. de la Révolution franç., I, III.

18 Le moment est venu que je devrais le rejoindre.
GIDE, les Faux-monnayeurs, I, VIII.

♦ **5.** Loc. **AU MOMENT** (désignant la coïncidence d'un point de la durée et d'un événement). Loc. prép. *Au moment de...* ⇒ **Lors** (2.). *Au moment de la mort.* ⇒ **Article** (II.; *infra* cit. 13). *Au moment du besoin* (→ 1. Champ, cit. 9). *Au moment de partir, sur le point de...* (→ Brusque, cit. 4 ; frisson, cit. 29). — Loc. conj. *Au moment où...* ⇒ **Comme** (VI.), **lorsque** (1.); → Maintenant, cit. 8. *Au moment où il s'y attend* (cit. 100) *le moins.* — Vx ou littér. *Au moment que...* (→ Approuver, cit. 25 ; carte, cit. 4). ⇒ **Quand.**

19 (...) au moment de se séparer, en gare de Genève, le buffet fut témoin d'une scène pathétique (...) Alphonse DAUDET, Tartarin sur les Alpes, XII.

20 Si je n'avais pas encore, au moment que la guerre éclata, goûté les fruits amers de la maturité (...) G. DUHAMEL, Scènes de la vie future, Introd.

Vx ou régional. *Au moment de...,* en fonction d'attribut. *Il se crut au moment de réussir,* sur le point de...

21 Il semblait évident (...) que c'était un complot d'évasion qui était au moment de réussir. HUGO, Hist. d'un crime, IVᵉ journée, XV.

22 Elle fut au moment de lui envoyer un pneu pour l'empêcher de venir (...)
MAURIAC, la Fin de la nuit, VI.

REM. Ce tour est fréquent chez Mauriac.

À partir du moment où... (→ Fatalité, cit. 1 ; marteau, cit. 5).
(En loc. adv.). *À certains moments* (→ Force, cit. 55). *À d'autres moments* (→ Liguer, cit. 4). *Au même moment* (→ Dédoubler, cit. 2). *À ce moment, à ce moment-là, à ce moment précis* (→ Forme, cit. 29). ⇒ **Alors.** *Juste à ce moment...* ⇒ **Cependant** (→ Haut, cit. 135). — *À un moment* (→ Malheur, cit. 34), *à un moment donné, précis, imprévu... S'arrêter au bon, au meilleur moment. À ce moment du récit.* ⇒ **Endroit.** *Au moment critique, le plus important* (→ Au plus beau*...). *Au dernier, au tout dernier moment* (→ Asphyxie, cit. 13 ; manquer, cit. 45).

♦ **6.** Loc. adv. **À TOUT MOMENT, À TOUS MOMENTS.** ⇒ **Cesse** (sans), **continuellement** (→ Animer, cit. 19 ; blessure, cit. 1 ; changer, cit. 40 ; exagérer, cit. 5 ; gardien, cit. 7 ; irritation, cit. 1). On dit aussi, dans le même sens, *à chaque moment.* — *À aucun moment :* pas une seule fois, jamais (→ Flairer, cit. 13 ; front, cit. 33).

Vieilli ou régional. **DANS CE MOMENT** (employé sans épithète) : alors, à ce moment-là, en ce moment (→ Inconnu, cit. 26 ; indulgence, cit. 3 ; maltraiter, cit. 3).

Vx. **DANS LE MOMENT** (employé sans complément) : au moment même, sur le moment (→ Intérêt, cit. 31). — REM. *Dans le moment* s'est employé au sens de «bientôt, dans très peu de temps, tout de suite». *Je reviens dans le moment* (Académie, 8ᵉ éd. qui indique : « Il vieillit»).

EN CE MOMENT : dans le temps de l'énonciation, au moment dont il est question. ⇒ **Actuellement, aujourd'hui, maintenant, présent** (à) ; → Âme, cit. 54 ; filet, cit. 9 ; immuable, cit. 10. — *En ce moment-là :* alors, à cet instant-là, à cette époque-là (→ Jalousie, cit. 29).

SUR LE MOMENT : au moment précis où une chose a eu lieu (→ Balayer, cit. 15). *Sur le moment, il s'est demandé ce qui arrivait.*

POUR LE MOMENT. ⇒ **Présentement** (→ Floraison, cit. 3 ; lune, cit. 11). *Cela suffira pour le moment, nous verrons plus tard. Je n'en ai pas pour le moment, j'en attends.*

PAR MOMENTS : par instants*, par intervalles* ; de temps à autre (→ Balancier, cit. 26 ; bordj, cit. ; brasier, cit. 1 ; flotter, cit. 17 ; jurer, cit. 10). On écrit parfois *par moment* (→ Gorge, cit. 26).

23 Les anges y volaient sans doute obscurément,
Car on voyait passer dans la nuit, par moment,
Quelque chose de bleu qui paraissait une aile.
HUGO, la Légende des siècles, II, Booz endormi.

DE MOMENT(S) EN MOMENT(S) : à intervalles plus ou moins réguliers, incessamment.

24 Tandis que je songeais, le coude sur mes livres,
De moments en moments, ce noir passant ailé,
Le temps, ce sourd tonnerre à nos rumeurs mêlé,
D'où les heures s'en vont en modestes étincelles,
Ébranlait sur mon front le beffroi de Bruxelles.
HUGO, les Contemplations, V, VIII.

D'UN MOMENT À L'AUTRE : d'une façon imminente, bientôt*, très prochainement (→ Battre, cit. 59 ; immutabilité, cit. 1). *Elle doit venir d'un moment à l'autre.*

Loc. conj. Vx ou littér. **DANS LE MOMENT QUE...** (→ Agile, cit. 2), **OÙ...** : au moment même où... ⇒ **Alors** (que), **tandis** (que). «*J'arrivai dans le moment même qu'il venait de sortir, dans le moment où il sortait* » (Académie).

DU MOMENT OÙ..., QUE... **a** Littér. ou vx. (Exprimant le point de départ ou la coïncidence dans le temps). Dès l'instant que, à partir du moment où... ; au moment où... «*Nous nous arrêterons du moment que nous n'apercevrons plus la mer* » (Maeterlinck, *Pelléas,* II, 3).

b Mod. (Indiquant un rapport causal). ⇒ **Dès** (dès l'instant que, dès lors que), **puisque** (→ ci-dessus *À partir du moment où...*). *Du moment que...* (→ Involontaire, cit. 2).

25 La locution de contemporanéité *du moment que* est devenue une locution causale : *L'idée de résister plus ou moins longtemps* **du moment qu'**elle ne pouvait résister toujours, ne lui vint pas à l'esprit... (Musset, Emmeline, VI); — **du moment que** Laurent trouvait du calme et du bien-être auprès d'elle, il en trouvait elle-même à lui en donner (G. Sand, Elle et lui, II, 29)...
BRUNOT, la Pensée et la Langue, p. 814.

26 Je ne sais, du moment que je vous ai connu,
Si sur votre sujet j'ai l'esprit prévenu (...)
MOLIÈRE, les Femmes savantes, III, 2.

27 (...) les plus belles scènes sont en danger d'ennuyer, du moment qu'on les peut séparer de l'action (...) RACINE, Mithridate, Préface.

28 Du moment que tu sais bien que ce n'est pas lui, pourquoi dire ces bêtises-là ?
MAUPASSANT, Miss Harriet, Mon oncle Jules.

29 Du moment que ma pitance était servie à Calèse, comment serais-je allé nourrir ailleurs ? MAURIAC, le Nœud de vipères, I, VII.

♦ **7.** Didact. Chacune des phases successives d'un développement historique. *Moment dialectique :* étape entre la thèse et l'antithèse; force qui mène de l'une à l'autre (⇒ **Dialectique**). — REM. Chez Taine

(*Hist. de la littérature anglaise*, Préface) le *moment* est «une phase, mais en tant qu'elle détermine la suivante» (M. Drouin, *in* Lalande).

Quand le caractère national (la race) et les circonstances environnantes (le milieu) opèrent, ils n'opèrent point sur une table rase, mais une table où des empreintes sont déjà marquées. Selon qu'on prend la table à un *moment* ou à un autre, l'empreinte est différente ; et cela suffit pour que l'effet total soit différent. Considérez, par exemple, deux moments d'une littérature (...) la tragédie française sous Corneille et sous Voltaire (...) Certainement, à chacun de ces deux points extrêmes, la conception générale n'a pas changé (...) Mais entre autres différences, il y a celle-ci, qu'un des artistes est le précurseur, et que l'autre est le successeur (...) que le premier voit les choses face à face, et que le second voit les choses par l'intermédiaire du premier (...) bref que la première œuvre a déterminé la seconde.

TAINE, *Hist. de la littérature anglaise*, Préface.

★ **II.** (1765 ; lat. *momentum* au sens de «pression d'un poids»).

Math. *Moment d'un bipoint* (A, B) *par rapport à un point* O : produit vectoriel du vecteur d'origine O et d'extrémité A par le vecteur d'origine A et d'extrémité B. — REM. «(...) l'expression "moment du vecteur par rapport à O" (...) est incorrecte puisque le moment varie lorsque l'on considère divers bipoints représentant le vecteur AB» (Bouvier et George). — *Moment d'un vecteur glissant* $\vec{V}$ *par rapport à un point* O : produit vectoriel d'un vecteur OA, A étant un point quelconque du support de $\vec{V}$, par le vecteur considéré ($\vec{V}$). *Moment d'un vecteur glissant par rapport à un axe* : mesure algébrique de la projection sur cet axe du moment de ce vecteur par rapport à un point quelconque de cet axe. *Moment résultant d'un torseur* par rapport à un point* : somme des moments par rapport à ce point des vecteurs qui constituent ce torseur. *Moment d'un torseur par rapport à un axe* : mesure algébrique de la projection sur cet axe de son moment résultant par rapport à un point quelconque de l'axe. *Champ de moments* : champ de vecteurs vérifiant la propriété d'équiprojectivité*. «*À chaque instant, le champ des vitesses d'un solide en mouvement est un champ de moments*» (Bouvier et George). *Théorie des moments* : théorie née de l'étude des forces, ensuite étendue à tous les vecteurs. — **Mécan.** *Moment d'une force par rapport à un point, à un axe, par rapport à un plan auquel elle est parallèle. Moment d'un couple* : produit de la distance des deux forces qui le composent par leur intensité commune. *Dans un levier, les moments de la force active* (puissance) *et de la résistance sont égaux et de sens contraire* (⇒ **Levier**). — *Moment cinétique d'un mobile ponctuel par rapport à un point,* moment de sa *quantité de mouvement* par rapport à ce point. Moment cinétique en un point d'un système de points matériels* : somme des moments cinétiques par rapport au même point de chaque point du système. — *Moment dynamique en un point d'un point matériel* : moment par rapport à ce point du vecteur représentant le produit de son accélération par sa masse. — *Moment d'inertie d'un point matériel par rapport à un point* : produit de sa masse par le carré de sa distance au point matériel. *Moment d'inertie d'un solide par rapport à un point, à un axe, à un plan.* — *Moment de stabilité d'un corps placé sur un plan horizontal* : moment des forces de pesanteur auxquelles il est soumis par rapport à l'arête de son polygone de sustentation la plus proche du centre de gravité. — **Phys.** *Moment magnétique* : moment du couple nécessaire pour maintenir un aimant perpendiculaire à un champ uniforme d'intensité 1 oersted. *Moment magnétique d'une boucle parcourue par un courant,* celui de l'aimant équivalent. «*Considérons un système comportant des moments magnétiques électroniques et nucléaires, dans un champ, et à une température telle que la polarisation électronique d'équilibre soit très élevée et la polarisation nucléaire très faible. Cela est possible car les moments magnétiques électroniques sont beaucoup plus grands que les moments magnétiques nucléaires*» (*la Recherche*, sept. 1979, p. 838).

Électr. *Moment électrique d'un doublet* : produit de la quantité d'électricité d'une des deux charges (en valeur absolue), par leur distance.

Math. (Probabilités). *Moment d'ordre* n *d'une variable aléatoire* : intégrale définie sur le corps des nombres réels par rapport à la loi de la variable, de la fonction $f(x) = x^n$. *On appelle* valeur moyenne, espérance mathématique *ou* espérance *d'une variable aléatoire* X *le moment d'ordre 1 de cette variable.*

★ **III.** (1864, *Année sc. et industr.* 1865, p. 474 ; de l'all. *Moment* «facteur, élément décisif»).

Moment psychologique. **a** Didact. (psychol.). «Idée ou sentiment susceptible de déterminer à l'action» (Lalande).

1 Le moment psychologique, n'est-ce pas que c'est bien férocement allemand ? Ed. et J. DE GONCOURT, *Journal*, 27 déc. 1870.

2 La confusion entre les deux sens de ce mot vient du contresens que les Parisiens ont fait, pendant l'hiver de 1870-1871, sur l'expression attribuée à M. de Bismarck : *moment psychologique du bombardement* (c'est-à-dire le bombardement en tant que devant agir sur le moral des assiégés, amener la capitulation). J. LACHELIER, *in* LALANDE, Voc. de la philosophie, art. *Moment*, note.

b Cour. (Au sens I). Instant favorable à une décision.

MOMENTANÉ, ÉE [mɔmɑ̃tane] adj. — 1542 ; *momentené,* XIVe ; bas lat. *momentaneus,* de *momentum.* → Moment.

♦ Qui ne dure qu'un moment, qui n'est pas destiné à continuer, à persister. ⇒ **Bref, court, éphémère, passager, provisoire, temporaire** ;

---

durée (de peu de durée). *Anesthésie* (cit. 1), *paralysie* (→ Établir, cit. 21) *momentanée. Capitulation* (cit. 5) *momentanée. Gêne momentanée* (→ Lésinerie, cit.). *Arrêts, efforts momentanés* (⇒ **Discontinu,** 2., **intermittent**). *Payer trop cher un plaisir momentané.*

CONTR. **Continu, continuel, durable, incessant, perpétuel.**
DÉR. **Momentanément.**

MOMENTANÉMENT [mɔmɑ̃tanemɑ̃] adv. — XVe, *momentainement* «instantanément» ; de *momentané,* et *-ment.*

♦ D'une manière momentanée. ⇒ **Passagèrement, provisoirement, temporairement** (→ Animalité, cit. 4 ; atavisme, cit. 1 ; larynx, cit. 2). *Cacher momentanément un secret.* → Un moment, un temps*. *Le trafic est momentanément interrompu.*

CONTR. **Cesse** (sans), **constamment, continuellement, durablement, perpétuellement.**

MOMERIE [mɔmʀi] ; cour. [mɔmʀi] n. f. — 1440, «mascarade» ; dér. de l'anc. franç. *momer* «se déguiser» ; probablt d'origine expressive (Bloch, Dauzat). Cf. esp. et port. *momo* «grimace», all. *Mumme* «masque», angl. *to mum* «se déguiser», ou à rattacher au lat. **mimare.* → Mime (Guiraud).

♦ **1.** Vx. Mascarade. Divertissement dansé (⇒ **Danse**). — Par ext. Farce, «choses concertées pour faire rire ou... jeu joué pour tromper quelqu'un agréablement» (Académie, 1694).

Caricature, parodie. «*La reine eut honte de cette momerie de ministère*» (Retz, *Mémoires,* 1643).

♦ **2.** (XVIIe). Mod., littér. Affectation* hypocrite ; acte destiné à tromper. ⇒ **Comédie, simulation.**

1 Le vidame (...) avait, à l'endroit des femmes, les opinions les plus détestables : il les aimait et les méprisait. Leur honneur, leurs sentiments ? Tarare, bagatelles et momeries ! BALZAC, *Ferragus,* Pl., t. V, p. 25.

2 Cette faiblesse, ou cette momerie, arracha à l'Assemblée un vif mouvement d'indignation. MICHELET, *Hist. de la Révolution franç.,* X, XI.

♦ **3.** Littér. Cérémonie ou pratique considérée comme ridicule ou insincère (se dit surtout de pratiques religieuses). ⇒ **Bigoterie, simagrée, singerie.**

3 En mourant, l'infortuné musicien légua sa fille au docteur, qui lui servit de parrain, malgré sa répugnance pour ce qu'il appelait les momeries de l'Église. BALZAC, *Ursule Mirouët,* Pl., t. III, p. 308.

4 Monseigneur, ils vous dévaliseront. — Je n'ai rien. — Ils vous tueront. — Un vieux bonhomme de prêtre qui passe en marmottant ses momeries ? Bah ! à quoi bon ? HUGO, *les Misérables,* I, I, VII.

REM. L'orthographe *mômerie* (par confusion avec *même*) se rencontre assez fréquemment. Cf. R. Rolland, *Jean-Christophe,* p. 1305 (éd. A. Michel) ; Renan, *Œuvres complètes,* t. IV, p. 225 (éd. Calmann-Lévy) ; Aragon, *les Beaux Quartiers,* p. 46 (éd. Denoël).

5 Obligé une fois de plus, à mon profond dégoût, d'assister à une mômerie épiscopalienne à l'occasion de l'inauguration du nouveau Président. CLAUDEL, *Journal,* t. II, Pl., p. 10.

♦ **4.** (Par influence de *même*). **a** Vx. Ensemble de mômes (J. Vallès).

b Mod. Enfantillage.

6 Elle a emmené une lettre de Jean et un gant à moi. En l'entendant rentrer, je me suis ruée dans l'entrée, l'air indifférent. «Tu l'auras», me souffle-t-elle en passant, mais la présence de papa qui méprise hautement ces mômeries nous empêche d'en dire plus long. Benoîte et Flora GROULT, *Journal à quatre mains,* p. 179.

DÉR. (Du même rad.) **Momier.**

MOMI [mɔmi] n. f. ⇒ **Mominette.**

MÔMICHON, ONNE [momiʃɔ̃, ɔn] ou **MÔMIGNARD, ARDE** [momiɲaʀ, aʀd] n. — XIXe ; de *môme.*

♦ Vx. (Sous les deux formes ; pour *momignard,* cf. cependant une cit. de J.-P. Clébert, *Paris insolite,* 1952, *in* Cellard et Rey). Petit môme (→ Môme, cit. 1, Hugo).

1 Ravis de cette insigne faveur, tous les habitants du village, hommes, femmes et momignards, partirent le soir même (...) L. FORTON, *les Aventures des Pieds-Nickelés, in* l'Épatant, 1909, p. 48.

2 Drôlement romain, le mômichon, pour trouver ses formules. Roger NIMIER, *le Hussard bleu,* p. 112.

La var. *mômillon* est rare.

3 Des tonneaux sortent d'un hangar
Les cercles peints de vermillon
Le conducteur du camion
Sa femme attend un mômillon
Un train s'essouffle dans la gare. ARAGON, *le Roman inachevé,* «Italia mea», p. 143.

MOMIE [mɔmi] n. f. — XIIIe ; lat. médiéval *mumia* ; arabe *mūmīyāᵈ,* de *mūm* «cire».

♦ **1.** Vx (langue class.). Substance bitumineuse utilisée pour l'embaumement des cadavres ; substance qui sortait «des corps humains aromatisés et embaumés» (Paré). — Mod., techn. (beaux-arts). Cette substance, utilisée par certains peintres comme pigment dans la préparation des peintures de palette (en particulier au XIXᵉ siècle); peinture ainsi préparée. *Fond brun peint à la momie.*

Par ext. «Drogue médicinale, composition visqueuse mélangée de bitume et de poix» (Furetière, *Mumie*). ⟹ 1. **Baume, onguent.** — Par appos. *Baume momie.*

1 Je ne cite ce passage *(du voyage de Thévenot)* ... que pour rapporter à un bitume, ce prétendu baume des momies (...) Chardin parle de ce baume-momie, et il le reconnaît pour un bitume; il dit qu'outre les momies ou corps desséchés (...) il y a une autre sorte de mumie ou bitume précieux qui distille des rochers (...)
BUFFON, Hist. nat. des minéraux, Du bitume.

♦ **2.** (XVIᵉ). **Mod.** Cadavre desséché et embaumé par les procédés des anciens Égyptiens. *La momie de Ramsès II. Préparation des momies* (⟹ **Embaumer, momifier;** → Incision, cit. 4). *Embaumement d'une momie.* ⟹ **Momification.** *Natron** (ou natrum), *bitume pour momies* (→ Asphalte, cit. 1). *Momie entourée de bandelettes** (→ Emmailloter, cit. 2; linceul, cit. 2). «*L'art lugubre des momies*» (→ Éterniser, cit. 6, Buffon). — *Baume de momie* (→ ci-dessus, 1.). — *Le Roman de la momie,* œuvre de Th. Gautier (1858).

2 Ordinairement, les momies pénétrées de bitume et de natrum ressemblent à de noirs simulacres taillés d'ébène; la dissolution ne peut les attaquer, mais les apparences de la vie leur manquent. Les cadavres (...) se sont pétrifiés sous une forme hideuse qu'on ne saurait regarder sans dégoût ou sans effroi.
Th. GAUTIER, le Roman de la momie, Prologue.

Par ext. Cadavre desséché et embaumé.

Par compar. *Sec, maigre comme une momie. Immobile, figé comme une momie* (→ Évolution, cit. 11, en parlant de choses).

3 D'Angoulême, Beaufort, c'est bien ennuyeux, n'est-il pas vrai? Nous restons là comme des momies.   A. DE VIGNY, Cinq-Mars, X.

♦ **3.** **Fig., vieilli.** Personne sèche* et maigre* (→ Asthmatique, cit.).

4 Adieu, mon cher ami (...) ma momie salue très humblement la figure vivante de mademoiselle Clairon.   VOLTAIRE, Correspondance, 4298, 8 mars 1776.
Personne immobile, figée, inactive. *Impossible de le faire travailler, de le faire lever; quelle momie!* — **Spécialt.** Personne aux opinions ou aux manières surannées, arriérées...

DÉR. Momifier.

MOMIER, IÈRE [mɔmje, jɛʀ] n. — V. 1818; du même rad. que *momerie.*

♦ **1.** **Didact.** (hist.). **Péj.** Protestant dissident de Suisse romande.

♦ **2.** **Vx.** Bigot* (cit. 3, Huysmans) qui fait des momeries.

MOMIFICATEUR [mɔmifikatœʀ] n. m. — 1840, *in* D.D.L.; de *momifier,* et *-ateur.*

♦ **Didact.** Personne qui transforme, embaume un cadavre, le transforme en momie.

MOMIFICATION [mɔmifikasjɔ̃] n. f. — 1789, Thouret; de *momifier,* et *-ation.*

♦ **1.** Transformation (d'un cadavre) en momie par dessiccation*, embaumement. État d'un cadavre momifié. *Momification naturelle par dessèchement.*

♦ **2.** **Méd.** Dessiccation des tissus dans certaines maladies. *Momification d'un orteil par la gangrène sèche.* — **Chir. dent.** Dessiccation aseptique, provoquée pour annihiler la vitalité pulpaire d'une dent. ⟹ **Mortification.**

♦ **3.** **Fam.** Amaigrissement extrême.

♦ **4.** **Fig.** Fait de momifier, de rendre inerte. ⟹ **Dessèchement.**

MOMIFIER [mɔmifje] v. tr. — 1789, Thouret; de *momie,* et *-fier.*

♦ **1.** Transformer (un cadavre) en momie, par l'embaumement. ⟹ **Embaumer.** *Embaumeur qui momifie un mort.* ⟹ **Momificateur.** — **Pron.** *Se momifier :* se dessécher au point de devenir imputrescible, en parlant d'un cadavre. *Chameaux morts dans le désert qui se momifient au soleil.*

♦ **2.** **V. pron.** Se dessécher, en parlant des tissus vivants. Se mortifier. ⟹ **Momification, 2.**

♦ **3.** Rendre (qqn) très maigre. ⟹ **Dessécher.** *L'âge, la maladie l'a complètement momifié.*

♦ **4.** **Fig.** Rendre (qqn) inerte. ⟹ **Dessécher** (fig.). *L'inaction finira par le momifier.* — **Pron.** :

1 Mes enfants auront tout leur bien, celui de leur mère et le mien; mais ils ne veulent sans doute pas que leur père s'ennuie, se moinifie et se momifie! (...) Ma vie est joyeuse!   BALZAC, la Cousine Bette, Pl., t. VI, p. 397.

▶ **SE MOMIFIER** v. pron. Voir ci-dessus.

▶ **MOMIFIÉ, ÉE** p. p. adj. *Cadavre momifié* (par un embaumeur; naturellement, dans une tourbière...). — *Tissus momifiés.* Extrêmement amaigri.

Une vieille ridée, tannée, momifiée en quelque sorte, et dont la peau faisait des plis à toutes les jointures comme une botte à la hussarde, préparait dans une jatte de terre rouge un gaspacho gigantesque.
Th. GAUTIER, Voyage en Espagne, p. 227.

Fig. *Momifié par l'inaction. Un vieux professeur momifié.*

DÉR. Momificateur, momification.

MÔMIGNARD, ARDE [momiɲaʀ, aʀd] n. ⟹ **Mômichon.**

MÔMILLON [momijɔ̃] n. m. ⟹ **Mômichon** (cit. 3).

MOMINETTE [mɔminɛt] n. f. — 1898; de *môme, momignard(e),* et *-ette.*

♦ **Pop., vx.** Absinthe servie dans un verre à vin. — **Mod.** Anisette, pastis servi non étendu d'eau dans un très petit verre. — **Abrév. :** *momi,* n. f. (1953, *in* Esnault), et, par confusion, *momie.*

MOMON [mɔmɔ̃] n. m. — 1587; de l'anc. v. *momer* «se déguiser»; admis Académie 1718, supprimé en 1835.
Vieux.

♦ **1.** Mascarade (⟹ **Momerie,** 1.).

♦ **2.** Défi au jeu de dés (proposé à l'origine par les masques aux dames). *Porter, jouer un momon. Couvrir le momon :* accepter le pari.

Ah! mon Dieu! (...) Quelle figure! Est-ce un momon que vous allez porter; et est-il temps d'aller en masque?   MOLIÈRE, le Bourgeois gentilhomme, V, I.
Par métonymie. Bourse contenant les dés utilisés pour ce jeu.

MOMORDIQUE [mɔmɔʀdik] n. f. — 1765, *Encyclopédie;* du lat. bot. *momordica.*

♦ **Bot.** Plante grimpante *(Cucurbitacées)* appelée aussi *ecbalium* et couramment *concombre sauvage, cornichon d'âne,* cultivée pour ses fruits ornementaux. *La momordique balsamine produit un fruit appelé* pomme de merveille.

MOMOT [mɔmo] n. m. — 1839, Boiste; du lat. mod. *momotus* ou *momot* (attesté 1635), probablt onomatopéique, du chant de l'oiseau.

♦ **Zool.** Oiseau passereau dentirostre d'Amérique tropicale.

MON, MA, MES [mɔ̃, ma, me] adj. poss. 1ʳᵉ pers. — V. 1050; *meon,* au Xᵉ; formes atones des adj. lat. *meum, mea, meos, meas.* → Mien.

REM. 1. (Forme). Dans l'ancienne langue, la forme *ma* s'élidait en *m'* devant un mot fém. commençant par une voyelle ou un *h* muet (*m'âme, m'amie*); dès le XIIᵉ s. on a remplacé cette forme par la forme masc. (*mon amie*). → Mie (*ma mie* pour *m'amie*); Mamour (*m'amour*). Liaison : *mon ami* [mɔ̃nami] ou vieilli [mɔnami].

2. (Fonction). *Mon (ma, mes)* se rapporte normalement à un possesseur unique.

3. (Sens). Comme les autres adjectifs dits «possessifs», *mon (ma, mes)* peut exprimer, outre la possession proprement dite, des rapports de toutes sortes : qualité propre, convenance, conformité, habitude, intérêt personnel, sympathie, affection, déférence, etc. — Très souvent aussi, il équivaut à un complément déterminatif *(de moi).* Dans ce cas, il peut avoir un sens subjectif ou objectif : «La personne à laquelle se rattache l'adjectif possessif peut être sujet : *Mon travail,* c'est le travail que je fais; ou au contraire objet : *à ma vue,* le voleur s'enfuit, c'est le voleur qui m'a vu; *à ma vue* veut dire : *à la vue de moi*» (Brunot, la Pensée et la Langue, p. 152).

4. (Place). *Mon (ma, mes)* se place toujours devant le nom qu'il détermine. *Mon sujet de thèse; le sujet de ma thèse* (si les deux noms forment un composé ou un tour substantif, le possessif vient en tête : *mes cartes de visite. Mon coquin de domestique.* «*Ma petite parisienne de sœur*» (M. Prévost, M. et Mᵐᵉ Moloch, p. 211).

5. (Renforcement). **a** Par le pronom personnel. ⟹ **Moi.**

b Par l'adjectif *propre*.

Mais, je le sais bien, je n'ai rien dans la tête, rien que MES idées (...) voilà tout (...) Rien que MES idées À MOI, c'est terrible!
J. VALLÈS, le Bachelier, X, p. 95.

6. (Répétition). Devant deux substantifs coordonnés *mon* est généralement répété (*mon père et mon oncle*), sauf si les deux subst. désignent la même personne (*mon collaborateur et ami*) ou sont de sens rapproché, et forment une locution (*en mon âme et conscience; mes faits et gestes...*).

★ **I.** (Sens subjectif, marquant un rapport centré sur le locuteur). Relatif au locuteur.

♦ 1. **[a]** Qui est à moi, qui m'appartient (⇒ **Je, moi**). « *Mon arc* (cit. 2), *mes javelots, mon char, tout m'importune* » (Racine). *Mon lopin* (cit. 1) *me suffit. Ma pauvre maison* (cit. 2). *Mon magasin* (cit. 1).

Tu es trop féroce, Père Ubu. — Eh! je m'enrichis. Je vais me faire lire MA liste de MES biens. Greffier, lisez MA liste de MES biens.
A. JARRY, Ubu roi, III, 2.

Je rentre dans la grande salle, tout embaumée de soupe, et m'assieds près de la fenêtre, sur *ma* chaise. Voici *mon* bol, *mes* sabots, *mon* petit flacon d'encre. Cela semble si bon de retrouver ces choses à soi, *mes* amis qu'on aurait pu ne jamais revoir.
R. DORGELÈS, les Croix de bois, VI.

Quelle corbeille? — La mienne, dit Chéri avec une importance bouffonne. MA corbeille de MES bijoux de MON mariage (...).
COLETTE, Chéri, p. 9.

(En parlant de l'être, corps et esprit, de la personne qui parle). *Mon bras, mon épaule* (→ Appuyer, cit. 1 et 31). *Mon cœur. Mon regard. Mon esprit* (→ Augmenter, cit. 9; liant, cit. 1), *mon âme* (→ Écho, cit. 15, Hugo). *Tout mon être.* Loc. *À mon corps* (cit. 30) *défendant.* — Par ext. *Ma taille, mon poids.* — REM. Devant les noms désignant les parties du corps, de l'être, l'article défini remplace souvent l'adj. poss. : *J'ai mal à la tête; vous m'avez fermé la bouche* (cit. 15), *le cœur me battait...* (→ 1. Le, cit. 6 et *supra*; Me, cit. 8, 9 et 10). L'emploi du possessif est possible ou régulier quand il importe de préciser le possesseur « *Mets tes mains dans mes mains* » (Coppée, cité par Le Bidois) ou d'insister sur la possession; quand le nom est accompagné d'une épithète (*je lui ai montré ma jambe blessée*) sauf après « avoir » (*j'ai la jambe enflée*); dans des emplois pléonastiques (*je l'ai vu, de mes yeux vu*) ou figurés (*je donne ma langue au chat; il a demandé ma main*).

Ce fantôme qui est notre moi — (...) et qui est vêtu de *notre* poids. Songe-t-on le sens de ce mot : *Mon poids!* Quel possessif! (...)
VALÉRY, Monsieur Teste, p. 114.

Dès qu'il a pu parler, il m'a dit : — Vous m'avez coupé la jambe? *(Plus tard)* : « Comment vas-tu (...)? — Mon général, on m'a coupé la jambe (...) — Mais je le sais bien, mon enfant.
G. DUHAMEL, Vie des martyrs, p. 147-149.

Je pose ma main sur ma poitrine, je tâte mon cœur... *(dit un cardiaque)*.
F. MAURIAC, le Nœud de vipères, I, I.

(En parlant des sentiments, des états de conscience). *Mon amour, mon désir* (→ Argument, cit. 10) *mon admiration* (→ Attaquer, cit. 34). « *Viens réparer ma honte* » (→ Fils, cit. 1, Corneille). — *Mon opinion, mes idées. Mon ignorance* (→ Macérer, cit. 5). *À mon avis* (cit. 17), *à mon gré* (cit. 5). *Mes souvenirs* (→ Attacher, cit. 100).

(En parlant des états habituels du corps ou de l'esprit). *Mes rhumatismes, mon asthme.* — *Je ne me sens pas dans mon assiette.*

(En parlant de l'existence et de ses moments). *Ma naissance, mon enfance* (→ Lettre, cit. 33), *ma jeunesse* (→ Étude, cit. 14). *Le fil* (cit. 22) *conducteur de ma vie. Mon destin.*

Mon âme et ma destinée seront toujours en contradiction.
A. DE VIGNY, Journal d'un poète, nov. 1838.

[b] Spécialt. Qui est mien, à quoi j'appartiens. *Mon peuple, ma nationalité. Les gens de mon espèce* (→ Lutter, cit. 4). *Mon école, ma classe. Mon époque, ma génération, ma promotion.* — *De mon temps. Dans ma rue.* — REM. Le rapport d'appartenance est ici inversé. *Mon époque* : l'époque à laquelle j'appartiens (et non : qui m'appartient).

(En parlant des actes, des choses dont on est l'auteur ou l'agent). *Mon livre, mes livres* (→ Main, cit. 81). — *Tout est de ma faute* (cit. 42). *Par mon fait* (cit. 5). — *Sur mon passage* (→ Lever, cit. 16); *mon arrivée, mon départ. Je leur ai fait mes adieux.* Présentez-lui *mes hommages.* — (En parlant de ce que l'on doit faire). *Ma mission, mon mandat* (cit. 7). *Je viens de finir mes études* (cit. 21). *Mon travail.*

Je me suis attardé à faire un peu ma cour à M. Vernouillet.
— Votre cour?
Émile AUGIER, les Effrontés, I, 7.

(...) je ferai mon droit, je me ferai recevoir avocat, même docteur, pour fainéantiser un an de plus.
FLAUBERT, Correspondance, 28, 24 févr. 1839.

[c] Par ext. Qui me convient, m'est habituel. *Je vous répondrai à mon heure**. *Ce n'est pas mon genre, mon type...* « *J'avais ma foulée* » (cit. 3)... — *Je prenais mon petit verre de fine du dimanche...*

Argot. *Ma pomme* : moi. → Mézigue.

♦ 2. (Devant un nom de personne, marquant des rapports de parenté ou de relations). *Mon père, mon fils. Mon oncle* (fam. *m'n oncle*). *Mon mari. Ciel, mon mari! Ma femme. Mes filles* (cit. 7 et 11), *mes enfants. Ma fiancée* (cit. 4). — *Mon patron. Mes ouvriers. Mes élèves. Mes voisins, mes clients.* — REM. Avec des noms de personnes, le possessif ne marque presque jamais l'appartenance, la possession au sens strict (*mon esclave*), mais les relations sociales diverses, infériorité et supériorité; subjectivité : *mes invités*; objectivité : *mes critiques, mes persécuteurs* : ceux qui me critiquent, me persécutent... Cf. dans l'anc. langue : *mon haineux* (celui qui me hait), *ma cruelle* (qui m'est cruelle), et ci-dessous (II.).

(...) un chef de service appelle « mon interne » l'interne qui lui est subordonné; mais un externe appelle aussi « mon interne » l'interne auquel il est subordonné. *Mon,* dans ces deux cas (...) exprime deux modes de possession opposés.
J. DAMOURETTE et É. PICHON, Essai de grammaire de la langue franç., t. VI, § 2603.

Tragique besoin de possession : « *Mes études, mon régiment, mon juge, mon bourreau.* »
G. DUHAMEL, Salavin, Journal, 20 juin.

As-tu remarqué que tu dis toujours « ton fils » quand tu as à te plaindre de lui, et « mon fils » quand tu en es contente?
Paul GÉRALDY, Noces d'argent, II, 8.

(Avec un nom propre, marquant une relation affective).
Mon Polyeucte touche à son heure dernière (...)
CORNEILLE, Polyeucte, IV, 5.

♦ 3. MON, MA, MES marquant l'intérêt personnel. (« Dans un récit, le locuteur se constitue possesseur de personnages du récit » Damourette et Pichon, *Essai de grammaire de la langue franç.*, § 2651). *Alors, mon bonhomme s'est mis à hurler comme un fou. Mon loup a les boyaux percés* (→ Arc, cit. 1, La Fontaine).

Voilà de mes damoiseaux flouets *(fluets)...*
MOLIÈRE, l'Avare, I, 4.

(Avec un numéral ordinal). Désignant la personne ou la chose qui est en rapport avec le locuteur. *J'en suis à mon trente-troisième mandarin* (cit. 2, Balzac).

« Pour moi, c'est mon premier cadavre » *(dit un juge)*.
Henry BORDEAUX, le Lac noir, II.

S'appliquant « à un objet que l'on s'est pour ainsi dire approprié par son travail, son étude... » (Brunot, *la Pensée et la Langue*, p. 152). *Je sais mes auteurs. Je connais mon monde. Je gagne mes cent francs par jour.*

(En parlant de ce qui est attribué, à tort ou à raison, à la personne qui parle).

— Fermez-moi donc votre porte. — Pourquoi « ma porte »? Cette porte ne m'appartient pas en propre. Mais tel est Cerbelot : il faut qu'il attribue chaque parcelle de l'univers à quelqu'un.
G. DUHAMEL, Salavin, Journal, 10 mai.

♦ 4. En s'adressant à quelqu'un. (Emploi « allocutoire »).

(Dans la famille). *Oui, mon père**, *ma mère** (cf. dans le registre soutenu : *père, mère,* et, plus fam., *papa**, *maman**). *Viens, mon fils...* (cit. 1, Corneille). *Mon enfant* (cit. 28.2, 28.3 et *supra*). *Mon garçon.*

— Tu appelles encore M. Lepic « papa » à ton âge? dis-lui « mon père » (...) — Au revoir, ma mère (...) — Tiens, dit madame Lepic, pour qui te prends-tu Pierrot? Il t'en coûterait de m'appeler « maman » comme tout le monde?
J. RENARD, Poil de carotte, p. 120-121.

(Hors de la famille). *Bonjour, mon ami; oui, mes amis. Mon cher ami. Mon petit ami. Mon cher monsieur**. *Mon cher* (cit. 10) *philosophe. Mon cher maître. Mes chers auditeurs. Mon pauvre Nicolas* (→ Loup-garou, cit. 2). *Mon petit Jeannot, mon cher Jean, mon pauvre Paul...* — (Langage amoureux). *Mon chéri, ma chérie, mon amour, mon ange* (→ Maîtresse, cit. 65). *Oui, mon (petit) chat**. *Mon chou**. *Mon loup**. ⇒ **Affection** (cit. 15 et *infra* : termes d'affection). — (Devant des adjectifs pris substantivement). *Mon bon* (cit. 63), *mon brave.* (Vx). *Ma bonne* (cit. 62). *Mon cher* (cit. 11). *Ma chère* (cit. 6). *Écoute, mon (petit) vieux... Mon petit**. — *Mon fils, ma fille...* (en parlant à quelqu'un qui n'est pas de la famille). → Fille, cit. 12.

Monsieur de Valois était le seul qui pût bien prononcer certaines phrases de l'ancien temps. Les mots *mon cœur, mon bijou, mon petit chou, ma reine,* tous les diminutifs amoureux de l'an 1770 prenaient une grâce irrésistible dans sa bouche (...)
BALZAC, la Vieille Fille, Pl., t. IV, p. 214.

Les dames qui vont souvent au marché ont leurs marchandes de prédilection; ce qui n'empêche pas toutes les autres de crier lorsqu'elles passent : — Venez donc me voir, mon cœur! (...) Achetez-moi donc, mon bijou (...) Étrennez-moi, mon chou, vous me porterez bonheur.
Ch. PAUL DE KOCK, la Grande Ville, t. I, p. 219.

Les yeux fixés sur Fontan, elle l'accablait de petits noms : mon chien, mon loup, mon chat (...)
ZOLA, Nana, VIII.

REM. Devant un prénom sans adjectif, le possessif exprime un sentiment de profonde tendresse :

(...) c'est que je t'aime tant, mon René, et les hommes sont si méchants (...)
Paul BOURGET, Mensonges, XV, p. 284.

(Exprimant des rapports spirituels). Relig. *Mon Père**. *Mon Frère. Mes bien chers frères. Mes Révérends Pères* (→ Lettre, cit. 20). *Ma mère* (*supra* cit. 17). *Ma sœur**. — *Mon Dieu**.

(Exprimant des rapports hiérarchiques). Milit. « *Un militaire, parlant à un supérieur militaire, dit* : MON lieutenant, MON capitaine, et de même pour les autres grades jusqu'à MON général... *Un supérieur parlant à un inférieur, dit, sans possessif* : colonel, major (commandant), etc. *L'inférieur dit, sans possessif* : caporal, sergent... *Dans la marine, on ne met jamais* MON *devant l'appellation du grade employée comme terme allocutif* » (Grevisse, le Bon Usage, § 425, REM. 2). — Par ext. « *L'usage militaire* (...) *tend à généraliser ce tour; des prévenus disent* : Mon président... » (Brunot, *la Pensée et la Langue*, p. 260).

Ah! mon Pape, la belle mule! (...)
Alphonse DAUDET, Lettres de mon moulin, « La mule du Pape ».

Fam. (Marquant des nuances très diverses, de la franche camaraderie à l'ironie et au mépris...). *Ah! bien, mon salaud, mon cochon. Mon colon** (cit. 2).

— Oui, mon petit milicien, répondit l'officier en retraite (...)
BALZAC, Illusions perdues, t. IV, p. 666.

C'est que je vous connais, mes bougres!
ZOLA, la Terre, III, V.

REM. *Monsieur**, *monseigneur**, *madame**, *mademoiselle**, sont, originellement, des interpellatifs dans lesquels on retrouve le possessif de la 1re personne (*mon.., ma...*). → aussi Messire.

★ II. (Sens objectif). De moi, relatif à moi (avec un nom de personne). *Mon persécuteur, mon juge* (→ ci-dessus, I., 2.). — (Avec un nom de chose). *Elle est restée dix ans à mon service. On m'a félicité de mon élection. Il était venu à mon aide.* Loc. *À mon égard, à mon intention* (cit. 13), *à mon endroit, en mon honneur, en ma faveur.*

25 Son sourcil froncé m'avertit suffisamment que ma rencontre lui était désagréable.
FRANCE, *le Crime de S. Bonnard*, p. 58.

REM. De nombreux exemples classiques de cet emploi objectif ne sont plus guère compris de nos jours.

26 J'irai semer partout ma crainte et ses alarmes.
RACINE, *Britannicus*, III, 5.

27 *(Vous savez)...* Que je ne cherche point à venger mes injures.
RACINE, *Athalie*, II, 5.

HOM. Mont. — Mât. — Mais, mets.

MON- ⇒ Mono-.

MONACAL, ALE, AUX [mɔnakal, o] adj. — xvᵉ; bas lat. ecclés. *monachalis*, de *monachus* «moine».

♦ **1.** Relatif aux moines, à leur vie, à leur état. ⇒ **Monastique.**
REM. 1. *Monacal*, moins technique que *monastique*, s'emploie dans des sens figurés et avec certaines nuances affectives.
2. *Monacal* n'a aucune des connotations plaisantes de *moine**.
La vie monacale (→ Ascétisme, cit. 2). — Par ext. *Visage d'une impassibilité* (cit. 3) *monacale.*

1 Quelque chose d'une rigidité monacale relevait l'expression de sa figure.
FLAUBERT, *Mᵐᵉ Bovary*, II, VIII.

2 Les Dominicains blancs nous reçoivent dans leur petit parloir monacal.
LOTI, *Jérusalem*, VI.

♦ **2.** Par ext. Conforme à l'état de moine, digne d'un moine. *Mener une vie, une existence toute monacale.* ⇒ **Ascétique, claustral.**

♦ **3.** (1840, Académie). *Écriture monacale :* écriture gothique, moderne.
DÉR. **Monacalement.**

MONACALEMENT [mɔnakalmɑ̃] adv. — 1552, *in* Huguet; de *monacal*, et *-ment*.

♦ Rare. À la manière des moines. *Vivre monacalement*, comme un moine, comme un ermite.

MONACANTHE [mɔnakɑ̃t] n. m. et adj. — 1828; de *mono-*, et grec *akanthos*.

♦ Zool. Poisson des mers chaudes, à nageoire rudimentaire présentant un seul rayon épineux.
Adj. (1840). *Nageoire monacanthe*, à un rayon épineux.

MONACAT [mɔnaka] n. m. — D. i.; dér. sav. du lat. *monacus*, et *-at*.
♦ Monachisme.

MONACHISME [mɔnaʃism; mɔnakism] n. m. — 1554; dér. sav. du bas lat. ecclés. *monachus*.

♦ Didact. État, vie de moine; institution monastique.
Le monachisme, tel qu'il existait en Espagne et tel qu'il existe au Thibet, est pour la civilisation une sorte de phtisie. Il arrête net la vie. Il dépeuple, tout simplement. Claustration, castration. Il a été fléau en Europe. Ajoutez à cela la violence si souvent faite à la conscience, les vocations forcées, la féodalité s'appuyant au cloître, l'aînesse versant dans le monachisme le trop-plein de la famille (...)
HUGO, *les Misérables*, II, VII, III.

1. MONACO [mɔnako] n. m. — 1680, Richelet, de *Monaco*, nom propre.

♦ **1.** Anciennt. Monnaie frappée dans la principauté de Monaco.

♦ **2.** (1842, *in* D.D.L.). Pop., vx. Sou. *Ne plus avoir un monaco.* — Au plur. *Perdre ses monacos*, son argent.
N'importe, comptez sur moi; un de ces jours, je tombe à Rouen et nous ferons sauter ensemble les *monacos.* FLAUBERT, *Mᵐᵉ Bovary*, p. 362.

2. MONACO [mɔnako] n. m. — xxᵉ; orig. inconnue.

♦ Pop. Boisson composée d'un panaché* additionné de grenadine. ⇒ **Tango.**

MONADE [mɔnad] n. f. — 1547; bas lat. *monas, -adis* «unité», mot grec.
Didactique.

♦ **1.** Philos. Dans la philosophie ancienne et spécialement chez les pythagoriciens, Unité parfaite qui est le principe des choses matérielles et spirituelles.

(Fin xviiᵉ). Chez Leibniz, «Substance simple, inétendue, indivisible, active (...) qui constitue l'élément dernier des choses et qui est doué d'appétition et de perception» (Cuvillier).
Il *(Leibniz)* admet quatre espèces de monades : 1º les éléments de la matière, qui n'ont aucune pensée claire; 2º les *monades* des bêtes, qui ont quelques idées claires et aucune distincte; 3º les *monades* des esprits finis, qui ont des idées confuses, des claires, des distinctes; 4º enfin la *monade* de Dieu, qui n'a que des idées adéquates. VOLTAIRE, *Philosophie de Newton*, I, IX.
(...) chaque monade, comme le voulait Leibniz, est le miroir de l'univers.
H. BERGSON, *Matière et Mémoire*, p. 36.

♦ **2.** Zool. Genre de protozoaires infusoires flagellés à un ou plusieurs fouets tels que l'*oikomonas*, le *trichomonas.*

♦ **3.** Synonyme de *monère**.
DÉR. Monadique, monadisme, monadiste.
COMP. Monadologie.

MONADELPHE [mɔnadɛlf] adj. — 1787; de *mono-*, et *-adelphe*.

♦ Bot. Dont les étamines sont soudées entre elles. *Fleurs monadelphes.*

MONADIQUE [mɔnadik] adj. — 1964, *in* D.D.L.; de *monade*.

♦ Philos. Relatif à. la monade.

MONADISME [mɔnadism] n. m. — 1842, Académie; de *monade*, et *-isme*.

♦ Philos. Doctrine de Leibniz selon laquelle l'univers est composé de monades. ⇒ **Monadologie.**

MONADISTE [mɔnadist] adj. et n. — 1771, Trévoux; de *monade*, et *-iste*.

♦ Rare. Relatif au monadisme. *Système monadiste.* — Qui est partisan du monadisme. *Philosophe monadiste.* — N. *Un monadiste.*

MONADNOCK [mɔnadnɔk] n. m. — 1928, Baulig, *in* Rey-Debove et Gagnon; mot angl. (1895, Davis) nom d'une montagne du New Hampshire.

♦ Géogr. Relief de résistance dans une pénéplaine.

MONADOLOGIE [mɔnadɔlɔʒi] n. f. — Av. 1650; de *monade*, et *-logie*.

♦ Philos. Théorie de Leibniz sur les monades. ⇒ **Monadisme.** — (1840). «Terme adopté par Erdmann pour servir de titre à l'œuvre de Leibniz aujourd'hui connue sous ce nom» (Lalande).
DÉR. **Monadologique.**

MONADOLOGIQUE [mɔnadɔlɔʒik] adj. — Av. 1788; de *monadologie*.

♦ Philos. De la monadologie; qui a trait à la monadologie.

MONANDRE [mɔnɑ̃dʀ] adj. — 1787; de *mono-*, et *-andre*.

♦ Bot. Qui n'a qu'une étamine. *Fleur monandre.*

MONANDRIE [mɔnɑ̃dʀi] n. f. — D. i.; de *mono-*, et *-andrie*. → Monogamie.

♦ Biol. Particularité des femelles de certaines espèces animales de n'avoir qu'un seul partenaire mâle pendant une période de temps assez longue.
REM. L'emploi à propos des humains («fait, pour une femme, de n'avoir qu'un seul mari, qu'un seul partenaire masculin»), complétant la série *monogamie, polygamie, polyandrie* (voir ces mots), est virtuel.

MONANTHE [mɔnɑ̃t] adj. — 1845, Bescherelle; de *mono-*, et *-anthe*.

♦ Bot. Qui n'a qu'une fleur. — Qui porte des fleurs solitaires. *Plantes monanthes.* — (On dit aussi *monanthème*, 1874, Larousse).
Par métaphore et didactique :
Notre littérature n'est pas monanthe, elle n'est pas dominée par une seule fleur gigantesque; elle est polyanthe avec effervescence.
G. DUHAMEL, *Refuges de la lecture*, VIII, p. 267.

MONARCHIE [mɔnaʀʃi] n. f. — V. 1265; bas lat. *monarchia*, du grec *monarkhia* «gouvernement d'un seul». → Mono-, et -archie.

♦ **1.** (V. 1265). Didact. «Régime dans lequel l'autorité politique réside dans un seul individu (⇒ **Monarque**) et est exercée par lui ou par ses délégués» (Capitant) : dictature, empire, monarchie

(2.), etc. *La monarchie s'oppose à l'oligarchie, à l'aristocratie et à la démocratie. Relatif à la monarchie.* ⇒ **Monarchique** (*état, gouvernement monarchique*). *Monarchie élective, cooptée, héréditaire. Monarchie militaire* (→ Écoulement, cit. 4). — REM. En théorie politique on emploie plutôt *monocratie* dans ce sens «en réservant l'expression *monarchie* aux monocraties héréditaires» (Duverger, *Droit constitutionnel*, p. 102).

♦ **2.** (Déb. XIVᵉ). Cour. «Par opposition à la république, régime politique dans lequel le chef de l'État est un roi héréditaire» (Capitant). ⇒ **Roi, royauté.** *Monarchie absolue, de droit* divin ; limitée, tempérée ; constitutionnelle, parlementaire, représentative. Monarchie absolue « tempérée par des chansons »* (cit. 4, Chamfort), *« par l'assassinat »* (→ Gouvernement, cit. 41, Custine). *Une république ou une monarchie* (→ Arbitre, cit. 15). *Partisan de la monarchie.* ⇒ **Monarchiste, royaliste.** *Interrègne dans une monarchie.* ⇒ **Régence.**

(...) dans la monarchie, le prince est la source de tout pouvoir politique et civil. Ces lois fondamentales supposent nécessairement des canaux moyens par où coule la puissance : car, s'il n'y a dans l'État que la volonté momentanée et capricieuse d'un seul, rien ne peut être fixe, et par conséquent aucune loi fondamentale. Le pouvoir intermédiaire subordonné le plus naturel est celui de la noblesse. Elle entre, en quelque façon, dans l'essence de la monarchie, dont la maxime fondamentale est : «Point de monarque, point de noblesse ; point de noblesse, point de monarque».　MONTESQUIEU, l'Esprit des lois, II, IV.

(Le souverain) peut concentrer tout le gouvernement dans les mains d'un magistrat unique dont tous les autres tiennent leur pouvoir. Cette troisième forme est la plus commune, et s'appelle *monarchie*, ou gouvernement royal.
　ROUSSEAU, Du contrat social, III, III.

Spécialt. (En France). *L'ancienne, la vieille monarchie* (→ Écoulement, cit. 3), avant la Révolution de 1789. ⇒ **Régime** (Ancien Régime). *L'origine de la monarchie* (→ Franc, cit. 2). *Les cinq cents premières années de la monarchie* (→ Ascendant, cit. 1). *L'autorité de la monarchie fortifiée par la doctrine des légistes*. Les fastes* de la monarchie. La monarchie selon la Charte* (→ Esprit, cit. 171). ⇒ **Restauration.** *Monarchie de Juillet* (→ Barricade, cit. 7 ; loyalisme, cit. 2) : gouvernement du roi Louis-Philippe (1830-1848). — *Enquête sur la monarchie*, œuvre de Ch. Maurras.

Oui ou non, l'institution d'une monarchie traditionnelle, héréditaire, antiparlementaire et décentralisée n'est-elle pas de salut public ?
　Ch. MAURRAS, Enquête sur la monarchie, «Discours préliminaires».

La monarchie d'ancien régime, si elle n'était pas toujours arbitraire dans son gouvernement, il s'en faut, l'était indiscutablement dans son principe. Elle était de droit divin, c'est-à-dire sans recours quant à sa légitimité. Cette légitimité a cependant souvent été contestée, en particulier par les Parlements. Mais ceux qui l'exerçaient la considéraient et la présentaient comme un axiome.
　A. CAMUS, l'Homme révolté, p. 144.

♦ **3.** (1540). *(Une, des monarchies).* État gouverné par un seul chef, spécialement par un roi héréditaire. *La monarchie d'Angleterre, des Pays-Bas...* ⇒ **Couronne, royaume.**

CONTR. Aristocratie, démocratie, oligarchie, république.
DÉR. Monarchique, monarchiser, monarchisme, monarchiste.

MONARCHIQUE [mɔnaʁʃik] adj. — 1482 ; grec *monarkhikos*, de *monarkhia*. → Monarchie.

♦ Qui a rapport à la monarchie. *État* (→ Honneur, cit. 40), *constitution, pouvoir, gouvernement monarchique* (→ Liberté, cit. 19). *Le gouvernement* (cit. 39) *républicain et le monarchique* (→ Fédératif, cit. 1). *Traditions monarchiques* (→ Fusion, cit. 8). *L'Europe monarchique* (→ Centre, cit. 16).

Le gouvernement monarchique suppose (...) des prééminences, des rangs, et même une noblesse d'origine.　MONTESQUIEU, l'Esprit des lois, III, VII.

(...) comme ils *(les rois)* avaient manifesté des désirs très démocratiques, il était bien à craindre qu'ils n'entraînassent vers un État trop populaire une Assemblée nationale, députée pour reconnaître que la France est un État monarchique dont le chef a la plénitude du pouvoir exécutif, et une grande partie du législatif.
　RIVAROL, Politique, II.

DÉR. Monarchiquement.
COMP. Antimonarchique.

MONARCHIQUEMENT [mɔnaʁʃikmɑ̃] adv. — 1568, Hatzfeld ; de *monarchique*, et *-ment*.

♦ Rare. À la façon d'un monarque, d'une monarchie. *Gouverner monarchiquement.*

MONARCHISER [mɔnaʁʃize] v. tr. — Après 1550, Huguet, au sens de «gouverner d'une manière monarchique» ; de *monarchie*, et *-iser*.

♦ Rare. Soumettre à une monarchie, transformer les institutions de (un pays), de manière à le soumettre à un régime monarchique. *Monarchiser un pays.*

Ces ardentes ambitions, stimulées par la grande lutte des partis, appuyées sur la raison d'État et sur la nécessité de monarchiser la France, étaient lucides, prévoyantes, perspicaces (...)
　BALZAC, le Cabinet des Antiques, Pl., t. IV, p. 427.

MONARCHISME [mɔnaʁʃism] n. m. — Attestation isolée, 1550 ; XVIIIᵉ ; de *monarchie*, et *-isme*.

♦ Doctrine politique des partisans de la monarchie. ⇒ **Royalisme.**

MONARCHISTE [mɔnaʁʃist] n. et adj. — 1738 ; de *monarchie*, et *-iste*.

♦ Partisan de la monarchie (→ Geminer, cit. 2). ⇒ **Royaliste.** *Les monarchistes français divisés au XIXᵉ siècle* (après la révolution de Juillet) *en légitimistes et orléanistes.* — Adj. (→ Mésestimer, cit. 3). *Doctrine monarchiste. Vendeur de journaux monarchistes.* ⇒ **Camelot** (du roi).

La Révolution la trouva *(la mère de V. Hugo)* à la fois parfaitement incrédule et fortement monarchiste, ce qui n'est pas contradictoire.
　Émile HENRIOT, les Romantiques, p. 18.

CONTR. Démocrate, républicain.
COMP. et CONTR. Antimonarchiste.

MONARDE [mɔnaʁd] n. f. — 1839, Boiste ; de *Monardes*, botaniste espagnol.

♦ Bot. Plante dicotylédone *(Labiées)* qui croît en Amérique du Nord où on l'utilise en infusion sous le nom de *thé d'Oswego. Monarde pourpre, monarde fistuleuse.*

(...) à ces plantes médicinales, il put joindre une notable quantité de monardes didymes, qui sont connues de l'Amérique septentrionale, sous le nom de «thé d'Oswego», et produisent une boisson excellente.
　J. VERNE, l'Île mystérieuse, t. I, p. 253.

MONARQUE [mɔnaʁk] n. m. — 1361 ; bas lat. *monarcha*, grec *monarkhês*, de *monos* «seul», et *arkhein* «commander». → aussi Monarchie.

♦ Didact. ou vieilli. Chef de l'État, dans une monarchie* (→ Aristocratie, cit. 1). ⇒ **Empereur, potentat, prince, roi, souverain.** *Proclamer qqn monarque* (→ Cohorte, cit. 3). *Monarque absolu.* ⇒ **Autocrate** (→ Autorité, cit. 11). *Monarque héréditaire. Sage, puissant monarque* (→ Arbre, cit. 39 ; intermédiaire, cit. 3). *Traiter de monarque à monarque.* ⇒ **Couronne** (*supra* cit. 14).

Jusqu'ici nous avons considéré le prince comme une personne morale et collective, unie par la force des lois, et dépositaire dans l'État de la puissance exécutive. Nous avons maintenant à considérer cette puissance réunie entre les mains d'une personne naturelle, d'un homme réel, qui seul ait droit d'en disposer selon les lois. C'est ce qu'on appelle un monarque ou un roi.
　ROUSSEAU, Du contrat social, III, VI.

— Vous vous figurez bien, lui dis-je, un monarque ? Un homme, mais qui peut bien des choses, et qui en détient beaucoup d'autres. Il possède tout le pays, en ce sens que tous les autres possédants ne possèdent que par la protection qu'il leur accorde, et lui payent tribut. Il peut enrichir, appauvrir, élever, abaisser les gens ; exiler, mettre à mort qui bon lui semble ; construire et détruire ; faire la guerre et la paix ; organiser, réglementer, permettre ou interdire (...) Il ne doit de comptes à personne (...) En somme, il est le seul homme total de son royaume, et s'il annonce : «l'État, c'est Moi», rien n'est plus clair (...)
　VALÉRY, Regards sur le monde actuel, p. 71.

Loc. fig. *Le monarque du ciel, le monarque suprême :* Dieu. — *Le monarque des dieux :* Jupiter (→ Aide, cit. 3 ; aviser, cit. 27 ; croquer, cit. 4).

Fig. et par métaphore (→ Guignon, cit. 4, Mallarmé).

MONASTÈRE [mɔnasteʁ] n. m. — Déb. XIVᵉ ; lat. ecclés. *monasterium*, du grec *monastêrion*.

♦ **1.** Établissement où des moines (au sens strict) vivent isolés du monde. *Monastères de bénédictins, de trappistes. Monastère du mont Cassin, du mont Athos.*

♦ **2.** Cour. Établissement où vivent des religieux, des religieuses appartenant à un ordre quelconque. ⇒ **Cloître, communauté** (*supra* cit. 6), **couvent, moutier** (vx). — REM. Pour la différence entre *monastère* et *couvent*, → Couvent (cit. 1). — «*Monastère* est un terme générique comprenant les *abbayes, prieurés, commanderies, chartreuses, couvents et ermitages*» (C. Enlart, *in* Grande Encyclopédie Berthelot). *Église, cloître, salle capitulaire, réfectoire, chauffoir, dortoirs, celliers d'un monastère. Monastère dirigé par un abbé.* ⇒ **Abbaye.** *Monastère grec, dirigé par un archimandrite*. Fonder un monastère. Développement des monastères au moyen âge. Chartes*, cartulaire* d'un monastère. Pitancier, cellérier d'un monastère. — S'enfermer, se retirer dans un monastère* (→ Hiéronymite, cit.).

On ne peut nier qu'il n'y ait eu dans le cloître de très grandes vertus : il n'est guère encore de monastère qui ne renferme des âmes admirables, qui font honneur à la nature humaine. Trop d'écrivains se sont fait un plaisir de rechercher les désordres et les vices dont furent souillés quelquefois ces asiles de la pitié. Il est certain que la vie séculière a toujours été plus vicieuse, et que les plus grands crimes n'ont pas été commis dans les monastères ; mais ils ont été remarqués par leur contraste avec la règle.　VOLTAIRE, Essai sur les mœurs, CXXXIX.

La plupart des concessions faites aux monastères dans les premiers siècles de l'Église, furent des terres vagues, que les moines cultivaient de leurs propres mains. Des forêts sauvages, des marais impraticables, de vastes landes, furent la source de ces richesses que nous avons tant reprochées au clergé.
　CHATEAUBRIAND, le Génie du christianisme, IV, VI, VII.

3 J'ai appris que la malheureuse (...) s'était sauvée dans un monastère cistercien de la plus rigide observance et qu'on l'avait admise, malgré tout, à prendre le voile.
Léon BLOY, la Femme pauvre, II, v.

Par ext. (Dans une religion autre que le christianisme). *Monastère de lamas, de bonzes.* ⇒ **Bonzerie, lamaserie.** *Monastère indien.* ⇒ **Ashram.**

DÉR. (Du même rad.) **Monastique.**

MONASTIQUE [mɔnastik] adj. — V. 1200 ; lat. ecclés. *monasticus*, grec *monastikos.*

♦ Qui concerne les moines*. ⇒ **Monacal** (REM.). *Caractère, discipline, esprit* (→ Étroitesse, cit. 1), *état* (→ Exhortation, cit. 3), *vie monastique* (→ Mélancolie, cit. 7). *Vœux, institutions, règles, vertus monastiques. Silence monastique.* ⇒ **Claustral.** *L'architecture monastique du moyen âge.*

1 Il est digne de remarquer (...) que de toutes ces règles monastiques les plus rigides ont été les mieux observées : les chartreux ont donné au monde l'unique exemple d'une congrégation qui a existé sept cents ans sans avoir besoin de réforme.
CHATEAUBRIAND, le Génie du christianisme, IV, III, IV.

Ordres monastiques : ordres dont les religieux vivent habituellement en clôture plus ou moins stricte.

2 Le sens des ordres monastiques ne peut être entendu que sur le plan de la plus haute charité, celui que le catholicisme atteint par le dogme de la Communion des Saints et de la réversibilité des mérites. Ce n'est pas pour développer dans le calme un moi égoïste et orgueilleux que la Carmélite ou le Cistercien renoncent au monde, c'est pour prendre sur soi, par la prière, la responsabilité de toutes les infidélités et de tous les oublis du monde. «Paratonnerres de Dieu», disait Huysmans.
DANIEL-ROPS, Ce qui meurt..., p. 197.

Par anal. *Austérité, frugalité, sévérité, simplicité monastique.*

3 Je voyais une femme mince, d'aspect sévère et presque monastique. Deux bandeaux gris comprimaient un visage brun, aux lignes fines, à la bouche pure, mais étroite et serrée.
Edmond JALOUX, Fumées dans la campagne, I.

DÉR. Monastiquement.

MONASTIQUEMENT [mɔnastikmɑ̃] adv. — XVIᵉ, Huguet ; de *monastique,* et *-ment.*

♦ Rare. À la façon des moines. *Vivre monastiquement.*

MONAURAL, ALE, AUX [mɔnɔʀal, o] adj. — 1951, *in* Piéron ; de *mono-,* et lat. *auris* «oreille».

♦ 1. Physiol. Relatif à une seule oreille en tant qu'organe de l'audition (→ Biaural).

♦ 2. Psychol. Engendré par la stimulation d'une seule oreille. *Audition, sensation monaurale.* — (Se dit aussi de la stimulation elle-même).

♦ 3. Acoust. Synonyme de *monophonique.*

MONAUT [mɔno] adj. m. — XVIIᵉ ; du grec *monôtos,* rac. *ous, ôtos* «oreille».

♦ Vx. Qui n'a qu'une oreille. *Chat monaut.*

MONAZITE [mɔnazit] n. f. — 1874, P. Larousse ; all. *Monazit,* du grec *monazein* «être seul, rare».

♦ Didact. Phosphate naturel, minerai de terres rares (cérium, lanthane...) et de thorium. *La monazite est la principale source de thorium.*

MONBAZILLAC [mɔ̃bazijak] n. m. — 1931, *in* Larousse comme nom commun ; commune de la Dordogne.

♦ Vin blanc de Monbazillac. *Une bouteille, un verre de monbazillac.*

MONBIN [mɔ̃bɛ̃] n. m. — 1732, *monbain,* Trévoux, orig. inconnue, le fruit était appelé *prune de Momins* ou *de Monbin.*

♦ Plante dicotylédone exotique *(Térébinthacées)* dont le fruit est une drupe ovoïde de la taille d'un citron. *Monbin commun,* ou *prunier d'Espagne. Monbin blanc,* ou *prunier d'Amérique. Le monbin de Malabar a pour fruit la pomme de Cythère, très recherchée.*
REM. On écrit aussi *mombin.*

MONCEAU [mɔ̃so] n. m. — V. 1380 ; *moncel,* v. 1170 ; *muncel,* v. 1120 ; du bas lat. *monticellus* «monticule».

♦ Élévation qui est formée par une grande quantité d'objets entassés sans ordre. ⇒ **Accumulation, amas, amoncellement, pile, tas.** *Amasser, mettre en monceau.* ⇒ **Amonceler.** *Par monceaux. Monceau de morts* (→ Bouclier, cit. 3), *de ruines, de cendres* (cit. 8), *de décombres. Avoir des monceaux de qqch.,* une grande quantité. *Monceau de pierres servant de borne...* ⇒ **Montjoie** (vx). *Monceau*

de choses hétéroclites. ⇒ **Fatras.** *— Amasser, mettre en monceaux.* ⇒ **Amonceler.** *— Par monceaux. Des pièces d'or par monceaux.*

Un peu plus loin, la tour, antique reste de l'hôtel de Nesle, trempait son pied dans la rivière, au milieu d'un monceau de décombres (...)
Th. GAUTIER, le Capitaine Fracasse, XI.

(...) un salon mal éclairé où des gens entraient (...) puis ressortaient après avoir dérangé le monceau de revues qui jonchaient une table de faux ébène.
J. GREEN, Adrienne Mesurat, II, v.

Fig., par métaphore. *Un monceau d'erreurs, de niaiseries.*

COMP. Amonceler.

MONDAIN, AINE [mɔ̃dɛ̃, ɛn] adj. et n. — Fin XIIᵉ ; lat. *mundanus* «du monde, du siècle» en lat. ecclésiastique.

♦ 1. (Fin XIIᵉ). Relig. Qui appartient au monde (III., 1.), au siècle (par oppos. à *religieux, sacré*). *La science mondaine.* ⇒ **Profane.** — *Vie mondaine et vie monastique.*

Le sentiment qui a fait de «mondain» l'antithèse de «chrétien» a, dans les pensées du maître, sa pleine justification.
RENAN, Vie de Jésus, Œ. compl., t. IV, p. 165.

Sur ces têtes pleines de soucis mondains et de désirs profanes, le Dies Iræ grondait comme un orage (...)
FRANCE, Hist. comique, X.

♦ 2. Vx ou didact. Qui est attaché (cit. 97, La Bruyère) aux vanités du siècle, aux liens, aux choses de ce monde ; qui participe de cet attachement. *Divertissements mondains* (Bourdaloue). *Ce qu'il y avait de mondain dans ses habits* (cit. 7). — Vx. Qui est «vain, glorieux, fastueux, qui aime le luxe» (Trévoux). ⇒ aussi **Frivole, futile.**

(Av. 1549). N. (→ Large, cit. 10). *Les mondains et les dévots* (→ Hypocrite, cit. 3). — *Le Mondain,* poème de Voltaire, suivi de *Défense du Mondain, ou Apologie du luxe.*

Nous ne voyons point de mondains contents du monde, et nous voyons des serviteurs et des servantes de Dieu contents de Dieu auquel ils se sont dévoués.
BOURDALOUE, Sermons, «1ᵉʳ avent, Sur la récomp. des saints», II.

♦ 3. (Fin XVIIᵉ). Cour. Relatif à la société des gens en vue, aux divertissements, aux réunions de la haute société (⇒ **Mondanité**). *Société mondaine. Vie mondaine et brillante*. *Conventions* (cit. 10), *obligations, élégances mondaines* (→ Allègre, cit. 4). *Soirées, manifestations mondaines. Carnet mondain. Le Bottin* (cit. 2) *mondain.*

Dans les relations mondaines, on cache sa pensée, on est poli et hypocrite, et on a bien raison.
J. CHARDONNE, l'Amour du prochain, p. 133.

Une grande société mondaine (c'est-à-dire, comme le disait Byron, les quatre mille personnes qui sont debout quand tout le monde est couché) est toujours sujette à de rapides mouvements d'admiration et de dégoût ; parmi ces hommes et ces femmes qui se voient chaque jour, chaque soir, une gloire nouvelle, fait son chemin avec une foudroyante vitesse.
A. MAUROIS, Vie de Byron, II, XV.

(...) maintenant je peux mourir d'un jour à l'autre (...) Mais surtout je ne veux pas que vous vous retardiez, vous dînez en ville, ajouta-t-il *(Swann)* parce qu'il savait que, pour les autres, leurs propres obligations mondaines primèrent la mort d'un ami, et qu'il se mettait à leur place, grâce à sa politesse.
PROUST, À la recherche du temps perdu, t. VIII, p. 258.

Littér. *L'observation sentimentale et mondaine* (→ Intéresser, cit. 21). *Romancier, écrivain mondain,* qui écrit sur la vie de la haute société, des salons, généralement pour un public mondain (l'expression a une nuance dépréciative).

Les premiers classements obscurs de l'opinion (...) avaient placé Marcel Proust dans la catégorie des écrivains «mondains». Les mille noms de princesses et de duchesses qu'il cite dans n'importe lequel de ses livres auraient encore confirmé sa réputation de snobisme.
Léon-Pierre QUINT, Marcel Proust, III, I.

♦ 4. (XIXᵉ). Qui aime les mondanités, qui sort beaucoup dans le monde. *Il est très, trop mondain.* — Par ext. *Un cercle «dont le recrutement était fort mondain»* (→ Cotisation, cit.). — Loc. *Danseur* *mondain* (→ Battre, cit. 10), *une belle mondaine* (→ Élégance, cit. 6) : un homme, une femme du monde. ⇒ aussi **Boulevardier ; demi-mondaine.**

♦ 5. Spécialt. Fam. *Police, brigade mondaine.* — N. f. (1925). *La Mondaine :* le service de policiers en civil chargé de la répression du trafic de drogue et, secondairement, de celle des délits contre les mœurs, ainsi que de la surveillance des lieux publics tels que cabarets, bars de nuit, etc.

♦ 6. (XXᵉ). Philos. Qui appartient, qui a rapport à l'univers matériel. (On emploie aussi *intra-mondain*).

CONTR. Religieux.
DÉR. Mondainement, mondaniser, mondanité.
COMP. Demi-mondaine.

MONDAINEMENT [mɔ̃dɛnmɑ̃] adv. — XIIIᵉ ; de *mondain,* et *-ment.*

Littéraire.

♦ 1. D'une manière mondaine, profane (surtout dans le discours religieux).

♦ 2. Conformément aux usages du monde, de la haute société.

MONDANISATION [mɔ̃danizasjɔ̃] n. f. — XXᵉ ; de *mondaniser.*

♦ Littér. Fait de rendre mondain (1.).

Les socialistes et les maurrassiens avaient beau jeu de dénoncer à la fois l'idéalisme satisfait et utopique des radicaux et la mondanisation hasardeuse de l'Église, qui se mettait à son tour à parler de justice sociale.
Raymond ABELLIO, Ma dernière mémoire, t. I, p. 143.

MONDANISER [mɔ̃danize] v. — Fin XVIᵉ, Brantôme ; de *mondain*, et *-iser*.

♦ V. tr. Littér. Rendre mondain, superficiel.
Jamais on ne sentait dans leur art une force de la nature. Ils mondanisaient tout : l'amour, la souffrance, la mort.
R. ROLLAND, Jean-Christophe, La foire sur la place, p. 713.
V. intr. (Av. 1525). Rare. Fréquenter le monde.
DÉR. Mondanisation.

MONDANITÉ [mɔ̃danite] n. f. — 1398 ; de *mondain*, et *-ité*.

♦ **1.** Relig. État de ce qui appartient au monde, au siècle (→ Lambeau, cit. 3, Bossuet). — Attachement aux biens de ce monde, dissipation, vanité de ce monde. *Une vapeur de gloire, de fortune, de mondanité* (→ Étourdir, cit. 7).

♦ **2.** Cour. Goût pour la vie mondaine (→ Mondain, 3.), pratique de la haute société, de ses distractions (→ Arriviste, cit. 1). — *Snobisme et mondanité.* ⇒ **Frivolité, futilité.**
Ressuscité par la joie, Proust eut alors une légère poussée de mondanité et donna quelques dîners au Ritz (...)
A. MAUROIS, À la recherche de Marcel Proust, IX, III.

♦ **3.** Au plur. *Les mondanités :* les événements, les particularités de la vie mondaine. *Une élégante avide de mondanités. Aimer, fuir les mondanités.* — Chronique mondaine d'un journal.
(...) on voyait tous les jours leur nom dans les mondanités du *Gaulois* à cause du nombre prodigieux d'enterrements où ils eussent trouvé coupable de ne pas se faire inscrire. PROUST, À la recherche du temps perdu, t. VIII, p. 70.
CONTR. Gravité, sérieux.

MONDATION [mɔ̃dasjɔ̃] n. f. — 1931, Larousse ; «purification», fin XVIᵉ ; bas lat. *mondatio*, de *mundatum*, supin de *mundere*. → Monder.

♦ Techn. (pharm.) Triage destiné à débarrasser (une drogue) des éléments inutiles ou nuisibles.

1. MONDE [mɔ̃d] n. m. — V. 1131 ; *mund*, v. 980 ; lat. *mundus*, qui «semble bien être le même mot que *mundus* "parure", choisi pour désigner le "monde" sans doute à l'imitation du grec *kosmos*» (Ernout et Meillet).

★ **I.** Le milieu où vit l'homme.

♦ **1.** (V. 980). L'ensemble formé par la Terre et les astres visibles, conçu comme un système organisé. ⇒ **Cosmos, univers ; cosmique, cosmo-.** *Le système, la machine* (vx) *du monde* (→ Éther, cit. 1 ; 3. mal, cit. 43). *Les anciens plaçaient la Terre au centre du monde. Le chaos* précédant le monde, dans les cosmogonies antiques. Le monde terrestre* (les cieux, les astres), *le monde sublunaire* (la Terre). *Voltaire compare le monde à une vieille horloge* (cit. 13).

1 Ce que les anciens ont imaginé sur le système du monde (...) est si vague et si mal prouvé qu'on n'en saurait tirer aucune lumière réelle (...) Descartes est proprement le premier qui ait traité du système du monde avec quelque soin et quelque étendue. Ce grand philosophe (...) imagina (...) l'ingénieuse et célèbre hypothèse des tourbillons (...) Newton (lui substitua) l'hypothèse de la gravitation universelle (...) D'ALEMBERT, Sur le système du monde, Œ. compl., t. I, p. 350.

Spécialt. Système planétaire auquel appartient la Terre, et, par ext., système comparable pouvant exister dans l'univers. *« Le soleil est au centre de notre monde planétaire »* (Voltaire, *Philosophie de Newton*, III, 8).

2 (...) si vous aviez les yeux meilleurs que vous ne les avez, vous verriez bien si les étoiles sont des soleils qui éclairent autant de mondes, ou si elles n'en sont pas (...) FONTENELLE, Entretiens sur la pluralité des mondes..., I.

3 L'univers est un assemblage de systèmes dont nous avons tout lieu de croire analogues au nôtre. Sans doute, ces systèmes ne sont absolument indépendants les uns des autres (...) Il y a donc un lien entre les mondes. Mais ce lien peut être considéré comme infiniment lâche en comparaison de la solidarité qui unit les parties d'un même monde entre elles. De sorte que ce n'est pas artificiellement (...) que nous isolons notre système solaire (...)
H. BERGSON, l'Évolution créatrice, p. 242.

Par ext. Système galactique. *Les mondes en expansion.*

Spécialt. Corps céleste comparé à la terre. *La lune, monde fini* (→ Astre, cit. 8). *Le désert infini des mondes* (→ Grain, cit. 18). — *Entretiens sur la pluralité des mondes habités,* de Fontenelle (*« Particularités du Monde de la Lune, des Mondes de Mercure, de Mars »*... titres des 3ᵉ et 4ᵉ parties). *La Guerre des mondes,* roman de H. G. Wells (traduit de l'anglais).

4 Un monde près de nous a passé tout du long,
Est chu tout au travers du notre tourbillon ;
Et s'il eût en chemin rencontré notre terre (...)
MOLIÈRE, les Femmes savantes, IV, 3.

5 Les autres mondes vous rendent celui-ci petit, mais ils ne vous gâtent point de beaux yeux ou une belle bouche : cela vaut toujours son prix en dépit de tous les mondes possibles. FONTENELLE, Entretiens sur la pluralité des mondes..., V.

La création triste, aux entrailles profondes,
Porte deux Tout-puissants : le Dieu qui fait les mondes,
Le ver qui les détruit. HUGO, la Légende des siècles, XIII. 6

Nous n'avons aucune raison de supposer que la vie est meilleure à la surface des 7
mondes géants, Jupiter, Saturne, Uranus et Neptune, qui glissent en silence dans des espaces où le soleil commence d'épuiser sa chaleur et sa lumière.
FRANCE, le Jardin d'Épicure, p. 63.

♦ **2.** Philos. et cour. Ensemble de tout ce qui existe. ⇒ **Univers ; macrocosme** (cit.). — REM. Selon les philosophes et les doctrines, le monde comprend ou exclut la conscience humaine, se conçoit comme totalité ou comme système, se distingue ou non de l'univers. — *Conception, vision du monde* (cf. all. *Weltanschauung*). *Le monde, considéré comme création* (cit. 5) *d'un Dieu, comme « un système d'objets reliés entre eux par des rapports universels »* (→ Matérialisme, cit. 3). *Le Monde comme volonté et comme représentation,* ouvrage de Schopenhauer. *Le monde, idée* de la raison,* pour Kant.

(...) je ne dis pas que le monde soit *infini,* mais *indéfini* seulement (...) Ainsi il 8
me semble qu'on ne peut prouver, ni même concevoir, qu'il y ait des bornes en la matière dont le monde est composé.
DESCARTES, Correspondance, 6 juin 1647.

J'appelle monde toute la suite et toute la collection de toutes les choses existan- 9
tes, afin qu'on ne dise point que plusieurs mondes pouvaient exister en différents temps et différents lieux ; car il faudrait les compter tous ensemble pour un monde, ou si vous voulez pour un *univers.*
LEIBNIZ, Théodicée (texte français de l'auteur), in LALANDE, art. *Univers.*

Je crois donc que le monde est gouverné par une volonté puissante et sage ; je le 10
vois, ou plutôt je le sens, et cela m'importe à savoir. Mais ce même monde est-il éternel ou créé ? Y a-t-il un principe unique des choses ? Y en a-t-il deux ou plusieurs ? ROUSSEAU, Émile, IV.

L'univers en tant que connu par l'homme, s'opposant à l'homme...
Connaissance, déchiffrage du monde. Le grand livre du monde (→ Étude, cit. 9). *Les lois qui gouvernent* (cit. 24 et 25) *le monde.* — *L'homme* (cit. 11) *et le monde.* ⇒ **Nature.** *La lutte de l'homme contre le monde* (→ Dominer, cit. 14). *Le moi en contact* (cit. 9) *avec le monde. Asservir le monde.* — *Les bornes* (cit. 5), *les limites du monde connu.* — Loc. *Prendre son nombril pour le centre* (cit. 23) *du monde.*

(...) sous un ciel toujours nébuleux et privé d'astres, la Terre elle-même eût été 11
pour nous éternellement inintelligible (...) ne connaissant pas le monde, nous n'aurions pu l'asservir (...) Henri POINCARÉ, la Valeur de la science, II, VI.

Relig. *Création du monde selon la Genèse. La fin du monde.* ⇒ **Apocalypse.** *L'an 4000 du monde* (→ Auparavant, cit. 5, Bossuet).

Poét. La nature (→ Endormir, cit. 21, Baudelaire).

♦ **3.** (Qualifié). La totalité des choses, des concepts d'un même ordre (considéré comme un aspect de l'univers). *Le monde de la pensée et le monde physique* (→ ci-dessous, cit. 12, Montesquieu). *Monde matériel* (cit. 2) *et monde spirituel, moral. Monde réel et monde idéal* (cit. 2). *Monde extérieur* (cit. 3), *externe, sensible*, visible*, des apparences...* (→ Centre, cit. 1, Pascal). *Monde intérieur* (→ Éternité, cit. 5). — Philos. *Monde intelligible** (cit. 2), *de l'intelligibilité* (cit. 2), *des essences, des idées** (I.).

(...) s'en faut bien que le monde intelligent soit aussi bien gouverné que le monde 12
physique. Car, quoique celui-là ait aussi des lois qui, par leur nature, sont invariables, il ne les suit pas constamment (...)
MONTESQUIEU, l'Esprit des lois, I, I.

♦ **4.** Ensemble de choses, considéré comme formant un petit univers (⇒ **Microcosme**), un domaine* à part. — *Les mondes mentaux.* *« Soyez-vous l'un à l'autre un monde toujours beau (...) Tenez-vous lieu* (cit. 35) *de tout (...) »* (La Fontaine). *Le monde affectif* (cit. 2), *des émotions, des fantaisies, de l'illusion* (cit. 31). *Des mondes d'idées, intellectuels. Le monde surnaturel, des fées* (cit. 3). *Le monde mental des primitifs... — Le monde de la folie* (cit. 19), *de la faim* (cit. 8). — *Le monde lyrique* (cit. 5), *poétique, de l'art. Le monde du fantastique, monde « à l'envers »* (→ Message, cit. 2).

Quand on passe de *Cinna* à *Polyeucte,* on se trouve dans un monde tout différent. 13
VOLTAIRE, Commentaire sur Corneille, Polyeucte, Préface du commentateur.

C'est tout un monde que chacun porte en lui ! un monde ignoré qui naît et qui 14
meurt en silence ! A. DE MUSSET, Fantasio, I, 2.

J'attire les fous et les animaux. Est-ce parce qu'ils devinent que je les comprends, 15
parce qu'ils sentent que j'entre dans leur monde ?
FLAUBERT, Correspondance, 96, 26 mai 1845.

(Dans le domaine matériel). *« L'étang où pullule un monde mystérieux »* (→ Libellule, cit.). *Le monde du silence, des fonds sousmarins. Le monde végétal* (→ Horticulture, cit.). *Le monde des abeilles. Le monde invisible des radiations.*

Dans la tombe de Goya est enterré l'ancien art espagnol, le monde à jamais disparu 16
des toreros, des majos, des manolas, des moines, des contrebandiers, des voleurs, des alguazils et des sorcières, toute la couleur locale de la Péninsule.
Th. GAUTIER, Voyage en Espagne, p. 89.

♦ **5.** Par métaphore. Ensemble complexe et important. *C'est un véritable monde que cette affaire* (Académie). *Paris, cette ville est un monde. Ce paquebot, ce grand magasin est un monde...*

C'était un coin perdu du vaste monde où s'agitait le peuple du Bonheur des Dames. 17
ZOLA, Au Bonheur des Dames, XII.

♦ **6.** Loc. fig. *Faire tout un monde de qqch.,* toute une affaire*. *Il s'en fait un monde, tout un monde.* ⇒ **Exagérer** (s'). — *Pour un monde :* en échange de l'empire sur un monde, de toutes les richesses d'un monde (→ Pour tout l'or* du monde).

18 (...) c'est une cohue à se casser le cou. Pourquoi donc n'y venez-vous pas ? Je n'y manquerais pas pour un monde. A. DE MUSSET, Un caprice, III.

Fam. *C'est un monde !* : c'est énorme, exagéré (pour marquer l'indignation). — *Il y a un monde entre...* ⇒ **Abîme, distance.**

18.1 — Regarde-moi ces emmanchés, ils viennent de gauche, ils ont un stop, et tu crois qu'ils s'arrêteraient ? Mais c'est un monde ça (...) Je te leur en foutrais des permis (...) Claude COURCHAY, La vie finira bien par commencer, p. 166.

★ **II.** (V. 1155). La terre, habitat de l'homme ; l'humanité.

♦ **1.** La planète Terre. ⇒ **Globe** (cit. 8), **terre.** *L'axe* (cit. 2) *du monde. Formation, changement du monde* (→ Géologie, cit. 2). *La vieillesse du monde. La fin* (cit. 16) *du monde.*

19 Eh quoi, le monde tourne, et mon bol, et ce livre
Que je tiens dans ma main, Ô ciel tu es donc ivre ?
 P.-J. TOULET, Contrerimes, LXXXII.

Spécialt. La surface terrestre, où vivent les hommes. *Les cinq parties* du monde.* ⇒ **Continent** (→ Globe, cit. 11 ; inonder, cit. 11). *Carte du monde.* ⇒ **Mappemonde.** — *Qui concerne le monde entier.* ⇒ **Mondial, universel.** *Citoyen du monde.* ⇒ **Cosmopolite.** *Courir** (cit. 61, fig.), *parcourir le monde, le vaste monde. Tour* du monde, voyage autour du monde. Le monde est grand* (cit. 14 et 16). — Loc. fam. *Le monde est petit, bien petit !,* se dit lorsqu'on rencontre quelqu'un à l'improviste, dans un lieu où l'on ne l'attendait pas. — (Par rapport à un lieu privilégié). « *Paris, centre, nombril du monde* » (→ Maelstrom, cit.), et (en concevant le monde comme une surface plane), *le centre, les confins, les extrémités du monde ; les bouts du monde.* — Loc. *C'est le bout** (cit. 22 et *supra*) *du monde. Les quatre coins* du monde :* tous les continents. — Loc. *Aller* (cit. 18) *par le monde.* — *De par le monde :* à travers la terre entière (→ Action, cit. 22 ; formalité, cit. 9). — *Nouvelles du monde. D'un peu partout dans le monde... Le plus grand* (cit. 21) *barrage du monde* (cf. angl. *In the world ;* et les loc. ci-dessous, 6.). *Les sept merveilles, la huitième* (cit. 1 et 2) *merveille du monde.* — *Conquérir le monde* (→ Avidité, cit. 3).

20 La puissance dépend de l'empire de l'onde ;
Le trident de Neptune est le spectre du monde.
 A. LEMIERRE, le Commerce (1756), *in* GUERLAC.

21 *Le temps du monde fini commence.* Le recensement général des ressources (...) le développement des organes de relation se poursuivent. Quoi de plus remarquable et de plus important que cet inventaire, cette distribution et cet enchaînement des parties du globe ? VALÉRY, Regards sur le monde actuel, p. 25.

« *Le meilleur* (cit. 11) *des mondes possibles* » (Voltaire). — Loc. *Tout est pour le mieux dans le meilleur des mondes* (Maxime des optimistes*).

Champion, championnat du monde. Miss Monde.

Titre donné à des journaux, des périodiques. *Le Monde* (cf. aussi *l'Univers, le Globe,* etc.).

L'Ancien Monde : le monde tel qu'il était connu des anciens (Europe, Afrique et Asie). — *Le Nouveau Monde :* l'Amérique (→ Dépeupler, cit. 2). *La Revue des Deux Mondes* (fondée en 1829). — Par ext. Partie de la terre, continent, pays. *Aller chercher d'autres mondes* (→ Hirondelle, cit. 1). *Chercheurs* (cit. 1) *de nouveaux mondes.* « *Les soleils et les pluies de tous les mondes* » (→ Incorruptible, cit. 2).

22 Notre monde vient d'en trouver un autre (et qui nous répond si c'est le dernier de ses frères [...] ?), non moins grand, plein et membru que lui, toutefois si nouveau et si enfant qu'on lui apprend encore son a, b, c (...) Si nous concluons bien de notre fin (...) cet autre monde ne fera qu'entrer en lumière quand le nôtre en sortira. MONTAIGNE, Essais, III, VI.

23 Dans le nouveau monde, M. de La Fayette a contribué à la formation d'une société nouvelle ; dans le monde ancien, à la destruction d'une vieille société (...) CHATEAUBRIAND, Mémoires d'outre-tombe, t. VI, p. 273.

♦ **2. Relig., mystique.** *Le monde, ce monde, le (ce) bas** (cit. 9) *monde* (→ Intempérie, cit. 2), opposé à *l'autre monde,* que les âmes sont censées habiter, après la mort. ⇒ **Au-delà.** *En ce monde et dans l'autre* (→ Achever, cit. 12 ; espérance, cit. 27). *L'homme, limite de deux mondes* (→ Frontière, cit. 7 ; invisible, cit. 3). — Loc. cour. *Mépriser les biens de ce monde. Passer dans l'autre monde.* ⇒ **Mourir.** *Envoyer, expédier qqn dans l'autre monde,* le tuer (→ Dépêcher, cit. 3). *Il n'est plus de ce monde :* il est mort. *Il est dans un monde meilleur.*

24 Enfin, si l'autre monde a des charmes pour vous,
Pour moi, je trouve l'air de celui-ci fort doux (...)
 MOLIÈRE, le Dépit amoureux, V, 2.

25 Il y a deux mondes : l'un où l'on séjourne peu, et dont l'on doit sortir pour n'y plus rentrer ; l'autre où l'on doit bientôt entrer pour n'en jamais sortir. LA BRUYÈRE, les Caractères, XVI, 31.

25.1 Il est en moi des principes de religion, qui, grâces au Ciel, ne me quitteront jamais ; si la Providence me rend pénible la carrière de la vie, c'est pour m'en dédommager dans un monde meilleur. SADE, Justine..., t. I, p. 36.

26 *(Aux yeux du christianisme)* la vie que les Romains tinrent pour réelle n'est pas la vraie. Et pour que la vraie vie soit figurée, il faut qu'elle échappe au réel. Il ne s'agit plus de peindre le monde, mais l'Autre Monde. Une scène ne vaut d'être représentée que dans la mesure où elle participe de cet autre monde. MALRAUX, les Voix du silence, p. 210.

Allus. évang. « *Vous êtes de ce monde, et moi je ne suis pas de ce monde* » (Jean, VIII, 23). « *Mon royaume n'est pas de ce monde* » (Jean, XVIII, 36). — Loc. *Ce monde est une vallée* de larmes. Mépriser* (cit. 4) *les biens de ce monde.*

27 Il avait, au plus haut degré, ce que Nietzsche appelle « le sens de la Terre ». Aucun

souverain n'a été aussi convaincu que son royaume était de ce monde, et rien que de ce monde. Louis BERTRAND, Louis XIV, III, I.

Loc. *De l'autre monde :* de l'au-delà, et, aussi, d'un temps très ancien. — Fig. *Raconter des histoires de l'autre monde, avoir des idées de l'autre monde,* très étranges, incompréhensibles.

Et il n'y a plus là-dedans des histoires de curé, des choses de l'autre monde, le droit, la justice qu'on n'a jamais vues, pas plus qu'on n'a vu le bon Dieu ! Non, il n'y a que le besoin que nous avons tous d'être heureux (...) 28
 ZOLA, la Terre, IV, V.

♦ **3.** (*Le Monde,* lieu et symbole de la vie humaine). **AU MONDE.**
[a] *Mettre* (cit. 22) *un enfant au monde.* ⇒ **Accoucher, enfanter** (→ Déchirement, cit. 2 ; 1. mère, cit. 11).

[b] *Mettre au monde :* créer. *Mettre au monde un roman, une œuvre.*

[c] *Venir au monde.* ⇒ **Naître** (→ Apporter, cit. 24). *Depuis qu'il est au monde. Être seul* au monde,* dans la vie.

♦ **4.** La société, la communauté humaine vivant sur la terre ; le genre humain. ⇒ **Humanité ; communion** (humaine), **genre** (humain), **société.** *Histoire du monde* (→ Loterie, cit. 4). « *L'histoire du monde est le tribunal du monde* » (Hegel). *Les annales* (cit. 5) *du monde. Loi* (cit. 36) *vieille comme le monde.* — Loc. fam. *C'est vieux* comme le monde.* — *Au premier matin du monde* (→ Maîtrise, cit. 1). — Loc. *Depuis que le monde est monde :* depuis toujours ; de mémoire d'homme (→ Jeu, cit. 24). — *Les sentiments, les passions, les idées* (cit. 64) *qui gouvernent* (cit. 20 et 21), *mènent le monde. Ce je-ne-sais-quoi qui remue le monde* (→ Amour, cit. 10). *Bouleverser* (cit. 5), *changer* (cit. 18) *le monde.* — *La marche, l'évolution du monde. Le monde va, marche vers...* (→ Américanisme, cit. ; lenteur, cit. 2). — Loc. *Ainsi va le monde. Du train où va le monde...*

Il se tire une merveilleuse clarté, pour le jugement humain, de la fréquentation du monde (...) On demandait à Socrate d'où il était. Il ne répondit pas : D'Athènes, mais : Du monde. Lui (...) embrassait l'univers comme sa ville, jetait ses connaissances, sa société et ses affections à tout le genre humain (...) 29
 MONTAIGNE, Essais, I, XXVI.

L'expérience m'a convaincu que ce monde est une espèce de bois infesté de brigands (...) 30
 D'ALEMBERT, Mélanges, Œ. compl., t. V, « Réflexions sur l'histoire ».

Loc. *À la face** (cit. 65) *du monde :* ouvertement, au vu et au su de tous.

Par métaphore. *Le monde est un champ de bataille* (→ Bivouaquer, cit. 2) ; *un égout* (cit. 5, Musset) *sans fond...* — *Le savoir est le flambeau* (cit. 13) *qui éclaire le monde.* — *La liberté éclairant le monde.*

♦ **5.** La société, telle qu'elle se présente à une époque donnée ou dans un milieu géographique déterminé. *Vivre dans un monde dur, cruel, sans espoir* (cit. 19). *L'avènement* (cit. 4) *d'un monde meilleur* (cit. 7). — *La fin* (cit. 10) *d'un monde,* d'une époque, d'un état social, d'un régime... *Passage d'un monde à un autre* (→ Franchir, cit. 16). *Le monde ancien ; le monde moderne, actuel. Regards sur le monde actuel,* ouvrage de Valéry. — *Le monde antique, grec* (cit. 4), *chrétien. Le monde anglo-saxon, oriental. Le monde capitaliste et le monde communiste. Le monde libre* (→ Logistique, cit. 2) : les démocraties libérales. — (D'après *Tiers État*). *Le tiers monde,* ou *tiers-monde,* ou *Tiers-Monde.*

Je suis venu trop tard dans un monde trop vieux. 31
 A. DE MUSSET, Poésies nouvelles, « Rolla », I.

Loc. *Il faut de tout pour faire un monde* (se dit pour excuser l'état ou les goûts des gens).

Elle admettait tout, les méchantes gens et les sots. Elle disait : — Faut de tout, pour faire un monde. 32
 R. ROLLAND, Jean-Christophe, La foire sur la place, I, p. 810.

C'est le monde renversé ; le monde à l'envers (se dit pour désigner une dérogation à l'ordre normal des choses dans une société donnée).

(...) nous rions du prévenu qui fait de la morale au juge, de l'enfant qui prétend donner des leçons à ses parents, enfin de ce qui vient se classer sous la rubrique du « monde renversé ». 33
 H. BERGSON, le Rire, p. 72.

♦ **6. MONDE,** « terme augmentatif des affirmations ou négations » (Furetière).

DU MONDE (renforçant un superlatif). *Le meilleur, le plus grand... du monde* (→ Air, cit. 8 ; aise, cit. 16). *La plus belle fille* du monde...* « *Le meilleur fils du monde* » (→ Batteur, cit. 3, Rabelais). — Vx. (*Du monde* étant placé entre le substantif et le superlatif). « *Le bon sens* est la chose du monde la mieux partagée* » (Descartes). *La chose du monde la plus assommante* (cit. 4). « *Vous êtes l'homme du monde que j'estime le plus* » (Molière, le Bourgeois gentilhomme, III, 4). — REM. Cette tournure est caractéristique du langage galant et précieux du XVIIe s. — Mod. *Le mieux** (cit. 18 et *supra*) *du monde. Le moins, pas le moins* du monde.*

— Je suis la plus trompée du monde, ou il y a quelque amour en campagne (...) 34
— (...) je suis la plus ravie du monde de voir votre air dont vous sentez les choses (...)
 MOLIÈRE, le Bourgeois gentilhomme, III, 7.

— Voulez-vous me prendre mon cheval ? cria-t-il. — Pas le moins du monde (...) 35
 STENDHAL, la Chartreuse de Parme, I, IV.

(Après *tout*). *Il y a toutes les apparences* (cit. 42) *du monde. Pour tout l'or* du monde.*

(1634). AU MONDE (renforçant *tout*, rien*, aucun...*). → Alarme, cit. 8; agilité, cit. 4. *Pour rien au monde...* ⇒ **Jamais.** *Faire tout au monde pour...* ⇒ **Efforcer** (s'). — *La seule chose utile au monde* (→ Jouissance, cit. 3). *Unique au monde* (→ Flatter, cit. 28).

36 Le seul bien qui me reste au monde
Est d'avoir quelquefois pleuré. A. DE MUSSET, Poésies nouvelles, « Tristesse ».

★ **III.** Aspect ou portion de la société; vie en société, opposée à d'autres aspects de la vie humaine.

♦ **1.** (XIVe). Relig., mystique. La vie profane; vie « des hommes qui ont les mœurs peu sévères du siècle » (Littré); ces hommes; leur vie. ⇒ **Siècle; mondain** (1.). *« Honteux attachements de la chair et du monde »* (→ Honneur, cit. 114). *Attachements* (cit. 5) *du monde* (→ Attacher, cit. 18 et 48). *Il faut que le monde vous désabuse* (cit. 2, Bossuet) *du monde. Le monde et ses pompes*. Renoncer au monde; hors du monde* (→ Ascétisme, cit. 2).

37 (...) il fallait autrefois sortir du monde pour être reçu dans l'Église : au lieu qu'on entre aujourd'hui dans l'Église au même temps que dans le monde. On connaissait alors par ce procédé une distinction essentielle du monde d'avec l'Église. On les considérait comme deux contraires, comme deux ennemis irréconciliables (...)
PASCAL, Opuscules, III, XVII.

38 S'imaginer que la plupart des trappistes ont vécu dans le monde est une erreur. Cette idée, si répandue, que des gens se réfugient dans les trappes après de longs chagrins, après des existences désordonnées, est absolument fausse.
HUYSMANS, En route, p. 241.

Spécialt. Vie séculière*, par oppos. à la vie monastique.

♦ **2.** (XIIIe). La vie en société, considérée surtout dans ses aspects de luxe et de divertissement (par oppos. à la solitude, au désert, à la vie rurale d'une part, et au travail, à la pauvreté d'autre part, les conditions sociales de l'époque classique mettant l'accent sur le premier élément, celles de l'époque moderne sur le second); l'ensemble de ceux qui vivent cette vie. ⇒ **Mondain, mondanité.** — *« Le tourbillon qu'on appelle le monde »* (→ Étourdi, cit. 8). *« Le monde est un grand bal »* (cit. 11). *En marge* (cit. 8) *du monde, loin du monde. Vivre dans le monde* (→ Jouer, cit. 62; lécher, cit. 9). *« Il en coûte trop cher pour briller dans le monde ».* → Pour vivre heureux vivons cachés (cit. 54). *Faire figure* (cit. 18), *être répandu* dans le monde,* dans les salons. *Le monde et la cour,* au XVIIe siècle (→ 1. Fou, cit. 10). — *Entrer dans le monde, entrée* (cit. 7 et 8) *dans le monde. Se lancer* (1. Lancer, cit. 40) *dans le monde.* — On dit dans le même sens : *Le beau* (cit. 27), *le grand monde.* ⇒ **Aristocratie, gentry.** Iron. *Le faux monde* (→ Galvauder, cit. 4). *Monde mêlé*.* ⇒ aussi **Demi-monde.** — *Le monde où l'on s'ennuie,* comédie de Pailleron.

39 Moi, renoncer au monde avant que de vieillir.
Et dans votre désert aller m'ensevelir! MOLIÈRE, le Misanthrope, V, 4.

40 Quiconque a vu des masques dans un bal, danser amicalement ensemble, et se tenir par la main sans se connaître, pour se quitter le moment d'après, et ne plus se voir ni se regretter, peut se faire une idée du monde.
VAUVENARGUES, Maximes et réflexions, 330.

41 N'ayant jamais pu réussir dans le monde, il se vengeait par en médire.
VOLTAIRE, Zadig, IV.

42 Heureux qui jouit agréablement du monde! plus heureux qui s'en moque et qui le fuit! VOLTAIRE, Correspondance, 3425, 20 janv. 1769.

43 (...) des gens puissants qui ont du crédit et des dignités, et qui composent ce qu'on appelle le grand monde (...) MARIVAUX, Vie de Marianne, V.

44 M... disait que le grand monde est un mauvais lieu que l'on avoue.
CHAMFORT, Maximes, Sur la noblesse, 35.

45 Un philosophe à qui l'on reprochait son extrême amour pour la retraite, répondit : « Dans le monde, tout tend à me faire descendre; dans la solitude, tout tend à me faire monter » CHAMFORT, Caractères et anecdotes, « Amour de la retraite ».

46 Quant à moi, j'ai de grands projets de dissipation : je compte aller beaucoup dans le monde (...) STENDHAL, la Chartreuse de Parme, II, XVII.

47 (...) le terrible Paris, voilà mon excuse à moi, j'attends la tienne. Oh! le monde, quel gouffre. Ne t'ai-je pas dit déjà que l'on ne pouvait être que Parisienne à Paris? Le monde y brise tous les sentiments, il vous prend toutes vos heures, il vous dévorerait le cœur si l'on n'y faisait attention.
BALZAC, Mémoires de deux jeunes mariées, Pl., t. I, p. 252.

48 Puis, voulant connaître enfin cette chose vague, miroitante et indéfinissable qu'on appelle *le monde,* il demanda par un billet aux Dambreuse, s'ils pouvaient le recevoir. FLAUBERT, l'Éducation sentimentale, II, II.

49 Sur tout ce qui touchait au « monde », il avait des prétentions et des sévérités intraitables. Il était très persuadé qu'au moins parmi ceux qui tiennent une plume, il était le seul qui connût le « monde » et qui pût en parler sans ridicule. Des expressions comme « le monde », « les gens du monde », « les femmes du monde » prenaient à ses yeux une valeur mystique.
J. ROMAINS, les Hommes de bonne volonté, t. III, XVIII, p. 240-241.

49.1 Car pour la même raison que de grands événements n'influent pas du dehors sur nos puissances d'esprit, et qu'un écrivain médiocre vivant dans une époque épique restera un tout aussi médiocre écrivain, ce qui était dangereux dans le monde c'était les dispositions mondaines qu'on rapporte.
PROUST, le Temps retrouvé, p. 918-919.

Loc. *Homme*, femme du monde,* de la haute société, qui a des manières raffinées (→ Alliance, cit. 13; causer, cit. 3); *gens** (1. Gens, cit. 5) *du monde, du beau, du meilleur* (cit. 14) *monde.*

Absolt, vx. La pratique de la vie mondaine. *Usage* du monde. Savoir le monde* (→ Gouverne, cit. 1). *Avoir du monde; manquer de monde* (Rousseau, *les Confessions,* VI). *« De paisibles campagnards sans monde et sans politesse »* (Rousseau, *la Nouvelle Héloïse,* V, 2). *« Être peu du monde »* (→ Cour, cit. 11).

(...) il a de l'esprit. C'est dommage que cet enfant-là n'ait pas un peu plus de monde. Abbé PRÉVOST, Manon Lescaut, I. 50

Sa réponse fut celle d'un homme qui a du monde, et des sentiments (...) 51
Abbé PRÉVOST, Manon Lescaut, I.

J'ai du monde, et je sais ce que c'est que la vie. 52
Th. GAUTIER, Mlle de Maupin, XIV.

♦ **3.** Milieu ou groupement social particulier. *Le monde des affaires, des lettres* (cit. 39), *des arts, du spectacle, du turf. Le monde joyeux de la bohème* (→ Existence, cit. 11). — *Le pauvre monde :* les gens simples, le peuple. — Fig. *Le petit monde* (vieilli) : les gens du commun*. — (Dans un autre sens). Les enfants *(Théâtre du Petit Monde).*

Cette personne, très remarquable à tous égards, et que je connaissais pour l'avoir beaucoup rencontrée dans le monde, était un homme que je vous demanderai la permission d'appeler le vicomte de Brassard. Précaution probablement inutile! Les quelques centaines de personnes qui se nomment le monde à Paris sont bien capables de mettre ici son nom véritable (...) 52.1
BARBEY D'AUREVILLY, les Diaboliques, p. 13.

Mon univers avait été jusqu'alors étroit et monotone. De ma province, j'avais mal compris les liens secrets qui unissent le monde politique, le monde financier, le monde littéraire, le monde mondain. A. MAUROIS, Mémoires, I, XV. 53

Être du même monde. ⇒ **Milieu.** *Il n'est pas de notre monde.*

Est-elle de « notre monde », disait Sabine, cette petite, pour oser m'appeler « Sabine », toute ma sœur de lait qu'elle est? 54
M. JOUHANDEAU, Tite-le-Long, p. 152.

★ **IV.** Par ext. Les hommes.

♦ **1.** LE MONDE, DU MONDE : les gens, des gens, un certain nombre de personnes (→ fam. Du peuple, du populo...). *J'entends du monde dans la rue* (→ Grouiller, cit. 11). *N'entrez pas, il y a du monde dans son bureau. Il y a du monde?,* quelqu'un? *Amuser le monde.* ⇒ **Galerie.** *Écarter, bousculer le monde.* ⇒ **Foule.** *Devant le monde :* en public (→ Fond, cit. 33). *C'est incroyable ce que le monde peut être méchant!* — Spécialt. Beaucoup de gens. *Spectacle où il y a du monde. Il y a un monde fou*.* ⇒ **Foule.** — Loc. fam. *Il y a du monde au balcon!* (en parlant d'une femme à la poitrine opulente).

À force de façons, il assomme le monde (...) 55
MOLIÈRE, le Misanthrope, II, 4.

Il eut grand'peine à regagner sa place (...) — J'ai cru, ma foi, que j'y resterais! Il y a un monde!... un monde! (...) FLAUBERT, Mme Bovary, II, XV. 56

— Hoffmann était un homme qui avait vu du monde, et de toutes les sortes (...) 57
Th. GAUTIER, Souvenirs de théâtre..., « Contes d'Hoffmann ».

Du monde entra qui me sépara d'elle. GIDE, la Porte étroite, IV. 58

(V. 1750, Vadé). *Se ficher, se foutre* (cit. 11), *se moquer du monde, des gens :* ne pas être sérieux.

(...) comme nous prenions rendez-vous pour le lendemain soir à la gare de Lyon et que je m'étonnais de ce moyen de transport chez un homme si moderne, il m'expliqua, toujours séraphique : « Ma femme m'interdit l'avion. C'est merveilleux d'être ainsi aimé. » Et je ne pus savoir s'il se foutait du monde. 58.1
Maurice CLAVEL, le Tiers des étoiles, p. 39.

Fig., argot. *Il y a (y a) du monde :* c'est important, efficace, puissant (en parlant d'un moteur, notamment). *« L'habitué des circuits automobiles ajoutera peut-être "Y a du monde!" pour exprimer que sa puissance* (de la voiture) *est de 46 chevaux... » (le Monde,* Publicité Renault, 8-9 oct. 1967).

Spécialt. *Avoir du monde chez soi* (→ Ça, cit. 5), des invités.

(...) dès qu'on a le moindre monde, on ne lit plus (...) 59
Mme DE SÉVIGNÉ, 1237, 23 nov. 1689.

Fam. (Avec un qualificatif). *Drôle de monde! Emmenez-moi tout ce joli monde au dépôt!*

Beaucoup (cit. 4), *peu, trop de monde. Un grand monde :* beaucoup de monde. *Il n'y a pas grand monde.*

Marche-t-il dans les salles, il se tourne à droite, où il y a un grand monde, et à gauche, où il n'y a personne (...) LA BRUYÈRE, les Caractères, IX, 48. 60

Vieilli. *Un monde de... :* une multitude, un grand nombre de... *Un monde d'ennemis.*

Ce monde d'alliés vivants sur notre bien. LA FONTAINE, Fables, XI, 1. 61

Ces flots de courtisans, ce monde de flatteurs (...) VOLTAIRE, les Guèbres, I, 1. 62

♦ **2.** (1180). TOUT LE MONDE : chacun. — Prov. *On ne peut contenter* (cit. 3) *tout le monde et son père. « Bête comme tout le monde »* (→ Accorder, cit. 12). *« Ami* (cit. 22) *de tout le monde ». Il ne peut jamais faire comme tout le monde. Il raconte son histoire à tout le monde* (→ À tout-venant*). — Prov. *La rue* est à tout le monde.* — *Tout le monde* se construit avec le singulier. *Tout le monde fait, dit...* (→ Assembler, cit. 7; médiocre, cit. 6). *Tout le monde est servi?*

— (...) vos façons de faire donnent à rire à tout le monde. — Qui est donc tout ce monde-là (...)? — Tout ce monde-là est un monde qui a raison (...) 63
MOLIÈRE, le Bourgeois gentilhomme, III, 3.

Il y a quelqu'un qui a plus d'esprit que Voltaire, c'est tout le monde. 64
TALLEYRAND, Disc. 24 juin 1821, *in* GUERLAC.

Aujourd'hui l'État c'est tout le monde. Or, tout le monde ne s'inquiète de personne. Servir tout le monde, c'est ne servir personne. Personne ne s'intéresse à personne. BALZAC, les Employés, Pl., t. VI, p. 970. 65

Spécialt. N'importe qui, le premier venu. *Monsieur Tout-le-Monde.*

(...) madame sort sans livrée! Nous avons l'air de tout le monde! 66
BEAUMARCHAIS, la Mère coupable, I, 2.

Elle me regarda : — On peut dire que vous n'êtes pas comme tout le monde. — 67

Merci, Léa. Seules, les femmes vous disent de ces choses ; et pourtant c'est avec elles surtout qu'on est comme tout le monde.

Paul MORAND, *Ouvert la nuit*, p. 140.

♦ **3.** Spécialt. (Avec l'adj. poss.). Autrefois, Personnel au service de quelqu'un. — REM. En ce sens de « domesticité », *monde* était critiqué par Vaugelas et défendu par l'Académie, au XVIIᵉ s. — *Rassembler, disposer* (cit. 6) *tout son monde. Bien choisir son monde* (→ Ambassadeur, cit. 4). — Par ext. Les gens à qui on a affaire, que l'on reçoit, que l'on fréquente, que l'on emploie... *Il connaît* bien son monde.*

68 (...) il s'était mis au fait de tout et de tous, près de lui, loin de lui, en France, en Europe : il connaissait « son monde », savait le faible et le fort de chacun (...)

Louis MADELIN, *Hist. du Consulat et de l'Empire,*
Vers l'Empire d'Occident, VI.

♦ **4.** Spécialt. Mar. L'équipage ; une partie de l'équipage. *Mettre du monde à la manœuvre. Tout le monde sur le pont !, en haut !* — Milit. La troupe, les hommes. *Le chef de section a disposé son monde à la lisière du bois.*

DÉR. **Mondial.**
COMP. **Mondovision. — Demi-monde. — Quart-monde, tiers-monde.**
HOM. 2. **Monde.**

2. MONDE [mɔ̃d] adj. — XIIᵉ ; *munde*, v. 1155 ; lat. *mundus* « net, raffiné ».

♦ Vx ou archaïsme. Littér. Pur. — Relig. *Animaux mondes,* que la loi juive permettait d'offrir en sacrifice.

CONTR. **Immonde, impur.**
HOM. 1. **Monde.**

MONDER [mɔ̃de] v. tr. — V. 1175 ; *munder,* v. 1155 ; lat. *mundare* « purifier », de *mundus* « pur ».

♦ **1.** Agric., techn. Nettoyer en séparant des impuretés (des corps étrangers, des pellicules, des pépins...). ⇒ **Décortiquer, émonder.** *Monder de l'orge, des amandes, des raisins secs.*

♦ **2.** Fig. (Archaïsme littér.). Rendre pur. — Pron. :

Maintenant qu'il n'avait plus à se monder, à se passer au van des confessions, à se présenter à la susception matinale du Viatique, il restait irrésolu (...)

HUYSMANS, *En route*, II, VIII, p. 418.

▶ **MONDÉ, ÉE** p. p. adj.

Techn. Nettoyé (céréales, etc.). *Amandes mondées.* — Cour. *Orge mondé,* débarrassé de sa pellicule. — Anciennt. Boisson préparée avec de l'eau dans laquelle on a fait bouillir de l'orge* mondé (→ Délicatesse, cit. 1).

COMP. **Émonder.**

MONDIAL, ALE, AUX [mɔ̃djal, o] adj. — Fin XIXᵉ ; « mondain », 1525 ; lat. ecclés. *mundialis,* de *mundus.* → Monde.

♦ Relatif à la terre entière ; qui intéresse toute la terre. *Population, production mondiale* (→ Exportateur, cit.). *Crise* (cit. 8) *mondiale. Conflit mondial. — Commerce mondial, marché* (cit. 21) *mondial. Empire mondial ; domination mondiale. À l'échelle mondiale. Événement d'importance mondiale. Renommée mondiale. L'actualité mondiale.* ⇒ **International.** *La Première, la Deuxième Guerre* mondiale.*

(...) pour ce qui est de la paix mondiale *(les clercs n'ont pas)* à psalmodier une embrassade universelle, mais à souhaiter que les justes gouvernent le monde (...)

Julien BENDA, *la Trahison des clercs*, p. 70.

DÉR. **Mondialement, mondialiser, mondialisme, mondialiste, mondialité.**

MONDIALEMENT [mɔ̃djalmɑ̃] adv. — Mil. XXᵉ ; de *mondial,* et *-ment.*

♦ D'une manière mondiale ; partout dans le monde. *Mondialement connu.* ⇒ **Universellement.** *C'est un phénomène mondialement répandu.*

MONDIALISATION [mɔ̃djalizasjɔ̃] n. f. — 1953 ; de *mondialiser.*

♦ Fait de devenir mondial, de se répandre dans le monde entier. *La mondialisation d'un conflit.*

1 (...) au siècle de la conscience universelle et à l'heure où (...) Montpellier vient de proclamer par décision du conseil municipal, la mondialisation de son territoire.

Jacques PERRET, *Bâtons dans les roues*, p. 108 (1953).

2 (...) peut-on affirmer que la mondialisation de l'industrie et l'industrialisation mondiale vont vers une homogénéité, vers des structures analogues parce que « rationnelles » dans tous les pays ?

Henri LEFEBVRE, *la Vie quotidienne dans le monde moderne*, p. 91-92.

MONDIALISER [mɔ̃djalize] v. tr. — 1928, *in* D.D.L., pron. (→ Mondialisation) ; de *mondial,* et *-iser.*

♦ Rendre mondial, donner un caractère mondial, universel à (qqch.). — Pron. *« Le problème s'européanise, se mondialise »* (A. Thibaudet).

DÉR. **Mondialisation.**

MONDIALISME [mɔ̃djalism] n. m. — V. 1950 (→ Mondialiste) ; de *mondial,* et *-isme.*

♦ Universalisme qui vise à constituer l'unité politique de la communauté humaine.

Perspective mondiale, en politique. *« Aucun continent n'échappe (...) au "mondialisme" élyséen » (l'Express,* 16 déc. 1978, p. 72).

MONDIALISTE [mɔ̃djalist] adj. et n. — 1949 ; *in* D.D.L. ; de *mondial,* et *-iste.* ⇒ Universaliste.

♦ Qui s'adresse au monde entier (s'oppose à *nationaliste). Perspective, politique mondialiste.*

(...) qu'on ne vienne pas me dire que la citoyenneté du monde a été inventée ce matin. J'ignore si l'organisme appelé *Centre de Recherches et d'Expression Mondialiste* est encore en vie, mais je lui signale que, dans ce genre d'entreprise, il y a eu, sous le nom de chrétienté, un précédent (...)

Jacques PERRET, *Bâtons dans les roues*, p. 156 (1953).

Adj. et n. Partisan du mondialisme.

MONDIALITÉ [mɔ̃djalite] n. f. — 1968 ; de *mondial,* et *-ité.*

♦ Didact. Caractère de ce qui est mondial, universel sur la Terre. ⇒ **Universalité.**

MONDIFIER [mɔ̃difje] v. tr. — V. 1270 ; *mondefier,* v. 1265 ; lat. *mundificare* « nettoyer », de *mundus* « pur ».

♦ Chir. Vx. Nettoyer. *Mondifier une plaie.*

MONDOVISION [mɔ̃dovizjɔ̃] n. f. — 1962 ; de *monde,* et *(télé)vision.*

♦ Transmission d'images de télévision en des lieux éloignés du globe grâce à des relais satellites de la Terre. (Var. : *mondiovision,* d'après *mondial*).

MONÉDULE [mɔnedyl] n. f. — 1812 ; lat. *monedula* « choucas ».

Zoologie.

♦ **1.** Insecte hyménoptère fouisseur d'Amérique.

♦ **2.** (1840 ; lat. sc. *corvus monedula,* Linné). Oiseau du type choucas.

MONÉGASQUE [mɔnegask] adj. et n. — 1874, Larousse ; ital. *monegasco,* lat. *Monœcus.*

♦ De la ville ou de la principauté de Monaco. *Population monégasque.*

N. Habitant, habitante de Monaco ; personne qui en est originaire. *Un, une Monégasque. Les Monégasques.*

MONEL [mɔnɛl] n. m. — 1931 ; nom déposé, du nom du chimiste Monell.

♦ Techn. Alliage de cuivre et de nickel contenant un peu d'étain, résistant à la corrosion. *Le monel est utilisé dans l'industrie chimique, la décoration...*

MONÈME [mɔnɛm] n. m. — 1941, A. Martinet ; de *mono-,* d'après *morphème.* → *-ème.*

♦ Ling. Élément minimum pouvant correspondre à un contenu de signification. ⇒ **Morphème.** *Monème grammatical* (morphème, dans cette terminologie) *et monème lexical* (lexème).

Comme tout signe, le monème est une unité à deux faces, une face signifiée, son sens ou sa valeur, et une face signifiante.

A. MARTINET, *Éléments de linguistique générale.*

MONÈRE [mɔnɛʀ] n. f. — 1878, P. Larousse, *Suppl. ;* mot créé par Haeckel d'après le grec *monêrês* « simple ».

♦ Hist. des sc. Être vivant hypothétique, constitué d'une seule cellule sans noyau, qui représenterait la forme la plus simple de la matière organique. ⇒ **Monade.**

MONERGOL [mɔnɛʀgɔl] n. m. — 1959 ; de *mon(o)-,* et *(prop)ergol.*

♦ Techn. Liquide unique qui assure la propulsion d'un moteur de fusée.

MONERON [mɔnʀɔ̃] n. m. — V. 1790 (époque révolutionnaire, en toute hypothèse) ; de *Moneron*, nom de l'inventeur.

♦ Hist. écon. Monnaie de billon qui était fabriquée sous la Révolution.

MONÉTAIRE [mɔnetɛʀ] adj. — 1596 ; bas lat. *monetarius*, du lat. class. *moneta*. → Monnaie.

♦ Relatif à la monnaie. ⇒ **Monnaie.** *Alliage, atelier, art monétaire. Presse* monétaire, qui a remplacé l'ancien balancier monétaire. Convention, doctrine, faillite, loi, union, unité monétaire* (→ Inflation, cit. 1, 2). ⇒ **Étalon.** *Régimes* (→ Crise, cit. 8), *systèmes monétaires* : systèmes métalliques (monométallisme, bimétallisme), systèmes à étalons de change. *Alignement monétaire. Politique monétaire et financière. Système monétaire international. Blocs, zones monétaires.* — *Circulation monétaire* : quantité de monnaie en circulation au cours d'une certaine période. ⇒ **Fiduciaire.** *Stock monétaire* : quantité de monnaie existant à un moment donné. — *Masse monétaire* : somme de toutes les formes de monnaie existant dans un pays à un moment donné. — *Marché monétaire* : marché des banques.

La masse monétaire englobe les différentes formes de monnaie existant dans un pays à un moment donné pour assurer le financement de ses activités. Elle se répartit entre des individus et les collectivités, privées et publiques. Tout le stock monétaire n'est pas constamment utilisé et il y a lieu de distinguer la circulation monétaire (...) et la masse monétaire (...)
H. GERMAIN-MARTIN, *in* ROMEUF,
Dict. des sciences économiques, art. *Monnaie*.

DÉR. **Monétarisme, monétariste.**

MONÉTARISME [mɔnetaʀism] n. m. — V. 1970 ; de *monétaire,* et *-isme.*

♦ Écon. Attitude économique et financière qui consiste à donner la priorité aux problèmes monétaires.

MONÉTARISTE [mɔnetaʀist] n. et adj. — V. 1965 ; de *monétaire.*

Finances.

♦ **1.** Spécialiste de problèmes monétaires. «*Après le panorama des phénomènes proprement monétaires (...) nous pénétrons un peu plus profondément avec "la psychologie monétaire de l'inflation larvée", tout en restant naturellement sur notre faim. Les monétaristes ne seraient plus monétaristes s'ils poussaient tout au fond*» (A. Sauvy, *le Monde*, 9 sept. 1969, p. 4).

♦ **2.** Adj. ⓐ Relatif aux problèmes monétaires. *L'école monétariste de Friedman.*

ⓑ Relatif au monétarisme. *Politique monétariste.*

MONÉTISATION [mɔnetizasjɔ̃] n. f. — 1823 ; de *monétiser,* et *-ation.*

♦ Écon. Transformation en monnaie (d'un métal).

MONÉTISER [mɔnetize] v. tr. — 1823 ; du lat. *moneta*, d'après *démonétiser.*

♦ Écon. Transformer en monnaie. *Monétiser un métal.*

DÉR. **Monétisation.**

MONGOL, OLE [mɔ̃gɔl] adj. et n. — 1756, Voltaire, «*les hordes des Monguls, ou Mogols*», in *Essai sur les mœurs*, LX (→ aussi Mog[h]ol) ; *mongal*, 1540.

♦ De Mongolie. *Tribus mongoles.* N. *Un Mongol, une Mongole. Les Mongols. L'ancien empire des Mongols.* ⇒ **Tatar.** *Moine bouddhiste mongol.* ⇒ **Lama.**

C'étaient des Mongols, taille moyenne, cheveux noirs et réunis en une natte qui leur pendait sur le dos, figure ronde, teint basané, yeux enfoncés et vifs, barbe rare, habillés de robes de nankin bleu garnies de peluche noire, cerclés de ceinturons de cuir à boucles d'argent, chaussés de bottes à soutaches voyantes, et coiffés de bonnets de soie bordés de fourrure avec trois rubans qui voltigeaient en arrière.   J. VERNE, Michel Strogoff, p. 264.
Le mongol (nom générique des langues parlées par les peuples mongols) *appartient à la famille ouralo-altaïque* (⇒ **Ouralo-altaïque**).

DÉR. **Mongoloïde.**

MONGOLIE [mɔ̃gɔli] n. f. — 1906, *Nouveau Larousse illustré*; de *Mongolie.*

♦ Techn. Fourrure de chèvre de Mongolie.

MONGOLIEN, IENNE [mɔ̃gɔljɛ̃, jɛn] adj. et n. — 1874 ; de *Mongolie,* et *-ien.*

♦ **1.** Vx. De Mongolie. *Populations mongoliennes.*

♦ **2.** (xxᵉ). Relatif au mongolisme. *Faciès mongolien,* qui est atteint de mongolisme. *Enfant mongolien.* — N. Malade atteint de mongolisme. *Des mongoliens.*

Quand il repasse devant la cage vitrée du dortoir des filles, une face hilare et lunaire le guette et le salue par une mimique véhémente. C'est Bertha, l'aînée des mongoliennes. Elle a pour Franz un attachement passionné, animal (...) Déjà les petits bras tors s'agitent, les yeux bridés supplient et larmoient, la bouche triangulaire qu'obstrue complètement une langue charnue laisse filer des coulées de salive.   M. TOURNIER, les Météores, p. 83.
REM. Le substantif tend aujourd'hui à être remplacé par le terme scientifique *trisomique*, investi, hors les situations d'emploi normal d'un mot technique, d'une fonction d'euphémisation.

MONGOLIQUE [mɔ̃gɔlik] adj. — 1840, Académie ; de *Mongolie,* et *-ique.*

♦ Didact. Relatif à la Mongolie, aux Mongols. *Régions mongoliques. Race faciès, œil mongolique.*

Anat. ⇒ **Mongoloïde.**

MONGOLISME [mɔ̃gɔlism] n. m. — 1866 ; de *Mongol, Mongolie,* à cause du faciès (face ronde, yeux bridés) que présentent les malades.

♦ Pathol. Affection malformative complexe, due à une aberration chromosomique se manifestant dès la naissance par un faciès typique (mongolien*), souvent associé à d'autres malformations (surtout cardiaques), et par une arriération mentale. — REM. Terme médical : *trisomie* (indiquant le type de l'aberration chromosomique).

MONGOLOÏDE [mɔ̃gɔlɔid] adj. et n. — 1959, Garnier ; Littré, t. d'anthrop., 1866 ; de *mongol*, type de race jaune, et *-oïde.*

♦ Méd. Se dit de certains traits anormaux qui rappellent le mongolisme*. *Brides mongoloïdes des yeux.* — Par ext. *Individu mongoloïde. Malformation mongoloïde.* — N. *Un, une mongoloïde.* ⇒ **Mongolien.**

MONIAL, ALE, AUX [mɔnjal, o] adj. — xɪɪɪᵉ, Dauzat ; dér. de *monie*, anc. forme de *moine*, et *-al.*

♦ Vx (mais conservé dans des noms géographiques). ⇒ **Monacal.** *Paray-le-Monial* (ville).

MONIALE [mɔnjal] n. f. — Déb. xvɪᵉ, Huguet ; par aphérèse, du lat. ecclés. *(sancti) monialis (virgo)* «religieuse».

♦ Relig. Religieuse qui vit en clôture.

MONIL- Élément de mots didact., tiré du lat. *monile* «collier». Voir à l'ordre alphabétique.

MONILIASE [mɔniljaz] n. f. — 1971 ; de *monilia*, et *-ase.*

♦ Méd. Affection due à un monilie. *La candidose* est une moniliase.*

MONILIE [mɔnili] ou **MONILIA** [mɔnilja] n. m. — 1828 ; lat. sav. *monilia.*

♦ Biol. Champignon à spores disposées en chaîne et se développant sur les fruits.

DÉR. **Moniliase, moniliose.**

MONILIFORME [mɔnilifɔʀm] adj. — 1812 ; de *monili-,* et *-forme.*

♦ Didact. Qui présente des étranglements et des renflements. Spécialt, anat. *Canal, filament moniliforme.*

MONILIOSE [mɔniljoz] n. f. — Mil. xxᵉ ; de *monilia.*

♦ Agric. Maladie des fruits causée par le monilie*. *Moniliose du cerisier, du prunier.*

MONISME [mɔnism] n. m. — 1875, in Littré, *Suppl.* ; all. *Monismus* (Wolf, xvɪɪɪᵉ), du grec *monos* «seul».

♦ Philos. «Système philosophique qui considère l'ensemble des choses comme réductible à l'unité : soit au point de vue de leur substance, soit au point de vue des lois (ou logiques, ou physiques) par lesquelles elles sont régies, soit enfin au point de vue moral» (Lalande). *Monisme spiritualiste, spirituel, matérialiste.*

CONTR. **Dualisme, pluralisme.**
DÉR. **Moniste.**

MONISTE [mɔnist] adj. et n. — 1877, Littré, *Suppl.; de monisme, et -iste.*

♦ Philos. Relatif au monisme. *Doctrine moniste.* — N. Partisan du système moniste. *Un, une moniste.*

MONITEUR, TRICE [mɔnitœʀ, tʀis] n. — Mil. xvᵉ; lat. *monitor.*

★ **I.** (En parlant des personnes). ♦ **1.** Vx. Personne qui donne des conseils, sert de guide. *Mentor fut le moniteur de Télémaque* (Académie).

♦ **2.** Vx. Dans l'enseignement mutuel, Élève qui servait de répétiteur* à ses condisciples. «*Cette petite fille est monitrice dans sa classe*» (Littré).

♦ **3.** (1864, milit.). Personne qui enseigne certains sports, certaines disciplines. ⇒ **Entraîneur.** *Moniteur d'aviation, de ski. Moniteur d'une auto-école. Moniteur de voile. École de moniteurs.* — *Moniteur d'éducation physique. Moniteur-chef. Moniteur de colonie de vacances.* — *Monitrice d'enseignement ménager.*

1 (...) par goût, il s'était proposé à l'abbé Petitjeannin comme moniteur pour le patronage.   ARAGON, les Beaux Quartiers, I, VII.

Milit. Instructeur auxiliaire pour la gymnastique, l'escrime, la natation...

(En parlant d'une femme). *Elle est monitrice* (ou *moniteur*).

2 Mademoiselle était moniteur. Elle avait fort à faire, car elle avait double auditoire, et la révolution était dans l'école.
                                  René LEFEBVRE, Paris en Amérique, p. 239.

Abrév. fam. : *mono,* nom.

Franç. d'Afrique. Fonctionnaire subalterne ou membre de l'enseignement élémentaire, inférieur à l'instituteur dans la hiérarchie administrative.

♦ **4.** Titre de certains journaux. *Le Moniteur du Puy-de-Dôme.* — *Le Moniteur universel,* fondé en 1789 par Panckoucke et qui, jusqu'en 1868, joua le rôle de journal officiel du gouvernement.

★ **II.** (V. 1968; angl. *monitor*). ♦ **1.** Techn. Dispositif qui assure une fonction de coordination.

Inform. *Moniteur séquentiel :* programme écrit pour régler la succession de programmes indépendants de telle sorte que l'ordinateur soit utilisé le plus souvent possible.

♦ **2.** Méd. Appareil électronique réalisant automatiquement certaines opérations à la place de l'homme. *Dans les hôpitaux, certains moniteurs assurent la surveillance des fonctions d'un sujet et corrigent éventuellement les troubles.* ⇒ **Monitoring** (anglic.).
Méd. *Moniteur cardiaque :* appareil automatique de surveillance de l'activité cardiaque, enregistrant de façon continue l'électrocardiogramme sur un écran lumineux et mettant en action un dispositif d'alarme lorsque se produisent des troubles graves.

CONTR. (De I.) **Apprenti, élève.**
DÉR. (De I.) **Monitorat.**

MONITION [mɔnisjɔ̃] n. f. — 1283; lat. *monitio.*

★ **I.** (1283). Religion. ♦ **1.** Avertissement que l'autorité ecclésiastique adresse avant d'infliger une censure, dans l'Église catholique. *Monition canonique,* ou *de justice.*

♦ **2.** (V. 1360). Publication d'un monitoire.

★ **II.** (Av. 1952). Psychol. Phénomène intuitif avertissant d'un événement qui se produit au même moment à distance, sans être connu par un moyen ordinaire d'information. ⇒ **Télépathie.** — REM. On emploie *prémonition** lorsque l'avertissement précède l'événement. *La monition d'un accident.*

MONITOIRE [mɔnitwaʀ] n. m. et adj. — xivᵉ; lat. *monitorius.*

♦ Relig. Lettre d'un juge d'Église qui avertissait les fidèles d'avoir, sous des peines ecclésiastiques, à révéler au juge séculier ce qui pouvait éclairer la justice sur certains faits criminels. *Jeter, fulminer* (cit. 4) *un monitoire.* — Adj. *Une lettre monitoire.*

MONITOR [mɔnitɔʀ] n. m. — 1863, Mérimée, dans une lettre à V. Cousin sur la guerre de Sécession (*in* D.D.L.); «lézard varan», 1842; mot amér., du lat. *monitor.*

♦ Vx ou hist. Navire de guerre cuirassé, bas sur l'eau, dont le type fut créé aux États-Unis pendant la guerre de Sécession.

MONITORAGE [mɔnitɔʀaʒ] n. m. — V. 1970; adapt. de l'angl. *monitoring,* de *monit(eur),* et suff. *-age.*

♦ Techn. Technique de surveillance utilisant un moniteur (II.). «*Surveillance du fœtus par monitorage systématique*» (*le Nouvel Obs.,* 13 nov. 1978, p. 56). «*Un monitorage du circuit sanguin et du liquide de dialyse s'impose*» (*Sciences et Avenir,* nᵒ spécial 1979, p. 67).

REM. Le mot coexiste avec l'anglicisme *monitoring,* n. m., dont les attestations sont plus fréquentes. «*Les monitorings (enregistrements des battements du cœur de l'enfant pendant l'accouchement)...*» (*le Nouvel Obs.,* 13 nov. 1978).

Peut-être avons-nous perdu le goût de la simplicité. Oui, il faut si peu de choses. Aucun de ces gadgets coûteux, monitoring et autres, orgueil de la technologie, jouets pour enfants attardés et qui sont si furieusement à la mode.
                                  F. LEBOYER, Pour une naissance sans violence, p. 149.

MONITORAT [mɔnitɔʀa] n. m. — V. 1950; de *moniteur,* d'après le lat. *monitor.*

♦ Apprentissage, formation pour la fonction de moniteur; la fonction elle-même. *Monitorat de vol à voile. Manuel du monitorat de secourisme,* de L. Robine.

MONITORING [mɔnitɔʀiŋ] n. m. Anglic. ⇒ **Monitorage.**

MONNAIE [mɔnɛ] n. f. — 1549; *monoie,* v. 1175; du lat. *moneta* «qui avertit», surnom de Junon, le temple de *Juno moneta* servant d'atelier pour la frappe des monnaies.

♦ **1.** Pièce de métal, de forme caractéristique (⇒ **Nummulaire**), dont le poids et le titre sont garantis par l'autorité souveraine, certifiés par des empreintes marquées sur sa surface, et qui sert de moyen d'échange, d'épargne et d'unité de valeur. ⇒ **Pièce.** *Les médailles** et les monnaies (→ Fossile, cit. 1). *Étude des médailles et des monnaies.* ⇒ **Numismatique;** numismate. *Aspect d'une monnaie.* ⇒ **Carnèle, cordon, cordonnet, crénelage, croix, envers, face, grènetis, légende, listel, millésime, module, pile, tête, tranche.** *Monnaie à fleur de coin*. Monnaie fruste*, saucée*, serrate*. Le frai*, le fruste* d'une monnaie. Monnaies d'or** (⇒ **Jaunet**) *et d'argent** (→ Espèces sonnantes* et trébuchantes*). *Monnaies de cuivre, de bronze, de nickel, d'alliage de bronze... Monnaies divisionnaires*, d'appoint, de billon (dont le prix de revient est inférieur à la valeur «faciale»). Aloi*, fin*, titre* d'une monnaie.* — *Monnaies grecques, massaliotes* (cit.), *romaines, gauloises, françaises* (→ Jeton, cit. 2)... *Monnaie à l'effigie* d'un souverain.* — *Fabrication des monnaies.* ⇒ **Monnayage, monnayer, monnayeur; ajustage, pesage, recuit, taille, trébuchage, triage; ajuster, cisailler, créneler; barbille, flan, pied-fort; coin, matrice, pesette, poinçon, trébuchet, virole.** *Matières* d'or et d'argent utilisées dans la fabrication des monnaies. Tolérance* admise dans le poids, le diamètre des monnaies.* — *L'Administration des monnaies et médailles* (cit. 1). *Hôtel des monnaies* (ou *de la Monnaie* → ci-dessous). — *Monnaie fourrée, rognée. Altération, contrefaçon des monnaies. Contrefaire* (cit. 9), *altérer les monnaies d'or et d'argent.*

1 Le coffre avait été rempli jusqu'aux bords (...) Tout était en or de vieille date et d'une grande variété : monnaies française, espagnole et allemande, quelques guinées anglaises, et quelques jetons dont nous n'avions vu aucun modèle. Il y avait plusieurs pièces de monnaie, très grandes et très lourdes, mais si usées, qu'il nous fut impossible de déchiffrer les inscriptions.
                                  BAUDELAIRE, Trad. E. POE, Histoires extraordinaires, «Scarabée d'or».

Par ext. Ensemble des pièces de même type. *Frapper*, fondre une monnaie* (→ Darique, cit.; flèche, cit. 11). *Refondre, réformer une monnaie. Émettre une nouvelle monnaie. Retirer une monnaie de la circulation.* ⇒ **Démonétiser.**

L'ensemble des pièces utilisées comme monnaie (au sens 2). *Pièce de monnaie.* ⇒ **Pièce.** *Battre** (cit. 12 et 13) *monnaie. Hôtel de la Monnaie,* et, ellipt., *la Monnaie :* établissement où l'on frappe monnaies et médailles. — Spécialt. *Fausse monnaie :* contrefaçon frauduleuse des pièces de monnaie ayant cours légal (et, par ext., dans le langage courant, de toute monnaie légale, soit sous forme d'espèces métalliques, soit sous forme de billets). *Fabricant de fausse monnaie.* ⇒ **Faussaire, monnayeur** (faux).

2 Soyez seul, et arrivez par quelque accident chez un peuple inconnu : si vous voyez une pièce de monnaie, comptez que vous êtes arrivé chez une nation policée.
                                  MONTESQUIEU, l'Esprit des lois, XVIII, XV.

3 Tout le monde sait que chaque pièce de monnaie a deux valeurs : une *valeur monétaire* en tant qu'instrument légal d'échange sur lequel figure le nombre fixe d'unités monétaires qu'il représente et une *valeur métallique* en tant que lingot d'un certain poids et d'un certain titre, lingot qui subsisterait seul si la pièce était fondue.   Paul REBOUD, Précis d'économie politique, t. I, § 417.

♦ **2.** Écon. Tout instrument de mesure* (→ Commensurable, cit.) et de conservation de la valeur, de moyen d'échange* des biens. *Échange sans monnaie.* ⇒ **Troc.** *Qui concerne la monnaie.* ⇒ **Monétaire.** *La monnaie «support numérique et indéterminé du pouvoir d'achat»* (Baudin). *Théorie de la monnaie marchandise,* selon laquelle la valeur de la monnaie provient de la valeur de la matière (métal précieux, etc.) qui lui sert, directement ou non, de support. *Théories modernes, psycho-sociologiques de la monnaie.*

4 La monnaie est un signe qui représente la valeur de toutes les marchandises.
MONTESQUIEU, l'Esprit des lois, XXII, II.

5 Si la monnaie est un bien économique en ce sens qu'elle est limitée et désirable (...) elle est quelque chose de spécifique. Elle ressortit au monde des biens, mais y occupe une place à part parce qu'elle est un moyen d'échange général et immédiat, dans un milieu institutionnel déterminé.
Francis PERROUX, Revue écon. contemporaine, sept.-oct. 1943.

Pouvoir libératoire* de la monnaie. — Volume de la monnaie : masse monétaire* (⇒ **Inflation ; déflation**). *Raréfaction de la monnaie* (→ Gêner, cit. 17). *Vitesse de circulation de la monnaie.*

6 (...) lorsqu'un peuple trafique sur un très grand nombre de marchandises, il faut nécessairement une monnaie, parce qu'un métal facile à transporter épargne bien des frais (...) Lorsque les nations ont une monnaie, et qu'elles procèdent par vente et par achat, celles qui prennent plus de marchandises se soldent, ou paient l'excédent avec de l'argent (...)
MONTESQUIEU, l'Esprit des lois, XXII, I.
(→ aussi Échange, cit. 4 ; marchandise, cit. 3).

Formes de monnaie. Monnaie métallique, constituée par des lingots, des barres, puis des pièces de métal* (→ ci-dessus, 1.). ⇒ **Espèce** (II., B.), **numéraire ; bimétallisme,** monométallisme (→ Convertible, cit. 1 ; cours, cit. 20 ; dépréciation, cit. 1). — *Monnaie fiduciaire. Monnaie de papier :* monnaie fiduciaire* constituée par des billets dont la valeur fictive (valeur nominale), d'abord représentée par du métal précieux contre lequel on pouvait l'échanger (⇒ **Convertibilité, convertible ; encaisse**) repose, d'une manière générale de nos jours, sur la garantie de la banque d'émission. *Papier-monnaie,* qu'on ne peut convertir en monnaie métallique. ⇒ **Inconvertible.** *Monnaie scripturale** ou *monnaie de banque** (⇒ **Chèque, virement**). — *Monnaie de compte* (qui n'est pas représentée par du métal ou des billets) et *monnaie effective.* — Absolt. *Monnaie,* dans le langage courant, ne se dit guère que de la monnaie effective. ⇒ **Argent** (3.).

7 Qui a inventé la monnaie de papier ? On ne sait. Elle était connue en Chine de temps immémorial et le voyageur Marco Polo au XIVᵉ siècle en avait rapporté la description. L'antiquité nous a laissé maints exemples de monnaies, sinon de papier du moins de cuir ou d'une valeur purement conventionnelle, que l'on appelait monnaies *obsidionales* parce qu'elles avaient en général été émises dans les villes assiégées, pour suppléer à la monnaie métallique qui faisait défaut.
Charles GIDE, Cours d'économie politique, t. I, p. 471.

8 S'il n'y a pas de différence de nature entre la monnaie de papier et la monnaie scripturale, il y a pourtant une différence de qualité entre elles. La monnaie étant acceptée pour son pouvoir d'achat présente une plus grande garantie lorsqu'elle la tient d'une institution publique (...) Le billet de banque bénéficie du crédit de l'État dans la plupart des systèmes d'émission. La monnaie de banque est fondée sur la solidité d'un établissement particulier (...)
H. GERMAIN-MARTIN, in ROMEUF, Dict. des sciences économiques, Monnaie.

Par ext. Cour. Unité monétaire particulière ; monnaie admise et utilisée dans un pays donné (→ Indexer, cit.). *Cours* d'une monnaie. Valeur d'une monnaie. Monnaie qui s'apprécie ; qui se dévalorise*. Maintenir la valeur d'une monnaie* (→ Financier, cit. 3). *Définition d'une monnaie par rapport à l'or, l'argent, une monnaie étrangère de référence* (⇒ **Dévaluation, réévaluation**). *Revalorisation*, stabilisation* d'une monnaie. — Bonne, mauvaise monnaie. « La mauvaise monnaie chasse la bonne »,* lorsque deux monnaies circulent librement dans un pays, la meilleure a tendance à disparaître de la circulation (loi de Gresham). → Fâcheux, cit. 13. — *Valeurs relatives de plusieurs monnaies.* ⇒ **Change, cours, pair.** *Monnaie forte, faible.*

9 J'insiste souvent sur ce prix des monnaies ; c'est, ce me semble, le pouls d'un État, et une manière assez sûre de reconnaître ses forces.
VOLTAIRE, Essai sur les mœurs, LI.

Monnaies de l'antiquité orientale et gréco-romaine. ⇒ **Darique, sicle ; drachme ; mine, obole, statère, talent, tétradrachme ; as, aureus, denier, quinaire, scrupule, sesterce.** *Anciennes monnaies françaises.* ⇒ **Agnel, angelot, angevin, blanc, carolus, denier, douzain, écu, esterlin, franc, liard, livre** (parisis, tournois), **louis, maille, marc, moneron, napoléon, obole, pistole, pite, quadruple, seizain, six-blancs, sou, teston.** *Anciennes monnaies étrangères.* ⇒ **Aspre, belga, besant, carlin, doublon, douro, ducat, ducaton, escalin, gulden, jacobus, kreutzer, maravédis, monaco, pagode, para, patard, picaillon, plaquette, quadruple, réal, réis, rixdale, sapèque, sequin, tael, thaler, toman.** *Monnaie française actuelle.* ⇒ **Franc.**

Principales monnaies étrangères actuelles : afghani (Afghanistan) ; bath (Thaïlande) ; balboa (Panamá) ; birr (Ethiopie) ; bolivar (Venezuela) ; cedi (Ghana) ; colon (Costa-Rica, Salvador) ; cordoba (Nicaragua) ; couronne (Islande, Danemark, Norvège, Suède, Tchécoslovaquie) ; cruzeiro (Brésil) ; dalasi (Gambie) ; dinar (Algérie, Bahrein, Iraq, Jordanie, Koweit, Libye, Tunisie, Yémen [République démocratique populaire du], Yougoslavie) ; dirham (Émirats arabes unis, Maroc) ; dollar (Australie, Bahamas, Barbade, Belize, Bermudes, Canada, États-Unis d'Amérique, Fidji [îles], Guyana, Hong-Kong, Jamaïque, Libéria, Nouvelle-Zélande, Porto-Rico, Rhodésie, Sainte-Lucie, Singapour, Taïwan, Trinité et Tobago) ; dong (Viêt-nam) ; drachme (Grèce) ; ekpwele (Guinée équatoriale) ; escudo (Portugal, Cap Vert [République du]) ; florin (Antilles néerlandaises, Pays-Bas, Surinam) ; forint (florin) en Hongrie ; franc (Belgique, Burundi, Djibouti, France et D.O.M., Principauté de Monaco, Andorre, Luxembourg, Madagascar [République démocratique de], Mali, Ruanda, Suisse, Liechtenstein) ; franc C.F.A. (Bénin, Cameroun, Centrafricaine [République], Comores [République démocratique des], Congo [République populaire du], Côte-d'Ivoire, Gabon, Haute-Volta, Niger [République du], Sénégal,

Tchad, Togo) ; franc C.F.P. (Nouvelle-Calédonie, Polynésie française) ; gourde (Haïti) ; quarani (Paraguay) ; kina (Papouasie, Nouvelle-Guinée) ; kip (Laos) ; kwacha (Malawi, Zambie) ; kwanza (Angola) ; kyat (Birmanie) ; lek (Albanie) ; lempira (Honduras) ; leone (Sierra Leone) ; leu (Roumanie) ; ley (Bulgarie) ; lilangeni (Swaziland) ; lire (Italie) ; livre (Chypre, Égypte, Falkland [îles], Gibraltar, Irlande, Liban, Malte, Royaume-Uni, Soudan, Syrie, Turquie) ; maluti (Lesotho) ; mark (R. F. A., R. D. A.) ; mark finlandais (Finlande) ; metical (Mozambique) ; naira (Nigeria) ; ouguiya (Mauritanie) ; pataca (Macao) ; peseta (Espagne, Andorre) ; peso (Argentine, Bolivie, Chili, Colombie, Cuba, Dominicaine [République], Guinée-Bissau, Mexique, Philippines, Uruguay) ; pula (Botswana) ; quetzal (Guatemala) ; rand (Afrique du Sud) ; rial (Arabie Séoudite, Iran, Oman, Qatar, Yémen [République arabe du]) ; riel (Kampuchéa [Cambodge]) ; ringitt (Malaysia) ; rouble (U. R. S. S.) ; roupie (Inde, Indonésie, Maurice [île], Népal, Pakistan, Seychelles [îles], Sri-Lanka [Ceylan]) ; schilling (Autriche) ; shekel (Israël) ; shilling (Kenya, Ouganda, Somalie, Tanzanie) ; sily (Guinée) ; sol (Pérou) ; sucre (Équateur) ; taka (Bangladesh) ; won (Corée [République démocratique populaire de], Corée [République de]) ; yen (Japon) ; yuan (Chine [République populaire de]) ; zaïre (Zaïre) ; zloty (Pologne). ⇒ aussi **Aigle, cent, centavo, couronne, guinée, kopeck, lepton, penny, pfenning, shilling, souverain, tchervonetz.**

♦ **3.** Cour. Ensemble de pièces, de billets de faible valeur que l'on porte sur soi comme argent de poche. *Petite, menue* (cit. 7) *monnaie.* ⇒ **Bigaille** (argot), **ferraille, mitraille** (fam.). *Mettre sa monnaie dans un porte-monnaie*. Avoir de la monnaie sur soi. Je n'ai pas un sou de monnaie. Passez* la monnaie !*

Le quart d'heure de Rabelais arrivé, le comte se trouva sans monnaie. **10**
BALZAC, Un homme d'affaires, Pl., t. VI, p. 816.

(...) mon ami fit un soigneux triage de sa monnaie ; dans la poche gauche de son **11** gilet il glissa de petites pièces d'or ; dans la droite, de petites pièces d'argent ; dans la poche gauche de sa culotte, une masse de gros sols, et enfin, dans la droite, une pièce d'argent de deux francs qu'il avait particulièrement examinée.
BAUDELAIRE, le Spleen de Paris, XXVIII.

Spécialt. Ensemble des pièces, des billets de valeur moindre qui représente la différence entre la valeur d'une pièce, d'un billet et le prix d'une marchandise. ⇒ **Appoint.** *Rendre la monnaie* (→ Jouvenceau, cit. 2). *Rendre la monnaie sur cent francs, mille francs.*

Quand la caissière lui eut rendu la monnaie de sa pièce de cent sous, Georges **12** Duroy sortit du restaurant. MAUPASSANT, Bel-Ami, I, I.

(...) il se gardait donc de dire aucune parole qui, spirituelle, imaginative, sensible **12.1** ou simplement personnelle, pût paraître vous livrer quelque chose de lui, les transactions de la vie mondaine vous ayant mis sur son chemin comme un fournisseur à qui on rend la monnaie de sa pièce, mais avec qui l'on n'échange pas des présents. PROUST, Jean Santeuil, Pl., p. 709.

Spécialt. Somme constituée par plusieurs pièces, plusieurs billets représentant au total la valeur d'une seule pièce, d'un seul billet. *La monnaie d'un billet de cent francs. La monnaie de cent francs. Faire de la monnaie :* échanger un billet, une pièce contre l'équivalent en petites pièces, en petits billets.

♦ **4.** Loc. div. Fig. (Par anal. du sens 1). *Fausse monnaie* (→ Flatterie, cit. 1 ; gloire, cit. 2).

(Par anal. du sens 2). → Épargner, cit. 2. *Servir de monnaie d'échange*. Payer qqn en monnaie de singe*. C'est monnaie courante :* c'est chose très fréquente, très banale. *Payer qqn en même monnaie. Il faut bien le payer de la même monnaie* (→ Empressement, cit. 9). *Je le paye en sa monnaie* (→ Enfiler, cit. 11).

La science est dans la plupart de ceux qui la cultivent une monnaie dont on fait **13** grand cas, qui cependant n'ajoute au bien-être qu'autant qu'on la communique, et n'est bonne que dans le commerce.
ROUSSEAU, Julie ou la Nouvelle Héloïse, I, XII.

Oui, naturellement, une petite attaque. Oh ! ne vous effarouchez pas du mot, **14** madame. À partir d'un certain âge, les attaques sont monnaie courante.
ARAGON, les Beaux Quartiers, I, XXII.

(Par anal. du sens 3). *Rendre à qqn la monnaie de sa pièce,* user de représailles envers lui, lui rendre dent pour dent. *Vulgaire monnaie* (→ Frapper, cit. 11). *Petite monnaie* (→ Frapper, cit. 51).

Les diseurs de bon mots appelèrent ces huit maréchaux (nommés après la mort **15** de Turenne) la monnaie de M. de Turenne (...)
Henri MARTIN, Hist. de France, LXXXIV, in LITTRÉ.

(...) caresses qui ne sont pas, comme on croit, la menue monnaie de l'amour, mais **16** au contraire, la plus rare, et auxquelles seule la passion puisse recourir.
R. RADIGUET, le Diable au corps, p. 60.

DÉR. (Du même rad.) **Monétaire, monnayer.**
COMP. Monnaie-du-pape. — Porte-monnaie.

MONNAIE-DU-PAPE [monɛdypap] n. f. — 1845, Bescherelle ; de *monnaie* « pièce », et *pape.*

♦ Lunaire (plante). → Givrer, cit. 3. ⇒ **Lunaire.**

Dans une haute potiche chinoise, une gerbe de monnaies-du-pape mettait un coin de paysage lunaire, avec l'illumination froide et morte de leurs médailles sans effigie. Edmond JALOUX, le Jeune Homme au masque, IX.

MONNAYABLE [monɛjabl] adj. — 1886, Bloy ; absent du F. E. W. ; de *monnayer,* et *-able.*

♦ Que l'on peut monnayer. *Métaux monnayables.* — *Billets monnayables.*

Dont on peut tirer de l'argent. ⇒ **Vendable.**

1 Marcher dans Paris, en compagnie d'un être à qui l'on peut tout dire, est un plaisir assez rare, dévolu à quelques artistes sans gloire, dont les heures ne sont pas aisément monnayables. Léon BLOY, le Désespéré, p. 169.

2 Pendant un certain temps, les politiciens n'avaient prétendu qu'à la domination des corps, — je veux dire des fortunes ; — ils laissaient les âmes à peu près tranquilles, les âmes n'étant pas monnayables. R. ROLLAND, Jean-Christophe, La foire sur la place, I, p. 757.

3 Henrique et elle ont dû vivre là jusqu'au mois d'octobre et s'enfuir à la limite, honteusement, emportant les derniers objets monnayables et nous laissant, en échange, les vestiges de leur civilisation personnelle : fourneau rehaussé d'une épaisse croûte graisseuse, eaux moisies (...) culottes sales, litrons vides. A. SARRAZIN, la Traversière, p. 251-252.

MONNAYAGE [mɔnɛjaʒ] n. m. — 1296, *monaage,* puis *moneage, monoyage* ; de *monnayer,* et *-age.*

♦ Techn. Fabrication de la monnaie à partir d'un métal ou d'un alliage monétaire. *Faux monnayage :* fabrication de fausse monnaie.

MONNAYER [mɔnɛje] v. tr. — Conjug. *payer.* — V. 1268, *monoier ; monoée,* p. p., fin xıᵉ ; de *monnaie,* et *-er.*

♦ **1.** (V. 1268). Techn. Transformer en monnaie (un lingot ou un objet de métal). *Monnayer de l'or* (⇒ **Monétiser**), *de l'argent, de la vaisselle d'or.*

Spécialt. Frapper (la monnaie) d'une empreinte. — Absolt. *Monnayer au marteau, au balancier, à la presse monétaire. L'art de monnayer.* — Fig., par métaphore (→ Frapper, cit. 8).

1 (...) Scarbo monnoyait (sic) sourdement dans ma cave ducats et florins à coups de balancier. Aloysius BERTRAND, Gaspard de la nuit, « La nuit et ses prestiges », III.

♦ **2.** (1935). Par ext. **a** Convertir en argent liquide. *Monnayer un bien* (→ Escompte, cit. 1), *une action.*

2 Dès que l'Assemblée put « disposer » de cet énorme capital *(les biens du clergé),* la tentation lui vint de le monnayer pour sortir d'embarras d'argent pires que ceux auxquels elle s'était flattée de remédier. Les biens ecclésiastiques, grossis bientôt de ceux de la couronne et de ceux des émigrés, formèrent les biens nationaux qu'on mit en adjudication. J. BAINVILLE, Hist. de France, XVI, p. 337.

b Franç. d'Afrique. Faire la monnaie de (une somme).

♦ **3.** Fig., par métaphore. Cour. Se faire payer (quelque avantage), en tirer de l'argent. *Monnayer son talent.*

▶ **MONNAYÉ, ÉE** p. p. adj.
Transformé en monnaie. *Or, argent, métal* (→ Jeu, cit. 36) *monnayé,* par oppos. au métal ouvragé ou brut.

3 Une partie des revenus du grand seigneur consiste, non en argent monnayé, comme dans les gouvernements chrétiens, mais dans les productions de tous les pays qui lui sont soumis. VOLTAIRE, Essai sur les mœurs, CLIX.

DÉR. Monnayable, monnayage, monnayeur.

MONNAYEUR [mɔnɛjœR] n. m. — 1530 ; *monoieor,* xıvᵉ ; de *monnayer,* et *-eur.*

★ **I.** ♦ **1.** Rare. Ouvrier qui travaille à la fabrication de la monnaie de l'État (→ Falsification, cit. 3).

♦ **2.** Cour. *Faux* monnayeur,* ou *faux-monnayeur.* ⇒ **Faux.**
REM. Le fém. n'est pas attesté.

★ **II.** (1980). Dispositif automatique commandé par l'introduction d'une pièce, de pièces de monnaie. *Introduire un franc dans le monnayeur pour obtenir l'ouverture.*

MONNERON [mɔnRɔ̃] n. m. — 1832. ⇒ **Moneron.**

1. MONO [mɔno] adj. invar. — V. 1960 ; abrév. de *monophonique.*

♦ Monophonique. *Ces disques « peuvent être écoutés aussi bien sur un électrophone "mono" que sur un électrophone "stéréo" »* (in *Science et Vie,* nº 594, p. 122). *Des disques mono.*

2. MONO [mɔno] n. — Fam. ⇒ **Moniteur.**

MONO-, MON- Élément de composition, du grec *monos* « seul, unique ».

Ce préfixe de noms ou d'adjectifs est extrêmement productif, et sert à former de très nombreux composés savants ou courants. On le retrouve en outre dans des emprunts au grec tels que *monadelphe, monandre, monaut.*

En chimie, il indique que le radical que le nom suit n'est substitué qu'une fois dans la molécule ; on parle aussi de dérivés *monosubstitués** (ex. : sel *monocalcique ;* acide *monochloracétique ; monochloronaphtalène* $C_{10}H_7Cl$, à nombreuses utilisations techniques ; *monogluta-*

mate de sodium [utilisé dans la cuisine chinoise], *monométhylamine,* sel *monosodique, monosulfure, monoxyde,* etc.) opposé à *di-, tri-,* etc.

Dans la langue didactique et technique, *mono-* sert à former de nombreux composés, avec des radicaux savants (en principe grecs). — Des composés hybrides avec un mot français apparaissent aussi. ⇒ **Monoaxe, monobloc, monocâble, monocoque, monocristal, monoplace, monoplan, monoprix, monorail, monorime, monoski, monosoc.** — On peut citer également *monocanon,* adj. et n. m. (fusil à un canon) ; *monoturbine,* adj. et n. m. (hélicoptère à une turbine), *monovoie,* etc. — *Mono-,* syn. de *uni-,* s'emploie en opposition avec les éléments *bi-, pluri-, poly-.* Cf. par exemple *monosac,* n. m., sac à poche unique (→ Bissac).

(...) je me demandais ce que cet idiot de mort pouvait bien transporter dans ses monosacs, ils étaient gonflés à craquer (...) Claude SIMON, la Route des Flandres, p. 267.

MONOACIDE [mɔnoasid] adj. — 1904, *Rev. gén. des sc.,* nº 13, p. 664 ; de *mono-,* et *acide.*

♦ Chim. Qui ne possède qu'un seul atome d'hydrogène acide par molécule.

MONOAMIDE [mɔnoamid] n. m. — V. 1950 ; de *mono-,* et *amide.*

♦ Chim. Corps comportant une seule fonction amide.

MONOARTHRITE [mɔnoaRtRit] n. f. — 1931 ; de *mono-,* et *arthrite.*

♦ Méd. Arthrite localisée à une seule articulation. (Opposé à *polyarthrite*).

MONOARTICULAIRE [mɔnoaRtikylɛR] adj. — Mil. xxᵉ ; de *mono-,* et *articulaire.*

♦ Méd. Qui concerne une seule articulation.

MONOATOMIQUE [mɔnoatɔmik] adj. — 1868 ; de *mono-,* et *-atomique.*

♦ Chim. Dont la molécule* n'a qu'un atome.

Les expériences d'ionisation des gaz monoatomiques avaient déjà montré que des électrons libres peuvent se déplacer dans un champ électrique. Gilbert SIMONDON, Du mode d'existence des objets techniques, p. 41.

MONOAXE [mɔnoaks] adj. — xxᵉ (in Larousse 1931-1933) ; cf. *monoaxifère,* même sens, 1845 ; de *mono-,* et *axe.*

♦ Didact. (sc. nat.). Qui n'a qu'un axe.

MONOBASIQUE [mɔnobɑzik] adj. — 1866, *Rev. des cours sc.,* t. III, p. 652 ; de *mono-,* et *basique.*

♦ Chim. *Acide monobasique,* dont un seul atome d'hydrogène peut être remplacé par un atome de métal.

MONOBLOC [mɔnoblɔk ; mɔnoblɔk] adj. invar. et n. m. — 1906 ; de *mono-,* et *bloc.*

♦ **1.** Techn. D'une seule pièce, d'un seul bloc. *Châssis monobloc. Cuisine monobloc.* — *Roues monobloc* (chemin de fer).
N. m. Groupe des cylindres d'un moteur à explosion, fondus d'un seul bloc.

♦ **2.** (Déb. xxᵉ). Chir. dent. Appareil d'orthopédie maxillaire et dentaire, formé de deux parties mobiles. ⇒ **Activateur** (cit. 2).

Robin (...) fut (...) le promoteur de l'orthopédie maxillaire (...) avec son monobloc, il fit pression sur les dents, et surtout sur les maxillaires, afin d'élargir les fosses nasales. P.-L. ROUSSEAU, les Dents, p. 85.

MONOBRIN [mɔnobRɛ̃] adj. et n. m. — V. 1960 ; de *mono-,* et *brin.*

♦ Techn. Formé d'un seul brin. *Cordage monobrin.* — N. m. *Un monobrin.*

MONOCÂBLE [mɔnokabl] n. m. et adj. — Mil. xxᵉ ; de *mono-,* et *câble.*

♦ Techn. Transporteur aérien à un seul câble sans fin. — Adj. *Téléphérique monocâble.*

MONOCAMÉRALISME [mɔnokameralism] ou **MONOCAMÉRISME** [mɔnokamerism] n. m. — 1931 ; de *mono-,* et lat. *camera* « chambre ».

♦ Dr. constit. Système parlementaire à une seule Chambre. *Le monocaméralisme et le bicaméralisme.*

La chambre unique *(selon les adversaires du monocaméralisme)* porte en soi un danger latent de despotisme : elle risque de conduire à la dictature d'une assemblée toute puissante (Cf. *l'exemple de la Convention*).

Maurice DUVERGER, Manuel de droit constitutionnel..., p. 117.

MONOCARPIEN, ENNE [mɔnokaʀpjɛ̃, ɛn] ou **MONOCARPIQUE** [mɔnokaʀpik] adj. — 1846, Bescherelle ; de *mono-*, et *-carpe*.

♦ Bot. Qui ne produit qu'une seule fois des fleurs ou des fruits (⇒ **Floraison**). *Plante monocarpienne*.

MONOCELLULAIRE [mɔnoselylɛʀ] adj. — 1893, Durkheim, *in* D.D.L. ; de *mono-*, et *cellulaire*.

♦ Biol. Composé d'une seule cellule. *Être monocellulaire*. ⇒ **Unicellulaire**.

MONOCÉPHALE [mɔnosefal] adj. — 1836 ; bot., 1812 ; de *mono-*, et *-céphale*.

♦ **1.** Qui n'a qu'une tête. *Aigles monocéphales et aigles bicéphales de l'héraldique*.

♦ **2.** Qui a un seul chef, un seul dirigeant. « *Transformation d'un bloc* (politique) *monocéphale en une alliance* » (*le Figaro littéraire*, 29 sept. 1966).

CONTR. **Polycéphale**.

MONOCHROMATIQUE [mɔnokʀɔmatik] adj. — 1840 ; de *mono-*, et *chromatique*. → Monochrome.

♦ **1.** Didact. Vieilli. (*Monochrome* est plus cour.). Qui est d'une seule couleur (lumière).

Pour aller plus avant et pour étudier les valeurs du tableau, il faut employer la lumière monochromatique de sodium qui élimine les couleurs et dont l'action aboutit à une photographie très précise. Elle permet par comparaison de révéler les défaillances de valeur dans les copies et les faux.

Luc BENOIST, Musées et Muséologie, p. 78.

♦ **2.** (1868 ; var. *monochromique*, 1904). Phys. Se dit d'une radiation homogène d'un flux de photons ayant la même longueur d'onde et la même énergie. *Ondes monochromatiques*.

MONOCHROME [mɔnokʀom ; mɔnokʀɔm] adj. — 1765 ; *monochromate*, 1752 ; du grec *monokhrômos* ou *monokhrômatos*. → Mono-, et *-chrome*.

♦ Didact. Qui est d'une seule couleur (dont les valeurs peuvent varier). *Les peintures en camaïeu ou en grisaille* (cit. 4), *la photo en noir et blanc sont monochromes*. ⇒ **Monochromatique**.

(...) ces nattes rectangulaires sont parallèles ou perpendiculaires si bien que le sol monochrome ressemble à un tableau abstrait (...)

S. DE BEAUVOIR, Tout compte fait, p. 283.

CONTR. **Polychrome**.
DÉR. **Monochromie**.

MONOCHROMIE [mɔnokʀɔmi ; mɔnokʀɔmi] n. f. — 1868 ; de *monochrome*.

♦ Didact. Caractère de ce qui est monochrome.

Nous sommes sensibles à la monochromie du cinéma depuis que le cinéma en couleurs existe (...)   MALRAUX, les Voix du silence, p. 316.

CONTR. **Polychromie**.

MONOCINÉTIQUE [mɔnosinetik] adj. — 1940 ; T. Kahan, *Radioactivité et transmutation des atomes*, p. 77 ; de *mono-*, et *cinétique*.

♦ Didact. Se dit de particules qui ont la même énergie cinétique en des points où le potentiel électrique est le même (spécialt, d'électrons accélérés à tension constante, par exemple dans un tube à rayons X).

MONOCLE [mɔnokl] n. m. — 1827 ; cf. *monougle* « borgne », XIIIᵉ ; « *lorgnette monoculaire* », 1671 ; bas lat. *monoculus* « qui n'a qu'un œil ».

♦ **1.** Petit verre optique que l'on fait tenir dans une des arcades (cit. 3) sourcilières. ⇒ **Lorgnon**; (fam.) **carreau** (→ Figer, cit. 7 ; inscrire, cit. 9 ; lunatique, cit. 4). *Porter le monocle* ou *porter monocle*. *Vogue du monocle* (→ Grimacer, cit. 1).

Le monocle du marquis de Forestelle était minuscule, n'avait aucune bordure et, obligeant à une crispation incessante et douloureuse de l'œil où il s'incrustait comme un cartilage superflu (...) il donnait au visage du marquis une délicatesse mélancolique, et le faisait juger par les femmes comme capable de grands chagrins d'amour.   PROUST, À la recherche du temps perdu, t. II, p. 148-149.

(...) dès que Bloch apparaissait, la signification de sa physionomie était changée par un redoutable monocle. La part de machinisme que ce monocle introduisait dans la figure de Bloch la dispensait de tous ces devoirs difficiles auxquels une figure humaine est soumise, devoir d'être belle, d'exprimer l'esprit, la bienveillance, l'effort. La seule présence de ce monocle dans la figure de Bloch dispen-

sait d'abord de se demander si elle était jolie ou non, comme devant ces objets anglais dont un garçon dit, dans un magasin, que « c'est le grand chic », après quoi on n'ose plus se demander si cela vous plaît.

PROUST, le Temps retrouvé, Pl., t. III, p. 953.

(...) il ne voyait que d'un œil, à travers un monocle épais comme une lentille.

MARTIN DU GARD, les Thibault, t. III, p. 275.

♦ **2.** (1834). Rare. Bandage recouvrant l'œil.

DÉR. **Monoclé, monoculaire**.

MONOCLÉ, ÉE [mɔnokle] adj. — Av. 1927, cit. ; de *monocle*.

♦ Rare. Qui porte un monocle (→ Lunette).

Dans les couloirs, Jérôme croisa M. de la Boudinière, monoclé, vernis, empesé, tout en grâces et en ronds de jambe auprès de Lena Larsen.

M. BEDEL, Jérôme 60⁰ latitude Nord, XVII, p. 201.

MONOCLINAL, ALE, AUX [mɔnoklinal, o] adj. — 1890 ; de *mono-*, d'après *synclinal*.

♦ Géol. *Structure monoclinale*, dans laquelle les couches appartiennent au même côté d'un pli. *Relief monoclinal*, qui offre d'un côté une pente douce, de l'autre une face abrupte.

MONOCLINIQUE [mɔnoklinik] adj. — 1868 ; de *mono-*, rad. du grec *klinein* « incliner », et *-ique*.

♦ Minér. Se dit d'un type cristallin qui a trois axes obliques l'un sur l'autre, dont deux seulement sont égaux entre eux. (On dit aussi *clino-rhombique* [klinɔʀõbik]).

MONOCOLORE [mɔnokɔlɔʀ ; mɔnokɔlɔʀ] adj. — 1968 ; mot ital., de *mono-*, et *colore* « couleur ».

♦ Polit. Se dit d'un gouvernement unitaire (en Italie, formé uniquement de démocrates-chrétiens).

MONOCOMPARATEUR [mɔnokõpaʀatœʀ] n. m. — V. 1970 ; de *mono-*, et *comparateur*.

♦ Techn. Instrument destiné à la mesure monoculaire des coordonnées planes des points d'un cliché photographique.

MONOCOQUE [mɔnokɔk] n. m. et adj. — 1923 ; de *mono-*, et *coque*.

♦ **1.** N. m. Ancienn. Avion à fuselage unique. — Mod. Bateau à une seule coque (opposé à *multicoque*). — Adj. *Un bateau monocoque*.

♦ **2.** Adj. (1955). Autom. Sans châssis, dont la coque assure à elle seule la rigidité. *Voiture monocoque*.

♦ **3.** N. m. Bactérie ronde se présentant isolée. ⇒ **Staphylocoque, streptocoque**.

MONOCORDE [mɔnokɔʀd] n. m. et adj. — 1680 ; *monacorde*, 1155 ; *manacorde*, 1125 ; lat. *monochordon*, mot grec. → Manichordion.

★ **I.** N. m. ♦ **1.** Mus. Instrument à une seule corde tendue sur une caisse de résonance. *Le monocorde sert à l'étude de l'acoustique, de l'harmonie*.

MONOCORDE (...) Instrument ayant une seule corde qu'on divise à volonté par des chevalets mobiles, lequel sert à trouver les rapports des intervalles et toutes les divisions du canon harmonique.   ROUSSEAU, Dict. de musique, Monocorde.

♦ **2.** (V. 1960). Techn. Cordon de commutateur terminé par une seule fiche.

★ **II.** Adj. (1903). ♦ **1.** Mus. *Instrument monocorde*, à une seule corde.

♦ **2.** Cour. Qui est sur une seule note, n'a qu'un son. ⇒ **Monotone**. *Des plaintes monocordes*. *Ton bas* (cit. 17) *et monocorde*.

Ils se turent pour prêter l'oreille. Le timbre de Meynestrel s'élevait, monocorde, distinct.   MARTIN DU GARD, les Thibault, t. V, p. 77.

MONOCOTYLÉDONE [mɔnokɔtiledɔn] adj. et n. f. — 1787, n. f. pl. ; de *mono-*, et *cotylédon*.

♦ (1868). Bot. Dont la graine n'a qu'un cotylédon. *L'iris est monocotylédone*.

N. f. pl. *Les monocotylédones* : classe de végétaux phanérogames angiospermes dont l'ovaire n'est formé que d'un seul cotylédon dans la plantule de leur graine et qui ont généralement des feuilles isolées et engainantes à nervures parallèles, et des organes floraux disposés par trois. *Principales familles de monocotylédones* : alismacées, amaryllidées, aroïdées, asparaginées, broméliacées, butomées, colchicacées, cypéracées, dioscoréacées, graminées, hydrocharidées, iridacées, joncacées, lemnacées, liliacées, musacées, naïadacées, orchidées, palmiers, pendanées, potamées, scitaminées ou amomées, taccacées, typhacées, zingibéracées. — Au sing. *Une monocotylédone.*

CONTR. Acotylédone, dicotylédone.

MONOCOUCHE [mɔnokuʃ] n. f. — D. i.; de *mono-*, et *couche*.

♦ Chim. Couche formée d'une seule épaisseur de molécules.

MONOCRATIE [mɔnɔkʀasi] n. f. — 1963; de *mono-*, et *-cratie*, d'après *aristocratie*.

♦ Polit. Forme de gouvernement où le pouvoir effectif réside dans la volonté du chef de l'État. « *La monocratie gaullienne* » (*le Monde*, 31 mai 1969).

DÉR. Monocratique.

MONOCRATIQUE [mɔnɔkʀatik] adj. — 1965; de *monocratie*.

♦ Qui concerne la monocratie, une monocratie. *Pouvoir monocratique d'un dictateur, d'un tyran, d'un monarque.*

MONOCRISTAL, ALE, AUX [mɔnokʀistal, o] n. m. — Mil. xxᵉ; de *mono-*, et *cristal*.

♦ Didact., techn. Cristal élémentaire (d'une structure cristalline complexe). *Filaments formés de monocristaux métalliques* (dits « moustaches ») *à qualités mécaniques très élevées.* Cristallisation de glace.

Les conditions de formation de ces énormes *monocristaux de plusieurs dizaines de tonnes* ne sont pas encore bien déterminées.
Félix TROMBE, la Spéléologie, p. 81.

DÉR. Monocristallin.

MONOCRISTALLIN, INE [mɔnokʀistalɛ̃, in] adj. — Mil. xxᵉ; de *monocristal*, d'après *cristallin*.

♦ Techn. Formé de monocristaux. *Les fibres monocristallines possèdent une résistance très supérieure aux aciers ordinaires.*

MONOCULAIRE [mɔnɔkylɛʀ] adj. — 1800, Boiste, « qui n'a qu'un œil »; du lat. *monoculus*.

♦ **1.** Méd. Relatif à un seul œil. *Strabisme monoculaire. Vision monoculaire.*

♦ **2.** Opt. Qui est pourvu d'un seul oculaire. *Microscope monoculaire* (opposé à *binoculaire*).

MONOCULTURE [mɔnɔkyltyʀ] n. f. — 1842; de *mono-*, et *culture*.

♦ Culture d'un seul produit. *Monoculture du riz, de tabac. Région de monoculture.*

1 Il est rare qu'une *région* adopte la monoculture. Il est même rare encore qu'une *exploitation agricole* concentre toute son activité sur un seul produit (...) Dans l'ordre *économique*, une région qui pratique la monoculture s'oriente par là même nécessairement vers l'« économie de marché » avec tous les aléas qu'elle comporte. Elle est dès lors soumise directement aux répercussions et aux influences de tous les faits qui, en quelque point du monde, agissent sur la demande et sur la consommation.
PIROU et BYÉ, Traité d'économie politique, t. I, 2ᵉ fascicule, p. 24-25.

2 Sans aucun souci de la nature de chaque région, elle acclimate telle culture, elle proscrit, elle plante, elle bouleverse telle économie séculaire. La monoculture tend à transformer, sinon la planète, du moins chacune des zones de la planète. L'agriculture d'aujourd'hui, basée sur l'économie du travail humain, soulagé à la fois par le travail de l'animal et l'emploi d'un outillage perfectionné qui, parti de la charrue, aboutit aux machines agricoles modernes, agriculture de plus en plus scientifique, excelle à adapter les plantes au terrain et au climat, à fournir au sol des engrais abondants et rationnellement distribués.
B. CENDRARS, Moravagine, in Œ. compl., t. IV, p. 184.

CONTR. Polyculture.

MONOCYCLE [mɔnosikl] adj. et n. — 1869; autre sens, 1846, Bescherelle; de *mono-*, et *-cycle* « roue ».

♦ Didact. Qui n'a qu'une roue. — N. *Un monocycle :* un vélo à une seule roue. *Acrobate sur son monocycle.*

MONOCYCLIQUE [mɔnosiklik] adj. — 1906; de *mono-*, et *cycle* (cycle reproductif).

♦ Physiol. Se dit d'espèces ne présentant qu'un cycle sexuel par an.

MONOCYLINDRE [mɔnosilɛ̃dʀ] n. m. — 1981; de *mono-*, et *cylindre*.

♦ Moto. Moteur à explosion à un seul cylindre. (Abrév. fam. : *mono*).

COMP. V. Gromono.

MONOCYLINDRIQUE [mɔnosilɛ̃dʀik] adj. — 1898; de *mono-*, *cylindre*, suff. *-ique*.

♦ Mécan. À un seul cylindre. *Moteur monocylindrique.* ⇒ **Monocylindre.**

Elles sont mises en mouvement par courroies à l'aide de trois machines monocylindriques Farcot (...)
L. FIGUIER, l'Année scientifique et industrielle 1899, p. 266 (1898).

Archit. Se dit d'une colonne au fût rond par oppos. à la colonne fasciculée*. (On dit aussi *monostyle**).

MONOCYTE [mɔnosit; mɔnɔsit] n. m. — 1931; de *mono-*, et *cyte*.

♦ Biol. Gros leucocyte mononucléaire de 12 à 15 μ. ⇒ **Leucocyte** (cit.), **macrophage.**

DÉR. Monocytose.

MONOCYTOSE [mɔnositoz; mɔnɔsitoz] n. f. — 1931; de *mono-cyte*, et 2. *-ose*.

♦ Méd. Augmentation anormale du nombre de monocytes dans le sang, indiquant généralement un état infectieux. ⇒ **Mononucléose.**

MONODIE [mɔnɔdi] n. f. — 1576; lat. *monodia*, mot grec, rac. *ôdê* « chant ».

♦ **1.** Mus. Chant à une seule voix sans accompagnement.

♦ **2.** (1840). Antiq. Monologue, couplet lyrique dans la tragédie.

DÉR. Monodique.

MONODIQUE [mɔnɔdik] adj. — 1874, P. Larousse; de *monodie*.

♦ Mus. Qui est à une seule voix (opposé à *polyphonique*).

MONOÉCIE [mɔnoesi; mɔnɔesi] n. f. — 1787; lat. sc. *monoecia*, grec *monos* « seul », et *oikia* « maison ».

♦ Bot. État d'une plante monoïque*.

CONTR. Dioécie.

MONOÉNERGÉTIQUE [mɔnoenɛʀʒetik] adj. — Mil. xxᵉ (*Lexique de l'énergie atomique*, 1958); de *mono-*, et *énergétique*.

♦ Didact. Se dit d'un flux de particules toutes de même énergie. *Photons monochromatiques et monoénergétiques.*

MONOFILAMENT [mɔnofilamɑ̃] n. m. — 1968; de *mono-*, et *filament*.

♦ Techn. Fil textile composé d'un élément unique (textiles artificiels, polyamides).

MONOGAME [mɔnogam] adj. et n. — 1721; « qui n'a été marié qu'une fois », 1495; lat. ecclés. *monogamus*, du grec. → Mono-, et *-game*.

♦ **1.** Qui n'a qu'une seule femme, qu'un seul mari à la fois (opposé à *bigame, polygame*); qui pratique la monogamie (→ Marier, cit. 8). *Peuples monogames.* — N. *Un, une monogame.* Par ext. Fam. Qui vit plutôt avec un seul partenaire sexuel (qu'avec plusieurs) dans une période donnée.

♦ **2.** Zool. Se dit des espèces animales où un mâle vit avec une seule femelle, au moins pendant la saison des amours. *Les carnivores sont plus fréquemment monogames que les herbivores.*

♦ **3.** Bot. Qui a des fleurs unisexuées, dont chaque pied porte des fleurs d'un seul sexe. ⇒ **Dioïque.**

CONTR. Monoïque, polygame.

MONOGAMIE [mɔnogami] n. f. — 1526; lat. *monogamia*, mot grec. → Mono-, et *-gamie*.

♦ **1.** « Régime juridique en vertu duquel un homme ou une femme ne peut avoir plusieurs conjoints en même temps » (Capitant). ⇒ **Mariage.**

(...) toutes les civilisations supérieures ont tendu à la monogamie. Or le divorce n'est pas de la monogamie. C'est de la polygamie successive.

Paul BOURGET, *Un divorce*, I.

♦ **2.** Zool. État des espèces monogames.

♦ **3.** Bot. État d'une plante monogame.

CONTR. **Bigamie, polyandrie, polygamie.** — V. aussi **Monandrie.**
DÉR. **Monogamique.**

MONOGAMIQUE [mɔnogamik] adj. — 1823 ; de *monogamie*.

♦ Qui a rapport à la monogamie, qui a pour base la monogamie. *Famille monogamique.*

CONTR. **Polygamique.**

1. MONOGÈNE [mɔnoʒɛn ; mɔnɔʒɛn] adj. — V. 1941 ; « unique en son genre », XVIᵉ ; autre sens, attesté au XIXᵉ ; de *mono-*, et *gène.*

♦ **1.** Biol. Dont la descendance est formée d'individus du même sexe (opposé à *amphogène ;* → ce mot, cit.). ⇒ **Arrhénogène, thélygène.** *Femelle monogène d'isopode* (→ aussi Monogénétique).

♦ **2.** Math. *Groupe, module monogène :* groupe, module engendré par l'un de ses éléments. *Un groupe monogène, s'il est fini, est cyclique*.*

DÉR. **Monogénie.**
HOM. 2. **Monogène.**

2. MONOGÈNE [mɔnoʒɛn ; mɔnɔʒɛn] n. m. — 1972 ; lat. sav. *monogenea,* J. V. Carus, *in* Peters 1863, du grec *mono-* « un seul, unique », et *genea* « genre, espèce ».

♦ Zool. *Monogènes :* classe de Plathelminthes comprenant principalement des parasites externes de poissons, et des parasites d'amphibiens, de tortues. — Au sing. *Un monogène.*

HOM. 1. **Monogène.**

MONOGENÈSE [mɔnoʒenɛz ; mɔnɔʒenɛz] n. f. — 1903, *Nouveau Larousse illustré ; espèce monogenèse,* adj., 1866, Littré ; t. dû à Van Beneden ; de *mono-*, et *genèse.*

♦ Biol. Mode de reproduction dans lequel l'union des gamètes parentaux produit directement un individu semblable à ses parents, sexué et producteur de gamètes (opposé à *digenèse* ou *génération alternante*). *La plupart des animaux se reproduisent par monogenèse, alors que les végétaux ont généralement un cycle digénétique.* — REM. Le terme est parfois pris comme synonyme de *monogénie* ou *monogénisme.*

DÉR. **Monogénésique.** — V. aussi **Monogénétique.**

MONOGÉNÉSIQUE [mɔnoʒenezik] adj. — 1903, *Nouveau Larousse illustré ;* de *monogenèse.*

♦ Biol. Monogénétique (2.).

MONOGÉNÉTIQUE [mɔnoʒenetik] adj. — 1964, Husson ; de *mono-*, et *génétique.*

♦ **1.** Biol. Monoxène*.

♦ **2.** Biol. Qui se reproduit par monogenèse ; qui a le caractère d'une monogenèse*. (Opposé à *digénétique, trigénétique*). — Syn. : *monogénésique.* — REM. On a aussi employé en ce sens *monogène.*

♦ **3.** Bot. Dont le cycle de reproduction ne comporte qu'une génération, sporophytique ou gamétophytique, l'autre étant réduite à une ou plusieurs cellules ne formant pas un organisme différencié. *Cycle monogénétique de certaines algues.*

MONOGÉNIE [mɔnoʒeni] n. f. — 1842 ; de *mono-*, et *-génie.* Biologie.

♦ **1.** Vx. Mode de génération* consistant dans la production, par un corps organisé, d'une partie qui s'en sépare et devient un nouvel individu.

♦ **2.** (1963). Chez certains animaux, Production d'une descendance formée d'individus tous du même sexe. — Fait, pour une femelle, d'être monogène. — REM. On rencontre parfois *monogenèse* dans ce sens.

♦ **3.** (1971). « Intervention d'un seul gène ou d'une seule paire d'allélomorphes dans la détermination d'un caractère héréditaire » (Manuila).

DÉR. **Monogénique.**

MONOGÉNIQUE [mɔnoʒenik] adj. — 1846, Bescherelle ; de *mono-*, et *-gène* avec renforcement suffixal *-ique* (p.-ê. pour différen-

cier de *monogène* dans un sens ancien), ou d'un emploi non attesté de *monogénie.*

♦ **1.** Minér. Dont toutes les parties sont de même nature. *Roche monogénique.*

♦ **2.** Géol. Dont l'élaboration tout entière s'est effectuée dans les mêmes conditions (à propos de formations géologiques).

♦ **3.** (1866, Littré ; de *monogénie,* 1.). Biol. Relatif à la monogénie (1., 2. ou 3.).

MONOGÉNISME [mɔnoʒenism] n. m. — 1865, *Rev. des cours sc.,* II, p. 540 ; de *mono-, -génie* (→ Monogénie), suff. *-isme.*

♦ Didact. Doctrine de l'unité d'origine de l'homme, selon laquelle toutes les races humaines dérivent d'un type primitif commun.

CONTR. **Polygénisme.**
DÉR. **Monogéniste.**

MONOGÉNISTE [mɔnoʒenist] n. et adj. — 1865, *Rev. des cours sc.,* II, p. 343 ; de *monogénisme.*

♦ Didact. Partisan du monogénisme. — Adj. *Hypothèse monogéniste.*

CONTR. **Polygéniste.**

MONOGERME [mɔnoʒɛʀm] adj. — 1968 ; de *mono-*, et *germe.*

♦ Techn. *Graine monogerme :* graine isolée, obtenue par segmentation des glomérules.

MONOGRAMMATIQUE [mɔnoɡʀamatik] adj. — 1812 ; de *monogramme.*

♦ Didact. Relatif à un monogramme ; en forme de monogramme.

MONOGRAMME [mɔnoɡʀam] n. m. — 1557, sens 2 ; bas lat. d'orig. grecque *monogramma.* → Mono-, et -gramme.

♦ **1.** (1680). Chiffre* composé de la lettre initiale ou de la réunion de plusieurs lettres (initiales et autres) d'un nom, entrelacées en un seul caractère. *Monogramme composé de l'initiale du prénom et de celle du nom de famille. Monogramme brodé sur un mouchoir. Monogrammes des rois de France. Monogramme du Christ.* ⇒ **Chrisme.**

♦ **2.** Marque ou signature abrégée. *Peintre primitif anonyme qui signe d'un monogramme.* ⇒ **Monogrammiste.**

DÉR. **Monogrammatique, monogrammiste.**

MONOGRAMMISTE [mɔnoɡʀamist] n. — 1868 ; de *monogramme.*

♦ Didact. (arts). Artiste, peintre qui signe d'un monogramme, et qui n'est connu que par lui.

MONOGRAPHIE [mɔnoɡʀafi] n. f. — 1793 ; de *mono-*, et *-graphie.*

♦ Étude complète et détaillée qui se propose d'épuiser un sujet précis relativement restreint (→ Archive, cit. 6). *Écrire une monographie. Monographie d'une région, d'une ville, d'un château... Monographie d'un personnage historique.*

Jusqu'à ce que toutes les parties de la science soient élucidées par des monographies spéciales, les travaux généraux seront prématurés. Or les monographies ne sont possibles qu'à la condition de spécialités sévèrement limitées. [1]
RENAN, l'Avenir de la science, Œ. compl., t. III, p. 912.

Je n'ai prétendu à rien de moindre qu'à donner une monographie de chaque mot, c'est-à-dire un article où tout ce qu'on sait sur chaque mot quant à son origine, à sa forme, à sa signification et à son emploi, fût présenté au lecteur. [2]
LITTRÉ, Dict., Préface, X.

Dans les Archives du département, à la Bibliothèque de la ville, il ne manque pas de monographies concernant les communes campagnardes de Provence. [3]
H. BOSCO, Un rameau de la nuit, p. 112.

DÉR. **Monographique.**

MONOGRAPHIQUE [mɔnoɡʀafik] adj. — 1840 ; de *monographie.*

♦ Didact. Qui a les caractères d'une monographie. *Étude monographique.*

MONOGYNIE [mɔnoʒini ; mɔnɔʒini] n. f. — 1787 ; de *mono-, -gyne,* suff. *-ie.*

♦ **1.** Bot. État, caractère d'une plante dont chaque fleur renferme un seul carpelle.

♦ **2.** (1968). Zool. État d'une société d'insectes dont une seule femelle est féconde. *La monogynie des abeilles.*

MONOHYBRIDE [mɔnoibʀid] n. m. et adj. — 1904, *Rev. gén. des sc.*, n° 6, p. 303; de *mono-*, et *hybride*.

◆ Biol. Hybride né du croisement de deux individus qui ne diffèrent que par une paire de gènes allélomorphes. — Adj. *Individu monohybride.*

MONOHYDRATE [mɔnoidʀat] n. m. — 1846, Bescherelle; de *mono-*, et *hydrate*, 1.

◆ Chim. Hydroxyde (base) qui ne contient qu'un groupement oxhydrique (OH). *La potasse,* K OH, *est un monohydrate.*

DÉR. Monohydraté.

MONOHYDRATÉ, ÉE [mɔnoidʀate] adj. — 1846; de *monohydrate*.

◆ Chim. À l'état de monohydrate. *Base monohydratée.*

Cyrus Smith n'avait à sa disposition que de l'acide azotique ordinaire, et non de l'acide azotique fumant ou *monohydraté,* c'est-à-dire de l'acide qui émet des vapeurs blanchâtres au contact de l'air humide.
J. VERNE, l'Île mystérieuse, t. I, p. 403-404.

MONOÏDE [mɔnɔid] n. m. — 1906, Larousse, *surface monoïde;* de *mono-*, et *-oïde*.

◆ Math. Magma* dont la loi de composition est associative et qui admet un élément nul (⇒ **Unitaire**). *Monoïde libre sur un ensemble X.*

(...) depuis que N. Chomsky a découvert ses «grammaires transformationnelles» permettant de dériver à partir d'un «noyau fixe» qu'il considère comme inné un nombre indéfini d'énoncés dérivés selon des règles précises de transformations (et en conformité avec une structure ordinale et associative de «monoïde»).
J. PIAGET, Épistémologie des sciences de l'homme, p. 351.

MONOÏDÉISME [mɔnɔideism] n. m. — 1887, Binet et Féré, *le Magnétisme animal*, p. 130; de *mono-*, et *idée*.

◆ Rare. État d'un esprit occupé d'une façon quasi exclusive par une seule idée. ⇒ **Idée** (fixe).

— Vous ne trouvez pas que ce nom d'idée fixe est mal fait? — On pourrait dire : Monoïdéisme. — Ce serait un malheur public. VALÉRY, l'Idée fixe, p. 31.

MONOÏQUE [mɔnɔik] adj. — 1799; de *mono-*, et grec *oikos* «demeure».

◆ Bot. *Plante monoïque,* qui a des fleurs mâles et des fleurs femelles réunies sur le même pied (on dit aussi *polygame*). ⇒ **Androgyne, bissexué, polygame.** *Le maïs est monoïque. Caractère monoïque.* ⇒ **Monoécie.**

CONTR. Dioïque, monogame.

MONOKINI [mɔnokini; mɔnɔkini] n. m. — 1964; tiré par plaisanterie de *bikini* en donnant à *bi-* la valeur de deux : «maillot deux pièces».

◆ Fam. Maillot de bain féminin qui ne comporte qu'une culotte (le bikini comportant culotte et soutien-gorge).

MONOLINGUE [mɔnolɛ̃g] adj. et n. — 1963; de *mono-*, et de *-lingue*, d'après *bilingue*.

◆ 1. Qui ne parle qu'une langue.

N. Personne qui parle une seule langue. *Les monolingues et les bilingues.*

◆ 2. En une seule langue. *Ce dictionnaire est monolingue* (opposé à *bilingue*).

REM. *Unilingue,* formé d'éléments latins, est préférable.

CONTR. Bilingue, trilingue, polyglotte.
DÉR. Monolinguisme.

MONOLINGUISME [mɔnolɛ̃gɥism] n. m. — Mil. XXᵉ; de *monolingue*.

◆ Didact. Fait d'être monolingue (pour une personne, une région, un pays). *Le monolinguisme d'une partie des Français.*

MONOLITHE [mɔnolit; mɔnɔlit] adj. et n. m. — 1803; *monolythe* (d'un vase), 1532; lat. d'orig. grecque *monolithus;* → Mono-, et -lithe.

◆ 1. Archit. Qui est d'un seul bloc de pierre (en parlant d'un ouvrage de grandes dimensions). ⇒ **Monolithique.** *Colonne, stèle, obélisque, linteau monolithe.*

1 (...) au-dessus d'un épais linteau *monolithe,* a été pratiqué un vide pyramidal, mas-

qué seulement par un bloc bien plus mince, dans lequel on a sculpté deux lionnes *(la porte des lionnes à Mycènes)*
G. CONTENEAU et V. CHAPOT, l'Art antique, p. 152.

◆ 2. N. m. Monument monolithe.

Par ext. Très grosse pierre.

L'aspect de Gibraltar dépayse tout à fait l'imagination (...) Figurez-vous un immense rocher, ou plutôt une montagne de quinze cents pieds de haut qui surgit subitement, brusquement, du milieu de la mer sur une terre si plate et si basse qu'à peine l'aperçoit-on (...) c'est un *monolithe* monstrueux lancé du ciel, un morceau de planète écornée tombé là pendant une bataille d'astres, un fragment du monde cassé. Th. GAUTIER, Voyage en Espagne, p. 278.

Abstrait. Ensemble rigide et inébranlable. « *L'énorme monolithe de l'injustice* » (Maeterlinck, *in* G. L. L. F.).

DÉR. Monolithique, monolithisme.

MONOLITHIQUE [mɔnolitik; mɔnɔlitik] adj. — 1868, *in* D.D.L.; de *monolithe*.

◆ 1. Constitué, formé d'un seul bloc de pierre; monolithe. *Obélisque monolithique.*

◆ 2. (1946). Fig. Qui forme bloc; dont les éléments forment un ensemble rigide, homogène, impénétrable. *Parti, système monolithique. Esprit, doctrine, attitude monolithique. Personne monolithique* (→ Tout d'une pièce*). *Église monolithique.*

Il m'était bien difficile de penser par moi-même, car le système qu'on m'enseignait était à la fois monolithique et incohérent.
S. DE BEAUVOIR, Mémoires d'une jeune fille rangée, p. 133.

On peut se demander si la fortune de *monolithique* n'est pas due tout simplement à l'absence d'un adjectif dérivé de *bloc.* Depuis peu ce dernier nom entre dans de nombreuses expressions métaphoriques : on a parlé du «bloc des gauches», du «bloc des partis». Mauriac montre la famille qui «oppose à l'étranger un bloc sans fissure ». Ch. MULLER, Classe de français, sept.-oct. 1956, «Courrier des lecteurs», p. 303.

CONTR. Décomposable, souple.

MONOLITHISME [mɔnolitism; mɔnɔlitism] n. m. — 1864; de *monolithe*.

◆ 1. Archit. Système de construction avec une seule pierre ou un petit nombre de très grosses pierres.

◆ 2. (V. 1950). Fig. Caractère monolithique. *Monolithisme des grands partis. Monolithisme de jeu d'un acteur. Monolithisme culturel.*

MONOLOGIQUE [mɔnolɔʒik] adj. — 1977, Barthes; de *mono-*, et *logique*.

◆ Littér. Qui relève du monologue (opposé à *dialogique*).

Si la voix se perd, c'est toute l'image qui s'évanouit (l'amour est monologique, maniaque; le texte est hétérologique, pervers).
R. BARTHES, Fragments d'un discours amoureux, p. 129.

MONOLOGUE [mɔnolɔg] n. m. — 1521; *menologue,* fin XVᵉ; de *mono-*, et *-logue*, d'après *dialogue*.

◆ 1. Dans une pièce de théâtre, Scène à un personnage qui parle seul. *Le monologue de Petit Jean dans* les Plaideurs *de Racine* (scène I). *Un long monologue. Monologue sous forme de stances.*

Quand il fallait, chez les anciens, apprendre aux spectateurs quelque événement, un acteur venait, sans façon, le conter dans un monologue (...)
VOLTAIRE, Mélanges littéraires, Vie de Molière, Amphitr.

(1890). Par ext. «Scène fantaisiste dite par un seul personnage» (Académie). *Monologue comique à dire en société. Monologues en vers d'un chansonnier.*

◆ 2. Long discours d'une personne qui ne laisse pas parler ses interlocuteurs, ou à qui ses interlocuteurs ne donnent pas la repartie. *Sa conversation est un monologue. Elle s'entretenait avec lui dans des monologues sans fin* (→ Chatterie, cit. 1). *Le débat risquait de devenir un monologue faute de contradiction.*

Là, comme dans les rares maisons de Paris où l'on a conservé les grandes traditions de la causerie, on ne carre guère de phrases, et le monologue est à peu près inconnu. BARBEY D'AUREVILLY, les Diaboliques, «Dessous de cartes...», p. 204.

Le dialogue, relation des personnes, a été remplacé par la propagande ou la polémique, qui sont deux sortes de monologue. CAMUS, l'Homme révolté, p. 295.

Le monologue est de la sorte repoussé aux limites mêmes de l'humanité : dans la tragédie archaïque, dans certaines formes de schizophrénie, dans le soliloque amoureux (aussi longtemps du moins que je «tiens» mon délire et ne cède pas à l'envie d'attirer l'autre dans une contestation réglée de langage). C'est comme si le proto-acteur, le fou et l'amoureux refusaient de se poser en héros de la parole, et de s'asservir à la langue adulte, à la langue sociale soufflée par la mauvaise Eris : celle de l'universelle névrose.
R. BARTHES, Fragments d'un discours amoureux, p. 244.

◆ 3. (1834). Discours d'une personne seule qui parle, qui pense tout haut. ⇒ **Soliloque** (→ Bouvier, cit. 2).

D'une complexion farouche et bavarde, ayant le désir de ne voir personne et le besoin de parler à quelqu'un, il se tirait d'affaire en se parlant à lui-même. Quiconque a vécu solitaire sait à quel point le monologue est dans la nature. La parole intérieure démange. Haranguer l'espace est un exutoire. Parler tout haut et tout seul, cela fait l'effet d'un dialogue avec le dieu qu'on a en soi. C'était, on ne l'ignore point, l'habitude de Socrate (...) Ursus (...) avait cette faculté hermaphrodite d'être son propre auditoire. HUGO, l'Homme qui rit, I, I, I.

♦ **4.** *Monologue,* ou *monologue intérieur :* longue suite de pensées, rêverie d'une personne.

Madame Firmiani vint interrompre ce monologue dont les mille pensées contradictoires, inachevées, confuses, sont intraduisibles. Le mérite d'une rêverie est tout entier dans son vague (...) BALZAC, la Femme de trente ans, Pl., t. II, p. 756.

Spécialt. Littér. (Dans un roman). *Monologue intérieur :* transcription à la première personne d'une suite d'états de conscience que le personnage est censé éprouver.

Un pas au-delà du «Journal intime», et le «monologue intérieur» apparaissait. Mais pour franchir ce pas, il fallait beaucoup d'audace, une grande capacité d'invention et une rare maîtrise (...) Aussi faut-il voir dans *Les lauriers sont coupés* tout le contraire d'une curiosité de l'histoire littéraire, d'une anticipation fortuite de la forme consacrée et répandue trente ans plus tard par James Joyce.
Valery LARBAUD, *in* E. DUJARDIN, Les lauriers sont coupés, Préface.

CONTR. Dialogue, entretien.
DÉR. Monologique, monologuer, monologueur ou monologuiste.

MONOLOGUER [mɔnɔlɔge] v. intr. — 1851 ; de *monologue.*

♦ Parler seul, ou en présence de qqn comme si l'on était seul. *Il monologuait plutôt qu'il ne causait* (2. Causer, cit. 2).

L'homme est beaucoup moins seul *(que la femme),* même quand il l'est le plus : son monologue suffit à peupler son désert ; et quand il est seul à deux, il s'en accommode mieux, car il le remarque moins, il monologue toujours.
R. ROLLAND, Jean-Christophe, Les amies, p. 1184.

DÉR. Monologueur.

MONOLOGUEUR, EUSE [mɔnɔlɔgœR, øz] ou MONOLO-GUISTE [mɔnɔlɔgist] n. — 1876, *monologueur; monologuiste,* 1922 ; de *monologuer.*

♦ Littér. Personne qui parle seule, qui fait des monologues.

De profession à profession, on se devine, et de vice à vice aussi. M. de Charlus et M. de Sidonia avaient chacun immédiatement flairé celui de l'autre, et qui, pour tous les deux, était, dans le monde, d'être monologuistes, au point de ne pouvoir souffrir aucune interruption.
PROUST, À la recherche du temps perdu, t. IX, p. 54.

MONOMANE [mɔnɔman] ou MONOMANIAQUE [mɔnɔmanjak] adj. et n. — 1829, *monomane; monomaniaque,* 1839 ; de *monomanie.*

♦ Vx ou littér. Atteint de monomanie (→ Menacer, cit. 7). — N. *Un, une monomane* ou *monomaniaque.* ⇒ **Maniaque** (→ Idée, cit. 37).

On sait, en effet, à quelles déplorables extrémités se portent quelquefois ces Anglais monomanes sous la pression d'une idée fixe. Aussi Passepartout, sans en avoir l'air, surveillait-il son maître.
J. VERNE, le Tour du monde en 80 jours, p. 314.
L'obsession de la femme aimée devint tout de suite pour lui aiguë, monomaniaque. Marcel PRÉVOST, les Demi-vierges, III, 3.
Et lui, cet inconnu, qui, tout seul, avait creusé douze ans, quinze ans, et qu'on traitait de fou, de monomane (...)
F. MALLET-JORIS, le Jeu du souterrain, p. 232.

MONOMANIE [mɔnɔmani] n. f. — 1814, Nysten ; t. dû à Esquirol ; de *mono-,* et *-manie.*

♦ Psychiatrie. (Vx). Délire partiel, psychose limitée à un seul ordre de faits. ⇒ **Manie.**

Il avait déjà cinquante-neuf ans. À cet âge, l'idée qui le dominait contracta l'âpre fixité par laquelle commencent les monomanies.
BALZAC, la Recherche de l'absolu, Pl., t. IX, p. 588.

Cour. et vieilli. Idée fixe, obsession.

On retrouve dans l'ouvrage et dans les notes qui l'accompagnent cette préoccupation constante du pied et de la chaussure des femmes qu'on remarque dans tous les écrits de l'auteur *(Restif de la Bretonne).* Cette monomanie ne l'a pas abandonné un seul jour.
NERVAL, les Illuminés, «Confidences de Nicolas», Dernière partie, II.
Le vieil horloger s'en allait peu à peu. Ses facultés tendaient évidemment à s'amoindrir en se concentrant sur une pensée unique. Par une funeste association d'idées, il ramenait tout à sa monomanie (...)
J. VERNE, Maître Zacharius, p. 136.

DÉR. Monomane ou monomaniaque.

MONÔME [mɔnom] n. m. — 1691 ; de *mono-,* d'après *binôme.*

♦ **1.** Math. Expression algébrique, formule entre les constituants de laquelle il n'y a ni signe d'addition ou de soustraction, ni signe indiquant une relation (égalité, inégalité, etc.). *Un monôme est un polynôme* dont tous les coefficients, sauf un, sont nuls. $3\ a^2\ b\ x\ c$;* $\frac{a^3 b^2 x}{2}$*, sont des monômes. Monôme formé d'un seul élément.* (Opposé à *binôme, trinôme, polynôme).* — Appos. *Fonction monôme.*

♦ **2.** (1878 ; appelé *seul-homme,* en 1836, argot polytechnicien, jeu de mots et allus. à la suite des termes du monôme des mathématiciens). File d'étudiants se tenant par les épaules, qui se promènent sur la

voie publique. *Monôme organisé un jour d'examen.* «*Formez le monôme* ».

Il avait pâli de même, un jour, boulevard Saint-Michel, en voyant passer un monôme d'étudiants (...) Ils marchaient en se tenant par les épaules, et en braillant quelque chose, derrière une pancarte (...)
MONTHERLANT, les Jeunes Filles, p. 269.

MONOMÈRE [mɔnɔmɛR ; mɔnɔmeR] adj. et n. m. — Av. 1948 ; en angl., 1914 ; de *mono-,* et *-mère* d'après *polymère ;* de *mono-,* et *-mère* «segment», autre sens (vx) en zool., 1839, «à un seul article».

♦ Adj. Chim. *Molécule, motif monomère :* molécule généralement formée d'un petit nombre d'atomes, capables d'entrer comme unité constituante dans la macromolécule d'un polymère. *On appelle homopolymères et copolymères les polymères à motifs monomères respectivement identiques et différents.*

N. m. *Un monomère :* un corps dont la molécule est monomère. (Les biochimistes emploient *protomère** pour désigner un monomère à l'état associé). *Réaction de polymérisation sur un monomère liquide, solide, gazeux.*

On dit qu'il y a polymérisation lorsque l'on obtient, à partir d'une molécule de base dite monomère, un corps à plus grosse molécule, ou polymère, qui résulte de la juxtaposition convenable des molécules de ce monomère, sans qu'aucun tiers produit n'ait été éliminé. Si l'on désigne par M la molécule monomère, le schéma représentatif d'une polymérisation sera donc : $nM \rightarrow Mn.$
Jean VÈNE, les Plastiques, p. 22.

MONOMÉTALLISME [mɔnɔmetalism] n. m. — 1875 ; de *mono-,* et *métal.*

♦ Écon. Système monétaire métallique dans lequel un seul métal possède les caractères fondamentaux de frappe libre et de pouvoir libératoire illimité (opposé à *bimétallisme). Monométallisme or, argent.*

DÉR. Monométalliste.

MONOMÉTALLISTE [mɔnɔmetalist] adj. et n. — 1876 ; de *monométallisme.*

♦ Écon. Qui a le monométallisme pour système monétaire. *Pays monométalliste.* — N. Partisan du monométallisme (opposé à *bimétalliste).*

MONOMÈTRE [mɔnɔmɛtR ; mɔnɔmetR] adj. et n. m. — 1771 ; grec *monometros,* de *mono-* (→ Mono-), et *metron* «mesure d'un vers» (→ -mètre).

♦ Poésie. Qui n'a qu'une seule espèce de vers. *Poème monomètre.* — (1868). Se dit d'un vers grec ou latin formé d'une seule mesure de deux pieds. — N. m. (1812). *Un monomètre.*

MONOMOLÉCULAIRE [mɔnɔmɔlekylɛR] adj. — 1903, *Rev. gén. des sc.,* nº 2, p. 110 ; de *mono-,* et *moléculaire.*

♦ Didact. Qui ne concerne qu'une molécule. — Qui ne comporte qu'une molécule. *Filament monomoléculaire.*

MONOMORPHE [mɔnɔmɔrf ; mɔnɔmɔrf] adj. — 1959 ; de *mono-,* et *-morphe.*

♦ Didact. Qui revêt toujours la même forme. — Méd. *Extrasystoles monomorphes. Maladie monomorphe,* dont toutes les manifestations présentent la même forme.

CONTR. Polymorphe.

MONOMORPHISME [mɔnɔmɔrfism ; mɔnɔmɔrfism] n. m. — Mil. xxe ; de *mono-,* et *-morphisme.*

♦ Math. *Monomorphisme d'une catégorie* :* morphisme de cette catégorie tel que l'égalité de deux morphismes composés de ce morphisme et respectivement d'un morphisme quelconque *f* et d'un morphisme quelconque *g* de la catégorie entraîne l'égalité des deux morphismes *f* et *g.*

MONOMOTEUR, TRICE [mɔnɔmɔtœR, tRis ; mɔnɔmɔtoeR, tRis] adj. et n. m. — 1977 ; de *mono-,* et *moteur.*

♦ Qui n'a qu'un seul moteur. *Avion monomoteur. Bogie monomoteur.* — N. m. Avion à un moteur. *Un petit monomoteur de tourisme.*

MONONUCLÉAIRE [mɔnɔnykleɛR] adj. et n. m. — 1897, l'*Année biol.,* 1899, p. 254 ; de *mono-,* et *nucléaire.*

♦ Biol. Qui n'a qu'un seul noyau, en parlant d'une cellule. *Les leucocytes mononucléaires* (n. m., *les mononucléaires) comprennent les* *lymphocytes, les monocytes. Les mononucléaires et les polynucléaires*.*

MONONUCLÉOSE [mɔnɔnykleoz] n. f. — 1901, *in* D.D.L.; de *mononucléaire.*

♦ Méd. Leucocytose caractérisée par l'augmentation des mononucléaires. *Mononucléose infectieuse* (dite aussi *angine à monocytes*).

MONONUCLÉOTIDE [mɔnɔnykleɔtid] n. m. — 1970; de *mono-*, et *nucléotide.*

♦ Biochim. Composé formé d'une base azotée, d'un sucre et d'acide phosphorique. (On emploie dans le même sens *nucléotide**). *Mononucléotides des molécules d'A.D.N. et d'A.R.N., des oligonucléotides.*

Il a été prouvé d'ailleurs que la condensation de mononucléotides activée par des catalyseurs non enzymatiques, est effectivement dirigée par leur appariement spontané avec un polynucléotide préexistant.

Jacques MONOD, le Hasard et la Nécessité, p. 142.

MONOPARENTAL, ALE, AUX [mɔnɔparɑ̃tal, o] adj. — 1980; de *mono-*, et *parental.*

♦ Où il n'y a qu'un seul parent, père ou mère, en parlant d'une famille. *Les foyers monoparentaux.*

MONOPÉTALE [mɔnɔpetal] adj. — 1732; de *mono-*, et *pétale.*

♦ Bot. Dont la corolle est formée d'un seul pétale. ⇒ **Gamopétale.**

MONOPHAGE [mɔnɔfaʒ] adj. — 1968; «qui n'aime qu'un aliment», 1874; de *mono-*, et *-phage.*

♦ Sc. Qui se nourrit d'une seule espèce vivante. *Prédateur monophage.*

MONOPHASÉ, ÉE [mɔnɔfaze; mɔnɔfaze] adj. et n. m. — 1931; de *mono-*, et *phase.*

♦ Électr. Qui ne présente qu'une phase, en parlant du courant alternatif. — N. m. *Du monophasé.* (Opposé à *polyphasé*).

MONOPHONIE [mɔnɔfɔni; mɔnɔfɔni] n. f. — Mil. XXᵉ (attesté 1956, *in* D.D.L.); de *mono-*, et *-phonie.*

♦ Reproduction monophonique des sons (opposé à *stéréophonie*). *Disque enregistré en monophonie.* (Abrév. fam. : *mono*). *En mono ou en stéréo.*

MONOPHONIQUE [mɔnɔfɔnik; mɔnɔfɔnik] adj. — Mil. XXᵉ; de *mono-*, et *phonique* (ou de *monophonie*).

♦ **1.** Mus. Qui n'a qu'une partie, est à l'unisson (opposé à *polyphonique*). ⇒ **Homophonie.**

♦ **2.** Cour. Qui comporte un seul canal d'amplification (en parlant d'un système électro-acoustique) et ne peut donner l'impression de relief sonore (opposé à *stéréophonique*). — Syn. : *monaural.*

(...) en principe, la lecture d'une gravure 2 × 45 avec un pick-up monophonique latéral fournira la somme des deux voies et rend ainsi le disque compatible. Lu avec un pick-up monophonique, un tel disque stéréophonique donnera une audition qui sera la somme des deux voies.

P. GILOTAUX, l'Industrie du disque, p. 101.

MONOPHTONGAISON [mɔnɔftɔ̃gɛzɔ̃] n. f. — 1933, Marouzeau; de *mono-*, et *diphtongaison.*

♦ Didact. (phonét.). Réduction d'une diphtongue à une voyelle simple et stable (dite *monophtongue*, n. f.).

MONOPHYLÉTIQUE [mɔnɔfiletik; mɔnɔfiletik] adj. — V. 1903, *Nouveau Larousse illustré*; de *mono-*, et *phylétique.* → Phylum.

♦ Didact. (biol.). Dérivé par l'évolution d'un seul archétype, d'un seul phylum. *Individus, groupes monophylétiques* (opposé à *polyphylétique*). — *Filiation monophylétique,* d'un tel groupe.

DÉR. Monophylétisme.

MONOPHYLÉTISME [mɔnɔfiletism; mɔnɔfiletism] n. m. — 1938-1940, Teilhard de Chardin, *in* D.D.L.; de *monophylétique.*

♦ Didact. (biol.). Filiation monophylétique.

MONOPHYLLE [mɔnɔfil; mɔnɔfil] adj. — 1709; de *mono-*, et *-phylle.*

♦ Bot. Formé d'une seule pièce, en parlant d'un organe foliacé. *Calice monophylle.* — Qui ne porte qu'une feuille. *Plante monophylle.*

MONOPHYODONTE [mɔnɔfjɔdɔ̃t] adj. et n. m. pl. — 1890, P. Larousse, *Deuxième Suppl.*; de *mono-*, d'après *diphyodonte.*

♦ Didact. Qui n'a qu'une dentition au cours de son développement. N. m. pl. *Les monophyodontes sont les «édentés», les cétacés, les siréniens; tous les autres mammifères sont* diphyodontes. — Au sing. *Un monophyodonte.*

CONTR. Polyphyodonte.

MONOPHYSISME [mɔnɔfizism; mɔnɔfizism] n. m. — 1752, Trévoux; de *monophysite.*

♦ Relig. Doctrine monophysite.

MONOPHYSITE [mɔnɔfizit; mɔnɔfizit] adj. et n. — 1694, Corneille; de *mono-*, et grec *phusis* «nature», suff. *-ite.*

♦ Relig. *Doctrine monophysite,* qui ne reconnaît qu'une nature (divine; humaine) au Christ. N. Partisan de cette doctrine.

DÉR. Monophysisme.

MONOPLACE [mɔnɔplas; mɔnɔplas] adj. et n. — 1920, *in* D.D.L.; de *mono-*, et *place.*

♦ Qui n'a qu'une place, en parlant d'un véhicule. *Voiture, avion monoplace.* — N. *Un, une monoplace.*

MONOPLAN [mɔnɔplɑ̃; mɔnɔplɑ̃] n. m. — 1908, *l'Aéroplane pour tous*, p. 2; de *mono-*, et *plan.*

♦ Avion qui n'a qu'un seul plan de sustentation. (Opposé à *biplan, triplan*).

MONOPLÉGIE [mɔnɔpleʒi; mɔnɔpleʒi] n. f. — 1877; de *mono-*, d'après *hémiplégie.*

♦ Méd. Paralysie d'un seul membre ou d'un seul groupe musculaire.

MONOPODE [mɔnɔpɔd; mɔnɔpɔd] adj. — 1840, Académie; de *mono-*, et *-pode.*

♦ Didact. Qui n'a qu'un seul pied. — Spécialt. Arts. *Lion monopode :* motif décoratif du style Empire (tête et poitrail de lion sur une patte unique).

1. MONOPOLAIRE [mɔnɔpɔlɛʀ] adj. — 1771, *in* Brunot; de *monopole.*

♦ Didact. Qui a le caractère d'un monopole.

2. MONOPOLAIRE [mɔnɔpɔlɛʀ; mɔnɔpɔlɛʀ] adj. — 1975, Porot; angl. *monopolar* «à un seul pôle»; de *mono-*, et *polaire.*

♦ Psychiatrie. Anglic. Dont les accès périodiques ne présentent que l'aspect dépressif, en parlant d'une psychose périodique (→ Maniaque* : *psychose maniaque dépressive*).

MONOPOLE [mɔnɔpɔl] n. m. — 1318; «conspiration», 1314 et jusqu'au XVIIᵉ; lat. *monopolium*, grec *monopôlion*, de *pôlein* «vendre».

♦ **1.** Écon. «Régime de droit ou de fait soustrayant une entreprise ou une catégorie d'entreprises du régime de la libre concurrence et leur permettant ainsi de devenir maîtres de l'offre sur le marché» (Capitant). ⇒ **Oligopole.** *Monopole de fait. Monopole légal* (privilèges, brevets, marques). *Monopole privé. Entreprise, cartel, trust qui a le monopole d'un produit, d'un service...* (→ Groupe, cit. 12). *Monopole d'émission* (cit. 2) *d'une banque privée. Banque* (cit. 3) *qui jouit d'un monopole. Monopole public; monopole d'État* (cit. 135), *monopole départemental... Capitalisme de monopole.* ⇒ **Monopoliste.** *Monopole bilatéral* (ou *duopole*), dans lequel un seul vendeur vend un seul produit à un seul acheteur. *L'État a le monopole de l'alcool, de la poudre, des allumettes et du tabac* (⇒ **Régie**). *Monopole de la radio, de la télévision, des télécommunications. Les monopoles publics sont fiscaux* (variante de l'impôt de consommation), *administratifs* (intérêt général) *ou mixtes. Monopole industriel, commercial* (⇒ **Commerce**).

Quand un peuple est pauvre et sans industrie, il faut alors créer des compagnies, leur donner des privilèges exclusifs; mais quand chaque citoyen est devenu commerçant, il faut alors détruire ces corps privilégiés, car ils dégénéreraient en monopole, et voudraient étouffer l'industrie générale prête à éclore.

RIVAROL, Littérature, II.

(...) les Touchard père et fils avaient conquis le monopole du transport pour les villes les plus populeuses, dans un rayon de quinze lieues (...)
BALZAC, Un début dans la vie, Pl., t. I, p. 600.

(...) à chaque instant l'État intercale entre le prix de revient, quel qu'il soit, et le prix de vente (...) un impôt considérable. Tous ces monopoles avantageux ne sont que des moyens de faire payer beaucoup d'impôts sans qu'on s'en aperçoive.
Ch. PÉGUY, la République..., p. 63.

Si la raison d'être du monopole demeure la maximation du gain monétaire, il reste vrai que le monopole est un régime moins favorable à l'intérêt général que la concurrence. Mais précisément, alors que la concurrence est un régime dont la rationalité est exclusivement économique, le monopole peut se soumettre à une finalité différente de celle du gain monétaire illimité (...) Le monopole est de ce point de vue moins étranger que la concurrence aux préoccupations humaines.
H. GUITTON, in ROMEUF, Dict. des sciences économiques, Monopole.

Entreprise, organisme exerçant un monopole. *Le pouvoir des monopoles. Un monopole de presse.*

(1958). Mar. *Monopole du pavillon :* droit de navigation réservé au pavillon national pour la pêche côtière, pour certains transports maritimes, par exemple entre les ports français de la métropole (⇒ **Cabotage**), entre les ports de la métropole et ceux des départements d'outre-mer. — *Monopole de la pêche :* monopole des inscrits maritimes pour la pêche côtière.

♦ **2.** (Av. 1830). Privilège exclusif. ⇒ **Exclusivité.** *Parti qui s'attribue le monopole du patriotisme* (→ Belliqueux, cit. 4). *La passion de moraliser, d'évangéliser* (cit. 3), *monopole anglo-saxon. L'incohérence* (cit. 4) *n'est pas le monopole des fous.*

Il *(Rivarol)* parla d'abord de Voltaire, contre lequel il poussait fort loin la jalousie ; il lui en voulait d'avoir su s'attribuer le monopole universel de l'esprit.
CHÊNEDOLLÉ, in SAINTE-BEUVE, Chateaubriand..., t. II, p. 130.

Il enrageait de voir les nationalistes revendiquer toujours pour eux seuls le monopole de la noblesse, du désintéressement, des vertus héroïques (...)
MARTIN DU GARD, les Thibault, t. VII, p. 109.

CONTR. Concurrence, monopsone.
DÉR. Monopoliser, 1. monopolaire, monopoler, monopoliser, monopoliste, monopolistique.

MONOPÔLE [monopol] n. m. — 1968 ; hypothèse due à Dirac, 1931 ; de *mono-*, et *pôle*.

♦ Phys. Particule magnétique hypothétique, à un seul pôle.

MONOPOLER [monopole] v. intr. — Fin XVIe ; *monopoller*, déb. XVIe ; de *monopole*.

♦ Vx. Jouir d'un monopole. ⇒ **Monopoliser.**
DÉR. Monopoleur.

MONOPOLEUR, EUSE [monopolœR, φz] n. — 1552 ; de *monopoler*.

♦ Écon. Bénéficiaire d'un monopole, vendeur sans concurrent. *Monopoleur qui détruit sa marchandise pour éviter la chute des cours.* — Par appos. *Trust monopoleur.*

MONOPOLISATEUR, TRICE [monopolizatœR, tRis] n. — 1846 ; de *monopoliser*.

♦ Personne qui monopolise. — Fig. *Le monopolisateur de l'attention générale.*

MONOPOLISATION [monopolizasjõ] n. f. — 1846 ; de *monopoliser*.

♦ Action, fait de monopoliser. ⇒ **Accaparement.** *La monopolisation d'un commerce, d'un produit. La monopolisation de la presse. Monopolisation par l'État.* ⇒ **Nationalisation.**
Fig. *La monopolisation de l'attention par qqn.*

MONOPOLISER [monopolize] v. tr. — 1783 ; «conspirer», v. intr., 1599 ; de *monopole*.

♦ **1.** Exploiter, vendre par monopole. *L'État monopolise les tabacs. Financiers qui monopolisent des lignes* (cit. 20) *de messageries* (⇒ **Monopoleur**). — Faire passer à l'état de monopole. *L'État a monopolisé les chemins de fer.* ⇒ **Nationaliser.** *Commerce monopolisé par une firme. Monopoliser les moyens d'information.*

(...) la spécialité *(des papiers)*, monopolisée par les fabricants d'Angoulême depuis de longues années, donnait gain de cause à l'exigence des Cointet.
BALZAC, Illusions perdues, Pl., t. IV, p. 1049.

♦ **2.** (1784, Beaumarchais). Fig. Accaparer*, s'attribuer (un objet ou un privilège exclusif). « *Vouloir monopoliser les honneurs* » (Académie). ⇒ **Monopolisateur.**

Victor Hugo a pris l'ode, Canalis donne dans la poésie fugitive, Béranger monopolise la Chanson, Casimir Delavigne accapare la Tragédie et Lamartine la Méditation.
BALZAC, Illusions perdues, Pl., t. IV, p. 673.

(Compl. n. de personne). Accaparer (qqn).

S'ils laissent M. Soustelle monopoliser de Gaulle — et ils ont tout fait jusqu'à maintenant pour lui donner cette chance inespérée — alors à nous les délices du parti unique.
F. MAURIAC, le Nouveau Bloc-notes 1958-1960, p. 111.

DÉR. Monopolisateur, monopolisation.

MONOPOLISTE [monopolist] adj. et n. — 1829, cit. *infra ;* «accapareur», fin XVIe ; de *monopole*, et *-iste.*

♦ Écon. Qui impose ou détient un monopole. ⇒ **Monopoleur.** *Un groupement financier monopoliste. Capitalisme monopoliste d'État.* « *L'oligarchie monopoliste* » (*le Nouvel Obs.*, 26 juin 1968). N. Personne qui détient un monopole.

(...) peut-être ne gagnerait-on rien à le faire, puis chaque branche est un monopole, et des monopolistes, quels qu'ils soient, sont trop jaloux de leurs prérogatives pour souffrir les empiétements.
VIDOCQ, Mémoires (1829), in le Français moderne.

MONOPOLISTIQUE [monopolistik] adj. — 1964 ; de *monopole*, *monopoliser*.

♦ Écon. De monopole. *Le capitalisme monopolistique.* « *Des situations monopolistiques* » (*France-Europe*, n° 16, p. 12). *Pouvoir, syndicat monopolistique. Pratiques, situations monopolistiques.*

MONOPRIX [monopRi ; monopRi] n. m. — 1932 ; nom déposé ; de *mono-*, et *prix.*

♦ Magasin à succursales multiples (→ Prisunic, Uniprix) originairement à prix unique pour un groupe déterminé de marchandises. ⇒ **Centrale** (d'achats).

Comme dans chaque ville de France il existait à Brest un Monoprix, endroit choisi pour les promenades de Dédé et de nombreux marins qui circulaient entre les comptoirs où ils convoitent — et quelquefois achètent — avant toute chose, une paire de gants.
Jean GENET, Querelle de Brest, p. 178 (1953).

MONOPROCESSEUR [monopRosesœR] n. m. et adj. — V. 1970 ; de *mono-*, et *processeur.*

♦ Techn. Système informatique comportant une seule unité de traitement.
CONTR. Multiprocesseur.

MONOPROGRAMMATION [monopRogRamasjõ] n. f. — V. 1970 ; de *mono-*, et *programmation.*

♦ Techn. Programmation sur un ordinateur d'un seul travail à la fois.
CONTR. Multiprogrammation.

MONOPSONE [monopson] n. m. — 1948, Marchal, *le Mécanisme des prix ;* de *mono-*, et grec *opsônein* « s'approvisionner ».

♦ Écon. Rare. Situation économique où de nombreux vendeurs doivent écouler leur marchandise à un acheteur unique (opposé à *monopole*).

MONOPTÈRE [monoptER] adj. et n. m. — 1547, *in* D.D.L. ; grec *monopteros ;* de *mono-*, et *-ptère.*

♦ Archit. *Temple monoptère, un monoptère :* temple circulaire à coupole entourée d'une seule rangée de colonnes.

MONORAIL [monoRaj ; monoRaj] adj. invar. et n. m. — 1884, «chemin monorail», Lartigues, *Année sc. et industr.*, 1885, p. 159 ; de *mono-*, et *rail.*

♦ Qui n'a, qui n'utilise qu'un seul rail, en parlant d'un moyen de transport terrestre en site propre, d'une chaîne de manutention, etc. *L'Aérotrain*, train monorail sur coussin d'air.*
N. m. *Un monorail :* une voiture, un dispositif se déplaçant sur un seul rail, ou ne comportant qu'un seul rail. *Des monorails.*

MONORCHIDE [monoRkid] adj. et n. — 1868 ; grec *monorkhis*, de *mono-* et *orkhis* «testicule».

♦ **1.** Méd. Qui n'a qu'un testicule. — N. m. Homme (ou : animal) atteint de monorchidie.

♦ **2.** Bot. Qui n'a qu'un tubercule bien développé. — N. f. *Une monorchide.*
DÉR. Monorchidie.

MONORCHIDIE [monoRkidi] n. f. — 1868 ; de *monorchide.*

♦ Méd. Présence d'un seul testicule dans les bourses.

MONORÉACTEUR [monoReaktœR] n. m. et adj. m. — 1955, *Larousse mensuel*, nov., p. 738 ; de *mono-*, et *réacteur.*

♦ N. m. Avion à un seul réacteur. — Adj. m. *Un avion monoréacteur* (opposé à *biréacteur, quadriréacteur*).

MONORÉFRINGENT, ENTE [mɔnɔʀefʀɛ̃ʒɑ̃, ɑ̃t] adj. — 1874; de *mono-*, et *réfringent.*

♦ Didact. (phys.). Qui produit une réfraction simple.

MONORIME [mɔnɔʀim, mɔnɔʀim] adj. et n. m. — 1691, n. m.; de *mono-*, et *rime.*

♦ Poésie. Dont tous les vers ont la même rime. *Laisse, couplet monorime.* — N. m. *Un monorime :* un poème monorime. *Écrire un monorime.*

MONOSACCHARIDE [mɔnosakaʀid] n. m. — Mil. xxᵉ; de *mono-*, et *saccharide.*

♦ Biochim. Sucre de formule $C_nH_{2n}O_n$, non hydrolysable (glucose, fructose, etc.). *Les monosaccharides* ou *oses* (désignation plus courante aujourd'hui). ⇒ **Ribose.**

MONOSÉMIE [monosemi; mɔnɔsemi] n. f. — xxᵉ; de *mono-*, et *sémie.*

♦ Didact. Caractère d'un signe linguistique qui n'a qu'une seule signification.
CONTR. **Polysémie.**

MONOSÉMIQUE [monosemik; mɔnɔsemik] adj. — Mil. xxᵉ; de *mono-*, et *sémique* dans *polysémique.*

♦ Didact. Qui n'a qu'une seule signification, en parlant d'un signe.
CONTR. **Polysémique.**

MONOSÉPALE [mɔnosepal] adj. — 1790; de *mono-*, et *sépale.*

♦ Bot. Qui n'a qu'un sépale, est fait d'une seule pièce. *Calice monosépale.* — Par ext. *Fleur monosépale.* (On dit aussi *gamosépale*).

MONOSEXUALITÉ [mɔnosɛksɥalite] n. f. — Mil. xxᵉ; de *mono-sexuel.* → Unisexualité.

♦ **1.** Bot. Zool. Caractère des plantes et des animaux monosexués.

♦ **2.** Psychol. Caractère d'un individu humain à prédominance psychique monosexuelle.
(...) organisme bissexuel à l'origine et qui, au cours de l'évolution, s'oriente vers la monosexualité tout en conservant quelques restes du sexe atrophié.
Trad. FREUD, *in* J. LAPLANCHE, Voc. de la psychanalyse (1967).

MONOSEXUÉ, ÉE [mɔnosɛksɥe] ou **MONOSEXUEL, ELLE** [mɔnosɛksɥɛl] adj. — 1948, psychol.; de *mono-*, et *sexuel.*

♦ **1.** Bot. Zool. Se dit des plantes et des animaux qui n'ont qu'un seul sexe. ⇒ **Unisexué.**

♦ **2.** Psychol. Se dit des individus humains à la sexualité psychique bien définie.
Bissexualité psychique à dominante monosexuelle sur une sexualité physiologique fermement arrêtée : ainsi peut-on qualifier l'équilibre normal de l'être humain.
E. MOUNIER, la Relation sexuelle (1948), *in* Dʳ WILLY, la Sexualité, t. I, p. 43.
CONTR. **Bisexué. — Hermaphrodite.**

MONOSKI [mɔnoski; mɔnɔski] n. m. — V. 1960; de *mono-*, et *ski.*

♦ Ski unique sur lequel reposent les deux pieds. — Sport de glisse (ski; ski nautique) pratiqué sur ce ski. *Faire du monoski.*

MONOSOC [mɔnosɔk; mɔnɔsɔk] adj. et n. — 1873, P. Larousse; de *mono-*, et *soc.*

♦ Agric. *Charrue monosoc,* qui ne trace qu'une raie à la fois. — N. *Des monosocs.*
CONTR. **Polysoc.**

MONOSPERME [mɔnospɛʀm; mɔnɔspɛʀm] adj. — 1798; de *mono-*, et *sperme.*

♦ Bot. Qui ne contient qu'une seule graine. *Fruit monosperme. Les akènes, les caryopses... sont monospermes.*

MONOSPERMIQUE [mɔnospɛʀmik] adj. — 1846, « monosperme »; de *mono-, sperme,* et *-ique.*

♦ Biol. Relatif à un seul germe (spermatozoïde, etc.).

La fécondation et le développement de l'œuf ont été (...) étudiés et suivis en détail sur un nombre énorme d'animaux et de plantes, dans tous les groupes, des Mammifères aux Invertébrés les plus inférieurs (...) Un seul spermatozoïde pénètre dans l'œuf; la fécondation est monospermique. L'œuf fécondé a acquis (...) une véritable immunité contre toute autre fécondation ultérieure.
Maurice CAULLERY, les Étapes de la biologie, p. 72.

MONOSTIQUE [mɔnɔstik] ou **MONOSTICHE** [mɔnɔstiʃ] adj. et n. — 1750, *monostique; monostiche,* 1963; lat. *monostichus,* grec *monostikhos.*

♦ Littér. Qui ne comporte qu'un vers. *Adage monostique.* — N. *Un monostique :* inscription, épigramme d'un seul vers.

MONOSTYLE [monostil; mɔnɔstil] adj. — 1931; bot., 1808; de *mono-*, et *-style.*

♦ Archit. Qui n'a qu'un fût, en parlant d'une colonne.

MONOSUBSTITUÉ, ÉE [mɔnosypstitɥe] adj. — 1903, *Rev. gén. des sc.,* nº 2, p. 110; de *mono-*, et *substitué.*

♦ Chim. Qui est obtenu par substitution d'un radical ou d'un atome à un seul atome de la molécule initiale, en parlant d'un dérivé. *Dérivés monosubstitués.*

MONOSYLLABE [mɔnosi(l)lab; mɔnɔsi(l)lab] adj. et n. m. — 1521, n. m.; lat. *monosyllabus,* grec *monosullabos.*

♦ Qui n'a qu'une syllabe*. *Mot, vers monosyllabe.* ⇒ **Monosyllabique.**

N. m. Mot d'une syllabe (→ Consonance, cit. 5). « *Le jour n'est pas plus pur que le fond de mon cœur* » (Racine, *Phèdre,* IV, 2), *vers formé de monosyllabes.*

Tout idiome commençant aura été composé de monosyllabes, comme plus aisés à former et à retenir. Nous voyons en effet que les nations les plus anciennes, qui ont conservé quelque chose de leur premier langage, expriment encore par des monosyllabes les choses les plus familières et qui tombent le plus sous nos sens : presque tout le chinois est fondé encore aujourd'hui sur des monosyllabes.
VOLTAIRE, Essai sur les mœurs, Introd., « Des sauvages ».

Loc. (1558, *in* D.D.L.). *Répondre par monosyllabes* (par ex. : oui, non, tiens! Ah? Vous?), sans former de phrases.
(...) le cocher essaya de nouer la conversation, mais le voyageur ne répondait que par monosyllabes. HUGO, les Misérables, II, III, VI.
Alcide Jolivet parlait par phrases, Harry Blount répondait par monosyllabes.
J. VERNE, Michel Strogoff, p. 169-170.
CONTR. **Polysyllabe.**
DÉR. **Monosyllabique, monosyllabisme.**

MONOSYLLABIQUE [mɔnosi(l)labik; mɔnɔsi(l)labik] adj. — Fin xviiᵉ; de *monosyllabe.*

♦ **1.** Qui n'a qu'une syllabe. ⇒ **Monosyllabe.**
(Dans les langues thaï) les mots sont tous monosyllabiques. Toutefois (...) les emprunts (...) ont été si considérables que, malgré la tendance des mots empruntés à s'abréger, les dissyllabes et même les polysyllabes sont aujourd'hui nombreux.
MEILLET et COHEN, les Langues du monde..., p. 574.

♦ **2.** (1752). Qui est formé de monosyllabes. *Vers monosyllabique* (→ Monosyllabe, cit. 1, Racine, *Phèdre,* IV, 2).
Spécialt. *Langue monosyllabique,* dont les mots sont formés de monosyllabes ou d'associations de monosyllabes (polysyllabes) toujours décomposables en monosyllabes signifiants (emprunts exceptés). *Le chinois est monosyllabique.*
CONTR. **Polysyllabique.**

MONOSYLLABISME [mɔnosi(l)labism; mɔnɔsi(l)labism] n. m. — 1846; de *monosyllabe.*

♦ Didact. Caractère d'un mot monosyllabique. — (1868). Caractère d'une langue monosyllabique.

MONOTHÉIQUE [mɔnoteik; mɔnɔteik] adj. — 1844, cit. *infra;* de *monothéisme.*

♦ Didact. Qui appartient au monothéisme. *Croyances monothéiques.*
Dans l'état présent de la raison humaine, on peut assurer que le régime monothéique, longtemps favorable à l'essor primitif des connaissances réelles, entrave profondément la marche systématique qu'elles doivent prendre désormais (...) A. COMTE, Discours sur l'esprit positif.

MONOTHÉISME [mɔnoteism; mɔnɔteism] n. m. — 1828; de *mono-*, et *théisme.*

♦ Croyance en un Dieu unique. *Monothéisme des juifs, des chrétiens, des musulmans. Monothéisme chrétien conciliable avec la Trinité*. Moïse et le monothéisme,* œuvre de Freud.

Fondé sur le dogme clair et simple de l'unité divine, écartant le naturalisme et le panthéisme par cette phrase merveilleuse de netteté : « Au commencement, Dieu créa le ciel et la terre » (...) le judaïsme avait une incontestable supériorité, et il était possible de prévoir dès lors qu'un jour le monde (...) quitterait la vieille mythologie pour le monothéisme.
RENAN, Mélanges d'histoire et de voyages, Peuples sémitiques, Œ. compl., t. II, p. 329.

CONTR. Polythéisme.
DÉR. Monothéique, monothéiste.

MONOTHÉISTE [mɔnoteist; mɔnoteist] n. et adj. — 1828, adj.; de mono-, et -théiste.

♦ Personne dont la religion est un monothéisme. *Les monothéistes et les polythéistes.* Adj. *Peuple monothéiste.* — Par ext. *Idées monothéistes.*

Ce dieu qu'Israël sert dès cette ancienne époque, c'est le dieu unique, c'est Dieu. Il n'y a pas à douter du caractère strictement monothéiste de cette religion patriarcale, et nous touchons ici au plus grand mystère de cette histoire.
DANIEL-ROPS, le Peuple de la Bible, I, III.

MONOTHÉLISME [mɔnotelism; mɔnotelism] n. m. — 1771; de monothélite.

♦ Didact. (hist. relig.). Hérésie de ceux qui reconnaissaient dans le Christ une seule volonté divine en admettant sa double nature humaine et divine.

DÉR. Monothélite.

MONOTHÉLITE [mɔnotelit; mɔnotelit] adj. et n. — xvᵉ; du grec monothelêtai, de thelein « vouloir ».

♦ Didact. (hist. relig.). Partisan du monothélisme. — (1868). Relatif au monothélisme.

MONOTONE [mɔnotɔn] adj. — 1732; bas lat. monotonus, grec monotonos, de monos et tonos. → Ton.

♦ **1.** Qui est toujours sur le même ton ou dont le ton est peu varié. ⇒ **Monocorde.** *Chant* (→ Assoupir, cit. 11), *air monotone* (→ Biniou, cit.). *La mélopée, chant mélancolique et monotone. Cri, chant monotone du coucou* (cit. 3), *de la grenouille* (cit. 5). — *Intonation* (cit. 3) *monotone. Voix traînante et monotone* (→ Élève, cit. 3). — *Bruit, bourdonnement* (cit. 5), *tintement monotone* (→ Crescendo, cit. 1).

(...) les bois retentissaient du chant monotone des cailles (...)
CHATEAUBRIAND, Atala, Les chasseurs.
De tous les côtés, montaient des gémissements sourds ou aigus qui ne faisaient qu'une plainte monotone.
CAMUS, la Peste, p 226.
Qui est régulier et sur le même ton. *Le battement* (cit. 13) *monotone des métiers. Piétinement monotone. Débit* (cit. 8) *monotone d'un orateur, d'un acteur. Discours monotone et ennuyeux, et assoupissant.*

Le cortège avançait lentement au rythme monotone des deux tambours (...)
P. MAC ORLAN, la Bandera, XVIII.

Par ext. En parlant d'un acteur, d'un orateur..., Qui lasse par un débit monotone. *Conférencier monotone qui ennuie son auditoire.*

♦ **2.** Fig. Qui lasse par son uniformité, par la répétition, par l'absence de variété. ⇒ **Uniforme.** *Ton grisâtre* (cit. 1, Diderot) *et monotone. Paysage, spectacle, tableau monotone* (→ Dérouler, cit. 5). *Marche* (2. Marche, cit. 12) *monotone. — Ville, pays monotone. — Style monotone. Tâche monotone et harassante* (cit. 1). — *Une existence* (cit. 19), *une vie monotone,* triste et unie*, qui manque de variété, d'imprévu* (→ Horloge, cit. 11). « *Langueur* (cit. 8) *monotone* » (Verlaine).

Il n'est pas un site d'un grand caractère auquel on puisse sérieusement comparer ces terres basses qui n'ont ni vagues, ni torrents, rien qui étonne ou qui attache; surface monotone à qui il ne resterait plus aucune beauté si l'on en coupait les bois; assemblage trivial et muet de petites plaines de bruyère, de petits ravins, et de rochers mesquins uniformément amassés (...)
É. DE SENANCOUR, Oberman, XXV.
Talma a des moments sublimes, mais souvent monotones.
STENDHAL, Journal, p. 94.
1 Quelques champs, semés de maigre sarrasin et de seigle, s'étendaient jusqu'à l'arrière-plan de coteaux à demi cultivés, mais qui, en somme, n'offraient aucun point de vue remarquable. Dans ces paysages monotones, le crayon d'un dessinateur, en quête de quelque site pittoresque, n'eût rien trouvé à reproduire.
J. VERNE, Michel Strogoff, p. 96.
Sans doute. La vie est plutôt monotone tant qu'on la regarde avec folie, mais purement fantastique dès qu'on tâche de la regarder avec raison (...)
J. PAULHAN, Entretien sur des faits divers, p. 36.

♦ **3.** Math. Qui varie dans le même sens. *Fonction monotone d'un ensemble ordonné dans un autre,* fonction soit croissante, soit décroissante. *Suite monotone d'éléments dans un ensemble ordonné,* suite soit croissante, soit décroissante (⇒ **Monotonie**).

CONTR. Nuancé, varié. — Divertissant.
DÉR. Monotonement, monotoniser (se).

MONOTONEMENT [mɔnotɔnmɑ̃] adv. — 1845, monotonément; de monotone.

♦ Rare. D'une manière monotone. ⇒ **Uniformément; ennuyeusement.** *Débiter monotonement des litanies. Psalmodier monotonement.*

MONOTONIE [mɔnotoni] n. f. — 1671; du grec monotonia, de monotonos. → Monotone.

♦ **1.** Rare. Caractère de ce qui est monotone (1.). *Monotonie d'une psalmodie, d'un bruit...*
Monotonie du débit d'un orateur. Par ext. *Monotonie d'un orateur.*

♦ **2.** (Déb. xviiiᵉ). Fig., cour. Uniformité* lassante. *Monotonie d'un paysage. Monotonie d'un travail, d'une occupation. Monotonie du style, de la conversation. La monotonie du dîner* (→ Avance, cit. 15), *des journées* (→ Haletant, cit. 9). *Monotonie de l'existence.* ⇒ **Ennui, grisaille, prosaïsme** (→ Cuire, cit. 20). *Fêtes* (cit. 1) *qui rompent la monotonie de l'existence.*

Cependant je sens que j'aime la monotonie des sentiments de la vie, et si j'avais encore la folie de croire au bonheur, je le chercherais dans l'habitude.   1
CHATEAUBRIAND, René.
Les gens d'esprit ont presque autant de monotonie dans leur conversation que les   2
bêtes.   B. CONSTANT, Journal intime, mi-nov. 1804.
— J'ai beau chercher, je n'ai rien qui vaille la peine d'être rapporté; — ma vie   3
est la plus unie du monde, et rien n'en vient couper la monotonie.
Th. GAUTIER, Mˡˡᵉ de Maupin, I.
La monotonie des besognes quotidiennes était, en fin de compte, intolérable (...)   4
G. DUHAMEL, Salavin, III, XIII.

♦ **3.** Math. Fait (pour une application, une suite d'éléments) d'être monotone*. *Monotonie d'une fonction.*
CONTR. Changement, diversité, variété.

MONOTONIQUE [mɔnotɔnik] adj. — Mil. xxᵉ (in Larousse, 1963); de mono-, et tonique.

♦ Ling. Qui n'a qu'un seul ton*.

MONOTONISER (SE) [mɔnotɔnize] v. pron. — 1891, Rosny; de monotone, et -iser.

♦ Littér., rare. Devenir monotone.

MONOTRACE [mɔnotʀas; mɔnotʀas] adj. — 1948; de mono-, et trace.

♦ Techn. (aviat.). Se dit d'un train d'atterrissage à deux roues dans l'axe de symétrie de l'avion.

MONOTRÈME [mɔnotʀɛm; mɔnotʀɛm] adj. et n. m. — 1803; adj., 1834; de mono-, et grec trêma « orifice ».

♦ Zool. Qui n'a qu'un seul orifice pour le rectum, les conduits urinaires et les conduits génitaux. ⇒ **Cloaque** (2.). *Les animaux monotrèmes.* — N. m. *Les monotrèmes :* ordre de mammifères protothériens comprenant des animaux terrestres ou aquatiques, au corps couvert de poils ou de piquants, à la tête prolongée par un bec corné aplati ou tubulaire. *Les monotrèmes sont ovipares. Principaux monotrèmes.* ⇒ **Échidné, ornithorynque.** — Au sing. *Un monotrème.*

MONOTRIPHASÉ, ÉE [mɔnotʀifaze; mɔnotʀifaze] adj. — V. 1960; de monophasé, et triphasé.

♦ Techn. (ch. de fer). Se dit du système de traction électrique dans lequel le courant monophasé est transformé sur la machine même en triphasé.

1. MONOTYPE [mɔnotip; mɔnotip] adj. et n. m. — 1803; de mono-, et -type.

★ **I.** Adj. ♦ **1.** (1842). Bot. Se dit de genres dont les espèces ont entre elles des rapports qui en font un groupe distinct. — On dit aussi *monotypique* (1963).

♦ **2.** (1958). Mar. *Yacht de course monotype,* correspondant à un type aux caractères bien définis. — N. m. *Course de monotypes. Un monotype.*

★ **II.** N. m. (Fin xixᵉ). Bx-arts. Procédé de peinture ou de gravure permettant d'obtenir par impression un exemplaire unique. *Les monotypes de Degas.*

2. MONOTYPE [mɔnotip; mɔnotip] n. f. — 1903, angl. monotype, nom déposé; de mono-, d'après linotype*.

♦ Techn. (imprim.). Machine à composer qui fond les caractères isolément. *Composer à la, sur la monotype.*

MONOTYPIQUE [mɔnotipik ; mɔnɔtipik] adj. — D. i. ; de *mono-*, et *typique*.

♦ Didact. Qui appartient à un seul type. « *L'homme est resté étonnamment monotypique* » (*le Monde*, 23 févr. 1971).

MONOVALENT, ENTE [mɔnovalɑ̃, ɑ̃t ; mɔnɔvalɑ̃, ɑ̃t] adj. — 1904, *Rev. gén. des sc.*, n° 22, p. 1030 ; de *mono-*, et *valent*, d'après *valence*.

♦ **1.** Chim. Dont la valence* est égale à un.

♦ **2.** Méd. « Se dit d'un sérum thérapeutique ou d'un vaccin préparé au moyen d'une seule race microbienne, et qui est efficace seulement contre les affections déterminées par cette seule race » (Garnier et Delamare, *Dict. des termes techn. de méd.*, 1959).

♦ **3.** Fig. (D'après le sens étymologique). À valeur unique ; à fonction, sens, effet, forme unique.

Libéré du carcan d'une signification monovalente qui se serait servie de lui, le langage de *La route des Flandres* donc, tend à offrir, à la limite, une possibilité indéfinie de significations. J. RICARDOU, Un ordre dans la débâcle, *in* Claude SIMON, la Route des Flandres, p. 293.

CONTR. Ambivalent, plurivalent.

MONOXÈNE [mɔnɔksɛn] adj. — Av. 1963 (*in* G. L. E.) ; de *mono-*, et *-xène* « hôte », du grec *xenos* « hôte ». → Xéno-.

♦ Didact. (zool., biol.). Dont tout le cycle évolutif se déroule chez un seul hôte, en parlant d'un parasite. *Le pou est monoxène. Champignon monoxène.*

MONOXYDE [mɔnɔksid] n. m. — Mil. xxᵉ ; de *mono-*, et *oxyde*. → Oxyde.

♦ Chim. Oxyde contenant un seul atome d'oxygène dans sa molécule. *Monoxyde de carbone, de formule CO.*

(...) ils vont étouffer, comme le garagiste qui s'enferme dans son garage un soir, et qui s'enferme dans sa voiture, et qui fait tourner le moteur dont l'échappement est relié à un tuyau de caoutchouc qui revient en arrière et entre par le déflecteur à l'intérieur de la carrosserie ; le monoxyde de carbone monte lentement à l'intérieur de la voiture, il monte comme l'eau dans les baignoires, il est invisible, et il détruit les cellules nerveuses dans le cerveau. J.-M. G. LE CLÉZIO, les Géants, p. 262.

MONOXYLE [mɔnɔksil] adj. — 1839, *monoxylo* ; de *mono-*, et *-xyle*.

♦ Didact. Fait d'une seule pièce de bois. *Pirogue monoxyle.*

MONOZYGOTE [mɔnozigot] adj. — Mil. xxᵉ (*in* Larousse 1963) ; de *mono-*, et *-zygote*. → Hétérozygote, homo-.

♦ Biol. Issu du même œuf ⇒ **Univitellin**. *Jumeaux monozygotes* (cour. : *jumeaux vrais*).

CONTR. Dizygote.

MONS [mɔ̃s] n. m. — 1618 ; *monse*, Regnard, 1695 ; abrév. de *monsieur*.

♦ Vx. Abréviation méprisante ou familière de *monsieur*.

MONSEIGNEUR [mɔ̃sɛɲœʀ] n. m. — V. 1155 ; de *mon*, et *seigneur*. → Messire.

♦ **1.** Titre d'honneur donné à certains personnages éminents (mod., aux archevêques, aux évêques, aux prélats [⇒ **Monsignor**] ainsi qu'aux princes des familles souveraines). Abrév. : *Mgr. Sous l'Ancien Régime, les maréchaux, les ministres, les intendants se faisaient donner parfois le titre de monseigneur. Monseigneur le duc de Bretagne* (→ Arrière-ban, cit. 3). *S. A. R. Monseigneur le duc d'Orléans* (→ Lys, cit. 10). *Appeler qqn Monseigneur* (→ Aumône, cit. 8). « *Il faudra un jour que tout le monde soit monseigneur dans la nation* » (→ Madame, cit. 7, Voltaire).

1 Ils (*les secrétaires d'État*) se sont fait appeler *monseigneur*, titre qu'on ne donnait autrefois qu'aux princes et aux chevaliers (...) VOLTAIRE, Essai sur les mœurs, XCVIII.

Absolt. (En parlant de celui qui a droit à ce titre). *Monseigneur est venu, est reparti* (Académie). — (En s'adressant à lui). *Oui, monseigneur*. → Assemblage, cit. 16 ; attendre, cit. 77.

Au plur. *Messeigneurs*, lorsqu'on s'adresse à plusieurs personnes qui ont droit au titre de « monseigneur » et *nosseigneurs* (rare) lorsqu'on parle de ces personnes. *Nosseigneurs les évêques de France* (Académie). — Abrév. : *NN. SS.*

2 Je viens vous annoncer une nouvelle, c'est que vous êtes tous empoisonnés, messeigneurs (...) HUGO, Lucrèce Borgia, III, 2.

♦ **2.** (1827). Levier dont se servent les voleurs pour forcer les portes, pied-de-biche.

3 (...) l'assassin a ouvert une porte avec un monseigneur (...) BALZAC, le Père Goriot, Pl., t. II, p. 942.

Appos. (plus cour.). *Pince* monseigneur. Les cambrioleurs se sont servis d'une pince monseigneur.*

DÉR. Monseigneuriser.

MONSEIGNEURISER [mɔ̃sɛɲœʀize] v. tr. — 1692 ; de *Monseigneur*.

♦ Vx, par plais. Appeler du titre de monseigneur*. « *Monseigneuriser un parvenu* » (1797, *in* D. D. L.).

MONSIEUR [məsjø] ; fam. [msjø] — REM. L'ancienne prononciation [mosjø], encore donnée par Littré, ne s'emploie plus que par plaisanterie. (Parfois écrit *môssieu*). N. m. — 1314 ; de *mon*, et *sieur*. → Messire, monseigneur. Au plur. *Messieurs* [mesjø]. Abrév. : *M.*, (plur.) *MM.*

♦ **1.** Titre que l'on donnait autrefois aux hommes d'une condition assez élevée (nobles ou bourgeois), ou « à celui à qui on parle, ou de qui on parle, quand il est de condition égale ou supérieure » (Furetière, 1690). *Monsieur Jourdain. Monsieur de Pourceaugnac. Monsieur fut remplacé par citoyen* sous la Révolution. Monsieur abrégé par mépris en* Mons*.

(*le duc d'Orléans*) ne s'opposa point à l'habitude que le parlement avait prise de l'appeler toujours Monsieur, comme un conseiller, et de lui écrire Monsieur, tandis qu'il écrivait au chancelier Monseigneur, et tandis que tous les corps de la noblesse des États provinciaux donnaient le titre de Monseigneur au régent. VOLTAIRE, Hist. du Parlement de Paris, LIX.

Le pauvre Flaubert ne put jamais comprendre ce que Sainte-Beuve raconte, dans son *Port-Royal*, de ces solitaires qui passaient leur vie dans la même maison en s'appelant *monsieur* jusqu'à la mort. RENAN, Souvenirs d'enfance..., VI, II.

Spécialt. Vx. *Monsieur de Meaux, de Cambrai* : l'évêque de Meaux, de Cambrai. — *Monsieur de Paris* : le bourreau. Titre qu'on donnait aux membres de certaines assemblées, de certains ordres. *Messieurs de l'Académie* (→ Autorité, cit. 23). — *Les Messieurs de Port-Royal* (→ Laïc, cit. 3), ou, absolt, *les Messieurs.*

Spécialt. Titre donné aux princes de la famille royale. — Absolt (depuis le xviᵉ siècle). *Monsieur* (→ Instruire, cit. 29 ; mademoiselle, cit. 1) : l'aîné des frères du roi.

Allus. littér. « *Bon appétit* (cit. 15), *messieurs !* » (Hugo).

♦ **2.** Mod. Titre donné aux hommes de toute condition. *Monsieur Bergeret. Monsieur Couture* (→ Autour, cit. 5). *Monsieur Thiers. Monsieur Jules Ferry. Monsieur Loyal :* personnage du cirque français, directeur fictif de la piste, qui donne traditionnellement la réplique à l'auguste et au clown blanc. — *Monsieur Un tel*. Taxer de monsieur un grand écrivain* (→ Honneur, cit. 86). *Oui, monsieur. Bonjour, monsieur. Bonjour, monsieur Durand* (emploi pop. ou régional). *Mesdames et messieurs. Messieurs et chers collègues. Bonjour mesdames, bonjour messieurs. Bonjour madame, bonjour monsieur, bonjour madame et monsieur.* Pop. *Bonjour Messieurs Dames.* — (Suivi du prénom seul). Fam. ou pop. *Bonjour, monsieur Jean. C'est monsieur Léon qui m'envoie.* — *Cher monsieur. Mon cher monsieur. Dire à qqn : Monsieur tout court* (cit. 25). — Fam. *Mon bon* monsieur* (→ Dépens, cit. 2).

— Mais, mon petit Monsieur, prenez-le un peu moins haut.
— Ma foi ! mon grand monsieur, je le prends comme il faut.
MOLIÈRE, le Misanthrope, I, 2.

S'entendre appeler de nouveau monsieur, bien sérieusement, et par une dame si bien vêtue, était au-dessus de toutes les prévisions de Julien (...)
STENDHAL, le Rouge et le Noir, I, VI.

« Celui-là, c'est celui que je voulais que vous donniez à mon mari. Vous vous rappelez du jour où vous l'avez fait, n'est-ce pas, monsieur ? » et son regard eut l'air de lever le voile de ce cérémonieux « monsieur ». Il la regarda en souriant mais n'osait répondre gêné par la présence du petit qui lui donnait la main.
PROUST, Jean Santeuil, Pl., p. 789.

Spécialt. Titre donné à un professeur de médecine par ses élèves, et parfois par d'autres personnes.

L'enseignement de la médecine, en France, est encore régi par de vénérables et sages coutumes. À l'école et à l'hôpital, il se fait sous la direction d'hommes éprouvés qui ont manifesté leurs vertus au long de nombreuses épreuves, et qui entretiennent avec leurs élèves des relations personnelles fréquentes, prolongées. On les nomme encore des « patrons ». L'étudiant ne les appelle pas mondainement « mon cher maître » ; il dit, tout court, « Monsieur », mais il prononce ce simple mot d'une manière qu'il ne saurait tromper personne (...)
G. DUHAMEL, Sur la formation médicale, *in* Forme et couleurs, n° 3 (1943).

MONSIEUR (précédant le nom de la fonction). *Monsieur le major* (cit.). *Monsieur le Maréchal. Monsieur le Président* (→ Attendre, cit. 102), *le Ministre, le Directeur... Messieurs les pharmaciens et les médecins* (→ Lancement, cit. 2). *Messieurs les jurés.* — (1966 ; d'après l'angl.). Spécialt. *Monsieur*, suivi d'un nom (ou d'une loc. subst.) désignant « l'activité, la compétence, la spécialité du personnage en cause ou la charge — souvent exceptionnelle — qui lui est confiée, ou encore une collectivité (État, groupe social, etc.) qu'il représente ou avec laquelle il est chargé de négocier » (P. Gilbert, 1971). Ex. : *Monsieur bons offices.* ⇒ **Médiateur**. *Monsieur sécurité routière. Monsieur prostitution, Monsieur drogue*, etc.

Par plais. « *Messieurs les assassins* » (cit. 8, Karr). *Messieurs les sots* (→ 2. Bien, cit. 11 ; et aussi écrire, cit. 31 ; lanterner, cit. 1 ; mari, cit. 4).

Allus. hist. « *Messieurs les Anglais, tirez les premiers !* ».

Spécialt. **MESSIEURS** pour *Mesdames et Messieurs. Messieurs les voyageurs sont priés d'emprunter le passage souterrain.* — Absolt. (Par oppos. à *dames*). *Toilettes : Messieurs.*

Monsieur, suivi, par plaisanterie, d'un mot ou d'une expression qui exprime une particularité, une habitude, un ridicule... du personnage. *Monsieur le fin psychologue. Alors, Monsieur le gros malin...? Monsieur Veto,* surnom de Louis XVI sous la Constituante. *Monsieur Cinq pour cent.*

Par plais. *Les Messieurs-dames* (Messieurs qui sont des dames) : les homosexuels.

♦ **3.** Titre donné au maître de maison, soit par les domestiques qui parlent de lui ou s'adressent à lui à la troisième personne (→ Assassiner, cit. 7), soit par les personnes qui s'adressent aux domestiques. *Veuillez m'annoncer à Monsieur.*

> Quand il rentra pour déjeuner, le domestique lui dit : — Monsieur a déjà demandé monsieur deux ou trois fois. Si monsieur veut monter chez monsieur.
> MAUPASSANT, Bel-Ami, I, VIII.

> (...) elle envoyait la bonne s'enquérir de temps à autre, si Monsieur n'avait besoin de rien (...)
> HUYSMANS, En ménage, XI.

Par ext. Titre donné par un employé subalterne, un commerçant, un vendeur, un garçon de café... à une personne étrangère à la maison, à un client... (→ Adoucir, cit. 2 ; anodin, cit. 3). *Je conseillerais à Monsieur de prendre cet article. Ces messieurs* (→ Maître, cit. 71).

Monsieur, désignant une personne dont on parle à un tiers et qui est présente (→ Intervenir, cit. 4). *Ce monsieur vous demande. Monsieur que voilà. Monsieur me disait, tout à l'heure, que...*

Fam. Le mari (→ Marmiteux, cit.). *Monsieur, Madame et Bébé,* œuvre de G. Droz.

> Rien ne la contentait, rien n'était comme il faut...
> — « Monsieur ne songe à rien, monsieur dépense tout,
> Monsieur court, monsieur se repose ».
> Elle en dit tant, que monsieur, à la fin,
> Lassé d'entendre un tel lutin,
> Vous la renvoie à la campagne.
> LA FONTAINE, Fables, VII, 2.

Monsieur, employé à la troisième personne avec une valeur ironique ou sur un ton de reproche. *C'est moi qui paie les frasques* (cit. 6) *de Monsieur. Monsieur a encore mangé tous les gâteaux !*

REM. Dans certains contextes, *Monsieur,* employé en appellatif et avec la 3e personne (→ cit. 7 et cit. 7.2, Daninos, ci-dessous) ou avec un démonstratif, a une valeur dépréciative (cf. Cette personne...), en particulier quand la personne dont il est question est habituellement désignée par son nom (personnage célèbre), sa fonction, etc.

> 7.1 Je ne suis pas pour eux « ce monsieur », comme me désigne avec quelque hauteur le président du Conseil dans une lettre rendue publique (...) Pour mes amis socialistes, je ne suis pas ce « monsieur », mais un monsieur. La langue française offre de ces bizarreries.
> F. MAURIAC, Bloc-notes 1952-1957, p. 215.

> 7.2 Autrement dit, tu veux partir. Monsieur veut partir? (Le mari, dans les scènes, devient « Monsieur », « Môssieu »).
> Pierre DANINOS, Un certain Monsieur Blot, p. 90.

♦ **4. UN MONSIEUR :** un homme de la bourgeoisie (opposé au *travailleur manuel,* au *paysan*). → Gosse, cit. 5 ; indélébile, cit. 3. *Jeunes messieurs* (→ École, cit. 10 ; emplir, cit. 11 ; gars, cit. 5). *Un monsieur comme il faut. Un monsieur important, imposant* (→ Effet, cit. 19). *Un gros monsieur,* personnage riche et d'une situation élevée. — Plur. Vx, pop. *Les plus gros messieurs* (→ Bas, cit. 74, Racine).

> Ma mère veut que son Jacques soit un *monsieur.*
> J. VALLÈS, Jacques Vingtras, « L'enfant », p. 67.

> (...) Delphin l'avait à peine reconnu, tant il *(Nénesse)* était changé : un vrai monsieur, avec une canne, un chapeau de soie, une cravate bleu de ciel, serrée dans une bague ; et il se faisait habiller par un tailleur (...)
> ZOLA, la Terre, V, IV.

C'est un monsieur, un grand monsieur, un personnage considérable, remarquable de valeur, doué d'autorité, de distinction naturelle.

> — Maintenant, avec un homme tel que M. Jules Cambon, qui est de grande classe, qui est un monsieur, il se passe encore autre chose (...)
> J. ROMAINS, les Hommes de bonne volonté, t. X, XIX, p. 219.

Fig., pop. (en parlant d'autre chose qu'un être humain). → C'est quelqu'un*.

> Le patron s'effaça et laissa aux deux compagnons le temps de se rendre compte que la bête *(un porc)* était entière.
> — C'est un monsieur, apprécia Martin. Il fait combien ?
> M. AYMÉ, le Vin de Paris, « Traversée de Paris », p. 28.

♦ **5.** Désignant un homme dont on ne connaît pas le nom et dont l'aspect, les manières annoncent quelque éducation (→ Attabler, cit. 5). *Un monsieur avec une barbe grise* (→ Éventail, cit. 8).

Par ext. Un homme (de n'importe quelle situation sociale). → Intelligence, cit. 17 ; invoquer, cit. 9. *Il jouait le monsieur débordé de besogne* (cit. 8). *L'air du monsieur qui se lave* (cit. 16) *les mains du reste. Un monsieur très carré* (cit. 3).

Spécialt. (Avec certains adj.). *Un joli, un vilain monsieur :* un individu méprisable (cf. Un joli, un vilain coco).

(Dans le langage enfantin). *Un monsieur :* un homme, quel qu'il soit. *Dis merci au monsieur.*

REM. Altérations graphiques populaires : (1750) *Moussieu* (vx) ; (1754) *Mosieu ;* (1794) *Mossieu ;* (1815) *M'sieu.*

MONSIGNOR [mõsiɲɔʀ] ou **MONSIGNORE** [mõsiɲɔʀe] n. m. — 1769, Voltaire ; mot ital., correspond à *Monseigneur.*

♦ Titre accordé par le pape aux prélats et à certains hauts dignitaires de la cour papale. *Être nommé monsignor par le pape.* — Prélat, dignitaire portant ce titre. *Des monsignori* (rare), *ou monsignors, monsignores.*

> Ce monsignor me paraît bien dessalé : je me forme beaucoup avec lui, et je me sens déjà tout autre.
> VOLTAIRE, Lettres d'Amabed, XIV.

MONSTERA [mõstɛʀa] n. f. — D. i. ; lat. sc., probablt du rad. de *monstrum,* lat. class. « monstre », par l'anglais.

♦ Liane originaire du Mexique, plante grimpante décorative dont les feuilles présentent de profondes indentations, et que l'on cultive en appartement sous le nom, courant mais impropre, de *philodendron.* — *Genre Monstera,* auquel appartient cette plante.

MONSTRANCE [mõstʀɑ̃s] n. f. — 1537, *in* Gay ; de *monstrer,* anc. forme de *montrer.*
Vieux.

♦ **1.** Reliquaire portatif qui servait à exposer de petites reliques.

♦ **2.** ⇒ Ostensoir.

MONSTRE [mõstʀ] n. m. et adj. — V. 1120, « prodige, chose incroyable » ; lat. *monstrum.*

★ **I.** N. m. ♦ **1.** Être vivant, organisme de conformation anormale (par excès, par défaut ou par position anormale des parties). *Étude des monstres.* ⇒ **Tératologie.** *Monstre céphalopode, anencéphale, bicéphale, bijumeau, cyclope, tricéphale. Origine des monstres* (→ Hybridation, cit. 2). *Les monstres doivent leurs anomalies soit à l'hérédité, soit, le plus souvent, à un développement embryonnaire perturbé par une cause extérieure. Les veaux à deux têtes, les moutons à cinq pattes sont des monstres. Monstre humain. Monstre végétal. Monstres exhibés dans les spectacles forains.* ⇒ **Phénomène.** *Production de monstres.* ⇒ **Chimère.**

> 1 — C'est une femme abominable, un vrai démon, un être qui met au jour chaque année, volontairement, des enfants difformes, hideux, effrayants, des monstres enfin, et qui les vend aux montreurs de phénomènes.
> MAUPASSANT, Toine, « La mère aux monstres ».

> 2 Au bout de quinze ans, un monstre vint consoler la pauvre femme de ce mariage. Non seulement elle refusa de croire à la monstruosité de son fils, mais encore elle disait de cet hydrocéphale : « Il a le front de Victor Hugo ».
> R. RADIGUET, le Bal du comte d'Orgel, p. 55.

Par ext. Être qui présente des singularités extraordinaires (→ Caryokinèse, cit. ; fragmentaire, cit. 2 ; génie, cit. 40).

♦ **2.** (XVIe). Personne d'une laideur effrayante, repoussante (→ Avare, cit. 2 ; femme, cit. 90).

> 3 Je l'ai vue, elle n'a rien d'attrayant, elle ressemble à une bouchère ; elle est extrêmement grasse, horriblement marquée de la petite vérole ; elle a les mains et les pieds d'un homme, elle louche, enfin c'est un monstre.
> BALZAC, l'Interdiction, Pl., t. III, p. 52.

♦ **3.** Être fantastique des mythologies et des légendes, généralement composé de la réunion en un seul corps de parties et de membres empruntés à plusieurs êtres réels (→ Dragon, cit. 1 ; fabuleux, cit. 2 ; hydre, cit. 3 ; lamie, cit.). — REM. Pour les désignations de monstres. ⇒ **Animal** (fabuleux, fantastique...). *Des monstres difformes, féroces, gigantesques.* — Représentation plastique de l'un de ces êtres (→ Gargouille, cit. 1 ; gigantesque, cit. 3). — (Par allégorie). « *Le monstre odieux qu'on appelle Chicane* » (cit. 2, Boileau). « *Le Croup* (cit. 1), *monstre hideux* » (Hugo). « *L'échafaud* (cit. 6), *sorte de monstre fabriqué par le juge et par le charpentier* » (Hugo). « *Le fisc* (cit. 2), *ce monstre* » (Michelet).

> 4 Il n'est point de serpent ni de monstre odieux
> Qui, par l'art imité, ne puisse plaire aux yeux.
> BOILEAU, l'Art poétique (1674), III.

> 5 L'onde approche, se brise, et vomit à nos yeux,
> Parmi des flots d'écume, un monstre furieux.
> Son front large est armé de cornes menaçantes ;
> Tout son corps est couvert d'écailles jaunissantes ;
> Indomptable taureau, dragon impétueux,
> Sa croupe se recourbe en replis tortueux.
> RACINE, Phèdre, V, 6.

> 6 Ils ont la guivre, la licorne, la serpente, la salamandre, la tarasque, la drée, le dragon, l'hippogriffe. Tout cela terreur pour nous, luxe, ornement et parure. Ils ont une ménagerie qui s'appelle le blason, et où rugissent les monstres inconnus.
> HUGO, l'Homme qui rit, II, II, XI.

> 7 Pour effrayant que soit un monstre, la tâche de le décrire est toujours un peu plus effrayante que lui. Il est bien connu que les misérables monstres n'ont jamais pu faire dans les arts qu'une figure ridicule. Je ne vois pas de monstre peint, chanté ou sculpté qui non seulement nous fasse la moindre peur, mais encore qui laisse notre sérieux en équilibre.
> VALÉRY, Variété I, p. 87.

> 7.1 Dans la tradition germanique et indo-européenne, les héros pourfendeurs de mons-

tres sont innombrables. Leur chef de file semble bien être l'Indra védique et Thorr son cousin germain, vainqueur du géant Hrungnir. Comme le Vritrahan védique il tue le «géant terrestre», monstre tricéphale qui tente de manger le festin des dieux.
Gilbert DURAND, les Structures anthropologiques de l'imaginaire, p. 181-182.

Par ext. En parlant d'un animal réel de taille gigantesque, ou d'aspect féroce, insolite ou hideux (→ Exagérateur, cit. 3 ; hippopotame, cit. 1). *« Une lionne vient, monstre inspirant la crainte »* (→ Carnage, cit. 1, La Fontaine). *Monstres glapissants* (cit. 2, Baudelaire). — **Spécialt.** *Monstre marin :* grand cétacé.

Par métaphore. *Les monstres sacrés :* les grands comédiens, les grands acteurs de théâtre et de cinéma (du titre d'une pièce — 1940 — de J. Cocteau). — **Par ext.** Personnalité exceptionnelle dans un domaine quelconque. *C'est un monstre sacré de la politique.*

Allus. littér. *Quel monstre, quel chaos** (cit. 4, Pascal).

Chose qui inspire une crainte justifiée ou imaginaire (→ Contenter, cit. 11). *Se faire un monstre de... :* se représenter une chose comme terrible.

8 On se fait ainsi des monstres de bien des choses, tant qu'on ne les connaît pas.
GIDE, les Caves du Vatican, III, 15.

♦ **4.** Vieilli ou littér. Personne très cruelle*, qui fait preuve d'une méchanceté, d'une perversion inhumaine (→ Apparence, cit. 23 ; étonner, cit. 21). *Un monstre indigne de voir le jour.* ⇒ **Dénaturé** (cit. 10, Rousseau). *Passer pour un monstre* (→ Exultation, cit. ; et aussi faire, cit. 101). *Monstre sanguinaire* (→ Gaieté, cit. 8). *Monstre de barbarie* (cit. 14), *d'ingratitude* (cit. 5).

9 J'avoue que je ne m'étais pas formé l'idée d'un bon homme en la personne de Néron, je l'ai toujours regardé comme un monstre. Mais c'est ici un monstre naissant. Il n'a pas encore mis le feu à Rome. Il n'a pas tué sa mère, sa femme, son gouvernement. À cela près, il me semble qu'il lui échappe assez de cruautés pour empêcher que personne ne le méconnaisse. RACINE, Britannicus, 1re préface.

10 ... le monstre ! il ne trouverait rien d'extraordinaire à faire pendre son père si le prince le lui ordonnait... il appellerait cela son devoir...
STENDHAL, la Chartreuse de Parme, II, XVI.

Par exagér. ou antiphr. *Ce monstre m'a abandonnée pendant huit jours.* — (En s'adressant à un enfant, à un être aimé, par reproche). *Petit monstre !*

11 (...) quand nous nous retrouvâmes seuls, maman et moi, dans l'escalier, elle m'éleva dans ses bras : — Monstre ! que je t'embrasse !
FRANCE, le Livre de mon ami, « Livre de Pierre », I, IV.

REM. Dans ce sens, et surtout dans l'emploi par antiphrase *(petit monstre !)*, on emploie parfois un féminin plaisant, *monstresse.*

11.1 Je ne peux plus vivre comme ça, me dit ma mère. J'ai encore rêvé qu'on t'enlevait cette nuit (...)
Je la regardai avec commisération, car elle avait l'air fatigué et inquiet. Et je me tus, car je ne connaissais pas de remède à son souci. — C'est tout ce que ça te fait, petite monstresse ?
COLETTE, la Maison de Claudine, éd. L. de Poche, p. 26.

♦ **5.** **Fig.** a Vx. Pensée bizarre et incohérente, ouvrage disparate fait au mépris de toutes les règles.

b Mus. Texte formé de syllabes quelconques, souvent dénuées de sens, qu'un compositeur remet au parolier comme canevas* pour le rythme et la mesure. — Première ébauche, plan sommaire d'une œuvre littéraire.

♦ **6.** (Par métaphore de I., 1.). Math. *Le monstre et* (avec antéposition de *bébé**) *le bébé monstre de Fischer,* « les deux plus grands groupes sporadiques* connus en 1978 » (Bouvier et George).

★ **II. Adj.** (1841, *un effet monstre*). Fam. Très important, immense. ⇒ **Colossal, prodigieux.** *Un meeting monstre. Des repas monstres. Cela va faire un effet monstre.* ⇒ **Bœuf** (fam.).

11.2 As-tu fumé des cigares manilles — et que dis-tu de ceux-ci ? en voilà un cigare monstre. Ch. PAUL DE KOCK, la Grande Ville, p. 133.

12 C'était une réclame monstre que le journaliste adroit avait imaginée à son profit.
MAUPASSANT, Bel-Ami, II, III.

13 (...) au « Metropolitan Theatre » où un banquet monstre l'attend et une cinquantaine de discours. B. CENDRARS, l'Or, in Œ. compl., t. II, p. 211.

CONTR. Merveille.

DÉR. (Du même rad.) **Monstrueux.**

MONSTRUEUSEMENT [mɔ̃stʀyøzmɑ̃] adv. — 1333 ; de *monstrueux.*

♦ D'une manière monstrueuse. Dans les différents sens de ce mot :

a (Sens 1 et 2). Rare. *Il était conformé monstrueusement.*

b (Sens 3). Avant l'adj. ⇒ **Excessivement, prodigieusement.** *Homme monstrueusement gros* (cit. 3). *Face monstrueusement inepte* (cit. 7). — Par exagér. *On a travaillé monstrueusement. Ce type est monstrueusement intelligent, idiot.* ⇒ **Extrêmement.** *« Les journalistes les plus monstrueusement vertueux »* (Gautier).

c (Sens 4). *Il s'est comporté monstrueusement dans cette affaire.* ⇒ **Abominablement, affreusement.** *Il est monstrueusement méchant, pervers.*

MONSTRUEUX, EUSE [mɔ̃stʀyø, øz] adj. et n. — V. 1330 ; lat. *monstruosus.*

♦ **1.** Qui a la conformation d'un monstre* (I., 1., 2.). ⇒ **Difforme, laid.** *Enfants difformes et monstrueux* (→ Exposition, cit. 14). — Qui est propre à un monstre, qui rappelle un monstre (→ Énorme, cit. 9). *Laideur monstrueuse. Croissance monstrueuse.* ⇒ **Phénoménal.**

♦ **2.** Qui ressemble à un monstre* (I., 3.), qui a rapport aux monstres (→ Formidable, cit. 3). *Bêtes monstrueuses* (→ Informe, cit. 2). *Les dieux monstrueux de l'Inde* (→ Avatar, cit. 1).

(...) c'est Hercule.
Et d'un bout de la salle immense à l'autre bout,
Dompté par l'œil terrible où la colère bout,
Le troupeau monstrueux en renâclant recule.
J.-M. DE HEREDIA, les Trophées, « Centaures et Lapithes », Grèce et Sicile.

Le monstre est en effet symbole de totalisation, de recensement complet des possibilités naturelles, et à ce point de vue tout animal lunaire (dont le Magou est l'archétype fondamental), même le plus humble (ex. : l'escargot), est assemblage monstrueux.
Gilbert DURAND, les Structures anthropologiques de l'imaginaire, p. 360.

♦ **3.** (Déb. XVIe). Qui est d'une taille, d'une grandeur, d'une intensité prodigieuse et insolite. ⇒ **Colossal, éléphantesque, énorme, excessif, extraordinaire, gigantesque, gros** (cit. 5) ; → Géant, cit. 5. *Ville monstrueuse* (→ Ingrat, cit. 10). *Bruit monstrueux* (→ Avarier, cit. 1). *Une mer monstrueuse et sans bords* (→ Gabarre, cit. 5, Baudelaire).

Là, les deux ennemis sont en face : la terre et la mer, l'homme et la nature. Il faut voir quand elle s'émeut, quelles monstrueuses vagues viennent se briser à la pointe de Saint-Mathieu, à cinquante, à soixante, à quatre-vingts pieds ; l'écume vole jusqu'à l'église où les mères et les sœurs sont en prières.
MICHELET, Hist. de France, III.

(...) elle vit la machine du rapide s'arrêter, monstrueuse et docile, sur le quai de l'arrivée (...) FRANCE, le Lys rouge, XXV.

♦ **4.** (XIVe). Qui excède en absurdité, en cruauté, en perversion tout ce qu'on peut imaginer ; qui choque extrêmement la raison, la morale, la nature. ⇒ **Abominable, affreux, bizarre, cynique, effrayant, effroyable, épouvantable, étonnant, exorbitant, horrible.** *Monstrueuse alliance* (cit. 12 ; → Isoler, cit. 3). *Idée monstrueuse* (→ Divinité, cit. 2). *Amas* (cit. 10) *monstrueux de crimes. Massacre monstrueux* (→ Inhumain, cit. 1). *C'est monstrueux !*

C'est chose monstrueuse que le sacrifice d'un être vivant à l'égoïsme d'un autre (...)
RENAN, Dialogues et fragments philosophiques, Œ. compl., t. I, III, p. 623.

♦ **5.** Vx (langue class.). [Sans idée de laideur, d'horreur]. Extraordinaire, étrange. *L'homme* (cit. 19, Bossuet), *composé monstrueux de choses incompatibles.*

C'est une chose monstrueuse que le goût et la facilité qui est en nous de railler (...) les autres ; et tout ensemble la colère que nous ressentons contre ceux qui nous raillent (...) LA BRUYÈRE, les Caractères, XI, 78.

♦ **6.** N. (XIXe ; Hugo, Baudelaire). *Le monstrueux :* ce qui est monstrueux.

CONTR. Beau, normal.

DÉR. Monstrueusement, monstruosité.

MONSTRUOSITÉ [mɔ̃stʀyozite] n. f. — 1488 ; du rad. de *monstrueux.*

♦ **1.** Méd. Anomalie congénitale très grave et apparente, compromettant plusieurs fonctions importantes de l'organisme, et le plus souvent incompatible avec la vie. ⇒ **Difformité, malformation.** *Monstruosité héréditaire. Monstruosité accidentelle,* due à une cause extérieure qui a perturbé le développement de l'embryon. — Malformation grave affectant une partie du corps (emploi abusif en médecine).

♦ **2.** (XVIe). Caractère de ce qui est monstrueux (4.). → Gigantesque, cit. 5. — Fig. *La monstruosité d'un crime.* ⇒ **Atrocité, horreur.**

Elle ne connaissait pas l'ignominie de toutes les noblesses, la monstruosité des mésalliances. BARBEY D'AUREVILLY, les Diaboliques, « Dessous de cartes... », p. 211.

♦ **3.** *(Une, des monstruosités).* Chose monstrueuse (rare aux sens 1 à 3 de *monstrueux*). → Honnir, cit. 4 ; inconséquence, cit. 8. *Commettre, dire des monstruosités.*

(...) la France affamée, le pain de quatre livres à vingt sous, la mort des pauvres !... Comment, vous, un homme de progrès, osez-vous en revenir à ces monstruosités ? ZOLA, la Terre, IV, V.

CONTR. Beauté, charme, merveille.

MONT [mɔ̃] n. m. — V. 980 ; du lat. *mons, montis.*

Lorsqu'ils sont synonymes (→ Montagne, 1.), mont et montagne se distinguent par leurs emplois. *Mont* appartenant au langage poétique et littéraire ou s'employant « dans certaines expressions géographiques consacrées par l'usage » (Académie).

♦ **1.** (En emploi libre). Poét. et littér. ⇒ **Butte, colline, élévation, hauteur, montagne** (→ Aube, cit. 6 ; hautain, cit. 2). *Au flanc des monts* (→ Aire, cit. 2). *Du haut du mont* (→ Cascade, cit. 2). *Sommet, front* (cit. 24 et 25) *d'un mont. Monts abrupts, crénelés, escarpés* (→ Biche, cit. 3), *chevelus** (cit. 2), *chenus, sourcilleux... Monts* *à pic* (→ Fjord, cit. 3). *Franchir des monts* (→ Borner, cit. 2). — *Baptiser mont une butte* (cit. 2) *de cent mètres.*

1 La moindre taupinée était mont à ses yeux.
                                                     LA FONTAINE, Fables, VIII, 9.

2 Sur la pente des monts les brises apaisées
   Inclinent au sommeil les arbres onduleux (...)
                                 LECONTE DE LISLE, Poèmes antiques, « Poésie div. », III.

Spécialt. *Les monts :* les Alpes. *Passer les monts. Au-delà des monts.* ⇒ **Outre-mont ; ultramontain.**

3 Milan est devenu réellement la capitale de l'Italie depuis que les Français y sont maîtres. C'est à présent, *delà les monts*, la seule ville où l'on trouve du pain cuit (...)   P.-L. COURIER, Lettres, 8 janv. 1799.

♦ **2.** (Dans des expressions géographiques). *Le mont Sina,* Sinaï (→ Loi, cit. 39, Racine). *Le mont des Oliviers. Le mont Saint-Michel* (→ Fier, cit. 7). *Le mont Blanc. Le mont Chauve*. Les moines du mont Athos, du mont Carmel* (Carmes), *du mont Cassin.* — Antiq. *Le double mont, le mont sacré :* le Parnasse. *Le mont Capitolin, à* Rome. — Au plur. *Les monts du Cantal, d'Auvergne.*

4 J'avais vu les Apennins, j'avais vu les Pyrénées, les grands monts hospitaliers du commerce et du voyageur, le mont Cenis, le Saint-Gothard (...) Je réservais le mont Blanc.   MICHELET, la Montagne, I.

REM. *Mont* sert à former de nombreux noms de lieux *(Montmartre, Montparnasse... Le Mont-Dore, Montluçon...).*

.1 (...) du niveau de la Seine, on voyait les différentes montagnes de Paris reprendre leur vraie hauteur, le Mont-Rouge plus haut que le Mont-Parnasse, le Chaut-Mont moins haut que le Mont-Martre... Par le robinet de la cuisine, toujours grand ouvert, le lac du Mont-Souris se déversait avec murmures dans la Seine (...)
                                 GIRAUDOUX, Siegfried et le Limousin, p. 53.

♦ **3.** Loc. *Par monts et par vaux :* à travers tout le pays, et, fig., de tous côtés*, partout (→ Aller, cit. 19 ; exposer, cit. 26). « *Par monts, par vaux, et par chemins* » (cit. 2, La Fontaine). *Courir*, chercher qqn par monts et par vaux.* — Par ext. *Il est sans cesse par monts et par vaux,* en voyage. — On dit dans un sens voisin : *parcourir les monts et les plaines* (→ Emploi, cit. 10).

5 (...) beaucoup d'excursions, à pied et à cheval, par monts et par vaux (...)
                                                     LOTI, Aziyadé, II, XXV.

Promettre monts et merveilles, des avantages considérables, des choses admirables, étonnantes.

6 La mer promet monts et merveilles ;
   Fiez-vous-y : les vents et les voleurs viendront.   LA FONTAINE, Fables, IV, 2.

7 Ce futur conseiller vous promettait monts et merveilles, et n'attendait même pas d'être élu pour manquer à ses promesses.
                                 R. RADIGUET, le Diable au corps, p. 110.

♦ **4.** Par métaphore, fig. **a** Monceau. *Des monts d'or* (→ Harpie, cit. 2).

8 Le banquier me faisait espérer des monts d'or, pour peu que la fortune secondât les projets qu'il formait.   A. R. LESAGE, Guzman d'Alfarache, VI, 3.

b Petite éminence charnue. — (T. de chiromancie). *Les cinq monts de la main* (→ Ligne, cit. 3). — Anat. *Mont de Vénus.* ⇒ **Pénil.**

CONTR. Col, plaine, val.
DÉR. Monter.
COMP. Amont, avant-mont. — Mont-blanc.
HOM. Mon.

MONTABLE [mɔ̃tabl] adj. — 1906, cit. ; de *monter,* et *-able.*

♦ Que l'on peut monter, assembler par montage.

On ne saurait imaginer une construction plus facilement montable et démontable. Pour procéder au montage d'un wagon, on dispose devant soi les différentes pièces indiquées par le modèle.
                                 La Nature, suppl. au n° 1714, 13 mars 1906, 140, *in* D.D.L., II, 5.

MONTAGE [mɔ̃taʒ] n. m. — 1604 ; dér. de *monter,* v. transitif.

★ **I.** (⇒ **Monter,** I.). ♦ **1.** Action de monter*, de porter, de transporter plus haut, d'élever. *Montage des grains.* — Techn. Fait de monter (intrans.), de se soulever (choses). *Le montage du lait.* Par ext. (Mines). Galerie montante temporaire ou de petite dimension.

♦ **2.** Fig., vx. *Montage de tête, de cou* (par confusion avec *coup.* ⇒ **Monter**).

(...) toutes les puissances sociales coalisées, une gigantesque organisation de montage de cou, qui fait apparaître dérisoires la publicité des grandes firmes et la propagande des États totalitaires (...)
                                 MONTHERLANT, les Lépreuses, « Appendice », p. 312.

★ **II.** (⇒ **Monter,** II.). ♦ **1.** (1765, *Encyclopédie, montage de métier* [filatures]). Opération par laquelle on assemble les pièces d'un mécanisme, d'un dispositif, d'un objet plus ou moins complexe pour le mettre en état de servir, de fonctionner. ⇒ **Arrangement, assemblage, disposition.** *Montage d'une charpente en bois*, en fer. Montage des couteaux, des brosses, des chaussures* (cordonnerie*). — (En couture). *Montage des manches.*

.1 C'était peu après la fin de la guerre de 14, et ma mère travaillait encore, à domicile, pour un atelier de confection qui lui avait confié pendant quatre ans le montage de vareuses et de capotes militaires et venait de se reconvertir dans les vêtements civils.   Raymond ABELLIO, Ma dernière mémoire, t. I, p. 86.

Métall. et industr. mécan. *Le montage s'effectue avec les pièces ajustées* (⇒ **Ajustage**). *Montage d'une machine*, d'un moteur au banc* d'essai. Atelier, chaîne de montage.* — *Montages de précision. Montage en bijouterie* (⇒ **Monture**). — Électr. et radio. *Montage des appareils de radio, d'équipements électriques, électroniques.* — Par ext. Mode d'association de différents organes et circuits. *Montage en parallèle, en série...* Ce qui est monté ; résultat d'un montage (2.). *Montage électrique. Montage électronique imprimé* (syn. : *circuit*).

Imprim. Réunion de la composition, des clichés (pour former une page, etc.). Spécialt. Fixation (d'un cliché, d'un élément de composition) pour l'amener au niveau voulu. — Groupement sur un support (verre, feuille plastique) des éléments de la forme d'impression (offset).

Photogr. Assemblage de photographies. ⇒ **Photo-montage.**

2 Son atelier de montage est à peu près installé. Mais il se plaint beaucoup du manque de personnel capable. Il voudrait que je lui envoie deux chefs monteurs d'ici, ou d'Oberhausen.
                                 J. ROMAINS, les Hommes de bonne volonté, t. X, XXII, p. 236.

Préparation des cartes en vue d'une répartition calculée (tricheurs, manipulateurs).

Coiffure. *Montage d'une mise en plis :* ensemble des opérations effectuées par le coiffeur pour la réaliser.

♦ **2.** (Les sens I et II étant liés). ⇒ **Dressage, installation.** *Montage d'une tente, du chapiteau d'un cirque...*

♦ **3.** Choix et assemblage des plans d'un film dans certaines conditions d'ordre et de temps. *Sur le plan matériel, le montage consiste à assembler les plans tournés dans l'ordre défini par le découpage** (3.) ; *sur le plan esthétique c'est la mise en forme de l'œuvre cinématographique. Montage à blanc :* montage provisoire pour essai.
Film de montage, constitué d'éléments préexistants assemblés pour former un film.

3 On peut définir une *triple fonction créatrice du montage.* Tout d'abord, *le montage est créateur de mouvement* au sens large (...) En second lieu, *le montage est créateur du rythme* (...) Enfin, *le montage est créateur de l'idée.* Il n'a pas seulement (...) un rôle descriptif ou narratif (montage-récit), mais aussi (...) un rôle explicatif ou idéologique (montage-expression).
                                 M. MARTIN, le Langage cinématographique, p. 133 et 135.

Par ext. Résultat de cette opération. *Projeter, présenter un montage de bandes d'actualité).*

(1930, *montage sonore*). Par anal. Organisation dans le temps d'éléments sonores enregistrés.

♦ **4.** Fait de monter (un projet, une affaire) ; organisation sur le plan financier, juridique... *Le montage financier d'une affaire. Un montage difficile, nécessitant les services d'un avocat compétent.*

♦ **5.** Techn. Dispositif servant à monter rapidement et automatiquement une pièce à usiner sur la machine-outil.

CONTR. Démontage, dislocation.

MONTAGNARD, ARDE [mɔ̃taɲaʀ, aʀd] adj. et n. — 1512 ; de *montagne.*

♦ **1.** Qui habite les montagnes, vit dans les montagnes. *Peuples montagnards.* — N. *Un montagnard, une montagnarde :* un habitant*, une habitante des montagnes. *Les montagnards des Alpes, des Cévennes* (→ Carrure, cit. 1), *de la Kabylie* (→ Faucille, cit. 3). *Montagnards grecs* (⇒ **Clephte**). *Marche souple de montagnard* (→ Espadrille, cit.). *Une petite montagnarde* (→ 1. Germain, cit. 6).

Il était arrivé en haut de la côte, il restait immobile, à regarder l'immensité plate et grise de la Beauce, pris d'une sorte de peur, d'une mélancolie désespérée, qui mouillait ses grands yeux clairs de montagnard, habitués aux horizons étroits des gorges de l'Auvergne.   ZOLA, la Terre, IV, IV.

♦ **2.** (1792). Hist. Conventionnel appartenant à la Montagne. *Montagnards et Girondins.*

♦ **3.** (1576). Relatif à la montagne. Vx. *Pays montagnard* (Bossuet, *in* Littré). ⇒ **Montagneux.** — *Costume montagnard. Vie montagnarde. Symphonie sur un chant montagnard* (de V. d'Indy).

♦ **4.** N. m. (1955). Sports (cyclisme). Cycliste qui grimpe bien. ⇒ **Grimpeur.** *Une épreuve où les montagnards se sont détachés du peloton.*

MONTAGNE [mɔ̃taɲ] n. f. — 1080, Chanson de Roland, *montaigne ;* lat. pop. *montanea,* fém. subst. d'un adj. de basse époque *montaneus,* lat. class. *montanus,* de *mons.* → Mont.

♦ **1.** Importante élévation de terrain. ⇒ **Mont** (vx) ; **accident** (de terrain), **colline, élévation** (de terrain), **éminence, haut** (II., 4.), **lieu** (cit. 8 ; haut lieu) ; **djebel, puy, rocher, volcan...** *Sommet aigu* (⇒ **Aiguille,** cime [cit. 1], **dent, pic, piton, pointe**) *d'une montagne.* ⇒ **Ballon, calotte, croupe, mamelon** *d'une montagne.* ⇒ **Crête, faîte, front** (poét. ; cit. 24), **sommet, sommité.** *Ligne* de crête, arête* (cit. 4) *d'une montagne. Flancs* escarpés* (⇒ **Berge**), *penchant*, pente*, contre-pente d'une montagne. Versants* d'une montagne.* ⇒ **Escarpe-**

ment (cit. 1), **versant ; adret, ubac.** *Assises** (⇒ **Gradin**), *base, pied* d'une montagne. Hauteur** (cit. 2) *d'une montagne.* ⇒ **Altitude.** *Haute* montagne. Petite montagne.* ⇒ **Monticule.** *Montagne qui domine* ses voisines.* ⇒ **Culminant, culminer.** *Forme d'une montagne : montagne arrondie, à formes douces, abrupte, escarpée** (→ Cascade, cit. 2), *à pic* (→ Île, cit. 3). *Montagne qui s'élève par degrés, de terrasse en terrasse. — Chaîne de montagnes.* ⇒ **Chaîne** (cit. 26), **chaînon, contrefort, éperon, sierra.** *Massif* de montagnes. Cirque* de montagnes. Vallée entre deux montagnes. Brèche, coupure, trouée dans une chaîne de montagnes.* ⇒ **Cluse, col*** (3.), **combe, défilé, gorge, grau, passe, seuil.** *Passage* d'une montagne. — Masse de neige, de rochers qui se détache, dévale* d'une montagne.* ⇒ **Avalanche, éboulement, éboulis, écroulement.** *Montagne érodée, ravinée, usée.* ⇒ **Érosion, ravinement, ruissellement.** *Cavernes*, crevasses creusées dans la montagne, aux flancs d'une montagne...* (⇒ **Gouffre, précipice, ravin...**). *— Montagnes qui s'élèvent à l'horizon. Montagne environnée de nuages, de brume. Montagnes bleues, dans le lointain. — Gravir** (cit. 4), *escalader* une montagne. Ascension*, escalade* d'une montagne. En haut, au sommet d'une montagne* (→ Ermite, cit. 1). *Sur les hautes montagnes* (→ Éthéré, cit. 2). *— Montagne figurée sur un blason.* ⇒ **Terrasse.**

1   On conte que Hegel, devant les montagnes, dit seulement : « C'est ainsi » (...) Le spectacle des montagnes donne quelque idée du fait accompli, par cette masse qu'il faut contourner.   ALAIN, *Propos*, 12 juin 1926, L'existence.

     Allus. littér. *« Souvent sur la montagne, à l'ombre d'un vieux chêne »* (cit. 6). *« Il est sur ma montagne une épaisse* (cit. 20) *bruyère ». « Ô montagnes d'azur ! »* (→ Gave, cit.).

2   Quelle vérité que ces montaignes *(montagnes)* bornent, qui est mensonge au monde qui se tient au delà ?   MONTAIGNE, *Essais*, II, XII.

3   Dans la lettre *De l'injustice* peut venir la plaisanterie des aînés qui ont tout. « Mon ami, vous êtes né de ce côté de la montagne ; il est donc juste que votre aîné ait tout. »   PASCAL, *Pensées*, V, 291.

     Allus. évang. *Le sermon* sur la montagne.*

     La montagne sacrée : le Capitole (cit. 2). *La montagne du Calvaire* : le Golgotha. *La montagne Sainte-Geneviève* : la colline où se trouve le Panthéon, à Paris (→ Grouillement, cit.).

     Par métaphore (→ Haut, cit. 126) :

4   Il vous reste beaucoup à gravir de la montagne de la vie, et de longtemps vous ne parviendrez à la zone où se trouve la neige.   Th. GAUTIER, Mlle de Maupin, VI.

     Loc. div. (1765). *C'est la montagne qui accouche** (cit. 2) *d'une souris* (⇒ **Enfanter,** cit. 6), se dit par raillerie des résultats décevants, dérisoires d'une entreprise, d'un ambitieux projet. *— Grand comme une montagne* : très grand (→ Assemblage, cit. 17). *— Gros comme une montagne* : énorme (au fig. → Comme une maison*). — (1874). *Se faire une montagne de qqch.*, s'en exagérer* les difficultés, l'importance... ⇒ **Difficile.** *Faire une montagne d'une taupinière. — La foi, l'enthousiasme déplacent, transportent, soulèvent les montagnes* (→ Féconder, cit. 5 ; foi, cit. 28). *— Il ferait battre des montagnes*, se dit de celui qui sème partout la discorde. — Prov. *Il n'y a que les montagnes qui ne se rencontrent* pas. — Pas de montagne sans vallée* : on a les défauts de ses qualités. — Loc. prov. *Aller à la montagne* : faire le premier pas (par allus. à la phrase attribuée à Mahomet : *« Puisque la montagne ne vient pas à nous, allons à la montagne »*).

5   (...) vous vous faites une montagne de ce qui, pour une fille de mon âge, n'offre rien de répréhensible. Vous croyez que l'amour c'est le mal (...)   F. MAURIAC, la Fin de la nuit, II.

5.1   — Oh toi, dit le type, je te connais. Tu ferais se battre des montagnes.   R. QUENEAU, Zazie dans le métro, Folio, p. 113.

♦ **2.** LES MONTAGNES, LA MONTAGNE : ensemble de montagnes (chaîne, massif) ; zone, région de forte altitude (opposé à *plaine* ; → Côte, cit. 12). *Pays de montagne.* ⇒ **Montagneux, montueux...** *Vallée qu'enserre* (cit. 6) *la montagne. Dans ces montagnes...* (→ Âpreté, cit. 4). *L'air, le froid* (cit. 4) *des montagnes* (→ Griser, cit. 4). *Neiges*, glaciers* (cit. 3) *des montagnes, de montagne. Rivière, torrent* de montagne. Orage de montagne* (→ Grondement, cit. 4). *Flore* (cit. 1), *faune des montagnes* (⇒ **Monticole**). *Les chamois* (cit.) *de nos montagnes. Ânes, mulets, chiens de montagne. Emmener les troupeaux dans la montagne.* ⇒ **Alpage, 2. estiver, transhumer** (cf. l'emploi dialectal de *montagne* pour « pâturage de montagne » : *montagne à lait*, pour l'engraissement des vaches à lait). *— Chemin, chemin de fer* (⇒ **Funiculaire**) *de montagne. Aérodrome de montagne.* ⇒ **Altiport.** *— Lacets*, tournants, pentes d'une route de montagne. Courir la montagne. Course de montagne* (→ Escarpement, cit. 2) [absolt, *une course : faire une course en montagne*]. *— Milit. Artillerie, batterie de montagne.* — Mythol. *Divinité, nymphe des montagnes.* ⇒ **Oréade.** Hist. *Le vieux de la montagne* (→ Assassin, cit. 2).

6   (...) sur les hautes montagnes (...) Il semble qu'en s'élevant au-dessus du séjour des hommes, on y laisse tous les sentiments bas et terrestres, et qu'à mesure qu'on approche des régions éthérées, l'âme contracte quelque chose de leur inaltérable pureté. On y est grave sans mélancolie, paisible sans indolence, content d'être et de penser (...) Je doute qu'aucune agitation violente (...) pût tenir contre un pareil séjour prolongé, et je suis surpris que des bains de l'air salutaire et bienfaisant des montagnes ne soient pas un des grands remèdes de la médecine et de la morale.   ROUSSEAU, Julie ou la Nouvelle Héloïse, I, XXIII.

7   En hiver, les montagnes ne présentent qu'une image des pôles polaires ; en automne (...) elles ressemblent à des lithographies grises, noires, bistrées : la tempête aussi leur va bien, de même que les vapeurs (...) qui roulent à leurs pieds ou

se suspendent à leurs flancs. Mais les montagnes ne sont-elles pas favorables aux méditations, à l'indépendance, à la poésie ?... Je reconnais tout cela ; mais entendons-nous bien : ce ne sont pas les montagnes qui existent telles qu'on les croit voir alors ; ce sont les montagnes comme les passions, le talent et la muse en ont tracé les lignes, colorié les ciels, les neiges, les pitons, les déclivités (...)   CHATEAUBRIAND, Mémoires d'outre-tombe, t. V, p. 394.

Il est bien plus difficile de pénétrer en soi-même (...) c'est le but du sage antique dans son séjour sur la montagne. Là il peut (...) planer de soi sur soi (...) Aucune des fausses grandeurs ne se soutient devant les Alpes. Aucune autorité mondaine n'y garde son faux prestige. Une seule subsiste ici : raison, vérité, conscience... Pour la seconde fois *(en juillet 1867)*, cette idée, vive et nette de la montagne, me revenait à l'esprit : « Elle est une initiation ».   MICHELET, la Montagne, II, XIII.

     Habiter la montagne. ⇒ **Montagnard.** *Maison, chalet* de montagne. — Jambon, saucisson de montagne,* fabriqué artisanalement à la montagne. *Sa montagne natale* (→ Bêlement, cit. 1). *Regretter ses montagnes* (→ Incident, cit 3). *— Passer ses vacances à la montagne* (par oppos. à la mer, à la campagne). *Le médecin lui a conseillé la montagne* (→ Entêtement, cit. 5). *Promenade, excursion en montagne. Stations de montagne. Sports* de montagne.* ⇒ **Alpinisme, ascension, ski.** *Bâton* (⇒ **Piolet**), *chaussures de montagne.* — Cyclisme. *Épreuve de montagne,* qui se déroule sur des routes de montagne, sinueuses et pentues. *— Mal* des montagnes* (ou mal d'altitude). ⇒ **Puna.**

     Bientôt une affreuse défaillance le saisit, ce mal des montagnes qui produit les mêmes effets que le mal de mer. Éreinté, la tête vide, les jambes molles, il manquait le pas et ses guides durent l'empoigner (...)   Alphonse DAUDET, Tartarin sur les Alpes, X.

(...) j'éprouve pour la montagne un attrait extraordinaire. Pas pour la montagne à grand spectacle : cimes neigeuses en zigzag, glaciers roses, alpinisme. Non, pour la vie des gens dans la montagne. Pour les secrets, les intimités, les renforcements séculaires de la vie en montagne.   J. ROMAINS, les Hommes de bonne volonté, t. III, IV, p. 53.

     Loc. *La haute, la moyenne montagne. Refuge de haute montagne. École de haute montagne. — La montagne à vaches :* les zones d'alpages, où paissent les troupeaux ; spécialt (alpin.) zones faciles, pour la promenade.

(...) leur père les avait emmenés, les deux frères, dans la haute montagne, et pour la première fois il avait vu de près des glaciers.   ARAGON, les Beaux Quartiers, I, X.

     Géol., géogr. (⇒ **Relief ; orogénie, orographie**). *Montagnes jeunes, récentes, formées par des plissements** (accompagnés ou non de grandes fractures et de soulèvements* en blocs) *ou par volcanisme*. Montagnes anciennes :* massifs plus ou moins rajeunis par l'érosion ou les mouvements du sol. *Roches* constitutives des montagnes.* — Vx. *Beurre de montagne.* ⇒ **Beurre, 4.**

Les *montagnes* offrent toujours de fortes oppositions de relief (...) Le plus souvent, elles sont découpées par des dépressions profondes (...)   PERPILLOU, Géographie générale (cl. de 2e), p. 52.

REM. En français d'Afrique, le mot *colline* étant inusité, *montagne* désigne toute élévation de terrain, même faible.

♦ **3.** Fig. MONTAGNE DE... : grande quantité amoncelée de... ⇒ **Amas, amoncellement.** *Des montagnes de livres* (→ Bibliothèque, cit. 7), *de briques* (→ Évidement, cit. 2), *de charpie* (cit. 2), *de laine* (cit. 5)... — Spécialt. *Montagne d'or,* grande quantité (→ Alchimiste, cit. 2).

(...) les neuf autres tombereaux, avec leurs montagnes de choux, leurs montagnes de pois, leurs entassements d'artichauts, de salades (...) semblaient (...) vouloir l'ensevelir (...) sous un éboulement de mangeaille.   ZOLA, le Ventre de Paris, t. I, I, p. 12.

     Montagne de glace (vx) : iceberg.

♦ **4.** Hist. LA MONTAGNE : les bancs les plus élevés de l'assemblée conventionnelle où siégeaient les députés de gauche, conduits par Robespierre et Danton (→ Fédéraliste, cit.).

♦ **5.** (XIXe ; Chateaubriand, *Mémoires d'outre-tombe*, IV, 3). MONTAGNES RUSSES : attraction foraine constituée par une suite de pentes et de contrepentes parcourues à grande vitesse par un véhicule sur rails. — (On emploie quelquefois, pour désigner cette attraction, l'anglicisme *scenic railway*).

Les montagnes russes ont fait fureur à Paris au commencement de la Restauration.   Th. GAUTIER, Voyage en Russie, VIII.

     Fig. Suite de montées et de descentes, de mouvements successifs vers le haut, puis vers le bas.

Le bateau s'enfonça, c'était les montagnes russes ... Ça montait doucement, doucement, à la dérobée et ça descendait de même (...)   SARTRE, le Sursis, p. 120.

DÉR. **Montagnard, montagnette, montagneux.**
COMP. **Passe-montagne, tranche-montagne.**

MONTAGNETTE [mɔ̃taɲɛt] n. f. — Fin XIVe ; de *montagne.*

♦ Fam. (Régional : surtout sud-est de la France). Petite montagne.

Les Alpes à Tarascon ?... Non, mais les Alpines, cette chaîne de montagnettes (...) pas bien méchantes ni très hautes (150 à 200 mètres au-dessus du niveau de la mer)... et que l'imagination locale a décoré de noms fabuleux (...) : le *Mont Terrible*, le *Bout-du-Monde* (...)   Alphonse DAUDET, Tartarin sur les Alpes, II.

MONTAGNEUX, EUSE [mɔ̃taɲø, øz] adj. — V. 1265 ; de *montagne.*

♦ **1.** Où il y a des montagnes. *Pays montagneux, région monta-gneuse* (→ Latérite, cit.). *C'est assez montagneux, par ici.*

♦ **2.** (Attesté xx⁰). Qui est formé de montagnes. *Un massif monta-gneux.*

CONTR. Plat.

MONTAISON [mɔ̃tɛzɔ̃] n. f. — 1834 ; « action de monter », v. 1570 ; de *monter.*
Technique.

♦ **1.** (1773). Migration des saumons* qui montent en eau douce pour aller frayer ; saison de cette migration (⇒ **Frai**).

♦ **2.** (1846). Élévation rapide (d'un liquide visqueux porté à ébulli-tion) dans un récipient.

♦ **3.** (Mil. xx⁰). Montée d'une plante qui pousse ses graines. *La mon-taison du blé.*

MONTANISME [mɔ̃tanism] n. m. — 1846 ; du nom de Montanus.

♦ Relig. chrét. Doctrine hérétique de Montanus, croyance dans l'intervention perpétuelle du Saint-Esprit.

MONTANISTE [mɔ̃tanist] n. et adj. — 1732 ; du nom de Montanus.

♦ Relig. chrét. Partisan de Montanus. Adj. *Doctrine, secte montaniste.*
(...) on pouvait, d'après eux *(les catholiques),* être pécheur sans cesser d'être chré-tien. Pour les montanistes, ces deux termes étaient inconciliables. L'Église doit être aussi chaste qu'une vierge ; le pécheur en est exclu par son péché même (...)
RENAN, Marc-Aurèle, Œ. compl., t. V, XIII, p. 881.

MONTANT, ANTE [mɔ̃tɑ̃, ɑ̃t] adj. et n. m. — V. 1155 ; p. prés. de *monter.*

★ **I.** Adj. Qui monte. ♦ **1.** Qui se meut de bas en haut. *Mouvement montant.* Spécialt. *Marée* montante ; flots montants* (→ Havre, cit. 2). — Par métaphore. *Le flot toujours montant des questions sociales* (→ Impuissance, cit. 7). — *Bateau montant,* qui remonte le courant (opposé à *avalant*). — Milit. *Garde** (*supra* cit. 77) *mon-tante.* — *Équipe montante,* qui va travailler.
Par ext. Ch. de fer. *Train montant,* qui se dirige vers l'origine de la ligne, vers un grand centre. *Voie montante* (→ Fermer, cit. 17).
(...) cette idée du flot de foule que les trains montants et descendants charriaient quotidiennement devant elle, au milieu du grand silence de sa solitude, la laissait pensive, les regards sur la voie, où tombait la nuit.
ZOLA, la Bête humaine, II.
Par métaphore. *Étoile* (cit. 29) *montante.* — *Génération montante,* qui atteint l'âge adulte. — Spécialt. Mus. *Gamme* montante.*

♦ **2.** Qui va, qui s'étend vers le haut. *Chemin* (cit. 16) *montant* (⇒ **Escarpé**). *Route montante.* — Par ext. *Corsage montant* (opposé à *décolleté*). → Fixer, cit. 14. *Robe montante* (→ 1. Friper, cit. 1). — *Cravate montante* (→ Franquette, cit. 3).
Techn. (constr.). *Joints montants* (entre des pierres, des briques) : joints verticaux. *Colonne* montante* (de gaz, d'eau chaude...).
Blason. *Figure montante,* dont la pointe est tournée vers le chef, par exception aux conventions habituelles de l'héraldique.

★ **II.** N. m. ♦ **1.** Vx. Mouvement de bas en haut (⇒ **Montée**). *Il y a encore une heure de montant :* la marée*, la mer montera encore pendant une heure.

♦ **2.** [a] (1296). Mod. Pièce verticale (opposé à *traverse*) dans un dispositif, une construction, une charpente... (en archit. on dit plutôt *pied-droit*). ⇒ **Jambage, portant ; barre** (verticale). *Montants d'une baie*, d'une fenêtre*, d'une persienne. Montants de grille** (cit. 9), *de porte** (→ Arc-bouter, cit. 4). *Montants d'une échelle* ; d'une scie* à main. Montants de lambris :* longs pilastres séparant les compartiments de lambris. *Montants d'un bâti de charpente* (⇒ **Chevron**), *d'un boisage* de mine. Montants du fuselage d'un avion.* — *Montants de lit* (→ Grabat, cit. 2). — *Montants d'un marteau-pilon* (cit.).
Les montants et barreaux du lit sont en fer, et passés au vernis noir.
J. ROMAINS, les Hommes de bonne volonté, t. I, v, p. 59.
Montants de bride : partie de la bride qui va du mors à la cocarde (⇒ **Harnais**).

[b] (XVIII⁰). Vx. *Montant de corde, de laitue,* tige montante.

♦ **3.** (XVII⁰ ; « excédent », 1514). Fig. Chiffre auquel monte, s'élève un compte*. ⇒ **Chiffre, somme, total.** *Montant d'une note, des dépen-ses, des frais.* ⇒ **Coût ; coûter.** *Montant et taux* de l'impôt* (cit. 14), *montant des droits* (→ Importer, cit. 1), *montant des det-tes extérieures* (→ Équilibre, cit. 23).

♦ **4.** Goût* relevé, saveur piquante. *Donner du montant à une sauce en la pimentant.* ⇒ **Corser.** *Montant d'un assaisonnement* (→ Gourmand, cit. 7). — *Vin qui a du montant,* de la force et du bouquet. — (XIV⁰). Fig., vieilli. Charme, entrain, piquant. *Femme qui*

---

a du montant (→ Fascination, cit. 3). ⇒ **Chien** (du chien), **allant** (de l'allant).
(...) c'est précisément là ce naturel, ce montant, ce primesautier que prisent si fort les vrais connaisseurs.
VILLIERS DE L'ISLE-ADAM, Contes cruels, « Deux augures ».

CONTR. (Du sens I.) **Descendant.** — (Du sens II., 4.) **Fadeur.**
DÉR. Montante.

MONTANTE [mɔ̃tɑ̃t] n. f. — 1800, fém. de *montant,* adjectif.

♦ Argot, vx. Culotte (→ Grimpant).

MONT-BLANC [mɔ̃blɑ̃] n. m. — 1863 ; du *mont Blanc,* montagne des Alpes.

♦ Crème ou gâteau de marrons avec une garniture de crème fouettée (qui fait penser à une montagne neigeuse). Plur. *Des mont-blanc* ou *des monts-blancs.*
Puis les pâtisseries, babas, mont-blanc, saint-honoré, talmouses, croquembouches, achevèrent le triomphe du moderne Vatel et celui du général (Dourakine).
Cˢˢᵉ DE SÉGUR, l'Auberge de l'Ange-Gardien (1863), in D.D.L., II, 16.

MONT-DE-PIÉTÉ [mɔ̃dpjete] n. m. — 1576 ; mauvaise trad. de l'ital. *monte di pietà* « crédit de pitié » et non « de piété », *monte* ayant eu au xvi⁰ le sens de « somme d'argent due ». → Montant.

♦ Établissement de prêt sur gage. ⇒ **Lombard** (cit.), **tante** (ma tante, pop.). → Bienfaisance, cit. 6. *Les Monts-de-Piété sont des établissements publics communaux* (Caisses de crédit municipal) *qui consentent des prêts sur gage « d'objets mobiliers, corporels, de valeurs mobilières libérées au porteur et de brevets de pension » aux personnes nécessiteuses* (Capitant). ⇒ **Gage, nantissement.** *Engager* sa montre au mont-de-piété.* ⇒ **Engagement ;** → Accro-cher sa montre au clou* (*supra* cit. 8). *Reconnaissance du mont-de-piété* (→ Drôle, cit. 5 ; engager, cit. 2 ; gage, cit. 4). *Le mont-de-piété lui a prêté* tant sur tel objet.*
REM. L'Académie écrit *Mont-de-Piété ;* on trouve aussi *Mont-de-piété* et *mont-de-piété.*
En sortant du Mont-de-Piété où elle vient d'engager sans nécessité ses bijoux et son argenterie, Mᵐᵉ G., déguisée en pauvresse et couverte de reconnaissances, arrive dans le magasin où travaille son fils (...)
M. JOUHANDEAU, Chaminadour, II, I, « Le pardessus ».

MONT-D'OR [mɔ̃dɔʀ] n. m. — 1874 ; de *Mont, d',* et *or,* nom de lieu.

♦ Régional. Fromage du Doubs, voisin du Munster. — Fromage d'Auvergne. *Des monts-d'or.*

MONTE [mɔ̃t] n. f. — xvi⁰ ; « montant, valeur », v. 1131 ; de *monter.*

♦ **1.** Zootechn. (⇒ **Monter,** II., 3.). « Pratique de l'accouplement sexuel chez les Équidés et les Bovidés ;... ensemble du service des mâles pendant une période limitée et à une saison déterminée » (*Omnium agric.,* qui propose de réserver à l'acte isolé le nom de *saillie*). ⇒ **Accouplement, saillie, saut ; couvrir, étalonner.** *Saison, période de monte. Service de monte* (⇒ **Remonte**), *station de monte* (→ Haras, cit. 2). — Saillie. *Mener une jument à la monte.*
(...) elle comprit que les chevaux provenaient des *montes,* et demanda *pourquoi l'on ne faisait pas deux montes par an !* Le chevalier attira les rires sur lui. — C'est très possible, dit-il. Les assistants l'écoutèrent. — La faute, reprit-il, vient des naturalistes qui n'ont pas encore su contraindre les juments à porter moins de onze mois.
BALZAC, la Vieille Fille, Pl., t. IV, p. 268-269.

♦ **2.** (1872). ⇒ **Monter,** II, 2. Fait de monter un cheval en course.
(...) comme il aurait payé un verre après une monte gagnante à la buvette des jockeys (...)
Claude SIMON, la Route des Flandres, p. 243.
Spécialt, pour un jockey*. *Avoir, faire deux montes dans la journée.*
Manière de monter. *Monte adroite, défectueuse. Sa monte est excellente. Monte américaine.*
Les Anglais, qui furent les premiers galopeurs de courses, avaient adopté la monte longue qui permet au cavalier de s'asseoir solidement dans la selle et d'avoir une action puissante des jambes.
P. ARNOULT, les Courses de chevaux, p. 88.

MONTÉ, ÉE [mɔ̃te] adj. ⇒ **Monter.**

MONTE-CHARGE [mɔ̃tʃaʀʒ] n. m. invar. — 1862 ; de *monter,* et *charge.*

♦ Appareil servant à monter des marchandises, des fardeaux d'un étage à l'autre. ⇒ **Élévateur, monte-plat, monte-sac.** *L'ascenseur* est analogue au monte-charge, mais destiné aux personnes. « Les monte-charge hydrauliques sont de véritables ascenseurs où la cabine est remplacée par une plate-forme ou par une caisse »* (Poiré). *Monte-charge d'un navire de guerre, pour amener les munitions aux chambres de tir.* — Par ext. Se dit de divers appa-reils de levage* (chèvre, cric, grue, levier, palan, sapine...).

(...) il y avait deux salles de bain, plus un cabinet de toilette; et dans la maison, un ascenseur et un monte-charge.
J. ROMAINS, les Hommes de bonne volonté, t. I, III, p. 45.

MONTE-COURRIER [mɔ̃tkuʀje] n. m. — 1973, in *la Clé des mots*; de *monter*, et *courrier*.

♦ Dispositif permettant de distribuer le courrier dans les étages (notamment, dans les grands immeubles de bureaux). *Des monte-courriers.*

MONTÉE [mɔ̃te] n. f. — Fin XIIe; de *monter*.

A. ♦ **1.** Action de monter* (I.).

a (Personnes). Action de grimper, de se hisser quelque part. ⇒ **Ascension, escalade, grimpée.** *Montée d'une pente, d'une côte, d'une colline, d'une montagne. Montée à l'échelle. La montée a été pénible, rude, fatigante. Essoufflés* (cit. 2) *par une montée longue et rapide. Se reposer après la montée.*

1 Un trait rompu arrêta quelques moments; le Roi aussi retarda un peu en voulant faire une montée à pied. MICHELET, Hist. de la Révolution franç., IV, XIII.
2 (...) il m'en est venu tantôt une volée de souvenirs dans la tête, de la poussière, des tournants de route, des montées de côte au soleil (...) FLAUBERT, Correspondance, 220, fin mai 1848.
3 Je me plaçai derrière le rideau de manière à bien voir, sans être vu, la montée dans la voiture (...) le marquis parut, puis Charlotte. Paul BOURGET, le Disciple, IV, V.

Franç. d'Afrique. Fait d'aller au travail, de « monter ».

b (Animaux). *Montée des anguilles, des saumons* (qui remontent les cours d'eau lors de leurs migrations saisonnières). — *Montée des poissons à la surface* (pour happer les insectes). — (1600). Techn. Ascension des vers à soie à l'endroit où ils fileront leur cocon. — Fauconn. *Montée de l'oiseau.*

c (Choses). *Montée d'un avion*. Montée en chandelle. — Montées et descentes d'un ascenseur, d'un monte-charge...*

4 (...) les escaliers encombrés ne suffisent plus; l'ascenseur à la descente comme à la montée est toujours plein. Henri MICHAUX, La nuit remue, p. 22.

♦ **2.** Fait de monter (II., A., 4.), de mettre plus haut (qqch.). *La montée des bagages. La montée des colis pesants par l'ascenseur est interdite.*

5 Maykosen surveilla la montée de ses belles valises de cuir anglais dans sa chambre (...) J. ROMAINS, les Hommes de bonne volonté, t. XIV, XXI, p. 202.

♦ **3.** Par ext. *Montée des eaux.* ⇒ **Crue.** *Montées et descentes de la houle* (cit. 2). — (1801). *Montée du lait* (cit. 4). *Montée de la sève...*

6 J'ai reçu du Midi un petit fagot de «tailles» d'amandier, sacrifiées annuellement à la montée de la sève. COLETTE, Belles saisons, p. 7.

♦ **4.** Fig. ⇒ **Augmentation.** *Montée de la température* (→ Hiver, cit. 6). *Montée des prix.* ⇒ **Hausse.** — *Montée de la voix* (→ Ébaucher, cit. 11), *d'un son.* ⇒ **Crescendo.**

7 La solitude à deux, quand elle n'est pas prolongée jusqu'à la satiété et jusqu'à l'ennui, permet une lente montée de sentiments et de confiance qui rapprochent beaucoup ceux qui la goûtent ensemble. A. MAUROIS, Climats, I, XVII.

B. ♦ **1.** (XIIe; Chrétien). Pente plus ou moins raide, plus ou moins pénible à gravir. ⇒ **Côte, grimpée, raidillon, rampe.** *Montée d'un chemin* (→ Calvaire, cit. 4), *d'une rue, d'un boulevard* (→ Couple, cit. 4). *Rude montée* (→ Isolé, cit. 3).

8 (...) quand il fut au sommet de la petite montée il n'aperçut, à plus d'une lieue de distance, que quelques soldats isolés. STENDHAL, la Chartreuse de Parme, I, IV.
9 Le pays n'est qu'une suite ininterrompue de vallons et de côtes, une sorte de moutonnement du sol, que le chemin de fer traverse, alternativement, sur des remblais et dans des tranchées. Aux deux bords de la voie, ces accidents de terrain continuels, les montées et les descentes, achèvent de rendre les routes difficiles. ZOLA, la Bête humaine, II.

♦ **2.** (Déb. XIVe). Vx. (Plur.). Escaliers. *Faire, nettoyer les montées. Descendre les montées* (Boileau). — (Au sing.). « *Prenez garde; il y a là une montée rompue* » (Académie, 1694).

♦ **3.** (1611). Techn. (archit.). *Montée d'une voûte,* sa hauteur entre la naissance et la clé.

CONTR. **Descente.** — **Baisse, chute, diminution.** — **Avilissement.** — **Palier.**

MONTE-EN-L'AIR [mɔ̃tɑ̃lɛʀ] n. m. invar. — 1885; de *monter en l'air*.

♦ Argot. (Vieilli). Cambrioleur.

Une fois, une bande de monte-en-l'air, qui opérait surtout dans la région de Saint-Mandé et de Vincennes, avait adopté comme quartier général le fond d'une des galeries. J. ROMAINS, les Hommes de bonne volonté, t. II, XVIII, p. 205.

MONTE-GLACE [mɔ̃tglas] n. m. — 1463; de *monter*, et *glace*.

♦ Système servant à lever ou à baisser les glaces dans une automobile. *Monte-glace manuel, électrique. Des monte-glaces.* Syn.: *lève-glace.*

MONTE-PENTE [mɔ̃tpɑ̃t] n. m. Rare. ⇒ **Remonte-pente.**

MONTE-PLAT [mɔ̃tpla] n. m. — 1878; de *monter*, et *plat*.

♦ Petit monte-charge* qui sert à faire monter ou descendre les plats de la cuisine à la salle à manger. *Des monte-plats.*
REM. Certains écrivent *un monte-plats,* au singulier.

MONTER [mɔ̃te] v. — V. 980; lat. pop. *montare,* de *mons.* → Mont.

★ **I.** V. intr. — REM. *Monter,* v. intr. devrait, selon Littré, se conjuguer avec *avoir* quand il exprime une action et non un état. L'usage actuel est de le conjuguer avec *être* dans tous les cas où il n'exprime pas une augmentation de niveau, de prix, etc.: *les rivières, les prix ont monté,* mais *il est monté quatre fois à sa chambre dans la journée.*

A. (Êtres animés). ♦ **1.** Se déplacer dans un mouvement de bas en haut (⇒ **Aller**); se transporter vers un lieu plus haut que celui où l'on était, s'y placer. *Le faucon* (cit. 3) *montait droit dans l'air.* ⇒ **Élever** (s'), **voler**; *montée. Aucun oiseau ne monte plus haut que l'aigle. Écureuil qui monte* locher (cit.) *des noix à des hauteurs vertigineuses. Monter vers un sommet d'un pas de montagnard* (⇒ **Ascension**; **marcher**). *Monter lentement, vite, sans peine* (→ Espadrille, cit.). ⇒ **Grimper.** *Monter sur une éminence, une hauteur. Il était monté au sommet de l'Etna* (→ Île, cit. 2). *Les archontes* (cit.) *montaient à l'Acropole. Monter au Capitole*. Monter à la haute ville* (→ Couler, cit. 34), *en haut*, au haut d'une tour, là-haut. Monter plus haut.* — *Monter au ciel*, vers Dieu* (en parlant des âmes des morts). Allus. littér. *Fils de Saint Louis, montez au ciel* (cit. 46).

Celui qui monte au ciel, brillant de tant de gloire,
N'a pas besoin de chants de deuil! HUGO, Odes et ballades, I, IV, III.
L'autre jour, je montai à Montmartre. Ce qui m'attrista le plus fut le silence de Paris quand on le contemple d'en haut.
A. DE VIGNY, Journal d'un poète, 1835.
Toujours on voudra monter. Le chasseur dit: «C'est pour la proie». Le grimpeur dit: «Pour voir au loin» (...) Le réel dans tous ces efforts, est qu'on *monte pour monter.* Le sublime, c'est l'inutile. MICHELET, la Montagne, I, II.

Monter au grenier, à son appartement (situé au premier étage, ou plus haut), *chez qqn, chez soi* (→ Indisposé, cit. 7; long, cit. 2), *dans sa chambre* (→ Dernier, cit. 5), *à sa chambre* (→ Marée, cit. 1). *Monter se coucher* (→ Maman, cit. 2). *Monter prévenir qqn* (→ Malade, cit. 20). *Le muezzin est monté chanter l'appel* (cit. 6) *à la prière.* — Absolt. *Monter* (→ Long, cit. 23; maintenir, cit. 14). *Monter sans hâte* (en gravissant les marches d'un escalier). *Faites monter.*

— Qu'est-ce? — Acaste est là-bas. — Hé bien! faites monter.
MOLIÈRE, le Misanthrope, II, 2.
(...) dès qu'elle fut débarrassée de Charles, elle monta s'enfermer dans sa chambre. FLAUBERT, Mme Bovary, II, IX.
Un étage, un second, un troisième. Jacques montait pesamment, s'accrochant à la rampe et ne se retournant pas. MARTIN DU GARD, les Thibault, t. IV, p. 49.
Je vais aller avec vous, me dit-il. Je monterai parler à quelqu'un que je connais, au troisième étage, je prendrai le trottoir roulant.
Paul LÉAUTAUD, Journal littéraire, t. I, p. 216.

Fam. *Il est monté là-haut,* à l'étage au-dessus. — (Par pléonasme). *Monter en haut* (chez soi, chez qqn).

Il monte en haut, et fait à la donzelle
Son compliment, comme homme bien appris.
LA FONTAINE, Contes, II, «Oraison de Saint-Julien».

Monter sur un toit, sur un comble (→ Faîte, cit. 1), *sur un arbre, à un arbre, à l'arbre.* ⇒ **Grimper** (→ Gui, cit. 1). *Monter sur les épaules de qqn* (→ Inventif, cit. 3), *sur des échasses* (cit. 1). *Monter sur une échelle* (cit. 1), *à une échelle* (→ Innocent, cit. 2), *à l'échelle* (cit. 10, au fig.). *Monter à un balcon par une échelle* (→ Escalade, cit. 3). *Monter sur une chaise* (→ Grappe, cit. 1; 2. hâte, cit. 8). *Les enfants, ne montez pas là-dessus!*

Et moi, je suis montée au haut de la muraille (...)
RACINE, la Thébaïde, III, 3.
Allus. plais. *Monte là-dessus et tu verras Montmartre!* (de *Monte là-dessus,* chanson populaire de l'entre-deux-guerres).

Par anal. Se dresser, s'élever. *Danseuse qui monte sur les pointes.* — Fig. *Monter sur ses ergots*.

Monter sur la table d'opération (et, fam., *sur le billard*). — *Monter sur les planches*, sur le théâtre* (→ Bouffon, cit. 1). — *Monter sur un piédestal*, sur le pavois*, sur le trône*, sur l'échafaud* (→ Grève, cit. 5), *à l'échafaud. Monter à l'autel* (cit. 24), *à la tribune* (→ Harmonium, cit. 2). *Monter en chaire* (cit. 3). *Candidat qui monte au tableau* (→ Jury, cit. 2).

(*Monter,* absolt, 1080). *Monter sur le dos d'un cheval* (⇒ **Enfourcher**), *sur un âne* (→ 1. Gué, cit. 1), *sur une grande* (cit. 1) *jument.* — (1538). *Monter à cheval* (cit. 12, 13 et 18). *Il apprend, il commence à monter à cheval* (→ Haut, cit. 96). *Monter à califourchon* (→ Fille, cit. 3), *en amazone, en croupe* (3, Boileau, au fig.). Absolt. *Il monte bien, à la perfection.* — Loc. fig. *Monter sur ses grands chevaux* (cit. 38 et 39).

Monter sur un véhicule, dans une voiture; monter en voiture (→ Évader, cit. 7; inégalité, cit. 5; malice, cit. 9). ⇒ **Aller.** *Mon-*

ter sur un char (→ Bord, cit. 12), *une charrette* (→ Fatal, cit. 8). *Monter sur un bateau, monter à bord.* ⇒ **Embarquer** (s'). *Monter dans un ascenseur, y entrer. Monter en ascenseur* (cit. 1) : *monter grâce à l'ascenseur. Monter à* (ou *en*) *bicyclette*. Monter dans un taxi, dans un fiacre, dans une vieille guimbarde* (cit. 3), *dans un avion... Au moment où il montait dans son train* (→ Escamotage, cit. 3). ⇒ **Entrer.** *Il n'est jamais monté en avion, il ne l'a jamais pris.* ⇒ **Prendre.**

REM. Selon Littré, « on monte *en* voiture pour partir ; on monte *dans* une voiture pour y examiner quelque chose ». En réalité, on monte aussi *dans* une voiture pour s'y installer et partir. *Dans* est plus concret : *je suis souvent monté en avion, mais jamais dans un avion aussi grand. Animal qui monte sur la femelle.* → ci-dessous B., 3. — Vulg. *Monter sur* (un partenaire sexuel), le posséder physiquement. → Chevaucher.

9.1 On y est allé tous les quatre avec Lulu (...) il avait raconté Lulu c'est le gros con mais on peut lui monter dessus si ça vous intéresse.
Tony DUVERT, *Paysage de fantaisie*, p. 47.

Monter à l'assaut* (cit. 4), *à l'abordage** (→ Attaquer, cit. 47), *au front, en ligne** (cit. 39). — Absolument :

0 — C'est vrai qu'on monte demain (...) et que, le soir, on file en première ligne. Mais personne. On le sait, voilà tout. H. BARBUSSE, *le Feu*, I, XIV.

♦ **2.** Par ext., fam. Se déplacer du sud vers le nord (en raison de l'orientation des cartes géographiques), ou vers une grande ville, la capitale. *Monter de Marseille à Paris, monter vers Paris.*

1 Dans le Midi, j'étais un embusqué ; monter à Paris, c'était monter au front. Je suis revenu de la zone libre dans le Paris de l'occupation (...)
MONTHERLANT, *Demain il fera jour*, I, 1.

1.1 Je lui avais proposé de « monter » à Paris tenter sa chance, dans « ce triste Paris où l'on s'ennuie à mourir, disait-il, encore que les architectes aient bâti la capitale en pleine province », mais il préférait la province et ne se décida qu'après bien des hésitations à la quitter. Francis CARCO, *Ombres vivantes*, p. 256.

♦ **3.** Par métaphore ou fig. (Dans des loc. ou absolt). Progresser dans l'échelle (cit. 13) sociale, s'élever dans l'ordre moral, intellectuel... *Monter en grade** : obtenir de l'avancement*. ⇒ **Avancer.** Fam. *Monter d'un cran** (cit. 1). *Monter par degrés* (cit. 32) *jusqu'à la connaissance. Monter sur le faîte* (→ Chute, cit. 7), *au faîte* des honneurs* : parvenir aux plus hautes dignités. — Absolt. *Monter, c'est s'immoler* (cit. 20, Hugo). — *La vedette qui monte.*

2 *(Ma bonté)* Qui de ce vil état de pauvre bourgeoise
Vous fait monter au rang d'honorable bourgeoise.
MOLIÈRE, *l'École des femmes*, III, 2.

Les générations qui montent, qui avancent dans la vie, parviennent à l'âge adulte (⇒ **Montant**).

3 Je vois une énorme génération qui monte, qui monte tout armée, tout armée de joie vers la vie. GIDE, *les Nourritures terrestres*, p. 145.

♦ **4.** Jeu. Surenchérir ; augmenter la mise. — Cartes. Mettre une carte supérieure.

♦ **5.** Franç. d'Afrique. Aller à son travail.

B. (Choses). ♦ **1.** S'élever dans l'air, dans l'espace. *Le soleil monte au-dessus de l'horizon, à l'horizon.* — Par ext. *Le jour monte* (→ Astre, cit. 3 ; hauteur, cit. 24). — *L'avion prend de l'altitude, de la hauteur* (cit. 9), *monte encore, monte à six mille mètres, atteint son plafond*.* — Par ext. (en parlant des passagers de l'avion). *Nous montons, nous sommes montés au-dessus des nuages.* — *La fusée* (cit. 11) *du shrapnell monte puis retombe verticalement.* — *Flammes qui montent d'un incendie* (→ Feu, cit. 35). *Le feu monta le long des pierres* (→ Fumer, cit. 7). *Des étincelles montaient en gerbes* (cit. 7). *Les vapeurs, les brouillards qui montaient du fleuve* (→ Couper, cit. 11).

♦ **2.** Par anal. Émaner (de qqch.), en parlant des sons, des odeurs, des impressions, etc. ⇒ **Élever** (s'). *Bruits* (cit. 18) *montant de la rue, des profondeurs. L'odeur de sa chevelure montait vers lui* (→ Écœurant, cit. 4). *D'adorables* (cit. 4) *senteurs montent de la plaine. Des brises* (cit. 2) *chaudes montaient de ce village en fleurs.* — *Une tristesse lugubre montait du creux de l'étang* (→ Crépuscule, cit. 3). — Fig., spécial. (En parlant de prières, de plaintes venant de l'homme). → Couvent, cit. 3 ; ligne, cit. 10. *Que nos prières montent vers nous.*

4 Et le cri de son peuple est monté jusqu'à lui. RACINE, *Esther*, I, 1.
5 Alors la prière du soir monte de nous comme une fumée, sans que nos lèvres remuent. F. MAURIAC, *Souffrances et Bonheur du chrétien*, p. 152.

Absolument :

6 (...) vos mots à vous, descendent : ils vont vite.
Les miens montent, Madame : il leur faut plus de temps !
— Mais ils montent bien mieux depuis quelques instants.
Edmond ROSTAND, *Cyrano de Bergerac*, III, 7.

(En parlant de phénomènes physiologiques, des effets d'émotions). Apparaître, se manifester en un point élevé du corps, du visage. *La colère fait monter le sang au visage, à la tête* (→ Fouet, cit. 6). ⇒ **Attirer, porter.** *Le rouge m'est monté au front* (cit. 17). *Un cri* (cit. 10) *lui montait à la gorge.* — Spécial. *Sentir la moutarde* monter au nez.* ⇒ **Emporter** (s'). — *Le vin lui est monté à la tête.* ⇒ **Enivrer.** — Par anal. *Une gaieté* (cit. 7) *chaude lui montait du ventre à la tête.* ⇒ **Ivresse.** *Les fumées* (cit. 21) *de l'ambition me montaient à la tête.* ⇒ **Exalter, griser, troubler.**

17 Les fumées des vins recherchés de Coucy et d'Orléans montaient à la tête de nos gens et les vanteries les plus extravagantes se succédaient sans borne ni mesure.
NERVAL, *Contes et Facéties*, « Souper des pendus ».

18 Et, à la seule pensée des souffrances de l'humanité future, les larmes lui montaient aux yeux. G. DUHAMEL, *le Voyage de P. Périot*, III.

♦ **3.** S'élever en pente (en parlant de chemins, de rues...), s'étendre vers le haut. *La route montait, épousant* (cit. 16) *les formes de la falaise. Le sentier serpente, monte, descend, grimpe* (cit. 11). *Les petites rues montaient, descendaient, s'enlaçaient* (cit. 8). — *La ville monte en s'étageant* (cit. 2). — *Ligne qui monte* (→ Himation, cit.).

Par anal. S'étendre jusqu'à une certaine hauteur. *Guimpe* (cit. 1) *qui monte jusqu'au cou. Ses bas montent à mi-cuisse.*

♦ **4.** Gagner en hauteur. *La maison en construction commence à monter* (→ Maçonnerie, cit. 1). *On voit monter les immeubles* (→ Flairer, cit. 6). *Le building monte* (→ Ascenseur, cit. 2).

19 L'immeuble Haverkamp monte du sol, où il enfonce ses pieds de béton.
J. ROMAINS, *les Hommes de bonne volonté*, t. IV, IV, p. 24.

(En parlant des plantes). *Ces arbres montent trop, il faut les étêter.* — *Monter en graine.* ⇒ **Graine.**

♦ **5.** XVIIᵉ. (Fluides). Progresser, s'étendre vers le haut. *La sève* brute monte par les vaisseaux ligneux de la racine jusqu'au bois de la tige* (Poiré). *Le mercure monte dans le thermomètre, le baromètre.* Par ext. *Le baromètre monte, a monté.* — *Le lait monte sur le feu. Monter comme une soupe au lait* (au fig. *S'emporter**). — Absolt, fig. *Il monte facilement, s'emporte, se met en colère. Faire monter qqn, exciter sa colère.*

20 (...) — il ne faut pas monter, comme un lait qui bout, au moindre mot qu'on dit en riant ! BARBEY D'AUREVILLY, *Une vieille maîtresse*, II, XVIII.

Spécial. Hausser*. Gagner en hauteur (mer, rivières, etc.). *La marée** (cit. 4) *monte. La mer monte durant le flux*. La fonte des neiges fait monter le niveau des rivières. La Seine a monté hier de cinquante centimètres. Le flot monte de toutes parts* (→ Maîtriser, cit. 5). Par ext. *L'inondation* (cit. 6) *montait, montait toujours.*

21 La mer montait, chassant peu à peu vers la ville les premières lignes des baigneurs. On voyait les groupes se lever vivement et fuir, en emportant leurs sièges, devant le flot jaune qui s'en venait frangé d'une petite dentelle d'écume.
MAUPASSANT, *Pierre et Jean*, V.

Par métaphore, fig. *Colère* (→ Gouape, cit. 1), *haine* (→ Inconnu, cit. 30), *marée* (cit. 9) *de bonheur qui monte en nous.*

♦ **6.** Aller du grave à l'aigu (sons, musique). *La voix monte par tons et par demi-tons. Il est plus facile, disait-elle, de monter que de descendre* (→ Escalade, cit. 4). *Le chant du cygne* (cit. 2) *monte jusqu'aux sommités de la gamme. Une phrase musicale qui se déroulait et montait en arpège* (cit.). — Fig. *Le ton monte* : la discussion tourne à la dispute.

Être capable d'aller dans l'aigu. *Sa voix monte jusqu'au contre-ut.*

♦ **7.** Par anal. Aller en augmentant (prix), hausser de prix (biens, marchandises). ⇒ **Augmenter.** *Les prix ne cessent de monter* (→ Gaspiller, cit. 2). *L'accaparement* (cit. 1) *fait monter les prix. Les cours* (cit. 21) *montaient de plus en plus haut* (→ Krach, cit.). *Ses actions ont monté.* « *Le blé est monté à un prix qu'il n'avait encore jamais atteint* » (Académie). — *Atteindre une certaine somme, s'élever à un certain total* (⇒ **Montant,** II., 3.). *À combien montera la dépense ? Les frais de son procès sont montés à tant.*

22 (...) le nombre de ceux à qui il a fait ces largesses (...) monte à plus de six cents personnes (...)
LA BRUYÈRE, *les Caractères de Théophraste*, « De l'ostentation ».

Fig. Grandir, atteindre un degré élevé. *Le luxe est monté au plus haut degré* (Académie). *Après ce règne, la monarchie devait monter au plus haut degré de sa puissance* (→ Ascension, cit. 7). *À mesure que sa gloire montait...* (→ Honnir, cit. 5). *Monter aux nues*. Sa joie est montée au paroxysme. La fièvre a encore monté.*

23 (...) j'étais restée auprès de maman dont la température montait en flèche (...)
Hervé BAZIN, *Qui j'ose aimer*, X, p. 92.

♦ **8.** Atteindre un total. ⇒ **Montant.** *À combien montera la dépense ?* → Se monter (plus courant).

★ **II.** V. tr. (Fin XIᵉ). — REM. *Monter*, v. tr., se conjugue avec *avoir*.

A. ♦ **1.** Parcourir en s'élevant, en se dirigeant vers le haut. ⇒ **Gravir.** *Monter les marches** (→ Guêtre, cit. 2), *les degrés** (cit. 1) *d'une chapelle, d'un escalier. Monter un escalier** (cit. 1 et 4), *les escaliers, les étages* (→ Lassitude, cit. 5) ; *monter les escaliers quatre à quatre. Monter une pente, une côte, une rampe.* ⇒ **Escalader, grimper.**

24 En montant les trois cent quatre-vingt-dix marches de sa prison à la tour Farnèse (...) Fabrice (...) trouva qu'il n'avait pas le temps de songer au malheur.
STENDHAL, *la Chartreuse de Parme*, II, XVI.

25 Il lui fallait traverser presque tout Stamboul, et on commença par monter les rampes où les chevaux glissaient. LOTI, *les Désenchantées*, II, V.

Par ext. *Monter la garde.* ⇒ 1. **Garde** (supra cit. 18). — *Monter la faction*.*

Fig. Parcourir les degrés successifs de... *Monter la gamme*.* — *Monter les vitesses* (d'une voiture), les passer successivement.

♦ 2. (XIIᵉ). Être sur (un animal dit *monture*). *Monter un cheval :* aller à cheval*, chevaucher (→ Éperon, cit. 4; équiper, cit. 5). *Monter un beau destrier* (→ Haquenée, cit. 1). — (Au passif). *Cheval qui n'a jamais été monté* (→ Équitation, cit. 3). *Monter une mule, un âne, un buffle.*

♦ 3. Spécialt. Couvrir (la femelle), en parlant du cheval et de certains autres mâles de quadrupèdes. ⇒ **Monte; saillir, servir.** « *De vieux chevaux qui n'avaient plus la force de monter la jument sans l'aide du palefrenier* » (Buffon).

♦ 4. Porter, mettre en haut (qqch.). *Monter une malle au grenier, sa valise à sa chambre* (→ Hall, cit. 2). *Monter l'eau d'un puits* (→ Manège, cit. 3). *Monter une embarcation.* ⇒ **Hisser.** *Monter les plats de la cuisine à la salle à manger.* ⇒ **Monte-plat.** *Le concierge monte le courrier* (aux occupants des étages).

♦ 5. Porter, mettre plus haut, à un niveau plus élevé. ⇒ **Élever, exhausser, hausser, lever, rehausser, relever, remonter; surélever, surhausser.** *Monter la crémaillère d'un cran. Monter la mèche d'une lampe.* — *Monter une horloge,* en hausser les contrepoids, en bander les ressorts. — Par ext. *Monter une montre*.* ⇒ **Remonter.**
Cuis. Faire monter le niveau de (unc préparation) en rendant homogène et consistant par battage. *Monter des blancs d'œufs (en neige), une mayonnaise.*
Mus. *Monter un instrument, un violon,* le mettre à un ton plus élevé. — Fig. *Monter ses sentiments au ton*, au diapason* de...,* à l'unisson de...

26 (...) les deux enfants avaient, depuis huit jours, en l'absence l'un de l'autre, monté leurs sentiments à un diapason tel qu'il était impossible de les y maintenir dans la réalité (...) R. ROLLAND, Jean-Christophe, Le matin, II, p. 157.

Fig. *Monter la tête à qqn* ou, simplement, *monter qqn,* l'animer, l'exciter contre qqn d'autre (→ Chapitre, cit. 2). — *Se monter la tête, l'imagination :* s'exalter, se faire des idées, des illusions... — Fam. *Se monter le bourrichon*.*

B. ♦ 1. (XIIᵉ). Mettre (une machine*, un ouvrage, un meuble, etc.) en état de fonctionner, de servir, en assemblant les différentes parties. ⇒ **Montage, monteur; ajuster, assembler.** *Monter une machine* (→ Législateur, cit. 2), *une armoire, un échafaudage, une charpente, un fusil... Monter un cirque, une baraque foraine* (→ 2. Frais, cit. 12). *Monter un lit, une tente.* ⇒ **Dresser.** *Monter une ligne, un hameçon.* — (1718). Par ext. *Monter un diamant* (sur une bague). ⇒ **Enchâsser, sertir; monture.** *Monter une pièce d'or sur une épingle* (cit. 9). Fig. *Monter (une chose) en épingle.*
Spécialt. Imprim. *Monter une page.* — Cin. *Monter un film.* ⇒ **Montage.** — Radio, télév. *Monter une bande magnétique,* et, par ext., *monter une émission de radio, de télévision.* — (Coiffure). *Monter une mise en plis :* faire la mise en plis, bigoudi après bigoudi, mais en commençant par le haut de la tête et en terminant par la nuque.
Techn. Préparer (un mélange de teinture). *Monter un bain, une teinture.*
Fig. *Monter une pièce de théâtre,* en préparer la représentation. ⇒ **Réaliser, scène** (mettre en). *Il a monté cette farce* (cit. 4) *de Molière de la façon la plus amusante.*

27 L'art de plaire, au théâtre, c'est l'art d'écrire des pièces; c'est ensuite, et bien audessous de ce sommet, l'art de les monter et de les jouer.
JOUVET, Réflexions du comédien, p. 19.

(1817). *Monter une affaire* (→ Gagne-pain, cit. 2), *une entreprise* (→ Large, cit. 9), *une société.* ⇒ **Constituer, établir, organiser.** *Monter une opération financière.* — *Monter un complot, une cabale...* ⇒ **Combiner, ourdir.**
Monter un coup*. — Fam. *Monter le coup à qqn,* lui en faire accroire (→ Monter un bateau*), l'abuser (au point de le dresser parfois contre qqn, d'où une confusion avec *monter la tête,* qui fait que certains écrivent *monter le cou.* → Montage, cit. 1). — « *L'homme se monte le coup, il idéalise* (cit. 5) *la femme* ». *Monter une farce, un canular...*

28 Quelles sont les impressions d'un Européen lorsqu'il débarque dans une cité américaine? D'abord, il se dit qu'on lui a monté le coup.
SARTRE, Situations III, p. 101.

♦ 2. Fournir, pourvoir de tout ce qui est nécessaire. *Monter un cavalier* en lui fournissant le cheval et l'équipement. — *Monter son ménage* (→ En, cit. 17), *son trousseau...*

▶ **SE MONTER** v. pron.

A. (Fin XIIᵉ). **♦ 1.** Être monté. *Côte, escalier qui se monte facilement.* — *Cheval rétif qui se monte difficilement.*

♦ 2. (1798, Académie). Se pourvoir. *Se monter en linge, en argenterie, en livres.* ⇒ **Fournir** (se), **pourvoir** (se). Absolt. *Se monter* (→ Entretien, cit. 9).

♦ 3. (1608). S'exciter. *La tête, l'imagination* (cit. 16) *se monte.* Fam. *Se monter :* se mettre en colère. ⇒ **Irriter** (s').

28.1 (...) Gisèle, calme-toi. Tu es ridicule de te monter comme ça... Laisse donc tomber, ne te fatigue pas. C'est un pauvre gâteux. Il fait plutôt pitié.
N. SARRAUTE, le Planétarium, p. 126.

♦ 4. *Se monter à :* s'élever à (tel total). ⇒ **Atteindre.** *Les frais se*

---

sont montés à cent mille francs. ⇒ **Coût, coûter.** *Notre armée se montait alors à un million d'hommes.*

B. (V. 1360, Froissart). Se pourvoir d'une monture, d'un cheval. *Les officiers devaient se monter.*

▶ **MONTÉ, ÉE** p. p. adj.

♦ 1. [a] *Montés sur ce sommet, nous avons fait halte.* — Par métaphore. « *Et monté sur le faîte* (cit. 4), *il aspire à descendre* ». — *Enfants montés sur patins et sur luges* (cit.). *Monté sur une chaise,* juché.
[b] Qui chevauche (une monture). *Il s'avançait, monté sur un cheval blanc* (→ Caparaçonné, cit. 1). *Légion montée.* (→ Gros, cit. 37). *Police montée canadienne.* (En France, on dit plutôt à *cheval : Garde républicaine à cheval*). — Qui est chevauché. *Chevaux montés* (→ Hippique, cit.). — Par métonymie. Hippisme. *Trot* monté,* opposé à *trot attelé.*

♦ 2. Pourvu. *Être bien monté, mal monté en chevaux, en linge,* etc. — Iron. *Nous voilà bien montés !* ⇒ **Logé** (vx).

♦ 3. Loc. *Pièce* montée.* — *Vaisselle* montée* (opposé à *vaisselle plate*).

(...) les productions de l'orfèvrerie civile se divisaient autrefois en *grosserie* et *menuerie*[1], suivant leur importance, et (...) dans la grosserie, on distinguait encore la « vaisselle plate » de la « vaisselle montée », cette dernière comportant des soudures qui abaissaient parfois (...) le titre général de l'ouvrage. 28.2
Luc LANEL, l'Orfèvrerie, p. 71.

1. *Menuerie :* choses menues, petites. → Menuiserie.

Être collet* monté. — *Un coup* monté.*

♦ 4. (1866, in *Année scientifique,* 1867, p. 383). Techn. Se dit d'un vin altéré. → **Poussé.**

♦ 5. Fam. *Être monté, très monté,* de mauvaise humeur, en colère*.

Vous l'aimez donc toujours, hein? ma pauvre chérie. Tout à l'heure, vous étiez joliment montée contre lui. Et vous voilà, maintenant, à le pleurer, à vous crever le cœur (...) ZOLA, l'Assommoir, t. I, I, p. 27. 29

Pourvu, se disait Manifassier, le cœur serré, que le patron ne s'emballe pas! Il était tellement monté hier soir! 30
J. ROMAINS, les Hommes de bonne volonté, t. X, XXV, p. 258.

(...) les esprits sont très montés contre vous (...) 31
A. MAUROIS, Bernard Quesnay, XIV.

CONTR. **Abaisser, abdiquer, avilir, baisser, déchoir, décliner, démonter, descendre, dévaler, diminuer, disloquer.**
DÉR. **Montable, montage, montaison, montant, monte, montée, monteur, montoir, monture.**
COMP. **Monte-charge, monte-courrier, monte-en-l'air, monte-glace, monte-pente, monte-plat, monte-sac. — Remonter, surmonter.**

MONTE-SAC [mõtsak] n. m. — Fin XIXᵉ; de *monter,* et *sac.*

♦ Appareil de levage employé dans les docks, pour monter les sacs. *Des monte-sacs.*
REM. Certains écrivent au sing. *un monte-sacs.*

MONTEUR, EUSE [mõtœR, øz] n. — 1765; *munteor* « cavalier », fin XIIᵉ; *montedur,* v. 1120; de *monter.*

♦ 1. (1765, en horlog.). Personne qui monte (II., B.), assemble certains ouvrages, appareils, machines*..., ouvrier technicien qui effectue des opérations de montage*. ⇒ **Assembleur.** *Monteur-ajusteur, assembleur* (⇒ **Mécanicien**). *Monteur en coutellerie, bijouterie, orfèvrerie; monteur d'équipements, d'appareils, de lignes électriques. Monteur électricien :* ouvrier capable d'effectuer des montages, branchements, dépannages d'appareils électriques, etc. *Des monteurs électriciens qualifiés.* — *Monteur mécanicien :* ouvrier capable d'assurer l'assemblage, la mise en place, le réglage de systèmes mécaniques. — *Monteuse en fleurs artificielles, en parapluies... Cout. Monteuse en cols, en lingerie...* — Par appos. *Chef monteur* (→ Montage, cit. 2).
Imprim. *Monteur quadri* (en quadrichromie).

♦ 2. (1919). Cin. Spécialiste chargé du montage*. *Chef monteur, assistant monteur.*

♦ 3. (Rare). *Monteur, euse de... :* celui, celle qui prépare, combine (ce qu'indique le complément). *Un monteur d'affaires; une monteuse de coups.*

MONTGOLFIÈRE [mõgolfjɛR] n. f. — 1782; de *Montgolfier,* nom des inventeurs.

♦ Anciennt. Aérostat constitué d'une enveloppe remplie d'air dilaté par un foyer placé dessous. ⇒ **Ballon** (→ Ascension, cit. 4). Par anal. (→ Gaine, cit. 3).

MONTIA [mõsja] ou **MONTIE** [mõsi] n. f. — 1752, *montia,* Trévoux (probablt de la trad. 1746-48 du *Dictionnaire médical* de R. James); *montie,* 1828; de *Monti,* n. pr. d'un botaniste bolognais (1682-1760); *montia,* n. de genre, av. 1802, A. Michaux.

♦ Bot. Petite plante dicotylédone *(Portulacacées)* des deux continents, herbacée, annuelle, à cyme unipare, avec des fleurs blanches à cinq pétales inégaux et des fruits trivalves, dont l'espèce type est commune en France dans les lieux humides. *Montia des fontaines.* — *Genre Montia,* auquel appartient cette plante.

Quelle joie ne procure pas au touriste l'aspect de ces mousses et de ces graminées, au milieu desquelles étincellent la corolle pourpre du lychnis, les blanches pétales des monties.
H. FEUILLERET, Voyage à la recherche de sir John Franklin, II, *in* D.D.L., II, 10.

MONTICOLE [mɔ̃tikɔl] adj. — 1840; «qui habite les montagnes», 1543; lat. *monticola,* de *mons, montis* «mont», et *-cole.*

♦ Didact. Qui vit dans les montagnes, en montagne (en parlant des animaux, des végétaux).

MONTICULE [mɔ̃tikyl] n. m. — 1488; bas lat. *monticulus,* dimin. de *mons, montis.* → Mont.

♦ **1.** Petite montagne, petit mont. ⇒ **Butte, éminence, hauteur.** *Vallée coupée de monticules* (→ Caillouteux, cit. 1).

♦ **2.** Petite bosse de terrain (⇒ **Tertre**); monceau, tas* de matériaux. *Monticule de pierres.* ⇒ **Cairn, montjoie.** *Monticules entourant les massifs* (cit. 13) *d'un jardin.*

1 Les sentiers sont âpres. Les monticules se couvrent de genêts. L'air est immobile.
RIMBAUD, Illuminations, «Enfance», IV.
2 Les deux corbeilles qui se faisaient face (...) ne présentaient plus que de tristes monticules de terre noire.   J. GREEN, Léviathan, II, II.

MONTIEN, IENNE [mɔ̃sjɛ̃, jɛn] adj. et n. m. — 1885, Cornet et Briard; de *Mons,* en Belgique.

♦ Didact. (Géol.). Un des âges (étage inférieur) du paléocène*.

MONTJOIE [mɔ̃ʒwa] n. m. — 1080, *munjoie,* Chanson de Roland, au sens 2; altér. par attraction de *mont,* et *joie,* d'un comp. francique *mund-gawi* «protection du pays» (Dauzat).

♦ **1.** (Fin XIIe). Vx ou didact. Monticule, monceau de pierres (indication d'un chemin; monument commémoratif); croix, indication surmontant ces monticules.

En l'absence totale de cartes, le pèlerin doit se fier à ses guides, aux instructions apprises par cœur ou encore à une signalisation spécifique : les montjoies, petites pyramides de pierres entassées balisant la bonne voie (...) Jean de Tournai, cherchant sa route dans un paysage uniformément enneigé : «Nous boutions nos bourdons bien souvent dans cette neige jusqu'au bout, pour savoir s'il n'y avait point de montjoie et quand nous ne trouvions rien nous nous recommandions à Dieu et allions toujours et quand nous oyions que notre bourdon cognait, nous étions bien joyeux car c'était à dire qu'il y avait une montjoie».
Ce terme paraît semble venir du francique mund-gawi, qui désignait des collines, des promontoires d'observation et de défense; peu à peu, il s'appliqua à ces pyramides grossières que l'homme érige depuis toujours sur les sommets, et enfin aux pyramides elles-mêmes, où qu'elles soient édifiées — le jeu de mots, si fréquent au Moyen Âge, passe cette fois par le latin : mund-gawi, mons gaudii, mont de la joie. Montjoie désigne aussi, par la même occasion, ces points de vue privilégiés d'où les pèlerins aperçoivent pour la première fois le but de leur voyage sacré : Jérusalem, Rome et, vous le verrez au bout de votre route, Compostelle.
BARRET et GURGAND, Priez pour nous à Compostelle, p. 70-71.

♦ **2.** Hist. Cri de guerre des Français. *Montjoie Saint-Denis !* — Par ext. Bannière qui réglait la marche de l'armée.

MONTMARTROIS, OISE [mɔ̃maʁtʁwa, waz] adj. et n. — Fin XIXe; de *Montmartre,* quartier de Paris, de *mont* et anc. franç. *martre* («mont des martyrs»).

♦ De Montmartre. *Les chansonniers, les peintres montmartrois.*

L'espèce n'est pas très rare, en ce pays montmartrois, de ces filles qui crèvent de misère et d'orgueil, belles de leur dénuement éclatant.
COLETTE, la Vagabonde, éd. L. de Poche, p. 99.

MONTMORENCY [mɔ̃mɔʁɑ̃si] n. f. invar. — 1868, Littré; nom de lieu, au Nord de Paris.

♦ Variété de cerise acide. ⇒ **Griotte.**

Les cerises, rangées une à une, ressemblaient à des lèvres trop étroites de Chinoise qui souriaient : les Montmorency, lèvres trapues de femme grasse (...)
ZOLA, le Ventre de Paris, t. II, p. 99.

MONTOIR [mɔ̃twaʁ] n. m. — V. 1130, *monteor;* de *monter.*

♦ **1.** Vx ou rare. Grosse pierre, billot ou banc pour monter à cheval. *Le côté du montoir,* le côté gauche du cheval. *Cheval facile au montoir,* qui se laisse monter.

1 Au retour du Palais, elle allait au-devant du Président, elle le regardait descendre de sa mule à son montoir, lui prenait la main pour gravir avec lui l'escalier (...)
BALZAC, l'Enfant maudit, Pl., t. IX, p. 663.
2 Un banc de pierre, qui servait de montoir, se trouvait près du porche.
BALZAC, Maître Cornélius, Pl., t. IX, p. 909.

♦ **2.** (1873). Techn. Outil servant à monter des pièces métalliques.

MONTPARNASSIEN, IENNE [mɔ̃paʁnasjɛ̃, jɛn] adj. et n. — D. i.; de *Montparnasse,* quartier de Paris.

♦ De Montparnasse. ⇒ **Montparno.** *Peintre montparnassien.*

DÉR. Montparno.

MONTPARNO [mɔ̃paʁno] n. et adj. — 1923, Michel G. Michel; de *Montparnasse.*

♦ Fam. Habitant, peintre ou écrivain, de Montparnasse, à l'époque où ce quartier était le centre de la vie artistique et littéraire en France (surtout entre 1918 et 1930). *Les Montparnos.* — Adj. *«Fujita, le peintre montparno des années 30»* (L'Express, 19 mai 1979, p. 76).

(...) le médecin déchu (...) un ancien montparno qui n'était pas devenu Modigliani (...)   C. ROCHEFORT, le Repos du guerrier, I, IV, p. 100.

MONTRABLE [mɔ̃tʁabl] adj. — XIIIe; *mustrable,* XIIe; de *montrer.*

♦ Qui peut être montré. ⇒ **Présentable.** (Surtout en phrase négative). *Il n'est guère montrable.*

Les autres demeuraient entre eux. Ça te faisait tout misérable
Et tu comprenais bien que pour eux tu n'étais guère montrable.
ARAGON, le Roman inachevé, p. 94.

MONTRACHET [mɔ̃ʁaʃɛ] n. m. — 1861; de *Montrachet,* nom d'un vignoble de la Côte d'Or, de *mont,* d'où la prononciation.

♦ Vin blanc de Bourgogne, de cépage Chardonnay, du vignoble de Montrachet. *«Le montrachet est, suivant M. Lavalle, une des rares merveilles de ce monde (...) Le meilleur montrachet est celui auquel on ajoute l'adjectif vrai (Mont-Rachet-Vrai)»,* E. Cadol, in *Encyclopédie pratique de l'agriculture,* IV, col. 271, Didot (1861).

MONTRANCE [mɔ̃tʁɑ̃s] n. f. — XIIe, *mostrance;* monstrance «dénombrement; action de produire, de montrer», puis «ostentation» et «aspect, apparence», XIIIe (→ Monstrance «ostensoir»); rad. de *montrer.*

♦ Régionalisme, ou emploi stylistique. Apparition; fait de se montrer, de se manifester.

1 (...) ici je possède dans sa pureté le rythme principal, la montrance alternative du soleil et son occultation (...)   CLAUDEL, Connaissance de l'Est, p. 221.
2 Il faut que tout soit net et clair à Monsauvierge qui est en montrance sur tout le Royaume.   CLAUDEL, l'Annonce faite à Marie, p. 73.

1. MONTRE [mɔ̃tʁ] n. f. — V. 1120, *mostre* (cf. ital. *mostra*), *monstre* «action de montrer»; de *montrer.*
Vx, littér. ou spécialt. Action de montrer, de mettre en vue.

♦ **1.** (V. 1290). Littér. ⇒ **Démonstration, dépense, effet, étalage, exhibition, parade.** *La montre d'une inconsolable* (cit. 2) *affliction.*

1 Un jour, Mme de Caylus lui envoie une petite quenouille; car Mme de Maintenon aimait à filer de ses propres mains, toute demi-reine qu'elle était : c'était une montre de simplicité et de modestie ajoutée à toutes les autres.
SAINTE-BEUVE, Causeries du lundi, 28 oct. 1850.
2 Il n'avait aucune affectation extérieure, ni montre d'austérité.
RENAN, Vie de Jésus, Œ. compl., t. III, p. 202.
3 Toutes ces variations, subtiles à plaisir (...) sentent un peu la montre, la parade.
GIDE, Journal, 10 déc. 1942.
3.1 Il suffit d'ailleurs que je pousse un peu plus loin, pour que cette agressivité, qui me maintenait vivant, relié au monde, tourne à la déréliction : j'entre dans les eaux mornes de la déréalité. «Piazza del Popolo (c'est férié), tout le monde parle, est en état de montre (n'est-ce pas cela, le langage : un état de montre?), famil-les, familles, maschi paradant, peuple triste et agité, etc.» Je suis de trop.
R. BARTHES, Fragments d'un discours amoureux, p. 105.

Pour la montre : pour l'apparence extérieure, la parade*. *«C'est un meuble d'apparat qui n'est là que pour la montre»* (Académie).

4 Pour la montre, pour la gloire, pour être célébré, exalté des salons, du grand public, il fallait généreusement doubler les députés du Tiers.
MICHELET, Hist. de la Révolution franç., I, I.
5 Si l'un d'eux, avec le titre de gouverneur, allait dans une province, on a vu que c'était pour la montre; pendant que l'intendant administrait, il représentait avec grâce et magnificence, recevait, donnait à dîner.
TAINE, les Origines de la France contemporaine, t. II, II, p. 120.

Loc. (Mil. XVIe). Vieilli. **FAIRE MONTRE DE...** : montrer avec affectation*, ostentation (⇒ **Étaler, exhiber**) ou sans ostentation (⇒ **Montrer, révéler**); faire parade.

Mod. Montrer au grand jour, révéler, faire preuve (de...). *Faire montre de son charme, de son talent, de sa richesse* (→ Étaler, cit. 30). — *Il a fait montre en cette occasion d'un courage héroïque. Faire montre de maîtrise* (→ Étymologique, cit. 1). ⇒ **Preuve** (faire).

6 *(Elle)* Étale ses beautés, fait montre de ses charmes.
F. DE MALHERBE, Poésies, II, III, XIII (LI).
7 Je crus d'abord qu'il la faisait ainsi parler littérature (...) pour faire montre de sa largeur d'esprit (...)   PROUST, À la recherche du temps perdu, t. VII, p. 152.

♦ **2.** (1243). Vx. Ce qu'on montre pour faire juger du reste. *Ache-*

ter du blé sur la montre. — (xvᵉ). Échantillon (d'une marchandise). *Une montre de blé.*

Étalage de marchandises pour attirer les acheteurs. ⇒ **Étalage, exposition.** *Marchand qui fait des montres* (→ Marchandise, cit. 2). — (Comm.). Mod. ⇒ **Éventaire, vitrine.** *Montre d'une boutique. Avoir une marchandise en montre ; objet de montre.*

8 Vous êtes sûrement un amateur de livres. Vous avez guigné quelques jolis volumes que j'ai en montre.
J. ROMAINS, les Hommes de bonne volonté, t. II, XIII, p. 132.

8.1 — Tu sais, aujourd'hui, je me suis attardé devant le chapelier, celui qui se trouve à gauche en sortant du Comptoir. Il y a quelque chose de très curieux en montre. C'est un chapeau imperméable (...) — On a mis de l'eau dedans pour prouver, pour montrer quoi, qu'il est imperméable ; et puis deux canards.
R. QUENEAU, le Chiendent, p. 19.

(1611). Vx. Boîte vitrée où sont exposées des marchandises précieuses.

9 Les deux squelettes, bien nettoyés, vernis, chevillés en argent, sont couchés sur un lit de fleurs artificielles, de mousse et de coquillages, dans une sorte de montre en glace.
NERVAL, Lorely, « Du Rhin au Mein », V.

(Fin xivᵉ). Vx. Enseigne, objet publicitaire.

♦ **3.** (Mil. xviᵉ). Vx. Spectacle, exhibition. « *La montre des marionnettes* » (Furetière).

♦ **4.** (Mil. xivᵉ). Vx. Revue et recensement d'une troupe. — Loc. fig. *Passer à la montre :* être accepté, reçu (sans le mériter). — Solde payée (à un, à des soldats).

♦ **5.** Techn. Poterie d'essai, servant à déterminer la température adéquate du four.

REM. La diffusion de 2. *montre* fait que tous les emplois concrets de 1. *montre* sont vx ou techn. ; seuls les emplois abstraits survivent dans un usage littéraire ou spécial.

DÉR. 2. **Montre.**

2. MONTRE [mõtʀ] n. f. — 1474, *monstre ;* du précéd., « objet qui montre l'heure », le mot ayant d'abord désigné le cadran.
Courant.

♦ **1.** Petite boîte à cadran contenant un mouvement d'horlogerie*, qu'on porte sur soi pour savoir l'heure* (cit. 32). ⇒ fam. **Tocante.** *La montre est une horloge de petites dimensions pouvant fonctionner dans toutes les positions. Montre de gousset ou de poche, attachée par un cordon, une chaîne* (⇒ **Chaîne**). *Montre portée au poignet sur un bracelet de cuir, de métal.* ⇒ **Montre-bracelet.** *Beaumarchais, inventeur de montres minuscules ou montres de bagues* (→ Horloger, cit. 4). *Grosse montre de gousset.* ⇒ fam. **Bassinoire** (vx), **oignon.** *Montre de précision.* ⇒ **Chronomètre.** *Montre en or, en acier. Boîtier*, lunette, verre, cadran* (→ Lumineux, cit. 5), *aiguilles d'une montre* (⇒ **Aiguille, trotteuse**). — (Vx). *Montre (à) savonnette*. Pièces, mécanismes d'une montre.* ⇒ **Horlogerie ; ancre, arbre, balancier, barillet, cadrature, compensateur, cuvette, cylindre, échappement, engrenage, fusée, pilier, pivot, platine, ressort, rosette, rouage, roue** (→ Engrener, cit. 1), **rubis.** *Anciennes montres à corde, à chaîne* (⇒ **Garde-chaîne, tambour**) ; *montres à ressort spiral. Montres à clef** (vx), montres à remontoir*. Montre de compensation*. Montre à répétition, qui sonne l'heure, quand on appuie sur un poussoir. Montre étanche. Montre de plongée. Montre à affichage numérique, (abusivt) digital. Montre à quartz. Fabrication de montres à Genève* (→ Fabriquer, cit. 5), *dans le Jura.... Montre vendue avec garantie. Tirer sa montre de son gousset* (→ Hésiter, cit. 1) ; *regarder sa montre pour savoir l'heure* (cit. 34). *Montre qui marche bien, mal, qui avance, retarde. Tic-tac* d'une montre. Avance, retard d'une montre. Mettre sa montre à l'heure, régler sa montre. Monter, remonter une montre. Montre qui se dérange* (cit. 9), *qui s'arrête* (→ Gâteux, cit. 3). ⇒ **Patraque** (vx). *Faire réparer sa montre chez l'horloger* (cit. 1). *Rhabillage* d'une montre. Mettre sa montre en gage* (cit. 1).

1 Son beau-père portait encore, selon la mode de l'Empire, sa montre dans le gousset de ses pantalons, et laissait pendre sur son abdomen une grosse chaîne d'or terminée par un paquet de breloques hétéroclites (...)
BALZAC, Un début dans la vie, Pl., t. I, p. 633.

2 (...) un assortiment de ces anciennes montres de nos pères, en forme d'oignons, que les Turcs préfèrent aux montres plates. Les plus grosses sont les plus chères ; les œufs de Nuremberg sont les plus de prix.
NERVAL, Voyage en Orient, « Druses et Maronites », IV, III.

3 (...) la montre était connue, une montre très forte, à remontoir, portant sur le boîtier les deux initiales entrelacées du président et dans l'intérieur un chiffre de fabrication (...)
ZOLA, la Bête humaine, IV.

♦ **2.** Loc. *Montre en main* (proprt : en gardant sa montre dans la main pendant toute l'opération) : en mesurant le temps avec précision, en minutant. *J'ai mis un quart d'heure montre en main pour aller à la gare.*

4 — Sire, si j'osais dire ma pensée, je voudrais que votre Majesté eût pour agréable d'attaquer dans un quart d'heure, car, la montre en main, il suffit de ce temps pour faire avancer la troisième ligne.
A. DE VIGNY, Cinq-Mars, X.

Sports. *Course contre la montre,* où chaque coureur part seul, le classement n'ayant lieu qu'en fin d'épreuve, d'après le temps mis par les concurrents. — Au fig. Entreprise qu'on doit mener à bien dans un délai très bref. — (Avec un verbe). *Courir, se battre contre la montre.*

À peine parla-t-il des problèmes sociaux. La façon dont il différait de les poser, alors qu'il s'était manifestement attaché avec rigueur à ceux de la monnaie, de l'Empire, et d'abord de l'État, me sembla significative. Il se battait contre la montre, mais pas dans ce domaine.
MALRAUX, Antimémoires, Folio, p. 149.

Dans le sens des aiguilles d'une montre : dans un mouvement circulaire de la gauche vers la droite, analogue à celui des aiguilles allant de « onze heures » vers « midi ». *Serrer une vis, tourner une clé dans le sens des aiguilles d'une montre. Plante grimpante* (cit. 3) *qui s'enroule en sens inverse des aiguilles d'une montre.*

Les cyclones, dans notre hémisphère nord, tournent de gauche à droite, dans le même sens que les aiguilles d'une montre (...)   HUGO, l'Homme qui rit, I, II, VII.

♦ **3.** Par anal. *Montre de bord, montre marine,* qui donne les indications nécessaires aux calculs de navigation. ⇒ **Chronomètre, compteur** (→ Journal, cit. 5).

(...) les montres des navires de guerre sont construites d'après des règlements très précis élaborés par la section des instruments scientifiques du Service Hydrographique. Elles sont conservées dans un coffret à suspension et leur surveillance est confiée à un officier (officier des montres).   R. GRUSS, Dict. de marine.

COMP. Bracelet-montre, porte-montre. — Montre-bracelet, montre-réveil.

MONTRE-BRACELET [mõtʀəbʀaslɛ] n. f. — 1935 ; de 2. *montre,* et *bracelet.*

♦ Vieilli (→ REM.). Montre montée sur un bracelet de cuir, de métal, etc. ⇒ **Bracelet-montre** (→ Moderniser, cit. 2). *Des montres-bracelets.*

REM. *Montre-bracelet* s'est dit surtout à une époque où l'on opposait les montres portées au poignet aux montres de poche (montres de gousset, de gilet, etc.). Aujourd'hui, une montre-bracelet est presque toujours désignée par le seul mot *montre.*

MONTRER [mõtʀe] v. tr. — V. 980, *mostrer ;* var. *monstrer,* xiiᵉ ; *montrer,* v. 1225 ; rare av. xviᵉ-xviiᵉ ; lat. *monstrare.*

★ **I.** (Sens propre). ♦ **1.** **[a]** (Personnes). Faire voir*, mettre devant les yeux* (cf. les mots dérivés du lat. *ostendere*). *Montrer un objet à qqn* (→ Examiner, cit. 6 ; excuser, cit. 22). *Montrez sa chambre à Monsieur. Montrer les lieux, le pays...,* faire voir en visitant. *Vendeur qui montre ses marchandises.* ⇒ **Déballer, développer, exposer, présenter ;** 1. **montre.** *Montrez-nous ce que vous avez. Montrer un échantillon, un spécimen. Montrer son passeport, ses papiers* (⇒ **Exhiber**), *ses titres...* ⇒ **Représentation.** *Montrer son jeu*. Montrer un spectacle.* ⇒ **Présenter.** *Montrer des animaux dressés.* ⇒ **Montreur** (→ Jongleur, cit. 2). — *Montrer sa gorge à un médecin. Montre-moi tes mains* (→ 3. Ça, cit. 1). *Montrer patte* blanche. Montrer le poing*. Montrer complaisamment ses avantages.* ⇒ **Ostentation** (cf. les mots dérivés du lat. *ostentare*). *Montrer ses charmes, ses beautés* (→ Libertin, cit. 9), *ses richesses...* ⇒ **Déployer, étaler, exhiber.** *Montrer ses toilettes.* ⇒ **Arborer.**

(...) après avoir promené un regard de mépris et de domination sur la foule, il (*Danton*) dit au bourreau : « Tu montreras ma tête au peuple ; elle en vaut la peine. »   CHATEAUBRIAND, Mémoires d'outre-tombe, t. II, p. 21.

Le lendemain (...) elle reçut la visite du sieur Lheureux, marchand de nouveautés (...) il posa sur la table un carton vert (...) il venait montrer à Madame, en passant, différents articles qu'il se trouvait avoir, grâce à une occasion des plus rares. Et il retira de la boîte une demi-douzaine de cols brodés.
FLAUBERT, Mᵐᵉ Bovary, II, V.

(...) partagé entre la vanité de montrer son trésor et la crainte de se le faire voler.
ZOLA, Pot-Bouille, t. I, VII.

Il était jaloux (...) et ne montrait jamais sa concubine indigène à personne.
CÉLINE, Voyage au bout de la nuit, p. 143.

(...) j'irai trouver le commandant et je lui montrerai ma plaque d'identité.
P. MAC ORLAN, la Bandera, XVI.

Tarrou (...) lui montra les fiches qu'il déploya en éventail.
A. CAMUS, la Peste, p. 225.

Allus. hist. *Montrer sa force pour n'avoir pas à s'en servir :* formule souvent attribuée à Lyautey, qui avait écrit en réalité : « Il faut, quand il s'agit de police des indigènes, toujours retenir cette formule : *manifester la force pour en éviter l'emploi* » (cf. Maurois, *Lyautey,* VIII).

[b] (Choses). *Spectacle, photographie, peinture... qui nous montre des danseuses. Film qui montre successivement..., déroule* à nos yeux des scènes, des paysages. Lunette qui montre les étoiles très grossies.*

♦ **2.** (*Montrer la voie,* XIIIᵉ). Faire voir de loin, par un signe, un geste. ⇒ **Désigner, indiquer.** *Montrer du doigt les étoiles* (→ Écolâtre, cit. 2). *Montrer qqn avec le doigt, du doigt,* fig. *au doigt** (→ Isoler, cit. 3). *Montrer le chemin*, la voie* (au sens propre et fig.). *Montrer un endroit par un geste de tête* (→ Fumeux, cit. 3), *un geste de la main* (→ Là, cit. 49). *Montrer un siège à un invité* (→ Gaucherie, cit. 2). *Montrer la porte* à un insolent,* lui signifier qu'on le renvoie.

Et il montrait la fenêtre du doigt, du regard. Elle était impossible à apercevoir de là ; lui, il la voyait en effet, et tout le monde la vit (...)
MICHELET, Hist. de la Révolution franç., III, VIII.

(Choses). ⇒ **Indiquer.** *Panneau, flèche qui montre le chemin, la sortie... L'horloge nous montre l'heure* (→ Cause, cit. 5). ⇒ **Donner.**

♦ **3.** Laisser voir ; être fait ou disposé de telle sorte qu'un observateur puisse voir, apercevoir. ⇒ **Découvrir**. *Montrer ses jambes en s'asseyant. Elle montrait des jambes minces dans des bas noirs* (→ Fillette, cit. 1). *Elle montra sa taille* (→ Camail, cit. 2). — *Rire en montrant ses dents* (→ Jouer, cit. 42 ; lippu, cit.). *Chien qui montre des crocs* (cit. 2) *aigus. Lion qui montre ses griffes, qui les sort* (→ Enflammer, cit. 23). Loc. fig. *Montrer les dents*, ses griffes**. — *Montrer le nez*, le bout* de l'oreille. Montrer le dos*, montrer les talons*. Montrer un regard égaré* (cit. 29), *un visage comique* (cit. 12). *Montrer un visage de bois**.

Fam. *Montrer son derrière, son cul* : être nu ; s'exhiber.

(Choses). *Robe qui montre les bras* (→ Gorge, cit. 9), *le cou, les genoux...* ⇒ **Découvrir, dégager, dénuder**. *Vêtement qui montre les formes.* ⇒ **Dessiner, deviner** (laisser deviner). *Tapis qui montre la corde*. La lune montrait ses cornes d'argent* (cit. 6). *Église qui montre son clocher à l'horizon.*

8 *(Un) chemin qui montre ses os, cailloux polis, et ses ornières, veines crevées, entre deux haies riches de prunelles et de mûres.*
J. RENARD, Histoires naturelles, « Le chasseur d'images ».

♦ **4.** Faire voir (un texte), faire lire. *Montrer un ouvrage à un ami, au public* (→ Braver, cit. 9 ; censurer, cit. 3 ; exposer, cit. 27). *Montrer un sonnet* (→ Exposer, cit. 4). *Une lettre qu'il n'a jamais montrée à personne* (→ Cri, cit. 15).

9 — *Cette chérie ne m'écrirait plus, dit-il (...) si elle savait que je montre ses lettres à d'autres hommes.* P. MAC ORLAN, la Bandera, V.

★ **II.** (V. 1050). Faire connaître. ♦ **1.** Faire voir à l'esprit, faire imaginer. ⇒ **Représenter**. *Écrivain qui montre à ses lecteurs un caractère, un pays, une société.* ⇒ **Décrire, dépeindre, évoquer, peindre, raconter**. *Jésus tel qu'il nous est montré dans les Évangiles* (→ Messie, cit. 1). — (Sans compl. ind.). *Montrer une personne telle qu'elle est.* ⇒ **Démasquer, dévoiler** (→ Moi, cit. 22). *Montrer les beaux côtés, les bons côtés de qqch. « (Je)... Lui montrai d'Amurat le retour incertain »* (cit. 3, Racine).

10 (...) *dans le moment même où vous croyez faire l'apologie de l'amour, que faites-vous au contraire, que m'en montrer les orages redoutables ?*
LACLOS, les Liaisons dangereuses, I.

11 *L'emportement de la satire est inutile : il suffit de montrer les choses telles qu'elles sont. Elles sont assez ridicules par elles-mêmes.*
J. RENARD, Journal, 23 juil. 1898.

(Choses). *Récit qui montre au lecteur l'état d'un pays* (→ Captif, cit. 2). ⇒ **Caractériser, décrire**. — (Sans compl. ind.). *Les événements que l'histoire ne montre pas* (→ Endroit, cit. 23). *Cette pièce montre l'hypocrisie dans toute sa laideur* (cit. 10).

12 *Le livre de Pierre Loti nous montre un Japon minuscule, joli, chétif, net, rabougri, souriant, enfantin (...)*
Jules LEMAÎTRE, Impressions de théâtre, III, Théâtre japonais.

♦ **2.** Faire constater, prouver. ⇒ **Démontrer, établir, prouver, signaler, souligner** (→ Mettre en évidence*, faire toucher* du doigt). *Montrer l'erreur de qqn ; montrer son erreur à qqn* (→ Ouvrir les yeux*). *Montrer à l'homme sa grandeur* (→ Avantageux, cit. 2). *Montrer la différence entre deux choses. Montrer une évidence* (→ Manche, cit. 11)*. *Le père fut sage de leur montrer... que le travail est un trésor** (→ Argent, cit. 30). *Il a tiré pour montrer que le revolver fonctionnait* (cit. 3). *Montrer à qqn qu'il a tort. Kant montre dans ses œuvres que...* ⇒ **Dire, écrire, expliquer**. *Je me sers de la vérité pour montrer que...* (→ Expérience, cit. 10). *Montrer comment...* (→ Bonté, cit. 4), *pourquoi..., jusqu'à quel point...* (→ Français, cit. 3). *Comme il l'a montré* (→ Maternel, cit. 3) ; *elle l'a bien montré* (→ Assimilation, cit. 7).

13 *La raison du plus fort est toujours la meilleure,*
Nous l'allons montrer tout à l'heure. LA FONTAINE, Fables, I, 10.

(Choses). *L'avenir montrera qui de nous deux a raison. Un exemple admirable pour montrer qqch.* (→ Accompagner, cit. 13). *L'expérience nous montre que...* ⇒ **Enseigner, instruire** (de). → Attitude, cit. 13 ; fictif, cit. 5. *L'examen microscopique lui montrait qu'il était dans la bonne voie* (→ Germe, cit. 7). *Signes qui montrent la présence, l'imminence de qqch.* ⇒ **Annoncer, déceler, dénoter, dénoncer, dire** (→ Être l'indice* de). *Son regard montre sa grandeur. Réflexions montrant du sérieux* (→ Enfantin, cit. 7). *Ces détails montrent une habileté* (cit. 2) *consommée.* ⇒ **Attester, témoigner** (de).

14 (...) *Et comment vous pourrez tourner pour une femme*
Tous les mots d'un billet qui montre tant de flamme ?
MOLIÈRE, le Misanthrope, IV, 3.

15 (...) *c'est la voix, surtout, qui montre l'éducation, la douceur naturelle et acquise du caractère, le rang social.*
J. ROMAINS, les Hommes de bonne volonté, t. IV, XIX, p. 211.

♦ **3.** Vx. Apprendre* par l'exemple, l'explication. ⇒ **Enseigner**. *Maître* (cit. 105) *qui montre le calcul, le dessin... Montrer ce qu'on sait* (→ Maître, cit. 75). Absolt. *Celui qui montre.* ⇒ **Maître, moniteur**.

16 *Ce libéral montrait le latin au fils Sorel, et lui a laissé cette quantité de livres qu'il avait apportés avec lui.* STENDHAL, le Rouge et le Noir, I, III.

17 *Une demoiselle à lunettes, qui montrait le solfège et le piano dans un couvent voisin, les fatigua d'exercices.* BALZAC, Une fille d'Ève, Pl., t. II, p. 64.

Mod. *Montrer le maniement d'un appareil. Montrer ce qu'il faut faire.* ⇒ **Exemple** (donner l'exemple). Abusivt, fam. *Montrer l'exem-*

ple. — *Montrer comment on fait les fables* (cit. 5), *comment lire* (cit. 26) *sa route dans les astres. Montrer à faire quelque chose.* ⇒ **Enseigner, apprendre** (à...). *Maître* (cit. 74) *qui montre à jouer du clavecin.*

18 *Il montre aux plus hardis à braver le danger.* RACINE, la Thébaïde, I, 1.

19 *Je louais donc une chambre assez grande, je prenais ma sœur et son garçon, je lui montrais à découper, à coller mes petites boîtes (...)*
ZOLA, Fécondité, IV, IV, p. 438.

Fig., vx. *Je lui montrerai à vivre.* ⇒ **Apprendre** (infra cit. 48).

Vx. (Choses). *Ses maximes nous montrent à bien penser.* ⇒ **Apprendre**.

20 *Il (ton ouvrage) nous montre à poser avec noblesse et grâce*
La première figure à la plus belle place (...)
MOLIÈRE, la Gloire du Val-de-Grâce.

♦ **4.** (En parlant d'une personne qui se fait connaître elle-même). Faire paraître, faire connaître volontairement par sa conduite ; manifester ; exprimer. *Montrer ce qu'on est réellement* (→ Déposer, lever le masque*). *Montrer son cœur à découvert*, à nu** (→ Déshabiller, fig.). *Je vais lui montrer qui je suis* (loc. fig.), *de quel bois* je me chauffe. J'ai voulu montrer que je n'étais pas dupe.* ⇒ **Entendre** (faire). *Montrer ce qu'on sait faire* (→ Donner toute sa mesure*). *Montrez-nous ce que vous savez faire, de quoi vous êtes capable. Montrer ses avantages, ses mérites.* ⇒ **Briller** (faire briller), **étaler** ; **montre** (faire montre). *Montrer ses qualités avec affectation, complaisance...* ⇒ **Afficher**. *Montrer à qqn son affection.* ⇒ **Marquer, témoigner** (→ Entourer, cit. 4). *Montrer ses intentions.* ⇒ **Affirmer, déclarer, dévoiler**. *Montrer ce qu'on éprouve par une attitude, une mimique* (→ Jeûner, cit. 1). *Montrer des sentiments qu'on n'a pas* (⇒ **Affecter**), *une intention contraire à celle qu'on a* (→ Mensonge, cit. 1).

21 *Le roi des animaux, en cette occasion,*
Montra ce qu'il était, et lui laissa la vie. LA FONTAINE, Fables, II, 11.

22 *Et, pour montrer sa belle voix,*
Il ouvre un large bec (...) LA FONTAINE, Fables, I, 2.

23 (...) *chez notre sexe, où l'honneur est puissant,*
On ne montre jamais tout ce que l'on ressent. MOLIÈRE, Dom Garcie, I, 1.

24 *Plus on a de bras, plus on est fort. Être brave est montrer sa force.*
PASCAL, Pensées, V, 316.

25 (...) *il exhala le souffle bruyant des personnes qui ont non pas trop chaud mais le désir de montrer qu'elles ont trop chaud.*
PROUST, À la recherche du temps perdu, t. IV, p. 188.

Laissez paraître* ; révéler par l'attitude, le comportement. ⇒ **Exprimer, extérioriser, manifester, témoigner** ; → Faire montre* de... *Montrer sa joie* (→ Laisser éclater*), *montrer son étonnement, sa surprise, son émotion. Il avait peur d'être froissé et surtout de le montrer* (→ Hérisser, cit. 38). *Sans rien montrer de sa déception. Il a montré son caractère intolérable* (→ Insociable, cit. 4). *Montrer sa douceur* (→ Avantage, cit. 56). *Il est temps de montrer cette ardeur* (cit. 44) *et ce zèle...* ⇒ **Déployer, développer**. *Elle n'a jamais montré combien elle souffrait.* — *Montrer du..., de..., un...* (dans un sens moins fort et en général plus temporaire). ⇒ **Avoir, preuve** (faire preuve de). *Montrer de l'humeur* (→ Insupportable, cit. 6), *du courage*, en avoir d'une manière visible, évidente. *Montrer un goût assez vif, de l'attachement* (cit. 3) *pour... Montrer beaucoup d'esprit* (→ Conversation, cit. 4). *Un prestidigitateur qui montre de l'adresse* (cit. 1). *Conjoncture où il faut montrer de la prévoyance* (→ Assurer, cit. 17). *Montrer des signes de faiblesse, de maladie* (→ Évacuation, cit. 4).

26 *Montrez en sa faveur des sentiments plus doux.* RACINE, Alexandre, I, 3.

27 *Gise avait toujours montré des aptitudes d'infirmière (...)*
MARTIN DU GARD, les Thibault, t. IV, p. 172.

28 *Le petit Lord Byron montrait une force d'esprit très rare chez un enfant de son âge. Une vie difficile hâte souvent la formation de l'intelligence.*
A. MAUROIS, la Vie de Byron, I, IV.

▶ **SE MONTRER** v. pron. (Mil. XIIe).

♦ **1.** (Réfl.) Faire voir soi-même ; se faire voir intentionnellement ou être vu. *Se montrer à qqn, se montrer quelque part. Minerve se montra soudain.* ⇒ **Apparaître, surgir** (→ Égide, cit. 2). *Le roi se montra à sa fenêtre. Femme qui se montre derrière sa jalousie* (→ Éloigner, cit. 24). *Elle frappe* (cit. 47), *elle entre, elle se montre. Je me montrai devant le ministre.* ⇒ **Présenter** (→ Froncer, cit. 2). *Se montrer avec qqn* (→ 2. Mèche, cit. 3). *Il se montrait quelquefois au foyer* (cit. 18). → On le voyait* quelquefois... *Elle ne s'est pas montrée depuis huit jours, on ne la voit plus. Ne vous montrez pas, cachez-vous* (→ Étouffer, cit. 38). *Ne pas oser se montrer* (par honte, par crainte, etc.). → Gérant, cit. 1 ; honnir, cit. 1. *Il n'a qu'à se montrer pour faire des conquêtes.* ⇒ **Paraître** (→ Galant, cit. 1). *Se montrer à qqn en déshabillé. Se montrer dans toute sa beauté, dans sa forme parfaite* (→ Dépouiller, cit. 12). *Se montrer nu. Se montrer publiquement, avec complaisance.* ⇒ **Afficher** (s'), **étaler** (s'), **exhiber** (s'), **exposer** (s'exposer aux regards), **parader, pavaner** (se), **prodiguer** (se), **produire** (se). → Se donner en spectacle*.

29 *Soulève les voiles du monde,*
Et montre-toi, Dieu juste et bon !
A. DE MUSSET, Poésies nouvelles, « L'espoir en Dieu ».

30 *Le Petit Chose en profite pour aller parader au soleil sur l'esplanade et se montrer à ses compatriotes.*
Alphonse DAUDET, le Petit Chose, I, IV.

31   Georges se montra, le soir, dans les principaux grands journaux et dans les principaux grands cafés du boulevard. Il rencontra deux fois son adversaire qui se montrait également.   MAUPASSANT, Bel-Ami, I, VII.

32   Il paye le ruffian Boraccio pour que celui-ci se montre, la nuit, sur le balcon d'Héro, en compagnie de la servante Marguerite, dont il est l'amant.
                                        Jules LEMAÎTRE, Impressions de théâtre, III, « Shakespeare ».

(Choses). Apparaître, s'offrir à la vue. *Les bourgeois se montrent* (→ Jusque, cit. 17). *Plusieurs villages se montraient à l'horizon.* ⇒ **Dessiner** (se), **distinguer** (se). *La lune se montre sortant des nuages.* ⇒ **Dégager** (se), **émerger.** *L'aurore commençait à se montrer* (→ Matin, cit. 12).

(Récipr.). Faire voir l'un à l'autre. *Du doigt ils se montrent l'huître* (→ Avaler, cit. 14). *Écoliers qui se montrent leurs cahiers.*

33   Ils se regardaient dans les yeux, se montrant au bord des prunelles leurs âmes, leurs âmes mélancoliques et passionnées que la mort n'avait pu réunir.
                                        PROUST, les Plaisirs et les Jours, p. 39.

♦ **2.** (V. 1330). Fig. Réfl. Se faire voir, connaître (sous un aspect particulier, réel ou simulé). *Se montrer sous un jour* favorable. Il s'est montré sous son vrai jour, tel qu'il est, à découvert.* ⇒ **Démasquer** (se). *Hypocrite* (cit. 1) *qui se montre avec un caractère qui n'est pas le sien. Elle n'était pas ce qu'elle se montrait* (→ Enveloppe, cit. 8).

34   (...) on ne peut empêcher les hommes de se montrer tels qu'ils sont, mais non les faire devenir autres (...)   ROUSSEAU, Julie ou la Nouvelle Héloïse, V, III.

(Choses). *« Le fond de notre cœur* (cit. 130) *dans nos discours se montre ».*

35   (...) sa maladie a pris si vivement, et se montre avec des symptômes si graves, que j'en suis vraiment alarmée.   LACLOS, les Liaisons dangereuses, CXLVII.

36   Pour que le sujet d'un roman se montre à nous dans sa nouveauté, encore faut-il que la langue en soit assez neutre pour ne point attirer sur elle l'attention.
                                        J. PAULHAN, les Fleurs de Tarbes, p. 161.

♦ **3.** (1538, R. Estienne). *Se montrer* (+ attribut). ⓐ (Personnes). Se faire voir ou se laisser voir (dans une attitude, un état naturel ou de commande) ; être effectivement, pour un observateur. ⇒ **Être.** *Avare dans le privé, il savait se montrer fastueux* (cit. 4) *en public. Il s'est montré fort complaisant* (→ Facilité, cit. 5). *Par crainte d'être dédaigné, il se montrait hautain* (cit. 6). *Il sut se montrer indifférent.* *Se montrer courageux dans une occasion ; se montrer à la hauteur* (cit. 14) *des événements* (→ Grimper, cit. 18). *Il s'est montré beau joueur* (→ Inspirer, cit. 12). *Se montrer incapable de faire un effort.* ⇒ **Révéler.** *Se montrer sévère pour une faute* (→ Induire, cit. 3). *Se montrer d'une sévérité excessive. Elle se montra très dure* (→ Apitoyer, cit. 3). *Se montrer le meilleur des maris,... des voisins* (→ Fournisseur, cit. 2). *Montrez-vous digne de lui.* ⇒ **Rendre** (se). *Il reçut le titre et sut s'en montrer digne. Se montrer désireux de...* (→ Anxieux, cit. 4). *Se montrer sympathique à une candidature* (→ 1. Grief, cit. 6). *Il s'en montra vexé* (→ Jeu, cit. 47).

37   (...) tu te montres un digne rejeton de la maison de Sotenville.
                                        MOLIÈRE, George Dandin, II, 8.

38   (...) je résolus, par cela seul que j'étais sensible, de me montrer impassible à ses yeux. Cette froideur apparente fut par la suite le fondement inébranlable de son aveugle confiance (...)   LACLOS, les Liaisons dangereuses, LXXXI.

39   *Le mari ou la femme adultère* se montraient charmants et loyaux envers tout autre que leur femme ou leur mari (...)
                                        PROUST, À la recherche du temps perdu, t. VII, p. 242.

40   Il ne faut jamais se montrer difficile sur le moyen de se sauver (...)
                                        CÉLINE, Voyage au bout de la nuit, p. 112.

41   Il s'était montré d'une pingrerie révoltante (...)
                                        P. MAC ORLAN, la Bandera, XIII.

Absolt. *Se montrer* (fam.) : faire connaître son autorité. *Il faut savoir se montrer pour être obéi. Attends un peu que je me montre !*

ⓑ (Choses). *La nature se montre féconde* (cit. 5) *où il lui plaît. La Révolution s'est montrée pour lui le plus cruel* (cit. 6) *des régimes. On vit la misère se montrer plus forte* (cit. 54) *que la peur. La médecine s'est montrée impuissante.* ⇒ **Avérer** (s'). *Remède qui s'est montré plus efficace qu'un autre.*

CONTR. Cacher, celer, couvrir, dérober, dissimuler, enfermer, masquer, recouvrir, renfermer, voiler. — Fourvoyer. — Manquer (de). — Disparaître.
DÉR. Montrable, 1. montre, 2. montre, montreur. — V. Montrance.
COMP. Remontrer (V. Démontrer).

MONTRE-RÉVEIL [mɔ̃tRərevɛj] n. f. — Av. 1941, → cit. ; de 2. montre, et réveil.

♦ Montre qui sonne comme un réveil. — *Des montres-réveils.*

Le Rouge s'assit sur le rebord du bat-flanc, et remonta avec précaution sa montre-réveil.
« Réveil à quatre heures, dit-il ».
                                        R. FRISON-ROCHE, Premier de cordée, p. 36 (1941).

MONTREUIL [mɔ̃tRœj] n. f. — 1840, Balzac ; de *Montreuil (-sous-Bois),* près de Paris.

♦ Variété de pêche. *Des montreuils bien mûres.* — REM. Certains auteurs font le mot invariable et lui conservent la majuscule du nom propre :

Les pêches surtout, les Montreuil rougissantes, de peau fine et claire comme les filles du Nord.   ZOLA, le Ventre de Paris, p. 269.

MONTREUR, EUSE [mɔ̃tRœR, øz] n. — 1328 ; de *montrer.*

♦ **1.** Personne qui fait métier de montrer en public (telle curiosité). *Montreur d'ours, d'animaux.* ⇒ **Meneur** (→ Faiseur, cit. 5). *Montreur de lanterne magique. Montreur de marionnettes.* ⇒ **Marionnettiste.** *Une montreuse de tours.*

(...) rendez-vous de tout ce qui nous arrive de l'intérieur, tziganes, saltimbanques, montreurs d'ours.   LOTI, Aziyadé, II, XVIII.

(Sans complément) :

Un soir qu'il avait ainsi ouvert la fenêtre pour laisser entrer la fraîcheur du soir, étendu sur le sofa qu'il ne quittait guère, la nature le plongea dans le sommeil, comme ces montreurs qui pour vous faire apparaître certaines images sont obligés de faire un moment l'obscurité.   PROUST, Jean Santeuil, Pl., p. 614.

♦ **2.** Fig. Rare, littér. Personne qui montre (II., 2. ou 3.), prouve ou enseigne.

La difficulté de l'aventure amoureuse est dans ceci : « Qu'on me montre qui désirer, mais ensuite qu'on débarrasse ! » : épisodes innombrables où je tombe amoureux de qui est aimé de mon meilleur ami : tout rival a d'abord été maître, guide, montreur, médiateur.
                                        R. BARTHES, Fragments d'un discours amoureux, p. 764.

MONTUEUX, EUSE [mɔ̃tɥø, øz] adj. — V. 1355 ; rare av. 1488 ; lat. *montuosus,* de *mons, montis.* → Mont.

♦ Vieilli. Qui présente des monts, des hauteurs, des collines (*montagneux** est plus fort). *Pays montueux,* au relief tourmenté*. *Surface montueuse de la lune* (→ Aplanir, cit. 1). *Terrain montueux.* ⇒ **Accidenté, inégal.** *Chemin montueux.* ⇒ **Bossu** (→ Inégal, cit. 8).

Le parc ou jardin de Montmorency n'est pas en plaine, comme celui de la Chevrette. Il est inégal, montueux, mêlé de collines et d'enfoncements, dont l'habile artiste a tiré parti pour varier les bosquets, les ornements, les eaux, les points de vue (...)   ROUSSEAU, les Confessions, X.
La chaîne montueuse du Vuilly bordait le lac à l'horizon.
                                        É. DE SENANCOUR, Oberman, IV.
Stamboul est une ville fort montueuse et où l'art a fait bien peu de chose pour corriger la nature.   NERVAL, Voyage en Orient, « Nuits du Ramazan », II, II.

CONTR. Égal, plat.
DÉR. Montuosité.

MONTUOSITÉ [mɔ̃tɥozite] n. f. — Attesté xxᵉ ; de *montueux.*

♦ Littér. Caractère de ce qui est montueux (→ Monument, cit. 9.1, Barthes).

MONTURE [mɔ̃tyR] n. f. — V. 1360 ; de *monter.*

★ **I.** Bête sur laquelle on monte pour se faire transporter. *Un cavalier et sa monture.* ⇒ **Cheval.** *Silène, Sancho Pança ont un âne pour monture. Enfourcher, faire obliquer sa monture* (→ Lasso, cit. 2). *Donner une nouvelle monture.* ⇒ **Remonter.** *Montures et véhicules* (→ Bicyclette, cit. 1). Prov. *Qui veut aller, voyager loin* ménage sa monture.*

(...) c'était un bidet du Béarn, âgé de douze ou quatorze ans, jaune de robe, sans crins à la queue (...) il *(d'Artagnan)* ne se cachait pas le côté ridicule que lui donnait, si bon cavalier qu'il fût, une pareille monture (...)
                                        DUMAS, les Trois Mousquetaires, t. I, I.
(...) par crainte de démolir notre monture, nous avons fait tout le chemin à pied, traînant notre cheval par la bride.   A. JARRY, Ubu roi, IV, 3.

(1919). Plaisant. Vélo, moto.

★ **II.** ♦ **1.** (1718). Vieilli. Action de monter un ouvrage. ⇒ **Assemblage, montage.** *« Vous paierez tant pour la monture »* (Littré). *Ouvrier chargé de la monture.* ⇒ **Metteur** (en œuvre).

♦ **2.** (1680). Mod. Partie d'un objet qui sert à assembler, fixer, supporter... la pièce, l'élément principal. *Monture de chevalet. Monture et garniture* de canon. Monture d'une épée* : ensemble que forment la garde, la fusée et le pommeau. *Monture d'éventail* : ensemble des branches qui le soutiennent. *Monture de vase* : armature qui le consolide. *Monture de lunettes* (cit. 3), qui sert à maintenir les verres devant les yeux. *Faire mettre de nouveaux verres sur une monture.* — (1718). Spécialt. *Monture d'un bijou, d'une pierre précieuse.* ⇒ **Châsse.** *Monture de diadème* (→ Joyau, cit. 2). *Monture d'or, d'argent... Enlever une pierre de sa monture.* ⇒ **Dessertir.**

(...) de bons gros diamants de famille qui, pour être sertis dans de vieilles montures encrassées, n'en avaient pas moins leur prix (...)
                                        Th. GAUTIER, le Capitaine Fracasse, IX.
En Belgique, dans les bureaux de tabac, les pipes en terre sont enfilées par centaines sur des montures en éventail qui vont jusqu'au plafond.
                                        Max JACOB, le Cornet à dés, p. 52.

♦ **3.** Techn. ⓐ Fine lanière de cuir d'un fouet d'attelage.

ⓑ (1868). Partie d'une ligne de pêche qui est située près de l'hameçon. (On dit aussi *avancée*).

ⓒ (Attesté mil. xxᵉ). Tonneau utilisé en vinaigrerie (environ 225 litres).

MONUMENT [mɔnymɑ̃] n. m. — V. 980, *Passion du Christ*; lat. *monumentum*.

A. ♦ 1. Ouvrage d'architecture, de sculpture, spécialement destiné à perpétuer le souvenir d'une personne ou d'un événement. ⇒ **Arc** (de triomphe), **colonne, trophée** (→ Immortaliser, cit. 3). *Consacrer, dresser, élever, ériger, inaugurer un monument à la gloire de (qqn)*. *Monument chorégique*, commémoratif. Monument de bronze, de granit, de marbre*.

1 Les monuments les plus superbes, les ouvrages de marbre et de bronze qu'on élève à la gloire des grands (...)   ROLLIN, Hist. ancienne, Œ., t. III, *in* LITTRÉ.

Spécialt. *Monument funéraire*, élevé sur une sépulture. ⇒ **Mausolée, sépulcre, stèle, stoûpa, tombeau, tumulus**; et aussi **cénotaphe**. *Fabricant, marchand de monuments funéraires*. ⇒ **Marbrier.** — Absolt (vx). Tombeau. *« Votre fourbe maudite... A couché de douleur Tircis au monument »* (Corneille, *Mélite*, IV, 6).

2 — Qu'est-ce donc que ce drôle qui tenait le quatrième gland?... — C'est le courtier d'une *maison qui fait le monument funéraire*, et qui voudrait obtenir la commande d'une tombe où il se propose de sculpter trois figures en marbres, la Musique, la Peinture et la Sculpture versant des pleurs sur le défunt.
          BALZAC, le Cousin Pons, Pl., t. VI, p. 775.

Monument aux morts, élevé à la mémoire des morts appartenant à une même communauté, aux victimes de la même catastrophe, du même fléau. *Monument aux morts de la guerre de 1914-1918, de toutes les guerres*.

3 Hélas! ce n'est qu'un fantassin qui soulève la pierre d'un tombeau. Ce n'est pas neuf, ni obscur. Ce n'est pas plus laid qu'n'importe quel monument aux morts.
          ALAIN, Propos, 27 juil. 1921, Architecture.

4 — Dites, docteur, c'est vrai qu'ils vont construire un monument aux morts de la peste? — Le journal le dit. Une stèle ou une plaque. — J'en étais sûr. Et il y aura des discours.   CAMUS, la Peste, p. 330.

♦ 2. Ouvrage d'architecture ou de sculpture (et, par ext., pierre dressée ou monceau de pierres : cairn, montjoie, mound...) qui a une valeur religieuse, symbolique... *Science des monuments antiques*. ⇒ **Archéologie**. *Les premiers monuments* (→ Architecture, cit. 2). *Monuments mégalithiques* (→ Ibère, cit.), *préhistoriques*. ⇒ **Mégalithe** (cit. 1); **cromlech, dolmen, menhir** (cit. 2). *Monuments de l'ancienne Égypte* (⇒ **Obélisque, pyramide**), *de Mésopotamie* (⇒ **Ziggourat**), *du Mexique précolombien* (⇒ **Pyramide, téocalli**).

5 J'avoue pourtant qu'au premier aspect des Pyramides, je n'ai senti que de l'admiration. Je sais que la philosophie peut gémir ou sourire en songeant que le plus grand monument sorti de la main des hommes est un tombeau (...) Ce n'est point par le sentiment de son néant que l'homme a élevé le sépulcre, c'est par l'instinct de son immortalité.   CHATEAUBRIAND, Itinéraire, t. V, p. 405.

Archéol. *Monuments figurés**.

♦ 3. (V. 1380). Littér. ou didact. Ce qui conserve ou exalte le souvenir d'une personne, d'un événement; ce qui sert de document. ⇒ **Archive**. *Histoire fondée sur les monuments les plus authentiques* (cit. 12).

6 J'écris absolument de mémoire, sans monument, sans matériaux qui puissent me la rappeler (*ma jeunesse*).   ROUSSEAU, les Confessions, III.

7 (...) l'œuvre d'art réalisé (*sic*) par Lully n'est pas moins que la tragédie classique et les nobles jardins de Versailles un monument durable de la robuste époque qui fut l'été de notre race.   R. ROLLAND, Musiciens d'autrefois, p. 202.

Spécialt. Didact. Texte à structuration seconde, constituant un type de communication linguistique culturel (par ex. littéraire), par oppos. au *document* (structuré par les lois du discours spontané, et transmettant une information non mise en œuvre).

B. Cour. **♦ 1.** Édifice remarquable par son intérêt archéologique, historique ou esthétique. ⇒ **Bâtiment, construction, édifice, palais.** *Qui a l'ampleur, la majesté, les proportions d'un monument.* ⇒ **Monumental.** *Monument cyclopéen, énorme, imposant, vénérable. Visiter un monument, les principaux monuments d'une ville. Les amphithéâtres, les arènes, les thermes sont parmi les monuments les plus imposants que nous ait légués l'antiquité romaine. Graffiti* tracés sur les murs d'un monument. Nos villes, nos musées, nos monuments* (→ Culture, cit. 18). *Des bâtisses* (cit. 4) *et non des monuments. Parties, architecture*, style... d'un monument* (→ Cyclopéen, cit. 1; fond, cit. 40; 2. lustre, cit. 4). — (1832). *Monument historique** (*infra* cit. 10), *monument classé*. — (1718). *Monument public**.

8 (...) ces merveilleux monuments que toute la puissance du temps présent pourrait à peine égaler. Les basses et sombres églises saxonnes s'élancèrent en flèches hardies, en majestueuses tours.   MICHELET, Hist. de France, IV, II.

9 Je lui dis combien je trouvais la demeure belle. — «Oui, ça fait assez monument historique. Moi, je trouve ça assommant.»
          PROUST, À la recherche du temps perdu, t. IX, p. 120.

9.1 De même que la montuosité est flattée au point d'anéantir les autres sortes d'horizons, de même l'humanité du pays disparaît au profit exclusif de ses monuments.   R. BARTHES, Mythologies, p. 122.

Par anal. (fam.). Objet énorme. *Cette armoire est un véritable monument*.

10 Naïf : «Ce monument quand le visite-t-on?»
          Edmond ROSTAND, Cyrano de Bergerac, I, 4 (Tirade du nez).

Plaisant. Personne très forte, obèse. ⇒ **Éléphant, mastodonte.**

♦ 2. (1739, Voltaire). Fig., par métaphore. Œuvre imposante, vaste, digne de durer (→ Étonner, cit. 12; édification, cit. 1; éditeur, cit. 4). *« L'Encyclopédie* (cit. 3) *est un monument qui honore la France »* (Voltaire).

♦ 3. (1890, Renan). Fam. *Un monument de...* (suivi d'un nom exprimant un caractère négatif) : une personne, une chose remarquable par l'intensité de. *Un monument d'extravagance* (cit. 4), *de bêtise*.

11 Le traité d'Aix-la-Chapelle a passé pour un monument d'absurdité. C'est de lui qu'il devint proverbial de dire : «Bête comme la paix».
          J. BAINVILLE, Hist. de France, XIV, p. 278.

DÉR. **Monumentaire, monumental.**

MONUMENTAIRE [mɔnymɑ̃tɛʀ] adj. — 1901, Péguy, *in* D.D.L.; de *monument*, d'après *documentaire*.

♦ Didact. Qui a le caractère de monument (A., 3.). *Textes monumentaires du moyen âge* (opposé à *documentaire*).

MONUMENTAL, ALE [mɔnymɑ̃tal] adj. — 1806, Chateaubriand, au sens 2 ; de *monument*.

♦ 1. (1813). Didact. Relatif aux monuments. *Histoire monumentale. Géographie artistique et monumentale de la France. Sculpture, statue, peinture, fresque monumentale*, destinée, par ses grandes dimensions, à faire partie d'un ensemble décoratif.

Spécialt. Qui présente l'aspect majestueux, les proportions grandioses d'un monument*, en parlant d'un ouvrage d'architecture ou de sculpture. ⇒ **Grandiose, imposant, majestueux** (→ 1. Flanquer, cit. 5). *Fontaine monumentale* (→ Force, cit. 76).

Substantif :

1 L'architecture est, de tous les arts, celui qui répondait le mieux aux caractéristiques particulières et aux tendances profondes du génie romain, l'énergie ambitieuse, le sens de la précision, la tendance utilitaire, les préférences innées pour la somptuosité et le monumental.   Léon HOMO, la Civilisation romaine, II, II.

♦ 2. Littér. Qui a un caractère de grandeur majestueuse. ⇒ **Beau, grand.** *Cheval monumental* (→ Caparaçonner, cit. 1). — Fig. (par métaphore). *Œuvre monumentale* (→ Harangue, cit. 3).

2 Le pin a quelque chose de monumental; ses branches ont le port de la pyramide.
          CHATEAUBRIAND, Voyage au mont Blanc (1806).

♦ 3. (1874). Fam. ⇒ **Colossal, démesuré, énorme, gigantesque, immense**. *Une glycine monumentale* (→ Géhenne, cit. 4). *Un monumental baromètre à mercure* (cit. 4). — Fig. (par métaphore). *Une thèse monumentale* (→ Brillant, cit. 23).

3 (...) un nez aussi monumental qu'il est permis à un chrétien de Savoie d'en porter sans scandale.   ARAGON, les Beaux Quartiers, II, XIV.

Péj. → Un monument* (B., 3.) de... *Il est d'une bêtise monumentale*. ⇒ **Prodigieux.** *Erreur monumentale*.

DÉR. **Monumentalement, monumentalité.**

MONUMENTALEMENT [mɔnymɑ̃talmɑ̃] adv. — Attesté xxᵉ (→ cit.); de *monumental*.

♦ D'une manière monumentale* (3.).

Parfois, avec terreur, je prends conscience de ce renversement : moi qui me croyais pur sujet (sujet assujetti fragile, délicat, pitoyable), je me vois retourné en chose obtuse (...) Je me suis trompé, monumentalement.
          R. BARTHES, Fragments d'un discours amoureux, p. 198.

MONUMENTALITÉ [mɔnymɑ̃talite] n. f. — 1909 ; attestation isolée, 1845 ; de *monumental*.

♦ Didact. Caractère monumental (d'une construction, d'une œuvre d'art), résultant surtout des proportions et du style.

MOORÉ ou MORÉ [mɔʀe] n. m. — Attesté xxᵉ ; mot de cette langue, de *moogo*, nom d'une région.

♦ Didact. Langue africaine de Haute-Volta, parlée par les Mossi (Mosi). — REM. Les non-spécialistes disent plutôt *mossi*.

MOOS ou MOSS [mɔs] n. m. — 1863, cit. ; alsacien, var. de l'all. *Mass*.

♦ Techn. Mesure de bière d'une valeur de 2 litres.

1 M. Libermann parle de certains habitués qui pourraient en fumer (*de l'opium*) jusqu'à 200 grammes par jour, chiffre exceptionnel comme celui des moos que peuvent absorber, chez nous, certains buveurs émérites de bière de Munich.
          L. FIGUIER, l'Année scientifique et industrielle 1864, p. 370 (1863).

2 À l'ordinaire, il faut voir avec quel entrain Fraulein Emma et Fraulein Ida servent les moss de Munich, les «délicatessen» et le pain K.K. aux ouvriers et aux soldats qui viennent s'asseoir aux tables longues et poisseuses de la grande salle.
          G. LEROUX, Rouletabille chez Krupp.

MOPSE [mɔps] n. m. — 1802, *mops*; *mopse*, 1842; all. *Mops*.

♦ Vx. Petit dogue. ⇒ 2. **Carlin.**

(...) ils virent Mousque qui jouait avec un jeune mopse et paraissait aussi content que le chien.

FRANCE, les Sept Femmes de Barbe-Bleue, « La chemise », p. 225.

MOQUABLE [mɔkabl] adj. — 1544, Tahureau, *in* Godefroy ; de *moquer*.

♦ Littér. Dont on peut se moquer (choses, personnes) ; qu'on peut moquer (personnes).

1 Pour un homme de sang-froid, tout cela est un peu moquable : les Bonaparte vivaient de théâtre, de romans et de vers ; la vie de Napoléon lui-même est-elle autre chose qu'un poème ?

CHATEAUBRIAND, Mémoires d'outre-tombe, t. IV, III, 11.

2 La duchesse de Bourgogne, venue de Savoie, et bien que si Française à tant d'égards, ne pouvait s'y faire, et elle disait quelquefois à Mᵐᵉ de Maintenon : « Ma tante, on se moque de tout ici. »
Il y avait tant de choses moquables, en effet ! Les anecdotes de Mᵐᵉ de Caylus sont de petites scènes qui, à peine marquées, laissent parfois une impression de comique ineffaçable.   SAINTE-BEUVE, Causeries du lundi, t. III, p. 66.

1. MOQUE [mɔk] n. f. — 1687 ; néerl. *mok* « bloc de bois ».

♦ Techn. (Mar.). Bloc de bois percé intérieurement d'un trou par lequel passe un cordage et muni sur son pourtour d'une cannelure pour recevoir une estrope.

2. MOQUE [mɔk] n. f. — 1780 ; néerl. *mok* « aiguière » ou mot picard, cf. bas all. *mokke*.

♦ Régional et mar. Récipient servant à boire, mais le plus souvent à mesurer certaines denrées. ⇒ **Récipient**. *Une moque de bière, de cidre* (cit. 4).

Barrada alla vite chercher sa petite moque, qu'il portait pendue à sa ceinture le jour et qu'il serrait la nuit dans un canon ; il y mit de l'eau (...)

LOTI, Mon frère Yves, VII.

MOQUER [mɔke] v. — V. 1180, pron. ; trans., Renart, déb. XIIIᵉ ; d'un rad. expressif *moll-* (germanique ?).

♦ V. tr. Littér. Agir, parler de manière à tourner en ridicule, faire un objet de dérision ou de plaisanterie de (qqn, qqch.). ⇒ **Railler, ridiculiser.** (→ Dénoncer, cit. 11). « *Il se vit bafoué* (cit. 1), *berné, sifflé, moqué, joué* » (La Fontaine). → Chrétien, cit. 1 ; fâcher, cit. 8 ; gorge, cit. 27.

REM. Cet emploi transitif n'est pas signalé par l'Académie (8ᵉ éd., 1935). Littré notait, au siècle dernier : « On ne dit pas *moquer qqn ;* mais on dit *être moqué par qqn.* L'ancienne langue employait régulièrement l'actif ». De nos jours, on constate, dans la langue littéraire du moins, un retour à l'ancien usage.

1 (...) je fus moqué, hué, sifflé de tous les savants (...)
ROUSSEAU, Julie ou la Nouvelle Héloïse, IV, XI.

2 (...) ce petit livre (...) qui ne sera pas lu par les intéressés, ou qui sera moqué par ceux qu'il voudrait avertir. Ch. MAURRAS, l'Avenir de l'intelligence, p. 9.

3 Autour de nous on se gausse... Nous prêtons à rire... Mais il ne me déplaît pas d'être moqué.   GIDE, Journal, 15 févr. 1918.

4 Ceux mêmes qui le moquaient *(Mallarmé)* travaillaient à le tirer de l'ombre (...)
J. ROMAINS, les Hommes de bonne volonté, t. XII, XII, p. 119.

5 Je n'ai rien à faire dans un temps où l'honneur est puni, — où la générosité est punie, — où la charité est punie, — où tout ce qui est grand est rabaissé et moqué (...)   MONTHERLANT, le Maître de Santiago, I, 4.

▶ **SE MOQUER** v. pron. (V. 1180).

A. (suivi d'un compl.) ♦ **1.** Cour. *Se moquer de qqn, de qqch.,* le tourner en ridicule. ⇒ **Amuser** (s'), **bafouer, berner, blaguer** (fam.), **brocarder, chambrer** (fam.), **chansonner, charrier** (fam.), **chiner** (fam.), **contrefaire, dauber, divertir** (se), **gaudir** (se), **gausser** (se), **jouer** (se), **narguer, nasarder, parodier, persifler, railler, ridiculiser, rire, satiriser.** → les loc. et emplois fam. Être après* qqn ; tourner en dérision*, mettre en boîte* ; emboîter* ; se ficher, se foutre de qqn ; faire la figue*, la nique* ; s'offrir, se payer la fiole*, la tête de qqn ; faire des gorges* chaudes ; prendre qqn comme jouet*, comme tête* de Turc, pour plastron* ; montrer du doigt*, rire au nez*, tirer* la langue, tourner* en ridicule (→ Bon, cit. 57 ; bras, cit. 40 ; bureaucrate, cit. ; effiler, cit. 7). *Se moquer de soi-même* (→ Grâce, cit. 95 ; humour, cit. 9). *Je me moquai de sa frayeur* (cit. 5). *Se moquer des vieilles croyances* (→ Malencontre, cit. 2), *des choses saintes.* ⇒ **Blasphémer.**

6 Il avait ourdi une trame pour se moquer des Parisiens, pour les tordre, les rouler, les pétrir, les faire aller, venir, suer, espérer, pâlir ; pour s'amuser d'eux, lui, ancien tonnelier au fond de sa salle grise (...)
BALZAC, Eugénie Grandet, Pl., t. III, p. 557.

7 Il *(Béranger)* parlait de l'homme du destin, des trois couleurs, du vieux sergent, et il donnait en outre aux Français les moyens de se moquer de leurs vainqueurs, service que n'oublie jamais ce peuple brave, fier et spirituel, content de tout s'il peut rire de son ennemi ridicule.
Th. GAUTIER, Portraits contemporains, « Béranger ».

8 Marie voulait tout faire elle-même, se moquait gentiment de l'aide que lui offrait Sammécaud, lui adressait ses taquineries de jeune fille.
J. ROMAINS, les Hommes de bonne volonté, t. V, IV, p. 30.

REM. Littré notait déjà, au siècle dernier, que la tournure *vous vous ferez moquer de vous,* « tout opposée à la grammaire et même toute

barbare qu'elle est, a pour elle l'usage, l'autorité de l'Académie et celle des exemples ». L'Académie, 8ᵉ éd., admet aussi bien *vous vous ferez moquer de vous,* et, absolt, *vous vous ferez moquer* (→ Indiscipliné, cit. 1, Bossuet, et de nombreux exemples dans Grevisse, *le Bon usage,* § 611, 4).

9 René nous racontait l'autre jour qu'il passe toutes ses journées à se faire moquer de lui par cette petite Colette Rigaud (...)   Paul BOURGET, Mensonges, II.

10 Je n'ai pas envie de me faire moquer de moi.
J. ROMAINS, les Hommes de bonne volonté, t. VI, XXIX, p. 255.

Absolt. *Elle aime se moquer.* ⇒ **Goguenarder, gouailler** (fam.), **ironiser, rire** (→ Arriver, cit. 62 ; garer, cit. 6 ; hilarité, cit. 5).

11 (...) Madame de Verdelin était spirituelle, et (...) Rousseau, comme tous les lyriques et les passionnés, n'a jamais supporté l'esprit. Il croyait toujours qu'on se moquait, quand seulement on était gai.
Émile HENRIOT, Portraits de femmes, p. 192.

♦ **2.** (XIIIᵉ). Ne pas se soucier, ne pas faire cas de (qqn, qqch.), ne porter aucune attention à, être indifférent à l'égard de (qqn, qqch.). ⇒ **Dédaigner, désintéresser** (se), **mépriser.** *Je m'en moque complètement.* → les loc. fam. ou vulg. Je m'assois dessus, je m'en balance, je m'en bats l'œil, je m'en branle, je m'en contrefiche, je m'en fiche, je m'en fous, je m'en tape, je m'en tamponne le coquillard ; ça m'est égal. « *La vraie éloquence se moque de l'éloquence* » (cit. 1, Pascal ; → aussi Morale, cit. 9). *La nature se moque des individus* (→ Importer, cit. 2). *Se moquer du qu'en-dira-t-on.* ⇒ **Braver.** *Se moquer d'une chose comme de l'an quarante*, *comme de colin*-tampon, comme de sa première culotte, de sa première chemise, comme de quatre sous*, comme de ses vieux souliers. Se moquer du tiers comme du quart*.* — Fam. *Je m'en moque pas mal !*

12 (...) les petits se vengent des puissants par de vains souhaits, et les puissants s'en moquent.   VOLTAIRE, Dialogues, XIV.

13 Léon se moquait pas mal des souvenirs de M. Octave, mais il l'écoutait avec une grande expression d'attention (...)   MONTHERLANT, les Célibataires, I, V.

Se moquer de (et l'inf.) : s'abstenir, dédaigner, refuser, ne pas se soucier de faire une chose. *Moquez-vous d'affecter cet orgueil indomptable* (→ Enflammer, cit. 12). *Se moquer d'être juste* (→ Enseignement, cit. 2).

REM. Sans être littéraire, le verbe, dans cet emploi, est supplanté dans l'usage courant par ses synonymes familiers (se ficher, se foutre de...) ou non (ça m'est égal).

♦ **3.** (1549). Tromper* ou essayer de tromper (qqn) avec désinvolture. ⇒ **Leurrer** (→ Camarade, cit. 7 ; hypocrite, cit. 13). *Se moquer des gens* (→ Aller, cit. 79), *du monde. Il s'est moqué de nous en nous payant de bonnes paroles* (→ Payer en monnaie de singe*).

14 — Traître, te moques-tu de moi ?
— Non, je te parle avec franchise.   MOLIÈRE, Amphitryon, II, 3.

15 L'ange Ituriel se moque du monde de vouloir détruire une ville si charmante.
VOLTAIRE, le Monde comme il va, « Vision de Babouc ».

REM. Le verbe semble vieilli ou littéraire, notamment avec un complément personnel : *tu te moques de moi* est pris au sens 1.

B. (Sans compl.). Vieilli ou littér. *Se moquer* : ne pas agir, ne pas parler sérieusement. ⇒ **Plaisanter.** *Vous vous moquez, je pense* (Académie). *Vous moquez-vous ?* (→ Arrêter, cit. 68). — (Avec un infinitif présenté par *de*). *Vous vous moquez, de me raconter une histoire pareille* (→ Vous me la baillez, vous me la donnez belle*).

16 (...) lui sied-il bien d'être encore amoureux ? et ne devrait-il pas laisser cette occupation aux jeunes gens ? — Vous avez raison, il se moque.
MOLIÈRE, l'Avare, IV, 4.

17 Bagatelles, bagatelles. C'est pour me faire peur. — Hé bien ! puisqu'il le faut, voici qui nous contentera tous deux, et montrera si je me moque.
MOLIÈRE, George Dandin, III, 6.

18 On crut qu'il se moquait, on sourit, mais à tort.
LA FONTAINE, Fables, IV, 18.

CONTR. Admirer, flatter, respecter. — Embarrasser (s'). — Intéresser (s'), préoccuper (se).
DÉR. Moquable, moquerie, 1. moquette, moqueur.

MOQUERIE [mɔkʀi] n. f. — 1272 ; le sens 3 est antérieur ; de *(se) moquer.*

♦ **1.** *(La moquerie).* Habitude de se moquer* ; fait de se moquer. ⇒ **Ironie, raillerie** (→ Gouaille, gouaillerie). — Rare. *La moquerie de qqn* (à l'égard de qqn) *par qqn. La moquerie de qqn,* à l'adresse de qqn. — Cour. (emploi absolu). *Digne de moquerie.* ⇒ **Risible.** *L'injure, l'injustice, la moquerie* (→ Âme, cit. 60). *La moquerie et le dédain** (→ Blessure, cit. 7). « *La moquerie est* (cit. 37) *souvent indigence d'esprit* » (La Bruyère).

19 La moquerie est une des plus agréables et des plus dangereuses qualités de l'esprit : elle plaît toujours, quand elle est délicate ; mais on craint toujours aussi ceux qui s'en servent trop souvent. La moquerie peut néanmoins être permise, quand elle n'est mêlée d'aucune malignité, et quand on y fait entrer les personnes mêmes dont on parle.   LA ROCHEFOUCAULD, Réflexions diverses, 16.

♦ **2.** (Fin XIIIᵉ). *Une, des moqueries.* Action, parole par laquelle on se moque. ⇒ **Affront, attaque, boîte** (mise en), **brocard** (vx), **dérision, gausserie** (vx), **impertinence, lazzi, nez** (pied de), **persiflage, plaisanterie, pointe, quolibet, raillerie, ricanement, satire.** *Exciter les* *moqueries de la foule.* ⇒ **Risée, spectacle** (servir de). → Attaquer, cit. 35.

2 Il savait que, dès qu'il était sorti, les moqueries reprenaient leur train et que Melchior était la risée de la ville.
R. ROLLAND, Jean-Christophe, Le Matin, I, p. 132.

♦ **3.** (Déb. XIIIe). Vx. Action, parole absurde qui ne mérite pas d'être prise au sérieux. ⇒ **Absurdité, plaisanterie.**

3 Allez, encore un coup, c'est une moquerie,
Et votre lâcheté mérite qu'on en rie.   MOLIÈRE, les Femmes savantes, II, 9.

CONTR. Admiration, flatterie, respect.

1. MOQUETTE [mɔkɛt] n. f. — XVIe, au sens de «moquerie», «attrape»; de *moquer.*

Technique (chasse).

♦ **1.** Oiseau qu'on attache vivant près d'un piège afin qu'il en attire d'autres. ⇒ **Appeau, appelant.**

♦ **2.** Laissées du chevreuil. (→ Bousard, cit.).

2. MOQUETTE [mɔkɛt] n. f. — 1625, *mocquette; moucade,* 1611; orig. incert., p.-ê. de *moche* «écheveau», du lat. *muticus,* doublet de *mutilus* «tronquer» (→ Amocher), selon Guiraud.

♦ **1.** Techn. Étoffe dont la trame et la chaîne sont de fil et qui est veloutée en laine. *La moquette sert à faire des tapis*, à couvrir des sièges. Moquette tissée à verges (unie* ou *jacquard), tissée double-pièce. Tisseur de moquette.* ⇒ **Carpettier.**

1 J'entrevis un cabinet de travail un peu sombre, avec un large tapis de moquette (...)   G. DUHAMEL, Salavin, I, XII.

♦ **2.** (XXe). Cour. Tapis cloué, couvrant généralement toute la surface d'une pièce et qui est fait de cette étoffe (→ Couvrir, cit. 5). Revêtement de sol textile. *Moquette épaisse, bouclée, courte, rase. Moquette aiguilletée. Moquette à dessin, flammée, chinée, mouchetée, tuftée, striée, à fils teints par zones* (d'après «les Revêtements de sol», *la Banque des mots,* 12, p. 201).

2 (...) elle s'élança sur la moquette beige, uniforme et moelleuse, qui tapissait maintenant l'ancien appartement de M. Thibault.
MARTIN DU GARD, les Thibault, t. V, p. 154.

DÉR. Moquetter.

MOQUETTER [mɔkete] v. tr. — 1972; de 2. *moquette.*

♦ Recouvrir de moquette. *«On achète un immeuble pourri, on le vide de ses occupants, en élague, on décape, on robinette, on peint, on moquette et hop, voilà quelques dizaines d'appartements «de caractère» lancés sur le marché de l'immobilier.» (le Nouvel Obs.,* 1er janv. 1978). — Pron. Par métonymie. *Se moquetter :* se fournir en moquette, recouvrir de moquette le sol de son logement. — P. p. adj. *Bureau moquetté, moquetté de neuf.*

MOQUEUR, EUSE [mɔkœR, øz] adj. et n. — V. 1180, *mocqueür;* de *moquer.*

A. ♦ **1.** Qui a l'habitude de se moquer, qui est enclin à la moquerie. ⇒ **Blagueur, caustique, chineur, comédien, daubeur, dédaigneux, facétieux, frondeur, gausseur, goguenard, gouailleur, mordant, persifleur, pince-sans-rire** (→ Causeur, cit. 1; hyménée, cit. 6).

1 La femme, la vraie femme, est trop tendre pour être moqueuse.
MICHELET, la Femme, p. 259.

2 Et pourtant, comme j'aime, comme j'ai toujours aimé l'ironie, Heine, par exemple. Dans la vie, dans mes rapports avec les gens, je suis très moqueur aussi.
Paul LÉAUTAUD, Journal littéraire, t. I, p. 218.

N. *C'est un moqueur. Un moqueur impertinent*, incorrigible. Un moqueur de génie* (→ Attaque, cit. 8).

3 Molière, ce moqueur pensif comme un apôtre.
HUGO, l'Année terrible, juil. 1871, IX.

♦ **2.** (Déb. XVIIe). Qui est inspiré par la moquerie, qui indique un caractère porté à la moquerie. ⇒ **Ironique, narquois, piquant, railleur.** *Air moqueur* (→ Intonation, cit. 3). *Regard* (→ Hardi, cit. 14), *rictus, rire moqueur* (→ Imposture, cit. 7). *Sarcasmes moqueurs* (→ Ironique, cit. 3). ⇒ **Sardonique.** *Sourire moqueur* (→ Ironie, cit. 10). *Esprit* (→ Malignité, cit. 6), *sentiment moqueur* (→ Habiter, cit. 9). *Propos moqueurs.* ⇒ **Dérisoire.**

4 Oui, deux mots, le silence même,
Un regard distrait ou moqueur,
Peuvent donner à qui vous aime
Un coup de poignard dans le cœur.
A. DE MUSSET, Poésies nouvelles, À Mlle***

5 Il *(Haendel)* regardait bien en face, une lumière railleuse dans l'œil hardi, un pli moqueur au coin de la grande bouche fine.
R. ROLLAND, Voyage musical..., III.

B. N. m. (1676). Oiseau américain du groupe des merles*, qui imite le chant des autres oiseaux. *Genre Moqueur,* auquel appartient cet oiseau. — Appos. *L'oiseau moqueur.*

En Afrique, Oiseau à longue queue, dont le plumage présente des reflets métalliques.

DÉR. Moqueusement.

MOQUEUSEMENT [mɔkøzmɑ̃] adv. — 1531; de *moqueur.*

♦ D'une manière moqueuse.

Mais c'est encore un plaisir d'entendre ces idiotismes pittoresques régner sur le vieux terroir du Centre de la France; d'autant plus que c'est la véritable expression du caractère moqueusement tranquille et plaisamment disert des gens qui s'en servent.   G. SAND, la Mare au diable, Appendice, I.

MORACÉES [mɔRase] n. f. pl. — Mil. XXe; *morées,* 1840; *moréacées,* 1872; lat. sav., du lat. *morus* «mûrier».

♦ Bot. Famille de plantes apétales (ex. : mûrier, figuier), à suc lactescent et à induvies généralement comestibles. — Au sing. *Une moracée.*

MORAILLE [mɔRaj] n. f. — 1285; provençal *moralha,* de *mor* «museau», d'un lat. pop. *murru (Dauzat), déjà emprunté au moyen âge : «visière». → Morion.

Technique.

♦ **1.** (1606, sing.; 1690, plur.). Plur. Tenaille* utilisée par le maréchal-ferrant pour pincer les naseaux d'un cheval rétif pendant qu'on le ferre... (⇒ aussi **Tord-nez**). — Pince formant anneaux, servant à maintenir et maîtriser les taureaux. *« Les morailles... maîtrisent en serrant la cloison* (nasale), *mais sans la traverser » (Omnium agricole).*

♦ **2.** (1723). Plur. Tenaille, pince de verrier.

♦ **3.** Archéol. (Repris à l'anc. franç. *moraille* «visière»). Sing. Pièce de fer à charnière fixant la visière au casque.

DÉR. Morailler, 1. moraillon.

MORAILLER [mɔRaje] v. tr. — 1665-1666 «museler un chameau»; de *moraille.*

Technique.

♦ **1.** (1802). Pincer les naseaux de (un cheval) avec une moraille.

♦ **2.** (1723). Allonger (le verre) avec des morailles.

1. MORAILLON [mɔRajɔ̃] n. m. — 1690; *morillon,* 1360; de *moraille.*

♦ Techn. Pièce de fer formée d'une plaque mobile à charnière, munie d'une fente dans laquelle passe un demi-anneau* fixe (qu'on assujettit au moyen d'un cadenas*) ou un pêne. *Rabattre le moraillon sur la serrure. Moraillon fermant un coffre, une malle...*

2. MORAILLON [mɔRajɔ̃] adj. m. — 1723, *morillon;* 1869 avec la graphie et le sens actuels; de *more,* et suff. dimin. *-illon, -aillon.*

♦ Techn. *Émeraude moraillon :* émeraude brune.

1. MORAINE [mɔRɛn] n. f. — 1779, Saussure; empr. au savoyard *morena* «bourrelet de terre», d'un radical prélatin *murr-* «tertre» (Dauzat) ou du lat. *mora* «obstacle» (P. Guiraud).

♦ Géogr., géol. et cour. Débris de roche* entraînés par la glace en mouvement (⇒ 1. Glacier). *Moraines mouvantes (superficielles, internes, inférieures* ou *de fond,* selon leur position par rapport à la glace). — Spécialt (dans le lang. cour.). Accumulation, amas de forme caractéristique que constituent les *moraines déposées. Moraines latérales, médianes, transversales, terminales, frontales. Moraines terminales en amphithéâtre* (amphithéâtres morainiques). *Moraine réduite à l'état d'amas, de blocs. Moraine d'avalanche,* constituée par les débris de roche que l'avanche a abandonnés.

1 Les paysans de Chamouni *(Chamonix)* nomment ces monceaux de débris la moraine du glacier.   H. B. DE SAUSSURE, Voyage dans les Alpes, I, ch. 455.

2 Du haut du col, on découvre quelques aiguilles de glace qui dépassent l'arête des rochers; mais de vastes moraines formées par le glacier lui-même, en cachent la vue à sa base. Au pied de ces moraines est le lac Combal (...)
Rodolphe TÖPFFER, Voyages en zigzag, p. 27.

DÉR. Morainique.
HOM. 2. Moraine, morène.

2. MORAINE [mɔRɛn], **MORILLE** [mɔRij] ou **MORINE** [mɔRin] n. f. et adj. — XIIe, *morine; morille* «maladie du bétail», XIIIe; du lat. *mori* «mourir».

♦ Techn. Laine enlevée de la peau d'un animal mort. — Adj. *Laine moraine.*

HOM. 1. **Moraine, morène.**

MORAINIQUE [mɔʀɛnik] adj. — 1875, *in* Littré, *Suppl.; de* 1. *moraine.*

♦ Géogr., géol. Relatif aux moraines. *Dépôt, butte morainique* (→ Île, cit. 4). *Paysage morainique. Ampithéâtre morainique.* ⇒ 1. **Moraine.**

MORAL, ALE, AUX [mɔʀal, o] adj. et n. m. — Déb. XIIIe, attesté par l'adv. lat. *moralis, de mores* «mœurs».

★ **I.** Adj. ♦ **1.** (V. 1265). Littér. ou didact. Qui concerne les mœurs*, les habitudes et surtout les règles de conduite admises et pratiquées dans une société. ⇒ **Mœurs.** *Réalité morale. Phénomènes moraux et juridiques* (→ Éthique, cit. 3). *Engagement* (cit. 11) *politique et moral. Audaces* (cit. 16) *morales. Inégalité* (cit. 3 et 4, Rousseau) *morale et inégalité naturelle. Acquisitions morales* (→ Habitude, cit. 2). — *Crise* morale. *Idées* (cit. 60), *notions morales* (→ Justice, cit. 16). *Sentiments moraux. Vertus morales* (→ Attribuer, cit. 7; habitude, cit. 5) opposées aux *vertus surnaturelles* (en théologie). *Attitude, expérience morale. Conscience morale.* ⇒ **Conscience.** *Sens moral :* discernement du bien et du mal. *Délicatesse* (cit. 18) *morale. Valeurs* morales (→ Concret, cit. 3, humanisme, cit. 3). *Sens de la hiérarchie* (cit. 15) *morale. Jugement moral* (→ Amoral, cit. 2). *Impératifs* (cit. 5), *principes* moraux. *Obligation*, *loi morale.* ⇒ **Loi** (cit. 53, 54 et 58). — *Sur le plan, au point de vue moral. Arguments* (cit. 8) *d'ordre moral.* — Littér. *Réflexions ou sentences et maximes morales, de* La Rochefoucauld.

1 Si le sens moral se développait en raison du développement de l'intelligence, il y aurait contre-poids et l'humanité grandirait sans danger, mais il arrive tout le contraire : la perception du bien et du mal s'obscurcit à mesure que l'intelligence s'éclaire; la conscience se rétrécit à mesure que les idées s'élargissent.
CHATEAUBRIAND, Mémoires d'outre-tombe, t. VI, p. 321.

1.1 On décrivait — il n'y a pas très longtemps encore — une folie morale qui procédait, chez ceux qui en étaient atteints, de la «perte du sens moral» (...) les bases fondamentales de cette construction nosologique (aujourd'hui définitivement ruinée) postulaient l'existence et l'indépendance d'une fonction psychique particulière, le sens moral, en vertu de laquelle l'individu eût été capable de discriminer le Bien et le Mal.
L'accord est fait sur l'absence de réalité psychologique d'une telle «faculté».
Nos acquisitions morales ne sont que le résultat de l'éducation qui nous apprend à plier nos appétits et nos tendances à des impératifs sociaux (...)
Le sens moral ne représente, dès lors, qu'un des aspects de l'adaptation de l'homme à son milieu.
Ch. BARDENAT, *in* POROT, Manuel alphabétique de psychiatrie, 1952, art. *Moral.*

♦ **2.** (Fin XIVe). Qui concerne l'étude philosophique de la morale (au sens 1). ⇒ **Éthique.** *Théorie morale. Fragment* (cit. 4) *moral ou philosophique. Les grands problèmes moraux de la science* (→ 1. Avocat, cit. 17).

2 Ah! que je compris bien, dès lors, que l'enseignement presque tout moral des grands philosophes antiques ait été d'exemple autant et plus encore que de paroles!
GIDE, l'Immoraliste, p. 156.

♦ **3.** Cour. Qui est conforme aux mœurs, à la morale (2.); qui est admis comme tel. ⇒ **Honnête, juste.** *Une manière parfaitement morale de...* (→ Humaniser, cit. 10). *Un comportement n'est pas très moral.* — Spécialt. ⇒ **Édifiant.** *Fiction à objet moral* (→ Apologue, cit. 4). *Voilà une histoire bien morale, très morale.* ⇒ **Exemplaire.** *Ce film n'est pas moral.*

3 (...) le livre *(le «Diable boiteux» de Lesage)* n'était peut-être pas très moral; ce n'est pas assurément la morale du Catéchisme qu'il prêche, c'est celle de la vie pratique : n'être dupe de rien ni de personne.
SAINTE-BEUVE, Causeries du lundi, 5 août 1850.

4 Je ne veux pas dire que la poésie n'ennoblisse pas les mœurs (...) que son résultat final ne soit pas d'élever l'homme au-dessus du niveau des intérêts vulgaires; ce serait évidemment une absurdité. Je dis que, si le poète a poursuivi un but moral, il a diminué sa force poétique (...)
BAUDELAIRE, Trad. E. POE, Notes nouvelles.

5 Il se peut que jouer de l'argent ne soit pas très moral.
J. ROMAINS, les Hommes de bonne volonté, t. V, I, p. 12.

6 — Eh bien, mon maître? Êtes-vous édifié? Voilà une histoire morale, ou je me trompe fort : les méchants ont été punis et les bons récompensés.
SARTRE, les Mouches, I, 3.

(Personnes). *«Ces êtres... charmants, point hypocrites* (cit. 20), *point "moraux" auxquels je voudrais plaire»* (Stendhal). — *C'est un auteur très moral, peu moral* (amoral ou immoral).

7 Corneille est plus moral, Racine plus naturel.
LA BRUYÈRE, les Caractères, I, 54.

♦ **4.** (V. 1361). Philos. «Qui concerne l'action et le sentiment» (Lalande), par oppos. à *logique,* à *intellectuel* ou à *métaphysique. Sur le plan logique et sur le plan moral* (→ Famille, cit. 33). *Facultés intellectuelles et morales* (→ Ilotisme, cit. 2). *Certitude morale. Nécessité morale.*

8 (...) je distinguerai ici deux sortes de certitude. La première est appelée morale,

c'est-à-dire suffisante pour régler nos mœurs, ou aussi grande que celle des choses dont nous n'avons point coutume de douter touchant la conduite de la vie (...)
DESCARTES, Principes de philosophie, IV, § 205.

(...) la preuve dite morale, qui conclut à l'existence de Dieu du grand besoin que nous en avons.
SARTRE, Situations I, p. 227.   9

♦ **5.** Cour. Relatif à l'esprit, à la pensée (par oppos. à *matériel, physique*). ⇒ **Intellectuel, spirituel.** *Le beau idéal* (1. Idéal, cit. 8) *moral. L'homme matériel et l'homme moral* (l'âme, l'esprit). *Portrait physique et moral d'un personnage.* — *Énergie*, *force morale* (→ Ascétique, cit. 2). *Courage moral* (→ Fermeté, cit. 5). *Sensations, douleurs, joies morales et physiques, matérielles* (→ Bienfait, cit. 14; épreuve, cit. 29). *Fortune* (cit. 37), *grandeur matérielle* (cit. 6) *et morale. Agonie* (cit. 2), *ankylose* (cit. 2), *asphyxie* (cit. 3), *épidémie* (cit. 7), *plaie, torture morale* (→ Interrogatoire, cit. 2). *Misère morale* (→ Élément, cit. 1). *Suicide moral* (→ Attentat, cit. 12).

Ah! c'est bien malheureux de n'avoir pas une force physique adéquate à sa force morale.   10
Ed. et J. DE GONCOURT, Journal, p. 192.

Spécialt. Dr. *Personne* morale (→ Institution, cit. 7; marché, cit. 18).

(Mil. XVIIIe). Didact., vx. *Sciences morales,* qui étudient l'homme sur le plan de l'esprit (psychologie, sociologie, morale, histoire : sciences humaines*). *Académie des sciences morales et politiques.*

Ling. (vx). *Sens physique et sens moral,* propre et figuré (→ Grand, cit. 52).

On pourrait dire que la plupart des mots présentent un sens *physique* et un sens *moral,* selon qu'on les prend au propre ou au figuré.   11
H. BERGSON, le Rire, p. 87.

★ **II.** N. m. (dér. du sens I, 5). LE MORAL. ♦ **1.** (1754). Vieilli. L'ensemble des facultés morales, mentales; le caractère, l'esprit, l'âme ou ce qui s'y rapporte, par oppos. au physique (→ Corrompre, cit. 21, Rousseau; homme, cit. 3). *Rapport du physique et du moral de l'homme,* ouvrage de Cabanis (1802). — (1764). Mod. *Au moral :* sur le plan moral, spirituel... (→ Ère, cit. 5; exercice, cit. 7; grand, cit. 22; guerre, cit. 12).

Commençons par distinguer le moral du physique dans le sentiment de l'amour.   12
ROUSSEAU, De l'inégalité parmi les hommes, I.

Au moral comme au physique, j'ai toujours eu la sensation du gouffre (...)   13
BAUDELAIRE, Journaux intimes, «Mon cœur mis à nu», LXXXVII.

Spécialt, vx. *Au moral :* au sens figuré (→ Gros, cit. 22).

♦ **2.** (1829). Cour. État affectif, disposition temporaire quant à l'énergie, la volonté, la «fermeté à supporter les périls, les fatigues, les difficultés» (Littré). *Le moral est bas, est bon. Le moral des troupes.* ⇒ **Combativité, esprit.** *Atteintes au moral de l'armée.* ⇒ **Démoralisation.** *Notre malade a bon moral. C'est le moral qui est atteint. Il faut lui remonter le moral. Il, elle a un moral d'acier.*

M. Homais, néanmoins, s'était efforcé de le raffermir, de lui remonter le moral.   14
FLAUBERT, Mme Bovary, II, VI.

Loc. pop. *Avoir le moral à zéro,* très bas; être découragé.

On avait faim, on avait le moral à zéro, on se disait que chez vous, on trouverait peut-être le moyen de se débrouiller.
M. AYMÉ, le Vin de Paris, «La bonne peinture», p. 200.

CONTR. Amoral, antimoral, immoral. — Déshonnête, désordonné, illicite, relâché. — Corporel, matériel, physique.
DÉR. Morale, moralement, moraliser.
COMP. Amoral, immoral.
HOM. Morale.

MORALE [mɔʀal] n. f. — 1530, *les Moralles,* titre d'un «traité»; comme nom commun, 1637, Descartes; de *moral.*

★ **I.** ♦ **1.** (Déb. XVIIe). Connaissance du bien et du mal; «théorie, généralement conçue sous forme normative, de l'action humaine en tant qu'elle est soumise au devoir et a pour but le bien» (Cuvillier). ⇒ **Éthique; philosophie.** *«La morale est la science des lois naturelles... »* (→ Bon, cit. 85, Diderot). *Apprendre* (cit. 4) *la morale. Ouvrage de morale, traité de morale* (→ 1. Livre, cit. 4). *Programme de morale en classe de philosophie. Certificat de morale et sociologie.*

— Voulez-vous apprendre la morale? (...) — Qu'est-ce qu'elle dit cette morale?   1
— Elle traite de la félicité, enseigne aux hommes à modérer leurs passions (...)
MOLIÈRE, le Bourgeois gentilhomme, II, 4.

La Morale est la science des fins, la science de ce que la raison veut invinciblement, la science de l'ordre idéal de la vie.   2
F. RAUH, *in* CUVILLIER, Voc. philosophique.

Doctrine morale. *Morales du devoir, de l'obligation* (⇒ **Déontologie**). *Morale kantienne* (→ Kantisme, cit. 2, et aussi impératif catégorique*). *Morales du bien. Morale platonicienne, eudémoniste* (⇒ **Eudémonisme**). *Morale stoïcienne* (⇒ **Stoïcisme**). *Morale du plaisir. Morale hédoniste* (⇒ **Hédonisme**), *épicurienne* (⇒ **Épicurisme**). *Morale «sans obligation ni sanction»* (Guyau). *Morale métaphysique* («métamorale»... *religieuse... Morale chrétienne, évangélique* (cit.). *La morale du catholicisme. «La morale chrétienne est la plus parfaite de toutes les morales»* (Furetière). *Morale et théologie. Difficulté sur une question de morale.* ⇒ **Cas** (de conscience) ; **casuistique.** — REM. La différence entre ces emplois et le sens 3 n'étant que « dans le degré de réflexion et le contenu » (Lalande), les doctrines les moins élaborées, les plus intuitives, les plus normatives ou les plus répandues peuvent être considérées aussi bien comme « ensemble de règles » (3.) que comme « théorie raisonnée » (1.).

3 (...) je me formai une morale par provision, qui ne consistait qu'en trois ou quatre maximes (...) DESCARTES, Discours de la méthode, III.

4 À elles deux, la morale hellénique et la morale chrétienne paraissent embrasser tout l'idéal humain : l'une est la morale de l'intelligence, l'autre est la morale de la volonté.
E. BOUTROUX, Principaux types de morales, in CUVILLIER, Voc. philosophique.
Domaines de la morale. Morale vécue, morale de la vie personnelle, domestique, familiale. Morale économique, politique, internationale. — (1680). Par ext. *Traité de morale. Les Morales d'Aristote.*

♦ **2.** (Mil. XVIIᵉ). **LA MORALE** : ensemble des règles de conduite considérées comme valables de façon absolue. ⇒ **Éthique** ; 2. **bien** ; **valeur** ; **devoir** (→ 1. Bien, cit. 40). *Fondement* (cit. 7) *de la morale. La morale et la science, l'art, la religion. Adage* (cit. 2), *principe* de morale. Ce que la morale commande* (→ Conseiller, cit. 5). *Le jugement, le tribunal de la morale* (→ Fonder, cit. 30). *Morale et conscience*, et liberté*.* ⇒ 2. **Arbitre** (libre arbitre). — *Conforme à la morale.* ⇒ **Honnêteté, probité, vertu** ; et aussi **bien, bon.** — *Faire la guerre à la morale* (→ Guerroyer, cit. 4 ; insurrection, cit. 8), *révolte contre la morale. Braver, outrager* la morale.*

5 La morale n'est point dans la superstition, elle n'est point dans les cérémonies, elle n'a rien de commun avec les dogmes. On ne peut trop répéter (...) que la morale est la même chez tous les hommes qui font usage de leur raison. La morale vient donc de Dieu comme la lumière : nos superstitions ne sont que ténèbres.
VOLTAIRE, Dict. philosophique.

6 La morale élève un tribunal plus haut et plus redoutable que celui des lois. Elle veut non seulement que nous évitions le mal, mais que nous fassions le bien ; non seulement que nous paraissions vertueux, mais que nous le soyons ; car elle ne se fonde pas sur l'estime publique, qu'on peut surprendre, mais sur notre propre estime, qui ne nous trompe jamais.
RIVAROL, Notes, maximes et pensées, « Morale ».

7 Une loi n'est pas toujours obligatoire ; elle peut toujours être changée par une autre loi : contrairement à cela, la morale est permanente ; elle a sa force en elle-même, parce qu'elle vient de l'ordre immuable ; elle seule peut donc donner la durée.
CHATEAUBRIAND, Mémoires d'outre-tombe, t. II, p. 209.

8 La morale est la faiblesse de la cervelle.
RIMBAUD, Une saison en enfer, « Délires », II.

Allus. littér. (→ aussi Éloquence, cit. 1) :

9 (...) la vraie morale se moque de la morale ; c'est-à-dire que la morale du jugement se moque de la morale de l'esprit — qui est sans règles.
PASCAL, Pensées, I, 4.

REM. On admet généralement que la proposition « qui est sans règles » se rapporte à « *morale du jugement* » (...) morale de l'esprit (...) veut dire ici la science, le dogmatisme, la déduction, bref l'habileté morale (Le Senne, *Morale générale*).

♦ **3.** (Fin XVIIᵉ). Ensemble de règles de conduite découlant d'une conception de la morale (1.). *Des morales particulières* (→ Impératif, cit. 6). *Morale close* (propre à une société) *et morale ouverte* (s'adressant à l'humanité entière) *selon Bergson.* — *Morale accommodante, facile* (cit. 32), *indulgente* (cit. 12). *Les jansénistes* (cit. 2) *reprochaient aux jésuites* (cit. 1) *une morale relâchée.* ⇒ **Laxisme ; latitudinaire.** *Morale astreignante* (cit.), *étroite, exaltée, exigeante, rigoureuse, sévère*.* ⇒ **Rigorisme.** *Morale d'ascète* (⇒ **Ascétisme**). — *Morale individuelle. Avoir une morale à toute épreuve* (cit. 19). — (1668). *La morale d'un écrivain,* l'attitude morale, la leçon qui se dégage de son œuvre.

10 (...) que la morale des aveugles est différente de la nôtre ! que celle d'un sourd différerait encore de celle d'un aveugle, et qu'un être qui aurait un sens de plus que nous trouverait notre morale imparfaite (...) !
DIDEROT, Lettre sur les aveugles.

11 Il est permis de tout faire, si ce n'est faire souffrir les autres : voilà toute ma morale.
FLAUBERT, Correspondance, 212.

♦ **4.** (XIXᵉ). Ensemble des habitudes et des valeurs morales (⇒ **Mœurs**), dans une société donnée. *Morales et institutions, morales et droits.* ⇒ 3. **Droit.** *Les lois et les morales* (→ Civilisation, cit. 7). *La morale de notre société, la morale ambiante* (→ Dada, cit. 4). *Actes liés à une morale* (→ Gouvernant, cit. 12). *Étude sociologique des morales et des religions.*

12 Nous appelons dangereux ceux qui ont l'esprit fait autrement que le nôtre et immoraux ceux qui n'ont point notre morale. FRANCE, le Jardin d'Épicure, p. 90.

12.1 Un Français établi chez les musulmans s'habitue aux mœurs des musulmans, mais s'il y retrouve un Français, retrouve du même coup pour le juger la morale française. PROUST, Jean Santeuil, Pl., p. 878.

13 Pour chaque peuple, à un moment déterminé de son histoire, il existe une morale, et c'est au nom de cette morale régnante que les tribunaux condamnent et que l'opinion juge. E. DURKHEIM, le Déterminisme du fait moral, p. 56.

14 Il y a une morale statique, qui existe en fait, à un moment donné, dans une société donnée, elle s'est fixée dans les mœurs, les idées, les institutions (...) Il y a d'autre part une morale dynamique, qui est élan (...)
H. BERGSON, les Deux Sources de la morale et de la religion, p. 286.

Par ext. Science objective des mœurs, faisant partie de la sociologie (chez Durkheim, Lévy-Bruhl...). — REM. Cet emploi, qui exclut l'aspect normatif, reste théorique et n'est pas entré dans l'usage.

♦ **5.** Rare. État des mœurs dans lequel se marque la réalisation d'un idéal moral. *Les progrès de la morale* (Lalande). — Spécialt. Valeur morale :

15 La morale de l'Art consiste dans sa beauté même, et j'estime par-dessus tout d'abord le style, et ensuite le Vrai.
FLAUBERT, Correspondance, 503, 12 déc. 1856.

★ **II.** (1680, « sermon »). ♦ **1.** Injonction, leçon de morale portant sur un point particulier. ⇒ **Admonestation, leçon, parénèse** (vx). *De longues et ennuyeuses morales* (vx). → Catéchisme, cit. 4 ; excéder, cit. 13. *Tourner un mauvais exemple* (cit. 10) *en morale et en leçon.* — (1752). Mod. *Faire la morale, de la morale à qqn, à soi-même* (→ Incartade, cit. 4). ⇒ **Réprimande.**

♦ **2.** Courte pièce ou conclusion en forme de leçon de morale. ⇒ **Apologue, maxime, moralité.** *La morale d'une fable* (→ Imparfait, cit. 2). « *Une morale nue...* » (→ Fable, cit. 12, La Fontaine). *Des morales de mirliton* (→ Farcir, cit. 5).

16 Rien n'est si vain, si mal entendu, que la morale par laquelle on termine la plupart des fables (...) ROUSSEAU, Émile, IV.

Par ext. Précepte, enseignement moral qu'on peut tirer d'une histoire, d'un événement. *La morale de cette histoire, de l'histoire, c'est...* ⇒ **Moralité.**

CONTR. Immoralité, mal.
DÉR. Moralisme, moraliste. — REM. On rencontre dans l'usage littéraire (F. Jammes 1898 ; Larbaud) le n. f. *moralerie* « moralité ; chose morale (péjoratif) ».
HOM. Moral, adj.

MORALEMENT [mɔralmɑ̃] adv. — Déb. XIVᵉ, « dans un sens figuré » ; de *moral*.

♦ **1.** (V. 1361). Conformément à une règle de conduite. *Se conduire, agir moralement.* — (V. 1380). Du point de vue éthique. *Action moralement bonne, mauvaise. Manière d'être, réputée moralement la plus héroïque, la plus belle* (→ Ligne, cit. 17).

1 (...) nulle bonne action n'est moralement bonne que quand on la fait comme telle, et non parce que d'autres la font. ROUSSEAU, Émile, II.

♦ **2.** (1718). Avec une certitude morale. *Être moralement sûr* (→ Atteindre, cit. 33), *certain de...* — REM. L'Académie donne dans ce sens l'expression : *moralement parlant,* qui serait aujourd'hui plutôt comprise au sens 3.

♦ **3.** (1636). Sur le plan spirituel, intellectuel. *S'il y perdit, pécuniairement parlant, il y gagna* (cit. 12) *moralement une bonne leçon. Matériellement et moralement* (→ Homme, cit. 12). *Physiquement et moralement* (→ Assimilable, cit. 4). « *Moi, c'est moralement que j'ai mes élégances* » (→ Attifer, cit. 6, E. Rostand).

2 (...) Thuillier était redevenu, moralement parlant, fils de concierge ; il faisait usage de quelques-unes des plaisanteries de son père, il reparaissait enfin à la surface de sa vie, un peu du limon des premiers jours.
BALZAC, les Petits Bourgeois, Pl., t. VII, p. 113.

CONTR. Immoralement. — Matériellement, physiquement.

MORALISANT, ANTE [mɔralizɑ̃, ɑ̃t] adj. — 1778, in Von Proschwitz ; p. prés. de *moraliser.*

♦ Qui moralise (I.). ⇒ **Moralisateur.**

D'une autre façon, l'action morale peut être une action qui ne se manifeste pas comme explicitement moralisante, ou qui, en tout cas, ne s'impose pas. Plus qu'être moralisateur, le médecin doit donner lui-même, dans ses relations avec les malades, des exemples de conscience, de justice, de dévouement, et de compréhension.
Guy PALMADE, la Psychothérapie, p. 51.

MORALISATEUR, TRICE [mɔralizatœR, tRis] adj. et n. — 1845 ; de *moraliser.*

♦ Qui fait la morale, édifie. ⇒ **Édifiant.** *Influence moralisatrice. L'art du XIXᵉ siècle se défend d'être moralisateur* (→ Littérature, cit. 17).

(...) je voulais surtout éviter le ton moralisateur ; et même je protestai lorsqu'il me remercia de mes bons conseils. GIDE, Journal, 23 févr. 1931.

N. *C'est une moralisatrice enragée, un moralisateur insupportable. Une littérature de moralisateurs* (→ Moraliste, cit. 5).
REM. Le mot, à la différence de *moraliste,* est le plus souvent péjoratif.

MORALISATION [mɔralizasjɔ̃] n. f. — 1823 ; de *moraliser.*

♦ Action de rendre moral, de moraliser (II.). *Contribuer* (cit. 3) *à la moralisation du genre humain.* ⇒ **Édification.** *Effort de moralisation.* « *D'un point de vue très strictement moral, la moralisation* (peut) *être déconseillée* » (G. Palmade, *la Psychothérapie,* p. 52).

L'Art devait exclusivement viser à la moralisation des masses ! Il ne fallait reproduire que des sujets poussant aux actions vertueuses ; les autres étaient nuisibles.
FLAUBERT, l'Éducation sentimentale, I, v.

CONTR. Corruption, démoralisation.

MORALISÉ, ÉE [mɔralize] adj. — XVᵉ, le *Violier des histoires romaines* ; moralizé, v. 1340 ; moralisié, v. 1375 ; de *moral,* ou du lat. tardif *moralisatus.*

♦ Littér. Traité de manière à rendre conforme à la (à une) morale. *Un Ovide moralisé.*

MORALISER [mɔʀalize] v. — 1354, «faire des interprétations allégoriques»; de *moral.*

★ **I.** Faire des leçons de morale. ⇒ **Moral** (I., 3.), **morale** (II.).

♦ **1.** V. intr. (Vieilli). Faire des réflexions morales dans une intention édifiante (→ Espace, cit. 25). *Instruire* et moraliser.* ⇒ **Prêcher** (→ Lanterne, cit. 13). *Moraliser sur un sujet.*

1   Ce chariot poursuivant son voyage symbolisait la vie (...) Seulement le symbole rendait plus visible le sens caché, et Blazius, à qui la langue démangeait, se mit à moraliser sur ce thème avec force citations, apophtegmes et maximes (...)
                     Th. GAUTIER, le Capitaine Fracasse, VII.

2   Elle aime, dans ses mémoires, à moraliser, à donner des réflexions sérieuses qu'elle relève de citations agréables (...)
                     SAINTE-BEUVE, Causeries du lundi, 1ᵉʳ déc. 1851.

♦ **2.** V. tr. (Vx). Instruire ou reprendre (qqn) en lui faisant la morale. ⇒ **Admonester, catéchiser, corriger, réprimander, sermonner** (→ Élever, cit. 26; 1. faux, cit. 40).

3   (...) elle (*Mˡˡᵉ Cormon*) s'était emparée d'Athanase qu'elle moralisait en lui débitant les plus étranges lieux communs de politique royaliste et de morale religieuse.
                     BALZAC, la Vieille Fille, Pl., t. IV, p. 280.

★ **II.** V. tr. (1834, Landais). Vieilli. Rendre moral* (I., 3.), élever moralement. *« Éclairer le peuple, c'est le moraliser »* (→ Améliorer, cit. 1, Hugo).

4   N'a-t-on pas imaginé des procédés pour moraliser l'homme, à peu près comme des fruits qu'on mûrit entre les doigts! Gens de peu de foi à la nature, laissez-les donc au soleil!   RENAN, l'Avenir de la science, Œ. compl., t. III, II, p. 750.

CONTR. Corrompre, pervertir.

DÉR. Moralisant, moralisateur, moralisation, moraliseur.

COMP. Démoraliser.

MORALISEUR, EUSE [mɔʀalizœʀ, øz] n. — 1611; «celui qui interprète allégoriquement», 1375; de *moraliser.*

♦ Vx, péj. Personne qui donne sans cesse des leçons de morale (cf. Marmontel, *in* Littré). On dit de nos jours *moralisateur*.*

MORALISME [mɔʀalism] n. m. — 1771, Trévoux, au sens de «moralité» de *morale*; sens philos. en 1836, Académie de l'all. *Moralismus* chez Fichte.

♦ **1.** Philos. Attitude qui consiste à sacrifier toutes les valeurs à la valeur morale.

1   (*Renouvier*) n'a-t-il pas son mysticisme aussi et, comment dirais-je? son fanatisme moral (...) son *moralisme*, si j'ose forger ce mot barbare?
               OLLÉ-LAPRUNE, la Certitude morale (1880), *in* LALANDE.

♦ **2.** (Attesté xxᵉ). Cour. Attachement strict et formaliste à une morale. *Il est d'un moralisme sévère, excessif.*

2   Dieu nous préserve de voir le moralisme simpliste de ce puritain, venir fausser les rouages subtils de nos vieilles affaires européennes!
               MARTIN DU GARD, les Thibault, t. VIII, p. 255.

CONTR. Immoralisme.

MORALISTE [mɔʀalist] n. et adj. — 1690; de *morale.*

♦ **1.** Didact., vx. Auteur qui écrit, qui traite de la morale (Furetière, 1690). *Les grands moralistes grecs.* — Spécialt. Les jansénistes (cf. Trévoux).

1   J'étudiai nos mœurs dans les Romans; nos opinions dans les philosophes; je cherchai même dans les Moralistes les plus sévères ce qu'ils exigeaient de nous (...)
               LACLOS, les Liaisons dangereuses, LXXXI.

2   Les moralistes ne sont que des fabricants de belles phrases, tous incapables d'inventer aucun antidote aux désordres sociaux.
               Charles FOURIER, la Fausse Industrie morcelée, p. 598.

3   (*Une*) légèreté digne d'un moraliste qui veut disserter d'une chose tout autre que la morale.   BAUDELAIRE, Curiosités esthétiques, XIII.

♦ **2.** (1690; répandu au xixᵉ). Écrivain qui observe et peint les mœurs, auteur de réflexions sur les mœurs de l'homme et, en général, sur la nature et la condition humaine (→ Approfondir, cit. 11; évoluer, cit. 4; humeur, cit. 6; idée, cit. 61; incident, cit. 2). *Montaigne, Pascal, La Rochefoucauld, La Bruyère sont les principaux moralistes français* (Académie).

4   Leur «morale» (*des fables*) est pleine de saveur, sinon toujours de moralité, car il importe de rappeler qu'un moraliste n'est pas quelqu'un qui fait de la morale, mais quelqu'un qui discute les conditions de la conduite.
               André SIEGFRIED, La Fontaine..., p. 15.

5   Le mot moraliste signifiait jadis : observateur et peintre des mœurs. Il a, sans perdre un tel sens, pris petit à petit celui de moralisateur. La littérature française, littérature de moralistes, serait-elle une littérature de moralisateurs?
               G. DUHAMEL, Défense des lettres, IV, v.

♦ **3.** (xixᵉ, Balzac). Cour. Personne qui, par ses œuvres, son exemple, donne des leçons, des préceptes de morale (→ Évangélique, cit.). ⇒ **Moralisateur.** *Être esclave* (cit. 8) *des moralistes. Moraliste étroit, pointilleux.*

6   L'auteur de *la Comédie humaine*, non seulement n'est pas immoral, mais c'est même un moraliste austère.   Th. GAUTIER, Portaits contemporains, «Balzac».

Péj. Personne qui aime à moraliser. ⇒ **Moralisateur.** *Cet hypo-*

---

crite fait le moraliste. Un ennuyeux moraliste. — Adj. *Un bourgeois moraliste* (→ Falloir, cit. 34). *Elle a toujours été moraliste* (→ Immoralité, cit. 2).

♦ **4.** Adj. (1800, Mᵐᵉ de Staël, *écrivain moraliste*). Empreint de moralisme. *Attitude moraliste. Le gouvernant* (cit. 12) *moderne est tenu d'être moraliste.*

CONTR. et COMP. Immoraliste.

MORALITÉ [mɔʀalite] n. f. — xiiᵉ; du bas lat. *moralitas,* du lat. class. *moralis.* → Moral.

♦ **1.** Caractère moral, valeur au point de vue éthique. ⇒ **Mérite.** *Moralité d'une action, d'une attitude, d'un comportement...* — Absolt. Valeur morale positive. *Moralité ou immoralité* (cit. 8) *d'une œuvre.*

1   Toute la moralité de nos actions est dans le jugement que nous en portons nous-mêmes. S'il est vrai que le bien soit bien, il doit l'être au fond de nos cœurs, comme dans nos œuvres, et le premier prix de la justice est de sentir qu'on la pratique.   ROUSSEAU, Émile, IV.

2   (...) la moralité de l'artiste est dans la force et la vérité de sa peinture. En peignant la réalité, en lui infiltrant, en lui insufflant la vie, il a été assez moral : il a été vrai.   BARBEY D'AUREVILLY, Une vieille maîtresse, Introd.

♦ **2.** (Personnes). Plus cour. Attitude, conduite* ou valeur morale. *Faire une enquête sur la moralité de qqn* (→ Explorateur, cit. 2). *Personne d'une moralité irréprochable* (cit. 5), *de haute moralité* (→ Indigne, cit. 17). *Niveau, abaissement, élévation de la moralité de qqn. La moralité de son fils l'inquiète.* ⇒ **Mentalité** (cit. 4).

3   Il n'est pas gentilhomme : mais c'est un de ces hommes ordinaires, à vertus positives, d'une moralité sûre, qui plaisent aux parents.
               BALZAC, Modeste Mignon, Pl., t. I, p. 493.

Moralité publique, de l'ensemble des citoyens.

3.1   CHRONIQUE DE LA MORALITÉ PRIVÉE
               I
     Je ne parlerai pas de la moralité publique, parce qu'il n'y en a pas.
           GIDE, le Prométhée mal enchaîné, *in* Romans, Pl., p. 304.

4   Ne pensez-vous pas que le régime des assurances contribue, pour une bonne part, à l'abaissement de la moralité publique?
               G. DUHAMEL, Scènes de la vie future, XIII.

Absolt. Sens moral (⇒ **Conscience**); vie conforme aux préceptes de la morale. ⇒ **Honnêteté.** *N'avoir aucune moralité. Témoins de moralité. Certificat de moralité,* de bonnes vie et mœurs.

5   Dès les premiers jours de son arrivée à Paris, il est tombé dans la dépendance d'un jeune homme sans moralité, mais dont l'adresse et l'expérience au milieu des difficultés de la vie littéraire l'ont ébloui. Ce prestidigitateur a complètement séduit Lucien (...)   BALZAC, Illusions perdues, Pl., t. IV, p. 906.

Spécialt. Mise en pratique de la morale (I., 3.), «croyances et pratiques morales effectives d'une société» (Cuvillier). *Pour des raisons de moralité...* (→ Existence, cit. 12).

♦ **3.** (xiiiᵉ; seul sens courant au xviiᵉ). Une, des moralités. Réflexion morale (⇒ **Morale,** II.; **maxime, sentence**). *Il y a des moralités à tirer de cette histoire* (Académie). *La satire de Pétrone est un mélange... de moralités et d'ordures* (→ Bon, cit. 132). *De sottes moralités* (→ Importuner, cit. 1). Enseignement que l'on peut tirer d'un événement, d'un récit, sur le plan moral. *La moralité d'une fable*.* ⇒ **Affabulation, conclusion, enseignement, morale.**

6   Une fable avait cours parmi l'antiquité,
     Et la raison ne m'en est pas connue.
     Que le lecteur en tire une moralité.   LA FONTAINE, Fables, IV, 12.

♦ **4.** (xvᵉ). Hist. littér. Courte pièce de théâtre médiévale, à intention édifiante, recourant souvent aux allégories.

7   La *moralité* remplit tout l'espace qui sépare le *mystère* de la *sottie* et de la *farce* (...) elle est souvent attendrissante, et parfois pathétique : c'est vraiment ce que nous appelons le drame, avec toute la variété de tons (...) que ce mot comporte, avec la variété de sujets, qui tantôt sont historiques, tantôt légendaires, tantôt de pure imagination, et tantôt d'origine religieuse. Mais dans ce dernier cas, le caractère pieux disparaît devant l'intention morale.
             Gustave LANSON, Hist. de la littérature franç., p. 214.

CONTR. Amoralité, immoralité.

MORASSE [mɔʀas] n. f. — 1845, ital. *moraccio* «noiraud», de *moro* «noir» ou (P. Guiraud) de l'adj. franç. *more* «noir».

♦ Techn. Dernière épreuve*, faite généralement à la brosse, lorsque la mise en pages du journal est terminée.

1   Morasse (...) ne figure pas dans le *Dict. général,* bien qu'ancien (...) Hugues Destrem, qui avait fait les débuts de journaliste sous l'Empire, m'a témoigné que ce mot était d'un usage courant à cette époque; il se rappelait qu'à la suite d'un incident le Gouvernement avait annoncé qu'il ferait saisir les morasses d'un journal.
       A. DAUZAT, Lexique du journalisme, *in* le Français moderne, janv. 1939, p. 29.

2   Une fois qu'une page est justifiée, que le secrétaire de rédaction responsable a relu la morasse, qui est l'épreuve de cette page, que la forme est serrée, le reste des opérations est purement technique et échappe aux journalistes, sauf dans le cas exceptionnel de la découverte d'erreurs très graves.
         Philippe GAILLARD, Technique du journalisme, p. 96-97.

1. MORATOIRE [mɔʀatwaʀ] adj. — 1765, *Encyclopédie*; du lat. jurid. *moratorius,* de *morari* «s'attarder», «retarder».

♦ Dr. Qui accorde un délai*. *Sentence moratoire.* — Qui résulte d'un délai ou d'un retard. *Intérêts moratoires,* dus pour retard au paiement de la créance.

DÉR. 2. Moratoire ou **moratorium.**

2. MORATOIRE [mɔʀatwaʀ] ou MORATORIUM
[mɔʀatɔʀjɔm] n. m. — V. 1920, *moratoire ; moratorium,* 1913 ; du précédent.

♦ Dr. «Disposition légale (...) suspendant d'une manière générale à l'égard d'une catégorie de personnes, l'exigibilité des créances, le cours des actions en justice (...)» (Capitant). ⇒ **Délai, suspension.** *Les agents* (cit. 14) *de change tentaient d'obtenir un moratoire. Des moratoires, des moratoriums.*

MORATON [mɔʀatɔ̃] n. m. — Fin XIIIᵉ, *mortun ; moreton,* 1373 ; repris sous une forme régionale au XIXᵉ ; de 1. *more* (→ Maure), et suff. diminutif.

♦ Régional. Petit canard sauvage de couleur sombre.

MORAVE [mɔʀav] adj. et n. — 1866, Littré ; de *Moravie,* région de Tchécoslovaquie.

♦ De Moravie. — Spécialt. *Frères moraves :* secte chrétienne hussite, apparue au XVᵉ siècle en Bohême (syn., vx : *frères bohêmes, frères tchèques*).
N. Personne qui habite la Moravie, ou qui en est originaire.

1. MORBIDE [mɔʀbid] adj. — XVᵉ, «malade» ; du lat. *morbidus.*

♦ **1.** (1810). Méd. Relatif à la maladie. *État morbide.* ⇒ **Pathologique.** *Conditions* (→ Idiosyncrasie, cit. 1), *miasmes morbides* (→ Loin, cit. 29). *Agent morbide.* ⇒ **Morbifique.**

♦ **2.** (Mil. XIXᵉ). Cour. Anormal, causé par un dérèglement psychique. ⇒ **Dépravé.** *Curiosité, imagination, jouissance* (cit. 4) *morbide.* ⇒ **Maladif, malsain.** *Goût morbide pour certains excitants* (→ Malacie, pica).

Les maladies psychiques imitent à ce point la santé, les plus grands sentiments, le langage le plus lucide, qu'on douterait des frontières entre la maladie et la santé ; tous nos sentiments apparaîtraient facilement comme morbides.
　　　　　　　　　　J. CHARDONNE, l'Amour du prochain, p. 130.

♦ **3.** (XXᵉ). Par ext. Qui flatte des goûts dépravés, qui indique un goût pour ce qui est jugé anormal, inquiétant. *Littérature morbide.* ⇒ **Malsain.** — Subst. *Le morbide et l'anormal* (cit. 2).

CONTR. Sain.
DÉR. Morbidement, morbidité.
HOM. 2. Morbide.

2. MORBIDE [mɔʀbid] adj. — 1690 ; ital. *morbido* «délicat, souple».

♦ Peint. (vx). Qui a de la morbidesse*. *Chairs morbides.*

HOM. 1. Morbide.

MORBIDEMENT [mɔʀbidmɑ̃] adv. — 1839 ; de 1. *morbide.*

♦ **1.** Méd., vx. De façon morbide (1. Morbide, 1.).

♦ **2.** Littér. De façon morbide (1. Morbide, 3.). *Un art «morbidement distingué et corrompu»* (Huysmans).

MORBIDESSE [mɔʀbidɛs] n. f. — 1676 ; sous la forme ital. *morbidezza,* 1580, de *morbido* «doux». → 2. Morbide.

♦ **1.** Littér. Grâce un peu maladive, langueur, nonchalance. *La morbidesse alanguie d'une belle créole.*

Notre extrême volupté a quelque air de gémissement et de plainte. Diriez-vous pas qu'elle se meurt d'angoisse ? Voire quand nous en forgeons l'image en son excellence, nous la fardons d'épithètes et qualités maladives et douloureuses : langueur, mollesse, faiblesse, défaillance, *morbidezza ;* grand témoignage de leur consanguinité et consubstantialité.　　　　　　MONTAIGNE, Essais, II, XX.

Elle fit une toilette ravissante, appropriée à son air souffrant, à la maladive morbidesse de sa figure. Son teint pâli lui donnait une expression distinguée, et ses cheveux noirs en bandeaux faisaient encore ressortir cette pâleur.
　　　　　　　　　　BALZAC, la Muse du département, Pl., t. IV, p. 172.

On rencontre encore la forme ital. *morbidezza* (littéraire).

(...) en fin de phrase, le coup de cymbale discret d'un terme exotique, vous aurez créé du premier coup une atmosphère de ton mineur, peu encombrante pour l'avenir, imprégnée déjà de toute la morbidezza que vous pouvez souhaiter.
　　　　　　　　　　J.-R. BLOCH, Cacaouettes et Bananes, p. 148.

♦ **2.** Peint. Délicatesse et souplesse dans le modelé des chairs. *Manière floue* (cit. 3), *pleine de grâce et de morbidesse* (⇒ **Langueur**).

(...) plusieurs portraits de femmes d'une délicatesse et d'une distinction exquises et de têtes italiennes d'une morbidesse délicieuse avec ces grands yeux noirs passionnément morts (...)　　　Th. GAUTIER, Portraits contemporains, «Hébert».

MORBIDITÉ [mɔʀbidite] n. f. — Av. 1850, Balzac ; de 1. *morbide.*

♦ **1.** (Déb. XXᵉ, Larousse 1903). Caractère maladif (⇒ 1. **Morbide**). *La morbidité d'un état physiologique. De la santé à la morbidité.* — Spécialt. Ensemble des causes pouvant produire la maladie. *Facteurs de morbidité* (⇒ **Pathogène**).

♦ **2.** (Déb. XXᵉ, Larousse 1903). Démogr., statist. Nombre (absolu ou relatif) des malades dans un groupe donné et pendant un temps déterminé. *Tables de morbidité.*

♦ **3.** (Déb. XXᵉ). Fig. Caractère morbide (1. Morbide, 3.), malsain (d'une œuvre). *Morbidité d'un roman, d'un film.*

1. MORBIER [mɔʀbje] n. m. — Attesté mil. XXᵉ, *in* Larousse 1963 ; nom d'une commune du Jura français.

♦ Fromage de lait de vache à pâte demi-ferme, cylindrique, fabriqué dans le Jura (aussi appelé *morbier du Jura*).

2. MORBIER [mɔʀbje] n. m. — V. 1840, nom d'une commune du Jura français.

♦ Régional (Suisse). Grosse horloge à poids, fabriquée à l'origine à Morbier.

MORBIFIQUE [mɔʀbifik] adj. — V. 1560 ; du bas lat. *morbificus* «qui engendre la maladie», de *morbus* «maladie».

♦ Vx. Qui peut causer une maladie. ⇒ **Pathogène** ; et aussi **morbide.** *Agent, principe morbifique. Émanations, miasmes morbifiques.* — Fig., par métaphore :

La Révolution française a émis un virus destructif auquel les journées de juillet viennent de communiquer une activité nouvelle. Ce principe morbifique est l'accession du paysan à la propriété.
　　　　　　BALZAC, le Curé de village, Pl., t. VIII, p. 714.

MORBILLEUX, EUSE [mɔʀbijø, øz] adj. — 1842, *in* Barré ; du lat. médiéval *morbillus* «éruption, rougeole», proprt «petite maladie» ; cf. ital. *morbilla.*

♦ Méd. Relatif à la rougeole. *Fièvre morbilleuse. Virus morbilleux. Encéphalite morbilleuse.*

COMP. Antimorbilleux.

MORBILLIFORME [mɔʀbijifɔʀm] adj. — 1877, P. Larousse, *Premier Suppl. ;* du lat. médiéval *morbillus* «rougeole», et de *forme.*

♦ Méd. Qui ressemble à la rougeole. *Éruption morbilliforme.*

MORBLEU [mɔʀblø] interj. — 1612, selon Bloch-Wartburg, var. *morbieu, mordieu* au XVᵉ ; euphém. pour *mort de Dieu.* → Mordieu.

♦ Vx. Juron en usage surtout au XVIIᵉ siècle (→ Abaisser, cit. 8 ; affaire, cit. 20 ; demander, cit. 14 ; juron, cit. 1). ⇒ **Corbleu, palsambleu.** *Par la morbleu !* (→ Braillard, cit. 1). *Morbleu !*

MORBUS [mɔʀbys] n. m. — 1765, *Encyclopédie ;* mot lat. «maladie».

♦ ⇒ **Choléra.**

MORCEAU [mɔʀso] n. m. — 1480 ; *morsel,* v. 1120 ; *morcel,* v. 1155 ; de l'anc. franç. *mors,* du lat. *morsus,* proprt «morsure» et suff. *-el, -eau.*

♦ **1.** Partie d'un aliment, d'un mets solide que l'on saisit en mordant. ⇒ **Bouchée.** *N'avale pas un si gros morceau, tu vas t'étouffer.* — Part ext. Partie, quantité plus ou moins grande, qui a été séparée d'un aliment, d'un mets solide (soit pour être mangée en une bouchée, soit pour constituer une portion, une part). *Morceau de pain* (⇒ **Bout, bribe, chanteau, entame, miette, quignon**). *Un morceau de fromage* (→ Happer, cit. 5), *de jambon* (⇒ **Tranche**), *de lard* (→ Fricot, cit. 2). *Morceau coupé fin de poisson* (⇒ **Darne**), *de saucisson* (⇒ **Rondelle**). *Morceau de viande* (⇒ Caporal, cit. 1 ; cuiller, cit. 3). *Morceau de sucre* (un sucre) ; *sucre en morceaux. Morceau de tabac qu'on mâche.* ⇒ **Chique.**

Pas un seul petit morceau
De mouche ou de vermisseau.　　　LA FONTAINE, Fables, I, 1.

Il était homme à manger un bout de fromage sur un morceau de pain (...)
　　　　J. ROMAINS, les Hommes de bonne volonté, t. V, X, p. 77.

Par ext. Mets entier détaché ou pouvant être détaché d'un tout (bête de boucherie). ⇒ **Mets, plat** (→ Arbitre, cit. 6 ; friandise, cit. 1 ; gourmet, cit. 4). *Les fins* (cit. 7), *les bons morceaux. Morceau exquis* (→ Gras, cit. 21). — Vx. *Morceau friand*. *Morceau de choix*, *de roi** (au fig. chose très désirable*). *Les bas* morceaux.* — *Manger* (cit. 3) *un morceau :* faire un repas léger, une collation.

Une fois le pansement fait, le médecin fut invité, par M. Rouault, lui-même, à *prendre un morceau,* avant de partir.　　　FLAUBERT, Mᵐᵉ Bovary, I, II.

4   (...) madame Hugon se lamenta en femme de ménage, racontant que les bouchers devenaient impossibles ; elle prenait tout à Orléans, on ne lui apportait jamais les morceaux qu'elle demandait.   ZOLA, Nana, VI.

Par métaphore. *Avoir, obtenir qqch. pour un morceau* (une bouchée) *de pain**. — Absolt. *Compter** *les morceaux à qqn. Gober** *le morceau* (→ Se laisser attraper*). *Mâcher** *les morceaux à qqn. Emporter** *le morceau.* — Fam. *Casser, lâcher, manger le morceau :* avouer, parler (→ Se mettre à table*). — Fam. *Un gros morceau* (à avaler) : qqch. dont on vient difficilement à bout.

♦ **2.** (XIIIᵉ). Partie (d'un corps, d'une substance solide). ⇒ **Bout, bribe, division, fraction, fragment, grain, parcelle, part, particule, partie, pièce** (vx), **portion, quartier, segment, tronçon.** *Morceau de métal, de fer.* ⇒ **Lingot, masse.** *Morceau de lave* (→ Bâtir, cit. 49). *Morceau de terre.* ⇒ **Motte.** *Morceau de verre.* ⇒ **Débris, éclat.** *Morceau de bois* (⇒ **Chicot**), *de cire, de savon* (→ Boîte, cit. 9). — *Morceau de carton* (→ Méthodique, cit. 2). *Des morceaux de papier* (→ Crayon, cit. 1 ; 1. faux, cit. 57). *Morceau de drap* (→ Façon, cit. 6 ; figure, cit. 27), *d'étoffe* (→ Haillon, cit. 2), *de linge* (→ Faim, cit. 3). ⇒ **Chiffon, échantillon, lambeau, retaille.** — *Morceau de corde* (→ Ficelle, cit. 1), *de ficelle.* — *Concasser, couper, déchirer, mettre, réduire en morceaux.* ⇒ **Morceler*** ; **briser, casser, découper, dépecer, hacher, pulvériser ; miette** (réduire en miettes), **pièce** (mettre en pièces) → Déchiqueter, cit. 5 ; friand, cit. 8 ; ferraille, cit. 1. — (1619). *En mille morceaux :* en de nombreux fragments, en parlant d'un objet cassé. — *Enlever un morceau à qqch.* ⇒ **Entamer.** — Loc. *Les morceaux en sont bons,* se dit de ce qui, même brisé ou partagé, garde de la valeur.

5   Elle relut cette lettre et, à défaut d'un buvard, l'agita un instant pour en sécher l'encre ; mais au moment de la plier pour la mettre dans une enveloppe, elle se ravisa tout à coup et la déchira lentement, en quatre morceaux.
                                                J. GREEN, Adrienne Mesurat, III, I.

Par exagération ou par métaphore :

6   (...) nous avions toujours les larmes aux yeux de voir ce pauvre homme en pièces et en morceaux. Il faut avouer que les chirurgiens de Paris sont d'habiles gens.
                                                Mᵐᵉ DE SÉVIGNÉ, 909, 5 mars 1683.

7   Je viens à vous, Seigneur, père auquel il faut croire,
    Je vous porte, apaisé,
    Les morceaux de ce cœur tout plein de votre gloire
    Que vous avez brisé (...)   HUGO, les Contemplations, IV, XV.

(1672). Par ext. Partie distincte, mais non séparée (d'un tout). *Un morceau de terre.* ⇒ **Coin, lopin, parcelle.** *Division d'une propriété en plusieurs morceaux.* ⇒ **Morcellement.**

8   Alexandre fût resté néanmoins le grand bénéficiaire si on lui eût livré les Balkans, cet énorme morceau d'Europe que ses soldats, après tout, n'avaient nullement conquis.   Louis MADELIN, Hist. du Consulat et de l'Empire,
                                        « Vers l'Empire d'Occident », XXIV.

Par métaphore. *Un bon morceau de...* ⇒ **Partie.**

Loc. *Composé, fabriqué* (cit. 15), *fait de pièces et de morceaux.* ⇒ **Disparate** (→ Bigarré, cit. 4 ; marqueterie, cit. 3 ; et aussi bribe, cit. 3). ⇒ aussi **Mosaïque, patchwork, pièce** (*infra* cit. 33), **puzzle ;** → De bric* et de broc. *Morceaux empruntés de droite et de gauche* (→ Arlequin, cit. 5). *Morceau par morceau.*

9   Il s'était mis à récapituler sa journée ; à la juger morceau par morceau.
                        J. ROMAINS, les Hommes de bonne volonté, t. II, XII, p. 120.

♦ **3.** (1666). Fragment, partie d'une œuvre littéraire. ⇒ **Extrait, passage.** *Morceau excellent* (→ Excitant, cit. 7), *faible* (→ Glisser, cit. 31). *Enchaîner les morceaux d'un ouvrage* (→ Logicien, cit. 3).

(1835). **MORCEAUX CHOISIS :** recueil contenant des passages d'auteurs ou d'ouvrages divers. ⇒ **Analecte** (vx), **anthologie, chrestomathie, compilation, florilège.** — Spécialt. Partie d'une œuvre particulièrement réussie, et digne d'être prise pour modèle. *Morceau d'éloquence, de déclamation* (→ Imprécation, cit. 5). *Morceau d'anthologie. Morceau de bravoure**.

10 J'ai relu, il y a quelques jours, l'entrée d'Eudore à Rome (des « Martyrs »), qui passe pour un des morceaux de la littérature française et où, en est un.
                                FLAUBERT, Correspondance, 365, 29-30 janv. 1853.

Par ext. Ouvrage (poème, discours...) considéré dans sa totalité (→ Authentique, cit. 11).

11 Une de vos poésies, le *Chant d'une jeune fille,* peint ces moments délicieux où l'allégresse est douce, où la prière est un besoin, et c'est mon morceau favori.
                                BALZAC, Modeste Mignon, Pl., t. I, p. 437.

♦ **4.** (1694). Mus. Fragment complet (d'une œuvre instrumentale qui en contient plusieurs) lorsqu'il ne s'agit pas d'une forme fixe, telle que la sonate (on parle alors de *mouvement**). *Les deux premiers morceaux d'Iberia* (→ Bougrement, cit. 1).

Cour. Partie (d'une œuvre musicale) ; partie (du programme d'un concert) et, par analogie, d'un spectacle quelconque (→ Humide, cit. 3). *Le public a vivement applaudi le dernier morceau.* — Œuvre musicale généralement assez courte considérée comme un tout. *Morceau de piano. Morceau de concours. Morceau gradué pour l'étude.* ⇒ **Étude.** *Exécuter un morceau.*

Mus. vocale. *Morceau de chant. Morceau d'expression* (cit. 31). *Morceau d'ensemble dans un opéra,* qui se chante à plusieurs voix concertées.

12 C'était une musique tour à tour joyeuse et mélancolique, mais dont seules les par-
ties allègres et rapides arrivaient aux oreilles d'Adrienne. Elle écouta. Le morceau ne fut pas long et ne comptait évidemment que comme hors-d'œuvre.
                                        J. GREEN, Adrienne Mesurat, III, IX.

Par métonymie. Partition musicale.

13 Une pile de morceaux de musique aux tranches fripées et lacérées s'affaisse sur un fauteuil.   J. ROMAINS, les Hommes de bonne volonté, t. V, XXI, p. 165.

♦ **5.** (XVIIIᵉ). Arts. « Fragment de peinture considéré uniquement au point de vue de l'exécution, du rendu » (L. Réau). *Morceau de peinture* (→ Faire, cit. 225 ; et aussi finir, cit. 2). — (1690). Œuvre d'architecture, de peinture, de sculpture considérée comme un tout (→ Femme, cit. 99). *Morceau d'architecture.*

14 Ce superbe morceau (*l'Aurige de Delphes*) d'un simplisme archaïque manifeste cependant, comme telle statue de Memphis, un souci du réel à quoi la sculpture classique ne nous avait point accoutumés.
                            Louis BERTRAND, le Livre de la Méditerranée, p. 311.

♦ **6.** Loc. fig. et fam. *Un beau morceau de femme :* une belle femme. — (Avec un qualificatif). Femme. *Un beau morceau.*

15 Je l'ai laissée tomber sec (...) Pourquoi as-tu plaqué un morceau pareil ?
                                            J. CAU, la Pitié de Dieu, p. 28.

Aussi : *un morceau de roi.*

16 Je me connais en femmes, et je puis juger la fleur d'après le bourgeon. La Chiquita, comme l'appelle ce maraud basané, sera dans deux ou trois ans d'ici un morceau de roi (...)   Th. GAUTIER, le Capitaine Fracasse, XII.

DÉR. (De l'anc. forme *morcel*) **Morceler.** — Argot fam. **Morcif.**

MORCELABLE [mɔʀsəlabl] adj. — Av. 1910, Bergson ; de *morceler.*

♦ Que l'on peut morceler. *Propriété morcelable.*

MORCELER [mɔʀsəle] v. tr. — Conjug. *appeler.* — 1574, R. Garnier ; de *morcel,* anc. forme de *morceau.*

♦ **1.** Rare. Diviser* (une substance, un corps solide) en plusieurs morceaux*, en plusieurs parties. ⇒ **Casser, fragmenter.**

♦ **2.** Partager (une étendue de terrain) en plusieurs parties. ⇒ **Démembrer, émietter** (fig.), **partager.** *Morceler en lots* (⇒ **Lotir**). — Au p. p. *Domaine, champ morcelé, propriété morcelée* (⇒ **Morcellement**). — *Pays morcelé en petits États.*

1   (L'Italie) pays depuis trop longtemps morcelé pour que son unité ne rencontrât pas en elle-même ses plus grands obstacles.-
            Louis MADELIN, Hist. du Consulat et de l'Empire, Ascension de Bonaparte, XI.

2   Une région où domine la petite propriété est très morcelée. Une grande propriété peut être morcelée en plusieurs petites (par exemple par une réforme agraire), elle peut être morcelée en plusieurs exploitations confiées à des tenanciers : fermiers métayers, colons, maîtres-valets en restant une. À l'inverse une grande exploitation dont le fermier a loué les terres de plusieurs propriétaires peut être dite morcelée en plusieurs propriétés.
                            ROMEUF, Dict. des sciences économiques, art. *Morcellement.*

♦ **3.** (XXᵉ). Fig. *Morceler les résistances.* ⇒ **Désagréger.** — Au p. p. *Action morcelée, fragmentaire** (cit. 1). *Un raisonnement morcelé.*

3   Tout ici me distrait (très peu du reste), m'arrête et morcelle mon effort, rompt mon élan.   GIDE, Journal, 20 oct. 1929.

▶ **SE MORCELER** v. pron. *Propriété qui se morcelle* (→ Émieter, cit. 5). *La foule se morcela en plusieurs groupes.* ⇒ **Éparpiller** (s').

▶ **MORCELÉ, ÉE** p. p. adj. → ci-dessus (cit. 1, 2 et *supra*).

CONTR. Bloquer, regrouper, remembrer. — Entier.
DÉR. Morcelable, morcellement.

MORCELLEMENT [mɔʀsɛlmɑ̃] n. m. — 1789 ; de *morceler.*

♦ **1.** Action de morceler, fait de se morceler ; état de ce qui est morcelé. ⇒ **Désagrégation, division, fractionnement.** — Spécialt. ⇒ **Démembrement, division, partage.** *Le morcellement de la propriété* (→ Irriguer, cit. 3), *de la terre* (→ Lopin, cit. 2). ⇒ aussi **Parcellement***. *Morcellement d'un pays* (→ Entendre, cit. 46 ; géographique, cit. 1).

1   Lui, acquis au progrès par ses rapports avec les grandes fermes se permettait parfois de contrecarrer ses clients de la petite propriété, en se déclarant contre le morcellement à outrance. Est-ce que les déplacements et les charrois ne devenaient pas ruineux, avec des lopins larges comme des mouchoirs ? Est-ce que c'était une culture, ces jardinets où l'on ne pouvait améliorer les assolements, ni employer les machines ?   ZOLA, la Terre, I, III.

2   Il y a morcellement quand la terre est divisée entre un grand nombre de propriétaires ; il y a parcellement quand le même propriétaire possède un grand nombre de morceaux de terre.
                            Charles GIDE, Cours d'économie politique, t. II, p. 256.

♦ **2.** (Abstrait). Division, fractionnement. *Le morcellement des forces.* ⇒ **Dispersion.**

CONTR. Regroupement, remembrement.

MORCIF [mɔʀsif] n. m. — 1957 ; de *morceau* et suff. pop. *-if.*
→ Calcif.

♦ Argot fam. Morceau (1., par ext.) à manger. *Bouffer un morcif avec des potes.*

Je loue une piaule modeste dans laquelle je vais déposer mon bagage bidon. Puis, l'après-midi étant déjà bien entamé, je vais bouffer un morcif dans un petit restaurant voisin. SAN-ANTONIO, Au suivant de ces messieurs, p. 31-32.

MORDACHE [mɔʀdaʃ] n. f. — 1560, « morailles » ; lat. *mordax, acis,* de *mordere* « mordre ».
Technique.

♦ **1.** (1765). Morceau d'une matière tendre (plomb, le plus souvent, mais aussi bois, cuivre, etc.) que l'on applique sur les mâchoires d'un étau pour serrer un objet sans l'endommager.

♦ **2.** (1765). Extrémité (de certaines pinces ou tenailles).

♦ **3.** (1704). Grosse pince pour placer des bûches dans une cheminée.

MORDACITÉ [mɔʀdasite] n. f. — 1478 ; lat. *mordacitas,* de *mordax.* → Mordache.

♦ **1.** Vx. Propriété d'une substance corrosive. *La mordacité de l'acide sulfurique.*

♦ **2.** (Déb. XVIᵉ). Littér. Caractère de ce qui est mordant (2.). ⇒ **Causticité.** *La mordacité d'une critique, d'une épigramme.*

MORDAGE [mɔʀdaʒ] n. m. — XXᵉ ; de *mordre* (à l'hameçon).

♦ Techn. (Pêche). Fait de mordre, pour le poisson ; façon qu'a le poisson de mordre l'appât.

MORDANÇAGE [mɔʀdɑ̃saʒ] n. m. — 1845 ; de *mordancer.*
Technique.

♦ **1.** Opération qui consiste à imprégner une étoffe d'un mordant. *Mordançage acide, basique,* ou *métallique. Utilisation de l'alun, de l'alumine... dans le mordançage.* ⇒ **Aluminage, alunage.**

♦ **2.** Décapage d'une surface métallique au moyen d'acides (pour la nettoyer, pour obtenir une finition décorative, etc.).

♦ **3.** (1931). Photogr. Traitement d'une épreuve photographique qui, en substituant des produits mordants aux composants primitifs de l'image, rend celle-ci apte à fixer des colorants. *Virage par mordançage des bromures.*

MORDANCER [mɔʀdɑ̃se] v. tr. — Conjug. *placer.* — 1845 ; de *mordant.*
Technique.

♦ **1.** Imprégner (une étoffe) d'un mordant* en vue de l'impression ou de la teinture. ⇒ **Amordancer.** — Au p. p. *Étoffes mordancées.*

♦ **2.** *Mordancer une surface métallique,* la décaper pour lui donner une apparence particulière.

♦ **3.** Photogr. Traiter par mordançage.

DÉR. **Mordançage.**

MORDÂNE [mɔʀdɑn] n. m. — Déb. XXᵉ ; var. de *mors d'âne,* 1676 ; de *mors, de,* et *âne.*

♦ Techn. Épaulement de renfort qui sert à consolider un tenon dans un assemblage de charpente.

MORDANT, ANTE [mɔʀdɑ̃, ɑ̃t] adj. et n. m. — XIIᵉ, Hatz ; p. prés. de *mordre* pris adj. et substantivement.

★ **I.** Adj. Qui mord, attaque. ♦ **1.** (V. 1354). Vén. *Bêtes mordantes,* qui se défendent en mordant (blaireau, loup, loutre, ours, renard, sanglier, etc.).

♦ **2.** (XVIIIᵉ). Qui entame en usant, en rongeant. *Lime* (1. Lime, cit. 1) *mordante. Acide mordant.* ⇒ **Corrosif, rongeant.** — Par ext. *Froid mordant.* ⇒ **Cuisant.** *Odeur mordante.* ⇒ **Âcre.** *Voix mordante* (→ Basse, cit. 4), *son mordant,* dont le timbre est sonore et pénétrant.

♦ **3.** (1667). Fig. Qui attaque, critique, raille avec une énergie, une violence qui blesse, fait mal. ⇒ **Acerbe, acéré** (cit. 4) ; **acide, acrimonieux, aigre** (cit. 122), **aigu, amer, caustique, effilé, incisif, mauvais, moqueur,** (vx) **mordicant** (3.), **piquant, poivré, satirique, vif** (→ Fiel, cit. 1 ; haine, cit. 27). *Caractère de ce qui est mordant.* ⇒ **Causticité, mordacité.** *Mot mordant, à l'emporte-pièce* (⇒ **Méchant**). *Comédie satirique mordante.* ⇒ **Aristophanesque.** *Rendre une épigramme* * *plus mordante.* ⇒ **Aiguiser.** *Répondre à qqn d'une manière mordante* (→ River* son clou à qqn). *Ironie mordante. Esprit, trait mordant.* ⇒ **Piquant.**

Ou bien quand Juvénal, de sa mordante plume
Faisant couler des flots de fiel et d'amertume (...)
BOILEAU, Satires, VII.

Lessing, non moins profond, avait quelque chose d'âpre dans le caractère, qui lui faisait trouver les paroles les plus précises et les plus mordantes. Mᵐᵉ DE STAËL, De l'Allemagne, II, VI. [2]

Mordante à l'excès, elle avait peu d'amies. BALZAC, le Cousin Pons, Pl., t. VI, p. 551. [3]

Chaque fois que j'ai refréné un mouvement agressif je m'en suis félicité. Je n'ai jamais écrit une lettre de reproches, ou simplement un peu mordante, ni présenté la moindre critique, sans m'en repentir.
J. CHARDONNE, l'Amour du prochain, p. 143. [4]

★ **II.** N. m. ♦ **1.** (1798). Techn. Caractère de ce qui est mordant. *Le mordant d'une scie.*

♦ **2.** Fig. Caractère de ce qui a de la vivacité dans l'attaque. ⇒ **Allant, force, fougue, vivacité.** *Le mordant d'une voix. Armée, troupe, équipe sportive qui a du mordant,* de l'énergie, de la vivacité dans l'attaque. *Œuvre littéraire qui a du mordant,* qui est écrite sur un ton vif et original qui saisit le lecteur. *Pamphlet plein de mordant.*

Son intelligence paysanne avait d'ailleurs acquis, dans les causeries de l'atelier, par la fréquentation des ouvriers et des ouvrières, une dose de mordant parisien. BALZAC, la Cousine Bette, Pl., t. VI, p. 162. [5]

On se battait mais en Allemagne et Blanchard — en dépit du deuil cruel qui lui avait valu d'être envoyé en permission — ne tarissait pas d'anecdotes louangeuses sur l'allant, le mordant des troupes de Patton.
Francis CARCO, Ombres vivantes, p. 234. [6]

♦ **3.** (1829). Mus. (Vieilli). Petit ornement* mélodique.

♦ **4.** (1787). Techn. Substance utilisée pour exercer une action corrosive sur un métal. *Emploi de mordants en gravure*.* — Vernis qu'on emploie en dorure* pour fixer l'or sur le bronze, le cuivre. — Substance utilisée en teinture* pour fixer le colorant sur la fibre à teindre (→ Laque, cit. 1). ⇒ **Mordançage ; amordancer, mordancer.** — Substance utilisée dans l'impression des étoffes pour fixer le colorant en certains endroits seulement et déterminer ainsi des dessins variés.

♦ **5.** (Fin XIIᵉ). Archéol. Dans une ceinture, pièce de métal opposée à la boucle.

DÉR. **Mordancer.**

MORDELLE [mɔʀdɛl] n. f. — 1768 ; de *mordre,* les articles des antennes de cet insecte ressemblant à des dents de scie.

♦ Zool. Insecte coléoptère hétéromère dont les larves vivent dans le vieux bois.

MORDETTE [mɔʀdɛt] n. f. — 1828 ; de *mordre,* suff. *-ette.*

♦ Régional. Larve de hanneton, ver* blanc.

MORDEUR, EUSE [mɔʀdœʀ, øz] adj. et n. m. — 1486 ; de *mordre ;* cf. anc. franç. *mordeor* (XIIIᵉ), au fig. « caustique, mordant » (personnes).

♦ **1.** Qui a l'habitude de mordre (animaux). *Un chien mordeur. Il n'est pas mordeur.*

♦ **2.** Spécialt. Disposé à mordre (poisson). — N. m. (XXᵉ). *Le mordeur :* le poisson qui mord.

Mordeur de pierres (1845), *mordeur :* bar (poisson).

MORDICANT, ANTE [mɔʀdikɑ̃, ɑ̃t] adj. — 1314 ; bas lat. *mordicans,* de *mordicare* « mordiller », de *mordere.* → Mordre.

♦ **1.** Vx. Qui est âcre et provoque un picotement, une sensation de petite morsure. ⇒ **Âcre, caustique, corrosif.** *Vapeur fuligineuse* (cit. 3) *et mordicante.*

♦ **2.** Vieilli. Méd. *Chaleur mordicante :* sensation particulière de picotement, que l'on éprouve en touchant la peau d'un malade, dans certains cas de fièvre.

♦ **3.** (1674). Fig. et vx. ⇒ **Acerbe, mordant.** *Critique mordicante.*

MORDICATION [mɔʀdikasjɔ̃] n. f. — 1314 ; empr. au lat. *mordicatio,* du supin de *mordicare.* → Mordicant.

♦ Vx. Méd. Picotement.

DÉR. (Du même rad.) **Mordicant.**

MORDICUS [mɔʀdikys] adv. — 1690, Regnard ; mot lat. proprt « en mordant », d'où « sans démordre », de *mordere.* → Mordre.

♦ Fam. Obstinément, opiniâtrement, tenacement. *Affirmer* (→ Alibi, cit. 2), *soutenir qqch. mordicus.*

(...) comme la fine mouche sentait que Christophe n'aimait rien tant que la sincérité, elle lui tenait tête hardiment, et discutait mordicus. Ils se quittaient très bons amis. R. ROLLAND, Jean-Christophe, Foire sur la place, I, p. 735.

MORDIENNE [mɔʀdjɛn] interj. — 1552 ; euphém. pour *mordieu*.

♦ Ancien juron. ⇒ **Morbieu, mordieu.**

MORDIEU [mɔʀdjø] interj. — XVIᵉ-XVIIᵉ ; de *mort*, et *Dieu*, proprt *par la mort de Dieu*.

♦ Ancien juron. ⇒ **Morbieu, mordienne, morgué.**

Le maréchal de Gramont était l'autre jour si transporté de la beauté d'un sermon de Bourdaloue, qu'il s'écria tout haut en un endroit (qui le toucha) : « Mordieu, il a raison ! » Madame s'éclata de rire, et le sermon en fut tellement interrompu, qu'on ne savait ce qui en arriverait. Mᵐᵉ DE SÉVIGNÉ, 264, 13 avr. 1672.

MORDILLAGE [mɔʀdijaʒ] ou **MORDILLEMENT** [mɔʀdijmɑ̃] n. m. — 1840, *mordillage* ; *mordillement*, 1894 ; de *mordiller*.

♦ Action de mordiller. *Le mordillement d'une balle par un jeune chien. — Un, des mordillages, mordillements.*

(...) les petits mordillements d'oreilles qui précédaient les grandes expéditions. L. PERGAUD, De Goupil à Margot, p. 49.

Trace de morsure sur ce qui est mordillé. Syn. : *mordillure.*

MORDILLER [mɔʀdije] v. tr. et intr. — 1574 ; de *mordre*.

♦ Mordre légèrement et à plusieurs reprises (→ Lobe, cit. 4). *Oiseaux qui mordillent un fruit.* ⇒ **Becqueter.** — Absolt. *« Les jeunes chiens aiment à mordiller »* (Académie).

1 Armande l'occupe, il lui applique de sa main des claques furieuses ; il la baise à la bouche, il lui mordille la langue et les lèvres, elle crie ; quelquefois la douleur arrache des yeux de cette fille des larmes involontaires. SADE, Justine..., t. I, p. 181.

2 René Lahrier, très éveillé, baisa et mordilla longuement l'un après l'autre les petits doigts, point trop indignés, de son amie. COURTELINE, Messieurs les ronds-de-cuir, IVᵉ tableau, II.

REM. On rencontre un dérivé dialectal (à Roanne, *in* Wartburg), *mordillonner*, et une variante vieillie, *mordailler* (1803, Boiste).

3 Comme la salle était fraîche, elle grelottait tout en mangeant, ce qui découvrait un peu ses lèvres charnues, qu'elle avait coutume de mordillonner à ses moments de silence. FLAUBERT, Mᵐᵉ Bovary, I, II.

REM. Autre ex. in *Correspondance*, 1850, Pl., t. I, p. 728 ; le mot est sans doute normand.

DÉR. Mordillage ou mordillement, mordillonner (v. ci-dessus, REM.), **mordillure.**

MORDILLURE [mɔʀdijyʀ] n. f. — 1594 ; repris 1863, Goncourt ; de *mordiller.*

♦ Littér. Mordillage.

À dîner à Saint-Gratien, cet Ésope de Chaix d'Est-Ange, dont l'esprit, le joli méchant esprit a quelque chose de la mordillure d'un singe (...) Ed. et J. DE GONCOURT, Journal, t. II, p. 95 (1863).

Trace sur ce qui est mordillé ; petites morsures*.

MORDORÉ, ÉE [mɔʀdɔʀe] adj. et n. m. — 1770, Buffon ; *more doré*, 1669 ; de *more* ou *maure*, et *doré.*

♦ Qui est d'un brun chaud avec des reflets dorés. *Lichen* (cit.) *mordoré. Un brun mordoré.* (→ Foncer, cit. 7). — (1770). N. m. *Le mordoré.*

(...) une robe de mousseline blanche froncée à la taille et qui laissait passer le bout d'une bottine mordorée (...) FRANCE, le Crime de S. Bonnard, Œ., t. II, p. 392.

DÉR. Mordorer, mordorure.

MORDORER [mɔʀdɔʀe] v. tr. — V. 1850 ; de *mordoré.*

♦ Donner une teinte mordorée à. — Pron. *Se mordorer.*

(...) les gazons se mordorent, la terre scintille comme un écrin, les étoffes miroitent ou s'effrangent en fanfreluches étincelantes (...) Th. GAUTIER, cité par SAINTE-BEUVE, Nouveaux lundis, 30 nov. 1863, II.

MORDORURE [mɔʀdɔʀyʀ] n. f. — 1829 ; de *mordoré.*

♦ Rare. Couleur mordorée ; reflets mordorés.

MORDRE [mɔʀdʀ] v. — Conjug. *rendre.* — 1080 ; du lat. *mordere.*

★ **I.** V. tr. ♦ **1.** Saisir et serrer (qqch.) avec les dents de manière à blesser, à entamer, à retenir. ⇒ **Croquer, déchiqueter, mâchonner, mordiller.** *Action de mordre qqch.* ⇒ **Morsure.** *Il cherchait à mordre la main qui le flattait* (cit. 2). — *Mordre qqn*, lui infliger une morsure, des morsures. *Ce chien l'a mordu à la main. Mordre qqn avidement*, à belles dents*, jusqu'au sang*.*

Prov. *Autant vaut être mordu d'un chien* que d'une chienne.* — *Mordre la main, le bras... de qqn.*

0.1 J'ai mordu Lucien jusqu'au sang. J'espérais le faire hurler, son insensibilité m'a vaincu ; mais je sais que j'irais jusqu'à déchiqueter la chair de mon ami, à me perdre dans un carnage irréparable où je conserverais la raison, où je connaîtrais l'exaltation de la déchéance. « Que m'en croissent les marques, me disais-je, des ongles et des cheveux longs, des dents aiguës, la bave, et sous mes morsures d'une trop grande douleur Lucien conserve son visage indifférent, car les signes d'une trop grande douleur

aussitôt me feraient desserrer les mâchoires et lui demander pardon. » Quand mes dents mordaient sa chair, mes mâchoires se serreraient jusqu'au tremblement dont tout mon corps frissonnait. Jean GENET, Journal du voleur, p. 153.

Loc. fig. *Mordre la main qui protège, qui nourrit.* ⇒ **Déchirer** (4.). *Mordre le sein de sa nourrice* : se montrer ingrat envers un bienfaiteur. — *Se mordre les doigts*, la langue*, les lèvres.*

Loc. (Déb. XVIIᵉ). *Mordre la poussière* : tomber de tout son long. — Fig. Essuyer un échec, une défaite.

Fig. et fam. *Mords-y* (mords-lui) *l'œil*. À la mords-moi-le doigt, à la mords-moi-le nœud* (⇒ **Mords-moi...**).

♦ **2.** Absolt. Avoir l'habitude d'attaquer, de blesser avec les dents. *Bêtes qui mordent.* ⇒ **Mordant.** *Mettre un bâillon*, une muselière* à un chien pour l'empêcher de mordre.* ⇒ **Museler.** — Loc. prov. *Tous les chiens* qui aboient ne mordent pas. Les loirs mordent violemment. Gueules prêtes à mordre.* — Par plais. *Vous pouvez approcher, je ne mords pas.*

François n'eut pas sitôt lâché le chien, qu'il se mit à japper et à mordre. G. SAND, François le Champi, XXI.

♦ **3.** Blesser au moyen d'un bec, d'un crochet, d'un suçoir. *Insecte, oiseau qui mord. Être mordu par un serpent.* ⇒ **Piquer.**

(...) Dirai-je qu'un géant
Est moins fort qu'une puce ? Elle le mord, pourtant. LA FONTAINE, Fables, IX, 7.

Quand quelqu'un me vante une femme aimable, et l'amour qu'il a pour elle, je crois voir un frénétique qui me fait l'éloge d'une vipère, qui me dit qu'elle est charmante, et qu'il a le bonheur d'en être mordu. MARIVAUX, la Surprise de l'amour, I, 2.

♦ **4.** (1314). Serrer fortement (choses). *Tenailles qui mordent le fer.* ⇒ **Serrer.**

♦ **5.** (1690). Par anal. (Sujet n. de chose). Entamer en usant, en rongeant. *La lime mord le métal.* ⇒ **Entamer, user.** *La rouille mord le fer. « Mais la légère meurtrissure, mordant le cristal chaque jour... »* (Sully-Prudhomme, *le Vase brisé*). ⇒ **Attaquer, détruire, ronger.** — Gravure. *Mordre, faire mordre une planche,* lui faire subir l'action corrosive d'un mordant* (eau-forte, perchlorure de fer), après avoir enlevé le vernis à certains endroits au moyen d'une pointe à graver.

Le Thénardier éprouva ce qu'éprouve le loup au moment où il se sent mordu et saisi par la mâchoire d'acier du piège. HUGO, les Misérables, II, III, X.

(1762). Absolt. S'accrocher, trouver prise. *Le rabot glisse* (cit. 7) *et ne mord point. Faire mordre le soc* (→ 2. Mancheron, cit. 1). *Navire dont l'ancre ne mord pas* (→ Chasser* sur ses ancres). *Pignon qui mord* (→ Engrener).

(...) une croûte de quelques pouces où la culture pouvait mordre (...) BALZAC, le Curé de village, Pl., t. VIII, p. 677.

V. tr. S'accrocher à (qqch.).

Les clous de leurs fers mordent la surface unie et glissante (...) Th. GAUTIER, Voyage en Russie, IX.

Spécialt. (Automobile). *Mordre une ligne continue, une bande blanche* : empiéter sur la voie interdite par le tracé de la ligne, de la bande. Syn. : *mordre sur...* (→ II., 2.).

♦ **6.** Fig. Provoquer une sensation douloureuse sur... *Le froid mord la peau.*

Le froid mouillé mordait si fort les mains qu'on ne pouvait pas tricoter. M. GENEVOIX, Forêt voisine, X.

(XIIIᵉ). Par métaphore. ⇒ **Inquiéter, tourmenter.** *L'inquiétude* (cit. 18) *lui mordait le cœur* (→ aussi Cœur, cit. 166 ; démon, cit. 26 ; envie, cit. 9).

Dès son entrée, la comtesse l'épiait, mordue par le désir de savoir ce qui se passait dans son cœur. MAUPASSANT, Fort comme la mort, II, v.

♦ **7.** (Fin XIIᵉ). Fig. et vx. Attaquer d'une manière envieuse, par des méchancetés, des médisances. *Mordre ses ennemis* (→ Donner un coup de dent* à..., déchirer à belles dents*). — Absolt. (Mod. et littér.). *Qui aime à mordre.* ⇒ **Mordant.** *Les fanatiques ne pourront plus mordre* (→ Grincer, cit. 6). *Une causticité* (cit. 2) *naturelle qui piquait et ne mordait jamais.*

(...) esprits du dernier ordre,
Qui, n'étant bons à rien, cherchez surtout à mordre. LA FONTAINE, Fables, V, 16.

(...) tels n'approuvent la satire, que lorsque commençant à lâcher prise et à s'éloigner de leurs personnes, elle va mordre quelque autre. LA BRUYÈRE, les Caractères de Théophraste, Discours.

★ **II.** ♦ **1.** V. tr. indir. Littér. **Mordre à...** : saisir avec les dents une partie de... *Mordre à un fruit.* — Par métaphore. (→ 2. Idéal, cit. 13, Mallarmé).

Il avait, disait-on, goûté successivement toutes les pommes de l'arbre de l'intelligence, et, faim ou dégoût, il avait fini par mordre au fruit défendu. HUGO, Notre-Dame de Paris, IV, v.

Il y avait des amoureux qui mordaient à de beaux fruits en se tenant par la taille. FRANCE, le Crime de S. Bonnard, Œ., t. II, p. 304.

REM. Dans les emplois syn. : *mordre à même qqch.* (→ Jambon, cit. 4), *mordre dans qqch.,* le verbe est intransitif

Mes livres, je les fis pour vous, ô jeunes hommes,
Et j'ai laissé dedans,
Comme font les enfants qui mordent dans des pommes,
La marque de mes dents. Cˢˢᵉ DE NOAILLES, Éblouissements, « Offrande ».

(1694). *Mordre à l'appât*, le happer. *Poisson qui mord à l'appât, et, absolt, qui mord,* qui se laisse prendre facilement. — Impers. *Ça mord?* : vous attrapez des poissons? « *Ça n'a pas mordu, ce soir, mais je rapporte une rare émotion* » (Renard, *Histoires naturelles*, « Martin-pêcheur »). — Par métaphore. *Mordre à l'appât*, à l'hameçon*.*

4   En reconduisant la patronne (...) il rencontra encore une fois son œil caressant et fuyant, qui semblait troublé. Il pensait : « Bigre, je crois qu'elle mord » ; et il souriait en reconnaissant qu'il avait vraiment de la chance auprès des femmes (...)
                                                        MAUPASSANT, Bel-Ami, II, III.

5   Ça ne mord plus du tout. Depuis midi je n'ai rien pris. On ne devrait jamais pêcher qu'entre hommes ; les femmes vous font embarquer toujours trop tard.
                                                        MAUPASSANT, Pierre et Jean, I.

(1532). Fig. et fam. Prendre goût à (une activité, un travail), y faire des progrès. ⇒ **Comprendre, mettre** (se ; *supra* cit. 70).

6   Elle a (...) la grossièreté de ne pouvoir mordre aux subtilités de la métaphysique (...)
                    Charles DE SÉVIGNÉ, 1255, 15 janv. 1690, *in* Mme DE SÉVIGNÉ,
                                            Correspondance, t. III, Pl., p. 813.

7   Hé bien! Gabriel... dit-il à son fils aîné en lui prenant l'oreille et la lui tortillant, te défends-tu vaillamment contre les thèmes, les versions? mords-tu ferme aux mathématiques?   BALZAC, la Recherche de l'absolu, Pl., t. IX, p. 522.

8   (...) comme la moisson commençait, il donna un coup de main, resta six semaines encore ; de sorte que, le voyant si bien mordre à la culture, le fermier finit par le garder tout à fait.   ZOLA, la Terre, II, I.

♦ **2.** V. intr. MORDRE SUR (une chose) et, par ext., SUR (une personne), agir, avoir prise sur elle, l'attaquer. *Faire mordre un acide sur le cuivre.* ⇒ **Dissoudre ; mordant.** — Empiéter. ⇒ **Avancer, dépasser.** *Mordre sur la ligne :* dépasser la ligne d'appel (en athlétisme) ; poser le pied sur la ligne de fond pendant le service (au tennis). *Concurrent disqualifié pour avoir mordu sur la ligne de départ. Lignes d'écriture qui mordent les unes sur les autres.* ⇒ **Chevaucher** (se). — *Mordre sur une ligne continue.* ⇒ ci-dessus, I., 5.

9   C'est vainement que les plus sages conseils, depuis trois ans, tentent de mordre sur vous.   A. DE MUSSET, Il ne faut jurer de rien, I, 1.

10 (...) il est vif, il est alerte, la chaleur l'excite, le soleil qui ne mord pas sur lui l'agite à la façon des reptiles.
                            E. FROMENTIN, Une année dans le Sahel, III, p. 190.

11 Mais Andrée, lorsqu'elle dut faire un travail qui mordait sur sa vie intérieure, se crispa.   MONTHERLANT, les Jeunes Filles, p. 77.

11.1 Un professeur est autorisé à traiter beaucoup plus librement les sujets qui l'intéressent, à mordre sur l'actualité.   S. DE BEAUVOIR, Tout compte fait, p. 232.

Empiéter. *Les voitures mordent sur les trottoirs.*

Diminuer, réduire l'importance numérique de (un groupe, une collectivité, etc.). *Mordre sur l'électorat du parti adverse.*

♦ **3.** V. intr. MORDRE DANS : enfoncer les dents dans. *Mordre dans un fruit* (→ ci-dessus, cit. 13 et *supra*). — S'enfoncer, pénétrer. *Vis qui mord profondément dans le bois.*

12 De gros os pâles, que l'on dirait épouvantés de voir le jour, et dans lesquels on mord avec des instruments de menuisier. Le chirurgien et son aide peinent, poussent de grands soupirs.   G. DUHAMEL, Salavin, VI, VIII.

▶ **SE MORDRE** v. pron.

Réfl. Se blesser soi-même avec les dents. *Il s'est mordu en mangeant.* — Récipr. Se donner mutuellement des coups de dents. *Ces chiens se sont mordus cruellement* (Littré).

▶ **MORDU, UE** p. p. adj. (XVIe ; a remplacé l'anc. p. p. *mors*).

♦ **1.** Qui a subi une morsure, qui a été mordu ou serré. *Chairs mordues. Bois mordu par la flamme* (→ Fleurer, cit. 3). — Par métaphore. « *Mordu du chien de la métromanie* » (cit.). — Loc. ⇒ **Tarentule.** — Fig. *Mordu de haine, de désir...*

13 Ce soir, j'ai l'âme un peu mordue du chagrin de n'être pas préfet.
                                            STENDHAL, Journal, p. 426.

14 L'après-midi, quelques visites arrivèrent, des voisines mordues de curiosité, qui se présentaient soupirant, roulant des yeux éplorés (...)
                                    ZOLA, l'Assommoir, t. II, IX, p. 88.

Techn. (mar.). *Manœuvre mordue,* qui est serrée entre le réa et la joue d'une poulie, de sorte qu'elle ne peut plus courir.

♦ **2.** (1844). Absolt. Amoureux. *Il est mordu, bien mordu.*

N. (1927, Sports). Fam. Personne qui a un goût extrême (pour qqch.). ⇒ **Fou** (être fou de). *C'est un mordu de football, de jazz.* ⇒ **Fervent.** → Fanatique, fondu, toqué. *Une mordue de parachutisme.*

♦ **3.** (1868). *Couture mordue,* dans laquelle un bord de l'étoffe dépasse l'autre (⇒ **Mordre,** II., 2.).

CONTR. Démordre.

DÉR. Mordage, mordant*, mordelle, mordette, mordeur, mordiller.

COMP. Amorce, démordre, remordre ; mords-moi-le-doigt (à la). — Morgeline. — Morpion.

MORDS-MOI-LE-DOIGT (À LA) [alamɔʀmwaldwa] loc. adv.
— 1916, Barbusse, *in* Cellard et Rey (orthographié *à la mords-moelle d'oie*) ; de *mordre, moi, le* et *doigt,* sans doute par un euphémisme sexuel.

♦ Fam. Peu sérieux, inepte. *Des raisonnements à la mords-moi le doigt.* — Var. sexualisée. *À la mords-moi le nœud, le chose...* (→ À la graisse* d'oie, à la mie* de pain).

MORDVE [mɔʀdv] adj. et n. — Attesté XXe (*in* Larousse 1931) ; mot de cette langue.

♦ Didact. Relatif aux ethnies finnoises établies dans le bassin de la Volga depuis le Ier siècle. — N. Personne qui appartient à l'une de ces ethnies. *Un, une Mordve. République autonome des Mordves* (U.R.S.S.).
N. m. *Le mordve :* la langue finno-ongrienne, du groupe finnois, parlée par les Mordves.

1. MORE [mɔʀ] adj. et n. ⇒ 1. **Maure.**

2. MORE [mɔʀ] n. f. — XXe, Vendryes ; cf. anc. franç. *more* « retard, délai », v. 1140 ; lat. *mora* « intervalle de temps ».

♦ Didact. Voyelle ou élément vocalique considéré comme unité tonique (susceptible de recevoir le ton* ou accent de hauteur).

HOM. Mors, mort.

MORÉ [mɔʀe] n. m. ⇒ **Mooré.**

MOREAU, ELLE [mɔʀo, ɛl] adj. et n. — XVe ; *morel,* XIIe ; *moriau,* v. 1175 ; du lat. pop. *maurellus « brun comme un Maure », de *Maurus.* → Maure.

♦ Hippol. Dont la robe est d'un noir luisant, en parlant d'un cheval, d'une jument. *Chevaux moreaux, jument morelle.* — N. *Un moreau.*

MORELLE [mɔʀɛl] n. f. — XIIIe ; lat. tardif *maurella,* fém. de **maurellus.* → Moreau.

♦ Bot. Plante dicotylédone *(Solanacées),* à petites fleurs en étoile, dont les nombreuses variétés, comportant des herbes et des arbustes, croissent sur tout le globe et sont cultivées comme plantes comestibles. *Morelle noire* (herbe aux magiciens, amourette, bonbon, tue-chien, raisin de loup, raisin du diable), *morelle douceamère, morelle aubergine* (⇒ **Aubergine**), *morelle tubéreuse* (⇒ **Pomme* de terre**), *morelle faux piment* (⇒ **Amome, cerisette**).

HOM. Maurelle ; morelle (fém. de *moreau*).

MORÈNE ou MORRÈNE [mɔʀɛn] n. f. — 1874 ; orig. incertaine, p.-ê. du v. *mordre,* 2e personne du sing. de l'impér. prés., et anc. franç. *raine* « grenouille ».

♦ Régional. Petit nénuphar* à fleurs blanches.

HOM. 1. Moraine, 2. moraine.

MORESQUE [mɔʀɛsk] n. f. et adj. ⇒ **Mauresque.**

MORFAL, ALE [mɔʀfal] adj. et n. — 1935, *in* Esnault ; de 2. *morfiler.*

♦ Argot (spécialt argot milit., et argot fam. répandu par le séjour au service militaire). Qui dévore, qui a un appétit insatiable. — (Plus cour. comme subst.). *Quel morfal !*

DÉR. Morfalou.

MORFALER [mɔʀfale] v. intr. et pron. — 1951, *se morfaler, in* Esnault, sous la forme *morfailler* dès 1834 en rouchi *(ibid.)* ; var. de 2. *morfiler.*

♦ Argot (surtout argot milit.). Manger gloutonnement. S'empiffrer. « *Se morfaler le calendos* (camembert) » (Boudard, *in* Cellard et Rey).

MORFALOU [mɔʀfalu] n. m. — 1920 ; de *morfal.*

♦ Fam. Plais. Morfal, glouton.

(...) rien ne disait que, non surveillée, Julia n'épouserait pas le morfalou en question.   R. QUENEAU, le Dimanche de la vie, p. 61.

1. MORFIL [mɔʀfil] ou MARFIL [maʀfil] n. m. — 1545, *morfil* ; *marfil,* 1553 ; arabe ɛaẓm äl-fil proprt « os de l'éléphant ».

♦ Vx. Ivoire brut ; défenses, dents* d'éléphant non travaillées. (On a employé aussi *malfil.*)

2. MORFIL [mɔʀfil] n. m. — 1611 ; composé de *mort,* p. p. de *mourir,* et *fil.*

♦ **1.** Techn. et cour. Petites parties d'acier, barbes métalliques qui restent au tranchant d'une lame* affûtée. *Enlever le morfil d'un* *couteau, d'un rasoir, pour en parfaire l'aiguisage, lui donner le fil** (IV.). ⇒ **Affiler, émorfiler ; aiguiser.**

1   Le collier de Top était fait d'une mince lame d'acier trempé. Il suffisait donc de l'affûter d'abord sur une pierre de grès, de manière à mettre au vif l'angle du tranchant, puis d'enlever le morfil sur un grès plus fin.
                                            J. VERNE, l'Île mystérieuse, t. I, p. 163-164.

2   Sept épées de mélancolie
    Sans morfil ô claires douleurs
    Sont dans mon cœur (...)   APOLLINAIRE, Alcools, p. 29.

3   (...) ses couteaux personnels qui étaient au nombre de trois, savamment dégradés et gardant encore, après la double succion de la meule, la frange protectrice et bleutée du morfil.   Pierre GASCAR, les Bêtes, p. 68.

♦ **2.** Techn. Barbes laissées par le travail du burin sur une planche de cuivre (Réau).

DÉR. 1. **Morfiler.**

MORFILAGE [mɔʀfilaʒ] n. m. — xxᵉ ; de 1. *morfiler.*

♦ Techn. Action de morfiler (une lame).

1. MORFILER [mɔʀfile] v. tr. — 1874 ; *émorfiler,* 1829 ; de 2. *morfil.*

♦ **1.** (1903). Techn. Supprimer le morfil de (la lame), après l'aiguisage.

♦ **2.** Faire une légère encoche sur la tranche de (une carte à jouer) afin de la reconnaître au toucher (pour tricher).

DÉR. **Morfilage.**

2. MORFILER [mɔʀfile] v. tr. et intr. — 1821, répandu 1945 ; var. de *morfiler* (1566) d'un rad. germanique *morfiller,* 1800.

♦ Argot. Manger.

1   Quand le pain fut coupé (...) Gavroche dit aux deux enfants :
    — Morfilez.
    Les petits garçons le regardèrent, interdits. Gavroche se mit à rire. «Ah ! tiens, c'est vrai, ça ne sait pas encore, c'est si petit !» Et il reprit : «Mangez».
                                            HUGO, les Misérables, Pl., t. II, p. 476.

2   Je morfile un bout de bœuf décédé et j'avale en me cramponnant un grand glass d'Aramon.   SAN-ANTONIO, Au suivant de ces messieurs, p. 15-16.

DÉR. **Morfal, morfaler.**

MORFLAT ou MORT-FLAT [mɔʀfla] adj. et n. m. — 1846, Bescherelle ; de *mort,* et *flache* «mou».

♦ Techn. (Sériciculture). Mort de flacherie*, en parlant du ver à soie.

MORFLER [mɔʀfle] v. tr. — 1926, *in* Esnault ; de 2. *morfiler, morfler un coup,* avec l'infl. de *mornifle.*

♦ Argot fam. Recevoir, encaisser (un coup, une punition) ; subir (un inconvénient).

1   T'a pas tiré, parce que tu étais trop occupé à planter ta gueule (...) Je vois que t'as passé au travers des bastos *(balles)...* Qui est-ce qui a morflé ?
                                            Albert SIMONIN, Touchez pas au grisbi, éd. L. de poche, p. 107.

Absolument :

2   Plus les feuillets tournent, avec la description détaillée des enquêtes et des perquisitions *(perquisitions),* la liste des objets retrouvés chez moi et sur moi, celle — plus longue — des objets que l'on recherche encore, plus je sens qu'on va morfler (...)
                                            A. SARRAZIN, la Cavale, p. 399.

MORFONDRE [mɔʀfɔ̃dʀ] v. intr. et tr. — Conjug. *fondre.* — V. 1360 ; du provençal *mourre,* rad. *murr* «museau», et *fondre.*

★ **I.** V. intr. Vx. ♦ **1.** Prendre un catarrhe, un coryza. — Par ext. Attraper froid.

♦ **2.** (Fin xvıᵉ). Fig. Attendre en s'ennuyant.

★ **II.** V. tr. (V. 1560). ♦ **1.** Techn. (vétér.). Rendre (un cheval) catarrheux.

♦ **2.** Vx. Refroidir. ⇒ **Transir.** *Le froid* de la nuit les morfondait* (Paré, *in* Littré).

1   Pour moi, je sens la pluie, hélas ! Elle me morfond.
                                            G. DUHAMEL, Salavin, Journal, 2 mai.

▶ **SE MORFONDRE** v. pron.

♦ **1.** (1549). Vx. Prendre froid ; être pénétré, transi de froid.

♦ **2.** (1611). Mod. Se ronger en une longue attente. ⇒ **Attendre, droguer** (fam.), **ennuyer** (s'), **languir** (→ Croquer le marmot*). *Se morfondre au théâtre* (→ 1. Lieu, cit. 42). *Se morfondre à attendre, en attendant qqn.* Absolt. *Il reste à se morfondre dans sa chambre au lieu de réagir.* ⇒ **Désespérer** (se).

2   N*** (...) avec un vestibule et une antichambre, pour peu qu'il y fasse languir quelqu'un et se morfondre (...) il fera sentir de lui-même quelque chose qui approche de la considération.   LA BRUYÈRE, les Caractères, VI, 11.

3   Mais quelle émotion pour ce pauvre chou qui se morfondait ici en attendant le résultat.   M. AYMÉ, la Tête des autres, I, 4.

♦ **3.** (1690). Techn. (boulang.). *La pâte se morfond,* fermente mal, insuffisamment.

▶ **MORFONDU, UE** [mɔʀfɔ̃dy] p. p. adj. — V. 1398.

♦ **1.** Vétér. *Cheval morfondu,* catarrheux.

♦ **2.** (1668). Vx ou littér. Transi de froid et d'humidité (→ Convier, cit. 1. ⇒ contr. : **Chaud, réchauffé.**

L'air devenu serein, il part tout morfondu,
Sèche du mieux qu'il peut son corps chargé de pluie (...)
                                            LA FONTAINE, Fables, IX, 2.

(...) dès le roulement du premier tramway, j'avais entendu s'il était morfondu dans la pluie ou en partance pour l'azur.
                                            PROUST, À la recherche du temps perdu, t. III, p. 9.

♦ **3.** (1608). Fig. Mod. Ennuyé ou attristé par une longue et vaine attente, par une déception... Par ext. « *Des cuistres morfondus* », sinistres, ennuyeux (Stendhal, *Vie de Henry Brulard,* 27).

Elle ne l'avait pas aperçu ; elle était entrée la dernière dans la grange, très morfondue à la pensée qu'elle ne le verrait pas.   MONTHERLANT, le Songe, I, VIII.

♦ **4.** Technique.

ⓐ Zootechn. Se dit des œufs morts des vers à soie.

ⓑ (1690). Boulang. *Pâte morfondue.*

ⓒ Mar., vx. *Cordage morfondu,* et, n. m., *un morfondu :* cordage fait avec de vieux câbles détordus.

CONTR. Amuser (s').
DÉR. Morfondure.

MORFONDURE [mɔʀfɔ̃dyʀ] n. f. — xvᵉ, *morfonture ;* de *morfondre.*

♦ Vétér. (vx). Catarrhe nasal des chevaux.

MORGANATIQUE [mɔʀganatik] adj. — 1609, Bloch ; lat. médiéval *morganaticus,* bas lat. *morganegiba* «don du matin (après les noces) ; douaire», du francique *morgan* (matin), et *geba* (don), «douaire», et suff. lat. *-aticum.*

♦ Dr., hist. Se dit de l'union contractée par un prince et une femme de condition inférieure, et de la femme ainsi épousée, qui ne bénéficie pas de tous les droits accordés à l'épouse. *Mariage, union, épouse morganatique* (→ De la main* gauche).
Par ext. (en parlant d'une union illégitime) :

La vicomtesse *(de Beauséant)* était liée depuis trois ans avec (...) le marquis d'Adjuda-Pinto. C'était une de ces liaisons innocentes qui ont tant d'attrait pour les personnes ainsi liées, qu'elles ne peuvent supporter personne en tiers. Aussi le vicomte de Beauséant avait-il donné lui-même l'exemple au public en respectant (...) cette union morganatique.   BALZAC, le Père Goriot, Pl., t. II, p. 901.

REM. Quelques pages plus haut, Balzac qualifie le mot de : «jolie expression allemande qui n'a pas son équivalent en français» (le Père Goriot, Pl., t. II, p. 896).

DÉR. Morganatiquement.

MORGANATIQUEMENT [mɔʀganatikmɑ̃] adv. — 1845 ; de *morganatique.*

♦ Dr. D'une manière morganatique, et, par ext., illégitimement en parlant d'une union, d'un mariage.

Les agents de la police nippone étaient venus leur faire de grosses menaces, pour loger ainsi (...) un Français morganatiquement marié à une Japonaise (...)
                                            LOTI, Mᵐᵉ Chrysanthème, XXX.

MORGANER [mɔʀgane] v. tr. — 1835, Raspail ; orig. incert. à rapprocher de la série de *morga* «museau». → Morguer et 1. morgue.
Argot.

♦ **1.** Mordre.

C'est en voulant mettre en l'air une villa de banlieue que Jacques le Snob s'était fait morganer par un clebs, teigneux comme pas un.
                                            A. LE BRETON, Langue verte et noirs desseins, p. 237.

♦ **2.** (Mil. xxᵉ). Manger. ⇒ **Morfaler, morfiler.**

Marinette, de voir des hommes morganer de si bon cœur, ça la ravissait, faire honneur à sa fripe, elle connaissait pas de plus beau compliment. Pour le café, elle nous a laissés, discrète.   Albert SIMONIN, Touchez pas au grisbi, p. 88.

MORGELINE [mɔʀʒelin] n. f. — xvᵉ ; ital. *morsugalline, morso digallina* «morsure de poule» ; du lat. *mordere* et *gallina.*
Régional.

♦ **1.** Stellaire (n. sc. : *Stellaria media ; Caryophyllacées*), plante appelée aussi *mouron* des oiseaux.*

♦ **2.** *Fausse morgelline :* mouron* des champs (n. sc. : *Anagallis arvensis ; Primulacées*).

1. MORGUE [mɔʀg] n. f. — V. 1460 ; déverbal de *morguer.*

♦ Littér. ou style soutenu. Contenance hautaine et méprisante ; affectation exagérée de dignité. ⇒ **Arrogance, dédain, fierté, hauteur, insolence, mépris, orgueil, suffisance, superbe** (→ Maniéré, cit. 3). *Sa morgue trahit un amour-propre* démesuré. Un homme gourmé* (cit. 2) *et plein de morgue. Avoir, montrer de la morgue* (→ Se donner des airs*). *Morgue insupportable, ridicule. Absence de toute morgue* (→ 1. Goûter, cit. 12). *De hautes manières* (cit. 44) *nobles sans morgue. Faire tomber, abattre la morgue de qqn.*

C'est (...) injustice et folie de priver les enfants (...) de la familiarité des pères, vouloir maintenir en leur endroit une morgue austère et dédaigneuse, espérant par là les tenir en crainte et en obéissance. Car c'est une force très inutile qui rend les pères ennuyeux aux enfants, et, qui pis est, ridicules.
MONTAIGNE, Essais, II, VIII.

Aujourd'hui le magistrat, payé comme un fonctionnaire, pauvre pour la plupart du temps, a troqué sa dignité d'autrefois contre une morgue qui semble intolérable à tous les égaux qu'on lui a faits; car la morgue est une dignité qui n'a pas de points d'appui.
BALZAC, Splendeurs et Misères des courtisanes, Pl., t. V, p. 937.

C'était leur morgue qui les préservait de toute sympathie humaine, de tout intérêt pour les inconnus assis autour d'eux, et au milieu desquels M. de Stermaria gardait l'air glacial, pressé, distant, rude, pointilleux et malintentionné, qu'on a dans un buffet de chemin de fer (...)
PROUST, À la recherche du temps perdu, t. IV, p. 100.

À côté de lui, Madame, en grand habit de cour, est certainement la personne la plus royale de l'assistance. Rengorgée dans sa morgue de princesse allemande, elle a, si l'on peut dire, de sa dignité plein les narines et, du haut de sa jupe à ramages, elle a l'air de regarder comme du fumier tout ce qui l'entoure.
Louis BERTRAND, Louis XIV, I, I.

LOC. (vx). *Faire la morgue* (à qqn), le regarder avec mépris. ⇒ **Morguer** (vx).

2. MORGUE [mɔʀg] n. f. — 1526; de *morguer* «regarder avec hauteur», comme 1. *morgue.*

◆ **1.** Vx. Endroit d'une prison où l'on examinait les prisonniers pour les identifier.

La morgue était originairement le second guichet du Grand-Châtelet; on y gardait les nouveaux prisonniers pendant quelques instants, afin que les guichetiers pussent les *morguer* à leur aise, c'est-à-dire les dévisager attentivement (...)
M. DU CAMP, Revue des Deux-Mondes, 1er nov. 1857, in LITTRÉ, Suppl.

◆ **2.** Mod. Lieu où l'on expose les cadavres dont l'identité est inconnue pour les faire reconnaître. *La Morgue de Paris.* ⇒ **Médico-légal** (institut). *Identifier un cadavre à la morgue. Les chambres froides de la morgue.*

La Morgue est un spectacle à la portée de toutes les bourses, que se payent gratuitement les passants pauvres ou riches. La porte est ouverte, entre qui veut. Il y a des amateurs qui font un détour pour ne pas manquer une de ces représentations de la mort. Lorsque les salles sont nues, les gens sortent désappointés (...)
ZOLA, Thérèse Raquin, XIII.

(XVIIe). Par ext. Salle où l'on dépose les malades décédés dans un hôpital, une clinique.

DÉR. Morgueur.

MORGUÉ [mɔʀge], **MORGUENNE** [mɔʀgɛn], **MORGUIENNE** [mɔʀgjɛn] interj. — XVIIe; corruption de *mordieu.*

◆ Vx. (Dans le lang. paysan). Juron correspondant à *morbleu*, mordieu* (→ Bellement, cit. 1, Regnard; échelle, cit. 9, Molière. Cf. aussi *George Dandin,* I, 2; II, 1., etc.).
HOM. Morguer.

MORGUER [mɔʀge] v. tr. — XVe; du lat. pop. *murricare* «faire la moue», rad. *murr-* «museau».

◆ Vx. Traiter avec morgue et insolence. (On disait aussi *faire la morgue*). ⇒ **Braver**; → Grimace, cit. 8.

Il faut (...) jouer la pièce avec un majestueux enthousiasme, bien morguer le public, et le traiter avec la dernière insolence.
VOLTAIRE, Correspondance, 3938, 21 oct. 1772.

DÉR. I. Morgue.
HOM. Morgué.

MORGUEUR [mɔʀgœʀ] n. m. — 1831; de 2. *morgue.*

◆ Rare. Employé de la morgue. — REM. On dit plus souvent, dans les textes administratifs, *garçon d'amphithéâtre.*

MORIA [mɔʀja] n. f. — 1931, Larousse; du grec *môria* «folie».

◆ Psychiatrie. État d'excitation psychique se manifestant par une jovialité excessive, une propension aux farces et aux calembours, décrit dans certaines atteintes des lobes frontaux du cerveau.

MORIBOND, ONDE [mɔʀibɔ̃, ɔ̃d] adj. et n. — 1492, Bloch; du lat. *moribundus.*

◆ **1.** Adj. Qui est près de mourir, qui va mourir. ⇒ **Agonisant, mourant.** «*Un pauvre malade* moribond* » (Bossuet). *Il est moribond* (→ Il a un pied* dans la tombe; on ne donnerait pas quatre sous* de sa vie; sa vie* ne tient plus qu'à un fil).

(...) je ne suis pas moribond et je digère encore vertement.
A. DE MUSSET, Il ne faut jurer de rien, I, 1.

(1731). Fig. et littér. Qui est très faible, qui est sur le point de disparaître. *Institutions politiques moribondes.*

◆ **2.** N. (XVIIIe). ⇒ **Agonisant, mourant;** → Hôpital, cit. 5; hoquet, cit. 9. *Endormir les souffrances d'un moribond* (→ Injection, cit. 1). *Une moribonde.*

(...) le pauvre Allemand (...) contemplait Pons, dont la figure crispée comme l'est celle d'un moribond, s'affaissait, après tant de fatigues, à faire croire qu'il allait expirer.
BALZAC, le Cousin Pons, Pl., t. VI, p. 741.

Il y avait dans cette pièce plus que le danger de la contagion, il y avait le souvenir d'une moribonde qui avait passé là de longues années de souffrances (...)
J. GREEN, Adrienne Mesurat, II, II.

MORICAUD, AUDE [mɔʀiko, od] adj. et n. — 1556, n.; déjà au XVe comme nom de chien; de *More.* → Maure.

◆ **1.** (1583). Fam. et péj. Qui a le teint très brun, basané. ⇒ **Noiraud.**

Il était grand; il avait de petits yeux noirs qui regardaient très fixement, un visage maigre et creusé, un peu moricaud; de longues moustaches d'un noir pisseux, une expression orgueilleuse, têtue et plutôt stupide.
J. ROMAINS, les Hommes de bonne volonté, t. IX, XXIII, p. 197.

◆ **2.** N. Péj. Personne au teint très brun.

Carmen est maigre, — un trait de bistre
Cerne son œil de gitana;
Ses cheveux sont d'un noir sinistre;
Sa peau, le diable la tanna (...)
(...) Ainsi faite, la moricaude
Bat les plus altières beautés (...)
Th. GAUTIER, Émaux et Camées, Carmen.

Vieilli. (Terme raciste). Homme, femme de couleur*. ⇒ **Mulâtre, nègre, noir.** *Un vieux moricaud* (→ Indemniser, cit. 3). *Une petite moricaude.*

(S'appliquant à un singe):

La hache à la main, il allait fendre la tête de l'animal, lorsque Cyrus Smith l'arrêta et lui dit:
«Épargnez-le, Pencroff.
— Que je fasse grâce à ce moricaud?
— Oui! C'est lui qui nous a jeté l'échelle!» (...) on se jeta sur le singe, qui, après s'être défendu vaillamment, fut terrassé et garrotté.
J. VERNE, l'Île mystérieuse, t. I, p. 387.

◆ **3.** Techn. Ver à soie à bandes noirâtres.

MORIGÉNATEUR, TRICE [mɔʀiʒenatœʀ, tʀis] adj. — D. i.; de *morigéner.*

◆ Rare. Qui morigène.

(...) vous nous retardez avec vos propos morigénateurs.
R. QUENEAU, Zazie dans le métro, p. 112.

MORIGÉNER [mɔʀiʒene] v. tr. — Conjug. *céder.* — Fin XVIe, d'Aubigné; *morigené, moriginé,* 1314; lat. médiéval *morigenatus* «bien élevé», lat. class. *morigeratus* «docile, complaisant», de *mori* «les mœurs» et p. p. de *gerare.*

◆ **1.** Vx. Élever, «instruire aux bonnes mœurs» (Furetière). *Le premier devoir d'un père... est de bien morigéner ses enfants* (Trévoux).

Il faut que tu sois bien mal appris (...) et bien mal morigéné, mon ami (...)
MOLIÈRE, la Jalousie du barbouillé, 2.

◆ **2.** (XVIIIe). Mod. Réprimander, «remettre dans l'ordre et dans le devoir» (Littré). ⇒ **Admonester, chapitrer, corriger, gronder, gourmander, reprendre, réprimander, secouer** (fig.), **sermonner, tancer** (→ Goût, cit. 30). *Il s'est fait sévèrement morigéner.*

S'il consent à paraître au festin, c'est que (...) son père et sa mère lui ont promis de morigéner le prodigue, demain, et que lui-même s'apprête à le sermonner gravement.
GIDE, le Retour de l'enfant prodigue, I.

Aussitôt averti, le Chef de bureau appelle son employé, lui dit sa surprise, le morigène et lui demande sévèrement des explications.
Georges LECOMTE, Ma traversée, p. 128.

Péj. «Réprimander avec insistance et affectation, avec une sorte de pédantisme» (Académie). *Morigéner sa servante* (→ Inoccupé, cit. 3). — Absolt. *Il aime à morigéner et à pontifier* (→ Instruire, cit. 13).

Elle aimait à morigéner son monde, et elle faisait le plus souvent goûter la leçon. Il est vrai que si l'on ne s'y prêtait pas, si l'on se dérobait à son envie de conseiller et de redresser, elle n'était pas contente (...)
SAINTE-BEUVE, Causeries du lundi, 22 juil. 1850.

▶ **SE MORIGÉNER** v. pron.

Littér. et rare. S'accuser soi-même et se promettre de s'amender (→ Coulpe, cit. 3).

Quoi qu'il en soit, Mirabeau arrivait au fort de Joux près Pontarlier, dans le Jura, pour y être gardé sévèrement et pour s'y morigéner dans la solitude.
SAINTE-BEUVE, Causeries du lundi, 7 avr. 1851.

DÉR. Morigénateur.

1. MORILLE [mɔʀij] n. f. — 1500; lat. pop. **mauricula,* de *maurus.* → Morelle.

♦ 1. Champignon ascomycète *(Discomycètes)*, scientifiquement appelé *morchella*, dont le chapeau est creusé d'alvéoles profonds. *Morilles de printemps, à pied lisse (morille ronde, conique...). Morilles d'automne, à pied sillonné. Toutes les variétés de morilles sont comestibles et certaines sont très appréciées en cuisine. Morilles à la crème.*

Poulet aux morilles (...) Mitsou, vous aimez le poulet? — Oh! oui, pourvu qu'il y ait de la salade avec. — Le poulet aux morilles ne comporte pas de salade, il s'accompagne d'une sauce crème (...)   COLETTE, *Mitsou*, VI.

♦ 2. (XXᵉ). Techn. (aviculture). Chacune des protubérances charnues que l'on observe sur le bec de certains pigeons.

2. MORILLE [mɔʀij] n. f. ⇒ 2. **Moraine.**

1. MORILLON [mɔʀijɔ̃] n. m. — Fin XVᵉ; *moreillon* au XIIIᵉ; de l'anc. franç. *morel* «brun». → Moreau, du rad. de *Maure**.
Technique.

♦ 1. Variété de raisin noir.

Le raisin noir nommé *morillon* s'appelle en Bourgogne *pineau* et à Orléans *auvernas* ou *auvergnat*.   BRUNOT, Hist. de la langue franç., t. VI, p. 298.

♦ 2. (Fin XIIIᵉ). Canard à plumage noir, du genre milouin*.

♦ 3. (1723). Petite émeraude brute.

2. MORILLON [mɔʀijɔ̃] n. m. — 1903, Larousse; de *morille*.

♦ Champignon du genre Mitrophore, voisin des morilles.

MORINE [mɔʀin] n. f. ⇒ 2. **Moraine.**

MORIO [mɔʀjo] n. m. — 1761; lat. zool; p.-ê. de *Maure, more* «brun».

♦ Zool. Papillon du genre Vanesse, aux ailes brunes bordées de jaune.

1. MORION [mɔʀjɔ̃] n. m. — 1542, d'après Bloch; *mourion*, 1546, Rabelais, III, *Prologue : mourion;* empr. à l'esp. *morrion*, dér. *morra*, «sommet de la tête».

♦ Archéol. Casque léger, à calotte sphérique, à bords relevés en pointe par devant et par derrière. ⇒ **Armure** (de tête). *Morion surmonté d'une crête en croissant* (XVIᵉ s.), *d'un ergot* (déb. XVIIᵉ s.)...

(...) le vent du Rhin siffle dans ces armures évidées où tant de poitrines ont bondi, dans ces morions creux dont les têtes ne blasphèment plus, dans ces gantelets rouillés qui ne raidissent pas leur doigt sanglant (...)
                                NERVAL, Notes de voyage, «Lettre d'Allemagne», II.

2. MORION [mɔʀjɔ̃] n. m. — 1869; abrév. et francisation du lat. *mormorion* «cristal de roche».

♦ Rare. Quartz* enfumé.

MORISQUE [mɔʀisk] n. et adj. — 1478; esp. *morisco*, XIIᵉ en ce sens, du lat. *maurus*. → Maure, mauresque.

♦ 1. N. (Surtout au plur.). **[a]** Descendant des Maures restés en Espagne, après la reconquête chrétienne. ⇒ **Mudéjar.** — Spécialt. Musulman espagnol converti par force au catholicisme (1502-1611). *Les morisques furent finalement expulsés d'Espagne.* — REM. On a aussi écrit *maurisque.*

Votre Majesté aura su comme tous les Maurisques du royaume de Valence sont passés, le nombre s'est trouvé de cent trente mille.
                                Lettre de M. de Vaucelles au roi, déc. 1609, *in* LITTRÉ.

[b] Vx. Danse à la manière des Maures.

♦ 2. Adj. Hist. littér. (sans doute d'après l'expression esp. *romances moriscos* «poèmes mauresques»). D'un genre littéraire sentimental, apparu en Espagne au XVIᵉ siècle, qui mettait en scène des Maures, le plus souvent dans le cadre historique du royaume et des guerres de Grenade. ⇒ **Mauresque.** *Les Aventures du dernier abencérage, récit morisque de Chateaubriand.*

MORLINGUE [mɔʀlɛ̃g] n. m. — 1883, «sou, argent», *in* Esnault; de l'anc. franç. *morlain* «livre *morlane*», *in* Godefroy, monnaie du règne de Charles VI «ainsi appelée parce qu'on la battait dans la ville de *Morlas*, capitale du Béarn» (selon Chautard, *la Vie étrange de l'argot*).

♦ Argot. Porte-monnaie, et, mod., portefeuille.

Arrivé au porte-monnaie, il le considéra d'un air plein de pitié.
— Il est salement plat, le frère.
Il compte :

— Trois francs! Mon vieux, faudrait voir à m'remplumer, sans ça, en r'descendant, j'suis verdure.
— T'es pas l'seul à avoir pas lourd dans son morlingue.
                                H. BARBUSSE, le Feu, t. I, I, XIV, p. 75.

J'avais confié le papier à Margo, pour qu'elle me le garde dans son gros morlingue à pièces justificatives (...)   A. SARRAZIN, la Cavale, p. 310.

Loc. *Être constipé du morlingue; avoir des oursins dans son morlingue :* être avare.

MORMON, ONE [mɔʀmɔ̃, ɔn] n. et adj. — 1850; de *Mormon,* nom d'un prophète allégué par Joseph Smith, fondateur de la secte (1830).

♦ Membre d'une secte d'origine américaine («Église de Jésus-Christ des saints des derniers jours»), dont la doctrine, fondée sur une lecture de la Bible et du «Livre de Mormon», admet les principes essentiels du christianisme et présente des analogies avec l'islam. *Mormons pratiquant la polygamie. Installation des mormons au bord du Lac Salé* (Salt Lake City). — Adj. *La secte mormone.*

Certes, j'irai, se dit Passepartout, qui ne connaissait guère du mormonisme que ses usages polygames, base de la société mormone.
                                J. VERNE, le Tour du monde en 80 jours, p. 234.

Des légions de prédicateurs mormons envahirent le sol d'Albion, prêchant dans les rues, ouvrant des conférences, des écoles, bâtissant des temples, fondant des journaux et distribuant des bibles selon Hiram Smith et Brigham Young.
                                A. ROBIDA, le Vingtième Siècle, p. 327.

DÉR. Mormonisme.

MORMONISME [mɔʀmɔnism] n. m. — 1851; de *mormon.*

♦ Secte, doctrine, religion des mormons.

Passepartout s'approcha et lut sur une de ces notices que l'honorable «elder» William Hitch, missionnaire mormon, profitant de sa présence sur le train nº 48, ferait, de onze heures à midi, dans le car nº 117, une conférence sur le mormonisme, invitant à l'entendre tous les gentlemen soucieux de s'instruire touchant les mystères de la religion des «Saints des derniers jours».
                                J. VERNE, le Tour du monde en 80 jours, p. 234.

1. MORNE [mɔʀn] adj. — 1138, *murne;* d'un francique *mornôn* «être triste»; cf. angl. *to mourn;* ou (P. Guiraud) de l'adj. *morné* «émoussé (d'un sentiment)», fig. de *morné* «émoussé (d'une lance)», d'un dér. du lat. *mora* «garde d'épée», lat. *morari* «arrêter».

♦ 1. Personnes. Qui est d'une tristesse morose, allant jusqu'à l'abattement. ⇒ **Abattu, mélancolique, sombre, triste.** «Sombre *est positif, il marque une disposition active du sujet...* Morne *est négatif et dépeint le sujet dans une disposition toute passive, dans l'accablement (...) dans une espèce de stupeur ou de stupidité»* (Lafaye, *Dict. des synonymes*, p. 956). *Morne et silencieux.* ⇒ **Taciturne.** *Languissant* (cit. 2) *triste et morne.* — Par métonymie. *Morne tristesse* (→ Aride, cit. 3). *Morne désespoir* (→ 2. Idéal, cit. 8). — (Avec un subst. de contenu positif, stylistique). *Une morne douceur* (→ Bétail, cit. 4). — (V. 1175). Par ext. En parlant de l'apparence, du comportement. *L'œil morne et la tête baissée* (cit. 8). *Yeux, regards mornes.* ⇒ **Atone** (cit. 1), **éteint** (→ Hâve, cit. 3). *Attitude morne* (→ Contraint, cit. 2). *Morne silence* (→ Licence, cit. 6). *Morne immobilité* (cit. 1). *Air* morne.*

Les chiens se rangèrent près d'eux,
Tristes, humiliés, mornes, l'oreille basse,
Plaignant, sans l'excuser, leur frère malheureux.   FLORIAN, Fables, V, 10.

Il mit sa tête dans ses deux mains, et il fut impossible à la petite Marie de savoir s'il pleurait, s'il boudait ou s'il était endormi. Elle en fut un peu inquiète de le voir si morne et de ne pas deviner ce qui roulait dans son esprit.
                                G. SAND, la Mare au diable, XI.

♦ 2. (XVIᵉ). Choses. Triste et maussade. *Ciel morne* (→ Lumière, cit. 7). *Temps morne :* temps triste, obscur, couvert. *Une morne matinée de février. Morne horizon* (→ Capitaine, cit. 6, Hugo). «*Waterloo! morne plaine*» (→ Bataillon, cit. 5, Hugo). *La fixité* (cit. 2) *un peu morne du beau temps,* monotone, ennuyeuse. *Chaleur, torpeur morne* (→ Escargot, cit. 4). *De mornes solitudes* (→ Franchir, cit. 20). *Une ville, un quartier, une rue morne. Morne mobilier* (→ 2. Être, cit. 32). *Couleur morne,* sans vivacité ni éclat (→ Étriqué, cit. 6).

Qui n'a point vu, aux tristes jours d'hiver
Froids et obscurs, la terre morne et sombre,
Pleine de nuit et d'une mauvaise ombre,
Où le Soleil ne se daigne lever?   RONSARD, Pièces retranchées,
                «Mascarades et bergeries, Sonnet Prince de Condé».

Les champs n'étaient point noirs, les cieux n'étaient pas mornes (...)
                                HUGO, les Rayons et les Ombres, XXXIV.

En entrant, je trouvai une longue salle déserte et morne, que le jour éblouissant de trois grandes fenêtres sans rideaux fait plus morne et plus déserte encore.
                                Alphonse DAUDET, Lettres de mon moulin, «Les deux auberges».

Journée morne (→ Madeleine, cit. 1). *Vie, existence morne.* ⇒ **Terne, vide** (→ Éclaircie, cit.).

Ce fut une journée morne, pendant laquelle chacun fut triste, et réprima des pensées ou des pleurs.   BALZAC, la Recherche de l'absolu, Pl., t. IX, p. 622.

(En parlant de la parole, des œuvres littéraires, artistiques). *Morne conversation, morne discussion,* sans animation, sans intérêt, sans éclat. *Style morne et plat*, terne, qui manque d'expressivité. ⇒ **Décoloré.** *Tragédie qui se termine par une morne hécatombe* (cit. 7).

> La conversation resta morne; chacun de nous manquait d'élan.
> GIDE, Journal, 3 juin 1905.

REM. L'adj. peut être antéposé ou postposé.

CONTR. **Ardent, éclatant, ensoleillé, gai, joyeux.**
DÉR. **Mornement.**

2. MORNE [mɔʀn] n. f. — 1478; de *morner.*

♦ Archéol. Anneau* dont on garnissait la pointe d'une lance pour la rendre inoffensive. ⇒ **Frette.** — Blason. Anneau figuré à la pointe d'une lance, d'un huchet...

3. MORNE [mɔʀn] n. m. — 1640; mot créole des Antilles; altér. de l'esp. *morro* «monticule» (→ Morion) ou (P. Guiraud) «montagne émoussée». → Morner.

♦ Petite montagne isolée, de forme arrondie, dans les îles (Antilles, Réunion).

> De ce lieu, on voit une grande partie de l'île, avec ses mornes surmontés de leurs pitons (...) BERNARDIN DE SAINT-PIERRE, Paul et Virginie, p. 84.

MORNÉ, ÉE [mɔʀne] adj. — XVIᵉ, au sens 2; p. p. de *morner.*
Didactique.

♦ **1.** Dont la pointe a été munie d'une morne (⇒ 2. **Morne**). *Lance mornée.*

> (...) une épée de théâtre, émoussée et mornée (...)
> Th. GAUTIER, le Capitaine Fracasse, XIV.

♦ **2.** (XVIᵉ). Blason. Se dit d'une figure animale sans dents, sans bec ni griffes. *Aigle, lion morné.* ⇒ **Diffamé.**
(XIXᵉ; *in* P. Larousse). *Casque morné*, représenté visière fermée.

HOM. **Mort-né.**

MORNEMENT [mɔʀnəmɑ̃] adv. — V. 1175; de 1. *morne.*

♦ Littér. et rare. D'une manière morne.

> Dans la ville, au contraire, tout est mornement frénétique, tout grouille, tout pue, car la nature y a été tuée.
> Roger IKOR, les Fils d'Avrom, La greffe de printemps, p. 165.

MORNER [mɔʀne] v. tr. — XVIᵉ; selon P. Guiraud, de **morinare*, du lat. *mora* «garde d'épée», du lat. *morari* «arrêter». → 1 Morne.

♦ Rare. Garnir d'une morne la pointe de (une arme blanche), pour la rendre inoffensive (assauts courtois, armes de théâtre, de collection, etc.). ⇒ 2. **Morne.**
DÉR. 2. **Morne, morné.** — V. 3. **Morne.**
HOM. **Mort-né.**

1. MORNIFLE [mɔʀnifl] n. f. — 1530, Bloch; de *mornifler*, rad. *murr-* «museau», et anc. franç. *niffler.* → Renifler.

♦ Fam. Coup du plat ou du revers de la main sur le visage. ⇒ **Gifle, taloche.**

> L'enragé, comptant sur la bêtise de ses père et mère, lui a fait la grimace. Pierre, là-dessus, lui flanque une mornifle qui vous a mis Jacques au lit pour six mois.
> BALZAC, Un drame au bord de la mer, Pl., t. IX, p. 891.

> Je n'avais qu'à me tenir coi
> Sous l'aimable averse des gifles
> De ta main experte en mornifles,
> Sans même demander pourquoi (...) VERLAINE, Chansons pour elle, IX.

2. MORNIFLE [mɔʀnifl] n. f. — 1821; orig. incert.; «la mornifle est une tape, le sou *tapé*, marqué d'une fleur de lys (1650) vaut 15 deniers (...) la *tape* est aussi (1836) un faux poinçon d'argenterie» (Cellard et Rey). Cf. la loc. *bailler mornifle sur les lèvres du roy* «faire de la fausse monnaie» (1611).

♦ Argot. Argent.

1. MOROSE [mɔʀoz] adj. — 1615, rare jusqu'au XIXᵉ; empr. au lat. *morosus* «d'humeur difficile, fantasque»; dér. de *mos, moris* au sens péj. de «humeur, caprice».

♦ Qui est d'une humeur chagrine, maussade, sombre. ⇒ **Abattu, acariâtre, atrabilaire, bilieux, bourru, chagrin, grognon, hargneux, hypocondriaque, mélancolique, morne, sombre, triste.** *Vieillard misanthrope et morose. Air morose* (→ Manquer, cit. 79). *Face morose* (→ Amer, cit. 8; dégoût, cit. 12).

> *Morose* (...) ce mot ne peut trouver place que dans le genre didactique, où il est même d'un service assez rare. Il signifie la même chose que morne, triste.
> TRÉVOUX (1771), art. *Morose.*

> (...) je jouais l'homme fatigué de la vie, épuisé de chagrins, morose, sceptique, âpre. BALZAC, Honorine, Pl., t. II, p. 290.

(Choses). ⇒ **Sombre, triste.** *Existence, vie, vieillesse morose.* — *Air morose d'une ville* (→ Campagnard, cit. 3). *L'haleine morose de la bise* (cit. 7). — *Ironie morose* (→ Infécond, cit. 4). — *Atmosphère politique morose.* ⇒ **Morosité.**

> Un jour, douze ans après, la jeune princesse était devenue l'ornement et l'âme de la Cour, l'unique joie de cet intérieur du roi et de Mᵐᵉ de Maintenon, de ces vieillesses moroses. SAINTE-BEUVE, Causeries du lundi, 6 mai 1850.

> C'était le jour morose d'avant la première aurore, qui éclaire le sommeil du monde et apporte les rêves énervés du matin. Pierre LOUŸS, Aphrodite, I, VI.

CONTR. **Gai, joyeux.**

2. MOROSE [mɔʀoz] adj. — 1863, Littré, art. *Délectation*; du bas lat. *morosus* «lent»; de *mora* «retard». Cf. *confessio morosa* : «confession approfondie» (*in* Du Cange).

♦ Théol. Qui s'attarde, se complaît dans la tentation du péché. *Délectation* morose.*

MOROSIF, IVE [mɔʀozif, iv] adj. — XVIᵉ; dér. sav. du lat. *morosus.* → 2. Morose.

♦ Vx. Négligent, tardif (cf. Saint-Simon, t. VI, VI, p. 129, éd. Pléiade). Dr. anc. *Débiteur morosif.*

MOROSITÉ [mɔʀozite] n. f. — 1486; du lat. *morositas*, de *morosus.* → Morose.

♦ **1.** Littér. Caractère*, humeur morose. ⇒ **Chagrin, ennui.** Par ext. Tristesse, abattement.

> La session parlementaire de printemps s'était à peine achevée, au début de juillet 1971, que (...) six gaullistes importants (...) s'en prenaient avec vigueur, avec véhémence même, au gouvernement (...) Cette offensive devait se poursuivre, sous d'autres formes et avec d'autres assaillants, d'un bout de l'année à l'autre, une année qui, d'un mot souvent employé, fut caractérisée pour la majorité par la morosité. Journal de l'année, 1971-1972, p. 21.

> L'heure du courrier apportait de nouveaux sujets de morosité à cet homme déjà sombre de nature (...) Alphonse DAUDET, Sapho, VI.

> (...) l'habitude d'une certaine morosité, le désir ou même le besoin de se trouver en faute, et le refus de soi, aux sollicitations les plus aimables de la vie (...)
> GIDE, Journal, 1911, Feuillets.

> (...) cette zone forestière où les sapins semblaient introduire dans la nature entière une sorte de morosité et de rigidité calviniste.
> GIDE, Si le grain ne meurt, II, I, p. 326.

♦ **2.** (Repris 1971). Climat politique terne, manque de dynamisme (dans un groupe social).
CONTR. **Gaieté, joie.** — **Dynamisme.**

MORPH-, MORPHO- Éléments de composition, grec *morpho-*, de *morphê* «forme». ⇒ **-morphe.**
Attesté d'abord dans *morphologie*.*

-MORPHE, -MORPHIE, -MORPHIQUE, -MORPHISME Éléments de composition, du grec *morphê* «forme». ⇒ aussi *infra* **-morphisme** (math.); **-forme.**

Ces éléments entrent dans la composition d'adjectifs et de substantifs tirés du grec ou formés en français tels que : *allélomorphe, allomorphe, amorphe, amorphie*; *anthropomorphe, anthropomorphisme*; *dimorphe, dimorphisme*; *hétéromorphe, hétéromorphisme* (préf. hétér(o)-); *isomorphe*; *isomorphisme*; *métamorphique, métamorphisme* (préf. méta-. → aussi Métamorphose); *polymorphe, polymorphisme*; *trimorphe, trimorphisme*; *zoomorphie, zoomorphisme*; *zygomorphe.* ⇒ **Morph-.**

REM. L'élément -morphisme, repris de *homomorphisme*, est utilisé en mathématiques pour former les noms de certaines transformations ou correspondances. (Ex. : *automorphisme, endomorphisme, isomorphisme...*).

MORPHÉE [mɔʀfe] n. f. — 1478; ital. *morfea*, lat. médiéval *morphaea.*

♦ Méd. Lésion cutanée circonscrite, atrophique, d'aspect cicatriciel.

MORPHÉIQUE [mɔʀfeik] adj. — Mil. XXᵉ; de *Morphée*, dieu du sommeil.

♦ Didact. (Psychol.). Qui survient au cours de l'endormissement ou du sommeil. *Trouble, épilepsie morphéique.*

MORPHÉMATIQUE [mɔʀfematik] adj. — V. 1965; de *morphème.*

♦ Ling. Relatif au morphème. *Analyse morphématique.*

MORPHÈME [mɔʀfɛm] n. m. — 1921 ; de *morph-*, et suff. de *phonème*. → *-ème*.

Linguistique.

♦ **1.** Vx. Élément de formation conférant un aspect grammatical déterminé à un élément de signification (sémantème). « *Les morphèmes expriment les relations que l'esprit établit entre les sémantèmes* » (Vendryes, *le Langage*, p. 86). *Morphème constitué par un mot isolé* (*To*, caractérisant un verbe, en anglais), *par un élément ajouté* (affixe, désinence : l'*s* du pluriel, le suffixe *-ment*, caractérisant les adverbes, en français), *par un changement* (ex. : l'alternance vocalique des pluriels irréguliers anglais : *man, men...*), *ou par l'ordre des mots* (cf. Il vient, et vient-il ?).

♦ **2.** (Angl. *morphem*, défini par les linguistes amér., notamment Bloomfield). Élément minimum porteur de sens, dans un énoncé. *Le morphème est constitué de phonèmes* et est le constituant d'un mot. Morphème lexical* (⇒ **Lexème**), *grammatical. Variante contextuelle d'un morphème.* ⇒ **Allomorphe**.

♦ **3.** Spécialt (chez A. Martinet). Monème* grammatical.

DÉR. **Morphématique.**

MORPHINE [mɔʀfin] n. f. — 1818, Orfila, *Action de la morphine sur l'économie animale* ; 1824, *in* P.-L. Courier, *Pamphlet des pamphlets* ; dér. sav. de *Morphée*, dieu du sommeil, du lat. *Morpheus*, mot grec.

♦ Chim. Principal alcaloïde de l'opium*, doué de propriétés soporifiques* et calmantes. — *Morphine-base :* morphine brute, avant purification. « (L'opium) *est transformé en morphine-base sur place* » (*l'Express*, 19 févr. 1973, p. 73). *Chlorhydrate, sulfate, sels de morphine.* — Par ext. (En parlant des sels). *La morphine, employée en médecine comme calmant* (→ Intolérable, cit. 4), *est un poison*, un stupéfiant*. Injection* (cit. 1), *piqûre de morphine* (→ Invincible, cit. 10). *Dérivés de la morphine :* apomorphine, diacétylmorphine, diamorphine (⇒ **Héroïne**). *Accoutumance, intoxication à la morphine.* ⇒ **Morphinisme, morphinomanie.**

1 De l'*acétate de morphine*, un grain dans une cuve se perd, n'est point senti, dans une tasse fait vomir, en une cuillerée tue (...)
P.-L. COURIER, *Pamphlet des pamphlets.*

2 (...) il eut une inspiration, un jour qu'il faisait à une dame atteinte de coliques hépatiques une injection de morphine, avec la petite seringue de Pravaz.
ZOLA, *le D*ʳ *Pascal*, II.

3 Je suis, en matière de théâtre, je puis dire en matière de littérature, comme ces gens qui se piquent depuis longtemps à la morphine et qui doivent sans cesse augmenter la dose pour ressentir encore quelque effet.
Paul LÉAUTAUD, *le Théâtre de M. Boissard*, XXXIV.

4 Malgré son nom, la morphine ne fait pas nécessairement dormir ceux qu'elle soulage.
G. DUHAMEL, *Biographie de mes fantômes*, VI.

DÉR. **Morphiné, morphinique, morphinisme, morphinomane, morphinomanie.**
COMP. **Apomorphine, diacétylmorphine, diamorphine.**

MORPHINÉ, ÉE [mɔʀfine] adj. — 1875 ; de *morphine*.

♦ Vx. Intoxiqué par la morphine. — REM. On trouve aussi (fin XIXᵉ) le verbe pron. *se morphiner.*

MORPHINIQUE [mɔʀfinik] adj. — 1891, *in* D.D.L. ; de *morphine*.

♦ Didact. De la morphine ; relatif à la morphine. « *L'euphorie morphinique n'est pas niable ; par la suite, c'est l'angoisse, l'appel tyrannique de la drogue qui sont calmés par elle* (...) » (A. et M. Porot, in *Manuel alphabétique de psychiatrie*, 1975, art. *Opium*, p. 465 a).

MORPHINISME [mɔʀfinism] n. m. — 1877 ; de *morphine*.

♦ Méd. Intoxication chronique par la morphine. *Morphinisme des fumeurs d'opium, des morphinomanes.*

MORPHINOMANE [mɔʀfinɔman] adj. et n. — 1883, A. Daudet ; *morphiomane*, 1880 ; de *morphine*, et *-mane*.

♦ Qui s'intoxique à la morphine.

N. *Un, une morphinomane :* toxicomane qui se drogue, qui se pique à la morphine.

1 (...) la pauvre fille, exaspérée, s'était sauvée chez une amie. Celle-ci morphinomane, lui conseilla de se « piquer ». Aline calcula-t-elle mal la dose ? ou voulut-elle la forcer ? (...) Elle en prit tant, qu'une heure après elle était morte.
GIDE, *Journal*, 10 janv. 1902.

2 (...) les statistiques montrent que 30 % des morphinomanes restent au-dessous de 0 gr 50 par jour : ce sont les *petits* morphinomanes : les *moyens* (60 %) vont de 0 gr 50 à 1 gr 50 ; 10 % dépassent cette dose (*grands* morphinomanes). La plupart d'entre eux (...) sont aujourd'hui passés à l'héroïne.
A. POROT, *les Toxicomanies*, p. 42.

3 Qui ne connaît ces morphinomanes invétérés, aux traits fripés, vieilles maquerelles de la drogue (...) qui n'offrent plus à la drogue qu'une carcasse endormie, comme des grues qui ne savent plus rien de l'amour.
Henri MICHAUX, *La nuit remue*, p. 73.

MORPHINOMANIE [mɔʀfinɔmani] n. f. — 1880 ; *morphiomanie*, 1876, de *morphine*, et *-manie*.

♦ Didact. Toxicomanie à la morphine.

(...) il y eut, surtout à la fin du XIXᵉ et tout au début du XXᵉ siècle, une véritable morphinomanie « mondaine » avec ses salons et ses « clubs », son matériel de luxe, sa littérature qui servit de thème à des romans, si bien qu'on a pu parler d'une contagion par le livre.
A. et M. POROT, *in* POROT, Manuel alphabétique de psychiatrie, 1975, p. 465 a.

MORPHISME [mɔʀfism] n. m. ⇒ **Homomorphisme.**

-MORPHIQUE, -MORPHISME ⇒ **-morphe.**

MORPHO- ⇒ **Morph-.**

MORPHOGÈNE [mɔʀfɔʒɛn] adj. — V. 1900 ; de *morpho-*, et *-gène*.

♦ Physiol. *Action morphogène*, qui intervient dans la genèse d'une forme organique.

(...) le rôle des hormones apparaît aussi comme capital dans la différenciation des ébauches et des organes chez l'embryon ; l'action de l'*organisateur*, tel que l'a découverte SPEMANN (...), paraît bien s'y ramener et, d'autre part, on a pu mettre récemment hors de doute l'action morphogène des hormones sexuelles dans la différenciation de l'appareil génital chez l'embryon.
Maurice CAULLERY, *les Étapes de la biologie*, p. 97.

MORPHOGENÈSE [mɔʀfɔʒɛnɛz ; mɔʀfɔʒenɛz] n. f. — Déb. XXᵉ ; de *morpho-*, et *genèse*. Scientifique.

♦ **1.** Ensemble des lois qui déterminent la forme, la structure des tissus, des organes et des organismes ; étude de ces lois.

♦ **2.** Processus de développement des structures (d'un organisme). ⇒ **Morphogénétique.**

REM. On trouve aussi la forme *morphogénie*, n. f. (1867, in *Année scientifique*, 1868, p. 458).

DÉR. **Morphogénétique.**

MORPHOGÉNÉTIQUE [mɔʀfɔʒenetik] adj. — 1903, *Rev. gén. des sc.*, nº 21, p. 1121 ; de *morphogenèse*.

♦ Didact. De la morphogenèse, du développement structural. *Champs morphogénétiques d'un embryon. Processus, forces, actions morphogénétiques.*

Les hormones sont définies comme modifiant le fonctionnement de certaines cellules de l'organisme (...)
Bien souvent, ce sera un changement de leur forme, de leur structure, et surtout une multiplication de leur nombre aboutissant à des modifications plus ou moins importantes de la forme ou de la disposition de certains organes. On dira alors que l'hormone en question exerce des *actions morphogénétiques* (...)
Pierre REY, *les Hormones*, p. 32.

Par le caractère autonome et spontané des processus morphogénétiques qui construisent la structure macroscopique des êtres vivants, ceux-ci se distinguent absolument des artefacts, aussi bien d'ailleurs que de la plupart des objets naturels, dont la morphologie macroscopique résulte en large part de l'action d'agents externes.
Jacques MONOD, *le Hasard et la Nécessité*, p. 27.

MORPHOGÉNIE [mɔʀfɔʒeni] n. f. ⇒ **Morphogenèse.**

MORPHOGNOSIE [mɔʀfognozi] n. f. — XXᵉ ; de *morpho-*, et *-gnosie*.

♦ Physiol. Capacité à percevoir la forme des objets par le toucher.

MORPHOGRAMME [mɔʀfɔgram] n. m. — Av. 1952 (*in* Porot) ; de *morpho-*, et *-gramme*, d'après *morphographie*.

♦ Sc. (Rare). Dessin scientifique figurant les caractéristiques de l'objet représenté (→ Morphographie). ⇒ **Schéma.**

(...) l'anorexie mentale réalise une sorte de régression vers l'enfance qui s'exprime à la fois sur le plan physique et sur le plan psychique, ainsi que le montrent l'étude de morphogrammes, le bilan hormonal et l'examen psychologique.
DECOURT, *in* POROT, Manuel alphabétique de psychiatrie, 1952, art. *Anorexie mentale*, p. 25 b.

MORPHOGRAPHIE [mɔʀfɔgrafi] n. f. — 1874, P. Larousse ; de *morpho-*, et *-graphie*.

♦ Sc. (Rare). Technique par laquelle on représente par le dessin, dans leurs formes caractéristiques (de manière iconique), les objets naturels (principalement plantes et animaux). ⇒ **Morphogramme.**

MORPHOLOGIE [mɔʀfɔlɔʒi] n. f. — 1822, Blainville ; mot créé en allemand par Goethe (1790), à partir du grec *morpho-* (→ Morpho-) et de l'élément sav. *-logie*.

♦ **1.** Étude de la configuration et de la structure externe (d'un organe ou d'un être vivant). *Morphologie animale* (⇒ **Tectologie, zoologie**), *humaine, végétale* (⇒ **Botanique**). *Morphologie comparée. Morphologie interne.* ⇒ **Anatomie.**

Par ext. *Morphologie de la surface terrestre.* ⇒ **Géomorphologie.** *Morphologie d'un massif, d'une chaîne de montagnes.*

♦ **2.** Forme, configuration, apparence extérieure (d'un organisme vivant). *Morphologie anormale* (⇒ **Anomalie, difformité, malformation, monstruosité**).

♦ **3.** (1868). Ling. Étude de la formation des mots et des variations de forme qu'ils subissent dans la phrase. *Morphologie et syntaxe.* ⇒ **Grammaire, morphosyntaxe.** *Morphologie et étude du lexique.* ⇒ **Lexicologie.**

DÉR. Morphologique, morphologue.
COMP. Morphométrie, morphophonologie, morphosémantique, morphosyntaxe.

MORPHOLOGIQUE [mɔʀfɔlɔʒik] adj. — 1836 ; de *morphologie.*

♦ Sc. Relatif à la morphologie, aux formes (en biologie, en linguistique). *Sciences morphologiques. Traits morphologiques de la surface terrestre* (→ Homme, cit. 91). *Tares morphologiques ou fonctionnelles* (→ Gigantisme, cit. 1).

DÉR. Morphologiquement.

MORPHOLOGIQUEMENT [mɔʀfɔlɔʒikmɑ̃] adv. — 1863, *in* Littré ; de *morphologique.*

♦ Sc. Quant à la morphologie, à la forme, à la structure.

MORPHOLOGUE [mɔʀfɔlɔg] n. — xxᵉ ; de *morphologie.*

♦ Didact. Spécialiste de morphologie, et, spécialt, de géomorphologie. *« Cet ouvrage didactique a pour but de faire des étudiants en géographie et des élèves des classes préparatoires des géologues, des morphologues, des pédologues (...) »* (*Sciences et Avenir*, p. 39, mai 1980).

MORPHOMÉTRIE [mɔʀfɔmetʀi] n. f. — 1909, De Martonne ; de *morpho(logie),* et *-métrie.*

♦ Didact. Géomorphol. Étude quantitative du modelé terrestre (montagnes, vallées). ⇒ **Orographie.**

DÉR. Morphométrique.

MORPHOMÉTRIQUE [mɔʀfɔmetʀik] adj. — Mil. xxᵉ ; de *morphométrie.*

♦ Didact. De la morphométrie. *Analyse morphométrique.*

MORPHOPHONOLOGIE [mɔʀfofɔnɔlɔʒi] ou MORPHO-NOLOGIE [mɔʀfɔnɔlɔʒi] n. f. — Mil. xxᵉ ; en all., Troubetskoï, 1939 ; de *morpho(logie),* et *phonologie.*

♦ Didact. (Ling.). Étude des procédés à la fois phonologiques (combinaison fonctionnelle des sons différentiels du langage : phonèmes) et morphologiques (combinaison des morphèmes ou monèmes) ; ces procédés.

On est souvent tenté d'inclure dans la présentation de la phonologie d'une langue un examen des alternances vocaliques ou consonantiques telles que celles de *eu* et de *ou* dans *peuvent, pouvons, meurent, mourons, preuve, prouvons,* etc., ou encore les inflexions de l'allemand qu'on groupe sous le terme de *Umlaut* et qui servent pour former les pluriels comme *Bücher* ou des formes verbales comme *fällt* ou *gibt.* Cet examen, pratiqué sous le nom de morpho-(pho)nologie, est parfaitement justifié lorsqu'il vise à dégager certains automatismes comme celui qui entraîne le petit Allemand à former, à partir de *bringen, gebrungen* au lieu de *gebracht,* sur le modèle de *singen, gesungen.* Mais ceci n'a rien à voir avec la phonologie ; le conditionnement de l'alternance est strictement morphologique et n'est, en aucune façon, déterminé par des facteurs phoniques. Le terme de morpho-(pho)nologie, qui laisse supposer un rapport avec la phonologie, est donc à écarter pour désigner l'étude de l'emploi, à des fins grammaticales, des distinctions qui sont à la disposition des locuteurs.
    A. MARTINET, Éléments de linguistique générale, III, § 41.

DÉR. Morphophonologique ou morphonologique.

MORPHOPHONOLOGIQUE [mɔʀfofɔnɔlɔʒik] ou MOR-PHONOLOGIQUE [mɔʀfɔnɔlɔʒik] adj. — Mil. xxᵉ ; de *morphophonologie* ou *morphonologie.*

♦ Relatif à la morphonologie. *Des règles morphonologiques.*

MORPHOPSYCHOLOGIE [mɔʀfɔpsikɔlɔʒi] n. f. — V. 1950, Corman ; de *morpho-,* et *psychologie.*

♦ Didact. Étude des correspondances entre la psychologie et les types ou prédominances morphologiques chez l'homme. ⇒ **Physiognomonie.**

DÉR. Morphopsychologique.

MORPHOPSYCHOLOGIQUE [mɔʀfopsikɔlɔʒik] adj. — 1950 ; de *morphopsychologie.*

♦ Didact. De la morphopsychologie.

La plupart des hommes sont un alliage des deux types *(dilatés et rétractés...)* Et la connaissance morphopsychologique repose tout entière sur le jeu de ces compensations.
    L. CORMAN, Manuel de morphopsychologie, p. 58.

MORPHOSÉMANTIQUE [mɔʀfosemɑ̃tik] adj. — V. 1960 ; de *morpho(logie),* et *sémantique.*

♦ Didact. Qui concerne à la fois la forme (morphologie) et le sens (sémantique) d'une unité de la langue. *Analyse morphosémantique d'une série de composés.*

MORPHOSYNTAXE [mɔʀfosɛ̃taks] n. f. — V. 1960 ; de *morphologie* (3.), et *syntaxe.*

♦ Didact. (Ling.). Étude des procédés de formation de l'énoncé linguistique, tant au niveau des morphèmes (monèmes) et de leurs combinaisons en mots, qu'aux niveaux supérieurs (syntagme, phrase). ⇒ **Grammaire.**

DÉR. Morphosyntaxique.

MORPHOSYNTAXIQUE [mɔʀfosɛ̃taksik] ou MORPHO-SYNTACTIQUE [mɔʀfosɛ̃taktik] adj. — V. 1960 ; de *morphosyntaxe.*

♦ Didact. De la morphosyntaxe, qui a trait à la morphosyntaxe.

MORPION [mɔʀpjɔ̃] n. m. — 1532, Rabelais ; comp. de *mords,* impératif, et de *pion* « fantassin » (→ Piéton), ou (P. Guiraud) forme verbale de *pionner* « piquer », doublet de *piocher, pioter.*

♦ **1.** Fam. Pou* du pubis *(Phtirius),* parasite de l'homme (→ argot Morbac).

Les morpions leur collaient aux poils et l'eczéma à la peau du ventre (...)   1
    CÉLINE, Voyage au bout de la nuit, p. 109.

♦ **2.** (1660). Fig. et fam. (péj.). Petit garçon, jeune homme.

Deux jeunes gens s'étaient arrêtés près de lui (...) Ils rirent et s'assirent (...) « Il n'y   2
a que des morpions ici ! » pensa Mathieu irrité. Des étudiants ou des lycéens (...)
    SARTRE, l'Âge de raison, IV.

Dans cette acception, le fém. *morpionne* est attesté (R. Cantel, *in* Cellard et Rey).

♦ **3.** (1924). Jeu consistant à placer alternativement un signe caractéristique sur le quadrillé d'un papier, jusqu'à ce que l'un des deux joueurs parvienne à former une file de cinq signes.

MORRÈNE [mɔʀɛn] n. f. ⇒ **Morène.**

MORS [mɔʀ] n. m. — V. 1112 ; du lat. *morsus* « morsure », de *mordere* « mordre ».

★ **I.** ♦ **1.** Vx. Morsure. *« Du serpent le mors pernicieux »* (D'Aubigné, *Création,* 7).

♦ **2.** (1573). Spécialt. Bot. *Mors du diable :* bryone ; scabieuse (plantes).

★ **II.** Mod. Pièce du harnais (⇒ **Harnais ; bride**), levier qui passe dans la bouche du cheval et qui, en agissant sur les barres* (II, 4.), sert à le diriger. ⇒ **Anille ; frein,** I, 1. (→ Cheval, cit. 4, 19). *Pièces latérales* (« branches », parfois réunies par une entretoise), *embouchure** (formée des « canons » latéraux et d'une pièce centrale cintrée, la « liberté de langue », ou « pas d'âne ») *du mors. Œil*, bossette* de la branche d'un mors. Fixation du mors.* ⇒ **Gourmette, porte-mors, têtière.** *Les rênes sont fixées au mors par les anneaux porte-rênes. Chaîne autour du mors.* ⇒ **Tranche-fil.** — *Mettre le mors à un cheval. Hocher le mors à un cheval, pour l'exciter.* — Spécialt. *L'embouchure du mors. Casser la bouche d'un cheval avec le mors* (→ Atteler, cit. 2). *Cheval qui ronge, mâche* (cit. 11) *son mors.*

Ils rougissent le mors d'une sanglante écume.   RACINE, Phèdre, v, 6.   1
Les chevaux éperdus se dérobent au mors.   2
    HUGO, Odes et Ballades, « Ballade », VII.

Loc. *Prendre le mors aux dents,* se dit du cheval qui prend et serre les branches du frein avec les incisives, rendant ainsi inefficace l'action du mors. Par ext. S'emballer*, quelle que soit la position du mors (→ Lapider, cit. 2).

Mais le cheval de Jacques fut d'un autre avis ; le voilà qui prend tout à coup le   3
mors aux dents et qui se précipite dans une fondrière.
    DIDEROT, Jacques le fataliste, Pl., p. 538.

4 J'ai rêvé que vous étiez emportée par votre cheval, et je suis allé à Rouen vous chercher un mors espagnol, on m'a dit que jamais un cheval ne pouvait le prendre aux dents (...)   BALZAC, Modeste Mignon, Pl., t. I, p. 580.

Fig. *Prendre le mors aux dents* :

[a] Vx. Se livrer tout entier à ses passions.

[b] Mod. Se laisser aller à la colère*. ⇒ **Emporter** (s').

[c] Se mettre soudainement et avec énergie à un travail, à une entreprise...

5 J'ai connu des personnes qui avaient l'air très hardi, très osé, même effronté, et qui prétendaient que ce qu'ils en faisaient n'était que par excès de timidité : ils se jetaient tout d'abord au delà, de peur de rester trop en deçà. C'étaient des peureux qui s'emportaient et qui prenaient le mors aux dents.
     SAINTE-BEUVE, Chateaubriand, t. II, p. 297.

Par métaphore et fig. *Le mors, symbole de contrainte, de direction imposée. Mettre le mors et la bride à qqn* (→ Enchaîner, cit. 7). *Ne pas aimer sentir le mors* (→ Indépendant, cit. 11).

★ III. Techn. **♦ 1.** (XVIᵉ). Chacune des mâchoires d'un étau*, d'une paire de tenailles*, d'une pince.

♦ 2. (1765). Reliure. Rainure pratiquée près du dos d'un volume pour y loger le carton de la couverture. — (1723). Bord du carton qui s'y loge.

♦ 3. (V. 1130). Archéol. *Mors de chape* : «agrafe composée de deux plaques rivées ou cousues aux bords d'une chape qui «mordent» les pans de l'étoffe et les retiennent sur la poitrine» (Réau). *Mors de chape ciselé, émaillé.*

DÉR. Morsure.
HOM. Maure, formes du v. **mordre, more, mort.**

1. MORSE [mɔʀs] n. m. — Fin XVIᵉ ; *mors,* 1540 ; empr. au lapon *morssa* ou au finnois *mursu.*

♦ Mammifère pinnipède des régions arctiques, amphibie au corps épais, allongé, pouvant atteindre quatre à cinq mètres de long. *Troupeau de morses. On chasse les morses pour leur fourrure, leur cuir, leur graisse, l'ivoire de leurs défenses* (⇒ **Rohart**). *Le morse est beaucoup plus grand que les autres pinnipèdes* (phoque, otarie).

Le nom de *vache marine,* sous lequel le morse est le plus généralement connu, a été très mal appliqué (...) le nom d'éléphant de mer (...) est mieux imaginé (...) Le morse a, comme l'éléphant, deux grandes défenses d'ivoire (...)
     BUFFON, Hist. nat. des animaux, Le morse.

2. MORSE [mɔʀs] n. m. — 1856 ; mot anglo-amér., du nom de l'inventeur Samuel *Morse* (1791-1872).

♦ Système de télégraphe électromagnétique et de code de signaux (J. Brun, *Dict. de la radio*). *Le morse,* et, par appos., *l'alphabet morse. L'alphabet morse utilise des combinaisons de points et de traits. Signaux en morse, transmis à la main* (manipulateur) *ou automatiquement* (bande perforée). — Par ext. *Signaux visuels en alphabet morse.*

Rien à faire (...) ils ne verraient pas le morse, le sifflet ne porterait pas.
     Roger VERCEL, Remorques, V.

MORSURE [mɔʀsyʀ] n. f. — 1215 ; dér. de *mors* au sens I.

★ I. ♦ 1. Action de mordre. *La morsure d'un chien* (cit. 5) *furieux, enragé. Morsure que fait un chien de chasse au lièvre qu'il court.* ⇒ **Bourrade** (vx). *Des beautés* «*dont la chair* (cit. 21, Baudelaire) *lisse et ferme appelait les morsures*».

1 L'amant auprès de sa maîtresse attache et fixe des yeux sur elle (...) Les dents craquent. Ils se font des morsures que la seule fureur rend plus agréables.
     C.-A. HELVÉTIUS, Notes, Maximes et Pensées, p. 270.

Par ext. *Morsure dangereuse, mortelle d'un serpent*, d'une vipère* (⇒ **Venin**). *Morsures d'insectes, de puces...* ⇒ **Piqûre** (→ Bouton, cit. 6).

2 Au plus, ai-je à redouter (...) la morsure des cobras aux anneaux noirs, enroulés sous l'herbe morte (...)   LOTI, l'Inde (sans les Anglais), V, IV.

Par anal. *Morsure d'un outil* (→ Houille, cit. 2). *Morsure du froid* (2. Froid, cit. 4), *d'un acide.* — Spécialt. Gravure. Opération qui consiste à attaquer à l'acide les parties d'une planche de cuivre dépouillées de leur couche protectrice de vernis.

♦ 2. Par métaphore et fig. *La morsure de la jalousie, de la déception...*

3 Jusque-là, mes sentiments pour Madeleine avaient par miracle échappé à la morsure des sensations venimeuses (...) J'entendis autour de moi des mots qui me brûlèrent : j'étais jaloux.   E. FROMENTIN, Dominique, XII.

4 Je ne puis te conseiller à l'égard de l'éloge ou du blâme une indifférence que je n'ai jamais connue moi-même (...) Il est bon d'être ému, de frémir sous la caresse et davantage encore sous la morsure.   GIDE, Journal, Feuillets 1911.

★ II. ♦ 1. Résultat d'une morsure ; marque faite en mordant. ⇒ **Blessure, meurtrissure, plaie.** *Profonde morsure. Cautériser, soigner une morsure.* — Par ext. *Morsure d'un insecte.*

Par anal. *Plafond écaillé d'une imperceptible morsure* (→ Couronnement, cit. 3).

Trois des quatre tables (...) portant sur la tranche de nombreuses morsures de canif (...)   J. ROMAINS, les Hommes de bonne volonté, t. V, XXV, p. 238.

♦ 2. Fig. et littér. Effet nuisible, douloureux, pénible... *Les terribles morsures de la calomnie.*

1. MORT [mɔʀ] n. f. — Xᵉ ; du lat. *mors,* à l'accusatif *mortem.*

★ I. Cessation définitive de la vie (d'un être humain, d'un animal, et, par ext., de tout organisme biologique).

♦ 1. Cessation de la vie, considérée comme un phénomène inhérent à la condition humaine ou animale. ⇒ **Anéantissement, destruction** (de la vie), **fin, trépas** ; (par métaphore et fig.) **cercueil, nuit** (du tombeau), **repos** (éternel*), **sommeil** (dernier sommeil), **tombe, tombeau, voyage** (le grand voyage) ; → Crevaison (pop.). *Le genre humain est sujet à la mort.* ⇒ **Mortalité, mortel ; mourir.** *Qui n'est pas sujet à la mort.* ⇒ **Immortel.** *Qui évoque la mort.* ⇒ **Funèbre, lugubre, macabre.** *Signe de mort.* ⇒ **Fatal.** *La vie* *et la mort. La mort, mystère inexplicable* (cit. 3) ; *objet d'une insouciance* (cit. 1) *habituelle. La mort nous effraie* (cit. 1 et 6). *La mort, couronnement* (cit. 5) *de la vie.* «*Chaque instant* (cit. 1) *de la vie est un pas vers la mort*» (Corneille). *Le mal* *et la mort.* «*La mort de la mort*» (→ Autel, cit. 19). — *Sociologie de la mort. Étude de la mort.* ⇒ **Thanatologie.**

(...) cette mort que les uns appellent des choses horribles la plus horrible, qui ne sait que d'autres la nomment l'unique port des tourments de cette vie ?
     MONTAIGNE, Essais, I, XIV.

Le but de notre carrière, c'est la mort, c'est l'objet nécessaire de notre visée : si elle nous effraie, comme *(comment)* est-il possible d'aller un pas en avant, sans fièvre ? Le remède du vulgaire c'est de n'y penser pas. Mais de quelle brutale stupidité lui peut venir un si grossier aveuglement ?   MONTAIGNE, Essais, I, XX.

La mort est plus aisée à supporter sans y penser, que la pensée de la mort sans péril.   PASCAL, Pensées, II, 166 (→ aussi Anéantir, cit. 2).

C'est une étrange faiblesse de l'esprit humain, que jamais la mort ne lui soit présente, quoiqu'elle se mette en vue de tous côtés et en mille formes diverses... Les mortels n'ont pas moins de soin d'ensevelir les pensées de la mort que d'enterrer les morts mêmes.
     BOSSUET, Serm. IVᵉ semaine de Carême, «Sermon sur la mort», 1666.

(...) la connaissance de la mort et de ses terreurs est une des premières acquisitions que l'homme ait faites en s'éloignant de la condition animale.
     ROUSSEAU, De l'inégalité parmi les hommes, I.

La mort, mon fils, est un bien pour tous les hommes ; elle est la nuit de ce jour inquiet qu'on appelle la vie.
     BERNARDIN DE SAINT-PIERRE, Paul et Virginie, p. 140.

Vivre est une maladie dont le sommeil nous soulage toutes les seize heures ; c'est un palliatif : la mort est le remède.
     CHAMFORT, Maximes, «Philosophie et morale», XCI.

On fera toujours peur aux hommes en leur parlant de la mort ; mais leur en parler sera toujours une sottise ou un calcul de p... Puisque la mort est inévitable, oublions-la.   STENDHAL, Vie de Rossini, Introd., p. 29.

Il serait difficile de peindre l'espèce de consternation qui frappa Tristan et son frère en apprenant la mort de l'homme qu'ils avaient un si grand désir de retrouver. Ce n'est jamais, quoi qu'on en dise, une chose indifférente que la mort. On ne la brave pas sans courage, on ne la voit pas sans horreur, et il est même douteux qu'un gros héritage puisse rendre vraiment agréable sa hideuse figure, dans le moment où elle se présente.
     A. DE MUSSET, Contes, «Secret de Javotte», III.

On entre, on crie,
Et c'est la vie :
On bâille, on sort
Et c'est la mort.   AUSONE DE CHANCEL (1808-1876), in GUERLAC.

Cette idée de la mort s'installa définitivement en moi comme fait un amour. Non que j'aimasse la mort, je la détestais. Mais, après y avoir songé sans doute de temps en temps comme à une femme qu'on n'aime pas encore, maintenant sa pensée adhérait à la plus profonde couche de mon cerveau si complètement que je ne pouvais m'occuper d'une chose sans que cette chose traversât d'abord l'idée de la mort, et même si je ne m'occupais de rien et restais dans un repos complet, l'idée de la mort me tenait une compagnie aussi incessante que l'idée du moi.
     PROUST, le Temps retrouvé, Pl., t. III, p. 1042.

Au regard de l'individu, la mort s'oppose à la vie ; mais au contraire, dans une vue d'ensemble des vivants, elle est condition de la vie. Pourquoi ce qui produit les êtres vivants les produit-il mortels ?   VALÉRY, Suite, p. 139.

(...) lorsque le symbolisme découvre l'étroite parenté de la beauté et de la mort, il ne fait qu'expliciter le thème de toute la littérature du demi-siècle. Beauté du passé, parce qu'il n'est plus, beauté des jeunes mourantes et des fleurs qui se fanent, beauté de toutes les érosions et de toutes les ruines, suprême dignité de la consommation, de la maladie qui mine, de l'amour qui dévore, de l'art qui tue ; la mort est partout, devant nous, derrière nous, jusque dans le soleil et les parfums de la terre. L'art de Barrès est une méditation de la mort (...)
     SARTRE, Situations II, p. 173.

Allus. littér. «*Le soleil ni la mort ne se peuvent regarder fixement*» (La Rochefoucauld, *Maximes,* 26).

(...) même en temps normal, je ne cesse d'envisager la mort et ne souscris pas à ce que dit La Rochefoucauld, que, non plus que le soleil, on ne peut être regardée fixement.   GIDE, Journal, 6 mars 1943.

♦ 2. (XIIIᵉ). *La mort,* personnifiée ou considérée comme une force individualisée (dans cet emploi, on écrit parfois le mot avec une majuscule). ⇒ **Camarde, faucheuse, fossoyeuse.** *Sentir passer la mort* (→ Attarder, cit. 6). *Voir* *la mort de près, en face. Les bras* (cit. 26) *de la mort. L'affreux* (cit. 4) *baiser de la mort. La mort nous l'a enlevé* (cit. 30), *emporté*... La mort frappe* (cit. 47) *à la porte. Les ombres*, les ténèbres*, le voile* de la mort, ses approches. — Le spectre* de la mort. L'ange de la mort. — Les coups* que frappe* la mort. La mort fauche* tout, tranche* le fil des jours* (⇒ **Parque**). *La mort ravit tout* (→ Alléguer, cit. 4), *n'épargne per-*

MORT 583 MORT

sonne (→ Macabre, cit. 1), *« frappe sans avertir »* (cit. 8). *« La mort nous a oubliés »* (→ Chut, cit. 2). *La mort est égalitaire* (→ Irriter, cit. 6). *« La mort ne surprend point le sage »* (→ Avertir, cit. 1). *« La mort te peut prendre en chemin »* (→ Aujourd'hui, cit. 4, La Fontaine). *« La mort a des rigueurs... »* (Malherbe). → Beau, cit. 79; loi, cit. 34; 1. garde, cit. 71. *« Des champs de carnage* (cit. 3) *où triomphe la mort »* (Corneille). *La pâle mort...* (→ Bataillon, cit. 5, Hugo). *« C'est la Mort qui console, hélas... »* (→ Élixir, cit. 4). — *« L'amour* (cit. 21) *est fort comme la mort, plus fort* (cit. 55) *que la mort »*. *Le Christ a vaincu la mort* (→ Croix, cit. 11). — *Appeler* (cit. 8), *invoquer la mort* (→ aussi Cruel, cit. 11, La Fontaine). *N'approche* (cit. 29) *pas, ô mort!* — *Hurler* à la mort.*

13 Je connais que pauvres et riches,
Sages et fous, prêtres et lais *(laïcs)*...
Mort saisit sans exception.
VILLON, Testament, XXXIX.

14 Pour chasser mes douleurs, amène-moi la Mort.
Ha! Mort, le port commun, des hommes le confort,
Viens enterrer mes maux, je t'en prie à mains jointes!
RONSARD, Pièces posthumes, « Derniers vers », IV.

15 Ô mort, nous te rendons grâces des lumières que tu répands sur notre ignorance; toi seule nous convaincs de notre bassesse, toi seule nous fais connaître notre dignité; si l'homme s'estime trop, tu sais déprimer son orgueil; si l'homme se méprise trop, tu sais relever son courage (...)
BOSSUET, Sermon IVe semaine de carême, « Sermon sur la mort », 1666.

16 Je te salue, ô Mort! Libérateur céleste (...)
LAMARTINE, Premières méditations, V (→ Libérateur, cit. 2).

17 Ô Mort, vieux capitaine, il est temps! levons l'ancre!
BAUDELAIRE, les Fleurs du mal, CXXVI, VIII.

18 La mort elle-même était si belle alors *(pour la jeunesse napoléonienne)*, si grande, si magnifique dans sa pourpre fumante! Elle ressemblait si bien à l'espérance, elle fauchait de si verts épis qu'elle en était comme devenue jeune, et qu'on ne croyait plus à la vieillesse.
A. DE MUSSET, la Confession d'un enfant du siècle, I, II.

19 « Mort, où est ta victoire? » criera saint Paul; mais dès avant la résurrection, cette mort qui se prépare est une promesse de victoire sur la tombe.
DANIEL-ROPS, Jésus en son temps, XI.

Spécialt. *La Mort :* personnage légendaire, souvent représenté comme un squelette* armé d'une faux* (→ Avec, cit. 16). *Le Chevalier et la Mort,* célèbre gravure de Dürer. — *La Mort, fille de la Nuit* (→ Fléchir, cit. 4).

20 La mort, spectre masqué, n'a rien sous sa visière.
HUGO, la Légende des siècles, LV, « Ire, non ambire ».

21 (...) les figures de la mort, les personnifications de la mort sont des inventions et des fables des gens qui vivent. Elle n'était pas une visiteuse surnaturelle que Catherine attendait... Ce n'était pas une femme voilée, un squelette sous des linges souillés de terreau et de pontes de vers, elle n'avait pas de corps, d'ossements, d'attributs, de faux, de sablier, de robe noire, elle était une force diffuse, qui avait l'ubiquité de la lumière, de l'air : elle emplissait cette chambre comme un gaz, un fluide d'une densité terrible qui écrasait la poitrine de Catherine (...)
P. NIZAN, le Cheval de Troie, II, VIII.

♦ **3.** Biol., méd. et cour. Arrêt complet et irréversible des fonctions vitales (d'un organisme, d'une cellule) entraînant sa destruction progressive. *Recherches sur la vie et sur la mort,* de Bichat. *Mort apparente.* ⇒ **Léthargie;** et aussi **asphyxie** (des nouveau-nés). *Mort clinique* ou *mort relative,* constatée par un examen clinique, correspondant à un arrêt momentané des fonctions vitales. *Malade en état de mort clinique réanimé par massage du cœur.* — (1840). *Mort apparente,* marquée par l'arrêt temporaire ou le ralentissement extrême des fonctions cardiaques et respiratoires. — (1874). *Mort absolue,* consistant en l'arrêt définitif de toute fonction vitale. — *Mort par arrêt du cœur, par arrêt des fonctions cérébrales* (⇒ **Apoplexie**). *Constater la mort par un électroencéphalogramme plat. Mort d'un organisme, d'un germe, d'un organe, d'un tissu, d'une cellule.*

22 S'il est difficile de définir la vie, il ne l'est pas moins de définir la mort. Rien n'est plus embarrassant, pour le biologiste, que de déterminer avec précision le moment où la vie abandonne un organisme (...) Non seulement la mort est un processus qui gagne de proche en proche, mais encore, dans une même région de l'organisme, elle se produit par degrés, par nuances (...) La pluralité des êtres vivants sont soumis à la nécessité inflexible de la mort. Au bout d'un temps de fonctionnement, qui varie (...) ils s'affaiblissent, dégénèrent, et finissent par périr soit d'une mort naturelle, qui n'est que la conclusion de leur déclin, soit d'une mort accidentelle qu'a favorisée la baisse de leur résistance. La biologie toutefois connaît des organismes immortels; ce sont ceux-là qui sont formés d'une seule cellule (...)
Jean ROSTAND, la Vie et ses problèmes, p. 107 à 109.

♦ **4. LA MORT (d'une personne); UNE MORT...** **a** Fin d'une vie humaine, circonstances de cette fin (et, par ext., de l'agonie); formes diverses que peut prendre cette fin. *Mort naturelle; mort de maladie, de vieillesse* (→ Extraordinaire, cit. 2). — Loc. *Mourir de sa belle mort,* de vieillesse et sans souffrance (→ Mourir dans son lit*). — *Mort accidentelle, brutale, violente*.* ⇒ **Malemort** (vx). *Mort par accident, par asphyxie, décollation, électrocution, empoisonnement, noyade, pendaison, strangulation, submersion... Mort rapide, subite* (→ Grisou, cit. 2). — Loc. fam. *Marchand** (cit. 13) *de mort subite.* — *Mort lente.* — *Une mort glorieuse, héroïque* (cit. 18); *une belle* (cit. 48) *mort. Faire une bonne, une sainte mort. « Sa vie et sa mort* (cit. 72) *sont d'un sage ». Mort affreuse, lamentable* (cit. 1), *triste... Une sotte mort* (→ Étrier, cit. 2). *« J'aurai tout manqué* (cit. 65), *même ma mort ».* — *Mort volontaire.* ⇒ **Suicide.** *Mort endurée pour sa religion, pour une cause...* ⇒ **Martyre** (cit. 1 et 7). *Ils se battront jusqu'à la mort* (→ Jusqu'à la dernière goutte* de sang, jusqu'au dernier).

Mort soudaine seule à craindre, et c'est pourquoi les confesseurs demeurent chez les grands. 23
PASCAL, Pensées, III, 216.

— Olmeda, qui a soixante-deux ans, et qui s'occupe de faire le gouverneur, au lieu de s'occuper de faire une bonne mort, se révèle frivole. 24
MONTHERLANT, le Maître de Santiago, II, 1.

La mort et la résurrection du Christ. Spécialt. *Par la mort, par le sang!* anciens jurons (⇒ **Morbleu, morguienne...,** corruption de : *par la mort de Dieu!*).

Loc. *Il y a eu mort d'homme.* — Fam. *Ce n'est pas la mort d'un homme,* et, ellipt, *ce n'est pas la mort! :* c'est chose facile*, sans gravité ni danger...

Spécialt. (En parlant de l'attitude, des réactions de l'homme vis-à-vis de sa propre mort, de l'approche de la mort). — *Accepter* (cit. 12 et 13), *envisager* (cit. 5 et 6) *la mort sans appréhension* (cit. 9). *Ne pas craindre* (cit. 2) *la mort. Acceptation* (cit. 4), *attente* (cit. 2 et 13) *de la mort. Affronter* (cit. 2), *braver*, chercher* (cit. 3), *risquer la mort* (→ Intrépide, cit. 4). *S'exposer à la mort. Angoisse* (cit. 13), *peur de la mort. Fuir la mort. Échapper à la mort. Mépris* (cit. 5) *de la mort.* — *« Un riche laboureur* (cit. 3), *sentant sa mort prochaine... ». Avant-goût* (cit. 5 et 6), *approches* (cit. 17) *de la mort. Le premier froid* (cit. 16) *de la mort. Frisson de la mort* (→ Fatal, cit. 8). *Les affres** (cit. 1), *l'agonie* (cit. 3), *les souffrances de la mort. Le râle* de la mort* (→ Le dernier soupir*). — *Exprimer ses dernières volontés*, faire son testament avant sa mort.*

J'étais seul, inexprimablement seul, en face de ma mort, et cette mort n'était que la privation de l'être — rien de plus. 25
BERNANOS, le Journal d'un curé de campagne, p. 298.

(...) un sentiment constant de la mort très proche qui me fait redire sans cesse que ces beaux jours sont pour moi les derniers. 26
GIDE, Journal, 7 sept. 1948.

Le jour (cit. 55), *l'heure, le moment de la mort.* ⇒ **Agonie, heure** (dernière heure), **moment** (dernier moment; moment suprême*). *Assister qqn au moment de sa mort,* recueillir son dernier souffle*, lui fermer les yeux*, les paupières. — Loc. *Être à la mort, à l'article** (cit. 14), *aux confins*, à deux doigts, aux portes*, au seuil* de la mort,* sur le point de mourir. (1690). *Être entre* (cit. 12) *la vie et la mort :* avoir la santé très altérée (par maladie, blessure, etc.) et être en danger de mort. — Loc. fig. *Avoir la mort sur les lèvres, entre les dents. Avoir la mort sur le visage :* sembler proche de la mort.

Il me semblait que ma vie ne me tenait plus qu'au bout des lèvres; je fermais les yeux pour aider, ce me semblait, à la pousser hors, et prenais plaisir à m'alanguir et à me laisser aller... Je crois que c'est en ce même état où se trouvent ceux qu'on voit défaillant de faiblesse en l'agonie de la mort, et tiens que nous les plaignons sans cause (...) j'ai toujours pensé (...) qu'ils avaient et l'âme et le corps enseveli et endormi (...) 27
MONTAIGNE, Essais, II, VI.

(...) la mort entre les dents, ou du moins entre les gencives; car de dents je n'en ai plus (...) 28
VOLTAIRE, Correspondance, 4499, 30 janv. 1778.

— Monsieur le comte, lui dit Rastignac, monsieur votre beau-père expire en ce moment dans un bouge infâme, sans un liard pour avoir du bois; il est exactement à la mort et demande à voir sa fille (...) 29
BALZAC, le Père Goriot, Pl., t. II, p. 1074.

La Berma avait, comme dit le peuple, la mort sur le visage. Cette fois c'était bien d'un marbre de l'Erechtéion qu'elle avait l'air. Ses artères durcies étant déjà à demi pétrifiées, on voyait de longs rubans sculpturaux parcourir les joues, avec une rigidité minérale. Les yeux mourants vivaient relativement, par contraste avec ce terrible masque ossifié, et brillaient faiblement comme un serpent endormi au milieu des pierres. 29.1
PROUST, le Temps retrouvé, Pl, t. III, p. 998.

Danger, péril de mort (→ Arme, cit. 27). *C'est une question de vie ou de mort,* une affaire où qqn risque la mort, est en danger de mort (→ Il y va de la vie d'un homme).

Psychan. *Pulsion de mort.* ⇒ **Thanatos.**

Loc. adv. **À MORT** : de manière qu'on en meure, que la mort s'ensuive. ⇒ **Mortellement.** *Blessé, frappé** (cit. 18) *à mort* (→ Laissé pour mort, laissé sur le carreau). *Combat, duel à mort.* — Fig. *En vouloir à mort à qqn,* le haïr jusqu'à souhaiter sa mort. *Haïr à mort* (→ Jaloux, cit. 24). *Être brouillés* (cit. 34) *à mort* (→ Lance, cit. 7).

(...) qu'on s'esquive en douceur avant que tout tourne au vinaigre et qu'on se fâche à mort. 30
CÉLINE, Voyage au bout de la nuit, p. 438.

À LA MORT (vx) : extrêmement. *S'ennuyer à la mort* (La Bruyère, II, 441), à mourir*. — REM. De nos jours, on emploie *à mort,* dans ce sens.

Vive Saint-Éloi! On farandola à mort. Cadet brûla sa blouse neuve (...) 31
Alphonse DAUDET, Lettres de mon moulin, « L'Arlésienne ».

DE LA MORT, se dit d'exercices, d'engins (militaires...) qui mettent leurs auteurs, leurs occupants..., en danger de mort. *Commando de la mort. Saut de la mort. Le mur de la mort* (dans une foire).

Par exagér. *Un destin pire que la mort. « Je hais comme la mort l'état de plagiaire »* (→ Imiter, cit. 19). *Plutôt la mort!*

b Cette fin, provoquée. *Mort infligée à une personne par qqn* (⇒ **Assassinat, meurtre;** suff. **-cide**) *ou qqch. Donner* la mort.* ⇒ **Tuer** (→ Bord, cit. 23; frisson, cit. 8). *Précipiter la mort d'un malade incurable.* ⇒ **Euthanasie.** *Se donner la mort :* se suicider. *Qui cause la mort.* ⇒ **Funeste, mortel, mortifère.** *La maladie a entraîné la mort en quelques heures.* ⇒ **Coûter** (la vie); **emporter.** *Porter, semer la mort* (→ Engin, cit. 6; machine, cit. 24). — *Instrument* (cit. 11), *engin de mort.* — Spécialt. *Arbre de mort :* mancenillier*. — *Les hussards de la mort*. — *Les camps de la mort nazis* : les camps d'extermination.

31.1 (...) je ne comprendrai jamais qu'un père qui voulut bien donner la vie, ne soit pas libre de donner la mort. C'est le prix ridicule que nous attachons à cette vie, qui nous fait éternellement déraisonner sur le genre d'action qu'un homme a se délivrer de son semblable.   SADE, *Justine...*, t. I, pp. 128-129.

(1640). Spécialt. *Peine* de mort.* ⇒ 1. **Capital** (→ Abolir, cit. 3 et 4). *Arrêt* de mort, condamnation* à mort. Mettre à mort un criminel* (⇒ **Bourreau; exécuter,** II., 2.); *mise à mort par décapitation, pendaison, électrocution, par le feu*...* — Absolt. Peine capitale. *Voter la mort. L'avocat général réclame la mort* (→ la tête*) *de l'accusé. Droit** (3. Droit, cit. 16) *de vie et de mort* (→ Esclave, cit. 5; entendre, cit. 63).

32 La mort, sans phrases.
     (Attribué à l'Abbé SIÉYÈS, dans le jugement de Louis XVI).

33 Les plus grands hommes d'une nation sont souvent ceux qu'elle met à mort.
     RENAN, Vie de Jésus, Œ. compl., t. IV, p. 116.

(En parlant de la mort de qqn qu'on hait). *Souhaiter, vouloir la mort de qqn. Jurer la mort du tyran* (→ Hurler, cit. 19). — *Cris de mort* (→ Armer, cit. 17; francisque, cit. 1). *Menaces, menacer* (cit. 5) *de mort.* — Loc. prov. *Dieu ne veut pas la mort du pécheur,* il est indulgent. — Par anal. (→ Lièvre, cit. 8).

34 Je ne souhaite pas qu'on fasse de la peine à cette pauvre femme ; je ne veux point la mort du pécheur.   A. R. LESAGE, Gil Blas, II, IV.

Loc. exclam. **À MORT !** (pour réclamer la mise à mort de quelqu'un). → Au poteau* !

Mort à... : souhait de mort (cette tournure a de nos jours une valeur plus faible que la précédente). *Mort aux vaches* !*

35 Les mots : Mort au tyran ! criés à Saint-Cloud retentissaient toujours aux oreilles de Lucien.   BALZAC, Une ténébreuse affaire, Pl., t. VII, p. 637.

(En parlant de ce qui suit la mort). *L'immobilité*, le repos*, le sommeil* de la mort* (→ Léthargique, cit. 2). *Le corps humain après la mort.* ⇒ **Cadavre, corps, dépouille, reste**(s). *Durcissement des muscles après la mort* (⇒ **Rigidité**). — *Lit** (cit. 11) *de mort. L'attirail* (cit. 8) *de la mort* (⇒ **Funèbre, mortuaire**). — *Cérémonies après la mort.* ⇒ **Enterrement, funérailles.**

Ce qui vient après la mort. ⇒ **Au-delà, survie, survivance** (de l'âme). *L'immortalité** (cit. 3, 7 et 8) *après la mort.* ⇒ **Élysée; enfer, paradis.**

36 Apprenez qu'après la mort il n'y a pas de spectres, petites effrontées, mais des carcasses; pas de revenants mais des os et des vers.
     GIRAUDOUX, Intermezzo, I, 6.

37 — Tu es vis-à-vis de la guerre comme sont les chrétiens devant la mort : tes yeux tellement fixés sur ce qui viendra *après*, qu'ils en oublient toutes les horreurs de l'agonie (...)   MARTIN DU GARD, les Thibault, t. V, p. 136.

♦ **5.** Terme de la vie humaine considéré dans le temps. ⇒ **Décès, disparition.** — *Avant* (cit. 1), *après, depuis sa mort. Qui se fait avant* (⇒ **Anthume**), *après* (⇒ **Posthume**) *la mort. Jusqu'* (cit. 12 et 13) *à la mort* : *pendant toute la vie. Être honoré* (cit. 7) *après sa mort. De son vivant, pendant sa vie et après sa mort... Annoncer la mort d'un parent par un faire-part, un avis mortuaire. Nous avons la douleur de vous annoncer la mort de...* (→ Convoi, cit. 5). *Le glas* annonce une mort. Douleur que l'on ressent à la mort de qqn.* ⇒ **Deuil.** *Sa mort fait un grand vide* parmi nous. Pleurer*, déplorer la mort d'un parent.* ⇒ **Perte.** *Anniversaire* (cit. 2) *de la mort.* — *À sa mort, son fils héritera de tous ses biens. Succéder dans la charge de qqn après la mort de celui-ci.* ⇒ **Survivance.** *Mort qui précède une autre mort.* ⇒ **Prédécès.**

Loc. *À la mort et à la vie* (→ Indépendamment, cit. 3), ou, plus souvent, *à la vie (et) à la mort.* ⇒ **Toujours.** Ellipt. *Entre nous, c'est à la vie, à la mort :* notre amitié durera toujours.

38 Vous auriez à vous reprocher les plus grands crimes, dit Liéven en l'interrompant, que je vous suis dévoué à la vie et à la mort.
     STENDHAL, Romans et nouvelles, « Le philtre ».

39 Ces belles amitiés-là, à la vie à la mort, personne plus que moi n'en a éprouvé tout le charme (...)   LOTI, Aziyadé, I, XV.

♦ **6.** (En parlant des animaux). *La mort du loup,* poème de Vigny. *Mettre à mort.* ⇒ **Immoler, sacrifier.** — *Mise à mort du taureau par le matador.* Absolt. *Il a raté la mise à mort.*

★ **II.** Fig. ♦ **1.** Par anal. Anciennt. *Mort civile** : privation définitive des droits civils (→ Communauté, cit. 5; incapable, cit. 13). — *Mort au monde* : retraite loin du monde (cf. Mme de Maintenon, *in* Littré).

Relig. *La mort éternelle, de l'âme, la seconde mort* (cf. Bossuet, Massillon, *in* Littré) : la condamnation du pécheur aux peines de l'enfer.

♦ **2.** (1670). Destruction (d'une chose). ⇒ **Anéantissement, disparition,** enterrement (fig.). *La mort qui a frappé ces palais* (→ Éteindre, cit. 49). *Silence* de mort. Nations ensevelies* par la mort. L'hiver* (cit. 1), *mort de six mois.* — Spécialt. (En parlant d'un astre éteint). *La vie et la mort des étoiles.*

Fig. *Vie et mort des mots, des langues, des civilisations.* ⇒ **Destruction, fin.** *La mort de la morale* (→ Facile, cit. 32), *de la liberté* (→ Fascisme, cit. 2), *des sentiments* (→ Impassibilité, cit. 1). — *La mort de Dieu,* de l'idée de Dieu.

(1723). Arrêt complet et définitif (d'une activité). *La mort du commerce, d'une industrie.* ⇒ **Ruine.**

♦ **3.** Fig. et littér. Douleur mortelle. Chagrin, douleur, souffrance, tristesse. *Souffrir* mort et passion, souffrir mille morts.* ⇒ 3. **Mal.** — *Sa vie est une mort continuelle.* ⇒ **Agonie** (→ Malingre, cit. 5).

Loc. *Souffrir mille morts,* de grandes souffrances.

Un cœur bien plein de flamme à mille morts s'expose,
Plutôt que de vouloir fâcher l'objet aimé.   MOLIÈRE, Amphitryon, II, 6.   4(

Vous me verriez plus prompte affronter mille morts.   RACINE, Phèdre, III, 3.   4

Loc. *Avoir la mort dans l'âme* : être extrêmement triste (→ Grelotter, cit. 13).

Tâchez d'abord de les comprendre : ils ont la mort dans l'âme, ces gars-là, ils ne savent plus où donner de la tête; ils seront au premier qui leur fera confiance.   SARTRE, la Mort dans l'âme, p. 271.   4:

♦ **4.** Spécialt. *La petite mort* : « sorte de frisson » (Académie), et, de nos jours, l'orgasme.

(...) nulle voix des sens ne répond, comme aux petites morts de la fin de l'amour.   P. DE LA TOUR DU PIN, la Contemplation errante, p. 132.   4:

CONTR. Vie. — **Animation, éclosion, existence, naissance, résurrection, survivance.** — **Avènement.**

DÉR. et COMP. Mortaille, mort-aux-rats. — Mordieu, mort-dieu. — V. (du lat.) Mortalité, mortel, morticole, mortifère, mortifier, mortinatalité, mortuaire.

HOM. Maure, formes du v. mordre, more, mors.

2. MORT, MORTE [mɔʀ, mɔʀt] (le *t* ne se lie pas : *mort ou vif* [mɔʀuvif], mais on disait encore [mɔʀtuvif] à l'époque de Littré) adj. — V. 880, au fém., *Poème de Ste Eulalie;* du lat. *mortuus, *mortus* en lat. vulg. → Mourir.

Qui a cessé de vivre.

♦ **1.** [a] (En parlant des êtres humains). ⇒ **Décédé, défunt,** 2. **feu.** *Corps mort.* ⇒ **Cadavre** (→ Exsangue, cit. 1; infecter, cit. 1). *Être mort* ⇒ Être dans le cercueil, dans la tombe, avoir six pieds de terre sur la tête; *manger les pissenlits, fumer les mauves* par la racine...). Il est entré à l'hôpital dans un état désespéré, il en sortira probablement mort* (→ Les pieds devant). *Il est mort.* → *Il a vécu*, il n'est plus* (→ Attendre, cit. 118; fort, cit. 28). *Il est mort depuis longtemps. Il est mort et enterré* (cit. 14). *« Madame* (cit. 1) *se meurt; madame est morte »* (Bossuet). — Allus. myth. *Le grand Pan est mort !* (cf. Rabelais, IV, 29). — *On le crut, on le croyait mort* (→ Champ, cit. 6). *On l'a trouvé mort* (→ Avérer, cit. 1). *Mort de faim, de froid, de maladie. Mort accidentellement. Mort à la guerre, au champ d'honneur, pour la patrie.* ⇒ **Mourir** (*supra* cit. 28). *Quand nous serons morts* (→ Cependant, cit. 4). *X..., mort à 29 ans* (→ 1. Grave, cit. 6). *Enfant mort à la naissance.* ⇒ **Mort-né; mortinatalité.** *Héritage, succession d'une personne morte* (⇒ **Mortaille**). — *Être laissé* (cit. 45) *pour mort. Être comme mort,* inanimé. ⇒ **Immobile** (→ Extrême-onction, cit. 1; léthargie, cit. 1). *Rendre comme mort.* ⇒ **Amortir** (vx). — *Il l'abat mort* (→ Haubert, cit. 1). *Tomber mort* (→ Exhalaison, cit. 2). *Raide* mort* (→ Archer, cit. 2). — *Morts ou vifs** (→ Faucher, cit. 6). — *« J'aimerais mieux me voir morte que déshonorée »* (→ Honneur, cit. 18). *« Il vaut mieux ivre* (cit. 1) *se coucher Dans le lit, que mort dans sa tombe. »*

Nous sommes morts, âme ne nous harie *(tourmente).*
Mais priez Dieu que tous nous veuille absoudre !
     VILLON, Poésies diverses, Épitaphe de Villon.

Mon père est mort, Dieu en ait l'âme !   VILLON, Testament, XXXVIII.

— Signez donc, reprit Richelieu; ce papier porte : « Ceci est ma volonté de le prendre morts ou vifs ».   A. DE VIGNY, Cinq-Mars, XXIV.

On entendait le général A. de Girardin raconter qu'ayant été laissé pour mort sur le champ de bataille, il n'en était pas moins revenu de ses blessures (...)   CHATEAUBRIAND, Mémoires d'outre-tombe, t. IV, p. 118.

Fantine se dressa en sursaut, appuyée sur ses bras roides et sur ses deux mains, elle regarda Jean Valjean, elle regarda Javert, elle regarda la religieuse, elle ouvrit la bouche comme pour parler, un râle sortit du fond de sa gorge, ses dents claquèrent, elle étendit les bras avec angoisse, ouvrant convulsivement les mains, et cherchant autour d'elle comme quelqu'un qui se noie, puis elle s'affaissa subitement sur l'oreiller. Sa tête heurta le chevet du lit et vint retomber sur sa poitrine, la bouche béante, les yeux ouverts et éteints. Elle était morte.
     HUGO, les Misérables, I, VIII, IV.

Le roi est mort ! Vive le roi ! disait-on sous l'ancienne monarchie.
BARBEY D'AUREVILLY, les Diaboliques, « Le plus bel amour de Don Juan », p. 85.

(...) il l'évoquait *(le passé)* d'une façon funèbre, mais sans tristesse. Il ne cessait   6 d'énumérer tous les gens de sa famille ou du monde qui n'étaient plus, moins, semblait-il, avec la tristesse qu'il ne fussent plus en vie qu'avec la satisfaction de leur survivre. (...) C'est avec une dureté presque triomphale qu'il répétait sur un ton uniforme, légèrement bégayant et aux sourdes résonances sépulcrales : « Hannibal de Bréauté, mort ! Antoine de Mouchy, mort ! Charles Swann, mort ! Adalbert de Montmorency, mort ! Boson de Talleyrand, mort ! Sosthène de Doudeauville, mort ! » Et chaque fois, ce mot « mort » semblait tomber sur ces défunts comme une pelletée de terre plus lourde, lancée par un fossoyeur qui tenait à la river plus profondément dans la tombe.
     PROUST, le Temps retrouvé, Pl., t. III, p. 862.

Oui Jacques, c'est vrai, elle était morte. Son petit corps était raide et glacé. Je le sais; toute la nuit je l'ai tenue entre mes bras.
     CLAUDEL, l'Annonce faite à Marie, IV, 3.

Loc. prov. (1790, *in* D. D L.). Fam. *Quand on est mort, c'est pour longtemps !*

Par métaphore. « *Sur le Racine mort le Campistron pullule* (cit. 1) ! » (Hugo).

Par exagér. *Être à demi, à moitié mort*, très malade, très affaibli ou inanimé. *Demi-mort* (→ Coup, cit. 18). *Demi-morte de faim* (→ 2. Marron, cit.). — Par appos. *Ivre* mort*.

b (En parlant des animaux). *Hérisson* (cit. 2), *sanglier mort* (→ Livrée, cit. 12), *poisson mort* (→ Carène, cit. 1). *Carcasse, ossements de bêtes mortes*. Spécialt. *Corail* mort*. — Prov. *Morte la bête*, mort le venin. Un chien vivant vaut mieux qu'un lion mort* (Bible, Eccls., IX, 4).

c V. 1320. (En parlant des végétaux). *Bois** (cit. 23) *mort* (⇒ **Mort-bois**). *Feuille** (cit. 2) *morte* (→ Fin, cit. 11 ; joncher, cit. 3). ⇒ **Feuille-morte** (cit.). — *Fleurs mortes* (→ Croupir, cit. 8 ; faire, cit. 146). *Arbre mort* (→ Feuille, cit. 1). *Paille morte*, sèche (→ Maïs, cit. 1).

♦ **2.** Par ext. (En parlant d'un organe, d'un tissu). Dont les cellules ne vivent plus. *Chair* morte. Peau morte. Tissus morts*.

8 Si quelque accident vous enlève un peu de peau et de chair, ce morceau de vous-même est bientôt mort (...) ALAIN, Propos, Colonies d'animaux, 4 déc. 1910.

8.1 Je prendrai dans mes mains ta face morte. Je la coucherai dans le froid. Je ferai de mes mains sur ton corps immobile la toilette inutile des morts. Yves BONNEFOY, Poèmes, p. 81.

♦ **3.** V. 1360. (Personnes). Qui est en grand danger, qui est condamné (par la maladie, par les hommes, etc.). — (Par ext., se dit d'une personne qui mène une vie diminuée, ralentie). *C'est un homme mort.*

9 (...) il fut condamné à mort par contumace, et, par parenthèse, ne se présenta jamais pour la purger, il mourut mort. BALZAC, le Curé de village, Pl., t. VIII, p. 542.

10 On me purge, on me saigne, on me met des sangsues, la bonne chère m'est interdite, le vin m'est interdit ; je suis un homme mort. FLAUBERT, Correspondance, 85, 9 févr. 1844.

♦ **4.** (Fin XIIe). Fig. Qui semble avoir perdu la vie. *Être mort de fatigue, de lassitude*, épuisé, rendu (→ Courbatu, cit. 1 ; elfe, cit. 1). Absolt. *Je n'en puis plus, je suis mort !* (→ pop. Crevé). — *Mort de peur**. Absolt. *Être plus mort que vif*, paralysé par la peur, effrayé au point de ressembler à un mort plus qu'à un vivant. — *Mort de douleur* (Mme de Sévigné, IX, 532), *de jalousie* (Mme de Sévigné, IV, 320), *de honte* (Mme de Sévigné, IV, 514). — *Mort d'amour, de plaisir...* ⇒ **Pâmé**.

11 Mort de plaisir, tant le plaisir extrême
Avait perdu ma raison et moi-même. RONSARD, Élégies, XX.

12 La chatte siamoise, tout à l'heure morte d'aise sur le mur tiède, ouvre soudain ses yeux de saphir dans son masque de velours sombre (...) COLETTE, Histoires pour Bel-Gazou, p. 138.

12.1 Le sommeil tomba sur moi, comme jadis en Espagne, quand un repas suivait les combats d'avions : endormi mort, comme on dit ivre mort. MALRAUX, Antimémoires, p. 231.

(V. 1175). En parlant des parties du corps. Insensible, paralysé. *Jambes mortes* (→ ci-dessous, cit. 13). — (1798). Éteint, sans vie. *Yeux morts* (→ Lépreux, cit. 2). Par ext. *Avoir l'air mort*. — Spécialt. Qu'on laisse pendre. *Jambes mortes* (→ Affaler, cit. ; feindre, cit. 4). *Faire la main morte*. Fig. *Ne pas y aller de main** (cit. 58 et 59) *morte*. — Par ext. *Geste alangui, endormi et mort* (→ Apathique, cit. 2).

13 N'êtes-vous point effrayé de ces jambes froides et mortes ? Mme DE SÉVIGNÉ, 855, 22 sept. 1680.

14 (...) elle reprit l'air mort qui convient à son habit. Th. GAUTIER, Voyage en Russie, XVIII.

♦ **5.** Fig. (Personnes). MORT À... : insensible, indifférent à... *Mort au monde* (→ Errer, cit. 7). *Mort dès sa jeunesse à toutes les autres beautés* (→ Ensevelir, cit. 23).

MORT POUR..., À... (littér.) : qui n'existe plus, qui ne compte plus pour (qqn). *Il n'a plus donné signe de vie, il est mort pour nous* (⇒ **Absent**).

15 Mais je trouve encore meilleur
Le baiser de sa bouche en fleur,
Depuis qu'elle est morte à mon cœur.
VERLAINE, Romances sans paroles, « Aquarelles, Streets », I.

♦ **6.** (Choses). Sans activité. — (En parlant d'un lieu). ⇒ **Désert**. *Ville morte* (→ 1. Brouillard, cit. 8). *Tout semblait mort* (→ Carillonner, cit. 1). *La gare* (1. Gare, cit. 3) *semblait morte*. — Par ext. *Le commerce est mort. Saison morte* ⇒ **Morte-saison** (ci-dessous, composés).

16 Lise était arrivée devant la maison des Fouan. D'abord, elle craignit qu'il n'y eût personne, tant le logis semblait mort. ZOLA, la Terre, II, IV.

17 (...) avec la saison morte (...) un bon journalier ne gagnait pas plus de quarante-deux, quarante-trois sous par jour (...) ARAGON, les Beaux Quartiers, I, XV.

18 Paris était mort. Plus d'autos, plus de passants — sauf à certaines heures dans certains quartiers. On marchait entre les pierres ; il semblait que nous fussions les oubliés d'un immense exode. SARTRE, Situations III, p. 24.

Sans vie, sans force, ou sans efficacité (→ Aspiration, cit. 6). *Idées* (→ Force, cit. 34), *pensées mortes* (→ 2. Lieu, cit. 55). *Art mort pour qqn* (→ 1. Faux, cit. 14). *Ces noms sont bien morts pour nous :* oubliés (→ Liquidation, cit. 1). — Loc. *Lettre morte.*

⇒ **Lettre** (cit. 11, et *supra*). — « *Ma chandelle est morte, je n'ai plus de feu* » (*Au clair de la lune*, chanson populaire).

19 Qui fuit croit lâchement, et n'a qu'une foi morte. CORNEILLE, Polyeucte, II, 6.

20 Tu ranimes par là mon espérance morte. MOLIÈRE, l'Étourdi, IV, 1.

21 Tout ce qui est mort comme fait, est vivant comme enseignement. HUGO, Paris, II, IV.

22 (...) ma vieille amitié pour lui n'est point morte et ne demanderait qu'à refleurir. GIDE, Journal, 27 sept. 1914.

23 N'empêche que les gens cultivés sont constamment ramenés, par leur culture même, à traiter de problèmes morts, et à leur rendre ainsi une vie artificielle. J. ROMAINS, les Hommes de bonne volonté, t. IX, XVII, p. 129.

Fam. Inutilisable, usé à l'extrême. *Ces pneus sont morts* (→ Cuit). *Le moteur est mort*, hors d'usage.

Temps mort. ⇒ **Temps**.

Spécialt. *Soleil mort*, froid, pâle (→ Lumière, cit. 6). *L'éclat mort du mercure* (→ Bleu, cit. 12). — *Eau morte*, qui ne circule pas. ⇒ **Stagnant** (→ Follet, cit. 6). *Morte-eau*. ⇒ **Eau** (*infra* cit. 7). *La mer Morte. Bras mort d'une rivière*.

Mar. *Corps mort* (⇒ **Corps-mort**) : « chaînes et ancres disposées au fond de la mer (...) et dont une branche (...) revient au-dessus de l'eau où elle est portée par un corps flottant » (Gruss). *Bouée, flotteur de corps-mort*. — *Œuvres* mortes d'un navire*. — Fortif. *Angle* mort*. — Mécan. Qui n'agit pas. *Point* mort* (d'un changement de vitesse ; de la course d'un piston). *Force morte* (vx). *Poids mort.* ⇒ **Poids**. — *Balle morte.*

♦ **7.** Qui appartient à un passé révolu. *Année morte* (→ Livrée, cit. 10). *Les printemps morts* (→ Attrister, cit. 15). — Spécialt. (En parlant d'une personne encore vivante). *Le plus mort des morts est encore le petit garçon* (cit. 6) *que je fus.*

24 Il se trouve, en un mot, chez les trois quarts des hommes,
Un poète mort jeune à qui l'homme survit.
A. DE MUSSET, Poésies nouvelles (1833-1852), « À Sainte-Beuve ».

(1918). Argot. *C'est mort :* c'est fini, terminé. *Elle est morte* (la journée de travail, la besogne). Aussi : *elle est morte, la chèvre* (même sens).

Spécialt. *La résurrection des villes mortes, des civilisations mortes.*

25 Comme les villes mortes sortent des sables, les paquets de lettres jaunies émergent des coffrets. A. MAUROIS, la Vie de Byron, Préface, p. 11.

Langue morte*, par oppos. à *langue vivante*. ⇒ **Langue**.

♦ **8.** Spécialt. Qui, dc par sa nature, n'est pas vivant. *Cheptel* mort :* les instruments du travail agricole.

Peint. *Nature* morte.*

CONTR. Animé, vif, vivant. — Immortel. — Ardent.
COMP. Mainmorte. — Morflat ou mort-flat, mort-bois, mort-gage, mort-né, morts-terrains. — Morte-eau, morte-paye, morte-saison, morts-terrains.

3. MORT, MORTE [mɔʀ, mɔʀt] n. — 1080 ; de 2. *mort.*

Personne qui a cessé de vivre.

♦ **1.** Dépouille mortelle d'un être humain. ⇒ **Cadavre, corps, macchabée** (pop.). *Corps inanimé*, froid, rigide... d'un mort. Restes des morts.* ⇒ **Ossement, squelette ; cendre, poussière.** *Pâleur, lividité d'un mort. Être pâle comme un mort* (→ Interdire, cit. 1). — *Tête* de mort. Monceau de morts* (→ Bouclier, cit. 3). *Joncher* (cit. 1) *la terre de morts. Relever les morts d'un champ de bataille. Lit de parade* où l'on expose un mort. Au chevet des morts* (→ Héritier, cit. 5). *Veiller* un mort. Veillée* des morts. Faire la toilette des morts ; laver* (cit. 10) *les morts. Embaumer les morts.* ⇒ **Embaumement, momie.** *Masque* (1. Masque, cit. 27) *d'un mort* (⇒ **Mortuaire**). *Faire l'autopsie* d'un mort.* — Fam. *Médecin des morts :* médecin* légiste. — *Ensevelissement des morts.* ⇒ 2. **Bière, cercueil ; linceul, suaire ; fossoyeur.** *Porter un mort en terre.* ⇒ **Ensevelir, enterrer** (cit. 13) ; **enterrement, obsèques ; fosse ; tombe ; corbillard ; convoi** (cit. 6), **cortège.** Par plais. « *Un mort s'en allait tristement...* » (→ 1. Curé, cit. 1, La Fontaine). — *Incinérer un mort.* ⇒ **Crémation.** *Cendres* d'un mort.* ⇒ **Cinéraire** (urne). — *Lieu où l'on enterre les morts, où l'on place leurs restes.* ⇒ **Catacombe**(s), **caveau** (cit. 2), **champ** (des morts), **charnier** (cit. 4), **cimetière, columbarium, crypte, fosse, nécropole, sépulcre, sépulture, tombeau.** *Maison des morts* (→ Apprivoiser, cit. 22) — *Les morts gisent* (cit. 3) *dans la terre. Mort décomposé. Les morts sont la proie des vers*.*

1 Ainsi, quand de tels morts sont couchés dans la tombe (...)
La gloire, aube toujours nouvelle,
Fait luire leur mémoire et redore leurs noms !
HUGO, les Chants du crépuscule, III.

2 Hermann reprit alors : le malheur, c'est la vie.
Les morts ne souffrent plus. Ils sont heureux ! J'envie
Leur fosse où l'herbe pousse, où s'effeuillent les bois.
HUGO, les Contemplations, IV, XII.

3 Seigneur, j'ai vu la face inerte de vos morts,
J'ai vu leur blanc visage et leurs mains engourdies ;
J'ai cherché, le front bas devant ces calmes corps,
Ce qui reste autour d'eux d'une âme ivre et hardie.
Csse DE NOAILLES, les Vivants et les Morts, « Les morts ».

4 La terre est tellement pleine de morts que les éboulements découvrent des hérissements de pieds, de squelettes à demi vêtus et des ossuaires de crânes placés côte

à côte sur la paroi abrupte, comme des bocaux de porcelaine. Il y a dans le sol, ici, plusieurs couches de morts, et en beaucoup d'endroits l'affouillement des obus a sorti les plus anciennes et les a disposées et étalées par-dessus les nouvelles.
H. BARBUSSE, le Feu, II, XX.

Spécialt. ⇒ **Défunt**. *Le mort n'a pu être identifié.*

♦ **2.** Être humain qui ne vit plus (mais est considéré comme existant dans l'au-delà, ou dans la mémoire des hommes). ⇒ **Défunt**. *Les morts et les vivants* (→ Hommage, cit. 28). *Culte** (cit. 8), *religion des morts.* ⇒ **Ancêtre** (cit. 7). → Ancien, cit. 6; homme, cit. 60. *Commémoration* d'un mort. Le jour* des morts.* ⇒ **Toussaint**. *Les parentales*, fête des morts dans l'antiquité romaine.* — Relig. cathol. *Messe des morts.* ⇒ **Requiem** (→ Célébrer, cit. 2). *Prières des morts.* ⇒ **Absoute, de profundis, dies iræ, libera...** *Office*, vêpres*, vigile* des morts. Service de quarantaine, service anniversaire pour un mort.* ⇒ **Obit.** — *La mémoire des morts. Monument à la mémoire d'un mort.* ⇒ **Cénotaphe.** *Monument** (cit. 3 et 4) *aux morts. Lanterne des morts. Liste des morts.* ⇒ **Nécrologie, obituaire.** *Cataloguer* (cit. 1) *les morts. Nos morts, ceux dont nous nous souviendrons, de notre famille, de notre pays...* (→ Défaut, cit. 34). *Venger* un mort.* — *Les morts dorment* en paix* (→ Éteindre, cit. 61). *L'oubli, second linceul des morts* (→ Asile, cit. 25). *La gloire* (cit. 21) *est le soleil des morts.*

5   (...) on doit des égards aux vivants; on ne doit aux morts que la vérité.
VOLTAIRE, Œdipe, « Lettre I », note.

6   C'est la cendre des morts qui créa la patrie.
LAMARTINE, la Chute d'un ange, 3e vision.

7   Les morts durent bien peu. Laissons-les sous la pierre!
Hélas! dans le cercueil ils tombent en poussière.
Moins vite qu'en nos cœurs!   HUGO, les Feuilles d'automne, VI.

8   Les morts, les pauvres morts, ont de grandes douleurs (...)
BAUDELAIRE, les Fleurs du mal, « Tableaux parisiens », C.

9   (...) une patrie se compose des morts qui l'ont fondée aussi bien que des vivants qui la continuent.
RENAN, Discours et Conférences, « Réponse au discours de Lesseps », Œ. compl., t. I, p. 816.

10 Les morts ne sont pas morts, c'est assez clair puisque nous vivons. Les morts pensent, parlent et agissent; ils peuvent conseiller, vouloir, approuver, blâmer; tout cela est vrai; mais il faut l'entendre. Tout cela est en nous; tout cela est bien vivant en nous.   ALAIN, Propos, Le culte des morts, 8 nov. 1907.

♦ **3.** Personne que la mort a frappée. ⇒ **Victime.** *Les morts de la guerre, de Verdun, des bombardements.* — *Les morts du choléra, de la peste.* Spécialt. (Dans le décompte des victimes d'un accident). *Un mort, deux blessés graves* (cit. 25). — Dr. anc. *Le mort saisit le vif...* (→ Hoir, cit. 1).

Allus. hist. et littér. « *Les morts vont vite* », refrain d'une ballade fantastique de Burger, dans laquelle Lénore est entraînée dans la tombe par son amant mort. *Debout** (cit. 13), *les morts!* — Prov. *Les morts ont toujours tort. Il faut laisser les morts ensevelir les morts.*

11 Il (*Jésus*) dit à un autre : « Suis-moi ». Celui-ci répondit : « Permets-moi de m'en aller d'abord enterrer mon père ». Mais il lui répliqua : « Laisse les morts enterrer leurs morts; pour toi va-t'en publier le Royaume de Dieu ».
BIBLE (Jérusalem), Évangile selon St Luc, 9, IV, 59-60.

12 Il n'y a que les morts qui ne reviennent pas.
BARÈRE, Rapport à la Convention présenté le 26 mai 1794, in GUERLAC.

13 Il est des morts qu'il faut qu'on tue.
Fernand DESNOYERS, Protestation (contre une statue de Casimir Delavigne).

14 Les Morts gouvernent les vivants.   A. COMTE, Catéchisme positiviste, p. 29.
REM. Cette pensée est généralement citée sous la forme suivante, attribuée à Auguste Comte : « L'Humanité se compose de plus de morts que de vivants » (cf. Guerlac, p. 160).

Loc. fam. *La place du mort* : la place voisine de celle du conducteur, dans une automobile.

14.1 La traction-avant file à près de cent sur la route de Malesherbes (...) Lui, il est à ma droite, qui va une fois de plus mériter son nom de place du mort.
Hervé BAZIN, Cri de la chouette, p. 92.

Loc. fig. *Faire un bruit à réveiller les morts. Dire des énormités à faire se retourner les morts dans leurs tombes. Ce cognac réveillerait un mort.*

15 Les femmes poussaient des cris à réveiller les morts.
FRANCE, le Petit Pierre, XIX.

Contrefaire (cit. 6 et 7), *faire* (cit. 163) *le mort* : rester rigoureusement immobile*, et, fig., ne pas agir, ne pas se manifester; *je lui ai écrit plus de dix fois, mais il fait le mort.*

16 Ne bougez point, cela est salubre. Faites le mort, on ne vous tuera pas. Telle est la sagesse de l'insecte.   HUGO, l'Homme qui rit, II, III, IX.

♦ **4.** (XVIe). Esprit, âme d'une personne morte. *Les morts, dans l'au-delà.* ⇒ **Double, esprit, ombre** (→ Les pâles* ombres), **spectre; larve, lémure.** *Âme des morts.* ⇒ **Mânes** (antiq. rom.). *L'empire* (cit. 10), *le royaume des morts. Le livre des Morts, dans l'ancienne Égypte et au Tibet, décrivant la condition des morts dans l'au-delà. Le rivage des morts* (→ Fois, cit. 4). Poét. *Descendre chez les morts, au séjour des morts :* mourir (⇒ **Passer**). — *Le dieu des morts :* Hadès, Pluton. *Évoquer, faire apparaître les morts par magie.* ⇒ **Nécromancie** (→ Illuminer, cit. 22 et 26). *Mort qui vient hanter un lieu.* ⇒ **Revenant; fantôme.**

17 Un mort, un mort de qualité surtout, est accueilli sur le *sombre rivage* comme un voyageur qui débarque au port, et que tous les courtiers d'hôtellerie fatiguent de leurs recommandations.   BALZAC, le Cousin Pons, Pl., t. VI, p. 764.

Ressusciter les morts (→ Aveugle, cit. 17). *La vallée* de Josaphat, où les morts ressusciteront au jugement dernier. Le Christ ressuscita d'entre les morts.*

♦ **5.** Fig. *Un mort vivant, un mort en sursis :* qqn qui est condamné, qui va mourir (→ Appétit, cit. 25). — Allus. littér. *Souvenirs de la maison des morts* (récit de la déportation de Dostoïevsky). (1837). Dr. anc. *Mort civil,* celui qui était frappé de mort civile (→ Failli, cit. 1).

♦ **6.** N. m. (1861). (Cartes : whist*, bridge*). Joueur qui étale ses cartes sur la table et ne participe plus au jeu, une fois les annonces faites. *Au bridge, c'est le* (ou *la*) *partenaire du demandeur qui fait le mort.* — Cartes de ce joueur. *Jouer pique du mort.*

Dans le salon bleu, des tables tendues de drap étaient préparées pour le bridge (...) Les *morts* se lèvent comme dans une insomnie, et un instant détachés du jeu (...) s'approchent des groupes dans la fumée d'une cigarette vite rejetée, puis retournent à leur concentration insondable.
J. CHARDONNE, les Destinées sentimentales, p. 443.

18

♦ **7.** N. m. Techn. (Bâtiment). Chute de papier encollé qui ne sert pas pour tapisser les murs.

CONTR. Vivant.

COMP. Croque-mort.

HOM. Maure, formes du v. mordre, more, mors.

MORTADELLE [mɔʀtadɛl] n. f. — XVe, d'après Bloch; ital. *mortadella,* du lat. *murtatum,* var. de *myrtatum,* proprt « sorte de face où il entre des baies de myrtes *(murtus)* » (Bloch).

♦ Gros saucisson fabriqué avec du porc et du bœuf, et séché dans un séchoir spécial. *Une tranche de mortadelle.*

MORTAILLABLE [mɔʀtɑjabl] adj. — 1346; de *mortaille.*

♦ Dr. féod. Serf sujet à la mortaille. ⇒ **Mainmortable.**

MORTAILLE [mɔʀtɑj] n. f. — XIIIe; comp. de 1. *mort,* et taille.

♦ Dr. féod. ⇒ **Mainmorte.**
DÉR. Mortaillable.

MORTAISAGE [mɔʀtɛzaʒ] n. m. — 1845; de *mortaiser.*

♦ Techn. Opération par laquelle on fait, on pratique une mortaise (dans une pièce de bois). — Spécialt. Opération d'usinage destinée à donner sa forme définitive (à angles vifs) à une mortaise déjà amorcée.

MORTAISE [mɔʀtɛz] n. f. — 1380; *mortaisse,* v. 1196; orig. obscure, p.-ê. arabe *mŭrtazzäh* « fixée » ou (P. Guiraud) d'un lat. pop. **moritare,* de *morari* « arrêter » par un adj. **moritensis.* → 1. Morne, morner.

♦ Entaille faite dans une pièce de bois ou de métal pour recevoir le tenon* d'une autre pièce. ⇒ **Adent, lioube, refuite.** *Assemblage* à tenons et à mortaises* (⇒ **About**). *Creuser, faire une mortaise* (→ Maillet, cit. 2). *Outil* (⇒ **Bec** [d'âne] ou **bédane; ébauchoir**), *machine* (cit. 14) *à faire les mortaises* (⇒ **Mortaiseuse**).

(...) Et il introduisait les lattes dans les mortaises des ensubles, où il les fixait, à l'aide de quatre clous.   ZOLA, le Rêve, III (→ Ensouple, cit. 3).

(XIXe). Serrur. Ouverture dans une gâche* qui reçoit le pêne* de la serrure. — Orifice circulaire percé dans un fer à cheval pour loger un crampon à glace. *Mortaise en mamelle, en éponge.*

DÉR. Mortaiser.

MORTAISER [mɔʀtɛze; mɔʀtɛze] v. tr. — 1302, *mortissier;* de *mortaise.*

♦ Techn. Faire, pratiquer une mortaise à, dans... ⇒ **Entailler.** *Mortaiser une entretoise.* — Absolt. Effectuer le mortaisage. *Outil à mortaiser d'une mortaiseuse.*

▶ **MORTAISÉ, ÉE** p. p. adj.
Spécialt. Blason. Dont les bords présentent des échancrures trapézoïdales, en queue d'aronde. *Pièce mortaisée.*

DÉR. Mortaisage, mortaiseuse.

MORTAISEUSE [mɔʀtɛzøz] n. f. — 1868, Littré; de *mortaiser.*

♦ Techn. Machine-outil qui effectue le mortaisage.

MORTALITÉ [mɔʀtalite] n. f. — XIIe; lat. *mortalitas,* de *mors, mortis.* → 1. Mort.

♦ **1.** Vx. Condition d'un être mortel* (opposé à *immortalité*). — Par ext. (chez Bossuet, Massillon). Condition humaine. — Caractère mortel (de qqch.). *Mortalité d'une blessure* (Littré).

Considérez bien où vous êtes, voyez la mortalité qui vous accable, regardez cette « figure du monde qui passe ».
BOSSUET, IIe Sermon pour IVe dimanche carême, « Sur l'ambition » (1666).

♦ **2.** (1207). Mort* d'un certain nombre d'hommes ou d'animaux qui succombent pour une même raison (épidémie, fléau...). *L'excessive mortalité qu'on relève dans cette prison...* (→ Équivaloir, cit. 5).

(...) la mortalité prodigieuse des ouvriers *(travaillant à Versailles)* dont on remporte toutes les nuits (...) des charrettes pleines de morts (...)
Mme DE SÉVIGNÉ, 705, 12 oct. 1678.

Vx. (Considérée comme un agent actif). « *La mortalité s'est mise sur le bétail* » (Académie).

Si la mortalité s'attache à mes brebis et qu'elle respecte les tiennes, je me consolerai en voyant qu'elle ne t'a rien enlevé. Si elle ravage ton troupeau, je t'offrirai mes brebis les plus douces, mes béliers les plus beaux (...)
É. DE SENANCOUR, Oberman, XXXII.

(Pluviôse) De son urne à grands flots verse un froid ténébreux
Aux pâles habitants du voisin cimetière
Et la mortalité sur les faubourgs brumeux.
BAUDELAIRE, les Fleurs du mal, « Spleen et idéal », LXXV.

♦ **3.** (1749). Rapport entre le nombre des décès et le chiffre de la population dans un lieu et dans un espace de temps déterminés. *Régression, accroissement de la mortalité. Taux de mortalité. Tables de mortalité* (ou *de létalité*), utilisées par les compagnies d'assurance* sur la vie. ⇒ **Survie.** *Mortalité par classe d'âge. Mortalité des nouveau-nés* (⇒ **Mortinatalité**), *infantile, juvénile...* ⇒ **Létalité.**

La mortalité d'une population ne peut se juger au nombre absolu des décès, car il faut tenir compte de l'importance de cette population. L'idée première qui vient à l'esprit est de rapporter le nombre de décès, pendant une période déterminée (une année par exemple), au total de la population. On obtient ainsi le *taux de mortalité générale*, appelé parfois simplement mortalité (...)
A. SAUVY, la Population, p. 31.

CONTR. Immortalité. — Natalité.
COMP. Surmortalité.

MORT-AUX-RATS [mɔRɔRa] n. f. — 1594; de 1. *mort*, et *rat.*

♦ Préparation empoisonnée destinée à la destruction des rongeurs. *Utiliser de la mort-aux-rats.* Plur. rare.

MORT-BOIS [mɔRbwa] n. m. — Déb. XVIe; de 2. *mort*, et *bois.*

♦ Techn. Bois de petite dimension qu'on ne peut employer à aucun ouvrage. *Des morts-bois.*

MORT-DIEU [mɔRdjø] interj. — V. 1175; de *mort* (de) *Dieu.*

♦ Vx. Juron. ⇒ **Mordieu.**

MORTEAU [mɔRto] n. f. — XXe; de *Morteau,* ville du Doubs.

♦ Fam. Saucisse fumée faite à Morteau, dite aussi *Jésus, Jésus de Morteau. De la morteau aux lentilles.*

HOM. Morte-eau.

MORTE-EAU [mɔRto] n. f. — 1690; de 2. *mort,* et *eau.*

♦ *Marée de morte-eau :* marée de quadrature, de faible amplitude. — *La morte-eau,* ou, (plus souvent), *les mortes-eaux :* l'époque de cette marée.

HOM. Morteau.

MORTEL, ELLE [mɔRtɛl] adj. et n. — V. 1050; *mortal,* v. 980; du lat. *mortalis,* rac. *mors.* → Mort.

♦ **1.** Sujet à la mort*; qui doit mourir*. *Tous les hommes* sont mortels* (→ Laisser, cit. 39). *Êtres mortels* (→ Échanger, cit. 6); *des beautés mortelles* (→ Humaniser, cit. 4). « *Il importe... de savoir si l'âme est mortelle ou immortelle* » (cit. 5, Pascal). — Spécialt. (Relig.). Humain, périssable... *La nature changeante* (cit. 1 et 2) *et mortelle* (Bossuet). *Vie* mortelle (par oppos. à *vie spirituelle*). — Cours, cit. 16. — *Enveloppe* (cit. 4), *chair mortelle. Dépouille* mortelle (→ Goupillon, cit. 2).

1 Justes, ne craignez pas le vain pouvoir des hommes ;
Quelque élevés qu'ils soient, ils sont ce que nous sommes ;
Si vous êtes mortels, ils le sont comme vous. J.-B. ROUSSEAU, Odes, I, 3.

2 (...) le premier crime, c'est moi *(Jupiter)* qui l'ai commis en créant les hommes mortels. Après cela, que pouviez-vous faire, vous autres, les assassins ? Donner la mort à vos victimes ? Allonc donc ; elles le portaient déjà en elles ; tout au plus hâtiez-vous un peu son épanouissement. SARTRE, les Mouches, II, II, 5.

Par ext. (Choses). Sujet à disparaître, à finir (→ Civilisation, cit. 13, Valéry).

3 Tout est mortel, tout vieillit en ce monde (...)
RONSARD, Premier livre des poèmes, « Discours des choses humaines ».

♦ **2.** N. (XIIIe). Littér., sauf dans certaines expressions. Être humain. ⇒ **Homme, personne** (→ Aïeul, cit. 4, Voltaire; égal, cit. 11; exception, cit. 1). *Les mortels, les pauvres, les simples mortels :* l'espèce

humaine. — Littér. *Les dieux et les mortels* (→ Apaiser, cit. 5; esprit, cit. 35). *Le commun des mortels* (→ Livre, cit. 42). — Allus. « *Glissez mortels, n'appuyez* (cit. 29) *pas* ».

On n'entend dans les funérailles que des paroles d'étonnement de ce que ce mortel est mort (...)
BOSSUET, Sermon pour IVe sem. carême, « Sur la mort » (1666).
4

Pendant que des mortels la multitude vile,
Sous le fouet du Plaisir (...) BAUDELAIRE, Nouvelles Fleurs du mal, VII.
5

Ah, ce n'était qu'une petite mortelle, après tout ; mais une si douce petite mortelle.
Valery LARBAUD, Amants, heureux amants..., I.
6

(1694). Fam. *Un heureux mortel :* un homme qui a de la chance.

— Et comme ça, heureux mortels, vous partez en permission ?
COURTELINE, le Train de 8 h 47, II, II.
7

♦ **3.** (Fin XIe). Qui cause la mort, entraîne la mort. ⇒ **Fatal.** — REM. Dans ce sens, *mortel* ne se dit plus, comme au XVIIe s., d'armes, d'instruments... : *un couteau mortel* (Racine, *Iphigénie,* III, 6). *Maladie* (cit. 3) *mortelle. C'est grave* mais ce n'est pas mortel. Cas mortel (→ Épidémie, cit. 3). *Danger mortel,* de mort (→ Avouer, cit. 27). *Plaie, blessure* mortelle (→ Homicide, cit. 9). — Prov. *Plaie d'argent* (supra cit. 58) *n'est pas mortelle. Coup* (cit. 10) *mortel.* ⇒ **Meurtrier** (→ Gorge, cit. 1). *Poison mortel* (→ Aliment, cit. 1). *D'un effet rapidement mortel.* ⇒ **Foudroyant.** — Par ext. *Pâleur mortelle :* indice de mort (→ Évanouissement, cit. 3).

Par métaphore. *Coup* (cit. 35) *mortel.* « *D'une atteinte imprévue* (cit. 1) *aussi bien que mortelle* ».

Spécialt. Relig. Qui entraîne la mort de l'âme. *Péché* mortel (par oppos. à *véniel*).

♦ **4.** (V. 1131). Par exagér. Qui fait souffrir cruellement et dangereusement. *Froid mortel* (→ Flageoler, cit. 1). *Chaleur mortelle* (→ Été, cit. 2). *Frisson mortel* (→ Annonciation, cit. 2). *Jalousie* (cit. 18), *peine, douleur mortelle* (→ Idée, cit. 25). *Angoisses* (cit. 7), *transes mortelles. Frayeur, terreur mortelle. Regret mortel* (→ Cause, cit. 27). *Mortel affront* (cit. 1).

Un mortel désespoir sur son visage est peint. RACINE, Phèdre, V, 5.
8

Vous me mettez dans des embarras mortels ; dîner avec *Vautrin* (...) c'est lui serrer la main, c'est abjurer, avouer ses torts, c'est promettre de n'en plus avoir.
SAINTE-BEUVE, Correspondance, 1218, 11 juin 1841.
9

MORTEL À... ⇒ **Fatal, funeste.** *Tout nous peut être mortel* (→ Justesse, cit. 4). *Ennui* (cit. 26) *mortel au cœur.*

♦ **5.** (1080). Qui souhaite, qui cherche la mort de qqn. *Ennemi* (cit. 3) *mortel* (→ Furet, cit. 1). — *Haine* (cit. 30), *aversion mortelle* (→ Faction, cit. 3).

Il y avait des jours où ils étaient les meilleurs amis du monde, et d'autres où ils étaient ennemis mortels. DIDEROT, Jacques le fataliste, Pl., p. 552.
10

♦ **6.** Extrêmement pénible. ⇒ **Lugubre, pénible.** *Silence mortel. Cette soirée est d'une tristesse mortelle. Attendre trois mortelles heures,* trois heures pénibles, douloureuses ou simplement ennuyeuses... ⇒ **Long** (→ Arme, cit. 2). Fam., par exagér. Très ennuyeux, sinistre.

(...) nous nous rendons à la Scala, où l'on joue deux actes de l'opéra de *Marino Faliero* (...) L'opéra est un peu mortel, tant les acteurs sont médiocres chanteurs, et tant les chanteurs sont détestables acteurs.
Rodolphe TÖPFFER, Voyages en zigzag, p. 45.
10.1

(Il) baissa lentement la tête, si bien que son menton touchait sa poitrine. Un silence mortel survint, qui dura très longtemps, peut-être un quart d'heure.
G. DUHAMEL, Salavin, VI, XXVI.
11

J'ai dîné chez Jacques, c'était mortel comme d'habitude.
SARTRE, l'Âge de raison, I.
12

CONTR. Immortel. — Vivifiant.
DÉR. Mortellement.

MORTELLEMENT [mɔRtɛlmã] adv. — 1380; v. 1155, *mortelment; de mortel.*

♦ **1.** De manière à causer la mort. ⇒ **Mort** (à mort). *Atteint* (cit. 1), *frappé mortellement* (→ Glacer, cit. 19). *Blesser* mortellement. Par ext. *Mortellement pâle.* Par exagér. *Épouvanter* (cit. 3) *mortellement qqn. Mortellement jaloux* (cit. 27). Spécialt. Relig. *Pécher mortellement.*

(...) ils se rencontrèrent derrière les jardins de la belle veuve, se battirent, et le rival de Desglands demeura étendu sur la place, grièvement, mais non mortellement blessé. DIDEROT, Jacques le fataliste, Pl., p. 719.
1

♦ **2.** En souhaitant la mort. *Haïr mortellement* (au fig., extrêmement ; → Haïr, cit. 30).

♦ **3.** D'une façon intense, extrême. *Mortellement ennuyeux.* ⇒ **Extrêmement.** *Il nous a ennuyés, fatigués mortellement.* ⇒ **Beaucoup.**

Il était mortellement pâle, et une sueur froide ruisselait sur son front.
A. DE VIGNY, Cinq-Mars, XII.
2

La journée avait été mortellement ennuyeuse.
ALAIN-FOURNIER, le Grand Meaulnes, I, III.
3

MORTE-PAYE [mɔRtəpɛj] n. f. — 1532; de 2. *mort,* et *paye.*

♦ Vx. Soldat entretenu en temps de paix. — Vieux domestique qui ne travaille plus, mais que l'on garde auprès de soi. — Contribuable qui n'est pas imposé. — *Des mortes-payes.*

MORTE-SAISON [mɔʀt(ə)sεzɔ̃] n. f. — V. 1400 ; de 2. *mort,* et *saison.*

♦ Époque de l'année où l'activité est réduite (dans un secteur de l'économie). *Des mortes-saisons.*

MORT-FLAT [mɔʀfla] n. m. ⇒ **Morflat.**

MORT-GAGE [mɔʀgaʒ] n. m. — V. 1283 ; de 2. *mort,* et *gage.*

♦ Dr. anc. Gage dont les fruits ne venaient pas en déduction du capital de la créance. *Des morts-gages.*

MORTICOLE [mɔʀtikɔl] n. m. — 1894, L. Daudet ; de 1. *mort,* et *-cole.*

♦ Péj. Médecin (⇒ **Empirique**). *Les Morticoles,* roman de Léon Daudet (où le mot désigne les habitants d'un pays imaginaire régi par les médecins).

MORTIER [mɔʀtje] n. m. — V. 1170 ; du lat. *mortarium* «usage de maçon, récipient» (sens I) ; «matière qui la remplit» (sens II).

★ **I.** ♦ **1.** Récipient en matière dure et résistante, à cavité hémisphérique, servant à broyer certaines substances. *Piler* des drogues*, des couleurs dans un mortier* (→ Botanique, cit. 3 ; colorant, cit. 1). *Mortier de cuisine* (pour l'ail, les épices). *Réduire une substance en pâte, en poudre, dans un mortier. Mortier de pierre, de marbre, de bronze, de fonte... utilisé en pharmacie*.*

1 (...) le pharmacien, qui pilait des poudres au fond d'un mortier de marbre (...)
MAUPASSANT, Pierre et Jean, IX.

♦ **2.** (V. 1460). Par anal. (de forme). Anc. Coiffure ronde, toque que portaient les présidents, le greffier en chef du parlement *(mortier de velours noir à galons d'or)* et le chancelier de France *(mortier de toile d'or fourré d'hermine). Président à mortier.* — Mod. Bonnet* porté par certains magistrats*.

2 (...) le noble sire se couvrit les oreilles d'un mortier (...)
Aloysius BERTRAND, Gaspard de la nuit, « Messe de minuit ».

(Fin XVIIe). Par ext. Président à mortier (→ Fourrure, cit. 5). — Charge de président à mortier.

3 Les trois ou quatre mortiers des présidences de chambre suffisaient aux ambitions dans chaque parlement.
BALZAC, Splendeurs et Misères des courtisanes, Pl., t. V, p. 1018.

Archéol. Coiffe* de protection qui se portait sous le casque (au XVIe siècle).

♦ **3.** (XVe). **ⓐ** Ancienn. Bouche* à feu servant à lancer des boulets. ⇒ **Bombarde, canon** (→ Bouche, cit. 25). *Le mot mortier désigna d'abord des lance-bombes à tir courbe, puis les canons courts.*

ⓑ Mod. Pièce à tir courbe (⇒ **Obusier**), et, spécialt, pièce portative utilisée par l'infanterie. *Mortier de 60, de 81 mm. Tube-canon, plaque de base, affût bipied d'un mortier. Tir au mortier. Obus de mortier.*

★ **II.** ♦ **1.** (XIIe). Mélange de chaux* éteinte (ou de ciment*) et d'une matière inerte (généralement du sable*) que l'on délaye dans l'eau* (⇒ **Gâcher,** cit. 2) et que l'on utilise en construction* pour lier* ou recouvrir les pierres. ⇒ **Gâchis, liaison, rusticage ; maçon, maçonnerie** (→ Moellon, cit. 1). *Mortier hydraulique*. Mortier maigre, moyen, gras. Cohésion*, résistance, imperméabilité, retrait d'un mortier. Préparation du mortier* (⇒ **Bouler, corroyer ; foulage ; malaxage, malaxer**) *dans une auge* (⇒ **Oiseau**), *dans un malaxeur*. Outils servant à préparer, à étaler le mortier* (⇒ **Bouloir, rabot, taloche, truelle**). *Pelle à mortier. Pelletée de mortier. Brayer* utilisé pour monter le mortier. Remplir les joints avec du mortier.* ⇒ **Jointoyer, liaisonner** (dér. de *liaison*), **rejointoyer.** *Enduire un mur de mortier.* ⇒ **Encroûter.** *Bordure* (⇒ **Ruilée**), *bande* (→ Fissure, cit. 1), *couvre-joint*, crépi* de mortier. Matériau constitué de mortier et de graviers* (⇒ **Béton**), *de mortier et de moellons* (⇒ **Limousinage**).

4 Ces pierres, décomposées par la chaleur, donnèrent une chaux vive, très grasse, foisonnant beaucoup par l'extinction, aussi pure enfin que si elle eût été produite par la calcination de la craie ou du marbre. Mélangée avec du sable, dont l'effet est d'atténuer le retrait de la pâte quand elle se solidifie, cette chaux fournit un mortier excellent.
J. VERNE, l'Île mystérieuse, t. I, p. 169.

♦ **2.** (1668). Fig. Matière pâteuse, épaisse. ⇒ **Boue, pâte** (→ Embourber, cit. 3).

MORTIFÈRE [mɔʀtifεʀ] adj. — Fin XVe ; lat. *mortifer* «qui apporte *(fer)* la mort».

♦ Didact. ou plais. Qui cause, provoque la mort. ⇒ **Mortel.** *Poison,*

suc, venin mortifère. ⇒ **Toxique, vénéneux, venimeux.** *Virus mortifère.*

MORTIFIANT, ANTE [mɔʀtifjɑ̃, ɑ̃t] adj. — Fin XVIe ; de *mortifier.*

♦ **1.** Qui mortifie la chair, les sens. *Pratiques mortifiantes.* ⇒ **Mortification.**

♦ **2.** (XVIIIe). Qui humilie l'amour-propre. ⇒ **Blessant, humiliant, injurieux, vexant.** *Conditions de travail mortifiantes* (→ Grandiloquence, cit. 2).

1 Elle s'en sera déjà vantée à son père, à sa mère, à ses tantes, à ses amies ; et, après cela, n'avoir rien à leur montrer, cela est mortifiant (...)
DIDEROT, Jacques le fataliste, Pl., p. 693.

2 C'était un peu mortifiant de voir qu'elle ne pouvait exercer sur lui qu'une influence de raison (...)
R. ROLLAND, Jean-Christophe, La révolte, I, p. 427.

MORTIFICATION [mɔʀtifikasjɔ̃] n. f. — V. 1170, «anéantissement» ; du lat. ecclés. *mortificatio,* du supin de *mortificare.* → Mortifier.

♦ **1.** Relig. et cour. Pratique par laquelle on inflige au corps, aux passions, à la chair, une sorte de mort, de soumission aux exigences spirituelles. ⇒ **Ascèse** (cit. 3), **ascétisme, austérité, continence, crucifiement** (fig.), **macération, pénitence.** *Porter un cilice*, une haire ; jeûner, se priver... par mortification, par esprit de mortification.* — Par ext. *Mortification de la chair*, des sens* (→ 3. Mal, cit. 48).

1 Les véritables mortifications sont celles qui ne sont point connues ; la vanité rend les autres faciles.
LA ROCHEFOUCAULD, Maximes, 536.

2 Je ne comprends pas cette mortification de la matière qui fait l'essence du christianisme, je trouve que c'est une action sacrilège que de frapper sur l'œuvre de Dieu, et je ne puis croire que la chair soit mauvaise, puisqu'il l'a pétrie lui-même de ses doigts et à son image.
Th. GAUTIER, Mlle de Maupin, V.

3 Elle essaya, par mortification, de rester tout un jour sans manger. Elle cherchait dans sa tête quelque vœu à accomplir.
FLAUBERT, Mme Bovary, I, VI.

♦ **2.** (V. 1630). Souffrance d'amour-propre*. ⇒ **Crève-cœur, dégoût, déplaisir, froissement, humiliation, vexation** (→ Immangeable, cit. 2). — Ce qui mortifie*. ⇒ **Affront, camouflet, déboire, soufflet** (fig.). → fig., vx. Coup de caveçon*. *Infliger des mortifications à qqn. Subir des mortifications* (→ Avaler* des couleuvres). *Ne s'attirer que mortifications, dédains* (cit. 9), *railleries...*

4 Un homme partial est exposé à de petites mortifications (...)
LA BRUYÈRE, les Caractères, XII, 40.

5 Imaginez-vous de ces laides femmes qui ont bien senti qu'elles seraient négligées dans le monde, qu'elles auraient la mortification de voir plaire les autres et de ne plaire jamais (...)
MARIVAUX, le Paysan parvenu, p. 272.

6 (...) j'ai lu misérablement, comme plaintivement, modestement, avec des airs de m'excuser, un texte qui comportait tout au contraire du cynisme et de la bravoure. Tant pis pour moi ! Ces petites mortifications et renfoncements pour l'amour-propre sont d'excellentes leçons.
GIDE, Journal, 17 févr. 1912.

♦ **3.** (XVIe, Paré). Méd. (Rare). Mort d'un tissu, d'un organe. *Mortification des chairs.* ⇒ **Gangrène ; nécrose.** Par ext. *Mortification par brûlure*.*

Spécialt. *Mortification pulpaire :* état pathologique de la pulpe d'une dent, spontané ou provoqué (⇒ **Momification**), entraînant la dévitalisation de la dent. « *Traitement des mortifications et des gangrènes pulpaires* » (P.-L. Rousseau, *les Dents,* p. 76).

♦ **4.** (XIXe). Cuis. Commencement de décomposition* de certaines viandes (gibier*...) qui les rend plus tendres et leur donne du fumet. ⇒ **Faisandage.**

CONTR. **Consolation, satisfaction.**

MORTIFIER [mɔʀtifje] v. tr. — V. 1120 ; du lat. ecclés. *mortificare,* de *mors, mortis* (→ 1. Mort) et *facere* «faire».

♦ **1.** Rendre (qqn) comme mort au péché, insensible aux tentations, par la mortification* de la chair*, des sens*, des passions terrestres. ⇒ **Affliger, châtier** (la chair), **crucifier, macérer, mater** (sa chair). — *Mortifier sa chair, ses sens, ses passions. Mortifier la chair et abaisser*, humilier l'esprit.* — Pron. (V. 1190). *Se mortifier :* s'infliger des mortifications.

1 Ils m'imaginent pas que, pour honorer les dieux, il faille se mortifier, jeûner, prier avec tremblement, se prosterner en déplorant ses fautes (...)
TAINE, Philosophie de l'art, t. II, p. 122.

2 Esther se mortifiait, restait des heures à genoux sur les dalles de l'église, elle s'infligeait toutes sortes de pénitences.
ARAGON, les Beaux Quartiers, I, VIII.

Au p. p. *Une vie mortifiée* (→ Chrétien, cit. 3).

♦ **2.** (1636). Fig. Affliger (qqn) en froissant, en humiliant son amour-propre*. ⇒ **Blesser, froisser, humilier** (cit. 21), **vexer.** *On l'a durement mortifié.* (Au passif). *Il a été mortifié par son patron, par son échec.* — (Au p. p.). Plus cour. *Être mortifié, tout mortifié de qqch.* ⇒ **Contrit.** *S'en aller tout mortifié* (→ L'oreille basse*).

3 (...) une mutuelle bonté, qui avec l'avantage d'être jamais mortifiés, nous procurerait un aussi grand bien que celui de ne mortifier personne
LA BRUYÈRE, les Caractères, XI, 131.

4 C'était pour la première fois de sa vie que ce monarque avait osé penser autrement que son favori, qui, regardant cette nouveauté comme un sanglant affront, en fut très mortifié.
A. R. LESAGE, Gil Blas, XII, VIII.

5 (...) le confident nécessaire était Barnave ; du moins, il l'avait cru ainsi. Donc, il était singulièrement mortifié, comme homme politique et comme homme, de cet

enlèvement de Varennes ; il lui semblait qu'on lui volât ce que, dans son excessive présomption, il croyait déjà à lui.

MICHELET, Hist. de la Révolution franç., V, II.

6 Germain fut mortifié qu'on le supposât déjà épris, et l'air maniéré de la veuve, qui baissa les yeux en souriant, comme une personne sûre de son fait, lui donna envie de protester contre sa prétendue défaite (...)

G. SAND, la Mare au diable, XII.

Par ext. ⇒ **Chagriner, fâcher.** *Abattement intérieur qui mortifie l'âme* (→ Inutilité, cit. 3). — Au p. p. *Être tout mortifié.* ⇒ **Chagrin.**

7 — (...) vous jugez assez ce qui le peut inquiéter. — Notre départ sans doute ? — Le bonhomme en est tout mortifié (...)   MOLIÈRE, Dom Juan, I, 2.

♦ **3.** (XIVe, en alchimie, par oppos. à *vivifier* ; sens actuel au XVIe, Paré). Vx. Faire mourir (un tissu) en le décomposant*. *La gangrène mortifie les chairs.* ⇒ **Gangrener, nécroser.**

Mod. *Mortifier une dent,* la dévitaliser. — Adj. *Dent mortifiée* : dent qu'on a dû dévitaliser, ou qui s'est dévitalisée d'elle-même après infection. *Dent mortifiée par un kyste à la racine.*

♦ **4.** (XIXe). Spécialt. Cuis. Soumettre (une viande) à un début de décomposition. *Mortifier du gibier.* ⇒ **Faisander, vener.** — (1588). Rendre (la viande) plus tendre. *Mortifier la viande en la battant, en la faisant mariner*.* — Au participe passé :

8 En toutes celles *(viandes)* qui le peuvent souffrir, je les aime (...) fort mortifiées, et jusques à l'altération de la senteur (...)   MONTAIGNE, Essais, III, XIII.

▶ **MORTIFIÉ, ÉE** p. p. adj. Voir à l'article.

CONTR. Endurcir, enorgueillir. — Consoler, flatter. — Durcir.
DÉR. Mortifiant.

MORTINATALITÉ [mɔʀtinatalite] n. f. — 1874 ; comp. sav. de *mors, mortis,* et *natalité.*

♦ État d'un enfant mort-né, mortalité intra-utérine. — Démogr. Nombre d'enfants mort-nés (mortalité intra-utérine) au sein d'une population et pendant une période de temps donnée (en général, une année). — *Taux de mortinatalité* (abusivt *mortinatalité*) : nombre d'enfants mort-nés par mille naissances.

MORT-NÉ, MORT-NÉE [mɔʀne] adj. et n. — V. 1283, *mornés ;* de 2. *mort,* et *né.*

♦ **1.** Mort en venant au monde. *Enfants mort-nés.* — N. *Un mort-né* (semble inusité au féminin).

♦ **2.** (XVIIe). Fig. Qui échoue dès le début. *Un projet mort-né.*

MORTS-TERRAINS [mɔʀtɛʀɛ̃] n. m. pl. — 1875 ; *mort-terrain,* 1812 ; de 2. *mort,* et *terrain.*

♦ Techn. (industr. minière) Terrains improductifs dans une mine, une carrière (se dit le plus souvent des terrains qui recouvrent le gisement minier ou la roche exploitable, ou *morts-terrains de recouvrement*). *Morts-terrains aquifères.*

MORTUAIRE [mɔʀtɥɛʀ] adj. — XVe ; v. 1213, n. m., «épidémie, mortalité» ; lat. *mortuarius,* de *mors* «mort».

♦ Relatif aux morts* ; aux formalités, aux cérémonies en l'honneur d'une personne décédée. ⇒ **Funèbre, funéraire.** — REM. *Mortuaire,* comme *funèbre,* a un sens plus étendu que *funéraire* «relatif aux funérailles». Cf. Lafaye, *Suppl.,* p. 307. *Cérémonie* (cit. 2) *mortuaire.* ⇒ **Funérailles ;** *service* (funèbre). *Chapelle** (→ Lugubre, cit. 2), *salle, chambre mortuaire. Masque* (1. Masque, cit. 28) *mortuaire. Drap mortuaire :* linceul (Bossuet, *in* Littré) ou drap que l'on étend sur le cercueil. *Couronne mortuaire* (→ Immortel, cit. 2). *Maison, domicile mortuaire,* où quelqu'un est mort (→ Funèbre cit. 1). *Lettre mortuaire,* annonçant un décès.

1 Il y avait, en effet, dans le char, un long cercueil sous un drap mortuaire, sur le drap mortuaire une épée avec un cordon, et à côté du cercueil un prêtre, son bréviaire à la main et psalmodiant.   DIDEROT, Jacques le fataliste, Pl., p. 543.

2 Elle revint ensuite dans la chambre mortuaire. Là régnait en maîtresse la grande anarchie de la douleur.   Pierre BENOIT, Mlle de la Ferté, p. 24.

Au Canada. *Salon mortuaire.* ⇒ **Funéraire.** — N. f. Régional (Belgique). *Maison du défunt. Réunion à la mortuaire.*

Dr. (T. d'état civ.). *Registre mortuaire,* où sont inscrits les décès dans une localité. *Extrait mortuaire :* copie d'un acte de ce registre. *Acte mortuaire,* qui certifie un décès.

3 *(Le docteur Sangrado)* me chargea du soin de tenir ce livre, *(le registre de ses malades),* qu'on pouvait justement appeler un registre mortuaire, puisque les gens dont je prenais les noms mouraient presque tous.   A. R. LESAGE, Gil Blas, II, III.

MORUE [mɔʀy] n. f. — 1260 ; var. anc. et dial. *molue ;* p.-ê. du celtique *mor* «mer», et anc. franç. *luz* «brochet» (→ Merlus), ou encore (P. Guiraud) provençal *morrude* «grondin», de *mourut* «lippu», de *moure* «museau».

♦ **1.** Poisson anacanthinien *(Gadidés ;* ⇒ **Gade**), qui peut atteindre un mètre de long et vit dans l'Atlantique Nord et l'océan Arcti-

que, d'où il émigre par bancs vers le sud pour frayer dans des eaux moins froides. *La pêche à la morue sur les côtes de Terre-Neuve et d'Islande, soit au chalut, soit avec des lignes de fond* (harouelles) *appâtées au capelan*. Pêcheurs de morue* (Islandais ou Terre-Neuvas), *embarqués sur des morutiers*.* — *Morue noire.* ⇒ **Aiglefin** (ou *aigrefin* ou *églefin*). *Morue barbue* (se dit abusivt au Québec pour *merluche**). *Morue fraîche* ou *morue franche.* ⇒ **Cabillaud.** *Morue séchée.* ⇒ **Merluche, stockfish.** *Boucaut** *de morue sèche. Morue verte,* salée mais non séchée (→ Hareng, cit. 2). *Morue fumée.* ⇒ **Haddock.** *Faire tremper des filets de morue pour les dessaler. Brandade** *de morue.* — *Huile de foie** *de morue.*

1 C'étaient des morues qui exécutaient leurs évolutions d'ensemble, toutes en long dans le même sens, bien parallèles, faisant un effet de hachures grises, et sans cesse agitées d'un tremblement rapide, qui donnait un air de fluidité à cet amas de vies silencieuses. Quelquefois, avec un coup de queue brusque, toutes se retournaient en même temps, montrant le brillant de leur ventre argenté (...)

LOTI, Pêcheur d'Islande, I, VI.

♦ **2.** Par métaphore **a** (1622). *Queue de morue :* pans effilés du frac. *Habit* (cit. 23) *à* (ou *en*) *queue** *de morue* (⇒ **Frac**). — Ellipt. (Fam.). *Mettre sa queue** *de morue.*

b Techn. ⇒ **Queue-de-morue.**

♦ **3.** (1849, *in* Esnault). Vulg. Femme de mauvaises mœurs. ⇒ **Prostituée.** — Terme injurieux à l'égard d'une femme.

2 — Vous ne m'aviez pas dit que c'était cette morue immonde qui jouait ! Ah, ce sera beau !   MONTHERLANT, les Lépreuses, I, V.

3 En Belgique, j'ai été plombé par une garce de quinze ans, et l'autre jour Koluschke a été envoyé à l'hôpital par une morue qui n'en avait pas quatorze.

R. GARY, Éducation européenne, p. 183.

DÉR. Morutier.
COMP. Queue-de-morue.

MORULA [mɔʀyla] n. f. — 1877 ; du lat. sav. mod., dimin. de *morum* «mûre».

♦ Embryol. Premier stade du développement embryonnaire, représenté par la segmentation de l'œuf fécondé sous forme d'une petite sphère à surface mammelonnée (⇒ aussi **Blastula, gastrula**) ; cette sphère.

MORUS [mɔʀys] n. m. — 1874 ; mot latin.

♦ Bot. Mûrier*.

MORUTIER, IÈRE [mɔʀytje, jɛʀ] n. m. et adj. — 1874 ; *moruyer,* 1606 ; de *morue.*

♦ **1.** N. m. Marin-pêcheur qui fait la pêche à la morue. ⇒ **Terre-neuvas.** *Équipage de morutiers.* — Bateau spécialement équipé pour la pêche à la morue. *Embarquer sur un morutier.*

♦ **2.** Adj. De la pêche à la morue ; qui sert pour cette pêche, ou qui y a trait. *Industrie morutière. Navire morutier.*

MORVANDEAU, ELLE [mɔʀvɑ̃do, ɛl] adj. et n. — XIXe ; de *Morvan,* n. géographique.

♦ Du Morvan, région septentrionale du Massif central. *Paysan morvandeau. Danse morvandelle. Les Morvandeaux.* — REM. On trouve aussi les formes dialectales *morvandiau* ou *morvandiot, ote* [mɔʀvɑ̃djo, ɔt].

MORVE [mɔʀv] n. f. — Fin XIVe ; étym. incert. ; p.-ê. var. dial. de *gourme.*

♦ **1.** Vétér. Grave maladie contagieuse des Équidés (âne, cheval, mulet) due à un bacille* spécifique transmissible à l'homme et caractérisée par d'abondantes sécrétions nasales très fétides, accompagnées de jetage*. *Morve aiguë, chronique. Morve cutanée.* ⇒ **Farcin.**

1 La famine s'installait au village. Les Indiens devenaient menaçants. Une épidémie de morve décimait nos montures. Notre provision d'eau-de-vie épuisée, nous levâmes le camp un matin.

B. CENDRARS, Moravagine, Œ. compl., t. IV, p. 198.

♦ **2.** (1530). Cour. Humeur visqueuse qui s'écoule du nez de l'homme, mucosités nasales. *Avoir la morve au nez.* ⇒ **Goutte.**

2 (...) il se retourne et regarde Brunet en haletant, la morve lui coule des deux narines jusqu'à la bouche.   SARTRE, la Mort dans l'âme, p. 215.

3 Lui, cependant, il renifla, et je devinai qu'il avalait sa morve.

Jean GENET, Journal du voleur, p. 25.

♦ **3.** (XXe). Techn. État d'un sirop parvenu à une certaine consistance.
DÉR. Morveux.

MORVEUX, EUSE [mɔʀvφ, φz] adj. et n. — XIIIe ; de *morve.*

♦ **1.** Vétér. Qui est atteint de la morve. *Chevaux morveux* (→ 1. Lieu, cit. 31).

♦ 2. (V. 1220). Cour. Qui a la morve au nez. *Enfant malpropre, barbouillé et morveux.*

Prov. (xvie). Fig. *Qui se sent morveux (qu'il) se mouche :* que celui qui se sent visé par une critique d'ordre général la prenne pour lui et en fasse son profit.

1 — Je dis que la peste soit de l'avarice et des avaricieux. — De qui veux-tu parler ? — Je ne nomme personne. — Je te rosserai, si tu parles. — Qui se sent morveux, qu'il se mouche.
MOLIÈRE, l'Avare, I, 3.

♦ 3. N. (xve). Fam. Petit garçon, petite fille. *Un morveux qui braille sans arrêt* (→ Beugler, cit. 5). — Par exagér. Très jeune homme, très jeune fille.

2 (...) mais voyez donc ce morveux, comme il est joli en fille ! j'en suis jalouse, moi !
BEAUMARCHAIS, le Mariage de Figaro, II, 6.

3 Un oncle à succession ne se conduit pas ainsi, sans des intentions envers une petite morveuse ramassée dans la rue.
BALZAC, Ursule Mirouët, Pl., t. III, p. 271.

4 Ah ! une jolie pépée *(Nana),* comme disaient les Lorilleux, une morveuse qu'on aurait encore dû moucher et dont les grosses épaules avaient les rondeurs pleines, l'odeur mûre d'une femme faite.
ZOLA, l'Assommoir, t. II, XI, p. 155.

(1656). Par ext. et péj. Personne très jeune qui se donne des airs d'importance.

5 Le capitaine (...) accusa par surcroît une quantité de morveux, de jean-fesse et de propre-à-rien que je ne connaissais pas du tout (...)
FRANCE, le Crime de S. Bonnard, Œ., t. II, I, I, p. 287.

6 (...) il interpellait les siffleurs, il avait envie de se battre. Sa voix se perdait au milieu du bruit ; il se fit apostropher grossièrement : on le traita de morveux, et on l'envoya coucher.
R. ROLLAND, Jean-Christophe, Antoinette, p. 915.

MOSAÏCITÉ [mɔzaisite] n. f. — 1931 ; de 2. *mosaïque,* et *-ité.*

♦ Didact. Authenticité mosaïque (en exégèse). *Travaux du XVIIIe siècle sur la mosaïcité du Pentateuque.*

MOSAÏCULTURE [mɔzaikyltyʀ] n. f. — 1892 ; de 1. *mosaï(que),* et *culture.*

♦ Techn. (Hortic.). Méthode d'ornementation qui consiste à utiliser des plantes de diverses couleurs pour obtenir des dessins réguliers. *« Cet art des jardins appelé mosaïculture »* (*Année sc. et industr.,* 1893, p. 472 ; 1892).

1. MOSAÏQUE [mɔzaik] n. f. — 1526 ; *musaïque,* 1498 ; de l'ital. *mosaico,* lat. médiéval *musaicum,* altér. de *musivum* « ouvrage de mosaïque ».

♦ 1. Assemblage* décoratif de pièces rapportées multicolores (petits cubes, dés, lames, fragments irréguliers) en pierre, marbre, terre cuite, émail, verre, métal ou bois, retenues par un ciment ou un mastic et dont la combinaison figure un dessin. *Élément de mosaïque.* ⇒ **Abacule.** *Les mosaïques byzantines* (→ Émacié, cit. 1). *Les mosaïques de Ravenne. Mosaïque en pierres rares* (→ Maître, cit. 108), *aux vives couleurs.* — *Décoration murale en mosaïque. Mosaïque de pavement* (⇒ **Carrelage, dallage**), *de revêtement. Pavé de mosaïque* (ou, adj., vx, *pavé mosaïque,* ⇒ 2. **Mosaïque**). *Revêtement de sol, peinture* (→ Fur, cit. 5) *qui imite la mosaïque.* — *Table en mosaïque* (⇒ **Marqueterie**, cit. 1). *Vase en mosaïque.*

1 Ils lui firent louer sur la Brenta un palazzo (...) Les appartements en étaient incrustés en mosaïque et garnis de colonnes et de pilastres de très beaux marbres (...)
ROUSSEAU, les Confessions, VII.

2 Maintenant on distingue mieux ces revêtements des arceaux et des voûtes : ce sont de prodigieuses mosaïques, recouvrant tout, simulant des brocarts et des broderies, mais plus belles, plus durables que tous les tissus de la terre, ayant conservé à travers les siècles leur éclat et leurs diaprures, parce qu'elles sont composées avec des matières presque éternelles, avec des myriades de fragments de marbre de toutes les teintes, avec de la nacre et avec de l'or.
LOTI, Jérusalem, VIII.

2.1 On a tenu la mosaïque chrétienne, byzantine surtout, pour un art décoratif, mais c'est lorsqu'on a cessé de comprendre le premier mot de son langage. La « déformation » de l'AFRIQUE de Piazza Armerina, où une déesse allégorique trône entre un éléphant bien quadrillé et un tigre bien tigré, est aussi différente de celle des mosaïstes chrétiens, que la palette des BAIGNEUSES l'est de celle de Sainte-Marie-Majeure.
MALRAUX, la Métamorphose des dieux, p. 128.

Par ext. Art d'exécuter les mosaïques. *Artiste spécialisé dans la mosaïque.* ⇒ **Mosaïste.** *Mosaïque florentine* (par incrustation), *mosaïque romaine* (par application).

3 (...) la mosaïque, mère du vitrail, n'est pas le moyen d'expression privilégié de l'art chrétien par la richesse qu'elle montre, elle l'est par son aptitude à suggérer le sacré.
MALRAUX, les Voix du silence, p. 195.

♦ 2. Par ext. Juxtaposition d'éléments décoratifs. Reliure. *Reliure de plusieurs couleurs, faite de peaux appliquées sur un fond* (⇒ **Mosaïqué**). — *Parterre de fleurs et feuillages formant des dessins.* ⇒ **Mosaïculture.** *Mosaïque* ou, par appos., *parquet mosaïque,* « constitué de lamelles de dimensions réduites fixées sur un support » (J.-C. Reggiani, *Industries et commerce du bois,* p. 90). — *Broderie de mosaïque,* faite de perles de couleur posées sur un canevas.

♦ 3. (1765). Fig. Ensemble composé d'éléments variés disparates. Spécialt. Œuvre, ouvrage fait de morceaux rapportés (⇒ **Marqueterie**).

4 (...) Lebrun (...) n'a que de la *hardiesse combinée* et jamais de la hardiesse *inspirée ;* ne le voyez-vous pas d'ici (...) entouré de Virgile, d'Horace, de Corneille, de Racine, de Rousseau, qui pêche à la ligne un mot dans l'un et un mot dans l'autre, pour en composer ses vers, qui ne sont que *mosaïque ?*
RIVAROL, Rivaroliana, III.

L'Italie était alors simple « expression géographique », véritable mosaïque de principautés grandes et petites (...)
Louis MADELIN, Hist. du Consulat et de l'Empire, « Ascension de Bonaparte », IV.

♦ 4. (xxe). Bot. Maladie virale de certaines plantes. *Le virus* * de la mosaïque du tabac.*

(...) une maladie très commune des plantes (...) la *Mosaïque du Tabac* (...)
Jean ROSTAND, la Vie et ses problèmes, p. 23.

♦ 5. Techn. Corpuscules photo-électriques très nombreux recouvrant une électrode (élément principal de l'iconoscope, en télévision).

La plasticité du support ne doit pas être confondue avec une véritable plasticité de la fonction d'enregistrement ; il est possible d'effacer en un millième de seconde les nombres incrits sur la mosaïque de béryllium (...) et de les remplacer par d'autres.
Gilbert SIMONDON, Du mode d'existence des objets techniques, p. 121.

♦ 6. Biol. *Œufs en mosaïque.* ⇒ 2. **Mosaïque.** *Organisme, tissu mosaïque* (⇒ 2. **Mosaïque,** 2.). « *Il s'agit de créer chaque fois un être neuf, "une mosaïque" (...) composée avec des caractères de chacun des parents »* (*Sciences et Avenir,* mars 1978, p. 48).

DÉR. et COMP. Mosaïculture, mosaïqué, mosaïste.

2. MOSAÏQUE [mɔzaik] adj. — V. 1525, *œuvre musaïque ; pavé mosaïque,* 1577, in Godefroy ; *pierres mosaïques,* 1572 ; ital. *mosaico,* du lat. *musivum* (→ Mussif) ; cf. anc. franç. *à or museu,* 1160, « orné de morceaux d'or ».

♦ 1. Vx. Fait en mosaïque. « *Pavé mosaïque* » (Gautier). — REM. On dit aujourd'hui *mosaïque ;* l'expression *parquet mosaïque* est plutôt sentie comme une apposition.

♦ 2. (1907, *hybride mosaïque*). Biol. Qui se juxtapose sans que l'un domine l'autre (en parlant des caractères héréditaires). — *Développement de type mosaïque,* où chaque région de l'œuf (ou chaque blastomère) est fonctionnellement déterminée. ⇒ **Anisotrope.** — *Organisme, tissu mosaïque,* ou, n. f., *une mosaïque :* tissu composé de populations cellulaires qui diffèrent entre elles par leur génome.

3. MOSAÏQUE [mɔzaik] adj. — 1505 ; lat. mod. *mosaicus,* de *Mo(y)ses,* Moïse.

♦ Relig. Qui a rapport à Moïse ou à sa religion, qui vient de Moïse. *Révélation mosaïque* (→ 2. Canon, cit. 2). *Loi, culte mosaïque. Judaïsme mosaïque.*

Sans doute la morale de Moïse (*... n'atteint pas...*) à la splendeur surhumaine de l'Évangile, mais le principe est déjà posé, qui associe la foi en Dieu à la bonne conduite. Mosaïsme, prophétisme, christianisme sont exactement dans la même ligne (...) Au Décalogue, Moïse ajouta de multiples décrets dont l'ensemble constitue le *Livre de l'Alliance* (...) Dans ce code mosaïque, il est question de tout, de la situation des esclaves, des coups et blessures (...) Visiblement, tout cela est né de l'événement, de la vie.
DANIEL-ROPS, le Peuple de la Bible, II, II.

DÉR. Mosaïsme.

MOSAÏQUÉ, ÉE [mɔzaike] adj. — 1894 ; attestation isolée, 1845 ; de 1. *mosaïque.*

♦ Arts. Qui ressemble à une mosaïque, imite une mosaïque. *Tapis mosaïqué.*

Spécialt. *Reliure mosaïquée,* faite d'incrustations de cuirs de différentes teintes.

Je n'entends rien, pour ma part, à l'agrément (...) de telle reliure « janséniste » sévère et lisse comme une laque, de telle « mosaïquée » varicolore (...)
COLETTE, De ma fenêtre, 23 janv. 1941, p. 66.

MOSAÏSME [mɔzaism] n. m. — 1845 ; de 3. *mosaïque.*

♦ Relig. Doctrine et ensemble des institutions religieuses que les juifs reçurent de Moïse.

MOSAÏSTE [mɔzaist] n. — 1812 ; de 1. *mosaïque.*

♦ Arts, techn. Artiste qui exécute des mosaïques ; carreleur en mosaïque. — Appos. *Ouvrier mosaïste.*

Les créations des mosaïstes chrétiens ne marquent pas plus l'évolution d'une industrie romaine, que nos vitraux industriels ne marqueront une évolution du vitrail de Chartres. Lorsque les Romains avaient découvert dans cette technique une « peinture pour l'éternité, œuvre de l'homme que l'homme seul peut détruire », ils en avaient conclu qu'elle était inusable, et bien pratique pour marcher dessus. Aux murs, ils en avaient fait parfois un succédané de la peinture et, le plus souvent, un art décoratif semblable à celui de leurs pavements.
MALRAUX, la Métamorphose des dieux, p. 128.

MOSAN, ANE [mɔzã, an] adj. — Signalé en 1907 par *Nouveau Larousse illustré, Suppl.,* comme « synonyme peu usité de *mosellan* » ; de *Mosa,* nom lat. de la *Meuse.*

♦ De la Meuse, des régions qu'elle arrose. *Les plateaux mosans.* — *L'art mosan,* remarquable surtout du XIᵉ au XIIᵉ siècle (art roman), dans la sculpture sur ivoire, la gravure, les arts du métal.

MOSCATEL [mɔskatɛl] n. m. — 1903 ; mot esp. «(raisin, vin) muscat», cf. lat. tardif *moscatellus* «raisin muscat», ital. *moscadello,* vx provençal *muscadel.* → Musc, muscat.

♦ Vin muscat fabriqué en Espagne.

MOSCOUADE [mɔskwad] ou **MOSCOVADE** [mɔskɔvad] n. f. — 1967 ; altér. du port. *mazcabado* «déprécié».

♦ Vx. Sucre brut, coloré par de la mélasse.

MOSCOUTAIRE [mɔskutɛʀ] n. et adj. — 1920 ; de *Moscou.*

♦ Péj. (Polit.). Communiste accusé de prendre ses mots d'ordre à Moscou.

Voilà, citoyens et camarades, en faveur de qui les communistes font la patte de velours. Vous reconnaissez l'honnêteté de Moscou, l'incorruptible dévouement des moscoutaires à la cause du peuple (...) Et nous autres, prolétaires de la banlieue nord (...) nous constaterons que ce qui s'accorde le mieux avec la crapule bourgeoise, c'est la crapule de Moscou.
J. ROMAINS, les Hommes de bonne volonté, t. XXIII, XXIV, p. 226-227.

Adj. « *Le plus moscoutaire des P. C. européens* » (le *Nouvel Obs.,* 16 oct. 1972, p. 43).

MOSCOVITE [mɔskɔvit] adj. et n. — Déb. XVIIIᵉ ; de *Moscovie,* anc. n. de la région de Moscou.

♦ De Moscou, capitale de la Russie (⇒ **Russe**). *Atmosphère* (→ Interposition, cit. 2), *peuple moscovite* (→ Insensibilité, cit. 1). *Un, une Moscovite* (→ Malentendu, cit. 1).

1 (...) les grands corps et les fibres grossières des peuples du nord sont moins capables de dérangement que les fibres délicates des peuples des pays chauds : l'âme y est donc moins sensible à la douleur. Il faut écorcher un Moscovite pour lui donner du sentiment. MONTESQUIEU, l'Esprit des lois, XIV, II.

2 Tout en trouvant la vie agréable à Saint-Pétersbourg, nous étions travaillés du désir de voir la vraie capitale russe, la grande ville moscovite (...)
Th. GAUTIER, Voyage en Russie, XVI.

MOSELLAN, ANE [mozɛlɑ̃, an] adj. — 1740, *Lorraine mosellane ;* de *Moselle.*

♦ De la Moselle, de sa région.

MOSETTE ou **MOZETTE** [mozɛt] n. f. — 1653, *mossette ;* de l'ital. *mozzetta,* altér. d'*almozetta* «petite aumusse».

♦ Liturgie rom. Courte pèlerine couvrant le buste jusqu'à la ceinture souvent ornée d'un capuchon minuscule, que portent les cordeliers et certains dignitaires ecclésiastiques. ⇒ **Camail**. *Mosette de chanoine, d'évêque...*

MOSI ou **MOSSI** [mɔsi] adj. et n. invar. — 1888, nom propre ; mot de la langue mooré, plur. *mosi,* sing. *mòã:gã* «langue du pays mò:gõ».

♦ Didact. Qui appartient, qui est relatif aux ethnies du centre de la Haute-Volta parlant la langue mooré. *La société mosi (mossi). Masques mosi (mossi). L'empire mosi date du XIIᵉ siècle.* — N. *Les Mosi (Mossi) :* les personnes qui appartiennent à ces ethnies. (On trouve aussi la graphie francisée du plur. : *les Mossis*). — Abusif au sing., étymologiquement : *un, une Mosi.*

N. m. *Le mosi :* la langue des Mosi (appelée par les spécialistes *mooré* ou *moré*).

MOSQUÉE [mɔske] n. f. — 1553 ; *musquette,* 1351 ; *mosquez,* 1528 ; ital. *moschea,* altér. de *moscheta, moschita ;* esp. *mezquita ;* arabe *mäsdjïd* «endroit où l'on pose la tête (en faisant la prière) ; endroit où l'on adore».

♦ Temple, sanctuaire consacré au culte mahométan. *Coupole* (cit. 2), *mihrab* * (→ Édicule, cit. 1), *minaret* *, *minbar* * *d'une mosquée. Mosquée renfermant le tombeau d'un marabout* (→ Koubba, cit. 2). *Se déchausser* (cit. 2) *avant d'entrer dans une mosquée pour y entendre la khotba* *. *Mosquée interdite aux chrétiens et aux juifs* (→ Influence, cit. 10). *Iman* *, *muezzin* * *d'une mosquée. Mosquée de La Mecque, de Kairouan, de Constantinople, de Cordoue* (l'actuelle cathédrale).

1 J'entre dans la mosquée après m'être déchaussé, et je m'avance sur les tapis au milieu des colonnes claires dont les lignes régulières emplissent ce temple silencieux, vaste et bas, d'une foule de larges piliers.
MAUPASSANT, la Vie errante, « D'Alger à Tunis ».

2 Aucun meuble ; point d'autres sièges que ces bancs latéraux où nous nous asseyons. Ah ! combien volontiers, déchaussé, je m'accroupirais sur ces nattes à la manière orientale, ainsi que je faisais dans la Mosquée Verte !... Dans cette mosquée, une salle vaste et claire est consacrée aux tournoyantes pratiques de ces Messieurs (les der-

viches). Tout à côté s'ouvre une salle non moins vaste, mais plus obscure, que les tombeaux de marabouts illustres sanctifient. GIDE, Journal, 12 mai 1914.

MOSS [mɔs] n. m. ⇒ **Moos**.

MOSSI [mɔsi] adj. et n. invar. ⇒ **Mosi**.

MOSSO [mɔso] adv. — 1874 ; mot ital., p. p. de *muovere* «mouvoir».

♦ Mus. Avec vivacité, entrain (indication de la manière de jouer figurant le plus souvent en tête d'une partition, d'un passage). *Allegro mosso. Più mosso :* plus vivement.

MOT [mo] n. m. — Xᵉ, *Passion du Christ, ne soner mot* «ne rien dire» ; du lat. pop. *mottum,* altér. du bas lat. *muttum* «grognement», rad. *muttire* «souffler mot, parler», proprt «dire *mu*».
Élément sémantiquement codé d'une langue* ; son ou groupe de sons articulés, ou figurés graphiquement (par idéogrammes ou par lettres), qui conserve une certaine unité formelle dans des emplois grammaticaux déterminés et auquel est liée soit une fonction stable, soit la représentation d'une chose, d'une idée ou d'un être. *Lettres, syllabes constituant un mot. Ensemble des mots qui composent une langue.* ⇒ **Lexique, nomenclature, vocabulaire.**

1 Dans toute langue parlée, le *mot* est un son ou un groupe de sons articulés auquel ceux qui parlent attachent une valeur intellectuelle. C'est un signe *sonore* qui rappelle, par suite d'une association régulière d'idées, soit l'image d'un objet matériel, soit l'idée d'une notion abstraite... Le mot est le serviteur de l'idée (...)
A. DARMESTETER, la Vie des mots, p. 36.

2 Toute idée, simple ou complexe, se traduit par des sons, des groupes de sons, et des bruits, qui forment des mots, signes des idées : *encrier, vivre, demain.*
F. BRUNOT, la Pensée et la Langue, p. 3.

3 L'unité même du mot n'est pas aisément reconnaissable ; elle se définit d'une part par le fait que le système d'articulations dont se compose le mot est susceptible d'être isolé ou déplacé dans la phrase sans cesser de répondre à un concept donné, d'autre part éventuellement par le fait qu'on peut observer, entre les éléments composants du mot certaines relations phonétiques, morphologiques, syntaxiques, etc.
J. MAROUZEAU, Lexique de la terminologie linguistique, art. *Mot.*

★ **I.** ♦ **1.** Gramm. et ling. *Le mot, élément du langage.* ⇒ **Langage**. *Le mot, forme libre qui entre dans la production de la phrase.*

4 Toute phrase est formée d'un ou de plusieurs groupes sémantiques à l'intérieur desquels on peut découper des unités plus petites, des *mots.* Le mot est une unité sémantique indécomposable : il existe des unités grammaticales plus petites, mais elles sont dépourvues de signification autonome. La structure du mot n'affecte pas en principe son unité et son autonomie sémantiques : simple ou dérivé, transparent ou opaque, il évoquera toujours un sens donné — ou le plus souvent plusieurs sens, selon le contexte. Le cas-limite entre mot et groupe est le mot composé, et c'est justement le critère d'unité, de soudure qui décidera s'il s'agit de l'un ou de l'autre. Nous définirons donc le mot comme l'*unité sémantique minima de la parole.* S. ULLMANN, Précis de sémantique franç., p. 33.

Auteur, ouvrage, science qui traite des mots. ⇒ **Dictionnaire ; lexicographe, lexicographie ; lexicologie, lexicologue ; lexique.** *Mots de la langue courante, générale, de tous les jours. Mots courants, familiers. Mot des langues spéciales, de la langue des métiers, mot technique.* ⇒ **Terminologie**. *La vie et la mort des mots. Mots vivants* (→ Dire, cit. 3 ; lexicographe, cit. 2). — *Mots qui font fortune* (cit. 40), *qui sortent de l'usage, tombent en désuétude* (⇒ **Archaïque, archaïsme,** cit. 1). *Mot vieilli, vieux. Mot nouveau.* ⇒ **Emprunt, néologisme.** *Mot usité, usuel. Mot dont on ne relève qu'un seul exemple.* ⇒ **Hapax.** *Mot inédit* (cit. 5), *à la mode.* — Techn., documentation. *Mot-clé :* mot choisi pour couvrir une notion que l'on veut faire apparaître pour analyser et indexer un document. ⇒ **Descripteur.** — *Mot-témoin,* dont la fréquence caractérise un style, la façon de penser d'un auteur, d'une époque. — *Origine, filiation des mots.* ⇒ **Étymologie,** et aussi **famille, racine, radical.** *Mots qui sont tirés* *, *qui viennent du latin* (cit. 12). *Mot indigène. Mot emprunté, mot d'emprunt.* ⇒ **Emprunt.** *Mot emprunté par le français à une autre langue* (⇒ **Anglicisme, latinisme...**). *Revêtir un mot d'une forme empruntée à une autre langue* (⇒ **Angliciser, franciser...**). *Accueillir dans une langue un mot dialectal, étranger, exotique, anglais, grec, latin.* ⇒ **Naturaliser.** — (1933). *Mot savant* (→ Gallo-roman, cit. 2), *demi-savant* (1933), *populaire, d'argot* *. *Mots régionaux. Mots de même étymologie, mais de formation différente.* ⇒ **Doublet.** *Mot hybride* *. *Mot forgé, inventé par un écrivain* (→ Artificiellement, cit. 27). *Mot utilisé dans une terminologie* *. ⇒ **Terme.** *Formation, forme des mots.* ⇒ **Morphologie.** *Mots courts, longs* (→ Génie, cit. 12). *Le mot est composé de syllabes.* ⇒ **Syllabe** (et ses composés). *Épeler* *, *lire un mot. Écrire un mot correctement.* ⇒ **Orthographe.** *Mot de trois, de quatre lettres.* ⇒ **Trilittère, tétragramme.** — (1565). *Mot simple,* dans la formation duquel il n'entre ni préfixe, ni suffixe. — Ling. Mot un seul morphème, dit *morphème-mot.* — (1565). *Mot composé,* formé de plusieurs éléments lexicaux. — (1690). *Mot dérivé* *. ⇒ **Composition, dérivation ; lexie, particule ; affixe ; préfixe, suffixe ; base ; radical, thème.** *Mot primitif* *, *thématique. Terme formé de deux ou plusieurs mots* (→ Abrègement, cit.). *Morphème* * *qui s'ajoute au lexème* * *d'un mot.* ⇒ **Désinence, flexion, terminaison.** *Mot invariable, variable* *. *Forme emphatique* * *d'un mot. Mot contracté* *. *Mettre un mot au pluriel, au féminin* (→ Féminiser). *Genre* *, *nombre* d'un mot. Altération, déformation d'un mot.* ⇒ **Apocope, épenthèse, métaplasme; barbarisme.** *Mots à signifiants identiques* (⇒ **Homonyme**), *voisins* (⇒ **Paronyme**). *Transposition des lettres d'un mot* (⇒ **Anagramme**). *Mot-valise** (voir à l'ordre alphabétique). *Mot-outil.* ⇒ **Outil.**

Valeur stylistique des mots. Mot bas, familier, grossier, littéraire, poétique, populaire, trivial, vulgaire. Beaux mots (→ Copieux, cit. 4). *Les plus beaux mots de la langue française. Saveur des mots* (→ Harmonie, cit. 25). *Mot à effet* (→ Captiver, cit. 8), *expressif* (cit. 3), *fort, pittoresque* (→ Gnôle, cit. 2), *riche de couleur* (cit. 27) *et de sonorité. Mot faible* (⇒ **Faiblesse**, *infra* cit. 21), *incolore* (⇒ Impressionniste, cit. 2), *sans relief* (→ Boulon, cit. 2), *terne, usé, sans valeur expressive* (cit. 2). *Figures de mots* (⇒ **Figure; rhétorique**). *Alliance de mots* (dont le rapprochement crée une expression remarquable. Ex. : *Cette obscure clarté qui tombe des étoiles*; hâte-toi lentement). *Mot de remplissage.* ⇒ **Cheville.** *Dire beaucoup en peu de mots* (→ Esprit, cit. 127; fatras, cit. 8). ⇒ **Concis, concision.** *Mot répété* (→ Corriger, cit. 7), *ressassé* (→ Insistance, cit. 4). — *Choix des mots.* — *Arrangement* (cit. 6), *ordonnance* (→ Impérieusement, cit. 2) *des mots* (→ Autre, cit. 16.1, Pascal).

5   Enfin Malherbe vint, et, le premier en France (...)
   D'un mot mis en sa place enseigna le pouvoir (...)   BOILEAU, l'Art poétique, I.

6   Mais, si les langues sont comme les nations, il est encore très vrai que les mots sont comme les hommes. Ceux qui ont dans la société une famille et des alliances étendues y ont aussi une plus grande consistance. C'est ainsi que les mots qui ont de nombreux dérivés et qui tiennent à beaucoup d'autres, sont les premiers mots d'une langue et ne vieilliront jamais; tandis que ceux qui sont isolés ou sans harmonie, tombent comme les hommes sans recommandation et sans appui.
   RIVAROL, Littérature, *in* Œ., I.

Aspect phonétique des mots. ⇒ **Phonétique; phonologie; prononciation, son; assonance, consonance.** *Les phonèmes d'un mot. Accent* du mot.* ⇒ **Accentuation; baryton, enclitique, oxyton, proclitique.** *Mot atone. Voyelle accentuée du mot* (→ Accent, cit. 1). *Mot harmonieux, improniçable, rude. Mélodie des mots. Classes fonctionnelles de mots.* ⇒ **Adjectif, adverbe, article, conjonction, interjection, nom** (et **substantif**), **préposition, pronom, verbe.** *Les espèces de mots, les «parties du discours».* — *Mots lexicaux* (nom, verbe, adjectif, certains adverbes) *et mots grammaticaux.* — (1922). *Mot-outil,* exprimant une relation entre les termes du discours. *Mots qui s'agencent* (cit. 4) *en phrases.* ⇒ **Phrase.** *Distribution* d'un mot dans les énoncés. Dans les langues dites incorporantes ou holophrastiques* il est difficile de distinguer le mot de la phrase. Association* des mots dans la phrase. Les groupes de mots* (⇒ Accommoder, cit. 14). ⇒ **Membre, proposition, tournure.** *Accord et ordre* des mots.* ⇒ **Syntaxe.** *Fonction et rôle des mots dans la phrase.* ⇒ **Grammaire; antécédent, apposition; corrélatif, épithète, explétif, partitif, supplétif.**

Le mot considéré du point de vue de sa signification. Le sens d'un mot. ⇒ **Acception, sens*, signification, valeur.** *Les mots sont des signes. Le signifiant et le signifié, l'expression et le contenu d'un mot. Association d'un mot et d'un concept, d'une idée. Mot employé dans un sens fort, plein. Au sens fort* du mot. Définition d'un mot. Étude du sens d'un mot.* ⇒ **Sémantique.** *Étendue, extension* du sens d'un mot. Mot compréhensif* (cit. 2). *Association des idées exprimées par les mots.* ⇒ **Analogie.** *Mot-centre*. Mot clair, obscur, abstrait* (cit. 4), *concret. Mot qui évoque un bruit.* ⇒ **Onomatopée.** *Exiger des mots un contenu précis* (→ Clarté, cit. 15). *Mot impropre, vague. Mot à double interprétation*.* ⇒ **Ambiguïté, amphibologie, équivoque.** *Mot consacré* (→ Logos, cit. 1), *juste* (→ Expression, cit. 3). *Le mot propre, exact, précis, le bon mot* (→ Inconfort, cit. 2). *Mot à plusieurs sens* (polysémique) *à un seul sens* (monosémique, univoque). *Mots à signifiés identiques.* ⇒ **Synonyme.** *Mots à signifiés contraires.* ⇒ **Antithèse, antonyme.** — *Mot autonyme*,* cité, en mention (et non usité, en fonction). *Le mot de liberté* (→ Afficher, cit. 1). *Le mot «agrume»* (cit. 2). *Le mot homme d'État* (→ Habile, cit. 18, Hugo). *Le mot bulletin s'écrit avec deux l. Le mot de gredin est injurieux.* ⇒ **Terme.**

6.1   Jamais une idée générale dans le genre de celles que développait M. Beulier, jamais de vues oraculaires sur l'âme, sur l'intelligence. Mais un fait, le sens qu'avait autrefois un mot, l'usage d'où ce mot dérivait, les raisons de fait pour lesquelles on ne pouvait croire que ce fût dans tel sens que l'eût entendu tel écrivain.   PROUST, Jean Santeuil, Pl., p. 479.

6.2   Le mot France et le mot Allemagne ne sont à peu près plus et n'ont jamais été pour le monde des expressions géographiques, ce sont des termes moraux (...)   GIRAUDOUX, Siegfried et le Limousin, p. 148.

7   La variété des procédés morphologiques fait que la définition du *mot* varie suivant les langues. S'il y a des langues où le mot se laisse définir aisément comme une unité indépendante et insécable, il en est d'autres où il se trouve en quelque sorte dans le corps de la phrase, où l'on ne peut à vrai dire le définir qu'à condition d'y englober une masse d'éléments variés.   J. VENDRYES, le Langage, p. 103.

8   Et l'on sait de reste avec quel zèle écrivains, grammairiens ou lexicologues pourchassent le moindre soupçon d'obscurité ou d'amphibologie — jusqu'à admettre par avance et tenir pour loi que tout mot a *son* idée, toute idée *son* mot.   J. PAULHAN, les Fleurs de Tarbes, p. 128.

Mots métalinguistiques (ex. : *mot, nom, verbe, préposition; parler, dire...*).

Spécialt. Occurrence d'un mot dans le discours (→ ci-dessous les exemples en 2.).

♦ **2.** Cour. *Mot prononcé; mot écrit,* ou *graphique* (suite de signes entre deux blancs) : occurrence observable d'un mot. *Articuler* (cit. 9 et 14), *balbutier* (cit. 13), *manger*, marteler* (cit. 9), *scander* (→ Corser, cit. 1), *traîner ses mots. Il a dit un mot pour un autre* (→ La langue lui a fourché*). — *Sauter un mot en recopiant. Mot abrégé* (→ Hiéroglyphe, cit. 5), *illisible. Texte de mille mots environ. Avoir un mot sur le bout de la langue*, des lèvres. Mot qui se présente, qui reste au bout de la plume*.* — *Chercher ses mots* (→ Ânonner, cit. 2). xxᵉ. *Ne pas trouver ses mots* (en parlant, en écrivant). → Approche, cit. 4. *Les mots ne venaient pas* (→ Heu, cit. 2). *Il faut lui arracher les mots.*

Ils me font dire aussi des mots longs d'une toise,
De grands mots qui tiendraient d'ici jusqu'à Pontoise.
   RACINE, les Plaideurs, III, 3.   9

Ce que l'on conçoit bien s'énonce clairement,
Et les mots pour le dire arrivent aisément.   BOILEAU, l'Art poétique, I.   10

Ah! si je savais dire comme je sais penser! Mais il était écrit là-haut que j'aurais les choses dans ma tête, et que les mots ne me viendraient pas.   DIDEROT, Jacques le fataliste, Pl., p. 518.   11

Il est des mots qu'on aime à répéter. Il en est d'autres que l'on craint. L'on évite (en temps de paix) le mot *guerre* : l'on dit plutôt *défense nationale.* Le mot *dévaluation* : l'on dit *alignement monétaire.*
   J. PAULHAN, les Fleurs de Tarbes, p. 133.   12

Allusion littéraire :

Car le mot, c'est le Verbe, et le Verbe, c'est Dieu.   HUGO, les Contemplations, I, I, VIII.   13

À ces mots (→ Adieu, cit. 10), *sur ces mots, disant ces mots, en achevant* (cit. 15) *ces mots... Dès les premiers mots* (→ Capter, cit. 2). *Dire un mot. Ne dire* mot* (→ Bouger, cit. 4), *ne pas dire un mot, un seul mot, un traître mot. Ne pas sonner* (vx), *souffler mot* : garder le silence. *Sans dire un mot* (→ Assiette, cit. 17), *sans dire mot* (→ Attacher, cit. 106), *sans mot dire* (cit. 4). *Surtout, pas un mot!* (⇒ **Motus**). *Si je n'en disais mot, je n'en pensais pas moins.* — Prov. *Qui ne dit mot consent*.* — *Ne pas avoir, ne pas dire un mot plus haut** (cit. 31) *que l'autre.*

Sans faire d'éclat il fallait tout de même marquer le coup. J'avais d'ailleurs un très bon prétexte : les travaux de la Belle Angerie, dont Mᵐᵉ Rezeau ne soufflait mot.   Hervé BAZIN, Cri de la chouette, p. 212.   13.1

À ces mots, le corbeau ne se sent pas de joie (...)   LA FONTAINE, Fables, I, 2.   14

(...) sa rupture était complète avec les Buteau, il restait dans son silence, comme séparé et enseveli. Jamais, dans aucune circonstance, pour aucune nécessité, il ne leur adressait la parole (...) pas un regard, pas un mot, l'air d'un aveugle et d'un muet, la promenade traînante d'une ombre, au milieu de vivants.   ZOLA, la Terre, V, II.   15

De tout cela, Derancourt ne disait mot.   G. DUHAMEL, Récits des temps de guerre, I, XII.   16

(...) il demanda ce qu'on lui avait fait; ceux à qui il s'adressa ignorant tout, ne lui répondirent rien de clair; de ce moment il forma des soupçons; il ne dit mot, mais je le vis troublé.   SADE, Justine..., t. I, p. 93.   16.1

Vx (langue class.). *Mot :* pas un mot. *« Point de réponse, Mot »* (La Fontaine, *Fables,* VIII, 17).

C'est le mot qu'on attendait. Lâchons le mot (→ Ganache, cit. 4). *Ne pas avoir peur des mots. Je ne trouve pas de mot assez fort pour qualifier cet acte. Ce mot est bien fort, bien rude.* — *Ne pas mâcher* ses mots, trancher* le mot* : parler avec franchise, netteté. — *Peser* ses mots. Parler à mots couverts*, à mi-mots. Comprendre, entendre à demi-mot.* ⇒ **Demi-mot.**

À mi-mots, avec une pudeur souriante et bourrue, elle laissait apercevoir à qui le pouvait comprendre le vide de sa destinée, l'amertume de sa vie gâchée (...)   Émile HENRIOT, Aricie Brun, III, III.   17

Mot convenu, Mot du guet*, (1825) *d'ordre*,* (1868) *de passe*. Mot secret.* — (1671). Fig. *Se donner le mot* : s'entendre, se mettre d'accord. *Le mot de la charade* (→ Absolu, cit. 17), *la réponse. Le mot de l'énigme*. Le fin* mot de l'affaire.* — Loc. (1640). *Avoir le mot* : être dans le secret, savoir ce qu'il faudra dire ou faire.

Depuis ce jour, cette recherche fut l'unique préoccupation des habitants de l'île Lincoln. Tout les poussait à découvrir le mot de cette énigme, mot qui ne pouvait être que le nom d'un homme doué d'une puissance véritablement inexplicable et en quelque sorte surhumaine.   J. VERNE, l'Île mystérieuse, t. II, p. 755.   17.1

Mot magique (⇒ Fabuleux, cit. 6; maîtriser, cit. 5). *Maître-mot* (→ Magicien, cit. 4). *Mot sacramentel*.*

(...) et Guimard qui a quelque culture parlant des chambres secrètes des Égyptiens et des «maîtres mots».   F. MALLET-JORIS, le Jeu du souterrain, p. 195.   17.2

Grand mot : mot emphatique, prétentieux ou, encore, mot de grande conséquence (⇒ Assommer, cit. 9; érudition, cit. 2; fatalité, cit. 5; 1. jargon, cit. 6).

Votre Sainteté est souveraine de Rome, mais j'en suis l'Empereur. Le grand mot était lancé, que le Pape ne pouvait pas laisser passer.   Louis MADELIN, Hist. du Consulat et de l'Empire, « Vers l'Empire d'Occident », XII.   18

C'est comme si je souhaitais sa mort...
— Tout de suite les grands mots! Mais non, mon imbécile chéri; tu as vingt ans, tu ne veux pas que ta jeunesse soit enterrée vivante...   F. MAURIAC, le Mal, VIII.   19

Mot à double sens, à double entente (→ Gaillardise, cit. 1). ⇒ **Équivoque.** *Jouer sur les mots* (⇒ Équivoquer). *Jeu* de mots, sur les mots.* ⇒ **Calembour, contrepèterie, turlupinade** (vx).

Mot blasphématoire (cit. 2), *blessant* (cit. 2), *ignoble* (cit. 2). *Vilain mot;* (vx) *mot de gueule. Mot de Cambronne, de cinq lettres* (merde). *Mot de trois lettres* (con, cul...). → Frère, cit. 24. — *Gros**

mot : mot considéré comme grossier, inconvenant. *Les enfants adorent les gros mots.*

♦ **3.** (Les mots dans leurs rapports avec la pensée et le réel. Souvent péj. ; envisagés en tant qu'incapables d'exprimer et de communiquer la pensée). *Les mots, distingués de la pensée, opposés aux idées** (cit. 15 et 16 ; → Abstraction, cit. 5). *Mots dénués de signification. Proférer des mots vides de sens. Mots qui ont plus de valeur que de sens* (→ Liberté, cit. 1, Valéry). *« Mots perroquets »* (Valéry). *Vains mots* (→ Abuser, cit. 12), *mots creux. Se payer* de mots. Ce ne sont que des mots.* ⇒ **Parole** (en l'air) et **vent** (ce n'est que du). *Des mots ! Des mots !* (→ Cueillir, cit. 9). *Cliquetis* de mots.* — *Les mots et les choses. Prendre la paille des mots pour le grain* (cit. 6) *des choses.* ⇒ **Verbalisme ; psittacisme.** — *Les mots et les actes* (cit. 3).

20 (...) les propos auxquels on mêlait son nom, n'étaient peut-être que des propos ; du bruit, des mots, des paroles ; moins que des paroles, des *palabres,* comme dit l'énergique langue du midi.
    HUGO, les Misérables, I, I, I.

21 Les hommes plus souvent se querellent pour les mots. C'est pour des mots qu'ils tuent et se font tuer le plus volontiers.
    FRANCE, le Mannequin d'osier, Œ., t. XI, XVII, p. 433.

22 Et Mallarmé, avec sa douce profondeur : « Mais, Degas, ce n'est point avec des idées que l'on fait des vers... *c'est avec des mots ».*
    VALÉRY, Degas, Danse, Dessin, p. 99.

23 Trop souvent, le mot tient lieu de la chose et la chose peut s'en aller. Nous payons de mots les autres et nous-mêmes. Nous volons et nous sommes volés.
    GIDE, Attendu que..., p. 172.

24 La pensée vole et les mots vont à pied. Voilà tout le drame de l'écrivain.
    J. GREEN, Journal, 4 mai 1943.

Au fig. (Les mots étant considérés par rapport à leur contenu intellectuel ou affectif). *Ignorer, ne pas savoir le premier mot, un traître mot d'une chose, d'une science, d'une langue* : en ignorer tout. *Il ne m'échappait pas un mot de ce qu'il me disait* (→ Attention, cit. 1). — *Le premier et le dernier mot de qqch.* (→ L'alpha* [cit. 2] et l'oméga). — **LE DERNIER MOT.** *Le dernier mot de la sagesse humaine,* sa plus grande perfection (→ Abêtir, cit. 2). — (1874). *Avoir le dernier mot dans une discussion,* l'emporter finalement. *Le dernier mot restera à une philosophie critique* (→ Fond, cit. 30). *Il n'a pas dit (donné) son dernier mot* : il n'a pas montré encore tout ce dont il était capable, tout ce qu'on peut attendre de lui. — *Placer son mot* (→ Affirmer, cit. 6) : intervenir dans une conversation (→ Mettre, placer son grain* de sel). *Avoir son mot à dire* : être autorisé à exprimer son avis, à donner son opinion, son consentement.

25 Néanmoins, il passait pour un grand esprit qui n'avait pas donné son dernier mot.
    BALZAC, Une fille d'Ève, Pl., t. II, p. 89.

26 (...) il a toutes les ressources de la dialectique, et, avec lui, vous n'aurez jamais le dernier mot sur quoi que ce soit.
    NERVAL, Nuits d'octobre, II.

26.1 Tout partenaire d'une scène rêve d'avoir le dernier mot. Parler en dernier, « conclure », c'est donner un destin à tout ce qui s'est dit, c'est maîtriser, posséder, dispenser, assener le sens ; dans l'espace de la parole, celui qui vient en dernier occupe une place souveraine, tenue, selon un privilège réglé, par les professeurs, les présidents, les juges, les confesseurs.
    R. BARTHES, Fragments d'un discours amoureux, p. 247.

(1847). Fam. (au plur.). *Avoir, échanger des mots avec qqn* : avoir une altercation, échanger des propos malsonnants.

27 (...) je n'y retourne pas ; j'ai eu des mots avec les patrons et j'ai perdu ma place.
    G. DUHAMEL, Salavin, I, II.

♦ **4.** Suite de mots composant une ou plusieurs phrases courtes. *Dire, adresser un mot à qqn* (→ Effort, cit. 23). *Couler* (cit. 29), *glisser un mot à l'oreille de qqn. Il n'avait qu'un mot à dire pour obtenir satisfaction. Encore un mot ! Finir un récit en deux mots,* brièvement (→ Abréger, cit. 1). *Dire, toucher un mot de qqch. à qqn,* l'en entretenir brièvement. (XVIIe). *Laissez-moi lui dire deux mots.* — (Fam.). *Je vais lui dire deux mots,* l'admonester (→ Lui passer un savon*). *Goûtez-moi ce vin, vous m'en direz deux mots* (→ Vous m'en donnerez des nouvelles*). — *Dire deux mots à une bouteille, à un poulet* (→ Boire, manger).

28 À moi, Comte, deux mots.
    CORNEILLE, le Cid, II, 2.

29 Tenez, tous vos discours ne me touchent point l'âme :
    Horace avec deux mots en ferait plus que vous.
    MOLIÈRE, l'École des femmes, V, 4.

(1578, *in* D.D.L.). Courte lettre. ⇒ **Billet, écrit, lettre** (→ Griffonner, cit. 6). *Écrire un mot à qqn. « Prête-moi ta plume pour écrire un mot »* (*Au clair de la lune,* chanson). *Un mot galant.* ⇒ **Poulet.** *Je vous enverrai un petit mot.* — Vx. *Un mot de billet.*

30 Tu m'écriras, lui dit-elle, un petit mot tous les jours ; ça n'a pas besoin d'être long.
    SARTRE, le Sursis, p. 111.

Des mots d'amour (→ Convenance, cit. 7), *de tendresse* (→ Lettre, cit. 25). *Il attendait un mot d'approbation, d'excuse. Un mot d'éloge* (→ Fromage, cit. 9).

♦ **5.** Parole* exprimant de façon concise une pensée profonde, originale, spirituelle... (→ Faute, cit. 39). *Recueil de Mots célèbres.* ⇒ **Ana ; dicton, dit** (vx), **sentence** (→ Authentique, cit. 13 ; labourage, cit. 2). *Mot historique* (cit. 9 et 10), *mémorable. Mot d'enfant* : parole amusante ou touchante, caractéristique de la mentalité enfantine. *Mot d'auteur.*

31 Il fut donc, selon le mot du plus spirituel et du plus habile de nos diplomates, l'un des cinq cents fidèles serviteurs qui partagèrent l'exil de la cour à Gand, et l'un des cinquante mille qui en revinrent.   BALZAC, le Bal de Sceaux, Pl., t. I, p. 75.

C'est beau, un beau crime ! s'écria un jour J.-J. Weiss dans un grand journal. Le 32 mot fit scandale parmi les lecteurs ordinaires.
    FRANCE, le Jardin d'Épicure, p. 109.

Loc. *Le mot de la fin,* qui résume une situation avec justesse et concision. *Le mot de la situation* (→ Figure, cit. 22). — (XIIIe). Spécialt. **BON MOT.** ⇒ **Anecdote, boutade, épigramme** (cit. 10), **saillie, trait.** *« Diseur de bons mots, mauvais caractère »* (cit. 50, Pascal). — (1904). *Mot d'esprit* (→ Argot, cit. 9). *Mot amusant* (cit. 3), *drôle, spirituel* (→ Juste, cit. 39), *plaisant* (→ Gris, cit. 4). — (XVIe). *Le mot pour rire.* ⇒ **Plaisanterie** (→ Joyeuseté). *Avoir toujours le mot pour rire.* — *Mot cruel, dur, à l'emporte-pièce, frappant* (→ Génie, cit. 35), *piquant, terrible* (→ Hou, cit.).

33 Dans un dîner avec des Hambourgeois, où Rivarol prodiguait les saillies, il les voyait tous chercher à comprendre un trait spirituel qui venait de lui échapper. Il se retourna vers un Français qui était à côté de lui, et lui dit : « Voyez-vous ces Allemands, ils se cotisent pour entendre un bon mot ! »
    RIVAROL, l'Esprit de Rivarol, *in* Études...

34 Un bon mot, mais ce peut être tout, un bon mot ! Ce peut être la poésie, l'émotion, le rire, le tragique, la douleur, la bonté, l'amour, toute l'expérience de la vie, tout un caractère, toute une philosophie.
    Paul LÉAUTAUD, le Théâtre de M. Boissard, XVII.

Absolt. (→ Flèche, cit. 11). *Faire des mots. Il était redouté pour ses mots.*

35 Il a toujours le mot, et sous ses cheveux gris
    Sa belle humeur fait honte aux plus jeunes esprits.
    La Comédie des Tuileries (attrib. en partie à CORNEILLE, v. 127).

♦ **6.** Loc. (V. 1160). **MOT À MOT** [motamo]. *Lire, répéter mot à mot* : un mot après l'autre, d'où : exactement. *Cette réponse se trouve presque mot à mot dans l'antépénultième* (cit.) *chapitre du Coran.* ⇒ **Textuellement.** — (1538). **MOT POUR MOT.** *Rapporter un récit mot pour mot* (→ Ici, cit. 20), sans y rien changer, fidèlement. — *Traduire mot pour mot,* et, plus cour. (1625), *mot à mot,* en faisant correspondre à chaque mot son exact équivalent dans l'autre langue. — Adj. *Traduction mot à mot.* ⇒ **Littéral, textuel.** — Subst. (1803). *Faire le mot à mot* (ou *mot-à-mot*) *d'un texte* (→ Laisse, cit. 5). *Je vais vous donner le mot-à-mot de la version.*

36 Ces vers que mot à mot il est besoin qu'on pèse.
    MOLIÈRE, les Femmes savantes, III, 1.

37 Ne croyez pas que j'aie rendu ici l'anglais mot pour mot ; malheur aux faiseurs de traductions littérales, qui, traduisant chaque parole, énervent le sens ! C'est bien là qu'on peut dire que la lettre tue, et que l'esprit vivifie.
    VOLTAIRE, Mélanges historiques, « Lettres philosophiques », XVIII.

(1674). *En un mot comme en cent*,* (1731) *comme en mille.* — (1538). *En un mot* (→ Auteur, cit. 31) : pour résumer en une seule expression. ⇒ **Bref, enfin, résumé** (en). → En définitive. *« Elle flotte* (cit. 14), *elle hésite, en un mot elle est femme »* (Racine). *Je me résume en un seul mot* (→ Annualité, cit.), *en quelques mots.* ⇒ **Bref** (en). — *C'est mon dernier mot* : c'est mon dernier prix*, c'est la dernière concession que je fais. *Le dernier mot dans une tractation, un marchandage.*

38 (...) toute vérité n'est pas bonne à croire : et les serments passionnés, les menaces des mères (...) le dernier mot de nos marchands, cela ne finit pas.
    BEAUMARCHAIS, le Mariage de Figaro, IV, 1.

Prendre qqn au mot (→ Fournir, cit. 9) : accepter immédiatement une proposition que l'interlocuteur fait par défi ou par jeu en pensant qu'on ne la prendra pas en considération (→ Explicateur, cit. 1). — *Au bas mot* :

39 C'est entendu, Barville vaut, au bas mot, vingt mille francs ; mais on placera le bien sur la tête de l'enfant (...)   MAUPASSANT, Une vie, VII.

40 (...) comme ces erreurs étaient toujours accompagnées de menaces de sanctions épouvantables s'il ne payait pas dans les trois jours, il voyait le gaz coupé ou la saisie, et n'avait de cesse qu'il se fût expliqué de vive voix avec des employés qui se moquaient de lui, pour avoir pris au mot les ultimatums de l'imprimé.
    MONTHERLANT, les Célibataires, II, VI.

♦ **7. MOTS CROISÉS.** Voir à l'ordre alphabétique (d'abord *mots en croix,* 1925).

★ **II.** Sc. et techn. ♦ **1.** Inform. Dans un langage de programmation, Suite finie de signes pris dans un alphabet* et ordonnés suivant des règles morphologiques déterminées, à laquelle on associe un sens ou une fonction, selon l'utilisation envisagée. *Mot à n positions,* mot formé d'une suite de *n* signes. *Limite de longueur d'un mot.* ⇒ **Format.** *Le nombre total des mots distincts qu'il est possible de former dans un langage constitue la puissance lexicographique de ce langage. Le contenu informationnel du mot est défini par l'assignation* sémantique.*

♦ **2.** Math. Chacune des suites finies d'éléments (appelés *lettres*) d'un ensemble (appelé *alphabet*), dont l'ensemble, muni d'une loi de composition interne par concaténation, constitue le monoïde libre sur (*ou* engendré par) le premier ensemble.

DÉR. Motet.
COMP. Contre-mot, mots-croisés, mot-valise.

MOTARD [motaʀ] n. m. — 1937 ; dér. de 2. *moto.*

♦ **1.** Motocycliste de l'armée, de la police. *Les motards de la police routière, de la gendarmerie.*

Ils *(les soldats allemands)* vont s'arrêter à l'entrée du bled et ils enverront des motards en reconnaissance. Surtout ne tirez pas dessus.
                              SARTRE, la Mort dans l'âme, p. 183.

♦ **2.** Fam. Motocycliste. — Au fém. : «*Ambassadrice des femmes motardes*» (*Moto-Revue,* 6 mai 1981, p. 39).

MOTEL [mɔtɛl] n. m. — 1946; mot anglo-amér. créé en 1925 par un architecte pour un hôtel de San Luis Obispo (Californie), du rad. de *motor (car)* «automobile», et *hotel.*

♦ Anglic. Hôtel situé au bord des routes à grande circulation, aménagé pour recevoir les automobilistes de passage.

1 (...) nous entrons dans le Nevada. La nuit est tombée et rien ne rompt la monotonie de la route sauvage. Enfin les premiers *motels* s'allument (...) Il y a la plus grande variété dans ces villages artificiels : les uns sont en style mexicain, d'autres évoquent des igloos, d'autres des cottages anglais. Avec leurs lumières au néon, leurs pelouses, leurs bosquets, on dirait des parcs d'attraction ou des dancings fleuris; c'est une déception de penser qu'il y a là seulement des chambres et des lits.
                              S. DE BEAUVOIR, l'Amérique au jour le jour, p. 145.

2 (...) cette maison; elle avait un très beau parc, que longeait malheureusement à présent, la déviation des poids lourds. C'est par là aussi qu'on allait faire le motel, vous savez, ces casernes sur le bord des routes, la nouvelle mode (...)
                              C. ROCHEFORT, le Repos du guerrier, p. 19.

DÉR. Motelier.
HOM. Motelle.

MOTELIER, IÈRE [mɔtəlje, jɛʀ] n. — 1973, *le Monde,* in *la Clé des mots;* de *motel.*

♦ Personne qui gère un motel. ⇒ **Hôtelier.**

MOTELLE [mɔtɛl] n. f. — 1775; du provençal *mostela,* 1433; a désigné aussi des poissons de rivière; lat. *mustela* «belette», et aussi «motelle».

♦ Poisson osseux *(Gadidés)* de forme allongée, qui fréquente les fonds rocheux (une espèce est aussi appelée *mustèle, loche franche*). — REM. On dit aussi *mostelle* (du provençal).

(...) les Motelles, qui sont des Gades fréquents sur nos côtes, ont, enfoncée dans un profond sillon, une première dorsale vibratile, dont le rôle, pense-t-on, est de créer une circulation d'eau favorable à la respiration.
                              R. et M.-L. BAUCHOT, les Poissons, p. 18.

HOM. Motel.

MOTESSE [mɔtɛs] n. f. — 1974; de *mot(o),* et suff. *-esse.*
REM. Le mot est mal formé, mais recouvre p.-ê. un jeu sur *hôtesse.*

♦ Femme à moto qui escorte une caravane publicitaire ou qui participe à un spectacle en compagnie de cascadeurs. «*Le mot est horrible : motesse, mais la profession attire de plus en plus de candidates passionnées de moto. C'est un métier nouveau puisque c'est seulement en 1974 que Marie-Hélène Gienger a lancé sur les routes son premier escadron de femmes à moto*» (*Paris-Match,* 7 oct. 1977, p. 103).

MOTET [mɔtɛ] n. m. — XIIIe; dimin. de *mot.*
Musique.

♦ **1.** Chant d'église à plusieurs voix disant un texte différent.

♦ **2.** (XVe). Pièce de musique vocale non accompagnée *(a cappella),* destinée à l'église et composée sur des paroles latines qui ne font pas partie de l'office (antienne, cantique, hymne, psaume, répons...). *Motets de Josquin, de Lulli, de Bach.*

(...) et, à l'élévation lorsqu'on chantait des motets, c'est moi qui faisais le solo (...)
                              F. MISTRAL, Mes origines, p. 59.

MOTEUR, TRICE [mɔtœʀ, tʀis] n. m. et adj. — 1377; du lat. *motor* «qui met en mouvement», de *movere* «mouvoir».

★ **I.** ♦ **1.** N. m. **a** Vx. (Philos. anc.). Ce qui donne le mouvement; cause première, Dieu. «*Jupiter, puissant moteur des cieux*» (Rotrou).

b Littér. Personne qui incite à agir, qui dirige. ⇒ **Agent, âme, animateur, directeur, instigateur.** *Le moteur d'une entreprise. Elle fut le moteur de ce complot.*

(Choses). Ce qui donne l'impulsion initiale. ⇒ **Cause, mobile.**

0.1 L'esprit de l'homme encore trop dans l'enfance pour rechercher, pour trouver dans le sein de la Nature les lois du mouvement, seul ressort de tout le mécanisme dont il s'étonnait, crut plus simple de supposer un moteur à cette Nature que de la voir motrice elle-même.
                              SADE, Justine..., t. I, p. 55-56.

1 (...) mon crime n'ayant point l'argent pour moteur ne sera point déshonorant.
                              STENDHAL, le Rouge et le Noir, II, XXXIX.

2 Monsieur de Valois, l'un des moteurs de la dernière prise d'armes où périt le marquis de Montauran livré par sa maîtresse (...)
                              BALZAC, la Vieille Fille, Pl., t. IV, p. 249.

♦ **2.** Adj. (XVIe). Qui donne le mouvement. Didact. *Principe moteur.* — Anat. *Muscles moteurs de l'œil. Nerfs sensitifs et nerfs moteurs*

(→ Curare, cit.). *Organes moteurs* (→ Cerveau, cit. 4). ⇒ aussi **Locomoteur, vasomoteur.** — Qui envoie des influx capables d'inhiber ou de stimuler l'activité d'un organe périphérique, et, spécialt, d'un muscle, en parlant d'un centre nerveux. ⇒ **Motricité.** *Troubles moteurs* (par atteinte des centres, des nerfs moteurs). ⇒ **Contracture, paralysie, spasme.** — Mécan. et cour. *Force motrice* (→ Machine, cit. 5; manufacture, cit. 3). *Roue motrice d'une bicyclette, roues motrices d'une automobile.* ⇒ **Traction** (avant, arrière). *Arbre moteur.* ⇒ **Bielle, vilebrequin.**

Avez-vous remarqué dans certains mécanismes la petitesse de la roue motrice?
                              HUGO, l'Homme qui rit, II, I, IX.

★ **II.** N. m. ♦ **1.** (1744). Vx. Force motrice. *Moteur animé* (homme, cheval, etc.), *inanimé* (air, eau, etc.).

♦ **2.** (1826, *moteur à gaz*). Mod. Appareil servant à transformer une énergie quelconque en énergie mécanique. *Moteurs utilisant les forces naturelles. Moteur actionné par l'air* (⇒ **Aéromoteur**), *le vent* (⇒ **Anémotrope**), *l'eau* (⇒ **Hydraulique; hydromoteur, turbine**). — *Moteurs thermiques. Moteurs à vapeur* (⇒ **Machine,** cit. 8; *turbines*). *Moteurs à combustion interne ou moteur à explosion* (⇒ **Carburant**); *moteur à carburation; moteur à injection** (⇒ **Injecteur**); *moteur à injection d'huile lourde ou moteur diesel.* ⇒ **Diesel.** *Moteurs à gaz, à réaction.* ⇒ **Turbo-propulseur, turboréacteur.** *Moteur de fusée.* — *Moteurs pneumatiques*.* — (1867, *Année sc. et industr.*). *Moteurs électriques* (→ Électricité, cit. 6). ⇒ **Électrogène, électromoteur.** *Moteur linéaire, rotatif. Moteur synchrone, asynchrone. Rotor, stator d'un moteur électrique. Moteur à courant continu* (électromoteur), *à courant alternatif* (alternomoteur synchrone, asynchrone). *Moteur ionique,* qui fonctionne par transformation de l'énergie nucléaire en énergie électrique. — *Utilisation des moteurs* (⇒ **Motoriser, motorisation,** et préf. **moto-**) *dans l'industrie, l'outillage agricole* (⇒ **Machine, machine-outil**), *les transports... Véhicules hippomobiles et véhicules à moteur* (→ Lustrine, cit. 1). ⇒ **Automobile, cyclomoteur, locomotrice, motrice, tracteur,** etc. *Moteur d'avion, d'automobile*, de motocyclette, de locomotive, de locomobile... Bicyclette à moteur.* ⇒ **Vélomoteur.** *Moteur d'avion.* ⇒ **Bi-, tri-, quadrimoteur.** *Puissance* d'un moteur.* — *Munir de moteurs.* ⇒ **Motoriser.**

Propulseur anaérobie. ⇒ **Fusée, réacteur.** *Les moteurs d'un avion à réaction ou moteurs-fusées.*

♦ **3.** Spécialt. (Plus cour.). Moteur à explosion* (d'un véhicule automobile) [⇒ **Carburant, essence**]. *Cycle* d'un moteur. Moteur à 1, 2, 4, 6... cylindres. Moteur en étoile*, à cylindres en ligne, en V. Moteur à deux temps*.* — (1886). *Moteur à quatre temps.* — *Moteur à soupapes*, sans soupapes. Moteur classique à carburateur* (⇒ **Carburation**). *Moteur à injection*. Moteur désigné par sa cylindrée*... (Moteur de 750 cm³). Moteur flottant,* muni d'une suspension permettant l'oscillation autour d'un axe. *Moteur blindé. Moteur à l'avant, à l'arrière d'une voiture.* — *Pièces essentielles d'un moteur.* ⇒ **Bielle, bougie, came** (arbre à cames), **carburateur, culasse, cylindre, distributeur, piston, rupteur, segment, soupape, vilebrequin.** *Pièces annexes du moteur.* ⇒ **Accélérateur, bobine, démarreur, dynamo, magnéto, pompe, radiateur, ventilateur, vitesse** (changement de vitesse), **volant.** Par appos. *Bloc moteur :* ensemble du moteur proprement dit et des organes annexes. *Bloc moteur et organes de transmission*. Allumage*, carburation*, refroidissement* du moteur. Transmission de l'effort du moteur aux roues motrices.* ⇒ **Embrayer, débrayer; disque** (d'embrayage); **point** (mort). *Faire tourner, chauffer un moteur. Rythme, régime d'un moteur* (→ Attention, cit. 31). *Moteur qui tourne lentement, qui tourne vite. Moteur poussé,* qui pour une cylindrée donnée tourne plus vite qu'un autre et à une puissance supérieure. *Moteur bridé*. Lancer*, pousser* un moteur en accélérant. Ralenti* d'un moteur. Moteur qui tourne rond* (⇒ fam. **Moulin**), *qui ronfle* (→ Levier, cit. 4), *vibre* (→ Motocyclette, cit. 1), *vrombit; qui tourne à vide, qui fait des ratés, cafouille, tousse, broute, cogne, cale*. Moteur qui chauffe. Moteur encrassé* (⇒ **Calamine**). *Panne de moteur. Banc* d'essai, rodage* d'un moteur. Démontage, remontage d'un moteur.* — Par appos. *Frein* moteur.*

4 (...) le chauffeur et le pilote qui écoutent leur moteur comme un médecin ausculte un cœur d'homme, se sentent liés à cette masse métallique par une émotion obscure de quasi-identité.
                              DANIEL-ROPS, le Monde sans âme, III.

5 Il se découvrait solidement assis dans le ciel. Il effleura du doigt un longeron d'acier, et sentit dans le métal ruisseler la vie : le métal ne vibrait pas, mais vivait. Les cinq cents chevaux du moteur faisaient naître dans la matière un courant très doux, qui changeait sa glace en chair de velours. Une fois de plus, le pilote n'éprouvait, en vol, ni vertige, ni ivresse, mais le travail mystérieux d'une chair vivante.
                              SAINT-EXUPÉRY, Vol de nuit, I.

6 (...) déjà les moteurs s'étaient mis à ronfler, ça faisait un agréable chant de cigale, très loin, au fond de la nuit. Au bout d'un moment, les autos démarrèrent et le bruit des moteurs se perdit.
                              SARTRE, la Mort dans l'âme, p. 96.

Par anal. *Le moteur humain* (→ Corps, cit. 16).

♦ **4.** Franç. d'Afrique. Cyclomoteur; vélomoteur.

DÉR. Motoriser, motoriste, motricité.
COMP. (De l'adj.) Automoteur, locomoteur, promoteur, servomoteur, vasomoteur. — (Du nom) Bimoteur, cyclomoteur, hydromoteur, quadrimoteur, trimoteur, vélomoteur.

-MOTEUR Élément final de mots désignant des dispositifs munis d'un moteur (ex. : *servomoteur*).

MOTIF [mɔtif] n. m. — 1314, adj. « qui met en mouvement » ; bas lat. *motivus* « mobile ».

♦ **1.** (1370). Mobile* d'ordre intellectuel ; raison d'agir, de ressentir. ⇒ **Cause** (cit. 16, 21), **mobile, raison.** *Le motif d'une action* (cit. 16), *d'une démarche, d'un avis* (cit. 26), *d'un crime* (→ Gratuitement, cit. 7), *d'un changement de religion* (→ Embrasser, cit. 14). *Se représenter les motifs pour comprendre les actes* (cit. 4). ⇒ **Intention.** *Expliquer la conduite de qqn par certains motifs* (→ Haine, cit. 9). *Je cherche les motifs de sa conduite.* ⇒ **Explication.** *Pour quel motif avez-vous agi, avez-vous pu agir ainsi ?* ⇒ **Comment, pourquoi.** *Je vais vous en donner le motif : c'est que... Connaître le motif* (→ Connaître le secret*, le fin* mot). *La jalousie* (cit. 17) *a son motif dans les passions sociales.* ⇒ **Origine.** *Les motifs qu'on a d'être heureux* (→ Humeur, cit. 16). *Il m'a donné des motifs de le haïr.* ⇒ **Occasion, raison, sujet.** *Motifs véritables* (→ Fond, cit. 25). *Faux* (1. Faux, cit. 18) *motif.* ⇒ **Prétexte** (→ Sous couleur* de...). *Motif avouable, inavouable. Motifs louables* (cit. 2) ; *justes motifs* (→ Adoption, cit.) *d'une action coupable.* ⇒ **Excuse.** *Beau motif dont on excuse une vilaine action. Motif intéressé.* — *Pour le bon motif :* pour des raisons valables (→ Méprise, cit. 4). — (1839). Fam. En vue du mariage*. — *Il la courtise pour le bon motif.* — *Sans motif :* sans raison. *Venir chez qqn sans motif* (→ Maison, cit. 34). *Se disputer sans motif sérieux* (cf. A propos de bottes). *Souffrir, être tourmenté ; être gai sans motif.* ⇒ **Matière, propos** (→ Croissance, cit. 1 ; irritabilité, cit.). *Crainte sans motif.* ⇒ **Immotivé.**

1 Le motif seul fait le mérite des actions des hommes (...)
LA BRUYÈRE, les Caractères, II, 41.

2 C'est lui *(Richardson)* qui porte le flambeau au fond de la caverne ; c'est lui qui apprend à discerner les motifs subtils et déshonnêtes qui se cachent et se dérobent sous d'autres motifs qui sont honnêtes et qui se hâtent de se montrer les premiers.
DIDEROT, Éloge de Richardson.

3 Si l'amour vous dominait au point de vous inspirer ces fureurs, malgré leur déraison, je les excuserais ; j'oublierais peut-être, en faveur du motif, ce qu'elles ont d'offensant pour moi.
BEAUMARCHAIS, le Mariage de Figaro, II, 16.

4 *(Un avocat...)* qui a trop étudié les hommes et les affaires pour ne pas savoir que les plus beaux motifs ne servent qu'à déguiser les plus petites choses, et qui n'a pas encore rencontré de cœurs exempts de calculs.
BALZAC, Paméla Giraud, II, 6.

5 (...) ces créatures-là n'ont-elles pas toujours des soupçons pareils, sans l'ombre d'un motif, sur toutes les honnêtes femmes ?
MAUPASSANT, Pierre et Jean, IV.

6 Car le mobile, le motif du crime, c'est l'anse par où saisir le criminel.
GIDE, les Caves du Vatican, II, 12.

7 Il sentait bien qu'il ne donnait à son aversion aucun motif valable ; mais les bons arguments, les vrais, étaient trop vivaces, trop intimement enracinés en lui, pour être extirpés sur l'heure et étalés au grand jour.
MARTIN DU GARD, les Thibault, t. II, p. 265.

♦ **2.** (Fin XIVᵉ). Spécialt. Dr. « Exposé des raisons de fait ou de droit qui déterminent les magistrats à rendre un jugement » (Capitant). ⇒ **Motival.** *Les motifs et le dispositif des jugements* (cit. 1). ⇒ **Attendre** (attendu), **considérant.** — Législ. *Exposé* des motifs d'un projet de loi.

♦ **3.** (XIXᵉ). Peint. **a** Sujet* d'une peinture. *Les impressionnistes* (cit. 1) *peignent le même motif à des moments différents.* — Loc. *Travailler sur le motif,* devant un modèle observé.

8 La sauvagerie d'attitude, l'accoutrement étrange et la couleur extraordinaire de ce groupe, en eussent fait un excellent motif de tableau pour Callot ou Salvator Rosa.
Th. GAUTIER, Voyage en Espagne, p. 179.

9 L'artiste, si réaliste soit-il, a planté son chevalet devant le « motif » (et ce terme, même dans sa bouche, indique déjà que la Nature ne lui fournit qu'un prétexte et un départ ; le sens propre de « motif » n'est-ce pas : ce qui met en marche, ce qui meut et émeut ?) ; il prémédite de créer quelque chose qui n'existe pas encore : un tableau.
René HUYGHE, Dialogue avec le visible, p. 72.

b Ornement architectural servant de thème décoratif. *Le mascaron, motif architectural.* — Ornement isolé ou répété en art décoratif. *Tête de clou ornée, bulle servant de motif décoratif. Menus motifs qui ornent les panneaux d'un meuble* (→ Marqueterie, cit. 1). *Tissu imprimé à grands motifs de fleurs.* ⇒ **Dessin.** *Motifs d'une porcelaine, d'un papier peint...*

10 Les boiseries sont de Bagard. Ce qui est assez gentil, voyez-vous, c'est qu'elles ont été faites pour les sièges de Beauvais et pour les consoles. Vous remarquez, elles répètent le même motif décoratif qu'eux.
PROUST, À la recherche du temps perdu, t. VIII, p. 217.

11 *(Vincent)* franchit le seuil d'une maison neuve, surchargée de motifs ornementaux selon le goût des entrepreneurs modernes.
F. MAURIAC, l'Enfant chargé de chaînes, VI.

♦ **4.** (1765). Mus. Phrase* ou passage remarquable par son dessin (mélodique, rythmique). ⇒ **Motivique.** *Motif d'une mélodie, d'un allégro* (cit. 2). *Motif à valeur dramatique répété dans une œuvre.* ⇒ **Leitmotiv.**

12 (...) une émotion semblable à celle que lui aurait causée quelque motif original parmi les accompagnements d'un opéra ennuyeux.
BALZAC, la Femme abandonnée, Pl., t. II, p. 211.

13 Même en celle-ci *(la sonate de Vinteuil),* je ne m'attachai pas à remarquer com-

bien la combinaison du motif voluptueux et du motif anxieux répondait davantage maintenant à mon amour pour Albertine (...)
PROUST, À la recherche du temps perdu, t. XI, p. 195.

CONTR. Conséquence, effet.
DÉR. Motival, motiver, motivique.

MOTILITÉ [mɔtilite] n. f. — 1812, Destut de Tracy ; dér. sav. du lat. *motum,* supin de *movere* « mouvoir ».

♦ Physiol. Faculté de se mouvoir*. ⇒ **Mobilité, motricité, mouvement.** *Motilité du corps humain, des membres. Troubles de motilité* (contracture, paralysie, etc.). — Ensemble des mouvements propres à un organe, à un système. *Motilité intestinale.* ⇒ **Péristaltisme.** — Biol. *Motilité du protoplasme.* — Fig., littéraire :

(...) dans l'inertie absolue où elle vivait, elle prêtait à ses moindres sensations une importance extraordinaire ; elle les douait d'une motilité qui lui rendait difficile de les garder pour elle, et à défaut de confident à qui les communiquer, elle se les annonçait à elle-même, en un perpétuel monologue qui était sa seule forme d'activité.
PROUST, À la recherche du temps perdu, t. I, p. 74.

MOTION [mosjɔ̃] n. f. — XIIIᵉ ; du lat. *motio,* du supin de *movere* « mouvoir ».

♦ **1.** Vx, didact. Action de mouvoir. ⇒ **Impulsion.** Par ext. Mouvement (→ les comp. Commotion, émotion, locomotion...).

♦ **2.** (Sens ancien repris au XXᵉ). Didact. (psychan.). *Motion pulsionnelle :* la pulsion* en tant que modification psychique (pulsion en acte).

Nous pensons qu'il ne convient pas de traduire *Triebregung,* comme on le fait souvent, par « émoi pulsionnel » (¹)... Nous proposons de reprendre le vieux terme de motion, emprunté à la psychologie morale (...) Notons que « motion pulsionnelle » s'inscrit dans la série des termes psychologiques usuels *motif, mobile, motivation* qui, tous, font intervenir la notion de mouvement.
J. LAPLANCHE et J.-B. PONTALIS, Voc. de la psychanalyse.
1. *Trieb* = pulsion.   0.1

♦ **3.** (1775 ; angl. *motion*). Mod. Proposition faite dans une assemblée délibérante par un de ses membres. *Faire, rédiger une motion* (→ Leader, cit. 1). *Motion mise aux voix. Voter, rejeter une motion.*

Cette maxime de la souveraineté du peuple avait pourtant si bien exalté les têtes que l'Assemblée, au lieu de suivre prudemment le projet du comité de constitution, et de bâtir un édifice durable et régulier, s'abandonna tout entière au flux et reflux des motions, ainsi qu'à la fougue de ses orateurs, qui entassèrent à l'envi décrets sur décrets (...)
RIVAROL, Politique, II.   1

C'est ça qui a décidé la Fédération de la Seine à voter cette motion sur la grève générale, en cas de menace de guerre.
MARTIN DU GARD, les Thibault, t. V, p. 252.   2

Dr. constit. *Motion de censure :* motion par laquelle l'Assemblée nationale met en cause la responsabilité du Gouvernement (→ Question* de confiance).

L'Assemblée nationale met en cause la responsabilité du Gouvernement par le vote d'une motion de censure. Une telle motion n'est recevable que si elle est signée par un dixième au moins des membres de l'Assemblée nationale. Le vote ne peut avoir lieu que quarante-huit heures après son dépôt.
Constitution de 1958, V, 49.   3

Ellipt. *Censure :* motion de censure. *Voter la censure.*
Motion d'ordre, qui porte sur la forme d'une délibération.

Un représentant qui présente une motion d'ordre ne peut, dans son intervention, traiter du fond de la question en discussion.
Règlement intérieur de l'Assemblée générale de l'O. N. U., art. 73.   4

DÉR. Motionnaire, motionner, motionneur.

MOTIONNAIRE [mosjɔnɛʁ] n. m. et f. — 1789 ; de *motion*.

♦ Vx. Personne qui rédige une motion, en prend l'initiative, la fait voter.

On ne fit jamais un crime aux premiers motionnaires d'avoir communiqué leurs opinions.
G. BABEUF, Lettre au Comité des Recherches, 10 mai 1790, p. 113.   1

REM. On trouve, à la même époque et avec le même sens, *motionneur* (1790) et *motionneuse* (1793).

Faiseurs de motions. Tiens-toi en garde contre les motionneurs jacobins, disait un Député à son voisin ; si nous ne les prévenons, ils nous motionneront tous ; c'est-à-dire feront des motions contre nous, en face de la guillotine.
le Néologiste français, 1790, in D. D. L., II, 11.   2

MOTIONNEL, ELLE, ELS [mosjɔnɛl] adj. — Mil. XXᵉ (in Larousse, 1968) ; angl. *motional* (1831) de *motion* « mouvement » lui-même du franç. *motion* (1.).

♦ Didact. (phys.). Relatif au mouvement.

MOTIONNER [mosjɔne] v. intr. — 1790 ; de *motion*.

♦ Vx. Polit. Déposer une, des motions (→ Motionnaire).

Il me semble que cet individu dans les premières années de la révolution, passoit une grande partie de son tems à motionner dans les cafés, en faveur de cett *(sic)* belle œuvre des philosophes.
Feuilleton des spectacles, Suppl. à la Quotidienne, févr. 1797, in D. D. L., II, 3.

MOTIONNEUR, EUSE [mosjɔnœʀ, øz] n. ⇒ **Motionnaire**.

MOTIVAL, ALE, AUX [mɔtival, o] adj. — 1829, Boiste ; de *motif*.

♦ Dr. Relatif aux motifs d'un arrêt. *Clauses motivales*.

MOTIVANT, ANTE [mɔtivɑ̃, ɑ̃t] adj. — Mil. XXᵉ ; du p. p. de *motiver*.

♦ Didact. et rare. Qui motive. *Raisons motivantes*. ⇒ **Motivation**.

(...) il convient de souligner que, si toute maladie corporelle n'est pas motivée, elle est motivante : tout ce qui arrive dans l'organisme a une action sur les conflits individuels (...)
D. LAGACHE, la Psychanalyse, p. 81.

MOTIVATION [mɔtivasjɔ̃] n. f. — 1899 ; attestation isolée, 1845 ; de *motiver*.

♦ **1.** Philos. « Relation d'un acte aux motifs* qui l'expliquent ou le justifient. Exposé des motifs sur lesquels repose une décision » (Lalande). *Acte gratuit* (cit. 6) *dont la motivation n'est pas extérieure.*

1 On nous enseigne d'autre part que l'œuvre d'art n'est jamais un phénomène accidentel, et qu'il faut chercher son explication, sa motivation, dans le peuple même, et dans l'artiste qui la produit — celui-ci ne faisant qu'informer l'harmonie qu'il réalisait d'abord en lui-même.
GIDE, Corydon, IVᵉ dialogue.

♦ **2.** (Mil. XXᵉ). Écon. « Ensemble des facteurs déterminant le comportement de l'agent économique, plus particulièrement du consommateur » (Romeuf). *Les études de motivation permettent l'orientation de la publicité.*

♦ **3.** (Mil. XXᵉ). Psychol. Action des forces (conscientes ou inconscientes) qui déterminent le comportement (sans aucune considération morale). *Éléments moteurs de la motivation. Motivations inconscientes.*

2 La motivation est un état de dissociation et de tension qui met en mouvement l'organisme jusqu'à ce qu'il ait réduit la tension (...)
D. LAGACHE, la Psychanalyse, p. 38.

♦ **4.** (1916). Ling. Relation consciemment établie par les utilisateurs d'un signe entre sa forme et sa fonction (valeur, sens). *Motivation phonique :* ce qui explique la forme acoustique d'un mot par le bruit réel qu'elle désigne (onomatopée). *Motivation intralinguistique :* présence de plusieurs monèmes dans un mot complexe (dérivé, composé), qui expliquent sa forme et parfois son sens ; rattachement à une racine.

3 Ce n'est pas le lieu de rechercher les facteurs qui conditionnent dans chaque cas la motivation ; mais celle-ci est toujours d'autant plus complète que l'analyse syntagmatique est plus aisée et le sens des sous-unités plus évident. En effet, s'il y a des éléments formatifs transparents, comme -*ier* dans *poir* -*ier* vis-à-vis de *ceris* - *ier*, *pomm* -*ier*, etc., il en est d'autres dont la signification est trouble ou tout à fait nulle (...) Même dans les cas les plus favorables, la motivation n'est jamais absolue. Non seulement les éléments d'un signe motivé sont eux-mêmes arbitraires (Cf. *Dix* et *neuf* de *dix-neuf*), mais la valeur du terme total n'est jamais égale à la somme des valeurs des parties : *poirier* n'est pas égal à *poir* + *ier*.
F. DE SAUSSURE, Cours de linguistique générale, VI, 3, p. 182.

DÉR. Motivationnel.

MOTIVATIONNEL, ELLE, ELS [mɔtivasjɔnɛl] adj. — 1959, Meynaud ; de *motivation*.

♦ Psychol. De la motivation.

MOTIVER [mɔtive] v. tr. — 1721 ; de *motif*.

♦ **1.** (Sujet n. de personne). Justifier par des motifs*. *Motiver une action, une démarche, une démission... Motiver la mise en accusation* (→ Crime, cit. 11), *une accusation* (→ Condamnation, cit. 7). *Motiver ses exigences* (cit. 8). *Attendrissement* (cit. 5) *subit impossible à motiver.*

1 (...) c'est assez des autres abus. J'en vais corriger un second, en vous motivant mon arrêt : tout juge qui s'y refuse est un grand ennemi des lois.
BEAUMARCHAIS, le Mariage de Figaro, III, 15.

2 Aussitôt rentrée au logis, elle se mit à écrire une longue lettre à Yves pour lui motiver sa décision. LOTI, Mon frère Yves, LXXXVIII.

3 Tout un ensemble de détails auxquels une femme, un homme même, ne se tromperait pas, mais qu'un prêtre est excusable d'avoir de la difficulté à discerner, et surtout à motiver. Pierre BENOIT, Mˡˡᵉ de la Ferté, p. 234.

♦ **2.** (Sujet n. de chose). Être, fournir le motif de... ⇒ **Causer, expliquer.** *Voilà ce qui a motivé notre décision. Démarche motivée par la méfiance* (cit. 4). *Troubles qui motivent une intervention.* ⇒ **Nécessiter.**

4 (...) plus rien n'en demeurait qui motivât le mal qu'on s'était donné pour l'apprendre. GIDE, Si le grain ne meurt, I, IV, p. 111.

5 (...) elle ne put s'empêcher de retenir au passage tout ce qui pouvait davantage motiver le jugement favorable qu'elle venait de porter sur lui.
MARTIN DU GARD, les Thibault, t. II, p. 218.

▶ **MOTIVÉ, ÉE** p. p. adj.

♦ **1.** (1766). Dont on donne les motifs. *Un refus catégorique et à*

peine motivé (→ Héritage, cit. 3). *Arrêts motivés de la Cour de cassation* (cit. 2).

(...) j'ai tout écrit pour la convaincre, pour l'entraîner. Tout cela n'est qu'un long plaidoyer ; aucune œuvre n'a été plus intimement motivée que la mienne.
GIDE, Et nunc manet in te, p. 111.

♦ **2.** ⓐ (1776). Qui a des motifs. *Mécontentement motivé. Gaieté non motivée* (→ Intervalle, cit. 14).

ⓑ (XXᵉ). Qui a des motivations. *Un jeune cadre dynamique et motivé. Elle est très motivée dans son travail. Ils ne sont pas assez motivés pour réussir.* « *Cherche mecs ou nanas motivés pour vivre sur cinquante hectares dans la Drôme* » (in J. Merlino, les *Jargonautes*, p. 202). — REM. Mot à la mode, équivalant à peu près à « intéressé, passionné ». → Branché.

♦ **3.** (1916). Ling. Qui a une motivation (4.). « *Antigel* » *est motivé, mais non* « *antilope* ».

Il n'existe pas de langue où rien ne soit motivé ; quant à en concevoir une où tout le serait, cela serait impossible par définition (...) Les divers idiomes renferment toujours des éléments des deux ordres — radicalement arbitraires et relativement motivés — mais dans des proportions très variables (...)
F. DE SAUSSURE, Cours de linguistique générale, VI, 3, p. 183.

CONTR. Immotivé.
DÉR. Motivant, motivation.
COMP. Démotivé.

MOTIVIQUE [mɔtivik] adj. — V. 1950 ; de *motif* (4.), p.-ê. par l'allemand.

♦ Mus. Du motif musical.

La mélodie principale (le récitatif) traverse le morceau de part en part en renouvelant constamment son matériau motivique.
R. LEIBOVITZ, Schoenberg, p. 75.

1. MOTO [moto] n. m. — 1840 ; mot ital. « mouvement », du lat. *motus*, de *motum*. → Moteur.

♦ Mus. *Con moto*, avec mouvement, d'une manière animée.

HOM. 2. Moto.

2. MOTO [moto] n. f. — 1898 ; aussi masc., v. 1899 ; abrév. de *motocyclette*.

♦ **1.** Véhicule à deux roues, à moteur de cylindrée au moins égale à 125 cm³ (→ Machine, cit. 18). ⇒ **Bécane** (fam.), **engin, machine, meule** (argot). *Des motos de moyenne, de grosse cylindrée.* ⇒ **Cube** (gros). *Motocycles* de cylindrée inférieure aux motos.* ⇒ **Cyclomoteur, vélomoteur.** *Moto avec side-car*. Une haute moto rouge, tout étincelante* (→ Garage, cit. 5). *Constructeurs, importateurs de motos. Concessionnaire d'une marque de motos japonaise.* (⇒ **Motociste**). *Motos de compétition. Course de motos. Modèles de motos. Motos de loisirs :* chopper, custom (anglicismes). *Moto de cross, moto tout-terrain. Une moto version route* (⇒ **Routière**), *version standard. Il, elle était en moto, à moto, sur une moto. Pilote, passager d'une moto.* ⇒ **Motard.** *Enfourcher sa moto ; piloter une moto. Conduite et maniement d'une moto. Débéquiller une moto. Démarrer sa moto au kick* (kick-starter). *Changer de vitesse, décomposer, pousser les intermédiaires en conduisant sa moto. Conduire sa moto plein pot* (fam.) : *au maximum de vitesse. Moto qui garde son assiette dans les virages. Basculer sa moto* (ou *prendre de l'angle,* fam. *angler*) *pour attaquer un virage. Accident, panne de moto.* — *Présentation, géométrie, caractéristiques extérieures d'une moto. Dimensions, empattement, garde* au sol, poids à sec, angle de chasse* (angle formé par la colonne de direction et la verticale), *hauteur de selle, prise au vent d'une moto. Une moto lourde pour sa cylindrée.* — *Groupe moteur et partie-cycle* d'une moto. Moteurs de motos à deux temps.* ⇒ **Deux-temps.** *Moteurs de moto, à quatre temps, caractérisés par le nombre, la disposition* (en ligne, en V, à plat), *l'inclinaison des cylindres* (monocylindre, gromono ; bicylindre, flat-twin, twin [⇒ **Twin**] ; quatre cylindres, ou, fam., quatre-pattes, four, flat-four), *par le cylindrée* (ex. : *250 cc* ou *deux et demie, 350 cc* ou *trois et demie* ⇒ **Cube**), *par le taux de compression, la puissance maximale* (en chevaux, à un régime donné), *le couple maximal, par le mode d'allumage* (par volant magnétique ; électronique), *de lubrification, d'alimentation* (⇒ **Carburateur, réservoir**), *de refroidissement* (à air, liquide), *de démarrage* (démarreur électrique, kick). ⇒ **Automobile** et **came, échappement, silencieux** (d'échappement) ; **embiellage ; joints, platine** (de fixation) ; **régime, surrégime, reprise.** *Transmission et organes de transmission d'une moto : embrayage* (multidisque ; en bain d'huile, à sec) ; *boîte de vitesses* (à quatre, cinq rapports) ; *sélecteur ; arbre de transmission ; transmission primaire* (par chaîne, par courroie, par pignons), *transmission secondaire* (par chaîne ; par courroie ; acatène, par cardan et couple conique), *carter de chaîne.* — *Équipement électrique et éclairage d'une moto : alternateur, batterie, fusible, boîte à fusibles, phare, feu arrière ; clignotant ; avertisseur.* ⇒ aussi **Allumage, démarreur** (électrique). — *Éléments de la partie-cycle d'une moto : cadre* (en tôle ; tubulaire ; à simple, double berceau ; du type poutre ; du type épine dorsale) ; *guidon*, pon-*

tets du guidon; colonne de direction; suspensions (avant, arrière; hydrauliques, oléopneumatiques, oscillantes, par ressorts, télescopiques; à amortissement réglable; à grand débattement*. ⇒ **Amortisseur, cantilever**); *bras, bras oscillant d'une suspension; fourche* (télescopique; oscillante; à air, avec tube d'équilibrage ou équilibreur; à axe déporté), *té de fourche; frein avant* (à simple, double, triple disque; à disque perforé; à commande hydraulique), *frein arrière* (à disque, à tambour). *Moto à freinage intégral* (à freins avant et arrière couplés). *Roues, jantes, flasques de roues, pneus, garde-boue; selle* (biplace, à décrochement, à étages), *dosseret de selle, genouillères, repose-pied, béquilles* (centrale, latérale). *Organes de commande et accessoires d'une moto : guidon; commandes manuelles, commandes au guidon, au pied* (⇒ **Pédale**); *poignée de* ou *des gaz; poignée, levier d'embrayage; levier de freinage; pédale du sélecteur, contact, contacteur; antivol, démarreur* (électrique), *kick*; starter, tirette de starter, jauge. Tableau de bord* (⇒ **Cadran, témoin**); *compte-tours, compteur de vitesse, clignotant, rétroviseur, plaque d'immatriculation. Sacoches... d'une moto.*

(...) elle revient à la poignée d'admission et elle ouvre en grand l'entrée des gaz. En seconde vitesse, comme elle est, la moto répond à la sollicitation avec la promptitude d'une pièce d'artifice que l'on a mise à feu. Sa conductrice ralentit à peine le régime, débraye de l'autre main, passe en troisième d'un mouvement du pied beaucoup plus rapide que le coup d'éperons des cavaliers auxquels il vient d'être fait allusion, et presque aussitôt, quand l'aiguille du compteur atteint cent vingt, le moteur allant à près de cinq mille tours à la minute, elle répète la manœuvre pour passer en quatrième.
A. PIEYRE DE MANDIARGUES, la Motocyclette, p. 19.

Loc. (1911, cyclisme). *Course derrière motos :* course cycliste dans laquelle le coureur est tiré par un entraîneur à moto.

♦ **2.** Industrie, technique motocycliste. *Procédé utilisé en moto comme en auto.*

♦ **3.** Pratique, sport de la moto. ⇒ **Motocyclisme.** *Elle aime la moto. Faire beaucoup de moto. Équipement de moto pour faire de la moto.* ⇒ **Combinaison, cuir, casque** (intégral). *Gants de moto.* ⇒ **Crispin.** *Bottes de moto. Fédération, club de moto* (⇒ **Moto-club**). *Moto grand tourisme. Épreuves de moto : sur circuit routier, sur autodrome, motodrome*, sur cendrée* (⇒ **Dirt-track, speedway**); *épreuves tout-terrain* (⇒ **Enduro, moto-cross**), *avec obstacles* (⇒ **Trial**), *de régularité, d'endurance, de vitesse pure, de côte. Le Tourist Trophy, le Bol d'Or, les Vingt-quatre Heures de Barcelone et de Liège, les Grands Prix, célèbres épreuves de moto. Jeu de ballon à moto.* ⇒ **Moto-ball.**

Il avait des culottes
des bottes
de moto
un blouson de cuir noir
avec un aigle sur le dos.
l'Homme à la moto, chanson de E. Piaf (paroles de J. Dréjac).

Loc. *Moto verte :* sport motocycliste tout-terrain qui regroupe le moto-cross, l'enduro, le trial. — **Appos.** *Permis moto. La presse moto. Rallye moto.*

DÉR. Motard, motociste.
COMP. Motoball, moto-cross.
HOM. 1. Moto.

MOTO- Préfixe tiré de *moteur*, servant à former des noms de mécanismes actionnés par un moteur, des techniques utilisant le moteur.
Il existe de nombreux composés récents où moto- signifie « à moteur » : *motobatteuse*, n. f.; *motocompresseur*, n. m.; *motofaucheuse*, n. f.; *motopaveur*, n. m.; *motoplaneur*, n. m. V. aussi à l'ordre alphabétique.

MOTOBALL [mɔtobol] n. m. — 1931, in Petiot, de *moto(cyclette)*, et angl. *ball.*

♦ Faux anglicisme. Sport d'équipe analogue au football, qui se pratique à motocyclette (deux équipes de cinq).

MOTOBROUETTE [mɔtobʀɥɛt] n. f. — V. 1960; de *moto-*, et *brouette.*

♦ Techn. Petit chariot à moteur, muni d'une benne basculante, utilisé pour transporter des matériaux.

MOTOCISTE [mɔtosist; mɔtosist] n. m. — V. 1968; de 2. *moto*, et *-iste.*

♦ Comm. Spécialiste de la vente et de la réparation des motocycles.

MOTO-CROSS [mɔtokʀɔs; mɔtokʀɔs] n. m. invar. — xxe (1949, in Petiot); de *moto(cyclette)*, et *cross-(country).*

♦ Faux anglicisme. Course de motos sur parcours accidenté. *Des moto-cross.*

MOTOCULTEUR [mɔtokyltœʀ; mɔtokyltœʀ] n. m. — 1913; de *motoculture.*

♦ Petit mototracteur à deux roues ou à chenilles, employé pour les cultures maraîchère, horticole ou viticole.

MOTOCULTURE [mɔtokyltyʀ; mɔtokyltyʀ] n. f. — 1909, *motoculture* (in D.D.L.); de *moto-*, et *culture.*

♦ Utilisation du moteur mécanique dans l'agriculture. *La motoculture s'est généralisée dans tous les pays riches.*
DÉR. Motoculteur.

MOTOCYCLABLE [mɔtosiklabl; mɔtosiklabl] adj. — xxe; de *motocycle.*

♦ Admin. Qui peut être utilisé par les motocycles. *Piste motocyclable.*

MOTOCYCLE [mɔtosikl; mɔtosikl] n. m. — 1891; de *moto-*, et *cycle.*

♦ **1.** Vx. Motocyclette. ⇒ **Moto.**

♦ **2.** Mod. (Admin.). Véhicule automobile à deux roues (cyclomoteur, motocyclette, scooter, vélomoteur). → fam. Un deux roues* (qui inclut les bicyclettes). *Guidon, selle... moteur d'un motocycle.*

(...) depuis la dernière guerre, un autre mode de locomotion (...) est venu s'ajouter à celui représenté par les « quatre » et les « six » roues. Il s'agit des véhicules du type motocycle, qui groupent les vélomoteurs, les cyclomoteurs, les motocyclettes et le dernier né d'entre eux : le scooter qui connaît actuellement une vogue extraordinaire. Le parc français des « deux roues » atteint actuellement 6.175.000 unités (...)
J. BERTHOMIER, les Routes, p. 64.

DÉR. Motocyclable, motocyclisme.

MOTOCYCLETTE [mɔtosiklɛt; mɔtosiklɛt] n. f. — 1896; de *moto-(cycle)*, sur le modèle de *bicyclette.*

♦ **1.** Vx. Motocycle (au sens 2).

♦ **2.** Littér. ou admin. (Vx dans la langue cour.). ⇒ **Moto.**

Soudain, un fracas de trompe (...) de vibrations de moteurs, dominés par les détonations de motocyclettes, envahit la pièce. [1]
J. CHARDONNE, les Destinées sentimentales, p. 443.

Dans la remise, à côté du vélo qui servait à Raymond pour aller au lycée (...) il y avait la motocyclette de Rébecca. Une grosse Harley-Davidson du modèle le plus récent et le plus rapide, toute neuve, peinte en noir sauf les parties chromées, dont la plus éclatante était le tuyau d'échappement avec ses tubulures souples. Posséder une pareille machine, sans rivale assurément dans la catégorie, n'était pas un bonheur commun pour une jeune personne de dix-neuf ans (...) si elle n'avait pas manqué d'amies, arrivée depuis peu à Haguenau, par malchance, elle se fût vantée perpétuellement des deux cylindres du moteur, de sa cylindrée totale de mille deux cents centimètres cubes, de sa puissance approchant soixante chevaux au frein (...) A. PIEYRE DE MANDIARGUES, la Motocyclette, p. 15. [2]

DÉR. Moto, motocycliste.

MOTOCYCLISME [mɔtosiklism; mɔtosiklism] n. m. — 1898, *in* D.D.L.; de *motocycle* d'après *cyclisme.*

♦ Littér., didact. ou admin. Pratique de la motocyclette. Spécialt. Sport de la motocyclette et du side-car. ⇒ **2. Moto** (courant).

MOTOCYCLISTE [mɔtosiklist; mɔtosiklist] n. — 1896; de *motocyclette*, d'après *cycliste.*

♦ Littér. ou admin. (Vieilli dans la langue cour.). Personne qui conduit une motocyclette. *Motocycliste de l'armée, de la police.* ⇒ **Motard.** *Casque protecteur, lunettes de motocycliste.*

(...) dix à vingt mille personnes viennent à chaque séance suivre le jeu dangereux des motocyclistes (...) Théâtralement, comme des gladiateurs, les concurrents entourés de mécaniciens, qui poussent leurs motocyclettes, petites bêtes dangereuses et nickelées, font à pied le tour de la piste au milieu des ovations de la foule. Ils sont beaux à voir avec leur casque de cuir à bourrelet d'acier, lourds de leurs jambières, de leur matelassage noir (...) Paul MORAND, Londres. [1]

D'un petit mouvement du pied, tandis que de la main elle réduisait d'un rien l'admission puis l'ouvrait en grand de nouveau, elle était passée en seconde, et instantanément (semblait-il) l'aiguille du compteur fixé sur le réservoir était montée au-delà du chiffre 80. Alors la motocyclette avait pris la troisième vitesse, puis elle avait coupé les gaz, car à plus de cent dix kilomètres à l'heure elle arrivait aux premières maisons de Haguenau.
A. PIEYRE DE MANDIARGUES, la Motocyclette, p. 21. [2]

MOTODROME [mɔtodʀom; mɔtodʀom] n. m. — 1900; de 2. *moto*, et *-drome.*

♦ « Piste spécialement aménagée pour les courses de vitesse pure à motos » (Petiot).

MOTOGODILLE [mɔtogodij] n. f. — 1905; de *moto-*, et *godille.*

♦ Petit moteur pouvant se placer à l'arrière d'une barque.

MOTONAUTIQUE [mɔtonotik] adj. — 1948; de *motonautisme.*

♦ Techn. (sport). Qui est relatif au motonautisme.

MOTONAUTISME [motonotism] n. m. — 1948; de *moto-*, et *nautisme*.

♦ Techn. (sport). Navigation sur des bateaux de sport à moteur (bateaux de faible déplacement et d'habitabilité réduite, en principe). *Les Six Heures de Paris, épreuve d'endurance en motonautisme.*
DÉR. Motonautique.

MOTONEIGE [motonɛʒ; motonɛʒ] n. f. — V. 1960; de *moto-*, et *neige.*

♦ Cour. au Canada. Petit véhicule à une ou deux places avec des skis à l'avant, sur chenilles. *Des motoneiges.* — REM. *Motoneige* a remplacé l'anglicisme *skidoo.*
DÉR. Motoneigiste.

MOTONEIGISTE [motonɛʒist; motonɛʒist] n. — V. 1970; de *motoneige.*

♦ (Canada). Personne qui pratique la motoneige.

MOTOPOMPE [motopɔ̃p; motopɔ̃p] n. f. — XXᵉ; de *moto-*, et *pompe.*

♦ Techn. Pompe entraînée par un moteur, à explosion ou électrique.

MOTOPROPULSEUR [motopʀopylsœʀ] adj. m. — XXᵉ; de *moto-*, et *propulseur.*

♦ Techn. Se dit des organes d'un véhicule qui produisent et transmettent le mouvement. *Groupe motopropulseur d'une automobile.* — N. m. Ensemble de ces organes.

MOTORISATION [motoʀizasjɔ̃] n. f. — XXᵉ; de *motoriser.*

♦ **1.** Action de motoriser; résultat de cette action. *Motorisation des transports; des troupes.*

♦ **2.** Spécialt. Fait d'équiper en automobiles.
Une motorisation généralisée manifeste au dehors la maladie dont cette civilisation crèvera.   F. MAURIAC, Bloc-notes 1952-1957, p. 231.

MOTORISER [motoʀize] v. tr. — 1922, *motorisé*; dér. sav. de *moteur*, lat. *motor.*

♦ **1.** Rare. Munir d'un moteur.

♦ **2.** Cour. Munir de véhicules à moteur, de machines automobiles. *Motoriser l'agriculture.* ⇒ **Mécaniser.** *Motoriser une armée.*

▶ **MOTORISÉ, ÉE** p. p. adj. *Armée peu motorisée* (→ Blinder, cit. 2). *Troupes motorisées,* transportées par camions, motocyclettes, etc. *Colonnes* (cit. 13) *motorisées.* — Fam. *Être motorisé :* se déplacer avec un véhicule à moteur. *Vous êtes motorisé? Pouvez-vous me reconduire chez moi?*
Dans les embouteillages, un soleil féroce fait cuire au bain-marie tous ces Français motorisés.   F. MAURIAC, Bloc-notes 1952-1957, p. 333.
DÉR. Motorisation.

MOTORISTE [motoʀist] n. m. — 1966; de *moteur.* Technique.

♦ **1.** Constructeur de moteurs d'avions ou d'automobiles. « *Les motoristes Snecma et Rolls-Royce garantissaient à Air France les performances souhaitées* » (*l'Express,* 7 août 1972, p. 20).

♦ **2.** (1968). Mécanicien spécialiste de la réparation et de l'entretien des automobiles et des moteurs.

MOTORSHIP [motoʀʃip] n. m. — 1926; mot angl. de *motor*, et *ship*, proprt « bateau à moteur ».

♦ Anglic. (Mar.). Navire de commerce propulsé au moyen du moteur Diesel. — Abrév. : M/S.

MOTOTRACTEUR [mototʀaktœʀ; mototʀaktœʀ] n. m. — XXᵉ; de *moto-*, et *tracteur.*

♦ Techn. Tracteur automobile.

1. MOTRICE [motʀis] adj. f. ⇒ **Moteur.**

2. MOTRICE [motʀis] n. f. — Fin XIXᵉ; de *locomotrice.*

♦ Voiture mue par un moteur électrique ou à explosion, qui entraîne d'autres voitures faisant partie de la même rame. *Motrice de tramway.*

(...) le conducteur exécutant à son tour la manœuvre de la tringle, puis motrice et remorque s'ébranlant de nouveau, mais continuant en ligne droite, c'est-à-dire coupant à angle droit le débouché de l'avenue, le premier tramway (...)
          Claude SIMON, le Palace, p. 102.

MOTRICITÉ [motʀisite] n. f. — 1825, Flourens; de *moteur, motrice.*

♦ Physiol. Ensemble des fonctions qui assurent les mouvements. *Motricité volontaire, involontaire* (ou *réflexe*). — Ensemble des mouvements de l'organisme, d'une de ses parties. — Psychol. *Test de motricité,* utilisé pour mesurer l'activité élémentaire d'un sujet.

MOTS-CROISÉS ou **MOTS CROISÉS** [mokʀwaze] n. m. pl. — 1925, *Journal des mots croisés* de R. David; probablt calque de l'angl. *crosswords* (puzzle), de *cross* « croix » et *word* « mot », diffusé aux États-Unis en 1913 (Arthur Wynne).

♦ Jeu d'esprit dans lequel chacune des lettres d'un mot disposé horizontalement entre dans la composition d'un mot disposé verticalement, chaque mot devant être trouvé à partir d'une définition. *Jouer aux mots croisés. Amateur de mots croisés. Grille de mots croisés :* tableau constitué de cases horizontales et verticales où l'on écrit chacune des lettres des mots qu'il faut trouver (les cases blanches étant interrompues par des cases noires qui séparent les mots et ne sont pas utilisées). — Au sing. Fam. *Un mot croisé :* un problème de mots croisés.
Au café, Étienne déplie le Journal, Théo, l'Excelsior du Dimanche; la femme dessert. Lorsqu'elle a fini, elle lit le conte; Étienne a terminé depuis longtemps sa lecture et somnole. Théo fait le mot croisé.   R. QUENEAU, le Chiendent, p. 54.
DÉR. Mot-croisiste.

MOT-CROISISTE [mokʀwazist] n. — XXᵉ; de *mots-croisés.*

♦ Amateur de mots-croisés. ⇒ **Cruciverbiste.**

MOTTAGE [motaʒ] n. m. — Mil. XXᵉ; XIVᵉ, *motage* « terre utilisée pour réparer les fossés »; de *motte.*

♦ Techn. Agglomération du ciment en petites mottes lorsqu'il est soumis à une pression. — Phénomène d'agglomération (des engrais granulés) sous l'influence de la température, du degré hygrométrique.

MOTTE [mot] n. f. — V. 1155 « levée de terre », p.-ê. d'un rad. prélatin **mutta.*

♦ **1.** Vx. Petite élévation naturelle ou artificielle. ⇒ **Butte, éminence.** *Château construit sur une motte.*
Au sommet de cette vaste motte de terre, se trouve l'église jadis flanquée de son presbytère (...)   BALZAC, les Paysans, Pl., t. VIII, p. 202.
Mod. (dans des noms propres). *Lamotte-Beuvron.*
Hist. Cour judiciaire du seigneur sous la féodalité.

♦ **2.** (V. 1213). Morceau, agglomération de terre compacte, comme on en détache en labourant à la bêche, à la charrue... ⇒ (vx) **Glèbe** (cit. 2). *Terre qui donne au labour de très grosses mottes* (→ Argile, cit. 2). *Écraser, casser les mottes d'un champ au brise-mottes* (⇒ **Brise-mottes**), *au croskill*, à la herse*, au rouleau** (⇒ **Roulage**). *Oiseau qui se pose sur les mottes, se cache derrière une motte.* ⇒ **Motter** (se); **motteux** (cit. Buffon).
(...) il s'absorba une minute dans la vue du sillon ouvert, de la terre éventrée à ses pieds : elle était jaune et forte au fond, la motte retournée avait apporté à la lumière comme une chair rajeunie (...)   ZOLA, la Terre, V, III.
Tout alentour s'étendait la pente d'un vaste terrain à vif, aux mottes retournées et absolument nu, où rien ne poussait, car on avait consacré à cet arbre, comme à un Dieu, tout le terrain avoisinant.   PROUST, Jean Santeuil, Pl., p. 333.
Spécialt. *Arbre de semis vendu avec sa motte* (⇒ **Emmotté**).
Par ext. *Motte de gazon.* ⇒ **Gazon** (1.). — *Motte à brûler,* et, absolt, *motte,* petite masse ronde de tourbe sèche, de tan épuisé... utilisée comme combustible*.
(...) Eugène (...) alluma son feu de mottes (...)
          BALZAC, le Père Goriot, Pl., t. II, p. 873.

♦ **3.** (1635). *Motte de beurre :* masse de beurre, pour la vente au détail, dans une crèmerie. *Acheter du beurre en motte, un quart de beurre à la motte.*
Sur les deux étagères de la boutique, au fond, s'alignaient des mottes de beurre énormes (...) d'autres mottes, entamées, taillées par les larges couteaux en rochers à pic, pleines de vallons et de cassures, étaient comme des cimes éboulées, dorées par la pâleur d'un soir d'automne.   ZOLA, le Ventre de Paris, t. II, v, p. 105.

♦ **4.** (1765). Techn. Masse de terre placée sur le tour du potier.

♦ **5.** (XVIᵉ; de l'anc. provençal *moutta*). En Provence, quantité d'olives formant une mouture.

♦ **6.** (V. 1390). Argot. Pubis, éminence pubienne (de la femme et, plus rarement, de l'homme). Par métonymie. Sexe de la femme.
Il compare les cascades à ses éjaculations, les truffes d'arbres à la motte de sa femme. Tout cela le monte.   FLAUBERT, Correspondance, t. I, Pl., p. 248.

Figure-toi deux drôles (...) charmants de corruption (...) et habillés en femmes. Pour costume, de larges pantalons, et une veste brodée qui descend jusqu'à l'épigastre, tandis que les pantalons, au contraire, retenus par une énorme ceinture de cachemire pliée en plusieurs doubles ne commencent à peu près qu'à la motte, de sorte que tout le ventre, les reins et la naissance des fesses sont à nu, à travers une gaze noire collée sur la peau (...)
FLAUBERT, Correspondance, t. I, Pl., p. 571.

DÉR. Mottage, motter (se), mottereau, motteux, motteuse, motton.
COMP. Brise-mottes, emmotté, rase-mottes.

MOTTER (SE) [mɔte] v. pron. — 1550 ; de *motte*.

Technique (chasse).

♦ **1.** Se cacher, se blottir derrière les mottes, en parlant d'un animal. *Perdrix qui se mottent.*

♦ **2.** (xxᵉ). Ramasser de la terre aux pattes en traversant des terrains argileux, en parlant du gibier.

MOTTEREAU [mɔtʀo] n. m. — 1842 ; de *motte*.

♦ Régional. Hirondelle* de rivage qui niche dans une anfractuosité de rocher ou dans un trou qu'elle creuse au bord de l'eau.

MOTTEUX [mɔtø] n. m. — xvɪᵉ, adj., «où les mottes de terre sont nombreuses» ; 1750, zool., Buffon, substantif ; de *motte*.

♦ Oiseau (*Turdidés*) dit aussi *tarier* (variété de traquet*). Appos. *Traquet motteux.*

Cet oiseau, commun dans nos campagnes, se tient habituellement sur les mottes dans les terres fraîchement labourées, et c'est de là qu'il est appelé *motteux ;* il suit le sillon ouvert par la charrue pour y chercher les vermisseaux dont il se nourrit (...)
BUFFON, Hist. nat. des oiseaux, Le motteux.

MOTTON [mɔtõ] n. m. — 1867, Littré ; de *motte*.

♦ Vx ou régional. Boule que forme la farine délayée dans une trop grande quantité de liquide.

MOTU PROPRIO [mɔtypʀɔpʀijo] loc. adv. et n. m. — 1550 ; loc. lat. signifiant «de son propre mouvement» et empr. au langage de la chancellerie du Saint-Siège.

Religion ou didactique.

♦ **1.** Spontanément, de plein gré.

♦ **2.** N. m. (Vx). Acte volontaire, accompli en toute liberté. — Spécialt. Lettre apostolique expédiée par le Pape de sa propre initiative, sans requête préalable, et renfermant une décision d'ordre administratif. Plur. *Des motu proprio* (Académie).

MOTUS [mɔtys] interj. — 1560 ; latinisation plaisante de *mot*.

♦ Fam. Interjection pour inviter quelqu'un à garder le silence (→ Pas un mot* ! ⇒ **Silence**). *Sur ce sujet, motus !* (Académie). — Loc. *Motus ĕt bouche cousue !*

Chut ! — Comment ? — Paix ! — Quoi donc ? — Motus ! Il ne faut pas dire que vous m'avez vu sortir de là.
MOLIÈRE, George Dandin, I, 2.
Alors, si on lui demandait d'où diable pouvait venir tant d'ouvrage, il se mettait un doigt sur les lèvres et répondait gravement : «*Motus !* je travaille pour l'exportation (...)» Jamais on n'en put tirer davantage.
Alphonse DAUDET, Lettres de mon moulin, «Le secret de Maître Cornille».
Hitler, son grand truc, quand les ouvriers rouspètent, c'est de les foutre sous les drapeaux. Comme ça, motus, bouche cousue !
SARTRE, le Sursis, p. 327.

MOT-VALISE [movaliz] n. m. — xxᵉ (av. 1952), mot créé par G. Ferdière à propos de Lewis Carroll (qui parle en anglais de *portmanteau word*) ; de *mot*, et *valise*.

♦ Mot composé d'éléments non signifiants de deux ou plusieurs mots. *La formation de mots-valises est très productive en américain* (ex. : *motor[car]* et *hotel* donnent *motel*). *Mots-valises spontanés, créés par des écrivains.*

La solution est donnée par Carroll dans la préface de la Chasse au Snark. «On me pose la question : Sous quel roi, dis, pouilleux ? parle ou meurs ! Je ne sais pas si ce roi était William ou Richard. Alors je réponds Rilchiam». Il apparaît que le mot-valise est fondé dans une stricte synthèse disjonctive. Et, loin que nous nous trouvions devant un cas particulier, nous découvrons la loi du mot-valise en général, à condition de dégager chaque fois la disjonction qui pouvait être cachée. Ainsi pour «frumieux» (furieux et fumant)...
G. DELEUZE, Logique du sens, p. 64.

1. MOU [mu] ou MOL [mɔl] devant une voyelle ou un *h* muet, fém. MOLLE [mɔl] adj., adv. et n. — V. 1130 ; du lat. *mollis*.

★ **I.** Adj. (Toujours placé après le nom à la forme *mou* et avant le nom à la forme *mol*, quand il n'y a pas d'autre épithète).

A. (Par oppos. à *dur*). ♦ **1.** Qui cède facilement à la pression, au toucher ; qui se laisse entamer sans effort. *Substance molle* (→ Frai, cit. 2). *Cire* (cit. 3) *molle* (→ Façonner, cit. 11 ; flexibi-

lité, cit. 2). *Mou comme de la guimauve* (cit. 2). *Fromage* à pâte *molle*. *Fromage* (cit. 3) *mou* (→ 1. Goutte, cit. 34). *Pain mou, biscuits mous* (par oppos. à *croquant*). *Beurre que la chaleur rend mou.* ⇒ **Amollir, mollifier** (vx), **mollir, ramollir.** — *Argile molle* (→ Fleuve, cit. 8). *S'embourber dans une glaise molle.* ⇒ **Pâteux.** *Matière molle, propre à modeler.* ⇒ **Plastique ; maniable.** — *Œuf à coquille molle.* ⇒ **Tendre** (→ Fécond, cit. 4).

La graisse diffère du suif en ce qu'elle reste toujours molle, au lieu que le suif durcit en se refroidissant.   1
BUFFON, Hist. nat. des animaux, la Brebis.

Sous ses doigts, la peluche du tapis de table était molle ; ce contact lui déplut, et elle retira ses mains comme si elle les eût posées sur quelque chose de malpropre.   2
J. GREEN, Adrienne Mesurat, II, v.

Anat. *Parties molles :* les chairs, les viscères (par oppos. aux os. → Articulation, cit. 1). — Méd. *Chancre* mou. Tumeur molle.

♦ **2.** Doux, qui s'enfonce au contact. ⇒ **Moelleux, mollet.** *Matelas mou* (→ Artillerie, cit. 7). *Molle couche de luzerne* (cit.). *Un mol oreiller.* «*Doux et mol chevet*» (→ Ignorance, cit. 9, Montaigne).

Sur mol duvet assis, un gras chanoine (...)   3
VILLON, Testament, «Les contredits de Franc Gontier».
(...) la lune couchée au loin sur un édredon de molles nuées.   4
HUGO, Notre-Dame de Paris, VII, vIII.

Par ext. ⇒ **Doux.**

Cependant la molle tiédeur du bain assoupit un peu cette colère nerveuse, et Musidora laissa flotter nonchalamment ses beaux bras sur l'eau (...)   5
Th. GAUTIER, Fortunio, vI, p. 50.

Doux à la vue, à l'ouïe. *Molles clartés de la lune* (→ Astre, cit. 9). — *Voix qui prend des inflexions* (cit. 5) *plus molles.*

♦ **3.** Par métaphore. (par oppos. à *fort, sec*). *Bruit mou.* ⇒ **Sourd** (→ Chauve-souris, cit. 3).

Elle se laissa aller au creux d'une bergère douillette, et Chéri haït le soupir mou du coussin sous le vaste séant.   6
COLETTE, la Fin de Chéri, p. 87.

♦ **4.** (1316). Fig. (Spécialt). *Temps mou,* humide et (généralement) chaud. *Climat mou.* ⇒ **Dissolvant.**

Le matin de mars était mou et froid comme un retour d'hiver. Le ciel tombait sur les épaules et (...) des loques de brouillard traînaient encore sur les pelouses. Le temps barbouillé pourrissait les rues basses de Montmartre.   7
M. AYMÉ, le Chemin des écoliers, p. 15.

B. (Par oppos. à *raide, rigide*). ♦ **1.** Qui est dépourvu de rigidité, de raideur. ⇒ **Souple.** *Chien aux oreilles molles* (→ Loulou, cit. 1). *Tige, taille, nuque molle.* ⇒ **Flexible** (cit. 1). *Ressort détendu et mou.* → **Lâche** (I., 1.). — *Col* mou. *Chapeau*, *feutre* (cit. 2) *mou. De molles étoffes* (→ Hélice, cit. 3). — *Pente molle* (→ par métaphore Endolorir, cit. 2).

(...) la molle liane   8
Qui se balance (...)
VALÉRY, Poésies, «Album de vers anciens», Au bois dormant.
Des mèches molles retombaient sur le front humide, qui se renversa doucement contre l'oreiller.   9
J. CHARDONNE, les Destinées sentimentales, p. 196.

♦ **2.** (En parlant de formes arrondies et un peu imprécises). *De molles ondulations de terrain* (→ Îlot, cit. 2). — Spécialt. Qui a une souplesse gracieuse. *Molles saillies, molles inflexions* (cit. 4) *du corps féminin* (→ Contour, cit. 5). *La molle rondeur de ses bras.*

À droite et à gauche, le Loir, se déroulait, avec ses courbes molles, coulant au ras des prairies (...)   10
ZOLA, la Terre, II, vI.
Fig. (En parlant d'un mouvement qui s'accomplit, se répète avec une douceur lente). *De molles oscillations* (→ Frôlement, cit. 3).

♦ **3.** Par oppos. à *ferme* (le plus souvent avec une nuance péj.). ⇒ **Avachi, flasque, mollasse.** *Chair* (cit. 25), *charnure molle* (→ Livide, cit. 7). *Vous avez le ventre mou, faites donc travailler vos abdominaux. Visage mou* (→ Accentuation, cit.), *aux traits mous.* ⇒ **Boursouflé** (→ Content, cit. 10).

Gédéon (*l'âne*), devenu plus mou qu'une chiffe, alourdi de sommeil, s'endormait.   11
ZOLA, la Terre, IV, ɪv.
Le nez mou, charnu et sanguin, avait un air bonasse (...)   12
H. BOSCO, Antonin, p. 33.

♦ **4.** Par ext. Qui manque ou semble manquer de force, de vigueur (physique ou intellectuelle). *Main molle* (→ Manier, cit. 7). *Avoir les jambes* (cit. 12) *molles* (→ Descendre, cit. 7), *molles comme du coton.* ⇒ **Cotonneux, désossé** (cit.). → par métaphore En pâté de foie*.

(*Les chagrins*) lui cassaient les jambes et les bras. Il se sentait mou à ne plus faire un mouvement, à ne pouvoir gagner son lit, mou de corps et d'esprit, écrasé et désolé.   13
MAUPASSANT, Pierre et Jean, vIII.
(*Il*) aperçut (...) son compagnon, affalé sur le pont, la tête appuyé contre un rouleau de manœuvres, les jambes molles comme celles d'un pantin.   14
P. MAC ORLAN, la Bandera, ɪv.

Mar. *Vent mou,* qui souffle faiblement. — Méd. *Pouls mou,* dont les battements ne sont pas nettement perçus.

— Pouls rapide, évidemment. Un peu vibrant. Mais régulier.   15
— Oui. Et certains jours, au contraire — surtout le soir — il est petit, mou, difficile à saisir.
MARTIN DU GARD, les Thibault, t. IX, p. 113.

C. Fig. ♦ **1.** ⓐ V. 1200. (Personnes). Qui manque d'énergie, de vitalité. ⇒ **Abattu, amorphe, apathique, atone, avachi, cagnard, endormi** (cit. 38), **indolent, inerte, lymphatique, mollasse, nonchalant.** *Femme molle et geignarde.* ⇒ **Gnan-gnan.** *Élève mou, qui traîne sur ses devoirs.* ⇒ **Flemmard** (fam.), **lambin, lent.**

Par ext. (Actions ; aspect, comportement). ⇒ **Languissant.** *Air* (→ Effilé, cit. 7), *gestes mous. Démarche molle.*

16   Cette perpétuelle mourante ne se répand pas en molles plaintes. Elle a le pessimisme sans merci des esprits lucides qui voient net et osent conclure (...)
                          Émile HENRIOT, *Portraits de femmes*, p. 266.

b   V. 1265. (Personnes). Qui manque de vigueur morale, de caractère. ⇒ **Aveuli, faible, inconsistant, lâche, veule.** *Homme crédule* (cit. 6) *et mou.* ⇒ **Facile** (vx) ; **bonasse, chiffe** ; → *Cire*, pâte molle. *Il était plus mou qu'une femme, incapable d'héroïsme* (cit. 7). ⇒ **N'avoir pas une goutte* de sang,** avoir du sang* de navet dans les veines. *Esprits mous, cervelles molles* (→ aussi Impérieux, cit. 6). — *Lâcheté* (cit. 1) *molle.*

17   On n'a jamais vu de client pareil, dit Villemot indigné, qui se retourna contre Schmucke. Vous êtes mou comme une chiffe.
                          BALZAC, *le Cousin Pons*, Pl., t. VI, p. 787.

(Actions). Qui manque de conviction, de ténacité. *N'opposer qu'une molle résistance. Élever de molles protestations.*

18   (...) tous mes vœux pour vous seront mols et timides (...)
                          CORNEILLE, *Héraclius*, III, 1.

19   Il préparait ainsi le terrain, donnait par avance les raisons de l'insuccès de ses molles démarches. Car il ne se souciait pas de perdre son crédit à recommander avec chaleur ce parent incapable, et si peu reluisant.
                          MONTHERLANT, *les Célibataires*, I, III.

c   Qui manque de sévérité, de rigueur morale. *Précepteur trop mou* (→ Avoir un bras* de coton). — *Éducation* (cit. 8) *molle.*

20   Mon enfance même a été conduite d'une façon molle et libre, et exempte de sujétion rigoureuse. Tout cela m'a formé une complexion délicate et incapable de sollicitude.
                          MONTAIGNE, *Essais*, II, XVII.

Par ext. *Molle complaisance. Molle indulgence.*

♦ **2.** (1690). Bx-arts, mus. et littér. Qui manque de fermeté, de vigueur (en parlant du style, de l'exécution d'une œuvre plastique et musicale). *Style d'une grâce* (cit. 79) *un peu molle* (→ Abondant, cit. 7). *Pianiste dont le jeu est mou. Touche molle, manière molle* (Académie). *Dessin mou.* — Par métonymie. *Un pinceau mou.*

♦ **3.** Vieilli ou littér. (Personnes). ⇒ **Efféminé** (cit. 3).

21   Ce roi fort mol et voluptueux.
                          RACINE, *Notes historiques*, LV.

(Choses). Qui a le caractère de la mollesse (4.). ⇒ **Amollissant, efféminé.** *Paroles molles* (→ Impression, cit. 17). *Molles chansons* (→ Lyre, cit. 6). *Molle langueur* (cit. 17). ⇒ **Voluptueux.** *Molles délices* (→ Imbécillité, cit. 1).

22   Ô Aristippe, ce manteau fastueux fut payé par bien des bassesses. Quelle comparaison de ta vie molle, rampante, efféminée, et de la vie libre et ferme du cynique déguenillé !
                DIDEROT, *Regrets sur ma vieille robe de chambre.*

★ **II.** Adv. ♦ **1.** Pop. Doucement, sans hâte, sans violence. *Vas-y mou* (→ pop. Mollo).

23   Maurice le gifla deux fois avec son poing fermé. « — Vas-y mou, dit Zézette, c'est un môme. »
                          SARTRE, *le Sursis*, p. 155.

♦ **2.** Péj. Avec mollesse, mollement. *Musicien qui joue trop mou.*

★ **III.** N. ♦ **1.** Fam. et péj. Personne faible de caractère, qui recule devant les risques, les responsabilités. *On ne peut pas compter sur lui, c'est un mou.* — REM. Le féminin est pratiquement inusité en ce sens. — Personne qui adopte des points de vue jugés trop modérés.

♦ **2.** N. m. Ce qui est mou. *Le mou et le dur.*

24   (...) cet affreux mélange du sec et de l'humide, du dur avec le mol, de la lumière avec les ténèbres, qui constituait ce chaos (...)   VALÉRY, *Eupalinos*, p. 121.

♦ **3.** Spécialt. En parlant d'un cordage, d'une courroie... *Avoir du mou* : n'être pas tendu. *Donner du mou à un hauban,* le détendre. *Il y a trop de mou. Donner un peu de mou.*

CONTR. **Consistant, coriace, dur, résistant, rigide.** — **Ferme, fort, vigoureux.** — **Agissant, alerte, ardent, bouillant, dynamique, empressé, énergique, entreprenant, impétueux, indomptable, preste, vif.** — **Dur** (subst.).
COMP. et DÉR. **Amollir, mollasse, mollement, mollesse, mollet, mollifier, mollir, mollo.** (Du même rad.) **Émollient.**
HOM. 2. **Mou, moue, moût ;** formes du v. **moudre.**

2. MOU [mu] n. m. — XIVᵉ, *mol* ; de 1. *mou* (I., 1.).

♦ **1.** Poumon* des animaux de boucherie, abat* utilisé surtout pour l'alimentation des chats. *Acheter du mou de bœuf, de veau, chez le tripier.* — *Morceau de mou. Chat qui mange son mou.*

1   Ton chat a été aujourd'hui porté chez Mᵐᵉ Sénard, la femme du menuisier. Le boucher lui apportera toutes les semaines pour 4 sols de *mou* : c'est la quantité qu'il faut (...)   FLAUBERT, *Correspondance*, 628, 17 déc. 1859.

2   (...) Cadine et Marjolin étaient sûrs de rencontrer Claude à la vente en gros des mous de bœuf (...) Les mous étaient d'un rose tendre, s'accentuant peu à peu, bordé, en bas, de carmin vif (...)   ZOLA, *le Ventre de Paris*, t. II, IV, p. 26.

3   Deux rails étroits, faits d'une substance crue, rougeâtre et gélatineuse, qui n'était autre que du mou de veau, s'alignaient sur une surface de bois noirci et donnaient, par leur modelé sinon par leur couleur, l'illusion exacte d'une portion de voie ferrée ; c'est sur eux que s'adaptaient, sans les écraser, les quatre roues immobiles.   Raymond ROUSSEL, *Impressions d'Afrique*, p. 10.

♦ **2.** Loc. fam. *Bourrer*, gonfler le mou à qqn,* lui en faire accroire,

le tromper. — *Rentrer dans le mou* (de qqn), le tromper (cf. Bourrer le crâne). ⇒ **Battre** (cf. Rentrer dans le chou, dans le lard).
HOM. 1. **Mou, moue, moût ;** formes du v. **moudre.**

MOUCHACHOU [muʃaʃu] ou **MOUTCHATCHOU** [mutʃatʃu] n. m. — 1830, Esnault ; esp. *muchacho* « jeune homme ».

♦ Fam. (Surtout au plur.). Enfant(s). *« Les mouchachous d'Alger, les négrillons de Djibouti »* (Dorgelès, *in* G. L. L. F.).
REM. Les formes espagnoles *muchacho* et *muchacha*, qui se rencontrent dans la littérature du XIXᵉ s. à propos de l'Espagne (Gautier, Barbey), constituent des emprunts pittoresques et correspondent à un autre usage.

MOUCHAGE [muʃaʒ] ou **MOUCHEMENT** [muʃmã] n. m. — Déb. XXᵉ ; de *moucher.*

♦ Rare. Action de moucher, de se moucher.

(...) ce qui me chagrinait, c'était ce nez. Pourtant il n'y apparaissait aucune des mucosités qu'arrache un bon mouchement. Tout devait se passer dans les profondeurs.   P. GUTH, *le Naïf sous les drapeaux*, p. 29.

MOUCHARABY [muʃarabi] ou **MOUCHARABIEH** [muʃarabje] n. m. — 1846, Nerval, *moucharaby* ; *moucharabieh*, 1903 ; arabe *māšrābīyyāh* « fenêtre en saillie et grillée ».

♦ Dans l'architecture arabe, Balcon* qui forme avant-corps devant une fenêtre et qui est fermé par un grillage (→ Loggia, cit. 1). *Le moucharaby permet de voir sans être vu.* ⇒ **Jalousie.**

Cependant, les *moucharabys* s'éclairent ; ce sont des grilles de bois, curieusement travaillées et découpées, qui s'avancent sur la rue et font office de fenêtres (...)   NERVAL, *Voyage en Orient*, « Femmes du Caire », I, I.

(...) ces moucharabiehs de Tunis, du Caire ou de Constantinople, qui, si secrets qu'ils soient, rassurent, égaient la rue de toutes les curiosités féminines que l'on sent s'agiter derrière leurs croisillons de bois.
              Jérôme et Jean THARAUD, *Rabat*, III.

REM. On rencontre aussi l'orthographe *moucharabié.*

Or sur les rives du Bosphore, on compte actuellement un immeuble en ciment armé pour cinq vieilles maisons turques munies ou non de leurs moucharabiés.   Francis CARCO, *Nostalgie de Paris*, p. 55.

MOUCHARD, ARDE [muʃar, ard] n. m. et f. — 1567 ; de *mouche* (III., 4.).
Familier ou technique.

♦ **1.** Espion*, indicateur de police ; policier. ⇒ **Mouche** (III.). Vx. (Argot). *La Moucharde* : la police.

Au même moment la maison du pâtissier est entourée d'espions. Des mouchards, sous toutes sortes de vêtements, s'adressent à la pâtissière, et lui demandent son mari : elle répond à l'un qu'il est malade, à un autre qu'il est parti pour une fête, à un troisième pour une noce.   DIDEROT, *Jacques le fataliste*, Pl., p. 581.

♦ **2.** Par ext. Personne qui espionne quelqu'un, le surveille en vue d'une dénonciation. ⇒ **Cafard, délateur, dénonciateur, mouton, rapporteur, sycophante** (littéraire).

Ne voilà pas de mes mouchards, qui prennent garde à ce qu'on fait ?   MOLIÈRE, *l'Avare*, I, 3.

D'abord la facilité qu'ils *(les gouvernements)* ont d'introduire des mouchards, des individus à eux, dans les organisations ouvrières forcément ouvertes (...)   J. ROMAINS, *les Hommes de bonne volonté*, t. IV, X, p. 105.

♦ **3.** (1894). N. m. Par métaphore, désigne certains appareils, certains dispositifs de contrôle. ⇒ **Contrôleur** (2.). — Appareil qui contrôle le défaut de vigilance ou les dépassements de vitesse d'un mécanicien (sur une locomotive), d'un chauffeur (sur un camion). — Milit. Avion d'observation.

Trou, orifice pour observer, surveiller secrètement (→ Judas).

(...) je me suis dissimulé dans le placard aux ornements sacerdotaux, où aboutit le mouchard que j'ai percé.   Hervé BAZIN, *Vipère au poing*, p. 247.

Spécialt. (Argot). Orifice dans la porte d'une cellule, qui permet de surveiller un détenu.

Techn. (imprim.). Repère qui permet de contrôler la marge.

HOM. (Du fém.) Formes du v. **moucharder.**

MOUCHARDAGE [muʃardaʒ] n. m. — 1796 ; de *moucharder.*

♦ Fam. Action, habitude de moucharder. ⇒ **Cafardage** (fam.) ; **délation, dénonciation.**

MOUCHARDER [muʃarde] v. tr. — Fin XVIᵉ ; de *mouchard.*

♦ Fam. Surveiller en vue de dénoncer, et, par ext., dénoncer. ⇒ **Cafarder** (fam.), **espionner** (→ 2. Franc, cit. 9). — Absolt. Faire le mouchard. *Écolier qui moucharde.* ⇒ **Rapporter.**

(...) le sous-chef, après s'être contenté de faire le tour du hangar, s'en retournait rapidement. Ce n'était pas long à donner, son coup d'œil. Qu'est-ce qu'il pouvait bien être venu moucharder ?   ZOLA, *la Bête humaine*, III.

DÉR. **Mouchardage.**
HOM. V. **Mouchard.**

MOUCHE [muʃ] n. f. — V. 1120, *mosche, musche* ; du lat. *musca*.

★ **I. ♦ 1. ⓐ** Vx. Petit insecte volant (mouche domestique, abeille, guêpe, moucheron, moustique, taon...). *Mouche guêpe* (cit. 1, Montaigne).

ⓑ Mod. En loc., nom encore donné à certains insectes autres que les muscidés. *Mouche araignée* ou *mouche plate du cheval* (Hippobosque). *Mouche de Saint-Marc* ou *de la Saint-Jean.* ⇒ **Bibion.** *Mouche d'Espagne* (⇒ **Cantharide**)*, à scie.* ⇒ **Tenthrède.** *Mouche à bœufs :* œstre, taon.

(1487). Archaïque ou régional. *Mouche à miel.* ⇒ **Abeille.**

Mouche-maçonne : guêpe d'une variété ressemblant aux muscidés et construisant des alvéoles.

.1 Une mouche-maçonne, de la plus grande espèce, commence à construire des alvéoles sur le chambranle de la porte (...) Je suis fort amusé à la voir apporter, puis enfermer dans l'alvéole une assez grosse larve (...) Elle bloque complètement la cellule, mastiquant et ensalivant la glaise qu'elle apporte, bouchant hermétiquement la petite ouverture par où elle a pu introduire sa proie. Cela est net, lisse, parfait comme un travail de potier, gros comme un noyau d'olive !
  GIDE, Retour du Tchad, *in* Souvenirs, Pl., p. 954.

♦ **2.** Insecte (*Diptères, Brachycères, Muscidés*) aux nombreuses espèces, dont la plus commune, la mouche domestique (*Musca domestica*) vit volontiers dans les maisons. *La larve* (⇒ **Asticot**) *de la mouche vit dans les matières organiques en putréfaction. Mouche bleue* ou *mouche carnaire, mouche de la viande* (Calliphore). *Mouche grise de la viande* (Sarcophage). *Mouche dorée* ou *mouche verte.* ⇒ **Lucilie.** *Mouche charbonneuse* (Stomoxe). *Mouche tsé-tsé.* ⇒ **Glossine.** *Mouche des cerisiers, des oliviers* (Dacus). *Mouche du vinaigre* ou *drosophile. L'idie*, mouche des régions chaudes et tempérées.*

Plus cour. Mouche domestique. *Mouche qui bourdonne* (→ Échec, cit. 3). *Bourdonnement de la mouche. Bout de viande faisandée qui attire* (cit. 14) *les mouches. Chiasse, chiure* (cit.) *de mouches. Essaim* (cit. 4)*, nuage de mouches* (→ Déplacer, cit. 6). *Mouches harcelantes* (→ Affairement, cit. 2). *Attraper, écraser une mouche* (→ Casser, cit. 5). *Protection contre les mouches.* ⇒ **Attrape-mouche, chasse-mouches, émoucher, émouchette, épissière, insecticide, tue-mouche** (papier). *Oiseaux qui se nourrissent de mouches.* ⇒ **Gobe-mouche, moucherolle.** — Allus. littér. « *Ce parasite ailé* (cit. 2) *que nous avons* mouche *appelé* » (La Fontaine).

1 La puissance des mouches : elles gagnent des batailles, empêchent notre âme d'agir, mangent notre corps.
  PASCAL, Pensées, VI, 367.

2 La mouche et la fourmi contestaient de leur prix
  « Ô Jupiter ! dit la première,
  Faut-il que l'amour-propre aveugle les esprits »
  LA FONTAINE, Fables, IV, 3, « La mouche et la fourmi » (→ Aveugler, cit. 6).

3 Ce volume contenait le poème d'un jésuite sur une mouche qui se noie dans une jatte de lait. Tout l'esprit était fondé sur l'antithèse produite par la blancheur du lait et la noirceur du corps de la mouche, la douceur qu'elle cherchait dans le lait et l'amertume de la mort.
  STENDHAL, Vie de Henry Brulard, 12.

4 Et des mouches ! des mouches ! jamais je n'en avais tant vu : sur le plafond, collées aux vitres, dans les verres, par grappes... Quand j'ouvris la porte, ce fut un bourdonnement, un frémissement d'ailes comme si j'entrais dans une ruche.
  Alphonse DAUDET, Lettres de mon moulin, « Les deux auberges ».

4.1 De temps en temps, une mouche dont le vol commençait à vibrer enflait le son d'une manière continue. Brusquement on ne l'entendait plus, elle s'était posée (...) Une mouche s'était posée sur sa joue, moineau des insectes, aux pattes actives, aux ailes brunes pas trop légères, bête innocente et étourdie. Jean d'un coup de main la chassait et riait d'être de nouveau tranquille.
  PROUST, Jean Santeuil, Pl., p. 292-293.

5 Ce ne sont que des mouches à viande un peu grasses. Il y a quinze ans qu'une puissante odeur de charogne les attira sur la ville. Depuis lors, elles engraissent.
  SARTRE, les Mouches, I, 1.

5.1 Mesdames et messieurs : la face des mouches est sérieuse. Cet animal marche et vole à son affaire avec précipitation. Mais il change brusquement ses buts, la suite de son manège est imprévue : on dit que cet insecte est dupe du hasard. Il ne se laisse pas approcher : mais au contraire il vient, et vous touche souvent où il veut ; ou bien, de moins près, il vous pose la face seule qu'il veut. Chassé, il fuit, mais revient mille instants par mille voies se reposer au chasseur.
  Francis PONGE, le Parti pris des choses, p. 25.

Par métaphore (→ Batteuse, cit. 2).

6 Les navires sont des mouches dans la toile d'araignée de la mer.
  HUGO, l'Homme qui rit, I, II, IV.

♦ **3.** Loc. (1588). *Faire d'une mouche un éléphant :* accorder beaucoup d'importance à une chose insignifiante. ⇒ **Exagérer.** — Vx. *Peser gravement des œufs de mouche* (→ 1. Balance, cit. 2, Voltaire). — *On aurait entendu une mouche voler :* le plus profond silence régnait. — *Attraper* (→ 2. Cancre, cit. 2)*, gober des mouches :* perdre son temps dans l'oisiveté ; être distrait, rêveur. — *Attirer quelqu'un comme le miel* attire les mouches.*

(1798). Prov. *On prend plus de mouches avec du miel qu'avec du vinaigre** (ou : *on ne prend pas les mouches avec du vinaigre**). — Fam. *Il ne ferait pas de mal** (3. Mal, cit. 6) *à une mouche.* — *Mourir, tomber comme des mouches,* en masse, en grand nombre. — *Le coche et la mouche,* fable de La Fontaine (→ Animer, cit. 19). *Être, faire la mouche du coche :* être empressé inutilement, être importun, s'agiter beaucoup sans rendre de réels services. — *Quelle mouche le pique ?* (→ 2. Critique, cit. 40) : pourquoi se met-il en colère brusquement et sans raison apparente ?

(1640). *Prendre la mouche :* se fâcher, se mettre en colère. ⇒ **Emporter** (s').

7 Après bien du travail le coche arrive au haut.
  « Respirons maintenant, dit la mouche aussitôt :
  J'ai tant fait que nos gens sont enfin dans la plaine.
  Ça, Messieurs les chevaux, payez-moi de ma peine ».
  Ainsi certaines gens, faisant les empressés (...)
  LA FONTAINE, Fables, VII, 9 (→ Empressé, cit. 1).

8 (...) ayant peu d'esprit, il ne discernait pas les tons et les caractères, et prenait souvent la mouche sur rien. ROUSSEAU, les Confessions, III.

9 Comment ! sans y voir clair et sans savoir pourquoi,
  Vous vous battez ainsi ! Quelle mouche vous pique ? FLORIAN, Fables, III, 8.

10 Sans les pleurs convulsifs de Gothard, on eût entendu les mouches voler.
  BALZAC, Une ténébreuse affaire, Pl., t. VII, p. 515.

(1798). Loc. fig. *Pattes de mouche :* écriture très petite et difficile à lire.

11 Une lettre qu'elle faisait semblant d'écrire n'avançait guère et les délicieuses pattes de mouche de son écriture s'entremêlaient follement (...)
  NERVAL, Pandora, I.

★ **II.** Par anal. (forme, couleur, taille, etc.). ♦ **1.** (1690). Vx. Petite tache de couleur sombre. ⇒ **Moucheture.** *Une mouche de boue.*

♦ **2.** (1645). Petit morceau de taffetas noir que les femmes se mettaient autrefois sur le visage ou parfois sur la gorge par coquetterie, pour rehausser la blancheur de leur peau (→ Ajustement, cit. 6, La Fontaine). ⇒ **Beauté** (grain de). → **Efféminé**, cit. 6 ; futilité, cit. 5. *Mouche assassine.* ⇒ **Assassin** (*supra* cit. 12).

12 Elle se posa une mouche au coin de la lèvre et fit mine de se lever (...) Vallombreuse, plongeant un doigt dans la boîte à mouches posée sur la toilette, en retira une petite étoile de taffetas noir. « Souffrez, continua-t-il, que je vous la pose ; ici, tout près du sien, elle en relèvera la blancheur et paraîtra comme un grain de beauté naturel. » Th. GAUTIER, le Capitaine Fracasse, VIII.

♦ **3.** (1824, *mouche*). Vx. *Mouche de Milan :* petit emplâtre de cantharides étendu sur du taffetas et utilisé comme vésicatoire.

♦ **4.** (1846). *Mouche artificielle :* appât utilisé dans la pêche à la ligne* et fait de plumes de couleurs variées, qui sont fixées à un hameçon par de la soie. ⇒ **Amorce, appât.** — *Pêche à la mouche :* pêche au lancer qui utilise la mouche artificielle.

♦ **5.** Petit point noir placé au centre d'une cible. *Faire mouche :* toucher ce point. ⇒ **Balle** (faire), **but** (toucher le). — Fig. et par métaphore. Atteindre le résultat visé, toucher le point sensible (→ Mettre dans le mille*).

13 Quelle péroraison ! D'une concision, d'une violence, d'une aigreur ! Vous faisiez mouche à chaque mot. M. AYMÉ, la Tête des autres, I, 4.
Petite marque qui indique sur un tapis de billard* l'endroit où doit se placer la bille.

♦ **6.** Techn. Morceau de peau qu'on fixe sur le bouton d'un fleuret pour l'émousser et le rendre inoffensif. ⇒ **Émoucher, moucheté, moucheter.**

♦ **7.** (1846). Petite touffe de poils au-dessous de la lèvre inférieure. ⇒ **Barbe** (→ Émerillonné, cit. 2). *La mouche était à la mode à l'époque d'Henri III, sous le Second Empire.*

♦ **8.** (1874). Techn. Petit outil utilisé pour polir l'intérieur d'un canon de fusil, de pistolet.

★ **III.** (Par allus. à la finesse, la mobilité, l'importunité de la mouche).

♦ **1.** (1845). *Mouche volante :* tache qui apparaît dans le champ visuel et suit les mouvements de l'œil.

14 Ah ! du pain d'abord. Et du café. Il rêvait d'un café bien noir et bien chaud. Il avait des mouches devant les yeux, et des points d'or. La crampe gastrique s'accentuait. ARAGON, les Beaux Quartiers, II, XXXVIII.

♦ **2.** (1798). Plur. Méd. Douleurs légères, intermittentes, semblables à des piqûres d'insectes, et qui annoncent le travail de l'accouchement.

♦ **3.** (XIXe). Mar. *Mouche d'escadre :* petit navire de reconnaissance qui servait à éclairer la marche d'une escadre, à surveiller les mouvements de la flotte ennemie.

(1878). Cour. *Mouche* (vx), puis *bateau-mouche :* bateau à passagers qui circule sur la Seine, à Paris. *Des bateaux-mouches* (⇒ **Bateau,** cit. 4 et 4.1).

14.1 La Seine est couverte de mouches qui chauffent, pavoisées du drapeau des ambulances, et toutes prêtes à aller chercher des blessés.
  Ed. et J. DE GONCOURT, Journal, t. IV, p. 114.

♦ **4.** (1389 ; p.-ê. de *moucher* «cacher», de *mucier, mucher,* selon P. Guiraud). Vx. Espion. ⇒ **Mouchard** (1., 2.).

15 (...) je vis que j'avais été prévenu par un homme de mauvaise mine, qui me parut être une de ces mouches qu'on tient sans cesse à mes trousses. Tandis que cet homme lui parlait à l'oreille, je vis les regards du tonnelier se fixer sur moi d'un air qui n'avait rien d'amical. ROUSSEAU, Rêveries..., IXe promenade.

♦ **5.** (1673). Mod. *Une fine mouche :* une personne très fine, habile, rusée.

16 Défie-toi de Marin ; car tu sais que c'est une fine mouche (...)
  HAUTEROCHE, Crispin méd., I, 8, *in* LITTRÉ.

17 La jeune femme (...) était des «deux Faubourgs» et Talleyrand se sentait à l'aise près de cette fine mouche qui, d'une intelligence déliée et d'esprit acéré, s'était jadis beaucoup poussée près de Joséphine (...)
Louis MADELIN, Talleyrand, III, XXVII.

♦ **6.** Sports. *Poids mouche.* ⇒ **Poids.**

♦ **7.** Jeu de cartes qui ressemble au mistigri (→ Balzac, *Béatrix*, Pl., t. II, p. 350). *Jouer à la mouche.*

DÉR. Mouchard, 2. moucher, moucherolle, moucheron, mouchet, moucheter, 2. moucheur.
COMP. Attrape-mouche, bateau-mouche, chasse-mouches, gobe-mouches, oiseau-mouche, tue-mouche.
HOM. Formes des v. 1. moucher, 2. moucher.

1. MOUCHER [muʃe] v. tr. et pron. — XIIIᵉ; du lat. pop. *muccare, dér. de *muccus* «morve».

♦ **1.** Débarrasser (le nez) des mucosités qu'il contient en pressant les narines et en expirant fortement par le nez. *Mouche ton nez!* — Absolt. *Un homme mouchant, toussant, crachant* (cit. 1). — Par ext. *Moucher un enfant.*

1 Tu renifles, mon ancienne, dit Gavroche. Mouche ton promontoire.
HUGO, les Misérables, IV, XI, II.

2 Il oblige à penser que le nez est un organe qui renifle, et qu'il faut moucher de temps en temps avec bruit (...)
J. ROMAINS, les Hommes de bonne volonté, t. II, I, p. 5.

(1868). Fig. et fam. Remettre (qqn) vertement à sa place, lui dire son fait. ⇒ **Cingler, rembarrer, réprimander.** *Il s'est fait rudement moucher.*

3 (...) il se mit à rire, enchanté d'avoir mouché tout de même ce gaillard, qui l'épatait si fort jadis (...)
ZOLA, Nana, XII.

3.1 Je dois avouer que, lorsque je suis entré dans cette chambre tout à l'heure je vous prenais encore, comme tout le monde dans ce château, pour une petite midinette en rupture de courrier du cœur. Je me suis fait moucher. C'est bien. Cela m'apprendra à regarder un peu plus attentivement les jeunes filles, dorénavant.
J. ANOUILH, la Répétition, p. 109.

♦ **2.** (1835). Rendre par le nez. *Moucher du sang.*

♦ **3.** Pron. *Se moucher :* moucher son nez. ⇒ **Curer** (se curer le nez, fam.). → Ample, cit. 1; marmotter, cit. 3.

4 L'un de ces drôles, en attendant son tour de faire le coup de lance, se mouchait dans le coin de son turban avec une philosophie et un flegme admirables.
Th. GAUTIER, Voyage en Espagne, p. 271.

5 Le vieux musicien paraissait donner du cor, quand il se mouchait, tant son nez long et creux sonnait dans le foulard. BALZAC, le Cousin Pons, Pl., t. VI, p. 572.

6 Précisément à cet instant-là, le grand-père allait se moucher; il resta court, tenant son nez dans son mouchoir (...) HUGO, les Misérables, V, V, IV.

Loc. div. *Qui se sent morveux** (cit. 1) *se mouche.* — (1567 : *du pié*). Iron. *Ne pas se moucher du coude**, *du pied :* n'être pas un mince personnage; se prendre pour quelqu'un d'important.

7 Certes Monsieur Tartuffe, à bien prendre la chose,
N'est pas un homme, non, qui se mouche du pied (...) MOLIÈRE, Tartuffe, II, 3.

8 L'un des tours d'agilité familiers aux anciens saltimbanques consistait à se saisir le pied à deux mains et à se le passer vivement sous le nez. De là, selon Génin, la locution populaire *ne pas se moucher du pied,* pour désigner un homme important, qui s'interdit toute excentricité.
M. RAT, Petit dict. des locutions franç., p. 112.

♦ **4.** Fam. Toucher la cible, le but. ⇒ **Mouche** (II., 5.).

9 Mais depuis quelque temps un salopard nous tirait dessus en plein jour et parfois mouchait un homme. Ce tireur solitaire devait être haut perché car à Tilloboy nous tenions la crête et le type devait exécuter un tir plongeant pour arriver à bigorner l'un de nous. B. CENDRARS, la Main coupée, Œ. compl., t. X, p. 27.

♦ **5.** (V. 1220). *Moucher une chandelle** (cit. 3), *une lampe.* ⇒ **Émécher;** mouchette (cit.), **moucheur, mouchure.** (1752). Par ext. Vx. *Moucher un cordage,* le rendre net en coupant ses extrémités qui s'effilochent.

DÉR. Mouchage ou mouchement, 1. moucheron, mouchette, 1. moucheur, mouchoir, mouchure.
COMP. Remoucher.
HOM. 2. Moucher. — V. Mouche, moucheron, mouchet.

2. MOUCHER [muʃe] v. intr. — 1907, *in* Larousse; «voltiger comme une mouche», fin XVIIᵉ; de *mouche.*

♦ Techn. (pêche). Monter à la mouche* (II., 4.), en parlant du poisson, et, spécialt, de la truite.

(...) de temps en temps un poisson sautait avec un plouf, je ne réussis pas à en avoir un, seulement les cercles concentriques allant s'élargissant autour de l'endroit où il avait mouché (...) Claude SIMON, la Route des Flandres, p. 139.

HOM. 1. Moucher. — V. Mouche, moucheron, mouchet.

MOUCHEROLLE [muʃʀɔl] n. f. — 1555; de *mouche.*

♦ Oiseau (*Passereaux-Dentirostres*) d'Amérique tropicale qui se nourrit surtout de mouches. *Genre Moucherolle,* auquel appartient cet oiseau. *Moucherolle huppée, communément appelée* gobe-mouches *royal ou* roi *des gobe-mouches,* type de ce genre.

1. MOUCHERON [muʃʀɔ̃] n. m. — V. 1200, Bloch; de 1. moucher.

♦ Vx. Bout de mèche qui charbonne dans une chandelle allumée. — Bout de mèche qui reste rouge dans une chandelle qu'on vient d'éteindre.
HOM. 2. Moucheron; formes des v. 1. moucher, 2. moucher.

2. MOUCHERON [muʃʀɔ̃] n. m. — 1538; *mouceron,* fin XIIIᵉ; var. *mouskeron,* déb. XIIIᵉ; de *mouche.*

♦ **1.** Nom courant de tous les insectes volants, de petite taille, qui ressemblent aux mouches ou aux moustiques. *Moucheron qui se prend dans une toile d'araignée* (cit. 5; et aussi Aragne, cit. 2 et 3). *Nuée de moucherons* (→ Danse, cit. 14). «*Un lion* (cit. 5) *mort ne vaut pas un moucheron qui respire*» (Voltaire). *Le lion et le moucheron,* fable de La Fontaine (II, 9.).

Et tels qu'on voit au milieu de l'été,
Sous la plus vive et brûlante clarté,
Errer épais des moucherons ensemble,
Et tournoyer d'un escadron qui tremble,
Grêle, menu, volant de lieux en lieux,
Et si petits qu'ils nous trompent les yeux, RONSARD, la Franciade, II.

Des vols d'éphémères, de moucherons commençaient à monter de terre et à danser à hauteur d'homme; ils se heurtaient aux yeux, aux lèvres.
P. NIZAN, le Cheval de Troie, I, I.

♦ **2.** (1844). Fam. Petit garçon.
REM. On trouve parfois le féminin *moucheronne,* au sens de «fillette».

La petite fille regarda le panier avec intérêt. «Sale moucheronne», pensa Daniel.
SARTRE, l'Âge de raison, éd. L. de Poche, p. 128.

DÉR. Moucheronner.
HOM. 1. Moucheron; formes des v. 1. moucher, 2. moucher.

MOUCHERONNAGE [muʃʀɔnaʒ] n. m. — Mil. XXᵉ; de *moucheronner.*

♦ Techn. Action de moucheronner; effet de cette action (brisure de l'eau).

MOUCHERONNER [muʃʀɔne] v. intr. — 1903; de 2. moucheron.

♦ Techn. (pêche). Sauter hors de l'eau pour attraper au vol des mouches, des moucherons, etc., en parlant de certains poissons (truite et saumon, notamment).

DÉR. Moucheronnage.

MOUCHET [muʃɛ] n. m. — V. 1160, *moschet; mouschet,* XIIIᵉ; de *mouche.*

♦ **1.** Vx. Épervier* mâle ou tiercelet (→ Émouchet).

♦ **2.** (1611). Régional. Petit passereau appelé aussi *fauvette des haies* ou *fauvette d'hiver.* ⇒ **Fauvette.**
HOM. Formes des v. 1. moucher, 2. moucher.

MOUCHETAGE [muʃtaʒ] n. m. — D. i.; de *moucheter.*

♦ **1.** Ensemble de petites taches. ⇒ **Moucheture.**

♦ **2.** (Mil. XXᵉ). Maladie des grains de céréales (⇒ Moucheture, 3.).

MOUCHETÉ, ÉE [muʃte] adj. ⇒ Moucheter.

MOUCHETER [muʃte] v. tr. — Conjug. jeter. — 1843; de *mouche.*

♦ **1.** (1538). Parsemer une étoffe de petites marques, de petites taches rondes (⇒ **Moucheture**) d'une couleur* autre que celle du fond.

Spécialt. *Moucheter l'hermine,* «y semer en quincone de petites queues noires qui ressemblent à de grosses mouches» (Réau). ⇒ **Taveler.** — Par ext. Parsemer de points noirs (→ 1. Goutte, cit. 10).

Les lampes électriques, enveloppées de brouillard, mouchetaient la nuit, semblaient la rendre plus sombre.
ROLLAND, Jean-Christophe, La révolte, III, p. 550.

♦ **2.** (XIXᵉ). Par anal. Salir de taches.

♦ **3.** (1701). Garnir (un vêtement) de mouches.

♦ **4.** (1835). Escr. Garnir (une arme) d'une mouche* pour l'émousser et la rendre inoffensive. ⇒ **Morner.** *Moucheter un fleuret.*
(1903). Mar. *Moucheter un croc :* attacher un cordage à sa partie supérieure pour assujettir la poulie.

▶ **MOUCHETÉ, ÉE** p. p. adj. (1340, *mosqueté*).

♦ **1.** Chargé de marques de couleur différente du fond. *Étoffe, hermine mouchetée.*

Par ext. ⇒ **Tacheté, tigré.** *La peau mouchetée du léopard* (→ Marqueter, cit. 1, La Fontaine). *Cheval* mouchetée. *Plumage moucheté* *de gris brun sur fond blanc* (→ Grisard, cit.). *Écorce mouchetée d'un lichen* (cit.) *sombre. Reliure en veau moucheté.*

Blason. Se dit des pièces honorables et des meubles chargés de mouchetures d'hermine.

(...) dans les ténèbres des voûtes, l'hermine des armes ducales apparaissait, confuse, dans des écussons qui ressemblaient à de grands dés blancs, mouchetés de points noirs. HUYSMANS, *Là-bas*, XVII.

♦ **2.** (1765). Semé de petites taches de couleur différente. *Laine mouchetée. Tweed gris moucheté de rouge.*

♦ **3.** (xxᵉ). *Bois moucheté :* bois de placage qui comporte de petits nœuds rapprochés.

♦ **4.** Agric. *Blé moucheté,* qui présente des mouchetures*.

♦ **5.** (En parlant d'une arme). Garni d'une mouche. *Épée mouchetée.* ⇒ **Fleuret.**

DÉR. **Mouchetage, mouchetis, moucheture.**
COMP. **Démoucheter.**

MOUCHETIS [muʃti] n. m. — Déb. xxᵉ ; de *moucheter.*

♦ Techn. (constr.). Crépi fait au balai et présentant de petites saillies.

MOUCHETTE [muʃɛt] n. f. — 1394, *mouhetes ; moichote,* 1399, dans un texte bourguignon, Hatzfeld ; de *moucher.*

★ **I.** N. f. pl. **MOUCHETTES.** ♦ **1.** Ancienn. Ciseaux qui servaient à moucher les chandelles*. *Une paire de mouchettes.*

(...) Palmyre, ayant pris les mouchettes pour moucher la chandelle, la moucha si bas, qu'elle s'éteignit. ZOLA, *la Terre*, I, V.

♦ **2.** (xxᵉ). Instrument qui sert à pincer la cloison nasale des taureaux et permet ainsi de les maîtriser et de les conduire. ⇒ **Anneau.** *Mettre les mouchettes à un taureau.*

★ **II.** ♦ **1.** (1676). Archit. Rebord saillant du larmier* d'une corniche qui empêche que l'eau ne coule en dessous.

♦ **2.** (xxᵉ). Archit. Motif en ellipse des fenêtrages du gothique flamboyant.

♦ **3.** (1676). Techn. Rabot qui sert à former et arrondir les baguettes.

MOUCHETURE [muʃtyR] n. f. — 1539 ; de *moucheter.*

♦ **1.** Petite marque, petite tache qui est d'une couleur autre que celle du fond. *Faire des mouchetures sur une étoffe.* ⇒ **Moucheter.** — (1644). Blason. *Mouchetures d'hermine :* petits morceaux de fourrure disposés de place en place sur l'hermine.

(1831). Par ext. Petite tache ou ensemble de petites taches noires. *Mouchetures de boue sur un vêtement.* ⇒ **Mouche.**

Mon bonheur, mon amour, dépendait d'une moucheture de fange sur mon seul gilet blanc ? BALZAC, *la Peau de chagrin*, Pl., t. IX, p. 114.
De nombreuses mouchetures de boue *(sur son vêtement),* les unes sèches, les autres fraîches encore, annonçaient une longue route parcourue (...). Th. GAUTIER, *le Capitaine Fracasse*, XI.

♦ **2.** (1606). Spécialt. Tache naturelle se trouvant en grand nombre sur le corps, le pelage, le plumage (de certains animaux). ⇒ 1. **Maille, miroir, ocelle, rayure, zébrure** (→ Grivelé, cit.).

♦ **3.** (1771). Agric. Poussière noire du blé formée des spores de certains champignons *(Ustilaginées)* qui s'attachent aux grains.

♦ **4.** (Au plur.). Méd. Petites incisions superficielles de la peau (⇒ **Scarification**) répétées à des endroits très proches, destinées à décongestionner en provoquant un écoulement des sérosités accumulées.

1. MOUCHEUR, EUSE [muʃœR, øz] n. — 1611 ; de 1. *moucher.*

♦ **1.** Vx. Celui, celle qui, dans un théâtre, avait la charge de moucher les chandelles.

♦ **2.** Fam. Personne qui se mouche beaucoup. *Qu'est-ce que c'est que ce moucheur, cet éternel enrhumé ? Les moucheurs et les tousseurs rendaient le concert inaudible.*

HOM. 2. **Moucheur.**

2. MOUCHEUR, EUSE [muʃœR, øz] n. — 1611, *mouscheur* «attrapeur de mouches» ; de *mouche* «appât pour la pêche».

♦ Techn. Personne qui pratique la pêche à la mouche.

HOM. 1. **Moucheur.**

MOUCHOIR [muʃwaR] n. m. — xvᵉ ; *mouschoir* «mouchettes», fin xivᵉ ; *moucheur,* fin xiiiᵉ ; de 1. *moucher.*

★ **I.** ♦ **1.** Petite pièce de matière souple (linge, papier, etc.), généralement de forme carrée, qui sert à se moucher, à s'essuyer le

visage, les yeux... (→ fam. Tire-jus). *Mouchoir de batiste, de coton, de lin, de linon, de soie... Mouchoir blanc uni, à carreaux. Mouchoir de Cholet. Chiffre, coin, ourlet d'un mouchoir. Mouchoir brodé* (→ Linge, cit. 4), *parfumé* (→ Coupure, cit. 5). ⇒ aussi **Pochette.** — *Mouchoir de poche* (même sens ; par compar. ci-dessous), s'oppose au sens 2. *Mouchoir aseptique en ouate de cellulose, mouchoir de papier,* qu'on jette après usage (syn. off. recommandé au Québec : *papier-mouchoir,* O.L.F., 21 sept. 1979). ⇒ aussi **Kleenex** (marque). — *Déployer un mouchoir* (→ Ample, cit. 1). *Mettre un mouchoir sur sa bouche* (→ Élargir, cit. 12). *Elle couvrit ses yeux de son mouchoir* (→ Enfoncer, cit. 26). *Je m'éventais* (cit. 10) *avec mon mouchoir. Le mouchoir de Tartuffe* (→ Indécence, cit. 9 ; et aussi cit. 1, ci-dessous). *Agiter son mouchoir en signe d'adieu. Jouer du mouchoir :* pleurer, sangloter. *Bâillonner quelqu'un, lui bander les yeux avec un mouchoir.* ⇒ **Bandeau.** *Faire un nœud à son mouchoir pour se rappeler quelque chose. Jeu du mouchoir,* dans lequel l'un des joueurs désigne, en laissant tomber son mouchoir, celui qui doit le poursuivre et l'attraper. *Jouer au mouchoir* (ou *à la chandelle*).

— Il (Tartuffe) *tire un mouchoir de sa poche.* [1]
Ah ! mon Dieu, je vous prie,
Avant que de parler prenez-moi ce mouchoir.
— Comment ? — Couvrez ce sein que je ne saurais voir :
Par de pareils objets les âmes sont blessées,
Et cela fait venir de coupables pensées. MOLIÈRE, *Tartuffe*, III, 2.

Croiriez-vous, par exemple, vous Anglais ! vous qui savez quels mots se disent dans les tragédies de Shakespeare, que la Muse tragique française ou Melpomène a été quatre-vingt-dix-huit ans avant de se décider à dire tout haut : *un mouchoir,* elle qui disait *chien* et *éponge,* très franchement ? [2]
A. DE VIGNY, *Lettre à Lord*** sur la soirée du 24 oct. 1829 et sur un système dramatique.*

(...) il avait trouvé sur le banc que «M. Leblanc et sa fille» venaient de quitter, un mouchoir, un mouchoir tout simple et sans broderie, mais blanc, fin, et qui lui parut exhaler des senteurs ineffables. HUGO, *les Misérables*, III, VI, VII. [3]

Parfois il faisait des commissions, on lui donnait des sous, et il les nouait dans un coin de son mouchoir. Ch.-L. PHILIPPE, *Père perdrix*, I, II. [4]

Drôles de mouchoirs, en vérité, qui ne répondent à aucune mode, en batiste rouge, ou verte, ou bleue, mais d'un goût impossible aux petits dessins, de petites broderies sans luxe, des ourlets noirs. ARAGON, *le Paysan de Paris*, p. 102. [5]

Ils envoyaient des baisers à la fille du «Segoviano» qui, toute droite sur le remblai (...) secouait, en signe d'adieu, son mouchoir blanc. [6]
P. MAC ORLAN, *la Bandera*, VIII.

Par compar. *Appartement, jardin grand comme un mouchoir de poche,* très petit. — (1900). Sports. *Arriver dans un mouchoir,* en peloton serré.

(1735). Loc. fig. et vieillie. *Jeter le mouchoir à une femme, à une personne,* jeter son dévolu sur elle (par allusion à l'usage des sultans de Turquie, qui, dit-on, choisissaient ainsi dans le harem la favorite d'un soir).

(...) il sera d'autant plus content de votre aimable nièce, qu'il aime plus que toute autre chose la danse et le chant ; il pourrait bien même être tenté de lui jeter le mouchoir. A.-R. LESAGE, *Gil Blas*, XII, III. [7]

♦ **2.** (1598). Moins cour. (Hors contexte, on dit *mouchoir de cou, de tête*). Pièce d'étoffe dont les femmes se couvrent la tête, les épaules, la gorge... ⇒ **Coiffure** ; et aussi **châle, fichu, foulard, pointe.**

(...) des mouchoirs de soie rouge pour pendre derrière la tête en long triangle sur les épaules (...) LAMARTINE, *Graziella*, III, XIV. [8]

Françoise, en robe de toile grise, ayant noué sur sa tête un mouchoir bleu, dont un côté battait sa nuque, tandis que deux coins flottaient librement sur ses joues, lui protégeait le visage de l'éclat du soleil. ZOLA, *la Terre*, II, IV. [9]

REM. Le mot est usuel en français d'Afrique.

★ **II.** (1868, Littré). Techn. *Refaire un mur en mouchoir,* en conservant toute la maçonnerie ancienne en bon état (la maçonnerie nouvelle formant l'oblique du pied au sommet).

COMP. **Cache-mouchoir.**

MOUCHURE [muʃyR] n. f. — 1690 ; de 1. *moucher.*
Rare.

♦ **1.** Mucosités du nez. ⇒ **Morve.**

♦ **2.** (1812). Bout de la mèche d'une chandelle qu'on enlève en la mouchant.

MOUCLADE [muklad] n. f. — D. i. ; terme régional de l'Ouest (Aunis, *in* F. E. W.) ; de *moucle,* forme régionale de *moule ;* cf. anc. franç. *mucle,* 1397 ; du lat. *musculus.*

♦ Régional. Plat de moules à la crème (Charentes, Aunis, Saintonge, etc.).

MOUDJAHIDDIN [mudʒa(j)idin] n. m. pl. — 1903 (→ cit.) ; dans les dict. (G. L. E., *Suppl.*), 1968 ; mot arabe, plur. de *mūujāhid* «combattant de la guerre sainte».

♦ Combattants d'une armée de libération islamique. « *Les "moudjahiddin", les "islamo-progressistes" (...) se réclament de Khomeiny* » (*l'Express*, 17 févr. 1979, p. 84). « *Une milice populaire qui intègrerait soldats, moudjahiddin, fedayin...* » (*l'Express*, 24 févr. 1979, p. 79).

REM. 1. On trouve aussi la graphie francisée *moudjahiddines* (*l'Express*, 2 févr. 1980, 23 févr. 1980); la graphie *mud-* est anglaise.

2. Le sing. *moudjahiddin* est aberrant; la forme arabe est *moudjahid*.

3. On a écrit le mot : *modjahid*.

(...) ce mot avait le sens de «guerriers de la guerre sainte» ou modjahidîn.
Revue générale des sciences, 28 févr. 1903, n° 4, p. 201.

MOUDRE [mudʀ] v. tr. — *Je mouds, tu mouds, il moud, nous moulons, vous moulez, ils moulent; je moulais, nous moulions; je moulus, nous moulûmes; je moudrai, nous moudrons; je moudrais, nous moudrions; que je moule, que nous moulions; mouds, moulons, moulez; moulant; moulu.* — REM. Ce verbe irrégulier tend à devenir défectif par la difficulté des formes et leur homonymie avec celles du verbe *mouler.* On emploie surtout *moudre, moudrai(s)* et *moulu, ue.* — XIIᵉ, *moldre*; du lat. *molere.*

◆ **1.** Broyer (des grains) avec une meule, un moulin*. ⇒ **Broyer, écraser, poudre** (mettre en), **pulvériser.** *Moudre du grain, du blé.* ⇒ **Mouture.** *Moudre du poivre. Elle moulait du café* (cit. 2).

1   (...) dame Marguerite (...) avait du grain à faire moudre et n'avait pas le temps d'aller au moulin (...)   DIDEROT, Jacques le fataliste, Pl., p. 678.

Au participe passé :

2   La table sentait le pain tiède, le lait de chèvre et le café moulu fraîchement.
H. BOSCO, le Jardin d'Hyacinthe, p. 103.

(Le sujet désignant un appareil; sans compl.). *Moulin qui moud gros, fin.*

◆ **2.** (XIIIᵉ). Par anal. (avec le traitement que subit le grain). Rare. Briser, accabler de coups. ⇒ **Battre** (→ fam. Réduire en confiture*). *Il se promettait de l'assommer* (cit. 14) *et de le moudre comme grain. Moudre de coups* (→ ci-dessous, Moulu).

3   Pas avant de t'avoir tué, lâche! criait d'Artagnan tout en faisant face du mieux qu'il pouvait et sans reculer d'un pas à ses trois ennemis, qui le moulaient de coups.
DUMAS, les Trois Mousquetaires, I.

Loc. fam. *Il est à moudre,* à battre (il est insupportable).

3.1   Lucien leva les épaules en signe d'ignorance et même d'étonnement, comme si la question était saugrenue.
— Je le moudrais, murmura le père en le dévorant du regard.
M. AYMÉ, le Passe-muraille, p. 15.

◆ **3.** (1867). Par anal. avec le mouvement du moulin. *Moudre un air,* le jouer sur un instrument (orgue de barbarie, vielle...) en faisant tourner la manivelle (→ Ménétrier, cit. 2). — Par ext. *Orgue qui moud des rengaines,* qui les débite mécaniquement. — Fig., péj. *Moudre de la prose.* — *Moudre du vent* : faire un travail inutile.

4   Dans cette rue, au cœur de la ville magique
Où des orgues moudront des gigues dans les soirs,
VERLAINE, Jadis et Naguère, «Kaléidoscope».

▶ **MOULU, UE.** p. p. (→ ci-dessus, cit. 2) et adj.

◆ **1.** *Blé moulu. Café en grains, café moulu.* — Techn. *Or moulu* : or en poudre utilisé pour la dorure*.

◆ **2.** Fig. *Être moulu* : être brisé (par les coups reçus, et, par ext., par la fatigue). ⇒ **Brisé, courbatu, échiné** (cit. 1), **éreinté** (cit. 6), **esquinté, fatigué** (cit. 20), **fourbu, las, rompu, vanné.** *Être moulu de fatigue. Je suis tout moulu.*

5   (...) je suis tout moulu, et les épaules me font un mal épouvantable.
MOLIÈRE, les Fourberies de Scapin, III, 2.

6   Mais, tout moulu qu'on est du voyage, le moyen de rester une heure à Strasbourg sans avoir vu le Rhin?   NERVAL, Lorely, «Du Rhin au Mein», I.

7   Nous y arrivâmes vers deux heures du matin, altérés, affamés, moulus de fatigue.
Th. GAUTIER, Voyage en Espagne, p. 198.

DÉR. 1. Moulage.
COMP. Remoudre. — Vermoulu.
HOM. (De certaines formes) V. Mouler, moulure.

MOUE [mu] n. f. — V. 1175, surtout «lèvre» en anc. franç.; d'un francique *mauwa,* d'origine onomatopéique.

◆ Grimace que l'on fait en avançant, en resserrant les lèvres. *Une moue boudeuse* (→ Dégoût, cit. 12), *incrédule... Moue de mécontentement* (→ Grogneux, cit.), *de dédain, d'ennui* (cit. 18), *de scepticisme, de dépit* (→ Faire un nez*, une drôle de tête, de bobine*). *Faire* (cit. 39) *la moue.* ⇒ **Lippe; bouche** (en cul de poule).

1   Elle (...) fait la moue pour montrer une petite bouche (...)
MOLIÈRE, la Critique de l'École des femmes, 2.

2   Le vieux négociant ne put s'empêcher de faire avec ses lèvres une grosse moue qui lui était particulière.   BALZAC, la Maison du Chat-qui-pelote, Pl., t. I, p. 46.

3   (...) sa bouche se plissait et faisait une délicieuse petite moue (...)
Th. GAUTIER, Fortunio, «Omphale», p. 235.

4   Cependant elle ne put retenir une moue incrédule, et presque désapprobatrice (...)
MARTIN DU GARD, les Thibault, t. VI, p. 226.

Loc. *Faire la moue à* : dédaigner, repousser. *Il a fait la moue à notre proposition.*

HOM. 1. Mou, 2. **mou, moût**; formes du v. **moudre.**

MOUETTE [mwɛt] n. f. — 1422; *moëtte,* XIVᵉ; dimin. de l'anc. franç. *maoue, mauve,* anglo-saxon *maew.*

★ **I.** ◆ **1.** Oiseau de mer palmipède (*Laridés*), voisin du goéland mais plus petit. ⇒ **Goéland,** 2. **mauve,** et aussi **hirondelle** (de mer). *Mouette blanche ou sénateur; mouette à capuchon noir; à pieds bleus; mouette tridactyle; mouette rieuse; mouette pillarde* (⇒ **Stercoraire**). *Mouettes au bord de la mer* (→ Béer, cit. 5). *Cri strident des mouettes. Mouettes voraces* (→ Harceler, cit. 3) *qui se gorgent de viande* (→ Éclabousser, cit. 8).

La mouette, par ses cris et ses mouvements d'ailes, s'efforçait en vain de nous avertir de la proximité possible de la tempête (...)
LAUTRÉAMONT, les Chants de Maldoror, III.

Nous regardions la mer calme où des mouettes éparses flottaient comme des corolles blanches.   PROUST, À la recherche du temps perdu, t. IX, p. 265.

Ses yeux clairs suivaient le vol des mouettes. Elles nageaient dans l'air, avec un lent mouvement des ailes; on distinguait leur œil rond et leur grosse tête sans cou; de temps en temps l'une d'elles piquait dans l'eau, comme une pierre, et remontait en tournoyant.   ALAIN, Propos, 20 août 1907, La jetée de Dieppe.

◆ **2.** Mar. Canot pneumatique de sauvetage.

★ **II.** N. f. pl. **MOUETTES** (1835, altéré en *moittes*). Techn. (Anciennt). Pince en bois pour arracher les chardons.

MOUFER, MOUFFER [mufe] v. intr. ⇒ **Moufter.**

MOUFFETTE [mufɛt] n. f. — 1741; var. de *mofette.* → Mofette.

◆ **1.** ⇒ **Mofette.**

◆ **2.** Zool. Petit mammifère carnivore (*Mustélidés*) scientifiquement appelé *méphitis,* qui peut projeter, comme moyen de défense, un liquide d'odeur infecte sécrété par ses glandes anales (→ aussi Putois). *La mouffette est chassée pour sa fourrure.* ⇒ **Sconse** ou **skunks.** — Abusivt. *Mouffette africaine.* ⇒ **Zorille.**

Nous donnons le nom générique de *mouffette* à trois ou quatre espèces d'animaux qui renferment et répandent, lorsqu'ils sont inquiétés, une odeur si forte et si mauvaise qu'elle suffoque comme la vapeur souterraine qu'on appelle *mouffette.*
BUFFON, Hist. nat. des animaux, Les mouffettes.

MOUFLAGE [muflaʒ] n. m. — 1911, in *Larousse mensuel;* de 1. *moufle.*

Technique.

◆ **1.** Disposition de câbles ou de chaînes sur une moufle (→ 1. Moufle, II.). *Mouflage à trois, à quatre brins.*

◆ **2.** Ensemble des poulies assemblées en moufle.

1. MOUFLE [mufl] n. — XIIᵉ, *mofle;* du lat. médiéval *muffula* (817), probabl't d'orig. germanique. Cf. angl. et all. *Muff.* → Mufle.

★ **I.** N. f. Cour. Pièce de l'habillement qui couvre entièrement la main, sans séparation pour les doigts, si ce n'est pour le pouce. ⇒ **Gant** (REM.), **mitaine** (I., 1., vx). *Les moufles sont généralement en tissu épais, en cuir, en tricot. Moufles fourrées. Moufles de sport; moufles de skieur, de motocycliste... Moufles d'enfants en bas âge.*

(...) avec son passe-montagne en tricot, sa pelisse en peau de mouton, ses moufles fourrées, ses galoches, il ressemblait à un Samoyède, descendu du pôle.
HUYSMANS, Là-bas, V.

★ **II.** ◆ **1.** N. m. ou f. (1549, Ch. Estienne, pour désigner le support des poutres, qui les recouvre comme un gant). Techn. Assemblage mécanique de poulies dans une même chape, pour soulever de lourds fardeaux. *La moufle est un appareil de levage*.*

Le moufle est, comme on sait, une poulie montée à l'envers; un bout de la corde est fixe; je tire sur l'autre bout, et je fais monter la poulie, à l'axe de laquelle le sac est maintenant accroché.   ALAIN, Propos, 31 déc. 1932, Machines simples.

◆ **2.** N. f. (1765). Barre de fer utilisée pour empêcher l'écartement d'un mur.

DÉR. Mouflage, mouflé.
HOM. 2. Moufle, 3. **moufle.**

2. MOUFLE [mufl] n. m. — 1611, n. f.; n. m., 1812; même mot que 1. *moufle.*

◆ **1.** Chim. Vase de terre permettant de soumettre un corps à l'action du feu sans que la flamme le touche. — N. m. ou f. Four à porcelaine. — Élément en terre réfractaire ou métallique qui protège les pièces mises dans un four.

♦ **2.** Spécialt. (Prothèse dentaire). Cuvette métallique où l'on transforme les maquettes en remplaçant la cire par une matière plastique.

HOM. 1. Moufle, 3. moufle.

3. MOUFLE [mufl] n. m. — XVIIᵉ ; orig. obscure, p.-ê. formation expressive ; → Mouflet.

♦ Vx. Visage rebondi.

DÉR. et **COMP.** Camouflet, mufle. — Mouflet.
HOM. 1. Moufle, 2. moufle.

MOUFLÉ, ÉE [mufle] adj. — 1507 ; de 1. moufle.

♦ **1.** Rare. Qui porte une moufle. *Une main mouflée* (→ Ganté).

♦ **2.** (1743). Techn. Muni de moufles. — (En parlant de poulies). Assemblées en moufle, sous une même chape.

MOUFLET, ETTE [muflɛ, ɛt] n. — 1867 ; d'abord argotique ; anc. franç. et dial. mo(u)flet, mouflart, moufflu «rebondi, dodu» ; → 3. Moufle, mufle.

♦ Fam. Petit enfant. ⇒ **Mioche, moujingue, moutard.** — On écrit aussi *moufflet, moufflette.*

Dans le bois de Vincennes, les arbres étaient bourrés de piafs criards, et les pelouses de mouflets saouls de grand air.
                    Albert SIMONIN, Touchez pas au grisbi, p. 129.

(...) Suzy, une ex-mineure qui a écopé depuis Fresnes de pas mal de kilos et de vulgarité, d'un Jules, et — avant le Jules — d'une moufflette qui a maintenant trois ans.   A. SARRAZIN, l'Astragale, p. 174.

— Oh! vous savez, dit Zazie, toutes les femmes posent pas des questions comme moi. — Toutes les femmes, voyez-vous ça, toutes les femmes. Mais tu n'es qu'une moufflette.   R. QUENEAU, Zazie dans le métro, Folio, p. 88.

HOM. (Du fém.) **Moufflette.**

MOUFLETTE [muflɛt] n. f. — 1903 ; «assemblage de poulies», dès 1501 (→ 1. Moufle) ; «petite moufle (gant)», fin xvᵉ.

♦ Techn. Monture métallique boulonnée, à l'extrémité de brancards, de timons.

HOM. Fém. de **mouflet.**

MOUFLON [muflɔ̃] n. m. — 1754 ; muifle, muffle, 1556 ; ital. muflone, du bas lat. dial. mufro.

♦ Mammifère ruminant ongulé *(Bovidés*-Caprinés)* scientifiquement appelé *ovis*, très proche du bouquetin. *Les mouflons ont une fourrure épaisse et rude ; les mâles portent de grosses cornes recourbées en volute. Mouflon de Corse et de Sardaigne* (musimon). → Maquis (cit. 1). *Mouflon à manchettes,* à longs poils sur le cou et sur les jambes du devant. *Mouflon d'Asie* (⇒ **Argali**), *du Canada... Le mouflon est un mouton sauvage.* — Par ext. Sa fourrure. *Manteau de mouflon.*

(...) une troupe de mouflons aux cornes massives qui se battaient pour une croûte de pain.   ALAIN, Propos, 25 avr. 1909, Mouflons.

Tous s'étaient arrêtés à cinquante pas d'une demi-douzaine d'animaux de grande taille, aux fortes cornes courbées en arrière et aplaties vers la pointe, à la toison laineuse, cachée sous de longs poils soyeux de couleur fauve.
Ce n'étaient point des moutons ordinaires, mais une espèce communément répandue dans les régions montagneuses des zones tempérées, à laquelle Harbert donna le nom de mouflons.   J. VERNE, l'Île mystérieuse, t. I, p. 12.

MOUFTER ou **MOUFETER** [mufte] v. intr. — 1918, *mouffer* (→ cit. J.-R. Bloch) ; orig. incert. ; p.-ê. du rad. *muff-,* de *mouflet.*

♦ Fam. Broncher, protester. *Il a accepté sans moufter.* — REM. Utilisé surtout à l'infinitif, à l'imparfait et aux temps composés.

Comme Le Pleynier ne mouffait toujours pas, il éleva la voix et redressa la tête pour achever son dire (...)   J.-R. BLOCH, Et compagnie, p. 151.

Il hausse la voix et crie : «Tarzan!» (...) Un chien apparaît, qui n'avait pas bougé jusqu'alors, et dont je ne soupçonnais même pas la présence (...)
« J'espère que vous avez remarqué qu'il n'a pas moufté une seule fois pendant qu'on mangeait ? C'est un chien unique.   J. DUTOURD, Pluche, X, p. 130.

MOUILLABILITÉ [mujabilite] n. f. — Mil. xxᵉ ; de *mouillable,* et -ité.

Didactique, technique.

♦ **1.** Propriété que possède une surface qui, mise en présence d'un liquide, le laisse s'étaler et adhérer.

♦ **2.** Qualité de ce qui est mouillable.

MOUILLABLE [mujabl] adj. — Mil. xxᵉ ; de *mouiller.*

♦ Qui se laisse humecter par un liquide.

DÉR. Mouillabilité.

MOUILLADE [mujad] n. f. — 1765 ; de *mouiller.*

♦ Techn. Action de mouiller les feuilles de tabac pour les assouplir.

MOUILLAGE [mujaʒ] n. m. — 1654, d'abord aux Antilles, au sens II, 2 ; de *mouiller.*

★ **I.** ♦ **1.** (1765). Action de mouiller (qqch.). *Mouillage du linge avant de le repasser. Mouillage de l'orge, du soja pour le faire germer. Boulanger qui fait le mouillage du pain.*

♦ **2.** (1845). Par ext. Addition d'eau dans un liquide, coupage par l'eau. *Le mouillage du lait, du vin mis en vente, constitue une fraude.*

★ **II.** ♦ **1.** Mar. Action de mouiller, de mettre à l'eau qqch. qui reste fixe par rapport au fond. *Mouillage d'une mine*.* — Mar. et cour. Action, fait de mouiller, en parlant d'un navire, d'une embarcation, etc. ⇒ **Ancrage, embossage.** *Mouillage en rade foraine.*

Nous fîmes, vers six heures un mouillage très bruyant, au milieu d'un tas de navires qui étaient là, et tout aussitôt nous fûmes envahis.   [1]
                    LOTI, Mᵐᵉ Chrysanthème, II.

♦ **2.** Emplacement favorable pour mouiller. *Un bon mouillage.* ⇒ **Abri.** — *Pêche au mouillage,* à bord d'un navire à l'ancre.

(...) c'étaient les feux des bâtiments à l'ancre attendant la marée prochaine, ou des bâtiments en marche venant chercher un mouillage.   [2]
                    MAUPASSANT, Pierre et Jean, II.

CONTR. Appareillage.

MOUILLANT, ANTE [mujã, ãt] n. m. et adj. — Mil. xxᵉ ; de *mouiller.*

♦ Techn. Se dit de produits destinés à abaisser la tension superficielle d'un liquide afin qu'il imprègne ou s'étale plus aisément. ⇒ **Tensio-actif.** *Détersif à base de mouillant.* — Adj. *Produit mouillant. Pouvoir mouillant d'une huile.*

MOUILLE [muj] n. f. — 1874 ; «tourbillon d'eau», 1529 ; «source», 1840 ; de *mouiller.*

♦ **1.** Mar. Avarie d'une cargaison par inondation ou humidité.

♦ **2.** (xxᵉ). Techn. *Mouille des toisons :* accumulation d'humidité dans la toison des animaux. ⇒ **Trempe.**

HOM. Formes du v. **mouiller.**

MOUILLÉ, ÉE [muje] adj. ⇒ **Mouiller.**

MOUILLE-BOUCHE [mujbuʃ] n. f. — 1642 ; de *mouille,* forme du v. *mouiller,* et *bouche.*

♦ Vieilli. Poire d'une espèce fondante et juteuse.

MOUILLE-ÉTIQUETTES [mujetikɛt] n. m. — Fin xixᵉ ; de *mouille,* forme du v. *mouiller,* et du plur. de *étiquette.*

♦ Techn. Petit dispositif servant à humecter le dos des étiquettes ou des timbres. ⇒ **Mouilleur.**

MOUILLEMENT [mujmã] n. m. — 1553 ; de *mouiller.*

♦ **1.** Action de mouiller ; son résultat.

♦ **2.** (1801, *in* D.D.L.). Phonét. *Mouillement d'une consonne.* ⇒ **Mouillure, palatalisation.**

♦ **3.** (1829). Cuis. Ajout d'un liquide pour faire une sauce. ⇒ **Mouiller** (1.).

MOUILLER [muje] v. tr. — Fin xivᵉ ; *moillier,* v. 1050 ; d'un lat. pop. *molliare* «amollir», par ext. «amollir le pain en le trempant», de *mollis* «mou».

♦ **1.** Imbiber, mettre en contact avec de l'eau, avec un liquide aqueux ou très fluide. ⇒ **Arroser, asperger, baigner, éclabousser, humecter, humidifier, imbiber, inonder, tremper.** *Mouiller un mouchoir en le trempant dans un broc* (cit. 2) *d'eau. Mouiller un chiffon, une serpillière. Mouiller un emplâtre* (⇒ **Madéfier**), *des couleurs* (⇒ **Délayer**). — *Se mouiller les pieds.* — *Mouiller une lettre de pleurs, la terre de larmes* (⇒ poét. **Abreuver**). — *Mouiller son doigt de salive pour feuilleter* (cit. 3) *un livre ; mouiller un timbre,... ses lèvres avec la langue* (→ Gonfler, cit. 12). *Mouiller un fil entre ses lèvres* (→ Aiguille, cit. 7). *Mouiller sa chemise* *en suant, en transpirant. Mouiller sa culotte :* uriner dans ses vêtements. — Loc. fig. *Mouiller sa chemise :* faire effort, peiner, se donner à fond à l'ouvrage. → Transpirer.

1 (...) je mouillai de pleurs la main bienfaisante de mon amie (...)
ROUSSEAU, les Confessions, VIII.

2 (...) les flamants qui marchent sur des pincettes, de peur de mouiller, dans l'eau du bassin, leurs jupons roses (...) J. RENARD, Histoires naturelles, « Singes ».

Cuis. Ajouter (un liquide) pendant la cuisson pour faire une sauce. *Mouiller un ragoût avec du bouillon, du vin blanc... Mouiller des jambonneaux avec du bouillon. Mouiller de champagne une hure d'esturgeon.*

♦ **2.** (XIXᵉ). Par ext. Étendre d'eau (un liquide). *Mouiller du lait, du vin.* ⇒ **Couper, diluer, mêler.**

3 (...) l'idée lui vint de faire les absinthes et il commença de les mouiller délicatement, goutte par goutte, élevant de temps en temps à la hauteur de ses yeux le verre où l'alcool, peu à peu, se colorait sous l'action de l'eau, décomposé en longues spirales nuageuses. COURTELINE, le Train de 8 h 47, I, IV.

♦ **3.** (Sujet n. de chose). Imprégner de liquide, d'humidité (en parlant du liquide). *Pluie qui mouille l'appui* (cit. 17) *de la fenêtre.* — *Se faire mouiller par la pluie, l'orage.* ⇒ **Doucher, saucer** (fam.), **transpercer, tremper.** *Gribouille* (cit.) *se jette à l'eau de peur d'être mouillé. L'herbe givrée mouillait ses souliers* (→ Clapoter, cit. 1). *Eau qui glisse sur un vêtement, un imperméable* sans le mouiller* (→ Grésil, cit. 3). — Absolt. *Pluie, brouillard qui mouille, transperce.* — *La mer mouille les rochers.* — *Sueur qui mouille les vêtements* (→ Fauve, cit. 5 ; 1. froid, cit. 11). *Mouiller (qqn, qqch.) de larmes :* pleurer sur (qqn, qqch.).

4 (...) prends bien garde que la pluie (...) ne mouille l'amorce de mes pistolets (...)
A. DE VIGNY, Cinq-Mars, VI.

5 (...) l'orage, cette nuit-là, mouillait jusqu'aux os la vieille cité accroupie dans le sommeil. Aloysius BERTRAND, Gaspard de la nuit, Introd., I.

6 Ils étaient debout maintenant dans la mare salée qui les mouillait jusqu'aux mollets, et les mains ruisselantes appuyées sur leurs filets, ils se regardaient au fond des yeux. MAUPASSANT, Pierre et Jean, VI.

7 Jacques possédait contre la boue une protection pareille à cette graisse qui fait que l'eau ne mouille pas les cygnes. COCTEAU, le Grand Écart, p. 95.

7.1 Il arriva à une de ces plages quand la nuit tombait et malgré le peu de pluie mouillât, il alla sur cette plage déserte (c'était déjà décembre) jusqu'au bord de la mer. PROUST, Jean Santeuil, Pl., p. 393.

♦ **4.** Par ext. Mar. Mettre à l'eau (un objet qui reste fixe par rapport au fond). *Mouiller un casier, une ligne.*
Cour. Mettre à l'eau (une ancre).

8 L'ancre fut mouillée, toute la chaîne filée, puis on se mit à virer au cabestan (...)
MAUPASSANT, les Contes de la Bécasse, « En mer ».

Avec un autre compl. (Rare). *Mouiller une sonde* (→ Fond, cit. 8). — Absolt. Jeter l'ancre, s'arrêter. ⇒ **Ancrer, fond** (donner fond). *Mouiller dans un port ; vaisseau qui mouille en grande rade* (→ 1. Appareiller, cit. 3), *dans une baie* (→ 1. Baie, cit. 3). ⇒ **Embosser** (cit. 1). *Mouiller là où l'on connaît les fonds* (→ Calanque, cit.). *Cargo qui mouille aux petits ports.* ⇒ **Desservir.**

9 (...) la *Saône* était signalée aux sémaphores et mouillerait sur rade dans deux heures (...) LOTI, Matelot, LII.

♦ **5.** (1690). Phonét. *Mouiller une consonne,* l'articuler en rapprochant la langue du palais pour émettre un [j]. ⇒ **Mouillé** (ci-dessous) ; **palataliser.**

♦ **6.** Mar. Placer (un objet céleste) légèrement au-dessous de l'horizon (la mer), en faisant le point.

9.1 J'ai compris qu'il faut « mouiller » l'étoile quand la nuit est noire ou quand l'horizon n'est pas très net. Mouiller une étoile veut dire la placer légèrement plus bas que l'horizon apparent, forcément un peu flou. Je pense que c'est la seule technique qui permette d'obtenir une hauteur correcte après le crépuscule, ou lorsque la mer est agitée. Bernard MOITESSIER, Cap Horn à la voile, p. 158.

♦ **7.** Fig., fam. Compromettre (qqn). *Ses complices ont fini par le mouiller. Il s'arrange toujours pour ne pas être mouillé.*

♦ **8.** Intrans. Pop. ⓐ (1946 ; de *mouiller sa culotte* « uriner »). Avoir peur.

ⓑ Érotique. Éprouver le désir sexuel, en parlant d'une femme. — Par ext. Éprouver un vif plaisir (se dit aussi des hommes).

9.2 Plus sa destinée sera belle et rayonnante, plus je mouillerai de contentement. Il est mon frangin, comprends-tu ? SAN-ANTONIO, Remets ton slip, gondolier !, p. 165.

▶ **SE MOUILLER** v. pron.

♦ **1.** S'imbiber d'eau (ou d'un liquide très fluide), entrer en contact avec l'eau, dans l'eau. *Le chat craint de se mouiller. Se mouiller en sortant sous la pluie, en renversant un liquide sur soi... — Ses yeux se mouillèrent de larmes.*

10 Vous m'avez assurée tant de fois que j'en étais aimée (...) Je le croyais bien, moi (...) Et puis elle s'interrompt, sa voix s'altère, ses yeux se mouillent (...)
DIDEROT, Jacques le fataliste, Pl., p. 703.

♦ **2.** (1886). Fig. Fam. Se compromettre, prendre des risques. ⇒ **Tremper** (dans une affaire). *Il ne veut pas se mouiller.*

11 (...) il me faut absolument un revolver (...) Demande-le-lui de ma part. Il me rendrait service. Je le rétribuerai (...) largement. — Mon cheminot se fout de ton fric : il en gagne. Qu'est-ce que tu crois qu'il va se « mouiller » ?
Francis CARCO, les Belles Manières, p. 101.

11.1 On en a fait un amateur, un faible, un dévoyé, sans penser que Colin de Cayeux

ne se serait point lié si étroitement avec lui, s'il ne s'était « mouillé », je veux dire compromis, dans ses opérations. Francis CARCO, Nostalgie de Paris, p. 74.

♦ **3.** (Sens passif). Phonét. Se prononcer mouillé*.

Une consonne *se mouille* quand elle prend un son particulier, proche de celui de *y* (*agneau,* à côté de *anneau,* présente un *n* mouillé).
F. BRUNOT et Ch. BRUNEAU, Précis de grammaire historique, p. 4.

▶ **MOUILLÉ, ÉE** p. p. adj. (V. 1155, *moillié*).

♦ **1.** Qui a été mis en contact avec un liquide. *Un linge* (cit. 7) *mouillé.* ⇒ **Humide.** — (Personnes). *Être mouillé, mouillé comme un canard, comme une soupe, jusqu'aux os, tout mouillé,* complètement. ⇒ **Dégouttant, ruisselant, trempé.** *Cheveux mouillés* (→ Étaler, cit. 44 ; exprimer, cit. 2). *Mains mouillées.* ⇒ **Moite.** *Odeur de terre mouillée* (→ Bouffée, cit. 3). *Trottoir mouillé* (→ 1. Falot, cit. 3). — Par ext. *Mois gris et mouillés,* pluvieux (→ Hiver, cit. 5). — Vieilli. *Il fait mouillé :* il pleut.

Géogr. *Section mouillée, périmètre mouillé d'un fleuve, dépendant du niveau* (→ Débit, cit. 5).

Bx-arts. *Draperie mouillée,* transparente et adhérant au corps, comme si elle était mouillée (→ Couvrir, cit. 4).

Yeux mouillés, regard mouillé, plein de larmes. Par anal. *Voix mouillée,* pleine d'émotion.

— C'est pas assez, le bonheur, dit-il d'une voix mouillée, c'est pas assez.
SARTRE, l'Âge de raison, I.

(1648). Fig. *Poule mouillée.* ⇒ **Poule.**

N. m. *Le mouillé.*

Son manteau sent le mouillé ; il traîne en marchant ses gros chaussons bleus.
R. ROLLAND, Jean-Christophe, L'aube, I, p. 3.

♦ **2.** (1690). Textile. *Papier mouillé :* étoffe qui n'a pas de consistance.

♦ **3.** (XIXᵉ). Mar. *Bateau mouillé,* près de la côte, qui est au mouillage.

♦ **4.** (1721). Phonét. Se dit de certaines consonnes dont l'articulation se termine par l'émission d'un [j] (yod), la langue se rapprochant du palais. ⇒ **Palatalisé.** *En français, les consonnes mouillées sont* n mouillé [ɲ] *comme dans* agneau, *et autrefois* l *mouillé* [lj]. ⇒ **L** (REM. 3.) et aussi **mouillement, mouillure.**

CONTR. Assécher, dessécher, éponger, essuyer, sécher.
DÉR. Mouillable, mouillade, mouillage, mouillant, mouille, mouillement, mouillère, mouillette, mouilleur, mouilloir, mouilloire, mouillon, mouillure.
COMP. Pattemouille, remouiller. — Mouille-bouche, mouille-étiquettes.
HOM. V. Mouille, mouillère, mouillon.

MOUILLÈRE [mujɛʀ] n. f. — 1845 ; de *mouiller.*
Technique (et agriculture).

♦ **1.** Régional. Se dit de parties de pré, de champs habituellement humides.

♦ **2.** (XXᵉ). Partie de mine où l'eau s'infiltre.
HOM. Forme du v. **mouiller.**

MOUILLETTE [mujɛt] n. f. — 1690 ; dimin. de *mouiller.*

♦ Petit morceau de pain long et mince qu'on trempe dans les œufs à la coque, dans un liquide. ⇒ **Mouillon** (régional). *Couper des mouillettes. Mouillette beurrée* (→ Gober, cit. 1).

De l'autre côté de cette cheminée, était une table de noyer à pieds contournés, sur laquelle se trouvait un œuf dans une assiette, et dix ou douze petites mouillettes dures et sèches, coupées avec une studieuse parcimonie.
BALZAC, Maître Cornélius, Pl., t. IX, p. 919.

(...) taillant au pain de longues mouillettes, il les plongeait dans le café, les tranchait à coups de dents nets. M. GENEVOIX, Raboliot, I, I.

REM. Le mot est resté vivant, mais a des connotations rurales, d'ailleurs positives.

MOUILLEUR [mujœʀ] n. m. — 1840 ; de *mouiller.*

♦ **1.** Mar. « Appareil qui permet de garder l'ancre dans la même position jusqu'au moment de la laisser tomber pour mouiller, par l'échappement du levier de l'appareil » (Gruss).

♦ **2.** (1890). Techn. Appareil employé pour mouiller, humecter les étiquettes, les timbres... → Mouille-étiquettes*.

♦ **3.** (1914). *Mouilleur de mines :* navire spécialement équipé et aménagé pour le mouillage des mines.

♦ **4.** (XXᵉ). ⇒ **Mouilloir.**

♦ **5.** (1877). Techn. Appareil utilisé pour mouiller les feuilles de tabac, dans une manufacture.

MOUILLOIR [mujwaʀ] n. m. — 1452 ; de *mouiller*.

♦ **1.** Vx. Petit godet rempli d'eau dans lequel les fileuses* mouillent le bout de leurs doigts.

♦ **2.** Mod. (Techn.). Récipient utilisé pour mouiller. *Mouilloir de repasseuse.* — Syn. : *mouilleur*.
HOM. Mouilloire.

MOUILLOIRE [mujwaʀ] adj. f. — Déb. xxᵉ ; de *mouiller*.

♦ Techn. *Cuve mouilloire,* dans laquelle on trempe l'orge avant de l'envoyer au germoir.
HOM. Mouilloir.

MOUILLON [mujɔ̃] n. m. — 1909, dans un journal de modes (D. D. L.), mot dialectal ancien ; de *mouiller*.
Régional.

♦ **1.** Chiffon humecté (utilisé pour repasser, etc.).

♦ **2.** Mouillette.
(...) ces dos ronds, ces coudes sur la table, ces assiettes soulevées ou saucées avec un mouillon de pain devant des parents neutres.
Hervé BAZIN, Cri de la chouette, p. 46.
HOM. Forme du v. **mouiller**.

MOUILLURE [mujyʀ] n. f. — Déb. xviᵉ ; *moilleure,* xiiiᵉ ; de *mouiller*.

♦ **1.** Action de mouiller. ⇒ **Mouillage, mouillement.** — État de ce qui est mouillé.
Un vent harmonieux, dans le soir lent et beau,
Éparpille une odeur de mouillure et de fraise.
Cˢˢᵉ DE NOAILLES, l'Ombre des jours, « Apaisement ».

♦ **2.** (1803). Spécialt. Trace laissée par l'humidité. *Mouillure du bois. Mouillure d'un tissu, d'un papier.*

♦ **3.** (1868). Phonét. Caractère d'une consonne mouillée. *La mouillure du « n » dans agneau.* ⇒ **Palatalisation.**

MOUISARD, ARDE [mwizaʀ, aʀd] adj. — 1901 ; de *mouise.*

♦ Fam., rare. Qui est dans la mouise, la misère. ⇒ **Miséreux.**

MOUISE [mwiz] n. f. — 1895 ; argot, « soupe de pauvre », d'abord argotique au fig., 1821 ; orig. incert. : p.-ê. de l'all. dial. du Sud *Mues* « bouillie », mais un rapport avec 3. *mousse, mouscaille* est vraisemblable.

♦ Fam. Misère, pauvreté. *Être dans la mouise.* ⇒ **Grasse, mistoufle, panade, poisse, purée.** *Quelle mouise !*
Mais ça ne va pas fort, patron. Maintenant, c'est la grande faim, la grande poisse, la grande mouise.   G. DUHAMEL, Salavin, Journal, 30 déc.
Je suis directeur d'une grande maison d'automobiles (...) Et toi ?... Toujours dans la mouise ?   P. MAC ORLAN, Quai des brumes, XII.
DÉR. Mouisard.

MOUJIK [muʒik] n. m. — V. 1823, *mouzik ; mousique,* 1727, d'après le *Français moderne* ; mot russe, « paysan ».

♦ Paysan russe. *Les moujiks regagnent leurs isbas* (cit. 1).
Le marchand garde son caftan asiatique et sa large barbe ; le moujik en chemise rose débordant en blouse, ses culottes bouffantes entrant dans les bottes (...)   Th. GAUTIER, Voyage en Russie, II.
Il y avait là des moujiks, coiffés de bonnets ou de casquettes, vêtus d'une chemise à petits carreaux sous leur vaste pelisse.   J. VERNE, Michel Strogoff, p. 95.

MOUJINGUE [muʒɛ̃g] n. — 1915 ; orig. obscure, p.-ê. de l'arabe d'Algérie *moujague,* de l'esp. *muchacho* « enfant ».

♦ Fam. (D'abord argotique). Enfant. ⇒ **Mouflet, moutard.**
— Il est quand même drôle, ton moujingue. Quand on t'a connu à son âge comme moi je t'ai connu, on a du mal à s'y retrouver.   M. AYMÉ, le Chemin des écoliers, VII.

MOUKÈRE ou **MOUQUÈRE** [mukɛʀ] n. f. — 1863, plur., *mouikeiras ;* en sabir, 1830 ; mot algérien, de l'esp. *mujer* « femme ».

♦ Argot. Femme ; maîtresse ; prostituée.
Je ne parle pas des moukhères *(sic),* parce que ça ne vous intéresse pas encore. Mais il y en a des brunes, des Espagnoles pour tout dire (...)   ARAGON, les Beaux Quartiers, I, X.
Passez inaperçu... et pas d'histoires chez les moukères, ou je vous colle en cellule (...)   P. MAC ORLAN, la Bandera, XVIII.

---

1. MOULAGE [mulaʒ] n. m. — 1313, *molage ; mosrrage,* 1254 ; de *moudre,* par les formes en *moul-.*

♦ **1.** Rare. Action de moudre.

♦ **2.** Féod. Droit payé au seigneur du moulin banal.
COMP. 2. Remoulage.
HOM. 2. Moulage.

2. MOULAGE [mulaʒ] n. m. — 1415, *mollage* « action de mesurer le bois au moule » ; sens mod., 1765 ; de *mouler.*

♦ **1.** Action de mouler (1. et 2.), de fabriquer avec un moule. *Moulage du beurre en mottes ou en pains. Moulage d'une pièce d'un objet de métal ; moulage d'une cloche.* ⇒ **Fonte.** *Le moulage, opération de métallurgie.* ⇒ **Fonderie.** *Fontes* de moulage. *Moulage des verres d'optique. Le moulage du caillé* (pour obtenir un fromage). — *Moulage d'objets en matière plastique. Moulage sous pression, par centrifugation.* — *Moulage d'une statue, d'une sculpture** (→ ci-dessous, cit. 1). *Moulage au plâtre.*

♦ **2.** Objet, ouvrage obtenu au moyen d'un moule. *Prendre un moulage d'un objet* (l'objet servant de moule). ⇒ **Empreinte.** — Spécialt. Sculpt. Reproduction d'une œuvre originale obtenue par moulage. ⇒ **Reproduction.** *Moulages d'œuvres étrangères, de sculptures monumentales, exposés dans un musée parisien.*
(...) dans la sculpture, le moulage est le procédé qui donne l'empreinte la plus fidèle et la plus minutieuse du modèle, et certainement un bon moulage ne vaut pas une bonne statue.   TAINE, Philosophie de l'art, t. I, p. 23.
Par anal. Empreinte moulée.
Quand un battant est mal fermé, la neige, que le vent a chassée au cours de la nuit dans l'embrasure, a pénétré au bas de l'étroite fente verticale, dont elle garde ensuite un moulage sur quelques centimètres de hauteur, lorsque le soldat ouvre en grand la porte.   A. ROBBE-GRILLET, Dans le labyrinthe, p. 180.
COMP. **Contre-moulage, surmoulage.**
HOM. 1. Moulage.

MOULAIRE [mulɛʀ] n. m. — 1955, *Dict. des métiers ;* cf. *moulier,* adj., 1876 ; de 2. *moule.*

♦ Techn. Pêcheur de moules et autres coquillages.
HOM. Forme du v. **mouler.**

MOULANT, ANTE [mulɑ̃, ɑ̃t] adj. — Fin xixᵉ ; p. prés. de *mouler.*

♦ Qui moule le corps. *Une robe moulante. Un fourreau très moulant.*
CONTR. Ample, large, vague.

1. MOULE [mul] n. m. — 1450 ; *modle,* puis *molle,* 1190 ; empr. anc. au lat. *modulus.*

A. ♦ **1.** Corps solide creusé et façonné, dans lequel on verse une substance liquide ou pâteuse qui conserve, une fois solidifiée, la forme qu'elle a prise dans la cavité. — (xiiiᵉ). Objet plein sur lequel on applique une substance plastique pour qu'elle en prenne la forme. ⇒ **Matrice, modèle.** *Obtenir un objet au moyen d'un moule.* ⇒ **Moulage, mouler.** *Moule d'une seule pièce, de deux ou plusieurs pièces. Jeter une matière en fusion dans un moule.* ⇒ **Coulée, couler.** *Retirer un objet du moule.* ⇒ **Démouler.** *Emboîter* un moule. *Enterrage d'un moule. Moule pris sur un objet moulé.* ⇒ **Surmoule.** *Utilisation des moules dans la fonte du métal.* ⇒ **Fonderie ;** et aussi **chape, évent, gueuse, lingotière, potée.** *Bavures, balèvres laissées par le moule sur l'objet moulé. Moule en sable, en terre* (→ Aspérité, cit. 1). *Moule à cire perdue :* modèle en ronde-bosse, en cire, sur lequel on applique de l'argile qui forme un moule en creux, la cire fondant à la coulée au contact du métal en fusion. — *Moule pour faire des objets en matière plastique, en verre. Moule qui sert à frapper les monnaies.* ⇒ **Virole.** *Moule d'une forme typographique.* ⇒ **Empreinte.** *Moule utilisé en poterie.* ⇒ **Mère.** *Moule à pisé* (⇒ **Banche**), *à briques. Moule à chandelles.*
Le père Ducros s'était procuré, je ne sais comment, une quantité de médailles en plâtre, et sur cette huile coulait du soufre mêlé avec de l'ardoise bien sèche et pulvérisée (...) Sur le moule il versait du plâtre liquide fait à l'instant (...)   STENDHAL, Vie de Henry Brulard, 20.
À force de travaux et de veilles, maître Adoniram avait achevé ses modèles, et creusé dans le sable les moules de ses figures colossales.   NERVAL, Voyage en Orient, « Nuits du Ramazan », III, v.
Spécialt. *Moule utilisé dans la fabrication du chocolat, du fromage* (⇒ **Caserel**). — (1737 ; en cuisine, en pâtisserie). *Moule à tarte, à brioche, à madeleine, à gaufre* (⇒ **Gaufrier**). *Moule à manqué, à bords surélevés. Moule à glaces* (cit. 15). — Spécialt. Jouet d'enfant, récipient qui sert à faire des pâtés de sable.
Par ext. *Moule à cigares, à cigarettes.*

♦ **2.** (xviiᵉ). Techn. **a** Forme de bois, de métal, etc., d'un bouton* recouvert de tissu.

b Cuve où les maroquiniers mettent les peaux.

♦ **3.** (XIIIᵉ, *molle*). Vx. Mesure de bois de chauffage. ⇒ **Bois** (*supra* cit. 35).

♦ **4.** Mar. *Moule d'un filet sardinier :* « grandeur de la maille exprimée en fonction de la taille des sardines qui sont susceptibles de s'y mailler » (Gruss).

♦ **5.** (1868). Calibre utilisé par le tailleur de pierre pour la taille du profil des moulures.

B. Par métaphore, fig. ♦ **1.** Déb. XVIIIᵉ. (Sens concret). *Être fait au moule* (cf. fam. Bien roulé). *Des jambes faites au moule.*

♦ **2.** Fig. Modèle, type (→ Hébraïque, cit. 3). *Ils sont coulés dans le même moule, faits sur le même moule :* ils sont absolument semblables. *Le moule en est brisé,* (1764) *cassé,* (1808) *perdu :* c'est une personne, une chose unique en son genre, qqch., qqn, « comme on n'en fait plus ».

3 Si la nature a bien ou mal fait de briser le moule dans lequel elle m'a jeté, c'est ce dont on ne peut juger qu'après m'avoir lu. ROUSSEAU, les Confessions, I.

♦ **3.** Forme imposée de l'extérieur, à la personnalité, au caractère (→ Arme, cit. 15).

4 Comme c'est l'éducation, la variété des objets d'étude qui font la variété des esprits, tout ce qui tend à faire passer tous les esprits par un moule officiel est préjudiciable au progrès de l'esprit humain.
RENAN, l'Avenir de la science, Œ. compl., t. III, XIX, p. 1054.

5 Comme on le sait depuis longtemps, la plupart des grands hommes ont été élevés presque isolément, ou bien ils ont refusé d'entrer dans le moule de l'école.
Alexis CARREL, l'Homme, cet inconnu, VII, X.

♦ **4.** Spécialt. Forme fixe, consacrée (de la littérature ou des arts) qui s'impose à l'écrivain, à l'artiste. *Le moule du mètre, de l'acte, de la sonate...* ⇒ **Forme** (cit. 47). *Un moule trop étroit, trop rigide pour son génie.*

6 On obtiendra un mot comique en insérant une idée absurde dans un moule de phrase consacré. H. BERGSON, le Rire, p. 86.

DÉR. Mouleau, mouler, mouliste.
COMP. Contre-moule, surmoule.
HOM. 2. Moule ; formes du v. **mouler.**

2. MOULE [mul] n. f. — XIVᵉ ; *muscle, mousle,* XIIIᵉ ; du lat. *musculus* « moule », proprt « petite souris ». → Muscle.

♦ **1.** Mollusque bivalve de l'ordre des Anisomyaires, aux valves oblongues et renflées d'un bleu ardoisé, sans charnière, qui vit fixé sur les rochers ou sur les corps immergés (→ 1. Frais, cit. 25 ; marée, cit. 11). *La moule est un coquillage**. *Écailles, byssus des moules. La moule commune* (Mytilus edulis) *vit surtout sur les côtes de la Manche et de l'Atlantique. Moule d'eau douce.* ⇒ **Mulette.** *Moule d'étang.* ⇒ **Anodonte.** *Culture ou élevage des moules.* ⇒ **Mytiliculture, mytiliculteur ;** et aussi **acon, bouchot, bouchoteur,** 1. **moulière, parc** (à moules). *Acheter un litre de moules. Moules à la marinière**, *moules marinières, moules à la poulette, au vert. Soupe aux moules. Timbale de moules. Moules et frites,* plat populaire en Belgique. (Aussi, en appos., *moules frites*). — Régional (Belgique). *Moules parquées* (de parc), servies crues. — *Intoxication par les moules.* ⇒ **Mytilotoxine** (→ Anaphylaxie, cit. 1).

1 (...) les sacs, mouillés, avaient une odeur fraîche d'algues marines ; un d'eux, crevé par un bout, laissait couler un tas noir de grosses moules.
ZOLA, le Ventre de Paris, t. I, I, p. 34.

2 Quelques barques s'en furent aux moules à la marée basse (...)
Henri MICHAUX, La nuit remue, p. 147.

♦ **2.** N. f. et adj. (1878). Fam. Personne molle ; mollasson (par attraction de *mou* ou de *mollusque,* fig., et du sens 3). — Par ext. Imbécile, sot (→ Homme, cit. 108). *Quelle moule !*

♦ **3.** Vulg. Sexe de la femme.

DÉR. Moulaire, moulière.
HOM. 1. Moule ; formes du v. **mouler.**

MOULÉ, ÉE [mule] adj. ⇒ Mouler.

MOULEAU [mulo] n. m. — 1876, « petit pain de cire » ; de 1. *moule.* Technique.

♦ **1.** (1903). Industr. chim. Appareil employé dans le moulage des acides gras.

♦ **2.** (XXᵉ). Moule conique où l'on fabrique industriellement la glace.

Les frigories produites (...) sont transmises aux récipients contenant l'eau à congeler par l'intermédiaire d'une saumure qui remplit des bacs spéciaux contenant l'évaporateur et les mouleaux, où l'eau potable se transforme en glace.
V. ROMANOVSKY et A. CAILLEUX, la Glace et les Glaciers, p. 54.

MOULÉE [mule] n. f. — 1872 ; de *mouler.*

♦ **1.** Vx. Bois de chauffage mesuré au moule. ⇒ **Bois** (de moule).

♦ **2.** (Mil XXᵉ). Ensemble des objets en matières plastiques moulés dans une seule opération de presse.

HOM. Formes du v. **mouler.**

MOULER [mule] v. tr. — XVᵉ ; p. p., 1080 ; *moler,* v. 1170 ; de *moule.* Donner une forme, fabriquer, reproduire à l'aide d'un moule.

♦ **1.** Obtenir (un objet) en versant dans un moule creux une substance qui en conserve la forme après solidification. ⇒ **Empreinte, forme** (donner une). Cf. Jeter au moule. *Mouler des briques, des chandelles, des caractères d'imprimerie.* — Spécialt. (Sculpt.). *Mouler à bon fond, à bon creux,* au moyen d'un moule fait de plusieurs pièces ajustées qu'on peut conserver, ce qui permet de tirer plusieurs épreuves d'un modèle. *Mouler à creux perdu,* au moyen d'un moule qu'on brise après avoir tiré une épreuve. *Mouler à cire perdue,* en appliquant de l'argile réfractaire sur un modèle en cire, celle-ci s'écoulant ensuite au contact du métal en fusion. — Absolt. *Mouler en cire, en plâtre.* — *Machine à mouler,* utilisée pour fabriquer des tuiles, des carreaux, etc. — REM. Quand il s'agit de métaux, on dit plutôt *fondre* ou *couler.* ⇒ **Couler, fondre.**

♦ **2.** (XIXᵉ). *Mouler une lettre, un mot,* l'écrire d'une écriture régulière et parfaitement formée.

(...) il traçait sur une feuille des lignes parallèles (...) et moulait un : *Monsieur* splendide, avec des fioritures en tire-bouchon qui lui coûtaient de profonds soupirs. J. GREEN, Adrienne Mesurat, I, IX.

♦ **3.** (1669). Reproduire (un objet, un modèle plein) en y appliquant une substance plastique qui en prend les contours (→ Prendre un moulage*). — Arts. « Prendre copie d'une figure, d'un ornement au moyen d'un moule pris sur l'original » (L. Réau). *Mouler un bas-relief, un buste.* — *Mouler le visage d'une personne célèbre, prendre un masque* (cit. 27) *mortuaire.*

C'est moi qui l'ai fait mouler. J'ai vu les grosses pattes de ces rustres le manier et la recouvrir de plâtre. J'aurai sa main et sa face. Je prierai Pradier de me faire son buste (...) FLAUBERT, Correspondance, 105, 23 mars 1846.

♦ **4.** (Abstrait). *Mouler (qqch.) dans... :* faire entrer dans un mòule (fig.), dans une forme fixe. *Mouler sa pensée dans l'alexandrin* (⇒ fig. **Couler**). *Mouler sur... :* faire, former sur un modèle ; ajuster à.

Mouler les lois sur les mœurs générales, ne serait-ce pas donner en Espagne, des primes d'encouragement à l'intolérance religieuse et à la fainéantise (...)
BALZAC, le Médecin de campagne, Pl., t. VIII, p. 443.

(... des) lois physiques et psychologiques posées une fois pour toutes, sans que jamais l'agent supérieur, qui moule son action dans ces lois, ait interposé une volonté spécialement intentionnelle dans le mécanisme des choses.
RENAN, l'Avenir de la science, Œ. compl., t. III, X, p. 863.

Imposer une forme, une empreinte.

Nous sommes, en effet, chez des hommes où l'idée religieuse domine tout, efface tout, règle les actions, étreint les consciences, moule les cœurs, gouverne la pensée, prime tous les intérêts, toutes les préoccupations, toutes les agitations.
MAUPASSANT, la Vie errante, « D'Alger à Tunis », II.

♦ **5.** 1767. (Sujet n. de chose). Épouser étroitement les contours d'un corps ou d'une partie du corps. ⇒ **Ajuster** (s'), **appliquer** (s'), **épouser.** *Un fourreau* (cit. 7) *de gaze moulait les contours de son corps.* ⇒ **Dessiner.** *Un maillot noir moulait son corps gracile* (cit. 2). ⇒ **Serrer.** — Au passif et p. p. *Jambes* (cit. 6) *moulées par des chausses de soie* (→ Gainé).

(...) la rondeur d'une jambe finement moulée par un bas de soie à jours.
BALZAC, la Femme de trente ans, Pl., t. II, p. 674.

Sa robe de soie collante, d'un ton clair et rose, tranche vivement sur les ténèbres de sa peau et moule exactement sa taille longue, son dos creux et sa gorge pointue.
BAUDELAIRE, le Spleen de Paris, XXV.

(...) un pantalon de drap noir assez étroit pour mouler un mollet qu'on devinait très musclé. APOLLINAIRE, l'Hérésiarque..., p. 13.

♦ **6.** (1821). Argot. Donner, foutre (un coup). — Par métonymie. Recevoir (un coup).

Comme je passais une porte, j'ai moulé un parpaing sur la noix. Je suis tombé... Alors ce salaud-là m'a filé la plus terrible toise que j'aie jamais reçue...
SAN-ANTONIO, Des gueules d'enterrement, p. 209.

▶ **SE MOULER** v. pron. (→ Écrin, cit. 2).

Spécialt. *Se mouler sur qqch.,* en prendre la forme. *La paume de la main* (cit. 2), *capable de se mouler sur l'objet.*

(...) nous faisons bon ménage, mon habit et moi. Il a pris tous mes plis, il ne me gêne en rien, il s'est moulé sur mes difformités, il est complaisant à tous mes mouvements ; je ne le sens que parce qu'il me tient chaud.
HUGO, les Misérables, IV, XII, II.

Fig., vx. ⇒ **Former** (se ; cit. 40) ; **modeler** (se), **régler** (se).

(...) certains particuliers (...) se moulent sur les princes pour leur garde-robe et pour leur équipage (...) LA BRUYÈRE, les Caractères, VII, 11.

▶ **MOULÉ, ÉE** p. p. adj. (1080, « fait au moule », figuré).

♦ **1.** Obtenu par un moule ; reproduit au moyen d'un moulage. *Statue de bronze moulé.* (Déb. XXᵉ). *Pain moulé,* cuit dans un moule et non directement sur la plaque du four. — « *Son sein, neige moulée en globe* » (cit. 5, Gautier). *Œuvre moulée sur le corps même du modèle* (→ Esthétique, cit. 13). *Plâtres mou-*

lés (→ Efflorescence, cit. 3). *Dessiner, peindre d'après une figure moulée.* ⇒ **Bosse.**

1 Toutes ces dentelles, toutes ces arabesques, ne sont pas, comme on le croit généralement, taillées dans le marbre ou la pierre, mais bien moulées en plâtre, ce qui permet de les reproduire à l'infini et sans grande dépense.
Th. GAUTIER, *Voyage en Espagne*, p. 121.

(Au sens 4.). Serré et dessiné. *Torse moulé dans un maillot* (cit. 7). → aussi cit. 6 et *supra.*

♦ **2.** (1668). Par ext. *Lettre moulée :* lettre imprimée ou qui imite la lettre imprimée. *Il ne sait lire que la lettre moulée,* que l'écriture imprimée. — N. m. *Le moulé* (vx) : les caractères imprimés. — Par anal. *Écriture moulée,* régulière et bien formée.

2 (...) je sais lire la lettre moulée ; mais je n'ai jamais su apprendre à lire l'écriture.
MOLIÈRE, *George Dandin*, III, 1.

♦ **3.** Archit. Mouluré. *Marches moulées,* qui ont une moulure* avec un filet au bord de leur giron. *Colonne moulée,* ornée de moulures.

♦ **4.** Fig. *Bien moulé :* bien fait, fait au moule. ⇒ **Beau.**

DÉR. et COMP. 2. **Moulage, moulant, moulée, moulerie, mouleur, moulure.** — Contremouler, démouler, surmouler.

HOM. V. **Moudre** ; et aussi **moule, moulée, moulet.**

MOULERIE [mulʀi] n. f. — 1765 ; « action de mouler », xvie, Palissy ; de *mouler.*

♦ Techn. Atelier de moulage, où l'on coule les pièces de fonte.

MOULET [mulɛ] ou MOLET [mɔlɛ] n. m. — 1752, *moulet* ; *molet,* 1470, « ciment moulé » ; de 1. *moule.*

♦ Techn. Calibre de bois pour vérifier l'épaisseur des languettes devant entrer dans des rainures.

HOM. Formes du v. **mouler.**

MOULEUR, EUSE [mulœʀ, øz] n. — V. 1268 ; *moleor,* 1260 ; de *mouler.*

Technique.

♦ **1.** N. Ouvrier, ouvrière qui moule des ouvrages de sculpture (pour obtenir une copie, un nouveau modèle...), des pièces de fondcric, des matières plastiques... (→ Gâcher, cit. 1). *Mouleur-figuriste*.* *Ancienne corporation des fondeurs-mouleurs.*

♦ **2.** N. f. (xxe). **MOULEUSE** : machine à fabriquer les moules de fonderie. — Machine à mouler des lingots.

1. MOULIÈRE [muljɛʀ] adj. et n. f. — 1681 ; de 2. *moule.*

Technique.

♦ **1.** (1876). Adj. Relatif à l'élevage des moules. *L'industrie moulière.* ⇒ **Mytilicole.**

♦ **2.** N. f. Lieu situé au bord de la mer dans lequel on pêche ou on élève des moules. ⇒ **Parc** (à moules). *Moulière naturelle, artificielle. Compartiments d'une moulière.* ⇒ **Bouchot.**

HOM. 2. **Moulière.**

2. MOULIÈRE [muljɛʀ] n. f. — Déb. xive, *moliere* ; de *mol,* forme anc. de l'adj. *mou.* → **Mou.**

♦ Régional. Terre marécageuse.

HOM. 1. **Moulière.**

MOULIN [mulɛ̃] n. m. — Fin xiie ; *molin,* déb. xiie ; du bas lat. *molinum,* dér. de *mola* « meule ».

♦ **1.** Machine, appareil servant à broyer (⇒ **Moudre**) le grain des céréales ; établissement ou usine qui utilise ces machines. ⇒ **Meunerie, minoterie.** *Produits du moulin.* ⇒ **Farine, mouture, recoupe, remoulage, son.** *Outillage, équipement d'un moulin.* ⇒ **Archure, battant, beffroi, blutoir, cerce, claquet, cylindre, meule, plansichter, sasseur, traquet, trémie, trieur...** *Dans les moulins modernes, des cylindres remplacent les meules. Bruit, tic-tac* d'un moulin. — *Moulin à bras.* — (V. 1196). *Moulin à vent* (→ aussi 4.), utilisant le vent comme force motrice. *Les ailes d'un moulin à vent.* ⇒ **Volant.** *Désentoiler, vêtir un moulin à vent. Voilure, tour d'un moulin à vent.* — (1310). *Moulin à eau. Distribution de l'eau au moulin.* ⇒ **Abée, bief, buse, coursier, empelage, reillère, vanne.** *Roue d'un moulin à eau.* ⇒ **Aileron, aube, jantille, palette, roue.** *Moulin hydraulique.* — *Moulin électrique, à vapeur...* — « *Meunier, tu dors, ton moulin va trop vite...* » (Chanson enfantine).

Tout autour du village, les collines étaient couvertes de moulins à vent. De droite et de gauche, on ne voyait que des ailes qui viraient au mistral par-dessus les pins, des ribambelles de petits ânes chargés de sacs montant et dévalant le long des chemins (...)
Alphonse DAUDET, *Lettres de mon moulin,* « Le secret de Maître Cornille ».

Par métaphore. Hist. des sc. *Moulin à vent :* figure connue des anciens mathématiciens grecs et chinois, formée d'un triangle rectangle l'hypoténuse en bas et des carrés construits sur ses côtés, et qui permet notamment de démontrer le théorème de Pythagore.
Loc. métaphorique et fig. (1787). *Se battre* contre des moulins à vent (par allus. au Combat de Don Quichotte contre des moulins qu'il prenait pour des géants). — *Apporter de l'eau au moulin de qqn, faire venir de l'eau à son moulin,* lui procurer des ressources, ou, plus cour., lui donner des arguments dans une discussion. — Loc. prov. (Vieilli). *Il viendra moudre à notre moulin :* il sera obligé d'avoir recours à nous.

♦ **2.** Spécialt. Bâtiment où les machines sont installées (→ Farine, cit. 2 ; mas, cit.). *Habiter dans un moulin désaffecté, dans un vieux moulin. Il a acheté un moulin qu'il veut restaurer. L'entreprise qui les met en œuvre.* ⇒ **Meunier, minotier.** —
REM. Certaines usines modernes de minoterie ont gardé l'appellation traditionnelle de *moulin.* « *Les grands moulins de X...* ». — Hist. *Moulin banal*.* — Allus. littér. « *On respecte un moulin, on vole une province* » (→ Jeu, cit. 11, Andrieux). *Lettres de mon moulin,* recueil de contes d'A. Daudet (1866).

2 En amont, il y avait un moulin à tan, au tic-tac sonore, et un grand moulin à blé, un vaste bâtiment que les souffleurs, sur les toits, blanchissaient d'un vol continu de farine.
ZOLA, *la Terre*, II, VI.

Loc. métaphorique. *On entre dans cette maison comme dans un moulin,* comme on veut.

3 Personne nulle part ! qu'est-ce que cela veut dire ? On entre ici comme dans un moulin.
A. DE MUSSET, *Un caprice,* 6.

Prov. *On ne peut être à la fois au four* et au moulin.* — Vieilli. *Renvoyer qqn à son moulin,* le renvoyer à ses affaires, l'inviter plus ou moins rudement à s'occuper de ce qui le regarde (⇒ **Rembarrer**). — *Jeter son bonnet par-dessus les moulins.* ⇒ **Bonnet.**

♦ **3.** (1378). Par anal. **MOULIN À...** : appareil, installation, machine servant à battre, à piler, à pulvériser certains produits, à extraire le suc de certaines substances en les pressant (⇒ **Pressoir**), en les broyant, etc. *Moulin à huile* (⇒ **Oliverie**). — (1690). *Moulin à canne à sucre,* où l'on introduit la canne à sucre pour en extraire le vesou. *Moulin à sucre* (→ Arbre, cit. 51). *Moulin à papier, à poudre, à tan. Moulin pour laver les étoffes.* ⇒ **Dégorgeoir.** *Moulin à foulon*, à foulonner.*

Spécialt. Appareil ménager, mu à la main ou à l'électricité, qui sert à écraser, à moudre. *Moulin à café, à fromage, à poivre, à sel, à sucre. Moulin à café électrique, mural. — Moulin à légumes :* ustensile qui sert à écraser les légumes (⇒ **Mouliner**) pour préparer les potages, les purées, etc.

♦ **4.** Vx. *Moulin à scier, à frapper les médailles.* — *Moulin à soie,* qui permet de donner aux fils de soie grège la torsion voulue. — *Moulins à vent, utilisés pour l'élévation de l'eau, l'assèchement des marais, la production d'électricité* (⇒ **Éolienne**), etc.

♦ **5.** (1909). Fam. Moteur d'automobile ou d'avion (⇒ **Bourrin**).

4 (...) Sturmer décroche la cinquième *(vitesse),* emballe son moulin d'un coup d'accélérateur furieux, désespéré.
G. ARNAUD, *le Salaire de la peur,* cité dans la Classe de français, 1954-1955, p. 119.

♦ **6.** (Déb. xxe ; → Moulinet, antérieur). **MOULIN À PRIÈRES** : dans la religion bouddhiste (Tibet...), Cylindre renfermant des bandes de papier recouvertes d'une formule sacrée et qu'on fait tourner pour acquérir les mérites attachés à la répétition de cette formule. — Fig. Formule répétée éternellement.

♦ **7.** (1672). Fig. Vx. **MOULIN À PAROLES** : langue. — Mod., fam. Personne qui parle sans arrêt, souvent à tort et à travers. ⇒ **Bavard.**

5 Le moulin des langues, pour tourner à vide, n'en tourna pas moins, et se mit à moudre cruellement cette réputation qui n'avait jamais donné barre sur elle.
BARBEY D'AUREVILLY, *les Diaboliques,* « Le bonheur dans le crime », p. 152.

DÉR. **Mouliner, moulinet, moulinier.**

MOULINAGE [mulinaʒ] n. m. — 1675 ; de *mouliner.*

♦ **1.** Opération qui consiste à mouliner*. *Moulinage de la soie grège. Moulinage des légumes.*

♦ **2.** (xxe). Établissement où l'on mouline la soie grège. — REM. On dit aussi *moulinerie* [mulinʀi].

MOULIN À VENT [mulɛ̃avɑ̃]. ⇒ **Moulin.**

MOULIN-À-VENT [mulɛ̃avɑ̃] n. m. — 1878, P. Larousse, *Premier Suppl.* ; nom d'un vignoble de Romanèche-Thorins, en Saône-et-Loire.

♦ Vin rouge du Beaujolais provenant du vignoble de ce nom, apprécié pour son bouquet. *Une bouteille de moulin-à-vent ; du moulin-à-vent.*

MOULINER [muline] v. tr. — 1611, « tourner » (en parlant des ailes d'un moulin) ; de *moulin*.

♦ **1.** (1611). Vx. Moudre. — Mod. (Fam.). Écraser, passer (des légumes) avec un moulin à légumes. *Mouliner des pommes de terre.* ⇒ **Broyer, écraser.**

C'est la fée des machines : à laver, à repasser, à tricoter, à coudre, à mixer, à mouliner, à battre, comme à écrire ou à photocopier (...)
Hervé BAZIN, Cri de la chouette, p. 97.

♦ **2.** (1834). Vx. Par anal. Ronger le bois, le réduire en poussière, en parlant des vers.

♦ **3.** (1667). Techn. Tordre et filer mécaniquement la soie grège au moyen d'un moulin garni de fuseaux ou de bobines.

▶ **MOULINÉ, ÉE** p. p. adj. (1685, Bloch). *Bois mouliné*, vermoulu. *Soie moulinée.* — (1694). *Pierre moulinée* : pierre de construction qui se désagrège.

DÉR. Moulinage, moulinerie, moulineur, moulinier.
HOM. V. moulinet, moulinier.

MOULINERIE [mulinʀi] n. f. — 1875 ; de *mouliner*.

♦ Techn. ⇒ **Moulinage** (2.).

MOULINET [mulinɛ] n. m. — V. 1360 ; *molinet*, xiiie ; de *moulin*.

★ **I.** ♦ **1.** Vx. Petit moulin. — Par ext. Petite roue d'un moulin à vent.

♦ **2.** Mod. Objet ou appareil fonctionnant selon un mouvement de rotation ou ayant une disposition en ailes. *Le moulinet d'une crécelle*.* — Spécialt. Tourniquet qui sert à enlever ou à traîner des fardeaux. *Le moulinet d'un treuil.* — (1680). Tourniquet* d'une barrière.

(1872). Petit tambour pour enrouler une ligne de pêche, commandé par une manivelle, et qui se fixe à la poignée d'une gaule, au plat-bord d'une embarcation, etc. ⇒ **Dévidoir.** *Moulinet multiplicateur. Bobine d'un moulinet.*

(1877). Techn. Appareil de mesure, comportant une roue à ailettes, qui sert à mesurer la vitesse de l'eau.

♦ **3.** (1850). *Moulinet à prière.* ⇒ **Moulin** (à prières).

1   Il en est d'autres qui se contentent de faire une promenade, en déroulant entre leurs doigts les grains de leur long chapelet, ou bien en imprimant un mouvement de rotation à un petit moulinet à prières qu'ils tiennent dans leur main droite, et qui tourne sans cesse, avec une incroyable rapidité. On nomme ce moulinet *Tchu-Kor*, c'est-à-dire, prière tournante.
E.-R. HUC, Souvenirs d'un voyage dans la Tartarie..., t. I, p. 326.

★ **II.** ♦ **1.** (1418, « bâton qu'on fait tourner », Bloch ; *faire le moulinet*, 1594). Mouvement de rotation rapide qu'on fait avec un bâton, une épée, un sabre pour écarter l'adversaire et parer ses coups. — Par ext. *Faire le moulinet avec une canne, un gourdin* (cit.), *une houssine* (→ Bâton, cit. 8). *Faire de grands moulinets des deux bras.*

2   (...) une canne en fer avec laquelle il faisait souvent des moulinets en homme qui n'aurait pas craint d'être assailli par quatre voleurs.
BALZAC, le Père Goriot, Pl., t. II, p. 930.

♦ **2.** (1840). Danse. Figure de quadrille dans laquelle les danseuses, réunies par la main droite et donnant la main gauche à leurs cavaliers, tournent ou se balancent sur place.

DÉR. Moulinette.
HOM. Formes du v. mouliner.

MOULINETTE [mulinɛt] n. f. — Mil. xxe, nom déposé ; de *moulinet*, ou de *moulin*, et suff. *-ette.*

♦ Fam. Petit moulin à légumes, broyeur ménager. *Passer à la moulinette.* ⇒ **Mouliner.** — Fig. Broyer, critiquer impitoyablement.

MOULINEUR, EUSE [mulinœʀ, øz] ou **MOULINIER, IÈRE** [mulinje, jɛʀ] n. et n. f. — 1615, *moulineur, euse ; moulinier, ière*, 1723 ; de *mouliner*.

Technique.

♦ **1.** N. Ouvrier, ouvrière qui travaille au moulinage de la soie.

♦ **2.** N. f. MOULINEUSE : machine servant au moulinage de la soie. — Par ext. Machine servant au retordage (laine, etc.). *Moulineuse bobineuse.*

MOULINIER [mulinje] n. m. — 1723 ; de *moulin*, et *-ier.*

Technique.

♦ **1.** Vx. Ouvrier d'un moulin à foulon.

♦ **2.** (xxe). Mod. Exploitant d'un moulin à huile.
HOM. Forme du v. mouliner.

MOULISTE [mulist] n. m. — 1878 ; de 1. *moule.*

♦ Techn. Ouvrier qui construit les moules de fonderie. — Ouvrier qui fabrique et entretient les moules des presses à matière plastique. *Ajusteur mouliste.* — Syn. : *mouleur.*

MOULOUD [mulud] n. m. — xxe ; arabe maghrébin, de l'arabe *măwlĭd* « naissance ».

♦ Fête commémorant la naissance du Prophète, l'une des principales fêtes musulmanes. *Fêter le Mouloud. Les cérémonies du Mouloud.*

MOULT [mult], mod. ; prononc. anc. : [mu] adv. — xe, *mult* ; du lat. *multum* « beaucoup ».

♦ Vx ou emploi stylistique. Beaucoup, très. — REM. Ce mot, sorti de l'usage depuis le xvie s., s'emploie encore par plaisanterie. *Après moult tergiversations...*

Moult, quoique latin, était dans son temps d'un même mérite, et je ne vois pas par où *beaucoup* l'emporte sur lui.   LA BRUYÈRE, les Caractères, XIV, 73.

J'embrasserai ta vieille trombine avec moult satisfaction.
FLAUBERT, Correspondance, t. III, éd. Charpentier, p. 192.

MOULU, UE [muly] adj. ⇒ **Moudre.**

MOULURAGE [mulyʀaʒ] n. m. — 1931 ; de *moulurer.*

♦ Techn. Opération d'usinage ; exécution d'un profil de moulure. *Moulurage à la machine. Moulurage des pièces de bois, de la menuiserie métallique.*

MOULURATION [mulyʀasjɔ̃] n. f. — 1923 ; de *moulurer.*

♦ Techn. Ensemble de moulures (d'un meuble). — Dessin, taille des moulures d'architecture ; ensemble des moulures décoratives d'un édifice.

Les constructions du centre sont des offices, des hôtels, des magasins, des locaux administratifs ; leur style tire sur celui des quartiers neufs de Cologne : du Louis XV abâtardi, du gothique surchargé, rondeurs à profusion, sous lesquelles on ne sent que le ciment et la mouluration en série.
J.-R. BLOCH, Sur un cargo, p. 59.

MOULURE [mulyʀ] n. f. — 1549 ; *molleüre*, 1423 ; *mollure*, xvie ; de *mouler*, l'ornement répété semblant être moulé sur un modèle identique.

♦ **1.** Ornement allongé à profil déterminé, en relief ou en creux, sur un élément d'architecture (nu d'un mur, plafond, trumeau, etc.). ⇒ **Architecture, ornement.** *Moulures d'une corniche* (⇒ **Modénature**), *d'un plafond, d'un mur* (⇒ **Caisson, panneau**). *Moulure d'une marche moulée*. Profil* d'une moulure. Moulures qui profilent*. Moulure en creux, en saillie, en relief. Tarabiscot* entre deux moulures. Orner de moulures* (⇒ **Moulurer**). Moulures lisses, ornées. Ornements d'une moulure.* ⇒ 2. **Billette, entrelacs, ove, palmette, perle, postes, rais-de-cœur.** *Moulures plates, rondes, curvilignes (à profil convexe ou concave). Moulures simples, petites moulures, sans filets. Moulures couronnées, grandes moulures,* accompagnées de filets. *Moulure câblée*. Noms de moulures.* ⇒ **Anglet, archivolte, armilles, astragale, bague, bandeau, bandelette, bosel, boudin, bourseau, cannelure, cavet, cimaise, congé, cordon, doucine, échine, filet, gorge, listel, nervure, piédouche, plate-bande, plinthe, quart-de-rond, réglet, sacome, scotie, talon, tore, tringle.**

(...) une haute cheminée, dont le chambranle, supporté par deux élégantes colonnettes de marbre blanc, enroulées de festons et d'arabesques dorés, était enjolivé d'une mosaïque de marbres précieux, encadrés dans des moulures également dorées (...)
NERVAL, Marquis de Fayolle, II, VIII.

Par ext. *Moulures employées en ébénisterie, menuiserie, orfèvrerie. Fine moulure de bois.* ⇒ **Baguette.** *Moulures rapportées, taillées dans la masse d'un panneau. Moulure d'un fauteuil* (→ Gorge, cit. 34). *Moulure à la partie inférieure d'une fenêtre.* ⇒ **Rejeteau.** *Faire des moulures.* ⇒ **Pousser, profiler ; moulurier.** *Baguettes équarries pour former les moulures.* ⇒ **Tringle.** *Outils pour faire les moulures.* ⇒ **Gorget, onglet, repoussoir, tarabiscot.**

(xxe). *Moulures électriques* ou *moulures* : lattes creusées de rainures parallèles qui reçoivent les fils conducteurs et qui sont recouver-

tes par une bande (couvercle, chapeau). — REM. On dit aussi *baguet-*
tes.

♦ **2.** Mar. ⇒ **Liston.**
DÉR. **Moulure, moulurier.**
HOM. **Formes des v. moudre, moulurer.**

MOULURER [mulyRe] v. tr. — 1872, p. p. ; de *moulure.*

♦ (Rare à l'actif). **ⓐ** Orner de moulures. *Moulurer une pièce, une*
salle, un appartement.

ⓑ Profiler en moulure. — Absolt. *Machine, outil à moulurer.*

▶ **MOULURÉ, ÉE** p. p. adj. *Panneau mouluré. Colonne moulurée.*
⇒ **Mouler** (3.).
(...) la profondeur des grandes chambres moulurées d'or, drapées de pourpre
sombre (...)   H. BOSCO, Un rameau de la nuit, p. 106.
C'est une porte en bois plein, moulurée, dont le battant est encadré de deux par-
ties fixes, très étroites.   A. ROBBE-GRILLET, Dans le labyrinthe, p. 53.
DÉR. **Moulurage, mouluration, moulureuse.**
HOM. V. **moulure, moulurier.**

MOULUREUSE [mulyRφz] n. f. — Mil. xxᵉ ; de *moulurer.*

♦ Techn. Machine à tailler le marbre (conduite par un ouvrier
appelé *moulureur,* n. m).

MOULURIER, IÈRE [mulyRje, jɛR] n. — 1868 ; de *moulure.*
Technique.

♦ **1.** N. Ouvrier, ouvrière qui fait des moulures. *Ce plâtrier, ce*
menuisier est un excellent moulurier.

♦ **2.** N. f. (1931). **MOULURIÈRE** : machine à moulure.

HOM. Forme du v. **moulurer.**

MOUMOUTE [mumut] n. f. — 1843 ; formation expressive, sur
moutonne « perruque ».
Familier.

♦ **1.** Vx. Chat. ⇒ **Minou.** — (1845, Balzac). Terme d'affection (« mon
chat, mon petit chat »).

♦ **2.** (1865 ; par infl. de *moutonne* « perruque »). Cheveux postiches,
perruque.
(...) il allongeait, vautré dans un fauteuil, des jambes interminables sur le parquet
fraîchement ciré (...) passant de temps en temps dans sa moumoute des doigts inspirés, comme une sorte de Paganini du cheveu.
                                           R. GARY, la Promesse de l'aube, p. 63.

♦ **3.** Fourrure, vêtement en fourrure (naturelle ou synthétique).

MOUND [mawnd ; mund] n. m. — 1875, *in* Höfler ; mot angl. signi-
fiant « tertre ».

♦ Archéol. Se dit de monuments protohistoriques de l'Amérique précolombienne (bassin du Mississippi) constitués par un tertre artificiel (⇒ **Tumulus**).

MOUQUÈRE [mukɛR] n. f. ⇒ **Moukère.**

MOURANT, ANTE [muRɑ̃, ɑ̃t] adj. et n. — V. 1380 ; adj. et subst.
participiel de *mourir.*

♦ **1.** Qui est près de mourir ; qui va mourir. ⇒ **Agonisant, expirant,**
moribond. « *J'étais né presque mourant* » (→ Incommodité, cit. 5 ;
incroyable, cit. 9, Rousseau).

1 On demandait à M. de Fontenelle mourant : « Comment cela va-t-il ? — Cela ne
va pas, dit-il ; cela s'en va. »
                                           CHAMFORT, Caractères et Anecdotes, « Fontenelle mourant ».
2 Le Président, là-haut, incliné en avant par l'angoisse, a l'air d'un père de famille
de grande bourgeoisie dont la fille est mourante et qui regarde le docteur célèbre
monter l'escalier.   J. ROMAINS, les Hommes de bonne volonté, t. V, XXIV, p. 232.
N. UN MOURANT, UNE MOURANTE. ⇒ **Moribond.** *Une jeune mou-*
rante (→ Énamourer, cit. 1). *Une faiblesse de mourante* (→ 1. Maigre cit. 3). *Champ de bataille* (cit. 13) *jonché de morts et de mou-*
rants. « *Les cris des mourants qu'on égorge* » (→ Forge, cit. 3).
Rappeler un mourant à la vie. Les consolations des mourants
(→ Haïr, cit. 8). *Administrer les mourants. Appeler un prêtre au*
chevet d'un mourant (→ Heure, cit. 88). *La sainte Onction des*
mourants (→ Huile, cit. 22, Bossuet) : l'extrême-onction (appelée
depuis 1963 *onction* — ou *sacrement* — *des malades*). *Mourant*
muni des derniers sacrements. La mort et le mourant, fable de La
Fontaine (VIII, 1).
3 La mort va me saisir, je n'ai plus qu'un instant,
N'assassine pas un mourant.   FLORIAN, Fables, II, 2.
Dr. *Le premier* (⇒ **Prémourant**), *le dernier mourant des conjoints,*
des père et mère (Code civil, art. 402).

♦ **2.** (1635). Littér. Marqué par l'agonie. « *Une mourante vie* » (La
Fontaine, *Fables,* VII, 1). *Regards, yeux mourants ; voix mourante,*
d'un mourant (→ Accent, cit. 9). *Main mourante* (→ Expirant,
cit. 3). — Fig. (1660). Languissant. *Yeux, regards mourants.* ⇒ **Lan-**
goureux, languide.

Ai-je écouté quelqu'un de tant de soupirants
Qui m'accablaient partout de leurs regards mourants ?   4
                                           CORNEILLE, Tite et Bérénice, I, 2.

♦ **3.** (1636). Choses. Qui cesse, s'arrête, finit. ⇒ **Affaibli, éteint.** *Feu*
mourant. Vague mourante. Sons mourants, à peine perceptibles.
⇒ **Faible.**

Un chant doux se fit entendre dans le lointain ; la voix partait apparemment de   5
l'autre côté du lac. Ses sons mourants arrivaient à peine jusqu'à l'oreille de Mina,
qui écoutait attentivement.   STENDHAL, Mina de Vanghel.
(...) l'abbaye (...) restait presque noire dans les pourpres du jour mourant.   6
                                           MAUPASSANT, Clair de lune, « Légende Mont Saint-Michel ».
Letondu ne soufflait plus mot, immobile à présent, sans doute, et regardant tour-   7
billonner autour de soi les ondes mourantes du crépuscule.
                                           COURTELINE, Messieurs les ronds-de-cuir, IIIᵉ tableau, II.
Spécialt. *Couleur mourante.* — (1842). *Ton mourant,* très pâle,
passé...
Sentiment, souvenir mourant.

L'amour conjugal même mourant se défend longtemps contre les coups du monde   8
par une cuirasse de silence, mais un moment vient où l'homme trouve une joie
douloureuse à exposer ses blessures.   A. MAUROIS, Ariel..., I, XVIII.

♦ **4.** (Début xxᵉ). Au sens actif de : qui fait mourir. Fig., fam. Qui fait
mourir d'ennui (⇒ **Ennuyeux, mortel, tuant**).

Elle poussa un gros soupir. — Mais ce n'est pas désagréable ! dit-elle en riant. —   9
Oh ! répondit-elle, c'est mourant, d'avoir à s'occuper toujours de son dîner !
                                           R. ROLLAND, Jean-Christophe, L'adolescent, II, p. 285
Qui fait mourir de rire. ⇒ **Crevant.** *Il nous a raconté des histoires*
absolument mourantes, je hurlais de rire.

CONTR. **Naissant.**

MOUREUR, EUSE [muRœR, φz] n. — 1973 (→ cit.) ; de *mourir.*

♦ Rare (précédé d'un adj. évaluatif). Personne qui meurt (bien ou
mal).
La mort ne m'inquiète pas. Elle m'ennuie. Je suis un mauvais moureur.
                                           Jean ROSTAND, Nice-Matin, 31 déc. 1973, in D.D.L., II, 7.

MOURINE [muRin] n. f. — 1781 ; du provençal ; cf. *moro, mouro,*
mora, mourono, noms de poissons ; du lat. *Maurus* « Maure » dont les
dérivés désignent de nombreux animaux de couleur sombre.

♦ Myliobate, grand poisson de la famille des raies. — Syn. : *aigle*
de mer.

1. MOURIR [muRiR] v. intr. — *Je meurs, tu meurs, il meurt, nous*
mourons, vous mourez, ils meurent ; je mourais ; je mourrai ; je mour-
rai ; je mourrais ; que je meure, que nous mourions ; que je mourusse ;
meurs ! ; mourant ; mort. Se conjugue avec *être.* — 980, *morir ;* du lat.
pop. *morire,* lat. class. *mori.*

♦ **1.** Cesser de vivre, d'exister. ⇒ 1. **Mort.**

ⓐ (En parlant des êtres humains). ⇒ **Aller** (s'en aller, fig.), **décéder,**
disparaître, échapper (*supra* cit. 11), **éteindre** (s'), **expirer, finir** (II.,
1.), **partir** (fig.), **passer, périr, succomber, trépasser ; rester** (y rester,
fam.) ; fam. et pop. **calancher, caner, claboter, clamser,** 1. **claquer,**
crever, cronir... ; cf. les loc. (style soutenu ou littér.) Trouver la mort ;
aller ad patres, passer dans l'autre monde, passer de vie à trépas,
faire le grand voyage ; descendre au tombeau, dans la tombe ; finir,
terminer ses jours, sa vie ; avoir vécu ; laisser, perdre la lumière, la
vie... ; quitter la vie, sortir de la vie ; rendre l'âme, l'esprit, exhaler son âme, le dernier soupir ; rendre son dernier souffle ; fermer les
paupières, les yeux ; s'endormir du dernier sommeil, s'endormir dans
les bras du Seigneur, de Dieu, de la mort ; être rappelé, paraître
devant Dieu... ; et, fam. et pop., avaler sa chique, son extrait de naissance ; boire le bouillon d'onze heures ; faire la cabriole ; casser sa
pipe ; faire couic ; déposer le bilan ; dévisser son billard ; éteindre sa
lampe, son gaz ; faire sa malle, sa valise ; lâcher la rampe ; passer
l'arme à gauche ; ramasser ses outils ; se laisser glisser, s'en aller,
partir, sortir les pieds devant, entre quatre planches ; souffler sa
camoufle ; aller chez les taupes. ⇒ aussi 2. **Mort** (→ Affliction,
cit. 4 ; exécuter, cit. 5 ; expéditif, cit. 1 ; heure, cit. 67 ; homme,
cit. 52, Pascal ; immortel, cit. 4 ; impassible, cit. 1 ; incertitude,
cit. 5 ; invisible, cit. 3). *Tous les hommes doivent mourir* (→ Payer
le tribut à la nature). « *L'âme* (cit. 5) *n'est pas sujette à mourir*
avec le corps » (Descartes). *Homme qui va mourir, qui est sur le*
point de mourir. ⇒ **Moribond, mourant** (cf. Être au lit de mort, au
bord de la tombe, avoir un pied dans la tombe, dans la fosse). *À la*
veille, au moment de mourir (→ Extrême, cit. 9). *Avant* (cit. 8) *de*
mourir. C'est la dernière œuvre qu'il ait composée avant de mou-
rir (→ Son chant du cygne*). *Mourir avant* (⇒ **Prédécéder, pré-**
mourant), *après qqn* (cf. Suivre dans la tombe). *Clore*, fermer les*
yeux à un homme qui vient de mourir. Laisser* trois enfants en

mourant. — Loc. prov. *On ne meurt qu'une fois. On ne sait ni qui vit ni qui meurt :* on ne sait pas quand vient la mort.

1 Mangeons et buvons, car demain nous mourrons !
BIBLE (SEGOND), Ésaïe, XXII, 13.

2 Et meure Pâris ou Hélène,
Quiconque meurt, meurt à douleur
Telle qu'il perd vent et haleine;
Son fiel se crève sur son cœur,
Puis sue, Dieu sait quelle sueur !
VILLON, Testament, XI.

3 Nous mourons tous, disait cette femme dont l'Écriture a loué la prudence (...) et nous allons sans cesse au tombeau, ainsi que des eaux qui se perdent sans retour.
BOSSUET, Oraison funèbre de la duchesse d'Orléans.

4 Plutôt souffrir que mourir,
C'est la devise des hommes.
LA FONTAINE, Fables, I, 16.

5 Ils ne mouraient pas tous, mais tous étaient frappés.
LA FONTAINE, VII, 1 (→ Frapper, cit. 23).

6 La nécessité de mourir faisait toute la constance des philosophes : ils croyaient qu'il fallait aller de bonne grâce où l'on ne saurait s'empêcher d'aller (...) La gloire de mourir avec fermeté, l'espérance d'être regretté, le désir de laisser une belle réputation, l'assurance d'être affranchi des misères de la vie, et de ne dépendre plus des caprices de la fortune, sont des remèdes qu'on ne doit pas rejeter; mais on ne doit pas croire aussi qu'ils soient infaillibles.
LA ROCHEFOUCAULD, Maximes, 504.

7 M. Cassini mourut le 14 septembre 1712, âgé de 87 ans et demi, sans maladie, sans douleur, par la seule nécessité de mourir.
FONTENELLE, Cassini, in LITTRÉ.

8 (...) quand il faut rendre son corps aux éléments, et ranimer la nature sous une autre forme, ce qui s'appelle mourir; quand ce moment de métamorphose est venu, avoir vécu une éternité, ou avoir vécu un jour, c'est précisément la même chose.
VOLTAIRE, Micromégas, II.

9 Au banquet de la vie, infortuné convive,
J'apparus un jour et je meurs (...)
N.-J.-L. GILBERT (→ Arriver, cit. 26).

10 Je ne veux point mourir encore.
André CHÉNIER, Odes, II, XIV.

11 Je meurs. Avant le soir j'ai fini ma journée.
André CHÉNIER (→ Faner, cit. 9; douceur, cit. 16).

12 (...) s'ils (*les trappistes*) se parlent quand ils se rencontrent, c'est pour se dire seulement : *Frères, il faut mourir.*
CHATEAUBRIAND, le Génie du christianisme, IV, III, VI.

13 Déposer le fardeau des misères humaines,
Est-ce donc là mourir?
LAMARTINE, Premières méditations, XXXIII.

14 Mes chers amis, quand je mourrai (...)
A. DE MUSSET (→ Éploré, cit. 3).

15 Hélas! que j'en ai vu mourir de jeunes filles!
HUGO (→ Fille, cit. 24).

16 Ce n'est point vers la nuit que je crie en avant!
Mourir n'est pas finir, c'est le matin suprême.
HUGO, la Légende des siècles, LV.

17 Il faut que l'herbe pousse et que les enfants meurent;
Je le sais, ô mon Dieu!
HUGO, les Contemplations, IV, XV.

18 On cite une marquise du commencement de ce siècle, qui prétendait qu'en le voulant bien on pouvait s'empêcher de mourir. Elle n'est peut-être morte que d'une distraction.
E. FROMENTIN, Dominique, XII.

Acceptation de mourir. Consentir à mourir (→ Mépris, cit. 6). *Peur, épouvante de mourir* (→ Mêler, cit. 19). — *Savoir mourir, apprendre à mourir,* à accepter la mort (→ Affranchir, cit. 6; martyr, cit. 4). « *Que philosopher, c'est apprendre à mourir* » (Montaigne, *Essais,* I, titre du chap. XX).

19 Pourquoi donc, disait mademoiselle de..., âgée de douze ans, pourquoi cette phrase : « Apprendre à mourir ? » je vois qu'on y réussit très bien dès la première fois.
CHAMFORT, Caractères et Anecdotes, « Mot d'une jeune fille sur la mort ».

20 Si vivre est un devoir, quand je l'aurai bâclé,
Que mon linceul au moins me serve de mystère.
Il faut savoir mourir, Faustine, et puis se taire (...)
P.-J. TOULET, Contrerimes, Coples, CIX.

Faire mourir : exécuter, tuer. ⇒ **Expédier** (→ Capable, cit. 9; envoûter, cit. 1; épargner, cit. 7; exemple, cit. 23). *La maladie qui l'a fait mourir,* qui l'a emporté, enlevé. *Faire mourir cruellement*, à petit feu... Se laisser mourir. Se faire mourir* (→ Asphyxie, cit. 3). *Mourir et se tuer* (→ Acte, cit. 8). *Être condamné à mourir. Signifier à un condamné qu'il faut mourir* (→ Exécution, cit. 19).

(Avec un compl. un attribut, exprimant la cause de la mort). *Mourir de faim* (cit. 1), *d'inanition** (cit. 3), *de maladie* (cit. 4), *d'un mal...* (→ Fatal, cit. 7). *Maladie dont on meurt.* ⇒ **Mortel.** *Elle en mourra* (→ Cause, cit. 28). *On n'en meurt pas :* ce n'est pas grave (→ Forme, cit. 21). — Loc. *Mourir de vieillesse** (→ Extraordinaire, cit. 2). — *Mourir assassiné* (cit. 25, Rostand), *empoisonné* (cit. 19 et 20), *étranglé* (cit. 1). — *Mourir dans un accident* (cit. 13), *de mort violente*...* — (1694). *Mourir de sa belle mort,* de vieillesse, sans maladie, ni accident. Fig. S'éteindre, se terminer de soi-même.

20.1 Il est intéressant de noter que cette école, dont le double mérite a été de souligner avec une vigueur particulière la spécificité de la sociologie par rapport à la psychologie et de fournir un ensemble impressionnant de travaux spécialisés, est également morte de sa belle mort (...)
J. PIAGET, Épistémologie des sciences de l'homme, p. 280.

(Avec un compl., un adv., un attribut..., exprimant les circonstances de la mort). *Mourir lentement* (cit. 3), *doucement* (cit. 2), *en paix* (→ Heure, cit. 42). *Mourir subitement*, « au pied levé ».* (→ Exil, cit. 39). *Mourir parmi les souffrances* (→ Exil, cit. 7). *Il est mort après avoir beaucoup souffert* (→ Il a cessé de souffrir*). — *Mourir chez soi, dans son lit* (cit. 12), *à l'hôpital. Revenir mourir au gîte* (cit. 8). *Mourir loin des siens, en terre étrangère* (→ Haïr, cit. 8). « *Vous mourûtes aux bords où vous fûtes laissée* » (→ Blesser, cit. 4, Racine). « *Naître, vivre et mourir dans la même maison* »

(cit. 10). — *Mourir jeune* (→ Aimer, cit. 75); *à la fleur de l'âge...* (→ Ne pas faire de vieux os*). *Fontenelle est mort centenaire.* — *Mourir libre* (cit. 18). *Mourir seul* (→ Consoler, cit. 3), *abandonné de tous.* — Loc. *Mourir comme un chien*.* — *Mourir illustre* (cit. 1), *regretté ou exécré* (cit. 1). — Par plais. « *Il est mort guéri* » (→ Mesmériste, cit., Chamfort). — *Mourir général, prince... Mourir fille* (cit. 29). *Il ne veut pas mourir idiot. Mourir riche, pauvre. Mourir intestat*.* — Loc. *Mourir sur la brèche*.* — (1640). *Mourir à la peine*,* en plein travail, « au milieu ou par suite d'occupations pénibles, qu'on n'a pas pu ou pas voulu quitter » (Académie). *Mourir à la tâche,* à force de travail. *Mourir debout.*

Je veux qu'on agisse (...) et que la mort me trouve plantant mes choux (...) J'en vis mourir un qui, étant à l'extrémité, se plaignait incessamment de quoi la destinée coupait le fil de l'histoire qu'il avait en main (...)
MONTAIGNE, Essais, I, XX.

Quand tu sauras mon crime, et le sort qui m'accable,
Je n'en mourrai pas moins, j'en mourrai plus coupable.
RACINE, Phèdre, I, 3.

On meurt en détail, ma chère amie; puissiez-vous jouir d'une meilleure santé que la mienne.
VOLTAIRE, Correspondance, 2576, 17 nov. 1764.

Mourir dans la peau d'un intrigant, d'un insolent (→ Écorcher, cit. 1), *d'un imbécile,* comme un intrigant... *Il mourra dans la peau d'un ivrogne :* jamais de son ivrognerie il ne se corrigera.

Croyez-moi, vous mourrez, Monsieur, dans votre peau.
CORNEILLE, la Suite du Menteur, III, 5.

Fig. *Mourir tout entier*.*

Ne laissez aucun nom, et mourir tout entier?
RACINE, Iphigénie, I, 2.

(En parlant des dispositions, de l'état moral de l'homme devant la mort). *Mourir avec constance, courage, héroïquement.* « *Souffre et meurs sans parler* » (→ Énergiquement, cit., Vigny). *Mourir sans déshonneur* (cit. 1). *Bien mourir* (→ Apprentissage, cit. 5; fraternité, cit. 7). *Mourir courageusement, ignominieusement* (cit.). — *Mourir pieusement, chrétiennement, confessé*, muni des sacrements de l'Église* (⇒ **Extrême-onction**)..., *en odeur* de sainteté. Mourir en état de grâce,* « en bon état » (cit. 26); *dans le péché* (→ Attendre, cit. 55), *dans l'impénitence* (cit. 1 et 2).

Si nous avons su vivre constamment et tranquillement, nous saurons mourir de même.
MONTAIGNE, Essais, III, XII.

Quand le moment viendra d'aller trouver les morts,
J'aurai vécu sans soins, et mourrai sans remords.
LA FONTAINE, Fables, XI, 4.

Spécialt. (Dans un combat). ⇒ **Tomber; périr.** *Mourir au feu* (→ Légion, cit. 6), *au champ* d'honneur, à la guerre* (→ Honneur, cit. 25). *Ceux qui vont se battre et mourir* (→ Chanson, cit. 7). « *Meurs ou tue!* » (→ Arrogant, cit. 6, Corneille). *Mourir en héros* (cit. 8), *en vendant* chèrement sa vie. Mourir plutôt que de se rendre* (→ Courroux, cit. 4). « *Que vouliez-vous qu'il fît contre trois? Qu'il mourût.* » (→ Alors, cit. 1, Corneille). — Allus. hist. *La garde* (1. **Garde,** cit. 72) *meurt et ne se rend pas. Ceux qui vont mourir te saluent* (Morituri te salutant).

(1636). *Mourir pour une cause.* ⇒ **Sacrifier** (se); **verser** (son sang). → Guérison, cit. 6; homme, cit. 35. *Mourir pour le pays...* (→ Briguer, cit. 4, Corneille; immortaliser, cit. 2). « *Mourir pour la patrie...* » (→ Beau, cit. 54, Rouget de Lisle). « *Ceux qui pieusement sont morts pour la patrie* » (→ Gloire, cit. 20, Hugo).

Si mourir pour son prince est un illustre sort,
Quand on meurt pour son Dieu, quelle sera la mort!
CORNEILLE, Polyeucte, IV, 3.

La République nous appelle;
Sachons vaincre ou sachons périr :
Un Français doit vivre pour elle,
Pour elle un Français doit mourir.
M.-J. CHÉNIER, Chant du départ.

Eh! qui suis-je pour me plaindre, quand des milliers de Français meurent aux frontières pour la défense de la patrie? On tuera mon corps, on ne tuera pas ma mémoire.
VERGNIAUD, in JAURÈS, Hist. socialiste, t. VI, p. 320.

b (1538). En parlant des animaux. → Crever. *Éphémère* (cit. 2) *qui naît le matin et meurt le soir.* « *Est-ce que les oiseaux se cachent pour mourir?* » (Coppée, *la Mort des oiseaux*). Par métaphore. *La voix du cygne qui s'apprêtait à mourir* (→ Écho, cit. 16).

L'oiseau mourut; je l'ai vu mourir en peu d'heures; pour l'échauffer encore, je l'étouffais de baisers et d'haleines. Il est mort du besoin de voler (...)
GIDE, Philoctète, II, 1.

c (1538). En parlant des végétaux. → Arbre, cit. 33; faner, cit. 14. *Une rose* « *qu'on respire et qu'on jette et qui meurt en tombant* » (→ Livre, cit. 33). « *Ici* (cit. 13) *-bas, tous les lilas meurent* ». « *Le vase où meurt cette verveine...* » (→ Briser, cit. 31). « *Languissante elle meurt, feuille à feuille* (cit. 4) *déclose* ». — Allus. évang. *Si le grain** (cit. 11 et 12) *ne meurt.*

♦ **2.** Par exagér. ou par métaphore (du sens 1, a). *Vouloir mourir pour une femme* (→ Embonpoint, cit. 1). « *Mourir par métaphore* » (→ Langoureux, cit. 1). *J'aimerais mieux mourir que céder. Être malheureux à en mourir.*

Je meurs pour Isabelle. — Hé bien! épousez-là.
RACINE, les Plaideurs, I, 5.

(...) je pensais qu'il fallait mourir plutôt que d'ouvrir la bouche.
Mme DE SÉVIGNÉ, 860, 9 oct. 1680.

(...) il est digne d'être aimé, celui-là! Si j'étais femme, je voudrais mourir (non, pas si bête!) vivre pour lui.
BALZAC, le Père Goriot, Pl., t. II, p. 1001.

Allus. littér. *Partir*, c'est mourir un peu.*

Dans une formule de serment*, de défi. — (1538). *Plutôt mourir ! Que je meure, si...* — (1632). Vieilli. (Par ellipse de *que*). *Je meure, si ce que je vous dis n'est pas vrai* (Littré). — *Ou je meure...* (→ Agrément, cit. 4). *Voilà toute la politique, ou je meure* (→ Intrigue, cit. 7). — *Je veux mourir si...* (→ Métaphysique, cit. 6).

5 Je meure, en vos discours si je puis rien comprendre !
CORNELLE, le Menteur, II, 3.

6 Il faut renoncer à tout cela, se dit-il, plutôt que de se laisser réduire à manger avec les domestiques. Mon père voudra m'y forcer ; plutôt mourir.
STENDHAL, le Rouge et le Noir, I, V.

♦ **3.** Fig. Éprouver une grande affliction. ⇒ **Souffrir.** *Se sentir mourir mille fois* (→ Exhaler, cit. 19). *« Vivre avec ce tourment, c'est mourir à toute heure »* (→ Gêne, cit. 3). — (XVIIᵉ). Loc. *Il le fait mourir à petit feu,* souffrir cruellement et longuement.

7 Je meurs si je vous perds, mais je meurs si j'attends.
RACINE, Andromaque, III, 7.

8 (...) je voulais bien mourir ;
Mais c'est mourir deux fois que souffrir tes atteintes.
LA FONTAINE, Fables, III, 14.

(1549). Spécialt. *Faire mourir :* impatienter (= faire mourir d'impatience). *Allons, expliquez-vous, vous nous faites mourir !*

(1654). À MOURIR : au point d'éprouver une souffrance, une grande fatigue... *Lasse à mourir* (→ Fadeur, cit. 2). *S'ennuyer à mourir.*
MOURIR DE... : être extrêmement, violemment affecté par... ; souffrir de... *Mourir de chagrin** (→ Attente, cit. 12 ; croire, cit. 31), *de douleur, de tristesse* (→ Marotte, cit. 3). *Mourir d'ennui** (cit. 16), *de nostalgie. Mourir de frayeur* (→ Aspect, cit. 2), *de peur** (→ Conte, cit. 1). *Mourir de honte* (cit. 28).

9 La duchesse de Bouillon alla demander à la Voisin un peu de poison pour faire mourir un vieux mari qu'elle avait qui la faisait mourir d'ennui (...)
Mᵐᵉ DE SÉVIGNÉ, 777, 31 janv. 1680.

Mourir d'envie* (cit. 19 et 20) *de...* — (XIIᵉ). *Mourir de faim** (cit. 10) : avoir grand-faim ; n'avoir rien à manger* ; manquer du nécessaire (⇒ **Meurt-de-faim**). *Mourir de soif** (→ Fatiguer, cit. 24). *« Je meurs de soif auprès de la fontaine... »* (→ Lointain, cit. 1). — *Mourir de chaleur* (→ Gracieux, cit. 3), *de chaud, de froid...*

10 Je meurs de froid au plus chaud de l'été,
Et de chaleur au cœur de la froidure.
RONSARD, Premier livre des Amours, « Amours de Cassandre », CLXXIV.

10.1 Mais puisque tu ne veux pas profiter des secours que je t'offre, arrange-toi comme il te plaira ; tu me dois, demain de l'argent, ou la prison. — Madame ayez pitié... — Oui, oui, pitié ; on meurt de faim avec la pitié.
SADE, Justine..., t. I, p. 24-25.

(1671). *Mourir de rire** (→ Amuser, cit. 16). ⇒ **Crever.**

(1655). Spécialt. *Mourir d'amour** (→ Cesse, cit. 6 ; falloir, cit. 8). *« Vos beaux yeux me font* (cit. 179) *mourir d'amour ». Mourir de plaisir.* — Absolt. *Des caresses qui font mourir* (→ Baiser, cit. 14).

11 Et la diabolique journée
Où tu pensas faire mourir,
Ô ma perle d'Andalousie,
Ton vieux mari de jalousie,
Et ton jeune amant de plaisir !   A. DE MUSSET, Premières poésies, « À Juana ».

Absolt. (Dans le langage précieux).

12 Ah ! que voilà un air qui est passionné ! Est-ce qu'on n'en meurt point ?
MOLIÈRE, les Précieuses ridicules, 9.

(1653). Poét. ou relig. MOURIR À... : se séparer définitivement de... (en parlant d'une habitude, d'un mode de vie). ⇒ **Renoncer.** *Faire mourir l'homme à ses sens* (→ Évangile, cit. 3). *Mourir à la vie du corps* (→ Ascète, cit. 3). — *Mourir au monde. Mourir à ce qu'on aime* (→ Partir, cit., Haraucourt).

13 Il est pénible de voir une jeune fille mourir volontairement au monde. Le couvent effraye tout ce qui n'y entre pas.   FRANCE, le Jardin d'Épicure, p. 119.

♦ **4.** **a** 1580. (Sujet n. de chose). Cesser* d'exister, d'être... (avec une idée d'évolution lente, progressive...). *Civilisation, pays... qui meurt.* ⇒ **Anéantir** (s'). *Style qui meurt* (→ Gothique, cit. 13). *Le jour où les langues se fixent* (cit. 16), *c'est qu'elles meurent.*

14 (...) le sort des empires est entre les mains de Dieu : ils meurent en leur temps, comme le reste des choses humaines (...)
BOSSUET, Méditations sur l'Évangile, Dern. sem. du Sauveur, LXXXI.

15 Ma vocation est définitivement à l'hôpital où gît la vieille société. Elle fait semblant de vivre et n'en est pas moins à l'agonie. Quand elle sera expirée, je me décomposerai afin de se reproduire sous des formes nouvelles mais il faut d'abord qu'elle succombe ; la première nécessité pour les peuples, comme pour les hommes, est de mourir (...)
CHATEAUBRIAND, Mémoires d'outre-tombe, t. II, p. 391.

b (Fin XVIᵉ). Cesser de brûler, de flamber. *Le feu** (cit. 13), *la flamme meurt.* ⇒ **Éteindre** (s'). *Clarté qui meurt* (→ Atténuer, cit. 1). *Le jour** meurt. ⇒ **Effacer** (s'). *Couleurs* (→ Arroseur, cit.), *reflets qui naissent et meurent. Fusée* (cit. 3) *qui meurt.*

c Cesser de se faire entendre. *Bruit* (cit. 14), *son, voix qui meurt.* ⇒ **Affaiblir** (s'), **diminuer, évanouir** (s'). *Faire mourir la conversation* (→ Expression, cit. 2).

d Cesser de se mouvoir. *Houle* (cit. 3), *vague qui meurt, vient mourir* (→ Assoupir, cit. 26 ; et aussi 1. marin, cit. 3).

46 Il avait une manière à lui de prononcer ce mot *Amie,* en laissant l'*e* final mourir au bord des lèvres, comme un baiser.
MARTIN DU GARD, les Thibault, t. I, p. 122.

47 Du col rabattu descendaient, de chaque côté, cinq petits plis mourant sur les seins.
ARAGON, les Beaux Quartiers, II, XIX.

e (En parlant du temps). *Le jour d'hier* (cit. 1) *meurt en celui d'aujourd'hui.*

f Mil. XVIᵉ. (Choses abstraites, sentiments...). ⇒ **Cesser, éteindre** (s'), **finir...** *L'amour meurt* (→ Altérer, cit. 10 ; dégoût, cit. 15 ; force, cit. 33). *Ma haine va mourir* (→ Immortel, cit. 12). *Attention* (cit. 9) *qui meurt. Imagination qui languit* (cit. 4) *et meurt. Sentir mourir en soi le sentiment du vrai* (→ Fiction, cit. 8). *« Les envieux mourront mais non jamais* (cit. 30) *l'envie ».* — *Le passé ne meurt pas pour l'homme* (→ Garder, cit. 57).

▶ **SE MOURIR** v. pron.

Être sur le point de mourir. (« Il ne se dit guère qu'au présent et à l'imparfait de l'indicatif », Académie). *Se mourir de méningite* (cit.). — Par exagér. *Je me meurs* : je me sens très mal, je souffre (→ Frisson, cit. 15 ; et aussi étoile, cit. 12, Hugo). *Se mourir d'ennui* (cit. 10).

48 Je sens que je me meurs. Approchez-vous, mon fils.
RACINE, Mithridate, V, 5.

49 On n'en peut plus. — On pâme. — On se meurt de plaisir.
MOLIÈRE, les Femmes savantes, III, 2.

(Choses). Par métaphore. *« La Beauce se mourait d'épuisement »* (→ Grenier, cit. 2).

(Avec la même valeur que *mourir,* 4. ; plus littér.). *La flamme se meurt. Un son qui se mourait. La soirée se mourait. « Le soleil se mourait jaunâtre à l'horizon »* (→ 1. Fumer, cit. 8).

50 Au dehors, le soleil se mourait sur les branches hautes des acacias.
ZOLA, l'Assommoir, t. I, III, p. 108.

Allus. littér. *Madame se meurt, Madame est morte* (→ Désastreux, cit. 1).

▶ **MORT, MORTE** p. p. adj. ⇒ 2. **Mort.**

CONTR. Vivre. — Naître. — Bourgeonner, éclore. — Continuer, durer. — Renaître, reprendre...
DÉR. Mourant, moureur, mouroir. — V. 2. Mort.
COMP. Meurt-de-faim.
HOM. 2. Mourir. — V. Mouron.

2. MOURIR [muRiR] n. m. — Fin XIIᵉ ; → 1. Mourir.

♦ Littér. *Le mourir* : le fait de mourir. ⇒ 1. **Mort.** *Le vivre et le mourir* (→ Indifférent, cit. 4 ; infinitif, cit. 1).

Tandis que nous étions occupés du vivre et du mourir vulgaires, la marche gigantesque du monde s'accomplissait (...)
CHATEAUBRIAND, Mémoires d'outre-tombe, t. II, p. 238.

HOM. 1. Mourir.

MOURMÉ [muRme] n. m. — 1880, *in* Esnault ; orig. incert. ; *mourme* signifie « cheval » dans cet argot ; → Joual.

♦ Argot ancien utilisé par les tailleurs de pierre et les maçons de Haute-Savoie (notamment à Samoëns).

MOUROIR [muRwaR] n. m. — V. 1970 ; de *mourir.*

♦ Péj. **a** Hospice de vieillards, asile ou hôpital où l'on ne dispense qu'un minimum de soins, en attendant la mort des sujets.

(...) Une importante population sédimente ainsi, cachée aux autres, attendant de mourir.
Cet abandon est masqué par la publicité qui est faite sur la vocation nouvelle des hôpitaux. Certes, un bouleversement social important a marqué l'évolution de la clientèle hospitalière depuis la fin de la dernière guerre. L'hôpital « toutes classes », en cessant d'être un asile des pauvres et un « mouroir », s'est ouvert aux classes moyennes et supérieures.
A. DE VOGÜE et S. GRASSET, S.O.S. Hôpitaux, p. 167.

b Sans péjoration (autres cultures). *Les mouroirs de Calcutta, de Bombay.*

c Lieu où l'on meurt en masse, collectivement. *« Ces mouroirs qu'étaient les camps* (de réfugiés Khmers) » (*l'Express,* 3 nov. 1979).

MOURON [muRɔ̃] n. m. — XIIᵉ, *morun, moron* ; du moyen néerl. *muer.*

★ I. ♦ **1.** Plante dicotylédone (*Primulacées* ; genre *Anagallis*), herbacée, annuelle ou vivace, qui croît dans les régions tempérées d'Europe (→ Herbier, cit. 1). *Mouron bleu* (A. foemina). *Mouron rouge,* ou *mouron des champs* (A. arvensis), à fleurs rouges ou bleues, aussi appelé *fausse morgeline. Pyxides du mouron.* — *Mouron d'eau* (n. sc. : *samolus valerandi*). ⇒ **Samole.**

♦ **2.** (1768). *Mouron blanc* ou *mouron des oiseaux :* stellaire* à fleurs blanches, aussi appelée *morgeline* (n. sc. : *stellaria media ;*

Caryophyllacées). Le mouron blanc sert de nourriture aux petits oiseaux de volière.

1 *(Elle)* fit l'emplette d'une petite hotte, et se mit marchande de mouron (...) Elle se levait bon matin, achetait aux vendeurs en gros sa provision de mouron, de millet en branche (...) Marjolin l'accompagnait (...) et il criait sur un ton gras et traînant : — Mouron pour les p'tits oiseaux !
ZOLA, le Ventre de Paris, t. II, IV, p. 13.

★ **II.** (1878). Argot. Cheveux. *Avoir du mouron sur la cage.*

★ **III.** (xxᵉ). *Se faire du mouron* : se faire du souci (cf. Se faire des cheveux).

2 « J'estime qu'entre pères de famille, on n'a pas le droit d'agir déloyalement ». — Ne te fais pas de mouron, conseilla la sœur. Cet homme-là, il suffit de le regarder : de l'employé honnête, voilà ce que c'est.
M. AYMÉ, le Chemin des écoliers, X.

HOM. Forme du v. **mourir**.

MOURRE [muʀ] n. f. — Empr. de l'ital. dial. *morra,* ital. littér. *mora,* du lat. *mora* « retard ».

♦ Anciennt. Jeu de hasard dans lequel deux personnes se montrent rapidement et simultanément un certain nombre de doigts dressés en criant un chiffre pouvant exprimer ce nombre (celui qui donne le chiffre juste gagne).

1 (...) quand l'un disait oui, l'autre disait non, ce qui dura si longtemps qu'on était sur le point de les renvoyer, lorsque, comme des joueurs à la mourre, qui ne s'accordent que par hasard, ils dirent tous deux oui en même temps (...)
FURETIÈRE, le Roman bourgeois, II, p. 235.

2 Les humains savent tant de jeux l'amour la mourre
L'amour jeu des nombrils ou jeu de la grande oie
La mourre jeu du nombre illusoire des doigts   APOLLINAIRE, Alcools, p. 93.

MOUSCAILLE [muskaj] n. f. — 1570 ; de *mousse* « excrément », argot, 1570. → 3. Mousse, et 2. caille.

♦ **1.** Argot. Excrément. ⇒ **Merde.** Fig. *Être dans la mouscaille :* avoir de graves ennuis.

♦ **2.** (1880). Fig. et fam. Misère, pauvreté. ⇒ **Dèche, mouise, panade, purée.**

Elle était en train de faire des phrases. C'étaient des nouvelles espérances d'en sortir de la mouscaille et de la nuit qui la rendaient lyrique la vache à sa sale manière.   CÉLINE, Voyage au bout de la nuit, p. 312.

COMP. **Emmouscailler.**

MOUSEION [muzejɔn] n. m. — xviiiᵉ, *muséon ;* mot grec d'où est venu le mot *musée.*

♦ Archéol. Temple des Muses (avec ses annexes). ⇒ **Musée.**

Au iiiᵉ siècle av. J.-C., Ptolémée Philadelphe avait prévu au cœur de son palais d'Alexandrie un mouseion qui comprenait, outre la fameuse bibliothèque, un amphithéâtre, un réfectoire, un observatoire, des salles de travail, des jardins botanique et zoologique, tout un ensemble qui tenait de l'université, de l'académie et du temple, placé sous l'autorité d'un prêtre.
Luc BENOIST, Musées et Muséologie, p. 11.

MOUSMÉ ou **MOUSMÉE** [musme] n. f. — 1887, Loti ; mot japonais, « jeune fille ».

♦ **1.** Jeune fille, jeune femme japonaise (→ Frimousse, cit. 3 ; gagner, cit. 22). *Coiffure à coques* (cit. 6) *des mousmées.*

1 Comme (...) je parlais (...) d'une des filles de la petite bande, plus menue que les autres, mais que je trouvais tout de même assez jolie : « Oui, me répondit Albertine, elle a l'air d'une petite mousmé ».
PROUST, À la recherche du temps perdu, t. VII, p. 224.

♦ **2.** (Déb. xxᵉ). Par ext. (Pop.). Femme.

2 Les mousmés ne doivent pas s'ennuyer, autrement c'est la fin de la vertu. Si vous n'avez pas le temps de vous occuper de la vôtre, un bon conseil : achetez-lui une épicerie-porte-pots ou bien faites-lui repeindre la coque du Liberté, mais ne la laissez jamais s'emmouscailler seulâbre *(seule)...*
SAN ANTONIO, Au suivant de ces messieurs, p. 39.

(Avec le possessif). Épouse, maîtresse, compagne. *Ta, sa mousmée...*

MOUSQUET [muskɛ] n. m. — 1754 ; var. *mosquet, mousquette* (1550) ; empr. à l'ital. *moschetto,* rac. *mosca* « mouche ».

♦ Ancienne arme à feu portative, plus lourde que l'arquebuse, qu'on posait au sol sur une petite fourche (fourquine) et qu'on faisait partir avec une mèche* allumée. *Le mousquet, ancêtre du fusil. Porter, manier le mousquet* (→ Escopette, cit. 2). *« Laissez là vos mousquets trop pesants pour vos bras »* (→ Combattant, cit. 3, Boileau). *Mousquets des mousquetaires*. *Décharger* (cit. 3) *son mousquet. Balles de mousquet* (→ Entamer, cit. 2), *coups de mousquet* (→ Courage, cit. 6 ; fascine, cit. 2).

1 (...) les mousquets n'étaient pas encore d'un fréquent usage *(sous Charles VII).* Cet instrument de destruction ne fut commun que du temps de Louis XI.
VOLTAIRE, Essai sur les mœurs, LXXX.

Enfin, un archer revêtu d'une bandoulière, et le mousquet sur l'épaule, ayant paru à la porte, je lui fis signe de la main de venir à moi.
Abbé PRÉVOST, Manon Lescaut, I.

DÉR. **Mousquetade, mousquetaire, mousqueterie, mousqueton.**

MOUSQUETADE [muskətad] n. f. — 1587 ; *mosquetade,* 1568 ; de *mousquet.*

♦ **1.** Vieilli. Coup de mousquet ; décharge de mousquets. ⇒ **Mousqueterie.**

♦ **2.** (1731). Littér. Décharge d'armes à feu. — (1833). Bruit produit par cette décharge.

Monteflore oublia le pillage, et n'entendit plus, pendant un moment, ni les cris, ni la mousquetade, ni les grondements de l'artillerie.
BALZAC, les Marana, Pl., t. IV, p. 796.

Bruit comparable à une mousquetade.

L'iemschik, d'ailleurs, ne les frappait pas *(les chevaux).* Tout au plus les stimulait-il par les mousquetades éclatantes de son fouet.
J. VERNE, Michel Strogoff, p. 124.

MOUSQUETAIRE [muskətɛʀ] n. m. — 1580 ; de *mousquet.*

♦ **1.** Vx ou hist. Fantassin armé d'un mousquet.

♦ **2.** (1622). Cour. et hist. *Mousquetaires du roi* ou *mousquetaires :* mousquetaires à cheval (⇒ **Cavalier**) formant deux compagnies et faisant partie des troupes de la Maison du Roi. *Mousquetaires gris, mousquetaires noirs* (couleurs de la robe des chevaux). *Les mousquetaires étaient des compagnies d'élite formées de gentilshommes commandés par un capitaine. Casaque, soubreveste de mousquetaire.*

(...) les mousquetaires du roi (...) s'épandaient dans les cabarets, dans les promenades, dans les jeux publics, criant fort et retroussant leurs moustaches, faisant sonner leurs épées, heurtant avec volupté les gardes de M. le Cardinal *(de Richelieu),* quand ils les rencontraient ; puis dégaînant en pleine rue, avec mille plaisanteries ; tués quelquefois, mais sûrs en ce cas d'être pleurés et vengés ; tuant souvent, et sûrs alors de ne pas moisir en prison (...)
DUMAS, les Trois Mousquetaires, II.

Gant à la mousquetaire : gant à large crispin. *Botte à la mousquetaire :* botte à revers.

♦ **3.** Fig. (Par appos.). *Col mousquetaire :* grand col de femme, rabattu et à pointes écartées. *Gants mousquetaire :* gants de femme à large manchette évasée ou à large revers. *Poignet mousquetaire :* poignet de chemise d'homme qui forme revers et s'attache avec des boutons de manchette (par oppos. à *poignets* droits). Poignets mousquetaire.*

(Les) trois mousquetaires (allus. au roman de Dumas, où le titre désigne Athos, Porthos et Aramis auxquels se joint le héros d'Artagnan) : trois amis inséparables. *Comme les trois mousquetaires, ils étaient quatre.*

MOUSQUETERIE [muskətʀi ; muskɛtʀi] n. f. — Fin xviᵉ ; de *mousquet.*

♦ **1.** Décharge de mousquets, et, par ext., de fusils. ⇒ **Salve** (→ Fumée, cit. 1 ; infecter, cit. 10).

Cette promesse vola bientôt de bouche en bouche, et les acclamations du peuple, les coups de canon et le feu roulant de la mousqueterie y répondirent.
RIVAROL, Politique, I, III, II.

Par métaphore. *Les « mousqueteries littéraires »* (Balzac).

♦ **2.** Mar. (vx). *La mousqueterie :* l'infanterie de marine, les fusiliers-marins.

MOUSQUETON [muskətɔ̃] n. m. — 1578 ; dimin. de *mousquet.*

♦ **1.** Anciennt. Arme à feu de plus gros calibre mais de longueur moindre que le mousquet. *« Que mes gens prennent des mousquetons pour l'escorter (...) »* (cit. 1, Molière).

♦ **2.** Mod. (1840). Fusil* à canon court. *Mousquetons des gendarmes. Garde* (2. Garde, cit. 14) *mobile qui règle la courroie de son mousqueton.*

♦ **3.** (1872 ; abrév. de *porte-mousqueton*). Techn. Boucle à ressort se refermant seule, utilisée pour suspendre, accrocher... *Mousqueton de harnachement, de parachute.* — Spécialt. (Alpinisme). Anneau de métal, qui porte un ergot articulé, utilisé pour assurer une liaison solide (entre une corde et un piton, entre deux cordes, etc.).

La corde passée dans un mousqueton sur la broche, je me hisse à son niveau.
René DESMAISON, 342 heures dans les Grandes Jorasses, p. 78.

MOUSSAGE [musaʒ] n. m. — V. 1960 ; de *mousser.*

♦ Techn. Formation de mousses (d'eau, d'hydrocarbures) qui gênent les opérations de raffinage du pétrole.

MOUSSAILLON [musajɔ̃] n. m. — 1842 ; de 2. *mousse.*

♦ Fam. Petit mousse.

MOUSSAKA [musaka] n. f. — 1938, P. Montagné ; mot turc.

♦ Plat d'origine balkanique, préparation d'aubergines, d'oignons, de mouton haché, etc., cuite au four. *Des moussakas.*

MOUSSANT, ANTE [musɑ̃, ɑ̃t] adj. et n. m. — 1713, *bière moussante* ; de *mousser.*

♦ **1.** Adj. Qui mousse. *Savon moussant,* qui donne une mousse abondante.
Didact. *Pouvoir moussant* : aptitude (d'une solution) à donner naissance à des mousses.

♦ **2.** N. m. (Mil. xxᵉ). Techn. Réactif utilisé dans la flottation, qui permet de donner à l'eau une écume stable.

1. MOUSSE [mus] n. f. — 1226 ; *mosse,* v. 1175 ; de l'anc. francique **mosa,* avec infl. d'un dér. lat. de *mel* « miel ».

★ I. ♦ **1.** Plante généralement verte, rase et douce, formant touffe ou tapis, qui pousse dans des milieux très variés (terre, pierres, écorces, eau...). *La mousse. De la mousse.*
(xixᵉ). Bot. *Les mousses* : classe de plantes cryptogames cellulaires de l'embranchement des Muscinées (ou Bryophytes) pourvues de chlorophylle, à tiges feuillées sans racines ni vaisseaux, fixées au sol par des poils absorbants (⇒ **Rhizoïdes**), à reproduction sexuée et parfois végétative (bourgeonnement, marcottage naturel). *Organes reproducteurs des mousses.* ⇒ **Anthéridie, archégone.** *La reproduction sexuée des mousses se fait en deux temps : le gamète mâle* (⇒ **Anthérozoïde**) *et le gamète femelle* (⇒ **Oosphère**) *forment l'œuf ; cet œuf donne naissance à une plantule parasite portant le sporange*, capsule* (⇒ **Urne**) *fermée par un capuchon* (⇒ **Coiffe, opercule**) *qui s'ouvre à maturité pour laisser tomber les spores** (⇒ **Péristome**). *Familles de mousses* : andréacées, bryacées, phascacées, sphagnées. *Principales espèces de mousses.* ⇒ **Bryon** (ou bryum), **hypne, polytric, sphaigne.** *Les hépatiques*, plantes intermédiaires entre les lichens et les mousses. Étude des mousses.* ⇒ **Bryologie, muscologie.** — (Dans le langage courant). *Mousse humide, spongieuse* (→ Couvrir, cit. 18). *Les mousses de velours* (→ Courir, cit. 27). *Tapis, lit de mousse ; lieu feutré* (cit. 3) *de mousse. Sur le duvet de la mousse et des fleurs* (→ Asile, cit. 31). *« Un frisson* (cit. 37) *d'eau sur de la mousse »* (Verlaine). *Crotales qui se lovent* (cit. 1) *sous les mousses. Arbre, branchage appesanti* (cit. 13) *de mousse.* ⇒ **Moussu.** *Une souche veloutée de mousse* (→ 2. Coupe, cit. 1). *Pierres dorées par les mousses* (→ Créneau, cit.). *Mousse qui envahit, couvre un toit. Se couvrir de mousse. Tourbe formée par les mousses.* — *Vert de mousse* (→ Euphorbe, cit. 2), ou (en appos.), *vert mousse* : nuance de vert clair.
Qu'il fallait peu de chose à ma rêverie ! (...) la mousse qui tremblait au souffle du nord sur le tronc d'un chêne (...)   CHATEAUBRIAND, René.
La mousse plate qui s'attache aux pierres avait appliqué son tapis vert-dragon sur la hauteur de chaque marche.
                    BALZAC, le Curé de village, Pl., t. VIII, p. 607.
Et la mousse, au pied des baliveaux serrés, humide épaisse, velouteuse, d'un vert pur et profond, se liséraît de filets d'or qui semblaient ne le point toucher et qui bougeaient sur elle comme une poussière d'eau lumineuse. Nous avons mis nos mains sur cette mousse, pour sentir sur leurs paumes la fraîcheur vivante de l'eau.   M. GENEVOIX, Forêt voisine, v.
Prov. *Pierre qui roule n'amasse pas mousse* : on ne s'enrichit guère à courir le monde, à changer d'état.
Pierre qui roule et industrie qui rôde n'amassent pas de mousse.
                    HUGO, l'Homme qui rit, I, II, v.
À rouler à travers le monde, non seulement il n'avait pas amassé mousse, mais il s'était défait de celle qui le couvrait, de tous ses vieux préjugés.
                    R. ROLLAND, Jean-Christophe, Buisson ardent, II, p. 1365.

♦ **2.** 1855. (De plantes ressemblant aux mousses). *Mousse d'Espagne.* ⇒ **Tillandsie.** *Mousse d'Islande* : cétraire (lichen). *Mousse d'Irlande* (n. normalisé au Québec de *chondrus crispus,* algue rouge à thalle plat et ramifié, O.L.F., 6 mars 1981). *Mousse de Corse* : mélange d'algues utilisé en médecine comme vermifuge.

♦ **3.** Fig. Argot. Cheveux. *Ne plus avoir de mousse sur le caillou* : être chauve.

★ II. Par anal. (d'aspect). ♦ **1.** (1680). Amas serré de bulles, qui se forme à la surface des eaux agitées. *Mousse qui se forme à la surface de la mer, des torrents.* ⇒ **Écume.** *Mousse du lait dans les seaux* (→ Laiterie, cit. 1). *Mousse d'une matière qui fermente, moisit*.*

♦ **2.** Bulles de gaz accumulées à la surface d'un liquide sous pression. *Mousse des boissons fermentées ; mousse épaisse du cidre* (cit. 1) *doux. Mousse de champagne qui fait sauter le bouchon. Mousse au bord d'un pot de bière.* ⇒ **Col** (faux col). → Étain, cit. 2. *Pas de mousse, s'il vous plaît. Mousse qui pétille, monte.*
« Allons, dit-elle à Jacques ; vite, vite, votre verre ». Jacques approche son verre :

l'hôtesse, en écartant son pouce un peu de côté, donne vent à la bouteille, et voilà le visage de Jacques tout couvert de mousse.
                    DIDEROT, Jacques le fataliste, Pl., p. 602.
La tête penchée sur son bock il regardait la mousse blanche pétiller et fondre (...)   [7]
                    MAUPASSANT, Pierre et Jean, III.

Fam. *Une petite mousse* : un verre de bière, une bière.
Matière composée de cellules gazeuses séparées par les lames minces d'une solution. *Mousse de savon, de shampooing* (→ Baille, cit. 1). *Mousse qui gonfle, foisonne.* — *Mousse à raser.*
Il constata avec amertume que l'eau dissolvait très mal le savon, formait avec lui une mousse intraitable, qui semblait se pétrifier sur place ; et qu'il fallait se rincer cinq ou six fois pour avoir une sensation de peau nette.   [8]
                    J. ROMAINS, les Hommes de bonne volonté, t. VIII, IX, p. 99.

Par compar. et fig. (littér.). *La mousse de l'esprit* : ce qu'il a de pétillant, de léger, d'attrayant.
L'air, le ton, le feu des paroles et des gestes, des mille manières de prononcer un mot, tout cet esprit, semblable à de la mousse de vin de Champagne qui pétille et s'évapore sur-le-champ, sont des choses qu'il est impossible de fixer et de reproduire.   [9]
                    Th. GAUTIER, Mˡˡᵉ de Maupin, VII.
Délicatement fouettés les uns par les autres, tous ces esprits avaient leur mousse.   [10]
                    BARBEY D'AUREVILLY, les Diaboliques, « Le dessous de cartes... », p. 206.

Loc. fig. *Faire de la mousse* : donner de l'importance (à qqch., à soi-même). ⇒ **Mousser** (faire, se faire mousser).

♦ **3.** (1778). Entremets ou dessert à base de crème ou de blancs d'œufs fouettés. *Mousse au chocolat.* — Sorte de pâté léger et mousseux. *Mousse de foie de volaille, de foie gras. Mousse de poisson.*

♦ **4.** ⓐ Techn. Produit utilisé dans certains extincteurs* (cit.), formant une écume très abondante.

ⓑ (V. 1970). Techn. *Mousse d'argile* : matériau céramique de terre cuite, obtenu par cuisson d'une pâte argileuse, préparée par dispersion en présence d'un élément moussant d'une ou plusieurs argiles pour terre cuite.

ⓒ Cour. Produit moussant. *Mousse à raser* (en bombe).

♦ **5.** (1875). Désignant une matière spongieuse. (Chim.). *Mousse (ou éponge) de platine* : platine spongieux obtenu par calcination du chloroplatinate d'ammonium, qui a la propriété d'absorber les gaz, et qu'on utilise comme catalyseur.

Cour. *Mousse de nylon* : tricot de nylon assez épais et très extensible. *Bas, chaussettes en mousse de nylon* ou, par appos., *en nylon mousse.*

Par appos. *Caoutchouc mousse* : caoutchouc* spongieux dans lequel a été dissous un gaz neutre, chimiquement inerte. *Tapis de table, de sol..., jouets, balles en caoutchouc mousse* (balles pleines). — Ellipt. *Balle mousse.*

Point mousse, obtenu en tricotant toutes les mailles à l'endroit, l'un des points de base du tricot.

DÉR. (De I.) **Moussu.** — (De II.) **Mousser, mousseux, moussoir.**
HOM. 2. **Mousse,** 3. **mousse,** 4. **mousse** ; formes du v. **mousser.**

2. MOUSSE [mus] n. m. — 1552, Rabelais ; n. f., « jeune fille », xvᵉ ; p.-ê. empr. à l'ital. *mozzo,* esp. *mozo* « garçon » ou (P. Guiraud) d'un roman **muttius* « tronqué », ayant désigné de jeunes animaux (sans cornes) et des enfants. → Moutard.

♦ **1.** Mar. Jeune garçon de moins de seize ans qui fait sur un navire de commerce l'apprentissage du métier de marin. ⇒ **Marin ; moussaillon, apprenti** (→ Fréter, cit. 4 ; gamin, cit. 1 ; matelot, cit. 1). — (1903). *École des Mousses de la Marine nationale.*
(...) un mousse, qui rattachait une poulie à l'extrémité d'un cacatois, semblait monté là pour chercher des nids.   MAUPASSANT, Pierre et Jean, I.   [1]
On me dit qu'il allait passer novice après deux années de mousse.   [2]
                    LOTI, Mon frère Yves, VIII.
Est considéré comme mousse, tout mineur âgé de moins de seize ans (...) embarqué pour le service du pont (...) L'embarquement des mousses n'ayant pas quinze ans révolus au moment du départ du navire est interdit, sauf autorisation administrative spéciale subordonnée à la présence à bord d'un parent (...)   [3]
                    Code du travail, Loi 13 déc. 1926, art. 111-116.

♦ **2.** (Mil. xxᵉ). Avec la majuscule. *Le Mousse* : type de petit yacht à voile (monotype).

DÉR. Moussaillon.
HOM. V. 1. **Mousse.**

3. MOUSSE [mus] n. f. — 1570, injure : « merde » ; réattesté fin xixᵉ ; en rapport avec *mouscaille,* avec infl. de 1. *mousse* ; orig. incert., p.-ê.

du breton *mous* «excrément»; cf. *mouez* «puanteur»; une influence de *mouise* est possible.

♦ **1.** Vx. Excrément (J. Richepin, *in* Cellard et Rey).

♦ **2.** Loc. *Se faire de la mousse,* du souci.

HOM. V. 1. **Mousse.**

4. MOUSSE [mus] adj. — V. 1534; *mosse,* xvᵉ; «émoussé», dès 1364; p.-ê. du lat. pop. **muttius,* de même rad. que *mutilus* «tronqué».

♦ Vx ou techn. Qui n'est pas aigu ou qui n'est pas tranchant. *Ciseau mousse du serrurier. Pointe, lame, mousse, devenue mousse par usure* (⇒ **Émoussé**). *Instrument trop mousse* (→ Écacher, cit. 1). — Par ext. *Chèvre mousse,* sans cornes.

CONTR. **Aigu, coupant, pointu, tranchant.**
DÉR. **Mousseau** ou **moussot.**
HOM. V. 1. **Mousse.**

MOUSSEAU ou **MOUSSOT** [muso] adj. m. — 1803, *mousseaut;* de 3. *mousse.*

♦ Vieilli. *Pain mousseau :* pain de gruau.

MOUSSELINAGE [muslinaʒ] n. m. — 1874; de *mousseliner.*

♦ Techn. Opération qui consiste à mousseliner le verre.

MOUSSELINE [muslin] n. f. — 1656; *mosulin,* n. m., «drap d'or et de soie», 1298; ital. *mussolina;* arabe *mūṣīlī, -ūyy,* adj., de *al-Mūṣīl,* nom arabe d'une ville de l'Irak actuel, Mossoul.

♦ **1.** Toile de coton claire, fine et légère, généralement apprêtée. ⇒ **Linon** (de coton). *Le même tissu, de soie ou de laine. Mousseline blanche et transparente. Mousselines frêles* (→ Frissonnant, cit. 1). *Flot* (cit. 10) *de mousseline. Mousselines, tulles, gazes et dentelles* (→ Efflorescence, cit. 4; ennuager, cit. 1). *Robe, voile de mousseline* (→ Léger, cit. 9). *Cravate en mousseline blanche* (→ Engoncer, cit. 1). *Mousseline à jabots.* ⇒ **Jabotière.** *Chemisette de mousseline rose* (→ Fantaisie, cit. 11). *Rideaux, moustiquaire de mousseline. Mousseline brodée. Mousseline à patrons* (⇒ **Singalette**), *à costumes* (⇒ **Tarlatane**).

1 Ils déployèrent (...) les plus riches étoffes de l'Inde (...) des mousselines de Daca, unies, rayées, brodées, transparentes comme le jour (...)
BERNARDIN DE SAINT-PIERRE, Paul et Virginie, p. 74.

2 Sa robe, comme celle de Florine, avait le mérite d'être d'une délicieuse étoffe inédite nommée *mousseline de soie,* dont le primeur appartenait pour quelques jours à Camusot, l'une des providences parisiennes des fabriques de Lyon (...)
BALZAC, Illusions perdues, Pl., t. IV, p. 735.

3 Sa robe de dessus était de mousseline de Siam brodée en or passé, grand luxe, car telle de ces robes de mousseline valait alors six cents écus.
HUGO, l'Homme qui rit, II, III, VII.

4 La mousseline pleut abondamment devant les fenêtres et devant le lit; elle s'épanche en cascades neigeuses.
BAUDELAIRE, le Spleen de Paris, V.

Par métaphore. *Les blanches mousselines de l'écume* (cit. 1).

♦ **2.** N. f. Fig. Préparation, purée très légère. *Une mousseline de carottes, de navets, de céleris.*

(En appos.). *Brioches mousseline. Pommes mousseline :* purée de pommes de terre fouettée. — (1715). *Sauce mousseline :* sauce émulsionnée faite d'une sauce hollandaise à laquelle on mêle de la crème fouettée.

(1868). Techn. *Verre mousseline :* verre très fin*.

DÉR. **Mousseliner, mousselinette.**

MOUSSELINER [musline] v. tr. — 1874; de *mousseline.*

♦ Techn. Orner (le verre) de dessins qui imitent la broderie sur mousseline.

DÉR. **Mousselinage.**

MOUSSELINETTE [muslinɛt] n. f. — 1794; de *mousseline.*

♦ Vx. Mousseline très légère.

MOUSSER [muse] v. intr. — 1680; dér. de 1. *mousse,* II.

★ **I.** ♦ **1.** Produire de la mousse (II., 1., 2.). *Boisson qui mousse.* ⇒ **Mousseux.** *La bière mousse.* ⇒ 2. **Rocher.** *Faire mousser le chocolat. Savon qui mousse beaucoup. Faire mousser une eau savonneuse en l'agitant.*

1 (...) deux filles jolies et proprement mises servirent du chocolat, qu'elles firent très bien mousser.
VOLTAIRE, Candide, XXV.

2 (...) le pot de bière
Cerclé de plomb,
Moussant entre les larges pipes
RIMBAUD, Poésies, *in* Œ. compl., X.

♦ **2.** Avoir l'aspect de la mousse.

(...) ses cheveux d'un blond sombre moussaient sur sa nuque. (Cette merveille oubliée aujourd'hui : une nuque mousseuse).
F. MAURIAC, le Nœud de vipères, VIII.

Et je parie que nous nous voyons déjà en mariée. Mon Dieu, dire que j'aimerais à vous habiller moi-même ce matin-là, et voir tout ce blanc, toute cette dentelle, vous mousser sur la peau — comme un peu de champagne (...)
P. J. TOULET, la Jeune Fille verte, VII.

♦ **3.** (1798). Fig. et fam. *Faire mousser :* vanter, mettre exagérément en valeur (une personne ou une chose). ⇒ **Valoir** (faire). *Faire mousser un succès, un petit avantage* (Académie). *Se faire mousser.*

(...) le directeur *(de théâtre)* ne pense qu'à la recette et fait *mousser* la pièce dans les journaux (...)
A. DE MUSSET, Musique, 1ᵉʳ janv. 1839, Concert Mˡˡᵉ Garcia.

(...) elle lui demanda s'il ne pourrait pas, dans une des feuilles où il avait accès, faire mousser quelque peu son ami, et même lui confier plus tard un rôle.
FLAUBERT, l'Éducation sentimentale, II, I.

M. Bertrand, à côté de lui, se dépense beaucoup, fait mousser les moindres détails de son usine.
J. ROMAINS, les Hommes de bonne volonté, t. IX, III, p. 42.

★ **II.** (1844; croisement avec 4. *mousse*). Fam. *Faire mousser qqn,* le mettre en colère, le faire écumer* de rage (→ Exaspérer, cit. 11; fureur, cit. 32).

DÉR. **Moussage, moussant, moussoir.**
HOM. V. 1. **Mousse, mousson, mousseron.**

MOUSSERON [musRɔ̃] n. m. — 1542; *mouceron,* fin xivᵉ; *meisseron,* v. 1200; du bas lat. *mussirio(nem)* devenu *mousseron* par attr. de 1. *mousse.*

♦ Champignon, agaric comestible. *Mousseron vrai.* ⇒ **Tricholome.** *Faux mousseron ou godaille.* ⇒ **Marasme.** *Mousserons ramassés dans les bois* (→ Girolle, cit.).

HOM. Forme du v. **mousser.**

MOUSSEUX, EUSE [musø, øz] adj. et n. m. — 1545, «moussu»; de 1. *mousse,* II.

★ **I.** ♦ **1.** Vx. ⇒ **Moussu.** — (1829). Spécialt. *Rose mousseuse,* dont la tige et le calice très velus semblent couverts de mousse (cf. Rose à cent feuilles).

♦ **2.** Vx. Qui ressemble à de la mousse. *Tapis mousseux* (Académie).

(1768). *Agate mousseuse,* qui présente des arborisations semblables à celles de la mousse.

★ **II.** ♦ **1.** (1671). Qui mousse, produit de la mousse (en parlant d'un liquide). *Eau trouble et mousseuse.* ⇒ **Écumeux.** *Tremper du linge dans l'eau mousseuse* (de savon). *Lait* (cit. 16) *mousseux* (→ Gaver, cit. 3). *Chocolat mousseux. La bière, le cidre bouché sont mousseux. Les boissons gazeuses ne sont pas toutes mousseuses.*

Battez, pour qu'ils soient mousseux,
Quelques œufs;
Incorporez à leur mousse
Un jus de cédrat choisi (...)
Edmond ROSTAND, Cyrano de Bergerac, II, 4.

(Elle) s'attablait devant le chocolat mousseux, flanqué de tartines.
COLETTE, Belles saisons, p. 136.

Comm. *Vins mousseux :* vins rendus mousseux par fermentation naturelle, et dont le plus apprécié est le champagne. ⇒ **Champagne; asti, blanquette...** — N. m. *Les mousseux :* les vins mousseux. ⇒ **Champagnisé.** — Cour. Vin mousseux ou rendu mousseux par adjonction de gaz sous pression. *Une coupe de mousseux.*

Au dessert, on réclama les trois bouteilles de Saint-Péray mousseux.
J. ROMAINS, les Copains, VIII.

♦ **2.** Qui a un aspect léger, vaporeux. *Cheveux mousseux,* légers et bouffants. *Nuque mousseuse* (→ Mousser, cit. 3).

♦ **3.** (1851). Fig. et littér. Léger, pétillant. *Une verve plus mousseuse que le champagne* (→ Exhilarant, cit. 2). *Gaieté* (cit. 6) *mousseuse de l'opéra-comique.*

Une volupté mousseuse pétillait dans ses yeux verts. FRANCE, le Lys rouge, XVII.

MOUSSOIR [muswaR] n. m. — 1743; de 1. *mousser,* II.

♦ Techn. Ustensile de cuisine pour faire mousser, pour délayer. ⇒ **Batteur, fouet.** *Faire mousser des œufs, de la crème, du chocolat... avec le moussoir.*

MOUSSON [musɔ̃] n. f. — 1622; altér. de *monson* (1602); cf. *mouçone* (1598); port. *monção;* arabe *māwsim,* proprt «saison, époque fixée», puis «époque favorable pour le voyage des Indes» (concernant l'océan Indien).

♦ **1.** Vent tropical régulier qui souffle alternativement pendant six mois de la mer vers la terre *(mousson d'été)* et de la terre vers la mer *(mousson d'hiver)* apportant de profondes modifications aux climats. *Les moussons soufflent dans l'océan Indien, en Australie, sur la côte orientale de l'Asie. Renversement des moussons :* passage de la mousson d'hiver à celle d'été, ou inversement. *Naviguer dans une mousson contraire* (→ Essuyer, cit. 8), ou *à contre-mousson.*

Entre l'une et l'autre mousson, il y a un intervalle de temps pendant lequel les vents varient, et où un vent du nord, se mêlant avec les vents ordinaires, cause, surtout auprès des côtes, d'horribles tempêtes.   MONTESQUIEU, l'Esprit des lois, IX.

La cause du renversement des moussons est un changement radical des conditions de la pression atmosphérique sur les continents. En été, les grandes masses continentales sont le siège d'un échauffement intense, et, par suite, des aires cyclonales s'y forment, attirant les vents de la mer ; en hiver, elles sont plus froides que les océans voisins, il s'y forme des anticyclones, entourés de vents divergents d'origine terrestre. La mousson maritime tend à abaisser la température, elle est humide et pluvieuse. La mousson de terre est au contraire essentiellement sèche et parfois très chaude.   E. DE MARTONNE, Traité de géographie physique, t. I, p. 168.

♦ **2. LA MOUSSON :** époque du renversement de la mousson, « saute de vent... très brutale *(qui)* s'accompagne souvent d'orages ou de cyclones dévastateurs » (Perpillou). *Navire qui reste au port pendant la mousson.*

HOM. Forme du v. **mousser.**

MOUSSOT [muso] adj. m. ⇒ **Mousseau.**

MOUSSU, UE [musy] adj. — 1160, *mossu* ; de 1. *mousse* (I.).

♦ Couvert de mousse. *Pierres moussues ; seuil moussu d'une chaumière* (cit. 3). *Un vieux poirier moussu* (→ 1. Fouine, cit. 2). *Branches, souches moussues* (→ Bras, cit. 45).

Aux pentes du coteau, sous les roches moussues,
L'eau vive en murmurant filtre par mille issues.
      LECONTE DE LISLE, Poèmes antiques, « Thestylio ».

Rose moussue. ⇒ **Mousseux** (I., 1.).

MOUSTACHE [mustaʃ] n. f. — 1549 ; ital. *mostaccio* [mostatʃo], du bas grec *mustaki*, grec anc. *mystax* « lèvre supérieure ».

★ **I.** ♦ **1.** (Chez l'homme). Poils qui garnissent la lèvre supérieure à droite et à gauche du sillon qui la divise. ⇒ **Bacchante** (fam.), **barbe** (au sens général).

REM. Comme beaucoup de mots désignant une chose faite de deux parties semblables, *moustache* s'emploie indifféremment au singulier ou au pluriel : *porter la moustache, des moustaches.* Cependant l'usage du singulier est parfois réservé à l'une de ces deux parties. *« Il s'est brûlé la moustache droite »* (Hatzfeld). → ci-dessous, cit. 1, Gautier. *Un homme qui se laisse pousser la moustache, porte la moustache, a de la moustache.* ⇒ **Moustachu.** *Moustache épaisse* (→ Courbure, cit. 3), *fine, raide, souple, broussailleuse... Longues* (→ Barbe, cit. 19), *petites moustaches* (→ Accent, cit. 8). *Moustaches blondes et courtes* (→ Bien, cit. 117). *Belle moustache* (→ Favori, cit. 11). *Moustache(s) en croc* (cit. 4), *en brosse, à la Charlot* (Charlie Chaplin), *à la gauloise* (cit. 2). *Moustache taillée, relevée en pointe* (→ Impérial, cit. 4), *retroussée au fer* (→ Agressif, cit. 9). *Moustache cosmétiquée* (cit.), *cirée de noir* (→ Frimas, cit. 5). *Moustaches jaunies, roussies par le tabac* (→ Mâchonner, cit. 2 et 3). *Tirer sur sa moustache, lisser* (cit. 1), *tortiller, retrousser sa moustache d'un geste machinal, irrité...* (→ Injure, cit. 10 ; irrésolu, cit. 4 ; irriter, cit. 9).

[1] Deux petites moustaches rousses, cirées aux pointes et tournées en croc, se tortillaient sous le nez comme deux virgules, faisant symétrie à une royale en feuille d'artichaut.   Th. GAUTIER, le Capitaine Fracasse, III.

[2] (...) une séduction irrésistible dans la moustache. Elle s'ébouriffait sur sa lèvre, crépue, frisée, jolie, d'un blond teinté de roux avec une nuance plus pâle dans les poils hérissés des bouts.   MAUPASSANT, Bel-Ami, I, II.

[3] Ses moustaches blondes, de dimensions inaccoutumées, semblaient faites de soie floche, de verre filé, d'une matière inconnue, impondérable : elles ondulaient au vent avec la légèreté d'une écharpe, avec la souplesse de ces barbes vaporeuses qu'on voit à certains poissons d'Extrême-Orient.   MARTIN DU GARD, les Thibault, t. V, p. 66.

[4] Il avait de longues moustaches félines, flambantes, et qu'on eût dites, comme les antennes des insectes, animées d'un mouvement propre.   G. DUHAMEL, Chronique des Pasquier, III, VII.

[5] Il était fier de ses moustaches, et il y avait de quoi : candides, très longues et très souples, elles contournaient les commissures des lèvres, s'infléchissaient en deux volutes harmonieuses, pour enfin prendre leur essor, flotter dans l'air ainsi que des fils de la Vierge.   M. GENEVOIX, Raboliot, II, III.

Femme qui a de la moustache, dont le duvet de la lèvre supérieure est exagérément abondant (→ Laid, cit. 2).

[6] Une portière à moustaches est une des plus grandes garanties d'ordre et de sécurité pour un propriétaire.   BALZAC, le Cousin Pons, Pl., t. VI, p. 562.

Trace laissée autour des lèvres par un liquide (vin, chocolat, etc.). *Se faire une moustache en se salissant, en buvant sans précaution.*

[7] La vieille rapportait un bol de lait mousseux. Marcelle le lui prit des mains et but à longs traits. Sa lèvre supérieure allait chercher le liquide très loin dans la tasse (...) Ça fait du bien, dit-elle avec un soupir. Elle s'était fait une moustache blanche.   SARTRE, le Sursis, p. 39.

(1662). Fig. et vx. *Sur la moustache :* au nez et à la barbe* de qqn, en le bravant (→ Hardiment, cit. 5).

[8] Afin qu'un jeune fou dont elle s'amourache
Me la vienne enlever jusque sur la moustache (...)
      MOLIÈRE, l'École des femmes, IV, 1.

N. m. (1752). Par métonymie. Fam. Soldat. — Loc. (1834). *Une vieille moustache :* un soldat vieilli dans le service.

[8.1] La vieille moustache se dressa sur ses étriers pour chercher un passage ; partout des pavés, partout des barricades, l'escadron était cerné.   A. ROBIDA, le Vingtième Siècle, p. 278.

♦ **2.** (1690). Plur. (Chez les animaux). Longs poils tactiles poussant à la lèvre supérieure de nombreux carnivores et rongeurs (⇒ **Vibrisse**). *Moustaches du chat, du lion, du phoque, de la souris...*

[9] Il ne faut jamais couper les *moustaches* à un chat (...) Avec les *moustaches* il palpe le terrain (...) il explore coins et recoins.   J.-H. FABRE, in DURRIEU, Parlons correctement, Moustache.

[10] Il y a là un couple de tigres (...) Une lame raide de poils élargit leurs joues musclées, et pas un brin ne manque à la rude aigrette des moustaches et des sourcils.   COLETTE, la Paix chez les bêtes, Jardin zoologique.

Barbillons (de certains poissons).

★ **II.** N. f. pl. **MOUSTACHES.** ♦ **1.** (1840). Techn. Pince à longues branches utilisée par le doreur pour ôter les pièces du feu.

♦ **2.** Mar. anc. Paire de haubans servant à maintenir un beaupré ou un long bout-dehors sur le côté. — Vague d'étrave.

♦ **3.** Techn. Filament métallique formé de monocristaux et doué de propriétés mécaniques remarquables (résistance, etc.). *« La technologie des moustaches* (va) *engager tout l'avenir de la métallurgie »* (*Science et Vie,* n° 588).

♦ **4.** (V. 1970). Techn. (Aviation). Aileron placé de part et d'autre d'un avion supersonique, rétractable à haute vitesse, et destiné à améliorer le décollage et l'atterrissage.

DÉR. **Moustachu.**

MOUSTACHU, UE [mustaʃy] adj. — 1845 ; de *moustache.*

♦ Qui a une grosse moustache, qui a de la moustache. *Homme moustachu ; visage, portrait moustachu.* — *Une matrone moustachue.*

[1] (...) tout le monde dormait, nègres imberbes, ou gardiens moustachus avec pistolets à la ceinture.   LOTI, les Désenchantées, V, XXXII.

N. m. *Un moustachu.*

[2] Et, soudain, notre père essuya ses longues moustaches rougeoyantes. Il ne les suçait point, comme faisaient volontiers les moustachus de son temps.   G. DUHAMEL, Chronique des Pasquier, III, I.

(Animaux). *Un chat, un phoque moustachu.*

MOUSTÉRIEN, ENNE [musterjɛ̃, ɛn] adj. — 1880, *Année sc. et industr.* 1881, p. 337 ; de *Moustier,* nom d'un village de la Dordogne.

♦ Didact. *Période moustérienne :* période préhistorique du paléolithique moyen (homme du Néanderthal). — N. m. *Le moustérien.*

Vers la fin du Moustérien, approximativement vers 50 000, on commence à trouver des fragments d'ocre rouge (...) Ainsi, un peu avant l'*homo sapiens,* des lueurs apparaissent. Le caractère de ces lueurs se précise dans la découverte, à Arcy-sur-Cure, dans un habitat moustérien très ancien, d'un certain nombre d'objets rapportés dans leur caverne par les Néanderthaliens.   A. LEROI-GOURHAN, le Geste et la Parole, t. II, p. 212-213.

MOUSTIQUAIRE [mustikɛʀ] n. f. — 1768 ; de *moustique.*

♦ **1.** Rideau de gaze ou de mousseline dont on entoure les lits pour se préserver des piqûres de moustiques. *Dormir sous une moustiquaire.* ⇒ **Cousinière.**

[1] (...) puis une chaleur énervante, oppressante, un étouffement complet, comme si les mailles de la moustiquaire n'avaient pas laissé passer un souffle d'air (...)   Alphonse DAUDET, Lettres de mon moulin, « Les sauterelles ».

♦ **2.** (xxᵉ). Châssis en toile métallique que l'on place aux fenêtres et aux portes pour empêcher les insectes ailés d'entrer dans une maison.

[2] Des grosses mouches à casque vert, toutes neuves, rebondissent avec désespoir et obstination sur les moustiquaires.   Réjean DUCHARME, l'Hiver de force, p. 275.

MOUSTIQUE [mustik] n. m. — 1611, *mousquite,* devenu *moustique* (1654) par métathèse ; empr. à l'esp. *mosquito,* rac. *mosca* « mouche ».

♦ **1.** Insecte diptère (*Culicidés, Anophélidés*) dont la piqûre est douloureuse. ⇒ **Anophèle,** 2. **cousin** (ou culex), **stégomye.** *Moustiques des pays tropicaux.* ⇒ **Maringouin.** *Les moustiques piquent leur victime avec un stylet et pompent le sang avec leur trompe* (⇒ **Suçoir**). *Certaines espèces de moustiques transmettent des maladies contagieuses* (paludisme, filariose...). *Piqûre de moustique. Bruit des moustiques qui volent* (→ Énervant, cit. 2 ; insecte, cit. 3). *Faire la chasse aux moustiques* (→ Confiner, cit. 10). — *Insecticide qui tue les moustiques* (⇒ **Démoustication**).

[1] Un peu plus tard, c'était des nuages de moustiques, dont la susurration et les piqûres ne s'arrêtaient ni jour ni nuit.   FLAUBERT, la Légende de Saint Julien l'Hospitalier, III.

[2] Le petit violon d'un moustique s'obstine. On croirait qu'un soliste joue dans une maison très lointaine (...)   Léon-Paul FARGUE, Poèmes, p. 128.

3   Les moustiques s'étaient chargés de les sucer et de leur distiller à pleines veines ces poisons qui ne s'en vont plus.   CÉLINE, Voyage au bout de la nuit, p. 109.

♦ **2.** (1804, *in* D.D.L.). Fig. et fam. Enfant, personne minuscule (⇒ **Moucheron**).

DÉR. Moustiquaire.

MOÛT [mu] n. m. — V. 1112, *moust*; du lat. *mustum.*

♦ **1.** Techn. et cour. Jus de raisin* qui vient d'être exprimé et n'a pas encore subi la fermentation alcoolique. *Moût obtenu par foulage* (pour la fabrication des vins rouges), *par pressurage* (pour la fabrication des vins blancs). *Moût qui fermente dans la cuve* (→ Cuvage, cit.). *Mesurer au glucomètre* la quantité de sucre d'un moût. Chaptalisation*, sucrage* des moûts. Tanniser* un moût. Soufrer un moût.* ⇒ **Muter.** *Moût qui a subi le mutage* à l'alcool.* ⇒ **Mistelle.**

1   Elle prépare un vin de liqueur en mêlant dans les tonneaux, du moût réduit en sirop sur le feu (...)   ROUSSEAU, Julie ou la Nouvelle Héloïse, V, VII.

2   Mais des voisins se trouvaient moins avancés : un, en train de vendanger encore, foulait depuis le matin, tout nu ; un second, armé d'une barre, surveillait la fermentation, enfonçait le chapeau, au milieu des bouillonnements du moût ; un troisième, qui avait un pressoir, serrait le marc, s'en débarrassait dans sa cour, en un tas fumant.   ZOLA, la Terre, IV, IV.

♦ **2.** (1611). Par anal. Jus extrait des pommes, des poires pour la fabrication du cidre, du poiré.

♦ **3.** Techn. Suc d'origine végétale et préparé pour être soumis à la fermentation alcoolique. *Moût de bière additionné de houblon. Moût de betterave.*

DÉR. et COMP. Moutarde, pèse-moût, surmoût.
HOM. 1. Mou, 2. **mou, moue**; formes du v. **moudre.**

MOUTARD [mutar] n. m. — 1827; orig. incert.; cf. lyonnais *moté* «gamin», mot franco-provençal, p.-ê. apparenté au rad. *mutt-* «motte de terre» ou au régional *motet* «jeune bétail (sans corne)» et «jeune garçon». → 2. Mousse; mouton.

♦ Fam. Petit garçon.
Au plur. (1840). Enfants, sans distinction de sexe. ⇒ **Enfant, mioche** (→ Même, cit. 1). — REM. Le féminin *moutarde* est inusité au sens de «petite fille», à cause de l'homonyme.

1   En voyant ce frère dominé par sa puissante tête et maigri par un travail opiniâtre, tout chétif et malingre à dix-sept ans, il l'appelait : — Moutard !   BALZAC, la Rabouilleuse, Pl., t. III, p. 875.

2   Les deux enfants se remirent en marche en pleurant (...) Le petit Gavroche courut après eux et les aborda : — «Qu'est-ce que vous avez donc, moutards ?»   HUGO, les Misérables, IV, VI, II.

MOUTARDE [mutard] n. f. — 1231; *mostarde, moustarde,* mil. XIIᵉ; de *most* «moût», le condiment étant fait des graines de sénevé broyées avec du moût de vin, faisant fonction de vinaigre, et suff. *-ard, -arde*; cf. ital. *mostarda.*

A. ♦ **1.** Condiment, assaisonnement préparé avec des graines de sénevé (*moutarde, B.*) pulvérisées, du moût, du verjus ou du vinaigre, du sel et des aromates. *Moutarde de Dijon. Moutarde à l'estragon. Moutarde blanche, forte, extra-forte. Moutarde douce, piquante. Moutarde vendue en pots, en verres, en tubes. Cuiller à moutarde. Pot à moutarde.* ⇒ **Moutardier.** — *Manger du gigot froid, du bœuf bouilli... avec de la moutarde. Incorporer de la moutarde à une sauce vinaigrette, à une mayonnaise, une rémoulade*. — Sauce à la moutarde,* et, par appos., *sauce moutarde :* sauce chaude, préparée avec de la moutarde et du beurre fondu.
Loc. fig. et fam. (1640). *La moutarde lui monte au nez :* il est sur le point de se mettre en colère*, il commence à s'impatienter*, à se fâcher (par allus. au picotement qu'on éprouve dans le nez après avoir absorbé trop de moutarde).

1   «Comment? Tu n'es même pas malade! c'est trop fort. Alors pourquoi me tires-tu du lit?» (...) Placide sentit la moutarde lui monter au nez.   Paul MORAND, l'Homme pressé, I, IX.

Vx. *S'amuser* à la moutarde.

♦ **2.** En appos. (V. 1780). Couleur de moutarde. *Étoffe jaune moutarde, couleur moutarde. Chaussettes moutarde.*

2   De jeunes soldats vêtus de drap moutarde et coiffés d'un béret de même couleur (...)   P. MAC ORLAN, la Bandera, II.

♦ **3.** (Par anal. d'odeur). *Gaz moutarde.* ⇒ **Ypérite.**

B. (XIIIᵉ; v. 1265). Plante, sénevé, dont la graine sert à faire la moutarde.
Bot. et cour. Plante dicotylédone (*Cruciféracées*) d'Europe et d'Asie, herbacée, annuelle, à fleurs jaunes et aux variétés multiples. *Myrosine* contenue dans les graines de moutarde. Moutarde sauvage (ou des champs) : sinapis arvensis,* très nuisible aux cultures. ⇒ **Sanve, sénevé.** *Moutarde blanche* (scientifiquement *sinapis alba*), cultivée comme fourrage ou comme engrais vert. — *Moutarde noire* (scientifiquement *brassica nigra*), dont les graines noires broyées fournissent une farine aux propriétés épispastiques, utilisée comme

révulsif. *Cataplasmes à la farine* (cit. 5) *de moutarde* (⇒ **Sinapisme**).
(...) de petites tiges rameuses, légèrement velues, hautes d'un mètre, qui produisaient des graines presque brunes.
Sais-tu ce que c'est que cette plante-là? demanda Harbert au marin.
— Du tabac! s'écria Pencroff, qui, évidemment, n'avait jamais vu sa plante de prédilection que dans le fourneau de sa pipe.
— Non! Pencroff! répondit Harbert, ce n'est pas du tabac, c'est de la moutarde.   J. VERNE, l'Île mystérieuse, t. I, p. 331.

DÉR. Moutardelle, moutarder, moutardier.

MOUTARDELLE [mutardɛl] n. f. — 1545; de *moutarde.*

♦ Variété de raifort*, employée comme assaisonnement et dont le goût rappelle celui de la moutarde.

MOUTARDER [mutarde] v. tr. — 1845, *Dict. des mots nouveaux* de R. de Radonvilliers; de *moutarde.*
REM. Wartburg signale la variante régionale *mostaurder.*

♦ Assaisonner avec de la moutarde.

▶ **MOUTARDÉ, ÉE** p. p. adj. *Votre salade est un peu trop moutardée.*

HOM. V. Moutarder.

MOUTARDIER [mutardje] n. m. — 1311; de *moutarde.*

♦ **1.** Fabricant ou marchand de moutarde. *Les moutardiers de Bordeaux, de Dijon.*
Loc. fig. (XVIIIᵉ). *Se croire le premier moutardier du pape :* se prendre à tort pour un personnage d'importance (par allus. à la charge de *premier moutardier* qu'aurait créée pour son neveu, au XIVᵉ siècle, le pape avignonnais Jean XXII, grand amateur de moutarde). ⇒ **Prétentieux, vaniteux.**

Sitôt entré, le premier moutardier salua d'un air galant, et se dirigea sur le haut perron, où le Pape lui attendait pour lui remettre les insignes de son grade : la cuiller de buis jaune et l'habit de safran.   Alphonse DAUDET, Lettres de mon moulin, Mule du Pape.

♦ **2.** (1323). Petit vase, récipient dans lequel on met la moutarde pour la servir à table. *Moutardier en porcelaine, en verre, en plastique...*

HOM. Forme du v. **moutarder.**

MOUTCHATCHOU [mutʃatʃu] n. m. ⇒ **Mouchachou.**

MOUTIER [mutje] n. m. — Déb. XVIIᵉ; *moustier,* XIIIᵉ; *mostier,* v. 1050; du lat. pop. **monisterium,* lat. class. *monasterium.*

♦ Vx (ou dans des noms de lieux, encore écrit *Moustier*). ⇒ **Monastère.** *Saint-Pierre-le-Moutier.*

Que j'aime à voir, dans la vallée
Désolée
Se lever comme un mausolée
Les quatre ailes d'un noir moutier !   A. DE MUSSET, Premières poésies, «Stances».

MOUTMOUT [mutmut] n. m. — Datation incert.; mot wolof, même sens.

♦ Franç. d'Afrique. Moucheron, notamment phlébotome ou simulie, dont les piqûres sont douloureuses et peuvent transmettre des maladies.

MOUTON [mutɔ̃] n. m. — V. 1160; *motun,* fin XIᵉ; p.-ê d'un gaulois **multo,* restitué d'après le gallois *molt,* irlandais *molt* «mâle châtré», selon Guiraud, avec infl. de *mout* «émoussé», de **mutitus.* → 2. Mousse, moutard.

★ I. ♦ **1.** Mammifère ruminant ongulé (*Cavivornes, Ovidés**) scientifiquement appelé *ovis aries,* caractérisé par sa toison* laineuse (⇒ **Lainage**) et frisée, et domestiqué pour fournir de la laine, de la viande et du lait. *Troupeau de moutons. Le mouton, bête à laine*, probablement issu d'espèces sauvages de mouflons, aujourd'hui éteintes. Mouton à laine noire, blanche, brune. Mouton à viande. Mouton mâle* (⇒ **Bélier**), *à cornes annelées, en spires très contournées. Mouton femelle.* ⇒ **Brebis.** *Jeune mouton.* ⇒ **Agneau.** *Cri du mouton.* ⇒ **Bêlement, bêler.** *Maladies du mouton.* ⇒ **Avertin, charbon, clavelée, fourchet, muguet, piétin, tournis, tremblante.** *Parasites du mouton.* ⇒ **Cénure, douve, mélophage.** *Races de moutons.* ⇒ **Ovin; caracul, mérinos...** *Mouton du Berry, des Causses* (dont le lait sert à la fabrication du roquefort), *d'Écosse* (qui fournissent la cheviotte*), *de Boukhara. Mouton primé qui figure sur le flock*-book.* — *La fête du mouton :* l'«Aïd-el-Kébir», chez les musulmans (où l'on sacrifie le mouton). — *Élevage* (cit. 1) *de moutons. Éleveur de moutons. Moutons transhumants*, de pré*-salé. Bergers** (cit. 6 et 8) *qui conduisent leurs moutons au pâturage.*

« Il était une bergère... qui gardait ses moutons... » ; *« Il pleut, il pleut, bergère, rentre tes blancs moutons... »*, chansons enfantines. *Moutons qui broutent, paissent les chaumes* (→ 1. Fou, cit. 51), *rentrent au bercail*, à la bergerie. Parc* à moutons. Déparquer des moutons. — Tonte* annuelle des moutons* (→ Laine, cit. 3). *Forces*, tondeuse pour tondre les moutons. — Utilisation industrielle du mouton en bourrellerie* (⇒ **Bisquain, chabraque** ; → Bison, cit.), *en boyauderie* (⇒ **Baudruche**), *en pharmacie* (⇒ **Lanoline**)...

1 Ce sont moutons à la grande laine (...) Moutons de Levant, moutons de haute futaie, moutons de haute graisse (...) de la toison de ces moutons seront faits les fins draps de Rouen (...) De la peau seront faits les beaux maroquins (...) Des boyaux, on fera cordes de violons et harpes (...) ce n'est viande que pour rois et princes. La chair en est tant délicate, tant savoureuse et tant friande, que c'est baume. RABELAIS, Pantagruel, IV, VI, et VII.

2 Il découvre en un pré le plus beau des troupeaux,
Des moutons gras, nombreux, pouvant marcher à peine,
Tant leur riche toison les gêne ;
Des béliers grands et fiers, tous en ordre paissants,
Des brebis fléchissant sous le poids de la laine,
Et de qui la mamelle pleine,
Fait accourir de loin les agneaux bondissants. FLORIAN, Fables, I, 3.

3 (...) les moutons sont (...) timides (...) c'est par crainte qu'ils se rassemblent si souvent en troupeaux, le moindre bruit extraordinaire suffit pour qu'ils se précipitent et se serrent les uns contre les autres, et cette crainte est accompagnée de la plus grande stupidité, car ils ne savent pas fuir le danger (...) BUFFON, Hist. nat. des animaux, La brebis.

4 (...) un mouton crotté, avec sa laine éraillée aux buissons, jaunie par le suint et le fumier de l'étable (...) Th. GAUTIER, Portraits contemporains, « A. C. de Laberge ».

5 Les moutons de Portland d'à présent ont la chair grasse et la laine fine ; les rares brebis qui paissaient il y a deux siècles cette herbe salée étaient petites et coriaces et avaient la toison bourrue (...) HUGO, l'Homme qui rit, I, III, I.

6 Des milliers de moutons, rappelés par les bergers, harcelés par les chiens, dont on entend le galop confus et l'haleine haletante, se pressent vers les parcs, peureux et indisciplinés. Je suis envahi, frôlé, confondu dans ce tourbillon de laines frisées, de bêlements ; une houle véritable où les bergers semblent portés avec leur ombre par des flots bondissants (...) A. DAUDET, Lettres de mon moulin, « En Camargue ».

7 LES MOUTONS — Mée,... Mée... Mée... — LE CHIEN DE BERGER — Il n'y a pas de mais ! J. RENARD, Histoires naturelles, « Les moutons ».

(Pop.). *Laisser pisser le mouton* : ne rien faire, en espérant que les choses s'arrangeront d'elles-mêmes (→ Laisser pisser le mérinos*).

♦ **2.** [a] Spécialt. (Opposé à *bélier, brebis, agneau*). Ce mammifère mâle et adulte, châtré. *Des moutons et des brebis. Un bélier a fait fuir les moutons.* — REM. Cette acception correspond à *bœuf* (par rapport à *taureau*), à *porc* (par rapport à *verrat*).

Par compar. (→ ci-dessous, 3., figuré).

8 Nous sommes des victimes condamnées toutes à la mort ; nous ressemblons aux moutons qui bêlent, qui jouent, qui bondissent en attendant qu'on les égorge. VOLTAIRE, Correspondance, 3515, 7 août 1769.

Frisé comme un mouton. Chevelure de mouton frisotté (cit. 2). — *Doux comme un mouton.*

Pied-de-mouton : hydne sinué (champignon).

[b] (Par allus. à l'instinct grégaire). *Suivre qqn comme des moutons* (→ Bétail, cit. 2). *Agir comme un mouton à l'exemple* (cit. 6) *d'autrui.*

Allus. littér. (à *la Farce de Maître Pathelin* où le plaignant mêle à l'affaire de ses moutons volés celle de pièces de drap qu'on ne lui a jamais payées). *Revenons à nos moutons* : revenons à notre sujet, mettons fin à ces digressions*.

9 LE JUGE : Sus ! revenons à ces moutons : Qu'en fut-il ? la Farce de Maître Pathelin, VIII.

10 Quand il advient qu'en commun devis quelqu'un extravague de son premier propos, celui qui le veut remettre sur ses premières brisées, lui dit : *Revenez à vos moutons* (...) E. PASQUIER, in SAINÉAN, t. I, p. 503, note.

Loc. *Un mouton à cinq pattes* : une personne qui fait figure de phénomène dans son milieu. — *Chercher le mouton à cinq pattes*, une chose extrêmement rare, sinon impossible à trouver.

♦ **3.** Fourrure* de mouton. *Manteau en mouton doré. Chaussons fourrés de mouton. Canadienne* doublée de mouton.*

(1690). Cuir* de mouton (⇒ **Basane**). *Mouton mégi*, mégis*, mégissé*. Reliure en mouton.* — Peau* de mouton. *Parchemin en mouton* ⇒ **Cosse**.

♦ **4.** Chair, viande de mouton. *Aimer le mouton. Manger du mouton. Morceaux de mouton.* ⇒ **Bout-saigneux, carré, collet, côtelette, éclanche** (vx), **épaule, épaulée, gigot** (cit. 1 et 3), **poitrine, selle.** *Amourettes* de mouton.* — Cuis. *Ragoût de mouton.* ⇒ **Haricot, navarin.** *Langues, queues de mouton braisées. Rognons de moutons en brochettes. Mouton à la broche.* ⇒ **Méchoui.**

11 Elle faisait, ce soir-là, un ragoût de mouton avec des hauts de côtelettes. ZOLA, l'Assommoir, t. I, IV, p. 125.

Spécialt. (Opposé à *agneau*). Chair de mouton adulte.

★ **II.** Fig. ♦ **1.** Personne crédule et passive, qui se laisse facilement mener ou berner. → Se laisser manger, tondre la laine (cit. 11) sur le dos ; et ci-dessous, III. *Un mouton enragé* : une personne habituellement paisible qui cède soudain à une violente colère.

12 G... M..., le voyant soutenu par trois soldats, et craignant sans doute la bourre du pistolet, ne fit pas de résistance. Je le vis emmener comme un mouton. Abbé PRÉVOST, Manon Lescaut, II.

13 (...) en trouvant les deux Casse-noisettes doux comme des moutons, faciles à vivre, point défiants, de vrais enfants (...) BALZAC, le Cousin Pons, Pl., t. VI, p. 564.

14 (...) il avait des révoltes de mouton enragé le jour où une main téméraire tentait de le venir pourchasser jusqu'en ses derniers retranchements. COURTELINE, Messieurs les ronds-de-cuir, IVᵉ tableau, III.

15 L'autre rigolait doucement : « Prolétaire ? Mouton, oui, mouton, comme les autres. On vous tond, vous tendez le dos, et vous dites merci. De temps en temps, on vous mène paître, et ça s'appelle manifester. » ARAGON, les Beaux Quartiers, II, XXVI.

♦ **2.** Personne dont la conduite, les opinions se modèlent sur celles de son entourage (→ ci-dessous, III., 3.). ⇒ **Moutonnier.** — Allus. littér. *Les moutons de Panurge* (→ Rabelais, *Pantagruel,* IV, VIII). *Ce sont de vrais moutons de Panurge.*

16 Panurge, sans autre chose dire, jette en pleine mer son mouton criant et bêlant. Tous les autres moutons, criants et bêlants en pareille intonation, commencèrent soi jeter et sauter en mer après, à la file. La foule était à qui premier y sauterait après leur compagnon. Possible n'était les en garder, comme vous savez, être du mouton le naturel, toujours suivre le premier, quelque part qu'il aille. RABELAIS, Pantagruel, IV, VIII.

17 (...) les trois quarts du monde jugent des ouvrages d'autrui sans les connaître, et sont de l'opinion de celui qui a dit le premier son avis, comme nous voyons que les moutons se laissent conduire au premier qui marche. FURETIÈRE, le Roman bourgeois, I, p. 86.

♦ **3.** (1777 ; argot, allus. probable à l'humeur bénigne et débonnaire qu'affectent les « moutons » pour inspirer confiance). Compagnon de cellule que la police donne à un détenu, avec mission de provoquer ses confidences et de les rapporter à la justice. ⇒ **Délateur, espion, mouchard.**

18 En argot de prison le *mouton* est un mouchard, qui paraît être sous le poids d'une méchante affaire, et dont l'habileté proverbiale consiste à se faire prendre pour un ami. BALZAC, Splendeurs et Misères des courtisanes, Pl., t. V, p. 1041.

19 (...) l'un de ces prisonniers secrètement vendus qu'on appelle moutons dans les prisons et renards dans les bagnes (...) HUGO, les Misérables, IV, II, II.

♦ **4.** (Par anal. avec la toison du mouton ; au plur., le plus souvent). Petite* vague crêtée d'écume. ⇒ **Moutonner** (→ Disperser, cit. 1, Hugo). — Petit nuage blanc et floconneux (⇒ **Moutonné**).

20 (...) quoique la tempête continuât à faire rage sans accalmie, nous ne découvrions plus aucune apparence de ce ressac et de ces moutons qui nous avaient accompagnés jusque-là. BAUDELAIRE, Trad. E. POE, Histoires extraordinaires, « Manuscrit trouvé dans une bouteille ».

21 (...) lorsque j'ai vu au loin cet horizon d'eau et le mouvement des moutons d'écume, j'ai retrouvé la même émotion, parce que j'ai reconnu la même force. ALAIN, Propos, 3 oct. 1907, L'écluse.

Flocon de poussière. ⇒ 2. **Chaton.** *Il y a un mouton sous le lit. Balayer les moutons.*

22 (...) il gourmande le paresseux *Moi-même* qui laisse pendre au plafond les toiles d'araignée, les *moutons* se promener sous le lit et la poussière aveuglante se tamiser sur les vitres. Th. GAUTIER, Portraits contemporains, « Honoré de Balzac », II.

♦ **5.** (1490 ; par la même évolution de sens que *bélier*). Techn. Lourde masse de fer ou de fonte, employée pour le battage des pieux, des pilotis, sur les chantiers de construction. ⇒ **Bélier, hie.** *Sonnette* à mouton.* — Grosse pièce de bois dans laquelle on engage les anses d'une cloche* pour la suspendre.

23 Le mouton ou le bélier de bois auquel est suspendue la cloche représente par sa forme même la croix du Christ (...) HUYSMANS, Là-bas, IX.
Élément qui transmet la pression dans un pressoir. — Masse de fer surmontant le couperet de la guillotine*. — Mar. Armure d'une voile à antenne.

★ **III.** (1493). Adj. (Au fém. *moutonne*). ♦ **1.** Qui est de la nature du mouton. *L'espèce moutonne.* ⇒ **Moutonnier.**

♦ **2.** (Fin XVᵉ). Qui est propre au mouton, ou qui rappelle le mouton. *Placidité moutonne.*

24 (...) dans les figures de Raphaël, la douceur est souvent un peu moutonne (...) TAINE, Philosophie de l'art, t. II, p. 311.

♦ **3.** (1791). Doux et passif, capable d'une obéissance aveugle. *Il n'y a pas plus mouton que lui.* — *Tempérament mouton. Humeur moutonne.*

25 Quoique très mouton de sa nature, le nouveau pensionnaire n'aimait cependant pas plus que les brebis à sentir trop souvent la houlette (...) BALZAC, le Curé de Tours, Pl., t. III, p. 800.
Qui imite aveuglément autrui. ⇒ **Moutonnier.**

DÉR. et COMP. Moutonnage, moutonne, moutonner, moutonnerie, moutonnier.
HOM. (De l'adj. fém.) **Moutonne** ; formes du v. **moutonner.**

MOUTONNAGE [mutɔnaʒ] n. m. — XXᵉ ; t. de droit féodal en anc. franç., 1265 ; de *mouton* (II., 5.) ; cf. *moultoner*, en ce sens, 1502.

♦ Techn. Action d'un mouton sur un pieu, un tubage ; enfoncement au mouton. *Moutonnage de palplanches dans la berge d'une rivière.*

MOUTONNANT, ANTE [mutɔnã, ãt] adj. — 1874 ; de *moutonner.*

♦ **1.** Qui moutonne (au propre et au fig.). — *Toison moutonnante. Chevelure moutonnante.*

Fig. *Un flot moutonnant de personnes ; une foule moutonnante.*

1 On a devant soi, plate, grise, fuyante et moutonnante, la mer du Nord.
E. FROMENTIN, les Maîtres d'autrefois, « Hollande », I.

2 (...) cette petite bourgade blanche et verte *(Nazareth)*... se niche (...) au rebord des hauteurs moutonnantes qui ferment, vers le Nord, la plaine d'Esdrelon.
DANIEL-ROPS, Jésus en son temps, II, p. 139.

♦ **2.** Littér. Qui évoque le comportement des moutons (⇒ **Moutonnier**). *Des faces « penchées vers le sol, moutonnantes »* (L. Daudet, *in* G. L. L. F.).

MOUTONNE [mutɔn] n. f. — 1690 ; dè *mouton*, I.

♦ Ancienn (jusqu'au XVIIIᵉ). Coiffure de femme où les cheveux, frisés et en touffes épaisses, étaient ramenés sur le front.
DÉR. Moumoute.
HOM. V. Mouton.

MOUTONNÉ, ÉE [mutɔne] adj. — 1694 ; de *moutonner.*

♦ **1.** Vx. ⇒ **Frisé.** *Tête moutonnée.*

♦ **2.** (1704). *Ciel moutonné.* ⇒ **Pommelé.** *Nuages moutonnés.*

♦ **3.** (1780). Géol. *Roches moutonnées,* dont la surface présente une série de creux et de bosses, produite par le passage d'un glacier* et rappellent l'aspect d'une mer qui moutonne.

♦ **4.** Qui a le même profil busqué que le mouton, en parlant de la tête d'un cheval.
HOM. Moutonner.

MOUTONNEMENT [mutɔnmɑ̃] n. m. — 1868 ; de *moutonner.*

♦ Fait de moutonner ; forme de ce qui moutonne (au propre et au fig.). *Moutonnement de la mer, des vagues. Moutonnement des collines.*

Le pays n'est qu'une suite ininterrompue de vallons et de côtes, une sorte de moutonnement du sol, que le chemin de fer traverse, alternativement, sur des remblais et dans des tranchées.
ZOLA, la Bête humaine, II.

MOUTONNER [mutɔne] v. tr. et intr. — XIVᵉ ; de *mouton.*

★ **I.** V. tr. (vx). Rendre semblable à une toison de mouton. *Moutonner une chevelure.*

Pron. *Le ciel se moutonne,* se couvre d'une multitude de petits nuages blancs groupés en amas serrés qui ressemblent à des touffes de laine. ⇒ **Pommeler** (se).

★ **II.** V. intr. ♦ **1.** (1678). Devenir semblable à une toison de mouton. *Mer, lac, rivière qui moutonne,* qui se couvre de moutons (II., 4.). ⇒ **Écumer.**

1 Vers six heures, la mer commençait à moutonner fortement, et il y avait beaucoup de monde sur la jetée pour observer le retour des barques de pêcheurs.
NERVAL, Notes de voyage, Tour dans le Nord, I.

Par métaphore. Onduler comme des vagues (→ Assemblée, cit. 15).

♦ **2.** (1874). Fig. Être légèrement ondulé ; rappeler par son aspect la toison du mouton, la surface d'une eau faiblement agitée. *Chevelure qui moutonne* (→ Houle, cit. 8). *Arbres qui moutonnent sur les pentes* (→ Élever, cit. 9). ⇒ **Moutonnant, moutonneux.**

2 L'échelonnement des haies
Moutonne à l'infini, mer
Claire dans le brouillard claire
VERLAINE, Sagesse, III, XIII.
DÉR. Moutonnant, moutonné, moutonnement, moutonneux.
HOM. Moutonné ; v. aussi **mouton** (III.), moutonne, moutonnier.

MOUTONNERIE [mutɔnʀi] n. f. — 1781 ; de *mouton.*
Rare.

♦ **1.** Caractère de mouton, naïveté ; esprit d'imitation et passivité (II., 1.). *Agir par moutonnerie.*

♦ **2.** Caractère fade d'une pastorale.

(...) ces pauvres jeunes gens, qui se persuadent qu'ils aiment un art qu'ils n'aiment point ? Ils s'intoxiquent, sans plaisir, par servile moutonnerie : et ils meurent d'ennui dans leur mensonge !
R. ROLLAND, Jean-Christophe, Dans la maison, II, p. 1048.

MOUTONNEUX, EUSE [mutɔnø, øz] adj. — 1834 ; « folâtre », 1783 ; de *moutonner.*

♦ Qui moutonne (en parlant de la mer, du ciel, des nuages...). ⇒ **Moutonnant.**

(...) on apercevait la mer bleue, moutonneuse à son habitude.
P. MAC ORLAN, la Bandera, V.

MOUTONNIER, IÈRE [mutɔnje, jɛʀ] adj. — 1548 ; subst., « gardeur de moutons », 1303 ; de *mouton.*

♦ **1.** Vx. Qui est de la nature du mouton, qui a trait au mouton. *Race moutonnière.* ⇒ **Mouton** (III.). *La moutonnière créature* (La Fontaine, *Fables,* II, 16). Qui rappelle le mouton. *Air moutonnier.*

(...) un groupe de dames en noir (...) le profil moutonnier, et que l'on dirait toutes de la même famille. J. CHARDONNE, les Destinées sentimentales, p. 398.

♦ **2.** Fig. et mod. Qui suit aveuglément les autres, les imite sans discernement. ⇒ **Grégaire, imitateur, mouton** (III., 1.). *Âmes moutonnières* (→ Menacer, cit. 5). *Forcer l'attention* (cit. 34) *du lecteur moutonnier.*

En effet, le public, gent moutonnière, prend l'habitude de suivre les arrêts de cette conscience stupide décorée du nom de *vox populi.*
BALZAC, Des artistes, in Œ. diverses, t. I, p. 358.

HOM. Forme du v. **moutonner.**

MOUTURE [mutyʀ] n. f. — XIIIᵉ ; du lat. pop. **molitura,* de *molere* « moudre ».

♦ **1.** Opération de meunerie* qui consiste à réduire en farine* des grains de céréales, et, spécialt, du blé. *Procédés de mouture, mouture haute* (par cylindres), pratiquée dans tous les grands moulins* modernes ; *mouture basse* (par meules). *Classement des produits de la mouture par grosseur* (blutage) *et densité* (sassage).
(1690). Par ext. Produit résultant de cette opération. *Bluter* la mouture. Résidus des moutures* (⇒ **Issues, son**), *de la mouture de gruau* (⇒ **Remoulage**).

Ce n'est que lorsque le système de la mouture « haute » par cylindres, pratiquée dès 1873 en Hongrie, permit, en agissant progressivement sur le blé, d'obtenir des farines très blanches (...) que la boulangerie s'enorgueillit de livrer enfin aux consommateurs, un pain léger et très blanc (...)
Georges RAY, les Industries de l'alimentation, p. 45.

♦ **2.** (1561). Techn. Mélange par tiers de froment, de seigle et d'orge. *Pain de mouture.*

♦ **3.** Rare. Prix dû ou payé au meunier pour son travail. *Meunier qui réclame sa mouture.* — Par métaphore :

Tirer de soi toute la mouture qu'on en peut tirer, voilà qui devient la règle du monde. L'idée que le noble est celui qui ne gagne pas d'argent, et que toute exploitation commerciale ou industrielle, quelque honnête qu'elle soit, ravale celui qui l'exerce et l'empêche d'être du premier cercle humain, cette idée s'en va de jour en jour. RENAN, Souvenirs d'enfance..., VI, IV.

♦ **4.** Rare. Grains moulus en une fois. — Loc. cour. (1784). *Tirer deux moutures d'un sac, du même sac :* tirer double profit d'une même affaire, double parti d'une même chose.

Cette femme possédait au suprême degré l'art de tirer d'un sac dix moutures, de cacher à l'un ce qu'elle recevait de l'autre, et à moi ce qu'elle recevait de tous.
ROUSSEAU, les Confessions, IX.

♦ **5.** (XXᵉ). Fig. (Souvent péj.). Reprise d'un sujet déjà traité, d'un thème connu, qui sera présenté sous une forme plus ou moins différente des précédentes. *Les multiples moutures de Dom Juan, d'Amphitryon.*
(Déb. XXᵉ). *Première mouture :* premier état d'une œuvre. *Je vais vous montrer la dernière mouture de mon article.* ⇒ **Version.**

MOUVANCE [muvɑ̃s] n. f. — 1495 ; dér. de *mouvoir,* II., spécialt.

★ **I.** Féod. ♦ **1.** Dépendance d'un fief par rapport à un autre (⇒ **Tenure**). *Mouvance immédiate, médiate* (par l'intermédiaire d'un troisième fief). *Arrière-fief* (cit. 1) *dans la mouvance d'un fief.*

♦ **2.** Par ext. Fief dont d'autres dépendent *(mouvance active),* ou (plus souvent), qui dépend d'un autre fief *(mouvance passive).*

(...) cette seigneurie, jadis une des plus riches mouvances du royaume, et dont les terres avaient échappé à la vente par la Convention, autant par leur infertilité que par l'impossibilité reconnue de les exploiter.
BALZAC, le Curé de village, Pl., t. VIII, p. 639.

♦ **3.** (Mil. XXᵉ). Fig. Domaine, sphère d'influence. *La mouvance électorale.* « *La construction automobile entraîne dans sa mouvance de nombreux secteurs* » (le Monde, 15 janv. 1967).

★ **II.** (1914 ; de *mouvoir, mouvant*). Didact. Caractère de ce qui est mouvant.

On a beaucoup reproché à M. Bergson la mouvance, le mobile, et ce qu'on a nommé d'un mot déjà moins heureux et moins exact, étant moins bergsonien, d'un mot déjà trop fixe, la mobilité.
Ch. PÉGUY, Note conjointe, Sur Descartes, p. 238.

REM. Ce sens tend à se répandre ; il est critiqué à cause de la confusion avec le sens I, mais se trouve chez de grands écrivains.

MOUVANT, ANTE [muvɑ̃, ɑ̃t] adj. — V. 1130, « vif, rapide » ; p. prés. de *mouvoir.*

★ **I.** ♦ **1.** (V. 1175). Vx. Qui se meut, bouge, remue. ⇒ **Animé, mobile ;** → Impénétrable, cit. 3. *Les automates* (cit. 2), *machines mouvantes.*

1 (...) la surprenante merveille de cette statue mouvante et parlante?
MOLIÈRE, Dom Juan, V, 2.

(1729). Vx. *Tableau mouvant*, où des figures se meuvent par des mécanismes cachés. *Les tableaux mouvants de Marly* (cf. Fontenelle, *in* Littré).

REM. Le Dictionnaire de l'Académie (8ᵉ éd., 1935) applique cette expression au cinéma.

Blason. Qui semble sortir de l'écu. « *Un dextrochère d'or mouvant à senestre* » (Réau).

♦ **2.** Mod. (XIXᵉ). Qui change sans cesse de place, de forme, d'aspect... *La nappe mouvante des blés.* ⇒ **Ondoyant.** *Nuages mouvants* (→ Forme, cit. 4). *Mouvantes architectures de vapeurs* (→ Impalpable, cit. 6).

2 Les feux mouvants du bivouac
Éclairent des formes de rêve.   APOLLINAIRE, Calligrammes, p. 118.

3 Le simple chapeau de paille faisait sur son visage une ombre mouvante.
F. MAURIAC, l'Enfant chargé de chaînes, p. 29.

Qui évolue sans cesse. ⇒ **Changeant, fugitif, instable.** *La société changeante et l'univers mouvant* (→ Immobiliser, cit. 8). *Au sein des choses mouvantes* (→ Corps, cit. 25). *Pensée mouvante et confuse.* ⇒ **Flottant, fluide.**

N. m. *Le mouvant* : tout ce qui change, évolue, se transforme. ⇒ **Mouvement** (IV., B.) ; → 1. Cosmos, cit. 1. *La Pensée et le Mouvant,* ouvrage de Bergson (1934).

♦ **3.** (1580). Vx. Qui fait mouvoir ; moteur. *Principe mouvant, forces mouvantes* (→ Instinct, cit. 12).

4 Et parce que les roues d'une pendule sont déterminées l'une par l'autre à un mouvement circulaire d'une telle ou telle vitesse, examiné-je moins curieusement quelle peut être la cause de tous ces mouvements, s'ils se font d'eux-mêmes ou par la force mouvante d'un poids qui les emporte?
LA BRUYÈRE, les Caractères, XVI, 43.

5 Les leviers agissent selon la règle qui veut que les poids à soulever soient en raison inverse de la distance du pouvoir mouvant.   VOLTAIRE, De l'âme, I.

♦ **4.** (1551). Qui n'est pas stable, qui s'écroule, s'enfonce (en parlant de la terre, du sol). ⇒ **Croulier** (dér. de *crouler*). *Terrain mouvant* (→ Enfoncer, cit. 22 ; hennissant, cit. 1). *Terre mouvante.* — Cour. *Sables* mouvants.* — Par métaphore. *Bâtir sur un terrain mouvant, instable.* « *Rejeter la terre mouvante pour trouver le roc* » (→ Irrésolu, cit. 1, Descartes). *Avancer en terrain mouvant* : faire des recherches dans un domaine peu connu, peu sûr.

★ **II.** (1249). Féod. Qui dépend, relève d'un autre fief. ⇒ **Mouvance** (I., 1.) ; **mouvoir** (II., 2.).

CONTR. Fixe, immobile, immuable, stable ; inanimé, inerte.
HOM. P. prés. des v. mouver, mouvoir.

MOUVEMENT [muvmã] n. m. — XIVᵉ ; *movement,* 1190 ; de *mouvoir.*

★ **I.** (Au sens propre). Changement de position dans l'espace (⇒ **Déplacement**) en fonction du temps, par rapport à un système de référence.

A. (En parlant d'êtres inanimés, ou d'êtres animés assimilés à des objets physiques).

♦ **1.** Sc. et cour. ⓐ UN MOUVEMENT. *Mouvement d'un corps, d'un objet.* ⇒ **Cours, course, trajectoire, trajet.** *Qui peut effectuer un mouvement.* ⇒ **Mobile, mobilité ; ambulant, ambulatoire, amovible, mouvant.** *Début* (⇒ **Départ, impulsion**), *cessation* (⇒ **Arrêt**) *d'un mouvement.* — *Communiquer*, imprimer** (cit. 13 à 19), *transmettre* un mouvement.* ⇒ **Action, impulsion, motion** (vx) ; **actionner, animer, déplacer, ébranler, émouvoir** (vx) ; **jet, jeter ; lancer ; poussée, pousser ; tirer, traction ; transmission** ⇒ ci-dessous les verbes de mouvement). — *Brusquer*, hâter un mouvement.* Gêner*, arrêter, interrompre, suspendre un mouvement. ⇒ **Arrêt.** *Reprise d'un mouvement.* — *Mouvement de deux corps en contact* (⇒ **Frottement, glissement**). *Mouvement doux, continu ; discontinu, interrompu, saccadé, violent* (⇒ **À-coup, cahot, choc, commotion, coup, ébranlement, saccade, saillie, saut, secousse, soubresaut**). *Mouvement irrésistible.* ⇒ **Torrent, tourbillon, trombe** (fig.). *Formes de mouvements. Mouvement simple, composé* d'un mouvement. Mouvement direct*, rectiligne** (⇒ **Translation**). *Mouvement courbe, curviligne, circulaire* (cit. 1), *giratoire* (cit. 1 et 2), *rotatoire...* ⇒ **Circonvolution, circumduction, courbe, détour, évolution, giration, révolution, rotation, roulement, torsion, tour, tourbillon.** *Mouvement autour d'un axe. Mouvement elliptique, hélicoïdal... Mouvement d'une boule* (cit. 10) *qui roule. Mouvements alternatifs, répétés de balancier, de bascule*.* ⇒ **Balancement** (cit. 1), **ballant** (n. m.) ; **ballottement, battement, branle, branlement, brimbalement, cadence, cahotement, chavirement, flottement, fluctuation, frémissement, frétillement, frisson, houle, navette, onde, ondoiement, ondulation, oscillation, pulsation, roulis, tangage, tremblement, trépidation, vacillation, va-et-vient, vague, vibration.** — (Dans le langage scientifique). *Mouvements périodiques ; ondulatoires** (⇒ **Onde**) ; *oscillatoires ; pendulaires** (⇒ **Pendule**). ⇒ **Amplitude, fréquence, période, phase ; interférence,** etc. *Mouvement sinu-*

soïdal*. Mouvements isochrones, synchrones... — *Direction d'un mouvement* (⇒ **Destination, direction, orientation, sens, tendance**). *Mouvement en avant* (⇒ **Progrès, progression ; avance, pénétration**) ; *en arrière* (⇒ **Récession, recul, reflux, retour, rétrogradation, rétrogression...**), *mouvement ascendant, ascensionnel, montant* (⇒ **Ascension, élévation, montant** [II.], **montée, soulèvement**), *descendant, vers le bas* (⇒ **Affaissement, baisse, chute, décroissement, descente, inflexion...**), *mouvement horizontal, vertical, oblique. Mouvements divergents, convergents* (⇒ **Convergence, divergence**), *rayonnants* (⇒ **Irradiation, rayonnement**), *centripètes, concentriques ; centrifuges. Mouvements tangents* en un instant donné... Mouvement réversible*. Changement de direction, de sens d'un mouvement.* ⇒ **Crochet, déviation, renversement, ricochet, tournant, virage, zigzag.** *Diriger, orienter* un mouvement.* — *Force, violence, intensité d'un mouvement.* ⇒ **Vitesse ; célérité, rapidité, vélocité...** *Mouvement vif, rapide, lent, insensible* (cit. 17). *Mouvement uniforme ; régulier ; uniformément varié*. Mouvement accéléré, retardé, décéléré* (⇒ **Accélération, activation**) ; *uniformément accéléré, retardé. Mouvement dégressif*, expirant* (cit. 5). ⇒ **Ralentissement.** *Mouvement à accélération* centrale. Mouvement d'entraînement*.* — *Mouvement relatif :* mouvement défini par rapport à un système de référence (⇒ **Référentiel, repère**) considéré comme mobile par rapport à un système de référence considéré comme fixe (s'oppose à *mouvement absolu :* mouvement défini par rapport à un système de référence considéré comme fixe). — *Mouvement perpétuel :* mouvement d'un mécanisme qui fournirait autant d'énergie qu'il lui en faudrait pour fonctionner (ou plus). *Le mouvement perpétuel, dont la conception même est contraire aux principes fondamentaux de la thermodynamique, est irréalisable.* — (*Mouvement* au sens III). Un tel mécanisme. *Bricoleur naïf qui travaille sur un modèle de mouvement perpétuel.*

ⓑ Absolt. LE MOUVEMENT. *Étude du mouvement.* ⇒ **Mécanique ; cinématique, dynamique** (et ses comp.). *Qui a le mouvement pour principe.* ⇒ **Cinétique.** *Énergie, puissance, force* (cit. 63) *et mouvement. Résistance au mouvement.* ⇒ **Frottement.** *Analyse du mouvement par la photo* (⇒ **Chronophotographie**), *le cinéma* (→ aussi Image, cit. 13). *Appareil donnant l'illusion du mouvement.* ⇒ **Kinétoscope.** — Phys. *Quantité de mouvement :* produit de la masse du mobile par sa vitesse.

1 (...) le mouvement (...) n'est autre chose que *l'action par laquelle un corps passe d'un lieu à un autre.*
DESCARTES, Principes philosophiques, II, § 24 (cf. aussi les § 25, 26 : *Qu'il n'est pas requis plus d'action pour le mouvement que pour le repos ;* 27 à 33).

2 (...) le mouvement d'une boule n'est que la boule changeant de place (...)
VOLTAIRE, Dialogues, XXIV, IIᵉ entretien.

3 On croit dire quelque chose par ces mots vagues de *force universelle,* de *mouvement nécessaire,* et l'on ne dit rien du tout. L'idée du mouvement n'est autre chose que l'idée du transport d'un lieu à un autre : il n'y a point de mouvement sans quelque direction (...)
ROUSSEAU, Émile, IV.

4 Le savant (...) n'aura plus à se demander « d'où vient le mouvement de la nature », le jour où il posera en principe que le mouvement est un état naturel des corps au même titre que le repos, ce que signifie notre *principe d'inertie.*
R. LENOBLE, *in* Encycl. Pl., Hist. de la science, p. 464.

♦ **2.** (En parlant des mouvements naturels). Sc. *Mouvement des astres.* ⇒ **Astre** (cours, course, marche des astres). *Mouvement apparent*. Mouvement réel, propre*. Mouvement des étoiles* (→ Cadran, cit. 3), *des corps célestes* (→ Harmonie, cit. 8). *Mouvement de rotation de la terre* (→ Aplatir, cit. 2). — *Lois du mouvement.* ⇒ **Attraction, gravitation, graviter.** *Concevoir le monde comme soumis à des mouvements réglés* (→ Mécanique, cit. 5). — *Mouvement d'expansion de l'univers.*

Mouvement d'une molécule, d'une particule... (⇒ **Comportement**). *Mouvements browniens*. Mouvement des électrons* (→ Magnétique, cit. 1 ; matière, cit. 5). *Position et mouvement en physique atomique.* ⇒ **Incertitude** (cit. 6). — *Mouvement des fluides* (⇒ **Hydrodynamique**).

Mouvements de l'écorce terrestre. ⇒ **Glissement** (cit. 6), plissement, soulèvement ; orogénie. *Mouvements sismiques*.* — *Mouvement journalier de la mer.* ⇒ **Marée** (cit. 1) ; flux, reflux. — *Mouvement des perturbations atmosphériques, des nuages...* (→ Front, cit. 36).

(Dans le lang. courant). ⇒ **Agitation, remuement.** *Mouvements de l'air* (→ Alternatif, cit. 4), *des feuillages agités par le vent. Le doux mouvement de la brise* ⇒ **Caresse, souffle.** *Mouvement de l'eau* ⇒ 2. **Courant** (1.), **écoulement, flot, flux ; clapotis, houle, remous ; couler, écouler** (s') ; **jaillir, jaillissement, rejaillissement...**

5 Elles furent bientôt distraites par le mouvement du bord de l'eau qu'elles distinguaient dans les branches des grands arbres et qui les divertissait fort.
HUGO, les Misérables, I, III, IX.

♦ **3.** (Mouvements artificiels). *Production du mouvement.* ⇒ **Moteur, propulsion.** *Qui produit son propre mouvement.* ⇒ **Automoteur ; automate.** *Transmission* du mouvement* (⇒ **Machine,** cit. 3 ; mécanisme, cit. 2) *par des organes appropriés.* ⇒ **Bielle, came, communicateur, courroie, engrenage, excentrique, friction** (cônes... de friction), **propulseur...** *Régler un mouvement* (⇒ **Régulateur**). *Déclencher ou régler un mouvement en manœuvrant* une commande* (⇒ **Déclic ; commande, manœuvre...**). *Utilisation du mouvement d'une machine* (⇒ **Travail**). *Mouvement rectiligne alternatif d'un* *piston* (⇒ **Course**, II., 7.). *Compteur* à mouvement rotatif. Mouvement aspiratoire d'une pompe.*

Mouvement des projectiles. ⇒ **Balistique** (cit. 1).

(1772). Spécialt. *Mouvement d'un véhicule. Le mouvement d'une automobile, d'un avion... Assurer le mouvement et la direction.* ⇒ **Conduire** (2.), **diriger, guider,** 1. **mener** (II., 1.).

6 Dans quelque attitude qu'elle soit jetée, avec quelque allure qu'elle soit lancée, une voiture, comme un vaisseau, emprunte au mouvement une grâce mystérieuse et complexe (...) BAUDELAIRE, Curiosités esthétiques, XIII.

Cin. *Mouvements d'appareil, de caméra* (panoramiques, travellings, et mouvements à la grue).

♦ **4.** Techn. Ensemble des mouvements, des déplacements de véhicules. ⇒ **Circulation, trafic.** *Mouvement des navires dans un canal, des avions sur un aérodrome.* Mar. *Mouvements d'un port. La direction des mouvements a envoyé un remorqueur et un pilote à ce paquebot.* — Ch. de fer. *Marche des trains. Le chef du mouvement.*

Aviat. Décollage ou atterrissage (sur un aérodrome). *Cet aérodrome permet 100 mouvements par heure.*

♦ **5.** Déplacement (des biens, des marchandises). *Mouvement de capitaux* (⇒ **Afflux, fuite; entrée, sortie**). *Mouvements de fonds. Mouvements de caisse* (portant sur l'argent liquide). *Mouvement des fonds,* se dit spécialt de l'«opération ayant pour but d'alimenter les caisses des différents comptables du Trésor» (Capitant). *Direction du mouvement général des fonds au ministère des Finances.*

Spécialt. Achat ou vente (d'une marchandise). *Comptabiliser les mouvements d'un stock* (⇒ **Mouvementé,** II.).

♦ **6.** Mus. Progression des sons vers le grave ou l'aigu. *Mouvement mélodique, harmonique* (constitué par plusieurs mouvements mélodiques simultanés). *Mouvement direct, parallèle* (les voix, les parties progressant dans le même sens), *contraire* (en sens inverse), *oblique* (où l'une des parties est stationnaire).

♦ **7.** Absolt. Philos. *Le mouvement,* considéré en tant qu'attribut (cit. 2) de la divinité (Platon), de l'esprit, ou de la matière (→ aussi ci-dessous, IV., B.). *Le souffle qui donne le mouvement, anime, vivifie le monde* (⇒ **Âme,** cit. 2, Voltaire).

B. (En parlant d'êtres animés ou de représentations d'êtres animés).

♦ **1.** *(Un, des mouvements).* Changement de position ou de place effectué par un organisme ou une de ses parties (⇒ **Acte, action**).

a (1314). En parlant de l'homme. *Mouvements du corps* (cit. 23) *ou d'une partie du corps humain.* ⇒ **Agitation** (*supra* cit. 2), **allure** (1.), **geste** (1.), **gesticulation** (→ Animal, cit. 17, Descartes; face, cit. 6; gymnastique, cit. 7). *Attitudes** (cit. 3, 5, 8 et 9), *positions, postures et mouvements. Les muscles*, organes du mouvement. Articulations*, charnières* permettant les mouvements des membres*. Mouvements simples, effectués par un membre, une partie du corps.* ⇒ **Abduction, coup** (II.), **élévation, extension, flexion, haussement, inclinaison, moulinet, pronation, rotation, supination.** *Mouvements actifs* (effectués volontairement). ⇒ **Mobilisation.** *Mouvements associés,* qui accompagnent les efforts volontaires sans que le sujet en ait conscience. *Mouvements passifs* (imprimés par autrui). *Mouvements complexes, effectués par tout le corps.* ⇒ **Agenouillement, balancement, bond, cabriole, chute, courbette, culbute, demi-tour, écart, élan, gambade, glissade, pirouette, pivotement, plongeon, redressement, renversement, rétablissement, saut, sautillement, tortillement, trémoussement, trépignement, virevolte...** *Mouvements de la locomotion*.* ⇒ **Appui, avancement, allée, course, dandinement, démarche, déplacement, galop, marche, pas, recul, reptation, train, trot, venue** (allées et venues).

7 Les mouvements d'ensemble du corps humain sont la résultante de déplacements, les uns par rapport aux autres, des différents segments dont il se compose et qui, par opposition, sont désignés sous le nom de mouvements partiels.
P. RICHER, Nouvelle anatomie artistique..., t. III, p. 82.

8 J'ai montré dans *Science et Hypothèse* le rôle prépondérant joué par les mouvements de notre corps dans la genèse de la notion d'espace (...) Les mouvements que nous imprimons à nos membres ont pour effet de faire varier les impressions produites sur nos sens par les objets extérieurs (...)
H. POINCARÉ, la Valeur de la science, I, III, 5.

Mouvements volontaires. Avoir des mouvements libres*; liberté de mouvements. ⇒ **Aise** (I.), **jeu.** *Prendre du champ, pour avoir sa liberté de mouvement.* — *Mouvements brusques* (→ Envelopper, cit. 3), *impétueux*, prompts*, vifs*, violents*...* ⇒ **Brusquerie, précipitation, violence.** *Mouvements lents, endormis.* — *Mouvements feutrés* (cit. 8), *gracieux, moelleux, souples, veloutés...* (→ Jaguar, cit. 2). *Mouvements réguliers, répétés, cadencés* (cit. 4). — *Harmonie* (cit. 47 et 48) *agilité*, aisance*, ampleur* (cit. 1), *grâce, légèreté, souplesse, vivacité... des mouvements* (⇒ **Agile, leste**). *Lourdeur des mouvements* (⇒ **Lourd;** → Indécision, cit. 2). *Esquisser* (cit. 6), *exécuter un mouvement. Hâter*, précipiter le mouvement :* se presser. *Elle n'osait faire* (cit. 40) *un mouvement* (→ N'oser bouger*, ciller*...). *Malade incapable de faire un mouvement* (⇒ **Paralysé**). *Lenteur anormale des mouvements.* ⇒ **Bradycinésie.** *Faire exécuter un mouvement à un malade.* ⇒ **Mobiliser** (II., 3.), **rééduquer.**

N'ai-je pas tous les mouvements de mon corps aussi bons que jamais, et voit-on que j'aie besoin de carrosse ou de chaise pour cheminer? 9
MOLIÈRE, le Mariage forcé, 1.

Elle se tenait devant lui; au mouvement imperceptible qu'elle esquissa, comme 10 pour mieux croiser sur elle les deux côtés de son peignoir, il comprit qu'elle hésitait à sortir parce qu'elle était à demi-nue (...)
MARTIN DU GARD, les Thibault, t. II, p. 144.

Il tournait dans la chambre, il était prisonnier, il faisait les gestes d'un homme 11 étreint, enchaîné. Il s'abandonnait à des mouvements violents qu'il aurait trouvés ridicules, démesurés s'il les avait vus, s'il les avait lus dans un récit. Il y a des hommes que la douleur paralyse, d'autres qu'elle soulève.
P. NIZAN, le Cheval de Troie, II, VIII.

Spécialt. (En parlant des mouvements d'un exercice, d'une manœuvre...). *Table des mouvements,* pour analyser scientifiquement les opérations d'un travail. *Mouvements du masseur :* les manœuvres de massage. *Mouvements rythmiques du faucheur, du forgeron...* (→ Faucher, cit. 2; fléau, cit. 1).

(1874). *Mouvements de gymnastique* (→ Haltère, cit. 1). *Mouvements de nage** (brassée, etc.). — *Mouvements de danse.* ⇒ **Danse** (*infra* cit. 10). *Compter les mouvements d'un exercice de gymnastique, du maniement d'armes.* ⇒ **Temps** (→ École, cit. 11). — Loc. *En deux temps*, trois mouvements.*

Par ext. *Commander le mouvement,* l'exercice.

(...) La Guillaumette commandait le mouvement... Coude à coude avec Croque- 12 bol, le nez à deux pouces d'un mur nu, lequel faisait réflecteur, leur emplissait les yeux d'une blancheur aveuglante, il commandait : — Portez... arme! Un temps, trois mouvements!... Un! COURTELINE, le Train de 8 h 47, III, III.

Mouvements involontaires*; inconscients (cit. 4 et 6), *convulsifs*, péristaltiques*...* ⇒ **Contraction, convulsion** (cit. 2), **frémissement, frisson** (cit. 1), **soubresaut, spasme, sursaut, tremblement, trémulation, trépidation, tressaillement.** *Mouvement automatique* (⇒ **Automatisme**), *instinctif*, réflexe* (⇒ **Réflexe,** n.). *Mouvement de recul* (→ Approche, cit. 7). *Trahir son impatience par un mouvement.* ⇒ **Broncher.**

(En parlant d'une partie du corps). *Mouvement du bras, de la main, du poignet. Mouvement d'épaules. Mouvement des hanches* (cit. 5). *Mouvements de la tête* (→ Assentiment, cit. 6), *du menton* (→ Échanger, cit. 12). — *Mouvements du visage, de physionomie,* mouvements expressifs de quelque partie du visage (→ Garder, cit. 58; larme, cit. 10). *Mouvement des paupières, des yeux...* (→ Artificiel, cit. 25). *Mouvements de la cage thoracique, mouvements respiratoires.* ⇒ **Respiration.**

b (En parlant des animaux, des organes, des végétaux).

(Animaux). *Mouvements prestes, prompts de la fouine* (cit. 1), *de l'écureuil* (→ Grimper, cit. 3). *Mouvements brusques d'un taureau* (→ Joug, cit. 2). — *Mouvements des oiseaux, mouvements du vol*. Mouvements des poissons dans la nage*.* — *Mouvements de reptation d'un ver, d'un serpent.* — Spécialt. *Mouvements du cheval, d'une bête de somme; mouvements de manège.* ⇒ **Cheval** (allures, mouvements du cheval); **train...** *Mouvements trides*. Mouvements de la matière vivante. Mouvements protoplasmiques...*

(Organes). *Mouvements d'un organe. Mouvements des muscles, des fibres musculaires. Mouvements du cœur* (⇒ **Battement, palpitation;** → Curare, cit.). *Mouvements péristaltiques.* — *Mouvement du sang* (⇒ **Circulation**).

(Végétaux). *Mouvements des végétaux, mouvements de croissance, mouvements provoqués par la lumière* (contractions nocturnes...), *les contacts.* ⇒ **Tropisme.**

L'étude des mouvements végétaux (...) présente un indéniable intérêt ... *(elle per-* 13 *met)* de reprendre les aspects essentiels de la vie des plantes; les mouvements de nutation qui président à la construction de l'organisme, les mouvements internes qui en facilitent les échanges, les mouvements diurnes et nocturnes (...) les mouvements liés à la fécondation qui assurent (...) la pérennité de l'espèce.
P.-E. PILET, les Mouvements des végétaux, p. 123.

♦ **2.** *Le mouvement :* la capacité (⇒ **Motilité**) ou le fait (⇒ **Action, activité**) de se mouvoir. *Le mouvement, propriété de la vie. Les esprits animaux* (cit. 1), *principe du mouvement des êtres vivants* (chez Descartes). *Redonner le mouvement à un organisme inanimé.* ⇒ **Ranimer.**

(En parlant de l'homme). Fait d'être en action*, en activité* (⇒ **Agir,** I., 1.). *Aimer le mouvement, être sans cesse en mouvement :* être actif*, remuant*, ne pas tenir en place* (⇒ **Pétulance, turbulence, vivacité**). *S'enivrer* (→ Étourdir, cit. 20), *être ivre de mouvement* (→ Exprimer, cit. 40). *Avoir besoin de mouvement* (→ Éminemment, cit. 1). *Rester sans mouvement,* immobile, comme paralysé. — *Prouver le mouvement en marchant* (→ ci-dessous, cit. 16, Rousseau). — *Être, se mettre en mouvement.* ⇒ **Animer** (s'), **mouvoir** (se). → ci-dessous, C.

Notre nature est dans le mouvement; le repos entier est la mort. 14
PASCAL, Pensées, II, 129.

Ce n'est que par le mouvement que nous apprenons qu'il y a des choses qui ne 15 sont pas nous; et ce n'est que par notre propre mouvement que nous acquérons l'idée de l'étendue. ROUSSEAU, Émile, I.

(...) combien de fois la philosophie (...) n'est-elle pas forcée de recourir à ce juge- 16 ment interne qu'elle affecte de mépriser? N'était-ce pas lui seul qui faisait marcher Diogène pour toute réponse devant Zénon, quand il niait le mouvement?
ROUSSEAU, Correspondance, 15 janv. 1769.

(...) je restai sans voix et sans mouvement, regardant et écoutant de toute la puis- 17 sance de mon esprit. A. DE VIGNY, Servitude et Grandeur militaires, III, V.

18 Talma a des défauts, comme d'être toujours en mouvement et en exclamation; mais ces défauts donnent des regrets sans exciter le moindre mépris (...)
                                                    STENDHAL, Journal, p. 83.

19 Pendant les heures où je suis seule, eh bien! cette petite bête me tient société. C'est du mouvement, c'est de la vie, quelque chose qui, quand même, nous ressemble, si peu que ce soit.   G. DUHAMEL, Chronique des Pasquier, I, XII.

(XIXᵉ). Loc. *Se donner, prendre du mouvement.* ⇒ **Exercice.** *Se donner peu de mouvement* (→ Lymphatique, cit. 2).

Expression (cit. 24) *du mouvement dans les arts plastiques* (→ Futurisme, cit.), *en littérature* (→ ci-dessous, II.).

Allusion littéraire :

20 Je hais le mouvement qui déplace les lignes
    Et jamais je ne pleure et jamais je ne ris.
                                                    BAUDELAIRE, les Fleurs du mal, XVII.

♦ **3.** (1772). Déplacement (d'une masse de personnes agissant, se mouvant ensemble ou en même temps). *Mouvement d'une foule, d'un groupe d'hommes.* ⇒ **Agitation, animation** (3.); flot, remous (→ Jouer, cit. 41). *Mouvement d'ensemble.*

21 Toute cette cavalerie, sabres levés, étendards et trompettes au vent, formée en colonne par division, descendit; d'un même mouvement et comme un seul homme, avec la précision d'un bélier de bronze qui ouvre une brèche, la colline de la Belle-Alliance (...)   HUGO, les Misérables, II, I, IX.

22 (...) il y avait des gens qui remontaient vers les Boulevards, d'autres qui descendaient vers la Seine et d'autres qui restaient collés par le nez aux vitrines, ça faisait des remous locaux, mais pas de mouvements d'ensemble (...)
                                                    SARTRE, le Sursis, p. 14.

Remue-ménage, tumulte.

23 Tout à coup, de l'autre côté de la route, il se fit un grand mouvement. La diligence s'ébranlait dans la poussière. On entendait des coups de fouet, les fanfares du postillon, les filles accourues sur la porte qui criaient : « Adiousias!... »
                                                    Alphonse DAUDET, Lettres de mon moulin, « Les deux auberges ».

(1830). Par métonymie. *Mouvement de la rue* (→ Grouiller, cit. 8), *d'une ville. Quartier où il y a beaucoup de mouvement.* ⇒ **Vivant.**

24 (...) le lendemain (*le 1ᵉʳ janvier 1901*), en sortant, je regardais avec curiosité, la rue et son mouvement pour voir ce qu'il y avait de changé.
                                                    André SIEGFRIED, l'Âme des peuples, p. 9.

25 On demeure surpris, en quittant le bateau, par le mouvement et la gaieté de cette grande ville de 250 000 habitants, pleine de boutiques et de bruit, moins agitée que Naples, bien que tout aussi vivante.
                                                    MAUPASSANT, la Vie errante, « La Sicile ».

(1680). *Mouvements de troupes*, d'une armée*.* ⇒ **Évolution, marche; manœuvre.** *Mouvements et haltes* (cit. 3). *Mouvements d'un assiégeant, d'un attaquant. Surveiller les mouvements de l'ennemi.* — Loc. *Faire mouvement vers tel point du front. Guerre de mouvement* (→ Déferler, cit. 4; grignoter, cit. 5). — *Mouvement de concentration, convergent*, débordant* (⇒ **Déborder**), *excentrique*, tournant** (⇒ **Entourer,** 3.). *Mouvement rétrograde* (→ Avant, cit. 62), *de repli*, de retraite*.*

26 Puis nous avons fait mouvement, vu Vitry-le-François, remonté vers le front de Champagne.   G. DUHAMEL, la Pesée des âmes, VII.

Mouvements migratoires. ⇒ **Migration.**

♦ **4.** (1772). Déplacement de poste, de fonction. *Mouvements de personnel* (mutations, déplacements...). *Mouvement diplomatique. Tableau de mouvement.*

27 (...) l'Empereur tenant, nous le savons, la continuité pour un élément essentiel d'administration et étant, par conséquent, hostile, en principe, aux *mouvements* préfectoraux trop fréquents.
                                                    Louis MADELIN, Hist. du Consulat et de l'Empire,
                                                    « Vers Empire Occident », VI.

C. Loc. adj. **EN MOUVEMENT** : qui se déplace, qui bouge. *Corps en mouvement* (⇒ **Mobile,** II.), *et corps au repos. Passage* d'un corps en mouvement à un point donné. Être, être mis, se mettre en mouvement. Mettre le monde en mouvement* (→ Chiquenaude, cit. 4). — *Mettre un mécanisme en mouvement.* ⇒ **Fonctionnement, marche;** actionner, embrayer, enclencher, engrener; aussi branle (mettre en branle). *Toute la maison est en mouvement.* ⇒ **Agitation, branle, émoi.**

27.1 Madame de Rênal voulut absolument lui donner à souper. Elle mit toute sa maison en mouvement (...)   STENDHAL, le Rouge et le Noir, I, XXIII.

Verbes exprimant une idée de mouvement :

Abaisser	Ballotter	Chanceler
Accélérer	Barboter	Changer
Actionner	Basculer	Charrier
Activer	Battre	Chavirer
Affaisser	Bercer	Choquer
Affluer	Boiter	Ciller
Agenouiller (s')	Bondir	Circuler
Agir	Bouger*	Cligner
Agiter	Bouillonner	Communiquer
Aller*	Brandiller	Concentrer
Allonger	Brandir	Conduire
Alterner	Branler	Contracter
Animer	Braquer	Converger
Ankyloser	Brasser	Côtoyer
Approcher	Brimbaler	Coucher
Arrêter*	Broncher	Couler
Arriver	Brouter	Courber
Asseoir (s')	Brusquer	Courir
Attirer	Cadencer	Crisper
Avancer	Cahoter	Croiser
Baisser	Calmer	Crouler
Balancer	Caracoler	Culbuter
Balayer	Caresser	Dandiner (se)

Danser	Gesticuler	Redresser
Débattre (se)	Gigoter	Refluer
Déborder	Glisser	Régler
Déchaîner	Gravir	Rejaillir
Décrire	Graviter	Relever
Décroiser	Grimper	Remonter
Décroître	Grouiller	Remuer*
Dégourdir	Guider	Renverser
Dégringoler	Haleter	Replier
Démarrer	Hausser	Reposer
Démener (se)	Hocher	Repousser
Déplacer*	Imprimer	Respirer
Déposer	Incliner	Retarder
Descendre*	Infléchir	Retirer
Détourner	Inhiber	Retourner
Dévaler	Introduire	Rétrograder
Devancer	Irradier	Revenir
Devenir	Jeter	Ricocher
Dévier	Jouer	Rouler
Diminuer	Lancer	Rythmer
Diriger	Lever	Saccader
Discontinuer	Locher	Saillir
Distendre	Longer	Sauter
Diverger	Manœuvrer	Sautiller
Dodeliner	Marcher*	Secouer
Dresser	Mener	Serpenter
Ébattre (s')	Mettre	Sortir*
Ébranler	Mobiliser	Soulever
Ébrouer (s')	Modérer	Stationner
Écarter	Monter*	Suivre
Écouler (s')	Mouvementer	Sursauter
Effondrer	Mouvoir	Surseoir
Élancer (s')	Nager	Suspendre
Élever	Ondoyer	Synchroniser
Éloigner	Onduler	Tanguer
Embrayer	Orienter	Tendre
Émouvoir	Osciller	Tirer
Empresser (s')	Ôter	Tituber
Enclencher	Palpiter	Tomber
Enfoncer	Papilloter	Tordre
Engrener	Parcourir	Tortiller
Enjamber	Partir	Tourner
Enlever	Passer	Tourbillonner
Entourer	Pencher	Traîner
Entraîner	Pénétrer	Transférer
Entrer*	Piaffer	Transmettre
Envoler	Pirouetter	Transporter*
Envoyer	Pivoter	Travailler
Errer	Plier	Traverser
Étendre	Plonger	Trébucher
Évoluer	Pointer	Trembler
Exécuter	Poser	Trémousser
Flageoler	Pousser	Trépider
Fléchir	Précéder	Trépigner
Flotter	Précipiter	Tressaillir
Fluctuer	Prendre	Trotter
Fonctionner	Presser	Vaciller
Fourmiller	Produire	Vaguer
Franchir	Progresser	Vallonner
Frémir	Projeter	Venir*
Freiner	Promener	Vibrer
Frétiller	Promouvoir	Virer
Frictionner	Propulser	Virevolter
Frissonner	Ralentir	Vivifier
Frotter	Ramener	Vivre
Fuir	Ramper	Voler
Galoper	Ranimer	Voltiger
Galvaniser	Rapprocher	Voyager
Gambader	Rebrousser	Zigzaguer
Gambiller	Rebondir	
Gêner	Reculer	

N. B. Cette liste est forcément incomplète, les verbes ayant quelque rapport avec l'idée de mouvement étant trop nombreux pour y figurer tous. L'astérisque renvoie à des articles qui peuvent enrichir le présent vocabulaire.

★ **II.** Ce qui traduit le mouvement, donne l'impression du mouvement.

♦ **1.** (XVIIᵉ; en parlant du langage). *Le mouvement de la phrase* (→ Anastomoser, cit.). *Mouvement et rythme*, et expression.* ⇒ **Rapidité, vie, vivacité** (→ Assonance, cit. 2; consonne, cit. 3). *Donner au style* le mouvement de la pensée* (→ Coupe, cit. 5). *Le mouvement d'un récit* (⇒ **Mouvementé**). *Mouvement dramatique*. Mouvement véhément, hardi.* ⇒ **Fougue.** *Style sans mouvement, sans nerf. Conversation pleine de mouvement.* ⇒ **Animation, entrain.**

♦ **2.** (1639). Image ou évocation du mouvement (dans les arts plastiques). ⇒ **Vie.** *Harmonie, eurythmie* et mouvement. Mouvement et couleur d'une scène pittoresque* (→ Enlumineur, cit.). *Mouvement des figures d'un groupe* (cit. 2). *Personnages sans mouvement* (→ 1. Froid, cit. 27).

28 Ils disent d'une figure en repos qu'elle a du mouvement, c'est-à-dire qu'elle est prête à se mouvoir (...)   DIDEROT, Pensées sur la peinture, in LITTRÉ.

♦ **3.** (1690). Mus. et cour. Degré de rapidité que l'on donne à la mesure, conformément aux intentions du compositeur, au caractère de la pièce. ⇒ **Mesure, rythme; tempo, temps.** *Le mouvement d'un morceau est défini par la durée d'une note* (noire, croche...) *battue un nombre déterminé de fois par minute* (au métronome). *Indication de mouvement* (ex. : noire = 120). *Principaux mouvements.* ⇒ **Adagio, allegretto, allegro, andante, andantino, largo, larghetto, lento, moderato, presto, prestissimo, scherzando, scherzo.** *Modifications des mouvements.* ⇒ **Agitato, amoroso, animato, brioso, can-**

tabile, furioso, gracioso, maestoso, subito, vivace... → aussi Allargando, calando, mosso, pomposo, religioso, risoluto, ritardanto, ritenuto, slargando, sostenuto, stretto, vivo; con brio, con fuoco, con motto, con spirito...; non troppo, poco (a poco). *Mouvement ad libitum, a piacere...* Presser* (⇒ **Accelerando**), *ralentir* (⇒ **Rallentando**), *élargir le mouvement. Le rubato* modifie momentanément le mouvement. Revenir au mouvement* (⇒ **A tempo**). *Jouer un morceau dans le mouvement* (cf. Tempo giusto). *Chef d'orchestre qui conduit* dans le mouvement.*

29 (...) il y a cinq principales modifications de *mouvement* qui, dans l'ordre du lent au vite, s'expriment par les mots *largo, adagio, andante, allégro, presto;* et ces mots se rendent en français par les suivants, *lent, modéré, gracieux, gai, vite.* Il faut cependant observer que, le *mouvement* ayant toujours beaucoup moins de précision dans la musique française, les mots qui le désignent y ont un sens beaucoup plus vague que dans la musique italienne.
ROUSSEAU, *Dict. de musique.*

(Déb. xxᵉ). Partie d'une œuvre musicale devant être exécutée dans tel ou tel mouvement. ⇒ **Morceau.** *Les mouvements d'une suite, d'une sonate, d'une symphonie. Le premier mouvement de ce concerto est un allegro.*

♦ **4.** Ligne, courbe (considérée comme l'effet d'un mouvement). *Mouvement de terrain, du sol*.* ⇒ **Accident; colline** (cit. 2), **courbe, vallonnement.** *Mouvement harmonieux de la plaine.* (→ Coteau, cit. 1). *Mouvement serpentin d'une rivière* (→ Imprimer, cit. 12).

30 Sancerre, occupe le point culminant d'une chaîne de petites montagnes, dernière ondulation des mouvements de terrain du Nivernais.
BALZAC, la Muse du département, Pl., t. IV, p. 48.

Le mouvement des draperies (en peinture), leurs plis, leurs sinuosités. *Mouvement gracieux d'un dossier Louis XV.*

★ **III.** (xvıᵉ). Mécanisme destiné à produire, à entretenir un mouvement régulier. *Mouvement d'un appareil*.* — (xıvᵉ). Spécialt. *Mouvement d'horlogerie.* ⇒ **Horloge, montre.** *Le mouvement de cette montre est excellent. Accélération* (⇒ **Avance**), *ralentissement* (⇒ **Retard**) *d'un mouvement d'horlogerie. Il faut changer, réparer le mouvement.*

★ **IV.** Fig. **A.** Changement, modification. ♦ **1.** (1280). Littér. (En parlant des émotions, des tendances). *Mouvements de l'âme, du cœur...* ⇒ **Ardeur, bouillon** (vx), **bouillonnement, caprice, chaleur,** 2. **courant, cri, désir, effervescence, émotion** (cit. 18), **élan, impulsion, inclination, passion, sentiment, tendance, vocation,...** (→ Foudre, cit. 14; 1. geste, cit. 1; horloge, cit. 9). *Âme en proie à des mouvements contraires.* ⇒ **Combat** (fig.). *Être agité* (cit. 23) *de mouvements. Mouvement de conscience* (→ La voix* de la conscience). *Mouvements de la passion* (→ Céder, cit. 8), *de l'instinct* (cit. 17). *Mouvements intérieurs* (→ Envelopper, cit. 30). *Mouvement soudain* (→ Approche, cit. 9), *subit* (⇒ **Bouffée**), *violent, bouillant* (→ Emportement, cit. 2; émulation, cit. 2). ⇒ **Déchaînement, véhémence.** *Noble* (→ Aspirer, cit. 8), *généreux mouvement.*

31 Ces appétits, ou ces répugnances et aversions sont appelés mouvements de l'âme, non qu'elle change de place ou qu'elle se transporte d'un lieu à un autre; mais c'est que, comme le corps s'approche ou s'éloigne en se mouvant, ainsi l'âme par ses appétits ou aversions, s'unit aux objets ou s'en sépare.
BOSSUET, Traité de la connaissance de Dieu et de soi-même..., I, vı.

32 (...) les mouvements de son âme étaient dirigés tantôt par les remords, tantôt par la passion. STENDHAL, la Chartreuse de Parme, II, xxvII.

33 Le style n'est que le mouvement de l'âme.
MICHELET, Journal, 4 juil. 1820.

Loc. cour. *Un bon mouvement* (pour inciter à une action généreuse, désintéressée, ou simplement amicale, aimable...). *Allons, un bon mouvement, secourez ce pauvre homme! Un bon mouvement, venez avec nous!*

34 Je vous demandais un service, mais je ne vous prenais pas en traître. Salavin, je vous remercie, vous avez eu un bon mouvement. G. DUHAMEL, Salavin, V, xvı.

MOUVEMENT DE... *Mouvement d'agacement* (cit. 3), *d'impatience, d'humeur...* ⇒ **Crispation.** *Mouvement de joie* (→ Frétiller, cit. 2), *d'enthousiasme*. Mouvement de colère*, de fureur* (→ Causer, cit. 28). *Mouvement d'abattement* (cit. 6); *d'inquiétude*, d'horreur* (cit. 7), *de peur.*

35 Lorsqu'elle vit, en descendant, que l'escalier était obscur, et qu'elle était, pour ainsi dire, seule dans la maison, un mouvement de frayeur, naturel à son âge, la saisit. Elle avait traversé un long corridor qui menait à sa chambre; elle s'arrêta, n'osant revenir sur ses pas. A. DE MUSSET, Nouvelles, « Margot », v.

Loc. *Le premier mouvement :* la première réaction, la plus spontanée* (⇒ **Conséquence,** cit. 2; emporter, cit. 49; impression, cit. 10). *Qui agit du premier mouvement.* ⇒ **Primesautier; instinct** (agir d'instinct). *Impétuosité* du premier mouvement.* — « *Méfiez-vous des premiers mouvements parce qu'ils sont bons* » : mot attribué à Talleyrand « *mais qui serait de Montrond* » (Guerlac).

36 En ce moment, seul avec lui-même, le poète pouvait s'abandonner au torrent de pensées que fait jaillir ce second mouvement, si vanté par le prince de Talleyrand. Le premier mouvement est la voix de la Nature, et le second est celle de la Société. BALZAC, Modeste Mignon, Pl., t. I, p. 486.

37 Que vos résolutions soient lentes, mais fermes. Ne vous laissez aller ni à un premier, ni à un second mouvement. LAMENNAIS, Paroles d'un croyant, xII.

Absolt. *Agir* de son propre mouvement,* de sa propre initiative (cf. Motu proprio).

38 S'il s'attache à me voir, et me veut quelque bien,
C'est de son mouvement : je ne l'y force en rien.
MOLIÈRE, Mélicerte, II, 4.

(1657). Au plur. Expression collective d'une opinion, d'une émotion par le geste ou par la parole. *Son discours a suscité des mouvements dans l'auditoire. Mouvements divers. Mouvement d'indignation* (cit. 4) *générale.* ⇒ **Cri.**

Spécialt (sing.). Impulsion spirituelle. *Les mouvements de grâce* (Pascal, *Pensées,* 507). *Mouvement de l'âme vers Dieu.* ⇒ **Aspiration, élancement** (3.), **élévation** (III., 2.), **envolée, essor...**

Par ext. Littér. Animation du style par laquelle on exprime un mouvement de l'âme, une émotion. *Mouvement oratoire*. Mouvement inspiré* (→ Épithalame, cit. 2; et aussi ci-dessus, II., 1.).

♦ **2.** *Le mouvement de l'esprit :* l'activité pensante, et, spécialt, la « suite de représentations dans la pensée » (Lalande). — EN MOUVEMENT. *Intelligence* (→ Aigu, cit. 15), *esprit* (→ Fixer, cit. 16) *en mouvement.* Par plais. « *L'esprit* (cit. 154) *n'est que la bêtise en mouvement* » (Valéry). — *Le mouvement des esprits.* ⇒ **Fermentation.** *Mouvements d'opinion*.*

♦ **3.** (1853). Changement dans l'ordre social.
LE MOUVEMENT. *Le mouvement de l'histoire* (→ 1. Mère, cit. 22), *de la société. Le mouvement des réformes* (→ Hâter, cit. 6). *Le mouvement du progrès* (⇒ **Progression**). — Absolt. Le changement, la nouveauté. *Les gens avides de scandale et de mouvement* (→ Existentialiste, cit. 1).

(1842). *Parti du mouvement* (par oppos. à *conservateur*). ⇒ **Progrès.**
(1888). Loc. fam. *Être dans le mouvement :* suivre les idées en vogue, être au fait de l'actualité, des nouveautés...

39 Ne prenons (...) pas pour mesure du mouvement chez ces races étranges *(les Égyptiens)* l'échelle de progression à laquelle nous ont habitués les histoires qui nous sont les plus familières. L'Égypte fut de tous les pays le plus conservateur.
RENAN, Mélanges d'histoire et de voyage, « Anc. Égypte », Œ. compl., t. II, p. 359.

(XIIIᵉ). Un, des mouvements. Action collective (spontanée ou dirigée) tendant à produire un changement d'idées, d'opinions ou d'organisation sociale. *Les grands mouvements de l'histoire* (cit. 8). *La Réforme, mouvement individualiste* (cit. 1). *Le mouvement humaniste* (cit. 6). *Mouvement populaire, social* (→ Balayer, cit. 16; hésitation, cit. 2). — Spécialt. *Mouvement de révolte* (→ Fort, cit. 31).

(1793). *Mouvement révolutionnaire* (→ Écrasement, cit. 4). *Mouvement insurrectionnel** (cit.). ⇒ **Émeute, insurrection.** *Meneur* (cit. 2) *d'un mouvement. Cet homme fut l'âme du mouvement.* ⇒ **Promoteur.**

40 Un mouvement populaire trancherait-il la difficulté? Cela ne pouvait avoir lieu qu'autant qu'il serait vraiment le mouvement du peuple, spontané, vaste, unanime, comme fut le 14 Juillet. MICHELET, Hist. de la Révolution franç., II, vII.

(1934). Organisation, parti* qui déclenche, dirige ou organise un mouvement social. *Le mouvement fasciste* (cit. 3 et 4), *hitlérien* (cit. 2). — *Mouvement syndical* (→ Extrême, cit. 2). *Mouvements de jeunesse. Mouvement des Radicaux de gauche. Mouvement de libération nationale* (« Ces termes supposent que l'action prime la théorie », A. Thérive, *Clinique du langage,* p. 310).

(Déb. xıxᵉ). Tendance évolutive (en littér., en art); personnes qui la représentent. *Mouvement littéraire, artistique. Le mouvement romantique, symboliste, dada, surréaliste...*

41 À partir de cette date *(1830)*, il serait plus exact de parler d'un *mouvement romantique* (...)
(En note : J'appelle *mouvement,* dans l'ordre intellectuel et artistique, une tendance inorganisée, de caractère révolutionnaire. Le mouvement peut s'étendre à toute une *génération*).
BRUNOT, Hist. de la langue franç., t. XIII, p. 198 et note 2.

♦ **4.** (1868). Changement quantitatif. ⇒ **Variation; augmentation, décroissance, diminution...** *Mouvements de la population. Mouvements des prix. Mouvement de hausse, de baisse, à la Bourse...*

B. Philos. (au sens du grec *kinêsis*). La réalité en devenir (dont le mouvement spatial proprement dit n'est qu'un aspect), chez Aristote. — (Dans les philos. du devenir). Tout changement* en fonction du temps. ⇒ **Devenir, dynamisme, évolution.** *Doctrines vitaliste* (→ Essentiel, cit. 19, Bergson; homme, cit. 10), *spiritualiste, matérialiste du mouvement. Mouvements de la matière et de l'esprit* (→ Matérialisme, cit. 3). *Une philosophie du mouvement.* ⇒ **Mouvant** (I., 2.).

42 En réalité la vie est un mouvement, la matérialité est le mouvement inverse, et chacun de ces deux mouvements est simple (...)
H. BERGSON, l'Évolution créatrice, p. 250.

CONTR. Arrêt, immobilité, inaction, inertie, inhibition, repos, station. — Ankylose, ataxie, atonie, catalepsie, paralysie. — Calme; langueur.
DÉR. Mouvementé, mouvementer.

MOUVEMENTÉ, ÉE [muvmɑ̃te] adj. — 1845, d'après Bloch; de *mouvement.*

★ **I.** ♦ **1.** Qui présente des mouvements, des accidents, en parlant d'un terrain. ⇒ **Accidenté.** *Terre mouvementée* (→ Grenier, cit. 3, Maupassant).

♦ **2.** (1853). Fig. Qui a du mouvement, de l'action, en parlant d'une composition littéraire. *Récit mouvementé.* ⇒ **Vivant.**

(1868; en parlant des événements réels). Qui présente des péripéties

variées. *Poursuite, arrestation mouvementée. Avoir une vie mouve-*
mentée. ⇒ **Agité.** *Lutte mouvementée.* ⇒ **Animé.**

♦ **3.** (Fin XIXᵉ; Hatzfeld). *Séance mouvementée,* où il se produit des
incidents, des mouvements divers. ⇒ **Houleux, orageux.**

★ **II.** (1973). Comm. Qui a subi un mouvement (vente ou achat), en
parlant d'un article. « *L'état des stocks est imprimé pour tous les*
articles mouvementés » (I. B. M., *in la Clé des mots*).

CONTR. **Égal, plat.** — **Calme.**
HOM. **Mouvementer.**

MOUVEMENTER [muvmɑ̃te] v. tr. — 1833, Gautier; de *mouve-*
ment.

Didactique ou rare.

♦ **1.** Rendre mouvementé, animé ou plus animé (un récit, une
œuvre). ⇒ **Animer.** *Chercher à mouvementer son style.*

(...) ne sachant plus où donner de la tête pour mouvementer un peu ce drame
sans action, je me suis décidé à écrire un roman (...) que j'étais du dernier mieux
avec sa femme (...) Th. GAUTIER, les Jeunes-France, « Celle-ci et celle-là ».
De continuelles allusions politiques l'aident à mouvementer son discours.
GIDE, Journal, mars 1907.

♦ **2.** Agiter, troubler. ⇒ **Perturber.**

Pierre avait dans le caractère je ne sais quoi d'agressif, de romantique et de con-
trecarrant qui mouvementait à l'excès nos rapports.
GIDE, Si le grain ne meurt. II, I, p. 288.

HOM. **Mouvementé.**

MOUVER [muve] v. tr. — XVIᵉ; doublet de *mouvoir* devenu dialectal.

Technique.

♦ **1.** Remuer (la terre) en surface. ⇒ **Labourer.** *Mouver la terre*
d'une caisse de fleurs, d'un parterre.

♦ **2.** Remuer (un liquide). — Vx. *Mouver le sucre,* le détacher des
parois de la forme avec une spatule. ⇒ **Mouveron.**

DÉR. **Mouveron, mouvette.**
HOM. V. **Mouvant, mouveron; mouvoir.**

MOUVERON [muvʀɔ̃] n. m. — 1764; de *mouver.*

Technique.

♦ **1.** Vx. Spatule avec laquelle on détache le sucre des parois de
la forme.

♦ **2.** (1765). Mod. Instrument métallique avec lequel on brasse la
chaux quand elle est éteinte.

HOM. **Formes des v. mouver, mouvoir.**

MOUVETTE [muvɛt] n. f. — 1764; *movette* «hochequeue», 1598.

♦ **1.** Techn. Outil utilisé pour remuer les acides, la cire fondue.

♦ **2.** (1868). Cuis. (Vieilli). Spatule creuse, sorte de cuillère de bois
utilisée pour remuer les sauces. — REM. On a dit aussi *mouvet* [muvɛ],
n. m. (1803) et *mouvoir* [muvwaʀ], n. m. (1732).

Lanie préparait elle-même certaines bouillies d'ingrédients vitaminés ou de composés salins. Elle tournait la mouvette de la main droite dans la casserole et, de
l'autre main, tenait un livre de recettes qu'elle ne quittait pas de l'œil.
G. DUHAMEL, le Cri des profondeurs, III.

MOUVOIR [muvwaʀ] v. — *Je meus, tu meus, il meut, nous mou-*
vons, vous mouvez, ils meuvent; je mouvais, je mus; je mouvrai; je
mouvrais; meus, mouvons, mouvez; que je meuve, que nous mou-
vions; que je musse; mouvant; mû, mue. — REM. *Mouvoir s'emploie*
surtout à l'indic. prés. et à l'imparfait, aux participes, aux temps composés et à l'infinitif. — 1155; *muveir* «causer un mal», 1080; du
lat. *movere.*

★ **I.** V. tr. Littér. ou style soutenu. ♦ **1.** Mettre en mouvement.
⇒ **Agir** (faire), **animer** (cit. 4), **ébranler, émouvoir** (A., 1). *Mouvoir*
de côté et d'autre (→ Balancer, brandiller...), *en tous sens, vers le*
haut... ⇒ **Mouvement.** *Mouvoir ses membres* (→ Maillot, cit. 1).
Balbutier (cit. 7) *sans mouvoir les lèvres.* ⇒ **Remuer.**

1 Lorsqu'on est blessé (...) et qu'on ne peut plus se servir du glaive, il faut mouvoir
le bouclier avec le plus d'attention, d'adresse et de rapidité.
MIRABEAU, *in* BARTHOU, Mirabeau, XIV.

2 La création est mue par deux espèces de moteurs, tous deux invisibles : les âmes
et les forces. HUGO, Post-Scriptum de ma vie, « L'âme, Rêveries sur Dieu ».

Au p.p. *Machine mue par l'électricité, par la force de l'homme*
(→ Manufacture, cit. 3). *Automates* (cit. 5) *mus par...*

3 (...) toutes les fois que deux hommes voient un corps changer de place, ils expriment tous deux la vue de ce même objet (...) en disant, l'un et l'autre, qu'il est mû.
PASCAL, Pensées, VI, 392.

On le voyait sortir de chez lui et y rentrer avec la plus exacte régularité, mû   4
comme par un ressort. M. JOUHANDEAU, Tite-le-Long, II, p. 21.
REM. Le mot est rare, même à l'imparfait.

Avec son doigt, Gerfaut actionna à plusieurs reprises le cadran du téléphone. Cha-   4.1
que fois qu'il le mouvait, la communication s'interrompait.
J.-P. MANCHETTE, Trois hommes à abattre, p. 72.

♦ **2.** Mettre en activité, en action. ⇒ **Agir** (faire), **émouvoir, exci-**
ter, pousser (→ Esprit, cit. 7). *Le cours des humeurs* (cit. 1) *meut*
notre volonté. Le mobile qui le meut.

Il était difficile de mouvoir le Roi, ni dans un sens, ni dans l'autre. En toute déli-   5
bération, il était fort incertain, mais dans ses vieilles habitudes, dans ses idées
acquises, invinciblement obstiné.
MICHELET, Hist. de la Révolution franç., II, VIII.

Il faut, disait cet homme de Mégare, *que mon temple meuve les hommes comme*   6
les meut l'objet aimé. VALÉRY, Eupalinos, p. 24.

Au p. p. *Mû par une intention, un sentiment, un désir, une impul-*
sion*... ⇒ **Animé** (→ Louche, cit. 9).

(...) toujours mû par un perpétuel sentiment de bonté, par une intention délicate,   7
par une connaissance intime du bien-être de cette femme, sentiments qui semblaient être innés en lui (...)
BALZAC, la Femme de trente ans, Pl., t. II, p. 720.

(1690). Dr. *Procès mus et à mouvoir,* présents et futurs.

★ **II.** V. intr. (Déb. XIIᵉ; « se mettre en marche », 1080). ♦ **1.** Vx. Être
en mouvement (on dit de nos jours *se mouvoir*). « *Un corps qui ne*
vit, ne meut ni ne respire » (→ Acharner, cit. 3, La Fontaine).

♦ **2.** Féod. Se dit d'une terre, d'un fief qui relève d'un autre.
⇒ **Dépendre; mouvance** (I.).

▶ **SE MOUVOIR** v. pron. (XIIᵉ).

Plus cour. (mais style soutenu). Être en mouvement*. ⇒ **Bouger,**
déplacer (se), **remuer.** *Qui peut* (⇒ **Mouvant**), *qui ne peut* (⇒ **Immo-**
bile) *se mouvoir.* « *L'âme* (cit. 16) *ne peut se mouvoir sans sentir*
Dieu». Corps qui se meut. ⇒ **Mobile** (→ Courbe, cit. 12; équilibre,
cit. 3; inertie, cit. 1). *Véhicule qui se meut.* ⇒ **Fonctionner, mar-**
cher. *Disposition à se mouvoir* (→ Impulsion, cit. 2). — Fig. *Pen-*
sée qui se meut (→ Grinçant, cit. 1).

Je sais que le fruit tombe au vent qui le secoue,   8
Que l'oiseau perd sa plume et la fleur son parfum;
Que la création est une grande roue
Qui ne peut se mouvoir sans écraser quelqu'un (...)
HUGO, les Contemplations, IV, XV.

Si l'un ou l'autre de ces états était un mal, pourquoi votre Dieu le laissait-il sub-   8.1
sister? Était-il un bien, pourquoi le change-t-il? Mais si tout est bien maintenant,
votre Dieu n'a plus rien à faire : or, s'il est inutile peut-il être puissant, et s'il
n'est pas puissant peut-il être Dieu; si la Nature se meut elle-même enfin, à quoi
sert le moteur? SADE, Justine..., t. I, p. 56.

Spécialt. ⇒ **Aller, bouger, courir, marcher...** (→ Liberté, cit. 33;
membre, cit. 3). *Chercher à se mouvoir* (→ Gourd, cit. 1). *Avoir*
peine à se mouvoir (→ Inaction, cit. 2). *Se mouvoir avec lenteur*
(→ Apathique, cit. 2). *Pièce où l'on peut se mouvoir à l'aise. Se*
mouvoir comme des marionnettes (cit. 6). — Fig. (Littér.). *Se mou-*
voir dans le crime, dans un univers factice, dans le mensonge,
y vivre.

Tous les soldats de cette armée de rebelles paraissaient parler et se mouvoir sous   9
la main du chef, comme les touches du clavecin sous les doigts du musicien.
HUGO, Bug-Jargal, XXIX.

(...) le naturel dans le mensonge; mais elle! ah! elle s'y mouvait et elle y vivait   10
comme le plus flexible des poissons vit et se meut dans l'eau.
BARBEY D'AUREVILLY, les Diaboliques, « le Bonheur dans le crime », p. 168.

(...) habituellement le Commandant Tite-le-Long ne se mouvait que tout d'une   11
pièce à la fois, comme s'il n'eût pour régir ses membres, de l'aine à l'occiput, qu'un
seul pas de vis ou de gond de porte. M. JOUHANDEAU, Tite-le-Long, II, p. 27.

(1690). Ellipt. **FAIRE MOUVOIR** : faire se mouvoir, mettre en mouve-
ment*. *L'attraction* (cit. 1) *fait mouvoir toute la nature. Une roue*
que l'eau d'un torrent fait mouvoir (→ Marteau, cit. 5.1).

(...) il ne faut pas une longue expérience pour sentir combien il est agréable d'agir   12
par les mains d'autrui, et de n'avoir besoin de remuer la langue pour faire
mouvoir l'univers. ROUSSEAU, Émile, I.

(...) une espèce de bascule, qui fait mouvoir la poutre avec laquelle on ferme la   13
barrière (...) Mᵐᵉ DE STAËL, De l'Allemagne, I, XIII.

Et quand elle étendait ses bras nus ornés de bracelets jusqu'aux coudes et faisait   14
mouvoir ses longues mains un peu maigres avec un air de voluptueux effroi, elle
était décidément superbe. E. FROMENTIN, Un été dans le Sahara, p. 34.

▶ **MÛ, MUE** p. p. adj. Voir à l'article cit. 3, 4 et *supra*; 7 et *supra*.

CONTR. **Arrêter, enchaîner, fixer, immobiliser, paralyser, river; freiner.**
DÉR. **Mouvance, mouvant, mouvement, mouver.**
HOM. (De certaines formes) **Mouvant; mouveron;** formes du v. **mouver.**

MOVIOLA [mɔvjɔla] n. f. — 1931; nom déposé (1929); mot anglo-
amér., de *movie* «film», et *(pian)ola* «pianola».

♦ Techn. Appareil de projection sonore en format réduit comportant un petit écran en verre dépoli, utilisé pour le montage cinématographique.

REM. On emploie aussi le nom (américain) de *movitone,* n. m.

Pour la «lecture» de ses bouts de film et de son travail au fur et à mesure qu'il
avance, le monteur se sert de la moviola ou movitone, sorte de petit appareil de
projection sonore qui montre une image d'environ 9 x 12 cm sur dépoli.
LO DUCA, Technique du cinéma, p. 48.

MOXA [mɔksa] n. m. — 1677 ; du japonais *mogusa*, nom d'une variété d'armoise* dont le parenchyme sert de combustible.

◆ Méd. Bâtonnet ou branche d'armoise, employé en médecine traditionnelle chinoise, qui est brûlé au contact de la peau dans des régions déterminées et dont les effets sont comparables à ceux de l'acupuncture. *Application de moxas.* — Par ext. Recours à cette thérapeutique, utilisation des moxas. *Le moxa est encore pratiqué au Japon.*

(...) une espèce de *tabès dorsal* pour lequel il avait fallu lui brûler la colonne vertébrale avec des moxas.
BARBEY D'AUREVILLY, les Diaboliques, « À un dîner d'athées », p. 286.

MOYE ou **MOIE** [mwa] n. f. — 1694 ; déverbal de *moyer* « partager par le milieu » ; du bas lat. *mediare*.

◆ Techn. Couche tendre qui se trouve dans la pierre et qui la fait déliter. *Scier selon la moye.* ⇒ **Moyer.**

DÉR. Moyeuse.
HOM. Moi, mois.

MOYÉ, ÉE [mwaje] adj. — XVIIᵉ ; de *moyer*. → Moye.

◆ Techn. *Pierre moyée,* qui présente une moye. — (P. p. de *moyer*). *Pierre moyée,* sciée selon une moye, ou par le milieu.

1. MOYEN, ENNE [mwajɛ̃, ɛn] adj. et n. — Déb. XIVᵉ ; *moien,* v. 1175 ; *meien,* v. 1120 ; du bas lat. *medianus* « qui est au milieu », dér. de *medius.* → Mi-. — REM. Placé avant un nom commençant par une voyelle ou une h muette, *moyen* se prononce [mwajɛn]. Ex. : *moyen âge* [mwajɛnɑʒ].

Qui tient le milieu.

★ **I. ◆ 1.** Qui se trouve entre deux choses. — (Dans l'espace, entre deux parties extrêmes ou deux choses de même nature). — REM. Placé après le nom, sauf dans *Moyen-Orient,* calque de l'anglais *Middle East.* ⇒ **Médian ; intermédiaire.** *Partie moyenne du cerveau* (→ Hémisphère, cit. 7). *Partie moyenne et extrémités des muscles* (→ Attache, cit. 8). *Oreille moyenne* (→ Conduit, cit. 2). *Tunique moyenne de l'aorte* (→ Artériosclérose, cit.). *Le cours moyen d'un fleuve,* la partie également éloignée de sa source et de son embouchure. *Régions moyennes de l'atmosphère. Moyen-Orient*.

Dans la chronologie. (Placé avant ou après le nom, selon les syntagmes). *Le moyen âge* (⇒ **Moyen âge**). *Le Moyen Empire,* entre le Haut* et le Bas* Empire. *Le quaternaire moyen* (→ Homme, cit. 9). — (Fin XIXᵉ). Ling. *Moyen français,* la langue française, entre l'ancien français et le français moderne (approximativement, les XIVᵉ et XVᵉ siècles). — REM. On emploie le plus souvent *ancien français* pour l'ancien et le moyen français. *Moyen allemand, moyen francique...*

Cours moyen, situé entre le cours élémentaire et la classe de sixième.

N. m. *Les moyens,* les enfants qui appartiennent selon leur âge au groupe ou à la section intermédiaire entre le groupe (ou la section) des petits et le groupe (ou la section) des grands, à l'école maternelle, dans une colonie de vacances, etc.

Dans l'ordre d'un énoncé. (Math.). *Termes moyens.* N. m. pl. *Les moyens,* les deux éléments centraux d'un ensemble de quatre éléments. *Dans la proportion a/b = c/d,* b *et* c *sont les moyens,* a *et* d *les extrêmes.*

MOYEN TERME. ⓐ (1732). Log. (Dans un syllogisme*). Celui des trois termes par l'intermédiaire duquel le majeur et le mineur sont mis en rapport. ⇒ **Médium.** *Le moyen terme est commun aux deux prémisses et ne figure pas dans la conclusion.*

ⓑ Cour. Médiateur (cit. 5). — Fig. Parti intermédiaire entre deux solutions extrêmes, deux prétentions opposées. ⇒ **Mezzo termine, milieu** (II.).

1 Avec ce je ne sais quoi d'indéfinissable, du moins pour moi, qu'il y a dans votre caractère, si vous ne faites pas fortune, vous serez persécuté ; il n'y a pas de moyen terme pour vous.
STENDHAL, le Rouge et le Noir, II, I.

◆ **2.** (V. 1160). Après le nom ; plus rarement avant. Qui, par ses dimensions ou sa nature, tient le milieu entre deux extrêmes. *Être de taille moyenne. Stature moyenne* (→ Cuir, cit. 3). *Branche de moyenne grosseur* (→ Ligneux, cit.). *Longueur moyenne. Grandeurs moyennes à l'échelle* (cit. 23) *humaine. Moyenne altitude. Niveau moyen des eaux* (→ Littoral, cit.). *Du fil de fer moyen,* ou, n. m., *du moyen.* — *Moyen métrage** (film de moyen métrage). — T. de boxe. *Poids* moyen.* — *Prix moyen.* ⇒ **Modéré.** *Âge moyen. Homme d'âge moyen ;* (vx) *« de moyen âge »* (cit. 37, La Fontaine). *Moyenne culture** (cit. 3). *Petites et moyennes entreprises.* — *Moyenne bourgeoisie.* — *Solution moyenne. Chercher des voies moyennes, se maintenir* (cit. 22) *dans la voie moyenne* (→ Équilibrer, cit. 7). ⇒ **Mitoyen** (vieilli). *Trouver la ligne* (cit. 16) *moyenne* (entre deux attitudes).

2 D'une taille moyenne, un peu grasse, affligée de myopie, elle n'était ni laide ni jolie (...)
BALZAC, les Petits Bourgeois, Pl., t. VII, p. 93.

Depuis quinze ans, il (*M. Töpffer sur son passeport*) a le visage ovale, le nez moyen, la bouche moyenne et le menton moyen aussi. En moyenne, c'est toujours la même chose, et frappant de ressemblance.
R. TÖPFFER, Voyages en zigzag, p. 150.

Les arbres de moyenne futaie, les buissons aux branchages légers, ressemblent aux nôtres (...)
LOTI, l'Inde (sans les Anglais), V, VII.

La classe moyenne, les classes moyennes de la société, qui tiennent le milieu de l'échelle sociale. *La classe moyenne de l'Ancien Régime* (→ Famille, cit. 10). — REM. De nos jours, *classe moyenne* se dit surtout de la petite et moyenne bourgeoisie. *Apathie* (cit. 7) *des classes moyennes.*

La classe moyenne, bourgeoise, dont la partie la plus inquiète s'agitait aux Jacobins, avait son avènement. Classe vraiment moyenne en tout sens, moyenne de fortune, d'esprit, de talent.
MICHELET, Hist. de la Révolution franç., IV, X.

Cette classe qu'on a heureusement baptisée « moyenne » enseigne à ses fils qu'il ne faut rien de trop et que le mieux est l'ennemi du bien.
SARTRE, Situations II, p. 232.

Notre classe moyenne commet un peu la même erreur (*que ceux qui se surestiment*). Parce qu'elle fournit la plupart des agents de surveillance ou de contrôle, elle se prend volontiers pour une aristocratie nationale, croit compter dans ses rangs plus de chefs. Non pas plus de chefs — plus de fonctionnaires, ce n'est pas la même chose.
BERNANOS, les Grands Cimetières sous la lune, p. 52.

Une nouvelle mystification monte : les classe moyennes n'auront une ombre de pouvoir, que des miettes de richesses, mais c'est autour d'elles que s'organise le scénario. Leurs « valeurs », leur « culture » l'emportent ou semblent l'emporter parce que « supérieures » à celles de la classe ouvrière.
Henri LEFEBVRE, la Vie quotidienne dans le monde moderne, p. 82.

Gramm. *Voix moyenne,* ou, n. m., *le moyen :* conjugaison qui, dans certaines langues (grec ancien...), tient le milieu entre l'actif et le passif, exprimant l'intérêt ou la part que le sujet prend à l'action. ⇒ aussi **Médiopassif.** — *Verbe moyen,* conjugué à la voix moyenne. *Désinences moyennes,* propres au moyen.

Phonét. *Voyelle moyenne,* dont l'articulation comporte une aperture intermédiaire entre celle d'une voyelle ouverte et celle d'une voyelle fermée.

◆ **3.** (Après le nom). Qui est du type le plus courant. ⇒ **Courant, ordinaire.** *Le Français* (cit. 10) *moyen,* personne représentative du commun des Français. *Le lecteur moyen et le lecteur délicat* (→ Audience, cit. 6). — Méd. *Études faites sur un sujet moyen* (→ Graisseux, cit. 3).

(...) l'invention artistique était la fleur d'une civilisation et une des raisons d'aimer la vie que les hommes de génie procurent à l'humanité moyenne.
J. ROMAINS, les Hommes de bonne volonté, t. V, XXVII, p. 283.

◆ **4.** (Après le nom). Qui, dans l'ordre de la qualité, n'est ni bon ni mauvais. *Qualité moyenne.* ⇒ **Correct.** *Intelligence moyenne. Nature moyenne,* qui n'a rien d'exceptionnel (→ Élever, cit. 60). *Un élève moyen, moyen en mathématiques,... moyen en tout.* — *Travail, résultats moyens.* ⇒ **Honnête, honorable, médiocre** (1., vx), **passable.** — REM. Ce mot prend souvent un sens dépréciatif proche de *médiocre* (2.). *Ce devoir, cet élève est très moyen,* il est plutôt mauvais que bon.

Il ne subissait pas volontiers le joug de cet esprit moyen qui, n'ayant ni le besoin de talent qu'éprouve une élite, ni l'entraînement du peuple, son instinct naïf et profond, exige qu'on soit moyen, juste à la même hauteur, pas plus haut et pas plus bas, et qui, tout défiant qu'il peut être, se laisse néanmoins gouverner par une tactique médiocre. La Révolution qui montait amenait à la puissance ces médiocrités actives.
MICHELET, Hist. de la Révolution franç., IV, X.

★ **II.** Didact. et cour. (Après le nom). Que l'on établit, calcule en faisant une moyenne. ⇒ **Moyenne.** *Température moyenne annuelle d'un lieu. La durée moyenne de la vie* (→ Homme, cit. 15 ; hygiène, cit. 3) ou *la vie moyenne. Vie moyenne dans un pays à une époque donnée. Cours moyens de la Bourse. Fréquence* (cit. 3) *moyenne de... Valeur moyenne d'une variable aléatoire,* son espérance* mathématique. *Type moyen établi par de nombreuses mensurations* (→ 2. Canon, cit. 3). *Vitesse moyenne d'un mobile entre deux instants donnés.*

Cependant je ne doute pas que la vie moyenne de l'homme civilisé ne soit plus longue que la vie moyenne de l'homme sauvage.
DIDEROT, Suppl. au voyage de Bougainville, IV.

On appelle *âge moyen* d'une population la moyenne des âges de ses habitants, et *âge médian* d'une population l'âge qui sépare ses habitants en deux groupes d'effectifs égaux.
Dict. démographique multilingue, Nations Unies (1954).

Temps solaire vrai et temps moyen. ⇒ **Temps.**

CONTR. Extrême. — Excessif, limite. — Gigantesque, grand, gros, petit. — Exceptionnel, génial.
DÉR. V. 2. Moyen, moyenne, moyennement.
COMP. Moyen âge, moyen-courrier.
HOM. 2. Moyen. — (Du fém.) Moyenne.

2. MOYEN [mwajɛ̃] n. m. — V. 1361 ; de *moyen,* adj., « intermédiaire ».

◆ **1.** Ce qui sert pour arriver à une fin. ⇒ **Cause** (médiate), **procédé, voie.** *La fin* et les moyens, le but et les moyens* (→ Instinctif, cit. 4). *Prendre le moyen pour la fin* (→ Gain, cit. 3), *la fin* (cit. 35) *pour le moyen. Traiter autrui comme une fin* (cit. 34) *et non comme un moyen.* L'art (cit. 84) *n'est pas un moyen mais un but.* — Prov. *Qui veut la fin* veut les moyens. La fin justifie* (cit. 11 et 12) *les moyens.* ⇒ **Fin** (supra cit. 30). — *Le, les moyens de faire quelque chose, de parvenir à quelque chose. Par quel* moyen? ⇒ **Comment**. *Moyen de faire fortune* (cit. 44). *Moyen de parvenir* (⇒ **Marchepied, porte, tremplin**, fig. **viatique**). *Songer aux moyens de faire une chose* (→ **Affaire**, cit. 32). **Aviser*** (cit. 12) *aux moyens de sauver quelqu'un. Concerter* (cit. 1) *avec quelqu'un les moyens de se venger.* ⇒ **Batterie** (*dresser ses batteries*). *Chercher des moyens.* ⇒ **Ingénier** (s'). *Trouver un moyen.* ⇒ **Formule, méthode, recette, solution;** fam. **biais, filon, joint, système, truc.** *Trouver le moyen de faire quelque chose, de réussir. Le moyen de résoudre un problème, de comprendre, de déchiffrer une énigme...* ⇒ **Clef.** — (xvᵉ). *Trouver moyen de...* ⇒ **Parvenir** (→ Chanoine, cit. 3; manière, cit. 2). — Par antiphr. *Il a trouvé moyen de se fâcher avec elle pour une peccadille.* — *Inventer quelque moyen.* ⇒ **Machine** (vx); **ingéniosité** (→ Escapade, cit. 3). *Donner, fournir... les moyens* (en parlant d'une chose ou d'une personne). ⇒ **Mettre** (à même), **permettre, outiller** (→ Amour-propre, cit. 1; exercer, cit. 14). *Indiquer les moyens de...* ⇒ **Marche** (à suivre). *Renseigner sur les moyens de... Avoir le, les moyens de.* ⇒ **Pouvoir; possibilité.** *S'il en avait le moyen, les moyens : s'il le pouvait. Il détenait les moyens de contrôler toute l'affaire.* ⇒ **Fil** (tenir les fils). *Prendre, employer, utiliser un moyen* (→ Assistance, cit. 2). *Les moyens mis en œuvre* (→ Coup, cit. 41). *Ensemble, organisation de moyens.* ⇒ **Combinaison, opération; plan, tactique.** *Déjouer un moyen par une contrebatterie*. Disposer de plusieurs moyens* (→ Avoir plusieurs cordes* à son arc). *Un arsenal de moyens. Avoir, laisser à quelqu'un le choix des moyens. Ne pas s'entendre* (cit. 80) *sur les moyens à employer. Il y a plusieurs moyens, mille moyens de...* ⇒ **Chemin, façon, manière.** *Les trois moyens de croire* (→ Coutume, cit. 12, Pascal). *Les différents moyens d'être heureux* (→ Exception, cit. 2). *Tenter, essayer tous les moyens* (cf. fam. Toutes les herbes de la Saint-Jean). → Accès, cit. 5; impression, cit. 33. *Utiliser tous les moyens* (→ Faire jouer tous les ressorts*; remuer ciel* et terre; mettre toutes voiles* dehors). *Tous les moyens lui sont bons, tout lui est bon : il est peu difficile, peu scrupuleux sur le choix des moyens. Ne reculer devant aucun moyen. Par tous les moyens.* ⇒ **Force** (à toute force), **prix** (à tout prix). → Intrigant, cit. 5. *Attaquer, lutter par tous moyens* (→ Éparpillement, cit. 2; homme, cit. 68). *Changer de moyens* (→ Changer de batteries*). *Je n'ai pas, il n'y a pas d'autre moyen. Il n'y a aucun moyen* (→ Sans recours*).

1 (...) je ne désirais pas de jouir, je voulais savoir; le désir de m'instruire m'en suggéra les moyens.
LACLOS, les Liaisons dangereuses, LXXXI.

2 (Sparte) savait bien (...) qu'il lui faudrait, au retour de l'armée, ou subir la loi de ses hilotes, ou trouver moyen de les faire massacrer sans bruit.
FUSTEL DE COULANGES, la Cité antique, IV, X.

3 (...) il y avait là le marquis de Champtercier, vieux, riche, avare, lequel trouvait moyen d'être tout ensemble ultra-royaliste et ultra-voltairien.
HUGO, les Misérables, I, I, IV.

4 Il la supplia de trouver le moyen de venir déjeuner avec lui, quelque part aux environs de Paris (...)
MAUPASSANT, Fort comme la mort, I, III.

5 (...) vous avez carte blanche pour user de tous les moyens qui vous paraîtront propres à le dompter.
F. MAURIAC, la Pharisienne, III.

6 J'ai de bonnes raisons pour être assuré que votre père, en ce peu de temps, peut faire fortune là-bas; je lui en fournirai les moyens.
MONTHERLANT, le Maître de Santiago, I, 2.

Moyen efficace, infaillible (→ Efficacité, cit. 1). *Un bon, un excellent moyen. Mauvais moyen* (→ Lire, cit. 28). *Le meilleur moyen pour...* (→ Amener, cit. 10). *Le meilleur moyen de...* (→ Attendre, cit. 31; avorter, cit. 6). *Moyen assuré* (cit. 80) *pour être aimé. Le moyen le plus sûr de...* (→ Accoutumer, cit. 2; bonheur, cit. 24), *pour...* (→ Avancer, cit. 55). *Le plus sûr moyen de ne pas dire de bêtises* (cit. 13) *est de se taire. Le seul, l'unique moyen* (→ Court, cit. 19; guérir, cit. 26; marquer, cit. 1). *Moyen le plus court, le plus simple* (→ Hérésie, cit. 1; hypocrite, cit. 29). *Moyen rapide, expéditif, prompt* (→ Flatter, cit. 23). *Moyen provisoire, insuffisant.* ⇒ **Demi-mesure, expédient, palliatif.** *Moyens de fortune*. Se débrouiller par, avec les moyens du bord* (→ Bord, cit. 5.1), *les seuls moyens que fournissent une situation, un lieu donné. Moyens énergiques. Employer les grands moyens* (1868), *ceux dont l'effet doit être décisif par la force, l'importance des éléments mis en jeu* (→ La grosse artillerie*). *Il s'est décidé à employer les grands moyens* (→ Trancher* dans le vif). — *Moyens violents, dangereux* (→ Bannir, cit. 28). *Recourir à des moyens extrêmes.* ⇒ **Venir** (en venir à). → En désespoir de cause*. *Moyen d'exception, moyen singulier* (→ Insurrection, cit. 1). *Dernier moyen.* ⇒ **Carte, chance, planche** (de salut), **recours, ressource, va-tout.** *Moyen direct. Moyen indirect, détourné.* ⇒ **Artifice, astuce, biais, calcul, manœuvre, menée, ruse, subterfuge, tournant, traverse** (chemin de). *Moyen subsidiaire*. Moyen loyal, courtois, honnête* (→ Louable, cit. 1). *Moyen déloyal, perfide...* ⇒ **Engin** (vx), **piège, trucage** (→ Malice, cit. 1). *Le manège* (cit. 7) *et l'intrigue, moyens méprisables. Moyen subreptice, secret. Moyen adroit pour se tirer d'affaire.* ⇒ **Échappatoire** (cit. 3), **excuse.** *Moyens dilatoires.* ⇒ **Fuite.** *Moyen qui se retourne contre celui qui l'utilise* (→ Arme à double tranchant*). — *Moyens nécessaires au fonctionnement d'une administration.* ⇒ **Rouage(s).** *Moyens matériels* (⇒ **Instrument**). *Moyens primitifs d'un inventeur* (→ Goudronnage, cit. 1). *Avec peu de moyens, les ferronniers du moyen âge avaient une technique parfaite* (→ Ferronnerie, cit. 1). *Moyens mécaniques* (⇒ **Technique**). → Fluide, cit. 8. *Moyens psychologiques, intellectuels* (→ Matérialiste, cit. 3). *Moyen magique.* ⇒ **Charme, sortilège.** *Par des moyens inconnus,*

mystérieux (→ fam. Par l'opération* du Saint-Esprit). *Utiliser une personne comme moyen.* ⇒ **Agent, instrument** (cit. 13), **organe.**

7 Il est donc vrai que vous avez refusé un moyen de me voir? Un moyen simple, commode et sûr?
LACLOS, les Liaisons dangereuses, XCIII.

8 Le moyen infaillible de rajeunir une citation est de la faire exacte.
E. FAGUET, rapporté par A. CHAUMEIX, in Disc. de réception à l'Académie, 30 avr. 1931.

9 N'était-ce pas le plus sûr moyen qu'il restât beaucoup chez lui, — et beaucoup chez elle?
Paul BOURGET, Cruelle énigme, I.

IL Y A, IL N'Y A PAS MOYEN DE... : il est possible, il est impossible de... (→ Arrêter, cit. 5; ignorant, cit. 7). *Il n'y a pas moyen de le faire obéir, de lui ôter cette folie* (cit. 22) *de la tête,... qu'il arrive à l'heure. Il n'y a plus moyen de s'en sortir.* ⇒ **Impossible.** *Pas moyen! rien à faire!* ⇒ 2. **Mèche.** — Pop. *Pas moyen de moyenner*. — Alors? Il n'y a plus moyen?* (en s'adressant à une personne qui ne fait pas ce qu'on attend d'elle, qui est en retard...).

10 La ville est un lieu où il n'y a plus moyen de vivre (...)
LA BRUYÈRE, les Caractères, Théophraste, Des Grands d'une République.

Il n'y a pas moyen que... (avec le subj.). *N'y a-t-il pas moyen que vous arriviez à l'heure?*

11 Il n'y a plus moyen que vous trouviez pour marcher en cette Ville une rue non créancière (...)
CYRANO DE BERGERAC, Lettres satiriques, Contre Soucidas.

12 Mais, Claudine, n'y a-t-il pas moyen que je la puisse entretenir?
MOLIÈRE, George Dandin, II, 4.

Ellipt. (vx ou littér.). **LE MOYEN DE..., QUE...** (formule d'interrogation ou d'exclamation pour émettre un doute, exprimer une impossibilité, etc.). ⇒ **Comment.** *Le moyen de choisir* (→ Égal, cit. 8) *entre deux beautés? Le moyen de n'être pas sensible à une telle louange?* (→ Apprêter, cit. 8). *Quel moyen de résister?* (→ Fraternel, cit. 6). *« Le moyen que ce qui est si faible, étant enfant, soit bien fort* (cit. 16) *étant plus âgé! »* (Pascal).

13 J'aurais cent choses à vous dire; mais le moyen, quand on a le cœur pressé?
Mme DE SÉVIGNÉ, 726, 25 août 1679.

14 (...) les clients se lassaient ou s'adressaient ailleurs. Sans rancune du reste. Le moyen de se fâcher avec cette aimable personne, qui parlait d'une voix douce, et ne s'émouvait de rien!
R. ROLLAND, Jean-Christophe, L'adolescent, II, p. 272.

Moyen d'action : ce qui permet d'agir. ⇒ **Levier, pouvoir, ressort.** *Moyen d'action sur les personnes, les choses* (→ Absolutisme, cit. 1; achopper, cit. 4; exportation, cit. 3). *Moyens de pression d'un gouvernement* (→ Endoctrinement, cit.). *Moyen d'intimidation. Moyens de conciliation*. Moyens de défense d'un pays* (⇒ **Arme, armement, munition**), *d'une personne* (⇒ fig. **Arme**), *de l'organisme... Moyen de succès* (→ Femme, cit. 66), *de réussite. L'observation, l'intuition* (cit. 3), *moyens de connaissance. Moyen de contrôle. Puissant moyen de vulgarisation* (→ Gravure, cit. 3).

15 Le suffrage devint le grand moyen de gouvernement.
FUSTEL DE COULANGES, la Cité antique, IV, IX.

16 Nous avons des moyens d'investigation très nouveaux (...)
J. ROMAINS, les Hommes de bonne volonté, t. V, XIV, p. 107.

(1843). *Moyens de transport** (⇒ **Véhicule**), *de communication* (→ Emporter, cit. 19; industriel, cit. 2).

Moyens de production, nécessaires pour produire (objets sur lesquels porte le travail et instruments utilisés pour le travail).

Dr. « Raison de droit ou de fait invoquée devant un tribunal à l'appui d'une prétention » (Capitant). ⇒ **Raison.** *Les moyens d'une cause. Moyens de défense. Moyens d'opposition. Moyens de faux. La fin* (cit. 41) *de non-recevoir, moyen tendant à faire écarter la demande.* ⇒ **Exception.** *Acte contenant les moyens et les conclusions* (→ Incident, II., cit. 14).

17 La requête contiendra les moyens d'opposition, à moins que des moyens de défense n'aient été signifiés avant le jugement, auquel cas il suffira de déclarer qu'on les emploie comme moyens d'opposition (...)
Code de procédure civile, art. 161.

Plur. Législ. fin. Procédés par lesquels le Trésor public se procure les ressources nécessaires à l'équilibre du budget. *Voies et moyens.*

(xvᵉ). **PAR LE MOYEN DE** : par l'intermédiaire de, grâce à... ⇒ **Canal, entremise, intermédiaire, instrument, truchement; par.** *Le graveur imite par le moyen de son art les effets de la peinture* (→ Gravure, cit. 2). *Style par le moyen duquel on exprime l'inexprimable* (cit. 8).

18 (...) le poumon (...) ayant communication avec le cerveau (...) par le moyen de la veine cave (...)
MOLIÈRE, le Médecin malgré lui, II, 4.

(1466). **AU MOYEN DE** : à l'aide de (le moyen exprimé étant généralement concret). ⇒ **Aide** (à l'aide de), **avec, grâce** (à), **moyennant, par.** *Se diriger au moyen d'une boussole, de repères, d'alignements* (cit. 2). *Route indiquée au moyen de jalons* (cit. 1). *Machine qui s'oriente au moyen d'un gouvernail* (cit. 1). *Les labiales sont articulées* (cit. 10) *au moyen des lèvres. L'algèbre permet de trouver les inconnues* (cit. 4) *au moyen des connues.* — *Sans le moyen de... Monter à une corde sans le moyen des pieds.* ⇒ **Secours.**

(Déb. xxᵉ). Gramm. *Complément de moyen,* exprimant le moyen par lequel s'accomplit l'action exprimée par le verbe (ex. : *rentes,* dans *vivre de ses rentes*).

♦ **2.** (1580). **LES MOYENS** : pouvoir* naturel et permanent d'une personne, dans l'ordre physique, intellectuel ou moral. ⇒ **Capacité, faculté, force.** *Moyens physiques d'un sportif. Les moyens d'un* *élève, d'un employé* (→ État-major, cit. 3). *Avoir des moyens, de grands moyens, peu de moyens.* ⇒ **Don, facilité.** *Perdre ses moyens :* se troubler. — *Une tâche, une mission à la mesure de ses moyens, au-dessus de ses moyens. Connaître ses moyens* (⇒ **Limite**). *Être en possession de tous ses moyens :* être en bonne forme physique ou morale.

19 J'ai connu, sur les bancs du collège, un garçon qui avait de l'ambition et des moyens ; il s'appliquait, il comprenait, il retenait.
　　　　　　　　　　　　ALAIN, *Propos*, 18 févr. 1911, Grandet.

Par ses propres moyens : sans aide étrangère, en agissant seul. *Un bricoleur, une personne ingénieuse qui fait tout par ses propres moyens. Gagner une fortune par ses propres moyens* (→ Fonctionnarisme, cit. 3). *Débrouillez-vous par vos propres moyens !* ⇒ **Seul** (tout seul). *Il est rentré chez lui par ses propres moyens,* sans être accompagné, ou sans utiliser les transports publics. *Un homme qui a réussi, qui est arrivé par ses propres moyens* (→ Self-made-man).

♦ **3.** (Fin XVᵉ). Ressources* pécuniaires. *Moyens d'existence, moyens de vivre. Tirer de son travail, de sa plume ses moyens de subsistance.* ⇒ **Revenu.** — *Mes moyens me permettent de manger à ma faim* (→ Désaltérer, cit. 5). *Ses parents n'avaient pas les moyens de lui faire faire des études. C'est trop cher, c'est au-dessus de mes moyens, je n'en ai pas les moyens. Donner dans la mesure, dans la limite de ses moyens, selon ses moyens.* ⇒ **Richesse** (→ Enterrer, cit. 12). — *Fam.* (L'emploi qu'on en fait n'étant pas précisé). *Avoir de petits, de gros moyens. Des gens qui ont les moyens, qui n'ont pas les moyens :* des gens riches, pauvres.

20 Lorsque je quittai la maison, mon père, ma mère, mon parrain, m'avaient tous donné quelque chose, chacun selon ses petits moyens : et j'avais en réserve cinq louis (...)
　　　　　　　　　　　DIDEROT, *Jacques le fataliste*, Pl., p. 536.

21 Marius renvoya les trente louis à sa tante une lettre respectueuse où il déclarait avoir des moyens d'existence et pouvoir suffire désormais à tous ses besoins. En ce moment-là, il lui restait trois francs.
　　　　　　　　　　　HUGO, *les Misérables*, III, IV, VI.

22 La moindre petite enquête vous aurait montré que cette femme est la maîtresse d'un nommé Robert qui doit avoir une trentaine d'années de moins que vous et qui n'a pas de moyens d'existence avoués. Une partie de l'argent que vous remettez généreusement à votre maîtresse sert à le faire subsister.
　　　　　　　　　　　René FLORIOT, *la Vérité tient à un fil*, p. 17.

CONTR. Fin. — Impossibilité, impuissance.
DÉR. Moyenner.
HOM. 1. Moyen.

MOYEN ÂGE ou MOYEN-ÂGE [mwajɛnɑʒ] n. m. — 1640 ; comp. d'*âge*, III., et de 1. *moyen*, p.-ê. d'après l'angl. *middle ages*.

REM. On écrit *moyen âge, Moyen âge, Moyen Âge, moyen-âge, Moyen-âge, Moyen-Âge.*

♦ Période comprise entre l'antiquité et les temps modernes, traditionnellement limitée par la chute de l'Empire romain d'Occident (476) et la prise de Constantinople (1453). *Antiquité, moyen âge et temps modernes* (→ Archéologie, cit. 3). *Le haut moyen âge :* la partie la plus ancienne (avant les XIᵉ-XIIᵉ siècles). *Les hommes, les villes... du moyen âge.* ⇒ **Médiéval.** *Société du moyen âge.* ⇒ **Chevalerie, croisade, féodalité** (cit.) ; **corporation, foire** (cit. 1). *Philosophie, scolastique, littérature du moyen âge* (farce, fatrasie [cit. 1], geste, jeu, miracle, moralité, mystère, roman, sotie...). *Œuvres du moyen âge* (→ Envisager, cit. 9 ; fable, cit. 14). *Arts, styles du moyen âge.* ⇒ **Gothique** (cit. 10), **roman.** *Le retour au moyen âge est l'un des caractères du romantisme* (→ Fantastique, cit. 5 ; littérature, cit. 13). *Spécialiste du moyen âge.* ⇒ **Médiéviste.**

1 Le XIXᵉ siècle a bien vengé le moyen âge des mépris du XVIIIᵉ ; et la féodalité honnie et proscrite a repris dans notre littérature le sceptre qu'elle portait autrefois.
　　　　　　　　　　　BALZAC, *le Feuilleton*, XLVII, Œ. diverses, t. I, p. 440.

2 Revenons à Paris et au quinzième siècle. Ce n'était pas alors seulement une belle ville ; c'était une ville homogène, un produit architectural et historique du moyen-âge, une chronique de pierre. C'était une cité formée de deux couches seulement, la couche romane et la couche gothique, car la couche romaine avait disparu depuis longtemps (...)
　　　　　　　　　　　HUGO, *Notre-Dame de Paris*, III, II.

3 Le terme même de Moyen-âge est le plus impropre qui soit et je voudrais lui voir substituer, surtout en ce qui touche la France, celui de Premier Âge. Il nous a été imposé par les humanistes de la Renaissance, qui ont envisagé ce temps comme la transition entre l'Antiquité classique gréco-romaine et l'époque qui prétendait l'avoir ressuscitée. *Le vilain monstre Ignorance,* l'appellera Ronsard.
　　　　　　　　　Gustave COHEN, *la Grande Clarté du Moyen-âge*, Introduction.

4 Le Moyen âge était donc devenu *(au XVIIᵉ s.)* une réalité incontestable pour les historiens. Elle le resta, malgré leurs différences sur sa signification : perversion de l'Église dans la conception protestante, des lettres et des arts dans la conception classique (...) antithèse de la raison dans la philosophie du XVIIIᵉ siècle, âge d'or dans le romantisme catholicisant issu de Schlegel.
　　　　É.-G. LÉONARD, *in Encycl. Pl.*, Préface, Hist. universelle, t. II, p. x.

Par appos. ou adj. (1835 ; vieilli depuis la création de *moyenâgeux*). *Costume moyen âge.* ⇒ **Moyenâgeux.**

5 (...) il y a bien tantôt trois semaines de cela, le roman moyen-âge florissait principalement à Paris et dans la banlieue... Ce n'étaient qu'ogives, tourelles colonnettes, verrières coloriées, cathédrales et châteaux forts (...)
　　　　　　　Th. GAUTIER, Préface de Mˡˡᵉ de Maupin, éd. crit. Matoré, p. 18.

DÉR. Moyenâgeux.

MOYENÂGEUX, EUSE [mwajɛnɑʒø, øz] adj. — 1865, Goncourt ; de *moyen âge*.

♦ **1.** Vieilli. Qui concerne le moyen âge ; du moyen âge. ⇒ **Médiéval.** *Époque moyenâgeuse* (→ Absolu, cit. 16).

♦ **2.** Qui a les caractères, le pittoresque du moyen âge ; qui évoque le moyen âge. *Costume moyenâgeux* (Académie). *Rues moyenâgeuses d'une petite ville.* — REM. Ce mot tend à disparaître au profit de *médiéval.*

Le crâne rasé à la façon d'un teigneux, le pitre avait une de ces têtes *moyenâgeuses* telles que le peintre Leys en a encore trouvé pour ses tableaux quelques modèles dans le vieux Brabant autrichien.
　　　　　　　Ed. DE GONCOURT, *les Frères Zemganno*, II.

Vous savez que j'ai quitté mon grand roman pour écrire une petite bêtise *moyenâgeuse* qui n'aura pas plus de trente pages (*La légende de Saint Julien l'Hospitalier*).
　　　　　　　FLAUBERT, *Correspondance*, 1563, 11 déc. 1875.

♦ **3.** Fig., péj. Suranné, vétuste. *Idées, conceptions moyenâgeuses. Des procédés moyenâgeux.*

REM. La variante *moyennagé, ée* est attestée chez Chateaubriand (av. 1841, *in* D.D.L.).

MOYEN-COURRIER [mwajɛ̃kurje] n. et adj. m. — Mil. XXᵉ ; d'après *long courrier.*

♦ Avion de transport utilisé sur des distances moyennes (1 600-2 000 km). *Des moyens-courriers.* — REM. Le plur. *des moyen-courriers,* attesté, est peu logique.

MOYENNANT [mwajɛnɑ̃] prép. — 1361 ; de *moyenner* (1.).

♦ **1.** Au moyen de..., par le moyen de..., à la condition de... ⇒ **Avec, grâce** (à). *Moyennant un effort intellectuel* (cit. 7). ⇒ **Prix** (au prix de). *Acquérir une chose, la jouissance d'une chose moyennant un prix convenu* (→ Louage, cit. 5 ; marché, cit. 18), *un petit loyer* (cit. 2). ⇒ **Pour.** *Il accepta de rendre ce service moyennant récompense.* ⇒ **Contre, échange** (en échange de). *Moyennant cette somme le bateau fut à nous* (→ Gréement, cit. 1). — Loc. *Moyennant finances.*

MOYENNANT QUOI : par le moyen de quoi, et, par ext., grâce à quoi. *Je lui remettrai mille francs, moyennant quoi nous serons quittes* (Académie). — Fam. *Il a bu deux litres de rouge, moyennant quoi il était complètement parti.*

Flatter ceux du logis, à son maître complaire ;
Moyennant quoi votre salaire
Sera force reliefs de toutes les façons (...)
　　　　　　　　　　　LA FONTAINE, *Fables*, I, 5.

Quand te vends-tu au gouvernement moyennant une place de 1 500 francs par an ?
　　　　　　　　　　　FLAUBERT, *Correspondance*, 89, 11 nov. 1844.

Je lui ai dit alors qu'il devait aller à la fourrière et qu'on le lui rendrait *(le chien)* moyennant le paiement de quelques droits.
　　　　　　　　　　　CAMUS, *l'Étranger*, I, 4.

♦ **2.** (1219). Loc. conj. (archaïque ou littér.). *Moyennant que...* (avec le subj.). À condition que, pourvu que.

Amenez-la, courez ; je vous promets
D'oublier tout, moyennant qu'elle vienne.
　　　　　　　　　　　LA FONTAINE, *Contes*, II, 1.

— J'en suis *(de l'expédition)...* moyennant que le temps le veuille (...)
　　　　　　　　　　Alphonse DAUDET, *Tartarin sur les Alpes*, XII.

Moyennant qu'on le baigne d'eau à l'aurore, et le soir au crépuscule, le jardin garde sa fraîcheur d'oasis.
　　　　　　　　　　　COLETTE, *Belles saisons*, p. 20.

MOYENNE [mwajɛn] n. f. — 1580 ; *moienne* « milieu », v. 1360 ; de 1. *moyen.*

♦ **1.** Ce qui tient le milieu ; type généralement le plus courant, éloigné des extrêmes. *La moyenne des hommes* (→ Fascination, cit. 7). *Une intelligence, une habileté au-dessus de la moyenne. Être dans la moyenne, dans la bonne moyenne. La moyenne en tout est signe de médiocrité* (→ Haïssable, cit. 6).

Or je suis d'une taille un peu au-dessous de la moyenne. Ce défaut n'a pas seulement de la laideur, mais encore de l'incommodité (...)
　　　　　　　　　　　MONTAIGNE, *Essais*, II, XVII.

Tout filou qui dépassait la moyenne humaine en petitesse ou en grandeur était mal à l'aise dans les costumes du Changeur.　HUGO, *les Misérables*, V, IX, IV.

Après avoir cherché le type devant représenter la bonne moyenne des intelligences publiques pour cette grande épreuve, mon choix s'est arrêté... sur mon « pipelet » (...)　VILLIERS DE L'ISLE-ADAM, *Contes cruels*, Deux augures.

Vous avez autrement de poigne que la moyenne des patrons de grandes maisons (...)　J. ROMAINS, *les Hommes de bonne volonté*, t. V, XXVII, p. 273.

♦ **2.** (XVIIᵉ). Valeur unique abstraite résultant de plusieurs valeurs et située entre elles. Sc. (Math.). *Moyenne arithmétique de plusieurs nombres,* quotient de leur somme par le nombre de termes qu'elle comprend. *La moyenne de* a, b, c, *est* $\frac{a + b + c}{3}$, *la moyenne de* 4 *et* 10 *est* 7. — *Moyennes géométriques de n nombres réels positifs,* racine *n*-ième positive de leur produit. *La moyenne géométrique de deux nombres à est « une quantité telle que a, m, et b sont en progression géométrique :* m/a = b/m, ab = m² » (Uvarov). — *Moyenne harmonique* de plusieurs nombres (non nuls). — *Moyenne quadratique de n nombres,* racine carrée du quotient par *n* de la somme de leurs carrés.

Statist. *Moyenne* (ou *valeur moyenne*) *d'une variable aléatoire,* son espérance* mathématique. *Moyenne statistique d'un caractère quantitatif,* moyenne arithmétique des valeurs (distinctes ou non), prises par ce caractère sur un échantillon donné d'individus. *En* *général, la moyenne est différente de la médiane*. La moyenne permet de simplifier le grand nombre des faits individuels* (cit. 1). *Moyenne pondérée.*

Cour. *Calculer la moyenne des températures à Paris au mois d'août* (cf. Température moyenne). *Une moyenne inférieure à 20°. Moyenne des prix, des vitesses... Rouler à une moyenne de 70 km/h.* — L'emploi absolu, au sens de «vitesse moyenne (en automobile)», est très courant. *Faire 70, du 70 de moyenne.* — *Moyenne des notes scolaires. Moyennes mensuelles, trimestrielles, annuelles.* — Absolt et spécialt. *Avoir la moyenne,* la moitié des points qu'on peut obtenir (5 sur 10, 10 sur 20...). — Dr. constit. *Moyenne électorale :* dans le scrutin de liste, nombre calculé en divisant le nombre de voix par le nombre de sièges obtenus, et servant à l'utilisation des restes (système de la plus forte moyenne). *Plus forte moyenne :* mode de répartition des sièges, dans le cadre du scrutin de liste avec représentation proportionnelle, accordant aux listes ayant obtenu les plus fortes moyennes, les sièges non attribués au quotient.

5   Cette part est variable : elle peut, selon les maisons, aller de 30 à 50 %. Adoptons une moyenne et disons 40 %.   G. DUHAMEL, Manuel du protestataire, X.

6   Pierre raconta son voyage, quatre-vingts de moyenne, sandwichs à Tours et à Poitiers, crevaison à Barbezieux, une circulation folle, des touristes à la queue leu leu (...)   M. AYMÉ, Travelingue, p. 213.

7   (...) hors de la banlieue, il respirait un bon air de vacances et de campagne, constamment perverti d'ailleurs par les multiples autos et camions aux moyennes supérieures à la sienne, et ils étaient nombreux.   R. QUENEAU, Pierrot mon ami, p. 132.

Fam. En parlant de ce qui n'est pas mesurable. *Cela fait une moyenne.* ⇒ **Compensation.**

♦ **3.** (Mil. XIXᵉ). EN MOYENNE : en faisant une moyenne; en évaluant approximativement la moyenne. *Ses gains sont inégaux, il se fait en moyenne tant par an* ('cf. Bon an, mal an). *Il travaille en moyenne 8 heures par jour* (→ L'un dans l'autre*). *Une année sur deux, en moyenne* (→ Athénien, cit. 2, Fustel de Coulanges). *On compte en moyenne une inondation* (cit. 2, Taine) *tous les sept ans en Hollande.*

Math. *Convergence* en moyenne d'une suite ou d'une série.*

HOM. Fém. de 1. moyen; formes du v. moyenner.

MOYENNEMENT [mwajɛnmɑ̃] adv. — XIIᵉ, *moienement;* de 1. *moyen.*

♦ D'une manière moyenne, à demi, ni peu ni beaucoup. *Être moyennement beau, intelligent, riche... aimable. Aller moyennement vite. Travailler moyennement.* ⇒ **Honnêtement, passablement.** *Il a moyennement réussi* (→ Médiocrement, cit. 2).

CONTR. Bien, mal. — Beaucoup, peu. — Excessivement.

MOYENNER [mwajene] v. tr. — V. 1190, *moyeneir* «atteindre le milieu de»; de 2. *moyen.*

♦ **1.** Vx. Ménager, négocier, procurer (quelque chose) en servant d'intermédiaire. *Moyenner l'entrevue, la réconciliation de deux personnes.*

(...) il apaise leurs froideurs, il démêle leurs antipathies, il moyenne entre eux un échange de prisonniers, il reconduit paisiblement chacun chez soi (...)   CYRANO DE BERGERAC, Lettres diverses, Pour l'été.

♦ **2.** (1619, *il y a moyen de moyenner*). Absolt. Pop. *Il n'y a pas moyen de moyenner :* il est impossible d'y parvenir, d'y réussir. — REM. Cette expression figure dans Littré.

DÉR. Moyennant.
HOM. V. Moyenne.

MOYER [mwaje] v. tr. — 1690; *moier,* XIIIᵉ; du bas lat. *mediare* «partager en deux».

♦ Techn. Scier une pierre en deux parties égales, ou suivant la moye*.

HOM. Moyé.

MOYETTAGE [mwajetaʒ; wwajetaʒ] n. m. — 1874; de *moyette.*

♦ Agric. Fait de mettre en moyettes.

MOYETTE [mwajɛt] n. f. — 1842; dimin. de l'anc. franç. *moie* «meule», lat. *meta* «pyramide, cône».

♦ Agric. Petite meule provisoire qu'on dresse dans un champ. ⇒ 2. **Meule.**

Un de mes voisins, après avoir fauché une prairie à grand'peine, dut tourner et retourner le fourrage vert pour l'aider à se sécher; l'emmeuler, puis défaire la moyette pour l'ouvrir sans cesse au vent.   TAILLEMAGRE, la Peine des hommes, *in* le Monde, 20 nov. 1956.

DÉR. Moyettage.

MOYEU [mwajø] n. m. — XIIᵉ, *moiel;* du lat. *modiolus* «petit vase», puis «moyeu» par anal. de forme.

♦ **1.** Partie centrale de la roue que traverse l'axe ou l'essieu autour duquel elle tourne. *Moyeu en bois, moyeu métallique. Moyeu d'où partent les rais.* ⇒ **Rais, rayon.** *Moyeu de bicyclette. Moyeux de voiture que traversent les extrémités de l'essieu*; charrette qui enfonce* (cit. 22) *dans le sable jusqu'aux moyeux.* — Pièce centrale de la roue (d'une automobile) tournant sur la fusée* par l'intermédiaire de roulements.

Les roues étaient armées de ces longs moyeux offensifs qui tiennent les autres voitures à distance (...)   HUGO, les Misérables, I, VII, V.

♦ **2.** (XIXᵉ). Par ext. Pièce centrale sur laquelle sont assemblées des pièces devant tourner autour d'un axe. *Moyeu de volant, de poulie, d'hélice.*

MOYEUSE [mwajøz] adj. et n. f. — 1786; de *moye.*

♦ Techn. Se dit d'une pierre de taille contenant trop de moyes et que l'on débite en moellons.

MOZABITE [mozabit] ou MZABITE [mzabit] n. — 1845, Bescherelle, *mozabite; mzabite,* déb. XXᵉ; de *Mzab,* nom d'une région d'oasis dans les territoires du sud algérien.

♦ Musulman appartenant à la secte schismatique des Kharijites et dont la terre d'élection est le Mzab.

En Afrique du Nord, il existe des hommes, les Mozabites, tenant d'une sorte de protestantisme musulman, qui vivent ainsi momentanément dans les villes de la côte, mais finissent toujours par repartir dans la pentapole de Gardhaia.   DANIEL-ROPS, le Peuple de la Bible, I, I.

N. m. Parler berbère en usage au Mzab.

MOZARABE [mozaʀab] n. et adj. — 1732, Trévoux; *musarabe,* 1690; anc. esp. *moz'arabe;* arabe *mũstăɛrĩb* «arabisé».

♦ **1.** N. Hist. Au temps de l'occupation arabe en Espagne, Espagnol chrétien qui devant allégeance à un chef maure, avait en échange le droit de pratiquer sa religion. *Un, une mozarabe.*

(...) la foi *(chrétienne)* se conserva dans la ville pendant les quatre cents ans qu'y dura la présence des Mores, et pour cette raison les fidèles Tolédans furent appelés Mozarabes, c'est-à-dire mêlés aux Arabes.   Th. GAUTIER, Voyage en Espagne, p. 111.

♦ **2.** Adj. *Période mozarabe. Rite, liturgie mozarabe. Art mozarabe :* art chrétien d'Espagne influencé par l'art musulman, pendant l'occupation arabe. *Art, style mozarabe et style mudejar*.*

MOZARTIEN, IENNE [mozaʀsjɛ̃, jɛn] adj. — XXᵉ; de *Mozart.*

♦ De Mozart, propre à Mozart ou à son style. « *Le prologue wagnérien et l'ouverture mozartienne* » (A. Hodeir, *les Formes de la musique,* p. 81). — «*Éléna est le film le plus mozartien de son auteur* (Renoir)» (J.-L. Godard, *Cahiers du cinéma,* nº 78, déc. 1957).

MOZETTE [mozɛt] n. f. ⇒ **Mosette.**

MOZZARELLA [modzaʀɛlla] n. f. — V. 1960; mot ital.

♦ Fromage italien de lait de bufflonne ou de vache, à pâte molle.

M. P. [ɛmpi] n. m. — 1944; abrév. de l'anglo-amér. M(ilitary) P(olice).

♦ Soldat appartenant à la Police Militaire d'un pays anglo-saxon. — REM. L'abréviation anglaise M.P., m(ember of) P(arliament) «député», n'est pas lexicalisée en français.

M. R. P. [ɛmɛʀpe] n. m. — 1944; initiales de Mouvement Républicain Populaire.

♦ Parti démocrate d'inspiration chrétienne.

Membre de ce parti; personne qui partage les opinions de ce parti. *Les M. R. P. et les socialistes.* — Graphie fantaisiste :

(...) nos Fénelons littéraires, prêcheurs fourchus et hémerpés roussis (...)   Jacques PERRET, Bâtons dans les roues, p. 267.

m/s [mɛtrəparsəgɔ̃d; mɛtparsəgɔ̃d] Symbole du mètre par seconde (unité de vitesse). — m/s² : symbole du mètre par seconde par seconde (unité d'accélération).

M. S. T. [ɛmɛste] n. f. invar. — V. 1980 (→ cit.); sigle de *Maladie Sexuellement Transmissible.*

♦ Maladie vénérienne. *Les MST sont en expansion depuis la contraception.* «*Sans le savoir, jusqu'ici, il semait à tout vent les MST. Ce "dragueur" est un porteur sain de germes vénériens*» (le Point, 24 janv. 1983, p. 54).

M. T. S. [ɛmteɛs] n. m. (toujours en appos.). — Abrév. de *M(ètre) - T(onne) - S(econde)*.

♦ Phys. *Système M. T. S.* : système d'unités absolues à trois unités fondamentales, le *mètre* pour la longueur, la *tonne* pour la masse et la *seconde* pour le temps.

MU [my] n. m.

♦ **1.** Douzième lettre de l'alphabet grec (μ), correspondant au *m* français.

♦ **2.** Phys. Symbole du *micron*. — μ notation pour *micro-*, élément que l'on place devant une unité de mesure pour la diviser par un million.

HOM. Mû, 1. **mue**, 2. **mue**.

MÛ, MUE [my] p. p. adj. ⇒ **Mouvoir**.

MUABILITÉ [myabilite ; mɥabilite] n. f. — XIIIe, *muableté* ; *in* Littré.

♦ Didact., vx. Caractère de ce qui est muable. ⇒ **Mutabilité**.

CONTR. et COMP. Immuabilité.

MUABLE [myabl ; mɥabl] adj. — V. 1155 ; « sujet à la mue », 1080 ; de *muer*.

♦ Vx. Sujet au changement, inconstant, variable.

(...) les amours sont semblables
Aux jours, qui sont de nature muables,
Tantôt sereins et tantôt pluvieux,
Chauds et glacés, ainsi qu'il plaît aux Cieux.
　　　RONSARD, Premier livre des poèmes, « Discours à Scevole de Ste-Marthe ».

CONTR. Immuable, invariable.
DÉR. Muabilité.

MUANCE [myɑ̃s ; mɥɑ̃s] n. f. — XIIe, « changement, variation » ; de *muer*.

♦ **1.** (XVIe). Mus. anc. Substitution d'un hexacorde à un autre, dans la solmisation*.

♦ **2.** (1846). Vx. Altération de la voix des enfants quand elle mue, à la puberté. ⇒ **Mue**.

MUCHE [myʃ] adj. — 1866, Delvau ; p.-ê. de mots composés argotiques.

♦ Vx. Beau, excellent.

Quand elles lui montraient quelque objet nouveau qui le ravissait, il joignait les mains, balbutiant d'extase : « Oh ! c'est rien muche ! » Et le nom de Muche lui était resté. Muche par-ci, Muche par-là. Toutes l'appelaient.
　　　ZOLA, le Ventre de Paris, t. I, p. 189.

MUCHE-POT (À) [amyʃpo] loc. adv. — 1700, cf. *le Français Moderne*, XIV, p. 289 ; de *mucher* et de *pot*.

♦ Vx, dial. En cachette. — REM. On trouve aussi les formes *à musse-pot*, *à la muchetempot* (muche ton pot).

MUCHER [myʃe] v. tr. et pron. — D. i. ; forme normanno-picarde de *musser*.

♦ Fam., dial. Cacher. — Pron. *Se mucher* (cf. Duhamel, *Inventaire de l'abîme*, IX).

MUCILAGE [mysilaʒ] n. m. — 1314 ; bas lat. *mucilago*.
Didactique.

♦ **1.** Substance visqueuse (extraite de lichens, de graines de lin, de la bourrache), composé de pectines, ayant la propriété de gonfler dans l'eau et employée en pharmacie comme excipient médicamenteux et comme laxatif. *Les lichens, les grains de fenugrec... sont riches en mucilage*.

♦ **2.** (1690). Pharm. Liquide visqueux constitué par la solution d'une gomme dans l'eau. *Mucilage utilisé dans la préparation de remèdes émollients, boules de gomme*, etc.

DÉR. Mucilagineux.

MUCILAGINEUX, EUSE [mysilaʒinø, øz] adj. — XIVe ; de *mucilage*.

♦ Didact. Qui est formé de mucilage, qui a l'aspect, la consistance, la nature du mucilage. ⇒ **Visqueux**. *La gomme*, substance mucilagineuse. Médicament mucilagineux*. — N. m. *Un mucilagineux*.

MUCINASE [mysinaz] n. f. — V. 1907, Roger et Trémollières, in *Nouveau Larousse illustré* ; de *mucine*, et *-ase*.

♦ Chim., biol. Ferment du suc intestinal qui fait coaguler la mucine.

MUCINE [mysin] n. f. — 1840, *in* Académie, *Compl.* ; de *mucus*.

♦ Didact. (Chim., biol.). Substance (glycoprotéide) semi-fluide élaborée par le tissu muqueux et qui se trouve dans le mucus.
DÉR. Mucinase.

MUCIPARE [mysipaʀ] adj. — 1833 ; de *mucus*, et *-pare*.

♦ Didact. Qui produit la mucine.

MUCK ⇒ n. m. Amok.

MUCO- Premier élément de mots de biologie, tiré de *mucus*. Voir à l'ordre alphabétique.

MUCOÏDES [mykɔid] n. f. pl. — 1931, Larousse ; de *muco-* et *-oïde*.

♦ Biol. Substance voisine de la mucine.

MUCOÏTINE [mykɔitin] n. f. — Mil. xxe ; de *muco-*, et *(chondro)ïtine*.

♦ Chim., biol. Sucre (ose) obtenu par hydrolyse d'un acide dit *acide mucoïtine-sulfonique*, et provenant de la mucine.

MUCO-MEMBRANEUX, EUSE [mykomɑ̃bʀanø, øz] adj. — D. i. ; de *muco-*, et *membrane*.

♦ Anat. Relatif à une muqueuse (membrane muqueuse). ⇒ **Muqueux**.

MUCO-PROTÉIDE [mykopʀɔteid] n. m., **MUCO-PROTÉINE** [mykopʀɔtein] n. f. — Mil. xxe ; de *muco-* et *protéide, protéine*.

♦ Biol. « Protéine (protéide) complexe contenant un pourcentage élevé de sucres. » (A. Galli et R. Leduc, *les Thérapeutiques modernes*, p. 89).

MUCO-PURULENT, ENTE [mykopyʀylɑ̃t, ɑ̃t] adj. — 1837 ; *muco-purulence*, 1878 ; de *muco-pus*, et *purulent*.

♦ Méd. Riche en mucine et en leucocytes (se dit d'une excrétion). *Excrétion muco-purulente, d'apparence semblable au pus*.

MUCO-PUS [mykopy] n. m. — 1837 ; de *muco-*, et *pus*.

♦ Méd. Mucus qui renferme des cellules plus ou moins lysées analogues à celles que l'on trouve dans le pus.
DÉR. Muco-purulent.

MUCOR [mykɔʀ] n. m. — 1775 ; lat. *mucor* « moisissure ».

♦ Bot. Champignon siphomycète, type du groupe des *mucoracées* ou *mucorinées*.
DÉR. Mucoracées.

MUCORACÉES [mykɔʀase] ou **MUCORINÉES** [mykɔʀine] n. f. pl. — 1868 ; *mucorées*, 1827 ; de *mucor*.

♦ Bot. (Vx). ⇒ **Mucorales**.

MUCORALES [mykɔʀal] n. f. pl. — Mil. xxe ; de *mucor*, et *-ales*.

♦ Bot. Groupe de champignons siphomycètes terrestres presque tous saprophytes. ⇒ **Mucor**. *Les mucorales comptent parmi les agents des moisissures*. Thalle, sporanges, spores des mucorales*. — Au sing. *Une mucorale* : un champignon appartenant à ce groupe.

MUCOSITÉ [mykozite] n. f. — 1539, cf. *le Français Moderne*, XIX, p. 200 ; dér. sav. du lat. *mucosus*. → Muqueux.

♦ Amas de substance épaisse et filante qui tapisse certaines muqueuses*. ⇒ **Glaire, humeur, morve, mouchure, pituite**. *Les mucosités sont formées surtout de mucus*, auquel s'ajoutent des cellules desquamées, des poussières, des microbes... Écoulement chronique de mucosités*. ⇒ **Blennorrhée**. *Expectorer des mucosités qui encombrent les voies respiratoires*.

Dans l'exclamation je ne le reconnus guère mais à peine eut-il ouvert la bouche pour une phrase plus doucement prononcée, j'y revis le blanc crachat qui la voi-

lait, dont je ne sais quelles mucosités le formaient mais demeurées intactes par quoi, entre ses dents, je retrouvai Stilitano.
Jean GENET, Journal du voleur, p. 127.

MUCOVISCIDOSE [mykovisidoz] n. f. — V. 1960 ; de l'angloamér. *mucoviscidosis*, S. Farber, 1944, de *muco-* « mucus », *viscid* « visqueux », et suff. *-osis* (→ franç. *-ose*).

♦ Méd., pathol. Maladie congénitale fibro-kystique du pancréas et des poumons, caractérisée par la viscosité excessive des sécrétions glandulaires, qui provoque des troubles digestifs et respiratoires. — Syn. : *fibrose kystique du pancréas.* « *L'hémophilie, la myopathie ou la mucoviscidose qui atteint un enfant sur 4000* » (la *Recherche*, juin 1970, p. 126).

MUCRON [mykʀɔ̃] n. m. — 1874, P. Larousse ; lat. *mucro.*

♦ Bot. Petite pointe raide qui termine certains organes végétaux.
DÉR. (Du même rad.) **Mucroné.**

MUCRONÉ, ÉE [mykʀɔne] adj. — 1803 ; lat. *mucronatus*, de *mucro.* → Mucron.

♦ Bot. Muni d'un mucron.

MUCUS [mykys] n. m. invar. — 1743 ; lat. *mucus* « morve ».

♦ **1.** Anat. Liquide transparent, d'aspect filant produit par les glandes muqueuses et servant d'enduit protecteur à la surface des muqueuses. ⇒ **Mucosité.** *Glande à mucus. Mucus nasal. Relatif au mucus.* ⇒ **Muqueux.**

♦ **2.** Bot. Substance pectique produite par des glandes de la cuticule des algues, dites *glandes mucifères.*

MUDÉJAR ou **MUDÉJARE** [mudexaʀ] ou [mydeʒaʀ] n. et adj. — 1722, *mudéjare* ; esp. *mudejares* ; arabe *mūd āyyän* « religieux, pratiquant ».

♦ Musulman d'Espagne devenu sujet des chrétiens après la reconquête (XIᵉ-XVᵉ s.). — Adj. (1931). *Art, style mudéjar. Le style mudéjar succède au style mozarabe*.*
(...) les *Mudéjars* (musulmans passés sous l'autorité chrétienne) posaient un problème à la fois politique et religieux. Ils étaient trop nombreux pour qu'il fût possible de les assimiler ; du reste, dans la plupart des cas, l'occupation des cités musulmanes avait été précédée ou accompagnée de la signature de « capitulations » garantissant à la population le libre exercice de son culte et le respect de ses biens (...) M. DEFOURNEAUX, in Hist. universelle, t. II, Encycl., Pl., p. 313.

MUDRA [mydʀa] n. m. — XXᵉ ; sanskrit *mudrā-* « sceau, position des mains et des doigts à laquelle s'attache une signification mystique, magique, etc. ».

♦ Didact. Geste symbolique utilisé dans les représentations du bouddha, ou dans les danses de l'Inde. *Les mudras. Mudra de la prédication, du don.*

1. MUE [my] n. f. — V. 1165 ; de *muer.*

★ **I. A.** (Chez les animaux). ♦ **1.** Changement partiel ou total qui affecte la carapace, les cornes, la peau, le plumage, le poil, etc. de certains animaux, en certaines saisons ou à des époques déterminées de leur existence. *Mue du plumage* (→ Lagopède, cit.), *du poil* (→ Cuir, cit. 5). *Chez les mammifères et les oiseaux, la mue a lieu une ou deux fois par an, et, dans ce dernier cas, au printemps et à l'automne (robe d'été, robe d'hiver). Première mue des quadrupèdes* (→ Livrée, cit. 11). *Les couleurs du faucon* (cit. 1) *changent aux différentes mues.* — *Mue des reptiles, des arthropodes* (cit. 2). « *Chez les groupes d'Insectes les plus primitifs... l'acquisition de la forme adulte... (se fait) par une série de mues progressives ; ces groupes sont dits à métamorphoses incomplètes* » (M. Caullery, *l'Embryologie*, p. 78). *Mues des vers à soie.*
1 (...) le poil de ces animaux *(les chameaux)*, qui est fin et moelleux, et qui se renouvelle tous les ans par une mue complète, leur sert *(aux Arabes)* à faire les étoffes dont ils se vêtissent et se meublent (...)
BUFFON, Hist. nat. des animaux, Le chameau.
Par métaphore. Transformation, changement. ⇒ **Métamorphose.**
2 La mue mystérieuse de la terre donnait aux vacances de Pâques une qualité particulière (...) Après l'engourdissement de l'hiver à Bordeaux, les landes nues d'avril, pleines de fougères mortes et d'eaux vives, m'enchantaient.
F. MAURIAC, le Jeudi-Saint, p. 6-7.

♦ **2.** (1636). Saison à laquelle ce changement a lieu. *La mue est passée.*

♦ **3.** (1564). Dépouille de l'animal qui a mué. ⇒ **Dépouille.** — *Mue d'un cerf*, ses bois*. *Trouver une mue de serpent.* ⇒ **Peau.**

♦ **4.** (Dans l'expr. : *en mue*). Techn. Repos où l'on tient les animaux

pendant la mue. *Tenir en mue, mettre en mue* (La Fontaine, *Fables*, XI, 9). → aussi II.

B. (1690). Chez l'homme. Changement dans le timbre de la voix humaine au moment de la puberté. ⇒ **Muance** (vx). *Pendant la mue, la voix baisse d'une sixte ou d'une octave chez les garçons, d'une seconde ou d'une tierce chez les filles.*
3 (...) ces voix d'enfants proches de la mue reprenaient le deuxième verset du psaume (...) HUYSMANS, En route, I, I.

★ **II.** (XVᵉ ; v. 1175, « cage à oiseau, pour la mue »). Agric. Cage circulaire, sans fond, où l'on enferme une poule avec ses poussins, des lapins, etc. ⇒ **Cage, poulailler.** — Endroit étroit où l'on enferme des volailles destinées à l'engraissement (⇒ **Épinette**), ou des oiseaux qu'on veut faire chanter. — Loc. *Mettre des poulets en mue*, dans une mue.
Par métaphore :
4 (...) nous sommes dans ce monde sous la direction d'une puissance aussi invisible que forte, à peu près comme des poulets qu'on a mis en mue pour un certain temps, pour les mettre à la broche ensuite (...)
VOLTAIRE, Correspondance, 59, Juin 1738.

HOM. Mu, mû, 2. mue ; formes des v. **mouvoir** et **muer.**

2. MUE [my] adj. f. — V. 1387 ; de l'anc. adj. *mu* « muet » (XIIᵉ) ; du lat. *mutus.*

♦ *Rage mue* (« *muette* ») : variété de rage prenant d'emblée la forme paralytique.
HOM. Mu, mû, 1. mue ; formes des v. **mouvoir** et **muer.**

MUER [mɥe] v. — 1080 ; *muder*, v. 1050 ; du lat. *mutare* « changer ». → Muter.

★ **I.** V. tr. Vx. Changer (→ Main, cit. 92, Ronsard).
(XIIIᵉ). Littér. **MUER EN** : transformer en...
1 La pluie avait soudain mué Venise en une immense moisissure.
F. MAURIAC, le Mal, VI.
(XIIᵉ). **SE MUER EN...** : se changer, se transformer en... (→ Aller, cit. 49 ; fortune, cit. 40 ; joie, cit. 5). « *Ces artisans se muent en de véritables artistes* » (→ Degré, cit. 17, Huysmans). *Un cri* (cit. 8) *qui se mue en rire.*
2 Mais ces joies refoulées se sont muées en rêves.
R. ROLLAND, le Voyage intérieur, III.
3 Et Politzer, incapable de rassembler ses esprits (...) contemplait cet extraordinaire compagnon avec un malaise qui, petit à petit, se muait en terreur servile.
G. DUHAMEL, Salavin, V, XII.

★ **II.** V. intr. ♦ **1.** (1080). En parlant d'un animal. Changer de peau, de plumage, de poil lors de la mue*. ⇒ **Dépouiller** (se). « *Un paon muait, un geai prit son plumage* ». *Les oiseaux en général muent dans une certaine année de leur âge* (→ Livrée, cit. 11). *L'oiseau a mué hier.* « *L'oiseau est mué depuis quelques jours* » (Littré). — *Insecte qui mue* (→ Métamorphose, cit. 5).
4 Communément c'est vers la fin de l'été et en automne que les oiseaux muent ; les plumes renaissent en même temps, la nourriture abondante qu'ils trouvent dans cette saison est en grande partie consommée par la croissance des plumes nouvelles (...) BUFFON, Hist. naturelle des oiseaux, Disc. s. nat. oiseaux.

♦ **2.** V. intr. (1560). En parlant de la voix humaine. Changer de timbre au moment de la puberté. ⇒ **Mue, muance.** *Sa voix mue.* — Par ext. *Les enfants muent entre onze et quatorze ans.*
5 Ce n'était pas une voix d'enfant. Elle avait mué, elle était restée claire et naïve, c'était une voix de bel homme mais il parlait dans l'ombre à hauteur d'enfant.
J. GIONO, le Chant du monde, I, IX.
Par métaphore :
6 Je muais, de corps et d'âme, de la voix comme de la pensée.
R. ROLLAND, le Voyage intérieur, II.

▶ **MUÉ, ÉE** p. p. adj.

♦ **1.** **MUÉ EN...** : transformé en... *Des camelots* (2. Camelot, cit. 1) *mués en changeurs.*
7 Jean-Jacques Ampère, à vingt ans, a nourri pour elle (*Mᵐᵉ Récamier*), déjà largement quadragénaire, une juvénile passion (...) par la suite sagement muée en une adoration fidèle et sans espoir. Émile HENRIOT, Portraits de femmes, p. 274.

♦ **2.** Qui a subi une mue (1. Mue, I., A.). *Oiseau mué.*

♦ **3.** (Voix). Qui a subi la mue (1. Mue, I., B.).

DÉR. Muance, 1. mue. — (Du même rad.) V. 1. **Muté**, 1. **muter.**
COMP. V. **Commuer, immuable, remuer, transmuer.**
HOM. Muet.

MÜESLI [mɥɛsli] ou **MUSLI** [mysli] n. m. — Fin XIXᵉ ; mot suisse-allemand.

♦ Mélange de flocons d'avoine, d'autres céréales et de fruits, conservés ou frais, sur lequel on verse du lait. *Prendre du müesli au petit déjeuner. Le müesli a été inventé à la fin du XIXᵉ siècle par le diététicien Max Bircher-Benner.* ⇒ **Bircher, birchermüesli.** (Var. :

musli Bircher). « *Certains müeslis contiennent même des fruits tropicaux...* » (*l'Express*, 2 févr. 1980, p. 24).

MUET, MUETTE [mɥɛ, mɥɛt] adj. et n. — XIIᵉ ; dimin. de l'anc. franç. *mu*, du lat. *mutus*, éliminé au XVIᵉ et resté seulement dans la loc. *rage mue**.

★ **I. Adj. ♦ 1.** Qui est privé de l'usage de la parole. ⇒ **Mutité.** *Il est muet de naissance. Un enfant sourd et muet.* ⇒ **Sourd-muet** (→ 1. Gens, cit. 2). — Allus. littér. « *Voilà justement ce qui fait que votre fille est muette* » (→ cit. 1, ci-dessous), phrase que l'on rappelle pour se moquer d'une explication verbeuse et incohérente.

1 (...) une certaine malignité, qui est causée (...) par l'âcreté des humeurs engendrées dans la concavité du diaphragme, il arrive que ces vapeurs (...) *Ossabandus, nequeys, nequer, potarinum, quipsa milus.* Voilà justement ce qui fait que votre fille est muette. MOLIÈRE, le Médecin malgré lui, II, 4.

2 Elle devient sourde, puis muette ; et puis, après six mois de mutisme absolu, de surdité complète, tout à coup l'ouïe et la parole lui reviennent. BALZAC, l'Initié, Pl., t. VII, p. 352.

Par anal. (Animaux). Qui n'a naturellement pas de cri. *Les poissons sont muets.*

(Choses). Qui ne produit (par nature) aucun son. *Horloge* (cit. 3) *sonnante et horloge muette.*

Mus. *Clavier muet :* clavier silencieux sur lequel on s'exerce sans produire de son.

(1929). *Cinéma, film muet,* qui ne comporte pas l'enregistrement ni la reproduction de la parole, du son. « *C'était au temps où Bruxelles rêvait, c'était au temps du cinéma muet...* », refrain de J. Brel (*Bruxelles*). — N. m. *Le cinéma muet. Le muet et le parlant*. Au temps du muet. Vedette du muet.*

3 Les films parlants n'ont pas tenu les promesses du muet. Hollywood piétine dans de vieilles ornières. SARTRE, Situations III, p. 123.

♦ 2. Qui, sous l'effet d'une émotion violente, d'un sentiment vif, est momentanément incapable de parler, de s'exprimer. *Être muet d'admiration, d'étonnement, de peur, de terreur, de stupeur. En rester muet.* ⇒ **Coi** (cf. En perdre la parole ; demeurer sans voix). *Il reste muet, foudroyé* (cit. 9), *frappé de stupeur. Confus et muet* (→ 1. Être, cit. 82).

4 L'étonnement rendit muet le jeune prisonnier, qui ne pouvait comprendre un tel langage (...) A. DE VIGNY, Cinq-Mars, XXV.

5 Près d'elle, il devenait muet, incapable de rien dire et même de penser (...) MAUPASSANT, Clair de lune, « L'enfant ».

6 (...) Christophe, hors de lui, lui cracha au visage. Ce fut une affaire épouvantable. L'outrage était inouï ; l'oncle en resta d'abord muet de saisissement ; puis la parole lui revint, avec un torrent d'injures. R. ROLLAND, Jean-Christophe, Le matin, I, p. 119.

♦ 3. Qui s'abstient de parler, de répondre aux questions (soit de manière habituelle, soit dans une circonstance particulière). ⇒ **Silencieux, taciturne ; mutisme.** *Il, elle, reste muet, muette pendant des heures* (cf. Ne pas dire un mot, pas un traître mot ; ne pas souffler mot ; avoir, mettre sa langue dans la poche ; être peu causant ; on ne peut en tirer un mot, lui arracher une parole...). — *Muet comme un poisson, comme une carpe* (1. Carpe, cit. 3), *comme les pierres, comme une statue, comme la tombe... Insurgés attentifs, muets, prêts à faire feu* (1. Feu, cit. 50 ; et → aussi Farouche, cit. 9 ; heaume, cit. 1). — Vx. *Muet à... :* qui garde le silence devant..., ne répond pas à... *Muet à mes soupirs* (Racine).

7 (...) J'ai promis que je ne dirais rien
— Suffit. — Dès à présent je suis muet. — Fort bien.
MOLIÈRE, le Dépit amoureux, II, 6.

8 (...) je veux savoir si tu es capable de garder un secret (...) — Oh ! cousine, je serai muette (...) — Comme un poisson ? — Comme un poisson ! (...) BALZAC, la Cousine Bette, Pl., t. VI, p. 168.

9 Muet, aveugle et sourd au cri des créatures,
Si le Ciel nous laissa comme un monde avorté,
Le juste opposera le dédain à l'absence
Et ne répondra plus que par un froid silence
Au silence éternel de la Divinité.
A. DE VIGNY, Poèmes philosophiques, « Mont des Oliviers », Le silence.

10 Disposé à recevoir la Nathalie d'autrefois, bavarde, étourdie, poudrée, toujours prête à rire ou à crier (...) il ne s'attendait pas au malaise qu'il éprouva en l'apercevant, n'osant approcher, déconcerté par cette femme immobile, muette, hautaine (...) qui avait des yeux fixes, un visage inerte (...) J. CHARDONNE, les Destinées sentimentales, p. 159.

Par métaphore. « *L'univers muet* » (→ Aveuglement, cit. 9, Pascal). — **Par métonymie.** *Réunion muette,* où les participants restent sans parler (→ Convier, cit. 3). *Stoïcisme muet* (→ Avaler, cit. 10).

♦ 4. (Sentiments, comportements). Qui s'exprime, ou exprime qqch. sans utiliser la parole. « *Les larmes* (cit. 1) *sont le langage muet de la douleur* ». *Muette protestation* (→ Impuissant, cit. 18). *De muets reproches.* — Loc. (vx). *Les muets interprètes** (cit. 9).

11 Caché près de ces lieux, je vous verrai, madame (...)
(...) Vous n'aurez point pour moi de langages secrets :
J'entendrai des regards que vous croirez muets. RACINE, Britannicus, II, 3.

12 Il y avait dans la prunelle d'Ebenezer la muette adoration du désespoir.
HUGO, les Travailleurs de la mer, III, III, II.

Jeu muet, par lequel un acteur joue le rôle de son personnage sans parler, par les gestes, la mimique. *Le jeu muet d'un mime. Scène*

muette. *Les ballets* (cit. 1), *qui sont des comédies muettes. Pièce muette.* ⇒ **Mimodrame** (cit. 2).

♦ 5. Qui se trouve réduit au silence ; qui n'a rien à dire, n'a pas la parole. *Corps législatif muet* (→ Enchaîner, cit. 10). *Le peuple muet, sans parole et sans pensée* (→ Incapable, cit. 12). → Bâillonner, museler.

Personnages muets : au théâtre, Personnages dont la présence est requise dans une pièce, une scène, mais qui n'ont rien à y dire. *Figurant muet.* ⇒ **Comparse.** — Par ext. *Rôle muet :* rôle de pure figuration, sans texte.

(Sentiments). Qui est tu (⇒ **Taire**), reste inexprimé. *Douleur muette. Joie muette* (→ Compter, cit. 39). *Désespoir muet* (→ Finir, cit. 6).

13 Les grandes douleurs sont muettes. N.-T. BARTHE, les Fausses Infidélités, 17 (1768).

14 Le commencement du repas fut silencieux ; les grands appétits sont muets comme les grandes passions ! Th. GAUTIER, le Capitaine Fracasse, II.

♦ 6. (Choses). Qui ne donne pas les indications (qu'on pourrait en attendre). *Le règlement est muet sur ce point,* n'aborde pas cette question, ne fournit aucun renseignement.

15 (...) je ne puis consulter que ma mémoire, pleine de ses chefs-d'œuvre, mais muette sur sa vie. P.-L. COURIER, Éloge de Buffon.

♦ 7. (Choses). Qui ne fait entendre, ne produit aucun son (inhabituellement, exceptionnellement). ⇒ **Silencieux.** *Le bourdon* (cit. 4) *de Notre-Dame, muet depuis dix ans. Les cloches restent muettes du jeudi saint au jour de Pâques. Tout était mort, tout semblait mort* (→ Carillonner, cit. 1). — D'où ne provient aucun bruit ; où l'on n'entend aucun bruit. *Bâtisse* (→ Guinder, cit. 16), *église muette* (→ Labial, cit. 1). *Maison* (→ Associer, cit. 23), *rue muette* (→ Endormir, cit. 35). « *Les grands pays muets longuement* » (cit. 4, Vigny) *s'étendront* ».

16 Tout se tait. Le désert est muet, vaste et nu.
L'œil ne voit sous les cieux que l'espace sans borne.
HUGO, les Châtiments, VII, VIII, II.

♦ 8. Qui se fait sans bruit. *Bête, qui saute d'un bond muet* (→ Cantharide, cit.).

♦ 9. (1673). Qui ne se fait pas entendre dans la prononciation. *Lettre muette. S final dans corps est une lettre muette.* — *E** (cit. 1) *muet. H* muet. Syllabe muette,* terminée par un e muet.

♦ 10. Qui ne contient ou n'utilise aucun signe écrit. *Carte muette.* ⇒ **Carte** (*supra* cit. 3). *Médaille muette,* sans inscription. — *Clavier muet d'une machine à écrire,* dont les touches ne portent pas l'indication des lettres.

♦ 11. Math. *Lettre, variable muette ; indice muet :* lettre, variable, indice qui, figurant dans un assemblage, ne figure pas nécessairement dans une autre écriture du même assemblage. Syn. : *lié* (opposé à *libre*). *Symbole rendant muettes certaines lettres d'un assemblage.* ⇒ **Mutificateur, mutifiant.**

★ **II. N. ♦ 1.** Personne privée de l'usage de la parole. *Un muet, une muette. Les muets parlent par gestes* (1. Geste, cit. 1) *et par signes. Dactylologie, dactylophasie utilisée par les muets. Rééducation d'un muet. Les sourds et muets de naissance.* ⇒ **Sourd-muet** (→ Art, cit. 35). « *La langue des muets sera déliée* » (→ Boiteux, cit. 1, Bible).

17 Après qu'ils furent sortis, on lui présenta un homme muet, possédé du démon. Le démon ayant été chassé, le muet parla, et le peuple en fut dans l'admiration (...) BIBLE (SACY), Évangile selon saint Matthieu, IX, 32, 33.

18 (...) c'est un moine espagnol qui, le premier, au seizième siècle, a deviné et essayé cette tâche, crue alors impossible, d'apprendre aux muets à parler sans parole. A. DE MUSSET, Contes, « Pierre et Camille », I.

19 (...) il répond de travers, comme un sot ou il ne répond pas, comme un sourd ou bien il répond par des signes, comme un muet. M. JOUHANDEAU, Chaminadour, « Un jésuite ».

Par ext. → 1. Grave, cit. 9.

♦ 2. N. m. Anciennt. Serviteur des anciens sultans ottomans qui devait s'exprimer seulement par signes et qui était chargé d'étrangler avec un lacet les personnes dont le souverain voulait se débarrasser. *Les muets du sérail.*

20 Que la main des muets s'arme pour son supplice.
Qu'ils viennent préparer ces nœuds infortunés
Par qui de ses pareils les jours sont terminés. RACINE, Bajazet, IV, 5.

21 Les muets bigarrés armés du noir cordon. HUGO, les Orientales, VII.

♦ 3. N. f. Loc. fig. *La grande muette :* l'armée (ainsi appelée parce qu'elle n'avait pas le pouvoir d'exprimer son opinion, le droit de vote étant naguère refusé aux militaires).

♦ 4. N. f. Argot. (Vieilli). *La muette :* la conscience.

21.1 Le silence et la nuit s'étendaient librement. Des voix rauques sortaient des ténèbres, des mains nous agrippaient. Enfin quand d'un débit de vin, la silhouette bourrue d'un type au dos voûté traversait la zone de lumière qui, subitement s'éteignait, je comprenais en lui emboîtant le pas pourquoi, dans l'argot des « larrons » et des « murdriers », la conscience a pour nom la muette. Francis CARCO, Nostalgie de Paris, p. 61.

Loc. *À la muette :* sans parler, sans faire de bruit. ⇒ **Silencieusement.**

Le lendemain, César et Massot s'en allèrent dans le marais. Ils y restèrent tout le jour à patauger à la muette et à fouiller comme des rats.
> J. GIONO, Jean le Bleu, VII.

CONTR. Babillard, bavard, parlant.
DÉR. Muettement.
COMP. Sourd-muet.
HOM. Muette; formes du v. **muer.**

MUETTE [mɥɛt] n. f. — xvᵉ, *mueta*, Du Cange; «gîte du lièvre», v. 1387; anc. orth. *meute**; mot conservé aussi dans le nom du château de la *Muette* au bois de Boulogne, d'où *quartier de la Muette* à Paris (XVIᵉ arr.).

♦ Vx. Petite maison qui servait de logis aux chiens de meute. — Pavillon qui servait de rendez-vous de chasse.

HOM. Muette (fém. de *muet*).

MUETTEMENT [mɥɛtmɑ̃] adv. — 1615; de *muet*.

♦ Rare. Silencieusement, sans dire un mot (→ À la muette). ⇒ **Muet.**
(...) un brancard sur lequel était allongé un domino masqué. Les porteurs le déposèrent au milieu du bal et se retirèrent muettement.
> G. BAUËR, les Billets de Guermantes, Juin 36, p. 67.

Sans faire de bruit. ⇒ **Silencieusement.**

MUEZZIN [mɥɛdzin] n. m. — 1823; *muessin*, 1605; *maizin*, 1568; turc *muezzin*, arabe *mŭɔáddịn* celui qui appelle à la prière.

♦ Fonctionnaire religieux musulman attaché à une mosquée et dont la fonction consiste à appeler du minaret* les fidèles à la prière (→ Appel, cit. 6; chanter, cit. 4). *Le muezzin monte au minaret à l'heure des cinq prières canoniques.* — REM. On trouve parfois l'orthographe *muézin* (→ 2. Canon, cit. 5, Loti).

1 Et de là-haut, du ciel de feu blanc, tombe le chant du muezzin, l'appel oriental, l'appel séculaire; la voix merveilleuse, choisie entre toutes les voix, domine les bruits terrestres, couvre les commandements militaires et la vague rumeur de tant de milliers d'hommes; elle est fraîche, facile et infinie, un peu étrange aussi, avec son timbre mélancolique de hautbois. Ses fugues rapides et désolées s'envolent et s'abaissent, légères au-dessus des têtes humaines, jetant une mystique impression d'Islam, même aux étrangers incroyants assemblés là pour un spectacle (...)
> LOTI, Figures et Choses..., « Passage de Sultan ».

2 (...) soudain, comme le soleil paraissait, un chant partit d'un minaret, du premier vers le ciel qui se lève, un chant pathétique et bizarre, et nous en eussions bien pleuré. La voix vibrait sur une note aiguë. Un nouveau chant jaillit, puis un autre; et une à une les mosquées se réveillaient mélodieuses sitôt que d'un rayon les avait touchées le soleil. Bientôt toutes chantèrent. C'était un chant inouï que finissait un éclat de rire sitôt qu'un autre appel commençait. Les muezzins dans l'aurore se répondaient comme des alouettes. Ils jetaient des questions auxquelles succédaient d'autres questions, et le plus grand, sur le plus haut minaret, ne disait rien, perdu dans un nuage.
> GIDE, le Voyage d'Urien, Romans, Pl., p. 22.

MUFFÉE [myfe] ou **MUFLÉE** [myfle] n. f. — 1888, *muffée*; *muflée*, 1881; de *mufle*.

♦ **1.** Pop., vx. Quantité considérable.

♦ **2.** (1888). Pop. Soûlerie, beuverie. *En avoir, en tenir une bonne muflée* : être complètement ivre. ⇒ **Cuite, ronflée...**

MUFFIN [mœfin; myfin] n. m. — 1793, Mᵐᵉ de Staël, *in* D. D. L.: mot angl., 1703, d'orig. incert., p.-ê. à rapprocher du franç. : *pain moufflet*, du rad. *mouff-*.

♦ Petit pain rond cuit dans un moule, qui se mange en général grillé et beurré. *Servir des muffins avec le thé.*
Elle devait porter un de ces noms qui font chanter la voix quand on les prononce, avoir un cœur sensible, pleurer en lisant les romans de Florence Barclay, préférer à tous les gâteaux de l'Empire un muffin imbibé de beurre chaud.
> Maurice BEDEL, Jérôme 60⁰ latitude Nord, I, p. 9.

MUFLE [myfl] n. m. — 1542; var. de *moufle*; germanique *muffel* «mufle, museau».

★ **I.** ♦ **1.** Extrémité du museau* de certains mammifères (carnassiers, rongeurs, ruminants) caractérisée par l'absence de poil. *Mufle d'hippopotame, de bêtes fauves* (→ Arme, cit. 40). *Mufle de jaguar* (→ Flairer, cit. 2), *de lion. Mufle de renard* (→ 2. Croc, cit. 2), *de taureau* (→ Écume, cit. 11; envelopper, cit. 3)... *Mufle humide du bœuf.*

1 Les lions de la plus grande taille ont environ huit ou neuf pieds de longueur depuis le mufle jusqu'à l'origine de la queue (...)
> BUFFON, Hist. nat. des animaux, Le lion.

2 Miraut *(le chien)* le vint flairer avec crainte et s'en écarta avec un froncement de mufle.
> L. PERGAUD, De Goupil à Margot, p. 63.

♦ **2.** Techn. Ornement représentant une tête d'animal.

3 Des mufles d'animaux chimériques, dont la gueule laissait échapper en guise de langue une longue houppe rouge, ornaient les traverses du siège.
> Th. GAUTIER, le Roman de la momie, IV.

♦ **3.** Visage gros et laid. — Péj. (XVIIᵉ). → **Hure.** *Assener* (cit. 1, Molière) *un coup sur le mufle.*

4 *(Que je suis tenté)...*
De faire sur ce mufle une application!
> MOLIÈRE, le Dépit amoureux, II, 6.

5 (...) elle est jolie, répliquait Cérizet, et c'est plus agréable à voir que les *mufles* de vos bourgeois.
> BALZAC, Illusions perdues, Pl., t. IV, p. 895.

♦ **4.** (1762, *in* D. D. L.). Techn. Pièce métallique soudée sous l'extrémité d'un ressort.

★ **II.** ♦ **1.** (1824). Vx. Individu stupide, désagréable.

♦ **2.** (1840). Mod. Individu mal élevé, grossier* et indélicat*. ⇒ **Butor, goujat, malotru.** *Se conduire comme un mufle, une brute, une sale bête.* — Adj. *Il est trop égoïste*, trop mufle pour cela. Ce qu'il peut être mufle!* (→ Foirer, cit. 2).

6 (...) on paraît ingrat et on se montre mufle parce qu'ayant oublié pendant des mois d'écrire à un bienfaiteur qui vient de perdre sa femme, ensuite on ne le salue plus pour simplifier (...)
> PROUST, À la recherche du temps perdu, t. VIII, p. 31.

7 Manuel du mufle :
Enseigne aux autres la bonté
Tu peux avoir besoin de leurs services.
> GIDE, Journal, 28 févr. 1945.

8 Un mufle (...) demanda à Costals d'un air folichon : « Qui est donc cette fille ravissante avec qui je vous ai rencontré avenue du Bois?»
> MONTHERLANT, les Lépreuses, I, VI.

9 D'abord, je vous demande pardon. Je suis entouré depuis toujours de mufles de bonne compagnie et j'ai fini par m'y habituer jusqu'à en devenir peut-être un, moi aussi.
> J. ANOUILH, la Répétition, p. 63.

CONTR. Galant, poli.
DÉR. Muffée ou **muflée, muflerie, muflier.**

MUFLÉE [myfle] n. f. ⇒ **Muffée.**

MUFLERIE [myfləʀi] n. f. — 1843, *in* D. D. L.; de *mufle* II., 2.

♦ **1.** Caractère, action, parole d'un mufle. ⇒ **Goujaterie, grossièreté, indélicatesse.** *Une révoltante muflerie. Il a eu la muflerie de refuser.*

1 Profitons du temps qui nous reste avant la définitive invasion de la grande muflerie du Nouveau-Monde!
> HUYSMANS, À vau-l'eau, p. 40.

2 (...) il était sans cesse indigné contre la muflerie et la crapulerie de ses contemporains (...)
> GIDE, Si le grain ne meurt, I, X, p. 275.

♦ **2.** (Une, des *mufleries*). Action, parole de mufle. *Sa dernière muflerie est impardonnable.* «Il faut parfois beaucoup de courage pour commettre une muflerie» (Bernstein, *in* G. L. L. F.).

CONTR. Galanterie, politesse, savoir-vivre.

MUFLIER [myflije] n. m. — 1778; *mufle-de-lion*, 1680; de *mufle*, I., 1.

♦ Plante herbacée *(Scrofularinées)* aux fleurs élégantes, solitaires ou en grappes, de coloris divers, rappelant la forme d'un mufle. Muflier à grandes fleurs. ⇒ **Gueule-de-loup.** *Muflier tête de mouton. Muflier bâtard* (ou *cymbalaire*).
J'ai contemplé longuement ce matin la lutte d'un bourdon contre une fleur de muflier qui ne voulait pas livrer son miel.
> GIDE, Journal, 12 nov. 1917.

MUFTI ou (vx) **MUPHTI** [myfti] n. m. — 1628; *muphti*, mil. XVIᵉ; *mofty*, 1546; arabe *mŭftī* «personne qualifiée pour interpréter le droit canonique; juge».

♦ Théoricien et interprète du droit canonique musulman, qui remplit à la fois des fonctions religieuses, judiciaires et civiles. *Le Grand Mufti de Jérusalem.*
Le muphti de son pays (...) trouva dans son livre des propositions suspectes, malsonnantes, téméraires, hérétiques, sentant l'hérésie (...)
> VOLTAIRE, Micromégas, I.

MUGE [myʒ] n. m. — 1546; *muglhe*, 1396; mot provençal, du lat. *mugil*.

♦ Poisson des mers tempérées *(Mugilidés)* appelé aussi *mulet*, se nourrissant de matières organiques en décomposition, et dont la chair est très estimée. *Œufs de muge séchés.* ⇒ **Boutargue.** *Muge doré, muge cabot, muge porc.* « Le muge cabot, l'espèce de mulet la plus appréciée, est bien adapté aux conditions thermiques de la Méditerranée » (la Recherche, janv. 1980, p. 41).

MUGIR [myʒiʀ] v. intr. — V. 1280; lat. *mugire*; cf. anc. franç. *muir*, v. 1112, du même verbe latin.

♦ **1.** En parlant des bovidés, Pousser le cri sourd et prolongé propre à leur espèce. ⇒ **Beugler, meugler.** *Bœufs, taureaux qui mugissent* (→ Brebis, cit. 2).

1 Le taureau Gamma releva la tête et se mit à mugir en balançant la gueule. Là-haut le taureau Aurore répondit.
> J. GIONO, le Chant du monde, II, III.

Par anal., fig. Pousser des cris qui ressemblent à des mugissements*. *Énergumène* (cit. 1) *qui court en mugissant comme un buffle. Mugir de fureur.*

2 Entendez-vous dans les campagnes
Mugir ces féroces soldats ? ROUGET DE LISLE, la Marseillaise.

(1744). Trans. (Rare). Crier en mugissant. *Mugir des imprécations.*

3 (...) la Société chorale «des hommes allemands du Sud» (...) qui tour à tour susurrèrent et mugirent des morceaux d'orphéon, pleins de sensibilité.
R. ROLLAND, Jean-Christophe, La révolte, I, p. 387.

♦ **2.** (Déb. XVIᵉ). Faire entendre un bruit qui ressemble à un mugissement. *Le vent mugit* (→ Eau, cit. 4 ; écaille, cit. 3). *Flots, torrents qui mugissent.* ⇒ **Mugissant.** *Sirène d'alerte mugissant dans la nuit* (→ Évoquer, cit. 20).

4 Les vents déchaînés mugissaient avec fureur dans les voiles (...)
FÉNELON, Télémaque, IV.

5 Chaque lame qui venait briser sur la côte s'avançait en mugissant jusqu'au fond des anses (...) BERNARDIN DE SAINT-PIERRE, Paul et Virginie, p. 123.

6 Tu mugissais ainsi sous ces roches profondes ;
Ainsi tu te brisais sur leurs flancs déchirés (...)
LAMARTINE, Méditations poétiques, « Le lac ».

7 Son port est ameuté de steamers noirs qui fument
Et mugissent, au fond du soir, sans qu'on les voie.
VERHAEREN, les Villes tentaculaires, « Le port ».

DÉR. Mugissant, mugissement.

MUGISSANT, ANTE [myʒisɑ̃, ɑ̃t] adj. — 1493 ; de *mugir.*

♦ **1.** Qui mugit. *Troupeaux mugissants* (→ Attacher, cit. 19).

♦ **2.** Fig. *Flots mugissants.* ⇒ **Rugissant.** *Vagues mugissantes* (→ Avant, cit. 46).

MUGISSEMENT [myʒismɑ̃] n. m. — 1211 ; de *mugir ;* a remplacé l'anc. franç. *muiement,* de *muir.* → Mugir.

♦ **1.** Cri d'un animal qui mugit. ⇒ **Beuglement, meuglement.**

♦ **2.** Fig. Cri, bruit qui ressemble à un mugissement (sens 1). *Mugissement des flots, de la tempête* (→ Fracas, cit. 1).

1 Les sourds mugissements qui précèdent l'orage commençaient à se faire entendre (...) ROUSSEAU, les Confessions, XI.

2 (...) une espèce de mugissement *(le cri du butor)...* qu'on entend d'une demi-lieue : la plus grosse contrebasse rend un son moins ronflant sous l'archet.
BUFFON, Hist. nat. des oiseaux, Le butor.

3 Mugissement des bœufs, au temps du doux Virgile,
HUGO, les Contemplations, V, XVII.

MUGUET [mygɛ] n. m. — XIIᵉ ; de l'anc. franç. *muguette,* altér. de *muscade,* à cause du parfum ; P. Guiraud invoque en outre une forme *mugue,* d'après le lat. *mucus.*

★ **I.** Plante herbacée des régions tempérées *(Liliacées),* aux fleurs petites et blanches en clochettes, groupées en grappes et très odorantes. ⇒ **Convallaire.** *Muguet des bois, de mai, dit aussi lis* de mai, des vallées, gazon* du Parnasse.* — Spécialt. La fleur. *Brin de muguet. Muguet porte-bonheur du Premier mai. Offrir du muguet.*

1 Sur le cresson de la fontaine
Où le cerf boit, l'oreille au guet,
De sa main glacée, il *(Mars)* égrène
Les grelots d'argent du muguet.
Th. GAUTIER, Émaux et Camées, « Premier sourire du printemps ».

2 (...) un cortège de premier mai, avec les fleurs de muguet à la boutonnière.
J. ROMAINS, les Hommes de bonne volonté, t. V, XXIV, p. 233.

Parfum, essence de muguet (⇒ **Terpinol**). *Se parfumer au muguet. Savonnette au muguet.* — Par anal. (d'odeur). *Petit muguet.* ⇒ **Aspérule** (odorante).

★ **II.** (1458 ; par allus. au parfum dont usaient les élégants de l'époque). Vx. Jeune homme qui cherche à plaire par des raffinements de coquetterie excessive. ⇒ **Dandy, élégant, galant.**

3 Ne voudriez-vous point, dis-je, sur ces matières,
De vos jeunes muguets m'inspirer les manières ?
M'obliger à porter de ces petits chapeaux
Qui laissent éventer leurs débiles cerveaux,
Et de ces blonds cheveux, de qui la vaste enflure
Des visages humains offusque la figure ? MOLIÈRE, l'École des maris, I, 1.

4 Les muguets et les raffinés s'informèrent de la beauté des actrices, en retroussant le bout de leur moustache avec un air de gloire et de fatuité parfaitement ridicule. Th. GAUTIER, le Capitaine Fracasse, VIII.

★ **III.** (1769). Méd. (par anal. d'aspect entre la lésion et la fleur du muguet). Inflammation de la muqueuse de la bouche et du pharynx sous forme d'érosions recouvertes d'un enduit blanchâtre, due à une levure *(candida* ou *oïdium.* ⇒ **Candidose).** Syn. : *blanchet, millet, stomatite crémeuse. Nourrisson atteint du muguet. Plaques*

de muguet. — Par ext. *Muguet intestinal, vaginal,* imputable aux mêmes levures.

Vétér. *Muguet du poulain, du mouton.*

DÉR. (De II.) Mugueter.

MUGUETER [mygte] v. — Conjug. *jeter.* — XVᵉ ; de *muguet* (II.). Vieux.

♦ **1.** V. intr. Passer son temps en galanteries.

♦ **2.** V. tr. (1534). Courtiser.

Suspect à Richelieu, ayant eu l'audace de mugueter ses femmes, le lovelace tortu et batailleur *(Retz)* fut obligé de s'enfuir.
CHATEAUBRIAND, Vie de Rancé, II, p. 112.

MUID [mɥi] n. m. — V. 1380 ; *mui,* v. 1130 ; du lat. *modius.*

♦ **1.** Ancienne mesure de capacité pour les liquides, les grains, le sel (à Paris 268 l pour le vin et 1 872 l pour les matières sèches). *Un muid de blé, de charbon de bois, de sel.* « On emploie encore pour les vins et les cidres un muid dont la capacité moyenne est de trois cents litres » (Poiré, *Dict. des sciences*).

♦ **2.** (1530 ; *mui,* v. 1175). Techn. Futaille* pouvant contenir ou contenant effectivement un muid. ⇒ **Barrique, tonneau.** *Défoncer* (cit. 1) *un muid de vin.* — *Gros comme muid,* très gros.

— Archevêque, pardieu ! dit Ratbert, je te baille
Un sou par muid de vin qu'on boit à Besançon.
HUGO, la Légende des siècles, XVIII, «Conseillers probes et libres».

COMP. Demi-muid.

MULARD, ARDE [mylaʀ, aʀd] n. m. et adj. — 1840 ; de *mul.* → Mulet.

♦ Hybride du canard commun et du canard musqué. *Élevage de mulards pour la production de foies gras.* — Adj. *Cane mularde.*

MULASSE [mylas] n. f. — 1837 ; *mulace,* XIIIᵉ, «mule» ; de *mule.*

♦ Techn. (Zootechn.). Jeune mule.

MULASSERIE [mylasʀi] n. f. — 1855 ; de *mulassier.*

♦ Techn. Élevage, production de mulets.

MULASSIER, IÈRE [mylasje, jɛʀ] adj. — 1471, n. m., «muletier» ; de l'anc. franç. *mulasse* «jeune mulet», de *mul.* → Mulet.

♦ **1.** (1868). Qui a rapport au mulet, qui est composé de mulets. *Cheptel mulassier.*

♦ **2.** (1855). Qui produit des mulets. *Jument mulassière,* et, subst., *une mulassière. Race mulassière. Industrie mulassière.*

DÉR. Mulasserie.

MULÂTRE, MULÂTRESSE [mylɑtʀ, mylɑtʀɛs] n. — 1681 ; *mulastre,* en 1604 ; var. *mulat, mulate,* 1690 ; de l'esp. *mulato* «mulet», le *mulâtre* étant issu d'un croisement de races, comme le mulet.

♦ Homme, femme de couleur*, né de l'union d'un Blanc avec une Noire ou d'un Noir avec une Blanche. ⇒ **Métis.** *Cheveux crépelés* (cit. 1) *d'une mulâtresse. Population mêlée* (cit. 42) *de mulâtres et de Blancs. Descendants de mulâtres et de Blancs.* ⇒ **Quarteron.** — REM. La forme *mulâtre* est parfois employée pour le féminin, au lieu de *mulâtresse,* vieilli et péjoratif.

On trouve dans l'*Histoire de l'Académie des Sciences,* année 1724, page 17, l'observation ou plutôt la notice suivante : «... les enfants d'un blanc et d'une noire ou *d'un noir et d'une blanche, ce qui est égal,* sont d'une couleur jaune (...) ils ont des cheveux noirs, courts et frisés ; on les appelle *mulâtres.* Les enfants d'un mulâtre et d'une noire ou *d'un noir et d'une mulâtresse,* qu'on appelle *griffes,* sont d'un jaune plus noir (...) Les enfants des mulâtres et des mulâtresses, qu'on nomme *casques,* sont d'un jaune plus clair que les griffes (...)
BUFFON, Hist. nat. de l'homme, Addit. à Variétés espèce humaine, Couleur des nègres.

(...) il est (...) rare que l'union de deux mulâtres redonne des nègres purs ou des blancs purs. Jean ROSTAND, l'Homme, IV.

Adj. *Mulâtre* (aux deux genres). *Boxeur mulâtre. Fillette mulâtre.*

1. MULE [myl] n. f. — 1080, fém. de l'anc. franç. *mul ;* du lat. *mula.*

♦ **1.** Hybride* femelle de l'âne et de la jument, ou du cheval et de l'ânesse, plus docile et plus robuste encore que le mulet*, et qui est généralement stérile. *Jeune mule.* ⇒ **Mulasse.** (→ Élever, cit. 51). *Blessés transportés à dos de mules* (→ Avant-poste, cit. 1). *Grelots* (cit. 1) *qui tintent au cou des mules* (→ Frémissement, cit. 5 ; houppe, cit. 2 ; loin, cit. 24).

C'était une belle mule noire mouchetée de rouge, le pied sûr, le poil luisant, la croupe large et pleine, portant fièrement sa petite tête sèche toute harnachée de pompons, de nœuds, de grelots d'argent, de bouffettes ; et avec cela douce comme

MULE   635   MULOT

un ange, l'œil naïf, et deux longues oreilles toujours en branle, qui lui donnaient l'air bon enfant (...)
                        Alphonse DAUDET, Lettres de mon moulin, « La mule du Pape ».

Si j'étais riche Marocain, je voudrais avoir une mule (...) pour prendre d'elle une leçon de beau style. Ce pas nerveux et relevé, ce train qui ne déplace jamais le cavalier, laisse à l'esprit toute sa liberté (...) Jamais il ne languit ; et s'il n'a pas le lyrisme du cheval, il n'en a pas non plus les soudaines faiblesses.
                        Jérôme et Jean THARAUD, Rabat, VI.

Fam. ⇒ **Mule.** — Par compar. *Chargé comme une mule,* de lourds et nombreux fardeaux. — (1690). *Capricieux, têtu* comme une mule* (→ aussi Contrecarrer, cit. 3).

C'est d'ailleurs un drôle de corps que notre ami Protagoras ; il est têtu comme une mule (...)   VOLTAIRE, Correspondance, 1769, 11 août 1760.

Loc. fig. *Avoir une tête de mule :* être têtu, borné.

♦ **2.** *Tête de mule,* ou *mule :* personne excessivement têtue et bornée. *Quelle mule !*

— Mais dénouez-vous donc, tête de mule !... Sortez de ce silence qui vous tue. Qui d'autre que moi peut vous entendre ? Criez ! Trépignez !... Tête de mule ! Tête de mule !   COCTEAU, l'Aigle à deux têtes, I, VI.

HOM. 2. **Mule, mulle.**

2. MULE [myl] n. f. — V. 1350-1360 ; t. de vétér., « crevasse, enge-lure » (au talon), 1314 ; lat. *mulleus (calceus)* « soulier rouge », de *mul-lus* « rouget ». → 2. Mulet.

♦ Pantoufle de femme à talon assez haut ou à semelle compensée, et sans quartier. *Mules de cuir, de velours... Autrefois, les hommes portaient aussi des mules, à talons plus ou moins hauts.*

Il s'était levé précipitamment (...) avait jeté ses pieds dans de larges *mules* carrées, à hauts talons (...)   A. DE VIGNY, Cinq-Mars, XIV.

(...) de belles filles au bas de soie bien tiré, avec de petites mules à talon pointu qui ne tiennent au pied que par l'ongle de l'orteil (...)
                        Th. GAUTIER, Voyage en Espagne, p. 85.

Elle n'était pas grande, malgré des mules à hauts talons qui claquaient à terre, sous des pieds nus.   ARAGON, les Beaux Quartiers, I, XXIV.

Spécialt. (1680). *Mule du pape,* blanche, brodée d'une croix. *Baise-ment* de la mule du pape* (→ Formalité, cit. 9).

HOM. 1. **Mule, mulle.**

MULE-JENNY ou (rare) **MULL-JENNY** [myldʒɛni] n. f. — 1801, selon Wartburg ; mot angl. (1792) ; de *mule* « mule », et *jenny,* parce que ce métier combine deux types de jennys, comme la *mule* est issue du croisement de deux espèces.

♦ **Techn.** Métier renvideur à mouvement automatique pour la fila-ture du coton et de la laine. — Plur. *Des mule-jennys* (plur. angl. *mule-jennies*).

Il va sans dire que Cyrus Smith n'ayant à sa disposition ni cardeuses, ni peigneu-ses, ni lisseuses, ni étireuses, ni retordeuses, ni « mule-jenny », ni « self-acting » pour filer la laine, ni métier pour la tisser, dut procéder d'une façon plus simple, de manière à économiser le filage et le tissage.
                        J. VERNE, l'Île mystérieuse, t. II, p. 449.

1. MULET [mylɛ] n. m. — 1080 ; dimin. de l'anc. franç. *mul ;* du lat. *mulus.*

♦ **1.** Hybride mâle de l'âne et de la jument *(grand mulet)* ou du cheval et de l'ânesse *(petit mulet.* ⇒ **Bardot),** toujours infécond (cit. 3). *Le mulet, animal vigoureux, patient et sobre, très recher-ché pour les longs parcours en montagne et le transport des lour-des* (cit. 29) *charges* (cit. 1). *Mulet de bât*, de trait*.* ⇒ 1. **Brèle** (argot milit.). *Charger, embâter, enfourcher* (cit. 1), *dételer* (cit. 1) *un mulet. Mulets qui ravitaillent des troupes en campagne* (→ Interminable, cit. 3). *Mulet qui dresse les oreilles* (⇒ **Chauvir),** *mâchonne sa paille, rue...* (→ Dos, cit. 24). — *Élevage, produc-tion des mulets.* ⇒ **Mulasserie, mulassier.** *Jeune mulet* (muleton). *Mulets du Poitou, des Alpes, de Corse, d'Algérie.* — *Peau de mulet* (⇒ **Chagrin).**

Énervé d'une longue attente, le mulet tirait à plein collier, piquant le sable de durs coups de sabot.   M. GENEVOIX, Raboliot, I, I.

Fam. ⇒ **Mule.** — (1690). *Chargé comme un mulet. Têtu comme un mulet.* — (1808). *Une tête de mulet.*

(...) il *(Pons)* ne veut pas me coucher sur son testament... Non, monsieur, il ne le veut pas, il est têtu, que c'est un vrai mulet... Voilà dix jours que je lui en parle, le mâtin ne bouge pas plus que si c'était un terne. Il ne desserre pas les dents (...)
                        BALZAC, le Cousin Pons, Pl., t. VI, p. 679.

Loc. *Chemin, sentier de mulet,* muletier*.

♦ **2.** Animal ou végétal provenant d'une hybridation.

Dans les années 1751 et 1752, j'ai fait accoupler deux boucs avec plusieurs bre-bis, et j'en ai obtenu neuf mulets, sept mâles et deux femelles (...)
                        BUFFON, Hist. nat. des animaux, Des mulets.

Mulet de Mozambique, oiseau chanteur.

Pour le lecteur qui ne saurait pas je précise que le mulet de Mozambique n'est pas un quadrupède exotique mais l'enfant métisse du canari et du chardonneret, dont le chant exquis nous prouve encore les mystérieux privilèges du bâtard.
                        Jacques PERRET, Bâtons dans les roues, p. 270.

♦ **3.** Sports. Véhicule d'entraînement ou de reconnaissance, dans un rallye.

DÉR. Muletier. — (Du même rad.) **Mulard, mulassier.**
HOM. 2. **Mulet.**

2. MULET [mylɛ] n. m. — V. 1185 ; du lat. *mullus* « rouget », avec attraction probable en lat. pop. du rad. de 1. *mulet.*

♦ Poisson à chair blanche, ferme, assez estimée. ⇒ **Muge.**

Pêle-mêle, au hasard du coup de filet, les algues (...) avaient tout livré : (...) les mulets d'écailles plus fortes, de ciselures plus grossières (...)
                        ZOLA, le Ventre de Paris, t. I, p. 149.

(...) vous avez sous la main, n'est-ce pas, une ou plusieurs belles pièces de poisson méditerranéen, tout vidé ?... vous avez apporté de Toulon les malins mulets à dos noirs (...)   COLETTE, Prisons et Paradis, p. 52.

DÉR. Muletière.
COMP. Surmulet.

MULETA [mulɛta] n. f. — 1831, in D.D.L. ; mot espagnol, d'abord « béquille, bâton », dimin. de *mula* « mule », par la même évolution de sens que *poutre.*

♦ Pièce d'étoffe rouge tendue sur un court bâton et dont le mata-dor (cit.) se sert pour provoquer et diriger les charges du taureau (→ Espada, cit.). *Des muletas. Passes de muleta. Travail de la muleta* (« faena »).

Ses armes *(de l'espada)* sont une longue épée avec une poignée en croix et un mor-ceau d'étoffe écarlate ajouté sur un bâton transversal ; le nom technique de cet espèce de bouclier flottant est *muleta.*
                        Th. GAUTIER, Voyage en Espagne, p. 54 (1840).

De nouveau l'étoffe capte cette fureur maniée, la dirige, et sous la muleta sauvage, pleine de sable, de bave, de sang, de déchirures, la bête s'écoule comme une vague, et puis — ha ! — se dresse comme la vague dans le claquement de ses ban-derilles.   MONTHERLANT, les Bestiaires, VIII.

MULETIER, IÈRE [myltje, jɛʀ] n. m. et adj. — V. 1380 ; *muletier des chiens,* v. 1325 ; de 1. *mulet.*

♦ **1.** Conducteur, conductrice de mulets, de mules.

(...) l'hôte me mena chez un muletier qui devait partir le lendemain pour Astorga. Ce muletier me dit qu'il partirait avant le jour, et qu'il aurait soin de me venir réveiller. Nous convînmes du prix (...) pour le louage d'une mule (...)
                        A.-R. LESAGE, Gil Blas, I, II.

REM. Le mot semble rare au féminin.

♦ **2.** Adj. (1877 ; « mulassier », 1577). *Chemin, sentier muletier,* étroit et escarpé, que seuls peuvent emprunter les mulets. *Piste muletière.*

Il montra, là-bas, de l'autre côté du fleuve, le chemin muletier qui montait sur le flanc sud de la montagne.   J. GIONO, le Chant du monde, II, III.

MULETIÈRE [myltjɛʀ] n. f. — 1765 ; de 2. *mulet,* et *-ière.*

♦ **Techn.** (pêche). Filet utilisé pour prendre les mulets (muges).

MULETTE [mylɛt] n. f. — 1803 ; altér. de *moulette,* dimin. de *moule.*

♦ Mollusque d'eau douce à épaisse coquille nacrée, aux deux val-ves égales, recouverte d'un épiderme épais et olivâtre. ⇒ **Moule** (d'eau douce). *Certaines mulettes peuvent fournir une belle nacre et même des perles fines.*

MULLAH [my(l)la] n. m. ⇒ **Mollah.**

MULLE [myl] n. m. — 1505 ; lat. *mullus* « rouget ».

♦ Poisson téléostéen acanthoptérygien des mers d'Europe, scientifi-quement appelé *mullus. Le surmulet et le rouget* barbet sont des mulles.*

HOM. 1. **Mule,** 2. **mule.**

MULON [mylɔ̃] n. m. — 1636 ; « tas de foin », XIIIᵉ ; *muilon,* v. 1155 ; de l'anc. franç. *mule ;* du lat. *mulutus* « modillon ».

♦ Meulon (tas de sel). → Faneur, cit. 1.

Ces tristes carrés d'eau saumâtre, divisés par les petits chemins blancs sur lesquels se promène le paludier, vêtu tout en blanc, pour ratisser, recueillir le sel et le mettre en *mulons* (...)   BALZAC, Béatrix, Pl., t. II, p. 387.

MULOT [mylo] n. m. — XIIIᵉ ; *mulotes,* plur., XIIᵉ ; du bas lat. *mulus* « taupe » ; francique *mull ;* suff. *-ot.*

♦ Petit mammifère rongeur *(Muridés)* également appelé *souris des bois, souris* ou *rat des champs. Le mulot est souvent confondu avec le campagnol*, également nommé « rat des champs », mais diffère de lui par sa queue* (longue et nue). *Hiboux* (cit. 5) *qui détruisent les mulots.*

Le mulot est plus petit que le rat et plus gros que la souris (...) il est remarquable par les yeux à gros et proéminents (...) Il habite (...) les terres sèches et éle-

vées (...) Il se retire dans des trous (...) il y amasse une quantité prodigieuse de glands, de noisettes ou de faînes (...) Eux seuls font plus de tort à un *semis* de bois que tous les oiseaux et tous les autres animaux ensemble (...)
BUFFON, Hist. naturelle des animaux, Le mulot.

2   Car aux champs prospéraient le mulot, la musaraigne et le robuste rat agreste, tous friands du miel volé aux abeilles sauvages.
COLETTE, Prisons et Paradis, p. 34.

DÉR. Muloter.

COMP. Surmulot.

MULOTER [mylɔte] v. intr. — 1560 ; de *mulot*.
Technique (chasse).

♦ **1.** (Sangliers). Fouir la terre pour chercher les amas de graines mises en réserve par les mulots.

♦ **2.** 1877. (Chiens d'arrêt). Creuser dans les taupinières ou les trous de mulots.

MULSION [mylsjõ] n. f. — 1855 ; bas lat. *mulsio,* du supin de *mulgere* «traire».

♦ Didact. Action de traire le lait d'une femelle d'animal domestique. ⇒ **Traite.**

MULTA PAUCIS [mylta posis] loc. adj. et adv. — 1874, P. Larousse ; loc. lat. «beaucoup *(de choses)* en peu *(de mots)»*.

♦ Écrit avec concision.

MULTI- Élément, du lat. *multus* «beaucoup, nombreux». ⇒ **Pluri-, poly-.**

MULTIARTICULÉ, ÉE [myltiaʀtikyle] adj. — 1846 ; de *multi-,* et *articulé.*

♦ Zool. Composé de nombreux articles*. *Antenne multiarticulée.*

MULTIBRANCHE [myltibʀɑ̃ʃ] adj. — Mil. xxᵉ ; de *multi-,* et *branche.*

♦ Techn. Formé de plusieurs branches (objet fabriqué). *Hameçon multibranche.*

MULTIBRIN [myltibʀɛ̃] adj. et n. m. — V. 1970 ; de *multi-,* et *brin.*

♦ Techn. Qui est composé de plusieurs brins. *Un fil multibrin.* N. m. *Un multibrin, des multibrins.*

MULTIBROCHE [myltibʀɔʃ] adj. — 1932, *in* D.D.L. ; de *multi-,* et *broche.*

♦ Techn. *Tour multibroche,* muni de plusieurs broches parallèles.

MULTICÂBLE [myltikɑbl] adj. et n. m. — V. 1960 ; de *multi-,* et *câble.*

♦ Techn. Qui comporte plusieurs câbles. *Benne multicâble.* N. m. Installation d'extraction où les cages sont suspendues à plusieurs câbles (mines).

MULTICANAL, AUX [myltikanal, o] adj. — V. 1960 ; de *multi-,* et *canal.*

♦ Techn. Se dit d'un récepteur de télévision recevant des émissions dans plusieurs canaux. *Des récepteurs multicanaux.*

MULTICARTE [myltikaʀt] adj. — Mil. xxᵉ ; de *multi-,* et *carte.*

♦ Se dit d'un voyageur de commerce qui représente plusieurs maisons, qui a plusieurs cartes*. *Des représentants exclusifs et des représentants multicartes.*
Subst. «*Pour Province, multicarte spécialisé bibliothèques...*» (Annonce, in *Bibliographie de la France*).

MULTICAULE [myltikol] adj. — 1803, Boiste ; lat. *multicaulis.*

♦ Bot. Qui a des tiges nombreuses. *Mûrier multicaule.*

CONTR. Unicaule.

MULTICELLULAIRE [myltiselylɛʀ] adj. — 1865, *Rev. des cours sc.,* t. II, p. 132 ; de *multi-,* et *cellulaire.*

♦ Biol. Composé de nombreuses cellules. ⇒ **Pluricellulaire.**

MULTICENTENAIRE [myltisɑ̃tnɛʀ] adj. — 1948 (→ cit.) ; de *multi-,* et *centenaire.*

♦ Didact. ou littér. (Rare). Qui a un grand nombre de siècles (→ Millénaire).
(...) mon œil grimpe le long du fût multi-centenaire qui jaillit du sol (...)
B. CENDRARS, Bourlinguer, p. 106.

MULTICOLORE [myltikɔlɔʀ] adj. — 1512, rare av. 1823 ; lat. *multicolor,* de *multus* et *color.* → Couleur.

♦ Cour. Qui présente des couleurs variées. ⇒ **Polychrome.** *Banderoles* (→ Éventer, cit. 2), *étiquettes* (→ Béer, cit. 3), *oiseaux multicolores* (→ Impossible, cit. 17). *Étoffe multicolore.* ⇒ **Bariolé, chamarré.**
Un grand vaisseau d'or, au-dessus de moi, agite ses pavillons multicolores sous les brises du matin.
RIMBAUD, Une saison en enfer, «Adieu».

CONTR. Monocolore, uni.

MULTICONFESSIONNEL, ELLE [myltikõfesjɔnɛl] adj. — V. 1970 ; de *multi-,* et *confessionnel.*

♦ Didact. Où coexistent plusieurs confessions religieuses. *«Une Palestine arabe, vaguement multiconfessionnelle (...)»* (*le Nouvel Obs.,* 14 mai 1973, p. 45).

MULTICOQUE [myltikɔk] n. m. — V. 1970 ; de *multi-,* et *coque.*

♦ Bateau composé de plusieurs coques, ou flotteurs, assemblés côte à côte. *Les catamarans et les trimarans sont des multicoques. «Un multicoque à deux flotteurs, (...) un trimaran»* (*le Point,* 29 janv. 1979, p. 68). *La victoire des multicoques dans les traversées de l'Atlantique. La fragilité des multicoques.*

CONTR. Monocoque.

MULTICOUCHE [myltikuʃ] adj. — V. 1960 ; de *multi-,* et *couche.*

♦ Se dit d'un revêtement d'étanchéité formé de plusieurs feuilles de même nature, collées entre elles avec un enduit, un ciment volcanique ou un produit pâteux. *Revêtement multicouche. Film multicouche.*

MULTICULTURALISME [myltikyltyʀalism] n. m. — 1971 ; de *multi-, culturel* (3.), et suff. *-isme.*

♦ Didact. Coexistence de plusieurs cultures dans un même pays. *«Le terme biculturalisme ne dépeint pas comme il faut notre société* (canadienne) ; *le mot multiculturalisme est plus précis à cet égard»* (P.-E. Trudeau).
REM. On emploie aussi l'adj. *multiculturel.*

MULTICUSPIDE [myltikyspid] ou **MULTICUSPIDÉ, ÉE** [myltikyspide] adj. — 1846 ; de *multi-,* et lat. *cuspis, -idis* «pointe».

♦ Bot. Qui est muni de nombreuses pointes.

MULTIDIGITÉ, ÉE [myltidiʒite] adj. — 1868, Littré ; de *multi-,* et *digité.*

♦ Bot. Qui a de nombreuses divisions en forme de doigts. *Feuille multidigitée.*

MULTIDIMENSIONNEL, ELLE [myltidimɑ̃sjɔnɛl] adj. — xxᵉ (1937, *in* D.D.L.) ; angl. *multidimensional,* 1884 ; de *multi-,* et *dimensionnel.*

♦ **1.** Didact. (math.). Se dit d'un espace à plus de trois dimensions*.

♦ **2.** Fig. Qui concerne plusieurs niveaux, plusieurs «dimensions» de l'expérience, du savoir. *«Les informations multidimensionnelles que les* (sciences naturelles) *seraient à même de nous fournir»* (R. Held, in *la Nef,* nº 31, p. 17). *Analyse multidimensionnelle d'un phénomène complexe.*

MULTIDIRECTIONNEL, ELLE [myltidiʀɛksjɔnɛl] adj. — V. 1970 ; de *multi-,* et *directionnel.*

♦ Didact. Qui va dans plusieurs directions. *«La Révolution culturelle* (en Algérie) *est permanente et multidirectionnelle»* (*El Moudjahid,* 24 janv. 1973).

MULTIDISCIPLINAIRE [myltidisiplinɛʀ] adj. — V. 1960 ; de *multi-,* et *disciplinaire.*

♦ Didact. (plus rare que *pluridisciplinaire*). Qui concerne plusieurs disciplines, plusieurs sciences ou techniques à la fois.

Comme il y a lieu de traiter la maladie *(mentale)* pendant toute son évolution (...), il faut prévoir les organismes nécessaires.
Une autre caractéristique, c'est l'orientation multidisciplinaire *(à l'hôpital psychiatrique)*... La tendance est au travail d'équipe.
F. CLOUTIER, la Santé mentale, p. 74.

DÉR. **Multidisciplinarité.**

MULTIDISCIPLINARITÉ [myltidisiplinaʀite] n. f. — 1973, *le Monde, in la Clé des Mots*; de *multidisciplinaire.*

♦ Didact. Rassemblement de plusieurs sciences, de plusieurs domaines dans une recherche ou un enseignement. ⇒ **Pluridisciplinarité.**

MULTIFILAIRE [myltifilɛʀ] adj. — V. 1960; de *multi-*, et *fil.*

♦ Techn. Formé de plusieurs fils ou brins.

MULTIFLORE [myltiflɔʀ] adj. — 1798; lat. *multiflorus.*

♦ Bot. Qui porte de nombreuses fleurs. *Pédoncule multiflore.*

MULTIFORME [myltifɔʀm] adj. — 1440; lat. *multiformis.*

♦ **1.** Qui se présente sous des formes variées, sous des aspects, des états différents et nombreux. ⇒ **Protéiforme.** *La cathédrale de Bourges, produit multiforme, touffu, hérissé, efflorescent* (cit. Hugo) *de l'ogive. La vie est un mouvement inégal* (cit. 9, Montaigne) *et multiforme. La multiforme réalité* (→ Limiter, cit. 3). *Menace* (cit. 8) *multiforme, imprécise.*

(...) cette nation multiforme fut fanatique sous Henri IV, factieuse sous Louis XIII, grave sous Louis XIV, révolutionnaire sous Louis XVI, sombre sous la République, guerrière sous Bonaparte, constitutionnelle sous la Restauration (...)
CHATEAUBRIAND, Mémoires d'outre-tombe, T. VI, p. 149.

♦ **2.** Math. Vieilli. *Fonction multiforme d'un ensemble vers un autre :* correspondance* dans laquelle un élément du premier ensemble a plusieurs images dans le second (opposé à *fonction uniforme,* vieilli). ⇒ **Multivoque.**

CONTR. **Uniforme.**
DÉR. **Multiformité.**

MULTIFORMITÉ [myltifɔʀmite] n. f. — V. 1460; repris 1826; bas lat. *multiformitas,* du lat. class. *multiformis* (→ Multiforme), d'après *uniformité.*

♦ Littér. Caractère de ce qui est multiforme. *La multiformité de la réalité.* ⇒ **Diversité, variété.**

MULTIGRADE [myltigʀad] adj. — 1963, *Larousse encyclopédique;* de *multi-*, et *grade,* au sens angl.; probablt anglicisme.

♦ Techn. Se dit d'une huile pour moteur utilisable par toutes températures.

MULTIGRAPHE [myltigʀaf] n. m. — xxᵉ; de *multi-*, et *graphe.*

♦ Math. Graphe* non orienté.

MULTILATÉRAL, ALE, AUX [myltilateʀal, o] adj. — 1948; n. m., t. de math., 1931; de *multi-*, et *latéral.*

♦ Polit. Qui concerne des rapports entre plusieurs parties, et, spécialt, entre États; à quoi adhèrent, participent, souscrivent plusieurs États. *Un accord multilatéral. Force multilatérale.*

MULTILINGUE [myltilɛ̃g] adj. — V. 1960; «hâbleur» ou «trompeur», av. 1673; de *multi-*, et lat. *lingua* «langue», d'après *bilingue.*

♦ Didact. Qui est en plusieurs langues. *Écrit, texte multilingue.* ⇒ **Plurilingue.** — Qui parle, possède plusieurs langues. *Être multilingue.* ⇒ **Polyglotte, plurilingue.** *Communauté multilingue.*

CONTR. **Monolingue.**
DÉR. **Multilinguisme.**

MULTILINGUISME [myltilɛ̃gɥism] n. m. — V. 1960; de *multilingue.*

♦ Didact. État d'une communauté multilingue.

MULTILOBÉ, ÉE [myltilɔbe] adj. — 1808; de *multi-*, et *lobé.*

♦ Sc. nat. Qui est divisé en de nombreux lobes.

MULTILOCULAIRE [myltilɔkylɛʀ] adj. — 1808; de *multi-*, et *loculaire.*

♦ Bot. Se dit d'un ovaire qui est divisé en un grand nombre de loges.

MULTIMÉDIA [myltimedja] adj. — 1980; de *multi-*, et *média.*

♦ Qui concerne plusieurs médias; qui est destiné à la diffusion par plusieurs médias. *Campagne publicitaire multimédia.*

MULTIMILLIARDAIRE [myltimiljaʀdɛʀ] adj. et n. — 1944 (→ cit.); de *multi-*, et *milliardaire.*

♦ Plusieurs fois milliardaire; richissime.

(...) le jeune prince des Cigales (...) avait eu dans son enfance passée au château de Blois racheté à l'État par sa famille multimilliardaire (...)
R. QUENEAU, Loin de Rueil, p. 77.

MULTIMILLIONNAIRE [myltimiljɔnɛʀ] adj. et n. — 1906; de *multi-*, et *millionnaire.*

♦ Plusieurs fois millionnaire; qui possède beaucoup de millions. ⇒ **Riche** (→ Bazar, cit. 3). — N. *Un, une multimillionnaire.*

La manière de vivre du jeune multimillionnaire ne diffère pas de celle de la plupart des oisifs de son monde.
Valery LARBAUD, Barnabooth, III, I.

MULTIMOLÉCULAIRE [myltimɔlekylɛʀ] adj. — Mil. xxᵉ; de *multi-*, et *moléculaire.*

♦ Sc. Composé de nombreuses molécules.

Comme dans un cristal, c'est la structure même des molécules assemblées qui constitue la source d'«information» pour la construction de l'ensemble. L'essence de ces processus épigénétiques consiste donc en ceci que l'organisation d'ensemble d'un édifice multimoléculaire complexe était contenue en puissance dans la structure de ses constituants, mais ne se révèle, ne devient *actuelle* que par leur assemblage.
Jacques MONOD, le Hasard et la Nécessité, p. 117.

MULTINATIONAL, E, AUX [myltinasjɔnal, o] adj. — 1928, *in* D.D.L.; de *multi-*, et *national.*

♦ **1.** Polit. Qui concerne plusieurs nations. *Une politique de défense multinationale.* «*Une flotte d'intervention multinationale*» (*l'Express,* déc. 1967). *Coopération multinationale.* — Qui est formé de plusieurs nations. *L'U.R.S.S., État multinational.*

♦ **2.** (V. 1968). Qui exerce son activité dans plusieurs pays. *Une firme, une société multinationale.* Syn. (plus rare) : *transnational. Groupes multinationaux.*

(...) l'insistance que le haut état-major du groupe met à affirmer son caractère français et à nier sa nature multinationale n'est au fond que l'application en France des consignes que le groupe lui-même donne à ses filiales installées à l'étranger. [1]
BEAUD, DANJON, DAVID, Une multinationale française, p. 137.

N. f. (V. 1972). *Une multinationale :* une entreprise, une firme multinationale généralement très importante.

Non que je prête à Mansholt de tels calculs explicites. Mais, dans la perspective marxiste des rapports entre économie et idéologie, il me semble représenter assez bien le faux progressisme de ce qu'il appelle «les multinationales». [2]
M. CLAVEL, *in* le Nouvel Obs., 24 juil. 1972, p. 38.

DÉR. **Multinationalisation, multinationalité.**

MULTINATIONALISATION [myltinasjɔnalizasjɔ̃] n. f. — V. 1970 (*le Monde,* 1973, *in la Clé des Mots*); de *multinational,* et *nationalisation.*

♦ Didact. Intégration (d'une entreprise nationale) dans un groupe multinational. *La multinationalisation des entreprises françaises.*

MULTINATIONALITÉ [myltinasjɔnalite] n. f. — 1977, *in l'Express;* de *multinational,* et *nationalité.*

♦ Didact. Caractère de ce qui est multinational.

MULTIPARE [myltipaʀ] adj. et n. — 1808; de *multi-*, et *pare.*
Physiologie.

♦ **1.** Se dit d'une femelle qui met bas plusieurs petits en une seule portée. *La truie est multipare* (multiparité).

♦ **2.** (1903). Se dit d'une femme qui a déjà enfanté plusieurs fois. N. f. *Une multipare.* ⇒ **Bipare, primipare, unipare.**

DÉR. **Multiparité.**

MULTIPARITÉ [myltipaʀite] n. f. — 1846; de *multipare.*

♦ Physiol. Caractère d'une espèce dont la femelle est multipare.

MULTIPARTISME [myltipaʀtism] n. m. — 1970; de *multi-*, *parti,* suff. *-isme.*

♦ Didact. Système politique dans lequel il existe plus d'un parti.

MULTIPLACE [myltiplas] adj. et n. m. — V. 1930 ; de *multi-*, et *place*.

♦ **1.** Se dit d'un avion qui comporte plusieurs places. — N. m. *Un multiplace.*

En effet, les Douglas, pleins gaz, filèrent obliquement, les multiplaces internationaux fonçant sur les trois Junkers du dessous (...)
MALRAUX, l'Espoir, I, I, III, II.

♦ **2.** Sur lequel on peut s'asseoir à plusieurs. *Canapé multiplace d'appartement, de jardin.*

CONTR. Monoplace.

MULTIPLAN [myltiplã] n. m. — 1908 ; de *multi-*, et *plan*, d'après *biplan, monoplan*.

♦ Anciennt. Avion à plusieurs plans de sustentation (⇒ **Biplan**).

CONTR. Monoplan.

MULTIPLANE [myltiplan] n. f. — Mil. xxᵉ ; de *multi-*, et *plan*.

♦ Techn. (cinéma). Dispositif à plans multiples (décors).

(...) *La multiplane.* — Il s'agit d'un appareil à plans multiples avec lequel on obtient des effets de profondeur (...) on dispose de 5 plans à 35 cm environ l'un de l'autre (...)
LO DUCA, Technique du cinéma, p. 111.

MULTIPLAY [myltiplɛ] n. m. — 1964, *in* D.D.L. ; mot angl., de *multi-* et *play*, de *to play* « jouer ».

♦ Techn. (Anglicisme). Enregistrement fractionné. *Touche multiplay d'un magnétophone.* « *Toutes les possibilités de multiplay* (sur une platine) » (*l'Express*, 6 nov. 1972, p. 196).

MULTIPLE [myltipl] adj. et n. m. — 1572, sens 3 ; *multiplice*, 1380 ; lat. *multiplex*, même sens.

♦ **1.** (1760). Qui n'est pas simple*. — Qui est composé de plusieurs éléments de nature différente, ou qui se manifeste sous des formes différentes. ⇒ **Divers.** *Cette grande figure une et multiple, l'homme* (→ Fatal, cit. 4). *Dieu unique ou multiple* (→ Inaccessible, cit. 15). *L'impressionnisme* (cit. 1) *est multiple. Amour complexe et multiple* (→ Indicible, cit. 4).

1 Ce vaste et multiple monde du moyen âge, qui contenait en soi tous les éléments des mondes antérieurs, grec, romain et barbare, devait aussi reproduire toutes les luttes du genre humain. MICHELET, Hist. de France, IV, III.

2 (...) ma douleur n'est pas une, elle est multiple.
BALZAC, le Lys dans la vallée, Pl., t. VIII, p. 922.

3 (...) ce caractère multiple, qui est l'originalité de l'artiste et qu'on retrouve partout chez lui, dans sa vie, dans ses habitations et dans ses œuvres.
Th. GAUTIER, Souvenirs de théâtre (...), « La vente Jollivet ».

4 (...) nous portons en nous beaucoup plus que nous-mêmes ; un homme n'est pas double (...) mais multiple.
F. MAURIAC, Souffrances et Bonheur du chrétien, p. 58.

♦ **2.** (1755). Qui est constitué par l'adjonction de plusieurs éléments, de plusieurs individualités identiques ou comparables. *Prise multiple.* ⇒ **Multiprise.** *Poulie multiple.* — (1799). Bot. Formé par la réunion de plusieurs organes libres. *Ovaire multiple.* — Phys. *Écho* multiple.* — Math. Qui n'est pas simple, qui présente plusieurs propriétés semblables. *Racine* multiple d'un polynôme. Intégrale* multiple. Point multiple d'ordre* k *d'une courbe paramétrée :* point dont les coordonnées ne changent pas pour les *k* valeurs distinctes du paramètre dans un intervalle donné. *L'intersection de plusieurs branches d'une courbe est un point multiple de celle-ci.*
N. m. Tableau de distribution utilisé dans les centraux téléphoniques. — (1923). Multiplex*. *Multiple Baudot.*
(1863). Gramm. *Sujet multiple ou composé* (ex. : Labourage et pâturage sont les deux mamelles de la France). *Attribut multiple* (ex. : Cet homme était bon et généreux).

♦ **3.** Sc. et cour. **MULTIPLE DE...** : qui contient plusieurs fois exactement (un nombre donné) [⇒ **Sous-multiple**] ; qui est obtenu par la multiplication d'un nombre entier par un autre. *21 est multiple de 7. Un nombre multiple d'un autre est deux, trois, quatre, cinq, six, sept, huit... dix... vingt... cent fois plus grand.* ⇒ **Double, triple, quadruple, quintuple, sextuple, septuple, octuple..., décuple..., vingtuple..., centuple,** etc. *Les nombres premiers ne sont multiples que de l'unité et d'eux-mêmes.* — *Préfixes caractérisant les unités décimales multiples des unités de base.* ⇒ **Déca-, hecto-, kilo-, méga-, giga-, téra-.**
N. m. (1618). *Multiple d'un nombre (entier) :* entier égal à ce nombre multiplié par un troisième. (Opposé à *diviseur*). *Un multiple de quatre* (→ Menuet, cit. 2 ; et aussi grandeur, cit. 36). *Un multiple d'un nombre est divisible par ce nombre. Tout multiple de deux est pair.* 12 est un multiple commun à 2, 3, 4 et 6. — (1874). *Plus petit commun multiple* (de plusieurs nombres) ; abrév. P.P.C.M. ou P.P.M.C.

5 (...) parmi les multiples communs de A et de B, il en est un plus petit que tous les autres, puisque chaque multiple commun est supérieur ou au moins égal au plus grand des nombres A et B ; ce multiple est dit le plus petit commun multiple (p.p.c.m.). É. BOREL, les Nombres premiers, p. 8.

Didact. *Multiple à droite (à gauche) d'un élément* X *d'un monoïde ou d'un anneau non commutatifs dans ce monoïde ou cet anneau :* élément *y* du monoïde ou de l'anneau considéré, tel que *x* soit un diviseur* à gauche (à droite) de *y*.
Absolt. Chim. *Loi des proportions* multiples.*
REM. Aux sens 1 à 3, l'adj. épithète est placé après le nom.

♦ **4.** 1857. (Avec un nom au pluriel). Qui ne sont pas uniques ; qui sont en nombre. ⇒ **Nombreux, plusieurs.** — Qui existent en plusieurs exemplaires. *Bras multiples des monocytes* (→ Leucocyte, cit.). *Charrue à socs multiples.* — Qui se présentent sous des formes variées. ⇒ **Divers, varié.** *Activités* (→ Initier, cit. 3), *aspects* (→ 2. Idéal, cit. 20), *causes multiples. Idées multiples* (→ Étalage, cit. 7). *Données* (→ Ésotérique, cit. 1), *propriétés multiples* (→ Lampe, cit. 24). — Qui se répètent. *Coïncidences* (→ Crédibilité, cit. 3), *aventures* (→ 2. Geste, cit. 2) *multiples. À de multiples reprises...*

L'on sent que le mot qui paraît le plus simple et, si je puis parler ainsi, le plus homogène, renferme en soi des affinités multiples que les contacts mettent en jeu et dont la langue profite. LITTRÉ, Dict., Préface, p. XVI.

CONTR. Simple, un, unique.
DÉR. Multiplet. — (Du même rad.) **Multiplicité, multiplier.**
COMP. Équimultiple, sous-multiple.

MULTIPLET [myltiplɛ] n. m. — 1932, *in* D.D.L. ; de *multiple*.

♦ **1.** Techn. Ensemble de raies voisines dans un spectre d'émission ou d'absorption.

♦ **2.** (V. 1968). Techn. (opt.). Ensemble de plusieurs lentilles formant un système centré (utilisation dans les objectifs photographiques).

♦ **3.** Math. Association ordonnée de plusieurs éléments appartenant chacun à un ensemble différent. *Le couple et le triplet sont des multiplets.*

MULTIPLEX [myltiplɛks] adj. et n. m. — 1890 ; mot lat., « multiple ».

♦ Techn. *Dispositif multiplex,* qui permet d'établir plusieurs communications télégraphiques, téléphoniques, radiotéléphoniques au moyen d'une seule voie de transmission. — Par ext. *Signal multiplex :* signal transmis par une voie unique, et qui peut être décodé en plusieurs signaux. — N. m. *Un multiplex.*

DÉR. Multiplexage, multiplexeur.

MULTIPLEXAGE [myltiplɛksaʒ] n. m. — V. 1965 ; de *multiplex*.

♦ Techn. Transmission effectuée grâce à un multiplexeur. « *La technique proprement électronique du multiplexage, qui fait voyager sur un même câble, sans les mélanger, des messages destinés à différents interlocuteurs, devrait avoir pour effet, à l'avenir, de réduire la longueur et la complexité des circuits électriques de la voiture* » (*le Nouvel Obs.*, 4 déc. 1978, p. 101).
REM. Si l'adj. *multiplexé* est attesté, le v. actif est virtuel.

MULTIPLEXEUR [myltiplɛksœʀ] n. m. — V. 1965 ; de *multiplex*.

♦ Techn. Appareil capable de transmettre par un canal multiplex. « *Aujourd'hui les Américains ont mis au point le multiplexeur capable de couvrir 1 million de canaux* » (*Sciences et Avenir*, avr. 1980, p. 33).

COMP. Démultiplexeur.

MULTIPLIABLE [myltiplijabl] adj. — 1549 ; « augmentable », 1120 ; de *multiplier*.

♦ **1.** Qui peut être multiplié. *Tout nombre est multipliable.*

♦ **2.** Dont on peut produire plusieurs exemplaires ; que l'on peut recommencer plusieurs fois.

(...) les pièces de cinq francs à l'effigie de Napoléon III multipliables à volonté, tout l'attirail d'un transfigurateur des mondes. ARAGON, Anicet, II, p. 26.

MULTIPLIANT, ANTE [myltiplijã, ãt] adj. et n. — V. 1119 ; de *multiplier*.

♦ **1.** Qui multiplie. *Verre multipliant :* verre à facettes qui fait voir les objets multipliés. — N. m. *Un multipliant.*

♦ **2.** (1819, *in* D.D.L.). *Figuier multipliant,* ou, n. m., *le multipliant*. ⇒ **Banian.**

MULTIPLICANDE [myltiplikãd] n. m. — 1549, *in* D.D.L. ; lat. *multiplicandus*.

♦ Arithm. Celui des facteurs qui est énoncé le premier dans une multiplication. *Dans* 4 multiplié par 3, *4 est le multiplicande, 3 le multiplicateur.*

MULTIPLICATEUR, TRICE [myltiplikatœʀ, tʀis] adj. et n. m.
— 1515 ; bas lat. *multiplicator,* du supin de *multiplicare.* → Multiplier.

♦ **1.** N. m. Dans une multiplication, celui des deux facteurs (cit. 2) qui est énoncé le second. *Multiplicateur et multiplicande*.*

♦ **2.** Adj. Qui multiplie, sert à multiplier. *Mot servant d'élément multiplicateur.* ⇒ **Fois.** — Techn. *Châssis multiplicateur, utilisé en photographie. Train multiplicateur dans un dispositif de changement de vitesse.* — N. m. *Multiplicateur d'électrons, de fréquence, utilisé en radio, en télévision.*

♦ **3.** N. m. Écon. Accroissement de la demande de consommation proportionnelle à celui des investissements de production. *Théorie du multiplicateur.*

Le multiplicateur, complaisamment évoqué par les stagnationnistes, ne peut avoir aucun effet, s'il s'exerce sur zéro.   A. SAUVY, Croissance zéro ?, p. 62.

CONTR. Diviseur.

MULTIPLICATIF, IVE [myltiplikatif, iv] adj. — 1678 ; bas lat. *multiplicativus,* du supin de *multiplicare.* → Multiplier.

♦ Qui multiplie, qui aide à multiplier, à marquer la multiplication. × *et . sont des signes multiplicatifs.* ⇒ **Multiplier** (multiplié). — Math. *Notation* multiplicative d'une loi de composition :* notation qui utilise un signe multiplicatif. *Groupe, monoïde multiplicatif :* groupe, monoïde dont la loi de composition est représentée par une notation multiplicative. ⇒ **Multiplicativement.**

Gramm. Qui indique la multiplication d'une grandeur prise comme unité. *Préfixe multiplicatif* (bi-, tri-, quadri-).

En langue moderne, on use de préfixes multiplicatifs : *bi, tri, poly (...)* bi*cyclette,* phosphate tri*calcique,* poly*syllabe,* multi*millionnaire* (cf. *Unicolore, bicolore, tricolore*).   F. BRUNOT, la Pensée et la Langue, p. 129.

DÉR. Multiplicativement.

MULTIPLICATION [myltiplikasjɔ̃] n. f. — XIIIe ; bas lat. *multiplicatio,* du supin de *multiplicare.* → Multiplier.

♦ **1.** Arith. et cour. Opération qui a pour but d'obtenir à partir de deux nombres *a* et *b* (multiplicande* et multiplicateur*), un troisième nombre (produit*), égal à la somme de *b* termes égaux à *a* (ex. : $12 \times 8 = 96$). *La multiplication (des nombres entiers), l'une des quatre opérations fondamentales du calcul*, addition* abrégée.* ⇒ **Règle** (vieilli). *Faire une multiplication.* ⇒ **Multiplier, produit** (faire le produit de...). *Multiplication par deux. Multiplication exacte, juste* (cit. 22), *fausse. Faire la preuve d'une multiplication. Signe de multiplication.* ⇒ **Multiplicatif.** *Multiplications arabe, égyptienne, russe,* méthodes de calcul différentes du produit d'une multiplication. — *Multiplication d'une fraction par une autre, par un entier. Règles de multiplication des nombres décimaux.*

Loc. (1723). *Table de multiplication :* tableau des produits des premiers nombres entre eux (⇒ **Multiple**). *Table de multiplication de Pythagore,* ou *table de Pythagore. Apprendre, savoir sa table de multiplication par cœur.*

Dans le calcul des grands nombres, la multiplication est bien longue, la division l'est plus encore, et il serait commode de n'avoir à faire que des additions et des soustractions (...)   CONDILLAC, la Langue des calculs, II, 19.

Alg. *Règles de multiplication des nombres algébriques. Multiplication d'un monôme par un monôme, d'un polynôme par un polynôme. Multiplication de deux radicaux de même indice.* — (Calcul vectoriel). *Multiplication d'un vecteur par un scalaire. La multiplication vectorielle et son opération inverse, la division vectorielle.*

Trigonométrie. *Formules de multiplication :* égalités caractéristiques dont les premiers membres sont respectivement les produits sin a.sin b, sin a.cos b, cos a.cos b, *a* et *b* étant deux angles quelconques.

Math. Loi de composition interne (on dit aussi *opération*), non nécessairement commutative, notée multiplicativement. *Définition de la multiplication par récurrence dans l'ensemble des nombres naturels. Définition de la multiplication dans les ensembles de nombres usuels. Multiplication d'un anneau :* loi de composition interne sur celui-ci, associative et distributive par rapport à son addition. *Multiplication à droite (à gauche) dans un monoïde ou un anneau non commutatif,* multiplication qui fait correspondre à un élément *y* du monoïde ou de l'anneau un élément *x* qui est son diviseur à gauche (à droite). → Multiple. *Multiplication commutative.*

♦ **2.** (1370). Augmentation importante en nombre. ⇒ **Accroissement, augmentation, prolifération, pullulement.** *Multiplication des clubs* (→ Fermentation, cit. 3), *des ouvrages médiocres* (→ Corrompre, cit. 9), *des petites propriétés* (→ Agraire, cit.), *des voies et moyens de communication* (→ Industriel, cit. 2). *Le miracle de la multiplication des pains*. Multiplication des plaisirs* (→ Avantage, cit. 12). — *Multiplication des doctrines subversives.* ⇒ **Propagation.**

La découverte de nouveaux instruments, la multiplication même des observations qui se corrigent et se réforment mutuellement (...)   CONDORCET, Maurepas.

Spécialt. (Êtres vivants). *La multiplication des inaptes* (→ Eugénique, cit. 1). *Multiplication des abeilles* (→ Essaimage).

Depuis la multiplication du genre humain, il n'y avait point d'exemple que Dieu eût permis le mariage de frère à sœur.   3
                              BOSSUET, Hist. des variations (...), VII, *in* LITTRÉ.

(...) la multiplication y est limitée *(sur l'île)* par quelque loi superstitieuse ; l'enfant   4
y est écrasé dans le sein de sa mère foulée sous les pieds d'une prêtresse.
                              DIDEROT, Suppl. au voyage de Bougainville, I.

♦ **3.** (1546 ; attestation isolée, 1370). Vx. Reproduction d'êtres vivants. ⇒ **Génération, reproduction.** *Multiplication sexuée ou asexuée. Multiplication des phanérogames par les graines* (⇒ **Semis**) *ou par les organes végétatifs.*

Spécialt. Mod. Biol. Reproduction (d'êtres asexués). ⇒ **Bourgeonnement, gemmation, scissiparité, sporulation ; prolifération.** *Multiplication des bactéries. Multiplication cellulaire* (→ Mitose, cit.).

Il *(Pasteur)* apporta enfin la preuve décisive que la multiplication de la levure   5
transforme le sucre en alcool et qu'un autre infiniment petit opère la transformation lactique.   Henri MONDOR, Pasteur, III.

Bot. *Multiplication végétative :* reproduction des végétaux par des organes végétatifs (et non sexuels). *Multiplications par les tiges aériennes* (stolons), *souterraines* (rhizomes, tubercules), *par les racines, par les bourgeons* (caïeux, bulbilles, turions)... *Multiplication artificielle.* ⇒ **Bouturage, marcottage, provignage** (→ aussi Drageonnement).

♦ **4.** (1903). Techn. et cour. (Dans un système de transmission). Se dit du rapport qui existe entre les vitesses angulaires de deux arbres dont l'un transmet le mouvement à l'autre (par engrenage, chaîne, courroie...). *Multiplication d'une bicyclette :* rapport du nombre de dents du pédalier au nombre de dents du pignon de la roue motrice (→ Braquet).

CONTR. Division, scission. — Diminution.

MULTIPLICATIVEMENT [myltiplikativmɑ̃] adv. — xxe ; de *multiplicatif.*

♦ Math. En utilisant un signe multiplicatif*. *On note multiplicativement les lois de composition qui ne sont pas nécessairement commutatives.* (Comparer à *additivement*).

MULTIPLICITÉ [myltiplisite] n. f. — xiie ; bas lat. *multiplicitas,* du supin de *multiplicare.* → Multiplier.

♦ **1.** *Multiplicité de :* caractère multiple ; grand nombre. ⇒ **Abondance, pluralité, quantité.** *Multiplicité des inventions* (→ Avancement, cit. 4), *des lettres qu'on reçoit.*

Il se peut que la multiplicité prodigieuse des affaires, sur la fin de l'année de robe   1
(année judiciaire), lui ait fait oublier mon paquet cette fois-ci.
                              VOLTAIRE, Correspondance, 3919, 5 sept. 1772.

(...) les succès faciles et les occasions de gain rapide qu'offre aujourd'hui la multiplicité des journaux.   Th. GAUTIER, Portraits contemporains, Louis Bouilhet.   2

Math. *Multiplicité d'un couple de sommets d'un graphe :* nombre d'arcs admettant le premier sommet comme extrémité initiale et le second comme extrémité terminale.

Spécialt. Grand nombre, dans la diversité, le désordre. *La multiplicité et la contradiction des doctrines* (→ Cérébral, cit. 1). *La multiplicité entremêlée des détails réels et des faits mensongers* (→ Débrouiller, cit. 9). ⇒ **Labyrinthe.**

L'Église a toujours été combattue par des erreurs contraires ; mais peut-être jamais   3
en même temps, comme à présent. Et si elle en souffre plus, à cause de la multiplicité d'erreurs, elle en reçoit cet avantage qu'elles se détruisent.
                              PASCAL, Pensées, XIV, 862.

En résumé, multiplicité d'objets ; diversité de conditions à remplir, d'esprits à satisfaire ; pluralité de statuts et de rouages à coordonner (...)   4
                              VALÉRY, Regards sur le monde actuel, p. 309.

(...) ce qui frappe l'observateur, dès qu'il aborde notre puissante librairie, c'est la   5
multiplicité des dons, c'est la variété des génies (...)
                              G. DUHAMEL, Refuges de la lecture, VIII.

♦ **2.** (Absolt). Fait d'être multiple. *Multiplicité chaotique* (→ Forme, cit. 9).

Dans l'espace, dans l'espace seul, sans aucun doute, est possible la multiplicité   6
distincte : un point est absolument extérieur à un autre point.
                              H. BERGSON, l'Évolution créatrice, p. 258.

Math. *Ordre de multiplicité* (ou *ordre*) *d'une racine de polynôme :* entier naturel non nul *k* tel que $(x-a)^k$ divise le polynôme alors que $(x-a)^{k+1}$ ne le divise pas. *La racine est dite simple, double ou multiple selon que son ordre de multiplicité est 1, 2 ou supérieur à 2.*

CONTR. Simplicité, unicité, unité.

MULTIPLIER [myltiplije] v. — 1120, sens II, 1, var. *molteplier, monteplier ;* lat. *multiplicare,* de *multiplex.* → Multiple.

★ **I.** V. intr. ♦ **1.** (V. 1175). Rare et vx. Augmenter en nombre.

Les expériences qui nous en donnent l'intelligence *(de la nature)* multiplient continuellement ; et, comme elles sont les seuls principes de la physique, les conséquences multiplient à proportion.   PASCAL, Opuscules, Traité du vide.   1

♦ **2.** (V. 1155). Vx. Augmenter en nombre par la reproduction. ⇒ **Croître.** *Les lapins* (cit. 2) *multiplient prodigieusement dans les* *pays qui leur conviennent.* ⇒ **Proliférer, pulluler** (→ ci-dessous *Se multiplier*).

2 Il lui dit encore : Je suis le Dieu tout-puissant ; croissez et multipliez ; vous serez le chef des nations et d'une multitude de peuples, et des rois sortiront de vous.
BIBLE (SACY), Genèse, XXXV, 11.

3 Ils mangent pour vivre et pour croître : ils croissent pour multiplier, et ils n'y trouvent ni vice, ni honte.
DIDEROT, Suppl. au voyage de Bougainville, II.

★ **II.** V. tr. ♦ **1.** Rendre plus nombreux. ⇒ **Accroître, augmenter.** *Multiplier les exemplaires d'un texte.* ⇒ **Reproduire, reproduction ; polycopier...** *Multiplier les expositions* (cit. 4), *les livres* (→ Livret, cit. 1). — Spécialt. *Faire en grand nombre, répéter à cause ou de peur d'un échec. Multiplier les essais, les tentatives,* les répéter à maintes reprises. *Multiplier les citations, les mots.* ⇒ **Entasser.** *Multiplier les signes d'approbation* (cit. 12), *les démarches... Multiplier les excuses, les remerciements.* ⇒ **Confondre** (se). *Multiplier les calomnies, les faux bruits, les insinuations.* ⇒ **Semer.**

4 (...) elle *(la reine Anne)* multiplie ses aumônes toujours abondantes ; elle redouble ses dévotions, toujours assidues (...)
BOSSUET, Oraisons funèbres, Marie-Thérèse.

5 Pain merveilleux qu'un dieu partage et multiplie !
HUGO (→ 1. Mère, cit. 8).

6 Car j'ai de mes tourments multiplié les causes !
SULLY PRUDHOMME (→ Lien, cit. 9).

7 (...) le gouvernement de Guillaume II avait multiplié, de bonne foi, des offres d'entente, précises.
MARTIN DU GARD, les Thibault, t. VII, p. 12.

Spécialt. *Augmenter le nombre (des êtres vivants d'une même espèce)* ⇒ **Propager ; multiplication, reproduction** (→ Égoïsme, cit. 3). *Multiplier des plantes par semis* (⇒ **Semer**), *par greffe* (cit. 3), *par bouture* (→ Hybride, cit. 3). *Multiplier des arbres en pépinière*.

Par anal. *Faire croître en nombre.*

8 Je multiplierai vos enfants comme les étoiles du ciel (...)
BIBLE (SACY), Genèse, XXVI, 4.

Par ext. *Avoir pour conséquence un accroissement de... La misère multiplie les crimes. L'argent* (cit. 37) *multiplie les désirs.*

♦ **2.** *Multiplier (qqch.) par (qqch.) :* faire la multiplication (1.) de (qqch.) par (qqch.). *Multiplier un nombre* (multiplicande) *par un autre* (multiplicateur) *pour obtenir le produit. Deux quantités qu'on multiplie l'une par l'autre* (→ Facteur, cit. 2). *La vitesse multipliée par la masse* (→ Malentendu, cit. 4). *Multiplier un nombre par lui-même.* ⇒ **Carré ; cube** (élever un nombre au) ; **puissance** (élever un nombre à la puissance *n*). *Coefficient* qui multiplie une quantité algébrique. Multiplier un nombre par deux, trois, quatre, cinq, six, sept, huit, ... dix, ... vingt, ... cent, ...* ⇒ **Doubler, tripler, quadrupler, quintupler, sextupler, septupler, octupler, ... décupler, ... vingtupler, ... centupler, ...**

▶ **SE MULTIPLIER** v. pron.

♦ **1.** *Augmenter, être augmenté en nombre, en quantité ; se produire en grand nombre.* ⇒ **Accroître** (s'), **croître, développer** (se). *Les communications et les transports se multiplient* (→ Expansion, cit. 6). *Les cas mortels se multiplient* (→ Épidémie, cit. 3). *Les syndicats se multiplient* (→ Jeu, cit. 85).

9 Le nombre des gens qui pensent raisonnablement se multiplie tous les jours : si cela continue, la raison rentrera un jour dans ses droits (...)
VOLTAIRE, Correspondance, 1365, 12 avr. 1756.

10 Les formes pulmonaires de l'infection qui s'étaient déjà manifestées se multipliaient maintenant aux quatre coins de la ville, comme si le vent allumait et activait des incendies dans les poitrines.
CAMUS, la Peste, p. 257.

Être répété ou reproduit un grand nombre de fois. La toile unique, la fresque se multiplient indéfiniment par la gravure (cit. 3). *Livre à succès dont les tirages se multiplient.*

11 Les jeunes gens et les femmes lisent cette folie *(La théologie portative)* avec avidité. Les éditions de tous les livres dans ce goût se multiplient.
VOLTAIRE, Correspondance, 3203, 16 oct. 1767.

♦ **2.** *Se reproduire (êtres vivants).* ⇒ **Engendrer, procréer** (→ Espérance, cit. 47 ; faire, cit. 170 ; lutte, cit. 11). « *Croissez* (→ Croître, cit. 15, Bible) *et multipliez-vous* ».

12 (...) la diversité et l'éloignement des pays où les enfants de Noé se sont répandus en se multipliant (...)
BOSSUET, Politique tirée de l'Écriture sainte, I, II, II.

♦ **3.** Fig. (Personnes). *Être partout à la fois, mener de front plusieurs entreprises, faire preuve d'une activité débordante.* ⇒ **Employer** (s'). Cf. *Avoir le don d'ubiquité.*

13 Il *(Louis de Bourbon)* paraît en un moment comme un éclair dans les pays les plus éloignés. On le voit en même temps à toutes les attaques, à tous les quartiers (...) il semble qu'il se multiplie dans une action : ni le fer ni le feu ne l'arrêtent.
BOSSUET, Oraisons funèbres, Louis de Bourbon.

▶ **MULTIPLIÉ, ÉE** p. p. et adj. *Nombre multiplié par lui-même. Les arcs ou angles multipliés d'un premier arc ou angle connu* (→ Expression, cit. 16). *Suite de nombres où chaque nombre est égal au précédent multiplié par un nombre constant.* ⇒ **Progression.** Cour. *Le signe multiplié (par) :* le signe multiplicatif ×. — *L'enseignement* (cit. 4) *multiplié sous toutes ses formes, prodigué à tous. — Visites multipliées, répétées* (contr. : *espacé, rare*).

14 Courbé sous le fardeau des ans multipliés,
LECONTE DE LISLE, Poèmes antiques, « Dies iræ ».

15 Chacun de nous m'apparaît ici comme dans la salle d'essayage d'un tailleur,

entouré de glaces qui s'entre-reflètent, et quêtant dans l'esprit d'autrui son image multipliée.
GIDE, Journal, août 1910.

CONTR. Démultiplier, diviser.
DÉR. Multipliable, multipliant.
COMP. Démultiplier, surmultiplier.

MULTIPOLAIRE [myltipɔlɛʀ] adj. — 1855, Nysten ; de *multi-*, et *polaire.*

♦ **1.** Biol. *Cellule multipolaire :* cellule nerveuse qui émet de nombreux prolongements.

♦ **2.** Phys. *Qui comporte plus de deux pôles. Dynamo multipolaire.*

♦ **3.** Fig. *Qui comporte plusieurs pôles. Politique multipolaire.*
DÉR. Multipolarité.

MULTIPOLARITÉ [myltipɔlaʀite] n. f. — 1972 ; de *multipolaire.*

♦ Caractère de ce qui est multipolaire.

Pourquoi, cette année encore, alors que la « multipolarité » (accession de la Chine, du Japon et de l'Europe au rang de grandes puissances) est la tarte à la crème de toutes les conversations de salon, la politique intérieure américaine demeure-t-elle un événement planétaire ?
Jean DANIEL, *in* le Nouvel Obs., 6 nov. 1972, p. 32.

1. MULTIPRISE [myltipʀiz] adj. f. — 1971 ; de *multi-*, et *prise.*

♦ *Pince multiprise,* dont l'ouverture peut se régler par un déplacement du point d'articulation.

2. MULTIPRISE [myltipʀiz] n. f. — 1975 ; de *multi-*, et *prise.*

♦ Techn. Prise de courant femelle sur laquelle on peut brancher plusieurs appareils ; adaptateur permettant de brancher plusieurs appareils sur la même prise. — Syn. : *prise multiple.*

MULTIPROCESSEUR [myltipʀɔsesœʀ] n. m. — V. 1965 ; angl. *multiprocessor*, de *multi-* et *processor* « processeur ».

♦ Techn. Ordinateur ayant plusieurs unités centrales de traitement.

MULTIPROGRAMMATION [myltipʀɔɡʀamasjɔ̃] n. f. — V. 1965 ; de *multi-*, et *programmation.*

♦ Techn. Fonctionnement d'un ordinateur sur plusieurs programmes à la fois.

MULTIPROPRIÉTAIRE [myltipʀɔpʀijetɛʀ] n. — V. 1965 ; de *multipropriété.*

♦ Personne qui a acheté en multipropriété. « *Manifestement, j'ai devant moi un multipropriétaire malheureux. Et pour cause. Il avait acheté un studio à Méribel "pour la période des vacances scolaires"* » (le Nouvel Obs., 7 mars 1977, p. 60).

MULTIPROPRIÉTÉ [myltipʀɔpʀijete] n. f. — V. 1965 ; de *multi-*, et *propriété.*

♦ Régime de propriété collective où chaque propriétaire jouit de son bien pendant une période déterminée de l'année. *Acheter un appartement, un bateau en multipropriété.* « *La multipropriété* (...) *est un concept nouveau entre l'immobilier et les loisirs* » (le Nouvel Obs., 7 avr. 1977, p. 59). *Bien acheté suivant ce régime. Les multipropriétés sont nombreuses dans les stations de sports d'hiver.*
DÉR. Multipropriétaire.

MULTIRACIAL, ALE, AUX [myltiʀasjal, o] adj. — 1965 ; de *multi-*, et *racial.*

♦ Didact. *Dans lequel plusieurs groupes raciaux humains sont représentés. État multiracial.*

MULTIRISQUE [myltiʀisk] adj. — 1974 ; de *multi-*, et *risque.*

♦ Techn. (Assurances). *Se dit d'une assurance couvrant plusieurs risques déterminés pour un même contrat. Des assurances multirisques. Une assurance multirisque, ou multirisques.*

MULTISÉCULAIRE [myltisekylɛʀ] adj. — 1868, Littré ; de *multi-*, et *séculaire.*

♦ Didact. *Qui a duré plusieurs siècles, qui est vieux de plusieurs siècles.* ⇒ **Séculaire.**

MULTISIÈGE [myltisjɛʒ] adj. et n. m. — V. 1970; de *multi-*, et *siège*.

♦ Se dit d'un siège fait de la réunion de plusieurs. *Canapé d'appartement multisiège. — N. m. Banquettes de chemin de fer à multisièges.*

MULTISOC [myltisɔk] adj. et n. m. — 1874, P. Larousse; de *multi-*, et *soc.*

♦ Techn. Pourvu de plusieurs socs. *Charrue multisoc.* ⇒ **Polysoc.**

MULTISTANDARD [myltistɑ̃daʀ] adj. m. invar. et n. m. — 1961; de *multi-*, et *standard.*

♦ Techn. Se dit d'un récepteur de télévision susceptible de recevoir des émissions de «standard» (nombre de lignes) différents. — N. m. *« Les multistandards permettent de capter les deux chaînes françaises (...) ainsi que les réseaux belges 819 et 625 lignes... »* (*Science et Vie,* nº 595, p. 131).

MULTITRAITEMENT [myltitʀɛtmɑ̃] n. m. — 1968; de *multi-*, et *traitement.*

♦ Techn. Traitement simultané de plusieurs programmes (par un ordinateur). ⇒ **Multiprocesseur.** — REM. Équivalent proposé pour remplacer l'anglicisme *multiprocessing.*

MULTITUBE [myltityb] adj. — 1948; *radiateur multitube, Rev. gén. des sc.,* nº 18, p. 942, 1903; de *multi-*, et *tube.*

♦ Techn. (milit.). Se dit d'un canon lance-fusées à plusieurs tubes.

MULTITUBULAIRE [myltitybylɛʀ] adj. — 1892, *Année sc. et industr.* 1893, p. 162-163; de *multi-*, et *tubulaire.*

♦ Techn. Se dit d'une chaudière de machine à vapeur dont l'eau circule dans de nombreux tubes disposés au-dessus du foyer.

MULTITUDE [myltityd] n. f. — V. 1155; *multitudine,* v. 1120; lat. *multitudo,* même rad. que *multum.* → Multi-.

♦ **1.** Grande quantité (d'êtres ou d'objets de même espèce) considérée ou non comme constituant un ensemble.

[a] (L'idée d'ensemble l'emportant sur celle de nombre). *« Tandis que des mortels* (cit. 5) *la multitude vile... »* (Baudelaire). *Ils pensaient qu'il enrichirait* (cit. 2) *toute la multitude de ses parents. La multitude française* (→ Indomptable, cit. 8).

[b] (L'idée de nombre l'emportant sur celle d'ensemble). ⇒ **Quantité.** *Une multitude d'écoliers, de visiteurs.* ⇒ **Armée, essaim, flopée** (fam.)**, flot, légion, nuée.** *Une multitude de gredins.* ⇒ **Tas, tourbe, troupeau** (→ 1. Bien, cit. 45). — *Une multitude d'animaux* (→ Caribou, cit.; gosier, cit. 9; histoire, cit. 37...). — *Une multitude de discours, d'opinions* (→ Assimiler, cit. 4)*, d'erreurs, d'événements.* ⇒ **Avalanche, averse** (fam.)**, fourmillement, quantité** (→ Arriver, cit. 64). *Une multitude de lances, de mâts, de piliers.* ⇒ **Forêt.** *Une multitude de nuages* (→ Empourprer, cit. 1)*, de tombes* (→ Empiéter, cit. 3). — *« Une multitude de sauterelles* ont infesté ou a infesté ces campagnes »* (Littré). ⇒ **Foule** (REM. *supra* cit. 16).

1 (...) la déplorable situation de cette multitude d'hommes, de femmes, de filles que la faim dévore, et dont la vie est moins une vie qu'une mort lente et accablante.
BOURDALOUE, Exhortation, Sur charité envers pauvres.

2 On dit que c'est principalement de la Suède, dont une partie se nomme encore Gothie, que se débordèrent ces multitudes de Goths qui inondèrent l'Europe (...)
VOLTAIRE, Hist. Charles XII, I.

Il y a une multitude de... (cf. Il y en a en abondance; il y en a beaucoup; cela foisonne).

♦ **2.** Quantité (d'êtres ou d'objets) dont la grandeur est considérée comme l'aspect essentiel. ⇒ **Abondance, nombre** (grand, élevé)**, quantité** (→ Aspect, cit. 25; automate, cit. 2; fleuve, cit. 7). *La multitude des malheureux vous endurcit* (cit. 4) *à leurs misères. « On consacrait beaucoup d'hosties* (cit. 6) *à cause de la prodigieuse multitude des communiants. » La multitude des lois* (cit. 5).

3 (...) ce n'est pas la longueur des années, mais la multitude des générations qui rendent les choses obscures; car la vérité ne s'altère que par le changement des hommes.
PASCAL, Pensées, IX, 624.

4 Ne vaut-il pas mieux s'attendrir sans savoir pourquoi, que de chercher dans la vie des intérêts émoussés, refroidis par leur répétition et leur multitude? Tout est usé aujourd'hui, même le malheur.
CHATEAUBRIAND, Mémoires d'outre-tombe, t. II, p. 232.

5 Et cependant j'avais vécu longtemps, oh! très longtemps! ... La notion du temps ou plutôt la mesure du temps étant abolie, la nuit entière n'était mesurable pour moi que par la multitude de mes pensées.
BAUDELAIRE, les Paradis artificiels, «Poème du haschisch», III.

6 À perte de vue, la multitude des maisons se dressaient dans leur énormité minuscule.
FRANCE, l'Île des pingouins, VIII, 2.

♦ **3.** (V. 1265). Sans complément. Littér. Rassemblement d'un grand nombre de personnes. ⇒ **Affluence, cohue, concours, encombrement, foule** (2.)**, presse, rassemblement, troupe** (→ Immense, cit. 9). *Fourmilière où vit et s'agite une multitude. Rumeur d'une multitude en marche* (→ Grondement, cit. 4). *Ruée en masse d'une multitude.* ⇒ **Inondation.** — *La multitude qui accourait pour le voir* (→ Embarrasser, cit. 24). *Cette multitude immense entassée sur la rive* (→ Encombrement, cit. 1). *Acclamations de la multitude. Mendiant* (cit. 2) *qui sollicite la pitié de la multitude. — Fuir la multitude.*

7 Et ce qui doit surprendre, est qu'aux portes d'Élis
La douce passion de fuir la multitude
Rencontre une si belle et vaste solitude. MOLIÈRE, la Princesse d'Élide, II, 1.

8 Il n'est pas donné à chacun de prendre un bain de multitude : jouir de la foule est un art; et celui-là seul peut faire, aux dépens du genre humain, une ribote de vitalité, à qui une fée a insufflé dans son berceau le goût du travestissement et du masque, la haine du domicile et la passion du voyage.
BAUDELAIRE, le Spleen de Paris, XII.

9 Une multitude vertigineuse emplit les routes, les sentiers, les ponts, les plaines, les collines, les vallées, les bois, encombrés par cette évasion de quarante mille hommes.
HUGO, les Misérables, II, I, XIII.

10 La multitude va, vient, s'agite et se mêle
Par flots bariolés entre les grands murs blancs,
Comme une mer mouvante et murmurant comme elle.
LECONTE DE LISLE, Poèmes tragiques, «Apothéose de Mouça-al-Kebir».

(1662). Absolt. LA MULTITUDE : le plus grand nombre, la grande majorité, le commun des hommes (par oppos. à l'*individu;* ou spécialt et péj. par oppos. à l'*élite*). ⇒ **Foule** (*infra* cit. 12), **généralité** (I., 2.)**, masse** (II., 3.)**, peuple, populace** (péj.)**, tourbe** (péj.)**, vulgaire** (n. m.)**, vulgum pecus.** → Flatter, cit. 57; gouverner, cit. 28; 1. masse, cit. 27. *« Les chefs, la multitude »* (→ 1. Ferme, cit. 15, La Fontaine). *L'homme de la multitude »* (→ Fontaine, cit. 6). *Surgi du sein de la multitude* (→ 1. Manger, cit. 23). *Flagorner* (cit. 3) *la multitude.* ⇒ **Démagogie.** *Instinct grégaire qui pousse à suivre la multitude. Tourner le dos à la multitude* (→ 2. Bourse, cit. 8). — *Allus. hist. « La vile multitude »* (→ cit. Thiers, ci-dessous). — *Au plur. L'informe bloc* (cit. 4, Hugo) *des sombres multitudes.*

11 (...) je m'en remets assez aux décisions de la multitude, et je tiens aussi difficile de combattre un ouvrage que le public approuve, que d'en défendre un qu'il condamne.
MOLIÈRE, les Fâcheux, Avertissement.

12 Évitons d'avoir rien de commun avec la multitude; affectons au contraire toutes les distinctions qui nous en séparent. LA BRUYÈRE, les Caractères, IX, 23.

13 Le bonheur des grands et des riches dépend presque toujours d'eux-mêmes. Celui de la multitude dépend de ceux qui la gouvernent; dans cette classe d'hommes le bonheur consiste surtout à ne pas souffrir.
CHAMFORT, Maximes (...), Sur la politique, II.

14 Ces hommes que nous avons exclus, sont-ce les pauvres? Non... (*Ce sont les*) vagabonds (...) ces hommes qui méritent le titre, l'un des plus flétris de l'histoire, entendez-vous, le titre de multitude (...) Des amis de la vraie liberté, je dirai les vrais républicains, redoutent la multitude, la vile multitude qui a perdu toutes les Républiques (...)
THIERS, Disc. 24 mai 1850, in Malet et Isaac, Cl. de 1re, p. 637.

15 La foule est rétive à l'entraînement des paladins. Les lourdes masses, les multitudes, fragiles à cause de leur pesanteur même, craignent les aventures; et il y a de l'aventure dans l'idéal. HUGO, les Misérables, V, I, XX.

CONTR. Pénurie. — **Personne, rien.**

MULTIVALVE [myltivalv] adj. et n. m. — 1752; de *multi-*, et *valve.*

♦ Zool. Composé de plusieurs pièces, ou valves. *Coquille multivalve.* — Par ext. *Crustacé multivalve.*

MULTIVARIÉ, ÉE [myltivaʀje] adj. — 1970; angl. *multivariate;* → Multi-, et varié.

♦ Didact. (Psychol.). *Analyse multivariée :* méthode d'analyse de données sociologiques quantitatives permettant de dégager l'importance respective de chaque facteur et les interactions entre facteurs.

Une série de progrès récents ont été accomplis à cet égard (*affiner l'analyse mathématique des variations et des dépendances*), en particulier au moyen de ce que l'on a appelé l'analyse multivariée, permettant de dépasser les corrélations dans la direction de la causalité.
J. PIAGET, Épistémologie des sciences de l'homme, p. 78.

MULTIVOQUE [myltivɔk] adj. — XXe; de *multi-*, et *(uni)voque.* → Plurivoque.

♦ Math. *Correspondance multivoque d'un ensemble vers un autre :* correspondance telle qu'au moins un élément du premier ensemble possède plusieurs images dans le second. (Opposé à *univoque*).

MUNI [myni] p. p. adj. ⇒ **Munir.**

1. MUNICH [mynik] n. f. — XXe; de *Munich,* nom francisé de *München,* capitale de la Bavière.

♦ *Bière de Munich* ou d'un type analogue (arôme assez puissant, teneur en alcool assez faible). *Une demi de Munich blonde, brune. Une Munich (munich) pression!* — En apposition :

Je dîne à la «Coupole»; c'est plein de monde; Montparnasse est envahi de militaires... Je demande étourdiment un demi munich au garçon. Il rit : «Attendez qu'on ait passé la ligne Siegfried.»   S. DE BEAUVOIR, la Force de l'âge, p. 417.

2. MUNICH [mynik] n. m. — Après 1945; de *Munich.*

♦ *Un nouveau Munich :* une négociation ou un accord du type des accords de Munich (septembre 1938), où l'on cède inutilement à un adversaire de mauvaise foi, où l'on achète très cher une paix précaire.

MUNICHOIS, OISE [mynikwa, waz] adj. et n. — 1922, Proust; de *Munich.*

♦ Originaire de Munich; en provenance de Munich. — N. *Un Munichois, une Munichoise.*

Par ext. (Choses) :

(...) les Verdurin, par le progrès fatal de l'esthétisme, qui finit par se manger la queue, disaient ne pas pouvoir supporter le modern style (de plus c'était munichois)...   PROUST, le Temps retrouvé, Pl., t. III, p. 731.

MUNICIPAL, ALE, AUX [mynisipal, o] adj. — 1474; lat. *municipalis,* de *municipium* «municipe».

♦ **1.** Antiq. rom. Relatif à un municipe*.

♦ **2.** (1527). Cour. Relatif à l'administration d'une commune. ⇒ **Commune** (2.), **municipalité; communal.** *La vie municipale* (→ Incapable, cit. 12). *Conseil* municipal* (→ Ban, cit. 7; luxe, cit. 12). *Conseiller* (cit. 7) *municipal. Élections* municipales.* — *Corps municipal. Fonctionnaires, officiers municipaux* (→ Faiblir, cit. 4; légitime, cit. 3), qui assurent le fonctionnement d'une municipalité. *Le gonfalonier, officier municipal de certaines villes italiennes. Magistrats* municipaux.* ⇒ **Maire.** *— Bâtiments, services municipaux* (mairie, municipalité). *—Arrêté municipal. Taxes, charges municipales.* ⇒ **Centime** (additionnel*), **octroi**... *Police* municipale* (→ aussi Garde champêtre*). Vx. *Garde municipale,* à Paris (→ Insurrection, cit. 4). — *Exploitation* (cit. 5), *entreprise, régie municipale,* appartenant à la commune, administrée par elle (⇒ **Municipalisation**). *Stade, théâtre municipal* (→ Mélodieux, cit. 2). *Piscine, bibliothèque municipale. Collège municipal. Clinique municipale* (→ Hôpital, cit. 6). *Pompes funèbres municipales.*

1   Quand il y avait des élections municipales, il payait des affiches et se présentait au Conseil avec quatre amis : ils avaient eu d'abord dix-neuf voix, puis vingt-six, mais ils avaient du mal à découvrir ceux qui votaient pour eux.   P. NIZAN, le Cheval de Troie, I, IV.

Spécialt et vx. *Garde municipal.* — N. *Municipal :* soldat de la garde municipale de Paris (aujourd'hui : gardien de la Paix). ⇒ **Cipal.**

2   *(Crainquebille)*... se tourna vers le garde de Paris qui le conduisait et l'appela trois fois : — Cipal!... Cipal!... Hein? Cipal!... Mais le soldat marchait sans répondre ni tourner la tête.   FRANCE, Crainquebille, III.

♦ **3.** N. (1790). Vx. Membre d'une municipalité.

3   Abattez ensuite, sans hésiter, la tête du général, celles des ministres et des ex-ministres contre révolutionnaires; celles du maire et des municipaux, anti-révolutionnaires.   MARAT, l'Ami du peuple, 18 déc. 1790, *in* WALTER, la Révolution française vue par ses journaux, p. 139.

DÉR. **Municipalité, municipaliser, municipalisme.**

MUNICIPALISATION [mynisipalizɑsjɔ̃] n. f. — 1936, Capitant; de *municipaliser.*

♦ Dr., admin. Action de municipaliser, d'acheter au profit de la commune. *La municipalisation des sols.*

MUNICIPALISER [mynisipalize] v. tr. — 1966, probablt antérieur (→ Municipalisation); «soumettre au régime des municipalités», 1793, *in* D D. L.; de *municipal.*

♦ Dr., admin. Soumettre au contrôle de la municipalité. *Municipaliser les sols.*

DÉR. **Municipalisation.**

MUNICIPALISME [mynisipalism] n. m. — 1859; de *municipal.*
Didactique.

♦ **1.** Vx. Gouvernement par l'intermédiaire des municipalités.

♦ **2.** (V. 1960). Mod. Système préconisant l'intervention des municipalités dans les problèmes économiques.

MUNICIPALITÉ [mynisipalite] n. f. — 1756; de *municipal.*

♦ **1.** Corps* municipal; ensemble des personnes qui administrent une commune*. ⇒ **Conseil, conseiller** (municipal), **édile** (cit. 2), **magistrat** (*supra* et *infra* cit. 5), **maire** (cit. 1), **officier;** ville (→ Garder*, cit. 77). *La municipalité d'une commune comprend le maire, ses adjoints et les conseillers municipaux* (Académie). *Municipalité espagnole* (⇒ **Ayuntamiento**). *Pendant la Révolution,*

la loi martiale (cit. 2) armait les municipalités du droit de requérir les troupes.

1   Le mot de «municipalité», prononcé dans l'Assemblée Constituante, donna lieu à une discussion en juillet 1789 *(En novembre)* Grégoire, Lavie et Bouche demandèrent la substitution du mot de *communauté* au mot de «municipalité». Le décret du 14 décembre portait : les «Municipalités» actuellement subsistant en chaque ville, bourg, paroisse ou communauté, sous le titre d'*hôtel de ville, mairies, échevinats, consulats,* sont supprimées, toutes les municipalités du royaume... porteront le titre commun de «municipalité».
     BRUNOT, Hist. de la langue franç., t. IX, p. 1019.

2   (...) ils arrivaient en vue du petit parc planté de tilleuls dont la municipalité avait doté la ville. Quatre heures et quart sonnaient à la mairie (...)
     J. GREEN, Adrienne Mesurat, I, XI.

(1798). Par ext. Vx. Siège de l'administration municipale. ⇒ **Mairie, hôtel** (de ville).

♦ **2.** (1793). Circonscription administrée par une municipalité. ⇒ **Commune.**

♦ **3.** (1936). Dr. admin. Réunion du maire et des adjoints (à l'exclusion des conseillers municipaux). → Commune, cit. 2.

MUNICIPE [mynisip] n. m. — 1548; lat. *municipium,* employé comme adj. et en parlant des officiers municipaux, pendant la Révolution.

♦ Antiq. rom. Cité, ville annexée par Rome et dont les habitants, sans avoir de droits politiques autres que locaux, jouissaient des droits civils attachés à la citoyenneté romaine. *Colonies et municipes formaient les territoires annexés de Rome.*

DÉR. (Du lat. *municipalis*) Cf. Municipal.

MUNIFICENCE [mynifisɑ̃s] n. f. — 1354; lat. *munificentia,* de *munificus* «qui fait *(facere)* des présents *(munus)*».

♦ Littér. Grandeur dans la générosité*, la libéralité*. ⇒ **Largesse, magnificence, prodigalité** (→ Inouï, cit. 5). *Une munificence royale, princière.* Fig. *La munificence des dons du Saint Esprit* (→ Confirmation, cit. 5).

1   (...) grâce à la munificence de nos rois, Paris s'embellit tous les jours à la grande admiration des étrangers (...)   Th. GAUTIER, le Capitaine Fracasse, XI.

2   (...) Léon tira vivement une pièce blanche de sa poche... Le suisse demeura tout stupéfait, ne comprenant point cette munificence intempestive, lorsqu'il restait encore (...) tant de choses à voir.   FLAUBERT, Mme Bovary, III, I.

DÉR. **Munificent.**

MUNIFICENT, ENTE [mynifisɑ̃, ɑ̃t] adj. — 1840; de *munificence.*

♦ Littér. Qui a de la munificence. ⇒ **Généreux, large, libéral, magnifique.** *Un prince munificent.*

MUNIR [myniʀ] v. tr. — V. 1330; «fortifier, défendre (une place forte)», déb. XIVᵉ; lat. *munire.*

♦ **1.** Vx. Approvisionner (une place, une armée) de moyens de défense ou de subsistance. ⇒ **Munition; équiper, ravitailler** (→ Esclandre, cit. 1).

1   Qu'il embellît cette magnifique et délicieuse maison, ou bien qu'il munit un camp au milieu du pays ennemi, et qu'il fortifiât une place (...) c'était toujours le même homme (...)   BOSSUET, Oraisons funèbres, Louis de Bourbon.

♦ **2.** (1580). Mod. *Munir* (qqn, qqch.) *de* (qqch.) : garnir (qqch.), pourvoir (qqn) de (ce qui est nécessaire, utile pour une fin déterminée). ⇒ **Garnir; équiper, nantir, outiller, pourvoir.** *Munir un stylo d'une cartouche d'encre.* ⇒ **Charger.** *Munir de clous, de pointes...* ⇒ **Hérisser.** *Munir un navire de son gréement* (gréer), *une voiture de sa carrosserie* (carrosser)... — *Munir un voyageur d'un passeport, d'un peu d'argent, d'un viatique...* ⇒ **Lester, procurer** (à).

(1692). *Munir un mourant des derniers sacrements, de l'extrême-onction.* Figuré :

Dieu son sauveur le munira *(l'homme)*
De miséricorde et clémence.   Clément MAROT, Trad. Psaumes de David, XXIV.

(V. 1501). SE MUNIR DE : prendre, en prévision des besoins. *Se munir d'un album* (cit. 1), *d'un passeport* (→ 1. Faux, cit. 54). Absolt. *Se munir contre le mauvais temps.* ⇒ **Prémunir** (se), **précautionner** (se). → Bonheur, cit. 8. Fig. *Se munir de patience, de courage...* ⇒ **Armer** (s').

Naguère il s'inquiétait du manque d'ouvriers et il s'était muni de machines contre cette pénurie.   J. CHARDONNE, les Destinées sentimentales, p. 481.

▶ **MUNI, IE** p. p. et adj. *Place fortifiée* (cit. 14) *et munie d'une garnison.* — *Laboratoire muni des agencements* (cit. 5) *modernes. Machine munie des derniers perfectionnements.* ⇒ **Doté.** *Munis d'instruments* (cit. 9) *commodes. Muni d'instructions* (cit. 10), *d'un diplôme, d'un brevet d'héroïsme* (→ Guilleret, cit. 3). *Il est mort muni des sacrements de l'Église.*

(...) la bienveillance paternelle et goguenarde que les commerçants des villes d'Université témoignaient aux étudiants bien munis d'argent de poche.   A. MAUROIS, Ariel (...), I, V.

Tous doivent être habillés de vêtements civils usagés, munis de leurs papiers militaires et de vivres pour deux jours.   SARTRE, le Sursis, p. 57.

CONTR. Démunir, dépourvoir. — Dénué, dépourvu, exempt, manquant (de), privé.
DÉR. V. Munition.
COMP. Démunir, prémunir.

MUNITION [mynisjɔ̃] n. f. — 1538; municion « place fortifiée », XIVe; lat. munitio, du supin de munire « munir ».

♦ **1.** Vx. Ensemble des moyens de subsistance (*munitions de bouche*, ⇒ **Vivres**) et de défense *(munitions de guerre)* dont on munit une troupe, une place... — Mod. Plais. *Munitions de bouche.* ⇒ **Provision.** — REM. Sauf dans l'expr. *pain* de munition,* le mot s'emploie au pluriel.

Je ne voyage sans livres ni en paix, ni en guerre (...) C'est la meilleure munition que j'aie trouvé à cet humain voyage (...)   MONTAIGNE, Essais, III, III.
Chacun prit sa donzelle sur ses genoux et l'on se disposa, après quelques caresses plus familières, à diriger l'attaque contre les munitions de bouche.
    NERVAL, Contes et facéties, « Souper des pendus ».

♦ **2.** (Av. 1553). Mod. (Au plur.). Ensemble des explosifs et projectiles nécessaires au chargement des armes à feu. *Munitions de chasse* (cartouches, plombs). *Munitions de guerre : munitions d'infanterie,* pour armes portatives (balles, cartouches) *et munitions d'artillerie* (fusées, obus...). *Armes et munitions* (→ Levée, cit. 4). *Entrepôt d'armes et de munitions.* ⇒ **Arsenal.** *Parc, soute à munitions. Approvisionner, ravitailler une armée en munitions* (Amunitionner ou munitionner). → Approvisionnement, cit. *N'avoir plus de munitions. Caissons* de munitions. Cargo chargé de munitions* (→ Détonation, cit. 2). — REM. Quand les explosifs (→ Poudre) et les projectiles étaient présentés séparément, on réservait parfois le nom de *munitions* aux projectiles :

Vous savez? les Anglais vendent de la poudre et des munitions à tout le monde, aux Turcs, aux Grecs, au diable, si le diable avait de l'argent.
    BALZAC, Un début dans la vie, Pl., t. I, p. 647.
Par ext. Provision (d'une chose) qu'il faut renouveler souvent. *La bataille de confettis cessa, faute de munitions. J'ai épuisé mes munitions de papier.* ⇒ **Réserve.**

DÉR. Munitionnaire, munitionner.
COMP. Amunitionner.

MUNITIONNAIRE [mynisjɔnɛʀ] n. m. — 1572; de *munition.*
Militaire.

♦ **1.** Celui qui est chargé de fournir à une armée les munitions de bouche (vivres, fourrages). ⇒ **Fournisseur.**

Le meilleur moyen de pouvoir avoir toujours de bonnes victuailles est d'établir un munitionnaire général (...)   COLBERT, Correspondance, in LITTRÉ.

Par plaisanterie :

(...) en qualité de munitionnaire de la troupe *(théâtrale),* je tiens toujours en réserve quelque jambon de Bayonne, quelque pâté de venaison, quelque longe de veau de Rivière, avec une douzaine de flacons de vin de Cahors et de Bordeaux.
    Th. GAUTIER, le Capitaine Fracasse, II.

♦ **2.** Fournisseur de munitions de guerre.

MUNITIONNER [mynisjɔne] v. tr. — Fin XVIe, D'Aubigné; de *munition.*

♦ Vx. Approvisionner (une place forte).

MUNSTER [mœstɛʀ] n. m. — 1903; de la vallée de *Munster,* en Alsace.

♦ Fromage fermenté à pâte molle, à croûte orangée, d'odeur forte. *Manger du munster avec du cumin. Des munsters bien faits.*

MUNTJAC [mœtʒak] n. m. — 1874, P. Larousse; *muntjak* en angl. dès 1798; du soundanais (langue de Java) *minchek.*

♦ Zool. Mammifère ongulé *(Cervidés)* de petite taille, qui vit en Malaisie, en Indonésie. *Le muntjac est le type principal du genre Cervule.*

MUON [myɔ̃] n. m. — 1958, *Petit lexique de l'énergie atomique;* en angl., 1953; *méson μ,* 1937; de *mu,* et *(électr)on.*

♦ Phys. Particule élémentaire à interactions faibles, de même charge que l'électron, positive ou négative. *Le muon est un lepton*. Faisceau de muons. Les muons sont produits lors de la désintégration des mésons pi. La désintégration d'un muon donne un électron et deux neutrinos.*

DÉR. Muonique, muonium.

MUONIQUE [myɔnik] adj. — V. 1960; de *muon.*

♦ Phys. Relatif au muon. *Paire muonique. Neutrino muonique.* « Il

existe un nombre muonique attaché au muon et à son neutrino qui se conserve » *(Sciences et Avenir,* févr. 1980, p. 84).

MUONIUM [myɔnjɔm] n. m. — V. 1965; de *muon.*

♦ Phys. Système lié constitué par un proton et un muon négatif.

MUPHTI [myfti] n. m. ⇒ **Mufti.**

MUQUEUSE [mykøz] n. f. — 1825, Balzac, in D.D.L.; fém. de *muqueux,* adjectif.

♦ Membrane qui tapisse les cavités de l'organisme, qui se raccorde avec la peau au niveau des orifices naturels et qui est lubrifiée par la sécrétion de mucus. ⇒ **Épithélium.** *Muqueuse de la bouche, buccale* (→ Dent, cit. 1), *labiale, laryngée; nasale, olfactive, pituitaire. Muqueuse conjonctivale de l'œil* (⇒ **Conjonctive**). *Muqueuse de l'estomac* (→ Jeu, cit. 81), *intestinale* (cit.). *Muqueuse vaginale. Les muqueuses sont constituées par du tissu conjonctif et par un revêtement épithélial.* — *Inflammation, maladie des muqueuses* (⇒ **Catarrhe, muguet, rhume...**).

Au niveau du nez, de la bouche, de l'anus, de l'urètre, et du vagin, elle *(la peau)* se continue avec les muqueuses, membranes qui couvrent la surface interne du corps.   Alexis CARREL, l'Homme, cet inconnu, III, III.

MUQUEUX, EUSE [mykø, øz] adj. — 1520; lat. *mucosus,* de *mucus.* → *Mucus.*

♦ **1.** Qui sécrète, produit du mucus*. *Glande muqueuse.* — (1810). Vx. *Membrane muqueuse.* ⇒ **Muqueuse.**

Tandis que la peau est imperméable à l'eau et au gaz, les membranes muqueuses du poumon et de l'intestin laissent passer ces substances.   1
    Alexis CARREL, l'Homme, cet inconnu, III, III.

♦ **2.** (1801). Qui a le caractère du mucus, des mucosités. *Exsudation, sécrétion muqueuse. Exsudat* muqueux.*

♦ **3.** Relatif aux muqueuses. *Fièvre muqueuse* (vx) : forme légère de typhoïde*. *Plaque muqueuse :* lésion syphilitique des muqueuses.

Pendant une fièvre muqueuse, heureusement bénigne, que la jeune fille avait eue l'année précédente, le docteur Pascal s'était affolé (...)   ZOLA, le Dr Pascal, II.   2

DÉR. Muqueuse.
COMP. Sous-muqueux.

MUR [myʀ] n. m. — V. 980, au plur., « fortification »; du lat. *murum,* accusatif de *murus.*

♦ **1.** (V. 1225). Ouvrage de maçonnerie qui s'élève verticalement ou obliquement sur une certaine longueur et qui sert à enclore, à séparer des espaces ou à supporter une poussée. ⇒ **Architecture, construction.** *Matériaux utilisés dans la construction d'un mur.* ⇒ **Pierre; moellon, parpaing; mortier...; blocage, libage, remplage.** *Mur en grand, en petit appareil. Mur de cailloutage* (cit.), *de briques* (→ Carquois, cit. 1; grille, cit. 8), *de ciment* (⇒ Évasion, cit. 4), *de béton armé. Mur maçonné* (par oppos. à *mur de pierres sèches*). Murs ossaturés* (formés de piliers, de chaînages et de matériaux de remplissage). *Mur de soutènement oblique. Charpente métallique d'un mur. Pièces, constructions consolidant un mur ou formant son ossature* (⇒ **Ancre, appui, arc-boutant, chaîne** (cit. 25), **chevalement, contre-boutant, contrefort, contre-mur, étai, étançon,** 2. **harpe, harpon** (2.), **jambe** (de force). *Mur de bousillage, de torchis, de pisé...* (⇒ aussi **Bouge**). *Bâtir, construire, élever; bousiller, limousiner, maçonner... un mur* (→ Hérisser, cit. 14). *Finition extérieure d'un mur* (⇒ **Badigeonnage, badigeonner; crépi, crépir; échauder, gobeter, plâtrer; jointoyer, parementer, ravalement, rudération, rusticage...**). *Bretteler* la pierre d'un mur. Mur crépi* (→ Badigeon, cit. 1; chaux, cit. 2). — *Parties d'un mur. Assises, fondations* (⇒ **Banchée**), *base, pied, socle d'un mur. Empattement d'un mur. Pan* de mur. Haut* (cit. 71), *sommet d'un mur.* ⇒ **Bahut** (3.), **chaperon** (cit. 2 et 3), **crête...; pignon.** *Surface apparente d'un mur.* ⇒ **Parement; balèvre, bossage, refend.** — *Tessons, pointes* (⇒ **Chardon, hérisson**), *massifs de maçonnerie* (⇒ **Dame-ronde**) *garnissant le sommet d'un mur. Borne* (⇒ **Boute-roue, chasse-roue**), *massif* (cit. 10) *à l'angle d'un mur. Trou dans un mur pour supporter un échafaudage* (⇒ **Boulin, ope**). — *Mur haut, bas* (→ 2. **Ferme,** cit. 2). *Mur à hauteur d'appui** (⇒ **Garde-fou, parapet; muret, murette**). *Mur mince* (→ Gonfler, cit. 33), *épais* (⇒ Abordage, cit. 3). *Épaisseur d'un mur aux ouvertures* (⇒ **Jouée**). — *Mur droit; coudé. Angles, coudes, ressauts* (⇒ **Redan**); *biais d'un mur.*

Ce mur était bâti avec des pavés. Il était droit, correct, froid, perpendiculaire, nivelé à l'équerre, tiré au cordeau, aligné au fil à plomb.   1
    HUGO, les Misérables, V, I, I.
Ses murs de dix pieds d'épaisseur au sommet des tours, de trente ou quarante à   2
la base, pouvaient rire longtemps des boulets (...)
    MICHELET, Hist. de la Révolution franç., I, VII.
Son âme de juge (...) son cœur privé trop tôt de la joie de punir, jubilait à la vue   3
d'un mur, de la chose sourde, muette et sombre qui rappelait à sa pensée ravie les

idées de prison, de cachot, de peines subies, de vindicte sociale, de foi, de justice, de morale, un mur ! FRANCE, l'Anneau d'améthyste, Œ., t. XII, II, p. 49.

4 Plus bas un mur appareillé de pierre et de brique, un mur triste et beau dont la base empattée était fleurie de pariétaires, donnait à pic sur le Saleys où l'Ouze venait de se confondre. P.-J. TOULET, la Jeune Fille verte, II.

Techn. *Mur-rideau :* ensemble d'éléments préfabriqués qui forment la cloison extérieure d'une construction *(mur)* mais ne font pas partie de l'ossature porteuse et sont accrochés en avant. *Mur porteur :* structure servant de support à la construction. *Mur autoporteur. Mur d'adossement*.*

Vieux mur. Mur déchaussé (⇒ **Déchaussement, dégravoiement**), *décrépi, écrété* (cit. 2), *qui s'effrite* (cit. 3), *tombe en ruines, s'écroule* (⇒ **Écroulement**)*. Mur attaqué par l'humidité* (cit. 4), *mur qui ressue*.* Lézardes* (cit. 1), *fissures d'un mur* (⇒ **Lézarder**)*. Bombement, surplombement, surplomb ; dévers d'un mur* (⇒ **Surplomber ; déverser**)*. — Brèche* *pratiquée dans un mur. Tranchée creusée au pied d'un mur pour le renverser.* ⇒ **Sape.** *Démolir un mur. — Reprendre les fondations d'un mur* (⇒ **Rempiètement ; rechausser, renformir, terrasser**)*. Bouchement* d'un mur. Décaper, déplâtrer, déchaperonner ; recrépir, regratter, replâtrer ; ravaler un mur. Étayer, exhausser un mur. — Sceller dans un mur.* ⇒ **Murer** (2.)*.*

5 Un vieux mur croulant et chargé de lierre. SAINT-EXUPÉRY, Courrier Sud, III, III.

Plantes (→ Lierre, cit. 1), *fougère des murs. Cloporte*.* des murs.*

6 Le long du mur poussaient des bardanes, des bouillons blancs, des rhubarbes ; dans ses pierres, des lézards vivaient furtivement. P. NIZAN, le Cheval de Troie, I.

(1694). *Murs d'appui*.* (cit. 16), (1721) *de soutènement* (⇒ **Bajoyer, épaulement, perré**)*. Mur d'espalier*,* de terrasse*.* Soutenir par des murs.* ⇒ **Murailler.** — (1874). *Mur de fondation, de soubassement.* — (1868). *Mur de dossier,* ou (1874), *mur dosseret :* mur sur lequel les tuyaux de cheminée prennent appui. — *Mur servant d'abri contre le vent* (⇒ **Brise-vent**)*, contre le bruit* (⇒ **Antibruit**)*. Mur d'une digue, d'un brise*-lames.* — (1690). *Mur de clôture.* ⇒ **Clôture** (cit. 1), *enceinte. Enclore*,* entourer de murs.* ⇒ **Emmurer, murer.** *Domaine, terrain clos* (cit. 7) *de murs.* ⇒ **Clos** (n. m.)*. Maison environnée* (cit. 1) *de murs. Mur circonscrivant une propriété, séparant, délimitant deux champs. Mur séparatif, mitoyen.* ⇒ **Mitoyen** (cit. 2), *et aussi* **héberge** (cit.)*. Mur d'un jeu de pelote basque.* ⇒ **Fronton** (→ Basque, cit. 3)*. Mur pour s'exercer au fleuret (tirer au mur). Mur d'assaut d'un gymnase. Mur du combattant (que doivent franchir les soldats à l'entraînement). — Antiq. Petit mur autour de l'arène d'un amphithéâtre* (⇒ **Podium**)*. Mur de scène d'un théâtre romain. — Fortif. Magistrale*.* (2.) *d'un mur d'escarpe.* (980). Spécialt. (Au plur.). Cour. *Murs d'enceinte* (cit. 2)*. Les murs d'une forteresse, d'une place forte, d'une ville...* ⇒ **Courtine, fortification, muraille, rempart.** *Murs crénelés* (⇒ **Créneau ;** → Arsenal, cit. 1), *garnis d'échauguettes, de tourelles, percés de meurtrières, d'arbalétrières, de barbacanes* (1.), *de canonnières* (vx), *de rayères. Se réfugier dans les murs d'une ville* (→ Capitulation, cit. 1)*. Sous les murs :* au pied des murs. *Assiégeants campés sous les murs d'une ville.*

7 Un mur d'enceinte collé contre la ville suit la pente du coteau (...) E. FROMENTIN, Un été dans le Sahara, p. 240.

Par ext. LES MURS : la ville, la partie de la ville circonscrite par les murs. *Dans les murs* (⇒ **Intra-muros**)*. Hors des murs* (⇒ **Extramuros**)*. Saint-Laurent-hors-les-murs,* à Rome. «*Attaquons* (cit. 1) *dans leurs murs ces conquérants si fiers ».*

8 Dans les murs, hors des murs, tout parle de sa gloire. CORNEILLE, Horace, V, 3.

Hist. *Les murs cyclopéens*.* de Mycènes. Les longs murs du Pirée.* — *Le mur des lamentations* (cit. 4)*,* à Jérusalem. *Le mur d'Hadrien,* en Grande-Bretagne. — *Le mur des Fédérés*.* — *Le mur de l'Atlantique :* ensemble d'ouvrages fortifiés construit par les troupes allemandes d'occupation durant la Deuxième Guerre mondiale. — *Le mur de Berlin* (construit en 1961), dit aussi (par les Occidentaux) *mur de la honte.* — Allus. hist. *Le mur murant*.* Paris...*

Les murs d'un édifice, d'un bâtiment, d'une maison.* Murs extérieurs, gros murs* (⇒ **Cage,** II.)*. Murs intérieurs, de refend*.* ⇒ **Cloison.** *Murs latéraux, de façade. Murs de fondation, murs portants. Murs de fondation* (de soutènement) *munis de barbacanes, de chantepleures*.* (pour l'écoulement des eaux). — Murs gouttereaux*,* murs supportant la retombée des voûtes* (⇒ **Pied-droit**)*, dans un édifice gothique... — Murs sans ouvertures, aveugles* (⇒ **Orbe,** adj.)*. Mur percé de portes, de fenêtres, d'arcades... — Petit mur d'appui d'une fenêtre, d'une baie.* ⇒ **Allège** (2.)*. Linçoir*.* réunissant les chevêtres au mur.*

9 La méthode ancienne est celle des *murs portants,* c'est-à-dire que ceux-ci — aussi bien les murs de pourtour que ceux de refend — sont épais et susceptibles de supporter eux-mêmes tout le poids de l'édifice... *(il a fallu)* trouver une autre méthode que celle des murs portants pour construire des édifices élevés... Les bâtiments géants américains sont constitués par une *ossature* composée de piliers reliés par des poutres de chaînage horizontales. Les parois, les cloisons et les planchers sont exécutés en matériaux de *remplissage,* aussi légers que possible. M. BARBIER, les Procédés modernes de construction, p. 114-115.

Face intérieure des murs, des cloisons (d'une habitation). *Revêtement des murs d'une chambre* (⇒ **Boiserie, lambris, tapisserie**)*.

Papier tapissant les murs (→ Force, cit. 84)*. Glace* (cit. 27), *trumeaux*.* ornant les panneaux*.* d'un mur. Murs garnis de corniches, de plinthes*.* Meuble dans l'angle d'un mur* (⇒ **Écoinçon**)*, adossé contre un mur* (⇒ **Console**)*. — Suspendre, pendre des tableaux, des gravures* (cit. 5), *des lithographies* (cit. 2 et 3) *au mur. Décoration* (cit. 3) *sur un mur. Horaire* (cit.), *plan affiché au mur.* ⇒ **Mural.** *Charbonner* (cit.) *les murs.*

Par ext. *Les murs :* l'habitation même.

Aux approches d'un déménagement vous dites adieu à ces murs que vous allez quitter ; votre mobilier n'est pas dans la rue que vous aimez déjà l'autre logement ; le vieux logement est oublié. ALAIN, Propos, 24 août 1912, Puissance de l'oubli.

Techn. *Revêtement de sol mur à mur.*

Loc. (1758). *Entre quatre murs :* dans une maison vide* ; et aussi, en restant chez soi (→ Bizarrerie, cit. 5), à l'intérieur, enfermé (volontairement ou non). *Passer ses vacances entre quatre murs,* à cause de la pluie. *Entre les quatre murs d'une école, de la Sorbonne* (→ Instituteur, cit. 5)*. Enfermer entre quatre murs* (de prison)*.* ⇒ **Claquemurer.** — *Dans ses murs :* chez soi (→ Expressément, cit. 2). — *Être dans les murs de* (une entreprise) : travailler dans (cette entreprise).

Que je m'ennuie entre ces murs tout nus Et peints de couleurs pâles. APOLLINAIRE, Alcools, p. 153.

Se couler (cit. 34), *se glisser le long* (cit. 39) *des murs. Longer un mur* (→ Coutume, cit. 6)*. Errer* (cit. 12) *en tâtant les murs.* — (1890). *Raser les murs,* pour se cacher, se protéger... (→ Fermer, cit. 20 ; furtif, cit. 9)*. — Battre*.* (cit. 35 et supra) *les murs.* — *Enjamber* (cit. 3) *un petit mur. Escalader* (cit. 1 et 3), *sauter* (→ Couvert, cit. 11) *un mur, les murs.* ⇒ **Escalade** (cit. 2)*. — (1931). *Sauter,* (1903) *faire le mur :* sortir sans permission de la caserne (en parlant des soldats), et par ext., d'une pension (en parlant des pensionnaires), d'un lieu où l'on est enfermé. — *Essuyer les murs* (vieilli) : essuyer les plâtres (habiter un logement neuf).

S'accoter,* s'appuyer contre un mur ; s'adosser à un mur. Pousser quelqu'un contre un mur, au pied d'un mur, acculer*.* contre un mur.*

Honteuses d'exister, ombres ratatinées, Peureuses, le dos bas, vous côtoyez les murs. BAUDELAIRE, les Fleurs du mal, «Tableaux parisiens», XII, IV.

J'atteignis le banc et m'assis, le dos au mur. Ce mur de pierre tendre était encore tiède, doux aux reins, apaisant. Je m'y appuyai avec plaisir et son contact me délassa (...) H. BOSCO, le Jardin d'Hyacinthe, p. 155.

Loc. métaphorique et fig. *Mettre* (1929), *coller* (1903) *au mur :* placer contre un mur pour fusiller quelqu'un. ⇒ **Fusiller** (→ Au poteau* ; bon, cit. 120. Cf. également, dans ce sens, *Le Mur,* nouvelle de Sartre). — (1935 ; *se battre la tête, se donner de la tête contre un mur,* 1640)*. Se cogner*.* la tête, donner de la tête contre les murs.* ⇒ **Désespérer** (se)*. C'est à se taper la tête contre un mur !* — (1590)*. Mettre au pied du mur :* acculer à, enlever toute échappatoire (→ Expliquer, cit. 20 ; farcir, cit. 6 ; hypocrite, cit. 29). — *Se mettre le dos au mur :* s'interdire toute possibilité de recul, décider de rester ferme sur ses positions.

Avant d'accepter cette part et un rôle, Rigou voulut mettre, selon son expression, le général au pied du mur. BALZAC, les Paysans, Pl., t. VIII, p. 201.

C'est à se tuer ! À se jeter la tête contre le mur ! GIRAUDOUX, Électre, II, 6.

Ils seront nuit. On leur criera : « En joue » et je verrai les huit fusils braqués sur moi. Je pense que je voudrai rentrer dans le mur, je pousserai le mur avec le dos de toutes mes forces et le mur résistera, comme dans les cauchemars. SARTRE, le Mur, p. 21.

Allus. littér. *Le petit pan de mur jaune* (d'un tableau de Vermeer de Delft), symbole de perfection artistique qui hante l'écrivain Bergotte au moment de mourir, dans la *Recherche du temps perdu* (Proust, *la Prisonnière,* t. III, p. 187, Pl.).

Loc. prov. *On tirerait plutôt de l'huile d'un mur,* se dit d'un homme très avare, ou encore d'une personne intraitable. — *N'être pas gras*.* (cit. 18) *de lécher les murs.*

Loc. fig. *Les murs ont des yeux* (vx), (1690) *des oreilles :* on peut être surveillé, épié sans qu'on s'en doute (se dit spécial. en parlant des espions*).

Vous êtes en des lieux tout pleins de sa puissance. Ces murs mêmes, Seigneur, peuvent avoir des yeux. RACINE, Britannicus, II, 6.

♦ **2.** (1690). Par ext. Barrière, enceinte (qui n'est pas en maçonnerie)*. Petit mur de terre. Mur de rondins* (⇒ **Palanque**)*. — Cloison. Couloir à mur de vitres* (→ Héliothérapie, cit.)*.

Paroi naturelle ou creusée. *Les murs d'une grotte, d'une caverne ; murs taillés en plein roc* (→ Grotte, cit. 3)*. Les murs et le toit d'une galerie de mine. — Mur coupe-feu*.*

♦ **3.** (V. 1160). Par métaphore et fig. Ce qui sépare, forme obstacle (→ Frontière, cit. 1 ; large, cit. 22)*. Se cogner* (cit. 10), *se heurter à un mur ; donner de la tête, se jeter* (→ Idée, cit. 38) *contre un mur :* échouer*.* à cause d'un obstacle insurmontable*.* Mur d'airain* (→ Importunité, cit. 3).

Obstacle physique infranchissable. *Un mur de montagnes. Un mur de brouillard, de grêle.*

La formidable barrière de l'Espagne nous apparaît enfin dans sa grandeur. Ce n'est point, comme les Alpes, un système compliqué de pics et de vallées, c'est tout simplement un mur immense qui s'abaisse aux deux bouts. MICHELET, Hist. de France, III.

9 Un mur de pluie me séparait du reste du monde, loin de toute passion, loin de la vie, m'enfermait dans un cauchemar gris, parmi d'étranges êtres à peine humains, à sang froid, décolorés et dont le cœur depuis longtemps ne battait plus.
GIDE, Isabelle, IV.

Obstacle constitué par des personnes. *Les manifestants se heurtèrent à un mur de C.R.S.*

(1940). Sports (rugby, football). *Faire le mur :* former une défense compacte lors d'un coup franc.

Par métaphore ou compar. *Cet homme est un mur,* (1883) *un mur de glace* (cit. 12), *il est insensible, muet, froid... Parler à un mur. C'est comme si l'on parlait à un mur.*

(Abstrait). Obstacle d'ordre psychologique. *Le mur qui s'élève entre deux êtres. Un mur d'incompréhension. Le mur du mépris.*

10 Mais c'était l'irréalisé, l'acte voulu, consenti par eux deux, qu'il n'accomplissait pas et dont la pensée, désormais, mettait entre eux un malaise, un mur infranchissable.
ZOLA, la Bête humaine, IX.

11 Un mur, un mur! Avoir le sentiment que l'on est devant un mur très haut, très lisse, très épais, et que ce mur-là, c'est l'avenir, et qu'on ne peut ni l'escalader, ni le renverser, ni le percer.
G. DUHAMEL, Salavin, I, X.

(1823, Stendhal). Abri, protection. *Le mur de la vie privée,* déformation d'une phrase de Royer-Collard («la vie privée doit être murée*»). *Vivre derrière un mur* (⇒ **Isolement**).

12 J'ai senti que tout entretien raisonnable serait impossible. Je venais de toucher le mur. Oui, je dis bien, le mur fermé, sourd et abrupt derrière lequel vit un être.
G. DUHAMEL, Chronique des Pasquier, VI, X.

♦ **4.** (1949). Fig. *Le mur du son* (ou (techn.), *le mur sonique :* l'ensemble des obstacles, des difficultés qui s'opposent au dépassement de la vitesse du son par un avion, un engin spatial. *Avion qui franchit le mur du son.* ⇒ **Supersonique; mach.** *Crever le mur du son* (⇒ **Bang**). — Par plais. (Jeu de mots avec *con,* dû au *Canard enchaîné*). *Dépasser le mur du son (du çon),* les limites de la connerie. — Techn. (1959). *Mur de la chaleur :* difficultés de progression dues à l'échauffement des parois d'avions, d'engins spatiaux aux vitesses supersoniques.

♦ **5.** Fig. Argot. (Autom.). *Se faire un mur :* avoir un accident accompagné de choc.

DÉR. et COMP. **Muraille, mureau, murer, muret.** — **Claquemurer, démurer, emmurer.** — **Contre-mur.**
HOM. **Mûr, mûre, murrhe.**

MÛR, MÛRE [myʀ] adj. — XVIIᵉ; *meür,* XIIᵉ; du lat. *maturus.*

♦ **1.** Qui a atteint son plein développement, en parlant d'un fruit, d'une graine (⇒ **Maturation, maturité**). *Fruit mûr, coloré, parfumé, juteux... qui se détache de la branche. Un fruit* (cit. 11) *bien mûr, pas assez mûr* (→ Grenade, cit. 3). ⇒ **Vert.** *Fruit trop mûr.* ⇒ **Avancé, blet.** *Raisin mûr* (→ Gicler, cit. 3). *Odeur de pomme bien mûre* (→ Léger, cit. 12). *Blé* (cit. 2), *épis* (cit. 2) *mûrs* (→ Faucille, cit. 1). *Couleur de blé mûr* (→ Froment, cit. 3). *Être mûr avant* (⇒ **Hâtif, précoce**), *après la pleine saison* (⇒ **Tardif**). — Loc. *Tomber comme un fruit* mûr. *Quand la poire* est mûre il faut qu'elle tombe. *Il faut attendre à cueillir la poire qu'elle soit mûre :* il faut attendre, pour exécuter une entreprise, que le moment soit venu. *Quand le blé est mûr* (⇒ **Développé, grand**) *il faut le couper* (→ Boire, cit. 43).
— À quoi reconnais-tu que le fruit est mûr? — À ceci, qu'il quitte la branche.
GIDE, les Nouvelles Nourritures, I, III.

Loc. fig. *Des vertes* et des pas mûres.*

Par anal. (Abcès, furoncle). Près de percer. *On ne peut pas ouvrir le panaris avant qu'il soit mûr.*

Vite une lancette pour percer cela. Le pauvre garçon n'en peut plus, et cet abcès le pourrait étouffer. Attends : voyez comme il était mûr.
MOLIÈRE, Dom Juan, IV, 7.

(1640). Fam. (Tissu). Très usé, près de se déchirer. *La toile mûre creva* (→ Fourrer, cit. 10).

♦ **2.** (1547, *douleur meure*). Abstrait. Qui a atteint le développement nécessaire à sa réalisation, à sa manifestation. *Un projet mûr. La guerre, la révolution est mûre. L'affaire n'est pas mûre* (⇒ **Prématuré**).

(1646). Personnes. *Mûr pour... :* arrivé au point de son évolution où il est apte, préparé à... ⇒ **Prêt.** *Ce jeune homme n'est pas mûr pour les affaires* (Hatzfeld). *Mûre pour le mariage* (⇒ **Nubile**). Fam. *Il est mûr pour le prix Goncourt, pour entrer à l'Académie.*

(...) et son cœur, meurtri comme une pêche,
Est mûr, comme son corps, pour le savant amour
BAUDELAIRE, les Fleurs du mal, «Tableaux parisiens», XCVIII.

♦ **3.** (V. 1165). *L'âge mûr,* où l'homme a atteint son plein développement. ⇒ **Adulte** (→ Accroître, cit. 6; cadre, cit. 9; hochet, cit. 2; incarnation, cit. 8; jeunesse, cit. 4). — (Personnes). Qui est à cet âge. *L'homme mûr.* ⇒ **Fait** (→ Âpre, cit. 15; circonspect, cit. 4). *Jeune homme, homme mûr et vieillard* (→ Composer, cit. 4; déférence, cit. 4). *Splendeur de la femme* (cit. 91) *mûre.*

L'âge mûr est celui des sévères pensées,
Des espoirs soucieux, des amitiés jalouses,
C'est l'heure aussi des justes haines amassées (...)
VERLAINE, Bonheur, XXX.

(1668). Qui n'est plus jeune. *Une femme un peu mûre* (→ Art, cit. 30; flemme, cit. 2).

5 (...) une demoiselle mûre, son aînée de cinq ans, extrêmement laide, mais douce.
ZOLA, la Terre, II, I.

♦ **4.** V. 1206. (Abstrait). Qui a atteint tout son développement, montre de la réflexion, de la sagesse. ⇒ **Maturité.** *Esprit* (cit. 112) *mûr. Âme mûre,* faite (→ Enveloppe, cit. 5). Par ext. *Être mûr, avoir l'esprit mûr.* ⇒ **Posé, raisonnable, réfléchi.** (Qualifiant une personne). *Un adolescent très mûr pour son âge. Il n'est pas assez mûr (pour...).*

6 On s'étonne que des gens si riches, si parfaitement informés, mûrs d'ailleurs et d'expérience, se soient jetés dans ces folies.
MICHELET, Hist. de la Révolution française, II, II.

(1690). *Un jugement mûr* (→ 1. Entre, cit. 30). — Loc. (1588; *après meüre délibération*). *Après mûre réflexion :* après avoir longuement réfléchi, pesé le pour et le contre. — *Son projet n'est pas tout à fait mûr.*

♦ **5.** (1920). Argot. ⇒ **Ivre, soûl.** *Il est complètement mûr.*

7 «Ben quoi, c'est la pleine nuit, et v'là un coq qui pousse son gueulement. Il est mûr, c'coq!»
H. BARBUSSE, le Feu, t. I, XIV, p. 79.

CONTR. **Vert.** — **Gamin, puéril.**
DÉR. **Mûrement, mûrir.**
HOM. **Mur, mûre, murrhe.**

MURAGE [myʀaʒ] n. m. — Fin XIVᵉ; *muraige,* déb. XIIIᵉ; de *murer,* et *-age.*

♦ Action de murer. *Le murage d'une baie, d'une ouverture.* — Ce qui obstrue en murant. *Un murage de briques.*

MÛRAIE [myʀɛ] ou MURERAIE [myʀʀɛ] n. f. — 1845, Bescherelle, *mûraie;* mureraie, v. 1600; de *mûre.*

♦ Agric. Plantation de mûriers. *Mûraie en prairie,* très serrée, les arbres étant taillés à ras du sol.

MURAILLE [myʀɑj] n. f. — 1346; de *mur.*

♦ **1.** Étendue de murs* épais et assez élevés (→ Cassure, cit. 1; faîtière, cit.). *Haute, large muraille. Muraille couverte d'inscriptions, de graffiti*. Plante qui pousse entre les pierres d'une muraille* (→ Cassis, cit. 1). *Muraille d'un quai* (→ Éminence, cit. 2).

1 (...) le mur, à cet endroit, entre la galerie et le pavillon, est d'une épaisseur extraordinaire. C'était la muraille extérieure du château primitif construit en 1405.
FRANCE, l'Anneau d'améthyste, Œ., t. XII, II, p. 49.

Les murailles qui bordent une rue. Longer, raser la muraille, les murailles (→ Hypocrite, cit. 26). — Loc. (1696). *Couleur de muraille,* ou (1903), *couleur muraille :* couleur grise* se confondant avec celle des murs. *Conspirateurs vêtus d'un manteau* couleur de muraille.*

1.1 Il sort vêtu de son paletot couleur muraille et coiffé d'un chapeau haut de forme universel.
R. QUENEAU, le Vol d'Icare, p. 19.

(Souvent au plur.). Mur de fortifications. ⇒ **Mur; fortification** (cit. 1 et 3), **rempart** (→ Bastion, cit. 1). *Haute, épaisse muraille, petite muraille basse* (→ Épaulement, cit. 1, Hugo). *Ceinture*, enceinte* de murailles* (→ Concentrique, cit.). *Murailles d'une forteresse* (cit. 1), *d'un château* fort. Murailles flanquées* (cit. 2) *de tours. Muraille crénelée* ⇒ **Bretèche.** *Éperons* d'une muraille. Assiéger* (→ Faubourg, cit. 1), *battre* (→ Machine, cit. 22), *renverser les murailles d'une ville. Passage, escalier secret dans une muraille. Chemin de ronde au sommet de la muraille.*

2 À la septième fois, les murailles tombèrent.
HUGO, les Châtiments, VII, I.

3 (...) tout le long de cette muraille colossale, dont les donjons à moitié éboulés s'alignaient à perte de vue, rien que des tombes, des cimetières sans fin (...)
LOTI, les Désenchantées, II, V.

La grande muraille (de Chine). — (Au fig. → Isolement, cit. 8).

4 (...) au lieu qu'ailleurs on fortifie les places, les Chinois fortifièrent leur empire. La grande muraille qui séparait et défendait la Chine des Tartares, bâtie cent trente-sept ans avant notre ère, subsiste encore dans un contour de trois cents lieues, s'élève sur des montagnes, descend dans des précipices, ayant presque partout vingt de nos pieds de largeur, sur plus de trente de hauteur (...)
VOLTAIRE, Essai sur les mœurs, I.

Par ext. (vx et littér.). *Les murailles :* la ville. «*Le fleuve coule autour de nos murailles, sous nos murailles*» (Académie).

5 Censeur, en voulez-vous (*des contes*) qui soient plus authentiques
Et d'un style plus haut? En voici. Les Troyens,
Après dix ans de guerre autour de leurs murailles,
Avaient lassé les Grecs (...)
LA FONTAINE, Fables, II, I.

Vx. Gros mur d'une maison, d'un bâtiment. *Enfermer quelqu'un entre quatre murailles,* en prison (cf. Voltaire, *in* Littré), au couvent (cf. Nicole, *in* Littré). ⇒ **Mur** (entre quatre murs).

Face intérieure d'un mur. Syn. : *mur* (emploi identique). *Fresques* azulejos* ornant une muraille* (→ aussi Grotesque, cit. 1). *Carte*

(cit. 20) *accrochée à la muraille. Armoires de muraille* (→ Incruster, cit. 10). ⇒ **Mural.**
Par ext. Paroi.

6 Ici, la vie des faits est bien l'image, sur les murailles de la caverne, l'image et l'ombre de la vie intérieure, au grand feu du foyer invisible.
André SUARÈS, Trois hommes, « Dostoïevski », III.

♦ **2.** Par anal. Ce qui forme, comme un mur élevé, empêche de voir ou de se déplacer ; surface verticale, abrupte, escarpée. ⇒ **Mur, paroi.** *Muraille de rochers* (→ Grimper, cit. 13). *La muraille immense du brouillard* (→ Hagard, cit. 2).

7 Un côté du chemin atteint déjà par l'ombre représentait une vaste muraille de feuilles noires (...) BALZAC, le Médecin de campagne, Pl., t. VIII, p. 421.

8 (...) les rocs tombés semblaient les ruines d'une grande cité disparue qui regardait autrefois l'Océan, dominée elle-même par la muraille blanche et sans fin de la falaise. MAUPASSANT, Pierre et Jean, VI.

Par métaphore et fig. Obstacle infranchissable (→ Endiguer, cit. 4 ; heurter, cit. 26 ; limiter, cit. 1). ⇒ **Mur.**

♦ **3.** (1773). Mar. Partie de la coque d'un navire située entre la flottaison et le plat-bord (→ Bélier, cit. 5 ; quindeau, cit.).

♦ **4.** (1840). Hippol. Partie extérieure du sabot d'un cheval.
DÉR. **Murailler.**

MURAILLEMENT [myʀajmɑ̃] n. m. — 1773 ; de *murailler.*

♦ Techn. Action de murailler ; travail de maçonnerie destiné à soutenir une terrasse, un remblai, à revêtir les parois d'un puits, d'une galerie, d'une tranchée.

MURAILLER [myʀaje] v. tr. — 1845 ; « fortifier », 1451 ; de *muraille.*

♦ Techn. Soutenir par un mur, par un travail de maçonnerie (→ Galerie, cit. 13, Zola). *Murailler un talus, une terrasse...*
DÉR. **Muraillement.**

MURAL, ALE, AUX [myʀal, o] adj. et n. m. — 1355, *murail*, rare av. XVIIIᵉ ; lat. *muralis*, de *murus.* → Mur.

★ **I.** ♦ **1.** (*Coronne murail*, v. 1550 ; lat. *muralis corona*). Archéol. *Couronne murale*, qui était décernée au guerrier monté le premier à l'assaut des murailles d'une place forte.

♦ **2.** Didact. Des murs. *Plantes murales.* ⇒ **Rupestre.**

♦ **3.** (1846). Cour. Qui est appliqué sur un mur, comme ornement. *Peintures, fresques murales.* ⇒ **Muralisme** (→ Grotesque, cit. 2 ; mastaba, cit.) ; **pariétal.** *Carte murale.*
Qui est fixé au mur (et ne repose pas par terre). *Placard, tableau noir mural. Pendule, étagère, bibliothèque murale.*

1 Il fit ainsi quelques pas et, soudain, dans un miroir mural, découvrit l'image de son hôte. G. DUHAMEL, Salavin, V, XIV.

★ **II.** N. m. Anglicisme (dans un contexte anglo-saxon). Peinture sur un mur extérieur.

2 Dans les peintures murales et de plafond de la Renaissance et du Baroque, la peinture et la sculpture se confondent. Dans les murals ou les rues en trompe-l'œil de Los Angeles, l'architecture est déçue et défaite par le leurre.
J. BAUDRILLARD, De la séduction, p. 92.

MURALISME [myʀalism] n. m. — Mil. XXᵉ (1973, *le Monde*) ; esp. *muralismo*, de *mural* « mural ».

♦ Arts. Mouvement artistique mexicain, né vers 1920, type de peinture monumentale et populaire, d'intention didactique et sociale, recourant à la figuration sur de vastes surfaces. « *Les principaux représentants du muralisme furent Diego Rivera* (1886-1957), *José Clemente Orozco* (1883-1949) *et David Alfaro Siqueiros* (1896-1974) » (*Dict. universel de la peinture*, le Robert).
DÉR. **Muraliste.**

MURALISTE [myʀalist] n. — V. 1960 ; de l'esp. ; de *muralisme.*

♦ Arts. Peintre adepte du muralisme.

MÛRE [myʀ] n. f. — V. 1240 ; *meure*, v. 1167 ; lat. *mora*, pl. neutre pris pour un fém., de *morum.*

♦ **1.** Fruit du mûrier (⇒ **Mûrier**). *Mûre noire, blanche. Les mûres, fruits comestibles, sont surtout utilisées en pharmacie. Sirop de mûres.*

♦ **2.** (XVᵉ). Plus cour. Fruit comestible de la ronce* des haies (⇒ **Mûron**) qui ressemble au fruit du mûrier. *La mûre est un fruit sauvage, noir et très parfumé à maturité. Les mûres ne sont pas encore mûres, mais elles seront bonnes, cette année. Cueillir, manger des mûres. Confiture, gelée de mûres. Vin de mûres* (→ Cuire, cit. 16). *Alcool de mûres* (alcool blanc).

(...) cette chanson, je la reconnais ! c'est celle que nous chantions autrefois quand nous allions chercher des mûres le long des haies (...)
CLAUDEL, l'Annonce faite à Marie, IV, 2.
DÉR. **Mûraie** ou **mureraie, mûron.** — (Du lat. *mora*) V. **Morula.**
HOM. Mur, mûr, murrhe.

MUREAU [myʀo] n. m. — 1757 ; au plur., *murealz* « murailles », v. 1120 ; de *mur.*

♦ Techn. Petit mur d'un foyer de forge.

MÛREMENT [myʀmɑ̃] adv. — 1680 ; *meürement*, fin XIIᵉ ; de *mûr.*

♦ Avec beaucoup de réflexion, de maturité. *J'y ai mûrement réfléchi.* ⇒ **Longuement.** *Peser mûrement sa réponse. Approfondir* (cit. 7) *mûrement les hommes.*

Madame, encore un coup, pensez-y mûrement (...)
CORNEILLE, Nicomède, III, 2.
Il était important de peser mûrement le parti que j'avais à prendre.
ROUSSEAU, Émile, V, in LITTRÉ, art. *Provisionnel.*

MURÈNE [myʀɛn] n. f. — 1268, *moreine* ; lat. *muræna*, mot grec.

♦ Poisson physostome (*Murénidés*) long et mince, ondulant dans l'eau, très vorace, appelé autrefois *serpent de mer*, qui vit dans les mers tropicales. *Manger des murènes* (→ Lamproie, cit.). *Le Romain Vedius Pollion passait pour nourrir des murènes avec de la chair humaine.*

Je fais jeter par jour un esclave aux murènes.
HUGO, Odes et ballades, IV, VIII.

Moi qui sais des lais pour les reines
Les complaintes de mes années
Les hymnes d'esclave aux murènes
La romance du mal aimé
Et des chansons pour les sirènes
APOLLINAIRE, Alcools, Poésie/Gallimard, p. 21.
(...) une murène avait saisi à plus d'un mètre de l'eau le crabe aux réflexes un peu lents ! Par la suite, nous avons appris que les murènes des Galapagos arrivent à courir cinq à six mètres sur les rochers pour y saisir une proie endormie.
Bernard MOITESSIER, Cap Horn à la voile, p. 134.

DÉR. **Murénidés.**

MURÉNIDÉS [myʀenide] n. m. pl. — V. 1900 ; de *murène.*

♦ Zool. Famille de poissons téléostéens (*Physostomes apodes*) à corps allongé et cylindrique dépourvu de nageoires abdominales. *Principaux murénidés : anguille, congre, murène. Les murénidés sont carnassiers.* Au sing. *Un murénidé* : un poisson appartenant à cette famille.

MURER [myʀe] v. tr. — V. 1175, *murer quelqu'un* ; de *mur.*

♦ **1.** (Fin XIIᵉ). Entourer de murs. ⇒ **Emmurer.** *Murer une propriété, une ville.*
Par ext. *Remparts qui murent une ville.* — Allus. hist. *Le mur murant Paris rend Paris murmurant*, vers d'un auteur inconnu exprimant le mécontentement des Parisiens lorsque Calonne, ministre de Louis XVI, fit construire en 1785 un mur d'enceinte pour faciliter la répression des fraudes.

♦ **2.** (V. 1216). Fermer, clore* par un mur, une maçonnerie. *Murer une porte, une fenêtre, une lucarne* (cit. 3), *une issue, une galerie de mine...* ⇒ **Aveugler, boucher, condamner ; murage.** Par ext. *Murer une chambre*, en murer les issues.

(...) à l'exception d'une seule, les fenêtres, en ogive, avaient été murées avec des briques. STENDHAL, le Rouge et le Noir, I, XVIII.
(...) je découvris bientôt une bonne quantité de moellons et de mortier, et, à l'aide de ma truelle, je commençai activement à murer l'entrée de la niche. BAUDELAIRE, Trad. E. POE, Histoires extraordinaires, « Barrique d'Amontillado ».

♦ **3.** Enfermer* dans un endroit dont on bouche les issues par une maçonnerie. ⇒ **Emmurer.** *Murer quelqu'un pour le faire périr. Murer un cadavre qu'on veut dissimuler.* — Par ext. (Sujet n. de chose). *Un éboulement a muré les mineurs au fond.*

Je ne doutais pas qu'il ne me fût facile de déplacer les briques à cet endroit, d'y introduire le corps, et de murer le tout de la même manière, de sorte qu'aucun œil ne pût rien découvrir de suspect.
BAUDELAIRE, Trad. E. POE, Histoires extraordinaires, « Le chat noir ».
(Abstrait). Enfermer, isoler.
(...) il éprouvait ce soir contre son frère une prévention instinctive, qui ne s'exprimait pas, mais qui le murait dans une sorte de silence, bien que la conversation entre eux fût amicale autant qu'à l'ordinaire.
MARTIN DU GARD, les Thibault, t. II, p. 200.

▶ **SE MURER** v. pron.
S'enfermer en un lieu, s'isoler. ⇒ **Cacher** (se), **cloîtrer** (se).
Il se mura chez lui. Ses volets restaient clos, tout le jour, pour ne pas voir les fenêtres de la maison d'en face.
R. ROLLAND, Jean-Christophe, L'adolescent, II, p. 310.
Fig. *Se murer dans son silence...* ⇒ **Claustrer** (fig.), **renfermer** (se).

(...) puis il se mure dans la solitude et le silence pour écouter parler l'esprit.
Édouard HERRIOT, la Vie de Beethoven, p. 259.

▶ **MURÉ, ÉE** p. p. adj.

♦ **1.** Entouré de murs. *Les villes murées du moyen âge* (→ Franchise, cit. 2).
On porta le vieillard au prochain cimetière,
Enclos désert, muré d'un mur croulant.
HUGO, la Légende des siècles, LVII, « Petit Paul ».
Dans cette ville murée, où je pénètre aujourd'hui beaucoup plus avant que la première fois (...) LOTI, l'Inde (sans les Anglais), III, VII.

♦ **2.** Fermé, scellé par une maçonnerie. *Fenêtre, cheminée murée.* — Fig. Fermé.
Leurs oreilles sont murées à ces merveilleux échos, à ces prolongements sublimes!
VILLIERS DE L'ISLE-ADAM, Contes cruels, « L'inconnue ».

♦ **3.** a Enfermé, par une maçonnerie ou autrement. ⇒ **Emmuré.**
Être muré vivant dans sa tombe (→ 1. Enfermer, cit. 3). *Mineurs murés au fond* (→ Malheureux, cit. 14).

b (Abstrait). Qui est, qui s'est enfermé, isolé. *Muré dans son orgueil. Cloîtré et comme muré dans ses livres* (→ Avide, cit. 14). *L'homme le plus muré subit des influences* (cit. 5).
Muré en lui-même, séparé du reste des hommes, il n'avait de consolation qu'en la nature. R. ROLLAND, Vie de Beethoven, p. 52.
Il persiste souvent chez lui *(l'aliéné)* malgré les apparences, une personnalité profonde, étouffée, muette, mais qui sent et souffre, ainsi qu'une conscience morale plus ou moins murée, mais qui brille parfois soudain au milieu des ruines de l'intelligence. H. BARUK, Psychoses et Névroses, p. 109.

♦ **4.** Métaphore. Allus. hist. « *La vie privée doit être murée* », mot de Royer-Collard défendant un article de loi qui interdisait la preuve des faits diffamatoires (1819). → « Le mur* de la vie privée ».

CONTR. Démurer.
DÉR. Murage.

MÛRERAIE [myʀʀɛ] n. f. ⇒ **Mûraie.**

MURET [myʀɛ] n. m. ou **MURETTE** [myʀɛt] n. f. — 1240, *muret; murette,* 1508; de *mur.*

♦ Petit mur. Spécialt. Mur bas de pierres sèches servant de séparation. ⇒ **Muretin.**
Cette pente verte, striée parallèlement par tous ces traits crayeux que font les petits murets de pierres sèches.
MARTIN DU GARD, les Thibault, t. IX, Épilogue, p. 201.
Le premier mur n'est pas très haut : si je démarre du rez-de-chaussée, j'y grimpe; si je me laisse glisser de l'étage, j'atterris sur la murette qui sépare les cours et qui forme angle droit avec le mur de ronde, sans dénivellation importante (...) A. SARRAZIN, la Cavale, p. 165.

DÉR. Muretin.

MURETIN [myʀtɛ̃] n. m. — 1884, *murtin;* de *muret.*

♦ Petit mur. ⇒ **Muret(te).** *Il marchait sur le muretin. Sauter un muretin.*

MUREX [myʀɛks] n. m. — 1505; mot latin, même sens.

♦ Zool. Mollusque gastéropode prosobranche *(Monotocardes)* dont la coquille épaisse, turriculée, hérissée d'épines acérées, est prolongée en un long siphon tubulaire. *La pourpre* du murex était utilisée par les anciens comme colorant. Le rocher*, variété de murex.*

MURGER [myʀʒe] n. m. — 1341; *murgier,* 1249; du lat. **muricarium* « tas de pierres » (de *murex* « pierre pointue »), p.-ê. avec influence de **murr-* « élévation, proéminence, tas ». → Moraine.

♦ Régional. Tas de pierres provenant de l'épierrement du sol. — Archéol. Tumulus. « *Un grand tumulus de pierre* (...) *ce murger de 28 m de diamètre recouvrait une sépulture* » (*Hist. de la Savoie,* Privat, Toulouse, p. 49).

MURIATE [myʀjat] n. m. — 1782; dér. sav. du lat. *muria* « saumure ».

♦ Vx. Chim. Chlorure. *Muriate de soude :* chlorure de sodium.
DÉR. Muriatique.

MURIATIQUE [myʀjatik] adj. — 1714; de *muriate.*

♦ Chim. Vx. *Acide muriatique :* acide chlorhydrique.

MURIDÉS [myʀide] n. m. pl. — 1834, *murides;* du lat. *mus, muris* « souris ».

♦ Zool. Famille de petits rongeurs caractérisés par une queue lon-

gue couverte de poils ras, et qui vivent cachés (ex. : campagnol, gerbille, hamster, lemming, mulot, ondatra, rat, souris). — Au sing. *Un muridé :* un rongeur appartenant à cette famille.

MÛRIER [myʀje] n. m. — V. 1120, *murier;* de *mûre,* 1.

♦ **1.** Arbre à fleurs monoïques *(Moracées)* originaire d'Orient et acclimaté dans le bassin méditerranéen, qui produit des mûres (1.). → Flot, cit. 8; haie, cit. 2. *Mûrier noir* (Morus nigra), à fruits noirs dont on fait le sirop de mûres, et dont l'écorce est ténifuge. *Mûrier blanc* (Morus alba), à fruits clairs, utilisé en ébénisterie et en papeterie. *Le mûrier blanc est plus apprécié que le mûrier noir pour l'élevage du ver* à soie. Bombyx* du mûrier. Développement de la culture du mûrier en France sous le règne d'Henri IV.
Quelques mûriers récemment apportés indiquaient l'intention de cultiver la soie. BALZAC, le Curé de village, Pl., t. VIII, p. 606. 1
Ces mûriers sont l'arbre le plus ingrat de la création, une sorte de végétal civilisé, sans grâce, sans grandeur, délicat de santé, rabougri de taille, timide de branchage, et désolant à contempler pendant des journées entières R. TÖPFFER, Voyages en zigzag, p. 41. 2

♦ **2.** Abusivt. Ronce* produisant des mûrons*, dits *mûres* (2.).
DÉR. Mûreraie.

MURIN, INE [myʀɛ̃, in] adj. — 1839, *les murins,* n. m. pl., *in* Boiste; *Dict. des Dict.,* 1837; adj. en 1845, Bescherelle; du lat. *murinus,* de *mus, muris;* → Muridés.

♦ Didact. Qui a l'aspect du rat, sa couleur grise. — *Typhus murin,* transmis par les parasites (puces) des rats et des rongeurs.

MÛRIR [myʀiʀ] v. — V. 1119, *maürer;* refait en *meürir, murir,* v. 1350-1360; à cause de *murer; mûrir,* XVIe; de *meûr, mûr.*

★ **I.** V. tr. ♦ **1.** Rendre mûr. *Le soleil dore et mûrit les fruits* (→ Fructidor, cit.). *Fruit que le soleil a trop mûri, qui est cuit* par le soleil* (⇒ **Blet**).
Ne sois envieux du désir 1
Des raisins trop verts, car l'Automne
Les mûrira tout à loisir. RONSARD, Pièces retranchées, « De la jeune amie... ».
Mais seul, un ensoleillement prolongé peut mûrir le raisin, l'enrichir de sucre et 2
d'alcool, évaporer l'excès d'acides qui empêcherait la transformation du moût en vin de bonne qualité.
J. TAILLEMAGRE, la Peine des hommes, *in* le Monde, 20 nov. 1956.
Par anal. *Mûrir un abcès par des compresses. Médicament qui mûrit les abcès.* ⇒ **Maturatif.**

♦ **2.** Fig. Mener (une chose) à point en y appliquant sa réflexion. ⇒ **Approfondir** (→ Énergie, cit. 9). *Mûrir une pensée.* ⇒ **Digérer, méditer, réfléchir** (sur). *Mûrir un projet.* ⇒ **Mijoter, préparer** (→ Malfaisant, cit. 4). — Pron. *Entreprise qui s'est mûrie* (→ Exécuter, cit. 26).
En France, on s'impose de ne livrer son œuvre au public que quand elle est parfaitement mûrie et achevée (...) 3
RENAN, Questions contemporaines, Études sav. en Allemagne, *in* Œ. compl., t. I, p. 183.
Que m'importent les dons, chez qui ne sait pas les mûrir? 4
GIDE, Journal, 30 mars 1906.

♦ **3.** (1652). Sujet n. de personne ou de chose abstraite; complément n. de personne ou mot désignant l'esprit. *Mûrir l'esprit,* lui donner du sérieux, de la profondeur. *Mûrir qqn,* lui donner de la maturité d'esprit. *La vie, le malheur l'a mûri avant l'âge* (→ Rendre sage*). — Pron. *Esprit, homme qui s'est mûri.*
Il ne faut pas, disait mon père, que les enfants s'appliquent sérieusement, que le 5
temps n'ait un peu mûri leur esprit. A.-R. LESAGE, Gil Blas, I, v.
Car je suis un homme fait : les dégoûts m'ont mûri (...) 6
É. DE SENANCOUR, Oberman, XL.
(...) une de ces bonnes et saines causeries qui sont le besoin de l'âme, et où la 7
pensée se corrige ou se mûrit dans une concorde où dans une contradiction féconde (...) SAINTE-BEUVE, Proudhon, p. 82.
Cette secrète tristesse qui mûrissait si précocement mon amie (...)- 8
GIDE, Si le grain ne meurt, I, v, p. 125.

♦ **4.** Pop. *Se mûrir :* s'enivrer.

★ **II.** V. intr. ♦ **1.** Devenir mûr, venir à maturité. *Fruits* (cit. 9) *qui commencent à se former*, à prendre de la couleur, à mûrir* (⇒ **Tourner**); *fruit qui mûrit en août* (⇒ **Aoûter**). *Action de mûrir.* ⇒ **Maturation.** *Les blés mûrissent.* ⇒ **Grandir** (→ aussi Épi, cit.). *Fraise* (cit. 2) *qui mûrit, tombe et pourrit. Faire mûrir précocement* (⇒ **Forcer**).
Vous qui allez vers la Forêt Verte pour saisir autour des branches mouillées les 9
premières vapeurs du printemps, vous trouverez bon que les feuilles s'étalent au nouveau soleil, qu'après cela les graines mûrissent et tombent sur la terre.
ALAIN, Propos, 1er avr. 1908, « Aimer ce qui existe ».
(1690). Par anal. *Vin qui mûrit,* qui se fait, vieillit (→ Gourmet, cit. 3).
(1538). Méd. Devenir mûr. *Son abcès ne mûrit pas.*

♦ **2.** Fig. Se développer, atteindre son plein développement. *Un talent qui mûrit chaque jour* (→ Espérance, cit. 36). *Ville où les* *passions mûrissent avec lenteur* (→ Histoire, cit. 55). *Laisser mûrir une idée, un projet, une affaire.*

10 Laissons mûrir le dessein de ce voyage de traverse (...)
Mᵐᵉ DE SÉVIGNÉ, 1273, 23 avr. 1690.

11 Il y avait dans la tête de ce brave père un projet en train de mûrir : la seconde des filles Barrel aurait fait un bon parti pour Edmond.
ARAGON, les Beaux Quartiers, II, III.

♦ **3.** (1636). Personnes. Acquérir de la maturité d'esprit, de la sagesse (par l'âge, l'expérience, l'adversité...).

12 (...) l'expérience est diverse, et tourne bien ou mal selon les natures. Les bons mûrissent. Les mauvais pourrissent.
HUGO, l'Homme qui rit, I, I, VII.

13 Barnave avait vite mûri. Ses jugements sur les derniers actes de l'Assemblée constituante sont d'une grande sagesse. Il démêle et fait vivement ressortir les fautes suprêmes de cette grande Assemblée, de même qu'il a dévoilé, chemin faisant, les siennes propres.
SAINTE-BEUVE, Causeries du lundi, 8 avril 1850.

▶ **MÛRI, IE** p. p. adj.
Qui a mûri (II., 1.) ou a été mûri. *Fruits trop mûris.* ⇒ **Mûr.**
Fig. *Un homme fait* (cit. 266), *mûri par la vie, par l'expérience.*
Personne éprouvée, mûrie (→ Efficient, cit. 2). — *Talent mûri dans la solitude* (→ Estimer, cit. 21).

CONTR. Avorter.
DÉR. Mûrissage ou **mûrissement, mûrissant, mûrisserie.**

MÛRISSAGE [myʀisaʒ] ou **MÛRISSEMENT** [myʀismɑ̃] n. m.
— xxᵉ, *murissage*; *mûrissement*, 1587; de *mûrir.*

♦ **1.** Fait de mûrir; action de faire mûrir. ⇒ **Maturation.** *Le mûrissement des bananes dans les entrepôts.*

Techn. Mise au repos de certains produits, pendant lequel ils acquièrent leurs qualités.

Les parfums ainsi préparés doivent être laissés en repos durant un temps aussi long que possible afin de permettre à l'arôme de s'améliorer : c'est le mûrissement du parfum.
Ch. BOURGEOIS, Chimie de la beauté, p. 62.

♦ **2.** Fig. (Dans ce sens, plutôt *mûrissement*). Fait de mûrir (II., 2.), d'être mûri (I., 2.). *Le mûrissement d'un projet.*

MÛRISSANT, ANTE [myʀisɑ̃, ɑ̃t] adj. — 1669, *meurissant*; p. prés. de *mûrir.*

♦ **1.** Qui devient mûr. *Fruit mûrissant.*

♦ **2.** (1846). Fig. *Personne mûrissante*, qui n'est plus jeune, qui devient mûre (figuré).

Il aurait pardonné ces faiblesses de femme mûrissante, mais elle l'injuriait, maudissait les cendres de son père, lui disait qu'il deviendrait un vrai « Byrrone ».
A. MAUROIS, la Vie de Byron, I, VII.

MÛRISSERIE [myʀisʀi] n. f. — Mil. xxᵉ; de *mûrir.*

♦ Techn. Lieu où les importateurs laissent mûrir certains fruits qui ne supportent le transport que verts (notamment les bananes).

MURMEL [myʀmɛl] n. m. — 1924, *in* D. D. L.; mot all. « *marmotte* ».

♦ Techn., comm. Fourrure de marmotte, généralement teinte, dont l'aspect rappelle le vison.

MURMURANT, ANTE [myʀmyʀɑ̃, ɑ̃t] adj. — xvⁱᵉ; p. prés. de *murmurer.*

♦ Qui murmure (choses). *Source limpide et murmurante* (→ Jaillir, cit. 3). « *Ô beau cristal* (cit. 9) *murmurant* » (Ronsard).

1 Lorsqu'il nous semble ouïr, non l'horreur d'un torrent,
Ains *(mais)* le son argentin d'un ruisseau murmurant,
Ou celui d'un bassin (...)
DU BELLAY, Jeux rustiques, « Hymne de la surdité ».

2 (...) Mathilde écouta cette nuit murmurante du printemps au déclin (...)
F. MAURIAC, Génitrix, I.

(En parlant de personnes qui protestent). « *Le mur murant Paris rend Paris murmurant* ». ⇒ **Murer.**

MURMURATEUR, TRICE [myʀmyʀatœʀ, tʀis] n. — xvⁱᵉ; de *murmurer.*

♦ Vx. Personne qui se plaint, qui proteste. « *Faire des murmurateurs et des mécontents* » (Massillon). — Adj. *Peuple murmurateur* (Chateaubriand).

MURMURE [myʀmyʀ] n. m. — V. 1175; lat. *murmur* « grondement », onomat.; changement de sens en franç. probabᵗ à cause de la prononc. du *u* : d'abord [u], puis [y].

★ **I.** ♦ **1.** Bruit* sourd, léger et continu de voix humaines. ⇒ **Bourdonnement, chuchotement, susurrement.** *Murmure de voix* (→ Filtrer, cit. 12). *Murmure étouffé de personnes qui parlent bas* (cit. 83). *Rires et murmures d'élèves. La conversation* se prolongea en un murmure confus (→ Enfler, cit. 21). *Murmure vague et monotone* (→ Litanie, cit. 1). — (En parlant d'une seule voix).

Aveu qui s'achève en un murmure. Pas un murmure dans la salle. ⇒ **Marmonnement, marmottement.**

Le brouhaha des voix et le bruit de la promenade formait *(sic)* un murmure qui s'entendait dès le milieu du jardin, avait comme une basse continue brodée des éclats de rire des filles ou des cris de quelque rare dispute.
BALZAC, Illusions perdues, Pl., t. IV, p. 695.

Ce fut un chant presque indistinct, une sorte de mélopée qui commençait et s'achevait en murmure.
Claude FARRÈRE, la Bataille, XVI.

♦ **2.** (1690). Commentaire fait à mi-voix par plusieurs personnes dans une circonstance particulière. *Murmure d'approbation, d'admiration...* (→ Fade, cit. 13). *Un murmure de désapprobation, d'indignation, de protestation, de mécontentement. On entendit des murmures hostiles dans la salle. Murmures et mouvements* *divers.*

Chacune des affirmations de ces trois hommes, évidemment sincères et de bonne foi, avait soulevé dans l'auditoire un murmure de fâcheux augure pour l'accusé, murmure qui croissait et se prolongeait plus longtemps chaque fois qu'une déclaration nouvelle venait s'ajouter à la précédente.
HUGO, les Misérables, I, VII, X.

(Le morceau)... fut suivi presque aussitôt d'une valse dont les premières mesures furent accueillies par une espèce de murmure de gourmandise. L'air en était, en effet, très connu.
J. GREEN, Adrienne Mesurat, III, IX.

(V. 1206). Absolt. (Au plur.). Plaintes sourdes ou commentaires désobligeants de plusieurs personnes. ⇒ **Cri, grognement, grognerie, plainte, protestation.** *Les murmures d'une foule indignée. Murmures qui redoublent* (→ Indignation, cit. 4). *Exciter* (cit. 18) *ou apaiser les murmures. Les murmures qu'excitaient* (cit. 11) *sa conduite et ses dettes.*

Mais si la prise de La Rochelle fut populaire, on est surpris des murmures qu'excita l'exécution de Montmorency, comme plus tard celle de Cinq-Mars et de son complice de Thou.
J. BAINVILLE, Hist. de France, XI, p. 201.

(Au sing.). Vx (sauf dans les tournures négatives). *Accepter une chose sans murmure.* ⇒ **Murmurer.** « *La discipline* (cit. 11) *faisant la force principale des armées, il importe... que les ordres soient exécutés littéralement, sans hésitation ni murmure* ». Loc. *Sans hésitation ni murmure* : sans discussion.

(...) de Britannicus la disgrâce future
Des amis de son père excita le murmure.
RACINE, Britannicus, IV, 2.

(...) ce n'était pas l'amour de la vie qui lui manquait, mais le don d'accepter sans murmure une vie qui différait de toutes les vies humaines et qui était la sienne.
J. GREEN, Léviathan, II, II.

Fig. et vieilli. *Les murmures de l'amour-propre* (→ Indigner, cit. 3). *Malgré les murmures de mon cœur, il fallut m'abaisser...* (→ Fléchir, cit. 21, Rousseau).

★ **II.** ♦ **1.** (xvⁱᵉ). Bruit continu, léger, doux et harmonieux. ⇒ **Chanson.** *Le murmure des eaux* (→ Assoupir, cit. 11; béatitude, cit. 6), *des vagues* (→ Exhaler, cit. 22), *d'un ruisseau* (→ Auprès, cit. 28), *d'une fontaine. Murmure du vent, de la brise* (cit. 6). *Murmure des feuilles, des cimes dans le vent.* ⇒ **Bruissement** (→ Bruire, cit. 4). *Murmure d'un essaim* (cit. 2). *Murmure d'oiseaux.* ⇒ **Babil, gazouillement** (→ Bruit, cit. 8).

Et des vents printaniers le gracieux murmure.
RONSARD, Pièces retranchées, « Continuation des amours ».

Le murmure du vent, de son bruit monotone,
Dans mon cerveau lassé berçait mon noir souci.
A. DE MUSSET, Poésies nouvelles, « Nuit d'octobre ».

(...) un peuplier, dont les feuilles agitées rendaient un perpétuel murmure (...)
FRANCE, Les dieux ont soif, XIII.

(1833). Méd. *Murmure respiratoire*, ou *vésiculaire* : bruit léger qu'on doit entendre à l'auscultation lorsque les poumons ne présentent pas de lésion.

♦ **2.** Littér. (Au sens du latin). Bruit fort et sourd. ⇒ **Grondement, tumulte.**

Mes yeux saignent. J'entends un immense murmure
Pareil aux hurlements de la mer ou des loups.
LECONTE DE LISLE, Poèmes barbares, « Le cœur de Hialmar ».

Zool. Bruit sourd que font entendre certains animaux. *Le murmure de l'ours* (→ Grondement, cit. 1), *de l'écureuil* (→ Mécontentement, cit. 2).

CONTR. Brouhaha, éclat, hurlement, vacarme. — Acclamation.

MURMURER [myʀmyʀe] v. — V. 1120; lat. *murmurare*, de *murmur.* → Murmure.

★ **I.** V. intr. ♦ **1.** (Personnes). Faire entendre un murmure (I., 1.). ⇒ **Bourdonner, marmotter.** *Foule qui murmure.*

Vieilli. Faire entendre une plainte, une protestation sourde. ⇒ **Bougonner** (fam.), **geindre, grogner, grommeler, gronder, maronner, plaindre (se), protester, râler** (fam.), **rognonner** (fam.), **ronchonner** (→ Exaction, cit. 2; image, cit. 14). « *Je ne sais que souffrir et non pas murmurer* » (→ Instruire, cit. 3, Voltaire). — Mod. *Accepter, obéir sans murmurer.* ⇒ **Broncher.**

(...) ce n'est pas sans raison
Que je me plains, que je murmure (...)
LA FONTAINE, Fables, II, 17.

Napoléon savait que ces Lombards murmuraient déjà contre les impôts et la conscription, et il s'en irritait.
Louis MADELIN, Hist. du Consulat et de l'Empire, Avènement de l'Empire, XVI.

Murmurer (vx) *de*, (mod.) *à propos de (qqch.)*, en parler en secret, sans assurance. *« On commence à en murmurer, dans deux jours on en parlera tout haut »* (Académie).

♦ **2.** Littér. Faire un murmure (II., 1.). *Vent, flot qui murmure* (→ Armure, cit. 2; gémir, cit. 9). ⇒ **Gazouiller.** *Feuilles qui murmurent dans le vent.* ⇒ **Bruire** (→ Désert, cit. 3).

Leur essaim gronde,
Ainsi, profonde,
Murmure une onde
Qu'on ne voit pas. HUGO, les Orientales, XXVIII.
Et le ruisseau murmure sans cesse contre les cailloux qui voudraient l'empêcher de courir. J. RENARD, Journal, 20 juin 1893.

★ **II.** V. tr. ♦ **1.** Mod. Dire, prononcer à mi-voix ou à voix basse. ⇒ **Chuchoter; marmonner, marmotter, susurrer.** *Murmurer une prière.* ⇒ **Gronder** (vx). *Ce que chacun murmure tout bas* (→ Général, cit. 14). *Murmurer quelque chose à quelqu'un* (cf. Dire, faire des messes basses). *Murmurer un mot, une question à l'oreille de quelqu'un.* ⇒ **Couler** (→ Coucher, cit. 14).

(...) quelquefois aussi nous murmurions des vers que nous inspirait le spectacle de la nature. CHATEAUBRIAND, René.
(...) il murmurait des paroles, des plaintes, tout un chant animal et amoureux où elle distinguait son nom (...) COLETTE, Chéri, p. 38.
Comme il suivait son mouvement, et qu'il avait l'oreille tout près de la joue de Marie, il l'entendit murmurer : — Je suis enceinte. J. ROMAINS, les Hommes de bonne volonté, t. V, XXVIII, p. 307.

(Employé dans une incise). *Tu sais, murmura-t-il, ...* (→ Bonheur, cit. 35, et aussi maître, cit. 95).

♦ **2.** Fig. et poét. (Choses). *Ruisseau qui murmure d'harmonieux* (cit. 2) *accords.*

♦ **3.** (Personnes). Dire, répandre en secret (des propos généralement malveillants). *On murmurait que c'était l'œuvre d'agents* (cit. 9) *provocateurs.*

CONTR. Crier.
DÉR. Murmurateur, murmurant.

MÛRON [myʀɔ̃] n. m. — XIVᵉ, *moron*; de *mûre.*
Dialectal.

♦ **1.** Fruit de la ronce, couramment appelé *mûre*. ⇒ **Mûre** (2.).

♦ **2.** Framboisier sauvage.

MURRHE [myʀ] n. f. — 1556; lat. *murrha*, mot grec.

♦ Didact. Matière irisée (mal connue) avec laquelle les anciens fabriquaient des vases précieux (verre irisé, agate laiteuse ou sardoine).
DÉR. Murrhin.
HOM. Mur, mûr, mûre.

MURRHIN, INE [myʀɛ̃, in] adj. — 1556; lat. *murrhinus*, de *murrha*. → Murrhe.

♦ Didact. *Vases murrhins :* vases de murrhe.
Alexis lui avait fait envoyer les parfums les plus rares, des pierres précieuses, une paire de vases murrhins et un crocodile qu'elle avait installé dans sa piscine à l'épouvante des visiteurs. J. D'ORMESSON, la Gloire de l'Empire, t. I, p. 201.

MUR-RIDEAU [myʀʀido] n. m. ⇒ **Mur.**

MUSACÉES [myzase] n. f. pl. — 1816, *in* D.D.L.; du lat. bot. *musa* «banane» (arabe *mawzǎh*, même sens), et *-acées.*

♦ Bot. Famille de plantes monocotylédones dont le bananier est le type, et qui se caractérise par la présence de cinq étamines. — Au sing. *Une musacée*, une plante de cette famille.

MUSAGÈTE [myzaʒɛt] adj. — 1552; lat. d'orig. grecque *musagetes*, de *mousa* «muse» et *hêgeisthai* «conduire».

♦ Myth. *Apollon musagète*, conducteur des Muses (titre d'un ballet de Stravinsky). *Statue d'Apollon musagète.*

MUSARAIGNE [myzaʀɛɲ] n. f. — 1552; *merisengne*, XVᵉ; lat. *musaraneus*, même sens, de *mus* «rat» et *araneus* «araignée».

♦ Petit mammifère insectivore (*Soricidés*), voisin de la souris. *Musaraigne commune.* ⇒ 2. **Musette.** *Musaraigne d'eau.*
La musaraigne, plus petite encore que la souris, ressemble à la taupe par le museau, surtout le nez beaucoup plus allongé que les mâchoires (...) Ce très petit animal a une odeur forte qui lui est particulière, et qui répugne aux chats (...) La couleur ordinaire de la musaraigne est d'un brun mêlé de roux (...) BUFFON, Hist. naturelle des animaux, La musaraigne.

MUSARD, ARDE [myzaʀ, aʀd] adj. et n. — 1530; «sot», 1086; de *muser.*

♦ Qui passe son temps à muser. ⇒ **Clampin, flâneur, oisif.** — Par ext. (→ Fureteur, cit. 6).
Cette chambre est meublée à l'antique (...) assez imagée pour plaire à mon esprit resté un peu enfantin et musard. FRANCE, le Crime de S. Bonnard, Pl., t. II, p. 463.
Il était indolent et musard, et possédait à un haut degré cette charmante faculté de s'exagérer son bonheur et d'évanouir le souci présent dans le rêve, l'espoir ou l'ivresse. GIDE, Si le grain ne meurt, II, I, p. 303.
DÉR. Musarder, musarderie, musardise.

MUSARDER [myzaʀde] v. intr. — Attestation isolée, fin XIIᵉ, repris 1834; de *musard.*

♦ Perdre son temps à des riens. ⇒ **Muser, flâner, lanterner.**
Allons, Pierre, dépêche-toi, sacrebleu ! Tu sais que nous allons à deux heures chez le notaire. Ce n'est pas le jour de musarder. MAUPASSANT, Pierre et Jean, III.
MUSARDER. v. n. *Perdre son temps à des riens.* C'est là ce que tu trouveras dans le dictionnaire, Ami lecteur. Et là-dessus tu n'auras pas grande estime pour un volume de vers qui s'appelle « les Musardises », c'est-à-dire les bagatelles, les enfantillages, les riens. Mais pour peu que tu sois un lettré ayant connaissance des mots de ta langue et de leur sens exact, ce titre ne sera pas pour te déplaire... Tu sauras que « musardise » (...) signifie rêvasserie douce, chère flânerie, paresseuse délectation à contempler un objet ou une idée... Tu sauras que, suivant certaines étymologies, « musarder » veut dire avoir le museau en l'air : ce qui est bien le fait du poète (...) Edmond ROSTAND, les Musardises, Au lecteur.
DÉR. Musardeur.

MUSARDERIE [myzaʀdəʀi] n. f. — 1546, Rabelais ; de *musard*, et *-erie.*

♦ Littér. Fait de musarder. ⇒ **Musardise.** *« Cette vente du livre autrefois accompagnée de flânerie, de musarderie... »* (Goncourt, *in* G.L.L.F.). — *Des musarderies de badaud.*

MUSARDEUR, EUSE [myzaʀdœʀ, øz] adj. et n. — 1909, (→ cit.); de *musarder.*

♦ Littér. Qui musarde, flâne, s'attarde.
Consultant l'indicateur que j'achète à Nevers, je constate que pour gagner Cérilly il faut encore, de Moulins, trois ou quatre heures d'un petit train musardeur, plus un long temps de diligence (...) GIDE, Journal, 1909, p. 282.

MUSARDISE [myzaʀdiz] n. f. — 1834; *musardie*, v. 1175; de *musard.*

♦ Caractère, comportement du musard; action de muser. ⇒ **Flânerie.**
C'est le jour où l'Injustice vous est apparue dans toute sa bienveillante majesté, la déesse des leçons mal apprises, des devoirs bâclés, la déesse du temps perdu, de la musardise qui venait de donner une sérieuse pichenette à la sagesse des nations et faire mentir tous ses proverbes en vous récompensant. Geneviève DORMANN, la Fanfaronne, p. 156.
Littér. *Les Musardises*, recueil de poèmes d'Edmond Rostand. ⇒ **Musarder** (cit. 2).

MUSC [mysk] n. m. — XIIIᵉ; *mugue*, fin XIᵉ; du bas lat. *muscum* (XIᵉ, trad.), du persan *mūsk.*

♦ **1.** Substance brune très odorante, à consistance de miel, sécrétée par des glandes abdominales chez un Cervidé mâle voisin du chevrotin. *Grains de musc séché. Propriétés stimulantes et antispasmodiques du musc. Utilisation du musc de Chine, du Bengale... en parfumerie* (→ 2. Aspic, cit. 6). *Senteurs de musc* (→ Goudron, cit. 1; ambre, cit. 1; havane, cit. 1). — *Couleur de musc :* couleur brune.
(...) le musc des fards mêlé à la rudesse fauve des chevelures. ZOLA, Nana, V.

♦ **2.** (XVᵉ). Parfum préparé à partir du musc. *Dandy parfumé au musc* (⇒ **Muscadin**).
Musc artificiel : substance résineuse jaune à odeur de musc, composé synthétique nitré, utilisé comme parfum.

♦ **3.** (1844). *Musc végétal :* huile essentielle extraite de la ketmie (dite aussi *ambrette* ou *herbe au musc*) et utilisée autrefois en médecine.

DÉR. Musqué. — (Du même rad.) Muscade, muscadelle, muscadin, muscari, muscat.

MUSCADE [myskad] adj. f. — V. 1175; anc. provençal *muscada*, dér. de *musc.*

★ **I.** ♦ **1.** *Noix muscade*, et subst. (XVIᵉ), *muscade :* graine du fruit du muscadier, ovoïde, brune, ridée, d'odeur aromatique (cit. 1), employée comme épice (⇒ **Aromate, assaisonnement**). *Râper une muscade. Arille* de la muscade.* ⇒ **Macis.** *Court-bouillon* (cit.) *aromatisé à la muscade. Pâté épicé* (cit. 3) *à la muscade.* — (1845). *Beurre de muscade :* matière grasse extraite de la noix muscade.
Aimez-vous la muscade? on en a mis partout. BOILEAU, Satires, III.

2 (...) de fondants jambonneaux de cochon cuits en pot-au-feu (...) mouillés de leur bouillon qui fleurait un peu le céleri, un peu la noix muscade (...)
COLETTE, l'Étoile Vesper, p. 13.

♦ **2.** (Mil. XVIᵉ). Par anal. (de parfum). *Rose muscade :* variété de rose rouge.

★ **II.** N. f. (1701). Petite boule de liège utilisée par les escamoteurs dans leurs tours de passe-passe. — Loc. fig. (1798). *Passez muscade,* se dit d'une chose qui passe rapidement ou que l'on fait disparaître avec adresse, aisance ou désinvolture (cf. Le tour est joué).

3 J'avais donc raison de penser que leurs larmes, qui leur valent tant, ne leur coûtent rien. Elles se tamponnent un peu : passez muscade ! Encore une grande douleur suivie d'un petit gâteau. MONTHERLANT, le Songe, II, XV.

DÉR. Muscadier, 2. muscadine.

MUSCADELLE [myskadɛl] n. f. — 1546; anc. provençal *muscadella,* de *musc**.

♦ **1.** Cépage blanc de la Gironde et de la Dordogne. *La muscadelle est utilisée dans les vins de Graves et les Sauternes.*

♦ **2.** Poire d'hiver très parfumée.

MUSCADET [myskadɛ] n. m. — V. 1360, « vin muscat »; mot provençal (→ Muscat); sens mod., v. 1930.

♦ **1.** Cépage blanc des vignobles nantais. — Cour. Vin blanc sec, originaire de la région de Nantes (Sèvres et Maine) et des coteaux de la Loire, obtenu avec ce cépage. *Un verre de muscadet. Muscadet sur lie**. *Boire du muscadet.*

♦ **2.** *Pomme muscadet :* pomme à cidre très douce.

MUSCADIER [myskadje] n. m. — 1665; *muscatier,* 1610; de *muscade.*

♦ Arbre exotique des régions tropicales, à feuilles persistantes *(Myristicacées),* qui produit un fruit dont la graine est la muscade.
(...) des muscadiers au feuillage verni saturaient l'air d'un parfum pénétrant.
J. VERNE, le Tour du monde en 80 jours, p. 136.

MUSCADIN [myskadɛ̃] n. m. — 1578, « pastille parfumée au musc »; n. pr., par allus. au parfum favori des élégants de l'époque, 1747; ital. *moscardino,* de *moscado* « musc », du bas lat. *muscus.*

♦ Vieilli (1790). Jeune fat, d'une coquetterie ridicule dans sa mise et ses manières. ⇒ **Dandy, élégant, incroyable** (cit. 14), **merveilleux, mirliflore, muguet, petit-maître.** — Spécialt. Nom donné, sous la Révolution, aux royalistes qui se distinguaient par leur élégance recherchée (→ Doré, cit. 5). — REM. En ce sens, le mot était utilisé aussi au fém. sous la Révolution : «(...) *les orgueilleux lambris des muscadines et des muscadins*» (G. Babeuf, *Le Tribun du peuple,* 28 janv. 1795, nº 31, *in* D.D.L.).

1 Hébert appelait Fréron un muscadin, un Sardanapale.
C. DESMOULINS (1790), *in* LITTRÉ, Sardanapale.

2 L'autre, dont le costume était (...) élégant et très élégamment porté, soigné dans les moindres détails (...) avait sur son habit un spencer, mode aristocratique adoptée (...) par la jeunesse dorée (...) Ce parfait *muscadin* paraissait âgé de trente ans. Ses manières sentaient la bonne compagnie, il portait des bijoux de prix. Le col de sa chemise venait à la hauteur de ses oreilles. Son air fat et presque impertinent accusait une sorte de supériorité cachée.
BALZAC, Une ténébreuse affaire, Pl., t. VII, p. 459.

1. MUSCADINE [myskadin] n. f. — 1802; de *muscat.*
♦ Vx. Variété de vigne du Canada; vin produit par cette vigne.

2. MUSCADINE [myskadin] n. f. — XXᵉ; de *muscade,* I., 1.
♦ Chocolat fin fourré qui imite l'aspect de la noix muscade.

MUSCARDIN [myskaRdɛ̃] n. m. — 1753; ital. *moscardino,* de *moscardo* « musc »; par allus. à l'odeur qu'on attribuait autrefois à cet animal.

♦ Petit mammifère rongeur de la taille d'une souris, variété de loir roux à gorge et poitrine blanches.

MUSCARDINE [myskaRdin] n. f. — 1812; provençal *moscardino;* de *muscardin,* var. de *muscadin** « pastille au musc ».

♦ Techn. Maladie mortelle des vers à soie, due à un champignon parasite, le beauveria *(Ascomycète).* ⇒ 1. **Dragée** (dragées).

MUSCARI [myskaRi] n. m. — 1752; lat. bot. *muscari,* même sens; du lat. *muscus* « musc ».

♦ Plante *(Liliacées)* d'Europe et d'Asie Mineure, à fleurs bleues ou rouge violacé disposées en grappes, et très parfumées. *Muscari che-*

velu, dit jacinthe à toupet. ⇒ **Vaciet.** *Muscari odorant, dit* jacinthe musquée.

MUSCARINE [myskaRin] n. f. — 1877, Littré, *Suppl.;* de *muscaria (amanita),* nom savant de l'*amanite tue-mouche,* d'où est extrait ce poison; rad. *musca* « mouche ».

♦ Chim. Alcaloïde extrait de certains champignons vénéneux (fausse oronge, amanite panthère, bolet bronzé...), antagoniste de l'atropine.

MUSCAT [myska] adj. et n. m. — 1371, n. m., sens 2.; mot provençal; de *musc.*

♦ **1.** (1611). *Raisin muscat,* à odeur musquée.
(Au fém.). Rare. « *La treille muscate* » (Colette).
N. m. (1636). *Une grappe de muscat. Muscat blanc, noir.*

♦ **2.** *Vin muscat :* vin de liqueur, produit avec des raisins muscats.
N. m. *Un verre de muscat.* ⇒ **Aleatico, frontignan, lacryma-christi, malaga, moscatel, picardan.** *Muscat de Rivesaltes, de Samos.*

(...) je n'avais pas plus de trois ans lorsque mon père me donna à boire un plein verre à liqueur d'un vin mordoré, envoyé de son Midi natal : le muscat de Frontignan. Coup de soleil, choc voluptueux, illumination des papilles neuves ! Ce sacre me rendit à jamais digne du vin. COLETTE, Prisons et Paradis, p. 67.

♦ **3.** Variété de poire très parfumée. *Muscat royal, muscat vert...*

DÉR. 1. Muscadine. — (Du même rad.) Muscadet.

MUSCHELKALK [muʃɛlkalk] n. m. — 1845, Bescherelle; en all., fin XVIIIᵉ, d'après Berthelot; mot all., « calcaire à coquilles ».

♦ Didact. Géol. Étage moyen du trias germanique. *Le muschelkalk ou calcaire conchylien est subdivisé en ladinien et virglorien.*

1. MUSCI- Premier élément de mots savants, de *musca* « mouche ». — Ex. : *musciforme,* adj. (1874).

2. MUSCI- ⇒ Musco-.

MUSCIDÉS [myside] n. m. pl. — 1903; *muscides,* 1827; du lat. *musca* « mouche », et suff. *-idés.*

♦ Zool. Famille d'insectes diptères* à antennes courtes *(Brachycères),* communément appelés « mouches* », dont les larves (⇒ **Asticot**) sont parasites d'autres animaux et se nourrissent de substances animales et végétales. *Principaux muscidés :* glossine, idie, lucilie, mouche, tachine. — Au sing. *Un muscidé :* un insecte appartenant à cette famille.

MUSCINÉES [mysine] n. f. pl. — 1855, Nysten; du lat. *muscus* « mousse », et suff. *-inées.*

♦ Bot. Embranchement du règne végétal (⇒ **Bryophytes**), qui comprend les deux classes de cryptogames cellulaires ayant tiges et feuilles, mais dépourvues de racines et de fleurs : les hépatiques* et les mousses*. — Au sing. *Une muscinée :* un cryptogame appartenant à cette famille.

MUSCLE [myskl] n. m. — 1314, Mondeville; lat. *musculus* « petit rat »; cf. en grec *mus* « souris », « muscle » et en franç. la *souris** du gigot. → aussi 2. Moule.

♦ **1.** Anat. et cour. Structure organique contractile qui assure les mouvements. ⇒ **Motricité.** *Relatif aux muscles.* ⇒ **Musculeux, musculaire;** et les préf. **myo-, sarco-.** *Étude des muscles.* ⇒ **Myologie, sarcologie.**

Les muscles sont des formations anatomiques qui jouissent de la propriété de se contracter (...) On les divise, depuis BICHAT, en deux grandes groupes (...) *Les muscles de la vie animale,* encore appelés *muscles volontaires,* se contractent sous l'influence de la volonté. Ils se groupent autour des différentes pièces squelettiques qu'ils sont destinés à mouvoir (...) *Les muscles de la vie organique* ou *végétative* (...) échappent entièrement à l'influence volontaire (...) les muscles volontaires se composent d'éléments cylindroïdes, les *fibres musculaires,* sur lesquels on distingue des stries transversales : on les désigne (...) sous le nom de (...) *muscles striés.* Les muscles de la vie végétative, sauf le cœur (...) sont constitués par des cellules fusiformes et nullement striées, d'où le nom de (...) *muscles lisses* (...)
L. TESTUT, Traité d'anatomie, t. I, p. 753.

Muscles volontaires, muscles striés, muscles squelettiques (⇒ **Chair**). *Contexture, structure des muscles :* fibres*-cellules (ou filaments) formées d'un protoplasme (⇒ **Sarcoplasme**) parsemé de fibrilles divisées en segments* (disques sombres — contractiles —, et clairs — élastiques — alternés). *Innervation, vascularisation d'un muscle. Plaques motrices du muscle* (jonctions des neurones et des faisceaux qu'ils innervent). *Corps**, *ventre; extrémités, points d'attache** (cit. 8), *points d'insertion des muscles.* ⇒ **Ligament, tendon;** → **Épiphyse,** cit. *Enveloppe des muscles.* ⇒ **Aponévrose** (cit. 1), **gaine.** *Situé entre les muscles* (⇒ **Intermusculaire**), *dans* *un muscle* (⇒ **Intramusculaire**). — *Muscles du bras*, de l'avant-bras*, de la main* (cit. 15) ; *de la jambe*, de la cuisse*, de la tête** (de la bouche, des lèvres*, de l'œil...) ; *du tronc* ; de l'abdomen*...* (⇒ **Musculature**). *Muscle des animaux. Muscle sub-labionasal du cheval.*

Nomenclature des muscles (chez l'homme) :

ⓐ (D'après leur importance, leur taille). *Muscle court, grand, long, moyen, petit, vaste ; accessoire, premier ;* — (D'après leur forme). *Muscle carré, deltoïde, dentelé, diaphragme, droit, myrtiforme, oblique, pectiné, pyramidal, rhomboïde, splénius, transversal, transverse, trapèze, triangulaire ; orbiculaire, sphincter ; biceps, triceps, jumeau...*

ⓑ (D'après leur fonction). *Muscle abaisseur, abducteur, adducteur, aspirateur, buccinateur, constricteur, dilatateur, éjaculateur, élévateur* (→ Élévation, cit. 2), *expirateur, extenseur, fléchisseur, locomoteur, mâchelier* (vx), *masséter, masticateur, moteur, obturateur, pronateur, releveur, respirateur, risorius, rotateur, supinateur, tenseur ; muscles antagonistes* (cit.), *concurrents* (cit. 1 ; vx), *congénères.*

ⓒ (D'après leur situation dans l'organisme). *Muscle anthélicien, auriculaire, brachial, buccal, ciliaire, crural, cubital, dorsal* (cit. 1), *épicrâne, fessier* (→ Fesse, cit. 2), *huméral, iliaque, intercostal, interosseux, jambier, labial, lingual, mastoïde, mastoïdien, occipital, palmaire, peaucier, pectoral, pédieux, péronier, plantaire, poplité, psoas, radial, soléaire, sous-costal, sous-scapulaire, sternocléïdo-mastoïdien, surcostal, zygomatique...*

REM. Tous ces adjectifs sont employés substantivement en anatomie ; ils sont fréquemment combinés pour désigner un muscle particulier : *le* (muscle) *droit inférieur de l'œil, le* (muscle) *grand droit antérieur de la tête.*

Muscles lisses, viscéraux, formés de fibres très courtes juxtaposées et innervés par le système végétatif. Muscle lisse produisant un mouvement vermiculaire*.

Muscle cardiaque. ⇒ **Cœur ; myocarde.**

Propriétés des muscles. ⇒ **Contractilité** (→ Curare, cit.), **élasticité, excitabilité, tonicité.** *Fonctionnement des muscles.* ⇒ **Contraction** (cit. 2), **tension** (→ Gonflement, cit. 3). *Activité, travail* (⇒ **Effort**), *fatigue, repos* (⇒ aussi **Catalepsie**), *relâchement, relaxation* des muscles. Atonie*, atrophie* des muscles. Rigidité* des muscles après la mort.* — *Contractions involontaires, anormales, provoquées, douloureuses... des muscles.* ⇒ **Contorsion, contracture, convulsion, crampe, crispation, retirement, spasme, tétanie, tétanos, tic, trismus.** *Légère lésion des muscles.* ⇒ **Claquage, déchirure, effort ;** → Coup de fouet*. *Fluxion des articulations et des muscles* (⇒ **Rhumatisme**). *La pleurodynie*, douleur des muscles thoraciques.*

Les muscles, quand ils se contractent, dépendent non seulement de régions étendues du cerveau, et de la moelle, mais aussi de nombreux viscères. Ils reçoivent leurs directions du système nerveux central, et leur énergie du cœur, des poumons, des glandes, et du milieu intérieur. Pour obéir au cerveau, ils ont besoin de l'aide du corps entier.   Alexis CARREL, l'Homme, cet inconnu, III, X.

Cour. *Se claquer*, se froisser un muscle.*

♦ **2.** Spécialt. Cour. Muscles apparents sous la peau. ⇒ **Musculature.** *Contracter* (cit. 3), *gonfler un muscle. Le jeu* (cit. 84) *des muscles. Endurcir, développer ses muscles par l'exercice, l'entraînement* (cit. 7). *Développer les muscles par le culturisme. Bander* (cit. 9), *raidir, tendre ses muscles* (⇒ **Ahaner,** cit. 2). *Muscles qui s'étiolent* (cit. 8), *s'ankylosent* (→ Forme, cit. 76). *Assouplissement des muscles. Avoir des muscles d'acier. Exercer ses muscles. Se faire, se refaire des muscles.* ⇒ **Musculation.** — *Muscles de la face* (cit. 8). *Gonflement* (cit. 2) *des muscles maxillaires. Pas un muscle ne bougeait dans sa figure* (→ Impassibilité, cit. 4), *sur son visage.*

Mais elle riait, comme fouettée, elle avait des muscles d'acier, dans sa souplesse de chatte (...)   ZOLA, la Terre, III, IV.

Cuisse cordée (cit. 2) *de muscles.* ⇒ **Musculeux.** *Muscles longs, fuselés* (cit. 13), *en boule...*

(...) il était encore dans toute la vigueur de la jeunesse : ses bras étaient nerveux et bien nourris ; au moindre mouvement qu'il faisait, on voyait tous ses muscles (...)- FÉNELON, Télémaque, V.

Les bras de Pierre étaient velus, un peu maigres, mais nerveux ; ceux de Jean gras et blancs, un peu roses, avec une bosse de muscles qui roulait sous la peau.
                    MAUPASSANT, Pierre et Jean, I.

Absolt. *Avoir des muscles,* et, fam., (1874) *du muscle :* être fort, robuste. ⇒ **Musclé ; force** (cit. 5), **vigueur.** — *Être tout en muscles, sans graisse. Le lion* (cit. 2) *est tout nerf et tout muscle. Il n'a pas de muscles, ce garçon !*

(...) se montrant du coin de l'œil les biceps gigantesques qui roulaient sur les bras *(de Tartarin),* ils *(les portefaix du Rhône)* se disaient tout bas les uns aux autres, avec admiration : « C'est celui-là qui est fort ! (...) Il a DOUBLES MUSCLES ! »   Alphonse DAUDET, Tartarin de Tarascon, I, IV.

DÉR. 1. **Musclé, muscler.**

1. MUSCLÉ, ÉE [myskle] adj. — 1762 ; attestation isolée, 1553 ; de *muscle.*

♦ **1.** Qui est pourvu de muscles (striés) marqués et puissants (⇒ **Fort ;** → Avantage, cit. 18 ; forgeron, cit. ; gant, cit. 8 ; maillot, cit. 5). *Jambes* (cit. 10) *musclées.*

C'est ce Rouvier apoplectique et fortement musclé qui faisait tête avec le plus d'énergie à la meute des révélations.   M. BARRÈS, Leurs figures, p. 205.

C'était un homme perdu de santé, mais encore musclé et habitué à ce qu'on le fît monter du sous-sol pour mettre, de temps en temps, un ivrogne à la raison.
                    G. DUHAMEL, Salavin, II.

(1968). Plais. *Appariteurs musclés :* policiers en civil ou vigiles recrutés pour assurer un service d'ordre dans les facultés.

♦ **2.** (1803, *in* D.D.L.). Fig. Énergique, fort, robuste. ⇒ **Solide.** *Une écriture musclée.* ⇒ **Nerveuse, puissante.** — *Une sauce musclée.*

Enfin, voici une pièce solide et bien musclée, qui sur de bas ou vains projets n'attire pas notre vue.   R. KEMP, *in* le Monde, 31 oct. 1958.

♦ **3.** (1967). Fig., fam. (Polit.). Qui utilise la force, l'autorité, la contrainte. ⇒ **Autoritaire, brutal.** *Un régime musclé. Politique musclée. Un chef d'État musclé* (souvent, euphémisme pour *tyrannique, dictatorial).*

Des risques raisonnables. Le tarif, à l'époque : dix ans. Mais on pouvait s'attendre à mieux. La Méditerranée traversait la France comme la Seine à Paris. À tout moment, un régime musclé pouvait unifier les méthodes des deux rives.
                    Claude COURCHAY, La vie finira bien par commencer, p. 12.

♦ **4.** Argot scol. Difficile. *Problème musclé.*

CONTR. **Faible.**

2. MUSCLE [myskle] n. m. — 1903 ; mot provençal, de l'anc. provençal *muscle* (fin XIVᵉ), du lat. *musculus* « moule ».

♦ Régional (Provence). **Moule*** (coquillage).

MUSCLER [myskle] v. tr. — 1771, rare av. 1868 ; de *muscle.*

♦ **1.** Pourvoir de muscles développés, puissants. *Exercices pour muscler le ventre.* « Cette gymnastique me musclait » (J. Prévost).

♦ **2.** (V. 1970 ; de 1. *musclé* 2. et 3.). Fig. Rendre plus fort, plus énergique. ⇒ **Renforcer.** *Muscler un projet, Muscler « l'industrie automobile française »* (le Point, 9 déc. 1974).

Rendre plus contraignant, plus autoritaire, plus brutal... *Muscler un projet de loi. Muscler le gouvernement.*

MUSCO- ou **MUSCI-** Élément, du lat. *muscus* « mousse », entrant dans la composition de quelques mots savants. — Ex. : *muscicole,* adj. (1868) ; *muscophile,* adj. (1874), et ci-dessous. — ⇒ aussi l'élément homographe 1. **Musci-.**

MUSCOÏDE [myskɔid] adj. — 1842 ; de *musco-,* et *-ide.*

♦ Didact. (en parlant d'un minéral). Qui ressemble à une mousse.

MUSCOLOGIE [myskɔlɔʒi] n. f. — 1842 ; de *musco-,* et *-logie.*

♦ Didact., rare. Étude des mousses (végétaux). — Syn. (plus cour.) : *bryologie.*

MUSCONE [myskɔn] n. f. — 1933, Larousse ; de *musc,* et *(cét)one.*

♦ Techn. Didact. (chim.). Principe odorant du musc, cétone cyclique.

MUSCULAIRE [myskylɛʀ] adj. — 1765 ; *veine musculaire,* 1698 ; du lat. *musculus* (→ Muscle), et suff. *-aire.*

♦ Anat. et cour. Relatif aux muscles, à leur structure, leur activité. *Système musculaire,* la musculature. *Bandelettes* (→ 2. Intestin, cit.), *faisceaux, fibres musculaires* (→ Contexture, cit. 1). *Tissu musculaire* (→ Chair, cit. 1). —*Activité, contraction, tonus, travail musculaire* (→ Calorie, cit. 1). *Force** (cit. 63) *musculaire. Faiblesse musculaire* (→ Impropre, cit. 6). *Bruit musculaire. Électricité musculaire. Sens musculaire :* partie de la sensibilité kinesthésique* relative aux mouvements des muscles.

DÉR. **Musculairement.**

MUSCULAIREMENT [myskylɛʀmɑ̃] adv. — 1919, Gide (→ cit.) ; de *musculaire.*

♦ Rare. Par les muscles, par le sens cénesthésique.

(...) j'admire aujourd'hui la grâce rythmée des mouvements qu'elles arrivent à faire et qu'elles ne sont pas, hélas ! capables elles-mêmes d'apprécier *(des aveugles).* Pourtant Louise de La M... me persuade que, de ces mouvements qu'elles ne peuvent voir, elles perçoivent musculairement l'harmonie.
                    GIDE, la Symphonie pastorale, *in* Romans, Pl., p. 920.

MUSCULATION [myskylasjɔ̃] n. f. — Mil. XXᵉ ; « ensemble des mouvements musculaires », 1866 ; du lat. *musculus.* → Muscle.

♦ **1.** Développement (d'un muscle, d'une partie du corps) grâce à des exercices appropriés. *Musculation d'un organe, musculation générale du corps. Travail, exercices de musculation en vue d'une compétition.*

La deuxième *(séance)* se fera en principe en salle et sera plus spécialement réservée à la musculation générale : abdominaux, bras, épaules, dorsaux, jambes, pectoraux, hanches.
Henri COCHET, le Tennis, p. 70.

♦ **2.** Ensemble d'exercices destinés à développer les muscles. *Faire de la musculation.* ⇒ aussi **Culturisme.**

MUSCULATURE [myskylatyʀ] n. f. — 1798, *in* D. D. L., t. d'arts ; du lat. *musculus.*

♦ **1.** Disposition apparente des muscles, en art. → Assommeur, cit.

♦ **2.** Ensemble et disposition des muscles d'un organisme ou d'un organe. *Musculature de l'homme, du chat ; de l'estomac, de la jambe.*

1 (...) elle était grasse et potelée, mais laissait apercevoir sous la chair une musculature souple et forte (...)
Th. GAUTIER, les Jeunes-France, « Celle-ci, celle-là ».

2 (...) la musculature du redoutable athlète intimidant les gens (...)
Ed. DE GONCOURT, les Frères Zemganno, IV.

3 (...) il sautait à terre, saluait de nouveau en souriant sous les applaudissements de l'orchestre, et allait se coller contre le décor, en montrant bien, à chaque pas, la musculature de sa jambe.
MAUPASSANT, Bel-Ami, I, I.

MUSCULEUSEMENT [myskyløzmɑ̃] adv. — xxᵉ ; de *musculeux.*

♦ Littér. D'une manière, avec une apparence musculeuse. — Fig. « *L'abside musculeusement ramassée* » (Proust, *in* G. L. L. F.).

MUSCULEUX, EUSE [myskylø, øz] adj. — Fin xivᵉ ; *muscleux,* 1314 ; lat. *musculosus,* de *musculus.*

♦ **1.** Anat. Qui est de la nature des muscles. *Brides musculeuses du côlon.*

Vx. ⇒ **Musculaire.**

♦ **2.** (1690). Cour. Qui a des muscles développés, forts (→ Charnu, cit., Buffon ; élégance, cit. 3). *Bras musculeux d'athlète** (cit. 7). *Charpente* (cit. 3) *ramassée et musculeuse. Type élancé* (cit. 2) *et musculeux.*

1 Que ses bras sont musculeux, et qu'il y a du plaisir à le regarder bêcher la terre avec tant de facilité ! LAUTRÉAMONT, les Chants de Maldoror, I.

2 Or, je redoutais sa sévérité d'autant plus que jamais il ne parut plus viril que ce soir. Assis sur le haut tabouret, ses cuisses musculeuses saillaient sous l'étoffe rase du pantalon où posée sur elles sa main était forte, épaisse et rêche.
Jean GENET, Journal du voleur, p. 243.

3 Les gens, là-bas, qui passaient, ne s'en doutaient pas, eux. Leurs corps étaient solides, leurs membres souples et musculeux. Tout venait chez eux.
J.-M. G. LE CLÉZIO, la Fièvre, p. 23.

♦ **3.** N. f. (1868). **MUSCULEUSE.** Physiol. Couche de fibres musculaires de la paroi d'un organe creux, d'un conduit naturel. *Musculeuse de l'utérus.*

CONTR. Délicat, faible.
DÉR. Musculeusement.

MUSCULO- Élément, du lat. *musculus* « muscle ».

MUSCULO-CUTANÉ, ÉE [myskylokytane] adj. — 1765 ; de *musculo-,* et *cutané.*

♦ Anat. Qui comporte des fibres motrices et des fibres sensitives. *Nerf musculo-cutané.* — Des muscles et de la peau, qui a rapport à la fois aux muscles et à la peau. *Tonicité musculo-cutanée.*

MUSCULO-MEMBRANEUX, EUSE [myskylomɑ̃bʀanø, øz] adj. — 1903 ; de *musculo-,* et *membraneux.*

♦ Anat. Qui est composé d'éléments musculaires ou qui en comporte, en parlant d'une membrane. → 2. Calice, cit. 4 ; conduit, cit. 1.

1. MUSE [myz] n. f. — xiiiᵉ ; lat. *musa,* grec *moûsa.*

♦ **1.** Chacune des neuf déesses qui, dans la mythologie antique, présidaient aux arts libéraux. ⇒ **Sœur** (les neuf sœurs). *Les neuf Muses* : Clio, l'histoire ; *Calliope,* l'éloquence, la poésie héroïque ; *Melpomène,* la tragédie ; *Thalie,* la comédie ; *Euterpe,* la musique ; *Terpsichore,* la danse ; *Érato,* l'élégie ; *Polymnie,* le lyrisme ; *Uranie,* l'astronomie. *Les Muses, filles de Mémoire** (cit. 25). *Le Parnasse, séjour des Muses* (le « Sacré vallon »). *Apollon et les Muses.* ⇒ **Musagète.** *Les Musées, fêtes des Muses.*

1 Les neuf Muses ! aucune n'est de trop pour moi !
Je vois sur ce marbre l'entière neuvaine (...)
Les hautes vierges égales, la rangée des sœurs éloquentes.
CLAUDEL, Cinq grandes odes, I, « Les Muses ».

2 Jupiter avait eu neuf filles d'une de ses premières femmes nommée Mnémosyne, c'est-à-dire Mémoire. Il était normal que, filles d'une telle mère, ces pucelles

retinssent et apprissent beaucoup : ce sont les Muses, comme on sait. Jupiter les donna pour compagnes à Apollon, qu'elles entourent sans cesse et qui dirige leurs concerts sur le Parnasse, leur habituelle résidence.
Émile HENRIOT, Mythologie légère, p. 52.

Littér. (Vieilli ou iron.). *Les Muses,* celles de la poésie et du théâtre, inspiratrices des poètes (→ Écrire, cit. 35). *Courtiser* (cit. 4) *les Muses. Le commerce des Muses. L'acte des Muses* : la poésie (→ Biographie, cit. 2). *Amant, favori, nourrisson des Muses* : poète. *Invoquer les Muses* : chercher l'inspiration.

3 Il prit donc la parole, et dit au nourrisson des Muses *(le poète qu'il persécutait continuellement)* : Votre sérénade (...) était plutôt un charivari (...)
SCARRON, le Roman comique, I, XVI.

4 Le loisir fut certainement le père des muses ; les affaires en sont les ennemis, et l'embarras les tue. VOLTAIRE, Correspondance, 1954, 21 juin 1761.

Au sing. *Courtiser* (→ Efflanquer, cit. 3) ; *taquiner la muse. Congédier la muse* (→ Envoyer, cit. 24).

Loc. *La dixième muse* (en parlant d'une poétesse, d'une abstraction. → Loisir, cit. 15).

♦ **2.** (1548). Fig. *Les Muses* (vx), *la Muse* : la poésie*. ⇒ **Luth, lyre** (cit. 2 et 6). *Cultiver les muses. La Muse au cabaret,* recueil de poèmes de R. Ponchon. — Genre poétique. *La muse tragique. La muse épique des anciens* (→ Face, cit. 41).

5 Enfin Malherbe vint (...)
(...) Et réduisit la muse aux règles du devoir. BOILEAU, l'Art poétique, I.

6 Jeune, je cultivais les Muses : il n'y a rien de plus poétique, dans la fraîcheur de ses passions, qu'un cœur de seize années. CHATEAUBRIAND, René.

(1549). *La muse d'un poète* : le caractère particulier de son inspiration, de sa poésie (→ Attaquer, cit. 30 ; bond, cit. 3, Boileau ; agréer, cit. 9, La Fontaine ; augurer, cit. 3, Chateaubriand). « *Muse aventurière* » (cit. 14 et 15). *La muse de Voltaire* (→ Emprunter, cit. 11).

7 Mais sa muse *(de Ronsard)* en français parlant grec et latin.
BOILEAU, l'Art poétique, I.

La Muse française, revue littéraire fondée en 1823, organe de l'École romantique.

♦ **3.** Littér. (au vocatif ou avec un compl. en *de,* ou un possessif). L'inspiration* poétique, souvent évoquée sous les traits d'une femme*. *Invoquer sa Muse* (→ Laurier, cit. 3).

8 Ô ma pauvre Muse ! est-ce toi ?
Ô ma fleur ! ô mon immortelle !
Seul être pudique et fidèle
Où vive encor l'amour de moi !
Oui, te voilà, c'est toi, ma blonde,
C'est toi, ma maîtresse et ma sœur !
A. DE MUSSET, Poésies nouvelles, « Nuit de mai ».

9 Travaille, travaille, écris, écris tant que tu pourras, tant que ta muse t'emportera. C'est là le meilleur coursier, le meilleur carrosse pour se voiturer dans la vie.
FLAUBERT, Correspondance, 102, septembre 1845.

10 Ma pauvre muse, hélas ! qu'as-tu donc ce matin ?
Tes yeux creux sont peuplés de visions nocturnes (...)
BAUDELAIRE, les Fleurs du mal, VII, « La muse malade »
(Cf. aussi « Ô muse de mon cœur... », La muse vénale).

11 J'allais sous le ciel, Muse ! et j'étais ton féal (...)
RIMBAUD, Poésies, XXIII.

♦ **4.** (1552). Vx ou plais. Inspiratrice* d'un poète, d'un écrivain. *Louise Colet, l'ex-* (cit.) *muse de Flaubert.*

12 (...) au fond de toute vocation de poète (...) il y a quelque amour de femme (...) il faut au poète, si classique qu'il soit, une muse un peu plus accessible et moins nuageuse qu'une des neuf vieilles filles nichées sur le Parnasse au double chef.
Th. GAUTIER, les Grotesques, IX.

Femme qui encourage la poésie, tient salon littéraire... *La Muse du département,* roman de Balzac.

DÉR. V. Musée, muséum.
HOM. 2. Muse.

2. MUSE [myz] n. f. — 1561 ; déverbal de 1. *muser.*

♦ Vén. Rut du cerf.

HOM. 1. Muse.

MUSEAU [myzo] n. m. — 1200, *musel* ; de l'anc. franç. *mus ; du lat. pop. *musum* ; de même orig. que *muser**.

♦ **1.** Partie antérieure de la face (de certains animaux : mammifères, poissons,...) lorsqu'elle fait saillie en avant (⇒ **Longirostre**). *Partie antérieure du museau des ruminants* (⇒ **Mufle**), *du porc* (⇒ **Groin**), *du chien* (⇒ **Truffe**). *Museau de chien* (→ Lévrier, cit. 1), *de renard* (→ Mesure, cit. 4), *de chat* (→ Exubérance, cit. 3), *d'ours* (→ Flairer, cit. 1), *de bélier* (→ Guetter, cit. 9), *de singe* (→ Maki, cit.), *de rongeur* (→ Incisif, cit. 1). *Museau de l'âne* (→ Brusque, cit. 6). *Museau de brochet, de marsouin* (cit.), *de requin,...* — REM. On ne dit pas *museau* en parlant du cheval.

1 Le chien vint à moi, et posa son museau sur ma cuisse. Un museau long, un peu pointu, noir. Je le caressai. Ce museau était tiède.
H. BOSCO, Un rameau de la nuit, p. 165.

Par analogie et par plaisanterie :

2 C'était un visage fin, intelligent, rusé, une espèce de museau de singe et de diplomate (...)
HUGO, Notre-Dame de Paris, I, III.

Museau de bœuf, de porc : préparation de mufle, de joues, de lèvres et de menton de ces animaux. *Museau à la vinaigrette, à la sauce piquante. Salade de museau.*

Loc. fig. (1759). Anat. *Museau de tanche :* partie du col utérin qui fait saillie dans le vagin.

♦ **2.** (1676). Techn. Partie externe des pannetons d'une clé.

(1694). Accotoir de stalle (souvent décoré d'un museau, d'un mufle d'animal).

♦ **3.** (XIIIᵉ). Fam. Visage*, figure (⇒ aussi **Bouche**, et **tête**). — Vx. « *Il lui a donné sur le museau* » (Académie). — *Fricassée de museaux :* embrassade (→ Essuyer, cit. 3); *se fricasser* (cit. 3), *se frotter* (cit. 9) *le museau :* s'embrasser. *Se graisser** (cit. 1 et 4) *le museau.* — *Affreux, vilain museau* (→ Abstenir, cit. 1; arder, cit. 2).

Visage irrégulier mais agréable. *Joli museau* (→ Grand, cit. 40). — (À un enfant). *Va laver ton museau, tu es tout barbouillé de confitures !*

Ces jolis museaux si fins, si éveillés, si espiègles, d'une irrégularité si piquante, d'un chiffonné si gracieux (...)   Th. GAUTIER, Souvenirs de théâtre..., Gavarni.
Moi, je l'attendais, tranquille. Il passait, et en me voyant là, souriante, le museau levé, il me donnait une petite tape sur la joue (...)   ZOLA, la Bête humaine, I.

DÉR. Museler, muselière, musoir. — V. aussi Muser, muserolle.
COMP. Casse-museau.

MUSÉE [myze] n. m. — XIIIᵉ, «temple des Muses»; du lat. *museum*, grec *mouseîon*.

♦ **1.** (1732, *muséon, museum*). Hist. (avec la majuscule). *Le Musée :* le musée d'Alexandrie, centre d'études scientifiques créé par les Ptolémées à Alexandrie, non loin de la célèbre Bibliothèque.

Par anal. «Lieu destiné à l'étude des Beaux-arts, des Sciences et des Lettres» (Académie 1762); «cabinet d'homme de lettres» (Trévoux, 1743).

L'homme Savant dans son Musée (...)
(...) Se flatte en son âme abusée,
Qu'il va saisir la vérité.   Mercure, mai 1733, *in* TRÉVOUX (éd. 1771).
Ce n'est pas sans la plus vive satisfaction que nous vous dédions cet Almanach de nos Grands Hommes qui fleurissent dans les Musées depuis leur fondation jusqu'en l'an de grâce 1788.   RIVAROL, Littérature, III.

♦ **2.** (1762; *museum*, 1746). Mod. Établissement dans lequel sont rassemblées et classées des collections d'objets présentant un intérêt historique, technique, scientifique, et, spécialt, artistique, en vue de leur conservation et de leur présentation au public. ⇒ **Cabinet, collection** (cit. 5). → Fraterniser, cit. 4. *Musée de peinture* (⇒ **Pinacothèque**), *de sculpture. Musée d'art. Musée lapidaire. Musée de pierres gravées* (⇒ **Glyptothèque**)... *Musée des antiques, archéologique. Musée de cires, le musée Grévin. Musée de l'Armée, de la Marine..., des Arts et Métiers* (⇒ **Conservatoire**) *Musée scientifique, d'Histoire naturelle* (⇒ **Muséum**); *musée de l'Homme. Musée folklorique. Musée des arts et traditions populaires.* — *Musée du Louvre, du Prado, du Vatican* (→ 1. Glacier, cit. 3), *de l'Ermitage. Musée consacré à un seul artiste, à une école...* — *Départements, galeries, fondations, collections d'un grand musée. Expositions, présentations; réserves; laboratoire d'un musée. Conservateur, gardien de musée. Catalogue d'un musée. Musée national, municipal. Direction des musées de France. Étude, science des musées.* ⇒ **Muséographie, muséologie.**

Loc. (1893). *Objet, pièce de musée,* digne d'être présenté dans un musée. — REM. Dans le langage courant et lorsqu'on ne précise pas, *musée* s'entend des collections artistiques.

Je suis las des musées, cimetières des arts.
LAMARTINE, Voyage en Orient, 1835, Athènes.
Ce qui entend le plus de bêtises dans le monde est peut-être un tableau de musée.   Ed. et J. DE GONCOURT, Idées et Sensations, p. 152.
Le rôle des musées dans notre relation avec les œuvres d'art est si grand, que nous avons peine à penser qu'il n'en existe pas, qu'il n'en exista jamais, là où la civilisation de l'Europe moderne est ou fut inconnue (...) ils ont imposé au spectateur une relation toute nouvelle avec l'œuvre d'art. Ils ont contribué à délivrer de leur fonction les œuvres d'art qu'ils réunissaient (...) Les cabinets d'antiques et les collections existaient au XVIIᵉ siècle, mais ne modifiaient pas, à l'égard de l'œuvre d'art, une attitude dont Versailles est le symbole. Le musée sépare l'œuvre du monde «profane» et la rapproche des œuvres opposées ou rivales. Il est une confrontation de métamorphoses.   MALRAUX, les Voix du silence, p. 11.
M. Georges Salles a ainsi défini le musée moderne : « Il est un laboratoire et il est un théâtre. »   G. POISSON, les Musées de France, p. 12.

♦ **3.** Lieu rempli d'objets rares, précieux, beaux. *Son appartement est un véritable musée.*

Par appos. *Ville musée.*

Nous aimons des villes-musées — et toutes nos villes sont un peu comme des musées où nous vagabondons parmi les demeures des ancêtres. New York n'est pas une ville-musée; pourtant aux yeux des Français de ma génération, elle a déjà la mélancolie du passé.   SARTRE, Situations III, p. 122.

Par ext. Collection, réunion de choses du même genre. « *La grammaire* (cit. 6, Claudel), *musée de formes délicates* ». *Un «musée d'inepties»* (→ Absurdité, cit. 3, France). Loc. fam. *Musée des horreurs :* réunion de choses horribles, macabres, et, par ext. très laides.

Un vaste salon, sorte de musée où étaient entassées, avec tous les trésors de la nature minérale, des œuvres de l'art, des merveilles de l'industrie, apparut aux yeux des colons, qui durent se croire féeriquement transportés dans le monde des rêves.   J. VERNE, l'Île mystérieuse, t. II, p. 799.   7.1

Par anal. *Le Musée imaginaire* (cit. 5, Malraux), l'ensemble des œuvres d'art que les techniques d'exposition et de reproduction rendent accessibles à chacun.

Le Musée transforme l'œuvre en objet (...) Alors que le Musée Imaginaire ajoute à chaque vrai Musée (...) la cathédrale, le tombeau, la caverne qu'aucun autre ne pourrait posséder (...)   MALRAUX, la Métamorphose des dieux, I, Introd.   8

COMP. **Muséographie, muséologie.** — Écomusée.
HOM. Muser.

MUSELER [myzle] v. tr. — Conjug. *appeler.* — 1372; de *musel, museau.*

♦ **1.** Empêcher* (un animal) d'ouvrir la gueule, de mordre* en lui emprisonnant le museau. ⇒ **Muselière.** *Museler un chien, un cheval,... un furet* (cit. 1). — Au p. p. *Taureau muselé* (→ 1. Lice, cit. 5).

Les chiens sont muselés à Hambourg toute la semaine, excepté le dimanche, où ils peuvent mordre à gueule que veux-tu.   Th. GAUTIER, Voyage en Russie, II.   1

♦ **2.** (Fin XVIIᵉ). Fig. Empêcher de parler, de s'exprimer; réduire au silence. ⇒ **Bâillonner, dompter, enchaîner, garrotter, soumettre, taire** (faire). *Museler un calomniateur. Museler l'opposition, le peuple, les masses* (→ Anarchie, cit. 4). *Museler la presse par une censure rigoureuse.* — *Museler les passions.*

(...) la Restauration finira par avoir raison de la Presse, la seule puissance à craindre. On a déjà trop attendu, elle devrait être muselée. Profitez de ses derniers moments de liberté pour vous rendre redoutable.   BALZAC, Illusions perdues, Pl., t. IV, p. 795.   2
Supprimer lois, tribune et presse; museler
La grande nation comme une bête fauve (...)   HUGO, les Châtiments, VI, XI.   3
Des passions, il y en a ici, dans l'air, comme ailleurs. Mais, tu comprends, des passions qui se laissent si quotidiennement museler, ça n'offre pas grand danger... Ça n'est pas très contagieux (...)   MARTIN DU GARD, les Thibault, t. IV, p. 71.   4

CONTR. et COMP. Démuseler.
DÉR. Musellement.

MUSELET [myzlɛ] n. m. — 1903; de *museau.*

♦ Techn. Armature de fils métalliques qui coiffe le bouchon des bouteilles de boissons alcooliques gazeuses (champagne, en particulier).
DÉR. Museleter.

MUSELETAGE [myzlɛtaʒ] n. m. — 1911; de *museleter.*

♦ Techn. Opération par laquelle on muselète (des bouteilles).

MUSELETER [myzlɛte] v. tr. — Conjug. *jeter.* — 1911; de *muselet.*

♦ Techn. Munir (une, des bouteilles) d'un muselet.
DÉR. Museletage, museleteuse.

MUSELETEUSE [myzletøz] n. f. — 1923; de *museleter,* et -*euse.*

♦ Techn. Machine à museleter.

MUSELIÈRE [myzəljɛR] n. f. — XIIIᵉ; de *musel, museau.*

♦ Appareil servant à museler certains animaux, en leur entourant le museau (→ 2. Croc, cit. 2). *Muselière en cuir, pour chien. Muselière d'osier, de fil de fer. Muselière de cheval. Muselière pour agneau en bas âge.* ⇒ **Caveçon** (spécialt). *Mettre* (⇒ **Museler**), *enlever* (⇒ **Démuseler**) *la muselière à un chien.*

Avec les morceaux de ficelle (...) il confectionna fort vite une solide muselière dans laquelle il enferma le museau du vieux fouinard (...)
L. PERGAUD, De Goupil à Margot, IV.

Par ext. *La muselière de la censure.* ⇒ **Bâillon.**

MUSELLEMENT ou **MUSÈLEMENT** [myzɛlmɑ̃] n. m. — 1868, *musellement; musèlement,* 1848, *in* D.D.L.; de *museler.*

♦ Action de museler. *Musellement d'un chien.* — Fig. *Le musellement de l'opposition.*

MUSÉO- Élément, de *musée.*

MUSÉOGRAPHE [myzeɔgRaf] n. — 1953; de *muséo-*, et *-graphe.*

♦ Didact. Spécialiste de muséographie. *Une éminente muséographe.*

MUSÉOGRAPHIE [myzeɔgʀafi] n. f. — 1842 ; de *muséo-*, et *-graphie*.
Didactique.

♦ **1.** Description, histoire des musées ; étude des collections.

♦ **2.** Techniques de l'établissement et de l'organisation des musées, de la présentation de leurs collections. *Ce musée a d'admirables collections, mais la muséographie y est très archaïque.*

DÉR. Muséograhique.

MUSÉOGRAPHIQUE [myzeɔgʀafik] adj. — 1846 ; de *muséographie*.

♦ Didact. Qui concerne la muséographie, et, par ext., la muséologie. *Recherche, programme muséographique. Méthodes, installations, richesses muséographiques d'une ville, d'un pays* (théoriquement, l'adj. *muséologique* conviendrait mieux, dans ces syntagmes).

MUSÉOLOGIE [myzeɔlɔʒi] n. f. — 1931 ; de *muséo-*, et *-logie*.

♦ Didact. Ensemble des connaissances scientifiques, techniques et pratiques concernant la conservation, le classement et la présentation des collections de musées ; cet ensemble, constitué en discipline autonome (et faisant notamment l'objet d'un enseignement).

(...) les musées où dormaient des trésors ignorés de la foule sont sortis de leur poussiéreux sommeil. De l'état de simples dépôts où s'accumulaient des chefs-d'œuvre méconnus, ils sont devenus aussi respectés des temples, les banques ou les laboratoires (...). C'est ainsi que la muséologie est née de cette rénovation des musées du monde (...)   Luc BENOIST, Musée et Muséologie, p. 3.

DÉR. Muséologique, muséologue.

MUSÉOLOGIQUE [myzeɔlɔʒik] adj. — V. 1955 ; de *muséologie*.

♦ Didact. Qui concerne la muséologie. *Innovations muséologiques.* ⟹ **Muséographique** (plus courant).

MUSÉOLOGUE [myzeɔlɔg] n. — 1968 ; de *muséologie*, et *-logue*.

♦ Didact. Spécialiste de la muséologie.

1. MUSER [myze] v. intr. — V. 1159, « rester le museau en l'air » ; même rad. que *museau*. → Amuser ; p.-ê. du lat. *musinari*, var. de *muginari*, de *mugire* « retentir, résonner », d'où un verbe roman **musare* (Guiraud).

♦ **1.** Vieilli ou littér. Perdre son temps à des bagatelles, à des riens. ⟹ **Baguenauder, flâner, musarder, traîner** (→ Déballer, cit. 1). *Muser le long du chemin.* ⟹ **Attarder** (s') ; → Grappiller, cit. 1 ; horde, cit. 2.

1   J'aime à m'occuper à faire des riens, à commencer cent choses et n'en achever aucune, à aller et venir comme la tête me chante, à changer à chaque instant de projet, à suivre une mouche dans toutes ses allures, à vouloir déraciner un rocher pour voir ce qui est dessous, à entreprendre avec ardeur un travail de dix ans, et à l'abandonner sans regret au bout de dix minutes, à muser enfin toute la journée sans ordre et sans suite, et à ne suivre en toute chose que le caprice du moment.-   ROUSSEAU, les Confessions, XII.

2   De toutes les écoles que j'ai fréquentées, c'est l'école buissonnière qui m'a paru la meilleure et dont j'ai le mieux profité. Il n'est tel que de muser, ô mes amis.   FRANCE, le Petit Pierre, VIII.

Par anal. *Un « paquebot paresseux qui devait (...) muser aux escales »* (Duhamel, *in* G. L. L. F.).

♦ **2.** (V. 1354). Vén. Être en rut, rechercher la femelle, en parlant du cerf (⟹ 2. **Muse**).

DÉR. Musard, 2. muse, museur, musoir. — V. aussi Musette. — 1. Muse.
COMP. Amuser.
HOM. Musée, 2. muser.

2. MUSER [myze] v. intr. — D. i. ; de l'anc. franç. *muse* « musette » ; → 1. Musette.

♦ Régional (Belgique). Faire un bruit sourd à bouche fermée (chahut, protestation).

HOM. Musée, 1. muser.

MUSEROLLE [myzʀɔl] n. f. — 1593 ; ital. *museruola*, de *muso* « museau ».

♦ Techn. Pièce de harnais* ; partie de la bride qui se place sur le chanfrein. — Spécialt. Pièce de l'armure* (cit. 4) du cheval protégeant le chanfrein, le nez.

1. MUSETTE [myzɛt] n. f. et m. — 1285 ; de l'anc. franç. *muse*, même sens, du verbe *muser* « jouer de la *muse* ». → Cornemuse ; le rapport avec la famille de 1. *muser**, *museau* est probable.

★ **I.** ♦ **1.** N. f. Ancienmt. Instrument de musique à vent, cornemuse* alimentée par un soufflet. ⟹ **Loure** (→ Accord, cit. 19 ; bal-

ler, cit. 2). *Le sac, l'outre ; le soufflet, les tuyaux* (⟹ **Chalumeau**) *d'une musette. Chant, bourdon* d'une musette. « Jouez, hautbois, résonnez, musettes ! »* (vers d'un cantique de Noël). *La musette des bergers.*

1   Je gage une musette, au lieu de ton vaisseau (...)
(...) Son ventre est peau de cerf, ses anches sont de coudre,
Son bourdon est de buis, son pipeau de prunier.   RONSARD, Églogues, V.

Par ext. Air, danse du XVIIIᵉ siècle, « dont la mesure est à deux ou trois temps, le caractère naïf et doux, le mouvement un peu lent » (Rousseau, *Dictionnaire de musique*). *Jouer, danser une musette.*

♦ **2.** *Musette pastorale :* instrument de musique champêtre à tube droit, à anche double. ⟹ **Hautbois, bombarde.**

♦ **3.** (1893). Par appos. *Bal-musette* (d'abord « bal champêtre où l'on danse au son de la cornemuse, de la musette ») : bal populaire où l'on danse, généralement au son de l'accordéon, certaines danses (javas, valses, fox-trot, etc.) dans un style particulier. *Accordéon musette, orchestre musette. Valse musette.*

2   La joie des bals-musettes écume dans les corridors des bouges et vient refluer jusque sur la chaussée.   G. DUHAMEL, Salavin, III, I.

N. m. *Le musette :* le genre de musique que jouent les orchestres musettes. *Acheter des disques de musette.* — Fam. *Un musette :* un bal-musette (→ Biguine, cit. 2).

2.1   Des airs d'accordéon s'échappent ici d'une salle humide et basse où le patron, juché sur une petite estrade, donne à danser (...) Lorsque j'ai fait représenter *Mon homme*, après la guerre, on ne connaissait pas beaucoup la rue de Lappe, mais quelques jours après la répétition générale, cette rue se trouva lancée. Elle ne comptait encore que de petits « musette » assez crasseux (...)
     Francis CARCO, Nostalgie de Paris, p. 29-30.

3   (...) ils allèrent dans un musette boire un dernier verre.
     R. QUENEAU, Pierrot mon ami, éd. L. de Poche, p. 111.

★ **II.** N. f. ♦ **1.** (1812). Petit sac* de toile, qui se porte souvent en bandoulière. *Musette de fantassin, d'ouvrier...* (→ Chanteau, cit. ; déguiser, cit. 16 ; 1. lancer, cit. 6). *Musette à pansements. Musette de pansage des cavaliers.*

4   Quand vous cherchez dans vos musettes
Votre gamelle ou votre quart (...)   ARAGON, le Crève-cœur, p. 40.

5   (...) le matin, des types les dépassaient en sifflant, une musette sur le dos, courbés sur le guidon de leurs vélos.   SARTRE, le Sursis, p. 14.

(1871). Vieilli. Cartable d'écolier.

Loc. fig. et fam. (1903). *Qui n'est pas dans une musette :* très grand, exceptionnel en son genre, qui dépasse la mesure habituelle.

6   (...) ils vouaient à nos grands chefs une de ces admirations qui n'était pas dans une musette (...)   CÉLINE, Voyage au bout de la nuit, p. 77.

♦ **2.** (1825 ; avec influence probable de *museau*). Mangeoire portative en toile, qu'on suspend au cou d'une bête de somme. *La musette d'un âne, d'un cheval. Regarnir la musette de picotin.*

7   Les ânons donnaient des coups de nez dans leur musette pour faire remonter le maigre picotin.   G. DUHAMEL, Salavin, VI, IX.

2. MUSETTE [myzɛt] n. f. — Déb. XVIᵉ ; fém. de *muset* ; du même rad. que *musaraigne*.

♦ Régional. Musaraigne commune.

MUSÉUM [myzeɔm] n. m. — XVIᵉ, *musaeum* ; « musée de peinture », 1756 ; lat. *museum*. → Musée.

♦ **1.** Vx. Musée (aux sens 1 et 2). — Spécialt. *Le muséum* (ou *Muséon*) *d'Alexandrie.*

♦ **2.** (1778). Mod. Musée consacré aux sciences naturelles. ⟹ **Cabinet** (d'histoire naturelle). *Des muséums.* — Absolt. *Le Muséum :* le Muséum d'histoire naturelle de Paris (appelé avant 1793 « Jardin des Plantes »). → Animalier, cit.

MUSEUR, EUSE [myzœʀ, øz] n. — Fin XVIᵉ ; *museor*, v. 1280 ; de 1. *muser*.

♦ Rare, vieilli. Promeneur, flâneur.

1. MUSICAL, ALE, AUX [myzikal, o] adj. — Fin XIVᵉ ; *muzical*, mil. XIVᵉ ; de *musique*.

♦ **1.** Qui est propre, appartient à la musique. *Son* musical. Intervalle musical. Échelle* musicale. Notation* musicale. Expression, langue* (cit. 47), *phrase musicale* (→ Arpège, cit. 1 ; exprimer, cit. 36). *Thème, motif musical. Prosodie* musicale. Art musical. Études musicales. Composition* (cit. 6), *œuvre musicale* (→ 2. Canon, cit. 6 ; chorégraphe, cit.). *Formation* musicale.*

Ce n'est qu'après trente à quarante ans d'exercice que mon oncle *(Rameau)* a entrevu les premières lueurs de la théorie musicale.
     DIDEROT, le Neveu de Rameau, Pl., p. 446.

(...) Swann tenait les motifs musicaux pour de véritables idées, d'un autre monde, d'un autre ordre, idées voilées de ténèbres, inconnues, impénétrables à l'intelli-

gence, mais qui n'en sont pas moins parfaitement distinctes les unes des autres, inégales entre elles de valeur et de signification.
PROUST, À la recherche du temps perdu, t. II, p. 177.

Qui produit un son musical. *Arc* musical, scie* musicale.*

Qui est relatif à la musique, qui concerne la musique. — Vx. *L'organe musical* (Rousseau) : l'oreille. — Mod. *Goûts musicaux* (→ Former, cit. 24). *Don, génie musical* (→ Grouper, cit. 4). — *Soirée, séance, émission musicale.* ⇒ **Concert, récital.** *Fête musicale* (→ Festival, cit.). — Vx. *Théâtre musical* : théâtre lyrique* (→ Amplification, cit. 2; hautain, cit. 10; impur, cit. 2). — Mod. *Comédie musicale* (spécialt, genre cinématographique). — *La critique musicale. Le critique musical d'un journal. Revue, gazette musicale* (→ Leitmotiv, cit. 1).

♦ **2.** Qui a les caractères de la musique. *Voix assez, très musicale.* ⇒ **Doux, harmonieux, mélodieux.** *Son très musical d'un récepteur radiophonique.* ⇒ **Musicalité.** *Fréquence* musicale. Vers musicaux* (→ Indéfini, cit. 12). *Phrases musicales. Style musical d'un écrivain.* — *Accent* (cit. 1) *musical.*

3 Sous l'incantation de ses yeux bleus, sa voix doucement musicale faisait penser à la plainte poétique d'une fée.
PROUST, À la recherche du temps perdu, t. IX, p. 111.

4 (...) elle (*Mme de Chateaubriand*) ne se soucie guère d'ordonner en musicales périodes son ressentiment légitime. Émile HENRIOT, Portraits de femmes, p. 278.

(V. 1700). Par ext. *Avoir l'oreille musicale,* apte à saisir les sons et leurs combinaisons. ⇒ **Musicien.**

DÉR. **Musicalement, musicalisation, musicalisme, musicalité.**

2. MUSICAL, ALS [myzikal] n. m. — V. 1970; mot amér., spécialisation de l'adj. *musical.*

♦ *Comédie musicale.* « *Festival Fred Astaire-Ginger Rogers. Le couple ailé du musical américain* » (*le Nouvel Obs.,* 11 déc. 1972). *Des musicals.*

MUSICALEMENT [myzikalmã] adv. — 1380, sens 2; de 1. *musical.*

♦ **1.** (1874). Conformément aux règles de la musique. — En ce qui concerne la musique. *Être doué musicalement.*

♦ **2.** D'une manière musicale, harmonieuse. *Parler musicalement.*

MUSICALISATION [myzikalizasjõ] n. f. — 1968; de *musical,* par un verbe virtuel *musicaliser.*

♦ Didact. Fait de donner un caractère musical (à qqch.). — Spécialt. Insistance sur l'aspect musical, recherche de la musicalité.

Jamais réduite à la rigueur d'une dimension, l'écriture de Joyce et de ses contemporains renvoie à la parole, la musicalisation l'égarant dans l'indéterminé en rapprochant le discours du chant.
Henri LEFEBVRE, la Vie quotidienne dans le monde moderne, p. 17.

MUSICALISME [myzikalism] n. m. — 1922, *in* G. L. E., 1963; de 1. *musical,* et *-isme.*

♦ Didact. Théorie artistique de la mise en rapport du rythme en musique et dans les arts plastiques (lignes, couleurs).

MUSICALITÉ [myzikalite] n. f. — 1835, *in* D. D. L., « qualité musicale »; de 1. *musical.*

♦ **1.** Qualité de ce qui est musical. *Musicalité d'un récepteur radiophonique, d'une chaîne.* ⇒ **Fidélité.** — Par ext. *Musicalité du jeu d'un interprète.*

♦ **2.** Caractère musical (dans un domaine autre que la musique). *La musicalité des vers, du style. Écrivain, prosateur d'une grande musicalité.*

H. de Régnier (...) séduit profondément par sa musicalité continue, son don extraordinaire de rendre moelleuse et sensuelle la substance verbale.
A. THIBAUDET, Hist. de la littérature franç., p. 489.

MUSICASSETTE [myzikasɛt] n. f. — 1965; marque déposée; de *musique,* et *cassette*.*

♦ *Cassette* de musique enregistrée.*

MUSICASTRE [myzikastʀ] n. m. — 1857; de *musicien,* et suff. péj. *-astre.*

♦ Vx, littér. Mauvais musicien.

MUSIC-HALL [myzikol] n. m. — 1862; mot angl., proprt « salle de musique », de *music* et *hall.*

♦ **1.** Établissement qui présente un spectacle de variétés. *Un petit music-hall. Cabaret music-hall. Chanteuses, acrobates, danseurs*

(⇒ **Boy**; → Exercice, cit. 6), *danseuses* (⇒ **Girl,** cit. 1) *de music-hall. Aller au music-hall.*

— Nous n'avions aucune idée que la police intérieure fût aussi sévère au café-concert... — C'est un music-hall, ici, ce n'est pas un café-concert. D'ailleurs, il faut ça. Sans quoi, on en verrait !... Moi, je peux recevoir dans ma loge, c'est sur mon contrat.
COLETTE, Mitsou, I.

♦ **2.** Genre de spectacle présenté par un tel établissement. *Aimer le music-hall. C'est du music-hall.* → 2. Burlesque.

MUSICIEN, ENNE [myzisjɛ̃, ɛn] n. — V. 1361; *musecien,* XIIIe; de *musique.*

♦ **1.** Personne qui est douée pour la musique; en connaît l'art, est capable d'apprécier la musique.

Le hasard donc conduisit en ce même endroit Figaro le barbier, beau diseur, mauvais poète, hardi musicien, grand fringueneur de guitare, et jadis valet de chambre du comte (...) BEAUMARCHAIS, le Barbier de Séville, Lettre sur la critique. [1]

Il y a soixante ou trente ans, ou même vingt, de bons musiciens ou des amateurs qui croient l'être, ont trouvé horribles les septièmes diminuées de *Tristan,* les neuvièmes de *Pelléas* et nos chères onzièmes (...) André SUARÈS, Valeurs, p. 295. [2]

Adj. *Il est très musicien. Des chanteurs peu musiciens* (→ Grégorien, cit. 2). — (XVIIIe). Par ext. *Avoir l'oreille musicienne.* ⇒ **Musical.**

Elle était assez musicienne, mais n'aimait pas la musique, — comme beaucoup d'Allemandes. Mais, comme beaucoup d'Allemandes, elle croyait devoir l'aimer (...) R. ROLLAND, Jean-Christophe, Le matin, III, p. 191. [3]

♦ **2.** (V. 1361). Personne dont la profession est d'exécuter, de diriger, ou de composer de la musique. ⇒ **Artiste; arrangeur, compositeur, exécutant, interprète; chanteur, choriste, coryphée, instrumentiste, orchestre** (chef d'orchestre); **maestro, maître** (de chapelle).

(...) c'est que j'ai toujours vécu avec de bons musiciens et de méchantes gens; d'où il est arrivé que mon oreille est devenue très fine et que mon cœur est devenu sourd. DIDEROT, le Neveu de Rameau, Pl., p. 489. [4]

Spécialt. **[a]** ⇒ **Compositeur.** *Le poète et le musicien* (→ Balbutier, cit. 14; idiome, cit. 2). *Pièces composées par des musiciens en renom* (→ Ariette, cit. 2). *Bach et Mozart, grands musiciens du XVIIIe siècle. Musiciens romantiques,... contemporains. Musicien contrapontiste, harmoniste... mélodiste, symphoniste... Style d'un musicien.*

Aucun musicien n'excelle, comme Wagner, à *peindre* l'espace et la profondeur, matériels et spirituels. BAUDELAIRE, l'Art romantique, XXI, I. [5]

Des gens aussi savants devaient naturellement en remontrer aux musiciens passés. Ils trouvaient des fautes dans Beethoven, donnaient de la férule à Wagner. Rien n'existait pour eux, à cette heure de la mode, que Jean-Sébastien Bach et Claude Debussy. R. ROLLAND, Jean-Christophe, Foire sur la place, I, p. 685. [6]

[b] (XVIIe). ⇒ **Instrumentiste;** (pop.) **musicot.** *Musicien qui joue d'un instrument.* ⇒ **Joueur** (de...); **accordéoniste, altiste** (ou **alto**), **bassiste, bassoniste** (ou **basson**), **batteur, cithariste, clarinettiste** (ou **clarinette**), **claveciniste, contrebassiste** (ou **contrebasse**), **cornemuseur** (ou **cornemuse**), **cornettiste** (ou **cornet**), **corniste** (ou **cor**), **cymbalier, flûtiste** (ou **flûte**), **guitariste, harpiste, hautboïste, mandoliniste, organiste, pianiste, saxophoniste** (et ellipt. **alto, baryton, ténor**), **tambour, tambourinaire, timbalier, trombone, trompettiste** (ou **trompette**), **vielleur, violiste, violoniste** (ou **violon**), **violoncelliste** (ou **violoncelle**), **vibraphoniste, xylophoniste...** et aussi **sonneur.** *Musicien qui joue seul* (⇒ **Soliste**), *qui accompagne* (⇒ **Accompagnateur**), *joue dans un orchestre** (⇒ **Concertiste, exécutant**). *Musiciens, poètes ambulants d'autrefois.* ⇒ **Jongleur, ménestrel, ménétrier, minnesinger, troubadour, trouvère.** *Musicien très habile.* ⇒ **Amphion** (vx). *Musiciens qui interprètent de la musique classique, jouent de la musique de danse, de la musique militaire... Musiciens de jazz* (angl. *jazzman*), *de rock. Musicien pop. Groupe*,* ensemble de musiciens. *Musiciens qui font un bœuf*. Musiciens accordant* leurs instruments* (→ 2. Estrade, cit. 4). *Jeu, technique,... toucher, phrasé, brio d'un musicien. Musicien dont la technique est parfaite.* ⇒ **Virtuose.** *Musicien qui joue médiocrement, mal.* ⇒ **Croque-notes** (vx), **massacreur** (⇒ Compositeur, cit.), **musicastre.** *Musicien premier prix de Conservatoire.*

À leurs pupitres, les musiciens accordaient leurs instruments, avec des trilles légers de flûte, des soupirs étouffés de cor, des voix chantantes de violon, qui s'envolaient au milieu du brouhaha grandissant des voix. ZOLA, Nana, I. [7]

[c] Vx. (Langue class.). Chanteur. «*Ainsi que le musicien chante...* » (La Bruyère).

♦ **3.** (Av. 1850). Artiste doué de musicalité (2.).

(...) on peut très légitimement admettre que Racine, parfait musicien du vers et lui-même réputé pour son entente de la déclamation, ait travaillé de près avec son interprète favorite (*la Champmeslé*) les rôles qu'il lui destinait (...) Émile HENRIOT, Portraits de femmes, p. 67. [8]

DÉR. **Musicastre.**

MUSICO [myziko] n. m. — 1728; mot néerl., de *music* « musique ».

♦ Vx. Cabaret où l'on fait de la musique.

Et songez-vous sans frissonner à ce que deviendront ces petits garçons, ces petites filles, auxquelles vous ôtez leur père, c'est-à-dire leur pain ? Est-ce que vous comp-

tez sur cette famille pour approvisionner dans quinze ans, eux le bagne, elles le musico? Oh! les pauvres innocents!
HUGO, le Dernier Jour d'un condamné, Œ. compl., t. VI, p. XVII.

HOM. Musicot.

MUSICO- Élément de mots savants relatifs à la musique. — Ex. : (outre les mots traités ci-dessous) *musicolâtre,* adj.; *musicophage,* adj. (1962, Sauguet, *in* D.D.L.); *musicophobe,* adj. (1855).

MUSICOGRAPHE [myzikɔgʀaf] n. — 1850, *in* D.D.L.; «instrument pour écrire la musique», 1846; de *musico-,* et *-graphe.*

♦ Didact. Auteur qui écrit sur la musique, l'histoire de la musique et des musiciens.

Tous les musicographes ne sont point, il s'en faut, des musicologues.
R. DUMESNIL, *in* le Monde, 20 août 1958.

DÉR. Musicographie.

MUSICOGRAPHIE [myzikɔgʀafi] n. f. — 1907; de *musicographe.*

♦ Didact. Écriture, discours critique sur la musique; description des œuvres musicales.

DÉR. Musicographique.

MUSICOGRAPHIQUE [myzikɔgʀafik] adj. — 1907; «relatif à la notation musicale», 1843, *in* D.D.L.; de *musicographie.*

♦ Didact. Relatif à la musicographie. *Recherches musicographiques.*

MUSICOLOGIE [myzikɔlɔʒi] n. f. — Déb. xxᵉ; de *musico-,* et *-logie.*

♦ Branche du savoir qui a trait à la théorie, à l'esthétique et à l'histoire de la musique. *Institut de musicologie. Musicologie comparée.* ⇒ **Ethnomusicologie.**

MUSICOLOGUE [myzikɔlɔg] n. — 1889, *in* D.D.L.; de *musico-,* et *-logue.*

♦ Spécialiste de musicologie. *Une musicologue, spécialiste de Schubert.*

Quand, par exemple, on dit, ainsi que font nos musicologues, que la pensée de Beethoven s'incorpore dans la forme «Sonate» de son temps, on n'a rien dit (...)
R. ROLLAND, Vie de Beethoven, p. 18.

MUSICOMANE [myzikɔman] n. — 1777, *in* D.D.L.; de *musico-,* et *-mane.*

♦ Rare. Personne qui a une passion maniaque pour la musique (⇒ **Mélomane**). — Adj. (1820). «... *ton génie musicomane*» (G. Sand, *in* D.D.L.).

MUSICOMANIE [myzikɔmani] n. f. — 1779, *in* D.D.L.; de *musico-,* et *-manie.*

♦ Rare. Passion maniaque pour la musique (⇒ **Mélomanie**).

MUSICOT [myziko] n. m. — Déb. xxᵉ, *musico, Nouveau Larousse illustré;* de *musique,* et suff. pop. *-ot, -o.*

♦ Pop. (Argot milit.). Musicien.

(Ils trébuchent) dès les premières mesures et le régiment, au port d'armes, écoute, navré, les rots affolés des trombones, les cris éperdus de la clarinette égarée. Ils lâchent un à un, les musicots, leurs instruments retombent (...)
Roger VERCEL, Capitaine Conan, I, p. 18.

HOM. Musico.

MUSICOTHÉRAPIE [myzikoteʀapi] n. f. — 1907; de *musico-,* et *-thérapie.*

♦ Didact. Traitement médical des affections nerveuses, psychiques, par la musique. «*La musicothérapie* (...) *donnerait de bons résultats dans le cas d'affections mentales chez l'enfant*» (*Sciences et Avenir,* nᵒ 415, p. 1692).

MUSIQUE [myzik] n. f. — V. 1130; aussi «ensemble des arts dans l'antiquité grecque», 1748; lat. *musica,* grec *mousikê,* de *mousê* «muse».

★ I. ♦ 1. Art de combiner des sons d'après des règles (variables selon les lieux et les époques), d'organiser une durée avec des éléments sonores; production de cet art (sons ou œuvres). *L'art* (I., 3.) *de la musique. La musique était un des sept arts libéraux. Euterpe, muse de la musique. La musique considérée comme le plus émotionnel* (cit. 3) *de tous les arts. La musique, couronne-*

ment (cit. 6) *des arts, pourrait englober tous les autres* (→ Fusion, cit. 9). *La musique, science des sons* (→ Croche, cit.), *langage des sons, moyen d'expression. Théories et polémiques sur la nature et l'objet de la musique : la musique traduit des sentiments et des émotions, imite la nature, évoque des images, exprime une pensée... La musique «impuissante à exprimer quoi que ce soit» institue «un ordre entre l'homme et le temps»* (Stravinsky). *Étude sur la musique, l'histoire de la musique.* ⇒ **Musicographie, musicologie.**

Comme donc la peinture n'est pas l'art de combiner des couleurs d'une manière agréable à la vue, la musique n'est pas non plus l'art de combiner des sons d'une manière agréable à l'oreille. S'il n'y avait que cela, l'une et l'autre seraient au nombre des sciences naturelles et non pas des beaux-arts. C'est l'imitation seule qui les élève à ce rang.   ROUSSEAU, Essai sur l'origine des langues, XIII.   **1**

Vous ne voyez que ce que la peinture vous montre, vous n'entendez que ce que le poète vous dit, la musique va bien au delà (...) La musique seule a la puissance de nous faire rentrer en nous-mêmes; tandis que les autres arts nous donnent des plaisirs définis.   BALZAC, Gambara, Pl., t. IX, p. 436.   **2**

Et de même que certains êtres sont les derniers témoins d'une forme de vie que la nature a abandonnée, je me demandais si la musique n'était pas l'exemple unique de ce qu'aurait pu être — s'il n'y avait pas eu l'invention du langage, la formation des mots, l'analyse des idées — la communication des âmes.   PROUST, À la recherche du temps perdu, t. XII, p. 70.   **3**

Si la musique nous est si chère, c'est qu'elle est la parole la plus profonde de l'âme, le cri harmonieux de sa joie et de sa douleur.   R. ROLLAND, Musiciens d'autrefois, p. 262.   **4**

Si je pouvais faire comprendre, en une page ou deux de prose, ce que dit la *Neuvième Symphonie,* il n'y aurait plus de *Neuvième Symphonie.* Quand la musique imite le vent ou la pluie, elle perd son temps; quand elle décrit les passions tragiques, elle perd son temps. Je reconnais l'œuvre d'art à ceci, qu'elle n'exprime qu'elle-même (...)   ALAIN, Propos, 3 juin 1921, Du langage propre à chaque art.   **5**

Qu'est-ce que la Musique? On disait au XVIIIᵉ siècle que c'était l'art de combiner les sons d'une manière agréable à l'oreille. Définition en partie vraie, mais en partie seulement. Car des combinaisons sonores qui offensent l'oreille peuvent avoir leur raison d'être, musicale ou expressive. D'ailleurs, autant d'auditeurs, autant de manières de ressentir l'agrément de l'oreille (...)   Initiation à la musique, p. 1-4.   **6**

Les musiciens purent apprendre aux philosophes à dire cette énigme : dans la musique tout est nombre et quantité (les intervalles, les rythmes, les timbres) et tout est lyrisme, orgie ou rêve. Tout est vital et vitalité et sensibilité, et tout y est analyse, précision, fixité. Seuls les plus grands surent maintenir ces deux «aspects».-   Henri LEFEBVRE, la Vie quotidienne dans le monde moderne, p. 44.   **6.1**

Impressions fugitives (cit. 14), *charme puissant de la musique* (→ Établir, cit. 35). *Joies, plaisirs de la musique.* — Loc. prov. *La musique adoucit les mœurs.* — *Connaître, comprendre, apprécier, aimer la musique. Avoir du goût* (cit. 23) *en musique; du goût pour la musique. Être amateur de musique, fou* (1. Fou, cit. 34) *de musique.* ⇒ **Dilettante, mélomane, musicomane; mélomanie, musicomanie, philharmonie** (vx). *Avoir le génie* (cit. 22) *de la musique. Ne pas aimer la musique, être insensible à la musique* (→ Barbare, cit. 13). ⇒ **Amusie.** «*La musique m'embête*» (→ Ignorer, cit. 26, Renard).

La Musique adoucit un cœur, tant soit-il dur.   RONSARD, Pièces posthumes, Second livre des hymnes, X.   **7**

La musique est une langue qu'on ne saurait parler sans génie, mais qu'on ne saurait entendre non plus sans un goût délicat, sans des organes exquis et exercés.   CHAMFORT, Maximes, XXIX.   **8**

Les anciens prétendaient que les nations avaient été civilisées par la musique, et cette allégorie a un sens très profond (...)   Mᵐᵉ DE STAËL, De l'Allemagne, I, XIX.   **9**

L'habitude de la musique et de sa rêverie prédispose à l'amour. Un air tendre et triste (...) excitant purement à la rêverie de l'amour, est délicieux pour les âmes tendres et malheureuses (...)   STENDHAL, De l'amour, XVI.   **10**

Dans la musique, comme dans la peinture et même dans la parole écrite, qui est cependant le plus positif des arts, il y a toujours une lacune complétée par l'imagination de l'auditeur.   BAUDELAIRE, l'Art romantique, «Richard Wagner», XXI, I.   **11**

Ô musique, qui ouvres les abîmes de l'âme! Tu ruines l'équilibre habituel de l'esprit. Dans la vie ordinaire, les âmes ordinaires sont des chambres fermées... Mais la musique tient le magique rameau qui fait tomber les serrures. Les portes s'ouvrent. Les démons du cœur paraissent.   R. ROLLAND, Jean-Christophe, Buisson ardent, II, p. 1377.   **12**

Que la musique exprime la joie, la tristesse, la pitié, la sympathie, nous sommes à chaque instant ce qu'elle exprime. Non seulement nous, mais beaucoup d'autres, mais tous les autres aussi. Quand la musique pleure, c'est l'humanité, c'est la nature entière qui pleure avec elle.   H. BERGSON, les Deux Sources de la morale et de la religion, p. 36.   **13**

Musique vocale, produite par la voix humaine (⇒ **Chant, voix**). *Musique instrumentale* (⇒ **Instrument**; vx, **organique**). *Musique vocale seule.* ⇒ **A cappella.** *La musique est souvent instrumentale et vocale à la fois.* ⇒ **Canevas, libretto, livret, parole, prosodie.** *Musique électronique, électro-acoustique* (⇒ **Synthétiseur**).

Il paraît que la *musique* a été l'un des premiers arts (...) Il est très vraisemblable aussi que la *musique* vocale a été trouvée avant l'instrumentale, si même il y a jamais eu parmi les anciens une *musique* vraiment instrumentale, c'est-à-dire faite uniquement pour les instruments.   ROUSSEAU, Dict. de musique, Musique.   **14**

La musique instrumentale est aussi généralement cultivée en Allemagne que la musique vocale en Italie; la nature a plus fait à cet égard, comme à tant d'autres, pour l'Italie que pour l'Allemagne; il faut du travail pour la musique instrumentale, tandis que le ciel du Midi suffit pour rendre les voix belles (...)   Mᵐᵉ DE STAËL, De l'Allemagne, I, II.   **15**

Régional (Savoie, Suisse, Canada, Réunion). Loc. *Musique à bouche.* → Harmonica.

Elles, elles se sont remises à chanter. Alors Fabien sort sa musique à bouche et il fait de l'accompagnement.   **15.1**
C.-F. RAMUZ, le Village dans la montagne, t. III, p. 111.

Spécialt. La partie musicale (d'une chanson), opposée aux paroles. *Paroles et musique d'une chanson* (cit. 8). — Loc. *Mettre* (un texte, des paroles) *en musique* (→ Gagner, cit. 23; grégorien, cit. 1). *Comédie* (cit. 1) *en musique.*

16 Votre femme chantait délicieusement
De très anciens vers miens par vous mis en musique (...)
VERLAINE, Dédicaces, XXVII.

Grands genres de musique. ⇒ **Contrepoint, mélodie; harmonie; plain-chant; homophonie, monodie, polyphonie; organum.** *Musique tonale, atonale, bitonale, polytonale.* ⇒ **Ton.** *Musique modale.* ⇒ **Mode.** *Musique sérielle, dodécaphonique.* ⇒ **Série.** — *Musique concrète,* à base de sons naturels, musicaux ou non (bruits).

17 (...) que l'oreille prenne goût à ces dissonances, de même que, dans un autre domaine, l'œil à des disharmonies picturales plus subtiles, il va sans dire (...) Ne prétendant plus à la consonance et à l'harmonie, vers quoi s'achemine la musique? Vers une sorte de barbarie. Le son même, si lentement et exquisement dégagé du bruit, y retourne. GIDE, Journal, 28 févr. 1928.

18 La musique «concrète» (...) est constituée à partir d'éléments préexistants, empruntés à n'importe quel matériau sonore, bruit ou son musical, puis composée expérimentalement par un montage direct, résultat d'approximations successives (...)
P. SCHAEFFER, *in* G. PICON, Panorama des idées contemporaines, p. 472.

Vocabulaire et notation de la musique. ⇒ **Portée** (ligne, interligne); **accolade; note; clé; tablature.** — (Hauteur du son). ⇒ **Son; chiffre** (vx); **neume** (vx), **note** (do *ou* ut, ré, mi, fa, sol, la, si); **échelle** (diatonique, chromatique), **gamme, gradation; mode (modalité, modulation, muance); ton** (majeur, mineur, relatif), **tonalité; intervalle** (comma, demi-ton, octave, quarte, quinte, seconde, septième, sixte, tierce, triton; enharmonie, enharmonique); **degré** (dominante, harmonique, médiante, modal [notes modales], sensible, tonique [ou finale]); **accident, altération** (bécarre, bémol, dièse), **armature** ou **armure.** — (Signes de durée relative). ⇒ **Note** (figures de notes : carrée [vx], blanche, croche, noire, ronde), **liaison, point; brève, pointée, tenue** (note); **sextolet; triolet; pédale** (de basse); **silence** (pause, soupir), **point** (d'orgue). — (Rythme de l'œuvre musicale). ⇒ **Mesure** (simple, composée; binaire, ternaire), **barre** (de mesure), **rythme; temps** (fort, faible, frappé); **anacrouse, contretemps, syncope; isorythmie.** — (Durée absolue et modification de durée). ⇒ **Mouvement** (et liste des termes italiens qui s'y rapportent), **tempo** (⇒ **Agogique**). — (Groupe de sons simultanés). ⇒ **Accord, consonance** (octave, quarte, quinte, sixte, tierce, unisson), **dissonance** (cit. 3), **harmonie; anticipation, remplissage, renversement** (d'accord). — (Groupe de sons successifs). ⇒ **Agrément** (appogiature, gruppetto, mordant, trille), **arpège, batterie, fioriture, fusée, glissando, ornement, phrase, roulade, tirade, trait, trémolo, vibrato.** — (Signes de répétition d'un passage). ⇒ **Renvoi, reprise.** — (Indications et nuances). ⇒ **Amabile, amoroso, appassionato, crescendo, da capo, decrescendo, diminuendo, dolce, dolcissimo, espressione** (con), **espressivo, forte, forte-piano, fortissimo, legato, mezza-voce, pianissimo, piano, pizzicato, poco** (poco a poco), **rinforzando, sforzando, sostenuto, sotto voce, staccato, tacet, tenuto, tutti, volta, volti,** et aussi **accentué, coulé, détaché, lié, piqué, tremblé.** — (Qualité du son et registre vocal, instrumental). ⇒ **Hauteur, intensité, timbre, volume; 1. ambitus, diapason, étendue, tessiture. Aigu, grave, médium. Alto, baryton, basse, contralto, mezzo-soprano, soprano, ténor; sprechgesang.** — (Éléments et parties d'une œuvre musicale). ⇒ **Sujet, thème; incise, leitmotiv, motif, phrase; accompagnement, basse, cadence, canon, chant, cellule, continuo, contre-chant, contrepartie, fugue, fugué** (partie fuguée), **imitation, mélodie, modulation, récitant** (partie récitante), **récitatif, réexposition, refrain, ritournelle, solo, voix. Morceau, mouvement, partie, passage; coda, finale; entrée** (de ballet), **introduction, ouverture, prélude.**

Formes principales de la musique. ⇒ **Ambigu, antienne, aria, ariette, arioso, ballade, ballet, canon, cantate, chaconne, chanson, chœur, choral, concerto, divertissement, étude, fantaisie, fugue, impromptu, intermède, lied, madrigal, mélodie, menuet, messe, motet, opéra, opérette, oratorio, passacaille, passion, poème** (symphonique), **prélude, psaume, quatuor, rapsodie, requiem, romance, rondo, scherzo, sérénade, sonate, sonatine, suite, symphonie, toccata, trio, variation.** — ⇒ aussi **Agnus dei, air, allemande, aubade, bacchanale, barcarolle, berceuse, bergerette, boléro, bourrée, cantilène, cantique, canzonette, caprice, capricio, carillon, cassation, cavatine, chant, complainte, concertino, conduit, courante, csardas, entracte, fanfare, gavotte, gigue, gloria, hymne, interlude, invention, kyrie, magnificat, marche, mazurka, mélopée, miserere, nocturne, noël, novelette, partita, pas, passe-pied, pastorale, pastourelle, pavane, polonaise, postlude, prologue, ranz, rigodon, sarabande, sonnerie, symfonietta, te deum, valse, vêpres...** et **danse.**

Imitation (⇒ **Pastiche**), *mélange en musique* (⇒ **Centon, pot-pourri**). *Musique pour piano, pour piano et violon...* — *Musique de chambre.* Anciennt. Musique vocale et instrumentale exécutée dans la chambre des princes. Mod. Musique pour un petit nombre de musiciens. ⇒ **Octuor, quatuor, quintette, septuor, sextuor, sonate** (à deux instruments), **terzetto, trio.** *Musique pour orchestre de chambre, ensemble* instrumental. Musique concertante*. Musique d'harmonie*. Musique d'orchestre, orchestrale, symphonique.* ⇒ **Formation, orchestre.** — *Musique d'église, musique religieuse, sacrée, spirituelle* (→ Crucifixion, cit.). *Musique profane.* — *Musique de danse* (⇒ **Danse**), *de ballet. Musique de théâtre, de scène, musique dramatique.* ⇒ **Lyrique** (drame, théâtre lyrique), **mélodrame** (vx), **opéra, opéra-comique, opérette.** *Musique de film. Musique de cirque, de foire, de manège... de bal, de café-concert... Musique d'ambiance*. Musique de marche, musique militaire.* — *Musique classique,* opposé à *musique légère** (⇒ **Musiquette**), à *musique de jazz* (⇒ **Jazz;** → Blues, cit.), à *musique pop* (⇒ **Pop, rock and roll**), *folk,* etc. — *Musique ancienne, moderne. Musique classique,* opposé à *musique romantique,* à *musique moderne. Grandes écoles de musique classique : musique allemande, italienne, française* (→ Exprimer, cit. 35). *Musique contemporaine.* — *Musique exotique, folklorique.* ⇒ **Folklore.** *Musique afro*-cubaine, brésilienne* (⇒ **Bossa-nova**), *espagnole* (⇒ **Flamenco;** → Fandango, cit. 2), *hongroise* (⇒ **Tzigane**), *japonaise* (⇒ **Bugaku, gagaku**). *Le negro spiritual, le blues, musique des Noirs d'Amérique.*

J'ai pour la musique de chambre une dilection toute particulière. Elle n'est pas moins majestueuse, moins noble que la musique du concert ou du théâtre, mais elle est plus familière, plus près de mon cœur. 19
G. DUHAMEL, Musique consolatrice, *in* Classe de franç., janv.-févr. 1956, p. 27.

Musique imitative (→ Imitation, cit. 11), *descriptive, expressive* (cit. 4), *lyrique, héroïque* (cit. 8). *Musique à programme. Musique facile; savante. Bonne, mauvaise musique. Musique discordante* (⇒ **Cacophonie, charivari**), *agréable, juste* (⇒ **Euphonie, eurythmie**). *Musique grossière, criarde* ⇒ **Bastringue** (cit. 3), **flonflon.** *Musique dansante, entraînante; suave* (→ Aubade, cit. 1), *câline* (→ Énervant, cit. 1). *Une musique qui berce, émeut, obsède* (→ Entêtant, cit.). *Musique joyeuse, gaie; triste, monotone, ennuyeuse... Musique douce,* facile et de faible niveau sonore, composant un fond sonore. *Petite musique.* ⇒ **Zizique** (fam.).

(...) ces rossignolades *(de Rossini)* forment une sorte de musique bavarde, caillette, parfumée, qui n'a de mérite que par le plus ou moins de facilité du chanteur et la légèreté de la vocalisation. L'école italienne a perdu de vue la haute mission de l'art. BALZAC, Gambara, Pl., t. IX, p. 431. 20

Puis le concert commence, des chants dont le sens m'échappe, une musique monotone, aux répétitions obstinées, qui semble faite pour endormir la pensée et réveiller les choses. Jérôme et Jean THARAUD, Rabat, IX. 21

Apprendre, étudier (cit. 8) *la musique* (→ Balle, cit. 5). ⇒ **Méthode, solfège,** (anciennt) **solmisation.** *Cultiver* (cit. 17 et 18) *la musique. Professeur de musique. Exercices de musique.* ⇒ **Étude, partimento; facture, virtuosité** (morceau de). *École, conservatoire de musique.* ⇒ **Conservatoire, maîtrise.** *Société de musique.* ⇒ **Orphéon, philharmonique** (société). *Académie de musique.*

Quand je songe au bienfait de la musique, à la richesse qu'elle apporte, à la noblesse qu'elle confère, à l'accent qu'elle met sur toutes nos pensées, sur nos sentiments et nos émotions, je m'étonne que son enseignement ne soit pas absolument obligatoire et poussé fort loin partout, sans défaillance. 22
G. DUHAMEL, Inventaire de l'abîme, XV.

Écrire, composer, faire de la musique.* ⇒ **Compositeur, musicien; composition; arranger, arrangement; facture; harmoniser, harmonisation; improviser, improvisation; instrumentation; noter, notation; orchestrer, orchestration; transcrire, transcription; transposer, transposition.** *Œuvre de musique.* ⇒ **Morceau, page, pièce, opus.** — *Société des Auteurs, Compositeurs et Éditeurs de Musique* (S.A.C.E.M.).

Les habitants des villes et des campagnes, les soldats et les laboureurs *(allemands)*, savent presque tous la musique; il m'est arrivé d'entrer dans de pauvres maisons noircies par la fumée de tabac, et d'entendre tout à coup non seulement la maîtresse, mais le maître du logis, improviser sur le clavecin, comme les Italiens improvisent en vers. Mme DE STAËL, De l'Allemagne, I, II. 23

Exécuter, interpréter, jouer, faire de la musique (→ Contribution, cit. 3). ⇒ **Musicien; chanter, jouer, musiquer; déchiffrer** (déchiffrage), **lire** (lecture, solfier, solmiser, solmisation); **accompagner, harmoniser; battre** (la mesure), **doigter; appuyer, arpéger, attaquer, démancher, détacher, emboucher, filer, lourer, marteler, moduler, nuancer, perler, phraser, pincer, plaquer, pointer, ponctuer, réciter, scander, soutenir, tenir, toucher, triller, varier; jouer** (au métronome; en mesure, à contre-mesure, à contretemps; juste, faux); **canard, couac** (faire un), **croquer** (une note), **détonner, escamoter, massacrer; exécution, interprétation, intonation, jeu, mécanisme, sonorité, technique, toucher, vélocité, virtuosité.** ⇒ aussi **Musicien.**

(...) Vous faites de la musique? demanda-t-elle. — Non, mais je l'aime beaucoup, répondit-il. FLAUBERT, Mme BOVARY, II, II. 24

«Je serais très heureuse de vous faire de la musique, me dit Mme de Cambremer. Mais, vous savez, je ne joue que des choses qui n'intéressent plus votre génération. J'ai été élevée dans le culte de Chopin», dit-elle à voix basse, car elle redoutait sa belle-fille et savait que celle-ci, considérant que Chopin n'était pas de la musique, le bien jouer ou le mal jouer étaient des expressions dénuées de sens. Elle reconnaissait que sa belle-mère avait du mécanisme, perlait les traits. 25
PROUST, À la recherche du temps perdu, t. IX, p. 273-274.

Entendre, écouter de la musique. ⇒ **Audition, auditoire; concert, festival, récital** (→ aussi Matinée*, soirée* musicale). *Lieux où l'on écoute de la musique.* ⇒ **Auditorium, odéon, opéra, salle** (de concert), **théâtre** (lyrique); **café-concert, music-hall...** *Musique jouée dans le kiosque* d'un jardin public. Écouter de la musique à la radio.* ⇒ **Émission** (cit. 4). *Musique mécanique*. Boîte* à musique. Musique enregistrée.* ⇒ **Enregistrer; bande, cassette, chaîne, disque, électrophone, magnétophone, phonographe, pick-up.** *Musique en monophonie, en stéréophonie, en quadriphonie. Musique de disques. Musique variée, ininterrompue...* — *Dîner en musique,* en écoutant de la musique (→ Fête, cit. 13). *Travailler en musique.*

Alors, pendant tout le concert, j'offrais à ce visage inconnu les puissantes émotions soulevées par la musique (...) A. MAUROIS, Climats, I, III. 26

27 Cela s'appelle «les disques». C'est de la musique en boîtes de conserve.
                        G. DUHAMEL, Scènes de la vie future, III.

♦ **2.** (1669). Musique écrite, œuvre musicale écrite. *Savoir lire la musique.* ⇒ **Partition.** — (XIXe; *papier de musique,* 1690). *Papier à musique :* papier sur lequel sont imprimées des portées*. Fig. *Être réglé comme du papier à musique :* avoir des habitudes très régulières, ou encore, être organisé, prévu dans tous ses détails, en parlant d'une chose. — *Cahier, album, livre, recueil de musique. Carton, casier, pupitre à musique. Marchand de musique. Savoir lire, déchiffrer la musique. Rousseau copiait* (cit. 2) *de la musique pour vivre* (⇒ **Noteur**). *Jouer sans musique,* par cœur.

28 Mais je ne peux pas! Et puis j'ai perdu ma musique à Aix!
                        COLETTE, la Vagabonde, p. 46.

♦ **3.** (1553). Vx. Groupe organisé de musiciens qui ont coutume de jouer ensemble. ⇒ **Groupe, orchestre.** *La musique de la chambre, de la chapelle du roi.* — Spécialt. Mod. *Musique militaire, musique d'un régiment.* ⇒ **Clique** (cit. 2), **fanfare, nouba** (→ Cornet, cit.). *Musique de la Garde Républicaine. La musique de la flotte. Chef de musique. La musique jouait la marche du régiment* (→ Clairon, cit. 2). *Régiment qui marche musique en tête* (→ Fournaise, cit. 8). — Fig., fam. *En avant la musique!* : Allons-y! (cit. 29.1, ci-dessous). — *Musique d'un régiment qui donne un concert dans un jardin public* (→ Gratifier, cit. 3). — Par ext. *Aller à la musique.* — *Musique d'une société sportive, d'une société philharmonique,... musique municipale.* ⇒ **Harmonie.** *Enfants qui suivent la musique dans la rue le soir de la retraite aux flambeaux.*

29 J'arrive sur la grand'place. La musique du 3e de ligne, qu'un peu de pluie n'épouvante pas, vient de se ranger autour de son chef.
                        Alphonse DAUDET, Lettres de mon moulin, « À Milianah ».

29.1 Prenez, prenez; amusez-vous, allez au cabaret, allons-y tous, en avant la musique!
                        F. MALLET-JORIS, le Jeu du souterrain, p. 159.

♦ **4.** Vx. ⇒ **Concert.**
30 (...) il y a des musiques tous les soirs.   Mme DE SÉVIGNÉ, 425, 7 août 1675.

♦ **5.** (1690). Fig. (du 1.) et fam. (dans des loc.). Cris, discours pénibles et incessants. *Faire de la musique :* crier, protester. — *C'est toujours la même musique. Changer de musique.* ⇒ **Chanson, histoire.** *Changer de musique :* parler d'autre chose. ⇒ **Disque, refrain.**

31 (...) Ferai-je bien ou mal de l'épouser? — L'un ou l'autre. — Ah! ah! voici une autre musique. Je vous demande si je ferai bien d'épouser la fille dont je vous parle.
                        MOLIÈRE, le Mariage forcé, 5.
Loc. (1880). *Connaître la musique :* savoir de quoi il retourne, savoir comment s'y prendre (→ pop. Connaître la java*).

31.1 (...) on se marre avec on les fait chier tandis que les vieux ils connaissent la musique il faut vraiment y passer gare à tes fesses (...)
                        Tony DUVERT, Paysage de fantaisie, p. 185.

★ **II.** Par anal. ♦ **1.** (1664). Suite, ensemble de sons rappelant la musique. ⇒ **Bourdonnement, bruit, harmonie, mélodie, murmure.** *La musique des oiseaux* (→ Cage, cit. 3; concert, cit. 20), *des cigales* (→ Bruissement, cit. 2). ⇒ **Chanson.** *Sa voix argentine... Musique de cette âme où tout semblait chanter* (→ Écho, cit. 14, Lamartine). ⇒ **Musical.**

32 Dans la maison entière, d'ailleurs, une lamentation montait. On pleurait à tous les étages, une musique de malheur ronflant le long de l'escalier et des corridors.
                        ZOLA, l'Assommoir, t. II, X, p. 120.

♦ **2.** (Av. 1778). Qualité d'harmonie* (d'un texte). ⇒ **Musicalité** (2.). *Musique d'une langue* (→ Entracte, cit. 2). *La langue française veut satisfaire à la musique* (→ Euphonie, cit. 2). *La musique du discours* (→ Attention, cit. 20), *de la phrase, ... d'un poème* (→ Écrire, cit. 41). « *Le vers est la musique de l'âme* » (Voltaire). « *De la musique avant toute chose...* » (→ Impair, cit. 1, Verlaine).

33 (...) Mallarmé n'a pas été très satisfait de voir Claude Debussy écrire une partition de musique pour son poème. Il estimait, quant à lui, que sa musique à lui suffisait et que c'était un véritable attentat contre la poésie que de juxtaposer (...) la musique, fût-ce la plus belle, à sa poésie.
                        VALÉRY, Variété, Études littéraires, Mallarmé, in Œ., t. I, p. 670.

34 La langue française est difficile. Elle répugne à certaines douceurs. C'est ce que Gide exprime à merveille en disant qu'elle est un piano sans pédales. On ne peut en noyer les accords. Elle fonctionne à sec. Sa musique s'adresse plus à l'âme qu'à l'oreille.
                        COCTEAU, la Difficulté d'être, p. 201.

♦ **3.** *Musique intérieure.* ⇒ **Intérieur** (cit. 3). *La Musique intérieure,* œuvre de Ch. Maurras.

35 Mais il *(Verlaine)* ne passe pour tel que parce qu'il est un barbare, un sauvage, un enfant... Seulement cet enfant a une musique dans l'âme, et, à certains jours, il entend des voix que nul n'avait lui entendues (...)
                        Jules LEMAÎTRE, les Contemporains, « Verlaine », III.

36 Les phrases passionnées de Lady Caroline n'étaient pour lui qu'un bruit fatigant et vulgaire qui couvrait sa musique intérieure.   A. MAUROIS, Byron, II, XVI.

DÉR. Musical, musicien, musico-, musicot, musiquer, musiquette. — Zizique.
COMP. Musicassette.

MUSIQUER [myzike] v. — Fin XIVe; de *musique*.
Vieux.

♦ **1.** V. intr. Jouer de la musique.
1 Après le dîner on fit apporter de la musique. Nous musiquâmes tout le jour au clavecin du prince (...)   ROUSSEAU, les Confessions, VIII.

♦ **2.** V. tr. (1583). Mettre en musique. — Au p. p. « *Des scènes de tragédie ou de comédie musiquées* » (Diderot).

Ils ne savent pas encore ce qu'il faut mettre en musique, ni par conséquent, ce qui convient au musicien (...) Il n'y a pas six vers de suite dans tous leurs charmants poèmes qu'on puisse musiquer.
                        DIDEROT, le Neveu de Rameau, Pl., p. 48).

Par métaphore :
Les tramways feux verts sur l'échine
Musiquent au long des portées
De rails leur folie de machines   APOLLINAIRE, Alcools, p. 34.

MUSIQUETTE [myziket] n. f. — 1875; dimin. de *musique*.

♦ **1.** Musique facile, sans valeur artistique. *Il n'aime que la musiquette.*

Cette *Symphonie pastorale,* avec ses imitations du cri des oiseaux, elle trouva cela puéril... En vérité, elle n'écoutait pas, elle ne pouvait pas écouter. La moindre musiquette aurait bercé aussi bien sa rêverie.
                        MONTHERLANT, les Jeunes Filles, p. 87.

♦ **2.** Fam., rare. (De *musique,* I., 3.). Petite fanfare.
Une horde d'anciens combattants, drapeaux et musiquette en avant, remontaient les Champs-Élysées pour aller donner du feu à leur malheureux pote.
                        René FALLET, le Triporteur, p. 337.

MUSLI [mysli] n. m. ⇒ **Müesli.**

MUSOIR [myzwaʀ] n. m. — 1757; de *museau*.
Technique.

♦ **1.** Pointe extrême d'une digue*, d'une jetée*, ou d'un môle* (→ Estuaire, cit. 1). — (Québec). Extrémité d'un îlot* directionnel, ou tête d'îlot (n. normalisé, O. L. F., 18 avril 1980).
Quand l'eau profonde monte aux marches du musoir.   HUGO, la Légende des siècles, LII, II.

♦ **2.** (1828). Tête d'une écluse.

MUSQUÉ, ÉE [myske] adj. — 1530, sens 2; de *musc*.

♦ **1.** (1580). Parfumé avec du musc. *Gants musqués. Chevelure musquée.*
Il était dans un petit salon boisé, doré et musqué comme une bonbonnière, au fond d'un grand fauteuil de damas violet.
                        A. DE MUSSET, Nouvelles, « Deux maîtresses », VII.

♦ **2.** (Dans des loc.). Qui dégage une odeur rappelant celle du musc. *Rat* musqué.* ⇒ **Ondatra** (→ Mocassin, cit.). *Bœuf musqué.* ⇒ **Ovibos.** *Capricorne musqué.*
Vieilli. Dont la saveur rappelle celle du musc. *Raisin musqué* (⇒ **Muscat**). *Poire musquée. Canard* musqué,* à chair musquée.

♦ **3.** (1690). Fig., vx. ⇒ **Affecté, recherché.** *Style musqué.*
(...) mon premier langage était scintillant et musqué comme l'épée de bal et la poudre (...)   A. DE VIGNY, Stello, XX.
Littér. Affecté dans son style. — Relevé, piquant (→ Poivré). *Des « romans musqués et égrillards »* (Taine).

MUSSE [mys] n. f. — Fin XVIe, *muce*; «cachette», v. 1190; de *musser*.

♦ Vén. Passage étroit d'un gibier dans une haie.

MUSSE-POT (À) [amyspo] loc. adv. (1798). ⇒ **Muche-pot** (à).

MUSSER [myse] v. tr. et pron. — V. 1240; *mucier,* v. 1119; var. *mucher*;* lat. pop. **muciare.*

♦ Vx ou dial. Cacher. ⇒ **Mucher** (→ Loge, cit. 1).
Tasie, sans répondre, bâillait, mussait sa tête aux creux de son bras replié.
                        M. GENEVOIX, Raboliot, I, I.

DÉR. Musse.
COMP. Musse-pot (à).

MUSSIF [mysif] adj. m. — 1792; anc. franç. *music,* lat. *(aurum) musivum* «or mosaïque».

♦ Techn. *Or mussif :* bisulfure d'étain, d'une belle couleur jaune doré, utilisé pour bronzer les statuettes de plâtre.

MUSSIPONTAIN, AINE [mysipɔ̃tɛ̃, ɛn] adj. et n. — 1874; *mussi-,* latinisation de *-mousson,* lat. *pons, pontis,* et suff. *-ain.*

♦ Originaire de Pont-à-Mousson. Qui concerne cette ville. — N. *Un mussipontain.*

MUSSITATION [mysitasjɔ̃] n. f. — 1810; «murmure», 1375; lat. *mussitatio,* de *mussitare* «parler à voix basse».

◆ Méd. Mouvement des lèvres sans émission d'aucun son, que l'on observe dans certaines maladies graves accompagnées de troubles cérébraux.

MUSTANG [mystãg] n. m. — 1840, *in* D. D. L. ; mot anglo-amér., de l'esp. *mestengo* « sans maître, vagabond ».

◆ Cheval* à demi sauvage d'Amérique. *Des Indiens montent sur leurs mustangs.*

Il chevauche en tête monté sur son mustang *Wild Bill* (...)
B. CENDRARS, l'Or, III, 10.

MUSTÉLIDÉS [mystelide] n. m. pl. — 1872 ; *mustélins*, 1827 ; dér. sav. du lat. *mustella* « belette ».

◆ Zool. Famille de mammifères carnivores, renfermant des animaux assez différents par leurs dimensions, leur morphologie et leurs mœurs, mais généralement sanguinaires et nocturnes, de petite taille, bas sur pattes, avec un corps étroit et allongé, et une fourrure recherchée. *Principaux types de mustélidés :* belette, blaireau, fouine, furet, glouton, hermine, loutre, martre, mouffette, putois, ratel, vison, zibeline, zorille. — Au sing. *Un mustélidé :* un mammifère appartenant à cette famille.

MUSTELLE ou **MUSTÈLE** [mystɛl] n. f. — 1554 ; du lat. *mustela*.

◆ Motelle (poisson de mer).

MUSTIMÈTRE [mystimɛtR] n. m. — 1903 ; du lat. *mustum* « moût », et -*mètre*.

◆ Techn. Densimètre permettant de mesurer la densité d'un moût et d'apprécier sa teneur en sucre.

MUSULMAN, ANE [myzylmã, an] adj. et n. — 1680 ; *mussulman*, 1593 ; arabe *müslīm* (cas régime plur. *müslīmīn*) « résigné », puis « qui fait profession de l'Islam ».

★ **I.** Adj. ◆ **1.** Qui professe la religion monothéiste révélée par Mahomet (⇒ **Mahométan**) ; qui appartient à la culture liée à cette religion. *Les pays musulmans. Arabes*, Indiens, Turcs musulmans. Population musulmane* (→ Hétéroclite, cit. 2). *Femmes musulmanes voilées du litham*, du tchador. Le monde musulman.* ⇒ **Islam** (cit. 3).

◆ **2.** Qui est propre à l'Islam, relatif ou conforme à sa loi, à ses rites ; qui appartient à la communauté islamique. ⇒ **Islamique.** *Confesser la foi* (cit. 46) *musulmane. Dogme musulman.* ⇒ **Coran, sunna.** *Culte musulman.* ⇒ **Mosquée.** *La circoncision, le ramadan*... rites musulmans. Formule* (cit. 3) *musulmane des serments. Mariage musulman* (→ Après, cit. 5). *Fêtes musulmanes.* ⇒ **Baïram** (ou beïram... ; cf. Fête de l'Aïd-el-Kébir, du Mouloud...). *Calendrier musulman* (⇒ **Hégire**). *Religieux musulmans.* ⇒ **Derviche, fakir, marabout, santon.** *Dignitaires, fonctionnaires musulmans.* ⇒ **Aga, ayatollah, cadi, calife, chérif, iman, mollah, muezzin, mufti, pacha, sultan, uléma, vizir.** *Écoles musulmanes.* ⇒ **Médersa, zaouïa.** — *Le croissant* musulman. L'art musulman.* ⇒ aussi **Mozarabe, mudejar.**

La religion musulmane suppose la soumission des croyants à Dieu. Le musulman a le sentiment de la dépendance totale de l'homme en face d'une toute-puissance illimitée à laquelle il doit obéir en abdiquant toute volonté propre... La confession de foi musulmane est bien connue : « Il n'y a de divinité qu'Allah et Mahomet est Son Prophète ».
G. WIET, *in* Encycl. Pl., Hist. universelle, t. II, p. 54-55.

(...) pour constituer son décor, le monde musulman n'a pas hésité à accepter la plupart des éléments artistiques fournis par Byzance et par la Perse sassanide.
GROUSSET, Hist. universelle des arts, Introd., I, IV.

★ **II.** N. Adepte de l'Islam. ⇒ **Islamite** (vx), **mahométan, sarrasin** (vx) ; **croyant.** *Les musulmans et les infidèles* (⇒ **Giaour**). *Chrétiens et musulmans* (→ Indifférent, cit. 6). *Musulman orthodoxe.* ⇒ **Sunnite.** *Musulmans chi'ites.* ⇒ **Chiite.** *Musulman d'Espagne.* ⇒ **Mudéjar.** *La polygamie est admise chez les musulmans.* ⇒ **Harem** (cit. 3). *Fatalisme* attribué aux musulmans.* — *Une musulmane en babouches* (cit. 4).

(...) je n'ai point remarqué chez les chrétiens cette persuasion vive de leur religion qui se trouve parmi les musulmans. Il y a bien loin chez eux de la profession à la croyance, de la croyance à la conviction, de la conviction à la pratique.
MONTESQUIEU, Lettres persanes, LXXV.

MUTABILISTE [mytabilist] adj. — xxᵉ ; de *mutabilité.*

◆ Didact., rare. Se dit d'une théorie suivant laquelle les formes vivantes sont mutables, changeantes. ⇒ **Transformisme.** — Spécialt. Mutationniste.

(...) la thèse mutabiliste ou transformiste, qui fait dériver des groupes entiers d'animaux d'une souche commune.
Jean ROSTAND, Esquisse d'une histoire de la biologie, p. 55.

MUTABILITÉ [mytabilite] n. f. — 1170 ; lat. *mutabilitas,* de *mutabilis.* → Mutable.

◆ Littér. Caractère de ce qui est sujet au changement (→ Inconséquent, cit. 2).

La continuité d'un ordre de sensations heureuses ou de sensations malheureuses, ne peut subsister longtemps dans la privation absolue des sensations contraires. La mutabilité des choses de la vie ne permet pas cette constance dans les affections que nous en recevons (...)
É. DE SENANCOUR, Oberman, « Premier fragment », Cinquième année.

Sc. État d'une forme vivante qui subit une mutation.

CONTR. Immutabilité.
DÉR. Mutabiliste.

MUTABLE [mytabl] adj. — 1801 ; attestation isolée, xIVᵉ ; lat. *mutabilis,* de *mutare* « changer ». → Muter.

◆ Sc. Qui est sujet au changement. *Gène mutable.* — Susceptible de mutabilité. ⇒ **Labile.**

1. MUTACISME [mytasism] n. m. — 1968 ; du lat. *mutus* « muet ».

◆ Didact. Refus de parler. ⇒ **Mutisme.**

2. MUTACISME [mytasism] ou **MYTACISME** [mitasism] n. m. — 1803, *mutacisme* ; *mytacisme*, 1868 ; du lat. *my* « lettre grecque *mu* », grec *mû.*

◆ Didact. Mauvaise prononciation de [m], de [b] et de [p], qui sont remplacées par d'autres consonnes.

MUTAGE [mytaʒ] n. m. — 1836 ; de 1. *muter.*

◆ Techn. Action de muter (un moût). *Le mutage a pour but de conserver au moût une partie de son sucre. Mutage à l'alcool.* ⇒ **Mistelle.**

MUTAGÈNE [mytaʒɛn] adj. — V. 1965 ; de *mutation,* et -*gène.*

◆ Biol. Capable de provoquer des mutations biologiques. *Agent mutagène. Radiations mutagènes.* « (Le professeur Jean Bernard) citait le cas des pionniers de la radiologie médicale qui, au début de ce siècle, utilisèrent les rayons découverts par Roentgen. Ignorant les effets destructeurs et mutagènes de ces rayonnements, ils moururent tous de leucémie » (la Recherche, févr. 1974, p. 183). N. m. *Un mutagène.*

On connaît des agents chimiques qui accroissent considérablement la probabilité, c'est-à-dire la fréquence, de ces appariements « illicites ». Ces agents sont de puissants « mutagènes ».
D'autres agents chimiques, capables de s'insérer *entre* les nucléotides dans la fibre d'ADN, la déforment et favorisent ainsi des accidents tels que délétion ou addition d'un ou plusieurs nucléotides.
Jacques MONOD, le Hasard et la Nécessité, p. 237.

REM. La forme *mutogène* fait l'objet d'une recommandation officielle.

MUTAGÉNÈSE [mytaʒenɛz] n. f. — V. 1965 ; de *mutation,* et -*génèse.*

◆ Biol. Production de mutation due à l'action d'agents physiques ou chimiques. *Mutagénèse artificielle.*

MUTANT, ANTE [mytã, ãt] adj. et n. — 1909 ; all. ou angl. *mutant.* → Mutation, muter.

◆ **1.** Biol. Qui présente, qui a subi une mutation. *Gène, caractère, type mutant.* — En parlant d'un organisme, d'un individu particulier :

Dès lors que la nouvelle espèce naît dans un seul individu mutant et non pas, comme l'admet Darwin, dans l'élite de chaque génération, de Vries préférerait au terme de sélection celui d'*élection,* qui s'applique au choix d'un individu, plutôt que d'un groupe.
Jean ROSTAND, Esquisse d'une histoire de la biologie, p. 211.

N. Individu mutant. *Des mutants.*

◆ **2.** N. **ⓐ** Personne qui change d'activité. *Mutant professionnel.*

ⓑ Personne qui se transforme profondément (avec une idée de progrès révolutionnaire). *L'Université des mutants,* à Gorée (Dakar).

Le socialisme peut être et doit être scientifique dans les moyens mis en œuvre pour le réaliser (analyses historiques, stratégie, tactique, méthode d'organisation, planification, etc.) mais la décision par laquelle je deviens un révolutionnaire, un « mutant », qui m'amène à accepter, si c'est nécessaire, de mourir afin que naisse le socialisme, ne peut être déduite ni d'une logique, ni d'une dialectique, ni d'une expérience ou d'une démonstration scientifique.
Roger GARAUDY, Parole d'homme, p. 230.

MUTATION [mytasjɔ̃] n. f — V. 1265, *mutacion* ; lat. *mutatio,* du supin de *mutare* « changer ». → Muter.

◆ **1.** Didact. Changement. ⇒ **Transformation.** « *Nos actions sont en perpétuelle mutation* » (→ Immobile, cit. 15, Montaigne ; et aussi éternel, cit. 1). *Les alchimistes espéraient obtenir la mutation des* *métaux en or.* ⇒ **Conversion, transmutation.** — Spécialt. Change-ment profond, radical (et souvent rapide), opposé à *évolution. Les grandes mutations de l'histoire* (→ Haut, cit. 100). *Mutations dans une langue au cours des siècles* (→ Main, cit. 90).

1   Par le moyen des nues, le caprice du vent change en deux ou trois minutes la face du champ de la mer... Les mutations rapides font penser à celles d'une âme très impressionnable ; elle sourit encore à une idée, que la dure volonté et la tristesse instantanée sont déjà maîtresses de presque toute elle-même.
                               VALÉRY, *Autres rhumbs*, p. 65.

(Répandu mil. xxᵉ, avec influence du sens 5). Cour. Transformation brutale et durable qui affecte la société, une entreprise. *Une société, un secteur de l'économie en pleine mutation.*

1.1   (...) il n'y a pas de développement économique sans mutations industrielles, sans donc des activités en récession et d'autres en expansion (...) Mais d'un autre côté, s'il ne saurait être question d'empêcher les mutations industrielles, il n'est pas pen-sable d'accepter n'importe quelles mutations, dans n'importe quelles conditions.
               Marcel POCHARD, *l'Emploi et ses problèmes*, p. 90.

♦ **2.** (1835). Cour. Affectation à un autre poste, à un autre emploi, etc. *Mutation d'office, sur demande, pour raison de ser-vice. Fonctionnaire qui sollicite sa mutation dans une autre ville.* (⇒ 2. **Muter**). *Mutation d'un officier colonial dans un régiment métropolitain* (cit. 4).

♦ **3.** (1690). Dr. civ. Changement opéré dans le droit de propriété d'un bien ou dans la possession d'un droit.

Dr. fisc. [a] Transmission d'un droit de propriété ou d'usufruit d'une personne à une autre. *Les mutations sont soumises à des droits d'enregistrement* (cit.), dits *droits de mutation* (⇒ **Impôt**). *Trans-cription d'un acte de mutation. Mutation à titre gratuit, à titre onéreux. Mutation par décès* (⇒ **Succession**). — Par métaphore. (→ Fixité, cit. 5).

[b] (1931). Mise à jour des matrices cadastrales, qui consiste à noter les changements survenus, d'une année à l'autre, dans les revenus des contribuables.

Dr. mar. *Mutation en douane :* transfert de la propriété d'un navire.

♦ **4.** (1931). Mus. *Mutation dans une fugue tonale,* consistant en une sorte d'imitation du sujet. — (1840). *Jeux de mutation :* jeux d'orgue* dont chaque note comporte plusieurs tuyaux de différen-tes longueurs et qui émettent les harmoniques des sons fondamen-taux.

♦ **5.** (1884 ; en all., de Vries ; cf. l'emploi du mot au sens 1, appliqué aux espèces animales, chez Lamarck, 1809). Biol. Modification brus-que et permanente de caractères héréditaires, due à une lésion de la molécule d'ADN qui constitue le gène. *Fréquence des mutations. Facteurs influençant les mutations.* ⇒ **Mutagène.** *Étude des muta-tions par les généticiens* (cit. 1). ⇒ **Génétique.** *Mutations et héré-dité*. Mutations naturelles ou provoquées* (par irradiation, etc.).

2   La mutation résulte d'un changement survenu dans le nombre ou dans la qua-lité des gènes que renferment les cellules sexuelles (...) Infiniment diverses, les mutations modifient non seulement la structure externe, mais encore la structure interne, le fonctionnement des organes, les instincts, la résistance vitale, etc... Elles surviennent soudainement, sans lien visible avec les conditions du milieu.
               Jean ROSTAND, *la Vie et ses problèmes*, p. 171-172.

3   Grâce à la perfection conservatrice de l'appareil réplicatif, toute mutation, consi-dérée individuellement, est un événement très rare. Chez les bactéries, seuls orga-nismes pour lesquels on ait des données nombreuses et précises sur ce sujet, on peut admettre que la probabilité, pour un gène donné, de subir une mutation qui altère sensiblement les propriétés fonctionnelles de la protéine correspondante est de l'ordre de 10^{-6} à 10^{-8} par génération cellulaire.
              Jacques MONOD, *le Hasard et la Nécessité*, p. 157.

DÉR. Mutationnel, mutationnisme, mutationniste. — **Mutagène, mutagenèse. COMP. Permutation, transmutation.**

MUTATIONNEL, ELLE [mytasjɔnɛl] adj. — 1970 ; de *muta-tion*, et *-el.*

♦ Biol. Qui a rapport aux mutations. *Modifications mutationnelles.*

MUTATIONNISME [mytasjɔnism] n. m. — 1931 ; de *mutation.*

♦ Sc. Théorie biologique proposée par de Vries, d'après laquelle l'évolution est un phénomène discontinu provoqué par des muta-tions. *Le mutationnisme a succédé au darwinisme dans l'histoire des théories évolutionnistes.*

MUTATIONNISTE [mytasjɔnist] adj. — 1932, J. Rostand, *in* D.D.L. ; de *mutation.*

♦ Sc. Qui a rapport au mutationnisme. — N. Partisan du mutation-nisme.

MUTATIS MUTANDIS [mytatismytãdis] loc. adv. — 1633, *in* D.D.L. ; mots lat. «les choses qui doivent être changées étant chan-gées».

♦ En ne tenant pas compte des éléments différents, en faisant changer ce qui doit changer pour rendre la comparaison possible (cf. Toutes choses égales d'ailleurs).

---

1   (...) j'ai le fils d'un de mes amis qui, *mutatis mutandis,* est comme vous (et il prit pour parler de nos dispositions commune le même ton rassurant...)
          PROUST, *À l'ombre des jeunes filles en fleurs*, Pl., t. I, p. 453.

2   (...) une œuvre de style baroque. J'aime modérément, tout en devant reconnaître la force de frappe. Peut-être les premiers lecteurs de Ramuz ou de M. Jean Giono éprouvèrent-ils, *mutatis mutandis,* une surprise analogue.
       L. ESTANG, «Les miroirs jumeaux» par J. Champion, *in* le Figaro littéraire, 9-15 sept. 1968.

1. MUTÉ, ÉE [myte] adj. — 1765 ; de *(vin) muet,* par métathèse.

♦ Techn. *Vin muté,* dont la fermentation a été arrêtée (⇒ 1. **Muter**). — N. m. Vin, produit muté.

HOM. 2. **Muté.**

2. MUTÉ, ÉE [myte] adj. — 1874 ; lat. *mutatus,* de *mutare.* → 2. Muter.

Droit.

♦ **1.** Qui a changé de propriétaire. *Domaine muté. Parcelles mutées.*

♦ **2.** (1878). *Fonctionnaire muté.* ⇒ 2. **Muter.**

HOM. 1. **Muté.**

1. MUTER [myte] v. tr. — 1802 ; *muté* est antérieur ; var. *muetter ;* de *(vin) muet* «vin muté».

♦ Techn. *Muter un moût de raisin,* en arrêter la fermentation alcoo-lique par addition d'alcool ou d'anhydride sulfureux (⇒ **Soufrer**). ⇒ 1. **Muté.**

DÉR. **Mutage.**
HOM. 2. **Muter.**

2. MUTER [myte] v. tr. — Fin xixᵉ ; 2. *muté* est antérieur ; «vendre», fin xvᵉ ; lat. *mutare.*

♦ Affecter à un autre poste, à un autre emploi. *Militaire qui demande à être muté dans une autre arme* (⇒ **Mutation**). *Muter un fonctionnaire par mesure de sanction.* ⇒ **Déplacer.**

DÉR. **Mutant.** — (Du même rad.) **Mutation.**

MUTIFIANT [mytifjã] adj. — xxᵉ ; formation savante, du lat. *mutus* «muet», et de *-fier.*

♦ Math. *Symbole mutifiant :* mutificateur*.

MUTIFICATEUR [mytifikatœʀ] n. m. — xxᵉ ; formation savante, du lat. *mutus* «muet», et *-ficateur* (→ *-fier*).

♦ Math. Symbole qui a pour effet de rendre muette* telle ou telle lettre représentant, dans un assemblage, un indice, une variable, etc. ⇒ **Mutifiant.** *Rôle de mutificateur du symbole de sommation.*

MUTILANT, ANTE [mytilã, ãt] adj. — 1845 ; p. prés. de *mutiler.*

♦ **1.** Qui mutile, qui peut produire une mutilation. *Gangrène, plaie mutilante. Lupus* (cit.) *qui laisse des cicatrices mutilantes.*

La légende implicite de ce genre de produit repose sur l'idée d'une modification violente, abrasive de la matière : les répondants sont d'ordre chimique ou muti-lant : le produit «tue» la saleté.   R. BARTHES, Mythologies, p. 38.

♦ **2.** (Abstrait). Littér. *Une expérience mutilante pour l'esprit.*

MUTILATEUR, TRICE [mytilatœʀ, tʀis] n. — 1512 ; de *mutiler.*

Littéraire.

♦ **1.** Personne qui mutile. — Adj. *Couteau mutilateur.*
Par ext. Qui détériore, endommage (qqch.).

Notre place Royale, qui formait un tout si complet et si original, vient d'être éga-lement défigurée et déshonorée. Les mutilateurs sont, dit-on, plus rares en Belgi-que qu'en France (...)   NERVAL, Notes de voyage, Lett. des Flandres, II, II.

♦ **2.** Qui déforme, altère. *Censure mutilatrice. Sentiments mutila-teurs.* ⇒ **Castrateur, mutilant.**

MUTILATION [mytilasjɔ̃] n. f. — 1245 ; lat. *mutilatio,* du supin de *mutilare.* → Mutiler.

♦ **1.** Perte accidentelle ou ablation d'un membre, d'une partie du corps. ⇒ **Amputation.** *Mutilation ethnique* (excision du clitoris de la femme, du prépuce de l'homme ; infibulation ; perforation des lèvres, du nez, pour y attacher des anneaux). *Mutilations et cica-trices* (cit. 6 par métaphore) *d'un vieux guerrier.* ⇒ **Blessure.** *Muti-lation des organes génitaux chez l'eunuque* (cit. 4 ; ⇒ **Castration**). *Personne qui se livre à des mutilations sur elle-même* (⇒ **Automu-tilation**). *Mutilation volontaire d'une recrue.* — *Mutilation spon-*

tanée du lézard en danger (qui se coupe la queue), *du renard pris au piège* (qui se coupe une patte). ⇒ **Autotomie.**

Des blessés émergeaient du tas, engagés jusqu'à la poitrine (...) On travailla un quart d'heure à en délivrer un (...) quand on l'eut sorti, il n'avait plus de jambes, il expira tout de suite, sans avoir su ni senti cette mutilation horrible, dans le saisissement de sa peur.   ZOLA, la Bête humaine, X.

Le projectile a brisé le bras (...) Il a fallu, par la suite, amputer le membre hors d'usage. C'est une mutilation très pénible (...)
       G. DUHAMEL, Récits des temps de guerre, III, XIII.

(...) *la mutilation volontaire.* — La peine *(pour cette infraction militaire)* est un emprisonnement d'un à cinq ans. L'intéressé encourt la peine de mort avec dégradation militaire lorsqu'il agit en présence de l'ennemi.
       DALLOZ, Petit dict. de droit, p. 751, n° 48, C.

♦ **2.** (1559). ⇒ **Dégradation.** *Mutilation de statues, de tableaux... Mutilation d'arbres par ébranchement, étêtement.*

Un vieux chirurgien-major de l'armée d'Italie (...) osa bien un jour se plaindre à lui de la mutilation périodique de ces beaux arbres.
       STENDHAL, le Rouge et le Noir, I, II.

♦ **3.** (1773). Coupure, altération (d'un fragment de texte). *Ouvrage auquel la censure fait subir d'intolérables* (cit. 6) *mutilations.* — Perte accidentelle de plusieurs fragments (d'un texte). *Manuscrit qui a subi de nombreuses mutilations au cours des siècles.*

J'ai été hier matin chez M. de Senancour. J'ai vu les mutilations qu'il va faire à *Oberman.* J'ai parlé pendant une heure aussi énergiquement et vivement que je pouvais contre.   SAINTE-BEUVE, Correspondance, 280, mars-avr. 1833.

♦ **4.** (Av. 1865). Fig. Altération, amoindrissement. *Mutilation de la vérité.* ⇒ **Déformation, maquillage.**

COMP. Automutilation.

MUTILÉ, ÉE [mytile] n. — XIVᵉ ; p. p. substantivé de *mutiler.*

♦ Personne qui a subi une mutilation, généralement par fait de guerre ou par accident. ⇒ **Amputé.** *Mutilé de guerre.* ⇒ **Blessé, infirme, invalide ; handicapé.** *Office national des mutilés et réformés. Pension de mutilé à 100 %. Les mutilés de la face* (gueules cassées). *Mutilé du travail,* qui a été victime d'un accident du travail (infirme civil).

Abusivt. *Les grands mutilés,* ceux qui ont subi une grande mutilation, une mutilation importante. — *Places réservées aux mutilés. Moignons d'un mutilé.*

Sont qualifiés grands mutilés de guerre : — A. Les pensionnés titulaires de la carte de combattant qui, par suite de blessures de guerre ou reçus en service commandé, sont aveugles, paraplégiques, blessés crâniens avec épilepsie, équivalents épileptiques ou aliénés mentaux ; — B. Les pensionnés titulaires de la carte de combattant qui, par suite de blessures reçues comme ci-dessus, sont atteints soit d'une infirmité unique de 85 p. 100, soit d'infirmités multiples atteignant un taux déterminé.   DALLOZ, Petit dict. de droit, p. 939, n° 208.

MUTILER [mytile] v. tr. — 1334 ; lat. *mutilare* «retrancher, diminuer», de *mutilus* «amoindri, diminué, mutilé».

♦ **1.** (Rare à l'actif). Altérer (un être humain ou un animal) dans son intégrité physique, soit en le privant d'un membre ou de quelque autre partie externe du corps, soit en lui infligeant des blessures qui le déforment gravement. ⇒ **Blesser, couper, écharper, estropier.** *Il a été mutilé du bras droit, des deux jambes* (→ Cul-de-jatte) *à la dernière guerre. La balle le mutila au visage.* — Pron. (Sens réfl.). *Se mutiler volontairement pour échapper à l'incorporation.* — Par ext. (En parlant de la partie du corps endommagée). *Sa jambe a été mutilée par un éclat d'obus.*

(1680). Spécialt. Castrer. *Les papes faisaient mutiler les futurs soprani de la chapelle Sixtine.*

♦ **2.** (Mil. XVIᵉ). Détériorer, endommager. ⇒ **Dégrader.** *Mutiler un arbre* (→ Habitant, cit. 5 ; et, par métaphore, ébrancher, cit. 3). *Lèpre qui mutile les statues* (→ Éroder, cit.).

♦ **3.** (1765). Altérer (un texte, un ouvrage littéraire) en retranchant une ou des parties essentielles. ⇒ **Diminuer, tronquer** (→ Cagoterie, cit. ; désagrément, cit. 2). *Mutiler les vers d'un poème* (→ Isoler, cit. 13).

♦ **4.** (1660). Par métaphore, fig. Littér. Déformer. ⇒ **Altérer.** *Mutiler la vérité* (→ Falsifier, cit. 7). *Mutiler la volonté de quelqu'un.* ⇒ **Amoindrir, châtrer** (fig.). **émasculer** (fig.). → Enchaîner, cit. 11.

▶ **MUTILÉ, ÉE** p. p. adj.

♦ **1.** Qui a subi une, des mutilations. *Enfants mutilés par l'explosion d'une mine* (→ 2. Mine, cit. 9). *Il aura la vie sauve, mais l'opération le laissera amoindri, mutilé* (→ par métaphore Classer, cit. 3). *Cadavres atrocement mutilés.* ⇒ **Mutilé, nom.**

(le serpent coupé vivant)
Sans pouvoir réunir ses tronçons mutilés
Qui rampent et qui saignent.   HUGO, les Orientales, XXVI.

(...) il avait tué cette femme et des gens étaient venus l'emporter (...) ils avaient considéré la morte et l'horreur de ce visage mutilé, puis ils avaient jeté un vêtement, un sac, n'importe quoi sur la tête de la malheureuse parce qu'elle les épouvantait.   J. GREEN, Léviathan, XIII.

♦ **2.** *Site, jardin mutilé.* ⇒ **Déshonorer** (→ aussi Îlot, cit. 6).

Aujourd'hui, de cet ancien Versailles mutilé et approprié à d'autres usages, il ne reste plus que des morceaux (...)
       TAINE, les Origines de la France contemporaine, t. I, I, p. 138.

Quiconque aura abattu un ou plusieurs arbres qu'il savait appartenir à autrui, sera puni d'un emprisonnement (...) Les peines seront les mêmes à raison de chaque arbre mutilé, coupé ou écorcé de manière à le faire périr.
       Code pénal, art. 445, 446.

♦ **3.** *Fragments mutilés d'un vieux manuscrit,* auxquels manquent de nombreux passages, retranchés ou perdus au cours des siècles.

(...) d'autres *(lettres)* ne nous sont parvenues que par des copies plus ou moins mutilées, arrangées par les soins des premiers éditeurs.
       Émile HENRIOT, Portraits de femmes, p. 116.

L'historien représentera-t-il les faits dans leur complexité ? Non, cela est impossible. Il les représentera dénués de la plupart des particularités qui les constituent, par conséquent tronqués, mutilés, différents de ce qu'ils furent
       FRANCE, le Crime de S. Bonnard, Œ., t. II, VI, p. 499.

DÉR. Mutilant, mutilateur, mutilé (nom).

MUTIN, INE [mytɛ̃, in] adj. et n. — 1478 ; *meutin,* 1460 ; de *meute* «émeute».

★ **I.** ♦ **1.** Adj. Vx. Qui n'a pas le sens de la discipline, qui est porté à la révolte. ⇒ **Désobéissant, insoumis.** *Enfant mutin* (→ Choquant, cit. 3 ; criard, cit. 1). — *Caractère mutin.* ⇒ **Séditieux.**

Tant que les enfants ne trouveront de résistance que dans les choses et jamais dans les volontés, ils ne deviendront ni mutins ni colères, et se conserveront mieux en santé.   ROUSSEAU, Émile, I.

♦ **2.** N. Mod. Personne qui refuse d'obéir aux ordres de ses supérieurs, qui se révolte par la violence contre une autorité établie. ⇒ **Factieux, insurgé, rebelle, révolté.** *Chef des mutins* (→ 1. Gens, cit. 31). *Mutins ameutés* (cit. 2) *par des agitateurs*. La police vint à bout des mutins. Mutins mis aux fers.*

N'a-t-il pas des mutins dissipé la furie ?
Son ordre excitait seul cette mutinerie.   CORNEILLE, Héraclius, V, 6.

(...) les mutins parvinrent à refermer solidement le gaillard d'avant, et six de leurs adversaires seulement purent se jeter sur le pont. Ces six, se trouvant en forces si inégales et complètement privés d'armes, se soumirent après une lutte très courte.-
       BAUDELAIRE, Trad. E. POE, Histoires extraordinaires, « Les aventures d'A. Gordon Pym », IV.

REM. L'emploi au fém. du subst. *une mutine* est virtuel. Toutefois, la réalisation de cette virtualité semble bloquée par le sens et les contraintes d'usage de l'adj. (→ II. ci-après).

★ **II.** Adj. (1782). Littér. Qui est d'humeur taquine, qui aime à plaisanter. ⇒ **Badin, gai.** *Fillette mutine.* — Par ext. *Un petit air mutin.* ⇒ **Gamin, piquant** (→ Expression, cit. 34). *Frimousse mutine.* ⇒ **Éveillé.** *Ton mutin.* ⇒ **Vif.**

(...) le minois le plus adorablement mutin qu'on puisse imaginer.
       Th. GAUTIER, Fortunio, I, p. 16.

Marthe ignorait ce que c'est que d'être mutine. Dans son enjouement, elle restait grave.   R. RADIGUET, le Diable au corps, p. 57.

CONTR. Docile. — Morose, sérieux, triste.
DÉR. Mutinement, mutiner, mutinerie.

MUTINEMENT [mytinmɑ̃] adv. — 1925, Gide ; cf. *mutinément,* adv., «par la mutinerie», 1845, et en moy. franç. (XVIᵉ) *mutinement* «en se mutinant» ; de *mutin.*

♦ Littér. D'une manière mutine. ⇒ **Gaiement, vivement.**

(...) comme Vincent veut lui mettre la main devant la bouche, elle se débat mutinement (...)   GIDE, les Faux-monnayeurs, *in* Romans, Pl., p. 978.

MUTINER [mytine] v. tr. — XIVᵉ, *meutiner,* pron. ; de *mutin,* I.

♦ V. tr. (XVIᵉ). Vx. Inciter à la désobéissance, à la révolte. — Poét. Déchaîner, irriter.

▶ **SE MUTINER** v. pron.

♦ **1.** Mod. Se dresser contre une autorité, se porter à la révolte avec violence. ⇒ **Rebeller** (se), **révolter** (se). *Prisonniers qui se mutinent contre leurs gardiens.* — (Avec ellipse de *se*). *Cet ordre rigoureux fit mutiner le peuple* (Académie). ⇒ **Ameuter** (s').

♦ **2.** (1580). Vx. S'exaspérer, s'irriter (→ Autant, cit. 57). — Vieilli. Résister* avec opiniâtreté à une contrainte. ⇒ **Regimber.**

▶ **MUTINÉ, ÉE** p. p. adj.

♦ **1.** Vx. Exaspéré, irrité. — En révolte.

D'enchaîner un captif de ses fers étonné,
Contre un joug qui lui plaît vainement mutiné (...)   RACINE, Phèdre, II, 1.

Poét. *Les flots mutinés,* déchaînés.

Ouvre aux vents mutinés les prisons d'Éolie (...)   BOILEAU, l'Art poétique, III.

♦ **2.** Mod. Rebellé, révolté. *Les marins mutinés du Potemkine.*

Le cuirassé *Kniaz Potemkine* hisse le drapeau noir. Il bombarde immédiatement de ses grosses pièces les forteresses qui n'ont pas adhéré au complot. Il lâche également quelques volées d'obus sur l'Esplanade, où les troupes sont rassemblées. Les

forteresses mutinées bombardent les unités de la flotte qui ne hissent pas le drapeau noir au premier coup de semonce.
B. CENDRARS, Moravagine, Œ. compl., t. IV, p. 154.

Subst. *Les mutinés.* ⇒ **Mutin.**

1. MUTINERIE [mytinʀi] n. f. — 1332 ; de *mutin*, et *-erie.*
Action de se mutiner ; résultat de cette action.

♦ **1.** Vx. Résistance opiniâtre opposée à une autorité, à une contrainte. ⇒ **Désobéissance, insubordination.**

♦ **2.** ⇒ **Insurrection, révolte, sédition.** *Mutinerie de troupes. Les mutineries d'avril 1917. Mutinerie qui éclate à bord d'un bateau. Mutinerie de palais.* ⇒ **Révolution.** *Pays bouleversé par des mutineries* (⇒ **Faction**).

1 (...) les fidèles se montrèrent fort indignés, et peu s'en fallut qu'il n'y eût mutinerie et soulèvement du populaire.   Th. GAUTIER, Voyage en Espagne, p. 111.

2 Les mutineries militaires apparurent. Elles avaient déjà commencé depuis longtemps dans les ports de guerre et notre ambassadeur à Londres signalait qu'il était agréable à l'Angleterre que notre marine fût désorganisée par des troubles.
J. BAINVILLE, Hist. de France, XVI, p. 342.

2. MUTINERIE [mytinʀi] n. f. — 1841, Balzac ; de *mutin,* II., et *-erie ;* → Gaminerie.

♦ Littér. Rare. Caractère de ce qui est mutin. *Des propos d'une mutinerie charmante.*

(...) son joli geste, la mutinerie de son accent exprimèrent tant d'innocence, que Savinien et le docteur en furent attendris.
BALZAC, Ursule Mirouët, Pl., t. III, p. 399.

MUTIQUE [mytik] adj. — V. 1970 ; du rad. du lat. *mutus* « muet » et suffixe d'adj.
Didactique.

♦ **1.** Méd. Qui est atteint de mutisme (1.).

♦ **2.** Qui garde volontairement le silence, de son propre mouvement ou par obligation.

MUTISME [mytism] n. m. — 1741 ; dér. sav. du lat. *mutus* « muet ».

♦ **1.** Méd. Refus de parler déterminé par des facteurs affectifs, des troubles mentaux (névrose, psychose), en l'absence de lésions des centres nerveux du langage et des organes de la phonation. ⇒ **Aphasie, mutacisme.** *Mutisme des aliénés, des simulateurs.*
Vx. Incapacité à parler ; état d'une personne muette. ⇒ **Mutité.** *Mutisme de naissance, causé par la surdité.* ⇒ **Surdi-mutité.** *Mutisme causé par une malformation, une lésion* (blessure, tumeur) *de l'appareil vocal, par l'arrêt du développement cérébral.*

♦ **2.** (Av. 1841). Cour. Attitude, état d'une personne qui refuse de parler (→ Amorcer, cit. 4), qui a l'habitude de garder le silence (→ Fréquentation, cit. 3) ou qui est réduite au silence. *S'enfermer* (cit. 20), *se retrancher dans le mutisme. Un mutisme opiniâtre* (→ Heurter, cit. 29).

1 Il *(J. Renard)* a derrière lui des générations de mutisme ; sa mère parlait par courtes phrases paysannes, pleines et rares. Son père était un de ces originaux de village, dont fut aussi mon grand-père paternel, qui, déçu par son contrat de mariage, n'adressa pas trois mots à ma grand-mère en quarante-cinq ans (...)
SARTRE, Situations I, p. 294-295.

♦ **3.** Fig. État d'une personne, d'un groupe qui ne s'exprime pas, ne peut pas s'exprimer librement. *Réduire un pays, la presse au mutisme.* ⇒ **Silence.**

2 L'Empire avait frappé la France de mutisme ; la liberté restaurée la toucha et lui rendit la parole (...)   CHATEAUBRIAND, Mémoires d'outre-tombe, t. IV, p. 98.

3 L'État, c'est le mutisme constitutionnel du peuple, l'aliénation légale de sa pensée et de son initiative entre les mains d'*un* homme, *monarque,* ou de *quelques* hommes, *oligarques* (...)   PROUDHON, Espoirs humains..., VII, Anarchie.

CONTR. **Bavardage, cailletage, confession, confidence, faconde, loquacité...**

MUTITÉ [mytite] n. f. — 1803 ; bas lat. *mutitas,* du lat. class. *mutus* « muet ». → Mutisme.

♦ **1.** Vx. État de celui qui est muet. ⇒ **Aphasie, mutisme.**

♦ **2.** Mod. Impossibilité réelle, pour un sujet, de parler par insuffisance de développement ou destruction des centres ou des organes servant au langage oral. *Mutité associée à la surdité.* ⇒ **Surdi-mutité.** *Mutité sans atteinte de la fonction auditive.* ⇒ **Audi-mutité.** *Remédier à la mutité.* ⇒ **Démutiser.**

COMP. **Audi-mutité, surdi-mutité.**

MUTOGÈNE [mytɔʒɛn] adj. ⇒ **Mutagène.**

MUTUALISME [mytɥalism] n. m. — 1840 ; *mutuellisme,* 1828 ; de *mutuel.*

★ **I.** Écon. Doctrine économique basée sur la mutualité. ⇒ **Mutuellisme.**

★ **II.** (1890). Zool. Association de deux animaux d'espèces différentes qui retirent des bénéfices réciproques de cette union, sans vivre aux dépens l'un de l'autre. *Mutualisme et commensalisme** (→ Symbiose).

MUTUALISTE [mytɥalist] adj. et n. — 1834 ; *mutuelliste,* 1828 ; de *mutuel.*

♦ Écon. Relatif au mutualisme (I.). *Société mutualiste. Le mouvement mutualiste.* — Cour. Géré par une mutuelle. *Assurances mutualistes. Pharmacie mutualiste.*
N. Partisan du mutualisme ou mutuellisme. — Membre d'une société de mutualité. *Un, une mutualiste.*

MUTUALITÉ [mytɥalite] n. f. — 1784 ; attestation isolée, 1599 ; de *mutuel.*

♦ **1.** Rare. Caractère de ce qui est mutuel. *La mutualité d'un échange.* ⇒ **Réciprocité.**

♦ **2.** (1829). Dr. « Forme de prévoyance volontaire fondée sur un système d'engagements synallagmatiques par lequel les membres d'un groupe, moyennant le seul payement d'une cotisation, s'assurent réciproquement contre certains risques (maladies, blessures, infirmités, chômage) ou se promettent certaines prestations (frais funéraires, secours aux ascendants, veuves, orphelins), en se garantissant les mêmes avantages sans cette autre distinction que celle qui résulte des cotisations fournies et en excluant toute idée de bénéfice » (Capitant, *Voc. juridique,* Mutualité). ⇒ **Association, assurance, mutuelle, société, solidarité.** *La mutualité française. La mutualité agricole.*

MUTUEL, ELLE [mytɥɛl] adj. et n. f. — 1329 ; du lat. *mutuus* « réciproque ».

♦ **1.** Qui implique un rapport double et simultané, un échange d'actes, de sentiments... entre deux ou plusieurs personnes. ⇒ **Réciproque.** *Amour mutuel.* ⇒ **Partagé** (→ Heureux, cit. 15). *Désir* (→ Amant, cit. 9), *penchant* (→ Époux, cit. 9) *mutuel. Affection* (cit. 7) *mutuelle. Complaisance* (cit. 1), *responsabilité mutuelle* (→ Coude, cit. 6). *Concessions mutuelles* (⇒ **Compromis**). *Mutuelle dépendance* (→ Groupe, cit. 10). — Par ext. Qui suppose un échange d'actions et de réactions entre deux ou plusieurs choses (→ Attraction, cit. 3 ; induction, cit. 8).

1 *Mutuel* représente une action multiple, simultanée, faite spontanément par chaque sujet, et correspondant à ce que fait l'autre, sans être forcément de même nature. *Réciproque* fait penser à une sorte de va-et-vient tel que les deux termes agissent l'un sur l'autre, ou même l'un après l'autre, l'action de l'un provoquant chez l'autre une réaction égale, de même nature : Les devoirs *mutuels* du père et d'un fils impliquent que, simultanément, le père et le fils doivent, chacun pour sa part, accomplir certaines obligations. Les devoirs *réciproques* et l'amitié impliquent que deux amis se rendent, simultanément ou à la suite, sentiment pour sentiment, service pour service.   BÉNAC, Dict. des synonymes.

2 (...) les devoirs du pauvre étaient aussi étendus envers le riche bienfaisant que ceux du riche l'étaient envers le pauvre, leur aide devait être mutuelle.
BALZAC, le Curé de village, Pl., t. VIII, p. 679.

3 (...) il estimait que le pays avait besoin d'une tolérance mutuelle entre les diverses confessions.   J. ROMAINS, les Hommes de bonne volonté, t. III, p. 156.

4 Alors se formait à Paris un groupe d'écrivains qui allait jouer, dans la vie littéraire de notre pays, un rôle de premier plan : c'était celui de la *Nouvelle Revue Française...* Qu'avaient-ils en commun ? Certes pas une doctrine. Mais un commun respect des lettres, une certaine rigueur dans le choix, une pure franchise mutuelle.   A. MAUROIS, Études littéraires, II, Martin du Gard, I.

♦ **2.** Qui suppose un échange d'actions et de réactions entre deux ou plusieurs choses. *Justice* (cit. 17) *mutuelle* ou *justice commutative*.* — *Enseignement mutuel,* dans lequel certains élèves (⇒ **Moniteur**) instruisaient sous la direction du maître leurs camarades moins avancés. — (1829). *Établissement, société d'assurance mutuelle.* ⇒ **Mutualité** (→ Bienfaisance, cit. 6). *Association de crédit, de secours mutuel* (→ 1. Mineur, cit. 8). — *Pari* mutuel urbain* (P. M. U.).

4.1 À six heures vint mon grand ami Hubert ; il sortait d'un comité de choses mutuelles.   GIDE, Paludes, *in* Romans, Pl., p. 110.

Dr. *Testament** mutuel.

♦ **3.** N. f. **MUTUELLE :** société de mutualité*. *La mutuelle rembourse le ticket modérateur de la Sécurité sociale. Cotiser à une mutuelle. Adressez-vous à votre mutuelle.* ⇒ **Coopératif** (société coopérative) ; et aussi **compensation** (caisse de). *Une mutuelle de fonctionnaires.*

5 Cerbelot fait partie d'une société pour laquelle il se prodigue. « Vous versez deux francs par mois, me dit-il, et, quand vous mourez, la Mutuelle donne cinq mille francs pour vos funérailles. C'est avantageux. »
G. DUHAMEL, Salavin, Journal, 28 avr.

6 (...) de nos jours les « mutuelles » sont presque toujours des compagnies d'assu-

rance dont les adhérents n'ont ainsi pas à rémunérer le capital et peuvent limiter les risques, donc les charges.

Jean ROMEUF, Dict. des sciences économiques, art. *Mutualité*.

DÉR. Mutualisme, mutualiste, mutualité, mutuellement, mutuellisme, mutuelliste.

MUTUELLEMENT [mytɥɛlmɑ̃] adv. — Déb. xvᵉ; de *mutuel*.

♦ D'une manière qui implique un échange entre personnes ou choses. ⇒ **Réciproquement** (→ Amour, cit. 50; étayer, cit. 3; fraterniser, cit. 4). *Aidons* (cit. 8)-*nous mutuellement* (→ Les uns les autres*). *Les époux se doivent mutuellement fidélité et assistance* (cit. 11). *Se surveiller mutuellement. Ils se détestent mutuellement.*

1 Ce plaisir reçu, ce plaisir donné (...) cette volupté plus grande encore de rendre heureux ce qu'on aime, de se suffire mutuellement, d'être nécessaire l'un à l'autre (...)   É. DE SENANCOUR, Oberman, LXIII.

2 (...) deux personnes qui disputent cherchent mutuellement à se couvrir la voix (...)   MONTHERLANT, le Songe, I, v.

MUTUELLISME [mytɥɛlism; mytɥelism] n. m. — 1828; de *mutuel*, et *-isme*.

♦ Didact. (Hist.). Doctrine économique de Proudhon, fondée sur les principes d'échange, de mutualité, de solidarité. ⇒ **Coopératisme.**

MUTUELLISTE [mytɥɛlist; mytɥelist] n. et adj. — 1828, *Société des mutuellistes*, corporation ouvrière de Lyon; de *mutuel*, et *-iste*; → Mutuellisme.

♦ Didact. (Hist.). Relatif au mutuellisme. *Doctrine mutuelliste.* — N. Partisan du mutuellisme. *Un, une mutuelliste.*

MUTULE [mytyl] n. f. — 1546, *in* D.D.L.; lat. *mutulus* «tête de chevron». → Modillon.

♦ Archit. Ornement d'un entablement dorique qui est placé sous le larmier en face du triglyphe, dont il a la largeur. *La mutule correspond au modillon des autres ordres.*

Mv [ɛmve] Symbole chimique du *mendélévium**.

MY-, MYO- Éléments, du grec *mus* «muscle», entrant dans la composition de nombreux mots d'anatomie, pathologie, médecine. → ci-dessous les entrées en *mya...* et *myo...*

MYALGIE [mjalʒi] n. f. — 1866, Littré; de *my-*, et *-algie*.

♦ Didact. (Méd.) Douleur musculaire. *Myalgie du thorax, du cou dans le torticolis. Contracture des muscles dans les myalgies rhumatismales.*

MYASTHÉNIE [mjasteni] n. f. — 1878, Garnier; de *my-*, et *asthénie*.

♦ Didact. Affection caractérisée par une fatigabilité musculaire excessive et évoluant par poussées. *La myasthénie frappe spécialement « les muscles moteurs de l'œil, les masticateurs, les muscles pharyngés et laryngés... » (Garnier-Delamare), ainsi que les extrémités des membres.*

DÉR. Myasthénique.

MYASTHÉNIQUE [mjastenik] adj. — 1950-1951, Bourguignon, Bourlière, *Soc. de biologie*, t. 145; de *myasthénie*.

♦ Didact. Relatif à la myasthénie. *Réaction myasthénique*, ou d'épuisement.

(...) cette fatigabilité musculaire qui (...) a permis d'individualiser un syndrome myasthénique, constant, normal après 55 ans (...)   Léon BINET, Gérontologie et Gériatrie, p. 35.

MYATONIE [mjatɔni] n. f. — 1931; de *my-*, et *atonie*.

♦ Didact. Affaiblissement ou disparition de la tonicité musculaire.

-MYCE, MYCI-, MYCO- Éléments, du grec *mukês* «champignon». — Ex.: *saccharomyce, mycologie, streptomycine.* ⇒ **-mycète.**

MYCÉLIEN, ENNE [miseljɛ̃, ɛn] ou, vx, **MYCÉLIAL, ALE, AUX** [miseljal, o] adj. — 1866, *mycélien, in* D.D.L.; *mycélial*, 1877; de *mycélium*.

♦ Bot. Qui a rapport au mycélium. *Filament mycélien.*

MYCÉLIUM [miseljɔm] n. m. — 1846; *mucélion*, 1842; lat. sc., du grec *mukês*.

♦ Bot. Ensemble des filaments, plus ou moins ramifiés, qui proviennent des spores et constituent le thalle des champignons. *Du mycélium.* ⇒ **Mycélien.**

MYCÈNE [misɛn] n. m. — D. i.; du grec *mukês* «champignon», et suff. bot. *-ène*.

♦ Bot. Champignon basidiomycète comestible, à pied grêle, à chapeau conique. *Genre Mycène. Les mycènes.*

MYCÉNIEN, IENNE [misenjɛ̃, jɛn] adj. — 1842; de *Mycènes*.

♦ Hist. De Mycènes. *Les remparts mycéniens.* — Relatif à la civilisation, à la culture préhellénique dont Mycènes était le centre. *Art mycénien, civilisation mycénienne.*

N. m. Langue grecque archaïque attestée par les tablettes mycéniennes.

-MYCÈTE, MYCÉT-, MYCÉTO- Éléments de mots savants signifiant «champignon» (⇒ **Actinomycète, ascomycète, basidiomycète, blastomycète, botryomycète, discomycète, gastéromycète, hyménomycète, myxomycète, pyrénomycète, siphomycète, zygomycète**). ⇒ aussi **-myce, myci-, myco-.**

MYCÉTOME [misetom] n. m. — 1900, *in* D.D.L.; de *mycét-*, et *-ome*.

♦ Méd. Tumeur inflammatoire causée par un champignon parasite.

MYCÉTOPHAGE [misetofaʒ] adj. et n. m. — 1839; *mycétophagues* (sic), 1808, Boiste; de *mycéto-*, et *-phage*.

♦ Didact. Qui se nourrit de champignons. *Fourmis, termites mycétophages.*

MYCÉTOPHILE [misetofil] adj. et n. f. — 1837, *Dict. des dict.*; de *mycéto-*, et *-phile*.

♦ Didact. Qui vit dans les champignons. *Insecte mycétophile.* — N. f. Diptère dont la larve vit dans un champignon.

MYCI- ⇒ -myce.

MYCICULTEUR, TRICE [misikyltœʀ, tʀis] n. — 1968; de *myci-*, et *-culteur*.

♦ Didact. Personne qui cultive des champignons. — Syn. cour.: *champignonniste.*

MYCICULTURE [misikyltyʀ] n. f. — 1968; de *myci-*, et *culture*.

♦ Didact. Culture des champignons.

MYCO- ⇒ -myce.

MYCOBACTÉRIE [mikobakteʀi] n. f. — Mil. xxᵉ; de *myco-*, et *bactérie*.

♦ Biol. Bactérie d'un genre auquel appartient le bacille tuberculeux et le bacille de la lèpre.

MYCOCÉCIDIE [mikosesidi] n. f. — 1903; de *myco-*, et grec *kêkis idos* «noix de galle».

♦ Bot. Galle des végétaux, produite par un champignon parasite.

MYCODERME [mikɔdɛʀm] n. m. — 1846; lat. sc. *mycoderma*, du grec *mukês* (→ Myco-) et *derma* «peau». → Derme.

♦ Bot. Champignon unicellulaire proche des levures, mais qui ne produit pas d'asques. *Le mycoderme du vinaigre (Mycoderma aceti), agent de la fermentation* acétique.* ⇒ **Ferment; fleur** (de vinaigre); **mère** (de vinaigre); **acétification.** *Mycoderme du vin (Mycoderma vini), formant une pellicule blanche à la surface du liquide (vin piqué*).*

DÉR. Mycodermique.

MYCODERMIQUE [mikɔdɛʀmik] adj. — 1858, *in* D.D.L.; de *mycoderme*.

♦ Bot. Formé de mycodermes. *Végétations, végétaux mycodermiques* (→ État, cit. 51).

MYCOLOGIE [mikɔlɔʒi] n. f. — 1842; *mycétologie*, 1839; de *myco-*, et *-logie*.

♦ Didact. Partie de la botanique qui étudie les champignons.
DÉR. Mycologique.

MYCOLOGIQUE [mikɔlɔʒik] adj. — 1877, in *Journ. off.*; de *mycologie*.

♦ Didact. Relatif à la mycologie. *Journées mycologiques. Étude mycologique.*

MYCOLOGUE [mikɔlɔg] n. — 1842; *mycétologue*, 1834; de *myco-*, et *-logue*.

♦ Didact. Botaniste spécialisé dans l'étude des champignons.

MYCOPHAGE [mikɔfaʒ] adj. et n. — 1903; de *myco-*, et *-phage*.

♦ Didact. Qui se nourrit de champignons. *Espèces mycophages.* — (En parlant des humains, par plais.). *« Une faune très spéciale envahit bois et forêts. C'est l'armée des mycophiles-mycophages : les chasseurs de champignons »* (*l'Express*, 24 oct. 1977, p. 157).

MYCOPHILE [mikɔfil] adj. et n. — D. i.; de *myco-*, et *-phile*.

♦ Didact. Qui aime les champignons (→ Mycophage, cit.).

MYCOPLASME [mikɔplasm] n. m. — Découvert en 1929; *mycoplasma*, autre sens, 1903, in *Rev. gén. des sc.*, n° 20, p. 1064; de *myco-*, et *-plasme*.

♦ Biol. Micro-organisme unicellulaire (bactérie) à action pathogène, de grande variabilité de formes (ronde, ovoïde, filamenteuse, etc.) et dont la paroi cellulaire n'est pas bien individualisée. *« Les progrès réalisés dans l'étude des mycoplasmes au cours de ces dernières années, les données récentes sur la présence et le rôle de ces micro-organismes dans les végétaux et les insectes, enfin l'importance économique de plus en plus grande qu'ont les maladies à mycoplasmes ont milité en faveur de la convocation d'un congrès international »* (*la Recherche*, mars 1975, p. 2).
DÉR. Mycoplasmique, mycoplasmose.

MYCOPLASMIQUE [mikɔplasmik] adj. — V. 1970; de *mycoplasme*.

♦ Biol. Qui concerne les mycoplasmes, ou les mycoplasmoses. *Étiologie mycoplasmique des affections parasitaires.*

MYCOPLASMOSE [mikɔplasmoz] n. f. — V. 1970; de *mycoplasme*, et *-ose*.

♦ Méd. Affection due à un mycoplasme. *Mycoplasmoses animales, humaines.*

MYCORHIZE [mikɔʀiz] n. m. — 1899; de *myco-*, et grec *rhiza* « racine ».

♦ Bot. Champignon à longs filaments qui s'associe par symbiose aux racines de certains arbres.

MYCOSE [mikoz] n. f. — 1842; de *myco-*, et *ose*.

♦ Méd. Affection parasitaire provoquée par des champignons. *Mycose des orteils, du cuir chevelu. Mycose buccale, vaginale.*
DÉR. Mycosique.
COMP. Antimycosique, blastomycose.

MYCOSIQUE [mikozik] adj. — 1903, cit. ci-dessous; de *mycose*.

♦ Didact. Relatif aux mycoses. *« L'étude et la conservation des espèces mycosiques »* (*Rev. gén. des sc.*, n° 1, p. 53, 1903).

MYCOSTATIQUE [mikostatik] adj. — xxᵉ; de *myco-*, et *-statique*.

♦ Didact. Qui empêche le développement des levures et des champignons pathogènes. ⇒ **Antifongique, fongistatique.** — N. m. *Un mycostatique.*

MYCOTHÉRAPIE [mikoteʀapi] n. f. — 1935, in D. D. L.; de *myco-*, et *-thérapie*.

♦ Méd. Emploi thérapeutique des antibactériens formés dans les cultures de champignons (antibiothérapie). — Emploi thérapeutique de levures dans le traitement des affections intestinales, des furoncles à staphylocoques, etc.

MYCOTOXICOSE [mikotɔksikoz] n. f. — xxᵉ; de *myco-*, et *toxicose*.

♦ Didact. Intoxication par des champignons. *« Le diagnostic des mycotoxicoses chez l'homme ou l'animal est un problème d'une grande complexité, la toxine (...) étant souvent représentée à dose très faible »* (*la Recherche*, juil. 1979, p. 725).

MYDRIASE [midʀijaz] n. f. — 1539; grec *mudriasis*.

♦ Méd. Dilatation de la pupille. *Mydriase physiologique* (accommodation de l'œil à l'obscurité et à la distance). *Mydriase médicamenteuse* (atropine, cocaïne). *Mydriase pathologique* (paralysie de l'iris).
CONTR. Myosis.
DÉR. Mydriatique.

MYDRIATIQUE [midʀijatik] adj. — 1861, in D. D. L.; de *mydriase*.

♦ Méd. Relatif à la mydriase; qui provoque une dilatation de la pupille. *Effet mydriatique de l'atropine.* — N. m. *Examen du fond de l'œil après instillation d'un mydriatique.*

MYE [mi] n. f. — 1846, Bescherelle; lat *myax, -acis*, du grec *muax* « moule », de *mus* « souris » et « moule ».

♦ Mollusque bivalve des mers tempérées, à très long siphon, qui vit dans le sable ou la vase. *Espèces comestibles de myes.* ⇒ **Clovisse.**

MYÉL-, MYÉLO-, -MYÉLITE Éléments, tirés du grec *muelos* « moelle ».

MYÉLENCÉPHALE [mjeläsefal] n. m. — 1868; de *myél-*, et *encéphale*.
Anatomie.

♦ **1.** Partie postérieure du rhombencéphale* de l'embryon, dont dérivent le bulbe rachidien et une partie du quatrième ventricule. Syn. : *arrière-cerveau.*

♦ **2.** Bulbe rachidien.

MYÉLINE [mjelin] n. f. — 1868; de *myél-*, et *-ine*.

♦ Physiol. Substance lipidique et protidique complexe qui forme un manchon autour de certaines fibres nerveuses. *Fibres nerveuses myéliniques de la substance blanche de la moelle épinière et du cerveau. Fibres nerveuses sans myéline (ou amyéliniques) des nerfs sympathiques, du nerf olfactif.*
DÉR. Myélinique, myélinisé.

MYÉLINIQUE [mjelinik] adj. — 1878, P. Larousse, *Premier Suppl.*; de *myéline*.

♦ Physiol. De la myéline.

MYÉLINISATION [mjelinizasjɔ̃] n. f. — V. 1903, *Nouveau Larousse illustré*; de *myélinisé*.

♦ Didact. Formation de la gaine de myéline.

MYÉLINISÉ, ÉE [mjelinize] adj. — Déb. xxᵉ; de *myéline*.

♦ Didact. (biol.). Qui comporte de la myéline, en parlant des fibres nerveuses.

On a pu montrer dans quelques cas directement cette action excitante de l'influx : si on juxtapose deux fibres non myélinisées, en excitant l'une, on peut obtenir des influx dans l'autre. Ceci n'est pas possible dans les nerfs car les fibres nerveuses sont bien isolées les unes des autres. On a réalisé là une véritable synapse artificielle. Paul CHAUCHARD, le Système nerveux..., p. 55.
DÉR. Myélinisation.

MYÉLITE [mjelit] n. f. — 1831, in D. D. L.; de *myél-*, et *-ite*.

♦ Méd. Maladie de la moelle épinière. *Myélite aiguë. Myélite de la substance grise.* ⇒ **Poliomyélite.** *Ataxie, paraplégie résultant d'une myélite.*

-MYÉLITE, MYÉLO- ⇒ Myél-.

MYÉLOBLASTE [mjelɔblast] n. m. — 1931 ; de *myélo-*, et *-blaste*.

♦ Physiol. Cellule de la moelle osseuse dont dérivent les leucocytes polynucléaires. *Certaines leucémies sont dues à la prolifération massive des myéloblastes.*

MYÉLOCULTURE [mjelokyltyʀ] n. f. — xxᵉ ; de *myélo-*, et *culture*.

♦ Biol. Mise en culture d'un fragment de moelle osseuse pour faire pousser les germes pathogènes présumés responsables d'une infection.

MYÉLOCYTE [mjelɔsit] n. m. — 1855 ; de *myélo-*, et *-cyte*.

♦ Physiol. Cellule de la moelle osseuse qui représente un stade intermédiaire dans l'évolution des myéloblastes vers les leucocytes polynucléaires. *Les myélocytes passent dans le sang dans certaines leucémies.*

MYÉLOGRAMME [mjelɔgʀam] n. m. — Mil. xxᵉ, *in* Quillet, 1953 ; de *myélo-*, et *-gramme*.

♦ Méd. Examen des éléments cellulaires de la moelle osseuse ; son résultat (formule histologique de la moelle). *Le myélogramme permet d'évaluer la formation des cellules sanguines normales ou pathologiques.*

MYÉLOGRAPHIE [mjelɔgʀafi] n. f. — 1938, *in* D.D.L. ; de *myélo-*, et *-graphie*.
Didactique (biologie, médecine).

♦ **1.** Étude de la moelle osseuse « obtenue chez le sujet vivant par trépanation ou ponction d'un os superficiel tel que le sternum » (Garnier et Delamare, *Dict. des termes techniques de médecine*, 1959).

♦ **2.** Radiographie de la colonne vertébrale après injection d'une substance de contraste (gaz ou liquide opaque) dans le canal rachidien.

MYÉLOÏDE [mjelɔid] adj. — 1866, Littré ; de *myél-*, et *-oïde*.

♦ Biol. De la moelle osseuse. — Des cellules provenant de la moelle osseuse. *Leucémie myéloïde.*

MYÉLOME [mjelom] n. m. — 1868 ; de *myél-*, et *-ome*.

♦ Pathol. Tumeur, le plus souvent cancéreuse, de la moelle osseuse. — Spécialt. *Myélome multiple :* prolifération cancéreuse de la moelle osseuse.

MYÉLOPLAXE [mjeloplaks] n. m. — 1868, Robin (*in* Cottez) ; de *myélo-*, et *-plaxe* « plaque, cellule géante », du grec *plax* « surface plate, plateau, tablette » (→ Placo-).

♦ Biol. Élément cellulaire de la moelle osseuse, de forme aplatie, présent surtout dans les os jeunes, et présentant plusieurs noyaux groupés en amas central ou en croissant (syn. : *ostéoclaste*). *Les myéloplaxes « jouent un rôle dans le processus de la résorption osseuse physiologique ou pathologique »* (Manuila).

MYÉLOSARCOME [mjelosaʀkom] n. m. — 1868 ; de *myélo-*, et *sarcome*.

♦ Pathol. Sarcome de la moelle osseuse, proche du myélome.

MYÉLOSE [mjeloz] n. f. — 1934, *myélose ostéomalacique*, Bouchut, Levrat et Guichard ; le mot est antérieur (di Guglielmo, en ital., 1926) ; de *myél-*, et *-ose*.

♦ Pathol. Altération de la moelle osseuse (par intoxication, infection).

MYGALE [migal] n. f. — 1809 ; « musaraigne », 1568 ; grec *mugalê* « musaraigne », de *mus* « rat », et *galê* « belette ».

♦ Grande araignée* fouisseuse qui gîte dans un terrier qu'elle ferme avec un opercule amovible. *La némésie, petite variété de mygale des pays méditerranéens. Une énorme mygale velue.*

MYI- Élément, tiré du grec *muia* « mouche ».

MYIASE [mijɑz] n. f. — 1923 ; *myiasis*, 1902 ; du grec *muia* « mouche », suff. *-ase*.

♦ Méd. Lésion de la peau ou des cavités naturelles de l'homme ou des animaux, provoquée par des larves de mouches vivant habituellement ou accidentellement en parasites. *Myiase furonculeuse. Myiase oculaire.*

MYLABRE [milabʀ] n. m. — 1846, Bescherelle ; grec *mylabris* « cantharide ».

♦ Zool. Coléoptère dont certaines espèces ont des propriétés vésicantes analogues à celles des cantharides*. *Genre Mylabre.*

MYLAR [milaʀ] n. m. — 1975 ; 1954 (Du Pont de Nemours) en anglais des États-Unis ; marque déposée.

♦ Techn. Matière plastique (téréphtalate de polyéthylène) utilisée en pellicule très fine comme isolant. *« Le recouvrement de mylar est tendu à chaud »* (*Sciences et Avenir*, mars 1979, p. 24).

MYLIOBATE [miljobat] n. m. — 1842, Barré ; pour *mylobate*, du grec *mulê* « meule », et *batis* « raie ».

♦ Zool. Poisson sélacien, grande raie* triangulaire.

MYLORD [milɔʀ] n. m. ⇒ **Milord.**

MYO- ⇒ My-.

MYOBLASTE [mjɔblast] n. m. — 1897, *in l'Année biol.*, p. 238 ; de *myo-*, et du grec *blastos* « bourgeon ».

♦ Biol. Cellule jeune du mésenchyme qui se transforme en fibre musculaire striée.

MYOCARDE [mjɔkaʀd] n. m. — 1877 ; de *myo-*, et suff. *-carde*.

♦ Anat. Muscle strié réticulaire épais, qui constitue la majeure partie de la paroi du cœur. *Le myocarde joue un rôle essentiel dans la circulation du sang.* ⇒ aussi **Endocarde, péricarde.** *Infarctus** (cit.) *du myocarde. Revascularisation du myocarde.*
DÉR. Myocardite.

MYOCARDIOPATHIE [mjɔkaʀdjopati] n. f. — V. 1970 ; de *myocarde*, *-pathie*, d'après l'élément *cardio-*.

♦ Méd. Maladie du myocarde, du muscle cardiaque. *« Les myocardiopathies dites "hypertrophiques" sont essentiellement caractérisées par un épaississement de la paroi des ventricules »* (*la Recherche*, mai 1979, p. 582).

MYOCARDITE [mjɔkaʀdit] n. f. — 1855 ; de *myocarde*.

♦ Méd. Inflammation du myocarde. *Myocardite aiguë ; chronique* (scléreuse).

MYOCINÉTIQUE [mjɔsinetik] ou **MYOKINÉTIQUE** [mjɔkinetik] adj. — Mil. xxᵉ ; de *myo-*, et grec *kinêsis* « mouvement ».

♦ Didact. Relatif au mouvement des muscles.

MYOCLONIE [mjɔklɔni] n. f. — 1890, P. Larousse, *Deuxième Suppl.* ; du lat. sav. *paramyoclonus*, Friedriech, 1882 ; de *myo-*, et grec *klonos* ; → Clonique ; chorée.

♦ Méd. Contraction musculaire brusque non systématisée. *La myoclonie est en rapport avec une lésion des centres nerveux moteurs.*

MYOÉLECTRICITÉ [mjoelɛktʀisite] n. f. — V. 1974 ; du grec *myo-*, et *électricité*.

♦ Méd. Électricité produite par les contractions musculaires. *Prothèse utilisant la myoélectricité.*

MYOFIBRILLE [mjofibʀij] n. f. — 1923, *in* D.D.L. ; de *myo-*, et *fibrille*.

♦ Didact. (biol.). Partie fibrillaire des cellules musculaires.

Le muscle sénile se caractérise par une diminution de son volume, une altération des myofibrilles qui, au cours des années, peuvent devenir obliques, quelquefois spiralées, annulaires (...)   Léon BINET, *Gérontologie et Gériatrie*, p. 35.

MYOGLOBINE [mjɔglɔbin] n. f. — 1963 ; *myoglobuline*, 1943 ; de *myo-*, et *(hémo)globine*.

♦ Biol. Protéine des muscles, proche de l'hémoglobine (hétéroprotéine renfermant du fer), qui leur donne leur coloration rouge. *Myoglobine du myocarde. Présence de myoglobine dans les urines* (myoglobinurie, n. f.).

MYOGRAMME [mjɔgʀam] n. m. — 1963 ; de *myo-*, et *-gramme*.

♦ Physiol. Courbe obtenue à l'aide d'un myographe.

MYOGRAPHE [mjɔgʀaf] n. m. — 1827, « spécialiste de myographie » ; de *myo-*, et *-graphe*.

♦ Physiol. Appareil destiné à enregistrer, en les amplifiant, les contractions musculaires.

MYOGRAPHIE [mjɔgʀafi] n. f. — 1750 ; de *myo-*, et *graphie*. Didactique (anatomie, physiologie).

♦ 1. Vx. Partie de l'anatomie descriptive qui étudie les muscles.

♦ 2. (1903 ; sans doute antérieur ; → Myographie). Mod. Étude des contractions musculaires à l'aide du myographe.
DÉR. Myographique.

MYOGRAPHIQUE [mjɔgʀafik] adj. — 1868, Littré ; de *myographie* (2.) ou de *myo-*, et *-graphique*.

♦ Physiol. Qui concerne le myographe ou la myographie.

MYOÏDE [mjɔid] adj. — 1868, Littré ; de *myo-*, et *-oïde*.

♦ Didact. Qui ressemble au muscle par son aspect, sa structure. *Pédoncule myoïde. Tumeur myoïde.*

MYOKINÉTIQUE [mjokinetik] adj. ⇒ **Myocinétique**.

MYOLOGIE [mjɔlɔʒi] n. f. — 1628 ; de *myo-*, et *-logie*.

♦ Didact. Partie de l'anatomie qui étudie les muscles.
DÉR. Myologique.

MYOLOGIQUE [mjɔlɔʒik] adj. — 1874 ; de *myologie*.

♦ Didact. Relatif à la myologie.

MYOLYSE [mjɔliz] n. f. — 1931 ; de *myo-*, et *-lyse*.

♦ Méd. Fonte de la fibre musculaire, premier stade d'une atrophie musculaire.

MYOME [mjom] n. m. — 1871, *myôme* ; de *my-*, et *-ome*.

♦ Pathol. Tumeur bénigne constituée par des fibres musculaires. *Myome de l'utérus* (appelé couramment, mais improprement, *fibrome*).
COMP. Myomectomie.

MYOMECTOMIE [mjomɛktɔmi] n. f. — 1931 ; de *myome*, et *-ectomie*.

♦ Didact. Ablation d'un myome, spécialt, d'un myome utérin (ne nécessitant pas l'ablation de l'utérus).

MYOMÈRE [mjɔmɛʀ] n. m. ou **MYOTOME** [mjɔtom] n. m. — Déb. xxe, *myomère*, *Nouveau Larousse illustré* ; *myotome*, 1904, in *Rev. gén. des sc.*, no 16, p. 795 (antérieur au sens d'« instrument tranchant », 1855, Nysten-Littré) ; de *myo-*, et *-mère*, *-tome*.

♦ Biol. Segment du système musculaire correspondant à un métamère.

1   Les muscles des poissons ont une disposition métamérique, c'est-à-dire sont distribués en éléments qui se répètent identiques à eux-mêmes tout le long du corps. Chaque élément ou myomère affecte la forme générale d'un V qui s'emboîte dans les éléments qui l'entourent, on dit que l'on a affaire à une structure en chevrons, structure facilement visible sur un poisson cuit dont on a enlevé la peau.
        R. et M.-L. BAUCHOT, les Poissons, p. 38.

2   Ce sont ces métamères mésodermiques, qui, dans leur partie dorsale, donnent naissance à la musculature axiale, composée d'unités successives métamériques, les *myotomes*.   Maurice CAULLERY, l'Embryologie, p. 36.

MYOPATHIE [mjopati] n. f. — 1890 ; de *myo-*, et *-pathie*.

♦ Méd. Maladie des muscles, secondaire à une autre affection (troubles endocriniens ou métaboliques, intoxications), ou primitive, de cause non élucidée et souvent familiale. — Spécialt. Grave atrophie musculaire progressive. *Myopathie primitive progressive* (Charcot) *ou dystrophie musculaire, le plus souvent héréditaire, débutant vers l'âge de 10 ou 12 ans, caractérisée par l'atrophie de certains groupes musculaires atteints de lésions.*
DÉR. Myopathique.

MYOPATHIQUE [mjopatik] adj. — 1898, Littré-Robin, 18e éd. ; de *myopathie*.

♦ Méd. Qui concerne la myopathie. *Faciès myopathique :* aspect particulier du visage dans la myopathie primitive progressive, dû à l'atrophie des muscles faciaux.

MYOPE [mjɔp] n. et adj. — 1578 ; lat. *myops*, grec *muôps* « qui cligne des yeux ».

♦ 1. N. Personne qui a la vue courte ; qui ne voit distinctement que les objets rapprochés. ⇒ **Amétrope** (opposé à *hypermétrope, presbyte*). ⇒ **Myopie**. *Un regard de myope* (→ 1. Émousser, cit. 9). *Lunettes biconcaves, à verres divergents, pour myopes* (→ Épais, cit. 3). *Les myopes clignent* fréquemment des yeux.*

1   Ses yeux de myope, vagues et absorbés, faisaient le tour de la table lentement, se posant sur les gens, et ne semblant pas les voir.
        R. ROLLAND, Jean-Christophe, Foire sur la place, I, p. 675.

♦ 2. Adj. Atteint de myopie. *Il, elle est myope, myope comme une taupe** (fam.). *Myope et astigmate* (→ Compte, cit. 33 ; épais, cit. 3 ; fouineur, cit. 3). — *Œil, regard myope.* « *Il a la vue myope* » (Académie).

♦ 3. Fig. Qui manque de perspicacité, de largeur de vue.

2   (...) le victorieux avènement de la République, le triomphe des trois couleurs qu'on leur montrait de loin, qu'on les priait de voir, ils *(les Anglais)* le virent quand il fut à deux pas, sous leurs yeux, sous leurs dunes. Les politiques myopes ne virent pas, ils sentirent.   MICHELET, Hist. de la Révolution franç., VIII, VI.

CONTR. **Emmétrope, hypermétrope, presbyte. — Perspicace, sagace.**

MYOPIE [mjɔpi] n. f. — 1650 ; grec *muôpia*.

♦ 1. Difficulté à voir de loin ; anomalie de la vision, dans laquelle l'image d'un objet éloigné se forme en avant de la rétine en raison d'un allongement de l'axe antéro-postérieur de l'œil (⇒ **Amétropie**). *La myopie est corrigée par le port de lunettes concaves. Faible, légère, forte myopie. Être réformé pour myopie* (→ Chauvin, cit.). *Être atteint, affligé de myopie* (cf. fam. Avoir la vue basse).

Jérôme avait échappé, grâce à sa myopie, à toutes les réquisitions et conscriptions possibles.   BALZAC, les Petits Bourgeois, Pl., t. VII, p. 76.

♦ 2. Fig. Absence de largeur de vue, manque de sagacité. ⇒ **Aveuglement**. *Myopie intellectuelle* (→ Exception, cit. 13).

CONTR. **Emmétropie, hypermétropie, presbytie. — Perspicacité, sagacité.**

MYOPLASTIE [mjoplasti] n. f. — 1934, Quillet ; « mode opératoire dans la cure de la hernie inguinale », 1907, *Nouveau Larousse illustré*, Suppl. ; de *myo-*, et *-plastie*.

♦ Chir. Reconstitution (par greffe*) d'un tissu musculaire. ⇒ **Plastie**.

MYOPOTAME [mjɔpotam] n. m. — 1842, Barré ; lat. zool. *myopotamus*, de *mus* « rat », et *potamos* « fleuve ».

♦ Zool. Mammifère rongeur vivant dans les marécages. *Le myopotame, ou coypou est estimé pour sa fourrure.* ⇒ **Castor** (du Chili). — REM. Certains auteurs l'appellent aussi *castor du Canada* et *myocastor* (→ Ragondin).

MYOSINE [mjɔzin] n. f. — 1878 ; de *myo-*, et *-(s)ine*.

♦ Chim., biol. Globuline de la fibre musculaire représentant l'une des protéines contractiles des muscles (→ Actine). « *Le rôle essentiel de la myosine dans le fonctionnement de toute cellule vivante paraît de plus en plus évident. Depuis longtemps, on sait que cette molécule est le protagoniste majeur de la contraction musculaire* » (*la Recherche*, juil. 1978, p. 683).

MYOSIS [mjɔzis] n. m. — 1874 ; *myosie*, 1808 ; mot lat., du grec *muein* « cligner de l'œil ».

♦ Méd. Contraction permanente de la pupille. *Qui provoque le myosis.* ⇒ **Myotique**.
CONTR. Mydriase.
DÉR. Myotique.

MYOSITE [mjɔzit] n. f. — 1836, in D. D. L. ; de *myo-*, s de liaison, et suff. *-ite*.

♦ Méd. Inflammation du tissu musculaire.

MYOSOTIS [mjɔzɔtis] n. m. — 1562; mot lat., du grec *muo-sôtis* «oreille *(ous, ôtos)* de souris *(mus)*», à cause de la forme des feuilles.

♦ Plante herbacée *(Borraginacées)*, à petites fleurs bleues (ou blanches, ou roses, dans certaines variétés moins répandues) qui croît dans les lieux humides. *Grappes de fleurs bleues (blanches, roses) du myosotis. Le myosotis est aussi appelé* aimez-moi, fleur bleue, herbe d'amour, oreille de souris, ne m'oubliez pas (all. *vergiss mein nicht*, angl. *forget me not*) *plus je vous vois plus je vous aime, souvenez-vous de moi. Bouquet, botte, massif, bordure* (→ Jardin, cit. 2) *de myosotis.*

1 Les myosotis aux fleurs bleues
Me disent : « Ne m'oubliez pas ! »
                Th. GAUTIER, Émaux et Camées, "La source".

2 Il avait une petite figure ridée, rosée, avec de bons yeux bleus très pâles, comme des myosotis un peu fanés.
                R. ROLLAND, Jean-Christophe, L'aube, III, p. 88.

MYOTIQUE [mjɔtik] adj. et n. m. — 1890; de *myosis*.

♦ Méd. Qui provoque le myosis, la contraction pupillaire. — N. m. « *La pilocarpine, alcaloïde employé en ophtalmologie comme myotique* » (A. Galli et R. Leluc, *les Thérapeutiques modernes*, p. 21).

MYOTOME [mjɔtom] n. m. ⇒ **Myomère**.

MYOTOMIE [mjɔtɔmi] n. f. — 1724; de *myo-*, et *-tomie*.

♦ Didact. [a] Vx. Dissection des muscles.

[b] Chir. Incision ou excision d'un muscle.

MYOTONIE [mjɔtɔni] n. f. — 1900, *in* D. D. L.; de *myo-*, et *-tonie*.

♦ Méd. Anomalie des mouvements musculaires qui se font sous forme de contracture lente et progressive suivie d'un relâchement également lent.

DÉR. Myotonique.

MYOTONIQUE [mjɔtɔnik] adj. — 1900, *in* D. D. L.; de *myotonie*.

♦ Didact. Relatif à la myotonie; affecté de myotonie. *Réaction myotonique. Pupille myotonique.*

MYRIA- ou **MYRIO-** Élément, du grec *murias* «dizaine de mille».

MYRIACÉES [miʀjase] ou **MYRICÉES** [miʀise] n. f. pl. — 1861, *myriacées, in* D. D. L.; *myricées*, 1842, Barré; de *myrica*.

♦ Bot. Famille de plantes phanérogames angiospermes (Dicotylédones, dialypétales) comprenant les diverses espèces de *Myrica*. — Au sing. *Une myriacée, une myricée* : une plante appartenant à cette famille.

MYRIADE [miʀjad] n. f. — 1525; du bas lat. *myrias*, grec *murias* «dizaine de mille».

♦ **1.** Antiq. Nombre de dix mille. « *Mille myriades de talents d'or* » (Rollin, *in* Littré).

♦ **2.** (1557). Mod. Très grand nombre; quantité immense (→ Aspic, cit. 2; fulguration, cit. 3; 1. grêle, cit. 2). *Des poissons innombrables* (cit. 3), *des myriades et des myriades...*

La plaque rectangulaire exposait directement aux feux de l'aurore son couvercle lisse, qu'un anneau central rendait préhensible; son verso, dépourvu de tout voile, donnait naissance à une myriade de fils métalliques prodigieusement fins, qui, offrant l'aspect d'une chevelure trop régulière, servaient à faire communiquer chaque imperceptible région de la substance avec un appareil quelconque approvisionné d'une source d'énergie électrique.
                Raymond ROUSSEL, Impressions d'Afrique, p. 199.

MYRIAGONE [miʀjagon; miʀjagɔn] n. m. — Mil. xxᵉ (*in* Larousse 1963); de *myria-*, et *-gone*.

♦ Didact. Polygone de dix mille côtés.

MYRIAGRAMME [miʀjagʀam] n. m. — 1795; de *myria-*, et *gramme*.

♦ Inus. (Vx). Poids de 10 000 grammes (10 kilogrammes).

MYRIAMÈTRE [miʀjamɛtʀ] n. m. — 1795; de *myria-*, et *mètre*.

♦ Rare. Unité de longueur de dix mille mètres (dix kilomètres).

MYRIAPODES [miʀjapɔd] n. m. pl. — 1807; de *myria-*, et *-pode*.

♦ Zool. Classe d'animaux arthropodes dont le corps est formé d'anneaux portant chacun une *(chilopode)* ou deux *(chilognathes* ou *diplopodes)* paires de pattes. ⇒ **Mille-pattes**. *Principaux myriapodes :* géophile, gloméric, scolopendre. — Sing. *Un myriapode.*

MYRICA [miʀika] n. m. — 1846, Bescherelle; *myrique*, xviᵉ; grec *murikê* «tamarix», rac. *muron* «parfum».

♦ Bot. Arbre ou arbrisseau odorant *(Myriacées)*, dont certaines espèces sont aromatiques (myrte bâtard, piment royal, poivre de Brabant), et d'autres portent des fruits noirs globuleux recouverts d'une substance semblable à la cire (arbre à cire ou cirier).

DÉR. Myriacées (ou *myricées*).

MYRIO- ⇒ **Myria-**.

MYRIOPHYLLE [miʀjɔfil] n. m. — 1868; *myriophyllum*, 1827; de *myrio-*, et *-phylle*.

♦ Bot. Herbe aquatique utilisée pour la décoration des aquariums, appelée aussi *volant d'eau. Le myriophylle donne son nom à la famille des myriophyllées* (Phanérogames, dicotylédones, dialypétales), *à laquelle appartient également la macle** (ou *macre**).

M. Tilliers montra à Steph un cordon de roseaux, puis un second rang, plus avancé, formé du jonc des tonneliers, de typhos ou massettes et, s'éloignant un peu du bord, des myriophylles qui, en été, montrent au-dessus de l'eau leurs hampes roses.
                A. BILLY, Sur les bords de la Veule, p. 179.

MYRMÉCO- Premier élément de mots savants (*myrmécologie, myrmécologue, myrmécophage, myrmécophile...*), tiré du grec *murmêx* «fourmi».

MYRMÉCOLOGIE [miʀmekɔlɔʒi] n. f. — 1931, Larousse; de *myrméco-*, et *-logie*.

♦ Didact. Partie de l'entomologie qui étudie les fourmis.

DÉR. Myrmécologique, myrmécologue.

MYRMÉCOLOGIQUE [miʀmekɔlɔʒik] adj. — Mil. xxᵉ; de *myrmécologie*.

♦ Didact. De la myrmécologie, qui a trait à la myrmécologie. *Études myrmécologiques.*

MYRMÉCOLOGUE [miʀmekɔlɔg] n. — 1904, *Rev. gén. des sc.*, nᵒ 19, p. 897; de *myrméco-*, et *-logue*.

♦ Didact. Entomologiste spécialiste des fourmis.

MYRMÉCOPHAGE [miʀmekɔfaʒ] adj. — 1793; de *myrméco-*, et *-phage*.

♦ Didact. Qui se nourrit de fourmis. *Le fourmilier est myrmécophage.* — N. m. *Un myrmécophage.*

MYRMÉCOPHILE [miʀmekɔfil] adj. et n. — 1842, Académie, *Suppl.*, n. m.; adj., 1896; de *myrméco-*, et *-phile*.

♦ Biol. Qui vit avec les fourmis, en association avec elles. *Plantes, pucerons myrmécophiles.* « *On savait depuis longtemps que les lépismes sont des êtres myrmécophiles* » (*Année sc. et industr.* 1897, p. 214 [1896]).

DÉR. Myrmécophilie.

MYRMÉCOPHILIE [miʀmekɔfili] n. f. — Attesté xxᵉ; de *myrmécophile*.

♦ Biol. Association (d'une espèce myrmécophile) avec les fourmis.

MYRMÉLÉONIDÉS [miʀmeleɔnide] n. m. pl. — 1842, *myreméléonides*; de *myrmé(co-)*, et *leon* «lion».

♦ Zool. Famille d'insectes névroptères qui comprend notamment l'ascalaphe et le myrméléon (⇒ **Fourmilion**). — Au sing. *Un myrméléonidé.*

MYRMIDON ou **MIRMIDON** [miʀmidɔ̃] n. m. — 1605, *in* D. D. L.; n. de peuple, av. 1507; cour. aux xviᵉ et xviiᵉ siècles; du lat. *Myrmidon*, grec *murmidôn*, nom d'un peuple de Thessalie. — REM. Selon la légende, Égine étant dépeuplée par la famine, Éaque pria Jupiter de changer en hommes les fourmis *(murmêx)* qui se trouvaient là.

♦ **Fam.**, vieilli (ou didact., par plais.). Petit homme chétif, et, fig., insignifiant. ⇒ **Nain, pygmée.**

C'est bien à vous, petit ver de terre, petit mirmidon que vous êtes (...)
MOLIÈRE, Dom Juan, I, 2.

Au fém. Par plais. « *Une aimable vieille... un peu puérile, avec sa taille de myrmidone* » (Huysmans).

CONTR. Colosse, géant, hercule.

MYROBOLAN [miʀɔbɔlɑ̃] n. m. — XIIIᵉ, *mirobolan; mirobalan,* 1549; lat. *myrobolanus,* grec *murobolanos,* de *muron* « parfum », et *balanos* « gland »; → Mirabelle.

♦ **Pharm.** (vx). Fruits séchés de diverses espèces de Badamiers, utilisés comme remède.

(...) Nous venons, Louis XI et moi, dit-il en finissant, de nous mentir l'un à l'autre comme deux marchands de myrobolan.
BALZAC, Maître Cornélius, Pl., t. IX, p. 950.

DÉR. et HOM. V. Mirobolant.

MYROSINE [miʀɔzin] n. f. — 1850, *in* D. D. L.; du grec *muron* « parfum »; suff. *-ine.*

♦ **Biochim.** Enzyme qui se trouve dans les graines de moutarde noire.

MYROXYLE [miʀɔksil] ou **MYROXYLON** [miʀɔksilɔ̃] n. m. — 1842, *myroxyle; myroxylon,* 1903; du grec *muron* « parfum », et *xulon* « bois ».

♦ **Bot.** Arbre d'Amérique du Sud *(Papilionacées)* dont le tronc fournit une résine (baume de tolu; baume du Pérou).

MYRRHE [miʀ] n. f. — 1579; *mirre,* v. 1080; *mira,* v. 980; lat. *myrrha,* mot grec.

♦ Gomme* résine aromatique (⇒ **Aromate**) fournie par le balsamier (→ Cassolette, cit. 2). *L'or, l'encens et la myrrhe offerts à l'enfant Jésus par les rois mages. La myrrhe, utilisée en parfumerie, en pharmacie* (comme stimulant, tonique, antispasmodique...).

1 (...) l'encens honore sa divinité *(de Jésus),* et la myrrhe son humanité et sa sépulture, parce que c'était le parfum dont on embaumait les morts.
BOSSUET, Élévation... sur tous les mystères..., XVII, IX.

2 Un parfum âcre qui brûlait l'odorat ainsi qu'un piment brûle la bouche, le parfum de la myrrhe flottait dans l'air (...)
HUYSMANS, En route, VIII.

HOM. Mir, mire; formes des v. mirer et mettre.

MYRTACÉES [miʀtase] n. f. pl. — 1840; *myrtées,* 1812; de *myrte.*

♦ **Bot.** Famille de plantes dicotylédones dialypétales comprenant des arbres et arbustes (barringtonia, cajeput, eucalyptus, giroflier, goyavier, jamerosier, myrte). — Au sing. *Une myrtacée,* une plante appartenant à cette famille.

Rien de plus merveilleux, mais aussi de plus singulier, que ces énormes échantillons de la famille des myrtacées, dont le feuillage se présentait de profil à la lumière et laissait arriver jusqu'au sol les rayons du soleil!
Au pied de ces eucalyptus, une herbe fraîche tapissait le sol (...)
J. VERNE, l'Île mystérieuse, t. I, p. 334.

MYRTAIE [miʀtɛ] n. f. — 1640; de *myrte.*

♦ Rare. (Poét.). Plantation, bois de myrtes.

MYRTE [miʀt] n. m. — 1512, *in* D. D. L.; *mirte,* 1256; lat. *myrtus,* grec *murtos.*

♦ **1.** Arbre ou arbrisseau à feuilles coriaces, persistantes *(Myrtacées).* → Cytise, cit. 2; garrigue, cit. 2. *Les fleurs blanches et parfumées du myrte servent à la préparation d'une huile* (eau des anges). *Senteur des myrtes* (→ Aromate, cit. 5). *Infusion de feuilles de myrte. Bois de myrte, utilisé en ébénisterie, marqueterie...* — *Myrte commun,* des régions méditerranéennes. *Myrte piment,* dont les fruits sont utilisés comme épices (poivre de la Jamaïque; piment des Anglais). ⇒ **Toute-épice.**

Part ext. *Myrte bâtard.* ⇒ **Myrica.** *Myrte épineux.* ⇒ **Fragon.**

(...) le myrte « ugni », qui contient une excellente liqueur alcoolique; le myrte « caryophyllus », dont l'écorce forme une cannelle estimée; l'« eugenia pimenta », d'où vient le piment de la Jamaïque; le myrte commun, dont les baies peuvent remplacer le poivre (...)
J. VERNE, l'Île mystérieuse, t. I, p. 335.

♦ **2.** Poét. Feuille de myrte. *Le myrte, consacré à Vénus, symbole de l'amour. Couronne de myrte* (→ Hésiter, cit. 12). *Les lauriers et les myrtes, emblèmes de gloire* (cit. 27).

« *(Cythère)* Belle île aux myrtes verts, pleine de fleurs écloses,
BAUDELAIRE, les Fleurs du mal, XVI.

DÉR. Myrtacées, myrtaie.
COMP. Myrtiforme.

MYRTIFORME [miʀtifɔʀm] adj. — 1721; *mirtiforme,* 1704; de *myrte,* et *-forme.*

♦ (1845, n. m., « muscle myrtiforme »). Anat. Qui a la forme lancéolée des feuilles de myrtes. *Muscle myrtiforme,* abaisseur des ailes du nez. *Fossette myrtiforme du maxillaire supérieur.* — *Caroncules myrtiformes de la vulve* (⇒ **Hymen**).

MYRTILLE [miʀtij] n. f. — 1565; *mertille,* 1256; lat. *myrtillus,* de *myrtus* « myrte ».

♦ **1.** Bot. et cour. Variété *(Vaccinium Myrtillus)* d'airelle. *La myrtille est appelée selon les régions* abrétier, abrêt-noir, brimbelle, moret, raisin des bois, teint-vin. *Des buissons de myrtilles.* — *Myrtilles d'Amérique.* ⇒ **Bleuet.** — REM. On a écrit *myrtil* (1597); *mirtille* (→ Cueillir, cit. 14). — Cour. (mais abusif au regard de la terminologie botanique). Toute airelle *(Vaccinium).*

♦ **2.** Baie noir bleuâtre, comestible, de l'airelle myrtille *(Vaccinium Myrtillus),* et, par ext., de toute airelle. ⇒ **Airelle.** *Confiture de myrtilles. Manger des myrtilles. Peigne à myrtilles,* en bois, pour cueillir ces fruits.

(...) Je me souviens de ces myrtilles des montagnes que je cueillis un jour de grand froid dans la neige.
GIDE, les Nourritures terrestres, IV.

MYSTAGOGIE [mistagɔʒi] n. f. — 1660; de *mystagogue.*

♦ **1.** Didact. Initiation aux mystères de la religion (Bossuet, *in* Littré), de la magie, de l'occultisme... *Mystagogie des gemmes* (cit. 1).

C'est le sentiment religieux qui nous envahit. Il ébranle toutes nos forces. Mais craignons qu'une discipline lui manque, car la superstition, la mystagogie, la sorcellerie apparaissent aussitôt (...)
M. BARRÈS, la Colline inspirée, I.

♦ **2.** Antiq. (1812). Initiation aux mystères* (I., 1.).
DÉR. Mystagogique.

MYSTAGOGIQUE [mistagɔʒik] adj. — 1796, *in* D. D. L.; de *mystagogie.*

♦ Didact. Relatif à la mystagogie, aux rites initiatiques.

MYSTAGOGUE [mistagɔg] n. m. — Av. 1553; lat. *mystagogus,* grec *mustagôgos,* de *agein* « conduire ».

♦ **1.** Antiq. grecque. Prêtre qui initie aux mystères sacrés.

♦ **2.** (1868). Didact. Personne qui initie à une pratique ésotérique.
DÉR. Mystagogie.

MYSTE [mist] n. m. — 1541, G. de Selve, trad. Plutarque; grec *mustês* « initié »; → Mystère.

♦ Didact. (Antiq.). Celui qui était initié aux mystères (spécialt., aux « petits mystères », à Éleusis).

(...) à travers les hululements des mystes et des galles, il faut entendre l'appel vibrant à une foi consolatrice (...)
DANIEL-ROPS, le Peuple de la Bible, IV, II, p. 333.

MYSTÈRE [mistɛʀ] n. m. — V. 1167, *mistere* « manière intime de penser »; lat. *mysterium,* grec *mustêrion,* de *mustês* « initié ». → Métier.

★ **I.** Didact. Rite, culte, savoir réservé à des initiés.

♦ **1.** (XIIIᵉ). Antiq. Rite, culte religieux secret, auquel n'étaient admis que les initiés. ⇒ **Ésotérique, ésotérisme** (→ Gnosticisme, cit.; hiérophante, cit. 1 et 3). *Les mystères coexistaient généralement avec un culte public. Religions à mystères. La formule* (cit. 1) *des mystères. Admission aux mystères.* ⇒ **Initiation** (cit. 1), **initier** (cit. 1 et 9); **mystagogie, mystagogue.** *Étranger aux mystères* (⇒ **Profane**). *Mystères grecs (orphiques*, d'Éleusis). Mystères orientaux (d'Attis, d'Isis, de Cybèle, mithriaques...). Célébrer un mystère. La Franc-Maçonnerie* (cit.) *a hérité des rites et des symboles des anciens mystères.*

1 Les cultes de Dionysos et d'Orphée, celui de Déméter et Koré à Éleusis (...) étaient devenus, dans leur fond, des Mystères, c'est-à-dire qu'ils prétendaient initier à un secret divin, révélation et garantie d'une vie future bienheureuse, et à une méthode pour s'en assurer les bénéfices.
Ch. GUIGNEBERT, le Christ, p. 179.

1.1 Les cultes d'orgie et d'extase dont la promotion entraîne la résurrection des divinités de la terre, retrouvent le sacré pré-olympien : un sacré privé de l'architecture spirituelle de l'Orient, mais non de son sentiment du tout-autre. L'homme y participe par sa dépossession. L'admiration ne joue pas dans les mystères de Dionysos le rôle qu'elle jouait dans le culte d'Apollon. Et les dieux à mystères, les plus purs comme les plus impurs, susciteraient sans doute des images parentes de celles que vont connaître les Parthes et l'Inde — si leurs cultes pénétraient la société grecque comme le christianisme pénétrera la société romaine.
MALRAUX, la Métamorphose des dieux, p. 89-90.

Par ext. Culte religieux (sens du lat. *ministerium*).

2 (...) il ne serait pas difficile de (...) faire voir que la comédie, chez les anciens, a pris son origine de la religion, et faisait partie de leurs mystères (...)
MOLIÈRE, *Tartuffe*, Préface.

♦ **2.** Didact. Sens occulte, caché sous un symbole.

3 Toutes choses couvrent quelque mystère; toutes choses sont des voiles qui couvrent Dieu.   PASCAL, Lettre à Mlle de Roannes, oct. 1656.
⇒ **Allégorie, symbole.** *Les mystères de la Cabale*.

♦ **3.** (XIIe). Relig. chrét., et cour. Dogme* révélé (⇒ **Révélation**), inaccessible à la raison (→ Authenticité, cit. 8; infailliblement, cit. 2). *Le mystère de la Trinité** (→ Coexistence, cit. 1), *de l'Émanation*, de l'Incarnation** (cit. 5), *de la Rédemption*, de la Résurrection** *(mystère pascal)*. *Le catéchisme** contient les mystères de la foi. Élévation sur les mystères*, ouvrage de Bossuet.

4 (...) je juge ainsi, qu'à une chose si divine et si hautaine, et surpassant de si loin l'humaine intelligence, comme est cette vérité de laquelle il a plu à la bonté de Dieu *(de)* nous éclairer, il est bien besoin qu'il nous prête encore son secours (...) pour le pouvoir concevoir et loger en nous (...) C'est la foi seule qui embrasse vivement et certainement les hauts mystères de notre Religion.
MONTAIGNE, *Essais*, II, XII.

Théol. cathol. Le dessein conçu par Dieu de sauver l'homme, d'abord caché, puis révélé en la personne du Christ; les sacrements*, considérés en tant que signes de ce dessein. *Le Mystère de Jésus* (Pascal, *Pensées*, 553). *Le mystère de l'Eucharistie*. — Hist. relig. *Le mystère paulinien*.

5 Dans les Synoptiques, le *mystère* (...) c'est l'avènement du *Royaume ou du règne de Dieu* (...) Alors, le *mystère*, c'est le fait d'une réalisation de l'espérance d'Israël dans des formes et selon des modalités qu'Israël n'attendait ni ne savait (...) Chez Paul (...) la matière du mystère s'est transposée et elle intéresse le *salut personnel* beaucoup plus que le Royaume.   Ch. GUIGNEBERT, le *Christ*, p. 356.

(1683). Par ext. et par confusion entre *ministerium* « office » et le sens étymologique de *mystère* : «cérémonie... *(où)* il ne faut pas qu'un profane, qu'un excommunié participe» (Furetière). *Les saints mystères, les mystères sacrés.* ⇒ **Culte, liturgie, messe.**

Par plais. (vx). Cérémonie profane.

6 J'ai regret de troubler un mystère joyeux *(les fiançailles d'Henriette)*.
MOLIÈRE, les *Femmes savantes*, v, 4.

★ **II.** Cour. Chose cachée, secrète...

♦ **1.** (1561). Ce qui est (ou est cru) inaccessible à la raison humaine. *Un mystère impénétrable** (cit. 15 et 16), *inaccessible, inconcevable*, inexplicable* (cit. 3), insondable*... Profond, étrange mystère*. ⇒ **Profondeur** (→ Éternité, cit. 6). *Le mystère de l'Être, de la conscience. Le mystère des choses* (→ Irrévérencieux, cit. 1), *de la matière, de la nature, de la vie* (→ Exprimer, cit. 28; fécondation, cit. 5). *Les mystères de l'âme** (cit. 17), *de l'amour...* «*Agent aveugle et sourd de mystères funèbres*» (→ Force, cit. 65, Hugo). — *Acceptation, attrait* (cit. 15), *effroi, terreur du mystère* (→ Attraction, cit. 14). — Par métaphore. *Les ombres*, les voiles*, la nuit du mystère* (→ Côté, cit. 15). *Les portes du mystère* (→ Curiosité, cit. 11).

(1541). Caractère de ce qui est incompréhensible pour l'homme, et, spécialt, lui inspire un respect religieux (→ Forêt, cit. 4). *Lieux baignés de mystère* (→ Esprit, cit. 4, Barrès). *Un infini* (cit. 27) *de mystère et de silence*.

7 Partout l'homme subit la terreur du mystère,
Et ne regarde en haut qu'avec un œil tremblant.
BAUDELAIRE, les *Nouvelles Fleurs du mal*, X.

8 Je vais dévoiler tous les mystères : mystères religieux ou naturels, mort, naissance, avenir, passé, cosmogonie, néant. Je suis maître en fantasmagories.
RIMBAUD, *Une saison en enfer*, Nuit de l'enfer.

9 Si je l'écoute, si je le plains, si je prends au sérieux son aventure, il croira revenir d'un pays de mystère, et c'est du mystère seul que l'on a peur.
SAINT-EXUPÉRY, *Vol de nuit*, XI.

♦ **2.** (1643). Ce qui est inconnu, caché (mais qui peut être connu d'une ou de plusieurs personnes). ⇒ **Secret.** *Un mystère ignoré* (cit. 46) *de la foule. Lever* (1. Lever, cit. 12) *les voiles d'un mystère. Cela cache, couvre** un mystère. Il y a un mystère là-dessous. Le mystère, les mystères de la vie privée, de l'alcôve. Les mystères de la politique, de la science.* ⇒ **Arcanes.** *Ce n'est un mystère pour personne* : c'est une chose qu'il est aisé de savoir, qui est de notoriété publique. → Intimité, cit. 7.

10 (...) je sais que cet ami sincère
Du secret de nos cœurs connaît tout le mystère.
RACINE, *Bérénice*, II, 4.

11 Mon âme a son secret, ma vie a son mystère.
A.-F. ARVERS, *Mes heures perdues*, «Sonnet».

12 Ces bouviers des pays du soleil n'avaient point inventé la pudeur. Parmi eux, la femme, étant sans mystère, était sans danger.
FRANCE, le *Livre de mon ami*, Livre de Suzanne, III, II.

(1668). Chose étonnante, difficile à comprendre, à expliquer (→ Apparence, cit. 40). *C'est un mystère* (→ Garder, cit. 48). *Comment s'en est-il sorti, c'est un mystère... Cet homme est un mystère.*

13 Ce vieillard muet fut un mystère pour le peintre, et resta constamment un mystère. Le chevalier, si c'était chevalier, ne parla pas, et personne ne lui parla. Était-ce un ami, un parent pauvre (...)?   BALZAC, la *Bourse*, Pl., t. I, p. 343.

Qu'a-t-il dit? — Mystère! : je ne sais pas. — Loc. fam. *Mystère et boule de gomme!* : je n'en sais strictement rien.

13.1 — Au fait, ça concerne quoi, ces fameuses recherches?

Je l'observe à la dérobée, mine de rien. Martine ne sourcille pas. Elle fait un bruit disgracieux avec la bouche.
— Alors là, mystère et boule de gomme!
SAN-ANTONIO, le *Secret de Polichinelle*, p. 72.

Le mystère, ce qui a un caractère incompréhensible, très obscur; caractère de ce qui est obscur. ⇒ **Obscurité, secret.** *Aimer le mystère. Trouver du mystère à tout* (→ Figure, cit. 27). *Cela n'a plus de mystère pour lui* (→ Expression, cit. 35).

14 (...) Albert Savarus, déjà très remarquable, fit d'autant plus d'impression sur Rosalie, que sa manière d'être, sa démarche, son attitude, tout, jusqu'à son vêtement, avait ce je ne sais quoi qui ne s'explique que par le mot mystère!
BALZAC, *Albert Savarus*, Pl., t. I, p. 772.

15 Elle a l'air de bannir le mystère comme si c'était un microbe (...)
COLETTE, la *Naissance du jour*, p. 100.

♦ **3.** (1657). Obscurité volontaire dont on entoure quelque chose; ensemble des précautions que l'on prend pour rendre incompréhensible, pour cacher... *S'envelopper, s'entourer de mystère* (→ Emmailloter, cit. 6). *Jamais l'innocence et le mystère n'habitèrent longtemps ensemble* (→ Évaporer, cit. 5). *Homme plein de mystère.* ⇒ **Cachottier** (fam.), **discret, mystérieux** (→ Anxieux, cit. 4). *Un air de mystère. Chut! Mystère!* ⇒ **Discrétion, silence.**
(En fonction d'attribut). *Il est tout mystère.*

16 C'est de la tête aux pieds un homme tout mystère.
MOLIÈRE, le *Misanthrope*, II, 4.

17 Le mystère dont on enveloppe ses desseins marque quelquefois plus de faiblesse que d'indiscrétion, et souvent nous fait plus de tort.
VAUVENARGUES, *Maximes et réflexions*, 352.

18 Quant au mystère dans lequel vous désirez que cet événement reste enseveli, soyez tranquille, Madame; sur tout ce qui intéresse Mlle de Volanges, je peux défier des cœur même d'une mère.   LACLOS, les *Liaisons dangereuses*, LXIV.

19 Il prit ici un air de grand mystère, agita l'index, et demanda à tous le secret d'une mimique évidente.   ARAGON, les *Beaux Quartiers*, I, XX.

Loc. *En grand mystère* : dans le secret, en se cachant. ⇒ **Mystérieusement.**

(1658). Loc. *Faire (un) mystère, faire grand mystère de quelque chose* :

a Vx. Faire grand étalage, faire toute une affaire de... «*Du nom de philosophe elle fait grand mystère*» (Molière, les *Femmes savantes*, II, 9).

b Mod. Cacher, voiler (→ Gros, cit. 28).
Mais par quelle raison lui faire un mystère de votre amour?

20 MOLIÈRE, l'*Avare*, II, 1.

Spécialt. ⇒ **Cachotterie.** *Allons, pas tant de mystères.* ⇒ **Détour.**

21 (...) il parlait rarement d'une façon tout à fait nette, ses réponses étaient équivoques; il faisait, à propos de tout, des cachotteries et des mystères (...)
R. ROLLAND, *Jean-Christophe*, Le matin, II, p. 167.

♦ **4.** Question difficile; problème ardu. ⇒ **Énigme.** *Débrouiller* (→ Induction, cit. 7), *pénétrer, percer un mystère* (→ Hypothèse, cit. 7). *Clé*, solution du mystère* (→ Insolubilité, cit.). *Mystère policier. Le Mystère de la chambre jaune*, roman de G. Leroux. *Le Mystère Frontenac*, roman de F. Mauriac.

♦ **5.** (XXe; marque déposée). Glace enrobée d'amandes pilées et fourrée de meringue.

♦ **6.** (Nom propre). Avion de combat supersonique français appartenant à la série qui porte ce nom.

★ **III.** MYSTÈRE ou MISTÈRE. (Av. 1453, *mystère; mistère*, XVe; «office, service», XIIIe; par confusion avec *ministerium*).
Didact. (Hist. littér.). Au moyen âge, Genre théâtral qui mettait en scène des sujets religieux, à l'origine la Nativité et la Résurrection du Christ, puis la Passion, des scènes tirées des deux Testaments, des vies de saints (⇒ **Miracle;** → Marionnette, cit. 2). *Le Mystère de la Passion,* d'Arnould Gréban. *Les tableaux d'un mystère. Décor à mansions d'un mystère. Mystère mettant en scène des diables.* ⇒ **Diablerie.**
REM. Le mot a été repris, dans un sens voisin, par Péguy, dans ses grands poèmes mystiques, généralement dialogués, *Mystère de la Charité de Jeanne d'Arc, Mystère des Saints Innocents.*

22 On joua *les Mystères*, à l'entrée de Charles VI à Paris, l'an 1380. On croit communément que ces pièces étaient des turpitudes, des plaisanteries indécentes (...) Il n'y a pas un mot de tout cela dans les pièces des *Mystères* qui sont venus jusqu'à nous. Ces ouvrages étaient la plupart très graves (...) C'était la sainte Écriture en dialogues et en action; c'étaient des chœurs qui chantaient les louanges de Dieu.   VOLTAIRE, *Mélanges littéraires*, Div. chang. arrivés à l'art tragique.

CONTR. Clarté, évidence, connaissance.
DÉR. Mystérieux.

MYSTÉRIEUSEMENT [misterjøzmɑ̃] adv. — V. 1460; de *mystérieux*.

♦ **1.** D'une manière mystérieuse.
Littér. D'une manière occulte (→ Force, cit. 11; gosier, cit. 9; indéfinissable, cit. 2). *La Sibylle prophétisait mystérieusement.*

♦ **2.** (1694). Cour. D'une manière secrète, en se cachant. *Agir mystérieusement.*

1   (...) des mosquées qu'on ne voit pas, des bains où l'on va mystérieusement (...)
                       E. FROMENTIN, Une année dans le Sahel, p. 27.

2   Ils viennent (...) accoster mystérieusement M. Töpffer, se vantant mystérieuse-ment d'avoir été chacun la cause qu'on n'a pas ouvert nos sacs M. Töpffer prend le parti de n'entendre rien aux choses mystérieuses.
                       Rodolphe TÖPFFER, Voyages en zigzag, p. 42.

MYSTÉRIEUX, EUSE [misteʀjø, øz] adj. — 1460, sens 3; de mystère.

♦ **1.** (1675). Littér. ou didact. Relatif à un culte, à un dogme, réservé à des initiés, à une connaissance cachée*. ⇒ **Mystère** (I.); **augural, cabalistique, ésotérique, occulte, sibyllin, voilé** (→ Kabbale, cit.). *Lien mystérieux* (→ Arcane, cit. 2). *Forces, influences mystérieuses* (→ Extraordinaire, cit. 8). *Rites mystérieux* (→ Ésotérisme, cit.). *Élixir* (cit. 3) *mystérieux.* — *Choses mystérieuses de la religion* (→ Enquérir, cit. 4).
Didact., rare. Qui a, qui célèbre des mystères, en parlant d'une religion. ⇒ **Mystique** (I., 1.).

1   Qu'est-ce que le *Mystère* (...) dans une religion *mystérieuse,* sinon une certaine présentation de l'histoire du Sôter (sauveur) dans sa relation avec le salut (...)
                       Ch. GUIGNEBERT, le Christ, p. 357.

♦ **2.** Cour. Qui est inconnaissable, incompréhensible ou inconnu; qui est un mystère, tient du mystère (II.). ⇒ **Énigmatique, impénétrable, incompréhensible, inconnaissable, inexplicable, inexpliqué, obscur, secret, ténébreux.** *L'homme, chose mystérieuse et infinie* (cit. 15). *Le hasard est mystérieux* (→ Indéchiffrable, cit. 4). *Intervention mystérieuse du destin. Attribuer une origine mystérieuse à un événement.* — *Affinité* (cit. 4), *attraction* (cit. 12), *influence mystérieuse. Une alliance, une correspondance mystérieuse s'établit* (cit. 19 et 35) *entre... Fluide* (cit. 12 et 13) *mystérieux; émanation* (cit. 9) *mystérieuse.* ⇒ **Invisible** (fig.). — *Sentiment mystérieux et profond** (→ Éprouver, cit. 22). *Maladie mystérieuse et horrible* (→ Épilepsie, cit. 2). *Vie mystérieuse* (→ Initier, cit. 4).

2   Il n'est rien de beau, de doux, de grand dans la vie, que les choses mystérieuses. Les sentiments les plus merveilleux sont ceux qui nous agitent un peu confusément : la pudeur, l'amour chaste, l'amitié vertueuse, sont pleines de secrets.
                       CHATEAUBRIAND, le Génie du christianisme, I, I, II.

3   À se voir seul, en effet, dans une vaste enceinte, que ce soit dans un temple, un cloître ou un château, il y a quelque chose de bizarre, et, pour ainsi dire, de mystérieux. Le monument semble peser sur l'homme : les murs le regardent; les échos l'écoutent; le bruit de ses pas trouble un si grand silence, qu'il en ressent une crainte involontaire, et n'ose marcher qu'avec respect.
                       A. DE MUSSET, Contes, « La mouche », III.

4   (...) peut-être y a-t-il en nous d'autres puissances que l'esprit et le cœur, d'autres même que les sens, — de mystérieuses puissances, qui prennent le commandement dans les instants de néant où s'endorment les autres (...)
                       R. ROLLAND, Jean-Christophe, L'aube, I, p. 8.

5   Il y avait chez cette femme (...) une part de superstition qui la portait à reconnaître dans le son banal d'une clochette de cuivre quelque chose d'aussi mystérieux qu'un appel du destin.
                       J. GREEN, Léviathan, II, IX.

Qui est insolite, extraordinaire, et évoque la présence de forces cachées. *Aspect* (cit. 23) *mystérieux d'une chose. Atmosphère* (cit. 16) *mystérieuse. Lieu, monde mystérieux* (→ Étoile, cit. 14; magique, cit. 7). *L'Île mystérieuse,* roman de Jules Verne.

6   (...) le fjord dort entre les monts à pic, tel un long lac tortueux; il est mystérieux et profond (...)   André SUARÈS, Trois hommes, « Ibsen », I.

♦ **3.** Qui est difficile à comprendre, à expliquer. ⇒ **Difficile.** *Assassinat mystérieux et embrouillé* (cit. 6). *Cette histoire est bien mystérieuse, on dirait que le diable* s'en mêle. *Découvrir des traces mystérieuses.* ⇒ **Équivoque.**

♦ **4.** Dont la nature, le contenu... sont tenus cachés. ⇒ **Secret.** *Dossier mystérieux* (→ Écran, cit. 1). — (Personnes). Dont l'identité, la qualité, les fonctions sont tenues secrètes. *Il a rencontré un mystérieux monsieur* (→ Forger, cit. 13), *un mystérieux personnage.*

7   Que m'apprenez-vous de rare et de mystérieux?
                       LA BRUYÈRE, les Caractères, XI, 35.

8   On devinait bien, à ses plaintes, que cette femme était malheureuse par la faute du mari, mais on redoutait de comprendre ces griefs mystérieux (...)
                       J. CHARDONNE, les Destinées sentimentales, p. 164.

♦ **5.** Qui cache, tient secret quelque chose. ⇒ **Mystère** (II., 3.); **secret, sibyllin.** *Un homme mystérieux* (→ Cauteleux, cit. 1). — Par ext. *Voix basse et mystérieuse,* confidentielle (→ Figurer, cit. 7). *Hochements* (cit. 1) *de tête mystérieux. Expression mystérieuse du visage* (→ Bronzer, cit. 2).

9   Ils échangèrent un petit sourire mystérieux, comme si leurs pensées tacites en étaient déjà à quelque point de rencontre où leurs conversations n'arriveraient que plus tard.   J. ROMAINS, les Hommes de bonne volonté, t. II, XV, p. 178.

N. m. Ce qui est mystérieux. *Le mystérieux.*

10   (...) si cette institution est en outre de nature religieuse, elle possède alors les deux conditions essentielles à l'harmonie, le *beau* et le *mystérieux.*
                       CHATEAUBRIAND, le Génie du christianisme, III, I, I.

Faire le mystérieux, la mystérieuse : affecter d'avoir qqch. à cacher, d'être seul à savoir qqch. (pour s'attribuer une importance que l'on n'a pas, mystifier, etc.).

11   Tu fais le mystérieux, me dit-il, tu as tort; si j'avais un secret, je le partagerais avec toi.   E. FROMENTIN, Dominique, V.

CONTR. Clair, compréhensible, évident. — Connu, divulgué, public, révélé.
DÉR. Mystérieusement.

MYSTICÈTES [mistisɛt] n. m. pl. — Mil. XXᵉ; du grec *mustax* «moustache», et -*cète.*

♦ Zool. Groupe des cétacés* à fanons et à double évent (baleines franches et rorquals). — Au sing. *Un mysticète.*

MYSTICISER [mistisize] v. tr. — 1892; du rad. de *mystique,* et -*iser.*

♦ Rare. Rendre mystique, plus mystique. *« Ce livret cherche à idéaliser et à mysticiser cette fort banale aventure... »* (le Journal amusant, 25 juin 1892, in D. D. L.).

MYSTICISME [mistisism] n. m. — 1804, B. Constant, cit.; dér. sav. du lat. *mysticus* «mystique».

♦ **1.** Ensemble des croyances et des pratiques se donnant pour objet une union intime de l'homme et du principe de l'être (divinité, etc.); ensemble des dispositions psychiques de ceux qui recherchent cette union. ⇒ **Communication** (supra cit. 7), **contemplation, extase, oraison** (cit. 2). → aussi Illuminer, cit. 26. *Mysticisme chrétien, islamique, bouddhiste... Mysticisme quiétiste.*

(...) j'ai lu l'ouvrage de Schelling sur la philosophie et la religion (...) Il définit ainsi l'immortalité de l'âme : la réunion plus ou moins intime de l'âme avec Dieu (...) Il est donc entré tout à fait dans le mysticisme platonicien.
                       B. CONSTANT, Journal intime, mai 1804.

(...) le mysticisme peut être dit l'état dans lequel une âme, laissant aller le monde physique et dédaigneuse des chocs et des accidents, ne s'adonne qu'à des relations et à des intimités directes avec l'infini.
                       R. DE GOURMONT, le Livre des masques, p. 24.

(1842). Foi; dévotion* fervente à caractère mystique, intuitif. ⇒ **Mysticité.**

Nombreux sont encore ceux qui confondent mysticisme et spiritualité, et qui croient que l'homme ne peut que ramper, si la religion ne le soulève; qui croient que seule la religion peut empêcher l'homme de ramper.
                       GIDE, Journal, 4 janv. 1933.

Psychiatrie. *Mysticisme pathologique :* état morbide comportant des préoccupations religieuses, avec des manifestations d'allure mystique, que l'on peut rencontrer dans différentes affections mentales (hystérie, délires chroniques progressifs...).

♦ **2.** (1842). Croyance, doctrine philosophique faisant une part excessive au sentiment, à l'intuition (→ Irrationalisme, intuitionnisme).

(...) l'on peut dire que le mysticisme consiste à franchir, soit par un élan d'amour, soit par un effort de volonté, les bornes où la raison spéculative est contrainte de s'enfermer.   GOBLOT, Classification des sciences, p. 4, in LALANDE.

MYSTICITÉ [mistisite] n. f. — 1718; du rad. de *mystique.*

♦ **1.** Vx (en usage au XVIIIᵉ s.). Mysticisme. *« Les Allemands (...) exaltés* (cit. 14) *jusqu'au fanatisme par la mysticité »* (Ségur). — Caractère, extase, pratique mystique (→ Aisance, cit. 6).

On demande quelle est cette plénitude de bonheur céleste promise à la vertu par le christianisme; on se plaint de la trop grande mysticité : « Du moins dans le système mythologique, dit-on, on pouvait se former une image des plaisirs des ombres heureuses; mais comment comprendre la félicité des élus ? »
                       CHATEAUBRIAND, le Génie du christianisme, I, VI, VIII.

♦ **2.** (1835). Mod. (littér. ou didact.). Foi, dévotion intuitive et intense. *« La mysticité de Fénelon... »* (D'Alembert).

MYSTICO- Élément, de *mystique,* utilisé dans de nombreux adjectifs composés libres (souvent péj.). *Mystico-marxiste* (l'Express, 13 oct. 1969); *mystico-érotique* (le Monde, 7 janv. 1966); *mystico-intellectuel; mystico-allégorique.*

MYSTIFIABLE [mistifjabl] adj. — 1845; de *mystifier.*

♦ Qui peut être mystifié (1.). *Un enfant est aisément mystifiable.*

MYSTIFIANT, ANTE [mistifjɑ̃, ɑ̃t] adj. — 1845, attestation isolée, Jacquemont, cit.; repris mil. XXᵉ; p. prés. de *mystifier.*

♦ **1.** Qui mystifie (2.). *Idéologie, propagande mystifiante.* ⇒ **Mystificateur.**

♦ **2.** Rare (correspond au sens 1 de *mystifier*).

Ce serait encore une mauvaise spéculation, puisque depuis le 21 mars 1824, de mystifiante mémoire, nous n'avons eu aucun intérêt de cet argent.
                       V. JACQUEMONT, Correspondance, t. I, 21 mars 1831, p. 565.

CONTR. Démystifiant.

MYSTIFICATEUR, TRICE [mistifikatœʀ, tʀis] n. — 1770; de *mystifier.*

♦ Personne qui aime à mystifier, à s'amuser des gens en les trompant. ⇒ **Farceur, fumiste, trompeur** (→ Loustic, cit. 5). *Mystificateur facétieux*. Le sérieux d'un mystificateur anglais* (→ Gravité, cit. 6). *Mystificateur littéraire.* ⇒ **Faussaire** (fig.).

Monsieur, votre air respectable et la solennité de votre langage me font un devoir de penser que je ne me trouve pas en présence d'un vulgaire mystificateur.
COURTELINE, Boubouroche, I, 3.

Il y avait toujours eu du mystificateur chez ce roué, et la partie lui apparaissait piquante à jouer.   Louis MADELIN, Talleyrand, III, XXVI.

Adj. (1858). *Intentions mystificatrices.*

CONTR. Démystificateur.

MYSTIFICATION [mistifikasjɔ̃] n. f. — 1768 ; de *mystifier.*

♦ **1.** Actes ou propos destinés à mystifier (qqn), à abuser de sa crédulité. ⇒ **Attrape, attrape-nigaud, blague, canular** (cit. 1), **charge, facétie, farce, fumisterie, galéjade, mensonge, tour** (mauvais tour), **tromperie** (→ Loustic, cit. 4). *Être le jouet d'une mystification* (→ Illusion, cit. 8). *Monter, organiser une mystification.*

Étienne, piqué de l'air magistral que prenait monsieur de Clagny, voulut le faire enrager par une de ces froides mystifications qui consistent à défendre des opinions auxquelles on ne tient pas (...)
BALZAC, la Muse du département, Pl., t. IV, p. 98.

(...) on lui persuada un jour *(à Poinsinet)* qu'il y avait une place d'écran du roi, et, pour l'y exercer, on le fit tenir debout devant un feu énorme qui lui grillait les mollets. Une autre fois, on lui annonça qu'il était nommé gouverneur des enfants du roi de Prusse, mais à condition d'abjurer. Il se décora sur-le-champ du cordon de l'Aigle-noir et abjura la religion catholique avec les blasphèmes les plus terribles (...) On peut voir chez les contemporains le détail d'autres mystifications.
Jules LEMAÎTRE, Impressions de théâtre, Poinsinet (→ Mystifier, cit. 1).

Spécialt. *Mystification littéraire, philosophique, intellectuelle.* ⇒ **Tromperie.**

♦ **2.** (1845). Tromperie collective, d'ordre intellectuel, moral (→ Liberté, cit. 34). ⇒ **Mythe.** *Considérer le patriotisme, la religion, le socialisme, l'idée de liberté... comme des mystifications, des idées vaines*, irréelles...*

La mystification propre à l'esprit qui se dit révolutionnaire reprend et aggrave aujourd'hui la mystification bourgeoise. Elle fait passer sous la promesse d'une justice absolue l'injustice perpétuelle (...)   CAMUS, l'Homme révolté, p. 358.

CONTR. Positivisme, rationalisme.
COMP. Démystification.

MYSTIFIER [mistifje] v. tr. — 1764, Grimm (→ cit. ci-dessous) ; dér. plaisant du grec *mustès* « initié » (→ Myst), et de *-fier,* lat. *facere.*

♦ **1.** Tromper (qqn) en abusant de sa crédulité et pour s'amuser à ses dépens. ⇒ **Abuser, duper, leurrer, tromper,** et, fam., **charrier ; grimper** (faire grimper à l'arbre, à l'échelle). *Les naïfs qu'on mystifie* (→ Candide, cit. 2). *Mystifier quelqu'un en lui cachant, en simulant quelque chose, en lui racontant des histoires, des blagues, des gausses* (cit. 2). ⇒ **Mentir.** *Se faire mystifier.*

Cette comédie *(faire croire à Poinsinet que le roi de Prusse voulait lui confier l'éducation du prince...)* dura plusieurs mois (...) sans que Poinsinet doutât un instant de la réalité de tous ces faits ; ses amis appelaient cela mystifier un homme, et lui donnèrent le surnom de mystifié, terme qui n'est pas français (...) et qui (...) ne méritait pas d'être remarqué, si M. Déon ne l'avait employé (...)
GRIMM, Correspondance, 15 sept. 1764, cité par LITTRÉ.

Désormais, je voyais clair dans cette petite âme de rouée. J'avais été mystifié comme un collégien et j'en restais confus encore plus qu'affligé.
Pierre LOUŸS, la Femme et le Pantin, IX.

♦ **2.** (Mil. XXᵉ). Tromper par une mystification (au sens 2). *Partisans d'un régime totalitaire mystifiés par la propagande.*

(...) pour éviter que le révolutionnaire ne soit mystifié par ses anciens maîtres, il convient de lui montrer que les valeurs établies sont de simples données (...) Et pour éviter qu'il ne se mystifie lui-même, il faut lui donner les moyens de comprendre que le but qu'il poursuit (...) est aussi une valeur (...)
SARTRE, Situations III, p. 195.

▶ **MYSTIFIÉ, ÉE** p. p. adj. *Un naïf mystifié. — Foules mystifiées.* — N. *Les mystificateurs et les mystifiés* (→ Fumisterie, cit.).

CONTR. Détromper.
DÉR. Mystifiable, mystifiant, mystificateur, mystification.
COMP. Démystifier.

MYSTIQUE [mistik] adj. et n. — V. 1390, *misticque ;* lat. *mysticus,* grec *mustikos* « relatif aux mystères ».

★ **I.** Adj. ♦ **1.** Relatif au mystère, à une croyance cachée, supérieure à la raison, dans le domaine religieux. *Interprétation* (cit. 1) *mystique.* ⇒ **Allégorique.** *Sens littéral et sens mystique.* — (XVIᵉ). *Le corps mystique du Christ :* l'Église. *La liturgie* (cit. 2), *opération mystique et symbolique.* « *Les ténèbres mystiques dont il* (le Christ) *se couvre (...) dans l'Eucharistie* » (Bossuet, *Oraison funèbre d'Henriette-Anne d'Angleterre*). *Figures* mystiques. L'agneau* mystique,* retable célèbre de Van Eyck. *L'amant* mystique. Rose mystique,* l'un des noms donnés à la Vierge Marie.

Par ext. Caché, profond, secret... *Fondement* (cit. 1) *mystique de l'autorité de la loi, de la coutume* (→ Équité, cit. 15). — Spécialt. Dr. *Testament* mystique.*

Poét. Qui a un sens occulte (en parlant spécialement de ce qui repose sur les *correspondances**).

1 Celui qui veut unir dans un accord mystique
L'ombre avec la chaleur, la nuit avec le jour.
BAUDELAIRE, les Épaves, Pièces condamnées, III.

Math. *Hexagramme mystique :* hexagone inscrit dans une conique, dont les trois points d'intersection des côtés opposés sont alignés et qui présente de nombreuses propriétés remarquables.

♦ **2.** Cour. Qui concerne les pratiques, les croyances ou les dispositions psychologiques propres au mysticisme. ⇒ **Mysticisme, religion ; mystico-.** *Doctrine, croyance mystique. Rêve* (→ Culte, cit. 3), *fatalisme* (cit. 1) *mystique. Extase*, état, expérience, contemplation mystique.* — Par ext. *Dévotion*, foi mystique,* empreinte de mysticisme. *Connaissance* (cit. 2) *mystique.*

Trois mille brahmes sont en ce moment les hôtes du Maharajah et habitent l'enclos réservé, encombrent les saintes piscines. Ils sont venus des pays d'alentour, des forêts où ils vivent de fruits et de graines, suprêmement dédaigneux des choses de ce monde, nuit et jour absorbés dans leur rêve mystique.   2
LOTI, l'Inde (sans les Anglais), III, VI.

C'est au pseudo-Denys l'Aréopagite qu'est dû le mot mystique (*Noms divins,* II, 7, et *Théol. myst.,* I, 1), et la plupart des termes qui sont devenus classiques dans la « mystique ».   M. BLONDEL, *in* LALANDE.   3

Je prétends être beaucoup mieux qualifié pour dénoncer ou accuser le mysticisme, que celui qui n'a jamais eu affaire avec lui. — Mais qu'entendez-vous par « mystique » ? — Ce qui présuppose et exige l'abdication de la raison.   4
GIDE, Journal, 9 nov. 1927.

(1695). Personnes. Qui est prédisposé au mysticisme. *Illuminés* (cit. 22) *mystiques.*

Je suis mystique au fond et je ne crois à rien.   5
FLAUBERT, Correspondance, 320, 8-9 mai 1852.

♦ **3.** (1829). Qui s'occupe du mysticisme. *Auteur mystique.* — Qui a le caractère exalté, absolu, intuitif... du mysticisme. *Amour mystique et chevaleresque* (cit. 2). *Culte mystique de l'art* (cit. 2).

Il avait connu ce « miracle », cette communauté mystique des troupes au feu, cette épuration de l'individu, cette formation soudaine d'une âme collective et fraternelle, sous le poids d'une même fatalité.   6
MARTIN DU GARD, les Thibault, t. IX, p. 32.

★ **II.** N. ♦ **1.** Personne qui s'adonne aux pratiques du mysticisme, et, par ext., qui a une foi religieuse intense et intuitive. ⇒ **Croyant, dévot, religieux ; illuminé, inspiré** (→ Inspirer, cit. 16). *Les grands mystiques de l'Inde, de l'Islam... ; les mystiques chrétiens* (→ Charisme, cit. ; exception, cit. 6 ; lévitation, cit.). *Une mystique* (→ Exalter, cit. 29). *Rimbaud, « mystique à l'état sauvage »* (Claudel).

Maintenant, si j'ai traduit ceci, c'est uniquement parce que je crois que les écrits des mystiques sont les plus purs diamants du prodigieux trésor de l'humanité (...)   7
MAETERLINCK, le Trésor des humbles, VI.

Ce mystique *(Michelet)* vit comme tous les mystiques dans le monde des intuitions.   8
A. THIBAUDET, Hist. de la littérature franç., p. 272.

(...) rien ne ressemble plus au langage de la passion que les saintes effusions des mystiques dont les tièdes se scandalisent.   9
F. MAURIAC, Souffrances et Bonheur du chrétien, p. 27.

Par anal. (1852). *Les mystiques de la révolution.* ⇒ **Illuminé** (cit. 23) ; **exalté, fanatique.**

Pathol. *Extases* (cit. 3) *des mystiques pathologiques.*

♦ **2.** N. f. (1601 : aussi n. m. au XVIIᵉ ; Mᵐᵉ de Sévigné, 11 sept. 1689). Ensemble des pratiques du mysticisme, intuitions, connaissances obtenues par elles (→ Bigotisme, cit. 2 ; cagot, cit. 2). — Étude de ces pratiques.

(...) c'est l'amour qui avait commencé par plagier la mystique, qui lui avait emprunté ses ferveurs, ses élans, ses extases (...)   10
H. BERGSON, les Deux Sources de la morale et de la religion, p. 39.

Spécialt. *Théologie mystique* (Bossuet, *in* Littré).

♦ **3.** (1910, Péguy). Système d'affirmations absolues à propos de ce à quoi on attribue une vertu suprême. *Mystique et politique* (→ Finir, cit. 18). *La mystique de la force* (→ Caractère, cit. 16), *de la paix* (→ Éteindre, cit. 19). *Mystique fasciste* (cit. 4). *Mystique révolutionnaire.*

CONTR. Clair, évident. — Rationaliste, rationnel.
DÉR. Mysticiser, mystiquement.
COMP. Mystico-.

MYSTIQUEMENT [mistikmã] adv. — 1470 ; de *mystique.*

♦ Selon un sens mystique (aux divers sens du mot). *Interpréter mystiquement les balbutiements d'un mourant* (→ Lumière, cit. 27).

(...) encore que Jésus-Christ ait séparé son corps et son sang ou réellement sur la croix, ou mystiquement sur les autels (...)
BOSSUET, Communions sous les deux espèces, II, II.

MYTACISME [mitasism] n. m. ⇒ **Mutacisme.**

MYTHE [mit] n. m. — 1803 ; bas lat. *mythus,* grec *muthos* « récit, fable ».

♦ **1.** Récit fabuleux, le plus souvent d'origine populaire, qui met en scène des êtres incarnant sous une forme symbolique des forces de la nature, des aspects du génie ou de la condition de l'humanité. ⇒ **Fable, légende, mythologie.** *Importance des mythes dans les religions primitives. Mythes solaires. Mythes de la cosmogénie polynésienne* (→ Forme, cit. 58). *Mythe grec* (→ Férocité, cit. 4).

Mythe d'Antée (cit. 2), *de Cybèle, d'Orphée, de Prométhée* (→ Foie, cit. 5)... *Mythes chrétiens, païens, profanes. Caractère* (cit. 31) *sacré du mythe. Rôle des mythes dans les littératures populaires. Le Mythe de Sisyphe,* ouvrage d'A. Camus (1942). *Mythes et légendes. Mythe et épopée,* ouvrage de G. Dumézil. *Utilisation des mythes dans la reconstruction de l'histoire. Étude anthropologique, structurale des mythes.*

1 Le principe de Heyne : «Toute histoire d'ancien peuple commence par des mythes», me revenait sans cesse à l'esprit (...) Toutes les vieilles listes royales (...) débutent par des dieux transformés en rois (...)
RENAN, *Mélanges d'hist.* et *de voyages,* Œ. compl., t. II, p. 356.

2 Un mythe grec veut qu'à l'origine du monde chaque être humain ait été composé d'un homme et d'une femme, que le démiurge ait divisé en deux chacun de ces êtres et que, depuis lors, les moitiés séparées cherchent à se rejoindre.
A. MAUROIS, *Un art de vivre,* II, I.

3 (...) on pourrait dire d'une manière générale qu'un mythe est une histoire, une fable symbolique, simple et frappante, résumant un nombre infini de situations plus ou moins analogues (...) Dans un sens plus étroit, les mythes traduisent les *règles de conduite* d'un groupe social ou religieux. Ils procèdent donc de l'élément *sacré* autour duquel s'est constitué le groupe (...) un mythe n'a pas d'auteur. Son origine doit être *obscure.* Et son sens même l'est en partie (...) *Mais le caractère le plus profond du mythe, c'est le pouvoir qu'il prend sur nous, généralement à notre insu* (...)
D. DE ROUGEMONT, *l'Amour et l'Occident,* I, 2.

3.1 De l'étude des mythes, Durkheim (p. 142) disait déjà : «C'est un difficile problème qui demande à être traité en lui-même, pour lui-même, et d'après une méthode qui lui soit spéciale.» Il suggérait aussi la raison de cet état de choses, quand plus loin (p. 190) il évoquait les mythes totémiques, «qui, sans doute, n'expliquent rien et ne font que déplacer la difficulté, mais qui, en la déplaçant, paraissent du moins en atténuer le scandale logique». Profonde définition qu'on pourrait, croyons-nous, étendre au champ entier de la pensée mythique, en lui donnant un sens plus plein que n'eût convenu son auteur.
En effet, l'étude des mythes pose un problème méthodologique, du fait qu'elle ne peut se conformer au principe cartésien de diviser la difficulté en autant de parties qu'il est requis pour la résoudre. Il n'existe pas de terme véritable à l'analyse mythique, pas d'unité secrète qu'on puisse saisir au bout du travail de décomposition. Les thèmes se dédoublent à l'infini. Quand on croit les avoir démêlés les uns des autres et les tenir séparés, c'est seulement pour constater qu'ils se ressoudent, en réponse aux sollicitations d'affinités imprévues. Par conséquent, l'unité du mythe n'est que tendancielle et projective, elle ne reflète jamais un état ou un moment du mythe. Phénomène imaginaire impliqué par l'effort d'interprétation, son rôle est de donner une forme synthétique au mythe, et d'empêcher qu'il ne se dissolve dans la confusion des contraires.
Claude LÉVI-STRAUSS, *le Cru et le Cuit,* p. 13.

Par ext. Représentation de faits ou de personnages dont l'existence historique est réelle ou admise, mais qui ont été déformés ou amplifiés par l'imagination collective, une longue tradition* littéraire... ⇒ **Légende.** *Le mythe de Faust, de Don Juan. Le mythe napoléonien. Le mythe de l'Atlantide.*

4 Le chemin parcouru du véritable Achille à l'*Iliade,* du modèle de Don Quichotte à Cervantès et à ses prolongements, de Roland à la *Chanson de Roland,* est bien décevant pour l'histoire littéraire, qui ne trouve aucune proportion acceptable entre le point de départ et le mythe définitif.
R.-M. ALBÉRÈS, *Gérard de Nerval,* p. 72.

Par métonymie. Personnage (réel ou imaginaire) qui, par le caractère allégorique qu'on lui prête, prend figure de héros de légende (→ Héroïque, cit. 2).

5 Nana *(personnage de Zola)* tourne au mythe sans cesser d'être une femme (...)
FLAUBERT, *Correspondance,* 1954, 15 févr. 1880.

♦ **2.** (Av. 1865). Pure construction de l'esprit, invention sans rapport avec la réalité (⇒ **Idée**). *La fatalité* (cit. 1) *n'est qu'un mythe* (→ aussi Accumulation, cit. 3). — Fam. Affabulation. *Son oncle à héritage n'est qu'un mythe, c'est un mythe,* il n'existe pas.

Fam. Chose si exceptionnelle qu'elle paraît être un produit de l'imagination pure.

♦ **3.** (1842). Expression d'une idée, exposition d'une doctrine ou d'une théorie au moyen d'un récit poétique. ⇒ **Allégorie.** *Le mythe de la caverne chez Platon.*

6 Le mythe, introduit dans l'art de Platon, comme l'épopée par Homère, c'est une idée portée par un récit, une idée qui est une âme, un récit qui est un corps, et l'un de l'autre inséparables. A. THIBAUDET, *Hist. de la littérature franç.,* p. 139.

♦ **4.** (1874). Représentation idéalisée de l'état de l'humanité dans un passé ou un avenir fictif. *Le mythe de l'âge d'or, du Paradis perdu... Le mythe de la cité heureuse.* ⇒ **Utopie.**

(1907, G. Sorel). Spécialt. «Image d'un avenir fictif (et même le plus souvent irréalisable) qui exprime les sentiments d'une collectivité et sert à entraîner l'action» (Lalande, *Voc. de la philosophie*). *Le mythe de la grève* (cit. 12) *générale.*

7 (...) nos mythes actuels conduisent les hommes à se préparer à un combat pour détruire ce qui existe (...) Un mythe ne saurait être réfuté puisqu'il est, au fond, identique aux convictions en langage de mouvement, d'un groupe, qu'il est l'expression de ces convictions (...)
Georges SOREL, *Réflexions sur la violence,* p. 46-50.

♦ **5.** (Av. 1865). Image simplifiée, souvent illusoire, que des groupes humains se forment ou acceptent au sujet d'un individu ou d'un fait quelconque, qui joue un rôle déterminant dans leur comportement ou leur appréciation. *Créer des mythes nouveaux* (→ Humaniste, cit. 3). *Détruire les mythes.* ⇒ **Démystification, démystifier.** *Idée qui tend à se muer en mythe* (→ Fortune, cit. 40). — *Mythe du chef, du héros. Mythe de la chaumière et du cœur. Mythe du flegme britannique, de la galanterie française, de la lourdeur allemande.*

8 *Mythe* est le nom de tout ce qui n'existe et ne subsiste qu'ayant la parole pour cause (...) En vérité, il y a tant de mythes en nous et si familiers qu'il est pres-

que impossible de séparer nettement de notre esprit quelque chose qui n'en soit point. On ne peut même en parler sans mythifier encore, et ne fais-je point dans cet instant le mythe du mythe pour répondre au caprice d'un mythe? (...) Songez que demain est un mythe, que l'univers en est un; que le nombre, que l'amour, que le réel comme l'infini, que la justice, le peuple, la poésie... la terre elle-même sont mythes (...) VALÉRY, *Variété* II, p. 230-232-233.
Quels sont les mythes simples qui la remuent *(cette foule),* qui provoquent ses passions? Découvrons-les dans les journaux qu'elle lit, dans les spectacles auxquels elle assiste, dans les propos qu'elle tient. Ils sont quatre, intimement mêlés : mythe de l'argent, mythe du confort, mythe de l'action, mythe de la vitesse.
DANIEL-ROPS, *le Monde sans âme,* IV.

Pour un très grand nombre de gens, aujourd'hui, mythe ou bien signifie pensée confuse, ou bien mensonge, ou bien erreur (...) Je pourrais aligner des douzaines de citations qui me feraient vous confirmer l'extension de ce sens et sa vulgarisation. En 1950, toute idée fausse en effet, toute interprétation erronée d'un événement, d'une doctrine, est traitée volontiers de «mythe» : «mythe», cette confiance des Français en leur ligne Maginot; «mythe», l'alliance germano-russe de 1939 (...) valeur aujourd'hui passionnelle et floue du mot (...)
ÉTIEMBLE, *le Mythe de Rimbaud,* Introd., p. 42.

(...) le mythe est une parole choisie par l'histoire : il ne saurait surgir de la «nature» des choses. R. BARTHES, *Mythologies,* p. 194.

DÉR. Mythique, mythographe, mythographie, mythomanie.
HOM. Mite.

-MYTHIE, MYTHO- Éléments, du grec *muthos* «fable».

MYTHIFICATION [mitifikɑsjɔ̃] n. f. — V. 1970; de *mythifier.*

♦ Didact. Instauration d'un mythe; édification en mythe. *«Cette mythification constante du vol et du meurtre»* (*l'Express,* 29 janv. 1973, p. 66). ⇒ **Sacralisation.**

MYTHIFIER [mitifje] v. — 1930, Valéry; de *mythe,* et *-ifier.*

♦ **1.** V. intr. Rare, littér. Fabriquer des mythes.
En vérité, il y a tant de mythes en nous et si familiers qu'il est presque impossible de séparer nettement de notre esprit quelque chose qui n'en soit point. On ne peut même en parler sans mythifier encore (...)
VALÉRY, *Variété* II, p. 232 (1930).

♦ **2.** V. tr. Didact. Instaurer en tant que mythe, élever au rang de mythe. *Mythifier le rôle du professeur, du médecin.* — Au p. p. *Une institution mythifiée.*
REM. Bien que l'usage courant, journalistique notamment, confonde les deux verbes, il convient de distinguer *mythifier* «instaurer en tant que mythe», de *mystifier* «tromper par une mystification». La même distinction s'applique à *démythifier* et *démystifier.*
DÉR. Mythification.

MYTHIQUE [mitik] adj. — XIVᵉ, repris 1831; de *mythe.*

♦ **1.** ⓐ Qui a rapport ou qui appartient au mythe; qui a le caractère d'un mythe. *Inspiration, tradition mythique* (→ Folklorique, cit. 1). *Héros mythique.* ⇒ **Fabuleux, imaginaire, légendaire.** *Les génies, les lutins, êtres mythiques.* — *Récits mythiques. Narration mythique.*

ⓑ Didact. Qui concerne les mythes. *«L'analyse mythique»* (Lévi-Strauss).

♦ **2.** Qui est le produit de l'imagination. ⇒ **Mythe** (2.). *Ses espoirs d'héritage sont mythiques.* ⇒ **Irréel.** *Ce personnage est mythique, complètement mythique.*
CONTR. Historique, réel.

MYTHOGRAPHE [mitɔgʀaf] n. — 1839, *in* D.D.L.; de *mytho-* (→ Mythe), et *-graphe.*

Didactique.

♦ **1.** Auteur d'ouvrages sur les mythes, les fables. ⇒ **Mythologue.**
(...) il est à craindre que notre entreprise ne se heurte à des objections préjudicielles de la part des mythographes et des spécialistes de l'Amérique tropicale.
Claude LÉVI-STRAUSS, *le Cru et le Cuit,* p. 10.

♦ **2.** Personne qui écrit un mythe, une fable.
La fable veut que, malgré la robe tissée par les Grâces, Vénus soit blessée par Diomède (...) L'amour (...) doit être atteint durant le cours de la vie dans sa chair et le mythographe a pris soin de préciser, dans leur enchaînement inéluctable, les faits qui doivent avoir cette mortification passagère pour conséquence.
A. BRETON, *l'Amour fou,* VI, p. 143.

MYTHOGRAPHIE [mitɔgʀafi] n. f. — 1846; de *mytho-,* et *-graphie.*

♦ Didact. Vx. Science qui étudie les mythes (⇒ **Mythologie**) ou les contes populaires. *Mythographie médiévale.*

MYTHOLOGIE [mitɔlɔʒi] n. f. — XIVᵉ, sens 2; bas lat. *mythologia,* grec *muthologia,* de *mûthos* (→ Mythe), et *logia* (→ -logie).

♦ **1.** (1403). Didact. et cour. Ensemble des mythes (1.), des légendes* propres à un peuple, à une civilisation, à une religion*. ⇒ **Histoire** (fabuleuse, mythique...). *Mythologie hindoue, perse, phénicienne. Mythologie et philosophie grecques* (→ Hellénisme, cit. 4). *Rôle du destin* dans la mythologie gréco-latine. Démons* et génies* des mythologies antiques. Ases, elfes*, ondins*, valkyries* de la mythologie scandinave* (⇒ **Saga**). *Sylphes* et sylphides* des mythologies celtique et germanique. Satan, personnage de la mythologie chrétienne. — La Mythologie primitive* (1935), étude ethnographique de Lévy-Bruhl.

> Grande est la différence (...) entre les mythologies des différents peuples. L'antiquité classique nous offre un exemple de cette opposition : la mythologie romaine est pauvre, celle des Grecs est surabondante. Les dieux de l'ancienne Rome coïncident avec la fonction dont ils sont investis et s'y trouvent, en quelque sorte, immobilisés. C'est à peine s'ils ont un corps, je veux dire une figure imaginable. C'est à peine s'ils sont des dieux. Au contraire, chaque dieu de la Grèce antique a sa physionomie, son caractère, son histoire.
> H. BERGSON, les Deux Sources de la morale et de la religion, p. 204.

.1 > Nous partirons d'*un* mythe, provenant d'*une* société, et nous l'analyserons en faisant d'abord appel au contexte ethnographique, puis à d'autres mythes de la même société. Élargissant progressivement l'enquête, nous passerons ensuite à des mythes originaires de sociétés voisines, non sans les avoir situés eux aussi dans leur contexte ethnographique particulier. De proche en proche, nous gagnerons des sociétés plus lointaines, mais toujours à la condition qu'entre les unes et les autres, des liens réels d'ordre historique ou géographique soient avérés ou puissent être raisonnablement postulés. On ne trouvera décrites, dans le présent ouvrage, que les premières étapes de cette longue excursion à travers les mythologies indigènes du Nouveau Monde, qui débute au cœur de l'Amérique tropicale et dont nous prévoyons déjà qu'elle nous entraînera jusque dans les régions septentrionales de l'Amérique du Nord.
> Claude LÉVI-STRAUSS, le Cru et le Cuit, p. 9.

Spécialt (plus cour.). Mythologie de l'Antiquité gréco-romaine. *Fables* de la mythologie* (→ Associer, cit. 25). *Dieux* (cit. 16), *déesses, héros et demi-dieux de la mythologie* (⇒ **Olympe, panthéon**). *Divinités chtoniennes*, infernales* (⇒ **Furie**), *marines* (⇒ **Océanide, triton**), *champêtres ou rustiques* (⇒ **Dryade, faune, hamadryade, hyade, naïade, napée, nymphe, oréade, satyre**) *de la mythologie. Les morts dans la mythologie* (⇒ **Élysée, enfer**). *Personnification des vents dans la mythologie* (⇒ **Zéphyr**). *Les neuf Muses* de la mythologie. Monstres* de la mythologie.* ⇒ **Centaure, chimère, cyclope, griffon, harpie, hydre, minotaure, sirène, sphinx, titan.** *Rites cultuels inspirés de la mythologie* (⇒ **Bacchanale,** et aussi **bacchante, ménade**). *Épisodes, thèmes allégoriques de la mythologie* (→ Le tonneau des Danaïdes, la toile* de Pénélope, le supplice* de Tantale...).

> On ne peut guère supposer que des hommes aussi sensibles que les anciens eussent manqué d'yeux pour voir la nature et de talent pour la peindre, si quelque cause puissante ne les eût aveuglés. Or cette cause était la mythologie, qui, peuplant l'univers d'élégants fantômes, ôtait à la création sa gravité, sa grandeur et sa solitude. Il a fallu que le christianisme vînt chasser ce peuple de faunes, de satyres et de nymphes pour rendre aux grottes leur silence, et aux bois leur rêverie.
> CHATEAUBRIAND, le Génie du christianisme, II, IV, I.

Didact. Ensemble de mythes (4.).

.1 > Mais ce retour aux sources participe fatalement de la mythologie de l'âge d'or, laquelle est en arrière.
> A. SAUVY, Croissance zéro ?, p. 32.

♦ **2.** Didact. Science, étude des mythes (1.), de leurs origines, de leur développement et de leur signification (⇒ **Mythographie**). *Mythologie comparée. Spécialiste en mythologie* (⇒ **Mythologue**). — Par ext. (1868). Ouvrage qui traite de ce sujet. *Consulter une mythologie.*

♦ **3.** (Mil. xxᵉ). Ensemble de mythes (5.) se rapportant à un même objet, un même thème, une même doctrine. *Mythologie de la vedette, des soucoupes volantes... Mythologies,* titre d'un recueil d'articles de R. Barthes.

> Le vin est senti par la nation française comme un bien qui lui est propre (...) C'est une boisson-totem (...) comme tout totem vivace, le vin supporte une mythologie variée qui ne s'embarrasse pas des contradictions.
> R. BARTHES, Mythologies, p. 83.

DÉR. Mythologue.

MYTHOLOGIQUE [mitɔlɔʒik] adj. — 1481 ; lat. *mythologicus,* grec *muthologikos,* de *mythologia.* → Mythologie.

♦ **1.** Qui a rapport ou qui appartient à la mythologie (⇒ **Fabuleux**), et, spécialt, à la mythologie gréco-romaine. *Divinités mythologiques* (→ Encourager, cit. 6). *Les amours mythologiques de Vénus et d'Adonis* (→ Galant, cit. 7). *Attributs mythologiques* (le caducée de Mercure, le char d'Amphitrite, le fuseau des Parques...). — *Récit, tradition mythologique. Figure mythologique.*

> Aujourd'hui, comme dans le conte de la Barbe-Bleue, toutes les femmes aiment à se servir de la clef tachée de sang ; magnifique idée mythologique, une des gloires de Perrault.
> BALZAC, Une fille d'Ève, Pl., t. II, p. 99.

> Quatre grands sommets mythologiques s'élèvent au-dessus de la côté déjà lointaine de Macédoine : Olympe, Athos, Pélion et Ossa !
> LOTI, Aziyadé, I, XXVII.

Didact. (En parlant d'autres mythologies). *Récits mythologiques de l'Inde, d'Amérique.* — N. m. *Mythologiques,* série d'ouvrages de Cl. Lévi-Strauss (*le Cru et le Cuit ; l'Homme nu,* etc.).

♦ **2.** (1874). Didact. Relatif aux études sur la mythologie. *Dictionnaire mythologique.*

♦ **3.** (Mil. xixᵉ). Fig. Complètement inventé, sans rapport avec la réalité (⇒ **Mythe,** 2. ; **mythique,** 2.).

DÉR. Mythologiquement.

MYTHOLOGIQUEMENT [mitɔlɔʒikmɑ̃] adv. — 1838, Balzac, in D. D. L. ; de *mythologique.*

♦ Didact. D'une manière mythologique ; par la mythologie.

MYTHOLOGUE [mitɔlɔg] n. — 1740 ; *mythologe,* 1546, Rabelais, « auteur d'un mythe, d'un récit mythique » ; aussi *mythologiste,* déb. XVIIᵉ ; de *mythologie.*

♦ Didact. [a] Spécialiste dans l'étude des mythes, de la mythologie (⇒ **Mythographe**).

[b] Historien qui interprète comme un mythe un point d'histoire dont la réalité factuelle est controversée.

MYTHOMANE [mitɔman] adj. et n. — 1905 ; de *mytho-* (→ Mythe), et *-mane.*

♦ Qui est atteint de mythomanie (→ Intransigeant, cit. 2). — N. ⇒ **Fabulateur, menteur.** *On rencontre beaucoup de mythomanes parmi les hystériques* (cit. 2).

> Mathieu avait l'habitude agaçante de traiter Daniel en mythomane et il affectait de ne jamais s'enquérir des mobiles qui le poussaient à mentir.
> SARTRE, l'Âge de raison, VII.

Par ext. Menteur, affabulateur (sans pathologie). *Il, elle est un peu mythomane.*

MYTHOMANIAQUE [mitɔmanjak] adj. — 1931 ; de *mytho-,* et *maniaque,* d'après *mythomanie.*

♦ Didact. De la mythomanie ; d'un mythomane. ⇒ **Délirant.**

MYTHOMANIE [mitɔmani] n. f. — 1905, Dupré ; de *mytho-* (→ Mythe), et *-manie.*

♦ Forme de déséquilibre psychique, caractérisée par une tendance à la fabulation* plus ou moins volontaire et consciente, au mensonge*, à la simulation. *Mythomanie vaniteuse, maligne, perverse.*

> Sa mythomanie est un moyen de nier la vie, n'est-ce pas, de nier, et non pas d'oublier... Tout se passe comme s'il avait voulu se démontrer que, bien qu'il ait vécu pendant deux heures comme un homme riche, la richesse n'existe pas. Parce qu'alors, *la pauvreté n'existe pas non plus.* Ce qui est l'essentiel. Rien n'existe : tout est rêve.
> MALRAUX, la Condition humaine, I, Une heure du matin.

Par ext. Tendance à affabuler, à mentir (pour attirer l'attention, etc.).

DÉR. Mythomaniaque.

MYTIL-, MYTILI-, MYTILO- Éléments, du lat. *mytilus,* grec *mutilos* « coquillage, moule », de *mus* « souris ».

MYTILICOLE [mitilikɔl] adj. — 1923 ; de *mytili-,* et *-cole.*

♦ Didact. Relatif à l'élevage des moules. *Industrie mytilicole.*

MYTILICULTEUR, TRICE [mitilikyltœʀ, tʀis] n. — V. 1903 ; de *mytiliculture,* d'après *agriculteur,* etc.

♦ Didact. Personne qui fait l'élevage des moules. *Les mytiliculteurs de la baie d'Aiguillon* (Charentes-Maritime). ⇒ aussi **Bouchoteur.**

MYTILICULTURE [mitilikyltyʀ] n. f. — 1890 ; de *mytili-,* et *culture.*

♦ Didact. Élevage des moules, pratiqué dans des parcs à moules (⇒ 1. **Moulière**).

> Nous sommes à la veille d'une révolution comparable à celle du néolithique. L'aquiculture existe, certes, depuis des milliers d'années (Égypte). L'ostréiculture et la mytiliculture rapportent bien plus de chair à l'hectare que l'élevage du bœuf. Néanmoins, tout est encore à faire. Il s'agit de passer du stade de la cueillette ou de la chasse à celui de la culture rationnelle. Des fermes sous-marines ont déjà été envisagées.
> A. SAUVY, Croissance zéro ?, p. 196.

DÉR. Mytiliculteur.

MYTILIDÉS [mitilide] n. m. pl. — 1900 ; *mytilacées,* 1846 ; de *mytili-,* et *-idés.*

♦ Zool. Famille de mollusques lamellibranches généralement marins, ayant pour type la moule. — Au sing. *Un mytilidé,* un mollusque appartenant à cette famille.

MYTILOÏDE [mitilɔid] adj. — 1846 ; de *mytil-,* et *-oïde.*

♦ Didact. Dont l'aspect rappelle celui d'une moule. *Coquillage mytiloïde.*

MYTILOTOXINE [mitilotɔksin] n. f. — 1889, *in* D.D.L.; de *mytilo-*, et *toxine*.

♦ Biochim. Substance toxique qui peut se trouver dans les moules, et occasionner des empoisonnements.

MYX-, MYXO- Éléments, du grec *muxa* «morve, mucosité».

MYXINE [miksin] n. f. — 1777, *Encyclopédie, Suppl.;* lat. sc. *myxine*, Linné, du grec *muxinos*, ou *muxos*, nom d'un poisson, p.-ê. la lamproie.

♦ Zool. Vertébré aquatique de la classe des Cyclostomes, qui s'introduit dans le corps de poissons pour s'en nourrir.

Les myxines *(Cyclostomes)* ont la même allure anguilliforme que les Lamproies, mais leur organisation en diffère sur certains points (...) Les Myxines vivent en mer dans les régions tempérées froides; elles se nourrissent de gros poissons à l'intérieur desquels elles s'introduisent pour n'en laisser que la peau et les os. Il faut sans doute attribuer à cette vie semi-parasitaire les caractères primitifs des Myxines. R. et M.-L. BAUCHOT, les Poissons, p. 59.

MYXŒDÉMATEUX, EUSE [miksedematφ, φz] adj. et n. — 1882; de *myxœdème*.

♦ Méd. Qui a rapport au myxœdème, qui a pour cause le myxœdème. *Idiotie myxœdémateuse. Goitre myxœdémateux.*

N. Personne atteinte de myxœdème. *Myxœdémateux traité à l'opothérapie.*

MYXŒDÈME [miksedɛm] n. m. — 1879, *in* D.D.L.; grec *muxa* «morve», et *oidêma* «gonflement».

♦ Méd. Affection due à l'insuffisance ou à la suppression de la fonction thyroïdienne et caractérisée par un œdème et une coloration jaunâtre de la peau, des troubles intellectuels et sexuels (⇒ **Crétinisme, goitre, hypothyroïdie**). *Myxœdème congénital, infantile. Myxœdème acquis, postopératoire.*

DÉR. Myxœdémateux.

MYXOÏDE [miksɔid] adj. — 1878, P. Larousse, *Premier Suppl.;* de *myxo-*, et *-ide*.

♦ Didact. Qui a l'aspect du mucus. Syn. : *mucoïde.*

MYXOMATOSE [miksomatoz] n. f. — 1952; de *myxome*, et *-(at)ose*.

♦ Grave maladie infectieuse et contagieuse du lapin, caractérisée par des tuméfactions d'apparence gélatineuse entre la peau et les muqueuses, et une très vive inflammation des paupières. *Venue d'Australie, la myxomatose, généralement mortelle, a décimé les garennes françaises.*

MYXOME [miksom] n. m. — 1867, trad. de Virchow, *in* D.D.L.; de *myx-*, grec *muxa* «morve», et *-ome*.

♦ Didact., vx. Tumeur molle formée de tissu conjonctif.

MYXOMYCÈTES [miksomisɛt] n. m. pl. — 1877; de *myxo-*, et *-mycète*.

♦ Bot. Champignons inférieurs classés parmi les protistes* en raison de l'aspect amiboïde, rappelant celui des protozoaires, de leurs formes végétatives qui s'unissent en une masse gélatineuse mobile (plasmodes plurinucléées). *Pseudopodes* des myxomycètes. Principaux types de myxomycètes :* fuligo, spumaire... — Au sing. *Un myxomycète.*

MYXOVIRUS [miksoviʀys] n. m. — xxᵉ; de *myxo-*, et *virus*.

♦ Biol. Groupe de virus dont font partie les différents types de virus de la grippe (*Virus influenzae* A, B et C). *Un myxovirus.*

MYZODENDRON [mizɔdɛ̃dʀɔ̃] n. m. — 1931, Larousse; du grec *muzein* «sucer», et *dendron* «arbre».

♦ Bot. Plante parasite des forêts australes, qui vit sur les branches des arbres (comme le gui*).

MYZOMÈLE [mizomɛl] n. m. — 1900; du grec *muzein* «sucer», et *meli* «miel».

♦ Zool. Petit oiseau (*Passereaux, Ténuirostres*) d'Australie et d'Océanie, aux vives couleurs, qui se nourrit surtout du suc des fleurs.

MZABITE [mzabit] n. ⇒ **Mozabite.**

N

N [ɛn] n. m. ou f.

♦ Quatorzième lettre et onzième consonne de l'alphabet. *N majuscule ; n minuscule. Tilde* sur le ñ espagnol.*

REM. 1. À l'initiale de mot, entre voyelles ou suivi de *e* caduc [ə] *n* note la consonne occlusive nasale dentale [n].

2. À la fin d'un mot ou devant une consonne, *n* précédé d'une voyelle n'est en général que le signe orthographique de la nasalisation de cette voyelle (*ban* [bɑ̃], *bien* [bjɛ̃], *fond* [fɔ̃], *lynx* [lɛ̃ks], *panthère* [pɑ̃tɛʀ], *bonté* [bɔ̃te]...), sauf dans certains mots empruntés (*lichen, éden, pollen, spécimen, dolmen* [dɔlmɛn]...).

3. À l'intérieur des mots, le double *n* se prononce quelquefois [nn] (*innombrable*) [i(n)nɔ̃bʀabl] ou le plus souvent [n] (*panneau*) [pano].

4. Le groupe *ni* suivi d'une voyelle (*panier*) [panje] équivaut à *n* suivi de *yod* et doit être distingué du groupe *gn* [ɲ] (*n* mouillé sauf dans les mots savants comme *gnome* [gnom]). → G (1., REM. 4).

Spécialt. *N* utilisé comme abréviation. — (*N* majuscule). Chim. Symbole de l'azote (de *nitrogène*). — Phys. N symbole de *newton*. Math. N : ensemble des nombres entiers naturels*. N* : l'ensemble des entiers naturels, O non compris, quand on place O dans N. — Géogr. Abrév. de *nord*. — *N⁰* ou *n⁰*, abrév. de *numéro*. — *N.* ou *N**, *N***... servant à désigner une personne indéterminée (→ Untel) ou que l'on ne veut pas nommer. *« Prions pour nos bienfaiteurs N. et N. »* — *J'ai rencontré N** l'autre jour ; il m'a dit...*

N** arrive avec grand bruit ; il écarte le monde, se fait faire place ; il gratte, il heurte presque ; il se nomme : on respire, et il n'entre qu'avec la foule.
LA BRUYÈRE, les Caractères, VIII, 15.

(*n* minuscule). — Gramm. Abrév. de *nom ; n. m. :* nom masculin. *n. f. :* nom féminin. — Math. *n* (minuscule), servant à noter un nombre indéterminé. *Le nombre entier* n *et ses voisins immédiats* n − 1 *et* n + 1. *Fonction de degré* n, *admettant* n *racines.* ⇒ **Nième.** *n,* symbole de *nano-**.

(...) on établit d'abord un théorème pour *n* = 1 ; on montre ensuite que s'il est vrai pour *n* − 1, il est vrai de *n*, et on en conclut qu'il est vrai pour tous les nombres entiers.
Henri POINCARÉ, la Science et l'Hypothèse, p. 19.

N' [n] ⇒ Ne.

Na [ɛna]. Symbole chimique du *sodium* (pour *natrium**).

NA [na] interj. — 1826 ; *in* D.D.L. ; onomatopée.

♦ Exclamation enfantine ou familière qui sert à renforcer une affirmation ou une négation. *Je ne veux pas m'en aller, na !*

(...) avec le même geste d'affirmation plus énergique encore que celui avec lequel il avait souligné la peur des autres, il ajouta : « Et moi, si je ne reprends pas de service, c'est tout bonnement par *peur, na !* »
PROUST, le Temps retrouvé, Pl., t. III, p. 738.

— Mais qu'est-ce que tu as mon ami ? Quoi ! tu crois donc vraiment que ton dernier livre est moins bon que les autres ?
Ce n'était pas une réponse, cela. Marguerite se dérobait.
— Je crois que les autres ne sont pas meilleurs que celui-ci, na !
GIDE, les Caves du Vatican, p. 48.

REM. Cette interjection a en général une valeur d'insistance coléreuse : *j'irai quand même, na !* — Répétée ou non, elle s'emploie aussi pour exprimer une application insistante, inviter à l'attention, à la patience (cf. Là, là ! ; allons... !).

Na ! dit-elle, Na, na ! Ça va être fini, ne vous impatientez pas.
SARTRE, le Sursis, p. 245.

Vous voyez ce ressort, pressez dessus, na, vous voyez, il y a trois petites griffes qui sortent du bout de la lame.
B. CENDRARS, l'Or, p. 33.

NABAB [nabab] n. m. — 1653 ; *navabo,* 1614 ; mot hindoustani ; arabe *nŭwwâb,* plur. de *nāɔ̄ïb* « lieutenant, vice-roi ».

♦ **1.** Hist. Titre donné dans l'Inde musulmane aux grands officiers des sultans, aux gouverneurs de provinces.

♦ **2.** (XVIIIᵉ). Vx. S'est dit de certains Européens qui avaient fait fortune aux Indes.

Si votre nabab est un nabab, il peut bien donner des meubles à Madame. Le bail finit en avril 1830, votre nabab pourra le renouveler, s'il se trouve bien.
BALZAC, Splendeurs et Misères des courtisanes, Pl., t. V. p. 857.

♦ **3.** (1777). Mod. Personnage fastueux et très riche. *Les nababs de la finance.* — REM. Ce sens a été popularisé par le roman d'A. Daudet, *Le Nabab* (1877).

DÉR. Nababie.

NABABIE [nababi] n. f. — 1765 ; de *nabab.*

♦ Vx. Territoire gouverné par un nabab (1.).

NABI [nabi] n. m. — 1853, Renan ; mot hébreu.

♦ **1.** Relig. Chez les Hébreux, les Arabes, Prophète, homme inspiré par Dieu.

Nous n'avons pas la preuve que, chez les peuples voisins et plus ou moins congénères des Israélites, chez les Phéniciens par exemple, il y ait eu des prophètes. Il y avait sans doute des nabis, que l'on consultait lorsqu'on avait perdu son âne ou que l'on voulait savoir un secret. C'étaient des sorciers. Mais les nabis d'Israël sont tout autre chose. Ils ont été les créateurs de la religion pure.
RENAN, Discours et conférences, Œ. compl., t. I, p. 929.

♦ **2.** (1888). Arts. Nom qui fut adopté en 1888 par de jeunes peintres indépendants qui voulaient s'affranchir de l'enseignement officiel. *Le mouvement des nabis, assez peu homogène, dura de 1888-89 à 1900 environ.* ⇒ **Nabisme.**

Le terme de « nabi » qui signifie, en hébreu, illuminé, prophète, avait été découvert par le poète Cazalis. Parmi les adhérents du nouveau groupe on relève les noms de Sérusier (...) Maurice Denis, Vuillard (...) Bonnard (...)
M. RAYNAL, Peinture moderne, p. 31.

DÉR. Nabisme.

NABISME [nabism] n. m. — D. i. (déb. XXᵉ ?) ; de *nabi,* et *-isme.*

♦ Hist. de l'art. Mouvement pictural des nabis, caractérisé à l'origine par la suppression du modèle et le « cloisonnisme », par l'importance accordée aux formes et à l'esprit décoratif, par l'influence du symbolisme. *Influencé par Gauguin, le nabisme compta surtout Maurice Denis, Bonnard, Sérusier, puis Vuillard, Vallotton, Maillol.*

NABKA ou **NABQUAH** [napka] n. m. — Déb. XIXᵉ, Chateaubriand, — 1874, *in* P. Larousse ; arabe *nîbqâh.*

♦ Rare. Jujubier* du Proche-Orient.

NABLA [nabla] n. m. — XXᵉ ; angl. *nabla,* 1884, t. proposé par Maxwell ; mot grec d'origine probablement phénicienne, *nabla,* désignant un instrument de musique des Hébreux (harpe triangulaire ?), en hébreu *nēbel.*

♦ Math. Signe mathématique qui s'écrit comme un delta renversé (∇), utilisé comme moyen mnémotechnique pour retrouver l'expression des principaux opérateurs différentiels. — Appos. *Vecteur nabla :* vecteur symbolique de composantes rectangulaires $\frac{\partial}{\partial x}$, $\frac{\partial}{\partial y}$, $\frac{\partial}{\partial z}$ (représentant les dérivées partielles par rapport aux variables x, y, z).

NABLE [nabl] n. m. — 1820 ; XVIIᵉ, sens 2 ; altér. du néerl. *nagel* « cheville ».

Technique. (Marine).

♦ **1.** Vx. Bouchon qui ferme le trou de vidange d'une embarcation.

♦ **2.** Par ext. Mod. Trou de vidange. *« (Quand le plongeur remontait) on ouvrait le nable pour vider l'eau et l'on aérait vigoureuse-*

ment *l'intérieur* » (*Science et Vie*, janv. 1974, p. 35). *Bouchon de nable*, qui ferme le nable.

NABOT, OTE [nabo, ɔt] n. — 1549; var. *nambot, nimbot;* semble une altér. de *nain-bot,* comp. de *nain,* et de *bot* (germanique *butt* « crapaud »).

♦ **1.** Personne de très petite taille généralement contrefaite. ⇒ **Nain; avorton, gnome** (→ Hydrocéphale, cit. 3). *Un pauvre nabot.* — Au fém., rare. *Une petite nabote.*
Adj. *«Amour nabot... »* (Scarron).

1 Ils *(Germaine et Stopwell au skating)* roulent loin, très loin; une Germaine large, nabote.   COCTEAU, le Grand Écart, p. 30.
2 Un nabot, haut de quatre pieds, tortu, bossu, maigre, valétudinaire (...)
                                                          TAINE, cité par GUÉRIN, Dict. des dictionnaires.

♦ **2.** Vx. «Hotte, panier de crocheteur» (Retz, *in* Littré).

NABUCHODONOSOR [nabykɔdɔnɔzɔʀ] n. m. — 1917; du nom propre (francisé) *Nabuchodonosor,* puissant souverain de Babylone connu par la Bible.

♦ Grosse bouteille de champagne contenant environ 15 litres, soit la contenance de vingt bouteilles champenoises.

NACAIRE [nakɛʀ] n. f. — 1306; *naccar,* fin xiiie; arabe *năqqăräh.* → Nacre.

♦ Hist. Petite timbale*, instrument à percussion de la cavalerie arabe, au moyen âge.
Lors il fist sonner ses tabours *(tambours)* que l'on appelle nacaires, et lors nous courûrent sus et a pied et a cheval.   JOINVILLE, l'Histoire de Saint-Louis, p. 83.

NACARAT [nakaʀa] n. m. et adj. — 1611; *nacarade,* 1578; empr. à l'esp. *nacarado* «nacré», de *nacar.* → Nacre.

♦ Littér. Couleur d'un rouge clair dont les reflets rappellent ceux de la nacre (→ Franger, cit. 2). — Adj. *Une robe nacarat.*

1 De l'autre côté une Polonaise, en spencer de velours nacarat, balançait son jupon de gaze sur ses bas de soie gris perle (...)
                                                          FLAUBERT, l'Éducation sentimentale, II, I.
2 (...) l'éclat merveilleux de sa robe Empire en une soierie nacarat devant laquelle les plus rouges fuchsias eussent pâli et sur le tissu nacré de laquelle des insignes et des fleurs semblaient avoir été enfoncés longtemps (...)
                                                          PROUST, le Temps retrouvé, Pl., t. III, p. 1024.

NACELLE [nasɛl] n. f. — xie; du bas lat. *navicella, naucella,* dimin. de *navis* «bateau».

♦ **1.** Vx ou poét. Petit bateau à rames, dépourvu de mât et de voile. ⇒ **Canot, embarcation** (→ Gondole, cit. 2; gondolier, cit.). — *« Mais je hais les pleurards, les rêveurs à nacelles »* (→ Engeance, cit. 3, Musset, allusion au *Lac* de Lamartine).

1 (...) le chevalier, après l'avoir embrassé tendrement, s'approcha du bord dans l'espoir de trouver quelque petit bateau; il eut le bonheur de voir près du bord un pêcheur qui, monté dans la plus exiguë des nacelles, retirait son filet.
                                                          STENDHAL, Romans et Nouvelles, « Le chevalier de Saint-Ismier ».
En forme de nacelle. ⇒ **Naviculaire.** *Berceau en nacelle.*

♦ **2.** (1846). Panier (ou coque carénée) fixé sous un aérostat (un dirigeable) et qui contient les passagers (l'équipage, les groupes moteurs). → Guiderope, cit.; lest, cit. 3.

2 Au bout de quatre heures et demie environ, le ballon me parut suffisamment gonflé. J'y suspendis donc la nacelle, et j'y plaçai tous mes bagages (...)
                                                          BAUDELAIRE, Trad. E. POE, Histoires extraordinaires, «Aventure... Hans Pfaall ».
3 — Que reste-t-il à jeter au-dehors?
  — Rien!
  — Si!... La nacelle!
  — Accrochons-nous au filet! et à la mer la nacelle!
C'était, en effet, le seul et dernier moyen d'alléger l'aérostat. Les cordes qui rattachaient la nacelle au cercle furent coupées, et l'aérostat, après sa chute, remonta de deux mille pieds.
Les cinq passagers s'étaient hissés dans le filet, au-dessus du cercle, et se tenaient dans le réseau des mailles, regardant l'abîme.
                                                          J. VERNE, l'Île mystérieuse, t. I, p. 7.

♦ **3.** Par anal. (Techn.). Moulure à profil demi-circulaire. ⇒ **Scotie.**
Chim. Petit récipient allongé, en verre, porcelaine ou métal, destiné à recevoir une ou plusieurs substances susceptibles de réagir entre elles ou avec l'atmosphère du tube qui le contient et que l'on chauffe.
Cour. (Vieilli). Berceau en nacelle. *« De l'autre côté de la nacelle, une garde de nuit... »* (Martin du Gard).
Bot. (vx). Carène.

NACHE [naʃ] n. f. — xiie, «fesse»; du lat. vulg. *natica,* class. *nates.* → Fesse.

♦ **1.** Vx (jusqu'au xvie). Fesse.

♦ **2.** Mod. (Bouch.). Milieu du gîte à la noix.

NACRE [nakʀ] n. f. — 1560; *nacle,* 1389; *nacrum,* 1347 dans un texte lat.; ital. anc. *naccaro;* arabe *năqqăräh* «petit tambour». → Nacaire.

♦ **1.** Vx. Pinne* marine (coquillage). → Fermer, cit. 11, Montaigne. *Une, des nacres.*

♦ **2.** (xviie). Mod. LA NACRE : substance à reflets irisés qui tapisse intérieurement la coquille* de certains mollusques; couche lamelleuse de la coquille. *La nacre est formée de lamelles parallèles et alternées de conchyoline et de calcaire. Nacre des perles. Nacre blanche, rosée. Origine des nacres.* ⇒ **Burgau, burgaudine, mulette, perlière** (huître). *La nacre,* utilisée en bimbeloterie, marqueterie, tabletterie... *Bouton* (→ Manchette, cit. 2), *éventail* (→ Fanfreluche, cit. 2), *plateau de nacre* (→ Lampe, cit. 22). *Polir la nacre à la meule* (→ Émeulage). *La neige semblait une poussière de nacre* (→ Frimas, cit. 7). — *L'Étui de nacre,* œuvre d'A. France.

(...) la substance exquise qu'il *(le coquillage)* a formée en déposant alternativement sur la paroi le produit organique de ses cellules à mucus et la calcite de ses cellules à nacre, verra le jour, séparera la lumière en ses longueurs d'onde, et nous enchantera les yeux par la tendre richesse de ses plages irisées.
                                                          VALÉRY, Variété V, p. 31.

Vx. *Nacre de perles* (Molière, *l'Avare,* II, 1).

♦ **3.** Littér. Couleur de nacre; reflets nacrés (→ Écaille, cit. 4; gris, cit. 23).
L'amoncellement étincelant des coquillages faisait sous la lame, à de certains endroits, d'ineffables irradiations à travers lesquelles on entrevoyait un fouillis d'azurs et de nacres, et des ors de toutes les nuances de l'eau,
                                                          HUGO, les Travailleurs de la mer, II, I, XIII.
(...) les dorades grasses se teintaient d'une pointe de carmin, tandis que les maquereaux dorés, le dos strié de brunissures verdâtres, faisaient luire la nacre changeante de leurs flancs (...)
                                                          ZOLA, le Ventre de Paris, t. I, III, p. 150.

DÉR. Nacré, nacrer, nacrier, nacrure.
COMP. Nacroculture.

NACRÉ, ÉE [nakʀe] adj. — 1734; de *nacre.*

♦ Qui a l'aspect, la couleur, l'éclat irisé de la nacre (→ Aile, cit. 7; limande, cit. 1). *Peau nacrée* (→ Aponévrose, cit. 2). *Teint nacré. Lueurs nacrées* (→ Imbriquer, cit. 2). *Vernis à ongles nacré.*
Son œil caressait avec une sensualité complaisante ces belles épaules nacrées (...)
                                                          Th. GAUTIER, Fortunio..., « Toison d'or », I
Qui est recouvert, tapissé de nacre. *Coquille nacrée.*
REM. Rimbaud emploie l'adj. *nacreux, euse* [nakʀø, øz] : *«Glaciers, soleils d'argent, flots nacreux, cieux de braise»* (le Bateau ivre).

NACRER [nakʀe] v. tr. — 1845; de *nacre.*

♦ **1.** Techn. Traiter (les fausses perles) de façon à leur donner l'aspect de la nacre.

♦ **2.** Littér. Iriser. ⇒ **Nacré.**

NACRIER, IÈRE [nakʀije, ijɛʀ] adj. — 1903; 1874, n. m., «ouvrier travaillant la nacre».

♦ Rare. Relatif à la nacre. *Industrie nacrière.*

NACROCULTURE [nakʀokyltyʀ] n. f. — 1874; de *nacr(e),* -o- de liaison, et *-culture.*

♦ Didact. Culture de la nacre.

NACRURE [nakʀyʀ] n. f. — 1877; de *nacre.*

♦ Irisation de la nacre ou semblable à celle de la nacre.

NACTEUR [naktœʀ] n. m. — Mil. xxe (*in* Larousse 1963); de *nactage* (1874), ancienne opération manuelle effectuée après le peignage; orig. obscure : un verbe *naqueter* (1525) signifiant «marquer le point de chute de la balle, à la paume», de *naquet* «garçon de jeu de paume» (xive), n'a pas de rapport sémantique clair.

♦ Techn. Peigne rectiligne sur une peigneuse mécanique.

NADIR [nadiʀ] n. m. — 1556; *nador,* 1361; arabe *năzir* «opposé» (au zénith).

♦ Didact. Point imaginaire de la sphère céleste (⇒ **Ciel**) auquel aboutirait, en passant par le centre de la terre, une verticale partant du lieu de l'observateur. ⇒ **Bas** (n. m.). *Le zénith et le nadir sont symétriques par rapport au plan de l'horizon.*
Les légendes brahmaniques affirment que cette ville *(Bénarès)* occupe l'emplacement de l'ancienne Casi, qui était autrefois suspendue dans l'espace, entre le zénith et le nadir, comme la tombe de Mahomet.
                                                          J. VERNE, le Tour du monde en 80 jours, p. 112.
Par métaphore. (→ Arbre, cit. 34).
(...) ces deux êtres vivaient ainsi, très haut, avec toute l'invraisemblance qui est dans la nature; ni au nadir, ni au zénith, entre l'homme et le séraphin, au-dessus

de la fange, au-dessous de l'éther, dans le nuage ; à peine os et chair, âme et extase de la tête aux pieds (...)   HUGO, les Misérables, IV, VIII, II.

Fig. Point le plus bas (opposé à *zénith*).

DÉR. Nadiral.

NADIRAL, ALE, AUX [nadiʀal, o] adj. — 1868 ; de *nadir*.

♦ Didact., rare. Du nadir. — *Oculaire nadiral* (d'une lunette) : oculaire permettant de mesurer l'angle que fait la verticale avec l'axe optique visé.

NÆVIEN, IENNE [nevjɛ̃, jɛn] adj. — 1897 ; in *l'Année biol.*, 1899, p. 176 ; de *nævus*, et *-ien*.

♦ Méd. Physiol. D'un nævus, qui ressemble à un nævus.

NÆVOCARCINOME [nevokaʀsinom] n. m. — Mil. xxᵉ ; de *nævus*, et *carcinome*.

♦ Pathol. Cancer de la peau, le plus souvent développé au niveau d'un nævus. ⇒ **Mélanome**.

NÆVUS, plur. NÆVUS [nevys] ou NÆVI [nevi] n. m. — 1824, Nysten ; *neve* en 1611 ; mot lat. signifiant « tache, verrue ».

♦ Méd. Tache ou lésion de la peau, presque toujours congénitale, à évolution très lente, caractérisée par une altération de sa couleur ou de sa texture, sur une étendue plus ou moins grande du tégument externe. ⇒ **Envie, fraise, grain** (de beauté), **tache** (de vin). → Couenne, verrue. *On distingue plusieurs nævi : le nævus molluscum, pigmentaire, pileux, vasculaire...*

DÉR. Nævien.
COMP. Nævosarcome.

NAFÉ [nafe] n. m. — 1845 ; arabe *nāfiʿ* « salutaire ».

♦ Bot. Fruit de la ketmie* qui sert à préparer certains remèdes (pâte, sirop pour la toux).

NAFFE [naf] n. f. — xvⁱᵉ ; arabe *nāfḥāh* « odeur agréable ».

♦ Vieilli. *Eau de naffe :* eau de fleur d'oranger.

NAGA [naga] n. m. invar. — 1846, Bescherelle ; mot hindī.

♦ Didact. (Arts). Génie à buste humain et corps de serpent, représenté dans l'art indien.

(...) les nagas qui habitent, sous la mer, des palais de coraux lumineux (...)   MALRAUX, Antimémoires, p. 281.

NAGAÏKA [nagajka] ou NAHAÏKA [nahajka] n. f. — 1861 (→ cit.) ; mot russe.

♦ Fouet de cuir des Cosaques.

La nagaïka est un fouet qui s'achète en général, le même jour où l'on prend le paderodjni.   DUMAS, *in* le Constitutionnel, 28 nov. 1861 (*in* D. D. L., II, 16).

NÂGARI [nagaʀi] n. m. ⇒ **Devanâgari**.

NAGE [naʒ] n. f. — 1160, « navigation » ; déverbal de *nager*.

♦ **1.** Vx. Action de naviguer.

(*À la nage*, xiiiᵉ). Mod. (Mar.) Dans des syntagmes. Action, manière de ramer (⇒ **Nager**, 1., REM). *Dame* de nage. Bancs de nage, sur lesquels sont assis les rameurs. *Chef de nage, qui dirige la colonne des rameurs, qui donne la nage. Chaloupe bonne de nage,* facile à manœuvrer. *Nage en couple, en pointe.* ⇒ **Nager** (1.).

(...) le père commanda le retour : « Allons, en place pour la nage ! » (...) Pierre (...) prit l'aviron de tribord, Jean l'aviron de bâbord (...)
                                    MAUPASSANT, Pierre et Jean, I.

♦ **2.** (1552 ; *à nage*, mil. xvᵉ). Cour. Action de nager (2.). *La nage considérée comme un sport.* ⇒ **Natation**. *Mouvement des bras dans la nage.* ⇒ **Brassée**.

1   Je suis revenue à pied, par la plage. J'étais épuisée par ma longue nage et l'eau m'avait fripé le bout des doigts.
                                    Geneviève DORMANN, le Bateau du courrier, p. 121.

Manière de nager. *Nage élégante, rapide.* — (Nages particulières, plus ou moins codifiées). *Nages sur le dos. Nage indienne, ou, ellipt, indienne : sorte de nage sur le côté avec ciseaux des jambes* (⇒ **Marinière, over arm stroke**). *La brasse, le crawl sont parmi les nages les plus pratiquées.* — N. B. Pour la liste des principales nages. ⇒ **Natation**. — *Nage libre,* se dit en parlant d'une épreuve où chaque concurrent est libre de choisir le genre de nage dans lequel il est le plus rapide (en général le crawl, actuellement). *Champion du quatre cents mètres nage libre.* — *Nage sous-marine.*

Loc. adv. *À nage* (vx), *à la nage*, en nageant. *Gagner* (cit. 57) *la côte à la nage. Traverser une rivière à la nage.* — *Se jeter à nage* (vx), *à la nage* (→ Flottant, cit. 2) : se jeter à l'eau pour atteindre un lieu en nageant.

♦ **3.** Fig. *À la nage :* cuit dans un court-bouillon (en parlant de crustacés, coquillages). *Coquilles Saint-Jacques, homard à la nage.*

♦ **4.** Loc. fig. (1690 ; 1572, *être à nage,* vx). EN NAGE : inondé de sueur.

1.2   (...) si j'avais chaud et que la sueur — je n'y prenais pas garde — perlât à mon front : « Mais vous êtes en nage », me disait-elle, étonnée comme devant un phénomène étrange, souriant un peu avec le mépris que cause quelque chose d'indécent (...) On aurait dit que moi seul dans l'univers avais jamais été en nage.
                                    PROUST, le Temps retrouvé, Pl., t. III, p. 749.

2   Ne frotte pas ta sueur sur ta figure quand tu es en nage, la sueur rentre dans la peau et la consume (...)   COLETTE, la Fin de Chéri, p. 107.

♦ **5.** Techn. (Pêche). Mouvement (d'un leurre) sous l'eau.

NAGEANT, ANTE [naʒɑ̃, ɑ̃t] adj. — 1803, en bot. ; t. de blason, in *Encyclopédie*, 1765 (*poisson nageant* « horizontal ») ; « qui a l'habitude de nager », v. 1580 ; p. prés. de *nager*.

♦ Didact. (Bot.). Qui se soutient sur l'eau (feuilles ; plantes).

NAGÉE [naʒe] n. f. — 1688, La Fontaine ; de *nager*.

Rare.

♦ **1.** Espace parcouru en nageant, à chacune des impulsions données au corps (→ Brasse ; et cf. La Fontaine, *Fables,* II, 10).

♦ **2.** Mar. Petit déplacement effectué en ramant ; petite distance sur l'eau.

NAGEOIRE [naʒwaʀ] n. f. — 1555 ; de *nager*.

♦ **1.** Organe formé d'une membrane soutenue par des rayons osseux et qui sert d'appareil propulseur et stabilisateur aux poissons et à certains autres animaux aquatiques. *Les nageoires des poissons ne sont pas des membres, mais sont issues de replis cutanés. Nageoires hétérocerques*, homocerques*. Nageoires impaires d'un poisson : nageoire anale, caudale, dorsale. Nageoires paires : nageoires pectorales* (→ 2. Goujon, cit. 2), *pelviennes. Nageoires des requins.* ⇒ **Aileron**. *Les nageoires pectorales des poissons-volants leur servent d'ailes*. Poisson qui a de longues nageoires.* ⇒ **Macropode**. *En forme de nageoire.* ⇒ préf. **Ptéro-**. *Nageoires des marsouins* (cit.), *des phoques, des pinnipèdes*.*

1   On ne voyait plus d'elle (*la carpe*) que son sillage désordonné, et parfois sa nageoire dorsale, sombre et molle large comme une main.
                                    M. GENEVOIX, Raboliot, I, I.

2   Dans la plupart des espèces de pleine eau ou de surface, les nageoires pectorales sont uniquement liées à la locomotion, agissant comme organes de direction ou de déplacement.   A. LEROI-GOURHAN, le Geste et la Parole, t. I, p. 50.

♦ **2.** Par anal. (de fonction). Objet dont on se sert pour se maintenir sur l'eau quand on apprend à nager. — *Nageoires d'un hydravion :* flotteurs latéraux qui empêchent l'appareil de chavirer.

♦ **3.** (1824). Fam. Bras.

♦ **4.** (1854). Fam., vx. *Des nageoires :* des favoris.

NAGEOTER [naʒɔte] v. intr. — 1868 ; de *nager*, et suff. dimin. *-oter*.

♦ Fam. Nager un peu et assez mal. *Il « resta un moment à nageoter sur place »* (Daudet, *in* Larousse).

NAGER [naʒe] v. — Conjug. *bouger* ; prend un e devant a et o : il *nagea, nous nageons.* — V. intr., 1080, *nagier* « naviguer » ; du lat. *navigare*. → **Naviguer**.

♦ **1.** [a] V. intr. Vx. Naviguer. — (1280). Mod. (Mar.) Ramer, aller à l'aviron. — REM. Ce sens est encore très courant dans la langue de la marine, où l'on n'emploie pas le verbe *ramer,* et dans celle des sports (aviron). ⇒ **Nage** (1.). *Nager de l'avant, à couple, en pointe. Nager à culer. Nager ferme. Nager en douceur.*

[b] Trans. *Nager une chaloupe.*

♦ **2.** (Mil. xivᵉ). Cour. [a] V. intr. (En parlant d'une personne, et, par ext., d'un animal). Se soutenir et avancer à la surface de l'eau, se mouvoir dans l'eau par des mouvements appropriés. ⇒ **Nage** (2.), **natation** (→ Indolemment, cit. 2 ; manquer, cit. 26). *Il aimait à nager et à plonger* (→ Handicap, cit. 2). *Savez-vous nager ? Nagez-vous ? Aller d'un bord à l'autre d'une rivière en nageant, à la nage*. Nager comme un poisson. Nager régulièrement* (→ Écume, cit. 4), *à grandes brasses. Nager à l'indienne, à la marinière. Nager sous l'eau.*

1   (...) descendre rapidement à la nage pour nous plonger dans la mer et nager quelques minutes dans une petite calanque, dont le sable fin brillait à travers la transparence d'une eau profonde (...)   LAMARTINE, Graziella, Épisode, XXIV.

2 Vers midi, ils se jetaient à l'eau. Bernard nageait bien (...) Simone avait plus de style.
A. MAUROIS, Bernard Quesnay, XI.

b V. tr. Pratiquer (un genre de nage déterminé). *Nager la brasse, le crawl* (⇒ **Crawler**), *la brasse papillon. Il nage mieux l'indienne que le crawl.* — Parcourir (la distance de telle épreuve) à la nage. *Nager un cent mètres dos.*

c V. intr. Par métaphore et fig. Être à son aise dans un milieu, dans une fonction. *Il nage dans ce milieu comme un poisson dans l'eau.* — Absolt. (Avec une nuance péj.). Agir, manœuvrer avec habileté. *Il sait nager :* il sait se débrouiller, manœuvrer (cf. *C'est un nageur*). *Dans ce métier-là, il faut savoir nager.*

3 Ce titre de *chef de parti* était ce qu'il *(le cardinal de Retz)* avait toujours honoré le plus dans les *Vies* de Plutarque, et quand il vit que les affaires s'embrouillaient, au point de lui en laisser venir naturellement le rôle, il en ressentit un chatouillement de sens et un mouvement de gloire qui semble indiquer qu'il ne concevait rien de plus beau ni de plus délicieux au delà. Il allait nager dans son élément.
SAINTE-BEUVE, Causeries du lundi, 20 oct. 1851.

Loc. *Nager entre deux eaux,* en gardant la tête sous l'eau, en plongée.

4 Il nagea entre deux eaux jusque sous un navire au mouillage, auquel était amarrée une embarcation. Il trouva moyen de se cacher dans cette embarcation jusqu'au soir. À la nuit, il se jeta de nouveau à la nage, et atteignit la côte (...)
HUGO, les Misérables, II, III, XI.

Par métaphore ou fig. Ménager* deux partis, éviter de s'engager à fond (→ Louvoyer).

5 (...) sa situation *(de Sedan)* dans les Ardennes et sur un bord jaloux de frontière (...) mirent ses seigneurs en état de nager entre la France et la maison d'Autriche (...)
SAINT-SIMON, Mémoires, II, XLIII.

Nager contre le courant, à contre-courant. — Fig. et par métaphore. (→ Contre-courant, cit. 2).

♦ **3.** (1530). Sujet n. de choses. Flotter passivement, être à la surface d'un liquide. ⇒ **Flotter** (cf. Être à flot, surnager). *Corps qui nagent à la surface d'un liquide* (→ Apsara, cit. 1 ; capillaire, cit. 2).

(En parlant de ce qui est en suspension dans l'air, de ce qui flotte au gré du vent, d'une impulsion... → Infinitésimal, cit. 2).

6 Au ciel, le vol des nuages blancs nageait avec une lenteur de cygne.
ZOLA, l'Assommoir, t. II, VIII, p. 28.

♦ **4.** (1636). Être baigné, immergé, noyé dans un liquide trop abondant (généralement avec une nuance péjorative). *Haricots qui nagent dans une sauce brunâtre.* ⇒ **Baigner**.

7 À côté de ce plat paraissaient deux salades (...)
(...) Dont l'huile de fort loin saisissait l'odorat,
Et nageait dans des flots de vinaigre rosat.
BOILEAU, Satires, III.

Littér. *Nager dans le sang :* être couvert de sang (→ Assouvir, cit 8). *Blessé qui nage dans son sang.*

♦ **5.** Par métaphore et fig. Être, se trouver plongé dans la plénitude d'un sentiment, d'un état... ⇒ **Baigner.** *Nager dans le sein des délices* (cit. 7), *dans la joie* (→ 1. Masque, cit. 14).

8 Ivre d'amour et de volupté, le mien *(cœur)* nage dans la tristesse (...)
ROUSSEAU, Julie ou la Nouvelle Héloïse, I, XXXI.

9 Il me semblait nager moi-même dans le pur éther et m'abîmer dans l'universel océan. Mais la joie intérieure dans laquelle je nageais était mille fois plus infinie, plus lumineuse et plus incommensurable que l'atmosphère avec laquelle je me confondais ainsi.
LAMARTINE, Raphaël, XV.

Nager dans l'abondance, l'argent (→ Genou, cit. 21), *l'opulence, la prospérité...* ⇒ **Riche** (être).

10 (...) son père, qui ne nageait pas dans l'opulence, ne me fit pas non plus un bien grand accueil (...)
ROUSSEAU, les Confessions, IV.

11 (...) nager dans l'or et refuser à une malheureuse qui n'a pas voulu commettre un crime, ce qu'elle a légitimement gagné est une infamie gratuite qui n'a point d'exemple.
SADE, Justine..., t. I, p. 102.

♦ **6.** (1680). Fam. Être au large, flotter (dans ses vêtements). *Il a beaucoup maigri, il nage dans son complet.*

♦ **7.** Être dans une situation confuse, se débattre au milieu de difficultés. ⇒ **Patauger.** *Nager dans une pleine mer de documents officiels* (→ Archives, cit. 9). *Nager en pleine obscurité, en pleine confusion.*

(1916). Absolt. Se débattre vainement, perdre pied* (fig.), au milieu de difficultés quelles qu'elles soient. *Je n'y comprends plus rien, je ne m'y retrouve plus, je nage complètement.*

DÉR. Nage, nageant, nagée, nageoire, nageoter, nageur.
COMP. Surnager.

NAGEUR, EUSE [naʒœʀ, øz] n. et adj. — XIIᵉ, «matelot» ; de *nager.*

A. N. ♦ **1.** Vx. Navigateur. — Mod. (Mar.). Rameur. *Nageur de l'arrière* ou *chef de nage. Nageur de l'avant. Banc des nageurs.*

♦ **2.** (1350). Personne qui nage, qui sait nager (→ Bouée, cit. 2 ; courant, cit. 5 et 13 ; grain, cit. 34). *C'est excellent, un médiocre nageur. Elle est bonne nageuse.* — *Maître-nageur :* personne qui enseigne la natation, qui surveille un lieu où l'on se baigne (piscine, plage...). ⇒ **Baigneur.** — Athlète disputant une épreuve de natation. ⇒ 2. **Brasseur, crawler, plongeur.**

Les gestes du nageur paraîtraient aussi ineptes et ridicules à celui qui oublierait qu'il y a de l'eau, que cette eau soutient le nageur, et que les mouvements de

l'homme, la résistance du liquide, le courant du fleuve, doivent être pris ensemble comme un tout indivisé.
H. BERGSON, les Deux Sources de la morale et de la religion, p. 212.

Nageur de combat : plongeur subaquatique militaire spécialement formé et entraîné pour les opérations de commando.

♦ **3.** Fig. *C'est un nageur,* un combinard. → Il sait nager* (2., fig.).

B. Adj. (Zool). Se dit des animaux marins qui se déplacent dans les eaux par des mouvements volontaires (opposé à *flottant,* à *fixé*).

NAGUÈRE [nagɛʀ] adv. — XIIᵉ, *n'a gaire ;* comp. de *n'a,* et de *guère(s),* «(il) n'(y) a guère (de temps)». — L'orth. *naguères* est vieillie.

♦ **1.** Littér. Il y a peu de temps. ⇒ **Récemment** (→ Aveulir, cit. 1 ; camouflage, cit. 2 ; catholicisme, cit. 3 ; gauche, cit. 4 ; gond, cit. 5). *«On arrive* (Arriver, cit. 38, Hugo) *à haïr ce qu'on aimait naguère». Naguère encore. Jadis* et *Naguère,* recueil de poèmes de Verlaine. *Jadis et même naguère.*

Naguère insouciant en fait de toilette, je respectais maintenant mon habit comme un autre moi-même.
BALZAC, la Peau de chagrin, Pl., t. IX, p. 114.

(XIIᵉ). Vx. *Naguère que... :* alors que, il y a peu...

♦ **2.** Cour. (Abusif). Autrefois, il y a longtemps, jadis.

Naguère, étymologiquement : *Il n'(y) a guère de temps,* signifie *récemment* et ne peut s'appliquer qu'à un passé assez proche. Il est souvent pris, à tort, au sens de *jadis,* ce qui enlèverait tout sens au titre du recueil de Verlaine : *Jadis et naguère.*
René GEORGIN, Difficultés et Finesses de notre langue, p. 214.

CONTR. Anciennement, autrefois, longtemps (il y a).

NAHAÏKA [nahajka] n. f. ⇒ **Nagaïka.**

NAHUATL [nauatl] n. m. et adj. invar. — 1875, trad. de A. de Olmos, *Grammaire de la langue Nahuatl ou Mexicaine ;* mot de cette langue, de *Nahua,* nom ethnique.

♦ Didact. Langue indienne d'Amérique centrale, de la famille uto-aztec, qui était celle de l'Empire aztèque, et qui est encore parlée de nos jours. *Le nahuatl* (ou *nahuat,* ou *nahual*). — Adj. invar. *Les dialectes nahuatl.* «*La langue nahuatl, parlée par les Aztèques, reflète l'importance culturelle des calculs et des mesures»* (la Recherche, oct. 1981, p. 1068).

NAÏADACÉES [najadase] ou (vx) **NAÏADÉES** [najade] n. f. pl. — 1903, *naïadacées ; naïadées,* 1838 ; de *naïade.*

♦ Bot. Famille de plantes monocotylédones dont la naïade* est le type. *Les naïadacées, plantes aquatiques, aux nombreuses espèces annuelles ou vivaces. Certaines naïadacées* (naïade, potamot) *vivent en eau douce, d'autres* (⇒ **Zostère, zostérées**) *dans la mer.* — Au sing. *Une naïadacée.*

NAÏADE [najad] n. f. — Déb. XVIᵉ ; *nayade,* v. 1490, Vaganay ; lat. *naias, naiadis,* grec *naias, ados.*

♦ **1.** Myth. grecque. Divinité féminine inférieure qui présidait aux fleuves, aux rivières, aux fontaines et aux sources. ⇒ **Nymphe.** *Les naïades étaient douées du don de prophétie.*

Voilà ce que chantait aux Naïades prochaines
Ma Muse jeune et fraîche, amante des fontaines.
André CHÉNIER, Épigrammes, 31.

Représentation plastique d'une naïade. *Naïades de la fontaine des Innocents.* ⇒ **Nymphe.**

♦ **2.** Par anal. (En style affecté ou plais.). Baigneuse, nageuse (→ Exposer, cit. 30).

♦ **3.** (1765). Bot. Plante *(Naïadacées)* qui croît dans les eaux douces d'Europe centrale. *La naïade a des feuilles larges, à dents raides, des fleurs dioïques, isolées, de couleur verdâtre.* Syn. *Naïas.*

NAÏAS [najas] n. m. — XXᵉ ; mot lat., «naïade».

♦ Bot. Naïade (3).

NAÏF, IVE [naif, iv] adj. et n. — 1155, «natif, originaire» ; dér. du lat. *nativus,* de *natum,* supin de *nasci* → Naître.

★ **I.** ♦ **1.** Vx, littér. Originaire, natif, premier. ⇒ **Naturel** (→ Chaos, cit. 1, Gide ; langue, cit. 32, Ronsard).

(...) on nous donne volontiers pour idéal de parvenir à saisir notre esprit dans son état naïf, et comme à ses débuts, alors que la raison ne l'a pas encore atteint ou déformé.
J. PAULHAN, Entretien sur les faits divers, p. 70.

Techn. *Pointe naïve :* diamant naturellement pyramidal.

♦ **2.** (XVIᵉ). Vieilli. «Vrai, sincère, ressemblant. Il se dit d'une peinture, d'un discours qui représente bien la chose telle qu'elle est» (Furetière, 1690). — REM. Dès le XVIIᵉ, *naïf* emporte autant l'idée de simplicité, d'absence d'apprêt (→ ci-dessous, 3.), que celle de fidélité au réel, d'exactitude scrupuleuse. — *L'esprit* (cit. 137) *naïf de La Fontaine.*

Jacques Amyot, plus connu par sa naïve traduction de Plutarque (...)
VOLTAIRE, Essai sur les mœurs, CLXXII.

N. m. (Vx). *Le naïf* (→ Héroïque, cit. 5).

Mod., didact. Intuitif ; qui ne repose pas sur une théorie explicite, n'est pas fondé sur une démarche scientifique (en parlant des connaissances).

Nos recherches sont :
1° *Naïves* : je prends le mot naïf dans son sens périmathématique, comme on dit la théorie naïve des ensembles. Nous allons de l'avant sans trop raffiner. Nous essayons de prouver le mouvement en marchant.
R. QUENEAU, Bâtons, chiffres et lettres, p. 322.

♦ **3.** (XIIᵉ). Cour. Qui est naturel, sans artifice, primesautier, spontané... (en parlant de choses abstraites). *Gaieté* (cit. 1) *naïve et franche. Désir effronté et naïf du plaisir* (→ Minois, cit. 2). *Bonne foi naïve,* sincère (→ Faute, cit. 19). — Spécialt. (Avec influence du sens II.). Qui est d'une simplicité sans apprêt. *Cantilène* (cit.) *simple et naïve. Rythmes naïfs* (→ Littérature, cit. 15). *Style* naïf. Récit naïf.*

On est persuadé que nos pères étaient tous naïfs ; que c'était un bienfait de leurs temps et de leurs mœurs, et qu'il est encore attaché à leur langage : si bien que certains auteurs empruntent aujourd'hui leurs tournures afin d'être naïfs aussi. Ce sont des vieillards qui, ne pouvant parler en hommes, bégayent pour paraître enfants ; le naïf se dégrade tombe dans le niais. RIVAROL, Littérature, I.

Peintre naïf : peintre autodidacte dont l'art est spontané et indépendant de celui qui est pratiqué dans l'institution (écoles, tradition), au moins à l'origine. — N. m. *Un naïf :* un peintre (homme ou femme) naïf. «*À la fraîcheur d'émotion des premiers naïfs succéda le savoir-faire d'une foule de copistes» (le Robert de la peinture, art. Naïf).*

Les formes (...) de l'art naïf, suivent (...) une tradition qu'il est imprudent d'attribuer à la seule naïveté (...) L'art naïf est sentimental, mais un art sentimental n'est pas nécessairement instinctif. Croit-on que le naïf peigne par hasard des personnages qui ressemblent (...) aux mannequins ? Les peintres de foires connaissent fort bien leurs sujets privilégiés (...) et le style de ces sujets. Il *(le douanier Rousseau)* peignait innocemment ce qu'il voyait (...) Maladroit ou non (...) le style de ses grandes œuvres est aussi opiniâtrement conquis que celui de Van Eyck (...) Il y a bien un naïf chez lui, mais sur ce naïf son vrai style est conquis feuille à feuille. MALRAUX, les Voix du silence, p. 287-291-292.

Peinture naïve : peinture pratiquée par les artistes naïfs. *Peinture naïve française* (le douanier Rousseau, A. Bauchant, etc.), *yougoslave, polonaise, haïtienne... Art naïf.* ⇒ **Brut** (art).

★ **II. Cour.** (Personnes). ♦ **1.** (1607). Qui est plein de confiance et de simplicité (par ignorance, inexpérience, irréflexion...). *Un jeune homme naïf.* ⇒ **Inexpérimenté, jeune.** *Cœur naïf.* ⇒ **Candide, confiant, ingénu, simple** (→ Empoisonner, cit. 24 ; épancher, cit. 25). *Âme naïve* (→ Égarer, cit. 9 ; élever, cit. 59). — *Grâce naïve de l'enfant* (→ Forme, cit. 29). *Beauté, gaucherie* (cit. 1) *naïve* (→ Grâce, cit. 85). *Candeur naïve. Foi naïve* (→ La foi du charbonnier*).

Le surnuméraire est à l'Administration ce que l'enfant de chœur est à l'Église, ce que l'enfant de troupe est au Régiment, ce que le rat est au Théâtre : quelque chose de naïf, de candide, un être aveuglé par les illusions.
BALZAC, les Employés, Pl., t. VI, p. 912.

C'était la suprême espérance de cette âme pleine d'une foi naïve ; et naïve, la foi l'est toujours !
BARBEY D'AUREVILLY, Une histoire sans nom, p. 180.

Qui dit sa pensée sans détours, qui est franc, direct.

¹ Vous dites donc que Diderot est un bon-homme. Je le crois, car il est naïf.
VOLTAIRE, Correspondance, 1536, 12 mars 1758.

♦ **2.** (1642). Qui est d'une crédulité, d'une confiance irraisonnée et quelque peu ridicule. ⇒ **Crédule, gobeur** (cit. 3), **godiche, innocent, jobard, niais, simplet** (→ Croire au Père Noël*, être né* d'hier, être tombé de la dernière pluie*...). *Vous vous imaginez qu'il tiendra parole? Vous êtes naïf! Vous le prenez pour plus naïf qu'il n'est* (→ Pour un enfant*). — Par ext. *Vanité naïve. Réponse, remarque naïve. Entreprise naïve,* fondée sur une confiance excessive, irraisonnée (→ Horizon, cit. 2).

Ah! celui-là! (...) Vous ne savez pas qu'il est encore plus naïf que vous (...) Il s'imagine que tout le monde est bon comme le pain.
J. GREEN, Adrienne Mesurat, III, VIII.

Il y a donc des hommes assez naïfs pour, étant nobles, mépriser ceux qui ne le sont pas ?
Valery LARBAUD, Barnabooth, Journal, II.

♦ **3.** **N. UN NAÏF, UNE NAÏVE :** une personne naïve (surtout au sens 2.). ⇒ **Bonhomme, gille, gobe-mouches** (vx) ; **gobeur, gogo ; dupe, niais, poire** (→ Appareil, cit. 14 ; candide, cit. 2). *Faire marcher*, mystifier un naïf. Pauvre naïf! C'est fait pour attraper les naïfs.*

CONTR. Artificieux, astucieux, critique, désabusé, dessalé, habile, incrédule, malicieux, recherché, réfléchi.
DÉR. Naïvement, naïveté.

NAIN, NAINE [nɛ̃, nɛn] n. et adj. — XIIᵉ, *Tristan* ; du lat. *nanus,* grec *nanos.*

★ **I. N.** ♦ **1.** Cour. Personne d'une taille anormalement petite. ⇒ **Avorton, gnome, lilliputien, myrmidon, nabot, pygmée, ragot** (vx), **ragotin** (vx), **tom-pouce** (→ Charge, cit. 2 ; jucher, cit. 2). *Nain*

court*, minuscule ; *petit nain. Une naine* (→ Merveille, cit. 1). *Nain attaché à la personne d'un prince comme bouffon. Les nains et naines de la cour d'Espagne, dans les tableaux de Velasquez.*

Si j'étais nain, j'aurais toute chose à souhait,
J'aurais soixante sols par jour et davantage,
J'aurais faveur du Roy, caresse, et bon visage,
Bien en point, bien vêtu, bien gras, et bien refait.
RONSARD, Pièces retranchées, «Imitation de Martial».

Par exagér. Personne très petite. *C'est un nain, à côté de vous !*

Par anal. (En parlant d'un animal minuscule pour son espèce). → Farfadet, cit. 3.

Spécialt. (Dans les légendes, mythes, littératures...). Personne imaginaire de taille minuscule. ⇒ **Farfadet, gnome, lutin, korrigan.** *Blanche-Neige et les sept nains.*

(1838). **NAIN JAUNE :** jeu de cartes où l'on place les mises sur un tableau dont la case centrale représente un nain vêtu de jaune (⇒ **Lindor**) et qui tient à la main un sept de carreau. ⇒ **Bog.** *Faire une partie de nain jaune.*

♦ **2.** Pathol. et cour. Individu atteint de troubles de la croissance et dont la taille à l'âge adulte est très inférieure à la taille moyenne (dans une race donnée). ⇒ **Nanisme** (→ Homoncule, cit. 4). *Nain infantile, non infantile* (cit. 1). *Nain par achondroplasie, rachitisme, troubles endocriniens. Nain atrophié, difforme. Les nains et les géants* (cit. 6).

(...) il arrive presque toujours que les géants sont trop minces et les nains trop épais : ils ont surtout la tête trop grosse, les cuisses et les jambes trop courtes (...)
BUFFON, Hist. nat. de l'homme, Additions, Description..., III.

Des nains aux pieds tors, au corps gibbeux et difforme, dont les grimaces avaient le privilège de dérider la majesté granitique du Pharaon (...)
Th. GAUTIER, le Roman de la momie, IV.

♦ **3.** Fig. (Vx ou littér.). Personne sans importance. *Géants* (cit. 10) *et nains. L'insolence des nains* (→ Fange, cit. 7).

(Il faut) À tout petit esprit des dignités, des places ;
Le nain monte sur des échasses ;
Que de nains couronnés paraissent des géants !
VOLTAIRE, Lettre au roi de Prusse, 113, févr. 1740.

★ **II. Adj.** ♦ **1.** (1636). Qui est anormalement petit. *Il est nain, presque nain. La race naine des Pygmées.*

Par ext. *Membre, organe nain.*

Elle avait beau être petite, très petite, presque naine. Droite comme un i et ne perdant pas un pouce de sa taille, elle avait l'importance et l'allure d'une grande Dame. M. JOUHANDEAU, Tite-le-Long, XIV.

Affligé de nanisme. *Il est minuscule, il n'est pas nain.*

♦ **2.** (1600). Désignant des espèces, des variétés de plantes de petite taille. *Animal nain.* — *Arbre nain, haricot nain, rosier nain. Palmier nain* (produisant le crin* végétal). ⇒ **Chamerops** (→ Aride, cit. 3).

Les cèdres nains, pas plus hauts que des choux, étendent (...) leurs branches noueuses avec des attitudes de géants fatigués par les siècles (...)
LOTI, Mᵐᵉ Chrysanthème, XXXV.

♦ **3.** Astron. *Étoile naine,* et, n. f., *une naine :* étoile extrêmement contractée et dense *(naines blanches),* ou encore, étoile de la série principale du diagramme de Russel, par oppos. aux *géantes,* de forte magnitude, qui forment une série divergente.

CONTR. Colosse, géant.

NAISSAIN [nɛsɛ̃] n. m. — 1868 ; de *naître.*

♦ Embryons ou larves des huîtres* et des moules* d'élevage. *Le naissain est d'abord libre, puis se fixe. Récolte du naissain fixé sur des «collecteurs» ; décollage («détroquage»), élevage des naissains d'huîtres. Pieux à naissain des parcs à moules* (⇒ **Bouchot**).

NAISSANCE [nɛsɑ̃s] n. f. — XIIIᵉ ; du rad. *naiss-, naître,* et suff. *-ance.*

★ **I. Commencement* de la vie.**

♦ **1.** □ (Êtres humains). Commencement de la vie indépendante (caractérisé par l'établissement de la respiration pulmonaire) ; moment où l'embryon viable se détache (ou est détaché) de l'organisme maternel. ⇒ **Accouchement, nativité ; jour** (I., 2.), **1. monde** (II., 3.), **vie.** *Naissance d'un enfant*, d'un bébé, d'une fille, d'un garçon. Devoir la, sa naissance à...* ⇒ **Être, vie** (tenir la vie de...) ; → Fils, cit. 16. *Donner naissance à...* ⇒ **Enfanter, engendrer...** *Ordre de naissance des enfants d'une famille.* ⇒ **Aîné, cadet, puîné** → Premier,... dernier-né. *Le jour* de la naissance :* le premier jour* de la vie (→ Homme, cit. 84). *Naissance d'un fils, d'une fille, de jumeaux... Faire-part* de naissance. Anniversaire* de la naissance. Date et lieu de naissance.* — Par ext. (Par rapport au pays où l'on est né). *Patrie. Gaulois par sa naissance* (→ Mélange, cit. 11). — *Dès le jour de sa naissance, depuis sa naissance* (→ Hasard, cit. 11). *Avoir, montrer, se trouver dès sa naissance...* ⇒ **Berceau** (→ Athénien, cit. 4 ; caste cit. 3). *À la naissance. Tout* *ce que nous n'avons pas à notre naissance nous est donné par l'éducation* (cit. 6 Rousseau).

1 Je voudrais bannir les pompes funèbres. Il faut pleurer les hommes à leur naissance, et non pas à leur mort.　　　　MONTESQUIEU, Lettres persanes, XL.

2 (...) l'éducation de l'homme commence à sa naissance ; avant de parler, avant que d'entendre, il s'instruit déjà.　　　　ROUSSEAU, Émile, I.

3 Chaque naissance est un miracle inédit ; chaque être est un ensemble d'éléments anciens, mais un assemblage entièrement neuf (...)
　　　　MARTIN DU GARD, les Thibault, t. IX, p. 39.

La naissance du Christ marque le début de l'ère chrétienne (→ Époque, cit. 3). *Les trois naissances célébrées par l'Église* (le Christ, la Vierge, saint Jean-Baptiste). ⇒ **Nativité.**

Myth. *La naissance de Vénus, de Cythérée* (→ Fronton, cit. 1). — (Dans les fables racontées naguère aux enfants). *Naissance des garçons dans les choux, des filles dans les roses.*

Loc. *De naissance,* qui se manifeste dès la naissance de l'enfant, qui n'est pas acquis. ⇒ **Congénital.** *Sourd et muet de naissance* (→ Art, cit. 35). *Aveugle** (cit. 2) *de naissance.* ⇒ **Né** (aveugle-né). — Par ext. *Voleur* (→ Canaille, cit. 10), *heureux* (→ Inclination, cit. 7) *de naissance. Connaître qqch. de naissance.* ⇒ **Inné** (→ Gamme, cit. 7).

Astrol. *L'aspect* (cit. 33) *du ciel, des astres, au moment de la naissance permet d'établir le « thème de naissance ».* ⇒ **Généthliaque ; horoscope** (→ Ascendant, cit. 2).

Dr. civ. Instant marquant la sortie de l'enfant du sein maternel, et condition d'acquisition de la capacité juridique, avec effet rétroactif au jour de la conception. *Naissance légitime* (⇒ **Légitimité**), *naturelle...* ⇒ **Filiation.** *Déclaration de naissance. Acte, bulletin, extrait de naissance, registre de naissance.* ⇒ **État** (civil). → Âge, cit. 17 ; compter, cit. 12 ; filiation, cit. 1. — Loc. fig. et fam. *Avaler son bulletin, son acte de naissance :* mourir.

(Une, des naissances). Nombre des naissances (⇒ **Natalité**). *La restriction des naissances dans la théorie malthusienne.* ⇒ **Malthusianisme, néo-malthusianisme.**

Contrôle, limitation, régulation des naissances. ⇒ **Contrôle** (contrôle des naissances); **planning** (planning familial) ; (anglic.) **Birth-control.** *Contrôle des naissances et contraception.*

b (Animaux). → Bœuf, cit. 1 ; lionceau, cit. — *Naissance d'un poussin,* sa sortie de l'œuf.

♦ 2. Mise au monde d'un enfant. ⇒ **Accouchement.** *Naissance difficile, avant terme, prématurée... Temps normal de la naissance.* ⇒ **Terme.** *Qui précède la naissance.* ⇒ **Prénatal.** *Naissance simple, double* (→ Gémellité, cit. 2), *multiple.* — *Le traumatisme de la naissance. Médecine de la naissance.* ⇒ **Néo-natal.** *Fantasmes de la naissance* (chez l'enfant).

4 Après neuf mois de vie intra-utérine, le fœtus est expulsé de l'organisme maternel. Ce phénomène physiologique aboutit à la naissance de l'enfant (...) Il se nomme accouchement ou parturition.　　　R. MERGER, la Naissance, p. 48.

♦ 3. Biol. Apparition et début du développement* (d'un individu vivant), conception, fécondation (→ Génération, cit. 3). *Cellules qui se rencontrent pour donner naissance au nouveau vivant* (→ Gamète, cit. 1).

5 La véritable naissance remonte donc plus haut *(que l'accouchement),* à l'instant où l'union de deux cellules crée la vie de l'homme. Suit toute une période de dépendance qui dure jusqu'à la nativité (...)　　R. MERGER, la Naissance, p. 5.

♦ 4. (1380). Origine, extraction*. *Appartenir par sa naissance à une illustre maison* (cit. 40).

Vieilli. Condition sociale résultant de la naissance dans telle ou telle catégorie sociale (noblesse ou roture). ⇒ **État, extraction, parage** (→ Aïeul, cit. 4 ; avantage, cit. 3 ; emparer, cit. 3). *Supérieur en naissance* (→ Féroce, cit. 3). *Basse* (cit. 20), *grande, haute naissance* (→ Arrogance, cit. 3). *Bassesse** (cit. 10) *de la naissance. De haute, bonne naissance* (→ Bien né*). *L'orgueil de sa naissance* (→ Emporter, cit. 24). *La naissance et la fortune* (→ Justice, cit. 2). *Régner par droit de naissance,* héréditairement (→ Chanter, cit. 18).

6 (...) quand les langes à dentelles, tapis brodés et joyaux d'or, trouvés sur moi par les brigands n'indiqueraient pas ma haute naissance, la précaution qu'on avait prise de me faire des marques distinctives témoignerait assez combien j'étais un fils précieux (...)　　　BEAUMARCHAIS, le Mariage de Figaro, III, 16.

7 (...) avec cet air de courtoisie parfaite des Turcs de bonne naissance (...)
　　　　LOTI, Aziyadé, IV, I.

Absolt et vx. Noblesse. — Par ext. Appartenance à un milieu social élevé. *Du mérite sans naissance* (→ Encourager, cit. 3).

8 Ne rougissez-vous point de mériter si peu votre naissance ? (...) — Non, non, la naissance n'est rien où la vertu n'est pas.　　　MOLIÈRE, Dom Juan, IV, 4.

9 (...) je ne serai pas fâché qu'Émile ait de la naissance. Ce sera toujours une victime arrachée au préjugé.　　　ROUSSEAU, Émile, I.

10 Il faut convenir que c'était un plaisant animal qu'un bourgeois de France vers 1794 quand j'ai pu commencer à le comprendre, se plaignant amèrement de la hauteur des nobles et entre eux n'estimant un homme absolument qu'à cause de la naissance. La vertu, la bonté, la générosité n'y faisaient rien, même, plus un homme était distingué, plus fortement ils lui reprochaient le manque de naissance, et quelle naissance !　　　STENDHAL, Vie de Henry Brulard, 29.

♦ 5. Fig. *Naissance à la vie chrétienne* (le baptême), *à la vie éternelle* (la mort).

★ II. Figuré. **♦ 1.** Apparition, commencement. ⇒ **Début, origine.**

N'avoir ni naissance ni fin (→ Éternel, cit. 1). *Naissance du jour* ⇒ **Apparition** (→ Émerger, cit. 3). *Naissance d'une idée* (cit. 32), *d'une œuvre.* ⇒ **Création, éclosion, genèse.** — REM. *Naissance d'une œuvre* peut s'entendre de sa genèse ou de sa première apparition en public (→ ci-dessous, cit. Racine). *Naissance d'un mot* (⇒ **Génération**). *Naissance d'une passion, d'un sentiment, de l'amour* (→ Comique, cit. 9 ; espérance, cit. 20 ; frivolité, cit. 5). — *Avoir, prendre* naissance.* ⇒ **Commencer** (→ Bout, cit. 26.3). *Donner naissance à... :* faire naître, créer.

(Jupiter souhaite que vous) retardiez la naissance du jour.
　　　　MOLIÈRE, Amphitryon, Prologue.

La scène retentit encore des acclamations qu'excitèrent à leur naissance *le Cid, Horace, Cinna, Pompée* (...)　　RACINE, Disc. à l'Académie, 2 janv. 1685.

Naissance d'une espèce. ⇒ **Apparition.** *Naissance et mort des étoiles.*

Naissance d'une nation, d'un pays. Naissance d'une Église, d'une hérésie (cit. 2), *d'une religion. Naissance de l'esprit français* (cit. 5).

Les sciences et les arts doivent donc leur naissance à nos vices : nous serions moins en doute sur leurs avantages s'ils la devaient à nos vertus.
　　　　ROUSSEAU, Disc. sur les sciences et les arts, II.

♦ 2. (1561). *Naissance de... :* point, endroit où commence (qqch.). *Naissance d'un arc, d'une voûte* (commencement de la courbure), *d'une colonne* (base du fût). *Naissance d'un fleuve.* ⇒ **Source** (→ Féconder, cit. 3).

Spécialt. *La naissance du cou* (→ Gratter, cit. 23 ; indécent, cit. 5), *de la gorge* (cit. 12), *de la cuisse* (→ Bretelle, cit. 1). *Naissance des cheveux* (cit. 20).

CONTR. Fin, mort.

NAISSANT, ANTE [nɛsã, ãt] adj. — 1581 ; subst., « animal nouveau-né », 1336 ; p. prés. de *naître.*

♦ 1. Blason. ⇒ **Issant.**

♦ 2. (1638). Littér. Qui commence à se former, à se développer. — *Bouton* (cit. 3) *de rose naissante. Épi* (cit. 1), *arbuste naissant* (→ Essayer, cit. 4). — *Barbe, moustache naissante,* qui commence à pousser (→ Juvénile, cit. 1).

Une moustache naissante ornait cette bouche charmante (...)
　　　　STENDHAL, le Rouge et le Noir, I, XVIII.

Lune (cit. 5) *naissante,* qui apparaît. *Astre naissant.* — Fig. *Gloire* (cit. 23), *réputation naissante. Ardeur* (cit. 8), *passion, inclination naissante* (→ Fermentation, cit. 2 ; inexplicable, cit. 1).

Mon Dieu, qu'une vertu naissante
Parmi tant de périls marche à pas incertains !　　RACINE, Athalie, II, 9.

L'amour n'a point d'âge : il est toujours naissant. Les poètes nous l'ont dit ; c'est pour cela qu'ils nous le représentent comme un enfant.
　　　　PASCAL, Disc. sur les passions de l'amour.

Les premiers jours du printemps ont moins de grâce que la vertu naissante d'un jeune homme.　　VAUVENARGUES, Maximes et réflexions, 410.

Vieilli. Jeune, qui commence à se développer.

Et qui conduira les affaires naissantes de notre pauvre imprimerie ?
　　　　BALZAC, Illusions perdues, Pl., t. IV, p. 894.

Allus. littér. « *Néron, monstre* (cit. 9) *naissant* » (Racine).

♦ 3. (1852). Chim. *État naissant,* se dit des corps qui viennent d'être libérés dans une réaction chimique (et qui sont parfois plus actifs qu'à l'état ordinaire). *Corps à l'état naissant. Hydrogène naissant.*

CONTR. Finissant, mourant.

NAISSEUR [nɛsœr] n. m. — 1911, *Larousse mensuel ;* du rad. *naiss-,* de *naître.*

♦ Techn. (Hippol.). Propriétaire d'une jument de race, par rapport au poulain qu'elle met bas. — Éleveur qui a choisi les reproducteurs (d'un jeune animal).

(...) les prix distribués sur les champs de courses représentent aujourd'hui des sommes importantes. Il faut y ajouter les primes destinées aux éleveurs ou « naisseurs » des chevaux gagnants.　　P. ARNOULT, les Courses de chevaux, p. 98.

Élevage. Propriétaire de la mère d'un jeune animal (veau, etc.).

NAÎTRE [nɛtr] v. intr. — *Je nais, nous naissons ; je naissais ; je naquis ; je naîtrai ; je naîtrais ; que je naisse ; que je naquisse ; naissant ; né.* — 1080, *naistre, nestre ;* du lat. pop. **nascere ;* lat. class. *nasci.*

★ I. Commencer sa vie.

♦ 1. (Êtres humains). Venir au monde ; sortir de l'organisme maternel (⇒ **Naissance ;** → Entrer dans le monde, dans la vie ; ouvrir les yeux* à la lumière, au jour ; venir* au monde, voir le jour ; et aussi, ascendant, cit. 1 ; existant, cit. 27 ; homme, cit. 83 ; influence, cit. 13). — *Enfant qui naît à terme, avant terme* (prématuré), *à huit mois* (après huit mois de vie intra-utérine). *Enfant qui vient de naître.* ⇒ **Nouveau-né** (→ Marge, cit. 2). — *Naître, être né de... :* être l'enfant de..., devoir la vie* à (→ Attachement, cit. 20). *Enfants nés d'un commerce adultérin* (cit. 2), *d'un mariage, d'un hymen* (→ Fruit, cit. 28). *Enfants nés hors mariage* (→ Légitimation, cit. 2). *Enfant posthume*, né après la mort du père. Enfants*

nés de la même mère (⇒ **Utérin**), du même père (⇒ **Consanguin**).
— Naître à tel endroit, dans tel pays. ⇒ **Natif**. — Loc. pop. Né
natif*. — « Je suis né (...) au jardin (cit. 9) de France ». « Je suis
né à Genève, en 1712, d'Isaac Rousseau » (→ Horloger, cit. 2). Le
Christ naquit dans une étable (cit. 1). Le pays, le milieu où l'on est
né. ⇒ **Natal** (→ Accent, cit. 12 ; arriver, cit. 67). — Fig. Le champ
qui l'a vu naître, auprès duquel il est né (→ Arroser, cit. 11). —
Naître sous un astre (cit. 17), sous une bonne étoile*.

1 Nous naissons, pour ainsi dire, en deux fois : l'une pour exister, et l'autre pour
vivre ; l'une pour l'espèce, et l'autre pour le sexe. ROUSSEAU, Émile, IV.

2 Pour être un grand homme dans les lettres (...) il faut, comme dans l'ordre politique, trouver tout préparé et naître à propos.
CHAMFORT, Maximes, Sur la science, XLII.

3 Alors dans Besançon, vieille ville espagnole,
Jeté comme le grain au gré de l'air qui vole,
Naquit d'un sang breton et lorrain à la fois
Un enfant sans couleur, sans regard et sans voix. HUGO, les Feuilles d'automne, I.

4 Suis-je né trop tôt ou trop tard ?
Qu'est-ce que j'fais en ce monde ? VERLAINE, Sagesse, III, IV.

5 Junon usa de son pouvoir pour prolonger la grossesse d'Alcmène, et Hercule naquit
à dix mois, ce qui ne le rendit que plus fort.
Émile HENRIOT, Mythologie légère, p. 106.

Loc. fig. Je ne suis pas né d'hier* (cit. 9), de la dernière pluie*
(syn. : tombé* de la dernière pluie). Les gens qui ne sont pas
nés, pas encore nés. — Allus. littér. « Comment l'aurais-je fait, si je
n'étais pas né ? » (→ Frère, cit. 15). Allus. évang. Il eût mieux valu
pour lui ne pas naître (→ Livrer, cit. 7). — Loc. fam. Je n'ai pas
fait la queue pour naître : je n'ai pas demandé à naître, je n'ai
pas attendu pour cela. — Loc. fig. Celui qui m'obligera à faire cela
n'est pas encore né ! : personne ne m'y obligera (→ Heure, cit. 22).
Son semblable est encore à naître, personne ne l'égale.

6 (...) celui-là est encore à naître, qui a su le moyen d'empêcher l'envie de mordre
la vertu (...) CYRANO DE BERGERAC, Lettres satiriques, p. 98.

Allus. littér. « Naître, vivre et mourir dans la même maison »
(cit. 10). — « Vous vous êtes donné la peine de naître... »
(→ 2. Bien, cit. 51).
En naissant, au moment de la naissance. Chaque homme apporte
(cit. 23 et 24) en naissant... L'homme n'a pas en naissant la science
infuse (cit.). Les passions dont il apportait le germe en naissant
(→ Hérédité, cit. 15). Si son astre (cit. 18) en naissant...
Impers. Il lui naît une fille, un garçon, des jumeaux. Il naît chaque jour tant d'enfants en France.
N. m. (Rare). Le naître et le mourir (→ Fatal, cit. 1).
(Suivi d'un adjectif, d'un attribut exprimant les circonstances de la
naissance, l'origine, la situation sociale, les dispositions innées*...).
Naître boiteux, infirme, aveugle... Nous naissons faibles (→ Besoin
cit. 46). J'étais né presque mourant (→ Incommodité, cit. 5, Rousseau). — Les hommes naissent et demeurent libres et égaux
(cit. 13) en droit (→ Esclavage, cit. 1). Naître libres et inégaux
(cit. 8). Le Français (cit. 8), né malin... Le Messie (cit. 1) a voulu
naître pauvre. — Naître roi, empereur... Ce que le ciel nous a fait
naître (→ Imposture, cit. 5). Il est né poète : il a toujours été
doué pour la poésie. — Loc. Il est né coiffé (cit. 14) : il a de
la chance*.

7 Étant né ce qu'il est, souffrir un tel outrage ! CORNEILLE, le Cid, II, 3.

8 (...) un de ces hommes nés vieux, qui auront toujours cinquante ans, même à
quatre-vingts. BALZAC, Une fille d'Ève, Pl., t. II, p. 65.

Être né pour... : avoir des dispositions pour, être destiné à...
(→ Demeurer, cit. 7). Nous étions nés l'un pour l'autre (→ Chance,
cit. 3). Nous sommes nés pour agir (cit. 1). Né pour le bonheur
(cit. 31), pour le combat (→ Fier, adj., cit. 1), pour la souffrance
(→ Blessure, cit. 6).

9 L'homme est né pour le plaisir : il le sent, il n'en faut point d'autre preuve.
PASCAL, Disc. sur les passions de l'amour.

10 Les hommes, nés pour vivre ensemble, sont nés aussi pour se plaire (...)
MONTESQUIEU, l'Esprit des lois, IV, II.

11 Vous paraissez née pour les plaisirs, lui disait Mᵐᵉ de La Fayette, et il semble
qu'ils soient faits pour vous. SAINTE-BEUVE, Causeries du lundi, 22 oct. 1849.

♦ **2.** (Animaux). Une mouche éphémère (cit. 2) naît le matin pour
mourir le soir.
Commencer à vivre. ⇒ **Naissance** (I.). Les vivants naissent et se
multiplient... (→ Lutte, cit. 11). — Par ext. Papillons qui semblent naître de la terre (→ Métamorphose, cit. 4). — Loc. Innocent* comme l'agneau (ou l'enfant) qui vient de naître.
(Végétaux). Commencer à pousser, à se développer. ⇒ **Croître**.

♦ **3.** Être issu de... Dieu fit naître tous les hommes d'un seul
(→ Fraternité, cit. 3). Naître d'une race, d'une maison illustre.

♦ **4.** **NAÎTRE À...** : commencer une vie nouvelle, s'éveiller*, s'ouvrir
à... Loc. Naître à l'amour. Être à peine né à la vie intellectuelle
(→ Incommunicable, cit. 4).

12 Chaque fois, je nais à une vie plus étendue et suis comme le voyageur qui, en
montant quelque rocher, découvre à chaque pas un nouvel horizon.
BALZAC, le Lys dans la vallée, Pl., t. VIII, p. 876.

13 Nous naissons véritablement le jour où pour la première fois nous sentons profondément qu'il y a quelque chose de grave et d'inattendu dans la vie.
MAETERLINCK, le Trésor des humbles, XII.

★ **II.** Fig. (XIIIᵉ). ♦ **1.** Commencer à être, à exister*, à se manifes-

ter. ⇒ **Commencer**. Le printemps naît ce soir. ⇒ **Éclore** (cit. 6). Les
royaumes, les républiques naissent (→ Faner, cit. 15). Paris est né
dans l'île (cit. 6) de la Cité. Colbert fit naître l'industrie française
(→ Grand, cit. 62).

14 Dieu veut que ce qui naît sorte de ce qui tombe.
HUGO, les Contemplations, I, XVIII.

15 La France nouvelle est née en deux fois : le paysan est né de l'élan de la Révolution et de la guerre, de la vente des biens nationaux ; l'ouvrier est né en 1815 de
l'élan industriel de la paix.
MICHELET, Hist. de la Révolution franç., Méthode et esprit de ce livre.

16 La discussion commencée sur le pas de la porte se poursuivait dans les petits journaux qui naissaient toujours dans ces moments-là (...)
ARAGON, les Beaux Quartiers, I, XVI.

♦ **2.** ⇒ **Apparaître**, **paraître**. Les feux des réverbères naissent un à
un (→ Couple, cit. 4). Faire naître des reflets (→ Huileux, cit. 2).
Le jour* naît (→ Glacer, cit. 13). Le vent, la brise naît. ⇒ **Élever**
(s'), **lever** (se). Rivière qui naît à tel endroit, qui prend sa source*.
— Faire naître le sourire sur les lèvres de qqn (→ Enjouement,
cit. 8).

17 Le jour naissait, calme et glacial. Là-haut, les étoiles semblaient mourir au fond
du firmament éclairci, et dans la tranchée profonde du chemin de fer les signaux
verts, rouges et blancs pâlissaient. MAUPASSANT, Bel-Ami, I, VII.

Œuvre d'art qui naît, se développe... Poème qui naît sous la plume
de son auteur.

18 Rien n'existait plus pour lui, pendant ces heures de travail, que le morceau de
toile où naissait une image sous la caresse de ses pinceaux, et il éprouvait, en ces
crises de fécondité, une sensation étrange (...)
MAUPASSANT, Fort comme la mort, I, III.

19 Il m'arrive d'écrire en wagon, en métro, sur les bancs des quais ou des boulevards,
au bord des routes, et ce sont mes meilleures pages, les plus réellement inspirées.
Une phrase succède à l'autre, naît de l'autre, et j'éprouve à la sentir naître et se
gonfler en moi un ravissement presque physique. GIDE, Journal, 14 févr. 1924.

♦ **3.** (Choses abstraites). **NAÎTRE DE...** : être issu* de, être causé
par... ⇒ **Provenir**, **résulter**, **sortir**. Les vices d'où naissent les désordres (→ Encourager, cit. 9). « L'ennui (cit. 11) naquit un jour de
l'uniformité » (cit. 10). Les causes (cit. 10) naissent les unes des autres.
Bien qui naît de l'excès (cit. 11) du mal.

20 (...) il n'y a point de mal dont il ne naisse un bien. VOLTAIRE, Zadig, XX.

FAIRE NAÎTRE. ⇒ **Causer**, **produire**, **provoquer**, **susciter**. La peur fait
naître les guerres (→ Courage, cit. 9). Faire naître une difficulté
(→ Incident, cit. 13).
Spécialt. (En parlant des sentiments, des idées. → Idée, cit. 14 et 32).
⇒ **Commencer**, **développer** (se), **éclore**, **exciter** (s'), **former** (se), **germer** (→ Amitié, cit. 4, La Bruyère ; flamme, cit. 18). L'amour naît
d'un regard (→ 1. Engendrer, cit. 7 ; heureux, cit. 55). Sentiment
qui naît de qqch., prend son origine* dans... (→ Innocuité, cit.). La
jalousie (cit. 12 et 28) naît de... (→ Idées lentes à naître (→ Individu, cit. 9). Sentir naître un sentiment en soi... (→ Étouffer,
cit. 31 ; inquiétude, cit. 16). — Faire naître l'amour, les désirs.
⇒ **Créer**, **engendrer**, **éveiller**, **exciter**, **inspirer**, **provoquer**, **susciter**
(→ Enflammer, cit. 8). Influences qui font naître des sentiments
(→ Exercer, cit. 20).

21 La curiosité naît de la jalousie. MOLIÈRE, Don Garcie, II, 5.

22 L'amour qui naît subitement est le plus long à guérir.
LA BRUYÈRE, les Caractères, IV, 12.

▶ **NÉ, ÉE** p.p. et adj.

A. P. p. Né natif* de... Né d'hier. — Né suivi d'un adj. → ci-dessus,
cit. 8 et supra. — (Dans un questionnaire). Né, née... (à faire suivre
de la date de naissance).
(Animaux). Pur sang né et élevé en France.

Fig. Joie née de la camaraderie (cit. 21).

B. Adjectif.

♦ **1.** Littér. (XVIᵉ). Qui est né le premier, le dernier, des enfants d'une
même famille. ⇒ **Dernier-né**, **premier-né** ; **aîné**, **benjamin**, **culot**
(fam.), **puîné**.

Bien né, mal né : qui a un bon, un mauvais naturel ; qui est de
haute, de basse extraction ; Être bien né (→ Arme, cit. 18 ; empiéter, cit. 4). — Les gens bien nés et la canaille. Jeune fille bien née
(→ Manquer, cit. 32). Cœur (cit. 100) bien né. « Je suis jeune, il
est vrai, mais aux âmes (cit. 58) bien nées... ».

23 (...) jamais un homme n'a été mieux né (que le Chevalier Charles-Philippe de Grignan), ni avec des sentiments plus droits et plus souhaitables (...)
Mᵐᵉ DE SÉVIGNÉ, 248, 12 févr. 1672.

24 À tous les cœurs bien nés que la patrie est chère !
VOLTAIRE, Tancrède, III, 1.

25 En prononçant la parole si bien nés (c'était un de ces mots aristocratiques que
Julien avait appris depuis peu), il s'anima d'un profond sentiment d'anti-sympathie.
Aux yeux de cette femme, moi, se disait-il, je ne suis pas bien né.
STENDHAL, le Rouge et le Noir, I, XIII.

Absolt. et vx. Un homme né, bien né, qui a de la « naissance ».

26 (...) il avait le tranquille, l'imperturbable orgueil de l'homme né (...)
Louis MADELIN, Talleyrand, V, XL.

Né pour (langue classique, né à), qui a des aptitudes spéciales
pour qqch.

♦ **2.** (XVIIᵉ). Qualifiant un substantif, pour exprimer une qualité résultant
d'un don remontant au plus jeune âge. Un écrivain-né, un orateur-

né (le trait d'union, qui est de règle, est parfois omis par les écrivains, → ci-dessous Gautier).

27 (...) esclave-né de quiconque l'achète (...)   BOILEAU, Satires, IX.

28 Contrairement aux peintres nés à qui le thème de composition fut presque indifférent, et qui firent des centaines de chefs-d'œuvre avec deux ou trois données insignifiantes (...)   Th. GAUTIER, Portraits contemporains, Paul Delaroche.

29 Sophie-Victoire était une artiste-née (...)
     A. MAUROIS, Lélia, I, III.

CONTR. Agoniser, expirer, mourir. — Finir.
DÉR. Naissain, naissance, naissant. V. Naisseur.
COMP. Renaître. — (Du p. p.) Dernier-né, mort-né, premier-né.

NAÏVEMENT [naivmɑ̃] adv. — V. 1265, «par sa nature»; «de naissance», 1543; de naïf.

♦ **1.** Vx ou littér. D'une manière naturelle (→ Encouragement, cit. 3, Gide).

♦ **2.** (1559). Vx. Avec franchise, sincérité, exactitude. ⇒ **Bonnement** (tout). Conter naïvement (→ Clairement, cit. 4). Je dis toujours naïvement ce que je pense (→ Ingénu, cit. 4).

1 (...) si j'avais reçu quelque blessure en ce pays, je vous la découvrirais naïvement (...)   RACINE, Lettres, 27, 30 avr. 1662.

2 Représenter naïvement et nettement les choses, sans les changer ni les diminuer, et sans y rien ajouter de son imagination, est un talent d'autant plus louable qu'il est moins brillant (...)   BUFFON, Hist. nat., Premier disc.

Avec simplicité, spontanéité, naturel. De grands poèmes naïvement conçus (→ Insolence, cit. 9).

3 (...) il (Montaigne) exprime naïvement de grandes choses.
     VOLTAIRE, Mélanges littéraires, Disc. de réception à l'Académie.

♦ **3.** (1694, Académie). Mod. D'une manière naïve (II.); avec ingénuité, avec une simplicité, une confiance excessives. ⇒ **Naïf** (4.), **naïveté** (3.); **bêtement** (tout), **ingénument**... Croire assez (cit. 52) naïvement... Se vanter, s'étonner naïvement (→ Inexplicable, cit. 7). Croire naïvement une promesse (→ Prendre pour argent* comptant). Tout naïvement, sans y entendre malice (cit. 6).

CONTR. Artificieusement.

NAÏVETÉ [naivte] n. f. — V. 1265; dér. de naïf.

♦ **1.** Vx. Caractère naturel, simple et vrai. — (V. 1550). «Vérité dite simplement, sans artifice» (Furetière 1690); caractère de celui, de celle qui dit la vérité. ⇒ **Franchise, sincérité** (→ Âpre, cit. 13; menterie, cit. 1).

1 J'ai voulu vous parler à cœur ouvert, je l'ai fait, je suis contente; il me semble que vous aimez assez ma naïveté.   Mme DE SÉVIGNÉ, 740, 7 oct. 1679.

2 (...) je vais procéder à cette confession avec la même naïveté que j'ai mise à toutes les autres.   ROUSSEAU, les Confessions, VII.

3 J'avais toujours ri de la fausse naïveté de Montaigne, qui, faisant semblant d'avouer ses défauts, a grand soin de ne s'en donner que d'aimables (...)
     ROUSSEAU, les Confessions, X.

(XVIe, Montaigne). Vieilli. «Simplicité naturelle... avec laquelle une chose est exprimée ou représentée selon la vérité ou la vraisemblance» (Académie 1684). Naïveté du style marotique (cit. 1), de La Fontaine (→ Élégance, cit. 10; franchise, cit. 9).

♦ **2.** (XVIIe). Mod. Simplicité, grâce naturelle, empreinte de confiance et de sincérité. ⇒ **Fraîcheur** (cit. 18), **simplicité; candeur, foi** (bonne foi), **franchise** (II., 1.), **ingénuité** (cit. 2). Naïveté puérile (→ Briller, cit. 16), enfantine. Naïveté d'une passion; des mœurs champêtres.

4 (Chateaubriand) avait (...) une amabilité et une sorte de naïveté de bon enfant, qui était réelle quand il voulait se la permettre, qui était rare et habituellement nulle quand on le voyait dans le monde (...)
     SAINTE-BEUVE, Chateaubriand..., t. I, p. 85.

Spécialt. La naïveté en art, en peinture : le style de l'art naïf*.

♦ **3.** (1680). Excès de confiance, de crédulité, résultant souvent de l'ignorance (cit. 6), de l'inexpérience* ou de l'irréflexion et par lequel on risque de se nuire, de se faire ridiculiser... ⇒ **Bêtise, bonté** (excessive), **crédulité, innocence**. Impardonnable (cit. 2) naïveté. Touchante naïveté (→ Fier, adj., cit. 22). Rire de sa propre naïveté (→ Bévue, cit. 5).

5 Toute naïveté court le risque d'un ridicule, et n'en mérite aucun, car il y a, dans toute naïveté, confiance sans réflexion et témoignage d'innocence.
     Joseph JOUBERT, Pensées, VIII, CII.

6 La naïveté de René, c'est de croire qu'il est seul de son espèce, qu'il a inventé pour son propre usage (...) Ces contradictions du cœur dont il s'étonne, et qui ne sont (...) que le fond même du cœur humain.
     SAINTE-BEUVE, Chateaubriand..., t. I, p. 306.

7 Ma clairvoyance n'était qu'une forme plus dangereuse de ma naïveté. Je me jugeais moins naïf, je l'étais sous une autre forme, puisque aucun âge n'échappe à la naïveté. Celle de la vieillesse n'est pas la moindre.
     R. RADIGUET, le Diable au corps, p. 88.

8 (...) s'il se disait : «Je crois à la révolution syndicaliste parce qu'elle apportera aux hommes plus de bonheur et plus de justice», il n'irait sans doute pas jusqu'à sourire de sa naïveté (...)
     J. ROMAINS, les Hommes de bonne volonté, t. V, XXIV, p. 235.

♦ **4.** (1680). Une, des naïvetés. **ⓐ** Parole ou action naïve, simple et franche (vx ; → ci-dessous, La Bruyère).

La même chose souvent est, dans la bouche d'un homme d'esprit, une naïveté ou un bon mot, et dans celle d'un sot, une sottise.
     LA BRUYÈRE, les Caractères, XII, 50.

ⓑ Parole ou action ingénue; spécialt (péj.), ridicule par crédulité, ignorance. ⇒ **Niaiserie.**

10 (...) ce n'est pas contre la tradition mais faute d'en avoir une qu'il (l'écrivain américain) invente sa manière et ses plus extrêmes audaces, par certains côtés, sont des naïvetés.   SARTRE, Situations II, p. 202.

CONTR. Astuce, duplicité, machiavélisme. — Critique. — Finesse, malice...

NAJA [naʒa] n. m. — 1734; lat. zool. créé par les Hollandais; nagha, v. 1525; mot de Ceylan, hindi nagh «serpent».

♦ Zool. Cobra. Naja haje. ⇒ **Aspic** (d'Égypte).

Sous l'herbe haute et sèche où le naja vermeil
Dans sa spirale d'or se déroule au soleil (...)
     LECONTE DE LISLE, Poèmes barbares, «Les jungles».

NAMA [nama] n. m. — XXe; mot de cette langue.

♦ Didact. Langue africaine, ensemble de dialectes hottentots du groupe khoisan (khoisan central).

NAMIBIEN, IENNE [namibjɛ̃, jɛn] adj. — V. 1968; de Namibie, et suff. -ien.

♦ De Namibie, ancien Sud-Ouest Africain, territoire dépendant de l'Afrique du Sud. «La frontière namibienne» (le Monde, 14 févr. 1976). Le «nationalisme namibien» (l'Express, 2 oct. 1978, p. 126).

NANA [nana] n. f. — 1949; prénom fém., dimin. de Anne, Anna.

♦ **1.** Fam. (mot d'argot répandu en milieu étudiant, puis dans la langue familière). Concubine, maîtresse. Il sort avec sa nana.

Il y avait une fois — cela commence comme un conte — un julot et ses deux nanas.   Martin ROLLAND, la Rouquine, p. 131.

♦ **2.** Fam. Femme, jeune fille*. ⇒ **Femme.** Les nanas refusent de faire la vaisselle. Une belle, une chouette nana. Les mecs* et les nanas.

Claude y pensait Bernard lui amènerait une nana une jolie.
     Tony DUVERT, Paysage de fantaisie, p. 46.

NANAN [nanɑ̃] n. m. — 1640, Oudin; d'une racine onomat. nam-, qui a donné de nombreux mots dans différents dialectes.

♦ Fam. (enfantin) et vx. Friandise*. — Par métaphore et fig. Chose délicieuse.

D'abord, deux années à droguer dans Paris, à regarder sans y toucher les nanans dont nous sommes friands. C'est fatigant de désirer toujours sans jamais se satisfaire.   BALZAC, le Père Goriot, Pl., t. II, p. 934.

Mod. Du nanan. C'est du nanan : c'est exquis, très agréable, et, par ext., c'est facile. ⇒ **Gâteau** (fig.), **tarte** (fig.).

Elles attendaient chaque matin ces mignonnes, le moment de se réjouir des manifestations de sa haute gentillesse, c'était du nanan.
     CÉLINE, Voyage au bout de la nuit, p. 86.

NANARD ou NANAR [nanaʀ] n. m. — 1900; par redoublement de la syllabe finale de l'argot panard «vieil homme».

♦ **1.** Argot du commerce. «Vieillerie, objet déprécié» (Esnault). ⇒ **Rossignol.**

Ma haute littérature ne ramassera rien aux prix cette année, je suis distancé, et ma collection de policiers high level ([1]) qui devait renflouer part mal : que des nanars.   C. ROCHEFORT, le Repos du guerrier, II, v, p. 209.
([1]) De «haut niveau».

♦ **2.** Argot du cinéma. Mauvais film (notamment, archaïque, rétro, «ringard»). «Cycle chefs-d'œuvre et nanars du cinéma français» (l'Express, 16 déc. 1978, p. 13). Les «cinéphiles amateurs de "nanars"» (l'Express, 19 déc. 1977). ⇒ **Navet.**

♦ **3.** Argot de l'automobile. Mauvais moteur. — Mauvais pilote.

NANCELLE [nɑ̃sɛl] n. f. — 1567; nasalisation de nasselle (1406), nacelle.

♦ Techn. (Archit.). Concavité entre les deux tores de la base d'une colonne.

NANDINA [nɑ̃dina] n. m. — 1963; nandine, 1874; du lat. sc. mod. nandina.

♦ Espèce d'arbustes (Berbéridacées) originaire du Japon et cultivé en Europe comme plante ornementale, dont les baies sont comestibles.

NANDINIE [nãdini] n. f. — 1890, Encycl. Berthelot, art. Civette ; lat. zool. *nandinia*, Gray, 1843, d'un mot africain.

♦ Zool. Mammifère carnivore d'Afrique *(Viverridés)* dont la fourrure est appréciée.

NANDOU [nãdu] n. m. — 1816 ; *Encyclopédie*, sous la forme *Nhandu-gnacu*, 1765 ; *Nandu-gnacu*, in Buffon ; puis lat. zool. *Nandu* et *nandou* ; empr. à l'hispano-amér. *nandu* ; mot guarani (Brésil), déjà empr. au xviie, *yandou*, 1614.

♦ Zool. Grand oiseau coureur *(Ratites, Rhéidés)*, scientifiquement appelé *rhéa*, semblable à l'autruche* dont il a les mœurs, et qui vit en Amérique du Sud. *Les plumes du nandou servent à la confection des plumeaux. Des nandous.*

NANISER [nanize] v. tr. — 1875, *Revue horticole* ; dér. sav. du lat. *nanus* «nain», et *-iser*.

♦ Techn. Empêcher de grandir (une plante). — Au p. p. *Arbre japonais nanisé.* ⇒ Bonsaï.

NANISME [nanism] n. m. — 1838 ; dér. sav. de *nain*, d'après le lat. *nanus* «nain».

♦ Pathol. Anomalie caractérisée par la petitesse de la taille, très inférieure à la moyenne, due à diverses causes (insuffisance thyroïdienne, hypophisaire, ovarienne, affections rénales ou digestives, troubles de l'ossification ou métaboliques). ⇒ **Achondroplasie ; nain.** *Le nanisme, trouble de la croissance, arrêt du développement.* ⇒ **Atrophie.** *Être atteint de nanisme.*
(Animaux). *« En introduisant un gène de nanisme, on créait une poule de petite taille... »* (*le Monde*, 3 juil. 1979, p. 32).

CONTR. Acromégalie, gigantisme.

NANKIN [nãkɛ̃] n. m. — 1766 ; nom francisé d'une ville de Chine.

♦ Toile de coton unie, généralement de couleur jaune, d'abord importée de Chine. *On appelait nankinette un nankin léger.*
(...) il prit à un bel officier autrichien tué par un boulet un magnifique pantalon de nankin tout neuf (...) STENDHAL, la Chartreuse de Parme, I, I.
(Vx). Par compar. *Jaune comme du nankin.* — Par ext. (1836). *Gants nankin,* de couleur jaune chamois.
(...) un sentier jaune comme du nankin qui faisait une ceinture à la robe verte de l'île et lui serrait la taille (...) Th. GAUTIER, Mlle de Maupin, VIII.

1. NANO- Élément, du lat. *nanus* «nain», du grec *nanos*.
Préfixe entrant dans la formation de mots savants tels que : *nanocéphalie* [nanosefali], n. f. (1868), petitesse anormale de la tête ; *nanomélie* [nanomeli], n. f. (1868), petitesse anormale d'un ou de plusieurs membres. ⇒ **Nanofossile, nanoplancton.**

2. NANO- Élément, du grec *nanos* «petit».
Phys. Préfixe (symb. : *n*) qui, placé devant le nom d'une unité, forme le nom de l'unité un milliard de fois plus petite (ex. : *nanofarad* [nanofaRad], millième de millionième du farad). ⇒ **Nanoseconde.**

NANOFOSSILE [nanofosil] n. m. — Mil. xxe (1969, G. L. E., Suppl.) ; de *nano-*, et *fossile*.

♦ Didact. Squelette d'algue microscopique fossile, trouvée dans les planctons. ⇒ **Nanoplancton.**

NANOPLANCTON [nanoplãktɔ̃] n. m. — V. 1970 ; de 1. *nano-*, et *plancton*.

♦ Didact. Plancton composé d'éléments microscopiques (formes unicellulaires flagellées, nanofossiles).

NANOSECONDE [nanozgɔ̃d] n. f. — 1968 ; de *nano-*, et *seconde* (de temps).

♦ Sc. Unité égale à 10⁻⁹ secondes (un milliardième de seconde). — REM. On écrit aussi *nano-seconde.* — *« Un record vient d'être battu : un circuit électronique a franchi le mur de la nano-seconde (...) Un circuit expérimental (...) répond en effet à une excitation en 400 pico-secondes, soit 0,4 nano-secondes »* (in *Science et Vie*, nᵒ 593, p. 44).

NANSOUK [nãzuk] n. m. — 1771, *nansouques*, répandu v. 1853, angl. *nansouk* ; mot hindi, proprt «plaisir de l'œil».

♦ Toile de coton légère d'aspect soyeux. *Lingerie de nansouk. Broderie sur nansouk.* — On a écrit aussi *nanzouk.*

En jupon de nanzouk blanc, en corset-brassière de coutil blanc, Minne se regarde dans la glace (...) COLETTE, l'Ingénue libertine, éd. L. de Poche, p. 15.

NANT [nã] n. m. — 1529 ; d'un gaulois *nanto* «vallée».

♦ Régional, (Est, Sud-Est, Suisse). Torrent, ruisseau.

NANTAIS, AISE [nãtɛ, ɛz] adj. et n. — xiiie, *nantois* «denier frappé à Nantes» ; de *Nantes*, ville de l'ouest de la France.

♦ De Nantes. — *Canard nantais,* élevé près de Nantes. — N. m. Petit gâteau aux amandes.

NANTI, IE [nãti] adj. ⇒ Nantir.

NANTIR [nãtiʀ] v. tr. — 1283 ; de l'anc. franç. *nant, nans* «gage, caution», anc. scandinave, *nam* «prise de position».

♦ **1.** Dr. (Vx). Mettre (un créancier) en possession d'un gage pour sûreté de la dette. ⇒ **Nantissement.** *Cet homme ne prête point si on ne le nantit auparavant* (Académie). — Pron. *Se nantir des effets d'une succession,* en prendre possession avant liquidation de la succession.

♦ **2.** (xvie). Rare. Mettre (qqn) en possession de qqch. par précaution. ⇒ **Donner** (à), **munir, pourvoir, procurer** (à). *Nantir un voyageur de provisions. Nantir d'un titre.* ⇒ **Gratifier.** — Pron. *Se nantir d'un parapluie.* — Absolt. *Se nantir :* amasser du bien, se faire une situation confortable — REM. Ces emplois peu courants sont parfois plaisants ou ironiques.

Cour. *(Être) nanti de...,* en possession de...
Un jour de l'année 1916, je parcourais les routes de la Champagne, en société d'un pédant avantageux, nanti de moins de lettres que de toupet.
G. DUHAMEL, Discours aux nuages, I. [1]
Tout le monde admet que les peuples nantis de quelque supériorité morale ou intellectuelle s'emploient à la faire pénétrer chez ceux qui en sont dénués (...)
Julien BENDA, la Trahison des clercs, p. 31. [2]

▶ **NANTI, IE** p. p. adj. et n. (xive).

♦ **1.** Vx. Qui a reçu des gages. *Créancier nanti.* — Mod. Muni de qqch.

♦ **2.** Spécialt. Riche, qui a des moyens financiers, une situation confortable. *Une héritière bien nantie.*
Nom. *Les nantis :* les privilégiés. *La colère des non-nantis* (Duhamel, → Dam, cit. 1).
Tout de suite, le général Bonaparte fut le premier *(Consul)*, le seul. Il gouverna, rassurant les révolutionnaires nantis et la masse paisible de la population.
J. BAINVILLE, Hist. de France, XVII, p. 391. [3]
Ils étaient vêtus comme peuvent l'être, de tout temps, des étudiants pauvres ou des employés mal nantis. G. DUHAMEL, Chronique des Pasquier, V, I. [4]

CONTR. Démunir, dénantir. — (Du p. p.) Dénué, dépourvu, exempt.
DÉR. et COMP. Nantissement. — **Dénantir.**

NANTISSEMENT [nãtismã] n. m. — 1283 ; de *nantir*.

♦ Dr. Action de nantir. — Dr. civ. Contrat* réel de garantie* par lequel le débiteur remet à un créancier*, pour sûreté de sa dette*, la possession fictive d'un bien. *Le nantissement d'un bien immobilier* (⇒ **Antichrèse,** cit. 1), *d'un bien mobilier.* ⇒ **Gage** (→ Infamie, cit. 3). *Le Mont-de-piété prête sur nantissement. Envoyer un bijou à un créancier en nantissement.* — Par ext. Le bien remis en nantissement.
(...) des bijoux d'un grand prix avaient été déposés chez ce marchand, qui faisait un peu d'usure, et il avait prêté sur ces nantissements quelques sommes très inférieures à leur valeur. NERVAL, les Illuminés, «Hist. abbé de Bucquoy», IV. [1]
Ce coffre (...) est précisément celui que le fameux Ruy Diaz de Bivar, plus connu sous le nom de Cid Campéador, manquant d'argent, tout héros qu'il était, en simple littérateur, fit porter plein de sable et de cailloux, en nantissement, chez un honnête usurier juif qui prêtait sur gages, avec défense d'ouvrir la mystérieuse malle avant que lui, Cid Campéador, n'eût remboursé la somme empruntée (...)
Th. GAUTIER, Voyage en Espagne, p. 24. [2]

NANZOUK [nãzuk] n. m. ⇒ Nansouk.

NAOS [naos ; naɔs] n. m. — 1798, in D.D.L. ; 1771, *naon* ; mot grec.

♦ Archéol. Partie intérieure et centrale d'un temple. *Dans les temples grecs, le naos est situé entre le pronaos et l'opisthodome.*
Le temple était-il entouré de colonnades (...) son portique extérieur ou *péristyle* avait un plafond de marbre horizontal (...) celui du *naos* (partie circonscrite par les murs) était en bois, soutenu par des solives et orné de caissons (...) Le naos ne s'éclairait que par la porte d'entrée (...)
G. CONTENAU et V. CHAPOT, l'Art antique, p. 162.
(Dans l'art égyptien). Image réduite d'un *naos* servant de chapelle. *Naos en bois sculpté.*

NAPALM [napalm] n. m. — V. 1945; comp. sav. de *Na*, symbole chimique du sodium, et *palm*, abrév. de *palmitate*.

♦ Essence solidifiée au moyen du palmitate de sodium ou d'aluminium, servant à la fabrication de bombes incendiaires. *Bombes au napalm.*

Il aurait fallu, pour être libre, des siècles et des siècles de sécheresse. Que le désert remplace petit à petit la présence des liquides sur la terre. Oasis arrachées, forêts brûlées soudain sous la pluie de napalm, montagnes durcies par le gel féroce (...)-
J.-M. G. LE CLÉZIO, le Déluge, p. 217.

DÉR. Napalmiser.

NAPALMISER [napalmize] v. tr. — 1957, au p. p., Barthes, *Mythologies*, p. 67.

♦ Attaquer, faire brûler au napalm. ⇒ **Incendier**. — Au p. p. *Forêt napalmisée.*

NAPÉE [nape] n. f. — xvᵉ; empr. au lat. *napæa*, grec *napê* «bois, vallon».

♦ Myth. grecque. Nymphe des bois et des prés.

Tout craignait ce sylvain à toute heure allumé;
La bacchante elle-même en tremblait; les napées
S'allaient blottir aux trous des roches escarpées.
HUGO, la Légende des siècles, XXII, Prologue.

HOM. Napper.

NAPEL [napɛl] n. m. — xvɪᵉ; bas lat. *napellus*, dimin. de *napus* «navet».

♦ Plante, aconit d'une espèce commune. ⇒ **Aconit.**

NAPHTALÈNE [naftalɛn] n. m. — Fin xɪxᵉ; var. de *naphtaline*, suff. *-ène.*

♦ Chim. Hydrocarbure* cyclique ($C_{10} H_8$) extrait du goudron de houille, corps solide, blanc, brillant, cristallisé, à odeur pénétrante, utilisé dans l'industrie des colorants, des parfums. *Dérivés du naphtalène.* ⇒ **Naphtol, naphtylamine, naphtylique.** *Le naphtalène sert à la fabrication du noir de fumée, de l'indigo synthétique* (⇒ **Bleu** [de houille]) *et de divers colorants.*

NAPHTALINE [naftalin] n. f. — 1821; angl. *naphtaline*, 1821, Kidd, puis *naphtalin* (1836); de *naphta* «naphte» et *-ine*, consonne de liaison *l.*

♦ **1.** Vx. (Chim.). Naphtalène.

♦ **2.** Mod. et cour. Naphtalène impur du commerce. *Sachet, boules de naphtaline. On utilise la naphtaline pour la conservation des peaux, en tannerie, et la protection des étoffes et fourrures contre les mites* (antimite). *La naphtaline est souvent remplacée par le paradichlorobenzène.*

DÉR. Naphtaliner. V. Naphtol, naphtylamine, naphtylique.

NAPHTALINER [naftaline] v. tr. — xxᵉ; de *naphtaline.*

♦ Mettre de la naphtaline sur, dans. *Naphtaliner son armoire à la fin de l'hiver. Naphtaliner des vêtements avant de les suspendre.* — Au p. p. : «*Les vêtements naphtalinés*» (M. Pagnol, *le Temps des secrets*, p. 76).

Moi, j'abandonne tout est superflu et je m'envole avec ma penderie dans la tête. Tout y est bien pendu, accroché, naphtaliné.   A. SARRAZIN, la Cavale, p. 143.

NAPHTAZOLINE [naftazolin] n. f. — Mil. xxᵉ; du rad. de *naphte*, dans *napht(ylméthyl-)*, et *(imid)azoline.*

♦ Chim., pharm. Vaso-constricteur utilisé en collyre (traitement des conjonctivites, etc.).

NAPHTE [naft] n. m. — 1557; *napte*, 1213; fém. encore *in* Académie 1835; empr. au lat. *naphta*, fém., mot grec d'orig. orientale.

♦ Bitume liquide, mélange de carbures naturels, appelé aussi *huile de naphte, pétrole brut.* ⇒ **Pétrole.** *Couche, nappe, poche de naphte* (→ *infra* cit. 1.1 et 2; lourd, cit. 25).
Comm. Produit distillé des pétroles de densité comprise entre 0,67 et 0,72, utilisé comme combustible, dissolvant, dégraisseur... *Lampe à naphte.*

1   La salle octogone était illuminée de cierges de couleur et de lampes où brûlait la naphte mêlée de parfums (...)
NERVAL, Voyage en Orient, Nuits du Ramazan, III, IV.

1.1 Soudain, il fut surpris de l'impression que lui causa le contact du courant à sa surface. Il semblait être de consistance visqueuse, comme s'il eût été formé d'une huile minérale.
Alcide Jolivet, contrôlant alors le toucher par l'odorat, ne put s'y tromper. C'était bien une couche de naphte liquide, qui surnageait à la partie supérieure du courant de l'Angara et coulait avec lui.   J. VERNE, Michel Strogoff, p. 434-435.

Assis entre deux tas de meulière, au bord de la Seine, il suivait de l'œil, sur l'eau, l'ondulation de grandes taches de naphte aux reflets irisés (...)
G. DUHAMEL, Salavin, III, xxx.

COMP. V. Naphtazoline, naphtylamine.

NAPHTOL [naftɔl] n. m. — 1864; du radical de *naphtaline*, et *-ol.*

♦ Chim. Nom donné aux deux phénols isomères dérivés du naphtalène, $C_{10} H_7$ (OH). *Les naphtols sont utilisés dans l'industrie des couleurs, et en pharmacie comme antiseptiques. Naphtol camphré.*

NAPHTYL- Élément de mots de chimie, indiquant la présence du radical naphtyle.

NAPHTYLAMINE [naftilamin] n. f. — 1874, P. Larousse; du rad. de *naphtaline, -amine*, et *-yl-.*

♦ Chim. Amine dérivée du naphtalène.

NAPHTYLE [naftil] n. m. — 1874; de *naphte*, et *-yle*, du grec *hulê* «bois».

♦ Chim. Radical univalent dérivé du naphtalène (par suppression d'un atome d'hydrogène).

NAPHTYLIQUE [naftilik] adj. — 1867; du rad. de *naphtaline*, et *-ylique.*

♦ Chim. Se dit des dérivés du naphtalène.

NAPOLÉON [napɔleɔ̃] n. m. — 1811; du nom de *Napoléon Iᵉʳ*, empereur des Français.

♦ **1.** Ancienne monnaie française, pièce de vingt ou de quarante francs *(double napoléon)* à l'effigie de Napoléon (→ **Louis**, cit. 1). *Le napoléon est encore coté en Bourse.*

— Voulez-vous cinq louis? — Non, six (...) — Eh bien, six napoléons. — Je veux six louis. — Vous n'êtes donc pas bonapartiste? vous préférez un louis à un napoléon! Parisien dit Peaurouge, sourit. — Napoléon vaut mieux, dit-il, mais Louis vaut plus. — Six napoléons. — Six louis. C'est pour moi une différence de vingt-quatre francs.   HUGO, les Travailleurs de la mer, I, v, vii.

Abrév. fam. *Nap.* «*Les petits et moyens épargnants qui thésaurisent les "nap"* » (*l'Express*, 1ᵉʳ janv. 1979, p. 70).

♦ **2.** Conquérant; stratège (souvent iron.). — REM. Dans ce sens, peut s'écrire avec un N majuscule.

En revanche, il faisait profession de railler les Napoléons d'États-Majors et les Machiavels de Parlement.   Guy de POURTALÈS, la Pêche miraculeuse, p. 327.

NAPOLÉONIEN, IENNE [napɔleɔnjɛ̃, jɛn] adj. — 1815; *napoléonéen*, 1809 (D. D. L.); de *Napoléon*, empereur des Français.

♦ Qui a rapport à Napoléon Iᵉʳ, et, par ext., à Napoléon III, aux Napoléons. *La politique napoléonienne* (→ **Frein**, cit. 9). *Épopée, légende napoléonienne. Dynastie napoléonienne* (→ **Acceptable**, cit. 1).

Raoul a des yeux napoléoniens, des yeux bleus dont le regard traverse l'âme (...)
BALZAC, Une fille d'Ève, Pl., t. II, p. 87 (1833).

N. (Rare). Partisan de Napoléon (⇒ **Bonapartiste**).

REM. On trouve chez Balzac les dér. *napoléonisé, ée* [napɔleɔnize] (1830), *napoléoniste* [napɔleɔnist] (1831).

NAPOLÉONISME [napɔleɔnism] n. m. — 1836; *napoléoniste*, 1815 *in* D. D. L.; de *Napoléon.*

♦ Rare. Attachement aux Napoléons et à leur politique (→ Bonapartisme).

NAPOLITAIN, AINE [napɔlitɛ̃, ɛn] n. et adj. — 1587; de l'ital. *napoletano, -na*, de *Napoli* «Naples», ville du sud de l'Italie, du lat. *neapolitanus*, de *Neapolis* «Naples».

♦ **1.** N. Habitant ou originaire de Naples. *Les Napolitains. Insouciance des Napolitains* (→ **Balancer**, cit. 2). — (1825, *in* D. D. L.). *Le napolitain* : le dialecte italien parlé dans la région de Naples.

♦ **2.** Adj. *Peuple napolitain* (→ **Flatteur**, cit. 7). *Lazarone*, pêcheur napolitain. Bonnet napolitain. Chanson, comédie napolitaine.*

♦ **3.** *Tranche napolitaine* : glace aux fruits confits enrobée de plusieurs couches parfumées diversement, et servie en tranches.

Onguent napolitain : pommade mercurielle (destinée à guérir le « mal* de Naples »).

♦ **4.** N. m. Vx. Brodequin d'usage lacé sur le dessus du pied.

♦ **5.** N. m. Gâteau à la pâte d'amande.

DÉR. **Napolitaine.**

NAPOLITAINE [napɔlitɛn] n. f. — 1834 ; cf. *appolitaine* « jarretière », 1571 ; fém. de *napolitain*.

♦ **1.** Tissu de laine cardée, lisse et non foulée.

♦ **2.** Orgue de barbarie.

NAPPAGE [napaʒ] n. m. — 1844, Balzac ; de *napper*.

♦ **1.** Rare. Ensemble de la nappe et des serviettes de table. ⇒ **Service** (de table).

1   Quant au nappage, le linge de Saxe, le linge d'Angleterre, de Flandre et de France, rivalisaient de perfection avec leurs fleurs damassées.
BALZAC, Splendeurs et Misères des courtisanes, Pl., t. V, p. 839.

♦ **2.** Fig. (Cuis.). Action de napper un plat d'une couche superficielle ; résultat de cette action.

2   (...) la cuisine japonaise, où le nappage — de sauce, de crème, de croûte — est inconnu.
R. BARTHES, l'Empire des signes, p. 38.

NAPPE [nap] n. f. — V. 1170, *nape*, v. 1170 ; du lat. *mappa* « serviette de table », devenu *nappe* par dissimilation du *m* devant *p*.

★ **I.** Linge qui sert à couvrir la table où l'on prend un repas. *La nappe et les serviettes. Nappe de lin, de coton. Nappe blanche, nappe de couleur, nappe à carreaux... Nappe brodée, damassée* (→ Couvert, cit. 16). *Nappe pour 4, 6, 12... couverts. Nappe à thé. Nappe double* (⇒ **Doublier**). *Mettre, ôter la nappe.* — Par ext. *Nappe en plastique, en papier...*

1   La nappe était de satin blanc brodé d'or, avec des violettes de Parme, naturelles, jetées dessus (...)
LOTI, les Désenchantées, III, XIII.

2   Elle mange une mie de pain qui traîne sur la nappe en papier.
SARTRE, la Nausée, p. 68.

Fig. et fam. *La nappe est toujours mise dans cette maison*, on y peut venir dîner à l'improviste. ⇒ **Couvert** (II.)

(1508). Liturgie. Chacun des trois linges de lin ou de chanvre qui doivent recouvrir l'autel (⇒ **Corporal**). *Nappes d'autel.* — *Nappe de communion* : linge étendu devant ceux qui communient.

2.1 Comme ces serviettes blanches des pieuses dames de la ville, étendues sur des planches et couvertes de vases de fleurs, au milieu des rues, sont devenues des nappes d'église le jour de la Fête-Dieu (...)   PROUST, Jean Santeuil, Pl., p. 331.

★ **II.** Fig. (XVIIIe). Ce qui s'étend en couche* horizontale.

♦ **1.** Vaste couche ou étendue plane (d'un fluide). *Nappe d'eau de la mer* (→ Franger, cit. 7 ; glissement, cit. 1). *Ruisseau qui déroule sa nappe argentine* (→ Cristallin, cit. 1). *Nappe de feu* : vaste surface embrasée. — *Nappe d'eau* : cascade dont les eaux tombent comme les bords d'une nappe. *La nappe de cristal* (cit. 11) *des cascades. Nappe de brumes* (cit. 2), *de gaz. Nappe de lumière.* « *Midi* (cit. 1) *roi des étés... Tombe en nappes d'argent des hauteurs du ciel bleu* » (Leconte de Lisle). *La nappe verte des prés* (→ 1. Faucheur, cit. 1). *La nappe des blés* (→ Jaunir, cit. 3). *Nappe de crème sur le lait* (cit. 14). ⇒ **Napper.**

3   La nappe d'eau, claire comme un miroir et calme comme le ciel réfléchissait les hautes masses vertes de la forêt (...)
BALZAC, le Curé de village, Pl., t. VIII, p. 735.

4   (...) les nappes de brumes échelonnées en bandes affreuses au ciel qui se recourbe (...)
RIMBAUD, Illuminations, XXVIII.

♦ **2.** Sc. *Nappe (d'eau)* : eau occupant une dépression fermée ; eau stagnante (lac, étang, marais, etc.). — *Écoulement en nappe*, de type laminaire. — *Nappe souterraine* (→ 1. Forage, cit. 2). *Nappe libre, captive* : nappe souterraine avec, sans écoulement extérieur. *Nappe d'infiltration, de ruissellement. Nappe de pétrole.* — Topogr. *Nappe d'eau* : niveau général des eaux (d'un canton).
Nappe de charriage : terrain qui glisse et en chevauche un autre. — *Racine et front d'une nappe de charriage.* — *Nappe de lave* : couche de lave très fluide des champs de lave.

♦ **3.** (1769). Techn. (Tissage). Textile cardé qui se déroule en sortant de la machine en une large bande d'égale épaisseur (→ Étirer, cit. 2). — Ensemble des fils de chaîne sur le métier (→ Épinceter, cit.).
Antenne en nappe, faite de fils horizontaux parallèles.
Pêche. Élément (d'un filet de pêche) formé d'une seule surface de mailles. *Les filets droits ne comprennent qu'une nappe. Tramails à trois nappes.*

♦ **4.** Vén. Peau du cerf qui, quand la venaison a été prélevée, recouvre ce qui reste des intérieurs de la bête et qui fait l'objet de la curée.

5   La curée se fit devant le château (...) Les restes dépecés du cerf avaient été disposés sur une pelouse. Planterose, le vieux garde, balança longuement la tête de

l'animal, devant les yeux ardents de la meute tenue sous le fouet, puis il rabattit la nappe, c'est-à-dire la peau du cerf, découvrant l'amas sanglant ; et les chiens se précipitèrent.
M. DRUON, la Chute des corps, II, XII, p. 190.

♦ **5.** Didact. « Unité de masse évolutive » (Teilhard de Chardin).

♦ **6.** Géom. (1819). Portion fermée de surface. — Portion illimitée et d'un seul tenant d'une surface courbe. *Hyperboloïde à deux nappes.*

DÉR. **Napper, napperon, napette.**
COMP. **Sous-nappe.**

NAPPER [nape] v. tr. — 1845 ; de *nappe*.

♦ **1.** Rare. Couvrir d'une nappe. *Napper une table.*

1   Entre elles, la table nappée d'une rugueuse broderie ancienne portait, comme autrefois, la grosse carafe taillée à demi pleine de vieille eau-de-vie (...)
COLETTE, Chéri, p. 141.

♦ **2.** (XXe). Recouvrir (un mets solide) d'une couche consistante. *Napper d'une gelée un poulet, d'une marmelade un gâteau... Napper un plat de sauce.* ⇒ **Nappage** (2).

♦ **3.** Figuré :

2   Une conduite rurale éclatée a nappé la route de glace.
Hervé BAZIN, Cri de la chouette, p. 92.

▶ **NAPPÉ, ÉE** p. p. adj. *Table nappée de blanc.* — *Plat nappé* (de sauce, etc.). — Techn. *Moquette nappée, sol textile nappé*, dont le velours est constitué d'une nappe de fils.

DÉR. **Nappage.**

NAPPERON [napʀɔ̃] n. m. — 1391, *naperon* ; de *nappe*, et suff. dimin. *-eron*.

♦ **1.** (1845). Petit linge de table servant à protéger ou décorer la table ou la nappe. *Napperon brodé. Couvert mis sur des napperons individuels* ⇒ **Set** (anglicisme). *Napperons de verres, de bouteilles.*

(...) le couvert est mis à la mode Barnery : nappe de couleur, napperons de toile blanche, cruches de porcelaine (...)
J. CHARDONNE, les Destinées sentimentales, p. 313.

♦ **2.** Petit linge décoratif qui sert à isoler un objet (vase, lampe...) du meuble qui le supporte. *Napperon de guéridon, de cheminée...* ⇒ **Dessus.**

DÉR. **Naperonner.**

NAPPERONNER [napʀɔne] v. tr. — XXe ; de *napperon*.

♦ Rare. Garnir, couvrir d'un napperon.

(...) une bouteille d'alcool de prune, qu'il posa avec deux verres sur la table de nuit napperonnée de filet.
C. ROCHEFORT, le Repos du guerrier, I, II, p. 42.

NAPPETTE [napɛt] n. f. — Mil. XXe (1963, Larousse) ; *napette* « petite nappe » ; v. 1200 ; de *nappe*.

♦ Techn. Assemblage de peaux, de fourrures de petite dimension.

NARCÉINE [naʀsein] n. f. — 1832 ; comp. sav. du grec *narkê* « assoupissement ».

♦ Chim. Alcaloïde de formule $C_{23}H_{29}NO_9$, l'un des alcaloïdes de l'opium. *La narcéine est analgésique et somnifère. Narcéine et narcotine.*

NARCISSE [naʀsis] n. m. — 1538 ; *narciz*, 1363 ; lat. *narcissus*, grec *narkissos* « fleur », du nom propre → II.

★ **I.** Plante monocotylédone (*Amaryllidacées*) bulbeuse, herbacée, à fleurs en campanules, parfumées, solitaires ou en bouquets, portées par une hampe nue et rigide (→ Hyacinthe, cit. 1). *Narcisse à fleurs blanches. Narcisse des poètes.* ⇒ **Jeannette** (→ Émailler, cit. 7). *Narcisse jonquille.* ⇒ **Jonquille.** *Narcisse faux-narcisse* ou *narcisse sauvage, narcisse des prés.* ⇒ **Coucou** (→ Fourmiller, cit. 1). — Absolt. *Narcisse* : narcisse blanc odorant, cultivé comme fleur d'ornement.

★ **II.** (1598 ; sens repris à la mythologie grecque, de *Narcisse*, personnage qui s'éprit de lui-même en se regardant dans l'eau d'une fontaine, et fut changé en la fleur qui porte son nom (→ Valéry, *Mélange, « Cantate du Narcisse »* ; Aimer, cit. 64).

Littér. (Avec une majuscule). Adolescent, homme infatué de lui-même, épris de sa beauté. *C'est un Narcisse. Des Narcisses* (ou *des Narcisi).*

1   Quelques Narcisses possédaient bien de petits miroirs de poche dont ils se servaient en grand mystère.
Valery LARBAUD, Fermina Marquez, XVII.

2   Sans doute, sommes-nous tous des Narcisses, aimant et détestant leur image, mais à qui toute autre est indifférente.
R. RADIGUET, le Diable au corps, p. 123.

NARCISSIQUE [naʀsisik] adj. et n. — xxᵉ ; cf. *narcissus-like*, fin xixᵉ, H. Ellis, de *Narcissus* → Narcisse.
Relatif au narcissisme.

♦ **1.** Psychan. *Stade narcissique de la sexualité* (→ Exhibitionniste, cit. 2). *États narcissiques. Névrose* narcissique. Libido narcissique* : libido du moi (opposé à *libido d'objet*). — N. *Un, une narcissique.*

♦ **2.** Qui témoigne de complaisance envers soi-même. *Il, elle est assez narcissique. C'est un garçon, une fille narcissique.* — *Comportement, attitude narcissique. Un récit, un témoignage narcissique et suffisant.*

DÉR. Narcissiquement.

NARCISSIQUEMENT [naʀsisikmɑ̃] adv. — 1972, *in* P. Gilbert, de *narcissique.*

♦ De manière narcissique.

NARCISSISME [naʀsisism] n. m. — 1894 ; de *Narcisse.*

♦ Amour de soi, contemplation de soi-même. ⇒ **Égotisme, infatuation.**

1   Ce qui m'agace, c'est ce *waterproof* de narcissisme, qui me colle aux épaules... Ai-je pourtant jamais tant regardé mon nombril ? Ai-je jamais parlé de culture du Moi ?... Le Narcisse se gobe, je crois, par définition.
         VALÉRY, Lettre à Gide, Notes, fin juin 1917, *in* Œ., Pl., t. I, p. 1625.

2   Même incapacité à sortir de lui qui l'isolait si dangereusement des autres le servait ici puisque en cette femme, semblable à lui *(sa demi-sœur)*, c'était encore lui qu'il cherchait. À son goût pour elle dut se mêler comme un étrange narcissisme.-
         A. MAUROIS, Vie de Byron, II, XVIII.

3   L'homme *(au moyen âge)* n'avait pas encore le regard fixé sur soi dans un narcissisme qui à la foi l'exalte et le détruit. Le souci de l'être faisait dépasser ce qu'il y a dans la personne humaine de transitoire et de périssable.
         DANIEL-ROPS, Ce qui meurt..., p. 53.
Psychan. Fixation affective et libidinale à soi-même. *Narcissisme primaire* : «état précoce où l'enfant investit toute sa libido sur lui-même » ; *narcissisme secondaire* : « retournement sur le moi de la libido, retirée de ses investissements objectaux » (Laplanche et Pontalis). *Narcissisme infantile. Narcissisme et stade du miroir*.*

4   Si l'on veut conserver la distinction entre un état où les pulsions sexuelles se satisfont de façon anarchique, indépendamment les unes des autres, et le narcissisme où c'est le moi dans sa totalité qui est pris comme objet d'amour, on est ainsi amené à faire coïncider la prédominance du narcissisme infantile avec les moments formateurs du moi.
         J. LAPLANCHE et J. P. PONTALIS, Voc. de la pyschanalyse, p. 262.

NARCO- Élément de mots savants, du grec *narkê* «assoupissement ».

NARCO-ANALYSE [naʀkoanaliz] n. f. — 1948, *in* D.D.L. ; en angl. : *narco-analysis*, 1936 ; de *narco-*, et *analyse.*

♦ Méd. Procédé d'investigation de l'inconscient d'un sujet préalablement mis dans un état de narcose* incomplète (ou *subnarcose*). *Utilisation de la narco-analyse en psychothérapie, dans les diagnostics de neurologie et de psychiatrie.* ⇒ **Narcodiagnostic, narcosynthèse, narcothérapie, oniro-analyse.** — REM. Le procédé est utilisé en France depuis 1944 ; le mot a dû apparaître peu après. *Emploi abusif de la narco-analyse pour recueillir des aveux* (→ Sérum de vérité).

1   *La narco-analyse* consiste dans l'exploration du subconscient au cours d'une subnarcose barbiturique, pendant l'état intermédiaire à la veille et au sommeil. Cette technique est difficile car si la dose de barbiturique injectée est trop faible, le sujet veille, et si elle est trop forte, il dort. Pour définir le seuil utile, le critère de mémoire est essentiel (...) s'il s'en souvient peu ou pas *(de ce qu'il a dit)*, bien qu'il ait abondamment parlé, on atteint le seuil recherché.
         Jean DELAY, Introd. à la médecine psychosomatique, Notes et observations, p. 111.

2   Sous le nom de « narco-analyse », on désigne un procédé thérapeutique dont le but est de faire une sorte de psychanalyse accélérée ou brusquée ; l'introduction d'une drogue dans l'organisme, en levant certains contrôles, permet l'extériorisation de tendances, d'émotions et de souvenirs qui ne se manifesteraient pas autrement.
         Daniel LAGACHE, la Psychanalyse, p. 109.

NARCO-ANALYSTE [naʀkoanalist] n. — Mil. xxᵉ (1973, Le Clézio, *les Géants*, p. 222) ; de *narco-*, et *analyste.*

♦ Didact. (Psychol.). Psychologue pratiquant la narco-analyse*.

NARCODIAGNOSTIC [naʀkodjagnɔstik] n. m. — Mil. xxᵉ ; de *narco-*, et *diagnostic.*

♦ Didact. (Psychol.). Diagnostic lié à une narco-analyse*. On écrit aussi *narco-diagnostic.*
Il convient de distinguer entre la narco-analyse et le narco-diagnostic. Le narco-diagnostic est une «investigation pharmaco-dynamique en vue d'un diagnostic» (Pʳ Heuyer). Le médecin ayant à effectuer une expertise mentale doit rechercher s'il y a responsabilité de la part de l'expertisé, c'est-à-dire discerner s'il s'agit de troubles organiques ou troubles fonctionnels et simulés.
         Guy PALMADE, la Psychothérapie, p. 111.

NARCOLEPSIE [naʀkolɛpsi] n. f. — 1880 ; de *narco-*, et grec *lêpsis* «crise ».

♦ Méd. Trouble de la vigilance consistant en des accès brusques et irrépressibles de sommeil, qui surprennent le sujet au milieu de ses occupations. *La dissolution profonde de conscience qui caractérise la narcolepsie peut être accompagnée de cataplexie*.*

On peut maintenant (et on est amené à le faire dans le traitement de certaines narcolepsies) supprimer sélectivement l'activité onirique pendant des semaines, sinon des mois, chez l'homme adulte (...)
         M. JOUVET, le Rêve, *in* la Recherche en neurobiologie, p. 162.

DÉR. Narcoleptique.

NARCOLEPTIQUE [naʀkolɛptik] adj. et n. — 1926, → cit. ; de *narcolepsie.*

♦ Adj. Relatif à la narcolepsie. *Attaque narcoleptique.* — N. Sujet à la narcolepsie. *Un, une narcoleptique.* «(...) *ce sont des individus qui, tels les narcoleptiques, ont un mauvais contrôle de leur sommeil, en particulier de leur sommeil paradoxal (...)*» (la Recherche, p. 124, févr. 1974).

Les troubles de la mémoire que nous venons de signaler durèrent peu de temps, puisque trois à quatre jours après la crise narcoleptique, ils avaient complètement disparu.   B. CENDRARS, Moravagine, p. 257.

NARCOMANE [naʀkoman] n. — 1975, Porot ; t. dû à Legrain, de *narco-*, et *-mane*, d'après *narcomanie.*

♦ Didact. (Méd.). Personne qui fait un abus habituel d'hypnotiques.

NARCOMANIE [naʀkɔmani] n. f. — 1890, P. Larousse, *Deuxième Suppl.* ; de *narco-*, et *-manie.*

♦ Didact. (Méd.). Tendance pathologique à l'usage de médicaments narcotiques, abus des narcotiques. ⇒ **Barbiturisme, chloralisme, toxicomanie.**

DÉR. V. Narcomane.

NARCOMÉDUSES [naʀkomedyz] n. f. pl. — 1933, Larousse ; de *narco-*, et *méduse.*

♦ Didact. (Zool.). Ordre de trachylides* groupant des méduses de taille moyenne, de forme aplatie, pourvue d'un velum et d'un manubrium très réduits, et dont les larves vivent en ectoparasites sur leur mère ou sur d'autres méduses. — Au sing. *Une narcoméduse.*

NARCOSE [naʀkoz] n. f. — 1836 ; grec *narkôsis.*

♦ **1.** Vx. Torpeur pathologique.

♦ **2.** (1903). Mod. (Méd.). Assoupissement, sommeil provoqué artificiellement par un narcotique*. ⇒ **Anesthésie, hypnose** (→ Sommeil anesthésique).

Sommeil, terrible sommeil qui retient la terre, sommeil noir, insensible, quand s'arrêtera-t-il ? Les Maîtres un jour ont regardé le monde avec leurs yeux à lunettes qui endorment, et tout le monde est tombé en narcose. Puis les Maîtres ont multiplié les rayons infra-rouges, les disques de platine, les spirales, les hélices, les tic-tac de pendule et les fracas de chute d'eau, et c'était vraiment difficile de se réveiller. Même les enfants naissaient en dormant. Mêmes les vieillards mouraient en dormant. La pensée des Maîtres, c'est le sommeil.
         J.-M. G. LE CLÉZIO, les Géants, p. 243.

NARCOSYNTHÈSE [naʀkosɛ̃tɛz] n. f. — Mil. xxᵉ ; de *narco-*, et *synthèse.*

♦ Didact. (Psychol.). Élucidation, sous narcose, des relations existantes entre une situation pathologique et ses motifs déterminants.

NARCOTHÉRAPIE [naʀkoteʀapi] n. f. — Mil. xxᵉ (1959, *in* Garnier et Delamare) ; de *narco-*, et *-thérapie.*

♦ Didact. Thérapeutique (de certaines affections mentales ou psychiques) par un sommeil artificiel prolongé (syn. cour. : *cure de sommeil*)

Le traitement des troubles mentaux par un sommeil barbiturique prolongé pendant plusieurs jours fut préconisé par Klacsi. Cloetta perfectionna la technique (...) Cette narcothérapie fut appliquée, en particulier en Suisse, à un grand nombre de psychopathes et de névropathes avec succès, mais l'inconvénient majeur réside dans la quantité relativement importante de toxiques ainsi administrés.
         Jean DELAY, Introd. à la médecine psychosomatique, Notes et observations, p. 67.

NARCOTINE [naʀkɔtin] n. f. — 1819 ; du rad. de *narcotique* ; corps découvert par Derosne en 1803.

♦ Chim. Alcaloïde de formule $C_{22} H_{23} NO_7$, l'un des alcaloïdes de l'opium. ⇒ **Opianine** (syn.). *La narcotine, très peu toxique, est utilisée comme calmant de la toux. Narcéine et narcotine.*

NARCOTIQUE [naʀkɔtik] adj. et n. m. — 1314; du lat. médiéval *narcoticus*, grec *narkôtikos*, de *narkê* «assoupissement».

Didactique et courant.

★ **I.** Adj. Qui assoupit, engourdit la sensibilité. ⇒ **Anesthésique, assoupissant, calmant, hypnotique, somnifère.** *Propriétés narcotiques d'une plante. La jusquiame, la belladone, le pavot sont des plantes narcotiques, aux propriétés narcotiques. Le baume* tranquille, infusion de plantes narcotiques. Drogue, remède narcotique.*

★ **II.** N. m. ♦ **1.** (1314). Substance qui produit «l'assoupissement, la résolution musculaire et un engourdissement de la sensibilité pouvant aller jusqu'à l'anesthésie» (Garnier). *Principaux narcotiques : (stupéfiants)* codéine, haschisch, morphine, narcéine, opium; — *(délirants)* belladone, jusquiame, datura, morelle; — *(nauséeux)* arnica, digitale, tabac, ciguë. *Prendre un narcotique contre l'insomnie, la douleur*. Abus des narcotiques.* ⇒ **Narcomanie.**

1 Que l'opium (...) agisse vers la fin comme narcotique, cela est possible; mais ses premiers effets sont toujours de stimuler et d'exalter l'homme, cette élévation de l'esprit ne durant jamais moins de huit heures; de sorte que c'est la faute du mangeur d'opium, s'il ne règle pas sa médication de manière à faire tomber sur son sommeil naturel tout le poids de l'influence narcotique.
BAUDELAIRE, les Paradis artificiels, «Mangeur d'opium», III.

2 La chaleur du lit n'arrêta point l'accès, qui dura jusqu'à minuit; puis les narcotiques, enfin, engourdirent les spasmes mortels de la toux.
MAUPASSANT, Bel-Ami, I, VIII.

♦ **2.** (1835). Fig. Ce qui fait dormir, ce qui engourdit. *Les larmes sont un narcotique* (→ Empêcher, cit. 5). Vieilli. (péj.). *«Ce livre est un vrai narcotique»* (Littré). ⇒ **Soporifique.**

3 (...) s'il est vrai que certains narcotiques font dormir, dormir longtemps est un narcotique plus puissant encore, après lequel on a bien de la peine à se réveiller.
PROUST, À la recherche du temps perdu, t. V, p. 71.

4 Dans les monastères, les parcs harmonieux distillent un narcotique qui apaise les âmes.
Benoîte et Flora GROULT, Journal à quatre mains, p. 76.

DÉR. V. **Narcotiser, narcotisme.**

NARCOTISER [naʀkɔtize] v. tr. — 1845, au sens 2.; du rad. de *narcotique*.

Didactique.

♦ **1.** Mêler de narcotique. *Narcotiser une boisson, un remède.*

♦ **2.** Soumettre à l'action d'un narcotique. *Narcotiser un malade.* — Pron. *C'est au narghilé «que les Orientaux doivent le privilège d'être peu sujets au cancer buccal, bien qu'ils passent toute la journée à se narcotiser de tabac»* (*Année sc. et industr.*, 1860, p. 349).

NARCOTISME [naʀkɔtism] n. m. — 1806, *in* D.D.L.; du rad. de *narcotique*.

♦ Didact. Ensemble des effets produits par les substances narcotiques. *Narcotisme résultant de la narcomanie*.* «*Narcotisme chronique*» (*Année sc. et industr.*, 1864, p. 375).

NARD [naʀ] n. m. — 1538; *narde*, 1213; lat. *nardus* (fin XIIᵉ en franç.), grec *nardos*, mot attesté en hébreu, arabe, persan, sanskrit (*narada, nalada*).

Didactique.

♦ **1.** *Nard* ou *nard indien* : plante dicotylédone *(Valérianacées),* exotique, herbacée, vivace, aromate* très appréciée des Anciens. — Par ext. (1669). Parfum extrait de cette plante. *Cassolette* (cit. 2) *remplie de nard.*

Et quand Marie-Madeleine verse sur les pieds de Jésus tout un grand flacon de nard, n'est-il pas utile de savoir que cette précieuse liqueur n'est rien que le suc de la douce fourrure brunâtre qu'on voit au creux des rochers palestiniens, mais qu'il en faut plus de deux cents livres écrasées pour obtenir un seul litre de parfum?
DANIEL-ROPS, Jésus en son temps, Introd., p. 62.

♦ **2.** Plante de l'espèce des valérianacées* (autre que le nard indien). *Nard agreste, celtique, champêtre; nard de montagne.* ⇒ **Valériane.**

♦ **3.** Plante monocotylédone *(Graminées)* des régions tempérées, herbacée, vivace, qui croît surtout dans les prés. *Le nard constitue un fourrage peu estimé.*

HOM. Formes du v. **narrer.**

NARGHILÉ [naʀgile] ou NARGHILEH [naʀgilɛ] n. m. ⇒ **Narguilé.**

NARGUE [naʀg] n. f. — 1659; *nergues*, Rabelais, interj., 1552; déverbal de *narguer*.

♦ Vx (langue class.). Dédain insolent. *Dire, faire nargue de qqch., de qqn,* témoigner ouvertement le peu de cas qu'on en fait. *Faire (la) nargue à qqn.* ⇒ **Narguer** (cf. Faire la nique). — (Interjection marquant le mépris*, l'insouciance.) «*Nargue du chagrin !*» (Académie). ⇒ **2. Foin;** → Assassin, cit. 15.

Nargue de ceux qui me faisaient la guerre;
LA FONTAINE, Contes, «La mandragore», III, 2.

(...) il avait vu passer dans la rue sous sa fenêtre des ribauds lui faisant nargue, allant quatre de bande, pourpoint sans chemise, chapeau sans fond, bissac et bouteille au côté.
HUGO, Notre-Dame de Paris, VI, I.

Dans un des camps : l'Ennemi. Dans l'autre, à l'extrémité du champ : bon-papa et les siens. Entre les deux camps : un espace dangereux, bon pour la nargue.
Geneviève DORMANN, le Chemin des dames, p. 17.

NARGUER [naʀge] v. tr. — 1452, «être fâcheux, désagréable à qqn»; *se narguer* «se moquer», 1562; sens mod., 1750; du lat. pop. **naricare* «nasiller», de *naris* «narine».

♦ Braver, avec un mépris moqueur. ⇒ **Braver, mépriser, moquer** (se); vx : **nargue** (faire). Fam. Regarder sous le nez*, tirer* la langue. *Il ne me narguera pas impunément. Narguer qqn avec insolence. Narguer l'autorité. Narguer le danger* (⇒ **Défier**).

Ne te contiens donc point, nargue tes loix, tes conventions sociales et tes Dieux (...)
SADE, Justine..., t. I, p. 200.

Je ne puis m'empêcher d'admirer ici la manie d'avoir des cardinaux en France, et de mettre des sujets en état (...) d'attenter tout ce que bon leur semble, et de narguer impunément les Rois et les lois.
SAINT-SIMON, Mémoires, I, LII.

De jeunes officiers de hussards, des Sombreuil et des Polignac, allèrent jusque dans le Palais-Royal narguer la foule, et ils sortirent le sabre à la main. Visiblement la cour se croyait trop forte; elle souhaitait des violences.
MICHELET, Hist. de la Révolution franç., I, VI.

(...) être l'objet du mépris de quelqu'un qu'on aurait pu gifler, et qui vous nargue lâchement du fond d'une cachette!
J. GREEN, Léviathan, II, II.

Par métaphore. (Sujet n. de chose) :

Sa pratique narguait la théorie. Il avait fini par toiser d'un coup d'œil le prix d'une page et d'une feuille selon chaque espèce de caractère.
BALZAC, Illusions perdues, Pl., t. IV, p. 466.

DÉR. **Nargue.**

NARGUILÉ [naʀgile] n. m. — 1834; *narguillé*, 1819; *narguile*, 1795; empr. au persan *narguileh*.

♦ Pipe* orientale, à long tuyau communiquant avec un flacon d'eau aromatisée que la fumée traverse avant d'arriver à la bouche du fumeur. ⇒ **Houka** (cit. 2). *Fumer* (1., cit. 25) *le narguilé* (→ Fainéantise, cit. 2). *Parfum des narguilés* (→ Exhaler, cit. 10). *Narguilé à tuyau de jasmin garni d'or* (→ Mi-clos, cit.).

La Géorgienne indolente,
Avec son souple narghilé,
Étalant sa poitrine opulente,
Un pied sous l'autre replié.
Th. GAUTIER, Émaux et Camées, «Poème de la femme».

La var. graphique *narghilé* a la même prononciation; en revanche *narguileh* et *narghileh* se prononcent [naʀgilɛ].

NARINE [naʀin] n. f. — Déb. XIIᵉ (Saint Brendan); d'un lat. pop. **narina*, du lat. class. *naris*.

♦ **1.** Chacun des deux orifices extérieurs des cavités* nasales (chez l'homme). ⇒ **Nez.** *Narine droite, gauche. Poils des narines.* ⇒ **Vibrisse.** *Nez aux narines bien coupées* (cit. 30), *pincées* (→ Impertinent, cit. 11), *très ouvertes* (→ Méplat, cit. 2)... *Porter des boucles* (cit. 1) *aux narines* (→ Lobe, cit. 3). *Humer l'air à pleines narines. Cf. À plein nez. Ouvrir, dilater* (cit. 3) *ses narines pour aspirer* (cit. 19), *humer* (cit. 7) *une bonne odeur* (→ Bouillabaisse, cit. 2; émanation, cit. 2). *Parfum qui chatouille les narines* (→ Âcre, cit. 3; inconnu, cit. 21). — *Se curer* (cit.) *les narines avec son mouchoir. Narines qui se pincent* (→ Furie, cit. 3), *se dilatent.* Argot (calembour). *Aspirant de narine :* mouchoir.

(...) j'ai fait monter à vos narines la puanteur des cadavres de notre armée (...)
BIBLE (SACY), Amos, IV, 10.

Son nez, sans doute parfait autrefois, s'était allongé, et les narines semblaient s'ouvrir graduellement de plus en plus, par une involontaire tension des muscles olfactifs.
BALZAC, la Recherche de l'absolu, Pl., t. IX, p. 488.

Les narines de son nez mince palpitaient largement (...)
FLAUBERT, Salammbô, XIII.

(...) ses narines, que le parfum de la femme grisait, palpitèrent comme un papillon prêt à aller se poser sur la fleur entrevue.
PROUST, À la recherche du temps perdu, t. IX, p. 140.

Je regardais par exemple les narines de Lucienne. Je me disais une fois de plus qu'elles avaient une extrême beauté et aussi un pouvoir de domination; qu'il leur suffisait de frémir un peu pour que leur beauté devînt terriblement active, vous pénétrât brusquement du désir d'obéir, de plaire, de vous ingénier au service de cette femme (...)
J. ROMAINS, le Dieu des corps, IX.

Ce type à moustaches possède d'immenses narines, qui pourraient pomper de l'air pour toute une famille et qui lui mangent la moitié du visage, mais, malgré cela, il respire par la bouche en haletant un peu.
SARTRE, la Nausée, p. 35.

Poét. (au sing.). *La narine :* les ailes du nez, le nez. *Se boucher la narine* (→ Grimace, cit. 2, La Fontaine). *Parfum qui m'enfle* (cit. 3, Baudelaire) *la narine. Narine frémissante de colère* (→ Méridional, cit. 4).

Et lui! l'orgueil gonflait sa puissante narine (...)
HUGO, les Chants du crépuscule, V.

8 J'ai dit à la narine : Eh mais! tu n'es qu'un nez!
   J'ai dit au long fruit d'or : Mais tu n'es qu'une poire!
                                   HUGO, les Contemplations, I, VII.

♦ **2.** Par anal. *Narines du cheval, du chien...* ⇒ **Naseau.**

9 Les coursiers de Phébus, aux flambantes narines (...)
                                   LA FONTAINE, Amours de Psyché, I.

10 Mais le sable crie, mais une silhouette inconnue grandit au fond de l'allée, et
   l'odeur insolite offense les narines de Buck *(un chien)* hérissé.
                                   COLETTE, la Paix chez les bêtes, p. 218.

NARQUOIS, OISE [naʀkwa, waz] adj. — 1582; mot argot, étym.
obscure; *le narquois* «l'argot», déb. XVIIe (1806 *in* D. D. L.); p.-ê. var. de
narquin (1530) vx ou dialect. : «pillard», même évol. de sens que
pour *matois.*

♦ **1.** Vx. Filou. ⇒ **Rusé.** « *Vieux chat fin* (adj., cit. 16, La Fontaine)
et narquois ».

♦ **2.** (1re moitié XIXe sous l'influence de *narguer,* l'idée de moquerie
remplaçant celle de tromperie). Mod. Qui se moque, qui a l'air de
se moquer d'autrui, avec une ironie, une malice subtile. ⇒ **Goguenard.**

1 Un plaisant bonhomme *(d'Aubigny),* d'ailleurs, sans trop de scrupules, narquois,
   qui, après le mariage de sa sœur *(Mme de Maintenon),* n'appellera jamais le roi,
   en goguenardant, que «le beau-frère».
                                   Émile HENRIOT, Portraits de femmes, p. 119.

(Choses; actions). Qui exprime ou trahit une ironie, une malice subtile. ⇒ **Caustique, ironique, malicieux, moqueur, railleur.** *Air, sourire
narquois. Bonne humeur narquoise* (→ Entendre, cit. 85). *Question
narquoise* (→ Change, cit. 4). *Opposer une indifférence narquoise*
(→ Batailler, cit. 2).

2 M. Thibault, surpris, tourna la tête. Une lueur narquoise s'alluma entre ses cils.
                                   MARTIN DU GARD, les Thibault, t. III, p. 237.

3 Il eut un petit rire narquois, mais devant le peu de succès de sa plaisanterie, il
   s'arrêta et reprit d'un ton sérieux et confidentiel (...)   J. GREEN, Léviathan, I, I.

DÉR. Narquoisement, narquoiserie.

NARQUOISEMENT [naʀkwazmã] adv. — 1845; de *narquois.*

♦ D'une manière narquoise (→ Inscrire, cit. 7). *Il l'interrogeait
narquoisement.*

NARQUOISERIE [naʀkwazʀi] n. f. — 1866, Veuillot; de *narquois.*

♦ Rare ou littér. Caractère de ce qui est narquois (acte, manifestation narquoise) ou de la personne narquoise.

— Une précaution est toujours bonne à prendre, s'écria impétueusement Mme de
Villesaison, que son frère regardait avec une narquoiserie amère.
                                   Edmond JALOUX, les Visiteurs, XXIV.

NARRATAIRE [naʀatɛʀ] n. — 1966, Barthes; de *narrateur,*
d'après destinat*aire.*

♦ Didact. Personne à qui l'on fait un récit (opposé à *narrateur*) « *Le
narrataire ne se confond pas plus avec le lecteur que le narrateur
ne se confond avec l'auteur* » (J. Rey-Debove, *in Sémiotique*).

NARRATEUR, TRICE [naʀatœʀ, tʀis] n. — V. 1500, Molinet;
lat. *narrator.*
Didactique ou littéraire.

♦ **1.** Personne, et, spécialt, Professionnel du récit (conteur ou écrivain) qui narre, conte qqch., qui fait une narration, un récit. ⇒ **Conteur.** *De bons narrateurs* (→ Emporter, cit. 23). *Exactitude d'un
narrateur* (→ Hors d'œuvre, cit. 2). *Le narrateur, la narratrice
d'événements historiques* (⇒ **Chroniqueur, historien, historiographe**),
anecdotiques (⇒ **Anecdotier, raconteur**). *Le narrateur d'une fiction.
Cette journaliste est une remarquable narratrice.*

1 (...) entre autres personnages fabuleux dépeints par la narratrice, on voyait la
   bienfaisante fée Urgèle secouant ses tresses pour répandre à l'infini des pièces
   d'or sur son passage.   Raymond ROUSSEL, Impressions d'Afrique, p. 316.

2 (...) un historien, même s'il est un amateur, a toujours des documents. Le narrateur de cette histoire a donc les siens (...)   CAMUS, la Peste, p. 16.

♦ **2.** Didact. Dans la fiction romanesque, Protagoniste, représenté ou
non, distinct (ou pouvant être distingué) de l'auteur, du procès narratif (au même titre que le personnage*). *Le narrateur proustien.*

DÉR. Narrataire.

NARRATIF, IVE [naʀatif, iv] adj. — 1440; bas lat. *narrativus,* du
lat. class. *narratum,* supin de narrare → Narrer.
Littéraire ou didactique.

♦ **1.** Vx. (Choses). Qui fait le récit (de qqch.), qui narre. « *Le procès-
verbal narratif du fait* » (Académie).

♦ **2.** (1690). Mod. Composé de récits. *Histoire narrative; ouvrage
narratif. Poésie narrative* (opposé à *lyrique*). *Poème narratif et
didactique.*

Il était partisan de l'ancien genre, de la complainte narrative, et il se mit à me   1
chanter celle qu'il tenait pour la plus belle. Le sujet était la mort de Louis XVI.
                                   RENAN, Souvenirs d'enfance..., II, VII.

Qui tient du récit, de la narration; qui produit des récits. *Génie
narratif. Genre, style narratif. Éléments narratifs et éléments des-
criptifs d'un roman.* — *Structures narratives,* propres au texte, au
discours narratif. *Code, message narratif. Étude des rôles narratifs, des fonctions narratives par Vladimir Propp, A. J. Greimas,
Cl. Bremond.* ⇒ **Actant, actantiel.** *Isotopies narratives.*

Le génie narratif qui domine en Champagne, en Flandre, s'étendit en longs   2
poèmes, en belles histoires.   MICHELET, Hist. de France, III.

Il fallait, d'abord, admettre que les structures narratives peuvent se reconnaître   3
ailleurs que dans les manifestations du sens s'effectuant à travers les langues naturelles : dans les langages cinématographique et onirique, dans la peinture figurative, etc. Mais cela revenait à reconnaître à accepter la nécessité d'une distinction fondamentale entre deux niveaux de représentation et d'analyse : un *niveau
apparent* de la narration, où les diverses manifestations de celle-ci sont soumises aux exigences spécifiques des substances linguistiques à travers lesquelles
elle s'exprime, et un *niveau immanent,* constituant une sorte de tronc structurel
commun, où la narrativité se trouve située et organisée antérieurement à sa
manifestation. Un niveau sémiotique commun est donc distinct du niveau
linguistique et lui est logiquement antérieur, quel que soit le langage choisi pour la
manifestation.
          A. J. GREIMAS, Éléments d'une grammaire narrative, *in* Du sens, p. 158.

♦ **3.** Didact. Qui étudie les structures du récit. *Analyse narrative.*
⇒ **Narratologie.** «*Grammaire narrative*» (Greimas).

DÉR. **Narrativiser, narrativité.**

NARRATION [naʀasjɔ̃] n. f. — 1190; lat. *narratio,* du supin de *nar-
rare* → Narrer.

♦ **1.** Exposé détaillé d'une suite de faits, dans une forme littéraire.
⇒ **Récit; exposé, exposition, relation.** « *Les récits de famille (...) se
gravent* (cit. 14). *plus fortement dans la mémoire que les narra-
tions écrites* » (Vigny). *Abréger, couper une narration* (→ Comme,
cit. 4). *Faire une longue narration d'un événement.* ⇒ **Narrer.** *Narration claire, précise, sèche* (→ Maigre, cit. 15). — Gramm. *Infini-
tif** (cit. 3) *de narration. Présent de narration, ou historique.*

(...) il n'est rien *(de)* si contraire à mon style qu'une narration étendue (...)   1
                                   MONTAIGNE, Essais, I, XXI.

Je n'ai point fait de narration de la mort de Polyeucte, parce que je n'avais per-   2
sonne pour la faire ni pour l'écouter (...) j'ai mieux aimé la faire connaître par
un saint emportement de Pauline, que cette mort a convertie que par un récit qui
n'eût point eu de grâce dans une bouche indigne de le prononcer.
                                   CORNEILLE, Examen de Polyeucte.

Je reprends le fil de ma narration.   RETZ, Mémoires, II, p. 565.   3

Nous regardons la narration, réalisme compris, comme on regardait la peinture,   3.1
réalisme y va de soi, en 1850 : l'illusionnisme y va de soi. Tout spectacle peut devenir peinture ce qu'il devient dans un miroir, toute succession d'événements peut
devenir, en littérature, le développement de son résumé.
                                   MALRAUX, l'Homme précaire et la Littérature, p. 146.

♦ **2.** (1680). Rhét. Partie du discours* qui suit la proposition et précède la confirmation. *Argument* d'une narration.*

♦ **3.** (1862). Exercice scolaire, qui consiste à développer, de manière
vivante et pittoresque, un sujet donné. ⇒ **Rédaction.** *Composition,
prix de narration.*

La mort du duc de Berry est encore un modèle étrange de narration, véritable exer-   4
cice de collège, composition d'enfant qui veut gagner le prix, style de concours.
                                   BAUDELAIRE, l'Art romantique, XXVI.

♦ **4.** Vieilli. Récit fait oralement. *Interrompre sa narration.*

Vous me direz : Pourquoi cette narration?   5
C'est pour vous rendre instruit de ma précaution.
                                   MOLIÈRE, l'École des femmes, I, I.

♦ **5.** Didact. Discours (oral ou écrit) caractérisé par la clôture et par
la temporalité du signifié (opposé à *description*).

Spécialt. Activité de l'énonciateur qui produit un tel discours. *La
narration et le narré*.*

COMP. V. **Narratologie.**

NARRATIVISATION [naʀativizasjɔ̃] n. f. — 1969; de *narrativiser.*

♦ Didact. Le fait de narrativiser (un contenu). « *La narrativisation
de la taxinomie* » (du modèle taxinomique de base en quoi s'organise le sens). A. J. Greimas, *Du sens,* p. 164.

NARRATIVISER [naʀativize] v. tr. — 1969, comme p. p.; de *nar-
ratif,* et *-iser.*

♦ Didact. Rendre narratif; conférer un caractère narratif à (un contenu de signification). — Au participe passé :

Quand on possédera de telles séquences d'énoncés narratifs *(organisés par une
série d'implications logiques)* on pourra imaginer — à l'aide d'une rhétorique,

d'une stylistique, mais aussi d'une grammaire linguistique — la manifestation linguistique de la signification narrativisée.

A. J. GREIMAS, Éléments d'une grammaire narrative, *in* Du sens, p. 183.

DÉR. Narrativisation.

NARRATIVITÉ [naʀativite] n. f. — 1969, → cit. ; de *narratif*.

♦ Didact. Ensemble des traits caractéristiques du discours, du message narratif (→ Narratif, cit. 3).

L'intérêt de plus en plus large manifesté, depuis quelques années, pour les études de narrativité est à mettre en parallèle avec les espoirs et projets d'une sémiotique générale (...)
Dans un premier temps, la comparaison des résultats de recherches indépendantes — celles de V. Propp sur le folklore, de Claude Lévi-Strauss sur la structure du mythe, d'Étienne Souriau sur le théâtre — a permis d'affirmer l'existence d'un domaine d'études autonome. De nouveaux approfondissements méthodologiques — ceux de Claude Bremond interprétant la narration dans la perspective d'une logique décisionnelle, ou d'Alan Dundes visant à donner à l'organisation du récit la forme d'une grammaire narrative — ont, ensuite, diversifié les approches théoriques. Notre souci propre, pendant ce temps, était à la fois d'étendre autant que possible le champ d'application de l'analyse narrative, et de formaliser de plus en plus les modèles partiels apparus au cours des recherches (...)
A. J. GREIMAS, Éléments d'une grammaire narrative, *in* Du sens, p. 157.

NARRATOLOGIE [naʀatɔlɔʒi] n. f. — 1972, G. Genette ; du rad. de *narration*, et *-logie*.

♦ Didact. Théorie du récit, de la narration, des structures narratives, de la narrativité.

NARRÉ [naʀe] n. m. — 1453 ; p. p. de *narrer*.

♦ **1.** Vx. Récit*. ⇒ **Narration.** *« Tel est le narré fidèle de ma demeure à l'Hermitage et des raisons qui m'en ont fait sortir »* (Rousseau, *Confessions*, IX).

Monsieur qui parlait toujours bien en public, fit un petit narré de ce qui s'était passé la nuit (...)   RETZ, Mémoires, II, p. 444.

♦ **2.** Mod. (Didact.) Ce qui est narré (opposé à l'activité de *narration* ; cf. l'opposition *énonciation-énoncé**).

NARRER [naʀe] v. tr. — 1388 ; lat. *narrare*.

♦ Vx ou littér. Faire connaître par un récit détaillé (oral ou écrit), par une narration. ⇒ **Conter, dire, raconter.** *Narrer une histoire* (→ Attacher, cit. 38 ; fidélité, cit. 10). *Aventure impossible à narrer* (⇒ **Inénarrable**). *Narrer que...* (→ Messe, cit. 6). — Absolt. *Avoir le don de narrer.*

Narrer est le verbe latin *narrare*. C'est un terme de rhétorique ou de critique littéraire, tout relatif à la manière ou au style ; au lieu que *conter* et *raconter* sont des mots du langage commun qui n'ont aucun rapport au point de vue de l'art. Quand on *conte* ou qu'on *raconte*, on dit des choses plus ou moins intéressantes ; quand on *narre*, on montre plus ou moins de talent, comme orateur ou comme écrivain.
LAFAYE, Dict. des synonymes, Conter,... narrer.

(Le) double talent de savoir (...) les choses anciennes, et de narrer celles qui sont nouvelles (...)   LA BRUYÈRE, Disc. de réception à l'Académie.

Notre hôtesse, vous narrez assez bien ; mais vous n'êtes pas encore profonde dans l'art dramatique. Si vous vouliez que cette jeune fille intéressât, il fallait lui donner de la franchise, et nous la montrer victime innocente et forcée de sa mère et de La Pommeraye (...)   DIDEROT, Jacques le fataliste, Pl., p. 633.

Il avait couru dans toutes les caves pour narrer son histoire, et, pour un quart de vin, il en faisait en public un récit détaillé et adroitement enjolivé.
R. DORGELÈS, les Croix de bois, VII.

DÉR. Narré.

NARSE [naʀs] n. f. — 1874, P. Larousse ; mot franco-provençal *narsa*, *narsi* « bourbier », d'orig. inconnue.

♦ Régional (Auvergne). Dépression tourbeuse. ⇒ **Tourbière.**

NARTHEX [naʀtɛks] n. m. — 1721 ; grec ecclés. *narthêx*, proprt « férule », d'où « cassette » (en tiges de férule), puis « portique ».

♦ Archit. « Vestibule* de l'église, compris sous la même couverture que la nef, ce qui le distingue du porche ; il est souvent surmonté d'une tribune. Dans l'école bourguignonne il comprend parfois plusieurs travées et forme un édifice indépendant de l'église sur laquelle il s'ouvre par un portail monumental... » (L. Bréhier, *le Style roman*, p. 96). *Le narthex d'une basilique, d'une église romane. Catéchumènes et pénitents se tenaient dans le narthex* (→ Groom, cit. 3).

Parfois un vaste narthex, souvenir de l'antique église des catéchumènes, précède l'église et lui sert de vestibule, église lui-même avec sa nef principale, ses nefs secondaires et son étage.   Henri FOCILLON, l'Art d'occident, p. 65.

NARVAL [naʀval] n. m. — 1732 ; *nahwal*, 1627 ; *narwal*, 1646 ; var. *narvval* ; scandinave *nahrval*, d'orig. islandaise, par le lat. savant.

♦ Grand mammifère cétacé (*Odontocètes*) de l'océan Glacial Arctique, scientifiquement appelé *monodon* et anciennement *licorne de mer*, caractérisé par le développement considérable chez le mâle de la canine gauche qui devient une longue défense horizontale, improprement désignée sous le nom de *corne* de licorne, de narval (plur.

des narvals). *« Quatre narvals énormes (qui) brandissaient formidablement leurs espadons »* (Th. Gautier).

N. A. S. A. [naza] n. f. — 1963 ; sigle amér., pour *National Aeronautics and Space Administration* « administration nationale pour la navigation aérienne et l'espace ».

♦ Américanisme (n. pr.). Organisme américain consacré aux recherches spatiales et aéronautiques.

1. NASAL, AUX [nazal, o] n. m. — Mil. XIIe, Wace ; *nasel*, *Chanson de Roland*, 1080 ; d'une forme archaïque de *nez*, et *-al*.

♦ Archéol. Pièce de l'armure* de tête (heaume), partie du casque* protégeant le nez. — REM. Le plur., du fait de l'homonymie (avec *naseau*), semble inusité.

2. NASAL, ALE, AUX [nazal, o] adj. — 1363, Chauliac (G. L. L. F.) ; dér. sav. du lat. *nasus* « nez ».

♦ **1.** Qui a rapport ou appartient au nez. *Fosses* nasales. Cloison, épine* nasale. Cartilage, mucus nasal. Os nasal.* — *Obstruction, hémorragie nasale.*

Anthrop. *Point nasal* ou *nasion* : point situé à la racine du nez, au milieu de la ligne de suture naso-frontale. *Indice nasal* : rapport entre la plus grande largeur du nez et sa hauteur arrêtée au point nasal.

♦ **2.** (1721). Phonét. « Dont la prononciation comporte une résonance de la cavité nasale mise en communication avec l'arrière-bouche » (Marouzeau). *Consonnes nasales (m* [m], *n* [n], *gn* [ɲ]). *Voyelles nasales (an, en* [ɑ̃], *in* [ɛ̃], *on* [ɔ̃], *un* [œ̃]). — N. f. *Une nasale.* — REM. Les voyelles nasales peuvent être représentées par d'autres graphies : *am, em* [ɑ̃], *aim, ain, ein, ym, yn* [ɛ̃], *ien* [jɛ̃], *oin* [wɛ̃], etc. ⇒ **Nasalisation, nasaliser.**

Voix nasale, qui semble provenir du nez et non de la gorge (→ Inflexion, cit. 6). *Avoir un accent nasal, une voix nasale.* ⇒ **Nasiller, nasonner.**

(...) une voix (...) qui sonnait comme l'olifant sur les premières syllabes de chaque mot et se prolongeait sur les dernières, en une espèce de mugissement nasal à faire grincer les guitares.   Léon BLOY, la Femme pauvre, II, XV.   1

Son nez restait fort et rouge, mais semblait plutôt tuméfié par une sorte de rhume permanent qui pouvait expliquer l'accent nasal dont il débitait paresseusement ses phrases.   PROUST, le Temps retrouvé, Pl., t. III, p. 953.   2

DÉR. Nasalement, nasaliser, nasalité.
COMP. Sous-nasal.
HOM. (Du plur.) Naseau.

NASALEMENT [nazalmɑ̃] adv. — 1798 ; n. m., « nasalisation », 1801 (*in* D.D.L.) ; de *nasal*.

♦ Rare. Avec un son nasal. *A qui se prononce nasalement,* qui se prononce *an* [ɑ̃].

NASALISATION [nazalizasjɔ̃] n. f. — 1868, Littré ; de *nasaliser*.

♦ Didact. (Phonét.). Action de nasaliser (un son) ; résultat de cette action ; « passage d'un phonème oral au phonème nasal correspondant (a > an, b > m), ou, moins rigoureusement, addition d'une nasale à un phonème oral » (Marouzeau, *Lexique de terminologie linguistique*).

Dans *frein,* on a un *e* nasal. Dans *freiner,* toute trace de nasalisation a disparu.   1
F. BRUNOT, la Pensée et la Langue, p. 212.

La *nasalisation* résulte de l'abaissement du voile du palais : normale dans l'émission des phonèmes ordinairement nasalisés (an, in, on, un ; m, n, gn), elle est intempestive dans d'autres cas où elle prend le nom de *nasonnement* ou de *nasillement.*   2
Encycl. franç. (DE MONZIE), la Voix, XVI, 36, 6.

CONTR. Dénasalisation.

NASALISER [nazalize] v. tr. — 1868, Littré ; *nasaler*, 1781 ; de *nasal*.

♦ Didact. (Phonét.). Rendre nasal (un son, une prononciation). *M, n, devant une consonne, nasalisent la voyelle qui les précède :* rompre, bande... — Pron. *La première syllabe de* dandy *se nasalise en français. Le premier* n *de* bonne *signale que la voyelle s'était nasalisée en ancien français.*

▶ **NASALISÉ, ÉE** p. p. adj.
Devenu nasal (son). *L'ancienne forme nasalisée* [gʀɑ̃mɛʀ] *de « grammaire » est homonyme de « grand-mère ».*

DÉR. Nasalisation.
CONTR. Dénasaliser.

NASALITÉ [nazalite] n. f. — 1765 ; *nazalité*, 1760 ; de *nasal*.

♦ Didact. (Phonét.). Caractère nasal (d'un son). *Certaines voyelles nasales ont perdu leur nasalité, comme le* [ɑ] *de* année, *qui s'est cependant maintenue sous la forme* [ɑ̃] *dans la France du Sud* [ɑ̃ne].

La nasalité de ces voyelles françaises (orthographiées *in, un, an* ou *en* et *on*) est une caractéristique essentielle qui permet souvent à elle seule de distinguer deux mots. Ainsi les mots *beau* et *bon, fait* et *fin* ne se distinguent l'un de l'autre que par la présence ou l'absence de résonance nasale dans la voyelle. Il y a peu de langues en Europe où la nasalité ait une telle importance linguistique.
                                                                    B. MALMBERG, la Phonétique, p. 44.

NASARD [nazaʀ] n. et adj. — 1685 ; *nazard* « cornet » 1519 ; du rad. lat. de *nasus* « nez ».

★ **I.** N. m. Mus. Ancien instrument à vent, voisin du cornet. — Par ext. (1685). Jeu de mutation de l'orgue, à son flûté, qui sert au renforcement de la quinte.

★ **II.** Adj. (1556). Vx et rare. ⇒ **Nasillard.**

NASARDE [nazaʀd] n. f. — 1532 ; var. *nazarde ;* de *nasus* « nez ».
Vieux ou littéraire.

♦ **1.** Chiquenaude sur le nez (→ Catoblépas, cit. 2).

1   Va, Cyrano ! Et ce disant, je me hasarde,
    Quand, dans l'ombre, quelqu'un me porte (...) — Une nasarde.
                                            Edmond ROSTAND, Cyrano de Bergerac, II, 9.

Par métaphore :

2   Je veux qu'ils donnent une nazarde *(ancienne orthographe)* à Plutarque sur mon nez et qu'ils s'échaudent à injurier Sénèque en moi.   MONTAIGNE, Essais, II, X.

♦ **2.** Fig. Trait piquant, raillerie mordante. ⇒ **Affront, camouflet, rebuffade.** *Donner, essuyer une nasarde.*

3   Il y a quelques coups de patte assez divertissants dans ce chaos qu'est *William Shakespeare :* une nazarde *(sic)* à Lamartine, en passant ; quelque chose de pas très aimable pour Musset (...)   Émile HENRIOT, les Romantiques, p. 72.

DÉR. Nasarder.

NASARDER [nazaʀde] v. tr. — 1537 ; de *nasarde.*
Vieux.

♦ **1.** Frapper d'une chiquenaude sur le nez.

♦ **2.** Fig. Bafouer. ⇒ **Moquer** (se), **railler, rire** (de).

1. NASE ou **NAZE** [nɑz] n. m. — 1835 ; ital. ou provençal *naso,* lat. *nasus.* → Nez.

♦ Pop. Nez.

Alors, en tout, ça m'en fait des sacs *(billets de mille)* qui me passent sous le naze (...)   P. GUTH, le Naïf sous les drapeaux, III, II, p. 97.

2. NASE ou **NAZE** [nɑz] adj. — 1917 ; var. *nazi* au sens 1. ; probablt de *nase, faux nase,* maladies des chevaux (morve) et des moutons, du rad. de *nasus ;* d'abord comme n. *le nazi* (1878), altéré en *lazi* dès 1836, au sens de « syphilis ».

♦ **1.** Argot (vx). Syphilitique.

1   Naze (ou plombé)[1], Divers va chaque semaine à la piqûre (...)
                                            Jean GENET, Miracle de la rose, *in* CELLARD et REY.
    1. Dans ce contexte : atteint de blennorragie.

♦ **2.** (Mil. xxᵉ). Mod. et fam. De mauvaise qualité ; gâté. Par ext. En mauvais état. ⇒ **Foutu, pourri.** *Mon briquet, ma télé est nase (naze).* « *J'ai viré de mon sac tout ce qui était irrémédiablement naze* » (Cavanna, *les Ritals,* p. 222).

♦ **3.** (Personnes). Ivre. *Il est complètement nase.*

2   Autrefois, lorsqu'il était particulièrement naze, il nous esbaudissait en mangeant un verre à pied, un tampon buvard ou un parapluie.
                                            SAN-ANTONIO, En peignant la girafe, Œ., t. II, p. 19.

NASEAU [nazo] n. m. — 1540 ; *nasil,* 1310 ; du rad. du lat. de *nasus* « nez ».

♦ **1.** Chacune des narines* de certains grands mammifères, et, spécialt. du cheval. *Étalon* (1. Étalon, cit. 1) *ardent qui souffle le feu par les naseaux.* « *Les chevaux expiraient* (cit. 1) *par les naseaux une vapeur blanche* » (France). *Hennissement* (cit. 1) *qui semble sortir des naseaux. Cerfs soufflant à pleins naseaux* (→ 1. Harde, cit. 2).

1   Un avorton de mouche en cent lieux le harcèle *(le lion),*
    Tantôt pique l'échine, et tantôt le museau,
    Tantôt entre au fond du naseau.
                                                    LA FONTAINE, Fables, II, 9.

2   (...) le dromadaire commença à donner des signes d'inquiétude : il enfonçait ses naseaux dans le sable et soufflait avec violence.
                                                    CHATEAUBRIAND, les Martyrs, XI.

3   (...) des étalons cabrés, qui hennissaient à pleins naseaux du côté des juments.
                                            FLAUBERT, Mᵐᵉ Bovary, II, VIII.

♦ **2.** Fam. *Les naseaux :* le nez. ⇒ **Nase.** *Il a reçu un coup dans les naseaux.*

HOM. Nasaux.

NASIÈRE [nazjɛʀ] n. f. — V. 1213, de *nas(e)* « nez », et *-ière.*

♦ **1.** Techn. Pince passée dans les naseaux du bœuf (pour le conduire).

♦ **2.** Régional. Naseau.

Les chevaux n'aiment guère ces lieux, mais les mulets ouvrent des nasières de joie provocante.   Charles-François LANDRY, Garcia, p. 218.

NASILLANT, ANTE [nazijɑ̃, ɑ̃t] adj. — xviiiᵉ ; p. prés. de *nasiller.*

♦ Qui nasille, qui a l'habitude de nasiller, d'émettre des sons nasillards. ⇒ **Nasillard.**

NASILLARD, ARDE [nazijaʀ, aʀd] adj. — 1690, Furetière, *nazillard ;* subst. « celui, celle qui nasille », 1654 ; 1694, Académie, adj. ; de *nasiller.*

♦ Qui nasille. *Voix nasillarde* (→ Érailler, cit. 6). *Parler nasillard* (→ Béatitude, cit. 5). *Fausset* (1. Fausset, cit. 3), *ton nasillard.* ⇒ **Aigu** (cit. 6). — Par anal. *Crincrin nasillard.* — Par ext. Qui ressemble à la voix d'une personne parlant du nez. *Les sons nasillards d'une cornemuse.*

Qui dira avec cet organe traînant, nasillard et moqueur, ces paroles (...)
                                            Th. GAUTIER, Portraits contemporains, « Odry ».

Le langage de ce pays *(L'Annam)* semble toujours une suite de consonances incertaines, nasillardes, entrecoupées en monosyllabes un peu haletants (...)
                                            LOTI, Figures et Choses..., « Trois journées de guerre », IV.

DÉR. Nasillarder.

NASILLARDER [nazijaʀde] v. — 1965, Le Clézio ; de *nasillard.*

♦ Rare. Nasiller, nasillonner.

Lainssez-moin pannsser, nasillarda un des garçons.
                                            J.-M. G. LE CLÉZIO, la Fièvre, p. 168.

NASILLEMENT [nazijmɑ̃] n. m. — 1790 ; de *nasiller.*

♦ **1.** Action de nasiller ; résultat de cette action. — Spécialt. Trouble de la phonation dû à un excès de résonance des cavités nasales, provenant d'un défaut de perméabilité des fosses du nez. ⇒ **Nasonnement** (→ Nasalisation, cit. 2).

♦ **2.** Cri du canard.

♦ **3.** Son nasillard, suite de sons nasillards. *Le nasillement d'un timbre électrique* (→ Annoncer, cit. 18).

NASILLER [nazije] v. — 1575 ; du rad. lat. de *nez.*

A. V. intr. ♦ **1.** Parler du nez (⇒ **Nasillement**). *Une personne qui se bouche le nez ou qui est enrhumée du cerveau nasille.* ⇒ **Nasonner.**

♦ **2.** Se dit du canard quand il pousse le cri propre à son espèce.

♦ **3.** Rendre, faire entendre des sons qui rappellent la voix d'une personne parlant du nez. *Phonographe, haut-parleur qui nasille.*

Elle (...) écarta l'écouteur, et respira profondément. Ce fut de très loin qu'elle entendit l'appareil nasiller (...)   MARTIN DU GARD, les Thibault, t. V, p. 244.

B. (1767). V. tr. Prononcer en nasillant. *Moine qui nasille du latin* (→ Brailler, cit. 2). — Par anal. *Piano mécanique qui nasille une vieille romance.*

Vers la fin glaçant les cœurs les plus indifférents, un navrant *Requiem* s'éleva, nasillé par deux jeunes filles du bourg.   Pierre BENOIT, Mˡˡᵉ de la Ferté, p. 288.

DÉR. Nasillard, nasillement, nasilleur, nasillonner.

NASILLEUR, EUSE [nazijœʀ, øz] n. — 1680 ; de *nasiller.*

♦ Rare. Personne qui parle du nez.

NASILLONNER [nazijɔne] v. intr. — V. 1720 ; de *nasiller.*

♦ **1.** Vx. Avoir l'habitude de parler du nez.

♦ **2.** (V. 1770). Parler à voix basse, secrètement (de qqn).

Comment nommer Louis XVIII en place de l'empereur ? Je rougis en pensant qu'il me faut nasillonner à cette heure d'une foule d'infimes créatures dont je fais partie, êtres douteux et nocturnes que nous fûmes d'une scène dont le large soleil avait disparu.   CHATEAUBRIAND, Mémoires d'outre-tombe, t. IV, III, 7, p. 495.

REM. Voltaire emploie le dér. *nasillonneur* (1770) ; *nasillonnement* « habitude de parler du nez » est attesté (1764) ; var. *nazillonnement,* 1761 (*in* D.D.L.).

NASION [nazjɔ̃] n. m. ⇒ 2. **Nasal**

NASIQUE [nazik] n. — 1789, Lacépède ; du lat. *nasica* « au grand nez », surnom pop., de *nasus* « nez ».

★ **I.** N. f. Grande couleuvre* arboricole de l'Inde, dont les plaques nasales se prolongent en avant du museau.

★ **II.** N. m. (1791). Mammifère simien *(Colobidés)* de Bornéo, singe de grande taille au nez pointu très proéminent.

NASITORT [nazitɔʀ] n. m. — 1536, *nasitord,* Rabelais ; anc. provençal *nazitort,* XIIIᵉ ; comp. du lat. *nasus* « nez », et *tortus* « tordu », la saveur forte de cette plante faisant froncer le nez.

♦ Régional. Cresson alénois, plante dicotylédone *(Crucifères)* annuelle, d'origine orientale, cultivée dans les potagers d'Europe comme condiment.

NASO- Élément de mots savants, du lat. *nasus* « nez ».

NASONNEMENT [nazɔnmɑ̃] n. m. — 1834 ; de *nasonner,* var. de *nasiller,* selon *chansonner.*

♦ Méd. (Phoniatrie). Trouble de la phonation, modification de la voix qui prend un timbre nasal pour prononcer les voyelles et les consonnes autres que *m, n, gn.* ⇒ **Nasillement** (→ Nasalisation, cit. 2).
Le nasonnement est provoqué par une exagération de la perméabilité nasale.
(...) il avait trouvé, de même qu'une coiffure appropriée à son teint, une voix à sa prononciation, où le nasonnement d'autrefois prenait un air de dédain d'articuler qui allait avec les ailes enflammées de son nez.
PROUST, le Temps retrouvé, Pl., t. III, p. 953.
Spécialt. Nasillement léger ou plus grave.

NASONNER [nazɔne] v. intr. — 1743 ; dér. anc. de *nez.*

♦ Nasiller*.
Vidame haussa les épaules et nasonna, la voix ennuyée (...)
G. DUHAMEL, Chronique des Pasquier, IX, I.
DÉR. Nasonnement.

NASO-PHARYNGÉ, ÉE [nazofaʀɛ̃ʒe] adj. — XXᵉ ; de *nasopharynx.*

♦ Anat. Du nasopharynx. « *En plaçant un tube au niveau du carrefour naso-pharyngé* » *(la Recherche,* févr. 1974, p. 124).

NASOPHARYNX [nazofaʀɛ̃ks] n. m. — V. 1900, *Nouveau Larousse illustré ;* de *naso-,* et *pharynx.* — REM. Le mot est sans doute antérieur, *naso-pharyngien* étant attesté en 1864 *(Année sc. et industr.,* 1865, p. 374).

♦ Anat. Partie du pharynx située au-dessus du voile du palais, en arrière des fosses nasales.
DÉR. Naso-pharyngé.

NASSE [nɑs] n. f. — Fin XIIᵉ ; lat. *nassa.*

♦ **1.** Engin de pêche*, panier oblong en osier, en filet, ou en treillage métallique (⇒ **Claie**) muni à son entrée d'un goulet. *Pêcher des anguilles à la nasse. Poser, lever des nasses. Nasse pour la pêche en mer.* ⇒ **Ruche.**
Le pêcheur, vague comme un rêve,
Traînant, dernier effort d'un long jour de sueurs,
Sa nasse où les poissons font de pâles lueurs (...)
HUGO, la Légende des siècles, LVIII, « Plein ciel »

Par anal. (de forme). *Nasse à rats, en treillage métallique.* — (1721). Par anal. d'emploi. Filet* pour la capture des petits oiseaux.

♦ **2.** (XIIIᵉ). Par métaphore. Situation difficile dont on a du mal à se tirer. ⇒ **Filet, piège.** *Tomber dans la nasse.*
(...) les fils se pourraient bien raccommoder avec les pères, et toi demeurer dans la nasse. MOLIÈRE, les Fourberies de Scapin, III, 8.

♦ **3.** Zool. Mollusque gastéropode vivant sur les côtes d'Europe occidentale et se nourrissant de proies mortes. Syn. : *natice.*

NATAL, ALE, ALS [natal] adj. — V. 1500, Bloch ; lat. *natalis,* de *natum,* supin de *nasci* « naître ».

♦ **1.** Où l'on est né. *Pays natal* (→ Capital, cit. 2 ; 3. mal, cit. 23). *Le sol natal* (→ Fuir, cit. 15). *Revenir au pays natal* (cf. Revoir son clocher). *Maison, terre natale* (→ Grâce, cit. 45). *Ville natale* (→ Environ, cit. 5). *Milly ou la terre natale,* poème de Lamartine *(Harmonies,* III, XXVI). — *Langue natale* : langue maternelle

(→ Mêler, cit. 8). — REM. L'Académie note que le pluriel *natals* est rare.

Les miroirs profonds, 1
La splendeur orientale,
Tout y parlerait
À l'âme en secret
Sa douce langue natale (...) BAUDELAIRE, les Fleurs du mal, I, III.
Comme un vol de gerfauts hors du charnier natal (...) 2
J.-M. DE HÉRÉDIA (→ Gerfaut, cit. 2).
Le Viking, avec un sens profond de la vie, ne rêve point de fonder son royaume 3
sur la terre natale. André SUARÈS, Trois hommes, « Ibsen », III.
Une femme se réclame d'autant de pays natals qu'elle a eu d'amours heureux. 4
COLETTE, la Naissance du jour, p. 20.
Liturgie. *Jour natal* : jour de la mort d'un saint (ce jour étant considéré comme le jour de sa naissance à la vie éternelle).

♦ **2.** Relatif à la naissance (→ Périnatal, prénatal). — Anat. *Dent natale,* présente sur l'arcade dentaire à la naissance. *Dent néonatale* : dent qui apparaît dans les trente premiers jours après la naissance.
DÉR. Natalisme, nataliste, natalité.
COMP. Néo-natal, prénatal.

NATALISME [natalism] n. m. — XXᵉ ; de *natal.*

♦ Didact. Théorie, doctrine, des natalistes.

NATALISTE [natalist] adj. et n. — 1929 ; de *natal.*

♦ Didact. Qui cherche à favoriser, à augmenter la natalité. *Politique nataliste.* « *Servir la propagande nataliste* » (S. de Beauvoir, *la Force de l'âge,* p. 169). — N. *Un nataliste* : un partisan du développement de la natalité. *Une nataliste.*
Au contraire, le « nataliste » reste libre d'imaginer une humanité plus audacieuse, 1
dont chaque génération, parvenue aux abords de la limite de saturation prévue par la génération précédente, en reporterait la menace à coups d'inventions nouvelles.
A. FABRE-LUCE, Pour une politique sexuelle, p. 35-36 (1929).
Les doctrines grecques ont eu d'autant moins la possibilité de se répandre, après la 2
conquête, que l'essor démographique était déjà quelque peu ralenti à Rome. Mal renseignés sur ce point, nous savons cependant que César a donné des primes aux familles nombreuses, précédant Auguste, dont les célèbres lois Julia et Papia ont constitué un remarquable ensemble nataliste (...)
A. SAUVY, Croissance zéro ?, p. 17.
CONTR. et COMP. Antinataliste.

NATALITÉ [natalite] n. f. — 1868 ; de *natal,* et *-ité.*

♦ Démogr. Rapport entre le nombre des naissances et le chiffre de la population dans un lieu et dans un espace de temps (généralement un an) déterminés. *Natalité déficiente* (→ Incroyable, cit. 13), *faible, forte, excessive. Pays à forte natalité. Accroissement, régression de la natalité. Taux de natalité.*
CONTR. Dénatalité, mortalité.
COMP. Mortinatalité, sous-natalité, surnatalité.

NATATION [natasjɔ̃] n. f. — XVIIIᵉ ; une première fois en 1550 ; empr. au lat. *natatio,* du supin de *natare* « nager ».

♦ Action de nager, considérée comme un exercice, un sport*. ⇒ **Nage** (→ Course, cit. 3 ; gymnastique, cit. 16). *Relatif à la natation.* ⇒ **Natatoire.** *Pratique de la natation* (→ Immersion, cit. 3). *École, séance de natation. Professeur de natation. Faire de la natation dans la mer, en rivière, dans une piscine. Nages utilisées en natation* : brasse (ordinaire, papillon), coupe, crawl, indienne, marinière, nage sur le dos, over arm stroke, planche, trudgeon... *Champion, compétition, épreuve de natation* (nage libre, brasse, dos). *Sports et jeux complémentaires de la natation.* ⇒ **Plongeon, waterpolo.**

NATATOIRE [natatwaʀ] adj. — 1581, *lieu natatoire,* Wartburg ; déjà en anc. franç., v. 1190, comme subst. « étang où l'on peut nager » ; empr. au bas lat. *natatorius,* de *natare* « nager ». Didactique.

♦ **1.** Relatif à la natation.

♦ **2.** (1789, Wartburg). *Vessie natatoire* : sac membraneux rempli de gaz qui se trouve dans le corps de certains poissons.

NATICE [natis] ⇒ **Nasse** (3.).

NATIF, IVE [natif, iv] adj. et n. — XIVᵉ ; lat. *nativus.* → Naïf, de *natum,* supin de *nasci* « naître ».

♦ **1.** Vieilli. *Natif de...* : « se dit des personnes en parlant de la ville, du lieu où elles ont pris naissance, et suppose ordinairement l'établissement fixe des parents, l'éducation, etc. ; à la différence de *Né,* qui peut supposer seulement la naissance accidentelle » (Académie).

Il est natif de Marseille, de Provence. ⇒ **Originaire.** — Pop. ou par plais. *Né natif. Il est né natif de Marseille.* — N. *Un natif de Saint-Malo.* ⇒ **Enfant** (→ Exhaler, cit. 10). *Les natifs de Nouvelle-Guinée.* ⇒ **Aborigène, indigène, naturel ;** et aussi **habitant.**

1   Je m'appelle Loyal, natif de Normandie (...)   MOLIÈRE, Tartuffe, V, 4.

♦ **2.** (En parlant d'une qualité, d'un sentiment...). Qu'on a apporté en naissant, par oppos. à ce qui est acquis, à ce qui sent l'effort. ⇒ **Inné, naturel.** *Majesté* (→ Casque, cit. 3), *répugnance native* (→ Accaparement, cit. 3).

2   Elle avait une tournure italienne, de grands yeux noirs sous des sourcils bien arqués, une noblesse native, une grâce vraie.
          BALZAC, la Vendetta, Pl., t. I, p. 859.

3   La peur l'avait saisi, cette peur native des baudriers jaunes, cette peur du gibier devant le chasseur, de la souris devant le chat.
          MAUPASSANT, Contes du jour et de la nuit, « Le gueux ».

Originel. *Il avait gardé son ancien jargon* (cit. 3) *briard dans toute sa pureté native.*

♦ **3.** Didact. (1762). *Métal natif,* qui se trouve naturellement à l'état de pureté. ⇒ **Brut.** *Argent, cuivre, or natif.* ⇒ **Pépite.**

(Angl. *native*). Initial, primaire, primitif (dans un système évolutif).

4   (...) la conformation dite « native » d'une protéine globulaire est en outre stabilisée par un très grand nombre d'interactions non-covalentes.
          Jacques MONOD, le Hasard et la Nécessité, p. 121.

Ling. *Locuteur* natif.*

CONTR. Étranger.

DÉR. Nativement, nativisme, nativiste.

NATION [nɑsjɔ̃] n. f. — XIIᵉ, « naissance, race » ; sens mod., 1270 ; lat. *natio,* de *natum,* supin de *nasci* « naître ».

♦ **1.** Vieilli (Sens primitif de *natio*). Groupe d'hommes auxquels on suppose une origine* commune. ⇒ **1. Gent** (vx). *Des nations d'hommes* (cit. 16) *gigantesques.* ⇒ **Race.** — Dans le langage des fables, en parlant d'animaux. ⇒ **1. Gent.** *La nation des belettes* (La Fontaine, *Fables,* IV, 6).

♦ **2.** Mod. Groupe* humain, généralement assez vaste, qui se caractérise par la conscience de son unité et la volonté de vivre en commun. ⇒ **Assemblage, association, nationalité, peuple.** — REM. En ce sens, il convient de distinguer la *nation* et l'*État.* « L'idée de *Nation* implique une idée de spontanéité ; celle d'*État,* une idée d'organisation qui peut être plus ou moins artificielle. Une nation peut survivre, même lorsqu'elle est partagée entre plusieurs États ; et un État peut comprendre plusieurs nations » (Cuvillier, *Précis de philosophie,* t. II, p. 395). *Qui est propre à une nation.* ⇒ **National.** *Nation formée et distinguée par son idiome* (cit. 1). « *Le peuple français est un composé* (cit. 32), *c'est mieux qu'une race*, c'est une nation* » (Bainville). → aussi Français, cit. 5 ; littérature, cit. 12. *Le caractère* (cit. 70) *et les mœurs d'une nation. Éducation* (cit. 14) *morale et artistique d'une nation. Nation civilisée, cultivée* (→ Latin, cit. 6), *instruite, polie, policée* (→ Barbare, cit. 10, 13 et 23). *La sagesse* des nations. Nation inventrice, initiatrice* (→ Exactitude, cit. 10). *Une nation de sportifs.* « *L'insolente* (cit. 5) *nation !* » (Saint-Simon).

1   Une nation est une âme, un principe spirituel. Deux choses qui, à vrai dire, n'en font qu'une, constituent cette âme, ce principe spirituel. L'une est dans le passé, l'autre dans le présent. L'une est la possession en commun d'un riche legs de souvenirs ; l'autre est le consentement actuel, le désir de vivre ensemble, la volonté de continuer à faire valoir l'héritage qu'on a reçu indivis... Une nation est donc une grande solidarité, constituée par le sentiment des sacrifices qu'on a faits et de ceux qu'on est disposé à faire encore. Elle suppose un passé ; elle se résume pourtant dans le présent par un fait tangible : le consentement, le désir clairement exprimé de continuer la vie commune.
          RENAN, Discours et conférences, Qu'est-ce qu'une nation ?
          Œ. compl., t. I, p. 903-904.

2   (...) l'idée même de nation en général ne se laisse pas capturer aisément (...) le fait essentiel qui les constitue (*les Nations*), leur principe d'existence, le lien interne qui enchaîne entre eux les individus d'un peuple, et les générations entre elles, n'est pas, dans les diverses nations, de la même nature. Tantôt la race, tantôt la langue, tantôt le territoire, tantôt les souvenirs, tantôt les intérêts instituent diversement l'unité nationale d'une agglomération humaine organisée.
          VALÉRY, Regards sur le monde actuel, p. 37-39-40.

Spécialt. (Style de l'Écriture). Les peuples idolâtres (cf. Les Gentils). « *Allez, enseignez toutes les nations* » (→ Baptiser, cit. 2). *Saint Paul, l'apôtre, le docteur des nations.*

♦ **3.** Groupe humain, en tant qu'il forme une communauté politique, établie sur un territoire défini ou un ensemble de territoires définis, et personnifiée par une autorité souveraine. ⇒ **Communauté, état** (III., 3. et 4.), **pays, territoire** (→ Ethnie, cit. 1 ; frontière, cit. 3). *Les villes grecques* (cit. 1) *considérées comme des nations.* ⇒ **Cité.** *Nations de l'Europe Occidentale* (→ Diviser, cit. 2 ; exécutif, cit. 3). *Nations européennes, germaniques, latines. Nations commerçantes* (cit. 1), *industrielles* (→ Équilibre, cit. 24). — Dr. *Clause de la nation la plus favorisée* : « Clause d'un traité dont l'objet est de procurer aux bénéficiaires les avantages déjà accordés ou qui pourront être accordés par les signataires aux ressortissants d'un État tiers » (Capitant). — *Les grandes nations.* ⇒ **Puissance.** *Qui concerne plusieurs nations.* ⇒ **International.** *Rivalités entre les nations. Exaltation de la nation.* ⇒ **Nationalisme.** *Nation en guerre. Quand la nation se trouve sous le canon* (cit. 2) *des ennemis.* ⇒ **Patrie.** — *Société des Nations* (S. D. N.), créée en

1919 pour développer la coopération entre les nations et garantir la paix et la sécurité (→ Hégémonie, cit. 3). — *Organisation des Nations Unis* (O. N. U.), créée en 1945, pour remplacer la Société des Nations (→ Interférence, cit. 2). *Charte, Assemblée générale, Conseil de Sécurité des Nations Unies.*

3   Les nations, qui sont à l'égard de tout l'univers ce que les particuliers sont dans un État, se gouvernent, comme eux, par le droit naturel et par les lois qu'elles se sont faites.   MONTESQUIEU, l'Esprit des lois, XXI, XXI.

♦ **4.** Ensemble des individus qui composent ce groupe. *Cette partie de la nation qu'on nomme la bourgeoisie* (→ Halte, cit. 7). *Quand les gelées viennent, toute la nation grelotte* (cit. 1). ⇒ **Population.** Spécialt. Partie de la population, dans une situation évolutive ou révolutionnaire, qui incarne l'autorité souveraine. *Pendant la Révolution de 1789, la nation s'identifiait au tiers-état.*

♦ **5.** Dr. et cour. « Élément de l'État constitué par le groupement des individus fixés sur un territoire et soumis à l'autorité d'un même gouvernement » (Capitant). *Les vœux de la nation* (→ Cahier, cit. 6). *Adresser un appel à la nation.*

Dr. constit. « Dans la théorie classique issue de la Révolution française, personne juridique constituée par l'ensemble des individus composant l'État, mais distincte de ceux-ci et titulaire du droit subjectif de souveraineté » (Capitant). *La nation et l'État*. Mandat* (cit. 2) *collectif donné par la nation entière à l'ensemble des élus. Le principe de toute souveraineté réside essentiellement dans la Nation* (→ Autorité, cit. 15).

4   (...) dans la doctrine française, telle qu'elle a été exprimée dans nos constitutions de l'époque révolutionnaire et de 1848, la nation est le titulaire originaire de la souveraineté. La nation est une personne avec tous les attributs de la personnalité, la conscience et la volonté. La personne nation est, en réalité, distincte de l'État ; elle lui est antérieure ; l'État ne peut exister que là où il y a une nation, et la nation peut subsister même quand l'État n'existe plus ou n'existe pas encore.
          L. DUGUIT, Traité de droit constitutionnel, t. I, p. 607.

Spécialt. *La nation,* en tant que collectivité opposée à l'individu, à une classe particulière. *La nation se substitue à la charité individuelle pour secourir les indigents.* ⇒ **Collectivité.** *La nation garantit l'égal accès de l'enfant à l'instruction* (cit. 6). *La place de l'armée dans la nation. Soldats chargés de représenter la nation* (→ Guerre, cit. 41). *Biens, moyens de production qui doivent revenir à la nation,* être nationalisés. — *Pupille de la nation.* ⇒ **Pupille.**

DÉR. National.

NATIONAL, ALE, AUX [nasjɔnal, o] adj. et n. — 1550 ; *nacional,* 1534, d'abord terme d'organisation religieuse ; de *nation.*

♦ **1.** **ⓐ** (Répandu fin XVIIIᵉ). Opposé à *étranger.* Qui est relatif, qui appartient à une nation* (2. et 3.), qui a pour objet une nation, particulièrement celle à laquelle on appartient. *Drapeau, pavillon, chant, hymne, territoire national* (→ Armée, cit. 11 ; guerre, cit. 30). *Fête nationale. Industrie, production, richesse nationale. Langues* (cit. 31), *mélodies* (cit. 2) *nationales. Caractère national* (→ 3. Fronde, cit. 1 ; influer, cit. 2 ; moment, cit. 30). *Esprit, talent, vice national* (→ Ergoteur, cit. 3). *Histoire, tradition nationale. Honneur* (cit. 24), *intérêt, orgueil* (→ Humilier, cit. 38), *sens national* (→ Aliénation, cit. 1). *Gloire* (→ Martial, cit. 1), *passion nationale* (→ Histoire, cit. 25). *Glorification* (cit. 3) *du particularisme national.* ⇒ **Nationalisme.** *Tyran national ou domination étrangère* (→ Imposer, cit. 9). — Spécialt. *Langue nationale :* langue d'un groupe ethnique dont l'usage est légalement reconnu dans l'État auquel appartient ce groupe (à distinguer de *langue officielle*). — *Armée nationale,* composée de citoyens, et non de mercenaires ou de volontaires étrangers.

  (...) cette sainte antipathie pour les mœurs, les coutumes et les langues étrangères, qui fortifie dans tous les pays le lien national.
          Mᵐᵉ DE STAËL, De l'Allemagne, I, II.

ⓑ (Opposé à *international, universel*). *Organismes internationaux qui se substituent aux initiatives nationales. Place de la production nationale dans l'économie mondiale. Développement de la personne dans les cadres nationaux* (→ Internationalisme, cit. 2). *La justice* (cit. 6) *en soi et la justice nationale. Un type de beauté éternelle sans nulle tache locale ou nationale* (→ Grec, cit. 2).

  Non parce que Socrate l'a dit, mais parce qu'en vérité c'est mon humeur, et à l'aventure non sans quelque excès, j'estime tous les hommes mes compatriotes, et embrasse un Polonais comme un Français, post posant (*subordonnant*) cette liaison nationale à l'universelle et commune.   MONTAIGNE, Essais, III, IX.

Qui incarne ou prétend incarner et servir avant tout la nation à laquelle il appartient (en se défiant de toute tendance internationaliste). « *Tout ce qui est national est nôtre,* » slogan de Ch. Maurras. *La Révolution nationale* (→ Maintenir, cit. 7). *Les partis nationaux.*

N. *Les nationaux.* — Au Québec, *Parti de l'Union nationale* (1936, Duplessis). *Membre de l'Union nationale.* ⇒ **Unioniste.** *Ce qu'il y a d'exclusivisme* (cit. 2) *dans le mot « national ».*

  Je ne suis pas national parce que j'aime savoir exactement ce que je suis, et le mot de national, à lui seul, est absolument incapable de me l'apprendre. J'ignore même son inventeur. Depuis quand les gens de droite s'appellent-ils nationaux ? C'est leur affaire, mais ils me permettront de leur dire qu'ils devancent ainsi le jugement de l'histoire.   BERNANOS, les Grands Cimetières sous la lune, p. 305.

♦ **2.** (Opposé à *local, provincial, régional, privé, individuel...*). Qui intéresse la nation entière, qui appartient à l'État, est entretenu, géré, organisé par l'État. *Ateliers* (cit. 7 et 8) *nationaux. Biens nationaux :* biens des émigrés, de l'Église qui furent confisqués sous la Révolution et vendus au profit de l'État (→ Milliard, cit. 2 ; monnayer, cit. 2). *Propriété nationale* (→ Gager, cit. 7). *Défense, Éducation nationale. La Garde** (1. Garde, cit. 75) *nationale. Les gardes** (2. Garde, cit. 12) *nationaux. Académie nationale de musique et de danse. Bibliothèque nationale,* et, n. f., *la Nationale. Elle va préparer sa thèse à la Nationale. — Étalons, haras* (cit. 1 et 2) *nationaux. Caisse nationale des retraites pour la vieillesse. Obsèques* nationales. — Concile national,* qui réunit tous les évêques d'une nation. *Congrès, comité, bureau national d'un parti* (opposé à *fédéral, départemental, local...*). — Sports. *Équipe nationale de football, d'athlétisme...* Par ext. *Record national du saut en hauteur. — Route nationale. —* N. f. *Prendre une nationale, la nationale n° X.*

4   En route par la Nationale n° 7, battue, rebattue, jamais pareille à elle-même.
    COLETTE, *Belles saisons,* p. 16.

♦ **3.** Qui est issu de la nation* (5.), qui la représente, qui est en accord avec elle. *Victor Hugo, notre grand poète national. —* Plais. (avec *notre* et un nom propre, fait ironiquement d'une personne le représentant d'une communauté, nationale ou non). *Notre Maurice national. — Louis XIV, chef national s'il en fut, sentait mieux que quiconque ce frémissement* (cit. 16) *de toute la nation. — L'Assemblée* (cit. 12) *nationale,* sous la Révolution.

5   Allez dire à ceux qui vous envoient que nous sommes ici par la volonté nationale et que nous n'en sortirons que par la puissance des baïonnettes.
    MIRABEAU, Paroles adressées, dans la Séance royale du 23 juin 1789,
    à M. de Dreux-Brézé, représentant du roi.

♦ **4.** N. **a** (1787). Personne qui possède telle nationalité déterminée. *Les nationaux et ressortissants français.* ⇒ **Ressortissant** (→ Électeur, cit. 2).

b N. m. (Franç. d'Afrique). Fonctionnaire, employé africain travaillant dans son pays (opposé à l'Africain expatrié et au coopérant* étranger).

CONTR. Étranger. — Antinational.
DÉR. Nationalement, nationaliser, nationalisme, nationalité.
COMP. Antinational, international, supranational. V. National-socialisme, national-socialiste.

NATIONAL- Premier élément de composés formés avec un mot (nom ou adj.) en *-isme* ou en *-iste.* ⇒ **National-socialiste.**

Formations libres : *national-réalisme* (1971), *national-poujadisme* (1973), *national-chauvinisme* (1973), *national-populisme* (1973), *in* P. Gilbert.

NATIONALEMENT [nasjɔnalmã] adv. — 1739, Brunot, H. L. F., t. VI, p. 139, n° 6 ; de *national.*

♦ D'une manière nationale, du point de vue de la nation. *« Régionalement et nationalement, c'est au gouvernement qu'il appartiendra d'autoriser les chaînes* (de télévision) *supplémentaires »* (*l'Express,* 23 avr. 1982, p. 92).

NATIONALISABLE [nasjɔnalizabl] adj. — Mil. xxᵉ ; de *nationaliser.*

♦ Qui peut être nationalisé ; qui peut être soumis à la nationalisation (2.).

N. f. Entreprise nationalisable. *« La Bourse suspend la cotation des nationalisables »* (*le Point,* 14 sept. 1981, p. 49). *« Le simple fait d'être sur la liste des « nationalisables » constitue une menace potentielle à terme et un handicap certain dans l'immédiat »* (*le Nouvel Obs.,* 3 juil. 1972, p. 27).

NATIONALISATION [nasjɔnalizasjɔ̃] n. f. — Attestation isolée, 1845 ; à propos de l'Angleterre, 1877, répandu déb. xxᵉ ; « action de nationaliser » au sens anc., fin xviiiᵉ ; de *nationaliser.*

♦ **1.** Vx. Fait de conférer un caractère national.

♦ **2.** (1907 ; en anglais, 1871). Action de transférer à la collectivité*, à l'État, la propriété d'un bien, spécialement des moyens de production appartenant à des entreprises privées. *Nationalisation des houillères, du gaz, de l'électricité, des banques, des sociétés d'assurance.* ⇒ **Étatisation, socialisation.**

Nationalisation est un de ces termes qui font cristalliser les passions politiques. Chacun y met ce qu'il veut promouvoir ou condamner (...) À notre époque, le mot s'est chargé de dynamisme social. La nationalisation est un passage, d'un patrimoine privé à un patrimoine national, du secteur de l'économie capitaliste à celui de l'économie publique. Nationaliser une entreprise, c'est donc réduire ou éliminer, de quelque manière que ce soit, la part du capital dans la gestion d'une

affaire pour soumettre celle-ci à l'empire de la collectivité publique, sous une forme quelconque.   B. CHENOT, les Entreprises nationalisées, p. 23.

CONTR. Dénationalisation, privatisation.

NATIONALISER [nasjɔnalize] v. tr. — 1842 ; « rendre national », 1972, Bloch ; de *national.*

♦ **1.** Vieilli. Rendre national ; donner à qqn le caractère, l'esprit national. — Pron. *Étrangers qui sont déjà naturalisés, mais qui ne sont pas encore vraiment nationalisés. —* Pron. *Étrangers qui se nationalisent facilement.*

♦ **2.** (⇒ ci-dessus **Nationalisation**). Transférer à l'État la propriété d'un bien. *Nationaliser une entreprise.*

▶ **NATIONALISÉ, ÉE** p. p. adj. *Entreprises nationalisées,* où est intervenue la nationalisation. ⇒ aussi **Public, semi-public.** *Secteur nationalisé. Les banques nationalisées.*

CONTR. Dénationaliser, privatiser. — (Du p. p.) Privé.
DÉR. Nationalisable, nationalisation.

NATIONALISME [nasjɔnalism] n. m. — 1798 ; de *national.*

♦ **1.** Exaltation du sentiment national ; attachement passionné à ce qui constitue le caractère singulier, les traditions de la nation à laquelle on appartient, accompagné parfois de xénophobie et d'une certaine volonté d'isolement. ⇒ **Chauvinisme** (cit. 2), **patriotisme** (→ Guérisseur, cit. 1). *Nationalisme exaspéré* (→ Crise, cit. 14). *Explosion de nationalisme* (→ Évacuation, cit. 3). *Nationalisme économique* (→ Industrialisation, cit. 2). *Le nationalisme en art, en littérature...*

♦ **2.** Doctrine qui, fondant son principe d'action sur ce sentiment, subordonne, en politique intérieure, tous les problèmes (culturels, économiques, sociaux...) au développement de la puissance nationale et rejette, en politique étrangère, toute association limitant la liberté d'action ou s'opposant à l'hégémonie de la nation. *Le nationalisme intégral de Ch. Maurras. « Scènes et doctrines du nationalisme »,* ouvrage de M. Barrès.

1   Nationalisme s'applique en effet, plutôt qu'à la Terre des Pères, aux Pères eux-mêmes, à leur sang et à leurs œuvres, à leur héritage moral et spirituel, plus encore que matériel.
    Le nationalisme est la sauvegarde à tous ces trésors qui peuvent être menacés sans qu'une armée étrangère ait passé la frontière, sans que le territoire soit physiquement envahi. Il défend la nation contre l'Étranger de l'intérieur. La même protection peut être due encore dans le cas d'une domination étrangère continuée dont la force consacrée par un droit écrit, n'est pourtant pas devenue un droit réel (...)   Ch. MAURRAS, Mes idées politiques, p. 264.

2   Le nationalisme (...) élevé dans la vieille et indulgente maison lorraine de M. Maurice Barrès, nourri d'encre précieuse, quel chemin il a fait depuis, jusqu'au Japon, jusqu'en Chine ! C'est que les puissants maîtres de l'or et de l'opinion universelle l'ont vite arraché aux mains des philosophes et des poètes. Ma Lorraine ! ma Provence ! ma Terre ! mes Morts ! Ils disaient : mes phosphates, mes pétroles, mon fer.
    BERNANOS, les Grands Cimetières sous la lune, p. 70.

♦ **3.** Doctrine, mouvement politique qui revendique pour une nationalité (1.) le droit de former une nation plus ou moins autonome. *Les nationalismes européens du XIXᵉ siècle. Le nationalisme polonais.*

CONTR. Antinationalisme, internationalisme.
DÉR. Nationaliste.

NATIONALISTE [nasjɔnalist] adj. et n. — 1830, Balzac ; de *nationalisme.*

♦ **1.** Qui est partisan du nationalisme (1.), qui est relatif au nationalisme. *Doctrine* (→ Mercantilisme, cit.), *parti nationaliste* (→ Fascisme, cit. 1). — N. *Les nationalistes,* ceux qui poussent le sentiment national jusqu'au nationalisme* (1.) ; partisan d'une doctrine nationaliste.

1   Nous réfléchissons beaucoup. On rencontre une foule de nationalistes, de kantistes, de méthodistes, qui font des folies gravement et dont la sagesse est folle.   BALZAC, Complaintes satiriques, in Œ. diverses, t. I, p. 345.

2   (...) des nationalistes, qui haïssaient — (quand ils étaient très bons, ils se contentaient de les mépriser) — toutes les autres nations, et, dans leur nation même, il appelaient étrangers, ou renégats, ou traîtres, ceux qui ne pensaient pas comme eux.   R. ROLLAND, Jean-Christophe, Foire sur la place, II, p. 760.

3   Un nationaliste conscient de son rôle admet pour règle de méthode qu'un bon citoyen subordonne ses sentiments, ses intérêts et ses systèmes au bien de la Patrie. Il sait que la Patrie est la dernière condition de son bien être et du bien-être de ses concitoyens. Tout avantage personnel qui se solde par une perte pour la Patrie lui paraît un avantage trompeur et faux. Et tout problème politique qui n'est point résolu par rapport aux intérêts généraux de la Patrie lui semble un problème incomplètement résolu. Le nationalisme impose donc aux questions diverses qui sont agitées devant lui un commun dénominateur, qui n'est autre que l'intérêt de la nation.   Ch. MAURRAS, Mes idées politiques, p. 278.

♦ **2.** Qui est partisan du nationalisme* politique (3.) ; qui est relatif au nationalisme. *Revendications nationalistes des Polonais au XIXᵉ siècle. —* N. *Les nationalistes polonais. Nationalistes qui réclament l'autonomie, l'indépendance pour leur pays.* ⇒ **Autonomie ; autonomiste.**

NATIONALITÉ [nasjɔnalite] n. f. — 1833, au sens 1., Michelet ; « ensemble de traits de caractères qui distinguent une nation », 1808 ; de *national*, et *-ité*.

♦ **1.** Existence ou volonté d'existence en tant que nation d'un groupe d'hommes unis par une communauté de territoire, de langue (cit. 29, Michelet), de traditions, d'aspirations... ; ce groupe, dans la mesure où il maintient ou revendique cette existence. ⇒ **Nation.** *Le mouvement philhellène en faveur de la nationalité grecque. Affranchir* (cit. 5) *la nationalité italienne. Les diverses nationalités de l'ancien empire austro-hongrois.* — *Principe des nationalités,* au nom duquel ces groupes ont le droit de se constituer en État politiquement autonome. *La politique étrangère de Napoléon III s'appuyait sur le principe des nationalités.*

1   En Bretagne, comme en Irlande, le catholicisme est cher aux hommes comme symbole de la nationalité (...) Ne nous étonnons pas que cette race celtique (...) ait fait quelques efforts dans ces derniers temps pour prolonger sa nationalité ; elle l'a défendue de même au moyen âge (...) Aujourd'hui la résistance expire, la Bretagne devient peu à peu toute France.   MICHELET, Hist. de France, II.

2   (...) je m'étonne qu'un historien comme vous affecte d'ignorer que ce n'est ni la race ni la langue qui fait la nationalité.
      FUSTEL DE COULANGES, Questions contemporaines, p. 95.

3   Le principe des nationalités, auquel on a voulu surtout rattacher les arrangements internationaux consacrés par les divers traités qui ont suivi la guerre *(de 1914-1918),* est tout à fait différent du principe de la souveraineté nationale. Sous le nom de nationalité, en réalité on ne désigne pas autre chose qu'une population présumée de la même origine parce qu'elle parle une même langue.
      L. DUGUIT, Traité de droit constitutionnel, t. I, p. 555.

♦ **2.** (1868). Dr. internat. privé. État* (cit. 67) d'une personne qui est membre d'une nation déterminée. *Nationalité étrangère* (→ Espionnage, cit. 5), *française* (cit. 4), *italienne, suédoise... Nationalité acquise. Nationalité d'origine. Changer de nationalité. Acquérir la nationalité française* (⇒ **Naturalisation**). *De deux nationalités.* ⇒ **Binational.** *Perdre, répudier sa nationalité. Sans nationalité légale.* ⇒ **Apatride, heimatlos, sans-patrie.** *Réintégration dans la nationalité française.*

4   Je définis la nationalité, *le lien politique et juridique créé par la décision d'un État, personne internationale, qui rend un individu sujet, c'est-à-dire membre de l'État.*
      P. LEREBOURS-PIGEONNIÈRE, Précis de droit international privé, § 49.

Par ext. *Nationalité des personnes morales, d'une société commerciale, d'un navire...*

NATIONAL-SOCIALISME [nasjɔnalsɔsjalism] n. m. — V. 1921 ; all. *National-Sozialismus.*

♦ Doctrine, système politique du *Parti ouvrier allemand* fondé en 1921 et dont Hitler fut le chef. ⇒ **Nazisme ;** → Führer, cit. 2.

NATIONAL-SOCIALISTE [nasjɔnalsɔsjalist] adj. et n. — V. 1921 ; all. *National-sozialist.*

♦ Relatif au national-socialisme. *Doctrine, parti national-socialiste.* ⇒ **Hitlérien, nazi.** « *En 1920, à Munich, Hitler tint la première grande réunion du Parti ouvrier allemand national-socialiste* » (Bainville). — Nom (surtout au plur.). *Les nationaux-socialistes :* les partisans du mouvement national-socialiste.

Aucune épuration n'est jamais véritablement un succès : ceci vaut pour la dénazification en Allemagne (...) En fin de compte, les nationaux-socialistes vraiment compromis ont été écartés de la direction politique de l'État et de la direction de l'armée reconstituée après 1955.
      Joseph ROVAN, L'Allemagne n'est pas ce que vous croyez, p. 21.

NATIONAUX [nasjɔno] n. m. pl. ⇒ **National, 4.**

NATIVEMENT [nativmɑ̃] adv. — 1554 ; de *natif.*

♦ Rare. Par l'effet d'une disposition innée, naturelle. ⇒ **Naturellement.** *Il possédait nativement des manières nobles* (→ Autre, cit. 93).

NATIVISME [nativism] n. m. — 1876 ; de *natif.*
Didactique.

♦ **1.** Psychol. Théorie qui s'oppose au génétisme*, et selon laquelle la perception de l'espace est naturelle (donnée par la sensation). — Doctrine des idées innées.

♦ **2.** Didact. (ethnol.). Mouvements qui, dans une société traversant une crise grave, recherchent une vie meilleure par un retour aux sources et rejettent tous les apports (objets, coutumes*) d'origine étrangère.

NATIVISTE [nativist] adj. et n. — 1888 ; de *natif ;* → Nativisme.

♦ Didact. Du nativisme. — Partisan du nativisme.

Il ne semble pas, d'ailleurs, que la solution donnée par Kant ait été sérieusement contestée depuis ce philosophe ; même, elle s'est imposée — parfois à leur insu — à la plupart de ceux qui ont de nouveau abordé le problème, nativistes ou empi-

ristes. Les psychologues sont d'accord pour attribuer une origine kantienne à l'explication nativistique [1] de Jean Muller (...)
      H. BERGSON, Essai sur les données immédiates de la conscience, p. 69.
[1] Forme empruntée à l'allemand.

NATIVITÉ [nativite] n. f. — XIIᵉ ; empr. au lat., du bas lat. *nativitas,* du lat. class. *nativus* → Natif ; et aussi naïf, naïveté.

♦ **1.** Vx, parfois dans le lang. médical. ⇒ **Naissance** (cit. 5). Naissance, considérée surtout du point de vue de la date (→ La Fontaine, *Daphnis et Alcimadure,* v, 44).

♦ **2.** Relig. chrét. Naissance (quand il s'agit du Christ, de la Vierge ou de quelques saints). *Nativité de Notre-Seigneur, de la Sainte Vierge, de saint Jean-Baptiste.* — Absolt. *La Nativité :* la naissance du Christ. *La crèche de la Nativité.*

1   C'est donc lui *(le Christ),* mes chers Auditeurs, qui par sa sainte nativité et par toutes les circonstances qui l'accompagnent, nous procure aujourd'hui la paix avec Dieu, la paix avec nous-mêmes, et la paix avec nos frères.
      BOURDALOUE, Sermon sur la Nativité de Jésus-Christ.

Par ext. Fête anniversaire de la naissance du Christ (⇒ **Noël**), de la Sainte Vierge (8 septembre), de saint Jean-Baptiste (24 juin).

Arts. *Une nativité :* un tableau, une sculpture représentant la nativité du Christ.

2   Le Nouveau Testament change le génie de la peinture. Sans lui rien ôter de sa sublimité, il lui donne plus de tendresse. Qui n'a cent fois admiré les *Nativités,* les *Vierges et l'Enfant,* les *Fuites dans le désert,* les *Couronnements d'épines* (...)
      CHATEAUBRIAND, le Génie du christianisme, III, I, IV.

♦ **3.** (XVIᵉ). Astrol. (→ Bénin, cit. 8). *Thème de nativité :* état du ciel, des astres au moment de la naissance d'une personne.

Par extension :

3   Le guignon et les méchantes fées bossues présidèrent à ma nativité.
      Th. GAUTIER, le Capitaine Fracasse, XVII.

NATRÉMIE [natʀemi] n. f. — 1945, Garnier-Delamare ; de *natrium,* nom scientifique du sodium, et *-émie.*

♦ Méd. Taux de sodium dans le sang (dans les cellules sanguines et dans le plasma).

NATRIUM [natʀijɔm] n. m. — 1842 ; latin savant, de l'esp. *natron.* → Natron.

♦ Chim. Ancien nom du sodium, d'où ce corps tire son symbole *Na.* ⇒ **Sodium.**

DÉR. Natrémie, natriurie.

NATRIURIE [natʀijyʀi] n. f. — Probablt mil. XXᵉ (→ Natrémie) ; de *natrium,* et *-urie,* du grec *ourein* « uriner ».

♦ Méd. Élimination de sodium par les urines.

NATRON [natʀɔ̃] ou **NATRUM** [natʀɔm] n. m. — 1665, *natron ; natrum,* 1765 ; esp. *natron ;* arabe *naṭrūn,* même sens.

♦ Chim. Carbonate naturel de sodium cristallisé (on dit aussi *natrite,* n. f.). *Chez les Égyptiens, le natron servait à la conservation des momies* (cit. 2).

1   On a donné le nom de sel mural au natron qui se forme contre les vieux murs (...)
      BUFFON, Hist. des minéraux, Alcalis et combinaisons.

Par métaphore :

2   (...) la conservation des familles, je l'oublie toujours, passe par le sel des baptêmes, le sucre des confitures et le natron des regrets.
      Hervé BAZIN, Cri de la chouette, p. 274.

NATTAGE [nataʒ] n. m. — 1835 ; de *natter.*

♦ Action de natter ; résultat de cette action.

NATTE [nat] n. f. — XIᵉ, *nate ;* du lat. médiéval *natta,* altér. du bas lat. *matta,* mot d'orig. phénicienne.

♦ **1.** Pièce d'un tissu fait de brins* végétaux entrelacés à plat, d'un travail plus ou moins fin, généralement destinée à recouvrir une partie du sol pour y marcher ou s'y reposer. *Natte de paille, de roseau, de jonc** (cit. 7), *de sparte, de raphia... Les nattes, ouvrages de sparterie, sont faites à la main. Natte naturelle, de couleur, décorée, peinte* (→ Japonaiserie, cit. 1). *Les nattes servent en Afrique et en Orient de tapis** *ou de couchettes. S'asseoir* (→ Fondouk, cit. 2), *s'accroupir, s'étendre sur une natte* (→ Mélopée, cit. 2). *Coucher sur une natte* (→ Lit, cit. 2). *Natte grossière pour s'essuyer les pieds.* ⇒ **Paillasson.**

1   Une fine natte de joncs tressés, où se mélangeaient diverses couleurs formant des symétries, couvrait le plancher (...)   Th. GAUTIER, le Roman de la momie, VI.

2   Et quand descend le soir au manteau d'écarlate,
     Tu poses doucement ton corps sur une natte (...)
      BAUDELAIRE, les Épaves, Pièces diverses, XX.

3 Deux jeunes garçons, à genoux près de la lampe à opium, disposèrent aussitôt, l'une sur l'autre, trois nattes plus fines qu'un tissu de lin.
Claude FARRÈRE, la Bataille, VI.

Spécialt. Franç. d'Afrique. Natte, servant de matelas ou de tapis de sol.

3.1 Chacun étale sa natte autour du feu et dort.
A. KANTA, Lélée, *in* Sahel Hebdo n° 27, 1976 (*in* I. F. A.).

♦ **2.** Tresse plate. ⇒ **Tresse**. *Natte à trois, quatre, six... brins. Natte de fils, cordons.*

Mar. *Natte en fils de caret pour protéger un cordage, un mât contre le frottement.* ⇒ **Garniture, paillet.**

♦ **3.** (1690). Tresse de cheveux (→ Chevelure, cit. 3). *Les nattes, coiffure pour cheveux longs. Jeune fille qui porte une natte. Épaisses nattes roulées en colimaçon sur les oreilles.* ⇒ **Macaron**; → Coiffure, cit. 7. *Natte entourant la tête. Défaire ses nattes.* ⇒ **Dénatter** (se). *Natte postiche.*

4 Les nattes de sa chevelure largement tressée formaient au-dessus de sa tête une haute couronne (...) BALZAC, la Femme de trente ans, Pl., t. II, p. 758.

5 (...) je passai mes mains derrière son cou, en soulevant les nattes de ses cheveux qu'elle portait sur les épaules, soit que ce fût encore son âge, soit que sa mère voulût la faire paraître plus longtemps enfant, afin de se rajeunir elle-même (...)
PROUST, À la recherche du temps perdu, t. III, p. 84.

♦ **4.** Archit. Motif d'ornement en forme de natte horizontale, utilisé dans le style roman.

♦ **5.** Boulang. Sorte de petit pain. ⇒ **Natté, 2.**

DÉR. Nater, 1. nattier.

NATTÉ [nate] n. m. — xxᵉ; attesté 1894; de natter.

♦ **1.** Tissu en laine ou coton, dont l'armure est une variante de l'armure toile, présentant de petits damiers. *Un natté, du natté.*

♦ **2.** Petit pain fait de rubans de pâte tressés.

NATTER [nate] v. tr. — 1344, au sens 1.; de natte.

♦ **1.** Vx. Couvrir d'une natte (1.). *Natter un plancher. — Au p. p. Chambre nattée.*

Mod. *Tissu natté*, dont l'aspect rappelle celui d'une natte. — N. ⇒ **Natté.**

♦ **2.** Entrelacer, mettre en natte (2.). ⇒ **Tresser**. *Natter des cordons, de la soie...* Spécialt. *Natter ses cheveux* (→ Jonc, cit. 6), *se natter les cheveux. — Au p. p. Cheveux nattés en petites tresses* (→ Coiffure, cit. 6). *Barbe nattée* (→ Effigie, cit. 1).

1 Nattée à l'alsacienne, deux petits rubans voletant au bout de mes deux tresses, la raie au milieu de la tête, bien enlaidie avec mes tempes découvertes et mes oreilles trop loin du nez (...) COLETTE, Bel-Gazou, p. 34.

2 Marguerite avait retiré son peigne et nattait mélancoliquement ses beaux cheveux.
G. DUHAMEL, Salavin, V, III.

CONTR. et COMP. Dénatter.
DÉR. Nattage, natté.

1. NATTIER, IÈRE [natje, jɛʀ] n. — xivᵉ; de natte.

♦ Techn. Personne qui fabrique et vend des nattes, des fibres pour tapis.

2. NATTIER [natje] adj. invar. — Déb. xxᵉ; du nom propre *Nattier*, peintre français du xviiiᵉ.

♦ *Bleu nattier* : bleu d'une nuance foncée particulière.

NATURALIBUS [natyʀalibys] ⇒ **In naturalibus.**

NATURALISATION [natyʀalizasjɔ̃] n. f. — 1566; de naturaliser.

Action de naturaliser; résultat de cette action.

★ **I.** ♦ **1.** Dr. internat. privé. «Institution en vertu de laquelle un individu qui ne possède, à raison de sa naissance *(jus sanguinis* ou *jus soli),* aucun lien avec un pays donné, peut obtenir sur sa demande, par acte discrétionnaire du chef de l'État, la nationalité de ce pays, s'il remplit les conditions formulées par la loi» (Capitant). ⇒ **Nationalité; indigénat** (vx). *Demande de naturalisation. Décret, lettre de naturalisation.*

La naturalisation française est accordée par décret après enquête.
Ordonnance du 19 oct. 1945, art. 60.

♦ **2.** Bot. et zool. Acclimatation* (cit.) durable d'une espèce végétale ou animale importée de la contrée où elle vit ordinairement.

♦ **3.** Fig. Acclimatation définitive (d'un mot, d'une expression, d'une idée, d'un procédé... venant de l'étranger).

2 D'autres ont poursuivi ce travail de naturalisation, de vulgarisation, d'adaptation des idées allemandes sur l'esthétique *(en France);* tel par exemple Henri Heine

qui, venu se fixer à Paris en 1831, a pu (...) initier Gautier (...) aux conceptions des philosophes et des écrivains allemands
MATORÉ, Introd., *in* GAUTIER, Préface de Mˡˡᵉ de Maupin, p. XLII.

★ **II.** (1907). Techn. Opération par laquelle on conserve un animal mort, une plante coupée, en lui donnant l'apparence de la nature vivante. *Naturalisation d'un renard, d'un oiseau...* (⇒ **Empaillage, taxidermie**), *d'un insecte, d'une plante.*

NATURALISER [natyʀalize] v. tr. — 1471; du rad. lat. de *naturel.*

★ **I.** ♦ **1.** Donner la qualité de naturel (III., 5.) d'un pays.

Dr. Assimiler (qqn) aux nationaux d'un État en lui accordant, par un acte légal, une nationalité qui n'est pas naturellement la sienne. ⇒ **Naturalisation**. *Se faire naturaliser Français. Étrangers qui ne sont pas naturalisés* (→ Aubaine cit. 1).

1 Nul ne peut être naturalisé s'il ne justifie de son assimilation à la communauté française, notamment par une connaissance suffisante selon sa condition de la langue française. Ordonnance du 19 oct. 1945, art. 69.

2 (...) il me serait indifférent de me faire naturaliser ottoman, de changer de nom et de patrie, mais, officiellement, je resterai chrétien. LOTI, Aziyadé, IV, I.

3 — Chez nous, c'est en France, dit Boris. — Non, c'est en Russie. — C'est en France, puisqu'ils *(nos parents)* nous ont fait naturaliser.
SARTRE, la Mort dans l'âme, p. 60.

Par métaphore :

4 Venez donc, ô riches, dans son Église; la porte enfin vous en est ouverte; mais elle vous est ouverte en faveur des pauvres et à condition de les servir. C'est pour l'amour des pauvres qu'il permet l'entrée à ces étrangers. Voyez le miracle de la pauvreté! Oui, les riches étaient étrangers; mais le service des pauvres les naturalise et leur sert à expier la contagion qu'ils contractent parmi leurs richesses.
BOSSUET, Sermon pour dimanche septuagésime, févr. 1659.

♦ **2.** (Fin xviᵉ). Bot., zool. Acclimater* de façon durable (une espèce végétale ou animale).

5 (...) nous sommes très portés à croire qu'on pourrait naturaliser cette espèce *(le paca)* en France (...)
BUFFON, Hist. nat. des animaux, Add. aux quadrup., Du paca.

♦ **3.** Fig. (1553). Introduire et acclimater définitivement. ⇒ **Naturalisation** (I., 3.). *Naturaliser un mot étranger. Le fjord* (cit. 1), *mot norvégien naturalisé dans plusieurs langues. Naturaliser une idée, une mode...*

6 Passionné pour les arts de l'Europe occidentale et résolu de les naturaliser dans son pays (...) MÉRIMÉE, Hist. du règne de Pierre le Grand, p. 89.

★ **II.** (1874). Techn. Conserver (un animal mort, une plante coupée) par naturalisation* (II.). ⇒ **Empailler.**

7 (...) le martin-pêcheur (...) consentit à mourir. Je le mis dans ma poche. Sans doute le naturaliserais-je, comme m'avait appris mon père. On fend la peau du ventre, on dégage les quatre membres, on les coupe aux ciseaux courbes, on les retire, on saupoudre la dépouille d'alun anhydre (...) et on conserve ce trophée (...) Hervé BAZIN, Vipère au poing, p. 182.

▶ **NATURALISÉ, ÉE** p. p. adj.

ⓐ Adj. Qui est naturalisé(e).
Animal naturalisé, empaillé. «*Un cachalot naturalisé*» (Giraudoux, *Siegfried*, p. 196).

Figuré et par plais. :

8 Seule peut-être Mᵐᵉ de Forcheville, comme injectée d'un liquide, d'une espèce de paraffine qui gonfle la peau mais l'empêche de se modifier, avait l'air d'une cocotte d'autrefois à jamais «naturalisée».
PROUST, le Temps retrouvé, Pl., t. III, p. 947.

ⓑ N. (au sens II). *Les naturalisés et les nationaux. Le naturalisé est soumis à certaines incapacités temporaires, en dehors des cas prévus par la loi* (Ordonnance du 19 oct. 1945, art. 81 à 83).
DÉR. Naturalisation.

NATURALISME [natyʀalism] n. m. — 1582, «interprétation mythologique des faits de la nature»; du rad. du lat. *naturalis.* → Naturel.

♦ **1.** (1752, Trévoux). Philos. Doctrine selon laquelle rien n'existe en dehors de la nature (II., 3.), qui exclut le surnaturel. *Naturalisme et panthéisme* (→ Monothéisme, cit.).

♦ **2.** Esthétique. (Peint., 1839). Représentation réaliste* de la nature. Hist., littér. (1868; mus., 1841). Doctrine et école qui proscrit toute idéalisation du réel (⇒ **Réalisme**) et insiste principalement sur les aspects qui dans l'homme relèvent de la nature et de ses lois. *Le naturalisme s'opposa au romantisme* (→ Mêmement, cit.). — Allus. littér. «*Naturalisme pas mort. Lettre suit*», texte d'un télégramme envoyé par le romancier naturaliste Paul Alexis en réponse à l'enquête du journaliste Jules Huret (1890).

1 J'ai lu, comme vous, quelques fragments de l'*Assommoir*. Ils m'ont déplu. Zola devient une précieuse, à l'*inverse*. Il croit qu'il y a des mots énergiques, comme Cathos et Madelon croyaient en un existait de nobles. Le *Système* l'égare... Il a des principes qui lui rétrécissent la cervelle. Lisez ses feuilletons du lundi, vous verrez comme il croit avoir découvert «le Naturalisme!»
FLAUBERT, Correspondance, 1623, 14 déc. 1876.

2 (...) la grande bataille qui décidera de la victoire du réalisme, du naturalisme, de l'*étude du roman* (Zola, les Goncourt) de ces deux romans («l'*Assommoir*» et «*Germinie Lacerteux*») ont choisi. Le jour où l'analyse cruelle que mon ami, M. Zola, et peut-être

moi-même, avons apportée dans la peinture du bas de la société, sera reprise par un écrivain de talent, et employée à la reproduction des hommes et des femmes du monde (...) ce jour-là seulement, le classicisme et sa queue seront tués.
Ed. DE GONCOURT, les Frères Zemganno, Préface.

3   (...) ce que je reproche au naturalisme, ce n'est pas le lourd badigeon de son gros style, c'est l'immondice de ses idées ; ce que je lui reproche, c'est d'avoir incarné le matérialisme dans la littérature, d'avoir glorifié la démocratie de l'art !
HUYSMANS, Là-bas, I.

4   Systématisé surtout par ZOLA, le réalisme aboutit ainsi au naturalisme, par lequel la littérature se subordonne non seulement à la science, mais à quelques-unes des thèses extrêmes du scientisme.
JASINSKI, Hist. de la littérature franç., t. II, p. 340.

CONTR. Fantastique, idéalisme.

NATURALISTE [natyʀalist] n. et adj. — 1527, au sens 1. ; dér. sav. de *naturel*.

★ **I.** N. ♦ **1.** Savant qui s'occupe spécialement d'histoire* naturelle. ⇒ **Botaniste, entomologiste, herpétologiste, minéralogiste, zoologiste...** (→ Analogie, cit. 3 ; empreinte, cit. 4 ; fabriquer, cit. 1 ; héliotrope, cit. 1). *Buffon, grand naturaliste du XVIIIe siècle. Les naturalistes du XIXe siècle adoptèrent le transformisme de Darwin* (→ Évolution, cit. 17). *Collections de naturaliste.* — REM. *Naturaliste* n'est plus guère employé qu'en parlant des professeurs d'histoire naturelle ; on lui préfère des mots plus précis pour désigner les spécialistes.

1   (...) quelque reproche que les modernes puissent faire aux anciens, il me paraît qu'Aristote, Théophraste et Pline qui ont été les premiers naturalistes, sont aussi les plus grands à certains égards.
BUFFON, Hist. nat., 1er disc., Manière de traiter l'hist. nat.

2   (...) il poursuivait la gloire de léguer un cabinet d'histoire naturelle à la ville de Soulanges ; dès lors, il passait dans tout le département pour un grand naturaliste, pour le successeur de Buffon.   BALZAC, les Paysans, Pl., t. VIII, p. 229.

3   C'était un superbe scarabée, inconnu à cette époque aux naturalistes, et qui devait avoir un grand prix au point de vue scientifique.
BAUDELAIRE, Trad. E. POE, Histoires extraordinaires, « Scarabée d'or ».

Par ext. Personne qui s'intéresse aux sciences naturelles (→ Combler, cit. 15).

4   Je retrouve chaque été les volumes de Fabre que je laisse à regret chaque automne. J'étais « naturaliste » avant d'être littérateur et les aventures naturelles m'ont toujours plus instruit que celles des romans.
GIDE, Nouveaux prétextes, Journal sans dates, VIII.

♦ **2.** (1845). Artisan qui procède à la naturalisation* (II.) des animaux et des plantes destinés aux collections. *Acheter des animaux empaillés, des papillons... chez un naturaliste.* ⇒ **Empailleur, taxidermiste.**

★ **II.** Adj. ♦ **1.** (1580). Philos. Qui est un adepte du naturalisme*. *Philosophe naturaliste. N. Un, une naturaliste.* — Qui se rapporte au naturalisme. *Philosophie, panthéisme naturaliste.*

♦ **2.** Esthétique. Qui pratique le naturalisme. ⇒ **Réaliste.** — Peint. (1675). Qui reproduit fidèlement la nature, évite l'idéalisation et l'imagination en art.

REM. Ce sens vague prendra une acception plus précise dans la deuxième moitié du xixe siècle, avec le *réalisme* et le *naturalisme,* qui insisteront sur le choix des sujets autant que sur la fidélité du peintre.

École, peintre naturaliste. — N. *Un, une naturaliste.*
Qui présente les caractères du naturalisme. *Paysage naturaliste. Dessin* (→ 7) *naturaliste.*

5   (...) je n'ai point parlé du dessin imaginatif ou de création, parce qu'il est en général le privilège des coloristes (...) Les purs dessinateurs sont des naturalistes doués d'un sens excellent : mais ils dessinent par raison, tandis que les coloristes, les grands coloristes, dessinent par tempérament et presque à leur insu (...) Un dessinateur est un coloriste manqué. Cela est si vrai, que M. INGRES, le représentant le plus illustre de l'école naturaliste dans le dessin, est toujours au pourchas de la couleur. BAUDELAIRE, Curiosités esthétiques, Salon de 1846, VIII.

6   Il y a deux manières de comprendre le portrait (...) L'une est de rendre fidèlement, sévèrement, minutieusement, le contour et le modelé du modèle, ce qui n'exclut pas l'idéalisation, qui consistera pour les naturalistes éclairés à choisir l'attitude la plus caractéristique *(à)* donner à chaque détail important une exagération raisonnable (...)   BAUDELAIRE, Curiosités esthétiques, Salon de 1846, IX.

(1877). Inspiré par le naturalisme ; adepte du naturalisme. *Écrivain naturaliste. Les Romanciers naturalistes,* œuvre de Zola. — N. *Les naturalistes du XIXe siècle.* — Qui présente les caractères du naturalisme. *Littérature* (cit. 14) *réaliste et naturaliste. Roman, théâtre naturaliste* (→ Garni, cit. 3).

7   (...) après les écoles littéraires qui ont voulu nous donner une vision déformée, surhumaine, poétique, attendrissante, charmante ou superbe de la vie, est venue une école réaliste ou naturaliste qui a prétendu nous montrer la vérité, rien que la vérité et toute la vérité.   MAUPASSANT, Pierre et Jean, « Le roman ».

8   (...) ce n'est pas une raison pour nier les inoubliables services que les naturalistes ont rendu à l'art ; car enfin, ce sont eux qui nous ont débarrassés des inhumains fantoches du romantisme et qui ont extrait la littérature d'un idéalisme de ganache (...)   HUYSMANS, Là-bas, I.

9   Le déterminisme du roman naturaliste écrase la vie, remplace l'action humaine par des mécanismes à sens unique. Il n'a guère qu'un sujet : la lente désagrégation d'un homme, d'une entreprise, d'une famille, d'une société (...)
SARTRE, Situations II, p. 172.

10   Toutefois un roman peut saisir la vie pendant de courtes durées, ont affirmé des

romanciers naturalistes. D'où leur expression : tranche de vie. Mais il n'y a pas de tranches de vie, il y a des chapitres.
MALRAUX, l'Homme précaire et la Littérature, p. 143.

CONTR. Fantastique, formaliste, idéaliste.

NATURALITÉ [natyʀalite] n. f. — 1290 ; empr. au lat *naturalitas,* de *naturalis* « naturel ».

♦ **1.** Vieilli ou didact. Caractère naturel. *Naturalité d'un phénomène.*

♦ **2.** Vx. État d'un national ou d'un naturalisé. *Lettres de naturalité,* de naturalisation.

NATURANTE [natyʀɑ̃t] adj. f. ⇒ **Nature** (II., 1.).

NATURE [natyʀ] n. f. — 1119 ; lat. *natura,* de *natus* « né ».

1   Le mot de nature est un de ces mots dont on se sert d'autant plus souvent que ceux qui les entendent ou qui les prononcent y attachent plus rarement une idée précise.   CONDORCET, Tronchin.

2   Le mot nature a (...) deux acceptions très différentes : l'une suppose un sens actif et général ; lorsqu'on nomme la nature purement et simplement, on en fait une espèce d'être idéal auquel on a coutume de rapporter, comme cause, tous les effets constants, tous les phénomènes de l'univers ; l'autre acception ne présente qu'un sens passif et particulier, et se dit lorsqu'on parle de la nature de l'homme, de celle des animaux (...) ce mot signifie (...) la quantité totale, la somme des qualités dont la nature, prise dans la première acception, a doué l'homme, les animaux (...)   BUFFON, Hist. nat. des oiseaux, Disc. s. nat. ois.

★ **I.** ♦ **1.** (Qualifié : *la nature de...*). Ensemble des caractères, des propriétés qui définissent un être, une chose concrète ou abstraite, généralement considérés comme constituant un genre. ⇒ **Essence ; entité, quiddité.** *La nature opposée à l'accident, à l'existence. Connaître, ignorer la nature d'une substance,* ce qu'est* cette substance (→ Hormone, cit. 2). *La nature des choses. « De natura rerum »* (« De la nature des choses »), poème philosophique de Lucrèce. *Choses de même nature* (→ Galet, cit. 1), *de nature différente. Corps qui change de nature. Changer, altérer la nature de...* ⇒ **Dénaturer, transmuer.** *Nature ambiguë* (cit. 5), *bizarre de qqch. Double nature. Tenir de la nature de...* ⇒ **Participer.** — *La nature de la matière, de l'âme* (cit. 5 et 18), *de l'homme. « Je connus de là que j'étais une substance dont toute l'essence ou la nature n'est que de penser »* (Descartes ; → Âme, cit. 41). *La nature de Dieu, nature divine* (→ Appréhender, cit. 1). *Définir la nature de l'art* (→ Esthétique, cit. 1). *Nature d'un sentiment* (→ Leurrer, cit. 5). *La nature de l'amour-propre est de n'aimer* (cit. 44) *que soi.* — Dr. *La nature des biens et leur valeur* (→ Avis, cit. 24). — *Il est dans la nature de... que* (→ Agitation, cit. 12).

3   (...) on peut bien connaître l'existence d'une chose, sans connaître sa nature.
PASCAL, Pensées, III, 233.

4   Il y a cette différence entre la nature du gouvernement et son principe, que sa nature est ce qui le fait être tel ; et son principe, ce qui le fait agir. L'une est sa structure particulière, et l'autre les passions humaines qui le font mouvoir.
MONTESQUIEU, l'Esprit des lois, III, I.

5   (...) un fait *dont nous ne connaissons pas la nature,* alors même que tout nous oblige à admettre son existence, demeure pour nous comme s'il n'était pas.
J. PAULHAN, Entretien sur des faits divers, p. 35.

Spécialt. *La nature de l'homme, la nature humaine. Double nature de l'homme, selon les chrétiens* (→ Concupiscence, cit. 3). *Nier le concept de nature humaine.* ⇒ **Essence** (cit. 8), **existence.** — Par ext. *La nature humaine considérée comme immuable, diverse, perfectible. La nature humaine :* l'homme, le genre humain. « *Il veut du mal à toute la nature humaine* » (Académie).

6   (...) comme l'homme n'est pas une nature purement intelligente, et qu'il est, ainsi qu'il a été dit, une nature intelligente unie à un corps (...)
BOSSUET, Traité de la connaissance de Dieu..., IV, 1.

7   Voilà l'état où les hommes sont aujourd'hui. Il leur reste quelque instinct impuissant du bonheur de leur première nature, et ils sont plongés dans les misères de leur aveuglement et de leur concupiscence, qui est devenue leur seconde nature.
PASCAL, Pensées, VII, 430.

8   La nature de l'homme se considère en deux manières : l'une selon sa fin, et alors il est grand et incomparable ; l'autre selon la multitude, comme on juge de la nature du cheval et du chien, par la multitude (...)   PASCAL, Pensées, VI, 415.

Que peut bien être la nature d'un homme, en dehors de ce qu'il est concrètement dans son existence présente ?   SARTRE, Situations III, p. 208.

Théol. *L'union des deux natures* (divine et humaine) *en Jésus-Christ.*

Philos. *Natures simples dans la philosophie cartésienne* (âme, étendue, temps). — REM. Ce sens est vieilli. ⇒ **Substance.**

DE SA NATURE, PAR SA NATURE. ⇒ **Essentiellement, originellement, soi** (en soi). *Des droits qui sont de leur nature incessibles* (cit.). *Dieu est par sa nature au-dessus de tout* (→ 2. Être, cit. 18), *incompréhensible* (cit. 6) *aux hommes.*

10   La pensée est donc une chose admirable et incomparable par sa nature.
PASCAL, Pensées, VI, 365.

DE NATURE À... : propre à, susceptible de... (en parlant des choses). *Recherches de nature à bouleverser la science* (→ Intérêt, cit. 26). *Être de nature à exciter les suffrages* (→ Applaudir, cit. 21).

11   (...) qu'y avait-il dans tout cela qui fût de nature à m'émouvoir si fort et à se graver dans ma mémoire comme une eau-forte (...)?
BARBEY D'AUREVILLY, les Diaboliques, « Dessous de cartes... »

12 Mais, ne craignez rien, ne craignez rien : ce que je peux vous dire de M. Mayer n'est pas de nature à modifier les sentiments que vous lui portez.
G. DUHAMEL, Salavin, V, I.

DE... NATURE... (qualifié). ⇒ **Catégorie, classe, espèce, genre, manière, ordre, sorte** (→ fam. Acabit, calibre, cuvée, etc.). *Des obstacles de toute nature* (→ Linguistique, cit. 3). *Le mal, de quelque nature qu'il soit* (→ Indignation, cit. 2). *Des besoins d'une autre nature. Des réformes de cette nature sont difficiles.* ⇒ **Caractère** (→ Exécution, cit. 7). *Des emplois de cette nature, comme* ceux-ci, tels que ceux-ci* (→ Dignité, cit. 1). *Il n'a eu de discussion d'aucune nature avec eux* (→ Guerre, cit. 8). *Selon la nature du terrain...*

13 Sous des déguisements de diverse nature.
MOLIÈRE, Psyché, III, 1.

♦ **2. Absolt.** Ensemble des caractères innés (physiques ou moraux) propres à une espèce, et, spécialt, à l'espèce humaine ; le principe interne qui détermine ces caractères. *Besoin de nature* (→ Infidélité, cit. 11). ⇒ **Inclination, penchant.** *Les sentiments de la nature et les passions factices* (cit. 3). *La nature nous donne rarement le goût de ce qui nous est mauvais* (cit. 11). *Les forces meurtrières de la nature* (→ Bataille, cit. 17). *Dépravation, vices de la nature* (→ Homme, cit. 66 ; misanthrope, cit. 2). *Combattre, étouffer* (cit. 30) *la nature. Il faut être soi et ne point lutter* (cit. 5) *contre la nature. Tout ce qui gêne* (cit. 5) *et contraint la nature. Forcer* la nature. Céder à la nature. Résister à l'amour est contre nature* (→ Fermeté, cit. 5 ; fidélité, cit. 5). *Le célibat* (cit. 3), *état contraire à la nature. Suivre la nature* (→ ci-dessous II., 1.).

14 J'ai pris (...) bien simplement et cruement pour mon regard ce précepte ancien : que nous ne saurions faillir à suivre nature, que le souverain précepte c'est de se conformer à elle. Je n'ai pas corrigé, comme Socrate, par force de la raison mes complexions naturelles, et n'ai aucunement troublé par art mon inclination. Je me laisse aller, comme je suis venu, je ne combats rien (...)
MONTAIGNE, Essais, III, XII.

15 (...) dès leur plus tendre jeunesse ils se livrent à tout ce que la nature leur suggère : rien n'est si rare que de trouver dans ce peuple quelque fille qui puisse se souvenir du temps auquel elle a cessé d'être vierge.
BUFFON, Hist. nat. de l'homme, Variétés espèce humaine.

16 (...) on n'est fort qu'en contrariant la nature. L'arbre naturel n'a pas de beaux fruits (...)
RENAN (→ Espalier, cit. 3).

17 Une telle violence à la nature ne va pas sans douleur.
André SUARÈS, Trois hommes, « Dostoïevski », IV.

Les liens naturels, par le sang ; la parenté. *Les liens de la nature.* ⇒ **Sang** (→ Infidélité, cit. 9). *Le cri de la nature. L'amitié nous joignit* (cit. 11) *plus que la nature.*

18 La nature pour lui n'est plus qu'une chimère :
Il méconnaît sa sœur, il méprise sa mère ! RACINE, la Thébaïde, II, 3.

Spécialt. **[a]** *Les instincts de la chair* (fig.). (→ ci-dessus, cit. 15, Buffon. *La nature est forte chez eux* (→ Homme, cit. 78). — REM. Il s'agit le plus souvent des instincts considérés comme normaux (→ ci-dessous *Crime contre nature*, II., 2.).

19 Cela est plaisant, oui, ce mot de mariage ; il n'y a rien de plus drôle pour les jeunes filles : ah ! nature, nature ! MOLIÈRE, le Malade imaginaire, I, 5.

20 Elle se desséchait avant l'âge, et comme la nature en elle ne s'était point encore apaisée, il y avait perpétuellement à craindre quelque drame.
ARAGON, les Beaux Quartiers, I, XI.

C'est la nature, se dit des activités sexuelles considérées comme une manifestation spontanée et normale de la vie.

21 Il ne songeait pas à lâcher une de ces gaillardises, dont les garçons de ferme s'égayaient avec les filles qui amenaient ainsi leurs vaches. Cette gamine semblait trouver ça tellement simple et nécessaire qu'il n'y avait vraiment pas de quoi rire, honnêtement. C'était la nature. ZOLA, la Terre, I, I.

[b] Vx ou régional. Sexe, parties sexuelles. « *On y portait un phallus, qui est la semblance de la nature d'un homme* » (Amyot, in Huguet).

♦ **3. Spécialt et absolt.** Ce qui est inné, spontané, par oppos. à ce qui est acquis (par la coutume, la vie en société, la civilisation...). *L'homme dans l'état de nature.* ⇒ **État** (cit. 100 ; → Égalité, cit. 5 ; éloigner, cit. 18). → ci-dessous II., 2. *L'État de pure nature* (→ Barbare, cit. 10 et 13).

Fig. et vieilli. Être dans l'état de nature, tout nu. *C'est la société qui a dépravé la nature* (→ Homme, cit. 74). *L'étude ajoute* (cit. 6) *à la nature.*

22 Les lois de la conscience, que nous disons naître de nature, naissent de la coutume ; chacun ayant en vénération interne les opinions et mœurs approuvées et reçues autour de lui (...) MONTAIGNE, Essais, I, XXIII.

Seconde nature : les caractères qui ont pris la force, l'importance de caractères innés. *La coutume, l'habitude* (cit. 45 et 48) *est une seconde nature.*

23 (...) la coutume est une seconde nature, qui détruit la première. Mais qu'est-ce que nature ? pourquoi la coutume n'est-elle pas naturelle ? J'ai grand'peur que cette nature ne soit elle-même qu'une première coutume, comme la coutume est une seconde nature. PASCAL, Pensées, II, 93.

Théol. Se croire saint par nature et non par grâce (→ Enfler, cit. 31).

♦ **4.** *La nature de qqn ; une nature :* l'ensemble des éléments innés (dans le physique, et plus couramment dans le caractère) d'un individu. ⇒ **Naturel** ; **génie** (II., A. 1.) ; **idiosyncrasie** (cit. 2) ; **tempérament.** *Nature physique.* ⇒ **Complexion, constitution.** *Être de nature délicate, vigoureuse. Nature morale.* ⇒ **Caractère, naturel, person-**

nalité. *Avoir une nature chagrine* (→ Moderne, cit. 2), *excessive* (cit. 10), *patiente. Sa nature artistique* (→ Artiste, cit. 11). *Leurs natures disparates s'accordaient* (cit. 32). — (Opposé à *caractères acquis*). *Sa vraie nature, sa nature foncière* (→ 1. Masque, cit. 18). *Cacher une nature aimante sous des dehors froids* (→ Jalousie, cit. 4). *L'éducation impose à l'enfant comme une seconde nature* (→ Amas, cit. 13).

24 On y saisit *(chez Marmontel)* à l'origine une nature prompte, facile, assez riche et très malléable, une nature très *naturelle*, si je puis dire, ouverte, franche, assez fière sans orgueil, sans fiel et sans aucun mauvais levain.
SAINTE-BEUVE, Causeries du lundi, 15 sept. 1851.

25 Bernard devait éprouver ce matin-là que, pour une nature généreuse autant que la sienne, il n'y a pas de plus grande joie que de réjouir un autre être.
GIDE, les Faux-monnayeurs, III, XIII.

Loc. Ce n'est pas dans sa nature. — **DE NATURE, PAR NATURE,** spontanément, d'une manière innée, naturelle. *Peuple badaud* (cit. 1) *de nature. De nature ou par état* (→ Laïc, cit. 3). *Indolent de sa nature* (→ Inquisition, cit. 2). *Démocrate par nature, aristocrate* (cit. 4) *par mœurs. Enclin par nature à...* (→ Attendre, cit. 81). *Attentif* (cit. 20), *indiscret* (→ Autrui, cit. 27) *par nature.*

26 Il y a deux hommes très distincts dans Frédéric II : un Allemand par la nature, et un Français par l'éducation. Mme DE STAËL, De l'Allemagne, I, XVI.

27 Pour accueillir et embrasser son fils, elle sourit de joie et de tendresse ; mais, silencieux par nature, renfermés tous deux, ils ne se disaient guère que ce qu'il était utile de se dire. LOTI, Ramuntcho, I, I.

Par ext. Une nature (accompagné d'un adjectif, d'un complément) : une personne* de telle ou telle nature. *Une nature violente* (→ 4. Casse, cit. 1). *Une nature insouciante* (→ Léger, cit. 34), *orgueilleuse* (→ Mission, cit. 7), *imaginative* (cit. 1). *Une de ces natures à la fois énergiques et délicates* (cit. 24). *C'était une nature de paysan* (→ Aiguiser, cit. 10). *Les natures absolues* (cit. 7), *simples* (→ Expression, cit. 3). — *Forte, riche nature ; natures supérieures* (→ Braver, cit. 10 ; humilier, cit. 25). *C'est une heureuse nature* (il est toujours satisfait), *une bonne nature* (il est d'humeur égale, douce).

28 Il dort ! cette riche nature a succombé à tant de secousses : il n'y a que nous autres qui sachions nous prêter à la douleur, il lui manque notre insouciance.
BALZAC, les Ressources de Quinola, III, 19.

29 (...) cette nature chaste, saine, ferme, droite, dure, candide, le charmait.
HUGO, les Misérables, III, IV, I.

30 Et si la plus humble sensation réclame déjà pour se produire un peu de bon vouloir et de foi, combien n'en faut-il pas pour atteindre la zone des jouissances violentes, quand on est une nature modérée.
J. ROMAINS, les Hommes de bonne volonté, t. V, XXVI, p. 268.

Absolt. C'est une nature, une forte personnalité (→ Falloir, cit. 31).

★ **II.** ♦ **1.** Principe* actif, souvent personnifié, qui anime, organise l'ensemble des choses existantes selon un certain ordre. *La nature, principe universel* (→ Individu, cit. 5), *puissance qui anime tout* (→ Immense, cit. 2). *Les lois** (cit. 56) *de la nature. L'égalité n'est pas une loi de la nature* (→ Dépendance, cit. 7). *La nature ne fait rien en vain. Les caprices, les jeux de la nature. La nature crée des formes* (→ Création, cit. 13). *La nature produit plus de mâles que de femelles* (cit. 1). → aussi ci-dessous le sens 5.

La nature personnifiée (→ Artificieux, cit. 1 ; assortir, cit. 12 ; inconvénient, cit. 2). *La mère nature* (→ Fatiguer, cit. 15 ; 1. Faucheur, cit. 2). *Marâtre nature !* (→ Durer, cit. 6, Ronsard). *La fantasque nature* (→ Jeannette, cit. 2).

La nature est indifférente, impitoyable, injuste (cit. 1)... *Accuser* (cit. 12) *la nature, se plaindre de la nature* (→ Insensé, cit. 5). *Vigueur* (→ Force, cit. 68), *exubérance* (cit. 1) *de la nature. L'homme n'a pas reçu le mal* (3. Mal, cit. 43) *de la nature.*

REM. En ce sens (comme aux sens II., 3. et 6.) on utilise souvent la majuscule, *la Nature.*

31 Nature a maternellement observé cela, que les actions qu'elle nous a enjointes pour notre besoin nous fussent aussi voluptueuses, et nous y convie non seulement par la raison, mais aussi par l'appétit : c'est injustice de corrompre ses règles.
MONTAIGNE, Essais, III, XIII.

32 La nature agit toujours avec lenteur, et pour ainsi dire avec épargne.
MONTESQUIEU, Lettres persanes, CXV.

33 Observez la nature, et suivez la route qu'elle vous trace. Elle exerce continuellement les enfants ; elle endurcit leur tempérament par des épreuves de toute espèce ; elle leur apprend de bonne heure ce que c'est que peine et douleur.
ROUSSEAU, Émile, I.

34 La nature est le système des lois établies par le Créateur pour l'existence des choses et pour la succession des êtres. La nature n'est point une chose, car cette chose serait tout ; la nature n'est point un être, car cet être serait Dieu ; mais on peut la considérer comme une puissance vive, immense, qui embrasse tout, qui anime tout (...) Cette puissance est celle de la Puissance divine, la partie que se manifeste (...) la nature est elle-même un ouvrage perpétuellement vivant, un ouvrier sans cesse actif (...) le temps, l'espace et la matière sont ses moyens, l'univers son objet, le mouvement et la vie son but.
BUFFON, Hist. nat. des animaux, Vue de la nature, I.

34.1 Non, Thérèse, non, il n'est point de Dieu, la Nature se suffit à elle-même, elle n'a nullement besoin d'un auteur, cet auteur supposé n'est que ce que nous appelons dans l'école une décomposition de ses propres forces, n'est que ce que nous appelons dans l'école une pétition de principes.
SADE, Justine..., t. II, p. 56.

35 Qui donc a dit que la nature ne fait pas de saut ? C'est Leibnitz, peut-être. En voilà une belle sottise ! La nature ne procède que par bonds et désordres soudains.
G. DUHAMEL, le Voyage de P. Périot, V.

35.1 C'est un état de modestie qui pousse l'homme civilisé à vivre parallèlement à la nature (ce qui lui évite d'ailleurs de rencontrer cette personne impitoyable).
J. GIRAUDOUX, Siegfried et le Limousin, p. 256.

36 (...) la Nature (...) cette grande Nature vague, qui gaspille le pollen et produit brusquement l'envol de mille papillons et dont on ne sait jamais si elle est l'enchaînement aveugle des causes et des effets ou le développement timide, sans cesse retardé, dérangé, traversé, d'une Idée. SARTRE, Situations III, p. 311.

Spécialt. Hist. de la philos. (Dans le stoïcisme). *Vivre conformément à la nature, suivre la nature :* principe de morale impliquant soumission à la finalité qui règne dans l'univers. — REM. On peut rapprocher cet emploi du sens II., 2.

(Dans la philosophie de Spinoza). *Nature naturante :* le monde considéré comme substance active, infinie, identifiée à Dieu (par oppos. à *nature naturée,* considérée comme diversité finie de modes). — REM. Ces deux expressions sont d'origine scolastique, et calquées du latin *(natura naturans, natura naturata).*

Loc. *Payer le tribut à la nature :* mourir.

37 Tous deux s'étant trouvés différents pour la cure,
Leur malade paya le tribut à Nature (...) LA FONTAINE, Fables, V, 12.

Origine, cause première des caractères innés (→ ci-dessus I., 3.) chez l'homme. *Race bien dotée, bien douée par la nature* (→ Aiguiser, cit. 12). *La nature l'avait affligé* (cit. 7) *d'une disgrâce. Ceux que la nature a favorisés* (cit. 2). *Les talents que lui donna la nature* (→ Abuser, cit. 4).

38 Cela me fait imaginer que le sort des femmes que la nature a disgraciées ne doit pas être heureux dans Taïti. DIDEROT, Suppl. au voyage de Bougainville, III.

La nature, opposée à l'homme (dans ses créations, ses ouvrages). → ci-dessous 4. et 7. *Dons de la nature et acquisitions de l'art* (cit. 28). *Rivière tracée par la nature* (→ Irrigation, cit. 1).

39 La nature est opiniâtre et lente dans ses opérations. S'agit-il d'éloigner, de rapprocher, d'unir, de diviser, d'amollir, de condenser, de durcir, de liquéfier, de dissoudre, d'assimiler, elle s'avance à son but par les degrés les plus insensibles. L'art, au contraire, se hâte, se fatigue et se relâche. La nature emploie des siècles à préparer grossièrement les métaux; l'art se propose de les perfectionner en un jour. La nature emploie des siècles à former les pierres précieuses, l'art prétend les contrefaire en un moment. DIDEROT, Interprétation de la nature, XXXVII.

Spécialt. (Relativement à l'état physique ou moral de l'homme). *La nature bienfaisante* (cit. 3) *rétablit ce que l'homme a détruit. Réparer par son art* (cit. 30) *ce qu'a détruit la nature. Laisser agir* (cit. 31), *laisser faire la nature. Médecin qui fait crédit* (cit. 5) *à la nature, qui aide la nature.*

40 — La nature, d'elle-même, quand nous la laissons faire, se tire doucement du désordre où elle est tombée (...) — Mais il faut demeurer d'accord (...) qu'on peut aider cette nature par de certaines choses (...:) — Lorsqu'un médecin vous parle d'aider, de secourir, de soulager la nature (...) il vous dit justement le roman de la médecine. MOLIÈRE, le Malade imaginaire, III, 3.

♦ **2.** «Principe fondamental de tout jugement normatif... (s'exprimant par) des règles idéales parfaites... dont les morales ou les législations humaines sont une imitation imparfaite» (Lalande). — REM. Ce sens s'est particulièrement développé au XVIIIe s., et confond plusieurs idées : celles d'instinct inné (I., 2.), d'ordre extérieur à l'action humaine (I., 3. et 4.) et de valeur morale.

Se modeler sur l'état de nature, revenir à l'état de nature.

Lois de nature. ⇒ 1. **Loi** (II., 1.). *Les guerres* (cit. 36) *font frémir la nature et choquent la raison. Les bornes que la nature a mises aux richesses* (→ Argent, cit. 37).

41 Ô nature, souveraine de tous les êtres, et vous ses filles adorables, vertu, raison, vérité, soyez à jamais nos seules divinités.
D'HOLBACH, Système de la nature, *in* LALANDE.

42 (...) il est manifestement contre la loi de nature (...) qu'un enfant commande à un vieillard, qu'un imbécile conduise un homme sage, et qu'une poignée de gens regorge de superfluités, tandis que la multitude affamée manque du nécessaire.
ROUSSEAU, De l'inégalité parmi les hommes, II.

43 Que le code des nations serait court, si on le conformait rigoureusement à celui de la nature! combien d'erreurs et de vices épargnés à l'homme!
DIDEROT, Suppl. au voyage de Bougainville, IV.

Chose contre nature, «*contre la loi de nature*» (Rousseau). «*J'ose presque dire que l'état de réflexion est un état contre nature*» (→ Animal, cit. 7, Rousseau). — REM. Dans les locutions *crimes, vices contre nature,* appliquées aux pratiques sexuelles condamnées (sodomie, etc.), *nature* désigne tout autant le principe moral que l'instinct supposé inné (I., 2.), considéré comme seul moral.

44 Je dirai bien que le crime contre nature ne fera jamais dans une société de grands progrès, si le peuple ne s'y trouve porté d'ailleurs par quelque coutume, comme chez les Grecs, où les jeunes gens faisaient tous leurs exercices nus (...)
MONTESQUIEU, l'Esprit des lois, XII, VI.

45 (...) veuillez à votre tour reconnaître que les goûts homosexuels ne vous paraissent plus aussi contraires à la Nature que vous les prétendiez ce matin.
GIDE, Corydon, IIe dialogue, VII.

♦ **3.** «L'ensemble des choses qui présentent un ordre, qui réalisent des types ou se produisent suivant des lois» (Lalande). Par ext. L'ensemble de tout ce qui existe sans l'action de l'homme. ⇒ **Monde, univers.** *Système de la nature* (systema naturæ), ouvrage de Linné. *De l'interprétation de la nature,* ouvrage de Diderot. *L'ordre de la nature* (→ Jour, cit. 30; miracle, cit. 3). *Les lois de la nature* (que l'on peut observer, constater dans la nature). → Automatisme, cit. 6; miracle, cit. 5. *La nature est éternelle* (→ Immobile, cit. 21). *Rien ne se perd, rien ne se crée dans la nature* (→ Matière, cit. 3). «*Tout ce monde visible n'est qu'un trait imperceptible dans l'ample sein de la nature*» (→ Atome, cit. 9). *Les corps de la nature s'attirent* (cit. 4) *réciproquement* (→ Attraction, cit. 1). *Les phénomènes* de la nature* (Expérimentateur, cit. 2). *Les métamorphoses de la nature* (→ Métamorphoser, cit. 2). *Les secrets de la nature* (→ Magie, cit. 5). *Place de l'homme dans la nature* (→ Égard, cit. 7; homme, cit. 7 et 51). — *Les Harmonies* (cit. 40) *de la nature* (Bernardin de St-Pierre). *Illusion d'une morale de la nature, au XVIIIe siècle* (→ 1. Loi III., cit. 58 et ci-dessus 2.).

Aux petits des oiseaux, il donne leur pâture, 46
Et sa bonté s'étend sur toute la nature. RACINE, Athalie, II, 7.

Je travaille maintenant à examiner la vérité de la première *(opinion);* savoir, que la nature abhorre le vide (...) pour vous ouvrir franchement ma pensée, j'ai peine à croire que la nature, qui n'est point animée, ni sensible, soit susceptible d'horreur, puisque les passions présupposent une âme capable de les ressentir (...) 47
PASCAL, Lettre à M. Périer, 15 nov. 1647.

Quand on vient à comparer la multitude infinie des phénomènes de la nature avec les bornes de notre entendement et la faiblesse de nos organes, peut-on jamais attendre autre chose de la lenteur de nos travaux, de leurs longues et fréquentes interruptions et de la rareté des génies créateurs, que quelques pièces rompues et séparées de la grande chaîne qui lie toutes choses? 48
DIDEROT, Interprétation de la nature, VI.

Qui es-tu nature?... — Je suis le grand tout. Je n'en sais pas davantage (...) je suis eau, terre, feu, atmosphère, métal, minéral, pierre, végétal, animal. Je sens bien qu'il y a dans moi une intelligence (...) je sens cette puissance invisible (...) je ne la puis connaître (...) on m'a donné un nom qui ne me convient pas; on m'appelle *nature,* et je suis tout art (...) si tu considères seulement la formation d'un insecte, d'un épi de blé, de l'or et du cuivre, tout te paraîtra merveilles de l'art. 49
VOLTAIRE, Dict. philosophique, Nature.

Votre nature (...) n'est qu'un mot inventé pour signifier l'universalité des choses. 50
VOLTAIRE, Dialogues, XXIX, 2°.

Je ne médite, je ne rêve jamais plus délicieusement que quand je m'oublie moi-même. Je sens des extases, des ravissements inexprimables à me fondre, pour ainsi dire, dans le système des êtres, à m'identifier avec la nature entière. 51
ROUSSEAU, Rêveries..., VIIe promenade.

Tôt ou tard le sentiment écrasant de la permanence de la nature vous emplit le cœur, vous remue profondément, et vous finissez par y être inquiets de Dieu. 52
BALZAC, le Curé de village, Pl., t. VIII, p. 658.

La nature est un drame avec des personnages; 53
J'y vivais, j'écoutais, comme des témoignages,
L'oiseau, le lys, l'eau vive et la nuit qui tombait.
HUGO, les Contemplations, V, III, IV.

Allus. littér. «*La Nature est un temple...*» (→ Forêt, cit. 7, Baudelaire). *Œuvre qui présente une image de la nature,* du monde (→ 2. Manuel, cit. 2). *Peindre la nature* (→ Création, cit. 12). *L'art** (cit. 73, 75 et 76) *et la nature. Imitation* (cit. 11) *de la nature. Égaler la nature par son art* (cit. 29).

Spécialt. ⇒ **Création.** *L'auteur de la nature* (→ Atome, cit. 7).

♦ **4.** Ce qui, dans l'univers, se produit spontanément, sans intervention du calcul, de la réflexion, de la volonté, considérés comme l'apanage de l'homme; tout ce qui existe sans l'action de l'homme. *La nature et la science, et l'art* (cit. 2, 26, 31 et 74). *La nature est une œuvre d'art et l'homme n'est qu'un arrangeur* (cit. 1) *de mauvais goût. Le beau* (cit. 4) *dans la nature et dans les arts. Corriger* (cit. 3, Voltaire) *la nature. Formes* (cit. 1) *géométriques, qui n'existent pas dans la Nature. Objets existant dans la nature* (→ Hiéroglyphe, cit. 2).

L'art, c'est la création propre à l'homme. L'art est le produit nécessaire et fatal d'une intelligence limitée, comme la nature est le produit nécessaire et fatal d'une intelligence infinie. 54
HUGO, Post-Scriptum de ma vie, I.

Ils étaient à peu près sûrs de ne pas changer d'avenir, s'il n'y avait pas de catastrophes, de guerre, de révolution. Ils vivaient heureusement dans un pays qui ne connaît guère les tremblements de terre, les cyclones, les raz de marée, les grandes épidémies : du côté de la nature au moins, ils se sentaient tranquilles. 55
P. NIZAN, le Cheval de Troie, I, II.

Spécialt. (Esthétique). Le naturel, la spontanéité (par oppos. à ce qui est artificiel, apprêté).

Nous avons changé de méthode : 56
Jodelet n'est plus à la mode,
Et maintenant il ne faut pas
Quitter la nature d'un pas.
LA FONTAINE, Lettre à M. de Maucroix, Relation fête donnée à Vaux.

Ce style figuré, dont on fait vanité, 57
Sort du bon caractère et de la vérité :
Ce n'est que jeu de mots, qu'affectation pure,
Et ce n'est point ainsi que parle la nature. MOLIÈRE, le Misanthrope, I, 2.

La nature dans l'homme : l'instinct, l'intuition (opposé à la raison, au calcul).

La raison nous trompe plus souvent que la nature. 58
VAUVENARGUES, Maximes et réflexions, 123.

♦ **5.** L'ensemble des choses perçues, et, spécialt, des choses visibles considéré par opposition aux idées, aux sentiments, en tant que milieu où vit l'homme*. — REM. Ce sens exclut non seulement les œuvres humaines comme le précédent, mais encore, de manière générale, l'homme lui-même.

La nature sensible. ⇒ **Réalité** (→ Idée, cit. 10). *Sciences abstraites et sciences de la nature* (sciences physiques, sciences naturelles* proprement dites...). *L'homme et la nature, dans la nature* (→ Milieu, cit. 29; modifier, cit. 1). *Au milieu d'une nature hostile, inhospitalière* (→ Cruauté, cit. 13). *Nature vierge, indomptée. Transformer la nature* (→ Matière, cit. 20). *L'homme a dompté la nature. L'homme détruit, épuise* (cit. 3) *la nature.*

(...) au lieu de cette philosophie spéculative qu'on enseigne dans les écoles, on en peut trouver une pratique, par laquelle, connaissant la force et les actions du feu, de l'eau, de l'air, des astres, des cieux et de tous les autres corps qui nous environ- 59

nent (...) nous les pourrions employer en même façon à tous les usages auxquels ils sont propres, et ainsi nous rendre comme maîtres et possesseurs de la nature.
DESCARTES, Disc. de la méthode, VIᵉ partie.

60 (...) *nature* (...) désigne l'univers, le monde matériel (...) *la beauté de la nature, la richesse de la nature :* c'est-à-dire les objets du ciel et de la terre offerts à nos regards (...)
VOLNEY, la Loi naturelle, in LALANDE.

61 La nature physique a sans nul doute quelque action sur l'histoire des peuples, mais les croyances de l'homme en ont une bien plus puissante.
FUSTEL DE COULANGES, la Cité antique, III, XIV.

Les forces (cit.) *de la nature.* ⇒ **Élément.** — Fig. et fam. *Cet homme est une force* (cit. 73) *de la nature.*

Nature brute, nature inculte, et, par ext., nature cultivée* (incluant le travail de l'homme).

62 (...) il *(l'homme)* dit : la nature brute est hideuse et mourante ; c'est moi, moi seul qui peux la rendre agréable et vivante : desséchons ces marais (...) mettons le feu (...) à ces vieilles forêts déjà à demi consommées (...) une nature nouvelle va sortir de nos mains.

Qu'elle est belle, cette nature cultivée (...) mille (...) monuments de puissance et de gloire démontrent assez que l'homme, maître du domaine de la terre, en a changé, renouvelé la surface entière, et que de tout temps il partage l'empire avec la nature.
BUFFON, Hist. nat. des animaux, Vue de la nature, 1°.

♦ **6.** Spécialt. Le monde physique, hors l'homme et ses œuvres, en tant que milieu psychique, cause d'émotions, de sentiments.

REM. Dans ce sens, *nature* désigne surtout la surface terrestre en tant qu'elle présente un spectacle (→ Paysage) et qu'elle ne porte pas de traces de l'activité humaine dans ses aspects urbains. → Campagne.
Aimer, admirer la nature. Être amoureux (cit. 12) *de la nature* (→ Ascendance, cit. 2). *Le sentiment de la nature au XVIIIᵉ siècle, dans le romantisme. La mythologie* (cit. 1) *et le sentiment de la nature. Le spectacle de la nature* (→ Banquet, cit. 2). *Le silence* (→ 1. Calme, cit. 6), *le calme* (cit.) *de la nature. Les merveilles*, *les beautés de la nature... Communion avec la nature* (→ Assimiler, cit. 19). — *Vivre en pleine nature* (→ Idyllique, cit. 1). *Seul dans la nature...* (→ Borner, cit. 20, Lamartine). *Un coin de nature charmant.*

63 (...) la nature n'est que pour ceux qui habitent la campagne (...)
LA BRUYÈRE, les Caractères, XII, 110.

64 (...) il est intéressant pour des contemplatifs solitaires qui aiment à s'enivrer à loisir des charmes de la nature, à se recueillir dans un silence que ne trouble aucun autre bruit que le cri des aigles, le ramage entrecoupé de quelques oiseaux, et le roulement des torrents qui tombent de la montagne.
ROUSSEAU, Rêveries..., Vᵉ promenade.

65 Cet amour du monde, des arts et de la spirituelle causerie, n'empêchait pas madame Sophie Gay d'avoir le goût de la nature. Elle aimait les grands bois, les champs, les eaux, les jardins, les exercices champêtres, la culture des fleurs, la pêche à la ligne ; si les soirées se passaient dans l'atmosphère étincelante des salons, les matinées se rafraîchissaient à l'ombre et à la solitude des bois.
Th. GAUTIER, Portraits contemporains, Sophie Gay.

66 Hume bien l'air des bois cette semaine, et regarde les feuilles pour elles-mêmes ; pour comprendre la nature, il faut être calme même.
FLAUBERT, Correspondance, 341, 4 sept. 1852.

67 Notez bien cette hirondelle ; c'est la première et qui annonce un nouveau printemps de la langue ; on ne commence à la voir paraître que chez Rousseau. C'est de lui que date, chez nous, au XVIIIᵉ siècle, le sentiment de la nature.
SAINTE-BEUVE, Causeries du lundi, 4 nov. 1850.

68 Nature au cœur profond sur qui les cieux reposent,
Nul n'aura comme moi si chaudement aimé
La lumière des jours et la douceur des choses,
L'eau luisante et la terre où la vie a germé.
Cᵉˢˢᵉ DE NOAILLES, le Cœur innombrable, « Offrande à la nature ».

« *Gardez* (cit. 56), *belle nature...* ». *Mais la nature est là* (cit. 27, Lamartine)... *L'impassible* (cit. 6) *nature a déjà tout repris...* « *Nature au front serein...* » (→ Métamorphose, cit. 9). — REM. Les citations romantiques personnifient la nature visible et confondent ce sens de *Nature* avec le sens II., 1.

69 Ne me laisse jamais seul avec la Nature,
Car je la connais trop pour n'en pas avoir peur
Elle me dit : « Je suis l'impassible théâtre
Que ne peut remuer le pied de ses acteurs (...) »
Vivez, froide Nature, et revivez sans cesse (...)
Vivez, et dédaignez, si vous êtes déesse,
L'Homme, humble passager, qui dut vous être un Roi (...)
A. DE VIGNY, Poèmes philosophiques, « La Maison du Berger », III.

(En parlant d'un type particulier de paysage). *Une nature austère, sévère, impressionnante, écrasante* (cit. 3). *Nature douce, aimable...*

Spécialt. (En parlant de la vie, et surtout des végétaux, considérés comme un témoignage de la puissance d'expansion de la nature). *Le réveil de la nature au printemps* (→ Annoncer, cit. 6). *Jours d'automne* (cit. 5), *où la nature expire. Le deuil* (cit. 3) *de la nature. Nature morte et stérile* (→ Gui, cit. 3). *La nature s'éveille* (cit. 23), *renaît* (→ Engourdir, cit. 7). *Nature luxuriante* (→ Ébouriffer, cit. 3).

Par ext. et fam. *Il a dérapé et il est parti dans la nature :* il a quitté la route accidentellement (→ Entrer dans le décor*). — *Il s'est perdu, il a disparu dans la nature :* il se trouve dans un endroit indéterminé, on n'a aucune nouvelle de lui. — *Envoyer, expédier qqn dans la nature* (cf. Envoyer promener, envoyer paître...).

♦ **7.** Ce monde physique (→ ci-dessus, 6) en tant que modèle, impulsion créatrice pour l'art*, qui se propose de s'en inspirer, d'en donner un signe, une image par l'« imitation » (⇒ **Mimesis**). *Théories esthétiques de l'imitation de la nature, de la « belle nature », aux XVIIᵉ, XVIIIᵉ et XIXᵉ siècles.*

Peignons la nature, mais la belle nature : l'art ne doit pas s'occuper de l'imitation des monstres.
69.1
CHATEAUBRIAND, Atala, Préface.

J'en tiens pour le paradoxe de Wilde en art : la nature imite l'art ; et la règle de l'artiste doit être, non pas de s'en tenir aux propositions de la nature, mais de ne lui proposer rien qu'elle ne puisse, qu'elle ne doive imiter.
69.2
GIDE, Journal des Faux-monnayeurs, p. 35.

REM. *Nature* a ici un aspect normatif et correspond à une manifestation de « l'ordre des choses » (→ ci-dessus, 1. et 2. au sens de « principe créateur », 3. et 4. au sens d'« ensemble organisé, d'une spontanéité transcendante », par oppos. à l'artifice des œuvres humaines. *Figurine* (cit. 2), *automate capable d'imiter, d'égaler la nature.*

Loc. **D'APRÈS NATURE.** *Dessiner, peindre* *d'après nature* (cf. Sur le motif). — Fig. (littér.). *Portrait d'après* (cit. 66) *nature.* — ...QUE NATURE. *Buste* (cit. 6), *portrait plus grand, plus petit que nature. Ce portrait est remarquable de vie, il est plus vrai, plus vivant que nature.*

J'ai peint (...) d'après nature (...)
70
LA BRUYÈRE, Disc. à l'Académie, Préface, 15 juin 1693.

Je ne sais pas si je suis un comédien, un filou, un idiot ou un garçon très scrupuleux. Je sais qu'il faut que j'essaie de copier un nez d'après nature.
70.1
A. GIACOMETTI, Notes sur les copies, in l'Éphémère, hiver 1966.

Par appos. *Grandeur nature* (→ Figure, cit. 7), *demi-nature. Portrait grandeur nature* (→ Fusain, cit. 2 ; grandeur, cit. 37).

♦ **8.** a Vx. *Une nature :* un modèle.

Si vous prenez des natures énormes, que votre scène soit presque immobile ; si vous prenez des natures petites, que votre scène soit tumultueuse et troublée (...)
71
DIDEROT, Salon de 1767, in LITTRÉ.

b Mod. NATURE MORTE (XVIIIᵉ ; d'abord *nature inanimée*) : objets ou êtres inanimés faisant le sujet essentiel d'un tableau. — Genre de peinture qui s'attache à représenter divers objets ou êtres inanimés (notamment destinés à l'usage humain, tels que vaisselle, aliments, fleurs, instruments, livres...) naturellement groupés ou disposés à dessein. *Peintre qui excelle dans la nature morte ; peintre de nature(s) morte(s).* ⇒ **Naturemortiste.**

(Mil. XIXᵉ). Tableau dans ce genre de peinture. *Natures mortes de Chardin, de Cézanne. « La Raie »*, célèbre nature morte de Chardin. *Nature morte au pichet, aux oranges...,* se dit pour désigner un tableau de nature morte d'après l'objet principal autour duquel la composition est ordonnée.

Ces tableaux ont une grande tournure commune aux anciens tableaux de chasse ou de nature morte que faisaient les grands peintres (...)
72
BAUDELAIRE, Curiosités esthétiques, I, V.

(...) vous y trouverez des peintres de *conversations*, de paysages, d'animaux, de marines, de tableaux officiels, de nature morte, de fleurs (...)
73
E. FROMENTIN, Maîtres d'autrefois, p. 138.

(...) il lui suffit *(à Chardin)* d'un lièvre, d'un panier de fruits, d'un gobelet d'étain, qu'entourent de rares et pauvres objets, pour réussir des constructions où la grandeur de Poussin remplace le faste de Snyders. Haussant la nature morte au rang de peinture monumentale (...)
74
B. DORIVAL, la Peinture française, p. 124.

♦ **9.** EN NATURE : en objets réels, dans une échange, une transaction, sans intermédiaire monétaire (opposé à *en espèces*). *Don en nature. Paiement, restitution en nature* (→ 3. Mercuriale, cit. 1). *En argent* *ou en nature* (→ Mess, cit. 1). *Rente payable en nature* (→ Métayage, cit. 1). *Capital en nature* (en terres, immeubles...).

(...) nous qui devons parfois payer nos dépenses et en argent et en nature (...)
75
G. DUHAMEL, Refuges de la lecture, I, p. 49.

Rare. Sous sa forme originelle, sans avoir subi de transformation.

Si l'introduction des céréales est défendue en nature, les braves gens qui font les lois n'ont pas songé à prohiber les fabrications dont les blés sont le principe.
76
BALZAC, le Père Goriot, Pl., t. II, p. 1054.

★ **III.** Adj. et adv. ♦ **1.** Adj. invar. Fam. Qui est naturel, sans apprêt.

Cuis. Préparé simplement *(bœuf nature)* ; consommé sans accompagnement, sans assaisonnement (cf. Au naturel). *Fraises nature et fraises à la crème. Je préfère les huîtres nature.* — (En parlant des liquides). Pur. *Café nature,* noir.

Par extension :

Dans ce mien voyage de cure,
En dépit de Joanne et Chaix,
Je n'ai rien vu d'Aix-les-Bains qu'Aix
Pur, nature, sans fioriture.
77
VERLAINE, Dédicaces, XXIII.

Fam. Naturel, vrai, exact (cit. 14), en parlant d'un acteur dans son rôle, etc. *C'est nature !,* exclamation admirative, à la mode au XIXᵉ siècle.

(...) qu'il s'agisse de peinture, de vers, de prose, de l'Orient, de l'Espagne, de la Grèce, du peuple, du roi, du XVᵉ siècle (...) nous avons l'honneur de vous prévenir que vous paraîtriez arriver du Monomotapa, si vous ne disiez pas : C'est nature ! Oh ! c'est nature !... est l'expression d'une statue absorbée qui, assise, les bras pendants, écrasés par la sensation, la bouche entr'ouverte, les yeux agrandis, admire (...)
78
BALZAC, Des mots à la mode, Œ. diverses, t. II, p. 36. (→ Galbe, cit. 4).

Nana était si blanche et si grasse, si nature dans ce personnage fort des hanches et de la gueule, que tout de suite elle gagna la salle entière.
79
ZOLA, Nana, I.

Il ne faut pas qu'on sente que le cinéma se tisse là... — Alors je garde ma cigarette.
Ça fera plus « nature »... — Bravo ! Tu deviens vedette.
80
R. DORGELÈS, la Drôle de guerre, XVI.

Il est nature, sans détours*, spontané, franc...

♦ **2.** Adv. Pop. ⇒ **Naturellement.**

81 — (...) ton fricot serait meilleur si t'ajoutais un peu de riz (...) — Quoi, du riz?... — Nature, du riz, approuve perfidement Fouillard.
R. DORGELÈS, les Croix de bois, IV.

DÉR. Naturel, naturisme, naturiste.
COMP. Dénaturer. Naturopathe. — Surnature.

NATURÉE [natyʀe] adj. f. ⇒ **Nature** II., 1.

NATUREL, ELLE [natyʀɛl] adj. et n. — 1160; *jorz naturals*, 1119, en parlant des jours astronomiques, sens étendu au XIIIᵉ; du lat. *naturalis*, de *natura* → Nature.

★ **I.** Relatif à la nature des choses ou à la Nature* (au sens II.).

♦ **1.** Qui appartient à la nature d'un être, d'une chose. *Caractères naturels. Épithètes* (cit. 1) *naturelles*, correspondant à la nature même de la chose qualifiée. *Le lyrisme* (cit. 2), *forme naturelle de la poésie.* ⇒ **Authentique.** — *Grandeur naturelle*, réelle. ⇒ **Grandeur** (nature), *supra* cit. 37.

Spécialt et vieilli. Qui appartient à la nature d'un lieu (en parlant d'un être vivant). ⇒ **Indigène** (et ci-dessous, III., 5.). *Plantes exotiques* (cit. 2) *et naturelles. Le faucon* (cit. 1), *animal naturel en France.*

♦ **2.** Relatif à la Nature, principe actif ou ensemble des choses présentant un ordre (⇒ **Nature,** II., 1. à 3.). *Phénomènes naturels.* (→ Expérimentateur, cit. 1). *Lois* (cit. 52) *naturelles. Forces naturelles. L'ordre naturel des choses* (→ Espace, cit. 27). *Les fruits, les fleurs..., productions naturelles* (→ 1. Fraise, cit. 1). — Vx. *Philosophie* naturelle.

Spécialt. *Sélection naturelle* (→ Lutte [cit. 11] pour la vie).

1   J'ai vécu sans nul pensement,
Me laissant aller doucement
À la bonne loi naturelle (...)   Mathurin RÉGNIER, Épitaphe, « Mathurin Régnier ».

2   (...) la vie universelle est là dans toute sa sérénité religieuse; nul trouble; partout l'ordre profond du grand désordre naturel (...)
HUGO, l'Archipel de la Manche, IV.

3   Il n'y a de solide et de durable que ce qui est naturel, et la chose naturelle en politique est la Famille.   BALZAC, le Curé de village, Pl., t. VIII, p. 720.
Sciences naturelles, se dit spécialt des sciences étudiant les êtres vivants (par oppos. aux *sciences physiques proprement dites*). ⇒ **Science.** — *Histoire naturelle.* ⇒ **Histoire** (cit. 37 et *supra*), et aussi **naturalisme, naturaliste** (cit. 4).

♦ **3.** Qui appartient à la nature des choses (opposé à *miraculeux, surnaturel...*) → Iconographie, cit. 1; invocation, cit. 1. — Théol. Tiré de la nature (par oppos. à *révélé*). *La « Théologie Naturelle »* de R. Sebond (traduite par Montaigne). *Lumières, raisons naturelles* (→ Athée, cit. 2, Pascal).

♦ **4.** Relatif au monde physique, à l'exception de l'homme et de ses œuvres (opposé à *humain, artificiel...*). *Captation* (cit. 1) *des forces naturelles par l'homme. Richesses naturelles du monde. Herbages* (cit. 1 et 2) *naturels, prairies naturelles* (opposé à *artificiel*). *Défense naturelle contre les invasions* (→ Impénétrabilité, cit. 4). *Frontières* (cit. 4) *naturelles.* — *Fruits* (cit. 33) *naturels et industriels. Eau* (cit. 1) *naturelle* (cf. Aqua simplex).

(Avec un subst. désignant habituellement un ouvrage humain). *Ciselures naturelles d'une caverne* (cit. 2). — *Merveilles, curiosités naturelles.*

4   (...) je ne reconnais aucune différence entre les machines que font les artisans et les divers corps que la nature seule compose (...) il est certain que toutes les règles des mécaniques appartiennent à la physique, en sorte que toutes les choses qui sont artificielles sont avec cela naturelles (...)   DESCARTES, Principes, IV, § 203.

5   On eût dit une coupure pratiquée de main d'homme à travers l'épaisse muraille de la montagne, plutôt qu'une ouverture naturelle (...)
Th. GAUTIER, le Roman de la momie, Prologue.
Spécialt. Qui n'a pas été modifié par l'homme. ⇒ **Brut.** *À Versailles, la nature n'a plus rien de naturel* (→ If, cit. 3). — (En parlant de produits de consommation). *Eau minérale naturelle* (opposé à *traitée, gazéifiée*). *Alimentation naturelle. Cire* naturelle, vierge, non fondue. *Soie naturelle, cuir naturel. Gaz naturel. Port, abri naturel.*

(En parlant de produits fabriqués par l'homme). Qui n'est pas altéré, frelaté. ⇒ **Pur.** *Vin naturel. Eau-de-vie naturelle* (→ Honnête, cit. 35).
Mus. Qui n'a subi aucune altération. *Note naturelle* (par oppos. à *bécarre, dièse, bémol*). *Ton* naturel. *Gamme naturelle.*

♦ **5.** Qui se trouve dans la nature, n'est pas le fruit de la pensée (par oppos. à *idéal*). *Solides naturels et idéaux* (1. Idéal, cit. 3). *Formes naturelles* (→ 1. Idéal, cit. 8).
Math. *Nombres naturels*, les entiers non qualifiés par oppos. aux *nombres fractionnaires, irrationnels, incommensurables* (cit. 2). *Suite naturelle des nombres. Logarithmes naturels* (népériens). *Entiers naturels*, ou, n. m., *les naturels* : les nombres entiers naturels.
Ling. *Genre* (cit. 24 et 27) *naturel* (opposé à *genre grammatical*). — Vx. *Sens naturel* (⇒ **Propre**) *et sens figuré.*

6   (...) il y a aussi deux styles dans le langage, *le naturel* et *le figuré*. Le premier

exprime ce qui se passe hors de nous et dans nous par des causes physiques; il compose le fond des langues, s'étend par l'expérience, et peut être aussi grand que la nature.   RIVAROL, Littérature, De l'universalité de la langue franç.

Classification naturelle (opposé à *arbitraire*; → Équation, cit. 2).

♦ **6.** Fondé sur la nature, imposé par la nature en tant que principe normatif. ⇒ **Nature** (II., 2.). *Les droits naturels de l'homme.* ⇒ 3. **Droit,** I., 2.; → Liberté, cit. 23. *Le droit naturel* (opposé au *droit positif, formulé*). ⇒ 3. **Droit** (III., 1.). → Esclave, cit. 1; ignorance, cit. 2. *La loi naturelle.* ⇒ 1. **Loi** (cit. 47, 51 et 58). *L'ordre naturel* (→ Gouverner, cit. 35). *Le nécessaire a sa mesure naturelle* (→ Besoin, cit. 13). — *Religion naturelle* (→ Imputer, cit. 17).

Spécialt. (Opposé à *civil, politique...*). *Liberté* (cit. 17) *naturelle, civile et politique. Inégalité* naturelle et inégalité sociale (→ Factice, cit. 4). — *L'homme naturel selon Rousseau*, dans l'état de nature (II., 2.; → Déviation, cit. 3).

7   Elle *(la cousine Bette)* ne domptait que par la connaissance des lois et du monde, cette rapidité naturelle avec laquelle les gens de la campagne, de même que les Sauvages, passent du sentiment à l'action. En ceci peut-être consiste toute la différence qui sépare l'homme naturel de l'homme civilisé.
BALZAC, la Cousine Bette, Pl., t. VI, p. 165.

♦ **7.** Qui correspond à l'ordre habituel, à la « nature » des choses et des êtres, est considéré comme un reflet de l'ordre de la nature. ⇒ **Commun** (I., 5.); **normal.** *Chose naturelle* (→ Aimable, cit. 5). *Le côté* (cit. 16) *naturel et simple* des choses (opposé à *bizarre*). — *Conséquence naturelle.* ⇒ 1. **Logique** (II.). — *C'est naturel, tout naturel* (→ Cela coule* de source, cela va sans dire*, cela va de soi*). *Trouver fort naturel de...* ⇒ **Raisonnable** (→ Esprit, cit. 183). *Ne vous excusez pas, c'est tout naturel! bien naturel!*

8   Tous les sentiments sont dans l'homme, mais il en est certains pourtant que l'on appelle exclusivement naturels, au lieu de les appeler simplement plus fréquents.
GIDE, le Roi Candaule, Préface, 2ᵉ éd.

Spécialt. (Dans l'ordre moral). Qui est compréhensible* et parfois excusable, en parlant d'une action, d'un comportement parfois blâmable, mais considéré comme découlant de la nature humaine (cf. C'est humain) et opposé à *anormal, monstrueux.* ⇒ **Honnête** (II.). *Les gens trouvaient ce ménage* (cit. 14) *à trois naturel, gentil même...*

♦ **8.** (XIVᵉ). Spécialt. (Opposé à *légitime*). ⇒ **Illégitime.** *Enfant* naturel. ⇒ **Bâtard** (→ aussi héréditaire, cit. 1; héritier, cit. 7). *Le Fils naturel*, drame de Diderot; comédie de Dumas fils. *Héritiers* (cit. 6) *naturels. Père naturel.*

9   On répandit le bruit, pour justifier son changement de situation, d'un immense legs que son *père naturel*, le maréchal Montcornet, lui avait transmis par un fidéicommis.   BALZAC, la Cousine Bette, Pl., t. VI, p. 267.

★ **II.** (Mil. XIIIᵉ). Qui appartient à la nature humaine; qui témoigne ou qui résulte de la nature humaine (et aussi de la nature d'une espèce animale).

♦ **1.** Relatif à la nature humaine et, par suite, commun à l'humanité tout entière. *Langue* (cit. 26) *naturelle. Notion naturelle* (→ Juste, cit. 12). *L'instinct* (cit. 1), *impulsion naturelle. La Fable* (cit. 14) *est un genre naturel.*

Spécialt. Relatif aux fonctions de la vie (spécialt, chez l'homme). ⇒ **Corporel.** *Besoins* naturels. *Excréments* (cit. 1) *naturels, digestions naturelles* (→ Excrétion, cit. 1). *Fonctions naturelles.* ⇒ **Physiologique.** — (En parlant des instincts de la reproduction). ⇒ **Charnel** (1.); → Génération, cit. 7; génital, cit. — Par ext. (Vieilli). *Parties naturelles*, sexuelles.

♦ **2.** Qui est inné* en l'homme (en parlant d'un individu [⇒ **Nature** I., 4., et ci-dessous, III., 1.], d'un groupe ou de l'ensemble des hommes) [opposé à *acquis, appris, éduqué...*]. ⇒ **Infus** (2.), **inné, naïf** (vx), **natif.** *Disposition, inclination* naturelle (→ Aptitude, cit. 11). *Penchant* (→ Altérer, cit. 7), *goût naturel* (→ Abuser, cit. 6; cadence, cit. 2). *Sentiment naturel* (→ Amour, cit. 50; 1. Mère, cit. 10). *Talent naturel* (→ Bon, cit. 41), *qualité naturelle* (→ Apanage, cit. 6; héros, cit. 22). *Aversion* (cit. 1) *naturelle pour... Sa timidité naturelle* (→ Entreprenant, cit. 6). — *Intuition* (cit. 4) *acquise et naturelle. Caractères naturels ou acquis* (→ Caractériser, cit. 2). *Éducation* (cit. 17) *et qualités naturelles. Tempérament naturel et éducation* (→ Irrécusable, cit. 2). *« Pour bien écrire il faut une facilité* (cit. 12) *naturelle et une difficulté acquise ».*

10 Une autre difficulté, c'est que ce prince, sous tous les vices acquis, en avait un naturel, fondamental et durable, qui ne finit pas par l'épuisement, comme les autres, qui reste fidèle à son homme. Je parle de l'avarice.
MICHELET, Hist. de la Révolution franç., I, V.

(Sports). *Méthode naturelle* ou *gymnastique naturelle* : méthode d'éducation physique élaborée par Hébert (*hébertisme*), consistant essentiellement à pratiquer huit genres d'exercices naturels (marche, course, saut, grimper, lever, lancer, lutte, nage) en plein air et le corps aussi dénudé que possible.

Il est naturel à l'homme de... (→ Bienheureux, cit. 5). *Vice naturel aux enfants* (→ Appliquer, cit. 36). → aussi *infra*, 4.

11 (...) convaincu que rien de ce qui m'est naturel n'est dangereux ou condamnable,

persuadé que l'on n'est jamais bien que quand on est selon sa nature, et décidé à ne jamais réprimer en moi ce qui tendrait à altérer ma forme originelle.
                                        É. DE SENANCOUR, Oberman, IV.

Spécialt. *Attachements naturels*, se dit des liens du sang.

(En parlant des animaux). *La vélocité naturelle du cerf* (cit. 5).

♦ **3.** (En parlant de caractères physiques qui n'ont pas été modifiés, dénaturés ou surajoutés). Qui appartient réellement à qqn. *Teint naturel et fard* (→ Farder, cit. 11). *Cheveux naturels et postiches* (→ Flot, cit. 11). *Couleur naturelle.* — *Rousse naturelle.*

Mort naturelle (opposé à *accidentel*, à *provoqué*).

12 Nous lui avons simplement demandé si le décès lui avait paru parfaitement naturel. Il nous a répondu que (...) le corps humain est exposé à des maux innombrables, qui peuvent de plus se combiner entre eux et aboutir à des formes de mort surprenantes bien qu'entièrement naturelles.
                                        J. ROMAINS, le Besoin de voir clair, Rapport, II.

♦ **4.** *Naturel à qqn* : habituel à qqn. *État naturel.* ⇒ **Normal.** *L'ambition ne m'est pas naturelle* (→ Candidature, cit. 2).

13 Qu'avez-vous? vous n'êtes pas dans votre état naturel; que vous est-il arrivé?
                                        DIDEROT, Éloge de Richardson.

14 On appelle *naturel* ce qui ne s'écarte pas de la manière habituelle d'agir.
                                        STENDHAL, De l'amour, XXXII.

♦ **5.** Relig. Qui appartient à la nature humaine (opposé à *divin*, *surnaturel*), à l'idée de grâce (cit. 35). *Raison naturelle et grâce, et révélation* (→ Astreindre, cit. 2). *Faiblesse* (cit. 17, Pascal) *naturelle de l'homme.*

15 Nous ne souffrons qu'à proportion que le vice, qui nous est naturel, résiste à la grâce surnaturelle (...)
                                        PASCAL, Pensées, VII, 498.

♦ **6.** (1640). Qui témoigne de la nature d'un individu et par suite exclut toute affectation, toute contrainte. ⇒ **Franc, sincère, spontané.** *Bonne grâce* (cit. 96) *et gaieté naturelles. Geste simple et naturel.* ⇒ **Aisé, 2.** (→ Attirer, cit. 29). *Tout est naturel en vous* (→ Affectation, cit. 8).

Par ext. (En parlant des personnes). Qui se comporte, agit, s'exprime... avec spontanéité, conformément à sa nature profonde (→ Grossier, cit. 4; guindé, cit. 10 ; honnête, cit. 19). *Être absolument naturel* (→ 1. Masque, cit. 16). *Rester, demeurer naturel* (→ Endosser, cit. 6; figure, cit. 18). *Il était naturel et vrai* (→ Composer, cit. 14).

15.1 *(La Dauphine)* entend et comprend facilement toutes choses; elle est naturelle, et non plus embarrassée ni étonnée que si elle était née au milieu du Louvre.
                                        Mme DE SÉVIGNÉ, Lettres, 29 mars 1680.

16 Rien n'empêche tant d'être naturel que l'envie de le paraître.
                                        LA ROCHEFOUCAULD, Maximes, 431.

17 (...) Gœthe serait plus volontiers amer que doucereux; mais ce qu'il est avant tout, c'est naturel; et sans cette qualité, en effet, qu'y a-t-il dans un homme qui puisse en intéresser un autre?
                                        Mme DE STAËL, De l'Allemagne, II, VII.

18 Cette femme est naturelle. En elle, jamais d'effort, elle n'affiche rien, ses sentiments sont simplement rendus, parce qu'ils sont vrais.
                                        BALZAC, Mme Firmiani, Pl., t. I, p. 1036.

19 Je tâche de me persuader aujourd'hui qu'il n'y a que les simples pour être naturellement naturels.
                                        GIDE, Si le grain ne meurt, I, VIII, p. 210.

♦ **7.** Spontané. *La pente naturelle de l'esprit. Logique naturelle et logique formelle* (vx).

Spécialt. Qui exclut la réflexion. *Scepticisme naturel et pessimisme réfléchi* (→ Mélange, cit. 14).

♦ **8.** Qui donne une impression de vérité, d'aisance, de simplicité (en parlant d'un écrivain, de son style...). ⇒ 1. **Coulant** (3.); **facile.** *Style naturel* (→ Attendre, cit. 104; auteur, cit. 30; lettre, cit. 35). *L'expression* (cit. 9, La Bruyère) *la plus naturelle. Beautés qui ne deviennent naturelles qu'à force d'art* (cit. 52). *Exposition* (cit. 9) *naturelle. Écrivain naturel* (→ Code, cit. 1, Stendhal). — REM. Ce sens, qui s'oppose à «artificiel, conventionnel, faux, forcé, compliqué», rejoint parfois (notamment chez les classiques) le sens I., 7. et s'oppose alors à «élaboré, savant».

20 Vous vous êtes réglé sur de méchants modèles,
    Et vos expressions ne sont point naturelles. MOLIÈRE, le Misanthrope, I, 2.

21 C'est alors que nous verrons sur la scène des situations naturelles qu'une décence ennemie du génie et des grands effets a proscrites. Je ne me lasserai point de crier à nos Français : La Vérité! la Nature! les Anciens! Sophocle! Philoctète!... La décoration était sauvage; la pièce marchait sans appareil. Des habits vrais, des discours vrais, une intrigue simple et naturelle.
                                        DIDEROT, Entretiens sur le Fils naturel, Pl., p. 1263.

22 Le cachet du génie est une certaine apparence de facilité. Son œuvre doit paraître, en un mot, ordinaire au premier aspect, tant elle est toujours naturelle, même dans les sujets les plus élevés. BALZAC, les Petits Bourgeois, Pl., t. VII, p. 114.

23 Dans tous les romans de M. Sue, il y a deux styles bien distincts; le style parlé et le style écrit, l'un bon et l'autre mauvais, l'un chaud, vif, libre, naturel (...)
                                        Th. GAUTIER, Souvenirs de théâtre..., Eugène Sue.

Peint. *Attitudes* (cit. 1), *poses naturelles dans un tableau.*

★ **III. NATUREL.** N. m. ♦ **1.** (xve). Ensemble des caractères physiques et moraux qu'un individu possède en naissant. ⇒ **Caractère** (II., 2., cit. 39), **complexion, constitution, humeur, nature, tempérament.** *Un naturel indolent* (cit. 3), *réfléchi* (→ Complexion, cit. 2), *bon, sincère* (→ Aviser, cit. 31). *Un heureux** (cit. 16) *naturel. Il est bavard* (cit. 4) *de son naturel. Corriger* le naturel de qqn.* — Allus. littér. *Chassez le naturel...* (→ Changer, cit. 43).

Votre compassion, lui répondit l'arbuste,   24
Part d'un bon naturel : mais quittez ce souci.   LA FONTAINE, Fables, I, 22.

Les femmes sont des animaux d'un naturel bizarre (...)   25
                                        MOLIÈRE, la Princesse d'Élide, III, 2.

Le bon naturel, qui se vante d'être si sensible, est souvent étouffé par le moindre   26
intérêt.   LA ROCHEFOUCAULD, Maximes, 275.

Vx. Ensemble de dispositions, dons naturels (→ Inexcusable, cit. 1, La Bruyère).

Par ext. Le comportement habituel.

L'idée que les hommes sont parfois capables de sortir de leur naturel apparent,   27
d'accomplir soudain avec éclat des actions imprévues, de renoncer au crime par exemple, et de tomber à genoux en se frappant la poitrine, cette idée me semble non seulement belle mais encore reposante et réconfortante.
                                        G. DUHAMEL, Chronique des Pasquier, VIII, VIII.

(En parlant des animaux). → Âne, cit. 3; éléphant, cit. 3; jaguar, cit. 1.

♦ **2.** *Un naturel* (et adj.) : une personne, un individu qui possède tel ou tel caractère, tel ou tel naturel (1.). *Des naturels rétifs* (→ Cabrer, cit. 8).

♦ **3.** (1671). Aisance, facilité avec laquelle on agit, on se comporte, spontanéité sans apprêt, sans affectation (cit. 5). ⇒ **Abandon, aisance** (II., 1.), **facilité.** *Le naturel d'un acteur* (cit. 8). *Perdre tout naturel* (→ Jouer, cit. 70). *Se vêtir, porter des vêtements avec naturel* (→ Arborer, cit. 6). *S'éloigner du naturel* (→ Exagération, cit. 3). *Le naturel et la liberté des façons* (cit. 43). ⇒ **Familiarité.** — *Phrase dite avec naturel* (→ Intérêt, cit. 33). *Un trait de naturel* (→ Gangue, cit. 2).

Leur pudeur délicate *(des femmes)* communique à leurs actions quelque chose de   28
contrainte; à force de naturel, elles se donnent l'apparence de manquer de naturel; mais cette gaucherie tient à la grâce céleste. STENDHAL, De l'amour, XXVI.

♦ **4.** Simplicité pleine de vérité. ⇒ **Authenticité** (3.), **fraîcheur, vie.** *Peindre, dépeindre avec vérité et naturel* (→ Sur le vif*). *Naturel du style* (→ Hiatus, cit. 3; homélie, cit. 3).

Que faudrait-il faire pour contenter des juges si difficiles? La chose serait aisée,   29
pour peu qu'on voulût trahir le bon sens. Il ne faudrait que s'écarter du naturel pour se jeter dans l'extraordinaire. RACINE, Britannicus, 1re préface.

♦ **5.** Personne originaire d'un lieu. ⇒ **Aborigène, autochtone, habitant, indigène, natif, originaire.** *Les naturels d'un pays* (⇒ **Naturaliser**). *Un naturel d'un village* (→ Marinier, cit. 4). *Les Naturels du Bordelais*, pièce d'Audiberti.

(...) l'équipage poussa des acclamations, en voyant les naturels accourir sur la   29.1
plage. Les communications s'établirent aussitôt, grâce à quelques mots de leur langue que possédait Penellan (...) J. VERNE, Un hivernage dans les glaces, p. 247.

Tout le monde a senti ce qu'il y a de méprisant dans le terme de «naturel» qu'on   30
emploie pour désigner les indigènes d'un pays colonisé. Le banquier, l'industriel, le professeur même de la Métropole ne sont les naturels d'aucun pays : ils ne sont pas naturels du tout. SARTRE, Situations III, p. 186.

♦ **6.** Vx. D'après nature, avec exactitude.

Mod. AU NATUREL, préparé d'une manière simple, sans accompagnement ni assaisonnement. *Sardines, thon au naturel. Bœuf au naturel.*

CONTR. (Du sens I.) Étranger; artificiel. — Magique, merveilleux. — Miraculeux, surnaturel. — Fabriqué, factice, synthétique; préparé; falsifié, frelaté. — Idéal, imaginaire. — Civil, politique. — Absurde, arbitraire, étonnant; anormal, monstrueux. — Légitime.

(Du sens II.) Acquis, appris, étudié. — Affecté, apprêté, cérémonieux, compassé, contraint, coquet, dépaysé, embarrassé, empesé, emprunté, façonnier, forcé, formaliste, maniéré, recherché; abstrait, académique, ampoulé, boursouflé, emphatique.

(Du sens III.) Affectation, afféterie, apprêt, artifice, boursouflure, cabotinage, cérémonie, façade, effort, emphase, esbroufe, façon(s), forfanterie...

DÉR. Naturellement.

COMP. Surnaturel.

COMP. et **CONTR.** Antinaturel.

NATURELLEMENT [natyʀɛlmɑ̃] adv. — 1190; de *naturel*.
D'une manière naturelle.

♦ **1.** Conformément aux lois naturelles ou à la nature d'une chose, d'un être; de par sa nature. *Arbre qui donne naturellement des fruits. Sol naturellement fertile, sans l'intervention de l'homme, sans avoir besoin d'être amendé* (→ Exotique, cit. 5). *Naturellement ou artificiellement* (→ Accession, cit. 3; farder, cit. 9). *Prendre naturellement une maladie, un virus* (→ Inoculer, cit. 1). *«Les bêtes agissent naturellement et par ressort»* (→ Horloge, cit. 12, Descartes). *Santé naturellement bonne* (→ Assombrir, cit. 2). *Cheveux naturellement bouclés* (cit. 5).

Comme une source envoie ses eaux naturellement, comme le soleil naturellement   1
répand ses rayons, ainsi Dieu naturellement fait du bien (...)
                                        BOSSUET, Sermon IXe dimanche de Pentecôte, I (1653).

Spécialt. Selon la Nature, principe normatif.

Tout homme a naturellement droit à tout ce qui lui est nécessaire; mais l'acte posi-   2
tif qui le rend propriétaire de quelque bien l'exclut de tout le reste. Sa part étant faite, il doit s'y borner, et n'a plus aucun droit à la communauté. Voilà pourquoi le droit de premier occupant, si faible dans l'état de nature, est respectable à tout homme civil. On respecte moins dans ce droit ce qui est à autrui que ce qui n'est pas à soi. ROUSSEAU, Du contrat social, I, IX.

♦ **2.** Par un enchaînement logique ou naturel, conforme aux lois naturelles. *Explicable* (cit. 3) *naturellement. Idée qui remonte* *naturellement...* (→ Inculquer, cit. 2). *On a été naturellement porté à penser...* (→ Asile, cit. 4). — *Tout (assez, très...) naturellement. Le retour au moyen âge devait tout naturellement ramener la littérature à...* (→ Fantastique, cit. 5).

Inévitablement, infailliblement (cit. 1). — Fam. Bien sûr, évidemment (en exclamation). ⇒ **Certainement, forcément** (→ Galéjer, cit. 2; indirectement, cit. 1; jacter, cit. 1). *Naturellement, il est encore en retard! Vous êtes venu à pied? Naturellement!* ⇒ **Évidemment, parbleu, sûr** (bien sûr); et aussi, fam. **nature** (II.), **naturlich.**

◆ **3.** (V. 1190). Avant l'adj. Par une impulsion naturelle, conformément au naturel, au caractère, au tempérament, à l'instinct. ⇒ **Nativement.** *Naturellement gai* (→ Animer, cit. 33). *Être naturellement bon* (cit. 64; → Barbarie, cit. 15; homme, cit. 27). *Naturellement méchant* (→ Excellent, cit. 5). *Naturellement enclin à...* (→ Bienveillance, cit. 4). *Naturellement courageux* (cit. 2), *timide* (→ Éloignement, cit. 11), *honteux* (→ Gêne, cit. 10)... *Naturellement raisonneur et logicien* (cit. 2). — *Les principes que nous sentons naturellement en nous* (→ Certitude, cit. 5). *Cela me vient naturellement* (→ Étude, cit. 34). *Haine qu'on a naturellement pour...* (→ Indignation, cit. 2). *Le mouvement qui porte naturellement tout homme à...* (→ Groupe, cit. 7).
Le furet (cit. 1) *est naturellement ennemi mortel du lapin. Cheval naturellement hargneux* (cit. 6).

◆ **4.** (XIVᵉ). D'une manière spontanée, et, par suite, aisée, facile. ⇒ **Aisément, facilement** (→ Affectation, cit. 6; élégant, cit. 3). *Se tutoyer naturellement, sans gêne* (→ Lier, cit. 19). — Spontanément (→ Baiser, cit. 27). *Sourire naturellement moqueur* (→ Ironie, cit. 10).

3   Elle était venue très naturellement trouver le successeur de son père pour lui raconter ses malheurs, et lui, avec le même naturel, lui avait fait un enfant.
                             ARAGON, les Beaux Quartiers, I, VI.

Sans affectation ni recherche (spécialt en parlant du style, du jeu d'un acteur, etc.). *Écrire* (cit. 49) *naturellement.* ⇒ **Simplement** (→ Expression, cit. 8). *Donner naturellement dans la comparaison et la métaphore* (cit. 1).

4   (...) le comédien aurait récité (...) quelques vers (...) le plus naturellement qu'il aurait été possible.
                          MOLIÈRE, l'Impromptu de Versailles, 1.

5   Lorsque nous disons que Racine, Despréaux, Bossuet et Mᵐᵉ de Sévigné écrivent naturellement, nous sommes portés à prendre ce mot dans un sens absolu, comme si le naturel était le même dans tous les genres (...)
                        CONDILLAC, l'Art d'écrire, IV, 5.

NATURE MORTE [natyRmɔRt] n. f. — 1752; de *nature* (II., 6.), et *mort.*

◆ ⇒ **Nature,** cit. 72 à 74 et *supra.*

DÉR. Naturemortiste.

NATUREMORTISTE [natyRmɔRtist] n. — 1886; de *nature morte;* → Nature (II., 8.).

◆ Didact. et rare. Peintre de natures mortes. — REM. On écrit parfois, de manière assez aberrante, *nature mortiste.*

NATURISME [natyRism] n. m. — 1778; de *nature.*

◆ **1.** Philos. Culte religieux de la nature. — Doctrine selon laquelle l'adoration des forces de la nature est à l'origine de la religion.
Toute doctrine qui assigne à la nature (II.) un rôle de principe.

La philosophie biologique de Buffon, par son naturisme mécaniste, se rattache nettement à l'esprit de l'*Encyclopédie.*
                 Jean ROSTAND, Esquisse d'une histoire de la biologie, p. 46.

◆ **2.** (1845). Méd. Doctrine hippocratique, d'après laquelle on doit tout attendre de la médication naturelle.

◆ **3.** (1930, *in* D. D. L.). Cour. Doctrine prônant le retour à la nature dans la manière de vivre (vie en plein air, aliments naturels, nudisme*...). *La pratique du naturisme. Revue de naturisme.*

NATURISTE [natyRist] n. — 1845; de *nature,* d'après le précédent.

◆ **1.** Didact., méd. Du naturisme; partisan du naturisme (1. et 2.).

◆ **2.** Cour. Partisan du naturisme; qui pratique le naturisme (3.). *Camp, club de naturistes.* ⇒ **Nudiste.** — Adj. Relatif, relative au naturisme. *Publication naturiste.*

NATURLICH [natyRliʃ] adv. — 1914-1918; mot all., *natürlich.*

◆ Fam. Naturellement, évidemment, bien sûr. — Var. graphique : *naturliche.*

Pour les histoires de poules, naturliche.
                   R. DORGELÈS, Tout est à vendre, p. 376.

NATUROPATHE [natyRɔpat] adj. et n. — 1972, in *la Clé des mots;* de *nature, -o-* de liaison, et *-pathe,* désignant ici le thérapeute, et non le patient : le mot est mal formé.

◆ Méd. Qui préconise le traitement par des moyens naturels (cure d'air, de soleil, application de chaleur, massages, plantes) à l'exclusion de tout médicament de synthèse. *Médecin naturopathe.* — N. *Un, une naturopathe.*

NAUCLÉE [nokle] n. f. — 1839, Boiste; comp. sav. du grec *naus,* «navire», et *kléiô,* «fermer», à cause de la forme du fruit.

◆ Bot. Plante dicotylédone *(Rubiacées),* arbre ou arbuste des régions tropicales, au bois très dur et incorruptible dont l'écorce *(koss)* est employée comme fébrifuge.

NAUCLÈRE [noklɛR] n. m. — 1874; lat. *nauclerus;* grec *naukleros* «pilote», de *naus* «navire».

◆ Zool. Rapace diurne, appelé aussi *milan hirondelle.*

NAUCORE [nokɔR] n. f. — 1800; comp. du grec *naus* «navire», et *koris* «punaise».

◆ Zool. Insecte hémiptère communément appelé *punaise* d'eau.

NAUCRATES [nokRatɛs] n. m. — XXᵉ; mot grec de *naus* «navire», et *kratein* «dominer, commander».

◆ Zool. Poisson-pilote.

NAUFRAGE [nofRaʒ] n. m. — 1549; *naffrage,* 1414; *naufragy* en anc. provençal au XIIIᵉ; lat. *naufragium,* de *navis* «bateau», et *frangere* «briser».

◆ **1.** Perte totale ou partielle d'un navire par un accident de navigation en mer (échouement, abordage, submersion, par suite du mauvais temps, d'incendie, d'explosion, etc.). ⇒ **Fortune** (cit. 30; fortune de mer), **sinistre, submersion.** *Faire naufrage.* ⇒ **Couler, engloutir** (s'), **périr** (corps et biens), **sombrer; échouer** (→ Banc, cit. 3; dauphin, cit. 1). *Navire en danger de naufrage.* ⇒ **Perdition.** *Baraterie* camouflée en naufrage. *Restes d'un naufrage.* ⇒ **Épave.** *Victimes, survivants, rescapés d'un naufrage* (⇒ **Naufragé**). *Droit de salvage* (VX), *de sauvetage perçu sur les objets sauvés du naufrage.*

Comme un homme sauvé du naufrage sur un rocher, je contemple de ma solitude les orages qui frémissent dans le reste du monde (...)
         BERNARDIN DE SAINT-PIERRE, Paul et Virginie, p. 94.

Dès que la mer leur jette un pauvre vaisseau, ils courent à la côte, hommes, femmes et enfants; ils tombent sur cette curée (...) Encore s'ils attendaient toujours le naufrage, mais on assure qu'ils l'ont souvent préparé. Souvent, dit-on, une vache, promenant à ses cornes un fanal mouvant, a mené les vaisseaux sur les écueils.
                   MICHELET, Hist. de France, III.

Les réchappés de ce grand naufrage *(celui du Titanic)* ont des souvenirs terrifiants. Cette muraille de glace qui se montre au hublot, cette hésitation et cette espérance d'un moment; puis le spectacle de ce grand bâtiment illuminé sur cette mer tranquille; puis l'avant qui s'abaisse; les lumières qui s'éteignent soudain; les hurlements, aussitôt, de dix-huit cents personnes; l'arrière du bateau se dressant comme une tour, et les machines tombant vers l'avant avec un bruit de cent tonnerres; enfin ce grand cercueil glissant sous les eaux presque sans remous; la nuit froide régnant sur la solitude, après cela le froid, le désespoir, et enfin le salut.
                 ALAIN, Propos, 24 avr. 1912, Drames.

Par ext. (Hors de la mer, de l'océan). *Barque, péniche qui fait naufrage dans une rivière.*

Faire naufrage (en parlant des marins, des passagers du navire naufragé). *Ce marin a fait trois fois naufrage* (Académie).

◆ **2.** (Déb. XVIᵉ). Par métaphore. Destruction totale, ruine. ⇒ **Échec, perte** (→ Mer, cit. 10). *Épave* (cit. 5) *d'un naufrage,* ce qui reste à qqn après un malheur, une épreuve, un désastre. *« Mon âme pour d'affreux naufrages appareille »* (→ Flux, cit. 6).

Cette forme humaine qui lui avait été si proche, brûlée par un mal surhumain, tordue par tous les vents haineux du ciel, s'immergeait à ses yeux dans les eaux de la peste et il ne pouvait rien contre ce naufrage. Il devait rester sur le rivage (...) sans armes et sans recours (...) contre ce désastre.
                 CAMUS, la Peste, p. 311.

Loc. *Faire naufrage :* se perdre* (→ Étourdir, cit. 21). *Faire naufrage au port :* échouer au moment où on semble avoir réussi, avoir vaincu les principaux obstacles.

Si son père et le mien ne tombent point d'accord,
Tout commerce est rompu, je fais naufrage au port.
                 CORNEILLE, le Menteur, V, 4.

Fig. Ruine grave ou totale. ⇒ **Ruine; perte.** *Un naufrage général, universel* (→ Générosité, cit. 6). *Naufrage des ambitions, des espoirs, des croyances, des projets...* ⇒ **Effondrement.** *Naufrage d'un pays, d'une société. Sauver la société d'un naufrage* (⇒ **Sauveteur, sauveur;** → Individualisme, cit. 1; mission, cit. 8). *Le naufrage de son honneur, de sa réputation, de sa fortune* (Académie).

Dans le naufrage universel des croyances, quels débris où se puissent rattacher encore les mains généreuses ?
> A. DE VIGNY, Servitude et Grandeur militaires, III, X.

(...) la ruine de ma santé consommait le naufrage de mes ambitions universitaires.
> F. MAURIAC, le Nœud de vipères, II.

CONTR. Renflouement, sauvetage ; (de Faire naufrage) renflouer.
DÉR. Naufragé, naufrager.

NAUFRAGÉ, ÉE [nofRaʒe] adj. et n. — V. 1300 ; lat. *naufragus* ; d'après *naufrager*, attesté plus tard.

♦ **1.** (En parlant des personnes). Qui a fait naufrage. *Équipage, marin naufragé.* — N. (plus cour.). *Naufragés réfugiés sur une île, un radeau*, une barque de sauvetage*. Naufragés rescapés. S'accrocher* (cit. 12), se cramponner* (cit. 8) comme un naufragé à une épave, à une bouée.*

Le naufragé sur son radeau, qui agite un chiffon de linge, traduit fort mal sa faim, sa soif, son angoisse. J. PAULHAN, les Fleurs de Tarbes, p. 79.

Le bateau s'illuminait, on poussait les feux, le chef radio télégraphiait aux naufragés : « nous partons ». Roger VERCEL, Remorques, I.

Par métaphore et fig. *Une entreprise naufragée*, ruinée. — Nom. (→ Manuscrit, cit. 6 et cit. 3 ci-dessous).

(...) cet orateur fameux, ce célèbre survivant de l'époque impériale, ce naufragé du tardif et vain Empire libéral (...) Georges LECOMTE, Ma traversée, p. 517.

L'excès du malheur procure une espèce de sécurité, havre de grâce pour l'âme naufragée qui n'ose plus croire. J. GREEN, Léviathan, II, V.

♦ **2.** 1681. (En parlant des navires). *Vaisseau, navire naufragé* (→ Gros, cit. 12). *Barque naufragée* (→ Lambeau, cit. 12).

NAUFRAGER [nofRaʒe] v. intr. — Conjug. *bouger*. — V. 1530, « être en danger de naufrage » ; sens mod. en 1608, de *naufrage*.

♦ Rare. Faire naufrage. *Le navire a naufragé sur la côte* (→ Molester, cit. 2). *Naufrager sur des écueils, dans une tempête, sur une mine... Les marins ont naufragé à cause du brouillard.* — REM. Ce verbe, considéré comme vieux au XIXᵉ s. — et encore par certains dictionnaires — a été repris conformément au vœu de Littré.

Par métaphore et figuré :

Des gens qui naufragent ont peu le temps de délibérer et encore moins le temps de s'attendrir. HUGO, les Travailleurs de la mer, I, VI, V.

REM. L'emploi transitif est attesté (M. Druon, *les Poisons de la couronne*, p. 27 : « *Dieu va me naufrager...* »).

DÉR. Naufrageur. V. Naufragé.

NAUFRAGEUR [nofRaʒœR] n. m. — 1874 ; P. Larousse ; de *naufrager*.

♦ **1.** Pillard qui, par de faux signaux, provoque un naufrage dans l'intention de voler la cargaison, les épaves... (→ Naufrage, cit. 2). — Par appos. *Pirates naufrageurs.*

♦ **2.** Adj. (En parlant d'un navire). Qui provoque un naufrage, par abordage, collision. *Bateau naufrageur.*

♦ **3.** N. Fig. Celui qui provoque une ruine, un malheur... *Les naufrageurs de l'État, de la République.* ⇒ **Fossoyeur.**

Séduite par un drôle (...) elle était tombée sous la domination absolue d'un de ces sinistres voyous naufrageurs, moitié souteneurs et moitié mouchards (...)
> Léon BLOY, le Désespéré, p. 48.

REM. Le fém. *naufrageuse* est virtuel.

NAULAGE [nolaʒ] n. m. — XVIᵉ ; → Noliser.

♦ Mar., rare. Fret*.

NAUMACHIE [nomaʃi] n. f. — 1520, trad. de Suétone ; lat. *naumachia*, grec *naumakhia*, de *naus* « navire », et *makhê* « combat ».

♦ Didact. (Antiq.). Représentation d'un combat naval dans un amphithéâtre, un cirque où l'arène était remplacée par un bassin. — Amphithéâtre où avaient lieu les naumachies.

Auguste avait doublé l'amphithéâtre de Taurus (...) par une « naumachie » destinée à la figuration des batailles navales, dont l'ellipse extérieure (...) circonscrivait (...) une nappe d'eau coupée par une île artificielle, et, s'infléchissait au milieu des bosquets et des jardins dessinés alentour.
> J. CARCOPINO, la Vie quotidienne à Rome..., p. 271.

NAUPATHIE [nopati] n. f. — 1877, *in* D.D.L. de la rac. grecque *naus* « navire », et *-pathie*.

♦ Méd. Mal de mer.

On déclenche dans un premier temps une « naupathie » artificielle en plaçant le chien sur un plateau animé de mouvements de roulis et de tangage. Si quelques jours après ce même chien est amené sur le plateau immobile, il arrive souvent qu'il soit pris spontanément de vomissements.
> Jacques GUILLERME, la Vie en haute altitude, p. 104, note.

DÉR. Naupathique.

NAUPATHIQUE [nopatik] adj. et n. — Mil. XXᵉ ; de *naupathie*.

♦ Relatif à la naupathie. *Syndrome naupathique.*

COMP. Antinaupathique.

NAUPLIUS [noplijys] n. m. — 1882 ; *nauplie*, « genre de crustacés », *in* Bescherelle, 1846 ; du lat. *nauplius*.

♦ Zool. Première forme larvaire des crustacés.

NAUSÉABOND, ONDE [nozeabɔ̃, ɔ̃d] adj. — 1761, au fig. ; lat. *nauseabundus*, de *nausea*. → Nausée.

♦ **1.** Qui cause des nausées, qui écœure. *Goût nauséabond.* — Spécialt. (En parlant d'odeurs). Désagréable et écœurant. ⇒ **Dégoûtant, fétide** (cit. 2), **puant** (→ Gargote, cit. 3). *Vapeur* (→ Épais, cit. 14), *haleine* (→ Lèpre, cit. 1) *nauséabonde.* — *Lac, marécage, dépotoir nauséabond,* qui dégage des odeurs nauséabondes.

(...) le lac *(de Tunis),* dépotoir nauséabond, dont les émanations sont telles que, par les nuits chaudes, on a le cœur soulevé de dégoût, on ne comprend même pas que la ville ancienne, accroupie près de ce cloaque, subsiste encore.
> MAUPASSANT, la Vie errante, Tunis.

♦ **2.** (1773). Qui dégoûte, rebute. ⇒ **Rebutant.** *Des écrits d'une insipidité nauséabonde* (→ Engouement, cit. 3, Gautier). *Histoire répugnante et nauséabonde.* ⇒ **Écœurant.**

CONTR. Appétissant, odoriférant.

NAUSÉE [noze] n. f. — 1495 ; lat. *nausea* « mal de mer » ; grec *nautia*, rac. *naus* « navire ». → aussi Noise.

♦ **1.** Envie de vomir, sensation de malaise accompagnée de contractions involontaires du pharynx, de l'œsophage, des parois abdominales ; ces contractions. ⇒ **Cœur** (mal au cœur), **haut-le-cœur** (cit. 3, par métaphore), **mal** (de l'air, de mer... *infra* cit. 18), **naupathie, soulèvement** (de cœur). *Avoir la nausée, des nausées :* avoir mal au cœur. Cf. Avoir le cœur sur le bord des lèvres. *Velléités de nausées* (→ 2. Fin, cit. 11). *Nausées de dégoût. Odeur qui lève le cœur, donne la nausée.* ⇒ **Nauséabond.**

Et elle fut prise d'une nausée si soudaine, qu'elle eut à peine le temps de saisir son mouchoir sous l'oreiller. FLAUBERT, Mᵐᵉ Bovary, III, VIII. — 1

Elle eut plusieurs nausées, mais elle ne vomit pas, elle fut à peine soulevée par elles (...) P. NIZAN, le Cheval de Troie, p. 170. — 2

♦ **2.** (1752). Sensation ou sentiment de dégoût. « *La bonne société qui a des nausées devant le peuple qui peine* » (→ Élite, cit. 5). *Ce livre, ce récit est ignoble, donne la nausée.* — Par hyperb. *Avoir la nausée d'une chose trop connue, trop répétée.* — *La Nausée,* roman de Sartre (1938).

(...) Grenoble, la personnification du genre bourgeois et de la *nausée* exactement parlant (...) STENDHAL, Vie de Henry Brulard, 33. — 3

Il oublia tout, — et ce qu'elle était, et ce pour quoi il était venu, et cette maison, et cet appartement dont il avait eu presque, en y entrant, la nausée. BARBEY D'AUREVILLY, Les Diaboliques, « Vengeance d'une femme », p. 386. — 4

Ne sentez-vous pas que c'est à donner la nausée de vous voir ici, dans la maison de cette intrigante ? Pierre BENOIT, Mˡˡᵉ de la Ferté, p. 276. — 5

DÉR. Nauséeux.

NAUSÉEUX, EUSE [nozeø, øz] adj. — 1793 ; de *nausée*.

♦ **1.** Qui provoque des nausées (→ Follement, cit. 3). *Odeur nauséeuse, goût nauséeux.* ⇒ **Nauséabond.** *Médicament nauséeux.* ⇒ **Émétique.** — Qui s'accompagne de nausées. *Dégoût nauséeux.*

Je sens l'odeur de la caserne. Mon nez me dénonce le mélange nauséeux de la sueur, du cuir et du coaltar ! J. ROMAINS, les Copains, V. — 1

♦ **2.** Qui provoque un profond dégoût, s'accompagne de dégoût. *Un livre, un récit nauséeux.* ⇒ **Ignoble, infect.**

Alors, c'était cela l'ennui ? C'était ce vide nauséeux, ce mécontentement perpétuel des autres et de moi-même (...) G. DUHAMEL, Cri des profondeurs, XI. — 2

NAUTE [not] n. m. — 1820 ; cf. l'anc. franç. *noon, noton* ; lat. *nauta.*

♦ Nautonier. — Vx. Matelot, navigateur.

Hist. (Au plur.). *Les nautes :* les bateliers des fleuves de la Gaule romaine.

-NAUTE, -NAUTIQUE Second élément de mots savants, tiré du grec *nautês* « navigateur » (→ Argonaute), et *nautikos* « relatif à la navigation ». ⇒ **Aéronaute, aéronautique, aquanaute, astronaute, astronautique, cosmonaute, océanaute, spéléonaute.**

NAUTILE [notil] n. m. — 1562 ; lat. *nautilus,* du grec *nautilos* «matelot».

♦ **1.** Zool. Mollusque céphalopode *(Tétrabranchiaux)* à coquille spiralée, divisée en loges que traverse un long appendice (siphon), et dont la tête porte des tentacules. *Coquilles fossiles de nautile.* — REM. *Nautile* désignait autrefois un autre céphalopode *(Dibranchiaux, Octopodes)* appelé aujourd'hui *argonaute.*

♦ **2.** (1664). Arts. Vase fait d'une conque marine irisée montée sur un pied d'orfèvrerie.

♦ **3.** (xxᵉ). Lampe en forme de conque.

NAUTIQUE [notik] adj. — V. 1500, «des marins» ; sens mod., 1556 ; lat. *nauticus,* du grec *nautikos,* de *nautês* «marin».

♦ **1.** Relatif à la technique de la navigation. ⇒ **Naval.** *Art, science nautique* (→ Fort, cit. 11). *Géograhie nautique* (Bougainville, *in* Littré). *Instructions nautiques. Tables astronomiques et nautiques* (→ Mécanique, cit. 9). *Astronomie nautique.* — REM. Pour qualifier les cartes, on emploie l'adj. *marin (carte marine).*

♦ **2.** (Fin xixᵉ). Relatif à la navigation de plaisance et aux sports qui s'y rattachent. *Courses, joutes nautiques. Sports nautiques* (hors-bords, régates, yachting...). *Fête nautique. Ski*, skieur* nautique. Club nautique.*

Mille* nautique, et, n. m., *un nautique.*

DÉR. **Nautisme.**

NAUTISME [notism] n. m. — Mil. m. — Mil. xxᵉ (*in* Larousse 1963) ; de *nautique.*

♦ *Le nautisme :* l'ensemble des sports nautiques, et, particult, la navigation de plaisance. *Le nautisme et la plaisance*. Pratiquer le nautisme. Développement du nautisme.*

COMP. **Motonautisme.**

NAUTONIER, IÈRE [notɔnje, jɛR] n. — xvᵉ ; *notonier* v. 1120 ; anc. provençal, du lat. pop. **nauto, -onis,* du lat. class. *nauta.*

♦ Vx ou archaïque. (Poét.). Celui, celle qui conduit un navire, une barque. ⇒ **Marin, matelot, nocher.** — Spécialt. Myth. *Le nautonier des enfers :* Caron.

1 (...) je songeais qu'à passer une heure en gondole avant de m'en aller coucher sagement ; et sinon j'aurais commencé par choisir d'autres nautoniers que ces deux costauds plus très jeunes. GIDE, Ainsi soit-il, p. 100.

2 Un fils de la Nuit, le nautonier Caron, fait passer les morts dans sa barque ; et chacun lui paie d'une obole ce passage. Émile HENRIOT, Mythologie légère, p. 73.

NAVAJA [navaʒa ; navaxa] n. f. — 1840, Gautier ; mot esp. ; du lat. *novacula* «rasoir, couteau», de *novare* «renouveler, affûter».

♦ Long couteau (d'origine espagnole) à lame effilée et légèrement courbe (→ Frapper, cit. 15).

Ces navajas (...) *ont des manches de cuivre découpé* (...) *des niellures grossières, mais enlevées vivement, enjolivent la lame faite en forme de poisson et toujours très aiguë* (...) *La dimension de ces navajas varie depuis trois pouces jusqu'à trois pieds* (...) *La navaja est l'arme favorite des Espagnols, surtout des gens du peuple ; ils la manient avec une dextérité incroyable* (...). Th. GAUTIER, Voyage en Espagne, p. 140.

NAVAL, ALE, ALS [naval] adj. — V. 1300 ; lat. *navalis,* de *navis* «navire». → Nef.

♦ **1.** (Sens large). Vieilli ou techn. Qui concerne la construction des navires de mer, la navigation en mer. ⇒ **Maritime, nautique.** *Architecture navale. La science navale* (Condorcet).

Cour. *Constructions navales. Chantier naval.*

♦ **2.** Spécialt. (Plus cour.). Relatif à la marine militaire, à la guerre sur mer. *L'armée navale* (vx) : la marine, par oppos. à *l'armée de terre* (→ Aller, cit. 94 ; autant, cit. 42). — Mod. *Forces navales.* ⇒ 1. **Flotte, marine.** *Base navale. Aéronautique* (cit.) *navale* (⇒ **Aéronavale**). *École* (cit. 9) *navale :* école supérieure qui forme les officiers de la marine militaire. — Ellipt., n. f. *Il est reçu à Navale.* ⇒ **Baille** (argot scol.). — *Combat naval* (→ Fil, cit. 1). *Des combats navals, bataille navale* (→ Large, cit. 2). *La naumachie*, simulacre de combat naval. Jeu de la bataille* navale. Défaite* (→ Irrémédiable, cit. 2), *victoire navale. La tyrannie navale de l'Angleterre* (→ Ligue, cit. 2). —*Attaché naval.*

— Hé !... je suppose qu'il poursuit néanmoins ses travaux ?... qu'il continue de révolutionner l'artillerie navale anglaise ? Claude FARRÈRE, la Bataille, X.

REM. Étymologiquement, *marin* et *maritime* désignent ce qui concerne la mer, *nautique* et *naval* sont relatifs à la navigation. En fait, l'usage courant a spécialisé *nautique** (technique de la navigation, sports) et

naval (marine de guerre), mais ces deux adjectifs ainsi que *naval* et *maritime** (forces, chantiers maritimes) ont des emplois communs.

DÉR. **Navaliser.**
COMP. **Aéronaval.**

NAVALISATION [navalizasjɔ̃] n. f. — Mil. xxᵉ ; de *navaliser.*

♦ Techn. Adaptation (d'un appareil, d'une arme...) à une utilisation sur les navires.

NAVALISER [navalize] v. tr. — Mil. xxᵉ ; de *navaliser.*

♦ Techn. Adapter (un appareil, une arme) à une utilisation sur les navires. — Au p. p. *« Les deux* (réacteurs) *Pratt et Whitney* (...) *"navalisés" sont utilisés en générateurs de gaz chauds* (...) *»* (*Science et Vie,* n° 98, p. 64, 1972).

DÉR. **Navalisation.**

NAVARCHIE [navaRʃi] n. f. — 1868, Littré ; lat. *navarchia,* du grec. → Navarque.

♦ Didact. (Antiq.). Dignité de navarque ; commandement d'un navarque.

NAVARIN [navaRɛ̃] n. m. — 1847, Esnault, «navet» ; «ragoût de mouton aux navets», 1866 ; selon Wartburg, déformation burlesque du mot *navet* d'après le nom du lieu *Navarin* fameux par la bataille navale de 1827.

♦ Cuis. Mouton en ragoût, préparé avec un roux, accompagné de petits oignons, carottes, navets... *Navarin servi avec des petits pois, des pommes de terre nouvelles...* (⇒ aussi 1. **Haricot**).

HOM. Navarin (V. Navarrais, REM.).

NAVARQUE [navaRk] n. m. — 1610 ; du lat. empr. au grec *nauarkhos,* de *naus* «navire», et *arkhein* «commander» ; → -arque.

♦ Didact. (Antiq. grecque). Commandant d'un vaisseau ou d'une flotte (⇒ **Navarchie**).

NAVARRAIS, AISE [navaRɛ, ɛz] adj. et n. — 1636 ; de *Navarre.*

♦ De la Navarre (ancien royaume qui réunissait l'actuelle *Navarra,* province d'Espagne, et la *Basse-Navarre,* partie des Pyrénées-Atlantiques françaises). *Coutumes navarraises.*

Paraissez, Navarrais, Maures et Castillans CORNEILLE, le Cid, v, 1.

N. m. Parler espagnol de la Navarre.

REM. La variante *navarrin, ine* [navaRɛ̃, in] semble hors d'usage, du fait de l'homonymie avec *navarin,* sauf en zootechnie : *race navarrine* (de chevaux).

1. NAVE [nav] n. f. — V. 1220 et jusqu'au xviᵉ ; du lat. *navis ;* → Nef.

♦ Archaïsme littér. Navire.

En rêve il étendait les voiles, il amorçait la cadence du chant de route (...) Les rameurs courbaient leur dos de fumée... «Allons, tirons la rame ensemble !...» la nave fantomale virait sa poitrine face au large... J. GIONO, Naissance de l'Odyssée, p. 23.

2. NAVE [nav] n. f. — 1872 ; de *navet.*

♦ Pop. Niais, imbécile. ⇒ **Navet,** 2. — *Fleur de nave* (même sens).

NAVEL [navɛl] n. f. — 1912, *in* Höfler ; mot angl. «nombril», d'abord *navel orange.*

♦ Orange d'une variété présentant un ombilic marqué au point pistillaire. *Les navels sont des oranges de table de qualité.* — Collectif. *De la navel.* — Appos. *Orange navel.*

NAVET [navɛ] n. m. — xiiᵉ ; *naviet* en 1220 ; de l'anc. franç. *nef* (1174), du lat. *napus,* éliminé à cause de l'homonymie avec *nef,* n. f. ; suff. *-et ;* var. *naveau, naviau.*

♦ **1.** Plante de la famille des crucifères, du genre *Brassia* (⇒ **Chou**), cultivée pour ses racines comestibles. *Navets potagers,* longs (à racines allongées, fusiformes), plats ou ronds. *Navets fourragers plats.* ⇒ **Rave.** — REM. Les *choux-raves* (turneps* et *choux-navets*) sont plutôt considérés comme des choux que comme des navets (→ Rutabaga).

Plus cour. Racine comestible, longue, plate ou ronde, du navet potager. *Marchand* (cit. 10) *de quatre-saisons qui vend des navets. Mettre des navets dans un pot-au-feu, un navarin. Purée de navets. Canard aux navets.*

On ne voyait encore *(que)* le corail rose des carottes, l'ivoire mat des navets ; et ces éclairs de couleurs intenses filaient le long des tas, avec les lanternes.
ZOLA, le Ventre de Paris, t. I, I, p. 23.

Régional. *Faux navet, navet du diable :* bryone.

Loc. fig.*Avoir du sang de navet :* être anémique, maladif (ou encore : lâche, mou).

♦ **2.** Fig., vx. (Personnes).

Pour un tempérament vif comme le sien, les gens du pays étaient intolérables ; « raides, figés, sans émotion ni sentiment », insipides et ternes, de vrais navets (...) TAINE, Philosophie de l'art, t. I, p. 231.
(1804, *in* D. D. L.). Argot anc. Niais, homme à duper. Abrév. fam. *Nave.*

♦ **3.** (1853 ; Flaubert, *in* D.D.L. ; cf. *Des navets !,* formule de refus, 1852, déjà *des naveaux,* 1537, et des loc. péj. aux XIIIᵉ et XVᵉ s.). Fig. et fam. Mauvais tableau (⟹ Croûte), et, par ext., Œuvre d'art sans valeur (→ Falsification, cit. 6, Malraux, à propos d'un buste).

La production littéraire d'un temps glisserait, par une insensible dégradation, des chefs-d'œuvre aux navets vulgarisateurs (...)
MALRAUX, l'Homme précaire et la Littérature, p. 295-296.
Très mauvais film*, insipide et ennuyeux. *Un affreux, un insupportable navet.* ⟹ **Nanar.**

DÉR. Nave, 2. navette.

1. NAVETTE [navɛt] n. f. — XIIIᵉ ; dér. anc. de *nef**, employé par anal. de forme.

★ **I.** ♦ **1.** (XIIIᵉ). Élément du métier* à tisser formé d'une pièce (de bois, d'os, de métal...) pointue aux extrémités et renfermant une bobine* (⟹ 2. **Canette**), portant le fil de trame*. *La navette sert à engager la trame entre les fils de chaîne. Navette à main, cintrée,* que le tisserand* lance (ou lançait) à la main. *Navette droite, volante* (inventée au XVIIIᵉ s.), lancée par un mécanisme. *Navette à défiler* (laine), *à dérouler* (soie). *Navette double. La navette se déplace de la longueur de la duite*. Promener, faire aller, courir la navette,* tramer*, et, par ext., Tisser*. ⟹ **Tissage** (→ Métier, cit. 25). *Navette agile* (→ Lacet, cit. 1).

Par anal. *Navette de dentellière. Navette à frivolité* (cit. 9). — Dans une machine à coudre, Instrument de métal contenant et dirigeant le fil de dessous. — Mar. Instrument porte-fil, et, par ext., « aiguille » (Gruss) pour confectionner les filets de pêche.

♦ **2.** (1353). Vx. Petit vase allongé en forme de nef. Spécialt. Liturg. Petit vase à encens*. *« La navette est munie d'un couvercle à double valve, d'un pied et d'une cuiller »* (R. Lesage, *Dict. de liturgie romaine*). *Navette en argent, en métal doré.* — Techn. (Par anal. de forme). Diamant taillé en forme de bateau (de nef). Syn. : *marquise.* — (1792). Petit pain au lait. *Acheter des navettes pour un buffet.* — Préhist. Objet en bois de renne en forme de navette (1.), fendu aux extrémités (magdalénien moyen).

★ **II.** ♦ **1.** Fig. (Av. 1750, Saint-Simon). *Faire la navette :* parcourir un trajet déterminé, régulièrement et alternativement, comme la navette du tisserand (→ Aller* et venir). *L'argent faisait la navette* (→ Endetter, cit. 2, Rousseau). — Spécialt. dr. constit. Examen des projets de loi, successivement devant les deux chambres. *« Les projets financiers font la navette entre la Chambre et le Sénat »* (Académie). — (En parlant des personnes). *Il fait la navette entre Paris et Marseille.*
Il faisait la navette entre Londres et Vienne, et il entretenait un ménage aux deux bouts de la ligne, comme un garçon de sleeping (...)
MARTIN DU GARD, les Thibault, t. VI, p. 88.

♦ **2.** Ligne de courte longueur parcourue en aller et retour entre deux terminus. Service de transport assurant régulièrement et fréquemment la correspondance entre deux lignes, la liaison entre deux centres ; véhicule qui y est affecté (train, autorail, autobus...). *Prendre la navette. Navette gratuite entre un hôtel et un aéroport.* Par appos. *Service navette.*

♦ **3.** Vaisseau spatial capable d'assurer une liaison entre la Terre et une station orbitale. *Navette spatiale.*

DÉR. Navetteur.
COMP. Car-navette.
HOM. 2. Navette.

2. NAVETTE [navɛt] n. f. — 1600 ; *navete* « graine de navette », 1323, « huile » en 1549, R. Estienne ; dér. de *navet.*

♦ Bot. et agric. Plante de la famille des crucifères, sorte de chou* cultivé comme fourrage pour ses fruits, siliques allongées dont on extrait de l'huile (⟹ **Oléagineux**). *Fruits, graines de navette. Huile de navette. Navette d'hiver, de printemps.* — Par ext. *Grosse navette.* ⟹ Colza.

HOM. 1. Navette.

NAVETTEUR, EUSE [navtœR, øz ; navetœR, øz] n. — XXᵉ ; de 1. *navette* (II., 1.).

♦ Belgicisme. Personne qui fait régulièrement la navette par un moyen de transport collectif, entre son domicile et son lieu de travail (→ Banlieusard).

REM. Ce terme pourrait servir d'équivalent à l'angl. *commuter* pour toute la francophonie.

NAVICELLE [navisɛl] n. f. — 1688 ; empr. au lat. *navicella.* → Nacelle.

♦ **1.** Archéol. Bassin de fontaine en forme de nacelle, de barque.

♦ **2.** Zool. (1818). Mollusque à coquille allongée, voisin des Nérites.

NAVICERT [navisɛRt] n. m. — V. 1940 ; mot angl. ; abrév. pour *navigation certificate.*

♦ Mar., comm. Permis de naviguer sur mer, délivré aux navires de commerce par des belligérants en temps de guerre (par les gouvernements anglais et américain pendant la guerre de 1939-1945).

NAVICULAIRE [navikylɛR] adj. — 1363 ; lat. *navicularis,* de *naviculus* « nacelle », dimin. de *navis* « bateau ».

♦ Anat. Qui a la forme allongée d'une nacelle. *Os naviculaire :* os de la rangée antérieure du tarse, articulé avec l'astragale (aussi appelé *scaphoïde tarsien*). *Fosse naviculaire :* élargissement de l'urètre*, en arrière du méat urinaire. — Vétér. *Maladie naviculaire :* inflammation des osselets sésamoïdes (et de l'os naviculaire) du pied du cheval.

NAVICULE [navikyl] n. f. — 1827 ; lat. *naviculus* « petit navire », « nacelle », dimin. de *navis.*

♦ Bot. Algue brune microscopique *(Phéophycées, Diatomées)* dont la forme est celle d'une nacelle. — *Navicule bleue* (Navicula ostrearia) : diatomée bleue qui provoque le verdissement des huîtres. *Pigment de la navicule bleue.* ⟹ **Marennine.**

NAVIFORME [navifɔRm] adj. — 1846, Bescherelle ; du lat. *navis* « nef, navire », et *-forme.*

♦ Didact. En forme de navire, de coque de navire. *« La harpe cintrée naît en Égypte (...) Au cours des siècles, sa caisse de résonance s'est allongée, transformée, prenant parfois la forme d'un bateau (harpe naviforme) »* (Sciences et Avenir, mai 1980, p. 83).

NAVIGABILISER [navigabilize] v. tr. — 1833, Cormenin *in* D. D. L. ; du lat. *navigabilis,* et *-iser.*

♦ Techn. Rendre navigable (une voie d'eau). ⟹ aussi **Canaliser.**

NAVIGABILITÉ [navigabilite] n. f. — 1823 ; de *navigable.*

♦ **1.** État d'un cours d'eau, d'un plan d'eau où l'on peut naviguer.

♦ **2.** (1863). État d'un navire en mesure de tenir la mer, de naviguer. — (1870, pour les aérostats ; *in* D. D. L.). État d'un avion en mesure de voler. — (1922). *Certificat de navigabilité,* délivré à un type d'avion dont le prototype donne toutes les garanties de sécurité.

NAVIGABLE [navigabl] adj. — 1448 ; lat. *navigabilis,* de *navigare* → Naviguer.

♦ Où l'on peut naviguer*, où un navire peut flotter. *Cours* d'eau navigable. Fleuve, rivière, voie navigable ; navigable ou flottable* (→ Alluvion, cit. 2 ; atterrissement, cit. 1 et 2 ; halage, cit. 2). *Mer non navigable* (→ 1. Marin, cit. 1).

CONTR. Innavigable.
DÉR. Navigabilité.

NAVIGANT, ANTE [navigɑ̃, ɑ̃t] adj. et n. — 1812 ; « navigateur », 1473 ; p. prés. de *naviguer.*

♦ Mar. et (1923) aviat. (plus cour.). Qui navigue. *Le personnel navigant* (par opposition à ceux qui restent à terre). — N. *Un navigant, une navigante. Navigants* (dans l'aviation), s'oppose à *rampants** (fam.). ⟹ **Aviateur.**

HOM. Naviguant (p. prés. de *naviguer*).

NAVIGATEUR, TRICE [navigatœR, tRis] n. — 1529 ; lat. *navigator,* du supin de *navigare.* → Naviguer.

♦ **1.** Personne qui navigue. ⟹ 2. **Marin, naute** (vx). *Un excellent navigateur. Une remarquable navigatrice.*
En face, sur l'autre rive, vous voyez Marennes et son clocher si élancé. Il sert d'*amers,* comme disent les marins. C'est un point de repère pour les navigateurs.
J. CHARDONNE, les Destinées sentimentales, p. 380.

N. m. Littér. Celui qui fait des voyages au long cours sur mer. *Grand, fameux, hardi navigateur.* — Par métaphore, s'appliquant à une «exploration», à des «voyages» non maritimes, sans mouvement. *Un héroïque navigateur* (→ Inexploré, cit. 3).

♦ **2.** Adj. m. Qui pratique la navigation. *Un peuple navigateur. Les Perses n'étaient pas navigateurs* (→ Maritime, cit. 1). — Par ext. Qui nage, qui flotte. *Oiseaux navigateurs.*

♦ **3.** Personne qui assure la navigation.

ⓐ Mar. Personne qui est responsable de la navigation sur un bateau. *Le navigateur, la navigatrice va faire le point. Avis urgents aux navigateurs* (abrév. : AVURNAV). ⇒ **Avis, 4.**

ⓑ (Béranger *in* Littré, «aéronaute»; 1922 au sens mod.). Personne chargée de la navigation à bord d'un aéronef. *Le navigateur et le radio.*

2   Quant au navigateur, il ne touchait jamais à une arme. Sa guerre consistait à mesurer des caps, des distances, des minutes et des visées d'étoiles (...)
        Jules ROY, le Navigateur, *in* Classe de franç., 1957, nº 1, p. 40.

♦ **4.** N. m. *Navigateur (automatique)* : appareil déterminant le point d'un avion ou d'un navire et son écart éventuel par rapport à la route.

NAVIGATION [navigɑsjɔ̃] n. f. — V. 1265 ; lat. *navigatio,* du supin de *navigare* → Naviguer.

♦ **1.** Fait de naviguer*, de se déplacer sur l'eau ou dans l'eau (spécialt sur mer), à bord d'un navire. ⇒ **Marine.** *Relatif à la navigation.* ⇒ **Marin, maritime, nautique...** *Navigation aisée, difficile* (⇒ Bas-fond, cit. 6). *Obstacles qui gênent la navigation* (→ Baigner, cit. 3 ; estuaire, cit. 2). *Passage ouvert à la navigation.* ⇒ **Canal, chenal, passe.** *Accidents de navigation.* ⇒ **Abordage, collision, naufrage...** — *Navigation en surface, navigation sous-marine*. Navigation maritime : navigation au long cours, au cabotage*, au bornage*. Navigation côtière*. Navigation hauturière*, en haute mer...* ⇒ **Large, mer.** *Navigation circumpolaire*. Navigation de pêche, de commerce. Navigation marchande* (→ Cabotage, cit. 1). *Navigation de plaisance.* ⇒ **Plaisance (3.).**

1   (...) les roches du Calvados qui rendent la navigation dangereuse jusqu'à Cherbourg.   MAUPASSANT, Pierre et Jean, I.
        Fait de naviguer sur les cours d'eau. *Navigation fluviale, en rivière...* ⇒ **Canal, batellerie** (→ Halage, cit. 2). *Canal* (cit. 5) *ouvert, fermé à la navigation. Travaux, ouvrages d'art destinés à régulariser la navigation.* ⇒ **Barrage, écluse ; canaliser.** — *Navigation intérieure* (→ Expédition, cit. 14). *Transport de voyageurs par navigation fluviale.* ⇒ **Bac, coche** (d'eau), **mouche** (bateau-mouche).

♦ **2.** Science et technique du déplacement des navires*. ⇒ **Manœuvre** (cit. 1), **pilotage.** *Instruments utilisés pour la navigation* (⇒ **Axiomètre, boussole, compas, loch, renard, sextant, sonde... ; radar, radio...**). *Organisation, infrastructure nécessaire à la navigation.* ⇒ **Balisage, éclairage, signal, signalisation ; météorologie, radio ; port.** *Carte marine employée pour la navigation estimée* (⇒ Estime, I.). *Navigation en vue de terre. Navigation astronomique* (pratiquée en haute mer). *Navigation radio-électrique* (radiogoniométrie, radar). — *Théorie et pratique de la navigation ; opérations, manœuvres effectuées pour la navigation.* ⇒ **Point** (faire le) ; **relèvement ; abordage, aborder ; accostage, accoster ; affourcher, alarguer, amarrage, amarrer ; appareillage, appareiller, arrivage ; barrer** (et **barre**) ; **bord** (courir des bords, virer de bord), **bordée, border** (les côtes), **bourlinguer, caboter, cap** (mettre le cap sur, attaquer un cap) ; **cape** (mettre à la cape), **cingler, conserver** (II.), **convoyer, couper** (la route), **croiser** (II., 2.), **culer, décaper, déhaler, démarrer** (ou désamarrer), **dérader, dérivation, dérive, dériver ; embarquement, embarquer ; embosser, embouquer, empanner, encaper, engager, engraver, erre** (aller sur son erre), **estime** (naviguer à l'estime), **évitage, éviter** (I., 2.), **filer, forcer** (de voiles ; → Faire force* de...), **haler, largue** (aller grand largue), **lof** (aller au), **lofer, louvoyer, manœuvrer, 1. marcher, mettre, mouillage, mouiller, naviguer, orientation, orienter, perdre, porter, prendre** (la mer, le large), **rallier** (la terre), **ranger** (la côte), **relâcher, remonter** (au vent), **remorquer, revirement, serrer, tenir** (la mer), **toucher** (terre...), **touée, touer, venir** (sur..., au...), **virage, virement, virer...** — (Manœuvre des voiles). ⇒ **Amurer, barbeyer, caler, cape, capelage, capeler, carguer, larguer, plein** (porter plein), **prendre** (le vent), **présenter** (les voiles au vent), **rider, serrer** (les voiles).

2   C'est notre patrie *(Tyr)* qui a la gloire d'avoir inventé la navigation : les Tyriens furent les premiers, s'il en faut croire ce qu'on raconte de la plus obscure antiquité, qui domptèrent les flots, longtemps avant l'âge de Tiphys et des Argonautes, tant vantés dans la Grèce ; ils furent, dis-je, les premiers qui osèrent se mettre dans un frêle vaisseau à la merci des vagues et des tempêtes, qui sondèrent les abîmes de la mer, qui observèrent les astres loin de la terre, suivant la science des Égyptiens et des Babyloniens, enfin qui réunirent tant de peuples que la mer avait séparés.   FÉNELON, Télémaque, III.

3   (...) les bateaux à vapeur ont, jusqu'à un certain point, le pouvoir de suivre la ligne droite refusée aux bateaux à voiles. La mer, compliquée du vent, est un composé de forces. Un navire est un composé de machines (...) C'est entre ces deux organismes, l'un inépuisable, l'autre intelligent, que s'engage ce combat qu'on appelle la navigation (...)

(...) la navigation à la vapeur est une sorte de victoire perpétuelle que le génie humain remporte à toute heure du jour sur tous les points de la mer.
        HUGO, les Travailleurs de la mer, I, VI, III.

♦ **3.** Ensemble des déplacements de navires dans un lieu, sur un itinéraire déterminé ; trafic par eau (⇒ **Communication, transport...**). *L'essor de la navigation moderne* (→ Gouvernail, cit. 3). *Lignes*, compagnies de navigation. Droits* (cit. 30) de navigation. Navigation mixte*.*
Marche* d'un navire (allure, direction...). *Navigation loxodromique, orthodromique* (⇒ **Loxodromie, orthodromie**). *Navigation autour d'un continent* (⇒ **Circumnavigation, périple**).

Voyage par eau. *Navigation lointaine* (→ Aussi, cit. 30 ; et encore marsault, cit., où il s'agit de promenades en barque sur un lac). — Par métaphore (→ Mer, cit. 10).

♦ **4.** (1845, en aérostat). Par anal. Circulation aérienne (en avion, en aérostat). *Navigation aérienne.* ⇒ **Aéronautique, aviation, avion** (cit. 2). *Navigation et contrôle par guidage* (téléguidage*, auto-guidage). *Navigation à vue, à l'estime.*

Navigation spatiale, interplanétaire (→ Météore, cit. 2 ; et aussi fusée) : technique de la conduite d'un véhicule aéronautique ou spatial à une destination donnée, par la détermination de la position, le calcul de la trajectoire optimale et le guidage par référence à celle-ci.

COMP. V. **Naviplane, navisphère.**

NAVIGUER [navige] v. intr. — 1392 ; var. *naviger* au XVIIe (Boileau, *Satires,* X) et encore au XVIIIe *in* Trévoux ; empr. au lat. *navigare,* qui a aussi donné *nager*.

♦ **1.** Voyager, se déplacer sur l'eau*, en parlant des navires*, et de leurs passagers. ⇒ **Nager** (1.), **fendre** (les flots), **voguer.** *Naviguer en mer*, sur les côtes* (cit. 13), *en rivière, sur un lac. Navire, flotte, escadre qui navigue.* ⇒ **Sillonner** (les mers). → Essuyer, cit. 8. *Endroit où l'on peut naviguer.* ⇒ **Navigable.** *Navire en état, hors d'état de naviguer.* ⇒ **Navigabilité** (→ Fret, cit. 2). *Naviguer par calme plat, dans la tempête, contre vents et marées, vent debout.* — *Naviguer de conserve*, bord à bord, à contre-bord*.* — «*Il était un petit navire, qui n'avait ja - ja - jamais navigué...* » (chanson enfantine).

1   Son navire, la *Belle Rose,* qui naviguait sous un pavillon d'Amérique, partait le lendemain pour la Californie.   LOTI, Mon frère Yves, LXXIX.

2   À l'avant, le besson tenait la perche et frappait toutes les épaves. Ils naviguaient sur le bord du fleuve, assez près du grand courant pour être entraînés, mais dégagés des vagues et des remous.   J. GIONO, le Chant du monde, III, I.
        Se comporter de telle ou telle façon, en parlant d'un navire. *Ce bateau navigue bien.*

Par métaphore. *Poisson qui navigue* (→ Écaille, cit. 4).

♦ **2.** (Personnes). Voyager sur un navire (spécialt en parlant des marins). *Ce mousse n'a pas encore navigué. Naviguer à la part*.*

3   Mais, quand on est gabier, on navigue emporté comme une chose, sans rien savoir, ignorant les distances et les mesures sur l'étendue qui ne finit pas.
        LOTI, Pêcheur d'Islande, II, IX.
        Pratiquer l'art de la navigation ; conduire, diriger* la marche d'un navire. ⇒ **Navigateur, navigation** (→ Météorologue, cit. 2). *Naviguer à la voile*.*

4   Le vrai pilote est le marin qui navigue sur le fond plus encore que sur la surface.
        HUGO, les Travailleurs de la mer, I, I, VI.

♦ **3.** Par anal. Diriger la marche d'un avion (⇒ **Navigateur ; navigant**). *Pilote qui navigue à telle altitude* (→ Marge, cit. 4).

5   Je navigue à sept cent cinquante mètres d'altitude sous le plafond de lourds nuages.   SAINT-EXUPÉRY, Pilote de guerre, XIX.

♦ **4.** (XIXe). Fig., fam. Voyager, se déplacer beaucoup, souvent. *C'est un voyageur de commerce, il navigue constamment. J'ai navigué tout l'après-midi à travers la ville. Il a beaucoup navigué dans sa vie :* il a beaucoup bourlingué, voyagé. *Passants qui naviguent...* (→ Îlot, cit. 3).

♦ **5.** (V. 1550). Par métaphore ou fig. Conduire sa vie, ses activités. *Le chrétien* (cit. 11) *navigue à contre-courant. Naviguer entre les écueils :* éviter habilement les obstacles, les dangers. *Il sait naviguer* (→ Nager). — Allus. littér. «*Le char* (cit. 3) *de l'État navigue sur un volcan* ».

6   La folie et la luxure sont deux choses que j'ai tellement sondées, où j'ai si bien navigué par ma volonté, que je ne serai jamais (je l'espère) ni un aliéné ni un de Sade.   FLAUBERT, Correspondance, 406, 7 juil. 1853.

7   Mon beau navire, ô ma mémoire
    Avons-nous assez navigué
    Dans une onde mauvaise à boire
    Avons-nous assez divagué
    De la belle aube au triste soir   APOLLINAIRE, Alcools, p. 21.

♦ **6.** Fam. (Choses, véhicules). Se déplacer latéralement et alternativement. ⇒ **Flotter** (fig.).

DÉR. Navigant.

NAVIPLANE [naviplan] n. m. — 1965; nom déposé; de *navi(gation)*, et *-plane*, de *aquaplane*.

♦ Techn. Véhicule de transport amphibie sur coussin d'air (aéroglisseur). ⇒ **Aéroglisseur, hovercraft** (anglicisme).

NAVIRE [naviʀ] n. m. — 1160; *navilie, navirie*, 1080; genre incertain jusqu'au XVIIe s., d'un bas lat. **navilium*, altér. de *navigium* «embarcation», de *navigare* → Naviguer.

♦ Construction flottante allongée dans le sens de la marche, pontée et destinée à transporter sur l'eau (et, spécialt, sur mer) du personnel et du matériel (→ Flotteur, cit. 1) [moins cour. que *bateau*].

REM. 1. En t. de marine, *navire* est théoriquement le terme le plus général qui sert à définir tout ce que le langage courant nomme *bateau* (→ Barque, bateau, bâtiment, embarcation). Dans la pratique, *navire* ne s'emploie que lorsque le tonnage est élevé (→ Bâtiment).

2. *Navire* se dit de tous les bateaux faisant habituellement la navigation maritime, quel que soit leur tonnage (syn. : ***bâtiment de mer***); *bâtiment*, plus général, s'emploie en batellerie.

Le navire est un bien meuble. — Anciens navires. Navires modernes. Navire de jonc* (cit. 5). *Navire en bois, en fer, en acier... Navires à rames; à voiles.* ⇒ **Voilier; vent.** *Navires désignés par le nombre de rangs des rames* (⇒ **Birème, trirème, quadrirème, quinquerème...**), *par le nombre des mâts* (⇒ **Deux-mâts, trois-mâts**)... *Navire à roues, à aubes*, à hélice. Navire à vapeur* (machine ou turbine). ⇒ **Steamer, vapeur.** *Navire mixte**, à voiles et à vapeur. *Navire à moteur diesel; à propulsion électrique, atomique.*

Navire de commerce, qui sert au transport des marchandises et des passagers, et qui appartient à des particuliers ou à l'État (→ Liaison, cit. 16). *Navire marchand, de transport. Navire qui fait une navigation auxiliaire. Navire de guerre*, appartenant à la Marine nationale. ⇒ **Vaisseau** (→ Battre, cit. 43; masse, cit. 12). *Navire transbordeur.* ⇒ **Car-ferry, ferry-boat** et **transbordeur.**

(1973). *Navire-citerne*, destiné au transport des liquides en vrac et notamment du pétrole et des produits pétroliers (recomm. off. pour *tanker*). ⇒ **Méthanier, propanier, tanker.** *Navire pétrolier**. — (1932). *Navire-usine* : gros cargo construit spécialement pour le traitement en mer des produits de la pêche (cétacés, crabes...). — (1868). *Navire-hôpital*, navire aménagé spécialement pour le transport des malades et des blessés et placé sous la sauvegarde de conventions internationales. *«Il fut (...) décidé qu'on installerait, avec le plus grand soin, de vastes navires-hôpitaux qui serviraient à la fois d'hôpitaux flottants et de transports destinés à rapatrier en Angleterre (...) les malades susceptibles de supporter le trajet»* (*Journal de médecine et de chirurgie pratiques*, XXXIX, p. 526, 1868). — *Navire-atelier* : navire de guerre s'occupant des réparations qui ne peuvent être faites à bord. — *Navire-câblier*, destiné à la pose des câbles sous-marins. *Navire-école* : navire où se fait l'apprentissage du métier de marin. *Navire qui pratique la navigation* au long cours* (⇒ **Long-courrier**), *le cabotage* (⇒ **Caboteur**), *le bornage. — Mauvais navire.* ⇒ **Patouillard; rafiot.** — *Nationalité, numéro*, nom d'un navire.* → Fourrier, cit. 3 (N. B. Pour le genre de l'article devant les noms de navires, → 1. Le, I., 8.). *Navire battant pavillon français. Personnel qui sert à bord d'un navire.* ⇒ 2. **Marin** (cit. 5) et **marine.** *Responsabilité du capitaine* d'un navire. Faute commise par le capitaine, le patron d'un navire.* ⇒ **Baraterie.** *Papiers d'un navire de commerce.* ⇒ **Congé, connaissement, francisation** (acte de), **livre** (de bord), **manifeste, papier** (de bord), **patente, rôle** (d'équipage); et aussi **navicert.** *Lettre* de marque d'un navire de guerre.*

1 C'était un navire à trois rangs de rames (...)
FLAUBERT, Salammbô, VII.

2 (...) le navire mixte à hélice est une machine surprenante traînée par une voilure de trois mille mètres carrés de surface et par une chaudière de la force de deux mille cinq cents chevaux.
HUGO, les Misérables, II, II, III.

2.1 Là, à l'embouchure de la rivière de Canton, c'était un fourmillement de navires de toutes nations, des anglais, des français, des américains, des hollandais, bâtiments de guerre et de commerce, des embarcations japonaises ou chinoises, des jonques, des sempans, des tankas, et même des bateaux-fleurs qui formaient autant de parterres flottants sur les eaux.
J. VERNE, le Tour du monde en 80 jours, p. 151.

3 L'Américaine en était orgueilleuse *(de son yacht)*, et se plaisait à entendre redire qu'elle possédait incontestablement le plus beau navire de plaisance qui existât.
Claude FARRÈRE, la Bataille, XIII.

4 Le navire avait été déclaré et inscrit sur le registre maritime britannique, mais au bout d'un certain temps, M. Sigg avait jugé plus expédient de le transférer sous les couleurs siamoises.
GIDE, Trad. J. CONRAD, Typhon, p. 23.

Noms de navires de commerce. ⇒ **Allège, baleinier, brise-glace, buyse, caboteur, canot, clipper, cargo** (bananier, charbonnier, fruitier, pétrolier...), **chalutier, chasse-marée, dragueur, dundee, felouque, ferry-boat, fuste, hourque, interlope, jonque, lougre, morutier, paquebot, pinque, polacre, ponton, remorqueur, revoyeur, sacolève, sardinier, schooner, sélandre, sloop, steamer, tartane, terre-neuvier, thonier, toueur, trabac, tramp, transatlantique, transbordeur, trinquart, trois-ponts, vedette...** — N. B. Se reporter également à **bateau** et à **embarcation.**

Anciens navires. ⇒ **Barge, boutre, brick, brigantin, caraque, caravelle, chébec, corsaire, cotre, drakkar, frégate, gabarre, galéasse, galère, galion, galiote, mahonne, nef, polacre, taride.** *Navire d'apparat des doges.* ⇒ **Bucentaure.**

Noms de navires de guerre, de combat. ⇒ **Aviso, brûlot, canonnière, chasseur, contre-torpilleur, corvette, croiseur, cuirassé, destroyer, dragueur** (de mines), **dreadnought, éclaireur, escorteur, flûte, frégate, garde-côte, garde-pêche, monitor, patache, patrouilleur, porte-avions, ravitailleur, répétiteur, sous-marin, stationnaire, torpilleur, vedette** (lance-torpilles). *Navire amiral*, sur lequel est embarqué l'amiral. — *Navires faisant route ensemble.* ⇒ **Convoi, équipe** (vx), **escadre, escorte, flotte, ligne; serre-file.**

Parties d'un navire. ⇒ **Accastillage, acrostole, aiguillot, arbre, arcasse, arc-boutant, archipompe, architrave, arrière, avant, bâbord, banc** (de quart), **barrot, bastingage, bau, bauquière, beaupré, blindage, bois, bord, bordage** (→ Râblure), **bossoir, cabine, cache,** 1. **cale, cambuse, cap** (de mouton), **carène, carlingue, carré, chameau, château, chaudière, chauffe, chaufferie, cheminée, cloison, cofferdam, coffre, coque, coquerie, corps** (mort), **côte, coupée, couple, coursive, cuirasse, dalot, doublage, dunette, élongis** (ou longis), **écoutille** (cit. 1), **écubier, embelle, emplanture, entrepont, épaule, éperon, épontille, étambot, étambrai, étrave, flanc, flottaison, franc-bord, gabord, gaillard, gatte, gouvernail, hanche, haut** (les hauts), **hélice** (cit. 3), **hiloire, hublot, hune, jaumière, joue, kiosque,** 4. **lisse, lunette** (d'étambot), **machinerie, marsouin, mât, mâture, membrure(s), muraille, œuvres** (mortes, vives), **parquet, passavant, passerelle, plat-bord, pont, poulaine, poupe, proue, quille, réduit, ridoir, rostre, rouf, sabord, sentine, serre, soufflage, soute, spardeck, superstructure, tableau, taille-mer, talon, tambour, teugue, tillac, timon, timonerie, tourelle, travers, traversin, tribord, vaigre** (vaigrage), **ventre, vibord, virure, voûte** (d'arcasse), **water-ballast.** — *Pièces, matériel à bord* d'un navire.* ⇒ **Chantier, cordage, gréement, manœuvre, voile, voilure; drome; agrès, anspect, apparaux, équipement; affourche, amarre, ancre, anneau, baderne, barbotin, barre, cabestan, cadre, canot, chaîne, corbeau, couchette, étai, étambrai, fanal, grappin, pavillon, porte-manteau, potence, rambarde, remorque, taquet, tire-vieille...** (et aussi **armement, canon, lance-torpilles**). *Ligne de flottaison*, marque de franc-bord* d'un navire.*

Le vocabulaire maritime de nos pères, presque entièrement renouvelé aujourd'hui, était encore usité à Guernesey vers 1820. Un navire qui tient bien le vent était «bon boulinier» (...) Entrer en mouvement, c'était «prendre aire»; mettre à la cape, c'était «capeyer»; amarrer le bout d'une manœuvre courante, c'était «faire dormant»; prendre le vent dessus, c'était «faire chapelle» (...) on dit *naviguer*, on disait *naviger* (...) on dit *taquets*, on disait *bittons*; on dit *burins*, on disait *tappes*, on dit *balancines*, on disait *valencines* (...) au lieu de «jouail», *jas*; au lieu de «soute», *fossé* (...) Mess Lethierry, absolument comme le duc de Vivonne, appelait la courbure concave des ponts *la tonture* et le ciseau du calfat *la patarasse*. 5
HUGO, les Travailleurs de la mer, I, II, III (cf. le chap. entier).

Formes et mesures d'un navire. ⇒ **Acculement, bouge, courbure, creux, latitudinal** (plan), **métacentre, quête, tonture.** *Navire de haut bord. Navire ensellé*, qui gondole*.* ⇒ aussi **Jauge, jaugeage, piétage, portée, tirant** (d'eau), **tonnage, tonneau.** *Navire qui déplace* 1 000 tonnes d'eau, qui tire* 6 m d'eau. Vitesse, lancée d'un navire* (⇒ **Erre**). *Navire qui file* 30 nœuds.*

On peut comparer ces navires des Indes à ceux de quelques nations d'aujourd'hui, dont les ports ont peu de fond : tels sont ceux de Venise (...) de la mer Baltique, et de la province de Hollande. Leurs navires, qui doivent en sortir et y rentrer, sont d'une fabrique ronde et large de fond; au lieu que les navires d'autres nations qui ont de bons ports sont, par le bas, d'une forme qui les fait entrer profondément dans l'eau. Cette mécanique fait que ces derniers navires naviguent plus près du vent, et que les premiers ne naviguent presque que quand ils ont le vent en poupe. 6
MONTESQUIEU, l'Esprit des lois, XXI VI.

Construction, architecture de navires. ⇒ **Arsenal, chantier; carcasse, charpente, couple, gournable, porque; faufilage; accore, tin; accastiller, accorer, blinder, border, mailleter...** *Navire sur le chantier*. Lancement** (ou lançage) *d'un navire* (⇒ **Ber, savate, ventrière**). *Parrain, marraine d'un navire. Baptême d'un navire au champagne. — Navires-jumeaux*, possédant les mêmes caractéristiques de construction (anglic. : *sister-ship*). — *Aménager, équiper* (cit. 2), *armer* un navire.* ⇒ **Armateur** (cit.), **armement.** *Armer un navire en course. Appareiller, gréer un navire. Approvisionnement d'eau d'un navire.* ⇒ **Aiguade.** *Enrôlement* de l'équipage d'un navire* (⇒ **Équipage**), *occupation du navire par l'équipage.* ⇒ **Amarinage, amariner.** *Commander, conduire un navire...* ⇒ **Capitaine, commandant, pilote, piloter; lamanage, lamaneur.** *Voyageur qui prend un navire. — Mettre un navire à flot.* ⇒ **Afflouage, afflouer.** *Navire bien assis* dans l'eau.* ⇒ **Assiette.** *Navire qui tient bien l'eau. Navire qui chauffe, est sous pression. Navire en partance. Le navire lève l'ancre* (cit. 3), *vient à l'appel de l'ancre, tourne, évite* (⇒ **Évitage**), *cule. Navire qui appareille* (⇒ **Appareillage**). *Déhaler, démarrer, désamarrer un navire. Navire qui met le cap sur..., cingle* (cit. 1) *à...* ⇒ **Cinglage.** *Navire qui épaule la mer; qui porte au Sud. Le navire fend les flots, sillonne les mers... Trace d'un navire sur l'eau.* ⇒ **Sillage; houache.** *«Le navire glissant sur les gouffres amers»* (cit. 2, Baudelaire). *Route d'un navire.* ⇒ **Navigation.** *Parcours d'un navire.* ⇒ **Course, croisière, périple, voyage; ligne, parage.** *Navire qui en convoie*, en conserve* un autre. Position du* *navire.* ⇒ **Point; large; côte.** *Mouvements d'un navire.* ⇒ **Bricole, oscillation** (→ **Fort,** cit. 21); **rouler, roulis; tanguer, tangage.** *Trépidation d'un navire à moteur. Navire immobile* (⇒ **Étale**), *immobilisé* (⇒ **Encalminé**). *Navire qui suit un chenal*, s'engage* dans les jetées* (→ **Entrée,** cit. 3). *Navire qui n'a pas la vue* (⇒ **Non-vue**). *Signaux d'un navire.* ⇒ **Signal.** *Navire qui jette l'ancre au large, près de la côte; qui mouille dans une baie* (cit. 3), *dans un bassin; navire qui relâche, qui touche terre.* ⇒ **Abordage, accostage, escale, hivernage, mouillage, relâche.** *Pilotage des navires au port.* ⇒ **Lamanage; bateau-pilote; phare.** *Droit réciproque d'accès aux ports.* ⇒ **Intercourse.** *Rade, port qui abrite* (cit. 1) *les navires. Port d'attache d'un navire. Amarrer, embosser un navire. Navire à quai, à l'embarcadère. Désarmer un navire.* ⇒ **Déséquiper.**

7   Le navire roulait sous un ciel sans nuages,
       Comme un ange enivré de soleil radieux.
                    BAUDELAIRE, les Fleurs du mal, CXVI.

8   Quand le navire eut «levé l'ancre», et qu'on sentit se propager la vibration des machines (...)   J. ROMAINS, Quand le navire..., I.

9   Il vit de loin que les trois étages des ponts étaient criblés de figures serrées les unes contre les autres; le navire appareillait.
                 MARTIN DU GARD, les Thibault, t. I, p. 90.

Prendre un navire en course, en chasse*. ⇒ *Pirates, corsaires qui capturaient les navires marchands.* ⇒ **Abordage, capture.** *Arraisonner un navire.* ⇒ **Arraisonnement, visite.** *Mettre l'embargo sur un navire.* ⇒ **Embargo** (cit. 2). *Maintenir un navire en quarantaine*.*

10   Le premier parti *(des mutins)* voulait s'emparer du premier navire passable dont on ferait rencontre et l'équiper dans quelqu'une des Antilles pour faire une croisière de pirates.
     BAUDELAIRE, Trad. E. POE, les Aventures d'A. Gordon Pym, V.

Heurter un navire. Collision entre deux navires. Endommager un navire. ⇒ **Démâter, désemparer, empanner, éperonner, raser, saborder, torpiller.** *Navire en panne; éprouvé par la tempête. Navire qui lance un S.O.S., demande des secours. Dommage survenu à un navire.* ⇒ **Avarie** (cit. 2). *Navire qui crache* ses étoupes, dont l'ancre laboure, qui chasse sur son ancre. Navire qui fait eau.* ⇒ **Voie** (d'eau). *Navire qui démâte*, qui prend feu* (⇒ **Mazout,** cit.), *donne de la bande*.* ⇒ **Gîte, gîter.** *Le navire s'enfonce.* ⇒ **Canarder, sancir, talonner; chavirer, chavirement, couler, coulage, sombrer** (→ **Boucher,** cit. 2; étreinte, cit. 1). *Alester* un navire. Navire qui se perd* (⇒ **Perdition**), *qui fait naufrage, échoue.* ⇒ **Échouage, naufrage.** *Navire qui périt corps et biens*. Navire échoué* (cit. 11), *enlisé* (⇒ **Souille**), *englouti* (cit. 8). *Navire éventré qui provoque une marée* noire. Épaves de navire* (→ **Cahute,** cit. 1). *Navire insubmersible.*

11   Je ne croyais pas que le navire pût tenir jusqu'au matin. À minuit, l'eau nous avait considérablement gagnés; elle montait jusqu'au faux pont. Peu de temps après, le gouvernail partit, le coup de mer qui l'emporta souleva toute la partie de l'arrière hors de l'eau, de sorte qu'en retombant le brick talonna et donna une secousse semblable à celle d'un navire qui échoue.
    BAUDELAIRE, Trad. E. POE, les Aventures d'A. Gordon Pym, VIII.

Déséchouer, relever, renflouer un navire. ⇒ **Redresse, relèvement, renflouage, renflouement.** *Remorqueur qui va chercher un navire en perdition. Lieu où l'on répare les navires.* ⇒ **Cale** (sèche). **carénage, dock, radoub** (bassin, cale de radoub). *Réparations, révisions de navires.* ⇒ **Aveugler** (une voie d'eau), **brayer, calfater, caréner** (carénage), **galipoter, raccastiller, radouber, regréer.** *Nettoyer* (⇒ **Briquer; vadrouille**), *repeindre un navire.*

Louer un navire : ⇒ **Affrètement, affréter, affréteur, charte-partie, fret** (ou nolis), **fréter** (cit. 4), **noliser.** *Chargement d'un navire.* ⇒ **Cargaison, charge, chargement, fret, lest.** *Navire lège, chargé* (⇒ **Caler; calaison**). *Arrimer des marchandises sur un navire.* ⇒ **Arrimage, barroter.** *Faire entrer* (⇒ **Embarquer**) *sortir* (⇒ **Débarquer**) *d'un navire. Appareils de chargement d'un navire.* ⇒ **2. Cale, crône, drop, grue.** *Décharger un navire.* ⇒ **Débarder, décharger, délester; dock, docker, accon.** *Temps pour charger et décharger les marchandises d'un navire.* ⇒ **Estarie, planche** (jour de).

12   On sait que, par une pratique à peu près générale, on met dans un navire une charge d'un poids égal à celui de la moitié de l'eau qu'il pourrait contenir.
            MONTESQUIEU, l'Esprit des lois, XXI, VI.

13   Ce navire était surtout un récipient, et comme tout bâtiment plutôt armé en marchandise que comme à l'armée, au milieu des mers, surveillant le continent était exclusivement disposé pour l'arrimage. Il admettait peu de passagers.   HUGO, les Travailleurs de la mer, I, III, V.

Par anal. Vx et littér. *Un navire de l'air :* un aérostat.

13.1   (...) si nous nous décidons jamais à quitter l'île, ce ne sera pas en ballon, n'est-ce pas? Ça ne va pas où on veut, les navires de l'air (...)
         J. VERNE, l'Île mystérieuse, t. I, p. 365.

Par métaphore et fig. *La Norvège, navire de fer et de granit* (→ **Frégate,** cit. 4).

14   L'Angleterre est un vaisseau. Notre île en a la forme : la proue tournée au nord, elle est comme à l'ancre, au milieu des mers, surveillant le continent. Sans cesse elle tire de ses flancs d'autres vaisseaux faits à son image (...) Mais c'est à bord du grand navire qu'est notre ouvrage à tous. Le Roi, les Lords, les Communes sont au pavillon, au gouvernail et à la boussole; nous autres, nous devons tous avoir les mains aux cordages, monter aux mâts, tendre les voiles et charger les canons : nous sommes tous de l'équipage, et nul n'est inutile dans la manœuvre de notre glorieux navire.   A. DE VIGNY, Chatterton, III, 6.

COMP. Navire-atelier, navire-citerne, navire-école, navire-jumeau, navire-usine, etc. Voir à l'article.

NAVISPHÈRE [navisfɛʀ] n. f. — 1879; *Année sc. et industr.,* 1880, p. 72; de *navi(gation),* et *sphère.*

♦ Mar. Instrument en forme de sphère représentant la voûte céleste, que le navigateur peut orienter, en latitude et en heure, de façon à reconnaître le nom de l'étoile dont il prend la hauteur au sextant.

NAVRANCE [navʀãs] n. f. — 1868, signalé par Littré comme ayant été «proposé», mais non «adopté»; Paul Adam, 1885; de *navrer.*

♦ Littér. État d'affliction. ⇒ **Navrement.**

Mais enfin, ce qui me met l'âme en navrance (...) ce qui me chagrine, c'est de me voir préférer cette insignifiante de B. incapable de tenir un rang digne de sa fortune.   ARAGON, Anicet, p. 101.

(...) j'ai enfin traité à cœur ouvert et pour mon malheur de la médiocrité et de la navrance du monde (...)   A. SARRAZIN, la Traversière, p. 188.

NAVRANT, ANTE [navʀã, ãt] adj. — 1787; de *navrer.*

♦ **1.** Qui navre, provoque l'affliction, la tristesse, le découragement. ⇒ **Affligeant, attristant, décourageant, déplorable, désespérant, désolant, douloureux, funeste, lamentable, pénible, triste.** *Nouvelle navrante. La situation de cette famille est navrante.* ⇒ **Pitoyable.** *Pays morne et navrant* (→ **Appauvrissement,** cit. 1). *Voix navrante et faible* (cit. 25). *Choses navrantes dont la vue donne le frisson* (cit. 12). *Plainte navrante.* ⇒ **Déchirant, émouvant, poignant.**

(...) jamais je ne me suis plainte d'avoir été (...) abandonnée avec des paroles si offensantes et si navrantes (...)
    G. SAND, Lettres à Musset, XII, Hiver 1834-1835.

Mais, vrai, j'ai trop pleuré! Les aubes sont navrantes.
    RIMBAUD, Poésies, XLI, «Le bateau ivre».

À cette heure si matinale et si fraîchement mystérieuse (...) il semblait qu'on surprît les choses dans leur navrant colloque de lassitude et de mort (...)-
    LOTI, Ramuntcho, II, XII.

♦ **2.** (xxᵉ). Très contrariant, ennuyeux, fâcheux (→ **Idiot,** cit. 10). *Il n'écoute personne; c'est navrant. — Cet article, ce film est navrant.* ⇒ **Lamentable.**

CONTR. Consolant, réconfortant.

NAVREMENT [navʀəmã] n. m. — 1831, Barthélemy; de *navrer.*

♦ Littér. État d'une personne navrée; affliction, tristesse...

REM. Ce mot, que des écrivains comme Glatigny, Goncourt, Huysmans, etc. ont essayé de mettre en honneur à l'époque symboliste, ne s'est pas vraiment imposé.

— Il ne t'a pas répondu (...) Je n'ai rien vu dans le courrier. — Non, fit le jeune homme avec un profond navrement.   G. DUHAMEL, Salavin, VI, XXV.

NAVRER [navʀe] v. tr. — V. 1140; *nafrer,* 1080, la Chanson de Roland, «blesser»; de **nafra* «transpercer», en anc. nordique, selon Wartburg.

♦ **1.** Vx ou archaïque. Blesser en transperçant ou en coupant.

(...) le boutoir d'un grand sanglier l'avait navré à la jambe, et (...) la blessure n'était point bandée.   J. BÉDIER, Tristan et Iseut, VII.

J'ai, pendant les deux guerres mondiales, eu cent et cent fois le sentiment de voir venir à moi, navré, sur un brancard, un des guerriers de Roncevaux (...)
    G. DUHAMEL, Refuges de la lecture, II.

♦ **2.** (1538). Fig. Remplir de tristesse, d'une extrême affliction. ⇒ **Affliger, attrister, contrister, déchirer, désoler.** *Le désespoir de cette malheureuse nous navrait. Curé navré de l'indifférence religieuse de ses paroissiens* (→ **Incident,** cit. 3).

La joie innocente est la seule dont les signes flattent mon cœur. Ceux de la cruelle et moqueuse joie me navrent et m'affligent (...)
    ROUSSEAU, Rêveries..., IXᵉ promenade.

Ce qui m' (...) a profondément attristé, humilié, si tu veux, navré est plutôt un mot, c'est que j' (...) ai vu (...) l'incompatibilité native de nos humeurs.
    FLAUBERT, Correspondance, 189, 20 mars 1847.

♦ **3.** Contrarier, décevoir, dégoûter. *Ce gaspillage le navre* (→ **Lamenter,** cit. 8).

(...) leur ville me navrait. Une espèce de foire ratée... écœurante...
    CÉLINE, Voyage au bout de la nuit, p. 196.

▶ **NAVRÉ, ÉE** p. p. adj. (1080, *blessé*).

♦ **1.** (1562). Très affligé. *Figures navrées et navrantes des mécontents* (→ **Défilé,** cit. 5). *Air de résignation navrée* (→ **Fourrer,** cit. 5). *Répondre d'un ton navré* (→ **Lamentable,** cit. 5). *Navré de douleur* (→ **Intime,** cit. 1).

(Ce mensonge affreux) vient, jusque dans ma vieillesse, contrister encore mon cœur déjà navré de tant d'autres façons.   ROUSSEAU, Rêveries..., IVᵉ prom.

Que d'expressions nous manquent aujourd'hui, qui étaient énergiques du temps de Corneille (...) Les *affres* de la mort, les *angoisses* d'un cœur *navré* n'ont point été remplacées.
    VOLTAIRE, Mélanges littéraires, Lettres à d'Olivet, 20 août 1761.

(...) j'en suis accablé et j'ai l'âme toute navrée d'une mélancolie confuse et infinie.
    FLAUBERT, Correspondance, 41, 21 avril 1840.

♦ **2.** (1773). Contrarié, très ennuyé. *Il semblait navré de ce contre-*

temps. — (Dans le langage de la politesse). *Je suis navré de vous avoir dérangé* (⇒ **Désolé**). *Navré, désolé, mais vous vous trompez.*

(...) il avait l'air tout à fait navré de décevoir cette dame, mais sans qu'on pût saisir dans son regret un surplus d'empressement.
J. ROMAINS, les Hommes de bonne volonté, t. V, XVI, p. 117.

CONTR. Consoler, réconforter. — Enchanté, heureux, satisfait.
DÉR. Navrance, navrant, navrement.

NAZARÉEN, ENNE [nazaʀeɛ̃, ɛn] adj. — Attesté XVIIᵉ; trad. des Évangiles, Matthieu, II, 23; de *Nazareth.*

♦ **1.** De Nazareth, ville de Galilée (Israël) où, selon les Évangiles, se passa la vie cachée de Jésus. (Selon certains critiques, l'épithète proviendrait d'une confusion avec les dérivés de *nazir* → Naziréen; elle sert à désigner une secte chrétienne).

♦ **2.** Hist. de l'art. Se dit d'une école de peintres allemands du début du XIXᵉ siècle, précurseurs des préraphaélites* anglais.

1. NAZE [naz] n. m. ⇒ 1. **Nase.**

2. NAZE [naz] adj. ⇒ 2. **Nase.**

1. NAZI, IE [nazi] n. et adj. — V. 1930, empr. à l'abrév. allemande d'abord iron. *nazi,* pour *nazional-sozialist,* du nom du parti fondé par Hitler.

♦ Membre du parti national-socialiste allemand. *Les nazis prirent le pouvoir en 1933.* ⇒ **Chemise** (brune), **hitlérien.** — Qui se rapporte à l'organisation, aux actes de ce parti. *Les victimes de la barbarie nazie.* — REM. Pour le fém. il y a eu hésitation. Cf. à ce sujet Grevisse (§ 352, N. B. 6) qui cite : *La propagande nazi* (A. Arnoux), *la police nazie* (É. Henriot), *les autorités nazies* (Fr. Ambrière).

— C'est pas ma faute si je suis nazi, ricana-t-il. — Nazi! dit-elle découragée. Qu'est-ce que vous allez encore inventer! Nazi! Ils battent les Juifs et tous ceux qui ne sont pas de leur avis (...) un jeune homme comme vous n'a pas le droit de dire qu'il est nazi, même par plaisanterie. SARTRE, le Sursis, p. 30.

DÉR. Nazifier, nazillon, nazisme.
COMP. Antinazi, néo-nazi.
HOM. 2. Nazi.

2. NAZI [nazi] ou **NAZIR** [naziʀ] n. m. — 1765, *nazi; nazir,* 1671, in *Encyclopédie;* mot hébreu «séparé» et «consacré».

♦ Hist. relig. Chez les Israélites, Homme consacré à Dieu. ⇒ **Naziréat, naziréen** (cit.).
HOM. 1. Nazi.

NAZIFIER [nazifje] v. tr. — 1938, au passif (*in* D.D.L.); de 1. *nazi.*

♦ Rendre nazi. *Se nazifier :* devenir nazi, subir l'emprise d'un parti nazi (ou assimilé à ce parti).

Tout de même, l'Allemagne, nous en avions notre compte. Le plébiscite du 19 août assurait à Hitler des pouvoirs dictatoriaux que plus rien, absolument, ne limitait; l'Autriche se nazifiait. S. de BEAUVOIR, la Force de l'âge, p. 204.

CONTR. et COMP. Dénazifier.

NAZILLON, ONNE [nazijɔ̃, ɔn] adj. et n. — 1973, *le Monde, in* D.D.L.; de 1. *nazi,* et suff. *-illon.*

♦ Fam. Petit nazi, petit fasciste. «*Des nazillons surgissent, agressent les spectateurs, (...) emportent la caisse. Les flics ne bougent pas*» (*le Nouvel Obs.,* 13 févr. 1978, p. 58).

NAZIR [naziʀ] n. m. ⇒ 2. **Nazi.**

NAZIRÉAT [nazireʌ] n. m. — XIXᵉ, sous cette forme (Boiste, 1839; *Dict. des dict.,* 1837); nazaréat, 1740, Trévoux; de *nazir.*

♦ Hist. relig. État de nazir, → 2. Nazi.

NAZIRÉEN [nazireɛ̃] n. m. — 1837, antérieurement *nazaréen;* de *nazir,* → 2. Nazi.

♦ Hist. relig. Syn. de *nazir,* juif consacré à Dieu (var. : *nazaréen, nazoréen*).

Sans aller jusqu'à de telles austérités certains juifs se plaçaient momentanément ou définitivement dans une situation morale analogue, tout en restant dans la société; c'étaient les nazirs ou naziréens, qui continuaient une très vieille institution. Ils se consacraient à Dieu — au minimum un mois, — prenaient trois engagements : de ne pas se couper les cheveux, de ne pas boire de vin, de ne pas s'approcher des femmes. Il semble que cette pratique des vœux temporaires fut très répandue. DANIEL-ROPS, le Peuple de la Bible, IV, III, p. 356.

NAZISME [nazism] n. m. — V. 1930 (1932, Larousse); de 1. *nazi.*

♦ Doctrine du national-socialisme allemand; mouvement, régime nazi. *Lutte contre le nazisme.*

M. Adolf Hitler dit qu'il combat le communisme; mais, en vérité, nazisme et bolchevisme se ressemblent comme des frères, comme des frères qui finiront par contracter, quelque jour, une ténébreuse alliance.
G. DUHAMEL, Mémorial de la guerre blanche, XXIII.

COMP. Néo-nazisme.

Nb [ɛnbe] Symbole chimique du *niobium.*

Nd [ɛnde] Symbole chimique du *néodyme.*

NDAMA [ndama] n. m. — D. i.; mot d'une langue africaine.

♦ Franç. d'Afrique. Bovin de petite taille dont la race résiste remarquablement bien à la tripanosomiase, en Afrique noire.

Ne [ɛnə] Symbole chimique du *néon.*

NE [nə], **N'** [n] devant une voyelle ou un *h* muet. Adv. de négation. — Xᵉ; du lat. *non* en position proclitique devenu *nen* devant une voyelle (forme subsistant dans *nenni*), et *ne* devant une consonne.

♦ Forme atone de la négation, dont *non* est la forme tonique.

REM. 1. *Ne* étant atone, s'appuie directement sur le verbe : *je ne veux pas; il n'importe.* Seuls peuvent s'intercaler entre *ne* et le verbe des pronoms personnels compléments : *je ne le vois pas. Ne lui en dites rien.*

2. Pour la place de *ne* en corrélation avec le second terme de la négation, → Pas, point, plus, rien, etc.

3. Quand le second terme de la négation est *jamais,* il peut à la différence de *pas* ou de *point* se placer au début de la proposition : *jamais on n'a vu une chose pareille.*

★ **I.** *Ne,* marquant seul la négation.

REM. 1. En dehors des cas normaux étudiés ci-dessous, *ne* suffisait, jusqu'au XVIIᵉ s., à donner à n'importe quel verbe une absolue valeur négative : «*Je ne lui confierais l'état de ma garde-robe*» (La Bruyère, II, 84); et cela même lorsque le terme nié était le sujet et non le verbe : «*Un seul n'en échappa*» (La Fontaine, III, 13).

2. Ce tour classique semble revenir à la mode dans la langue littéraire du XXᵉ s. (cf. Le Bidois «*Ne* ou *ne pas,* telle est la question», in *le Monde,* 17 juin 1959) : «*Comme si la chair toute seule ne distillait son poison!*» (Mauriac). «*Dans la cour du manoir, il ne voulut descendre*» (La Varende).

♦ **1.** *Ne,* s'employant généralement seul.

a (En phrase principale).

(Dans certaines locutions plus ou moins figées composées du verbe *avoir* et d'un nom compl. d'objet sans article). *N'avoir crainte, n'avoir cure* (cit. 1), *n'avoir de cesse, n'avoir garde* (cit. 60 à 65). De même, dans certaines locutions impersonnelles ou sans sujet exprimé : (il) *n'empêche...* (cit. 26 et 27), *n'importe...* (cit. 22 à 36), *ne vous en déplaise* (cit. 16 à 20), *à Dieu ne plaise,... qu'à cela ne tienne...* — De même enfin, dans certaines locutions hypothétiques figées (au sens de «sauf, sinon») : *N'était... Si ce n'est...* (→ Être, cit. 91 et 92).

Mionnet s'y fût assis volontiers, n'eût été son costume.
J. ROMAINS, les Hommes de bonne volonté, t. VIII, XX, p. 217.

(Dans les tours à valeur superlative). *On ne peut mieux* (cit. 10 et 11), *on ne peut plus* (cit. 47, 48), *on ne peut moins* (cit. 9)... ⇒ **Pouvoir.**

(Dans certains tours figés d'interrogation indirecte marquant l'indétermination). *Je ne sais qui..., quoi..., quel..., comment..., où...* ⇒ **Je-ne-sais-quoi, savoir.** — Dans l'expression *N'avoir que faire* (cit. 150 à 152).

(Dans certains tours affectifs de forme interrogative). «*Qui ne fait châteaux* (cit. 5) *en Espagne?*» (La Fontaine). «*Dieux, que ne suis-je assise* (cit. 32) *à l'ombre des forêts?*» (Racine). «*Que ne suis-je morte à sa place?*» (Proust, *Albertine disparue,* I, 97). ⇒ **Que.**

b (Dans une subordonnée au subjonctif, dépendant d'une principale négative ou interrogative).

(Proposition relative). «*Il n'est point de fou qui ne loge...*» (→ Maison, cit. 27). «*Ne peut-il faire un pas qui ne vous soit suspect?*» (Racine, *Britannicus,* I, 2). *Il n'est pas jusqu'à... qui ne...* ⇒ **Jusque** (cit. 47, 48 et *infra*).

Tout lui déplaisait. Pas un homme en place qui ne fût un crétin ou une canaille. FLAUBERT, l'Éducation sentimentale, II, I.

Il n'est jeu si passionnant qui ne soit aussitôt interrompu.
G. DUHAMEL, les Plaisirs et les Jeux, p. 22.

(Proposition consécutive). «*Tellement... que les derniers* (cit. 8) *venus n'y trouvent à glaner*» (La Fontaine).

4   Nous n'avions pas si courte vue que déjà nous ne sussions le reconnaître.
                GIDE, *in* Nouvelle Revue franç., avr. 1913.

Littér. (Dans le tour *que... ne...* au sens de «avant que... à moins que... sans que» → Que). *Il ne peut faire un pas que sa mère ne s'inquiète, sans qu'elle s'inquiète. Ne cesser* (*supra* cit. 27), *n'avoir de cesse* (cit. 3) *que... ne...* — (Vx). *Ne pouvoir* que... ne...* — *Ne pas faire que... ne...*

5   Ne saurait-il rien voir qu'il n'emprunte vos yeux ?
                RACINE, Britannicus, I, 2.

6   Ces petits ballets (...) ne faisaient point qu'elle ne détestât de jour en jour davantage ceux qui lui en demandaient l'effort.
            Pierre LOUŸS, les Aventures du roi Pausole, II, v.

Dans les tours *ce n'est pas que... ne... ; non* que... ne...* → Ce (*infra* cit.17 ; après, cit. 86, La Fontaine). *«Non qu'il ne soit fâcheux de le mécontenter»* (Académie).

7   Ce n'est pas que quelques personnes ne m'aient reproché cette même simplicité (...)   RACINE, Bérénice, Préface.

♦ **2.** *Ne*, pouvant s'employer seul.

(Avec certains verbes tels que *cesser, pouvoir, oser* ... surtout aux temps simples, et suivis d'un infinitif). *Je ne cesse* (cit. 27 à 30) *de vous le répéter. Je ne peux l'affirmer. «Vous l'osâtes bannir, vous n'osez l'éviter»* (Racine, *Phèdre*, III, 1). — REM . Avec *savoir*, ne employé seul marque l'incertitude, l'hésitation. *Je ne sais que lui répondre* implique une indécision entre plusieurs réponses possibles. *Je ne sais pas que lui répondre* marque qu'on ignore la réponse à faire. — Lorsque «savoir» a le sens de «pouvoir» (c.-à-d. au conditionnel) *ne* est nécessairement employé seul : *On ne saurait penser à tout* (comédie de Musset). → aussi Savoir I., B., 4. — Vx. (Avec *bouger*, daigner**). *«Mais ne bougeons d'où nous sommes»* (→ Devise, cit. 3, La Fontaine). *«À répondre à cela je ne daigne* (cit. 1) *descendre»* (Molière).

8   (...) vous ne savez quoi vous inventer pour dépenser de l'argent.
        BALZAC, Eugénie Grandet, Pl., t. III, p. 552.

(Dans les tours impersonnels *il n'est...* introduisant une phrase généralement sentencieuse). *Il n'est pire eau que l'eau qui dort. Il n'est pire sourd* que celui qui ne veut pas entendre.*

9   Il n'était de délicatesse, d'émois, d'attentions, de générosités qu'elle n'eût pour lui.
            J. DUTOURD, Au bon beurre, II, III.

(Après le *si* conditionnel, pour marquer généralement une négation atténuée). *Si je ne me trompe* (sous-entendu «mais je peux me tromper»). *Si je ne m'abuse... «Tu ne me chercherais* (cit. 10) *pas, si tu ne m'avais trouvé»* (Pascal).

10   Et ces plaisirs légers qui font aimer la vie,
     Si tu n'avais pleuré, quel cas en ferais-tu ?
          MUSSET, Poésies nouvelles, « Nuit d'octobre ».

11   Évidemment, la position ne pourrait être gardée longtemps, si de l'artillerie ne venait au plus tôt soutenir les troupes (...)   ZOLA, la Débâcle, t. II, v.

(*Ne*, accompagné d'une indication temporelle introduite par *de*). *« Vous n'avez de votre vie été si jeune que vous êtes »* (Molière, *l'Avare*, II, 5). — (Précisé par un mot de valeur indéfinie). *« La grande route, où il n'y avait toujours âme qui vive »* (Stendhal, la Chartreuse de Parme, IV, 79). — REM . Dans ces exemples, l'équivalence entre ces expressions et «jamais» et «personne» explique que *ne* puisse se passer de *pas* (cf. d'autre part l'expression redoublée *jamais de la vie*).

(Après «*depuis que... il y a... voici*, voilà...*» suivis d'une indication temporelle, quand le verbe qui suit est à un temps composé). *Il y a bien longtemps que je ne l'ai rencontré. Voilà bien trois mois que je n'ai été au théâtre.*

12   Tenez, depuis que je n'ai mis les pieds chez vous, vous n'avez pas pu renouveler le meuble de votre salon.   BALZAC, la Cousine Bette, Pl., t. VI, p. 148.

13   Il y avait longtemps qu'il n'avait paru aussi heureux.
         A. MAUROIS, le Cercle de famille, I, XVI.

(Devant «*autre... que*» ou «*autre... sinon*», encadrant un substantif). *Je n'ai d'autre désir que de vous être agréable. On ne fit autre chose que bavarder inutilement.*

14   Je n'avais d'autres sorties que le matin (...) la conduite de mon fils au lycée Charlemagne (...)   Alphonse DAUDET, les Rois en exil, « Hist. de mes livres ».

♦ **3.** *Ne* s'employant nécessairement sans *pas* ou *point*.

(Quand la proposition contient un nominal indéfini comme *aucun, personne, rien*). «*Aucun* (cit. 38) *n'est prophète chez soi*» (La Fontaine). *Elle ne perdait aucune* (cit. 23) *occasion. « Mon cœur est à vous, mais la destinée* (cit. 1) *n'est à personne»* (Voltaire). *C'était leur faute, si rien ne marchait* (cit. 42). — REM . *Nul*, quoique ayant par lui-même un sens toujours négatif, se construit aussi avec *ne* (ou *sans*) par analogie avec *aucun* : «*Nul ne peut servir deux maîtres*» (cit. 4).

(Quand la proposition contient un adverbe mi-négatif, mi-négatif : → Aucunement, cit. 2 et 3 ; guère, cit. 4 et 5, etc.). — REM . *Nullement*, comme *nul*, s'emploie avec *ne*.

(Quand la proposition contient *ni* répété). « *Ne croire* (cit. 60) *ni à Dieu ni au diable*». «*Ni l'or ni la grandeur ne nous rendent heureux*» (cit. 30, La Fontaine). — REM . Si *ni* n'est pas répété, *ne* peut suffire à marquer la négation : «*Le soleil ni la mort ne se peuvent regarder fixement*» (cit. 1, La Rochefoucauld). Mais il peut également se faire suivre d'un autre mot négatif (*pas, personne, rien...*) : «*Sa gerbe*

---

n'était point avare ni haineuse» (Hugo), et cela surtout quand une virgule précède *ni* : «*Il ne les connaissait pas, ni leurs noms*» (Proust, *Du côté de Guermantes*, I, p. 145). L'addition d'un autre mot négatif est nécessaire devant un complément partitif introduit par *de* : *Il n'a pas d'amis ni d'ennemis.*

★ **II.** NE... PAS, NE... POINT, NE... PLUS, NE... JAMAIS, NE... QUE.

♦ **1.** (Emploi normal). ⇒ **Jamais, pas, plus, point, que...** et aussi **guère, goutte, mais, mie...**

De très bonne heure, le simple *ne* a été senti comme trop faible pour exprimer la négation et on l'a renforcé par l'addition de divers compléments : *il ne marche* a été concurrencé par l'expression renforcée *Il ne marche pas* qui a fini par prendre la place et la valeur de la tournure primitive... *(Ce substantif de renforcement)* fonctionne, selon les cas, comme régime direct ou comme une sorte de complément adverbial indiquant surtout la mesure (...) Le renforcement de la négation se fait aussi à l'aide de certains adverbes ou locutions adverbiales : *aucunement* (...) *guère, jamais, de ma vie... mais, nullement, nulle part... plus, que* (...) Les compléments de négation sont (...) primitivement des termes positifs : à force d'être employés dans des expressions négatives, ils acquièrent par là, peu à peu, une valeur négative et cette contagion curieuse a pour résultat que la négation *ne* devient superflue et s'omet.
       K. NYROP, Grammaire historique..., VII, § 20-22-24-27.   15

♦ **2.** (Omission de *ne* devant *pas* ou *point*).

(Dans les phrases interrogatives, surtout en poésie et dans la langue familière).

T'ai-je pas là-dessus ouvert cent fois mon cœur,
Et sais-tu pas pour lui jusqu'où va mon ardeur ?
            MOLIÈRE, Tartuffe, II, 3.   16

Dirait-on pas vraiment qu'on vous traîne au supplice ?
            A. DE MUSSET, Louison, I, 5.   17

Voilà-t-il pas qu'au milieu de la ville (...) il commence une sorte de conférence (...)
            M. BARRÈS, Colette Baudoche, p. 141.   18

(Dans les phrases elliptiques, exclamations, réponses, comparatives... «*La particule négative ne étant proclitique et s'appuyant avant tout sur le verbe, on comprend que son emploi soit impossible là où il n'y a pas de verbe*» G. et R. Le Bidois, *Syntaxe du franç. mod.*, § 1788). ⇒ **Jamais** (cit. 27 à 29). *Pas, plus de pitié! Vous aimez ça? Pas tellement... « Plus d'amour* (cit. 26), *partant plus de joie »* (La Fontaine).

Les hommes l'intéressaient, nullement les idées.
     R. ROLLAND, Jean-Christophe, Buisson ardent, I, p. 1272.   19

(Dans la conversation usuelle, dans l'usage familier contemporain, où cette omission est normale). *J'ai rien fait. J'ai jamais vu ça. J'ai pas faim...*

— Et la frangine? insista la Caille. — M'en parlez pas... barrée, la frangine, avec une frappe du Latin. Il déplora cette fugue : — Si c'est pas malheureux! Et, dans une franchise déconcertante : — J'avais qu'elle, avoua-t-il.   20
            Francis CARCO, Jésus-la-Caille, I, VI.

★ **III.** *Ne*, en emploi dit explétif. — REM . L'emploi de *ne* dans certaines subordonnées qui ne sont pas proprement négatives mais impliquent une nuance, une idée exprimée ou sous-entendue de négation, a donné lieu depuis le XVIIe siècle à de nombreuses discussions. Il a été qualifié tantôt de *pléonastique* (Clédat), tantôt et le plus communément d'*explétif*, tantôt de *modal* ou *négation usée* (Brunot), tantôt d'*expressif* (Bruneau). Damourette et Pichon ont créé pour le désigner le terme *discordantiel*, qui s'oppose, dans leur théorie, aux *forclusifs pas, point...*

Depuis les origines de la langue, *ne* accompagne le verbe dans diverses propositions, par exemple après le verbe *craindre* : *Je crains qu'elle ne soit malade... prenez garde qu'il ne tombe ; — évitez qu'on ne le voie ; — il s'en est fallu de peu qu'il ne vînt... Ce ne n'a pas de valeur négative. Quand réellement on veut exprimer là une négation, on se sert de ne pas : Je crains qu'il ne réussisse pas. Ne n'est qu'une sorte de particule modale adjointe au verbe, et dont le sens est si vague qu'elle peut manquer sans dommage dans bien des cas.*
       F. BRUNOT, la Pensée et la Langue, p. 525.

En réalité, dans une langue bien écrite ou bien parlée, il n'y a pas de particules explétives, c'est-à-dire inutiles. Chacune d'elles a sa raison d'être (...) «Je crains qu'il *ne* vienne » (...) une expression qui fait partie intégrante de ma syntaxe, parlée ou écrite, depuis mon adolescence (...) «Je crains qu'il vienne » est une faute de gens peu instruits ou qui se négligent.   21
       A. DAUZAT, Guide du bon usage, p. 148-149.

♦ **1.** (Après certains verbes ou expressions verbales, en phrase affirmative).

Verbes à expression marquant la crainte : *appréhender, craindre* (cit. 10, 11 et 12), *avoir peur, redouter, trembler que... ne.* — *De crainte* (cit. 12 et 13), *de peur* (cit. 37) *que... ne...*

Je crains presque, je crains qu'un songe ne m'abuse.
            RACINE, Phèdre, II, 2.   22

Il vivait dans l'épouvante que la vieille dame ne fît flamber la maison de bois, et la sienne avec.   FRANCE, l'Orme du mail, Œ., t. XI, XII, p. 187.   23

Verbes comme *empêcher* (cit. 20, 21 et 23), *éviter, prendre garde* (cit. 51, 55 à 58) ; (vx) *garder* (cit. 88)...

Il y a dans toutes ces règles qui concernent *ne* beaucoup d'arbitraire. Ainsi, alors qu'*empêcher* est né, la volonté n'est plus négative ; *ne* devrait disparaître. Néanmoins, on le trouve : *Vous n'empêcherez pas que ma gloire offensée N'en punisse aussitôt la coupable pensée* (Rac., *Mithr.*, 735) ; — *Il marche, dort, mange et boit tout comme les autres ; mais cela n'empêche pas qu'il ne soit fort malade* (Mol., *Mal. imag.*, II, 2).
Il est visible que là *ne* n'était point logique, mais analogique. On est du reste aujourd'hui libre de le retrancher.   F. BRUNOT, la Pensée et la Langue, p. 560.   24

(...) pour éviter que les conversations ne devinssent difficiles (...)   25
            A. MAUROIS, le Cercle de famille, I, XXII.

♦ 2. (Après certains verbes et expressions verbales marquant le doute ou la négation, en phrase négative). *Ne pas douter* (cit. 7), *nul doute* (cit. 25), *il n'y a pas de doute* (cit. 26), *il n'est pas douteux* (*supra* cit. 2), *ne pas nier, ne pas disconvenir* (cit. 2), *ne pas méconnaître* (*infra* cit. 6) *que... ne...*

27 Je ne nie pas que ces interprétations ne soient ingénieuses.
FRANCE, le Livre de mon ami, « Livre de Suzanne », III, II.

♦ 3. (Après un comparatif d'inégalité, introduit par *autre* [cit. 125, 131], *autrement* [cit. 2], *meilleur* [*supra* cit. 2], *mieux* [*infra* cit. 8], *moindre* [cit. 5 et *supra*], *moins* [*supra* cit. 3, et → Élever, cit. 75], *pire, pis, plus, plutôt... que...*). — REM. On a employé jusqu'au XVIIe s. parfois *ne... pas* dans ces tours : « *Vous avez plus faim que vous ne pensez pas* » (Molière, *l'Étourdi*, IV, 3).

28 L'emploi de *ne* (...) s'observe dès les premiers temps de la langue, ce qui prouve combien il est naturel à l'esprit français : « *Plus curt a piet que ne fait* uns chevals », il court plus vite à pied que ne fait un cheval, *Rol.* 890 (...) « Puis la ferma dus Naimes *autrement Qu'elle n'estoit* », puis la fortifia le duc Naimes autrement qu'elle n'était, *Berte* IX (...).
G. et R. LE BIDOIS, Syntaxe du franç. moderne, § 1214.

♦ 4. (Après les expressions *il s'en faut de,... peu s'en faut,... il ne tient qu'à... que ne...*). ⇒ **Falloir** (cit. 2, 8 à 11), **tenir.**

♦ 5. (Après certaines locutions conjonctives : *à moins* [cit. 36 à 38, et *supra*] *que, avant* [cit. 34 à 36, et *supra*] *que*). — REM. Dans tous les cas où *avant que* n'exprime pas une simple antériorité chronologique et où un élément subjectif (crainte, intention, doute, hésitation, etc.) s'introduit dans la phrase, la particule *ne* s'impose presque instinctivement et même, après un impératif, son emploi paraît à peu près indispensable. *Vous êtes arrivés juste* avant qu'il ne pleuve. Il se hâte d'y aller avant qu'il ne pleuve. Cours vite là-bas avant qu'il ne pleuve.* Cependant les grammairiens ne sont pas tous d'accord sur la question.

Après *sans que...* ⇒ **Sans.**

DÉR. V. **Nenni, non.**

NÉ, ÉE [ne] adj. ⇒ **Naître.**

NÉANDERTALIEN, IENNE [neɑ̃dɛʀtaljɛ̃, jɛn] adj. et n. — 1908, Encycl. du XXe siècle ; de l'all. *Neanderthal* « vallée du Neander », en Rhénanie, où fut trouvé en 1856 le crâne fossile qui servit à caractériser l'espèce dite *homme de Néandertal* (homo sapiens Neanderthalensis).

♦ Didact. (Paléont.). Qui appartient à l'espèce humaine fossile du Néandertal. *Les fossiles néandertaliens de la Chapelle aux Saints, du Moustier.* — *Restes néandertaliens. L'homme néandertalien, la femme néandertalienne.* — N. *Les Néandertaliens vivaient au pléistocène supérieur.*

REM. Selon Leroi-Gourhan, le concept de *néandertalien* est employé de manière beaucoup trop large et ne doit s'appliquer que lorsque les fossiles sont associés à une industrie moustérienne.

Var. graphique (d'après l'all.) : *néanderthalien.*

Malgré leurs arcades orbitaires énormes, les Néanderthaliens n'étaient pas les Anthropopithèques échappés du Tertiaire qu'imaginaient les évolutionnistes du XIXe siècle. Il est plus important encore de constater qu'ils font en réalité transition avec ce que sera notre propre préhistoire. Ils font transition par leur industrie dont les découvertes se prolongeront, pour certaines, presque jusqu'à la métallurgie.
A. LEROI-GOURHAN, le Geste et la Parole, t. I, p. 160.

NÉANDERTALOÏDE [neɑ̃dɛʀtalɔid] adj. et n. — 1893, Encycl. Berthelot, art. *Europe* ; de *Néandertal*, et suff. *-oïde.*

♦ Didact. (Paléont.). Qui ressemble, appartient aux Néandertaliens. *Un crâne néandertaloïde.*

NÉANMOINS [neɑ̃mwɛ̃] adv. et conj. — Mil. XVIe ; *naient moins,* 1160 ; nombreuses variantes en anc. franç. *néantmoins* du XVe au XVIIe s. ; *et moins au* sens de « nullement moins, en rien moins ». Cf. le lat. *nihilominus.*

♦ Littér. ou style soutenu. Malgré ce qui vient d'être dit ; en dépit de cela. ⇒ **Cependant, même** (quand même ; tout de même), **nonobstant, pourtant, toutefois, toujours** (est-il). → Bon, cit. 3 ; gazette, cit. 4 ; héros, cit. 10 ; intuitif, cit. 3 ; légèreté, cit. 6. *Il est vrai néanmoins que :* il n'en est pas moins vrai... (→ Expression, cit. 9). *Impétueux* (cit. 5) *et néanmoins patient. Banquier subalterne et néanmoins millionnaire* (→ Grec, cit. 11). — Vx. *Ce néanmoins :* malgré cela.

Néanmoins, néantmoins, en rien moins (...) affirme la coexistence, la non-incompatibilité d'une chose avec une autre. Il ne renverse pas ce qui a été dit, il y rapporte plutôt quelque chose qui devrait y répugner et le soutient également : « L'eau, si fluide, si incapable de toute résistance, et *néanmoins* si forte pour porter », FÉN. *Toutefois* (...) au lieu de poser, comme *néanmoins,* une assertion en face d'une autre (...) pose une règle et exprime une chose qui en sort.
LAFAYE, Dict. des synonymes, Cependant... Néanmoins.

NÉANT [neɑ̃] n. m. — XIVe ; *noiant,* v. 1265, B. Latini ; comme particule (cf. *rien*) : *ne... nient,* v. 1050 ; *ne... neant,* v. 1075, Chrétien de Troyes ; du bas lat. *ne gentem* « pas une personne », p.-ê. par l'intermé-

diaire d'un lat. pop. **negens, negentis,* de *ne* et *gens, gentis* « race ; habitant » ; on a rapporté aussi le mot à *nec entem,* de *ens, entis,* p. prés. de *esse.*

REM. À l'origine, *nient, neient* était un indéfini négatif, signifiant *rien,* de nature mi-pronominale, mi-adverbiale. → de nos jours les emplois du § III., ci-dessous.

★ I. Non-être, défaut d'existence ; ce qui n'est pas. ⇒ **Rien, vide.**

♦ 1. (1637). Absolt. Cour. « Ce qui n'existe pas, relativement à un univers des discours déterminé » (Lalande) ; absence de qqch. « *Un nom qu'on cherche* (cit. 24) *à se rappeler et à la place duquel on ne trouve que du néant* » (Proust).

1 L'usage que nous faisons de la notion de néant sous sa forme familière suppose toujours une spécification préalable de l'être. Il est frappant (...) que la langue nous fournisse un néant de *choses* (« Rien ») et un néant d'*êtres humains* (« Personne »).-
SARTRE, l'Être et le Néant, p. 51.

(En parlant de ce qui précède l'être). *Tirer du néant.* ⇒ **Créer.** *Tirer des héros, des héroïnes* (cit. 6) *du néant. Arracher de la vie au néant* (en créant une œuvre) ; → Édifice, cit. 13). — Fig. *Un vol d'insectes* (cit. 5) *jailli du néant.*

2 Jésus, pendant que ses disciples dormaient, a opéré leur salut. Il l'a fait à chacun des justes pendant qu'ils dormaient, et dans le néant avant leur naissance (...).
PASCAL, Pensées, VII, 553.

3 (...) l'homme est matière ; il sort du néant, il rentre dans le néant ; il a un jour et pas de lendemain.
HUGO, Post-Scriptum de ma vie, « Un athée ».

4 (...) résoudre les mille problèmes que chaque minute fait surgir du néant.
G. DUHAMEL, le Temps de la recherche, XV.

(En parlant de ce qui n'est plus). *Faire rentrer dans le néant.* ⇒ **Anéantir, anéantissement.** *La journée s'enfonçait* (cit. 29) *dans le néant,* dans le passé. « *Éternité, néant, passé, sombres abîmes** » (→ Extase, cit. 5, Lamartine).

Spécialt. Anéantissement, destruction d'un être vivant ; la mort* considérée comme fin de tout l'être (→ Athée, cit. 9). *L'oubli, le sommeil, avant-goût du néant* (→ Chercher, cit. 35). *Le néant du tombeau*, de la tombe...*

5 (...) je sais seulement qu'en sortant de ce monde je tombe pour jamais ou dans le néant, ou dans les mains d'un Dieu irrité (...).
PASCAL, Pensées, III, 194.

6 (...) après avoir fait, ainsi que des fleuves, un peu plus de bruit les uns que les autres, ils vont tous se confondre dans ce gouffre infini du néant, où l'on ne trouve plus ni rois, ni princes (...) mais la corruption et les vers, la cendre et la pourriture qui nous égalent.
BOSSUET, Oraison funèbre de H. de Gornay.

7 (...) mais mon esprit ne s'arrêtait pas là ; je perçais jusqu'à la nature de l'homme. Tout est-il vide et absence dans la région des sépulcres ? N'y a-t-il rien que du rien ? N'est-il point d'existences de néant, des pensées de poussières ? Ces ossements n'ont-ils point des modes de vie qu'on ignore ?
CHATEAUBRIAND, Mémoires d'outre-tombe, t. III, p. 332.

8 Un cœur tendre, qui hait le néant vaste et noir,
Du passé lumineux recueille tout vestige !
BAUDELAIRE, Spleen et idéal, XLVII.

9 Une terreur confuse, immense, écrasante, pesait sur l'âme de Duroy, la terreur de ce néant illimité, inévitable, détruisant indéfiniment toutes les existences si rapides et si misérables.
MAUPASSANT, Bel-Ami, I, VIII.

♦ 2. Vx. Quantité nulle. ⇒ **Zéro.**

10 (...) deux néants d'étendue ne peuvent pas faire une étendue (...) Quoique une maison ne soit pas une ville, elle n'est pas néanmoins un néant de ville ; il y a bien de la différence entre n'être pas une chose et en être un néant.
PASCAL, De l'esprit géométrique, I.

♦ 3. Philos. Ce qui n'est pas. *Le Néant absolu* (⇒ **Non-être**). *Idée, concept de néant.* « *L'impossible* (cit. 24)... *a deux degrés de néant* » (Bossuet). *Le néant conçu comme une sorte de milieu d'où sont tirées toutes choses* (⇒ **Création ;** → Impénétrable, cit. 13, Pascal) *ou duquel on ne peut rien tirer* (→ Émanation, cit. 1 ; émaner, cit. 3, Voltaire). *Théories modernes du néant.* « *Il n'y a rien dans le ciel et sur terre qui ne contienne en soi l'être et le néant* » (trad. Hegel). *Selon Bergson, l'idée de Néant est une « pseudo-idée ». Pour les existentialistes, le néant est « limitation de l'être, origine de la négation* »* (Cuvillier).

11 Je remarque qu'il ne se présente pas seulement à ma pensée une idée réelle et positive de Dieu (...) mais aussi (...) une certaine idée négative du néant c'est-à-dire de ce qui est infiniment éloigné de toute sorte de perfection, et que je suis comme un milieu entre Dieu et ce néant, c'est-à-dire placé (...) entre le souverain être et le non-être (...)
DESCARTES, Méditations, IV.

12 Toutes choses sont sorties du néant et portées jusqu'à l'infini.
PASCAL, Pensées, II, 72.

13 Il n'y a pas de néant. Zéro n'existe pas. Tout est quelque chose. Rien n'est rien.
HUGO, les Misérables, II, VII, VI.

14 Notre vie se passe (...) à combler les vides (...) Notre spéculation ne peut s'empêcher d'en faire autant (...) Ainsi s'implante en nous l'idée (...) que le néant, conçu comme une absence de tout, préexiste à toutes choses (...) C'est cette illusion que nous avons essayé de dissiper, en montrant que l'idée de Rien (...) est une idée destructive d'elle-même (...) qui se dit, au contraire, tout ce qu'on veut, on y trouve autant de matière que dans l'idée de Tout.
H. BERGSON, l'Évolution créatrice, p. 297.

15 Lorsque Hegel écrit : « (*L'être et le néant*) sont des abstractions vides et l'une d'elles est aussi vide que l'autre », il oublie que le vide est vide *de* quelque chose. Or, l'être est vide *de* toute détermination autre que l'identité avec lui-même ; mais le non-être est vide d'*être* (...) L'être *est* et (...) le néant *n'est pas.*
SARTRE, l'Être et le Néant, p. 51.

Affirmation du néant. ⇒ **Nihilisme.**

16 (...) sa lâcheté trouvait des excuses dans l'affirmation désespérée du néant ; il goûtait une amère volupté à s'y abandonner, comme une épave au fil de l'eau. À

quoi bon lutter ? Il n'y avait rien, ni beau, ni bien, ni Dieu, ni vie, ni être d'aucune
sorte.   R. ROLLAND, Jean-Christophe, L'adolescent, I, p. 262.

★ **II.** Valeur, importance très faible ou nulle ; chose de valeur nulle.

♦ **1.** Relig. *Le néant de* (qqn, qqch.) : l'inanité* (cit. 1), la vanité*
de tout ce qui n'est pas Dieu, l'Éternité, l'Infini... *Néant de
l'homme, des choses d'ici-bas.* ⇒ **Faiblesse** (*supra* cit. 15), **misère**
(→ Abject, cit. 1 ; désabuser, cit. 6 ; étourdir, cit. 16 ; immensité, cit. 4 ; insuffisance, cit. 2). *Avoir le sentiment de son néant*
(→ Importance, cit. 13).

17   Il (Dieu) voit comme un néant tout l'univers ensemble ;
     Et les faibles mortels, vains jouets du trépas,
     Sont tous devant ses yeux comme s'ils n'étaient pas.   RACINE, Esther, I, 3.

18   Car enfin, qu'est-ce que l'homme dans la nature ? Un néant à l'égard de l'infini,
     un tout à l'égard du néant (...)   PASCAL (→ Homme, cit. 51).

Par analogie :

19   Mesurait-elle le néant de ce pourquoi elle luttait depuis tant d'années.
                                          F. MAURIAC, le Nœud de vipères, XIII.

♦ **2.** *(Un, des néants).* Chose infime ; personne nulle, sans valeur.
C'est un néant.

20   (Sirius, au Soleil) Que me sert de briller auprès de ce néant ?
     L'astre nain ne voit même pas l'astre géant.
                                          HUGO, la Légende des siècles, LXI.

21   Je l'ai connu, ton Phili, — un de ces néants que la jeunesse rapide revêt un instant
     de rayons.   F. MAURIAC, le Nœud de vipères, XX.

♦ **3.** (xviie). Vieilli. Situation abjecte ou infime, obscure. *Tirer quelqu'un du néant* (→ Bassesse, cit. 4).

22   Rentre dans le néant dont je t'ai fait sortir.
                                          RACINE, Bajazet, II, 1.

♦ **4.** Vide intellectuel et moral.

23   C'est un grand et beau spectacle de voir l'homme sortir en quelque manière du
     néant par ses propres efforts ; dissiper, par les lumières de sa raison, les ténèbres
     dans lesquelles la nature l'avait enveloppé ; s'élever au-dessus de lui-même ; s'élan-
     cer par l'esprit jusque dans les régions célestes (...)
                                          ROUSSEAU, Disc. sur les sciences et les arts, I.

     Vide mental, sentiment d'anéantissement. — Spécialt. (En parlant de
     l'état mystique ; → Nirvâna).

24   Ô néant, ô vrai rien, mais pesanteur extrême (...)
     Mer sans rive où partout chacun peut se trouver,
     Mais sans trouver partout qu'un néant en soi-même (...)
                                          CORNEILLE, l'Imitation de J.-C., III, 14, in LITTRÉ.

★ **III.** Nominal. (Dans des expressions où *néant* conserve son
ancienne valeur de pronom ou d'adverbe).

♦ **1.** (1549). Vx. **DE NÉANT** : de rien, sans valeur. *Une chose de
néant,* insignifiante. *Homme de néant :* homme obscur, sans mérite
(→ Formel, cit. 1), ou sans naissance.

25   Louis le Débonnaire (...) ayant perdu toute sorte de confiance pour sa noblesse,
     éleva des gens de néant.   MONTESQUIEU, l'Esprit des lois, XXXI, XXI.

♦ **2.** Vx. **POUR NÉANT** : pour rien, en vain ; inutilement (→ Chapitre, cit. 6).

♦ **3.** Mod. **À NÉANT**. *Réduire qqch. à néant.* ⇒ **Anéantir, annihiler ;
annihilation** (→ Expliquer, cit. 27). *Réduire à néant des charges,
des accusations.*

♦ **4.** Ellipt. (Pour exprimer qu'une chose est inexistante*, nulle*).
« *Quant à l'esprit, néant* » (Gresset). — (Dans le style administratif).
Rien à signaler. *État : Néant. Signes particuliers : Néant.*

CONTR. Être, existence.
DÉR. Néantir, néantise, néantiser.
COMP. Anéantir, fainéant (et dér.), néanmoins.

NÉANTIR [neɑ̃tiʀ] v. intr. — 1931, A. Koyré ; de *néant* pour traduire
le verbe all. *nichten* (Heidegger), in D.D.L. ; le mot a existé au moyen
âge (*nientir,* v. 1155) au sens de « anéantir ».

♦ Philos. Se dit du mode d'existence du néant. ⇒ **Néantiser.** « *Le
néant néantit* » (Koyré, trad. Heidegger).

DÉR. Néantisant, néantisation.

NÉANTISANT, ANTE [neɑ̃tizɑ̃, ɑ̃t] adj. — 1943, Sartre ; de
néantir, néantiser.

♦ Philos. Qui néantise. *Un « acte néantisant de l'être »* (Sartre,
l'Être et le Néant, p. 121).

NÉANTISATION [neɑ̃tizasjɔ̃] n. f. — 1943, Sartre ; de *néantir,
néantiser,* dér. de *néant*.

♦ Philos. Action de néantiser, de concevoir comme non-être.

Ce qui sert de fondement au jugement : « Pierre n'est pas là », c'est donc bien la
saisie intuitive d'une double néantisation.   SARTRE, l'Être et le Néant, p. 45.

NÉANTISE [neɑ̃tiz] n. f. — V. 1500 ; de *néant*.

♦ **1.** Vx et didact. Néant. (Cf. Saint François de Sales, *in* Huguet).

♦ **2.** Nullité*, incapacité, impuissance (cf. Montaigne, II, 12). —
Extrême paresse, fainéantise.

NÉANTISER [neɑ̃tize] v. — 1936, cit. ; de *néant*.

♦ **1.** V. intr. Philos. Se dit du mode d'existence du Néant (pour éviter d'employer *être, exister...*).

En effet, le souci apparaît plus profond que ne l'est l'homme. Celui-ci est pétri
d'angoisse de même que l'existence pour Heidegger est déterminée par la mort.
Le néant néantise (en note : Das Nichts nichtet). C'est une ontologie du néant en
tant que dernier mystère de l'être.
Trad. de N. BERDIAEFF, Destin de l'homme dans le monde actuel, p. 31 (1936).

♦ **2.** V. tr. Faire disparaître, réduire au néant. ⇒ **Anéantir.** — Fig.
(1970). Éliminer, supprimer.

▶ **SE NÉANTISER** v. pron. Philos. (Même sens que 1. et *néantir*).

(...) le verbe « se néantiser » (a) été conçu pour ôter au Néant jusqu'au moindre
semblant d'être (...)   SARTRE, l'Être et le Néant, p. 59.

NÉARCTIQUE [neaʀktik] adj. — 1932, Larousse ; de *né(o)-,* et
arctique.

♦ Didact. (Géogr.). Qui appartient à la zone arctique du Nouveau Monde.

NEBKA [nɛpka] n. f. — 1931 ; mot arabe.

♦ Géogr. Amas de sable autour d'un obstacle, dans un désert.

NÉBRIDE [nebʀid] n. f. — 1837, *Dict. des dict.* ; grec *nebris, idis,*
de *nebros* « faon ».

♦ Didact. (Archéol.). Peau de bête portée par Dionysos, les satyres,
les ménades, etc.

NÉBULAIRE [nebylɛʀ] adj. — 1877 ; dér. sav. du lat. *nebula*
« nuage ».

♦ Didact. (Astron.). Relatif à une nébuleuse ou à un nuage interstellaire. *Matière nébulaire, gaz nébulaires.*

Parfois la luminosité *(des nébuleuses)* est due à un phénomène de luminescence ;
d'autres fois elle provient de la réflexion de la lumière d'une étoile voisine sur les
particules nébulaires.   Pierre ROUSSEAU, De l'atome à l'étoile, p. 101.

NÉBULÉ, ÉE [nebyle] adj. — 1677 ; dér. sav. du lat. *nebula*
« nuage ».

♦ Blason. Dont les bords sont ondulés de manière à évoquer un
nuage. *Pièce, partition nébulée.*

NÉBULES [nebyl] n. f. pl. — 1903 ; du lat. *nebula* « nuage ».

♦ Archit. Motif ornemental formé de lignes onduleuses.

NÉBULEUSE [nebylØz] n. f. — 1642, substantivation d'*étoile nébuleuse,* désignant un amas de matières cosmiques, → Nébuleux.

★ **I.** Astron. et cour. Tout corps céleste dont les contours ne sont
pas nets. *Nébuleuses non résolubles,* de nature diffuse (→ ci-dessous, 1.). *Nébuleuses résolubles,* qui sont en réalité des amas stel-
laires (→ ci-dessous 2.).

♦ **1.** Amas de matières raréfiées, de forme irrégulière (*nébuleuses
diffuses*), ou atmosphère stellaire de dimension exceptionnelle et de
forme régulière (*nébuleuses planétaires*).

Le terme de nébuleuse devrait (...) être réservé aux nébuleuses dites *gazeuses,* qui
sont d'immenses nappes de matières raréfiées, lumineuses ou obscures, répandues
entre les étoiles. Cette matière cosmique n'est d'ailleurs pas toujours gazeuse.
                                          Paul COUDERC, l'Architecture de l'Univers, p. 28.

♦ **2.** *Nébuleuse extragalactique :* énorme ensemble d'étoiles,
d'amas d'étoiles et de matière interstellaire, de dimension comparable à celle de la Voie* lactée. ⇒ **Galaxie.** *Nébuleuse spirale,
elliptique* (forme lenticulaire). *La nébuleuse d'Andromède, seule
spirale visible à l'œil nu. Amas de nébuleuses* (par ex. : l'*amas
local* auquel appartient la Voie lactée). *Théorie de la fuite des
nébuleuses* (de l'Univers en expansion).

★ **II.** Fig. ♦ **1.** Amas diffus. *Une nébuleuse de songes* (→ Entourer, cit. 6).

La coalition était dans l'air, mais, au printemps de 1804, à l'état de nébuleuse.
Louis MADELIN, Hist. du Consulat et de l'Empire, Avènement de l'Empire, XII.

Des nébuleuses formées autour du monde variable que l'on désigne comme celui
du roman, où la durée de Proust ou de George Eliot se mêle au temps syncopé de
Dostoïevski, les frontières de l'histoire et des Mémoires d'outre-tombe aux aventures des trois mousquetaires et aux mystères de Paris (...)
                                          MALRAUX, l'Homme précaire et la Littérature, p. 149.

♦ **2.** Psychol. Groupe d'échantillonnage (pour traduire l'anglic. *clus-
ter*).

NÉBULEUSEMENT [nebyløzmã] adv. — 1736; fig., v. 1870; de *nébuleux*.

♦ Rare. D'une manière nébuleuse (4.), vague. *Il s'est exprimé nébuleusement.*

NÉBULEUX, EUSE [nebylø, øz] adj. — 1360; lat. *nebulosus*, de *nebula* « brouillard, nuage ».

♦ **1.** Obscurci par les nuages* ou le brouillard*. ⇒ **Brumeux, nuageux, obscur, obscurci.** *Air, ciel nébuleux* (→ Monde, cit. 11). *« Soleil nébuleux »* (Bossuet). — Vx. *Étoile nébuleuse.* ⇒ **Nébuleuse,** n. f. — Par métaphore. *« Ce jour nébuleux qu'on nomme la vie »* (Voltaire, *in* Littré). *Horizon nébuleux,* rendu peu net par les nuages, la brume.

♦ **2.** Fig., vx. Sombre, empreint de tristesse. *Visage, front, air nébuleux.*

1 Qu'as-tu, mon ami (...) Je te trouve l'air nébuleux; je vois sur ton visage une impression de colère. A.-R. LESAGE, Gil Blas, III, III.

♦ **3.** Qui est constitué par des nuages, des vapeurs ou qui en a l'aspect. ⇒ **Vaporeux.** — Spécialt. *Masse nébuleuse.* ⇒ **Nébuleuse** (n. f.).

2 D'un crêpe nébuleux le ciel était voilé (...) HUGO, Odes et Ballades, V, X.

♦ **4.** Fig. (1745; « incertain », xvᵉ). Qui manque de clarté, de netteté... ⇒ **Brumeux, confus, flou, fumeux, incertain, indécis, indistinct, inintelligible, obscur, trouble, vague.** *Idées nébuleuses, projets nébuleux. Style nébuleux.* ⇒ **Amphigourique.** — *Auteur, philosophe nébuleux.*

3 Paresse à préciser ma pensée; tendance à la préférer maintenue à l'état poétique — je veux dire : nébuleux. GIDE, Journal, 10 oct. 1918.

CONTR. Clair, net, transparent. — Précis.
DÉR. Nébuleuse, nébuleusement.

NÉBULISATION [nebylizasjõ] n. f. — 1970; de *nébuliser*.

♦ Techn. Dispersion d'un liquide en très fines gouttelettes (le plus souvent par projection au moyen d'un gaz sous pression).

NÉBULISER [nebylize] v. tr. — av. 1970; dér. sav. du lat. *nebula* « nuage ».

♦ Techn. Disperser en fines goutelettes → Nébulisation.

DÉR. Nébulisation.

NÉBULISEUR [nebylizœʀ] n. m. — V. 1960; dér. sav. du lat. *nebula* « nuage ».

♦ Vaporisateur projetant une substance en très fines gouttelettes. *Parfum, médicament vendu en nébuliseur.* ⇒ **Aérosol, atomiseur, pulvérisateur.**

NÉBULOSITÉ [nebylozite] n. f. — 1488, « nuage »; lat. *nebulositas*; de *nebulosus*. → **Nébuleux.**

♦ **1.** Didact. Substance nébuleuse, nuage*, vapeur.

Les nébulosités qui les environnent *(les comètes)...* sont le résultat de la vaporisation des fluides à leur surface. LAPLACE, Exposition du système du monde, *in* LITTRÉ.

Méd. *Nébulosité de la cornée.* ⇒ **Leucome, néphélion, taie.**

♦ **2.** État, caractère de ce qui est nébuleux. *Nébulosité du ciel.* ⇒ **Obscurcissement.**

(1889, in *Année sc. et industr.* 1890). Fraction du ciel couverte par des nuages, à un moment donné. *Nébulosité variable. Nébulosité totale, partielle.*

♦ **3.** (1845). Fig. *Nébulosité d'une explication, d'une théorie...* ⇒ **Obscurité.**

CONTR. Clarté.

NÉCESSAIRE [nesesɛʀ] adj. et n. m. — XIIᵉ; lat. *necessarius*, de *necesse* « inéluctable ».

★ **I.** Adjectival.

1 Notion intellectuelle fondamentale, opposée à *contingent,* et corrélative de la notion de *possible.* Il est traditionnel de donner du sens de ce mot une formule générale : est nécessaire ce qui ne peut être autrement. Mais cette formule n'a qu'une unité verbale; elle change beaucoup de signification suivant ce à quoi on l'applique (...) LALANDE, Voc. de la philosophie, art. Nécessaire.

♦ **1.** Se dit d'une condition*, d'un moyen dont la présence ou l'action rend seule possible une fin ou un effet. *Condition* (cit. 23) *nécessaire, nécessaire et suffisante*. — *Le discernement, qualité nécessaire du jugement,* indispensable au jugement (→ Fonction, cit. 1). — *Ce qui est nécessaire pour faire qqch., pour qqch.* (→ Besoin, cit. 7; invention, cit. 1). *Troupes nécessaires pour*

défendre une position (→ Établir, cit. 31). *Exemple* (cit. 30) *nécessaire pour faire entendre une pensée.* — Impers. *Il n'est pas nécessaire d'espérer pour entreprendre* (cit. 12 et 13). *Il est nécessaire d'aimer pour vivre heureusement* (→ Agréable, cit. 15).

NÉCESSAIRE à... Avec un compl. non personnel (→ Adjuvant, cit. 2). *Moyens nécessaires à la défense du pays. Éléments* (cit. 3) *nécessaires à une recherche... Fonds* (cit. 8), *somme nécessaire à qqch. Il est utile et comme nécessaire au bien de la religion que...* (→ Crédit, cit. 10). — *Conditions nécessaires pour que..., afin que...* (→ Mission, cit. 11). — REM. Devant un infinitif, on rencontre *nécessaire à...* (vx. Cf. Molière *in* Littré), *nécessaire afin de...* et surtout, de nos jours, *nécessaire pour...*

2 La crainte de Dieu est aussi nécessaire pour nous maintenir dans le bien, que la crainte de la mort pour nous retenir dans la vie. Joseph JOUBERT, Pensées, I, XXII.

3 Il n'avait ni la liberté d'esprit, ni la logique nécessaire pour discuter les fables de son journal. ZOLA, Vérité, p. 429.

4 Nous arrivâmes à la Morinière dans les premiers jours de juillet, ne nous étant arrêtés à Paris que le temps strictement nécessaire pour nos approvisionnements et pour quelques rares visites. GIDE, l'Immoraliste, II, I.

5 La terre tient au ciel, le corps tient à l'esprit, toutes les choses qu'il a créées ensemble communiquent, toutes à la fois, sont nécessaires l'une à l'autre. CLAUDEL, l'Annonce faite à Marie, I, 3.

6 (...) Rabe ne possédait plus les deux sous nécessaires afin de payer sa place (...) P. MAC ORLAN, Quai des brumes, I.

(Avec un complément personnel). Dont l'existence, la présence est requise pour répondre au besoin (de qqn). *Chose nécessaire à qqn* (pour subsister, réussir, faire qqch.). *Le calme et le silence nécessaires au savant* (→ Étude, cit. 6). *« Le mensonge est nécessaire aux hommes »* (→ Bienfaisant, cit. 5, France).

♦ **2.** Absolt. Qui est très utile, qui s'impose; dont on ne peut se passer. ⇒ **Essentiel, important, indispensable, primordial, utile.** *Rendre nécessaire.* ⇒ **Nécessiter.** *Propriétés, qualités nécessaires. Art, métier nécessaire,* très utile, indispensable à la société (→ Maçon, cit. 3). *C'est une mesure utile, souhaitable, mais non nécessaire. Accepter un compromis* (cit. 3) *nécessaire. L'habitude* (cit. 40) *du métier est nécessaire dans tous les arts. La loi ne doit établir* (cit. 9) *que des peines strictement et évidemment nécessaires. Sévérités, sanctions nécessaires* (→ Exiger, cit. 16). *Améliorations, coupures* (cit. 3 et 4), *corrections nécessaires* (dans un ouvrage littéraire). — *Mal nécessaire* : inconvénient inévitable si l'on veut obtenir un résultat...

7 (...) qu'ils aient été accueillis dans la maison d'un grand, où ils manquèrent de tout ce qui est nécessaire, au milieu de tout ce qui est superflu (...) DIDEROT, Jacques le fataliste, Pl., p. 523.

8 Le superflu, chose très nécessaire (...) VOLTAIRE, Poésies, Satires, « Le mondain ».

9 De même que la gelée qui brûle les moissons, la grêle qui les hache, la foudre qui les verse, sont nécessaires peut-être, il est possible qu'il faille du sang et des larmes pour que le monde marche. ZOLA, la Terre, V, VI.

Il est nécessaire de... (suivi de l'infinitif; → Affubler, cit. 5), *que...* (suivi du subjonctif; → Acte, cit. 14). ⇒ **Falloir, force** (*supra* cit. 57), *forcé... Il ne jugea pas, il ne crut pas nécessaire de...* (→ Articuler, cit. 14). *Il n'est pas nécessaire de continuer, de donner des explications.* — (Sans compl.). *Cela paraît peu nécessaire* (→ Laver, cit. 9). *Ce n'est pas nécessaire.*

♦ **3.** (Personnes). NÉCESSAIRE (à...) : utile par les services rendus; dont l'absence serait nuisible, pénible. ⇒ **Indispensable** (cit. 10); → Conquérir, cit. 5; garçon, cit. 22; luxe, cit. 1. *Le pape, à qui Charles Martel était nécessaire...* (→ Bras, cit. 23). *Savoir se rendre nécessaire.* — Prov. *Il n'y a point d'homme nécessaire,* irremplaçable.

10 Voyez-vous, nos enfants nous sont bien nécessaires, Seigneur (...) HUGO, les Contemplations, IV, XV.

11 L'honnête homme cherche à se rendre utile, l'intrigant à se rendre nécessaire. HUGO, Post-Scriptum de ma vie, L'esprit, Tas de pierres, II.

12 La certitude d'être nécessaire prolonge la vie des vieilles femmes. Beaucoup meurent du désespoir de ne plus servir. F. MAURIAC, Génitrix, XI.

Subst., en loc. (langue class.). *Faire le nécessaire* : s'imposer, se prétendre indispensable.

(Au xviiᵉ, dans le langage précieux). *Un nécessaire* : un laquais (Molière, *les Précieuses ridicules*, 6).

♦ **4.** Log. Qui est de la nature ou qui est l'effet d'un lien logique, causal... *Dépendance nécessaire d'une proposition par rapport à un système, enchaînement nécessaire d'un effet par rapport à sa cause. Les lois** (cit. 57), *rapports nécessaires. La causalité* (cit. 1) *nécessaire. Suite nécessaire et cohérente d'événements.* ⇒ **1. Logique, 2. logique.**

13 L'esprit n'a en lui-même que le sentiment d'une relation nécessaire dans les choses, mais il ne peut connaître la forme de cette relation que par l'expérience. Cl. BERNARD, Introd. à l'étude de la médecine expérimentale, I, I.

14 Affirmer entre deux termes une *liaison causale* ou *connexion nécessaire,* c'est affirmer que la présence de l'un entraîne immanquablement la présence de l'autre (...) J. LAPORTE, l'Idée de nécessité, I, I.

Cour. *Effet, produit, résultat nécessaire,* qui doit se produire immanquablement. ⇒ **Immanquable, inéluctable, inévitable, infaillible, obligatoire, obligé.** *La nature, produit nécessaire et fatal d'une* *intelligence infinie* (→ Art, cit. 37). *Choses nécessaires l'une à l'autre.* ⇒ **Supposer** (se).

15 Souvent je me repose dans cette idée que le cours accidentel des choses et les effets directs de nos intentions ne sauraient être qu'une apparence, et que toute chose humaine est nécessaire et déterminée par la marche irrésistible de l'ensemble des choses. É. DE SENANCOUR, Oberman, XLVIII.

♦ **5. Log.** Se dit de la « proposition dont la contradictoire est reconnue comme fausse *a priori* et sans raisonnement » (Lalande). *Vérités nécessaires.*

16 (...) les lois de l'équilibre et du mouvement, telles que l'observation les fait connaître, sont de vérité nécessaire. D'ALEMBERT, Introd. traité de mécanique.

♦ **6. Philos.** Qui existe sans qu'il y ait de cause ni de condition à son existence. ⇒ **Absolu, inconditionné, premier.** *L'Être nécessaire,* le Dieu de Descartes, de Pascal (→ Éternel, cit. 3), la substance chez Spinoza, la matière pour les matérialistes...

17 (...) je puis n'avoir point été (...) donc je ne suis pas un être nécessaire. PASCAL, Pensées, VII, 469.

★ **II.** (1530). N. m. **A.** Ce qui est nécessaire.

♦ **1.** Ce qui correspond aux besoins, est essentiel dans un mode de vie déterminé, par oppos. au luxe (cit. 3), au superflu. ⇒ **Besogne, substance** (vx). *Le strict nécessaire* (→ Dépouiller, cit. 30). *Il manque du nécessaire.* ⇒ **Nécessiteux.** *Abondance* (cit. 5) *du nécessaire. Le nécessaire, le commode* (cit. 10) *et le superflu. Se partager le nécessaire* (→ Entraide, cit.). *Fournir* (cit. 10) *le nécessaire. Priver qqn du nécessaire* (→ Gré, cit. 22). *Le nécessaire manquait* (→ Gaspiller, cit. 2).

18 (...) tant que quelqu'un manque du nécessaire, quel honnête homme a du superflu ?- ROUSSEAU, Julie ou la Nouvelle Héloïse, II, XIII.

19 Paris, singulier pays, où il faut trente sous pour dîner ; quatre francs pour prendre l'air ; cent louis pour avoir le superflu dans le nécessaire, et quatre cents louis pour n'avoir que le nécessaire dans le superflu. CHAMFORT, Maximes, Sur l'homme et la société, XLIII.

20 Sa vie, réduite au simple nécessaire, était pure et régulière. BALZAC, le Curé de village, Pl., t. VIII, p. 709.

♦ **2.** Ce qui s'impose, et qui suffit. *Ne dire, ne faire que le nécessaire, le strict nécessaire. Nous ferons le nécessaire.*

21 Elle *(miss Florence Bell)* ne disait que le nécessaire, rien de plus, rien de moins. A. HERMANT, l'Aube ardente, VIII.

♦ **3. Philos.** *Le nécessaire et le contingent.* — **Littér.** *Le nécessaire et le vraisemblable, dans l'art dramatique.*

22 Le même Aristote (...) nous apprend que *le poète n'est pas obligé de traiter les choses comme elles se sont passées, mais comme elles ont pu ou dû se passer, selon le vraisemblable ou le nécessaire* (...) le nécessaire, en ce qui regarde la poésie n'est autre chose que *le besoin du poète pour arriver à son but ou pour y faire arriver ses acteurs.* CORNEILLE, Disc. de la tragédie, Pl., t. I, p. 106 et 115.

23 L'idée du *nécessaire,* avec l'idée opposée du *contingent,* et les idées corrélatives du *possible* et de l'*impossible,* joue dans les controverses touchant la théorie de la connaissance, l'existence de Dieu et ses rapports avec le monde, enfin la nature et la liberté, un rôle cardinal. J. LAPORTE, l'Idée de nécessité, Introd.

B. **a** (1718). Boîte, étui renfermant les ustensiles indispensables (à la toilette, aux ouvrages de couture...). ⇒ **Trousse.** *Nécessaire de toilette*, à ongles* (⇒ **Onglier**), *à ouvrage* (boîte à ouvrage). *Un nécessaire de voyage.*

24 (...) j'apportai mon nécessaire. J'atteignis tous les petits instruments de propreté qu'il contenait : une brosse à ongles, une brosse à dents neuve, — car j'en emporte toujours avec moi un assortiment, — mes ciseaux, mes limes, des éponges. MAUPASSANT, les Sœurs Rondoli, II.

b (1973). *Nécessaire à..., de... :* ensemble de pièces et d'outils permettant d'effectuer (certains travaux). *Nécessaire à tamponner d'un bricoleur.*

c N. m. Franç. d'Afrique. Ensemble des fournitures scolaires requises pour un écolier, une écolière. — Parfois plur. : *les nécessaires.*

CONTR. Accidentel, contingent, éventuel, fortuit, inutile ; luxe, superflu.
DÉR. Nécessairement.

NÉCESSAIREMENT [neseseʀmã] adv. — 1486 ; de *nécessaire.*
D'une manière nécessaire.

♦ **1.** Par un besoin pressant. ⇒ **Absolument.** *Je devrai nécessairement partir cette semaine* (Académie).
Par une obligation imposée (→ Librement, cit. 4).

♦ **2. Didact.** Par une implication logique. *La condition et le conditionné, la cause et l'effet sont liés nécessairement. Avoir nécessairement pour résultat...* (→ Brillant, cit. 22). *Résultats qui s'ensuivent* (cit. 3) *nécessairement. — Une pensée ferme emporte nécessairement son expression* (cit. 3).

1 (...) de quoi se plaignent-ils, si toutes mes scènes (...) sont liées nécessairement les unes avec les autres (...) RACINE, Alexandre le Grand, 1re Préface.

♦ **3. Cour.** Par voie de conséquence*, à coup sûr. ⇒ **Certainement, conséquemment, fatalement, force** (par), **forcément, indispensablement, inévitablement, infailliblement, mathématiquement** (fig.). → Inspiration, cit. 5. *Il refusera. — Pas nécessairement :* ce n'est pas certain, pas sûr, pas évident. *Les phénomènes les plus simples sont nécessairement les plus généraux* (cit. 8). — *Un ordre dans*

lequel il entre nécessairement de l'arbitraire (→ Espèce, cit. 26). *Ces lois supposent nécessairement...* (→ Monarchie, cit. 1).

Quittons donc le sérieux que donne nécessairement la pensée continuellement fixée sur tout ce qui est grand. STENDHAL, Journal, 29 mai 1805.

CONTR. Accidentellement, fortuitement, hasard (par). — **Inutilement, librement.**

NÉCESSITANT, ANTE [nesesitã, ãt] adj. — 1544, M. Scève ; de *nécessiter.*

♦ **Théol.** Qui nécessite (1.) qqn, le contraint (ne s'emploie que dans l'expression *grâce nécessitante*).

NÉCESSITARISME [nesesitaʀism] n. m. — 1951, Lalande ; de *nécessiter, nécessité,* et -(ar)isme.

♦ **Philos.** Doctrine de la nécessité des événements et des existants. ⇒ **Déterminisme.** *Le nécessitarisme spinozien.*

NÉCESSITATION [nesesitasjɔ̃] n. f. — Déb. XVIIIe ; selon Féraud, 1787 ; de *nécessiter,* et -ation.

♦ **Log.** Fait de rendre nécessaire, de déterminer nécessairement.

NÉCESSITÉ [nesesite] n. f. — XIIe ; lat. *necessitas,* de *necesse* « inéluctable » → Nécessaire.

♦ **1.** *La nécessité de..., que... :* caractère de ce qui est nécessaire, de ce dont on ne peut se passer (pour obtenir un résultat, satisfaire un besoin). ⇒ **Obligation.** *Nécessité de l'astuce* (cit. 4) *en politique. Croire à la nécessité des châtiments corporels* (→ Gifle, cit. 3). *La nécessité d'élever les enfants* (→ Exposition, cit. 14), *de chercher un expédient* (→ Funérailles, cit. 5)... *La nécessité d'un choix, d'une option* (→ Élire, cit. 3). *La nécessité que..., suivi du subj.* (→ Levier, cit. 3). *La nécessité d'une décision, d'une réponse... devenait absolue* (→ Messager, cit. 3). — *Je ne vois pas la nécessité de faire cela.* ⇒ **Besoin.** *Il n'y a pas de nécessité à...* — (Sans compl.). *Sans nécessité :* inutilement, gratuitement (→ Entreprendre, cit. 21 ; éviter, cit. 26).

Coupeau ne voyait guère la nécessité de baptiser la petite (...) Mais maman Coupeau le traitait de païen. ZOLA, l'Assommoir, t. I, IV, p. 130.

(1370). DE NÉCESSITÉ. ⇒ **Nécessaire** (I.). *Règle de nécessité ou de bienséance* (→ Fabuliste, cit.). *Il est de toute nécessité que... :* il est absolument nécessaire, urgent* que... ⇒ 1. **Devoir, falloir.** *Deux choses d'une égale nécessité.*

♦ **2.** *La nécessité de... ; une, des nécessités.* Chose, événement inéluctable, inévitable, qui exerce une contrainte sur l'homme ; caractère de ce qui est inéluctable, et contraignant ; la contrainte. ⇒ **Nécessaire** (I., 4.). *C'est une nécessité absolue, inéluctable* (cit. 3). → *Il faut en passer par là. La nécessité de mourir* (→ Agonie, cit. 1), *l'horrible nécessité d'être anéanti* (cit. 1). *Nécessité intérieure, subjective, profonde* (→ Indéfini, cit. 12).

(...) la *contrainte* est-elle autre chose qu'une *nécessité* dont on s'aperçoit ? Et la *nécessité* n'est-elle pas une *contrainte* dont on ne s'aperçoit point ? VOLTAIRE, cité par LAFAYE, Suppl., p. 161.

(...) elle lui montrait ses propres fautes comme une sorte de nécessité, non plus nécessité inhérente à la faible nature humaine, nécessité lamentable et contre laquelle la lutte est difficile, mais nécessité inhérente à la nature des hommes supérieurs, nécessité intéressante pour l'esprit, charme souriant d'une élite et à laquelle il convient au contraire de se conformer. PROUST, Jean Santeuil, Pl., p. 588.

(...) cette nécessité subjective que les artistes réclament volontiers pour leurs œuvres, lorsqu'ils disent : « Je ne pouvais pas ne pas l'écrire, il fallait que je m'en délivre. » SARTRE, Situations I, p. 106.

PAR NÉCESSITÉ : en étant obligé, forcé. ⇒ **Forcément, nécessairement.** *Hardi par nécessité* (→ Besoin, cit. 10). *Par nécessité plutôt que par choix* (→ Esthétique, cit. 9). *Conseils suivis par nécessité ou par réflexion* (→ Humeur, cit. 20). *Par convenance ou par nécessité* (→ Juxtaposer, cit. 3).

♦ **3. Absolt.** *La nécessité,* souvent personnifiée : la force qui contraint l'homme à agir, à se comporter de telle ou telle façon. ⇒ **Destin.** *Poussé, contraint par la nécessité. Fatalité et nécessité* (→ Libre, cit. 27). *L'aiguillon, le joug de la nécessité* (→ Fléchir, cit. 21). *La nécessité, maîtresse des hommes et des dieux* (→ Justifier, cit. 6).

Nous sommes attachés, comme dit Horace, avec les gros clous de la nécessité. VOLTAIRE, Lettre à M***, 4 mai 1772.

La nécessité peut rendre innocente une action douteuse ; mais elle ne saurait la rendre louable. Joseph JOUBERT, Pensées, IX, XX.

Un homme ne parvient que pressé par la main de fer de la nécessité. BALZAC, Illusions perdues, Pl., t. IV, p. 824.

(XVIIe). **Didact.** (Philos., log.). Enchaînement nécessaire des causes et des effets, des principes et des conséquences.

Quand nous voyons un effet arriver toujours de même, nous en concluons une nécessité naturelle, comme qu'il sera demain jour, etc. Mais souvent la nature nous dément, et ne s'assujettit pas à ses propres règles. PASCAL, Pensées, II, 91.

(...) celui qui a un peu compris la Nécessité, celui-là ne demande plus de compte à l'Univers. Il ne dit pas : pourquoi cette pluie ? pourquoi cette peste ? pourquoi cette mort? Car il sait qu'il n'y a point de réponse à ces questions. C'est ainsi, voilà ce que l'on peut dire. Et ce n'est pas peu dire. Exister, c'est quelque chose; cela écrase toutes les raisons.   ALAIN, Propos, 1ᵉʳ avr. 1908, Aimer ce qui existe.

9 Au total, donc, laissant de côté la *nécessité purement empirique*, nous n'avons à envisager que deux types de *nécessité rationnelle* (...) d'une part celle qui a trait aux existences, et qui est la *nécessité physique*, c'est-à-dire *causale*; d'autre part, celle qui a trait aux *essences*, et qui est la nécessité *idéale*, c'est-à-dire *logico-mathématique*.   J. LAPORTE, l'Idée de nécessité, Introd.

Doctrine de la nécessité. ⇒ **Nécessitarisme; déterminisme.** *Nécessité et liberté. La liberté, connaissance de la nécessité, selon Spinoza. — Nécessité morale,* par oppos. à *nécessité absolue, métaphysique.*

10 Cette nécessité de faire toujours le meilleur ne peut jamais être qu'une nécessité morale; or, une nécessité morale n'est pas une nécessité absolue.
        VOLTAIRE, Lettre au Roi de Prusse, oct. 1737.

♦ **4.** *(Une, des nécessités).* Souvent au pluriel. Chose, condition ou moyen nécessaire. ⇒ **Exigence** (→ Gouvernement, cit. 23; libre, cit. 24; milieu, cit. 26). *Les nécessités naturelles* (→ Effet, cit. 3), *géographiques* (→ Canadien, cit. 1), *historiques* (→ Croisade, cit. 1). *Nécessités militaires* (→ Mitraillade, cit.), *financières* (→ Fermer, cit. 10). *Les nécessités de la concurrence* (→ Magasin, cit. 8).

Philos. Cause nécessaire.

♦ **5.** *(Une, des nécessités).* Besoin impérieux. *Les nécessités de la vie :* les besoins que l'on doit satisfaire pour mener une vie normale. *Les nécessités de la nature :* les besoins du corps. *Urgente*, impérieuse* nécessité.* — REM. Cette acception était courante au XVIIᵉ s. dans de nombreux emplois. *«Cette place a souffert pendant le siège une grande nécessité de vivres»* (Furetière).

(1538). Vieilli. (Au plur.). Besoins naturels. *Aller à ses nécessités* (Académie), *faire ses nécessités* (→ Cabinet, cit. 2). — Loc. *Chalet* de nécessité.*

11 Quoi, je t'aurais aimé, chétif Égout de concupiscence, Vase de nécessité, Pot de chambre du sexe masculin?   CYRANO DE BERGERAC, le Pédant joué, III, I.

Locutions :

ⓐ Vx. EN NÉCESSITÉ : dans le besoin.

ⓑ DE PREMIÈRE NÉCESSITÉ. *Instruments, objets* (→ Façonner, cit. 7), *dépenses* (→ Impôt, cit. 15) *de première nécessité.* qui correspondent à des besoins essentiels. ⇒ **Indispensable.**

♦ **6.** *La nécessité de...* : l'état d'une personne qui se trouve obligée (par un besoin, une contrainte extérieure...) de (faire qqch.). *Être, se trouver dans la nécessité de...* (→ Grève, cit. 10; inculper, cit. 1). *La nécessité où ils sont de...* (→ Mariage, cit. 17). *Mettre qqn dans la nécessité de...* (→ Cacher, cit. 35; erreur, cit. 12). — (Sans compl.). *Ne me contraignez pas à cette pénible nécessité.*

12 (...) rien ne peut justifier un homme de mettre sa fille dans la nécessité de l'épouser ou de vivre déshonorée (...)   LACLOS, les Liaisons dangereuses, LVII.

♦ **7.** (Emplois absolus, souvent sans déterminant, dans des loc.). État où l'on est contraint de faire telle ou telle chose.

Prov. *Nécessité n'a pas de loi** (→ Loi, cit. 35). *Nécessité fait loi :* certains actes se justifient par leur caractère inévitable. *La nécessité contraint la loi* (→ Métier, cit. 9).

Loc. prov. (où *nécessité* est pris aussi dans les sens 2, 4 et 5). *Faire de nécessité vertu.* À l'origine (cf. Littré, Hist., citant *Roman de la Rose* et *Girart de Roussillon*), faire d'une situation misérable, d'une chose imposée et pénible une occasion de mérite et de vertu, en acceptant l'épreuve avec humilité, et mod., faire courageusement ou de bonne grâce une chose désagréable dont on ne peut se dispenser.

13 (...) faisant comme on dit de nécessité vertu, nous ne désirons pas davantage d'être sains étant malades, ou d'être libres étant en prison, que nous faisons maintenant d'avoir (...) des ailes pour voler comme les oiseaux (...) je crois que c'est principalement en ceci que consistait le secret de ces philosophes qui ont pu autrefois se soustraire à l'empire de la fortune, et malgré les douleurs et la pauvreté, disputer de la félicité avec leurs dieux.   DESCARTES, Disc. de la méthode, III.

14 Regrettant son imprévoyance, aussi triste qu'on peut l'être à vingt-cinq ans, il songeait à passer l'été, et à faire, non de nécessité vertu, mais de nécessité plaisir, s'il se pouvait.   A. DE MUSSET, Nouvelles, « Deux maîtresses », II.

Nécessité est mère d'industrie. «Nécessité l'ingénieuse». ⇒ **Ingéniosité** (→ Invention, cit. 12).

15 (...) nous vîmes l'instant fatal où l'eau nous allait manquer, et nous nous désolâmes dans l'attente de voir notre arbre périr de sécheresse. Enfin la nécessité, mère de l'industrie, nous suggéra une invention pour garantir l'arbre (...)
        ROUSSEAU, les Confessions, I.

16 (...) le chien dont l'instinct, comme celui du pauvre, du bohémien et de l'histrion, est merveilleusement aiguillonné par la nécessité, si bonne mère, cette vraie patronne des intelligences!   BAUDELAIRE, Spleen de Paris, I.

♦ **8.** Dr. pén. État d'une personne contrainte de « commettre un acte incriminé par la loi pénale et pour lequel, vu les circonstances, lui est accordé le bénéfice de l'impunité » (Capitant).

Dr. constit. *Théorie de la nécessité,* impliquant la dispense de répartition des compétences constitutionnelles en cas de péril national.

♦ **9.** Littér. Privation des biens nécessaires. ⇒ **Besoin, dénuement, détresse, indigence, pauvreté...** et aussi **faim** (cit. 9). *Être dans la nécessité* (→ Aise, cit. 16; avare, cit. 20), *dans une cruelle nécessité.* ⇒ **Nécessiteux.** *La nécessité rend les pauvres subtils* (→ Friche, cit. 7).

La nécessité donne de l'industrie, et souvent les inventions les plus utiles ont été dues aux hommes les plus misérables.   17
        BERNARDIN DE SAINT-PIERRE, Paul et Virginie, p. 33.

CONTR. **Éventualité, possibilité. — Contingence, fantaisie, luxe.**
DÉR. Nécessiteux.

NÉCESSITER [nesesite] v. tr. — V. 1520; attestation isolée au XIVᵉ; lat. médiév. *necessitare* «contraindre», de *necessitas* → Nécessité.

♦ **1.** Vx. Réduire (qqn) à la nécessité de faire qqch. *Nécessiter qqn à faire, de faire qqch.* ⇒ **Contraindre, forcer, obliger.**

Cependant je sentais que, sans prendre part directement aux affaires publiques, je serais nécessité, sitôt que je serais en Corse, de me livrer à l'empressement du peuple, et de conférer très souvent avec les chefs.   1
        ROUSSEAU, les Confessions, XII.

♦ **2.** Philos. Impliquer, entraîner par une relation nécessaire, inéluctable. ⇒ **Impliquer.** *Motifs qui nécessitent une action.* ⇒ **Déterminer, motiver** (→ Cause, cit. 21).

(...) ils croient que toutes nos actions sont nécessitées, que nous n'avons d'autre liberté que celle de porter quelquefois de bon gré les fers auxquels la fatalité nous attache (...)   2
        VOLTAIRE, Philosophie de Newton, I, IV.

♦ **3.** (1757). Cour. (Sujet n. de chose). Rendre indispensable, nécessaire; faire de (qqch.) un besoin*. ⇒ **Exiger; commander, réclamer, requérir.** *La garantie des droits de l'homme nécessite une force* (cit. 48) *publique. Maladie nécessitant une hospitalisation urgente. Modification qui nécessite de qqn un effort d'adaptation* (cit. 2). *Frais, dépenses, impenses* (cit.) *que nécessitent la conservation d'un immeuble, des réparations* (→ Grever, cit. 4).

Le portrait, ce genre en apparence si modeste, nécessite une immense intelligence.   3
        BAUDELAIRE, Curiosités esthétiques, VII.

La géographie de cette Méditerranée (...) Géographie de pirates, nécessitant, pour la défense des établissements sédentaires et stables, la construction de petites cités fortifiées.   André SIEGFRIED, l'Âme des peuples, II, II.   4

▶ **NÉCESSITÉ, ÉE** p. p. adj. (Mil. XIVᵉ).

Vx (encore chez Villiers de l'Isle-Adam). *Nécessité à :* obligé de, forcé à...

DÉR. Nécessitant, nécessitation. — V. Nécessitarisme.

NÉCESSITEUX, EUSE [nesesitø, øz] adj. et n. — 1549; *necessiteus* «dénué de», fin XIIIᵉ; dér. de *nécessité* (9.).

♦ **1.** Didact. Qui est dans le dénuement, manque du nécessaire. ⇒ **Besogneux, indigent, pauvre.** *Aider, soulager les familles nécessiteuses.* Par ext. *Vie nécessiteuse* (→ Imbiber, cit. 3).

(...) elle prenait elle-même la peine, avec son frère Jeanet, de les instruire, de leur enseigner la vraie religion, et même d'assister les plus nécessiteux dans leur misère.-   1
        G. SAND, la Petite Fadette, XL.

(1553). N. (→ Emprunteur, cit. 2). *Aider, secourir les nécessiteux. Une nécessiteuse.*

(...) on est toujours heureux de secourir les malheureux; je partagerais volontiers aux nécessiteux le peu que je possède (...)   2
        CHATEAUBRIAND, Mémoires d'outre-tombe, t. VI, p. 2.

♦ **2.** Vx. *Nécessiteux de... :* qui a besoin de (qqch.).

Vous ne me parlez point assez de vous : j'en suis nécessiteuse, comme vous l'êtes de folies (...)   3
        Mᵐᵉ DE SÉVIGNÉ, 160, 24 avr. 1671.

CONTR. **Aisé, riche.**

NECK [nɛk] n. m. — 1911, *Larousse mensuel;* mot angl., sens spécialisé (1876) de l'angl. *neck* «cou».

♦ Géol. Perforation des couches superficielles de l'écorce terrestre, due à des phénomènes explosifs. — Piton de laves provenant d'une cheminée de volcan.

NEC PLUS ULTRA [nɛkplysyltra] n. m. invar. — 1773; *non plus ultra,* XVIIᵉ; loc. lat. substantivée venant de l'inscription légendaire *non ultra* ou *non plus ultra* «pas au delà», «pas plus loin au delà», apposée sur les colonnes d'Hercule.

♦ Degré, limite* qu'on ne saurait dépasser. — Spécialt. Ce qu'il y a de mieux. ⇒ 2. **Fin** (II., le fin du fin).

(...) le théâtre de l'hôtel de Bourgogne ou du Marais, qui sont l'un et l'autre le *non plus ultra* des comédiens.   SCARRON, le Roman comique, I, XII.   1

(...) un appartement qui avait dû jadis sembler le *nec plus ultra* du luxe, et dont la richesse fanée valait bien les élégances modernes.   2
        Th. GAUTIER, le Capitaine Fracasse, XV.

(...) cet équilibre sur les *pointes* qui constitue le *nec plus ultra* de la virtuosité chorégraphique (...)   Francis DE MIOMANDRE, Danse, p. 31.   3
REM. On trouve la graphie *nec-plus-ultra.*

NÉCR-, NÉCRO- Élément, du grec *nekros* «mort», qui entre dans la composition de mots savants (voir ci-dessous).

NÉCROBACILLOSE [nekʀobasiloz] n. f. — Mil. XXᵉ (1963, Larousse); de *nécro-,* et *bacillose.*

♦ Didact. Maladie de certains animaux provoquée par le bacille de la nécrose.

NÉCROBIE [nekʀɔbi] adj. et n. — 1785, *in* Cottez ; de *nécro-*, et *-bie*.

♦ **1.** Adj. et n. m. Se dit d'un organisme qui vit sur les cadavres.

♦ **2.** N. f. Zool. Petit insecte coléoptère *(Cléridés)*, vivant sur les matières en décomposition. — Par métaphore. Morticole, médecin. ⇒ **Nécrophore**, 2.

Qu'est-ce qui a frappé les nécrobies *(les médecins qui ouvrirent le cercueil de Napoléon)* ? L'inanité des choses terrestres ? la vanité de l'homme ? Non, la beauté du mort (...)   CHATEAUBRIAND, Mémoires d'outre-tombe, t. IV, p. 88.

NÉCROBIOSE [nekʀɔbjoz] n. f. — 1867, Littré ; de *nécro-*, et grec *bios* « vie ». → Bio-.

♦ Didact. (Biol., méd.). Transformation régressive (d'un tissu) résultant de la suppression de la circulation sanguine en l'absence d'infection. *Nécrobiose du rein, de la rate. Nécrobiose lipoïdique des diabétiques* ou *dermatite atrophiante.*

(...) vertèbres mordues par le tétanos, dents vidées par les nécrobioses (...)   J.-M. G. LE CLÉZIO, le Déluge, p. 268.

DÉR. Nécrobiotique.

NÉCROBIOTIQUE [nekʀɔbjɔtik] adj. — 1867 ; de *nécrobiose*.

♦ Didact. De la nécrobiose. *Transformation nécrobiotique.*

NÉCROHORMONE [nekʀɔɔʀmɔn] n. f. — 1941, cit. ; de *nécro-*, et *hormone*.

♦ Didact. Substance analogue aux hormones et provenant de la nécrose des cellules.

Dans le cas d'un organisme entier, on a constaté également que la destruction d'un certain nombre de cellules provoque la prolifération, la multiplication d'autres cellules, aboutissant à des phénomènes de régénération ou d'hypertrophie d'organes. Il y a mise en liberté de substances analogues aux précédentes. On les considère comme des hormones et on leur donne le nom de *nécro-hormones* ou hormones de blessure.   Pierre REY, les Hormones, p. 14.

NÉCROLOGE [nekʀɔlɔʒ] n. m. — 1646 ; du lat. médiéval *necrologium* ; de *necro-*, et *eulogium* « épitaphe ».

♦ **1.** Didact., relig. Liste de morts. — Spécialt. Registre, livre où sont inscrits les noms des morts d'une paroisse, d'une communauté religieuse...

Liste de personnes ayant trouvé la mort dans une catastrophe déterminée (naufrage, séisme, guerre...).

♦ **2.** (1762). Vx. Notice biographique consacrée à un homme célèbre mort récemment. ⇒ **Nécrologie** (1.).

DÉR. Nécrologie.

NÉCROLOGIE [nekʀɔlɔʒi] n. f. — 1797 ; 1704, au sens de *nécrologe*, 1. ; de *nécrologe*.

♦ **1.** Notice biographique consacrée à une personne morte récemment. ⇒ **Nécrologe** (2.). — Abrév. fam. (journalisme). *Une nécro. Faire la nécro d'un ministre.*

♦ **2.** Liste ou avis de décès des personnes mortes à une date ou dans un laps de temps déterminés (publiés par un journal*, une revue...). *Lire la nécrologie d'un journal.*

DÉR. Nécrologique, nécrologue.

NÉCROLOGIQUE [nekʀɔlɔʒik] adj. — 1784 ; de *nécrologie*.

♦ Qui a rapport ou qui appartient à la nécrologie. *Article, notice, rubrique nécrologique.*

NÉCROLOGUE [nekʀɔlɔg] n. m. — 1828 ; de *nécrologie*.

♦ Didact. Auteur de nécrologies.

NÉCROMANCIE [nekʀɔmãsi] n. f. — XVIᵉ, Rabelais, *Tiers livre*, XXV ; *nigromance*, v. 1119 ; lat. impérial *necromantia*, du grec *nekroman-teia* ; → Nécro-, et -mancie.

♦ Science occulte qui prétend évoquer les morts pour obtenir d'eux des révélations de tous ordres, particulièrement sur l'avenir. *Le spiritisme*, *aspect moderne de la nécromancie.* — Par ext. Magie fondée sur l'évocation des morts.

Une de ces plus jolies actrices, nommée Rosemonde, se jetait avec plus d'ardeur et de curiosité inquiète que les autres (...) dans la nécromancie, depuis qu'elle croyait avoir évoqué l'âme d'une petite fille nommée Luce qui, à sept ans, joua

la comédie à l'Odéon et mourut (...) Rosemonde obsédait Luce de questions sur sa vie terrestre si brève, et sur son état présent.   FRANCE, la Vie en fleur, XXIX.

DÉR. Nécromancien.

NÉCROMANCIEN, IENNE [nekʀɔmãsjɛ̃, jɛn] n. — 1512 ; *nigremanchien*, 1247 ; de *nécromancie*.

♦ Celui, celle qui pratique la nécromancie. ⇒ **Nécromant, spirite** (→ Illettré, cit. 4). — Par ext. ⇒ **Magicien.**

Or il y a plusieurs sortes de magiciens : aucuns font venir à eux les diables et interrogent les morts, lesquels sont nommés nécromanciens (...)   A. PARÉ, Monstres et Prodiges, *in* L. SAINÉAN, la Langue de Rabelais, t. I, 322.   1

Léopold se tenait debout, tourné vers la partie la plus obscure de la pièce, et s'adressant alternativement à des personnages invisibles, il disait : — Je vous attendais, Vintras... Te voici, François... Où repose Thérèse ? Est-elle à l'abri du froid, du vent, de la tempête ?... L'enfant n'entendait rien de ce que disait, de ce que chantait ce vieux nécromancien (...) Tout le vent (...) s'engouffra dans la cuisine avec un bruit sauvage. Il éteignit la lumière, sans parvenir à couvrir la voix de Léopold qui appelait les morts : — Entre, Vintras ! Oh ! viens une fois encore.   M. BARRÈS, la Colline inspirée, XVIII.   2

(...) la chiromancie, ou mieux, la podomancie appliquée aux pattes de certains animaux a été pratiquée au Moyen Âge, par exemple sur les mandragores (sur le Pont-Neuf, on vendait comme mandragores, mâle ou femelle, des momies de ouistiti du Brésil à la place du fameux champignon de Corinthe) dont on observait entre autres opérations de nécromancien, les extrémités pour annoncer le beau ou le mauvais temps.   B. CENDRARS, la Main coupée, p. 219.   3

NÉCROMANT [nekʀɔmã] n. m. — 1543 ; *mugromant*, 1457 ; de l'ital. *negromante*.

♦ Vx ou archaïsme. Nécromancien, magicien (cit. 4) qui évoque les morts.

(...) je ramène un alchimiste de la ville capitale, d'Arcueil plus exactement. Je ne vais pas entretenir une nuée de nécromants. Moi, je préfère de beaucoup l'alchimiste.   R. QUENEAU, les Fleurs bleues, p. 10.   1

On dit que Cenci se fait construire une église. Une église pour cet athée. Pourtant, rassurez-vous. Ce satyre, qui se croit sataniste et sorcier, magicien, nécromant, et qui n'est qu'un athée des plus vulgaires, n'est pas près de regretter toutes les fautes qu'on veut bien lui attribuer.   A. ARTAUD, Dossier des Cenci, *in* Œ. compl., t. IV, p. 337.   2

REM. On trouve aussi la graphie *nécroman.*

NÉCROMANTIQUE [nekʀɔmãtik] adj. — 1688, Miege ; *nigromatique*, fin XIVᵉ ; lat. médiéval *necromanticus*, du lat. *necromantia.* → Nécromancie.

♦ Vx. Des nécromants, de la nécromancie. « *Les recettes et les secrets nécromantiques* » (Goncourt).

NÉCROPHAGE [nekʀɔfaʒ] adj. et n. — 1802 ; du grec *nekropha-gos* ; → Nécro-, et -phage.

Didactique.

♦ **1.** Zool. Qui vit de cadavres, qui mange de la matière putréfiée. *Insecte nécrophage.* — N. m. *Les nécrobies sont des nécrophages.*

♦ **2.** N. (Psychiatrie). Celui, celle qui commet des actes de nécrophagie*.

Sous une tombe de marbre (...) une chouette avait fait son nid ; elle veillait là toutes les nuits, respirant avec un rythme rauque, régulier de poitrine endormie, et les hommes avaient chacun leur légende pour elle ; histoire sinistre d'enterré vivant, de vampire ou de nécrophage.   J.-M. G. LE CLÉZIO, la Fièvre, p. 193.

DÉR. Nécrophagie.

NÉCROPHAGIE [nekʀɔfaʒi] n. f. — 1891, *in* D. D. L. ; de *nécrophage*.

♦ Psychiatrie. Cannibalisme perpétré par de grands sadiques sur des cadavres. *Vampirisme avec nécrophagie.*

DÉR. Nécrophagique.

NÉCROPHAGIQUE [nekʀɔfaʒik] adj. — 1891, *in* D. D. L. ; de *nécrophagie*.

♦ Psychiatrie. De la nécrophagie.

NÉCROPHILE [nekʀɔfil] n. — Mil. XXᵉ (1963, Larousse) ; de *nécro-*, et *-phile*, d'après *nécrophilie*.

♦ Méd. Personne atteinte de nécrophilie.

NÉCROPHILIE [nekʀɔfili] n. f. — 1861 ; du grec *nekros*, et suff. *-philie*.

♦ Méd. Perversion sexuelle qui entraîne à chercher le plaisir érotique en s'accouplant avec des cadavres, en les contemplant ou en les palpant. « *Nécrophilie : Comportement dans lequel l'orgasme est obtenu au contact physique de cadavres* » (Dʳ M. Meignant, *Glossaire des termes psycho-sexuels*, *in* Union, nº 4, oct. 1972, p. 26).

REM. Parfois synonyme, surtout chez d'anciens auteurs, de *vampi-risme**.
DÉR. **Nécrophilique.** — V. aussi **Nécrophile.**

NÉCROPHILIQUE [nekʀɔfilik] adj. — xxe; de *nécrophilie.*

♦ De la nécrophilie; propre à la nécrophilie.

J'étais atteint de complexe de castration, de complexe fécal, de tendances nécro-philiques. R. GARY, la Promesse de l'aube, p. 182.

NÉCROPHOBIE [nekʀɔfɔbi] n. f. — 1793; de *nécro-*, et *-phobie.*

♦ Didact. Crainte morbide, phobie des cadavres, de la mort.
DÉR. **Nécrophobique.**

NÉCROPHOBIQUE [nekʀɔfɔbik] adj. — 1874; de *nécrophobie.*

♦ Didact. De la nécrophobie.

NÉCROPHORE [nekʀɔfɔʀ] n. m. — 1802; *nicrophore*, 1790; du grec *nekrophoros*. → Nécro-, et -phore.

♦ **1.** Zool. Insecte coléoptère *(Silphidés)* qui enfouit des charo-gnes*, des cadavres de taupe, de souris... sur lesquels il pond ses œufs (→ Abeille, cit. 5).

(...) une confrérie de Nécrophores vient à passer par là. Ce sont, comme vous le savez, de petites bêtes noires qui ont fait vœu d'ensevelir les morts (...) Pieuse-ment, elles s'attèlent au papillon défunt et le traînent vers le cimetière (...)
Alphonse DAUDET, le Petit Chose, II, VIII.

♦ **2.** (Après 1850; Goncourt, Daudet). Plais., vx. Porteur de morts, employé des pompes funèbres (métaphore analogue pour *nécrobie**).

NÉCROPOLE [nekʀɔpɔl] n. f. — 1828; du grec *nekropolis*, proprt « ville *(polis)* des morts », nom donné selon Strabon, à un faubourg d'Alexandrie.

♦ **1.** Didact. (Antiq.). Vaste cimetière souterrain ou à ciel ouvert, de caractère monumental. *Nécropoles égyptiennes, étrusques, grec-ques...*

1 Ne verrai-je jamais les nécropoles embaumées où les hyènes glapissent, nichées sous les momies des rois, quand le soir arrive (...)
FLAUBERT, Correspondance, 57, 15 mars 1842.
2 La vallée de Biban-el-Molouk est le Saint-Denis de l'ancienne Thèbes, et ne con-tient que des tombes des rois. La nécropole des reines est située plus loin, dans une autre gorge de la montagne.
Th. GAUTIER, le Roman de la momie, Prologue.
3 Il y a des nécropoles aussi, des nécropoles dont on ne voit plus la fin. La terre, sur des lieues de long, a été remplie de morts; les kiosques funéraires, les tom-beaux de toutes les époques se succèdent, s'enchevêtrent, en dédale, au milieu des écroulements, des décombres.
LOTI, l'Inde (sans les Anglais), VI, IV.
4 Les fouilles (...) ont fait découvrir *(à Suse)*, juste au-dessus du sol vierge, une nécropole à inhumations au deuxième degré, où les squelettes ont été déposés après s'être décharnés dans une première tombe (...)
G. CONTENAU et V. CHAPOT, l'Art antique, p. 11.

♦ **2.** (Style soutenu). Vaste cimetière* de grande ville. *Faire enter-rer*, incinérer* (cit. 4) *un mort à la nécropole du Père-Lachaise. Nécropole aux riches sépultures*.*

♦ **3.** Par métaphore, fig. (→ Fureteur, cit. 1).

5 (...) quelle nécropole que le cœur humain!
FLAUBERT, Correspondance, 562, 4 nov. 1857.

NÉCROPSIE [nekʀɔpsi] n. f. — 1836; de *nécro-*, et grec *opsis* « vue ».

♦ Rare et vx. Autopsie (cit. 1).
DÉR. **Nécropsique.**

NÉCROPSIQUE [nekʀɔpsik] adj. — 1874; de *nécropsie.*

♦ Rare et vx. Qui se rapporte à une nécropsie, à une autopsie.

NÉCROSANT, ANTE [nekʀozɑ̃, ɑ̃t] adj. — 1897; p. prés. de *nécroser.*

♦ Didact. Qui produit la nécrose d'un tissu vivant. *Pulpite nécro-sante.*

NÉCROSE [nekʀoz] n. f. — 1694; du grec *nekrosis.*

♦ Méd. Mortification des tissus osseux et cartilagineux, et, par ext., de tout tissu. ⇒ **Mortification, gangrène.** *Os atteint de nécrose.*

⇒ **Nécrosé.** *Nécrose du maxillaire inférieur. Nécrose pulpaire. Nécrose caséeuse. Nécrose syphilitique.*
DÉR. **Nécroser, nécrosique** ou **nécrotique.**

NÉCROSER [nekʀoze] v. tr. — 1780; de *nécrose.*

♦ Biol. Frapper de nécrose. — Pron. (sens passif). *Tissu qui se nécrose.*

▶ **NÉCROSÉ, ÉE** p. p. adj. (1814). *Dent nécrosée. Tissus nécrosés.*
DÉR. **Nécrosant.**

NÉCROSIQUE [nekʀozik] ou NÉCROTIQUE [nekʀɔtik] adj. — 1853, *nécrosique*; *nécrotique*, 1892; de *nécrose.*

♦ Didact. Qui concerne la nécrose, qui la détermine. *Processus nécrotique.* « *Les diabétiques sont sujets à des éruptions pustuleu-ses et furonculeuses, phénomènes nécrosiques qui peuvent préluder à la gangrène proprement dite* » (*Journal de médecine et de chirur-gie pratiques*, XXIV, p. 460 [1853], *in* D.D.L.). — Qui ressemble à la nécrose. *Aspect nécrosique, nécrotique.* — N. m. (Chir. dent.). *Un nécrotique* : un médicament qui détermine la nécrose pulpaire (dévitalisation d'une dent).

NECTAIRE [nɛktɛʀ] n. m. — 1768; lat. sav. *nectarium* (1749), du grec *nektar.*

♦ Bot. Tissu qui sécrète un suc mielleux (⇒ **Nectar**) et se présente ordinairement sous forme d'une turgescence qu'on rencontre soit sur les feuilles *(nectaires extrafloraux du cerisier, du sureau...)*, soit sur la fleur *(nectaires floraux de la renoncule, de la violette...).*

NECTAR [nɛktaʀ] n. m. — V. 1500, Lemaire de Belges; lat. *nectar*, du grec *nektar.*

♦ **1.** Myth. Breuvage* des dieux. *Le nectar et l'ambroisie* (cit. 2; → Asphodèle, cit. 1). *Le nectar passait pour rendre immortels ceux qui en buvaient.*

1 (...) ils *(les dieux)* dévoraient de grands quartiers de viande fraîche mal rôtie, arrosée d'ambroisie et de nectar, qui devait être une sorte d'hydromel ou de vin poissé, il est vrai servi par les Grâces (...)
Émile HENRIOT, Mythologie légère, p. 22.

(Mil. XVIe). Vx ou littér. Boisson* de saveur exquise. *Le vin de Cham-pagne, ce nectar* (→ Hanap, cit. 1, La Fontaine). *Buvez une gorgée de ce nectar* (→ Badigoince, cit. 2).
(Déb. XVIIe). Spécialt. Vin de Chio, dans l'Antiquité. Par métaphore, fig. (→ 1. Boire, cit. 37, Lamartine; enivrer, cit. 11). Ce qui réjouit l'esprit, le cœur.

2 Vous n'y versez chaque fois qu'une goutte, mais cette goutte est du pur nectar de poésie. SAINTE-BEUVE, Correspondance, t. I, p. 356.

♦ **2.** (1768). Bot. Suc mielleux que sécrètent les nectaires*. *Abeilles* (cit. 5), *insectes qui butinent le nectar* (→ Fécondant, cit. 2).

3 (...) sa bouche *(du bourdon)* ne peut atteindre au nectar et le gourmand s'efforce en vain. Il renonce enfin et sort tout barbouillé de pollen (...) Il revient à l'anco-lie et, cette fois, il perce la corolle et suce le nectar à travers l'ouverture qu'il a faite (...) FRANCE, le Crime de S. Bonnard, Œ., t. II, VI, p. 470.
DÉR. **Nectaréen, nectarifère.** — V. aussi **Nectaire, nectarine.**

NECTARÉEN, ÉENNE [nɛktaʀeɛ̃, eɛn] adj. — 1838; de *nectar*, et suff. *-éen.*

♦ Littér., rare. Qui a le caractère du nectar (1.).

NECTARIFÈRE [nɛktaʀifɛʀ] adj. — 1842; dér. sav. du lat. *necta-reum* ou de *nectar* (2.), et suff. *-fère.* Botanique.

♦ **1.** Qui sécrète du nectar (2.).

♦ **2.** (1874). Qui porte un, des nectaires*.

NECTARINE [nɛktaʀin] n. f. — 1907; du grec *nektar* « boisson des dieux », et suff. *-ine.*

♦ Pêche à peau lisse et à chair jaune dont le noyau adhère à la chair. ⇒ aussi **Brugnon.**

-NECTE, NECTO- Éléments de mots savants, du grec *nêktos* « qui nage ». Ex. : *pleuronectes.*

NECTON [nɛkton; nɛktɔ̃] n. m. — 1897, Encycl. Berthelot, art. *Mer*; d'abord en all., Haeckel, 1890; du grec *nêktos* « qui nage », même finale que *plancton.*

♦ Sc. Animaux qui nagent (opposé à *plancton*, « animaux qui flot-tent »).

La vie pélagique se présente de façon différente suivant qu'il s'agit du Plancton, essentiellement passif, ou du Necton, qui est susceptible de déplacements autonomes importants.   J.-M. PÉRÈS, la Vie dans les mers, p. 67.

NECTURE [nɛktyʀ] n. m. — 1846 ; du grec *nêktos* (→ Necto-), et -oure (→ 2. Uro-).

♦ Didact. (Zool.). Amphibien de la famille des Protéidés vivant dans les eaux douces d'Amérique du Nord. *Le necture est lucifuge* (cit.).

NEDJDI [nɛdʒdi] n. m. — xvıııᵉ-xıxᵉ ; arabe *nădjdī*, de *nădjd*, région de l'Arabie.

♦ Hippol. Cheval arabe* pur sang. — Adj. *Chevaux nedjdis.* — Var. *nejdi* [nɛʒdi], *nedji* [nɛdʒi] (1963, Larousse), [nɛdj]. Certains le font invar. au pluriel.

NEEM [nim] n. m. ⇒ **Nim.**

NÉENCÉPHALE [neãsefal] n. m. — Mil. xxᵉ ; d'après *Neencephalon,* mot sav. créé en all. par L. Edinger, 1908, du grec *ne(o)-* « nouveau », et *egkephalon,* adj. neutre substantivé, « ce qui est dans la tête » (→ Encéphale) ; probablt par l'intermédiaire de l'anglais.

♦ Anat., physiol. Ensemble des formations de l'encéphale phylétiquement les plus récentes : néocortex, noyaux de la base, et thalamus du diencéphale (opposé à *rhinencéphale*). → Néocortical, cit.

NÉERLANDAIS, AISE [neɛʀlãdɛ, ɛz] n. et adj. — Attesté 1845 ; de *Néerlande,* forme francisée de *Nederland,* nom du royaume des Pays-Bas.

♦ Des Pays-Bas. ⇒ **Hollandais** (la Hollande étant une province des Pays-Bas). *L'économie néerlandaise. L'alliance néerlandaise, belge et luxembourgeoise* (Benelux). — N. Habitant des Pays-Bas ; personne qui y est née. *Les Néerlandais. Une Néerlandaise.*
N. m. *Le néerlandais,* langue germanique, branche du bas allemand ; langue officielle des Pays-Bas, et de la Belgique, avec le français (les parlers néerlandais des Flandres constituent le *flamand*). *Dictionnaire français-néerlandais. Néerlandais d'Afrique du Sud.* ⇒ **Afrikaans.**

(...) aujourd'hui c'est le hollandais qui est enseigné dans la Belgique flamingante, sous le nom de néerlandais *(nederlandsch).*   COHEN et MEILLET, les Langues du monde..., p. 60.

COMP. Néerlandophone.

NÉERLANDOPHONE [neɛʀlãdɔfɔn] adj. et n. — xxᵉ ; de *néerland(ais),* et *-phone.*

♦ Didact. (cour. en Belgique). Qui parle néerlandais, qui a pour langue maternelle ou principale le néerlandais*. — N. *Les néerlandophones et les francophones de Belgique.*

Des enseignants néerlandophones sont intervenus qui, en guise de représailles, ont rejeté leurs collègues dans l'eau.   Conrad DETREZ, l'Herbe à brûler, p. 87.

NEF [nɛf] n. f. — V. 1050, Alexis ; du lat. *navis* « navire ».

★ **I.** Vx ou poét. Navire (→ Fuir, cit. 13 ; moitié, cit. 8). — Par métaphore (→ Fréter, cit. 5). — Spécialt. Grand navire à voiles du moyen âge. — Blason. *Une nef figure sur les armes de Paris avec la devise :* Fluctuat nec mergitur.

1   Il devait mieux remplir nos vœux et notre attente,
Faire voir sur ses nefs la victoire flottante (...)   CORNEILLE, Pompée, I, 1.

2   Nous frôlions au passage des peuplades de grandes jonques (...) leurs poupes compliquées se relevaient en château, comme celles des nefs du moyen âge.   LOTI, Mᵐᵉ Chrysanthème, II.

3   Étoile de la mer voici la lourde nef
Où nous ramons tout nus sous vos commandements ;
Voici notre détresse et nos désarmements ;
Voici le quai du Louvre, et l'écluse, et le bief.   Ch. PÉGUY, Tapisserie de Notre-Dame, Présent. de Paris à N.-Dame.

★ **II.** (Par anal. de forme ; → Naviforme). ♦ **1.** (xııᵉ). Vaisseau (d'une église), partie comprise entre le portail et le chœur dans le sens longitudinal, où se tiennent les fidèles. *Nef à cinq, six... travées. Colonnes, piliers, voûte, galeries d'une nef* (→ Berceau, cit. 15). *Tribune, triforium ouverts sur la nef. Claire-voie d'une nef gothique. Nef centrale, principale, grande nef,* et, absolt, *la nef* (→ Abside, cit. 2). *Cantiques qui résonnent sous la haute nef* (→ Incantation, cit. 2). *Nef latérale.* ⇒ **Bas-côté, collatéral.** *Nef aveugle,* sans fenêtres hautes, éclairée par les fenêtres des bas-côtés. *Église à une seule nef, à plusieurs (deux, trois) nefs. Les nefs de la cathédrale de Cordoue* (→ Entrelacer, cit. 3 ; étoile, cit. 30).

4   Que le mot de *nef* s'applique bien au corps des églises gothiques ! *Saint-Ouen,* sans ses tours et ses clochers, ressemble à une frégate démâtée (...) Ôtez à Saint-Paul ses tours et ses dômes, vous n'aurez plus qu'une carcasse de prame ou de gabarre.   SAINTE-BEUVE, Correspondance, 52, 12 sept. 1828.

L'église (romane) proprement dite est à trois et parfois à cinq nefs. Elle prend ainsi   **4.1** la multitude qui s'y presse et lui impose un ordre, en creusant dans cette matière mouvante des sillons parallèles.
       Henri FOCILLON, l'Art d'Occident, p. 65 (→ Narthex, cit.).

La cathédrale de notre ville (...) fut à peu près remplie par les fidèles pendant   **5** toute la semaine (...) Et le dimanche, un peuple considérable envahit la nef, débordant jusque sur le parvis et les derniers escaliers.   CAMUS, la Peste, p. 109.

(1889, *la Science illustrée*). Forme architecturale rappelant la nef d'une église. *La nef d'un hall d'exposition, d'une gare...*

♦ **2.** (xıvᵉ). Archéol. *Nef de table* ou *nef :* pièce d'orfèvrerie, généralement en forme de navire, qui renfermait le couvert du seigneur ou du roi, ainsi que les assaisonnements, les épices (→ Étiquette, cit. 8).

COMP. (Du sens I) **Aéronef, astronef.**

NEFAS [nefas] n. m. — Après 1850, Hugo ; mot lat., de *ne,* et *fas* « loi, chose juste » ; → Néfaste.

♦ Didact. Ce qui fait l'objet d'un interdit moral (dans une société). ⇒ **Tabou.** *« Le fas et le nefas »* (Hugo).

NÉFASTE [nefast] adj. — 1355 ; rare jusqu'en 1535 ; du lat. *nefastus* « interdit par la loi divine ». → Faste.

♦ **1.** Didact. Antiq. rom. *Jours néfastes,* où il était interdit par la loi religieuse romaine de vaquer aux affaires publiques, et, spécialt, de rendre la justice (→ 2. Faste, cit. 1). Par anal. *Jours de deuil, consacrés à la commémoration d'un désastre national.*

♦ **2.** (1762 ; par confusion avec le lat. *faustus* « heureux » ; → Faste). Cour. (Style soutenu). Marqué par un événement malheureux. *Jour, année néfaste.* — Qui entraîne ou qui est de nature à entraîner des conséquences malheureuses, fâcheuses. ⇒ **Désastreux, fatal, funeste, mauvais** (II.). *Tenir pour néfaste* ⇒ Amputer, cit. 4 ; écran, cit. 2). *Conditions néfastes.* ⇒ **Défavorable.** *Influence néfaste* (→ Jade, cit. 2). *Doctrine néfaste.* ⇒ **Délétère.** *Déchaîner des puissances néfastes.* ⇒ **Hostile.** — *Néfaste à...* ⇒ **Nuisible.** *Cette absence serait néfaste à votre avancement. Son intransigeance lui a été néfaste.*

(...) il faut lutter contre un régime et contre une idéologie néfastes même si les   **1** hommes qui nous les apportent ne nous paraissent pas mauvais.   SARTRE, Situations II, p. 122.

(Personnes). Qui cause ou qui peut causer quelque dommage. *Individu néfaste* (→ Fantaisiste, cit. 3).

À votre avis, un Dubardeau, quelles que soient ses qualités, est-il utile ou néfaste ?   **2**
     GIRAUDOUX, Bella, IV.

CONTR. Faste, propice.

NÈFLE [nɛfl] n. f. — 1240, var. dial. *nesple, mesle* ; du plur. neutre lat. *mespila,* par dissimilation du *m* initial sous l'action du *p* intérieur ; le changement du *p* en *f* demeure inexpliqué.

♦ **1.** Fruit comestible du néflier, caractérisé par sa forme globuleuse, ses cinq noyaux provenant de son endocarpe osseux, et l'œil de grande dimension que laisse au sommet le calice. *Nèfle grise, rousse* (→ Grain, cit. 13).

(...) les hommes, voyez-vous, sont comme les nèfles, ils mûrissent sur la paille.   **1**
     BALZAC, les Chouans, Pl., t. VII, p. 882.

♦ **2.** (xıxᵉ en interj. ; *nesple* « chose sans valeur », xııᵉ ; dans des loc., xvııᵉ). *Des nèfles !,* réponse négative et ironique à une demande jugée excessive. ⇒ **Clou** (des clous !), **peau** (la peau !). — REM. *Des nèfles* signifiait déjà autrefois « peu de chose », « rien du tout ». *« On vous donnera des nèfles... »* (Furetière).

Les deux égorgeurs (...) courent à une auto rangée près de là. Sautent dedans...   **2** Je crois qu'ils vont fuir, mais des nèfles. C'est moi qu'ils chargent, les carnes.
     SAN-ANTONIO, Au suivant de ces messieurs, p. 183.

DÉR. Néflier.

NÉFLIER [neflije] n. m. — xıııᵉ, *neflier* ; de *nèfle.*

♦ Bot. Plante dicotylédone (*Rosacées*) des régions tempérées, arbre au tronc tordu et difforme qui porte les nèfles (n. sc. : *mespilus*). *Néflier du Japon.* ⇒ **Bibassier.**

NÉGATEUR, TRICE [negatœʀ, tʀis] n. et adj. — 1752, hist. relig., « celui qui reniait le Christ, au temps des persécutions » ; sens mod., xıxᵉ ; du supin du lat. *negare* « nier », suff. *-eur.*

Littéraire.

♦ **1.** (Sans compl.). Celui, celle qui nie, qui a l'habitude de nier. — Adj. *Esprit négateur. Philosophie négatrice.*

(...) penser, selon mon opinion, c'est toujours dans le premier moment faire non   **1** de la tête, et même fermer les yeux à l'évidence, comme on dit, afin de se donner le temps de la réflexion. D'où il suit que les penseurs passent aisément pour des obstinés et des négateurs.   ALAIN, Propos, 19 oct. 1912, Révolution économique.

Tout le travail de mon esprit, ces derniers mois, était un travail négateur.   **2**
     GIDE, Journal, 21 août 1938.

♦ 2. Adj. (V. 1830, A. Carrel). *Négateur, négatrice de... : qui nie... Des idées négatrices de la morale.* — N. (1868, Littré). *Un négateur de la patrie.*

NÉGATIF, IVE [negatif, iv] adj. et n. — 1283 ; du lat. *negativus*, de *negare* « nier » → Négation.

★ I. (Opposé à *affirmatif*). **♦ 1.** Qui exprime une négation, un refus. *Réponse négative* (→ Matrimonial, cit. 2). *Hocher la tête d'une manière négative.* ⇒ **Négativement.**

1 Il se pencha et parla à demi-voix au guide Lacoste. Le guide fit un signe de tête négatif, probablement perfide. Napoléon (...) avait fait, probablement sur l'éventualité d'un obstacle, une question au guide Lacoste. Le guide avait répondu non. On pourrait presque dire que de ce signe de tête d'un paysan est sortie la catastrophe de Napoléon (...) HUGO, les Misérables, II, I, VIII et IX.

2 Rieux téléphona au dépôt de produits pharmaceutiques du département. Les notes professionnelles mentionnent seulement à cette date : « Réponse négative ». CAMUS, la Peste, p. 46.

(1550). Qui exprime la négation dans le discours ou dans la langue. *Phrase, proposition, subordonnée négative* (→ 1. Garde, cit. 51). *Mot négatif, qui se charge d'un sens négatif, est apte à exprimer l'idée négative.* ⇒ **Négation** (→ Aucun, cit. 30). *Adverbe négatif. Préfixe négatif. Particule négative* (ne, non...). *Tour négatif*, du type : « je ne suis pas ignorant de... » pour : « je connais ».

N. f. (Vx). *Une négative :* une particule négative.

3 — Hé bien ! Ne voilà pas encore de son style ?
Ne servent pas de rien ! (...)
— De *pas* mis avec *rien* tu fais la récidive,
Et c'est, comme on t'a dit, trop d'une négative. MOLIÈRE, les Femmes savantes, II, 6.

4 Les tours *négatifs* sont particuliers à Virgile, et l'on peut remarquer, en général, qu'ils sont fort multipliés chez les écrivains d'un génie mélancolique. CHATEAUBRIAND, le Génie du christianisme, II, II, X.

Logique anc. *Proposition négative*, ou, n. f. (v. 1600), *une négative.*

♦ 2. N. f. (dans des loc.). LA **NÉGATIVE.** *Persister dans la négative,* dans un refus. *Dans la négative* (opposé à *dans l'affirmative*) : si c'est non. — *Répondre par la négative :* refuser. *Se tenir sur la négative.*

5 J'ai bien pensé à votre proposition et je me décide pour la négative. La Belgique n'a pas le ton, Bruxelles n'a jamais été et est moins que jamais prête à devenir une ville littéraire (...) Ainsi, *non.* SAINTE-BEUVE, Correspondance, 157, 8 janv. 1831.

♦ 3. (1675). Vx. (Personnes). Qui a l'habitude de refuser, de dire non. *Un homme négatif.*

6 C'est quelque chose d'extraordinaire que le mérite de ce garçon-là *(le chevalier de Grignan) :* il est aimé de tout le monde. Voilà de quoi son humeur négative et sa qualité de *petit glorieux* m'ont fait douter (...) Mᵐᵉ DE SÉVIGNÉ, 468, 17 nov. 1675.

♦ 4. Dr. ⓐ (1701). Vx. *Peines négatives,* qui excluent quelqu'un d'un honneur, d'une dignité.

ⓑ (1688). *Voix négative :* droit de s'opposer, mais non d'imposer.

ⓒ (1877). *Conflit négatif :* situation où plusieurs juridictions se déclarent en même temps incompétentes.

♦ 5. (1771). Théol. *Commandement négatif :* interdit, interdiction. — *Théologie négative,* qui procède par négations. ⇒ **Apophatique.**

♦ 6. (Dans l'usage militaire des transmissions). Non (en réponse). *« Vous avez des Chinetoques dans votre manche ? — Négatif »* (Volkoff, le Retournement, p. 329).

★ II. (XVIIᵉ, au sens 3). Opposé à *positif.* **♦ 1.** (XVIIIᵉ). Qui est dépourvu d'éléments constructifs, qui ne se définit que par l'élimination de ce qui le contrarie, le refus de ce qui lui est opposé. *Esprit négatif.* ⇒ **Critique.** *Pessimisme négatif* (→ Action, cit. 4).

7 La première éducation doit donc être purement négative. Elle consiste, non point à enseigner la vertu ni la vérité, mais à garantir le cœur du vice et l'esprit de l'erreur. ROUSSEAU, Émile, II.

8 (...) quand on emploie le mot positif comme le contraire de *négatif* (...) il indique l'une des plus éminentes propriétés de la vraie philosophie moderne (...) destinée surtout, par sa nature, non à détruire, mais à *organiser.* A. COMTE, Disc. sur l'esprit positif (Œ. choisies, p. 218).

9 Ils ont fait de la Justice une chose négative, qui défend, prohibe, exclut, un poteau pour arrêter, un couteau pour égorger (...) MICHELET, Hist. de la Révolution franç., Introd., II, V.

10 Ce n'est pas que je songe à nier l'existence de quelques mouvements d'opposition : mais leur action est purement négative. MARTIN DU GARD, les Thibault, t. VI, p. 203.

(Personnes). Qui ne fait que des critiques, n'approuve aucunement (une proposition, un projet, un ouvrage). *Il s'est montré très négatif.*

♦ 2. Qui est dépourvu d'éléments réels, qui ne se définit que par l'absence de son contraire. *Qualités négatives* (→ Insignifiant, cit. 6).

11 (...) le mal est négatif ; il n'est que la négation du bien, comme le froid est la négation de la chaleur, l'obscurité, de la lumière. Pour qu'une chose soit mauvaise, il faut qu'il y ait quelque autre chose qui soit comparable et qui est mauvais, — une condition à laquelle cette chose mauvaise ne satisfait pas ; une loi qu'elle viole, un être qu'elle offense. Si cet être, cette loi, cette condition, relativement auxquels

la chose est mauvaise, n'existent pas (...) alors la chose ne peut pas être mauvaise et devra conséquemment être bonne. BAUDELAIRE, Trad. E. POE, Histoires extraordinaires, Eureka, VII.

12 (...) à regarder de plus près, on pouvait remarquer que les visages étaient plus détendus et qu'ils souriaient parfois (...) C'était encore un soulagement tout négatif et qui ne prenait pas d'expression franche. CAMUS, la Peste, p. 292.

⇒ **Nul.** *Résultats entièrement négatifs* (→ Hérédité, cit. 13).

13 Un pareil attentat contre un membre de son Sénat excita la colère de l'Empereur, à qui l'on apprit l'arrestation des délinquants presque en même temps que la perpétration du délit et le résultat négatif des recherches. BALZAC, Une ténébreuse affaire, Pl., t. VII, p. 583.

Méd. *Réaction négative* (à un antigène donné), qui ne se produit pas. *Cuti* négative. Réaction de Bordet-Wassermann négative,* et, ellipt., *un B. W. négatif. Examen bactériologique, sérologique négatif,* qui ne révèle la présence d'aucune bactérie, aucune altération de la formule sanguine.

14 (...) albumino-réaction négative, c'est bon signe. MARTIN DU GARD, les Thibault, t. VIII, p. 195.

♦ 3. (1638). Math. et phys. *Grandeur, quantité négative,* celle qui, dans une représentation géométrique des grandeurs (ou des quantités) par segments mesurés à partir d'une même origine sur une droite orientée, correspond à un déplacement dans la direction inverse de celle de l'axe. — Alg. *Nombre négatif :* nombre relatif* qui, résultant d'une soustraction réelle ou supposée impossible à faire, est affecté du signe − (→ Imaginaire, cit. 6). *Le nombre − 2, provenant de la soustraction* $(+ 3) − (+ 5)$ *est dit négatif. Puissance à exposant négatif* $(a − n)$.

15 Dès les premiers siècles de notre ère, les Hindous comprirent qu'on pouvait attribuer une signification valable aux soustractions telles que « 65 ôté de 50 » : il suffit d'admettre l'existence de « nombres négatifs », qu'ils désignaient uniformément sous le nom de « dettes ». Ces nombres négatifs ont été popularisés (dans une certaine mesure) par le thermomètre : « huit degrés de froid » se notent couramment « − 8° », et personne ne doutera que les profondeurs des océans aient « une altitude négative ». L'ensemble des nombres « ordinaires » (ou nombres positifs) et des nombres négatifs constitue l'ensemble des *nombres qualifiés :* à tout nombre positif (...) correspond un nombre négatif, zéro est la « coupure » entre ces deux variétés (...) On représentera graphiquement les nombres qualifiés, en traçant une ligne horizontale et en marquant, vers le milieu, le « point zéro » : les nombres positifs seront portés vers la droite, les nombres négatifs vers la gauche. Marcel BOLL, les Étapes des mathématiques, p. 35-36.

♦ 4. Qui est considéré comme doté d'une orientation ou de qualités opposées à une orientation, à des qualités données.

(1781). *Électricité* négative des électrons* (cit. 1). *Pôle* négatif.* ⇒ **Cathode.** — VIeIIII. *Électron négatif :* électron, au sens moderne (opposé à *l'électron positif,* anc. nom du positon). ⇒ **Négaton.**

Bot. *Géotropisme* (cit.) *négatif de la tige des plantes.*

Photogr., cour. *Image, épreuve négative,* sur laquelle les parties lumineuses des objets représentés sont figurées par des parties d'image sombres, et inversement. ⇒ **Cliché, contretype.** — N. m. (1854). *Un négatif :* plaque, pellicule qui porte cette image.

16 Lobel saisit un négatif de radio sur sa table et l'éleva vers le jour. — Regardez ça, dit-il. Quand même, quelle belle image ! MONTHERLANT, les Lépreuses, II, XVIII.

17 Elle se découpait un instant, toute menue, comme un négatif de photo, le corps foncé par le soleil et les cheveux blonds, décolorés. Geneviève DORMANN, le Bateau du courrier, p. 45.

CONTR. Affirmatif, approbatif. — Positif.
DÉR. Négative, négativement, négativisme, négativiste, négativité, négaton.
COMP. Négatoscope.

NÉGATION [negasjɔ̃] n. f. — Fin XIIᵉ, *negatiun ; négation,* v. 1265 ; du lat. *negatio,* du supin de *negare* « nier » → Négatif.

♦ 1. Acte de l'esprit qui consiste à nier*, à rejeter un rapport, une proposition, une existence ; expression de cet acte. *La négation de qqch.* (par qqn). « *Concevoir l'infini* (cit. 16) *par la négation de ce qui est fini* » (Descartes). ⇒ **Apophantique.** *Négation du spirituel* (→ Idéalisme, cit. 2). *Négation de Dieu, du Christ.* — *Négation de la vérité, des valeurs.* ⇒ **Nihilisme.** *Négation et affirmation simultanées de la même proposition.* ⇒ **Contradiction.**

1 Parce que vous êtes un impatient, parce que vous exigez de la science des résultats immédiats, complets, parce que vous vous découragez des tâtonnements nécessaires, jusqu'à douter des vérités acquises et à tomber dans la négation de tout ! ZOLA, la Terre, IV, V.

2 On se représente la négation comme exactement symétrique de l'affirmation. On s'imagine que la négation, comme l'affirmation, se suffit à elle-même. Dès lors la négation aurait, comme l'affirmation, la puissance de créer des idées, avec cette seule différence que ce seraient des idées négatives (...) cette assimilation (...) nous paraît arbitraire. On ne voit pas que, si l'affirmation est un acte complet de l'esprit, il en peut aboutir à constituer une pensée, la négation n'est jamais que la moitié d'un acte intellectuel dont on sous-entend ou plutôt dont on remet à un avenir indéterminé l'autre moitié. On ne voit pas non plus que, si l'affirmation est un acte de l'intelligence pure, il entre dans la négation un élément extra-intellectuel, et que c'est précisément à l'intrusion d'un élément étranger que la négation doit son caractère spécifique (...) La négation n'est qu'une attitude prise par l'esprit vis-à-vis d'une affirmation éventuelle. H. BERGSON, l'Évolution créatrice, p. 286-287.

Spécialt. ⓐ (Dans les philos. modernes) :

3 (...) la négation est refus d'existence. — Par elle, un être (ou une manière d'être) est posé puis rejeté au néant. SARTRE, l'Être et le Néant, p. 46.

ⓑ Relig. *Négation de Dieu, de la foi. Crise de négation* (→ Alternativement, cit. 2).

ⓒ (1912). Psychiatrie. *Délire, idées de négation :* idées délirantes d'un malade qui nie une réalité même évidente (par exemple, qu'il respire, qu'il vive, qu'il ait tel ou tel organe, que le monde extérieur existe). *Délire de négation d'un mélancolique, d'un hypocondriaque.*

ⓓ Log. Opérateur singulier (symb. ~), par lequel une proposition devient fausse si elle était vraie, ou vraie si elle était fausse. *Double négation :* symbole de Peirce (noté ↓) appelé aussi *non ou, ni. Négation alternée :* symbole (ou barre) de Sheffer (noté |), appelé aussi *non et, incompatibilité. Tout connecteur peut être défini à partir de la double négation comme à partir de la négation alternée.*

Par ext. Action, attitude qui va à l'encontre d'une chose, qui n'en tient aucun compte (⇒ **Condamnation**). *Cette méthode est la négation de la science* (→ Fait, cit. 36).

4 Il *(Lousteau)* revoyait des femmes d'une jeunesse éclatante, mises splendidement, et à qui l'économie apparaissait comme une négation de leur jeunesse et de leur pouvoir. BALZAC, la Muse du département, Pl., t. IV, p. 182.

♦ **2.** (1370). Manière de nier, de refuser ; mot ou groupe de mots qui sert à cet effet.

Adverbes de négation. ⇒ **Ne, non.** *Auxiliaires de la négation.* ⇒ **Goutte, guère, jamais, mie** (vx), **pas, plus, point, tout** (du). *Négation exprimée par la conjonction* ni, *par les indéfinis* aucun, nul, personne, rien, *par les locutions* non que, ce n'est pas que... *Négations familières* ou *populaires* (cf. Des clous !, des nèfles !, macache !, la peau !...). — *Phrases à double négation* (→ ci-dessous, cit. 6, Dauzat). *Négation de répétition.* ⇒ **Ni.** *Négation absolue* (« Il ne t'a pas fait de tort »), *relative* (« Il ne t'a pas fait volontairement du tort »). *Négation apparente* (« Il n'y a pas que vous ; ne gagne-t-il pas sa vie ? Il n'est rien de moins qu'un paresseux »). — *Problème de la place de la négation* (cf. les différents termes négatifs). *Déplacement de la négation* (exprimée par anticipation dans la principale alors qu'elle devrait logiquement figurer dans la subordonnée). — *Préfixes marquant la négation :* a-, an-, in- (⇒ **Privatif**).

5 Ce déplacement de la négation, qui d'abord peut paraître assez illogique, est au contraire fort rationnel (...) Comme l'a finement observé Tobler (Mél., pp. 249-253), le tour *« Il ne faut pas que tu meures »* a sur la construction logique *(Il faut que tu ne meures pas),* cette supériorité de mettre en vedette et de dégager immédiatement une extrême énergie tout ce qu'il y a de négatif et de prohibitif dans l'esprit du sujet parlant.
G. et R. LE BIDOIS, Syntaxe du franç. moderne, § 985.

6 La négation niée a une toute autre valeur que l'affirmation. Elle est moins positive avec les verbes exprimant une énonciation : il *n'a pas* dit *non* est moins positif que il a dit *oui ;* la formule exprime qu'on n'a pas essuyé un refus et qu'un acquiescement est possible, mais nullement assuré. Au contraire, avec les verbes exprimant la *possibilité,* la double négation exprime une *nécessité,* en face de l'affirmation qui exprime une simple possibilité. Tu *ne peux pas ne pas* te poser la question (J. Romains, Montée des périls, p. 327) signifie que le personnage se voit obligé de se poser la question, tandis que « tu peux te poser la question » laisse l'alternative « tu peux ne pas te la poser ».
A. DAUZAT, Grammaire raisonnée..., p. 333.

CONTR. Affirmation, assentiment, attestation, confirmation.

NÉGATIVE [negativ] n. f. ⇒ **Négatif** (cit. 3 et *supra,* 5 et *supra*).

NÉGATIVEMENT [negativmɑ̃] adv. — V. 1380 ; de *négatif.*

D'une manière négative. *Répondre négativement.*

♦ **1.** (⇒ **Négatif**, I.).

1 Il prononça ces dernières paroles tout haut et secoua la tête négativement, comme si la réponse à la question qu'il se posait n'était point de celles qu'on désire connaître.
J. GREEN, Léviathan, I, I.

♦ **2.** (⇒ **Négatif**, II.).

2 Ce qu'ils concèdent, c'est que la pensée bergsonienne, c'est que la révolution bergsonienne a servi négativement, qu'elle a servi à déblayer un certain espace qui est pour eux l'emplacement de cette bataille. Ils concèdent que la pensée bergsonienne, que la révolution bergsonienne a servi à nier. Ce qu'il fallait nier.
Ch. PÉGUY, Note conjointe, Sur Descartes, p. 278.

CONTR. (De 1.) **Affirmativement.** — (De 2.) **Positivement.**

NÉGATIVISME [negativism] n. m. — 1869, Blanqui ; de *négatif,* et *-isme.*

♦ **1.** Philos. Système philosophique niant toute croyance à une réalité.

♦ **2.** (1919, P. Janet, in *Médications psychologiques ;* autre sens, 1909). Psychiatrie. « Tendance permanente et instinctive à se raidir contre toute sollicitation venue du monde extérieur » (Kahlbaum in Porot, 1975). *Attitude fondamentale de la personnalité schizophrénique, le négativisme peut se rencontrer aussi dans la confusion, la mélancolie,* etc.

♦ **3.** Didact. Tendance au refus, à la négation (sans rien de pathologique). ⇒ aussi **Négativiste.**

J'ai déjà indiqué qu'il n'entrait pas de désenchantement dans notre négativisme,

au contraire : nous réprouvions le présent au nom d'un avenir qui se réaliserait certainement et que nos critiques mêmes contribuaient à façonner.
S. DE BEAUVOIR, la Force de l'âge, p. 147.

NÉGATIVISTE [negativist] adj. et n. — V. 1970 ; de *négatif,* et *-iste.*

♦ Du négativisme (3.).

Il y en a eu quelques-uns qui se sont dit réactivistes (...) Je croyais que ça allait faire carrière. Zéro. Ça n'entrera pas dans le dictionnaire. Remarquez, moi je dis négativiste mais ça n'existe pas non plus. Peut-être que si je le place toutes les semaines (...) ça va entrer dans le « Robert ». En attendant, ça n'y est pas.
Charlie Hebdo, 6 sept. 1979.

NÉGATIVITÉ [negativite] n. f. — 1838 ; de *négatif.*

♦ **1.** État d'un corps chargé d'électricité négative.

♦ **2.** (XIXᵉ). Caractère de ce qui est négatif (II., 1.).

(...) c'est l'idée formelle de négativité qui les unit *(le surréalisme et le parti communiste).* En fait la négativité du parti communiste est provisoire, c'est un moment historique nécessaire dans sa grande entreprise de réorganisation sociale ; la négativité surréaliste se maintient, quoi qu'on en dise, en dehors de l'histoire : à la fois dans l'instant et dans l'éternel, elle est la fin absolue de la vie et de l'art.
SARTRE, Situations II, p. 225.

♦ **3.** Philos. « Activité de la négation (1.) comme moment dialectique » (Cuvillier).

La pensée dialectique est le contraire du positivisme. Elle est critique et révolutionnaire par sa découverte de la négativité : dans tout ce qui a été fait par l'homme, le réel inclut le possible et la dialectique a pour tâche de distinguer, dans la réalité immédiate, tous les possibles que rien n'empêche de se réaliser. Le monde de l'expérience doit être transformé pour devenir ce qu'il est.
Roger GARAUDY, in le Monde, 8 mars 1969.

Activité de la négation dans le langage et la signification.

On *parle* lorsqu'on *juge* (...) et alors la négation comme attitude interne au jugement se présente sous la forme de la loi du tiers exclu. On *énonce* alors dans une *démarche de négativité* (de différenciation) on englobe dans l'acte de la signification ce qui n'a pas d'existence dans la logique (la parole) et qui est le terme nié (= point de départ de la signification).
Julia KRISTEVA, Poésie et Négativité, in Σημειωτιχη, p. 250.

NÉGATOGÈNE [negatoʒɛn] adj. — 1940 ; de *négato(n),* et *-gène.*

♦ Phys. Qui émet des négatons. « *Les noyaux émetteurs de rayons* β *dits noyaux négatogènes* » (T. Rahan, *Radioactivité et Transmutation des atomes,* p. 132).

NÉGATOIRE [negatwaʀ] adj. — XIIIᵉ ; bas lat. *negatorius,* du supin de *negare* « nier ».

♦ **1.** Dr. *Action négatoire,* par laquelle le propriétaire d'un fonds veut faire déclarer qu'il n'y a aucun droit de servitude sur son bien.

♦ **2.** (1549). Didact. Qui sert à nier, à refuser. *Formule négatoire.* — Contr. : *approbatif.*

NÉGATON [negatɔ̃] n. m. — 1939 ; de *négat(if),* et *(électr)on.*

♦ Phys. Électron de charge négative (opposé au *positon,* de charge positive). ⇒ **Électron.**

COMP. **Négatogène.**

NÉGATOSCOPE [negatɔskɔp] n. m. — Mil. XXᵉ ; de *négat(if),* -o- de liaison, et *-scope.*

♦ Méd. Écran lumineux pour l'examen des radiographies (négatifs radiographiques). — Techn. Appareil à plaques lumineuses permettant la vision en transparence de photographies.

NEG-ENTROPIE [negɑ̃tʀɔpi] n. f. — 1950, L. Brillouin, en anglais ; de *negative entropy ;* le mot a dû être utilisé très rapidement en français, où sa formation, adj. + nom, est anormale.

♦ Didact. Entropie négative ; augmentation du potentiel énergétique. — REM. On écrit aussi *néguentropie* et *négentropie* [negɑ̃tʀɔpi].

Si l'organisme était incapable de drainer dans le milieu une « néguentropie » suffisante, il irait à sa désorganisation totale, c'est-à-dire à l'état de cadavre (...) L'être vivant se nourrit d'entropie négative (Schrödinger).
F. MEYER, in Encycl. Pl., Logique et Connaissance scientifique, p. 787.

La machine, comme élément de l'ensemble technique, devient ce qui augmente la quantité d'information, ce qui accroît la négentropie, ce qui s'oppose à la dégradation de l'énergie.
Gilbert SIMONDON, Du mode d'existence des objets techniques, p. 15.

1. NÉGLIGÉ [negliʒe] n. m. — 1687 ; p. p. substantivé de *négliger.*

♦ **1.** État d'une personne mise sans recherche ; absence d'apprêt dans le costume, la tenue.

Vous lui reprochez de se mettre mal ; je le crois bien : toute parure lui nuit ; ce qui la cache la dépare. C'est dans l'abandon du négligé qu'elle est vraiment ravissante. Grâce aux chaleurs accablantes que nous éprouvons, un déshabillé de simple toile me laisse voir sa taille ronde et souple. Une seule mousseline couvre sa gorge (...)   LACLOS, les Liaisons dangereuses, VI.

Souvent, pour éprouver cet amour et au risque de le perdre, elle dédaignait la parure qui pouvait sauver ses défauts. Ses yeux d'Espagnole fascinaient quand elle s'apercevait que Balthazar la trouvait belle en négligé.
                    BALZAC, la Recherche de l'absolu, Pl., t. IX, p. 495.

Elles étaient jeunes pour la plupart, et il y en avait de fort jolies. Le négligé extrême de leur toilette permettait d'apprécier leurs charmes en toute liberté.
                    Th. GAUTIER, Voyage en Espagne, p. 258.

Péj. ⇒ **Débraillé, laisser-aller.** *Le négligé de sa tenue a choqué tout le monde.*

Il se fait remarquer par son négligé, s'il est permis d'emprunter à Molière le mot employé par Éliante pour peindre le *malpropre sur soi.* Ses vêtements semblent toujours avoir été tordus, fripés, recroquevillés (...) Sa barbe longue et pointue n'est ni peignée, ni parfumée, ni brossée, ni lissée (...) Ses mains sèches et filandreuses ignorent les soins de la brosse à ongles et le luxe du citron (...)
                    BALZAC, Une fille d'Ève, Pl., t. II, p. 87.

Spécialt. État d'une personne qui n'a pas encore mis la dernière main à sa toilette.

♦ **2.** (1761, Marmontel). *Un négligé :* tenue légère et sans recherche qu'on porte dans l'intimité, surtout le matin (⇒ **Déshabillé**). *De jolis négligés.* — REM. Ne se dit guère que du vêtement féminin.

Elle le reçut en vieil ami, sans façons, étendue sur sa chaise longue. Elle était encore en négligé du matin.   R. ROLLAND, l'Âme enchantée, II, p. 43.

♦ **3.** Littér., bx-arts (avec ou sans nuance péjorative). Caractère de ce qui est négligé, qui manque de recherche, de fini.
CONTR. **Apprêt.**

2. NÉGLIGÉ, ÉE [neglize] p. p. adj. ⇒ **Négliger.**

NÉGLIGEABLE [neglizabl] adj. — 1843, Landais; *négligible* en 1834; de *négliger.*

♦ **1.** Qui peut être négligé, qui ne vaut pas la peine qu'on s'y arrête, qu'on en tienne compte. ⇒ **Dérisoire, insignifiant.** *Considérer un danger comme négligeable* (→ 1. Garde, cit. 61). *Opinion négligeable. Influence négligeable* (→ Indicatif, cit. 2). — *Résultats qui ne sont pas négligeables. Ce n'est pas entièrement négligeable, comme résultat. Détails négligeables.* ⇒ **Menu.** *Son apport est négligeable.* ⇒ **Médiocre, mince; goutte** (une goutte d'eau dans la mer), **peu** (de chose).

(...) à côté des occupations importantes qui le faisaient si pressé, si alerte, si content, les ennuis qui m'empêchaient tout à l'heure de rester un instant sans souffrir me semblaient, comme à lui, négligeables (...)
                    PROUST, À la recherche du temps perdu, t. VI, p. 109.

Il est visible que mes considérations pratiques, loin de l'ébranler, lui paraissent parfaitement négligeables, voire mesquines.
                    MARTIN DU GARD, les Thibault, t. IX, p. 185.

(...) vous vous trouveriez avoir acquis la confiance, l'estime d'un groupe de gens dont les moyens ne sont pas négligeables.
                    J. ROMAINS, les Hommes de bonne volonté, t. V, VI, p. 49.

Je ne suis pas séparé de ma jeunesse par des événements, ceux de l'Histoire ou ceux de ma négligeable vie.   MALRAUX, Antimémoires, p. 431.

♦ **2.** Loc. Math. *Quantité négligeable,* dont on peut ne pas tenir compte, dont l'omission n'entraîne pas d'erreur appréciable dans le résultat final. — Fig., cour. (1935, Académie). *Considérer, traiter qqn comme quantité négligeable,* ne tenir aucun compte de sa présence, de ses opinions, de ses désirs.

♦ **3.** (Personnes). Qui ne mérite pas d'être pris en considération. *Elle le jugeait insignifiant* (cit. 8), *ridicule et négligeable* (→ Horripilant, cit. 2).
CONTR. **Appréciable, important, notable, remarquable.**

NÉGLIGEMENT [neglizmã] n. m. — Déb. XVIIe, Sully; de *négliger,* et *-ment.*

♦ Vx. Fait de négliger; négligence*.

NÉGLIGEMMENT [neglizamã] adv. — 1200, *négligentement;* de *négligent.*

♦ **1.** D'une manière négligente, sans soin. *Édition établie très négligemment* (→ Erreur, cit. 36). — *Tourner négligemment la tête* (→ Indifférence, cit. 17).

(...) il se mit à feuilleter négligemment un des tomes de cet ouvrage.
                    FRANCE, les Opinions de J. Coignard, Œ., t. VIII, I, p. 333.

Par négligence (→ Faucille, cit. 4, Hugo).

♦ **2.** (XVIIe). En donnant une impression de négligence; avec une négligence voulue ou feinte. *Madras* (cit.) *négligemment noué sur la tête* (→ 2. Fichu, cit.).

(...) ses cheveux négligemment peignés, pendaient par mèches noires au long de sa face pâle, avec une absence de coquetterie rare dans un jeune homme qui eût pu passer pour beau, et montraient une renonciation absolue à toute idée de plaire.
                    Th. GAUTIER, le Capitaine Fracasse, I.

♦ **3.** Vieilli. À la légère, sans réfléchir. ⇒ **Inconsidérément.** *Citer négligemment un écrit* (→ 2. Flétrir, cit. 6).

♦ **4.** Sur un ton d'indifférence (avec un verbe signifiant «s'exprimer»). *Dire, répondre négligemment...* (→ Compte, cit. 13).

NÉGLIGENCE [neglizãs] n. f. — 1120; du lat. *negligentia;* de *negligere* → **Négliger.**

♦ **1.** Action, fait de négliger* (qqch.). Rare. *La négligence de qqch. par qqn.* — Cour. (sans compl. de chose). *La négligence, la négligence de qqn, une négligence* (qualifié ou non). Attitude, état d'une personne dont l'esprit ne s'applique pas à ce qu'elle fait ou à ce qu'elle devrait faire; manque d'énergie, de vigueur. ⇒ **Abandon, nonchalance, nonchaloir** (vx), **paresse, relâchement.** *Vivre avec négligence* (→ Envie, cit. 10). *Se laisser aller à une extrême négligence.* ⇒ **Sommeiller** (→ Épuisement, cit. 4). *Toutes les vieilleries qu'on garde chez soi par négligence.* ⇒ **Incurie, laisser-aller** (→ Encombrer, cit. 3). *S'il ne vous écrit pas, n'y voyez aucune mauvaise intention, c'est de la pure négligence.* — Manque de soin, d'application. *Avoir de la négligence pour les petites choses* (→ Essentiel, cit. 9). *Affaire qui ne souffre pas la moindre négligence. Travail exécuté avec négligence* (→ Par-dessus les épaules*, par-dessus la jambe*). *Feuilleter* (cit. 2) *un livre avec négligence.* ⇒ **Inattention; négligemment.** — Manque de précautions, de prudence, de vigilance. *Négligence coupable, criminelle, dangereuse.* — Défaut de prévoyance. *C'est une négligence qui risque de vous coûter cher.* ⇒ **Omission, oubli.** — (Dans l'accomplissement du devoir d'état). *Négligence professionnelle. Médecin* (cit. 6) *coupable de négligence. Sa négligence nuira à son avancement. Redresser les négligences de ses collaborateurs* (→ Entraîner, cit. 23). *Négligence des pouvoirs publics* (⇒ **Carence**; → Incroyable, cit. 13).

La grande négligence que vous avez pour vos affaires (...)   1
                    MOLIÈRE, les Femmes savantes, V, 4.

Leur présence inopinée *(des soldats romains)* glaçait les esprits : ils se montraient   2
surtout après un mauvais succès, dans le temps que leurs ennemis étaient dans cette négligence que donne la victoire.
                    MONTESQUIEU, Grandeur et décadence des Romains, II.

Mais l'indolence, la négligence, et les délais dans les petits devoirs à remplir, m'ont   3
plus fait de tort que de grands vices.   ROUSSEAU, les Confessions, X.

Ai constaté moi-même certaines choses troublantes... La mollesse avec laquelle   4
Darros fait son traitement... Se dérobe en général à tous soins qu'on lui laisse prendre seul, etc... Négligences d'autant plus étranges que Darros s'inquiète beaucoup de lui (...) parle de sa «santé définitivement compromise», etc. (...)
                    MARTIN DU GARD, les Thibault, t. IX, p. 204.

Mettre, montrer de la négligence à faire qqch., peu d'empressement.

J'espère que Monsieur ne trouvera pas que j'aie mis de la négligence à le servir (...)   5
                    LACLOS, les Liaisons dangereuses, CVII.

Dr. «Faute non intentionnelle consistant à ne pas accomplir un acte qu'on aurait dû accomplir» (Capitant, *Vocabulaire juridique).* «*Chacun est responsable du dommage qu'il a causé... par sa négligence*» (→ Fait, cit. 10, Code civil). *Homicide* (→ 2. Homicide, cit. 3) *par négligence.*

(...) il convient de distinguer la simple abstention de la négligence fautive. Ainsi   6
l'automobiliste qui ne respecte pas les prescriptions du code de la route commet une négligence fautive dont il sera responsable.
                    DALLOZ, Petit dict. de droit, p. 6.

♦ **2.** (V. 1265). Vieilli. Manque de goût, de soin dans la mise, la tenue. ⇒ **Débraillé, négligé.** *La négligence de sa personne* (→ Gousset, cit. 2). *Négligence qui va jusqu'à la malpropreté* (cit. 1). — (Sans nuance défavorable). Absence d'apprêts, de parure.

Belle, sans ornements, dans le simple appareil   7
D'une beauté qu'on vient d'arracher au sommeil.
Que veux-tu? je ne sais si cette négligence,
Les ombres, les flambeaux, les cris et le silence,
Relevaient de ses yeux les timides douceurs.   RACINE, Britannicus, II, 2.

♦ **3.** (XVIIe). Littér., arts. Manque de précision, de vigueur, de fini. *Croquis tracé avec négligence.* — *Une, des négligences.* ⇒ **Lâché** (→ Mollesse, cit. 3). *Négligences (de style) d'un écrivain distrait* (→ Fâcher, cit. 15). *Les négligences de Saint-Simon* (→ Heurter, cit. 36). *Une négligence continuelle* (→ Étudier, cit. 25). *Puriste qui rejette les moindres négligences.* — (Sans nuance défavorable). Absence d'apprêts d'affectation. «*Cette négligence unique* (de Fénelon)... *qui l'emporte sur un style plus poli*» (→ Fard, cit. 10).

Mais à travers le désordre et la négligence aimable d'un pinceau qui s'abandonne,   8
on reconnaît aisément la main sûre et savante d'un grand peintre.
                    DIDEROT, Éloge de Richardson.

Il s'y trouvait bien quelques négligences, à cause du prodigieuse fécondité avec   9
laquelle je l'avais écrit (...)
                    A. DE MUSSET, Contes, «Hist. d'un merle blanc», VII.

En tout, soit dans la composition, soit dans les comparaisons et le détail du style,   10
ce qui manque tout à fait aux *Martyrs* et dont l'absence, à la longue, fatigue le lecteur, c'est un peu de négligence (...) un peu de nonchaloir (...) jamais un peu de cette bonhomie qui s'oublie et qui sommeille.
                    SAINTE-BEUVE, Chateaubriand..., t. II, XVII, p. 5.

(...) quantité de poétereaux s'imaginent flatteusement que la poésie de Jammes   11
consistait dans sa forme abandonnée, ont résolu d'être poètes simplement en ne se contraignant point.   GIDE, Journal, 1921, Feuillets.

À peine deux ou trois négligences de ponctuation. Mais l'écriture le surprenait.   12
                    J. ROMAINS, les Hommes de bonne volonté, t. II, VI, p. 68.

♦ **4.** (XIIe). Action, fait de ne pas se soucier de qqn. — Manque d'égards, d'attentions; désinvolture envers qqn. *C'est d'une négli-*

gence qui touche à la grossièreté. Négligences envers le peuple (→ Glissement, cit. 8).

13 (...) ma juste impatience
Vous accusait déjà de quelque négligence.   RACINE, Bérénice, I, 4.

14 (...) je ne supporterais pas l'idée que vous attribuassiez à négligence ou à indifférence un silence que je compte parmi les malheurs de mon état.
     ROUSSEAU, Correspondance, 19 déc. 1761.

♦ **5.** Action, fait de ne pas tenir compte de qqch. ; absence d'intérêt, de considération pour qqch. *Il en parle sur un ton de négligence qui ne trompe pas.* ⇒ **Négligemment.** *Sa perpétuelle négligence des questions pratiques lui jouera un mauvais tour.* ⇒ **Éloignement.** — Conséquence de cette insouciance, de ce dédain. *Réparer une négligence.*

15 Il s'agit de décrire quelques inconvénients où tombent ceux qui ayant méprisé dans leur jeunesse les sciences et les exercices, veulent réparer cette négligence dans un âge avancé par un travail souvent inutile.
     LA BRUYÈRE, les Caractères de Théophraste, D'une tardive instruction.

CONTR. Application, assiduité, conscience, diligence, exactitude, minutie, zèle. — Coquetterie. — Correction, empressement. — Observation.

NÉGLIGENT, ENTE [negliʒɑ̃, ɑ̃t] adj. — 1190 ; du lat. *negligens*, p. prés. de *negligere*. → Négliger.

♦ Qui fait preuve de négligence*. *Écolier* (cit. 5), *copiste négligent* (→ Glose, cit. 4). ⇒ **Inattentif.** *Employé négligent, toujours en retard.* ⇒ **Traînard.** *Débiteur négligent.* ⇒ **Morosif** (vx). *On ne peut pas compter sur lui, il est trop négligent.* ⇒ **Oublieux.** *Il est négligent, peu sérieux.* ⇒ fam. **Je m'en foutiste.** *Mère négligente qui ne s'occupe pas de ses enfants.* — *Négligent de l'avenir.* ⇒ **Insouciant** (cit. 1). — Par métonymie. *Signer d'une main négligente. Jeter un coup d'œil négligent.* — *La méthode négligente d'un écrivain* (→ Inadvertance, cit. 2). *Consigner* (cit. 2) *un enseignement d'une plume négligente.*

1 Tandis que les prophètes ont été pour maintenir la loi, le peuple a été négligent ; mais depuis qu'il n'y a plus eu de prophètes, le zèle a succédé.
     PASCAL, Pensées, XI, 703.

N. *Les négligents et les maladroits* (cit. 8).

2 Vous ne me parlez plus de ce paresseux, de ce négligent, de ce loir, de cet ingrat, de ce liron, qui passe sa vie à manger, à dormir, et à oublier ses amis.
     VOLTAIRE, Correspondance, 2444, 2 avr. 1764.

Par ext. Qui marque, trahit la négligence. *Geste négligent* (→ Flamber, cit. 4). *Démarche négligente.*

CONTR. Appliqué, assidu, consciencieux, diligent, empressé, méticuleux, minutieux, sérieux, soigneux.
DÉR. Négligemment.

NÉGLIGER [negliʒe] v. tr. — Conjug. *bouger*. — 1355 ; du lat. *negligere*, var. de *neglegere*, de *nec*, et *legere* «ramasser, choisir».

♦ **1.** **a** Laisser (qqch.) manquer du soin, de l'application, de l'attention requise ; ne pas accorder à (qqch.) l'importance méritée. ⇒ fam. **Ficher** (se), **foutre** (se). *Négliger ses intérêts, sa santé.* ⇒ **Désintéresser** (se). *Négliger la forme* (→ Emporter, cit. 45) *pour le fond, l'idée pour le style* (→ But, cit. 11). *Négliger ses affaires.* ⇒ **Dormir** (laisser) ; **traîne** (laisser à la). *Maîtresse de maison qui néglige son intérieur. Il a trop négligé cette question* (→ Extérieur, cit. 15). *Négliger ses devoirs.* ⇒ **Détourner** (se). — Pron. et absolt (sens réfl.). ⇒ **Relâcher** (se). *Cet auteur, cet artiste, cet ouvrier travaillait autrefois avec grand soin, maintenant il se néglige* (Académie).

1 Souvent ces gens qui ont l'âme si noble, ne sont pas les meilleurs cœurs du monde ; ils s'entêtent trop de la gloire et du plaisir d'être généreux, et négligent par là bien des petits devoirs.   MARIVAUX, la Vie de Marianne, IV.

2 Mᵐᵉ de Merteuil m'a dit aussi qu'elle me prêterai des livres (...) elle m'a recommandé seulement de ne rien dire à maman de ces livres-là, parce que ça aurait l'air de trouver qu'elle a trop négligé mon éducation (...)
     LACLOS, les Liaisons dangereuses, XXIX.

3 Une telle façon de penser peut et doit même paraître extravagante aux esprits calculateurs, qui ne négligent rien et laissent le moins possible au hasard (...)
     A. DE MUSSET, Contes, « La mouche », IV.

Spécialt. *Négliger un mal, une blessure,* ne pas les soigner.

Négliger sa personne, sa mise, sa tenue. Pron. et absolt (sens réfl.). *Se négliger :* ne pas avoir soin de sa personne, de sa toilette, être mis sans goût, sans la moindre élégance (→ Endimancher, cit. 3). Cf. Se laisser aller.

Négliger la syntaxe, le style. Molière a souvent négligé le dénouement de ses comédies.

Par ext. *Négliger ses talents, ses dispositions naturelles,* ne pas les développer, ne pas les cultiver.

b (Mil. XVIIᵉ). **NÉGLIGER DE...** (suivi d'un infinitif) : ne pas prendre soin* de... *Négliger de se nourrir* (→ Force, cit. 11). *Négliger de serrer un écrou* (2. Écrou, cit. 1)... *Froisser* (cit. 25) *qqn en négligeant de le remercier. Mot que l'Académie a négligé de définir* (→ Lorette, cit.). *Vous ne négligerez pas de vous vêtir chaudement.* ⇒ **Manquer, omettre, oublier.**

♦ **2.** (Compl. n. de personne). Traiter (qqn) sans les ménagements, les égards, la considération, la sollicitude... auxquels il aurait droit. — Éviter ou oublier de fréquenter. ⇒ **Abandonner, délaisser ;** fam.

laisser (laisser tomber). *Fréquenter les uns et négliger les autres* (→ Esprit, cit. 167). *Flatter* (cit. 39) *ses ennemis et négliger ses amis.* — Spécialt. *Mari qui néglige sa femme,* qui ne lui donne pas les preuves d'amour qu'elle serait en droit d'attendre.

(...) cet ardent amour (...) qui vous faisant négliger et parents et patrie, arrête vos pas en ces lieux (...)   MOLIÈRE, l'Avare, I, 1.

(...) Gardez de négliger
Une amante en fureur qui cherche à se venger.   RACINE, Andromaque, IV, 6.

J'avais obligation à tous ces honnêtes gens. Dans la suite je les négligeai tous, non certainement par ingratitude, mais par cette invincible paresse qui m'en a souvent donné l'air.   ROUSSEAU, les Confessions, VII.

Je suis tellement libre, que je n'ai seulement pas négligé la petite Volanges, à laquelle pourtant je tiens si peu.   LACLOS, les Liaisons dangereuses, CXXXIII.

Monsieur, lui dit Julien, croyez-vous qu'avec tout autre précepteur, vos enfants eussent fait les mêmes progrès qu'avec moi ? Si vous répondez que non (...) comment osez-vous m'adresser le reproche que je les néglige ?
     STENDHAL, le Rouge et le Noir, I, X.

♦ **3.** V. 1355. (Compl. n. de chose). Laisser complètement de côté*. ⇒ **Mépriser ; litière** (faire).

a Ne pas tenir compte, ne faire aucun cas* de. *Négliger un avertissement* (cit. 8), *un avis salutaire* (→ Inexcusable, cit. 8). ⇒ **Passer** (outre, par-dessus). *Une hypothèse qui n'est pas à négliger.* ⇒ **Écarter.** — Par ext. ⇒ **Méconnaître, oublier.** *Étudier l'âme sans négliger le corps* (→ Intuitif, cit. 2). *Négliger le grief essentiel d'un procès* (→ Machinisme, cit. 1).

(...) si vous négligez l'estime des hommes, vous vous épargnez à vous-mêmes de grands travaux (...)   LA BRUYÈRE, Disc. sur Théophraste.

Quand nous ne voyons dans le corps vivant que grâce et souplesse, c'est que nous négligeons ce qu'il y a en lui de pesant, de résistant, de matériei enfin (...)
     H. BERGSON, le Rire, p. 38.

(1694). Math. *Négliger les décimales,* ne pas en tenir compte dans un calcul. ⇒ **Négligeable** (quantité).

b Ne pas mettre en pratique, en usage. *Négliger les règles d'hygiène* (cit. 5). *Négliger les plus élémentaires* (cit. 3) *précautions.*

Tout entier à la recherche des moyens de vaincre Renaudin, il négligeait ceux de retenir Simone.   A. MAUROIS, Bernard Quesnay, XVII.

c (1677). Ne pas saisir ou ne pas retenir, laisser échapper, laisser passer. *Négliger une occasion*. Ramasser ce qu'un autre a négligé.* ⇒ **Dédaigner** (→ Glaner, cit. 7). *Il ne néglige rien pour m'être agréable.* ⇒ **Épargner.** — Spécialt. Passer sous silence. *Dites tout ce que vous savez, sans négliger les moindres détails.* ⇒ **Excepter.**

(...) l'abbé Têtu, qui ne néglige pas les petits profits (...)
     Mᵐᵉ DE SÉVIGNÉ, 1937, 1ᵉʳ oct. 1684.

Hermippe est l'esclave de ce qu'il appelle *ses petites commodités* (...) il ne néglige aucune de celles qui sont praticables (...)
     LA BRUYÈRE, les Caractères, XIV, 64.

Parmi les nombreuses omissions que j'ai commises, il y en a de volontaires ; j'ai fait exprès de négliger une foule de talents évidents, trop reconnus pour être loués, pas assez singuliers, en bien ou en mal, pour servir de thème à la critique.
     BAUDELAIRE, Curiosités esthétiques, IX, X.

(...) il n'avait rien négligé auprès de son père pour s'assurer les garanties d'une paisible transmission de pouvoirs.
     J. CHARDONNE, les Destinées sentimentales, p. 265.

▶ **NÉGLIGÉ, ÉE** p. p. adj. (XVIIᵉ).

♦ **1.** Qui ne fait pas l'objet d'un soin suffisant, dont on ne se préoccupe guère. *« Rien n'est plus négligé que l'éducation* (cit. 3) *des filles »* (Fénelon).
Intérieur négligé, mal tenu.

(...) de vastes bruyères, des sables, des routes souvent négligées, un climat sévère (...)   Mᵐᵉ DE STAËL, De l'Allemagne, I, I.

Spécialt. *Rhume négligé qui dégénère en bronchite.*

♦ **2.** (1640). Personnes. Peu soigné dans son ajustement (cit. 4). — *Coiffure négligée* (→ Équipage, cit. 13). *Barbe négligée.* ⇒ **Inculte** (→ Forme, cit. 2). — (Sans nuance défavorable). *Élégance* (cit. 8), *toilette négligée* (→ Lâche, cit. 1), sans apprêts, sans raffinement de coquetterie. — Loc. Vieilli. *Beauté négligée :* femme qui ne se soucie pas de mettre sa beauté en valeur par l'ajustement, la parure (→ Malpropre, cit. 2).

J'étais ce jour-là dans le même équipage négligé qui m'était ordinaire ; grande barbe et perruque assez mal peignée.   ROUSSEAU, les Confessions, VIII.

(...) des cheveux cendrés d'une beauté peu commune, et auxquels elle donnait un tour négligé qui la rendait très piquante.   ROUSSEAU, les Confessions, II.

♦ **3.** Arts, littér. *Ouvrages peu châtiés et négligés du Corrège* ⇒ Élégance (cit. 1). *Style négligé* (opposé à *soutenu*). *Expressions négligées de Corneille* (→ Bannir, cit. 21). *On peut employer ce mot dans la prose négligée.*

Par métonymie. *Écrivain négligé,* qui ne soigne pas assez ses œuvres, sous le rapport de la syntaxe, du style.

Molière est un grand écrivain négligé. Il écrivait vite, pressé par le temps, par les nécessités de son théâtre, par les ordres du roi.
     Émile FAGUET, Études littéraires, XVIIᵉ s., p. 292.

♦ **4.** (Personnes). Qui n'est pas traité avec les égards, la considération qu'on lui doit. *Épouse négligée qui cherche des consolations.*

(...) elle se sentait elle-même si isolée, si méconnue, si négligée au milieu des contrats dont s'occupait uniquement le notaire (...)
MAUPASSANT, les Sœurs Rondoli, « Le mal d'André ».

♦ **5.** Vieilli. Moins estimé qu'avant. *Coutume négligée,* en voie d'être abandonnée.

CONTR. Apprêter, calculer, cultiver, enfoncer (s'), occuper (s'), soigner, soin (avoir, prendre). — Endimancher (s'). — Exécuter. — Ambitionner, aspirer. — Connaître, consigner, constater, consulter, écouter, embarrasser (s'), tenir (compte). — Compter. — Emparer (s'), employer, garder, profiter (de).
DÉR. Négligé (n. m.), négligeable, négligement.

NÉGOCE [negɔs] n. m. — V. 1190, *negoces* « affaires, intérêts »; du lat. *negotium* « occupation, affaires ».

♦ **1.** Vx. (Usuel jusqu'au XVIIIᵉ). Affaire, occupation.

♦ **2.** Vx. Entremise (parfois avec un sens défavorable); négociation. *« Le négoce de la paix »* (d'Aubigné).

Quant aux négoces, il m'est échappé plusieurs bonnes aventures à faute d'heureuse conduite.
MONTAIGNE, Essais, III, II.
— Ah! ah! c'est toi, Frosine. Que viens-tu faire ici? — Ce que je fais partout ailleurs : m'entremettre d'affaires, me rendre serviable aux gens (...) — As-tu quelque négoce où tu sois le patron du logis? — Oui, je traite pour lui quelque petite affaire, dont j'espère une récompense.
MOLIÈRE, l'Avare, II, 4.
Pop., vieilli. Manigance, occupation, trafic.

♦ **3.** (1617). Vieilli ou littér. Commerce, activité commerciale en tant qu'activité professionnelle. ⇒ **Business** (fam.), **commerce, trafic** (→ Forain, cit. 2; 2. manuel, cit. 1). *Liberté du négoce. Concurrence* (cit. 4) *des négoces. L'essor du négoce* (→ Enrichir, cit. 13). *Le négoce de qqn, son négoce. Faire du négoce* ⇒ **Négocier,** I, 1 (vieilli). *Être dans le négoce. Le haut négoce.*

Tout cela donne un juste orgueil à un marchand anglais, et fait qu'il ose se comparer (...) à un citoyen romain. Aussi le cadet d'un pair du royaume ne dédaigne point le négoce. Milord Townshend, ministre d'État, a un frère qui se contente d'être marchand dans la Cité. Dans le temps que milord Orford gouvernait l'Angleterre, son cadet était facteur à Alep (...)
VOLTAIRE, Mélanges historiques, Lettres philosophiques, X.
Celui qui achète pour revendre devient ce qu'il n'était pas par nature : un être exclusivement pratique. Dans quelques villes de France, une dignité est attachée au commerce de certains produits locaux, considérés comme nobles, tout autre négoce étant réputé grossier.
J. CHARDONNE, l'Amour du prochain, p. 178.
Ainsi se trouverait réalisé ce que j'ai toujours souhaité : l'alliance du spirituel et du temporel, des beaux-arts et du négoce, des affaires et de la culture intellectuelle.
G. DUHAMEL, la Turquie nouvelle, VI.

♦ **4.** Fig., péj. Affaire douteuse; activité d'échange répréhensible. ⇒ **Trafic** (→ Brigandage, cit. 4).

NÉGOCIABILITÉ [negɔsjabilite] n. f. — 1771, Trévoux; de *négociable.*

♦ Comm. « Qualité attachée à certaines formes que peuvent revêtir les titres représentatifs d'un droit ou d'une créance, grâce à laquelle ce droit ou cette créance sont transmissibles, même à l'égard des tiers, par les procédés du droit commercial : endossements des titres à ordre, transfert des titres nominatifs, tradition des titres au porteur » (Capitant). ⇒ **Cessibilité.** *Négociabilité des effets de commerce.*

NÉGOCIABLE [negɔsjabl] adj. — 1678; de *négocier.*

♦ **1.** Qui peut être négocié* (II., 2.). ⇒ **Cessible, commerçable, transférable** (→ Banque, cit. 2). *Billet, effet* (→ Fluctuation, cit. 1), *valeur, titre négociable.*

♦ **2.** Qui peut être négocié (II., 1.). *Affaire, convention difficilement négociable.*

♦ **3.** (Correspondant au sens II, 3 de *négocier*). *Virage négociable à 120 km/h.*

CONTR. et COMP. Innégociable.
DÉR. Négociabilité.

NÉGOCIANT, ANTE [negɔsjɑ̃, ɑ̃t] n. — 1550, probablt de l'ital. *negoziante,* plutôt que dér. de *négocier.*

♦ Personne qui se livre au négoce, au commerce* en grand. ⇒ **Commerçant, exportateur, marchand,** (péj.) **trafiquant** (→ Infidélité, cit. 3; lettre, cit. 31; million, cit. 2). *Le négociant reste dans son comptoir et agit par des commissionnaires* (cit. 2).

REM. 1. Alors qu'autrefois *négociant* s'appliquait à toutes les personnes (autres que les boutiquiers ou détaillants) possédant la qualité de commerçants, importateurs, banquiers, etc., de nos jours cette appellation tend à se restreindre aux commerçants en gros ou demi-gros : *négociant en vins.*

2. Depuis le XIXᵉ siècle, beaucoup de commerçants se donnent volontiers la qualité de *négociant,* qu'ils considèrent comme plus relevée.

(...) je ne sais pourtant lequel est le plus utile à un État, ou un seigneur (...) qui se donne des airs de grandeur en jouant le rôle d'esclave dans l'antichambre d'un ministre, ou un négociant qui enrichit son pays, donne de son cabinet des ordres à Sarate et au Caire, et contribue au bonheur du monde.
VOLTAIRE, Mélanges historiques, Lettres philosophiques, X.

Comme les grandes entreprises ne peuvent se faire sans argent, et que depuis l'invention des lettres de change les négociants en sont les maîtres, leurs affaires sont très souvent liées avec les secrets de l'État; et ils ne négligent rien pour les pénétrer.
MONTESQUIEU, Grandeur et décadence des Romains, XXI.

Tous les matins, l'*ancien négociant* (tous les bourgeois retirés s'intitulent *ancien négociant*) passait deux heures rue des Saussayes pour y vaquer à ses affaires, et donnait le reste du temps à Zaïre, ce qui tourmentait beaucoup Zaïre.
BALZAC, la Cousine Bette, Pl., t. VI, p. 236.

— Lesprat, monsieur, Barthélemy-Chérubin Lesprat, monsieur... pour vous servir... Puis, ayant salué de nouveau, il ajouta : — Négociant en toiles et cordes, à Bordeaux, monsieur. À qui ai-je l'honneur?
Émile HENRIOT, Aricie Brun, I, 1.

Rare au fém. *Une négociante.*

NÉGOCIATEUR, TRICE [negɔsjatœr, tris] n. — 1462; « administrateur, régisseur », 1361; du lat. *negotiator* « commerçant », du supin de *negotiari.* → Négocier.

♦ **1.** Personne qui a la charge de négocier une affaire. ⇒ **Agent, courtier, intermédiaire.** *« Il a été le négociateur de cet accord »* (Académie).

♦ **2.** (Fin XVIᵉ). Agent diplomatique chargé de négocier un accord, un traité. *Les négociateurs du traité de paix. Un négociateur habile.* ⇒ **Diplomate.** *La négociatrice d'un traité.*

Tandis que les plénipotentiaires des Turcs et des trois puissances alliées négocieront dans l'Archipel, chaque pas des troupes envahissantes (...) changera l'état de la question. Si les Russes étaient repoussés, les Turcs rompraient les conférences; si les Russes arrivaient aux portes de Constantinople (...) Les Hellènes n'auraient besoin ni de protecteurs ni de négociateurs.
CHATEAUBRIAND, Mémoires d'outre-tombe, III, VIII, XIII.

NÉGOCIATION [negɔsjasjɔ̃] n. f. — 1323, « affaire »; lat. *negotiatio* « commerce », du supin de *negotiari.* → Négocier.

♦ **1.** Vx. Action de faire du commerce.
(Mil. XIXᵉ). Mod. « Marché passé dans les Bourses de commerce ou de valeurs » (Capitant). → 2. Bourse, cit. 6. — Transmission des effets de commerce. *Négociation d'un billet, d'une lettre de change* (→ Argent, cit. 13).

♦ **2.** (1544). Série d'entretiens, d'échanges de vues, de démarches, qu'on entreprend pour parvenir à un accord, pour conclure une affaire. ⇒ **Tractation.** *La négociation d'une affaire, d'un contrat. Négociation facile, rapide, lente, difficile. Entreprendre, continuer, rompre des négociations avec qqn. Les premières négociations d'un divorce* (→ Époux, cit. 7).

Elle était timide, en effet, et la perspective d'une négociation avec une personne qu'elle ne connaissait pas suffit à la faire réfléchir.
J. GREEN, Adrienne Mesurat, I, III.

Spécialt. « Échange de vues soit entre deux puissances par l'intermédiaire de leurs agents diplomatiques, ou envoyés spéciaux et de leur gouvernement, soit entre plusieurs puissances, au cours de congrès ou conférences, en vue d'aboutir à la conclusion d'un accord » (Capitant). ⇒ **Diplomatie.** *L'art de la négociation. Amorcer* (cit. 5), *avoir, conduire, engager, entamer des négociations. Ouverture, progrès, succès, échec des négociations. Secret de la négociation* (→ Cuisiner, cit. 5). *Négociations secrètes, négociations par notes, communications verbales, écrites. Régler un litige* (cit. 3) *par des négociations, par voie de négociations* (→ Médiation, cit. 2).

La pensée d'obtenir des frontières préservatrices par force ou par négociation n'était pas chimérique (...)
CHATEAUBRIAND, Mémoires d'outre-tombe, III, V, VII.

Le langage trahit ce caractère belliqueux que la négociation recouvre d'apparences pacifiques. Les métaphores empruntées à l'art de la guerre abondent : le secret lui-même est une transposition des nécessités militaires sur le plan politique; on tâte le terrain, on démasque ses batteries, on brûle ses vaisseaux, on maintient ses positions, on cède du terrain. Une négociation importante est une véritable campagne qui se double parfois, quand il s'agit de paix, d'une campagne véritable : il n'est meilleur argument qu'un avantage militaire, une ville prise, une bataille heureuse, pour emporter la décision.
Carlo LAROCHE, la Diplomatie française, p. 72-73.

Spécialt. *La négociation* comme moyen d'action politique, par oppos. à la *force,* à la *guerre. Être partisan de la négociation.*
Par anal. (en parlant d'un conflit social). *Négociations entre les organisations patronales et les syndicats.*

Pourtant il céda encore sur la question des jours fériés. Mais il y avait ceci d'étrange dans ces négociations que les concessions successives ne rapprochaient pas de l'état de paix. Les deux partis, tout en la craignant, désiraient la guerre.
A. MAUROIS, Bernard Quesnay, XII.

Être en négociations, en cours de négociations avec qqn.

NÉGOCIER [negɔsje] v. intr. et tr. — Conjug. *prier.* — 1370, « faire du commerce »; du lat. *negotiari,* de *negotium.* → Négoce.

★ **I.** V. intr. ♦ **1.** Vieilli. Faire du négoce, du commerce. ⇒ **Acheter, trafic** (faire), **trafiquer, vendre** (→ Commercer; échange, cit. 4; grec, cit. 9; marchand, cit. 1).

♦ **2.** Agir auprès de qqn en faveur d'un tiers (⇒ **Intervenir**); mener une négociation. ⇒ **Aboucher** (s'), **discuter.** *Négocier avec qqn au sujet de, sur qqch.* — Spécialt. *Diplomate, gouvernement qui négo-*

cie avec une puissance étrangère. ⇒ **Traiter**. *Diplomate qui négocie au cours d'une conférence**. — Absolt. Essayer de régler une affaire, d'aboutir à un accord par voie de négociation* (→ 2. Causer, cit. 7); user de la négociation comme principal moyen d'action politique. *Négocier plutôt que de recourir à la guerre*. ⇒ **Composer**.

1 Il n'est pas besoin d'un long apprentissage pour se rendre capable de négocier, toute notre vie n'étant qu'une pratique non interrompue d'artifices et d'intérêts.
VAUVENARGUES, *Réflexions et maximes posthumes*, 568.

2 Ce qui fait que l'on est souvent mécontent de ceux qui négocient, est qu'ils abandonnent presque toujours l'intérêt de leurs amis pour l'intérêt du succès de la négociation, qui devient le leur par l'honneur d'avoir réussi à ce qu'ils avaient entrepris.
LA ROCHEFOUCAULD, *Maximes*, 278.

3 (...) Marie de Médicis préféra négocier avec les rebelles plutôt que de courir le risque d'une guerre civile. J. BAINVILLE, *Hist. de France*, XI, p. 195.

4 David avait été un roi guerrier. Les méthodes de son fils furent autres; c'est un diplomate, c'est un commerçant; en tous sens du terme, il négocie.
DANIEL-ROPS, *le Peuple de la Bible*, III, I.

★ **II.** V. tr. ♦ **1.** Établir, régler (un accord) entre deux parties. *Négocier une affaire* (⇒ **Traiter**), *une capitulation, une convention, un traité, une reddition. Négocier les conditions d'un accord.* ⇒ **Débattre**. *Négocier heureusement une affaire* : mener à bonne fin les discussions préalables à sa conclusion.

5 Ce prince du Nord était envoyé par le roi de Pologne pour négocier de grandes affaires, en apparence, mais, au fond, pour préparer la duchesse de Mantoue à épouser le vieux roi Vladislas VI (...) A. DE VIGNY, *Cinq-Mars*, XIX.

6 (...) il commença à craindre qu'elle n'eût fait un conte à la Madelon, pour, par bonne intention, faire réussir le raccommodement qu'elle négociait.
G. SAND, *la Petite Fadette*, XXIII.

♦ **2.** Transmettre à un tiers (un effet de commerce, une valeur mobilière). *Négocier un billet, une lettre de change* (⇒ **Négociabilité**).

♦ **3.** (1927 ; calqué de l'angl. *to negociate a curve*). Sport autom. *Négocier un virage*, manœuvrer de manière à bien le prendre, à grande vitesse. — REM. Cet emploi a été critiqué. — Fig. *Négocier un tournant dans sa carrière*, un changement d'orientation.

7 Comme il admirait la façon dont Bonard, parti premier prenait un virage, il avait tout simplement oublié de négocier le sien, et s'était retrouvé dans un tas de pierres. Claude COURCHAY, *La vie finira bien par commencer*, p. 239.

▶ **SE NÉGOCIER** v. pron. (sens passif).
Correspondant aux différents sens du transitif :
(Sens 1). *Un accord se négocie, est en train de se négocier entre ces deux pays.*
(Sens 2). *« Ces titres se négocient difficilement à l'heure actuelle »* (Académie).
(Sens 3). *Courbe qui se négocie plus facilement avec une voiture à moteur à l'avant.*

▶ **NÉGOCIÉ, ÉE** p. p. adj. *Accord, traité négocié. Paix négociée ou imposée.* — *Traites négociées.* — *Virage bien négocié.*

DÉR. (Du lat. *negotiari*). **Négociateur, négociation.** — (De l'ital.) **Négociant.**

NÉGONDO ou NÉGUNDO [negɔ̃do] n. m. — 1874 ; *negundo*, 1602 ; empr. à la langue malaise, par l'interm. du portugais.

♦ Bot. Genre d'Acerinées qui comprend notamment une espèce d'érable caractérisée par ses feuilles bicolores vertes et jaune pâle. *Genre Négondo. Un négondo* : un arbre appartenant à ce genre. — Par appos. *Érable négondo, originaire d'Amérique du Nord, arbre d'ornement dont le bois est utilisé en marqueterie.*

NÈGRE, NÉGRESSE [nɛgʀ, negʀɛs] n. et adj. — 1516, rare jusqu'au XVIIIᵉ ; *négresse*, 1637 ; var. : *une nègre* (1643) ; de l'esp. ou du port. *negro* « noir ».

A. **NÈGRE, NÉGRESSE.** N. ♦ **1.** Vieilli, péj. (Terme raciste, sauf lorsqu'il est employé par les Noirs eux-mêmes ; → Négritude). Personne de race noire, et, spécialt, Noir qui appartient à l'ensemble dit « mélano-africain » (divisé en cinq groupes : soudanais, guinéen, congolais, nilotique, sud-africain ou zambézien). ⇒ **Couleur** (homme, femme de), **noir**.

REM. Le mot *nègre* ne correspond à aucune classification scientifique en anthropologie.

Type physique des nègres. Cheveux (cit. 2) *crépus des nègres.* — *Nègre blanc* : noir albinos. *Nègre pie* : albinos incomplet de race noire. — Loc. prov. *À blanchir** *la tête d'un nègre, on perd sa lessive, son savon.*

1 Les nègres de l'île de Gorée et de la côte du Cap-Vert sont, comme ceux du bord du Sénégal, bien faits et très noirs ; ils font un si grand cas de leur couleur, qui est en effet d'un noir d'ébène profond et éclatant, qu'ils méprisent les autres Nègres qui ne sont pas si noirs (...)
BUFFON, *Hist. nat., Variétés dans l'espèce humaine.*

2 Je pense à la négresse, amaigrie et phtisique
Piétinant dans la boue, et cherchant, l'œil hagard,
Les cocotiers absents de la superbe Afrique
Derrière la muraille immense du brouillard.
BAUDELAIRE, *les Fleurs du mal*, « Tableaux parisiens », LXXXIX, II.

(...) les nègres-sont-tous-les-mêmes, je-vous-le-dis 2.1
les vices-tous-les-vices, c'est-moi-qui-vous-le-dis
l'odeur-du-nègre, ça-fait-pousser-la-canne
rappelez-vous-le-vieux-dicton :
battre-un-nègre, c'est le nourrir.
Aimé CÉSAIRE, *Cahier d'un retour au pays natal*, p. 63.
(*Discours du colonialiste*).

Le nègre ne peut nier qu'il soit nègre ni réclamer pour lui cette abstraite humanité incolore : il est noir. Aussi est-il acculé à l'authenticité : insulté, asservi, il se redresse, il ramasse le mot de « nègre » qu'on lui a jeté comme une pierre, il se revendique comme noir, en face du blanc, dans sa fierté. 3
SARTRE, *Situations III*, p. 237.

(1704). Spécialt. Noir employé autrefois dans certains pays comme esclave (→ 3. Air, cit. 4). *Traite des nègres.* ⇒ **Traite** (cf. Trafic de bois d'ébène). *Nègre marron, négresse maronne** (→ 2. Marron, cit.). — Loc. *Faire travailler** *qqn comme un nègre*, très durement. *Traiter qqn comme un nègre*, le maltraiter. — *La thèse esclavagiste, ridiculisée par Montesquieu, dans son célèbre chapitre « De l'esclavage des nègres ».*

Si j'avais à soutenir le droit que nous avons eu de rendre les nègres esclaves, voici ce que je dirais : 4
Les peuples d'Europe ayant exterminé ceux de l'Amérique, ils ont dû mettre en esclavage ceux de l'Afrique, pour s'en servir à défricher tant de terres (...)
Ceux dont il s'agit sont noirs depuis les pieds jusqu'à la tête ; et ils ont le nez si écrasé qu'il est presque impossible de les plaindre.
On ne peut se mettre dans l'esprit que Dieu, qui est un être très sage, ait mis une âme, surtout une âme bonne, dans un corps tout noir.
MONTESQUIEU, *l'Esprit des lois*, XV, v.

Fig. (Techn., vx). Appareil qui charge les grumes sur le chariot d'une scie mécanique.

♦ **2.** Par anal. Couleur brun foncé. ⇒ **Marron**. — Adj. (1611, *neigre*). *Une robe nègre* (syn. : *tête de nègre*). ⇒ **Couleur**. — *Motion nègre blanc* : motion rédigée en termes ambigus, pour tenter de concilier des thèses contraires.

♦ **3.** [a] N. m. Techn. Solution dans laquelle se fait la liquidation de la pâte de savon, et qui tourne au brun. — (1930). Cin. Plur. Panneaux noirs dressés sur le sol, destinés à masquer partiellement les faisceaux des projecteurs. — Cuis. *Nègre* (ou, plus rare, *négresse*) *en chemise* : entremets au chocolat garni de crème. — Sciène (poisson).

[b] N. f., Pop., vx. *Une négresse* (1862) : une bouteille de vin rouge.
Et le vin donc, mes enfants, ça coulait autour de la table comme l'eau coule à la Seine (...) Encore une négresse qui avait la gueule cassée ! Dans un coin de la boutique, le tas des négresses mortes grandissait, un cimetière de bouteilles sur lequel on poussait les ordures de la nappe. ZOLA, *l'Assommoir*, t. I, VII, p. 279. 5

[c] (1874). Pop., vx. Puce.

♦ **4.** Par anal. (de condition). Vieilli. Auxiliaire qu'on emploie dans un atelier pour préparer un travail. — (1757 ; Brunot, H. L. F., VI, p. 1382). Mod. Personne qui ébauche ou écrit entièrement les ouvrages signés par un autre.

Grattez l'œuvre de M. Dumas (...) et vous trouverez le sauvage (...) Il embauche des transfuges de l'intelligence, des traducteurs à gages qui se ravalent à la condition de nègres travailleurs sous le fouet d'un mulâtre ! 6
E. DE MIRECOURT, *Fabrique de Romans*, *in* A. MAUROIS, *les Trois Dumas*, V, I.

Sauf pour *Monte-Cristo*, l'idée du roman, le plan et la rédaction de premier jet sont de Maquet. Sur la maquette, Dumas travaille, brode, s'amuse, jette la vie... Brunetière voyait dans Dumas un romancier bon nègre qui s'en donnait à cœur joie de mystifier les blancs. Quoi qu'il en soit de cette histoire des deux nègres, aussi vaudevillesque que celle des deux sourds, on peut voir dans Dumas-Maquet le maître de la plus vieille et de la plus universelle conception du conte (...) 7
A. THIBAUDET, *Hist. de la littér. française...*, II, XIII.

REM. Le fém. *négresse*, dans cet emploi, paraît exceptionnel. « *Willy remit immédiatement sa "négresse"* (Colette) *au travail* » (*F. Magazine*, avr. 1978).

♦ **5.** Argot de Saint-Cyr. Élève reçu premier d'une promotion. — Allus. hist. « *C'est vous le nègre ? Eh bien continuez !* » (Phrase attribuée au maréchal de Mac-Mahon, à qui on présentait, à l'école de Saint-Cyr, le premier de la promotion qui se trouvait être un mulâtre ; cf. Guerlac, p. 234).

♦ **6.** (1877). **PETIT NÈGRE** : français incorrect et sommaire parlé par les noirs africains dans les anciennes colonies françaises. Syn. : *petit français, français tirailleur.* — Par ext. Mauvais français, ou style embarrassé. *S'exprimer en petit nègre.*

B. **NÈGRE.** Adj. (XVIIIᵉ, *esclaves nègres*, Voltaire, *Candide*, XIV). Vieilli ou péj. (terme raciste). Qui appartient, qui est relatif à la race noire. *La race nègre.* ⇒ **Noir**. *Familles* (→ Entasser, cit. 12), *tribus nègres. Enfant nègre* (→ Futé, cit. 2).

(*Pierre de Bétancourt*) bâtit lui-même une espèce d'infirmerie (...) dans le dessein d'y retirer les esclaves que manquaient un d'abri. Il ne tarda pas à rencontrer une femme nègre, estropiée, abandonnée par son maître. Aussitôt le saint religieux charge l'esclave sur ses épaules (...) 8
CHATEAUBRIAND, *le Génie du christianisme*, IV, VI, II.

Guet-n'dar, la ville nègre, bâtie en paille grise sur le sable jaune. — Des milliers, des milliers de petites huttes rondes, à moitié cachées derrière des palissades de roseaux secs, et coiffées toutes d'un grand bonnet de chaume. 9
LOTI, *le Roman d'un spahi*, II, VI.

Mod. (Sans péjoration). *L'art nègre* : l'art d'Afrique noire. *Masque* (cit. 3) *nègre.* — *L'Anthologie nègre*, de B. Cendrars (1924). *Antho-*

logie de la nouvelle poésie nègre et malgache d'expression française, de L. C. Senghor (1948).

REM. La forme *négresse*, pour l'adj., est attestée au XIXᵉ siècle. « *Une servilité négresse* » (Hugo).

DÉR. Négrerie, négrier, négrifier, négrille, négrillon, négritude, négro, négroïde, négrophile.
COMP. Négro-africain, négro-américain, négrophile.

NÉGRERIE ou NÈGRERIE [negʀǝʀi ; nɛgʀǝʀi] n. f. — 1707 ; de *nègre*.

♦ Vx. Lieu où en enfermait les esclaves noirs. — Lieu où on les faisait travailler.

Et ce pays cria pendant des siècles que nous sommes des bêtes brutes ; que les pulsations de l'humanité s'arrêtent aux portes de la négrerie.
Aimé CÉSAIRE, Cahier d'un retour au pays natal, p. 67.

NÉGRESSE [negʀɛs] n. f. ⇒ Nègre.

NÉGRIER, IÈRE [negʀije, ijɛʀ] adj. et n. — 1685, n. m. « capitaine d'un navire de traite » ; de *nègre*.

♦ **1.** Adj. (1829). Relatif à la traite des noirs, qui s'occupe de la traite des noirs. *Capitaine, vaisseau négrier. Littérature négrière.*

♦ **2.** N. m. Celui qui se livrait à la traite des noirs, achetait, transportait et vendait des esclaves noirs. ⇒ **Courtier** (en chair humaine), **marchand** (d'esclaves).

Au Brésil ! (...) Mon oncle m'a laissé dix lieues carrées de pays invendables, voilà pourquoi je possède encore cette habitation ; j'y ai cent nègres, rien que des nègres, des négresses et des négrillons achetés par mon oncle (...) — Le neveu d'un négrier ! (...) Cydalise, mon enfant, es-tu négrophile ?
BALZAC, la Cousine Bette, Pl., t. VI, p. 489.

Quand la traite des nègres fut défendue (...) le capitaine Ledoux devint un homme précieux pour les trafiquants de bois d'ébène (...) À son bord, les menottes et les chaînes, dont les bâtiments négriers ont provision, étaient fabriquées d'après un système nouveau, et soigneusement vernies pour les préserver de la rouille.
MÉRIMÉE, Mosaïque, IV.

(1730). Navire servant à la traite des esclaves noirs.

(XXᵉ). Fig. Personne qui fait travailler ses employés, les personnes qui dépendent d'elle comme des esclaves. *Ce patron, ce régisseur, ce chef d'équipe est un (vrai, véritable) négrier.*

Ce qu'étaient les régisseurs de l'époque, il faut l'avoir vu pour y croire. Des négriers.
F. GIROUD, Si je mens...

NÉGRIFIER [negʀifje] v. tr. — 1939, R. Vermeil, *le Racisme allemand* ; de *nègre*, et *-ifier*.

♦ Péj. Transformer (un pays, une population en majorité blanche) par l'adjonction de Noirs. — Pron. « *Le seul espoir de la société américaine, c'est de se négrifier* » (J. Baldwin, in *l'Express*, 21 oct. 1972, p. 74).

NÉGRIL [negʀil] n. m. — 1843, *in* D. D. L. ; mot provençal, du lat. *niger* « noir ».

♦ Insecte coléoptère qui vit dans le Midi de la France. ⇒ **Colaspidème.** *Le négril est nuisible aux luzernes.*

NÉGRILLE [negʀij] n. m. — 1879, Hamy ; de *nègre*, et suff. dim. *-ille* ; nom d'un cheval, 1677.

♦ Individu d'une ethnie à peau très sombre d'Afrique équatoriale. ⇒ **Pygmée.**

NÉGRILLON, ONNE [negʀijɔ̃, ɔn] n. m. et f. — 1714 ; dimin. de *nègre*.

Vx ou péj. (terme raciste, moins marqué cependant que *nègre* et *négresse*).

♦ **1.** Enfant nègre.

(...) l'agile négrillon escaladait un arbre immense pour recueillir des nids dans les branches les plus élevées. Raymond ROUSSEL, Impressions d'Afrique, p. 389.

Et ni l'instituteur dans sa classe, ni le prêtre au catéchisme ne pourront tirer un mot de ce négrillon somnolent, malgré leur manière si énergique à tous deux de tambouriner son crâne tondu (...)
Aimé CÉSAIRE, Cahier d'un retour au pays natal, p. 30.

♦ **2.** (1868, Littré). Fig., plais. Enfant très brun de peau. ⇒ **Moricaud.**

NÉGRITO [negʀito] adj. et n. — 1877, Littré, *Suppl.,* comme nom de peuple ; auparavant, « petit nègre », 1838 (Académie) ; esp. *negrito* « petit nègre ».

♦ Ethnol. Qui appartient à l'une des races noires, de petite taille, qui vivent dans l'archipel malais (pygmées océano-asiatiques). *Les populations négritos de Malacca, des Philippines. Les Négritos.*

Je résume d'un mot les caractères anthropologiques des Négritos, ces petits noirs dont la coloration cutanée et les cheveux crépus ont beaucoup d'analogie avec les

nègres de l'Afrique et aussi avec ceux de la Nouvelle-Guinée, mais qui en diffèrent par tant de caractères essentiels. Leur crâne est brachycéphale, et leur taille excessivement réduite ; la moyenne de nos observations donne 1,48 m pour les hommes et 1,46 m pour les femmes (...) le Tour du monde, p. 110 (1884).

NÉGRITUDE [negʀityd] n. f. — V. 1933 ; de *nègre*, et *-itude*, répandu par L. C. Senghor.

♦ Ensemble des caractères, des manières de penser, de sentir propres à la race noire ; appartenance à la race noire (cf. Sartre, *Situations* III, Orphée noir). *La contestation du concept de négritude depuis 1970.*

J'accepte, j'accepte (...) entièrement, sans réserve (...) ma race (...) (...) et la détermination de ma biologie non prisonnière d'un angle facial, d'une forme de cheveux, d'un nez suffisamment aplati, d'un teint suffisamment mélanésien, et la négritude, non plus un indice céphalique, ou un plasma, ou un soma, mais, mesurée au compas de la souffrance.
Aimé CÉSAIRE, Cahier d'un retour au pays natal, p. 86. [1]

Par métonymie. *La négritude :* la race noire, l'ensemble des Noirs.

(...) Haïti où la négritude se mit debout pour la première fois et dit qu'elle croyait à son humanité (...) Aimé CÉSAIRE, Cahier d'un retour au pays natal, p. 46. [2]

NÉGRO [negʀo] n. m. — 1888 ; de *nègre*, et suff. pop. *-o* ; n'a aucun rapport avec l'hispanisme *negro* « noir » employé par Stendhal pour désigner les partisans des Cortes en 1820.

♦ Péj. Nègre. — REM. Lorsque *nègre* était d'usage normal, *négro* n'était que familier. À présent que *nègre* lui-même est devenu, au moins dans certains emplois (→ **Nègre**), péjoratif et raciste (remplacé par *noir*), *négro* est insultant et raciste. *Sale négro.*

Elle est allée dernièrement au Jardin d'Acclimatation où il y a des noirs, des Cynghalais *(sic)*, je crois (...) Enfin, elle s'adresse à un de ces noirs : « Bonjour, négro ! » — C'est un rien ! — En tout cas, ce qualificatif ne plut pas au noir : « Moi négro, dit-il avec colère à Mᵐᵉ Blatin, mais toi, chameau ! »
PROUST, À l'ombre des jeunes filles en fleurs, Pl., t. I, p. 536.

NÉGRO-AFRICAIN, AINE [negʀoafʀikɛ̃, ɛn] adj. — Mil. XXᵉ ; de *nègre*, et *africain*.

♦ Didact. Relatif à l'Afrique noire ; aux Noirs d'Afrique. *Langues négro-africaines.*

(Fanon) dépasse *(la littérature africaine)* et rend caduc l'adjectif négro-africain parce qu'il réalise le destin de l'Africain pleinement homme, homme à part entière.
Éd. ÉLIET, Panorama de la littérature négro-africaine, p. 249.

NÉGRO-AMÉRICAIN, AINE [negʀoameʀikɛ̃, ɛn] adj. — Mil. XXᵉ ; de *nègre*, et *américain*.

♦ Relatif aux Noirs d'Amérique. *Le jazz, les spirituals, le blues, formes de musique négro-américaine. Les mentalités négro-américaines.*

NÉGROÏDE [negʀoid] adj. — 1874, P. Larousse ; de *nègre*, et *-oïde*.

♦ Qui rappelle les Noirs par son aspect (notamment les cheveux crépus, le nez large, les lèvres charnues, → Négritude, cit. 1), qui présente certains caractères propres à la race noire (→ Imprégnation, cit. 2). *Type négroïde. Population négroïde. — Races négroïdes,* plus proches de la race noire que les autres.

NÉGRON [negʀɔ̃] n. m. — Mil. XXᵉ (*in* Larousse, 1963) ; mot provençal, de *nègre* « noir », du lat. *niger*.

♦ Techn. Ver à soie atteint de négrone.

NÉGRONE [negʀɔn] n. f. — 1859 ; mot provençal, du lat. *niger* « noir ».

♦ Techn. Maladie du ver à soie, qui prend une teinte noirâtre. ⇒ **Négron.**

NÉGROPHILE [negʀofil] n. et adj. — 1803 ; de *nègre*, et *-phile*.

♦ Vx ou hist. Partisan de l'abolition de la traite des Noirs et de l'esclavage. — Adj. Partisan de la cause des Noirs. *Mouvement négrophile* (→ Négrier, cit. 1, Balzac). *Être négrophile.*

Nos lecteurs ont sans doute oublié que le club *Massiac* (...) était une association de *négrophiles*. Ce club, formé à Paris au commencement de la Révolution, avait provoqué la plupart des insurrections qui éclatèrent alors dans les colonies.
HUGO, Bug-Jargal, IV.

DÉR. Négrophilie.

NÉGROPHILIE [negʀofili] n. f. — V. 1900 ; de *négrophile*.

♦ Vx ou hist. Attitude des abolitionnistes négrophiles.

NEGRO-SPIRITUAL [negʀospiʀitɥɔl] n. m. — 1926, *in* Höfler; 1870 en anglais; empr. à l'anglo-américain *negro* «nègre», et *spiritual* «(chant) spirituel».

♦ Mus. Chant sacré, hymne religieux des Noirs des États-Unis. *Les negro-spirituals constituent une des sources du jazz**. ⇒ **Gospel, spiritual.**

Il allait sans cesse dans les genres les plus divers, de l'Opéra-Comique au negro-spiritual; il était la trompette bouchée, la clarinette, le saxo-alto.
J.-M. G. Le Clézio, la Fièvre, p. 85.

NÉGUENTROPIE [negɑ̃tʀɔpi] n. f. ⇒ **Neg-entropie.**

NÉGUNDO [negɔ̃do] n. m. ⇒ **Négondo.**

NÉGUS [negys] n. m. — 1516, rare jusqu'au XVIIIᵉ; éthiopien *négûs (negusti)* «roi (des rois)».

♦ **1.** Titre porté par les souverains éthiopiens. *Le Négus. Des Négus.*

♦ **2.** (1800). Vx. Vin chaud épicé.

NEIGE [nεʒ] n. f. — V. 1325, *naije;* déverbal de *neiger.*

♦ **1.** Phénomène naturel, chute d'eau congelée sous forme de cristaux réunis en flocons blancs et légers; matière formée par une accumulation de ces flocons au sol; couche blanche, souple de cette matière. *Blancheur, éclat* (cit. 25) *de la neige. Blanc comme neige.* ⇒ **Nivéen.** — (*La neige,* phénomène, météore*; les flocons qui tombent). *L'hiver, saison de la neige. Nivose*, mois de la neige. Chute de neige :* tombée de neige continue et assez longue. *Abondantes chutes de neige en montagne, au-dessus de 1 000 mètres. La neige tombe.* ⇒ **Neiger.** *Flocons* de neige* (→ Frimas, cit. 2; légèreté, cit. 1). *Rafale, tempête de neige* (→ Hurler, cit. 15). *La neige cinglait le visage, fouettait les vitres. Le temps est à la neige :* il va neiger. *Neige fondue,* pluie froide provenant de flocons de neige fondant pendant leur chute (→ 1. Bise, cit. 9). — *Au plur. La saison des neiges :* l'hiver (dans les lieux où il y a de la neige). — *Quantité de flocons accumulés. Neige fraîche, glacée, gelée* (cit. 15). *Accumulation de neige. Banc* de neige.* ⇒ **Congère.** *Avalanche* de neige. Champ de neige.* Loc. *Boule de neige.* ⇒ **Boule.** Vx. *Pelote de neige.* — *Bonhomme de neige.* — (Couche de neige au sol). *La neige couvrait la terre* (→ 1. Air, cit. 6), *assourdissait* (cit. 7) *le bruit des pas. La terre ouatée de neige. Neige semblable à une poussière de nacre* (→ Frimas, cit. 7). *Route disparue, ensevelie sous la neige* (⇒ **Enneigé**), *dégagée au chasse-neige. Linceul* (cit. 5), *manteau de neige. Paysage de neige. Effets de neige en peinture. Neige qui craque sous les sabots* (→ Matelasser, cit. 2). *Traces sur la neige* (→ Attraper, cit. 24). *La neige était sale,* roman de Simenon. *Pics, montagnes couverts de neige* (→ Austérité, cit. 6).

1   (...) ces monts blancs
Qui ont l'échine, et la tête, et les flancs
Chargés de glace et de neige éternelle (...)
Ronsard, Pièces retranchées, «À son retour de Gascogne».

2   L'apathie de ces pauvres soldats ne peut être comprise que par ceux qui se souviennent d'avoir traversé ces vastes déserts de neige, sans autre boisson que la neige, sans autre lit que la neige, sans autre perspective qu'un horizon de neige, sans autre aliment que la neige ou quelques betteraves gelées, quelques poignées de farine ou de la chair de cheval. Balzac, Adieu, Pl., t. IX, p. 763.

3   Au bout de quelque temps, la bise commença à rouler en tourbillons une espèce de neige fine, menue, pulvérisée, semblable à du grésil, qui nous piquait les yeux et criblait de cent mille aiguilles glacées la portion de notre masque que le besoin de respirer nous forçait de laisser découverte.
Th. Gautier, le Voyage en Russie, XXI.

4   Aucun bruit dans la forêt que le frémissement léger de la neige tombant sur les arbres. Elle tombait depuis midi; une petite neige fine qui poudrait les branches d'une mousse glacée, qui jetait sur les feuilles mortes des formes un léger toit d'argent, étendait par les chemins un immense tapis moelleux et blanc, et qui épaississait le silence illimité de cet océan d'arbres.
Maupassant, Toine, «Les prisonniers».

5   La couche de neige tombée ne préoccupait pas encore Jacques, car il y en avait au plus soixante centimètres, et le chasse-neige en déblayait aisément un mètre.
Zola, la Bête humaine, VII.

Neige rouge, colorée par une algue microscopique, la chlamydomonas.

5.1   Nous avons trouvé de la neige rouge, celle du moins, pensons-nous, à laquelle on donne hyperboliquement ce nom. Celle que nous avons pu observer est rose seulement, et exactement semblable à ce que serait de la neige blanche arrosée d'un vin rouge trempé d'eau. Rodolphe Töpffer, Voyages en zigzag, p. 24.

Spécialt (dans le contexte des sports, du tourisme...). *Équipement pour aller sur la neige.* ⇒ **Luge, raquette, ski, traîneau; motoneige.** *Chaussures pour la neige.* ⇒ **Snow-boots.** *Pneus neige* (pour la neige). — (*Neige,* qualifié par un adj. désignant sa qualité pour le ski). *Neige fraîche. Neige poudreuse.* ⇒ **Poudreux.** *Neige glacée, tôlée. Neige pourrie.*

Absolt, collectivt. *La neige :* les lieux où il y a beaucoup de neige (pour les loisirs, le sport). *Aller à la neige. Vacances de neige. Train de neige,* conduisant aux stations de sports d'hiver.

Classe de neige : école installée en montagne; enseignement qui s'y donne, où l'exercice physique, les sports de montagne ont leur

part. *Cet enfant est fatigué, déficient, il faudrait l'envoyer dans une classe de neige.*

Au plur. *Les neiges. Neiges qui ne fondent jamais; neiges éternelles*, neiges perpétuelles, permanentes* (→ Hiver, cit. 8). *Fonte des neiges. Once* des neiges. Plante qui fleurit pendant la saison des neiges.* ⇒ **Nivéal.** «*Mais où sont les neiges d'antan?*» (cit. 1, Villon). *Les Neiges du Kilimandjaro,* titre français d'un roman de Hemingway.

Surface, région couverte de neige. — Allus. hist. «*Quelques arpents* (cit. 2) *de neige...* » (Voltaire).

Arts. Paysage enneigé. *Une neige et une marine.*

Spécialt. *La neige,* symbole de l'innocence, de la pureté. Loc. *Blanc** (cit. 11) *comme neige.*

♦ **2.** Par anal. (de couleur, de consistance). *Neige artificielle :* substance chimique utilisée pour l'entraînement des skieurs, pour simuler la neige au cinéma. — *Neige carbonique*.* — Vx. *Neige d'antimoine :* anhydride antimonieux. — *Neige phosphorique :* anhydride phosphorique.

Œufs à la neige, en neige. ⇒ **Œuf.**

Argot. (1921). Poudre blanche de cocaïne.

Techn. Altération de la transparence d'une gemme. ⇒ **Neigeux** (4.).

♦ **3.** Par métaphore (blancheur de la neige). *Barbe, cheveux de neige. Bras* (→ Incomparable, cit. 5), *cou* (→ Inviolé, cit.), *teint de neige.* «*Son sein, neige moulée en globe*» (cit. 5, Gautier). «*Ton front qu'argente* (cit. 3) *une précoce neige*» (Heredia). — Fam. *Être blanc comme neige,* innocent.

Si tu veux le savoir, prends ce miroir, et vois
Ta barbe en tous endroits de neige parsemée (...)   Ronsard, Odes, V, xx.

(...) Flore Brazier, coiffée en cheveux, laissant voir sous la gaze d'un fichu garni de dentelles un dos de neige et une poitrine éblouissante (...)
Balzac, la Rabouilleuse, Pl., t. III, p. 1010.

(...) les gardénias et les tubéreuses, qui font par terre une épaisse neige blanche, embaument et grisent.   Loti, l'Inde (sans les Anglais), II, II.

(Fragilité de la neige). *Fondre comme neige au soleil* (→ Baiser, cit. 17). — (1585). *De neige.* Vx. (En parlant d'une chose, d'une personne sans consistance, sans valeur). «*Ton beau galant de neige*» (Molière, *le Dépit amoureux,* IV, 4).

DÉR. Neigeux.
COMP. Autoneige, motoneige; chasse-neige; enneiger, perce-neige.

NEIGÉ, ÉE [neʒe] adj. — 1559; XIIIᵉ, *negié; noif* (neige) *negiee* (fraîchement tombée), v. 1160; p. p. de *neiger.*

♦ Vx. Couvert de neige. ⇒ (mod.) **Enneigé.**

NEIGEOTER [nεʒɔte] v. intr. — 1861, → cit. Goncourt; de *neiger,* et *-oter;* cf. Pleuvoter.

♦ Neiger un peu.

Il neigeote. Nous prenons un fiacre (...)
Ed. et J. de Goncourt, Journal, t. II, p. 11.

Il pluvine, il neigeotte *(sic),*
L'hiver vide sa hotte.
Verlaine, Bonheur, XXIII, *in* Œ. poétiques compl., p. 508.

NEIGER [neʒe] v. — Conjug. *bouger.* — XIIᵉ, *negier;* du lat. pop. **nivicare,* de *nix, nivis* «neige».

♦ **1.** V. impers. Tomber, en parlant de la neige (→ Avalanche, cit. 2; 1. froid, cit. 1; geler, cit. 12; hiver, cit. 3 et 4). *Il neige, il va neiger, il commence à neiger.*

Il neigeait. L'âpre hiver fondait en avalanche.
Après la plaine blanche une autre plaine blanche (...)
Il neigeait, il neigeait toujours! La froide bise
Sifflait; sur le verglas, dans des lieux inconnus,
On n'avait pas de pain et l'on allait pieds nus (...)
Le ciel faisait sans bruit avec la neige épaisse
Pour cette immense armée un immense linceul (...)
Hugo, les Châtiments, V, XIII, I.

♦ **2.** Rare, littér. (Verbe personnel), intrans. ou trans. «*La lune neige sa lumière* (...)» (→ Bucrane, cit. Chateaubriand).

Par métaphore. (V. intr.). Tomber en abondance, comme de la neige (en parlant notamment des fleurs blanches du pommier). *Les pommiers ont neigé,* leurs fleurs sont tombées.

DÉR. Neige, neigé, neigeoter.

NEIGEUX, EUSE [nεʒø, øz] adj. — 1552; de *neige.*

♦ **1.** Qui est couvert de neige, constitué par de la neige. *Cimes neigeuses* (→ Glacer, cit. 5; montagne, cit. 10). *Pic neigeux* (→ 1. Glacier, cit. 2). *Couche neigeuse* (→ Hérisser, cit. 7).

♦ **2.** Par métaphore. (1577). Qui rappelle la neige par sa blancheur, sa douceur. *Duvet* (cit. 1) *neigeux* (→ Effraie, cit.). *Ruches de tulle neigeuses* (→ Livrer, cit. 6; friser, cit. 15).

Un bouton de rose s'entr'ouvre
À son corset enrubanné,
Dont la dentelle à demi couvre
Un sein neigeux d'azur veiné.
          Th. GAUTIER, Émaux et Camées, « Le château du souvenir ».

♦ **3.** Littér. Qui produit de la neige ; pendant lequel il neige (temps). *Un hiver neigeux, peu neigeux.* — (1690). *Temps neigeux,* où il neige, où il peut neiger.

La nuit avait été fort neigeuse et le paysage entier, vêtu de blanc comme un chartreux, éclatait aux yeux (...)   Léon BLOY, le Désespéré, p. 65.

♦ **4.** Techn. *Pierre, gemme neigeuse,* translucide mais floue.

NÉLOMBO [nelɔ̃bo] n. m. — 1765, *Encyclopédie* ; mot cingalais.

♦ Plante aquatique dicotylédone *(Nymphéacées)* à fleurs blanches ou jaunes. *Le nélombo d'Orient est le lotus sacré des Hindous.* Var. graphique : *nelumbo.*

NÉMALE [nemal] ou **NÉMALION** [nemaljɔ̃] n. m. — V. 1902 ; de *Nemal,* nom d'un naturaliste américain.

♦ Bot. Algue rouge gélatineuse *(Némaliacées)* qui croît dans les eaux à cours rapide.

NÉMASTOME [nemastom] n. m. — 1874, Larousse ; du grec *nêma, nêmatos* « fil », et *stoma* « bouche », l'insecte ayant un orifice buccal filiforme.

♦ Zool. Petit faucheux*.

NÉMAT-, NÉMATO- Premier élément de composition de mots savants, du grec *nêma, nêmatos* « fil ».

NÉMATHELMINTHES [nematɛlmɛ̃t] n. m. pl. — 1890, Larousse, *Deuxième Suppl. ;* de *némat-,* et *helminthe.*

♦ Zool. Embranchement (ou phylum) d'animaux métazoaires, (Vers) au corps allongé, couvert de chitine, le plus souvent parasites, comprenant les nématodes, les rotifères, les gastérotriches, les échinodères. *Les némathelminthes sont des organismes aquatiques ou terrestres, à vie libre ou parasitaire, et dont l'unité (discutée) réside dans la constance du nombre des cellules, qui ne s'accroît plus après le stade embryonnaire.* — Au sing. *Un némathelminthe,* un animal appartenant à cet embranchement.

NÉMATIQUE [nematik] adj. — V. 1960 ; du grec *nêma, nêmatos* « fil », et suff. *-ique.*

♦ Phys. Se dit de l'un des deux états mésomorphes, proche de l'état liquide. ⇒ **Smectique.** « *Les cristaux liquides nématiques sont des liquides constitués de longues molécules alignées* » (la Recherche, p. 146, févr. 1978). — N. m. *Les nématiques.*

NÉMATOCÈRES [nematɔsɛʀ] n. m. pl. — 1839, Boiste, *Nomenclature complète d'Histoire naturelle,* lépidoptères ; de *némato-,* et grec *keras* « corne ».

♦ Zool. Sous-ordre des diptères* aux antennes longues, aux ailes étroites et allongées, aux pattes longues et grêles. — Au sing. *Un nématocère.*

NÉMATOCYSTE [nematɔsist] n. m. — 1864, *Rev. des cours sc.,* t. II, p. 470 ; de *némato-,* et *-cyste.*

♦ Zool. Vésicule urticante des cnidaires.

NÉMATODES [nematɔd] n. m. pl. — 1846, Bescherelle, « femelle de coléoptères » ; grec *nêmatôdes,* de *nêma, nêmatos* « fil » → Némat-.

♦ Zool. Classe de némathelminthes, vers généralement parasites. ⇒ **Filaire, oxyure, stringle, tylenchus.** — Au sing. *Ce ver intestinal est un nématode.*

NÉMATOÏDE [nematɔid] adj. et n. m. — 1839, Boiste, *Nomenclature d'Histoire naturelle ;* de *némato-,* et *-oïde.* Zoologie.

♦ **1.** Vx. Nématode.

♦ **2.** Adj. Fin et allongé comme un fil. ⇒ **Filiforme.** *Appendice nématoïde.*

NÉMÉEN, ENNE [nemeɛ̃, ɛn] adj. — 1868 ; de *Némée.*

♦ Didact. De Némée, vallée de l'Argolide. — (1872). *Jeux néméens,* que les Grecs célébraient à Némée en l'honneur de Zeus. — N. f. pl.

Les Néméennes, odes composées par Pindare pour célébrer des athlètes vainqueurs aux jeux néméens.

NÉMERTES [nemɛʀt] n. f. pl. ou **NÉMERTIENS** [nemɛʀsjɛ̃] n. m. pl. — 1843, *némertes ; némertiens,* 1888 ; lat. sav. *Nemertes,* Cuvier, grec *Nêmertês,* nom d'une nymphe marine.

♦ Zool. Embranchement de vers acœlomates, pour la plupart aquatiques et généralement marins, qui possèdent un tube digestif différencié avec anus, un appareil circulatoire, une trompe invaginable, et qui peuvent mesurer d'une vingtaine de centimètres à plusieurs mètres. *Certaines espèces de némertes vivent en commensalisme. Larve de némerte. Némerte pélagique. Les némertiens ne sont plus rangés aujourd'hui dans les plathelminthes.*

Au singulier :

Là, serpentant à travers les massifs et les bandes marines, la némerte, la sépia éblouissante de couleurs de l'arc-en-ciel qui, tour à tour, s'entrecroisent, brillent ou s'effacent.   Jean CAYROL, Histoire de la mer, p. 56.

NÉMORAL, ALE, AUX [nemɔʀal, o] adj. — 1570 ; lat. *nemoralis,* de *nemus, nemoris* « forêt ».

♦ Didact., rare. Qui croît, habite, vit dans les forêts. *Plantes némorales.*

NÉMORICOLE [nemɔʀikɔl] adj. — 1874, Larousse ; du lat. *nemus, nemoris* (→ Némoral), et *-cole.*

♦ Zool. Qui vit dans les bois, les forêts (surtout, en parlant des oiseaux).

NE M'OUBLIEZ PAS [nəmublijepa] n. m. invar. — 1845 ; *n'oubliez pas,* xviᵉ ; cf. *ne m'oubliez mie,* 1408 ; de *ne, m'* (me), *oubliez* (→ Oublier), et *pas.*

♦ Myosotis. *Cueillir, offrir des ne m'oubliez pas.*

NEMROD [nɛmʀɔd] n. m. — xixᵉ, Reybaud, Scribe (1861) *in* P. Larousse ; nom du petit-fils de Cham, dans la Bible.

♦ Vieilli. Grand chasseur. — Personne qui aime et qui pratique la chasse au fusil (généralt ironique). *Des nemrods.*

NÉNÉ [nene] n. m. — Fin xixᵉ ; *nénet,* 1842 ; probablt de la rac. onomat. *nan-* (→ Nanan).

♦ Fam. Sein de femme. *Elle a de beaux nénés.* ⇒ **Nichon.**

Les vieilles photos, moi j'adore ça, surtout les obscènes, vous savez, avec ces gros nénés et ces fessiers superbes.   Claude MAURIAC, le Dîner en ville, p. 66.

NÉNETTE [nenɛt] n. f. — xxᵉ ; orig. incert. ; p.-ê. même mot que *nénette* « sein, téton », var. *néné, nénet,* du rad. enfantin expressif *nann-* (→ Nanan).

♦ **1.** Fam. Tête, dans la loc. fam. *se casser la nénette :* se casser la tête. *Il ne se casse pas la nénette ! :* il ne se fatigue guère (à trouver une solution, à chercher à comprendre).

Brusquement il en avait marre ; il avait envie de retrouver les copains de chez Berthault. Au moins, là-bas, on était entre hommes, et pas besoin de se casser la nénette à tout bout de champ !
          Roger IKOR, les Fils d'Avrom, Prologue, éd. Livre de poche, p. 64.

♦ **2.** Fam. Fille, jeune femme. ⇒ **Nana.** *Il y avait deux mecs et trois nénettes. Les petites nénettes.* — Compagne. *Il est venu avec sa nénette.*

NÉNIES [neni] n. f. pl. — 1721 ; « lamentation »,· 1639, *naenies,* xviᵉ ; du lat. *nenia.*

♦ Didact., antiq. Chants funèbres que les pleureuses chantaient à Rome et en Grèce au cours des funérailles.

HOM. Nenni.

NENNI [neni] adv. — V. 1130, *nenil* ; comp. de *nen,* forme atone de *non* (→ Ne), et de *il* ; → Oui.

♦ Régional, vx (déjà archaïque au xviiᵉ) ou plais. Adverbe de négation. ⇒ **Non.** — *Nenni-da* (par oppos. à *oui-da**). *Oh ! que nenni !,* que non !

— Est-ce assez ? Dites-moi. N'y suis-je point encore ?
— Nenni. — M'y voici donc ? — Point du tout. — M'y voilà ?
          LA FONTAINE, Fables, I, 3.

REM. Les variantes *nenil, nennil* (XIIIᵉ-XIVᵉ), *nannin* (XIIIᵉ-XVᵉ, encore dans Littré) n'ont pas vécu.

HOM. Nénies.

NÉNUPHAR [nenyfaʀ] n. m. — 1560; *nenufar*, XIIIᵉ, lat. médiéval; arabe *nīnūfär*.

♦ Plante dicotylédone *(Nymphéacées)* aquatique, vivace, qui croît dans les pays chauds et tempérés. ⇒ **Lis** (d'eau, des étangs). → Bâiller, cit. 6; île, cit. 5. *Fleurs du nénuphar aux pétales arrondis. Feuilles flottantes du nénuphar* (→ Jonc, cit. 2). *Nénuphar jaune* ou *nuphar*. ⇒ **Jaunet** (d'eau). *Nénuphar blanc* ou *nymphéa*. ⇒ **Nymphéa**. *Nénuphar des Égyptiens* ou *nénuphar lotos*. ⇒ **Lotus** (2.), **lune** (d'eau). *La victoria regia, immense nénuphar d'Amérique équatoriale.*

Le couchant dardait ses rayons suprêmes
Et le vent berçait les nénuphars blêmes;
Les grands nénuphars, entre les roseaux,
Tristement luisaient sur les calmes eaux.
VERLAINE, Poèmes saturniens, «Paysages tristes», III.

Var. graphique : *nénufar* (vx).

NÉO- Premier élément (tiré du grec *neos* «nouveau») qui entre comme préfixe dans la composition de nombreux mots.

Ce préfixe, combiné avec des adjectifs (adj. de peuples, etc.) et des noms (en particulier des noms en *-isme*) donne lieu à de nombreuses formations nouvelles. Outre les mots traités ci-dessous, on rencontre des créations plus occasionnelles. Citons : *néo-antique,* adj. (1933, P. Morand); *néo-artisan,* n. m. (1978); *néo-communisme,* n. m. (1937); *néo-conservateur,* n. m.; *néo-cubisme* et *néo-cubiste,* adj. et n.; *néo-dada* (1978); *néodogmatisme* (H. Lefebvre, 1968); *néogaullisme,* n. m. (1972); *néo-hégélien* (1851); *néo-hégélianisme* (1911); *néo-marxisme, néo-marxiste* (1930); *néo-populisme; néo-scolastique* (1865) et les suivants:

1 Lu en partie le volume de Ruge, *Die Academie* (1848), où l'Humanisme de Néo-Hégéliens, en politique, en religion, en littérature est représenté par des correspondances ou des articles.
H.-F. AMIEL, Fragments d'un journal intime, 7 avr. 1851.

2 Laval ayant été nommé ministre des Affaires étrangères, on vit apparaître et s'affirmer un néo-pacifisme de droite. Mussolini se disposait à envahir l'Éthiopie. Laval signa avec lui un traité qui lui laissait carte blanche. Il négocia avec Hitler.
S. DE BEAUVOIR, la Force de l'âge, p. 206 (cf. Néo-pacifiste, Ibid., p. 272).

3 On appelle Époque Saïte ou Néo-Memphite la période où l'Ancien Empire qui correspond aux dynasties dont la capitale est Saïs dans le Delta (...)
G. CONTENAU et V. CHAPOT, l'Art antique, p. 85.

4 Au IVᵉ siècle, la sculpture romaine a renoncé aux rondeurs académiques pour la rigidité d'un néo-primitivisme; les types sont devenus plus courts; l'espace disparaît des bas-reliefs où des ombres lourdes vont enserrer les personnages.
André RICHARD, la Critique d'art, p. 114.

REM. *Néo-* étant senti comme élément permutable, les comp. sont généralement écrits avec un tiret; certains préfèrent appliquer la règle générale et écrire : *néokantien, néoromantisme,* etc.

NÉO-ATTIQUE [neoatik] adj. — Av. 1933; de *néo-,* et *attique.*

♦ Didact. Relatif aux écrivains, aux artistes hellénistiques ou latins qui continuent la tradition grecque classique.

Nom (attesté au masculin) :
(...) les sculpteurs d'alors inclinaient d'eux-mêmes à reprendre, avec quelque fantaisie, les ouvrages des siècles antérieurs; travail de démarquage, essentiellement, sans fidélité dans le détail. On les appelle les néo-attiques, et les premiers se fixèrent probablement à Athènes, mais beaucoup se seront ensuite transportés à Rome, plus près des riches amateurs.
G. CONTENAU et V. CHAPOT, l'Art antique, p. 337.

NÉO-BABYLONIEN, IENNE [neobabilɔnjɛ̃, jɛn] adj. — 1912; de *néo-,* et *babylonien.*

♦ Hist. Relatif à la dynastie babylonienne qui s'est maintenue après ~ 612 (chute de Ninive) et jusqu'à la prise de Babylone (~ 539).

Ils bâtissent avec quelle fièvre, grand ciel! — des synagogues de style néobabylonien, blanches comme du sucre cassé régulier.
Ch.-A. CINGRIA, l'Âge d'homme, in Œ. compl., t. I, p. 327.

NÉOBLASTE [neoblast] n. m. — V. 1960; du grec *neos* «nouveau», et *blastos* «germe».

♦ Biol. Chacune des cellules indifférenciées qui, chez certains animaux (Planaires, Annélides), assurent la reconstitution des parties accidentellement amputées. *« (...) chez beaucoup d'invertébrés le pouvoir de régénération va beaucoup plus loin et assure la reconstitution du corps lui-même chez l'adulte; la régénération des parties manquantes s'opère grâce à des cellules indifférenciées, appelées néoblastes, réparties dans tout le corps. » (Sciences et Avenir,* p. 65, mai-juin 1960).

NÉO-CALÉDONIEN, IENNE [neokaledɔnjɛ̃, jɛn] adj. et n. — 1874; de *néo-* (Nouvelle), et *Calédonie.*

♦ De la Nouvelle-Calédonie. *Population néo-calédonienne autochtone* (⇒ **Canaque**) *et européenne.* — N. *Les Néo-calédoniens.*

REM. On emploie aussi *calédonien* (= vieilli, écossais) pour *néo-calédonien.*

NÉO-CANADIEN, IENNE [neokanadjɛ̃, jɛn] adj. et n. — 1969, Bélisle; de *néo-,* et *canadien.*

♦ (Au Canada). Immigrant, européen ou non, installé au Canada. *Les Italiens, les Vietnamiens néo-canadiens.* — N. *Intégration linguistique* (française ou anglaise) *des néo-canadiens.*

NÉO-CAPITALISME [neokapitalism] n. m. — 1931; de *néo-,* et *capitalisme.*

♦ Écon. Capitalisme moderne qui admet l'intervention de l'État dans certains domaines.

Introduction du néo-capitalisme, avec des modifications institutionnelles de l'ancien capitalisme (concurrentiel et puis monopolistique) sans transformation des rapports de production.
Henri LEFEBVRE, la Vie quotidienne dans le monde moderne, p. 83.

NÉO-CAPITALISTE [neokapitalist] adj. — V. 1960; de *néo-,* et *capitaliste.*

♦ Écon. Qui pratique ou qui concerne le néo-capitalisme.

NÉO-CATHOLICISME [neokatɔlisism] n. m. — 1833; de *néo-,* et *catholicisme.*

♦ Vx. Doctrine philosophique de l'ancien saint-simonien Buchez (1796-1865), syncrétisme empruntant des éléments à la fois au catholicisme et au socialisme. (Nom formé par Buchez lui-même). — Par ext. Doctrine qui prétend faire la synthèse du catholicisme et des idées modernes (idées sociales, notamment).

NÉO-CATHOLIQUE [neokatɔlik] adj. — 1833; de *néo-,* et *catholique.*

♦ Vx. Relatif au néo-catholicisme. *Mouvement néo-catholique* (→ Maître, cit. 99). — N. *Les néo-catholiques.*

On connaissait Chateaubriand; mais, avec un instinct plus juste que celui des prétendus néo-catholiques, pleins de naïves illusions, ces bons vieux prêtres se défiaient de lui.
RENAN, Souvenirs d'enfance..., III, I.

NÉO-CELTIQUE [neosɛltik] adj. — 1874, P. Larousse; de *néo-,* et *celtique.*

♦ *Langues néo-celtiques :* langues modernes dérivées des langues celtiques. ⇒ **Celtique, gaélique, kymrique.** — *Littératures néo-celtiques* (dans ces langues).

NÉO-CHRÉTIEN, IENNE [neokʀetjɛ̃, jɛn] adj. et n. — 1868; de *néo-,* et *chrétien.*

♦ Hist. relig. Qui est partisan du néo-christianisme. — N. *« Les écologistes, les antinucléaires et autres "néo-chrétiens" » (le Nouvel Obs.,* 22 mai 1978, p. 64).

NÉO-CHRISTIANISME [neokʀistjanism] n. m. — 1868; de *néo-,* et *christianisme.*

♦ Hist. relig. Philosophie chrétienne moderniste, influencée par Tolstoï. *Le néo-christianisme fut condamné par Pie X.*

NÉO-CLASSICISME [neoklasisism] n. m. — V. 1900; de *néo-,* et *classicisme.*

♦ Didact. École, mouvement littéraire (et, spécialt, poétique) préconisant le retour au classicisme, sous une forme renouvelée. *Le néo-classicisme dérive de l'école romane* de Moréas. — Formes d'art imitées ou renouvelées de l'antiquité classique.

En réaction (...) contre les écoles précédentes et surtout contre les brumes symbolistes, le néo-classicisme revient aux sources les plus pures de la clarté française, mais se ressent encore des fièvres passées et garde une sorte de langueur subtile, assez « fin de siècle » (...) L'école romane proprement dite groupe autour de Moréas quelques poètes de talent (E. Raynaud, R. de La Tailhède, M. du Plessys...) — Sans se réclamer de Moréas, plusieurs poètes ou écrivains se rattachent au mouvement néo-classique (A. Samain, Ch. Guérin, P. Louÿs...). Enfin le néo-classicisme a donné lieu à une curieuse renaissance de la tragédie antique (...)
R. JASINSKI, Hist. de la littérature franç., t. II, p. 720-729.

NÉO-CLASSIQUE [neoklasik] adj. — V. 1900; de *néo-,* et *classique.*

♦ Didact. Qui appartient, qui est relatif au néo-classicisme. *Le cou-*

rant, la lignée néo-classique. Architecture, poésie néo-classique. Style néoclassique. — N. *Les néo-classiques.*

REM. Les mots *néo-classicisme* et *néo-classique* s'emploient parfois (→ Genre, cit. 14) en parlant d'écrivains de la fin du XVIIIe s. ou d'adversaires du mouvement romantique; cependant il vaut mieux réserver à ces écrivains l'appellation de *post-classique* ou *pseudo-classique.*

NÉOCOLONIALISME ou NÉO-COLONIALISME
[neokɔlɔnjalism] n. m. — V. 1960; de *néo-,* et *colonialisme.*

♦ Colonialisme d'une forme nouvelle, consistant en la domination économique de l'ancienne métropole sur son ancienne colonie, devenue politiquement indépendante.

(...) depuis vingt-cinq ans, l'aide internationale oscille (...) entre le néocolonialisme et les dépenses inutiles, cumulant d'ailleurs souvent les deux méfaits.
A. SAUVY, Croissance zéro?, p. 295.

NÉOCOLONIALISTE ou NÉO-COLONIALISTE
[neokɔlɔnjalist] adj. et n. — V. 1960; de *néo-,* et *colonialiste.*

♦ Qui pratique, qui concerne le néo-colonialisme. *Pratiques néo-colonialistes.* — N. *Les néo-colonialistes.*

NÉOCOMIEN, IENNE
[neokɔmjɛ̃, jɛn] n. et adj. — 1835, Thurmann; de *Neocomum,* nom lat. de Neuchâtel, en Suisse.

♦ Géol. Groupe (ou sous-système) du système crétacé* comprenant le *berriasien,* le *valanginien* et le *hauterivien.* — REM. On écrit aussi *néo-comien.*

NÉO-CONFUCIANISME
[neokɔ̃fysjanism] n. m. — Mil. XXe; de *néo-,* et *confucianisme.*

♦ Didact. (Hist.). Mouvement intellectuel directement inspiré du confucianisme, en réaction contre le bouddhisme et le taoïsme, en Chine. *Le néo-confucianisme est apparu vers le Xe siècle.*

NÉO-COR
[neokɔʀ] n. m. — 1874, P. Larousse; de *néo-,* et 1. *cor,* II.

♦ Mus. Instrument de musique à vent de la famille des cuivres, à embouchure et à pistons, comparable au cornet alto.

HOM. Néocore.

NÉOCORAT
[neokɔʀa] n. m. — 1765; de *néocore.*

♦ Didact. Fonction de néocore (2.).

NÉOCORE
[neokɔʀ] n. m. — 1683; du grec *neokoros.*
Didact. (hist., archéologie).

♦ **1.** Ville qui avait bâti des temples dédiés aux empereurs, à un dieu. Appos. *Cité néocore* (de tel empereur, de tel dieu).

♦ **2.** (1752). Gardien de temple.
DÉR. Néocorat.
HOM. Néo-cor.

NÉO-CORTEX ou NÉOCORTEX
[neokɔʀtɛks] n. m. — Av. 1950; de *néo-,* et *cortex;* probablt par l'angl. *neo-cortex* attesté en 1909.

♦ Anat., physiol. Écorce cérébrale, dans la forme phylétiquement la plus évoluée qu'elle prend chez les Mammifères et qui se compose, entre deux couches d'interneurones de liaison, de deux couches de cellules granulaires et de deux couches de cellules pyramidales en alternance, celles-ci étant plus développées que celles-là dans les zones motrices (et inversement dans les zones sensitives). *Le néocortex fait partie du néencéphale*.* ⇒ **Néopallium.**

De l'animal à l'homme, tout se passe sommairement comme s'il se rajoutait cerveau sur cerveau, chacune des formations développée la dernière entraînant une cohérence de plus en plus subite de toutes les formations antérieures qui continuent de jouer leur rôle. La formation la plus récente, qui ne prend d'importance qu'à partir des Mammifères, est le néo-cortex, dispositif d'intégration motrice et sensitive aboutissant à l'instrument de l'intelligence humaine.
A. LEROI-GOURHAN, le Geste et la Parole, t. I, p. 114-115.

Chez tous les Vertébrés inférieurs, il existe, faisant partie du télencéphale, des structures dites «archicorticales» et «paléocorticales» qui s'insèrent de part et d'autre des corps striés. Chez les Mammifères, du fait du développement de l'écorce cérébrale proprement dite — c'est-à-dire du néocortex — ces structures non néocorticales sont repoussées à la base et sur la face interne de l'encéphale. On les désigne habituellement sous le terme global de rhinencéphale (...) appellation (...) tout à fait contestable (...)
Pierre BUSER, in Encycl. Pl., Physiologie, p. 1068.

DÉR. V. Néocortical.

NÉOCORTICAL, ALE, AUX
[neokɔʀtikal, o] adj. — Av. 1950; de *néocortex,* d'après *cortex/cortical;* probablt par l'angl. *neo-cortical* attesté en 1909.

♦ Anat., physiol. Relatif au néocortex (cit. 2). *Aires néocorticales de l'encéphale.* (Opposé à *archicortical, paléocortical*).

Le deuxième cerveau, plus «récent» dans l'histoire du vivant, qu'on appelle *néencéphale* ou cerveau *noétique,* est le cerveau de l'activité et de la sensibilité différenciées, de l'intelligence, du langage. Il est constitué par la masse néo-corticale des hémisphères caractéristique des Mammifères, comprenant six couches de neurones et divers lobes (occipital ou visuel, temporal ou auditif, pariétal, frontal), où l'investigation scientifique a permis de distinguer, à côté de centres primaires de réception et d'effection, des centres secondaires de coordination qui vont se développant au fur et à mesure que l'on gravit l'échelle des êtres.
Pierre GRAPIN, l'Anthropologie criminelle, p. 119.

NÉOCRÂNE ou NÉO-CRÂNE
[neokʀɑn] n. m. — XXe; de *néo-,* et *crâne.*

♦ Anat. Partie du crâne qui, au cours de l'évolution, s'est ajoutée le plus récemment au crâne primitif (dit *paléocrâne*).

NÉO-CRITICISME
[neokʀitisism] n. m. — 1854, Renouvier; de *néo-,* et *criticisme.*

♦ Philos. Doctrine philosophique renouvelée de la doctrine de Kant (→ Criticisme). *Le néo-criticisme de Renouvier, de Cassirer.* ⇒ **Néokantisme.**

DÉR. Néocriticiste.

NÉOCRITICISTE
[neokʀitisist] adj. et n. — V. 1900; de *néo-criticisme.*

♦ Philos. Du néo-criticisme. — Partisan du néo-criticisme.

NÉO-DARWINIEN, IENNE
[neodaʀwinjɛ̃, jɛn] adj. et n. — 1922; *néo-darwiniste,* v. 1902, *Nouveau Larousse illustré;* de *néo-,* et *darwinien.*

♦ Didact. Relatif au néo-darwinisme. *La théorie néo-darwinienne de l'évolution.* — N. Partisan de cette doctrine.

Les néo-darwiniens du début de ce siècle (ont) montré sur la base de théories quantitatives, que le facteur décisif de la sélection n'est pas la lutte pour la vie, mais, au sein d'une espèce, le taux différentiel de reproduction.
Jacques MONOD, le Hasard et la Nécessité, p. 156.

NÉO-DARWINISME
[neodaʀwinism] n. m. — V. 1902, *Nouveau Larousse illustré;* de *néo-,* et *darwinisme.*

♦ Sc. Transformisme par sélection naturelle, sans hérédité des caractères acquis, darwinisme modifié par Weismann.

Le néodarwinisme des débuts de ce siècle voyait dans l'évolution des êtres organisés le produit de deux facteurs fondamentaux dans lesquels l'animal comme sujet ne jouait aucun rôle : d'un côté des variations aléatoires ou mutations (par opposition aux recombinaisons du pool génétique de la population sur lesquelles on insiste de plus en plus aujourd'hui) et d'un autre côté une sélection imposée par le milieu, mais conçue comme un simple triage conservant les plus aptes et éliminant les autres.
J. PIAGET, Épistémologie des sciences de l'homme, p. 93.

NÉODYME
[neodim] n. m. — 1903, *Rev. gén. des sc.,* n° 2, p. 91; mot forgé avec le préf. *néo-,* et le mot *(di)dyme*.

♦ Chim. Corps simple, l'un des éléments du groupe des terres rares (symb. *Nd,* n^o at. 60).

NÉO-FASCISME
[neofasism; neofaʃism] n. m. — V. 1958; de *néo-,* et *fascisme.*

♦ Tendance ou mouvement politique inspiré du fascisme italien.
DÉR. Néo-fasciste.

NÉO-FASCISTE
[neofasist; neofaʃist] adj. et n. — V. 1958; de *néo-fascisme,* et *-iste.*

♦ Du néo-fascisme.

NÉO-FORMATION ou NÉOFORMATION
[neofɔʀmasjɔ̃] n. f. — 1869, cit.; de *néo-,* et *formation.*

♦ Méd. Tumeur, bénigne ou non. ⇒ **Néoplasme.** «*Nous pouvons croire que des phénomènes analogues se produisent chez l'homme, bien que celui-ci on n'ait observé cette destruction et cette néoformation de muscles que dans les maladies graves.*» (V. Cornil et L. Ranvier, *Manuel d'histologie pathologique,* p. 37-38, 1869).

DÉR. Néo-formé.

NÉO-FORMÉ, ÉE ou NÉOFORMÉ, ÉE
[neofɔʀme] adj. — 1892, *néoformé;* de *néo-formation* et *formé.*

♦ Biol. Qui résulte d'une néo-formation. *Tissu néo-formé* ou *néoplasique.*

NÉO-FRANÇAIS [neofʀɑ̃sɛ] n. m. — V. 1960, R. Queneau; de *néo-*, et *français*.

◆ *Le néo-français* : la langue française contemporaine, en tant qu'elle présente des structures nouvelles.

(...) le français qui se parle et s'écrit au milieu du XXᵉ siècle, se différencie (...) aussi du « français moderne » des années 1820-1920. On a proposé pour le désigner le terme expressif de *néo-français*.
Henri MITTERAND, les Mots français, p. 99.

NÉOGÈNE [neɔʒɛn] n. m. et adj. — 1890; all. *neogene*, Hoermes, 1853; de *néo-*, et *gène*.

◆ Géol. N. m. Période du tertiaire qui touche au quaternaire, et comprenant le miocène et le pliocène. — Adj. De cette période; qui y a trait, qui la concerne. *Terrains néogènes.*

NÉOGLUCOGENÈSE [neoglykoʒənɛz] n. f. — Mil. XXᵉ; *néoglycogénèse*, 1950; de *néo-*, et *glucogenèse*.

◆ Didact. (Biol.). Synthèse des glucides par l'organisme à partir des lipides ou des protides, lorsque les réserves de glucides (⇒ **Gluco-, glycogène**) sont insuffisantes.

NÉOGLUCOSE [neoglykoz] n. m. — Mil. XXᵉ (*in* Larousse, 1963); de *néo-*, et *glucose*.

◆ Didact. (Biol.). Glucose* sous sa forme assimilable par le sang.

NÉO-GOTHIQUE [neogɔtik] adj. — 1929, A. Michel; de *néo-*, et *gothique*.

◆ Archit. Qui imite le gothique. — N. m. *Le néo-gothique*, style en vogue à la fin du XIXᵉ siècle.

NÉO-GRAMMAIRIEN [neogʀa(m)mɛʀjɛ̃] n. m. — Av. 1915, Saussure; adapt. franç. de l'all. *Junggrammatiker* «jeunes grammairiens», de *néo-* et *grammairien*.

◆ Hist. des sc. Membre d'une école allemande de linguistique de la fin du XIXᵉ siècle, caractérisée par l'historicisme et le comparatisme.

Bientôt après (la *Vie du langage* de Whitney : 1875) se forma une école nouvelle, celle des néogrammairiens (...) dont les chefs étaient tous des Allemands : K. Brugmann, H. Ostoff, les germanistes W. Braune, E. Sievers, H. Paul, le slaviste Leskien, etc. Leur mérite fut de placer dans la perspective historique tous les résultats de la comparaison (...). Grâce à eux on ne vit plus dans la langue un organisme qui se développe par lui-même, mais un produit de l'esprit collectif des groupes linguistiques.
F. DE SAUSSURE, Cours de linguistique générale, Introduction, p. 18.

NÉOGRAPHISME [neogʀafism] n. m. — 1735; de *néo-*, et *graphisme*.

◆ **1.** Vx ou didact. Création de formes graphiques nouvelles (équivalent, pour les formes graphiques, de *néologisme*).

◆ **2.** (XXᵉ). Mod. (Pathol.). Altération du langage écrit par novation graphique. *Néographisme et néologisme*.*

NÉO-GREC, -GRECQUE [neogʀɛk] adj. — 1846, Bescherelle; de *néo-*, et *grec*.
Didactique.

◆ **1.** Qui a rapport à la Grèce moderne. *Langue, littérature néo-grecque.*

◆ **2.** Qui imite l'art de la Grèce ancienne. *Édifices du XIXᵉ siècle dans le style néo-grec.*

NÉO-GUINÉEN, ENNE [neogineɛ̃, ɛn] adj. — 1923, Larousse; de *néo-*, et *(Nouvelle-)Guinée*.

◆ Didact. De la Nouvelle-Guinée.

NÉO-HÉBREU [neoebʀø] n. m. — 1893, Encycl. Berthelot, art. *Hébreu*; de *néo-*, et *hébreu*.

◆ Ling. Hébreu moderne (depuis le IIIᵉ siècle après J.-C.). Spécialt. Hébreu contemporain, parlé en Israël.

NÉO-HÉBRIDAIS, AISE [neoebʀidɛ, ɛz] adj. et n. — V. 1902, *Nouveau Larousse illustré*; de *néo-*, et *(Nouvelles-)Hébrides*.

◆ Des Nouvelles-Hébrides. — N. *Les Néo-Hébridais sont du type mélanésien.*

NÉO-HIPPOCRATISME [neoipɔkʀatism] n. m. — XXᵉ; de *néo-*, et *hippocratisme*.

◆ Didact. Attitude médicale inspirée de l'ancienne doctrine hippocratique, qui accorde une place importante à l'examen direct du malade et au contact que le médecin établit avec lui, et considère comme accessoires les examens de laboratoire.

NÉO-HITTITE [neoitit] n. m. — Mil. XXᵉ; de *néo-*, et *hittite*.

◆ Didact. (Hist., archéol.). Se dit de la civilisation hittite qui se développa en Syrie, de ~ 1200 à ~ 700, après la destruction de l'empire et de sa capitale, Hattousas.

NÉO-IMPRESSIONNISME [neoɛ̃pʀesjɔnism] n. m. — 1886, mot créé par le critique Arsène Alexandre; de *néo-*, et *impressionnisme*.

◆ Arts. Mouvement et doctrine fondés par le peintre Seurat.

Le Néo-Impressionnisme, codification systématique et scientifique des principes de l'Impressionnisme (...)
Maurice SERULLAZ, le Cubisme, p. 6.
DÉR. Néo-impressionniste.

NÉO-IMPRESSIONNISTE [neoɛ̃pʀesjɔnist] adj. et n. — 1886; de *néo-impressionnisme*.

◆ Du néo-impressionnisme; qui se rapporte au néo-impressionnisme, qui y a trait. — Peintre partisan du néo-impressionnisme. — REM. On a dit également *divisionniste* et aussi, mais à tort, *pointilliste*.

Le but de la technique des néo-impressionnistes est d'obtenir (...) un maximum de couleur et de lumière (...) Les néo-impressionnistes n'usent que de couleurs pures se rapprochant (...) des couleurs du prisme (...) De ces couleurs pures, ils respecteront toujours la pureté (...) ils les juxtaposeront en touches nettes et de petites dimensions (...)
P. SIGNAC, De Delacroix au néo-impressionnisme, p. 9-13-15.

NÉOKANTIEN ou **NÉO-KANTIEN, IENNE** [neokɑ̃sjɛ̃, jɛn] adj. et n. — 1895, *néo-kantien*; de *néo-kantisme* et *kantien*.

◆ Du néo-kantisme; du criticisme dérivé du kantisme. *Les doctrines néo-kantiennes.* — (Personnes). Partisan du néo-kantisme. *Philosophe néo-kantien.* — N. *Cassirer, grand néo-kantien.*

NÉOKANTISME ou **NÉO-KANTISME** [neokɑ̃tism] n. m. — 1899, *néo-kantisme*; de *néo-*, et *kantisme*.

◆ Philos. Théorie psychologique, morale, dérivée du criticisme de Kant. ⇒ **Néo-criticisme.** « *Le néokantisme psychologique remonte à l'époque romantique (...). Il ramena les éléments a priori critiques à des processus psychologiques* » (*la Révolution kantienne*, p. 95).
DÉR. (Du même rad.) Néo-kantien.

NÉO-LAMARCKIEN, IENNE [neolamaʀkjɛ̃, jɛn] adj. et n. — 1903, Encycl. Berthelot, art. *Transformisme*; de *néo-* et *lamarckien*, du nom de *Lamarck*.

◆ Du néo-lamarckisme; qui se rapporte au néo-lamarckisme, qui y a trait. — N. Partisan du néo-lamarckisme.

NÉO-LAMARCKISME [neolamaʀkism] n. m. — 1911; de *néo-*, et *lamarckisme*.

◆ Hist. des sc. Théorie de l'évolution dérivée des idées de Lamarck. *Le néo-lamarckisme « accorde une influence prépondérante aux effets de l'usage, aux causes mécaniques, au détriment de la sélection »* (R. Husson).
DÉR. (Du même rad.) Néo-lamarckien.

NÉO-LATIN, INE [neolatɛ̃, in] adj. — 1834, Boiste; de *néo-*, et *latin*.

◆ Vx. Roman*, en parlant d'une langue. *Langues néo-latines* (espagnol, français, italien, portugais, roumain, etc.).

NÉO-LIBÉRAL, ALE, AUX [neolibeʀal, o] adj. — 1966, *in le Figaro*; de *néo-*, et *libéral*.

◆ Écon., polit. Du néo-libéralisme; qui concerne le néo-libéralisme ou qui y a trait. — N. Adepte, partisan du néo-libéralisme.

NÉO-LIBÉRALISME [neolibeʀalism] n. m. — 1843, → cit.; de *néo-*, et *libéralisme*.

◆ Écon., polit. Forme de libéralisme qui admet une intervention limitée de l'État.

Je ne croyais pas, en vérité, pour si peu de mots mal dits, être si assourdi d'échos. Je n'en suis néanmoins pas fâché : il est bon qu'on écoute ce néo-libéralisme qui peut seul tenir tête et fermer la voie au vieux révolutionnarisme.
LAMARTINE, Lettres inédites, 14 juin 1843, p. 67.

NÉOLITHIQUE [neolitik] adj. — 1866, angl. *neolithic*, créé par Lubbock en 1865 ; de *néo-*, et *-lithique*.

♦ Préhist. Se dit de la période la plus récente de l'âge de pierre* et de ce qui appartient à cette période. *Âge, époque néolithique* ou *de la pierre polie. Civilisation néolithique. Influences néolithiques* (→ Cadre, cit. 10). — N. m. *Le néolithique.*

L'économie néolithique connaît une industrie spécialisée. En Égypte, comme d'ailleurs en Sicile, au Portugal, en France (...) des groupes extraient en effet le silex par des travaux miniers. Utilisant un bois de cervidé en guise de pic, les premiers mineurs forent des puits dans la craie et creusent des galeries souterraines, afin d'exploiter des bancs de silex en nodules. Les procédés empiriques de la technique néolithique sont associés à des rites magiques, considérés comme essentiels au succès des opérations.   A. BIREMBAUT, *in* Encycl. Pl., Hist. des sciences, p. 1058.

NÉOLOCAL ou **NÉO-LOCAL, ALE, AUX** [neolɔkal, o] adj. — Mil. XXᵉ (*in* Larousse, 1968) ; de *néo-*, et *local*.

♦ Ethnol. *Résidence néolocale :* résidence du couple nouvellement marié dans un lieu ou sous un toit différent de celui des parents (par oppos. au type de résidence dit *matrilocal* et *patrilocal*).

NÉOLOGIE [neolɔʒi] n. f. — 1759 ; de *néologue*, et *-logie*.

♦ **1.** Vieilli (s'employait lorsque *néologisme* avait une valeur péjorative). Introduction, emploi de mots nouveaux utiles à une langue afin de l'enrichir. ⇒ **Néologisme.** *Néologie ou Vocabulaire de mots nouveaux,* ouvrage de S. Mercier (1801).

Elle était atteinte d'une inflammation assez ordinairement mortelle, que les femmes se confient à l'oreille, et à laquelle notre néologie n'a pas encore su trouver de nom.   BALZAC, la Femme de trente ans, Pl., t. II, p. 708.

♦ **2.** (Mil. XXᵉ). Didact. Processus par lesquels le lexique d'une langue s'enrichit, par dérivation et composition, par évolution sémantique, par emprunts, calques ou par tout autre moyen (sigles, acronymes...). *Commission de néologie. La néologie lexicale, sémantique.*

La néologie lexicale se définit par la possibilité de création de nouvelles unités lexicales, en vertu de règles de production incluses dans le système lexical.   Louis GUILBERT, la Créativité lexicale, p. 31.

DÉR. Néologique, néologiser, néologiste.

NÉOLOGIQUE [neolɔʒik] adj. — 1726 ; de *néologisme* ou de *néologie*, et *-logique*, → -logique.

♦ De la néologie ; qui est relatif, qui a trait à la néologie, au néologisme. *Locution néologique. Le dictionnaire néologique de Desfontaines* (1726).

NÉOLOGISER [neolɔʒize] v. intr. — 1843, Balzac, *in* Matoré ; de *néologie*.

♦ Didact. ou plais. Créer des néologismes.

(...) — Sieste (...) mouchoir (...) péniche (...) qu'est-ce que c'est que tous ces mots-là ? Je ne les entrave point.
— Ce sont des mots que j'ai inventés pour désigner des choses que je vois dans mes rêves.
— Vous pratiqueriez donc le néologisme, messire ?
— Ne néologise pas toi-même : c'est là privilège de duc. Aussi de l'espagnol pinaça je tire pinasse puis péniche, du latin sexta hora l'espagnol siesta puis sieste (...)   R. QUENEAU, les Fleurs bleues, p. 42.

NÉOLOGISME [neolɔʒism] n. m. — 1735 ; de *néo-*, et *logisme*, comme *néologue*.

♦ **1.** Vx. Affectation de nouveauté dans la manière de s'exprimer (particulièrement en honneur dans la société qui se groupait autour de la marquise de Lambert et dont Fontenelle, La Motte, Marivaux étaient les principaux représentants).

Elle-même *(Madame de Lambert)* nous dit son secret en parlant à sa fille : « Contez peu ; narrez *d'une manière fine et serrée :* que ce que vous direz soit *neuf,* ou que le *tour* en soit *nouveau ».* C'est cette nouveauté qui paraissait du néologisme à quelques honnêtes contemporains, et qui faisait accuser Mᵐᵉ de Lambert de prétention.   SAINTE-BEUVE, Causeries du lundi, 9 juin 1851.

♦ **2.** (1800). Mod. Emploi d'un mot* ou d'une expression dont la forme est soit créée, soit obtenue par déformation, dérivation, composition, emprunt, etc. ⇒ **Néologie.** — Par ext. Emploi d'un mot ou d'une expression avec un sens nouveau. *Néologisme de sens. Le néologisme opposé à l'archaïsme* (cit.). *Le néologisme, facteur de l'évolution du langage.*

♦ **3.** ⓐ Mot nouveau, expression nouvelle (→ Autobus, cit. ; illustrateur, cit. ; locution, cit. 3). *La notion de néologisme est toujours relative.*

Par néologisme, il faut entendre aussi bien un sens nouveau donné à un mot ancien qu'un vocable introduit de toutes pièces.   Michel BRÉAL, Essai de sémantique, p. 270.

ⓑ Psychiatrie. Mot forgé ou pris dans un sens particulier par un malade mental, incompréhensible pour l'entourage.

CONTR. Archaïsme.
DÉR. Néologique.

NÉOLOGISTE [neolɔʒist] n. — 1823 ; de *néologie*, et *-iste*.

♦ Vx. Qui a recours au procédé de la néologie pour enrichir la langue.

NÉOLOGUE [neolɔg] n. — 1723 ; de *néo-*, et *-logue*. — REM. Ce mot semble être le premier de la série.

♦ **1.** Vx. Personne qui pratique la néologie, ou (péj.), le néologisme (1.).

C'est le tour affecté des phrases, c'est la jonction téméraire des mots, c'est la bizarrerie, la fadeur, la petitesse des figures qui caractérisent surtout le néologue.   DESFONTAINES, Observ. sur les écrits modernes, I, *in* BRUNOT, Hist. de la langue franç., t. VI, p. 1053.   [1]

♦ **2.** Mod. Personne qui forge, qui emploie des néologismes.

Les procédés auxquels les néologues se soumettent, consciemment ou non, pour dénommer les diverses manifestations du progrès technique relèvent de l'une ou l'autre des deux hypothèses suivantes : I. Élaborer une dénomination, à partir des ressources déjà disponibles dans la langue générale ou dans ses variétés (...). II. Emprunter une dénomination à un dialecte, à une langue étrangère ou ancienne (...)   B. QUEMADA, *in* Encycl. Pl., Hist. des techniques, p. 1161.   [2]

NÉOMALTHUSIANISME ou **NÉO-MALTHUSIANISME** [neomaltyzjanism] n. m. — 1907, *néo-malthusianisme ;* de *néo-*, et *malthusianisme*.

♦ Didact. Doctrine reprenant les thèses de Malthus en faveur d'un équilibre démographique fondé sur la restriction des naissances, mais s'en distinguant par le recours aux procédés modernes de contraception (⇒ **Antinatalisme**).

DÉR. Néo-malthusien.

NÉOMALTHUSIEN ou **NÉO-MALTHUSIEN, IENNE** [neomaltyzjɛ̃, jɛn] adj. et n. — 1963 ; de *néo-malthusianisme* et *malthusien*.

♦ Didact. Relatif au néo-malthusianisme. *Les théories néo-malthusiennes.* Partisan du néo-malthusianisme (⇒ **Antinataliste**).

NÉOMANIE [neomani] n. f. — 1957, Barthes ; de *néo-*, et *-manie*.

♦ Didact. Passion de la nouveauté (opposé à *néophobie*).

Un de ces objets descendus d'un autre univers, qui ont alimenté la néomanie du XVIIIᵉ siècle et celle de notre science-fiction   R. BARTHES, Mythologies, p. 151.

NÉOMÉNIE [neomeni] n. f. — 1495 ; lat. ecclés. *neomenia*, du grec *neomênía* « commencement d'un mois ou d'une lune », de *neos* « nouveau », et *mên* « mois ».

♦ Didact. (antiq.). Premier jour du mois (nouvelle lune), qui donnait souvent lieu à des fêtes et sacrifices chez les peuples de l'antiquité.

NÉOMYCINE [neomisin] n. f. — 1949 ; de *néo-*, et grec *mukos* (→ mycé-), et *-ine*.

♦ Méd. Antibiotique à large spectre d'action (comparable à celui de la streptomycine), administré par voie buccale et en applications locales (pommade, solution).

NÉON [neɔ̃] n. m. — 1898 ; du grec *neos* « nouveau », et suff. *-on* ; → Argon, krypton.

♦ **1.** Chim. et cour. L'un des gaz rares (poids at. : 20,2 ; n° at. : 10) qui se trouvent dans l'air* dans une très faible proportion (symb. : *Ne*). Soumis à basse pression à une décharge électrique, le néon émet une lumière d'un rouge intense. *Enseigne lumineuse au néon.* — Cour. *Barre, tube de néon.* — REM. Dans le lang. cour., *néon* s'applique abusivt à toute source d'éclairage par tubes fluorescents.

Les tubes de néon brillent à l'intérieur des vitrines, et c'est ça la pensée des hommes. Écoutez dans la nuit les bruits d'insectes des enseignes qui s'allument et s'éteignent. La ville est déserte et l'on n'entend que ces légers craquements des lettres géantes qui s'allument, s'éteignent, s'allument, s'éteignent. Les tubes de néon marquent au fer rouge les grandes paroles qui ne s'effaceront pas.   J.-M. G. LE CLÉZIO, les Géants, p. 204.   [1]

(...) les réclames au néon s'allumant et s'éteignant avec cette espèce de brutalité mécanique et monotone d'injonction, de leçon répétée pour des crétins.   Claude SIMON, le Palace, p. 42.   [2]

♦ **2.** Éclairage au néon, par tube fluorescent ; lumière des tubes fluorescents. *Il déteste le néon. Les néons de la publicité.*

(...) une vitrine de bijoux pleine de néons brutaux.   J.-M. G. LE CLÉZIO, la Fièvre, p. 97 (1965).   [3]

4   Le coucher de soleil a noyé dans l'ombre les allées du bois (...) bouché les espaces entre les buissons, sauf à l'est où brillent les néons jaunes du boulevard.
                        Conrad DETREZ, l'Herbe à brûler, p. 62.

NÉONATAL ou NÉO-NATAL, E, ALS [neonatal] adj. —
1954, *néo-natal* ; de *néo-*, et *natal*.

♦ Didact. Qui concerne les nouveau-nés. *Soins néo-natals. Médecine, hygiène néo-natale. Mortalité néo-natale,* qui intervient au cours des quatre premières semaines de la vie.
COMP. Néonatologie.

NÉONATOLOGIE [neonatɔlɔʒi] n. f. — 1970 ; de *néonat(al), -o-*
de liaison, et *-logie*.

♦ Didact. Ensemble des connaissances relatives au nouveau-né. — REM. La var. *néonatalogie* est «contraire aux habitudes de liaison» de ce type de composés (*Langage médical moderne*, 1974).

NÉONAZI ou NÉO-NAZI, IE [neonazi] adj. et n. — V. 1960 ;
de *néo-*, et *nazi*.

♦ Du néonazisme; favorable au néonazisme. *Des groupes néonazis.* ⇒ **Nazi.**
DÉR. Néonazisme.

NÉONAZISME ou NÉO-NAZISME [neonazism] n. m. —
1951, *in* D.D.L.; de *néo-nazi*.

♦ Mouvement ou tendance politique qui reprend une partie du programme du nazisme. ⇒ **Nazisme.** *Le néonazisme allemand, américain.*

NÉOPAGANISME ou NÉO-PAGANISME [neopaganism]
n. m. — 1924, *néo-paganisme* ; de *néo-*, et *paganisme*.

♦ Didact. Courant de pensée en faveur du retour du monde moderne à l'esprit du paganisme. *« Un néo-paganisme qui renoue avec le vieux rite cosmique de communication avec l'au-delà »* (*le Nouvel Obs.*, 31 oct. 1977, p. 55).

NÉOPALLIUM ou NÉO-PALLIUM [neopaljɔm] n. m. —
1928 ; angl. *neopallium*, G. E. Smith, 1901, de *neo-* «nouveau», et *pallium* «manteau cérébral», lat. *pallium* «manteau» (→ Pallium).

♦ Anat. Partie phylétiquement la plus récente du manteau cérébral, apparue d'abord chez les reptiles les plus évolués, et devenue, chez les mammifères, la plus importante partie du cerveau, comprenant l'ensemble des lobes frontaux, pariétaux, temporaux et occipitaux. ⇒ aussi **Néocortex.**

1   Il y a près de vingt ans, en effet, que M. Anthony consacre une partie de son activité à la morphologie comparative du cerveau (...) C'est la synthèse de ces études qu'il donne aujourd'hui (...) Cinq grands chapitres composent le volume. Leurs titres sont les suivants : l'encéphale envisagé dans son ensemble, le télencéphale envisagé dans son ensemble, le rhinencéphale, le néopallium, les noyaux gris centraux.   Revue générale des sciences, 15 avr. 1928, p. 216.
2   La structure fonctionnelle du cortex ou néopallium des Vertébrés est loin d'être définie dans son détail, il serait d'ailleurs de peu d'emploi ici de la reprendre à l'origine : le départ chez les Mammifères quadrupèdes déjà évolués suffit pour montrer la continuité entre les données neurologiques et ce que j'ai défini de l'évolution mécanique du dispositif crânien des Vertébrés.
         A. LEROI-GOURHAN, le Geste et la Parole, t. I, p. 115.

NÉOPERSE ou NÉO-PERSE [neopɛrs] n. m. — Mil. XXᵉ (*in* Larousse, 1963); de *néo-*, et *perse*, n. m.

♦ Ling. Persan moderne (langue).

NÉOPHOBE [neɔfɔb] adj. et n. — 1874, P. Larousse ; de *néo-*, et *-phobe*.

♦ Didact. Personne qui déteste la nouveauté.
DÉR. Néophobie.

NÉOPHOBIE [neɔfɔbi] n. f. — D. i. ; de *néophobe*.

♦ Didact. Haine de la nouveauté (opposé à *néomanie*).

NÉOPHYTE [neɔfit] n. — 1639 ; 1495, *néofite*, rare jusqu'au XVIIᵉ ; lat. ecclés. *neophytus* ; du grec *neophytos* «nouvellement planté», de *neos* et *phuein* «faire croître» → -phyte.

♦ **1.** Hist. relig. Nom donné dans l'Église primitive aux personnes nouvellement converties au christianisme. *Le catéchumène* devenait un néophyte après le baptême.* — Par ext. Personne récemment convertie et baptisée.

1   Les futurs néophytes que j'avais autour de moi n'étaient pas propres à soutenir

mon courage par leur exemple, et je ne pus me dissimuler que la sainte œuvre que j'allais faire n'était au fond que l'action d'un bandit.
               ROUSSEAU, les Confessions, II.

Le nouveau chrétien marchait alors à l'autel pour y recevoir le pain des anges (...) À la vue de l'autel couvert de vases d'or, de flambeaux, de fleurs, d'étoffes de soie, le néophyte s'écriait avec le Prophète : *Vous avez préparé une table devant moi; c'est le Seigneur qui me nourrit, rien ne me manquera, il m'a établi dans un lieu abondant en pâturage.*
       CHATEAUBRIAND, le Génie du christianisme, I, I, VI.

♦ **2.** (1759). Cour. Personne qui a récemment adopté une doctrine, un système..., ou qui vient d'entrer dans un parti, une association... ⇒ **Adepte.** *L'ardeur, la ferveur, le zèle d'un néophyte.* ⇒ **Converti** (nouveau), **novice, prosélyte.**

Je lisais et je relisais vos pages, les résumant, les commentant et m'appliquant, avec l'ardeur d'un néophyte, à m'en assimiler tout le suc.
        Paul BOURGET, le Disciple, IV, II.

Avec moi, il a compris que ce qui pouvait me séduire dans la Maçonnerie, ce n'était pas seulement l'espérance d'avoir une fiche favorable à l'Inspection Primaire et d'avancer au choix... Note que je le crois très capable de ne pas décourager les néophytes qui se présenteraient avec cet état d'esprit.
      J. ROMAINS, les Hommes de bonne volonté, t. IV, X, p. 111.
Adj. *Un zèle néophyte.*

NÉOPLASIE [neoplazi] n. f. — 1855 ; de *néo-*, et grec *plasis* ; suff. *-ie*.

♦ Vieilli. ⇒ **Néoplasme.**

NÉOPLASIQUE [neoplazik] adj. — 1866 ; de *néoplasie*.

♦ Méd. Qui concerne un néoplasme. *Affection néoplasique.*

(...) on n'a pas réussi à distinguer qualitativement la cellule cancéreuse de la cellule normale. La cellule néoplasique ne porte pas une étiquette permettant de la reconnaître au premier abord. De même, sur le plan de la respiration et du métabolisme glucidique, la cellule normale en culture et la cellule néoplasique se comportent de façon analogue.
     Jean VERNE et Simone HÉBERT, la Culture de tissus, p. 109.
Il nous a été donné récemment de suivre pendant un temps assez long un malade porteur d'une lésion néoplasique interpédonculaire chez lequel une série de symptômes ont attiré notre attention en raison de leur intérêt physiologique.
     B. CENDRARS, Moravagine, *in* Œ. compl., t. IV, p. 255.

NÉOPLASME [neoplasm] n. m. — 1863 ; de *néo-*, et *-plasme*.

♦ Méd. Prolifération pathologique de cellules, de tissus se présentant généralement sous la forme d'une tumeur (bénigne ou maligne). ⇒ **Néoformation.** — Spécialt. Prolifération de tissu cancéreux, tumeur cancéreuse.

NÉOPLASTICIEN ou NÉO-PLASTICIEN, IENNE [neo
plastisjɛ̃, jɛn] n. — 1970 ; de *néo-plasticisme*, et *plasticien*.

♦ Arts. Tenant du néo-plasticisme.

NÉOPLASTICISME ou NÉO-PLASTICISME [neoplasti
sism] n. m. — 1963 ; de *néo-*, *plastique*, et *-isme*.

♦ Arts. Abstraction géométrique.
DÉR. Néo-plasticien.

NÉOPLASTIE [neoplasti] n. f. — 1855, Nysten, «restauration des parties par granulations, adhérences ou autoplastie» (→ Néoplasie); de *néo-*, et *plastie*.

♦ Didact. (Chir.). Restauration d'un tissu par autoplastie. ⇒ **Autogreffe.**
DÉR. Néoplastique.

NÉOPLASTIQUE [neoplastik] adj. — 1865 ; de *néoplastie*.

♦ Didact. Qui concerne la néoplastie. *Procédé néoplastique de réparation d'un tissu.*

NÉOPLATONICIEN ou NÉO-PLATONICIEN, IENNE [neoplatɔnisjɛ̃, jɛn] n. et adj. — 1827, *néo-platonicien* ; de *néo-*, et *platonicien*.

♦ Partisan du néo-platonisme. *Les Néoplatoniciens et les Stoïciens.* — Adj. Relatif au néoplatonisme. *Doctrine, école néoplatonicienne.*

L'image d'un univers néoplatonicien, gouverné de façon à la fois fictive et réelle, de très haut, par des entités simultanément formes et puissances semble (*plus*) juste. Autonomisation, constitution en choses mentales et sociales, institutionnalisation en tant que telles des capacités et activités déterminées de leurs fins propres, cette convergence aboutit à la formation d'un tel monde.
     Henri LEFEBVRE, la Vie quotidienne dans le monde moderne, p. 314.

NÉOPLATONISME ou NÉO-PLATONISME [neoplatɔnism] n. m. — 1836, *néo-platonisme* ; de *néo-*, et *platonisme*.
Didactique.

♦ **1.** Doctrine inspirée de la philosophie de Platon, qui prit naissance et se développa à Alexandrie vers le IIIe siècle de notre ère. *Plotin fut le principal représentant du néoplatonisme.* ⇒ **Néo-platonicien.**

♦ **2.** Mouvement littéraire artistique ou philosophique inspiré du platonisme. *Néoplatonisme de certains écrivains et artistes de la Renaissance italienne.*

NÉOPOSITIVISME ou NÉO-POSITIVISME [neopozitivism] n. m. — Déc. 1908, *néo-positivisme*, F. Rauh, in *Larousse Mensuel*; de *néo-*, et *positivisme*.

♦ Didact. École de philosophie des sciences qui ne reconnaît de sens qu'aux problèmes susceptibles d'être traités par une logique axiomatique; philosophie analytique et logique.

Le néo-positivisme contemporain, issu du cercle de Vienne (avec ses deux sources particulières, le phénoménisme sensoriel de Mach et le logicisme...) et généralisé dans les pays anglo-saxons sous le nom d'empirisme ou de positivisme logique, marque un progrès évident sur l'épistémologie d'Auguste Comte : deux sources distinctes (...) de connaissances sont maintenant dissociées, la source expérimentale (...) et la source logico-mathématique, relevant (dans l'esprit de cette doctrine) d'une syntaxe et d'une sémantique communes à toutes les langues (...)
J. PIAGET, *in* Logique et Connaissance scientifique, Encycl. Pl., p. 48.

NÉOPOSITIVISTE ou NÉO-POSITIVISTE [neopozitivist] adj. et n. — 1908, *néo-positiviste*, Lévy-Bruhl, in *Larousse Mensuel*; de *néo-*, et *positiviste*.

♦ Didact. Du néo-positivisme. — N. *Les néopositivistes.*

NÉOPRÈNE [neopRɛn] n. m. — 1959; mot américain (1932); nom déposé; de *néo-*, et suff. chimique *-prène*, de *pr(opyle)*, et *-ène*.

♦ Techn. Caoutchouc synthétique, chloroprène (dérivé de l'acétylène) polymérisé.

Les chimistes industriels américains (...) obtinrent ainsi *(par polymérisation du chloroprène)* les Néoprènes, caoutchoucs incombustibles et particulièrement résistants aux agents physiques et chimiques.
Jean VÈNE, Caoutchoucs et Textiles synthétiques, p. 17.

NÉOPROVENÇAL ou NÉO-PROVENÇAL, ALE, AUX [neopRɔvãsal, o] adj. — Fin XIXe, *néo-provençal*, Daudet; de *néo-*, et *provençal*.

♦ Ling. (Rare). Relatif au provençal moderne, aux félibres et au félibrige.

NÉOPYTHAGORICIEN ou NÉO-PYTHAGORICIEN, IENNE [neopitagɔRisjɛ̃, jɛn] adj. et n. — 1874, Larousse, *néo-pythagorique*, chez Renan; de *néo-*, et *pythagoricien*.

♦ Didact. Relatif aux adeptes du néopythagorisme.

NÉOPYTHAGORISME ou NÉO-PYTHAGORISME [neopitagɔRism] n. m. — 1874, *néo-pythagorisme*, Larousse; de *néo-*, et *pythagorisme*.

♦ Hist. de la philos. Mouvement philosophique romain (Ier et IIe siècles), issu de courants pythagoriciens.

NÉORÉALISME ou NÉO-RÉALISME [neorealism] n. m. — 1891, *néo-réalisme*; de *néo-*, et *réalisme*, en parlant de la littérature.

♦ **1.** Théorie artistique ou littéraire renouvelée du réalisme. — Spécialt. École cinématographique italienne caractérisée par le réalisme, la vérité des situations et des décors, les préoccupations sociales. — REM. L'emploi de ce terme dans le domaine cinématographique remonte au moins à 1939.

Ce danger guette le néo-réalisme du cinéma français qui, par ses sujets troubles, ses recherches morbides ne fait guère qu'imiter le cinéma de l'Allemagne préhitlérienne. R. VINCENT, Cahiers de combat, n° 5, p. 27.

Sa spécialisation (école néoréaliste italienne) date de 1942.

♦ **2.** (1931). Hist. de la philos. Réalisme moderne, dont l'affirmation principale est que l'objet de connaissance peut être appréhendé (c'est-à-dire que l'intervention du sujet ne l'altère pas au point de rendre sa connaissance incertaine).

NÉORÉALISTE ou NÉO-RÉALISTE [neorealist] adj. et n. — 1891, *néo-réaliste*; de *néo-*, et *réaliste*.

♦ Qui est relatif au néoréalisme*, qui suit les principes du néoréalisme. *Un film néoréaliste.* — N. *Les néoréalistes* : les partisans du néo-réalisme (en littérature, en peinture, en philosophie).

NÉOROMANTIQUE ou NÉO-ROMANTIQUE [neoRɔmãtik] n. et adj. — 1924, *néo-romantique*; de *néo-*, et *romantique*.

♦ Didact. Qui se réclame du néoromantisme. Partisan d'un néoromantisme.

NÉOROMANTISME ou NÉO-ROMANTISME [neoRɔmãtism] n. m. — 1910, *néoromantisme*; *néo-romantisme*, 1912, in D.D.L.; de *néo-*, et *romantisme*.

♦ Didact. Tendance artistique et littéraire moderne s'inspirant des thèmes philosophiques et artistiques du romantisme.

NÉOSTIGMINE [neostigmin] n. f. — XXe (*in* Larousse, 1963); de *néo-*, et *-stigmine*, élément caractérisant des médicaments qui inhibent l'action de la cholinestérase et des autres estérases qui scindent l'acétylcholine en ses constituants inactifs.

♦ Méd. Médicament stimulant du système parasympathique, employé comme antidote du curare et pour combattre la myasthénie et diverses atonies post-opératoires. *La néostigmine, alcaloïde synthétique proche de l'ésérine*.*

NÉOTÉNIE [neoteni] n. f. — V. 1900 (1903, *Rev. gén. des sc.*, n° 22, p. 1129); mot all.; de *néo-*, et rad. grec *ten*, de *teinein* «étendre, prolonger».

♦ Didact. (Biol.). Retard du développement somatique sur le développement germinal, chez une espèce (reproduction par des individus larvaires).

(...) raisonnement (...) qui infirme toute thèse de passage de l'homme à une nouvelle espèce par un nouveau phénomène de néoténie (...)
R. QUENEAU, Bâtons, chiffres et lettres, p. 148.

Par ext. Retard du développement.

La biologie attribue aujourd'hui des noms savants à ces lois dialectiques de la néoténie qui rendent compte du fait bien connu que l'enfant d'homme paraît longtemps «en retard» sur le jeune animal, notamment le jeune singe.
Raymond ABELLIO, Ma dernière mémoire, t. I, p. 154.

DÉR. Néoténique.

NÉOTÉNIQUE [neotenik] adj. — 1922, Larousse; de *néoténie*.

♦ Didact. (Biol.). Qui concerne la néoténie; caractérisé par la néoténie.

L'évolution des espèces animales, toute mystérieuse qu'elle demeure encore, il est difficile de penser que son unique moteur soit la néoténie. Et pourtant, on dirait que l'homme craigne de se voir remplacé par ses formes juvéniles, qu'il redoute une nouvelle phase d'origine néoténique, qu'il souhaite que l'homme jeune ne s'impose et ne se reproduise que lorsqu'il est devenu vieux.
R. QUENEAU, Bâtons, chiffres et lettres, p. 148.

NÉOTHOMISME ou NÉO-THOMISME [neotɔmism] n. m. — V. 1902, *néo-thomisme*; de *néo-*, et *thomisme*.

♦ Relig. Thomisme* moderne, qui s'est manifesté surtout depuis l'Encyclique *Æterni patris* (1879) où Léon XIII recommandait d'incorporer à la philosophie de saint Thomas les acquisitions de la science contemporaine.

DÉR. Néothomiste.

NÉOTHOMISTE ou NÉO-THOMISTE [neotɔmist] adj. et n. — Mil. XXe, *néo-thomiste*; de *néo-thomisme*.

♦ Relig. Relatif au néo-thomisme. Adepte du néo-thomisme. (Syn. : *néo-scolastique*).

NÉOTTIE [neoti] n. f. — 1839, Boiste, *Nomenclature d'Histoire naturelle*; du grec *neotteia* «nid d'oiseau».

♦ Plante monocotylédone sans chlorophylle *(Orchidées ou Orchidacées)*, saprophyte qui croît dans l'humus des hêtraies.

NÉOVITALISME ou NÉO-VITALISME [neovitalism] n. m. — 1903, *néo-vitalisme*, Larousse; de *néo-*, et *vitalisme*.

♦ Didact. Forme prise par le vitalisme* au XXe siècle.

NÉOZÉLANDAIS ou NÉO-ZÉLANDAIS, AISE [neozelãdɛ, ɛz] adj. et n. — 1854, *néo-zélandais* «maori»; de *néo-*, et *zélandais* d'après l'angl.; on a dit *nouveau-zélandais* (1801, in D.D.L.).

♦ De Nouvelle-Zélande. *Population néozélandaise, néo-zélandaise.* — N. *Les Néo-zélandais.* — REM. Les variantes *zélandais* (1844) et *nouveau-zélandais* (→ ci-dessus étym.) sont inusitées.

NÉOZOÏQUE [neozɔik] adj. — 1868, Littré ; de *néo-*, et *-zoïque*.

◆ Géol. *Ère néozoïque* : ère tertiaire* (dénomination qui met l'accent sur le renouvellement de la flore et de la faune à cette époque).

NÉPALAIS, AISE [nepalɛ, ɛz] adj. et n. — 1874 ; *Népalien* « habitant du Népal », 1801 (*in* D.D.L.) ; de *Népal*, pays d'Asie situé au Nord de l'Inde.

◆ Du Népal. *La flore et la faune népalaises.* — N. Habitant du Népal, personne qui en est originaire.

N. m. Langue indo-européenne, appartenant au groupe central des langues indiennes (comme le hindi), principale langue du « groupe montagnard » *(pahari)*, parlée surtout au Népal.

NÈPE [nɛp] n. f. — 1762 ; lat. *nepa* « scorpion ».

◆ Insecte hémiptère, rhynchote des eaux stagnantes *(Népidés)* dont une espèce, la *nèpe cendrée*, est commune en France. ⇒ **Punaise** (d'eau), **scorpion** (d'eau).

NÉPENTHÈS [nepɛtɛs] n. m. — XVIᵉ, *nepenthe*, Wartburg ; grec *nêpenthês* « qui dissipe la douleur », de *nê-* préf. négatif, et *penthos* « douleur ».

Didactique.

◆ **1.** (Chez les Grecs, et spécialt chez Homère, *Odyssée*, IV). Breuvage magique, remède qui dissipe la tristesse, la colère. — Plante dont les Anciens tiraient cette drogue. — Par métaphore. Ce qui fait oublier, ce qui dissipe la tristesse.

1 Ensuite, avec le vin, il versait aux héros
Le puissant népenthès, oubli de tous les maux (...)
André CHÉNIER, Bucoliques, IV.

◆ **2.** (1799, *népente*). Bot. Genre de plantes dicotylédones carnivores *(Népenthacées)* qui croissent en Malaisie et à Madagascar et dont les feuilles en vrilles se terminent par une urne à couvercle. *Genre Népenthès.* — *Un népenthès* : une plante appartenant à ce genre.

2 Des bulbes charnels et poussifs côtoyaient des cernes de népenthès, bondés d'insectes engloutis. P. GRAINVILLE, les Flamboyants, p. 42.

NEPER [nepɛʀ] n. m. — 1903 ; du n. du mathématicien *Neper*.

◆ Math. Unité d'expression du rapport de deux puissances, représentée par le demi logarithme népérien de leur rapport.

NÉPÉRIEN [nepeʀjɛ̃] adj. m. — 1846 ; de *Neper*, n. propre.

◆ Math. *Logarithme népérien* : logarithme* ayant pour base le nombre de Néper, *e* (symb. *Log* ou *ln*), par oppos. au *logarithme décimal*. Syn. : *logarithme naturel.* — *Antilogarithme népérien* : fonction réciproque du logarithme népérien.

NÉPÈTE [nepɛt] n. f. — 1827 ; *népéta*, 1694 ; lat. *nepeta*.

◆ Bot. Genre de plantes dicotylédones à odeur forte *(Labiées)* qui comprend de nombreuses espèces, dont la cataire*. *Genre Népète ; les Népètes.* — *Une népète* : une plante qui appartient à ce genre.

NÉPHÉL-, NÉPHÉLÉ-, NÉPHÉLO- Élément de mots savants, du grec *nephelê* « nuage ».

NÉPHÉLECTOMÈTRE [nefelɛktɔmɛtʀ] n. m. — 1930 ; de *néphél-, ecto-*, du grec *ektos* « en dehors », et *-mètre*.

◆ Didact. Appareil mesurant le degré de transparence d'une solution colloïdale.

NÉPHÉLÉMÉTRIE [nefelemetʀi] n. f. — 1933, Larousse, cf. néphélectomètre, 1930 ; de *néphélé-*, et *-métrie*.

◆ Didact. Mesure de la concentration d'une émulsion d'après sa transparence.

NÉPHÉLION [nefeljɔ̃] n. m. — 1765, *Encyclopédie* ; grec *nephelion* « petit nuage », de *nephelê* → Néphél-.

◆ Méd. « Tache transparente de la cornée n'interceptant pas complètement la lumière » (Garnier). ⇒ **Taie.**

NÉPHÉLOMÈTRE [nefelɔmɛtʀ] n. m. — 1930 ; de *néphélo-*, et *-mètre*.

◆ Didact. Photomètre pour la mesure de la diffusion de la lumière dans une solution trouble (donnant une mesure de la turbidité).

NÉPHR-, NÉPHRO- Élément, du grec *nephros* « rein ».

NÉPHRALGIE [nefʀalʒi] n. f. — 1772 ; de *néphr-*, et *-algie*.

◆ Méd. Vx. Douleur rénale.

NÉPHRECTOMIE [nefʀɛktɔmi] n. f. — 1888 ; cf. *néphrotomie* « opération de la pierre », 1753 ; de *néphr-*, et *-ectomie*.

◆ Méd. Ablation chirurgicale d'un rein.
DÉR. **Néphrectomiser.**

NÉPHRECTOMISER [nefʀɛktɔmize] v. tr. — Mil. XXᵉ ; de *néphrectomie*.

◆ Méd. Enlever le rein de (qqn ; un animal). — Au p. p. *Malade néphrectomisé*, et, n., *un néphrectomisé, une néphrectomisée*.

NÉPHRÉTIQUE [nefʀetik] adj. — 1398, *néfrétique* ; lat. méd. *nephrecticus*, du grec *nephritikos* « qui souffre des reins » de *nephros* « rein » ; → Néphritique.

◆ **1.** Relatif aux reins* malades, qui affecte les reins. ⇒ **Rénal.** *Colique* *néphrétique* : douleur aiguë provoquée par un spasme des uretères, souvent dû au passage d'un calcul. *Douleurs néphrétiques.*

Il trouva Joseph Quesnel alité, se tordant de douleur. Coliques néphrétiques. Le médecin disait à voix basse que ce sont les souffrances les plus grandes que l'être humain connaisse. Joseph criait, gémissait, se roulait dans les draps.
ARAGON, les Beaux Quartiers, III, VII.

Remède néphrétique, et, n. m., *un néphrétique*, propre à calmer ces douleurs. — N. Malade affligé de coliques néphrétiques. *Un, une néphrétique.*
N. f. Vx. Colique néphrétique. « *Un accès de néphrétique* » (Racine).

◆ **2.** Anciennt. *Pierre néphrétique*, ou, n. f., *néphrétique* : sorte de jade (cit. 1) oriental qui servait d'amulette contre la colique néphrétique. ⇒ 2. **Néphrite.**

NÉPHRIDIE [nefʀidi] n. f. — 1924, Poiré mais antérieur ; cf. *néphridien*, 1905, in *Rev. gén. des sc.* nº 5, p. 231 ; du grec *nephridios* « qui concerne le rein » de *nephros* « rein ».

◆ Zool. Organe excréteur de certains animaux (brachiopodes, rotifères, vers...).

1. NÉPHRITE [nefʀit] n. f. — 1802 ; *néphrésie*, 1557 ; grec *nephritis (nosos)* « (maladie) des reins », de *nephros* « rein ».

◆ Maladie inflammatoire et douloureuse du rein. *Néphrite aiguë. Néphrite chronique* ou (vx) *mal de Bright* ou *brightisme*. — REM. « Quelques auteurs... réservent ce nom aux seules affections comportant une insuffisance rénale » (Garnier).

La scarlatine me quittait à peine qu'une néphrite lui succédait et les grands médecins accourus à mon chevet me déclarèrent perdu.
R. GARY, la Promesse de l'aube, p. 119.
DÉR. **Néphritique.**

2. NÉPHRITE [nefʀit] n. f. — 1798 ; du grec *nephritis* « des reins », de *nephros* « rein ».

◆ Minér. Jade d'une variété orientale qui passait pour guérir les reins. ⇒ **Néphrétique** (pierre). — Par anal. Variété minérale du genre amphibole*.

NÉPHRITIQUE [nefʀitik] adj. — 1620 ; grec *nephretikos*, de *nephros* « rein » ; → Néphrétique.

Médecine.

◆ **1.** ⇒ **Néphrétique.**

◆ **2.** (De 1. *néphrite*). De la néphrite, qui a rapport à la néphrite. — Qui souffre de néphrite. — N. *Un, une néphritique* : une personne qui souffre de néphrite.

NÉPHRO- ⇒ **Néphr-.**

NÉPHROCÈLE [nefʀɔsɛl] n. f. — 1842, Barré ; du grec *nephros* « rein », et *kêlê* « tumeur ».

◆ Méd. Hernie du rein.

NÉPHROGRAPHIE [nefʀɔgʀafi] n. f. — 1843, « étude des reins » ; sens mod. 1953 ; de *néphro-*, et *-graphie*.

◆ Méd. Radiographie du rein, pratiquée après l'injection d'une subs-

tance opaque aux rayons X dans les voies urinaires ou dans les artères du rein (⇒ **Artériographie**).

NÉPHROÏDE [nefʀɔid] adj. et n. f. — 1846, Bescherelle; de
néphr-, et *-oïde*.
Didactique.

◆ **1.** Adj. (vx). En forme de rein (humain), réniforme*.

◆ **2.** N. f. (xxᵉ). Math. Épicycloïde* à deux points de rebroussement
engendrée par un cercle roulant extérieurement sans glisser sur un
cercle de rayon double, et dont la forme évoque celle d'un rein.

NÉPHROLITHE [nefʀɔlit] n. m. — 1868; de *nephro-*, et *-lithe*.

◆ Méd. Calcul rénal. ⇒ **Calcul.**

NÉPHROLOGIE [nefʀɔlɔʒi] n. f. — 1803, Boiste; de *néphro-*,
et *-logie*.

◆ Méd. Étude de la physiologie et de la pathologie du rein. *Néphrologie et urologie*.*
DÉR. Néphrologique, néphrologue.

NÉPHROLOGIQUE [nefʀɔlɔʒik] adj. — 1837, *Dict. des dict.*;
de *néphrologie*.

◆ Méd. De la néphrologie.

NÉPHROLOGUE [nefʀɔlɔg] n. — Fin xixᵉ; *nephrologiste*, 1839;
de *néphrologie*.

◆ Méd. Spécialiste du rein. *Un, une néphrologue.*

NÉPHRON [nefʀɔ̃] n. m. — 1963; du grec *nephros*.

◆ Didact. (physiol., anat.). Chacun des éléments constitutifs du rein,
formé par un *glomérule*, un *tube contourné*, un *tube droit* (tube de
Bellini) et une *anse de Henle. Un rein humain comprend environ
1 million de néphrons.*

NÉPHROPATHIE [nefʀɔpati] n. f. — 1895; de *néphro-*, et *-pathie*.

◆ Didact. Affection du rein, en général. Spécialt. Atteinte diffuse
du parenchyme rénal. — *Néphropathie gravidique :* maladie rénale
des femmes enceintes.

NÉPHROPEXIE [nefʀɔpɛksi] n. f. — 1932; de *néphro-*, et grec
pêxis «fixation».

◆ Chir. Remise en place et fixation d'un rein ptosé, mobile.

NÉPHROSE [nefʀoz] n. f. — 1953 (en all., 1905); de *néphr-*, et *-ose*.

◆ Méd. Affection chronique et dégénérative du rein. *Néphrose
lipoïdique.*
DÉR. Néphrotique.

NÉPHROSTOMIE [nefʀɔstɔmi] n. f. — 1932; de *néphro-*, et
-stome (→ Stoma). Cf. *néphrostome*, 1897 in *l'Année biologique*.

◆ Méd. Intervention chirurgicale établissant une dérivation (en
général temporaire) de l'excrétion urinaire, du rein à la peau.
⇒ **Drain.**
DÉR. Néphrostomiser.

NÉPHROSTOMISER [nefʀɔstɔmize] v. tr. — Mil. xxᵉ; de
néphrostomie.

◆ Méd. Pratiquer une néphrostomie sur (qqn).

NÉPHROTIQUE [nefʀɔtik] adj. — 1963; de *néphrose*.

◆ Méd. Qui concerne la néphrose. Atteint de néphrose.

NÉPHROTOME [nefʀɔtom; nefʀɔtɔm] n. m. — 1837, nom d'un
insecte, *Dict. des dict.*; de *néphro-*, et *-tome*.

◆ Embryol. Portion moyenne des cavités cœlomiques de l'embryon,
à partir de laquelle se développe l'appareil rénal des vertébrés.

NÉPHROTOMIE [nefʀɔtɔmi] n. f. — 1753; de *néphro-*, et *-tomie*.

◆ Chir. Ⓐ Vx. Incision du rein, pour extraire un calcul.
Ⓑ (1871, *Année sc. et industr.* 1872, p. 371). Néphrostomie.

NÉPOTISME [nepɔtism] n. m. — 1653; ital. *nepotismo*, de *nepote*
«neveu», du lat. *nepos, otis.*

◆ **1.** Hist. relig. Faveur et autorité excessive accordée par certains
papes à leurs neveux, leurs parents, dans l'administration de
l'Église. *Le népotisme sévissait à Rome à l'époque des Borgia.*

◆ **2.** (1800). Littér. Abus qu'une personne en place fait de son crédit, de son influence pour procurer des avantages, des emplois aux
membres de sa famille, à ses amis, aux personnes de son parti, de
son milieu. ⇒ **Favoritisme** (→ Fonctionnarisme, cit. 2). *Honteux,
scandaleux népotisme.*

Cette tyrannie invisible, insaisissable, a pour auxiliaire des raisons puissantes : le
désir d'être au milieu de sa famille, de surveiller ses propriétés, l'appui mutuel
qu'on se prête, les garanties que trouve l'administration en voyant son agent sous
les yeux de ses concitoyens et de ses proches. Aussi le népotisme est-il pratiqué
dans la sphère élevée du département, comme dans la petite ville de province.
BALZAC, les Paysans, Pl., t. VIII, p. 151.

NEPTUNIEN, IENNE [nɛptynjɛ̃, jɛn] n. et adj. — 1801; de *Neptune*, dieu de la mer.

◆ Hist. des sc. Partisan du neptunisme. ⇒ **Neptuniste.** — Adj. (1830).
Système neptunien. ⇒ **Neptunisme.** *École neptunienne.*

Pour lui (Werner), la Terre était à sa création couverte d'un océan universel, dans
lequel des précipités chimiques ont formé les roches les plus anciennes, notamment le basalte (...) L'école de Werner, appelée neptunienne, a surtout le mérite
d'avoir attiré l'attention sur la science qu'on appelait encore en France géognosie
ou géographie physique (...)
A. BIREMBAUT, in Encycl. Pl., Hist. des sciences, p. 1116.

Géol. (En parlant de roches ou de terrains formés par l'action des
eaux). *Terrains neptuniens.*

CONTR. Plutonisme.
DÉR. Neptunisme, neptuniste.

NEPTUNISME [nɛptynism] n. m. — 1831, Wartburg; de *neptunien*.

◆ Géol. Théorie du géologue allemand Werner (1750-1817) qui
attribuait à l'action de l'eau la formation des roches de la croûte
terrestre.

NEPTUNISTE [nɛptynist] n. — 1804, Wartburg; de *neptunien*.

◆ Géol. Partisan du neptunisme.

NEPTUNIUM [nɛptynjɔm] n. m. — 1940; de *Neptune*, nom d'une
planète.

◆ Chim. Élément chimique (symb. : *Np*, n° at. : 93) obtenu artificiellement à partir de l'uranium*.

NÉRÉ [neʀe] n. m. — D. i.; mot mandingue.
Français d'Afrique.

◆ **1.** Arbre *(Parkia biglobosia; Mimosacées)* dont le fruit farineux
est utilisé comme condiment, en Afrique noire. *L'écorce de néré
contient une huile siccative. Des nérés.*

Il choisissait un arbre, un kapokier ou un néré, dont l'ombre lui paraissait suffisamment dense, et nous nous asseyions.
CAMARA LAYE, l'Enfant noir, in Pages africaines, t. I.

◆ **2.** Fruit du néré. *Moutarde de néré.* ⇒ **Soumbala.**

NÉRÉIDE [neʀeid] n. f. — 1488; lat. *nereis, idis*, mot grec, de
Nereus «Nérée» nom du fils de Poséidon.

◆ **1.** Myth. grecque. Nymphe* de la mer. *Les Néréides, au nombre
de cinquante, étaient filles de Nérée et de Doris; les plus célèbres
d'entre elles furent Amphitrite, épouse de Poséidon, Galatée, qui
fut aimée du cyclope Polyphème, et Thétis, mère d'Achille; elles
étaient souvent représentées en compagnie de tritons, montées sur
des dauphins.*

Si tu fusses tombée en ces gouffres liquides,
La troupe aux cheveux noirs des fraîches Néréides
À ton secours sans doute aurait eu de l'effroi,
Mais pour te secourir n'eût point volé vers toi.
André CHÉNIER, Bucoliques, XXI, III.

◆ **2.** (1803). Zool. Ver marin annélide *(Polychètes)*, des fonds
vaseux, type du genre néréide. *Les néréides sont utilisées comme
appât pour la pêche en mer.*

NERF [nɛʀ] (selon Académie, 8ᵉ éd., «l'*F* se prononce devant une
voyelle et quelquefois quand il termine une phrase»; mais cet usage
vieillit, sauf régionalement (Sud de la France) et au sens I, 2) n. m. —
1080, *la Chanson de Roland*; du lat. *nervus* «ligament, tendon».

Il y a trois sortes de nerfs, parlant généralement : les uns qui sont des ligaments
pour lier les os; et ceux-là sont insensibles. Les seconds sont les *tendons*, qui viennent d'une production des fibres du muscle, qui aboutissent à une espèce de corde
pour faire mouvoir toutes les parties du corps. Ils ont un peu de sensibilité. Et les

troisièmes viennent du cerveau et de l'épine, et sont appelés, par Galien, *instruments du sentiment et du mouvement volontaire*.
FURETIÈRE, Dict. (1690), art. *Nerf*.

★ **I.** ♦ **1.** Vx. Ligament, tendon des muscles* (confondu, dans le langage courant, avec le nerf au sens II, et considéré à tort comme actionnant les muscles). ⇒ **Muscle, tendon.** *Les nerfs du jarret* (→ Énervation ; «Les Énervés* de Jumièges»). *Le lion* (cit. 2) *est tout nerf et muscle. Un petit vieux sec, tout en nerfs* (→ Alerte, cit. 7). *Une viande pleine de nerfs* (⇒ Nerveux, I.). *« Quand l'âge* (cit. 45) *dans mes nerfs a fait couler sa glace... »* (Corneille). *Foulure, effort d'un nerf.*

Spécialt. (1278). *Nerf de bœuf* : cravache, matraque faite d'une verge de bœuf ou de taureau étirée et durcie par dessication. *Battre qqn à coups de nerf de bœuf* (cit. 8).

1.1 La police à cheval alors charge au triple galop, dégage l'abord, la perspective... fouaille les pillards au nerf de bœuf... CÉLINE, Guignol's band, p. 48.

♦ **2.** (1559). Fig. (toujours au sing. ; sens repris du latin). Ce qui fait la force* active, la vigueur physique d'une personne, d'un animal. ⇒ **Vigueur.** *Avoir du nerf. Un coureur, un cheval qui a du nerf.* ⇒ **Nerveux** (I., 2.). *Priver de nerf.* ⇒ **Énerver** (vx) ; **énervant.** *Un homme sans nerf et sans courage* (→ Loyer, cit. 9). Fam. *Allons du nerf, un peu de nerf, frappez plus fort !*

2 Les plaisanteries s'accentuaient : le café, ça donnait du nerf, c'était excellent pour les hommes qui dormaient trop (...) ZOLA, la Terre, II, VII.

2.1 Non, à gauche ! À gauche ! Creuse plus fort ! — Allez, du nerf !
J.-M. G. LE CLÉZIO, la Fièvre, p. 171.

Par anal. (En parlant des ouvrages de l'esprit, des œuvres d'art). Vigueur, force (du style). *Un style qui a du nerf, qui manque de nerf. Pinceau, touche, composition qui manque de nerf,* qui est mou, languissant.

3 (...) un article mal écrit, mais plein de nerf, dans lequel il déclare qu'il faut en finir avec l'idée de liberté, idée bourgeoise, paralysante et contre-révolutionnaire.
G. DUHAMEL, Salavin, V, IX.

(Choses qui fonctionnent). *Le moteur manque de nerf. Ce métal a du nerf.*

Ce qui donne de l'efficacité. — Loc. prov. *L'argent* (cit. 52 et 53) *est le nerf de la guerre.* (On dit absolt. *le nerf de la guerre* pour *l'argent*).

4 Vous me représentez le bâtiment de Monsieur de Carcassonne comme un vrai corps sans âme, manquant d'esprits, et surtout du nerf de la guerre.
Mme DE SÉVIGNÉ, 1077, 26 oct. 1688.

5 (...) le serment (...) fut toujours le nerf de leur discipline militaire.
MONTESQUIEU, Grandeur et décadence des Romains, I.

♦ **3.** Par anal. (de forme). Reliure. Cordelette au dos d'un livre relié, à laquelle est cousu un cahier, et qui forme une nervure apparente. *Dos à quatre, à cinq nerfs. Faux nerf ou nerf postiche* : façon donnée au dos d'un livre et imitant le nerf. — Archit. *Nerf d'ogive.* ⇒ **Nervure.**

★ **II.** ♦ **1.** (1314). Chacun des filaments qui mettent les diverses parties du corps en communication avec le cerveau et la moelle épinière (centres nerveux*). *Le nerf est constitué par les prolongements des cellules nerveuses (axones*) groupées en faisceaux dans un tissu conjonctif et entourées d'une membrane* (⇒ **Névrilème**). *L'élément du nerf est la fibre nerveuse, cylindraxe du neurone* *dont le corps cellulaire est dans les centres nerveux* (fibre motrice) *ou hors des centres nerveux* (fibre sensitive). *Nerfs moteurs ou centrifuges* (efférents), *qui transmettent les indications motrices et sécrétoires à la périphérie. Nerfs sensitifs ou centripètes* (afférents), *qui transmettent aux centres nerveux les stimuli concernant la sensibilité générale* (→ Curare, cit.). *Nerfs sensoriels,* qui conduisent les impulsions reçues par les organes des sens vers leurs centres nerveux. *Nerfs mixtes,* à la fois moteurs et sensitifs, possédant des fibres des deux sortes. *Racines* postérieures et antérieures d'un nerf. Tronc* d'un nerf. Divisions du nerf.* ⇒ **Branche, faisceau, filet, rameau, ramification.** *Trajet d'un nerf, distribution des nerfs* (⇒ **Innervation**), *enchevêtrement de nerfs* (⇒ **Plexus**). *Faisceau qui se sépare d'un nerf et s'accole à un autre.* ⇒ **Anastomose.** *Nerf récurrent*. Terminaison, arborisation du nerf dans le muscle.* ⇒ **Plaque** (motrice). *Classification des nerfs par leur origine : nerfs de l'axe cérébro-spinal* (névraxe), *à fibres blanches à myéline, qui concernent la vie de relation* (sensibilité et mouvements volontaires) ; *nerfs de la chaîne latéro-vertébrale* (reliée au névraxe par des rameaux* communicants), *à fibres grises sans myéline, qui intéressent la vie végétative* (mouvements réflexes). ⇒ **Sympathique.** *Les nerfs se présentent par paires. — Nerfs crâniens ou encéphaliques* (douze paires) *qui partent de l'encéphale* (cit.) : olfactifs, optiques, oculo-moteurs communs, pathétiques, trijumeaux, oculo-moteurs externes, faciaux, auditifs, glosso-pharyngiens, pneumogastriques ou nerf vague* (→ Vagotonique), spinaux, hypoglosses. *Nerfs rachidiens ou spinaux* (trente et une paires), *qui partent de la moelle* (cit. 8) *épinière : huit paires cervicales, douze paires dorsales, cinq paires lombaires, cinq paires sacrées, une paire coccygienne. Nerfs particuliers désignés par la région qu'ils innervent :* axillaire, buccal, ciliaire, crural, cubital, cutané, dentaire (ou dental), digital, honteux (région génitale), nasal, oculaire, orbitaire, plantaire, radial, sciatique, sous-occipital, temporal, thoracique... *Anatomie du système nerveux et des nerfs.* ⇒ **Neurologie.** *Physiologie du nerf.*

⇒ **Nerveux** (influx) ; → Impression, cit. 47. *Excitabilité** (cit. 3), *conductibilité des nerfs. On considérait autrefois les nerfs comme des vaisseaux servant de véhicule aux esprits animaux* (→ 2. Animal, cit. 1). *Fonctions sécrétoire, trophique des nerfs. Fonction vaso-motrice des nerfs ; nerfs vaso-constricteurs, vaso-dilatateurs. Science, pathologie des nerfs.* ⇒ **Neurologie, neurologue.** *Exciter** *un nerf. Élongation d'un nerf ; section, ablation de nerf.* ⇒ **Énervation, névrotomie** (ou neurotomie, névrectomie). Chir. dent. *Tuer, ôter le nerf d'une dent. Rétraction d'un nerf coupé. Douleur sur le trajet des nerfs.* ⇒ **Névralgie.** *Irritabilité des nerfs.* ⇒ **Nervosisme** (vx). *Maladies des nerfs.* ⇒ **Neurasthénie, névrite, névropathie, névrose** (et aussi **convulsion, spasme, prurit**...). *Médicament pour le traitement des nerfs.* ⇒ **Nervin**... ; anesthésique, calmant, hypnotique, tranquillisant.

Les nerfs (...) sont l'organe immédiat du sentiment *(sensibilité)* qui se diversifie et change, pour ainsi dire, de nature suivant leur différente disposition, en sorte que, selon leur position, leur arrangement, leur qualité, ils transmettent à l'âme des espèces différentes de sentiments, qu'on a distinguées par le nom de sensations (...) BUFFON, Hist. nat. de l'homme, Des sens en général.

À l'exception des plus petits filets nerveux tous les nerfs présentent des artères, des veines, des lymphatiques et des nerfs (...) appelés *nervi nervorum*.
L. TESTUT, Traité d'anatomie, t. III, p. 52.

Les différents neurones qui constituent le système nerveux (...) sont groupés d'une manière bien définie, systématisée, et constituent ce que l'on appelle les centres et les nerfs. Les centres sont principalement constitués par la condensation de très nombreux corps cellulaires, tandis que les nerfs sont la réunion en un même faisceau, à la manière d'un câble téléphonique, de très nombreux prolongements, axones ou dendrites et que l'on appelle cylindraxes.
R. FABRE et G. ROUGIER, Physiologie médicale, p. 378.

♦ **2.** (XIXe). Cour. *Les nerfs* (considérés comme ce qui supporte les excitations extérieures ou les tensions intérieures). *Avoir les nerfs fragiles, irritables* : être d'un tempérament nerveux. ⇒ **Nerveux** (II.), **névropathie.** *C'est un paquet de nerfs,* se dit d'une personne très nerveuse. *Avoir des nerfs à toute épreuve* (→ Cœur, cit. 111) : être d'un naturel calme. *Des bruits qui ébranlent, fatiguent les nerfs* (→ Aboiement, cit. 1). — (1817). *Porter sur les nerfs* : irriter, exaspérer. ⇒ **Agacer, énerver, irriter.** — Fam. *Cela me tape sur les nerfs.* ⇒ **Énervant.** — *Ne pas contrôler ses nerfs.* ⇒ **Énerver** (s'). *Excitation des nerfs.* ⇒ **Énervement, nervosité.** *Avoir les nerfs tendus* (→ Intense, cit. 2), *crispés, en boule* (cit. 2), *en pelote, à vif...* : être très énervé, irrité, en colère. *Se mettre les nerfs en pelote, en boule. Être sur les nerfs. Vivre sur les nerfs,* se dit d'une personne très fatiguée qui n'agit que par des efforts de volonté. *Être à bout de nerfs,* dans un état de surexcitation qu'on ne peut maîtriser plus longtemps. *Attaque* (cit. 11), *crise de nerfs,* troubles hystériformes plus ou moins graves (cris, pleurs, gestes désordonnés...). Absolt. *Avoir ses nerfs* : être énervé, avoir une petite crise de nerfs. — *Avoir les nerfs détendus. Calmer* (cit. 15), *maîtriser* (cit. 8) *ses nerfs. Activité, parole qui calme les nerfs.*

Tout cet ensemble de choses calmes, rassurantes, hospitalières, ne détendait point les nerfs d'Isabelle, frémissants comme les cordes d'une guitare qu'on vient de pincer (...) Th. GAUTIER, le Capitaine Fracasse, XVI.

(...) le petit porcher ayant renversé un seau d'eau blanche qu'il portait aux cochons, elle se détendit un peu les nerfs en le giflant. ZOLA, la Terre, II, IV.

Qu'a-t-il donc à gueuler comme ça ? dit-elle en parlant de Bordenave. Ça va être gentil tout à l'heure... On ne peut plus monter une pièce sans qu'il ait ses nerfs, maintenant. ZOLA, Nana, IX.

En outre, ses nerfs étaient à fleur de peau, qu'il ne pouvait calmer que par un usage — presque immodéré — des bains prolongés (...)
Louis MADELIN, Hist. du Consulat et de l'Empire,
« De Brumaire à Marengo », VI.

Il avait sur n'importe quoi des opinions d'autant plus inébranlables, qu'il n'écoutait jamais que lui. Dieu ! que son ton péremptoire me tapait sur les nerfs (...)
GIDE, Si le grain ne meurt, I, X, p. 273.

Votre père trouvait que vous preniez trop au sérieux la philosophie, que cela vous portait sur les nerfs. PROUST, Jean Santeuil, Pl., p. 322.

Pour dompter ses nerfs, elle s'obligea à marcher, et, malgré son impatience, gagna l'avenue de Wagram à pied. MARTIN DU GARD, les Thibault, t. VII, p. 249.

Vous ne vous figurez pas comme j'étais fatigué... J'avais les nerfs en pelote (...)
J. ROMAINS, les Hommes de bonne volonté, t. IX, VII, p. 66.

La guerre des nerfs : l'ensemble des procédés utilisés en temps de guerre pour affaiblir le moral de l'ennemi en agissant sur les nerfs des militaires et des civils au moyen de fausses nouvelles, de campagnes d'intimidation, etc. (locution usitée depuis 1939-1945).

DÉR. Nerval, nervé, nerver, nerveux, nervin, nervisme, nervure.
COMP. Nerf-férure, nerf-foulure.

NERF-FÉRURE [nɛʀfeʀyʀ] n. f. — 1678 ; de *nerf-feru*, du v. *férir* « frapper ».

♦ Vétér. Contusion du tendon fléchisseur du membre antérieur d'un animal de trait (cheval, etc.). Plur. *Des nerfs-férures.*

NERF-FOULURE [nɛʀfulyʀ] n. f. — 1878 ; de *nerf*, et *foulure*.

♦ Vieilli. Contusion du tendon d'Achille. Plur. *Des nerfs-foulures.*

NÉRINÉE [neʀine] n. f. — 1842, Barré ; dér. sav. du grec *Nereos,* dieu de la mer.

♦ Paléont. Mollusque gastéropode fossile des terrains secondaires, à longue coquille enroulée en hélice.

NÉRITE [neʀit] n. f. — 1558 ; du lat. *nerita*, grec *neritos*, de *nereis* → Néréide.

♦ Zool. Mollusque gastéropode prosobranche (sous-ordre des *Diotocardes*), dont la coquille hémisphérique est recouverte d'un épiderme corné.

NÉRITIQUE [neʀitik] adj. — 1899 ; angl. *neritic*, 1895, du grec *nêritês* «coquillage», de *nereis* → Néréide.

♦ Géol. Se dit des sédiments marins déposés sur la plate-forme continentale. *Fonds néritiques.*

Par ext. Qui vit sur les sédiments néritiques. *Animaux, poissons néritiques.*

La plupart des Poissons néritiques ont de vives couleurs qui ne sont pas du tout en harmonie de teintes avec leur milieu.
R. et M.-L. BAUCHOT, les Poissons, p. 111.

NÉROLI [neʀɔli] n. m. — 1672 ; du nom d'une princesse italienne qui aurait inventé ce parfum.

♦ Comm. Fleur d'oranger destinée à la distillation. *Essence de néroli :* huile essentielle, extrait de fleur d'oranger (spécialt, de bigaradier).

Victor balaye de sa large main, la tablette où trône le flacon maudit qui tombe, se fracasse et se répand sur le parquet. L'odeur du néroli envahit la pièce.
Geneviève DORMANN, le Bateau du courrier, p. 162.

NÉRON [neʀɔ̃] n. m. — Mil. XVIIIᵉ, Voltaire ; n. propre. → Néronien.

♦ Vx. Personnage cruel, comparable à Néron. *Des nérons.*

NÉRONIEN, IENNE [neʀɔnjɛ̃, jɛn] adj. — 1765, *Encyclopédie* ; de *Néro*, empereur romain.

♦ Didact. Qui est propre à Néron, digne de la réputation de Néron. *Crimes néroniens. Cruautés néroniennes.* — Qui ressemble à Néron. *Visage néronien.*

Son front néronien, sous ses cheveux bleus à force d'être noirs, qui bouclaient durement et touchaient ses sourcils, ne laissaient rien passer de la nuit coupable, qui n'y étendait aucune rougeur.
BARBEY D'AUREVILLY, les Diaboliques, « Le rideau cramoisi », p. 67.
Plaisir un peu néronien d'allumer un feu de brousse.
GIDE, Voyage au Congo, in Souvenirs, Pl., p. 800.

NERPRUN [neʀpʀœ̃] n. m. — 1501 ; *noirbrun*, 1206 ; du lat. pop. *niger prunus* «prunier noir».

♦ Plante dicotylédone *(Rhamnées)* scientifiquement appelée *rhamnus*, arbre ou arbrisseau vivace. *Nerprun bourdaine*, vulgairement nommé *aulne noir, épine* de cerf.* ⇒ **Bourdaine.** *Nerprun des teinturiers (rhamnus infectoria)*, dont les fruits fournissent une teinture jaune. ⇒ **Stil-de-grain.** *Nerprun purgatif (rhamnus catharticus)*, dont les baies donnent le *sirop de nerprun*, remède purgatif énergique, et aussi un colorant, le vert de vessie. — *Nerprun à feuilles persistantes (rhamnus oléoïde)*, ou faux olivier, appelé aussi *alaterne*.*

NERVAL, ALE [neʀval] adj. — V. 1560 ; dér. sav. de *nerf*, d'après le lat. *nervalis*, dér. de *nervus.*

♦ 1. Vx. Relatif aux nerfs. *Baume nerval* (1874) : pommade antirhumatismale.

♦ 2. Didact., rare. Relatif aux nervures* des feuilles.

NERVALIEN, IENNE [neʀvaljɛ̃, jɛn] adj. et n. — 1926, *in* D. D. L. ; du nom de Gérard de *Nerval.*

♦ Didact. De Nerval, écrivain romantique français. — N. Spécialiste de Nerval, de son œuvre.

NERVATION [neʀvasjɔ̃] n. f. — 1800 ; dér. sav. du lat. *nervus.* → Nerf, I.

♦ Didact. (bot., zool.). Disposition des nervures* d'une feuille, d'une aile d'insecte. *La forme générale de la feuille dépend du mode de nervation.*

NERVÉ, ÉE [neʀve] adj. — 1350 ; de *nerf.*

♦ 1. Bot. Pourvu de nervures, qui a des nervures saillantes. *Feuille nervée.*

Blason. Qui a des nervures d'un émail différent.

♦ 2. Littér. Rayé, veiné.

Athmann, comme une fleur de soie, nous précédait noblement, et, sur sa gandourah pâle, nervée de bleu-de-ciel, son mouchoir bariolé pendait comme un flot d'étamines.
Francis JAMMES, Roman du lièvre, « Notes... sur Alger, Chetma ».

♦ 3. ⇒ **Nerver** (nervé, p. p. adj.).

NERVER [neʀve] v. tr. — 1528 ; de *nerf.*

♦ Techn. Pourvoir d'ornements ou de renforts dont la disposition, la forme, évoquent des nervures (de feuille, etc.). *Nerver les panneaux d'un vantail. Nerver les arçons d'une selle* (Académie).

Reliure. Dresser les nerfs (du dos d'un livre). *Nerver un livre.*

▶ **NERVÉ, ÉE** p. p. adj. *Voûtes nervées du style gothique anglais.*

NERVEUSEMENT [neʀvøzmɑ̃] adv. — 1583 ; de *nerveux.*

♦ 1. Avec nerf, vigueur. — Fig. *Phrase nerveusement construite.*

♦ 2. Par l'action du système nerveux. *Ébranlé nerveusement.*

♦ 3. D'une manière nerveuse, excitée. *Marcher nerveusement de long en large. Crisper nerveusement les mains* (→ Fièvre, cit. 4).

NERVEUX, EUSE [neʀvø, øz] adj. — 1256, au sens I, 2 ; dér. sav. de *nerf*, d'après le lat. *nervosus* «musculeux, vigoureux», de *nervus* → Nerf.

★ **I.** Vx. Relatif aux nerfs (au sens I, «ligaments, tendons des muscles»).

♦ 1. Mod. Qui a des tendons vigoureux, apparents. *Mains* (cit. 7) *nerveuses. Jambes maigres et nerveuses* (→ Jambière, cit.). *Patte nerveuse d'un chat* (→ Enchâsser, cit. 8). *Corps souple et nerveux* (→ Maigre, cit. 4). *Un buste nerveux* (→ Force, cit. 3). *Un petit brun nerveux* (→ Cuir, cit. 3), *sec et nerveux* (→ Espagnol, cit. 3). *Le lion* (cit. 2) *est solide et nerveux.* — *Viande nerveuse :* viande de boucherie qui présente des tendons, qui est trop ferme, dure. ⇒ **Coriace, tendineux.**

Par anal. Résistant et souple. *Métal nerveux. Fil, textile nerveux.*

C'était un gros couteau, large et sensible, un peu courbé dans son bout ; la lame était nerveuse comme une feuille d'iris.   J. GIONO, Jean le Bleu, VIII. [1]

♦ 2. Qui a du nerf (I., 2.), de la force active et de la rapidité. ⇒ **Vigoureux.** *D'un bras nerveux il le terrassa* (Hatzfeld). *Longues foulées nerveuses d'un athlète* (→ Gymnastique, cit. 4). *Un cheval, un coureur nerveux. Il n'est guère nerveux au travail :* il travaille mollement.

Par anal. *Puissance nerveuse d'une locomotive* (cit. 1). *Voiture nerveuse*, qui a une grande vitesse d'accélération et de bonnes reprises, par oppos. à *voiture molle, veau* (fam.).

(Abstrait). *Style nerveux :* style qui a de la force, de la rapidité, de la concision (⇒ **Concis, vigoureux**).

(...) un parler succulent et nerveux, court et serré, non tant délicat et peigné comme *(que)* véhément et brusque (...)   MONTAIGNE, Essais, I, XXVI. [2]

★ **II.** ♦ 1. (1678). Relatif au nerf, aux nerfs* (au sens II). *Anatomie nerveuse. Cellule nerveuse.* ⇒ **Neurone.** *Fibre* (cit. 1) *nerveuse :* cylindraxe du neurone qui forme le nerf (seul, en faisceaux, en groupes de faisceaux). *Fibre nerveuse et corps cellulaire du neurone. Faisceau, cordon nerveux. Terminaison nerveuse :* extrémité de la fibre. Vx. Dans le même sens. *Houppe* (cit. 6) *nerveuse. Tissu nerveux*, formé de neurones. *Système nerveux :* ensemble des organes, des éléments de tissu nerveux qui commandent les fonctions de sensibilité, motilité, nutrition, et chez les vertébrés supérieurs, les facultés intellectuelles et affectives (→ Acte, cit. 1 ; euphorie, cit. 1 ; exacerber, cit. 1). *Organes du système nerveux.* ⇒ **Centre** (nerveux), **ganglion** (cit. 1), **nerf, plexus.** *Parties du système nerveux. Système nerveux central :* encéphale et moelle épinière. *Centres nerveux. Système nerveux périphérique :* nerfs, ganglions ; *système nerveux sympathique* (sympathique et parasympathique). *Physiologie du système nerveux. Influx* (cit. 2) *nerveux. Excitations* (cit. 13) *qui arrivent au système nerveux central.* ⇒ **Excitable** (système excitable). *Impression** (cit. 45 et 47) *nerveuse et sensation* qui en résulte.*

Tel que nous l'avons décrit, le système nerveux comprend l'axe cérébro-spinal et ses prolongements périphériques, les nerfs crâniens et rachidiens. Cette description est incomplète. La dissection montre en effet d'autres filets nerveux et des masses ganglionnaires qui étendent encore le domaine de l'appareil neural. Ces filets et ces ganglions constituent ce que l'on appelle le *système grand sympathique*, ou bien encore *système nerveux ganglionnaire, le système nerveux autonome, le système nerveux de la vie végétative*, etc.   L. TESTUT, Traité d'anatomie, t. III, p. 359. [3]

Grâce à son système nerveux, l'être humain enregistre les excitations qui lui viennent du milieu extérieur, et y répond de façon appropriée par ses organes et ses [4]

muscles (...) Aussi possède-t-il deux systèmes nerveux. Le système central, ou céré-bro-spinal, conscient et volontaire, commande aux muscles. Le système sympathi-que, autonome et inconscient, aux organes.
Alexis CARREL, l'Homme, cet inconnu, III, X.

♦ **2.** Spécialt. Qui concerne les nerfs comme support de l'émotivité, des tensions psychologiques. *Agitation, exaltation* (cit. 8), *tension nerveuse. Frémissements nerveux* (→ Chair, cit. 12). *Geste* (cit. 16) *nerveux et affolé; rire nerveux; toux nerveuse.* ⇒ **Convulsif.** *Excitabilité* (cit. 1) *nerveuse et maladive. Irritabilité* (cit. 2) *nerveuse. Angoisse* (cit. 6) *nerveuse. Dépression* nerveuse. Malaises nerveux* (→ Ballonnement, cit.; gorge, cit. 17). *Irritation nerveuse dans un membre.* ⇒ **Impatience.** *Crise nerveuse.* — *Troubles d'origine nerveuse :* troubles moteurs (contracture, convulsion, hémiplégie, paralysie, tic, tremblement, vertige); troubles de la sensibilité, des réflexes; troubles trophiques; troubles de la vue, de la parole, du langage; troubles du sommeil (hypersomnie, insomnie). — *Maladies du système nerveux. Maladies nerveuses,* se dit plus spécialement des maladies qui affectent le psychisme sans lésion organique connue. ⇒ **Névrose; névrotique** (→ Hystérie, cit. 1; inhibition, cit. 1; inhiber, cit. 1). *Grossesse* nerveuse. Complications* (cit. 5) *nerveuses. Ses troubles sont nerveux.* ⇒ **Psychosomatique.**

5 À cette heure avancée de la nuit, il n'y avait là que des faims nerveuses, des caprices d'estomacs détraqués.
ZOLA, Nana, IV.

6 De très bonne heure, s'étaient annoncés chez lui des désordres nerveux. Il avait, tout petit, des évanouissements, des convulsions, des vomissements, quand il éprou-vait une contrariété. Vers sept ou huit ans, à l'époque de ses débuts au concert, son sommeil était inquiet : il parlait, criait, riait, pleurait, en dormant (...)
R. ROLLAND, Jean-Christophe, Le matin, I, p. 145.

7 Vous savez, il y a des phénomènes nerveux (...) Songez à des fausses grossesses qui durent soi-disant des mois; et qui trompent jusqu'aux médecins (...)
J. ROMAINS, les Hommes de bonne volonté, t. V, XXVIII, p. 308.

8 Crises d'angoisse et inquiétude habituelle ont un aspect somatique constant de retentissement neuro-végétatif (...) Lorsque les troubles viscéraux sont plus ou moins localisés, les malades deviennent de faux cardiaques, de faux gastri-ques, etc., et fréquemment méconnus, sont nombreux dans la clientèle de tout praticien. L'incompréhension qui pousse le médecin à leur répéter que « c'est ner-veux » et à faire appel à leur volonté ou, à plus forte raison, à les taxer de « mala-des imaginaires », entretient et cultive leur névrose en les décourageant et en les rendant honteux de leur mal, très réel malgré sa subjectivité.
A. HESNARD, *in* A. POROT, Manuel de psychiatrie, art. *Angoisse.*

♦ **3.** (Personnes). Émotif, qui ne peut garder son calme, au physi-que et au moral. *Un tempérament nerveux* (→ Fiasco, cit. 1). *Les gens nerveux* (→ Fatiguer, cit. 7; habitude, cit. 21; haschisch, cit. 6). *Saint-Simon était nerveux et bilieux à l'excès* (→ Malin-gre, cit. 2).

9 Pauvres créatures nerveuses que la richesse de votre organisation livre sans défense à je ne sais quel fatal génie, où sont vos pairs et vos juges?
BALZAC, le Lys dans la vallée, Pl., t. VIII, p. 940.

(En caractérologie). *Caractère nerveux :* l'un des huit types de caractères définis par l'émotivité, la primauté de l'instant, le man-que d'activité. *Le caractère nerveux s'oppose en tous points au caractère flegmatique.*

Cour. Émotif; qui réagit sans contrôle aux impulsions. *Être nerveux par occasion.* ⇒ **Agité, brusque, énervé, excité, fébrile, impatient, irritable.** *Indisposition, souci, attente qui rend nerveux* (→ Agace-ment, cit. 1; aigrir, cit. 16). ⇒ **Nervosité.**

10 (...) jamais il ne l'avait vue si nerveuse. Le vin blanc sans doute.
ZOLA, la Bête humaine, I.

11 Grand paraissait fatigué et nerveux, se promenant de long en large, ouvrant et refermant sur la table un gros dossier rempli de feuilles manuscrites.
CAMUS, la Peste, p. 44.

N. Personne de tempérament nerveux (→ Accorder, cit. 21). *Bau-delaire était un grand nerveux* (→ Intimider, cit. 6). *L'automobile fait d'un nerveux un dément* (cit. 2).

11.1 Êtes-vous un peu plus calme maintenant, petite nerveuse.
WILLY (COLETTE), Claudine à Paris, *in* D.D.L., II, 16.

12 Supportez d'être appelée une nerveuse. Vous appartenez à cette famille magnifi-que et lamentable qui est le sel de la Terre. Tout ce que nous connaissons de grand nous vient des nerveux... Nous goûtons les fines musiques, les beaux tableaux, mille délicatesses, mais nous ne savons pas ce qu'elles ont coûté à ceux qui les inventèrent, d'insomnies, de pleurs, de rires spasmodiques, d'urticaires, d'asthmes, d'épilepsies, d'une angoisse de mourir qui est pire que tout cela (...)
PROUST, À la recherche du temps perdu, t. II, p. 305.

13 Le nerveux est un primaire, il est émotif, il est inactif... Très émotif il doit réagir à l'événement; mais cette réaction qui commence et finit avec l'émotion et que contrarie l'inactivité est impulsive. Aussi, à cause de ces variations, son humeur ne peut être égale; ni ses sympathies constantes. Il peut souffrir vivement; il doit se consoler assez vite.
R. LE SENNE, Traité de caractérologie, § 52.

CONTR. Flasque, mou. — Lâche, languissant. — Calme, flegmatique, froid.
DÉR. Nerveusement, nervosisme, nervosité.

NERVI [nɛʀvi] n. m. — 1804, argot marseillais; ital. *nervo,* sous la forme plurielle, proprt « vigueur », d'où « homme vigoureux », du lat. *nervium* « muscle », dér. de *nervus* → Nerf.

♦ **1.** Vx (argot marseillais). Portefaix.

♦ **2.** Vieilli. Homme sans aveu.

♦ **3.** Mod. Homme de main, tueur.

(...) des gars en bleu de chauffe, avec des souliers jaunes et des cravates de ner-vis (...)
Roger VERCEL, la Clandestine, p. 223.

Spécialt. Homme de main aux ordres d'un parti politique. *Des ner-vis fascistes.*

NERVIN, INE [nɛʀvɛ̃, in] adj. et n. m. — 1710; dér. sav. de *nerf,* d'après le lat. *nervinus* « relatif aux nerfs », de *nervus* → Nerf.

♦ Pharm. Qui a la propriété de stimuler les nerfs (II.). *Baume ner-vin. Propriétés nervines d'un médicament. Substance nervine.*

N. m. *Un nervin :* une substance nervine. *Le camphre, le valéria-nate, le café, le thé, la menthe... sont des nervins.*

NERVISME [nɛʀvism] n. m. — Av. 1959, Garnier; de *nerf,* et *-isme.*

♦ Didact. Théorie, fondée sur les études du physiologiste russe Pavlov, selon laquelle tous les processus physiologiques dépendent du système nerveux.

NERVOSISME [nɛʀvozism] n. m. — 1858; dér. sav. de *nerveux,* d'après le lat. *nervosus.*

♦ Méd. (vieilli). État morbide de susceptibilité, d'irritabilité nerveuse avec troubles variés (on dit aussi *névrosisme*). ⇒ **Névrose.**

Le nervosisme est un pasticheur de génie. Il n'y a pas de maladie qu'il ne contre-fasse à merveille. Il imite à s'y méprendre la dilatation des dyspeptiques, les nau-sées de la grossesse, l'arythmie du cardiaque, la fébricité du tuberculeux.
PROUST, À la recherche du temps perdu, t. VIII, p. 156.

Spécialt. État nerveux au début d'une névrose anxieuse.

NERVOSITÉ [nɛʀvozite] n. f. — 1553, « vigueur »; lat. *nervositas,* de *nervosus* → Nerveux; le sens 2. est un dér. sav. de *nerveux.*

Caractère, état de ce qui est nerveux.

♦ **1.** Vx. Vigueur physique. — Fig., mod. *La nervosité du style* (→ Inspirer, cit. 17).

♦ **2.** (1838). Mod. État d'excitation nerveuse passagère. ⇒ **Énerve-ment; agacement, agitation, éréthisme, exaspération, excitation, irri-tation, surexcitation.** *Geste qui trahit la nervosité* (→ Gonflement, cit. 2; graphologue, cit. 3). *Éprouver* (cit. 26) *de la nervosité. Être dans un état de grande nervosité.* — Rare. *Une, des nervosités.*

Elle avait, cette vaillante femme, toutes les nervosités de la femme, tous ses trem-blements, ses resserrements frileux de mimosa (...)
Alphonse DAUDET, Numa Roumestan, XVII.

Ce rire, sa loquacité, cette voix tremblante et brusque — tout, en lui, témoignait d'une nervosité qui ne lui était pas habituelle, et dont les causes, ce soir, étaient multiples (...)
MARTIN DU GARD, les Thibault, t. VI, p. 87.

CONTR. Bonace, calme.

NERVURE [nɛʀvyʀ] n. f. — 1388, *nerveüre,* « lien de cuir renforçant un bouclier »; t. de bot., 1719; dér. de *nerf,* I.
Ligne saillante sur une surface, rappelant par son aspect un nerf (au sens I, 1).

♦ **1.** Filet plus ou moins saillant formé par un faisceau libéro-ligneux traversant le limbe d'une feuille. *Les nervures sont comme le squelette, la charpente de la feuille. Nervure centrale, ramifi-cations d'une nervure; nervures parallèles. Nombre et disposition des nervures dans la feuille.* ⇒ **Nervation** (feuille penninerve, pal-minerve, rétinerve, trinervée...). *Relatif aux nervures.* ⇒ **Nerval.**

Sur un tapis spongieux de feuilles à demi pourries, dont il ne restait, comme un squelette, que la dentelle délicate des nervures jaunies (...)
L. PERGAUD, De Goupil à Margot, p. 90.

♦ **2.** Filet corné, ramifié, qui soutient la membrane de l'aile, chez certains insectes. ⇒ **Névroptères.** *Les fines nervures des ailes de la libellule.*

♦ **3.** Reliure. ⇒ **Nerf.** *Les nervures d'un livre.*

♦ **4.** Moulure* arrondie en forme de côte, arête* saillante des voû-tes en croisée d'ogives (Réau). *Les nervures d'une voûte gothique.* ⇒ **Branche, lierne, tierceron...** *L'élancement* (cit. 1) *des piliers et des nervures.*

Il suit amoureusement du regard les nervures de la voûte, réunies en rosace, et qui retombent trois à trois sur les pilastres des murailles latérales, d'un mouvement si souple, d'une grâce vivante, presque animale.
BERNANOS, Sous le soleil de Satan, II, XIV.

♦ **5.** Techn. Filet saillant qui renforce la résistance d'une pièce. *Pêne à nervure d'une serrure. Nervures d'une bielle. Nervures d'un pneumatique.*

Aviat. Partie de l'armature d'une aile.

L'armature comprend des longerons, des entretoises et des nervures (...) Les ner-vures assurent le profil de l'aile et supportent le revêtement qui est constitué soit par de la toile (...) soit en contre-plaqué, soit en tôle de métal léger.
Edmond BLANC, l'Aviation, p. 26.

♦ 6. (1850). Cout. Petite côte décorative faite dans un tissu, en le pliant et en cousant tout près du bord.

DÉR. Nervuré, nervurer.

NERVURÉ, ÉE [nɛʀvyʀe] adj. — 1875 ; de *nervure*.

♦ Qui présente des nervures. *Feuille, aile nervurée.* ⇒ **Nervé.** *Culasse nervurée.* — Par ext. *Les ailes* (cit. 28) *de son nez nervurées de fibrilles rouges.*

(...) ces mêmes ailettes, limitent la chambre d'explosion par un contour indéformable employant moins de métal que n'en nécessiterait une coque non nervurée (...) une culasse nervurée peut être plus mince qu'une culasse lisse avec la même rigidité. Gilbert SIMONDON, Du mode d'existence des objets techniques, p. 22.

NERVURER [nɛʀvyʀe] v. tr. — xxᵉ ; de *nervure*.

♦ Rare ou techn. Garnir de nervures.

NESCAFÉ [nɛskafe] n. m. — 1942 ; marque déposée ; de *Nes(tlé)*, et *café*.

♦ Café préparé avec une poudre soluble et de l'eau chaude (lorsqu'il est de cette marque) ; la poudre.

1 (...) la frontière suisse venait d'être fermée et quelque dépit qu'il montrât de ne plus pouvoir apporter de chocolat ou de nescafé à la «négresse», celle-ci n'en laissait rien paraître. Francis CARCO, les Belles Manières, p. 35.
2 Sur l'appui des fenêtres, en rang, des oignons, des boîtes à Nescafé vides, des bouteilles de Dop mal vidées de leurs bulles (...) A. SARRAZIN, la Cavale, p. 17.

Abrév. fam. *Du nes* [nɛs].

NESCIENCE [nesjɑ̃s] n. f. — 1871 ; de l'anc. franç. *nescient* (1220) «ignorant», du lat. *nesciens, entis*, p. prés. de *nescire* «ne pas savoir».

♦ Philos. (rare). Ignorance de ce que l'on n'a pas la possibilité de connaître. ⇒ **Ignorance.**

1 Peut-être que la lucidité froide et meurtrière n'est faite que pour le mal. Mais ça on ne le sait pas vraiment. Parce qu'on est toujours du côté du trouble et de la nescience. J.-M. G. LE CLÉZIO, les Géants, p. 166.
2 L'*histoire de cette science* (la science grecque) n'est plus que l'histoire d'un *certain mode de nescience*, d'une certaine modalité de non-savoir, d'un certain type d'impureté. Michel SERRES, Hermès I, la Communication, p. 91.

NÉSO- Élément, du grec *nesos* «île», servant notamment à former des mots de zoologie.

N'EST-CE-PAS [nɛspɑ] loc. adv. ⇒ **Être.**

NESTOR [nɛstɔʀ] n. m. — xviᵉ, Brantôme ; du grec *Nestôr*, héros d'Homère, popularisé par Fénelon dans *Télémaque*, livre IX.

♦ Vx. Vieillard respecté pour son expérience et la sagesse de ses avis. ⇒ **Expérimenté, prudent, sage.** *On respecte en lui le Nestor de l'assemblée* (Académie).

NESTORIANISME [nɛstɔʀjanism] n. m. — 1694 ; de *nestorien*.

♦ Hérésie nestorienne.

NESTORIEN, IENNE [nɛstɔʀjɛ̃, jɛn] n. et adj. — Déb. xiiiᵉ ; de *Nestorius*, patriarche de Constantinople au vᵉ siècle.

♦ Hist. relig. Disciple de Nestorius, célèbre hérésiarque qui affirmait que les deux natures du Christ (divine et humaine) possédaient leur individualité propre et n'étaient unies que par une «simple conjonction» (de sorte que Marie devait être appelée non pas «mère de Dieu», mais «mère du Christ»). *Les Nestoriens furent condamnés par le concile d'Éphèse* (431). — Adj. *Hérésie, crise nestorienne. Les églises nestoriennes de Syrie.*

DÉR. Nestorianisme.

NET, NETTE [nɛt] adj. et adv. — 1120 ; du lat. *nitidus* «brillant».

★ **I.** Adj. **♦ 1.** (xiiiᵉ). Que rien ne ternit ou ne salit. ⇒ **Propre.** *Maison où tout est propre, net, frotté* (→ Grain, cit. 17), *luisant* (cit. 4). *Une vaisselle nette. Linge net.* ⇒ **Blanc, immaculé.** *Avoir les dents nettes. Figures et mains nettes* (→ Mixture, cit. 1). *Miroir dont la glace est bien nette.* ⇒ **Poli, uni.**

Un valet manque-t-il de rendre un verre net (...)
RACINE, les Plaideurs, II, 13.
Éprouve ton cœur, avant de permettre à l'amour d'y séjourner, disait l'école de Pythagore ; le miel le plus doux s'aigrit dans un vase qui n'est pas net.
É. DE SENANCOUR, De l'amour..., p. 324.

Vx. (En parlant des liquides). *Eau nette* (→ Asperger, cit. 1). ⇒ **Transparent.**

Propre et soigné (avec une nuance de simplicité, de fraîcheur).

Une petite robe simple et nette. Un costume très simple, mais net (→ Métamorphose, cit. 12). *Intérieur net et propre* (→ Encombré, cit. 8).

3 Ce réfectoire était si net, si bien éclairé, qu'on se sentait comme porté à la surface de sa mosaïque tel qu'une mouche sur du lait.
CÉLINE, Voyage au bout de la nuit, p. 190.

Loc. fig. *Avoir les mains nettes* (au sens concret, bien lavées, propres) : n'avoir rien à se reprocher, être honnête (→ Intègre, cit. 2). *Il est sorti de cette affaire les mains nettes* (Académie). — Vx. «*S'en tirer les braies** (cit. 1) *nettes*» (Molière).

4 C'était *(Chamillard)* un bon et très honnête homme, à mains parfaitement nettes (...) SAINT-SIMON, Mémoires, I, LVI.
5 (...) ne sauriez-vous pas le moyen de me faire trouver un trésorier qui ne me vole point ? Assurément, répondit Zadig, je sais une façon infaillible de vous donner un homme qui ait les mains nettes. VOLTAIRE, Zadig, XIV.

♦ 2. Qui est débarrassé (de ce qui salit ou encombre). *Faire les plats nets,* les vider, en mangeant tout ce qu'ils contiennent. ⇒ **Nettoyer.** Loc. mod. *Faire place nette :* vider les lieux, et, fig., renvoyer d'une maison, d'une entreprise tous ceux dont on veut se débarrasser ; rejeter ce dont on ne veut plus. — Vieilli. *Faire maison nette :* congédier ses domestiques, ses employés. *Faire tapis net :* rafler au jeu tout ce qui est sur le tapis. — *Revenir les mains nettes,* les mains vides (notamment, sans avoir rien pris).

6 Le grand Dieu fit les planètes et nous faisons les plats nets.
RABELAIS, Gargantua, V, «Propos des bien ivres».
7 Elle eût du buvetier emporté les serviettes,
Plutôt que de rentrer au logis les mains nettes. RACINE, les Plaideurs, I, 4.
8 Voilà donc les jésuites chassés de Naples ; on dit qu'ils vont l'être bientôt de Parme, et qu'ainsi tous les États de la maison de Bourbon feront maison nette (..)
D'ALEMBERT, Lettre au roi de Prusse, 14 déc. 1767.
9 J'espère qu'en balayant de fausses illusions, en faisant place nette, nous pourrons reconstruire, sur des fondations de vérité, quelque chose de plus solide et de plus beau. A. MAUROIS, Terre promise, XLII.

Fig. Délivré de, purgé de... — (V. 1450). Loc. *Je veux en avoir le cœur** (cit. 127) *net,* déchargé d'un souci, d'une préoccupation. ⇒ **Assurer** (s').

10 Vous ne sauriez pour moi tenir votre pensée
Du commerce des sens nette et débarrassée ?
MOLIÈRE, les Femmes savantes, IV, 2.
11 (...) il n'est pas destructeur ; il est purgé de toute ironie. Il est net de tout blâme, même dans l'invective. André SUARÈS, Trois hommes, «Dostoïevski», V.
11.1 (...) je voulus avoir le cœur net de la curiosité qui me prit tout à coup de voir son visage. BARBEY D'AUREVILLY, les Diaboliques, p. 30.

♦ 3. Vx. Qui est sans mélange ; qu'aucun élément étranger n'altère. ⇒ **Pur.** *Froment net,* non mélangé d'autre grain. *Vin net. Riz, poivre net.*

12 (...) nous appelons impur ce qui est mêlé, et (...) nous estimons pur et net ce qui étant en soi-même, n'est gâté ni corrompu par aucun mélange. Par exemple, tant qu'une fontaine se conserve dans son canal telle qu'elle est sortie de la roche qui lui a donné naissance, elle est nette, elle est pure, elle ne paraît point corrompue.
BOSSUET, Sermon pour une profession, «Sur la virginité» (→ Netteté, cit. 2).

Fig. (Vx ou littér.). ⇒ **Pur.** *Avoir la conscience nette :* n'avoir rien à se reprocher, rien qui puisse troubler la conscience.

13 Je te donne ma fille... Aime-là, car, elle est nette comme l'or.
CLAUDEL, l'Annonce faite à Marie, I, 3.

Net de... : non mêlé de..., exempt de...

14 Encore un coup, ne faut qu'on s'imagine
Que d'être pure et nette de péché
Soit privilège à la guimpe attaché. LA FONTAINE, Contes, II, XVI.
15 (...) on canonisait jusqu'aux points du texte hébreu que nous avons, qu'on déclarait net de toute faute de copistes jusqu'aux moindres, et de toute atteinte du temps. BOSSUET, Hist. des variations, XIV, CXX.

♦ 4. (1723). Dont on a déduit tout élément étranger (par oppos. à *brut*). *Cet homme ne doit rien, il a cinquante mille livres de rentes bien nettes* (Académie). *Quitte** et net. Bénéfice*, produit* net* (→ Industriel, cit. 3). *Salaire* net. Prix* net. Poids* net.* — (Invar.). *Il reste net, 140 francs* (→ Façon, cit. 7). *Cinquante kilos net.* — *Net de... :* exempté de..., non susceptible de... *Net d'impôt, de tout droit.*

16 (...) quarante hectares de vigne s'il vous plaît, qui donnaient bon an mal an huit mille hectolitres d'un vin lourd... Ça rapportait dans les quarante mille francs nets.
ARAGON, les Beaux Quartiers, I, XV.

♦ 5. (1645). Qui frappe par des contours fortement marqués ou par tout autre caractère de nature à empêcher la moindre confusion, la moindre ambiguïté. ⇒ **Clair, distinct, précis.** *Écriture* (cit. 6 et 7) *très nette. Dessin, caractères parfaitement nets. Petites touches nettes* ⇒ Impressionniste, cit. 1). *Couleurs nettes.* ⇒ **Tranché.** *Laisser une marque, une trace bien nette. Monnaie dont la frappe* (cit. 1) *n'est plus nette. Cliché photographique qui n'est pas net,* flou. *Image* (cit. 6) *qui devient de plus en plus nette. Coupure, cassure nette.* ⇒ **Régulier.** — *Sons nets. Voix nette* (→ Laisse, cit. 4). *Diction* (cit. 4) *très nette. La cadence se faisait plus nette* (→ 2. Marche, cit. 19). *Gestes* (cit. 1) *appuyés, forts et nets. Escrimeur dont le jeu* (cit. 69) *est net. Pays, paysage qui a quelque chose de net* (→ Midi, cit. 17 ; montrer, cit. 12).

17 (...) tout à coup, net, clair, incontestable, triomphant, sans trouble, sans brume, sans nuage, au fond de son cerveau, chambre noire, l'éblouissant spectre solaire de l'idéal apparaît (...) HUGO, Post-Scriptum de ma vie, «L'Esprit, Utilité du beau».

(Au goût). Un vin net, franc au goût, au palais. *« C'est fin* (cit. 8), *c'est net, c'est léger »* (Chardonne, en parlant d'un cognac).

Copie nette, sans rature, sans surcharge (par oppos. au *brouillon).*

Subst. **AU NET :** au propre. — Loc. (1629). *Mettre au net :* mettre au propre, recopier (un premier jet) de façon claire et lisible (→ Marge, cit. 2). *Mettre au net un plan, une première étude. Copie au net ; mise au net* (→ Fonds, cit. 11 ; maximum, cit. 5).

18   Les pages dont nous parlons rédigeaient des lettres dont le Cardinal leur avait dit la substance ; et après un coup d'œil du maître, ils les passaient aux secrétaires qui les mettaient au net.   A. DE VIGNY, Cinq-Mars, VII.

19   Et, une heure avant le moment fixé pour remettre les copies, il écrivait sa composition, directement au net, sans une rature.
     Valery LARBAUD, Fermina Marquez, XVII.

20   Après quelques tâtonnements je parvins à comprendre que cette thèse était un travail de l'abbé, que l'abbé faisait remettre au net et copier par l'enfant dont l'écriture était correcte.   GIDE, Isabelle, III.

♦ **6.** (1219 ; abstrait). Clair (dans l'ordre intellectuel). *Avoir des idées nettes, se faire une idée* (cit. 19) *nette de...* (→ Liberté, cit. 25 ; montagne, cit. 8). *Garder des images* (cit. 59), *des souvenirs très nets. Impression, sensation très nette* (→ Agencement, cit. 4). *Ouvrage qui présente un tableau très net et très complet de...* (→ Instructif, cit. 3). ⇒ **Exact.** *Explication claire et nette.* ⇒ **Lumineux.** *Signes, symptômes nets* (→ Cellule, cit. 2). *Nette amélioration,* très sensible. *Un lien, un rapport, un chaînon* (cit. 2) *bien net. Une différence très nette.* ⇒ **Marqué.** *Les principes nets des géomètres* (cit. 4, Pascal). ⇒ **Intelligible.** *Style net et facile* (cit. 11). *Langue nette et simple.*

21   (...) Hamilton avec sa langue dépouillée, son style net et tranchant comme un scalpel.   G. DUHAMEL, Refuges de la lecture, IV.

(En parlant des facultés ou des personnes elles-mêmes). *Une vue nette. Avoir l'esprit net, la pensée nette* (→ Essentiel, cit. 21 ; excitable, cit. 2). *C'est un esprit net.* ⇒ **Lucide.**

22   (...) j'ai souvent souhaité d'avoir la pensée aussi prompte, ou l'imagination aussi nette et distincte (...)   DESCARTES, Discours de la méthode, I.

23   En s'éveillant au point du jour, lorsque l'esprit est le plus net et les pensées les plus pures, ils *(les rois d'Égypte)* lisaient leurs lettres, pour prendre une idée plus droite et plus véritable des affaires qu'ils avaient à décider.
     BOSSUET, Disc. sur l'hist. universelle, III, III.

24   Mais comme la douleur me laissait l'esprit net, je m'efforçais de mettre un peu d'ordre dans mon travail ordinaire (...)
     G. DUHAMEL, Manuel du protestataire, II.

Spécialt. Qui ne laisse pas de place au doute, à l'hésitation. *Je veux une réponse nette, sans équivoque* (cit. 6). *Il leur a fait une proposition, une promesse très nette. Une lettre nette et sèche* (→ Improvisation, cit. 3). *Ma position est nette.* ⇒ **Catégorique.** *Termes nets.* ⇒ **Explicite, exprès, formel.** *Voulez-vous mon avis très net ?* (→ Impubliable, cit.). *C'est très net, il est amoureux d'elle ! Aimer les situations nettes* (→ Existence, cit. 22). — *Il a été très net :* il a parlé sans ambiguïté. *Le cas n'est pas net.*

25   Attendre. Attendre quoi ? Jacques aurait bien voulu attendre quelque chose de net, simplifier son attente.   COCTEAU, le Grand Écart, p. 12.

Qui n'autorise aucun doute d'ordre moral, aucun soupçon. *Cette affaire n'est pas très nette. Un procédé net, sincère et honnête* (→ Habileté, cit. 8). Vieilli. *Une dame nette* (→ Heur, cit. 5). — Vx. Franc. *« Et j'avouerai tout haut* (cit. 110) *d'une âme franche et nette »* (Molière).

26   Je ne sais ce qui peut autoriser son impertinence *(de Diderot)* de ne me point répondre ; mais rien ne peut justifier le refus de me restituer mes papiers. Il faut avoir un style net et un procédé net.
     VOLTAIRE, Lettre à d'Alembert, 41, 13 févr. 1758.

(Personnes). Vx. Franc, sûr. *« Un homme net, de qui dans le fond il n'y avait rien à craindre »* (Retz, II, 349).

Mod. Fam. Clair dans son comportement ; lucide et sain. *Il n'est pas très net, ton copain.*

★ **II.** Adv. (Mil. XVe ; *a net,* XIIe). D'une façon nette.

♦ **1.** Franchement ; sur place ; sur l'instant. *Cela s'est cassé net, net comme verre* (→ Fouetter, cit. 5). Vx. *Pour le trancher* net (→ Ami, cit. 23). *Ce qui coupe* (cit. 17) *net l'appétit. La pièce est tombée tout net* (→ Huer, cit. 1). *S'arrêter* (cit. 64) *net. Stopper net* (→ Bloquer, cit. 5 ; klaxonner, cit.). *La balle l'a tué net.*

27   Cette petite créature, chez qui j'ai dîné, l'a planté là, net (...)
     BALZAC, Un homme d'affaires, Pl., t. VI, p. 819.

28   Seule, bâtie sur le quai même, coupant net sa ligne sinueuse, la petite chapelle de Santa-Maria della Spina (...)   MAUPASSANT, la Vie errante, « La Côte italienne ».

29   Un promeneur est atteint par une automobile, lancé à vingt mètres et tué net.
     ALAIN, Propos, 12 déc. 1910, Maux d'esprit.

♦ **2.** D'une manière claire, franche ; carrément. *Je vous dirai haut* (cit. 109) *et net. Il lui a parlé net. Je lui ai dit tout net ce que j'en pensais* (Académie), *sans détour.* ⇒ **Crûment.** *Refuser tout net* (→ Mécontent, cit. 1).

30   Je vous déclare net que je ne le suis plus *(votre ami).*
     MOLIÈRE, le Misanthrope, I, 1.

31   — (...) Mais enfin, dites-moi, faut-il civiliser l'homme, ou l'abandonner à son instinct ? — Faut-il vous répondre net ? — Sans doute.
     DIDEROT, Suppl. au voyage de Bougainville, IV.

CONTR. **Malpropre, sale, souillé, terni, trouble.** — Impur. — Brut. — Baveux. — Ambigu, brouillé, confus, conditionnel, embué, embarrassé, équivoque, évasif, flou,

---

imprécis, incertain, indécis, indistinct, irrégulier, louche, nébuleux, obscur, sourd, tortueux, vague.

DÉR. **Nettement, netteté, nettoyer.**
HOM. **Nette.**

NETSUKÉ ou NETSOUKÉ [nɛtsuke] n. m. invar. — 1933, Larousse ; mot japonais.

♦ Didact. Au Japon, bouton sculpté servant d'attache. *« À ces inrô* (« boîtes à pharmacie ») *sont suspendus des boutons sculptés en ivoire, en bois, en os (netsouké) »* (J. Auboyer, *les Arts de l'Extrême-Orient,* p. 122).

NETTE [nɛt] n. f. — 1933, *netta,* Larousse ; lat. zool. *netta,* grec *nêtta,* var. de *nêssa* « canard ».

♦ Canard dont le mâle a la tête rousse *(nette rousse),* le corps brun, noir et blanc, et dont la femelle est brun clair.
HOM. **Net.**

NETTEMENT [nɛtmã] adv. — V. 1190, « entièrement » ; de *net.*
D'une manière nette*.

♦ **1.** (1210). Vx. Proprement. *Manger nettement.*

♦ **2.** (1538). Mod. Avec clarté (dans le domaine intellectuel). *Marquer nettement les différences.* ⇒ **Bien** (→ Goût, cit. 16). *Séparer nettement deux genres, deux notions* (→ Habitude, cit. 41 ; industrie, cit. 12).

1   Jamais rien ne fut mieux partagé, ni séparé si nettement entre nous ; car vous ne nous avez laissé aucune sorte de hardiesse, ni nous à vous aucune sorte de crainte.
     Mme DE SÉVIGNÉ, 388, 15 oct. 1674.

(Avec un verbe de sentiment, de déclaration...). ⇒ **Clairement.** *Prendre nettement conscience* (→ Capital, cit. 9). *Comprendre, apercevoir chaque jour plus nettement. Je me suis dit nettement tout ça* (→ Escalier, cit. 8). *Je ne conçois pas bien nettement ce que vous voulez dire. Exprimer* (cit. 28), *s'expliquer nettement. Déclarer nettement.* ⇒ **Expressément, formellement.**

2   Tout écrivain, pour écrire nettement, doit se mettre à la place de ses lecteurs (...) et se persuader ensuite qu'on n'est pas entendu seulement à cause que l'on s'entend soi-même mais parce qu'on est en effet intelligible.
     LA BRUYÈRE, les Caractères, I, 56.

3   Aucune langue n'est plus claire et plus rapide *(que le français),* n'indique plus légèrement et n'explique plus nettement ce qu'on veut dire. L'allemand se prête beaucoup moins à la précision et à la rapidité de la conversation.
     Mme DE STAËL, De l'Allemagne, I, XII.

Avec clarté et fermeté. ⇒ **Carrément, franchement ;** aussi Ambages, ambiguïté, détour (sans). *Dire nettement sa pensée sans flatter* (cit. 30). ⇒ **Haut, hautement.** *Dénoncer nettement le danger des impropriétés* (cit. 3).

4   (...) vous savez comme il *(l'Intendant)* me refusa nettement.
     Mme DE SÉVIGNÉ, 362, 24 déc. 1673.

5   (...) elle n'approuvait plus le projet de Gervaise ; et elle dit nettement pourquoi : Coupeau tournait mal, Coupeau lui mangerait sa boutique.
     ZOLA, l'Assommoir, t. I, IV, p. 159.

(Avec d'autres verbes, *nettement* ne qualifiant plus l'action elle-même, mais la manière dont elle apparaît). D'une manière qui paraît claire, incontestable. *Usage qui tend nettement à disparaître* (→ Inversion, cit. 4). *L'emporter nettement sur un adversaire.* — REM. De ce sens dérive l'emploi actuel de *nettement* devant un adjectif, notamment au comparatif ou au superlatif ; il marque alors une qualité ou un degré devenus sensibles, reconnus comme certains :
Un sens nettement péjoratif (→ Idéologie, cit. 6). *Le temps devenait nettement maniable* (cit. 3). *Des hommes* (cit. 6) *nettement inférieurs. Un coureur nettement plus rapide. Il est nettement le plus fort.* ⇒ **Certainement.** *Il va nettement mieux.*

6   Ainsi perdit Nicias l'avantage qu'il avait nettement gagné sur les Corinthiens. Et au rebours, Agésilaus assura celui qui lui était bien douteusement acquis sur les Béotiens.   MONTAIGNE, Essais, I, III.

♦ **3.** (1622, in D.D.L.). D'une manière claire, très visible. (Concret). *Lignes nettement accusées* (→ Basin, cit. ; méplat, cit. 2). ⇒ **Fortement.** *Feuillages qui se découpent* (cit. 7) *nettement sur le fond du ciel* (→ Goélette, cit. 1). ⇒ **Distinctement.** *Voir nettement un objet à l'aide d'une lunette. Articuler nettement. J'ai entendu nettement deux coups de feu. Gestes* (cit. 8) *qui montrent nettement une chose.*

CONTR. **Ambigument, confusément, obscurément, vaguement.**

NETTETÉ [nɛtte] n. f. — 1216, « propreté » ; *netée* « pureté », au XIIe ; de *net.*

♦ **1.** Qualité de ce qui est net*. — *(Net* aux sens 1 et 2). *Netteté d'une glace, d'un diamant.* ⇒ **Clarté, éclat.** *La netteté et l'éclat des couleurs* (→ Martin-pêcheur, cit.). — Vx. *La netteté du corps* (Littré). ⇒ **Propreté.**

7   (...) on sentait combien c'était loin, cet horizon, cette dernière ligne des eaux, bien

que ce fût toujours la même chose que de près, toujours la même netteté, toujours la même couleur, toujours le même poli de miroir.

LOTI, Mon frère Yves, XI.

(*Net* au sens 3). ⇒ **Pureté.**

Que si par l'impétuosité de son cours *(une fontaine)* agite trop violemment la terre sur laquelle elle passe et qu'elle en détache quelque partie qu'elle entraîne avec elle (...) aussitôt vous lui voyez perdre toute sa netteté naturelle ; elle cesse visiblement d'être pure, sitôt qu'elle commence d'être mêlée.

BOSSUET, Sermon pour une profession, Sur la virginité (→ Net, cit. 12).

♦ **2.** (1645). Qualité de ce qui est net. ⇒ **Clarté, précision.** *Netteté des idées, d'une impression, d'une connaissance* (→ Irréalité, cit. 1). *Netteté d'esprit.* ⇒ **Lucidité.** *Mémoire qui représente les faits avec une netteté singulière* (→ Examen, cit. 12). *Netteté du style* (⇒ vx **Perspicuité**).

Netteté d'une phrase (→ Emporte-pièce, cit. 1 ; monothéisme, cit.). *Expression qui manque de netteté. — Préciser avec netteté que...* (→ Ex cathedra, cit. 1). *Netteté d'un avis, d'un conseil, d'une proposition* (→ Grandiloquent, cit. 1).

(...) l'on a mis enfin dans le discours tout l'ordre et toute la netteté dont il est capable (...) LA BRUYÈRE, les Caractères, I, 60.

La netteté est le vernis des maîtres.

VAUVENARGUES, Maximes et réflexions, 373.

Après tout, on n'a jamais tant d'efforts à faire en France pour revenir à cette netteté, car elle n'est pas seulement de forme chez nous, elle constitue le fond de la langue et de l'esprit de notre nation ; elle en a été la disposition et la qualité évidente durant des siècles (...) SAINTE-BEUVE, Causeries du lundi, 12 nov. 1849.

Il parlait avec netteté. Son esprit se désengourdissait. Lentement, la machine à raisonner s'était mise en branle et elle ne s'arrêtait plus.

F. MAURIAC, le Nœud de vipères, XIV.

La musique de la phrase (...) j'y attache aujourd'hui moins de prix qu'à sa netteté, son exactitude (...) GIDE, Pages de journal, 1929-1932, p. 108.

♦ **3.** Caractère de ce qui est clairement visible, bien marqué. *Netteté de l'écriture, d'un caractère, d'un dessin, d'un trait, d'une ligne...* (→ Horizon, cit. 3). ⇒ **Précision.** *Image qui manque de netteté. Détails qui ressortent avec netteté* (→ Éclairer, cit. 3). *Netteté de l'articulation* (cit. 7), *d'une voix, d'un son...*

(...) quelquefois, dans la description, il obtient des résultats fantastiques et bizarres, en plaçant, sans rien dire, un microscope sous l'œil du lecteur ; les détails apparaissent alors avec une netteté surnaturelle, une minutie exagérée, des grossissements incompréhensibles et formidables (...)

Th. GAUTIER, Portraits contemporains, « H. de Balzac ».

CONTR. Opacité, saleté. — Ambages, ambiguïté, circonlocution, clair-obscur, confusion, flou, imprécision, incertitude, indécision, obscurité.

NETTOIEMENT [netwamã] n. m. — 1377 ; *nattiement*, v. 1190 ; de *nettoyer.*

♦ **1.** Ensemble des opérations ayant pour but de nettoyer. ⇒ **Assainissement, nettoyage.** *Nettoiement des rues, d'un port. Service du nettoiement* (enlèvement des ordures). ⇒ **Balayage, éboueur.**

Il s'en fallait de beaucoup que la ville de Paris fût ce qu'elle est aujourd'hui. Il n'y avait ni clarté, ni sûreté, ni propreté. Il fallut pourvoir à ce nettoiement continuel des rues ; à cette illumination que cinq mille fanaux forment toutes les nuits, paver la ville tout entière (...) VOLTAIRE, le Siècle de Louis XIV, XXIX.

♦ **2.** Agric. *Nettoiement des terres, du sol :* destruction des herbes ou plantes nuisibles. — (1771). *Nettoiement des grains,* par élimination des matières étrangères qui s'y trouvent mêlées.

♦ **3.** Sylv. « Opération dont le but est de dégager, dans les peuplements forestiers, les jeunes plants des morts-bois et des bois blancs qui en gênent la croissance » *(Omnium agricole).*

NETTOYABLE [netwajabl] adj. — 1546 ; de *nettoyer.*

♦ Qui peut être nettoyé. *Vêtement difficilement nettoyable.*

CONTR. Innettoyable.

NETTOYAGE [netwajaʒ] n. m. — 1420 ; *nestiage*, 1344, en Normandie ; de *nettoyer.*

♦ **1.** Action de nettoyer* ; résultat de cette action. — REM. Il semble que *nettoyage* représente plutôt une action, et *nettoiement* une opération complexe ; en fait, comme la plupart des substantifs en -*age* en concurrence avec des substantifs en -*ment*, *nettoyage* tend à cantonner *nettoiement* dans des emplois spéciaux.

Le nettoyage minutieux de la maison (→ Frotter, cit. 3). *Nettoyage d'une façade.* ⇒ **Ravalement.** *Nettoyage des vêtements.* ⇒ **Dégraissage, teinturerie.** *Nettoyage à sec, à la vapeur. Nettoyage du linge.* ⇒ **Blanchissage, blanchisserie.** *Nettoyage des métaux.* ⇒ **Décapage, dérochage, fourbissage.** *Nettoyage par le vide,* ou *pneumatique,* à l'aide d'un aspirateur*. — Spécialt. (Agric.). *Nettoyage des terres.* ⇒ **Nettoiement.** *Nettoyage des grains à l'aide d'un trieur*, du tarare, du van*. Batteuse à double nettoyage* (ou « double coup de vent »). — (Sylv.). ⇒ **Nettoiement.** *Nettoyage des arbres,* par élimination des branches gourmandes*.

♦ **2.** ⓐ (Milit.). Action de débarrasser un lieu d'ennemis. *Nettoyage d'une position, d'un village occupé par l'ennemi. Nettoyage d'une*

tranchée, généralement confié à des commandos spécialisés dits *nettoyeurs de tranchées.*

Ulysse est inexorable dans sa vengeance. Il n'épargne ni les prétendants, ni les servantes infidèles. La scène fait, par sa sauvagerie, penser à ce que, dans nos guerres modernes, on appelle avec pudeur le « nettoyage » d'une position.

G. DUHAMEL, Refuges de la lecture, I, p. 56.

ⓑ Fig., fam. Licenciement du personnel indésirable ; renvoi brusque (de visiteurs, d'intrus). *Le nettoyage d'une administration.* ⇒ **Balai** (coup de).

Loc. *Nettoyage par le vide :* action de débarrasser un lieu de ce qui le remplit, l'encombre.

NETTOYANT [netwajã] n. m. — 1949 ; de *nettoyer.*

♦ Produit qui nettoie, détache. *Utiliser diverses formules de nettoyants.*

(...) comme la surface d'un tableau obscurci par les vernis et la crasse et qu'un restaurateur révélerait par plaques — essayant, expérimentant çà et là sur de petits morceaux différentes formules de nettoyants (...)

Claude SIMON, la Route des Flandres, p. 116.

NETTOYER [netwaje] v. tr. — Conjug. *broyer.* — 1175 ; de *net.*

♦ **1.** Rendre net, propre, en débarrassant de ce qui ternit ou salit. *Nettoyer des vêtements.* ⇒ **Dégraisser, détacher.** *Nettoyer à l'eau* (⇒ **Laver**), *à sec. Nettoyer ses souliers.* ⇒ **Brosser, cirer, décrotter.** *Nettoyer la maison en faisant le ménage. Nettoyer une maison insalubre.* ⇒ **Assainir.** *Nettoyer les parquets, le plancher, le sol.* ⇒ **Balayer, frotter, lessiver.** *Nettoyer un tapis.* ⇒ **Battre, housser.** *Nettoyer les meubles.* ⇒ **Décaper, épousseter, essuyer, torchonner** (→ Frotter, cit. 2 ; ménage, cit. 4). *Nettoyer des vitres, des verres* ⇒ **Jumelle, cit. ; linge, cit. 5**). *Nettoyer l'argenterie* (⇒ **Blanchir, fourbir**), *les cuivres.* ⇒ **Astiquer.** — *Nettoyer les casseroles, les verres. Nettoyer la vaisselle :* faire la vaisselle. ⇒ **Récurer.** *Nettoyer des bouteilles.* ⇒ **Goupillonner, rincer.** *Nettoyer une arme.* ⇒ **Dérouiller, écouvillonner.** *Nettoyer et restaurer un tableau. Donner une montre à nettoyer* (→ Horloger, cit. 1). *Nettoyer des laines.* ⇒ **Arçonner, désuinter, ébrouer.** *Nettoyer les légumes* (cit. 3). ⇒ **Éplucher.** *Nettoyer du grain.* ⇒ **Cribler, émonder, monder, trier, vanner.**

Nettoyer une allée. ⇒ **Racler, ratisser.** *Nettoyer un puits, un fossé, un canal, un bassin...* ⇒ **Curer, désengorger, draguer, écurer.** *Nettoyer un bateau.* ⇒ **Briquer, caréner ; fauberter.**

Les plumes tortillées servaient à nettoyer la cheminée de nos pipes. Contrairement aux lois du crédit, le papier était chez nous encore plus rare que l'argent. BALZAC, Z. Marcas, Pl., t. VII, p. 738. | 1

Sans doute une violente émotion venait de le saisir, au moment où il nettoyait un rosier grimpant, car il tenait son sécateur à la main, et l'échelle était encore contre le mur. ZOLA, la Terre, II, VII. | 2

(...) le vieux vagabond qui nettoie ses chaussures en les plaçant sous le robinet de la fontaine publique (...) G. DUHAMEL, Salavin, III, XXX. | 3

Spécialt. (Agric.). *Nettoyer le sol* (→ 2. Fumer, cit. 1 ; hersage, cit. 2 ; jachère, cit. 2). ⇒ **Nettoiement, nettoyage.** — Allus. mythologique. *Nettoyer les écuries* d'Augias.

Nettoyer un enfant. ⇒ **Laver.** *Viens, que je te nettoie les oreilles* (⇒ **Curer**), *la figure* (⇒ **Débarbouiller**). *Se nettoyer la figure, les mains...* ⇒ **Débarbouiller, décrasser, éponger, frictionner, laver, peigner, savonner, torcher... ; toilette** (faire sa). *Nettoyer une plaie.* ⇒ **Absterger, déterger, mondifier.** — *Nettoyer un chien, un cheval.* ⇒ **Bouchonner, étriller, toiletter.**

Charles fut surpris par la blancheur de ses ongles. Ils étaient brillants, fins du bout, plus nettoyés que les ivoires de Dieppe (...) FLAUBERT, Mᵐᵉ Bovary, I, II. | 4

Il y avait assez longtemps qu'ils se penchaient sur lui, qu'ils le nettoyaient, le récuraient, le bouchonnaient de leurs mains justes et qu'il restait immobile, avec toutes ces mains sur le corps (...) SARTRE, le Sursis, p. 30. | 5

(Sujet n. de chose ; compl. n. d'un organe). *Nettoyer l'estomac, les intestins.* ⇒ **Purger** (→ Balayer, cit. 17 ; évacuer, cit. 1). *Eau minérale qui nettoie les reins, le foie.*

Fig., par métaphore. ⇒ **Laver** (cit. 21), **purifier.**

Ce jour tranquille de flottement *(sur le yacht)* avait nettoyé mon esprit comme un coup d'éponge sur une vitre ternie (...) MAUPASSANT, la Vie errante, La nuit. | 6

Il faut nettoyer son style, le vanner, le cribler, le passer au tamis, lui ôter la paille, le clarifier, le pétrir, le durcir, jusqu'à ce qu'il n'y ait plus de copeaux au bois, jusqu'à ce que la fonte soit sans bavure, et ne soit rejeté toutes scories que le métal. Antoine ALBALAT, l'Art d'écrire..., p. 91. | 7

♦ **2.** (XIIIᵉ, *nettoyer qqch. de...*). Rendre net (un contenant, un lieu), en débarrassant de ce qui remplit, encombre, gêne... ⇒ **Vider.** *Nettoyer les assiettes, les plats,* en mangeant tout ce qu'ils contiennent. — Loc. (Vx). *Nettoyer les brocs* (Littré) : bien boire. — Fig. *Les pluies ont nettoyé le ciel,* en en chassant les nuages (→ Grand, cit. 28). — Jeux. *Nettoyer le tapis,* en gagnant tout l'argent.

Cependant le garçon avait fini de souper. L'écuelle était mieux que vidée, elle était nettoyée. HUGO, l'Homme qui rit, I, III, V. | 8

Pronominal :

Peu à peu, comme si chacun songeait à regagner le port, la mer se nettoyait de navires. HUGO, les Travailleurs de la mer, I, VI, III. | 9

♦ **3.** Fam. Vider en démolissant (→ ci-dessous, cit. 11, Zola) et souvent en cambriolant*. *Des cambrioleurs ont nettoyé la villa dans* *la nuit. « Nettoyer proprement la crèche »* (cit. 3, Carco). — (Compl. n. de personne). Priver (qqn) de son argent, de son bien. ⇒ **Ruiner ; dépouiller.** *Cette série de procès l'a complètement nettoyé. Se faire nettoyer à la Bourse, au jeu.* ⇒ **Lessiver.**

(Le compl. désignant le bien qui disparaît). Faire disparaître (plus ou moins honnêtement), dilapider. *Il n'y a pas six mois qu'il a touché son héritage, et son compte en banque est déjà nettoyé.* ⇒ **Liquider.**

10   Échevins, prévôt des marchands,
        Tout fait sa main : le plus habile
        Donne aux autres l'exemple ; et c'est un passe-temps
        De leur voir nettoyer un monceau de pistoles.   LA FONTAINE, *Fables*, VIII, 7.

11   (...) une bataille s'engagea en bas, dans la bastringue (...) Boche et Mes-Bottes, qui avaient embrassé une dame, ne voulaient pas la rendre à deux militaires auxquels elle appartenait, et menaçaient de nettoyer tout le tremblement (...)
                                                                ZOLA, *l'Assommoir*, t. I, III, p. 116.

♦ **4.** (*Nettoyer une tranchée*, 1671). Débarrasser (un lieu, une position...) de gens dangereux, d'ennemis en les exterminant, en les mettant hors d'état de nuire. *Nettoyer un pays des brigands* (cit. 1) *qui l'infestaient. Nettoyer la mer des corsaires. Nettoyer la place d'ennemis.* — Par ext. *Nettoyer la route* (→ Cuir, cit. 2). *La police ferait bien de nettoyer le quartier.*

12   Et toi, Neptune, et toi, si jadis mon courage
        D'infâmes assassins nettoya ton rivage (...)   RACINE, *Phèdre*, IV, 2.

13   (...) ce maréchal fait des miracles : il nettoie tous les deux ou trois jours la tranchée avec une propreté extraordinaire (...)   Mme DE SÉVIGNÉ, 442, 9 sept. 1675.

14   (*Les Suédois*) poursuivent les Turcs de chambre en chambre, tuent ou blessent ceux qui ne fuient point, et en un quart d'heure nettoient la maison d'ennemis.
                                                                VOLTAIRE, *Charles XII*, VI.

15   (...) Kléber les poursuivait, l'épée dans les reins, en nettoyait toute la Basse Égypte, rentrait dans les villes (...)
                                                                Louis MADELIN, *Hist. du Consulat et de l'Empire*, « Le consulat », I.

16   Je vais nettoyer un bout de rue avec la mitrailleuse.
                                                                MALRAUX, *l'Espoir*, I, II, II, VIII.

♦ **5.** (1844). Fam. (Compl. n. de personne). Éliminer en supprimant, en tuant. ⇒ **Liquider.**

17   (*Canon*) parlait de couper le cou aux riches (...) Tout de suite, Jésus-Christ et Canon s'étaient entendus. — Ah ! nom de Dieu ! cria le premier, ce que j'ai eu tort, en 48, de ne pas les saigner tous (...) Canon s'en alla (...) revint, repartit (...) Et, dès lors, de temps à autre, il tomba au Château (...) jurant à chaque apparition que les bourgeois seraient nettoyés avant trois mois.
                                                                ZOLA, *la Terre*, IV, III.

▸ **SE NETTOYER** v. pron.

(Passif). *Objet en métal* (cit. 4) *qui se nettoie facilement.*

(Réfl.). *Va te nettoyer.* ⇒ **Laver** (se). — *Se nettoyer de... :* se vider de (→ ci-dessus, cit. 9).

▸ **NETTOYÉ, ÉE** p. p. adj. *Vaisselle (bien) nettoyée. Mains nettoyées.* — (Au sens 2 ; → ci-dessus, cit. 8).

CONTR. Salir, barbouiller, contaminer, souiller, ternir. — Remplir.
DÉR. Nettoiement, nettoyable, nettoyage, nettoyant, nettoyeur, nettoyure.

NETTOYEUR, EUSE [netwajœR, øz] n. — 1480 ; de *nettoyer.*

♦ **1.** Celui, celle qui nettoie. *Nettoyeur de vitres* (⇒ **Laveur**), *de parquets* (⇒ **Cireur**). — (Milit.). *Nettoyeurs de tranchées :* soldats qui nettoient (4.) une tranchée. ⇒ **Nettoyage.**

Lui aussi il revenait de nettoyer un bureau avec les autres... Il marchait bien pondérément, avec un peu de véritable majesté. C'est le genre qu'ils prenaient d'ailleurs tous ces nettoyeurs de nuit.
                                                                CÉLINE, *Voyage au bout de la nuit*, p. 214.

♦ **2.** N. m. (1859 ; *Année sc. et industr.* 1860, p. 87). Appareil, machine servant à nettoyer. *Nettoyeur de grains.*

NETTOYURE [netwajyR] n. f. — 1350 ; de *nettoyer.*

♦ Rare. Ordure qu'on enlève en nettoyant.

1. NEUF [nœf] adj. et n. m. invar. — 1119, *nof* ; du lat. *novem.*

REM. 1. Le *f* se prononce [v] devant une voyelle ou un *h* muet dans des mots auxquels *neuf* se trouve fréquemment associé : *neuf ans* [nœvã] *neuf heures* [nœvœR].

2. Le dictionnaire de l'Académie (8e éd., 1935) donne encore l'usage ancien d'après lequel le *f* « peut ne pas se prononcer quand il est suivi immédiatement d'un mot qui commence par une consonne ». *Neuf personnes* [nœpERsɔn].

★ **I.** ♦ **1.** Adj. numéral cardinal invar. Huit plus un. → les mots en *non-* (nonagénaire, nonante, none...). *Le nombre, le chiffre, le numéro neuf. Les neuf Muses* (cit. 1 et 2). *Cercle* des *neuf points. Chat* à *neuf queues. Gestation* (cit. 1) *de neuf mois. Bail* (cit. 4) *de neuf ans. Neuf cents. De neuf à dix mille chats* (→ Infecter, cit. 7). *Neuf fois sur dix* (→ Lieu, cit. 57). *Composé de neuf cordes, de neuf côtés...* ⇒ **Ennéa-.** *Neuf dizaines.* ⇒ **Nonante** (régional), **quatre-vingt-dix.**

        Neuf fois, au nom de Cassandre,
        Je vois prendre
        Neuf fois du vin du flacon,
        Afin de neuf fois le boire
        En mémoire
        Des neuf lettres de son nom.
                                                                RONSARD, *Second livre des poèmes*, « Voyage d'Hercueil ».

♦ **2.** (Employé comme ordinal). ⇒ **Neuvième.** *Le chapitre, la page, le tome... neuf. Le roi Louis neuf* (Louis IX). *Vers neuf heures* (→ Attroupement, cit. 4). — Ellipt. *Le neuf juin. Le neuf du mois.*

J'ai encore les mains enflées, ma chère enfant, mais que cela vous persuade la fin de tout le rhumatisme, qui a toujours diminué depuis cette crise dont nous vous parlâmes le neuf.   Mme DE SÉVIGNÉ, 474, 26 janv. 1676.

★ **II.** N. m. invar. Le nombre neuf. *Quatre et cinq font neuf. Neuf est divisible par trois. Preuve* par neuf. Atteindre un nombre d'années multiple de neuf.* ⇒ **Climatérique** (année climatérique). — Le chiffre neuf. Un neuf mal fait.* — Le numéro neuf. *Il habite au neuf de la rue...*

        Facteur, qui de l'État émanes
        C'est au neuf que nous nous plaisons
        De te lancer, Boulevard Lannes,
                                                                MALLARMÉ, *Vers de circonstance*, « Loisirs de la poste », XCII.

(Jeux). Carte à jouer marquée de neuf points. *Le neuf de carreau. Avoir les quatre neuf, marquer cent cinquante de neuf à la belote.*

DÉR. Neuvaine, neuvième.
COMP. Neuf-deux, neuf-huit, neuf-quatre, neuf-seize.

2. NEUF, NEUVE [nœf, nœv] adj. et n. — XIVe ; *nous*, 980 ; *nuef*, XIIe ; du lat. *novus.*

REM. *Neuf* et *nouveau :*

Ce qui est *nouveau* vient de paraître pour la première fois ; ce qui est *neuf* vient d'être fait et n'a point encore servi ; ce qui est *récent* vient de se passer tout à l'heure. On dit une mode *nouvelle*, un habit *neuf* (...) un fait ou un exemple *récent*. La chose *nouvelle* n'était pas connue ; la chose *neuve* n'est pas usée (...) la chose *récente* n'est pas ancienne. Une invention est *nouvelle*, une expression *neuve*.   LAFAYE, *Dict. des synonymes*, Nouveau, neuf...

On croit généralement qu'il suffit qu'une idée soit neuve pour qu'elle soit nouvelle. On croit qu'une idée soit neuve pour qu'elle ait jamais servi. Quelle erreur. Elle a servi au fabricant. Quand un arbre de théâtre (...) sort de chez le fabricant, il est tout de même un vieil arbre, il est tout de même un arbre tout fait, et il est tout de même de théâtre. Il a beau être neuf, il n'est pas pour cela un vrai arbre, un arbre dans la campagne. Ce n'est pas pour cela un nouvel arbre dans le monde.   Ch. PÉGUY, *Note conjointe*, « Sur Bergson », p. 24.

★ **I.** Adj. ♦ **1.** Qui vient d'être fait et n'a pas encore servi. *Essuyer les plâtres d'une maison neuve, toute neuve* (→ Fil, cit. 24). *Étrenner une robe neuve. Acheter des souliers neufs. Prendre livraison d'une voiture neuve.* — REM. Avoir *une voiture nouvelle*, c'est avoir une voiture d'un type récemment créé, qui vient à peine de sortir ; une *nouvelle* voiture, une voiture qui remplace la précédente et qui peut n'être pas *neuve*. Une voiture *neuve*, enfin, n'est pas forcément une voiture *nouvelle*.

Caractère (cit. 6) *d'imprimerie qui est neuf. Dans l'exotisme* (cit. 2) *tout paraît neuf. Livres* (cit. 7) *tout neufs.* — *Faire maison* neuve. Faire peau* neuve. Terre neuve*, qui vient d'être défrichée.

En ce temps-là, Édouard habitait le troisième étage d'un immeuble neuf qui avait poussé, comme une dent de sagesse en bousculant toute la région.
                                                                G. DUHAMEL, *Salavin*, III, XIII.

Qui paraît neuf pour avoir été peu utilisé ou peu usé. *Il est si gineux que son costume est encore neuf. Ces vêtements ne sont plus très neufs.* ⇒ **Frais.** *Meuble, livre ancien à l'état neuf.* — (Vx). *Battant* neuf.* → Battre, cit. 51, 52. *Flambant* (cit. 17) *neuf.*

Dame ! les draps ne sont pas neufs. Voilà bien cinq ans qu'ils servent, et, à la longue, le frottement du corps, ça use... Vous voyez, ils ont un grand trou au milieu ; mais les bords sont encore bons, on peut tailler là-dedans une foule de choses.   ZOLA, *la Terre*, III, VI.

Le peuple bavarois circulait en vêtements neufs, en gants neufs, en chapeaux neufs, mais étoffes et feutres étaient rêches à la vue, au toucher (...)
                                                                J. GIRAUDOUX, *Siegfried et le Limousin*, p. 126.

♦ **2.** (Avec l'article défini et après le nom, par comparaison avec une chose du même ordre). Qui est moins ancien. *Le vieux château et le château neuf ; la vieille ville et la ville neuve* (cf. Châteauneuf, Villeneuve, noms de nombreuses localités). *Les vieux quartiers et les quartiers neufs* (→ Loger, cit. 5). ⇒ **Moderne.** *Le cirque neuf de Malaga* (→ Inaugurer, cit. 2). *Le Pont-Neuf à Paris.*

♦ **3.** (Choses abstraites). Nouveau (dans l'ordre intellectuel, artistique). ⇒ **Original.** *Traiter un sujet neuf. Thème banal traité d'une manière neuve. Des idées, des pensées, des remarques neuves* (→ Ambiant, cit. 2 ; livre, cit. 10). *Une musique...un art vraiment neufs* (→ Fugitif, cit. 14). *Observation neuve et originale* (→ Fouiller, cit. 10). *Expressions, tournures, images neuves.* ⇒ **Audacieux.** *Scène neuve au théâtre* (→ Innovation, cit. 3). — Fam. *Voilà une chose toute neuve pour moi, voilà qui est tout neuf pour moi, une chose dont je n'avais pas l'idée, dont je n'avais pas entendu parler.* ⇒ **Inconnu.**

Qu'est-ce qu'une pensée neuve, brillante, extraordinaire ? Ce n'est point, comme se le persuadent les ignorants, une pensée que personne n'a jamais eue, ni dû avoir : c'est au contraire une pensée qui a dû venir à tout le monde, et que quelqu'un s'avise le premier d'exprimer.   BOILEAU, Préfaces, VI (1701).

Que l'Europe approuve que vous ne voulez plus un malheureux ni un oppresseur sur le territoire français ; que cet exemple fructifie sur la terre ; qu'il y propage l'amour des vertus et le bonheur. Le bonheur est une idée neuve en Europe !   SAINT-JUST, Rapport du 13 ventôse an II (3 mars 1794).

À quoi sert-il d'être libre de parler et d'écrire, si l'on n'a rien de vrai et de neuf à dire ?   RENAN, Questions contemporaines, Réflexions..., Œ. compl., t. I, I, p. 213.

(...) de même que la physique soumet aux mathématiciens des problèmes nouveaux qui les obligent à produire un symbolisme neuf, de même les exigences toujours neuves du social ou de la métaphysique engagent l'artiste à trouver une langue neuve et des techniques nouvelles.   SARTRE, Situations II, p. 76.

♦ **4.** (Personnes). Vieilli. Qui n'a pas encore l'expérience, l'habitude des choses, des passions, de la vie... ⇒ **Inexpérimenté, novice.** *Il est tout neuf dans le métier. Il est neuf aux affaires* (Littré, Académie). *« En ses affaires, il se trouve assez neuf »* (→ Guère, cit. 18, Molière). *Jeune homme neuf qui a vécu dans les illusions* (cit. 21) *de l'enthousiasme. Homme neuf et désarmé* (→ Façonner, cit. 11). — *Une âme, un cœur neufs.*

(le comte d'Estrées) sait tout, il n'est neuf sur rien (...)   Mᵐᵉ DE SÉVIGNÉ, 1236, 20 nov. 1689.

Vieilli. *Neuf à..., dans..., en...*

(...) quand ils viennent aux grandes affaires, ils y sont neufs (...)   RACINE, Trad. de Lucien.

(...) et quoique modeste et neuve au manège des salons, elle sut aussi bien que la plus savante coquette, lever à propos les yeux sur lui, les baisser avec une feinte modestie.   BALZAC, la Paix du ménage, Pl., t. I, p. 1022.

(...) encore neufs au métier de la vie sociale, nous restons en proie à une sorte de niaiserie, à un sentiment de stupeur, comme si nous étions sans secours dans un pays étranger.   BALZAC, le Médecin de campagne, Pl., t. VIII, p. 477.

(...) fort neuf en beaucoup de choses, n'ayant jamais quitté sa gentilhommière au milieu des landes.   Th. GAUTIER, le Capitaine Fracasse, XI.

Mod. *Être neuf dans une activité, un métier.*

J'étais neuf dans le métier lorsque je répondis au chef lointain qui demandait : « Où sont les officiers ? », qu'ils étaient à table (...)   ALAIN, Propos, 14 mai 1921, Mensonges militaires.

Spécialt. Sans expérience des choses de l'amour. ⇒ **Novice, puceau.**

(...) à vingt-deux ans, grand et vigoureux, comme je l'étais, assez bien de figure, alerte et point sot, j'étais aussi neuf, mais aussi neuf qu'au sortir du ventre de ma mère, et les deux femmes de s'en émerveiller ainsi que leurs maris.   DIDEROT, Jacques le fataliste, Pl., p. 677.

♦ **5.** (Sentiments, passions). Qui vient de naître ou de renaître, qui a encore ou qui a repris toute sa fraîcheur et sa force. *Ambition* (cit. 12), *camaraderie* (cit. 3) *toute neuve. Sensations fortes et neuves* (→ Fiévreux, cit. 2). *La certitude d'être aimée lui forgeait* (cit. 7) *une âme neuve. Sensibilité restée vive et neuve* (→ Frémissant, cit. 6). *Joie fraîche et neuve* (→ Imperméable, cit. 4). *La vision, le regard neufs de l'enfant, de l'artiste. Regarder le monde avec des yeux neufs.*

Je renaquis avec un être neuf, sous un ciel neuf et au milieu de choses complètement renouvelées.   GIDE, les Nourritures terrestres, p. 29.

♦ **6.** Qui existe depuis peu de temps, qui vient d'arriver. ⇒ **Récent.** *Un bonheur neuf. La brutalité reparaît sous la culture trop neuve* (→ Hybride, cit. 7). *L'éclat* (cit. 34) *criard d'une fortune trop neuve. Peuple neuf,* qui a accédé depuis peu à l'existence nationale, à la civilisation.

Les peuples neufs croient trop volontiers que tout s'enseigne, que la vérité se communique en recettes, presque en comprimés. Les peuples plus évolués (...) tendent à mettre davantage l'accent sur la culture.   André SIEGFRIED, La Fontaine..., p. 72.

♦ **7.** Fam. DE NEUF. (En parlant de faits récents pouvant amener quelque changement). ⇒ **Nouveau.** *Rien de neuf dans l'affaire X. Alors, quoi de neuf ? :* quelle nouvelle ?

Un mois environ après cette aventure, — et durant cet intervalle je n'avais pas entendu parler de Legrand, — je reçus à Charleston une visite de son serviteur Jupiter... — Eh bien, Jup, dis-je, quoi de neuf ? comment va ton maître ?   BAUDELAIRE, Trad. E. POE, Histoires extraordinaires, « Le scarabée d'or », p. 82.

★ **II.** N. ♦ **1.** *Le neuf :* ce qui est neuf. *Coudre le neuf avec le vieux, du vieux avec du neuf. Artisan qui fait le neuf et le vieux,* qui fait des objets neufs et répare les vieux. *Du vieux neuf,* se dit par plaisanterie de ce qui est donné pour neuf tout en étant vieux en réalité. *Vendre du neuf et de l'occasion.* — *En art il faut trouver du neuf. Homme politique qui veut faire du neuf et du raisonnable.* — Fam. *Il y a du neuf dans l'affaire X.*

Je croyais qu'on allait faire
Du grand et du neuf,
Même étendre un peu la sphère
De quatre-vingt-neuf ;
Mais point ; on rebadigeonne
Un trône noirci.   BÉRANGER, Restaur. de la Chanson, in LITTRÉ, art. *Rebadigeonner.*

♦ **2.** (1564). DE NEUF : avec quelque chose de neuf (vêtements, équipements). *Être habillé, vêtu de neuf, tout de neuf* (→ Fringant, cit. 2). *« On t'a ferré de neuf »* (→ Étendre, cit. 12, La Fontaine). — *Appartement meublé de neuf.*

♦ **3.** (XVIᵉ). À NEUF : de manière à rendre l'état ou l'apparence du

neuf. *Rebâtir à neuf* (→ Loger, cit. 13). *Ouvrage à reprendre presque à neuf* (→ Matériau, cit. 5). *Repeindre une pièce à neuf. Remettre à neuf.* ⇒ **Raccommoder, rafraîchir, ragréer, rénover, réparer, requinquer, restaurer, retaper...** *Mon costume était tout défraîchi, le teinturier l'a remis à neuf* (Académie).

(Cibot) jouissait du privilège inattaqué de faire les raccommodages, les reprises perdues, les mises à neuf de tous les habits dans un périmètre de trois rues.   BALZAC, le Cousin Pons, Pl., t. VI, p. 561.   20

La voirie intestinale de Paris a été refaite à neuf et (...) plus que décuplée depuis un quart de siècle (...)   HUGO, les Misérables, V, II, VI.   21

(...) vaut-il mieux garder la façade actuelle, ou la peindre à neuf ?   J. ROMAINS, les Hommes de bonne volonté, t. III, XVI, p. 219.   22

(...) tous les sièges de la salle du Congrès avaient été recouverts à neuf de cuir jaune foncé.   ARAGON, les Beaux Quartiers, II, VII.   23

REM. Gide s'est plu bizarrement à employer *à neuf* dans le sens de *à nouveau* (→ Inouï, cit. 2).

CONTR. **Caduc, usé, vieux. — Occasion** (d'). — **Banal, éculé. — Antique, lointain.**

NEUFCHÂTEL [nøʃatɛl] n. m. — 1798 ; de *Neufchâtel,* localité de la Seine-Maritime.

♦ Fromage* qui fut fabriqué originairement à Neufchâtel. ⇒ **Bondon.**

NEUF-DEUX [nœfdø] n. m. invar. — 1874 ; de 1. *neuf,* et *deux.*

♦ Mus. Mesure à trois temps, composée de neuf blanches.

NEUF-HUIT [nœfɥit] n. m. invar. — 1803 ; de 1. *neuf,* et *huit.*

♦ Mus. Mesure à trois temps, composée de trois noires pointées (= neuf croches).

NEUF-QUATRE [nœfkatʀ] n. m. invar. — 1803 ; de 1. *neuf,* et *quatre.*

♦ Mus. Mesure à trois temps, comptant neuf noires (trois noires par temps).

NEUF-SEIZE [nœfsɛz] n. m. invar. — 1874, Larousse ; de 1. *neuf,* et *seize.*

♦ Mus. Mesure à trois temps, composée de neuf doubles croches (trois doubles croches, soit une croche pointée, par temps).

NEUMATIQUE [nømatik] adj. — 1868 ; lat. médiéval *neumaticus,* de *neuma.* → Neume.

♦ Didact. Des neumes ; qui a recours aux neumes. *La notation neumatique.*

Postérieurement à S. Grégoire (...) on s'est beaucoup exercé à composer des mélodies pures, que l'on ajoutait en supplément au répertoire grégorien. La fécondité du compositeur allait parfois jusqu'à remplir des volumes entiers de cette musique sans paroles (...) Le respect pour les chants proprement liturgiques n'en était en rien diminué et l'œuvre grégorienne demeurait inviolable. Si (...) on avait introduit quelques modulations plus longues dans certaines pièces de l'Office, on ne l'avait fait d'abord que pour des cas exceptionnels (...) Amalaire, au neuvième siècle, signale un seul exemple de ces adjonctions neumatiques (...), c'est la phrase mélodique du *(verset) Tamquam sponsus* avec la triple modulation qui se développe sur les mots *fabricae mundi* (...)   Dom Joseph POTTIER, les Mélodies grégoriennes, p. 191-192.

NEUME [nøm] n. m. et f. — XIVᵉ ; du lat. médiéval *neuma,* altér. du grec *pneuma* « souffle, émission de voix ».

Musicologie et musique.

♦ **1.** N. m. Signe servant à la notation du plain-chant (notation dite *neumatique*).

Son usage *(de la notation alphabétique)* fut purement didactique et réservé aux clercs instruits. Dans la pratique on lui substituait un autre mode de représentation des sons, qui n'était pas une notation proprement dite, mais une sténographie mnémotechnique ; ce sont les Neumes. Ceux-ci, dénués de sens pour le musicien qui n'eût pas connu déjà la mélopée sous-jacente, n'étaient qu'une aide de la mémoire (...) Ils lui en rappellent seulement la direction mélodique et ils lui marquent (...) les groupements de sons qui doivent être constitués par l'émission vocale. Ils indiquent aussi la place et la forme de certains ornements accessoires : broderies, fioritures diverses (...)   M. EMMANUEL, Hist. de la langue musicale, t. I, p. 205-206.   1

♦ **2.** N. f. Groupe de notes émises d'un seul souffle ; courte mélodie qui se vocalise, sans paroles ou sur la dernière syllabe du dernier mot, à la fin de l'alléluia et de certaines antiennes.

La *neume* (...) se fait à la fin d'une antienne par une simple variété de sons et sans y joindre aucunes paroles. Les catholiques autorisent ce singulier usage sur   2

un passage de saint Augustin, qui dit que, ne pouvant trouver des paroles dignes de plaire à Dieu, l'on fait bien de lui adresser des chants confus de jubilation (...)
ROUSSEAU, Dict. de musique, Neume.

DÉR. Neumé.

NEUMÉ, ÉE [nøme] adj. — xxᵉ ; de *neume.*

♦ Mus. Qui donne l'écriture neumatique (de pièces musicales). *Édition neumée du graduel.*

NEUNEUIL ou **NEUNŒUIL** [nœnœj] n. m. — 1863, Renard, *nœneuil;* de *oeil,* dans *un œil,* par redoublement.

♦ Fam. (lang. enfantin). Œil. — REM. Nombreuses var. graphiques : *« On a ri, on s'est baisés sur les neunoeils, les nénés »* (P. Fort, *in* D. D. L.).

NEUR-, NEURO- Élément, du grec *neuron* « nerf », entrant dans la composition de nombreux mots savants.

Var. : *névr-, névro-.*

REM. 1. Les composés dont le deuxième terme est un mot, que celui-ci commence par une voyelle ou une consonne, peuvent s'écrire avec ou sans trait d'union. L'usage d'écrire sans trait d'union paraît se généraliser ; la règle qui consiste à écrire sans trait d'union la suite *o* + consonne est préférable (ex. : *neurobiologie,* mais *neuro-endocrinien*).
2. Outre les mots traités ci-dessous, on rencontre de nombreux composés (*neurobiochimie, neuro-effecteur, neuroradiologie,* etc.).

NEURAL, ALE, AUX [nøRal, o] adj. — 1878; dér. sav. du grec *neuron* « nerf ».

♦ Biol. Du système nerveux; des axes nerveux. *Arc neural :* pièce vertébrale qui entoure l'axe nerveux. *Cavité neurale,* qui contient le système nerveux central.

1 Chacune *(des vertèbres)* comporte un corps vertébral représenté en son centre par la corde, portant dorsalement et ventralement deux arcs : l'arc dorsal ou neural qui est percé du canal médullaire, et se prolonge par une épine médiane (...)
R. et M.-L. BAUCHOT, les Poissons, p. 34.

Embryol. *Plaque neurale, tube neural.*

2 (...) sur la future zone médio-dorsale de l'embryon, se différencie une bande aplatie, qui n'est autre que la *plaque neurale;* ses bords latéraux se relèveront ensuite et elle se transformera (...) en un tube qui constitue le système nerveux central (...)
Maurice CAULLERY, l'Embryologie, p. 59.

NEURASTHÉNIE [nøRasteni] n. f. — 1880, sens médical; *névrasthénie,* 1859, sens général; de *neuro-,* et *asthénie;* cf. angl. *neurasthenia,* 1876.

♦ **1.** Méd. Névrose* caractérisée par une asthénie* musculaire permanente, des troubles fonctionnels (digestifs, endocriniens...) et sensitifs (céphalalgie, courbature...), un état mental à fond d'angoisse. ⇒ **Hypocondrie, mélancolie.** *Neurasthénie d'étiologie organique, psychogénétique. Le surmenage*, cause fréquente de la neurasthénie. L'aboulie*, symptôme de la neurasthénie.*

♦ **2.** Cour. État durable d'abattement* accompagné de tristesse morbide. *Faire de la neurasthénie* (→ Langueur, cit. 5).

1 Elle se sentait (...) usée (...) par ces années de privations et de fatigues (...) elle avait perdu tout courage pour agir ; elle était lasse, somnolente, sa volonté était engourdie. Elle traversait une de ces crises de neurasthénie, qui frappent souvent, au déclin de la vie, des personnes laborieuses, quand un coup imprévu leur enlève toute raison de travailler.
R. ROLLAND, Jean-Christophe, L'adolescent, I, p. 227-228.

2 Il avait la migraine, broyait du noir, était franchement insupportable et faisait de la neurasthénie aiguë.
B. CENDRARS, la Main coupée, p. 19.

DÉR. Neurasthénique.

NEURASTHÉNIQUE [nøRastenik] adj. et n. — 1880; *névrasthénique,* 1859; de *neurasthénie.*

♦ **1.** Méd. Qui a rapport à la neurasthénie. *Troubles neurasthéniques.* — Qui est atteint de neurasthénie (⇒ **Névrosé**). — N. *Insomnie, préoccupations hypocondriaques des neurasthéniques.* ⇒ **Mélancolique** (→ Malade, cit. 23).

♦ **2.** Cour. Qui est abattu, triste, sans motifs précis et de manière durable. *Devenir, être neurasthénique* (→ Large, cit. 24).

1 Hier, j'ai visité une maison de santé pour neurasthéniques. Dans le jardin, un homme était debout sur un banc (...) le cou incliné dans une position qui devait être fort pénible (...) Il me répondit (...) : « Docteur, je suis extrêmement rhumatisant et enrhumable, je viens de prendre trop d'exercice, et pendant que je me donnais bêtement chaud ainsi, mon cou était appuyé contre mes flanelles. Si maintenant je m'éloignais de ces flanelles avant d'avoir laissé tomber ma chaleur, je suis sûr de prendre un torticolis et peut-être une bronchite ». Et il l'aurait pris, en effet. « Vous êtes un joli neurasthénique, voilà ce que vous êtes », lui dis-je.
PROUST, À la recherche du temps perdu, t. VII, p. 155.

2 Vous voyez tout en noir, vous allez devenir neurasthénique. Lorsque vous serez tout à fait rétabli de votre choc, de votre dépression, et que vous pourrez sortir, prendre un peu d'air, ça ira mieux, vous allez voir. Vos idées sombres s'évanouiront.
IONESCO, Rhinocéros, p. 182.

Mais qu'est-ce qu'il a Pasquale, à être si neurasthénique ?
Benoîte et Flora GROULT, Journal à quatre mains, p. 90.

NEURHORMONE [nøRɔRmɔn] n. f. ⇒ **Neurohormone.**

NEURINOME [nøRinom] n. m. — 1931, Garnier-Delamare ; lat. sav. *neurinoma* (J. Verolay, 1910), du grec *neurinos* « fait de nerfs, nerveux » (sur *neuron* « nerf »), et suff. *-oma* (→ -ome).

♦ Pathol. Tumeur (d'un nerf crânien ou périphérique) caractérisée par la prolifération des cellules de sa gaine protectrice.

NEURO- ⇒ **Neur-.**

NEUROANATOMIQUE ou **NEURO-ANATOMIQUE** [nøRoanatɔmik] adj. — Mil xxᵉ, de *neuro-,* et *anatomique.*

♦ Didact. Qui concerne le système nerveux, sur le plan anatomique. — Spécialt. Qui, en neurologie, donne la prépondérance aux considérations anatomiques.

Même le courant neuropsychiatrique, appelé aussi à un grand avenir (...) revêtit parfois un aspect « organiciste » (neuro-anatomique) accusé, par exemple avec de Rolandis, qui publia les résultats d'une autopsie de criminels (1835), avec Voisin qui (...) signala l'organisation cérébrale défectueuse de la plupart des délinquants.
Pierre GRAPIN, l'Anthropologie criminelle, p. 9.

NEUROBIOLOGIE [nøRobjɔlɔʒi] n. f. — Av. 1970; angl. *neurobiology,* 1906; de *neuro-,* et *biologie.*

♦ Sc., méd. Étude du fonctionnement des cellules et des tissus nerveux, et notamment des processus chimiques, endocrinologiques du fonctionnement du système nerveux central.

Après plus d'un siècle de recherches en neurobiologie, il apparaît désormais évident que les cellules nerveuses (neurones) et plus particulièrement les contacts que ces cellules forment entre elles, ou synapses ont une fonction primordiale dans le traitement de l'information qui, sous forme d'impulsions électrochimiques, parcourt le réseau nerveux.
Antoine DANCHIN, *in* la Recherche en neurobiologie, p. 347.

DÉR. Neurobiologique, neurobiologiste.

NEUROBIOLOGIQUE [nøRobjɔlɔʒik] adj. — V. 1970; de *neurobiologie.*

♦ Sc., méd. Qui relève de la neurobiologie. *Mécanismes neurobiologiques.*

Dans sa conception neurobiologique de la vie (...) P. GUIRAUD envisage l'aspect nerveux de la personnalité « sous forme d'un certain nombre de systèmes anatomofonctionnels, intégrés selon les modes divers de plus en plus complexes et fonctionnant solidairement pour constituer l'unité de l'être vivant ».
A. POROT, Manuel alphabétique de psychiatrie, 1975, art. *Hormo-thymique.*

NEUROBIOLOGISTE [nøRobjɔlɔʒist] n. — V. 1970; de *neurobiologie.*

♦ Méd. Spécialiste de la neurobiologie. *« Les neurobiologistes savent depuis longtemps repérer les neurones individuels... »* (la *Recherche,* juin 1980, p. 705).

NEUROBLASTE [nøRoblast] n. m. — 1897; de *neuro-,* et *blaste.*

♦ Biol. Portion de l'ectoderme qui donne naissance au tube neural et aux structures nerveuses qui en proviennent. — Cellule nerveuse embryonnaire destinée à former un neurone. — Adjectif :

(...) une fois formés, ces neuroblastes cessent rapidement de se diviser et dégénèrent en quelques semaines. D'une manière générale, les cellules nerveuses, une fois passé le stade neuroblaste, ne se multiplient pas *in vitro* (...)
Jean VERNE et Simone HÉBERT, la Culture de tissus, p. 54.

NEUROCHIMIE [nøRoʃimi] n. f. — Av. 1971, *Encycl. Univ.;* de *neuro-,* et *chimie.*

♦ Didact. Partie de la biochimie qui étudie les constituants chimiques du système nerveux et les substances qui interviennent dans les processus physiologiques du système nerveux. — REM. Le dér. *neurochimique* [nøRoʃimik] adj., est également attesté.

NEUROCHIRURGICAL, ALE, AUX [nøRoʃiRyRʒikal, o] adj. — Av. 1951, Chauchard; de *neurochirurgie,* et *chirurgical.*

♦ Didact. Relatif à la neurochirurgie.

NEUROCHIRURGIE [nøRoʃiRyRʒi] n. f. — 1938; de *neuro-,* et *chirurgie.*

♦ Méd. Chirurgie des nerfs, des centres nerveux. *Neurochirurgie du cerveau.*

DÉR. **Neurochirurgical, neurochirurgien.**

NEUROCHIRURGIEN, IENNE [nøroʃiRYRʒjɛ̃, jɛn] n. m. — 1951 ; de *neurochirurgie* et *chirurgien.*

♦ Didact. Chirurgien qui pratique la neurochirurgie. *« Les neurochirurgiens (...) ont réalisé dans un but thérapeutique de vraies expériences »* (P. Chauchard, *le Système nerveux et ses inconnues,* p. 20).

NEUROCIRCULATOIRE [nørosiRkylatwaR] adj. — 1926 ; de *neuro-,* et *circulatoire.*

♦ Méd. Qui concerne la régulation nerveuse des phénomènes circulatoires. *« Le défaut de sécrétion de folliculine (...) entraîne (...) des troubles neurocirculatoires »* (P. Rey, *les Hormones,* p. 121).

Les sédatifs (valériane, bromures), les analgésiques et les hypnotiques peuvent rendre éventuellement les plus grands services. Il convient de n'en user qu'avec ménagement. Ce sont à la longue des dépresseurs neurocirculatoires redoutables.
    A. MARTINET, Thérapeutique clinique, p. 944 (1926), *in* D.D.L., II, 8.

NEUROCRÂNE [nøroкRɑn] n. m. — Mil. xxᵉ ; cf. *neurocranium,* en angl., 1907 ; de *neuro-,* et *crâne.*

Didactique.

♦ **1.** Partie du crâne embryonnaire qui entoure le cerveau (par opposition à *splanchnocrâne**).

♦ **2.** Les os de la calotte crânienne et de la base du crâne dits « crâne cérébral » (par opposition à *crâne facial,* les os de la face).

NEUROCRINE [nøroкRin] adj. — 1923, Masson et Berger ; de *neuro-,* et *-crine,* d'après *olocrine, endocrine.*

♦ Physiol. (En parlant de tissus nerveux). Capable de sécréter des neurohormones*. ⇒ **Neurosécréteur.**

DÉR. **Neurocrinie.**

NEUROCRINIE [nøroкRini] n. f. — 1923, Masson et Berger, « diffusion d'hormones dans les centres nerveux » ; de *neurocrine.*

♦ Physiol. Particularité de certaines cellules nerveuses de fabriquer des substances hormonales (neurohormones) qui diffusent dans le sang et agissent sur les organes récepteurs auxquelles elles sont destinées. ⇒ **Neurosécrétion.** — REM. Le syn. *neuricrinie* [nøRikRini] n. f. est attesté en 1937, Roussy et M. Mosinger, les deux mots ayant initialement des sens différents.

NEURODÉPRESSEUR [nøRodepRɛsœʀ ; nøRodepRɛsœʀ] n. m. — V. 1970 ; de *neuro-,* rad. de *dépression,* et suff. *-eur.*

♦ Méd. Médicament qui fait baisser la tension, ralentit ou atténue diverses activités cérébrales, normales ou pathologiques, en agissant au niveau du système nerveux central. ⇒ **Anticonvulsant, hypnotique, neuroleptique, sédatif, tranquillisant.**

NEURO-ENDOCRINIEN, IENNE [nøRoɑ̃dɔkRinjɛ̃, jɛn] adj. — 1952 ; de *neuro-,* et *endocrinien.*

♦ Biol., biochim., méd. Relatif aux phénomènes engendrés dans l'organisme par le système nerveux et les glandes endocrines. — *Réflexe neuro-endocrinien :* réflexe qui provoque l'excitation d'une glande endocrine, d'une cellule neuroglandulaire. *« (...) réflexes neuroendocriniens qui provoquent la libération d'ocytocine, de vasopressine et de prolactine »* (in *Encycl. Univ.,* t. XI, p. 745 c). — REM. On dit aussi *neuro-endocrine. Corrélations, régulations neuroendocrines. Un réflexe neuro-endocrine* (in *Encycl. Univ.,* 1970, art. *Endocrinien,* t. VI, p. 189 bc).

NEURO-ENDOCRINOLOGIE [nøRoɑ̃dɔкRinɔlɔʒi] n. f. — 1946 ; de *neuro-,* et *endocrinologie ;* probablt par l'angl. *neuro-endocrinology,* attesté en 1922.

♦ Biol., biochim., méd. Science qui étudie les effets exercés sur l'organisme par le système nerveux et les glandes endocrines. — On écrit aussi *neuroendocrinologie.*

DÉR. **Neuro-endocrinologiste.**

NEURO-ENDOCRINOLOGISTE [nøRoɑ̃dɔкRinɔlɔʒist] n. — 1946 ; de *neuro-endocrinologie,* et suff. *-iste ;* angl. *neuro-endocrinologist,* attesté en 1969.

♦ Biol., méd. Spécialiste de neuro-endocrinologie. *« Les constatations ne pouvaient qu'intéresser les neuro-endocrinologistes préoc-*

cupés de découvrir les fines liaisons biochimiques qui s'établissent dans le cerveau... » (*la Recherche,* mars 1980, p. 28).

NEURO-ÉPITHÉLIUM [nøRoepiteljɔm] n. m. — 1897, A. Prenant, in *l'Année biol. ;* de *neuro-,* et *épithélium ;* lat. sav. *neuraepithelium,* ou all. *Neuroepithel,* G. Schwalbe, 1874.

♦ Anat. Épithélium constitué de cellules nerveuses réceptrices de certains organes sensoriels (rétine, muqueuse nasale, oreille interne).

NEUROFIBRILLAIRE [nøRofibRilɛR] adj. — Déb. xxᵉ (1904, *Rev. gén. des sc.*) ; de *neurofibrille.*

♦ Des neurofibrilles ; formé de neurofibrilles. *« Des neuroblastes qui acquièrent une structure neurofibrillaire »* (J. Verne et S. Hébert, *la Culture de tissus,* p. 54).

NEUROFIBRILLE [nøRofibRij] n. f. — 1898 ; de *neuro-,* et *fibrille.*

♦ Biol. Fibrille hyaline du cylindraxe.

DÉR. **Neurofibrillaire.**

NEUROGÈNE [nøRɔʒɛn] adj. — 1843, Landais, « matière qui entretient le tissu nerveux » ; de *neuro-,* et *-gène.*

♦ Didact. (physiol.). Qui a trait à la formation des nerfs. — Par ext. Qui est d'origine nerveuse. *« Théorie neurogène de l'automatisme cardiaque »* (Garnier, *Dict. des termes techniques de médecine*).

NEUROGENÈSE [nøRɔʒɛnez ; nøRɔʒɛnɛz] n. f. — V. 1970 ; angl. *neurogenesis,* 1900 ; de *neuro-,* et *-genèse.*

♦ Didact. (physiol.). Origine nerveuse (⇒ **Neurogène**) de troubles pathologiques.

NEUROGLANDULAIRE [nøRoglɑ̃dylɛR] adj. — Av. 1950 ; de *neuro-,* et *glandulaire.*

♦ Physiol. *Cellules neuroglandulaires :* neurones ayant à la fois les propriétés d'une cellule nerveuse et celles d'une cellule glandulaire. ⇒ **Neurosécréteur.** *Cellules neuroglandulaires de l'hypothalamus antérieur.*

NEUROGLIOME [nøRoglijom] n. m. — Mil. xxᵉ (1953, Larousse) ; de *neuro-,* et *gliome.*

♦ Méd. Tumeur formée de tubes nerveux pelotonnés, au niveau d'une lésion d'un nerf.

NEUROGLOBULINE [nøRoglɔbylin] n. f. — Après 1950 (*in* Larousse, 1963) ; de *neuro-,* et *globuline.*

♦ Biochim. Globuline du tissu nerveux, liée à des lipides.

NEUROGRAPHIE [nøRɔgRafi] n. f. — 1701 ; lat. mod. *neurographia,* 1684 ; de *neuro-,* et *-graphie.*

♦ Didact. (Vieilli). Partie de la neurologie qui s'attache à la description anatomique des nerfs.

NEUROHISTOLOGIE [nøRoistɔlɔʒi] n. f. — V. 1970 ; de *neuro-,* et *histologie.*

♦ Biol. Histologie des tissus nerveux.

NEUROHORMONE [nøRoɔRmɔn] n. f. — Mil. xxᵉ ; de *neuro-,* et *hormone ;* attesté en angl. 1941.

♦ Chim., biol. et physiol. Substance élaborée par les cellules nerveuses et les tissus d'origine nerveuse, qui agit directement sur les structures qui entourent ces tissus, ces cellules, ou est transportée par le sang vers divers organes. ⇒ **Médiateur** (chimique). *L'acétylcholine, l'adrénaline, l'ocytocine, la vasopressine sont des neurohormones. Neurohormone peptidique.* ⇒ **Neuropeptide.** — REM. On écrit aussi *neuro-hormone* et l'on dit aussi *neurhormone* [nøRɔRmɔn]. *« Les hormones du cerveau ou neuro-hormones »* (*Sciences et Avenir,* mars 1978, p. 9).

NEUROHUMORAL, ALE, AUX ou **NEURO-HUMORAL, ALE, AUX** [nøRoymɔRal, o] adj. — 1927, H. Fredericq ; de *neuro-,* et *humoral.*

♦ Physiol. Relatif à l'action d'un médiateur* chimique, à une neurohormone. *La théorie neuro-humorale de l'influx nerveux a évincé l'hypothèse de sa transmission électrique. « L'action des médicaments sur les jonctions nerveuses constitue l'un des chapitres fon-*

damentaux de la neuropharmacologie, depuis que les pharmacologues ont mis en évidence entre 1900 et 1940 le mode de transmission neurohumorale de l'influx nerveux » (*Encycl. Univ.*, art. *Neuropharmacologie*, t. XI, p. 741 a).

NEUROHYPOPHYSAIRE [nøroipɔfizɛʀ] adj. — xxᵉ ; de *neurohypophyse*.

♦ Anat., physiol. De la neurohypophyse ; qui y a trait, la concerne.

NEUROHYPOPHYSE [nøroipɔfiz] n. f. — xxᵉ ; attesté en angl., 1912 ; de *neuro-*, et *hypophyse*.

♦ Anat., physiol. Syn. de *posthypophyse**.

Des cellules neurosécrétrices ont leurs somas au niveau de l'hypothalamus, et leurs axones descendent dans la tige pituitaire pour aboutir au voisinage de la neurohypophyse. L'ADH est synthétisée par ces somas (ainsi qu'en témoigne la présence de grains de sécrétion) ; ces granules migreraient vers les terminaisons axoniques neurohypophysaires pour passer éventuellement dans les capillaires qui arrivent à leur contact. Pierre BUSER, *in* Encycl. Pl., Physiologie, p. 1050.

DÉR. **Neurohypophysaire.**

NEUROLEPTIQUE [nørɔlɛptik] adj. et n. m. — 1955, Delay et Deniker ; de *neuro-*, et *-leptique*, d'après *psycholeptique*.

Pharmacie.

♦ **1.** Adj. Qui a un effet sédatif sur le système nerveux. ⇒ **Psychotrope, psycholeptique, tranquillisant.** *L'action « neuroleptique est radicalement différente de l'action tranquillisante »* (M. Porot et L. Israël, *in* Porot 1975). *Hibernation artificielle ou cure neuroleptique.*

♦ **2.** N. m. Médicament neuroleptique. *Il convient « de distinguer entre tranquillisants majeurs ou neuroleptiques, et tranquillisants mineurs ou tranquillisants proprement dits »* (Deniker). *Chimiothérapie par neuroleptiques de certaines maladies mentales.*

Un type de tranquillisants majeurs mérite d'être individualisé en raison de ses résultats remarquables dans la chimiothérapie des psychoses ; il s'agit des neuroleptiques (phénothiazines, réserpine, halopéridol) ainsi dénommés en raison du syndrome neurologique qu'ils sont capables de produire en même temps qu'ils réduisent divers syndromes psychiatriques.
Jean DELAY, Introd. à la médecine psychosomatique, 1961, p. 66.

NEUROLINGUISTE [nørɔlɛ̃gɥist] n. — Mil. xxᵉ ; angl. *neurolinguist*, 1961 ; de *neurolinguistique*.

♦ Didact. Spécialiste de neurolinguistique.

NEUROLINGUISTIQUE [nørɔlɛ̃gɥistik] n. f. et adj. — V. 1965 ; angl. *neurolinguistics*, 1961 ; de *neuro-*, et *linguistique*.

♦ Didact. Étude des relations entre les facteurs neurologiques des troubles du langage et leur expression telle qu'elle peut être décrite par la linguistique.

Il (*le sociologue, le psychologue*) est même conduit à se demander si et jusqu'à quel point des feed-backs reliant les outils sémiotiques et les caractères psychophysiologiques de l'homme ne modifient pas ces derniers et de nouvelles disciplines comme la neurolinguistique de A. Luria se posent de tels problèmes.
J. PIAGET, Épistémologie des sciences de l'homme, p. 48.

Adj. Neurologique, en matière de langage. *Étude neurolinguistique du bégaiement, de l'aphasie.*

DÉR. (Du même rad.) **Neurolinguiste.**

NEUROLOGIE [nørɔlɔʒi] n. f. — 1691 ; *nevrologie*, 1690 ; de *neuro-*, et *-logie*.

♦ **1.** Vx. Étude du système nerveux.

♦ **2.** (Mil. xixᵉ). Branche de la médecine qui étudie l'anatomie, la physiologie et la pathologie du système nerveux, qui traite des maladies du système nerveux. ⇒ **Neuropsychiatrie.**

Je savais (...) qu'il était plutôt un spécialiste des maladies nerveuses, celui à qui Charcot avant de mourir avait prédit qu'il régnerait sur la neurologie et la psychiatrie. PROUST, À la recherche du temps perdu, t. VII, p. 150.

DÉR. **Neurologue** ou **neurologiste.**

NEUROLOGIQUE [nørɔlɔʒik] adj. — 1832, *névrologique* ; de *neuro-*, et *-logique*.

♦ Qui a rapport aux nerfs (→ Frigidité, cit. 3) ou à la neurologie. *Clinique, examen neurologique.*

NEUROLOGUE [nørɔlɔg] ou NEUROLOGISTE [nørɔlɔʒist] n. — 1907, *neurologue* ; *neurologiste*, 1896 ; cf. angl. *neurologist*, 1832 ; de *neurologie*.

♦ Médecin spécialisé en neurologie, dans le traitement des maladies nerveuses. *Une excellente neurologue.*

NEUROLYSE [nørɔliz] n. f. — Mil. xxᵉ (*in* Larousse, 1953) ; de *neuro-*, et *-lyse*.

Didactique (médecine).

♦ **1.** Destruction d'un nerf (par injection d'alcool, etc.) dans certains cas de névralgie.

♦ **2.** Libération chirurgicale d'un nerf comprimé par des lésions.

NEUROMOTEUR, TRICE [nøromɔtœʀ, tʀis] adj. — Av. 1950 ; cf. angl. *neuromotor*, 1914 ; de *neuro-*, et *moteur*.

♦ Physiol. Relatif au système nerveux en tant qu'il commande l'activité motrice. *Rôle neuromoteur du faisceau pyramidal.*

De nombreux travaux ont été consacrés au cortex moyen des animaux et de l'homme, en particulier pour les aires corticales qui sont situées chez les Mammifères supérieurs et chez l'homme de part et d'autre du sillon de Rolando (...) L'exploration électrique et la neurochirurgie ont permis de déterminer avec précision à quelles parties du corps se rapporte chaque groupe des cellules qui forment en quelque sorte une image neuromotrice de l'individu corporel. Cette image est placée la tête en bas, les fibres intéressant la motricité de la tête et du membre antérieur se trouvant au proche voisinage du plancher crânien, les pieds étant au contraire vers la voûte.
A. LEROI-GOURHAN, le Geste et la Parole, t. I, p. 112.

NEUROMUSCULAIRE [nøromyskylɛʀ] adj. — 1881 ; cf. angl. *neuromuscular*, 1864 ; de *neuro-*, et *musculaire*.

♦ Physiol., méd. Qui concerne à la fois les muscles, l'activité musculaire et ses commandes nerveuses. *Systèmes neuromusculaire et neuroviscéral* (cit.).

NEURONAL, ALE, AUX [nøronal, o] ou NEURONIQUE [nøronik] adj. — 1966, *neuronal* (cf. angl. *neuronal*, 1901) ; *neuronique*, 1932 ; de *neurone*.

♦ Didact. Du neurone*, cellule nerveuse.

Trois mois après le début de la maladie (*poliomyélite*) on constate que, pour un membre ayant retrouvé sa motricité, un tiers de son capital neuronal est habituellement détruit. Inversement, pour un membre paralysé on pourra décompter 10 % de neurones survivants. V. VIC-DUPONT, la Maladie infectieuse, p. 51.

(...) le système nerveux est formé d'une multitude de cellules distinctes, les neurones et tous les neurones possèdent des propriétés voisines. Ainsi tout le fonctionnement nerveux repose sur l'activité neuronique.
Paul CHAUCHARD, le Système nerveux..., p. 33.

NEURONE [nøron ; nørɔn] n. m. — 1896 ; grec *neuron* « nerf », repris en all. par W. Waldeyer, 1891, dans le sens adopté en français.

♦ Didact. (anat.). Cellule des centres nerveux, formée d'un corps cellulaire (noyau et protoplasme) à prolongements inconstants de protoplasme (⇒ **Dendrite**, cit.) et munie d'un prolongement constant, unique, cylindraxe ou axone, formant la fibre nerveuse (⇒ **Nerf**). *Le système nerveux central, les ganglions du sympathique sont formés de neurones. Cylindraxe de neurone entouré de myéline* (fibre blanche à myéline, matière blanche des centres nerveux), *dépourvu de myéline* (fibre grise). *Propagation de l'influx* (cit. 2) *nerveux dans chaque neurone. Fonctions du neurone.* → Nerf (II.).

Le système nerveux est constitué par l'assemblage d'un nombre considérable de cellules d'un type particulier appelées neurones. On estime, chez l'homme, que leur nombre est de l'ordre de 15 milliards ; rien que dans le cerveau on en compterait 9 milliards. Leur corps protoplasmique est de forme irrégulièrement étoilée, mais ce qui les caractérise, surtout, c'est la présence de très nombreux prolongements. Ces prolongements, très fins, sont tous terminés par une petite arborisation. Ils sont fonctionnellement différents, et l'on doit distinguer les dendrites et l'axone.
R. FABRE et G. ROUGIER, Physiologie médicale, p. 377.

Étienne ne disait mot ; qu'après avoir paru silhouette aux yeux de Pierre, il devienne bandit à ceux de Mᵐᵉ Cloche, le lançait sur des pistes méditatives où sa substance grise n'avait pas encore mis le neurone.
R. QUENEAU, le Chiendent, p. 238.

DÉR. **Neuronal.**

NEUROPATHIE [nøropati] n. f. — 1922, Larousse, syn. de *névropathie* ; de *neuro-*, et *-pathie* ; cf. angl. *neuropathia*, 1857.

♦ Didact. (méd.). Maladie nerveuse (t. générique). ⇒ **Névropathie.**
DÉR. **Neuropathique.**

NEUROPATHIQUE [nøropatik] adj. — D. i. ; de *neuropathie*.

♦ Didact. Qui se rapporte à la neuropathie. *Troubles neuropathiques.* ⇒ **Nerveux** (troubles).

NEUROPATHOLOGIE [nøropatɔlɔʒi] n. f. — 1880 ; de *neuro-*, et *pathologie*.

◆ Didact. (méd.). Partie de la pathologie qui traite des maladies nerveuses. *Traité de neuropathologie.*

DÉR. Neuropathologique.

NEUROPATHOLOGIQUE [nøʀopatɔlɔʒik] adj. — 1896; de *neuropathologie.*

◆ Didact. Qui se rapporte à la neuropathologie. *Résonance neuropathologique de chocs émotionnels.*

NEUROPATHOLOGISTE [nøʀopatɔlɔʒist] n. — 1904, écrit *neuro-pathologiste*, in *Rev. gén. des sc.*, n° 3, p. 111; de *neuropathologie.*

◆ Didact. Spécialiste de neuropathologie. ⇒ **Neurologue.**

NEUROPEPTIDE [nøʀopɛptid] n. m. — V. 1973, *la Recherche*; de *neuro-*, et *peptide.*

◆ Physiol., biochim. Neurohormone peptidique. *Neuropeptides hypothalamiques.*

NEUROPHARMACOLOGIE [nøʀofaʀmakɔlɔʒi] n. f. — Mil. xxᵉ; de *neuro-*, et *pharmacologie.*

◆ Didact. Partie de la pharmacologie qui étudie l'action des drogues ou des substances pharmacologiques sur les nerfs et le système nerveux central. *On doit à la neuropharmacologie la théorie neurohumorale de l'influx nerveux.*

DÉR. Neuropharmacologique.

NEUROPHARMACOLOGIQUE [nøʀofaʀmakɔlɔʒik] adj. — Mil. xxᵉ; de *neuropharmacologie.*

◆ Didact. Relatif à la neuropharmacologie. « *Recherches neuropharmacologiques* » (*la Recherche*, oct. 1980, p. 1189).

NEUROPHARMACOLOGUE [nøʀofaʀmakɔlɔg] n. — Après 1950; de *neuropharmacologie* et *pharmacologue.*

◆ Didact. Spécialiste de neuropharmacologie.

NEUROPHYLACTIQUE [nøʀofilaktik] adj. — 1959, Garnier; de *neurophylaxie.*

◆ Didact. (méd.). Qui protège le système nerveux. *Mesures neurophylactiques.*

NEUROPHYLAXIE [nøʀofilaksi] n. f. — 1959, Garnier; de *neuro-*, et grec *phulaksis* « protection ». → Prophylaxie.

◆ Didact. (méd.). Protection du système nerveux.

DÉR. Neurophylactique.

NEUROPHYSINE [nøʀofizin] n. f. — 1960, J. Chauvet *et alii*; de *neuro(hypo)physe*, et suff. *-ine.*

◆ Biochim., physiol. Protéine porteuse des hormones élaborées dans l'hypothalamus et stockées dans la posthypophyse.

NEUROPHYSIOLOGIE [nøʀofizjɔlɔʒi] n. f. — V. 1968; cf. angl. *neurophysiology*, Spencer, 1868; de *neuro-*, et *physiologie.*

◆ Didact. Physiologie du système nerveux. *Neurophysiologie de l'émotion.*

DÉR. Neurophysiologique.

NEUROPHYSIOLOGIQUE [nøʀofizjɔlɔʒik] adj. — 1968; cf. angl. *neurophysiological*, 1862; de *neurophysiologie.*

◆ Didact. De la neurophysiologie.

NEUROPHYSIOLOGISTE [nøʀofizjɔlɔʒist] n. — 1951; de *neuro-*, et *physiologiste.*

◆ Didact. Spécialiste de la physiologie du système nerveux.

Quant aux prétendues tortures des animaux en expériences, elles n'existent que dans l'esprit des gens mal informés : les opérations se font comme chez l'Homme, sur l'animal endormi. Une expérience où l'animal souffrirait, serait sans valeur, car la douleur perturbe toute l'activité nerveuse, elle est l'ennemie du neurophysiologiste.   Paul CHAUCHARD, le Système nerveux..., p. 19.

NEUROPLÉGIE [nøʀopleʒi] n. f. — 1954, in *Larousse mensuel*; de *neuro-*, et *-plégie.*

◆ Didact. Inhibition du système neurovégétatif provoquée artificiel-

lement pour limiter les réactions organiques à l'agression et diminuer le métabolisme général.

NEUROPLÉGIQUE [nøʀopleʒik] adj. et n. m. — Mil. xxᵉ; de *neuro-*, et *-plégique.*

◆ Didact. De la neuroplégie. — N. m. Chim. Substance capable de paralyser la transmission nerveuse.

NEUROPSYCHIATRE [nøʀopsikjatʀ] n. — Mil. xxᵉ; cf. angl. *neuropsychiatrist*, 1922; de *neuro-*, et *psychiatre.*

◆ Méd. Psychiatre spécialiste de la neuropsychiatrie. *Un, une neuropsychiatre.*

NEUROPSYCHIATRIE [nøʀopsikjatʀi] n. f. — Mil. xxᵉ; cf. angl. *neuropsychiatry*, 1918; de *neuro-*, et *psychiatrie.*

◆ Méd. Psychiatrie* neurologique.

(...) la formation du psychanalyste est des plus longues qui soient. Dans l'hypothèse où il est médecin, il faut additionner les sept ans (minimum) de Cursus médical, les trois ans de formation spécialisée de neuropsychiatrie (...) et trois à cinq ans de psychanalyse dite « didactique ».
                    C. KOUPERNIK, Un traitement d'exception, *in* la Nef, n° 31, p. 159.

DÉR. Neuropsychiatrique.

NEUROPSYCHIATRIQUE [nøʀopsikjatʀik] adj. — Mil. xxᵉ; cf. angl. *neuropsychiatric*, 1918; de *neuropsychiatrie.*

◆ Méd. De la neuropsychiatrie. *Analyse neuropsychiatrique.*

NEUROPSYCHOLOGIE [nøʀopsikɔlɔʒi] n. f. — 1951; cf. angl. *neuropsychology*, 1893; de *neuro-*, et *psychologie.*

◆ Méd. Étude des phénomènes psychiques en liaison avec la physiologie nerveuse.

NEUROPSYCHOLOGIQUE [nøʀopsikɔlɔʒik] ou **NEUROPSYCHIQUE** [nøʀopsiʃik] adj. — Mil. xxᵉ; cf. angl. *neuropsychological*, 1851; de *neuro-*, et *psychologique (psychique).*

◆ Méd. Relatif aux phénomènes psychiques et à la physiologie nerveuse. *Troubles neuropsychiques.*

NEURORADIOLOGIE [nøʀoʀadjɔlɔʒi] n. f. — 1959, Garnier et Delamare; de *neuro-*, et *radiologie.*

◆ Méd. Radiologie du système nerveux central, encéphalique et médullaire. *Examens pratiqués en neuroradiologie :* radiographie, tomographie, et *(examens de contraste)* angiographie ou artériographie cérébrale, pneumographie cérébrale, ventriculographie.

Bien que (...) la neuroradiologie ait pris rang, depuis quinze ans, en tant que *discipline nouvelle*, avec sa *propre autonomie*, quand un ou plusieurs examens de contraste s'imposent, c'est au neurochirurgien, et à *lui seul*, qu'il appartient de décider de leur indication (...)   M. DAVID et P. GUILLY, la Neurochirurgie, p. 49.

NEUROSÉCRÉTEUR, TRICE [nøʀosekʀetœʀ, tʀis] adj. — Mil. xxᵉ; de *neuro-*, et *sécréteur.*

◆ Physiol. Qui, tout en appartenant au tissu nerveux, est capable de produire et d'excréter des hormones (→ Neurohormone). ⇒ **Neuroglandulaire.** *Fibres neurosécrétrices. Des cellules neurosécrétrices furent mises en évidence dès 1914 par Dahlgren dans la moelle épinière des sélaciens.*

NEUROSÉCRÉTION [nøʀosekʀesjõ] n. f. — Mil. xxᵉ (*in* Husson, 1964); cf. angl. *neurosecretion*, 1941; de *neuro-*, et *sécrétion*, probablt d'après l'all. ou l'anglais.

◆ Didact. Sécrétion endocrinienne des cellules nerveuses. ⇒ **Neurocrinie.** — Substance ainsi produite. ⇒ **Neurohormone.**

Le concept de neurosécrétion est accepté aujourd'hui par tous les biologistes. Il s'agit, comme l'a souligné en 1966 W. Bargmann, « de la production et de l'excrétion d'hormones par des cellules nerveuses qui ont aussi les caractères cytologiques de cellules sécrétoires » (...) bien que la première démonstration expérimentale de la libération d'une substance vagale date de 1921 (O. Loewi) et l'identification de la « sympathine » (noradrénaline) de 1946 (H. von Euler), la naissance du concept de neurosécrétion (E. Scharrer et W. Bargmann, 1950) apparaît entourée d'une atmosphère de scandale.   Encycl. Universalis, t. XI, p. 745 bc.

NEUROSTIMULANT, ANTE [nøʀostimylɑ̃, ɑ̃t] adj. et n. m. — 1972; de *neuro-*, et *stimulant.*

◆ Méd. Qui excite le système nerveux central, en parlant d'une substance, d'un médicament. ⇒ **Analeptique, nervin, psychotonique.** — N. m. *Un neurostimulant.*

NEUROSTIMULATION [nøʀostimylasjɔ̃] n. f. — 1979; certainement antérieur; de *neuro-*, et *stimulation*.

♦ Méd. (Électrothérapie). Traitement par la stimulation électrique des fibres nerveuses. *Neurostimulation médullaire analgésique.* « *La neurostimulation médullaire date de 1967* » (*Sciences et Avenir*, Les organes artificiels, n° spécial 1979, p. 92).

NEUROSYPHILIS [nøʀosifilis] n. f. — D. i.; de *neuro-*, et *syphilis*.

♦ Méd. Atteinte nerveuse due à la syphilis. ⇒ **Paralysie** (générale), **tabès**.

NEUROTIQUE [nøʀotik] adj. — 1972; angl. *neurotic* (adj., 1775; n., 1661) formation sav. d'après le grec *neuron* « nerf », et suff. *-ôtikos*. Le français a eu dans le même sens *neuritique, névritique,* 1730 (lat. *neuritica*) et *névrotique**, 1793.

♦ Méd. Qui a rapport aux nerfs, au système nerveux; qui a une action sur le système nerveux. *Poison neurotique.*

NEUROTISATION [nøʀotizasjɔ̃] n. f. — 1963; formation sav., du rad. *neuro-*, d'après le grec *neuron* « nerf » (→ Névrotique), et suff. *-isation*.

♦ Biol. Régénération d'un nerf sectionné grâce à la croissance et à la pénétration dans le bout périphérique des cylindraxes du bout central.

NEUROTOMIE [nøʀotɔmi] ou (vx) **NÉVROTOMIE** [nevʀotɔmi] n. f. — 1903, *neurotomie; névrotomie,* 1803; lat. sav. *neurotomia* « dissection des nerfs », 1704; de *neuro-* (ou *névro-*), et *-tomie*.

♦ Chir. Section chirurgicale d'un nerf.

NEUROTRANSMETTEUR [nøʀotʀɑ̃smetœʀ] n. m. — V. 1960; de *neuro-*, et *transmetteur*, probablt d'après l'angl. *neurotransmitter*, 1961.

♦ Physiol. Substance libérée par les terminaisons neuronales, et qui assure chimiquement la transmission de l'influx nerveux. ⇒ **Médiateur** (chimique). *L'acétylcholine, la noradrénaline agissent comme neurotransmetteurs. Action locale ou à distance d'un neurotransmetteur. Récepteur correspondant à un neurotransmetteur.* REM. On dit aussi *transmetteur* (1969, Encycl. Pl., *Physiologie*, p. 812).

NEUROTROPE [nøʀotʀɔp] adj. — 1922; cf. angl. *neurotropic*, 1903; de *neuro-*, et *-trope*.

♦ Biol. *Germes, toxiques, virus neurotropes,* qui se fixent surtout sur le système nerveux. *Substances chimiques neurotropes, telles que cocaïne, morphine.*

On a cherché à opposer *(dans la syphilis)* deux races différentes de tréponèmes, l'une dermotrope à affinités cutanées électives, l'autre neurotrope à affinités nerveuses électives.
Jean DELAY, Introd. à la médecine psychosomatique, « Notes et observations », p. 45.

NEUROTROPHIQUE [nøʀotʀɔfik] adj. — 1926; cf. angl. *neurotrophic*, 1887; de *neuro-*, et *trophique*.

♦ Physiol. Qui concerne des troubles trophiques d'origine nerveuse. *Troubles neurotrophiques.*

NEUROVÉGÉTATIF, IVE ou **NEURO-VÉGÉTATIF, IVE** [nøʀoveʒetatif, iv] adj. — xxᵉ; de *neuro-*, et *végétatif*.

♦ Anat., physiol. *Système neurovégétatif (système nerveux autonome* ou *sympathique)* : ensemble des structures nerveuses qui contrôlent les grandes fonctions involontaires (la vie végétative) : circulation, sécrétion, excrétion, etc. ⇒ **Orthosympathique, parasympathique.** — Par ext. Relatif au système neurovégétatif. *Troubles neurovégétatifs, dystonie neurovégétative.*

NEUROVISCÉRAL, ALE, AUX ou **NEURO-VISCÉRAL, ALE, AUX** [nøʀoviseʀal, o] adj. — Mil. xxᵉ; de *neuro-*, et *viscéral*.

♦ Méd. Qui concerne à la fois les viscères, l'activité viscérale et ses commandes nerveuses. *Système neuro-viscéral.*

(...) tout se passe alors *(dans le refoulement)* comme si le barrage opposé à la libération normale de la décharge émotionnelle vers le système neuro-musculaire de la vie de relation avait pour corollaire une dérivation d'autant plus puissante vers le système neuro-viscéral de la vie végétative.
Jean DELAY, Introd. à la médecine psychosomatique, p. 26 (1961).

NEURULA [nøʀyla] n. f. — xxᵉ; de *neuro-*, d'après *morula*.

♦ Embryol. Embryon de vertébré, au stade où l'ectoderme primitif

se différencie et où se forme l'ébauche du système nerveux central (après la *gastrula*).

NEUSTRIEN, IENNE [nøstʀijɛ̃, jɛn] adj. et n. — 1771; de *Neustrie*.

♦ Hist. De la Neustrie, partie occidentale de la Gaule franque, à l'époque mérovingienne*. *Population neustrienne.* — N. *Les Neustriens.*

NEUTRALEMENT [nøtʀalmɑ̃] adv. — 1660; *neutrallement*, en moy. franç. «en ne prenant aucun parti», Wartburg; dér. sav. du lat. *neutralis*.

♦ Gramm. Vx. Au sens neutre. *Verbe employé neutralement.*
CONTR. **Activement.**

NEUTRALISABLE [nøtʀalizabl] adj. — Déb. xxᵉ; de *neutraliser*.

♦ Qui peut être neutralisé.

NEUTRALISANT, ANTE [nøtʀalizɑ̃, ɑ̃t] n. m. et adj. — 1800; p. prés. de *neutraliser*.

♦ **1.** N. m. Chim. Substance qui neutralise. — Adj. *Substance neutralisante. Plonger une pièce métallique, après un traitement par l'acide, dans un bain neutralisant.*

♦ **2.** Adj. Didact. Qui empêche d'agir, qui rend inoffensif. ⇒ **Neutraliser.** *Des manœuvres neutralisantes.*

NEUTRALISATION [nøtʀalizasjɔ̃] n. f. — 1778, de *neutraliser*.

Action de neutraliser, de se neutraliser, d'équilibrer (⇒ **Contrepoids**).

♦ **1.** (1795). Dr. internat. publ., polit. «Action de retirer à certaines personnes (...) la qualité de belligérants ou de soustraire certaines choses (...) au droit de la guerre» (Capitant). *Neutralisation du personnel sanitaire, d'un navire, d'un territoire.*

♦ **2.** Sc. Chim. *Neutralisation d'un acide par une base.* — Phys. *Neutralisation de l'électricité positive par l'électricité négative.* — Méd. *Neutralisation d'un agent nocif par un anticorps.* — Ling. Disparition d'une opposition phonologique dans certains contextes. ⇒ **Archiphonème.** *La neutralisation de l'aperture dans* maison : /mεzɔ̃/ (= on peut prononcer [mezɔ̃] ou [mεzɔ̃] sans que le sens du mot soit changé. En revanche [de] *(dé)* et [dε] *(dais)* n'ont pas le même sens).

♦ **3.** Fait de neutraliser (3.) qqn, et, spécialt, un ennemi, militairement. Milit. *Tir de neutralisation,* exécuté moins pour détruire un objectif que pour le réduire à l'impuissance.

♦ **4.** Sports (autom.). Parcours hors course, sans temps imposé, dans un rallye.

NEUTRALISER [nøtʀalize] v. tr. — 1606; v. intr., «rester neutre», 1564; du lat. *neutralis* de *neuter* → Neutre.

Rendre neutre.

♦ **1.** Dr. internat. publ., polit. Assurer la qualité de neutre à (un État, un territoire, une zone, une ville).

(...) il fut convenu que le bourg de Tilsitt cesserait d'être officiellement le Quartier Impérial français : pour que le Tsar y vînt, sans paraître un François II après Austerlitz, la ville fut *neutralisée*. Napoléon y demeurant avec sa Garde, Alexandre s'y établit avec la sienne.
Louis MADELIN, Hist. du Consulat et de l'Empire, « Vers l'Empire d'Occident », XXIV.

♦ **2.** (1776, G. de Morveau, *in* Encyclopédie, art. *Alcali*). Sc. Chim. *Neutraliser un acide par une base, une base par un acide.* — Phys. *Force qui neutralise une force antagoniste.* — Électr. *L'électricité positive neutralise l'électricité négative.*
Cour. (En parlant d'une couleur). Annuler, amortir l'effet de (une autre couleur); absorber la lumière. — Absolt. *L'orange colore* (cit. 3), *le vert neutralise.* — Ling. Provoquer la disparition de (une opposition entre deux phonèmes). *En allemand, la position finale de mot neutralise l'opposition entre consonne sourde et consonne sonore.*

♦ **3.** (1792). Cour. Empêcher d'agir, par une action contraire qui tend à annuler les efforts ou les effets; rendre inoffensif (qqn, qqch). ⇒ **Annihiler, compenser, contrebalancer.** *Neutraliser l'influence de qqn* (⇒ **Contrecarrer**), *l'effet d'une parole trop dure.* ⇒ **Corriger.** *Chez cet écrivain, la discipline classique neutralise la fougue de l'imagination.* ⇒ **Équilibrer.** *Ses curiosités* (cit. 17) *furent neutralisées par la peur.* ⇒ **Paralyser.**

— Les idées ne peuvent être neutralisées que par des idées, reprit Vignon (...) Plus la loi sera répressive, plus l'esprit éclatera, comme la vapeur dans une machine à soupape.
BALZAC, Illusions perdues, t. IV, p. 738.

3 Sérieusement, que voulait la cour? Amuser, et rien de plus, endormir Lafayette, neutraliser Mirabeau, amortir son action, le tenir partagé entre des tendances diverses, peut-être aussi le compromettre (...)
MICHELET, Hist. de la Révolution franç., III, VI.

Milit. *Neutraliser une batterie d'artillerie, une position ennemie.* ⇒ **Neutralisation** (tir de).

▶ **SE NEUTRALISER** v. pron.

(Récipr.). S'équilibrer. *Forces antagonistes qui se neutralisent. Une conscience où tout s'équilibre, se compense* (cit. 7) *et se neutralise.* — Chim. *Un acide et une base qui se neutralisent* (→ Combiner, cit. 8).

▶ **NEUTRALISÉ, ÉE** p. p. adj. *Zone neutralisée et démilitarisée.* — *Force, couleur neutralisée.* — *Influence complètement neutralisée. L'ennemi n'est pas encore neutralisé. L'Autriche était maintenant neutralisée* (→ Appâter, cit.). — Milit. *Position, batterie neutralisée.*

DÉR. Neutralisable, neutralisant, neutralisation.

NEUTRALISME [nøtRalism] n. m. — 1915; attestation isolée, 1845; du lat. *neutralis,* et suff. *-isme.*

♦ Doctrine ou système politique qui tend à maintenir une nation dans la neutralité, à ne pas la lier par des alliances à l'un des groupes de belligérants éventuels.
Une grande partie du pays — entre autres les plus importants des syndicats, le Sohyo — préconise le neutralisme.   S. DE BEAUVOIR, Tout compte fait, p. 309.

CONTR. Interventionnisme.

NEUTRALISTE [nøtRalist] adj. et n. — 1916; du lat. *neutralis,* et suff. *-iste.*

♦ **1.** Favorable à la neutralité systématique. *Attitude, théorie neutraliste.*

♦ **2.** Dr. internat. et cour. Favorable à une neutralité garantie à l'égard de puissances en conflit (ou de régimes antagonistes). *Les pays neutralistes.* — N. « *Les neutralistes français de gauche commençaient à comprendre leur erreur* » (Beauvoir).

CONTR. Interventionniste.

NEUTRALITÉ [nøtRalite] n. f. — 1460; dér. sav. du lat. *neutralis,* et suff. *-ité.*

♦ **1.** Caractère, état d'une personne qui reste neutre* (3.). ⇒ **Abstention** (→ Effort, cit. 27; exact, cit. 1). *Rester dans la neutralité, hors d'un conflit.* — Par ext. *Neutralité d'un livre, d'un ouvrage historique, d'un rapport.* — Spécialt. *Neutralité de l'État, qui ne met pas son enseignement au service d'une confession religieuse* (→ Laïcité, cit. 3). *Neutralité scolaire, de l'école.*

1 La neutralité entre des femmes qui nous sont également amies, quoiqu'elles aient rompu pour des intérêts où nous n'avons nulle part, est un point difficile : il faut choisir souvent entre elles, ou les perdre toutes deux.
LA BRUYÈRE, les Caractères, III, 50.

2 Indifférent à la réaction religieuse que produisait la Restauration dans le gouvernement, mais également insoucieux du Libéralisme, David gardait la plus nuisible des neutralités en matière politique et religieuse.
BALZAC, Illusions perdues, Pl., t. IV, p. 478.

3 (...) tout le monde reconnaît que la laïcité de l'enseignement primaire public implique en même temps une rigoureuse neutralité. L'enseignement est laïque en ce sens qu'une religion quelconque ne peut être enseignée à l'école, en ce sens notamment que les instituteurs ne peuvent pas se prononcer pour la croyance spiritualiste à l'existence d'un Dieu personnel, que ni les ministres du culte, ni les membres d'une congrégation religieuse ne peuvent être instituteurs publics. Mais en même temps, l'enseignement ne peut pas être antireligieux. L'instituteur ne peut pas prononcer une parole quelconque qui soit une critique directe ou indirecte d'une croyance religieuse ou d'une opinion métaphysique quelconque.
L. DUGUIT, Traité de droit constitutionnel, t. V, § 34, p. 405.

Spécialt, psychan. Attitude du psychanalyste, qui ne doit pas intervenir au cours de la cure au nom de valeurs (religieuses, morales, sociales...).

3.1 On notera que l'expression de neutralité bienveillante, sans doute empruntée au langage diplomatique et devenue traditionnelle pour définir l'attitude de l'analyste, ne figure pas chez Freud.
J. LAPLANCHE et J.-B. PONTALIS, Voc. de la psychanalyse.
Garder une neutralité bienveillante, une attitude de neutralité envers qqn.

♦ **2.** Dr. internat. publ. et cour. État d'une nation qui ne participe pas à une guerre*, soit volontairement *(neutralité ordinaire et temporaire),* soit parce que des conventions internationales lui interdisent de participer à une guerre autre que défensive *(neutralité extraordinaire et perpétuelle). Neutralité armée,* dans laquelle l'État qui reste neutre entretient une force armée pour faire respecter ses droits de neutre. *Neutralité garantie. Garantir, violer la neutralité d'un État. Demeurer dans la neutralité. Garder, observer la plus stricte neutralité. Défendre sa neutralité. Neutralité bienveillante,* celle d'un État qui, bien que neutre, favorise l'un des belligérants. *Neutralité de la Belgique, de la Suisse. Partisan de la neutralité.* ⇒ **Neutraliste.**

4 Dès la veille, violant les traités, elle *(l'Allemagne)* a sommé le gouvernement belge de livrer passage à ses armées et la Belgique décide tout de suite de se défendre. Cette décision obligeait l'Angleterre, encore hésitante, à intervenir, parce qu'elle avait promis, en 1839, de garantir la neutralité belge et aussi parce qu'il était dit que jamais dans l'histoire elle ne tolérerait qu'une grande puissance européenne s'emparât des bouches de l'Escaut.   J. BAINVILLE, Hist. de France, XXII, p. 550.

5 Il existe (...) une (...) catégorie d'États qui, soit dans leur propre intérêt, soit dans celui de la communauté internationale ou des États voisins, ont vu apporter certaines restrictions à leur indépendance et, de ce chef, se trouvent dans une situation spéciale au point de vue du droit international public; ce sont les États perpétuellement neutres. Avant la guerre *(de 1914),* il en existait un certain nombre. Cette neutralité constitue un grand avantage pour eux à certains points de vue, mais c'est aussi une sorte de servitude perpétuelle (...)
Louis LE FUR, Précis de droit international public, § 251.

6 Deux pays sont en guerre; le troisième se tient en dehors des opérations. Dirai-je qu'il est en paix? Oui, s'il reste neutre. Mais qu'est-ce que la neutralité? S'il approvisionne un des adversaires, est-il neutre? S'il souffre du blocus, est-il neutre? La neutralité armée, est-ce encore de la neutralité? Et la pré-belligérance? Et l'intervention?   SARTRE, Situations I, p. 203.

♦ **3.** (1811). Chim., électr. État d'un corps neutre (→ Hydrate, cit.).

CONTR. Belligérance, intervention.

NEUTRE [nøtR] adj. et n. — 1370, Oresme; du lat. *neuter,* proprt « ni l'un ni l'autre ».

♦ **1.** Didact. Qui n'est ni bon ni mauvais, ni bien ni mal, ni beau ni laid... (→ Inesthétique, cit. 2).

♦ **2.** (Fin XIVᵉ). Dr. internat. publ. et cour. (En parlant d'un État). Qui est dans l'état de neutralité* (→ Arbitrer, cit. 4). *État, nation, pays, prince neutre. État perpétuellement neutre; État volontairement neutre* (→ Neutralité, cit. 5).

Par ext. Qui n'appartient à aucun des belligérants, à aucune des parties adverses; qu'on décide de maintenir en dehors des hostilités. *Navire, ressortissant, territoire neutre. Marchandise transportée par mer sous pavillon neutre. Réunir une conférence en un lieu neutre.*

Loc. *Lieu, terrain neutre.* Par métaphore. *Porter la discussion sur un terrain neutre* (→ Lisière, cit. 7).

1 En cherchant quelque terrain neutre pour la conversation, ils traversèrent la plaine, dont l'aspect influa sur la durée de leur silence mélancolique.
BALZAC, le Curé de village, Pl., t. VIII, p. 624.

2 (...) les trois villes ecclésiastiques, Metz, Toul et Verdun, placées en triangle, formaient un terrain neutre, une île, un asile aux serfs fugitifs.
MICHELET, Hist. de France, III, p. 147.

N. m. pl. (1835, Académie). *Les neutres :* les nations neutres, par oppos. aux nations belligérantes* (→ Ligue, cit. 2). *Droit des neutres,* reconnu aux neutres par les belligérants. *Devoirs des neutres en temps de guerre.*

♦ **3.** (V. 1550). Qui s'abstient* de prendre parti, de s'engager d'un côté ou de l'autre, soit par objectivité (⇒ **Impartial**), soit par crainte ou manque d'intérêt (⇒ **Indifférent, prudent**). *Rester neutre dans un débat, une querelle...* (→ Guillotine, cit. 2). *Le gouvernement, puissance neutre, ne doit pas peser dans la balance* (cit. 17) *pour l'un des partis. État neutre entre les religions* (→ Laïcité, cit. 1). ⇒ **Neutralité** (scolaire). *Information* (cit. 4) *neutre et objective.*

3 (...) il faut que chacun prenne parti, et se range nécessairement ou au dogmatisme, ou au pyrrhonisme. Car qui pensera demeurer neutre sera pyrrhonien par excellence; cette neutralité est l'essence de la cabale : qui n'est pas contre eux est excellemment pour eux (...) Ils ne sont pas pour eux-mêmes; ils sont neutres, indifférents, suspendus à tout, sans s'excepter.   PASCAL, Pensées, VII, 434.

4 On comprend à merveille le républicain chrétien, on ne comprend pas le démocrate catholique. C'est un composé de deux contraires. C'est un esprit dans lequel la négation barre le passage à l'affirmation. C'est un neutre. Or, en temps de révolution, qui est neutre est impuissant.   HUGO, Histoire d'un crime, II, VII.

5 En régime capitaliste, l'homme qui se dit neutre est réputé favorable, objectivement, au régime. En régime d'Empire, l'homme qui est neutre est réputé hostile, objectivement, au régime.   CAMUS, l'Homme révolté, p. 300.

♦ **4.** (V. 1420). Gramm. (Dans certaines langues). Qui appartient à la « catégorie grammaticale dans laquelle se rangent en principe les noms d'objets ou d'êtres étrangers à l'attribution d'un sexe, mais le plus souvent, indépendamment de cette notion de genre naturel, les noms qui ne présentent pas les caractéristiques du masculin et du féminin » (Marouzeau). *Genre** (cit. 23) *neutre. Adjectif, article, nom, pronom neutre.* — N. m. *Le neutre :* le genre neutre. *Ce nom est du neutre.* — *Mot du genre neutre. Le mot latin* templum *est un neutre. Les neutres latins* (→ Maximum, cit. 5).

6 Le neutre indo-européen est un genre à part; il s'oppose aux deux genres personnels, mais à une extension plus limitée : il n'a de forme propre qu'à un seul cas, ce qui semble indiquer une catégorie en voie de disparition, qui n'aurait pas dans l'ensemble du système une autonomie complète. Il joue vis-à-vis des deux autres genres un rôle complémentaire en ce qu'il exprime certaines notions indépendantes de l'opposition du masculin et du féminin; par exemple, il désigne souvent des objets considérés comme non-actifs et incapables d'être investis d'un pouvoir personnel; parfois aussi il semble exprimer la notion du collectif.
J. VENDRYES, le Langage, p. 110-111.

Par ext. Se dit parfois de mots français (pronoms, etc.) qui présentent, dans leur sens et leur valeur, les caractères du neutre (morphologiquement distinct) de certaines autres langues (→ Là, cit. 34).

REM. 1. Les grammairiens traditionnels considèrent comme des *neutres* les pronoms qui représentent autre chose qu'un nom. Ex. : *Cela* me plaît; Dieu fait bien *ce* qu'il fait; n'en doutez pas; *que* voulez-vous?

2. Le neutre commande «en genre le même accord que les masculins : Rien de *grand*... Quoi de *meilleur*?» (Grevisse). — «Nous voyons même que des substantifs féminins, comme *quelque chose, rien,* ont perdu leur genre pour passer au neutre» (Bréal). *Quelque chose de grand. Rien de bon.*

7 Les grammairiens d'aujourd'hui ne nous parlent plus guère du neutre; ou, s'ils en font mention quelquefois, c'est pour dire qu'il a disparu en français. Nous devons ici distinguer. Le neutre n'a disparu qu'en tant qu'il est caractérisé par une *forme* spéciale soit du nom soit de l'adjectif. Mais en tant que *valeur* linguistique (ou sémantique), il est loin d'être éteint. Comme le fait observer Bréal, le neutre «continue de vivre... Peut-être même en faisons-nous un plus grand usage que le latin» (*Sémantique*, p. 57). Ce sont en effet des neutres, tous ces adjectifs pris (...) substantivement, *le beau, le vrai, l'honnête* (...) ce sont encore des neutres, ou du moins des mots de valeur neutre, les pronoms et représentants que nous soulignons dans ces phrases : «*Il est bon de parler*», «Vous me *le* disiez»; À *quoi* pensez-vous?», «*Qui* vous amène?»
          G. et R. LE BIDOIS, Syntaxe du français moderne, § 34.

(xvᵉ). Vx. *Verbes neutres,* se disait des verbes qui ne peuvent être employés ni comme actifs transitifs ni comme passifs. ⇒ **Intransitif.**

8 L'appellation **verbe neutre** a disparu depuis pas mal de lustres de la terminologie grammaticale, remplacée par celle, plus exacte et plus claire, de verbe intransitif. *Neutre* (étymologiquement ni l'un ni l'autre) s'applique fort bien au genre des noms, à certaines couleurs et aux peuples privilégiés en temps de guerre, mais n'offre aucun sens accolé à un verbe. En quoi *dormir* est-il neutre? Actif s'oppose à passif; entre les deux, il n'y a pas place pour un troisième larron.
          René GEORGIN, Difficultés et finesses de notre langue, p. 67, note.

♦ **5.** (xviiiᵉ). Chim. Qui n'est ni acide* ni basique*; dont le pH est égal à 7. *Combinaison* (→ Hydrate, cit.), *corps gras* (cit. 1), *milieu, sel neutre.*

(1821). Phys., électr. Se dit d'un corps qui ne comporte aucune électrisation. *Corps neutre.* — Spécialt. Dans un système dont un élément est électrisé positivement et un autre négativement, Se dit d'un troisième élément qui ne présente aucun phénomène électrique. *Fil neutre dans le triphasé,* ou, n. m., *le neutre.* — Phys. at. *Mésons* (cit.) *à l'état neutre. Particule neutre.* ⇒ **Neutron.**

Zool. Se dit, pour certaines espèces (abeilles, fourmis, termites...), des individus dont les organes sexuels sont atrophiés et qui protègent ou approvisionnent la communauté (par ex. les fourmis-soldats ou les fourmis-ouvrières).

Math. *Élément neutre à gauche (à droite) pour une loi* * *sur un ensemble* : élément *e* de l'ensemble tel que pour tout élément *x* de celui-ci, on ait *e* * *x* = *x* (à droite *x* * *e* = *x*). *Élément neutre pour une loi de composition interne sur un ensemble* : élément neutre à gauche et à droite pour cette loi sur cet ensemble (*e* * *x* = *x* * *e* = *x*). *Dans l'anneau des entiers rationnels,* 0 *est l'élément neutre pour l'addition et* 1 *l'élément neutre pour la multiplication.* «*Pour une loi donnée sur un ensemble, il n'existe pas nécessairement d'élément neutre; quand il en existe un, il est unique*» (Bouvier et George).

♦ **6.** (En parlant d'une couleur). Qui est indécis, sans éclat. *Teinte abstraite et neutre* (→ Gris, cit. 20; gamme, cit. 8; juxtaposition, cit. 1).

9 L'étoffe grise des meubles était assortie au papier neutre, qui couvrait les murs.
          Edmond JALOUX, le Jeune Homme au masque, IV.

Fig. Sans éclat, monotone. *Une existence terne, neutre* (→ Biographiquement, cit.).

♦ **7.** (En parlant du langage, du style, du ton de la voix). Qui est dépourvu de passion, d'originalité, qui reste froid, détaché, objectif. *Style neutre, inexpressif* (cit. 1). *Langue assez neutre pour ne point attirer sur elle l'attention* (→ Montrer, cit. 36).

10 S'il attendait son maître avec tant d'impatience, c'était pour lui glisser, sur un ton neutre, déférent, et comme un simple avis que l'eût chargé de transmettre Bernard, cette phrase qu'il avait longuement préparée : — Avant de s'en aller, monsieur Bernard a laissé une lettre pour Monsieur dans le bureau.
          GIDE, les Faux-monnayeurs, I, II.

(En parlant d'une personne). Dont le discours, l'attitude, manifeste de la neutralité. *Il est constamment resté neutre et froid.* — Sans passion. *Elle est très neutre dans la discussion.*

CONTR. Belligérant, ennemi, hostile. — Transitif. — Acide. — Cru, éclatant.

NEUTRINO [nøtʁino] n. m. — V. 1940; ital. *neutrino* (1933, E. Fermi, *la Ricerca scientifica,* II, 491), de *neutro* «neutre», et suff. *-ino.*

♦ Phys. Particule (lipton) électriquement neutre, de masse infime, de spin 1/2. *Neutrino de l'électron; neutrino du muon.*

1 L'expérience n'a pas pu fournir de preuve décisive de l'existence de ce neutrino.
          L. DE BROGLIE, Nouvelles perspectives en microphysique (1956).

REM. L'hypothèse de cette particule a été proposée par W. Pauli vers 1931.

2 Les années 1930, époque où (...) Wolfgang Pauli vint à proposer, pour expliquer les spectres d'électrons de la désintégration β, l'existence d'une particule neutre, légère, indétectable, émise dans la désintégration β des noyaux, le neutrino, noté symboliquement ν. Il considérait cette hypothèse comme une «solution de désespoir».
          La Recherche, nᵒ 32, mars 1973, p. 264.

NEUTRODYNAGE [nøtʁodinaʒ] n. m. — 1953, *in* Larousse; de *neutrodyner.*

♦ Techn. (Radio). Montage d'un amplificateur neutrodyne.

On devait compenser ce couplage interne inévitable (entre la grille et l'anode de

la triode) par des procédés externes de montage, en particulier par le neutrodynage, que l'on pratiquait en utilisant un montage à lampes symétriques, avec liaison croisée anodes-grilles.
          Gilbert SIMONDON, Du mode d'existence des objets techniques, p. 28.

NEUTRODYNE [nøtʁodin] adj. et n. m. — 1932, Larousse; cf. angl. *neutrodyne,* 1923, Hazeltine; de *neutro-,* élément tiré de *neutre,* et *-dyne.*

♦ Techn. (Radio). Se dit d'un amplificateur à haute fréquence où l'amorçage des oscillations était d'abord compensée par neutralisation.

DÉR. Neutrodyner.

NEUTRODYNER [nøtʁodine] v. tr. — 1949, *in* Larousse; de *neutrodyne.*

♦ Techn. (Radio). Monter (un amplificateur) de manière à le rendre neutrodyne.

DÉR. Neutrodynage.

NEUTROGRAPHIE [nøtʁogʁafi] n. f. — V. 1950; du rad. de *neutron,* et *-graphie.*

♦ Phys. Radiographie effectuée à l'aide de neutrons. — Recomm. off. : *neutronographie* (*Journ. off.,* 1973).

NEUTRON [nøtʁɔ̃] n. m. — 1932, cit. 1; mot forgé en angl. 1899 par Sutherland avec la valeur vague de «particule neutre», repris par Glasson et par Rutherford en 1920, par Harkins, de Chicago, en 1921, puis par Chadwick en 1932; de *neutral* «neutre», d'après *electron.*

♦ Phys. Particule élémentaire, électriquement neutre, qui fait partie de tous les noyaux atomiques, sauf du noyau d'hydrogène normal. ⇒ **Atome** (cit. 17 et 18; → Matière, cit. 5). *C'est le nombre des neutrons qui différencie les noyaux des isotopes. Neutrons rapides, neutrons lents* (dits *thermiques*). *Les neutrons lents sont plus actifs que les rapides. Ralentissement des neutrons dans les réactions en chaîne.*

1 Mᵐᵉ I. Curie et M. Joliot ont exposé (...) que leurs recherches les avaient amenés à affirmer l'existence des neutrons, dont la conception fut édifiée il y a douze ans par Rutherford.
          Revue générale des sciences, 15 nov. 1932.

(L'exposé de I. Curie et F. Joliot s'intitule : «La projection des noyaux atomiques par un rayonnement très pénétrant. L'existence du neutron»; Hermann, 1932).

2 L'existence d'une particule de charge nulle a été envisagée par divers savants soit pour expliquer les propriétés d'un rayonnement, soit en tant qu'élément constitutif du noyau. Selon Rutherford, le neutron serait constitué par la combinaison intime d'un proton et d'un électron et, en raison de sa charge nulle, posséderait un très grand pouvoir pénétrant. Au Cavendish Laboratory plusieurs expériences furent tentées pour mettre en évidence ces neutrons; en particulier on essaya de déceler leur présence dans le rayonnement excité par les noyaux α dans le glucinium en recherchant la trajectoire de ces particules dans un appareil Wilson. Le résultat fut négatif, car la trajectoire des neutrons n'est pas ionisante. Le phénomène de projection de noyaux d'hydrogène constitue la première base expérimentale qui a permis d'établir l'existence de ces particules.
          F. JOLIOT et I. JOLIOT-CURIE, *in* Rev. gén. des sc., 1934, t. XLV, p. 230.

3 (...) il semble certain (...) que le neutron, qui a des titres équivalents à être considéré comme élémentaire, soit intimement apparenté au proton de sorte que proton et neutron pourraient être considérés comme deux états différents d'une même particule élémentaire. Cette particule élémentaire à deux visages qu'on nomme aujourd'hui «nucléon» serait donc susceptible de deux états, l'un chargé positivement, le «proton», l'autre électriquement neutre, «le neutron», ces deux états correspondant d'ailleurs à des valeurs très voisines de la masse.
          L. DE BROGLIE, Nouvelles perspectives en microphysique, p. 55.

Bombe à neutrons, produisant une grande quantité de neutrons avec un faible effet de souffle et capable de détruire la vie sans destruction des constructions.

Étoiles à neutrons : étoiles effondrées, de très forte densité dans lesquelles les protons et les électrons se seraient combinés pour former des neutrons.

DÉR. Neutronique.

NEUTRONIQUE [nøtʁonik] adj. — D. i. (mil. xxᵉ); angl. *neutronic,* 1934, *in* Oxford dict., Suppl.; de *neutron.*

♦ Phys. Du neutron. *Masse neutronique.*

NEUTRONOGRAPHIE [nøtʁonogʁafi] n. f. ⇒ **Neutrographie.**

NEUTROPÉNIE [nøtʁopeni] n. f. — 1935, Garnier et Delamare, *in* D. D. L.; de *neutro(phile),* et *-pénie,* grec *penia* «pauvreté».

♦ Méd. Diminution du nombre des leucocytes neutrophiles dans le sang. — REM. Le mot est mal formé, sur l'élément initial de *neutrophile*, arbitrairement coupé.

DÉR. Neutropénique.

NEUTROPÉNIQUE [nøtʀɔpenik] adj. — D. i.; de *neutropénie*.

♦ Méd. Qui entraîne une neutropénie, qui est caractérisé par une neutropénie. *Angine neutropénique.* ⇒ **Agranulocytose.**

NEUTROPHILE [nøtʀɔfil] adj. et n. m. — V. 1902, *Nouveau Larousse illustré*; de *neutre*, et *-phile*.

♦ Didact. (histol.). Qui retient le mélange de colorants acides et basiques (opposé à *acidophile* et à *basophile*). *Granulations neutrophiles des leucocytes.* — N. m. *Les neutrophiles* : les leucocytes* polynucléaires du sang à granulation colorée par des colorants neutres (appelés aussi *granulocytes neutrophiles*).

DÉR. Neutrophilie.

NEUTROPHILIE [nøtʀɔfili] n. f. 1907, *Nouveau Larousse illustré, Suppl.*; de *neutrophile*.

♦ **1.** Didact. (histol.). Propriété des structures cellulaires neutrophiles (particult. des granulations des leucocytes neutrophiles humains).

♦ **2.** Méd. Ensemble des troubles pathologiques dus à une augmentation des leucocytes neutrophiles.

NEUVAIN [nœvɛ̃] n. m. — 1548, *neufvain*; *novain*, adj. «neuvième», v. 1160; de 1. *neuf.*

♦ Didact. Strophe, poème de neuf vers.

NEUVAINE [nœvɛn] n. f. — 1611; *nouvenne*, v. 1364; de 1. *neuf.*

♦ Relig. Série d'exercices de piété et de prières que l'on fait pendant neuf jours consécutifs, pour obtenir une grâce particulière (→ Fécondité, cit. 1). *Faire une neuvaine.*

Elle avait déjà fait deux neuvaines, en s'étonnant de trouver Dieu sourd à ses prières, et aveugle aux clartés des cierges qu'elle lui allumait.
BALZAC, Illusions perdues, Pl., t. IV, p. 939.

NEUVIÈME [nœvjɛm] adj. et n. — 1550; *neufie(s)me, in* Montaigne; *noviesme*, 1230; *noefme*, 1080; de 1. *neuf.*

★ **I.** Qui succède au huitième.

♦ **1.** Adj. numéral ordinal. *La neuvième page. Le neuvième siècle* (→ Matrice, cit. 2). *La neuvième symphonie* «avec chœurs», de Beethoven. — *Le neuvième art* : la bande dessinée.

♦ **2.** N. (1694). *Arriver le neuvième, la neuvième dans une compétition.*

♦ **3.** N. f. (1893). Neuvième classe. *Les élèves de neuvième.*

★ **II.** Se dit d'une fraction d'un tout divisé également en neuf.

♦ **1.** Adj. *La neuvième partie de son volume.*

♦ **2.** N. m. *Le neuvième d'une longueur. Quatre neuvièmes.*

★ **III.** N. f. (1721). Mus. «Octave de la seconde. Cet intervalle porte le nom de *neuvième*, parce qu'il faut former neuf sons consécutifs pour arriver diatoniquement d'un de ces deux termes à l'autre. La *neuvième* est majeure ou mineure, comme la seconde dont elle est la réplique» (J.-J. Rousseau, *Dict. de musique*).

DÉR. Neuvièmement.

NEUVIÈMEMENT [nœvjɛmmɑ̃] adv. — 1479, *neufviesmement*; de *neuvième*.

♦ En neuvième lieu.

NE VARIETUR [nevaʀjetyʀ] loc. adv. et adj. — D. i.; mots latins signifiant «pour qu'il ne soit pas changé».
Didactique.

♦ **1.** Dr. Muni des précautions juridiques pour éviter les changements qui pourraient altérer un document. *Faire parapher un acte ne varietur.*

♦ **2.** *Édition ne varietur* : édition définitive.

♦ **3.** (1904, *Rev. gén. des sc.*, n° 9, p. 464). Qui ne varie pas, ne change pas.

NÉVASSE [nevas] n. f. — D. i. (mil. xxᵉ); du lat. *nix, nivis* «neige», altéré d'après *névé*, et *-asse* (pour traduire l'anglicisme *slush*).

♦ Régional. Neige fondante.

NÉVÉ [neve] n. m. — 1842; semble empr. au savoyard *névi*, d'après Dauzat; cf. lat. *nix, nivis* «neige».

♦ Masse de neige durcie, en haute montagne, qui alimente parfois un glacier*. *Des névés.*

Ces grains ou petits glaçons, assez adhérents entre eux, sont ce qu'on nomme le *névé (sic)*. Pendant tout l'été ce névé s'infiltre de fontes nouvelles dont l'eau vient se déposer au pli où sera le glacier. Gelé, dégelé, regelé chaque nuit (même pendant l'été), ce névé fait la glace blanche, mêlée encore de bulles d'air.
MICHELET, la Montagne, I, IV.

NEVEU [n(ə)vø] n. m. — 1190; *nevoud*, cas régime de *nies* (sujet), au xiᵉ; du lat. *nepos, nepotem* «petit-fils». → Népotisme.

♦ **1.** Vx. Petit-fils. *«Mon époux a des fils, il aura des neveux»* (Corneille, *Pompée*, IV, 4; → 1. Boire, cit. 23, Racine).

(Fin xvᵉ). Littér., vx. (Au plur.). Descendants. *Nos neveux* (→ Jour, cit. 58), *nos arrière-neveux, nos derniers neveux, nos petits-neveux* : nos descendants. ⇒ **Postérité.**

Ô Richardson! si tu n'as pas joui de ton vivant de toute la réputation que tu méritais, combien tu seras grand chez nos neveux, lorsqu'ils te verront à la distance d'où nous voyons Homère! DIDEROT, Éloge de Richardson. 1

♦ **2.** Mod. Fils du frère (⇒ **Oncle**) ou de la sœur (⇒ **Tante**), et, par ext., du beau-frère ou de la belle-sœur. *Son neveu et sa nièce*. *Les neveux sont parents au troisième degré en ligne collatérale de leurs oncles ou de leurs tantes* (selon la computation civile). *Faveur excessive dont jouissaient auprès des papes certains de leurs neveux.* ⇒ **Népotisme.** *Neveu à la mode de Bretagne* : fils d'un cousin germain ou d'une cousine germaine. — *Le Neveu de Rameau,* ouvrage de Diderot, dont le héros est le neveu du musicien.

L'oncle y est regardé *(aux Indes)* comme père, et il est obligé d'entretenir et d'établir ses neveux comme si c'étaient ses propres enfants : ceci vient du caractère de ce peuple, qui est bon et plein d'humanité. MONTESQUIEU, l'Esprit des lois, XXVI, XIV. 2

Le mariage est encore prohibé entre l'oncle et la nièce, la tante et le neveu. 3
Code civil, art. 163.

N. B. L'article 164 prévoit qu'il est loisible au Président de la République de lever, pour des causes graves, cette prohibition.

(1824, *in* D.D.L.). Loc. pop. (Scie familière, basée sur l'assonance). *Un peu mon neveu!,* réponse affirmative emphatique à une question (cf. Et comment!; je veux!; tu parles, Charles!).

— Est-ce que ça vous regarde? répond le garçon avec calme. 4
— Un peu, mon nveu. R. QUENEAU, le Dimanche de la vie, p. 106.

COMP. Arrière-neveu, petit-neveu.

NÉVR-, NÉVRO- ⇒ Neur-, neuro-.

REM. Les deux éléments sont rarement en concurrence, les composés récents dont le deuxième élément est libre étant presque tous formés sur *névro-*.

NÉVRALGIE [nevʀalʒi] n. f. — 1801; de *névr-*, et *-algie*.

♦ **1.** Douleur ressentie dans le territoire d'un nerf sensitif, sur le trajet des nerfs (→ Acuité, cit. 2; hydrothérapie, cit.). *Névralgie faciale, intercostale, pelvienne, sciatique*. *Névralgie qui accompagne des maux de tête. On observe des névralgies épigastriques dans certaines névroses* hystériques. *Les névralgies sont parfois des symptômes de névrite*. *Remède contre les névralgies.* ⇒ **Antinévralgique.**

♦ **2.** Cour. (abusif en méd.). Mal de tête. ⇒ **Céphalalgie.**

Malgré cette névralgie térébrante dans la tête, qui ne la quittait pas depuis deux jours, à laquelle tous les cachets du monde n'avaient rien fait, elle se mit en train pour lui écrire une longue lettre (...)
MONTHERLANT, les Jeunes Filles, p. 129.

DÉR. Névralgique.

NÉVRALGIQUE [nevʀalʒik] adj. — 1801; de *névralgie*.

♦ **1.** Relatif à la névralgie. *Douleur, point névralgique.*

♦ **2.** (1932). *Le point névralgique d'une situation.* ⇒ **Sensible.**

C'est vrai, mais je dirais qu'un écrivain doit cultiver les siennes *(ses souffrances)*

et appuyer sur les points névralgiques. C'est quand il se fait crier de douleur, quand il touche aux cordes sensibles, qu'il libère le meilleur de son talent (...)
              A. MAUROIS, le Cercle de famille, III, IX.

COMP. Antinévralgique.

NÉVRAXE [nevʀaks] n. m. — 1855 ; de névr-, et axe.

♦ Anat. Ensemble du cerveau et de la moelle épinière (axe cérébro-spinal ou centres nerveux).

DÉR. Névraxite.

NÉVRAXITE [nevʀaksit] n. f. — 1927, Garnier-Delamare ; de névraxe.

♦ Méd. Inflammation du névraxe (⇒ **Encéphalite, myélite**).

NÉVRECTOMIE [nevʀɛktɔmi] n. f. ⇒ **Névrotomie.**

NÉVRILÈME [nevʀilɛm] n. m. — 1827 ; de névr-, et du grec eilêma « enveloppe » ; on trouve encore parfois l'orth. névrilemme.

♦ Anat. (Vieilli). Gaine formée de tissu conjonctif, qui forme l'enveloppe d'un nerf (on dit aussi épinèvre).

NÉVRITE [nevʀit] n. f. — 1824 ; de névr-, et -ite.

♦ Méd. Lésion inflammatoire des nerfs. — Abusivt. en méd. Toute atteinte des nerfs (y compris les lésions dégénératives). La névral-gie* est parfois un symptôme de névrite. Névrite causée par lésion des centres de nutrition des nerfs. Névrite périphérique (d'origine interne ou externe). Névrite alcoolique. Névrite ascendante. Névrite hypertrophique familiale (⇒ **Polynévrite**).

DÉR. Névritique.

NÉVRITIQUE [nevʀitik] adj. — 1864 ; en 1694 au sens de « remède contre les nerfs » ; de névrite.

♦ Méd. Relatif à la névrite.

NÉVRO- ⇒ **Neuro-.**

NÉVRODERMITE [nevʀodɛʀmit] n. f. — 1855 ; de névro-, et dermite.

♦ Méd. Affection cutanée chronique caractérisée par des plaques ou des lésions prurigineuses diffuses, d'aspect papuleux.

NÉVROGLIE [nevʀɔgli] n. f. — 1869 ; de névro-, et grec gloios « glu ».

♦ Anat. Tissu conjonctif de soutien du système nerveux, qui se trouve entre les neurones.

DÉR. Névroglique.

NÉVROGLIQUE [nevʀɔglik] adj. — 1869 ; de névroglie.

♦ Anat., méd. De la névroglie. Cellule embryonnaire produisant les cellules névrogliques. ⇒ **Spongioblaste**. Tumeur névroglique.

Les bourgeons qui font saillie dans la cavité sont formés de tissus conjonctif ou névroglique lâche se continuant avec le tissu sous-épendymaire pariétal revêtu d'un épithélium en voie de prolifération épithéliomateuse.
              B. CENDRARS, Moravagine, in Œ. compl., t. IV, p. 259.

NÉVROLOGIE [nevʀɔlɔʒi] n. f. — 1690 ; de névro-, et -logie.

♦ Vx. Partie de l'anatomie qui traite des nerfs (⇒ **Neurologie**). — REM. On a dit aussi neurographie.

NÉVROME [nevʀom] n. m. — 1854, La Châtre ; de névr-, et -ome.

♦ Pathol. Tumeur bénigne constituée par une prolifération de fibres nerveuses enchevêtrées. Névrome congénital de la peau (face, paupières, cuir chevelu). Névrome d'amputation, formé sur un moignon de membre amputé.

NÉVROPATHE [nevʀopat] adj. et n. — 1873, Flaubert, Correspondance ; de névro-, et -pathe.

♦ **1.** Vx. Qui souffre d'une maladie des nerfs et particulièrement de névropathie*.

♦ **2.** Vieilli. Qui souffre de névrose*. ⇒ **Névrosé**. — N. Un, une névropathe.

Pourquoi les délicats un peu hystériques ne goûteraient-ils pas toutes choses en même temps, et pourquoi aussi les symbolistes ne révéleraient-

ils point des sensibilités délicieuses aux êtres de leur race, poètes incurables et privilégiés ? (...)
Ne se peut-il en effet que quelques-uns de ces écrivains intéressants, névropathes par entraînement, soient arrivés à une telle excitabilité que chaque impression reçue produise en eux une sorte de concert de toutes les facultés perceptrices ?
              MAUPASSANT, la Vie errante, « La nuit ».

NÉVROPATHIE [nevʀopati] n. f. — 1845 ; de névro-, et -pathie.

♦ Méd. (Vx). Troubles psychiques et fonctionnels traduisant un état de faiblesse du système nerveux. — Syn. mod. : neurasthénie, névrose. ⇒ **Nervosisme, neurasthénie, névrose.**

DÉR. Névropathique.

NÉVROPATHIQUE [nevʀopatik] adj. — 1834 ; de névropathie.

♦ Méd. Qui a trait à la névropathie (→ Neuropathique). Syndrome névropathique de l'asthénie, de l'hystérie.

Tête nue, Steph, que son commencement de calvitie et son tempérament névro-pathique auraient dû rendre prudent, se montrait aussi indifférent à la fraîcheur humide de cet après-midi qu'il l'eût été à la chaleur de l'été.   [1]
              A. BILLY, Sur les bords de la Veule, p. 177.

(...) on fausserait la réalité en concevant toute la psychiatrie sous la forme uni-   [2]
voque de conversion d'éléments psychiques subconscients en symptômes psycho ou névropathiques.   H. BARUK, Psychoses et Névroses, p. 116.

CONTR. Psychopathique.

NÉVROPTÈRE [nevʀɔptɛʀ] n. m. — 1764, adj. ; neuroptère, 1754 ; de névro-, et -ptère.

♦ Zool. Anciennt. Insecte* aux ailes transparentes sillonnées de nombreuses nervures : fourmilion, phrygane, etc. (t. générique). Ancienne division des névroptères : planipennes (hémérobiidés, myrméléonidés, panorpidés, sialidés), trichoptères (Phryganidés). — Vx. Pseudo-névroptères ou archintères* (⇒ **Psoque**). — REM. On divise aujourd'hui les névroptéroïdes en mégaloptères, raphidioptères et planipennes ; les trichoptères faisant partie des mécoptéroïdes (avec les lépidoptères).

NÉVROSE [nevʀoz] n. f. — 1785, Pinel ; probablt créé en angl. (neurosis) par W. Cullen, en 1777 ; du grec neuros (→ Neur-), et suff. -ose.

♦ **1.** Psychiatrie. Ensemble de troubles psychiques dans lesquels le sujet a conscience de la nature morbide de ses symptômes et maintient sous une forme ou sous une autre une adaptation à la réalité. Relatif à la névrose. ⇒ **Névrotique**. Névrose à symptômes psychiques accentués. ⇒ **Psychonévrose**. La névrose, affection nerveuse aux formes multiples : hystérie*, nervosisme, neurasthénie, obsession, phobie, psychasthénie. Les névroses se manifestent souvent par de l'hyperémotivité, de l'angoisse, parfois par de l'hypocondrie. Névrose anxieuse : névrose dans laquelle l'angoisse est le symptôme essentiel (→ infra, névrose d'angoisse). Certaines névroses hystéri-ques sont accompagnées de névralgies.

(...) dans ce domaine psychiatrique, les troubles extérieurs apparents sont indis-   [1]
solublement liés à des troubles de la pensée, c'est-à-dire à des troubles subjectifs qu'on ne peut étudier que par l'introspection, l'interrogatoire, ou des moyens indirects.
Ces troubles peuvent être d'intensité et de degré très variables. Tantôt ils restent légers, suffisants pour être perçus subjectivement, mais insuffisants pour donner à l'extérieur des perturbations importantes du comportement apparent. Ce sont ces cas que l'on désigne sous le nom de névroses. Tantôt au contraire ils sont plus marqués et perturbent tout le comportement, le malade devenant en quelque sorte comme étranger aux hommes normaux (...) Ce sont là les psychoses.
              H. BARUK, Psychoses et Névroses, p. 9-10.

REM. Le sens du mot a varié depuis son apparition (dans la deuxième moitié du XVIIIe s.). Au XIXe s., il désigne tous les symptômes nerveux sans base organique connue (ex. : surdité, vomissement, tétanos, nostalgie..., chez Pinel, 1819). L'extension du concept est allée diminuant avec les progrès de la médecine.

Spécialt. (Chez Janet). Trouble fonctionnel portant sur les fonctions supérieures du système nerveux, définies comme fonctions symbo-liques.

Psychan. (Freudisme). Ensemble de symptômes d'origine psychique, qui sont l'expression « symbolique » d'un conflit entre le désir (inconscient) et la défense et qui en constituent l'issue morbide. Névrose actuelle (Aktualneurose, 1898, Freud), dont les symptômes ont leur origine dans un conflit actuel (non pas infantile) et qui « résulte directement de l'absence ou de l'inadéquation de la satis-faction sexuelle » (d'après Laplanche et Pontalis). Les névroses actuelles correspondent en partie aux affections psychosomatiques. Névrose d'angoisse (Angstneurose, 1895, Freud) : névrose actuelle où les symptômes d'angoisse sont prédominants (ce qui la distin-gue de la neurasthénie) et proviennent directement de l'excitation sexuelle (alors que les hystéries constituent une symptomatologie médiate). → Angoisse, cit. 6.1. Névrose de caractère, où le conflit psychologique détermine des traits de caractère, de comportement (et non des symptômes précis). Névrose obsessionnelle, caractérisée par des compulsions obsessives, le doute, les scrupules et l'inhibition (souvent masqués par des attitudes réactionnelles). Névrose trau-

matique, où les symptômes apparaissent en liaison avec un choc émotif. — *Névrose familiale* (1936, Laforgue) : ensemble des relations entre les névroses individuelles, dans un milieu familial. — *Névrose infantile*. « *La prophylaxie de la névrose consistera essentiellement à dépister les premiers indices de névrose infantile (...)* » (Hesnard, *in* Porot). — *Névrose de transfert* (chez Freud, d'abord concept opposé à la *névrose narcissique*, par le fait que la libido est déplacée sur des objets et non retirée sur le *moi*) : dans la cure psychanalytique, Névrose provoquée, constituée autour des relations avec le thérapeute et dont l'élucidation permet de découvrir la *névrose clinique* et de la guérir.

2 *Transfert et névrose de transfert.* — Toute psychothérapie repose sur la relation du thérapeute et du patient ; elle substitue à la névrose clinique une névrose thérapeutique ou névrose de transfert ; le propre de la psychanalyse est de contrôler, interpréter et traiter la névrose de transfert.
Daniel LAGACHE, la Psychanalyse, p. 90.

♦ **2.** Cour. Anomalie psychique, trouble mental (moins grave que l'aliénation, la folie). ⇒ **Dérangement, déséquilibre.** *Les Névroses,* poèmes de Rollinat. *Atteint de névrose.* ⇒ **Névropathe, névrosé.**

DÉR. Névrosé, névrotique.
COMP. Psychonévrose. — Trophonévrose.

NÉVROSÉ, ÉE [nevʀoze] adj. et n. — 1857 ; de *névrose.*

♦ Psychan. et cour. Qui est atteint de névrose*. ⇒ **Déséquilibré, névropathe.** — N. *Un névrosé, une névrosée.*

1 Non, ne le blâmez pas ; il est si nerveux, presque un névrosé (...)
Paul MORAND, Champions du monde, p. 122.

2 Névrosé : n'a plus grand chose à voir avec la psychanalyse. Quelqu'un qui a un problème. On peut dire indifféremment : « névrosé », « parano » ou « azimuté ».
Jacques MERLINO, les Jargonautes..., p. 202.

NÉVROTIQUE [nevʀɔtik] adj. — V. 1900 ; *remède névrotique* « propre à combattre les affections nerveuses », 1793 ; remplace *névrosique*, 1842 ; de *névrose.*

♦ **1.** Psychiatrie, psychan. Relatif à une névrose ; qui ressemble à une névrose. *Affection névrotique.* — Qui concerne les névroses ; de la névrose. *Symptômes névrotiques,* qui caractérisent la névrose (opposé à *psychotique*). *Chaque névrose est caractérisée par un ensemble de symptômes névrotiques et par le caractère névrotique du Moi. Tableau névrotique clinique.* — On dit parfois encore *névrosique.* « *Manifestations névrosiques ou mentales* » (Porot).

♦ **2.** Cour. (Personnes). Qui a des attitudes, des réactions névrotiques. *Il est complètement névrotique.* ⇒ **Névrosé.**

NÉVROTOMIE [nevʀɔtɔmi] ou NÉVRECTOMIE [nevʀɛktɔmi] n. f. — 1803, *névrotomie* ; *névrectomie*, 1906, Garnier et Delamare (*in* D.D.L.) ; « dissection des nerfs », 1747 ; de *névro-*, et *-tomie.*

♦ Chir. Résection de tout ou partie d'un nerf. Syn. : *neurotomie* (de *neuro-*, et *-tomie*) ; *neurectomie.*

NEW DEAL [njudil] n. m. — Mil. XXᵉ ; loc. anglaise des États-Unis « nouvelle donne » (1929), appliquée à la politique et aux programmes de F. D. Roosevelt.

♦ Anglic. Nouvelle politique économique ; politique réformiste. « *M. Ceyrac (...) incarne le new deal du patronat français* » (*l'Express,* 9 oct. 1972, p. 70).

Aussi peut-on dès maintenant définir les conditions préalables à un *new deal* algérien : elles sont sociales, elles sont économiques et elles sont politiques.
Pierre NORA, les Français d'Algérie, p. 245.

NEW-LOOK [njuluk] n. m. et adj. invar. — 1947, Christian Dior ; faux anglic. d'après l'angl. *new* « nouveau », et *look* « aspect, allure, ligne ».

♦ Anglic. Style nouveau (en mode, en politique). — Adj. *Une mode, une collection new-look. Elles sont plutôt new-look.* — REM. Le mot, à la mode dans les années 1950-1960, paraît vieilli après 1970. On l'a francisé plaisamment en *nioulouque* (A. Boudard, *la Cerise,* p. 453).

NEWTON [njutɔn] n. m. — V. 1950 ; nom du célèbre physicien anglais.

♦ Phys. Unité de force *(N)*, correspondant à une accélération de 1 m/s par seconde communiquée à une masse de 1 kg. « *L'unité légale* (de mesure de force) *est le* newton *par mètre carré ou* pascal » (J. Larras, *l'Hydraulique,* p. 8).

NEWTONIANISME [njutɔnjanism] n. m. — 1729, *in* Brunot ; de *Newton,* nom propre.

♦ Didact. (hist. des sc.). Système du savant anglais Newton relatif aux mouvements des corps célestes (⇒ **Gravitation**).

NEWTONIEN, IENNE [njutɔnjɛ̃, jɛn] adj. et n. — 1734, Voltaire ; de *Newton,* nom propre.

♦ Didact. (hist. des sc.). Qui est relatif à Newton, à son système. *Astronomie, attraction* (→ Inégalité, cit. 12), *hypothèse, physique newtonienne. Système newtonien. La mécanique newtonienne étudie dans l'espace euclidien le mouvement de systèmes mécaniques définis par leur énergie potentielle et les masses de leurs points. Mécanique newtonienne et mécanique relativiste.* Phys. *Champ newtonien :* champ de forces dans lequel tous les corps matériels s'attirent en raison directe de leurs masses et en raison inverse du carré de leurs distances, conformément à la loi de l'attraction universelle de Newton. *Le champ électrique est un champ newtonien.* N. (Hist. des sc.). Partisan des théories, du système de Newton. *La querelle des cartésiens et des newtoniens.*

Chez vos Cartésiens, tout se fait par une impulsion qu'on ne comprend guère ; chez M. Newton, c'est par une attraction dont on ne connaît pas mieux la cause... La lumière, pour un Cartésien, existe dans l'air ; pour un Newtonien, elle vient du soleil en six minutes et demie.
VOLTAIRE, Mélanges historiques, Lettres philosophiques, XIV.

NEXE [nɛks] n. m. — 1849, Renan ; lat. *nexus* « nœud ».

♦ Didact., rare. Ensemble complexe (d'éléments abstraits). ⇒ **Complexe.**

Quel tableau, enfin, de l'esprit humain vaut celui que fournit l'étude comparée des procédés par lesquels les races diverses ont exprimé les nexes différents de la pensée ? RENAN, l'Avenir de la science, Œ. compl., t. III, XV, p. 942.

NEZ [ne] n. m. — 1080, *nes* ; du lat. *nasus.*

★ **I. ♦ 1.** Partie saillante du visage, située dans son axe, entre le front et la lèvre supérieure et qui abrite la partie antérieure des fosses nasales.

1 Le nez est la partie la plus avancée et le trait le plus apparent du visage (...) La forme du nez et sa position plus avancée que celle de toutes les autres parties de la face sont particulières à l'espèce humaine (...) c'est par cet organe que l'homme et la plupart des animaux respirent et sentent les odeurs.
BUFFON, Hist. nat. de l'homme, Descript. homme, De l'âge viril.

ⓐ *Apparence du nez ; parties du nez ; formes du nez.* ⇒ fam. **Blair, nase, pif, tarin.** *Base, racine, ailes* (cit. 28), *arête* (cit. 2 et 3), *lobe du nez.* — Fam. *Poils du nez. Le bout du nez* (au fig. → ci-dessous). *Les trous de nez :* les narines. — *Gros* (cit. 5) *nez ; long nez* (→ Ibis, cit. 2). *Nez monumental* (cit. 3), *proéminent.* ⇒ **Appendice,** et, fam., **piton, trompe.** — *Nez droit, régulier, grec... Nez aquilin*, *bourbonien, busqué* (cit.), *courbé. Nez crochu* (cit. 1), *recourbé. Nez en bec d'aigle, d'une courbure* (cit. 3) *aquiline. Nez effilé* (cit. 4), *pointu, en lame de couteau. Nez tombant, pendant en éteignoir... Nez écrasé, épaté* (cit. 9 et 10), *camard* (cit. 2, 3 et 4), *camus* (cit. 3). — (1835 ; *fait en pied,* 1609). *Nez en pied de marmite* (cit. 4). — *Nez en patate :* gros nez rond. *Nez retroussé* (→ Malingre, cit. 2). — (1861, Larchey). *Nez en trompette...* ✲ *Nez rouge* (→ Éclater, cit. 27), *enluminé. Nez fleuri, bourgeonnant, bourgeonné...* ⇒ **Truffe.** — *Loupe* (cit. 1), *bouton sur le nez.* — (Avec un adj. de valeur abstraite). *Nez fripon* (cit. 10), *impertinent* (cit. 11), *mutin, spirituel...*

2 (...) c'est peut-être le seul *(homme)* qui ait le nez expressif ; il loue du nez, il blâme du nez, il décide du nez. DIDEROT, Mémoires, *in* LITTRÉ.

3 Le nez, très avancé, formait une seule ligne parfaitement droite, et donnait, par malheur, un profil, fort distingué d'ailleurs, une ressemblance irrémédiable avec la physionomie d'un renard. STENDHAL, le Rouge et le Noir, I, XXIX.

4 Et pouvez-vous me dire, demanda-t-il — quel est le sens du mot *nez* ? — Un nez, — mon père (...) a été défini diversement par un millier d'auteurs... Le nez, suivant Bartholinus, est cette protubérance — cette bosse, — cette excroissance, — cette... — Cela va bien, Robert, interrompit le bon vieux gentleman... Votre éducation peut être considérée maintenant comme achevée ; et vous n'avez rien de mieux à faire que de suivre simplement votre nez.
BAUDELAIRE, Trad. E. POE, Nouvelles histoires extraordinaires, « Lionnerie ».

5 Et, afin que rien ne manquât à cette ravissante figure, le nez n'était pas beau, il était joli ; ni droit, ni courbé, ni italien ni grec ; c'était le nez parisien, c'est-à-dire quelque chose de spirituel, de fin, d'irrégulier et de pur, qui désespère les peintres et qui charme les poètes. HUGO, les Misérables, III, VI, II.

6 Elle avait une tête piriforme, des joues qui ballottaient, dégonflées, un nez fastueux et tombant bas, fleurant de près une lèvre inférieure s'avançant ainsi qu'une console et simulant la moue d'un insistant dédain (...)
HUYSMANS, la Cathédrale, p. 79.

6.1 Mon nez est grand, d'une dimension même considérable. — C'est un nez à la foi envahisseur et vaporisateur. Il se busque, soudain, vers le milieu, en forme de coup-de-pied — ce qui, chez tout autre individu que moi, signalerait une tendance vers quelque noire monomanie. Voici pourquoi : le Nez, c'est l'expression des facultés du raisonnement chez l'homme. Si donc, dans le cours d'un nez, quelque partie se développe, imprudemment, au préjudice des autres, elle correspond à quelque lacune de jugement, pensée nourrie au préjudice des autres. Le nez visible correspond au nez impalpable, que tout homme porte en soi en venant au monde. Si donc, dans le cours d'un nez, quelque partie se développe, imprudemment, au préjudice des autres, elle correspond à quelque lacune de jugement, pensée nourrie au préjudice des autres. VILLIERS DE L'ISLE-ADAM, Tribulat Bonhomet, p. 41-42.

7 Par une transposition de sens, M. de Cambremer vous regardait avec son nez. Ce nez de M. de Cambremer n'était pas laid, plutôt un peu trop beau, trop fort, trop fier de son importance. Busqué, astiqué, luisant, flambant neuf, il était tout disposé à compenser l'insuffisance spirituelle du regard ; malheureusement, si les yeux sont quelquefois l'organe où se révèle l'intelligence (...) le nez est généralement l'organe où s'étale le plus aisément la bêtise.
PROUST, À la recherche du temps perdu, t. X, p. 66.

Non pas un petit nez de chien, court, sensuel (...) mais un nez de musée, clé de voûte du visage, poutre maîtresse d'où partaient tous les autres traits (...)
    Paul MORAND, Champions du monde, p. 102.

9   Le nez en bec d'aigle, et bien coupant, exprime toujours quelque dureté impérieuse (...) Le nez retroussé, peu ou beaucoup, exprime un tout autre caractère, une certaine bonhomie, des sentiments affectueux, le rire facile, la confiance, la douceur. Tous les enfants, au premier âge, ont ce nez-là.
    ALAIN, Propos, 4 févr. 1912, Nez.

10   Mais le nez, aquilin juste assez, le nez délicieux et ses conquérantes narines, mais le pli chaste, le sillon de velours qui creusait sous le nez la lèvre supérieure, demeuraient intacts, authentiques, respectés du photographe même.
    COLETTE, la Fin de Chéri, p. 155.

Allus. littér. *Le nez de Cléopâtre...*

11   Le nez de Cléopâtre : s'il eût été plus court, toute la face de la terre aurait changé.
    PASCAL, Pensées, II, 162.

12   Si la morale de Cléopâtre eût été moins courte, la face de la terre aurait changé. Son nez n'en serait pas devenu plus long.
    LAUTRÉAMONT, Poésies, II (→ aussi Chirurgie, cit. 3, Valéry).

Le nez de Cyrano. La tirade des nez (Rostand, *Cyrano de Bergerac,* I, 4; → Amputer, cit. 2; camard, cit. 5; magistral, cit. 2; et aussi cap, cit. 5).

13   (...) Énorme, mon nez !
Vil camus, sot camard, tête plate, apprenez
Que je m'enorgueillis d'un pareil appendice,
Attendu qu'un grand nez est proprement l'indice
D'un homme affable, bon, courtois, spirituel (...)
    Edmond ROSTAND, Cyrano de Bergerac, I, 4.

Faux nez : pièce (de carton, de matière plastique), imitant un nez. *Mutilé qui porte un nez de cuir, d'argent. Nez de cuir,* roman de La Varende. *Paire de lunettes qui chevauche* (cit. 2) *le nez, qu'on se campe* (cit. 4) *sur le nez; nez orné de lunettes* (cit. 1). ⇒ **Lorgnon, pince-nez** (→ Besicles, cit. 2; binocle, cit.). *Mettre des lunettes sur son nez...* ⇒ **Chausser.**

14   Ses lunettes chaussées au bout du nez qu'il avait gros et rond (...)
    FRANCE, le Livre de mon ami, « Livre de Pierre », II, II.

Froncer (cit. 4) *le nez* (→ Grimace, cit. 5). *Se gratter* (cit. 7), *se frotter, se pincer le nez. Fourrer, mettre ses doigts dans son nez, dans le nez.* — Fig. (argot des sports). *Gagner les doigts dans le nez,* sans aucune difficulté. — *Se boucher* le nez,* pour ne pas sentir une odeur désagréable. — *Chiquenaude* (cit. 2) *sur le nez.* ⇒ **Nasarde, nasarder.** *Torsion du nez* (→ Enfoncement, cit. 2). — Par plais., fig. *Si on lui pinçait, si on lui pressait, tordait le nez, il en sortirait du lait** (cit. 10).

15   Ne vous inondez pas de vos flacons damnés ;
Qu'on puisse vous parler sans se boucher le nez.
    A. DE MUSSET, Premières poésies, « À quoi rêvent les jeunes filles », I, 2.

15.1   Tu vois ce morveux, comme il reluque mes femmes, c'est vicieux ces mômes-là, et c'est tout petit, on leur pincerait le nez, il en sortirait du lait.
    R. QUENEAU, le Chiendent, p. 197.

b *Fonctions du nez.* ⇒ **Odorat, olfaction; sentir.** *Aspirer* (⇒ **Inhaler, renifler**), *souffler, respirer par le nez* (⇒ **Respiration**). *Aspirer du tabac par le nez.* ⇒ **Priser.** *Fumer* (cit. 27) *en rendant la fumée par le nez. Brusque et bruyante expiration par le nez.* ⇒ **Éternuement.** *Bruit de la gorge et du nez, pendant le sommeil* (⇒ **Ronfler**).

16   Pendant que je faisais, en pure perte, des observations phrénologiques, le bon Allemand s'était lesté le nez d'une prise de tabac, et commençait son histoire.
    BALZAC, l'Auberge rouge, Pl., t. IX, p. 958.

17   Il oblige à penser que le nez est un organe qui renifle, et qu'il faut moucher de temps en temps avec bruit, le mouchoir s'attardant ensuite une seconde à curer le creux de chaque narine.
    J. ROMAINS, les Hommes de bonne volonté, t. II, I, p. 5.

Loc. fig. *Ce n'est pas pour ton nez* (par allus. au tabac à priser) : ce n'est pas pour toi.

18   J'ai du bon tabac, dans ma tabatière,
J'ai du bon tabac, tu n'en auras pas.
J'en ai du fin et du râpé,
Ce n'est pas pour ton fichu nez.
    Chanson populaire.

19   Elle est charmante, je l'ai vue. — Alors, elle n'est pas pour ton nez.
    Émile AUGIER, les Effrontés, III, 1.

Loc. (1606). *Parler* du nez.* ⇒ 2. **Nasal, nasiller.** *Voix du nez* (→ Annonce, cit. 5).

... À, AU NEZ. (En parlant des odeurs). *Odeur de moisi* (cit. 6), *humide au nez...* Fig., par plais. *Un manque de distinction qui pue au nez* (→ Camembert, cit.). *Ça sent* la graisse, le gaz à plein nez,* très fort. ⇒ **Sentir.**

20   Ai-je bien fait de la bile ? — Ma foi ! je ne me mêle point de ces affaires-là : c'est à Monsieur Fleurant à y mettre le nez, puisqu'il en a le profit.
    MOLIÈRE, le Malade imaginaire, I, 2.

20.1   Ces gentilshommes de province *(qui)* sentaient encore à plein nez leur monarchie (...)
    BARBEY D'AUREVILLY, les Diaboliques, p. 145.

c En parlant des sécrétions de la muqueuse nasale (⇒ **Morve, mouchure, mucus, pituite**), des maladies de la région nasale (⇒ **Coryza, rhinalgie, rhinite, rhume;** ozène (maladie du punais*). *Écoulement par le nez; saignement de nez.* ⇒ **Hémorragie** (cit. 1); **épistaxis.** Loc. *Saigner du nez.* — *Embarras, enchifrènement du nez. Avoir le nez bouché. Avoir la goutte*, la morve au nez.* ⇒ **Roupie.** *Nez qui coule* (cit. 19). — *Moucher* son nez.* ⇒ **Mouchoir** (→ pop., vx. *Moucher la chandelle**). — *Soins du nez.* ⇒ **Rhino-** (rhinoscopie, rhinoplastie); **oto-rhino-laryngologiste; errhin.** — *Tumeur, polype du nez.*

---

21   Précisément à cet instant-là, le grand-père allait se moucher ; il resta court, tenant son nez dans son mouchoir et regardant Cosette par-dessus : — Adorable, s'écria-t-il.
    HUGO, les Misérables, V, v, IV.

Anat. (Incluant les fosses nasales). ⇒ **Nasal, olfactif, pituitaire.** *Parties extérieures du nez. Intérieur du nez.* ⇒ **Fosse** (nasale), **narine...** *Os et cartilages* (⇒ **Cornet, lame; ethmoïde; cloison, vomer**), *muscles* (muscle myrtiforme, etc.), *nerfs du nez.*

♦ **2.** Loc. métaphorique et fig. *Mener par le nez* (1559); *mener* qqn par le bout* (cit. 4) *du nez, par le nez* (→ Besoin, cit. 66; faiblesse, cit. 24), *le mener à sa guise* (par allus. au cheval que l'on mène par la bride). *Se laisser mener par le bout du nez.* ⇒ **Soumission.**

22   Ah ! les maris seront toujours bernés,
Jaloux et sots, et conduits par le nez.
    VOLTAIRE, *in* BESCHERELLE.

23   Veux-tu que je te parle vrai ? On m'a pris pour une espèce de benêt qu'on se promettait de mener par le nez aux pieds du curé de la paroisse. Ils se sont trompés.
    DIDEROT, Jacques le fataliste, Pl., p. 701.

24   « Eh bien, quel mal *(disait Louis XV),* de moi, par exemple ? — De vous, madame, que vous étiez hautaine, intrigante ; que vous meniez votre mari par le nez ». M. de Beauvau était présent : on se hâta de changer de conversation.
    CHAMFORT, Caractères et anecdotes, « Mᵐᵉ du Barry et Mᵐᵉ de Beauvau ».

(1640). *Ne pas voir au bout* (cit. 3) *de son nez* (vieilli). — Mod. *Ne pas voir plus loin* (cit. 1) *que le bout de son nez* : être borné*, manquer de discernement ou de prévoyance. ⇒ **Imprévoyant.**

25   Nous sommes tous contraints et amoncelés en nous, et avons la vue raccourcie à la longueur de notre nez.
    MONTAIGNE, Essais, I, XXVI.

26   Faut pas penser comme ça, petite tête : faut voir un petit peu plus loin que le bout de son nez ; faut songer à l'Europe d'après-demain.
    SARTRE, la Mort dans l'âme, p. 72.

(1821). *À vue de nez* : à première estimation, sans regarder plus loin, en gros, approximativement.

27   — Cela sera-t-il bien cher ? dit Constance à l'architecte.
— Non, madame, six mille francs, à vue de... — À vue de nez ! s'écria madame Birotteau. Monsieur, je vous en prie, ne commencez rien sans un devis et des marchés signés.
    BALZAC, César Birotteau, Pl., t. V, p. 387.

Cela lui pend* au nez : cela va lui arriver. ⇒ **Menace, menacer.** — *Tirer les vers du nez à qqn.* ⇒ **Ver.** — Fam. *Se manger, se bouffer* le nez* : se disputer violemment, se battre. — (1875). Fam. *Se piquer* le nez* : s'enivrer, se griser (⇒ **Ivrogne**). *Avoir le nez sale** : être ivre. *Avoir un verre dans le nez* : être visiblement éméché (le verre du semblant être passé dans le nez allumé de l'ivrogne).

27.1   Avec cinq rhums et six apéritifs dans le nez, le nain commençait à être rétamé.
    R. QUENEAU, le Chiendent, p. 403.

N'avoir rien dans le nez : être sobre.

27.2   — Est-ce qu'elle est soûle ou folle ou droguée ?
— Rien de tout ça, M'sieu Narcense. Elle est saine d'esprit, ma sœur. Et aujourd'hui, elle n'avait rien dans l'nez, ma sœur.
    R. QUENEAU, le Chiendent, p. 173.

Fam. *Peler le nez de qqn,* l'ennuyer. — *Il ment, son nez remue, bouge, s'allonge...* — (1690 : *comme le nez au visage*). Mod. *Être comme le nez au milieu du visage, de la figure,* très apparent (⇒ **Visible**), et, au fig., évident. *Cela se voit comme le nez au milieu de la figure, du visage.*

Vx. *Il oublierait* son nez,* se dit d'une personne très distraite.

Faire un long nez, un nez long d'une aune (cf. Une mine de trois pieds de long), *un drôle de nez* : faire une moue de déception, de dépit, de mécontentement. On dit aussi *allonger le nez.* Absolt. *Il fait, un nez ! Il a fait un de ces nez !*

28   Pour la première fois que le péril se met en face de moi, je veux voir comment il a le nez fait quand on l'irrite, et quel nez je ferai en face de lui.
    J. VALLÈS, le Bachelier, XXXI.

29   Je m'étais trompé la première fois, voilà tout. Le malheur est qu'elle faisait un nez ! Et je faisais un nez ! Et la première (...) celle qui avait voulu les yeux de rainette, elle ne savait plus très bien si elle devait rire ou faire aussi le nez.
    G. DUHAMEL, Salavin, V, x.

(1640). **PIED DE NEZ.** *Avoir, se trouver un pied de nez* (vx), un nez allongé par le dépit (un nez d'un *pied* de long). Par ext. *Faire un pied de nez à qqn,* un geste de dérision, de moquerie* qui consiste à étendre la main, doigts écartés, en appuyant le pouce sur son nez.

Belgicisme. *Faire de son nez* : prendre un air prétentieux, sûr de soi, arrogant.

29.1   Leduc se leva blême de colère (...)
— Toi, tu n'as pas toujours fait de ton nez comme maintenant !
    Hubert KRAINS, le Pain noir, p. 110.

♦ **3.** (Dans les loc.). Face, figure, visage... *Montrer son nez* : se montrer. *Montrer le bout de son nez* : se montrer à peine, apparaître. Rare. *Cacher son nez* (⇒ **Cache-nez**).

Mettre le nez, son nez à la porte, s'y mettre. Fam. *Mettre le nez dehors* : sortir. *Il fait un temps à ne pas mettre le nez dehors. Tourner son nez, le nez vers...* (→ Émoi, cit. 2).

30   Les uns se mirent à causer ; d'autres à aller et venir, à mettre le nez à la porte, à regarder le ciel et à rentrer en jurant et frappant du pied (...)
    DIDEROT, Jacques le fataliste, Pl., p. 582.

31   (...) nous avions le nez tourné vers la France.
    Th. GAUTIER, Voyage en Russie, XXI.

(XIXᵉ, *in* Littré). *Le nez en l'air, au vent* : la tête levée, et, au fig., en musant (→ Badaud, cit. 5). Vx. *Porter le nez haut* (cit. 99). Mod. *Baisser* (cit. 12) *le nez* : baisser la tête, spécialt. en signe de honte, de dépit. *Piquer du nez* : laisser tomber sa tête en avant (en parlant de qqn qui s'endort, s'assoupit). *Le nez à terre* : penché en avant (→ Emboîter, cit. 5). *Fourrer le nez dans son assiette* (cit. 17).

32 Georges, en entendant sa mère aborder ce sujet, avait baissé le nez dans sa tasse ; mais il le releva et regarda le comte, étonné de sa réponse. Pourquoi mentait-il si carrément ?
ZOLA, Nana, VI.

Spécialt. *Fourrer son nez dans de vieux papiers,* les déchiffrer, les compulser... (→ 2. Bouquiner, cit. 2). *N'avoir jamais fourré, mis le nez dans un livre* : être inculte*. *Avoir le nez sur son travail, ne pas lever le nez,* y rester plongé, sans se laisser distraire d'une occupation*. ⇒ **Application.**

33 Quand je suis resté trois heures le nez sur le Code, pendant lesquelles je n'y ai rien compris, il m'est impossible d'aller au-delà (...)
FLAUBERT, Correspondance, 60, 25 juin 1842.

(V. 1550). Fig. *Mettre, fourrer son nez dans les affaires d'autrui,* les examiner*, s'en mêler indiscrètement. ⇒ **Immiscer** (s'). *Il fourre son nez partout* : il est d'une curiosité avide, indiscrète*. ⇒ **Fouiller, fouiner, fureter** (→ Indécis, cit. 1).

34 (...) ces messieurs de la Justice, quand une fois leur nez s'est fourré chez vous, ils vont chercher tout ce qui s'est passé dans les temps, et ça n'en finit plus (...)
LOTI, Ramuntcho, II, XI.

35 Je l'ai vu fureter autour de mon bureau. Sa myopie lui est une excellente excuse pour mettre son nez partout.
G. DUHAMEL, Salavin, « Journal », 13 février.

Avoir le nez sur qqch., être tout près, tout contre.

36 — Et vous, la mère ? toujours le nez sur la marmite, donc ? Vous goûtez la soupe. C'est d'une bonne cuisinière.
FRANCE, le Livre de mon ami, « Livre de Suzanne », II, I.

37 Pour bien décrire quelque chose, il ne faut pas avoir le nez dessus.
GIDE, Journal, sept. et oct. 1909.

Tomber sur le nez, se casser le nez (→ Chute, cit. 18, Molière). — *Se casser* le nez à la porte de qqn : trouver porte close, et, fig., éprouver un échec* (→ Échouer, cit. 5 ; ligne, cit. 34). *Mon raisonnement se casserait le nez,* ne résisterait pas (aux faits, à la critique...). — *Fermer* (cit. 2) *la porte au nez de qqn,* le congédier, et, fig., le rebuter* avec brusquerie.

38 En attendant, mes créanciers peuvent se casser le nez contre ma porte tout à leur aise.
A. DE MUSSET, Fantasio, I, 3.

(1660). NEZ À NEZ. *Se trouver nez à nez avec qqn,* le rencontrer brusquement, à l'improviste. ⇒ **Face** (à face) ; → Aventurier, cit. 1.

39 Une fois entré, vous vous trouviez nez à nez avec une grande glace.
BALZAC, Illusions perdues, Pl., t. IV, p. 693.

40 Ivich se précipita sur la porte et l'ouvrit ; elle se trouva nez à nez avec son père, il avait l'air solennel et guilleret.
SARTRE, le Sursis, p. 284.

(1609, Régnier). *Au nez de qqn,* devant lui, près de lui, sans se cacher (avec une idée de bravade, d'impudence). ⇒ **Braver** (→ Au nez et à la barbe*). — Vx. *Dire qqch. au nez de qqn,* en face. — Mod. *Rire* au nez.* ⇒ **Moquer** (se). — *Étaler* (cit. 7) *devant le nez, fourrer* (cit. 16) *sous le nez. Regarder qqn sous le nez,* avec impudence. ⇒ **Narguer.** — Vx. *Donner de l'encensoir* (cit. 4) *par le nez. Souffler de la fumée au nez de qqn.* ⇒ **Camouflet** (sens étym.).

41 (...) la coquine me dit au nez qu'elle se moque de le prendre.
MOLIÈRE, l'Avare, I, 5.

42 On ne savait pas dit qu'elle avait jeté au nez du marquis le beau diamant dont il lui avait fait présent ; mais elle le fit : je le sais par les voies les plus sûres.
DIDEROT, Jacques le fataliste, Pl., p. 635.

43 Avoue-le, vieux scélérat, tu me trompes ici, à son nez, à sa moustache (elle en a !)
BERNANOS, Sous le soleil de Satan, Prologue, IV.

44 J'en étais presque à regretter... — Regretter quoi ? — Ben, de ne pas être aussi lâche pour pouvoir leur envoyer des trucs comme ça dans le nez.
G. DUHAMEL, Salavin, V, XIII.

Passer sous le nez, se dit d'une chose qui échappe* à qqn après avoir semblé être à sa portée.

45 Si je sais compter, nous aurons devant nous trois places vides. — Trois places qui nous passeront sous le nez, et qui seront données à des ventrus, à des laquais, à des espions, à des hommes de la Congrégation (...)
BALZAC, les Employés, Pl., t. VI, p. 964 (1837).

♦ **4.** (Vx ou en loc.). **a** Odorat. *Il a bon nez, il sent de loin* (Académie). *Odeur qui prend au nez.* — Loc. fig. *La moutarde lui monte au nez.* ⇒ **Moutarde** (cit. 1, et *supra*). — (1821). Fam. *Avoir qqn dans le nez,* le détester (→ Ne pas pouvoir le sentir*).

b (1587, *avoir du nez*). Symbole du flair*, et, fig., de la perspicacité. *Avoir le nez creux*, le nez fin*. Avoir du nez* (⇒ **Clairvoyance, prévoyance, sagacité...**). *Ils se sont bien débrouillés, ils ont eu du nez...* (→ Loge, cit. 12).

46 (...) il a bon nez, il n'est pas longtemps la dupe (...)
Mme DE SÉVIGNÉ, 185, 19 juil. 1671.

47 (...) il y a là de quoi faire rire les gens qui ont le nez fin (...)
VOLTAIRE, Lettre au roi de Prusse, août 1759.

48 (...) à qui avait du nez, l'odeur de la Ligue leur sortait par les pores.
SAINT-SIMON, Mémoires, II, XLIX.

♦ **5.** (En parlant des animaux). Mufle, museau, groin, hure, etc. — REM. *Nez* ne se dit qu'en parlant de certains animaux et surtout de ceux qui sont doués de flair (particulièrement du chien). *Fox-hound* (cit.) *au nez fin. Chien qui hurle* (cit. 3), *le nez bas... Il fouissait* (cit. 3) *le sol de son nez.* — *En quatre coups de nez...* ⇒ **Flair** (cit. 1). *Chien de chasse qui suit une piste le nez à terre.* ⇒ **Flairer.**

49 Ils examinaient alors à la dérobée les bois, les sentiers et les rochers qui encais-

---

saient la route, mais de l'air avec lequel un chien, mettant le nez au vent, essaie de subodorer le gibier (...)
BALZAC, les Chouans, Pl., t. VII, p. 768.

Instruments pour maintenir le nez des chevaux (⇒ **Naseau**), *des taureaux...* ⇒ **Serre-nez, tord-nez.** *Passer un anneau, une boucle au nez* (au groin) *d'un porc.* ⇒ **Boucler.**

Prolongement du nez des proboscidiens. ⇒ **Trompe.** *Le rhinocéros* porte deux cornes sur le nez.*

Loc. *Nez de chien, nez de cochon* : noms populaires et régionaux de variétés de hérissons.

50 (...) le hérisson, qui resta prudemment roulé en bogue (...) Il s'agissait d'un nez-de-cochon, que les *rabouins* distinguent de la variété nez-de-chien et font cuire à l'étouffée dans la glaise.
Hervé BAZIN, Vipère au poing, p. 116.

(1818). *Nez de chat* : la lépiote élevée.

★ **II.** ♦ **1.** Partie saillante située à l'avant (de qqch.). ⇒ **Avant.** — Avant (d'un navire). ⇒ **Proue.** *Bâtiment trop chargé à l'avant qui tombe sur le nez, a le nez dans l'eau, est sur le nez.* — Partie effilée à l'avant du fuselage (d'un avion). *Avion qui pique du nez.* — Partie avant d'une planche à roulettes. — Techn. Extrémité d'une canne de verrier, opposée à l'embouchure. « *L'autre extrémité ou "nez" sert à prélever le verre par adhérence* » (Meyer et Grivet, *le Verre,* p. 49). — Ch. de fer. *Suspension* (d'un moteur) *par le nez,* par un bossage de la carcasse *(nez de sécurité).* — Pièce d'une machine-outil qui forme une avancée. *Nez de broche, de tour. Nez de busc* : ressaut de la crosse d'un fusil. — *Nez d'une marche* : moulure à l'avant de celle-ci, en surplomb de la contre-marche. — *Nez et talon* (d'un pneu). — Techn. *Nez de gouttière* : morceau de zinc conique soudé à un tuyau de descente. — Ch. de fer. *Nez de quai* : partie extrême du quai, surplombant la voie ferrée.

♦ **2.** Géogr. *Le nez de Joborg* (cap).

HOM. Né.

NF — 1960.

♦ Anciennt. Abréviation de *nouveau franc.* ⇒ **Franc.**

En dessous du chiffre 100 NF, on voyait trois signatures : le contrôleur général : illisible. Le caissier général : illisible. Le secrétaire général : illisible.
J.-M. G. LE CLÉZIO, la Fièvre, p. 39.

Ni [ɛni] Symbole chimique du *nickel.*

NI [ni] conj. — 1229 ; *ne,* Serments de Strasbourg, 842 ; du lat. *nec,* qui marquait à la fois négation et addition (cf. *Neque*).

Conjonction négative (correspondant à l'affirmatif *et**) qui sert à joindre en les distinguant des épithètes, noms, pronoms et des propositions, et qui s'emploie presque toujours, « malgré sa forte valeur négative » (Le Bidois) avec la particule *ne**.

1 (À la différence de *et*)... il faut dans l'énumération multiplier *ni* autant de fois qu'il y a de choses auxquelles on veut rendre la négation commune ; ainsi l'on dira : « La religion commande des choses difficiles, mais elle n'est *ni* affreuse, *ni* farouche, *ni* cruelle (...)
GIRAULT-DUVIVIER, Grammaire des grammaires (13e éd.), t. II, p. 909.

2 Dans certains cas, il n'y a point de règle formelle qui impose *et* ou bien *ni.* Mais des finesses de sens se marquent dans ce choix. *Ni,* tout en joignant les termes, disjoint les idées (...)
F. BRUNOT, la Pensée et la Langue, p. 126.

3 Si l'on compare ces deux phrases également admissibles « Il *n'a pas* écouté mes conseils *et* mes prières » ; et « Il n'a écouté *ni* mes conseils *ni* mes prières », on sent tout de suite quelle force et quelle netteté *ni* donne à la dernière présentation.
G. et R. LE BIDOIS, Syntaxe du français moderne, § 1798.

REM. 1. La forme *ne,* qu'il faut considérer dès le moyen âge comme distincte de la particule négative *ne,* était déjà vieillie ou dialectale au XVIIe s.

4 Et je veux *(dit Martine)*
(...) Un mari (...)
Qui ne sache A ne B (...)
MOLIÈRE, les Femmes savantes, V, 3.

2. Le tour *et ni (même)...* généralement considéré comme superfétatoire (Grevisse, *le Bon Usage,* § 969, n. 1) ou « tout à fait insolite » (G. et R. Le Bidois, *Syntaxe du français moderne,* § 1798) est assez fréquent depuis le XIXe s. (cf. Mallarmé *[Brise marine],* Claudel cité par Hanse ; Duhamel, Valéry, Gide, Péguy *in* Grevisse).

5 Le rire n'empêche pas la haine, et ni le sourire, l'amour.
GIDE, Prétextes, p. 196.

6 — (...) pas votre squelette — ni votre foie (...) — Et ni votre air bête et ni ces yeux tard venus (...)
VALÉRY, M. Teste, p. 61.

★ **I.** *Ni,* accompagné d'une autre négation.

A. *Ni,* joignant deux (ou plusieurs) mots ou groupes de mots à l'intérieur d'une même proposition négative.

♦ **1.** *Ni,* joignant des termes (de même fonction) dépendant d'une négation du type *ne... pas, ne... point, ne... plus, ne... jamais, ne... rien,* etc.

a Après la négation. « *Qui ne s'est pas posé cette question ne sait pas ce qu'est l'honneur* (cit. 12) *ni la vie* ». *Elle n'a rien de fin ni de distingué* (→ Lourd, cit. 32).

7 (...) il ne sait pas parler, ni raconter ce qu'il vient de voir :
LA BRUYÈRE, les Caractères, XII, 56.

b] Avant la négation (surtout pour unir deux sujets). « *Le soleil ni la mort ne se peuvent regarder fixement* » (cit. 1).

8   L'absence ni le temps, je vous le jure encore,
Ne vous peuvent ravir ce cœur qui vous adore.   RACINE, Bérénice, II, 4.

9   Le genre de bien-être que fait éprouver une conversation animée ne consiste pas précisément dans le sujet de cette conversation; les idées ni les connaissances qu'ont peut y développer n'en sont pas le principal intérêt (...)
    Mme DE STAËL, De l'Allemagne, I, XI.

10   (...) l'instituteur ni le curé n'ont besoin d'avoir un nom qui les désigne (...)
    F. MAURIAC, le Sagouin, p. 32.

♦ **2.** *Ni* répété devant chaque terme, le verbe étant précédé de *ne* seul. ⇒ Ne (I., 3.). → ci-dessus, cit. 1. *Ne dire ni oui ni non* (→ Mal, cit. 10). *Ne croire ni à dieu ni au diable. N'avoir ni feu ni lieu, ni sou ni maille* (2. Maille, cit. 2), *ni foi* (cit. 43 et 44) *ni loi. La géométrie* (cit. 7, Pascal) *ne peut définir ni le mouvement, ni les nombres, ni l'espace.* « (...) *je n'ai mérité* Ni *cet excès* (cit. 4) *d'honneur ni cette indignité* » (Racine). *Je ne suis ni meilleur* (cit. 5) *ni plus sage, ni plus intelligent que ce misérable.*

11   (...) l'histoire peint quelques individus; tu peins l'espèce humaine : l'histoire attribue à quelques individus ce qu'ils n'ont ni dit, ni fait; tout ce que tu attribues à l'homme, il l'a dit et fait (...)   DIDEROT, Éloge de Richardson.

12   Le prince russe (...) qui d'ailleurs n'était ni prince ni Russe (...)
    STENDHAL, Philibert Lescale.

12.1   Le bourgmestre était un personnage de cinquante ans, ni gras ni maigre, ni petit ni grand, ni vieux ni jeune, ni coloré ni pâle, ni gai ni triste, ni content ni ennuyé, ni énergique ni mou, ni fier ni humble, ni bon ni méchant, ni généreux ni avare, ni brave ni poltron, ni trop ni trop peu — ne quid nimis —, un homme modéré en tout.   J. VERNE, le Docteur Ox, p. 8.

13   L'homme d'affaires ne connaît *ni* père, *ni* mère, *ni* oncle, *ni* tante, *ni* femme, *ni* enfant, *ni* beau, *ni* laid, *ni* propre, *ni* sale, *ni* chaud, *ni* froid, *ni* Dieu, *ni* démon.
    L. BLOY, Exég. des lieux communs, in DAMOURETTE et PICHON, § 3144.

14   À quoi bon lutter? Il n'y avait rien, ni beau, ni bien, ni Dieu, ni vie, ni être d'aucune sorte. Dans la rue, quand il marchait, tout à coup la terre lui manquait; il n'y avait ni sol, ni air, ni lumière, ni lui-même : il n'y avait rien.
    R. ROLLAND, Jean-Christophe, L'adolescent, I, p. 262-263.

Ni l'un ni l'autre... ⇒ **Autre** (cit. 110 et *supra*). *Ni plus ni moins que...* ⇒ **Plus.** *Ni sans... ni sans**...

♦ **3.** Vx. *Ni*, placé devant le dernier terme seulement. *Celui qu'on disait n'avoir raison ni sens* (→ Cœur, cit. 147). *On ne l'a fait de mon temps ni du vôtre* (→ Hui, cit.).

15   Je ne connais Priam, Hélène ni Paris (...)   RACINE, Iphigénie, IV, 6.

Par archaïsme littéraire :

16   (...) puisqu'elle n'avait père, mère, frère, ni sœur (...)
    GIRAUDOUX, Siegfried et le Limousin, p. 58.

17   Je n'avais amour ni demeure
Nulle part où je vive ou meure (...)   ARAGON, le Roman inachevé, p. 69.

REM. 1. Devant des compléments directs partitifs (Hanse) on dira : *je n'ai pas d'argent ni (et) de provisions*, et non : *je n'ai ni d'argent ni de provisions.*

2. La langue classique admettait la négation complète avec le tour 2 (cf. Corneille, *le Cid*, V, 7). — Après *ne... plus*, ce tour serait encore correct de nos jours (→ Frein, cit. 1, Racine).

18   Je n'ai point exigé ni serments, ni promesses (...)   BOILEAU, le Lutrin, II.

19   Ni les éclairs ni le tonnerre
N'obéissent point à vos dieux.   RACINE, Esther, I, 5.

20   La plus brillante fortune ne mérite point ni le tourment que je me donne, ni les petitesses où je me surprends, ni les humiliations, ni les hontes que j'essuie (...)
    LA BRUYÈRE, les Caractères, VIII, 66.

3. Après deux ou plusieurs sujets de la 3e personne coordonnés par *ni*, le verbe se met généralement au pluriel : «*Ni l'or ni la grandeur* (cit. 30) *ne nous rendent heureux*». — Le verbe se met au singulier si les sujets s'excluent mutuellement, ou si l'action verbale ne peut se rapporter qu'à un seul sujet. *Ce n'est ni votre candidat ni le mien qui sera nommé à ce poste. Ni l'un ni l'autre n'est pour rien dans cette affaire.*

21   Ni crainte ni respect ne m'en peut détacher.   RACINE, Iphigénie, IV, 4.

22   (...) Ni le bois ni la plaine
Ne poussaient un soupir dans les airs (...)
    A. DE VIGNY, Poèmes philosophiques, « Mort du loup », I.

23   Comme ni l'un ni l'autre n'avaient le caractère endurant (...)
    STENDHAL, le Rouge et le Noir, II, XVII.

4. Si les sujets coordonnés ne sont pas de la même personne, «on met le verbe au pluriel et à la personne qui a la priorité... : *Ni toi ni lui ne pouvez le contester* (J. Lemaître, *la Révoltée*, IV, 3)... Lorsque le second des sujets joints par *ni* est ou contient un terme comme *aucun*, *personne*, *rien*, englobant dans son extension le premier sujet, c'est lui évidemment qui commande l'accord du verbe :... *Ni moi*, *ni personne en Italie n'a pu se plaire à ces tristes extravagances* (Voltaire, *Candide*, XXV)» in Grevisse, § 818, b, et N. B. 3.

24   Elle ni moi ne pûmes oublier, dans les plus vifs de nos transports, l'épouvantable situation qu'elle nous faisait (...)
    BARBEY D'AUREVILLY, les Diaboliques, « Rideau cramoisi », p. 63.

25   Il y a là une mission de justice, à laquelle ni moi, ni vous, ni lui, ne pouvons plus nous dérober!   MARTIN DU GARD, Jean Barois, « Vent précurseur », II.

B. *Ni*, joignant plusieurs propositions négatives.

♦ **1.** Vx ou littér. (Propositions principales — ou indépendantes — ayant un même sujet). *Ni* ne s'énonce généralement que devant le dernier terme. « *Il n'avance ni ne recule* » (Maupassant, *Mlle Perle*). On

---

ne lui avait pas tiré assez de sang ni fait boire assez d'eau chaude (→ Imputer, cit. 11).

Les ovistes ne font comprendre ni ne comprennent par quel art une jument peut avoir dans son œuf autre chose qu'un cheval.
    VOLTAIRE, Dict. philosophique, Monstres.

Pourtant les yeux ne se ferment ni ne se brouillent.
    J. ROMAINS, les Hommes de bonne volonté, t. X, IV, p. 38.

REM. 1. La négation complète après *ni* (*ni... pas*, *ni... point*) relève de nos jours d'un «pur caprice d'archaïsme» (Grevisse).

(...) ne sois pas trop craintif, ni point trop effrayé (...)
    G. DUHAMEL, Refuges de la lecture, I.

2. Dans la langue classique, *ni* était exprimé même devant le premier terme. Ce tour est encore possible aujourd'hui lorsque le sujet est répété... *Ni je ne veux, ni je ne puis, ni je ne dois le faire* (Michaut).

Ni ils ne sont maîtres de dispositions que les siècles passés ont mises dans les affaires, ni ils ne peuvent prévoir le cours que prendra l'avenir (...)
    BOSSUET, Disc. sur l'hist. universelle, III, VIII.

Un homme sage ni ne se laisse gouverner, ni ne cherche à gouverner les autres (...)
    LA BRUYÈRE, les Caractères, IV, 71.

♦ **2.** (Propositions principales ou indépendantes ayant des sujets différents). *Ni* se répète devant chaque proposition ou partie de proposition (→ Force, cit. 57).

Ni l'ignorance n'est défaut d'esprit ni le savoir n'est preuve de génie.
    VAUVENARGUES, Maximes et Réflexions, 217.

Mais ni la haute différenciation de mes idées cette nuit n'était imaginaire, ni l'état semi-fruste où je les retrouve.
    J. ROMAINS, les Hommes de bonne volonté, t. XII, VI, p. 75.

♦ **3.** *Ni*, employé parfois pour coordonner des propositions subordonnées négatives. *Je constate que vous ne l'acceptez ni ne le refusez* (au lieu de : *que vous ne l'acceptez pas et ne le refusez pas*). *Si vous ne pouvez ni ne voulez, il faut le dire.* — Pour coordonner des propositions subordonnées affirmatives dépendant d'une principale négative. *Ne pensez pas que je sois satisfait ni* (ou, et) *que je veuille le récompenser.* (Avec *ni* répété). *N'espérez ni que je le félicite, ni que je le récompense* (cf. Hanse, p. 468).

Il me déclare qu'il ne croit pas que l'histoire soit ni devienne jamais une science.
    FRANCE, le Crime de S. Bonnard, in Œ., t. II, VI, p. 498.

★ **II.** *Ni*, non accompagné d'une autre négation.

♦ **1.** Dans des propositions elliptiques où le verbe est sous-entendu. *Ni fier-à-bras* (cit. 3), *ni joli cœur.* — (Dans une réponse). *Viendrez-vous? Ni ce matin ni ce soir. L'aimez-vous? Ni lui ni personne.*

(...) ayant pour maxime inviolable, avec mes amis, de me montrer à leurs yeux exactement tel que je suis, ni meilleur, ni pire.
    ROUSSEAU, les Confessions, XI.

(...) il n'y a qu'en Angleterre où l'on dise *ni jamais, ni toujours* (...)
    BALZAC, le Lys dans la vallée, Pl., t. VIII, p. 959.

Elle remarque sur le sol la branche de coudrier où le chèvrefeuille s'enlace fortement, et songe en son cœur : «Ainsi va de nous, ami; ni vous sans moi, ni moi sans vous».
    J. BÉDIER, Tristan et Iseut, p. 180.

REM. En logique, *ni* peut servir à lire le connecteur de double négation, ou symbole de Peirce, noté ↓ (ex. : A ↓ B). Subst. *Le ni* : le connecteur de double négation.

♦ **2.** *Ni* dépendant d'un nom, d'un pronom, d'un adjectif ou d'un verbe équivalent ou pouvant se ramener à une négation (*défendre, désespérer, incapable, impossible, loin de...*).

Bientôt ils défendront de peindre la Prudence,
De donner à Thémis ni bandeau ni balance (...)   BOILEAU, l'Art poétique, III.

Rien de si nu que ce pays, rien de si plat ni de si uniforme (...)
    F. MAURIAC, le Mal, I.

Après *sans*, *sans que... Sans feu* (cit. 28) *ni lieu, sans sou ni maille* (2. Maille, cit. 1). *Sans queue ni tête* (→ Imbroglio, cit. 4). *Sans remuer ni pied ni patte* (→ Clouer, cit. 3). *Sans respect pour Jésus ni Marie* (→ Maint, cit. 4). Loc. *Sans tambour ni trompette.* —
REM. Au lieu de *sans... et sans...*, on trouvait parfois (au XVIIe s.) *sans... ni sans.*

(...) Mme la princesse de Conti (...) mourut (...) jeudi à quatre heures du matin, sans aucune connaissance, ni sans avoir jamais dit une seule parole de bon sens.
    Mme DE SÉVIGNÉ, 246, 5 févr. 1672.

(...) sans admettre ni sans exclure la possibilité de la conversion de la glace (...)
    BUFFON, Introd. à l'Hist. natur. des minéraux, Des éléments, II.

(Les) honnêtes femmes, qui quelquefois, pour parvenir à leurs fins, savent, ne rien permettre ni rien promettre, faire espérer plus qu'elles ne veulent tenir.
    ROUSSEAU, les Confessions, II.

Depuis lors, soit à Nièvres, soit à Paris, elle (Madeleine) avait renouvelé la même insinuation sans que ni Julie ni moi nous eussions l'air de l'accueillir.
    E. FROMENTIN, Dominique, p. 175.

(...) choisissant *(pour mourir)* une semaine toute blanche, sans crime, ni duel, ni procès célèbre, ni incident politique (...)   A. DAUDET, l'Immortel, VIII.

Il avait achevé ce récit sans un tremblement dans la voix, sans qu'une inflexion ni qu'un geste témoignât qu'une émotion quelconque le troublât (...)
    GIDE, l'Immoraliste, p. 253.

♦ **3.** Après une interrogation de valeur négative :

Penses-tu, lui dit-il, que ton titre de roi
Me fasse peur ni me soucie?   LA FONTAINE, Fables, II, 9.

♦ **4.** Dans une phrase comparative d'inégalité. Cf. l'emploi de *ne* (III., 3.) après un comparatif positif :

45 Patience et longueur du temps
Font plus que force ni que rage.   LA FONTAINE, Fables, II, 11.
REM. « C'est la négation implicite de l'*échantil* (second terme de la comparaison) après *plus que* (cf. « La patience fait plus que *ne* fait la force ») qui justifie le *ni* dans l'exemple cité » (G. et R. LE BIDOIS, Syntaxe du franç. moderne, § 1799, 3°).

HOM. Nid. — Formes du v. nier.

NIABLE [njabl] adj. — 1662, *Logique* de Port-Royal ; de *nier*.

♦ Qui peut être nié. *Ce n'est pas niable :* c'est indéniable.

(...) la religiosité de Sainte-Beuve n'est pas niable, pas plus que celle de Renan.
                    Émile HENRIOT, les Romantiques, p. 223.

Prov. *Tout mauvais cas est niable :* on peut toujours nier une faute, une erreur.

CONTR. Incontestable, indéniable.

NIAGARA [njagaʀa] n. m. — 1913, cit. 1 ; nom de célèbres chutes.

Familier et plaisant.

♦ **1.** Cascade, chute d'eau. *Les petits niagaras de la chasse d'eau.*

Vx. *Niagara électrique :* paratonnerre à fort débit (supposé avoir également un effet paragrêle, au début du siècle).

1   Protéger nos vignobles à l'aide de niagaras électriques, contre les chutes de grêle (...)   L. FIGUIER, l'Année scientifique et industrielle, 1914, p. 41 (1913).

♦ **2.** Fig. Déversement abondant. *« Un Niagara de promesses étourdissantes »* (Christine Arnoty, *Toutes les chances plus une*, p. 155).

2   (...) tout ce que la radio épurée nous déversait comme niagaras d'imbécillités (...)
                    Jacques PERRET, Bâtons dans les roues, p. 12.

NIAIS, NIAISE [njɛ, njɛz] adj. et n. — 1265 ; *nies*, 1775 ; du lat. pop.,* *nidax*, dér. de *nidus*. → Nid.

♦ **1.** Vx ou techn. (fauconn.). Qui n'est pas encore sorti du nid*. *Faucon* niais* (→ Homme, cit. 108).

♦ **2.** Mod. (Style soutenu). Qui est d'une simplicité, d'une inexpérience qui va jusqu'à la bêtise, à la sottise. ⇒ Badaud (vx), godiche, imbécile, inepte, jobard, lourd, naïf (péj.), nigaud, simple, simplet, sot (→ Fat, cit. 1). *Des gens niais. Un valet niais* (→ Jocrisse, cit. 2). *Il est niais, ignorant, bête comme une carpe. Rendre qqn moins niais.* ⇒ Déniaiser.

1   J'ai peur que mon héroïne ne vous semble niaise, si je vous dis que, lorsqu'on venait la voir, on la trouvait quelquefois sur une meule, remuant une énorme fourche et les cheveux entremêlés de foin ; mais elle sautait à terre comme un oiseau (...) et vous faisait les honneurs de chez elle avec une grâce qui fait tout pardonner.   A. DE MUSSET, Nouvelles, « Emmeline », II.
2   Les femmes du monde l'inquiétaient un peu, car il ne les connaissait guère. Il les supposait en même temps rouées et niaises, hypocrites et dangereuses, futiles et encombrantes.   MAUPASSANT, Fort comme la mort, I, I.
3   Mieux vaut un adversaire intelligent qu'un ami niais.
                    GIDE, Journal, 29 oct. 1916.

N. *Un niais, une niaise.* ⇒ Andouille, âne, benêt, boniface (vx), con, cornichon, couenne, couillon, cruche, cul, dandin (vx), jocrisse, naïf, nicaise (vx), nicodème, serin, sot. *Un jeune niais.* ⇒ Béjaune, blanc-bec (REM. Ces deux mots correspondent à la même image que le mot *niais*), coquebin (vx), dadais... *Niais vaniteux.* ⇒ Dindon. *Pauvre niais ! Quelle niaise !* ⇒ Dinde, oie. *Les niais et les gens faibles* (cit. 20).

4   (...) j'ai compris aussitôt que je dois lui laisser croire qu'elle est beaucoup plus fine et plus spirituelle que sa fille. J'ai donc fait la niaise, elle a été enchantée de moi.   BALZAC, Mémoires de deux jeunes mariées, Pl., t. I, p. 137.
5   Oui, nous pouvons aujourd'hui, sur leur témoignage même, affirmer avec sûreté : les Necker, les Lally, furent des simples, des niais, quand ils garantirent ce que le temps a si violemment démenti (...)
                    MICHELET, Hist. de la Révolution franç., IV, II.

Loc. (1609). Vx. *Niais de Sologne,* qui se trompe à son profit.

♦ **3.** Qui exprime la niaiserie. *Air niais* (→ Honteux, cit. 16). *Sourire niais.* ⇒ Béat. *Se promener, musarder avec un air niais.* ⇒ Bayer (aux corneilles). *Ton de voix niais* (→ 2. Affecter, cit. 2). *Physionomie niaise* (→ Béatitude, cit. 5).

6   (...) il y a quelque art à distinguer les visages débonnaires des niais (...)
                    MONTAIGNE, Essais, III, XII.
7   Il avait vécu cette niaise première jeunesse qui fait de l'homme le Jocrisse de ses sensations, et pour qui la première venue qui passe est un magnétisme.
                    BARBEY D'AUREVILLY, les Diaboliques, « Vengeance d'une femme », p. 373.

Par ext. *Une philosophie niaise* (→ Atrophier, cit. 4). *Œuvre fastidieuse* (cit. 2), *fade et niaise. Idéalisme* (cit. 7) *niais.* « *Refrains niais, rythmes naïfs* » (→ Littérature, cit. 15, Rimbaud).

8   Cette révélation de la grandeur vraie et simple m'atteignit jusqu'au fond de l'être. Tout ce que j'avais connu jusque-là me sembla l'effort maladroit d'un art jésuitique, un rococo composé de pompe niaise, de charlatanisme et de caricature.
                    RENAN, Souvenirs d'enfance..., Œ. compl., t. II, II.
9   « *Harmonie ! Harmonie !*
Langue que pour l'amour inventa le génie,
Qui nous vint d'Italie et qui lui vint des cieux. »
On ne peut rien imaginer de plus niais. À quoi justifier le mépris et la haine de Valéry pour Musset.   GIDE, Journal, 25 janv. 1948.

CONTR. Combinard, déluré, dessalé, espiègle, expérimenté, fin, habile, malicieux, rusé, spirituel... (→ les contraires de *sot*).
DÉR. Niaisard, niaisement, niaiser, niaiserie, niaiseux.
COMP. Déniaiser. — Attrape-niais.

NIAISARD, ARDE [njɛzaʀ, aʀd] adj. — 1877, Vallès, *in* D.D.L. ; de *niais.*

♦ Rare. Niais.

NIAISEMENT [njɛzmã] adv. — 1596 ; de *niais.*

♦ D'une façon niaise. *Sourire niaisement.*

Il n'ira pas niaisement interrogeant les autres sur tout ce qu'il voit.
                    ROUSSEAU, Émile, II.

NIAISER [njeze] v. intr. — 1549 ; de *niais.*

♦ Vx. Perdre son temps, s'amuser à des choses futiles, à des niaiseries.

Il est fâcheux de s'arrêter à ces bagatelles ; mais il y a des temps de niaiser.
                    PASCAL, Opuscules, « De l'esprit géométrique », I.

NIAISERIE [njɛzʀi] n. f. — V. 1550 ; de *niais.*

♦ **1.** Caractère d'une personne ou d'une chose niaise... ⇒ **Bêtise, crédulité, imbécillité ; sottise...** *Dévoué jusqu'à la niaiserie.* ⇒ **Jobarderie** (cit. 2). *Niaiserie d'idées* (→ Grimaud, cit. 4). *Niaiserie de curieux, de badauds...* ⇒ **Badauderie.** — *Niaiserie d'une réflexion, d'un air.*

1   (...) elle avait comme de la crainte et de la honte d'avoir souvent plaisanté cet enfant sur sa simplicité. Elle l'avait toujours fait avec douceur, il est vrai, et peut-être que sa niaiserie le lui avait fait plaindre et aimer d'autant plus.
                    G. SAND, François le Champi, II.
2   Ce qui est moins acceptable, c'est le penchant qu'il manifeste à faire des dupes, je veux dire l'habitude qu'il a de spéculer sur la niaiserie du partenaire.
                    G. DUHAMEL, Salavin, I, XV.

♦ **2.** (*Une, des niaiseries*). **ⓐ** Action, parole, occupation de niais (⇒ **Ânerie, bêtise, sottise**). *Napoléon « a donné une nouvelle édition* (cit. 2) *de toutes les niaiseries monarchiques* » (Stendhal). *Niaiseries sentimentales* (→ Amplification, cit. 2).

3   (...) le plus communément nous nous sentons plus émus des trépignements, jeux et niaiseries puériles de nos enfants, que nous ne faisons auprès de leurs actions toutes formées (...)   MONTAIGNE, Essais, II, VIII.
4   Ainsi se perdait en niaiseries le plus précieux temps de mon enfance avant qu'on eût décidé de ma destination.   ROUSSEAU, les Confessions, I.
5   (...) les vingt ou trente amis qui se réunissaient entre eux disaient les mêmes niaiseries, répétaient les mêmes lieux communs (...)
                    BALZAC, César Birotteau, Pl., t. V, p. 357.
6   C'était un besoin inlassable de dire des niaiseries, de répéter cinquante fois des mots qui n'avaient aucun sens, d'agacer, d'irriter, de harceler, de mettre hors de soi. Et ses coquetteries, dès que paraissait quelqu'un, — n'importe qui, — sur le chemin !   R. ROLLAND, Jean-Christophe, L'adolescent, III, p. 334.

ⓑ Chose futile, sans aucune importance. ⇒ **Babiole, bagatelle** (2.), 2. **baguenaude** (2., vx), **baguenauderie, baliverne, fadaise, frivolité** (2.), **futilité, rien.** *S'occuper* (→ Illico, cit. 1), *causer, parler de niaiseries* (→ 2. Importer, cit. 34).

7   Pour Socrate (...) les ports, les arsenaux, les murailles sont des « niaiseries » ; c'est la justice et la tempérance qui sont les choses sérieuses. Pour ceux qui tiennent aujourd'hui son emploi, c'est la justice qui est une niaiserie — une « nuée » — (...)
                    Julien BENDA, la Trahison des clercs, p. 180.

Lire des niaiseries (→ Impunément, cit. 7).

CONTR. Finesse, malice.

NIAISEUX, EUSE [njɛzø, øz] adj. et n. — D. i. ; de *niais.*

♦ Régional (Canada). Niais, sot.

NIAMA-NIAMA ou NYAMA-NYAMA [ɲamaɲama ; njama njama] n. m. pl. — D. i. ; mot mandingue. (Cf. *Néré*).

Français d'Afrique.

♦ **1.** Objets hétéroclites et de faible valeur, pacotille.

(...) les commerçants yorubas avec leurs étalages de « nyama-nyama » divers, savons, clous en petits tas, chemises, boubous ou pagnes.
                    O. DE SARDAN, les Wogo (Niger), *in* I.F.A.

♦ **2.** Petits hors-d'œuvre, menues friandises accompagnant l'apéritif. ⇒ **Amuse-gueule.**

NIANGON [njãgɔ̃] n. m. — 1933, Larousse ; mot africain.

♦ Techn. Bois d'Afrique tropicale, utilisé surtout dans les menuiseries extérieures. — Arbre (*Sterculiacées*) qui fournit ce bois.

NIAOULI [njauli] n. m. — 1875 ; mot de Nouvelle-Calédonie.

♦ Didact., techn. Arbrisseau exotique (*Myrtacées*) qui fournit l'essence qui entre dans la composition du goménol. *Essence de niaouli.*

NIARE ou **NIARD** [njaʀ; ɲaʀ] n. m. — 1903; var. graphique de *gnard,* p.-ê. de *momignard.*

♦ Argot. Enfant. — Individu. ⇒ **Gnard.**

NIASSE [njas; ɲas] n. m. ⇒ **Gnasse.**

NIAULE [njol; ɲol] n. f. ⇒ **Gnôle.**

NIB [nib] adv. — 1800, selon Sainéan; abrév. de *nibergue,* pour *niberque,* anagramme de *bernique.*

♦ Argot. Rien*. *J'y comprends nib de nib. Bon à nib :* bon à rien. *Nib de (qqch.) :* absence totale de...

1 Mais ce soir, j'ai justement besoin de me refaire... nib de braise... et je ne fais pas le rond!
Si ça continue... faudra passer l'heure... turbiner en maraude.
GORON, l'Amour à Paris, t. III, p. 1615 (v. 1900).

2 Le plus mariolle y verra nib (...)   Francis CARCO, Jésus-la-Caille, I, IV.

NICAISE [nikɛz] n. m. — XVIIᵉ; nom propre. → Nicomède.

♦ Vx. Homme niais, simple; imbécile (cf. La Fontaine, *Contes,* « Nicaise », 1675).

NICANDRE [nikɑ̃dʀ] n. f. — 1874; du n. propre grec *Nikandros,* de *nikán* « vaincre », et *andros* « homme ».

♦ Plante herbacée annuelle, à belles fleurs bleues ornementales.

NICCOLO [nikɔlo] n. m. — 1818; altér. du lat. médiéval *nichilum,* d'origine inconnue.

♦ Agate onyx à deux couches, blanche et noire.

NICE [nis] adj. — V. 1175; du lat. *nescius* « qui ne sait pas »; de *scire* « savoir ».

♦ Vx. Ignorant, simple, niais.
Anc. dr. *Promesse nice,* sans garantie.
REM. Le mot se rencontre encore au XXᵉ s., par archaïsme littéraire.
Allah m'a placé, simple et nice, dans un monde trop compliqué.
A. ARNOUX, Suite variée, p. 55.

NICET, ETTE [nisɛ, ɛt] adj. et n. — V. 1270; de *nice,* adjectif.

♦ Vx (ou archaïsme littér.). Un peu nice. ⇒ **Simplet.**
Il parlait, c'était une musique (...) moi, toute nicette, comme une figue-fleur, je me blotissais sous la ramure de ses bras (...) et j'écoutais sans comprendre.
J. GIONO, Naissance de l'Odyssée, p. 110.

1. NICHE [niʃ] n. f. — 1295; p.-ê. de l'anc. v. *niger, nicher* « agir en niais, perdre son temps », de la même famille que *niais, nid* (→ 2. Niche) ou forme francisée de *nique*; P. Guiraud suppose un dér. *negica,* de **negicare,* de *negare* « nier ».

♦ Tour malicieux destiné à attraper qqn. ⇒ **Espièglerie, facétie, farce, malice, tour.** *Faire des niches.*

1 (...) nous lui jouerons tant de pièces, nous lui ferons tant de niches sur niches que nous renverrons à Limoges Monsieur de Pourceaugnac.
MOLIÈRE, Monsieur de Pourceaugnac, I, 1.

2 Il (Napoléon) *abondait en plaisanteries, plutôt bizarres que spirituelles,* dit Benjamin Constant. Ces gaîtés de géant valent la peine qu'on y insiste. C'est lui qui avait appelé ses grenadiers « les grognards »; il leur pinçait l'oreille, il leur tirait la moustache. *L'empereur ne faisait que nous faire des niches :* ceci est un mot de l'un d'eux.   HUGO, les Misérables, II, I, VII.

3 Il mettait toute son énergie à faire ce qui était désagréable à ses critiques et pouvait les faire crier; il était comme un gamin qui joue des niches. Ces niches étaient souvent du goût le plus détestable : non seulement il employait son talent prodigieux à des excentricités musicales, qui faisaient hérisser les cheveux sur la tête des pontifes; mais il manifestait une prédilection taquine pour les textes baroques, pour des sujets bizarres (...)
R. ROLLAND, Jean-Christophe, La révolte, III, p. 538.

Rare; par confusion avec *nique.* « *Faire niche au sacré* » (→ Gaulois, cit. 4, Sainte-Beuve).

2. NICHE [niʃ] n. f. — 1395; de *nicher;* l'ital. *nicchia* que l'on donnait pour origine de *niche* n'apparaît qu'au XVIᵉ s.

♦ **1.** Enfoncement pratiqué dans l'épaisseur d'une paroi pour abriter quelque objet décoratif (statue*, buste, vase...). ⇒ **Cavité.** *Niche carrée, semi-circulaire. Niche en cul-de-four*. Niches de la façade* (cit. 3) *d'une cathédrale. Lucarne* (cit. 3) *murée qui forme une niche. Statue, madone* (cit. 2) *dans*

une niche. — *Niches d'un caveau** (cit. 2), *d'un columbarium**; *niches funéraires.* ⇒ **Enfeu.**

1 Des niches richement encadrées et occupées par des bustes antiques rompaient seules la plane surface du mur (...)   Th. GAUTIER, Fortunio, XVI.

Loc. fig. (Vieilli). *Il est comme un saint dans sa niche :* il ne bouge pas.
Figuré :

2 J'ai guetté dans le cœur humain toutes les niches différentes où peut se cacher l'amour lorsqu'il craint de se montrer, et chacune de mes comédies a pour objet de le faire sortir d'une de ces niches.-
MARIVAUX, Phrase rapportée par D'ALEMBERT, Éloge de Marivaux.

♦ **2.** Enfoncement* formant une sorte de réduit. *Lit* dans une niche.* ⇒ **Alcôve.** — Par extension :

3 C'était un maison (...) avec une porte cochère, et sur l'un des côtés une niche vitrée (...) représentant la loge du concierge.
BAUDELAIRE, Trad. E. POE, Histoires extraordinaires, « Double assassinat rue Morgue ».

♦ **3.** (1697). Abri* en forme de petite maison destiné à un chien*. ⇒ **Loge.** *Chien de garde à la niche* (→ Aboyer, cit. 1). *À la niche!* (→ Allez coucher!).
Par anal. Petite cabane.

4 Le berger, pour avoir un peu d'ombre, s'était assis contre la cabane à deux roues, qu'il poussait à chaque déplacement du parc, une étroite niche qui lui servait de lit, d'armoire et de garde-manger.   ZOLA, la Terre, IV, I.

♦ **4.** Fig. et vieilli. *Une niche :* un abri, une demeure (→ Fantaisie, cit. 29, Voltaire). Absolt et fam. *La niche :* le logement.

5 Quant à te donner la pâtée et la niche, ce n'est rien. Tu auras ton couvert mis ici tous les jours, tu peux prendre une belle chambre au second, et tu auras cent écus par mois pour ta poche.   BALZAC, la Cousine Bette, Pl., t. VI, p. 434.

6 Ah! mes enfants, que vous êtes bien ici! répétait Bosc, histoire simplement de faire plaisir aux camarades qui payaient à dîner, car au fond la question de « la niche », comme il disait, ne le touchait pas.   ZOLA, Nana, VIII.

♦ **5.** Fig. *Niche écologique.* ⇒ **Biotope.**

NICHÉE [niʃe] n. f. — 1330, *nicée* « groupe d'enfants »; *nichée* « nid plein d'oiseaux », 1552; dér. de *nicher.*

♦ **1.** Jeunes oiseaux* d'une même couvée qui sont encore au nid. ⇒ **Couvée** (on disait aussi *nitée*). → Gazouillement, cit. 6. *Le culot*, dernier éclos de la nichée.*
Par anal. *Nichée de souris, de chiens* (→ Grouiller, cit. 5).

♦ **2.** Fig. (Premier sens, chronologiquement). Famille* nombreuse (→ Heureux, cit. 19). — Troupe d'enfants. *Mère qui promène une nichée.*

♦ **3.** Littér. Ensemble de choses nichées ensemble. « *Une nichée d'ascenseurs* » (Colette, *in* G. L. L. F.).

NICHER [niʃe] v. — 1636, « couver, se tenir dans son nid »; *nigier* « faire son nid », v. 1155; d'un lat. pop. **nidicare,* dér. de *nidus* « nid ».

★ **I.** V. intr. ♦ **1.** Faire son nid*. ⇒ **Nidifier.** *Choucas* (cit. 1) *qui nichent dans les pierres. Les perdreaux nichent ensemble* (→ Alerte, cit. 3).

1 Un rossignol veut faire son nid, et le construit quand il a trouvé de la mousse... Si le rossignol pouvait parler, il dirait à ces docteurs : « Je suis invinciblement déterminé à nicher, je veux nicher, j'en ai le pouvoir et je niche (...)
VOLTAIRE, Philosophie, Il faut prendre un parti, XII.

2 (...) les cigognes nichent partout sur les toits, avec tant de sans-gêne que leurs constructions empêchent quelquefois les particuliers d'ouvrir leurs fenêtres.
LOTI, Aziyadé, III, LXIII.

Par ext. Se tenir dans son nid, et, spécialt, y couver*, en parlant d'un oiseau (→ Incubation, cit. 2).

♦ **2.** (1650). Sujet n. de personne. (Fam.). Demeurer, s'établir dans un logement. *Où niche-t-il?* ⇒ **Loger, percher, résider, séjourner.**

★ **II.** V. tr. (1588). Fam. Placer* dans un endroit (que l'on compare à un nid). ⇒ **Caser.**
Vx. (Compl. n. de personne) :

3 La voici. Dans ma chambre allez me la nicher.
MOLIÈRE, l'École des femmes, V, 5.

Mod. (Compl. n. de chose). Placer, mettre (dans une niche, un abri, etc.).

▶ **SE NICHER** v. pron.

♦ **1.** Faire son nid. Par anal. *L'écureuil se niche dans le creux d'un chêne* (→ Mettre, cit. 56).

♦ **2.** (Sujet n. de personne). Se blottir (cit. 3), se cacher*. *Où s'est-il niché, où est-il allé se nicher?*
Vx. Demeurer, résider. *Cet homme s'est niché dans une bonne maison* (Académie, 6ᵉ éd.). ⇒ **Caser (se).**

♦ **3.** *Un village qui se niche dans la verdure.* ⇒ **Niché** p. p. adj.

♦ **4.** Se mettre, se fourrer. *Son rhumatisme s'est niché sur le bras droit* (→ Manchot, cit. 1). — (En parlant de choses abstraites) :

4 (...) le pauvre court après lui *(Molière qui lui avait fait l'aumône),* et lui dit : « Monsieur, vous n'aviez peut-être pas dessein de me donner un louis d'or, je viens

vous le rendre. Tiens, mon ami, dit Molière, en voilà un autre ; et il s'écria : « Où la vertu va-t-elle se nicher ! »   VOLTAIRE, Mélanges littéraires, Vie de Molière.

5 (...) les tristes fleurs d'acier
Que l'on désigne par leur mesure en millimètres
(Où le système métrique va-t-il se nicher ?)
                              APOLLINAIRE, Ombre de mon amour, p. 117.

▶ **NICHÉ, ÉE** p. p. adj. *Oiseaux nichés.* — Placé, abrité, caché comme dans un nid (ou une niche, un abri...).

6 (...) une chapelle à la source d'une fontaine, une bonne Notre-Dame-des-Bois nichée dans le tronc d'un chêne ou dans le feuillage d'une aubépine, l'attirent bien plus volontiers que les autels dorés des cathédrales.
          BERNARDIN DE SAINT-PIERRE, Études de la nature, 3e rép. aux object.

7 Le village de Vouvray se trouve comme niché dans les gorges et les éboulements de ces roches (...)   BALZAC, la Femme de trente ans, Pl., t. II, p. 686.

DÉR. 2. Niche, nichée, nichet, nicheur, nichoir, nichon.
COMP. Dénicher.

NICHET [niʃɛ] n. m. — 1752 ; de *nicher.*

♦ Agric. Œuf factice (en plâtre, en matière plastique, etc.) qu'on met dans les nids, les poulaillers pour que les poules y aillent pondre.

NICHEUR, EUSE [niʃœʀ, øz] adj. — 1660 ; de *nicher.*

♦ Rare. Se dit des oiseaux qui se construisent des nids.

NICHOIR [niʃwaʀ] n. m. — 1680 ; de *nicher.*

Technique.

♦ **1.** Cage pour faire couver les canaris, les serins.

♦ **2.** (1732). Panier* à claire-voie, cage* pour faire couver* les poules, les oiseaux de basse-cour.

NICHON [niʃɔ̃] n. m. — 1858 ; de *nicher* (les seins se nichent dans le corsage), ou du régional *nichon* « jeune oiseau au nid », de *nicher,* cf. Cellard et Rey.

♦ Fam. Sein. ⇒ **Néné.**

1 Étoile Lou, beau sein de neige rose
Petit nichon exquis de la douce nuit (...)
                              APOLLINAIRE, Ombre de mon amour, p. 123.
Sing. collectif. *Elle a du nichon.* ⇒ **Poitrine.**

2 Haute comme trois pommes, du nichon, la jambe courte, un petit pied gras (...)
                              COLETTE, la Vagabonde, p. 239.

NICHROME [nikʀom] n. m. — 1920 ; de *nickel,* et de *chrome ;* nom déposé.

♦ Techn. Alliage* de nickel et de chrome, avec un peu de fer. *Résistances électriques en nichrome.*

NICKEL [nikɛl] n. m. — 1765 ; nom suédois donné en 1751 par le chimiste Cronstedt, d'après l'all. *Kupfernickel* (de *Kupfer* « cuivre », et *Nickel,* abrév. de *Nicolaus* désignant des lutins [→ Nixe] appliqué à ce minerai par les mineurs allemands qui avaient cru tout d'abord découvrir du cuivre).

♦ **1.** Corps simple, métal* d'un blanc argenté (dens. 8,9 ; poids at. 58, 69 ; nº at. 28 ; symb. *Ni*), malléable et ductile, très résistant et inaltérable à la température ordinaire, fusible vers 1 452°. *On obtient le nickel par grillage du minerai* (⇒ **Speiss**) *et divers affinages. Le nickel se trouve dans la nature en combinaison avec le soufre* (millérite), *l'arsenic* (nickéline*), *le magnésium* (garniérite), *des sulfures de fer et de cuivre* (pyrrhotine). *Alliages au nickel.* ⇒ **Argentan, constantan, invar, maillechort, nichrome, platinite** (→ aussi Ferronickel, chrome-nickel...). *Accumulateurs au nickel-cadmium. Utilisations industrielles du nickel.* ⇒ **Galvanoplastie ; nickelage, nickelure.** *Monnaie* de nickel. Bijoux bon marché en nickel argenté.*

♦ **2.** Au plur. Les pièces, les parties nickelées (d'un appareil). *Les nickels et les chromes d'une voiture.*

Muette, assourdie, la jeune femme admirait le brillant des peintures et des nickels, qui reflétaient la lumière des lampes.
                              H. TROYAT, les Semailles et les Moissons, p. 295.

♦ **3.** (1918 ; probablt par allus. au beau poli que peut prendre le nickel). Fam. Qui est d'une propreté raffinée, impeccable. *C'est drôlement nickel chez vous. Il était nickel, sur son trente-et-un.*

DÉR. Nickelage, nickeler, nickéline, nickélique, nickelure.
COMP. Nickélifère.

NICKELAGE [niklaʒ] n. m. — 1844 ; de *nickel.*

♦ Action de nickeler ; résultat de cette action. Dépôt d'une couche de nickel sur un métal* oxydable pour le préserver de l'oxydation. ⇒ **Galvanisation, galvanoplastie.**

1. NICKELÉ, ÉE [niklə] adj. — 1846, « qui contient du nickel ». → Nickeler.

♦ Fait en métal ou en alliage recouvert de nickel.

Cour. et abusivt. *Couteau inoxydable en acier nickelé* (en général en acier au nickel-chrome).

Puis on recommençait à pousser les chariots de métal, sans se presser, en écoutant les grilles nickelées qui s'entrechoquaient.
                              J.-M. G. LE CLÉZIO, les Géants, p. 137.

2. NICKELÉ, ÉE [niklə] adj. — 1898, in D.D.L. ; altér. de *niclé* (1894), p.-ê. d'un dial. *aniclé* « noué, arrêté dans sa croissance », répandu par *les Aventures des Pieds Nickelés* de L. Forton.

♦ Loc. fig. et fam. *Avoir les pieds nickelés :* refuser d'agir, de « marcher », se montrer habituellement paresseux, indolent.

On veut que moi aussi j'aie trempé dans un assassinat, et surtout dans l'assassinat d'un huissier de Paris.
Dans ces conditions-là, il n'y a rien de fait ; je ne marche plus ! j'ai les pieds nickelés *(sic)* !   GORON, l'Amour à Paris, t. III, p. 1903.

NICKELER [niklə] v. tr. — Conjug. *appeler.* — 1853 ; au p. p. « qui contient du nickel », 1846 ; de *nickel.*

♦ Couvrir* d'une mince couche de nickel, par procédé électrolytique. ⇒ **Galvaniser.** *Nickeler un anneau.*

DÉR. 1. Nickelé.

NICKÉLIFÈRE [nikelifɛʀ] adj. — 1818 ; de *nickel,* et suff. *-fère.*

♦ Didact. Qui contient du nickel. *Dépôt nickélifère.*

NICKÉLINE [nikelin] n. f. — 1832 ; de *nickel.*

♦ Chim., minér. Arséniure naturel de nickel, contenant de petites quantités de cuivre.

NICKÉLIQUE [nikelik] adj. — 1873, Wurtz ; de *nickel.*

♦ Vx. Du nickel.

NICKELURE [niklyʀ] n. f. — 1857 ; de *nickel.*

♦ Techn. Technique par laquelle on nickelle les métaux : résultat du nickelage. ⇒ **Nickelage.**

NICODÈME [nikɔdɛm] n. m. — 1662 ; du nom d'un pharisien qui posa au Christ certaines questions naïves (Jean, I, 3) et fut représenté, dans des Mystères du moyen âge, sous les traits d'un homme borné aux questions sottes, à cause de la paronymie avec *nigaud.*

♦ Fam. ⇒ **Niais, nigaud.**

1 Ah ! je suis le plus grand Nicodème qui soit tombé de la lune. Modeste a des millions, elle est perdue à jamais pour moi (...)
                              BALZAC, Modeste Mignon, Pl., t. I, p. 575.

2 Devant ma mine déconfite, Camille battit des mains, me traita de Nicodème... À douze ans, j'admettais (...) tous les contes à dormir debout.
                              F. MAURIAC, la Robe prétexte, II.

NIÇOIS, OISE [niswa, waz] adj. et n. — 1874, P. Larousse ; *les Niçards,* 1606, in D.D.L. ; de *Nice.*

♦ De la ville de Nice. — Cuis. *À la niçoise :* à la provençale. *Salade* niçoise. — La population niçoise. — N. Un Niçois, une Niçoise.*
N. m. Dialecte provençal de Nice.

NICOL [nikɔl] n. m. — 1867, *Rev. des cours sc.,* t. IV, p. 132 ; de *Nicol,* nom d'un physicien anglais.

♦ Sc., techn. Instrument d'optique, essentiellement constitué par un spath d'Islande, et utilisé pour l'étude des phénomènes de polarisation* de la lumière. ⇒ **Prisme.**

NICOTIANE [nikɔtjan] n. f. — 1570 ; empr. au lat. bot. *(herba) nicotiana,* de *Nicot,* ambassadeur français à Lisbonne (1560) qui, le premier, introduisit cette plante en France, où elle fut appelée *herbe à Nicot.*

♦ Vx. Tabac.

DÉR. (Du même rad.) Nicotine.

NICOTINE [nikɔtin] n. f. — 1818 ; du rad. de *nicotiane.*

♦ Alcaloïde ($C_{10}H_{14}N_2$) du tabac, liquide huileux, incolore, très soluble dans l'eau. *La nicotine est un poison violent.* ⇒ **Nicotinisme.**

Extraits de nicotine, employés comme insecticides pour certaines cultures. Sans nicotine. ⇒ **Dénicotinisé.**

1 Demande à un fumeur que la nicotine empoisonne s'il peut renoncer à son habitude délicieuse et mortelle.   MAUPASSANT, les Sœurs Rondoli, « Un sage ».

1.1 (...) une exemplaire population de songe-creux, dont la force morale et physique se dilue, chaque soir, jusqu'aux deux tiers de la nuit, au milieu d'une brume de nicotine, en vaines discussions, en oiseuses professions de foi, résolutions chimériques et stériles crispations de poings : les propos sont toussés au-dessus de verres de bière ou d'alcool — et s'envolent.
VILLIERS DE L'ISLE ADAM, Tribulat Bonhomet, p. 32.

2 (...) elle posait sur lui sa main toute jaunie de nicotine (...)
F. MAURIAC, Thérèse Desqueyroux, XI.

DÉR. Nicotineux, nicotinique, nicotiniser, nicotinisme.

NICOTINEUX, EUSE [nikɔtinø, øz] adj. — 1875 ; de *nicotine*.

♦ Chim. Qui contient de la nicotine.

NICOTINIQUE [nikɔtinik] adj. — 1878 ; *nicotique*, 1846 ; de *nicotine*.

♦ Chim., techn. De la nicotine. *Amide nicotinique :* vitamine PP. *Acide nicotinique :* acide organique qui joue un rôle de provitamine. — *Amaurose nicotinique,* causée par la nicotine. *Action nicotinique de l'acétylcholine.*

NICOTINISER [nikɔtinize] v. tr. — 1903 ; de *nicotine,* et *-iser* ; cf. *nicotiser,* 1868, Littré.

♦ Chim., techn. Imprégner, charger de nicotine.

Au p. p. Plus courant :
Gastounet passait ses doigts nicotinisés sur sa courte moustache poivre et sel.
R. SABATIER, les Allumettes suédoises, p. 97.

NICOTINISME [nikɔtinism] n. m. — 1867 ; de *nicotine.*

♦ Méd. Ensemble des phénomènes morbides qui résultent d'un empoisonnement* aigu ou d'une intoxication* chronique par le tabac. ⇒ **Tabagisme.**

Var. : *nicotisme* n. m. (mil. xxᵉ).

NICTATION [niktasjɔ̃] ou **NICTITATION** [niktitasjɔ̃] n. f. — 1814, *nictation ; nictitation,* 1868 ; du lat. *nictare* « clignoter ».

♦ **1.** Didact. (zool.). Clignotement des paupières.

♦ **2.** Méd. Clignements fréquents de durée prolongée, dus à la contraction spasmodique des muscles orbiculaires des paupières.

NICTITANT, ANTE [niktitɑ̃, ɑ̃t] adj. — 1868, Littré ; dér. sav. du lat. *nictare* « clignoter ».

♦ Zool. *Paupière nictitante :* troisième paupière qui, chez les oiseaux nocturnes, préserve l'œil d'une lumière trop vive, par un clignotement constant.

NID [ni] n. m. — xvᵉ ; *ni,* v. 1155 ; du lat. *nidus.*

♦ **1.** Abri que les oiseaux se construisent avec des matériaux divers (brindilles, branches, duvet, mousse, terre...), pour y pondre, couver leurs œufs et élever leurs petits. *Instinct* (cit. 16) *qui pousse l'oiseau à bâtir* (cit. 2) *un nid.* ⇒ **Nicher, nidifier ; nidification.** *Architecture des nids. La forme des nids est très variable selon les espèces. Nids des passereaux, en forme de petite corbeille circulaire. Renard qui gobe les œufs dans les nids* (→ Couvée, cit. 3). *Nid d'alouette* (cit. 2), *de courlis* (cit. 2), *d'hirondelle* (cit. 4). *Nid de l'albatros* (→ Incubation, cit. 2), *du goéland* (cit. 1), *de la huppe* (cit. 1). *Faucon aux aguets* (cit. 2) *dans son nid. Oiseau qui ne sort pas encore du nid.* ⇒ **Niais.** *Nid d'aigle.* ⇒ **Aire** (→ Lambeau, cit. 7). *Ôter du nid.* ⇒ **Dénicher.** — *Mettre un nichet* dans un nid préparé pour faire couver les poules.* ⇒ **Couvoir.**

1 Une admirable Providence se fait remarquer dans les nids des oiseaux. On ne peut contempler sans être attendri cette bonté divine qui donne l'industrie au faible, et la prévoyance à l'insouciant. Aussitôt que les arbres ont développé leurs fleurs, mille ouvriers commencent leurs travaux. Ceux-ci portent de longues pailles dans le trou d'un vieux mur, ceux-là maçonnent des bâtiments aux fenêtres d'une église ; d'autres dérobent un crin à une cavale, ou le brin de laine que la brebis a laissé suspendu à la ronce. Il y a des bûcherons qui croisent des branches dans la cime d'un arbre ; il y a des filandières qui recueillent la soie sur un chardon. Mille palais s'élèvent, et chaque palais est un nid ; chaque nid voit des métamorphoses charmantes : un œuf brillant, ensuite un petit couvert de duvet.
CHATEAUBRIAND, le Génie du christianisme, I, V, VI.

2 (...) l'aigle regagnait son nid, creusé dans les anfractuosités de la roche.
LAUTRÉAMONT, les Chants de Maldoror, III.

3 Le nid de l'oiseau, dans sa forme la plus simple, est bien modeste : une dépression à la surface du sol, comme celle que creuse le VANNEAU Huppé (...) Le TISSERIN construit un nid en forme de bourse suspendu par l'extrémité du pied aux branches inclinées sur les rivières ou les lacs, le talon élargi pour loger la couvée et la jambe étirée en un long couloir qui débouche au-dessus de l'eau. C'est encore un TISSERIN qui édifie le plus étonnant ensemble architectural que produise l'oiseau : un toit de chaume, étalé entre les branches d'arbre comme un énorme champi-

gnon, et qui peut abriter jusqu'à deux ou trois cents familles, chacune pourvue de son appartement.
Jacques DELAMAIN, *in* les Jours et les Nuits des oiseaux.

Par métaphore. **NID D'AIGLE** ou (moins cour.), **NID DE VAUTOUR :** construction, château, etc., en un lieu élevé, escarpé, presque inaccessible.

4 (...) Gaïffer, qu'on appelle aussi Jorge,
Fait creuser un fossé large et profond autour
De son donjon, palais de roi, nid de vautour,
Forteresse où ce duc, voisin de la tempête
Habite, avec le cri des aigles sur sa tête.
HUGO, la Légende des siècles, XXI, Gaïffer-Jorge.

Spécialt. **NID D'HIRONDELLE.** ⇒ **Hirondelle.**

(V. 1900). **NID DE POULE :** petite dépression dans une chaussée.

(1851). Mar. **NID DE PIE :** « poste d'observation placé assez haut sur le mât avant de certains navires » (Gruss). Var. : *nid de corneille.*

4.1 Jean Cornbutte installa aussi, au sommet du grand mât, « un nid de corneilles, » sorte de tonneau défoncé par un bout, dans lequel se tint constamment une vigie pour observer les plaines de glace.
J. VERNE, Un hivernage dans les glaces, p. 249.

(1786). Anat. **NID DE PIGEON :** creux formé par les ailes de la valvule du cervelet.

(1694). **NID D'OISEAU :** orchidée *(neottia) ;* fougère *(asplenia).*

REM. Ces syntagmes (comme ci-dessous : *nids d'abeille, nid d'ange*) sont parfois écrits avec des traits d'union, et considérés comme des mots. Au pluriel : *des nids-de-poule, des nids-de-pie...*

Loc. (Fig.). *Pondre* au nid de qqn* (⇒ **Adultère**). — *Prendre, trouver l'oiseau au nid :* surprendre qqn chez lui ou dans une circonstance, un moment où il ne s'y attend pas. — *Prendre, trouver la pie* au nid.*

5 *Voyez sa coiffure ! est-elle dérangée ? À entendre Victorin, vous auriez pu surprendre deux tourtereaux au nid.*   BALZAC, la Cousine Bette, Pl., t. VI, p. 472.

Trouver le nid vide (et l'oiseau envolé), ne plus trouver que le nid, ne pas trouver qqn à l'endroit où on le cherche et où il devrait être. Spécialt. Constater la fuite d'un malfaiteur.

Prov. *Petit* à petit, l'oiseau fait son nid :* les choses se font, s'élaborent progressivement.

♦ **2.** Abri que se ménagent, se construisent certains animaux. *Nid d'écureuil* (→ Bas, cit. 77). *Nid de souris.* — *Nid de chenilles* (⇒ **Chenillère**), *de frelons* (⇒ **Bourdonner,** cit. 5), *de fourmis* (⇒ **Fourmilière**), *de guêpes* (⇒ **Guêpier**), *de termites* (⇒ **Termitière**)...

6 Au plafond très bas étaient pendues d'interminables rangées de poches en toile, gonflées toutes par un contenu lourd, ayant l'air de ces nids que les araignées accrochent aux murailles (...)   LOTI, Mon frère Yves, XXVIII.

(1680). Fig. et fam. *Nid à rats :* logement exigu et mal tenu.

♦ **3.** [a] **NID D'ABEILLES :** garniture, broderie* en forme d'alvéoles de ruche. *Robe de bébé agrémentée de nids d'abeilles.* — *Tissu d'armure spéciale dessinant des alvéoles carrés. Serviettes de toilette en nid(s) d'abeilles* (→ Gris, cit. 6). Au pluriel : *des nids(-)d'abeilles.*

(1903, *Rev. gén. des sc.* nᵒ 18, p. 942). Techn. *Radiateur à nid(s) d'abeilles :* radiateur d'automobile présentant l'aspect des rayons d'une ruche.

Par ext. Caractérise un matériau dont la structure cellulaire rappelle celle d'un rayon de miel.

[b] **NID D'ANGE :** long manteau, en forme de sac, pour habiller les bébés.

6.1 (...) un bébé en pleurs qui se tortillait dans un nid d'ange à fermeture éclair.
Hervé BAZIN, les Bienheureux de la désolation, p. 231.

♦ **4.** Par métonymie. Contenu du nid, occupants d'un nid. ⇒ **Nichée, nitée** (→ Accoutumer, cit. 3).

7 (...) la feuillée étincelante et verte
Où les nids amoureux, palpitants, l'aile ouverte,
À la cime des bois chantent à plein gosier
LECONTE DE LISLE, Poèmes tragiques, « Dans le ciel clair ».

♦ **5.** Par métaphore. Logis de l'homme considéré surtout sous son aspect d'intimité, de confort. ⇒ **Habitation, logement, retraite.** *Un nid douillet, un vrai nid d'amoureux.*

8 Pour qu'on se plaise quelque part, il faut qu'on y vive depuis longtemps. Ce n'est pas en un jour qu'on échauffe son nid et qu'on s'y trouve bien.
FLAUBERT, Correspondance, 77, fin avr. 1843.

9 Mais la belle saison, la saison du bonheur, pour un homme de rêverie et de méditation (...) c'est l'hiver (...) Son nid en sera plus chaud, plus doux, plus aimé : les bougies allumées à quatre heures, un bon foyer (...)
BAUDELAIRE, les Paradis artificiels, « Mangeur d'opium », IV.

♦ **6.** Fig. **NID DE... :** endroit où se trouvent étroitement rassemblées plusieurs personnes ou plusieurs choses qu'on a lieu de redouter. ⇒ **Repaire.** *Nid de brigands. Nid de vipères* (→ Haine, cit. 16). — *Nid de mitrailleuses. Nid de résistance :* petit groupe d'infanterie isolé, disposant d'armes automatiques. *Attaquer, détruire un nid de mitrailleuses. Réduire un nid de résistance.*

10 (...) il avait pitié d'un crapaud, mais il l'écrasait dans un trou de vipères dont son regard venait de plonger ; c'était un nid de monstres qu'il avait sous les yeux.   HUGO, les Misérables, III, VIII, XIII.

♦ **7.** Littér. Milieu, circonstances, terrain où peuvent éclore et se développer certaines vocations, certaines idées, certains phénomènes... *« Cette France qui est un grand nid de soldats »* (→ Éclore, cit. 8, Chateaubriand).

11 (...) *nos codes sont encore un nid d'injustices* (...)
FRANCE, les Opinions de J. Coignard, Œ., t. VIII, p. 328.
Péj. Ce qui peut entraîner des conséquences fâcheuses. *Cette affaire-là n'est qu'un nid à procès, à chicane...*

DÉR. Nitée (régional).
HOM. Ni, formes du v. nier.

NIDATION [nidɑsjɔ̃] n. f. — 1877, Littré-Robin; dér. sav. du lat. *nidus* «nid».

♦ Biol. Implantation de l'œuf fécondé des mammifères dans la muqueuse utérine.

Si l'œuf est fécondé, nous savons qu'il se nide dans l'utérus après avoir parcouru tout l'oviducte. Pour que cette nidation ait lieu, il est nécessaire que l'utérus ait subi l'influence de la progestérone (...) Pierre REY, les Hormones, p. 87.

NID DE PIE [nidpi], **NID DE PIGEON** [nidpiʒɔ̃], **NID DE POULE** [nidpul], **NID D'OISEAU** [nidwazo] n. m. ⇒ **Nid.**

NIDER (SE) [nide] v. pron. — xxᵉ; de *nidus*, d'après *nidation*.

♦ S'implanter par nidation (cit.).

NIDICOLE [nidikɔl] adj. — V. 1870; de *nidi-* (nid), et *-cole*, du lat. *colere* «habiter».

♦ Didact. Se dit des oiseaux dont les jeunes ne quittent le nid que lorsqu'ils savent voler. — Subst. *« Comme le souligne J. Z. Young, les oiseaux dont les jeunes ne restent que peu de temps au nid, les nidifuges, donnent des adultes dont le comportement est beaucoup plus élémentaire que celui des nidicoles, dont les jeunes sont patiemment et longuement soignés dans le nid construit par leurs parents »* (la Recherche, n° 3, juil.-août 1970, p. 217).

CONTR. Nidifuge.

NIDIFICATEUR, TRICE [nidifikatœʀ, tʀis] adj. et n. — Mil. xxᵉ; de *nidification*. → Nidifier.

♦ Didact. (zool.). Qui fait, construit un nid. *Oiseaux nidificateurs. Espèces d'insectes nidificatrices.*

Chez les espèces nidificatrices, ce sont encore les mâles qui choisissent, aménagent le nid, puis gardent les œufs, et soignent les jeunes.
R. et M.-L. BAUCHOT, les Poissons, p. 87.

NIDIFICATION [nidifikɑsjɔ̃] n. f. — 1778, Buffon; de *nidifier*.

♦ Didact. Action ou manière de nidifier; construction d'un nid.

Ces animaux sont aussi capables de construire des récipients pour y déposer et couver leurs œufs. C'est le bel et surprenant instinct de la nidification.
G. DUHAMEL, Chronique des saisons amères, II, III.

DÉR. Nidificateur.

NIDIFIER [nidifje] v. intr. — V. 1172; du lat. *nidificare*, de *nidus* et *facere*.

♦ Didact. Construire un nid. ⇒ **Nicher.** *Les oiseaux nidifient au printemps.*

DÉR. Nidification.

NIDIFUGE [nidifyʒ] adj. et n. — xxᵉ; de *nidi-* (nid), et *-fuge*.

♦ Didact. Se dit des oiseaux dont les jeunes sont élevés peu de temps dans le nid. — N. *Les nidifuges.*

CONTR. Nidicole.

NIDOREUX, EUSE [nidɔʀø, øz] adj. — 1611; lat. *nidorosus*, de *nidor* «odeur de mets qui brûle».

♦ Méd. Qui a une odeur d'œufs pourris. ⇒ **Puant.** *Haleine nidoreuse.*

NIDS D'ABEILLE [nidabɛj] n. m. ⇒ **Nid.**

NIDULANT, ANTE [nidylɑ̃, ɑ̃t] adj. — 1838; lat. *nidulans*, de *nidulari* «nicher», de *nidulus*, dimin. de *nidus* «nid».

♦ Zool. (Insectes). Qui construit un nid. *Guêpe nidulante.*

NIÉBÉ [njebe] n. f. (n. m. au Niger). — D. i.; mot d'une langue africaine.

♦ Français d'Afrique. Haricot du genre *Vigna*, dont une espèce est

consommée sous diverses formes (frais, sec, en beignets) et une autre fournit des feuilles consommées bouillies, en Afrique noire (d'après I.F.A.). — En appos. *Haricot niébé.*

NIÈCE [njɛs] n. f. — xiiᵉ; d'un lat. pop. *neptia*; du lat. class. *neptis*, même évol. de sens que *neveu*.

♦ **1.** Fille du frère ou de la sœur, et, par ext., du beau-frère ou de la belle-sœur. ⇒ **Neveu*.** *Avoir plusieurs nièces, deux ou trois neveux et nièces* (→ Gigogne, cit. 2; gosse, cit. 6). *Sa nièce le regarde comme un père* (→ 1. Être, cit. 106).

♦ **2.** Par ext. *Nièce à la mode de Bretagne :* fille du cousin germain, de la cousine germaine (→ Cousins issus de germains*).

CONTR. Oncle, tante.
COMP. Petite-nièce.

NIELLAGE [njɛlaʒ] n. m. — 1854; de 2. *nieller.*

♦ Techn. Opération par laquelle on nielle un ouvrage d'orfèvrerie.

1. NIELLE [njɛl] n. f. — xiiᵉ, *neele, neiele*; du lat. *nigella.* → Nigelle.

♦ Rare ou régional. Nigelle.

HOM. 2. Nielle, 3. nielle.

2. NIELLE [njɛl] n. f. — 1538; par une attraction entre l'anc. franç. *niele* (1190) «brouillard nuisible aux céréales», du lat. *nebula* «brouillard» (→ Nébuleux), et de 1. *nielle*, au sens de *nielle des blés, lychnis.*

♦ Bot. et agric. Maladie de l'épi des céréales (et, spécialt, du blé), produite par une anguillule (⇒ **Tylenchus**). *Nielle des blés.* ⇒ **Lychnis, gerezau.** *La carie et la nielle du blé sont parfois confondues sous le nom de charbon*. Effets de la nielle.* ⇒ **Nieller, niellure.**

DÉR. 1. Nieller, 1. niellure.

3. NIELLE [njɛl] n. m. — xiᵉ-xiiᵉ, *neel, neiel* «émail noir», repris à l'ital. *niello* en 1823; du lat. *nigellus*, dimin. de *niger* «noir». → 1. Nielle.

Technique.

♦ **1.** Incrustation d'émail noir dont on décore une plaque de métal (argent, etc.); émail noir (sulfure d'argent) dont on se sert pour une telle incrustation (émail* de niellure). ⇒ **Gravure.** *Marquer en nielles de l'argenterie* (Académie). *Un beau nielle. Travail d'orfèvrerie en nielles.* ⇒ **Nieller, niellure.** — Par métaphore (→ Fromage, cit. 3, Balzac).

♦ **2.** (1842, Barré). Épreuve d'essai d'une plaque gravée tirée sur papier par l'orfèvre pour vérifier l'état du travail.

♦ **3.** Archit. et décor. Ornements noirs sur fond clair (végétaux...) imitant les nielles sur métal.

HOM. 1. Nielle, 2. nielle.
DÉR. 2. Nieller.

1. NIELLER [njele] v. tr. — 1538, *niellé*; de 2. *nielle.*

♦ Agric. Attaquer, gâter* par la nielle. *Les anguillules qui niellent le blé. Blé niellé.*

HOM. 2. Nieller.

2. NIELLER [njele] v. tr. — 1611; *neeler, neller* au moyen âge; d'un anc. franç. *neel* «émail noir». → 3. Nielle.

♦ Techn. Orner de nielles. ⇒ **Graver, incruster.** *Pour nieller une surface de métal, on la creuse* (à l'acide ou par un procédé électro-chimique) *comme pour le damasquinage, puis on applique la nielle dans les creux et on procède à la cuisson. Orfèvre qui nielle un bijou*.*

Au p. p. Cour. *Horloge au cadran niellé* (→ Évider, cit. 1).

Que de ciboires d'argent, de vermeil (...) niellés, guillochés, entourés de zones d'émaux (...) Th. GAUTIER, Voyage en Russie, p. 325.

DÉR. Niellage, nielleur, 2. niellure.
HOM. 1. Nieller.

NIELLEUR [njɛlœʀ] n. m. — 1826 ; de 2. *nieller*.

♦ Techn. Graveur* de nielles. Par appos. *Orfèvre, ouvrier nielleur.* REM. Le fém. *nielleuse* est virtuel.

1. NIELLURE [njelyʀ] n. f. — 1558 ; de 2. *nielle*.

♦ Agric. Effets de la nielle sur les épis de céréales.

HOM. 2. **Niellure.**

2. NIELLURE [njelyʀ] n. f. —1812 ; *neelure*, xiiᵉ ; de 2. *nieller*.

♦ Techn. Technique, procédés du nielleur (on dit aussi : *niellage*) ; travail en nielles (→ Navaja, cit.).

Jamais Benvenuto, dieu de la ciselure,
N'a tracé sur l'argent plus fine niellure.
    Th. GAUTIER, Poésies diverses, « Oui, Forster, j'admirais... ».

HOM. 1. **Niellure.**

NIÈME, ÉNIÈME ou **ENNIÈME** [ɛnjɛm] adj. et n. — 1834 ; argot de Polytechnique, de *n*, symbole mathématique d'un nombre quelconque, et -*ième*, suff. des adj. ordinaux.

♦ **1.** Math. Caractérisé par le nombre *n*. — REM. Les mathématiciens écrivent aujourd'hui n-*ième*. — *Dérivée* n-*ième* : dérivée d'ordre *n*. *Puissance* n-*ième d'un nombre* : produit de *n* facteurs égaux à ce nombre. *Racine* n-*ième d'un nombre* : nombre qui, élevé à la *n*-ième puissance, est égal à ce nombre. *Équation générale du* n-*ième degré* : équation dont le second membre est *O* et dont le premier membre est un polynôme où *n* est l'exposant le plus élevé dont est affectée l'indéterminée.

♦ **2.** Cour. D'ordre indéterminé. *Je vous le répète pour la nième (énième) fois.*

1 C'est ainsi que je devins commissaire-rapporteur près le Conseil de guerre de la Nième division.   Roger VERCEL, Capitaine Conan, p. 96.

2 Je la relis aujourd'hui au Havre, ville où pour la Nième fois je suis venu passer des vacances de quelques jours (...)   Michel LEIRIS, l'Âge d'homme, p. 9.

NIER [nje] v. tr. — V. 1265 ; *neier* « nier Dieu », 980 ; du lat. *negare*.

♦ **1.** Rejeter (un rapport, une proposition, une existence) ; penser, se représenter (un objet) comme inexistant ; déclarer (un objet) irréel. ⇒ **Contester, démentir, disconvenir ; doute** (mettre, révoquer en doute) ; **faux** (s'inscrire en faux) ; **négation**. *L'homme est disposé à nier ce qui lui est incompréhensible* (cit. 5). *Ce qui est évident* (cit. 2) *et ne peut être nié* (⇒ **Niable ; indéniable**). Loc. *Nier l'évidence** (→ Gloire, cit. 27). *Nier la lumière** *en plein midi — Nier un fait, un événement ; l'existence, la possibilité d'une chose... Nier une faute, une erreur* (qu'on a commise). → Confesser, cit. 18. — Spécialt. *L'accusé nie tout*, et, absolt., *l'accusé persiste à nier.* — *Nier la beauté d'un paysage* (→ Inique, cit. 2). — *Nier une croyance, une doctrine* (→ Autoriser, cit. 19), *une théorie*, en nier le bien-fondé, la vérité, la justesse. *Nier ce que qqn vient d'affirmer.* ⇒ **Contredire, dire** (dire le contraire).

1 Pourquoi s'obstiner à nier éternellement les faits ?
    CHATEAUBRIAND, Mémoires d'outre-tombe, t. VI, p. 93.

2 (...) c'est un pareil homme qui, trouvé sur la voie publique en flagrant délit de vol, à quelques pas d'un mur escaladé, tenant encore à la main l'objet volé, nie le flagrant délit, le vol, l'escalade, nie tout, nie jusqu'à son nom, nie jusqu'à son identité !-
    HUGO, les Misérables, I, VII, IX.

3 (...) m'être vanté (...) de plusieurs vilaines actions que je n'ai jamais commises, et avoir lâchement nié quelques autres méfaits que j'ai accomplis avec joie (...)
    BAUDELAIRE, le Spleen de Paris, X.

4 (...) les stoïciens prétendaient qu'on supprime la douleur en la niant ; la chose est contestable pour la douleur, mais elle est rigoureusement vraie pour la perfectibilité morale.   Julien BENDA, la Trahison des clercs, p. 195.

(En emploi négatif). *Je ne nie pas cela, je ne le nie pas* : je l'admets. *Nier Dieu, nier l'existence de Dieu, la vérité de la religion...* ⇒ **Renier** (→ Église, cit. 8 ; matérialisme, cit. 3). — Absolt. *Croire* (cit. 66) *ou nier. L'Église affirme* (cit. 6), *la raison nie* (Hugo).

5 Enfant d'un siècle sceptique plutôt qu'incrédule, flottant entre deux éducations contraires, celle de la Révolution, qui niait tout, et celle de la réaction sociale, qui prétend ramener l'ensemble des croyances chrétiennes, me verrais-je entraîné à tout croire, comme nos pères les philosophes l'avaient été à tout nier ?
    NERVAL, les Filles du feu, « Isis », III.

♦ **2.** Absolt. Refuser, rejeter les croyances, les valeurs admises ou proposées. ⇒ **Négation** (→ Idée, cit. 3). *Esprit destructeur, négateur, qui ne fait que nier.* ⇒ **Critiquer.** *Nier et douter. Formule servant à nier.* ⇒ **Négatoire.**

6 Nier, croire, et douter bien, sont à l'homme ce que le courir est au cheval.
    PASCAL, Pensées, IV, 260.

7 (...) toutes les fois que j'accole un « non » à une affirmation, toutes les fois que je nie (...) 1º je m'intéresse à ce qu'affirme un de mes semblables, ou à ce qu'il allait dire, ou à ce qu'aurait pu dire un autre moi que je prévins ; 2º j'annonce qu'une seconde affirmation, dont je ne spécifie pas le contenu, devra être substituée à celle que je trouve devant moi.   H. BERGSON, l'Évolution créatrice, p. 289.

8 (...) il fallait affirmer, ou mieux encore, nier (La négation a une force double de l'affirmation...)   R. ROLLAND, Jean-Christophe, La révolte, I, p. 441.

L'homme est la créature qui, pour affirmer son être et sa différence, nie.   9
    CAMUS, l'Homme révolté, p. 174.

♦ **3.** Vx ou littér. *Nier de...*, suivi de l'infinitif. *Il nie d'être venu.* Mod. *Nier...*, suivi de l'infinitif. — REM. La construction sans *de...*, critiquée par les puristes, est employée par les meilleurs auteurs (cf. Grevisse, qui cite Sainte-Beuve, Nerval, France, Barrès, Bourget, Gide, Morand..., in *le Bon Usage*, § 758, REM. 3).

10 Le début *(de l'amitié)* est délicieux et d'une telle spontanéité que l'on nie pouvoir se quitter jamais.   É. ESTAUNIÉ, Solitudes, « Les Jauffrelin », I, p. 139.

11 (...) somme (...) que vous-même devrez oublier de m'avoir donnée, que moi-même je dois être prêt à nier d'avoir touchée, pour laquelle il ne me sera même point permis de vous faire tenir un reçu (...)   GIDE, les Caves du Vatican, III, I.

12 Le premier qui se saisit des rênes fut un valet du nom de Roblard, mais il nia depuis avoir frappé la bête aux naseaux.   BERNANOS, M. Ouine, p. 180.

♦ **4.** *Nier que...* se construit soit avec l'indicatif, soit avec le subjonctif. — REM. Selon Damourette et Pichon, « la différence sémantique est claire. Par l'indicatif, le locuteur affirme que le fait nié par le protagoniste est néanmoins vrai. Par le subjonctif, il n'apporte pas de jugement concernant ce fait » (*Essai de gramm.*, § 1869). *Celui qui nie que Jésus est le Christ* (→ Antéchrist, cit. 2, Bible). *L'accusé nie qu'il soit coupable.*

13 Il secoua la tête, niant qu'il s'en fût jamais aperçu.   FRANCE, le Lys rouge, XVI.

Nier que à la forme interrogative et négative (et suivi du subjonctif) peut être suivi ou non du *ne* dit explétif. ⇒ **Ne** (III., 2.). — Selon Damourette et Pichon (*Gramm.*, § 1889), l'emploi de la particule négative *ne* (→ Attique, cit. 3 ; monastère, cit. 1) indique le plus souvent que « le protagoniste considère comme absolument certain le fait non nié par lui » et marque « le regret intime que l'on a de devoir reconnaître un fait qu'on aurait désiré ne pas exister » ; si le *ne* est omis, le fait non nié est considéré comme incertain. — Avec l'indicatif, le fait non nié est affirmé pour le compte du locuteur (→ Agréer, cit. 1).

14 Je ne vous nierai point, Seigneur, que ses soupirs
M'ont daigné quelquefois expliquer ses désirs.   RACINE, Britannicus, II, 3.

15 Nierez-vous que Canova et Rossini ne soient de grands artistes ?
    STENDHAL, Correspondance, in GREVISSE.

16 Au moins, niera-t-on qu'il soit chasseur ?
    MONTHERLANT, les Célibataires, I, I.

17 Je ne nie pas que dans bien des cas ce sentiment d'affinités ne se ramène à des souvenirs confus (...)   J. ROMAINS, les Hommes de bonne volonté, t. III, XXIII, p. 316.

♦ **5.** Vx. Refuser. *Nier à qqn le droit de...* ⇒ **Dénier.**

18 (...) les gestes des muets,
Qui veulent réparer la voix que la nature
Leur a voulu nier ainsi qu'à la peinture.   MOLIÈRE, la Gloire du Val-de-Grâce.

19 Vous ne sauriez me nier deux choses : l'une, qu'Alceste, dans cette pièce, est un (...) véritable homme de bien ; l'autre, que l'auteur lui donne un personnage ridicule.   ROUSSEAU, Lettre à d'Alembert.

Mod. (Dr.). *Nier un dépôt, une dette*, soutenir qu'on n'en est point débiteur (→ Devoir, cit. 2). *Nier sa signature.* ⇒ **Désavouer.**

20 Il ne vous niera pas la dette, me répondit mon ancien patron ; mais où il n'y a rien, le roi, c'est-à-dire le Directoire, perd ses droits.
    BALZAC, Mᵐᵉ de La Chanterie, Pl., t. VII, p. 282.

♦ **6.** (En parlant d'idées, de concepts auxquels on prétend infliger une sorte de démenti, lancer une sorte de défi). Refuser l'idée de (→ Mythomanie, cit.).

21 Tout homme ne vit que pour nier la mort.
    P. NIZAN, le Cheval de Troie, II, XII.

CONTR. **Accorder, affirmer, assurer, attester, avouer, certifier, confesser, confirmer, croire, maintenir, reconnaître.**
DÉR. **Niable.**

NIÈRE [njɛʀ, ɲɛʀ] n. m. — 1850, *nier* ; *niert*, 1836 ; orig. incert., peut-être d'un suffixe -*ière* dans *mézière* « moi », var. de *mézigue* qui donne *zigue, zig* ; une série *mon mère, ton mère* est parallèle à *mézigues, tézigues* et à *mon niasse*, etc. → Gnère, gnasse.

♦ Argot anc. Individu. ⇒ **Mec.**

NIET [njɛt] adv. et n. m. — Mot russe : « non », d'abord en contexte politique.

♦ Fam. Non (avec une valeur d'emphase). — N. m. Spécialt. Refus catégorique (d'abord en parlant des refus soviétiques dans les discussions internationales). *Monsieur Niet.*

NIETZSCHÉEN, ENNE [nitʃeɛ̃, ɛn] adj. et n. — Fin xixᵉ ; de *Nietzsche*, philosophe allemand.

♦ Didact. Relatif à Nietzsche, à sa pensée. *Le surhomme nietzschéen.*
N. Partisan des théories de Nietzsche.

NIETZSCHÉISME [nitʃeism] n. m. — Fin xxᵉ, de *Nietzsche*.

♦ Philos. Doctrine de Nietzsche (→ Composer, cit. 24).

Le nietzschéisme, théorie de la volonté de puissance individuelle, était condamné à s'inscrire dans une volonté de puissance totale.
CAMUS, l'Homme révolté, p. 103.

Psychol., psychiatrie. Fait d'adopter cette doctrine comme modèle de conduite individuelle ou sociale. *Un nietzschéisme fondé sur une surestimation pathologique du moi.*

NIFÉ [nife], NIF ou NIFE [nif] n. m. — xxᵉ; de *nickel,* et *fer.*

♦ Géol. Noyau de la Terre, qui serait constitué de nickel et de fer.

La *barysphère ou sidérosphère,* dénommée également *Nife* et qui serait presque entièrement composée de fer et de nickel, le premier de ces deux métaux représentant 90 % du poids total, le nickel 8 %, les 2 % restant seraient formés de quelques autres métaux de grande densité (...)
Gaston COHEN, le Cuivre et le Nickel, p. 69-70.

NIGAUD, AUDE [nigo, od] adj. et n. — V. 1500; doublet de *niais,* lat. *nidax,* formé (P. Guiraud) sur **nidicare* (→ Nicher); et les dial. *nigeot, nigon.*

♦ **1.** Qui se conduit d'une manière niaise, qui fait montre de sottise, de maladresse, de lourdeur. ⇒ **Gauche, niais, sot** (→ Masculin, cit. 1). *Qu'il est nigaud!*

1   (...) elle fit de la coquetterie (...) et notre jeune roué, qui était plus nigaud qu'un savant, promit d'arracher la Fanfarlo à M. de Cosmelly (...) Il n'y a que les poètes qui soient assez candides pour inventer de pareilles monstruosités.
BAUDELAIRE, la Fanfarlo.

2   J'ai pris, l'un de ces derniers jours,
La poudre d'escampette.
Qui fut penaud, qui fut nigaud
Dès après un quart d'heure?
VERLAINE, Chansons pour elle, III.

N. ⇒ **Badaud** (1., vx), **benêt, dadais, jocrisse, niais, nicodème, niquedouille.** *Un grand, un bon* (cit. 57) *nigaud. Dégourdir* (cit. 4), *déniaiser un nigaud. Pauvre nigaude!*

3   On m'avait placé à table entre les deux goguenards de la paroisse; j'avais l'air d'un grand nigaud, quoique je ne le fusse pas tant qu'ils le croyaient.
DIDEROT, Jacques le fataliste, Pl., p. 677.

4   Il faut que j'avoue que je suis un grand nigaud; je mets tout mon plaisir à être triste.
STENDHAL, Journal, 30 sept. 1806.

5   (...) cet enfant, qui pourtant passait toujours pour un nigaud, parce qu'il n'avait point de conversation et n'était hardi avec personne.
G. SAND, François le Champi, IV.

(Avec une nuance affectueuse, en parlant à un enfant...). ⇒ **Bêta.** *Allons, gros nigaud, ne pleure plus!*

♦ **2.** N. m. (1781, Buffon). Petit cormoran, d'aspect lourd et maladroit.

CONTR. Fin, fûté, malicieux, malin, rusé, spirituel.
DÉR. Nigaudement, nigauder, nigauderie.
COMP. Attrape-nigaud.

NIGAUDEMENT [nigodmɑ̃] adv. — 1780; de *nigaud.*

♦ Rare. D'une manière nigaude, comme un nigaud. ⇒ **Niaisement.**

NIGAUDER [nigode] v. intr. — 1587; de *nigaud.*

♦ Vx. Faire le nigaud, s'amuser à des riens.

NIGAUDERIE [nigodʀi] n. f. — 1548; de *nigaud.*

Vieilli.

♦ **1.** *(Une, des nigauderies).* Action de nigaud. *Il ne fait que des nigauderies* (Académie).

♦ **2.** *(La nigauderie).* Caractère du nigaud. ⇒ **Sottise.**

NIGELLE [niʒɛl] n. f. — 1538; empr. au lat. *nigella;* forme sav. de 1. *nielle.*

♦ Bot. Plante dicotylédone *(Renonculacées),* herbacée, dont les graines parfumées étaient utilisées comme condiment (Toute-épice). *La nigelle est communément appelée* nielle. *Nigelle des champs; nigelle cultivée.* ⇒ **Poivrette.** *Nigelle de Damas,* appelée « cheveux de Vénus ».

NIGÉRIAN, ANE [niʒeʀjɑ̃, an] adj. et n. — Mil. xxᵉ; de *Nigeria,* d'après l'angl. *Nigerian.*

♦ Du Nigéria, pays d'Afrique occidentale. *« Un communiqué diffusé par la radio nationale nigériane »* (le Monde, 14 févr. 1976, p. 34). — N. *Un Nigérian, une Nigériane.*

NIGÉRIEN, IENNE [niʒeʀjɛ̃, jɛn] adj. et n. — Mil. xxᵉ; de *Niger,* et *-ien.*

♦ Du Niger, pays d'Afrique sahélienne. — N. *Un Nigérien, une Nigérienne.*

NIGHT-CLUB [najtklœb] n. m. — 1930, P. Morand, in *Dict. des anglicismes;* mots angl. « club de nuit *(night)* ».

♦ Anglic. Boîte de nuit. *Des night-clubs.*

Et si elle a eu un peu chaud dans une boîte de nuit — pardon... un night-club... — elle dira : « J'ai failli mourir! »
Pierre DANINOS, Un certain Monsieur Blot, p. 220.

NIGRI-, NIGRO- Premier élément de mots savants, du lat. *niger* « noir ».

NIGRICA [nigʀika] n. m. — 1874, P. Larousse; du lat. *niger, nigri* « noir ».

♦ Techn. Schiste noir utilisé pour dessiner.

NIGRITIQUE [nigʀitik] adj. — 1876; du lat. *nigrita,* de *nigra.*

♦ Vx. Relatif à la race noire*.

NIGUEDOUILLE [nig(ə)duj] n. et adj. ⇒ **Niquedouille.**

NIHILISME [niilism] n. m. — 1800, in *le Français moderne;* dér. du lat. *nihil* « rien ».

♦ **1.** Philos. Doctrine d'après laquelle rien n'existe d'absolu (⇒ **Néant**).

1   La négation de l'infini mène droit au nihilisme. Tout devient « une conception de l'esprit ». Avec le nihilisme, pas de discussion possible; car le nihiliste logique doute que son interlocuteur existe, et il n'est pas bien sûr d'exister lui-même (...) En somme, aucune voie n'est ouverte pour la pensée par une philosophie qui fait aboutir au monosyllabe Non. A : Non, il n'y a qu'une réponse : Oui. Le nihilisme est sans portée.
HUGO, les Misérables, II, VII, VI.

Doctrine qui nie la vérité morale, les valeurs et leur hiérarchie (⇒ **Négation**). *Nihilisme destructeur, qui fait de l'anéantissement*, de la destruction, son objectif.*

2   À ce « tout est permis » commence (...) l'histoire du nihilisme contemporain (...) Le nihilisme n'est pas seulement désespoir et négation, mais surtout volonté de désespérer et de nier.
CAMUS, l'Homme révolté, p. 79.

♦ **2.** (1877). Cour. Idéologie d'un parti philosophique et politique caractérisée par le refus de reconnaître toute contrainte exercée sur l'individu, par la recherche de la liberté totale. *Nihilisme et socialisme dans la Russie de la fin du XIXᵉ siècle. Nihilisme et terrorisme, et anarchisme...* ⇒ **Libertaire.**

3   Le nihilisme, étroitement mêlé au mouvement d'une religion déçue, s'achève ainsi en terrorisme. Dans l'univers de la négation totale, par la bombe et le revolver (...) ces jeunes gens essayaient (...) de créer les valeurs dont ils manquaient.
CAMUS, l'Homme révolté, p. 207.

NIHILISTE [niilist] adj. et n. — 1761, « celui qui ne croit pas à l'existence humaine de Jésus »; « celui qui n'appartient à aucun parti », 1793; sens philos. en 1797, d'après Wartburg; dér. sav. de *nihil.*

♦ **1.** Philos. Relatif au nihilisme (métaphysique ou moral). *La révolution nihiliste* (→ Exprimer, cit. 48). — N. Adepte du nihilisme (cit. 1).

1   Le nihiliste n'est pas celui qui ne croit à rien, mais celui qui ne croit pas à ce qui est.
CAMUS, l'Homme révolté, p. 93.

♦ **2.** (1877; employé en russe par Tourguéniev, à propos de son héros Bazarov, dans *Pères et Enfants,* 1862). *Parti nihiliste russe.* — N. *Les nihilistes.*

2   Les Wassilief (...) sont à la tête du parti nihiliste avec Bolibine, l'assassin du préfet de police, et ce Manilof, qui, l'an dernier, a fait sauter le Palais d'hiver.
Alphonse DAUDET, Tartarin sur les Alpes, V.

NIL [nil] adj. invar. — 1883, Zola, in D.D.L.; nom du fleuve d'Égypte.

♦ Loc. *Vert Nil.* ⇒ **Vert.**

NILGAUT [nilgo] n. m. — 1666; empr. à l'hindoustani *nîlgâû,* mot persan : *goa* « bœuf », *nil* « bleu ».

♦ Zool. Mammifère ongulé *(Bovidés-Tragélaphinés)* parfois considéré comme un Antilopiné (⇒ **Antilope**). — On écrit aussi *nilgau.*

NILLE [nij] n. f. — xviiᵉ; *neille,* 1328; dér. par déglutination de *anille,* du lat. *analicula* « petit canard », par métaphore. → Bec-de-canard.

Technique.

♦ **1.** Pièce de métal fixée dans l'œillard d'une meule (on dit aussi *anille*).

♦ **2.** Par anal. (de forme). Blason. Petite croix ancrée.

♦ **3.** Manchon de bois, sorte de bobine* entourant le manche d'une manivelle* et mobile autour de celui-ci.

♦ **4.** Piton de fer maintenant (au moyen d'une clavette) les panneaux de vitrail.

NILO- Premier élément de mots composés, tiré de *Nil* (servant notamment à former des noms de groupes de langues : *nilo-abyssinien*, etc. ⇒ **Nilo-tchadien**).

NILOMÈTRE [nilɔmɛtʀ] n. m. — 1743, Trévoux ; de *Nil*, et *-mètre*.

♦ Didact. Puits en communication avec l'eau du Nil, permettant d'apprécier exactement son niveau, pour la mesure des crues.

(...) on aperçoit à droite le port du vieux Caire, à gauche les bâtiments du *Mekkias* ou *Nilomètre* (...)   NERVAL, Voyage en Orient, « Les femmes du Caire », VI.

NILO-TCHADIEN, IENNE [nilotʃadjɛ̃, jɛn] adj. — XXᵉ ; de *nilo-*, de *Nil*, et *tchadien*, de *Tchad*.

♦ Ling. Se dit d'un groupe de langues africaines parlées au sud de l'Égypte, en Libye, au Tchad et comprenant environ 35 langues dont le nubien *(nūba)*, le *tubu* du Tibesti, le *kanuri*, le *dadio*, etc. (plus de 2 millions de locuteurs v. 1950). *Langues nilo-tchadiennes*.

NILOTIQUE [nilɔtik] adj. — 1842, Barré ; comp. sav. d'après lat. *nilotus* d'orig. grecque *neilôtês* « qui se trouve au bord du Nil », de *Neilos* « Nil ».

♦ Didact. (géogr.). Relatif au Nil, à son delta, aux contrées riveraines. *Campagne nilotique*.

NILPOTENT, ENTE [nilpɔtɑ̃, ɑ̃t] adj. — XXᵉ ; formation savante, du lat. *nil*, forme contractée de *nihil* « rien », et de *potens* « puissant ». → Impotent, omnipotent.

♦ Math. *Élément nilpotent d'un anneau :* élément de l'anneau qui, élevé à la puissance *n*, est nul (*n* étant un entier positif). *Matrice nilpotente :* élément nilpotent d'un anneau de matrices carrées (Bouvier et George). — Géom. *Transformation nilpotente :* transformation géométrique dont le produit par elle-même, un certain nombre de fois répété, est une transformation qui à tout point *M* fait correspondre un point fixe.

NIM ou **NEEM** [nim] n. m. — D. et orig. inconnues (d'une langue africaine).

♦ Français d'Afrique. « Arbre de la famille des Méliacées, à croissance très rapide et résistant à la sécheresse » (I. F. A.), en Afrique noire.

NIMBE [nɛ̃b] n. m. — 1692, en numism. ; lat. *nimbus* « nuage ».

♦ **1.** Archéol. Cercle figuré autour de la tête (de certains empereurs, sur les médailles antiques).

♦ **2.** Relig. et icon. Zone lumineuse qui entoure la tête des représentations de Dieu, des anges, des saints. ⇒ **Auréole** (cour.), **couronne** (de gloire). *Nimbe crucifère,* réservé au Christ. *Nimbe circulaire, triangulaire, en losange. La gloire* est une sorte de nimbe entourant le corps entier* (du Christ, de la Vierge...). *Nimbe diaphane, doré, lumineux...*

1   Quand nous nous rencontrâmes, les rayons du soleil en passant à travers le feuillage grêle des acacias environnaient Honorine de ce nimbe jaune et fluide que Raphaël et Titien, seuls parmi tous les peintres, ont su peindre autour de la Vierge.
                                        BALZAC, Honorine, Pl., t. II, p. 284.

Par métaphore (→ Envelopper, cit. 12).

(Appliqué aux dieux antiques). « *Le nimbe rayonné indiquait Apollon ou Diane* » (Académie).

(Appliqué aux empereurs, aux prélats du haut moyen âge). *Le nimbe carré désignait les personnages vivants.*

♦ **3.** Littér. Zone lumineuse qui entoure une personne, une chose... ; auréole, halo*... ⇒ **Nimber.**

2   Cette blancheur était une lumière, cette lumière était une femme, cette femme était l'esprit. Dea, calme, candide, belle, formidable de sérénité et de douceur, apparaissait au centre d'un nimbe. Silhouette de clarté dans de l'aurore.
                                        HUGO, l'Homme qui rit, II, II, IX.

3   (...) ses yeux noirs de quinze ans, obstinés et graves sous le nimbe doré des cheveux (...)   LOTI, Ramuntcho, I, I.

DÉR. **Nimber.**

NIMBER [nɛ̃be] v. tr. — 1876 ; *nimbé*, 1874, *in* P. Larousse ; de *nimbe*.

♦ **1.** Pourvoir, entourer, orner d'un nimbe. ⇒ **Auréoler.** *Peinture, miniaturiste qui nimbe la tête d'un saint.*

Au p. p. *Tête nimbée.*

1   Les idoles de Pandavas, hautes de trente pieds, aux têtes nimbées de rayons (...)   LOTI, l'Inde (sans les Anglais), III, VI.

♦ **2.** Littér. Entourer, auréoler (d'un rayonnement). *La lumière nimbait sa tête d'un halo.* — Fig. *La joie nimbait son visage.*

Pronominal :

2   Auprès de ces tristesses désenchantées, de quel rayonnement se nimbait le beau visage de mon amie !   GIDE, Si le grain ne meurt, I, V, p. 154.

Au p. p. *Tête nimbée d'une lumière diffuse. Personnages nimbés.* — Fig. *Nimbé d'un rayonnement spirituel.*

3   Jenny avait, elle aussi, sans y penser, franchi le seuil et se tenait au milieu du sentier, arrêtée devant Jacques et nimbée de lumière.
                                        MARTIN DU GARD, les Thibault, t. II, p. 270.

NIMBO-STRATUS [nɛ̃bostʀatys] n. m. invar. — 1932, Larousse ; de *nimbus*, et *stratus*.

♦ Didact. (météor.). Formation nuageuse en couche très basse, d'un gris sombre. — Var. : *strato-nimbus*.

1. NIMBUS [nɛ̃bys] n. m. — 1830, cit. ; empr. sav. du lat. *nimbus* « nuage ». → Nimbe.

♦ Météor. Se dit de « nuages* sombres sans forme nette, aux contours déchiquetés » (Martonne) qui se forment à basse altitude et se résolvent rapidement en pluie. *Nimbus surmonté d'un cumulus.* ⇒ **Cumulo-nimbus.** *Des nimbus.*

Nimbus. Nuage épais, s'étendant au dehors en couronne de Cirrus et se changeant par en bas en Giboulée. Il se montre généralement sous la forme d'un cône renversé dont la partie supérieure se prolonge en une bande continue de Cirrus à une grande distance.   BAILLY DE MERLIEUX, Résumé de météorologie (1830).

COMP. **Nimbo-stratus.**

2. NIMBUS [nɛ̃bys] n. m. — V. 1960 (*in* Larousse, 1963), du nom d'un personnage de bandes dessinées créé en 1934.

♦ *Un professeur Nimbus :* un savant distrait. — Par ext. Individu sans capacité d'adaptation sociale. *C'est une espèce de Nimbus.*

N'IMPORTE... ⇒ 2. **Importer.**

NINAS [ninas] n. m. invar. — Fin XIXᵉ ; de l'esp. *niñas*, fém. plur. de *niño* « enfant ».

♦ Vieilli. Petit cigare* fait avec des débris de tabac. ⇒ **Cigarillo.** *Les ninas se vendent en paquet.*

NINIVÉEN, ENNE [niniveɛ̃, ɛn] adj. — Av. 1841, *ninivien, in* D. D. L. ; de *Ninive*.

♦ Fig. Gigantesque, babylonien. ⇒ **Ninivite.** *Les « gares, grandes et petites, palais ninivéens et chaumières normandes »* (*l'Express,* 30 déc. 1978).

NINIVITE [ninivit] adj. et n. — 1867, Baudelaire, au fig. ; de *Ninive*, bas lat. *Niniva,* ville d'Assyrie.

Didactique.

♦ **1.** De Ninive.

♦ **2.** Fig. Gigantesque, comme les constructions assyriennes de Ninive.

NIOBIQUE [njɔbik] adj. — 1886, Littré ; de *niobium*.

♦ Chim. Dérivé du niobium. *Acide niobique.*

NIOBIUM [njɔbjɔm] n. m. — 1854 ; v. 1844 en all., mot lat. sc., créé en Allemagne, par le chimiste H. Rose ; du nom de *Niobé,* fille de Tantale.

♦ Chim. Corps simple, métal brillant, blanc (poids at. 92,21 ; dens. 8,57 ; point de fusion 2 470° ; symb. Nb), rare et toujours associé avec le tantale dans ses minerais (d'où le nom du métal).

REM. Le niobium était désigné avant 1844 sous le nom de *colombium.*

DÉR. **Niobique.**

NIÔLE [njol ; ɲol] n. f. ⇒ **Gnôle.**

NIPA [nipa] n. m. — 1765, *Encyclopédie,* « exsudat de l'arbre » ; mot indigène.

♦ Bot. Palmier* nain d'Océanie.

NIPIOLOGIE [nipjɔlɔʒi] n. f. — XXᵉ ; du grec *nêpion* « enfant en bas âge », et *-logie*.

♦ Didact. Étude de l'enfant avant le moment où il commence à parler, envisagée sous tous les aspects (psychique, médical, pédagogique...).

NIPPE [nip] n. f. — 1606; paraît tiré de *guenipe*, p.-ê. forme dial. de *guenille* (Dauzat).

♦ **1.** Vx. Objet servant à l'ajustement et à la parure, «comme hardes, linges, bagues et autres pareilles choses» (Richelet, 1680). ⇒ **Hardes** (1., vx). — REM. Dans cet emploi classique, *nippe* s'employait au singulier. «*Sur cette nippe-là vous auriez peu d'argent*» (Regnard).

(En parlant du linge et des vêtements*). ⇒ **Habit** (3.).

REM. *Nippe* est rare au singulier.

(...) des valets qui viennent prendre dans les boutiques ce que leurs maîtres y avaient acheté, ou voir si les marchands ont reçu les nippes qu'ils attendaient. CORNEILLE, la Galerie du Palais, Examen.

C'étaient de belles nippes, du fin linge, des guipures, des dentelles, des bijoux, des pièces de velours et de satin de la Chine : tout un trousseau aussi galant que riche. Th. GAUTIER, le Capitaine Fracasse, VIII.

Valentin couchait, à dix ou douze ans, dans un petit cabinet vitré, derrière la chambre de sa mère. Dans ce cabinet d'assez triste apparence, et encombré d'armoires poudreuses, se trouvait, entre autres nippes, un vieux portrait avec un grand cadre doré. A. DE MUSSET, Nouvelles, «Deux maîtresses», I.

♦ **2.** Mod. Vêtements pauvres et usés ou ridicules et laids. ⇒ **Hardes** (2., cit. 8), **frusques**. *Vendre des nippes, ses vieilles nippes. Porter des nippes.* ⇒ **Accoutrement**.

(...) nous apporter des «vêtements» comme ils disent! des nippes qui ne valent pas quatre sous! (...) HUGO, les Misérables, III, VIII, VIII.

(...) le long des murs, sur le dossier des meubles, pendaient un châle troué, un pantalon mangé par la boue, les dernières nippes dont les marchands d'habits ne voulaient pas. ZOLA, l'Assommoir, t. I, I, p. 2.

♦ **3.** Fam. Au plur. Vêtement. ⇒ **Fringues** (cit.).

DÉR. Nipper.

NIPPER [nipe] v. tr. — 1718; de *nippe*.

♦ Fam. Fournir de vêtements; vêtir. ⇒ **Habiller; fringuer.**

Pron. *Se nipper :* s'approvisionner en vêtements et en linge. Mettre des vêtements.

Au p. p. *Être bien nippé, mal nippé* (⇒ **Accoutrer, fagoter**). *Il était nippé de neuf.*

Quelque simplement que Thérèse se mette, jamais la pension de Rey ne lui a suffi pour se nipper (...) ROUSSEAU, les Confessions, XI.

(...) c'est que je suis nippée comme une princesse, je ne porte plus de sabots! BALZAC, la Cousine Bette, Pl., t. VI, p. 514.

— On se nippe, dit Fernande.
Elle l'examina, et toute surprise de le trouver cravaté de blanc, ajouta : — Monsieur va dans le monde? Francis CARCO, Jésus-la-Caille, I, V.

NIPPO- Élément signifiant «japonais» (⇒ **Nippon**), et servant à former des adjectifs composés (ex. : *nippo-américain, aine*).

NIPPON, ONE, ONNE [nipõ, ɔn] adj. et n. — Fin XIXe, *le Nippon* «le Japon»; *le Niphon,* 1765, *Encyclopédie,* «une des trois grandes îles du Japon»; mot japonais «soleil levant».

♦ Du Japon (État, nation). ⇒ (Plus cour.) **Japonais** (→ Baroque, cit. 2). *L'empire nippon.* — N. *Les Nippons.*

N. m. Langue japonaise ancienne.

Il (*l'empereur du Japon*) ne s'exprimait pas en japonais, mais en nippon impérial (comme il l'avait fait pour annoncer la défaite : d'où la terrible erreur du peuple, qui ne le comprenant pas, avait cru qu'il annonçait la victoire). MALRAUX, Antimémoires, p. 576.

NIQUE (FAIRE LA) [fɛʀlanik] loc. v. — 1340; d'une rac. *nick,* attestée en gallo-romain, d'après Wartburg, qui ne retient pas l'orig. germanique, l'anc. verbe *niquer* (cf. all. *nicken*) signifiant «hocher la tête, faire un signe d'affirmation» (et non de mépris); P. Guiraud invoque un croisement avec un dér. du lat. *negare.* → 2. Niche.

♦ **FAIRE LA NIQUE à (qqn) :** se moquer de, mépriser. ⇒ **Braver, moquer** (se); **figue.**

Adieu! certaine Dame inique,
À laquelle je fais la nique. SCARRON, Recueil de quelques vers burlesques (1643).

En admettant que Pichegru et Cadoudal eussent jamais paru à Paris, ils devaient s'en être échappés, faisant la nique à la fameuse police consulaire. Louis MADELIN, Hist. du Consulat et de l'Empire, Avènement de l'Empire, V.

NIQUEDOUILLE [nik(ə)duj] n. et adj. — 1654; de la rac. de *nigaud, nicodème,* avec l'élément *-douille,* de *douillet* «délicat, mou», avec infl. possible de *andouille.*

♦ **1.** N. f. ou m. Vieilli. Nigaud*, niais... «*Voilà un vrai niquedouille*» (Regnard). «*C'est une grande niquedouille*» (Académie, qui note que le mot «s'emploie aujourd'hui surtout au féminin»).

Tenez, n'avons-nous point vu Nique-douille, qui ne saurait rire sans montrer les dents? CYRANO DE BERGERAC, le Pédant joué, II, 2 (1654).

♦ **2.** Adjectif :

Je ne fréquente personne. Moins encore qu'avant si c'est possible. Je me suis trouvé assez niquedouille d'avoir failli payer pour d'autres. J. ROMAINS, les Hommes de bonne volonté, t. XI, XXXIII, p. 305.

Et cesse d'avoir cet air niquedouille. R. QUENEAU, le Chiendent, p. 369.

NIQUER [nike] v. tr. — 1890; mot arabe (*yinnik,* forme verbale à la 3e pers. du sing. de l'ind.) passé en sabir.

♦ **1.** Argot vulg. (fréquent dans le franç. d'Afrique du Nord). Posséder charnellement. ⇒ **Baiser.**

Intransitif :

C'est (*la maison de tolérance*) l'antre solennel, or et pourpre, où vont se soulager les coloniaux, les gars de la Marine marchande et de la fluviale, les dockers. Où les matelots viendraient «baiser» ou «niquer», les dockers et les autres disent : «On s'apporte pour tirer notre chique.» Jean GENET, Querelle de Brest, p. 187.

♦ **2.** (1898, *in* D.D.L.). Fig. Attraper, «avoir». ⇒ **Posséder; baiser** (fig.).

REM. Dans certains emplois fig., l'influence de *faire la nique* est probable, notamment quand le verbe équivaut à *emmerder.*

Mariette, qui se tenait sur le pas de sa porte, lui faisait des grimaces dans le dos. Elle mima un geste familier aux soldats qui, lors même qu'elle n'en sût rien, signifiait qu'elle niquait le capitaine de La Hure. Jacques LAURENT, les Bêtises, p. 45.

NIRVÂNA [niʀvana] n. m. — 1844, E. Burnouf; du sanscrit *nirvā-ṇam* «extinction», répandu en Occident par Schopenhauer.

♦ Relig. Dans le bouddhisme, Extinction du karman*, du désir humain, entraînant la fin du cycle des naissances et des morts. *Le nirvâna, terme de la série des existences, fin de l'ignorance, de l'effort, de la douleur. Le nirvâna, considéré comme un anéantissement, un état de bonheur* parfait, de calme, de sérénité suprême, une fusion* de l'âme individuelle et de l'âme collective* (spécialt dans le brahmanisme)...

(...) le Sage, ayant fait évanouir successivement de son esprit l'idée de la forme, et de l'espace pur, et l'idée même de l'idée, arrive enfin au néant, et, ensuite, entre dans le Nirvâna. Et les gens se sont étonnés de ce mot. Pour moi j'y trouve à l'idée de Néant ajoutée celle de jouissance. CLAUDEL, Connaissance de l'Est, p. 178.

L'esprit de Byzance est acharnement à fuir les apparences, appel d'un nirvâna où l'homme atteint Dieu au lieu de se perdre dans l'absolu. MALRAUX, les Voix du silence, p. 212.

Par ext. Littér. État de béatitude, de sérénité, de tranquillité complète.

DÉR. Nirvanien.

NIRVANIEN, IENNE [niʀvanjɛ̃, jɛn] adj. — XXe; de *nirvâna.*

♦ Didact. Du nirvâna.

NISAN [nizã] n. m. — 1868, *in* Littré; mot hébreu.

♦ Didact. Septième mois de l'année civile et premier mois de l'année sacrée, chez les Hébreux. «*Le mois nisan*» (Hugo).

NIT [nit] n. m. — Mil. XXe (*in* Larousse, 1953); lat. *nitidus* «brillant», de *nitere* «briller». → Nitescence.

♦ Sc. Unité de luminance, valant une candela par mètre carré de surface apparente.

NITÉE [nite] n. f. — 1527; dér. régional (Champagne) de *nid.*

♦ Vx ou régional. ⇒ **Nichée;** → Avant, cit. 26, La Fontaine.

M. Aristide, qui est grand chasseur à tir et à courre, a sauvé une nitée de chardonnerets frais éclos dans un rosier (...) FRANCE, le Jardin d'Épicure, p. 79.

NITELLE [nitɛl] n. f. — 1874, P. Larousse; lat. mod. *nitella,* p.-ê. du rad. lat. *nitere* «briller».

♦ Bot. et région. Algue des étangs et des eaux courantes, à tige parfois très longue.

NITESCENCE [nitesãs] n. f. — 1835, Balzac; dér. sav. du lat. *nitescere* «briller».

♦ Didact. ou littér. Lueur, clarté, rayonnement.

Cette splendeur était-elle due à la nitescence que donnent au teint l'air pur des montagnes et le reflet des neiges? (...) BALZAC, Séraphîta, Pl., t. X, p. 470.

Quand on suivait, comme un fil de la Vierge dans l'air rose du matin, l'espèce de nitescence qui courait au profil de ses cheveux d'ambre pâle jusqu'à la nacre de ses épaules (...) BARBEY D'AUREVILLY, Une vieille maîtresse, I, II.

NITESCENT, ENTE [nitesã, ãt] adj. — 1845 ; dér. sav. du lat. *nitescere*. → Nitescence.

♦ Didact. Qui émet un rayonnement. ⇒ **Brillant, lumineux.** Fig. et littér. Qui a de l'éclat.

NITOMÈTRE [nitomɛtʀ] n. m. — V. 1960 (1963, Larousse) ; du lat. *nitere* « briller », -*o*-, et -*mètre*.

♦ Phys. Photomètre sans écran de diffusion.

NITOUCHE (SAINTE) [sɛ̃tnituʃ] n. f. — 1534 ; altér. de *n'y touche (pas)*. → Toucher.

♦ Personne qui affecte l'innocence. *Il fait la sainte nitouche* (Académie). Spécialt. Femme de mœurs faciles qui affecte la pruderie, l'innocence (⇒ **Hypocrite**).

1 (...) les prudes femmes, l'œil baissé sur la modestie, avec un air de Sainte N'y touche *(sic)*. Th. GAUTIER, le Capitaine Fracasse, VIII.

2 La pruderie attitude est baroque. Elle est souvent celle des femmes ayant quelque chose à se reprocher et qui veulent détourner les soupçons. Le type de la sainte Nitouche est bien connu. Léon DAUDET, la Femme et l'Amour, VIII.

3 — Que vous a-t-il donc fait, le petit Lagare ? Sans doute, ce n'est pas une sainte nitouche (...) Il a eu des aventures (...) Et puis, après ? F. MAURIAC, Destins, p. 132.

NITRANILINE [nitʀanilin] n. f. — 1873, P. Larousse ; de *nitré*, et *aniline*.

♦ Chim. Dérivé nitré de l'aniline, utilisé en pharmacie et dans l'industrie des colorants.

NITRATATION [nitʀatasjɔ̃] n. f. — 1838 ; de *nitrater*.

♦ Sc., techn. Action de nitrater ; son résultat. — Spécialt. *Nitratation des peaux*.

NITRATE [nitʀat] n. m. — 1787, Guyton de Morveau ; dér. de *nitre*.

♦ Chim. Sel de l'acide azotique (dit autrefois *nitrique*). ⇒ **Azotate.** *Nitrates naturels de soude* (⇒ **Caliche**), *de potasse* (⇒ **Nitre, salpêtre**). *Nitrates synthétiques.* — (1792, in D.D.L.). Méd. *Nitrate d'argent, utilisé comme antiseptique*, caustique*, cicatrisant* (→ Lotion, cit. 2). *Bâton de nitrate* (d'argent). — *Nitrate, sous-nitrate de bismuth**. — Agric. *Nitrates utilisés comme engrais** *(nitrate de sodium, nitrate du Pérou, du Chili... ; de potassium ; de calcium, d'ammonium). Formation des nitrates à partir de l'ammoniaque.* ⇒ **Nitrification.** *Nitrate de cuivre, employé contre les herbes nuisibles.*

DÉR. Nitraté, nitrater, nitration.

NITRATÉ, ÉE [nitʀate] adj. — 1803 ; de *nitrate*, et suff. -*é*.

♦ Réduit à l'état de nitrate. — Qui contient un nitrate. *Engrais nitraté.*

NITRATER [nitʀate] v. tr. — 1878 ; de *nitrate* ou de *nitraté*. Scientifique, technique.

♦ **1.** Ajouter du nitrate à. *Nitrater un mélange.*

♦ **2.** Convertir en nitrate.

♦ **3.** Spécialt. Traiter au nitrate d'argent. *Nitrater des peaux pour les colorer*.*

DÉR. Nitratation.

NITRATION [nitʀasjɔ̃] n. f. — 1898 ; *Année sc. et industr.* 1899, p. 122 ; de *nitrate*.

♦ Chim. Introduction du radical NO dans des composés organiques. *Nitrosation* et nitration.* ⇒ **Nitrification.**

NITRE [nitʀ] n. m. — 1256 ; lat. *nitrum*, grec *nitron*.

♦ **1.** Chim. Vx. Nitrate (azotate) de potassium. ⇒ **Salpêtre.** *Théorie du nitre aérien, principe actif de l'air, au XVIIe siècle.*

Le nitre des neiges, en dissolution dans ces eaux, contribua sans doute beaucoup à la qualité de l'herbe. BALZAC, le Curé de village, Pl., t. VIII, p. 730.

♦ **2.** Vx et poét. Poudre à canon (cf. Delille, *in* Littré).

DÉR. et COMP. Nitrate, nitré, nitrer, nitrière, nitrifier, nitrile, nitrique, nitrite, nitro-, nitrure.

NITRÉ, ÉE [nitʀe] adj. — 1600 ; de *nitre*.

♦ Chim. Vx. Qui contient du nitre.

Spécialt. *Dérivés nitrés :* composés organiques contenant le radical

NO₂ (substitué à l'hydrogène). Ex. : *nitrobenzène, acide picrique, chloropicrine...*

COMP. Nitraniline.

NITRER [nitʀe] v. tr. — Mil. xxe ; de *nitre*.

♦ Sc., techn. Traiter par l'acide nitrique.

DÉR. Nitreur.

NITREUR [nitʀœʀ] n. m. — Mil. xxe (*in* Larousse, 1963) ; de *nitrer*. Technique.

♦ **1.** Ouvrier conduisant un appareil de nitration.

♦ **2.** Appareil de nitration.

NITREUX, EUSE [nitʀø, øz] adj. — V. 1265 ; du lat. *nitrosus*.

♦ Chim. Vx. Qui contient du nitre. *Terres, eaux nitreuses* (Académie).

Spécialt. *Acide nitreux* (HNO_2). ⇒ **Azoteux.** *Vapeurs nitreuses* (mélange d'anhydride azoteux et de peroxyde d'azote).

Par ext. *Ferment nitreux* (agent de la nitrification).

NITRIÈRE [nitʀijɛʀ] n. f. — 1562 ; de *nitre*.

♦ Techn. Lieu d'où l'on extrait les nitrates. ⇒ **Salpêtrière.** *Nitrières du Chili.*

NITRIFIANT, ANTE [nitʀifjã, ãt] adj. — Mil. xxe ; de *nitrifier*.

♦ Chim. Qui produit la nitrification. *Bacilles nitrifiants.*

NITRIFICATEUR, TRICE [nitʀifikatœʀ, tʀis] adj. — Av. 1877 ; de *nitrifier*.

♦ Techn. Qui transforme en nitrates.

NITRIFICATION [nitʀifikasjɔ̃] n. f. — 1787 ; de *nitrifier*.

♦ Chim. Transformation en nitrates de l'ammoniaque* et des sels ammoniacaux. *La nitrification se fait en deux temps* (⇒ **Nitrosation, nitration**) *sous l'influence de bactéries* (nitrobactéries). *L'azote nécessaire aux plantes provient des nitrates élaborés par nitrification, à partir des composés ammoniacaux* (déchets des organismes végétaux et animaux). *Le binage facilite la nitrification.*

Spécialt. *Nitrification des eaux d'égouts par lits bactériens* (épuration et formation de nitrates). ⇒ **Ammonisation.**

NITRIFIER [nitʀifje] v. tr. — 1797 ; de *nitre*.

♦ Chim. Transformer en nitrates. ⇒ **Nitrification.**

▶ **SE NITRIFIER** v. pron.

♦ **1.** Vx. Se couvrir de nitre, de salpêtre.

♦ **2.** Mod. Se transformer en nitrates.

DÉR. Nitrifiant, nitrificateur, nitrification.

NITRILE [nitʀil] n. m. — 1858 ; de *nitre*.

♦ Chim. Se dit des composés (acycliques) renfermant le radical CN (*acétonitrile* ou *éthane-nitrile ; propionitrile* ou *propane-nitrile, formonitrile* ou *méthane-nitrile* [l'acide cyanhydrique]).

NITRIQUE [nitʀik] adj. — 1787, Guyton de Morveau ; de *nitre*.

♦ Chim. (Vx). ⇒ **Azotique.** *Acide nitrique* (HNO_3). ⇒ **Eau-forte ; eau** (II., A., c ; eau seconde). *Coton traité à l'acide nitrique.* ⇒ **Cotonpoudre.** *Esters nitriques.*

NITRITE [nitʀit] n. m. — 1803 ; de *nitre*, et suff. -*ite*.

♦ Chim. Sel de l'acide nitreux. ⇒ **Azotite.** — (P. Bourget, *in* G.L.L.F.). *Nitrite d'amyle*, utilisé comme calmant.

NITRO- Préfixe tiré de *nitre* et indiquant notamment la présence d'un nitrate dans un composé chimique.

NITROBACTER [nitʀobaktɛʀ] n. m. ou **NITROBACTÉRIE** [nitʀobakteʀi] n. f. — Mil. xxe, *nitrobacter ; nitrobactérie*, 1903 ; de *nitro*-, et *bactérie*.

♦ Chim., biol. Bactérie capable d'oxyder les nitrites en nitrates (⇒ **Nitrification**).

NITROBENZÈNE [nitʀobɛ̃zɛn] n. m. ou **NITROBENZINE** [nitʀobɛ̃zin] n. f. — 1903, *nitrobenzène*; *nitrobenzine*, 1838; de *nitre*, et *benzène*.

♦ Chim., techn. Dérivé nitré du benzène ($C_6 H_5 NO_2$), liquide toxique, huileux, utilisé en parfumerie (essence de mirbane), dans la fabrication d'explosifs* (dinitrobenzène), dans l'industrie des colorants. ⇒ **Aniline, rosaniline.** *Intoxication par la nitrobenzine.* ⇒ **Nitrobenzolisme.**

DÉR. **Nitrobenzolisme.**

NITROBENZOLISME [nitʀobɛ̃zɔlism] n. m. — Mil. xxᵉ; de *nitrobenzène*, *-ol*, et *-isme*.

♦ Méd. Intoxication par le nitrobenzène (surtout par inhalations de vapeurs, chez les ouvriers travaillant dans l'industrie des colorants).

NITROCELLULOSE [nitʀoselyloz] n. f. — 1898, cit.; de *nitro-*, et *cellulose*.

♦ Chim., techn. Nitrate de cellulose, ester nitrique de la cellulose. ⇒ **Coton-poudre, fulmicoton.**

Outre que la nitrocellulose n'est pas bon marché, les seuls liquides qui la dissolvent sont plutôt d'un emploi dispendieux.
    L. Figuier, l'Année scientifique et industrielle 1899, p. 122 (1898).

DÉR. **Nitrocellulosique.**

NITROCELLULOSIQUE [nitʀoselylozik] adj. — Mil. xxᵉ; de *nitrocellulose*.

♦ Didact. De la nitrocellulose. *Explosif nitrocellulosique. Vernis, laqués nitrocellulosiques.*

NITROGÈNE [nitʀɔʒɛn] n. m. — 1790, Chaptal; de *nitre, nitro-*, et *-gène*.

♦ Hist. de la chim. Gaz permanent, incolore, inodore et sans saveur, formant l'essentiel de l'atmosphère terrestre (le mot, en concurrence avec *azote*, a été remplacé par ce terme créé par G. de Morveau et Lavoisier en 1787). ⇒ **Azote.**

NITROGLYCÉRINE [nitʀogliseʀin] n. f. — 1847, date de la découverte; de *nitro-*, et *glycérine*.

♦ Chim., techn. Trinitrate de glycérine, ($C_3 H_5 [NO_3]_3$), huile jaune qui détone violemment sous le choc et qui est le constituant essentiel de la dynamite*.

1 Il est beaucoup question, depuis quelque temps, de la nitro-glycérine, et de l'emploi de cette substance pour remplacer la poudre dans les mines; la nitro-glycérine est une combinaison d'acide azotique et de glycérine, qui jouit de propriétés explosives d'une prodigieuse puissance.
    L. Figuier, l'Année scientifique et industrielle 1867, p. 95 (1866).

2 (...) quand *(Cyrus Smith)* rapporta un flacon de ce liquide à ses amis, il se contenta de leur dire « Voilà de la nitro-glycérine! »
C'était, en effet, ce terrible produit dont la puissance explosive est peut-être décuple de celle de la poudre ordinaire, et qui a déjà causé tant d'accidents. (...)
    J. Verne, l'Île mystérieuse, t. I, p. 226.

REM. La graphie avec le trait d'union est archaïque.

NITROMÉTHANE [nitʀometan] n. m. — 1878, P. Larousse, *Premier suppl.*; de *nitro-*, et *méthane*.

♦ Didact. Dérivé nitré du méthane.

NITRONAPHTALÈNE [nitʀonaftalɛn] n. m. — 1932, Larousse; *nitronaphtaline*, 1899; de *nitro-*, et *naphtalène*.

♦ Didact. Dérivé nitré du naphtalène.

NITROPHÉNOL [nitʀofenɔl] n. m. — 1873; de *nitro-*, et *phénol*.

♦ Didact. Dérivé nitré du phénol (matière colorante).

NITROPHILE [nitʀofil] adj. — Mil. xxᵉ (*in* Larousse, 1963); de *nitre*, *nitro-*, et suff. *-phile*.

♦ Didact. *Plantes nitrophiles*, qui demandent beaucoup de nitrates pour se développer.

NITROSATION [nitʀozasjɔ̃] n. f. — 1894, *Année sc. et industr.* 1895, p. 432; du lat. *nitrosus*, et suff. *-ation*.

♦ Chimie. Introduction du groupement NO dans une molécule. *La nitrosation constitue le premier temps de la nitrification* naturelle* (transformation de l'ammoniac en nitrites sous l'action des nitrobactéries du genre *Nitrosomonas*).

NITROSÉ, ÉE [nitʀoze] adj. — 1903, Larousse; du lat. *nitrosus* « nitreux ».

♦ Chim. Se dit d'un composé organique possédant le radical NO. *Les composés nitrosés sont utilisés dans l'industrie des colorants.*

NITROTOLUÈNE [nitʀotolɥɛn] n. m. — 1899; de *nitro-*, et *toluène*.

♦ Techn. Dérivé nitré du toluène. *L'un des nitrotoluènes (trinitrotoluène ou T. N. T.) est un explosif puissant.*

NITRURATION [nitʀyʀasjɔ̃] n. f. — 1932; de *nitrurer*.

♦ Techn. Durcissement superficiel de l'acier (cémentation) par formation de nitrures. *La nitruration est une cémentation*.*

NITRURE [nitʀyʀ] n. m. — 1836; de *nitre*.

♦ Chim. Composé défini d'azote et d'un métal, ou solution d'azote dans un métal *Nitrure de fer.*
REM. *Azoture* a un autre sens.

DÉR. **Nitrurer.**

NITRURER [nitʀyʀe] v. tr. — 1932; de *nitrure*.

♦ Techn. Chauffer (un métal) dans une atmosphère d'ammoniaque pour le durcir (par la formation de nitrures à sa surface). — Au p. p. *Acier nitruré.*

DÉR. **Nitruration.**

NIVAL, ALE, AUX [nival, o] adj. — 1927; lat. *nivalis* « neigeux », de *nix, nivis* « neige ».

♦ Didact. De la neige, dû à la neige. *Régime nival*, des cours d'eau alimentés par les neiges (hautes eaux à la fonte : printemps).
HOM. (Du plur.) **Niveau.**

NIVAQUINE [nivakin] n. f. — Mil. xxᵉ; nom déposé d'une marque de médicaments; du lat. *niva* « neige », et *quinine*.

♦ Médicament anti-paludéen à base de quinine (le mot, en français d'Afrique, est devenu plus courant que *quinine*, vieilli).

NIVATION [nivasjɔ̃] n. f. — 1909; dér. sav. du lat. *nix, nivis* « neige ».

♦ Didact. (géogr.). Ensemble des phénomènes par lesquels la neige exerce une action sur la formation du relief. *Formes de nivation.*

Dans le domaine de la nivation, la neige séjourne de longs mois sur le sol; elle fond lentement, imbibant la surface, transformant en bouillie les sols argileux, lubrifiant même les sols perméables sableux ou caillouteux.
    E. de Martonne, Traité de géographie physique, t. II, p. 859.

NIVE [niv] n. f. — Attesté dans les dict. en 1874 (P. Larousse); mot régional des Pyrénées, du rad. préroman **nava* « ruisseau ».

♦ Ruisseau, torrent (dans la toponymie).

NIVÉAL, ALE, AUX [niveal, o] adj. — 1831; dér. sav. du lat. *nix, nivis* « neige ».

♦ Bot. Qui fleurit pendant l'hiver. *L'edelweiss, fleur nivéale.*

NIVEAU [nivo] n. m. — 1311, *nivel* « instrument de géométrie »; altér. de *livel*, xiiiᵉ (cf. angl. *level*), d'un lat. pop. **libellus*, lat. class. *libella* « niveau » au sens I.

★ **I.** Instrument qui sert à donner l'horizontale, à vérifier l'horizontalité d'une ligne ou d'un plan, à déterminer la hauteur verticale d'un point au-dessus d'un autre. *Niveau de maçon :* châssis triangulaire ou rectangulaire auquel est suspendu un fil à plomb qui vient battre une marque fixe (ligne de foi) quand l'instrument est en position horizontale. *Niveau d'eau à caoutchouc, à trépied :* instrument à deux vases communicants qui, remplis d'eau, donnent une ligne de visée horizontale. *Niveau à bulle, à bulle d'air*, ou *nivelle :* tube de verre rempli d'un liquide contenant une bulle qui vient se placer entre des repères quand l'instrument est à l'horizontale. *Niveaux à longue portée*, munis d'une lunette. *Niveau à lunette. Utilisation des niveaux en arpentage, en géodésie, en topographie...*

1 Quatre pointeurs fixaient les bulles des niveaux
Qui remuaient ainsi que les yeux des chevaux.
    Apollinaire, Calligrammes, p. 69.

Fig. *Passer le niveau :* égaliser, niveler.

2 (...) je détruirai sans retour les races orgueilleuses de ce pays; j'y passerai un niveau terrible et la baguette de Tarquin; je serai seul sur eux tous (...)
    A. de Vigny, Cinq-Mars, XII.

★ **II.** (1429). ♦ **1.** Degré d'élévation, par rapport à un plan horizontal, d'une ligne ou d'un plan qui lui est parallèle. ⇒ **Hauteur**. *Niveau d'un liquide dans un vase, une éprouvette graduée, une seringue* (→ Baisser, cit. 23). *Jauge* indiquant le niveau d'essence, d'huile dans un réservoir. Stylo à niveau d'encre apparent. Niveau de l'eau sur un navire.* ⇒ **Flottaison** (ligne de). *Niveau général des eaux d'un canton.* ⇒ **Nappe**. *Niveau d'un terrain. Niveau inférieur* (⇒ **Contrebas**), *supérieur* (⇒ **Contre-haut**). *Changements, inégalités de niveau.* ⇒ **Dénivellation, dénivellement** (→ 2. Faille, cit.). *Baisse de niveau.* ⇒ **Baisser, descendre**. *Élévation de niveau.* ⇒ **Élever, hausser, rehausser**. *Être au même niveau.* ⇒ **Affleurer, fleur** (à fleur de), **ras** (au ras de). *De même niveau.* ⇒ **Plain, plan**.

3　Cette maison, revêtue d'ardoises, se trouvait entre un passage et une ruelle aboutissant à la rivière. Elle avait intérieurement des différences de niveau qui faisaient trébucher.　　　　　　FLAUBERT, Trois contes, « Un cœur simple », I.

Loc. *De niveau* : au même niveau. *Ces deux allées ne sont pas de niveau,* elles ne sont pas sur le même plan. *Mettre de niveau* (⇒ **Niveler, raser, régaler ; affleurement, arasement**). *Mettre un support de niveau à l'aide d'une cale. Points de niveau,* au même niveau. *Surface de niveau :* surface horizontale, dont tous les points sont au même niveau. ⇒ **Égal*, égalité**. — Par ext. (Sc., math., phys.). *Surface de niveau :* surface d'équation $f(x, y, z) =$ constante, f étant une fonction de points définie sur un ouvert de l'espace euclidien. *Dans un champ de forces, les surfaces de niveau sont les lieux des points soumis à une force de même intensité.* ⇒ **Équipotentiel**.

Géod. *Instruments servant à déterminer les niveaux, les différences de niveaux par visée.* ⇒ **Cathétomètre, clinomètre, éclimètre ; nivellement**. *Repères* de niveau. Courbes* de niveau.*

Spécialt. *Passage à niveau.* ⇒ **Passage**.

Géogr. *Niveau de la mer :* niveau zéro à partir duquel on évalue les altitudes*. *Sept mille mètres au-dessus du niveau de la mer* (→ Ascension, cit. 5).

Hydrogr. *Variations du niveau de la mer.* ⇒ **Marée** (→ Maréomètre). *Niveau des eaux d'un fleuve et ses variations* (→ Fluviomètre). *Niveau le plus bas*. Niveau de base :* limite au-dessous de laquelle un cours d'eau cesserait d'exercer un effet par érosion, transport. ⇒ **Étiage** (cit. 2). *Élévation de niveau des eaux.* ⇒ **Crue** (cit. 2), **regonflement**. *Relever le niveau de l'eau par un barrage.* ⇒ **Écluse** (cit. 2).

AU NIVEAU DE... : à la même hauteur. ⇒ **Hauteur** (*infra* cit. 12). *Wagon au niveau du quai* (→ Expirer, cit. 5). *Appartement au niveau du sol.* ⇒ **Rez-de-chaussée**. *Paliers* au niveau de chaque étage. Cachot au niveau des égouts* (→ Immonde, cit. 1). *L'eau lui arrivait au niveau de la taille,* à mi-corps (→ Écarter, cit. 3). *Au niveau des reins* (→ Ensellure, cit.), *de la jambe* (à mi-jambe). *Au niveau de l'œil des spectateurs* (→ Cimaise, cit. 1).

4　(...) un frisson (...) pénètre la chair au niveau de la taille.
　　　　　　J. ROMAINS, les Hommes de bonne volonté, t. V, XII, p. 90.

Par ext. À côté et sur la même ligne (perpendiculaire à un chemin, une direction). ⇒ **Hauteur** (à la hauteur de, tour préférable). *Arrivé au niveau du groupe, il ralentit le pas.*

5　L'allée des platanes fut un échec complet. En arrivant au niveau des serres, j'étais un peu plus mécontent, un peu plus troublé qu'en passant la grille du jardin.
　　　　　　G. DUHAMEL, Salavin, I, II.

Angle au niveau, de la ligne de tir avec l'horizontale.

Spécialt (concret). Étage ou plan horizontal (d'un bâtiment). *Cette tour comprend dix niveaux de bureaux et vingt niveaux consacrés à l'habitation.*

♦ **2.** (1701). Fig. Élévation, comparative*, degré comparatif (de choses abstraites). ⇒ **Comparaison**.

Déterminer le niveau de qqch., d'une activité, de connaissances. — (Souvent après *au* et *de*). *Mettre au même niveau.* ⇒ **Égaler** (à), **niveler** (→ Mettre à côté*, sur la même ligne*, sur le même plan*).

Loc. ... DE NIVEAU : qui occupe le niveau souhaité, un niveau de référence. *Ils ne sont pas de niveau,* au même niveau. *Il n'est pas de niveau,* d'un niveau (intellectuel, etc.) suffisant. *L'heureuse médiocrité* (cit. 6) *qui met le spectateur et l'artiste de niveau* (→ De plain-pied).

6　Et aujourd'hui, causant par miracle avec un homme d'Occident, et un homme au nom connu, elles se trouvaient de niveau ; et lui les traitait comme des égales (...)
　　　　　　LOTI, les Désenchantées, III, XIV.

ⓐ Emplois spéciaux. *Niveau social :* degré* de l'échelle sociale, différent de la classe* (→ Bourgeois, cit. 12). *Ils ne sont pas du même niveau social.* — Degré hiérarchique ; échelon* d'une organisation. *Les consignes devront être observées à tous les niveaux.* — *Niveau intellectuel, culturel :* degré des connaissances, de la culture. *Niveau des intelligences d'une époque* (→ Élever, cit. 60). *Hausser le niveau moyen de la masse humaine* (→ Culturel, cit. 1). *Des élèves de même niveau.* ⇒ **Force**. — Psychol. *Niveau mental :* situation d'un sujet dans l'échelle des valeurs intellectuelles, soit à un stade de son développement, soit à l'âge adulte. ⇒ aussi **Mental** (âge mental), **Q. I., psychométrie**. *Tests* de niveau.*

7　Quand le plus puissant se croit infaillible et impose ses jugements, on descend très vite à un niveau intellectuel qui est au-dessous de toutes les prévisions.
　　　　　　ALAIN, Propos, 3 mai 1921, L'ombre de Napoléon.

Si, par exemple, on pose à un millier d'enfants de huit ans une série de questions convenablement choisies, adaptées au niveau mental généralement atteint à cet âge, et que l'on cote les réponses selon une échelle conventionnelle, on obtient, pour l'ensemble des enfants, un certain nombre de points.
　　　　　　Jean ROSTAND, l'Homme, V.

En parlant de la valeur* intellectuelle ou artistique d'une chose prise dans son ensemble. *Le niveau des études* (→ Ingénieur, cit. 3). *Le niveau de la production littéraire, cinématographique d'un pays. Niveau d'un entretien, d'une conversation.*

Les chefs-d'œuvre ont un niveau, le même pour tous, l'absolu. Une fois l'absolu atteint, tout est dit.　　　　　　HUGO, Shakespeare, I, III, III.

(...) chacun sent avec une satisfaction émue qu'incontestablement le niveau de la conversation s'élève.　　　　　　PROUST, les Plaisirs et les Jours, p. 95.

Échelon atteint par une grandeur, par rapport à une base de référence relative à cette grandeur. *Niveau de pollution, de pression acoustique, de température.*

Niveau d'un signal. Niveau d'entrée, de sortie.

(...) les amplificateurs de classe A nivellent automatiquement les niveaux de sortie malgré les variations du niveau d'entrée de l'amplificateur.
　　　　　　Gilbert SIMONDON, Du mode d'existence des objets techniques, p. 65.

Ling. *Niveaux de langue :* actualisations, selon les caractéristiques d'un usage déterminé, d'une langue, d'après la situation de communication, les possibilités et les intentions du locuteur, manifestées par des stratégies de discours. *Les niveaux de langue, comme les registres* et les styles, sont variables suivant le niveau social, culturel, de ceux qui parlent.* — *Niveaux linguistiques* (en ling. structurale) : rangs dans la structure hiérarchisée des composantes d'une langue. *Le niveau syntaxique, morphématique, phonologique.*

ⓑ **AU NIVEAU DE**. *Se mettre au niveau d'une chose* (⇒ **Conformer** [se]), *d'une personne.* ⇒ **Diapason** (se mettre au diapason), **portée** (à la portée). *Personne qui n'est pas au niveau de sa tâche.* ⇒ **Hauteur** (à la) ; → Insuffisance, cit. 1. *Un homme qui se sent au niveau de tous les hommages* (→ Indifférent, cit. 10). *Ces cours ne sont pas au niveau des élèves,* ils sont trop difficiles ou trop faciles. *Rabaisser, ravaler au niveau de la brute, des ivrognes* (→ Avilir, cit. 18 ; exalter, cit. 20). — Par ext. *Au niveau de la commune, de l'électeur, de l'acheteur...* ⇒ **Échelon**.

Quelle horrible peine a un homme qui est sans prôneurs et sans cabale (...) de venir au niveau d'un fat qui est en crédit !　LA BRUYÈRE, les Caractères, II, 4.

Par ext. (Emplois critiqués). *Au niveau* (suivi d'un adj.). *Une conférence d'experts au niveau national, européen, mondial... Une décision au niveau préfectoral.* — *Au niveau de* (suivi d'un nom abstrait) : dans le domaine de. *Des problèmes au niveau des investissements, de la fabrication, de la commercialisation.*

(...) la locution « au niveau du vécu ». Ouvrons ici une parenthèse pour souligner l'extraordinaire faveur dont jouit l'expression « au niveau de ». Signifiant littéralement « placé sur un même plan horizontal, au même degré de qualité que » il est au niveau des plus grands poètes (Cf. Dictionnaire Quillet), elle est synonyme à présent de « pour » ou « en ce qui concerne » : « au niveau des idées, au niveau de ce que tu dis, au niveau du vécu ».
　　　　　　Jacques MERLINO, les Jargonautes..., p. 68-69.

♦ **3.** Détermination quantitative (d'un facteur économique). *Niveau moyen des salaires, des profits* (→ Égaliser, cit. 2). *Niveau d'équilibre. Niveau du confort.*

Loc. cour. (V. 1930). **NIVEAU DE VIE** : ensemble des biens et des services que permet d'acquérir ou de se procurer le revenu national moyen, ou le revenu moyen d'une catégorie déterminée de citoyens. *Niveaux de vie comparés de deux pays. Le haut niveau de vie des pays riches* (→ Bureaucratique, cit.). *Évolution du niveau de vie. Le niveau de vie a monté ; a baissé* (→ Paupérisation). *Se maintenir à un certain niveau de vie* (→ Guerre, cit. 41). *Indices de niveau de vie* (indices monétaires) ; indices non monétaires : calories alimentaires, mortalité, scolarité, etc.).

(...) le bourgeois (...) semblait inséparable de son cadre, soutenu et borné par son sens de l'épargne, sa religion de l'ordre, sa volonté de transmettre à ses héritiers un niveau de vie sans cesse accru.　André SIEGFRIED, l'Âme des peuples, I, I.

(...) la masse principale des éléments qui constituent le niveau matériel de vie s'expriment dans une économie moderne par le simple chiffre de leur valeur commerciale : le prix d'achat des biens et des services consommés. Nous suivrons donc l'évolution du niveau de vie par deux indices synthétiques, l'un relatif à la situation des personnes à faibles revenus (le salaire réel), l'autre relatif à la situation de l'ensemble des habitants d'un pays (le revenu national réel).
　　　　　　Jean FOURASTIÉ, la Civilisation de 1975, p. 40.

S'il en était ainsi, nous devrions (...) nous résoudre à une monumentale révolution économique et sans doute politique, non seulement pour ralentir la croissance économique, mais pour réduire la consommation, le niveau de vie.
　　　　　　A. SAUVY, Croissance zéro?, p. 176.

DÉR. (De *nivel*) Nivelette, nivelle.

NIVÉEN, ENNE [niveɛ̃, ɛn] adj. — 1838, Académie ; dér. sav. du lat. *niveus* « neigeux ».

♦ Littér. et rare. Qui ressemble à la neige, est blanc* comme la neige.

NIVELAGE [nivlaʒ] n. m. — 1636, *nivellage* ; de *niveler*.

♦ Action de niveler ; son résultat. ⇒ **Nivellement**.

NIVÉLATEUR, TRICE ou **NIVELLATEUR, TRICE** [nivɛlatœʀ, tʀis] adj. et n. — 1914, *nivellateur*, n. m.; de *niveler*, et *-ateur*.

♦ **1.** Techn. Qui sert aux nivellements. *Alidade nivellatrice.*

♦ **2.** Littér. Qui tend à niveler (3.). ⟹ **Égalisateur.**
Séniles, impuissants, eugéniques, ils croient pouvoir extirper le mal. Leur vanité n'a d'égale que leur fourberie et l'hypocrisie seule met un frein à leur fureur nivellatrice, l'hypocrisie et la concupiscence.
B. CENDRARS, Moravagine, *in* Œ. compl., t. IV, p. 64.

NIVELÉE [nivle] n. f. — Mil. xxᵉ (*in* Larousse, 1963); de *niveler*.

♦ Techn. Établissement d'un niveau; opérations de lectures de mire qui permettent cet établissement. *Les deux nivelées d'une dénive-lée*.
HOM. Niveler.

NIVELER [nivle] v. tr. — Conjug. *appeler.* — 1339; de *nivel.* → Niveau.

♦ **1.** Cour. (Le compl. désignant une surface). Mettre de niveau, rendre horizontal, plan, uni. ⟹ **Aplanir, égaliser.** *Niveler en rasant les aspérités* (⟹ **Déblayer, écrêter**), *en bouchant les creux* (⟹ **Combler**). *Niveler un terrain pour construire. Le hersage* (cit. 2) *nivelle le sol en abattant les crêtes des sillons. L'érosion tend à niveler les reliefs.*
(...) spectacle curieux au sein de ces montagnes dont tous les accidents étaient nivelés sous les couches successives de la neige, et où les plus vives arêtes comme les vallons les plus creux ne formaient que de faibles plis dans l'immense tunique jetée par la nature sur ce paysage, alors tristement éclatant et monotone.
BALZAC, Séraphîta, Pl., t. X, p. 463.
Tout se tasse de soi-même, après quelques siècles, comme les cours d'eau finissent par niveler des montagnes.   A. MAUROIS, le Cercle de famille, III, III.

♦ **2.** (1549). Techn. Mesurer avec un niveau.

♦ **3.** (1795). Fig. Mettre au même niveau, rendre égal. ⟹ **Égaliser.** *Niveler les situations, les hommes, en abolissant les différences, les distances. Niveler les fortunes* (→ Loger, cit. 16), *les profits* (→ Égaliser, cit. 2). *Niveler les rangs, les intelligences* (→ Individualité, cit. 9). *Niveler au plus bas* (cit. 58), *au plus haut,* en égalant ce qu'il y a de plus bas, de plus élevé.
Au p.p. *Société nivelée,* sans hiérarchie.
REM. Le v. et le p. p. adj. sont souvent péjoratifs (cit. 5, 6).
(...) sur le champ de bataille, l'honneur et le péril nivellent les rangs.
CHATEAUBRIAND, Mémoires d'outre-tombe, t. VI, p. 135.
Rien ne lui résistait, il *(Henri II d'Angleterre)* mariait les enfants des grandes maisons à ceux des familles médiocres, abaissant ceux-là, élevant ceux-ci, nivelant tout.   MICHELET, Hist. de France, IV, v.
(...) cette marquise demeurée si grande dame, quand il n'y a plus que des naines comme il faut dans notre société nivelée et décapitée de toute grandeur.
BARBEY D'AUREVILLY, Une vieille maîtresse, I, II.
L'énorme diffusion des journaux, de la radiophonie et du cinéma a nivelé les classes intellectuelles de la société au point le plus bas. La radiophonie surtout porte dans le domicile de chacun la vulgarité qui plaît à la foule.
Alexis CARREL, l'Homme, cet inconnu, IV, IX.
DÉR. Nivelage, nivélateur, nivelée, niveleur, niveleuse, nivellement.
HOM. Nivelée.

NIVELETTE [nivlɛt] n. f. — 1845; dimin. de *niveau* (*nivel*).

♦ Techn. Petit voyant monté sur pied pour régler la pente d'une chaussée entre des points rapprochés.

NIVELEUR, EUSE [nivlœʀ, øz] n. — 1546, « géomètre », de *niveler.*

♦ **1.** Personne qui nivelle, mesure au niveau.

♦ **2.** (1789). Fig. et péj. Personne qui veut niveler les rangs et les fortunes de la société. ⟹ **Égalitaire.** *Les révolutionnaires français furent traités de niveleurs par leurs adversaires.* — Adj. « *Un levain de haine niveleuse* » (Michelet).
(...) on avait vu surgir les doctrines *niveleuses* qui visaient au partage des fortunes.
Louis MADELIN, Hist. du Consulat et de l'Empire, le Consulat, XII.

♦ **3.** N. m. Techn. (agric.). Petite herse.
Transport. *Niveleur de quai :* dispositif réglable pour assurer une pente entre un camion et un quai.

NIVELEUSE [nivløz] n. f. — 1948; en appos., 1914; de *niveler.*

♦ Techn. Engin de terrassement automoteur muni d'une lame orientable placée entre ses deux essieux, et servant à profiler la surface du sol. — On dit aussi *niveleuse automotrice.*

NIVELLE [nivɛl] n. f. — 1907; de *niveau* (*nivel*).

♦ Techn. Niveau à bulle d'air.

NIVELLEMENT [nivɛlmɑ̃] n. m. — 1538; de *niveler.*

♦ **1.** Action de niveler, de mesurer les hauteurs comparatives (de différents points d'un terrain) par rapport à un plan horizontal donné (de la surface terrestre) ou par rapport au niveau de la mer. *Planimétrie* et nivellement nécessaires au levé d'un plan. Le nivellement permet d'établir une carte* topographique avec les cotes réunies en courbes de niveau. Nivellement agricole,* pour l'établissement du plan des terrains. *L'arpentage* sert de base au nivellement indispensable pour les travaux d'irrigation et de drainage. Instruments de nivellement.* ⟹ **Cathétomètre, mire, niveau** (I.), **tachéomètre.** *Voyant d'une mire de nivellement. Nivellement barométrique :* détermination des altitudes par la pression atmosphérique. *Nivellement hypsométrique,* qui utilise la température d'ébullition de l'eau. *Nivellement trigonométrique.* ⟹ **Triangulation.** *Station de nivellement. Nivellement général de la France :* détermination des altitudes et pose des repères de niveau.

♦ **2.** Action de mettre de niveau, d'égaliser (une surface). *Nivellement d'un terrain par des travaux de terrassement.*

♦ **3.** (1763). Action de niveler (3.), de rendre égal. *Nivellement des individus.* ⟹ **Alignement.** *Le nivellement naturel des rangs et des esprits dans la société française* (→ Goûter, cit. 12). *L'égalité* par le nivellement des conditions, des rangs, des fortunes... Nivellement par la base, par le bas :* le fait de mettre une société entière au niveau des individus qui sont au bas de l'échelle sociale.
(les) conquêtes de la Révolution, à savoir, la liberté politique, la liberté et la publicité de la pensée, le nivellement des rangs, l'admission à tous les emplois, l'égalité de tous devant la loi, l'élection et la souveraineté populaire. [1]
CHATEAUBRIAND, Mémoires d'outre-tombe, t. V, p. 324.
En effet, le nivellement des façons et des dehors ne fait que manifester le nivellement des esprits et des âmes. Si l'ancien décor se défait, c'est que les sentiments qu'il annonçait se défont. [2]
TAINE, les Origines de la France contemporaine, t. II, II, p. 172.
— À l'avenir, nous aurons des millions de types, avec les mêmes habitudes, les mêmes goûts, les mêmes esprits. [3]
— Le bonheur est avant tout le nivellement, ni par le bas, ni par le haut : par le milieu.   Alain BOSQUET, les Bonnes Intentions, p. 115.
Fin. *Nivellement des cours :* opération consistant à ramener les cours cotés sur un marché des changes à une même échéance.

NIVÉO- Élément, du lat. *niveus* « de neige ». ⟹ aussi **Nival, nivo-.**

NIVÉO-ÉOLIEN, IENNE [nivoeɔljɛ̃, jɛn] ou **NIVO-ÉOLIEN, IENNE** [nivoeɔljɛ̃, jɛn] adj. — 1956; de *nivéo-*, et *éolien.*

♦ Didact. *Dépôts nivéo-éoliens,* formés par de la neige chassée par le vent et mêlée de sable.

NIVÉOLE [niveɔl] n. f. — 1796; comp. sav. du lat. *niveus* « neigeux ».

♦ Bot. Plante monocotylédone *(Amaryllidées)* scientifiquement appelée *leucoïum,* qui croît dans les bois et les prés. *La nivéole ressemble au perce-neige.*

NIVERNAIS, AISE [nivɛʀnɛ, ɛz] adj. et n. — 1732, *nivernois,* Trévoux; du bas lat. *Nivernum* « de Nevers », ville française, et suff. *-ais, -aise.*

♦ Du Nivernais, région de Nevers. *Région nivernaise.* — Agric. *Race nivernaise,* race de bœufs très estimée.
N. Habitant, natif du Nivernais. *Une Nivernaise. Les Nivernais.*
REM. Les habitants de la ville de Nevers sont appelés *Neversois.*

NIVET [nivɛ] n. m. — Mil. xxᵉ (*in* Larousse, 1963); un homonyme *nivet* (1765) « remise illicite, faite de la main à la main » est un dér. de *niveau,* mais il ne s'agit p.-ê. pas du même mot.

♦ Techn. (boucherie). Déchet d'abattoir, de boucherie.

NIVO- Élément tiré du lat. *nix, nivis* « neige ». ⟹ **Nivéo-** (var.).

NIVO-GLACIAIRE [nivoglasjɛʀ] adj. — xxᵉ; de *nivo-*, et *glaciaire.*

♦ Géogr. *Régime nivo-glaciaire,* des cours d'eau alimentés par les glaciers et la neige (maximum de printemps; minimum d'hiver).

NIVOMÈTRE [nivɔmɛtʀ] n. m. — Mil. xxᵉ; de *nivo-*, et *mètre,* d'après *pluviomètre.*

♦ Didact. Appareil servant à mesurer la hauteur de la neige qui tombe dans un lieu déterminé, en un temps donné.

NIVOMÉTRIE [nivɔmetʀi] n. f. — Mil. xxᵉ; de *nivo-*, et *-métrie,* d'après *pluviométrie.*

♦ Didact. Régime nival des cours d'eau; sa mesure.

DÉR. Nivométrique.

NIVOMÉTRIQUE [nivɔmetʀik] adj. — 1952; de *nivométrie*.

♦ Didact. Relatif aux chutes de neige, à leur mesure. *Coefficient nivométrique :* rapport des précipitations solides (neige, grésil) aux précipitations totales.

(...) l'enneigement global annuel est fonction du *régime nivométrique*, c'est-à-dire de la répartition normale des précipitations solides au cours des différents mois de la saison froide. C'est par l'analyse des régimes nivométriques que l'on doit aborder la climatologie de la neige. Charles-Pierre PÉGUY, la Neige, p. 25.

NIVO-PLUVIAL, ALE, AUX [nivoplyvjal, o] adj. — 1927; de *nivo-*, et *pluvial*.

♦ Géogr. *Régime nivo-pluvial*, des cours d'eau alimentés par les pluies (maximum d'automne) et les neiges (maximum de printemps).

NIVÔSE [nivoz] n. m. — 1793; du lat. *nivosus* « neigeux ».

♦ Hist. Quatrième mois du calendrier républicain (du 21 ou du 22 décembre au 20 ou au 21 janvier).

NIVOSITÉ [nivozite] n. f. — Mil. xxᵉ; de *nivo-*, d'après *pluviosité*.

♦ Didact. Proportion des précipitations solides (neige) par rapport aux précipitations totales. ⇒ **Nivométrique**.

Au Canada, le maximum de décembre l'emporte très généralement sur celui de mars, ce dernier mois tirant moins en fait son importance d'une nivosité réellement exceptionnelle que de la pénurie de février et d'avril qui l'encadrent. Charles-Pierre PÉGUY, la Neige, p. 38.

NIX [niks] adv. — V. 1827, Désangiers *in* D.D.L.; de l'allemand.

♦ Fam., vx. Non.

Je boirai du vin de Madère tant que vous voudrez, mais pour du lait nix. MÉRIMÉE, Correspondance générale, 1832, *in* D.D.L.

HOM. Nixe.

NIXE [niks] n. f. — 1836; empr. de l'all. *Nixe*, le masc. en moy. haut all. est *nickes*, fém. *nickese*. → Nickel.

♦ Didact., littér. Génie ou nymphe des eaux, dans les mythes germaniques (→ Fée, cit. 3).

(...) cette fée radieuse des brouillards, cette ondine fatale comme toutes les *nixes* du nord qu'a chantées Henri Heine, elle me fait signe toujours (...) NERVAL, Lorely, « À Jules Janin ».

HOM. Nix.

NIZERÉ [nizʀe] n. m. — 1877; du persan *nizrin* « rose musquée ».

♦ Comm. Essence de roses blanches.

NÔ [no] n. m. — 1874, *Revue des Deux-Mondes, in* D.D.L.; mot japonais.

♦ Drame lyrique de caractère religieux et traditionnel qui apparut, dans le théâtre japonais*, au xivᵉ siècle. *Des nôs*.

Le « nô » est caractérisé par son esprit religieux, qui le rapproche de la tragédie grecque et du mystère; par son style poétique, par moment purement lyrique (...) par la mimique imposante des acteurs, généralement masqués; par l'absence de femmes sur la scène, tous les rôles étant tenus par des hommes; par l'importance de la danse; par le rôle du chœur dont la principale fonction est de chanter un récitatif qui sert à compléter et à expliquer l'action de la pièce; par la sobriété de la scène et du décor. R. BERSIHAND, la Littérature japonaise, p. 42.

HOM. Nos.

NO-, NOO- Élément, grec *no(o)-*, de *noos* (forme contractée : *noûs*) « pensée, intelligence ».

REM. Il apparaît d'abord en français dans *noologique*.

NOBÉLISABLE [nɔbelizabl] adj. et n. — 1973, *Paris-Match*, 22 sept., p. 83; de *nobélisé*, même radical.

♦ Fam. Susceptible d'obtenir un prix Nobel. — N. *« Il y a déjà quelques années, S. et A. présentait le Professeur Dausset comme un "nobélisable" » (Sciences et Avenir*, publicité, *in le Nouvel Obs.*, 27 oct. 1980).

NOBÉLISÉ, ÉE [nɔbelize] adj. — 1973; du prix *Nobel*, et suff. *-isé*.

♦ Fam. Qui a obtenu un prix Nobel. *« Les savants choyés, hono-*

rés..., nobélisés » (Science et Vie, mai 1973, p. 31). *« Des travaux nobélisés » (Sciences et Avenir*, nᵒ 26, p. 88).

DÉR. Nobélisable.

NOBÉLIUM [nɔbeljɔm] n. m. — 1957; de *Nobel*, chimiste suédois.

♦ Chim. Élément chimique transuranien, d'une durée de vie moyenne de 16 minutes (nᵒ at. 102; symb. *No*).

NOBILIAIRE [nɔbiljɛʀ] n. m. et adj. — 1690, Furetière; dér. sav. du lat. *nobilis*.

♦ **1.** N. m. Didact. Catalogue, registre des familles nobles d'un pays. ⇒ **Armorial**. *Le nobiliaire de Bretagne*.

♦ **2.** Adj. (1796). Qui appartient ou qui est propre à la noblesse*. *Caste* nobiliaire* (⇒ **Aristocrate**). *Hiérarchie, titres nobiliaires. Orgueil nobiliaire* (→ Caste, cit. 4). *Prétentions, revendications nobiliaires* (→ Ligue, cit. 3; marquisat, cit.). — *Document nobiliaire.* ⇒ **Généalogique**. — *Particule* nobiliaire*.

L'orgueil nobiliaire du prince éprouvait quelque consolation à penser que son fils n'avait point été navré par quelqu'un de bas lieu. Th. GAUTIER, le Capitaine Fracasse, XVIII.

(...) au Faubourg Saint-Germain, où l'on a encore un reste de solidarité nobiliaire, on aime mieux se taire que d'en parler. BARBEY D'AUREVILLY, les Diaboliques, « Le bonheur dans le crime », p. 135.

NOBILITÉ [nɔbilite] n. f. — V. 1050, *nibilitet;* lat. *nobilitas* « célébrité », de *nobilis* → Noble.

♦ Dr. anc. Caractère d'un fonds noble.

NOBLAILLON, ONNE [nɔblajɔ̃, ɔn] n. — 1874; de *noble*, et suff. péj. *-aillon*.

♦ Péj. Noble de petite noblesse. ⇒ **Nobliau**.

— Sous Louis XVIII, Anatole Mousquet eut affaire à un noblaillon vaniteux et crétin, général de son état. Cet olibrius, fort puissant à l'époque, donnait priorité absolue aux officiers nobles pour les promotions de généraux. Mousquet, roturier, fut donc brimé. Michel DE SAINT-PIERRE, les Aristocrates, XIII.

Une noblaillonne de Quimper-Corentin. J. ROMAINS, les Hommes de bonne volonté, t. V, p. 25.

REM. On trouve chez Stendhal (*Lucien Leuwen*, I, *in* D.D.L.) la var. *noblilion*.

NOBLE [nɔbl] adj. et n. — V. 1050; du lat. *nobilis* « connu, célèbre ».

Qui est au-dessus du commun; qui se distingue par certains caractères de grandeur, de supériorité.

★ **I.** (Sens général). Qui l'emporte sur les autres êtres ou objets de son espèce.

♦ **1.** Littér. Dont les qualités morales, intellectuelles sont grandes. ⇒ **Grand**. *En quoi l'homme* (cit. 52) *est noble. « Ils sont nobles, au sens de l'élite »* (→ Généreusement, cit. 2, Suarès). *« Le peuple espagnol* (cit. 2) *se regarde comme la nation la plus noble de la terre »* (Joubert). ⇒ **Généreux, magnanime**. *Cœur* (cit. 96) *noble. Âmes nobles et fermes* (1. Ferme, cit. 9). — Littér. (Av. le nom). *Noble esprit* (→ Légitime, cit. 7). *Noble caractère.* ⇒ **Courageux**. — Par anal. *Le lion est le plus noble de tous les animaux.* — Littér. *Noble*, nom du lion dans le *Roman de Renart*.

Pauline a l'âme noble, et parle à cœur ouvert (...) CORNEILLE, Polyeucte, II, 2.

Par ext. Souvent avant le nom. (En parlant des sentiments et des actes humains). Qui est hautement apprécié, sur le plan moral. ⇒ **Beau** (I., B., 1.), **élevé, généreux, haut, relevé, sublime**. *Nobles sentiments* (→ Élever, cit. 23). *Noble âme* (→ 1. Fin, cit. 26), *noble orgueil.* ⇒ **Fier** (→ Honorer, cit. 24). *Noble courroux* (→ Colère, cit. 1, Corneille). — *Nobles aspirations.* ⇒ **Éthéré**. *Nobles goûts* (→ Extirper, cit. 3). ⇒ **Auguste, magnifique**. *Nobles exploits* (→ Attentif, cit. 3), *nobles projets* (→ 1. Fin, cit. 26), *noble tâche* (→ Académie, cit. 6). *Le métier* (cit. 21) *de roi est grand et noble. Causes nobles.* ⇒ **Digne** (→ Exalter, cit. 16). *Action* (cit. 22) *noble. Tenir de nobles discours.* — *« Le cheval* (cit. 1), *la plus noble conquête que l'homme ait jamais faite »*.

J'avouerai que brûlant d'une noble chaleur,
Je vais contre Alexandre éprouver ma valeur.
RACINE, Alexandre le Grand, I, 2.

(...) sa vie, honorable entre toutes, ne connut que de nobles aspirations : la foi, la pensée, le travail, la reconnaissance l'occupèrent jusqu'au dernier moment. Th. GAUTIER, Portraits contemporains, Ary Scheffer.

Il n'était pas bien à craindre que cette recrue de vieilles femmes fortifiât beaucoup les troupes des émigrés, ni qu'elle eût été plus noble à elles, sans doute, de s'obstiner à partager le sort de leur neveu, les misères et les dangers de la France. MICHELET, Hist. de la Révolution franç., IV, IX.

Nous serons tous vaincus par la mort, mais nous aurons fait de notre existence un emploi noble ou vil, suivant notre courage. A. MAUROIS, le Cercle de famille, III, XVII.

(1911 ; angl. *noble art*, XVIIIe ; *noble science*, 1588). *Le noble art :* la boxe.

(En parlant d'animaux). Dont le comportement est franc.

6 (...) sa colère est noble, son courage magnanime, son naturel sensible (...) À toutes ces nobles qualités individuelles, le lion joint aussi la noblesse de l'espèce ;
BUFFON, Hist. naturelle des animaux, « Le lion ».

Cheval noble, qui a de la distinction dans les formes.

Iron. ou par antiphrase (vieilli et stylistique) :

7 D'un courage naissant sont-ce là les essais ?
Quels triomphes suivront de si nobles succès !   RACINE, Iphigénie, I, 2.

♦ **2.** (Plus souvent après le nom). Dans l'ordre du comportement ou de l'aspect physique. Qui commande le respect, l'admiration, par distinction, son autorité naturelle. *Femme* (cit. 101) *noble dans toute sa personne.* ⇒ **Imposant** (cit. 2). *Gentleman* (cit. 1) *à la noble prestance, au port* noble.* ⇒ **Majestueux, olympien.** *Une beauté noble et imposante* (→ Expirer, cit. 6). *Air, allure, manières* (cit. 44) *nobles.* ⇒ **Distingué** (→ Ambassadeur, cit. 3). *Figure noble* (→ Âge, cit. 38). *Noble front* (→ Gracieux, cit. 8). — *Ton noble.*

8 (...) une toute jeune fille, remarquablement belle, avec des traits nobles et réguliers (...)   J. ROMAINS, les Hommes de bonne volonté, t. IV, XIII, p. 139.

9 Elle prenait des manières à la fois hypocrites et nobles, dispensait des paroles insignifiantes comme l'eût pu faire une reine, et rendait la monnaie avec un air de munificence (...)   J. GREEN, Léviathan, I, III.

Théâtre. *Père noble :* rôle d'homme d'un certain âge et d'une gravité, d'une dignité souvent un peu outrées. *Jouer les pères nobles.*

10 Il conduisit Christophe au Théâtre-Français. — On jouait, ce soir-là, une comédie moderne, en prose (...) Les voix des acteurs étaient démesurément amples (...) Le père noble marchait d'un pas de maître d'armes, avec une dignité funèbre, un romantisme en habit noir.
R. ROLLAND, Jean-Christophe, La foire sur la place, I, p. 710.

♦ **3.** Littér., arts. Qui a de la majesté, une beauté grave. *Noble ordonnance d'un tableau, d'un groupe sculpté. Langue, prose noble* (→ Emphase, cit. 5 ; emploi, cit. 3).

11 Qu'y a-t-il de plus noble que ces mémoires de M. le vice-amiral comte d'Estrées, pages toutes empreintes du grand langage du dix-septième siècle ?
Th. GAUTIER, Souvenirs de théâtre, « Eugène Sue », II.

♦ **4.** (1647). Après le nom, sauf exceptions (par oppos. à *bas*). Littér. (Surtout en parlant de la littér. class.). *Genre* (cit. 18) *noble* (⇒ aussi **Héroïque**), *style noble* (⇒ **Élevé, soutenu**), qui rejette les mots et expressions jugés vulgaires par le goût du temps (→ Malgracieux, cit. 1). *Mot noble* (→ Fleuve, cit. 1), *trop noble* (→ Horreur, cit. 11 ; → aussi ci-dessous, cit. 16, Hugo, par métaphore). *Terme noble* (→ Misère, cit. 2).

12 J'ai vu les enfants, dans les familles riches de Paris, employer toujours la tournure la plus ambitieuse pour arriver au style noble, et les parents applaudir à cet essai d'emphase. Les jeunes Parisiens diraient volontiers *coursier* au lieu de *cheval,* de là leur admiration pour MM. de Salvandy, de Chateaubriand, etc.
STENDHAL, Vie de Henry Brulard, 29.

13 Ces fragments, aux nobles alexandrins, n'ont que ce mérite (...) de montrer à quel point Musset, vieillissant, se préoccupait de revenir au classique pur, et l'on peut même dire à la tradition racinienne.
Émile HENRIOT, les Romantiques, p. 180.

♦ **5.** (1562). Après le nom. Se dit de ce qui est considéré comme supérieur (dans certaines expressions vieillies ou didact.). Se dit d'organes, de tissus différenciés et spécialisés, qui jouent un rôle prépondérant dans l'organisme. *Parties nobles,* le cerveau, le cœur... parfois les organes génitaux. *Les reins, éléments nobles du système urinaire.* — Par métonymie. *Cellules* (cit. 7) *nobles.*

14 Cependant, le chirurgien se préparait à visiter et à sonder les plaies (...) le coup n'avait fait que glisser au-dessous de la mamelle gauche, et n'offensait aucune des parties nobles.   A. R. LESAGE, le Diable boiteux, XV.

(1764). *Métaux* (cit. 3) *nobles :* métaux précieux, inaltérables à l'air ou à l'eau (argent, or, platine). — Phys. *Gaz nobles,* autre nom des gaz inertes, dits aussi « gaz rares ». — Comm. *Matières nobles,* non synthétiques (le bois, la pierre, la laine, etc.). — De haut niveau (activités, études, etc.). *« Les spécialités, les plus "nobles" : électronique, mécanique, télécommunications »* (*le Monde,* 13 sept. 1969). — Très perfectionné (appareil, machine, arme, etc.). ⇒ **Sophistiqué.**

(1690). Vx. Gramm. *Genre* (cit. 20) *noble,* celui qui l'emporte sur un autre, le masculin par rapport au féminin, le féminin par rapport au neutre.

♦ **6.** N. m. (1580). Ce qui est noble. *Le goût du grand et du noble. Préférer le noble au gracieux.*

♦ **7.** N. m. (1360). Numism. Nom ancien de plusieurs monnaies d'or anglaises ou françaises. — (1475). Spécialt. *Noble à la rose :* monnaie anglaise « ainsi appelée à cause de l'excellence de l'or dont elle est faite » (Furetière) et frappée à l'effigie des maisons d'York ou de Lancastre, qui avaient pour emblème une rose.

15 (Le singe) Détachait du monceau tantôt quelque doublon,
Un jacobus, un ducaton,
Et puis quelque noble à la rose (...)   LA FONTAINE, Fables, XII, 3.

★ **II.** (Après le nom, sauf en loc. archaïques).

♦ **1.** (1216). « Qui est élevé au-dessus des roturiers par sa naissance, par ses charges, ou par la faveur du prince » (Furetière) et appartient, de ce fait, à une classe sociale privilégiée (sociétés hiérarchi-

sées, féodales, etc.) ou qui descend d'un membre de cette classe et peut en justifier (par des *titres de noblesse*). ⇒ **Noblesse.** *Charge qui pouvait rendre noble son titulaire.* ⇒ **Anoblir** (→ Avocat, cit. 6 ; chancelier, cit. 1). *N'être pas noble.* ⇒ **Roture, roturier** (→ Naïf, cit. 9). *Des valets et leurs nobles maîtres* (→ Fusain, cit. 1). — *Une très noble famille japonaise* (→ Hara-kiri, cit. 1).

Vx. *Noble homme :* titre honorifique donné parfois à un simple bourgeois (→ Honorable, cit. 5).

Par métaphore :

16 La langue était l'état avant quatre-vingt-neuf ;
Les mots, bien ou mal nés, vivaient parqués en castes ;
Les uns, nobles, hantant les Phèdres, les Jocastes,
Les Méropes, ayant le décorum pour loi,
Et montant à Versaille(s) aux carrosses du roi ;
Les autres, tas de gueux, drôles patibulaires,
Habitant les patois ; quelques-uns aux galères
Dans l'argot ; dévoués à tous les genres bas (...)
HUGO, les Contemplations, I, VII.

♦ **2.** N. (XIVe). *Un noble, une noble* (rare). ⇒ **Aristocrate, grand** (II.), **seigneur ; condition, qualité** (homme* de). *Les nobles.* ⇒ **Noblesse.** *Place éminente* (cit. 4) *des nobles dans l'État sous l'Ancien Régime. Insolence* (cit. 7), *privilèges des nobles. Nobles et roturiers, nobles et vilains* (→ Ethnique, cit. 2). *Révolte de paysans contre les nobles* (→ Jacquerie, cit.). *Ci* (cit. 2) *-devant noble. Noble qui déroge** (cit. 4). *Noble ruiné, qui cherche à redorer son blason. Noble de fraîche date. Faux noble :* bourgeois, roturier anobli de fraîche date. — *Noble portant un nom à particule*, un nom en « de ».* — *Nobles de la suite du roi.* ⇒ **Gentilhomme.** *Jeune noble de l'escorte d'un prince.* ⇒ **Page.** *Nobles de campagne.* ⇒ **Hobereau, junker.** *Noble qui est fait chevalier*.* — *Nobles d'Espagne* (⇒ **Hidalgo, menin...**), *de Russie* (⇒ **Boyard**). — Antiq. rom. ⇒ **Patricien.**

17 Les vrais *Nobles* sont les *Nobles* de race, de sang, d'extraction. Les nouveaux *Nobles* sont ceux qui ont été anoblis par leurs charges, par leurs emplois, et particulièrement par les militaires. Les *Nobles* par lettres, sont ceux qui ont obtenu lettres du Prince pour jouir du privilège des *Nobles* (...)   FURETIÈRE, Dict.

18 Le gouvernement aristocratique a par lui-même une certaine force que la démocratie n'a pas. Les nobles y forment un corps qui, par sa prérogative et pour son intérêt particulier, réprime le peuple : il suffit qu'il y ait des lois, pour qu'à cet égard elles soient exécutées.   MONTESQUIEU, l'Esprit des lois, III, IV.

19 La plupart des nobles rappellent leurs ancêtres, à peu près comme un *cicerone* d'Italie rappelle Cicéron.   CHAMFORT, Maximes..., « Sur la noblesse », XXXVII.

20 Ces nobles de campagne étaient des paysans comme les autres, mais chefs des autres. Anciennement il n'y en avait qu'un dans chaque paroisse : ils étaient les têtes de colonne de la population (...) et on leur rendait de grands honneurs. Mais déjà, vers le temps de la Révolution, ils étaient devenus rares. Les paysans les tenaient pour les chefs laïques de la paroisse, comme le curé était leur chef ecclésiastique.   RENAN, Souvenirs d'enfance..., I, III.

21 Les nobles d'aujourd'hui sont des bourgeois honteux.
BERNANOS, Journal d'un curé de campagne, p. 205.

22 (...) l'aristocratie, avant d'être une caste privilégiée, avait été un Ordre, si différent qu'il fût des ordres religieux. Les nobles, chefs de guerre jadis, avaient servi en grand nombre dans les armées royales ; hommes du combat et de la loi, ils avaient participé du caractère sacré du roi, et, quand ils n'en participèrent plus, furent balayés.   MALRAUX, les Voix du silence, p. 481.

♦ **3.** Par ext. Qui appartient, qui est propre aux nobles, qui est caractéristique de leur état. *Nom noble. Être de naissance, de race, de sang noble.* ⇒ **Illustre ; gentilhomme, lieu** (de haut lieu), **maison** (de). — *Oisiveté des vies nobles.* — *Grand seigneur qui affiche « le dédain le plus noble »* (→ Haut, cit. 99, Voltaire). — Dr. féod. *Biens nobles, fonds noble,* correspondant à un titre de noblesse. *Terre noble.*

23 Ne rougissez-vous point de mériter si peu votre naissance (...) Croyez-vous (...) que ce nous soit une gloire d'être sorti d'un sang noble lorsque nous vivons en infâmes ?
MOLIÈRE, Dom Juan, IV, 4.

24 Leurs officiers le traitèrent avec respect. Un nom noble leur en impose, mais plus que tout autre celui des Orgel qui, dans leurs dictionnaires, occupe deux ou trois colonnes.   R. RADIGUET, le Bal du comte d'Orgel, p. 32.

25 C'était une Altesse. Elle ne connaissait nullement ma famille ni moi-même, mais issue de la race la plus noble et possédant la plus grande fortune du monde, car, fille du prince de Parme, elle avait épousé un cousin également princier, elle désirait, dans sa gratitude au Créateur, témoigner au prochain, de si pauvre ou de si humble extraction fût-il, qu'elle ne le méprisait pas.
PROUST, À la recherche du temps perdu, t. VIII, p. 57.

♦ **4.** Vieilli ou littér. Qui est composé de nobles, occupé par des nobles. *Cavalerie noble.* ⇒ **Chevalerie.** *Le noble quartier du Marais. Le noble faubourg*.*

26 Les salons « nobles » d'aujourd'hui ne ressemblent plus à ces salons-là. Le faubourg Saint-Germain d'à présent sent le fagot. Les royalistes de maintenant sont des démagogues ; disons-le à leur louange.   HUGO, les Misérables, III, II, III.

27 Eh, vous avez donc des amis dans la garde noble ? Je vous soupçonnais, aussi, de faire des visites dans l'aristocratie locale.
Valery LARBAUD, A. O. Barnabooth, Journal, II, 11 juin.

CONTR. (Du I.) Abject, bas, commun, ignoble, infâme, mesquin, prosaïque, vil. — Avilissant. — Familier. — Cru. — (Du II.) Bourgeois, roturier, vilain.
DÉR. Noblaillon, noblement, noblesse, nobliau.
COMP. Anoblir, ennoblir. Garde-noble.

NOBLEMENT [nɔbləmɑ̃] adv. — V. 1155 ; « d'une manière pompeuse », déb. XIIe ; de *noble*.

♦ **1.** (1301). Dr. féod. *Tenir noblement une terre, un fief.* — *Être né noblement,* bien né. — (Mil. XIVe). Par ext., vx. En gentilhomme, à la manière des nobles. *Vivre noblement,* sans exercer aucune profession ou en exerçant uniquement le métier des armes, qui ne faisait pas déchoir (cit. 3).

1 Ceux qui faisaient profession de vivre noblement, c'est-à-dire de ne rien faire, s'étaient chargés de faire tout. Et rien ne se faisait plus.
MICHELET, Hist. de la Révolution franç., Introd., II, VII.

♦ **2.** D'une manière noble, avec noblesse. ⇒ **Dignement, grandement.** *Finir noblement ses jours* (→ Éterniser, cit. 5). *Demander noblement l'aumône,* avec fierté. — Sur un ton noble. *Répondre noblement.*

2 (...) les Crétois sont les peuples du monde qui exercent le plus noblement et avec le plus de religion l'hospitalité.
FÉNELON, Télémaque, V.

3 Il est trop difficile de penser noblement quand on ne pense que pour vivre.
ROUSSEAU, les Confessions, IX.

4 La beauté a naturellement un air de triomphe. Elle est grave et royale dans chacun de ses gestes (...) il y vit cette femme se diriger vers lui (...) Ce visage parfait, ce corps qui se déplaçait noblement anéantissait l'univers autour d'eux.
J. GREEN, Léviathan, I, VI.

♦ **3.** (1680). Dans un style noble.

5 Je viens de voir un prélat qui était à l'oraison funèbre. Il nous a dit que Monsieur de Meaux *(Bossuet)* s'était surpassé lui-même, et que jamais on n'a fait valoir ni mis en œuvre si noblement une si belle matière.
Mᵐᵉ DE SÉVIGNÉ, 1015, 10 mars 1687.

NOBLESSE [nɔblɛs] n. f. — V. 1138, *noblesce* «fête pompeuse»; de *noble.*

Caractère, état, qualité de ce qui est noble*.

★ **I.** (Sens général). ♦ **1.** Grandeur des qualités morales, de la valeur humaine. ⇒ **Beauté, dignité, élévation, générosité** (1.), **gentillesse** (1., vx), **magnanimité.** *Noblesse d'âme* (cit. 66), *de caractère, de cœur, d'esprit* (→ Effacement, cit. 4; froideur, cit. 5). *Noblesse de vues.* ⇒ **Hauteur.** *Vertus qui donnent de la noblesse à l'homme.* ⇒ **Ennoblir.** *Revendiquer le monopole* (cit. 6) *de la noblesse. Nature sans noblesse.* ⇒ **Distinction, fierté, générosité** (2.), **grandeur.** *La noblesse d'une nature se reconnaît dans l'épreuve* (cit. 30).

1 La noblesse est la préférence de l'honneur à l'intérêt; la bassesse, la préférence de l'intérêt à l'honneur.
VAUVENARGUES, De l'esprit humain, XLV.

2 Ô noblesse! ô beauté simple et vraie! déesse dont le culte signifie raison et sagesse, toi dont le temple est une leçon éternelle de conscience et de sincérité, j'arrive tard au seuil de tes mystères; j'apporte à ton autel beaucoup de remords.
RENAN, Souvenirs d'enfance..., II, I.

3 C'est une grande preuve de noblesse que l'admiration survive à l'amitié.
J. RENARD, Journal, 25 mai 1897.

4 Servir, être bon à quelque chose, bien faire à autrui; toute noblesse vient du don de soi-même.
Valery LARBAUD, A. O. Barnabooth, Journal, III, 7 août.

(En parlant des actes, des sentiments humains). *Essuyer* (cit. 15) *un outrage avec noblesse. Résoudre avec noblesse les grands problèmes moraux de la science* (→ Avocat, cit. 17). *Noblesse dans la conduite* (cit. 27). *Noblesse des procédés, des sentiments* (→ Fille, cit. 28). — *Noblesse d'une entreprise, d'un art, d'une science.* Littér. Au plur. *Actions, sentiments nobles. Les noblesses du véritable amour* (→ Exclusivité, cit. 1). *« Les facultés du génie sont indépendantes* (cit. 14) *des noblesses de l'âme »* (Balzac).

♦ **2.** (V. 1155). Caractère noble (du comportement, de l'expression, ou de l'aspect physique). ⇒ **Dignité, distinction, majesté.** *« L'aisance* (cit. 3), *la noblesse de ces citoyens fiers et tranquilles »* (Renan). *Son attitude n'est pas sans noblesse. Cavaliers à l'air de noblesse* (→ Genet, cit.). *Front* (cit. 2) *plein de noblesse. — Répliques d'une excessive noblesse* (→ 2. Lapidaire, cit. 1).

5 Fontanes pouvait, dans l'habitude familière, avoir par moments le ton tranchant, ou même l'air *vaurien* comme le lui disait Mᵐᵉ Du Fresnoy; mais dès qu'il prenait la parole en public, la mesure, la gravité, la noblesse naturelle se retrouvaient en lui.
SAINTE-BEUVE, Chateaubriand..., t. II, p. 99.

6 (...) sa douceur extrême et la noblesse ingénue de son maintien avaient révolté ces petites souillasses qui la traitèrent de «poseuse» (...)
Léon BLOY, la Femme pauvre, I, IV.

Littér., arts. Caractère de majesté, de beauté grave. ⇒ **Grandiose.** *« La noblesse de l'expression est une des cinq sources du grand »* (cit. 73, Boileau). *Noblesse du style. Mot qui l'emporte en noblesse sur son synonyme* (→ Inhumer, cit. 1). — *Noblesse d'un portrait, d'un buste* (cit. 7). *Tableau, personnage sans noblesse* (→ 1. Froid, cit. 27).

7 Quoi que vous écriviez, évitez la bassesse :
Le style le moins noble a pourtant sa noblesse.
BOILEAU, l'Art poétique, I.

8 En somme, rien n'est si *commun* que cette élégance et cette noblesse de convention. Rien de trouvé, rien d'imaginé, rien d'inventé dans ce style. Ce qu'on a vu partout, rhétorique, ampoulé, lieux communs, fleurs de collège, poésie de vers latins.
HUGO, Cromwell, Préface.

★ **II.** (1279, *noblace*). Dans l'ordre social. ♦ **1.** Condition du noble. *Hiérarchie des titres* * *de noblesse français* (⇒ **Nobiliaire**), selon l'ordonnance du 25 août 1817, art. 12. ⇒ **Chevalier, baron, vicomte, comte, marquis, duc, prince** (→ aussi Généalogiste, cit. 1 et 2). *Les armoiries, le blason* *, la couronne, signes de noblesse. La particule* * *n'est pas nécessairement une marque de noblesse. L'usurpation d'un titre de noblesse est punie par l'art. 259 du Code pénal.* — *Noblesse d'extraction* *, de naissance, de race* (⇒ fam. **Gentilhommerie**). *Être de haute noblesse.* ⇒ **Lignage.** *Quartiers* * *de noblesse. Établir que sa noblesse remonte à l'an 1400* (→ Généalo-

giste, cit. 3). — *Noblesse paternelle, de parage* *, de sang. Noblesse utérine* * (cf. l'adage : Le ventre* anoblit). — *Noblesse d'épée* *. Noblesse d'office* * *ou de robe* *. Noblesse de finance,* acquise par l'achat de *lettres de noblesse. Noblesse de lettres* (⇒ **Anoblissement**). — *Noblesse héréditaire, transmissible* (⇒ aussi **Majorat**). *Noblesse personnelle,* qui ne se transmet pas aux descendants. *Noblesse authentique. Attester, prouver sa noblesse.* — *Noblesse douteuse, incertaine* (cit. 10). — *Avantages* (cit. 2) *qui s'attachaient à la noblesse.* ⇒ **Nom.** *Faire sentir sa noblesse d'une manière insultante* (cit. 2). *Être entiché de noblesse.* — *Déroger* * *à noblesse* (⇒ aussi **Déchoir,** cit. 3).

9 Si la noblesse est vertu, elle se perd par tout ce qui n'est pas vertueux; et si elle n'est pas vertu, c'est peu de chose.
LA BRUYÈRE, les Caractères, XIV, 15.

10 — LE SEIGNEUR (...) *apporte à* ARLEQUIN *ses lettres de noblesse* (...)
ARLEQUIN : Allons, me voilà noble : je garde le parchemin; je ne crains plus que les rats, qui pourraient bien gruger ma noblesse (...) Ma noblesse ne m'oblige-t-elle à rien? car il faut faire son devoir dans une charge.
MARIVAUX, la Double Inconstance, III, 4.

11 La noblesse est un héritage, comme l'or et les diamants.
VAUVENARGUES, Réflexions, «Sur la noblesse».

12 Savez-vous bien, madame, que je prouve déjà près de vingt ans de noblesse; que cette noblesse est bien à moi, en bon parchemin, scellé du grand sceau de cire jaune; qu'elle n'est pas, comme celle de beaucoup de gens, incertaine et sur parole, et que personne n'oserait me la disputer, car j'en ai la quittance!
BEAUMARCHAIS, Add. au suppl. du mémoire à consulter, éd. Furne, III, p. 144.

13 La noblesse est une dignité due à la présomption que nous ferons bien, parce que nos pères ont bien fait.
Joseph JOUBERT, Pensées, XVI, LIV.

14 À cette époque, vers le milieu du dix-septième siècle, une grande confusion s'était répandue dans l'ordre de la noblesse; des titres et des noms avaient été usurpés. Louis XIV prescrivit une enquête, afin de remettre chacun dans son droit. Christophe fut maintenu, sur preuve de sa noblesse d'ancienne extraction, dans son titre et dans la possession de ses armes, par arrêt de la Chambre établie à Rennes pour la réformation de la noblesse de Bretagne.
CHATEAUBRIAND, Mémoires d'outre-tombe, t. I, p. 17.

15 Les De Genillé se résignaient d'autant moins à leur situation difficile, qu'ils se considéraient comme d'une noblesse infiniment plus relevée que les De Champcenais, dont le titre était fort douteux.
J. ROMAINS, les Hommes de bonne volonté, t. III, XIII, p.177.

16 La noblesse résulte aujourd'hui de la possession d'un *titre nobiliaire.* — Le port, comme nom patronymique, de simples noms de terres non titrées ne relève donc en aucune façon de la législation propre aux titres de noblesse (...) Les titres de noblesse sont considérés comme étant des *accessoires* du nom patronymique; ils ne font pas partie du nom, ils lui sont seulement adjoints.
DALLOZ, Petit dict. de droit, p. 879.

Loc. *Noblesse oblige :* la noblesse crée le devoir de soutenir dignement son rang, de faire honneur à son nom.

17 Lorsqu'on est issu d'une famille illustre, l'on doit apprendre à ses enfants que si le public est disposé à honorer en eux le mérite de leurs parents, il s'attend à en trouver les traces chez leurs descendants... Noblesse oblige.
G. DE LEVIS, Maximes et Réflexions, p. 12-13.

18 Le caractère de cette noble fille était un exemple bien frappant de la maxime : *Noblesse oblige.* Je ne connais rien de généreux, de noble, de difficile, qui fût audessus de sa générosité et de son désintéressement.
STENDHAL, Vie de Henry Brulard, p. 29.

♦ **2.** Classe des nobles. ⇒ **Aristocratie.** *Origines féodales* * *de la noblesse. Sang* * *« bleu »* (cit. 6) *de la noblesse. Charge qui donne rang parmi la noblesse.* ⇒ **Anoblir** (cit. 1). *Le bourgeois gentilhomme* (cit. 2) *de Molière veut forcer l'accès de la noblesse. Fréquenter* (cit. 7), *hanter* (cit. 7) *la noblesse.* — *Prérogatives, privilèges de la noblesse sous l'Ancien Régime* (→ Exemption, cit. 2). *Rôle de la noblesse dans une monarchie* (cit. 1), *dans un gouvernement monarchique* (cit. 1). *Noblesse et tiers état* (cit. 94). *Les députés de la noblesse en 1789.* — Une partie de cette classe. *Ancienne noblesse,* celle qui est antérieure à la Révolution; *nouvelle noblesse,* celle qui a été créée depuis la Révolution. *Noblesse d'Empire,* celle qui tient ses titres de Napoléon Iᵉʳ. *Appartenir à la haute noblesse,* (vieilli) *à la noblesse d'ancienne roche,* à la plus ancienne, à la plus illustre (opposée à la *petite noblesse).* — *Noblesse de cour* (cit. 9), *de province. Le corps de la noblesse des États provinciaux* (→ Monsieur, cit. 1). — *Une noblesse pauvre* (→ Clinquant, cit. 1).

19 Le besoin d'argent a réconcilié la noblesse avec la roture, et a fait évanouir la preuve des quatre quartiers.
LA BRUYÈRE, les Caractères, XIV, 10.

20 Il n'y a rien que l'honneur prescrive plus à la noblesse que de servir le prince à la guerre : en effet, c'est la profession distinguée, parce que ses hasards, ses succès et ses malheurs même, conduisent à la grandeur.
MONTESQUIEU, l'Esprit des lois, IV, II.

21 La noblesse, disent les nobles, est un intermédiaire entre le roi et le peuple (...) Oui, comme le chien de chasse est un intermédiaire entre le chasseur et les lièvres.
CHAMFORT, Maximes, «Sur la noblesse», XXXVIII.

22 (...) le culte de la noblesse, mêlé et s'accommodant d'un certain esprit de révolte contre elle, doit, héréditairement puisé sur les glèbes de France, être bien fort en son peuple. Car Françoise (...) si seulement elle apprenait (...) que le fils cadet du duc de Guermantes s'appelait généralement le prince d'Oléron, s'écriait : «c'est beau ça!» et restait éblouie comme devant un vitrail.
PROUST, À la recherche du temps perdu, t. VI, p. 41.

Noblesse anglaise (⇒ **Gentry,** cit. 1), *germanique, polonaise* (→ Brillant, cit. 10)...

23 La noblesse anglaise s'ensevelit avec Charles Iᵉʳ sous les débris du trône (...) On a vu la maison d'Autriche travailler sans relâche à opprimer la noblesse hongroise.
MONTESQUIEU, l'Esprit des lois, VIII, IX.

♦ **3.** (xɪᵉ). **NOBLESSES**, n. f. pl. Hist. Livrées, insignes conférés comme marque d'honneur (dans un tournoi, etc.).

CONTR. (Du I.) **Abjection, bassesse, ignominie, infamie, misère.** — **Familiarité.** — (Du II.) **Roture.**

NOBLIAU [nɔblijo] n. m. — 1840 ; de *noble*.

♦ Péj. Noble de petite noblesse, ou de noblesse douteuse. ⇒ **Noblaillon.**

REM. *Nobliau* est surtout péjoratif à l'égard du titre ; *noblaillon* l'est plus encore à l'égard de l'homme.

Mais il se différenciait aussi par des particularités peut-être plus essentiellement nobiliaires. D'abord cette simplicité si aimable (quand ils n'ont pas l'orgueil du nom ou les préjugés de la caste) de ceux qui n'ont pas l'humilité à dissimuler sous la forfanterie, de snobisme à cacher sous de la raideur, de mépris perçant pour le voisin moins arrivé dans le monde qu'eux, ou d'admiration inavouée pour celui qui est plus élevé dans l'échelle sociale. Toutes ces diverses contraintes, si laides, mises au libre mouvement de la nature, un noble, je ne dis pas un nobliau, mais un noble de grand nom et sans orgueil, en est entièrement dégagé.
PROUST, Jean Santeuil, Pl., p. 449.

NOCE [nɔs] n. f. — xɪᵉ, au plur. ; du lat. pop. *noptiæ*, déformation d'après *novius* «nouveau marié», du lat. class. *nuptiæ*.

★ **I.** ♦ **1.** LES NOCES : mariage*. *Célébrer ses noces* (→ Encourir, cit. 2, Molière). *Relatif aux noces.* ⇒ **Nuptial.** — REM. Dans ce sens, *noces* est toujours au pluriel et ne s'emploie plus guère que dans quelques expressions telles que : *épouser qqn en secondes noces :* contracter un second mariage. → Remariage. — *Justes noces,* expression qui, chez les Romains *(justæ nuptiæ),* désignait le mariage légitime (→ Agnation, cit.). *Convoler* en justes noces.

— Vous vous mariez tout de bon ?
— Tout de bon.
— Et vos noces se feront dès ce soir ?
— Dès ce soir. MOLIÈRE, le Mariage forcé, 7.

♦ **2.** (1578). Au sing. Ensemble des réjouissances* qui accompagnent un mariage. ⇒ **Mariage** (*supra* cit. 20) ; **épousailles** (vx). → Brave, cit. 1 ; endimanchement, cit. 1 ; gai, cit. 5.

REM. 1. Dans ce sens, *noce(s),* presque toujours employé au pluriel jusqu'au xvɪɪᵉ s., s'emploie de nos jours plutôt au singulier dans le langage courant.

2. *Noce(s)* a généralement une valeur beaucoup plus familière que *mariage,* sauf dans certaines expressions (ci-dessous) et, au pluriel, dans le style très littéraire ou poétique («*Aux noces d'un tyran tout le peuple en liesse*» → Allégresse, cit. 4, La Fontaine). *Je vous invite à mes noces* (→ Honorer, cit. 11). *Aller, être invité à la noce de qqn. Être de noces* (Littré), ou, plus couramment de nos jours, *être de noce. Cadeau, présent de noces* (→ Marital, cit.). *Frais* (2. Frais, cit. 1) *de noces. Festin, repas, robe de noce. Salle pour noces et banquets.* — *Les noces de Cana,* au cours desquelles le Christ changea l'eau en vin (saint Jean, ɪɪ, 1-11).

Très souvent elle touchait les effets de son Yann, ses beaux habits de noces, les dépliant, les repliant comme une maniaque (...) LOTI, Pêcheur d'Islande, V, X.

Simone, comme toute jeune femme, eût désiré un voyage de noces, quelques semaines de solitude à deux dans la classique Italie ou le voluptueux Maroc. En quoi elle avait raison, car le premier ajustement de deux existences est rendu plus facile par un dépaysement qui desserre les attaches antérieures.
A. MAUROIS, Mémoires, I, XVI.

(1694). Loc. fig. *N'avoir jamais été à de telles noces, à pareilles noces :* n'avoir jamais été à pareille fête*. — Par antiphrase. Être dans une situation très désagréable. (1829). *N'être pas à la noce,* à la fête*.

(...) entre nous, il n'est pas à la noce, il ne trouvera pas un liard de crédit dans le quartier (...) BALZAC, l'Initié, Pl., t. VII, p. 369.

Loc. *Habit de noce. Nuit de noce :* la première nuit passée ensemble par les nouveaux époux. — *Voyage de noce* (ou *de noces*), qui suit traditionnellement le mariage.

♦ **3.** Par anal. (Au plur.). Fête qu'un couple célèbre à l'occasion de l'anniversaire* de son mariage. *Noces d'argent* (vingt-cinquième anniversaire), *d'or* (cinquantième anniversaire), *de diamant* (soixantième anniversaire), *de platine* (soixante-cinquième anniversaire).

♦ **4.** (1718). Par métonymie. *La noce :* l'ensemble des personnes qui assistent à un mariage, qui forment le cortège du mariage (→ Forcer, cit. 29 ; fusillade, cit. 1). *Une noce villageoise.*

Le hasard fit (...) qu'une de ces difformes grappes de femmes et d'hommes masqués, trimbalée dans une vaste calèche, s'arrêta à gauche du boulevard pendant que le voiture où était la mariée s'arrêtait à droite. D'un bord du boulevard à l'autre, la voiture où étaient les masques aperçut vis-à-vis d'elle la voiture où était la mariée. — Tiens ! dit un masque, une noce. — Une fausse noce, reprit un autre. C'est nous qui sommes la vraie. Et, trop loin pour pouvoir interpeller la noce, craignant d'ailleurs le holà des sergents de ville, les deux masques regardèrent ailleurs.
HUGO, les Misérables, V, VI, II.

★ **II.** (1834 ; argot «libertinage», 1719). Fam. Partie de plaisir, de débauche, généralement accompagnée d'excès de table et de boisson (→ Godaille, cit. 1). — Vie dissipée, consacrée à la débauche, au plaisir. ⇒ **Débauche, excès** (de conduite). — Loc. Vx. *Faire noces, faire noce* (→ Cabaret, cit. 1), et, mod. (1862), *faire la noce :* faire une partie de plaisir, s'enivrer, faire bombance. — Par ext. Mener de manière habituelle une vie de débauche. ⇒ **Débauche, bombe, fête, galvaudage, gaudriole ; goguette, java, nouba...**

Ah ! ça, vous faites la noce ici depuis six mois, vous mangez comme des diplomates, vous buvez comme des Polonais, rien ne vous manque.
BALZAC, Vautrin, III, 3.

(...) elle n'était pas mal conservée, tout de même, en dépit de ses quarante ans, pour une femme qui avait tant fait la noce.
Léon BLOY, la Femme pauvre, II, XV.

CONTR. **Abstinence.**
DÉR. **Nocer, noceur.**

NOCER [nɔse] v. intr. — Conjug. *placer.* — 1836 ; *nocier* «épouser», v. 1160 ; de *noce.*

♦ Fam. Faire la noce* (II.), faire bombance.

(...) dans quelque temps, il doit repartir pour un voyage au long cours (...) En attendant, il noce comme un matelot qui a touché sa paye, et il m'entraîne dans ses orgies. J. VALLÈS, le Bachelier, XIV, p. 134.

Franç. d'Afrique. Fam. Participer à une noce (II.) ; s'amuser collectivement.

NOCEUR, EUSE [nɔsœʀ, øz] n. et adj. — 1836 ; fém., 1834 ; de *noce.*

♦ Fam. Personne qui aime faire la noce* (II.). ⇒ **Bambocheur, cascadeur, débauché, fêtard, godailleur, noctambule, viveur** (→ Amuser, cit. 18). — Adj. *Il est ivrogne, lâche, noceur* (→ Incommunicable, cit. 9).

Le bas des joues, fortement ridé, débordait un col de velours noir usé. Entre autres enjolivements, l'ex-dragon avait d'énormes boucles d'or aux oreilles. — *Quel noceur !* se dit Joseph en employant une expression populaire passée dans les ateliers. BALZAC, la Rabouilleuse, Pl., t. III, p. 927.

(...) il paraît que la propriétaire du château de Chamont est une ancienne du temps de Napoléon (...) Oh ! une noceuse, m'a dit Joseph qui le tient des domestiques de l'évêché, une noceuse comme il n'y en a plus. ZOLA, Nana, VI.

Vous verrez que ce sera lui qui épousera, quand la belle *noceuse,* comme toutes ses pareilles, sera lasse de faire la fête. GORON, l'Amour à Paris, t. II, p. 667.

CONTR. **Abstinent, ascète.**

NOCHER [nɔʃe] n. m. — 1544 ; *nochier,* 1246 ; ital. *nocchiero,* du lat. *nauclerus,* grec *nauklêros* «patron de bateau».

♦ Poét., vieilli. Celui qui conduit, dirige une embarcation. ⇒ **Pilote.** — Spécialt. *Caron, nocher des Enfers.* ⇒ **Nautonier.**

Je vois déjà la rame et la barque fatale.
J'entends le vieux nocher sur la rive infernale.
RACINE, Préface d'Iphigénie, Trad. d'Euripide.

NOCHÈRE [nɔʃɛʀ] n. f. — 1873 ; adapt. d'un anc. mot du Nord ; *nokere,* xɪɪᵉ ; *nocquière* «gargouille, gouttière», 1437 ; de 2. *noue,* du lat. *navica.*

Technique.

♦ **1.** Conduit fait de planches pour l'écoulement des eaux d'un toit.

♦ **2.** (1874, P. Larousse). Vitrage garni de plomb, sur un toit.

NOCICEPTEUR [nɔsisɛptœʀ] n. m. — xxᵉ ; de *noci(f),* et *(ré)cepteur.*

♦ Physiol. Récepteur nerveux réagissant aux stimuli nocifs (surtout aux stimuli douloureux).

NOCICEPTIF, IVE [nɔsisɛptif, iv] adj. — xxᵉ (*in* Larousse, 1953) ; de *noci(f),* et *(ré)ceptif.*

♦ Physiol. Qui a trait aux stimulations douloureuses.

Le rôle des papilles distribuées à l'entrée du tube digestif est essentiellement défensif, nociceptif ; elles constituent un signal d'alarme à l'introduction des acides ou des sels susceptibles d'avoir un effet toxique. Leur intervention est générale chez les invertébrés et leur situation est uniformément la même : elles tapissent l'orifice buccal. A. LEROI-GOURHAN, le Geste et la Parole, t. II, p. 107.

NOCIF, IVE [nɔsif, iv] adj. — Déb. xvɪᵉ ; *noxif,* xɪvᵉ ; lat. *nocivus.*

♦ **1.** Qui peut nuire. ⇒ **Dangereux, funeste, malin** (2.), **nuisible, préjudiciable** (→ Emmagasiner, cit. 3 ; intoxication, cit. 2). *Gaz nocif.* ⇒ **Délétère.** *Microbes nocifs.*

(...) le microbe d'une maladie infectieuse, cultivé dans certaines conditions déterminées, est atténué dans son activité nocive ; de virus il est devenu vaccin. Henri MONDOR, Pasteur, X.

♦ **2.** (Abstrait). Dangereux, pernicieux. *Théories, influences nocives.*

CONTR. **Anodin, innocent, inoffensif.**
DÉR. **Nocivité.**

NOCIVITÉ [nɔsivite] n. f. — 1876; de *nocif*.

♦ Caractère de ce qui est nuisible. ⇒ **Malignité, nocuité.** *Nocivité d'une substance. — Nocivité d'une théorie, d'une politique.*
CONTR. **Innocuité.**

NOCT-, NOCTI- Élément de mots savants, tiré du lat. *nox, noctis* « nuit ».

NOCTAMBULE [nɔktãbyl] n. et adj. — 1701; lat. médiéval *noct-ambulus*, du lat. *nox, noctis* « nuit », et *ambulare* « marcher ». → -ambule.

♦ **1.** Vx. ⇒ **Somnambule.**

♦ **2.** (1720). Mod., littér. (Valeur étym.). Personne qui marche, se promène volontairement pendant la nuit. *Restif de La Bretonne a retracé ses impressions de noctambule dans les* Nuits de Paris.

♦ **3.** Mod., cour. Personne qui veille quand les autres dorment, qui se rend à des parties de plaisir, fréquente les lieux où l'on s'amuse. ⇒ **Fêtard, noceur** (→ Buée, cit. 3). — Adj. (1736). *Un noceur noctambule.*

DÉR. **Noctambuler, noctambulisme.**

NOCTAMBULER [nɔktãbyle] v. tr. — 1876, *in* Wartburg; de *noctambule*.

♦ Littér. Faire le noctambule, sortir la nuit.
Vers la fin de cette période (...) je me mis à noctambuler beaucoup (...)
Michel LEIRIS, l'Âge d'homme, p. 191.

NOCTAMBULISME [nɔktãbylism] n. m. — 1765; de *noctambule*.

♦ **1.** Vx. ⇒ **Somnambulisme.**

♦ **2.** (1888, Wartburg). Fam. Habitude de se promener, de se divertir la nuit.
J'arrivais de province et découvrais en somme Paris sous le jour où je me l'étais représenté. Aussi cette existence de beuveries perpétuelles et de noctambulisme n'avait rien qui me déconcertât. Un caf«conc» du boulevard de Sébastopol avec ses gommeuses, ses chanteuses de genre, ses diseuses à voix, me comptait tous les soirs parmi les habitués. Francis CARCO, Nostalgie de Paris, p. 60.

NOCTIFLORE [nɔktiflɔr] n. f. — 1712; formé d'après le lat. *nox, noctis* « nuit » *noct(i)-*, et *flos, floris* « fleur ».

♦ Bot. Se dit en parlant d'une plante qui ouvre ses fleurs pendant la nuit.

NOCTILUQUE [nɔktilyk] adj. et n. f. — 1722; *noctiluca*, n. m. Kunckel, 1678; bas lat. *noctilucus* « qui luit pendant la nuit », de *lucere* → Luire.
Didactique.

♦ **1.** Adj. (En parlant de diverses espèces d'animaux). Qui a la propriété d'émettre dans l'obscurité une lueur phosphorescente. *Lampyre noctiluque* (ver luisant).

♦ **2.** N. f. (1845). Animal protozoaire qui vit dans la mer et se présente sous la forme d'une sphère minuscule et molle. *Les noctiluques se rencontrent en abondance à la surface de l'eau, y couvrant de grandes étendues; elles sont l'une des causes de la phosphorescence de la mer.*

NOCTUELLE [nɔktɥɛl] n. f. — 1792; dér. sav. du lat. *noctua* « chouette ». — REM. Le nom de *chouette* était encore donné à ces papillons au XVIIIe s.

♦ Insecte lépidoptère hétéroptère *(Noctuidés)*, papillon nocturne. *Les noctuelles sont généralement de taille moyenne et de coloration terne* (→ Générique, cit. 3). *Principaux types de noctuelles :* agrotis, catocala, dilobe, hypène, leucanie, mamestre, plusie, xanthie, xylocampe.

NOCTUIDÉS [nɔktɥide] n. m. pl. — Fin XIXe; *noctuélites, noctuellites,* Boiste, *Nomencl. d'hist. nat.,* 1839; *noctuéliens,* 1874; de *noctua* « chouette ».

♦ Zool. Division de l'ordre des insectes lépidoptères qui comprend les papillons communément appelés *noctuelles.* — Au sing. *Un noctuidé.*

NOCTULE [nɔktyl] n. f. — 1760, Buffon; dér. sav. du lat. *noctua* « chouette ».

♦ Zool. Chauve-souris d'assez grande taille *(Vespertillionidés)* qui vit en Europe et en Asie.

Aubin y va d'un petit branle pressant qui se propage dans le soir, encore strié de martinets, mais déjà repeuplé de noctules.
Hervé BAZIN, Cri de la chouette, p. 244.

NOCTURNAL [nɔktyrnal] n. m. — XVe, *in* Littré; au sens de «nocturne», en 1118, Wartburg; de *nocturne*.

♦ Liturgie anc. Office qui se célébrait au cours de la nuit (→ Matines).

NOCTURNE [nɔktyrn] adj. et n. — V. 1355; du lat. *nocturnus*.

★ **I.** Adj. (Après le nom). ♦ **1.** Qui est propre à la nuit (considérée comme phénomène naturel, sensible). *Immensité, noirceur nocturne* (→ Fusain, cit. 1). — Astron. *Arc* (infra* cit. 9) *nocturne*.

♦ **2.** Qui a lieu pendant la nuit (considérée comme une portion abstraite de temps). *Agression* (cit. 2), *apparition, visite nocturne* (→ Arrière-goût, cit. 3). — Liturgie. *Office nocturne,* qui est célébré pendant la nuit (→ Matines). — Dr. *Tapage* nocturne.*
Alors correspondances, entrevues, rendez-vous nocturnes, tout devenait commode et sûr (...) LACLOS, les Liaisons dangereuses, XCVI.
Quand elle vérifia pour moi des imaginations que j'avais eues du côté de Méséglise, ce fut pendant une de ces promenades en somme nocturnes bien qu'elles eussent lieu avant le dîner — mais elle dînait si tard ! Au moment de descendre dans le mystère d'une vallée parfaite et profonde que tapissait le clair de lune, nous nous arrêtâmes un instant (...) PROUST, le Temps retrouvé, Pl., t. III, p. 693.
(...) il cumulait ses fonctions d'auxiliaire à la mairie, son secrétariat chez Rieux et ses travaux nocturnes. CAMUS, la Peste, p. 208.

♦ **3.** (XVIIIe). Qui agit la nuit, sort la nuit (→ Aspirer, cit. 17). *Promeneur* (→ 1. Masse, cit. 4), *vagabond nocturne* (→ Fureter, cit. 9). ⇒ **Noctambule.**

♦ **4.** (1606; n. f., «chouette», 1538). [En parlant d'un animal]. Qui veille, se déplace, chasse ou se nourrit pendant la nuit et reste caché ou endormi pendant le jour. *Lépidoptères* (→ Générique, cit. 3), *oiseaux* (→ Bête, cit. 16), *papillons nocturnes, de nuit*. Les chiroptères, mammifères essentiellement nocturnes.*

★ **II.** N. m. ♦ **1.** (XIVe). Liturgie cathol. Chacune des parties de l'office de la nuit (⇒ **Matines**), qui contient un certain nombre de psaumes et de leçons.
Dans les Offices doubles et semi-doubles, *les* Matines *ont* trois Nocturnes *ainsi composés : Après une invitation-annonce du mystère ou de la fête (...) on chante l'hymne, puis, pour chaque* Nocturne, *trois psaumes, encadrés de leurs antiennes, un verset, une absolution, trois leçons précédées d'une bénédiction et suivies d'un répons.* D. J. RIVET, *in* Dict. de liturgie romaine (R. LESAGE), Matines.

♦ **2.** (XVIIIe). Mus. Ancienn. «Sorte de sérénade ou divertissement pour instruments à vent (cors en particulier), ou plus rarement à archet» (Arma et Tienot, *Nouveau dict. de musique*). — Nom qu'on donnait au XIXe siècle à des mélodies écrites pour être chantées à deux voix et qui ressemblaient à la romance*.
(1834). Mod., cour. Morceau de piano d'un caractère mélancolique et rêveur (→ Manuscrit, cit. 1). *Les nocturnes de Chopin.*
Au XVIIIe siècle le nocturno *est analogue à la sérénade. C'est un petit morceau instrumental qui s'exécute en plein air. Il en est de Haydn et de Mozart sous forme de suites pour petit orchestre. Au XIXe siècle le nocturne change brusquement de caractère sous l'influence romantique. Il désigne d'abord de courtes pièces vocales, à deux voix, dans un caractère de romance. On en trouve une dans Béatrice et Bénédict de Berlioz. Puis cette langueur est transportée au piano par l'Irlandais Field, ensuite par Chopin qui fixe une forme du nocturne pour clavier : mouvement lent, expression pathétique, ornements mélodiques, partie centrale accélérée.* André CŒUROY, la Musique et ses Formes, p. 125.

★ **III.** (1839, Boiste, *Nomencl. d'hist. nat.*). Zool. *Les nocturnes,* division des oiseaux rapaces qui comprend ceux qui ne sortent et ne chassent que la nuit (chouette, duc, grand duc, hibou...). — Au sing. *Un nocturne.*
Au lever du rideau, nuit profonde. Tous les Nocturnes sont immobiles, en silhouettes sombres, les yeux fermés (...) Seul, le chat-huant a ses yeux de phosphore grands ouverts. Edmond ROSTAND, Chantecler, II, 1.

★ **IV.** N. f. ou m. ♦ **1.** (1935). Sports (football, rugby...). Compétition sportive de plein air disputée la nuit (surtout dans la loc. adv. *en nocturne). Assister à un match en nocturne.*
Turf. Course de nuit sur hippodrome. *Les nocturnes de Vincennes, de Cagnes-sur-Mer.*
On court de jour à Vincennes de la mi-novembre jusqu'à la fin de février et de temps à autre dans le reste de l'année. Les nocturnes commencent vers la fin de mai et durent jusqu'en septembre. P. ARNOULT, les Courses de chevaux, p. 70.

♦ **2.** (1967, n. f.; 1968, n. m.). Comm. Ouverture en soirée (de certains magasins, expositions).
CONTR. **Diurne.**
DÉR. **Nocturnal, nocturnement.**

NOCTURNEMENT [nɔktyrnəmã] adv. — 1557; de *nocturne*.

♦ Rare. De nuit, pendant la nuit.
(...) au-dessus de la ville nocturnement éclairée (...) dans toute une partie du ciel bleuâtre il continuait à faire un peu jour. PROUST, le Temps retrouvé, Pl., t. III, p. 762.

NOCUITÉ [nɔkɥite] n. f. — 1823; dér. sav. du lat. *nocuus* «nuisible».

♦ Méd. Littér. Caractère de ce qui est nocif, nuisible. ⇒ **Nocivité**.

REM. Ce mot, très littéraire, est plus rare que son contraire *innocuité*.

(...) un ancien régime inoffensif, j'entends pour les temps modernes par comparaison, un régime ancien qui fut sans nocuité.
Ch. PÉGUY, la République..., p. 209.

CONTR. Innocuité.

NODAL, ALE, AUX [nɔdal, o] adj. et n. — 1820; «qui forme un nœud», en parlant d'une jointure, 1503; dér. sav. du lat. *nodus* «nœud».

Didactique.

♦ **1.** Phys. Relatif aux nœuds acoustiques d'une corde ou d'une surface vibrante. ⇒ **Nœud** (I., 8.). *Points nodaux. Ligne nodale sur une plaque vibrante*, ou, subst., *la nodale*.

(xxᵉ). Anat., méd. Relatif aux nœuds* sinusal et atrio-ventriculaire, centres nerveux du myocarde dont dépend l'excitabilité du cœur. *Tissu nodal* : tissu différencié qui constitue ces nœuds. *Arythmie nodale*.

Bot. *Cellules nodales* (de quelques plantes), qui forment un épaississement, au point de départ de rameaux.

♦ **2.** (xxᵉ). Qui forme ou présente un nœud, un croisement.

Techn. *Point nodal* : point où se croisent plusieurs itinéraires, dans le schéma des voies de chemin de fer.

Centre nodal, ou, n. m., *le nodal* (aussi avec la capitale, *le Nodal*) : centre de contrôle et de répartition des images de télévision. «*La grève de la télévision, c'est d'abord l'arrêt de ce centre névralgique, aux boutons et écrans innombrables. C'est ici que sont testés les circuits avant les répartitions pour les différentes chaînes. Le Nodal est la gare centrale où transitent images et sons. Sans lui, pas d'acheminement possible*» (*Libération*, 17 mars 1983).

Math. *Cubique nodale* : «cubique admettant un point double en lequel les tangentes sont distinctes» (Bouvier et George).

NODOSITÉ [nodozite] n. f. — 1539; attestation isolée au xivᵉ; bas lat. *nodositas*, de *nodus* «nœud».

♦ **1.** Méd. Production accidentelle donnant au toucher la sensation d'un corps dur plus ou moins arrondi et nettement circonscrit (d'après Garnier). *Nodosités rhumatismales, juxta-articulaires*.

Par anal. Littéraire.

La roche a des nodosités, des tumeurs, des kystes, des ecchymoses, des loupes, des verrues.
HUGO, l'Archipel de la Manche, VI.

♦ **2.** Bot., cour. État d'un végétal ou d'une partie de végétal qui présente de nombreux nœuds. *Nodosité d'une tige, d'un tronc*. — Par ext. Ce nœud lui-même. ⇒ **Loupe, nœud** (II., 1.). — Spécialt. Radicelle des légumineuses, hypertrophiée par l'azote fixé par une bactérie.

NODULAIRE [nɔdylɛR] adj. — 1842, nom, «sorte d'algue»; de *nodule*.

Didactique.

♦ **1.** Qui a des nodosités, des nodules.

♦ **2.** Qui est relatif aux nœuds. *Forme nodulaire*.

NODULE [nɔdyl] n. m. — 1478, au sens 2, rare av. déb. xxᵉ; lat. *nodulus* «petit nœud», de *nodus* «nœud».

♦ **1.** (1795, cit. 1). Géol. Concrétion pierreuse qui se rencontre dans une roche tendre, généralement calcaire (→ Dolomitique, cit. 1).

1 Le minerai s'y trouve, dit-on, par nodules, dans des lits d'argile (...)
Renseignements sur l'Amérique, trad. de Thomas COOPER, p. 136.

2 Dans les fonds du Pacifique, de l'Atlantique et de l'océan Indien ont été découverts des nodules polymétalliques, à des profondeurs variables. Ces concrétions contiennent divers métaux, la teneur pouvant aller à 50 %.
A. SAUVY, Croissance zéro?, p. 182.

♦ **2.** Pathol. Petite nodosité. *Nodule cancéreux, nodule tuberculeux*. ⇒ **Tubercule**. — Anat. Petit renflement. *Nodules des valvules aortiques du cœur*.

3 Des cavités secondaires ainsi formées s'écoule tantôt un liquide clair et tantôt un liquide positivement hémorragique. À la base inférieure de cette tumeur kystique, la membrane interne est hérissée de nodules irréguliers et durs.
B. CENDRARS, Moravagine, in Œ. compl., t. IV, p. 259.

Par ext. Renflement en forme de nœud.

4 (...) l'intérieur du restaurant constitué non pas comme notre univers ordinaire de vide peuplé çà et là d'objets, de meubles, d'êtres humains, mais d'une sorte de

même et unique matière doucement lumineuse et beige clair englobant de vagues nodules rouges (les banquettes), blanches (les nappes) et noires (les habits) [...]
Claude SIMON, le Palace, p. 79.

REM. Le texte porte bien «blanche», «noire», mais *nodule* est masculin.

DÉR. Nodulaire, noduleux.

NODULEUX, EUSE [nodylø, øz] adj. — 1812; de *nodule*.

Didactique.

♦ **1.** Qui comporte beaucoup de petits nœuds. *Tige noduleuse*.

♦ **2.** Qui contient des nodules. *Calcaire noduleux*.

NODUS [nodys] n. m. — xviᵉ; mot lat. «nœud».

♦ Méd. Concrétion* en forme de nœud qui apparaît sur un faisceau fibreux, un tendon. — Plur. *Des nodus*.

NOËL [nɔɛl] n. m. ou f. — V. 1175; *nael*, v. 1112; du lat. *natalis (dies)* «(jour) de naissance».

♦ **1.** Fête chrétienne célébrée le 25 décembre, en commémoration de la naissance du Christ. ⇒ **Nativité**. *La fête de Noël, précédée par l'Avent*. *Les trois messes de Noël : la messe de la nuit (messe de minuit dans le langage courant), célébrée dans la nuit du 24 au 25 décembre, la messe de l'aurore, la messe du jour*. *La crèche* de Noël, ornée en Provence de santons*. — Noël, fête familiale et occasion de réjouissances profanes. Arbre* (supra cit. 48), bûche* (→ Maître, cit. 109), dinde, réveillon*, sapin, veillée de Noël. Joyeux Noël!, formule de souhait. Mettre ses souliers dans la cheminée pour Noël. Cadeaux de Noël*. *Bonhomme, père Noël* : personnage imaginaire qui est censé descendre par la cheminée au cours de la nuit de Noël pour déposer des cadeaux dans les souliers des enfants. *Le père Noël, accompagné du père Fouettard*, représenté sous les traits d'un vieillard barbu, vêtu d'une longue houppelande, portant une hotte remplie de jouets, conduisant un char traîné par des rennes... Var. (rare) : le bonhomme Noël. Le personnage correspondant au père Noël dans les pays anglo-saxons est saint Nicolas*. — Loc. *Croire au père Noël* : être très naïf*, se faire des illusions.

1 Ce sont les cloches de Noël, les cloches qui nous annoncent la messe de Minuit! Ô Mara, un petit enfant nous est né! CLAUDEL, l'Annonce faite à Marie, III, 3.

2 J'ai eu de la peine à trouver un soulier qui ne soit pas graissé. — C'est vrai, tu lui mets un soulier pour Noël comme à Barbazac. A Limoges, nous accrochions un bas. Il y entre bien plus de choses.
J. CHARDONNE, les Destinées sentimentales, p. 274.

3 Nulle fête liturgique n'est aussi populaire que Noël. Seule elle connaît la singulière fortune de réconcilier, dans une commune allégresse, ceux pour qui elle commémore la naissance de Dieu et ceux pour qui elle ne signifie rien. Le plus incroyant la célèbre encore par le champagne et le boudin blanc; c'est un fait d'histoire que cette vénération universelle; les fêtards des réveillons en témoignent à leur façon.
DANIEL-ROPS, Jésus en son temps, II, p. 104.

4 Le Noël de cette année-là fut plutôt la fête de l'Enfer que celle de l'Évangile.
CAMUS, la Peste, p. 281.

Loc. prov. *On a tant crié Noël qu'à la fin il est venu*, se dit quand arrive enfin une chose qui a été longtemps et impatiemment attendue ou dont on a beaucoup parlé. — *Noël au balcon, Pâques au tison. Quand Noël a son pignon, Pâques a son tison. Quand à Noël on voit les moucherons, à Pâques on voit les glaçons* : quand le temps est doux à Noël, il fait froid à Pâques, quand l'hiver est tardif, le printemps est froid.

La fête de Noël, et, ellipt., *la Noël*. *Il est venu à la Noël. Vers la Noël. Avant la Noël*.

5 Mes amis, voici la Noël qui arrive. Vous êtes seuls ici. Il fait froid. Venez passer deux jours au Liguset. On brûlera la bûche; les enfants d'Agricol chanteront leurs cantiques; la Perdrizette rôtira la dinde; on sera en famille (...)
H. BOSCO, le Jardin d'Hyacinthe, p. 57.

Loc. *Rose de Noël* : ellébore.

♦ **2.** Époque où l'on célèbre la fête de Noël. *Congé, vacances de Noël. Pour Noël, pour la Noël, nous irons en vacances de neige*.

REM. Aux sens 1 et 2 *Noël*, n. m., s'emploie sans article. *La Noël*, n. f., est réservé à quelques emplois (cit. 5 et 2).

♦ **3.** (V. 1360). Vx. *Noël, Noël!*, cri de réjouissance que le peuple poussait à n'importe quel moment de l'année, pour saluer un événement heureux : naissance d'un héritier du trône, arrivée d'un grand personnage...

♦ **4.** (Déb. xviᵉ, Sainéan). Chanson populaire dont le thème est Noël (→ Aboyer, cit. 7). *Les anciens noëls étaient des chansons populaires écrites en langue vulgaire (français ou dialecte), pour célébrer la Nativité*. — Air sur lequel on chante ces cantiques (→ Habanera, cit. 1).

6 En Angers était pour lors un vieux oncle, seigneur de Saint-Georges, nommé Frapin : c'est lui qui a fait et composé les beaux et joyeux Noëls en langage poitevin.
RABELAIS, Quart livre, Pl., p. 753.

♦ **5.** Fam. *Le noël, le petit noël* : cadeau qu'on donne aux enfants à l'occasion de Noël. *Qu'est-ce que tu as eu pour ton petit noël?*

NOÉMATIQUE [nɔematik] adj. — Mil. xxᵉ ; de *noème*.

♦ De l'objet de pensée (chez Husserl et ses disciples).

NOÈME [nɔɛm] n. m. — 1846, repris en même temps que *noèse* (dont l'équivalent, *in* Bescherelle, 1846, est *noergie*) dans le vocabulaire de la phénoménologie. → Noèse.

♦ Philos. Ce qui est pensé (vocabulaire de la phénoménologie).
DÉR. Noématique.

NOÈSE [nɔɛz] n. f. — 1943 ; grec *noêsis*, de *noein* «penser» (→ Noologique), par l'allemand.

♦ Philos. Acte de pensée (vocabulaire de la phénoménologie).
DÉR. Noétique.

NOÉTIQUE [nɔetik] n. f. et adj. — 1923 ; all. *Noetik* (Husserl), du grec *noêtikos, ê, on.* → Noèse.

Didactique (philosophie, psychologie).

♦ **1.** N. f. Théorie de la pensée, de la connaissance. ⇒ **Gnoséologie.**

♦ **2.** Adj. (1943 ; de *noèse*, d'après l'all. *noetisch*). Qui concerne la pensée, la noèse* (vocabulaire de la phénoménologie).

1 La phénoménologie (...) est une philosophie comme les autres, avec ses buts vitaux en même temps que noétiques. J. PIAGET, *in* Encycl. Pl., Logique et Connaissance scientifique, p. 33.

Psychol. Qui concerne l'aspect purement intellectuel de la vie psychique, par opposition soit à sa composante affective, soit aux fonctions instrumentales de la pensée (mécanismes cérébraux...). *Théories noétiques et théories mécanistes de l'aphasie.*

2 L'humeur est à la sphère thymique qui englobe toutes les affections ce qu'est la conscience à la sphère noétique qui englobe toutes les représentations. Jean DELAY, les Dérèglements de l'humeur, p. 1, cité dans FOULQUIÉ, art. *Thymique.*

DÉR. Noétiquement.

NOÉTIQUEMENT [nɔetikmɑ̃] adv. — 1943, Sartre ; de *noétique.*

♦ Philos. Par la pensée.

NŒUD [nφ] n. m. — 1530, *neud*, par graphie étym. ; forme pop. *neu*, 1175 ; *nut*, v. 1119 ; du lat. *nodus.*

★ **I.** Croisement. — REM. *Nœud* prend deux sens distincts suivant que l'on considère le croisement lui-même ou la saillie produite par ce croisement.

♦ **1.** Enlacement* de quelque objet flexible (fil, corde, cordage...) ou entrelacement de deux objets flexibles, exécuté de façon qu'il soit d'autant plus serré que l'on tire plus fortement sur les extrémités. ⇒ **Lien** (cit. 1). *Nœuds ordinaires, nœuds de marque,* servant à raccourcir une corde, à faire un point d'arrêt... *Nœud simple, double...* ⇒ **Boucle.** *Nœud d'une maille*.* — *Nœuds de jonction,* servant à joindre une corde à une autre. ⇒ **Aboutage.** *Nœud de vache.* ⇒ **Ajut.** *Nœud droit, nœud de tisserand...* ⇒ aussi **Épissure.** — *Nœuds d'attache,* destinés à attacher une corde à un point fixe. — (1571, *in* D.D.L.). *Nœud coulant** (cit. 1). ⇒ **Collet, cordon, lacet, lacs, lasso** (cit. 2). — *Nœud en demi-clef, en patte d'oie... Nœuds de chaise*, d'étalingure*...* (Alpin.). *Nœud de Prusik* (du nom de l'inventeur) : double nœud coulant qui se bloque sur une corde tendue et devient coulissant lorsque la traction est supprimée. *Nœud de batelier, de pêcheur.* — *Nœud de cravate,* qui assujettit la cravate autour du cou (→ Beau, cit. 106). — *Gros, petit nœud. Nœud trop serré, trop lâche. Faire un nœud à qqch.* ⇒ **Nouer.** *Défaire, desserrer, dénouer un nœud* (→ Couper, cit. 4). *Faire un nœud à son mouchoir* (pour se rappeler qqch.). *Refaire un nœud.* ⇒ **Renouer.** — *Enlever les nœuds d'un tissu.* ⇒ **Énouer, épinceter.** *Nœud emmêlé d'un cordage.* ⇒ **Maton.** — Math. *Théorie des nœuds.* → *infra,* 8.

1 (...) elle m'avait appris à considérer les nœuds comme une chose haïssable et inutile, et injuste, puisque la boucle existe. GIRAUDOUX, Suzanne et le Pacifique, III.

2 (...) elle attacha les deux petits bouts en un nœud simple et solide qui s'épanouit sous une pichenette de ses doigts en deux ailes de papillon. J. GIONO, Jean le Bleu, VI.

Loc. *Corde à nœuds,* garnie de nœuds à intervalles réguliers, et utilisée pour grimper.

2.1 Un troisième garçon monté à la corde à nœuds s'y enroulait une jambe et penchait le corps à l'horizontale les bras en ailes d'avion tandis que la corde tournant sur elle-même le faisait gracieusement pivoter. Tony DUVERT, Paysage de fantaisie, p. 146.

Nœud coulant d'une corde d'étrangleur, de pendu. — Poét. *Nœud fatal* : corde nouée de manière à étrangler. — Par métaphore. *Problème angoissant qui étrangle* (cit. 11) *comme un nœud.* — Loc. (Vieilli). *Avoir un nœud à la gorge :* avoir la gorge serrée.

(...) Bajazet est sans vie.
(...) Son amante en furie,
Près de ces lieux, Seigneur, craignant votre secours,
Avait au nœud fatal abandonné ses jours. RACINE, Bajazet, V, 11. 3

Ah ! que vous perdez que je n'aie pas le cœur content ! Le Camus (...) dit que je chante bien ses airs : (...) mais je suis triste, et je n'apprends rien (...) que faire quand on a un nœud à la gorge ? Mᵐᵉ DE SÉVIGNÉ, 282, 2 juin 1672. 4

(...) Jenny, délivrée soudain de ce nœud qui lui serrait la gorge, put enfin sangloter (...) MARTIN DU GARD, les Thibault, t. II, p. 284. 5

NŒUD GORDIEN : nœud extrêmement compliqué qui attachait le joug au timon du char de Gordius (roi légendaire de Phrygie) conservé dans le temple de Zeus à Gordium ; comme une ancienne tradition promettait l'empire de l'Asie à qui saurait le dénouer, Alexandre, ne pouvant y parvenir, le trancha d'un coup d'épée. — (1590, *in* D.D.L.). Fig. Difficulté, problème quasi insoluble. *Couper, trancher le nœud gordien :* trancher de façon violente une difficulté à laquelle on ne peut apporter d'autre solution satisfaisante.

Le nœud jadis tant fort à dénouer
Fut en un coup d'Alexandre tranché (...) Clément MAROT, Épigrammes, XCIII. 6

(...) il (*le duc d'Hérouville*) tirait à tout propos l'épée, comme le seul remède qu'il connût aux nœuds gordiens de la vie. BALZAC, l'Enfant maudit, Pl., t. IX, p. 748. 7

À ses yeux, cette complication dans les ressorts de la vie fut comme le nœud gordien qui ne se dénoue pas et que le génie tranche. BALZAC, les Employés, Pl., t. VI, p. 868. 8

(...) parmi tous les vrais, les urgents problèmes qui se posent actuellement en Europe, et dont la solution exigerait de patientes études, je n'en vois pas un, pas un seul, qu'on puisse espérer trancher, à la manière du nœud gordien, par une guerre (...) MARTIN DU GARD, les Thibault, t. VI, p. 191. 9

Loc. fig. et fam. *Sac* de nœuds.*

♦ **2.** (1621). Mar. *Nœuds de la ligne de loch :* nœuds de marque disposés sur cette ligne à une distance théorique d'un cent vingtième de mille marin les uns des autres (soit 15 m 395), mais pratiquement à une distance de 14 m 78. — Absolt. *Nœud* : longueur qui sépare deux nœuds de la ligne, unité de mesure. *Navire qui file* tant de nœuds,* qui parcourt en une demi-minute autant de distance qu'il s'écoule de nœuds à la ligne de loch dans le même temps.

Par ext. Unité de vitesse pour les navires et les avions correspondant à 1 mille marin à l'heure. *Navire qui file dix, vingt nœuds,* qui parcourt dix, vingt milles à l'heure (vitesse correspondant à un écoulement de dix, vingt nœuds en une demi-minute). — *Avion qui décolle à cent nœuds.*

♦ **3.** (V. 1175). Ruban noué servant de parure ; ornement en forme de nœud. ⇒ **Bouffette, rosette.** *Mettre des nœuds, des petits nœuds dans les cheveux* (→ Coiffeur, cit. 1 ; échafaudage, cit. 5). ⇒ **Catogan, chouppette, coque, fontange.** *Chapeau de feutre* (cit. 2) *avec nœud de ruban à l'arrière. Nœud de cravate** (cit. 2). *Nœud papillon.* ⇒ **Papillon.** — Anciennt. *Nœud d'épaule,* qui se portait à l'épaule. *Culotte à nœud de rubans* (→ Casimir, cit.). *Nœud d'épée* (→ Faveur, cit. 20). — *Nœud de perles, de diamants.*

Cinq fort gros diamants, en nœud proprement mis (...) MOLIÈRE, Amphitryon, I, 2. 10

Quelle importune main, en formant tous ces nœuds,
A pris soin sur mon front d'assembler mes cheveux ? RACINE, Phèdre, I, 3. 11

Il est sûr que la petite voudrait de tout son cœur savoir orner sa poupée, faire ses nœuds de manche, son fichu, son falbala, sa dentelle (...) ROUSSEAU, Émile, V. 12

Frêle parmi les nœuds énormes de rubans (...) VERLAINE, Fêtes galantes, « L'allée ». 13

♦ **4.** Par anal. Enroulement (d'un reptile sur lui-même, autour d'un corps qu'il étreint...). ⇒ **Anneau, repli.** *Le serpent déploie ses nœuds* (Académie). *Nœuds de couleuvre* (→ Étreinte, cit. 5).

Va ! je n'ai plus besoin de ta race naïve,
Cher Serpent (...) Je m'enlace, être vertigineux !
Cesse de me prêter ce mélange de nœuds. VALÉRY, Poésies, « La Jeune Parque », p. 76. 14

Nœud de vipères : emmêlement de vipères, notamment de vipéreaux dans le nid.

Ah ! que n'ai-je mis bas tout un nœud de vipères,
Plutôt que de nourrir cette tendre dérision ! BAUDELAIRE, les Fleurs du mal, « Spleen et Idéal », I. 15

Les fauteuils vides formaient encore un cercle étroit. Ceux qui les avaient occupés avaient senti le besoin de se rapprocher pour faire à voix basse (...) L'ennemi avait campé là, cette nuit (...) Dans un soir d'humilité, j'ai comparé mon cœur à un nœud de vipères. Non, non : le nœud de vipères est en dehors de moi ; elles sont sorties de moi et elles s'enroulaient, cette nuit, elles formaient ce cercle hideux au bas du perron, et la terre porte encore leurs traces. F. MAURIAC, le Nœud de vipères, II, XIII. 16

♦ **5.** (V. 1120 ; «mariage», v. 1265). Fig. Vx ou littér. (En considérant le nœud comme servant à unir, à serrer...). *Lien** (cit. 6) ou attachement très étroit entre les personnes. ⇒ **Chaîne.** *« Il est des nœuds secrets, il est des sympathies... »* (→ Attacher, cit. 55, Corneille ; et aussi cit. 11). *Le nœud sacré, le saint nœud du mariage* (→ Étreinte, cit. 9). *Les nœuds de l'hyménée* (→ Autel, cit. 26). *Les nœuds les plus forts, les plus étroits. Former* (cit. 15), *contracter, briser, rompre des nœuds* (→ Enchaîner, cit. 3). *Le nœud social* (→ Affaiblir, cit. 12). *Les nœuds de la fraternité* (→ Fédération, cit. 4 ; juxtaposer, cit. 4). — (Entre l'homme et les choses). *Les nœuds qui l'attachaient* (cit. 18) *au monde, qui lient nos cœurs à la terre* (→ Briser, cit. 15).

Je tiens à vos beautés par un nœud trop serré,
Pour pouvoir un moment en être séparé (...) MOLIÈRE, Amphitryon, II, 6. 17

18 Loin de vous séparer, je prétends aujourd'hui
Par des nœuds éternels vous unir avec lui.
RACINE, Bajazet, V, 6.

19 Vous me paraissez accablée de vos *Madames* de Montélimar (...)
Ce sont des nœuds mal assortis que ceux d'une telle société ; hélas ! qu'on vous
laisse avec votre aimable famille (...)
Mme DE SÉVIGNÉ, 637, 15 août 1677.

20 Que de relations, de conséquences, de rapprochements, de combinaisons (...) scintillent devant la pensée, dès que la pensée considère la quantité des vivants qui
coexistent ici (*à Paris*), agissant et réagissant les uns sur les autres (...) Mille
nœuds, à chaque moment, s'y forment ou s'y défont.
VALÉRY, Regards sur le monde actuel, p. 151.

♦ **6.** (V. 1640). En considérant le nœud comme le centre d'un enchevêtrement. Point essentiel d'une affaire complexe, d'une difficulté
dont la solution ou l'explication ne peut être obtenue que par la
détermination de ce point. *Voilà le nœud de l'affaire.* ⇒ **Fond,
hic ; haut** (cit. 50). *Vous avez trouvé le nœud. Le nœud du débat*
(→ Équanimité, cit. 2). *Le nœud de cette vaste composition de dangers se trouvait dans...* (→ Explosif, cit. 2). *Trancher le nœud de
la question.*

21 Voilà le nœud secret de toute l'aventure ?
MOLIÈRE, l'Étourdi, II, 4.

22 (...) Dieu, voulant nous rendre la difficulté de notre être inintelligible à nous-
mêmes, en a caché le nœud si haut, ou, pour mieux dire, si bas, que nous étions
bien incapables d'y arriver ( )
PASCAL, Pensées, VII, 434.

23 Toute l'Europe fut surprise qu'il osât (...) mettre en prison l'ambassadeur du seul
prince qui le protégeait. Voici le nœud secret de cet événement, selon ce que le
maréchal de Saxe, fils du roi Auguste, m'a fait l'honneur de me dire.
VOLTAIRE, Charles XII, III.

24 (...) j'ai toujours tout terminé moi-même en allant droit au nœud et disant à
l'adversaire : Dénouons, ou coupons !
BALZAC, le Lys dans la vallée, Pl., t. VIII, p. 895.

25 Rewbell établit qu'en temps de guerre, émigrer c'est déserter. Or, c'était là justement le nœud de la situation : Était-on en temps de guerre ?
MICHELET, Hist. de la Révolution franç., IV, IX.

26 Mon indécision est cause que je me laisse facilement amener à des situations contradictoires, dont je ne sais pas trancher le nœud.
RENAN, Souvenirs d'enfance..., II, VI.

♦ **7.** (1637). Théâtre, littér. *Le nœud* (vx), *le nœud de l'action* : «péripétie ou suite de péripéties qui (...) amènent l'action à son point culminant, les passions à leur paroxysme, si bien que la situation ne
pourra être éclaircie que par la catastrophe finale ou par l'accomplissement d'actions nécessaires qui constitueront le dénouement»
(Bénac, *Dict. des synonymes*). ⇒ **Intrigue, péripétie.** *Les trois dernières scènes de l'acte* I *constituent le nœud de l'action du Cid. Le
nœud et le dénouement* (cit. 1 ; → aussi Dénouer, cit. 17). ⇒ **Épi-
tase.** *Un nœud, des péripéties, des événements qui font l'intérêt*
(cit. 30) *d'une pièce.* — *L'histoire comme la tragédie demande une
exposition* (cit. 10), *un nœud, un dénouement* (Voltaire). *Le nœud
de l'action dans un roman.*

27 (*Scudéry*) dit *que l'on n'y trouve aucun nœud ni aucune intrigue* (...) le nœud des
pièces de théâtre étant un accident inopiné qui arrête le cours de l'action représentée, et le dénouement un autre accident imprévu qui en facilite l'accomplissement, nous trouvons que ces deux parties du poème dramatique sont manifestes
en celui du *Cid* (...)
Sentiments de l'Académie sur le Cid, in Lexique, t. II, p. 467.

28 *Le nœud est composé,* selon Aristote, *en partie de ce qui s'est passé hors du
théâtre avant le commencement de l'action qu'on y décrit et en partie de ce qui s'y
passe* ; le reste appartient au dénouement. *Le changement d'une fortune en l'autre
fait la séparation de ces deux parties* (...) à quoi j'ajoute un conseil, de s'embarrasser le moins qu'il lui est possible de choses arrivées avant l'action qui se
représente.
CORNEILLE, Disc. des trois unités.

29 Dans le roman classique, l'action comporte un nœud : c'est l'assassinat du père
Karamazov, c'est la rencontre d'Édouard et de Bernard dans *les Faux-Mon-
nayeurs.*
SARTRE, Situations I, p. 70.

♦ **8.** (1690). Sc., techn. Astron. (En parlant d'une orbite). Point d'intersection de l'orbite d'une planète avec l'écliptique. *Nœud ascendant,
descendant,* ce point d'intersection selon que la planète passe de
l'hémisphère sud dans l'hémisphère nord ou vice versa.

(1765). Math. Point d'une courbe où, revenant sur elle-même, elle
se coupe. — (XXe). *Nœud d'un graphe :* sommet admettant plus de
deux arcs incidents. — (Topologie). Sous-espace N de l'espace euclidien, homéomorphe à un cercle, et tel que le couple formé par le
voisinage de n'importe quel point de N dans l'espace euclidien et
l'intersection de ce voisinage et de N soit homéomorphe à la figure
formée par une boule et l'un de ses diamètres. « *Intuitivement, on
obtient un nœud en prenant une ficelle (éventuellement emmêlée) et
en recollant ses deux extrémités. Il n'existe pas de définition analytique générale correcte d'un nœud* » (Bouvier et George). *Théorie
des nœuds :* branche de la topologie, fondée par Dehn et Alexan-
der, qui cherche à établir une typologie des nœuds à partir d'invariants géométriques et topologiques.

(1834). Phys. Dans le phénomène des ondes* stationnaires, *Nœuds*
(*de vibration**) se dit des points constamment immobiles alors que
les autres sont animés d'un mouvement vibratoire qui atteint sa
plus grande amplitude aux points dits «ventres» (de vibration).
⇒ **Nodal.**

(XXe). Phys. Point où se trouve un centre d'une unité structurale (ion,
atome, molécule) d'un édifice cristallin.

(1851). Anat. *Nœud vital :* centre des mouvements respiratoires,
situé dans le bulbe.

29.1 On s'est trompé quand on a supposé que, dans mes expériences, je pique la moelle
allongée de manière à diminuer la respiration, par une blessure qui intéresserait

---

le point de la moelle plus spécialement en rapport avec le phénomène respiratoire,
et qui a été désigné par M. Mourens sous le nom de nœud vital ou point vital.
Cl. BERNARD, in Mémoires et Leçons sur
la glycogénèse animale et le diabète, p. 39-40.

♦ **9.** (1824, de Ségur). Endroit où se croisent plusieurs grandes
lignes, d'où partent plusieurs embranchements*. *Nœud ferroviaire,
routier* (⇒ **Nodal**).

30 Avant, elle tenait une auberge de roulage au nœud de la route de Reillanne et
de la route de Grambois.
J. GIONO, Jean le Bleu, IV.

Électr. Point d'un circuit où aboutissent plusieurs conducteurs.

Techn. Point de ramification (de conduites, de lignes de distribution).

★ **II.** Saillie. ♦ **1.** (V. 1200). Bot., cour. Protubérance à la partie
externe d'un arbre, constituée par un faisceau plus ou moins contourné de fibres et de vaisseaux ligneux. *Nœuds d'un tronc, d'un
bâton, d'une massue* (cit. 1). ⇒ **Noueux.** — Partie très dense et
dure, à l'intérieur de l'arbre, visible dans les planches de menuiserie
(→ Cheville, cit. 1). *Pièce de bois que la présence de nœuds rend
difficile à scier, à fendre.* — Partie renflée que présentent certaines tiges aux points où s'attachent les feuilles (→ Bois, cit. 24).
⇒ **Entre-nœuds.**

31 Le dick était une file de grands troncs d'arbres adossés à un mur, plantés debout
dans le sable, desséchés, décharnés, avec des nœuds, des ankyloses et des rotules,
qui semblait une rangée de tibias.
HUGO, Shakespeare, I, I.

♦ **2.** (1213, «vertèbre»). Anat. Renflement, saillie, notamment (vieilli)
à la jointure* des doigts de la main. ⇒ **Nodosité.** Vx. *Nœud de la
gorge.* ⇒ **Larynx, pomme** (d'Adam). — Se dit aussi de la saillie
formée par chacune des vertèbres de la queue de certains animaux.
Couper à un cheval, à un chien... des nœuds de la queue.

32 Je ne me réjouis pas bien sans vous ; et quand je ris, cela ne passe pas le nœud de
la gorge.
Mme DE SÉVIGNÉ, 123, 19 déc. 1670.

Amas de cellules à fonction bien définie. *Nœud sinusal* (ou *de
Keith et Flack*), *nœud atrio-ventriculaire* (ou *de Tawara*) *du myocarde.*

♦ **3.** Géogr. Point où se croisent deux chaînes de montagnes, présentant une surélévation caractéristique. « *Des cordillères avec des
nœuds* » (Baulig, *Voc. de géomorphologie*).

♦ **4.** Techn. Se dit de la partie saillante de certaines pièces. *Nœud
à soudure :* renflement que forme la soudure de deux tubes métalliques. — «Renflement du pied d'un calice, d'une hampe de crosse,
d'un flambeau» (Réau), destiné à faciliter la prise.

♦ **5.** (1835). Vulg. Gland (de la verge). — Loc. *Tête de nœud* (injure).
— Fig. Imbécile. *Quel nœud !*

33 C'est elle qui excitait c'vieux nœud contre nous : sans elle, il était plus bête que
méchant (...)
H. BARBUSSE, le Feu, t. II, XX, p. 26.

CONTR. (Fig.) Dénouement.

DÉR. Nouet. — V. **Nouer, noueux.** — (Du lat. *nodus*) **Nodal, nodosité, nodulaire,
nodule, nodus.**

NOIR, NOIRE [nwar] adj. et n. — V. 1130 ; *neir,* 1080 ; du lat. *niger.*
→ Nègre.

★ **I.** Adj. **A.** Concret. (Presque toujours après le nom). ♦ **1.** Se dit de
l'aspect d'un corps qui produit une impression particulière sur la
vue du fait que sa surface ne réfléchit aucune radiation visible.

— REM. *Noir,* à proprement parler, ne désigne pas une couleur mais on
dit couramment : *la couleur noire.* ⇒ **Noirceur, noircir ; mélan-.**

1 (...) il y a des corps qui, étant rencontrés par les rayons de la lumière, les amortissent et leur ôtent toute leur force, à savoir ceux qu'on nomme noirs, lesquels
n'ont point d'autre couleur que les ténèbres (...)
DESCARTES, la Dioptrique, I.

*Noir comme (du) jais, comme de l'encre, comme du cirage, comme
du charbon, comme de l'ébène, comme l'aile du corbeau, comme un
corbeau, comme une taupe... Prunelle noire. Yeux noirs* (→ Brillant, cit. 7 ; éclat, cit. 22). *Barbe* (cit. 10), *sourcil* (→ Arc, cit. 13),
cheveux (cit. 9) *noirs. Poil noir* (→ Foncé, cit. 9). *Moustache*
(→ Gris, cit. 10), *mèche* (cit. 7) *noire.* — *Animaux au poil, au
plumage noir* (→ Freux, cit. 1 ; lynx, cit. 1 ; macreuse, cit.). *Cheval* (⇒ **Moreau**), *taureau, cerf, chat, griffon* (cit. 3), *corbeau, aigle
noir* (→ Aurochs, cit. 1 ; hennir, cit. 3 ; manoir, cit. 2). *Fourmi
noire. Grillons* (cit. 2) *noirs. Écorce noire* (→ Fibrille, cit. 2).
Fleurs roses et noires (→ Fumeterre, cit.). *Cerises* (cit. 5) *noires. Marbre* (cit. 1) *noir* (→ Jet, cit. 6). *La Pierre* noire (Kaaba).
Corail noir. Or* noir.

2 Le duc César, en grand costume, se détache.
Les yeux noirs, les cheveux noirs et le velours noir
Vont contrastant, parmi l'or ou somptueux d'un soir,
Avec la pâleur mate et belle du visage (...)
VERLAINE, Poèmes saturniens, « César Borgia ».

2.1 Ce personnage, qui avait pris le train à la station d'Elko, était un homme de haute
taille, très brun, moustaches noires, bas noirs, chapeau de soie noir, gilet noir, pantalon noir, cravate blanche, gants de peau de chien. On eût dit un révérend.
J. VERNE, le Tour du monde en 80 jours, p. 233.

(Chasse). *Bêtes* noires, au pelage noir (→ Courre, cit. 3 ; fourrer,
cit. 37). — Par plais. (vx). « *Le peuple appelle aussi* la bête noire *le*

commissaire quand il va en police » (Furetière). — Loc. mod. *Être la bête* (cit. 20) *noire de qqn.*

Drap, velours noir. Vêtements, gilets (cit. 1), *bas, souliers, habit* (cit. 25), *pantalon noir. Robe, soutane, jaquette* (cit. 2), *mantille* (cit. 1 et 2) *noire.* — Spécialt. (En signe de deuil). *Mettre un costume noir, une cravate noire.* — Par ext. Qui porte un vêtement noir. *Nous voilà noirs du bas* (cit. 48) *jusqu'en haut. Moines noirs,* bénédictins. — *Le Prince Noir* (à cause de la couleur de ses armes). — (1790). *Le parti noir* (ou les « *noirs* »), partisan de la restauration de l'Ancien Régime (à cause de la cocarde noire qu'ils arboraient en octobre 1789).

3 *Un petit homme noir, familier de l'Inquisition (...)*   VOLTAIRE, Candide, V.

4 *Tous deux avaient la robe noire, l'un de juge, l'autre de médecin. Ces deux sortes d'hommes portent le deuil des morts qu'ils font.*
     HUGO, l'Homme qui rit, II, IV, VIII.

Encre, poudre noire; crayon noir. Gravure à la manière noire. *Tableau noir. Lettres d'imprimerie* (cit. 4) *bien noires. Cartes* noires (trèfle, pique). *La couleur noire* (à la boule, à la roulette). *Le huit noir est sorti. Noir, impair et manque. Boule noire* (→ Blackbouler). *Plafond aux poutres noires et blanches* (→ Boiserie, cit. 2). *Tuiles noires* (→ Faîte, cit. 2). *Noires traînées de suie* (→ Fumer, cit. 3). *Épaisse fumée noire* (→ Mazout, cit.). *Un café* (cit. 4) *noir, bien noir* (→ Gastrique, cit. 2). ⇒ **Fort.** — (1859). *Drapeau*, *pavillon* *noir. Cordage* *noir. Perles noires. Laque* *noire.* — *Vierges* *noires.*

5 *De temps immémorial, M. sur M. avait pour industrie spéciale l'imitation des jais anglais et des verroteries noires d'Allemagne. Cette industrie avait toujours végété (...) Au moment où Fantine revint (...), une transformation inouïe s'était opérée dans cette production des « articles noirs » (...) Un inconnu (...) avait eu l'idée de substituer, dans cette fabrication, la gomme laque à la résine (...)*
     HUGO, les Misérables, I, V, I.

(Phys.) *Corps noir* : enceinte fermée, absorbant toutes les radiations qui tombent sur elle. ⇒ **Radiation, rayonnement.** *Lumière* *noire.*

6 *L'idée de quantum d'Action a été introduite par le grand physicien allemand Max Planck en 1900 dans ses travaux sur le rayonnement noir (...) c'est le rayonnement contenu à l'état d'équilibre à l'intérieur d'une enceinte fermée dont les parois, ainsi que les corps matériels qu'elle peut contenir, sont maintenus à une certaine température absolue uniforme.*
     L. DE BROGLIE, Ondes, corpuscules... I, 2.

Astron. *Trou noir.*

♦ **2.** Par exagér. Qui est d'une couleur (gris, brun, bleu...) très foncée, très bruni. — REM. Se dit notamment dans certaines expressions où il s'oppose à *blanc. Teint noir.* ⇒ **Basané, noiraud** (→ Braise, cit. 4). *Être tout noir après un séjour à la mer.* ⇒ **Bronzé, hâlé.** — REM. Dans la langue classique, à une époque où le teint hâlé était un signe négatif, noir est toujours péjoratif. «*Sec et noir comme écouvillon*» (cit. 1, Villon). «*Fille noire, huileuse* (cit. 3, Saint-Simon) *et laide* ».

7 *La pâle est aux jasmins en blancheur comparable;*
La noire à faire peur, une brune adorable (...) MOLIÈRE, le Misanthrope, II, 4.

8 *L'on voit certains animaux farouches, des mâles et des femelles, répandus par la campagne, noirs, livides, et tout brûlés du soleil, attachés à la terre qu'ils fouillent (...) quand ils se lèvent sur leurs pieds, ils montrent une face humaine et en effet ils sont des hommes. Ils se retirent la nuit dans des tanières, où ils vivent de pain noir, d'eau et de racines (...)* LA BRUYÈRE, les Caractères, XI, 128.

(1690). Par suite d'une meurtrissure. ⇒ **Livide, meurtri.** *Avoir la peau toute noire de coups. Boxeur qui a l'œil* *tout noir au lendemain d'un combat* (→ fam. *L'œil au beurre* noir). N. m. (Vieilli). *Être couvert de noirs.* ⇒ **Bleu.**

9 *Sur les côtes, de minces zébrures violettes descendaient jusqu'aux cuisses, les cinglements du fouet imprimés là tout vifs. Une tache livide cerclait le bras gauche (...) Des pieds à la tête, elle n'était qu'un noir.*
     ZOLA, l'Assommoir, t. II, XII, p. 224.

♦ **3.** (*Neir,* 1080). Qui appartient à la race « mélano-africaine », à peau très pigmentée. ⇒ **Nègre, négresse.** *Race noire, peuples noirs.* ⇒ **Négritude.** *Hommes à la peau noire; femmes, hommes noirs.* — (Déb. XXe). Par ext. Propre aux personnes de cette race. *L'âme noire, l'âme des peuples noirs. Le problème noir aux États-Unis.* Vieilli. *Jazz-band noir,* composé de musiciens noirs.

REM. Le recul de *nègre,* péjoratif et raciste dans le discours des Blancs, donne à *noir,* dans ce sens, le statut de mot courant et non marqué.

♦ **4.** (Dans des syntagmes où un autre adj. exprimant une couleur claire est possible). Qui est plus sombre (dans son genre). *Pain noir* (→ Manouvrier, cit.; *même,* cit. 5). *Blé* *noir. Beurre* *noir.* Fig. *Un œil au beurre noir* (⇒ **Beurre**). *Viandes* *noires* (→ Insipide, cit. 1; *mariner,* cit. 1). Vx. *Morue noire.* Mod. *Lieu (noir).* — *Café noir et café au lait* (→ ci-dessous II., C.) *Raisin noir. Sang* *noir* (→ Infecter, cit. 4; *masse,* cit. 2).

(Dans d'autres syntagmes). *Terres* *noires* (→ Humus, cit. 1; *limon,* cit. 3). *Nuées, nuages noirs* (→ Amonceler, cit. 1; *livide,* cit. 6). *Point* *noir.*

♦ **5.** (1690). Qui, pouvant être blanc et propre, se trouve sali, terni. ⇒ **Sale**. *Avoir les mains noires, les ongles noirs. Visage noir de ramoneur, de charbonnier. Marée* *noire.* Fam. *Les gueules* *noires.* ⇒ **Mineur.** — NOIR DE... *Mains noires de crasse. Rue, hangar* (cit. 3) *noir de charbon* (→ Manufacture, cit. 2). *Cheminée, muraille noire de suie. Immondes* (cit. 3) *ruelles, boueuses et noires. Escalier noir et puant* (→ Même, cit. 31). *Édifices lépreux* (cit. 4) *et noirs.*

Il s'interrompit, chercha du doigt un chiffre, dans l'indéchiffrable gribouillis d'un papier noir de surcharges et de ratures.   COURTELINE, le Train de 8 h 47, I, V. 10

♦ **6.** Qui est privé de lumière, plongé dans l'obscurité, dans l'ombre. ⇒ **Obscur, sombre, ténébreux.** *Cabinet* *noir.* (1835) *chambre* *noire. Cachots noirs, profonds* (→ Immonde, cit. 1). *Maison noire, silencieuse, vide* (→ Lugubre, cit. 4). *Trou noir* (→ Lapin, cit. 3; *machine,* cit. 6). *Bouche* (cit. 25) *noire d'un mortier.* (En valeur adverbiale). *Il fait noir comme dans la gueule* (cit. 5) *d'un loup, comme dans un four* (cit. 7). *Il fait trop noir, ouvrez les volets.* — *Nuit noire,* complète (sans lune, sans étoiles...). *Arriver à la nuit* (1., cit. 14) *noire. Rester jusqu'à la nuit noire* (→ Absorber, cit. 10). — Poét. Des enfers. *L'onde noire,* le Styx.

Comme il fait noir dans la vallée ! 11
J'ai cru qu'une forme voilée
Flottait là-bas sur la forêt.   A. DE MUSSET, Poésies nouvelles, « Nuit de mai ».

Jeanne était au pain sec dans le cabinet noir (...) 12
     HUGO, l'Art d'être grand-père, VI, VI.

Minuit, une nuit d'hiver noire comme l'enfer, par grand vent et pluie fouettante. 13
     LOTI, Ramuntcho, I, VIII.

Vx ou littér. (Avant le nom). *Un noir in pace* (→ Livide, cit. 8). *Le noir séjour de Pluton* (→ Absorber, cit. 10).

(Par suite du contraste avec un fond ou des alentours éclairés). *Arbre* (cit. 31) *dépouillé, nu et noir sous le ciel.* « *La mer (...) d'un flot d'argent* (cit. 8, Hugo) *brode les noirs îlots* ». *Palmes noires sur le bleu du ciel* (→ Cèdre, cit. 2). *Une ombre noire dans la lumière grise* (→ Foncer, cit. 1). *Silhouettes noires* (→ Fuyant, cit. 10). *L'aube éclairait les masses* (cit. 12) *noires des navires.*

Littér. (Avant le nom).

Paris était étendu à nos pieds, noir océan où se reflétaient les étoiles scintillantes du ciel.   A. MAUROIS, Climats, II, V. 14

♦ **7.** Qui, pouvant être clair, se trouve obscurci, assombri. *Ciel noir.* ⇒ **Couvert, sombre** (→ Ardent, cit. 11). *Le temps est bien noir aujourd'hui.* — Loc. fig. (Fin XVIe). *Un froid noir,* froid qu'il fait par temps couvert. — *Eau noire d'un fleuve, d'un lac. La flache noire et froide* (→ Frêle, cit. 3, Rimbaud). « *Le soleil noir de la mélancolie* » (cit. 16). → aussi Inconsolé, cit. 2, Nerval). — *Verres* *noirs.* ⇒ **Enfumé, fumé.** *Lunettes* *noires.*

Si le ciel et la mer sont noirs comme de l'encre, 15
Nos cœurs que tu connais sont remplis de rayons !
     BAUDELAIRE, les Fleurs du mal, « La mort », CXXVI, VIII.

N. m.

C'était un après-midi sombre, au plus noir de l'hiver.   F. MAURIAC, le Mal, X. 16

♦ **8.** Méd. anc. Troublé. *Bile*, *humeur* *noire* (⇒ **Atrabile, hypocondrie, mélancolie**). *Vapeurs noires* (→ Fantaisie, cit. 5; *infecter,* cit. 2). *Il voit tout noir.*

Fig. → ci-dessous, I., B., 1.

Des faits que nous avons cités plus haut, on pourrait aussi déduire que la bile noire ou atrabile que les anciens croyaient embarrassée dans les hypocondres, n'est pas aussi ridicule et imaginaire que la plupart des modernes l'ont pensé (...) 17
     Encycl. (DIDEROT), art. *Mélancolie.*

♦ **9.** (1898). Fam. (Surtout en attribut). Ivre*. *Il est complètement noir.* — REM. Il semble bien que *noir,* en ce sens, signifie «obscurci, embrumé dans sa vision, ses conceptions», «qui a le cerveau brouillé ». Certains aussi l'interprètent comme renchérissant sur *gris*; mais le sens de *noir* apparaît à une époque où *gris* n'appartenait plus au langage populaire.

Un samedi, j'étais noir, je les ai engueulés tous, en rentrant; j'ai dit que j'en avais marre des embusqués de l'arrière et j'ai demandé à repartir (...)
     R. DORGELÈS, les Croix de bois, XV.

B Abstrait. (Parfois avant le nom, dans l'usage littér. et poétique).
♦ **1.** (V. 1175). Assombri par la mélancolie. «*J'entre en une humeur noire, en un chagrin* (cit. 16, Molière) *profond* ». ⇒ **Triste.** *Mélancolie noire* (→ Lycanthropie, cit. Ronsard). *Avoir, se faire des idées noires* (→ Fixe, cit. 6). ⇒ **Ennui.** — Vieilli ou littér. (Avant le nom). *Noirs soucis, noirs pressentiments, noirs soupçons.* ⇒ **Funeste; funèbre.** Vieilli. *Il voit tout noir* : il est pessimiste* (mod. *voir tout en noir,* ci-dessous). *Faire un tableau bien noir de la situation.* Poét. *Noir destin.* ⇒ **Malheureux.**

Non : de trop de souci je me sens l'âme émue. 18
Allez-vous-en la voir, et me laissez enfin
Dans ce petit coin sombre, avec mon noir chagrin.
     MOLIÈRE, le Misanthrope, V, 1.

D'un noir pressentiment malgré moi prévenue, 19
Je vous laisse à regret éloigner de ma vue.   RACINE, Britannicus, V, 1.

Je reçois toujours les lettres fort noires de mon fils, appelant ses chaînes et son esclavage, ce qu'un autre appellerait sa joie et sa fortune. 20
     Mme DE SÉVIGNÉ, 826, 3 juil. 1680.

Si sa pensée habituelle est triste, sombre et noire; s'il fait toujours nuit dans sa tête mélancolique et dans son lugubre atelier (...) 21
     DIDEROT, Essai sur la peinture, II.

Je suis triste; je vois tout noir; mais les événements n'y sont pour rien; mais le raisonnements n'y sont pour rien; c'est mon corps qui veut raisonner; ce sont des opinions d'estomac. 22
     ALAIN, Propos, 9 mai 1911, Des passions.

Malheureux, funeste. *Une série* *noire* : une suite d'ennuis, de catastrophes.

(Avec une idée d'irritation et d'hostilité, que comportait souvent le sens ancien de mélancolie). *Regarder qqn d'un œil noir. Jeter un regard noir.* « *Mes jours de jalousie et mes nuits d'humeur* (cit. 50, Verlaine) *noire* ».

24 Le matin, elle suivait Buteau d'un regard noir, lorsque, sans gêne, il traversait la cuisine, à moitié nu.   ZOLA, la Terre, III, I.

Maladie noire : neurasthénie profonde.

♦ **2.** (XIIIe). Marqué par le mal. ⇒ **Mauvais, méchant** — REM. Dans l'antiquité païenne comme dans le christianisme, les idées de noir et de mal sont invariablement associées, de même que les esprits du mal sont localisés dans les régions souterraines et infernales, les esprits du bien dans les régions élevées et lumineuses (→ Génie, cit. 1, Voltaire). Marco Polo s'étonne, dans la relation de ses voyages, de trouver au contraire des dieux et des saints peints en noir, et des diables en blanc. — Vx. *Le noir esprit :* le diable. Mod. *Magie* noire. Messe** (cit. 6) *noire.* « *De l'enfer les noirs frémissements* » (cit. 1, Boileau).

25 D'abord j'appréhendai que cette ardeur secrète
Ne fût du noir esprit une surprise adroite (...)   MOLIÈRE, Tartuffe, III, 3.

Spécialt. *Humour* noir,* qui exploite des thèmes pénibles, macabres.

Loc. *Jeter un œil noir, un regard noir à qqn,* un œil, un regard méchant.

25.1 Mais pourquoi faites-vous cette tête-là, mon petit ? Tout à l'heure, vous m'avez déjà *jeté un œil noir* (...) Tout ce que j'aurais à vous dire, eh bien, vaudrait mieux ne pas le crier sur les toits, ni dans les cages d'escalier (...) Avouez, Boisselot, que vous m'avez *jeté un œil noir* quand je parlais à votre femme. On jurerait que, rue Las-Cases, c'est toujours chasse gardée, hé, hé ?
Bernard BARBEY, Chevaux abandonnés sur le champ de bataille, p. 171.

⇒ **Atroce, odieux, pervers.** Vieilli ou littér. *Une âme noire.* ⇒ **Noirceur.** *Des crimes si noirs* (→ Berceau, cit. 9 ; gloser, cit. 5). *Avancer* (cit. 4) *des impostures si noires. Noire jalousie* (→ Calomniateur, cit. 4). *Noire ingratitude. Noire calomnie.*

26 D'un mensonge si noir justement irrité.   RACINE, Phèdre, IV, 2.

27 Il y a tant d'esprits noirs et mauvais qui ne trouvent de plaisir qu'à mettre le mal où il n'est pas.   MASSILLON, Carême, Du pardon des offenses.

28 (...) quelque noir projet de vengeance s'ébauchait déjà dans sa cervelle, projet qui voulait être couvé par la rancune pour être mené à bien.
Th. GAUTIER, le Capitaine Fracasse, X.

Marqué par le mal qu'on en pense ou dit, par la mauvaise réputation*. ⇒ **Noircir.** « *Les jugements de cour vous rendront blanc* (cit. 12, La Fontaine) *ou noir.* » — Par métonymie. *Liste** (cit. 3) *noire.*

29 Souvenez-vous, en parlant de la pupille, de les rendre tous plus noirs que l'enfer. — Vous avez raison. — La calomnie, docteur, la calomnie ! Il faut toujours en venir là.   BEAUMARCHAIS, le Barbier de Séville, IV, 1.

♦ **3.** Qui insiste sur les aspects moralement négatifs, la violence, le crime (dans un récit). Spécialt. *Roman noir :* variété de récit policier*, d'abord américain. *La série noire.* — *Film noir et film d'épouvante.*

♦ **4.** Dans quelques expressions, où l'idée de « caché » se mêle à celle de « suspect ». (1940). *Marché* (cit. 30) *noir.* ⇒ **Clandestin.** Ellipt. (fam.). *Acheter une denrée au noir. Travail au noir,* et, par ext., *travail* noir. Livre noir.*

30 Aucune fortune ne peut nous mentir, nous possédons les secrets de toutes les familles. Nous avons une espèce de *livre noir* où s'inscrivent les notes les plus importantes sur le crédit public, sur la Banque, sur le Commerce.
BALZAC, Gobseck, Pl., t. II, p. 636.

30.1 Ce que le marché noir lui avait rapporté lui permettait de passer vingt-quatre heures dans ces lieux. Il voulut en jouir, déjeunant et dînant dans son salon pour se convaincre de sa victoire, comme Napoléon lorsqu'il couchait sur le champ de bataille. D'ailleurs, il avait peur de se retrouver dans la rue et le sort commun l'entraînât.   Jacques LAURENT, les Bêtises, p. 37.

♦ **5.** Poét. — REM. Chez Hugo, *noir* comme tant d'autres mots-clefs de son vocabulaire poétique *(fauve, farouche, sombre...)* prend souvent un sens intermédiaire entre le physique et le moral, évoquant à la fois les ténèbres, le mystère, la mort, le mal, au point que le mot devient indéfinissable. « *La lutte était ardente* (cit. 36) *et noire* ». « *Le noir passé* » (→ Attrister, cit. 5). « *... ce noir passant ailé, le temps...* » (→ Moment, cit. 24).

31 Et que je te sens froide en te touchant, ô mort,
Noir verrou de la porte humaine !   HUGO, les Contemplations, V, XIII.

32 Elle a, la pauvre belle aux purs et chastes jours,
Deux noirs voisins qui font une noire besogne (...)
HUGO, la Légende des siècles, XV, Éviradnus, V.

★ **II.** N. m. **A.** (Concret). ♦ **1.** (XIIe). Couleur noire. *Cheveux* (cit. 25) *d'un noir d'encre, de jais. Qui tire sur le noir.* ⇒ **Noirâtre.** *Un beau noir* (→ ci-dessous, cit. 48, Valéry). *Les noirs admirables du ciel* (→ Fusée, cit. 3). *Tigré, taché, panaché, mêlé, marqueté* (→ Bariolé, cit. 2), *varié... de noir* (→ Gypaète, cit. 10 ; fretin, cit. 2 ; jonquille, cit. 2 ; joug, cit. 2 ; litorne, cit.). — (En parlant de vêtements de cette couleur). *Habillé, vêtu de noir* (→ Étranger, cit. 40, Musset ; garçon, cit. 24). *Porter du noir, être en noir* (particulièrement en signe de deuil*), *prendre, quitter le noir.* ⇒ **Deuil.** — (Symbole de l'état ecclésiastique). *Le Rouge et le Noir,* roman de Stendhal. — *Inscriptions* (cit. 3) *écrites en noir.*

33 Que ma serge honnête elle ait son vêtement,
Et ne porte le noir qu'aux bons jours seulement (...)
MOLIÈRE, l'École des maris, I, 2.

34 (...) et bientôt ils aperçurent un char drapé de noir, traîné par quatre chevaux noirs, couverts de housses noires qui leur enveloppaient la tête et qui descendaient jusqu'à leurs pieds (...)   DIDEROT, Jacques le fataliste, Pl., p. 542.

Celui-ci marcha droit à la table, s'y tint debout, jeta sans calcul sur le tapis une   35
pièce d'or qu'il avait à la main, et qui roula sur le Noir (...)
BALZAC, la Peau de chagrin, Pl., t. IX, p. 16.

En style héraldique, le noir, qui s'appelle *sable* pour le peuple des nobles, s'appelle   36
saturne pour les princes et *diamant* pour les pairs. Poudre de diamant, nuit étoilée, c'est le noir des heureux.   HUGO, l'Homme qui rit, II, II, XI.

J'étais un peu perdu entre le ciel bleu et blanc et la monotonie de ces couleurs,   37
noir gluant du goudron ouvert, noir terne des habits, noir laqué des voitures.
CAMUS, l'Étranger, I, I.

(Jeux). La couleur noire (opposé à *rouge*). *Miser à la roulette sur le noir. Le noir est sorti.* — Centre d'une cible de tir. *Mettre dans le noir.*

Loc. (1835). Vx. (En parlant de l'écriture). *Mettre du noir sur du blanc :* écrire. Mod. *C'est écrit noir sur blanc,* de manière incontestable.

(...) les Turcs eux-mêmes souhaitent de voir mon avis consigné noir sur blanc (...)   38
G. DUHAMEL, la Turquie nouvelle, III.

(Par métaphore). *Aller, passer, changer du blanc** (cit. 18) *au noir.* ⇒ **Changeant, versatile.** *Dire tantôt blanc** (cit. 14) *tantôt noir. Vie mêlée de haut et de bas* (cit. 51), *de blanc et de noir.* ⇒ **Extrême.**

REM. Dans *dire noir, écrire noir,* on peut considérer le mot comme adverbial.

♦ **2.** (Fin XIIe). L'obscurité, les ténèbres, la nuit. *Enfant qui a peur dans le noir* (→ Fantôme, cit. 14 ; frayeur, cit. 7). Fam. *Il a peur du noir.* — *Course à tâtons dans le noir* (→ 1. Garde, cit. 18). *Se perdre dans le noir et dans la rafale* (→ Mansarde, cit. 2).

Comme tu me plairais, ô nuit ! sans ces étoiles   39
Dont la lumière parle un langage connu !
Car je cherche le vide, et le noir, et le nu !
BAUDELAIRE, les Fleurs du mal, « Spleen et Idéal », LXXIX.

Il ne voyait rien autour de lui ; il se trouvait dans du noir. La porte en se fermant   40
l'avait fait momentanément aveugle. Le vasistas était fermé comme la porte. Pas de soupirail, pas de lanterne.   HUGO, l'Homme qui rit, II, IV, VII.

Non ; elle était entrée toute seule dans le noir ; elle croyait que je dormais.   41
GIDE, Isabelle, IV.

Loc. *Au plus noir de la nuit, de l'hiver.* → cit. 16.

Fig. *Être dans le noir, dans le noir le plus complet :* ne rien comprendre à qqch., ignorer tout de qqch. *Au delà, pour moi c'est le noir,* le mystère.

Je ne crois plus à la clarté   42
De l'après-mort mais à du noir
Qui gagne encore sur le noir
Auquel je m'étais habitué.
J. SUPERVIELLE, la Fable du monde, « Nocturne en plein jour », p. 77.

♦ **3.** (1562). Matière colorante noire (pouvant être un produit naturel ou un produit de synthèse). ⇒ **Colorant.** (1839). *Noir animal,* obtenu par calcination en vase clos de diverses matières animales, particulièrement des os. ⇒ **Charbon, décolorant.** (1660). *Noir de fumée,* obtenu par combustion incomplète de corps riches en carbone, tels que les résidus de l'industrie des résines. ⇒ **Suie.** *Le noir de fumée entre dans la composition de la plupart des peintures et encres noires. Noir de carbone*. Noir activé,* obtenu par calcination en vase clos de la tourbe. *De nombreux noirs prennent le nom de la matière calcinée dont ils proviennent : noir d'ivoire, noir de pêche* (des noyaux de la pêche et autres fruits), *noir de liège* (ou *noir d'Espagne*), *noir de vigne* (sarments de vigne), *noir de lie...* etc. — *Noir d'aniline,* obtenu par oxydation de l'aniline en milieu acide, et directement formé sur la fibre du coton qu'on veut teindre. *Noir d'alizarine,* employé surtout pour teindre la laine (→ Laque, cit. 1). *Teindre en noir.* ⇒ **Teinture.** — *Pot* au noir.*

Les *Noirs d'aniline* comptent parmi les colorants les plus importants pour la tein-   43
ture et l'impression du coton en raison de leur faible prix de revient, de la profondeur et de la solidité de leurs nuances. On les prépare sur la fibre elle-même par oxydation du sel d'aniline, au moyen d'une solution de bichromate ou de chlorate de potassium.   Jean MEYBECK, les Colorants, p. 92.

Loc. *Broyer du noir* (du noir animal, et fig.). ⇒ **Broyer,** et ci-dessous, B., 1.

Noir employé dans la toilette, les soins de beauté... Indiens barbouillés (cit. 12) *de noir, de blanc, de rouge* (→ Bariolé, cit. 1). *Maquillage* (cit. 1) *à l'aide du noir artificiel qui cerne l'œil. Se mettre du noir aux yeux. Souligner de noir les sourcils. Cheveux teints en noir* (→ Aride, cit. 8).

(Peint.). *La gamme* des noirs. Un noir intense, profond, soutenu... Les noirs et les gris de Goya, de Manet... Portrait tout en noir* (→ Éblouissant, cit. 7).

Le noir, comme le rouge, comme le vert, comme le bleu, comme toute autre   44
nuance, a ses clairs, ses demi-teintes, ses ombres ; il ne fait pas, parmi les objets qui l'entourent, cette tache absolument opaque ; il s'y relie par des reflets, par des rappels, par des ruptures ; autrement il creuse un trou dans la toile.
Th. GAUTIER, Portraits contemporains, « Paul Delaroche ».

Cézanne, dit la tradition, vient de déjeuner sur l'herbe avec quelques peintres et un   45
collectionneur ; celui-ci s'aperçoit qu'il a oublié son pardessus. Mais où ? Cézanne dit tout à coup : « Il y a là-bas un noir qui n'est pas dans la nature ! » et d'y courir. « Je sais maintenant comment Goya fait son noir », ajoute-t-il, radieux et sans doute ironique, en apportant la proie.   MALRAUX, les Voix du silence, p. 351.

♦ **4.** Matière noire ou sombre, qui tache, salit. *Se mettre du noir*

sur le nez. Avoir du noir sur la joue. Être barbouillé de noir.
⇒ **Mâchuré.**

♦ **5.** Techn. Marbre noir. *Du noir antique.*

B. (Abstrait). ♦ **1.** (Fin XIIᵉ). Fig. LE NOIR. Symbole de la mélancolie, du pessimisme (→ ci-dessus, I., B., 1.). (Vieilli). *Faire du noir,
s'enfoncer dans le noir, dans son noir, broyer** (cit. 5) *du noir.
« Repiquer dans le noir »* (Gide). — EN NOIR, AU NOIR. *Voir tout
en noir, voir tout noir. Pousser les choses au noir :* être exagérément pessimiste, alarmiste. Absolt. *Il a tendance à pousser au noir.
Vous avez tort de peindre en noir la situation.* ⇒ **Noircir.**

46   (...) en un instant son imagination émue fut à mille lieues de la mauvaise humeur.
     Dans la voiture, en venant au bal, Norbert était heureux, et lui voyait tout en noir;
     à peine entrés dans la cour, les rôles changèrent.
                                              STENDHAL, le Rouge et le Noir, II, VIII.

47   Ceci dit, je ne pense qu'il faille pousser les choses au noir; on a le devoir d'affir-
     mer qu'il reste beaucoup plus de raisons d'avoir confiance, que de raisons de
     désespérer.   MARTIN DU GARD, les Thibault, t. VI, p. 193.

47.1 Oh, écoute, là permets-moi de te dire que tu *pousses* au noir. Tu sais bien que ce
     n'est pas tout à fait comme ça, tu vois tout en noir. A t'entendre, ils seront dans
     la rue, ils sont menacés de finir leurs jours à l'asile de nuit.
                                              N. SARRAUTE, le Planétarium, p. 260.

Allus. littéraire.

48   NOIR. Les «pessimistes de la plume» : ils cherchent un «beau noir», dirait un
     peintre. Pascal a de «beaux noirs» et les a cherchés, et je vois trop qu'il les a trop
     bien trouvés. Les «noirs» magnifiques de l'Église, relevés d'argent et d'or. Orgues,
     voûtes, latin : «in sæcula seculorum» (...) Pompes, cires, encens, altitudes d'ombres
     profondes.   VALÉRY, Mélange, Instants, Des couleurs, I.

Fam., vieilli. *Avoir le noir.* ⇒ **Cafard.**

♦ **2.** Symbole de l'infernal, du terrible. *Le noir de certaines scènes,
de certains tableaux d'Anne Radcliffe, de Poe (...)*

49   Jamais fantôme n'a été représenté d'une manière plus vague et plus terrible. L'ori-
     gine de la Mort, racontée par le Péché *(chez Milton),* la manière dont les échos
     de l'enfer répètent le nom redoutable (...) tout cela est une sorte de noir sublime,
     inconnu de l'antiquité.
                                  CHATEAUBRIAND, le Génie du christianisme, II, IV, XIV.

C. *Un, des noirs.* ♦ **1.** Partie noire d'une chose. (1838). *Les noirs
d'une gravure,* les parties fortement ombrées. ⇒ **Hachure.** *Les noirs
d'un tableau,* par oppos. aux «clairs*» (cit. 23). — *Le noir de la
cible,* le disque noir central. *Mettre* dans le noir, en plein dans le
noir.* ⇒ **Mouche** (faire), **réussir.**

Serrur. *Les noirs :* les parties qui n'ont pas été polies, blanchies à
la lime.

Agric. Nom vulgaire de diverses maladies des plantes dont certains
organes prennent une coloration noire (due le plus souvent à des
champignons parasites). *Noir des grains.* ⇒ **Charbon.** *Noir du seigle.* ⇒ **Ergot.** *Noir de l'olivier.* ⇒ **Fumagine.**

♦ **2.** (1868, Littré). Vx. Meurtrissure. ⇒ **Bleu** (mod.); → ci-dessus
cit. 9.

♦ **3.** (1859). Café noir, non mêlé de crème ou de lait. *Un petit, un
grand noir.*

49.1 Un cheminot vient boire un noir brûlant, arrosé; puis retourne à son travail, après
     avoir échangé quelques brèves paroles sur l'accident, avec le patron.
                                              R. QUENEAU, le Chiendent, p. 35.

D. N. m. et f. (1556, *in* D.D.L.). Homme, femme de race noire
(→ ci-dessus, I., 3.). ⇒ **Nègre.** *Traite, esclavage* (cit. 7) *des Noirs*
(→ Esclave, cit. 3). *Les Noirs d'Afrique, les Noirs des États-Unis,
les Noirs américains* (→ Boycotter, cit. 2; jazz, cit. 2). *Musique**
des Noirs. Il a épousé une Noire.* — Littér. *Le Blanc et le Noir,*
conte de Voltaire.

REM. *Noir* tend à remplacer *nègre,* considéré comme péjoratif et même
raciste, sauf dans l'usage des Noirs eux-mêmes → Nègre, négritude.

50   Peut-être faut-il, pour comprendre cette unité indissoluble de la souffrance, de
     l'éros *(l'amour)* et de la joie, avoir vu les noirs de Harlem danser frénétiquement
     au rythme de ces «blues» qui sont les airs les plus douloureux du monde? C'est
     le rythme, en effet, qui cimente ces multiples aspects de l'âme noire (...)
                                              SARTRE, Situations III, Orphée noir, p. 271.

(XVIIIᵉ). Spécialt. Esclave noir, domestique noir. Loc. *Travailler
comme un noir.*

50.1 Si je suis content? Je le serais davantage, si je gagnais davantage en travaillant
     comme deux noirs.
                                  Germain NOUVEAU, Lettre à L. Silvy, 11 juin 1909, *in* Œ., p. 960.

51   Vous feriez, à l'abri des ombreuses retraites,
     Germer mille sonnets dans le cœur des poètes,
     Que vos grands yeux rendraient plus soumis que vos noirs.
                                  BAUDELAIRE, les Fleurs du mal, «Spleen et Idéal», LXI.

★ **III.** Adv. ♦ **1.** Rare. En couleur noire. *Peindre très noir*
(G. L. L. F.).

♦ **2.** Loc. *Il fait noir* (ci-dessus, cit. 11 et I., A., 6.).

CONTR. **Blanc, blond** (cheveux). — **Clair.** — **Enflammé, gai, optimiste.** — **Pur.**
DÉR. **Noirâtre, noiraud, noire, noirement, noireté** ou **noirté.** — **Noirceur.**

NOIRÂTRE [nwaʀɑtʀ] adj. — 1395, *noirastre;* de *noir,* et suff. *-âtre.*

♦ Qui tire sur le noir, d'une couleur tirant sur le noir. ⇒ **Sombre.** *Couleur, teinte noirâtre* (→ Ébène, cit. 1). *Plumes noirâtres
du grisard* (cit. 1). *Marbres* (cit. 1) *gris, blanchâtres ou noirâtres.*

Tableau où l'ombre est noirâtre (→ Lumière, cit. 19). *Taches noirâtres au flanc d'un malade* (→ Gonfler, cit. 31). *Lèvres noirâtres.*
⇒ **Fuligineux.** *Teint noirâtre.* ⇒ **Basané, bistre.**

Cette grille, sorte de porte percée au bas du quai, s'ouvrait sur la rivière autant
que sur la berge. Un ruisseau noirâtre passait dessous. Ce ruisseau se dégorgeait
dans la Seine.   HUGO, les Misérables, V, III, III.

NOIRAUD, AUDE [nwaʀo, od] adj. et n. — 1538; de *noir.*

♦ **1.** (Personnes). Qui est noir de teint, de type très brun. ⇒ **Basané,
moricaud.** — *Maigre et noiraud.* — *Face noiraude. Peau noiraude. Il est un peu noiraud.* — N. (1680). *Un petit noiraud.
Une noiraude.*

♦ **2.** Vx ou rare. Qui tire sur le noir. *Cheveux noirauds. «Ses prunelles noiraudes »* (Villiers, *in* G. L. L. F.).

NOIRCEUR [nwaʀsœʀ] n. f. — 1487; *nerçor,* v. 1160; de *noir,*
d'après *noircir;* a remplacé l'anc. mot *noireté.*

A. (⇒ **Noir,** I., 1.). ♦ **1.** Littér. Couleur, caractère de ce qui est noir.
Noirceur de l'encre (→ Liqueur, cit. 2), *du corbeau* (→ Hérisser,
cit. 7). *La noirceur de ses cheveux* (→ Lustre, cit. 1). — *Noirceur
dans le ciel* (→ Forme, cit. 8).

(...) l'aurore accentuait par la noirceur des ombres ces profils lamentables (...)   1
                                              HUGO, les Misérables, IV, III, VIII.

(...) l'apparition violente par laquelle, chez Ribera, un ton clair éclate subitement   2
sur la noirceur lugubre (...)   TAINE, Philosophie de l'art, t. II, p. 335.

Et, sur son passage, la nuit cédait lentement, l'ombre se séparait et s'écartait, la   2.1
noirceur était délayée par une eau toute fraîche, dont chaque goutte évanescente
avait pouvoir de la rendre pâle.   J.-M. G. LE CLÉZIO, la Fièvre, p. 51.

♦ **2.** (1690). Tache noire. *« Il a une noirceur à la jambe »* (Académie).

Ciel! ainsi, comme on voit aux voûtes des celliers   3
Les noirceurs qu'en rôdant tracent les chandeliers (...)
                                              HUGO, la Légende des siècles, LVIII, II.

♦ **3.** Obscurité. *La noirceur nocturne* (→ Fusain, cit. 1). *La noirceur des bois sombres* (Littré).

Les reflets intermittents des soupiraux n'apparaissaient qu'à de très longs inter-   4
valles, et si blêmes que le plein soleil y semblait clair de lune; tout le reste était
brouillard, miasme, opacité, noirceur.   HUGO, les Misérables, V, III, VIII.

♦ **4.** Méd. anc. *Noirceur des vapeurs, de l'humeur.*

(...) je ne comprends pas l'opiniâtreté et la noirceur de ses vapeurs *(du chevalier*   5
de Grignan), de tenir contre tant de bonnes choses.
                                              Mᵐᵉ DE SÉVIGNÉ, 1196, 17 juil. 1689.

B. (Mil. XVIIᵉ). ⇒ **Noir,** I., B. ♦ **1.** Vx. Mélancolie, tristesse; pensées sombres.

Rien n'est si insupportable à l'homme que d'être dans un plein repos, sans pas-   6
sions, sans affaire, sans divertissement, sans application (...) Incontinent il sortira
du fond de son âme l'ennui, la noirceur, la tristesse, le chagrin, le dépit, le désespoir.   PASCAL, Pensées, II, 131.

J'ai quelquefois des rêveries dans ces bois, d'une telle noirceur, que j'en reviens   7
plus changée que d'un accès de fièvre.   Mᵐᵉ DE SÉVIGNÉ, 172, 31 mai 1671.

♦ **2.** (1651). Mod. et littér. Méchanceté extrême, odieuse. ⇒ **Perfidie.** *La noirceur de son âme. « De ces femmes pourtant l'hypocrite*
(cit. 25) *noirceur »* (Boileau). *La noirceur de son forfait, de son
ingratitude, de cette trahison...* ⇒ **Horreur, indignité** (→ Atroce,
cit. 3). *Une noirceur infernale.*

(...) dom Antoine, ayant fait avouer à dom Fernand son mauvais procédé avec Vic-   8
toria, lui reprocha cent fois la noirceur de son action et lui représenta les fâcheuses suites qu'elle pouvait avoir.   SCARRON, le Roman comique, I, XXII.

Dans toute leur noirceur retracez-moi ses crimes (...)   9
                                              RACINE, Phèdre, IV, 4.

(...) encore le Grand-Singe avait-il eu la noirceur de nous placer aux deux bouts   10
de la salle, sous prétexte que nous causions trop (...)
                                              LOTI, Figures et Choses..., Vacances de Pâques, II.

(...) l'instituteur lui livre *(au nègre)* cent habitudes de langage qui consacrent la   11
priorité du blanc sur le noir. Le nègre apprendra à dire «blanc comme neige»
pour signifier l'innocence, à parler de la noirceur d'un regard, d'une âme, d'un forfait.   SARTRE, Situations III, p. 248.

♦ **3.** (1680). Une, des noirceurs. Acte, parole témoignant de cette
méchanceté. *Tramer, méditer quelque noirceur* (→ Mégère, cit. 2;
épier, cit. 6). *La kyrielle de ses noirceurs* (→ Compte, cit. 14). *Des
commérages* (cit.) *et des noirceurs.*

(...) il y a bien des noirceurs dans ce que dit la Voisin.   12
                                              Mᵐᵉ DE SÉVIGNÉ, 775, 26 janv. 1680.

Non, non, s'écriait le chevalier en penchant sa tête sur ses deux mains, et se cou-   13
vrant le visage de honte; c'est une noirceur, une noirceur impardonnable.
                                              DIDEROT, Jacques le fataliste, Pl., p. 707.

Mais bien entendu la démission se produira dans de telles conditions, dans une   14
telle atmosphère, que votre patron sera admiré par tout le monde pour sa grandeur
d'âme et se retirera sous les applaudissements, tandis que lui-même, obligé de démis-
sionner à son tour, mais convaincu d'un tas de noirceurs fuira dans les huées.
                                  J. ROMAINS, les Hommes de bonne volonté, t. XI, XIV, p. 131.

CONTR. **Blancheur, clarté.** — **Gaieté.** — **Bonté.**

NOIRCIR [nwaʀsiʀ] v. — Fin XIIᵉ; *nercir,* v. 1130; du lat. vulg. *nigri-
cire,* lat. class. *nigrescere* «devenir noir», de *niger* «noir».

★ **I.** V. intr. Devenir noir* (I., A.). *Fraise* (cit. 2) *sauvage qui* *mûrit, noircit et tombe. Cet enfant était blond, ses cheveux ont noirci.* — Par exagér. *Sa peau noircit facilement au soleil.* ⇒ **Brunir.** — *Ce bois noircit sans brûler. Laisser le rôti, les alouettes noircir dans le four* (→ Impatienter, cit. 10). *Ce tableau a noirci en vieillissant. Les pages noircissaient à vue d'œil sous le galop* (cit. 9) *de sa main.*

1   Sur un sol crevassé l'on voit noircir le grain ;
    Les épis sont brûlés, et leurs têtes penchées
    Tombent sur leurs tiges séchées.
                        FLORIAN, Fables, III, 2.

★ **II.** V. tr. ♦ **1.** Colorer ou enduire de noir. *Noircir des poutres, du chêne. Noircir de nouveau.* ⇒ **Renoircir.** *La fumée a noirci les murs.* ⇒ **Enfumer.** *Bouts de mèche* (cit. 2) *que la flamme a noircis. La gelée va noircir les fleurs* (→ Fleurir, cit. 3). — *Se noircir les cheveux.* ⇒ **Teindre.** *Crayon noir pour noircir les sourcils. Charbon qui noircit les mains.* ⇒ **Barbouiller, charbonner, mâchurer, maculer, salir.**

2   La pluie nous a bués *(lessivés)* et lavés
    Et le soleil desséchés et noircis (...)
           VILLON, Poésies diverses, « Épitaphe de Villon ».

3   Il vit là désormais, sur le haut de son aire,
    Dans le donjon moussu qu'ont noirci tour à tour
    Les hivers, les étés, la pluie et le tonnerre.
       LECONTE DE LISLE, Poèmes tragiques, « Lévrier de Magnus », I.

⇒ **Assombrir, obscurcir.**

4   Une pluie chaude noircissait ce matin d'août et tombait sur les trois platanes, déjà roussis, de la cour plantée.   COLETTE, Chéri, p. 51.

Fam. *Noircir du papier :* écrire (→ Irrévérencieusement, cit.).

5   (...) quatre cahiers cartonnés dont chaque jour il noircissait quelques pages.
                        GIDE, Isabelle, III.

♦ **2.** (XIIᵉ). Vx ou poét. Assombrir (par la mélancolie, la tristesse). → Éternel, cit. 5, Hugo.

6   Vous ne sauriez croire, mon cher Monsieur, combien je suis touchée des sujets de chagrin qui ont noirci votre joie naturelle, la gaieté et la vivacité de votre belle jeunesse.   Mᵐᵉ DE SÉVIGNÉ, 1296, 20 août 1690.

7   (...) la vie se passe sans jouir d'une présence si chère : je ne puis m'accoutumer à cette dureté ; toutes mes pensées et toutes mes rêveries en sont noircies (...)
           Mᵐᵉ DE SÉVIGNÉ, 467, 13 nov. 1675.

♦ **3.** (XIIIᵉ). Littér. Entacher (par le mal qu'on en dit). ⇒ **Calomnier, charger, décréditer, décrier, dénigrer, déshonorer, diffamer, flétrir.** « *L'envie qui s'efforce* (cit. 8) *à noircir une si belle vie* » (Corneille). *J'ai été persécuté, noirci, conspué, maudit* (cit. 10). *On tâche à me noircir* (→ Envers, cit. 4). *La calomnie peut noircir l'homme le plus innocent, la conduite la plus pure* (Académie). *Noircir la réputation de qqn. Présenter une chose sans la farder* (cit. 4) *ou la noircir.* ⇒ **Noir** (peindre sous des couleurs noires).

8   Moi, que j'ose opprimer et noircir l'innocence ?   RACINE, Phèdre, III, 3.

9   La persécution n'en restera pas là ; toutes les horreurs dont il est possible de noircir un homme de bien, vous les entendrez (...)
          DIDEROT, Jacques le fataliste, Pl., p. 660.

10   On institua une enquête sur chacun des princes, afin d'élire le plus digne ; on interrogea leurs serviteurs pour découvrir leurs vices cachés. Le comte de Saint-Gille, le plus riche des croisés, eût été élu probablement ; mais ses serviteurs, craignant de rester avec lui à Jérusalem, n'hésitèrent pas à noircir leur maître, et lui épargnèrent la royauté.   MICHELET, Hist. de France, IV, III.

11   (...) c'est un praticien, ennemi né du seigneur, dont il veut prendre la place, fier de sa faconde, aigri par sa pauvreté et qui ne manque pas de tout noircir. Très probablement, c'est lui qui rédige et fait circuler les placards par lesquels, au nom du roi, on appelle le peuple aux voies de fait.
      TAINE, les Origines de la France contemporaine, t. III, p. 113.

♦ **4.** Fam. Soûler (→ Se noircir).

11.1   Essayez toujours de le noircir (...), mais il peut devenir tellement fraternel avec vous et si attendrissant dans ses épanchements (...) que votre cœur se fend.
                Boris VIAN, Vercoquin, p. 32.

▶ **SE NOIRCIR** v. pron.

♦ **1.** (1549). Devenir noir. *Les couleurs de ce tableau se sont noircies. Chez les fébricitants* (cit.) *le palais se noircit. Le ciel, le temps se noircit.*

♦ **2.** (1640). Fig. et vx. Se rendre infâme, odieux ; s'accuser, se charger.

12   Je ne me noircis point pour le justifier.   RACINE, Bajazet, V, 6.

♦ **3.** (1918). Fam. S'enivrer.

13   Je les vois par d'insolites matins, sur les petites places ensoleillées, la capote encore raide de boue, et leurs sacrées bandes molletières. «On va se noircir ; on y va ?»
— Ils essayaient de sourire, avec leurs barbes de trois semaines et des joues si creuses qu'ils souriaient de travers — visages, ô chers visages, ô visages de mon pays ! Je sais qu'il n'est pas bien de se noircir. Mais que voulez-vous ? Ils croyaient noyer dans un vin illusoire, une bibine acide, la peur d'hier et celle de demain.
      BERNANOS, les Grands Cimetières sous la lune, II, II.

▶ **NOIRCI, IE** p. p. adj.
Rendu noir, plus noir. *Intérieur noirci d'un fourneau* (cit. 9) *de pipe. Teint noirci* (au soleil). ⇒ **Bruni, bronzé.** — *Cet amas* (cit. 4) *de papier noirci qui moisit chez les bouquinistes.* — Fig. (vieilli). *Réputation noircie, ternie.*

CONTR. Blanchir. — Disculper, innocenter, justifier.
DÉR. Noircissage, noircissant, noircissement, noircisseur, noircissure.
COMP. Dénoircir, renoircir.

NOIRCISSAGE [nwaʀsisaʒ] n. m. — Mil. xxᵉ (*in* Larousse, 1963) ; de *noircir.*

♦ Techn. Opération par laquelle on fonce le cuir à la brosse, avec un mélange de noir de fumée.

NOIRCISSANT, ANTE [nwaʀsisɑ̃, ɑ̃t] adj. — Mil. xvₑᵉ, Amyot, p. prés. de *noircir.*

♦ Rare. Qui devient noir ou plus noir.

NOIRCISSEMENT [nwaʀsismɑ̃] n. m. — Fin xvₑᵉ ; *nercissement,* v. 1350 ; de *noircir.*

♦ Action de noircir (au sens concret seulement). *Noircissement du papier sensible à la lumière.*

Du côté de l'orient, la nuit se leva comme se lève le jour : elle s'annonça seulement par un approfondissement du ciel, un noircissement qui faisait penser à l'espace noir où errent les astres, les planètes, l'espace irrespirable.
      P. NIZAN, le Cheval de Troie, I, I.

NOIRCISSEUR, EUSE [nwaʀsisœʀ, øz] n. et adj. — 1671 ; de *noircir.*

♦ **1.** Techn. Ouvrier teinturier qui parachève les teintures en noir. (xxᵉ). Ouvrière de la ganterie qui noircit la tranche des peaux.

♦ **2.** (1868). Péj. *Noircisseur de papier :* écrivain trop prolixe.

♦ **3.** Adj. Rare. Qui noircit.
Elle est toute blonde, et restée toute blanche sous le soleil noircisseur de la Brie.
      Ed. et J. DE GONCOURT, Journal, t. I, p. 183.

NOIRCISSURE [nwaʀsisyʀ] n. f. — 1538 ; de *noircir.*

♦ **1.** Rare. Tache de noir. *Pages couvertes de noircissures.*

♦ **2.** (1838). Techn. Altération du vin qui prend une teinte noire.

NOIRE [nwaʀ] n. f. — 1633 ; de *noir.*

★ **I.** Mus. Note à corps noir et à queue simple dont la valeur relative est déterminée par la mesure (un temps dans les mesures à deux, trois, quatre-quatre ; un demi-temps dans les mesures à un-deux, deux-deux, etc.) et la valeur absolue par le mouvement* (ex. : une seconde, quand noire = 60 ; une demi-seconde, quand noire = 120). *Noire pointée. Silence équivalant à une noire.* ⇒ **Soupir.**

★ **II.** Femme noire. ⇒ **Noir** (II., D.).

NOIREMENT [nwaʀmɑ̃] adv. — V. 1220 ; de *noir.*

♦ **1.** Vx. De manière menaçante ou perfide. ⇒ **Noir** (I., B).

♦ **2.** Littér. Avec une apparence sombre, funèbre (Valéry, *in* G. L. L. F.).

NOIRETÉ ou **NOIRTÉ** [nwaʀte] n. f. — Déb. xiiiᵉ ; *norté,* fin xiiᵉ ; de *noir ;* dans ses emplois généraux, a été supplanté par *noirceur*.*

♦ Vx ou régional. Obscurité, ténèbres. — Loc. *À la noir(e)té :* à la nuit.
Il y venait de plus en plus souvent, à la noirté. Le jour, il demeurait au bois de la Sauvagère.   M. GENEVOIX, Raboliot, p. 220.

NOISE [nwaz] n. f. — xiᵉ ; surtout au sens de «bruit, tapage» en anc. franç. ; vx dès le xviiᵉ, sauf dans certaines expressions ; du lat *nausea* «mal de mer». Phonétiquement peu douteuse, cette étymologie est sémantiquement obscure.

♦ Querelle, dispute (généralement sans gravité, sur un sujet de peu d'importance).

REM. Encore fréquent au xviiᵉ s. dans le style plaisant ou burlesque (→ La Fontaine, Incivil, cit. 2, et aussi *Fables,* ix, 14), l'emploi de *noise* tend dès cette époque à se restreindre à la loc. suivante.
(1611). CHERCHER NOISE (vieilli : *chercher une, des noises*) À QQN. ⇒ **Quereller.**

1   Je doute fort que le roi permette la convocation des pairs au parlement de Paris (...) il apaise toutes les noises en temporisant.
      VOLTAIRE, Correspondance, 2991, 22 déc. 1766.

2   Piquée, Mᵐᵉ Tite-le-Long repartit : — C'est une noise que vous nous cherchez ?
      M. JOUHANDEAU, Tite-le-Long, XVI.

3   Ma patience n'est pas encore si parfaite qu'elle ne se laisse vaincre. Il en résulte de petites noises où je ne semble pas toujours tenir le beau rôle, car il ne suffit pas d'avoir raison.   G. DUHAMEL, Salavin, Journal, 1ᵉʳ juin.

NOISERAIE [nwazʀɛ] n. f. — 1812 ; de *noyer,* avec infl. de *noix, noisette.*

♦ Rare. Terrain planté de noyers, et aussi, selon certains (1845), de noisetiers.

NOISETIER [nwaztje] n. m. — 1546; *noisettier*, 1530; de *noisette*.

♦ Grand arbrisseau des bois et des haies (cit. 2), courant dans les régions tempérées de l'hémisphère Nord, et qui produit les noisettes (nom sc. : *Corylus avellana*, famille des *Cupulifères*). Syn. : *coudre* (régional), *coudrier*. *Fleurs monoïques du noisetier*. *Baguette, tige souple de noisetier* (→ Lieu, cit. 1). *Les chatons* (cit. 1) *verdâtres des noisetiers. Terrain planté de noisetiers*. ⇒ **Coudraie, noiseraie, noisetterie.** — *Bois de noisetier*.

DÉR. **Noisetterie.**

NOISETTE [nwazɛt] n. f. — V. 1240, *noisete*; de *noix*.

♦ **1.** Fruit du noisetier, akène ovoïde et lisse, retenu à sa base dans un involucre vert aux bords irrégulièrement déchiquetés, et dont la coque contient une amande comestible. ⇒ **Aveline.** *Cueillir, casser, briser des noisettes* (→ Mendiant, cit. 5). *Noisettes fraîches* (→ Exquis, cit. 10). *Manger des noisettes sèches au dessert* (⇒ **Mendiant**). *Noisettes pilées employées en pâtisserie. Chocolat au lait à la noisette. Glace à la noisette. Beurre de noisette :* beurre mélangé d'une poudre de noisettes pilées. *Huile* (cit. 7) *de noisettes.* — *Un goût de noisette.* — *La noisette est appelée en héraldique* coquerelle*.

1 (...) une noisette grosse, jaune, lisse, décoiffée de sa *chaule* (...)
L. PERGAUD, De Goupil à Margot, p. 121.

2 Elle avait de très petits ongles, ronds, bombés, et blancs, — «pareils à des moitiés de noisettes», songea-t-il. MARTIN DU GARD, les Thibault, t. VI, p. 222.

♦ **2.** Par ext. Morceau de la grosseur d'une noisette. *Mettre une noisette de beurre sur une escalope.* — *Noisette d'agneau, de mouton.* ⇒ **Noix.**

♦ **3.** (1607). *Couleur de noisette, couleur noisette,* gris-roussâtre rappelant la couleur de la noisette. — Adj. invar. (1770, Buffon, en parlant de l'iris d'un oiseau). *Des yeux noisette* (→ Incroyable, cit. 11). *Un tissu noisette.*

3 Un haut-de-chausses de grisette,
Un pourpoint couleur de noisette (...) SCARRON, Virgile travesti, VI.

4 Je l'imagine Elle a des yeux noisette
Je les aurais pour moi bleus préférés (...) ARAGON, les Yeux d'Elsa, p. 30.

DÉR. **Noisetier, noisettine.**
COMP. **Casse-noisettes.**

NOISETTERIE [nwazɛtʀi] n. f. — 1874, P. Larousse; de *noisetier*.

♦ Rare. Terrain planté de noisetiers. ⇒ **Coudraie, noiseraie.**

NOISETTINE [nwazɛtin] n. f. — XXᵉ (1938, Montagné); de *noisette,* et dimin. *-ine.*

♦ Gâteau fourré d'une crème frangipane à la noisette.

NOIX [nwa; nwɑ] n. f. — XIIIᵉ; v. 1155, *noiz*; du lat. *nux.*

A. ♦ 1. Fruit du noyer*, drupe constituée d'une écale* verte (⇒ **Brou**), d'un endocarpe lignifié à maturité qui forme la coque* et d'une amande comestible. *Noix verte,* dont la coque, non encore ligneuse, ne se sépare pas du brou. ⇒ **Cerneau.** — Cour. La graine, formée de la coque contenant l'amande. *Noix écalée,* dont la coque est séparée du brou. *Noix fraîche, sèche. Abattre, gauler*, locher** (cit. 1) *des noix.* ⇒ **Chabler.** — L'amande formée de quatre quartiers séparés par un zeste. *Manger des noix. Quartier, cuisse de noix. Cerner*, écaler*, casser des noix. Coquille* de noix. Huile de noix. Tourteau*, pain de noix. Noix* (verte) *confite. Gâteau à la noix, aux noix vertes. Noix fourrées. Beurre de noix,* mêlé de noix finement pilées.

1 Une jeune guenon cueillit
Une noix dans sa coque verte (...) FLORIAN, Fables, IV, 12.

2 Elle jurait splendidement; elle se vantait de casser une noix d'un coup de poing. HUGO, les Misérables, II, III, II.

3 La noix : ces deux minuscules tortues figées; la tortue, cette moitié de grosse noix. J. RENARD, Journal, 13 avr. 1895.

Il en a pris gros comme une noix, très peu. — Par ext. *Une noix de beurre,* un morceau de la grosseur d'une noix. ⇒ **Noisette.** — Par plais. *Rembourré de noix.* ⇒ **Noyau** (de pêche). — Loc. vieillie. (1845). *Marcher sur des noix :* marcher difficilement.

4 Voici la drogue sous vos yeux : un peu de confiture verte, gros comme une noix, singulièrement odorante (...)
BAUDELAIRE, les Paradis artificiels, «Poème du haschisch», III.

5 Vedette, elle trônait dans une loge tendue de papier blanc et rose, pourvue d'un divan rembourré de noix et d'un fauteuil d'osier.
COLETTE, Belles saisons, p. 129.

♦ **2.** Loc. (Déb. XXᵉ). À LA NOIX, *à la noix de coco :* de mauvaise qualité, sans valeur. *Des outils, du matériel à la noix.* On dit aussi par plais. : *des excuses, des boniments* à la noix de coco.* — REM. Selon Chautard, *à la noix* pourrait être une déformation de *alénois* dans l'expression *cresson* alénois,* variété de cresson amer et piquant

employé pour relever les salades; d'où la locution *salade à la noix, salade très âcre,* et, fig., chose mauvaise, signalée par Sainéan.

6 (...) quand je te dis que c'est du drap d'officier (...) c'est que je le sais, je pense. C'est pas à nous qu'il faut faire des boniments à la noix de coco.
PROUST, le Côté de Guermantes, I, Pl., t. II, p. 139.

7 Ah! ne nous en faites pas un plat avec 70. Tu parles d'une guerre à la noix. Ils se battaient une journée tous les mois et ils croyaient avoir tout bouffé.
R. DORGELÈS, les Croix de bois, VII.

♦ **3.** (1920). Fig. et fam. Imbécile. *Quelle noix! Une vieille noix :* un imbécile (avec qqch. d'attardé). — (Apostrophe, sans valeur d'insulte). *Salut, vieille noix!*
Adj. (d'une personne). Imbécile, nigaud. *Il est gentil, mais je le trouve un peu t'es noix!*

8 Un soir enfin qu'elles m'avaient mis bien à bout avec leurs salades, j'ai fini par lui balancer d'un coup à la mère tout ce que je pensais d'elle! «Vous êtes qu'une vieille noix, que je le lui ai dit» (...) CÉLINE, Voyage au bout de la nuit, p. 408.

8.1 Qu'est-ce que vous avez comme instruction?
— Je ne suis pas plus noix qu'un autre, répondit-il.
R. QUENEAU, Pierrot mon ami, p. 167.

B. ♦ 1. (XIIIᵉ). NOIX DE... Se dit d'autres fruits qui ont quelque ressemblance avec la noix. *Noix de pacanier.* ⇒ **Pacane.** *Noix d'acajou** (⇒ **Anacarde**), *d'arec*, de bancoul* (⇒ **Aleurite**), *de coco*, de kola*, de pistache*.* — *Noix de doum :* fruit du palmier doum, consommé frais ou séché. *Noix de karité*. Noix de palme*.* — Vx. *Noix de terre* (ou *pistache de terre.* ⇒ **Arachide**). *Noix muscade*, noix vomique*...*

9 (...) des cocotiers plus hauts que les chênes, dont les noix tombaient sur une mousse ou sur des stalagmites qui les faisaient éclater (...)
GIRAUDOUX, Suzanne et le Pacifique, IV.

Par ext. *Noix de galle.* ⇒ **Galle.** *Noix d'eau.* ⇒ **Macle.**

♦ **2.** Par anal. (de forme*). Renflement, partie, pièce saillante.

a (1690, bouch.). Aliments. *Noix de veau :* partie arrière du cuisseau, particulièrement appréciée. *La noix comprend la noix pâtissière* (destinée aux rôtis, cuits au four de pâtissier), *et la sous-noix. Donnez-moi un rôti dans la noix. Noix de bœuf :* pelote graisseuse dans les muscles lombaires. *Gîte* à la noix. Noix de gigot.* — (1893). *Noix de jambon,* la partie glanduleuse qui est au milieu. *Noix de côtelette,* la partie centrale. *Noix d'une coquille Saint-Jacques.*

b Charbon criblé, dit *tête-de-moineau.* — Isolateur d'antenne (syn. : *œuf*).

c Armurerie. Pièce de la platine* d'un pistolet ou d'un fusil à percussion. — Anciennt. *Noix d'arbalète** (cit. 2).

Techn. Axe de roue, de moulin... *Noix d'un moulin à café, à poivre,* la partie cannelée de son axe.

Rainure concave où s'emboîte une languette convexe. *Fermeture à noix.*

Mar. Partie du cabestan recevant les leviers. «*Renfort en bois qu'on laisse au commencement du ton d'un mât pour servir de support aux barres, ou pour servir d'arrêt au capelage comme dans les mâts dits à pible*» (Gruss).

Obturateur conique d'un robinet (syn. : *clé*).

♦ **3.** (1847; du sens 2, a., ci-dessus). Fam. (au plur.). Fesses. ⇒ **Miches.**

10 La poitrine orgueilleuse s'est effondrée et accable un soutien-gorge à la limite de la rupture, les hanches et les noix escamotent le plateau du tabouret (...)
Albert SIMONIN, Hotu soit qui mal y pense, p. 190.

DÉR. **Noisette.** — V. **Noyer, nougat.**
COMP. **Casse-noix.** — (De B., 2.) **Sous-noix.**

NOLENS VOLENS [nɔlɛ̃svɔlɛ̃s] adv. — Expr. lat. antithétique signifiant «ne voulant pas voulant», p. prés. de *nolo* «je ne veux pas», et *volo* «je veux».

♦ Didact. Non consentant ou consentant; bon gré, mal gré.

NOLI ME TANGERE [nɔlimetɑ̃ʒeʀe] n. m. invar. — V. 1300; expr. lat. signifiant «ne me touche pas», mot célèbre prononcé par le Christ lors de son apparition à Marie-Madeleine après sa résurrection. Cf. Évangile selon saint Jean, XX.

♦ **1.** Méd. anc. Ulcère cutané que les divers topiques ne font qu'irriter. ⇒ **Cancroïde.**

♦ **2.** (1704). Bot. Balsamine* des bois appelée aussi *impatiente,* par une métaphore du même genre. On écrit aussi *noli-me-tangere.*

NOLIS [nɔli] n. m. — 1634; *nolyt*, 1541; de *noliser.*

♦ Mar., comm. Prix du loyer d'un navire. ⇒ **Fret.**

(...) nous eûmes bientôt conclu notre traité. J'ai conservé ce petit traité écrit en arabe. M. Langlès (...) a eu la complaisance de le traduire (...) et j'ai fait graver l'original (...) nous soussignés avons loué notre bâtiment au porteur de ce traité, le signor Francesko (*François de Chateaubriand*), pour aller de l'échelle d'Yâfâ à

Alexandrie (...) Le nolis de ce bâtiment est de quatre cent quatre-vingts *ghrouchs* (piastres) au lion (...) Il est aussi convenu entre eux que le nolis susdit ne sera acquitté que lorsqu'ils seront entrés à Alexandrie.
CHATEAUBRIAND, Itinéraire..., VI, p. 395-396.

NOLISEMENT [nɔlizmɑ̃] n. m. — 1681 ; *nolesement*, 1337 ; de *noliser*.

♦ Mar., comm. Vx et régional (→ Noliser). Affrètement. — On trouvait aussi la forme *nolissement* [nɔlismɑ̃] n. m. (1681).

NOLISER [nɔlize] v. tr. — 1669 ; *nauliser*, 1520 ; empr. à l'ital. *noleggiare*, de *nolo* «fret» ; du lat. *naulum*, grec *naulon*.

♦ Mar., comm. Vieilli et régional (côtes méditerranéennes). Affréter, fréter.
D'Alexandrie j'allai au Caire, et je laissai Julien chez M. Drovetti, qui eut la bonté de me noliser un bâtiment autrichien pour Tunis.
CHATEAUBRIAND, Mémoires d'outre-tombe, t. II, p. 375.
Par anal., mod. *Noliser un avion.* — Au p. p. *Avion nolisé.* ⇒ **Charter** (anglicisme).
DÉR. Nolis, nolisement.

NOLITION [nɔlisjɔ̃] n. f. — XVIᵉ ; dér. sav. du lat. *nolle* «ne pas vouloir». → Volition.

♦ Philos. (Vx). Acte de la volonté qui refuse, s'oppose.

NOLONTÉ [nɔlɔ̃te] n. f. — 1771, de Lolme, *in* Brunot, H. L. F. ; du lat. archaïque *noluntas*, repris par saint Augustin et les scolastiques, «action de ne pas vouloir», de *nolo* «je ne veux pas».

♦ **1.** Vx. Absence de volonté, faiblesse.
Du côté de la Cour (...) quel assemblage grotesque de vieilles idées et de nouveaux projets, de petites répugnances et de désirs d'enfants, de volontés et de *nolontés*, d'amours et de haines avortés !
MIRABEAU, Lettre au comte de La Marck, 27 janv. 1790, *in* SAINTE-BEUVE, Causeries du lundi, 5 mai 1851.

♦ **2.** (1877). Mod. et didact. (Chez certains auteurs tels que Renouvier). «Résistance volontaire à une impulsion, inhibition d'une action prête à s'accomplir si la volonté n'y mettait obstacle» (Lalande).

NOM [nɔ̃] n. m. — Xᵉ ; du lat. *nomen*.

★ **I.** Signe du langage (mot ou groupe de mots) servant à désigner un individu* ou une classe d'individus et à les distinguer des êtres de la même espèce.

♦ **1.** Mot, groupe de mots servant à désigner une personne, un groupe de personnes (tribu, famille, clan...). *Noms de personnes* (⇒ **Onomastique**). *De nos jours, «le nom est la désignation officielle d'une personne dans la société. Il se compose de plusieurs vocables accolés dont l'un est essentiel : nom de famille ou nom patronymique, et dont les autres sont des adjonctions à ce nom : le ou les prénoms, le surnom, le pseudonyme, le titre nobiliaire»* (Dalloz, *Petit dict. de droit*, art. *Nom*). ⇒ **État** (civil).

1   Les noms, qui donnent aux hommes l'idée d'une chose qui semble ne devoir pas périr, sont très propres à inspirer à chaque famille le désir d'étendre sa durée. Il y a des peuples chez lesquels les noms distinguent les familles ; il y en a où ils ne distinguent que les personnes : ce qui n'est pas si bien.
MONTESQUIEU, l'Esprit des lois, XXIII, IV.

Avoir, porter tel nom. ⇒ **Nommer** (se) ; **appeler** (s'), **nommé.** *La loi* (cit. 20) *impose un nom à l'homme. Ces deux hommes portent le même nom.* ⇒ **Homonyme.** *Il, elle a nom... X. Porter* le nom de..., répondre au nom de...* — Fam. *Comment c'est ; qu'est-ce que c'est, ton nom ?* ⇒ **Blase.** — *Dire, articuler* (cit. 8), *épeler son nom. Cacher son nom* (→ Idée, cit. 52), *garder son nom secret* (→ Dague, cit. 2). *«Une femme inconnue* (cit. 10) *qui ne dit point son nom...» Graver* (cit. 1) *son nom, un nom dans un arbre* (cit. 34), *sur l'écorce. Nom gravé sur la tombe* (→ Après, cit. 4). — *Appeler* (cit. 39), *désigner* qqn par son nom.* ⇒ **Nominal** (appel), **nominativement, nommer.** *Qui contient les noms.* ⇒ **Nominatif.** *Avec désignation des noms.* ⇒ **Nommément.** — *Oublier le nom de qqn. Noms qui échappent à la mémoire* (→ Fouiller, cit. 29). — Loc. (1671). *Ne pas pouvoir mettre un nom sur une tête* (→ Marotte, cit. 5), *sur un visage...* — *Ce nom me dit qqch.* — *Avoir la mémoire des noms* (→ Impératrice, cit. 2). — Loc. (Fin XIIIᵉ). *Connaître qqn de nom, ne le connaître que de réputation.* — *Un drôle de nom. Un beau nom. Euphonie* (cit. 1) *d'un nom.* → Euphonique, cit. 1. — *Changer, modifier, corrompre* (cit. 7), *déformer un nom. Changement de nom. Allongement* (cit. 1) *de nom. Avoir un nom banal, rare. Avoir un nom étranger* (par rapport au fonds onomastique d'une langue). *Il a un nom italien, polonais, mais il est français, belge. Franciser* (cit. 3) *son nom. Latiniser des noms français* (→ Barbarie, cit. 11).

2   (...) je n'ai pas le don de placer si vite les noms sur les visages ; au contraire, je fais tous les jours mille sottises là-dessus (...)
Mᵐᵉ DE SÉVIGNÉ, 146, 18 mars 1671.

3   Ces deux dames se connaissaient de nom, et par là savaient les égards qu'elles se devaient l'une à l'autre.
MARIVAUX, la Vie de Marianne, VII, p. 325.

4   Le corps se perd dans l'eau, le nom dans la mémoire (...)
HUGO, les Rayons et les Ombres, XLII, X.

5   Un nom c'est tout ce qui reste bien souvent pour nous d'un être, non pas même quand il est mort mais de son vivant.
PROUST, le Temps retrouvé, Pl., t. III, p. 149.

Mettre son nom au bas d'une lettre. ⇒ **Signature, signer.** *Mettre son nom et ses titres à la tête d'une œuvre* (→ Mandement, cit. 3). *Cacher son nom* (⇒ **Anonyme**). *Publier un ouvrage sous le nom d'un autre* (⇒ **Allonyme**). *Attacher* son nom à une œuvre.* «*Calomniateurs* (cit. 5) *anonymes, ajoutez votre nom...* ».

6   Voilà de vos arrêts, Messieurs les gens de goût !
L'ouvrage est peu de chose et le seul nom fait tout.
Alexis PIRON, la Métromanie, V, 6.

Le nom sous lequel une personne est connue. Grand* nom (→ Abaisser, cit. 12, La Rochefoucauld). *La France, féconde* (cit. 6) *en grands noms. Nom célèbre* (cit. 5), *illustre* (cit. 8 à 10), *insigne* (→ 1. Insigne, cit. 1), *glorieux* (→ Marquis, cit. 1). *L'éclat* (cit. 39) *de son nom. Gloire* (cit. 29 et 37), *célébrité, illustration* d'un nom. Éterniser* (cit. 2) *son nom. Nom inscrit dans les annales* (cit. 5 et 6). *Nom honorable* (cit. 13), *respecté* (→ Fort, cit. 28 ; frasque, cit. 5). *Nom abject* (→ Ennoblir, cit. 5), *exécrable* (cit. 5). *Déshonorer un nom* (→ Infect, cit. 2). — *Le poids, l'importance d'un nom. Son nom en impose* (cit. 45). *Faire de son nom un titre* (→ César, cit. 2). *Apprendre son nom à la postérité* (→ Effort, cit. 29). — *Donner son nom à une ville* (→ Fonder, cit. 4). *Amerigo Vespucci donna son nom à l'Amérique et Christophe Colomb à la Colombie. Le héros* (cit. 6) *qui donnait son nom à la tribu.* ⇒ **Éponyme.**

7   C'est un poids bien pesant qu'un nom trop tôt fameux !
VOLTAIRE, la Henriade, III.

8   Le plus beau patrimoine est un nom révéré.   HUGO, Odes et Ballades, II, IV, III.

Noms historiques*. Noms de la mythologie, de la fable (cit. 9). *Noms de personnages de romans* (→ Extrêmement, cit. 5 ; historique, cit. 6). *Les noms dans un poème* (→ Barbare, cit. 15).

9   On ne remarque pas assez que le poète de génie seul sait superposer à ses créations des noms qui leur ressemblent et les expriment. Un nom doit être une figure. Le poète qui ne sait pas cela ne sait rien.
HUGO, Post-Scriptum de ma vie, «Grands hommes», IV.

(Dans des loc.). Le nom sous lequel une personne fait qqch. (qui engage sa responsabilité...). *Prêter son nom à qqn* (⇒ **Prête-nom**). — (Après *au*, *en*...). *Autoriser à agir en son nom* (⇒ **Lieu**, II, 3. : au lieu et place de...), *en faire son mandant.* ⇒ **Interposition** (de personne). *Emprunter de l'argent au nom de qqn, en son nom* (→ Achever, cit. 22). ⇒ **Représentant, représenter.** — Par ext. *La poésie lyrique* (cit. 3) *s'exprime au nom même de son auteur.*

10   (...) tenant à sa place parce qu'à ses énormes bénéfices, Talleyrand prêtait son nom à une politique qu'il disait réprouver.   Louis MADELIN, Talleyrand, II, XIV.

♦ **2.** Spécialt. (En parlant des divers éléments du nom, des diverses façons de nommer les personnes, selon les sociétés, les coutumes, les époques...).

11   Les Romains avaient trois noms, le prénom (*prænomen*), qui désignait l'individu, le nom (*nomen*), qui distinguait la *gens*, et le troisième nom (*cognomen*), qui marquait la branche, la famille, par exemple : Caïus Julius Cæsar ; et quelquefois quatre, le quatrième (*agnomen*) étant un surnom, par exemple : Publius Cornelius Scipio Africanus.   LITTRÉ, Dict.

Nom individuel. — (XIIIᵉ). *Nom de baptême** (cit. 13), *nom individuel conféré au baptême, dans les civilisations chrétiennes.* ⇒ **Prénom.** — (1862). *Petit nom* (même sens). → cit. 17, ci-dessous. *Il s'appelle Pierre, mais son petit nom est Jacques.* — *Nom de tribu* (→ Héros, cit. 6). — (1538). *Nom de famille.* — (1611). *Nom patronymique*.* ⇒ **Patronyme.** — *Nom de terre,* d'abord attaché à la possession d'une terre puis à celle d'un titre* et souvent transmis par hérédité (→ Fossé, cit. 1, Molière).

12   (...) c'est un vilain usage, et de très mauvaise conséquence en notre France, d'appeler chacun par le nom de sa terre et Seigneurie (...) Un cadet de bonne maison, ayant eu pour son apanage une terre sous le nom de laquelle il a été connu et honoré, ne peut honnêtement l'abandonner ; dix ans après sa mort, la terre s'en va à un étranger qui en fait de même : devinez où nous sommes de la connaissance de ces hommes.   MONTAIGNE, Essais, I, XLVI.

13   Ce Valjean s'appelait de son nom de baptême Jean et sa mère se nommait de son nom de famille Mathieu.   HUGO, les Misérables, I, VII, I.

14   Les Circassiens, contrairement aux Turcs, ont un nom patronymique, ou plutôt un nom de tribu.   LOTI, les Désenchantées, V, XXXI.

Noms vrais (→ Incognito, cit. 9) *et faux noms* (⇒ Escroquer, cit. 4). *Se cacher sous un faux nom. Prendre un nom d'emprunt*.* ⇒ **Sobriquet, surnom.** *Nom de religion** (→ 1. Mère, cit. 17). — (1660). *Nom de guerre* ; nom de théâtre.* ⇒ **Pseudonyme.** *Jean-Baptiste Poquelin prit le nom de Molière ; F. Arouet, connu sous le nom de Voltaire.* — *Désignation d'une personne qui n'est pas un nom propre. Petit nom d'amour* (→ Carotte, cit. 1 ; mon, cit. 20). *Il était connu sous le nom de « broyeur de lin »* (→ Langoureux, cit. 1). *« Prodiguer à une femme les noms de Soleil, d'Aurore... »* (→ Langoureux, cit. 1).

15   Ces noms de roi des rois et de chef de la Grèce,
Chatouillaient de mon cœur l'orgueilleuse faiblesse.   RACINE, Iphigénie, I, 1.

16   Le roi fut en ce temps au comble de la grandeur (...) L'hôtel-de-ville de Paris lui déféra (...) le nom de *grand* avec solennité (1680), et ordonna que dorénavant ce titre seul serait employé dans tous les monuments publics. On avait, dès

1673, frappé quelques médailles chargées de ce surnom (...) Cependant le nom de Louis XIV a prévalu dans le public sur celui de *grand*.
VOLTAIRE, le Siècle de Louis XIV, XIII.

16.1 — Je dois vous demander de me préciser votre identité. Vous ne vous appelez pas Liliane de Rosemar? (...)
— Non, monsieur l'inspecteur, c'est un nom de guerre. J'ai été mannequin. Je m'appelle Simone Chamboisseau. J'ai trente-deux ans. Je suis célibataire.
René FLORIOT, La vérité tient à un fil, p. 61.

♦ **3.** (V. 1155). Spécialt. Nom de baptême. ⇒ **Prénom**. *Noms de garçons, noms de filles. Il s'appelle Anatole : quel drôle de nom! Chercher un nom pour un bébé. — Le nom de la femme aimée* (→ Aimer, cit. 21; appeler, cit. 2; entailler, cit.). *Il s'appelle Georges, mais il n'aime pas son nom et il se fait appeler Pierre.*

17 Il savait comment elle s'appelait, son petit nom du moins, le nom charmant, le vrai nom d'une femme, il savait où elle demeurait ; il voulut savoir qui elle était.
HUGO, les Misérables, III, VI, IX.

18 Pendant la convalescence, elle s'occupa beaucoup à chercher un nom pour sa fille. D'abord elle passa en revue tous ceux qui avaient des terminaisons italiennes, tels que Clara, Louisa, Amanda, Atala ; elle aimait assez Galsuinde, plus encore Yseult ou Léocadie. Charles désirait qu'on appelât l'enfant comme sa mère ; Emma s'y opposait. On parcourut le calendrier d'un bout à l'autre, et l'on consulta les étrangers.
FLAUBERT, Mᵐᵉ Bovary, II, III.

19 Je n'aimais pas beaucoup ce nom d'Emmanuèle que je lui donnai dans mes écrits, par respect pour sa modestie. Son vrai nom ne me plaisait peut-être que parce que, depuis mon enfance, il évoquait tout ce qu'elle représentait pour moi de grâce, de douceur, d'intelligence et de bonté. Il me paraissait usurpé lorsqu'il était porté par quelque autre ; elle seule, me semblait-il, y avait droit.
GIDE, Et nunc manet in te, p. 8.

19.1 Si je savais ton nom, le nom à mon père? le tien ton prénom.
Tony DUVERT, Paysage de fantaisie, p. 68.

Spécialt. (En parlant du prénom d'un souverain). *Louis, treizième du nom*, le treizième roi de France à porter le nom de Louis (quel que soit le nom de la dynastie).

Vx (langue class.). Prénom, opposé au *surnom* (mod. *nom de famille*). → Acrostiche, cit. 1.

♦ **4.** Nom de famille (opposé à *prénom*). *Nom, prénom et domicile* (→ Acte, cit. 12). *Décliner* (cit. 2) *ses nom, prénoms, titres et qualités. Transmission du nom. L'adoptant* (cit. 1) *confère son nom à l'adopté. Offrir son nom à une femme*, la demander en mariage (→ Éprendre, cit. 16). *Femme qui divorce et reprend son nom* (→ 2. Général, cit. 11). *Nom de jeune fille d'une femme mariée : le nom de son père. «Tout en conservant son nom patronymique, la femme a un droit d'usage sur le nom de son mari»* (Dalloz, Nouveau répertoire, art. Nom, nᵒ 30). *Il veut avoir des enfants pour que son nom ne s'éteigne pas. Être le dernier de son nom*, de sa famille. *Les grands musiciens du nom de Bach, les astronomes du nom de Cassini* (⇒ **Dynastie**). — *Nom d'une maison historique* (cit. 8). *Nom roturier. Nom noble, à particule** (fam. *nom à rallonges, à courants d'air, à charnières*). ⇒ 1. *De* (*supra* cit. 10).

20 Or, quand la Parque eut ce frère ravi,
Et que tout seul de mon nom je me vis (...)
RONSARD, le Bocage royal, II, Disc. (Vous; qui passez en tristesse...).

21 Je suis le premier célèbre et le dernier de mon nom. Mon nom, comme le cygne, chante en expirant.
A. DE VIGNY, Journal inédit, 8 mars 1856.

Par ext. La famille elle-même. *Il est allié aux meilleurs, aux plus grands noms de France.*

♦ **5.** (1919). Dr. comm. *Nom commercial* : appellation sous laquelle le commerçant (personne physique ou morale) exerce son commerce*. *Le nom commercial «peut être un prénom, un surnom, un pseudonyme. Pour une société, c'est la raison* sociale ou... la raison de commerce qu'elle a choisie»* (Lacour, Précis dr. comm., § 109, Dalloz). *Nom commercial figurant sur une enseigne*. — Société en nom collectif.*

♦ **6.** (V. 1175). Dans quelques expressions. Réputation, notoriété. ⇒ **Célébrité, gloire, renommée** (→ Errer, cit. 11). — (1687). *Se faire un nom* (→ Malgré, cit. 1; métier, cit. 22). *Acquérir* (cit. 12) *un nom.* — (1674). *Laisser un nom* (→ Flèche, cit. 11). — Vx. *Avoir quelque nom, du nom; gens de nom.*

22 Tant que je vécus ignoré du public, je fus aimé de tous ceux qui me connurent, et je n'eus pas un seul ennemi. Mais sitôt que j'eus un nom, je n'eus plus d'amis.
ROUSSEAU, les Confessions, VIII.

♦ **7.** Vx. *Nom noble*, par ext. : noblesse. ⇒ **Blason**. *Son nom et sa naissance* (→ Humble, cit. 22). *Jeunes gens sans nom* (→ Attirer, cit. 39).

23 Il faut un état, une famille, un nom, un rang, de la consistance enfin, pour faire sensation dans le monde en calomniant.
BEAUMARCHAIS, le Barbier de Séville, II, 9.

♦ **8.** (Fin XIIᵉ). *Le nom de Dieu* : le nom ou l'un des noms employés pour désigner Dieu, et qu'il est généralement interdit de profaner. ⇒ **Dieu** (→ Blasphémer, cit. 2; célébrer, cit. 7; exaucer, cit. 8). *Noms sacrés* (→ Juron, cit. 1). *Le saint nom de Jésus. Le Nom ineffable* (→ Logos, cit. 1). — *Au nom du Père, du Fils et du Saint-Esprit*, formule du signe de croix. *«Que votre nom soit sanctifié»* (Pater noster). *Au nom du ciel, du Christ...* ⇒ **Pour** (→ Invocation, cit. 3; main, cit. 104). *Au nom du Sacré-Cœur* (→ Imploration, cit. 1).

24 Âme de l'univers, Dieu, père, créateur,
Sous tous ces noms divers je crois en toi, Seigneur (...)
LAMARTINE, Premières méditations, XIX.

(Employé dans des jurons). *Nom de Dieu! Sacré nom* (de Dieu)! — (Par euphém.). *Nom de Zeus!* (Jupiter). *Nom de nom!* — (1848). *Nom d'une pipe!* — (1869). *Nom d'un chien!* — (1847). *Nom d'un petit bonhomme! Nom d'un tonnerre!*

25 *Nom d'une pipe*, êtes-vous comédien? (...) je vous prenais pour un *jobard!*
BALZAC, l'Initié, Pl., t. VII, p. 371.

26 (...) la sonnerie électrique la fit sursauter. *Nom d'un chien!* est-ce qu'on ne la laisserait pas boire tranquillement?
ZOLA, Nana, II.

27 (...) la voilà, la voilà (...) *Nom de Dieu*, quel bateau! *Nom de Dieu!* regardez donc! (...)
MAUPASSANT, Pierre et Jean, IX.

(1847). *Cré nom!* (pour *sacré nom!*).

♦ **9.** (Fin XIIᵉ). Désignation individuelle d'un animal, d'un lieu, d'un objet. *Donner à son chien le nom de Médor. Le nom des chevaux engagés dans une course. Jacquot est un nom de perroquet.* — *Noms de lieux* (⇒ **Toponymie**). *Noms de villes, de villages, de lieux-dits* (→ Image, cit. 63), *des montagnes... Nom d'un pays; le nom de la patrie* (→ Antre, cit. 1; arroser, cit. 3.1). *Nom d'une gare* (→ 1. Gare, cit. 4). *Noms de rues* (→ Ancien, cit. 2; matricule, cit. 2).

28 À l'âge où les Noms, nous offrant l'image de l'inconnaissable que nous avons versé en eux, dans le même moment où ils désignent aussi pour nous un lieu réel, nous forcent par là à identifier l'un à l'autre au point que nous partons chercher dans une cité une âme qu'elle ne peut contenir mais que nous n'avons plus le pouvoir d'expulser de son nom, ce n'est pas seulement aux villes et aux fleuves qu'ils donnent une individualité (...) ce n'est pas seulement l'univers physique qu'ils diaprent de différences, qu'ils peuplent de merveilleux, c'est aussi l'univers social : alors chaque château, chaque hôtel ou palais fameux a sa dame, ou sa fée (...)
PROUST, À la recherche du temps perdu, t. VI, p. 11.

29 (...) Bricquebec (...) venant de (...) *brice*, pont, qui est le même que *bruck* en allemand (Innsbruck) et qu'en anglais *bridge* qui termine tant de noms de lieux (Cambridge, etc.). Vous avez encore en Normandie bien d'autres *bec* : Caudebec, Bolbec (...) C'est la forme normande du germain *Bach* (...) Quant à *Dal* (...) c'est une forme de *thal*, vallée (...) La rivière qui a donné son nom à *Dalbec* est d'ailleurs charmante.
PROUST, À la recherche du temps perdu, t. X, p. 96.

(1080). *Noms d'objets. Nom d'un bateau*, écrit sur la marque* de poupe. *Donner un nom à un camion.* — Dr. comm. et cour. *Noms de produits, de marques. Nom déposé* : nom de marque commerciale déposée et protégée en tant que propriété d'une firme.

★ **II.** (V. 1165). ♦ **1.** Mot servant à désigner les êtres, les choses qui appartiennent à une même catégorie logique, et, spécialt, à une même espèce. ⇒ **Appellation** (II., 1.), **dénomination, désignation; mot, terme, vocable.** *Donner un nom à un nouvel objet technique.* ⇒ **Dénommer, nommer.** *Qui n'a pas de nom* (⇒ **Innommé**), *ne peut pas avoir* (⇒ **Innommable**) *de nom.* — (1640). Loc. *Appeler** *les choses par leur nom* : parler avec franchise*, précision, et, spécialt, d'une manière crue. ⇒ **Crudité** (→ Ne pas avoir peur des mots*; trancher* le mot). *«La peste, puisqu'il faut l'appeler* (cit. 42) *par son nom»* (La Fontaine). — *Beau, joli, doux nom* (→ Adultère, cit. 8; affût, cit. 2). *Noms barbares, compliqués* (→ Machine, cit. 14). *Nom flatteur* (cit. 13). *Le vain nom de faiblesse* (cit. 44). *Le nom d'art* (cit. 57), *de justice* (→ Étayer, cit. 5). *«La liberté* (cit. 27), *ce nom terrible».* — Ne pas connaître le nom *d'un outil* (→ Figure, cit. 3). *«Un je ne sais quoi qui n'a plus de nom dans aucune langue»* (→ Cadavre, cit. 2, Bossuet). *Ça n'a pas de nom* (→ Épouvanter, cit. 7). — Loc. *Sans nom* : indicible. *Une épouvante* (cit. 6) *sans nom*, si intense qu'on ne peut la qualifier. *Une odeur sans nom dans la langue.* ⇒ **Innommable** (→ Moisi, cit. 6). — *Un libéralisme* (cit. 3) *qui n'ose pas dire son nom*, honteux (→ Épouvanter, cit. 7). — Loc. *Sans nom* : indicible. *Une épouvante* (cit. 6) *sans nom*, si intense qu'on ne peut la qualifier. *Une odeur sans nom dans la langue.* ⇒ **Innommable** (→ Moisi, cit. 6). — *Un libéralisme* (cit. 3) *qui n'ose pas dire son nom*, honteux (→ Moisi, cit. 6). — *Un libéralisme* (cit. 3) *qui n'ose pas dire son nom*, honteux. *Une architecture* (cit. 3) *à peine digne de ce nom. Chose qui justifie son nom* (→ Folie, cit. 27). *Comme son nom l'indique...* (→ Lord, cit.). *Nom trompeur.*

30 De là (*nous avons dès l'enfance contracté une si grande habitude de sentir et d'imaginer*) vient que nous ne pensons jamais ou presque jamais à quelque objet que ce soit, que le nom dont nous l'appelons ne nous revienne; ce qui marque la liaison des choses qui frappent nos sens, tels que sont les noms, avec nos opérations intellectuelles.
BOSSUET, Traité de la connaissance de Dieu..., III, XIV.

31 Persécuté, proscrit, chassé de son asile,
Pour avoir appelé les choses par leur nom,
Un pauvre philosophe errait de ville en ville (...)
FLORIAN, Fables, IV, 15.

32 De quel nom te nommer, heure trouble où nous sommes?
HUGO, les Chants du crépuscule, Prélude.

33 Je nommai le cochon par son nom; pourquoi pas?
HUGO, les Contemplations, I, VII.

(En parlant des personnes). Littér. *Le beau nom de Sage; le doux nom de père* (⇒ **Qualification, titre;** → Fille, cit. 6; instruire, cit. 26). *Le nom d'amoureux* (cit. 15), *de frère* (cit. 2), *d'arrogant* (cit. 7). *Le nom d'athée* (cit. 13), *d'infidèle* (cit. 4). *Le nom d'apôtre* (cit. 1), *de cardinal* (cit. 1). *Homme digne du nom d'artiste* (→ Industrie, cit. 11). *Ce grand nom d'homme* (cit. 28, Vigny). *Être digne, indigne du nom d'homme* (→ Métier, cit. 16). — *Ce nom d'assassin* (cit. 5). *Accabler qqn de noms détestés* (cit. 13).

34 Et que Rome, effaçant tant de titres d'honneur,
Me laisse pour tous noms celui d'empoisonneur?
RACINE, Britannicus, IV, 4.

35 Et n'allez point quitter, de quoi que l'on vous somme,
Le nom que dans la cour vous avez d'honnête homme,
Pour prendre, de la main d'un avide imprimeur,
Celui de ridicule et misérable auteur.
MOLIÈRE, le Misanthrope, I, 2.

36 Si le nom d'épouse est plus saint *(dit Héloïse à Abélard)*, je trouvais plus doux celui de ta maîtresse, celui (ne te fâche pas) de ta concubine (...)
MICHELET, Hist. de France, IV, IV.

Loc. (xxᵉ). *Traiter qqn de tous les noms*, l'accabler d'injures. — Iron. *Donner à qqn des noms d'oiseaux.*

37 Je la regardais attentivement (...) pendant qu'elle me traitait de tous les noms, et j'éprouvais quelque fierté à constater par contraste que mon indifférence allait croissant, que dis-je, ma joie, à mesure qu'elle m'injuriait davantage.
CÉLINE, *Voyage au bout de la nuit*, p. 203.

Spécialt. (Dans une nomenclature* scientifique). *Nom d'espèce, spécifique.* ⇒ **Épicène**. *Nom de genre* (cit. 11), *nom générique* (→ Gerboise, cit.; microbe, cit. 1). *Demander le nom d'une plante, d'une herbe* (→ Mélisse, cit. 1). *Donner un nom à un animal* (→ Engoulevent, cit.). *Plante connue dans telle région sous le nom de...*

Log. *Définition de nom* (→ Imposition, cit. 2, Pascal).

♦ **2.** *Le nom*, opposé à la chose nommée. ⇒ **Mot, signifiant.** *Le nom et la chose* (cit. 4 ; → Grenouille, cit. 2). *Une raison qui n'a rien que le nom*, qui n'en est pas une (→ Main, cit. 1). — DE NOM. « *Reine de nom, mais en effet captive* » (→ Malheur, cit. 12). *Grâce suffisante de nom et insuffisante* (cit. 1) *en effet.* — *Le nom n'y fait rien* (→ Inclination, cit. 14), *ne fait rien à la chose... La santé n'est qu'un nom*, qu'une apparence (→ Amusement, cit. 5).

38 (...) un Roi paresseux et fainéant qui n'a rien en lui de magnanime ni de Prince, que le nom.
RONSARD, Élégies, « À la Reine d'Angleterre ».

39 Saint Chrysostome a bien compris cette vérité, quand il a dit : « Gloire, richesses, noblesse, puissance, pour les hommes du monde ne sont que des noms ; pour nous, si nous servons Dieu, ce sont des choses. Au contraire la pauvreté, la honte, la mort sont des choses trop effectives et trop réelles pour eux ; pour nous, ce sont seulement des noms (...)
BOSSUET, Oraison funèbre de la Duch. d'Orléans.

40 Toujours humble, toujours le timide Néron,
N'ose-t-il être Auguste et César que de nom ?
RACINE, Britannicus, I, 2.

41 (...) elle se défend du nom, mais non pas de la chose (...)
MOLIÈRE, la Critique de l'École des femmes, 2.

42 Un Brutus qui, mourant pour la vertu qu'il aime,
Doute au dernier moment de cette vertu même,
Et dit : Tu n'es qu'un nom ! (...)
LAMARTINE, Premières méditations, VII.

Philos. *Signe matériel servant à nommer, à désigner les classes d'être* (opposé à *concept, notion* et à *chose*). *Croire à l'existence des noms* (⇒ **Nominalisme**) *et pas à celle des concepts* (conceptualisme), *ou des choses* (réalisme).

43 Qu'est-ce au fond que la réalité qu'une idée générale et abstraite a dans notre esprit ? Ce n'est qu'un nom, ou, si elle est autre chose, elle cesse nécessairement d'être abstraite et générale.
CONDILLAC, Logique, v, *in* LALANDE, art. *Nominalisme.*

♦ **3.** (Déb. xvıᵉ). Collectivt. Vx ou littér. Tous ceux qui portent un même nom (de peuple). *Le nom français, la nation française, le peuple français* (→ Humanité, cit. 9).

44 C'est là qu'en arrivant, plus qu'en tout le chemin,
Vous trouverez partout l'horreur du nom romain (...)
RACINE, Mithridate, III, 1.

♦ **4.** AU NOM DE... En considération* de..., en invoquant... (→ Atelier, cit. 8 ; brave, cit. 11 ; emmailloter, cit. 5). *Au nom des mœurs* (cit. 11), *de la morale* (cit. 13). — Spécialt. *Au nom de la loi,* en vertu de la loi, des pouvoirs qu'elle confère. ⇒ **Ordre** (→ Mariage, cit. 4).

45 Après avoir repoussé la littérature des Allemands au nom du bon goût, on croit pouvoir aussi se débarrasser de leur philosophie au nom de la raison.
Mᵐᵉ DE STAËL, De l'Allemagne, Obs. génér.

46 Au matin, ils sont venus à quatre. Ils ont fait ouvrir la porte au nom de la loi.
G. DUHAMEL, Salavin, V, XVIII.

Allus. hist. *Liberté** (*supra* cit. 18), *que de crimes on commet en ton nom !*

★ **III.** (Dans le langage ; *nom substantif*, xıvᵉ). ♦ **1.** Élément du langage, mot ou groupe de mots (syntagme) fonctionnant comme substantif. *Noms concrets, abstraits. Noms d'agent, d'action, d'état, d'instrument.*

47 Les noms d'action et les noms d'agent (...) constituent, au milieu de la catégorie générale du nom, deux catégories spéciales nettement tranchées. On peut y rattacher les noms d'instrument, les noms qui expriment le résultat de l'action.
J. VENDRYES, le Langage, p. 151.

NOM PROPRE : nom désignant un individu et ne correspondant pas à un concept, à une notion (→ ci-dessus, I.). *Dictionnaire de noms propres. Nom propre logique*, expression du langage ayant la fonction de nom propre, qu'elle comporte ou non un nom propre (ex. : « le vainqueur d'Austerlitz » ; « l'organisateur de la victoire »).

Vx. *Nom appellatif :* nom commun. — NOM COMMUN : nom correspondant à une classe d'objets (en extension) et à un concept ou notion (en compréhension).

Gramm. *Nom simple, composé.* — *Genre des noms.* ⇒ **Genre** (cit. 25 à 28 et *supra*) ; **masculin, féminin** (et aussi **neutre**). *Nombre des noms.* ⇒ **Nombre**; **singulier, pluriel.** — *Nom collectif*.* — *Fonctions, emplois du nom. Nom sujet*, attribut, complément* (⇒ **Régime**). *Nom en apposition. Complément de nom. Nom employé adjectivement. Mot remplaçant le nom.* ⇒ **Pronom.** *Accord du nom.* — *Le nom et l'article** (cit. 20), *et l'adjectif.*

REM. 1. Pour l'emploi ou l'omission de l'article devant les noms. → 1. Le (I.) ; 2. De. Spécialt. Devant les noms. → 1. Le (I., 1., 3. et 7.) ; devant les noms de bateaux. → 1. Le (*supra* cit. 21). — Pour l'emploi du possessif et de l'article devant les noms désignant des parties du corps. → Mon (*supra* cit. 5).

---

2. Pour la formation et l'accord des noms composés, se rapporter à chacun d'eux ; → par ex. les comp. de bas (bas-fond, bas-côté, basse-cour), de garde (4. Garde), de haut, etc.

♦ **2.** Ling. Catégorie utilisée par les grammairiens latins et classiques (Du Marsais, l'abbé d'Olivet...) et reprise par certains grammairiens modernes, comprenant le *nom* au sens 1 *(nom substantif),* l'*adjectif* et le *pronom* (*nom adjectif*) et parfois certaines formes verbales (*noms verbaux :* infinitifs* [cit. 4], participes). *Noms de nombres :* deux, deuxième...

48 Cette appellation *(nom)* appartient à la grammaire traditionnelle, qui en fait généralement le synonyme pur et simple de celle de « substantif ». Mais (...) les grammairiens ont longtemps formé une seule espèce du substantif et de l'adjectif qualificatif, groupés sous la désignation commune de « noms ». Cette vue (...) a commencé (*dès le XVIIIᵉ siècle*) à tomber en défaveur. Cependant plusieurs grammairiens de cette époque (...) soutiennent encore l'ancienne opinion (...) Restaut dit : « Tout ce que notre âme peut concevoir et se représenter par une simple vue, et sans en porter aucun jugement, est exprimé dans le discours par un nom... » (...) c'est peut-être là la meilleure définition que l'on pourrait donner du nom : une simple vue de l'esprit sur une perception ou une conception. Le nom serait le mode d'expression des représentations en tant qu'elles ne sont que cela.
J. DAMOURETTE et É. PICHON, Essai de grammaire de la langue franç., § 78.

♦ **3.** Didact. (au sens de l'angl. *name*). Tout signe capable de désigner, de nommer (incluant des verbes, etc.). *Tous les termes sont des noms.* ⇒ **Terme, terminologie.**

COMP. Prête-nom, surnom. (V. aussi **Nominal, nommer, prénom...** et les comp. du grec *onoma :* **-onyme, onoma-**).

HOM. Non, n'ont (ils n'ont).

NOMADE [nɔmad] adj. et n. — 1540, n. m. plur., *in* D.D.L. ; adj., 1370 ; lat. *nomas, adis*, grec *nomas, nomados*, proprt « pasteur », rac. *nemein* « paître ».

A. Adj. ♦ **1.** Qui n'a pas d'établissement, d'habitation fixe (en parlant d'un groupe humain). ⇒ **Ambulant, errant, instable, mobile.** *Peuple, population, tribu nomade. Peuples nomades de pasteurs, de chasseurs des temps préhistoriques, ou de régions encore peu civilisées.*

0.1 Cette portion de la steppe est ordinairement occupée, pendant la saison chaude, par des Sibériens pasteurs, et elle suffit à la nourriture de leurs nombreux troupeaux. Mais, à cette époque, on y eût vainement cherché un seul de ces nomades habitants.
J. VERNE, Michel Strogoff, p. 261.

Par anal. Zool. Se dit d'un animal qui change de région avec les saisons. ⇒ **Migrateur.**

(En parlant de choses). *Vie nomade, des tribus nomades. Hameau nomade de plusieurs tentes* (→ Douar, cit. 1).

1 Abram *(Abraham)* et son clan reviennent en Canaan, à Bethel. L'existence qu'ils y mènent est toujours celle de la tente. Les incidents qui s'y produisent sont ceux de la vie nomade.
DANIEL-ROPS, le Peuple de la Bible, I, I.

♦ **2.** *Vie nomade*, d'une personne en déplacements continuels. ⇒ **Errant, vagabond, voyageur.** *Aimer, mener la vie nomade* (→ Vivre en camp* volant). *Instinct nomade*, qui pousse à la vie nomade.

2 Je songe, après qu'il m'a quitté, je songe longuement à Sindbad, à Crusoé, à Rimbaud, à ceux au cœur de qui Dieu attache cet instinct nomade, cet amour inquiet impatient du convenu, toujours en quête d'aventure (...)
GIDE, Nouveaux prétextes, Journal sans dates, II.

3 Dès sa dixième année *(Marie Bashkirtseff)*, sa vie nomade commença qui devait faire d'elle, selon Barrès, le représentant le plus émouvant de la sensibilité cosmopolite. Elle est tantôt à Bâle, à Vienne, à Paris ; tantôt à Rome, à Florence, à Genève.
Émile HENRIOT, Portraits de femmes, p. 440.

B. N. *Un, une nomade* (plus cour., au plur.). ♦ **1.** *Peuple de nomades. Caravane de nomades. Les nomades du désert.* ⇒ **Bédouin, targui.** *Tentes des nomades. Le Ksar* (cit.), *centre de ravitaillement pour les nomades. Nomades qui se fixent en un lieu* (→ Fixation, cit. 2), *se sédentarisent.*

4 Les nomades aux lentes caravanes voyaient changer le grain du sable et dans un décor vierge, le soir, dressaient leur tente.
SAINT-EXUPÉRY, Courrier Sud, III, II.

5 (...) des nomades se déplaçant selon les nécessités de la pâture, vivant sous la tente bédouine. Le fait même de ces errances surprend nos habitudes occidentales modernes : hormis nos bohémiens, nous ne connaissons guère de gens sans racines (...)
DANIEL-ROPS, le Peuple de la Bible, I, II.

Nomades d'Europe. ⇒ **Bohémien, gitan** (cit. 1). *Nomades qui se déplacent dans des roulottes*.* ⇒ **Forain** (sens large). *Stationnement obligatoire des nomades à l'entrée de certaines villes.*

♦ **2.** Dr. Tout individu n'ayant aucun domicile fixe, qui se déplace (en France), et n'entre pas dans la catégorie des forains*, soit qu'il soit étranger, soit qu'il n'exerce pas de profession déterminée. *Les nomades doivent être munis d'un carnet anthropométrique d'identité.*

♦ **3.** Personne qui se déplace continuellement, qui change souvent de résidence. *C'est un nomade.*

C. N. f. (1799). Abeille rouge ou rousse variée de jaune ou de rouge.

CONTR. Fixe, sédentaire.
DÉR. Nomadiser, nomadisme.

NOMADISATION [nɔmadizasjɔ̃] n. f. — 1924 «vie en nomade»; de *nomadiser.*

♦ **1.** (1932). Didact. Évolution de groupes sédentaires vers des formes de vie nomade.

♦ **2.** (Mil. xxᵉ). Milit. Opération qui consiste à faire circuler de petites unités d'infanterie dans une zone que l'on suppose occupée par l'adversaire.

NOMADISER [nɔmadize] v. intr. — 1845; de *nomade.*

♦ **1.** Didact. Vivre en nomade. *Tribus qui nomadisent dans le désert.*

En février et en mars, Costals nomadisa et chassa dans la région de Fez et dans l'Atlas. MONTHERLANT, les Lépreuses, II, XVII, p. 171.

♦ **2.** Littér. Changer souvent de résidence; vivre en se déplaçant souvent.

DÉR. Nomadisation.

NOMADISME [nɔmadism] n. m. — 1845; de *nomade.*

♦ **1.** Genre de vie des nomades. *Le nomadisme au Sahara.*

1 Dans l'Afrique du Nord le nomadisme doit bien son origine (...) à l'activité pastorale : les migrations régulières et périodiques sont bien une conséquence de la nécessité de trouver la pâture pour les troupeaux qui constituent la richesse d'une tribu. Mais d'autres facteurs, accessoires peut-être, n'auraient-ils pas joué leur rôle dans l'extension de certaines formes du nomadisme? On sait que le nomade, s'il est un pasteur, est aussi un grand commerçant, et que les grandes caravanes de chameaux qui vont du Sahara au Tell et *vice versa* sont les grands véhicules qui transportent la datte du Sud au Nord et les céréales du Nord au Sud. On sait encore que nomade est facilement synonyme de pillard (...)
Jean BRUNHES, la Géographie humaine, t. I, p. 406.

Mode de vie des animaux qui se déplacent sans revenir de façon périodique aux mêmes endroits.

♦ **2.** Par ext. Vie nomade, faite de déplacements continuels.

2 (...) on sait le terrible nomadisme de ces manœuvres qui, de ville en ville (...) s'en vont cherchant à gagner leur pain. Les bases éternelles de l'homme, famille, patrie, quel sens ont-elles pour eux? DANIEL-ROPS, Ce qui meurt..., p. 150.

NO MAN'S LAND [nomanslãd] n. m. — V. 1915; expr. angl. signifiant «terre *(land)* d'aucun homme» employée lors de la guerre de 1914 au sens actuel.

♦ Zone comprise entre les premières lignes de deux armées ennemies. — Par ext. Zone frontière comprise entre deux postes de douane de nationalité différente.

1 De l'autre côté du ruisseau qui longe la frontière, commence le *no man's land,* où chaque nuit circulent des patrouilles (...)
R. DORGELÈS, la Drôle de guerre, p. 125.

1.1 — Mais où sommes-nous? En zone libre ou en zone occupée?
— Ni l'une ni l'autre. No man's land comme on dit. Ils patrouillent, nous patrouillons. On va vous ramener en vitesse.
Jacques LAURENT, les Bêtises, p. 79.

Fig. Terrain inhabité; terrain neutre.

2 «Si l'on me torturait, que ferais-je?» Et cette seule question nous portait nécessairement aux frontières de nous-mêmes et de l'humain, nous faisait osciller entre le *no man's land* où l'humanité se renie et le désert stérile d'où elle surgit et se crée.
SARTRE, Situations II, p. 249.

3 Dans le *no man's land* (le mot n'est pas dans les dictionnaires mais il faudra bien l'y admettre un jour, car il est adopté, et le français ne lui oppose aucune création propre, à ma connaissance), dans le *no man's land,* dis-je, où s'affrontent parfois les puristes et leurs adversaires (...)
Charles MULLER, in la Classe de franç., mai-juin 1956, p. 174.

NOMARCHIE [nɔmaʁʃi] n. f. — 1838, Boiste; grec *nomarkhia.*

♦ Didact. (antiq. grecque). Gouvernement d'un nome; dignité de nomarque. — Mod. Circonscription administrative de la Grèce contemporaine.

NOMARQUE [nɔmaʁk] n. m. — 1732, Trévoux; empr. au grec *nomarkhês.*

♦ Didact. (antiq.). Gouverneur d'un nome de l'ancienne Égypte. — Mod. Fonctionnaire grec placé à la tête d'une nomarchie.

NOMBRABLE [nɔ̃bʁabl] adj. — 1380; *numbrable,* v. 1120; de *nombrer.*

♦ Qui peut être nombré, compté. *Choses, quantités nombrables.*

CONTR. Incomptable, innombrable.

NOMBRE [nɔ̃bʁ] n. m. — V. 1120; du lat. *numerus.*

★ **I.** ♦ **1.** Sc. Concept de base des mathématiques, une des notions fondamentales de l'entendement que l'on peut rapporter à d'autres idées (de pluralité, d'ensemble, de correspondance; → ci-dessous, cit. 3 et 4) mais non définir (→ Géométrie, cit. 7). — *À l'origine, et dans le cas le plus simple des nombres naturels* (1, 2, 3, 4, etc.), symbole caractérisant une unité ou une collection d'unités considé-

rée comme une somme. *Caractère servant à représenter les nombres.* ⇒ **Chiffre.** *Le nombre 1, le nombre 3. L'idée* (cit. 10) *de nombre n'est pas naturelle, mais rationnelle. Grandeur* mesurée *par un nombre.* ⇒ **Quantité.** *Le nombre, base de la mesure** (cit. 2 et 3). *Les sciences et notamment les sciences exactes reposent sur l'idée de nombre* (→ Abstraction, cit. 1). — (1690). *La science des nombres :* les mathématiques. *Système d'écriture des nombres.* ⇒ **Numération; notation.**

1 Euclide avait-il raison de définir le nombre, collection d'unités de même espèce? Quand Newton dit que le nombre est un rapport abstrait d'une quantité à une autre de même espèce, n'a-t-il pas entendu par là l'usage des nombres en arithmétique, en géométrie? (...) Si j'osais, je définirais simplement le nombre, l'idée de plusieurs unités. VOLTAIRE, Dict. philosophique.

2 Le Nombre (...) Nos dictionnaires définissent le nombre une collection d'unités : en sorte que l'unité qui est le principe de tous les nombres, devient étrangère au terme qui les exprime. É. DE SENANCOUR, Oberman, XLVII.

3 L'idée de nombre implique la représentation des unités, la représentation de leur identité, leur énumération en série (temps), leur addition proprement dite, c'est-à-dire la transformation de la série en somme (espace). Cette dernière condition est peut-être la plus importante, car si l'on s'en tient à la succession, on a une collection ou série, mais non un nombre.
L. BOISSE, in LALANDE, Voc. de la philosophie.

4 Les langages primitifs trahissent l'impossibilité de concevoir les nombres pour eux-mêmes; seules les désinences faisant corps avec le nom commun des objets indiquent leur nombre. À un stade plus évolué, une notion plus précise apparaît. Cette notion naît de l'idée de *correspondance* entre deux groupes d'objets, d'«appariement»; c'est ainsi que deux collections d'objets seront caractérisées par le même nombre, si à tout objet du premier groupe, on peut faire correspondre un objet du deuxième groupe, et inversement. René TATON, Hist. du calcul, p. 43.

4.1 Les bornes supérieures des capacités des ordinateurs ont été franchies à l'occasion de nombres qui apparaissent en mathématiques pures, en combinatoire notamment. L'écriture de ces nombres en notation exponentielle pourrait exiger des exposants dont la superposition en étages dépasserait — s'il fallait les imprimer avec les caractères de ce dictionnaire — la plus grande distance astronomique connue. Il est devenu nécessaire de franchir un nouveau pas dans l'écriture de tels nombres. BOUVIER et GEORGE, Dict. des mathématiques, Nombres, p. 508.

Les différentes sortes de nombres et d'extensions de la notion de nombre. — (1675). *Nombres naturels*. Nombres entiers*. Nombres entiers qualifiés ou relatifs; nombres positifs*, négatifs* (cit. 14). Fractions* et* (1725) *nombres fractionnaires*.* — (1691). *Nombres rationnels. Nombre arithmétique :* nombre entier, fractionnaire ou irrationnel affecté d'un signe (+ ou −), *définissant une grandeur non orientée* (par oppos. à *algébrique*). *Nombres incommensurables** (cit. 1, 2 et 3) : *nombres irrationnels*, transcendants. Nombre algébrique :* racine réelle d'une équation algébrique à coefficients entiers. *Nombres réels. Nombres imaginaires*, complexes*. Nombres transfinis.* — *Le nombre zéro. Le nombre* π (3,1416...), *le nombre* i ($\sqrt{-1}$). *Le nombre* e*.

5 (...) les nombres entiers et fractionnaires qui furent jadis toute l'arithmétique, ne représentent aujourd'hui qu'un petit secteur de la science des nombres.
SARTRE, Situations II, p. 292.

6 (...) il nous suffit de chercher un nombre i, qui, *multiplié* par i, donnera (− 1) (...) Rappelons-nous la règle des signes, et notamment ce qu'affirmait, dès le XIIᵉ siècle, l'Hindou Bhaskara : «Le carré d'un nombre négatif, comme celui d'un nombre positif, est positif; *il n'y a pas de racine carrée d'un nombre négatif, car un nombre négatif n'est pas un carré*». *Par conséquent,* le nombre i n'est ni naturel, ni positif, ni négatif, ni fractionnaire, ni algébrique, ni transcendant! En un mot, ce n'est pas un nombre réel.
Marcel BOLL, les Étapes des mathématiques, p. 100-101.

7 Nous appellerons donc nombres, au sens le plus général, des symboles qui peuvent être composés entre eux et avec les nombres naturels suivant l'addition, la multiplication, et plus généralement toutes les opérations définies par les nombres naturels, de telle manière que, dans la mesure où ils se réduisent à ceux-ci, les opérations correspondantes se réduisent aux opérations naturelles, avec leurs propriétés classiques. René POIRIER, le Nombre, p. 82.

Utilisation des nombres en arithmétique, en algèbre. — (1721). *Nombres concrets*, abstraits*. Nombre cardinal*, ordinal*. Signe* d'un nombre. Nombre affecté d'un signe. Calcul sur les nombres.* ⇒ **Calcul** (numérique). — (xiiiᵉ). *Nombres pairs** — (1484). *Nombres impairs*.* — *Nombre binaire, ternaire. Nombres fractionnaires** (→ Hétérogène), *décimaux*, complexes*. Nombres opposés*, inverses*.* — (xivᵉ). *Nombres premiers*; premiers entre eux. Nombre qui est une partie aliquante*, aliquote* d'un autre. Nombre parfait*. Nombre congru*. Nombres équimultiples*. Suite particulière de nombres.* ⇒ **Progression.** *Opération sur les nombres.* ⇒ **Opération.** *Additionner, soustraire, multiplier, diviser un nombre, des nombres. Somme de deux, de plusieurs nombres.* ⇒ **Terme.** *Différence entre deux nombres, égalité de deux nombres. Produit** de plusieurs nombres. Complément* d'un nombre. Moyenne* de plusieurs nombres. Nombre multiple* d'un autre, divisible* par un autre. Puissance*, racine* d'un nombre. Élever un nombre au carré, au cube.* ⇒ **Carrer, cuber.** *Extraire la racine d'un nombre. Fonction des nombres.* ⇒ **Coefficient, dividende, diviseur, exposant, facteur, multiplicande, multiplicateur.** *Logarithme* d'un nombre.*

Théorie des nombres : partie de l'arithmétique élémentaire. «*Les secteurs les plus traditionnels de la théorie des nombres, où subsistent encore des conjectures célèbres, passionnent toujours des amateurs qui soupçonnent mal les difficultés sur lesquelles on débouche rapidement et qui ne sont abordables qu'au prix d'une haute technicité*» (Bouvier et George).

(Calcul des probabilités et cour.). *Loi des grands nombres :* loi énoncée au XVIIᵉ siècle par Bernoulli, selon laquelle à mesure que le nombre des épreuves augmente, le nombre moyen des réussites d'un événement se rapproche de plus en plus de la valeur la plus probable fixée par le calcul. (Ex. : la fréquence des «face» d'une pièce lancée à «pile ou face» un très grand nombre de fois tend à devenir égale à la probabilité 1/2).

8 (...) il y faut d'abord tenir compte de la *loi des grands nombres :* plus est grand le nombre de coups que l'on considère, plus les écarts tendent à se réduire, et l'équilibre général à se rétablir. — Si je vous entends bien, le chiffre qui n'est sorti, par exemple, qu'une ou deux fois durant une série de mille coups, aura toutes chances de sortir bien plus souvent dans les séries suivantes, et rattraper ainsi son retard. J. PAULHAN, Entretien sur des faits divers, p. 150.

Phys. *Nombre atomique.* ⇒ **Atomique.** — (1958). *Nombre d'Avogadro :* nombre d'atomes contenus dans 12 grammes de substance d'un isotope du carbone (carbone 12 C). — (Mil. xxᵉ). *Nombre de masse :* nombre total des particules (protons* et neutrons*) qui constituent le noyau d'un atome.

Aviat. *Nombre de Mach.* ⇒ **Mach.**

Valeur mystique, puissance du nombre (dans les sociétés primitives, chez les alchimistes du moyen âge, chez les cabalistes). *Nombres sacrés. Nombre bénéfique, fatidique. Nombres bibliques. Divination par les nombres.* ⇒ **Arithmomancie.**

9 Pourquoi chercher à rire des Anciens qui regardaient les nombres comme le principe universel. L'étendue, les forces, la durée, toutes les propriétés des choses naturelles ne suivent-elles pas la loi des nombres ? Ce qui est à la fois réel et mystérieux, n'est-il pas ce qui nous avance le plus dans la profondeur des secrets de la nature ? É. DE SENANCOUR, Oberman, XLVII.

10 Les nombres, choyés par les mythologies et dotés par elles de significations occultes, ont varié avec la longitude et la latitude ; témoins, les nombres fatidiques du judaïsme et de la théologie chrétienne (...) Marcel BOLL, les Étapes des mathématiques, p. 13-14.

(XIIIᵉ). **NOMBRE D'OR.** Chronologie, liturgie. ⇒ **Cycle** (lunaire). *Le comput* renferme le nombre d'or.* — Esthétique. (Dans le partage asymétrique d'une composition picturale). Rapport entre la plus grande des deux parties et la plus petite, égal au rapport entre le tout et la plus grande $\frac{b}{a} = \frac{a + b}{b}$.

Utilisation du nombre d'or dans la composition d'un tableau (on dit aussi *section dorée*).

Gramm. *Écrire un nombre en lettres, en chiffres* (vingt-quatre, 24). — (1680). *Nombre cardinal* (sept); (1550) *ordinal* (septième). ⇒ **Numéro, quantième, rang.** — *Noms de nombre :* mots désignant les nombres cardinaux, ordinaux, et les fractions. *Noms de nombre composés par addition :* coordonnés (vingt et un), juxtaposés (vingt-deux); *composés par multiplication* (quatre-vingts, deux cents). *Les noms de nombres cardinaux sont généralement invariables, à l'exception de million, milliard et dans certains cas vingt, cent, mille* (voir ces mots); *les ordinaux et les fractions prennent la marque du pluriel.*

11 Nos contemporains de la brousse sud-africaine ne disposent que de trois noms de nombres correspondant respectivement à «un», «deux», «beaucoup». Et nous avons toutes les raisons de penser que nos lointains ancêtres n'étaient pas mieux doués à ce point de vue. Marcel BOLL, les Étapes des mathématiques, p. 8.

♦ **2.** **Cour.** Nombre concret* servant à caractériser une pluralité de choses, de personnes. *Nombre de kilomètres parcourus :* kilométrage. *Nombre d'habitants d'un pays, des habitants d'une ville* (⇒ **Population**), *des hommes d'une armée* ⇒ **Effectif**). *Nombre de fois.* ⇒ **Fréquence.** *Quel nombre?* ⇒ **Combien.** *Évaluer un nombre.* ⇒ **Compter, dénombrer ;** → faire le compte*, la somme* de... *Savoir le nombre de... Nombre estimé par approximation. Un nombre tant** (⇒ **Tantième**). *Un nombre approximatif** (cit. 3), *de l'ordre de...* ⇒ **Chiffre.** *Nombre exact. Nombre rond*. Un nombre qui monte** (cit. 22), *s'élève à deux mille, qui est de deux mille. Un certain nombre de...* ⇒ **Plusieurs.** *Un petit nombre de visiteurs.* ⇒ **Peu, quelque**(s). *Le petit nombre de privilégiés* (→ Capitalisme, cit. 2), *d'amateurs éclairés* (→ Informer, cit. 17). ⇒ **Minorité.** *Un nombre suffisant.* ⇒ **Assez.** *Les membres présents sont en nombre suffisant pour délibérer.* ⇒ **Quorum.** *Un assez grand nombre, un bon* nombre de...* ⇒ **Mal** (pas mal). *Adolescent,* cit. 1; batterie, cit. 3. *Un grand* nombre.* ⇒ **Beaucoup, bien** (des), **force; plein** (de), **tant; collection, concours, foule, masse, multiplicité, multitude, quantité** (→ aussi Dix, cent, mille, myriade, trente-six...). *En grand nombre.* ⇒ **Innombrable, nombreux.** *Être en grand nombre.* ⇒ **Abonder, pulluler.** *Le rassemblement et l'étude d'un grand nombre de faits, objet de la statistique*.* — (xviiᵉ). *Le grand nombre, le plus grand nombre des...* ⇒ **Commun, généralité, majorité, partie** (la plus grande, la majeure* partie), **plupart** (la), **pluralité, tout** (par extension).

Un nombre considérable (→ Expulser, cit. 5; information, cit. 1), *impressionnant, incalculable* (→ Ange, cit. 10), *innombrable* (→ Apercevoir, cit. 4). → *Je ne sais combien*. Un nombre infini de...* : *un très grand nombre* (emploi abusif du point de vue scientifique). ⇒ **Infinité** (→ Cascade, cit. 1; casuiste, cit. 2; forme, cit. 66; image, cit. 8; maître, cit. 75). *Des galeries qui pouvaient contenir un nombre infini de personnes* (→ 1. Lice, cit. 1).

REM. Dans les cas où *nombre* est suivi d'un complément de nom, l'accord du verbe se fait avec *nombre* ou avec son complément pluriel, selon que l'on considère l'un ou l'autre comme étant le sujet. *Le plus grand nombre de nos actes sont de purs expédients* (→ 2. Expédient, cit. 9). *Le grand nombre de témoignages favorables l'a sauvé.*

12 On dit à peu près indifféremment : «*Un grand nombre* d'entre eux *furent tués,*

ou *fut tué» ;* mais le pluriel accuse mieux le sentiment de la multiplicité. Par contre, c'est le singulier qu'on emploiera, si l'on veut donner à entendre un excès de quantité : «*Un grand nombre* de fonctionnaires *est* un fardeau pour l'État» (= un trop grand nombre). G. et R. LE BIDOIS, Syntaxe du franç. moderne, § 1038.

13 (...) un petit nombre de ces femmes ne connaîtra jamais la vie (...) A. DE MUSSET, On ne badine pas avec l'amour, II, 5.

14 Un petit nombre d'étoiles très brillantes vibraient dans l'air calme et bleu de la nuit. E. FROMENTIN, Dominique, VII.

15 M. Teste parla de l'argent... il citait de très grands nombres. Huit cent dix millions soixante quinze mille cinq cent cinquante... J'écoutais cette musique inouïe sans suivre le calcul. VALÉRY, M. Teste, p. 30.

16 (...) ceux qui le ressentent *(cet amour divin)* ont peine à imaginer que le plus grand nombre y demeure insensible (...) F. MAURIAC, la Pharisienne, XIII.

17 *(Il)* connaissait parfaitement le nombre de ceux qu'il avait en observation (...) La statistique des effets du sérum sur les quarantaines était gravée dans sa mémoire. Mais il était incapable de dire le chiffre hebdomadaire des victimes de la peste (...) CAMUS, la Peste, p. 208.

... **EN NOMBRE.** *Des classes, des troupes égales en nombre* (→ Bataille, cit. 19). *Ennemi supérieur en nombre* (→ Âprement, cit. 3). — *Ce qui dépasse un grand nombre donné.* ⇒ **Excédent, surnombre, surnuméraire.** *Nombre qui croît** (→ Aller, cit. 47), *grossit*. Augmenter en nombre.* ⇒ **Multiplier** (intr. et pron.). *Grossir* le nombre de* (⇒ **Liste, rang**). *Nombre croissant*. Augmenter*, accroître** (cit. 2) *le nombre de...* ⇒ **Renforcer.** *Diminuer, limiter, restreindre le nombre de...* (→ Manufacture, cit. 1). *Augmentation*, accroissement*, diminution de nombre* (→ Anémie, cit.).

18 Les amis que j'avais, je les ai ; et le nombre n'en est pas augmenté. DIDEROT, Regrets sur ma vieille robe de chambre.

Spécialt. Relig. *Le livre des Nombres, les Nombres :* quatrième livre du Pentateuque dans la Bible, ainsi nommé à cause des recensements de la population qu'il relate (titre hébreu : *Dans le désert*).

AU NOMBRE DE... Loc. prép. En tel nombre, en tout, au total. *Les rois mages* (cit. 3) *étaient au nombre de trois. Elles étaient au nombre de six* (→ Foire, cit. 1). *Des atolls* (cit. 1) *au nombre de 12000.*

(1478). **AU NOMBRE DE...** (1538). **DU NOMBRE DE...** ⇒ **Parmi.** *Compter, mettre au nombre de...* ⇒ **Comprendre, englober** (→ Librettiste, cit.). *Recevoir une personne au nombre des siens* (→ Éprouver, cit. 9). ⇒ **Entre.** *Se compter* (cit. 43) *au nombre des vaincus.* «*Trois ou quatre seulement, au nombre desquels on me range*» (→ Éternellement, cit. 3, Malherbe). ⇒ **Rang.** *En me plaçant au nombre de vos soupirants* (→ Fantaisie, cit. 22). *Être du nombre de ceux qui...* ⇒ **Partie** (faire partie). → Huile, cit. 27. *Il est du nombre des désespérés* (→ Bâton, cit. 14). *Serez-vous du nombre des invités?* — Ellipt. *Serez-vous du nombre?*

19 Du reste, Fouan était comme rayé du nombre des vivants, Buteau agissant en son lieu et place, touchait et signait, sous le prétexte que le bonhomme perdait la tête. - ZOLA, la Terre, V, II.

SANS NOMBRE (proprt «sans possibilité d'être dénombré»). ⇒ **Innombrable, nombreux.** *Il a eu des occasions sans nombre de se faire connaître. Je fus en butte* (cit. 4) *à des vexations sans nombre. Les maux de l'amour sont sans nombre* (→ Mer, cit. 10). «*De figures sans nombre égayez votre ouvrage*» (Boileau).

20 Mil huit cent onze ! — Ô temps où des peuples sans nombre
Attendaient prosternés sous un nuage sombre
Que le ciel eût dit oui ! HUGO, les Chants du crépuscule, V, I.

21 L'avenir dût-il m'être sombre
Et fécond en peines sans nombre (...) VERLAINE, la Bonne Chanson, XV.

♦ **3.** *Le nombre :* la pluralité, le grand nombre. *La qualité importe plus que le nombre.* ⇒ **Quantité** (→ Applaudissement, cit. 13). *Joyau* (cit. 2) *de haut prix par le nombre, la grosseur et la qualité des diamants. Le nombre et le poids des impôts* (→ Maltôtier, cit.) «*La valeur n'attend pas le nombre des années*» (cit. 10, Corneille). — Quantité de personnes. ⇒ **Masse.** *L'adhésion, l'assentiment* (cit. 4) *du nombre, de la majorité* (→ Accréditer, cit. 2). *Le nombre l'emporta* (→ Enfoncer, cit. 16). *Ils furent écrasés, ils succombèrent sous le nombre. Subir la loi du nombre.* — Loc. *Faire nombre :* faire un ensemble nombreux (→ Exterminer, cit. 6). *Inviter des amis pour faire nombre à une première.* — (1680). *Dans le nombre :* dans la quantité. *Dans le nombre, nous en trouverons bien un qui nous conviendra.*

22 (...) l'avantage *(que vous avez)* du nombre ne m'obligera pas à vouloir déguiser mon nom. MOLIÈRE, Dom Juan, III, 4.

23 Tout fait nombre, dit l'homme, en voyant son butin ;
Voilà commencement de chère et de festin (...) LA FONTAINE, Fables, V, 3.

24 Sais-tu qu'ils sont une douzaine ? — Fussent-ils cent, le nombre n'y fait rien, s'il est écrit là-haut qu'ils ne sont pas assez. DIDEROT, Jacques le fataliste, Pl., p. 510.

25 La force du bras, le droit du nombre, le respect de la foule a succédé à l'autorité du nom, au droit divin, à la suprématie de l'esprit. FLAUBERT, Correspondance, 321, 15 mai 1851.

26 S'ils se fâchaient une fois de plus, eux *(les paysans)* qui sont le nombre, s'ils réclamaient enfin leur part de jouissance ? ZOLA, la Terre, I, V.

EN NOMBRE. En grande quantité, en masse*. *Les candidats se sont présentés en nombre* (⇒ **Affluence**). *Ils décidèrent d'attaquer en nombre. Des fourmis* (cit. 5) *en nombre.* T. de librairie. *Livres en nombre :* livres d'occasion en nombreux exemplaires.

NOMBRE DE... Loc. ⇒ **Beaucoup, maint.** *Nombre de fois. Depuis nombre d'années* (→ Gêner, cit. 19). *Nombre de gens fameux*

(→ Étendue, cit. 16). *Nombre d'entre eux* (→ Filet, cit. 12). *J'ai vu nombre de malheureux* (→ Arrière-neveu, cit. 4). *Elle a guéri* (cit. 3) *nombre de malades. Nombre de ses films ne valent rien.*

27 Pour moi, je ne doute point (...) que de temps en temps la religion n'empêche nombre de petits maux et ne produise nombre de petits biens.
DIDEROT, Entretien d'un philosophe avec la Maréchale de ***.

28 Nombre de romanciers ou d'auteurs dramatiques ne parviennent jamais à faire rendre aux propos de leurs personnages un son authentique.
GIDE, Ainsi soit-il, p. 27.

29 Le monde, en cet instant de l'Histoire, pose à l'observateur nombre de problèmes effrayants.
G. DUHAMEL, Manuel du protestataire, III.

★ **II. ♦ 1.** (1550). Gramm., ling. « Catégorie grammaticale fondée sur la considération du compte, suivant que le mot est employé pour désigner un objet ou concept unique..., ou une pluralité » (Marouzeau). *Nombre exprimant l'unité* (⇒ **Singulier**), *la dualité* (⇒ **Duel**), *la pluralité* (⇒ **Pluriel**). *Le genre et le nombre d'un substantif, d'un adjectif... S'accorder en genre* (cit. 22) *et en nombre. L'infinitif* (cit. 4) *n'a ni personne ni nombre.*

30 Dans le langage, *êtres, choses, actions* sont nécessairement considérés, soit comme étant seuls, soit comme étant plusieurs. D'où les deux nombres fondamentaux : le singulier pour l'unité, le pluriel, pour tous les autres nombres : *une maison, des maisons (...) toi, vous (...)* Il y a des choses qui se comptent, ce sont les choses nombrables : *des lits ; cent lieues (...)* s'il y en a plusieurs, ce sont plusieurs unités. Il y a d'autre part des choses qui se divisent en parties, comme *le plomb, le vin, la soupe.* D'une quantité donnée de soupe on fait des portions : assiettées, cuillerées, etc., non des unités. Ce sont les choses non nombrables.
F. BRUNOT, la Pensée et la Langue, p. 95.

♦ **2.** (1549). Littér. et stylistique. Répartition rythmique et harmonique des éléments d'un vers, d'une phrase. ⇒ **Cadence** (cit. 2), **harmonie** (cit. 25), **rythme ; nombreux** (II., cit. 5). *Le nombre d'une phrase, d'une période.* ⇒ **Rondeur** (→ Arrangement, cit. 5 et 6 ; nombreux, cit. 5).

31 La rime, au bout des mots assemblés sans mesure,
Tenait lieu d'ornements, de nombre et de césure.
BOILEAU, l'Art poétique, I.

32 L'exigence de mon oreille, jusqu'à ces dernières années, était telle, que j'aurais plié la signification d'une phrase à son nombre.
GIDE, Journal, 23 févr. 1923.

DÉR. Nombrer, nombreux.
COMP. Surnombre. — Dénombrer, dénombrement.

NOMBRER [nɔ̃bʀe] v. tr. — XIIᵉ, *numbrer* ; de *nombre*, I.

♦ Vx ou littér. (surtout employé à la forme négative). Affecter d'un nombre, évaluer* en nombre. ⇒ **Compter, dénombrer, supputer** (→ Chiffrer, cit. 1). *Plus de maux qu'on n'en peut nombrer dans tout un an* (→ Gale, cit. 1). *On ne peut nombrer toutes les espèces de gibier de cette région* (→ Fourmiller, cit. 6). ⇒ **Innombrable.**

(...) je ne pus nombrer les mets qui s'offrirent à ma vue, tant la Providence avait soin d'en pourvoir l'archevêché! A. R. LESAGE, Gil Blas, X, X.

Math. (vx). *Nombre nombrant*, abstrait. *Nombre nombré*, concret.

▶ **NOMBRÉ, ÉE** p. p. adj.
Nombre nombré (Voir ci-dessus). — Compté, énuméré. *Petits pois* (cit. 1) *alignés et nombrés.*

DÉR. Nombrable.

NOMBREUSEMENT [nɔ̃bʀøzmɑ̃] adv. — 1570 ; de *nombreux.*
Vieux ou littéraire.

♦ **1.** En grand nombre.

♦ **2.** Littér. D'une manière nombreuse (II.), harmonieuse.

NOMBREUX, EUSE [nɔ̃bʀø, øz] adj. — 1350, *nombreus* ; de *nombre.*

★ **I. ♦ 1.** Qui est formé d'un grand nombre d'éléments. ⇒ **Abondant, considérable.** *L'espèce mâle* (cit. 7) *est plus nombreuse que la femelle. Un peuple nombreux* (→ Fort, cit. 47). *Armée nombreuse.* ⇒ **Fort** (forte de...). *Foule nombreuse.* ⇒ **Dense.** *Le parti le plus nombreux* (→ Fédéraliste, cit.). *Notre nombreuse clientèle. Famille** (cit. 10 et 26) *nombreuse. Nombreuse figuration* (cit. 1) *d'un spectacle* (cit. 1). *; nombreuse assistance.* ⇒ **Grand, important.** *Collection, bibliothèque* (cit. 9) *nombreuse.* — REM. Au pluriel, *nombreux* se place après le nom pour éviter la confusion avec le sens 2 : *des groupes nombreux* (contenant un grand nombre d'éléments), *de nombreux groupes* (plusieurs groupes).

1 *(Cette ville)* Nombreuse en citoyens, superbe en bâtiments (...)
MOLIÈRE, l'École des femmes, I, 4.

2 Ciel! quel nombreux essaim d'innocentes beautés
S'offre à mes yeux en foule et sort de tous côtés!
RACINE, Esther, I, 2.

♦ **2.** (1723). Avant le nom. En grand nombre. ⇒ **Multi-, poly-.** *Les amis* (cit. 2) *du riche sont nombreux. De nombreux amis.* ⇒ **Beaucoup** (de). *Nombreuses victimes* (→ Guerre, cit. 10). *De nombreuses personnes peuvent l'affirmer* (→ Assez de...). *De trop nombreux arrivants* (cit. 1). *Ils vinrent nombreux à notre appel. Nombreux sont ceux qui...* (→ Islam, cit. 1). *Les marchands étaient plus nombreux que les artisans* (cit. 5). *Toujours plus nombreux, de plus en plus nombreux* (→ Assommer, cit. 17). *Plus on est nom-*

breux, plus on s'amuse (→ Plus on est de fous* plus on rit). — *De nombreuses fois.* ⇒ **Souvent.** *De nombreuses visites.* ⇒ **Fréquent.** *Dans de nombreux cas. Après de nombreuses expériences.* ⇒ **Multiple.** — (Après le nom). *Témoignages nombreux* (→ Fulgurant, cit. 8). *Les influences* (cit. 5) *sont d'autant plus fortes qu'elles sont moins nombreuses. Très nombreux.* ⇒ **Innombrable.**

3 Et n'allez pas croire que des exceptions plus ou moins nombreuses (...) puissent s'opposer avec succès à ces vérités générales!
LACLOS, les Liaisons dangereuses, CXXX.

4 (...) les bus (...) nombreux au delà de toute vraisemblance et se courant l'un après l'autre avec des allures bousculées de troupeau (...)
J. ROMAINS, les Hommes de bonne volonté, t. V, XXVI, p. 252.

★ **II.** (1564). Didact. Qui a du nombre (II., 2.). ⇒ **Cadencé, harmonieux.** *Période nombreuse. Style nombreux.*

5 Je lis : « Le style de X. est plus nombreux que celui de Flaubert (...) » Non ; cela ne se peut. Un public est plus ou moins nombreux, mais une phrase, un style est nombreux ou ne l'est pas. La phrase a DU nombre. Il ne peut être question ici de plus ou de moins. GIDE, Journal, 25 oct. 1922.

6 Et puis, quel style magnifique, nombreux, riche de fortes cadences!
G. DUHAMEL, Chronique des Pasquier, VI, XVII.

CONTR. Clairsemé, petit, peu, rare.
DÉR. Nombreusement.

NOMBRIL [nɔ̃bʀi(l)] n. m. — XIIᵉ ; *nomblil*, v. 1155 ; altér. de **l'omblil*, du lat. pop. **umbiliculus*, lat. class. *umbilicus* « nombril, centre ».

♦ **1.** Cicatrice arrondie formant une petite cavité ou une saillie, placée sur la ligne médiane du ventre des mammifères (spécialt, de l'homme) à l'endroit où le cordon ombilical a été sectionné. ⇒ **Ombilic.** *Incision* (cit. 3) *chirurgicale du nombril à la clavicule.* — Par exagér. *Être décolleté jusqu'au nombril :* avoir un décolleté très profond.

1 (...) nos Dames, aussi molles et délicates qu'elles sont, elles s'en vont tantôt entr'ouvertes jusques au nombril. MONTAIGNE, Essais, II, XII.

2 De ces petits pourpoints sous les bras se perdant,
Et de ces grands collets jusqu'au nombril pendants?
MOLIÈRE, l'École des maris, I, l.

3 (...) la chemise ouverte, à moitié hors de la cotte, laissant voir jusqu'au nombril les poils suants de la poitrine. ZOLA, la Terre, III, IV.

Loc. (XIXᵉ). Fig., fam. *Se regarder le nombril, contempler son nombril :* se contempler soi-même, être égocentriste (→ Centre, cit. 23). ⇒ **Nombrilisme.**

♦ **2.** Fig. Centre. ⇒ **Ombilic.** *Le nombril de la terre, du monde* (→ Maelstrom, cit. 2). — Fam. *Se prendre pour le nombril de la terre :* donner à sa personne une importance exagérée, agir en négligeant l'existence d'autrui.

♦ **3.** (1721). Bot. Petite cavité sur un fruit, à l'opposé de la queue (on dit aussi *œil*).

DÉR. (De 1. fig.). **Nombrilisme.**

NOMBRILISME [nɔ̃bʀilism] n. m. — Mil. XXᵉ ; de *nombril*, et *-isme.*

♦ Fam. Attitude égocentrique ; fait de « se regarder le nombril ». *Mettre son talent d'écrivain « au service d'un nombrilisme (...) qui ne vaut pas tripette »* (l'Express, 1ᵉʳ déc. 1979, p. 85).

Jamais le nombrilisme des écrivains français n'a atteint cette frénésie. Tandis que les débutants se contentent comme c'est fréquent, de romancer leurs premiers émois, les confirmés se penchent amoureusement sur leurs moindres rêves (...) et, symptôme paroxystique, deux auteurs qui se sont déjà racontés amplement ne trouvent rien de plus urgent ni de plus grisant que de consigner, sur cinq ou sept cents pages chacun, les menus faits de leur chère existence.
B. POIROT-DELPECH, in le Monde, 18 sept. 1981, p. 15.

REM. L'adj. *nombriliste* est attesté (l'Express, 7 mai 1982, p. 126 ; le Nouvel Obs., 15 mai 1982, p. 109).

1. NOME [nɔm] n. m. — 1690, Furetière ; grec *nomos* « loi », puis « mode musical ».

♦ Littér. antiq. Poème chanté en l'honneur d'Apollon. — Mus. antiq. « Tout chant déterminé par des règles qu'il n'était pas permis d'enfreindre » (Rousseau). — Par extension :

Heureux ceux qui ont une lyre dans le cœur, et dans l'esprit une musique qu'exécutent leurs actions! Leur vie entière aura été une harmonie conforme aux nomes éternels. Joseph JOUBERT, Pensées, IX, LXXXI.

HOM. 2. Nome.

2. NOME [nɔm] n. m. — 1730 ; grec *nomos* « portion de territoire ».

♦ **1.** Hist. Division administrative de l'Égypte ancienne.

♦ **2.** (1878). Dans la Grèce moderne, circonscription administrative. ⇒ **Nomarchie.**

HOM. 1. **Nome.**

NÔME [nom] n. m. — 1660 ; grec *nomos,* au sens de « division ».

♦ **Alg.** (Vx). Terme d'un polynôme.

COMP. Binôme, polynôme, trinôme.

-NOME, -NOMIE, -NOMIQUE Éléments de composition, du grec *-nomos, -nomia, -nomikos,* rad. *nemein* « distribuer, administrer », qui entrent dans la composition de mots empruntés ou formés en français, tels que : *agronome, agronomie, agronomique ; antinomie, antinomique ; astronome, astronomie, astronomique ; autonome, autonomie ; deutéronome ; économe, économie, économique ; gastronome, gastronomie, gastronomique ; isonomie ; métronome ; taxonomie ; zoonomie.*

1. NOMENCLATEUR, TRICE [nɔmãklatœʀ, tʀis] adj. et n. m. — Av. 1615, hist. ; lat. *nomenclator,* de *nomen* « nom », et *calare* « appeler ».

♦ **1.** (1664). Antiq. rom. Esclave* attaché à la personne d'un Romain auquel il nommait les citoyens dont il était utile de signaler ou de rappeler le nom. *Les candidats à une magistrature sortaient accompagnés de leur nomenclateur.* — Par métaphore. *« Quel nomenclateur des ombres m'indiquerait la tombe effacée ? »* (→ Enterrer, cit. 10, Chateaubriand).

♦ **2.** (1749 ; « celui qui impose des noms », 1665). Sc. Spécialiste de la nomenclature* d'une science, d'une technique. — Adj. (1762). Qui a trait à la nomenclature. → ci-dessous 2. Nomenclateur.

(...) presque tous les nomenclateurs n'ont employé qu'une partie, comme les dents, les ongles ou ergots, pour ranger les animaux, les feuilles ou les fleurs, pour distribuer les plantes, au lieu de se servir de toutes les parties, et de chercher les différences ou les ressemblances dans l'individu tout entier (...)
BUFFON, Hist. nat., Premier Discours.

♦ **3.** (1845). Vx. Recueil de mots classés. *Nomenclateur orthographique* (Littré). ⇒ **Nomenclature.**

DÉR. et HOM. 2. **Nomenclateur.**

2. NOMENCLATEUR, TRICE [nɔmãklatœʀ, tʀis] adj. — 1762 ; du précédent.

♦ Didact. De la nomenclature. *Principes nomenclateurs.*

HOM. 1. **Nomenclateur.**

NOMENCLATURE [nɔmãklatyʀ] n. f. — 1559, « énumération de marchandises soumises à un droit » ; lat. *nomenclatura* « action d'appeler *(calare)* par le nom *(nomen)* » ; de *nomenclator.*

♦ **1.** (Déb. xviiie). Ensemble des noms, des termes employés dans une science, une technique, un art..., organisés selon les classes d'objets qu'ils désignent (en extension, alors que les terminologies opèrent en compréhension) ; méthode de classement de ces termes. ⇒ **Terminologie.** *Nomenclature systématique*. Nomenclature binaire* (genre et espèce), en histoire naturelle (botanique, zoologie). Nomenclature en anatomie. Élaboration de la nomenclature chimique au XVIIIe siècle. « La méthode de nomenclature chimique proposée par MM. de Morveau, Lavoisier, Berthollet et de Fourcroy »* (1787). ⇒ aussi **Chimie** (cit. 2).

1 (...) toutes les fois que dans une méthode on ne s'occupe que du sujet, qu'on le considère seul et indépendamment de ce qui le ressemble et de ce qui en diffère, on ne peut arriver à aucune connaissance réelle, encore moins s'élever à aucun principe général ; on ne pourra donner que des noms et faire des descriptions de la chose et de toutes ses parties : aussi, depuis trois mille ans que l'on dissèque des cadavres humains, l'anatomie n'est encore qu'une nomenclature, et à peine a-t-on fait quelques pas vers son objet réel, qui est la science de l'économie animale.
BUFFON, Hist. nat., Les animaux carnassiers.

2 En langue scientifique, la valeur du nom est absolue : *pentagone, triangle, acide sulfurique* disent avec une précision rigoureuse ce qu'ils veulent dire. C'est pour arriver à ce résultat que l'on a créé les *nomenclatures :* la nomenclature chimique d'abord, d'autres ensuite, comme celle des poids et mesures, sous la Révolution, de nos jours, celle de l'électricité.
F. BRUNOT, la Pensée et la Langue, p. 76.

3 La notice indiquait pour la plante un nom scientifique proposé ; mais qui ne semblait pas avoir été encore adopté officiellement dans la nomenclature botanique.
J. ROMAINS, le Besoin de voir clair, Rapport, VII.

Liste méthodique (des objets, des éléments d'une collection*). ⇒ **Catalogue, inventaire, recueil, répertoire.** *Sèche et rebutante nomenclature de faits* (→ Histoire, cit. 6). — Spécialt. *La nomenclature des douanes :* énumération des marchandises soumises au droit de douane.

3.1 Que nous donnions à cette vaste baie de l'est le nom de baie de l'Union, par exemple, à cette large échancrure du sud, celui de baie Washington, au mont qui nous porte en ce moment, celui de mont Franklin, à ce lac qui s'étend sous nos regards, celui de lac Grant, rien de mieux, mes amis. Ces noms nous rappelleront notre pays et ceux des grands citoyens qui nous l'ont honoré ; mais pour les rivières, les golfes, les caps, les promontoires, que nous apercevons du haut de cette montagne, choisissons des dénominations qui rappellent plutôt leur configuration par-

ticulière. Elles se graveront mieux dans notre esprit, et seront en même temps plus pratiques. La forme de l'île est assez étrange pour que nous ne soyons pas embarrassés d'imaginer des noms qui fassent figure. Quant aux cours d'eau que nous ne connaissons pas, aux diverses parties de la forêt que nous explorerons plus tard, aux criques qui seront découvertes dans la suite, nous les baptiserons à mesure qu'ils se présenteront à nous (...) L'île était là sous leurs yeux comme une carte déployée, et il n'y avait qu'un nom à mettre à tous ses angles rentrants ou sortants, comme à tous ses reliefs. Gédéon Spilett les inscrirait à mesure, et la nomenclature géographique de l'île serait définitivement adoptée.
J. VERNE, l'Île mystérieuse, t. I, p. 142.

Par plais. (→ Interligne, cit. 1).

4 Il paraît que cette liste était la nomenclature complète des sections du quatrième arrondissement de la société des Droits de l'Homme, avec les noms et les demeures des chefs de section.
HUGO, les Misérables, IV, I, v.

5 J'ai mille vices, je le sais,
Et connais leur nomenclature,
Mais pas tous ceux qu'on a tracés.
VERLAINE, Dédicaces, I.

Ensemble systématique de rubriques (mots clés utilisables en informatique pour la description d'un domaine). ⇒ **Thésaurus.** *Nomenclature juridique, textile,* etc.

♦ **2.** (1798). Ensemble* des formes (mots, expressions, morphèmes) répertoriées dans un dictionnaire, un lexique et faisant l'objet d'un article distinct. *Compléter la nomenclature d'un dictionnaire par un supplément. La nomenclature d'un dictionnaire constitue sa macrostructure. Alléger la nomenclature en éliminant les mots vieillis, trop techniques, mal formés... Ce mot n'est pas à la nomenclature* (alphabétique), *mais est traité en dérivé, sous un préfixe... Voir à la nomenclature.* — Par ext. Ensemble des mots* (d'une langue). ⇒ **Vocabulaire.**

6 (...) il m'a semblé qu'il fallait faire un choix, prendre les termes qui ont chance de se rencontrer et d'être de quelque besoin à un homme cultivé (...) et pour le reste s'en remettre aux dictionnaires spéciaux, qui seuls ici peuvent tout donner et tout faire comprendre. Telles sont les idées qui ont réglé la nomenclature de ce dictionnaire.
LITTRÉ, Dict., Préface, IX.

DÉR. Nomenclaturer.

NOMENCLATURER [nɔmãklatyʀe] v. tr. — 1794 ; Cf. Brunot, *Hist. de la langue franç.,* t. X, p. 117 ; de *nomenclature.*

♦ Rare. Inclure dans une nomenclature.

NOMENKLATURA [nɔmɛnklatuʀa] n. f. — V. 1980 ; mot russe « nomenclature, liste de noms ».

♦ Polit. Liste de personnages ayant droit à des prérogatives exceptionnelles, dans le régime soviétique ou dans un régime analogue ; ces personnes. — REM. On rencontre parfois la francisation en *nomenclature* (rare).

NOMINAL, ALE, AUX [nɔminal, o] adj. et n. m. — 1503 ; lat. *nominalis,* dér. de *nomen* « nom ».

★ **I.** Relatif au nom de personnes ou d'objets individuels (⇒ **Nom,** I.). — (1789). *Appel nominal,* qui se fait en appelant les noms. *Liste nominale.* ⇒ **Nominatif.** — (1732). *Prières nominales,* faites pour une personne que l'on nomme, au prône.

1 L'appel nominal réussissant si mal, un membre fit observer qu'il n'avait pas été exigé par l'Assemblée, qu'il n'était pas sans péril, qu'on devait se contenter de demander *collectivement* le serment.
MICHELET, Hist. de la Révolution franç., IV, VII.

★ **II.** (1758). ♦ **1.** Didact. Relatif aux mots, aux noms (II.) et non aux choses elles-mêmes. *Définition nominale ; erreur nominale.*

2 Comme l'on a pris cette connaissance nominale pour la vraie science, on ne s'est occupé qu'à augmenter, à multiplier le nombre des noms, au lieu de limiter celui des choses (...) en créant de nouveaux noms, on a cru donner des choses nouvelles (...) BUFFON, Hist. nat. des animaux, Les animaux carnassiers.

♦ **2.** Qui existe seulement de nom, et pas en réalité. *Autorité nominale que confère un titre honorifique.*

♦ **3.** (1770). Écon. *Valeur nominale :* valeur théorique, qui correspond à une définition donnée a priori, mais non pas toujours à la réalité économique actuelle. *Valeur nominale d'une monnaie*, d'une action.* ⇒ **Extrinsèque.** *Revenus nominaux* (→ Gonflement, cit. 4). *Salaire nominal et salaire réel.*

3 Chaque famille ruinée par la révolution, ruinée par le partage égal des biens (...) toutes ces familles avaient une certaine valeur intrinsèque, qui, mise en superficie, ne leur laisse plus qu'une valeur nominale.
BALZAC, la Duchesse de Langeais, Pl., t. V, p. 149.

♦ **4.** Techn. Se dit d'une caractéristique, d'une performance déterminée théoriquement et annoncée par le constructeur d'un appareil. *Régime nominal :* puissance nominale d'un moteur.

3.1 Le mercredi 9 octobre, on attendait pour onze heures du matin, à Suez, le paquebot Mongolia (...), jaugeant deux mille huit cents tonnes et possédant une force nominale de cinq cents chevaux.
J. VERNE, le Tour du monde en 80 jours, p. 35.

♦ **5.** Philos. ⇒ **Nominaliste.** *Les livres nominaux* (Condillac, *in* Littré). — N. (1500). *Les nominaux et les réaux* (réalistes).

★ **III.** Gramm. ♦ **1.** Qui se rapporte au nom (III.), a valeur de nom, équivaut à un nom. *Emploi adjectif* (cit.) *et emploi nominal d'un mot.* — (Au sens III, 2 de *nom*). *Formes nominales de la conjugaison* (infinitifs, participes). *Adverbe à valeur nominale. Proposition, phrase nominale,* «sans verbe réel» (Marouzeau), soit qu'elle ne comporte pas de verbe (*Vérité en deçà des Pyrénées, erreur au-delà*), soit qu'elle «exprime l'attribution d'une certaine qualité à un certain objet : toutes les langues s'accordent pour distinguer la phrase nominale et la phrase verbale : le *déjeuner* est *prêt, l'entrée est à droite...* » (Vendryes). — *Syntagme nominal,* constitué d'un nom précédé ou non d'un déterminant, éventuellement suivi d'une expansion.

4 La phrase nominale comprend deux termes, le sujet et l'attribut, lesquels appartiennent tous deux à la catégorie du nom (...) D'après le témoignage de la plupart des langues (...) le verbe *être* (...) n'a pris place qu'assez tard comme «copule» dans la phrase nominale.
J. VENDRYES, le Langage, p. 144.

♦ **2.** N. m. [a] *Un nominal,* se dit du pronom*, surtout lorsqu'il est employé absolument et ne représente aucun «nom» (*Tout est dit...*). *Nominaux démonstratifs* (ça), *personnels* (moi, toi, soi, lui, il [cit. 20]), *possessifs* (le mien, le tien), *indéfinis* (aucun, même [cit. 18], tous, tout)...

5 À côté des noms véritables, il y a des termes qui ont été généralement classés soit parmi les noms, soit parmi les pronoms (...) il est (...) nécessaire de les réunir, et il m'a paru que le nom d'*expressions nominales* ou de *nominaux* leur convenait assez bien, car ils se rapprochent des noms sans se confondre avec eux ; ils sont abstraits, n'éveillent point d'image et ne peuvent pas recevoir toutes les caractérisations ou les déterminations que reçoit le nom.
F. BRUNOT, la Pensée et la Langue, p. 63.

[b] Forme issue d'une nominalisation, en grammaire générative.

CONTR. Collectif, global. — Effectif, réel. — Verbal.
DÉR. Nominalement, nominaliser, nominalisme, nominaliste.
COMP. Uninominal.

NOMINALEMENT [nɔminalmã] adv. — 1800 ; de *nominal.*

♦ **1.** (1868). Par son nom. *Nominalement désigné, appelé...*

♦ **2.** De nom. *Cela n'existe que nominalement. Rester nominalement propriétaire* (→ État, cit. 50).
L'impuissance de l'Église celtique, son défaut d'unité, se retrouvent dans le monarchie qui à cette époque dominait nominalement toute la Gaule.
MICHELET, Hist. de France, II, I.

♦ **3.** (xxᵉ). Ling. *Forme verbale, adverbe employé nominalement,* comme nom.

NOMINALISATEUR [nɔminalizatœʀ] n. m. — Mil. xxᵉ, de *nominaliser, nominalisation.*

♦ Ling. Morphème transformant un verbe ou un adjectif en nom, en substantif.

NOMINALISATION [nɔminalizasjõ] n. f. — V. 1968 ; de *nominaliser.*

♦ Ling. Transformation qui fait passer d'une phrase verbale à un syntagme nominal ; le syntagme nominal ainsi obtenu. « *La poursuite des ennemis* » *est la nominalisation de* « *(qqn) poursuit les ennemis* » *ou* (ambiguïté) *de* « *les ennemis poursuivent (qqn)* ». — REM. Ne pas confondre avec *substantivation.*

NOMINALISER [nɔminalize] v. tr. — V. 1968 ; de *nominal,* d'après l'anglais.

♦ Ling. Transformer par nominalisation. — Au p. p. *Phrase nominalisée.*

DÉR. Nominalisation. V. Nominalisateur

NOMINALISME [nɔminalism] n. m. — 1752, Trévoux ; de *nominal.*
Philosophie.

♦ **1.** Doctrine qui refuse aux idées* générales toute réalité dans l'esprit (opposé à *conceptualisme*) ou hors de lui (opposé à *réalisme*) et les confond avec les signes généraux (mot, nom) qui les expriment. *Le nominalisme de Guillaume d'Occam, de Hobbes, de Condillac, de Taine...*
(...) le chanoine Roscelin de Compiègne (...) enseignait (...) que les idées générales n'étaient que des mots : « L'homme vertueux est une réalité, la vertu n'est qu'un son». Cette réforme hardie habituait à ne voir que des personnifications dans les idées qu'on avait réalisées (...) Cette hérésie logique fit horreur aux contemporains de la première croisade ; le nominalisme, comme on l'appelait, fut étouffé pour quelque temps.
MICHELET, Hist. de France, IV, IV.

♦ **2.** (xxᵉ). Par ext. *Nominalisme scientifique* : «nom commun sous lequel on englobe toutes les doctrines contemporaines qui substituent, dans la théorie des sciences, les idées de convention, de commodité, de réussite empirique, à celles de vérité et de connaissance du réel» (Lalande). ⇒ **Conventionnalisme, positivisme, pragmatisme.**

♦ **3.** Dr. *Nominalisme monétaire* : principe en vertu duquel le débiteur est tenu au paiement du montant prévu au moment où la dette est contractée (⇒ **Indexation**).

NOMINALISTE [nɔminalist] adj. et n. — 1590, n. m. ; de *nominal.*
Didactique.

♦ **1.** (1752). Hist. de la philos. Relatif au nominalisme. *Doctrine nominaliste. La médecine* (cit. 4) *doit être à la fois réaliste et nominaliste. Philosophe nominaliste.*
N. Partisan du nominalisme. *Un nominaliste* (on disait aussi *nominal*).

♦ **2.** Mod. Partisan du nominalisme (2.).
Il y a peu de temps encore (...) les psychologues partaient de l'idée a priori que l'intelligence ou les aptitudes sont distribuées «normalement» en toute population homogène, à l'instar par exemple des tailles. C'était là une vue réaliste et non point nominaliste, mais le conventionalisme prend sa revanche, sans qu'on s'en doute toujours, en ce sens que, faute d'unité objective de mesure (...) il est clair que (l'expérience psychologique ne fournissant jamais que des relations d'ordre) on est obligé de choisir une métrique arbitraire et que l'on peut alors toujours s'arranger de manière à retrouver la distribution «normale» présupposée et souhaitée.
J. PIAGET, Épistémologie des sciences de l'homme, p. 217.

NOMINATAIRE [nɔminatɛʀ] n. et adj. — xviiᵉ, Patru ; du lat. *nominare.*

♦ Anc. dr. Personne qui était nommée à un bénéfice*.
Adj. *Abbesse nominataire.*

NOMINATEUR [nɔminatœʀ] n. m. — xviᵉ ; lat. *nominator,* du supin de *nominare.*

♦ Vx. Celui qui nomme. — Spécialt. Dr. canon. Celui qui a le droit de nomination à un bénéfice*.

1. NOMINATIF [nɔminatif] n. m. — V. 1170 ; lat. *nominativus,* du supin de *nominare.*

♦ Gramm. Cas* affecté à un nom (au sens III, 2 : substantif, adjectif, pronom) qui énonce un concept «soit en dehors de tout système syntaxique, soit en fonction de sujet* (...) éventuellement d'attribut» (Marouzeau). *Nom, adjectif au nominatif singulier, pluriel...*

2. NOMINATIF, IVE [nɔminatif, iv] adj. — 1789, Brunot, *Hist. de la langue franç.,* t. IX, p. 779 ; dér. sav. du supin du lat. *nominare.*

♦ Qui nomme ; qui contient, énonce expressément le nom, les noms (I.). *État* nominatif, liste nominative* (⇒ **Contrôle ; nominal**). — (1868). *Titre nominatif,* qui porte le nom du propriétaire (par oppos. à *titre au porteur*).
Il semble qu'il (*Victor Hugo*) fût créé par un décret spécial et nominatif de l'Éternel. RENAN, Feuilles détachées, Œ. compl., t. II, XIX, p. 1100.

DÉR. Nominativement.

NOMINATION [nɔminasjõ] n. f. — 1305 ; lat. *nominatio,* du supin de *nominare.*

★ **I.** ♦ **1.** Action de nommer* (II.) qqn à un emploi*, à une fonction*, à une charge, à une dignité... ⇒ **Désignation ; choix.** *La nomination d'un fonctionnaire (à un poste) par qqn. Nomination à un grade, à un poste supérieur* (⇒ **Élévation, promotion**), *dans un autre service* (→ Mutation). *Nomination inattendue.* ⇒ **Parachutage.** *Arrêt, décret de nomination. Bénéficiaire d'une nomination.* ⇒ **Récipiendaire.** *Investiture* rendant une nomination définitive. Nomination par cooptation*. Droit de nomination (des évêques).* → Concordat, cit. 2. — Dr. *Nomination d'un tuteur par le conseil de famille. Nomination d'un héritier.* ⇒ **Institution** (*supra* cit. 5). *La nomination et l'élection sont les deux principaux procédés de désignation.*

1 (...) permettez-moi de vous dire que mon mari est le plus ancien Chef de bureau et le plus capable, que la nomination de ce vieux La Billardière fut un passe-droit qui a mis les Bureaux en rumeur (...) BALZAC, les Employés, Pl., t. VI, p. 918.

(1837). Par métonymie. L'acte portant nomination.
2 Remettez les nominations, vous pourrez les signer après-demain.
BALZAC, les Employés, Pl., t. VI, p. 1043.

(Au sens passif). Le fait d'être nommé à un poste. *Il vient d'obtenir sa nomination au grade de...* ⇒ **Passer.**
3 Une lettre de M. le Bourgmestre de Liège à M. Ch. Rogier lui apprend que la Régence de la ville fait du rétablissement de la faculté de philosophie une condition à ma nomination à la chaire de littérature.
SAINTE-BEUVE, Correspondance, 167, 4 mai 1831.

♦ **2.** (1661). Admin. Droit de nommer à un emploi, à une dignité, à un bénéfice... *Bénéfices à la nomination du Roi* (Trévoux). *Emploi à la nomination du préfet.*
4 (...) le premier bénéfice qui viendra à vaquer (...) est à sa nomination.
RACINE, Lettres, 14-15 nov. 1661.

♦ **3.** (Fin xixᵉ). Le fait d'être nommé (dans une distribution de prix, parmi les lauréats d'un concours). ⇒ **Mention.** *Obtenir plusieurs nominations, prix ou accessits.*

★ **II.** (Fin XIVᵉ, selon Wartburg «dénomination», sens courant au XVIᵉ; au XVIIIᵉ «nomenclature», repris dans la langue philos. contemporaine). Didact. Action de nommer (I.). ⇒ **Dénomination;** → Expression, cit. 1.

5 (...) la nomination est un acte métaphysique d'une valeur absolue; elle est l'union solide et définitive de l'homme et de la chose, parce que la raison d'être de la chose est de requérir un nom et que la fonction de l'homme est de parler pour lui en donner un.   SARTRE, *Situations I*, p. 264.

6 (...) le mythe est fondamentalement nominal, dans la mesure même où la nomination est le premier procédé du détournement.   R. BARTHES, *Mythologies*, p. 142.

CONTR. Destitution.

NOMINATIVEMENT [nɔminativmɑ̃] adv. — 1547; de 2. *nominatif.*

♦ En nommant les personnes dont on parle. *Désigner nominativement.*

(...) il excommunia les défenseurs des constitutions de Clarendon, les détenteurs des biens de l'église de Kenterbury, et ceux qui avaient communiqué avec l'antipape pour soutenir l'empereur. Il désignait nominativement six favoris du roi; il ne le nommait pas lui-même, et tenait encore le glaive suspendu sur lui.   MICHELET, *Hist. de France*, IV, v.

NOMMÉ, ÉE [nɔme] adj. ⇒ **Nommer.**

NOMMÉMENT [nɔmemɑ̃] adv. — V. 1155, *nommcement; de nommé.*

♦ **1.** En nommant, en désignant (qqn) par son nom. *La loi* (cit. 11) *peut statuer qu'il y aura des privilèges, mais elle n'en peut donner nommément à personne. Accuser, dénoncer, désigner nommément quelqu'un.*

1 En sortant, il m'adresse à moi nommément et tout haut une réprimande.   ROUSSEAU, *Émile*, III.

2 (...) Fouché, pour expliquer l'émotion de la capitale, allait, nommément, dénoncer à l'Empereur le général Defrance (...)   Louis MADELIN, *Hist. du Consulat et de l'Empire, Vers l'Empire d'Occident*, XXI.

♦ **2.** (1170). Spécialement, précisément. *L'influence du climat est nommément celle de l'humidité* (Littré).

NOMMER [nɔme] v. tr. — V. 980, *nomner; du lat. nominare, de nomen → Nom.*

★ **I.** Désigner par un nom. ⇒ **Appeler.**

♦ **1.** Distinguer (une personne) par un nom* (I.); donner un nom à (qqn). ⇒ **Dénommer.** *Ses parents l'ont nommé Paul.* ⇒ **Prénommer.** *«La fille à Cognet (...) la Cognette comme on la nommait»* (→ Maître, cit. 101, Zola). — Par ext. *Nommer une ville de son nom* (→ Fonder, cit. 4).

(1549). Vx. *Nommer un enfant,* être son parrain*, sa marraine.

1 Retire-toi. Je voue à ta sœur la haine la mieux conditionnée; et toi, tu aurais cent enfants, que je n'en nommerais pas un. Adieu.   DIDEROT, *le Père de famille*, v, 12.

♦ **2.** (V. 1155). Distinguer (une chose, un concept) par un vocable particulier. *Nom* (II.); appeler, dénommer (→ Lorette, cit. 1). *Nommer un corps chimique nouvellement découvert, une espèce végétale, animale... Cette particule hypothétique n'est pas encore nommée.*

♦ **3.** Désigner, qualifier (qqn) par un nom (II.), par une expression du langage. *On le nommait le faiseur* (cit. 13) *de rois. Si elle vous nomme audacieux* (cit. 7), *vous l'appellerez cruelle.*

2 Ô mon fils, de ce nom j'ose encor vous nommer.   RACINE, *Athalie*, IV, 3.

3 Nommer un roi PÈRE DU PEUPLE est moins faire son éloge que l'appeler par son nom, ou faire sa définition.   LA BRUYÈRE, *les Caractères*, X, 27.

Appliquer un nom à (une chose, une idée). *«Ce que les hommes ont nommé amitié»* (cit. 6); *«ce que nous nommons mal»* (3. Mal, cit. 30, 50), *malheur* (cit. 27). *«Ce je ne sais quoi d'immatériel* (cit. 4) *qu'il faut bien nommer âme». «Certaines règles que je nomme les lois* (cit. 56) *de la nature»* (Descartes). — Spécialt. *Nommer les choses par leur nom, par une périphrase.*

4 Voilà pourtant, Madame, voilà le récit fidèle de ce que vous nommez mes torts, et que peut-être il serait plus juste d'appeler mes malheurs.   LACLOS, *les Liaisons dangereuses*, XXXVI.

5 Ce tas de cendre éteint qu'on nomme le passé.   HUGO, *les Chants du crépuscule*, XXXVII.

6 Un jour (...) Comment oser nommer du nom de jour
Ce qui n'a pas de fuite et n'a pas de retour? (...)   A. DE VIGNY, *Livre mystique*, «Éloa», I.

7 (...) ce style intolérable dont la fin du dernier siècle et le commencement de celui-ci ont été infestés, espèce de jargon (...) où l'on n'osait nommer une chose par son nom, où l'on désignait un canon par une périphrase, où la mer s'appelait Amphitrite (...)   TAINE, *Philosophie de l'art*, t. I, p. 21.

Par ext. Considérer comme... *«Ce que nous aurions droit de nommer attentat»* (→ État, cit. 122).

♦ **4.** (V. 1155). Indiquer (une personne, une chose) en disant ou en écrivant son nom (I.). ⇒ **Désigner, dire, indiquer, mention** (faire), **mentionner** (→ Empire, cit. 19, Musset; étoile, cit. 32). *Esclave romain qui nommait les citoyens à son maître.* ⇒ 1. **Nomenclateur.** *Froisser* (cit. 25) *qqn en ne le nommant pas. Il n'a pas été nommé une seule fois dans ce livre. Nommer qqn dans un acte.* ⇒ **Dénommer.** *Nommer plusieurs personnes.* ⇒ **Énumérer.** *La personne que vous venez de nommer.* ⇒ **Citer.** — Par antiphr. *J'ai rencontré un ami en galante compagnie; c'était N... pour ne pas le nommer.* — (1196). Spécialt. *L'accusé refuse de nommer ses complices.* ⇒ **Dénoncer.** — Par ext. *Nommer Dieu* (→ Atome, cit. 11).

8 De tous ces meurtriers te dirai-je les noms?
Procule, Glabrion, Virginian, Rutile,
Marcel, Plaute, Lénas, Pompone, Albin, Icile,
Maxime, qu'après toi j'avais je t'avais le plus aimé.
Le reste ne vaut pas l'honneur d'être nommé.   CORNEILLE, *Cinna*, v, 1.

9 Hippolyte? grands dieux! — C'est toi qui l'as nommé.   RACINE, *Phèdre*, I, 3.

10 (...) comme (...) l'on vint à tomber sur celui que l'on devait estimer le plus homme de bien (...), tous d'une commune voix vous nommèrent.   LA BRUYÈRE, *les Caractères de Théophraste, De la flatterie.*

11 Quels sont donc ces amis officieux? Sans doute ces gens si sévères, et d'une vertu si rigide, consentent à être nommés; sans doute ils ne voudraient pas se couvrir d'une obscurité qui les confondrait avec de vils calomniateurs, je n'ignorerai ni leur nom, ni leurs reproches.   LACLOS, *les Liaisons dangereuses*, XXXV.

Nommer une ville (→ 2. Exemplaire, cit. 7). *Cela ne vaut pas l'honneur d'être nommé* (→ Journal, cit. 8). *Nommer les lettres* (cit. 2) *de l'alphabet.* ⇒ **Épeler.** *Qui sert à nommer* (⇒ **Dénominatif**). *Nommer des choses pour les décrire.*

12 Forestier expliquait le pays. Il avait indiqué d'abord la villa du comte de Paris. Il en nommait d'autres.   MAUPASSANT, *Bel-Ami*, I, VIII.

13 (*Les poètes ne visent pas à*) discerner le vrai ni à l'exposer. Ils ne songent pas non plus à *nommer* le monde et, par le fait, ils ne nomment rien du tout, car la nomination implique un perpétuel sacrifice du nom à l'objet nommé ou pour parler comme Hegel, le nom s'y révèle l'inessentiel, en face de la chose qui est essentielle.   SARTRE, *Situations II*, p. 64.

♦ **5.** Vx. *Nommer un nom, un mot,* le dire ou l'écrire.

14 Elle (*Mᵐᵉ Scarron*) n'a (...) jamais ouï nommer votre nom en mauvaise part.   Mᵐᵉ DE SÉVIGNÉ, 359, 18 déc. 1673.

15 Le mot de peste, que vous nommez dans votre lettre, me fait frémir (...)   Mᵐᵉ DE SÉVIGNÉ, 539, 19 mai 1676.

★ **II.** (XIVᵉ). ♦ **1.** Désigner, choisir* (une personne) pour remplir une fonction*, une charge, être élevé à une dignité... (en parlant d'une autorité, individu ou groupe restreint, par oppos. à *élire**). ⇒ **Appeler, commettre, désigner, établir; nomination.** *Nommer qqn à un emploi* (⇒ **Pourvoir**), *pour un emploi* (vx). *On l'a nommé directeur.* ⇒ **Faire.** *Nommer tout d'un coup à un poste.* ⇒ **Bombarder, parachuter.** *Nommer par acclamation.* ⇒ **Acclamer.**

16 (...) voyez comme il est bon de se tourmenter un peu pour avoir des places; il est certain que celles qui avaient été nommées pour dames d'honneur de cette princesse avaient fait leurs diligences.   Mᵐᵉ DE SÉVIGNÉ, 772, 17 janv. 1680.

Dr. civ. *Nommer qqn son héritier.* ⇒ **Déclarer, instituer, reconnaître** (pour).

Par ext. Donner, conférer à qqn le titre de. *Nommer des fonctionnaires* (→ Casser, cit. 12), *des magistrats* (cit. 6 et 9). *Le chef de l'État nomme le Premier ministre* (cit. 8). — *Nommer les évêques, les titulaires d'un bénéfice...* ⇒ **Nomination, nominateur, nominataire** (→ Instituer, cit. 1; investiture, cit.). — *Nommer d'office* un expert, un avocat...* ⇒ **Commettre.**

♦ **2.** Vx. Désigner par nomination, par voie de suffrage. ⇒ **Élire.** — REM. Au XVIIᵉ s. *nommer* signifie aussi «donner sa voix en faveur de quelqu'un dans une élection» (Furetière, 1690).

17 Le peuple au champ de Mars nomme ses magistrats;
César nomme les chefs sur la foi des soldats (...)   RACINE, *Britannicus*, I, 2.

▶ **SE NOMMER** v. pron. (au sens I).

Passif. (V. 1460). Être nommé, avoir pour nom. *Il se nommait Gaudissart* (→ Illustre, cit. 5). *«Car le passé s'appelle haine et l'avenir se nomme amour»* (→ Futur, cit. 1, Hugo).

Réfl. (V. 1170). Se faire connaître* en disant son nom (→ Aucun, cit. 11; gratter, cit. 17). *Se nommer misérable :* se qualifier soi-même de misérable (→ Aspect, cit. 32).

18 Ainsi chacun, sans se nommer.
Clairement s'indiqua soi-même (...)   FLORIAN, *Fables*, II, 15.

(Récipr.). *Ils se nommèrent les uns aux autres. On se nomme les objets à haute voix* (→ Caisse, cit. 2).

▶ **NOMMÉ, ÉE** p. p. adj. (Fin XIᵉ, *numez* «cité»).

★ **I.** ♦ **1.** Qui a pour nom. *Un homme nommé Un tel. Un Anglais nommé Felton* (→ Instigateur, cit. 4); *un juge nommé Popinot* (→ Exercer, cit. 25). *Bien, mal nommé.* — N. (Fin XVᵉ). *Le nommé, un nommé X* (→ Cahier, cit. 4; feuillant, cit.). — REM. Cette manière de parler, en usage dans le style judiciaire, emporte ailleurs «l'idée que celui qu'on désigne ainsi est un individu sans notoriété, dont on ne connaît que le nom» (Académie). Le mot est parfois même méprisant (→ Un certain...).

19 Le soir, Sa Majesté fit jouer une comédie nommée *Tartuffe.*
MOLIÈRE, la Princesse d'Élide, « Ballet d'Alcine », Dernières journées.
(En parlant des choses). *Plante communément, vulgairement, scientifiquement nommée...*

♦ **2.** Indiqué, désigné par un nom (I.). *Les personnes nommées plus haut.* ⇒ **Susdénommé, susdit, susnommé.**

♦ **3.** Loc. (XIIIᵉ). Vx. *À jour, au jour nommé,* convenu.
(1580). **À POINT NOMMÉ** : exactement au moment voulu. ⇒ **Opportunément, propos** (à). → Bavardage, cit. 5 ; mesure, cit. 36.

20 Dès que l'aurore, dis-je, avait son char remontait,
Un misérable coq à point nommé chantait (...) LA FONTAINE, Fables, v, 6.

♦ **4.** Didact. Qui a reçu un nom. *Lieu nommé. Chose nommée* (opposé à *signe, mot, terme... nommant*).

21 Le langage valorise les choses. Bien plus, elles n'ont d'existence sociale que nommées, désignées, systématisées (affirmation à double tranchant : bien entendu, une « chose » n'existe socialement que nommée, et pourtant celui qui transforme cet énoncé en loi et en règlement autoritaire accomplit l'opération la plus dangereuse, celle qui légitime le pouvoir absolu ; ce pouvoir appartiendra à celui qui « nomme », Dieu hier et ses représentants, le Prince aujourd'hui ou demain, et sa cour.
Henri LEFEBVRE, la Vie quotidienne dans le monde moderne, p. 227-228.

★ **II.** (1215). *Professeurs récemment nommés* (→ Amphithéâtre, cit. 4). *Nommé ministre plénipotentiaire...* (→ Archive, cit. 4). *Nommé d'office.* ⇒ **Commis.** — Absolt. *Nommé* s'emploie par oppos. à *élu,* au sens de « *désigné par nomination* ».

CONTR. (Du sens II) Déposer, destituer.

DÉR. Nommeur. — (De nommé). Nommément.

COMP. Innommable, innommé, nommément, prénommer, susnommé. (V. Dénommer, renommer...).

NOMMEUR [nɔmœʀ] n. m. — 1973, in *le Monde* (D. D. L.) ; de *nommer* (II.).

♦ Personne qui nomme (II.) [à une place, à des places].

NOMO- Élément de composition de mots didactiques, du grec *nomos* « loi » → 2. Nome.

NOMOGRAMME [nɔmɔgʀam] n. m. — 1905, *Rev. gén. des sc.,* nᵒ 8, p. 393 ; de *nomo-,* et *-gramme.*

♦ Sc. Graphique coté.

NOMOGRAPHE [nɔmɔgʀaf] n. m. — 1750 ; du grec *nomographos,* de *nomos,* → -graphe.

♦ Didact. Auteur* d'un recueil de lois, d'une étude sur les lois.

NOMOGRAPHIE [nɔmɔgʀafi] n. f. — 1819 ; du grec *nomographia,* de *nomos,* → -graphie.

♦ **1.** Didact. Traité sur les lois et sur leur interprétation.

♦ **2.** (XXᵉ ; de *nomo-,* et *-graphie*). Sc. Procédé graphique de résolution de certains problèmes de calcul*, par l'emploi d'un nomogramme (abaque, graphique).

DÉR. Nomographique.

NOMOGRAPHIQUE [nɔmɔgʀafik] adj. — 1874 ; de *nomographie.*

♦ Didact. Qui se rapporte à la nomographie (1. et 2.).

NOMOLOGIE [nɔmɔlɔʒi] n. f. — 1839 ; de *nomo-,* et *-logie.*

♦ Étude, science des lois. ⇒ **Législation.**

NOMOTHÈTE [nɔmɔtɛt] n. m. — 1605 ; grec *nomothetês,* de *nomos* « loi ».

♦ Antiq. grecque. Membre d'une commission législative, à Athènes. ⇒ **Législateur.**

NOMOTHÉTIQUE [nɔmɔtetik] adj. — D. i. ; dér. sav. du grec *nomothetês,* de *nomos* « loi ».

♦ Didact. Se dit des sciences, des disciplines qui cherchent à établir des lois.

Nous appellerons (...) sciences « nomothétiques » les disciplines qui cherchent à dégager des « lois » au sens parfois de relations quantitatives relativement constantes et exprimables sous la forme de fonctions mathématiques, mais au sens également de faits généraux ou de relations ordinales, d'analyses structurales, etc. se traduisant au moyen du langage courant ou d'un langage plus ou moins formalisé (logique, etc.). J. PIAGET, Épistémologie des sciences de l'homme, p. 17.

NON [nɔ̃] adv. de négation. — IXᵉ, *Poème de sainte Eulalie,* au sens de *ne* ; sens moderne, XIᵉ ; du lat. *non* en position accentuée. → Ne.

REM. *Non,* en anc. franç., se joignait parfois seul au verbe : « *Non ferai, de par tous les diables!* » (Molière, *l'Avare,* v, 3.). → Nonchaloir, nonchalant, nonobstant.

Non est la forme accentuée de la négation, *ne* en est la forme atone. Ces deux mots diffèrent principalement en ceci d'abord que le premier ne peut plus, à lui seul, modifier un verbe, tandis que le second doit nécessairement s'appuyer sur le verbe. D'autre part, *non* n'a pas besoin d'un autre mot pour exprimer l'idée négative, alors que *ne* s'emploie le plus souvent en corrélation avec *pas, point, plus,* etc. Enfin, *non* peut prendre en phrase négative, toutes les fonctions qui appartiennent à *oui,* en phrase affirmative. 1
G. et R. LE BIDOIS, Syntaxe du franç. moderne, § 1761.

★ **I.** *Non,* adverbe, équivalant à une proposition qui reprend, sous une forme négative, une proposition, une idée ou un terme antérieur. ⇒ **Négation ; nenni.**

♦ **1.** (Dans une réponse négative à une question réelle ou rhétorique). *Travailles-tu toujours? — Non. Vous n'avez jamais vu fusiller* (cit. 2) *un homme? Non, bien sûr. — Un monument impressionnant?* (cit. 3) *non, il est imposant.*

C'était déjà un article de la civilité au XVIIᵉ s. : « Il serait inutile de marquer ici ce que l'on dit tous les jours aux enfants, que quand on doit répondre, *oui,* ou *non,* il faut toujours y ajouter, Monsieur, Madame, Monseigneur, etc. » (Tr. de la Civ., 24). F. BRUNOT, la Pensée et la Langue, p. 504. 2

Je dois bien t'ennuyer, Spark? — Non ; pourquoi cela? 3
A. DE MUSSET, Fantasio, I, 2.

Ton cœur bat-il toujours à mon seul nom? 4
Toujours vois-tu mon âme en rêve? — Non.
VERLAINE, Fêtes galantes, « Colloque sentimental ».

(Pour opposer un refus à une demande). *Répondez-lui. Non. Accepterez-vous, à la fin? Non, rien à faire*, n'insistez pas...*

Souffrez (...) — Non, tes conseils ne sont plus de saison. 5
RACINE, Andromaque, III, 1.

Rentrez vite chez vous. Lâchez-moi. — Non. J. GREEN, Léviathan, I, XII. 6

Non, répété par insistance (→ Illusoire, cit. 3). *Je ne veux pas, non, non et non !*

Eh bien! manger moutons, canaille, sotte espèce, 7
Est-ce un péché? Non, non. LA FONTAINE, Fables, VII, 1.

(...) Tu n'es pas plus mal, n'est-ce pas? demanda Charles. — Non! non! 8
FLAUBERT, Mᵐᵉ Bovary, III, VIII.

N'étais-je pas au bord de la folie? Non, non, ne parlons pas ici de folie. 9
F. MAURIAC, le Nœud de vipères, II, XII.

Non, renforcé par un adverbe, par une locution adverbiale. *Mais non !* (→ Aimer, cit. 50 ; intervenir, cit. 4). *Non merci** (cit. 21, et *supra*). *Ma foi* non. Ah! ça non! Sûrement, certainement non. Certes non* (→ Minerai, cit. 1). *Mon Dieu, non, Dame non! —* Fam. *Fichtre non, foutre non !*

La politique, hélas! voilà notre misère, 10
Mes meilleurs ennemis me conseillent d'en faire.
Être rouge ce soir, blanc demain, ma foi, non.
A. DE MUSSET, Poésies nouvelles, « Sonnet au lecteur ».

Que non (→ Meurtrier, cit. 3).

Vous êtes fâchée de cela? Oh! que non. 11
A. DE MUSSET, On ne badine pas avec l'amour, III, 7.

(...) je joue si mal! — Oh! que non! Vous ne jouez pas mal. 12
G. DUHAMEL, Salavin, I, XIV.

Vieilli. *Non pas,* soit pour insister sur la dénégation (→ Foule, cit. 14), soit au contraire (dans une réponse) pour atténuer la brusquerie du simple *non. Non pas, monsieur le comte* (→ Calmer, cit. 9).

(...) Trouvez-vous qu'il vous blesse *(ce discours)* ? 13
— Non pas ; mais la surprise est fort grande pour moi (...)
MOLIÈRE, le Misanthrope, I, 2.

Ai-je tout dit? Non pas! G. DUHAMEL, les Plaisirs et les Jeux, p. 121. 14

Fam. *Non,* employé comme interrogatif, après une question où dans le corps d'une question.

REM. Quand il accompagne une interrogative positive *(Il était beau, non?),* non a le sens de *n'est-ce pas ?* Avec une interrogative négative *(Il n'était pas beau, non?),* il appelle une dénégation telle que « mais si ! ».

Quand vous étiez petits, il ne se montrait pas gentil quelquefois? Non? 15
F. MAURIAC, le Nœud de vipères, II, XII.

C'est triste, non, de penser que, si on devient un homme public, on ne peut plus 16
être complètement sincère en tant qu'écrivain?
S. DE BEAUVOIR, les Mandarins, p. 190.

*Pourquoi** *non?* (⇒ **Pas**).

♦ **2.** (XIIᵉ). *Non,* complément direct d'un verbe déclaratif ou d'un verbe analogue. *Il dit toujours non.* ⇒ **Nier, refuser.** *C'est un faible, il ne sait pas dire non.* Fam. *Je ne dis pas non :* je veux bien. — Fig. *Dire non à qqch.* ⇒ **Refuser, repousser.** *Elle n'a pas encore dit non* (→ Fiancé, cit. 5). *Ne dis pas non* (→ Fauteur, cit. 2). *Répondre non* (→ Fatalité, cit. 14). *Faire non de la tête* (→ Négateur, cit. 1).

Hippocrate dit oui, mais Gallien dit non 17
J.-F. REGNARD, les Folies amoureuses, III, 7.

Il ne connaissait pas les mobiles étranges qui gouvernent parfois les actions des 18
femmes ; il ne savait pas que celle qui veut réellement refuser se contente de dire :
Non, et que celle qui s'explique veut être convaincue.
A. DE MUSSET, Nouvelles, « Frédéric et Bernerette », III.

Le Babou apprend, lui aussi, l'étonnante vertu des mots. Comme tous les autres 19
petits hommes, il a su dire « non » bien avant de savoir dire « oui ».
DUHAMEL, les Plaisirs et les Jeux, p. 55.

20 (...) la résistance, qui a fini par triompher, montre que le rôle de l'homme est de savoir dire *non* aux faits même lorsqu'il semble qu'on doive s'y soumettre.
SARTRE, Situations III, p. 61.

(XIIe). *Ne dire ni oui ni non. C'est un homme qui ne dit jamais ni oui ni non,* qui ne prend pas parti. (Sans *ne*) : *Pour ne pas se mettre mal* (cit. 10) *avec lui, ils diront peut-être... ni oui, ni non.* — Fig. *C'était l'heure* (cit. 46) *indécise qui ne dit ni oui ni non.*

21 Il ne disait jamais ni *oui* ni *non,* et n'écrivait point.
BALZAC, Eugénie Grandet, Pl., t. III, p. 488.

22 (...) je ne vous réponds ni oui ni non, en vrai Normand.
FLAUBERT, Correspondance, 750, janv. 1863.

(En subordonnée complétive, après *que*). Il n'en est rien. *Je vous dis que non. Vous savez bien que non* (→ Événement, cit. 12). *J'espère* (cit. 27) *bien que non. Faire signe que non. Il paraît que non* (→ Fort, cit. 12).

♦ **3.** (1666). *Non,* détaché devant une phrase négative, pour annoncer ou souligner la négation. *Non, je ne le regrette pas* (→ Cachot, cit. 4). *Non, je ne vous en veux plus* (→ Fatalité, cit. 5). *« Non, l'avenir* (cit. 13) *n'est à personne... »*

23 Non, je ne puis assez admirer ce silence. RACINE, Andromaque, IV, 2.

24 Non, il n'est rien que Nanine n'honore. VOLTAIRE, Nanine, III, 8.

REM. Les éditions posthumes portent : «... que sa vertu n'honore».

25 «Dis-le donc que je suis laid?» (...) — «Non, je ne le dirai pas.»
COLETTE, Chéri, p. 7.

♦ **4.** *Non,* au début d'une phrase positive, pour nier ou corriger un terme qui vient d'être énoncé. *Un homme? Non! une guenille!* (cit. 9). *Adieu, ou plutôt non, au revoir* (→ Éternel, cit. 32). *Ce n'est pas nécessairement un ton chaud et persuasif. Non, mais plutôt un ton froid* (cit. 19).

26 — Oh! vous êtes bon! dit-elle. — Non, je vous aime, voilà tout!
FLAUBERT, Mme Bovary, II, IX.

27 Tu peux la porter *(l'enveloppe)* à Maître Arcam... Ou plutôt non, téléphone-lui de venir, je la lui remettrai moi-même (...)
F. MAURIAC, le Nœud de vipères, II, XVII.

♦ **5.** Fam. *Non,* exclamatif, marquant l'indignation, la protestation, etc. *Non, quelle armée!* (→ Marrer, cit.). *Non, par exemple!* (cit. 41 et 42). *Non, mais! Non mais, sans blague! Non mais, des fois!...* ⇒ **Mais** (cit. 32 et 33, et *supra*).

28 Non mais, regardez-moi comme c'est fringué!
ARAGON, les Cloches de Bâle, V.

Non, interrogatif, marquant l'étonnement, le doute devant une nouvelle surprenante. *Non? sans blague? Il a été reçu premier. Non, pas possible?*

28.1 Quoique plutôt négatif d'apparence, le non! exclamatif permet à beaucoup de gens de faire avancer la conversation de façon positive. Ex. : *« Et vous savez comment il a commencé? (...) Comme plongeur! — Non! »* Vous êtes stupéfait, ce n'est pas possible. Pierre DANINOS, Un certain Monsieur Blot, p. 233.

♦ **6.** (Belgicisme). **NON FAIT** (négation renforcée, d'après *si fait*). ⇒ **Si.**

★ **II.** (En phrase coordonnée ou juxtaposée à une proposition affirmative ou négative).

ET NON... *C'est le cœur qui sent Dieu, et non la raison* (→ Foi, cit. 31). *La langue est une forme* (cit. 41) *et non une substance. Effectivement et non en apparence* (cit. 34). *Par conviction et non par frousse* (cit. 2). → aussi force, cit. 48. *Quelques-uns et non des moindres* (→ 3. Mal, cit. 35).

29 (...) presque tous les hommes meurent de leurs remèdes et non de leurs maladies.
MOLIÈRE, le Malade imaginaire, III, 3 (→ Maladie, cit. 4).

MAIS* NON... ⇒ **Mais** (*supra* cit. 21).

ET (MAIS) NON PAS*, POINT*... *« Je ne sais que souffrir, et non pas murmurer »* (→ Instruit, cit. 3, Voltaire). *« Ton bras est invaincu mais non pas invincible »* (cit. 1, Corneille). → aussi image, cit. 44; instruire, cit. 2. *« Sers ma fureur* (cit. 5), *Œnone, et non point ma raison »* (Corneille).

30 Je crains votre silence, et non pas vos injures (...)
RACINE, Andromaque, IV, 5.

31 Aimez qu'on vous conseille et non pas qu'on vous loue.
BOILEAU, l'Art poétique, I.

32 (...) il désirait inspirer confiance. Mais non point se confier à l'aveuglette.
J. ROMAINS, les Hommes de bonne volonté, t. I, XX, p. 235.

OU NON (marquant une alternative). *Que vous le vouliez ou non...* (→ Affaire, cit. 75). *Qu'il l'eût mérité ou non* (→ Fouailler, cit. 2). *Heureux ou non* (→ Fin, cit. 28). *Volontairement ou non* (→ Inconsciemment, cit.). — Dans une question double. *Êtes-vous décidé ou non? Comment* (cit. 3) *l'historien juge-t-il qu'un fait est notable ou non? Pair ou non?* (→ Impair, cit. 2). — *Oui ou non,* « pour marquer l'impatience où l'on est de connaître la réponse » (R. Le Bidois, § 1764). *Oui ou non, es-tu des nôtres?* (→ Mien, cit. 26, et aussi monarchie, cit. 3).

33 Vous a-t-il dit oui ou non que ce rapprochement n'était pas possible (...)
J. ROMAINS, les Hommes de bonne volonté, t. IX, XXXII, p. 281.

(Dans une interrogation indirecte). *Je me demande s'il y est allé ou non. Savoir si un homme a fait la guerre* (cit. 31) *ou non* (→ aussi maintenir, cit. 19).

34 Jean, depuis son héritage, se demandait tous les jours s'il l'épouserait ou non.
MAUPASSANT, Pierre et Jean, VI.

Non, dans un membre de phrase elliptique, juxtaposé à une proposition affirmative. *En cherchant la volupté, non la passion* (→ Libertin, cit. 15).

(En fin de phrase, pour nier un verbe qui est énoncé dans un premier membre affirmatif et qui n'est pas répété dans le second membre — il s'agit d'un zeugme). *Si les uns mouraient, les autres non...* ⇒ 2. **Pas** (→ Affliction, cit. 4). *« Les fascistes* (cit. 2) *peut-être. Nous, non ». Huit jours plus tôt, elle pouvait encore vivre sans lui. Aujourd'hui non* (→ Irréparable, cit. 6).

À la Chine, les voleurs cruels sont coupés en morceaux; les autres, non. 35
MONTESQUIEU, l'Esprit des lois, VI, XVI.

Les riches sont moralement tenus d'être probes; les pauvres, non. 36
FRANCE, le Lys rouge, X.

NON PLUS. Remplace *aussi* soit dans une proposition négative, soit dans une proposition elliptique juxtaposée ou coordonnée à une autre proposition négative. *Il n'entend rien non plus, rien qu'un bourdonnement* (cit. 8) *sourd.*

Toi non plus... tu ne perds pas de temps (→ Botter, cit. 2). *Il n'y a rien compris, ni* moi non plus* (→ Jamais, cit. 1). — REM. Pour l'emploi d'*aussi* dans ces phrases → Aussi (*supra* cit. 49).

Pour *Non plus que,* en phrase comparative → Plus.

(...) pardonne-moi; je ne sais ce que j'ai aujourd'hui. — Ni moi non plus, je ne sais ce que tu as (...) A. DE MUSSET, Barberine, I, 3. 37

Un soir le petit Gravoche n'avait point mangé; il se souvint qu'il n'avait pas non plus dîné la veille; cela devenait fatigant. HUGO, les Misérables, IV, IV, II. 38

(...) elle ne parlait pas, Charles non plus. FLAUBERT, Mme Bovary, I, III. 39

Elle non plus, parbleu! n'a pu prendre longtemps au sérieux son amour. 40
GIDE, les Faux-monnayeurs, I, VI.

NON..., NON PAS..., NON POINT..., etc., en corrélation avec un terme postérieur introduit par *mais. « La femme* (cit. 74) *apporte aux hommes non le plaisir, mais la tristesse ». « Immolez* (cit. 7) *non à moi, mais à votre couronne ». Sauver, non sa personne, mais son âme* (→ Honnête, cit. 7). — *Une voix non pas servile, mais soumise* (→ Glacer, cit. 27). — *Non point une incitation* (cit. 4), *mais bien un empêchement* (→ Mais, cit. 20). — *Compter non plus par syllabes mais par pieds* (→ Intonation, cit. 5).

NON MÊME (ou **NON PAS MÊME**)... **MAIS...** *Vous me jugez non sur une parole, non même sur un acte, mais sur vos pensées que vous me prêtez gratuitement* (cit. 8).

NON SEULEMENT... MAIS (ou **MAIS ENCORE, MAIS AUSSI, MAIS MÊME...**), mettant en relief l'addition introduite par *mais. Non seulement... mais...* (→ Finesse, cit. 8; frère, cit. 8; héros, cit. 18). *La morale* (cit. 6) *veut non seulement que nous évitions le mal, mais que nous fassions le bien.* — *Non seulement... mais encore* (→ Cœur, cit. 162, Pascal; fait, cit. 10). — *Non seulement... mais aussi*...* (→ Idée, cit. 20), *mais même* (→ Infiltrer, cit. 5). — *Non pas seulement... mais* (cit. 24, Michelet, et aussi fonder, cit. 8).

Non seulement vos vers sont mauvais, mais il m'est démontré que vous n'en ferez jamais de bons. DIDEROT, Jacques le fataliste, Pl., p. 534. 41

Dans ces tours, où l'on remarquera que le terme négatif est toujours placé avant l'autre, *non* sert bien à nier, mais comme il porte à plein sur *seulement,* et que cet adverbe énonce l'exclusion d'une addition, *non* en vient à souligner, en l'annonçant, l'addition proprement dite amenée par *mais.* 42
G. et R. LE BIDOIS, Syntaxe du franç. moderne, § 1763.

REM. « La locution adverbiale *non seulement* et les mots corrélatifs *mais, mais encore, mais aussi, mais même* se placent toujours de façon symétrique relativement aux termes que ces expressions servent à mettre en opposition : *Non seulement on l'estime, mais encore on l'aime...* » (Grevisse, *le Bon Usage,* § 831, b). — Cette règle, à la fois logique et judicieuse n'est pas toujours observée (→ Caricature, cit. 6; loi, cit. 60) :

Il lui avait donné non seulement toutes ses économies, mais il s'était endetté gravement. MAUPASSANT, Bel-Ami, I, V. 43

Mais Jacqueline était une folle : non seulement elle était capable de faire ce qu'elle disait, mais de dire ce qu'elle faisait. 44
R. ROLLAND, Jean-Christophe, Les amies, p. 1215.

(...) et c'est là ce qui fait qu'il se défend si âprement, non point seulement quand on l'attaque, mais qu'il proteste même à chaque restriction des critiques. 45
GIDE, les Faux-monnayeurs, I, VIII, p. 98.

NON SANS... — REM. Dans ce tour, *non* atténue la valeur négative de « sans » jusqu'à l'éliminer, parfois, presque entièrement. *Non sans hésitation,* avec une certaine hésitation. — *Non sans peine...* (→ Fatidique, cit. 2; intensité, cit. 3). *Non sans s'être retourné maintes* (cit. 7) *fois. Non sans qu'il s'en soit aperçu.*

NON SANS — Il y a une façon détournée de marquer que deux choses énoncées s'accompagnent, c'est de nier qu'elles s'excluent. On se sert à cet effet de *non sans, jamais sans : Elle s'assit* **non sans** *avoir salué; — On m'avait renvoyé tout de suite, mais* **non sans que** *j'eusse eu le temps de remarquer l'éclat des yeux de cet homme* (BOURG., *Corn.,* 9). 46
F. BRUNOT, la Pensée et la Langue, p. 715.

(Fin XVIe). **NON QUE,** suivi du subjonctif. Locution conjonctive servant à écarter une explication possible du fait que l'on énonce, de l'opinion que l'on affirme. *Il ne réussira pas; non qu'il soit incapable, mais il est trop insouciant* (ce n'est pas qu'il soit..., mais...). *Non que les intentions* (cit. 9) *n'aient aucune valeur, mais...* (→ Affirmation, cit. 3; flatter, cit. 8). *Non pas, dit-elle, que j'en fasse cas* (cit. 18).

Non que pour Octavie un reste de tendresse 47
M'attache à son hymen et plaigne sa jeunesse. RACINE, Britannicus, II, 2.

48 Non que je fisse des efforts extraordinaires pour mériter cet éloge (...)
Abbé PRÉVOST, Manon Lescaut, I.

49 Elle accepta avec joie, non qu'il y eût entre vous beaucoup d'intimité, mais elle aimait nos enfants (...)
F. MAURIAC, le Nœud de vipères, I, VIII.

NON MOINS QUE... ⇒ Autant ; moins.

★ III. *Non*, en emploi adverbial. — REM. Devant un adjectif, un participe ou un substantif commençant par une voyelle ou un h muet, *non* se prononce plus couramment [nɔn].

♦ 1. (Modifiant un adjectif, un participe). Qui n'est pas, est le contraire de. — REM. Conformément à son emploi primitif (cf. l'étymologie), *non* peut modifier un participe passé (passif) en fonction d'épithète. « Une leçon qui n'est pas sue » devient ainsi, en supprimant le verbe : *Une leçon non sue. Tous les gens non intéressés, non préoccupés...* (Académie). *Des revues non coupées. La Constitution civile, non reconnue par le Pape* (→ Insermenté, cit.). *Des accès de gaieté non motivés* (→ Intervalle, cit. 14).

50 Aricie ? — Ah ! douleur non encore éprouvée !
RACINE, Phèdre, IV, 6.

51 Petit poète jamais las
De la rime non attrapée !
VERLAINE, Romances sans paroles, VI.

Un personnage non négligeable, qu'on ne peut pas, qu'on ne doit pas négliger. *Une gloire non médiocre* (→ Exclusivement, cit. 2). *Sa nature non apparente* (→ Foncièrement, cit.). *Des marchandises non indispensables* (→ Luxe, cit. 15). *Les gens non amoureux* (→ Malheureux, cit. 10). *Une bonté non moindre* (→ Éternité, cit. 10).

REM. Devant certains adjectifs plus ou moins techniques, *non* devient une véritable « particule de composition » et se joint parfois à l'adjectif par un trait d'union.
Non-conducteur. Non-conformiste. *Non-interventionniste*. *Non-présent. Non-solvable* (→ aussi, avec soudure : *Nonchalant*, *non-pareil*, *nonobstant**, etc.). *Un pacte de non-agression*.

52 Chaque lord, à l'appel de son nom, se lèvera et répondra *content* ou *non content*, et sera libre d'exposer ses motifs de vote (...)
HUGO, l'Homme qui rit, II, VIII, VII.

♦ 2. (Devant un substantif). *Non*, préfixe servant à former des composés négatifs qui marquent le contraire, l'absence, et qui s'écrivent soit avec, soit sans trait d'union, cette orthographe marquant le caractère libre de la formation (→ *infra*, à l'ordre alphabétique, *non-activité*, *non-agression*, etc.).

53 (...) je ne dirai pas l'impiété, mais la *non piété* de son attitude.
BARBEY D'AUREVILLY, les Diaboliques, « À un dîner d'athées », p. 280.

54 Les non-Européens, débiteurs de l'Europe, avaient fini de lui rembourser leurs dettes (...)
J. ROMAINS, les Hommes de bonne volonté, t. XV, III, p. 57.

55 (...) dans un sentiment total de non-défense.
J. ROMAINS, les Hommes de bonne volonté, t. VI, XXII, p. 198.

REM. 1. *Non-* Cet élément préfixé sert à former, avec des substantifs, de très nombreux composés (avec des adjectifs, son emploi est grammatical, c'est-à-dire libre et impossible à décrire sur le plan lexical). C'est un moyen morphologique d'exprimer « l'absence de... » (avec des noms abstraits) ou de définir un ensemble d'objets logiques complémentaire de celui que désigne la base (ex. : *les croyants et les non-croyants*, dont l'extension est : la totalité des hommes). Le procédé est d'ailleurs ancien (*non-arrivée*, *non-reprise*, *non-visite*, Beaumarchais *in* D. D. L. ; *non-instruit*, *non-patriote*, *non-propriétaire* chez Bobeng, Necker, etc. [*ibid.*]). Quand le composé correspond à un concept précis dans une activité déterminée (science, politique) ou à un emploi fréquent, il est traité à l'ordre alphabétique. Dans le cas contraire (formations individuelles, occasionnelles) on peut mentionner les exemples suivants, classés par ordre alphabétique ; bien entendu, la frontière est arbitraire et cette unité peut devenir fréquente.

55.1 Et cependant ce non-amour (vis-à-vis d'Andrée) est encore plus fort que l'amour qu'il croit éprouver pour Solange, sa maîtresse et fiancée.
MONTHERLANT, Sur les femmes, p. 129 (*in* GIDE).

55.2 Ma pensée seule allait de l'avant, et d'autant plus audacieusement qu'elle ne s'inquiétait nullement du non-assentiment de mes sens.
GIDE, Geneviève, *in* Romans, Pl., p. 1400.

55.3 L'état de (...) *non-attention*, qui est évidemment le plus fréquent.
VALÉRY, l'Idée fixe, *in* Œ., Pl., t. II, p. 206.

55.4 (...) mettant bout à bout mots et phrases suivant une syntaxe, un ordre machinal et d'ailleurs sans importance, l'important étant la non-cessation du son, du bruit (...)
Claude SIMON, le Vent, p. 151.

55.5 (...) le choix initial en amour n'est pas *réellement* permis (...) dans la mesure même où il tend exceptionnellement à s'imposer, il se produit dans une atmosphère de non-choix (...)
A. BRETON, l'Amour fou, V, p. 135.

55.6 Il est déjà douloureux de reconnaître que le succès et les merveilles de cet instrument *(la voiture)* affranchissant tiennent, pour une part, aux privilèges qui lui ont été accordés, en toute non-connaissance, et, en particulier, à la non-compensation des dommages causés.
A. SAUVY, Croissance zéro ?, p. 241.

55.7 L'ensemble supérieur qu'est un laboratoire est donc surtout constitué par des dispositifs de non-couplage, évitant la création fortuite de milieux associés.
Gilbert SIMONDON, Du mode d'existence des objets techniques, p. 64.

55.8 De l'innocence au sens de non-culpabilité absolue.
A. BRETON, l'Amour fou, V, p. 136.

55.9 (...) Elle *(cette peinture)* possède la propriété de diminuer la combustibilité du bois, des tissus et du papier, et de rendre ces matières non-inflammables (...)
L. FIGUIER, Année scientifique et industrielle 1859, t. II, p. 229 (1858).

55.10 Ce ne sont *(chez Spinoza)* que des transformations de langage en langage — ce qui veut dire que tout cela n'a aucun sens. — Un langage a pour sens du Non-langage. « Non-langage » sont les sensations, les choses, les images.
VALÉRY, Cahiers, t. I, Pl., p. 750.

55.11 Son périple terminé il revient s'asseoir et reprend le cours de ses non-pensées (...)
R. QUENEAU, Loin de Rueil, p. 95.

55.12 (...) celui qu'on ne reconnaît point se persuade malaisément, même après avertissement, que le non-reconnaître soit sincère.
GIDE, Feuillets d'automne, *in* Journal, t. II, Pl., p. 1089.

55.13 M. Pasteur applique les mêmes principes au charbon et il a développé les faits relatifs à la non-récidive des affections charbonneuses dans un mémoire présenté le 8 septembre 1880 à l'Académie de médecine.
L. FIGUIER, Année scientifique et industrielle 1881, p. 409 (1880).

55.14 Combien avez-vous d'enfants ? demande-t-on. Vous n'allez tout de même pas répondre zéro, c'est une non-réponse.
Nicole AVRIL, *in* F. Magazine, avr. 1978, p. 55.

55.15 J'aurais voulu pouvoir embrasser du regard, recueillir dans mon esprit, à tout instant, ma famille (...) Ah ! vivre ainsi dans la non-séparation en face de Dieu.
Francis JAMMES, le Patriarche et son troupeau, p. 186, *in* D. D. L.

55.16 La pauvre tante, et en fait ma famille tout entière n'aurait pas manqué de condamner ce repentir comme la défaillance la moins pardonnable et la preuve la plus certaine de mon non-savoir-vivre.
Ph. HÉRIAT, la Famille Boussardel, Les enfants gâtés, p. 27 (1939).

55.17 Les civets de notre cuisinier improvisé étaient fortement épicés et nous les arrosions de pinard jusqu'à non-soif.
B. CENDRARS, la Main coupée, *in* Œ. compl., t. X, p. 77.

55.18 C'était le représentant de la foule, le type du non-type.
Th. GAUTIER, les Jeunes-Frances, *in* MATORÉ, p. 320.

55.19 *(Le seul principe)* qui puisse répondre de la non-vanité du témoignage, du passage humains.
A. BRETON, l'Amour fou, VII, p. 174.

2. Ce procédé, par son caractère aisé, tend à substituer — avec des nuances de sens — des composés en *non* à des composés préfixés plus lexicalisés (→ In- ; a-, anti-... ; → *Non-accompli* par rapport à *inaccompli*, *non-animé* à *inanimé* ; *non-interventionniste* par rapport à *anti-interventionniste* ; *non-pesanteur* par rapport à *apesanteur*) ou à des mots de sens contraire au radical (*non-figuratif* par rapport à *abstrait*, *non-initié* à *profane*).

★ IV. *Non*, n. m. invar. — (1690 ; XIIIe « la négative »). *Un non ; des non. Le mot non.* — *Entre le oui du prêtre et le non de l'homme* (→ Affirmer, cit. 6). *Que le non prononcé soit un mur d'airain* (→ Importunité, cit. 3). *Un non impérieux* (cit. 7) *de la tête. Un non catégorique.* ⇒ Refus. *Un oui ou un non* (→ Étudier, cit. 24). *On se bat pour un oui ou pour un non*, pour un rien (→ Canaillerie, cit. 2 ; et aussi guerroyer, cit. 3).

56 Presque tous les hommes sont esclaves par la raison que les Spartiates donnaient de la servitude des Perses, faute de savoir prononcer la syllabe *non*. Savoir prononcer ce mot et savoir vivre seul sont les deux seuls moyens de conserver sa liberté et son caractère.
CHAMFORT, Maximes, « Sur la dignité du caractère », IX.

57 Tout à l'heure, tu m'as dit un mot pour un autre sans doute, un non pour un oui.
BALZAC, Ferragus, Pl., t. V, p. 71.

58 Souvent le gracieux oui du cabinet somptueux devenait un non sec dans le cabinet d'Adolphe.
BALZAC, César Birotteau, Pl., t. V, p. 495.

59 (...) Malouet avait proposé de vérifier au préalable de quel côté était la majorité ; en un instant, tous les *Non*, au nombre de plus de trois cents, se rangent autour de lui (...)
TAINE, les Origines de la France contemporaine, t. I, III, p. 55.

60 Ce qu'elle voulait aujourd'hui de Costals, c'était un oui ou un non. S'il continuait d'atermoyer, ce serait elle qui dirait non.
MONTHERLANT, les Lépreuses, I, III.

CONTR. Oui, si.
COMP. Voir à l'ordre alphab.
HOM. Nom.

NON-ACCLIMATATION [nɔnaklimatasjɔ̃ ; nɔ̃-] n. f. — 1954, P. Vivier ; de *non*, et *acclimatation*.

♦ Didact. Absence d'acclimatation d'un être vivant.

CONTR. Acclimatation.

NON-ACCOMPLI [nɔnakɔ̃pli ; nɔ̃-] adj. et n. m. — Mil. XXe ; de *non*, et *accompli*.

♦ Ling. ⇒ Inaccompli, imperfectif.

NON-ACTIVITÉ [nɔnaktivité ; nɔ̃-] n. f. — 1846 ; de *non*, et *activité*.

♦ Situation d'un fonctionnaire, et, spécialt, d'un officier provisoirement sans emploi (⇒ aussi Congé, disponibilité). *Mise en non-activité par retrait ou suppression d'emploi.*

CONTR. Activité.

NON-AFFECTATION [nɔnafɛktasjɔ̃ ; nɔ̃-] n. f. — Mil. XXe (*in* Larousse, 1963) ; de *non*, et *affectation*.

♦ Fin. Fait de ne pas affecter (une recette) à une dépense particulière. *Règle de non-affectation des recettes.*

NONAGÉNAIRE [nɔnaʒenɛʀ] adj. et n. — 1660 ; « qui comprend 90 unités », 1380 ; lat. *nonagenarius*, de *nonageni*, de *nonaginta* « quatre-vingt dix ». → Nonante.

♦ Qui est parvenu à l'âge de quatre-vingt-dix ans. *Vieillard nona-génaire.* — N. *Un, une nonagénaire.*
DÉR. (Du même rad.) **Nonagésime.**

NONAGÉSIME [nɔnaʒezim] adj. et n. m. — 1762 ; «quatre vingt dixième», 1534 ; du lat. *nonagesimus.*

♦ Astron. *Le nonagésime degré de l'écliptique,* et, ellipt, *le nonagé-sime :* le point de l'écliptique éloigné de 90° des points d'intersec-tion de l'écliptique et de l'horizon.

NON-AGRESSION [nɔnagʀesjɔ̃, nɔ̃-] n. f. — 1932 ; de *non,* et *agression.*

♦ Polit. Le fait de ne pas recourir à l'agression, de ne pas atta-quer (tel ou tel pays). *Pacte germano-soviétique de non-agression* (23 août 1939).
Il ajoute (...) « Les Soviets sont alliés à l'Allemagne ». « Mais non, dit Brunet avec impatience. Ils ont conclu un pacte de non-agression, et encore tout provisoire (...) L'U.R.S.S. a perdu confiance dans les Alliés et (...) elle temporise en attendant d'être assez forte pour pouvoir déclarer la guerre aux Fritz.»
                                        SARTRE, la Mort dans l'âme, p. 242.

NON-ALIGNÉ, ÉE [nɔnaliɲe ; nɔ̃-] adj. et n. — 1963 ; de *non,* et *aligné.*

♦ Polit. Qui pratique le non-alignement. *Une politique étrangère non alignée.* ⇒ **Non-engagé.** — *Les non-alignés.*

NON-ALIGNEMENT [nɔnaliɲmɑ̃, nɔ̃-] n. m. — 1963 ; de *non,* et *alignement.*

♦ Cour. (Dans le vocabulaire du journalisme, de la politique, etc.). Fait, pour un pays, de ne pas être «aligné», de ne pas se conformer en matière de politique étrangère à une ligne arrêtée en commun avec d'autres pays. ⇒ **Non-engagement.**
CONTR. Alignement.

NON-ANIMÉ, ÉE [nɔnanime ; nɔ̃-] adj. et n. m. — Mil. xxᵉ ; de *non,* et *animé.*

♦ Ling. (sémantique). Qui n'est pas animé, désigne un objet non-animé. — N. m. *Les non-animés humains.*

NONANTE [nɔnɑ̃t] adj. — V. 1131 ; d'un lat. pop. *nonanta,* du lat. class. *nonaginta.*

♦ Vx ou régional (en Belgique, en Suisse romande). Adj. numéral car-dinal invar. Neuf fois dix, quatre*-vingt-dix. *Un franc, nonante cen-times.*
(...) il faut toujours dire (...) *quatre-vingts-dix (sic),* et non pas *nonante.*
                                        VAUGELAS, Remarques sur la langue franç., p. 420.
DÉR. Nonantième.

NONANTIÈME [nɔnɑ̃tjɛm] adj. — 1790 ; v. 1400, *nonantiesme ;* de *nonante.*

♦ Vx ou régional. Adj. numéral ordinal. Quatre-vingt-dixième.

NON-APPARIÉ, ÉE [nɔnapaʀje ; nɔ̃-] adj. — V. 1970 ; de *non,* et *apparié,* p. p. de *apparier.*

♦ Ling. Se dit d'un phonème qui n'appartient à aucune paire. ⇒ **Paire.**

NON-APPARTENANCE [nɔnapaʀtenɑ̃s ; nɔ̃-] n. f. — V. 1970 ; de *non,* et *appartenance.*

♦ Fait de ne pas appartenir à un groupe. *La non-appartenance à une coalition, à un parti politique.*

NON-ASSERMENTÉ, ÉE [nɔnasɛʀmɑ̃te ; nɔ̃-] adj. — 1791 ; de *non,* et *assermenté.*

♦ Polit., hist. *Prêtres non-assermentés* (opposé à *assermenté*) : prê-tres qui avaient refusé de prêter le serment de fidélité à la Consti-tution civile du clergé. ⇒ **Insermenté, réfractaire.** « *Un prêtre non-assermenté disait la messe* » (Robespierre [lettre du 16 oct. 1791], *Correspondance,* p. 126, Alcan.).

NON-ASSISTANCE [nɔnasistɑ̃s ; nɔ̃-] n. f. — Mil. xxᵉ ; de *non,* et *assistance.*

♦ Dr. pén. Délit qui consiste à ne pas secourir volontairement. *Non-assistance à personne en danger.* — Figuré :

J'ai cherché longtemps une façon voilée de mettre Agnès en garde et de la conseiller. Je n'arrivais pas à m'y résoudre. Mais ma conscience me faisait des reproches. Je m'accusais de *non-assistance à personne en danger.*
                                        J. DUTOURD, les Horreurs de l'amour, p. 615.
CONTR. Assistance, secours.

NON-BELLIGÉRANCE [nɔ̃beliʒeʀɑ̃s ; nɔ̃bɛlliʒeʀɑ̃s] n. f. — 1939-1940 ; de *non,* et *belligérance.*

♦ État d'une nation qui, sans observer une stricte neutralité, s'abs-tient de prendre part effectivement à un conflit armé. *Non-belligé-rance de l'Italie en 1939-1940.*
CONTR. Belligérance.
DÉR. Non-belligérant.

NON-BELLIGÉRANT [nɔ̃beliʒeʀɑ̃ ; nɔ̃bɛlliʒeʀɑ̃] n. et adj. — V. 1939 ; de *non-belligérance.*

♦ Polit. Qui s'abstient de prendre part à un conflit. *Les non-belligé-rants.*
CONTR. Belligérant.

NON BIS IN IDEM [nɔnbisinidɛm]

♦ Locution latine (signifiant mot à mot «pas deux fois pour la même chose») qui est devenue un axiome de jurisprudence, en vertu duquel une personne ne peut être poursuivie deux fois pour le même délit.
Vx, pour signifier qu'il n'y aura pas répétition* d'un fait, d'un acte quelconque.

NONCE [nɔ̃s] n. m. — xvɪᵉ ; *nunce,* 1521 ; ital. *nunzio,* du lat. *nun-tius* «envoyé».

♦ Agent* diplomatique du Saint-Siège, archevêque titulaire accré-dité comme ambassadeur* permanent du Vatican auprès d'un gou-vernement étranger. ⇒ **Légat** (cit. 2). *Le nonce du Pape en France, en Pologne* (→ 1. Être, cit. 74). — (1607). *Nonce apostolique*.* Le droit coutumier reconnaît les nonces comme doyens du corps diplo-matique des pays où ils sont accrédités. — (Fin xvɪɪᵉ). *Nonce extraor-dinaire :* prélat envoyé par le pape en mission spéciale pour un temps déterminé (→ Bénir, cit. 23). *Nonce intérimaire.* ⇒ **Inter-nonce.**

(...) trois nonces apostoliques (...) qui leur apportaient *(aux Anglais)* les consola-tions que reçoivent les enfants de Dieu de la communication avec le Saint-Siège.
                                        BOSSUET, Oraison funèbre de Henriette de France.   1

Il n'y avait aucune apparence que le cardinal Mazarin pût agréer Chigi, qui avait été nonce à Munster dans le temps de la négociation de la paix (...)
                                        RETZ, Mémoires, III, p. 825.   2

C'est par ce Pontife qu'il fut nommé (...) Président de l'Académie des Nobles ecclésiastiques, école de diplomates où se forment les futurs nonces.
                                        J. ROMAINS, les Hommes de bonne volonté, t. XIII, XXIV, p. 212.   3

COMP. et DÉR. Internonce. — (Du même rad.) **Nonciature.**

NONCHALAMMENT [nɔ̃ʃalamɑ̃] adv. — Déb. xvᵉ ; de *noncha-lant.*

♦ D'une manière nonchalante, avec nonchalance. *Travailler non-chalamment. Regard qui effleure nonchalamment une personne.* ⇒ **Négligemment.** *Se promener nonchalamment* (→ Escopette, cit. 1). *Traîner nonchalamment ses pieds* (→ Lisière, cit. 1). — *S'étaler, rester nonchalamment étendu, vautré sur des coussins* (cit. 1), *dans un hamac* (cit. 2). ⇒ **Mollement, paresseusement.** *Lais-ser pendre nonchalamment sa main.*

Il dormait (...) profondément, penché nonchalamment sur un oreiller, un bras sur sa tête, l'autre bras tombant sur les bords du lit (...)   LA FONTAINE, Psyché, I.   1

Devant les baraques de bois, je retrouve les notables de Rabat et de Salé que je voyais l'autre soir, au moussem de Sidi Moussa, nonchalamment étendus sous les tentes blanches et noires, pleines de piété, de paresse, de contemplation, de musi-que (...)   Jérôme et Jean THARAUD, Rabat, XII.   2

CONTR. Activement.

NONCHALANCE [nɔ̃ʃalɑ̃s] n. f. — 1150 ; de *nonchalant.*

♦ **1.** Caractère, attitude d'esprit, manière d'agir d'une personne nonchalante* ; manque d'ardeur, de soin, de zèle. ⇒ **Apathie, indolence, insouciance, langueur, mollesse, négligence, nonchaloir, paresse, tiédeur.** *Remplir ses devoirs avec nonchalance et fantaisie* (cit. 38). *Afficher* (cit. 3) *de la nonchalance dans toutes ses occupa-tions. Faire un travail avec nonchalance. Une nonchalance d'ama-teur* (cit. 7). *Nonchalance propre aux habitants des pays chauds. Sortir de sa nonchalance.* ⇒ **Assoupissement, léthargie.**

Si toute notre prévoyance ne peut rendre notre vie heureuse, combien moins notre nonchalance !   VAUVENARGUES, Maximes et Réflexions, 146.   1

Le vrai caractère reparut. La paresse et la nonchalance, la mollesse du Sarmate revinrent occuper dans son âme les sillons complaisants d'où la verge du maître d'école les avait chassées.   BALZAC, la Cousine Bette, Pl., t. VI, p. 319.   2

3 Il était, il est vrai, d'une nonchalance extrême pour ce qui regarde les choses ordinaires de la vie, et il pratiquait le farniente avec délices (...)
A. DE MUSSET, Nouvelles, « Fils du Titien », VI.

4 La barque d'Aziyadé est remplie de tapis soyeux, de coussins et de couvertures de Turquie. On y trouve tous les raffinements de la nonchalance orientale, et il semblerait voir un lit qui flotte plutôt qu'une barque. LOTI, Aziyadé, I, XX.

♦ **2.** (Mil. XVIIIe). Absence de hâte (cit. 5), de vivacité; caractère de ce qui est lent, et comme indifférent au but. *Marcher, répondre avec nonchalance.* ⇒ **Nonchalamment.** *La nonchalance de sa démarche.*

5 Si vous le voulez absolument (...) — dit le comte, avec la nonchalance d'un homme qui sait que l'attente exaspère le désir.
BARBEY D'AUREVILLY, les Diaboliques, « Le plus bel amour de Don Juan », p. 99.

6 Louise se souleva avec nonchalance de son fauteuil (...)
J. CHARDONNE, les Destinées sentimentales, p. 319.

Spécial. (En parlant des attitudes ou des formes [cit. 26] du corps). Grâce alanguie. ⇒ **Morbidesse.** *Nonchalance d'un geste, d'une pose* (⇒ **Abandon**).

7 Le soleil des tropiques, en brunissant son visage, ne lui avait point donné cette vivacité de geste et de parole qui s'unit chez les créoles à une nonchalance souvent pleine de grâce. HUGO, Bug-Jargal, II.

8 Son teint ambré, ses yeux en amande, la cambrure de sa taille, et jusqu'à la recherche un peu exotique de sa mise, donnaient à sa nonchalance quelque chose d'oriental. MARTIN DU GARD, les Thibault, t. I, p. 121.

♦ **3.** (1150). Vieilli. *(Une, des nonchalances).* Manifestation, marque de nonchalance.

9 Les nonchalances sont ses plus grands artifices *(de la beauté).*
Mathurin RÉGNIER, Satires, IX.

CONTR. Acharnement, activité, ardeur, empressement, entrain, furie, impétuosité, soin, vivacité, zèle.

NONCHALANT, ANTE [nɔʃalɑ̃, ɑ̃t] adj. — V. 1265; p. prés. de *nunchaleir, nonchaloir*.

♦ **1.** Qui manque d'activité, d'ardeur, de zèle, par insouciance, indifférence foncière. ⇒ **Indolent** (cit. 7), **insouciant, mou.** *Écolier nonchalant.* ⇒ **Fainéant, paresseux.** *Être nonchalant à l'étude* (cit. 15), *à l'ouvrage* (→ fam. Partisan du moindre effort*). — *Humeur* (cit. 14) *nonchalante.* ⇒ **Léthargique** (→ Impulsion, cit. 12). *Tempérament nonchalant.* — N. ⇒ **Apathique.** *C'est une nonchalante.* ⇒ **Momie** (→ Indolent, cit. 4).

1 Le *nonchalant,* de *nonchaloir,* n'avoir pas de *chaleur* ou d'ardeur, manque de zèle; il n'a pas cœur à l'ouvrage; il agit avec lenteur et mollesse; il n'a pas plus de force, d'énergie pour exécuter promptement que le paresseux n'en a pour se mettre à l'ouvrage ou pour entreprendre.
LAFAYE, Dict. des synonymes, Paresse, indolence...

2 Et vous avez, la belle, une chaise roulante,
Où par deux bons chevaux, en dame nonchalante,
Vous vous faites traîner (...) MOLIÈRE, Amphitryon, Prologue.

3 (...) la plupart de ces pauvres soldats se roulèrent dans leurs habits, se placèrent sur des planches, sur tout ce qui pouvait les préserver du contact de la neige et dormirent, nonchalants du lendemain. BALZAC, Adieu, Pl., t. IX, p. 770.

Par métonymie. « *Balançant* (cit. 4) *mollement leurs tailles nonchalantes* ».

♦ **2.** Par ext. Qui montre peu de vivacité, qui a des attitudes abandonnées. ⇒ **Indolent.** *Gestes nonchalants.* ⇒ **Languissant.** *La nonchalante lenteur, la grâce nonchalante de ses mouvements* (→ Jaguar, cit. 2). *Pas nonchalant.* ⇒ **Lent.** — *Voix nonchalante.*

4 Tes beaux yeux sont las, pauvre amante!
Reste longtemps, sans les rouvrir,
Dans cette pose nonchalante
Où t'a surprise le plaisir. BAUDELAIRE, les Épaves, Galanteries, VIII.

5 Zabel se détendit lentement. Une grande mollesse succéda à la raideur de son attitude (...) Du pas nonchalant et tranquille de quelqu'un qui est chez soi, il pénétra dans la cuisine (...) P. MAC ORLAN, Quai des brumes, VII.

Littér. (Par compar. avec la démarche d'une personne nonchalante). *Rivière nonchalante. Chemin* (cit. 21) *nonchalant.* « *Gorge* (cit. 32) *aux nonchalants détours* » (Musset).

CONTR. Actif, ardent, diligent, empressé, impétueux, vif, zélé.
DÉR. Nonchalamment, nonchalance.

NONCHALOIR [nɔʃalwaʀ] n. m. — V. 1175; *nunchaleir,* v. 1155, encore cour. au XVIe (par ex. chez Rabelais); inus. ensuite jusqu'au XVIIIe; repris par les poètes du XIXe; de *non,* et de l'anc. verbe *chaloir** substantivé.

♦ Vx ou littér. Nonchalance. ⇒ **Apathie, négligence** (cit. 10), **paresse** (→ Boucle, cit. 4, Baudelaire; empêcher, cit. 19, Baudelaire; 1. fougue, cit. 4, Gide).

1 (...) je savoure à mon aise toutes les voluptés du nonchaloir et le bien-être du chez-soi.
Th. GAUTIER, les Jeunes-France, Contes humorist., « Âme de la maison », II.

(Son œil) Voit des galères d'or, belles comme des cygnes,
Sur un fleuve de pourpre et de parfums dormir
En berçant l'éclair fauve et riche de leurs lignes
Dans un grand nonchaloir chargé de souvenir!
MALLARMÉ, Poésies, Du Parnasse contemp., « Les fenêtres ».

DÉR. Nonchalant.

NONCIATURE [nɔ̃sjatyʀ] n. f. — 1623; de l'ital. *nunziatura,* de *nunzio* → Nonce.

♦ **1.** Diplom. Charge, fonction de nonce. *Prélat nommé à la nonciature d'Espagne.* — (1690). Exercice de cette fonction. *Vers la fin de sa nonciature.*

(Fin XVIIe). Résidence du nonce, et, par métonymie, les services administratifs qu'elle abrite. *Accord qui se fait entre la nonciature et le ministère* (→ Évêque, cit. 4).

Sa Sainteté faisait presser le roi d'Espagne de finir au plus tôt les affaires de la nonciature de Madrid. SAINT-SIMON, Mémoires, V, XXXVI.

♦ **2.** (Fin XVIIe). Hist. Territoire appartenant au Saint-Siège, qu'administrait un nonce apostolique.

NON-COMBATTANT, ANTE [nɔ̃kɔ̃batɑ̃, ɑ̃t] adj. et n. — 1842, Barré; de *non,* et *combattant.*

♦ Qui ne prend pas une part effective aux combats, en parlant de certains membres du personnel militaire (service de l'intendance, service vétérinaire...). *Officier non-combattant. Unité non-combattante.* — N. *Les non-combattants d'une armée.* — Par ext. Se dit des personnes qui ne portent pas les armes (femmes, enfants, etc.), dans un pays en guerre. *Épargner les non-combattants.*

CONTR. Combattant.

NON-COMPARANT, ANTE [nɔ̃kɔ̃paʀɑ̃, ɑ̃t] adj. et n. — 1834; de *non,* et *comparant.*

♦ Dr. Qui ne comparaît pas en justice, qui fait défaut*. *Partie non-comparante.* — N. *Les non-comparants.*

NON-COMPARUTION [nɔ̃kɔ̃paʀysjɔ̃] n. f. — 1580; de *non,* et *comparution.*

♦ Dr. (Procéd.). Défaut de comparution. (⇒ **Défaut**).
CONTR. Comparution.

NON-CONCILIATION [nɔ̃kɔ̃siljasjɔ̃] n. f. — 1804; de *non,* et *conciliation.*

♦ Dr. Défaut d'accord entre deux parties. *Procès-verbal, ordonnance de non-conciliation.*
CONTR. Conciliation.

NON-CONDUCTEUR [nɔ̃kɔ̃dyktœʀ] n. m. — 1874; de *non,* et *conducteur.*

♦ Techn. ⇒ **Isolant.**
CONTR. Conducteur.

NON-CONFORMISME [nɔ̃kɔ̃fɔʀmism] n. m. — Fin XVIIIe, Casanova, *in* D. D. L.; de *non-conformiste* et *conformisme.*

♦ **1.** Hist. Doctrine des non-conformistes.

♦ **2.** (Déb. XXe). Attitude morale d'un non-conformiste, 2. (⇒ **Indépendance**). *Le non-conformisme de Gide. Son non-conformisme fait scandale.* ⇒ **Anti-conformisme.**

(...) le surréalisme s'est forgé d'abord dans le mouvement « dada » (...) La non-signification et la contradiction sont alors cultivées pour elles-mêmes (...) Mais il y a dans le surréalisme quelque chose de plus que ce non-conformisme de parade, l'héritage de Rimbaud, justement (...) CAMUS, l'Homme révolté, p. 119.

CONTR. Conformisme.

NON-CONFORMISTE [nɔ̃kɔ̃fɔʀmist] n. et adj. — 1672; de *non,* et *conformiste.*

♦ **1.** Hist. relig. Protestant qui n'est pas conformiste* (cit. 1). — Adj. *Doctrine, église non-conformiste.* ⇒ **Dissident.**

♦ **2.** (1704). Personne qui ne se conforme pas aux usages établis, aux opinions reçues, qui fait preuve d'originalité. *D'irréductibles non-conformistes.* ⇒ **Hétérodoxe, indépendant, individualiste.** *La jeunesse est volontiers non-conformiste. Peintre, musicien non-conformiste.* — Par ext. *Attitude, morale, goûts non-conformistes.*

♦ **3.** (1694). Spécialt, par plais. Homosexuel.
CONTR. Conformiste.
DÉR. Non-conformisme.

NON-CONFORMITÉ [nɔ̃kɔ̃fɔʀmite] n. f. — 1688, Ménage, citant De Bège : *crime de non-conformité* «homosexualité»; de *non*, et *conformité*.

♦ Défaut de conformité.

CONTR. **Conformité.**

NON-CONTRADICTION [nɔ̃kɔ̃tʀadiksjɔ̃] n. f. — 1904; de *non*, et *contradiction*.

♦ Philos. Absence de contradiction. *Principe de non-contradiction : principe d'identité**.

NON-CROYANT, ANTE [nɔ̃kʀwajɑ̃, ɑ̃t] n. — xxᵉ; de *non*, et *croyant*.

♦ Personne qui n'appartient pas à une confession religieuse. ⇒ **Agnostique, athée, incroyant.** *Les chrétiens, les musulmans et les non-croyants.*

(...) la vie sacramentelle reste la condition de votre fidélité au milieu des non-croyants et vous lie à l'Église, indéfectiblement.
     F. MAURIAC, Bloc-notes 1952-1957, p. 320.

CONTR. **Croyant, fidèle.**

NON-CUMUL [nɔ̃kymyl] n. m. — Mil. xxᵉ (*in* Larousse, 1963); de *non*, et *cumul*.

♦ Dr. pén. Le fait de ne pas cumuler les peines, et de ne prononcer que la peine la plus forte, en cas de conviction de plusieurs infractions. *Règle de non-cumul des peines.*

CONTR. **Cumul.**

NON-DÉPASSEMENT [nɔ̃depasmɑ̃] n. m. — xxᵉ (*in* Larousse, 1968); de *non*, et *dépassement*.

♦ Comm. Fait de ne pas dépasser (une somme, une quantité fixée). *Non-dépassement d'un prix. Clause de non-dépassement.*

CONTR. **Dépassement.**

NON-DIRECTIF, IVE [nɔ̃diʀɛktif, iv] adj. — V. 1960; de *directif*, d'après l'amér. *non-directive* (Lewin et Lippitt), 1938.

♦ Qui n'est pas directif, ne cherche pas à imposer des comportements. *Chefs non-directifs.* — (D'une méthode, d'une attitude). Qui ne fait pas pression sur l'interlocuteur. — Psychol. *Entretien, questionnaire non-directif,* dans lequel la personne qui suscite l'entretien ou pose les questions évite de suggérer une orientation dans les réponses. *Psychothérapie non-directive,* dans laquelle le psychothérapeute s'abstient de se substituer au patient pour lui proposer une direction.

CONTR. **Autocratique, autoritaire, directif.**
DÉR. **Non-directivisme, non-directivité.**

NON-DIRECTIVISME [nɔ̃diʀɛktivism] n. m. — V. 1966; de *non-directif*.

♦ Doctrine de non-directivité. ⇒ **Non-directivité.**

NON-DIRECTIVITÉ [nɔ̃diʀɛktivite] n. f. — V. 1969; de *non-directif*.

♦ Caractère non-directif, méthode non-directive. *Des expériences de non-directivité dans l'enseignement.*

CONTR. **Directivité.**

NON-DISCRIMINATION [nɔ̃diskʀiminasjɔ̃] n. f. — 1964; de *non*, et *discrimination*.

♦ Refus d'appliquer des traitements différents, selon les appartenances ethniques, politiques, raciales ou sociales. *La non-discrimination entre travailleurs masculins et féminins.*

CONTR. **Discrimination.**

NON-DISJONCTION [nɔ̃disʒɔ̃ksjɔ̃] n. f. — Mil. xxᵉ; de *non*, et *disjonction*.

♦ Biol. Fait, pour deux chromosomes homologues, de ne pas se séparer au cours de la méiose. *La duplication, cause du mongolisme, est due à la non-disjonction chromosomique.*

CONTR. **Disjonction.**

NON-DISSÉMINATION [nɔ̃diseminasjɔ̃] n. f. — V. 1964; de *non*, et *dissémination*.

♦ Polit. Action tendant à limiter le nombre des nations possédant un armement nucléaire. *Un traité sur la non-dissémination (de l'armement nucléaire).* ⇒ **Non-prolifération,** et aussi **désarmement.**

CONTR. **Dissémination.**

NONE [nɔn] n. f. — V. 1130; lat. *nona*, fém. de *nonus* «neuvième».

★ **I.** Au sing. (De *nona (hora)* «neuvième heure»). ♦ **1.** Antiq. rom. Neuvième heure du jour — Par ext. Quatrième partie du jour qui commençait à la fin de la 9ᵉ heure (soit approximativement, dans notre système horaire, vers 14 h 15 en hiver et 15 h 30 en été).

♦ **2.** Liturgie cathol. Petite heure* canoniale qui se récite après sexte*, à la neuvième heure du jour selon la computation juive (soit vers 15 h).

None se déroula simplement psalmodié et lorsque les moines eurent terminé, ils restèrent debout, inclinés encore, en silence, jusqu'à ce que l'Abbé eût donné le signal d'entonner Vêpres.   HUYSMANS, l'Oblat, II.

★ **II.** Au plur. (De *nonæ (dies)* «neuvièmes jours»). Dans le calendrier de la Rome antique, Division du mois qui tombait le neuvième jour avant les ides*, c'est-à-dire le 7 en mars, mai, juillet, octobre, et le 5 dans les autres mois. *Nones d'avril, de juin...*

HOM. 1. Nonne, 2. nonne.

NON-ÉCRIT, ITE [nɔnekʀi, it; nɔ̃ekʀi, it] adj. — V. 1970; de *non*, et *écrit*.

♦ Ling. Se dit des langues qui n'ont pas de système d'écriture. *La description des langues non-écrites.*

NON-ENGAGÉ, ÉE [nɔnɑ̃gaʒe; plus souvent nɔ̃ɑ̃-] adj. et n. — Mil. xxᵉ; de *non*, et *engagé*.

♦ Cour. (Dans le vocabulaire du journalisme, de la politique, etc.). Qui n'est pas engagé dans un des grands «blocs» politiques qui dominent le monde actuel. *Nations non-engagées.* ⇒ **Non-aligné.** — N. *Les non-engagés.*

CONTR. **Engagé.**

NON-ENGAGEMENT [nɔnɑ̃gaʒmɑ̃; nɔ̃-] n. m. — 1949, J. Wahl, *in* D.D.L.; de *non*, et *engagement*.

♦ Polit. Politique de neutralité à l'égard des grandes puissances. ⇒ **Non-alignement.**

CONTR. **Engagement.**

NONES [nɔn] n. f. pl. ⇒ **None.**

NON-ÊTRE [nɔnɛtʀ; nɔ̃-] n. m. — xivᵉ; de *non*, et *être*, n. masculin.

♦ Philos. Fait de ne pas être, état de ce qui n'est pas. ⇒ **Néant.**

Le meilleur service que l'on puisse rendre à cette bonne bête, c'est de la soulager de l'existence. Le non-être n'est pas terrible. C'est le ne-plus-être qui nous fait horreur.   G. DUHAMEL, Scènes de la vie future, p. 100.

CONTR. **Être.**

NON-EUCLIDIEN, IENNE [nɔnøklidjɛ̃, jɛn; nɔ̃-] adj. — 1868; de *non*, et *euclidien*.

♦ Sc. Qui n'obéit pas au postulat d'Euclide (sur les parallèles*). *Géométries non-euclidiennes :* riemannienne, lobatchevskienne, etc.

CONTR. **Euclidien.**

NON-EXÉCUTION [nɔnɛgzekysjɔ̃; nɔ̃-] n. f. — Déb. xixᵉ; de *non-*, et *exécution*.

♦ Dr. Défaut d'exécution. *Non-exécution d'un contrat, d'une obligation.*

CONTR. **Exécution.**

NON-EXISTENCE [nɔnɛgzistɑ̃s; nɔ̃-] n. f. — 1757; de *non*, et *existence*.

♦ Philos. Fait de ne pas être, de ne pas exister. *Arguments en faveur de l'existence ou de la non-existence de Dieu.* ⇒ **Inexistence.**

REM. Le terme a d'abord été utilisé dans d'autres domaines que le domaine philosophique.

Le sujet est la partie de la proposition qui exprime l'objet dans lequel l'esprit aperçoit l'existence ou la non-existence d'une modification : l'attribut est celle qui exprime la modification, dont l'esprit aperçoit l'existence ou la non-existence dans

le sujet ; et la copule est la partie qui exprime l'existence ou la non-existence de l'attribut dans le sujet.
DOUCHET et BEAUZÉE, in Encycl. (DIDEROT), t. VII, art. *Grammaire* (1757).
CONTR. Existence.

NON-FICTION [nɔ̃fiksjɔ̃] n. f. — 1974 ; de *non*, et *fiction*, d'après l'anglais.

♦ Anglic. Ensemble des livres dont le contenu n'est pas à la fois narratif et imaginaire. *« Ce qu'on appelle la non-fiction, c'est-à-dire les récits historiques et les documents »* (*l'Express*, 18 févr. 1974 in P. Gilbert).
CONTR. Fiction.

NON-FIGURATIF, IVE [nɔ̃figyʀatif, iv] adj. et n. — 1936, n. m. ; de *non*, et *figuratif*.

♦ Arts. Qui ne représente pas le monde extérieur. *Art, peintre non-figuratif.* ⇒ **Abstrait.** — N. *Les non(-)figuratifs.*
Ce peintre si attentif aux mains de son modèle et à ce visage dont, la jeunesse finie, nous sommes responsables et qui raconte tout d'une vie — ce peintre *(Mac-Avoy)* rejoint une tradition vivante. Il échappe au néant où les « non-figuratifs », l'un après l'autre, s'engloutissent.
F. MAURIAC, le Nouveau Bloc-notes 1958-1960, p. 101.
CONTR. Figuratif.

NON-FONCTIONNEL, ELLE [nɔ̃fɔ̃ksjɔnɛl] adj. — Av. 1972, *Dict. de linguistique de J. Dubois et alii* ; de *non*, et *fonctionnel.*

♦ Didact. Qui n'a pas de valeur pertinente, distinctive. *Distinction non-fonctionnelle.*
CONTR. Pertinent.

NON-FUMEUR [nɔ̃fymœʀ] n. m. — D. i., probablt déb. xxᵉ ; de *non*, et *fumeur.*

♦ Personne qui ne fume pas (surtout au plur.). *Compartiment pour non-fumeurs.* — Par appos. *Voiture non-fumeurs.*

NONIDI [nɔnidi] n. m. — 1793 ; du lat. *nonus* « neuvième », et *dies* « jour ».

♦ Hist. Neuvième jour de la décade du calendrier républicain.

NONILLION [nɔniljɔ̃] n. m. — 1520 ; du lat. *nonus* « neuvième », d'après *million.*

♦ Arithm. (Rare). Nombre égal à un million d'octillions (S = 10^{54}).

NON-INGÉRENCE [nɔnɛ̃ʒeʀɑ̃s ; nɔ̃-] n. f. — V. 1950 ; de *non*, et *ingérence.*

♦ Polit. Absence d'intervention dans la politique intérieure d'un État étranger. *Le principe de la non-ingérence.*
CONTR. Ingérence.

NON-INITIÉ, ÉE [nɔninisje ; nɔ̃-] n. — 1674, Voltaire ; de *non*, et *initié.*

♦ Personne qui n'est pas initiée. ⇒ **Bleu, profane.** *Pour les non-initiés.* ⇒ **Exotérique.**

1   La formule principale de tous les mystères était partout : *Sortez, profanes.* Les chrétiens prirent aussi (...) cette formule. Le diacre disait : « Sortez, catéchumènes, possédés, et tous les non-initiés ».
VOLTAIRE, Dict. philosophique, Initiation.

2   Maintenant qu'il est du métier ! C'est bon pour les non-initiés, ces trucs-là.
Boris VIAN, l'Automne à Pékin, p. 155.

3   On pense à une bergère ancienne, on en a vu une chez un antiquaire (...) Elle sera peut-être un peu plus chère que les fauteuils de cuir, mais je t'assure que c'est une occasion aussi, et c'est tellement plus joli (...) seuls les non-initiés pouvaient s'y tromper (...)   N. SARRAUTE, le Planétarium, p. 50.
CONTR. Initié.

NON-INSCRIT, ITE [nɔnɛ̃skʀi, it ; nɔ̃-] n. m. et adj. — xxᵉ ; de *non*, et *inscrit.*

♦ Dr. constit., cour. Député qui n'est pas inscrit à un groupe politique ou parlementaire. *Les non-inscrits.* — Adj. *Les députés non-inscrits.*

NON-INTERVENTION [nɔnɛ̃tɛʀvɑ̃sjɔ̃ ; nɔ̃-] n. f. — 1830 ; de *non*, et *intervention.*

♦ Polit. internat. Attitude d'un gouvernement qui s'abstient d'intervenir* dans les affaires d'un pays étranger, et, spécialt, dans ses querelles intestines ou dans ses conflits avec d'autres peuples. *Poli-*

tique de non-intervention (⇒ **Abstention**). *Principe de non-intervention,* proclamé en 1823 par Monroe, Président des États-Unis.
Ils ont fait du principe de la non-intervention la jonglerie politique la plus odieuse, une sorte de paravent derrière lequel ils se sont mis à genoux pour mendier la reconnaissance de la Russie.
BALZAC, Enquête sur la politique des deux ministères, in Œ. diverses, t. II, p. 357 (1831).
CONTR. Intervention.
DÉR. Non-interventionniste.

NON-INTERVENTIONNISTE [nɔnɛ̃tɛʀvɑ̃sjɔnist] adj. et n. — 1838 ; de *non-intervention* et *interventionniste.*

♦ Polit. Favorable à la non-intervention. *Politique non-interventionniste.* — N. *Les non-interventionnistes.*
CONTR. Interventionniste.

NON-JOUISSANCE [nɔ̃ʒwisɑ̃s] n. f. — 1660 ; de *non*, et *jouissance.*

♦ Dr. Privation de jouissance. *La non-jouissance de sa maison lui donne droit à une indemnité.*
CONTR. Jouissance.

NON-LIEU [nɔ̃ljø] n. m. — 1836, Balzac ; de *non*, et *lieu.*

♦ Dr. Décision par laquelle une juridiction d'instruction, se fondant sur une justification de droit ou sur une insuffisance de preuves, dit qu'il n'y a pas lieu de suivre la procédure tendant à faire comparaître l'inculpé devant une juridiction de jugement (cf. Code instr. crim., Art. 128). *Arrêt, ordonnance de non-lieu*, et, ellipt, *rendre un non-lieu. Conclure à un non-lieu. Bénéficier* (cit. 3) *d'un non-lieu.*
(...) le juge d'instruction Denizet avait rendu une ordonnance de non-lieu, à l'égard de Cabuche, motivée sur ce qu'il n'existait pas contre lui de charges suffisantes (...)   ZOLA, la Bête humaine, VI.
(...) j'ai eu des démêlés avec la justice, mais l'enquête a tourné court : j'ai bénéficié d'un non-lieu.   F. MAURIAC, la Fin de la nuit, II.
CONTR. Inculpation.

NON-LITTÉRATURE [nɔ̃liteʀatyʀ] n. f. — 1966, le Monde, in G. L. L. F. ; de *non*, et *littérature.*

♦ Didact. Ensemble des textes ayant une circulation sociale, et qui ne sont pas considérés comme littéraires. *La paralittérature et la non-littérature.*

NON-MESURABLE [nɔ̃məzyʀabl] adj. ⇒ **Mesurable.**

NON-MÉTAL [nɔ̃metal] n. m. — xxᵉ ; de *non*, et *métal.*

♦ Chim. Élément chimique non métallique. *Les non-métaux.* — REM. Ce terme remplace *métalloïde.*

NON-MITOYENNETÉ [nɔ̃mitwajɛnte] n. f. — 1804, Code civ. ; de *non*, et *mitoyenneté.*

♦ Dr. Caractère de ce qui n'est pas mitoyen.
CONTR. Mitoyenneté.

NON-MOBILITÉ [nɔ̃mɔbilite] n. f. — 1971 ; de *non*, et *mobilité.*

♦ Écon., admin. Caractère de ce qui est peu mobile. *La non-mobilité des investissements, de l'emploi.* — REM. Distinct de *immobilité.*
CONTR. Mobilité.

NON-MOI [nɔ̃mwa] n. m. invar. — 1801, *non moi*, in D. D. L. ; de *non*, et *moi.*

♦ Philos. L'objet ou le monde extérieur en tant que distinct du sujet.
(...) On pourrait trouver dans l'opposition de l'homme et du monde, du spectacle et du spectateur, du moi et du non-moi, un principe de classification pris, comme le leur, au-dedans de nous-mêmes et pourtant fort différent.
GUIZOT, in Encyclopédie progressive, p. 7, 1826, in D. D. L., II, 12.
CONTR. Moi, sujet.

NONNAIN [nɔnɛ̃] n. f. — 1316 ; *nunein*, 1080 ; anc. cas régime de *nonne* « religieuse », aussi *nune.*

♦ **1.** Vx ou littér. (plais.). Nonne. — *Ouvrage, broderie de nonnain :* ouvrage de dentelle d'abord fabriqué dans les communautés de béguines.

♦ **2.** (1765). Zool. *Pigeon nonnain :* pigeon de petite taille, originaire d'Asie Mineure.

1. NONNE [nɔn] n. f. — 1273; *none*, v. 1167; du lat. ecclés. *nonna*, mot de la langue populaire signifiant «mère», titre de respect donné souvent aux religieuses.

♦ Vx ou par plais. Religieuse*. ⇒ **Moniale, sœur.** *Couvent* (cit. 3) *de nonnes* (→ aussi Étouffer, cit. 59; grille, cit. 5). — REM. Dès le XVIIᵉ s., ce mot ne s'est plus employé dans le langage courant que par archaïsme, par mépris, ou dans le style burlesque.

1
Dans un couvent de nonnes fréquentait
Un jouvenceau, friand, comme on peut croire,
De ces oiseaux.   LA FONTAINE, Contes, IV, VII.
2
Donc, cent Nonnes, chantant les pieuses louanges,
Vivent là sous la règle austère du Carmel,
Aussi pures que les nouveaux-nés dans leurs langes.
     LECONTE DE LISLE, Poèmes tragiques, « Le lévrier de Magnus », III.

DÉR. et COMP. Nonnain, 2. nonne, nonnette. — Pet-de-nonne.
HOM. None, 2. nonne.

2. NONNE [nɔn] n. f. — XXᵉ; de 1. *nonne.*

♦ Zool. ⓐ Papillon appelé scientifiquement *Lymantria monacha.*

ⓑ Passereau originaire d'Afrique tropicale, au plumage brun, noir et blanc.

HOM. None, 1. nonne.

NONNETTE [nɔnɛt] n. f. — XIIIᵉ; de 1. *nonne.*

♦ **1.** Vx ou par plais. Jeune religieuse.

Pas une n'est qui montre en ce dessein
De la froideur, soit nonne, soit nonnette,
Mère prieure, ancienne, ou discrète.   LA FONTAINE, Contes, IV, II.

♦ **2.** (1512). Par analogie d'aspect entre le plumage gris cendré de cet oiseau et le costume de certaines religieuses. Variété de mésange* à tête noire.

♦ **3.** (1803). Petit gâteau en pain d'épice, de forme ronde, primitivement fabriqué dans les couvents de religieuses (⇒ **Chanoinesse**). *Nonnettes de Reims.*

NON-OBSERVATION [nɔnɔpsɛʁvasjɔ̃; nɔ̃ɔpsɛʁvasjɔ̃] n. f. — 1971; de *non*, et *observation.* ⇒ **Inobservation.**
CONTR. Observation.

NONOBSTANCE [nɔnɔpstɑ̃s] n. f. — Fin XVᵉ; «fait de ne pas empêcher (qqch.)», 1407; de *nonobstant* d'après le lat. *obstantia*, de *obstare.*

♦ Dr. canon. Clause commençant par les mots *non obstantibus.*

NONOBSTANT [nɔnɔpstɑ̃] prép. et adv. — XIIIᵉ; de *non*, et de l'anc. franç. *obstant* empr. au lat. *obstans*, p. prés. de *obstare* «faire obstacle».

★ **I.** Prép. Vx ou dr. (Parfois employé par plais.). Sans être empêché* par qqch., sans s'y arrêter. ⇒ **Dépit** (en dépit de), **égard** (sans égard à), **malgré**. *Nonobstant son mariage, il eut de nombreuses galanteries* (cit. 17). → aussi Diagnostic, cit. 2; intercéder, cit. 1. — Dr. *Nonobstant prohibitions* (→ Indivision, cit.). — (V. 1360). *Ce nonobstant, nonobstant ce* : malgré cela.

1
Il faut, nonobstant tout, avoir pitié de vous.   MOLIÈRE, Tartuffe, II, 3.
2
(...) nonobstant cette ferme déclaration, il s'esquive lui-même (...)
     H. BARBUSSE, le Feu, t. I, II.

Loc. conj. (XIVᵉ). Vx. *Nonobstant que...* (→ Animer, cit. 38; attifer, cit. 1) : bien que.

★ **II.** Adv. (1530). Vx ou littér. ⇒ **Cependant, néanmoins.**

3
Je vais suivre l'immense fortune de Bonaparte qui, nonobstant, a passé si vite que (...)   CHATEAUBRIAND, Mémoires d'outre-tombe, t. III, p. 48.
4
Nonobstant, il se tint parole (...)
     BARBEY D'AUREVILLY, les Diaboliques, « La vengeance d'une femme », p. 418.
5
(...) J'ai bien failli ne pas venir, lui dis-je en entrant. — Je savais que vous diriez cela, fit-il en m'invitant à m'asseoir — et que vous viendriez nonobstant.
     GIDE, Corydon, IIᵉ dialogue.

NON-PAIEMENT [nɔ̃pɛmɑ̃] n. m. — 1743; de *non*, et *paiement.*

♦ Dr. Défaut de paiement. *En cas de non-paiement.*
CONTR. Paiement.

NONPAREIL, EILLE [nɔ̃paʁɛj] adj. et n. — 1350; var. anc. *nompareil*; de *non*, et *pareil.*

★ **I.** Adj. Vx ou littér. Qui n'a pas son pareil, qui est sans égal en son genre. ⇒ **Beau, inégalable, pareil** (sans pareil). — REM. On rencontre parfois l'orthographe *non-pareil, non pareil.*

1
J'ai souhaité un fils avec des ardeurs non pareilles (...)
     MOLIÈRE, Dom Juan, IV, 4.

2
(...) ce sculpteur ingénu qui, dans la cité future, fait des pipes d'une beauté non pareille parce qu'il les fait avec amour, et qu'il les donne et ne les vend pas.
     FRANCE, le Petit Pierre, VIII.
2.1
Son cœur cessa de battre un instant, puis, avec une vélocité nonpareille, elle fit un demi-tour et courut sur les lieux de l'accident.
     R. QUENEAU, le Chiendent, p. 42.

★ **II.** N. ♦ **1.** N. f. (Vx.) Ce qui n'a pas son pareil en fait de petitesse. — Spécialt. La plus petite marchandise* que vend un commerçant, le plus petit article que fabrique un artisan. — (1656). Mercerie. Ruban très étroit. — (1680, *nompareille*). Confis. Dragée de très petite taille.

3
De grands plats de crème jaune (...) présentaient dessinés sur leur surface unie, les chiffres des nouveaux époux en arabesques de non pareille.
     FLAUBERT, Mᵐᵉ Bovary, I, IV.
4
Elle déploya ses longs cheveux plus fins que soie, les démêla, les peigna (...) et les rattacha avec des non-pareilles bleues, couleur bienséante à son teint de rose pâle.
     Th. GAUTIER, le Capitaine Fracasse, VIII.

Typogr. Vx. Petit caractère d'imprimerie (appelé aujourd'hui *corps de six points, corps 6*).

♦ **2.** N. f. (1801) ou m. (1845). Petit passereau d'Amérique du Nord.

5
Si le geai bleu de Meschacebé disait à la nonpareille des Florides : «Pourquoi vous plaignez-vous si tristement? n'avez-vous pas ici (...) toutes sortes de pâtures, comme dans vos forêts? — Oui, répondrait la nonpareille fugitive; mais mon nid est dans le jasmin; qui me l'apportera?
     CHATEAUBRIAND, Atala, Les chasseurs.

♦ **3.** N. m. (1667) ou f. (1721). Nom de diverses espèces d'œillet.

NON-PARLEMENTAIRE [nɔ̃paʁləmɑ̃tɛʁ] adj. et n. — 1971, *in* P. Gilbert (G. L. L. F.); de *non*, et *parlementaire.*

♦ Polit. Qui fait partie du personnel politique mais n'est pas membre d'une assemblée parlementaire élue. *Il y a parmi les ministres, parmi les leaders de ce parti, des non-parlementaires.*
CONTR. Parlementaire.

NON-PARTICIPATION [nɔ̃paʁtisipasjɔ̃] n. f. — 1971; de *non*, et *participation.*

♦ Absence, refus de participation.
CONTR. Participation.

NON-PESANTEUR [nɔ̃pəzɑ̃tœʁ] n. f. — 1966; de *non*, et *pesanteur.*

♦ Phys., astronaut. Absence de pesanteur. ⇒ **Apesanteur.** *Des astronautes soumis à la non-pesanteur.*

NON-POSSÉDANT, ANTE [nɔ̃pɔsedɑ̃, ɑ̃t] adj. — 1900, *in* D. D. L.; de *non*, et *possédant.*

♦ Qui ne fait pas partie des possédants.
CONTR. Possédant.

NON-PRÉSENCE [nɔ̃pʁezɑ̃s] n. f. — 1877, Littré, *Suppl.*; de *non*, et *présence.*

♦ Didact. Fait de ne pas être présent (à tel endroit), notamment (dr.) à l'audition d'une cause.

NON-PROFESSIONNEL, ELLE [nɔ̃pʁɔfesjɔnɛl] adj. et n. — XXᵉ; de *non*, et *professionnel.*

♦ **1.** Adj. Qui n'est pas professionnel.

ⓐ Qui n'est pas destiné à l'exercice d'une profession. *Local à usage exclusivement non-professionnel.*

ⓑ Qui n'est pas destiné à être utilisé par des professionnels. *Un excellent matériel non-professionnel pour l'enregistrement sonore.*

♦ **2.** N. Personne qui n'est pas un professionnel, une professionnelle. ⇒ **Amateur** (→ Lourd, cit. 6). *Les jeunes gens qui participent aux fouilles sont pour la plupart des non-professionnels.*

NON-PROLIFÉRATION [nɔ̃pʁɔlifeʁasjɔ̃] n. f. — V. 1966; de *non*, et *prolifération.*

♦ Loc. *Traité de non-prolifération des armes nucléaires* : accord entre les États, qui en interdit la fabrication. ⇒ **Non-dissémination.**

NON-RECEVOIR [nɔ̃ʁ(ə)səvwaʁ] n. m. — 1690, Furetière; de *non*, et *recevoir.*

♦ *Fin de non-recevoir.* ⇒ **Fin** (cit. 41 et 42). → aussi Informer, cit. 10.

NON-RECONDUCTION [nɔ̃ʀ(ə)kɔ̃dyksjɔ̃] n. f. — Mil. xxᵉ (*in* Larousse, 1968); de *non*, et *reconduction*.

♦ Dr., comm. Fait de ne pas reconduire (un contrat, un traité, un accord); état qui en résulte.
CONTR. **Reconduction.**

NON-RECOURS [nɔ̃ʀ(ə)kuʀ] n. m. — Mil. xxᵉ; de *non*, et *recours*.

♦ Fait de ne pas recourir (à...). *Le non-recours à des mesures répressives.*
CONTR. **Recours.**

NON-REPRÉSENTATION [nɔ̃ʀ(ə)pʀezãtasjɔ̃] n. f. — 1936, Capitant; de *non*, et *représentation*.

♦ Dr. *Non-représentation d'enfant :* délit qui consiste à ne pas présenter un mineur à la personne qui a droit de le réclamer (par jugement) ou qui détourne, enlève un mineur aux personnes à qui la garde en a été confiée.
CONTR. **Représentation** (d'enfant).

NON-RÉSIDENCE [nɔ̃ʀezidãs] n. f. — 1652; de *non*, et *résidence*.

♦ Fait de ne pas résider là où l'on devrait résider.
Il *(Talon, avocat général)* s'égaya, à ce propos, sur la non-résidence des évêques, contre laquelle il fit donner effectivement un arrêt sanglant (...)
RETZ, Mémoires, II, p. 613.

NON-RÉSIDENT, ENTE [nɔ̃ʀezidã, ãt] n. et adj. — Mil. xxᵉ; de *non*, et *résident*.

♦ Qui ne réside pas en permanence, n'est pas domicilié (en un lieu). *Les non-résidents doivent remplir une fiche de police.* — Adj. *Les personnes non-résidentes.*

NON-RETOUR (POINT DE) [pwɛ̃d(ə)nɔ̃ʀ(ə)tuʀ] n. m. — V. 1965; calque de l'anglo-amér. *point of no return*.

♦ Point au delà duquel un aéronef ne peut plus revenir à son point de départ.
Fig. Moment où il n'est plus possible de revenir en arrière (dans une série ordonnée d'actes, de décisions).
Il n'est pas un mot, pas une pensée, qui ne déclenche à tout moment l'odieux mécanisme pendulaire des outrages et des représailles On arrive encore à l'amortir, mais qui sait où se situe le point de non-retour, celui où l'impulsion sera plus forte que le freinage. R. ESCARPIT, *in* le Monde, 26 oct. 1967.

NON-RÉTROACTIVITÉ [nɔ̃ʀetʀɔaktivite] n. f. — V. 1960; de *non*, et *rétroactivité*.

♦ Dr. Impossibilité d'adopter des dispositions légales ayant un effet rétroactif.
CONTR. **Rétroactivité.**

NON-RÉUSSITE [nɔ̃ʀeysit] n. f. — 1792; de *non*, et *réussite*.

♦ Fait de ne pas réussir. ⇒ **Échec, insuccès.** *La non-réussite de ses ambitions.*
CONTR. **Réussite.**

NON-RÉVÉLATION [nɔ̃ʀevelasjɔ̃] n. f. — 1824, *non révélation*, in D. D. L.; de *non*, et *révélation*.

♦ Dr. Fait de ne pas révéler (un crime, un délit) après en avoir eu connaissance. *La non-révélation de crime est une infraction.*
CONTR. **Révélation** (de crime).

NON-SALARIAL, ALE, AUX [nɔ̃salaʀjal, o] adj. — Mil. xxᵉ; de *non*, et *salarial*.

♦ Écon. Qui ne provient pas d'un salaire. *Revenus non-salariaux.*
CONTR. **Salarial.**

NON-SALARIÉ, ÉE [nɔ̃salaʀje] adj. et n. — Mil. xxᵉ; de *non*, et *salarié*.

♦ Se dit d'une personne active dont les revenus ne proviennent pas d'un salaire. *« Les non-salariés sont plus nombreux en France que chez certains de nos voisins »* (l'Express, 12 févr. 1972, p. 120).
CONTR. **Salarié.**

NON-SATISFACTION [nɔ̃satisfaksjɔ̃] n. f. — 1866; de *non*, et *satisfaction*.

♦ Didact. Absence de satisfaction (d'un besoin, etc.). *La non-satisfaction des demandes syndicales.* — Par ext. État d'esprit qui en résulte. ⇒ **Insatisfaction.**
Si les pollutions se rattachent à la non-satisfaction d'un besoin physiologique, ainsi qu'on l'observe si fréquemment chez les hystériques; il faut obéir aux exigences de la nature, en se rappelant que le mariage n'est un moyen efficace que si le rapprochement sexuel est opéré de manière à ne pas laisser les organes génitaux de la femme indifférents, ou à ne pas les exciter, plus ou moins, sans aboutir à l'orgasme qui termine tout acte régulier et complet.
L. FLEURY, Traité thérapeutique et clinique d'hydrothérapie, p. 620-621, 1866, *in* D.D.L., II, 8.
CONTR. **Satisfaction.**

NON-SENS [nɔ̃sãs] n. m. invar. — Av. 1778; angl. *nonsense* (1614); «manque de bon sens», v. fin xIIᵉ; de *non*, et *sens*.

♦ **1.** Défaut de sens, de signification. *Distinguer l'absurde* (cit. 1) *du non-sens. Sens et non-sens,* essai de Merleau Ponty.

♦ **2.** Ce qui est dépourvu de sens (phrase, proposition, raisonnement...). *Être plongé dans le non-sens* (→ Irrationnel, cit. 4). *Vos arguments sont des non-sens* (→ Ne pas tenir debout*). *Démontrer qu'une hypothèse est un non-sens* (→ Cause, cit. 8). — Spécialt. *Élève qui fait un non-sens dans une version latine* (⇒ **Contresens**).
Cette spirituelle personne *(Mᵐᵉ de Langeais)* prit plaisir à jeter le rude Montriveau dans une conversation pleine de bêtises, de lieux communs et de non-sens, où il manœuvra, militairement parlant, comme eût fait le prince Charles aux prises avec Napoléon. BALZAC, la Duchesse de Langeais, Pl., t. V, p. 172.

♦ **3.** (1830, Balzac). Par ext. Défi au bon sens, à la raison. ⇒ **Absurdité.**
Exalter la violence et la haine pour instaurer le règne de la justice et de la fraternité, c'est un non-sens : c'est trahir, dès le départ, cette justice et cette fraternité que nous voulons faire régner sur le monde (...)
MARTIN DU GARD, les Thibault, t. V, p. 106.

♦ **4.** ⇒ **Nonsense.**

NONSENSE [nɔnsɛns] n. m. — Mil. xxᵉ (1962 in Rey-Debove et Gagnon); mot angl., de *non* «non», et *sense* «signification»; une fois en 1829, Jacquemont, avec la valeur *non-sens*, 2.

♦ Caractère absurde et paradoxal, en littérature. — Par ext., dans les arts narratifs (cinéma, etc.). Texte, récit ayant ce caractère, notamment dans la littérature britannique (Lewis Carroll). *« Il est du pays qui a inventé l'humour — mot anglais par excellence —, de la patrie du nonsense »* (G. Dumur, in le Nouvel Obs., 17 juil. 1972, p. 36).

NON-SOI [nɔ̃swa] n. m. — V. 1970; de *non*, et *soi*.

♦ Physiol. Élément constituant un corps étranger par rapport à la structure fonctionnelle d'un organisme. *« N'appartenant pas au soi de l'organisme, l'antigène est reconnu comme* non-soi *»* (la Recherche, sept. 1979, p. 824).

NON-SPÉCIALISATION [nɔ̃spesjalizasjɔ̃] n. f. — Mil. xxᵉ; de *non*, et *spécialisation*.

♦ Fait de n'avoir pas de spécialisation.
CONTR. **Spécialisation.**

NON-SPÉCIALISÉ, ÉE [nɔ̃spesjalize] adj. — Mil. xxᵉ; de *non*, et *spécialisé*.

♦ Qui n'est pas spécialisé. *Un ouvrier non-spécialisé.*
CONTR. **Spécialisé.**

NON-SPÉCIALISTE [nɔ̃spesjalist] n. et adj. — xxᵉ; de *non*, et *spécialiste*.

♦ Qui est sans qualification professionnelle particulière; qui n'est pas spécialiste. *« Cet ouvrage, moins accessible que le premier pour les non-spécialistes »* (la Recherche, juin 1981, p. 780). — REM. En médecine, on dit *généraliste*.
CONTR. **Spécialiste.**

NON-STOP [nɔnstɔp] adj. invar. et n. m. ou f. invar. — 1966, in *le Monde*; de l'angl. *non stop*.
Américanisme.

★ **I.** Adj. ♦ **1.** Se dit d'un vol sans escale. ⇒ **Direct.** *Un vol non-stop entre Paris et New York.*

♦ **2.** (Sports, spectacles, etc.). Qui se déroule de façon ininterrompue. *Descente non-stop* (en ski). *Toute la nuit, un concert non-stop. Des débats, des négociations non-stop.*

★ **II.** N. m. ou f. Processus ininterrompu. *Plusieurs pianistes ont joué en non-stop.*

NON-SUCRE [nõsykʀ] n. m. — Mil. xxᵉ (*in* Larousse, 1963); de *non*, et *sucre*.

♦ Techn. Dans la fabrication du sucre, matière (impureté) qui accompagne le sucre dans les jus, les sirops, etc. *Les non-sucres.*

NON-SYNDIQUÉ, ÉE [nõsɛ̃dike] adj. et n. — Mil. xxᵉ; de *non*, et *syndiqué*.

♦ Se dit d'un travailleur qui n'adhère pas à un syndicat. *Des non-syndiqués.*

CONTR. Syndiqué.

NON-TISSÉ [nõtise] n. — V. 1970; de *non*, et *tissé*.

♦ Techn. Matériau obtenu en assemblant entre elles des fibres par des procédés chimiques ou physiques autres que le tissage ou le tricotage. *Une jupe en non-tissé. Les non-tissés.*

NON-TRAVAIL [nõtʀavaj] n. m. — 1964; de *non*, et *travail*.

♦ Écon. Période de la journée, de la semaine qui n'est pas consacrée au travail, sans faire partie des loisirs. — Par ext. Période où l'on ne travaille pas (1974, *le Monde, in* P. Gilbert). *Les non-travaux.*

CONTR. Travail (période de).

NON TROPPO [nontʀɔpo] loc. adv. — 1868; ital. «pas trop».

♦ Mus. Locution placée à la suite d'un adjectif pour indiquer le genre d'un mouvement musical, pour marquer que ce mouvement ne doit pas être exagéré. *Allegro non troppo, ma* (mais) *non troppo.*

NONUPLE [nɔnypl] adj. — 1550; repris par l'Académie, 1798, qui introduit le verbe *nonupler* «multiplier par neuf»; du lat. *nonus* «neuvième», d'après *septuple, octuple*.

♦ Didact. Multiplié par neuf, à neuf éléments.

(...) l'art du canon ne tarde-t-il pas à être exploité, dans le cadre de la forme plus riche du motet, par les musiciens de l'école franco-flamande. Il atteint son apogée à la fin du xvᵉ avec Ockeghem, auteur du fameux *Deo Gratias,* nonuple canon à trente-six voix.   A. HODEIR, les Formes de la musique, p. 49.

NON-USAGE [nɔnyzaʒ; nõ-] n. m. — 1689, *in* Brunot; de *non*, et *usage*.

♦ **1.** (1868). Fait de ne pas ou de ne plus utiliser (qqch.). *Non-usage d'un mot, d'une expression* (⇒ **Abandon**).

♦ **2.** Dr. «Fait de ne pas user d'un droit réel» (Capitant, *Voc. juridique*). *Le non-usage pendant trente ans est une cause d'extinction des servitudes de l'usufruit.*

CONTR. Usage.

NON-UTILISATION [nɔnytilizasjõ; nõ-] n. f. — 1968, *in* Larousse; de *non*, et *utilisation*.

♦ Fait de ne pas utiliser (dans quelques contextes). *La non-utilisation de l'uranium à des fins militaires.*

NON-VALEUR [nõvalœʀ] n. f. — 1512; de *non*, et *valeur*.

♦ **1.** Dr. État d'une propriété (terre, maison, ferme...) qui ne produit aucun revenu. — Par ext. Cette propriété elle-même. *Domaine laissé en non-valeur. Une terre en friche est une non-valeur.* — Comm., fin. Créance irrecouvrable. — Dr. fisc. *Admettre en non-valeurs les cotes irrecouvrables; ces cotes elles-mêmes. Couvrir les non-valeurs.* — (1868). *Fonds de non-valeurs,* «destinés à couvrir les non-valeurs dans le recouvrement des impôts directs... et alimentés soit par certaines ressources affectées (pratique ancienne des centimes additionnels), soit par une dotation du budget qui présente, en France, la particularité de pouvoir s'accroître de crédits additionnels ouverts par décrets» (Capitant, *Voc. jurid.*).

♦ **2.** Par ext., fig. Chose sans valeur.

Au nombre des non-valeurs que l'on doit aux moralistes, il n'en est de plus complète que cet axiome : «L'homme est partout le même».
    J.-A. DE GOBINEAU, Nouvelles asiatiques, Introd.

(En parlant d'une personne). ⇒ **Nullité.**

CONTR. Valeur.

NON-VIABLE [nõvjabl(ə)] adj. — 1970; de *non*, et *viable*.

♦ Didact. Se dit d'un fœtus qui n'est pas encore viable du fait de son développement intra-utérin insuffisant.

NON-VIOLENCE [nõvjɔlãs] n. f. — V. 1920; de *non*, et *violence*; d'après l'angl., trad. approximative du sanscrit *ahimsâ*.

♦ Doctrine prêchée par Gandhi et qui recommande d'éviter la violence dans l'action politique, en toutes circonstances (→ Hindou, cit. 2). ⇒ **Résistance** (passive).

(...) je sais que la Non-violence est infiniment supérieure à la violence, que le pardon est plus viril que le châtiment. Le pardon est la parure du soldat (...) Non-violence n'est pas soumission bénévole au malfaisant. Non-violence oppose toute la force de l'âme à la volonté du tyran (...) Non-violence est souffrance consciente (...) La religion de la Non-violence n'est pas seulement pour les saints, elle est pour le commun des hommes. C'est la loi de notre espèce, comme la violence est la loi de la brute.
    R. ROLLAND, Mahatma Gandhi, p. 54-55 (Trad. de GANDHI, 1923).

CONTR. Violence.
DÉR. Non-violent.

NON-VIOLENT, ENTE [nõvjɔlã, ãt] adj. et n. — 1924; de *non-violence*.

♦ **1.** Partisan de la non-violence.

Je n'aurais pu me joindre à ceux de mes camarades «non-violents» qui manifestaient l'autre jour, sans ressentir un malaise profond.
    F. MAURIAC, le Nouveau Bloc-notes 1958-1960, p. 330.

N. *Les non-violents.*

♦ **2.** Qui procède par la non-violence. *Manifestations non-violentes.*

CONTR. Violent.

NON-VOISÉ, ÉE [nõvwaze] adj. — V. 1960; de *non*, et *voisé*.

♦ Didact. (Phonét., phonologie). ⇒ **Sourd.**

CONTR. Voisé.

NON-VOYANT, ANTE [nõvwajã, ãt] n. — V. 1970; de *non*, et *voyant*.

♦ Personne qui ne voit pas; aveugle ou quasi-aveugle. ⇒ **Aveugle** (→ Mal*-voyant). *«Des fils électriques conducteurs dans lesquels passaient des signaux qui étaient détectés par la canne de l'aveugle (... voilà) qui faciliterait bien la vie des non-voyants»* (*Sciences et Avenir, Les organes artificiels,* 1979, p. 84).

NON-VUE [nõvy] n. f. — Fin xviᵉ; de *non*, et *vue*.

♦ Mar. Vx. Situation d'un équipage environné d'une brume très épaisse qui l'empêche de reconnaître les parages où il navigue.

NOO- Premier élément de mots savants, grec *noo-*, de *noos*, var. archaïque de *noûs* «esprit».

NOOANALEPTIQUE [nɔɔanalɛptik] adj. et n. m. — 1968, *in* G. L. E., Suppl.; de *noo-*, et *analeptique*.

♦ Méd. Qui exerce une action psychoanaleptique*, soit en stimulant la vigilance, soit en défatiguant le système nerveux. — N. m. *Les amphétamines, les anorexigènes sont des nooanaleptiques. Nooanaleptique à action métabolique.*

NOOLEPTIQUE [nɔɔlɛptik] adj. et n. m. — Mil. xxᵉ; de *noo-*, et *-leptique*, d'après *psycholeptique*.

♦ Méd. Se dit d'un médicament qui favorise le sommeil en abaissant le seuil de la vigilance. — N. m. *Les barbituriques, les hypnotiques sont des nooleptiques.*

NOOLOGIQUE [nɔɔlɔʒik] adj. — 1834, Ampère; de *noo-*, et *logique*.

♦ Philos. *Sciences noologiques,* celles qui ont pour objet le monde de l'esprit* (par oppos., dans la classification d'Ampère, aux *sciences cosmologiques*).

NOOSPHÈRE [nɔɔsfɛʀ] n. f. — 1947, Teilhard de Chardin; de *noo-*, et *sphère*.

♦ Philos. Chez Teilhard de Chardin, Monde de la pensée (figuré par une couche se superposant à la Biosphère).

NOPAGE [nɔpaʒ] n. m. — 1723; de *nope* ou *noppe*.

♦ Techn. Action de noper les draps.

NOPAL, ALS [nɔpal] n. m. — 1587; mot esp. empr. à l'aztèque *nopalli*.

♦ Bot. Plante dicotylédone *(Cactées)*, variété d'opuntia (⇒ **Oponce**) communément appelée *figuier de l'Inde* ou *de Barbarie*, à rameaux aplatis (raquettes) et à fruits comestibles (figues de Barbarie). *Des nopals épineux* (→ Arène, cit. 5). *Cochenille de nopal.*

1   (...) *des cahutes de plâtre* (...) *entourées de grands nopals qui affectent des formes bizarres et entassent en désordre les unes sur les autres leurs palettes épineuses.*
                   CHATEAUBRIAND, *Itinéraire...*, III, p. 274.

2   (...) *nulle végétation, que celle des nopals — ces paradoxales raquettes vertes, couvertes de piquants venimeux — dans le fouillis desquels se cachent dit-on, des najas.*   GIDE, *Si le grain ne meurt*, II, I, p. 298.

NOPE ou **NOPPE** [nɔp] n. f. — 1812, *nope*; *noppe*, 1350; flamand *noppe* « nœud ».

♦ Techn. Bourse, nœud à la surface du drap qui vient d'être fabriqué. *On enlève les nopes par la tonte.*

DÉR. Nopage, noper, nopeuse.

NOPER [nɔpe] v. tr. — 1723; *nopper*, v. 1300; de *nope* ou *noppe*.

♦ Techn. Extraire les nopes, séparer les fils doubles de (un drap).

NOPEUSE [nɔpøz] n. f. — 1723; de *nope* ou *noppe*.

♦ Techn. (Vx). Ouvrière chargée de noper les draps.

NORADRÉNALINE [nɔʀadʀenalin] n. f. — 1954; préf. chimique *nor-* « normal », et *adrénaline*.

♦ Didact. (Biol., chim.). Substance dérivée de l'adrénaline (à propriétés vaso-constrictives plus fortes, et moins toxique que cette dernière). *« Le système sympathique, avec décharge d'adrénaline et de noradrénaline entraînant en réponse une excitation de toutes les glandes »* (*Sciences et Avenir*, mars 1980, p. 28).

COMP. Noradrénergique.

NORADRÉNERGIQUE [nɔʀadʀenɛʀʒik] adj. — 1974, in *la Banque des mots*; de *noradré(naline)*, et *énergique*.

♦ Physiol. Qui agit par la noradrénaline. *Le « faisceau noradrénergique dorsal, naguère considéré comme régulateur essentiel du sommeil paradoxal... »* (*la Recherche*, déc. 1979, p. 1191).

NORAF [nɔʀaf] n. — D. incert.; notation de la prononc. de *Nord-Africain*, avec abrègement.

♦ Pop., péj. (terme raciste). Nord-Africain (écrit aussi *nordaf*).

NORBERTIN, INE [nɔʀbɛʀtɛ̃, in] adj. et n. — Mil. XXᵉ (in Larousse, 1963); du nom de saint *Norbert*, fondateur de l'ordre.

♦ Relig. De l'ordre des Prémontrés. — Prémontré.

NORD [nɔʀ] n. m. et adj. — 1549; *north*, v. 1138; *nort*, v. 1155; empr. de l'anc. angl. *north*.

★ **I. N. m. ♦ 1.** Celui des quatre points cardinaux* correspondant à la direction du pôle* qui est situé dans le même hémisphère que l'Europe et la majeure partie de l'Asie. ⇒ **Septentrion** (poét.). *Actuellement le nord géographique correspond assez exactement à la direction de l'étoile polaire* (nommée aussi parfois [1688] *Étoile du Nord*). *Se diriger au nord, vers le nord. L'île* (cit. 6) *de la Cité avec ses deux ponts, l'un au nord, l'autre au midi. Le vent tourne au nord* (⇒ **Anordir**), *s'établit au nord.* ⇒ **Aquilon** (poét.), **bise, borée** (poét.), **étésien** (vents étésiens), **mistral, tramontane.** — *Le Nord :* le vent du nord personnifié (→ Furie, cit. 14, La Fontaine).

1   *Ou l'adieu du chasseur que l'écho faible accueille
     Et que le vent du nord porte de feuille en feuille.*
                  A. DE VIGNY, *Livre moderne*, « Le cor ».

Nord magnétique, indiqué par l'aiguille aimantée et différent du nord géographique (⇒ **Boussole**). — Fig. *Perdre le nord.* ⇒ **Perdre** (la boussole, le nord, la tramontane...).

AU **NORD** DE... Dans une région située dans la direction du nord

---

par rapport à un lieu donné. *Au nord de la. Loire* (→ Linguistiquement, cit.). *Paris est au nord d'Orléans.* ⇒ **Dessus** (au-).

(1690). En parlant de l'exposition d'un lieu en face de ce point cardinal. *Grenier dont la lucarne est au nord* (→ Araignée, cit. 10). *Pièce exposée au nord, en plein nord.*

   (...) *la chambre à coucher de Valentine, qui avait été choisie pour faire fonction d'atelier, comme étant la seule pièce de l'appartement dont la fenêtre donnât au nord, et dont, par conséquent, la lumière fût toujours la même.*
                   STENDHAL, *Féder.*, III.

♦ **2.** (V. 1155). Ensemble des pays situés près du pôle Nord. — Partie d'un ensemble géographique qui est la plus proche du nord. — REM. De nos jours, on écrit *Nord* dans ce sens avec une majuscule.

Spécialt. (Vieilli). Ensemble des pays froids et lointains de l'Europe septentrionale ou orientale (Pologne, Prusse, Russie, Suède...). ⇒ **Nordique.** → Aurore, cit. 32; impératrice, cit. 3; 1. mannequin, cit. 2. *« C'est du nord aujourd'hui que nous vient la lumière »* (cit. 35, Voltaire).
*Le nord de l'Europe opposé au Midi** (cit. 13, 14 et 15). *Pays* (→ Idéc, cit. 55), *peuples du Nord.* ⇒ **Nordique.**

   Il y a dans l'Europe une espèce de balancement entre les nations du midi et celles du nord. Les premières ont toutes sortes de commodités pour la vie, et peu de besoins; les secondes ont beaucoup de besoins, et peu de commodités pour la vie (...) *L'équilibre se maintient par la paresse qu'elle a donnée aux nations du midi, et par l'industrie et l'activité qu'elle a données à celles du nord. Ces dernières sont obligées de travailler beaucoup, sans quoi elles manqueraient de tout, et deviendraient barbares.*   MONTESQUIEU, *l'Esprit des lois*, XXI, III.

(1690). En parlant de la France et surtout par oppos. au *Midi*, au *Sud*. *La moitié de la France qui se trouve le plus au nord* (→ Français, cit. 5). *La France du Nord* (→ Joug, cit. 5). *Les gens, un homme du Nord* (→ Midi, cit. 16 et 17). — *L'ensemble des départements qui se trouvent le plus au nord de la France* (Nord, Pas-de-Calais, Somme, Aisne...). *La région du Nord* (→ Minier, cit.). *Les industriels, les mineurs du Nord. L'ancien réseau des chemins de fer du Nord. La gare du Nord à Paris.*
Le Grand Nord : la partie du globe terrestre située près du pôle nord. *Qui est situé, qui habite dans le Grand Nord.* ⇒ **Hyperborée; hyperboréen.**

   On peut définir rapidement le Grand Nord (...) *comme la partie de l'hémisphère septentrional située à la limite extérieure de la ligne de croissance des arbres, c'est-à-dire aux environs du 65ᵉ degré.*   Paul DEL PERUGIA, *le Grand Nord*, p. 6.
... DU NORD. *Afrique du Nord* (→ Armée, cit. 14). *Amérique du Nord. Corée du Nord. Mer du Nord* (→ Libérer, cit. 9).

★ **II. Adj. invar.** Qui se trouve au nord. *Hémisphère Nord.* ⇒ **Boréal** (→ Hiver, cit. 7; 2. montre, cit. 5). *Pôle Nord* (⇒ **Arctique**). *Latitude* (cit. 2) *nord. La moitié nord de la France.* ⇒ **Septentrional.** *Les côtes nord de la Bretagne. Les croisillons* (cit.) *nord et sud du transept. Le portail nord d'une cathédrale.*

CONTR. Midi, sud.
COMP. et DÉR. Anordir, nord-africain, nord-américain, nord-coréen, nord-est, nord-européen, nordique, nordir, nordisme, nordiste, nord-nord-est, nord-nord-ouest, nord-ouest, nord-vietnamien.

NORD-AFRICAIN, AINE [nɔʀafʀikɛ̃, ɛn] adj. et n. — 1912; de *nord*, et *africain*.

♦ D'Afrique du Nord. *Climat nord-africain. Économie nord-africaine. Population, main-d'œuvre nord-africaine.*

REM. Le terme apparaît d'abord dans le vocabulaire de l'ethnographie : *« Quatre techniques nord-africaines : les soufflets algériens, les poteries kabyles* (...) *Le tissage au carton et l'art ornemental »* (Compte-rendu dans *le Spectateur*, nº 33, 1912, p. 134).

N. *Un Nord-Africain* (fém. rare : *une Nord-Africaine*). ⇒ **Maghrébin.** Abrév. fam. (péj. et raciste) : *nordaf* [nɔʀdaf] ou *noraf* [nɔʀaf]. *« Dans les Bouches-du-Rhône et le Var, les "Nord-Africaine" vivent dans la peur. Même sur les chantiers ils ne se sentent plus en sécurité »* (*le Nouvel Obs.*, 10-16 sept. 1973, p. 40). De nombreux termes péjoratifs et racistes ont été utilisés pour désigner les Nord-Africains (⇒ **Bicot, bougnoul, raton**).

   Il y a tous ceux que la pauvreté a conduits ici, les Noirs débarqués des bateaux, en route vers les pays froids, vêtus de chemisettes bariolées, avec pour tout bagage un sac de plage; les Nord-Africains, sombres, couverts de vieilles vestes, coiffés de bonnets de montagne ou de casquettes à oreillettes.
              J.-M. G. LE CLÉZIO, *Désert*, p. 255.

NORD-AMÉRICAIN, AINE [nɔʀamerikɛ̃, ɛn] adj. et n. — 1906, Paul Adam, *Vues d'Amérique*, p. 218; de *nord*, et *américain*, calque de l'anglais.

♦ D'Amérique du Nord. — N. *Les Nord-Américains.* ⇒ **Américain.** — REM. Le dér. *nord-américanisme* est attesté (1911, *in* D. D. L.).

NORD-CORÉEN, ENNE [nɔʀkɔʀeɛ̃, ɛn] adj. et n. — 1950; de *nord*, et *coréen*.

♦ De la Corée du Nord. — N. *Les Nord-Coréens.*

NORD-EST [nɔʀɛst; en mar. nɔʀdɛst] n. m. et adj. — 1596; *nordest*, v. 1160; *northest*, v. 1241; de *nord*, et *est*.

♦ **1.** Point de l'horizon situé à égale distance entre le nord et l'est. *Se diriger vers le nord-est. Le nord-nord-est*, situé à égale distance entre le nord et le nord-est. — *Le nord-est :* le vent qui souffle de cette direction. Loc. fig. (vx). *Être sec comme le nord-est*, très sec.

♦ **2.** Partie d'un pays située dans cette direction. *Le nord-est de la France.* — Adj. *La région nord-est de l'Angleterre.*

Var. régionale (Nord et Ouest de la France) utilisée en marine : [nɔʀdɛ], écrit *nordet*, *nordée*.

(...) dehors, le froid glaçait les joues, avec un vent de nordée qui s'ajoutait aux vingt nœuds du bateau pour rendre le pont-promenade tout à fait inconfortable. C'était un pont pour mers chaudes.   Roger VERCEL, l'Île des revenants, p. 11.

DÉR. Nordester.

NORDESTER [nɔʀdɛste] v. intr. — 1678; *nortester*, 1579; de *nord-est*.

♦ Mar. Incliner vers le nord-est, en parlant du vent, de l'aiguille aimantée.

NORD-EUROPÉEN, ENNE [nɔʀœʀɔpeɛ̃, ɛn] adj. et n. — V. 1960; de *nord*, et *européen*.

♦ De l'Europe du Nord. *Les pays nord-européens.*

NORDICITÉ [nɔʀdisite] n. f. — D. incert. (mil. xxᵉ); de *nordique*, et *-ité*.

♦ Régional (Canada). Caractère nordique (2.).

NORDIQUE [nɔʀdik] adj. et n. — 1873, ling.; de *nord*.

♦ **1.** Qui est relatif, qui appartient aux pays du nord de l'Europe (spécialt, à la Scandinavie); qui en est originaire. *Culture nordique* (→ Apparenter, cit. 1). *Europe nordique* (→ Appoint, cit. 5). *Femme* (cit. 94) *nordique.* N. *Un, une nordique.* — Ling. *Langues nordiques,* issues du nordique commun (⇒ **Norois**) ou germanique septentrional. *Langues nordiques actuelles :* danois, islandais, norvégien, suédois. — Ethnol. *Race, type nordique.* — N. m. *Le nordique* (langue).

Le germanique septentrional ou « nordique », parlé en Scandinavie, est la langue germanique la plus anciennement attestée. Il est connu, entre la fin du IIᵉ et le VIIIᵉ siècles après J.-C., par environ cent cinquante inscriptions écrites en un alphabet dit « runique » qui fut également employé par les autres Germains et dont l'origine, très discutée, doit probablement être cherchée dans les alphabets du Nord de l'Italie. La langue de ces inscriptions est généralement appelée « nordique commun » et aussi norrois.
           A. MEILLET et M. COHEN, les Langues du monde, p. 57.

♦ **2.** Par ext. (Notamment au Canada). Qui est relatif aux régions et habitant situés dans toute la partie septentrionale de l'hémisphère boréal. — N. Nordiste*.

DÉR. Nordicité.

NORDIR [nɔʀdiʀ] v. intr. — 1868, Littré; de *nord*.

♦ Mar. « Tourner vers le nord, en parlant du vent : *les vents ont nordi* » (Gruss).

NORDISME [nɔʀdism] n. m. — 1926; de *nord*, et *-isme*.

♦ **1.** Arts. Doctrine des partisans d'un art nouveau, venu du nord de l'Europe, indépendant des influences méditerranéennes.

On appelle nordisme, en esthétique mais aussi en tout, une mentalité hostile à la corniche et à l'art gréco-romain bourgeois occidental (...) Je dis nordisme parce qu'on dit nordisme. On dit nordisme pour signifier que cette protestation est partie d'Angleterre au temps de Ruskin et de la Guilde de Saint-Georges, soit vers 1881.   Ch.-A. CINGRIA, l'Âge d'homme, in Œ. compl., p. 243-244,
                                                  in D. D. L., II, 12.

♦ **2.** Régional (Canada). « Ensemble des attitudes mentales ou des activités exprimant un engagement en faveur du Nord » *(Petit glossaire nordique).*

NORDISTE [nɔʀdist] n. et adj. — V. 1861-1865; de *nord*.

♦ **1.** Hist. Partisan ou membre des États du Nord, aux États-Unis, pendant la guerre de Sécession. — Adj. *Armée, navire nordiste.*

♦ **2.** Régional (Canada). Personne qui vit dans le Nord, dans les régions boréales ou qui, par mentalité, est attaché au Nord.

NORD-NORD-EST [nɔʀnɔʀɛst; mar., nɔʀnɔʀdɛst] n. m. — 1574; *northz northest*, déb. xiiiᵉ; de *nord*, et *est*.

♦ Didact. Aire de vent entre nord et nord-est; vent provenant de cette direction (abrév. N.-N.-E.). — REM. L'aire entre nord et nord-est est dite *nord-quart-nord-est.*

NORD-NORD-OUEST [nɔʀnɔʀwɛst; mar., nɔʀnɔʀdwɛst] n. m. — 1690; *nort noroest*, fin xvᵉ; de *nord*, et *ouest*.

♦ Didact. Aire de vent entre nord et nord-ouest; vent provenant de cette direction (abrév. N.-N.-O.). — REM. L'aire entre nord et nord-nord-ouest est dite *nord-quart-nord-ouest.*

NORD-OUEST [nɔʀwɛst; mar., nɔʀdwɛst] n. m. et adj. — 1677; *northwest*, v. 1155; de *nord*, et *ouest*.

♦ **1.** Point de l'horizon situé à égale distance entre le nord et l'ouest. *Se diriger vers le nord-ouest. Le nord-nord-ouest, situé à égale distance entre le nord et le nord-ouest. Maison exposée au nord-ouest.*

(1690; *noroest,* 1580). *Le nord-ouest :* le vent du nord-ouest. ⇒ **Noroît.**

♦ **2.** Partie d'un pays située dans cette direction. *Le nord-ouest de la France.* — Adj. *La partie nord-ouest de la Bretagne.*

DÉR. Nordouester. Noroît.

NORDOUESTER [nɔʀdwɛste] v. intr. — 1621; *nortoester,* 1579; de *nord-ouest*.

♦ Mar. (vx). Incliner vers le nord-ouest, en parlant du vent, de l'aiguille aimantée.

NORD-VIETNAMIEN, IENNE [nɔʀvjɛtnamjɛ̃, jɛn] adj. et n. — V. 1955; de *nord*, et *vietnamien*.

♦ De l'État du Vietnam du Nord (avant la réunification du pays). — N. *Les Nord-Vietnamiens.*

NO-RESTRAINT [nɔʀistʀɛnt] n. m. — V. 1858; *non-restraint,* 1972, Manuila; angl. *no-restraint-system* « système de non-contention », expression due au psychiatre Conolly, v. 1839; de *no* « non » et *restraint* « restriction ».

♦ Psychiatrie. Rejet de principe, dans les établissements psychiatriques, des moyens de contrainte et de contention appliqués aux malades.

Son célèbre ouvrage *(de Conolly)* the Treatement of the insane without mechanical restraints (Londres, 1856) provoqua de vives discussions parmi les aliénistes. La plupart d'entre eux se montrèrent au début complètement opposés à cette nouvelle méthode curative, jusqu'à ce que le no-restraint-system eût été appliqué en Angleterre, en Hollande, en Danemark, en France, en Allemagne.
           P. LAROUSSE, IIᵉ suppl. 1888, art. *Conolly.*

NORFOLK [nɔʀfɔlk] n. m. et adj. — 1918; de l'angl. *Norfolk,* nom d'un comté de la Grande-Bretagne.

♦ Vieilli. Veste avec martingale et culotte courte pour garçonnet. *Costume norfolk. Un norfolk.*

Sur sa veste norfolk il portait en brassard une grande croix rouge.
           Paul MORAND, Fermé la nuit, p. 41 (1923).

NORIA [nɔʀja] n. f. — 1792, *in* Brunot; esp. *noria;* arabe *nāɛūrah,* même sens.

♦ **1.** Machine à godets qui sert à élever l'eau et qui fonctionne suivant le principe du chapelet hydraulique (⇒ **Chapelet**). *Noria égyptienne.* ⇒ **Sakieh.**

On les voit dans tous les jardins de l'Espagne et du Maroc, ces norias dont le grincement est un des bruits de la terre africaine.   1
           Jérôme et Jean THARAUD, Rabat, XI.

♦ **2.** Appareil élévateur. — (1943). Spécialt. Mar. *Noria à munitions :* « Monte-charge à godets servant à élever les munitions de la soute jusqu'au parc à munitions voisin de la pièce » (Gruss).

(...) il sera possible dans le proche avenir de désigner un document microcopié en « composant » son numéro sur une sorte de cadran téléphonique, et de l'avoir en moins d'une minute à la portée de la main. Des « norias » (bacs mobiles montés sur chaîne) commandées de cette manière fonctionnent dès maintenant chez les grands constructeurs internationaux d'ordinateurs, pour le classement et la recherche des dossiers des clients.   2
           Encycl. Universalis, t. V, art. *Documentation,* 1969.

♦ **3.** Système de transport fondé sur une grande fréquence des passages.

NORMABLE [nɔʀmabl] adj. — V. 1960; de *normer*.

♦ Math. *Espace vectoriel topologique normable :* espace vectoriel topologique sur lequel il existe une norme telle que la topologie associée à cette norme ne soit autre que la topologie donnée sur cet espace.

NORMAL, ALE, AUX [nɔʀmal, o] adj. et n. — 1753; une première fois au xvᵉ, *verbe normal;* lat. *normalis,* de *norma* « équerre ».

♦ **1.** (1753). Géom. *Ligne normale,* et, n. (1759), *normale à une courbe en un point :* perpendiculaire à la tangente en ce point. *Normale à une parabole...* Par anal. *Normale à une surface :* perpendiculaire au plan tangent. *Plan normal,* perpendiculaire à la tangente.

♦ **2.** (1793). *École normale.* ⇒ **École** (*infra* cit. 6 et *infra* cit. 7). *École normale supérieure,* ou, ellipt, *Normale. Être reçu à Normale lettres, à Normale sciences.* ⇒ **Normalien.**

♦ **3.** Qui sert de règle, de modèle, d'unité de mesure, de point de comparaison. — Chim. *Solution normale :* solution titrée, qui contient une valence-gramme par litre et qui est utilisée dans les analyses volumétriques.

♦ **4.** (1833, Balzac → Flavescent, cit. ; signalé *in* Académie 1835, particult employé par A. Comte). *État normal :* état d'un être vivant, d'un organe qui n'a subi aucune altération, qui n'est affecté d'aucune modification pathologique ou tératologique (→ Estomac, cit. 7). *Le teint naturel, l'aspect normal du visage.* ⇒ **Naturel** (→ Farder, cit. 11). — Par ext. *Le merveilleux n'était pas pour lui l'exceptionnel* (cit. 8), *c'était l'état normal.* — *N'être pas dans son état normal :* ne pas se sentir bien.

1 Distinguons maintenant les divers agents généraux sous lesquels doit être poursuivie la comparaison biologique (...) Il est, d'ailleurs, sous-entendu que l'organisme sera toujours considéré à l'état normal. Quand les lois relatives à cet état auront été établies, on pourra passer à la pathologie comparée (...)
A. COMTE, Philosophie positive, t. II, p. 180.

♦ **5.** Cour. (Sens général). Qui est dépourvu de tout caractère exceptionnel ; qui est conforme au type le plus fréquent ou présumé tel (⇒ **Norme**) ; qui se produit selon l'habitude*, les prévisions. *Homme normal* (→ Erreur, cit. 6). *Il n'est pas normal,* se dit d'un individu dont le niveau intellectuel est inférieur à la moyenne (→ Idiot, cit. 12), dont le comportement laisse supposer des troubles mentaux. *Enfant constitué de la façon la plus normale* (→ Gras, cit. 16). *Conditions extérieures normales d'une sensation, d'une perception.* ⇒ **Habituel** (→ Hallucination, cit. 2). *Ration alimentaire normale* (→ Calorie, cit. 1). *En temps normal :* quand les circonstances sont normales. *Mes études allaient un train normal.* ⇒ **Régulier** (→ Éprouver, cit. 37). *Le dimanche n'est pas un jour normal.* ⇒ **Ordinaire** (→ Hiatus, cit. 6). *Cette construction grammaticale est normale en ancien français.* ⇒ **Courant.** *Charge normale d'un wagon* (→ Expédition, cit. 9). *Chemin de fer à voie normale. Ce prix est très normal.* ⇒ **Correct, honnête.** *Tout était normal chez lui quand il est rentré. La situation n'est pas encore redevenue normale.* — Alpin. *Voie normale,* utilisée couramment (pour atteindre un sommet).

2 (...) les monstres meurent. En vérité, nous ne les connaissons qu'à cette *propriété remarquable* de ne pouvoir durer. *Anormaux* sont les êtres qui ont un peu moins d'avenir que les *normaux.*
VALÉRY, M. Teste, Préface.

3 (...) l'annonce que la troisième semaine de peste avait compté trois cent deux morts ne parlait pas à l'imagination (...) personne en ville ne savait combien, en temps ordinaire, il mourait de gens par semaine. La ville avait deux cent mille habitants. On ignorait si cette proportion de décès était normale.
CAMUS, la Peste, p. 93.

Spécialt. Dont les habitudes sexuelles sont considérées comme normales (hétérosexualité, absence de perversions...).
Il est, paraît normal de... ⇒ **Compréhensible, légitime** (→ Kinescope, cit.). — *Trouver normal que... C'est bien normal,* excusable.

4 Mais puisque lui-même a vécu dans la terreur, il trouve normal que les autres la connaissent à leur tour. Plus exactement, la terreur lui paraît alors moins lourde à porter que s'il y était tout seul.
CAMUS, la Peste, p. 217.

♦ **6.** N. f. LA NORMALE. La moyenne. *Intelligence au-dessus, au-dessous de la normale* (→ Moyenne). *S'écarter de la normale. Revenir à la normale.*
Moyenne de données climatologiques.

CONTR. Anormal. — **Absurde, abusif, accidentel, baroque, bizarre, déraisonnable, dépravé, détraqué, difforme, drôle, énorme, étonnant, excentrique, exceptionnel, extraordinaire, faux, fou, grotesque, inattendu, indu, insolite, invraisemblable, irrégulier, magique, merveilleux, miraculeux, monstrueux, pathologique.** — **Particulier, spécial.**
DÉR. **Normalement, normalie, normalien, normaliser, normalité.**
COMP. V. **Anormal, sous-normale.**

NORMALEMENT [nɔʀmalmɑ̃] adv. — 1826 ; de *normal.*

♦ D'une manière normale, en temps normal. ⇒ **Habituellement** (→ Apanage, cit. 1 ; fécondité, cit. 4 ; hallucination, cit. 1 ; hérédité, cit. 14 ; localisation, cit. 1). *Tout s'est passé normalement. Pour quelqu'un de normalement intelligent...*

CONTR. **Accidentellement, anormalement, contresens (à), excessivement, irrégulièrement.**

NORMALIE [nɔʀmali] n. f. — 1874 ; de *normal.*

♦ Math. Surface réglée dont les génératrices sont perpendiculaires (⇒ **Normal,** 1.) à une surface déterminée.

NORMALIEN, IENNE [nɔʀmaljɛ̃, jɛn] n. — V. 1850 ; de (*École*) *Normale.*

♦ **1.** Élève de l'École normale supérieure (→ Examinateur, cit. 2). *Ancien normalien.* ⇒ **Archicube** (argot de l'École).

♦ **2.** Élève d'une école normale primaire.

NORMALISATION [nɔʀmalizasjɔ̃] n. f. — 1873 ; de *normaliser.*

♦ **1.** Action de normaliser. ⇒ **Standardisation.** *Normalisation agricole, industrielle. Association française de Normalisation* (AFNOR). *Bureaux de normalisation.*

(...) la normalisation comporte trois stades :
—la spécification, c'est-à-dire la définition des caractéristiques et performances que doit réunir le produit ;
—l'unification, ou indication des dimensions et tolérances qui permettent l'interchangeabilité des produits selon leurs divers emplois ;
—la simplification, ou suppression, dans une gamme de modèles établis selon les règles ci-dessus, de ceux qui font double emploi ou qui sont inutiles à la satisfaction des besoins courants.
G.-L. CAMPION, *in* ROMEUF, Dict. des sciences économiques, art. *Normalisation.*

REM. On réserve parfois le terme de *standardisation* au premier stade de la *normalisation.*

♦ **2.** (V. 1950). Action de rétablir (une situation) dans l'état antérieur ; son résulat. *Normalisation des relations diplomatiques.*

NORMALISER [nɔʀmalize] v. tr. — V. 1920 ; de *normal.*

♦ **1.** Soumettre une production industrielle ou agricole à des normes* (3.) tendant à réduire le nombre des types d'un même article, afin d'abaisser les prix de revient et de rendre les produits uniformes, les pièces des machines interchangeables, etc. ⇒ **Standardiser.** *Normaliser l'écartement des voies de chemin de fer, les dimensions des poutres métalliques, les méthodes comptables.*

Au p. p. *La «fabrication de produits normalisés et (...) préfabriqués »* (J.-C. Reggiani, *Industries et Commerce du bois,* p. 87).

♦ **2.** (V. 1950). Faire devenir ou redevenir normal. *Normaliser les relations diplomatiques avec un pays étranger.*

DÉR. **Normalisation.**

NORMALITÉ [nɔʀmalite] n. f. — 1834 ; de *normal.*

♦ Didact. Caractère de ce qui est normal.

NORMAND, ANDE [nɔʀmɑ̃, ɑ̃d] n. et adj. — XIIe, forme latinisée *nortmannus* au XIe ; empr. du francique *nortman* « homme du Nord », de *nort* « nord », et *man* « homme ».

♦ **1.** Hist. *Les Normands,* envahisseurs scandinaves (Norvégiens et surtout Danois) qui effectuèrent de nombreux raids en France et en Europe au IXe siècle (⇒ **Viking**). *Navires des Normands.* ⇒ **Drakkar.** *Rollon, chef d'une troupe de Normands, obtint de Charles le Simple un territoire qui fut le noyau de la future Normandie.* — De la province (jadis duché) de Normandie. *Conquête de l'Angleterre et de la Sicile par les Normands.*

1 Ainsi, lorsque les Normands, image des conquérants de l'empire, eurent pendant plusieurs siècles ravagé la France, ne trouvant plus rien à prendre, ils acceptèrent une province qui était entièrement déserte, et se la partagèrent.
MONTESQUIEU, Grandeur et Décadence des Romains, XIX.

2 Vous connaissez les d'Orgemol, ces deux géants, ces deux Normands des premiers temps, ces deux mâles de la vieille et puissante race de conquérants qui envahit la France, prit et garda l'Angleterre, s'établit sur toutes les côtes du vieux monde, éleva des villes partout, passa comme un flot sur la Sicile en y créant un art admirable, battit tous les rois, pilla les plus fières cités, roula les papes dans leurs ruses de prêtres et les joua, plus madrée que ces pontifes italiens (...)
MAUPASSANT, Monsieur Parent, « Les bécasses ».

Adj. *L'Angleterre normande du moyen âge.* ⇒ **Anglo-normand.** *Incursions normandes.*

♦ **2.** Cour. De la province française de Normandie. *Campagne, côte, maison* (→ Hameau, cit. 2) *normande. Armoire normande* (→ Meuble, cit. 4). Loc. fig. ⇒ **Armoire.** — *Le trou* normand.*
N. *Un Normand, une Normande.*
Loc. (1798). *Réponse de Normand* ou *réponse normande,* exprimée en termes ambigus. — (1678). *Répondre en Normand, ni oui, ni non** (cit. 22, Flaubert). — Fig., vieilli. *C'est un Normand, un fin Normand,* un homme rusé*, matois.

3 Et tâchez quelquefois de répondre en Normand.
LA FONTAINE, Fables, VII, 7 (→ Adulateur, cit. 2).

3.1 À question perfide, répondons en Normand. Oui, il y a rapport entre quotidienneté et inconscient, entre le quotidien et le désir. Et cependant, non.
Henri LEFEBVRE, la Vie quotidienne dans le monde moderne, p. 233.

Spécialt. *Cheval* (cit. 3) *normand.* — N. m. :

(...) le Valenod est tout fier des deux beaux normands qu'il vient d'acheter pour sa calèche.
STENDHAL, le Rouge et le Noir, I, III.

Vache normande, et, n. f., *une normande.* → Pâtis, cit.

Gothique normand. Architecture normande.

Les merveilleuses cathédrales anglaises que sont-elles, sinon une imitation, une exagération de l'architecture normande ? Les hommes eux-mêmes et la race, combien se sont-ils modifiés par le mélange français ? L'esprit guerrier et chicaneur, étranger aux Anglo-Saxons, qui a fait de l'Angleterre, après la conquête, une nation d'hommes d'armes et de scribes, c'est là le pur esprit normand. Cette sève acerbe est la même des deux côtés du détroit.   MICHELET, Hist. de France, III.

Le dialecte normand et, n. m., *le normand.*

♦ **3.** N. f. (1903). Caractère d'imprimerie très gras, à déliés fins.

DÉR. Normandiser, normandisme.
COMP. Anglo-normand.

NORMANDISER [nɔʀmãdize] v. intr. — Av. 1850, Balzac; de *normand.*

♦ Rare. S'exprimer dans le parler normand.

NORMANDISME [nɔʀmãdism] n. m. — 1838; de *normand.*

♦ Ling. Façon de parler propre aux Normands; régionalisme français propre à la Normandie.

NORMANNO-PICARD, ARDE [nɔʀmanopikaʀ, aʀd] adj. et n. m. — Fin XIXᵉ (*in* Brunot, *Hist. de la langue franç.*, t. I, 1906); de *normanno-*, lat. *normannus* (var. *nortmannus*), du francique **nortman* (→ Normand), et *picard.*

♦ Ling. Se dit des parlers comportant des éléments normands et picards et qui constituèrent le fond des parlers exportés de France en Angleterre au XIIᵉ siècle. ⇒ **Anglo-normand.** — N. m. *Le normanno-picard.*

(...) l'anglo-normand n'est pas un dialecte à proprement parler. C'est que, au normanno-picard importé avec l'invasion de Guillaume, s'était superposé au cours du XIIᵉ, un fort élément angevin.
          BRUNOT, Hist. de la langue franç., t. I, p. 319 (1906).

NORMATIF, IVE [nɔʀmatif, iv] adj. — 1868; dér. sav. du lat. *norma.*

♦ Didact. Qui constitue une norme, est relatif à la norme* (1.). → Loi, cit. 58. — *Sciences normatives,* «dont l'objet est constitué par des jugements de valeur, en tant que tels, c'est-à-dire en tant que la critique de cette valeur est le but de la science ainsi dénommée» (Lalande). *Logique, morale normative. L'objet d'une science normative n'est pas de décrire ou d'expliquer des faits, mais de donner des règles, des préceptes. Grammaire descriptive et grammaire normative* (→ Grammaire, cit. 8).

Il faut prendre garde de ne pas confondre *normatif* avec *impératif*. Une norme n'est pas nécessairement une loi ni un commandement : elle peut être un idéal, sans aucun caractère d'obligation.   A. LALANDE, Voc. de la philosophie.

DÉR. Normativisme, normativité.

NORMATIVISME [nɔʀmativism] n. m. — V. 1965; de *normatif.*

♦ Didact. Attitude normative systématique.

DÉR. Normativiste.

NORMATIVISTE [nɔʀmativist] adj. et n. — 1972; de *normativisme.*

♦ Didact. Relatif au normativisme. — Partian du normativisme.

(...) tout ce qui sépare le réalisme normativiste de Durkheim du nominalisme plus ou moins conventionnaliste des «empiristes logiques».
          J. PIAGET, Épistémologie des sciences de l'homme, p. 349.

NORMATIVITÉ [nɔʀmativite] n. f. — V. 1967; de *normatif.*

♦ Didact. Caractère de ce qui est normatif, de ce qui tend à constituer une norme.

N'a-t-il point constamment insisté (Freud) sur la non-normativité du désir de l'analyste, ce qui signifie que l'«après» de la relation analytique est strictement l'affaire du patient (...)
          J. MYNARD, Freud et la thérapeutique, *in* la Nef, nº 31, p. 62 (1967).

NORME [nɔʀm] n. f. — V. 1160, *mettre norme à* «régler»; rare jusqu'au XIXᵉ; du lat. *norma* «équerre».

♦ **1.** Didact. ou littér. «Type concret ou formule abstraite de ce qui doit être, en tout ce qui admet un jugement de valeur : idéal, règle, but, modèle suivant les cas» (Lalande. → Normatif, cit.). ⇒ **Canon, loi, principe, règle.** *Norme juridique, sociale* (→ Autonomie, cit. 3).

♦ **2.** (XIXᵉ). État* habituel, ordinaire, régulier, conforme à la majorité des cas (→ La moyenne, la normale). *S'écarter de la norme* (être déviant, marginal). *Revenir à la norme. Norme sociale* (→ ci-dessous, 5).

Ce n'est pas en ramenant l'homme au niveau du vital, des passions charnelles les moins relevées, qu'on atteint à l'œuvre d'art. Sans doute pourrait-on à exprimer une certaine norme humaine, un ensemble de faits où les individus sont peu différenciés ; mais l'art est précisément ce qui, partant de cet humus où tout se mêle dans l'uniformité, atteint à la plus grande individualisation.
          DANIEL-ROPS, Ce qui meurt..., p. 94.

♦ **3.** (V. 1920). Techn. Formule qui définit un type d'objet, un produit, un procédé technique en vue de simplifier, de rendre plus efficace et plus rationnelle la production dans un secteur économique donné. ⇒ **Normaliser, normalisation.** *Objet conforme aux normes.* ⇒ **Standard, type.** *Les normes AFNOR 150* (⇒ **Normalisation**).
Norme de productivité : productivité moyenne d'une gamme de produits. — *Norme française,* ou *norme NF :* document de référence qui définit l'ensemble des prescriptions techniques concernant des produits ou des méthodes déterminés. *La norme a vocation pour servir de référence technique dans les textes réglementaires.*

♦ **4.** Ling. [a] (Sens objectif). Ce qui dans la parole, le discours, correspond à l'usage général (opposé d'une part à *système*, d'autre part à *discours*). Syn. : *usage.* — On dit souvent, dans ce cas, *norme objective,* pour distinguer du sens prescriptif.

[b] (Sens prescriptif). Usage d'une langue valorisé et considéré comme préférable (⇒ **Normatif**).

♦ **5.** (Fin XIXᵉ, chez Durkheim; terme repris et diffusé sous l'infl. des sociologues anglo-saxons : angl. *norm*). [a] Sociol. Manière de faire, de se comporter ou de penser, souvent majoritaire (→ ci-dessus, 2.), socialement définie et sanctionnée, selon un système de référence implicite (⇒ **Idéologie, valeur**) ou explicite (⇒ **Règle; droit, loi**). *Les normes et la pratique. Conformité aux normes.* ⇒ **Normalité.** *Normes sociales, juridiques. Normes officielles, institutionnalisées, prescriptives. Caractère éthique, moral de certaines normes. Mœurs* et normes. Étude psychologique des normes sociales.*
(Collectif). *La norme. Conception durkheimienne de la norme sociale. La norme de l'activité professionnelle.* ⇒ **Déontologie.** *Conception génétique de la norme* (Piaget, *la Formation du jugement moral chez l'enfant*).

[b] Dr. Norme, règle juridique.

♦ **6.** (V. 1930). Math. *Norme d'un vecteur,* nombre réel correspondant à sa mesure. ⇒ **Distance.** *Vecteur muni d'une norme.* ⇒ **Normé.**

CONTR. Bizarrerie, difformité.
DÉR. Normé, normer.

NORMÉ, ÉE [nɔʀme] adj. — Mil. XXᵉ; de *normer* ou de *norme.*

♦ Math. Dont les vecteurs de base sont de même mesure. ⇒ **Orthonormé.** — Se dit d'un espace vectoriel pourvu d'une norme.

COMP. Orthonormé.

NORMER [nɔʀme] v. tr. — XXᵉ; de *norme.*

♦ Didact. Fixer, organiser selon une norme.

Fidèle à son esprit de toujours, la mathématique, dès qu'elle a importé le champ des anciennes questions épistémologiques, l'a analysé, l'a normé, l'a rendu rigoureux, a fait varier à l'infini sa constitution interne. Elle a manipulé ces questions avec toutes les libertés de sa rigueur.
          Michel SERRES, Hermès I, la Communication, p. 60.

Au p. p. ⇒ **Normé.**

NORMOBLASTE [nɔʀmɔblast] n. m. — 1901, Garnier-Delamare; de *normo-* (du lat. *norma* «règle»), et *-blaste.*

♦ Biol. Globule rouge semblable à l'hématie normale, qui se trouve dans la moelle osseuse.

DÉR. Normoblastique, normoblastose.

NORMOBLASTIQUE [nɔʀmɔblastik] adj. — Mil. XXᵉ; de *normoblaste.*

♦ Biol. Du normoblaste. *Série normoblastique.*

NORMOBLASTOSE [nɔʀmɔblastoz] n. f. — Mil. XXᵉ (*in* Garnier-Delamare, 1959); de *normoblaste,* et *-ose.*

♦ Méd. Présence anormale de normoblastes dans le sang.

NORMOCYTE [nɔʀmɔsit] n. m. — 1906, *in* D.D.L.; du lat. *norma* «règle», et *-cyte.*

♦ Didact. (Hématologie). Globule rouge normal dérivant d'un normoblaste (globule rouge nucléé) qui a rejeté son noyau. ⇒ **Hématie.**

DÉR. Normocytique.

NORMOCYTIQUE [nɔʀmɔsitik] adj. — Mil. XXᵉ; de *normocyte.*

♦ Didact. Se dit d'une anémie dans laquelle la baisse du nombre d'hématies correspond à une baisse du taux d'hémoglobine.

NORMOGRAPHE [nɔʀmɔgʀaf] n. m. — Mil. XXᵉ; de *normo-* (lat. *norma* «règle»), et *-graphe.*

♦ Techn. Plaquette de matière rigide (matière plastique,

métal, etc.), dans laquelle ont été évidés des contours de lettres ou de figures pour qu'on puisse en suivre le tracé.

NORMOTENDU, UE [nɔʀmotɑ̃dy] n. et adj. — xxᵉ ; de *normo-* (lat. *norma* « règle »), et *tendu*.

♦ Méd. Se dit d'un individu dont la tension artérielle est normale. « ... *quelques enfants normotendus issus de parents hypertendus* » (*la Recherche*, juin 1979, p. 678). N. *Un normotendu, une normotendue* (opposé à *hyper-* et *hypotendu*).

NORNES [nɔʀn] n. f. pl. — xıxᵉ (*in* Littré, 1868) ; mot de l'anc. *nordique* (plur. *nornir*) d'orig. obscure ; cf. suédois *norna* ; angl. *norn* (1770).

♦ Myth. Déesses de la mythologie germanique, qui règlent la vie des hommes (comme les Parques*).

NOROIS, OISE ou **NORROIS, OISE** [nɔʀwa, waz] n. et adj. — Fin xııᵉ ; *noreiz, norresche,* xııᵉ ; du rad. anc. angl. *north* « nord ».

♦ Ancienne langue des peuples scandinaves, appelée aussi *nordique* ou *germanique septentrional. Le vieux norrois.* — Adj. *Langue norroise. Texte norrois,* écrit en caractères runiques.

HOM. Noroît.

NOROÎT [nɔʀwa] n. m. — 1823, *Noroûé ; noroit,* 1869, *in* Hugo ; altér. dial. de *nord-ouest.*

♦ Mar. Vent du nord-ouest.

L'ouragan venait de s'arrêter court. Il n'y eut plus dans l'air ni suroit ni noroit. Les clairons forcenés de l'espace se turent.　　　HUGO, l'Homme qui rit, I, II, XVI.

HOM. Norois ou norrois.

NORVÉGIEN, IENNE [nɔʀveʒjɛ̃, jɛn] adj. et n. — 1771, Trévoux ; *norvegue* « nordique », xvᵉ ; all. *Norwegen, Norvège,* proprt « chemin du Nord ».

♦ **1.** Adj. et n. De la Norvège. *Population norvégienne. Fjord* (→ 2. Loch, cit.), *territoire norvégien. La langue norvégienne.* — N. *Les Norvégiens. Une Norvégienne.*

N. m. *Le norvégien,* langue scandinave parlée en Norvège.

♦ **2.** Loc. *Marmite norvégienne.* ⇒ **Marmite.** *Omelette norvégienne.* ⇒ **Omelette.**

♦ **3.** Adj. (xxᵉ). *Arrière norvégien :* arrière d'un navire sans tableau, pointu. — Météor. *Carte norvégienne :* carte de la pression au niveau de la mer. — *Broderie norvégienne,* comprenant des jours à points coupés dans les deux sens.

Après mûres réflexions, nous aboutissons au projet d'un ketch de 10,50 m hors tout, à arrière norvégien, bon marcheur à toutes les allures (espérons-le !) malgré un tirant d'eau aussi faible que possible.
　　　Bernard MOITESSIER, Cap Horn à la voile, p. 39.

(1938). *Casquette norvégienne* (utilisée pour le ski).

♦ **4.** N. m. (xxᵉ). Gâteau rond, garni d'abricots ou de cerises, de crème, et parfumé au kirsch.

DÉR. Norvégienne, n. f.

NORVÉGIENNE [nɔʀveʒjɛn] n. f. — 1874 ; de *(barque) norvégienne,* fém. de *norvégien.*

♦ Mar. « Barque dont l'avant est rond et relevé. Ces bateaux sont utilisés notamment par les baleiniers » (Gruss).

NOS [no] plur. de *notre*.

NOS-, NOSO- Élément, du grec *nosos* « maladie », premier élément de mots savants.

NOSÉMOSE [nozemoz] ou **NOSÉMIASE** [nozemjaz] n. f. — Mil. xxᵉ ; de *nos-,* et grec *haima* « sang ».

♦ Vétér., agric. Maladie contagieuse des abeilles, qui affecte leur tube digestif.

NOSOGÉNIE [nozoʒeni] n. f. — 1819 ; de *noso-,* et *-génie.*

♦ Didact. (Méd.). Étude des causes et du développement des maladies. ⇒ **Pathogénie.**

DÉR. Nosogénique.

NOSOGÉNIQUE [nozoʒenik] adj. — 1836, *in* F. E. W. ; de *nosogénie.*

♦ Didact. Qui se rapporte à la nosogénie. ⇒ **Pathogénique.**

NOSOGRAPHIE [nozoɡʀafi] n. f. — 1798 ; de *noso-,* et *-graphie.*

♦ Didact. (Méd.) Description et classification méthodique des maladies (⇒ **Symptomatologie**).

DÉR. Nosographique.

NOSOGRAPHIQUE [nozoɡʀafik] adj. — 1803 ; de *nosographie.*

♦ Méd. Relatif à la nosographie.

(...) l'une et l'autre de ces conceptions s'accordent sur une compréhension plus souple des maladies mentales, dégagées d'une rigidité nosographique inexacte.
　　　H. BARUK, Psychoses et Névroses, p. 42.

COMP. Antinosographique.

NOSOLOGIE [nozoloʒi] n. f. — 1747 ; de *noso-,* et *-logie.*

♦ Didact. (Méd.). Discipline médicale qui étudie les caractères distinctifs des maladies en vue de leur classification méthodique.

DÉR. Nosologique, nosologiste.

NOSOLOGIQUE [nozoloʒik] adj. — 1742 ; de *nosologie.* → Noso-.

♦ Didact. (Méd.). De la nosologie*. *Diagnostic nosologique. Traité nosologique.*

Pour chaque individu déterminé, en dehors des signes *communs,* qui sont les signes de reconnaissance de la maladie nosologique, il y a des signes *particuliers* qui extériorisent les réactions propres du sujet.
　　　Pierre VANNIER, l'Homéopathie, p. 91.

Groupe nosologique : groupe de maladies, ou des différentes formes d'une maladie, provoquées par le même agent pathogène ou des agents pathogènes de même caractère. *Région nosologique :* région du globe où prédominent une ou plusieurs maladies infectieuses.

NOSOLOGISTE [nozoloʒist] n. — 1765, *Encyclopédie* ; de *nosologie.*

♦ Didact. (Méd.). Médecin spécialiste de nosologie.

L'aspect varié et constant des phénomènes ou symptômes frappe seul les yeux du nosologiste ; il ne voit que rarement la partie qu'on croit le siège du mal et les causes éloignées, et jamais la cause prochaine.
　　　Encycl. (DIDEROT), t. XI, art. *Nosologie.*

NOSOMANIE [nozomani] n. f. — 1855, *in* D. D. L. ; de *noso-,* et *-manie.*

♦ Psychopath. (Rare). Crainte morbide de la maladie. Syn. : *hypocondrie.*

NOSOPHOBE [nozofob] adj. et n. — xxᵉ (*in* Manuila, 1972) ; de *noso-,* et *-phobe,* d'après *nosophobie.*

♦ Psychopath. Atteint de nosophobie. ⇒ **Hypocondriaque.** — N. *Un, une nosophobe.*

NOSOPHOBIE [nozofobi] n. f. — 1878, P. Larousse, *Premier Suppl.* ; de *noso-,* et *-phobie.*

♦ Psychopath. Crainte obsédante d'être atteint d'une maladie précise, nommée par le consultant lui-même, et grave. « *La nosophobie de conjuration (...) fait de la consultation médicale une visite propitiatoire afin d'écarter le mauvais sort* » (Porot, 1975).

DÉR. Nosophobique. — V. Nosophobe.

NOSOPHOBIQUE [nozofobik] adj. et n. — xxᵉ (*in* Porot, 1975) ; de *nosophobie.*

♦ Psychopath. Relatif à la nosophobie. — Atteint de nosophobie. ⇒ **Hypocondriaque.** N. *Un, une nosophobique.*

NOSTALGIE [nostalʒi] n. f. — 1759, en méd. ; lat. méd. *nostalgia* (1678) ; comp. sav. du grec *nostos* « retour », et du suff. *-algie.*

♦ **1.** Psychopath. État dépressif lié au regret obsédant du pays natal, du lieu où l'on a longtemps vécu ; mal du pays. ⇒ 3. **Mal.** *Nostalgie des émigrés, des exilés, des prisonniers de guerre... Le* *vrai paysan meurt de nostalgie loin du champ qui l'a vu naître* (→ Dépayser, cit. 1).

1 (...) il avait soif, autant qu'un aventurier d'Europe a soif de sa patrie, quand la nostalgie le saisit au milieu des féeries qui l'avaient séduit en Orient.
BALZAC, *Séraphîta*, Pl., t. X, p. 487.

2 Un exil, c'est un lieu d'ombre et de nostalgie.
HUGO, *l'Année terrible*, Juin, V.

3 (...) quand il m'est arrivé d'être loin de ma ville natale et d'y rêver avec nostalgie (...)
G. DUHAMEL, *Inventaire de l'abîme*, IV.

♦ **2.** Cour. Regret mélancolique (d'une chose révolue); désir de revenir en arrière, de retrouver le passé. ⇒ **Regret.** *Avoir la nostalgie de sa jeunesse* (→ Éveiller, cit. 16). *Garder la nostalgie de sa ferveur* (cit. 2) *adolescente, de sa fraîcheur* (cit. 18) *d'âme. Les adolescents gardaient la nostalgie des attitudes spectaculaires* (→ Isolement, cit. 4).

4 (...) il ne pensait plus qu'aux agréments de la société, de même qu'un vieux homme à femmes regrette une maîtresse quittée coupable de trop d'infidélités ! Quoiqu'il essayât de cacher la mélancolie profonde qui le dévorait, le vieux musicien paraissait évidemment attaqué par une de ces inexplicables maladies, dont le siège est dans le moral. Pour expliquer cette nostalgie produite par une habitude brisée (...)
BALZAC, *le Cousin Pons*, Pl., t. VI, p. 571.

5 Il y a certains moments que nous avons endurés dans la douleur, mais auxquels il nous arrive de penser, plus tard, longtemps plus tard, avec une sorte de tendresse et même de nostalgie.
G. DUHAMEL, *la Pesée des âmes*, VI.

Regret mélancolique (de ce qu'on n'a pas eu, connu...); désir insatisfait. *Célibataire* (cit. 2) *qui a la nostalgie du mariage. La nostalgie des bonheurs inconnus* (→ Fumer, cit. 23). *Notre nostalgie d'absolu* (→ Explicable, cit. 4).

6 Tu connais cette maladie fiévreuse qui s'empare de nous (...) cette nostalgie du pays qu'on ignore, cette angoisse de la curiosité ?
BAUDELAIRE, *le Spleen de Paris*, XVIII.

7 Moi je me sentais attiré vers l'Afrique par un impérieux besoin, par la nostalgie du Désert ignoré; comme je le pressentiment d'une passion qui va naître.
MAUPASSANT, *Au soleil*, p. 12.

8 Il en émanait *(de ce petit café)* une impression presque déchirante d'absence, car c'était le pays d'ailleurs, celui qui nous cherche sans cesse, quand nous le cherchons, et dont l'existence, souvent, ne tient à nous que par cette nostalgie indéfinissable du désir, où déjà erre douloureusement, d'un avenir qui ne sera jamais, le regret, pareil au présage d'une vie possible dont nous n'atteindrons pas les bords.
H. BOSCO, *Un rameau de la nuit*, p. 18.

9 Ce grand prosateur, c'est de Chateaubriand que je parle, gardera toute sa vie la nostalgie de la poésie.
G. DUHAMEL, *Refuges de la lecture*, VIII.

♦ **3.** (Attesté XXᵉ). Dans un sens très vague. ⇒ **Ennui, mélancolie, spleen, tristesse.** *Une nostalgie soudaine le submergea* (→ Lame, cit. 12). *Regard plein de nostalgie* (→ Avantageusement, cit. 3).

10 La nostalgie, c'est le désir d'on ne sait quoi (...) Il existe, l'objet du désir, mais il n'est point de mots pour le dire.
SAINT-EXUPÉRY, *Terre des hommes*, p. 201.

11 (...) une nostalgie que rien ne peut assouvir parce qu'elle n'est, au fond, désir de rien.
SARTRE, *Situations II*, p. 213.

12 La *nostalgie* est le mal du retour, le mal du pays et, par extension, le regret (...) le mot glisse abusivement au sens général de mélancolie sans cause déterminée : c'est quelque chose comme un nouveau mal du siècle.
René GEORGIN, *Pour un meilleur français, Nostalgie*.

DÉR. Nostalgique.

NOSTALGIQUE [nɔstalʒik] adj. — V. 1800; de *nostalgie.*

♦ **1.** Relatif à la nostalgie, empreint de nostalgie. *Pensées, regrets nostalgiques. Attrait, attraction* (cit. 15) *nostalgique.*

(...) il salua ses derniers mots de cette remarque nostalgique où l'on percevait, avec le souvenir de ses anciens triomphes oratoires, un amer, un immense regret d'avoir en pleine force, perdu la joie de l'action victorieuse sur les Assemblées (...)
Georges LECOMTE, *Ma traversée*, p. 517.

(...) ses lettres à Suard, où elle *(Julie de Lespinasse)* ne livre que sa tristesse, sans en avoir avoué la cause véritable, ne sont qu'un long et douloureux souhait d'en finir, un nostalgique vœu d'anéantissement total (...)
Émile HENRIOT, *Portraits de femmes*, p. 204.

♦ **2.** Par ext. Mélancolique, triste. *Chanson nostalgique. Regard nostalgique.*

DÉR. Nostalgiquement.

NOSTALGIQUEMENT [nɔstalʒikmɑ̃] adv. — 1866, Gautier; de *nostalgique.*

♦ Littér. ou style soutenu. D'une manière nostalgique.

Les Russes ont la passion des Tziganes et de leurs chants si nostalgiquement exotiques, qui vous font rêver la vie libre, dans la nature primitive, hors de contrainte et de toute loi divine ou humaine.
Th. GAUTIER, *Voyage en Russie*, XIX, p. 318.

(...) toute une région de souvenirs d'où ils *(ces désirs)* se sentaient nostalgiquement exilés (...)
PROUST, *le Côté de Guermantes*, Pl., t. II, p. 362.

NOSTOC [nɔstɔk] n. m. — XVIIᵉ, *nostoch;* mot d'étym. inconnue, créé par Paracelse.

♦ Bot. Plante prototype cyanophycée (⇒ Algue, REM.) qui forme des masses gélatineuses sur les sols humides.

NOSTOMANIE [nɔstɔmani] n. f. — 1793; de *nosto-,* du grec *nostos* «retour», et *-manie.*

♦ Pathol. (Vx). Besoin impulsif de retourner dans le lieu où l'on a passé son enfance.

NOSTRAS [nɔstʀas] adj. — 1803; *nostrate,* 1800; mot lat., «de notre pays».

♦ Pathol. Se dit des maladies spéciales à notre région (presque uniquement dans la loc. : *Choléra* nostras*).

NOT- Premier élément de mots savants, tirés du grec *nôtos* «dos». ⇒ Noto-.

NOTA [nɔta] ou NOTA BENE [nɔtabene] loc. lat. et n. m. invar. — XIᵉ, *nota; nota bene,* 1764; impér. du lat. *notare* «noter».

♦ Mots latins signifiant «notez», «notez bien», indication utilisée en français pour attirer l'attention du lecteur sur une remarque importante. *Nota bene s'écrit le plus souvent N.B.,* par abréviation. — N. m. invar. *Un nota, un nota bene.* ⇒ **Note, observation, remarque.** *Précision donnée en N.B.*

NOTABILITÉ [nɔtabilite] n. f. — V. 1270; dér. sav. de *notable,* d'après le lat. *notabilis.*

♦ **1.** Rare. Caractère d'une personne notable. *Sa notabilité est connue.*

♦ **2.** (1800). Cour. *(Une, des notabilités).* Personne notable, qui occupe un rang supérieur dans une hiérarchie. ⇒ **Personnalité.** *Les listes de notabilités dans la constitution de l'an VIII. Les notabilités de la ville. Notabilités intellectuelles.* ⇒ **Sommité.**

1 L'évêque officiait en personne — et la nef était remplie des notabilités châtelaines et bourgeoises qui se rencontrent encore dans cette localité.
NERVAL, *les Filles du feu*, «Angélique», VI.

2 Même dans Lyon, M. Léniot père était une notabilité, et Joanny, comme fils unique, avait sa part de cette renommée.
Valery LARBAUD, *Fermina Marquez*, XIX.

NOTABLE [nɔtabl] adj. et n. m. — V. 1265, «notoire»; empr. du lat. *notabilis,* rac. *notare.*

♦ **1.** (V. 1355). Qui est digne d'être noté, remarqué. ⇒ **Remarquable.** *Un événement* (cit. 8) *est un fait notable. Choix des faits notables par l'historien* (→ Arbitrairement, cit. 2). *Notable préjudice* (→ Formalité, cit. 1). ⇒ **Important.** *Édits notables des Anciens* (→ 1. Lieu, cit. 50). *Des différences notables, des progrès notables.* ⇒ **Appréciable, sensible.**

1 À quelque temps de là, un changement notable se manifesta dans les propos et les manières de Salavin. Il se prit à sourire d'un air modeste, désabusé.
G. DUHAMEL, *Salavin*, III, XVII.

2 (...) je constate que je n'ai, hélas! aucune révélation à vous apporter (...) Tout ce que je pourrais vous dire d'un peu notable, vous le savez déjà (...)
J. ROMAINS, *les Hommes de bonne volonté*, t. X, XIX, p. 198.

Il est notable que... C'est tout à fait notable.

♦ **2.** (XIVᵉ). Personnes. Qui occupe une situation sociale importante. *Personne notable.* ⇒ **Considérable.** — Vx (avant le n.). « *L'élection des Échevins se fait par les notables bourgeois qu'on mande à la ville pour cet effet*» (Furetière, 1690). *Notables commerçants* (cit. 3), *autrefois électeurs des membres du tribunal de commerce.* — *Quelqu'un de notable, de très notable dans une ville.*

3 Je devrais aujourd'hui, si j'avais suivi la voie qu'on me traçait, être quelqu'un de notable dans une grande usine d'automobiles.
G. DUHAMEL, *Salavin*, V, XIII.

♦ **3.** N. m. (1355). Personne à laquelle sa situation sociale confère une certaine autorité dans les affaires publiques. *Les notables d'une ville.* ⇒ **Notabilité** (2.), **personnalité.** *Les Assemblées de notables,* convoquées par le roi, sous l'Ancien Régime.

4 Deux siècles de commerce honnête, de bonnes mœurs, de mariages avantageux, ont produit ces êtres fixés, ignorants, de belle prestance, tout à fait conscients de leur supériorité. Leur nom souvent plébéien, longtemps défendu par une prospérité suivie et une scrupuleuse attention à la règle, est sans égal dans la ville. Ces notables sont modestes, d'ailleurs (...)
J. CHARDONNE, *l'Amour du prochain*, p. 180.

REM. Le fém., *une notable,* est virtuel.

CONTR. Insensible, négligeable.
DÉR. Notablement. — V. Notabilité.

NOTABLEMENT [nɔtabləmɑ̃] adv. — 1250; de *notable.*

♦ D'une manière notable. ⇒ **Considérablement, sensiblement.** *Deux choses notablement différentes* (→ Instinct, cit. 1). *Il a notablement contribué à cette œuvre.*

Dès le lundi, Salavin débuta chez Vedel et Gayet. La vie des deux amis s'en trouva notablement modifiée. «On ne se quittera presque plus!» disait Édouard.
G. DUHAMEL, *Salavin*, III, XVIII.

NOTAIRE [nɔtɛʀ] n. m. — Fin XIIIᵉ, *notere; notarie* «scribe», 1190; du lat. *notarius* «sténographe, secrétaire», de *notare* «noter».

1. Dr. et cour. Officier public établi pour recevoir tous les actes* et contrats* auxquels les parties doivent ou veulent faire donner le caractère d'authenticité attaché aux actes de l'autorité publique, et pour en assurer la date, en conserver le dépôt, en délivrer des grosses* et expéditions (Ordonnance du 2 nov. 1945, art. 1). *Anciens noms des notaires.* ⇒ **Garde-notes, tabellion** (vx). *Le gouvernement détermine la résidence des notaires, officiers ministériels divisés en trois classes, suivant l'étendue du ressort où ils peuvent instrumenter* (villes à cour d'appel, villes à tribunal de première instance, à tribunal de paix). Charge* de notaire.* ⇒ **Notariat.** *Cabinet de notaire.* ⇒ **Étude.** *Maître* Un Tel, notaire (→ Exercice, cit. 23). *Aides du notaire.* ⇒ **Clerc** (de notaire). *Chambre* des notaires. Contrat, compromis* (cit. 1), *donation* (cit. 2), *procuration... faits devant notaire.* ⇒ **Notarié** (acte). *Comparaître par devant notaire. Devant quatre témoins assistés d'un notaire* (→ Clair, cit. 8). *Vente aux enchères* devant notaire. Notaire qui procède à un protêt*, dresse l'intitulé* (cit. 2) *d'un inventaire. Acte de notoriété* délivré par le notaire. Formulaire des notaires : recueil des formes unifiées des actes notariés. Livre des actes d'un notaire.* ⇒ **Minutier, registre.** *Minutes des actes d'un notaire. Notaire qui grossoie un acte, délivre copie et expédition* (cit. 4 et 5) *d'un acte. Client d'un notaire. Notaire de famille* (→ Approximatif, cit. 5). *Conseils d'un notaire* (→ Inutile, cit. 5). *Malade qui appelle le notaire pour lui dicter son testament*.

REM. Les femmes possédant une charge de *notaire* sont également désignées par le mot *notaire* qui garde son genre masculin. — *Maître Suzanne X, notaire ; elle est notaire.* (*Notairesse* a un autre sens) ; mais le fém. épicène : *une notaire,* est virtuel.

1 Les voilà avec un notaire, et j'ai ouï parler de testament. Votre belle-mère ne s'endort point, et c'est sans doute quelque conspiration contre vos intérêts où elle pousse votre père. MOLIÈRE, le Malade imaginaire, I, 8.

2 Maître Mathias était un noble et respectable débris de ces notaires, grands hommes obscurs, qui ne donnaient pas de reçu en acceptant des millions, mais les rendaient dans les mêmes sacs, ficelés de la même ficelle ; qui exécutaient à la lettre les fidéicommis, dressaient décemment les inventaires s'intéressaient comme de seconds pères aux intérêts de leurs clients, barraient quelquefois le chemin devant les dissipateurs, et à qui les familles confiaient leurs secrets ; enfin l'un de ces notaires qui se croyaient responsables de leurs erreurs dans les actes et les méditaient longuement. Jamais, durant sa vie notariale, un de ses clients n'eut à se plaindre d'un placement hypothèque ou mal prise ou mal assise (...) aussi sa parole était-elle sacrée, aussi ses caves gardaient-elles autant de capitaux qu'en avait la Banque (...) BALZAC, le Contrat de mariage, Pl., t. III, p. 114-115.

3 La maison de Mᵉ Baillehache, notaire à Cloyes, était située rue Grouaise (...) De loin, on voyait luire les deux panonceaux (...) ZOLA, la Terre, I, II.

4 On sait comment ça se passe, avec messieurs les notaires (...) Je me suis assise dans un coin de l'étude et j'ai dit que j'allais attendre. Alors, quand ils ont compris que je ne m'en irais pas, ils ont fait dresser la copie. G. DUHAMEL, Chronique des Pasquier, I, XVI.

2. (1479). Par ext. *Notaire apostolique.* ⇒ **Apostolique.**

3. (1690). Antiq. rom. Secrétaire ; fonctionnaire impérial qui rédigeait les actes juridiques. — Hist. À Byzance, Secrétaire d'un prince.

DÉR. Notairesse, notaresse, notarial, notariat, notarié, notarier.
COMP. V. Protonotaire.

NOTAIRESSE [nɔtɛʀɛs] n. f. — 1841 ; de *notaire.*

♦ Vieilli. Femme d'un notaire. Syn. : *notaresse.*

NOTAMMENT [nɔtamɑ̃] adv. — 1458, *notemment* ; de *notant,* p. prés. adj. de *noter.*

1. D'une manière qui mérite d'être notée (sert le plus souvent à attirer l'attention sur un ou plusieurs objets particuliers faisant partie d'un ensemble précédemment désigné ou sous-entendu). ⇒ **Particulièrement, singulièrement, spécialement, surtout** (→ Entre autres, par exemple). *Les mammifères, et notamment l'homme... Les petits bâtiments, et notamment les bateaux de pêche* (→ Capitaine, cit. 7). *Citons notamment : ... Le sport, notamment l'escrime et l'équitation* (→ Italien, cit. 2). *Par toute voie de droit et notamment par la saisie exécutoire* (cit. 3).

1 (...) envers les étrangers, et notamment envers les Allemands (...) MOLIÈRE, les Fâcheux, III, 2.

2 Depuis 1918 les partis modérés, en France, ont abandonné aux socialistes tous les avantages du bon sens, notamment en politique étrangère. J. CHARDONNE, l'Amour du prochain, IX.

3 Dans toutes les revues de presse ou les comptes rendus des festivals dominicaux de l'éloquence officielle reparaît la formule : M. X a déclaré notamment... Ah ! que de choses dignes d'être notées ! Le censeur grincheux ne s'en aperçoit que trop. René GEORGIN, Pour un meilleur français, p. 252.

2. (Belgicisme). Nommément.

NOTARESSE [nɔtaʀɛs] n. f. — 1730 ; de *notaire.*

♦ Vx. ⇒ **Notairesse.**
Le notaire revint chez lui, et soumit l'énigme à sa notaresse en lui racontant de point en point les événements de la soirée. BALZAC, la Femme de trente ans, Pl., t. II, p. 786.

NOTARIAL, ALE, AUX [nɔtaʀjal, o] adj. — 1611, *notairial* ; du rad. de *notaire.*

♦ Dr. Qui appartient, qui est relatif à la charge de notaire. *Fonctions notariales. Durant sa vie notariale* (→ Notaire, cit. 2). *Actes notariaux.*

NOTARIAT [nɔtaʀja] n. m. — 1482 ; du rad. de *notaire.*

1. Charge, fonction de notaire. *Se destiner au notariat.*
J'ai pendant cinquante ans environ exercé le notariat, je n'ai jamais vu les gens ruinés avoir des amis qui leur prêtassent de l'argent ! BALZAC, le Contrat de mariage, Pl., t. III, p. 175.

2. Corps des notaires.
(...) les deux notaires représentaient les anciennes et les nouvelles mœurs, l'ancien et le nouveau notariat. BALZAC, le Contrat de mariage, Pl., t. III, p. 113.

NOTARIÉ, ÉE [nɔtaʀje] adj. — 1450 ; du rad. de *notaire.*

♦ Dr. Fait par un notaire, devant notaire. *Acte* notarié.* ⇒ **Authentique.**
Il faut que je me retire avant la signature, dit Maître Caressa... Je suis ici à titre d'ami, car vous passez un simple acte sous seing privé et non un acte notarié. Paul MORAND, l'Homme pressé, III.

NOTARIER [nɔtaʀje] v. tr. — 1826, *in* D.D.L. ; du rad. de *notaire,* d'après *notarié.*

♦ Dr. Faire dresser par un notaire ; dresser (un acte), en parlant d'un notaire.

NOTATEUR, TRICE [nɔtatœʀ, tʀis] n. — 1750 ; « celui qui prend garde », 1552 ; de *noter.*

1. Rare. Personne qui note.
(...) Jean Dolent, sensible notateur de fines observations sur l'art et sur la vie (...) Georges LECOMTE, Ma traversée, p. 334.

2. Chorégr. Personne qui pratique la notation* (1.) chorégraphique.

NOTATION [nɔtasjɔ̃] n. f. — 1370, *notacion* « appellation d'un objet » ; lat. *notatio,* du supin de *notare* → Noter.

1. (1750). Action, manière de noter, de représenter par des symboles*. *La notation de qqch. par des signes.* — Plus cour. Système de symboles servant à représenter qqch. — Math. *Notation des nombres, notation numérique ; notation par lettres, par chiffres. Notation littérale, algébrique, créée par Viète au XVIᵉ siècle* — Chim. *Notation chimique,* utilisant des lettres ou groupes de lettres (⇒ **Symbole**), des chiffres et divers signes arithmétiques. *Notation atomique*.* — *Notation musicale* : représentation des sons, de leur valeur, de leur durée ; de tous les éléments et caractères d'une musique. *Notation neumatique* (par neumes*). *Notation musicale par notes. Notation carrée du moyen âge. Notation ronde actuelle. Notation chiffrée proposée au XVIIIᵉ siècle par J.-J. Rousseau. Notation chorégraphique* : système de signes servant à noter les mouvements d'une danse. — *Notation sténographique, phonétique.* → Fixer, cit. 5.

Je suis persuadé que tout poète ferait facilement la musique de ses vers s'il avait quelque connaissance de la notation. Rousseau est cependant presque le seul qui, avant Pierre Dupont, ait réussi. NERVAL, Sur les chansons populaires, I.

2. Action de noter, de représenter par le dessin, la peinture. *L'impressionnisme* (cit. 1) *substitue au dessin classique la notation des ombres et des reflets.*

3. (1879). *Une, des notations.* Ce qui est noté (par écrit) ; brève description, courte remarque. ⇒ **Note.**

Comment la littérature de notations aurait-elle une valeur quelconque, puisque c'est sous de petites choses comme celles qu'elle note que la réalité est contenue (la grandeur dans le bruit lointain d'un aéroplane, dans la ligne du clocher de Saint-Hilaire, le passé dans la saveur d'une madeleine, etc.) et qu'elles sont sans signification par elles-mêmes si on ne l'en dégage pas ? PROUST, le Temps retrouvé, Pl., t. III, p. 894-895.

Tout est beau dans l'écrivain de race, jusqu'à la notation informe et abrégée du plus menu journal de route, pour qui aime surprendre l'idée naissant en son esprit au contact de la sensation. Émile HENRIOT, les Romantiques, p. 392.

(...) dans cet univers instantané, où rien n'est vrai, où rien n'est réel que l'instant, la seule forme d'art possible est la *notation.* La phrase, qui se lit en un instant et qui est séparée des autres phrases par un double néant, a pour contenu l'impression instantanée que je cueille au vol. Aussi toute la psychologie de Renard sera-t-elle de notations. SARTRE, Situations I, p. 304 (Notes sur le « Journal » de J. Renard).

Par ext. (En dessin, en peinture). *Notations vivement colorées* (→ Futuriste, cit.). *Petites notations féroces des caricaturistes* (→ Humour, cit. 2).

4. Action de donner une note* à... *Notation des devoirs par le professeur.* Dr. admin. *Notation d'un fonctionnaire par son chef de service. Notation et avancement d'un fonctionnaire.*

NOTE [nɔt] n. f. — XIIe (v. 1155 «chant, air»); lat. *nota* «marque» et «note de musique».

★ **I.** ♦ **1.** (XIIIe). Signe qui sert à caractériser un son musical par sa forme (durée du son) et par sa place sur la portée (hauteur du son). *Figures de notes :* les différentes formes des notes exprimant leur durée relative. ⇒ **Ronde; blanche, noire; croche** (croche, double croche, triple croche, quadruple croche). *Les notes eurent autrefois la forme d'un carré* (⇒ **Carrée**) *puis d'un losange; de nos jours, elles sont ovales et munies, sauf la ronde, d'une hampe ou queue dirigée vers le haut ou vers le bas. Crochet d'une note. Point* augmentant la durée d'une note : note pointée. Place des notes de la gamme, dans le système tonal, sur la portée* exprimant la hauteur du son.* ⇒ **Do** (ou *ut*); *ré; mi; fa; sol; la; si. Note à cheval sur une ligne, dans un interligne; sur une ligne supplémentaire. Accident* d'une note. Chiffre* accompagnant une note* (chiffre de basse; indication de doigté). *Petite note, note d'agrément, d'ornement* (→ Mélodie, cit. 3), *au caractère beaucoup plus petit. Savoir lire ses notes. Ne pas savoir une note de musique.*

1 (...) *la réglure (doit être) fine, égale et bien marquée, mais non pas noire comme la note; il faut, au contraire, que les lignes soient un peu pâles, afin que les croches, doubles-croches, les soupirs, demi-soupirs, et autres petits signes, ne se confondent pas avec elles, et que la note sorte mieux.*
ROUSSEAU, Dict. de musique, Copiste.

2 *Il n'y a pas deux avis (...) sur les défauts de notre note; mais ces défauts sont plus aisés à connaître qu'à corriger (...) Le public, sans discuter beaucoup l'avantage des signes qu'on lui propose, s'en tient à ceux qu'il trouve établis (...)*
ROUSSEAU, Dict. de musique.

3 *(...) je résistai vivement quand bonne-maman voulut m'enseigner mes notes. Elle m'indiquait avec une aiguille à tricoter les rondes inscrites sur une portée; cette ligne renvoyait, m'expliquait-elle à telle touche du piano.*
S. DE BEAUVOIR, Mémoires d'une jeune fille rangée, p. 24.

4 *Les durées relatives et absolues des sons étant bien connues au moyen des formes des notes et du métronome, il reste à en déterminer les hauteurs* — tant relatives qu'absolues — (...) *La portée et la clé définissent (...) sans équivoque les hauteurs relatives des sons que représentent les notes (...) Le son repère de quatre cent trente-cinq vibrations étant imposé pour le LA, il s'ensuit que chacun des autres sons de la partition, si compliquée soit-elle, est à son tour déterminé (...) sa hauteur absolue est fixée.*
Armand MACHABEY, la Notion musicale, p. 107.

♦ **2.** (XIIIe). *Son figuré par une note. Les notes de la gamme. L'échelle des notes* (→ Chant, cit. 10). ⇒ **Musique** (*infra* cit. 18). *Note basse, haute* (cit. 26), *grave* (cit. 27), *aiguë* (cit. 7). *Durée absolue d'une note.* ⇒ **Mouvement.** *Jouer une note. Attaquer une note. Sauter, croquer* une note. Note appuyée, accentuée, détachée, piquée, tenue, liée... perlée. Note juste. Fausse** (cit. 37) *note.* ⇒ **Canard, couac.** *Notes qui se succèdent, s'égrènent, tombent une à une...* (→ Glas, cit. 2).

5 *— Assurément, le hasard n'éviterait pas l'accord de deux notes avec autant d'adresse que ce diable d'homme l'a fait pendant une heure (...)*
BALZAC, Gambara, Pl., t. IX, p. 450.

6 *Si les accords s'envolent des fibres d'un instrument, j'écoute avec volupté ces notes perlées qui s'échappent en cadence à travers les ondes élastiques de l'atmosphère.*
LAUTRÉAMONT, les Chants de Maldoror, II.

Loc. Donner la note, donner la note tonique*, le ton d'un morceau à celui qui va le jouer, le chanter.

♦ **3.** *Son musical. Note claire, cristalline, plaintive, triste... Notes grêles des grenouilles* (→ Hasarder, cit. 14). *Rossignol qui file* (cit. 7) *sa note. Les notes langoureuses du vent* (→ Hibou, cit. 4).

7 *(...) la guitare (...) a des notes graves, un peu lugubres (...)*
LOTI, Mme Chrysanthème, III.

8 *Chaque fois que le soleil venait toucher la cage, l'oiseau lançait son appel, une seule note sifflante et plaintive comme le chant de la lime sur une plaque de fer.*
G. DUHAMEL, Salavin, V, XIV.

9 *Soudain, deux notes plaintives se firent entendre. Elles devinrent déchirantes, humaines, inhumaines, les vitres tremblèrent et le cyclone des pompiers passa.*
COCTEAU, les Enfants terribles, p. 25.

⇒ **Ton.** *Parler sur une note basse. Il dit, sur une note mélancolique...* (→ Escamoter, cit. 6).

♦ **4.** *Abusivt. Touche* d'un clavier, correspondant à une note. Par métaphore. Le clavier où ne manquait pas une note* (→ Chair, cit. 26).

10 *Il s'appliquait consciencieusement à taper à côté des notes et à rater tous ses traits.*
R. ROLLAND, Jean-Christophe, L'aube, II, p. 65.

11 *Sans doute une main de débutant qui approche d'un clavier n'a rien de trop agressif, en général. Des mains exercées elles-mêmes ont l'air de frôler tout juste les notes.*
J. ROMAINS, Lucienne, IV.

♦ **5.** *Loc. fig. Note juste : détail vrai, juste, approprié* (→ Butin, cit. 4). — *Fausse note : élément qui ne convient pas à un ensemble, qui détruit une harmonie. Ce petit meuble est une fausse note dans votre salon. Fausse note dans un comportement; dans une amitié* (→ 2. Discord, cit.).

12 *(...) comme il ne connaît point le contentement de soi, il craint le jugement des autres : il redoute en eux la fausse note (...)*
André SUARÈS, Trois hommes, «Dostoïevski», I.

Forcer la note : exagérer.

13 *Quand les petits hommes remarquent que l'on rit à leurs fantaisies, ils oublient toute mesure, forcent la note et tombent dans la sottise.*
G. DUHAMEL, les Plaisirs et les Jeux, p. 37.

Mettre, jeter une note... : apporter un détail, un élément particulier (dans un ensemble). Une note grave, triste ou claire, gaie.

Les rideaux blancs mettaient une note gaie dans la chambre. Le chaume et le granit (cit. 3) *qui jettent une note de l'époque primitive. Son accent parisien mettait* (cit. 35) *une note amusante dans la conversation. — Donner la note :* donner le ton* (→ Appareil, cit. 9).

(1879). *Être dans la note :* être dans le ton, dans le style, en accord* avec l'entourage, l'ambiance, etc. (→ Donner le ton, le la). *Cet objet..., cette remarque étaient bien dans la note,* convenaient parfaitement. ⇒ **Adéquat, approprié.** *Quoi qu'il fasse, il est toujours dans la note.*

14 *— Et vous avez un titre charmant : Souvenirs d'un chasseur d'Afrique; n'est-ce pas, Monsieur Norbert ?... — Oui, excellent, à condition que la suite soit dans la note, car c'est là la grande difficulté; la note juste, voilà ce qu'en musique on appelle le ton.*
MAUPASSANT, Bel-Ami, I, II.

(1874). *Vx. Chanter toujours la même note :* répéter qqch. «*C'est toujours même note et pareil entretien*» (→ Inconsolable, cit. 3). *Changer de note* (→ Changer de refrain*, de disque).

15 *La peste de bourreau! Je te ferai changer de note, chien de philosophe enragé.*
MOLIÈRE, le Mariage forcé, 5.

♦ **6.** *Techn.* Caractéristique de la fragrance (d'un parfum). *Une note ambrée. Note de tête* (qu'on sent d'abord); *note de fond.*

★ **II.** (1530). ♦ **1.** *Rare. Marque faite pour garder mention, indication de qqch. J'ai mis une note sur mon exemplaire pour retrouver ce passage* (Académie).

♦ **2.** (1636). *Remarque écrite se rapportant à un texte et qui figure à côté du texte, généralement à l'endroit concerné.* ⇒ **Annotation; addition, apostille, nota, notule.** *Note manuscrite. Note marginale*, en manchette*; en haut, en bas d'une page; note insérée entre deux lignes... Observation, remarque, commentaire en note. Couvrir un exemplaire de notes.*

16 *Mon Rabelais est tout bourré de notes et commentaires philosophiques, philologiques, bachiques, etc. (...)*
FLAUBERT, Correspondance, 24, 28 oct. 1838.

17 *(...) nous avons unifié (...) celle (l'orthographe) des notes manuscrites marginales portées par Montaigne sur l'exemplaire de Bordeaux (...)*
M. RAT, Introd., *in* MONTAIGNE, Essais.

♦ **3.** *Bref éclaircissement ou élément informatif supplémentaire (d'un texte).* ⇒ **Explication, glose** (cit. 2, 3 et 4), **scolie.** *Note placée entre parenthèses. Note en bas de page, note infrapaginale. Notes en fin de chapitre. Notes additionnelles en fin d'ouvrage.* ⇒ **Addenda.** *Mot affecté d'un appel* de note. Note donnant le sens d'un mot, précisant la pensée de l'auteur, indiquant une référence... Note biographique. Notes et variantes. Notes et additions d'une édition* (→ Caractère, cit. 6). *Notes de l'auteur, de l'éditeur* (→ Discrimination, cit. 2). *Introduction et notes d'une édition critique* (⇒ **Annoté**).

18 *Un système continu de notes met le lecteur à même de vérifier d'après les sources toutes les propositions du texte.*
RENAN, Vie de Jésus, Introd., Œ. compl., t. IV, p. 43.

19 *Toujours donc revenir aux grands textes; n'en point vouloir d'extraits; les extraits ne peuvent servir qu'à nous renvoyer à l'œuvre. Et je dis aussi à l'œuvre sans notes. La note, c'est le médiocre qui s'accroche au beau. L'humanité secoue cette vermine.*
ALAIN, Propos, 18 mai 1921, Une bibliothèque.

19.1 *Oh! c'est à peu près tout, lui dis-je; le reste n'est pas achevé. — Des notes, s'écria-t-elle — ô lisez-les! c'est le plus amusant; on y voit ce que l'auteur veut dire bien mieux qu'il ne l'écrira dans la suite.*
GIDE, Paludes, *in* Romans, Pl., p. 94.

♦ **4.** *Brève communication écrite.* ⇒ **Avis, communication, communiqué, notice.** *Faire passer une note. Note dans un journal* (→ Canard, cit. 5; épars, cit. 9).

20 *Pourquoi votre mari (...) ne voudrait-il pas débarrasser ce pauvre Hippolyte (...) (de son pied bot)? Notez qu'il ne manquerait pas de raconter sa guérison à tous les voyageurs, et puis (...) qui donc m'empêcherait d'envoyer au journal une petite note là-dessus? Eh! mon Dieu! un article circule (...) on en parle (...)*
FLAUBERT, Mme Bovary, II, XI.

Note officielle (→ Évidence, cit. 7). *Note émanée du Q. G. d'une division d'infanterie* (→ Liste, cit. 1). *Note de service. — Note diplomatique :* communication écrite soit entre agents diplomatiques, soit entre un ambassadeur et le gouvernement auprès duquel il est accrédité. ⇒ **Mémorandum; contre-note.** *Note signée. Note verbale, ou note confidentielle,* non signée. — (1819). Par ext. (ailleurs que dans le langage diplomatique). *Note verbale :* note résumant un entretien.

21 *Malgré les assurances conciliantes données à plusieurs reprises par l'Autriche (...) la note avait nettement le caractère d'un ultimatum (...)*
MARTIN DU GARD, les Thibault, t. VI, p. 100.

♦ **5.** (1636). *Brève indication recueillie par écrit (en écoutant, en étudiant, en observant). Note pour se rappeler qqch.* ⇒ **Mémorandum.** — (Avec le v. *prendre*). *Prendre une note, une courte note, des notes. Prendre note d'un renseignement, de ce qu'on éprouve* (→ Jour, cit. 48). ⇒ **Noter.** *J'en prends note. Fig. Merci de ce conseil, j'en prends bonne note, je le retiendrai. Prendre des notes pendant un discours, un cours; prendre des notes en lisant, observant pour se documenter, s'informer* (cit. 15). — *Technique de la prise de notes* (en journalisme). — *Écrire des notes relatives aux événements du moment* (→ Brochure, cit. 3). *Crayonner, accumuler* (cit. 5) *des notes. Notes sur des choses vues* (→ Enfiler, cit. 13). *Voici quelques notes sur la question.* ⇒ **Aperçu, considération, observation, pensée, réflexion.** — *Cahier, carnet de notes.*

⇒ **Calepin, carnet, bloc-notes** (→ Espacer, cit. 1). *Carnet de notes où* Vigny *jeta les esquisses* (cit. 3) *de ses livres. Faire publier des notes.* → Cahier. — Littér. *Titre de certains essais critiques. Notes nouvelles sur E. Poe,* de Baudelaire. *Note conjointe...,* de Péguy.

22   Tout ce qu'imprime un écrivain grave a de la valeur, mais ce qu'il écrit pour lui à l'état de simple note en a plus encore, en ce que j'y saisis sa pensée sans aucune forme de précaution ou de politesse.
     SAINTE-BEUVE, Causeries du lundi, 9 déc. 1851.

23   Je vais bien encore au cours, mais je n'écoute plus ; c'est du temps perdu. J'en ai trop, j'en suis saoul. J'admire les gaillards qui sont là patiemment, à prendre des notes et qui ne sentent pas des bouillonnements de rage et d'ennui leur monter à la tête.
     FLAUBERT, Correspondance, 80, Juin 1843.

24   Il lisait, prenait des notes : pendant des mois entiers, je le voyais écrire. C'était de la prose, et le plus souvent de longues pages de dialogues.
     E. FROMENTIN, Dominique, III.

25   (...) ces papiers n'étaient pas seulement des lettres à elle adressées, et le double de ses réponses, c'étaient aussi des conversations dont elle avait pris note et où elle avait consigné, non point tant les propos d'autrui, que ses répliques (...)
     GIDE, Si le grain ne meurt, I, IX, p. 253.

26   Ce ne sont donc ici que notes pour *moi* : impromptus, surprises de l'attention, germes ; et point de ces productions élaborées, reprises, consolidées, mises dans une forme calculée, qui peuvent se présenter à tout le public avec l'assurance et la grâce des œuvres faites expressément pour lui.   VALÉRY, Analecta, p. 14.

Loc. *Prendre qqch. en note* : noter.

Notes d'audience : « Notes rédigées à l'audience par le greffier d'un tribunal correctionnel ou de simple police, signées par lui, visées en outre par le président du tribunal correctionnel, relatant les noms des témoins, leurs déclarations, les réponses des prévenus et dont l'utilité principale est de simplifier, le cas échéant, les débats devant la juridiction d'appel » (Capitant). → Greffier, cit. 1.

Fig. *Rapide ébauche. Le croquis est une note, certaines esquisses* (cit. 2) *sont une fin.*

Par métonymie. *Papier, feuille(s) où sont écrites des notes. Étudiants qui se prêtent leurs notes. Orateur qui parle sans notes. Bureau couvert de notes. Notes réunies dans un classeur, un pique-notes*.

27   (...) il prit ses notes en main, on vit vaciller les feuillets.
     M. BARRÈS, Leurs figures, p. 349.

28   Il prit les notes qu'il avait posées à sa droite, et qui, toutes, se référaient plus ou moins au passé, aux événements du début de juillet (...)
     MARTIN DU GARD, les Thibault, t. VII, p. 42.

◆ **6.** Liste détaillée (de choses à acheter, à vendre, à livrer...). ⇒ **Bordereau, détail, écrit, état, exposé.**

29   De votre côté, faites arpenter, divisez, et dites à l'arpenteur de m'envoyer une note contenant la désignation des lots. Lorsque vous les aurez tirés au sort, nous n'aurons plus qu'à inscrire après chaque nom le numéro tiré, et nous signerons.
     ZOLA, la Terre, I, II.

(1845). *Détail d'un compte ; papier sur lequel est le détail d'un compte.* ⇒ **Compte.** *La note d'un artisan, d'un entrepreneur.* ⇒ **Facture, mémoire.** *Note de blanchisseuse. Note de restaurant.* ⇒ **Addition.** *Note d'hôtel.* — REM. On emploie toujours *note* à l'hôtel, *addition* au restaurant ; on ne dit ni l'un ni l'autre au café. *Note de gaz, d'électricité... Demander sa note. Faire la note ; présenter, envoyer sa note à un client* (→ Garage, cit. 3). *Par ext. Le total du compte, la somme due.* ⇒ **Douloureuse** (fam.). *Acquitter, payer*, *régler une note. Il payait tout jusqu'aux notes de la manucure* (→ Exceptionnel, cit. 9). *Une note élevée. Grossir* (cit. 7) *la note des frais. Corser la note* (→ Honoraire, cit. 6).

30   Figurez-vous que j'ai reçu la note d'un fournisseur de Paris (...) Je vous demande un peu si l'on a envie de payer une note de fourreur un quatorze juillet.
     J. GREEN, Adrienne Mesurat, III, VII.

Loc. fig. *Le gouvernement a accumulé les erreurs ; maintenant, il va falloir payer la note.* ⇒ **Payer** (fig.).

◆ **7.** Vx. Désignation favorable ou défavorable (d'une personne) à l'opinion. *Note d'infamie*. — Mod. Brève appréciation donnée par un supérieur sur le travail, la conduite (de qqn et, spécialt, d'un élève, d'un étudiant). ⇒ **Cote, observation, point.** *Note d'un fonctionnaire, d'un élève* (⇒ Notation). *Échelle des notes graduées* (cit. 5) *du passable au très bien. Infliger* (cit. 2) *une mauvaise note.* — Par ext. *C'est une mauvaise note pour lui,* un mauvais point, un blâme.

Plus cour. *Note chiffrée : appréciation donnée selon un barème préalablement choisi. Note sur 5, sur 10, sur 20... 9 sur 10 est une très bonne note ; zéro, la plus mauvaise note. Note affectée d'un coefficient*. *Note inférieure, supérieure à la moyenne. Mettre une note à un devoir. Avoir de bonnes notes en philo* (→ Faible, cit. 11). *Carnet de notes d'un écolier. Notes mensuelles, trimestrielles, annuelles.*

31   Il *(Roubaud)* avait sans doute pour lui ses notes de bon employé, solide à son poste, ponctuel, honnête, d'un esprit borné, mais très droit, toutes sortes de qualités excellentes qui pouvaient expliquer l'accueil prompt fait à sa demande et la rapidité de son avancement.   ZOLA, la Bête humaine, I.

32   Après avoir embrassé sa mère, il lui avait montré ses notes de travail et de conduite.   J. ROMAINS, les Hommes de bonne volonté, t. I, XVII, p. 174.

DÉR. Noter.
COMP. Bloc-notes, contre-note, croquenote, garde-notes, pique-notes.

NOTER [nɔte] v. tr. — V. 1119, « remarquer » ; lat. *notare* « noter », de *nota* → Note.

★ **I.** ◆ **1.** (1538). Marquer* (un élément d'un texte, d'un écrit) de manière à retrouver plus facilement, à se souvenir, à retenir pour mentionner...). *Noter les passages intéressants d'un livre.* ⇒ **Cocher, souligner.** *J'ai noté d'une croix ce qui me semblait particulièrement juste. Noter d'une cote.* ⇒ **Coter.**

Je m'étais proposé de noter les beaux endroits des trois poèmes de Richardson ; mais le moyen ? Il y en a tant !   DIDEROT, Éloge de Richardson.   1

◆ **2.** Écrire pour mémoire (sur un papier, dans un cahier, un carnet, un bloc-notes...). ⇒ **Consigner, enregistrer, inscrire, marquer.** *Noter une adresse, un numéro de téléphone, la date d'un rendez-vous ; une commande* (→ Échantillon, cit. 3), *une commission... Noter un renseignement sur le journal* (cit. 5) *de bord. Notez ce que je dis.* ⇒ **Note** (prendre note, en note). — Loc. *Notez-le sur vos tablettes*. *Noter quelques lignes sur un carnet* (→ Mirer, cit. 1). *Noter son emploi du temps* (→ Économe, cit. 5), *ses souvenirs* (→ 1. Être, cit. 44). *Noter des idées à la hâte* (→ Jeter* sur le papier). *Noter le résultat d'une observation. Noter une phrase, un vers célèbre.* ⇒ **Copier, relever.** — (Suivi de *que*). *Notez que nous serons absents jusqu'à la fin du mois.*

— Apprenez, mon ami, que c'est une sottise   2
De se venir jeter au travers d'un discours (...)
(...) — Je noterai cela, Madame, dans mon livre.
     MOLIÈRE, les Femmes savantes, IV, 4.

— Ici, le poste radio. Nous vous communiquons les télégrammes. Rivière les notait, et hochait la tête : — Bien... Bien...   3
     SAINT-EXUPÉRY, Vol de nuit, VIII.

(Il faut) noter soigneusement et dans le plus grand détail tout ce qui se produit.   4
     SARTRE, la Nausée, p. 11.

◆ **3.** Prêter attention* à (qqch.). ⇒ **Apercevoir, constater, remarquer** (→ Attente, cit. 23). *Noter les fautes* (cit. 28) *d'autrui. Fait qui mérite d'être noté. Noter une ressemblance, une différence, un changement... Il avait noté cela avant nous, il en avait déjà fait la remarque*. *Il faut bien noter ceci* (→ Faire attention*, prendre garde* à, se rendre compte* de). *À noter les expressions...* (→ Affirmation, cit. 2). *Notez bien.* ⇒ **Nota bene.** *Notez que..., notez bien que...* (→ Malheur, cit. 15). *Notez ici que son dîner était frugal* (cit. 1). *Il faut noter, il est à noter qu'il était alors encore bien jeune. Il est intéressant, curieux de noter que...* (→ Licence, cit. 9 ; métier, cit. 1). — REM. En incise, *notez, notez bien,* s'emploie pour attirer l'attention sur un fait que l'interlocuteur pourrait ignorer ou négliger. *Je ne lui ai rien dit, notez, mais il a compris.*

Il considéra l'image de Chéri dans la glace, nota la blancheur des narines dilatées, la mobilité errante du regard, et risqua la plus discrète question.   5
     COLETTE, Chéri, p. 124.

Il suivait (...) les progrès de la peste en général, notant justement qu'un tournant de l'épidémie avait été marqué par la radio (...)   6   CAMUS, la Peste, p. 129.

◆ **4.** Affecter d'une note (II., 7.). — Vx. Désigner (qqn) à l'opinion, par une note favorable ou défavorable. *Noter qqn de...* (suivi d'un nom ou d'un inf.). — Absolt (vieilli). Désigner pour une mauvaise note. *« Cet homme est noté à la cour... »* (Furetière). ⇒ **Étiqueter.**

(...) celui qui a composé l'histoire d'Espagne en français l'a notée *(Chimène)* dans son livre de s'être tôt et aisément consolée de la mort de son père (...)   7
     CORNEILLE, le Cid, Avertissement.

(...) savez-vous ce que c'est que votre ami, votre intime ami le chevalier de Saint-Ouin ? Un escroc, un homme noté par cent mauvais tours. La police ne laisse la liberté du pavé à cette espèce d'hommes-là, qu'à cause des services qu'elle en tire quelquefois. Ils sont fripons et délateurs des fripons (...)   8
     DIDEROT, Jacques le fataliste, Pl., p. 729.

Mod. Apprécier par une observation, une note chiffrée. *Noter un élève, un employé. Noter un devoir, une copie.* ⇒ **Coter.**

Au passif :
Je n'ai pas à me plaindre de mes chefs et pense être noté comme un collaborateur consciencieux.   9   DUHAMEL, Salavin, Journal, 16 juil.

★ **II.** (Fin XIIe). Mus. Écrire, copier (de la musique) avec les caractères destinés à cet usage (→ Collationner, cit. 1). *Noter un air. Manière de noter.* ⇒ **Notation.**

Il y a, dans la manière de *noter* la musique, une élégance de copie, qui consiste moins dans la beauté de la note que dans une certaine exactitude à placer convenablement tous les signes, et qui rend la musique ainsi *notée* bien plus facile à exécuter (...)   10   ROUSSEAU, Dict. de musique, Noter.

▶ **NOTÉ, ÉE** p. p. adj.

◆ **1.** *Passage noté. De petits faits minutieusement notés* (→ Matière, cit. 15). *Emprunts d'un texte notés en marge* (→ Endroit, cit. 19). — *Être bien, mal, fâcheusement* (cit. 1) *noté. Accusateur* (cit. 2) *noté d'infamie* (→ ci-dessus, cit. 8). *Fonctionnaire bien noté.* — *Compositions notées.*

◆ **2.** (Sens II). *Musique notée ; air noté. Déclamation notée d'un récitatif* (→ Mélopée, cit. 1). — *Page, feuille notée,* où l'on a écrit de la musique.

DÉR. Notateur, noteur.

NOTEUR, EUSE [nɔtœʀ, øz] n. m. — Déb. XIIIe ; de *noter.*

◆ **1.** Vx. Personne qui note, enregistre (qqch.).

◆ **2.** (1868). Vx. Personne qui copie les rôles des chanteurs, des musiciens. — Copiste de musique.

NOTICE

NOTICE [nɔtis] n. f. — XIIIᵉ, «connaissance de qqch.» (→ Intellect, cit. 1, Ronsard); lat. *notitia* «connaissance», de *notum,* supin de *noscere* «connaître, reconnaître».

♦ **1.** (1721). Préface* (d'un livre) dans laquelle l'éditeur présente succinctement l'auteur et l'œuvre. *Cette comédie est accompagnée d'une préface de l'auteur et d'une notice de l'éditeur.* ⇒ **Analyse.**

♦ **2.** (V. 1780). Bref exposé écrit, ensemble d'indications sommaires. ⇒ **Abrégé, note.** *Notice biographique* (→ Fantaisiste, cit. 4), *bibliographique, nécrologique.*

(XXᵉ). Description d'un fonctionnement. *Consulter la notice de (un appareil, une machine),* pour connaître son mode* d'emploi. *Notice d'utilisation. Notice technique.*

♦ **3.** (1907). Comm. Résumé des conditions d'une émission de titres par une société. *Publication de la notice dans le bulletin des annonces légales et obligatoires.*

♦ **4.** Dr. *Notice hebdomadaire :* relevé des mentions portées sur le registre d'ordre du parquet.

NOTIFICATIF, IVE

NOTIFICATIF, IVE [nɔtifikatif, iv] adj. — 1860; de *notifier.*

♦ Dr. Qui sert à notifier. *Lettre notificative.*

NOTIFICATION

NOTIFICATION [nɔtifikasjɔ̃] n. f. — 1314, «connaissance»; de *notifier.*

♦ **1.** (1468). Fait de notifier (qqch. à qqn). *La notification d'un événement par qqn (à qqn).*

♦ **2.** Dr. Acte* par lequel on notifie. ⇒ **Annonce, avis, exploit, signification** (→ Huissier, cit. 7). *Donner, recevoir notification d'un arrêt.* — Dr. admin. Information communiquée en la forme administrative à une personne pour porter à sa connaissance une décision qui la concerne. *Ils devront partir sans délai et sans attendre une notification individuelle* (→ Mobilisation, cit. 2). — Procédure civile. Acte instrumentaire par lequel on porte à la connaissance d'une personne une décision la concernant. *Notification a été faite du jugement aux parties intéressées. Notification du futur mariage à celui des parents qui n'a pas déclaré y consentir* (Code civil, art. 154).

NOTIFIER

NOTIFIER [nɔtifje] v. tr. — 1314, «faire connaître»; lat. *notificare,* de *notus,* supin de *noscere,* et *facere.*

♦ **1.** (1463). Dr. Porter à la connaissance d'une personne intéressée, et dans les formes légales (un acte juridique fait ou à faire). ⇒ **Intimer, signifier; notification.** *Le juge commet* (cit. 8) *un huissier pour notifier la citation. Les expropriés notifient leurs mémoires à l'administration expropriante* (cit. 3) *par exploit d'huissier. Le notaire notifiera le mariage projeté à celui ou à ceux des père, mère ou aïeuls dont le consentement n'est pas encore obtenu* (Code civil, art. 154).

♦ **2.** Cour. *Notifier qqch. à qqn,* le lui faire connaître expressément. ⇒ **Annoncer, communiquer, dénoncer, informer, mander** (vx), **part** (faire part), **signifier.** *On lui notifia son renvoi.*

1 Le ministre dut communiquer à l'Assemblée cette pièce unique, où il notifiait aux cours étrangères les sentiments révolutionnaires de Louis XVI.
MICHELET, Hist. de la Révolution franç., IV, XII.

2 On montrait de lui des messages de trois mots notifiant des rendez-vous (...)
Léon BLOY, la Femme pauvre, I, XXIV.

DÉR. Notificatif, notification.

NOTION

NOTION [nɔsjɔ̃] n. f. — 1570; lat. *notio* du supin de *noscere* «connaître, reconnaître».

♦ **1.** (Surtout au plur.). Connaissance élémentaire. ⇒ **Élément, rudiment.** *Inculquer* (cit. 2) *aux enfants les notions primitives. Notions de chimie, d'anglais, de grammaire... Avoir quelques notions d'une science.* ⇒ **Clarté.**

Spécialt. (Dans un titre d'ouvrage). *Notions d'algèbre :* manuel élémentaire d'algèbre.

♦ **2.** Connaissance intuitive, synthétique et assez imprécise (d'un objet de connaissance). *Notion qui devance l'expérience.* ⇒ **A priori** (→ Éprouver, cit. 28). *Avoir en soi la notion de l'éternité* (cit. 5), *de l'infini* (cit. 16 et 22). ⇒ **Connaître.** — *Perdre la notion du temps, du lieu où l'on se trouve..., de la réalité...* ⇒ **Conscience.** — *Notions morales; notions du bien et du mal* (→ Bonté, cit. 4). *Elle n'avait eu jusqu'alors aucune notion de ce sentiment* (→ Irréfragable, cit. 2). — *Je n'en ai pas la moindre notion.* ⇒ **Idée.**

1 Vous lui trouvez un petit nombre de notions morales qui se rapportent à son état actuel, aucune sur l'état relatif des hommes (...)
ROUSSEAU, Émile, II.

2 (...) je ne sais quelle enivrante sensation d'un air plus large, d'une étendue plus vaste, me faisait perdre un moment la notion de la vie réelle.
E. FROMENTIN, Dominique, III.

3 (...) je me tâtai pour me redonner une notion au moins superficielle de ma propre existence. FRANCE, le Crime de S. Bonnard, Œ., t. II, III, p. 364.

(...) elle perdait la notion du lieu au point qu'il lui arrivait de tomber tout à coup 4
de sa chaise. GIDE, Si le grain ne meurt, I, IV, p. 95.

Par ext. Impression vague (→ Bien-être, cit. 3).

♦ **3.** Objet abstrait de connaissance. ⇒ **Idée, pensée.** Spécialt. Idée générale. ⇒ **Abstraction, concept** (→ Abstrait, cit. 2; inaccessible, cit. 14; isoler, cit. 6). *Les idées* (cit. 5, Rousseau) *sont des notions des objets. Le mot et la notion* (→ Abstrait, cit. 5); *le terme* et *la notion. Systèmes de notions et terminologie.* — *La notion d'espèce* (cit. 30 et 33), *de hasard* (cit. 26), *de justice* (cit. 16 et 17). *Système de notions* (→ Idiome, cit. 4).

J'appelle (...) *notion,* toute idée qui est notre propre ouvrage (...) On ne doit pas 5
dire la *notion du blanc,* mais la *perception du blanc.* Les notions à leur tour peuvent être considérées comme images : on peut par conséquent leur donner le nom d'idées (...) CONDILLAC, Connaissances humaines, I, in BRUNOT, Hist. de la langue franç., t. VI, p. 10.

Notion commune, reconnue : vérité admise par tous. *Notion dont il ne subsiste que des conventions* (→ Dada, cit. 4).

Les notions reconnues, les principes, mon esprit ne les admet point qu'il ne les 6
ait reconnus lui-même; je sais du reste que les mots les plus sonores sont aussi les plus creux. GIDE, les Nouvelles Nourritures, p. 281.

♦ **4.** Philos. Chez Kant, Concept a priori (produit de l'entendement*). — Chez Hegel :

La dialectique en son essence est (...) le jeu des notions. On sait que la notion, pour 7
Hegel, organise et fond ensemble les concepts dans l'unité organique et vivante de la réalité concrète. La Terre, la Renaissance, la Colonisation au XIXᵉ siècle, le Nazisme, font l'objet de *notions;* l'être, la lumière, l'énergie, sont des concepts abstraits. SARTRE, Situations III, p. 153.

DÉR. Notionnel.
COMP. Prénotion.

NOTIONNEL, ELLE

NOTIONNEL, ELLE [nɔsjɔnɛl] adj. — 1701, *notionel;* de *notion.*

♦ Didact. Relatif à une notion. ⇒ **Conceptuel, idéel.** *Système notionnel correspondant à une terminologie.*

Ling. Se dit d'une unité qu'énonce une notion* (3.) [opposée à *unité grammaticale,* exprimant un rapport].

(...) la lexicologie (...) envisage des *groupes de mots* considérés statiquement du point de vue *notionnel.* G. MATORÉ, la Méthode en lexicologie, p. 13.

Grammaire notionnelle : grammaire qui se fonde sur l'hypothèse du langage comme révélateur d'une pensée commune à tous les peuples par-delà leur réalité linguistique.

NOTO-

NOTO- Élément, du grec *nôtos* «dos». ⇒ **Notocorde, notodonte, notomèle, notonecte.**

NOTOCORDE ou NOTOCHORDE

NOTOCORDE ou **NOTOCHORDE** [nɔtokɔrd] n. f. — 1868; de *noto-,* et *corde, chorde.*

♦ Didact. (Embryol.). Corde dorsale. ⇒ **Corde** (IV., 3.), **chorde.**

Cet animal (*l'Amphioxus*) possède uniquement une baguette flexible, allant de la 1
tête à la queue et située juste au-dessous du tube nerveux; on lui donne le nom de notochorde ou corde dorsale. R. et M.-L. BAUCHOT, les Poissons, p. 34.

Comme dans les poissons actuels, déjà leur corps se divise en deux parties, l'anté- 2
rieure formant une boîte osseuse solide, la postérieure articulée par de larges écailles et terminée par la queue. La partie locomotrice est charpentée par un axe longitudinal de nature fibreuse, la notocorde, le long duquel court la moelle épinière dont les dérivations nerveuses commandent les contractions des groupes musculaires disposés en séries bilatérales, formant les flancs de l'animal et protégés par l'armure souple des écailles.
A. LEROI-GOURHAN, le Geste et la Parole, t. I, p. 44-45.

NOTODONTE

NOTODONTE [nɔtodɔ̃t] n. m. — 1874; de *noto-,* et grec *odontos* «dent».

♦ Zool. Papillon nocturne de la famille des *Notodontidés*.*
DÉR. Notodontidés.

NOTODONTIDÉS

NOTODONTIDÉS [nɔtodɔ̃tide] n. m. pl. — 1874; de *notodonte.*

♦ Zool. Famille de lépidoptères très communs dans les zones tempérées. *Les processionnaires* appartiennent à la famille des Notodontidés.* — Au sing. *Un notodontidé.*

NOTOIRE

NOTOIRE [nɔtwar] adj. — 1283; *notore,* 1226; du lat. jurid. *notorius* «qui fait connaître», de *notare* → Noter.

♦ **1.** (Après le nom). Qui est connu d'une manière sûre, certaine et par un grand nombre de personnes. ⇒ **Connu, éclatant** (cit. 7), **évident, manifeste, public, reconnu.** *Vérité notoire et publique* (D'Alembert, in Littré). *Le fait est notoire. Il est notoire que...* ⇒ **Clair** (→ Frauder, cit. 6; heure, cit. 84). *Il est d'une méchanceté, d'une bêtise notoire. Caractère de qui est notoire.* ⇒ **Notoriété.** *Nouvelle notoire et officielle*.* — Dr. *Inconduite* (cit. 2) *notoire. Insolvabilité* (cit.) *notoire.* Hist. du dr. *Coutume notoire.*

Si un fait était notoire : par exemple, si un homme avait été assassiné en plein 1
marché, on n'ordonnait ni la preuve par témoins, ni la preuve par le combat; le juge prononçait sur la publicité. MONTESQUIEU, l'Esprit des lois, XXVIII, XXV.

(...) le palais de Versailles ne pouvant être électrifié (...) les cent becs papillon qui 2 y fonctionnaient étaient d'une insuffisance notoire pour éclairer l'aube d'une nouvelle présidence.   ARAGON, les Beaux Quartiers, II, VII.

♦ **2.** (Personnes). Avéré, reconnu comme tel. *Un très spirituel personnage, athée notoire et libertin fieffé* (→ Fâcheux, cit. 10). *« On dira... un cacographe notoire, pour désigner un auteur dont la célébrité est désavantageuse même à lui-même »* (Thérive, *Quer. de lang. I.*, p. 205). *Un criminel notoire,* célèbre, très connu. *C'est un notoire imbécile.*

3 (...) j'ai trouvé des praticiens notoires (...) infirmiers de seconde classe dans des ambulances qui étaient dirigées par des médecins militaires de vingt-huit ou trente ans !   MARTIN DU GARD, les Thibault, t. IX, p. 119.

CONTR. **Douteux, faux, inconnu.**
DÉR. **Notoirement.**

NOTOIREMENT [nɔtwaʀmɑ̃] adv. — 1283 ; de *notoire.*

♦ De façon notoire ; au su d'un grand nombre de personnes. ⇒ **Manifestement.** *Nouvelle notoirement fausse. Il est notoirement insolvable. Les choses les plus notoirement folles* (→ Chance, cit. 8).

NOTOMÈLE [nɔtomɛl] n. m. — 1842, *in* D.D.L. ; de *noto-,* et grec *melos* «nombre».

♦ Zool. Monstre doté d'un ou deux membres sur le dos.

NOTONECTE [nɔtonɛkt] n. m. ou f. — 1808 ; de *noto-,* et grec *nêktos* «nageur».

♦ Zool. Insecte hémiptère (type de la famille des *Notonectidés*) aquatique, nageant sur le dos. *Les notonectes sont aussi appelés punaises* d'eau carnassières* ou *punaises d'eau à avirons.*

Le dos de métal roux, pareil à celui de la notonecte, luisit *(sic)* au soleil à mesure que le bateau long aventurait hors du couloir son bec de xyphias de douze mètres.
                         A. JARRY, Gestes et Opinions du Dr Faustroll, Pl., p. 674.

NOTORIÉTÉ [nɔtɔʀjete] n. f. — 1404 ; dér. sav. du lat. *notorius.* → Notoire.

♦ **1.** Caractère de ce qui est notoire* ; le fait d'être connu d'une manière certaine et générale. *Notoriété d'un fait, d'une nouvelle...* Loc. *Cela est de notoriété ; il est de notoriété publique que...* (→ Main, cit. 66).
Par ext. L'opinion générale qui donne une chose pour notoire. *La notoriété publique l'accuse* (Littré). *« Il admirait un peu au hasard..., d'après la notoriété publique »* (→ Jugement, cit. 17).

1 Louis Racine, avec piété, mais contre toute vraisemblance, a cru devoir nier la liaison de son père *(avec la Champmeslé),* quoiqu'elle fût de notoriété publique.
                                  Émile HENRIOT, Portraits de femmes, p. 65.

Dr. Acte de notoriété : acte « par lequel un officier public ou ministériel (juge de paix, notaire) relate des témoignages constatant la notoriété de certains faits » (Dalloz, *Petit dict. de dr.*). *Acte de notoriété suppléant l'acte de naissance en matière de mariage* (Code civil, art. 71). *Acte de notoriété administrant la preuve de la qualité d'héritier. Attester* par un acte de notoriété...*

2 (...) vous reconnaissez, dis-je, que l'individu désigné dans les actes joints au sousseing, mais dont l'état se trouve d'ailleurs établi par un acte de notoriété préparé chez Alexandre Crottat, votre notaire, est le comte Chabert, votre premier époux.
                            BALZAC, le Colonel Chabert, Pl., t. II, p. 1131.

♦ **2.** (1856 ; Baudelaire ; → Excentrique, cit. 5). Fait d'être connu avantageusement. ⇒ **Célébrité, renom, renommée, réputation.** *Acquérir une certaine notoriété.* ⇒ **Percer.** *Son livre lui a donné de la notoriété ;* l'a fait connaître, l'a posé*... *Sa notoriété dans le monde médical* (→ Assurer, cit. 12).

3 Revenu à Arbois, Louis Pasteur (...) reprit honteusement ses pastels et sut conquérir, de portrait en portrait, une notoriété de canton (...) La rumeur d'admiration ne lui fut bientôt plus un succès suffisant... *(à Besançon).* La réputation d'être un jeune peintre doué lui sembla définitivement dérisoire.
                                          Henri MONDOR, Pasteur, p. 16.

♦ **3.** (Avant 1922, Proust). Personnes. Personne notoire. *Elle est une notoriété dans sa ville.* ⇒ **Gloire, personnalité.**

CONTR. **Ignorance, obscurité.**

NOTOS [nɔtos] n. m. — XIXe (*in* P. Larousse 1874) ; lat. *notos* ou *notus,* grec *notos.*

♦ Didact. (Antiq.). Vent du sud, chez les Grecs. (À propos de Rome, plutôt *notus* [nɔtys]).

NOTRE [nɔtʀ] plur. **NOS** [no] — 842 (*Serments de Strasbourg*), *nostro ; nostre,* 1080, *Chanson de Roland ;* du lat. *noster.*
Adjectif possessif de la première personne du pluriel et des deux genres, correspondant au pronom personnel *Nous*.*
REM. 1. (Fonction). *Notre (nos)* se rapporte normalement à plusieurs personnes ; d'où son nom de possessif de la pluralité ou «pluripossessif» (Damourette et Pichon).

2. (Sens). *Notre (nos)* peut exprimer, outre la possession proprement dite, des rapports de toute sorte. ⇒ **Mon** (REM. 3).

3. (Place). *Notre (nos)* se place toujours devant le nom qu'il détermine. ⇒ **Mon** (REM. 4).

4. (Répétition). Devant deux substantifs coordonnés, *notre (nos)* est généralement répété. ⇒ **Mon** (REM. 6).

Nos grasses abbayes, nos villes et villages, nos serfs, nos prairies et nos moulins, nos bois et nos étangs, nos justices et nos juridictions, nous ont été sans cesse disputés par de puissants ennemis (...)   1
                       FRANCE, M. Bergeret à Paris, XXV, Œ., t. XII, p. 520.

Notre humaniste, médecin, théologien, jurisconsulte, diplomate, consumait plus d'huile que de vin.   (cité par Sandfeld).   2

5. *Notre (nos),* suivi d'un adjectif au comparatif, forme un superlatif. *Nos plus grands plaisirs. Nos moindres désirs.*

6. *Notre (nos)* renforcé par un nom propre ou un pronom. *Notre avis à nous. Nos idées à tous.*

— Il n'y a pas deux partis à prendre, — nous dit *M. Jacques,* et c'était à tous notre avis.   BARBEY D'AUREVILLY, le Chevalier des Touches, VII.   3

Notre déconvenue à l'un et à l'autre fut grande (...) FRANCE, le Petit Pierre, XXI.   4

★ **I.** Qui est à nous, qui nous appartient. ⇒ **Nous.**

♦ **1.** (Représentant deux ou plusieurs personnes, dont le locuteur). *La maçonnerie* (cit. 1) *de notre maison. J'ai bien élevé nos enfants* (→ Main, cit. 73). *Depuis notre départ. Notre marché* (cit. 19).

Elles *(les religieuses)* ne disent de rien *ma* ni *mon.* Elles n'ont rien à elles et ne doivent tenir à rien. Elles disent de toute chose *notre ;* ainsi : notre voile, notre chapelet ; si elles parlaient de leur chemise, elles diraient *notre* chemise.   5
                                          HUGO, les Misérables, II, VI, II.

Les yeux noirs de Françoise s'allumèrent. Elle était très pâle, elle bégaya, révoltée :   6
— Ta vache, ta vache... Tu pourrais bien dire notre vache. — Comment, notre vache ? une vache à toi, gamine ! — Oui, la moitié de tout ce qui est ici est à moi, j'ai le droit d'en prendre et d'en abîmer la moitié, si ça m'amuse !
                                              ZOLA, la Terre, II, III.

♦ **2.** (Représentant un groupe de personnes, les habitants d'une même ville, d'un même pays...). *Notre bonne ville. La manœuvre* (cit. 6) *de notre régiment. Notre langue et nos belles-lettres* (cit. 34). *« Gloire à notre France éternelle ! »* (→ Fort, cit. 80, Hugo). *Notre civilisation* (→ Lien, cit. 1).

♦ **3.** (Représentant la généralité des hommes). *Notre vie... :* la vie humaine. *Notre être* (→ Modeler, cit. 6). *Notre esprit* (→ Authentique, cit. 16). *Notre tempérament, notre caractère...* (→ Maître, cit. 31). *« Notre Père, qui êtes aux cieux, donnez-nous aujourd'hui notre pain quotidien... »* (prière). *Notre-Dame. Notre-Seigneur. « Notre ennemi, c'est notre maître »* (cit. 5, La Fontaine).

Or, notre pauvre monde ressemble au vieux père Job sur son fumier, plein de plaies et d'ulcères.   BERNANOS, Journal d'un curé de campagne, p. 20.   7

REM. 1. Choix entre *notre* et *nos.* — *Notre* (mais *votre* et *leur**) reste généralement au singulier devant un nom abstrait. *Nous tissons notre destin... comme l'araignée* (cit. 7) *sa toile. C'est notre inquiétude, c'est notre impatience qui gâte tout...* (→ Maladie, cit. 4). — Il se met au pluriel *si la phrase implique l'idée de réciprocité, de comparaison ou de jonction »* (Grevisse), ou si chaque possesseur possède plusieurs objets. *Il est conforme à nos habitudes d'esprit de considérer comme anormal(e)... la maladie* (cit. 1). — Si chaque possesseur ne possède qu'un seul objet, on emploie *notre* ou *nos* selon que l'esprit s'attache à l'individualité des personnes ou à la pluralité des substances possédées. *Nous nous connaissons depuis notre enfance. Les chevaux de bois, gloire de nos enfances* (→ Manège, cit. 3).

Allons, messieurs ! un beau mouvement ! Hein ? donnons tous nos démissions.   8
                                  BALZAC, les Employés, Pl., t. VI, p. 972.

Je me suis battu avec le petit porcher, l'autre jour (...) Après ! — nous avons rentré   9
nos tignasses, lui, sous son chapeau, moi sous ma casquette, et on nous a fait nous taper dans la main.   J. VALLÈS, l'Enfant, VI, p. 64.

2. Choix entre *notre (nos), votre (vos)* ou *son (sa ses).*
a. Après *on* ou un sujet indéterminé, «on emploie le possessif *notre, nos...* (si le locuteur se met dans la collectivité : d'autres + moi), ou *votre, vos...* (si le locuteur s'efface et ne se met pas dans la collectivité) : *On ressent tous les jours que cette violence excite nos désirs* (Bossuet)...» (Grevisse, *Bon usage,* § 426 bis).
b. *Chacun* reprenant le pronom *nous,* se fait normalement suivre de *notre (nos). Nous avons chacun notre point de vue, nos idées.* ⇒ **Chacun** (*supra* cit. 15) ; **son** (sa, ses).

(...) nous suivions chacun notre chemin sur la montagne ou sur l'eau (...)   10
                                              LAMARTINE, Raphaël, VI.

Nous n'avions, nous, qu'une certitude, celle d'être désormais seuls, parfaitement   11
seuls, chacun dans notre angoisse !
                            É. ESTAUNIÉ, Solitudes, « M. Champel », IV, p. 105.

★ **II.** Emplois stylistiques de *notre (nos).* ⇒ **Nous.**

♦ **1.** Marquant la sympathie personnelle. *Comment va notre malade ? Nous aimons toujours notre petite femme ? Comment va notre petite Simone ?*

— Eh bien, la petite mère, lui dit-il avec son rire cynique (...) comment ça va-t-   12
il depuis notre plongeon ?
                       Alphonse DAUDET, Fromont jeune et Risler aîné, III, V.

(...) il lui tâta le pouls ; puis il l'ausculta. — Allons, déclara-t-il enfin, en ce qui   13
touche notre santé, je ne suis pas mécontent (...)
                       A. DE CHÂTEAUBRIANT, Monsieur des Lourdines, VII, p. 139.

♦ **2.** Marquant « un intérêt supposé commun au sujet parlant et à l'interlocuteur » (Sandfeld). — REM. Ce tour est particulièrement fréquent dans les récits familiers où le conteur veut prendre le lecteur comme témoin ou complice de l'action. *« Notre laitière ainsi troussée... »* (La Fontaine, *Fables*, VII, 10). *« Voilà nos gens rejoints... »* (La Fontaine, *Fables*, IX, 2). *Notre homme un beau matin* (cit. 19)... *Notre malade* (cit. 23) *imaginaire. Revenons à nos moutons.*

Spécialt. *Notre, nos,* employé par un mandataire qui parle au nom de plusieurs personnes auxquelles il s'assimile.

14   Notre dot à nous, dit Mathias *(un notaire qui débat une affaire avec un autre)*, est la terre de Loustrac (...) Ces propriétés, dont les titres sont chez moi, proviennent de la succession de nos père et mère, excepté la maison de Paris, laquelle est un de nos acquêts... — Qu'apportez-vous...? Nos droits, dit Solonet *(l'autre notaire)*.   BALZAC, le Contrat de mariage, Pl., t. III, p. 117.

♦ **3.** Régional (rural). *Notre,* devant un appellatif *(monsieur, madame...).*

15   C'est donc vrai, berger, que vous êtes sorciers, vous autres? — Nullement, notre demoiselle.   Alphonse DAUDET, Lettres de mon moulin, « Les étoiles ».

16   — Hé bien! ça te va-t-il? Elle répondit avec une physionomie triste : Quoi, not maître?   MAUPASSANT, la Maison Tellier, « Hist. d'une fille de ferme », III.

★ **III.** NOTRE (NOS), pour *mon (ma, mes),* représentant une seule personne.

♦ **1.** Correspondant au *nous,* dit « de majesté », employé par un souverain, un évêque, un préfet, etc. ⇒ **Nous.** *Notre présent mandement* (cit. 2). *« (...) par crainte de démolir notre monture* (cit. 2), *nous avons fait tout le chemin à pied, traînant notre cheval par la bride »* (dit Ubu). *Tel est notre bon plaisir.*

♦ **2.** Correspondant au *nous,* dit « de modestie », employé par les auteurs, notamment dans leurs préfaces.

17   Il nous reste à entretenir le lecteur de notre ouvrage, de ce Cromwell (...)   HUGO, Cromwell, Préface.

HOM. (Du plur.) Nô.
COMP. Notre-Dame.

NÔTRE (LE), NÔTRE (LA), NÔTRES (LES) [notʀ] adj., pron. poss. et n. — 1080, *nostre* : du lat. *nostrum.* → Notre.

Qui appartient, se rapporte à nous. — REM. Pour les divers sens de *nôtre, le nôtre* → Mien (REM. au début de l'article).

★ **I.** Adj. poss. ♦ **1.** Vx ou littér. (En fonction d'épithète). ⇒ **Nous** (à nous, de nous). *Cette idée nôtre :* cette idée de nous.

1   Et n'appréhendez plus l'interruption nôtre.   MOLIÈRE, le Dépit amoureux, II, 6.

2   Je ne suis pas devenu assez idiot (...) pour me dire que ce mien, ce nôtre passage de la trentième année est un incident microscopique (...)   J. ROMAINS, les Hommes de bonne volonté, t. XVII, XIX, p. 168.

♦ **2.** Mod. et littér. (Attribut). À nous.

3   Qu'importe dès lors que les actions, les émotions de ces êtres d'un nouveau genre nous apparaissent comme vraies, puisque nous les avons faites nôtres, puisque c'est en nous qu'elles se produisent (...)   PROUST, Du côté de chez Swann, I, p. 126.

4   Mais, dès que cette fusion aura lieu on devra dire que le changement survenu dans notre caractère est bien nôtre (...)   H. BERGSON, Essai sur les données immédiates de la conscience, p. 132.

REM. Employé en valeur d'adjectif, *nôtre* peut former un comparatif ou un superlatif. *Des parties bien plus nôtres, plus importantes* (cit. 1, Montaigne).

5   (...) la vie non encore vécue, la vie relativement future, nous semble une vie plus lointaine, plus détachée, moins utile, moins nôtre.   PROUST, la Prisonnière, I, p. 131.

6   Ce que nous avons de plus nôtre (...)   VALÉRY, M. Teste, p. 47.

★ **II.** Pron. poss. (Avec l'article *le, la, les*). *Le nôtre, la nôtre, les nôtres,* pour désigner avec précision l'être ou l'objet qui est en rapport de possession, de parenté, d'intérêt, etc., avec le groupe formé par le locuteur *(je, moi)* et une ou plusieurs autres personnes *(nous). Votre livre et le nôtre. Vos idées ne sont pas toujours les nôtres.*

(En fonction de sujet). *Quelle facilité est la nôtre...!* (→ Imprimer, cit. 9). *Une marine ne s'improvise* (cit. 11) *pas, la nôtre était ruinée par l'anarchie.*

(En fonction d'attribut). *« Nous n'écoutons d'instincts* (cit. 18, La Fontaine) *que ceux qui sont les nôtres ». Ce ne sont pas ses pensées, ce sont les nôtres...* (→ Archet, cit. 3).

(En fonction de compl. d'objet direct). *Le chancelier* (cit. 2) *autrichien a roulé le nôtre. Leur engeance* (cit. 1) *valait la nôtre en ce temps-là. Ils ont leurs soins, et nous les nôtres* (→ Inquiéter, cit. 13).

7   (...) on le vit presque en même temps pousser l'aile droite des ennemis, soutenir la nôtre ébranlée, rallier les Français à demi vaincu (...)   BOSSUET, Oraison funèbre du prince de Condé.

(Complément de préposition). *On ne peut pas le comparer au nôtre. Que la morale* (cit. 10) *des aveugles est différente de la nôtre! Les mœurs qui approchent* (cit. 51) *des nôtres nous touchent. Des académies qui peuvent rivaliser avec les nôtres* (→ Institut, cit. 4).

8   Les amis de ce pays-là
Valent bien, dit-on, ceux du nôtre.   LA FONTAINE, Fables, VIII, 11.

Ce qu'on aime dans un autre, c'est soi, c'est son plaisir, c'est le plaisir qu'on lui donne et qui est encore une forme du nôtre.   9
      Paul LÉAUTAUD, Propos d'un jour, p. 15.

(Dans une comparaison). *Un sort comme le nôtre* (→ Arriver, cit. 62). *Ceux qui ont l'esprit fait autrement que le nôtre* (→ Morale, cit. 12). *Des pensées plus belles et plus profondes que les nôtres* (→ Lecture, cit. 7). *Deux âmes aussi* (cit. 4) *semblables que les nôtres.*

(Accompagné d'un numéral cardinal) :

Les deux nôtres *(hirondelles)* vivaient perchées sur l'épaule, sur la tête (...)   10
      COLETTE, la Maison de Claudine, p. 66.

★ **III.** N. ♦ **1.** LE NÔTRE, toujours au masc. sing. (vx). Ce qui est à nous, notre propriété, notre bien. *Nous défendons le nôtre* (Littré). — *Notre part, notre côté :*

Pour moi, je ne sais rien : n'attendez rien du nôtre.   11
      RACINE, les Plaideurs, II, 14.

♦ **2.** DU NÔTRE, en emploi partitif. Ce qui vient de nous. *Nous y mettrons chacun du nôtre.* ⇒ **Mien** (*supra* cit. 24). *C'est un récit où nous n'avons rien mis du nôtre.*

♦ **3.** LES NÔTRES : nos parents, nos amis, nos commensaux, nos partisans. *Oui ou non, es-tu des nôtres?* (→ Mien, cit. 26). *Voulez-vous être des nôtres demain soir? « Il est des nôtres, il a bu son verre comme les autres »* (Chanson à boire).

— Je vous promets cependant solennellement un inviolable secret; mais rien de plus (...) — Nous sommes reconnaissants de cette promesse, madame, et nous n'en voulons pas plus, persuadés qu'après le succès vous serez tout à fait des nôtres.   12
      A. DE VIGNY, Cinq-Mars, XVII.

♦ **4.** Loc. DES NÔTRES. *« Nous avons bien fait des nôtres »* (Académie) : nous avons fait des folies, des fredaines...

NOTRE-DAME [nɔtʀədam] n. f. — V. 1155, *nostre dame;* de *notre,* et *dame.*

♦ **1.** Employé sans article (comme nom propre). Désignation traditionnelle de la Vierge Marie, parmi les catholiques.

♦ **2.** Régional. Fête consacrée à la Vierge. *La Notre-Dame d'août, de septembre* (Académie).

♦ **3.** **a** Fam. et vieilli. Représentation de la Vierge (image, statue). *Prier devant une Notre-Dame. Des Notre-Dame en plâtre peint.*

b Cour. (Sans article). Nom d'églises, de sanctuaires dédiés à la Vierge *(Notre-Dame de Paris, de Lourdes...).*

NOTULE [nɔtyl] n. f. — 1572; attestation isolée, 1495; bas lat. *notula* (vᵉ), de *nota.* → Note.

♦ **1.** Petite annotation* (à un texte).

♦ **2.** Ancien dr. ⇒ **Minute.**

NOUAGE [nwaʒ; nuaʒ] n. m. — 1603, *nouage d'aiguillette;* de *nouer.*

♦ **1.** Techn. (1874). Opération de tissage, action de nouer les fils d'une chaîne terminée à ceux qui doivent leur succéder.

♦ **2.** Méd. Fait d'être noué (membre).

NOUAISON [nwɛzɔ̃] n. f. — 1948; de *nouer.*

♦ Agric. et arbor. Transformation de l'ovaire de la fleur du fruit* (on dit aussi *nouure*). *« Le premier symptôme de la réussite de la fécondation, c'est l'accroissement en volume de l'ovaire et le dessèchement du calice... Le grain s'arrondit. C'est la nouaison du fruit »* (Larousse agric., p. 499, à propos de la vigne).

NOUALA [nwala] n. f. — Mil. xxᵉ; arabe *nwala.*

♦ Géogr. Construction de pierre et de torchis; hutte servant d'abri (Maroc).

NOUBA [nuba] n. f. — Fin xixᵉ; arabe d'Algérie *nūbā* « tour de rôle », désignant la musique que l'on jouait périodiquement et à tour de rôle devant les maisons des dignitaires.

♦ **1.** Ancienn. Musique militaire des régiments de tirailleurs d'Afrique du Nord, comportant des instruments tels que fifres, tambourins, etc. *Le bélier de la nouba.*

♦ **2.** (1897). Fig. et fam. *Faire la nouba.* ⇒ **Bamboula, java, noce** (II.). *Faire la nouba. Une nouba à tout casser.*

Et quand ils arrivèrent en gare, les trois amis, débordant d'une joie portée à la quinzième capucine, glapirent comme des putois : « Vive Pantruche! Ohé! les poteaux, v'là les aminches qui radinent... A nous la vadrouille et vive la nouba! »   1
      L. FORTON, les Aventures des Pieds-Nickelés, in l'Épatant, p. 49 (1909).

Des hommes comme ça (...) ce n'est pas parce qu'ils sont riches qu'ils doivent faire la nouba tous les jours.   G. DUHAMEL, Récits des temps de guerre, V, Crésus.   2

1. NOUE [nu] n. f. — XIII⁰, *noe; noue,* XIV⁰; du lat. pop. *nauda,* d'orig. gauloise.

♦ **Régional.** Terre grasse et humide (⇒ **Marécage**) cultivée en pâturage, en prairie*. — Terrain périodiquement inondé (en particulier, ancien lit* de rivière, de ruisseau). *Les noues qui tirent leurs eaux des rivières navigables font partie du domaine public.*

HOM. 2. Noue, formes du v. **nouer, nous.**

2. NOUE [nu] n. f. — 1471; *nohe, noe,* 1223; du lat. pop. *navica,* contracté en *nauca,* et dér. de *navis.* → Nef.

♦ **1.** Tuile creuse ou bande de plomb, de zinc, incurvée, servant à l'écoulement des eaux de pluie. *Canal fait avec des noues.* ⇒ **Noulet.**

♦ **2.** (1611). Angle rentrant formé par l'intersection de deux combles*. *Noues d'ardoises à deux tanchis*.* Pièce de charpente qui supporte la jonction rentrante de deux combles (⇒ **Noulet**).

DÉR. **Nouette, noulet.**

HOM. 1. Noue, formes du v. **nouer, nous.**

NOUEMENT [numɑ̃] n. m. — 1538; *neuement,* XV⁰; de *nouer.*

♦ **Rare.** Action de nouer. ⇒ **Nouage.** Loc. (Vx). *Nouement de l'aiguillette*.*

NOUER [nwe] v. tr. et intr. — XIII⁰; *noer,* XII⁰; du lat. *nodare,* de *nodus.* → Nœud.

★ **I.** V. tr. ♦ **1.** Arrêter (un corde, un fil) ou unir (les deux bouts d'une corde, d'un lien...) en faisant un nœud*. ⇒ **Attacher, entrelacer, lier.** *Nouer ses lacets* (cit. 3), *les brides* (cit. 16) *d'un bonnet. Nouer sa cravate*, son foulard. Nouer une ceinture, un mouchoir. Nouer un garrot serré* (→ Bretelle, cit. 1). *Nouer un ruban au cou d'un chien* (→ Froment, cit. 3).

1   — Laissez-moi vous bander les yeux, me dit la femme de chambre, vous vous appuierez sur mon bras, et je vous conduirai moi-même. Elle me serra sur les yeux un mouchoir qu'elle noua fortement derrière ma tête.
          BALZAC, la Muse du département, Pl., t. IV, p. 108.

2   Il est vraiment arrivé à prendre pour du génie son élégance de gravure de mode, sa façon de nouer ses cravates (...)
          Paul LÉAUTAUD, le Théâtre de M. Boissard, XIV.

3   (...) un homme dont le coffre massif et les puissantes épaules disparaissaient presque tout entières sous la serviette qu'il avait nouée derrière sa nuque.
          J. GREEN, Léviathan, I, X.

4   (...) elle nouait et dénouait la cordelière de son sac autour de ses doigts qu'elle ne parvenait plus à dégager (...)
          J. CHARDONNE, les Destinées sentimentales, p. 198.

Loc. fig. *Nouer l'aiguillette*.* — (1846). *Nouer les deux bouts.* ⇒ **Joindre.**

Techn. *Nouer la chaîne, la trame,* en rattacher les fils rompus. ⇒ **Nouage.**

Par anal. Serrer et refermer (ses bras). *Nouer ses bras* (cit. 9) *au cou, autour du cou de qqn.*

♦ **2.** (XVII⁰). Serrer, envelopper (qqch.) en faisant un ou plusieurs nœuds. ⇒ **Entortiller, envelopper, fermer, fixer.** *Nouer la veine par un garrot* (→ Hémorragie, cit. 2). *Nouer qqch. avec une ficelle, d'une ficelle* (→ Composer, cit. 11).

Former en réunissant et en attachant. *Nouer une gerbe* (cit. 1). — (Au passif et p. p. — Voir aussi ci-dessous : *noué*). *Bouquet* (cit. 7) *noué par des rubans. Paquet noué d'une faveur* (cit. 21).

Réunir (plusieurs choses) dans un objet simple, en nouant ce dernier. *Nouer des objets dans un mouchoir.*

5   Parfois il faisait des commissions, on lui donnait des sous, et il les nouait dans un coin de son mouchoir.   Ch.-L. PHILIPPE, Père Perdrix, I, II.

(1923). Fig. (Par allus. au nœud coulant qui étrangle). *Émotion, sanglot... qui noue la gorge* (cit. 18).

6   Un sanglot lui noua la gorge.   MARTIN DU GARD, les Thibault, t. III, p. 187.

★ **II.** (Abstrait, XVII⁰).

♦ **1.** Établir, former (un lien moral). ⇒ **Nœud** (I., 5); **lier.** *Nouer une alliance* (cit. 6), *une coalition* (cit. 2). *Nouer une amitié, une liaison* (cit. 8 et 10), *une relation** (→ Inconnu, cit. 31). *Nouer amitié, connaissance...* (on dit plutôt *lier*). *Nouer des liens avec qqn* (→ Compliquer, cit. 3).

7   Il avait noué, dénoué des amitiés.   G. DUHAMEL, Salavin, V, II.

(1666). *Nouer la conversation* (→ Monosyllabe, cit. 2).

8   Enfin jamais il n'y eut demoiselle avec qui il fût plus difficile de nouer conversation.   FURETIÈRE, le Roman bourgeois, I, p. 13.

♦ **2.** Vieilli. Organiser, former (une affaire compliquée, emmêlée). ⇒ **Nœud** (I., 6). *Nouer un complot, une conspiration, une intrigue.* ⇒ **Ourdir** (→ Déborder, cit. 13).

9   *(Louis XI)* ne pouvait si bien nouer ses intrigues, que souvent un petit ressort venant à manquer, toute l'entreprise ne fût renversée.
          BOSSUET, Panégyrique de saint François de Paule, I, I.

9.1   Je montai chez moi comme un fou, et quand je me fus un peu froidi par la réfle-

xion, je me demandai ce que j'allais faire pour nouer bel et bien une intrigue, comme on dit en province.
          BARBEY D'AUREVILLY, les Diaboliques, éd. Livre de poche, p. 56.

Théâtre. *Nouer l'action, l'intrigue,* en établir le « nœud » pour l'amener à son point culminant.

♦ **3.** Former (un renflement, une nodosité). *Arbres qui nouent bien leur fruit* (Bonnet, *in* Littré). → ci-dessous, III. — Méd. anc. *La goutte noue les articulations.*

★ **III.** V. intr. (1690). Agric. Passer à l'état de fruit, en parlant des fleurs fécondées. ⇒ **Nouaison.** *Les fruits ont bien noué.*

Par métaphore. Se développer, fructifier.

10   Les brouillards qui empêchent les arbres du verger de porter fruit, empêchent de « nouer » ma pensée.   GIDE, Journal, 23 juin 1931.

▶ **SE NOUER** v. pron.

♦ **1.** S'attacher. *Glycine* (1. Glycine cit. 1) *dont les lianes se nouent et se dénouent.* — S'entrelacer. *Entrelacs* (cit. 2) *dont les lettres se nouent et se dénouent.*

11   (...) la corde devait s'être nouée autour du poignet, serrée davantage à chaque nouvel effort.   ZOLA, la Terre, I, I.

12   Du fiacre le couple regardait les amoureux dans les allées ombreuses, et cela les rejetait l'un vers l'autre, leurs doigts se nouaient.
          ARAGON, les Beaux Quartiers, II, XXIV.

♦ **2.** S'établir, se former. *Amitié, conversation qui se noue. L'intrigue se noue au début du IIᵉ acte.* ⇒ **Compliquer** (se). *Démonstration qui se noue* (→ Logicien, cit. 3).

Spécialt. *Membres, articulations qui se nouent.* — Par ext. (vx). *Cet enfant se noue* (Académie). → ci-dessous, Noué. ⇒ **Nouure.**

♦ **3.** *Fruits qui se nouent :* qui nouent.

▶ **NOUÉ, ÉE** p. p. adj.

♦ **1.** Serré, attaché par un ou plusieurs nœuds. *Lacets noués. Fil noué lâche, serré... Madras* (cit.), *foulard noué* (→ Manière, cit. 25). — *Cheveux* (cit. 4) *noués derrière la tête,* attachés par un nœud. — *Linge, mouchoir noué.* ⇒ **Nouet.**

Par métaphore. *Forces nouées en un faisceau* (cit. 14).

♦ **2.** Fig. Contracté, serré comme par un nœud. *Avoir la gorge nouée, l'estomac noué.* — *Sensibilité nouée, durcie et desséchée* (→ Maîtrise, cit. 4). — Par ext. (Personnes). *Être noué,* contracté, nerveux.

13   C'était toujours comme ça avec elle : elle était nouée. Tout à l'heure, elle ne pourrait plus se retenir : elle éclaterait.   SARTRE, l'Âge de raison, I.

Théâtre. *Action fortement nouée.*

♦ **3.** Méd. anc. Qui forme une nodosité. *Articulation nouée* (par la goutte, par le rachitisme). ⇒ **Noueux.** — (1718). Par ext. *Enfant noué,* rachitique. N. (vx). *Un noué* (→ Emmailloter, cit. 1, Rousseau). Fig. et vx. *Esprit noué, intelligence nouée,* qui ne se développe plus.

CONTR. **Dénouer.** — **Avorter, couler** (fruits).
DÉR. **Nouage, nouaison, nouement, noueur, nouure.**
COMP. **Dénouement, dénouer, renouer.**

NOUET [nwe] n. m. — XIII⁰, *noet, nuet;* de *neu,* forme anc. de *nœud* et suff. dimin. *-et;* d'abord *nuet, nou-* sous l'infl. de *nouer.*

♦ **Vx** ou régional. Linge noué, dans lequel on a placé une substance (médicamenteuse, aromatique) pour la faire infuser, bouillir. ⇒ **Infusion.**

NOUETTE [nwɛt] n. f. — 1782; de 2. *noue.*

♦ **Techn.** Tuile munie d'une arête.

NOUEUR, EUSE [nwœʀ, φz; nuœʀ, φz] n. — 1838; *noueur d'aiguillette*,* 1560; de *nouer.*

♦ **1.** Rare. Personne qui noue, fait des nœuds.
Vx. Officier qui était chargé d'attacher le sceau des actes.

♦ **2.** N. f. (1920). Techn. Pièce de la lieuse, de la botteleuse qui fait les nœuds.

NOUEUX, EUSE [nwø, φz; nuφ, φz] adj. — V. 1260, *noous;* du lat. *nodosus,* de *nodus.* → Nœud, nodosité.

♦ **1.** Qui a beaucoup de nœuds (II., 1.), en parlant du bois*. *Bois, arbre, chêne noueux* (→ Incorruptible, cit. 2). *Branchage, sarment noueux* (→ Épine, cit. 5). *Racines noueuses* (→ Épaulement, cit. 2). *Bâton noueux.*

♦ **2.** (V. 1506). Qui présente des nœuds, des nodosités*. *Doigts noueux* (→ Canné, cit. 2; effacer, cit. 32). *Mains noueuses* (→ Griffu, cit. 2). *Articulations noueuses* (→ 1. Manche, cit. 2). Par ext. *Arthritisme noueux, goutte noueuse* (vx), qui rend les articulations noueuses. *Rhumatisme noueux.*

1' (...) ayant des mollets de douze pouces de circonférence, des rotules noueuses et de larges épaules (...)   BALZAC, Eugénie Grandet, Pl., t. III, p. 488.

2   Ses doigts noueux comme un cou de poulet.
                                               J. RENARD, Journal, 2 déc. 1887.

Qui a des articulations noueuses ; qui est maigre et sec. *Un vieillard noueux.*

3   Celui-là *(un jockey),* un homme de quarante ans, paraissait un vieil enfant desséché, avec une longue figure maigre, creusée de plis, dure et morte. Le corps était si noueux, si réduit, que la casaque bleue, aux manches blanches, semblait jetée sur du bois.   ZOLA, Nana, XI.

Par ext. (En parlant des renflements formés par les muscles) :

4   (...) des hommes demi-nus, couleur de potiron, et faisant saillir académiquement tous les muscles de leurs bras noueux (...)
                                    Th. GAUTIER, les Grotesques, IX, p. 315.

NOUGAT [nuga] n. m. — 1750 ; provençal *nogat* « tourteau de noix » ; du lat. pop. *nucatus,* de *nux* « noix ».

♦ **1.** Confiserie fabriquée avec des amandes (ou des noisettes) et du sucre caramélisé, du miel... *Nougat aux fruits, à la pistache... Chocolats au nougat. Nougat dur. Marchand de nougat dans une fête foraine. Nougat de Montélimar. Nougat espagnol* (turrón).

1   On avait été chercher un pâtissier à Yvetot pour les tourtes et les nougats.
                                        FLAUBERT, Mᵐᵉ Bovary, I, IV.

2   Dans les joues restées si semblables pourtant de la duchesse de Guermantes et pourtant composites maintenant comme un nougat, je distinguai une trace de vert-de-gris, un petit morceau rose de coquillage concassé, une grosseur (...)
                                    PROUST, le Temps retrouvé, Pl., t. III, p. 937.

(1928). Fig. et fam. *C'est du nougat !* : c'est très bon ; fig., c'est facile et agréable. — Au négatif (plus cour.). *C'est pas du nougat.*
⇒ **Gâteau, nougatine, tarte.**

3   — Au retour ça sera du nougat ! qu'il me rebave, il redivague, il me cause comme l'Armée du Salut (...)   CÉLINE, Guignol's band, p. 68.

♦ **2.** (1926, in Esnault ; *jambes en nougat,* « fatiguées, molles », 1917). Argot fam. *Les nougats* : les pieds. ⇒ **Panard, ripaton.** *Tu nous casses les nougats. Se geler les nougats.*

4   Après, comme on avait mal aux nougats à force de circuler, on a cherché un truc où l'on puisse s'asseoir (...)   R. QUENEAU, le Dimanche de la vie, p. 195.

5   Il faut que j'aille à Paris. Je veux vérifier quelque chose, car j'aime m'assurer de la fermeté du sol sur lequel je pose mes nougats quand j'avance en terrain inconnu.
                              SAN-ANTONIO, le Secret de Polichinelle, p. 153-154.

6   MONSEIGNEUR. Vire bien tous les petits bouts (...) qu'on se coupe pas les nougats.
                J. BECKER et J. GIOVANNI, le Trou, in l'Avant-Scène, nº 13, p. 17 (1962).

DÉR. Nougatine.

NOUGATINE [nugatin] n. f. — 1938 ; de *nougat.*

♦ Nougat brun, assez dur, utilisé en confiserie et en pâtisserie. — Loc. fig. et fam. *C'est pas de la nougatine* : ce n'est pas facile, pas agréable. ⇒ **Nougat.**

NOUILLE [nuj] n. f. et adj. — 1767 ; *nulle,* 1655 ; var. *noule,* XIXᵉ ; adapt. de l'all. *Nudel.*

♦ **1.** (Au plur.). Pâtes alimentaires plates ou rondes, coupées en morceaux de longueur moyenne. *Les nouilles sont plus épaisses que les vermicelles, plus courtes que les spaghettis ; elles sont pleines, à la différence des macaronis. Nouilles au jus, au gratin, au fromage.*
REM. La langue populaire emploie parfois *nouilles* au sens de « pâtes alimentaires » (à l'exclusion des *pâtes à potage*). → Pâte (pâtes). Dans la restauration (sauf dans l'est de la France, notamment en Alsace : *poulet au riesling et aux nouilles*) on tend à éviter *nouilles* au profit de *pâtes.*

♦ **2.** (1932). Fig., fam. Personne molle et niaise. *Quelle nouille !* (On dit aussi *C'est un vrai plat de nouilles !*).

1   On a beau être pour la paix, on n'est pas des nouilles, après tout !
                                MARTIN DU GARD, les Thibault, t. VII, p. 279.

2   Des fois, quand mon père poinçonnait, elle amenait un mec à la maison, mais j'ai jamais manqué de rien et c'était mon père que ça regardait. Évidemment, je trouvais que mon père était une nouille, mais j'aime encore mieux être avec les nouilles qu'avec les autres.
                        É. AJAR (R. GARY), l'Angoisse du roi Salomon, p. 195.

Adj. *Il, elle est vraiment trop nouille.*

♦ **3.** *Style nouille.* ⇒ **Modern style.** — On trouve, dans ce sens, le dérivé *nouillerie,* n. f. (Edmonde Charles-Roux, *Elle, Adrienne,* p. 195).

DÉR. Nouillettes.

NOUILLETTES [nujɛt] n. f. pl. — 1932 ; de *nouille.*

♦ Comm. Petites nouilles courtes et minces.

NOULET [nulɛ] n. m. — 1314, de 2. *noue.*
Technique.

♦ **1.** Canal d'écoulement* formé d'un assemblage de noues*.

♦ **2.** Pièce de charpente placée à l'intersection de deux combles en angle rentrant, de hauteurs différentes.

NOUMÉNAL, ALE, AUX [numenal, o] adj. — 1801, in D.D.L. ; de *noumène.*

♦ Philos. Relatif au noumène, chez Kant. *Moi nouménal ; volonté nouménale* (qui émane du caractère intelligible du moi). *Réalité nouménale,* intelligible mais non sensible.

NOUMÈNE [numɛn] n. m. — 1801 ; de l'all., mot créé par Kant, transcription du grec *nooumena* « choses pensées », p. passif de *noein* « penser », employé par Platon en parlant des Idées.

♦ Philos. Chez Kant, Objet de la raison, réalité intelligible (opposé à *phénomène,* réalité sensible). — Chose en soi.

DÉR. Nouménal.

NOUNOU [nunu] n. f. — 1857, H. Monnier in D. D. L. ; redoublement de la première syllabe de *nourrice.*

♦ Nourrice* (dans le lang. enfantin). *Sa vieille nounou. Les nounous.*

Rien de joli, au Luxembourg, aux Tuileries (...) comme la sortie des bébés et des nounous de une à deux heures de l'après-midi.
              Alphonse DAUDET, Souvenirs d'un homme de lettres,
                                        Notes sur Paris, « Les nounous ».

Appellatif. *Viens nounou !*

NOUNOURS [nunuʀs] n. m. inv. — XXᵉ ; de *ours,* par agglutination : un *ours* [œnuʀs].
Langage enfantin.

♦ **1.** Ours en peluche ; ours, ourson. *Va dormir avec ton nounours. Des nounours.*

♦ **2.** *Un nounours, un gros nounours* : un homme dont l'aspect (silhouette, visage) ou le comportement (bonhomie, gentillesse bourrue), évoquent à la fois l'ours et le jouet en peluche qui le représente.

NOURRAIN [nuʀɛ̃] n. m. — 1310, *norrain, norrin* ; du lat. pop. *nutrimen* « action de nourrir » (*nuture*) ; le mot a plusieurs sens dialectaux : « pâturage, jeune animal à engraisser... » ; « fourrage » (cf. Brunot, H.L.F., t. X, p. 287).
Technique.

♦ **1.** Fretin qu'on met dans un étang, un vivier pour le peupler ou le repeupler. ⇒ **Alevin.**

♦ **2.** Cochon de lait qu'on engraisse.

NOURRI, IE [nuʀi] adj. ⇒ Nourrir.

NOURRICE [nuʀis] n. f. — 1138, *norrice, nurrice* ; du bas lat. *nutricia,* fém. de *nutricius* « nourricier ».

★ **I.** ♦ **1.** Femme qui allaite*, nourrit un enfant en bas âge (⇒ **Nourrisson**), que ce soit le sien ou celui d'une autre. *« La véritable nourrice est la mère »* (Rousseau, *Émile,* I). *Nourrice qui donne le sein à un enfant, le fait téter*...* ⇒ **Allaitement** (→ Instinct, cit. 12). *Nourrice qui a peu, beaucoup de lait* (cit. 1). *Cette femme est (une) bonne nourrice.* — Spécialt. *Nourrice à gages,* autre que la mère. ⇒ **Nounou.** — REM. De nos jours, on précise par l'expression *nourrice au sein* opposé à *nourrice sèche,* ci-dessous, 3. *Choix* (cit. 5) *d'une nourrice. Nourrice sur lieu,* qui allaite un nourrisson dans la famille de l'enfant. *Confier un enfant à une nourrice, à la campagne. Enfants qui ont la même nourrice* (cf. Frères*, sœurs de lait). *Le père nourricier* mari de la nourrice. Éducation de l'enfant par la nourrice* (→ Enfance, cit. 1, Montaigne).

1   Comme un petit enfant que sa nourrice avoit *(avait)*
    Allaité longuement, pleure s'il ne le voit,
    De ses petites mains au berceau se tourmente,
    En soupirant l'appelle, et toujours se lamente.
        RONSARD, Second livre des poèmes, « Retour d'A. de Montmorency... ».

2   Ah ! Nourrice, charmante Nourrice, ma médecine est la très humble esclave de votre nourricerie (...)   MOLIÈRE, le Médecin malgré lui, II, 2.

3   Il faudrait une nourrice aussi saine de cœur que de corps (...) Le lait peut être bon et la nourrice mauvaise ; un bon caractère est aussi essentiel qu'un bon tempérament (...) Le choix de la nourrice importe d'autant plus, que son nourrisson ne doit point avoir d'autre gouvernante qu'elle (...) Cet usage était celui des anciens (...) Après avoir nourri des enfants de leur sexe, les nourrices ne les quittaient plus. Voilà pourquoi, dans leurs pièces de théâtre, la plupart des confidentes sont des nourrices.   ROUSSEAU, Émile, I.

(1580). *Mettre un enfant* (cit. 25) *en nourrice,* le donner à une nourrice hors de chez soi. *Retirer un enfant de nourrice* (⇒ **Sevrer**). — *Enfant changé en nourrice,* auquel on a substitué un autre enfant pendant qu'il était en nourrice. Loc. fig. (vx). *Il faut qu'il ait été changé en nourrice* : il ne ressemble guère à ses parents. — *Mois de nourrice,* pendant lesquels un enfant est en nourrice ; salaire mensuel de la nourrice. Par plais. *Elle prétend avoir trente ans. — Sans compter les mois de nourrice!*, elle en a beaucoup plus.

4 Le surlendemain, après avoir acheté les quelques pieds de terre où la pauvre fille est couchée, je me suis trouvé le père d'un orphelin que j'ai mis en nourrice pendant la campagne de 1815.
BALZAC, le Médecin de campagne, Pl., t. VIII, p. 515.

(1675). *Être en nourrice, encore en nourrice,* tout enfant (cf. À la mamelle*). *Des galopins qui étaient hier en nourrice!* (→ Lait, cit. 10).

5 — Je n'ai eu que celui-là *(de collage).* — Mazette. Tu n'avais pas commencé en nourrice. — J'avais trente ans.   COURTELINE, Boubouroche, I, 2.

Avoir des seins, un embonpoint de nourrice (en parlant d'une jeune fille).

6 Cette fille, douée d'un embonpoint de nourrice, semblait près de faire éclater la cotonnade dont elle entourait son corsage.
BALZAC, la Cousine Bette, Pl., t. VI, p. 523.

(1764). Loc. fig. *Battre sa nourrice; mordre le sein de sa nourrice* (→ Maltraiter, cit. 5, La Bruyère; et ci-dessous, cit. 9).

Loc. plais. (vx.) *Un dépuceleur de nourrices :* un homme qui se vante de succès féminins imaginaires.

♦ **2.** (En parlant d'une femme qui a été la nourrice de qqn). *Rôle des nourrices, confidentes du théâtre antique* (→ ci-dessus, cit. 3, Rousseau).

7 Phèdre est avec Œnone non point comme avec une « confidente » banale; mais, sans pourtant cesser d'être reine, elle se comporte vis-à-vis d'Œnone comme avec une vieille nourrice pour qui elle n'a pas eu jusqu'à présent de secrets, à qui elle sent qu'elle pourra tout dire.   GIDE, Attendu que..., p. 189.

♦ **3.** (1874). *Nourrice* ou (vieilli) *nourrice sèche :* femme, domestique qui élève un nourrisson, lui donne ses soins... ⇒ **Berceuse** (vx), **nurse.**

8 Une nourrice sèche a des grosses épingles et des rubans à son bonnet comme une autre nourrice; il ne lui manque que du lait.
FRANCE, le Livre de mon ami, « Livre de Suzanne », I, I.

♦ **4.** Loc. *Épingle* de nourrice, de sûreté.

♦ **5.** Par métaphore, fig. Ce qui élève, forme, nourrit. ⇒ **Nourricier.** *« La mémoire est la nourrice du génie »* (→ Besoin, cit. 70, Marmontel).

9 La Révolution, qui était la nourrice de Napoléon, ne tarda pas à lui apparaître comme une ennemie; il ne cessa de la battre.
CHATEAUBRIAND, Mémoires d'outre-tombe, t. IV, p. 61.

10 Elle est toujours, cette terre, la bonne mère nourrice qui ne demande qu'à aider l'homme; stérile, ingrate à la surface, elle l'aime intérieurement.
MICHELET, Hist. de la Révolution franç., Introd., II, III.

♦ **6.** (Animaux). Femelle qui allaite, est capable d'allaiter ses petits. *« La première condition pour une vache, c'est qu'elle soit bonne nourrice, c'est-à-dire qu'elle puisse nourrir son veau »* (Omnium Agricole).

11 France, mère des arts, des armes, et des lois,
Tu m'as nourri longtemps du lait de ta mamelle
Ores, comme un agneau que sa nourrice appelle,
Je remplis de ton nom les antres et les bois.
DU BELLAY, Regrets, IX.

(1845). Apic. (De *nourrir,* au sens d'« élever »). Abeille (cit. 5) qui élève les larves. — Femelle de puceron se reproduisant par parthénogénèse.

★ **II.** (1907). Techn. ♦ **1.** Réservoir intermédiaire muni de raccords, placé à l'intersection des conduites d'eau. — Autom. Réservoir intermédiaire ou de réserve. *Nourrice d'essence.* ⇒ **Bidon, jerrycan.** *Emporter une nourrice de vingt litres pleine d'eau...*

12 (...) attention à la manœuvre : la nourrice de cinquante litres se trouve sous la banquette arrière (...) prends l'entonnoir coudé (...) Dévisse le bouchon... *(du réservoir).*   Paul MORAND, l'Homme pressé, I, II.

♦ **2.** Partie d'une tuyauterie d'alimentation d'eau dont le diamètre est renforcé et qui comporte des prises partielles d'alimentation.

★ **III.** Boucherie. Morceau destiné au pot-au-feu.

DÉR. **Nourricerie. — Nounou.**

NOURRICERIE [nuʀisʀi] n. f. — 1334; de *nourrice.*

★ **I.** Vx. Pièce destinée aux enfants. ⇒ **Nursery.**

★ **II.** Agric. (1829; de *nourrice* ou de *nourrir*).

♦ **1.** Lieu où l'on engraisse les bestiaux*.

♦ **2.** (1845). Lieu où l'on élève les vers à soie.

NOURRICIER, IÈRE [nuʀisje, jɛʀ] n. et adj. — 1190, *noriecier*; du lat. pop. *nutriciarius,* de *nutricius.* → Nourrice.

★ **I.** N. ♦ **1.** (XIIᵉ). Vieilli. Celui qui élève un enfant (qui n'est pas le sien). (XVIᵉ). Spécialt. Le mari de la nourrice. *Les nourriciers :* la nourrice et son mari.

1 (...) Jacques et son maître sont à l'entrée du village où ils allaient voir l'enfant et les nourriciers de l'enfant du chevalier de Saint-Ouin.
DIDEROT, Jacques le fataliste, Pl., p. 735.

Adj. (Mod.). *Père nourricier :* mari de la nourrice; père adoptif. *Saint Joseph, père nourricier de l'enfant Jésus.*

♦ **2.** (XVIᵉ). Vx. Celui qui fournit des moyens de subsistance, soutient une cause, etc. *Les protecteurs et les nourriciers* (de l'Église) [Bossuet, *Histoire,* III, I in Littré]. — Spécialt. Le laboureur (qui nourrit les hommes). Cf. Chateaubriand, *Génie du Christianisme,* IV, 1.

★ **II.** Adj. ♦ **1.** (1538). Qui fournit, procure la nourriture. *La meule nourricière* (→ Froment, cit. 6, Chénier). *La terre nourricière* (→ Inclinaison, cit. 5) ⇒ **Alme** (littéraire).

2 (...) le rocher même est habité, et (...) des familles de vignerons respirent dans ses profonds souterrains, abritées dans la nuit par la terre nourricière qu'elles cultivent laborieusement durant le jour.   A. DE VIGNY, Cinq-Mars, I.

3 C'est que la jeunesse est ingrate naturellement, d'humeur fugace et passagère. Elle tourne vite le dos à ses jeux d'enfance, à la verte haie de clôture, à ce champ nourricier dont elle a butiné le miel et mangé les fruits.
SAINTE-BEUVE, Volupté, IX.

♦ **2.** (XVIIIᵉ). Qui sert, contribue à la nutrition. ⇒ **Nutricier, nutritif.** *Suc nourricier; sève nourricière.*

4 *(Les femmes)* plus douces que le lait nourricier dans la bouche (...)
André SUARÈS, Trois hommes, « Dostoïevski », IV.

Anat. *Artères nourricières* (des os longs), qui pénètrent dans l'os à travers les *trous* et les *canaux nourriciers* et assurent leur irrigation.

HOM. (Du masc.) Forme du v. **nourrir.**

NOURRIR [nuʀiʀ] v. tr. — XIIᵉ; *norir* « élever », Xᵉ; *nodrir* « allaiter », XIᵉ; du lat. *nutrire* « allaiter », et par ext. « alimenter ».

★ **I.** Vx. Élever, former.

♦ **1.** Vx. Éduquer*, élever* (surtout passif et p. p.) [→ Détour, cit. 1; 2. Loueur, cit. 2]. *« Il a été... nourri page du Roi »* (Académie, 1694). *Nourri au jardin* (cit. 9, Rabelais) *de France. Nourris ensemble et compagnons* (cit. 2) *d'école. — Nourrir un enfant à...* (vx), *dans...* ⇒ **Instruire** (dans). *» J'ai été nourri aux lettres »* (cit. 33, Descartes).

Mod., littér. *Nourrir dans :* donner par l'éducation, certaines habitudes, certaines idées (Cf. Sucer* avec le lait...) *Être nourri dans les bons principes* (⇒ **Éducation**). — Par ext. *Être nourri dans les alarmes* (Corneille), *aux alarmes* (Bossuet), *aux querelles* (Boileau), *habitué, formé*.

1 (...) ce n'est pas raison de nourrir un enfant au giron de ses parents.
MONTAIGNE, Essais, I, XXVI.

2 Et j'ai toujours été nourri par feu mon père
Dans la crainte de Dieu, Monsieur, et des sergents.   RACINE, les Plaideurs, II, 4.

3 Nourri dans les forêts, il en a la rudesse.
RACINE, Phèdre, III, 1.

4 Félicité, bien que nourrie dans la rudesse, fut indignée (...)
FLAUBERT, Trois contes, « Un cœur simple », III.

(1690). Loc. fig. *Nourrir un serpent* dans son sein.

♦ **2.** Vx. Élever dans son sein, produire. *L'Afrique nourrit des monstres* (Furetière, 1690).

5 Et tout ce que l'Espagne a nourri de vaillants
CORNEILLE, le Cid, V, 1.

6 (...) l'un des plus grands magistrats que la France ait nourris (...)
LA BRUYÈRE, Disc. à l'Académie, 15 juin 1693.

★ **II.** Mod. Alimenter.

♦ **1.** (XIᵉ; premier sens du lat. *nutrire*). Élever, alimenter (un enfant nouveau-né) en l'allaitant. ⇒ **Allaiter; nourrice.** *Mère qui nourrit ses enfants, qui les fait nourrir par une nourrice. Nourrir un bébé au sein, à la mamelle*. — Par ext. *Nourrir au biberon* (cit. 1). — Par métaphore. *Le sein qui l'a nourri,* sa nourrice, sa mère...

7 (...) dans un coin, le berceau (...) où dormaient un fils et une fille. Zélie nourrissait ses enfants elle-même, faisait sa cuisine, ses fleurs et son ménage.
BALZAC, les Employés, Pl., t. VI, p. 943.

8 Ma mère eut à peine la force de me nourrir, et mourut.
E. FROMENTIN, Dominique, III.

Absolt (d'une femme). Allaiter un, des enfants.

9 (...) Renée n'a pas le moindre danger à courir, car elle nourrit, l'enfant a très bien pris le sein, le lait est abondant (...)
BALZAC, Mémoires de deux jeunes mariées, Pl., t. I, p. 242.

♦ **2.** (XIIIᵉ). Entretenir, faire vivre (une personne, un animal) en lui faisant absorber, et, par ext., en lui procurant les aliments nécessaires à sa subsistance. ⇒ **Alimenter, manger** (donner à), **sustenter.** *Action de nourrir.* ⇒ **Nutrition.** *Gens qui ne semblent vivre que pour nourrir et engraisser* (cit. 1) *leur corps. Nourrir un enfant à la cuiller. Nourrir un malade, un paralytique...* (qui ne peut se nourrir lui-même). — Procurer*, fournir* les aliments. ⇒ **Ravitailler.** *Le restaurateur, le gargotier* (cit. 1) *qui me nourrit. La pension loge et nourrit dix personnes. Tirer de la culture* (cit. 1) *tout ce qu'elle peut donner pour nourrir plus d'hommes. Nourrir qqn de légumes, de viande... L'intendance les nourrit bien.*

10 (...) il les nourrit de la manne dans le désert (...)
PASCAL, Pensées, X, 670.

11 Elle mangeait, mâchait, broyait, dévorait, engloutissait, mais avec l'air le plus

léger (...) du monde (...) J'aurais pu faire ma fortune en la montrant dans les foires comme monstre *polyphage. Je la nourrissais bien, et cependant elle m'a quitté* (...) — Pour un fournisseur aux vivres, sans doute?
BAUDELAIRE, Spleen de Paris, XLII.

12 Pour prix de mon travail j'étais nourri, abondamment d'ailleurs, à la cuisine.
CÉLINE, Voyage au bout de la nuit, p. 97.

13 La principale fonction de Louise et de maman, c'était de me nourrir; leur tâche n'était pas toujours facile. Par ma bouche, le monde entrait en moi plus intimement que par mes yeux et mes mains. Je ne l'acceptais pas tout entier (...) mes répugnances étaient si obstinées qu'on renonça à les combattre. En revanche, je profitai passionnément du privilège de l'enfance pour qui la beauté, le luxe, le bonheur sont des choses qui se mangent (...)
S. DE BEAUVOIR, Mémoires d'une jeune fille rangée, p. 10.

(Compl. n. d'animal). *Nourrir les volailles, les bêtes,* leur porter leur nourriture. ⇒ **Agrainer; paître** (vx). *Nourrir des bestiaux de fourrage frais* (→ Mettre au vert*). *Oiseau qui nourrit ses petits.* ⇒ **Abecquer** (→ Adopter, cit. 2). — Par plais. *Nourrir les moustiques, les puces,* en être la proie.

14 Et nous alimentons nos aimables remords,
Comme les mendiants nourrissent leur vermine.
BAUDELAIRE, les Fleurs du mal, Au lecteur.

(En parlant des plantes). *La sève nourrit l'arbre.* ⇒ **Nourricier, nutricier.**
Fournir (une ville, un pays) de produits alimentaires. *Les régions qui nourrissent la capitale.*

♦ **3.** Pourvoir (qqn) de moyens de subsistance. ⇒ **Entretenir.** *Nourrir et élever ses enfants* (→ Dispenser, cit. 9). *Jeune homme* (cit. 158) *pensionné et nourri par ses parents. Nourrir son père* (→ Gêner, cit. 23), *sa mère et ses frères* (→ Maçon, cit. 1). *C'est lui qui nourrit toute la famille,* qui la fait vivre*. *Avoir trois personnes à nourrir,* à sa charge. *Nourrir qqn à ne rien faire.* — *Nourrir les indigents,* les secourir (→ Honorable, cit. 2).

15 Ni l'un ni l'autre de ces deux commerces ne saurait à lui seul nourrir toute la famille, cinq bouches, si on compte la bonne, avec le père gâteux, Madame et Gaston qui a douze ans (...)
ARAGON, les Beaux Quartiers, I, II.

(xvie). Fig. Fournir, donner de quoi vivre à (le sujet désigne une terre, un métier, un gagne-pain...). *C'est un métier qui ne nourrit pas son homme. Le champ qui nourrit cette famille. Industrie qui nourrit des milliers d'ouvriers.*

16 (...) il s'était donné tout entier à la terre, qui, après l'avoir à peine nourri, le laissait misérable, inassouvi, honteux d'impuissance sénile (...)
ZOLA, la Terre, I, v.

♦ **4.** (Sujet n. de chose). Constituer une subsistance pour l'organisme. *Aliments* (cit. 1) *qui empoisonnent au lieu de nourrir. La fécule* (cit. 1) *nourrit parfaitement. Les plantes qui nourrissent l'humanité* (→ Culture, cit. 6).

17 Il y a des esprits-machines qui digèrent ce qu'ils apprennent comme le canard de Vaucanson digérait les aliments : digestion mécanique et qui ne nourrit pas.
Joseph JOUBERT, Pensées, IV, LX.

18 L'organisme a le singulier pouvoir de se construire lui-même, de fabriquer aux dépens des éléments du sang des substances qu'il utilise pour nourrir certains tissus, stimuler certaines fonctions.
Alexis CARREL, l'Homme, cet inconnu, III, VIII.

♦ **5.** Développer, faire croître*. *Le sol qui nourrit ces plantes* (→ Aride, cit. 3).

19 Assur s'est élevé comme un grand arbre (...) le ciel l'a nourri de sa rosée (...)
BOSSUET, IIe sermon. IVe dim. de Carême (1666), Sur l'ambition, II.

Par plais. *Son menton nourrissait une barbe* (cit. 3, La Fontaine) *touffue* (→ Cheveu, cit. 15).

♦ **6.** (1530). Entretenir (une chose) en augmentant l'importance, le volume (→ Gravier, cit. 3) ou en faisant durer plus longtemps. ⇒ **Alimenter.** *Nourrir un foyer, le feu. Nourrir une lampe* (→ Flamme, cit. 5). — Spécialt. *Nourrir le feu, la fusillade* (→ ci-dessous, *Nourri*).

Vx. *Nourrir un tableau de couleur, nourrir les couleurs.* ⇒ **Empâter.** *Nourrir le trait, en calligraphie.* — *Nourir les sons :* émettre des sons pleins et les soutenir.

Par métaphore et fig. *Le courage* (cit. 9) *nourrit les guerres.*

20 *(Elle)* ne quittait pas sa maison deux heures par mois et nourrissait son activité par tous les soins qu'une servante dévouée donne à une maison.
BALZAC, les Paysans, Pl., t. VIII, p. 205.

Nourrir son style, lui donner de la force, de la vigueur. ⇒ **Étoffer.** *Nourrir un récit de détails vécus. Nourrir un raisonnement de preuves convaincantes.*

21 Quand on sait faire parler Gœthe, il est admirable; son éloquence est nourrie de pensées; sa plaisanterie est en même temps pleine de grâce et de philosophie (...)
Mme DE STAËL, De l'Allemagne, II, VII.

♦ **7.** Fig. Pourvoir (l'esprit, une faculté psychique) d'une nourriture spirituelle. *La lecture nourrit l'esprit.* ⇒ **Former.** *Nourrir son esprit des bons auteurs...* (→ Creux, cit. 5; instance, cit. 1). *les bonnes maximes* (cit. 8) *nourrissent la volonté.*

22 Auprès des personnes qu'on aime, le sentiment nourrit l'esprit ainsi que le cœur, et l'on a peu besoin de chercher ailleurs des idées.
ROUSSEAU, les Confessions, VII.

23 (...) des femmes qui, ayant eu un caractère et n'ayant pas négligé de nourrir leur raison, savent se créer une existence (...)
LACLOS, les Liaisons dangereuses, CXIII.

Toute possession dont on ne communiquerait pas les avantages irriterait les désirs sans donner de contentement; elle fatiguerait le cœur, elle ne le nourrirait pas. 24
É. DE SENANCOUR, De l'Amour, p. 9.

Nourrir d'idées, de sentiments. Ces journaux nourrissent le public de balivernes (→ Imprévoyance, cit. 2). — Au p. p. *La bourgeoisie de 89, nourrie du grand siècle de la philosophie...* (→ Flottant, cit. 10). *Un jeune précepteur nourri de philosophie matérialiste* (→ Fille, cit. 10).

25 (...) la tristesse douce du soir et la beauté de cette terre natale qui nous nourrit, non seulement de pain et de vin, mais encore d'idées, de sentiments et de croyances (...)
FRANCE, le Crime de S. Bonnard, Œ., t. II, II, p. 350.

♦ **8.** (xiie). Littér. Entretenir en soi (un sentiment, une pensée...). ⇒ **Entretenir** (cit. 17). *Nourrir un désir, un orgueil* (→ Exigeant, cit. 6), *des rancunes* (→ Entêter, cit. 9). *Nourrir une haine* (cit. 20), *une hostilité* (cit. 6)... *Nourrir l'espoir, l'illusion de...* — *Nourrir un projet.* ⇒ **Caresser, préparer.** — Vx ou plais. *Nourrir de noirs desseins.*

26 Ah! si de ce soupçon votre âme est prévenue,
Pourquoi nourrissez-vous le venin qui vous tue?
RACINE, Britannicus, I, 1.

27 Je croyais donc pouvoir un peu nourrir des espérances par trop folles; mais j'oubliais la réussite de mon premier ouvrage : dans ce pays, ne comptez jamais sur deux succès rapprochés; l'un détruit l'autre.
CHATEAUBRIAND, Mémoires d'outre-tombe, t. III, p. 8.

28 (...) rappelez-vous avoir écrit (...) que vous ne nourrissez aucun dessein violent contre le gouvernement de la grande république nord-américaine (...)
G. DUHAMEL, Scènes de la vie future, I.

29 Mais si Jean avait jamais pu nourrir un soupçon, rien n'en subsistait, dès qu'ils étaient séparés.
F. MAURIAC, la Pharisienne, VIII.

30 Elle mit une passion étrange à se charger : pour avoir agi ainsi en somnambule il fallait, à l'entendre, que depuis des mois, elle eût accueilli dans son cœur, qu'elle eût nourri des pensées criminelles.
F. MAURIAC, Thérèse Desqueyroux, XIII.

(Choses). *De quoi nourrir sa jalousie* (→ Inoculer, cit. 7). *Souvenir qui nourrit des rancunes* (→ Empoisonner, cit. 9).

31 Et c'est ce qui redouble et nourrit ma fureur.
RACINE, Athalie, III, 3.

La solitude nourrit les pensées sombres. 32
Th. GAUTIER, le Roman de la momie, II.

Vieilli ou littér. Faire naître et entretenir en autrui (un sentiment, une pensée). → Empire, cit. 7; enflammer, cit. 8; imiter, cit. 22.

33 (...) malgré ses injustices,
C'est ma mère, et je veux ignorer ses caprices.
Mais je ne prétends plus ignorer ni souffrir
Le ministre insolent qui les ose nourrir.
RACINE, Britannicus, II, 1.

34 La vue constante de ce faste, de ces équipages splendides, de ce monde hautain, méprisant, nourrissait les envies, les haines.
MICHELET, Hist. de la Révolution franç., II, VIII.

▶ **SE NOURRIR** v. pron. (1190, *soi nourrir*).

♦ **1.** (Absorber un aliment). ⇒ **Consommer, manger, vivre** (de). *Se nourrir de légumes* (cit. 4), *des fruits* (cit. 2) *de sa terre, de viande*...* (⇒ -**phage, -vore**). *Se nourrir des miettes* (cit. 5 et 8) *tombées de la table du riche.*

35 Rémonencq et sa sœur se nourrissaient de pain et de harengs, d'épluchures, de restes de légumes ramassés dans les tas d'ordures que les restaurateurs laissent au coin de leurs bornes.
BALZAC, le Cousin Pons, Pl., t. VI, p. 615.

Absolt. *Se nourrir.* ⇒ **Manger.** (→ Chocolat, cit. 1; gastronomie, cit.) *Il se nourrit bien, mal, insuffisamment. Le malade refuse de se nourrir.* ⇒ **Alimenter** (s'). *Ne plus pouvoir se nourrir* (→ Héroïque, cit. 19). *Refus de se nourrir* ⇒ **Anorexie.**

36 Pour se nourrir à l'économie en Amérique, on peut aller s'acheter un petit pain chaud où l'on met une saucisse dedans, c'est commode, ça se vend au coin des petites rues, pas cher du tout.
CÉLINE, Voyage au bout de la nuit, p. 187.

♦ **2.** Par métaphore et fig. ⇒ **Abreuver** (s'), **repaître** (se). *Se nourrir d'illusions, de rêves. Se nourrir de romans* (→ Maladif, cit. 6). *Une idéologie* (cit. 7) *dont l'humanité se nourrira. Passions dont l'âme se nourrit et s'empoisonne* (cit. 17). *Le monde se nourrit d'un peu de vérité et de beaucoup de mensonges* (→ Esprit, cit. 43). *Se nourrir de grec et de latin.* ⇒ **Apprendre.**

37 (...) le cœur ne se nourrit point dans le tumulte du monde : les faux plaisirs lui rendent la privation des vrais plus amère, et il préfère sa souffrance à de vains dédommagements.
ROUSSEAU, Julie ou la Nouvelle Héloïse, I, XXXIV.

38 Depuis assez longtemps il se nourrissait de poésie écrite et peinte, et il avait pu s'apercevoir que le commerce des abstractions n'était pas des plus substantiels.
Th. GAUTIER, Fortunio, "La toison d'or", II.

39 (...) ce cœur qui semble ne pouvoir se nourrir que de crainte ou d'espoir, et qui a tant de mal à se nourrir de ce qu'il a, alors même qu'il a tout.
MAETERLINCK, la Sagesse et la Destinée, LVII.

(Passif). *La jalousie se nourrit dans son doute* (→ Certitude, cit. 6). « *La chair des femmes se nourrit de caresses* » (cit. 9).

▶ **NOURRI, IE** p. p. adj. (xiie, n., « invité à une table »).

♦ **1.** Alimenté. *Bien nourri* (⇒ **Gros**); *mal nourri* (→ Filature, cit. 2). *Un rat des mieux nourris* (→ Avent, cit. 3, La Fontaine). *Race oisive et trop nourrie* (→ Mangeur, cit. 3). *Logé* (cit. 14) *et nourri* (→ 1. Être, cit. 100). *Pensionnaire logé, nourri, blanchi.*

♦ **2.** (1771; choses). Entretenu, continué ou renforcé. *Feu, incendie nourri.* Spécialt. *Fusillade nourrie, feu* nourri; *tir nourri.* ⇒ **Dense.** — *Sons nourris* (→ Médium, cit. 1). — *Conversation nourrie.*

— Style nourri, raisonnement nourri. ⇒ **Abondant, riche.** *Manière large* et nourrie.*

40 Il n'y a peut-être pas dans la prose française de narration plus nourrie, plus ample et mieux tenue que celle de *Saint Julien.*
A. THIBAUDET, *Gustave Flaubert*, p. 179.

41 (...) je n'entendais plus guère de conversations aussi solides et aussi nourries.
A. MAUROIS, *Climats*, I, VIII.

Couleurs nourries, bien empâtées. *Trait nourri. Lignes bien nourries* (→ Forme, cit. 28).

Vx. *Fruits, grains nourris, bien nourris*, gros, pleins*, remplis*.

Techn. *Fer* (à cheval) *nourri*, dont l'épaisseur a été renforcée.

CONTR. Sevrer. — Affamer, priver. — Couper (les vivres). — Éteindre (le feu). — Chasser, écarter (un sentiment). — Jeûner. — Maigre, sec...

DÉR. Nourrissage, nourrissant, nourrissement, nourrisseur. — V. Nourrisson, nourriture.

HOM. V. Nourricier, nourrissant, nourrisson.

NOURRISSAGE [nuʀisaʒ] n. m. — 1562 ; *norrisaige*, 1482 ; de *nourrir*.

♦ **1.** Agric. Action ou manière d'élever les bestiaux. ⇒ **Élève** (vx), **élevage.**

♦ **2.** (Compl. nom de pers.). Rare. Action de nourrir un nourrisson. Résultat de cette action. ⇒ **Allaitement.**

NOURRISSANT, ANTE [nuʀisã, ãt] adj. — 1314 ; de *nourrir*.

♦ **1.** Qui nourrit plus ou moins bien ; qui a une valeur nutritive plus ou moins grande. ⇒ **Nutritif.** *Un régime trop peu nourrissant* (Académie). *Aliments peu nourrissants, très nourrissants.*

Les Chinois (...) considèrent la *biche de mer* comme un des friandises des plus recherchées, comme un des mets des plus nourrissants et des plus fortifiants (...)
BAUDELAIRE, Trad. E. POE, *les Aventures d'A. Gordon Pym*, xx.

♦ **2.** Absolt. Qui nourrit beaucoup. ⇒ **Substantiel ; riche.** *Aliment nourrissant mais indigeste. Plat nourrissant et excellent.* ⇒ **Succulent.**

HOM. P. prés. du v. nourrir.

NOURRISSEMENT [nuʀismã] n. m. — Fin xiie ; *norrissement*, 1160 ; de *nourrir*.

♦ **1.** Vx. Action de nourrir. ⇒ **Nourrissage, nutrition.**

♦ **2.** (1907). Techn. (apic.). Opération par laquelle on apporte à une ruche une nourriture supplémentaire (miel, sucre) en cas de besoin.

NOURRISSEUR, EUSE [nuʀisœʀ, øz] n. m. — xive ; *norisseor*, v. 1160 ; *nourrissour*, v. 1350 ; de *nourrir*.

♦ **1.** Rare. Celui, celle qui nourrit.

♦ **2.** (1803). Agric. Personne qui entretient des vaches pour la vente de leur lait. « *Le nourrisseur n'est, à proprement parler, ni cultivateur, ni éleveur ; d'une part il ne produit pas, mais achète les fourrages..., et d'autre part il n'élève pas, mais vend les veaux qui naissent dans son étable* » (Omnium Agricole). ⇒ **Élevage.** — Par ext. Personne qui engraisse du bétail* pour la boucherie.

— Tu crois faire de la peinture, tu ne fais que des épinards.
— C'est vrai, je vois vert (...) j'ai le malheur de voir vert !
— Donc, tu n'as d'autre avenir que de peindre des enseignes pour les nourrisseurs, des pelouses vertes, avec des vaches (...) de même couleur !
E. LABICHE, *le Baron de Fourchevif*, 10.

♦ **3.** N. m. (1907). Récipient (pour la nourriture des bestiaux ; des abeilles...).

NOURRISSON [nuʀisɔ̃] n. m. — 1538 ; *a nurrezon* « en nourrice », 1150 ; *noreçon, nourreçon*, xiie ; du bas lat. *nuticionem* « nourriture », refait en *nourrisson* d'après *nourrir, nourrice*...

♦ **1.** (xvie). Enfant* qu'une femme nourrit de son lait. *La mère, la nourrice* (cit. 3, Rousseau) *et son nourrisson* (→ Câlin, cit. 1). *Ils ont été les nourrissons de la même nourrice* (→ Frères, sœurs de lait). — REM. Le fém. *nourrissonne* se rencontre chez Voltaire.

1 C'est le diable encore de l'empêcher *(la nourrice)* de coucher le nourrisson avec elle dans son propre lit. Pourquoi faire, un berceau ?
Alphonse DAUDET, *Souvenirs d'un homme de lettres*, Notes sur Paris, « Les nounous ».

Par ext. (En parlant des mammifères). Petit que la femelle nourrit de son lait.

2 Ce n'est sûrement pas pour rien que dans les femelles de toute espèce la nature change la consistance du lait selon l'âge du nourrisson. ROUSSEAU, *Émile*, I.

♦ **2.** Vx. Enfant qui n'a pas atteint l'âge du sevrage ; enfant âgé de plus d'un mois et de moins de deux ans. ⇒ **Bébé** (→ Agitation, cit. 6). *Service de consultation des nourrissons, dans un dispensaire.*

♦ **3.** (1555, *nourrisson des Muses*). Fig. (vx). Disciple, élève (⇒ **Nourrir**). *Les poètes étaient qualifiés de nourrissons des muses** (cit. 3), *de nourrissons du Parnasse...*

HOM. Forme du v. nourrir.

NOURRITURE [nuʀityʀ] n. f. — xive, Oresme ; *nurture* « bétail qu'on élève », fin xie ; *nourreture* « éducation », xiie ; du bas lat. *nutritura*, avec infl. de *nourrir*.

★ **I.** Vx. ♦ **1.** (Encore cour. au xviie). ⇒ **Éducation** (A., 1.). — Prov. *Nourriture passe nature* : l'éducation corrige la nature. — Par ext. (vx). Celui qu'on a élevé ; élève, disciple (Corneille, *Nicomède*, II, 3).

♦ **2.** (xvie, D'Aubigné). Action de nourrir un enfant de son lait. ⇒ **Nourrir** (II., 1.) ; **allaitement.** — Temps de l'allaitement.

★ **II.** (1530). Mod. ♦ **1.** Ce qui entretient la vie d'un organisme en lui procurant des substances à assimiler (⇒ **Alimentation, subsistance**) ; ces substances (⇒ **Aliment** ; et aussi le suff. -phagie et le préf. tropho-). *Produits destinés à la nourriture des hommes* (⇒ **Vivres ; victuailles**). *Cultivateur qui produit sa propre nourriture* (→ Endurcir, cit. 16). *L'État* (cit. 112) *doit la nourriture à tous les citoyens. Nourriture des animaux.* ⇒ **Pâtée, pature.** *La viande, chair* (cit. 64) *préparée pour la nourriture des hommes et des animaux. Le lait* (cit. 2), *nourriture de l'enfant. Apporter la nourriture à ceux qui meurent de faim* (→ Famine, cit. 3). *Priver* (⇒ **Affamer**), *se priver de nourriture* (→ S'ôter les morceaux de la bouche*). — *Bouchées*, morceaux, fragments* (cit. 2) *de nourriture.* ⇒ **Portion, ration.** — *Absorber, prendre* de la nourriture.* ⇒ **Manger, nourrir** (se), **soutenir** (se), **sustenter** (se). *Bourrer* (cit. 3), *gorger* (cit. 2) *de nourriture. S'empiffrer* (cit. 2) *de nourriture. Voulez-vous prendre un peu de nourriture ?* (→ Prendre quelque chose* (8.). — *Nourriture fruste, grossière. Nourriture préparée, accomodée, apprêtée...* ⇒ **Cuisine, mets** (→ Gastronomie, cit.). *Nourriture pauvre ; riche, substantielle*...* — *Nourriture solide* ; liquide* (potages, soupes, etc., à l'exclusion des boissons sans valeur nutritive).

Ce qu'on mange habituellement aux repas*. ⇒ **Chère,** 2. **fripe** (vx), **manger** (n. m.), **pain** (fig.), **pitance, soupe** (fig.), **viande** (vx) ; fam. **becquetance,** 2. **bouffe, bouffetance, boustifaille, brife, croûte, mangeaille.** *Comment est la nourriture dans ce restaurant, cette pension...? Nourriture appétissante* (cit. 1), *choisie, saine* (→ Développer, cit. 4). *Médiocre, mauvaise nourriture.* ⇒ **Tambouille.** — (En parlant d'une substance particulière). *Le gibier* (cit. 3), *nourriture de haut goût. Le lait*, nourriture naturelle, complète...* — (Au plur.). *Digestion des nourritures* (→ Ébriété, cit. 1). *Nourritures épicées* (→ Échauffer, cit. 3).

1 (...) notre propre corps s'épuise sans cesse, il a besoin d'être sans cesse renouvelé. Quoique nous ayons la faculté d'en changer d'autres *(corps)* en notre propre substance, le choix n'est pas indifférent ; tout n'est pas aliment pour l'homme ; et des substances qui peuvent l'être, il y en a de plus ou de moins convenables (...) Nous mourrions affamés ou empoisonnés, s'il fallait attendre, pour choisir les nourritures qui nous conviennent, que l'expérience nous eût appris à les connaître et à les choisir (...)
ROUSSEAU, *Émile*, II.

2 (...) un verre de porto épicé, dont l'action réparatrice fut merveilleuse sur un estomac vide qui n'aurait pu d'ailleurs supporter aucune nourriture solide.
BAUDELAIRE, *les Paradis artificiels*, « Mangeur d'opium », II.

3 (...) il rêvait (...) les yeux demi-fermés, à des nourritures gargantuesques.
Ed. DE GONCOURT, *les Frères Zemganno*, IV.

4 Le vieillard découpait sa viande en menus morceaux avec cette déférence des gens qui trouvent une dernière passion dans la nourriture (...)
J. GREEN, *Adrienne Mesurat*, I, III.

4.1 (...) en prévision d'éventuels assauts livrés par une meute de corsaires frénétiques, pouilleux et affamés, capables en un clin d'œil de tout emporter et dévorer, non seulement ce qui pouvait être normalement mangé, mais jusqu'au mobilier, acier, moleskine et crin compris — la nourriture elle-même (les barquettes pleines de crevettes, de calamars, de cornets de jambons, de piments, de tranches de melon ou de rosbif, les poulets rôtis, les oranges, les bananes et les gluantes pâtisseries) exposée derrière le comptoir (...)
Claude SIMON, *le Palace*, p. 17.

Être porté sur la nourriture. ⇒ 2. **Bouffe, gueule.** *La nourriture et la boisson.* — *Dépenser, mettre* (cit. 41) *tant par mois pour la nourriture. Nourriture et habillement, et logement. Avoir nourriture et logement chez qqn* (→ Le gîte et le couvert, et la table*...).

5 (...) le bourgeois dépense moins — proportionnellement — que l'ouvrier pour sa nourriture ; beaucoup plus pour son vêtement et son logement.
SARTRE, *Situations II*, p. 204.

Spécialt. *La nourriture céleste, divine* : la manne (cit. 2).

♦ **2.** Entretien matériel d'une personne (nourriture proprement dite, logement, habillement...). *Bail* (cit. 7) *à nourriture. Il a sa nourriture assurée.*

♦ **3.** ⇒ **Nutrition.** *La nourriture des tissus* (→ Circulatoire, cit.). *Manque de nourriture.* ⇒ **Atrophie, dénutrition, inanition.**

♦ **4.** Vx ou littér. Ce qui entretient, fait durer. ⇒ **Aliment.** « *Ce flambeau sans nourriture* » (Voltaire, *in* Littré). *Nourriture d'une flamme* (→ Incessamment, cit. 1, Ronsard). — Par métaphore :

6 C'est un feu *(l'amour)* qui s'éteint, faute de nourriture.
CORNEILLE, *le Cid*, I, 2.

♦ **5.** Littér. *Nourriture de l'esprit* (cit. 111), *de l'âme...* ⇒ **Enrichissement, substance, suc** (fig.). *Cet écrivain est pour moi une nourriture* (→ Aiguiser, cit. 7). *La nourriture de l'impulsion créatrice* (cit. 12, Rimbaud). *Nourriture insuffisante* (→ Viande creuse*). — *L'Eucharistie, nourriture de l'âme.*

7 Savoir est un viatique; penser est de première nécessité; la vérité est nourriture comme le froment. Une raison, à jeun de science et de sagesse, maigrit.
　　　　　　　　　　　　　　　　　　　　HUGO, les Misérables, IV, VII, IV.

8 (...) le ciboire renferme les saintes hosties, la nourriture de l'âme.
　　　　　　　　　　　　　　　　　FRANCE, l'Orme du mail, Œ., t. XI, XI, p. 112.

9 L'esprit emprunte à la matière les perceptions d'où il tire sa nourriture, et les lui rend sous forme de mouvement, où il a imprimé sa liberté.
　　　　　　　　　　　　　　　　　H. BERGSON, Matière et Mémoire, p. 280.

10 L'amour de Chimène et de Rodrigue pour l'honneur est une des nourritures les plus profondes de leur propre amour. Et leur amour est une nourriture profonde et une offrande perpétuelle qu'ils font à l'honneur. Et l'honneur qu'ils rendent à l'amour est encore une nourriture de leur amour.
　　　　　　　　　　　　　Ch. PÉGUY, Note conjointe, Sur Descartes, p. 169.

Allus. littér. *Les Nourritures terrestres* (1897), œuvre de Gide (suivie en 1935 des *Nouvelles nourritures*).

11 Nourritures !
Je m'attendis à vous, nourritures !
Ma faim ne se posera pas à mi-route;
Elle ne se taira que satisfaite (...)
Par tout l'espace, je vous cherche,
Satisfactions de tous mes désirs.　　　　GIDE, les Nourritures terrestres, p. 39.

NOUS [nu] pron. pers. — IXᵉ, *Poème de sainte Eulalie*; du lat. *nos.*
Pronom personnel de la première personne du pluriel.

REM. 1. (Fonctions). *Nous* peut être sujet (comme *je**), apposition ou attribut (comme *moi**), complément direct ou indirect (comme *me, moi*).
2. (Sens et valeurs). *Nous* peut représenter : le locuteur (moi) et une autre personne (toi, lui, elle) : *«Un soir nous étions seuls, j'étais assis près d'elle»* (Musset, *Poésies nouvelles*, «Lucie»); le locuteur et plusieurs autres personnes : *«Le roi, l'âne et moi* (cit. 11) *nous mourrons»*; une généralité de personnes (on) comprenant le locuteur → On.

1 Il me croit peut-être plus fâchée que je ne suis. Les hommes nous connaissent si peu *(nous : les femmes).* 　　　Henry BECQUE, la Parisienne, III, 4.

2 *Nous* subit une généralisation analogue *(à «ils»)* : *Quand* **nous nous trompons,** *nous acceptons rarement qu'on nous le prouve.* Il s'agit d'une maxime qui s'applique à l'humanité, à une race, etc. D'où une correspondance fréquente entre ce *nous* et *on («...»).* 　　　F. BRUNOT, la Pensée et la Langue, p. 276.

3 «Toi», ce n'était pas exactement la petite Antonia (...) c'était le quelque chose, à propos duquel de moi je disais «nous».
　　　　　　　　　　　J. ROMAINS, les Hommes de bonne volonté, t. XVIII, XV, p. 204.

★ **I.** Pron. pers. pl. **A.** Employé seul.

♦ **1.** (Sujet). *Ma fiancée* (cit. 4)... *m'attend, et demain nous serons époux. Nous l'avons, en dormant...* (→ Beau, cit. 78).

4 Mes deux frères et moi, nous étions tout enfants. 　HUGO, les Contemplations, V, X.

Par plaisanterie :

5 (...) je me suis détesté, je me suis adoré; — puis, nous avons vieilli ensemble.
　　　　　　　　　　　　　　　　　　VALÉRY, M. Teste, p. 15.

(Apposition au sujet, ou sujet d'un verbe sous-entendu). *Vous et moi, nous sommes de vieux amis. Nous, modérés?* (cit. 7) : *vous prétendez que nous sommes des modérés?*

6 Qu'est-ce que c'est que ça : nous, Juifs? demanda-t-il. Connais pas. Je suis Français, moi. Tu te sens juif? 　　　SARTRE, le Sursis, p. 78.

(Attribut). *L'art, c'est moi; la science, c'est nous* (→ Impersonnalité, cit. 1). *Et c'est nous trop souvent qui faisons nos malheurs* (cit. 13). — REM. Pour l'accord du verbe après *c'est nous qui...* → **Qui.**

7 Nous pourrions être si heureux si... si nous n'étions pas nous.
　　　　　　　Francis JAMMES, la Brebis égarée, II, 1, in G. et R. LE BIDOIS, § 230.

♦ **2.** (Compl.). *Il nous écoute volontiers. Pourquoi nous regardez-vous?*

REM. 1. *Nous,* complément d'objet direct, se place normalement avant le verbe, sauf avec un impératif positif. *«D'où vient qu'un boiteux* (cit. 7) *ne nous irrite pas, et un esprit boiteux nous irrite?»* «*... Ne nous induis pas en tentation, mais délivre-nous du malin»* (cit. 1). — N. B. Toutes les remarques concernant la place de *me* (→ Me, II., 1.) s'appliquent également à *nous.* — Pour la place de *nous,* complément d'objet direct, combiné avec un autre pronom personnel, → Me, et 2. Le.
2. *Nous* peut se placer après le verbe, quand il est coordonné ou juxtaposé à un autre objet direct.

8 Si votre lettre a trait à un fait qui concerne nous et non eux (...)
　　　　　　　PROUST, À l'ombre des jeunes filles en fleurs, Folio, p. 195.

9 Nous pensons que la vie est bonne;
Mais dis-toi bien, cœur triomphant,
Que je ne m'intéresse personne,
Pas même nous, ma chère enfant (...)　　Valery LARBAUD, Barnabooth, Journal, III.

Nous, complément d'objet direct juxtaposé avec un pronom sujet de la 1ʳᵉ personne du singulier (rare ou plaisant).

10 Je nous rêve *(toi et moi)* ayant ici un oncle qui serait un paysan riche (...) Il nous hébergerait pour un mois d'hiver.
　　　　　　　J. ROMAINS, les Hommes de bonne volonté, t. XV, XXII, p. 263.

♦ **3.** NOUS VOICI, NOUS VOILÀ*. *Nous voilà enfin débarrassés.*

11 (...) je n'ai pu me défendre de t'aimer. — Nous y voilà (...) adieu.
　　　　　　　　　　　MARIVAUX, le Jeu de l'amour et du hasard, II, 12.

♦ **4.** (Compl. indir.). **a** (Sans préposition : «à nous»). *Il nous a écrit une longue lettre. Ça nous laisse de la marge* (cit. 6)... *« C'est du Nord aujourd'hui que nous vient la lumière»* (cit. 35, Voltaire; et lunette, cit. 6; magie, cit. 4). *Il ne nous est de rien* (→ 2. Maille, cit. 2). — REM. les observations concernant l'emploi de *me* (I., 2.) s'appliquent également à *nous;* à noter cependant que *nous* correspond, pour le pluriel, à *me* et à *moi.*

12 (...) tu vas nous attraper une de tes bronchites.
　　　　　　　J. ROMAINS, les Hommes de bonne volonté, t. XI, II, p. 13.

b (Avec préposition). *Nous n'avons à nous que la minute présente* (→ Chance, cit. 4). *Après nous le déluge!* (infra cit. 13). *Chez nous* (→ Littérateur, cit. 2). *Tout ce qui vient de nous nous paraît admirable. «Ce ne sont pas ses pensées, ce sont les nôtres que le poète fait chanter* (cit. 10) *en nous»* (France). — *Entre nous* (→ Maman, cit. 5). «*Nul n'aura de l'esprit* (cit. 134) *hors nous et nos amis». Pour nous* (→ Exister, cit. 12; injuste, cit. 3). *« Loin* (cit. 34) *de nous les héros sans humanité». Une malédiction* (cit. 14) *pèse sur nous.*

13 Notre fortune n'est pas à nous. — À qui donc est-elle? — À tous ceux qui en ont besoin. 　　DUMAS fils, les Idées de Mᵐᵉ Aubray, III, 1, in GUERLAC.

14 Quand ça ne va pas, quand j'ai (...) des embêtements, enfin, je m'en vais chez nous.　　　　　　　　　　　COLETTE, la Vagabonde, p. 118.

Loc. *Pauvres* de nous! «Avez-vous vu comme il parlait tout seul! Ce que c'est que de nous!»* (Beaumarchais, *Barbier de Séville*, III, 12).

♦ **5.** *Nous,* pron. réfléchi* (ou réciproque). *Nous nous sommes regardés sans rien dire. «Nous ne gagnerions, à nous marier, que le loisir* (cit. 1) *de nous quereller à notre aise». Il faut que nous nous écrivions pendant les vacances. Tâchons de nous maintenir* (cit. 22)...

♦ **6.** *Nous,* répété. — *«Nous, nous n'oserions pas faire cela. Nous prétendons, nous, ne pas le faire. On nous a insultés, nous! On nous a fait cela, à nous!»* (Académie). *Il nous a donné de l'argent, à nous et à nos compagnons* (Littré). *Et nous... Nous qui marchions* (cit. 26)...

15 Nous, vieillards nés d'hier, qui nous rajeunira?
　　　　　　　　　　　　A. DE MUSSET, Poésies nouvelles, «Rolla», I.

B. (Emploi renforcé).

♦ **1.** NOUS-MÊME(S). — (Sing.). → Extérieur, cit. 3; inquiétude, cit. 17. — (Plur.). *Nous sommes incompréhensibles* (cit. 2) *à nous-mêmes* (Pascal).

♦ **2.** (XVIᵉ). NOUS AUTRES, marquant une distinction très forte, employé avec un terme en apposition. *Entre* (1., cit. 26) *nous autres savants...». — «Nous autres, compatriotes de Napoléon, nous l'aimons peut-être moins que les Français»* Mérimée, *Colomba,* II. — «*Nous sommes sans pitié, nous autres savants, comme del M. Zola»* (France, *Livre de mon ami,* p. 200, in G. et R. Le Bidois, *Syntaxe du français moderne,* § 287). *Nous autres femmes* (→ Aussi, cit. 14). — «*Nous autres Français»,* titre d'un ouvrage de Bernanos.

16 Car nous croyons, nous autres, nous autres Français, que la vie est faite pour l'homme et non pas l'homme pour la vie.
　　　　　　　　　　　　BERNANOS, in le Figaro, 29 juil. 1939.

REM. *Nous autres,* [nuzɔtʀ] ou pop. [nuzot] est plus fréquent dans certains usages régionaux qu'en français central.

♦ **3.** *Nous,* précisé par un numéral cardinal. *Voilà qui nous contentera tous deux* (→ Moquer, cit. 17). *À nous trois, nous y arriverons.* — Pop. *Nous deux ma femme,* ma femme et moi.

17 Ma femme nous avait envoyés, nous deux l'enfant, faire un tour du côté de Villeneuve-la-Garenne (...)
　　　　　　　Alphonse DAUDET, Contes du lundi, «Prussien de Bélisaire».

18 À nous deux, nous pouvons accomplir ce que vous appelez «de grandes choses».
　　　　　　　　　　　G. DUHAMEL, la Pierre d'Horeb, p. 227.

19 Quel est cet arbre? — Un chêne que nous avons coupé nous deux mon père.
　　　　　　　J. ROMAINS, les Hommes de bonne volonté, t. V, XXIII, p. 203.

★ **II.** Emplois stylistiques (transposition de personnes).

♦ **1.** (1ʳᵉ pers. du sing.). Employé pour *je.*

a Plur. de modestie. *«Un usage qui paraît aujourd'hui un peu pédant exigeait, dans les préfaces, que le* je *fût remplacé par un* nous *de modestie : «le* je nous *répugne tellement que notre formule expressive est* nous, *dont le pluriel vague efface déjà la personnalité et vous replonge dans la foule»* (Gautier, *Histoire du romantisme...,* p. 98, in Brunot et Bruneau, *Précis de grammaire historique,* 3ᵉ éd., p. 283).

b Plur. «de majesté». *Nous, préfet de la Seine, ordonnons... Nous, évêque de... «Nous n'appliquerons* (cit. 2, La Fontaine) *point... Nos sacrés ongles».*

REM. Dans cet emploi, le participe passé conjugué avec *être* reste au singulier. *Nous sommes enchanté...*

20 Non, ne révoquons point l'arrêt de mon courroux :
Qu'il périsse! Aussi bien il ne vit plus pour nous.　RACINE, Andromaque, V, I.

21 Nous, Tartarin, gouverneur de Port-Tarascon et dépendances (...) Recommandons le plus grand calme à la population.　Alphonse DAUDET, Port-Tarascon, II, IV.

22 Aussi nous sommes ravi que vous soyez venu, dit-il *(le baron)*, en employant ce *nous*, sans doute parce que le Roi dit : nous voulons.
PROUST, la Prisonnière, I, p. 23.

♦ **2.** (2ᵉ pers.). ⇒ **Toi, vous.**

REM. Par cet emploi, dit de sympathie, celui qui parle s'associe ou feint de s'associer à la situation, aux faits et gestes, à l'état de santé de son interlocuteur, etc.

23 *(Il)* salua *de nouveau* quand il fut à trois pas et s'écria : « Eh bien, madame la baronne, comment allons-nous ? »
MAUPASSANT, Une vie, II.

24 Que de fois (...) étions-nous, lui et moi, arrêtés par quelque ami, qui, tapotant ma joue, me disait : « Hé bien, nous deviendrons un grand savant, comme le père ? »
Paul BOURGET, le Disciple, IV, I.

25 — Je venais demander de l'ouvrage à Madame. — Tiens, nous avons décidé de *nous* remettre au travail.
J. GREEN, Léviathan, II, VI.

♦ **3.** (3ᵉ pers.). ⇒ **Il, elle.** S'emploie lorsque celui qui parle (avocat, notaire...) le fait en tant que représentant des intérêts d'une personne auxquels il s'associe (→ Notre, cit. 14, Balzac). *« Nous nous marions séparés de biens »* (dit Bartholo, avocat de Marceline, dans la scène du « Mariage de Figaro », III, 15).

★ **III.** NOUS. N. m. sing. Le mot *nous*. *Quand j'écris « nous », je la mets à part, elle* (cit. 4) *de qui j'ai reçu ce don. Un de ces orgueils exigeants* (cit. 6) *qui s'accommodent mal du « nous ».*

HOM. 1. Noue, 2. **noue**; formes du v. **nouer**.

NOUURE [nuyʀ] n. f. — 1803; *noueure*, 1611; de *nouer*.

♦ **1.** Didact. ou littér. État de ce qui est noué.

(...) la même phrase mélodique chantait dans ma mémoire sans que je puisse m'en délivrer (...) Très lâche au début, il me semblait qu'elle entortillait progressivement son fil, comme pour dissimuler l'extrémité qui la terminerait. Cette *nouure* devenait inextricable (...)
Claude LÉVI-STRAUSS, Tristes tropiques, p. 339.

♦ **2.** Méd. Déformation, tuméfaction des épiphyses, de l'extrémité des côtes, du dos..., caractéristiques du rachitisme*.

♦ **3.** (1835). Bot. Commencement de la formation du fruit*.
⇒ **Nouaison.**

NOUVEAU [nuvo], NOUVEL [nuvɛl] (devant un n. commençant par voyelle ou h muet, ex. : *un nouvel effort*, mais *un nouveau et rude effort*), NOUVELLE [nuvɛl] adj. et n. — XIIIᵉ; *novel*, fin XIᵉ; du lat. *novellus*, dimin. de *novus*. → Neuf.

★ **I.** ♦ **1.** (Choses; le plus souvent après le nom). Qui apparaît pour la première fois ou qui vient d'apparaître, en parlant de créations de la nature ou de l'art humain. ⇒ **Récent.** *Les pousses nouvelles.* ⇒ **Jeune, vert** (→ Attrister, cit. 15). *Les blés* (cit. 5) *nouveaux. Pommes de terre nouvelles. Petits pois nouveaux. Herbe, fleur nouvelle. L'écorce nouvelle* (→ Graver, cit. 1). *Vin*, raisin nouveau* (→ Honneur, cit. 57). *Le beaujolais nouveau est arrivé.* (⇒ **Primeur**). *« Maquereau frais*, maquereau nouveau »* (→ Frais, cit. 25, Proust, citant un « cri de Paris »). *La saison nouvelle. Mode nouvelle, plus nouvelle* (→ Abolir, cit. 7). *Invention* (cit. 6), *création nouvelle* (→ Apparition, cit. 5). *Un modèle nouveau, un type nouveau* (→ Famille, cit. 19; industriel, cit. 2). *Une machine, des engins* (cit. 5) *nouveaux. Foires* (cit. 3) *où l'on vend des articles nouveaux. Les livres, les écrits nouveaux.* ⇒ **Nouveauté.** (→ Attendre, cit. 90; gazette, cit. 2). *La littérature nouvelle.* ⇒ **Moderne.** *Les branches nouvelles de la science* (→ Mécanique, cit. 6). *Langage* (cit. 21), *mots, termes nouveaux.* ⇒ **Néologisme.** *Une couche* (cit. 10) *sociale nouvelle. Un monde nouveau* (→ Fossile, cit. 4). *Une génération* (cit. 23) *nouvelle. L'ordre ancien et l'ordre nouveau* (→ Hâter, cit. 6). *L'établissement* (cit. 3) *d'un ordre nouveau. Le siècle nouveau* (→ Messager, cit. 6). *Établir* (cit. 10) *une religion nouvelle. Un esprit* (cit. 168) *nouveau. Une ère* (cit. 6) *nouvelle. Les conditions nouvelles de la vie* (→ Adapter, cit. 3). ⇒ **Différent.** *Conceptions, théories, croyances... nouvelles* (→ Héroïque, cit. 2; initier, cit. 2). *« Le conseil en est bon, mais il n'est pas nouveau »* (→ Apparence, cit. 13, La Fontaine). *Ça c'est nouveau, voilà encore qqch. de nouveau,* se dit pour souligner une remarque inattendue (souvent avec une intention critique). — Prov. *Tout ce qui est nouveau paraît beau. Tout nouveau, tout beau.*

1 Il semble que les premiers mots des *Métamorphoses* d'Ovide, *In nova fert animus,* soient la devise du genre humain (...) Un colporteur ne se chargera pas d'un Virgile, d'un Horace, mais d'un livre nouveau (...) Les femmes se plaignent depuis le commencement du monde des infidélités qu'on leur fait en faveur du premier objet nouveau qui se présente, et qui n'a souvent que cette nouveauté pour tout mérite.
VOLTAIRE, Dict. philosophique, art. *Nouveauté.*

2 Sur des pensers nouveaux faisons des vers antiques.
André CHÉNIER, Poèmes, « L'invention ».

3 Les siècles superstitieux accusent facilement les opinions nouvelles d'impiété, et les siècles incrédules les accusent non moins facilement de folie.
Mᵐᵉ DE STAËL, De l'Allemagne, Observ. générales.

4 On était toujours parfaitement poli à l'hôtel de La Mole; mais il se sentait déchu. Son bon sens de province expliquait cet effet par le proverbe vulgaire, *tout beau tout nouveau.* Peut-être était-il un peu plus clairvoyant que les premiers jours, ou bien le premier enchantement produit par l'urbanité parisienne était passé.
STENDHAL, le Rouge et le Noir, II, v.

Nous demandâmes du cidre *nouveau,* — car il n'y a que des Normands ou des Bretons qui puissent se plaire au cidre *dur.*
NERVAL, Nuit d'octobre, XI.

Voici une vie *nouvelle* qui s'ouvre devant nous; entrons-y sans remords, sans méfiance, et tâchons seulement qu'elle ne nous joue pas les mêmes tours que l'ancienne (...)
Alphonse DAUDET, le Petit Chose, II, XIV.

Ces personnes *nouvelles,* que les jeunes gens trouvaient fort anciennes, et que d'ailleurs certains vieillards qui n'avaient pas été que dans le grand monde croyaient bien reconnaître pour ne pas être si *nouvelles* que cela, n'offraient pas seulement à la société des divertissements de conversation politique et de musique dans l'intimité qui lui convenaient; il fallait encore que ce fussent elles qui les offrissent, car pour que les choses paraissent *nouvelles* si elles sont anciennes, et même si elles sont *nouvelles,* il faut en art, comme en médecine, comme en mondanité, des noms *nouveaux.*
PROUST, le Temps retrouvé, Pl., t. III, p. 726.

Loc. *Art nouveau.* ⇒ **Modern style.** Appos. *Des meubles art nouveau.*

Tout l'appartement, sauf une pièce, était meublé dans le goût moderne. Mᵐᵉ de Champcenais avait fait le voyage de Nancy, pour y commander une salle à manger, un cabinet de travail, un boudoir, et deux chambres *art nouveau.*
J. ROMAINS, les Hommes de bonne volonté, t. I, III, p. 45.

Des faits nouveaux (→ Artisanat, cit. 3). *Qu'y a-t-il de nouveau?* ⇒ **Nouvelle** (n. f.). *Quoi de nouveau? Rien de nouveau.* ⇒ **Neuf.** — Fam. *Ça alors, c'est nouveau!,* c'est inouï, c'est un peu fort. ⇒ **Extraordinaire, surprenant.** *C'est une chose nouvelle de..., il est nouveau de...,* suivi de l'inf.

Rare. *Il est nouveau que...,* suivi du subj. (Corneille, *Sertorius,* II, 1).

N. m. *Il y a du nouveau dans l'affaire X.*

Qu'est-ce qui a été autrefois? c'est ce qui doit être à l'avenir. Qu'est-ce qui s'est fait? c'est ce qui se doit faire encore. Rien de *nouveau* sous le soleil (...)
BIBLE (SACY), Ecclésiaste, I, 9-10.

Et puis, que dit-on de *nouveau*?
Quand part le Roy? aurons-nous guerre?
Clément MAROT, Épîtres, XLIX.

Par des faits tout *nouveaux* je m'en vais vous apprendre
Tout ce que peut l'amour sur le cœur d'Alexandre.
RACINE, Alexandre, III, 6.

J'admire les idiots cultivés, enflés de culture, dévorés par les livres comme par des poux, et qui affirment, le petit doigt en l'air, qu'il ne se passe rien de *nouveau,* que tout s'est vu. Qu'en savent-ils? L'avènement du Christ a été un fait *nouveau.* La déchristianisation du monde en serait un autre.
BERNANOS, les Grands Cimetières sous la lune, p. 39.

♦ **2.** (1686). Personnes. *Un homme nouveau qui s'est fait connaître récemment. Un homme politique nouveau. Il nous faut des hommes nouveaux!*

Chrysippe, homme *nouveau,* et le premier noble de sa race (...)
LA BRUYÈRE, les Caractères, VI, 27.

Les élus *(de la Législative)* tous des hommes *nouveaux,* la plupart très jeunes, presque tous obscurs, sortaient d'un suffrage restreint, censitaire (...)
J. BAINVILLE, Hist. de France, XVI, p. 347.

♦ **3.** (Personnes; avant le nom). Qui est depuis peu de temps ce qu'il est. *Les nouveaux riches* (→ Afficher, cit. 6; agioteur, cit. 3). *Les nouveaux pauvres. Les nouvelles recrues :* les soldats nouvellement incorporés (cit. 10). *La nouvelle épouse* (→ Fruit, cit. 31). *« Que d'amis, que de parents naissent en une nuit au nouveau ministre! »* (cit. 4, La Bruyère). — (Devant un participe, avec la valeur adverbiale de *nouvellement,* mais s'accordant cependant, sauf, en principe, dans le nom composé *nouveau-né.* Le nouvel élu, les nouveaux élus* (→ Appariteur, cit.). *Les nouveaux mariés.* ⇒ **Jeune.** *Des nouveaux venus* (→ Assimilation, cit. 9; familiariser, cit. 10; hôtel, cit. 16). *Les nouveaux convertis.* ⇒ **Néophyte.** — REM. Quand le participe, au lieu de former avec *nouveau* un véritable substantif, garde sa valeur verbale, *nouveau* conserve la forme adverbiale et ne s'accorde pas. *Le voyageur nouveau débarqué* (→ Badauderie, cit. 2). *Des vins nouveau percés* (Littré), mais cet emploi est vieilli.

(...) le déplaisir d'un enfant *nouveau* sevré entre les bras de sa mère.
CORNEILLE, Office de la Vierge, IX, v. 236.

Il fallait pour être initié aux répondants, des cautions qu'on appelait d'un nom qui répond à parrains, afin que l'Église s'assurât de la fidélité des *nouveaux* chrétiens (...)
VOLTAIRE, Dict. philosophique, Baptême.

Avant 1914, l'Allemagne était orgueilleuse comme une *nouvelle* riche. Depuis 1918, elle se fait humble comme une *nouvelle* pauvre.
J. BAINVILLE, Journal, 21 janv. 1919, *in* GREVISSE, p. 314.

N. (1919; *nouveau,* à l'école, 1832). LE NOUVEAU, LA NOUVELLE : celui, celle qui vient d'arriver dans un collège, un atelier, un bureau, une collectivité dont les membres se connaissent tous. *Il y a trois nouveaux dans la classe. Le nouveau était intimidé* (→ Articuler, cit. 8). *Un petit nouveau. Grande École où les nouveaux sont victimes de canulars*.* ⇒ **Bizuth.** *Nouveaux arrivant au régiment.* ⇒ **Bleu** (→ Indifférence, cit. 17).

Quiconque voudra se représenter l'isolement de ce grand collège (...) au milieu d'une petite ville (...) aura certes une idée de l'intérêt que devait nous offrir l'arrivée d'un *nouveau,* véritable passager survenu dans un navire. Jamais jeune duchesse présentée à la cour n'y fut aussi malicieusement critiquée que l'état du *nouveau* débarqué par tous les écoliers de sa Division (...) « Vous aurez demain un *Nouveau*! » Tout à coup ce cri : « Un *Nouveau*! un *Nouveau*! » retentissait dans les cours.
BALZAC, Louis Lambert, Pl., t. X, p. 364.

Nous étions à l'étude, quand le proviseur entra, suivi d'un *nouveau* habillé en bourgeois et d'un garçon de classe qui portait un grand pupitre.
FLAUBERT, Mᵐᵉ Bovary, I, I.

Toutes les têtes des élèves s'étaient tournées du côté de la *nouvelle.*
A. ROBIDA, le Vingtième Siècle, p. 153.

♦ **4.** (Avec une valeur laudative; après le nom et souvent qualifié). Qui tire de son caractère récent une valeur de création, d'invention. (→ Inventer, cit. 1). ⇒ **Hardi, inédit, insolite, neuf, original.** *Un art, un style, un langage nouveau, tout à fait nouveau* (→ Génie, cit. 27). *Des tours si nouveaux et si naturels* (→ Grâce, cit. 75).

Présenter les choses sous un jour, un aspect nouveau. Riche d'aperçus (cit. 3) *nouveaux. Cette qualité toute moderne et toute nouvelle* (→ Expression, cit. 45). *L'emploi nouveau et hardi* (cit. 17) *que certains écrivains font des mots. Créateur qui propose des types nouveaux* (→ Iconographie, cit. 3). *Quelque chose de nouveau et de vrai* (→ Livre, cit. 13). *Rajeunissement du talent par des moyens nouveaux* (→ Mesure, cit. 10). *C'est une idée, une vue toute nouvelle.* Allus. littér. *« Vous créez un frisson* (cit. 25) *nouveau ».*

19 Son éloquence, essentiellement poétique, pleine de méthode, et se mouvant toutefois hors de toute méthode connue, un arsenal d'images tirées d'un monde peu fréquenté par la foule des esprits, un art prodigieux à déduire d'une proposition évidente et absolument acceptable des aperçus, secrets et nouveaux, à ouvrir d'étonnantes perspectives (...) telles étaient les éblouissantes facultés *(de Poe).*
BAUDELAIRE, Edgar Poe, sa vie, ses œuvres, III.

20 Que ta vision soit à chaque instant nouvelle.
GIDE, les Nourritures terrestres, p. 32.

21 L'originalité réside dans la façon nouvelle d'exprimer des choses déjà dites.
Antoine ALBALAT, la Formation du style, p. 29.

N. m. *Faire, réclamer du nouveau en art* (→ Étrange, cit. 14). *Curiosité qui pousse à chercher du nouveau* (→ Jupon, cit. 4). *Le goût* (cit. 35) *du nouveau.* ⇒ **Innovation, innover, novateur.** *« Au fond de l'inconnu* (cit. 32) *pour trouver du nouveau »* (Baudelaire).

22 (...) mais surtout évitez
Les traits que tant de fois l'églogue a répétés ;
Il me faut du nouveau, n'en fût-il point au monde.　　LA FONTAINE, Clymène.

23 En attendant, demandons au *poète* du *nouveau,* — idées et formes.
RIMBAUD, Correspondance, XII, 15 mai 1871.

24 Comme l'organe crée le besoin, dit-on, l'expression finit toujours par créer la pensée : l'essentiel est qu'elle soit nouvelle. Du nouveau, à tout prix ! Ils avaient la frayeur maladive du « déjà dit ». Les meilleurs en étaient paralysés. On sentait qu'ils étaient toujours occupés à se surveiller peureusement, à effacer ce qu'ils avaient écrit, à se demander : « Ah ! mon Dieu ! où est-ce que j'ai déjà lu cela ? (...)
R. ROLLAND, Jean-Christophe, Foire sur la place, I, p. 691.

♦ **5.** [a] Vieilli. **NOUVEAU À** (qqn) : qui était jusqu'ici inconnu de (qqn) ; dont on n'a pas l'habitude. ⇒ **Inconnu, inhabituel ; inaccoutumé, inusité.** *Cela m'est nouveau* (→ Aphasique, cit. 2). *« Ce mot me fut nouveau et inconnu »* (→ Explication, cit. 1, Pascal).

25 (...) La pompe de ces lieux,
Je le vois bien, Arsace, est nouvelle à tes yeux.　　RACINE, Bérénice, I, 1.

26 (...) c'est un style si nouveau à nous autres Français (...)
Mme DE SÉVIGNÉ, 833, 17 juil. 1680.

27 Aujourd'hui, je sais Racine par cœur, et il m'est toujours nouveau.
FRANCE, le Petit Pierre, XXXIV.

[b] Mod. **NOUVEAU POUR** (qqn). *Un système, un sentiment tout à fait nouveau pour moi* (→ Fructification, cit. 1 ; houri, cit. 3). ⇒ **Insoupçonné.** *Nouveau pour le lecteur* (→ Image, cit. 48). *Quand on visite un pays nouveau pour soi* (→ Jalonner, cit. 5). — *Des officiers nouveaux pour eux* (→ Bataillon, cit. 7).

28 (...) ce document nouveau pour vous tous, messieurs, et même pour moi, qui n'ai eu que le temps d'y jeter un coup d'œil.
J. ROMAINS, les Hommes de bonne volonté, t. V, XXII, p. 174.

[c] (Le complément de l'adjectif n'étant pas exprimé ; avant ou après le nom). *Les sonorités nouvelles que je distinguais dans sa voix* (→ Agressivité, cit. 1). *Elle lui apparaissait sous un aspect* (cit. 29) *nouveau. « De quel trouble nouveau tous mes sens sont atteints »* (cit. 8, Voltaire). *Voir tous les jours de nouveaux visages, des têtes nouvelles* (→ Auberge, cit. 2 ; coudoyer, cit. 1). *« Le premier qui vit un chameau* (cit. 1), *s'enfuit à cet objet nouveau »* (La Fontaine). *L'agrément nouveau de l'indépendance* (cit. 7)... *Se sentir une force, une foi, une vigueur, une vie... nouvelle* (→ Ardeur, cit. 24 ; bouillonner, cit. 5). *Le plaisir d'une petite fille qui manie un jouet* (cit. 1) *nouveau. « Quelque bien* (cit. 34) *qu'on dise de nous, on ne nous apprend rien de nouveau »* (La Rochefoucauld).

29 (...) plus l'être est faible, plus il répugne, à *l'étrange,* au changement ; car la plus légère idée nouvelle, la plus petite modification de régime nécessite de lui une vertu, un effort d'adaptation qu'il ne va peut-être pas pouvoir fournir.
GIDE, Prétextes, p. 48.

♦ **6.** (Personnes). En attribut ou après le nom (Vieilli). Qui n'a pas, qui n'a guère l'expérience ou l'habitude de qqch. ⇒ **Inexpérimenté, neuf, novice.** *« Nous arrivons tout nouveaux aux divers âges* (cit. 20) *de la vie »* (La Rochefoucauld). *« Quand, la première fois, un athlète nouveau vient combattre... »* (→ Joute, cit. 2, Boileau). *« Un monde* (cit. 22) *si nouveau et si enfant »* (Montaigne). *Être bien nouveau dans son métier, dans les affaires.*

30 (...) comme je suis encore fort nouveau dans mes affaires, je croyais qu'il fût à mon choix de payer (...) ou en un seul terme ou en deux (...) Je vous en supplie (...) d'excuser mon ignorance (...)
Ch. DE SÉVIGNÉ, in Mme DE SÉVIGNÉ, 959, 20 avr. 1685.

★ **II.** (Av. le nom). ♦ **1.** Qui apparaît après un autre qu'il remplace, au moins provisoirement, ou tend à remplacer dans notre vision, dans nos préoccupations. — REM. Dans cette acception, le sens I de *nouveau* demeure plus ou moins sensible, l'idée de « nouveauté » pouvant coexister avec celle de « succession » et de « substitution ». *Le nouvel an**. *La nouvelle lune** (cit. 1). Rare. (Après le nom). *La lune nouvelle* (→ Canon, cit. 4, Loti). *Le nouveau monde** (→ Assimiler, cit. 10 ; dépeupler, cit. 2). *Le Nouveau Testament**. *La nouvelle alliance** (cit. 4 et 5). *Le nouvel homme* (ou *l'homme nouveau*), régénéré

par la grâce. *Le nouveau régime* (→ Fédération, cit. 7). *Nouveau style** (en chronologie). — *De nouvelles découvertes* (→ Approfondissement, cit. 2). *Une nouvelle carrière* (→ Arriver, cit. 25). *De nouveaux besoins* (→ Assujettir, cit. 27). *Prendre une nouvelle forme* (cit. 2). *Les cellules* (cit. 9) *dont se composera le nouvel être. La faveur* (cit. 3) *du nouveau maître. Un nouveau sens du mot « fixer »* (cit. 9). *De nouvelles habitudes* (cit. 42). *Les nouveaux systèmes d'éducation* (→ Homuncule, cit. 5). *La nouvelle législation* (→ Immigration, cit. 2). *Inventer un nouveau plaisir* (→ Jouissance, cit. 3). *Une nouvelle, une autre chanson**. *Chercher à promouvoir un nouveau type de société, une nouvelle société.* — Allus. littér. *« Ainsi* (cit. 11) *toujours poussés vers de nouveaux rivages... »* (Lamartine).

31 L'approche de l'air de la cour a donné à son ridicule de nouveaux agréments (...)
MOLIÈRE, la Comtesse d'Escarbagnas, I, 1.

32 J'ai essayé d'inventer de nouvelles fleurs, de nouveaux astres, de nouvelles chairs, de nouvelles langues.
RIMBAUD, Une saison en enfer, Adieu.

33 Les textes modernes ont leur tour, car ils témoignent de l'état présent de la langue ; mais ils sont réservés pour indiquer ce qui leur est propre, c'est-à-dire les nouvelles acceptions, les nouvelles combinaisons, en un mot les nouvelles faces des mots.
LITTRÉ, Dict., Préface, p. XVII.

(Personnes). Qualifie une catégorie de personnes ayant des caractéristiques considérées comme inédites, renouvelées, par rapport à la tradition (sens voisin de I., 4.). *Les « nouveaux producteurs »* (*l'Express,* déc. 1971) ; *les nouveaux industriels,* d'un type nouveau. *Les nouveaux conducteurs.* — (V. 1975). *Les nouveaux philosophes :* les jeunes philosophes qui prétendent renouveler la conception de la philosophie (et sa fonction sociale). *Les nouveaux réalistes* ⇒ **Jeune, néo.**

(Avec un nom désignant un groupe, une activité). *La nouvelle philosophie. La nouvelle droite. La nouvelle gauche américaine. Le nouveau théâtre, le nouveau cinéma.*

Littér. *Le nouveau roman.* ⇒ **Roman.**

Loc. métaphorique. *La nouvelle vague.* ⇒ **Vague.**

♦ **2.** Qui a succédé, s'est substitué à un autre. ⇒ **Autre, second.** *Sur (de) nouveaux frais** (cit. 7 et 8). — (Vieilli). *Nouveaux francs**. *Jusqu'à nouvel ordre**. *En cas de nouvelles condamnations* (→ Avertir, cit. 12). *Faire de nouvelles recherches, de nouveaux efforts* (→ Courtage, cit. ; financer, cit. 4). *Formuler de nouveaux griefs* (cit. 8). *Vous lui injecterez* (cit. 2) *un nouveau demi-centigramme. Une nouvelle édition.* — (Entrant dans le titre de nombreuses publications). *Nouveaux Lundis,* de Sainte-Beuve. *Nouveaux Essais de critique et d'histoire,* de Taine... *La Nouvelle Revue française...*

34 On convint d'un nouveau rendez-vous, aussitôt après les fêtes (...)
J. ROMAINS, les Hommes de bonne volonté, t. V, IV, p. 27.

(Le nom étant mis en rapport avec une personne, soit par un verbe marquant la possession : *avoir, acheter...,* soit par un possessif). *Il a acheté une nouvelle voiture. Elle a un nouveau fiancé, un nouveau mari. Elle a eu un nouvel enfant.* ⇒ **Autre.**

REM. Dans ces emplois, et lorsqu'il qualifie une chose, *nouveau* peut s'opposer à *neuf : sa nouvelle voiture est plus ancienne que la dernière : c'est une vieille Rolls.*

♦ **3.** (Devant un nom propre). ⇒ **Autre, second.** *Un nouveau César, un nouvel Alexandre. Le nouveau, notre nouveau Cicéron* (→ Bégayer, cit. 2). *Et, nouveau Jupiter... je foudroie...* (cit. 3, La Fontaine). *Se croire un nouveau Lope de Vega* (→ Fumée, cit. 17). *Ce nouvel Adonis* (→ Magot, cit. 2). *Julie ou la Nouvelle Héloïse,* roman de Rousseau. — *Une contrée que les habitants appellent le nouvel Éden* (→ Arroser, cit. 3.1). *La nouvelle Athènes :* nom donné parfois à Paris.

REM. Beaucoup des expressions où *nouveau* figure en ce sens sont employées ironiquement.

35 (...) épanchons nos cœurs sur la piété de Louis *(XIV)* ... et disons à ce nouveau Constantin, à ce nouveau Théodose, à ce nouveau Marcien, à ce nouveau Charlemagne (...) : « vous avez affermi la foi ; vous avez exterminé les hérétiques (...) »
BOSSUET, Oraison funèbre de Le Tellier.

36 (...) je suis parti d'ici avec Dumas, pour Bruxelles, d'où je comptais revenir directement à Paris. Mais « la nouvelle Athènes » me semble dépasser le Dahomey en férocité et en bêtise.
FLAUBERT, Correspondance, 1163, 31 mars 1871.

(Dans des expressions géogr.). *Nouvelle-Zélande. La Nouvelle-Orléans. Nouvelle-Guinée...*

★ **III.** Loc. adv. ♦ **1.** (1119 ; sens mod., XVIe). **DE NOUVEAU :** pour la seconde fois, une fois de plus. ⇒ **Derechef, encore.**

REM. *De nouveau* marque une simple répétition. ⇒ préf. **Re-.** *Ève enfanta de nouveau et mit au monde Abel* (→ Adam cit. 2). *Faire de nouveau qqch.* ⇒ **Recommencer.** *Être de nouveau dans tel ou tel état* (→ Armistice, cit. 2 ; fomenter, cit. 2 ; friction, cit. 2 ; hérésie, cit. 6 ; moi, cit. 60). *De nouveau et encore plus fort.* ⇒ **Beau** (de plus belle). — (Vx). *Tout de nouveau* (cf. Molière, *Dom Juan,* II, 11).

37 La tourmente dont il était sorti avec tant de peine se déchaîna de nouveau en lui. Ses idées recommencèrent à se mêler.
HUGO, les Misérables, I, VII, III.

♦ **2.** À NOUVEAU. [a] (1835). Fin. Sur un nouveau compte. *Créditer, débiter, porter à nouveau.* — *Report à nouveau.*

[b] (1852). De nouveau et d'une manière différente, sur de nouvelles bases. *Examiner à nouveau une question* (→ Matérialisme,

cit. 3). *Reprendre à nouveau un travail. L'homme doit conquérir chaque chose, à nouveau, chaque jour* (→ Appartenir, cit. 8).

[c] (1884, Leconte de Lisle ; → Masse, cit. 2). *De nouveau. Elle m'interdit à nouveau toute familiarité avec ce malappris* (cit. 3, France). → Agitation, cit. 21 ; fil, cit. 14 ; interrupteur, cit. 3.

38 Cela m'est égal que Littré, qui est pourtant un de mes dieux, ne fasse aucune différence entre « à nouveau » et « de nouveau ». Moi, je vois une différence et je m'impose une règle. « De nouveau » veut dire « derechef » et « à nouveau » veut dire « à neuf ». Je repeins ma maison à nouveau (...)
G. DUHAMEL, Chronique des Pasquier, V, XI.

CONTR. Ancien, antique, archaïque, lointain, vieux. — Banal, éculé. — Aguerri, expérimenté. — Même.
DÉR. Nouveauté, nouvelle, nouvellement. — (Du rad. lat. *novus*) Novateur, novation.
COMP. Nouveau-né. — Renouveau, renouveler.
HOM. (Du fém.) Nouvelle.

NOUVEAU-NÉ, -NÉE [nuvone] adj. et n. — Fin XIIe, de *nouveau*, adverbial, « récemment », et *né*.

♦ **1.** Adj. *Qui vient de naître. Un enfant nouveau-né* (→ Avortement, cit. 3 ; maillot, cit. 1). *Des faons nouveau-nés* (→ Biche, cit. 3). *Poulain nouveau-né.*

1 (...) cette précaution de faire tiédir l'eau n'est pas non plus indispensable ; et en effet des multitudes de peuples lavent les enfants nouveau-nés dans les rivières ou à la mer sans autre façon.
ROUSSEAU, Émile, I.

Fig. *Très récent. Livre nouveau-né. Une gloire nouveau-née.*

2 Entonnaient l'hosanna des siècles nouveau-nés ?
A. DE MUSSET, Poésies nouvelles, « Rolla », I.

♦ **2.** N. (1680). *Enfant* ou animal qui vient de naître, qui est né depuis quelques jours, spécialt (méd.), enfant qui a moins de 28 jours.* ⇒ Bébé. (→ Embryon, cit. 3). *Cris, vagissements du nouveau-né* (→ Cuisine, cit. 6). *Layette d'un nouveau-né. Soins à donner aux nouveau-nés. Nouveau-nés chétifs, robustes* (→ Intervenir, cit. 7). *Baptême d'un nouveau-né.* ⇒ Lustration. *Chatte portant à ses mamelles un chapelet de nouveau-nés* (→ Mère, cit. 5). *Maladies des nouveau-nés.*

3 Certains (certaines mères surtout) vont se récriant sur la beauté des nouveau-nés. Quant à moi je ne crois pas en avoir vu un seul autre qui ne m'ait paru presque hideux, je l'avoue, contracté, grimaçant, congestionné (...)
GIDE, Journal, 15 mai 1949.

4 Dès qu'un nouveau-né poussait son premier cri, elle le saisissait avec un geste ravi et ravisseur ; elle le lavait, le savonnait, le séchait, le roulait dans un linge chaud et l'emportait dans la salle commune pour l'habiller et le mettre au berceau !
G. DUHAMEL, les Plaisirs et les Jeux, p. 101.

5 (...) j'avais l'habitude (...) de l'émerveillement. Je l'exerçais sur l'assemblage de prodiges qu'est le nouveau-né. Ses ongles pareils en transparence à l'écaille bombée de la crevette rose (...) Le léger plumage de ses cils, abaissés sur la joue, interposés entre les paysages terrestres et le songe beuâtre de l'œil (...)
COLETTE, l'Étoile Vesper, p. 208.

Fig. (Fam.). *Il m'a dédicacé son nouveau-né, son dernier livre qui vient de paraître.* « Un nouveau-né dans la famille des transistors » (l'Express, 16 juin 1969).

REM. Quoique régulièrement *nouveau* reste invariable dans le composé *nouveau-né*, certains auteurs modernes ont écrit *des nouveaux-nés*, *une nouvelle-née* (cf. Grévisse [§ 384, note 2], citant Arnoux, Colette, Jouhandeau, R. Rolland, etc.).

NOUVEAUTÉ [nuvote] n. f. — 1320 ; *novelté, nouvelleté*, XIIIe, encore au XVIe → ci-dessous, cit. 9 ; de *nouveau*.

♦ **1.** *Caractère de ce qui est nouveau*. La nouveauté de qqch.* « *En sa plus verte nouveauté* » (→ Cueillir, cit. 5, Ronsard). ⇒ Fraîcheur. *Lire un roman dans la fleur* (cit. 23) *de sa nouveauté.* ⇒ Primeur. *Des vestiges de la nouveauté du monde* (→ Ancien, cit. 10.2, Bossuet). *Mode qui plaît par sa nouveauté* (→ Effronté, cit. 1). *Voyageur frappé* (cit. 42) *par la nouveauté des objets, des perspectives* (→ 2. Lever, cit. 4). *La nouveauté de certains termes, de certains usages* (→ Impropriété, cit. 1 ; indécence, cit. 4 ; injure, cit. 8).

1 (...) livres froids et ennuyeux (...) écrits avec précipitation, et lus de même, seulement par leur nouveauté (...)
LA BRUYÈRE, les Caractères, Préface.

2 Et la nuit, enfermée dans sa chambre, au milieu du grand silence où elle entendait les palpitations de son âme, elle écrivit à l'absent une lettre pleine de ces paroles semblables aux fleurs dans leur perpétuelle nouveauté.
FRANCE, le Lys rouge, XXV.

3 Don Juan *(Byron)* fiancé. La nouveauté de l'aventure l'enchantait, et vraiment il en espérait le bonheur. N'avait-il pas toujours désiré le mariage depuis le temps de Mary Chaworth ?
A. MAUROIS, Vie de Byron, II, XXI.

Spécialt. (Avec une valeur laudative). ⇒ Hardiesse, originalité. *Livre remarquable par la nouveauté du style, des images. Il a de l'énergie et de la nouveauté dans ses saillies* (→ Cynique, cit. 5). *La nouveauté est la vérité d'accent d'un texte, d'une œuvre. Nouveauté d'un sujet* (→ Montrer, cit. 36). — Vieilli. *Caractère extraordinaire, singulier (avec une nuance souvent péjorative dans la langue classique).*

4 (...) puis-je prendre quelque assurance sur la nouveauté surprenante d'une telle conversion ?
MOLIÈRE, Dom Juan, V, 1.

5 Tout ce qui ne vaut que par la nouveauté du tour et par un certain goût d'art vieillit vite.
FRANCE, le Jardin d'Épicure, p. 80.

Le point de perfection est atteint seulement lorsque la nouveauté de la forme répond exactement à la nouveauté intérieure.   GIDE, Attendu que..., p. 63.   6

♦ **2.** Absolt. *Ce qui est nouveau. Aimer la nouveauté* (→ Fureur, cit. 14 ; impatient, cit. 9). *Le plaisir, la saveur, le charme, l'attrait de la nouveauté* (→ Aurore, cit. 20 ; exigeant, cit. 1 ; forme, cit. 66 ; habitude, cit. 37). *Surprise devant la nouveauté, sentiment de nouveauté, expérience de la nouveauté* (→ Illusion, cit. 14 ; imaginaire, cit. 10 ; lieu, cit. 56). *Une profession faite d'imprévu* (cit. 8) *et de nouveauté. Un besoin* (cit. 18) *de nouveauté.* ⇒ Curiosité.

Deux choses toutes contraires nous préviennent également, l'habitude et la nouveauté.   LA BRUYÈRE, les Caractères, XII, 4.   7

Emma ressemblait à toutes les maîtresses ; et le charme de la nouveauté peu à peu tombant comme un vêtement, laissait voir à nu l'éternelle monotonie de la passion (...)   FLAUBERT, Mme Bovary, II, XII.   8

(Vieilli). *Ce qui est nouveau et prétend remplacer ce qui était auparavant.* ⇒ Changement. *Les ennemis de la nouveauté* (→ Innovation, cit. 2).

Je suis dégoûté de la nouvelleté *(nouveauté)* quelque visage qu'elle porte, et ai raison, car j'en ai vu des effets très dommageables.   MONTAIGNE, Essais, I, XXIII.   9

♦ **3.** *(Une, des nouveautés).* Chose nouvelle. *C'est toujours une nouveauté de voir la personne aimée* (→ Absence, cit. 7). « *Chaque nouveauté doit nous trouver toujours tout entiers disponibles* » (cit. 3, Gide). *Une nouveauté assez bizarre* (cit. 2). *Une des nouveautés du « Mariage de Figaro »* (→ Immoralité, cit. 7). *Tiens, vous ne fumez plus ? C'est une nouveauté !* — Vx. *Chose extraordinaire.* « *Quelle nouveauté, quel monstre, quel chaos* »... (cit. 4, Pascal ; → Homme, cit. 54, Lautréamont, retournant le texte de Pascal).

Mais qu'on ait sans amour tous les soins d'un jaloux,
C'est une nouveauté qui n'appartient qu'à vous.   MOLIÈRE, Don Garcie, II, 1.   10

(...) pour être si opposées dans nos lectures, nous n'en sommes pas moins bien ensemble (...) nous sommes une nouveauté l'une pour l'autre (...)
Mme DE SÉVIGNÉ, 817, 9 juin 1680.   11

Le tour de phrase de La Fontaine est une nouveauté et presque une révolution dans l'art d'écrire en vers au XVIIe siècle.
Émile FAGUET, Études littéraires, XVIIe s., p. 255.   12

Spécialt. *Doctrine, institution, pratique nouvelle (religieuse, morale, politique...) en contradiction avec la tradition, le régime établi, les idées reçues.* ⇒ Innovation. *L'amour des nouveautés, le faux zèle...* (→ 1. Enceinte, cit. 3). *Approuver une nouveauté* (→ Étrangler, cit. 3). *Se défier des nouveautés* (→ Bizarrerie, cit. 6). *Il ne faut introduire qu'avec prudence des nouveautés dans un État* (Académie). *Esprit conservateur hostile aux nouveautés.*

De tant de nouveautés je ne suis curieux,
Il me plaît d'imiter le train de mes aïeux (...)
RONSARD, Disc. des misères de ce temps, Remontrance au peuple de France.   13

Platon, en ses *Lois,* n'estime perte du monde plus dommageable à sa cité, que de laisser prendre liberté à la jeunesse (...) courant après les nouvelletés *(nouveautés),* honorant leurs inventeurs ; par où les mœurs se corrompent, et toutes anciennes institutions viennent à dédain et à mépris.   MONTAIGNE, Essais, I, XLIII.   14

Voilà tout mon jansénisme. J'ai parlé comme ces docteurs de Sorbonne, comme ces religieux, et enfin comme mon archevêque. Du reste, je puis vous protester devant Dieu que je ne connais ni ne fréquente aucun homme qui soit suspect de la moindre nouveauté. Je passe ma vie le plus retiré que je puis dans ma famille (...)   RACINE, Correspondance, 169, 4 mars 1698.   15

Ma tante avait le génie de sa province, l'amour des choses surannées, la peur des changements, l'horreur des nouveautés qui font du bruit.
E. FROMENTIN, Dominique, IV.   16

(1666). *Ouvrage nouveau qui vient de sortir*, d'être représenté.* ⇒ Livre. *Nouveautés annoncées sous la rubrique « Vient de paraître ». Courtier en librairie* (cit. 3) *proposant quelques nouveautés. Vitrine d'un libraire* (cit. 6) *qui expose les nouveautés de chez X. Passionné de théâtre, de cinéma qui court à toutes les nouveautés.*

À faire aux nouveautés, dont je suis idolâtre,
Figure de savant sur les bancs de théâtre (...)   MOLIÈRE, le Misanthrope, III, 1.   17

Là se vendaient les nouveautés au public, qui s'obstinait à ne les acheter que là. Là, se sont vendus dans une seule soirée plusieurs milliers de tel ou tel pamphlet de Paul-Louis Courier, ou des *Aventures de la fille d'un roi,* le premier coup de feu tiré par la maison d'Orléans sur la Charte de Louis XVIII.
BALZAC, Illusions perdues, Pl., t. IV, p. 692.   18

(V. 1268, É. Boileau). Spécialt. *Production de l'industrie de la mode, dans la mesure où celle-ci se renouvelle sans cesse. Marchands, magasins de nouveautés, d'articles de mode* (→ Magasin, cit. 8 ; montrer, cit. 2 ; indécis, cit. 12). *Nouveautés de printemps, d'hiver...* (→ Catalogue, cit. 2). *Haute nouveauté,* article qui est à la dernière mode. — (Collectif). *La nouveauté :* l'industrie et le commerce des nouveautés. *Être dans la nouveauté.*

On dit d'un Marchand qui est toujours fourni des étoffes les plus nouvelles, et les plus à la mode, qu'*On trouve toujours nouveauté chez lui.*
ACADÉMIE (1694), Nouveauté.   19

Tissus, nuances de ces tissus, etc., tout ce que déjà nous annonçâmes avec quelque mystère, nouveautés à l'état presque encore d'échantillon chez d'illustres faiseuses, s'est maintenant connu et su de toutes les femmes, propagé dans la France et à l'étranger par le zèle de ces grands journaux.
MALLARMÉ, Proses diverses, « La dernière mode », 1er nov. 1874.   20

CONTR. Ancienneté, antiquité, archaïsme. — Banalité, cliché. — Coutume ; vieillerie.

NOUVELLAN [nuvɛlɑ̃] n. m. — 1575 ; de l'ital. *novellante*, de *novella* « nouvelle ».

♦ Littér., vx. Informateur, colporteur de nouvelles. ⇒ **Nouvelliste** (1.)

NOUVELLE [nuvɛl] n. f. — XIIIᵉ ; *novele*, v. 1050 ; du lat. pop. *novella* n., plur. neutre de l'adj. *novellus* mais pris comme n. f. → Nouveau.

♦ **1.** Premier avis* qu'on donne ou qu'on reçoit d'un événement relativement récent ; cet événement porté pour la première fois à la connaissance de la personne intéressée, ou du public. *La nouvelle d'une bataille, d'un décès, d'un mariage...* (→ Bagatelle, cit. 8 ; extrême, cit. 14 ; hommage, cit. 6). *La nouvelle que l'armée avait été battue* (→ Intervenir, cit. 9). *Avoir, recevoir la nouvelle d'un événement, que tel fait se produit...* — Vieilli. *Avez-vous eu nouvelle de la chose?* ⇒ **Vent.** — *Dire, annoncer* (cit. 1), *conter, apporter* (cit. 30) *une nouvelle. Porteur de nouvelles.* ⇒ **Messager.** *Répandre, divulguer, colporter* (cit. 2), *débiter* (cit. 6), *publier, ébruiter, corner, propager, transmettre... une nouvelle. Apprendre* (cit. 30) *recevoir une nouvelle. Connaître, savoir une, la nouvelle. La nouvelle circule, vole de bouche en bouche. Nouvelle de bonne source*, *de première, de seconde main*. *Tenir* une nouvelle de qqn. *Nouvelle encore vague, sans consistance, qui ne paraît pas fondée* (cit. 24), *qui demande à être confirmée* (cit. 9). ⇒ **Bruit, écho, rumeur.** *Fausse nouvelle.* ⇒ **Bobard, canard, fable** (cit. 16). *Fabricateur de fausses nouvelles. Nouvelle apocryphe, forgée de toutes pièces, tendancieuse... Nouvelle officielle, officieuse. Cacher* (cit. 26), *tenir secrète une nouvelle. La nouvelle a transpiré*, *est venue aux oreilles de X. Où a-t-il pêché cette nouvelle?* — *Grande, importante nouvelle. Lancer une nouvelle sensationnelle* (⇒ **Bombe, pétard**).

1   Célimène (...) Eût-on pu croire cette nouvelle?
    Célimène me trompe et n'est qu'une infidèle.   MOLIÈRE, le Misanthrope, IV, 2.

2   Le Roi, dès qu'il eut nouvelle du siège levé (...)   RACINE, Notes historiques, XXXV.

3   Le Roi, approchant de Valenciennes, reçut nouvelle que Gand était investi (...)
                            RACINE, Notes historiques, XIII.

4   Dans la soirée, tous les salons, les petits marchands, les pauvres, les mendiants, la noblesse, le commerce, toute la ville enfin parlait de la grande nouvelle : l'arrestation du comte d'Esgrignon soupçonné d'avoir commis un faux.
           BALZAC, le Cabinet des Antiques, Pl., t. IV, p. 457.

5   Dites donc, Caporal, vous savez la nouvelle (...) Paraît qu'on va avoir la guerre.
                           ZOLA, la Terre, V, III.

Bonne, mauvaise nouvelle, annonce d'un événement heureux, malheureux (→ Apprendre, cit. 30). *Heureuse, excellente, triste, fâcheuse, calamiteuse* (cit. 2), *désastreuse... nouvelle. Raconter une nouvelle plaisante.* ⇒ **Anecdote.** *Nouvelle rassurante, inquiétante* (cit. 8), *alarmante, qui étonne, qui assomme* (cit. 20), *qui accable, nouvelle bouleversante, renversante, consternante, affligeante, attristante...* Prov. *Les mauvaises nouvelles ont des ailes,* se répandent vite.

6   Mais voici du combat la funeste nouvelle.   RACINE, la Thébaïde, V, 1.

7   On ne saurait assez se rappeler que, dans l'antiquité, les porteurs de mauvaises nouvelles étaient mis à mort. C'est toujours vrai : on se trouve mal le plus souvent d'avoir dit la vérité à ses amis. C'est pour cela que les puissants sont si mal conseillés.   André SIEGFRIED, La Fontaine..., p. 215.

Spécialt. « *La bonne nouvelle* ». ⇒ **Évangile** (cit. 4).

Loc. *Ce n'est pas une nouvelle :* c'est une chose que je savais déjà. — *En voici la première nouvelle* (Littré). — (1920). *Première nouvelle!,* en parlant d'une chose dont on n'avait pas connaissance et qui surprend fort. — (Vx). *Faire la nouvelle :* occuper l'attention à titre de nouvelle importante. (→ Faire la une*.).

8   — Mon cœur brûle sous tes lois.
    — Ce n'est pas une nouvelle,
    Tu me l'as dit mille fois.   MOLIÈRE, George Dandin, Grand divert. royal.

9   Comme Aufrère partait à rire de plus belle, Legrain se mit l'index sur la bouche :
    — Chut! souffla-t-il. — Eh quoi, mon vieux, on ne peut plus donc rire, chez vous?
    Première nouvelle.   G. DUHAMEL, Salavin, V, v.

Les nouvelles : ce que l'on apprend par la rumeur publique, par la presse. ⇒ **Chronique, information.** *Les nouvelles du jour* (→ Avant, cit. 20), *des journaux* (→ Feuille, cit. 10 ; houleux, cit. 2). *Les nouvelles du quartier.* ⇒ **Fait** (faits divers). *Nouvelles du bord* (→ 1. Loc, cit. 1). *Être à la source des nouvelles. Dernières nouvelles,* celles de dernière heure*. *Nouvelles fraîches, récentes. Les nouvelles de Londres, de Berlin... :* les informations en provenance de Londres, de Berlin... (→ Croire, cit. 13). ⇒ **Rubrique.** *Les nouvelles du front. Quelles sont les nouvelles aujourd'hui? Les nouvelles sont bonnes, mauvaises... Aller aux nouvelles. Envoyer aux nouvelles. Petites nouvelles et faits* divers.

10   On apprend par là chaque jour les petites nouvelles galantes, les jolis commerces de prose et de vers.   MOLIÈRE, les Précieuses ridicules, 9.

11   (...) il connaissait tous les trucs et les nouvelles du quartier à force d'être chez les bistrots (...)   CÉLINE, Voyage au bout de la nuit, p. 416.

12   L'encre des quotidiens nous tient lieu de cervelle
    Car c'est vivre pour nous que lire les nouvelles (...)
                      ARAGON, le Roman inachevé, p. 166.

Fam. *Alors, quelles nouvelles?*

(Journalisme). Information publiée pour la première fois. *Nouvelle sensationnelle.* ⇒ **Scoop.**

♦ **2.** (Au pluriel). Renseignements concernant l'état ou la situation (d'une personne qu'on n'a pas vue ou dont on n'a pas entendu parler depuis quelque temps). *Avoir des nouvelles de qqn* (→ Absence, cit. 13 ; impatienter, cit. 2). *Être sans nouvelles de qqn* (→ Humilier, cit. 38). *Ne plus donner de ses nouvelles* (→ Fantaisie, cit. 31). ⇒ **Signe** (de vie), **silence.** *Attendre* (cit. 1), *recevoir des nouvelles de qqn. Demander, réclamer des nouvelles de la famille, de tout le monde...* (→ Étonner, cit. 30 ; intérêt, cit. 23). *Envoyer, savoir, faire prendre, prendre des nouvelles d'un malade* (→ Honoraire, cit. 5 ; informer, cit. 13). *Les nouvelles du petit étaient mauvaises* (→ Inquiétude, cit. 18). *Aux dernières nouvelles, il était au plus mal. Avez-vous de bonnes nouvelles de la jeune maman?* — (Au sing.). *Je n'ai aucune nouvelle de lui. Il eut ainsi quelque nouvelle d'elle* (→ Enquérir, cit. 6). — Loc. prov. *Pas de nouvelles, bonnes nouvelles :* quand on ne reçoit pas de nouvelles de qqn, on peut supposer qu'elles sont bonnes.

13   Il y avait bien longtemps que je n'avais eu directement de tes nouvelles, quand je rencontrai, dimanche dernier, ton père, à qui j'en demandai.
           SAINTE-BEUVE, Correspondance, 17, 28 juin 1824.

14   Sans nouvelles de toi, je suis désespéré
    Que fais-tu? Je voudrais une lettre demain (...)
            APOLLINAIRE, Ombre de mon amour, p. 45.

15   Régulièrement, au réveil, il s'enquérait de mes nouvelles auprès des autres lurons (...)   CÉLINE, Voyage au bout de la nuit, p. 108.

(1694). Loc. *Vous aurez, vous entendrez de mes nouvelles!,* avertissement menaçant adressé à qqn pour lui faire comprendre qu'il éprouvera bientôt les effets de notre colère (→ Vous entendrez parler* de moi). *Toi, tu auras de mes nouvelles! Sois tranquille, il aura bientôt de mes nouvelles.*

16   Ah! et puis y a le chat que j'oubliais! une saloperie qui passe sa vie à aller faire ses ordures dans le porte-parapluies de l'antichambre. Il aura de mes nouvelles, le chat : je vais le foutre par la fenêtre et nous verrons un peu s'il retombera sur ses pattes!   COURTELINE, la Peur des coups.

(Concernant qqch.). *Demander des nouvelles d'une affaire, de la guerre, d'une représentation...* (→ Arrêter, cit. 71). *Avez-vous des nouvelles du fameux mariage?* — (Vieilli). *Je peux en dire des nouvelles :* j'en suis instruit mieux que personne, je suis le premier à être au courant de la chose. — (Fin XVIᵉ). Cour. *Vous m'en direz des nouvelles :* vous m'en direz sûrement du bien, vous m'en ferez compliment. *Goûtez-en, vous m'en direz des nouvelles* (→ 1. Mine, cit. 9). — Iron. *Vous vous plaignez? prenez donc ma place, et vous m'en direz des nouvelles!* — Vx. *Point, peu de nouvelles :* il n'est pas, il n'est guère question d'en parler, d'en entendre parler (→ Meubler, cit. 2).

17   (...) ma main droite ne veut entendre encore à nulle autre proposition qu'à celle de vous écrire (...) On lui présente une cuiller, point de nouvelle (...) elle refuse tout à plat (...)   Mᵐᵉ DE SÉVIGNÉ, 525, 17 avr. 1675.

17.1   — Il n'y a jamais que toi qui souffres! Moi je ne compte pas. Je voudrais pourtant te voir à ma place. Tu m'en dirais des nouvelles.
           S. BECKETT, En attendant Godot, I.

♦ **3.** Vx. Écrit destiné à tenir le public au courant des nouvelles. ⇒ **Journal** (cit. 9, Balzac).

REM. Ce sens s'explique par le fait que beaucoup de publications portaient le titre de *Nouvelles* (cf. les *Nouvelles de la République des Lettres,* de Bayle ; les *Nouvelles ecclésiastiques,* feuille janséniste violemment hostile aux philosophes, etc.).

Nouvelles à la main, distribuées en manuscrit. — REM. *À la main* signifiait anciennement « par complot, concerté, tout exprès » (Furetière).

18   Après avoir lu cette étrange anecdote dans ces Mémoires manuscrits, qu'on dit faits avec soin par un courtisan qui n'avait presque point quitté Louis XIV pendant quarante ans, je ne laissai pas d'être encore en doute : je m'informai (...) Enfin je sus que ces Mémoires du marquis de Dangeau, qu'on regarde comme un monument précieux, n'étaient que des *nouvelles à la main,* écrites quelquefois par un de ses domestiques (...)   VOLTAIRE, le Siècle de Louis XIV, XXVI.
    N. B. Voltaire dit ailleurs (*Dissert. sur la mort de Henri IV*) de ce domestique qu'il « se mêlait de faire à tort et à travers des gazettes manuscrites de toutes les sottises qu'il entendait dans les antichambres ».

♦ **4.** (1414, in D. D. L. ; ital. *novella*). Récit généralement bref, de construction dramatique (unité d'action), présentant des personnages peu nombreux dont la psychologie n'est guère étudiée que dans la mesure où réagissent à l'événement qui fait le centre du récit. ⇒ **Conte** où **roman.** *Auteur de nouvelles.* ⇒ **Nouvelliste.** *Les Cent Nouvelles Nouvelles* (1486 : « lequel livre en soi contient cent chapitres ou histoires ou pour mieux dire nouveaux contes à plaisance »). *Les Nouvelles exemplaires,* de Cervantes. *Les Nouvelles asiatiques,* de Gobineau. *Les Nouvelles de Balzac, de Stendhal, de Mérimée, de Maupassant, de Sartre. Les Contes et nouvelles en vers* de La Fontaine. *« Adolphe »,* nouvelle de B. Constant (→ Intimité, cit. 6). — Genre littéraire constitué par ce type de récit.

19   Il (*le roman*) ne subit d'autres inconvénients et ne connaît d'autres dangers que son infinie liberté. La nouvelle, plus resserrée, plus condensée, jouit des bénéfices éternels de la contrainte : son effet est plus intense ; et comme le temps consacré à la lecture d'une nouvelle est bien moindre que celui nécessaire à la digestion d'un roman, rien ne se perd de la totalité de l'effet.
          BAUDELAIRE, l'Art romantique, XX, IV.

20   (...) de la *Chronique* à *Colomba* (...) on a vu naître de Mérimée la nouvelle, très loin du conte du XVIIIᵉ siècle, sauf de certains contes de Diderot. L'optique de la nouvelle comporte généralement, comme mise au point, la présence ou le passage d'un voyageur, d'un témoin qui raconte, d'un curieux qui observe, d'un artiste qui peint. Dans le roman, même s'il n'est pas roman-fleuve, le romancier se jette à la

nage, épouse un courant (...) L'auteur de nouvelles, lui, reste sur le rivage, avec son chevalet et sa toile (...)
A. THIBAUDET, Hist. de la littérature franç., p. 211.

21 Et je songe que la *nouvelle* est bien près de former un genre depuis qu'elle doit se limiter aux exigences de la revue ou du journal. Elle est faite pour être lue d'un coup, en une fois. Dès qu'il y a un « à suivre », dès qu'on laisse le lecteur en suspens, on verse dans le genre « roman » — qui n'en est plus un car il ne comporte plus de lois.
GIDE, Attendu que..., p. 84.

DÉR. Nouvellier. — V. Nouvelliste.
HOM. V. Nouveau.

NOUVELLEMENT [nuvɛlmã] adv. — XIVᵉ; *novelment*, v. 1130; de *nouveau*.

♦ **1.** Depuis peu de temps. ⇒ **Récemment** (seulement devant un p. p., un passif). *Nouvellement conquise, lancée, imposée...* (→ Gala, cit. 2; joug, cit. 2; journaliste, cit. 2). *Nouvellement sorti des écoles* (cit. 8), *qui vient* d'en sortir.* ⇒ **Fraîchement, frais** (frais émoulu...).

1 Comme le Roi l'avait nouvellement nommé généralissime de ses troupes, c'était à lui que les généraux envoyaient demander les ordres (...)
A. DE VIGNY, Cinq-Mars, X.

♦ **2.** Littér. D'une manière nouvelle; avec nouveauté.

2 Vous *(Francis Ponge)* touchez juste dans vos observations : il est vrai que je reste l'homme « énervé » et que je ne puis me laver du souci métaphysique. Je me garderai d'aller là contre puisque je ne prétends pas à penser nouvellement mais à penser honnêtement.
CAMUS, l'Homme révolté, *in* Essais, Pl., p. 1666.

CONTR. Anciennement.

NOUVELLETÉ [nuvɛlte] n. f. — 1639; *noveliteit*, v. 1190; du bas lat. *novellitas*, de *novellus*. → Nouveau.

♦ **1.** Vx. Innovation.

♦ **2.** (V. 1283, *nouveleté*). Dr. (vx). Le fait de tenter de déposséder un héritier.

♦ **3.** (1552). Littér., rare. Nouveauté, caractère de ce qui est nouveau (Gide *in* G. L. L. F.).

NOUVELLE VAGUE [nuvɛlvag] n. f. ⇒ 1. **Vague.**

NOUVELLIER [nuvɛlje; nuvɛlje] n. m. — 1832; de *nouvelle*, 4.

♦ Vx. Écrivain qui compose des nouvelles. ⇒ **Nouvelliste** (2.). *« Les nouvelliers italiens et l'Arétin »* (Balzac, *in* Larousse).

NOUVELLISTE [nuvɛlist; nuvɛlist] n. — 1620; de *nouvelle*, d'après l'ital. *novellista*, de *novella* → Nouvelle, 4.

♦ **1.** Vx. Personne toujours occupée à recueillir et à débiter des nouvelles. *La Bruyère* (*Caractères*, I, 33; → Arranger, cit. 5; creux, cit. 8) *et Montesquieu* (*Lettres persanes*, 130) *ont fait le portrait du nouvelliste.*

1 J'étais donc Français ardent, et cela me rendit nouvelliste. J'allais avec la foule des gobe-mouches attendre sur la place l'arrivée des courriers (...)
ROUSSEAU, les Confessions, V.

♦ **2.** Vx. (1903). Rédacteur de nouvelles* (3.). ⇒ **Journaliste.**

♦ **3.** (1852, Baudelaire). Littér. Auteur de nouvelles* (4.). ⇒ **Nouvellier** (vx). *L'art du nouvelliste. C'est plus un nouvelliste qu'un romancier.*

2 Comme nouvelliste et romancier, Edgar Poe est unique dans son genre, comme Maturin, Balzac, Hoffmann, chacun dans le sien. Les différents morceaux qu'il a éparpillés dans les *Revues* ont été réunis en deux faisceaux, l'un *Tales of the grotesque and arabesque*, l'autre, *Edgard A. Poe's Tales* (...) La petite édition des contes a eu un grand succès à Paris comme en Amérique (...)
BAUDELAIRE, Edgar Poe, sa vie et ses œuvres, III.

NOVA [nɔva], plur. **NOVÆ** [nɔve] n. f. — Fin XIXᵉ; fém. de l'adj. *novus* « nouveau ».

♦ Astron. Étoile* qui, demeurée jusqu'alors invisible, présente brusquement un éclat très vif dont l'intensité décline ensuite avec des fluctuations irrégulières. *Les novæ sont souvent appelées étoiles temporaires, variables. La première nova célèbre fut signalée en 1572. Nova de très forte magnitude* ou *supernova.*

Vaincre la zone d'expansion de l'univers, les galaxies, les plus lointaines, les novæ, les quasistellæ.
J.-M. G. LE CLÉZIO, la Fièvre, p. 125.

HOM. (Du plur.) Nover.

NOVALE [nɔval] adj. et n. f. — 1209, n. f.; lat. *novalis*, de *novus* « nouveau ».

♦ Régional. *Terre novale*, récemment défrichée. N. f. *Une novale.*

NOVATEUR, TRICE [nɔvatœʀ, tʀis] n. — 1578; lat. impér. *novator*, de *novatum*, supin de *novare* « renouveler, refaire », de *novus* « neuf, nouveau ».

♦ Personne qui innove* ou tente d'innover, en quelque domaine que ce soit. ⇒ **Innovateur; créateur, initiateur.** *Novateurs en matière de religion* (→ Église, cit. 4), *de littérature* (→ Hellénisme, cit. 1). *L'école classique* (cit. 5) *et les novateurs romantiques.*

REM. Jusqu'au XVIIIᵉ s., ce mot était toujours péjoratif (de même que *nouveauté*) et s'appliquait presque exclusivement aux *novateurs* en matière religieuse (→ ci-dessous, cit. 1, Racine). À partir de 1750 environ, son emploi s'est étendu mais n'a perdu que très lentement toute nuance défavorable (→ ci-dessous, cit. 3, *Encyclopédie* et 4, Chateaubriand).

1 Toutes ces sortes de gens déclamèrent (...) contre les Religieuses (...) les traitant de folles, d'embéguinées, de novatrices, de schismatiques même, et ils parlaient de les faire excommunier.
RACINE, Port-Royal, I.

2 Nous sommes cinq ou six novateurs hardis qui avons entrepris de changer la langue du blanc au noir (...)
A.-R. LESAGE, Gil Blas, VII, XIII.

3 NOVATEUR (...) se prend presque toujours en mauvaise part, tant les hommes ont d'attachement pour les choses établies.
Encycl. (DIDEROT), art. *Novateur.*

4 Saint Ignace (...) Tertullien (...) combattirent les novateurs, dont les interprétations superbes corrompaient la simplicité de la foi.
CHATEAUBRIAND, le Génie du christianisme, I, I, I.

5 En ce temps, je ronsardisais — pour me servir d'un mot de Malherbe. Il s'agissait alors pour nous, jeunes gens, de rehausser la vieille versification française, affaiblie par les langueurs du dix-huitième siècle, troublée par les brutalités des novateurs trop ardents (...)
NERVAL, Petits Châteaux de Bohème, « Premier château », V.

6 Les novateurs à qui l'avenir a donné raison ont pu être persécutés : mais la persécution n'a pas retardé d'une année peut-être le triomphe de leurs idées, et leur a plus servi que n'eût fait un avènement immédiat.
RENAN, Questions contemporaines, Œ. compl., t. I, I, p. 213.

Adj. (1770). *« Talent hardi* (cit. 18) *et novateur »* (J. Romains). *Esprit novateur.* ⇒ **Audacieux, révolutionnaire.**

7 (...) le zèle novateur de l'architecte fit construire une sorte de bâtisse étrangement moscovite qui ne s'accordait guère avec ce doux paysage français (...)
Georges LECOMTE, Ma traversée, p. 282.

CONTR. Conservateur, continuateur, copiste, imitateur, réactionnaire, rétrograde.

NOVATION [nɔvasjõ] n. f. — 1308; lat. *novatio*, du supin de *novare* « renouveler », de *novus* « neuf, nouveau ».

♦ **1.** Dr. Substitution d'une obligation ancienne, soit par changement de débiteur (→ Délégation, cit. 3) ou de créancier, soit par changement de titre (cf. Code civil, art. 1271 à 1281). *Opérer la novation d'une créance*.* ⇒ **Nover.** *La novation éteint la dette ancienne avec tous ses accessoires.*

♦ **2.** Biol. Apparition d'un organe nouveau dans une lignée évolutive (phylum). Syn. : *émergence.*

♦ **3.** (1548, « néologie »; repris XXᵉ, Proust). *Chose nouvelle* (⇒ **Innovation**); *chose nouvellement en application. « Une novation heureuse »* (*Polio-France*, juin 1967).

Il y a, il faut le dire, une exaltation certaine et même une certaine poésie dans la création et dans la réussite et celle-ci marque une forme du pouvoir. Un sens aussi de la novation et du beau.
Paul VIALAR, les Invités de la chasse, p. 102.

DÉR. (Du même rad.) Novatoire, nover.

NOVATOIRE [nɔvatwaʀ] adj. — 1874; du bas lat. *novatio*, du supin de *novare*.

♦ Dr. Qui est de la nature de la novation ou a rapport à elle. *Acte, effet novatoire.*

NOVELETTE [nɔvlɛt] n. f. — Fin XIXᵉ; mot créé en all. par Schumann (1838), de l'ital. *novella* « récit » (→ Nouvelle), et du nom de Clara *Novello*, cantatrice.

♦ Mus. Pièce pour piano (une des 8 *novelettes* de Schumann, ou pièce de dimension et d'esprit analogues).

NOVELLES [nɔvɛl] n. f. pl. — 1585, *nouvelles*; du lat. *novellæ*, fém. plur. de *novellus*, dimin. de *novus* « nouveau ».

♦ Dr. rom. Constitutions* promulguées par l'empereur Justinien postérieurement à son code des Institutes et du Digeste. — Au sing. *La novelle XV, la novelle XX...*

NOVEMBRE [nɔvãbʀ] n. m. — 1119; lat. *novembris*, de *novem* « neuf », neuvième mois de l'ancienne année romaine qui commençait en mars.

♦ Onzième mois de l'année (dans le calendrier actuel). *Jours* (cit. 50) *et soirs pluvieux de novembre* (→ Abriter, cit. 5). *Brouillard de novembre* (→ Enveloppe, cit. 13). *Les chrysanthèmes* (cit.), *fleurs de novembre.* — *Le 1ᵉʳ novembre, fête de la Toussaint.*

Le 2 novembre, jour des morts. Le 11 novembre, anniversaire de l'armistice (cit. 1) *de 1918.*

Quand novembre de brume inonde le ciel bleu,
Que le bois tourbillonne et qu'il neige des feuilles.   HUGO, les Orientales, XLI.

NOVER [nɔve] v. tr. — 1868, Littré ; bas lat. *novare.*

♦ Dr. Renouveler (une obligation). — Absolt. Effectuer une novation. *Il n'est pas nécessaire que l'intention de nover soit exprimée par écrit.*

HOM. **Novæ** (plur. de *nova*).

NOVICE [nɔvis] n. et adj. — 1175 ; lat. *novicius,* de *novus* «neuf, nouveau».

★ **I. N. ♦ 1.** Personne qui, désirant entrer dans les ordres, a pris récemment l'habit religieux, et passe un temps d'épreuve (⇒ **Noviciat**) dans un couvent, avant de prononcer des vœux définitifs. *Maître, mère des novices. Postulante qui prend le voile et devient novice.*

1 On est au moins deux ans postulante, souvent quatre ; quatre ans novice. Il est rare que les vœux définitifs puissent être prononcés avant vingt-trois ou vingt-quatre ans.   HUGO, les Misérables, II, VI, III.

2 Durtal pouvait se prévaloir de sa situation exceptionnelle de postulant, puis de novice oblat ; elle l'introduisait, en effet, de plain-pied, dans l'Ordre dont il devait, lorsque le temps de sa probation serait terminé, faire partie.   HUYSMANS, l'Oblat, I.

Fig. *Ardeur, ferveur, zèle de novice.* ⇒ **Néophyte.**

♦ **2.** Personne qui aborde une chose dont elle n'a aucune habitude. ⇒ **Apprenti** (cit. 4), **commençant, débutant, écolier.** *Chance des novices au jeu* (cit. 38). *Initiation* (cit. 3) *des novices à la pratique du haschisch.* — Spécialt. Personne qui n'a pas l'expérience du monde, de la vie, et, plus particult, des choses sexuelles. *Se laisser prendre comme un novice.* ⇒ **Bleu, conscrit.** *Déniaiser, initier une novice.*

3 Cinq ou six ans qu'elle avait de plus que moi devaient, selon moi, mettre de son côté toute la hardiesse (...) et sûrement elle avait trop d'esprit pour ne pas voir qu'un novice tel que moi avait besoin non seulement d'être encouragé, mais d'être instruit.   ROUSSEAU, les Confessions, II (→ Hardiesse, cit. 10).

4 Pour un novice Sigognac ne jouait point trop mal, et l'on sentait qu'il se formerait vite. Il avait la voix bonne, la mémoire sûre et l'imagination assez lettrée (...)   Th. GAUTIER, le Capitaine Fracasse, VII.

♦ **3.** Mar. (1805). Jeune marin* de seize à dix-huit ans, qui occupe le rang intermédiaire entre le mousse et le matelot (→ Merci, cit. 7 ; mousse, cit. 2).

★ **II. Adj. ♦ 1.** Qui n'a pas encore la connaissance du monde, de la vie, qui manque d'expérience, spécialt dans le domaine sexuel. ⇒ **Candide, ignorant.** *Il est toujours aussi* (cit. 10) *novice.* — Par euphém. *Elle n'est pas novice :* elle a déjà eu de nombreuses aventures.

5 Mais, pour ne pas déployer en vain d'aussi grands talents, pour en obtenir le succès que vous vous en promettiez (...) il fallait donc auparavant former votre Amant novice avec plus de soin.   LACLOS, les Liaisons dangereuses, CLI.

6 Notre heureux couple ne raisonnait pas ses plaisirs ; quand il avait dansé toute la soirée, il rentrait fatigué et content. Frédéric était si novice, que ses premières folies de jeunesse lui semblaient le bonheur même.   A. DE MUSSET, Nouvelles, «Frédéric et Bernerette», II.

♦ **2.** Qui manque d'expérience dans la pratique d'un art, l'exercice d'une profession ou d'une activité quelconque. ⇒ **Inexpérimenté, inhabile, maladroit.** *Il est encore bien novice dans son métier* (Académie). ⇒ **Jeune** (2.), **neuf.** *Comédien novice.* — *Être novice à qqch.* **... Chanteuse novice au concert** (⇒ Estomaquer, cit. 3). *Il a réussi ce travail où il était novice* (→ 1. faux, cit. 55).

7 Novice en ce métier, il n'osait questionner ni le portier, ni le cordonnier de la maison dans laquelle venait madame Jules (...)   BALZAC, Ferragus, Pl., t. V, p. 37.

♦ **3.** (Choses). *L'enfant s'appliquait à écrire d'une main novice.*

8 Un soldat, assis au clavier, y cherchait d'un doigt novice le refrain de la *Madelon.*   MARTIN DU GARD, les Thibault, t. IX, p. 60.

CONTR. **Émérite, expérimenté, expert, habile.**

NOVICIAT [nɔvisja] n. m. — 1535 ; lat. médiéval *novitiatus,* de *novitius.* → Novice.

♦ **1.** Temps d'épreuve que la règle d'une congrégation religieuse impose aux novices avant leur profession ; situation des novices pendant ce temps. ⇒ **Probation.** *Faire son noviciat dans un ordre enseignant* (⇒ **Alumnat**).

1 (...) la Mère des Anges (...) après avoir gouverné pendant vingt-deux ans ce célèbre monastère (...) vint reprendre à Port-Royal son rang de simple Religieuse. Elle demandait même à y recommencer son noviciat, de peur, disait-elle, qu'ayant si longtemps commandé, elle n'eût appris à désobéir.   RACINE, Hist. de Port-Royal, I.

2 Commencez votre noviciat, avait-il dit à Durtal, nous délibérerons après. Il sera d'un an et d'un jour, comme celui des moines ; vous suivrez, pendant cette année, les cours de liturgie de Dom Felletin et serez assidu aux offices.   HUYSMANS, l'Oblat, I.

(1611). Fig. Apprentissage*. *Les études de médecine, noviciat de sept ans avant le doctorat.*

♦ **2.** (1609). Partie d'un couvent réservée aux novices. *Salle d'études d'un noviciat.*

NOVILLADA [nɔvijada] n. f. — 1946 ; mot esp., de *novillo.* → Novillo.

♦ Taurom. Course de taureaux avec des novillos, réservée aux toreros non confirmés (⇒ **Novillero**).

La troisième, à Saragosse, était une *novillada* (course régulière, mais avec de jeunes taureaux ou des bêtes tarées, impropres à figurer en *corrida* formelle (...)   Michel LEIRIS, l'Âge d'homme, p. 84 (1946).

NOVILLERO [nɔvijeʀo] n. m. — 1935, cit. ; mot esp., de *novillo.*

♦ Taurom. Torero qui n'est pas encore confirmé, et ne tue que les jeunes taureaux *(novillos)* dans les novilladas*.

Bien qu'il fût en capitales du même corps que ceux des deux autres novilleros du programme, le nom de Niño de Coria, crié depuis un mois par les journaux et la rumeur taurine, éclatait sur l'affiche multicolore. Car c'était de lui qu'un public blasé par les mornes exhibitions des vedettes, par des centaines de soirs gris, attendait alors le miracle, la révélation d'un nouveau «Messie».   Joseph PEYRÉ, Sang et Lumières, p. 231.

NOVILLO [nɔvijo] n. m. — 1954 ; mot esp., de *novo* «nouveau, jeune».

♦ Taurom. Jeune taureau de combat, toréé par un novillero* dans une novillada*.

Un Français dans l'arène,
Toréait un novillo (taureau de quatre ans).   MONTHERLANT, les Bestiaires, Préface de l'éd. de 1954.

DÉR. **Novillada, novillero.**

NOVOCAÏNE [nɔvokain] n. f. — 1908 ; pour *novococaïne ;* de *novo-,* lat. *novus,* et *cocaïne.*

♦ Méd. Nom commercial d'un anesthésique local (composé synthétique) administré par injection. (Dénomination commune : *procaïne*) (→ Flanchage, cit.).

(...) moi qui n'aborde que le dentiste que la gencive lardée de novocaïne (...)   COLETTE, l'Étoile Vesper, p. 158.

NOVOTIQUE [nɔvotik] n. f. — 1980, *la Novotique pour relever les défis,* livre blanc de la Confédération générale des cadres ; de *novo-* «nouveau», d'après *informatique, télématique,* etc.

♦ Ensemble des techniques et des phénomènes économiques liés au microprocesseur et à l'informatique adaptée aux divers besoins. «*On parle beaucoup, pour soutenir l'économie, de télématique, d'informatique, de bureautique, de robotique... Le microprocesseur (...) permet de définir un secteur entier de l'économie. La Commission "Informatique et liberté" de la CGC a baptisé ce secteur du nom de "novotique"»* (Ingénieurs et cadres de France, janv. 1981, n° 184).

REM. Ce mot est sémantiquement mal formé.

NOYADE [nwajad] n. f. — 1794, à propos des exécutions de Carrier ; de 1. *noyer,* et suff. *-ade.*

♦ **1.** Rare. Action de noyer* un être vivant ; résultat de cette action. *Les noyades ordonnées en 1793 à Nantes par le conventionnel Carrier sont à l'origine du mot. La noyade, peine capitale dans l'Antiquité (pour les parricides et les traîtres), était encore pratiquée au moyen âge (pour les femmes adultères, les voleuses, les malades atteints de variole).*

1 On a parlé, on parle insatiablement des noyades de Carrier ; mais pourquoi parle-t-on moins des massacres de Charette ? (...) Les républicains, en versant le sang (...) voulaient supprimer l'ennemi, rien de plus ; leurs fusillades, leurs noyades étaient des moyens d'abréger la mort, et non des sacrifices humains.   MICHELET, Hist. de la Révolution franç., XI, VI.

♦ **2.** (1867). Fait de se noyer* ; mort accidentelle par immersion dans l'eau. *Sauver qqn de la noyade. Périr par noyade. Tragique noyade en mer.*

2 Les canotiers étaient encore là, racontant la noyade dans ses moindres circonstances, décrivant la façon dont les trois promeneurs étaient tombés (...)   ZOLA, Thérèse Raquin, XII.

♦ **3.** Fig. Fait de sombrer* (fig.), de s'anéantir (moralement, financièrement). *Sauver qqn de la noyade. Entreprise au bord de la noyade* (⇒ **Asphyxie**).

NOYAGE [nwajaʒ] n. m. — Mil. xxᵉ (*in* Larousse, 1949) ; de 1. *noyer.*

♦ Techn. Action de noyer, de submerger. *Le noyage des soutes.*

NOYAU [nwajo] n. m. — 1530 ; *noiel, noiaus,* v. 1170 ; du lat. pop. **nodellus,* dimin. de *nodus* → **Nœud.**

★ **I.** Bot., cour. Partie dure et lignifiée de l'endocarpe, renfermant l'amande* (⇒ **Graine**) ou les amandes de certains fruits* à péricarpe* charnu (⇒ **Drupe**).

Cour. Noyau (au sens bot.) ou graine dure dans une baie (datte, etc.). *Fruits à noyau et fruits à pépins. Noyaux d'abricots, de cerises* (cit. 1), *d'olives, de prunes... Retirer les noyaux.* ⇒ **Dénoyauter ; énucléation, énucléer.**

1. (...) Virginie (...) ne mangeait pas un fruit à la campagne qu'elle n'en mît en terre les noyaux ou les pépins. «Il en viendra, disait-elle, des arbres qui donneront leurs fruits à quelque voyageur, ou au moins à un oiseau.»
            BERNARDIN DE SAINT-PIERRE, Paul et Virginie, p. 97.

(1835). Loc. fam. *Rembourré avec des noyaux de pêche :* très dur et inconfortable. ⇒ **Noix** (→ Analyser, cit. 1). *Ce fauteuil est rembourré avec des noyaux de pêches.*

2. La nuit nous berce en songes vains
Sur des lits de noyaux de pêche.   VERLAINE, Dédicaces, IIIe Ballade.

Eau, crème, liqueur de noyau(x), préparée avec des amandes de noyaux (généralement d'abricots) infusées dans de l'eau-de-vie. — (1823, in D.D.L.). Ellipt. *Du noyau de Poissy.*

★ **II.** Par anal. Partie centrale, fondamentale (d'un objet). ⇒ **Centre, cœur.**

♦ **1.** (XVIIIe). Sc. **a** Astron. Partie solide et la plus brillante d'une comète*.

3. Il fut démontré que la densité du noyau de la comète était beaucoup moindre que celle de notre gaz le plus rare (...)
      BAUDELAIRE, Trad. E. POE, Nouvelles histoires extraordinaires,
      «Conversation d'Eiros...»

b Géol., cour. Partie centrale du globe terrestre, d'une densité voisine de celle de l'acier. *L'hypothèse d'un noyau terrestre incandescent ou «noyau igné» est complètement abandonnée de nos jours.*

4. L'hypothèse d'un noyau interne ferrugineux, d'une *barysphère,* est en contradiction avec l'ancienne conception d'une masse en fusion ignée ou même gazeuse s'étendant jusqu'au centre de la Terre, mais elle est confirmée par plusieurs faits récemment mis en évidence (...) L'hypothèse d'un noyau métallique (...) composé en grande partie de fer, est en harmonie avec ce que nous savons du magnétisme terrestre.   Émile HAUG, Traité de géologie, t. I, p. 329-330.

c (1868). Biol. Partie différenciée de la cellule, corpuscule séparé du cytoplasme cellulaire par une membrane, et qui contient les chromosomes. *Le noyau joue un rôle essentiel dans la reproduction de la cellule. Division du noyau.* ⇒ **Méiose, mitose.** *Constituants du noyau.* ⇒ **Chromatine, nucléoprotéine ; désoxyribonucléique, ribonucléique.** *Le noyau est constitué par une membrane nucléaire renfermant le suc nucléaire qui contient le filament nucléaire.*) *Les leucocytes, cellules à un seul noyau* (⇒ **Mononucléaire**), *à plusieurs noyaux* (⇒ **Polynucléaire ; nucléé**). *Rôle du noyau dans la multiplication cellulaire* (→ Mitose, cit.). *Fusion* (cit. 2) *des noyaux du spermatozoïde et de l'oocyte* (ou *œuf*).

5. Quant au *noyau,* sa forme arrondie, sa richesse en phosphore (nucléine), sa réfringence, enfin sa fine membrane nucléaire le distinguent assez du reste de la cellule. À l'intérieur, il est fait d'une sorte de réseau, dont les mailles sont bourrées d'une substance granuleuse appelée *chromatine* (...) Le noyau est un des éléments essentiels de la cellule, au point que si elle en est privée, elle dégénère.
      P. VALLERY-RADOT, le Grand Mystère de la cellule..., p. 27.

Par métaphore. *La famille* (cit. 18), *noyau de la cellule sociale.*

d Anat. Amas de substance grise (des centres nerveux). *Noyaux du bulbe. Noyaux du thalamus.*

e (1915 → cit. 5.1 ; *nucleus* en angl., 1912, Rutherford [Faraday avait déjà employé le mot pour un concept hypothétique, en 1844, cf. *Oxford, Suppl.*]). Phys., cour. Partie centrale de l'atome* (cit. 18), ensemble de charge positive formé de protons* et de neutrons* (⇒ **Nucléon**). *Spin des particules élémentaires du noyau atomique. Électrons qui gravitent autour du noyau. Numéro* atomique d'un noyau. Le noyau d'hydrogène normal est le seul noyau atomique constitué par un simple proton. Fission* (cit. 1) *du noyau d'uranium. — La physique du noyau* (⇒ **Nucléaire**), *branche de la microphysique.*

5.1 Certaines de ces expériences ont pu fournir des renseignements précieux sur les grandeurs des parties constitutives de l'atome, et, plus particulièrement, de la partie centrale, du «noyau» (...)
Le noyau d'hydrogène, possédant l'unité de charge électrique serait, d'après Rutherford, l'électron positif.
      A. BOUTARIC, in Revue générale des sciences, 28 févr. 1915, p. 102.

6. Il semble bien que les noyaux soient formés (...) de protons et de neutrons maintenus liés les uns aux autres par des «forces d'échange» (...) Les électrons positifs et négatifs qui s'échappent des noyaux lors de leur désintégration seraient créés à ce moment par la transformation d'un proton en neutron ou d'un neutron en proton. Enfin, d'après les théories les plus récentes, les électrons lourds ou mésons joueraient aussi un rôle important dans cette stabilité des noyaux, car les forces d'échange liant protons et neutrons dans l'édifice nucléaire s'exerceraient par leur intermédiaire.   L. DE BROGLIE, Physique et Microphysique, p. 280.

f Météor. *Noyau atmosphérique :* particule microscopique sur laquelle s'opère la condensation de la vapeur d'eau *(noyau de condensation)* ou la formation de glace *(noyau glucogène).*

g Ling. (angl. *nucleus,* 1934). *Noyau de la phrase :* élément essen-

tiel définissant la phrase en tant que telle (selon une théorie donnée). *Le noyau de la phrase et les expansions.*

Phonét. Syllabe portant l'accent principal (dans un segment, un mot prononcé isolément).

♦ **2.** (1549). Techn. Pièce, partie maîtresse, autour de laquelle s'organisent les autres éléments (d'un ensemble).

a Archit. Armature intérieure enveloppée d'un revêtement. *Ce piédestal de marbre a un noyau de maçonnerie* (Académie). *Construire autour d'un noyau massif* (→ par métaphore Édifice, cit. 11). — *Noyau d'une voûte :* colonne centrale sur laquelle s'appuie le sommet de la voûte (→ Hélicoïde, cit.). — *Noyau d'un escalier* :* «pile sur colonne centrale autour de laquelle gironnent les marches d'un escalier en vis» (Réau).

Techn. Strates assurant la rigidité (dans un panneau stratifié).

b Fonderie, sculpt. Partie pleine (argile, cire, métal...) à l'intérieur d'un moule et qui produira, à la fonte, le vide correspondant. — *Noyau d'une statue.* ⇒ **Âme.**

7. Il est évident que dans un moule destiné à donner un corps non massif, il faut qu'il y ait quelque chose qui occupe la place de la partie évidée, afin que le métal fondu que l'on va y amener se distribue autour pour donner la partie pleine. Le noyau doit être placé bien dans le milieu du moule, afin que la matière fondue se répartisse bien également.   P. POIRÉ, Dict. des sciences.

c (1890). Électr. *Noyau d'une bobine* d'induction, d'un inducteur :* pièce de fer doux placée au centre. (→ Électro-aimant).

d Comm. Liste irréductible (de produits contingentés). On dit aussi *restrictions résiduelles.*

♦ **3.** Par métaphore. Ce vers quoi tout converge ou d'où tout émane. ⇒ **Centre** (cit. 20).

★ **III.** (1790, noyaux d'armées, in D.D.L.). Groupe (de personnes).

♦ **1.** Petit groupe qui est à l'origine d'une importante réunion d'hommes ; premiers éléments à partir desquels se sont développées une compagnie, une société, une nation. *Les Slaves constituent le noyau de ce peuple* (→ Allogène, cit.).

♦ **2.** Groupe humain, considéré quant à sa permanence, à la fidélité de ses membres. *Club fréquenté par un petit noyau d'habitués.*

8. Pour faire partie du «petit noyau», du «petit groupe», du «petit clan» des Verdurin, une condition était suffisante mais elle était nécessaire : il fallait adhérer tacitement à un Credo dont un des articles était que le jeune pianiste, protégé par Mme Verdurin cette année-là (...) «enfonçait» à la fois Planté et Rubinstein (...)
      PROUST, À la recherche du temps perdu, t. I, p. 255 (→ Ennuyeux, cit. 11).

♦ **3.** Très petit groupe considéré par rapport à sa cohésion, à l'action qu'il mène (au sein d'un milieu hostile). *Parti désorganisé par des noyaux d'opposants* (⇒ **Noyautage, noyauter**). *Noyau d'agitateurs, de factieux.* — *Noyaux de résistance :* petits groupes isolés qui opposent à l'ennemi une résistance particulièrement tenace. *Réduire les derniers noyaux de résistance.*

9. (...) cent mille obus (...) ne suffisent pas à niveler même un petit morceau de front ennemi, et y laissent subsister des noyaux de résistance — abris bétonnés, nids de mitrailleuses (...)
      J. ROMAINS, les Hommes de bonne volonté, t. XV, II, p. 26.

DÉR. Noyauter.
COMP. Dénoyauter.

NOYAUTAGE [nwajotaʒ] n. m. — 1920, *Congrès de Tours ;* de *noyauter.*

♦ Système qui consiste à introduire dans un milieu neutre (syndicat, administration...) ou hostile (parti politique adverse) des propagandistes isolés chargés de le diviser, de le désorganiser, et, le cas échéant, d'en prendre la direction, au moins d'une manière occulte. ⇒ **Entrisme** (politique), **infiltration.** *Noyautage de l'armée par un parti extrémiste* (⇒ **Noyau,** III., 3.).

(...) les organisations ouvrières annonçaient l'imminence du soulèvement fasciste, le noyautage des casernes, le transport des munitions.
      MALRAUX, l'Espoir, I, I, I, I.

NOYAUTER [nwajote] v. tr. — 1920, *Congrès de Tours ;* de *noyau.*

♦ Soumettre au noyautage*. *Parti qui noyaute un syndicat ouvrier. Ils se sont laissés noyauter.*

Il s'agit pour lui *(le parti communiste)* de gagner les masses, de noyauter les socialistes, de s'incorporer les éléments qu'il pourra détacher de cette collectivité qui le repousse (...)   SARTRE, Situations II, p. 223.

DÉR. Noyautage, noyauteur.

NOYAUTEUR, EUSE [nwajotœʀ, øz] n. et adj. — 1932, Larousse ; de *noyauter.*

♦ **1.** Techn. Ouvrier qui exécute et pose les noyaux des moules de fonderie.

NOYAUTEUSE. N. f. Machine à confectionner ces noyaux.

♦ **2.** N. et adj. Qui concerne, pratique le noyautage*.

NOYÉ, ÉE [nwaje] adj. et n. ⇒ 1. **Noyer.**

1. NOYER [nwaje] v. tr. et pron. — *Noyer* change *y* en *i* devant un *e* muet : *je noie, il noiera,* et prend un *i* après *y,* aux deux premières pers. du plur. de l'indic. imp. et du subj. présent : *nous noyions, que vous noyiez.* — x[e], *neier ;* du lat. *necare* «tuer».

♦ **1.** Faire mourir, tuer par asphyxie en immergeant dans un liquide. *Noyer des chatons.* — Prov. *Qui veut noyer son chien** (cit. 42) *l'accuse de la rage.*

1 Ce fut à la descente de la Loire, au-dessous de la ville, devant l'embouchure de la Sèvre, et comme devant Charette, que le comité de Nantes noya d'abord quatre-vingts prêtres (...) C'étaient ces prêtres que la population voulait noyer elle-même (en septembre 92). Elle ne prit pas mal la chose. On y trouva sur-le-champ des gens de bonne volonté qui se firent exécuteurs.
        MICHELET, Hist. de la Révolution franç., XVI, I.

(1888). Loc. (Pêche). *Noyer le poisson :* promener le poisson une fois ferré en lui élevant par moment la tête hors de l'eau, de manière qu'il s'épuise en efforts inutiles et se laisse finalement tirer de l'eau sans résistance. — (1932). Fig., cour. Embrouiller volontairement une affaire, en entretenant la confusion, de manière à lasser l'interlocuteur ou l'adversaire, et à le faire céder.

♦ **2.** (1500). Recouvrir d'eau. ⇒ **Engloutir, inonder, submerger.** *Noyer un pays sous les eaux de la mer* (→ Inondation, cit. 5 ; écluse, cit. 2). — Par ext. *Se noyer l'estomac :* troubler la digestion par une ingestion excessive de liquide. — Par métaphore. *Noyer qqn dans, sous un déluge de paroles* (→ Éloquence, cit. 8). — Vx. *Noyer ses charmes* (en versant des larmes). → Défunt, cit. 3, La Fontaine.
Spécialt. Recouvrir d'une quantité d'eau, de liquide, assez grande pour éteindre, étouffer, faire disparaître. *Lances d'une pompe qui noient un feu de broussailles* (→ Essai, cit. 14). — (1838). *Noyer la poudre,* la mouiller pour la rendre inutilisable, pour prévenir une explosion. *Noyer le carburateur* (par excès d'essence).

♦ **3.** (xve). *Noyer sous l'alcool, dans l'alcool, son chagrin, son angoisse,... noyer son souci dans les pots* (→ Allégresse, cit. 4 ; hobereau, cit. 5 ; immodérément, cit.). *Noyer sa raison dans le vin.*

2 Verse, Page, et reverse encor :
Il me plaît de noyer ma peine
Au fond de cette tasse pleine (...)
        RONSARD, Gaietés, II.

(Déb. XIIIe). Loc. *Noyer un soulèvement dans le sang :* exercer des représailles sanglantes. ⇒ **Réprimer.**

♦ **4.** Plonger dans une grande quantité de liquide, dans un fluide *Noyer de la farine dans de l'eau.* ⇒ **Diluer.** *Noyer son vin* (→ Étendre* son vin). — Par ext. *Noyer son regard dans l'immensité* (cit. 6) *du ciel et de la mer.*

♦ **5.** Enfoncer, plonger complètement (dans une masse solide). (1907). *Noyer un clou dans le bois, un rivet dans la corne du sabot d'un cheval. Noyer des tiges de fer dans le ciment* (cit. 3). — Archit. Envelopper complètement un support, une armature dans la maçonnerie. *Noyer un pilier dans la masse.*

♦ **6.** (xviie). Faire absorber et disparaître dans un ensemble vaste ou confus, rendre indiscernable. — Peint. «Fondre les contours d'une figure de façon qu'elle s'harmonise avec les teintes voisines, qu'elle se perde dans l'ambiance» (Réau). *Noyer les contours, les couleurs.* — *Noyer un cri dans le brouhaha, le tumulte.* ⇒ **Étouffer.** *Noyer l'essentiel de sa pensée dans des digressions.* ⇒ **Délayer.**

3 Je déplore certaine prolixité de son écriture (...) qui noie souvent ce que sa pensée présente de plus neuf, de plus juste et de plus hardi.
        GIDE, Journal, 4 nov. 1928.

4 Ne pouvant réparer l'injustice par l'édification de la justice, on préfère la noyer dans une injustice encore plus générale qui se confond enfin avec l'anéantissement.
        CAMUS, l'Homme révolté, p. 108.

▶ **SE NOYER** v. pron. (1174).
Mourir asphyxié par l'effet de l'immersion dans un liquide. ⇒ **Noyade** (→ Angoisser, cit. 3). *Baigneur qui perd* pied, coule* à pic et se noie. «C'est une femme* (cit. 26) *qui se noie»* (La Fontaine). *Se noyer en mer* (cf. fam. Boire la grande tasse). — Prov. *Je n'en ai guère* (cit. 11) *plus envie que de me noyer* (cf. J'en ai autant envie que de me jeter à l'eau). — *Un homme qui se noie s'accroche à un brin de paille :* dans un grand péril, on ne néglige aucun moyen de salut.

5 Tenez, j'ai peur. Ce n'est pas que je doute de votre adresse : mais ce sont les bons nageurs qui se noient.   LACLOS, les Liaisons dangereuses, LXXVI.

6 — Si un Français se baigne après son repas, il est frappé de congestion et se noie. Un Anglais n'a pas de congestion. — Non, dit Aurelle ; il se noie tout de même, mais ses amis disent qu'il a eu la crampe, et l'honneur britannique est sauf.
        A. MAUROIS, les Discours du D[r] O'Grady, VI.

Loc. fig. *Se noyer dans un crachat* (vieilli), *dans un verre d'eau :* être maladroit, incapable de surmonter les moindres obstacles.
Se perdre. *Se noyer dans le détail, dans un raisonnement.* ⇒ **Égarer (s'), perdre (se).** *Orateur qui se noie dans les digressions.*

7 Le malicieux Achille Pigoult avait engagé tout le monde à religieusement écouter l'orateur qui se noyait dans ses phrases et périphrases.
        BALZAC, le Député d'Arcis, Pl., t. VII, p. 664.

8 Dans le torrent des eaux, l'un et l'autre tombés, l'un nage et l'autre se noie. Ainsi

dans le désordre de l'esprit, et l'agitation des demandes, des réponses, des mythes et des valeurs, le «génie» et la «démence» : l'un nage et l'autre se noie.
        VALÉRY, Mélange, p. 106.

Par anal. *Pois verts qui se noient dans l'eau.* ⇒ **Nager** (→ Assiette, cit. 20). *La cohue s'engouffrait dans Paris où elle se noyait continuellement* (→ Foule, cit. 6). — (Abstrait). *Mon âme s'enfonçait dans cette ivresse* (cit. 16) *et s'y noyait.* Vx ou plais. *Se noyer dans la débauche.* ⇒ **Sombrer.**

9 Ô vous, tristes plaisirs où leur âme se noie (...)
        LA FONTAINE, Adonis.

10 Ce coin du théâtre était obscur, le groupe s'y noyait, au milieu des grandes ombres mouvantes.   ZOLA, Nana, V.

▶ **NOYÉ, ÉE** p. p. adj. et n.

♦ **1.** Asphyxié par immersion dans un liquide. *Périr noyé* (→ Malheureux, cit. 14). *Marins noyés en mer.* ⇒ **Disparu ; périr.** — Fig. *Être noyé :* être dépassé par la difficulté ou l'ampleur d'un travail, ne pas savoir s'en tirer. ⇒ **Perdu.** *Cet élève* est complètement noyé, il faut qu'il redouble. Les premiers temps, il avait l'air noyé, mais il s'y est mis.*
Détrempé, humecté. *Quelques tranches de pain noyées dans de l'eau chaude* (→ Bouilli, cit. 1). *Ses yeux étaient noyés de pleurs.* ⇒ **Baigner, humecter** (→ Épine, cit. 3). *Regard noyé,* vague, hagard. — Vx. *«Rome entière noyée au sang de ses enfants»* (→ Crayon, cit. 4, Corneille). — Entièrement englobé (ci-dessous cit. 11). Entièrement pris (dans un milieu abstrait ou concret). *Les premières marches étaient noyées dans l'herbe* (cit. 16). *La pièce était noyée dans la pénombre* (→ Entrer, cit. 17 ; fondre, cit. 34). *Les lointains de la rade étaient noyés dans un brouillard* (→ 1. Brouillard, cit. 5) *blanchâtre* (→ Bienheureux, cit. 9 ; étain, cit. 4).

11 Tout cela est bâti en ciment avec des cailloux noyés dans la pâte.
        Th. GAUTIER, Voyage en Espagne, p. 249.

12 Au coucher du soleil, le Sphinx et les trois pyramides toutes roses semblaient noyés dans la lumière (...)   FLAUBERT, Correspondance, 241, 14 déc. 1849.

13 Nous voici arrivés à la baie ombreuse de Tchiboukli, où le Khédive possède une résidence d'été, noyée dans la verdure.   LOTI, Suprêmes visions d'Orient, p. 30.

Fig. *Quelques bons passages noyés dans un fatras de digressions inutiles. Cœur noyé de tristesse.* ⇒ **Inonder.** *Être noyé dans les plaisirs.* ⇒ **Plonger.**

14 Je sais bien que tout cela, que ce don unique, que ce génie était généralement noyé dans des monceaux de littérature(s), dans des accumulations de talent.
        Ch. PÉGUY, Victor-Marie, comte Hugo, «Solvuntur objecta», p. 121.

♦ **2.** N. (Fin xiie, *nooié*). *Un noyé, une noyée :* cadavre d'une personne morte noyée. ⇒ fam. **Macchabée.** *Un noyé au fil* (cit. 32) *de l'eau. Repêcher un noyé.*

15 Peu à peu distinguait les corps. Alors il allait de l'un à l'autre. Les noyés seuls l'intéressaient ; quand il y avait plusieurs cadavres gonflés et bleuis par l'eau, il les regardait avidement, cherchant à reconnaître Camille.
        ZOLA, Thérèse Raquin, XIII.

Par ext. Personne qui est en train de se noyer (→ Accrocher, cit. 11), qui a perdu connaissance, qui a subi un début d'asphyxie par l'effet de l'immersion. *Secours aux noyés. Réanimation des noyés par la respiration artificielle suivant la méthode de Nielsen, de Schaeper. Insufflation d'air dans la bouche d'un noyé.*

16 Il frotte les tempes ; il frictionne ce membre-ci, ce membre-là ; il souffle pendant une heure, dans la bouche, en pressant ses lèvres contre les lèvres de l'inconnu. Il lui semble enfin sentir sous sa main appliquée contre la poitrine un leger battement. Le noyé vit !   LAUTRÉAMONT, les Chants de Maldoror, II.

DÉR. Noyade, noyage.
HOM. 2. Noyer.

2. NOYER [nwaje] n. m. — 1487 ; *noier,* v. 1170 ; du lat. pop. *nucarius,* de *nux* «noix».

♦ **1.** Bot. Arbre de grande taille, à feuilles composées, à fleurs monoïques disposées en chatons pendants et solitaires ou groupées en un épi terminal, et dont le fruit est la noix* (→ Échapper, cit. 37 ; entour, cit. 1 ; loupe, cit. 3). *Le noyer commun (juglans regia) et les espèces voisines appartiennent à la famille des Juglandacées.*

1 Huit ou dix noyers magnifiques étaient au bout du verger ; leur feuillage immense s'élevait peut-être à quatre-vingts pieds de hauteur. Chacun de ces maudits noyers, disait M. de Rênal quand sa femme les admirait, me coûte la récolte d'un demi-arpent ; le blé ne peut venir sous leur ombre.
        STENDHAL, le Rouge et le Noir, I, VIII.

2 (...) je suivais une grande route que bordaient d'un côté des tilleuls roux et des noyers ; ceux-ci s'étaient déjà presque complètement dépouillés de leurs feuilles ; on abattait les noix avec des gaules, et l'odeur d'iodure de sodium se dégageait des cosses que les enfants foulaient à terre.   GIDE, Journal, fin sept. 1894.

♦ **2.** Bois de cet arbre. *Le noyer, bois au grain très serré, est très recherché en ébénisterie, en sculpture sur bois. Chambre boisée de* noyer (→ 2. Lice, cit.). *Meubles* (cit. 4) *de noyer. Chaises de vieux noyer* (→ Chambre, cit. 5). *Ronce* de noyer.*

HOM. 1. **Noyer.**

NOZIGUES [nozig] pron. pers. — 1829, Vidocq; de *nos*, et *zigue.* → **Mézigue.**

♦ Argot. (vx). Nous.

Np [ɛnpe] Symbole chimique du *neptunium.*

N. P. D. [ɛnpede] n. — 1961; sigle.

♦ (Au Canada). N. m. *Le N. P. D. :* Le Nouveau Parti Démocratique. — N. *Un, une N. P. D.,* une personne qui appartient à ce parti, ou qui y est favorable.

N.-S. J.-C. [nɔtʀəsɛɲɶʀʒezykʀi] Abrév. pour *Notre-Seigneur Jésus-Christ.*

N. T. S. C. [ɛnteɛsse] adj. et n. m. — Mil. xxᵉ; sigle, de l'angl. *N(atio-nal) T(elevision) S(ystem) C(ommittee).*

♦ Se dit du système de télévision en couleurs mis au point aux États-Unis et adopté par plusieurs pays. *Le système N. T. S. C. est actuellement en usage aux États-Unis, au Canada, en Australie et au Japon.* ⇒ aussi **Secam.**

1. NU, NUE [ny] adj. et n. m. — 1080, *Chanson de Roland;* du lat. *nudus.*

★ **I.** Adj. (En général placé après le nom, sauf dans *nue propriété*).

♦ **1.** Qui n'est couvert d'aucun vêtement. *L'Homme nu* (titre d'un volume des *Mythologiques* de C. Levi-Strauss). *Femme nue* (→ Chair, cit. 19). *Adam* (cit. 1, Bible) *et sa femme étaient alors tous les deux nus. Nu du haut* (cit. 74, Molière) *jusqu'en bas. Un homme vraiment nu* (→ Mariage, cit. 28, Molière). *Complètement nu, tout nu* (→ Bois, cit. 42; fouler, cit. 2). *Loc. Être nu comme la main, comme un petit saint Jean-Baptiste* (→ ci-dessous, cit. 10, Balzac), *nu comme un ver, nu comme en sortant du ventre de sa mère :* entièrement nu (cf. Être en tenue d'Adam, dans le costume d'Adam, dans le plus simple appareil, in naturalibus, dans l'état de nature, fam. à poil). *Aller tout nu* (→ Enfant, cit. 25). *Doctrine qui conseille de vivre nu.* ⇒ **Nudisme.** *Les adamiens* vivaient nus. Mettre qqn nu.* ⇒ **Dénuder, dépouiller, déshabiller.** — *Nu jusqu'à la ceinture* (cit. 5). *Demi-nu* (→ Fuselé, cit. 3). *À demi nu* (→ Grelotter, cit. 4). *À moitié nu.*

1 Alors Job se leva, déchira son manteau et se rasa la tête; puis, se jetant par terre, il se prosterna, et dit : Je suis sorti nu du sein de ma mère, et nu je retournerai dans le sein de la terre.
BIBLE (SEGOND), Job, I, 20.

1.1 (...) que Thérèse se mette à l'instant aussi nue que le jour qu'elle est venue au monde, et qu'elle se prête ainsi tour à tour aux différentes positions qu'il nous plaira d'exiger, pendant que la Dubois apaisera nos ardeurs, fera brûler l'encens sur les autels dont cette créature nous refuse l'entrée.
SADE, Justine..., t. I, p. 40.

2 Hassan était donc nu, — mais nu comme la main (...)
A. DE MUSSET, Namouna, I, II (→ Académicien, cit. 3).

3 Nous savons bien qu'on ne se dévoile que pour quelque effet. Un grand saint le savait qu'il se dévêtit sa place. Tout ce qui est contre l'usage est contre nature, implique l'effort, la conscience de l'effort, l'intention, et donc l'artifice. Une femme qui se met nue, c'est comme si elle entrait en scène.
VALÉRY, Variété II, p. 105.

La vérité, Vénus sont représentées nues (sortant d'un puits, de l'onde).

REM. *Tout nu,* très courant, joue le rôle d'adjectif composé et souvent d'atténuatif.

(En parlant d'une partie du corps). *Bras* (cit. 1) *nus* (→ Amphore, cit. 2; buste, cit. 1). *Pied nu* (→ Empire, cit. 17). *Sein, torse nu. Épaule* (cit. 9), *jambe nue* (→ Gracilité, cit. 3).

REM. *Nu* reste invariable s'il est suivi d'un nom sans article et relié par un trait d'union : *nu-jambes, nu-pieds, nu-tête* (→ Hommage, cit. 3; huron, cit. 1). *Un va-nu-pieds.* ⇒ **Va-nu-pieds.** Il s'accorde quand il est placé après le nom. *Pieds nus, tête nue* (→ Figure, cit. 10). *Les mains nues :* sans gants (cit. 2). *Lutter, boxer à main nue* (⇒ ci-dessous 2.). Par anal. Dépourvu de cheveux, de poils. *Crâne nu* (→ Barbe, cit. 11). *Visage nu.* ⇒ **Glabre.**

4 *(Il)* s'achemina en habit de laine, nu-pieds par la boue et les cailloux.
MICHELET, Hist. de France, IV, V.

5 Les communes, qui sont le peuple, mandées à la barre des lords, s'y présentent humblement, tête nue, devant les pairs couverts.
HUGO, l'Homme qui rit, I, III.

6 J'arrive, et je vous trouve en veste, comme un page,
Dehors, bras nus, nu-tête,
HUGO, la Légende des siècles, « Bivar », X.

7 Je croyais que les prophètes allaient nu-pieds.
M. BARRÈS, la Colline inspirée, IX.

Loc. fam. *Aller le cul nu, tout nu.* Cf. Le derrière au vent.

Par exagér. Peu vêtu. *Femmes nues vêtues seulement d'un maillot*

(cit. 4) *rose et d'une jupe de gaze.* ·Loc. fam. *Nu en chemise :* ne portant qu'une chemise.

8 J'ai des souvenirs charmants d'après-midi (...) sous la petite avenue de peupliers, nu en caleçon, avec l'odeur des filets et du goudron (...) la vue des voiles (...) je ne sais quoi qui m'attendrit.
FLAUBERT, Correspondance, in M. SCHONE, la Langue de Flaubert, p. 31.

Littér. *Nu* ou *tout nu.* Qui est mal vêtu, en haillons. *Vêtir ceux qui sont nus. Aller tout nu. Soldats manquant* (cit. 3) *de tout, nus, sans souliers.*

9 J'ai été nu, et vous m'avez revêtu; j'ai été malade, et vous m'avez visité; j'ai été en prison, et vous êtes venu me voir.
BIBLE (SACY), Évangile selon saint Matthieu, xxv, 36.

Par métaphore. Qui est sans fortune, sans argent, dénué* de tout. *« Des commis* (cit. 2)... *qui jadis sont venus, nus, de leurs provinces ».* — Par ext. Qui est sans protection, isolé, désarmé. *L'homme, abandonné nu et faible aux forces de la nature* (→ Culturel, cit. 1).

10 S'ils gagnent cinquante mille francs et qu'ils en mangent soixante, en vingt ans on voit la fin de sa fortune, on se trouve nus comme de petits saint Jean (...)
BALZAC, César Birotteau, Pl., t. V, p. 337.

♦ **2.** Qui est dépourvu de son accompagnement, de son complément habituel. *Épée* (cit. 8) *nue. Sabre nu* (→ Héiduque, cit. 1), hors du fourreau. — *Titre nu :* charge achetée ou vendue sans la clientèle qui y est jointe.

11 Le poignard nu de Mayral réfléchissait toujours les rayons de la lune, qui, à ce moment, tombaient d'aplomb sur le lit.
STENDHAL, Romans et nouvelles, « Le philtre ».

Spécialt. Qui n'est pas aidé, armé d'un instrument, qui agit directement. *À l'œil nu.* ⇒ **Œil.**

♦ **3.** (1607). Qui est dépourvu d'ornement, de parure. — Spécialt. Dépourvu de végétation. ⇒ **Pelé.** *Grève* (→ Aigre, cit. 7), *plaine* (→ Âme, cit. 82), *roche* (→ Aveuglant, cit. 2), *terre nue* (→ 1. Limon, cit. 2). *Pays nu* (→ 1. Désert, cit. 31) *loin que la vue allait, tout était nu.* — Dépourvu de feuilles. *Les arbres sont nus en hiver* (→ Bourgeon, cit. 2). — Dépourvu d'ornement, de saillie, d'accident; lisse (→ Long, cit. 10). *Le roc était par places brute et nu* (→ Caverne, cit. 2). *Mur nu* (→ Crucifix, cit. 3; 1. frise, cit. 1). *Bâtiments* (→ Marquise, cit. 2), *meubles* (cit. 3) *nus.* — Qui est dépourvu, peu garni de meubles. *Pièce nue,* sans meubles. *Ça fait un peu nu, sans l'armoire. Une cellule de chartreux, pauvre et nue.* ⇒ **Austère.**

12 Rien n'est si triste que l'aspect d'une campagne nue et pelée, qui n'étale aux yeux que des pierres, du limon et des sables.
ROUSSEAU, Rêveries..., VIIᵉ promenade.

13 Les terres végétales, que le gramen retenait sur les pentes, coulent en bas avec les eaux. Le rocher reste nu; gercé, exfolié par le chaud, par le froid, miné par la fonte des neiges, il est emporté par les avalanches.
MICHELET, Hist. de France, III.

14 Que je m'ennuie entre ces murs tout nus
Et peints de couleurs pâles
APOLLINAIRE, Alcools, p. 153.

(Qualifiant l'expression, le style, etc.). Sans apprêt, sans déguisement, sans fard (→ Jeu, cit. 37). *Le style de Napoléon est simple et nu* (→ Marquer, cit. 46). *L'expression nue de mes opinions* (→ Enrichissement, cit. 2). *Le mot le plus nu mis en bonne* (cit. 23) *place. « Une morale nue apporte de l'ennui »* (→ Fable, cit. 12, La Fontaine). *C'est la vérité (toute) nue.* ⇒ **Pure.**

♦ **4.** Se dit des parties du corps d'un animal qui ne sont pas recouvertes de poils, de plumes ou d'écailles (→ Freux, cit.; marabout, cit. 6). — *Mollusques nus,* dépourvus de coquille. Bot. Dépourvue des appendices qui l'accompagnent normalement dans les autres végétaux. *Réceptacle nu. Amande, graine, fleur nue.*

♦ **5.** (1765). Dr. civ. *Nue propriété* (Littré, Planiol, etc.) ou *nue-propriété* (Académie, Capitant, Dalloz, etc.) : «Expression doctrinale moderne (inconnue du Code civil), par laquelle on désigne communément l'ensemble de ceux du droit de propriété qui appartiennent au propriétaire d'un bien sur lequel une autre personne jouit d'un droit d'usufruit, d'usage ou d'habitation, pendant le temps que persiste ce démembrement de la propriété» (Capitant). ⇒ **Usufruit.** *Inaliénable* (cit. 3). *Des nues-propriétés* (Académie). — *Nu propriétaire* ou *nu-propriétaire. Une nue propriétaire* ou *une nue-propriétaire. Des nus propriétaires* ou *des nus-propriétaires.*

REM. Avec ou sans trait d'union, *nu* s'accorde avec le substantif. L'usage n'a pas suivi certains grammairiens qui voudraient faire *nu* invariable avec le trait d'union.

15 Mon père, par mon conseil, ne donnera que la nue propriété de cet héritage à ses petits-enfants, se dit-elle en traversant le pont, j'en aurai l'usufruit; je ne veux pas que ma fille et un gendre me chassent de chez eux : ils seront chez moi.
BALZAC, le Député d'Arcis, Pl., t. VII, p. 695.

15.1 Vous avez revendu La Belle Angerie meublée, précisa le notaire. Le nu-propriétaire est désormais chez lui.
Hervé BAZIN, Cri de la chouette, p. 287.

★ **II.** Loc. adv. À NU. ⓐ (1174). Vieilli. Sans être vêtu. *Combattre à nu* (→ Jeu, cit. 27). — *Se mettre à nu* (→ Ceindre, cit. 2) : se mettre nu.

ⓑ Mod. (Fig.). À découvert*. *Mettre à nu.*

16 Il n'y a qu'un moment, la jeune Taïtienne s'abandonnait aux transports, aux

embrassements du jeune Taïtien ; attendait avec impatience que sa mère (autorisée par l'âge nubile) relevât son voile, et mit sa gorge à nu.
DIDEROT, Suppl. au voyage de Bougainville, II.

⇒ **Dénuder, dévoiler.** *Mettre à nu les plaies de la société* (→ Dénier, cit. 6), *son âme, son cœur. Mon cœur mis à nu,* titre d'un carnet intime de Baudelaire. *Mettre à nu un fil électrique, une surface métallique.* — *Montrer son cœur à nu. Laisser voir qqch. à nu* (→ Authentique, cit. 16). *Se montrer à nu* (→ Fasciner, cit. 7).

17 Mon ami, car vous serez toujours mon ami, gardez-vous de recommencer de pareilles confidences qui mettent à nu votre désenchantement, qui découragent l'amour et forcent une femme à douter d'elle-même.
BALZAC, le Lys dans la vallée, Pl., t. VIII, p. 1030.

c Vieilli. *Monter un cheval à nu,* sans selle ⇒ 2. **Cru** (5. : à cru).

★ **III.** (1669, Molière, *la Gloire du Val-de-Grâce,* d'abord t. d'arts). Nom masculin.

A. ♦ **1.** Corps humain ou partie du corps humain dépouillée de tout vêtement (→ Écorché, cit. 11). *Carnation* d'un nu.*
Genre qui consiste à dessiner, à peindre, à sculpter le corps humain nu. — *Dessin, peinture, sculpture qui représente le corps humain nu.* — **Académie, nudité.** *Ce peintre excelle dans le nu. Le nu peut être chaste* (Académie). *De beaux nus. Les nus de la Grèce* (→ Gothique, cit. 14). *Le nu antique* (→ Luxure, cit. 4). — « *Partie des figures que les draperies recouvrent, mais sans empêcher de voir les formes* » (Académie). « *... les belles draperies... Dont l'ornement aux yeux doit conserver le nu* » (→ Caresser, cit. 12, Molière ; harmonieux, cit. 10).

17.1 J'adoucis les expressions, vous le comprenez, Madame, j'affaiblirai de même les tableaux ; hélas ! l'obscénité de leur teinte est telle que votre pudeur souffrirait de leur nu pour la moindre de leur timidité.
SADE, Justine..., t. I, p. 40.

18 Ce que fut l'amour aux conteurs et aux poètes, le Nu le fut aux artistes de la forme ; et, comme aux premiers, l'amour offrait une diversité infinie de manières d'exercer leurs talents, depuis la représentation la plus libre des êtres et des actes jusqu'à l'analyse la plus abstraite des sentiments et des pensées ; ainsi, depuis le corps idéal jusqu'aux nudités les plus réelles, les peintres, dans le Nu, trouvèrent le prétexte par excellence.
VALÉRY, Degas, Danse, Dessin, p. 77.

♦ **2.** Image d'une personne nue. *Album de nus photographiques. Un nu d'un petit maître italien. Nus pornographiques.*

♦ **3.** *Le nu :* la nudité. « *Le nu est chaste lorsqu'il est beau* ».

B. (1676). *Nu (d'un mur) :* parement uni, sans creux ni saillie, d'un mur. *Les plâtriers dressent à la règle le plâtre frais des nus.*

CONTR. V. Couvert, déguisé, fardé, habillé, historié, vêtu ; abri (à l'abri).
COMP. et DÉR. (Du même rad.) **Dénuder** (et dér.). — **Dénuer** (et dér.). — **Nudisme, nudiste, nudité, nûment** ou **nuement.** — **Nu-pied, va-nu-pieds.**
HOM. 2. Nu, nue ; formes du v. 1. **nuer.**

2. NU [ny] n. m. — Mot grec.

♦ Treizième lettre de l'alphabet grec (ν), correspondant au n français.

HOM. 1. Nu, nue ; formes du v. 1. **nuer.**

NUAGE [nɥaʒ] n. m. — 1564 ; de *nue,* qu'il a remplacé dans l'usage courant.

♦ **1.** Amas de vapeur d'eau condensée en fines gouttelettes qui se forme et se maintient en suspension dans l'atmosphère. ⇒ **Brouillard, nébulosité ; nue, nuée** (littér.) *Principaux types de nuages.* ⇒ **Cirrus, cumulus, nimbus, stratus ; altocumulus, altostratus, cirrostratus, cumulonimbus, stratocumulus.** *Formes capricieuses, couleurs variées des nuages. Bande de nuages au-dessus de l'horizon.* ⇒ **Panne.** *Nuages en flocons.* ⇒ **Cotonneux** (cit. 3), **floconneux, mouton** (II., 4.). *Nuages légers et rares* (→ Ardoisé, cit. 2), *ballonnés* (cit. 1), *violacés* (→ Bigarrer, cit. 2), *sombres* (→ Éclair, cit. 2), *opaques, noirs* (→ Faiblir, cit. 3)... *Les nuages sont à l'origine de la pluie*. Nuages de grêle* (1. grêle, cit. 3), *qui portent la grêle. Nuage orageux* (→ Arc-en-ciel, cit. 2), *chargé* (cit. 29) *de neige. Nuage qui crève* (→ Grêler, cit. 2). *Les nuages s'amoncelaient* (cit. 1). *Les nuages couvrent le ciel.* ⇒ **Brouiller, couvrir, obscurcir, rembrunir.** *Ciel chargé de nuages.* ⇒ **Nébuleux, nuageux,** *couvert de petits nuages* (⇒ **Moutonner, pommeler**). *Ciel sans nuage.* ⇒ **Pur** (→ Lumière, cit. 5). *Le soleil perce les nuages* (→ Abord, cit. 3). *Un ciel immense où glissent* (cit. 25) *les nuages. Un vent du sud avait balayé les nuages* (→ Hippodrome, cit. 3). ⇒ **Éclaircie.** *Cime encapuchonnée* (cit. 2) *de nuages.*

1 J'ai aperçu aussi dans les nuages des tropiques, principalement sur la mer et dans les tempêtes, toutes les couleurs qu'on peut voir sur la terre. Il y en a alors de cuivrées, de couleur de fumée de pipe, de brunes, de rousses, de noires, de grises, de livides, de couleur marron, et de celle de gueule de four enflammée... Quelquefois les vents alizés (...) cardent les nuages comme si c'étaient des flocons de soie, puis ils les chassent à l'occident, les croisant les uns sur les autres, comme les mailles d'un panier à jour. Ils jettent, sur les côtes de ce réseau, les nuages qu'ils n'ont pas employés (...) ils les roulent en énormes masses blanches comme la neige, les contournent sur leurs bords en forme de croupes, et les entassent les uns sur les autres comme les Cordillères du Pérou, en leur donnant des formes de montagnes, de cavernes et de rochers (...)
BERNARDIN DE SAINT-PIERRE, Études de la nature, X, « Des couleurs ».

Les nuages couraient sur la lune enflammée 2
Comme sur l'incendie on voit fuir la fumée,
A. DE VIGNY, Poèmes philosophiques, « La mort du loup », I.

— J'aime les nuages... les nuages qui passent... là-bas... là-bas... les merveilleux 2.1
nuages !
BAUDELAIRE, le Spleen de Paris, « L'étranger ».

(...) il se couchait sur le dos, et regardait courir les nuages : ils avaient l'air de 3
bœufs, de géants, de chapeaux, de vieilles dames, d'immenses paysages. Il causait
tout bas avec eux ; il s'intéressait au petit nuage, que le gros allait dévorer ; il avait
peur de ceux qui étaient très noirs, presque bleus, ou qui couraient très vite.
R. ROLLAND, Jean-Christophe, L'aube, I, p. 21.

Dès que la vapeur d'eau se condense dans l'atmosphère, la première manifesta- 4
tion de sa condensation est l'apparition d'un *brouillard* ou d'un *nuage.* D'ailleurs,
brouillards et nuages ne sont pas différents l'un de l'autre : un brouillard est un
nuage qui arrive au contact avec le sol ; un nuage est un brouillard élevé dans
l'atmosphère.
A. VIGER, l'Atmosphère, VI.

Fig. *Être, se perdre dans les nuages :* être distrait ; se perdre dans des rêveries confuses et chimériques. ⇒ **Lune** (dans la). Cf. Ne pas avoir les pieds sur terre. — *Vivre sur son nuage :* vivre détaché des choses qui nous entourent.

Bonneville, homme de grand cœur, franc-maçon mystique, trop souvent dans les 5
nuages, prenait, dans les questions graves, dans les crises périlleuses, beaucoup de
lucidité.
MICHELET, Hist. de la Révolution franç., V, I.

Elle n'avait plus la tête à l'ouvrage, elle était dans les nuages, elle ne répondait 6
pas quand on lui parlait.
ARAGON, les Beaux Quartiers, I, XVII.

♦ **2.** Par anal. (d'aspect). *Nuage de fumée* (cit. 3), *de vapeur* (→ Fuser, cit. 8), *de poussière* (→ Malle, cit. 6). *Nuage artificiel émis au moyen d'un appareil fumigène* pour dissimuler un navire de guerre, pour protéger les cultures contre les gelées. Nuage qui se produit après une explosion atomique.* ⇒ **Champignon** (atomique). *Un nuage d'encens* (→ Appareil, cit. 7). — *Nuage de mousseline, de tulle :* tissu léger, transparent (→ Langueur, cit. 15). — *Nuage de lait* (cit. 15) : très petite quantité* de lait qui est versée dans le thé, du café et qui prend avant de se mélanger, l'aspect d'un nuage.

(...) il aspire, avec le flegme d'une honnête conscience, une longue bouffée de 7
tabac qu'il laisse échapper par petits nuages en économe qui veut faire durer son
plaisir.
Th. GAUTIER, Souvenirs de théâtre..., « Meissonnier ».

Nuage de mouches (→ Déplacer, cit. 6), *de moustiques, de sauterelles.*

(...) comme s'il en était sorti *(du mur)* en une seule bouffée le sombre, bref et pesti- 7.1
lentiel nuage de fumée qui dissimule traditionnellement sur les poussiéreuses scènes d'Opéra l'escamotage de Méphisto. Claude SIMON, le Palace, p. 75.

Secouant la dentelle des palmiers géants, le vent rabattait ses nuages de mousti- 8
ques dans les soucoupes.
CÉLINE, Voyage au bout de la nuit, p. 135.

Astron. a *Nuage solaire.*

Admettant que ces appendices roses qui deviennent visibles quand la lumière 8.1
du soleil est suffisamment éteinte dans une éclipse, appartiennent décidément au
soleil, M. Le Verrier propose de les nommer nuages solaires ; c'est là un des
résultats les plus nets auxquels aura donné lieu l'observation de l'éclipse de 1860.
L. FIGUIER, l'Année scientifique et industrielle 1861, p. 23 (1860).

b Concentration de matière interstellaire formant une zone luminescente lorsqu'elle est éclairée par une étoile (nébuleuse à émission). ⇒ **Nébuleuse.** *Nuages d'hydrogène de la voie lactée. Matière,
gaz d'un nuage.* ⇒ **Nébulaire.** — (En parlant d'une nébuleuse extragalactique). *Le grand et le petit nuage de Magellan, visibles dans
le ciel austral.*

♦ **3.** Vieilli. Ce qui empêche de voir, ce qui obscurcit, trouble la vue.
« *Un nuage confus se répand sur ma vue* » (→ Frisson, cit. 15, Boileau).

Déjà je ne vois plus qu'à travers un nuage 9
Et le ciel et l'époux que ma présence outrage ;
RACINE, Phèdre, V, 7.

Fig. Ce qui offusque l'intelligence (→ Écarter, cit. 8). *Esprit aveuglé par un nuage.* ⇒ **Obnubiler, offusquer.**

Ah ! que je crains, mes sœurs, les funestes nuages 10
Qui de ce prince obscurcissent les yeux !
Comme il est aveuglé du culte de ses dieux !
RACINE, Esther, II, 8.

♦ **4.** Ce qui annonce un danger, est lourd de menaces. *Apercevoir des nuages noirs à l'horizon.* — Ce qui trouble la sérénité (soupçons, brouilleries, etc.). *Un bonheur sans nuages,* qui n'est pas troublé. ⇒ **Trouble** (sans). → Épanouir, cit. 14.

Cependant, quand il n'était plus question de ce volume, qui avait projeté un seul 11
nuage sur une amitié de cinquante ans, son œil se mouillait au souvenir de l'homme
excellent qu'il avait aimé. NERVAL, les Filles du feu, « Angélique », XII.

♦ **5.** Chagrin, souci qui semble se peindre sur le visage. *Un nuage de tristesse.*

Puis-je vous demander quel funeste nuage, 12
Seigneur, a pu troubler votre auguste visage ?
RACINE, Phèdre, IV, 2.

DÉR. Nuagé, nuageux, nuagisme.

NUAGÉ, ÉE [nɥaʒe] adj. — 1632 ; de *nuage.*

♦ Blason. Représenté avec des sinuosités, des ondes évoquant les nuages. *Pièce nuagée.*

NUAGEUX, EUSE [nɥaʒø, øz] adj. — 1549, *noageuse* ; de *nuage.*

♦ **1.** Couvert de nuages. ⇒ **Nébuleux.** *Ciel, temps nuageux.*

En hiver, dans les marais de la Tremblade, les petits bassins miroitent comme des écailles bleutées, et le ciel nuageux garde jusqu'au soir des nuances d'aurore.
J. CHARDONNE, les Destinées sentimentales, p. 421.

Météor. Qui concerne les nuages ; qui est constitué par les nuages. *Tête, corps, traîne d'un système nuageux.*

♦ **2.** *Pierre nuageuse :* pierre précieuse inégalement transparente.

♦ **3.** Fig. ⇒ **Nébuleux** (fig.), **obscur, trouble, vague, vaporeux** (→ Exaltation, cit. 9 ; idéalité, cit. 3). *Esprit, poète nuageux. Théorie nuageuse.*

CONTR. Clair, serein.

NUAGISME [nɥaʒism] n. m. — V. 1954 ; de *nuage.*

♦ **Arts.** Style d'art abstrait (paysagisme abstrait) suggérant des nuages.

DÉR. Nuagiste.

NUAGISTE [nɥaʒist] adj. et n. — V. 1954 ; de *nuagisme.*

♦ **Arts.** Du nuagisme. — N. Peintre pratiquant le nuagisme.

NUAISON [nɥɛzɔ̃] n. f. — 1529 ; de *nue.*

♦ **Mar.,** vx. Durée d'un même vent, d'un même état atmosphérique.

NUANCE [nɥɑ̃s] n. f. — 1380 ; de 1. *nuer.*

♦ **1.** Chacun des degrés par lesquels peut passer une même couleur entre le ton le plus clair et le ton le plus foncé. ⇒ **Tonalité.** *Trouver la nuance voulue dans la gamme* des tons* (→ Godet, cit. 3). *Faire passer d'une nuance à l'autre.* ⇒ **Nuer ; nuancer.** *Les nuances innombrables du vert* (→ Heurter, cit. 37). *Couleurs franches* (2. Franche, cit. 13) *et nuances indécises. Du mélange de ces diverses couleurs, il résulte une infinité de nuances délicates* (→ 1. Marbre, cit. 1). *Trois nuances de mauve* (→ Marais, cit. 2).

1 L'aurore est rose, d'un rose intense. Comment l'exprimer ? Je dirais saumonée si cette note était plus brillante. Vraiment nous manquons de mots pour faire passer devant les yeux toutes les combinaisons des tons. Notre regard, le regard moderne, sait voir la gamme infinie des nuances. Il distingue toutes les unions de couleurs entre elles, toutes les dégradations qu'elles subissent, toutes leurs modifications sous l'influence des voisinages, de la lumière, des ombres, des heures du jour.
MAUPASSANT, la Vie errante, « Vers Kairouan ».

2 (...) la tranche des briques superposées, leurs hachures en diagonale dont les nuances évoluaient souplement, d'un rose tendre et charnel des rouges vifs de coquelicots, à des pourpres assourdies, bleutées d'encre.
M. GENEVOIX, Raboliot, I, III.

2.1 Tout cet ensemble (un pantalon, un tricot, une pèlerine, un béret) est de la même couleur bleu-marine, ou plus exactement de diverses nuances se rattachant à cette couleur. A. ROBBE-GRILLET, Dans le labyrinthe, p. 90.

Par ext. ⇒ **Teinte, ton.** *Broderies de plusieurs nuances* (→ Égayer, cit. 5). *Nuance claire, imprécise* (cit. 2).

2.2 Le ciel s'élargissait progressivement vers le zénith, et des nuages immenses se dessinèrent soudain, grâce à un amalgame de soies grises finement assorties depuis les tons les plus transparents jusqu'aux nuances les plus fuligineuses.
R. ROUSSEL, Impressions d'Afrique, p. 134.

♦ **2.** Chacun des états intermédiaires par lesquels peut passer une chose (→ Creuset, cit. 7), un sentiment, une personne (→ Correspondre, cit. 7 ; graduel, cit. 1)... *Nuances d'un parfum, d'un cognac* (→ Imperceptible, cit. 9). *Nuances insensibles* (→ Avatar, cit. 4), *imperceptibles* (→ Espèce, cit. 26). *Les nuances de l'horreur* (→ Échelonner, cit. 2), *de la passion* (→ Emblématique, cit. 2). *Entre le simple et le sublime, il y a plusieurs nuances.* ⇒ **Degré** (→ Assortir, cit. 3).

3 Depuis le sentiment qui donne la grâce jusqu'au désespoir qui exalte le génie, Gœthe a parcouru toutes les nuances de l'amour.
Mᵐᵉ DE STAËL, De l'Allemagne, II, XIII.

4 Après quatre années d'intimité, l'amour de cette femme avait fini par réunir toutes les nuances découvertes par notre esprit d'analyse et que la société moderne a créées ; un des hommes les plus remarquables de ce temps, dont la perte récente afflige encore les lettres, Beyle (Stendhal) les a, le premier, parfaitement caractérisées.
BALZAC, la Muse du département, Pl., t. IV, p. 189.

Différence* (cit. 9) *peu sensible, délicate* (entre des choses de même nature). *Saisir des nuances* (→ Exprimer, cit. 32 ; indiscernable, cit. 3). *Sentiment des nuances. Caractère, esprit tout en nuances. Nuances de la pensée* (→ Fait, cit. 4). *Nuances du langage, de l'expression : nuances entre les mots, entre des synonymes** (→ Accommoder, cit. 15 ; entendre, cit. 21 ; époux, cit. 1, genre, cit. 6). *Ascèse* (cit. 1) *a le même sens qu'ascétisme, mais avec une nuance.* — *Nuances politiques. Les hommes politiques des différentes nuances* (→ Gâchis, cit. 3). — *Il y a des nuances* (→ Fantasque, cit. 6), *une nuance ; plus qu'une nuance entre... et...* — *Attention, il y a une nuance ! Ne pas confondre entre les deux nuances !* — Ellipt. *Nuance !*

5 L'emploi divers et vivant pour un auteur qui à la fois pense et écrit, donne lieu à des acceptions et des nuances qui échappent quand on forme des exemples pour les cadres tout faits. LITTRÉ, Dict., Préface, p. XVI.

Je ne viens pas vous emprunter de l'argent. On m'en a prêté, jadis, presque malgré moi : je n'en ai jamais emprunté. Observez la nuance.
G. DUHAMEL, Salavin, V, I.

NUANCE DE... Variété particulière. *La gaminerie* (cit. 1) *est une nuance de l'esprit gaulois.* — Ce qui s'ajoute à l'essentiel pour le modifier légèrement (→ Futur, cit. 15 ; magistrat, cit. 5). *Mettre dans son regard une nuance de complicité* (→ Côté, cit. 29).

7 (...) les yeux bleus, aux sourcils de velours noir, qui lui souriaient, tout joyeux d'espérance, tout enfantins dans cette figure mâle, avec une nuance d'effronterie douce et de protection de grand seigneur. LOTI, Matelot, XXXII.

♦ **3.** Correctif léger, petite précision, petite objection qu'on apporte à une opinion (→ Épouser, cit. 13).

7.1 « Vous n'avez pas mangé », dit-elle. Et une fugitive nuance, comme de pitié, ou de crainte, ou d'étonnement, passe cette fois dans sa phrase.
A. ROBBE-GRILLET, Dans le labyrinthe, p. 63.

8 Ils sont à l'âge des conclusions promptes ; parce que nous apportons quelque nuance à leurs affirmations parfois inconsidérées, les voici disposés à croire que nous voulons les combattre (...) GIDE, Nouveaux prétextes, p. 75.

♦ **4.** **Mus.** Degré divers de douceur ou de force à donner aux sons. *Indications et nuances en musique* (Amoroso, crescendo, da capo...). ⇒ **Musique.**

♦ **5.** Particularité délicate de l'expression, intention subtile du compositeur telle qu'elle est rendue par les interprètes. — Par ext. *Les nuances du jeu d'un acteur* (→ Fixer, cit. 5). — (En littérature). *Effet subtil, notation fine, détail d'expression délicat. L'inspiration de Verlaine, toute en nuances* (→ Évocateur, cit. 2).

9 Car nous voulons la Nuance encor,
Pas la Couleur, rien que la nuance !
VERLAINE (→ Fiancer, cit. 2).

DÉR. Nuancer, nuancier.
HOM. Formes du v. nuancer.

NUANCER [nɥɑ̃se] v. tr. — Conjug. *placer.* — Fin XVIᵉ ; de *nuance.*

♦ **1.** Colorer en parcourant progressivement la gamme des nuances (1.) dans une couleur ; assortir* les nuances entre elles ; colorer de nuances variées. — Au passif. *Le vert de la campagne n'est ni cru* (2. Cru, cit. 5) *ni monotone ; il est nuancé par les divers degrés de maturité des feuillages.* — Absolt. Établir les nuances (d'un tableau, d'une tapisserie...).

1 La duchesse, assise à un métier de tapisserie, donnait à mademoiselle de Verneuil des conseils pour nuancer. BALZAC, Modeste Mignon, Pl., t. I, p. 583.

Figuré :

2 Le comte s'informait des petits événements qui nuançaient la vie de la baladine (...) BALZAC, la Fausse Maîtresse, Pl., t. II, p. 41.

♦ **2.** Faire passer graduellement d'un état à un autre, en atténuant les différences, en adoucissant les contrastes ; établir des nuances* (2.), des différences, savantes ou subtiles (→ Grade, cit. 5).

3 C'est un excès dans l'ordre même que de prétendre nuancer parfaitement, modérer, régler ses jouissances, et les ménager avec la plus sévère économie, pour les rendre durables et même perpétuelles.
É. DE SENANCOUR, Oberman, LXIV.

4 Je n'ai point contesté les services immenses que rendit l'institution jacobine. J'ai même, mieux que personne, marqué et nuancé ses trois âges si différents.
MICHELET, Hist. de la Révolution franç., Préface, p. XIX.

Exprimer en tenant compte des différences les plus délicates, les plus subtiles, en adaptant le ton, le style aux circonstances. *Nuancer sa pensée* (→ Formule, cit. 15). — Rendre délicatement et fidèlement les nuances (4.) dans l'interprétation d'une œuvre dramatique, musicale. *Nuancer un chant, une tirade* (→ Minime, cit. 2). — Adoucir, atténuer, modérer. *Nuancer ses expressions.*

5 (...) quel plaisir de jouer avec son public, de l'émouvoir et le faire rire tour à tour, de se sentir en constante liaison avec lui, de nuancer les causeries selon l'atmosphère de la salle aux divers moments et selon l'état d'esprit que l'on perçoit chez les auditeurs. Georges LECOMTE, Ma traversée, p. 325.

▶ **SE NUANCER** v. pron. « Ces couleurs se nuancent agréablement » (Littré). — Fig. « Son regard se nuança d'ironie » (Martin du Gard, les Thibault, t. III, p. 180).

▶ **NUANCÉ, ÉE** p. p. adj. et n. m. (1680).

♦ **1.** Rare. Qui a diverses nuances. *Arc-en-ciel* (cit. 5) *nuancé de mille couleurs.* ⇒ **Bigarrer.**

6 Savantes harmonies de teintes nuancées à l'infini, plus charmantes encore peut-être que ces débauches de couleur des fantasias du Sud algérien, qui ont ravi et ravissent toujours les peintres romantiques.
Jérôme et Jean THARAUD, Rabat, VII.

♦ **2.** Qui tient compte de différences ; qui n'est pas net, tranché. *Opinion* (→ Emporter, cit. 44), *pensée nuancée* (→ Lourd, cit. 7). *Interprétation nuancée d'une œuvre musicale.*

7 Tantôt il se reprochait de mal comprendre, de prêter à un tableau très nuancé des contrastes grossièrement dramatiques.
J. ROMAINS, les Hommes de bonne volonté, t. V, VI, p. 52.

♦ **3.** N. Caractère de ce qui est nuancé, présente des nuances.

8 (...) les éléments de cette finesse de technique et de ce nuancé qui tiennent du prodige (...) Jean LARAN, les Estampes, p. 34.

CONTR. Contraster, opposer, trancher. — Tranchant.
HOM. V. Nuance, nuancier.

NUANCIER [nчɑ̃sje] n. m. — V. 1950; de *nuance*.

♦ Comm. Présentoir de coloris factices (poudres, rouges à lèvres; peintures; etc.) proposés en échantillonage à la clientèle. ⇒ **Teintier**. *Nuancier de cheveux teints, d'ongles carminés, de tissus colorés pour teinture. Nuancier d'un fabricant de peinture.*

HOM. Forme du v. **nuancer**.

NUBIEN, ENNE [nybjɛ̃, ɛn] adj. et n. — 1761; du lat. *Nubaei*, peuple éthiopien, mot indigène *nūba*.

★ **I.** ♦ **1.** Qui se rapporte à la Nubie, région d'Afrique (Nord du Soudan, Sud de l'Égypte), à ses habitants. — N. *Un Nubien, une Nubienne :* une personne qui habite la Nubie ou qui en est originaire.

♦ **2.** N. m. Ling. *Le nubien :* langue du groupe nilo-tchadien parlée en Nubie. *Vieux nubien; nubien moderne.* — Adj. *Dialectes nubiens.*

★ **II.** N. f. (Fin xixᵉ; l'étoffe était présumée originaire de Nubie). Tissu croisé de coton ou de laine.

NUBILE [nybil] adj. — 1509; lat. *nubilis*, de *nubere* «se marier», en parlant d'une femme.

(Surtout en parlant des filles).

♦ **1.** Qui est en âge d'être marié. ⇒ **Mariable**. *D'après la loi française, les filles sont nubiles à quinze ans, et les garçons à dix-huit* (Académie).

♦ **2.** Qui est formé, apte à la reproduction. ⇒ **Formé, pubère; adolescent**. *Ce n'est plus une enfant, elle est nubile.* ⇒ **Femme**. *Fille nubile, garçon nubile.*

1 (...) parmi nous une fille nubile n'a nul besoin du consentement d'autrui pour disposer d'elle-même. ROUSSEAU, Julie ou la Nouvelle Héloïse, II, III.

2 (...) autant nous sommes attentifs à préserver les unes des approches de l'homme, les autres du commerce de la femme, avant l'âge de la fécondité, autant nous les exhortons à produire, lorsque les garçons sont pubères et les filles nubiles. DIDEROT, Suppl. au voyage de Bougainville, III.

Par ext. *Âge nubile :* fin de l'adolescence, de la puberté.

3 Même après l'âge nubile, ce goût bizarre, et toujours persistant et porté jusqu'à la dépravation, jusqu'à la folie, m'a conservé les mœurs honnêtes qu'il semblerait avoir dû m'ôter. ROUSSEAU, les Confessions, I.

CONTR. **Impubère**.
DÉR. **Nubilité**.

NUBILITÉ [nybilite] n. f. — 1750; de *nubile*.

♦ Âge nubile; aptitude à contracter mariage. *La nubilité, stade terminal de la puberté** (→ Épanouissement, cit. 4). *Nubilité légale.* — Par ext. État d'une jeune fille nubile (→ Fruit, cit. 2).

(...) une fillette dans un champ d'alfa, brune et qui, sous le soleil de midi toute nue, en attendant la nubilité, gardait de puissants dromadaires. GIDE, le Voyage d'Urien, III, *in* Romans, Pl., p. 23.

NUCAL, ALE, AUX [nykal, o] adj. — 1837; de *nuque*.

♦ Anat. De la nuque. *Les os nucaux.*

Zool. De l'arrière de la tête, chez les poissons, les vers, etc. *Anneau nucal des annélides.* «*Bosse nucale*» *des carpes* (P. Vivier, *la Pisciculture*, p. 69).

NUCELLE [nysɛl] n. f. — 1838; du lat. *nucella*, dimin. de *nux, nucis* «noix».

♦ Bot. Partie centrale de l'ovule des phanérogames, à l'intérieur de laquelle est située la cellule reproductrice.

NUCI- Élément, du lat. *nux, nucis* «noix». Ex. : *nuciforme* adj., (1868, Littré), en forme de noix.

NUCLÉ-, NUCLÉO- Élément de composition de termes scientifiques ou didactiques, du lat. *nucleus* «noyau».

Outre les mots cités à l'ordre alphabétique, cf. notamment : *nucléoalbumine* n. f. (1897, *in* D.D.L.).

NUCLÉAIRE [nykleɛʀ] adj. et n. m. — 1838, «relatif au noyau du fruit», aussi *nucléal;* du lat. *nucleus*.

★ **I.** Adj. ♦ **1.** Biol. (1856). Relatif au noyau de la cellule. *Appareil nucléaire. Membrane nucléaire.* ⇒ **Mono-, polynucléaire**.

♦ **2.** **ⓐ** Phys. (1923 → cit. 1; angl. *nuclear*, 1914). Relatif au noyau de l'atome. *Particules nucléaires* (protons, neutrons). *Charge, spin nucléaire. Fission nucléaire : réactions, transmutations nucléaires.*

1 Les nucléons seraient cimentés par un nombre moindre d'électrons, qu'on peut

désigner sous le nom d'électrons nucléaires (ou encore électrons essentiels pour les distinguer des électrons satellites qui gravitent autour du noyau).
A. BOUTARIC, la Vie des atomes, 1923, p. 222.

Physique nucléaire : partie de la physique de l'atome (physique atomique) qui étudie le noyau. — *Réaction nucléaire :* réaction au sein du noyau, fission ou fusion. *Énergie nucléaire,* fournie par une réaction nucléaire et libérant l'énergie de liaison des particules du noyau.

ⓑ (V. 1950). Cour. Qui concerne l'énergie du noyau atomique; qui utilise cette énergie. ⇒ **Atomique**. *Armes, engins nucléaires :* bombes atomiques. *Projets d'accord sur la non-prolifération des armes nucléaires.* ⇒ **Dénucléariser**. *Fusée à tête nucléaire.* — Par ext. *Les puissances nucléaires,* possédant des armes nucléaires. — *Essais nucléaires.*

On peut même dire que la guerre nucléaire est du ressort exclusif de la stratégie, et par conséquent des États, et, à la limite, la guérilla du ressort exclusif de la tactique, et par conséquent des individus.
Raymond ABELLIO, les Militants, p. 46.

Spécialt. Relatif à la production d'énergie pacifique par l'atome. *Usine nucléaire. Industrie nucléaire. Centrale nucléaire.* ⇒ **Électronucléaire, thermonucléaire**.

REM. Le développement de cet emploi, qui supplante *atomique* à propos de l'énergie pacifique est en partie dû au besoin de différencier ce domaine du domaine militaire, où *atomique* reste employé.

♦ **3.** Ling. Relatif au noyau (de la phrase). *Constituants nucléaires de la phrase.*

♦ **4.** (1949; angl. *nuclear family*, Murdock). Sociol. *Famille nucléaire :* unité familiale élémentaire, composée des parents et des enfants.

★ **II.** N. m. (1966). *Le nucléaire :* l'énergie nucléaire. *Être pour, contre le nucléaire.* (⇒ **Pronucléaire, antinucléaire**). «*Cela devient un principe international : c'est toujours le nucléaire des autres qui a tort*» (*le Sauvage,* nº 3, juin 1973, p. 31). *Le développement du nucléaire.* ⇒ **Nucléarisation**. *Le nucléaire et les énergies nouvelles, renouvelables.*

DÉR. et COMP. **Mononucléaire, polynucléaire. — Électronucléaire, thermonucléaire. — Antinucléaire, pronucléaire. — Nucléarisation. — Dénucléariser.**

NUCLÉARISATION [nyklearizasjɔ̃] n. f. — 1959; du rad. de *nucléaire*.

♦ Remplacement des sources traditionnelles d'énergie par le nucléaire. «*Pays en voie de nucléarisation*» (*l'Express,* 16 sept. 1974).

NUCLÉASE [nykleaz] n. f. — 1907, *Nouveau Larousse illustré, Suppl.;* de *nuclé-,* et *-ase*.

♦ Didact. (biol., biochim., méd.). Enzyme qui catalyse la scission des acides nucléiques.

COMP. **Désoxyribonucléase, ribonucléase**.

NUCLÉÉ, ÉÉE [nyklee] adj. — 1855, *nuclé;* dér. sav. du lat. *nucleus*.

♦ Biol. Qui possède un ou plusieurs noyaux. *Cellule nucléée.*

COMP. **Anucléé, binucléé**.

NUCLÉIDE [nykleid] n. m. — xxᵉ; de *nuclé(o)-*.

♦ Phys. nucl. Atome défini par son numéro atomique Z, son nombre de masse A et son état d'énergie nucléaire.

NUCLÉINE [nyklein] n. f. — 1896; de *nuclé-,* et *-ine*.

♦ Biochim., vx. Nucléoprotéide*. *Le nom de* nucléine *a été donné à la substance isolée en 1868 des cellules de pus et de spermatozoïdes de saumon, la première nucléoprotéide étudiée.*

NUCLÉIQUE [nykleik] adj. — 1897; de *nuclé-,* et *-ique*.

♦ Biochim. *Acides nucléiques :* constituants de la cellule vivante (noyau et cytoplasme cellulaire) formés de chaînes moléculaires constituées par des monomères (⇒ **Nucléotide**) chacun comportant un pentose (sucre), une molécule d'acide phosphorique et une base azotée; ces monomères sont liés par l'acide phosphorique qui estérifie les fonctions alcool du pentose. ⇒ **Désoxyribonucléique** (A.D.N.), **ribonucléique** (A.R.N.). *Les acides nucléiques sont des polymères; ils sont porteurs de l'information génétique.*

NUCLÉO- ⇒ **Nuclé-**.

NUCLÉOCAPSIDE [nykleokapsid] n. f. — 1973; de *nucléo-,* et *capside**.

♦ Biol. Dans un virus, ensemble de la capside, du viroplasme et du nucléoïde. « *Les virus sont équipés de molécules superficielles (glycoprotéines) douées d'affinité pour les membranes des cellules leur permettant de s'attacher et de pénétrer. Le virus libère ensuite sa nucléocapside, c'est-à-dire son matériel génétique (qui est dans ce cas-là du R. N. A.) associé à une protéine, tandis que l'enveloppe virale fusionne avec la membrane de la cellule* » (la Recherche, n° 115, oct. 1980, p. 1143).

NUCLÉO-ÉLECTRIQUE [nykleoelɛktʀik] adj. — V. 1974 ; de *nucléo-*, et *électrique*.

♦ Techn. Qui produit l'électricité à partir de l'énergie nucléaire. ⇒ **Électronucléaire**. *Une centrale nucléo-électrique*. « *Un grand programme d'équipement nucléo-électrique, basé sur la filière eau pressurisée, la centrale de Fessenheim...* » (le Monde, 23 févr. 1977, p. 19).

NUCLÉOÏDE [nykleɔid] n. m. — 1961 ; de *nucleoid*, créé en all. en ce sens par Piekarski, 1937 ; → Nuclé-, et -oïde.

♦ Biol. Peloton d'acide nucléïque qui constitue le capital génétique d'un virus. *Ensemble du nucléoïde et de la capside*. ⇒ **Nucléocapside**.

NUCLÉOLAIRE [nykleɔlɛʀ] adj. — 1897 ; de *nucléole*.

♦ Biol. Relatif au nucléole*. *Corps nucléolaire* : nucléole modifié, au cours de la segmentation de certains œufs. *Ségrégation nucléolaire* : séparation des constituants du nucléole, sous l'influence d'agents biochimiques.

NUCLÉOLE [nykleɔl] n. m. — 1844 ; de *nuclé-*, et *-ole*.

♦ Biol. Petit corps sphérique (organite) réfringent, colorable par les colorants basophiles, qui se trouve dans les noyaux cellulaires. ⇒ **Cellule**. *Le nucléole du noyau de l'oocyte est la tache germinative* (cit. 1). *Nucléole de clivage* : corps nucléolaire, au cours de la segmentation.
DÉR. Nucléolaire, nucléolé.

NUCLÉOLÉ, ÉE [nykleɔle] adj. — 1877 ; de *nucléole*.

♦ Biol. Qui contient un ou plusieurs nucléoles*.

NUCLÉON [nykleɔ̃] n. m. — 1923 → cit. ; de *nuclé-*, d'après *proton*.

♦ Phys. Élément constituant du noyau atomique. ⇒ **Neutron, proton**. *Nucléons et électrons*. → Nucléaire, cit. 1.
Le corpuscule positif paraît d'ailleurs n'être autre chose que le noyau positif de l'hydrogène appelé nucléon, dont la charge est équivalente à celle de l'électron.
A. BOUTARIC, la Vie des atomes, p. 222 (1923).
DÉR. Nucléonique.

NUCLÉONIQUE [nykleɔnik] adj. et n. f. — 1950 ; de *nucléon*. Physique.

★ I. Adj. Relatif au nucléon*.

★ II. N. f. Science, technique des transmutations atomiques.

NUCLÉOPHILE [nykleɔfil] adj. et n. m. — Mil. xxᵉ ; de *nucléo-*, et *-phile*.

♦ Phys. Se dit d'une particule capable de se souder à un noyau atomique, lorsque la couche électronique de ce dernier présente une lacune.
Par ext. *Substitution nucléophile* : remplacement d'un substituant nucléophile par un autre, dans une molécule organique. *Pouvoir nucléophile* : pouvoir d'une particule nucléophile à provoquer des substitutions.

NUCLÉOPLASME [nykleɔplasm] n. m. — 1890, *nucléoplasma* P. Larousse, *Deuxième Suppl.* ; de *nucléo-*, et *plasme*.

♦ Biol. Substance qui se trouve à l'intérieur de la membrane nucléaire de la cellule. *Le nucléoplasme constitue, en poids, la majeure partie du noyau cellulaire. La chromatine, les nucléoles, des fibrilles... baignent dans le nucléoplasme, qui renferme aussi des enzymes*.
DÉR. Nucléoplasmique.

NUCLÉOPLASMIQUE [nykleɔplasmik] adj. — xxᵉ ; de *nucléoplasme*.

♦ Biol. Du nucléoplasme.

NUCLÉOPROTÉIDE [nykleopʀɔteid] n. m. — 1903, *Rev. gén. des sc.* n° 18, p. 927 ; de *nucléo-*, et *protéide*.

♦ Biochim. Combinaison formée par un acide nucléique (désoxyribonucléique ou ribonucléique) et une protéine basique. ⇒ **Nucléine, protamine**. *Les nucléoprotéides sont des constituants du noyau cellulaire*.

NUCLÉOPROTÉINE [nykleopʀɔtein] n. f. — 1932 ; de *nucléo-*, et *protéine*.

♦ Biochim. Nucléoprotéide dont le groupement prosthétique (actif) est un acide ribonucléique.

NUCLÉOSIDE [nykleozid] n. m. — 1907 ; cf. *nucléosine*, 1897 ; de *nuclé-*, et *-oside* (-ose + ide).

♦ Chim., biol. Combinaison d'une base azotée de la série purique ou pyrimidique avec une molécule d'un pentose (sucre en C_5). *L'estérification d'un nucléoside par une molécule d'acide phosphorique donne un nucléotide, constituant essentiel des macromolécules d'acide nucléique*.

NUCLÉOSYNTHÈSE [nykleosɛ̃tɛz] n. f. — Mil. xxᵉ ; de *nucléo-*, et *synthèse*.

♦ Phys. Formation des éléments chimiques par réactions nucléaires dans les astres.
La cosmologie, qui décrit la formation de l'Univers et son évolution macroscopique, est fondée sur trois faits fondamentaux (...) La nucléosynthèse, qui permet d'expliquer la formation des éléments chimiques les plus légers, comme celle du deutérium (...). Actuellement, la majorité des astrophysiciens pense que ce phénomène s'est produit durant les phases initiales explosives et chaudes de l'univers.
J. AUDOUZE, in la Recherche en astrophysique, p. 228-229.

NUCLÉOTHERMIQUE [nykleotɛʀmik] adj. — xxᵉ ; de *nucléo-*, et *thermique*.

♦ Phys. Qui concerne les transformations d'énergie nucléaire en énergie thermique.

NUCLÉOTIDE [nykleɔtid] n. m. — 1963 ; de *nucléo-*, et *-ide*.

♦ Biochim. Unité élémentaire constitutive des acides nucléiques*, formée par la liaison d'un sucre (ribose ou désoxyribose), d'un acide orthophosphorique et d'une base purique ou pyrimidique.
Les constituants universels que sont les nucléotides d'une part, les acides aminés de l'autre, sont l'équivalent logique d'un alphabet dans lequel serait écrite la structure, donc les fonctions associatives spécifiques des protéines.
Jacques MONOD, le Hasard et la Nécessité, p. 138.
Ce sont des petites molécules dont les fonctions sont de deux ordres bien distincts ; d'une part, ils constituent les maillons élémentaires des acides nucléiques, supports de l'information génétique primaire, d'autre part ils interviennent comme intermédiaires capables de transporter partout dans la cellule de l'énergie chimique, sous une forme directement utilisable : l'A. T. P., auquel nous avons plusieurs fois fait allusion, est un nucléotide.
Antoine DANCHIN, Ordre et Dynamique du vivant, p. 136.

NUCLÉUS ou **NUCLEUS** [nykleys] n. m. — Déb. xxᵉ (1903, Larousse) ; 1845, « nucelle » ; du lat. *nucleus* « nucelle ».

♦ **1.** Biol. (vx). Noyau (de cellule).

♦ **2.** (1864). Préhist. Noyau de silex ou d'une autre roche dure, mis en forme par le débitage d'éclats ou de lames. *Des nucléi (ou des nucléus)*.
(...) pour arriver à ce résultat, le nucleus est tout d'abord taillé comme une ébauche de biface, puis préparé pour l'extraction d'un éclat et retaillé pour des extractions successives jusqu'à son épuisement. La préparation peut aller jusqu'au point où d'un seul coup de percuteur sort à volonté du nucleus soit une pointe triangulaire, soit un éclat de forme subcirculaire, soit une lame longue et étroite.
A. LEROI-GOURHAN, le Geste et la Parole, t. I, p. 143.

♦ **3.** (V. 1970). Phys. Ensemble formé par le noyau atomique et la couche électronique. ⇒ **Ion**.

♦ **4.** Anat. *Nucleus (pulposus)* : partie centrale gélatineuse des disques intervertébraux.

♦ **5.** Ling. Noyau de la phrase (dans la théorie de Tesnière).
COMP. Pronucléus.

NUCLIDE [nyklid] n. m. — 1958 ; de *nuclé-*, et *-ide*.

♦ **1.** Phys. Atome radio-actif dont on connaît le nombre atomique, le poids atomique et le nombre de masse, et dont la durée de vie est supérieure à 10^{-10} seconde.

♦ **2.** Espèce atomique caractérisée par la structure de son noyau.

NUCODE [nykɔd] n. m. — 1868, Littré ; du lat. *nux, nucis* « noix ».

♦ Bot. Fruit composé de noix rattachées à un même point.

NUCULAINE [nykylɛn] n. m. — 1800 ; du lat. *nucula,* dimin. de *nux, nucis* «noix».

♦ Bot. Fruit charnu contenant plusieurs noyaux ou nucules* (ex. : la nèfle).

NUCULE [nykyl] n. f. — 1803 ; du lat. *nucula,* dimin. de *nux, nucis* «noix».

♦ **1.** Bot. Petite noix (⇒ **Nuculaine**).
Fruit sec (gland, noisette).

♦ **2.** Zool. Mollusque lamellibranche *(Nuculidés)* à coquille triangulaire et bombée.

DÉR. Nuculeux.

NUCULEUX, EUSE [nykylø, øz] adj. — 1815 ; de *nucule.*

♦ Bot. Qui contient des nucules* (1.).

NUDI- Élément de composition de termes scientifiques, du lat. *nudus* «nu». Ex. : bot. *nudiflore,* adj. ; *nudifolié,* adj. ; zool. : *nudipare,* adj. ⇒ **Nudibranche.**

NUDIBRANCHE [nydibRɑ̃ʃ] adj. et n. m. — 1817 ; du lat. *nudus,* et *branchies.*

♦ Zool. Dont les branchies ne sont pas protégées (mollusques). — N. m. *Les nudibranches :* ordre de mollusques opisthobranches, sans coquille. — Au sing. *Un nudibranche.*

NUDISME [nydism] n. m. — V. 1925 ; de *nu,* d'après le lat. *nudus.*

♦ **1.** Doctrine prônant la vie au grand air dans un état de complète nudité*. ⇒ **Naturisme** (3.).

♦ **2.** Pratique de cette doctrine ; le fait d'être nu ou très peu vêtu. *Le nudisme intégral est aujourd'hui souvent toléré sur les plages. Faire du nudisme.* ⇒ **Nudité.**

NUDISTE [nydist] n. et adj. — 1924 ; dér. sav. du lat. *nudus* «nu».

♦ **1.** Vx. Peintre de nu (→ cit. ci-dessous).

♦ **2.** (V. 1930). Mod. Personne qui pratique le nudisme. *Camp de nudistes.*

(...) le succès des mots *nudisme, nudiste* (...) date de 1925 au plus tôt. Le second a précédé le premier. Et il y a tout lieu de croire qu'il venait aussi d'Italie (...) En effet, *nudiste* fut d'abord employé par des critiques d'art. «P. E. Gernez est un de nos *nudistes* (peintres de nu) les plus voluptueux», écrivit un chroniqueur de 1924. Huit ans après, le *Larousse du XXᵉ siècle* ne mentionne plus que le sens actuel (...) A. THÉRIVE, Clinique du langage, p. 124.

♦ **3.** Adj. Relatif au nudisme. *Camp nudiste. Pratiques nudistes.* ⇒ **Naturiste.**

Vx. «*Le music-hall nudiste*» (Colette, *in* G. L. L. F.), qui pratique le nu.

NUDITÉ [nydite] n. f. — 1320 ; *nuditeit,* v. 1190 ; var. *nueté,* anc. franç. ; du bas lat. *nuditas,* de *nudus* «nu».

★ **I.** ♦ **1.** État d'une personne nue* (→ Blanc, cit. 6). *La nudité de qqn. Être dans une complète nudité.*

1 Un homme à côté d'elle était un besoin du sommeil de l'innocente. La nudité, c'est de se voir nu ; aussi ignorait-elle la nudité. Ingénuité d'Arcadie ou d'Otaïti. HUGO, l'Homme qui rit, II, II, v.

2 Le sommeil nous avait surpris dans notre nudité. À mon réveil, la voyant découverte, je craignis qu'elle n'eût froid. R. RADIGUET, le Diable au corps, p. 80.

3 Telle quelle, Vénus 1940 arrête, rien qu'en paraissant, les gros rires qui applaudissent les sketches *(sic)* comiques, les pugilats, les gifles. Car la nudité intégrale n'appelle pas la frénésie. A sa vue, les visages ne s'avilissent pas. COLETTE, Belles saisons, p. 115.

Fait d'être nu, de vivre nu. ⇒ **Nudisme.**

4 Sans remonter au XVᵉ siècle où, en Bohême, des sectes s'étaient formées (...) qui avaient remis en faveur la nudité adamique (...) j'avais souvent entendu parler de groupements germaniques dont les membres se réunissaient pour vivre sans vêtements. La lecture d'une revue allemande pour la propagation de la nudité (...) m'avait mis sur la voie (...) Paul MORAND, Ouvert la nuit, «Nuit nordique».

♦ **2.** Corps humain dévêtu ; partie du corps dénudée, chair nue (en parlant de ce qui est habituellement couvert). → Étincelant, cit. 3. *De scandaleuses nudités* (→ Déshabiller, cit. 14). — Allus. bibl. *Sem et Japhet couvrirent la nudité de Noé, leur père, d'un manteau* (cit. 1).

5 (...) ce n'est point une nudité qu'un visage, quelque aimable qu'il soit (...) mais une belle main commence à en devenir une (...) MARIVAUX, la Vie de Marianne, II.

Ève offrait au ciel bleu la sainte nudité,
Ève blonde admirait l'aube, sa sœur vermeille.
Chair de la femme ! argile idéale ! ô merveille ! (...) 5.1
HUGO, la Légende des siècles, II, «Sacre de la femme», IV (→ Argile, cit. 6).

♦ **3.** Arts. Représentation du corps humain nu. ⇒ **Nu** (→ Inaltérable, cit. 2).

(...) audacieuses nudités encore rehaussées par la splendeur des draperies tombantes (...) TAINE, Philosophie de l'art, t. II, p. 230. 6

Les peintres à l'envi les ont représentées *(les trois Grâces),* et les sculpteurs aussi, sous forme de belles nudités dont les différences se complètent. Émile HENRIOT, Mythologie légère, p. 164. 7

★ **II.** (Choses). ♦ **1.** État de ce qui n'est pas recouvert, de ce qui n'est pas orné. *Nudité d'un mur, d'un intérieur...* (→ Gothique, cit. 11 ; magot, cit. 4). *La nudité inexorable de l'Escurial* (→ Massivité, cit.). *Nudité d'une plaine sans arbre, d'une steppe...*

(...) l'absence complète de végétation imprimait à ce paysage, uniquement composé de terrains et de ciels, un caractère de nudité grandiose et d'âpreté farouche dont l'équivalent n'existe nulle part, et que les peintres n'ont jamais rendu. Th. GAUTIER, Voyage en Espagne, p. 224. 8

Dans la clarté crue du gaz, sur la nudité blafarde de cette salle (...) de hautes affiches jaunes s'étalaient violemment, avec le nom de Nana en grosses lettres noires (...) ZOLA, Nana, I. 9

♦ **2.** Fig. État de ce qui se découvre sans voiles ; chose complètement dévoilée (→ Enveloppe, cit. 10). *Vices, laideurs qui s'étalent dans toute leur nudité,* avec impudence, sans se cacher. — *Nudité de la pensée, du style,* simplicité, absence d'ornements (→ Épurer, cit. 12).

Évidemment l'on peut se passer de ces comparses, et, en général, l'intervention de figures accessoires ne me plaît guère. Elles vont à l'encontre de cette grandeur et de cette nudité classique où triomphe notre théâtre au XVIIᵉ siècle. GIDE, Attendu que..., p. 187. 10

NUE [ny] n. f. — XIIᵉ ; du lat. pop. *nuba,* lat. class. *nubes.*

Vieux, littéraire (ou en locutions figées). → Nuage, nuée.

♦ **1.** Vx ou littér. Nuage ou ensemble des nuages qui se trouvent dans le ciel. — REM. Ce qui distingue la *nue* du *nuage* et de la *nuée,* outre les critères d'usage, «c'est son élévation» (Lafaye). *Nues opaques* (→ Bout, cit. 46). *Une blanche nue* (→ Émeraude, cit. 4). *Le vent attire les nues* (→ Cagoule, cit. 1). *La lividité* (cit.) *de la nue. Foudre* (1. Foudre cit. 6) *qui crève* (cit. 28), *perce la nue, les nues.*

Le soleil dissipe la nue. LA FONTAINE, Fables, VI, 3. 1

(...) il *(l'astre solitaire)* reposait sur des groupes de nues qui ressemblaient à la cime de hautes montagnes couronnées de neige. Ces nues, ployant et déployant leurs voiles, se déroulaient en zones diaphanes de satin blanc, se dispersaient en légers flocons d'écume, ou formaient des cieux des bancs d'une ouate éblouissante (...) CHATEAUBRIAND, le Génie du christianisme, I, V, XII. 2

(...) le succès allait, non aux frises, il n'y en avait pas, mais aux nues, il y en avait. (Même ces nues, vu l'absence de plafond, pleuvaient quelquefois sur le chef-d'œuvre d'Ursus). HUGO, l'Homme qui rit, II, III, III. 3

(...) je vois que la nue offusque tout le couchant. Faite de grands cumulus amalgamés, elle présente cet aspect volumineux et chaotique qu'arrange parfois le soir, alors qu'un éclairage bas, comme un feu voilé de rampe, porte les ombres sur le champ nébuleux et accuse à rebours les reliefs. CLAUDEL, Connaissance de l'Est, p. 154. 4

Par ext. Le ciel, l'espace nuageux ou non. *Aigle* (cit. 2) *qui fend les nues. Les sept couleurs du prisme dans la nue* (→ Écharpe, cit. 9 ; magicien, cit. 8).

Sa prière étant faite, il entend dans la nue
Une voix (...) LA FONTAINE, Fables, VI, 18. 5

♦ **2.** (XVIIᵉ-XVIIIᵉ). Dans des locutions. *Porter, élever* (cit. 30), *mettre aux nues, jusqu'aux nues* et (vx) *par-dessus les nues, dans les nues :* admirer*, louer avec enthousiasme. ⇒ **Louange** (→ Apologiste, cit. 4). — *Cette pièce a été, est allée aux nues* (⇒ **Ciel,** fig.).

(...) il dit qu'hier (...) il s'était trouvé dans une compagnie de grande conséquence, où votre mérite, votre sagesse, votre beauté, avaient été élevés jusqu'au-dessus des nues (...) Mᵐᵉ de SÉVIGNÉ, 280, 27 mai 1672. 6

(1664). Vx. *Sauter, monter aux nues, bondir dans les nues :* être dans un violent transport (de colère, etc.), une grande exaltation. — *Être dans les nues* (cf. Au septième ciel).

Son âme était dans les nues, et cependant il ne pouvait sortir du silence le plus humiliant. STENDHAL, le Rouge et le Noir, I, VII. 7

TOMBER DES NUES. **a** Vx. Survenir inopinément.

Nous ne vous attendions point, je vous assure, et vous êtes tombés des nues pour nous (...) J.-F. REGNARD, le Retour imprévu, 11. 8

b Mod. *Avoir l'air de tomber des nues. Tomber des nues :* être extrêmement surpris, ébaubi (cit. 1), décontenancé par un événement inopiné, qu'on n'attendait pas. ⇒ **Lune** (tomber de la lune).

Je tombais des nues, j'étais ébahi, je ne savais que dire, je ne trouvais pas un mot. ROUSSEAU, les Confessions, IX. 9

Se perdre dans les nues : devenir obscur, nébuleux, perdre de vue le sujet qu'on traite en s'élevant à des considérations abstraites.

10 Si vous dépassez d'une ligne les conceptions vulgaires, mille imbéciles s'écrient : «Vous vous perdez dans les nues!»

CHATEAUBRIAND, Mémoires d'outre-tombe, t. V, p. 142.

DÉR. Nuaison, nuage, nué, nuée, 1. nuer.
HOM. 1. Nu, 2. nu.

NUÉ, ÉE [nye] adj. — 1200 ; de *nue*.

♦ Vx ou techn. De couleurs changeantes. *Jaspe* (cit. 1) *nué*. «*Un arc-en-ciel* (cit. 4) *nué de cent sortes de soies*» (La Fontaine). *Couleurs* nuées.* — Techn. *Or nué*, formant le fond d'une broderie de soie.

HOM. Nuée, 1. nuer.

NUÉE [nye] n. f. — Fin XIIᵉ ; de *nue*.

♦ **1.** Littér. Nuage de grandes dimensions (étendu ou épais). ⇒ **Nuage, nue** (→ Déployer, cit. 9 ; 1. foudre, cit. 4 ; horizon, cit. 21 ; livide, cit. 6). — REM. Ce qui distingue la *nuée*, selon Lafaye, «c'est son contenu, c'est qu'elle est grosse de pluie» ; en fait, le mot est plus littéraire que *nuage* et ne s'emploie guère qu'au pluriel. *La lune courait* (cit. 31) *dans les nuées. Les nuées s'enflammaient* (cit. 14) *dans le ciel. Nuée sombre. Nuée d'or et d'azur* (cit. 2). *Nuée menaçante. Nuées d'orage. Porter une menace comme la nuée porte l'orage.*

1 La voyez-vous passer, la nuée au flanc noir ?
Tantôt pâle, tantôt rouge et splendide à voir,
Morne comme un été stérile ?

HUGO, les Orientales, I, I.

2 Le poète est semblable au prince des nuées *(l'albatros)*
Qui hante la tempête et se rit de l'archer (...)

BAUDELAIRE, les Fleurs du mal, «Spleen et idéal», II.

3 La verte montagne nous écrase de toute sa hauteur, et des nuées basses, lourdes, obscures, se tiennent au-dessus de nos têtes comme un couvercle oppressant qui achèverait de nous enfermer dans ce recoin inconnu où nous sommes (...)

LOTI, Mᵐᵉ Chrysanthème, III.

Myth. *Zeus, Jupiter, rassembleur de nuées* (→ Ganache, cit. 5). — Bible. «*Le fils de l'Homme venant sur les nuées du ciel*» (*Évangile selon saint Matthieu*, 24, 30, etc.).

4 Bientôt sur la nuée, un juge doit descendre. HUGO, Odes et ballades, III, I.

Littér. *Les Nuées*, comédie d'Aristophane, où Socrate siège au milieu des nuées, personnifiées par des femmes voilées (allusion satirique aux hautes et nébuleuses spéculations prêtées à Socrate par ses ennemis).

♦ **2.** Nuage formé d'une vapeur (brouillard, fumée).

5 (...) le soleil levant avait lentement dissipé ces vapeurs blanches et légères qui (...) voltigent sur les prairies (...) une invisible main semblait enlever à ce paysage le dernier des voiles dont elle l'aurait enveloppé, nuées fines, semblables à ce linceul de gaze diaphane qui couvre les bijoux précieux (...)

BALZAC, les Chouans, Pl., t. VII, p. 772.

6 (...) cette peur me retenait à l'autre extrémité du fumoir, caché dans la fumée des cigarettes et des cigares comme dans une olympienne nuée.

GIDE, Si le grain ne meurt, I, X, p. 262.

Par anal. *Vastes et chatoyantes nuées d'étoffe* (→ Harmonie, cit. 48).

Spécialt. *Nuées ardentes :* amas de gaz, de vapeur d'eau, de cendres, expulsé lors d'une éruption volcanique. — REM. Le syntagme est utilisé dans les traductions françaises de la Bible (Exode).

♦ **3.** Multitude* (de choses, d'animaux, de personnes) formant un groupe compact (comparé à un nuage). *Nuée de moucherons* (→ Marmot, cit. 4), *de sauterelles, de criquets* (1. Criquet, cit. 1). *Nuée d'oiseaux qui obscurcit le ciel. Nuées de poissons* (→ Fourmiller, cit. 4). *Nuée de flèches. Des nuées de piétons affluaient* (cit. 4).

7 (...) une nuée d'oiseaux qui tourbillonnent et voltigent sans but (...)

Th. GAUTIER, Mˡˡᵉ de Maupin, VI.

8 (...) regardant les sous-bois obscurcis, les nuées dansantes de moucherons que fendait l'auto. MARTIN DU GARD, les Thibault, t. VI, p. 16.

Par ext. Très grand nombre (de choses, de personnes). ⇒ **Quantité** (→ Espionnage, cit. 3 ; évanouir, cit. 3).

9 Pour ôter les jugements arbitraires, ils se sont soumis à mille jugements iniques et même extravagants : des nuées de gens de loi les dévorent, d'éternels procès les consument (...) ROUSSEAU, le Gouvernement de Pologne, X.

10 J'ai critiqué Jaurès en un temps où des nuées innumérables de flagorneurs l'environnaient. Ch. PÉGUY, la République..., p. 40.

♦ **4.** (1559). Fig. (du sens 1), vx. Menace* (cit. 1), comparée à une nuée prête à crever.

(1893). Abstraction vague, incompréhensible ; idée chimérique.

Assembleur (cit. 2) *de nuées. Se perdre dans les nuées.* ⇒ **Nuage, nue** (*supra* cit. 10).

HOM. Nué, 1. nuer.

NUEMENT [nymɑ̃] adv. ⇒ **Nûment**.

NUE-PROPRIÉTÉ [nypʀɔpʀijete] n. f. ⇒ **Nu** (I., 5.).

1. NUER [nye] v. tr. — 1356 ; d'abord p. p. adj. → Nué ; de *nue*, d'après les teintes changeantes, les reflets des nuages.

♦ **1.** Vx. Assortir* des couleurs, des tons. ⇒ **Bigarrer, nuancer.**

♦ **2.** (1765). Techn. Assortir, «nuancer, en langage de brodeur» (Réau). *Nuer des laines et des soies.*

DÉR. Nuance.
HOM. Nué, nuée.

2. NUER [nyɛʀ] n. m. — XXᵉ ; mot de cette langue (dite par les locuteurs *thog naath*).

♦ Didact. Langue africaine, ensemble de dialectes nilotiques parlés en Égypte (Haut-Nil) et en Éthiopie (env. 260 000 locuteurs).

NUIRE [nyiʀ] v. tr. ind. — Conjug. *conduire*, sauf au p. p. *nui*, pas de p. p. fém. ; passé simple et impér. du subj. inus. — XIIᵉ ; du lat. pop. **nocere* (*e* bref), lat. class. *nocere* (*e* long).

NUIRE À.

♦ **1.** Causer, faire du tort*, du dommage*, du mal* (à qqn). ⇒ **Léser, préjudicier** (qqn) ; **atteinte** (porter). *La liberté* (cit. 23) *consiste à pouvoir faire tout ce qui ne nuit pas à autrui. Nuire à qqn auprès de ses amis* (⇒ 2. **Desservir**), *dans l'esprit des autres* (⇒ **Détruire, ruiner**)... *Nuire à qqn en lui suscitant des ennuis, en lui jouant un vilain tour*... Un honnête* (cit. 6) *homme qui ne nuit à personne. Nuire, chercher à nuire à qqn en disant du mal de lui.* ⇒ **Déconsidérer, discréditer, médire, parler** (contre). *Il lui a nui sans le vouloir, en croyant l'aider* (→ Rendre un mauvais service*). *Chercher à nuire à qqn par un maléfice* en lui jetant un sort*. Ceux qui cherchent à lui nuire.* ⇒ **Ennemi, inimitié.** — Par ext. *Nuire à la réputation de qqn* (⇒ **Endommager, ruiner**), *pour se faire valoir* à ses dépens, pour faire un bon mot* (→ Infamant, cit. 4). *Nuire à sa santé.* ⇒ **Ruiner.**

Ce qui nous nuit, on le fuit ; mais ce qui nous veut nuire, on le hait.
ROUSSEAU, Émile, IV.

En occupant les gens de leur propre intérêt, on les empêche de nuire à l'intérêt d'autrui. BEAUMARCHAIS, le Barbier de Séville, I, 4.

Je n'exige pas que tu nuises à ta santé ; si tu es fatigué, il faut que tu te reposes ; mais j'espère que tu ne continueras pas à nous contrister.
DIDEROT, Suppl. au voyage de Bougainville, III.

C'est celle *(la loi)* qui nous ordonne de fuir quiconque nous a nui une première fois, avec ou sans intention, volontairement ou involontairement. La créature de qui nous avons reçu dommage ou déplaisir nous sera toujours funeste.
BALZAC, Un début dans la vie, Pl., t. I, p. 727.

Nuire à son pays, à sa patrie.

L'homme qui agit incontestablement avec plus d'efficacité contre la Révolution, qui nuisit le plus à la France, qui rassura le plus l'Angleterre sur la légitimité de sa haine, fut un Irlandais (d'origine), Lally-Tollendal.
MICHELET, Hist. de la Révolution franç., IV, II.

♦ **2.** (Sujet n. de chose). Constituer un danger ; causer du tort... *Circonstances, faits qui nuisent à l'action, à l'efficacité...* ⇒ **Gêner ; obstacle** (faire). *Cela risque de nuire à nos projets.* ⇒ **Contrarier.** *Cet accord nuira à vos intérêts.* ⇒ **Blesser.** *L'esprit de Rivarol nuisait à son talent.* ⇒ **Déparer** (→ Écouter, cit. 22). *Le purisme nuit au naturel* (→ Hiatus, cit. 3). *Cette politique pourrait nuire à votre parti.* ⇒ **Défavoriser, désavantager.** *Ruse qui nuit à son inventeur* (cit. 11), *qui se retourne contre lui. Les habitudes qui leur servaient leur nuisent maintenant* → État, cit. 30). — Impers. *Il vous nuira de...*

(...) le peuple a trop de croyance en vous ; cela ne lui nuira pas, et peut vous servir (...) PASCAL, Pensées, XIV, 879.

Tout m'afflige et me nuit, et conspire à me nuire. RACINE, Phèdre, I, 3.

(...) craignant que cette conversation (...) ne nuisît peut-être à l'état de notre malheureuse amie, je m'y refusai d'abord (...)
LACLOS, les Liaisons dangereuses, CXLIX.

Absolt. *Désir, intention, volonté de nuire.* ⇒ **Malice, malignité, malveillance, méchanceté** (→ Faute, cit. 26 ; haine, cit. 33). *Un être malfaisant** (cit. 1), *malintentionné*, qui ne cherche qu'à nuire. Injurier* (cit. 2) *n'est pas nuire. Mentir* (cit. 2) *pour nuire.* ⇒ **Calomnier.**

(...) le soin que chaque animal a de sa conservation et de fuir ce qui nuit (...)
MONTAIGNE, Essais, II, VIII.

Faire le mal pour le mal, tel était le programme. Le Mohock Club avait ce but grandiose, nuire. Pour remplir cette fonction, tous les moyens étaient bons. En

devenant mohock, on prêtait serment d'être nuisible. Nuire à tout prix, n'importe quand, à n'importe qui, et n'importe comment, était le devoir.
                                   HUGO, l'Homme qui rit, II, I, IV.

Prov. *Trop gratter cuit ; trop parler nuit.*

(1587). *Ne pas nuire :* aider, servir, être utile à... *Cela ne nuira pas dans notre affaire* (Académie). — Impers. *Il ne nuit pas de connaître plusieurs langues.* — Absolt. (Prov.) *Abondance* de biens ne nuit pas.*

11 Sa sensibilité orgueilleuse, douloureuse n'a nui en rien à une raison active qui fait de lui *(Vigny)* le Père la Pensée de la poésie romantique.
                                   A. THIBAUDET, Hist. de la littérature franç., p. 144.

▶ **SE NUIRE** v. pron.

(Réfl.). Se faire du mal, se causer du tort à soi-même. *En voulant se disculper, s'expliquer il ne fait que se nuire.* ⇒ **Enferrer** (s').

12 (...) je sentais bien que je ne pouvais le différer *(mon départ)* trop longtemps sans me nuire.   LACLOS, les Liaisons dangereuses, XLIV.

(Récipr.). *Se nuire réciproquement.* ⇒ **Entre-nuire** (s').

13 Faut-il donc toujours sacrifier un talent à l'autre ? Le propre de tout ce qui est vraiment beau est de subsister en soi sans se détruire réciproquement et sans se nuire.   SAINTE-BEUVE, Chateaubriand..., t. I, p. 179.

CONTR. Aider, assister, avantager, combler, servir.
DÉR. Nuisance, nuisant, nuisible.
COMP. Entre-nuire (s').
HOM. V. Nuit.

NUISANCE [nɥizɑ̃s] n. f. — V. 1120 ; de *nuire.*

★ **I.** Vx ou dial. Caractère de ce qui est nuisible. *La nuisance de qqch., de qqn.* — Par métonymie. *(Une, des nuisances).* Chose nuisible.

Proposer cette définition du *péché :* tout ce qui comporte nuisance. C'est déplacer la question, non la résoudre. Souvent un bien supérieur n'est obtenu qu'au prix d'une nuisance particulière.   GIDE, Journal, 18 avril 1918.

Ce qui fait du mal à qqn. — Loc. (vx). *Porter nuisance.*

2 (...) la chose peut s'arranger sans vous porter nuisance (...)
                                   G. SAND, François le Champi, XV.

★ **II.** (1863, Reybaud cité par Littré ; répandu v. 1960 ; angl. *nuisance* (XVIIe) lui-même empr. au franç. *nuisance* → I.). Plus cour. au plur. Ensemble de facteurs d'origine technique (bruits, dégradations*, pollutions*, etc.) ou sociale (encombrements, promiscuité) qui rendent la vie malsaine ou pénible.

3 Quand il a fallu créer une législation sur les établissements insalubres, définir les nuisances (...)   REYBAUD, Revue des Deux-Mondes, janv. 1863, *in* LITTRÉ.

4 Beaucoup de nuisances (c'est un mot de la vieille langue émigré chez les Anglais, je reprends volontiers ces transfuges) beaucoup de nuisances (...) doivent être écartées.
                LITTRÉ, De la méthode en sociologie, *in* J. REY-DEBOVE et G. GAGNON.

5 Tourné surtout vers la France, il dénonce les nuisances et plus encore les négligences des pouvoirs publics à leur endroit (...) Le plus grand danger actuel pour notre société n'est pas la bombe atomique mais l'automobile. Par des erreurs monstrueuses, dans sa conception comme dans son emploi, elle est devenue le Moloch des temps modernes, immole chaque année plus d'hommes qu'Hiroschima, détruit les espaces verts et les sites... et empoisonne toute l'atmosphère.
                                   A. SAUVY, Croissance zéro ? p. 172.

Nuisances acoustiques.

(À propos de choses abstraites). ⇒ **Gêne.** *Les nuisances psychopathogènes, par exemple la carence affective, la carence d'autorité.*

CONTR. Avantage, utilité.

NUISANT, ANTE [nɥizɑ̃, ɑ̃t] adj. — V. 1970, P. Gilbert ; p. prés. de *nuire,* d'après *nuisance,* II.

♦ Qui cause une nuisance, des nuisances. *« Effets toxiques (... et) effets "nuisants", qui sont surtout sources d'inconfort »* (*Science et vie,* nº 106, p. 83).

NUISETTE [nɥizɛt] n. f. — 1964, *Elle,* in D.D.L. ; de *nuit,* et *(chemi)sette.*

♦ Chemise de nuit très courte et légère. (On trouve aussi le mot angl. *baby doll*).
C'était Roseline en nuisette extra-courte avec plein de volants aux épaules, genre star.   Edmonde CHARLES-ROUX, Elle, Adrienne, p. 180.

NUISIBLE [nɥizibl] adj. — V. 1370 ; var. anc. franç. *nuisable,* v. 1120 ; de *nuire.*

♦ **NUISIBLE À...** : qui nuit* (à qqn, qqch.). ⇒ **Contraire, dangereux, défavorable, dommageable, ennemi, funeste, hostile, malfaisant, néfaste, nocif...; nocuité, nuisance...** *Le célibat* (cit. 4) *est nuisible à l'espèce humaine. Les lois* (cit. 10) *sont nuisibles à ceux qui n'ont rien. Climat, temps nuisible à la santé.* ⇒ **Insalubre, malsain.** *Cela vous est nuisible, cela est nuisible à votre santé,* ne vous vaut* rien.

La loi n'a le droit de défendre que les actions nuisibles à la société.
                                   Déclaration des Droits de l'Homme, art. 5.

2 Entre deux mesures, dont l'une est certainement utile à l'ensemble, et pénible

---

à tel individu, l'autre agréable à cet individu et nuisible à l'ensemble, la justice et la charité veulent que la première prédomine.   Paul BOURGET, Un divorce, I.

Absolt. ⇒ **Mauvais** (cit. 1). *Esprit nuisible.* ⇒ **Corrosif, corrupteur.** → Aventurier, cit. 12. *Influence* (cit. 7) *nuisible. Engins* (cit. 2) *nuisibles. Émanations, gaz nuisibles.* ⇒ **Délétère.**

3 (...) M. Brulof, ou ceux qui ont exécuté ses esquisses, se sont tenus dans une gamme claire et mate, évitant les vigueurs et les noirs, toujours nuisibles dans les peintures murales, en ce qu'ils trouent l'architecture et donnent aux objets un relief trop saillant des lignes de l'édifice.   Th. GAUTIER, Voyage en Russie, XV.

4 *(La force)* est nuisible ou bienfaisante, selon qu'elle aboutit à sa propre faiblesse ou à son propre accroissement.   TAINE, Philosophie de l'art, t. II, p. 313.

Animaux nuisibles, qu'on peut classer (selon Raillet) en parasites, vulnérants, porte-virus, venimeux, vénéneux et destructeurs (d'animaux ou de végétaux utiles). → Hamster, cit. ; indomptable, cit. 1. *Les animaux nuisibles qui infestent* la région.* — N. (souvent n. m. pl.). *Les nuisibles :* les animaux nuisibles. *« La chasse des nuisibles »* (R. Thévenin, *les Fourrures,* p. 88).

CONTR. Ami, avantageux, bienfaisant, bon, favorable, innocent, inoffensif, sain, salubre, utile.
DÉR. Nuisiblement.

NUISIBLEMENT [nɥizibləmɑ̃] adv. — 1549 ; de *nuisible.*

♦ Rare. D'une manière nuisible.

CONTR. Utilement.

NUIT [nɥi] n. f. — V. 1050 ; *noit* 980 ; du lat. *noctem,* accusatif de *nox, noctis.*

Absence du soleil au-dessus de l'horizon ; temps que dure cette absence.

★ **I.** ♦ **1.** Obscurité naturelle en un point de la surface terrestre, en l'absence de soleil, résultant de la rotation de la Terre. ⇒ **Obscurité,** 1. **ombre, ténèbre** ; argot **borgnon, sorgue.** *Le jour et la nuit, la lumière* et la nuit.* ⇒ **Jour** (cit. 1, 2, 3, 5 et 7). *Relatif à la nuit.* ⇒ **Nocturne.** — *C'est la nuit* (⇒ Assoupir, cit. 23). Vieilli. *Il est nuit* (→ Cabane, cit. 2). Cour. *Il fait* (cit. 198) *nuit.* — *La nuit arrive, vient* (→ Dessus, cit. 3), *tombe*. Tombée* de la nuit.* ⇒ **Crépuscule** (cit. 4), **soir.** *Nuit tombante** (→ Branchage, cit. 3). *Dès que la nuit vient* (→ Aggraver, cit. 7). *À la nuit venue, à la nuit...* (→ Gîte, cit. 3). *La nuit vient brusquement* (→ Évanouissement, cit. 1). *Nuit tombée, close*,* après le crépuscule. *L'aurore* (cit. 9 et 10) *dissipe* (cit. 1) *la nuit.* — *Ses yeux s'étaient habitués* (cit. 6) *à la nuit. Voir pendant la nuit.* ⇒ **Nyctalope, nyctalopie.** *Un jour douteux, plus triste que la nuit* (→ Blafard, cit. 2). *Feux, lumières, lampions* (cit. 1) *qui changent la nuit en jour. Circuler dans la nuit avec une lampe, un fanal*... La nuit dérobe les formes* (→ Jeu, cit. 80). *À la faveur de la nuit.* ⇒ **Nuitamment.** — *Être pris, surpris, se laisser surprendre par la nuit.* ⇒ (vx) **Anuiter** (s'). → Arracher, cit. 47 ; beau, cit. 34 ; casser, cit. 2. *Se perdre dans la nuit* (→ Liserer, cit. 2). — *Nuit noire*, obscure*, sombre** (→ Fumant, cit. 2 ; glisser, cit. 8). *Nuit d'encre*. Épaisse** (cit. 11) *nuit, nuit profonde* (→ Dérober, cit. 6 ; horreur, cit. 33, Racine). *La nuit s'épaississait* (cit. 6). *Les ombres* de la nuit* (→ Faveur, cit. 18). *Nuit sans lune* (→ Émouvoir, cit. 16). *Le fond* (cit. 41) *opaque de la nuit.* Poét. *Les noirs linceuls* (cit. 4, Hugo) *des nuits.*

1 On a tort de dire que la nuit tombe ; on devrait dire la nuit monte ; car c'est de terre que vient l'obscurité. Il faisait déjà nuit au bas de la falaise ; il faisait encore jour en haut.   HUGO, l'Homme qui rit, I, I, I.

2 Combien ont disparu, dure et triste fortune !
  Dans une mer sans fond, par une nuit sans lune (...)
                                   HUGO, les Rayons et les Ombres, XLII.

3 Si Claude Lorrain est le peintre ordinaire du soleil, Van-der-Neer est celui de la lune ; la nuit lui appartient, il y règne en maître, elle n'a pas d'ombre ni de mystère qu'il ne sache pénétrer. N'est-ce pas une chose singulière que la nuit, dans laquelle notre globe baigne pendant tant d'heures, ait été si rarement reproduite ? Elle a pourtant ses beautés, ses effets pittoresques, ses magies et ses séductions.
                Th. GAUTIER, Souvenirs de théâtre..., Collection d'Espagnac.

4 Ô nuit ! ô rafraîchissantes ténèbres ! vous êtes pour moi le signal d'une fête intérieure, vous êtes la délivrance d'une angoisse ! (...)
                                   BAUDELAIRE, le Spleen de Paris, XXII.

5 C'est la nuit qu'il est beau de croire à la lumière.
                                   Edmond ROSTAND, Chantecler, II, 3.

6 Parmi les forces naturelles, il en est une, de laquelle le pouvoir reconnu de tout temps reste en tout temps mystérieux, et tout mêlé à l'homme : c'est la nuit. Cette grande illusion noire suit la mode, et les variations sensibles de ses esclaves. La nuit de nos villes ne ressemble plus à cette clameur des chiens des ténèbres latines, ni à la chauve-souris du moyen âge, ni à cette image des douleurs qui fut la nuit de la Renaissance.   ARAGON, le Paysan de Paris, VIII.

7 La nuit me prit. Elle était là vraiment chez elle ; une nuit étouffante, qui s'était élevée du sein des arbres et sur les murs de Loselée contenaient une extraordinaire puissance. Car c'était leur nuit, la nuit du sol qu'ils entouraient, la nuit particulière aux créatures de ce lieu étrange qui créait lui-même mes ombres. Ailleurs il semblait que la terre n'eût de partage que l'obscurité. Là elle avait la nuit ; elle possédait la nuit même, ce qu'on nomme la nuit, ce qui l'est : un être.
                                   H. BOSCO, Un rameau de la nuit, p. 230.

Loc. *Bleu de nuit,* se dit d'un bleu foncé, profond. Par appos. *Bleu nuit.*

Prov. *La nuit, tous les chats sont gris.* ⇒ **Chat** (cit. 16 et *supra*).

L'astre (cit. 8), *le flambeau* de la nuit.* ⇒ **Lune** (cit. 8). *Nuits de* *lune,* éclairées par la lune, où la lune brille (→ Guider, cit. 5). *Les feux, les flambeaux de la nuit.* ⇒ **Étoile.** *La nuit allumait* (cit. 2) *ses premières étoiles. Nuit criblée* (cit. 10) *d'étoiles, qui étincelle* (cit. 3). *«Une étoile* (cit. 8) *jaillit du bleu noir de la nuit...». «Comme tu me plaisais, ô nuit! sans ces étoiles...»* (→ Noir, cit. 39, Baudelaire). *Nuit claire, laiteuse* (cit. 2), où l'obscurité résultant de l'absence de soleil est atténuée par la lune, les étoiles.

8   Le ciel est toujours clair tant que dure son cours,
     Et nous avons des nuits plus belles que vos jours.
                         RACINE, Lettres, 20, 17 janv. 1662.

9   C'était une de ces nuits dont les ombres transparentes semblent craindre de cacher le beau ciel de la Grèce : ce n'étaient point des ténèbres, c'était seulement l'absence du jour.   CHATEAUBRIAND, les Martyrs, I.

10   Cette nuit-ci était d'or parce qu'il faisait clair de lune. Mais pour un vrai braco *(braconnier)*, les nuits d'or sont nombreuses en hiver. Cela dépend du flair de l'homme, de sa souplesse à saisir, en chaque nuit, la complicité qu'elle vous offre (...)   M. GENEVOIX, Raboliot, I, IV.

La Nuit personnifiée (avec ou sans majuscule). *La nuit pensive* (→ Appel, cit. 13, Musset). *Cheveux aussi noirs que ceux de la Nuit* (→ Cascatelle, cit. 2). *«Et quand la nuit, guidant son cortège* (cit. 3) *d'étoiles...»* (Lamartine). *«La pâle nuit levait son front dans les nuées»* (→ Effacer, cit. 18, Hugo). *«L'irrésistible Nuit établi son empire»* (→ Funeste, cit. 19, Baudelaire). *«La nuit voluptueuse monte...»* (→ Effacer, cit. 10, Baudelaire). *Étoiles* (cit. 22), *filles de la Nuit* (→ aussi Étoile, cit. 11). — *La Mort, fille de la Nuit* (→ Fléchir, cit. 4). *Le Sommeil*, fils de la Nuit.* — *La Nuit,* représentée allégoriquement par les peintres, les sculpteurs. *La Nuit, de Michel-Ange.*

11   Car noire nuit, qui des amants prend cure *(soin),*
     Les couvrira de sa grand'robe obscure,
     Et si rendra, cependant, endormis
     Ceux qui d'amours sont mortels ennemis.
                         Clément MAROT, Élégies, XI.

12   Entends, ma chère, entends la douce Nuit qui marche.
                         BAUDELAIRE, Nouvelles Fleurs du mal, VII.

13   Ou bien toi, grande Nuit, fille de Michel-Ange
     Qui tords paisiblement dans une pose étrange
     Tes appas façonnés aux bouches des Titans!
                         BAUDELAIRE, les Fleurs du mal, «Spleen et idéal», XVIII.

14   La nuit vient, noir pirate aux cieux d'or débarquant.
                         RIMBAUD, Poésies, XXXVIII, I.

Par métaphore. *C'est le jour** (supra cit. 9) *et la nuit,* deux choses opposées. *Aucune comparaison possible, c'est le jour et la nuit!*

♦ **2.** Littér. Obscurité, ténèbres (→ Épais, cit. 10; lanterne, cit. 11). *La nuit profonde du corridor* (→ Fourgonner, cit. 4), *d'une cave...*

15   Nous eûmes assez longtemps un vent favorable (...) mais ensuite une noire tempête déroba le ciel à nos yeux, et nous fûmes enveloppés dans une profonde nuit.
                         FÉNELON, Télémaque, I.

Cinéma. *Nuit américaine** (infra, cit. 3).

(Abstrait). *La nuit de l'inconscient* (→ Fond, cit. 28). *La nuit du mystère...* Loc. *La nuit des temps :* une époque très reculée*, dont on ne sait rien. *Cela se perd dans la nuit des temps* (⇒ **Autrefois**). *Depuis la nuit des temps.*

16   Puisse le tout, ô charmante Philis,
     Aller si loin que notre los *(louange)* franchisse
     La nuit des temps!   LA FONTAINE, Contes, V, VII.

17   (...) tant d'usages d'une cruauté nécessaire et bizarre, dont la cause s'est perdue dans la nuit des temps, et met les philosophes à la torture.
                         DIDEROT, Suppl. au voyage de Bougainville, I.

18   (...) sentiments et (...) pensées poétiques déjà connus, mais qu'on croyait enfouis dans la nuit du passé.   BAUDELAIRE, Curiosités esthétiques, XV, I.

Condition obscure.

19   Madame, sous vos pieds, dans l'ombre, un homme est là
     Qui vous aime, perdu dans la nuit qui le voile,
     Qui souffre, ver de terre amoureux d'une étoile (...)   HUGO, Ruy Blas, II, 2.

♦ **3.** Littér. Le fait de ne pas voir, de ne pas comprendre, de ne pas sentir... (au physique ou au moral); aveuglement des sens, de l'esprit et du cœur. ⇒ **Noir.** *La nuit de la vue et du cœur* (→ Empêcher, cit. 3). *L'erreur* (cit. 13), *l'ignorance*, nuit de l'esprit.*

20   Êtres de néant et de ténèbres, notre impuissance et notre puissance sont fortement caractérisées : nous ne pouvons nous procurer à volonté ni la lumière ni la vie; mais la nature, en nous donnant des paupières et une main, a mis à votre disposition la nuit et la mort.
                         CHATEAUBRIAND, Mémoires d'outre-tombe, t. VI, p. 122.

21   Dans la nuit où nous sommes tous, le savant se cogne au mur, tandis que l'ignorant reste tranquillement au milieu de la chambre.
                         FRANCE, le Jardin d'Épicure, p. 62.

22   Tout à coup, il faisait noir en moi. Dans cette nuit, mes sentiments se bousculaient; je me cherchais, je cherchais à tâtons des dates, des précisions.
                         R. RADIGUET, le Diable au corps, p. 183.

(Chez les romantiques, et spécialt chez Hugo). *La Nuit,* symbole de la misère (cit. 14), du malheur, de la destinée humaine.

23   Chaque homme dans sa nuit s'en va vers sa lumière.
                         HUGO, les Contemplations, V, III, Écrit en 1846, II.

24   (...) la matière, c'est la nuit.
                         HUGO, Post-Scriptum de ma vie, l'âme, De la vie et de la mort.

Voyage au bout de la nuit, roman de Céline.

♦ **4.** (1607). Par métaphore, littér. *La nuit du tombeau, des tombeaux* (→ Inconstance, cit. 3, Lamartine), *du cercueil, la nuit éternelle** (cit. 25; → Ainsi, cit. 11). ⇒ **Mort, tombeau, tombe...** *«Les*

régions de la mort, du silence et de la nuit» (→ Cerbère, cit. 1, Chateaubriand). *«C'est ici le combat du jour* (cit. 13) *et de la nuit ».*

25   Où me cacher? Fuyons dans la nuit infernale.   RACINE, Phèdre, IV, 6.

26   Dans la nuit du tombeau, toi qui m'as consolé (...)
                         NERVAL, Chimères, «El desdichado.»

27   Ô Seigneur! ouvrez-moi les portes de la nuit,
     Afin que je m'en aille et que je disparaisse!   HUGO, les Contemplations, IV, XIII.

28   La nuit est la muraille immense de la tombe.
                         HUGO, les Contemplations, VI, XVIII.

★ **II.** Durée pendant laquelle le soleil n'est pas visible; partie du jour, de la journée de 24 heures.

♦ **1.** Espace de temps qui s'écoule depuis le coucher jusqu'au lever du soleil (opposé à *jour). Jour et nuit, nuit et jour... :* continuellement*, sans répit. ⇒ **Jour** (cit. 30, 31 et *supra). Il ne dort ni jour ni nuit :* jamais. *Début* (⇒ **Soir; crépuscule**), *fin* (⇒ **Matin**), *milieu* (⇒ **Minuit**), *de la nuit. La nuit est avancée* (cit. 79). *Bien avant* (cit. 45) *dans la nuit. Jusqu'à une heure avancée de la nuit* (→ Impunément, cit. 8). *En pleine nuit, au milieu de la nuit... Toute la nuit, toute une nuit :* pendant la durée entière de la nuit (→ Accroupir, cit. 5). *Pendant une, deux... nuits* (→ Argent, cit. 4). *Avant* la nuit. — *Jardin* (→ Flâne, cit. 1), *établissement ouvert la nuit* (→ ci-dessous *de nuit*). — *Ouvert la nuit, Fermé la nuit,* titres de deux ouvrages de Paul Morand. — (En parlant de la durée de la nuit). *Nuit longue, courte; jour égal à la nuit* (⇒ **Équinoxe,** cit.). *La longue nuit polaire d'hiver* (→ Éternel, cit. 35). *La nuit de la Saint-Jean est la plus courte de l'année. Les brèves nuits nordiques d'été.* — Franç. d'Afrique. *Deux, trois... heures de la nuit, du matin.* — *De nuit :* du soir. *Dix heures de nuit.* — En appos. ⇒ **Soir** «*L'athlétisme débutera (...) mardi nuit à partir de 20 h 30»* (*le Soleil,* Dakar, in I.F.A.N.).

29   Ah! longues nuits d'hiver, de ma vie bourrelles,
     Donnez-moi patience, et me laissez dormir!
                         RONSARD, Pièces posthumes, Derniers vers, Sonnets, IV.

30   (...) je vous dirai tout cela demain, si je ne meurs pas pendant la nuit.
                         DIDEROT, Jacques le fataliste, Pl., p. 561.

31   La nuit arrive alors, une nuit de seize heures (...)
                         Ph. P. SÉGUR, Hist. de Napoléon, IX, 11, in LITTRÉ.

32   Je la pris dans mes bras. Elle y demeura tout le reste de la nuit, c'est-à-dire dix minutes à peine, car le soleil, après une rapide ablution, s'empressait déjà.
                         Paul MORAND, Ouvert la nuit, Nuit nordique.

Loc. *Il ne passera pas la nuit,* se dit d'un malade dont l'état est désespéré, qui ne vivra pas jusqu'au matin (→ Assener, cit. 2).

Prov. *La nuit porte avis* (vx), *porte conseil** (cit. 13 et 14).

♦ **2.** (En parlant du caractère de la nuit, d'après le temps qu'il fait, etc.). *Une nuit calme, sereine... Nuit magnifique* (→ Magique, cit. 7), *pure* (→ Alternance, cit. 1), *tranquille* (→ Heure, cit. 47). *La beauté des nuits de printemps* (→ Fraîcheur, cit. 2). *Nuits d'hiver* (→ 1. Fumer, cit. 2). — *L'immobilité* (cit. 6), *la paix* (→ Interroger, cit. 14), *le calme, la sérénité*, le silence** de la nuit... Les bruits* (cit. 8) *de la nuit* (→ Graduer, cit. 1). *Pluie, rosée qui tombe pendant la nuit* (⇒ **Serein**). *Prendre le frais* (1. Frais, cit. 5) *de la nuit.* — *Les puissances, les mystères... de la nuit* (→ Effleurer, cit. 3, Musset). *«Les amants de la nuit»* (→ Engeance, cit. 3, Musset).

33   Rivière jugeait les étoiles trop luisantes, l'air trop humide. Quelle nuit étrange! Elle se gâtait brusquement par plaques, comme la chair d'un fruit lumineux. Les étoiles au grand complet dominaient encore Buenos Aires, mais ce n'était là qu'une oasis, et d'un instant. Un port, d'ailleurs hors du rayon d'action de l'équipage. Nuit menaçante qu'un vent mauvais touchait et pourrissait. Nuit difficile à vaincre.   SAINT-EXUPÉRY, Vol de nuit, XIII.

♦ **3.** (En parlant de l'emploi qu'on fait de la nuit, selon qu'elle est ou non consacrée au sommeil*, etc.). *Se réveiller la nuit* (→ Haletant, cit. 4), *pendant la nuit* (→ Illuminer, cit. 17). *Nuit sans sommeil ou nuit blanche*. ⇒ **Veille, veillée** (→ Jamais, cit. 9; matin, cit. 7). *Il a passé une nuit blanche,* sans dormir. *Il en rêve* la nuit* (→ Haïr, cit. 11). — *La nuit :* pendant la nuit ou au cours de la nuit. Loc. *Il s'en lève, il s'en relève la nuit.* — *Marcher, se promener, sortir la nuit.* ⇒ **Noctambule.** *Voyager, rouler la nuit. Partir la nuit* (→ Face, cit. 49). — *Dans la nuit. Manger, faire un repas dans la nuit.* ⇒ **Médianoche, réveillon.** — *Passer* la nuit, les nuits à lire* (→ Enfant, cit. 14), *à dormir. «Passer les jours entiers et les nuits à cheval»* (→ Endurcir, cit. 11, Corneille). *Passer la nuit comme garde-malade* (cit. 1), *auprès d'un malade.* ⇒ **Veiller.** *Passer la nuit chez soi, dans son lit, à la belle étoile* (cit. 14), *sous les ponts...* — *Trouver un gîte pour la nuit. Loger* qqn pour la nuit. Nuit d'hôtel,* passée à l'hôtel. ⇒ **Nuitée.** *Nuits en chemin de fer* (→ Courbature, cit. 2).

34   Dieu nous préserve
     Des nuits que n'habite ni le sommeil ni l'amour.   GIDE, Bethsabé, 3.

35   C'est la nuit, qui abolit tout, fatigues et passions. Les opprimés dorment, les révoltés aussi; le monde est enseveli, l'histoire reprend haleine.
                         SARTRE, Situations II, p. 180.

La nuit de qqn, sa nuit : la nuit, une nuit passée par une personne (par rapport à ses activités). *Dormir sa nuit* (→ Aider, cit. 14). *Pensée qui hante* (cit. 14) *les nuits de qqn. Passer sa nuit à travailler.* — *Quelle nuit j'ai passée!*

Nuit fatigante (→ Fatiguer, cit. 2), *pénible. Mauvaise nuit.* « *Ô nuit désastreuse...* » (→ Coup, cit. 85, Bossuet). *Bonne nuit,* où l'on dort bien, où l'on se repose. *Je vous souhaite une bonne nuit.* Ellipt. *Bonne nuit.* ⇒ **Bonsoir.**

36   À neuf heures, les uns après les autres, les officiers du bord rentrent dans leurs chambres; ils se retirent tous en me souhaitant bonne chance et bonne nuit (...)
                             LOTI, Aziyadé, I, XIX.

Spécialt. *Passer la nuit avec une femme.* ⇒ **Coucher.** *Nuit d'amour* (→ Mariage, cit. 29), *de plaisir...* (→ Emportement, cit. 2, Molière). — *Nuit de débauche, d'orgie...*

37   Apprendrai-je de vous ce qu'il faut que je devienne aujourd'hui, et si c'est sans retour que vous allez signer ma mort, en passant la nuit avec mon rival?
               Abbé PRÉVOST, Manon Lescaut, II, p. 161.

38   Hé bien, Marquise, comment vous trouvez-vous des plaisirs de la nuit dernière? n'en êtes-vous pas un peu fatiguée?   LACLOS, les Liaisons dangereuses, CLVIII.

39   C'est moi *(Satan)* qui fais parler l'épouse dans ses songes;
La jeune fille heureuse apprend d'heureux mensonges;
Je leur donne des nuits qui consolent des jours,
Je suis le Roi secret des secrètes amours. A. DE VIGNY, Livre mystique, «Éloa», II.

40   Leur nuit de noce fut toute bête et triste, bien qu'ils ne fussent pas fâchés d'être enfin ensemble.   ZOLA, la Terre, IV, VI.

41   Je passais toutes mes nuits chez Marthe. J'y arrivais à dix heures et demie, j'en repartais le matin à cinq ou six.   R. RADIGUET, le Diable au corps, p. 92.

42   Ô mon enfant le temps n'est pas à notre taille
Que mille et une nuits sont peu pour des amants. ARAGON, les Yeux d'Elsa, p. 64.

Hist. *La Nuit du 4 août* (1789), où fut votée l'abolition des privilèges (→ Magistrat, cit. 9; merveilleux, cit. 2).

Allus. littér. *Les Nuits,* poèmes de Musset *(la Nuit de Mai, de Décembre, d'Août, d'Octobre).* — *Les Mille et une Nuits,* contes orientaux adaptés en français par Galland (1704) et dont l'argument est constitué par les récits que la princesse Schéhérazade fait au sultan Shâhriyâr pour échapper à la mort qui attend chaque épouse du sultan après la nuit unique passée auprès de lui.

43   Si je travaillais, ce ne serait que la nuit. Mais il me faudrait beaucoup de nuits, peut-être cent, peut-être mille. Et je vivrais dans l'anxiété de ne pas savoir si le maître de ma destinée, moins indulgent que le sultan Sheriar, le matin quand j'interromprais mon récit, voudrait bien surseoir à mon arrêt de mort (...) Non pas que je prétendisse refaire (...) les *Mille et une Nuits* (...) Ce serait un livre aussi long que les *Mille et une Nuits* peut-être, mais tout autre.
       PROUST, À la recherche du temps perdu, t. XV, p. 224.

♦ **4.** DE NUIT : qui a lieu, qui se passe la nuit. ⇒ **Nocturne, nocturnement.** *Travail, garde* (1. Garde, cit. 18), *surveillance de nuit. Service de nuit. La Ronde de nuit,* célèbre tableau de Rembrandt (→ Lumière, cit. 19). *Vol de nuit,* roman de Saint-Exupéry. *Fête de nuit* (→ Fond, cit. 19). — *Office* de nuit.* ⇒ **Nocturnal.** — Par ext. Qui travaille, exerce ses fonctions pendant la nuit. *Veilleur de nuit. Gardien, garde de nuit* (→ Inlassable, cit. 3). — Fam. *Être de nuit.*

44   Ils arrivaient devant l'Hôtel de France. — Y a-t-il une sonnette? Oui, je la distingue dans l'ombre. Ils sonnèrent longuement. Le garçon de nuit vint ouvrir. Il paraissait inquiet.   J. ROMAINS, les Copains, V.

45   Le gardien de nuit balance la lanterne.
          J. ROMAINS, les Hommes de bonne volonté, t. II, XIX, p. 211.

Qui sert pendant la nuit. *Table* de nuit. Vase* de nuit. Bonnet* (cit. 1) de nuit. Chemise* (cit. 4) de nuit...*
Qui est ouvert la nuit; qui fonctionne la nuit. *Cabaret* (cit. 2), *boîte de nuit. Asile* de nuit. Service de nuit. Sonnette de nuit* (d'une pharmacie).
Qui vit, reste éveillé la nuit. *Oiseaux de nuit.* ⇒ **Nocturne.** *Mammifères de nuit.* ⇒ **Noctule** (chauve-souris). *Papillons de nuit.* — Qui s'ouvre la nuit (en parlant des fleurs). ⇒ **Noctiflore; belle** (belle-de-nuit).

CONTR. Jour. — Lumière.
DÉR. Nuisette, nuitard, nuitée, nuiter, nuiteux.
COMP. Anuiter (s'), avant-nuit.
HOM. Formes du v. nuire.

NUITAMMENT [nɥitamã] adv. — 1328; altér. de l'anc. franç. *nuitantre,* du bas lat. *noctanter,* lat. class. *nocte, noctu.*

♦ Littér. ou dr. Pendant la nuit, à la faveur de la nuit. *S'enfuir nuitamment.* Spécialt. En parlant d'un délit commis à la faveur de la nuit. *Vol commis nuitamment, avec effraction.*

1   Un mariage célébré nuitamment apporte toujours à l'âme de sinistres présages, la lumière est un symbole de vie et de plaisir dont les prophéties lui manquent.
          BALZAC, le Contrat de mariage, Pl., t. III, p. 171.

2   Ils avaient pris les armes, incendiaient nuitamment les meules et les granges, assassinaient en plein jour les bergers isolés et razziaient le bétail.
          B. CENDRARS, l'Or, VI, 22.

3   Ngui mena rondement l'affaire dès que la nuit totale se fut établie sur le perchoir fortifié. Nulle nécessité tactique n'imposait le choix de la nuit pour l'assaut mais Ngui avait une sorte de point d'honneur esthétique, c'était sa touche personnelle... Il préférait les ténèbres pour mettre à feu et à sang. Le hurlement, la flamme, le supplice étaient rendus nuitamment plus prenants, mystiques. Les expressions de la détresse se rehaussaient dans ce massacre ténébreux d'une beauté de damnation.   P. GRAINVILLE, les Flamboyants, p. 194.

NUITARD [nɥitaʀ] n. m. — V. 1970; de *nuit.*

♦ Fam. Personne qui travaille de nuit, fait un service de nuit (notamment, chez les postiers). ⇒ **Nuiteux.**

NUITÉE [nɥite] n. f. — 1250, *nuitie;* de *nuit.*

♦ **1.** Vx ou régional. L'espace, la durée d'une nuit*. Dial. *À nuitée :* toute la nuit (→ Déplaire, cit. 15).

♦ **2.** (V. 1960). Écon. Nuit passée dans un lieu d'hébergement payant (hôtel, camping, motel, etc.). *Le nombre de nuitées de la saison hôtelière.*

♦ **3.** Régional (Suisse). Service de nuit.
C'étaient des hommes qui assurent un service, soit qu'ils eussent fini leur nuitée et prissent vite un café-crème (...)
       Charles-François LANDRY, Petit Bar Mistral, p. 212.

HOM. Nuiter.

NUITER [nɥite] v. intr. — 1614, *nuieter; nuiter la nuit,* XIIIᵉ; de *nuit.*

♦ Littér. Passer la nuit, se coucher pour la nuit.
Le train ralentit, Lefombère se rassied, croise ses longues jambes et passe son poignet dans la brassière de drap, avec la même nonchalance que s'il s'apprêtait à nuiter sur place.   J.-R. BLOCH, Et compagnie, p. 261.

HOM. Nuitée.

NUITEUX, EUSE [nɥitø, øz] adj. et n. m. — XVIᵉ, Du Bellay; «silencieux», 1611; de *nuit.*

♦ **1.** Vx ou dial. De la nuit. ⇒ **Nocturne.**
Il sentait le poids de la forêt d'autour, l'inertie hostile de cette vaste pénombre recélant dans ses assises un grouillement nuiteux et sournois.
       M. AYMÉ, la Vouivre, p. 9.

♦ **2.** (1935). N. m. Personne qui effectue un service de nuit. ⇒ **Nuitard.** *Ce chauffeur de taxi est un nuiteux.*

NUL, NULLE [nyl] adj. et pron. — 842, *les Serments de Strasbourg;* du lat. *nullus.*

★ **I.** ♦ **1.** Littér. (Adj. indéfini accompagné d'une négation, et placé devant le nom). Pas un. ⇒ **Aucun.**
(Employé avec *ne*). *Nul homme n'en sera exempté.* ⇒ **Personne** (→ Arrêter, cit. 48). *Nulle chose ne manque.* ⇒ **Rien.** *Nulle race n'a été si bien dotée par la nature* (→ Aiguiser, cit. 12). *Je n'en ai nul besoin* (→ Attachement, cit. 16). ⇒ **2. Pas.** *Il n'avait nulle envie de briller* (cit. 21). *Nous n'avions pris nulles précautions. Nulle idée n'en approche* (→ Atome, cit. 9). — (Sans négation exprimée). « *Que m'avaient-ils fait?* » (cit. 87). *Nulle offense* ». *Des choses de nulle importance, de nulle valeur.* — Ellipt (sans verbe exprimé). *Nulle paix pour l'impie* (→ 1. Calme, cit. 12). *Nul bruit, si ce n'est le froissement* (cit. 3) *des feuilles.* — Cour. *Nul doute : l'erreur est la règle* (→ Accident, cit. 5). *Nul doute que...* (→ Militaire, cit. 6).

1   Il n'y a nuls vices extérieurs et nuls défauts du corps qui ne soient aperçus par les enfants (..)   LA BRUYÈRE, les Caractères, XI, 54.

2   Nul astre d'ailleurs, nuls vestiges
De soleil, même au bas du ciel,
Pour illuminer ces prodiges (...)
       BAUDELAIRE, les Fleurs du mal, «Tableaux parisiens», CII.

3   Ils croiront que ces monstres obéissent à des forces que nuls esprits ne peuvent définir.   FRANCE, la Révolte des anges, p. 125.

4   Fiévreuses années! Nul répit, nulle relâche.
       R. ROLLAND, Jean-Christophe, Le matin, II, p. 143.

(Nul, suivi de *autre). Nul autre peuple n'aurait plus besoin d'apports* (cit. 5) *étrangers. Nul autre* (cit. 69) *que moi n'a le droit de... Ce travail ne peut se comparer avec nul autre.* — (Avec une négation sous-entendue). *Homme comparable à nul autre* (→ Art, cit. 22). « *La mort a des rigueurs à nulle autre pareilles* » (Malherbe; → 1. Garde, cit. 71). *Folie à nulle autre seconde* (→ Corriger, cit. 17).

(Employé avec *sans*). *Agir sans nulle crainte* (→ Affaire, cit. 2), *sans nulle aigreur* (cit. 6). *Un homme sans nulle attache* (cit. 19). *Sans nulle exception* (cit. 1). *Sans nul doute.* ⇒ **Moindre** (sans le moindre).

5   *Pour le petit Marquis...*
C'est moi-même, Messieurs, sans nulle vanité. MOLIÈRE, le Misanthrope, V, 4.

6   Celui (...) qui loue la vertu pour la vertu (...) agit simplement, naturellement, sans aucun tour, sans nulle singularité (...) LA BRUYÈRE, les Caractères, IX, 46.

7   Si ce visage était celui d'un homme, il exprimerait sans nul doute un mélange d'amertume, de colère et d'ironie (...) G. DUHAMEL, les Plaisirs et les Jeux, p. 10.

Cour. NULLE PART. ⇒ **Part** (cit. 18 à 20.1).

♦ **2.** Cour. ou admin. (Pron. indéf., employé comme sujet). Pas une personne. ⇒ **Aucun, personne.** — REM. *Nul,* pronom, ne s'emploie plus au pluriel; on peut encore l'employer au féminin lorsqu'il est proche du nom qu'il représente. *Nul n'est censé* (cit. 3) *ignorer la loi. Nul ne doit être inquiété* (cit. 4) *pour ses opinions. À l'impossible nul n'est tenu.* « *Nul n'aura de l'esprit hors nous et nos amis* » (cit. 28,

Molière). Prov. *Nul n'est prophète en son pays* (→ Ailleurs, cit. 1)... « *Et nul ne se connaît tant qu'il n'a pas souffert* » (Musset, → Apprenti, cit. 9). *Nul ne viendra verser des pleurs* (→ Arriver, cit. 26). *Un amour que nul n'oublie* (→ 1. Mère, cit. 8). *Nul hormis les saints n'a jamais gouverné* (cit. 13) *sa vie. Nul que moi* (vx) : personne, sinon moi. *Nul mieux que lui n'est capable de...* (→ Attaquer, cit. 39). *Nul depuis Hugo n'a mieux manié* (cit. 16) *l'alexandrin.* — Vx. (Sans négation exprimée). *Nous étions trois et nul de trop* (→ Assister, cit. 7). — Avec un complément partitif (vx ou littér.). *La sentence ne convenait à nul des deux* (→ Aucun, cit. 39). *Nulle de ses sœurs* (→ Approcher, cit. 47). *Nul de nous* (→ Cure, cit. 2).

8   (...) nul des Baillard ne sentit la condescendance du grand seigneur chez l'évêque (...)   M. BARRÈS, la Colline inspirée, II.

9   (...) cette nuit-là, nul de nous ne ferma l'œil. (...)   G. DUHAMEL, Chronique des Pasquier, I, XVI.

10   Nul plus que moi n'admire les *Pensées* de Pascal, les *Sermons* de Bossuet ; mais je les admire comme œuvres du XVIIᵉ siècle.   Julien BENDA, la France byzantine, p. 71.

11   Nul ne l'aimait, elle n'aimait peronne.   Charles PLISNIER, la Vertu du désordre, p. 412.

Après *sans que*, *ne* disparaît :

11.1   Vous êtes à l'âge où un homme peut s'accorder une amie sans que nul y trouve à redire.   François DE CUREL, l'Invitée, II, 10.

(Dans des adages). Dr. *Nul ne plaide par procureur. Nulle peine sans loi* (Nulla poena sine lege).

★ **II.** (xvᵉ). Adj. qualificatif. (Après le nom). ♦ **1.** Cour. Qui est sans existence, se réduit à rien*. *Inclinaison* (cit. 1) *très petite ou nulle. Différence nulle.* ⇒ **Zéro** (égal à zéro). *Probabilité pratiquement nulle* (→ Cas, cit. 30). *Les risques sont nuls*, il n'y a pas* de risques. ⇒ **Inexistant.** *Résultats nuls.* ⇒ **Négatif.** *Difficultés* (cit. 12) *considérées comme nulles. Les difficultés insurmontables pour l'impatient* (cit. 7) *sont nulles pour qui a patience. Inégalité presque nulle entre les hommes* (→ Accroissement, cit. 2). *L'élevage est à peu près nul dans cette région* (→ Appoint, cit. 3). *Impression nulle* (→ 1. Lieu, cit. 10).

12   L'étude du droit, abaissée dans les écoles, faible chez les avocats, fut nulle chez les magistrats, chez ceux qui appliquaient le droit pour la vie ou pour la mort.   MICHELET, Hist. de la Révolution franç., III, III.

13   Jean Valjean (...) marcha à la grille et crispa ses deux poings sur les barreaux ; la secousse fut frénétique, l'ébranlement nul. La grille ne bougea pas.   HUGO, les Misérables, V, III, VII.

14   Aussi l'ai-je tenté, mais... tentative nulle (...)   Edmond ROSTAND, Cyrano de Bergerac, III, 6.

15   Le gain peut devenir énorme, et le risque est pour ainsi dire nul.   J. ROMAINS, les Hommes de bonne volonté, t. II, VI, p. 60.

Qui reste sans résultat, sans décision. *Match nul*, où il n'y a ni gagnant ni perdant. *Les équipes ont fait match nul. Partie nulle.*

Dr. Qui n'a pas d'effet* légal, en parlant d'un acte frappé de nullité*. ⇒ **Caduc, invalide** (vx). *Le mariage célébré entre parents est nul* (→ Inceste, cit. 5 ; incestueux, cit. 4). *Toute disposition au profit d'un incapable sera nulle* (→ Interposer, cit. 8). *Les lettres de change à échéance* (cit. 2) *successives sont nulles.* Loc. *Nul et non avenu*. *Rendre nul.* ⇒ **Annuler, annulation ; infirmer, infirmatif.** — Par ext. Sans effet *Billet, papier nul par expiration de délai.* ⇒ **Périmé, suranné.**

16   Un acte juridique est « nul » lorsqu'il se trouve *privé d'effets par la loi*, bien qu'il ait été réellement accompli et qu'aucun obstacle naturel ne le rende inutile. La nullité suppose donc essentiellement que l'acte pourrait produire tous ses effets, si la loi le permettait.   M. PLANIOL, Traité élémentaire de droit civil, t. I, p. 133.

♦ **2.** (1828, en sports : *une course nulle*, in D.D.L.). Qui ne vaut rien, pour la qualité, en parlant d'ouvrages de l'esprit, de travaux intellectuels. ⇒ **Mauvais** (très), **minable** (fam.). *Cette étude, cette critique est nulle. C'est plus que mauvais*, c'est nul. Un devoir nul, qui mérite zéro.*

17   Un de mes camarades d'école nous avait devancés. Ce fut là que j'appris que les compositions de mathématiques de Max Jacob étaient si nulles qu'on avait renoncé à les corriger (...)   Max JACOB, le Cornet à dés, p. 153.

(Personne). Sans mérite intellectuel, sans valeur. *Ce type est nul, complètement nul.* ⇒ **Nullard, nullité.** *Il est trop nul pour faire ce travail.* ⇒ **Lamentable** (→ Impulsion, cit. 7). *Il est nul, c'est un vrai cancre.*

18   Il y a deux timidités : la timidité d'esprit, la timidité de nerfs ; une timidité physique, et une timidité morale (...) Quand les deux timidités se réunissent chez un homme, il sera nul pendant toute sa vie.   BALZAC, la Rabouilleuse, Pl., t. III, p. 971.

19   Car la majorité est souvent formée ou du moins appuyée de gens fort nuls, inertes, soucieux de leur seul repos, qui ne méritent pas d'être comptés dans l'humanité (...)   RENAN, l'Avenir de la science, Œ. compl., t. III, p. 1003.

20   Tu comprends, Gérard, répétait-elle, Paul est... incapable, il est nul, c'est un âne, un demeuré.   COCTEAU, les Enfants terribles, p. 115.

Fam. *Être nul en, dans...,* très mauvais* dans (un domaine particulier). *Élève nul en latin. Nul en tout.*

21   Nous n'avons rien dit de son mari : vous vous rappelez qu'il n'a guère que trente ans de plus qu'elle, et que c'est une sorte de financier fort instruit quand il s'agit de l'or, mais nul dans tout le reste.   É. DE SENANCOUR, Oberman, XL.

♦ **3.** N. f. (xviiᵉ). Techn. Élément chiffré (caractère, mot, phrase...)

---

qui ne correspond à rien et qui est destiné à donner des garanties de sécurité supplémentaires. *Les nulles d'un message chiffré.*

CONTR. Beaucoup, chacun, tout ; tous, tout (le monde). — Important, réel. — Valable, valide. — Bon (très bon). — Éminent, fort.

DÉR. Nullard, nullement.

COMP. Cf. Annuler.

NULLARD, ARDE [nylar, ard] adj. — 1953 ; de *nul*, et suff. péj. *-ard.*

♦ Fam. Tout à fait nul, qui n'y connaît rien. *Elle est nullarde en anglais.* — N. *C'est un vrai nullard.* ⇒ **Nullité.**

Et alors, là-bas, dans le fond, on dort ? Vous n'avez pas honte ? Petits nullards, on vous en donnera tenez des chanteurs comme ça qui ont de la voix, eux.   Christine DE RIVOYRE, les Sultans, p. 174.

NULLEMENT [nylmã] adv. — 1180 ; de *nul.* Vieux ou littéraire.

♦ **1.** (Employé avec *ne*). Pas du tout, en aucune* façon. ⇒ **Aucunement, point** (cf. Pas le moins du monde). *Ne vous pressez nullement* (→ Appeler, cit. 1). *Cela ne me gêne nullement. Ils n'étaient nullement du pays* (→ Matériel, cit. 13). *Je ne m'étais nullement trompé* (→ Figure, cit. 12). *Il n'en est nullement question. Il n'était nullement jaloux* (→ Familiarité, cit. 11). *Dans ce passage, Bossuet n'est nullement orateur* (→ Captiver, cit. 8).

1   Les gens en parleront, n'en doutez nullement.   LA FONTAINE, Fables, III, 1.

2   Il y a un envieux des richesses, qui n'est nullement l'avare, et un envieux d'amour, qui n'est nullement l'amoureux.   ALAIN, les Aventures du cœur, p. 82.

♦ **2.** Pas du tout. — (Devant un adj.). *Faveur nullement briguée* (→ Inconnu, cit. 11). *Forme nullement négligeable. Audacieux* (cit. 3), *mais nullement brave.* — (Devant un nom). *Nullement citoyens, exclus des fonctions* (cit. 7) *civiles. Il était connu, mais nullement comme musicien* (→ Faiseur, cit. 1). *Cela vous déplaît-il ? Nullement* (→ Notre, cit. 15). — (Avec *sans*). *Il attendait, sans nullement s'impatienter.*

NULLE PART [nylpar] ⇒ Part (cit. 18 et *supra*).

NULLIPARE [ny(l)lipar] adj. et n. f. — 1877 ; du lat. *nullus* « nul », et 1. *-pare.*

♦ Didact. Qui n'a jamais porté, en parlant d'une femelle de mammifère. ⇒ **Multipare, primipare.** — (Espèce humaine). *Femme nullipare.* — N. f. *Une nullipare.*

(...) l'hystéromètre permettra d'apprécier non seulement la profondeur de l'utérus (environ 7 cm chez la nullipare), mais encore sa direction (...)   Jean DALSACE, la Stérilité, p. 59.

NULLITÉ [ny(l)lite] n. f. — XIIIᵉ-XIVᵉ, Dr. ; du lat. médiéval *nullitas*, de *nullus* → Nul.

♦ **1.** Dr. « Inefficacité d'un acte juridique résultant de l'absence de l'une des conditions de fond ou de forme requises pour sa validité » (Capitant). *Distinction entre nullité et inexistence*, inopposabilité. Cause de nullité. Nullité d'un acte*, d'un legs.* ⇒ **Caducité.** *Arrêt entaché de nullité.* — Sanction qui frappe cet acte. *Acte frappé de nullité. Action, demande en nullité* (→ Exception, cit. 5 ; intenter, cit. 2). *Nullité absolue, relative*, ayant pour but de protéger l'intérêt général, un intérêt privé. *Nullité expresse*, expressément imposée par un texte de loi. *Nullité tacite ou virtuelle*, résultant de l'interprétation d'un texte. *Sous peine, à peine de nullité* (→ Adjudicataire, cit. 2 ; appel, cit. 21).

1   (...) pour venir aux moyens de nullité qui seront dans les procédures.   MOLIÈRE, Monsieur de Pourceaugnac, II, X.

1.1   (...) elle n'eût jamais consenti à lier son sort à un autre homme, du vivant de son premier mari, se trouvât-elle même délivrée de celui-ci par la loi humaine ! En vain eût-on invoqué auprès d'elle la nullité de ce premier mariage au regard des lois françaises, il n'en restait pas moins qu'un prêtre avait fait d'elle la femme d'un misérable, pour toujours !   G. LEROUX, le Parfum de la dame en noir, p. 35.

Par ext. Cause de nullité (⇒ Vice).

2   Il convenait que je fusse absent de votre mariage (...) J'ai supposé cette blessure pour ne point faire un faux, pour ne pas introduire de nullité dans les actes du mariage, pour être dispensé de signer.   HUGO, les Misérables, V, VII, I.

♦ **2.** Caractère de ce qui est nul (II., 2.). *La nullité d'une objection* (⇒ **Futilité, néantise** [vx], **vide**), *d'une démonstration, d'un travail...*

Cour. Défaut de talent, de connaissances, de compétence (d'une personne). *La nullité d'un élève.* ⇒ **Faiblesse.** *Ils sont tous d'une nullité lamentable.* ⇒ **Ânerie.** *Constater la nullité d'un rival* (→ Féroce, cit. 6).

3   (...) spécialement tourné vers les sciences exactes et les mathématiques par son éducation, il a négligé tout ce qui n'était pas *sa partie*. Aussi ne sauriez-vous imaginer jusqu'où va sa nullité dans les autres branches des connaissances humaines.   BALZAC, le Curé de village, Pl., t. VIII, p. 695.

4   (...) pour qu'ils en fussent réduits à ce point à merci, et que lui, le chef de la famille, le souffrit, il fallait qu'il fût la Nullité même.   M. JOUHANDEAU, Tite-le-Long, XXI.

♦ **3.** *(Une, des nullités).* Personne nulle (→ Immuable, cit. 7). *C'est une vraie nullité.* ⇒ **Non-valeur, nullard, zéro.** *Cet homme est inexistant* ; *quelle nullité! La classe ne serait pas mauvaise, s'il n'y avait deux ou trois nullités.* ⇒ **Cancre.**

5 Que je plains la nation, si l'on y met des *nullités,* comme nous en avons tant dans notre Assemblée actuelle!
NERVAL, les Illuminés, «Confidences de Nicolas», III, V.

CONTR. **Validité.** — **Valeur.** — **Génie.**

NULLIUS [nyljys] adj. — 1877, Littré, *Suppl.,* mot lat. génitif de *nullus* «aucun».

♦ *Relig. cathol.* **Prélat nullius,** dont la juridiction s'exerce sur un territoire qui n'est rattaché ni à un diocèse, ni à une abbaye. *Prélat nullius.* — *Prélature nullius.*

NULLIVALENT, ENTE [ny(l)livalɑ̄, ɑ̄t] adj. — 1968; de *nulli-* (lat. *nullus* → Nul), et *valent* (d'après *valence*).

♦ *Chim.* Qui a zéro pour valence. (On dit aussi *zérovalent*).

NULLIVARIANT, ANTE [ny(l)livaʀjɑ̄, ɑ̄t] adj. — 1968; de *nulli-* (lat. *nullus* → Nul), et *variant* (d'après *variance*).

♦ *Chim.* Dont la variance est nulle (système physico-chimique). ⇒ **Invariant.**

NUMEN [nymɛn], plur. **NUMINA** [nymina] n. m. — Fin XIXe ; *nume,* n. m., XVIe (d'Urfé, Papon); mot lat. *numen, numinis* «puissance, volonté divine; divinité», étymologiquement «signe de tête indiquant une volonté».

Didactique.

♦ **1.** *Hist. relig.* Dans la religion romaine, Puissance qui émane d'une divinité, manifestation empirique du pouvoir divin; divinité.

1 (...) les forces secrètes, impersonnelles de chaque objet que les ethnologues désignent sous les noms de « mana » ou d'« orenda » ont pu, aux yeux des ancêtres des Latins, rendre compte du mouvant de l'univers (...) dans la mentalité des temps historiques (...) un mystère innommé, vénérable, continue à envelopper la vie de la nature pour les plus religieux les poètes et des penseurs, Virgile, Sénèque (...) Mais il n'est ni déterminant ni ordonnateur.
Il en est tout autrement de la notion de *numen.* C'est celle d'une « volonté » ou d'un «déclenchement du vouloir», à quoi se joint l'idée d'une force *(vis)* divine, mais sans évocation physique. Le mot, neutre, peut signifier efficacité partielle ou momentanée aussi bien que générale ou permanente; il peut s'employer au pluriel pour indiquer les différents potentiels d'une divinité plurivalente, Junon par exemple *(Curitis, Lucina, Regina...);* il peut désigner l'incompréhensible vertu réalisatrice d'un surhomme, comme Auguste (...)
J. BAYET, Hist. politique et psychologique de la religion romaine, p. 108-109.

♦ **2.** (Après 1850, Baudelaire). Emphase qui confère à une représentation picturale la dimension épique ou tragique.

2 Prédilection pour le mot de Baudelaire, cité plusieurs fois (notamment à propos du catch) : «la vérité emphatique du geste dans les grandes circonstances de la vie». Il appela cet excès de pose le *numen* (qui est le geste silencieux des dieux prononçant le destin humain). Le *numen,* c'est l'hystérie figée, éternisée, piégée, puisqu'enfin on la tient immobile, enchaînée sous un long regard. D'où mon intérêt pour les poses (à condition qu'elles soient encadrées), les peintures nobles, les tableaux pathétiques, les yeux levés au ciel, etc.
R. BARTHES, Roland Barthes, p. 138.

NÛMENT ou **NUEMENT** [nymɑ̄] adv. — 1213, fig.; de *nue, nu,* et 1. *-ment.*

♦ **1.** *Rare.* En état de nudité. *Les animaux «demeurent nûment exposés»* (Buffon).

♦ **2.** *Fig., littér.* D'une façon nue, tout simplement.

(...) l'on ne souhaite pas nûment une beauté, mais l'on y désire mille circonstances (...)
PASCAL, Opuscules, II, XI.
Sans déguisement, sans fard. *Je vous dirai tout nûment que je le trouve ennuyeux.* ⇒ **Crûment** (→ Barbifiant, cit.).

NUMÉRAIRE [nymeʀɛʀ] adj. et n. m. — 1561; du bas lat. *numerarius,* du lat. class. *numerus* → Nombre.

♦ **1.** *Adj. Didact.* Qui sert à compter. *Pierres numéraires,* qui servaient à évaluer les distances sur les routes. — *Espèces numéraires,* espèces monnayées. *Comptes numéraires* (→ 2. Livre, cit. 4).

♦ **2.** *N. m.* (1720). Monnaie* métallique, et, par ext., toute monnaie ayant cours légal. ⇒ **Espèce(s).** *Numéraire réel et numéraire fictif* (cit. 5). *Apports en numéraire* (opposé à *apports en nature,* et *apports en industrie*) → Avantage, cit. 30. *Le débiteur sera toujours obligé de se procurer le numéraire d'argent* nécessaire... (→ Appoint, cit. 1). *Paiement par chèque et paiement en numéraire.*

1 La rareté du numéraire peut te faire concevoir ce que mes gants et mon fiacre emportèrent de richesses, ils mangèrent le pain de tout un mois.
BALZAC, la Peau de chagrin, Pl., t. IX, p. 100.

2 *(Le comte de Mirabeau)* semble dire qu'il n'y a pas de limite à mettre à l'émission de numéraire, dans le climat de liberté où se trouve la France (...)
A. SAUVY, Croissance zéro?, p. 25.

NUMÉRAL, ALE, AUX [nymeʀal, o] adj. — 1474; du bas lat. *numeralis,* du lat. class. *numerus* → Nombre.

♦ **1.** Qui désigne, représente un nombre, des nombres arithmétiques. — *Système numéral. Symboles numéraux :* tous les symboles utilisés pour représenter des nombres (signes, lettres, chiffres...). ⇒ **Numération.** *Lettres numérales :* lettres affectées d'un signe particulier, désignant des nombres chez les Phéniciens, les Hébreux, les Grecs... ; chiffres romains.

♦ **2.** *Gramm. Adjectifs numéraux :* adjectifs indiquant le nombre *(adjectifs numéraux cardinaux)* ou le rang *(adjectifs numéraux ordinaux).* ⇒ **Nombre** (noms de). *Emploi de l'adjectif numéral cardinal à la place de l'ordinal pour désigner les années* (ex. : l'an I, l'année 1959), *les heures* (ex. : trois heures de l'après-midi), *les dates* (sauf premier; ex. : le 6 juillet), *les personnes d'une dynastie* (sauf premier; ex. : Charles V); *les numéros d'ordre* (ex. : page vingt; 12, Grand-rue; 1, place de la République). *Substantifs numéraux :* «collectifs désignant un groupe d'unités chiffrées» (Dauzat) formés à l'aide des suffixes *-ain* (quatrain), *-aine* (dizaine), *-ier* (seulement dans *millier*), ajoutés au cardinal. — N. *Un numéral, les numéraux. Numéraux cardinaux, ordinaux.* ⇒ **Numératif** (2.).

Les numéraux, qui indiquent le nombre, et qui tous peuvent s'employer comme adjectifs ou comme pronoms, se classent en quatre catégories : les cardinaux indiquent le nombre indépendamment d'un rapport *(deux, trois)*; les ordinaux le désignent en relation avec le rang occupé par la personne ou l'objet dans un groupe, une série *(deuxième, troisième)*; d'autres expriment un multiple ou une fraction *(double, triple, demi, tiers...)*; les distributifs enfin la répartition de groupes similaires *(deux par deux, trois par trois).* On y joindra les substantifs collectifs exprimant un groupe chiffré *(dizaine, centaine...),* ceux qui sont relatifs à un nombre d'années *(cinquantenaire...),* enfin la nomenclature du système métrique.
A. DAUZAT, Grammaire raisonnée..., p. 305.

HOM. (Du plur.) **Numéro.**

NUMÉRATEUR [nymeʀatœʀ] n. m. — 1487; du lat. *numerator,* du supin de *numerare* «compter» → Nombrer.

♦ *Arithm.* Nombre supérieur d'une fraction qui indique combien elle contient de parties aliquotes de l'unité. *Numérateur et dénominateur d'une fraction** (cit. 4). — Par ext. Terme supérieur d'une fraction algébrique.

NUMÉRATIF, IVE [nymeʀatif, iv] adj. et n. m. — 1823, Boiste; de *numération.*

♦ **1.** *Didact.* Qui sert à la numération.

♦ **2.** *N. m. Gramm.* (Vx). *Un numératif :* un adjectif numéral.

NUMÉRATION [nymeʀasjɔ̃] n. f. — XIVe; rare jusqu'au XVIe; lat. *numeratio,* du supin de *numerare* «compter» → Nombrer.

♦ **1.** *Arithm.* Manière de rendre sensible la notion abstraite de nombre et d'en conserver la mémoire; système permettant d'écrire et de nommer les divers nombres. *Numération concrète* (cailloux des anciens Romains, nœuds [quipous] des Incas, doigts de la main...). *Numération parlée, écrite. Base de numération :* nombre de chiffres, y compris le zéro, qui servent de base pour former les autres nombres. *Numération à base 12* (⇒ **Duodécimal**), *à base 10* (⇒ **Décennaire** [vx], *décimal*). — (1790). *Numération décimale. Numération binaire*,* à base 2. *Numération à principe additif, multiplicatif. Numération par lettres, par chiffres** (⇒ **Numéral**). *La numération, base du calcul*.*

(...) le système décimal prévalut chez presque tous les peuples (...) Cependant un système de base 12, divisible à la fois par 2, 3, 4, et 6, eût peut-être été plus pratique (...) Mais, l'homme ayant commencé par compter sur ses doigts, la base 10 imposée de temps immémorial par ce mode de calcul occupe dans la numération une position en quelque sorte inexpugnable.
René TATON, Hist. du calcul, p. 47.

♦ **2.** Action de nombrer, de compter; résultat de cette action. ⇒ **Compter.** — *Dr.* Dénombrement des espèces lors d'un versement. — *Méd.* (1903). *Numération globulaire :* dénombrement des globules (hématies, leucocytes, plaquettes) du sang, effectué sur un échantillon de sang placé sous le microscope.

DÉR. **Numératif.**

NUMÉRICLATURE [nymeʀiklatyʀ] n. f. — XXe; mot-valise, de *numérique,* et *(nomen)clature.*

♦ *Didact.* Classement où des chiffres jouent le rôle de noms. — REM. Ce mot est mal formé.

NUMÉRIQUE [nymeʀik] adj. — 1616; dér. sav. du lat. *numerus* «nombre».

♦ **1.** Qui est représenté par un nombre, des nombres arithmétiques (chiffres). *Partie numérique et partie littérale, valeur numérique*

d'une équation algébrique. Facteur, exposant (cit. 2) *numérique.*
— REM. *Numérique* ne doit pas être confondu avec *numéral**.

♦ **2.** Didact. Qui concerne les nombres arithmétiques. *Calcul numérique,* où les grandeurs sont représentées par des valeurs discontinues, par oppos. à *calcul analogique.* — (1973). Se dit de la représentation de données d'information ou de grandeurs physiques au moyen de caractères, chiffres, systèmes, dispositifs ou procédés employant un mode de représentation discrète. *Calcul numérique. Calculateur numérique. Une pendule numérique :* pendule sans aiguilles sur laquelle l'heure est inscrite en chiffres mobiles (recomm. off. pour remplacer *digital**). — *Transmission numérique :* transmission de signaux dans laquelle les données sont émises successivement et ne peuvent prendre qu'un nombre fini de valeurs discontinues (opposé à *analogique*).

♦ **3.** (1765). Cour. Évalué en nombre. *Données numériques* (→ Inexact, cit. 2). *Sous le rapport numérique...* (→ Bourgade, cit. 1). *Force numérique d'une armée. La supériorité numérique de l'ennemi.*

1 Le colonel adorait les renseignements numériques pour le grand malheur d'Aurelle qui, incapable de se rappeler un chiffre, était chaque jour interrogé sur le nombre d'habitants d'un village, les effectifs de l'armée serbe ou la vitesse initiale de la balle française.   A. MAUROIS, *les Silences du colonel Bramble*, V.

2 Dans tous les grands pays industriels, les derniers recensements ont souligné ce fait significatif que la proportion numérique du personnel ouvrier diminue, par contraste avec celle du personnel administratif ou commercial qui s'accroît rapidement.   André SIEGFRIED, *l'Âme des peuples*, Conclusion, III.

CONTR. Littéral.
DÉR. Numériquement.

NUMÉRIQUEMENT [nymerikmã] adv. — 1697 ; de *numérique.*

♦ Relativement au nombre. *L'ennemi était numériquement inférieur.*

Supposé que l'on insiste sur l'ordre et non sur la mesure, n'importent que les ordres numériquement exprimables (...) La vieille tradition aristotélicienne et cartésienne est unifiée par le nombre conçu ici doublement comme forme *logique* et comme principe *opératoire, type* et *source* d'un mouvement original de pensée.
                            Michel SERRES, *Hermès, I, la Communication,* p. 50.

NUMÉRISATION [nymerizasjõ] n. f. — 1974, *in la Clé des mots ;* de *numériser,* et *-ation.*

♦ Techn. (Rare). Codage en un code binaire (francisation de *digitalisation**). *« La numérisation de l'image est apparue (...) en radiologie conventionnelle, avec les rayons X, dans le scanner »* (*Sciences et Avenir*, févr. 1980, p. 90).

NUMÉRISER [nymerize] v. tr. — V. 1970 ; de *numérique,* et *-iser.*

♦ Techn. (Rare). Coder en code binaire (francisation de *digitaliser**). *« Ces logiciels permettent de numériser les données sur les cartes et documents graphiques »* (*Sciences et Avenir*, juin 1980, p. 15). — Au p. p. *« Les données numérisées »* (*Sciences et Avenir*).

DÉR. Numérisation. — L'adj. *numérisable* est attesté (1963, *in* D.D.L.).

NUMÉRO [nymero] n. m. — 1589 ; ital. *numero* « nombre », du lat. *numerus.*

♦ **1.** Marque en chiffres*, nombre attribué à une chose pour la caractériser parmi des choses semblables, ou la classer dans une série. (Abrév. : *N°, n°,* devant un nombre). *Numéro d'une maison. Il habite au numéro 23 dans la Grand-rue. Côté des numéros pairs, impairs. Numéro bis, ter, ajouté entre deux numéros.* Loc. fam. (vx). *Gros numéro :* maison de tolérance. *Numéro cent,* lieux d'aisances (selon Littré, calembour : *cent* et *sent*). — *Numéro d'une chambre, d'une salle, d'un box..., d'une piste, d'un quai... Numéro d'une place dans une salle de spectacle, dans un train...*

1 Il sait où demeure Mervyn, et ne désire pas en savoir davantage. Il a inscrit dans un calepin le nom de la rue et le numéro du bâtiment.
                            LAUTRÉAMONT, *les Chants de Maldoror,* VI.

2 Monsieur Vanier, éditeur neuf
   Venu pour subjuguer la foule
   Habite numéro dix-neuf
   Quai Saint-Michel, où de l'eau coule.
                            MALLARMÉ, *Vers de circonstance,* Éditeurs, CXVII.

2.1 Mais ni Heine, ni Nietzsche ne sont sentis assez polis pour dissimuler à l'Allemagne, quand ils le crurent nécessaire, sa servilité et sa lourdeur, et si j'étais un écrivain et non un prince, ou simplement si j'avais un nom au lieu d'un numéro à ajouter à mon prénom, je n'hésiterais pas à faire comme eux.
                            GIRAUDOUX, *Siegfried et le Limousin,* p. 144.

2.2 Au régiment, c'est rare que le Claudius Brodequin n'aille pas, une fois par semaine, voir les personnes du gros numéro.
                            G. CHEVALLIER, *Clochemerle,* p. 80.

Par métonymie. *Le numéro 12 :* la chambre 12 ; le client de cette chambre.
Numéro de police ou *d'immatriculation* d'une automobile. Relever le numéro d'une voiture en contravention.* — (1848). *Numéro d'un navire :* numéro officiel et définitif de chaque bâtiment de la Marine nationale.

À cette époque, la poste restante admettait que le nom du destinataire fût remplacé par des initiales ou des chiffres. « 211-G. » avait séduit Wazemmes, parce que ce pouvait être le numéro de police d'une automobile, de l'auto dont il eût été propriétaire.   J. ROMAINS, *les Hommes de bonne volonté,* t. II, VI, p. 68.   3

Numéros des pages d'un livre (⇒ **Pagination**), *des tomes d'un ouvrage ; d'une gravure, d'une note, d'un exemplaire d'une édition de luxe. Numéro d'un paragraphe. L'index renvoie aux numéros et non aux pages.* — *Numéro d'un billet de banque.*

(1879, *Année sc. et industr.,* 1880, p. 56). *Numéro de téléphone.* Absolt. *Faire demander un numéro* (→ Métallique, cit. 2), *chercher un numéro dans l'annuaire des téléphones.*

Numéro de compte (chèques bancaires, postaux...). *Compte bancaire à numéro* (⇒ **Numéroté**).

(1964). En Suisse. *Numéro postal :* code postal.

Comm. Numéro exprimant la taille, la grosseur... relative d'un objet. *Numéro de grosseur d'un fil,* en fonction de son poids par longueur. *Aiguilles du n° 3. Numéro des morceaux du sucre. Numéro des verres de lunettes :* nombre indiquant le degré de convergence ou de divergence des verres.

Numéro attribué à une personne. Numéro sur le dossard d'un coureur cycliste. Numéro d'attente dans une banque. ⇒ **Jeton.** *Numéro d'inscription.* ⇒ **Matricule** (cit. 1 et 2). *Être inscrit sous le numéro tant. Équipage dont les noms sont devenus des numéros* (→ Absorber, cit. 9).

Chim. *Numéro atomique.* ⇒ **Atomique.**

Spécialt. Nombre utilisé dans le tirage au sort, les jeux de hasard, les loteries... (→ Lot, cit. 6). *Numéro des anciens tirages au sort, dans le recrutement de l'armée. Tirer le bon, le mauvais numéro.* — Fig. *Tirer le bon numéro :* avoir de la chance. — *Numéro d'un billet de loterie. Numéros sortants, gagnants. Les numéros se terminant par 124 gagnent 50 francs.*

Vous avez chipé à la loterie le bon numéro, l'amour dans le sacrement ; vous avez le gros lot, gardez-le bien, mettez-le sous clef, ne le gaspillez pas, adorez-vous, et fichez-vous du reste.   HUGO, *les Misérables,* V, VI, II.   4

Même gamin, il n'avait pu s'entendre avec ses parents ; et, plus tard, après avoir tiré un bon numéro, il s'était sauvé de chez eux, pour se louer, d'abord à la Borderie, ensuite à la Chamade.   ZOLA, *la Terre,* I, II.   5

Loc. fig. (Vx). *Connaître le numéro de qqn :* savoir ce qu'il vaut. — (1844). Vx. *Être d'un bon numéro :* être ridicule.

♦ **2.** (1901). Fam. Personne bizarre, originale. *C'est un numéro, un drôle de numéro ! Quel numéro !* (→ Phénomène). *Ce gosse est un vrai numéro.*

De Paga, on aurait dit, naguère : c'est un type. Maintenant, on dit : c'est un numéro. Cela signifie qu'il n'a pas une façon ordinaire de considérer et de pratiquer la vie (...)   G. DUHAMEL, *Récits des temps de guerre,* I, Mémorial..., X.   6

Dites donc, ça a l'air d'un drôle de numéro, votre client (...)   MONTHERLANT, *les Célibataires,* I, IV.   7

♦ **3.** (Av. 1850, Balzac). Fig., fam. ⓐ *Numéro un* (en fonction d'adj.) : de première qualité. *Un dîner numéro un.*

ⓑ (En toutes lettres ou abrégé). Principal. *L'ennemi public numéro un. La cause numéro un de son échec.* — N. Le premier (dans une hiérarchie). *Le numéro un, le numéro 1, le N° 1 du prêt-à-porter.*

REM. 1. Par ext., on trouve aussi *le numéro deux, trois,* etc. *« Le n° 3 de la politique étrangère américaine »* (*l'Express,* 24 juil. 1978) : le troisième personnage.

2. On trouve, dans cet emploi de *numéro un* en adj., l'anglicisme *number one* [nœmbœrwan] : *« les trois garçons et la demoiselle de ce groupe français number one... »* (*l'Express,* 21 avr. 1979, p. 17). — N. *« Elle est vite devenue la Number One du comique français féminin »* (*F. Magazine,* déc. 1979, p. 68).

♦ **4.** (1798). Élément d'un ouvrage périodique qui paraît en une seule fois et porte un numéro. ⇒ **Livraison.** *Numéro d'une revue, d'un journal. Le numéro 35 vient de paraître. Ce numéro est épuisé. Premier numéro d'une nouvelle revue* (→ Épicer, cit. 5 ; mécontentement, cit. 6), *dernier numéro* (→ Crever, cit. 31). *Numéro spécimen. Un numéro très intéressant. Posséder un exemplaire* (cit. 5) *de chacun des numéros parus.* — Par ext. Exemplaire d'un numéro. *Il tenait à la main le numéro du journal où venait de paraître son interview* (cit. 2).

(...) il vient de me dire que l'article lui convenait tout à fait, et qu'il l'insérerait, mais seulement le 1er octobre ; à cause de la longueur, ce retard l'accommode, à ce qu'il paraît, pour la distribution matérielle des numéros.
                            SAINTE-BEUVE, *Correspondance,* 313, 6 sept. 1833.   8

(...) lisez les journaux allemands. Si vous aviez vu le numéro récent de la *Leipziger Illustrierte Zeitung !* (...)   ARAGON, *les Beaux Quartiers,* II, XVII.   9

Loc. *La suite au prochain numéro :* la suite de l'article paraîtra dans le numéro suivant. Fig., fam. Tournons la page, la suite à demain. *En voilà assez pour aujourd'hui, la suite au prochain numéro !*

♦ **5.** (1879, Goncourt). Petit spectacle faisant partie d'un programme de variétés, du répertoire d'un artiste de cirque, de music-hall... (Ce sens ne figure pas dans le dictionnaire de l'Académie, 8e éd.). *Numéro de chant, de mime, de danse, d'athlétisme et cirque* (→ Déformer, cit. 9), *de prestidigitation, de jonglerie* (cit. 1)... *Un numéro sensationnel. Les trapézistes X dans leur nouveau numéro.*

(...) 4° MM. Gianni et Nello s'engagent en outre des articles ci-dessus stipulés, à   10

donner, tous les soirs, un numéro. — *(Note de l'auteur)* Un exercice qui devait être exécuté par les deux clowns seuls en scène.
Ed. DE GONCOURT, les Frères Zemganno, XXXVI.

11 C'est qu'il ne badine pas, notre public de quartier (...) Si nous le laissons, comme dit notre régisseur-belluaire, «avoir faim» cinq minutes entre deux numéros, les hurlements, les bouts de mégots, les peaux d'orange partiront tous seuls (...)
COLETTE, la Vagabonde, p. 20.

12 Ces girls qui, toutes, ressemblent à d'illustres héroïnes de cinéma, ces girls ne vont pas danser un numéro dans une «superproduction».
G. DUHAMEL, Scènes de la vie future, VIII.

(1901, Esnault). Comportement d'une personne qui veut se faire remarquer (le plus souvent en loc. : *commencer, faire, finir..., un, son numéro*). *Il nous a fait son numéro habituel. Elle lui a fait le numéro de la cover-girl irrésistible.* ⇒ **Coup.** *Ça va, arrête ton numéro!* ⇒ **Cinéma.**

13 Si M. d'Argencourt venait faire cet extraordinaire «numéro» qui était certainement la vision la plus saisissante dans son burlesque que je garderais de lui, c'était comme un acteur qui rentre une dernière fois sur la scène avant que le rideau tombe tout à fait au milieu des éclats de rire.
PROUST, le Temps retrouvé, Pl., t. III, p. 923.

14 (...) t'as fini ton numéro maintenant t'es pas intéressant file te laver t'es crasseux (...)
Tony DUVERT, Paysage de fantaisie, p. 77.

DÉR. Numéroter.

NUMÉROTAGE [nymeʀɔtaʒ] n. m. — 1787 ; de *numéroter*.

♦ **1.** Action de numéroter. *Numérotage de billets, d'étiquettes, de fiches.* — (1845). Techn. *Numérotage des fils textiles,* servant à les classer.

♦ **2.** (Méd. homéopathique). Expression numérique des dilutions et des triturations homéopathiques. *Le numérotage représente la hauteur (degré) de la dilution ou de la trituration.*

Les homéopathes français, peu à peu, prescrivirent des remèdes dont le numérotage, sans rapport avec la véritable dilution, devint de plus en plus élevé à la suite des Anglo-saxons et des Suisses. Cet usage qui se généralisa, fut adopté parce que les remèdes étaient hautement numérotés, et donnaient toutefois des résultats thérapeutiques (...) Cette époque correspond dans la thérapeutique homéopathique au règne incontesté des hauts numérotages irréels de dilutions.
Pierre VANNIER, l'Homéopathie, p. 52.

NUMÉROTATION [nymeʀɔtasjɔ̃] n. f. — 1834 ; de *numéroter*.

♦ **1.** Vx. Numérotage*.

♦ **2.** (1872). Mod. Résultat de l'action de numéroter ; ordre des numéros. *Changer la numérotation d'une collection. Numérotation des pages d'un livre.* ⇒ **Foliotage.**

NUMÉROTER [nymeʀɔte] v. tr. — 1680 ; de *numéro*.

♦ Marquer, affecter d'un numéro. ⇒ **Chiffrer.** *Numéroter les pages d'un manuscrit, un registre...* ⇒ **Coter, folioter, paginer.** *Numéroter des fiches, des objets de collection ; les œuvres d'une exposition... Numéroter des exemplaires au composteur.*

1 — Regardez ces anciennes maisons, dit-il ; elles conservent les signes qui les distinguaient avant qu'on ne les eût numérotées. Voici la maison à la *Vierge,* celle-là est à l'*Aigle,* et voilà la maison au *Chevalier.*
APOLLINAIRE, l'Hérésiarque..., p. 14.

2 Il numérotait tous les actes qu'il entendait accomplir, afin de n'en oublier aucun.
G. DUHAMEL, Chronique des Pasquier, VIII, VII.

Loc. fam. *Numéroter ses abattis*.

▶ **SE NUMÉROTER** v. pron. (réfl.).
Se donner un numéro, en parlant d'une personne. *Soldats qui se numérotent à l'exercice.*

▶ **NUMÉROTÉ, ÉE** p. p. adj.

♦ **1.** Qui porte un numéro. *Page numérotée. Exemplaire numéroté,* et, par ext., *édition numérotée.* — Spécialt. *Compte numéroté :* compte bancaire dont le titulaire, repéré seulement par un numéro, reste anonyme.

♦ **2.** (Méd. homéopathique). Doté d'un numéro correspondant au dosage de dilution ou de trituration du remède homéopathique. *Remède numéroté, hautement numéroté.*

DÉR. Numérotage, numérotation, numéroteur.

NUMÉROTEUR [nymeʀɔtœʀ] n. m. — 1871 ; de *numéroter*.

♦ Techn. Instrument servant à imprimer des numéros à la main. *Bandes mobiles d'un numéroteur correspondant aux chiffres des unités, des dizaines, des centaines...*

NUMERUS CLAUSUS [nymeʀysklozys] n. m. — 1931 ; mots lat. «nombre fermé».

♦ Dr., admin. Limitation discriminatoire (d'abord contre les étudiants juifs, en Europe centrale).

Il était interdit aux Juifs de posséder, de diriger, de gérer aucune entreprise ; Vichy leur ordonna de se faire recenser et instaura pour les étudiants un *numerus clausus.*
S. DE BEAUVOIR, la Force de l'âge, p. 496.

NUMIDE [nymid] adj. et n. — 1580, Montaigne, *Essais,* I, XLVIII ; de *Numidie* «pays des nomades».

♦ Hist. De Numidie, ancien nom d'une région du nord de l'Afrique. *Esclave numide.* — N. *Les Numides. Numides et Maures* de l'époque romaine.

NUMIDIQUE [nymidik] adj. et n. — 1546 ; de *Numidie,* lat. *Numidia.*

♦ Didact. Relatif à la Numidie. — N. m. Ling. *Le numidique,* langue des inscriptions carthaginoises.

NUMINEUX, EUSE [nyminø, øz] adj. et n. m. — 1949 ; trad. de l'all. *numinose* adj. et n. créé par R. Otto, 1917, sur le rad. génitif du lat. *numen, numinis* (→ Numen), d'après *omen, ominose.*

Didactique.

♦ **1.** N. m. *Le numineux :* le sacré, conçu comme catégorie spécifique de l'expérience humaine, distincte aussi bien de la sphère éthique que de la sphère rationnelle.

♦ **2.** Adj. Relatif au numineux ; qui en a les caractères.

(...) on ne doit pas s'étonner le moins du monde si les manifestations empiriques des contenus inconscients révèlent la qualité de l'illimité et de l'indéterminé dans l'espace et dans le temps. Cette qualité est *numineuse* et, par conséquent, effrayante, surtout pour un esprit exact qui connaît la valeur des concepts délimités avec précision.
PERNET et COHEN, Trad. JUNG, Psychologie et Alchimie, p. 239.

NUMISMATE [nymismat] n. — 1819 ; de *numismatique,* d'après *diplomate.*

♦ Didact. Spécialiste, connaisseur des médailles* et monnaies* anciennes. *Un savant numismate. Ce numismate est un grand collectionneur.* — REM. Au XIXᵉ s., on disait aussi *numismatiste* (cf. Littré).

Je le tourne et le retourne, comme un numismate interroge une curieuse pièce de monnaie.
Jérôme et Jean THARAUD, Rabat, X.

NUMISMATIQUE [nymismatik] adj. et n. — 1740 ; «numismate», 1579 ; du lat. *numisma,* var. de *nomisma,* mot grec «monnaie».

♦ **1.** Adj. Relatif aux monnaies, aux médailles, à leur connaissance. *Recherches numismatiques. Étudier une monnaie du point de vue numismatique.*

1 (Cyrus Smith). Véritable Américain du nord, maigre, osseux, efflanqué, âgé de quarante-cinq ans environ, il grisonnait déjà par ses cheveux ras et par sa barbe, dont il ne conservait qu'une épaisse moustache. Il avait une de ces belles têtes «numismatiques», qui semblent faites pour être frappées en médailles, les yeux ardents, la bouche sérieuse, la physionomie d'un savant de l'école militante.
J. VERNE, l'Île mystérieuse, t. I, p. 13.

♦ **2.** N. m. (1803). Connaissance, science des médailles et des monnaies comme témoins des civilisations. *Vocabulaire de la numismatique, termes de numismatique.* ⇒ **Médaille, monnaie.**

2 (...) si l'histoire de la monnaie ressortit à la science économique (...) la numismatique, en toute rigueur, est une science qui s'attache non pas à des phénomènes sociaux (...) mais à des objets (...) Le champ de la numismatique (...) demeure immense parce que (...) la monnaie revêt dans l'Antiquité surtout (...) des aspects infiniment variés (...) elle est une mine de renseignements sur l'histoire des religions, des mœurs, de l'art, des rapports sociaux ou commerciaux, sur la civilisation, sur la politique.
Jean BABELON, la Numismatique antique, p. 7.

DÉR. Numismate.

NUMMULAIRE [nymylɛʀ] n. et adj. — 1545 ; du lat. *nummularius,* de *nummulus* «petite monnaie».

★ **I.** N. f. ♦ **1.** Bot. Plante dont les feuilles rondes évoquent une monnaie. Syn. : *herbe aux écus.* — Adj. *Lysimaque* nummulaire.*

♦ **2.** Paléont. Coquille pétrifiée de forme lenticulaire.

★ **II.** Adj. (1837). Méd. En forme de pièce de monnaie. *Crachat nummulaire. Lésion nummulaire de la peau.*

NUMMULITE [nymylit] n. f. — 1803 ; du lat. *nummulus* «petite monnaie».

♦ Paléont. Foraminifère à coquille ronde, divisée en loges spiralées, fossile très abondant au début du tertiaire (éocène*).

DÉR. Nummulitique.

NUMMULITIQUE [nymylitik] adj. et n. m. — 1853 ; de *nummulite*.

♦ Géol. Qui renferme des nummulites, est formé de nummulites. *Calcaires, sables nummulitiques de l'éocène.* — N. m. *Le nummulitique :* ensemble des terrains du début du tertiaire (paléocène : *éonummulitique* ; éocène : *mésonummulitique* ; oligocène : *néonummulitique*).

NUNATAK [nynatak] n. m. — 1904, *Rev. gén. des sc.*, n° 10, p. 477 ; mot inuit du Groenland.

♦ Géogr. Saillie rocheuse laissée à découvert par la calotte glaciaire.

(...) sur le bord oriental *(du Groenland)*, elle *(la limite des neiges éternelles)* est voisine de 1 000 mètres, d'après les *nunataks* (...) isolés coiffés de petits névés à cette altitude.   E. DE MARTONNE, Traité de géographie physique, t. II, p. 892.

NUNCHAKU [nunʃaku] n. m. — 1972 ; mot japonais.

♦ Arme d'origine japonaise formée de deux bâtons reliés à l'une de leurs extrémités par une chaîne ou une corde ; fléau d'armes. « *Une étudiante du Comité* (de lutte antifasciste) *est rejointe par des jeunes gens en moto qui brisent les vitres de sa voiture à coups de nunchaku* » (D. Dhombres, *le Monde*, 13 mai 1976).

NUNCUPATIF [nɔ̃kypatif] adj. m. — 1308 ; du bas lat. *nuncupativus*, de *nuncupare* «dénommer», rac. *nomen*.

♦ Dr. rom. *Testament nuncupatif*, fait par simple déclaration devant témoins et suivant les formes légales.

DÉR. (Du même rad.) **Nuncupation.**

NUNCUPATION [nɔ̃kypɑsjɔ̃] n. f. — XIVᵉ, *noncoupacion* ; lat. jurid. *nuncupatio, onis* «appellation», de *nuncupare* «dénommer».

♦ Dr. rom. Déclaration solennelle du testateur, parfois jointe à la mancipation.

NUOC-MÂM [nyɔkmam] n. m. — 1803, *neuc-num*, Boiste, *in* D. D. L. ; mot vietnamien «eau de poisson».

♦ Sauce de poisson macéré dans une saumure, assaisonnement très employé dans la cuisine vietnamienne.

NU-PIED [nypje] n. m. — 1951, a remplacé *pied-nu*, 1937, *in* D. D. L. ; de *nu*, et *pied* : l'ordre des mots vient de l'expression *aller nu-pieds*.

♦ Sandale laissant nu le dessus du pied. *Un nu-pied* (rare) ; *des nu-pieds*.

(...) Jean se présenta au travail en nu-pieds, pantalon et chemisette.   Claude COURCHAY, La vie finira bien par commencer, p. 206.

NU-PROPRIÉTAIRE [nypʀɔpʀijetɛʀ] n. ⇒ **Nu.**

NUPTIAL, ALE, AUX [nypsjal, o] adj. — XIIIᵉ ; rare jusqu'au XVIᵉ ; du lat. *nuptialis*, de *nuptiæ*. → Noce.

♦ Littér. Relatif aux noces*, à la célébration du mariage*. *Bénédiction** (→ Mari, cit. 1), *cérémonie ; fête, messe nuptiale* (→ Liturgie, cit. 1). *Chant nuptial, cortège nuptial. Anneau nuptial.* ⇒ **Alliance.** — *Robe nuptiale*, de mariage, de mariée. — Dr. *Gains nuptiaux*, de survie*.

REM. En général dans la langue du droit, l'adjectif de *mariage* est *matrimonial*.

1 La foule nuptiale au festin s'est ruée,
    J.-M. DE HEREDIA, les Trophées, Grèce et Sicile, Centaures...

2 Encore des musiques et la flamme rouge des torches. C'est un autre cortège nuptial qui se promène, malgré l'heure plus tardive et plus silencieuse. Le marié, cette fois, est à cheval, sa robe dorée traînant sur la croupe de sa bête, et il ressemble à un roi mage.   LOTI, l'Inde (sans les Anglais), III, II.

Cour. *Marche* nuptiale.*

Spécialt. (Vx ou plais.). Qui concerne l'union charnelle entre les époux. *Lit nuptial* (→ Époux, cit. 10). *La couche nuptiale. Chambre nuptiale.*

Par extension :

3 Booz ne savait point qu'une femme était là,
    Et Ruth ne savait point ce que Dieu voulait d'elle (...)
    L'ombre était nuptiale, auguste et solennelle (...)
    HUGO, la Légende des siècles, II, « Booz endormi ».

4 L'amour de Gwynplaine pour Dea devenait nuptial. L'amour virginal n'est qu'une transition. Le moment était arrivé. Il fallait à Gwynplaine cette femme.   HUGO, l'Homme qui rit, II, II, IX.

5 La fatigue charmante et l'attente adorée
    De l'ombre nuptiale et de la douce nuit (...)   VERLAINE, la Bonne Chanson, XIV.

(Animaux). *Vol nuptial des abeilles* (cit. 4).
Mœurs nuptiales d'une espèce animale.

DÉR. **Nuptialement, nuptialité.**

NUPTIALEMENT [nypsjalmɑ̃] adv. — 1584 ; de *nuptial.*

♦ Rare. Selon un rite nuptial.

NUPTIALITÉ [nypsjalite] n. f. — 1879 ; de *nuptial.*

♦ Démogr. Étude statistique des mariages (et des divorces) dans une population ; nombre relatif des mariages *(taux de nuptialité). Nuptialité élevée, basse. Tables de nuptialité* (par classes d'âge).

NUQUE [nyk] n. f. — XIVᵉ, «moelle épinière» ; *nuche*, 1314 ; du lat. médiéval *nuca, nucha* ; arabe *nūhāᶜ* «moelle épinière». — REM. Le sens moderne (1546) «est dû à l'influence d'un autre mot arabe *nūqrāh* "nuque", ainsi qu'au fait que dans la terminologie anatomique, on avait remplacé *nucha* par *medulla*» (Bloch).

♦ Partie postérieure du cou*, au-dessous de l'occiput. *De la nuque.* ⇒ **Nucal.** *Nuque énorme, engoncée* (→ Cou, cit. 7), *de taureau... Le bourrelet de la nuque* (→ Cheveu, cit. 5). *Nuque flexible* (cit. 1). *De la nuque aux talons :* sur tout le corps (→ Cascatelle, cit. 2 ; ligne, cit. 11). *Cheveux recouvrant la nuque* (→ Châtain, cit. 2) ; *chignon* (cit. 2), *frisettes* (cit. 1), *poils follets*, sur la nuque.* — *Casquette renversée sur la nuque* (→ Gris, cit. 18). *Foulard noué derrière la nuque* (→ Manière, cit. 25). — *Coup de poing, coup sur la nuque. Couteau* (cit. 17), *couperet sur la nuque. Rompre la nuque* (→ 2. Masse, cit. 2).

1 Ce qu'il y a de charmant surtout chez les Vénitiennes, c'est la nuque, l'attache du col et la naissance des épaules. On ne saurait rien imaginer de plus svelte, de plus élégant, de plus fin et de plus rond (...) sur les nuques se tordent toutes sortes de petits cheveux follets, de petites boucles rebelles (...) Nous avons suivi bien souvent quelques-unes de ces nuques sans même essayer de voir la tête qu'elles portaient, nous enivrant de ces lignes si pures et de cette chaude blancheur.   Th. GAUTIER, Voyage en Italie, XIII.

2 Sa face était camuse, naturellement je crois, le nez ne paraissant pas avoir été abîmé par un coup de poing. Sa mâchoire était forte, solide. Son crâne était très rond et presque toujours rasé. La peau sur la nuque faisait trois plis que précisait un peu de crasse. Il était grand et charpenté magnifiquement.   Jean GENET, Journal du voleur, p. 140.

(Animaux). → Bourrelet, cit. 3 ; estocade, cit. 2.

COMP. Appui-nuque, couvre-nuque.
DÉR. Nucal.

NURAGHE [nyʀag] plur. **NURAGHI** [nyʀagi] n. m. — 1826, *nurage*, La Marmora ; mot sarde, qu'on rattache aux racines hébraïques *nour* «lumière», et *hag* «toit».

♦ Didact. (archéol.). Tour antique, en forme de cône tronqué, propre à la Sardaigne. Var. anc. : *nuragh.*

Dans la première partie de ce rapport, j'ai déjà dit que je n'avais pu découvrir en Corse rien de semblable aux Nurhags de Sardaigne.   MÉRIMÉE, Notes d'un voyage en Corse, 1840, *in* D. D. L.

Dès la fin de l'âge de pierre, l'Apulie, avec ses (...) formidables tours rondes, nous offre le pendant des nuragues[1] de Sardaigne.   G. CONTENAU et V. CHAPOT, l'Art antique, p. 315.

1. La transcription francisée serait plutôt *nouragué.*

NURSE [nœʀs] n. f. — 1846 ; «nourrice anglaise», 1855 ; mot. angl. du franç. *nourrice.*

♦ Domestique (anglaise, à l'origine) qui s'occupe exclusivement des soins à donner aux enfants en bas âge (⇒ **Nourrice**), ou plus grands. ⇒ **Bonne** (d'enfants), 3. **garde, gouvernante.**

(...) sur les trottoirs, des nurses à voiles bleus roulaient dans des voitures vernies des bébés en dentelles, ou accompagnaient des enfants gantés qui tenaient leur cerceaux à la main.   J. CHARDONNE, les Destinées sentimentales, p. 186.

DÉR. (De l'angl. *nurse*) **Nursery.**

NURSERY [nœʀsəʀi] n. f. — 1763 ; mot angl. ; de *nurse.*

♦ Appartement, chambre* d'enfants. ⇒ **Crèche, garderie, pouponnière** (→ Escalier, cit. 5). — REM. Certains écrivains ont tenté de franciser le mot en *nourricerie*, au XIXᵉ siècle.

1 (...) quand, après avoir fini d'habiller nos deux petites créatures, nous les voyons propres au milieu des savons, des éponges, des peignes, des cuvettes, des papiers brouillard, des flanelles, des mille détails d'une véritable *nursery*. Je suis devenue Anglaise en ce point, je conviens que les femmes de ce pays ont le génie de la *nourriture.*   BALZAC, Mémoires de deux jeunes mariées, Pl., t. I, p. 277.

2 «— D'abord, Messieurs, la pièce importante de la maison, la Nursery», dit le directeur en ouvrant une porte massive au fond de l'antichambre.   Alphonse DAUDET, le Nabab, VIII.

NUTANT, ANTE [nytɑ̃, ɑ̃t] adj. — 1815 ; du lat. *nutans*, p. prés. de *nutare* «faire un signe de tête, chanceler».

♦ Bot. Dont le sommet s'incline vers le sol. *Plantes, tiges nutantes.*

NUTATION [nytɑsjɔ̃] n. f. — 1748 ; du lat. *nutatio* «balancement de la tête», du supin de *nutare.*
Didactique.

♦ 1. Astron. Oscillation* périodique de l'axe de rotation de la terre (axe du monde) autour de sa position moyenne. Par ext. *Nutation de l'axe d'un astre. Nutation lunaire.* — *Introduction aux recherches sur la précession des équinoxes et sur la nutation de l'axe de la terre dans le système newtonien*, ouvrage de d'Alembert. — Math. *Angle de nutation* : angle formé par l'axe de rotation d'un solide et un axe fixe.

♦ **2.** Bot. Changement de direction d'un organe végétal en cours de croissance (ancienne dénomination de l'héliotropisme, → Tropisme).

♦ **3.** (1805). Pathol. Balancement* continuel de la tête.

La nutation de tête d'un cheval qui chemine attristé, n'est-elle pas imitée dans une certaine nutation syllabique du vers?
DIDEROT, Lettre sur les sourds et muets (1751).

NUTRICIAL, ALE, AUX [nytʀisjal, o] adj. — 1897, P. Marchal; du rad. du lat. *nutrix, nutricis* «nourrice», et suff. *-ial.*

♦ Zool. Relatif à l'activité de nourrice des ouvrières, dans certaines sociétés d'hyménoptères. — REM. On rencontre aussi la graphie *nutritial :*

Il existe dans chaque colonie une régulation sociale qui conditionne l'apparition des diverses castes et leur proportion relative (...). La théorie *trophogénétique* du déterminisme des castes s'appuie (...) sur l'existence de facteurs somatiques, essentiellement nutritiaux, qui induiraient la croissance des organes génitaux femelles. Un bon nombre d'arguments plaident en sa faveur.
François RAMADE, le Peuple des fourmis, p. 108-109.

NUTRICIER, IÈRE [nytʀisje, jɛʀ] adj. — 1838, Académie; du lat. *nutrix, nutricis.*

♦ Didact., vx. Nourricier, nutritif*. *Sève nutricière.*

NUTRIMENT [nytʀimɑ̃] n. m. — 1855; «nourriture», XIVᵉ; du lat. *nutrimentum, de nutrire* «nourrir».

♦ Didact. Substance alimentaire pouvant être entièrement et directement assimilée. *Nutriment introduit en injections intraveineuses.*

NUTRITIF, IVE [nytʀitif, iv] adj. — 1314; du bas lat. *nutritivus,* du supin de *nutrire.* → Nourrir.

♦ **1.** Didact. Qui contribue à la nutrition (spécialt, en parlant des animaux et de l'homme); qui a la propriété de nourrir*. *Éléments, principes nutritifs; substances nutritives, énergétiques* (protides, lipides, glucides) *et non énergétiques* (vitamines, éléments minéraux). *Partie nutritive d'un aliment.* ⇒ **Alibile.** *Cellules gorgées de sucs nutritifs.* ⇒ **Nourricier** (→ Fruit, cit. 6). *Réserves* nutritives (→ Foie, cit. 1).
(Mil. XIVᵉ). Cour. Qui contient en abondance des principes nutritifs. *Aliments, mets nutritifs.* ⇒ **Fortifiant, nourrissant, substantiel.** *Nourriture très nutritive,* riche*.

♦ **2.** (1314). Didact. Relatif à la nutrition. *Les besoins nutritifs de l'homme. Fonctions nutritives, vie nutritive.* — *Qualités nutritives d'un aliment.*

DÉR. Nutritivité.

NUTRITION [nytʀisjɔ̃] n. f. — 1370; du bas lat. *nutritio,* du supin de *nutrire* «nourrir».

♦ **1.** Physiol., cour. Ensemble de processus d'assimilation et de désassimilation qui ont lieu dans un organisme vivant, lui permettant de se maintenir en bon état et lui fournissant l'énergie vitale nécessaire. — REM. Dans le langage courant, *nutrition* exclut les phénomènes de désassimilation (excrétion; respiration et sécrétion des végétaux) ainsi que la respiration* des animaux. — *Nutrition des animaux.* ⇒ **Digestion; absorption, assimilation;** et aussi **animalisation, métabolisme.** *Nutrition des végétaux. Les fonctions* de la nutrition font partie des fonctions de la vie végétative. *Nutrition des organes* (→ Artériel, cit. 1), *des cellules* (→ Glande, cit. 2), *des tissus...* ⇒ **Nourriture.** *Déchets de la nutrition* (→ Encombrer, cit. 9).

♦ **2.** (Sens restreint). Physiol. ou cour. Transformation et utilisation des aliments dans l'organisme. *Éléments, substances propres à la nutrition.* ⇒ **Alibile, nourricier, nutritif; aliment, nourriture.** *Maladies, défauts de la nutrition.* ⇒ **Arthritisme, atrophie, athrepsie, dénutrition...; trophique, tropho-.** *L'herpès, la scrofule résultent de troubles de la nutrition.*

DÉR. Nutritionnel, nutritionniste.
COMP. Sous-nutrition.

NUTRITIONNEL, ELLE [nytʀisjɔnɛl] adj. — 1958, in *le Monde;* de *nutrition.*

♦ Didact. De la nutrition. *Besoins nutritionnels* (→ Nutritionniste, cit.). *Troubles nutritionnels. Hygiène nutritionnelle.* ⇒ **Diététique.**

NUTRITIONNISTE [nytʀisjɔnist] n. — 1958, in *le Monde;* de *nutrition.*

♦ Didact. (Médecin) Spécialiste des problèmes de la nutrition. *Nutritionniste sportif.* Par appos. *Médecin nutritionniste. Gérontologue nutritionniste.*

Il en est une *(classification)* très simple, adoptée par les nutritionnistes, qui permet une mise en ordre du panier de la ménagère; elle correspond (...) à une sorte de régulation qualitative et quantitative des besoins nutritionnels (...)
François LÉRY, Technique de la cuisine, p. 19.

NUTRITIVITÉ [nytʀitivite] n. f. — XXᵉ; de *nutritif.*

♦ Didact. Caractère d'une substance qui sert à la nutrition.

NYAMA-NYAMA [njamanjama] n. m. pl. ⇒ **Niama-niama.**

NYANJA [njɑ̃dʒa] ou **NYANGA** [njɑ̃ga] n. m. — XXᵉ; mot de cette langue.

♦ Didact. Langue bantou, parlée en Mozambique, au Malawi et en Zambie (env. 1 000 000 de locuteurs).

NYCT-, NYCTI-, NYCTO- Élément de composition de mots savants, du grec *nux, nuktos* «nuit».

NYCTAGE [niktaʒ] n. m. — 1839; du grec *nux, nuktos* «nuit», à cause de l'épanouissement nocturne de cette plante.

♦ Bot. Plante *(Nyctaginacées)* aussi appelée *belle-de-nuit.* ⇒ 1. **Belle-de-nuit.**

DÉR. Nyctaginacées.

NYCTAGINACÉES [niktaʒinase] n. f. pl. — 1900; *nyctagynées,* 1818; de *nyctage.*

♦ Bot. Famille de plantes dicotylédones apétales. *La bougainvillée et les mirabilis* (⇒ 1. **Belle-de-nuit**) *sont des nyctaginacées.* — Au sing. *Une nyctaginacée.*

NYCTALOPE [niktalɔp] n. — 1562; *noctilupa,* 1363; *nyctilope,* 1538; lat. d'orig. grecque *nyctalops* «qui voit la nuit», de *nux, nuktos* «nuit», et *ops* «vue».

♦ Didact. Personne qui a la faculté (anormale) de distinguer les objets sous une faible lumière ou pendant la nuit. *Les nyctalopes ont généralement une vision presque nulle pendant le jour.* — Adj. *La chouette, le hibou... oiseaux nyctalopes.*

(...) je continuais sereinement à jouer l'*Oiseau de Nuit* (...) Ému, Georges Wagne cacha qu'il l'était, me traita de hulotte pondeuse et me garantit que mon enfant serait nyctalope.
COLETTE, l'Étoile Vesper, p. 203. [1]
— Si les préadamites vivaient dans cette caverne, comment faisaient-ils pour s'éclairer? Possédaient-ils déjà la lumière philosophale ou bien étaient-ils nyctalopes? [2]
— Ils avaient des yeux de chat, répondit le duc. Vous ne faites qu'apporter de l'eau à mon moulin. Comme ils ne possédaient pas la lumière philosophale, ils ne pouvaient donc avoir que des yeux de chat. R. QUENEAU, les Fleurs bleues, p. 210.

DÉR. (Du même rad.) Nyctalopie.

NYCTALOPIE [niktalɔpi] n. f. — 1668; lat. *nyctalopia,* de *nyctalops* → Nyctalope.

♦ Didact. Faculté de bien voir pendant la nuit ou dans l'obscurité, normale chez certains animaux (hibou, chouette, chat), rare chez l'homme. ⇒ **Héméralopie.**

Mais Kupfergrun ne parla pas encore.
Il y eut des chuchotements dans l'ombre et je m'efforçai de voir ce qui se passait. Vanité! Jamais je ne vis de plus opaques ténèbres narguer les hautes flammes d'un foyer et les feux follets d'une trinité de chandelles.
Heureusement, la nyctalopie de Murr vint à mon secours.
— Hm, grogna-t-il, ce sont là choses hors de la bonne ordonnance.
Jean RAY, les Derniers Contes de Canterbury, p. 25.

DÉR. Nyctalopique.

NYCTALOPIQUE [niktalɔpik] adj. — 1836, Académie; de *nyctalopie.*

♦ Didact. Qui se rapporte à la nyctalopie*.

NYCTHÉMÉRAL, ALE, AUX [niktemeʀal, o] adj. — 1890; du grec *nux, nuktos* «nuit», et *hêmera* «jour»; suff. *-al.*

♦ Didact. Relatif à la succession du jour et de la nuit (⇒ **Nycthémère**), en ce qui concerne ses effets sur les organismes. *Rythme nycthéméral.* — REM. En physiologie, on a tendance à utiliser plutôt *circadien*.*

Pour les vols spatiaux d'une certaine durée il faudra encore tenir compte de la rupture du cycle nycthéméral (...)
J. COLIN et Y. HOUDAS, Physiologie du cosmonaute, p. 117.

NYCTHÉMÈRE [niktemɛʀ] n. m. — 1813, *nychthémère;* autre sens (nom d'un oiseau) au XIXᵉ; de *nyct-,* et grec *hêmera* «jour»; cf. le précédent.

♦ Didact. Espace de temps comprenant un jour et une nuit (24 h) et correspondant à un cycle biologique.

NYCTI- ⇒ Nyct-.

NYCTIPÉRIODIQUE [niktipeʀjɔdik] adj. — Mil. xxᵉ (1963, Larousse); de nycti-, et périodique.

♦ Bot. Qui ne fleurit que si les nuits sont longues. *Le chrysanthème est une plante nyctipériodique.*

NYCTITROPISME [niktitʀɔpism] n. m. — 1890, P. Larousse, *Deuxième Suppl.*; de nycti-, et tropisme.

♦ Bot. Phénomène par lequel une plante s'oriente spécifiquement dans l'obscurité.

NYCTO- ⇒ Nyct-.

NYCTURIE [niktyʀi] n. f. — 1903; de nyct-, et -urie.

♦ Physiol., méd. Élimination plus abondante d'urine, ou mictions plus fréquentes la nuit que le jour.

NYLON [nilɔ̃] n. m. — 1942, in Höfler; marque déposée aux États-Unis en 1932; nom formé par la Commission de désignation de la firme Du Pont de Nemours et issu des déformations successives de *no run* « qui ne file pas » (no run, nuron, nulon, nilon, nylon).

♦ **1.** Fibre synthétique (polyamide) obtenue au moyen de réactions opérées sur des sous-produits du goudron. *Résistance, élasticité du nylon. Brosse en nylon. Nylon pour fils chirurgicaux, pour lignes de pêche.*

1   Chaque éclat de lumière était un cri de douleur, les tissus de nylon se tordaient sur eux-mêmes, les cellophanes fondaient, les matières plastiques bouillonnaient. Tout était en train de brûler autour de la jeune fille (...)
              J.-M. G. Le Clézio, les Géants, p. 57.

♦ **2.** Étoffe, tissu de nylon. *Lingerie de nylon. Imperméable en nylon. Bas de nylon* (vieilli). *Bas en nylon.* Plus cour. en appos. : *bas nylon.*

2   *(Le)* téléphone que la jeune femme avait raccroché là-bas, chez elle, avant de resserrer autour d'elle peignoir et chemise de nuit de nylon noir, et de marcher vers sa chambre (...)   J.-M. G. Le Clézio, la Fièvre, p. 74.

♦ **3.** Corde, fil, câble de nylon.

3   (...) il avait ceinturé l'épave d'un énorme nylon provenant des baleiniers de Cape-town, pour essayer de la rapprocher du bord en tirant avec des palans.
            Bernard Moitessier, Cap Horn à la voile, p. 85.

NYMPHAL, ALE, AUX [nɛ̃fal, o] adj. — xxᵉ; myth., 1530; de nymphe, III.

♦ Zool. Relatif aux nymphes d'insectes. *Stade nymphal. Phases nymphales.*

NYMPHE [nɛ̃f] n. f. — V. 1265; du lat. nympha, du grec nymphê « jeune mariée, fiancée ».

★ **I.** ♦ **1.** Myth. (Antiq. grecque et rom.). Nom générique des déesses* d'un rang inférieur, qui hantent les bois, les montagnes, les fleuves, la mer, les rivières... ⇒ **Dryade, naïade, napée, néréide, océanide, oréade** (→ Églogue, cit. 1). *Nymphe bocagère*. Nymphe des sources. Nymphes changées en astres.* ⇒ **Hyade.** *Nymphes qui vivent sous l'écorce des arbres.* ⇒ **Hamadryade.** *« Des nymphes qui vivaient dessous la dure écorce »* (→ Dégoutter, cit. 1, Ronsard). *La nymphe Écho* (→ Chevelu, cit. 2), *la nymphe Égérie* (→ 1. Hypogée, cit. 1). *Lieu consacré aux nymphes.* ⇒ **Nymphée.**

1   De leurs roseaux touffus les trois Nymphes soudain
     Volent, fendent leurs eaux, l'entraînent par la main
     En un lit de joncs frais et de mousses nouvelles.
            André Chénier, Bucoliques, XXX.

2   Je me représentai les Satyres qu'on voit dans les jardins ravissant des Nymphes (...)   France, la Rôtisserie de la reine Pédauque, Œ., t. VIII, X, p. 84.

3   La nymphe Syrinx se dresse lentement de toute sa beauté. Elle dit sobrement : — Je suis la nymphe Syrinx; un peu naïade aussi, car mon père est le fleuve Ladon au beau torse, à la barbe fleurie (...) — Ah! Ah! (...) une naïade, je vois! (...) une cousine du beau Narcisse, fils du fleuve Céphyse! (...)
           Jules Laforgue, Moralités légendaires, Pan et la Syrinx, p. 189.

4   Nymphe veut dire jeune fille, ou fille mariée depuis peu. Tout l'univers est plein de ces créatures aimables, terrestres, célestes, ou marines. Les Océanides et les Néréides règnent dans les domaines de Neptune. Les Naïades sont nymphes des fontaines, et il faudrait encore distinguer celles des fleuves, des lacs, des étangs. Les Napées appartiennent aux vallées. Les Oréades aux montagnes; les Dryades sont aux forêts.   Émile Henriot, Mythologie légère, p. 163.

Représentation plastique d'une nymphe, sous forme d'une jeune femme* nue ou demi-nue. *Les Nymphes de la Seine,* bas-relief de Goujon. — *Belle comme une nymphe* (→ Amazone, cit. 3).

♦ **2.** (xviiᵉ). Littér. Jeune fille ou jeune femme, au corps gracieux (→ Façonnier, cit. 1). — (Fin xviᵉ). Vx. Courtisane, femme galante.

5   (...) il eut le malheur de s'entêter d'une de ces fameuses coquettes qui dévorent et engloutissent en peu de temps les plus gros patrimoines (...) ne pouvant plus faire la même dépense pour sa nymphe, *(il)* craignit d'être obligé de ne la plus voir.   A.-R. Lesage, Gil Blas, X, xii.

★ **II.** (1599). Anat. Petites lèvres* de la vulve. (⇒ **Nymphéal**).

★ **III.** (1682; fig. du sens I). Zool. Deuxième stade de la métamorphose* des insectes (cit. 2), intermédiaire entre la larve* et l'imago. ⇒ **Nymphose; nymphal** (→ Abeille, cit. 5). *Nymphe de lépidoptère.* ⇒ **Chrysalide.**

DÉR. Nymphal, nymphéal, nymphée, nymphette, nymphomanie, nymphose. — V. aussi **Nymphéa.**

NYMPHÉA ou (plus rare) NYMPHÆA [nɛ̃fea] n. m. — 1538; lat. nymphæa, du grec numphaia.

♦ Bot. Nom scientifique du nénuphar* blanc, appelé aussi *lune* d'eau* (→ Apsara, cit. 1 : environ, cit. 10). — *Les Nymphéas,* titre d'une série de tableaux de Claude Monet.

1   (...) j'ai vu, mon cher, un étang couvert de nymphæa, de plantes aux larges feuilles étalées ou aux petites feuilles menues (...)
          Balzac, les Paysans, Pl., t. VIII, p. 16.

Cour. (usage non technique). Nénuphar, quelle qu'en soit la couleur.

2   Ça et là, à la surface, rougissait comme une fraise une fleur de nymphéa au cœur écarlate, blanc sur les bords. Plus loin, les fleurs plus nombreuses étaient plus pâles, moins lisses, plus grenues, plus plissées (...)
          Proust, À la recherche du temps perdu, t. I, p. 229.

DÉR. Nymphéacées.

NYMPHÉACÉES [nɛ̃fease] n. f. plur. — 1816; de nymphéa.

♦ Bot. Famille de plantes phanérogames angiospermes *(Dicotylédones, dialypétales),* aquatiques et rhizomateuses, à canaux aérifères, à larges feuilles nageant sur les eaux douces. *Principales nymphéacées :* nelombo, nénuphar, nymphéa, victoria. — Au sing. *Une nymphéacée.*

NYMPHÉAL, ALE, AUX [nɛ̃feal, o] adj. — xxᵉ; de nymphe, et suff. d'adjectif.

♦ Anat. Relatif aux nymphes, aux petites lèvres de la vulve.

NYMPHÉE [nɛ̃fe] n. m. ou f. — Fin xvᵉ; de nymphe, I., 1.

♦ Archéol. Grotte naturelle ou artificielle, où jaillissait une source, une fontaine; sanctuaire consacré aux nymphes. *Vases, statues qui décoraient les nymphées. Une riche demeure avait souvent sa nymphée privée* (ou : *son nymphée privé*).

Var. didact. *Nymphaeum,* nom masculin.

NYMPHETTE [nɛ̃fɛt] n. f. — V. 1525, Lemaire de Belges, « petite nymphe (I., 2.) »; repris v. 1960; de nymphe.

♦ Très jeune fille au physique attrayant; adolescente aux manières aguicheuses, à l'air faussement candide. *Lolita, type de la nymphette créé par Vladimir Nabokov. « Pour faire rêver les femmes on ne choisit plus comme mannequin que des nymphettes »* (*l'Express,* 19 déc. 1966).

NYMPHOMANE [nɛ̃fɔman] adj. et n. f. — 1819; de nymphomanie.

♦ Femme (ou, xixᵉ, femelle de mammifère) atteinte de nymphomanie*. *Jument nymphomane.*

Par exagér. Se dit d'une femme qui recherche activement les rapports sexuels. Abrév. fam. : *nympho.*

Ils diront (...) mais qui est donc celle-là qui attend une lettre de France, une lettre du bout du monde et qui s'envoie en l'air avec un Anglais? Et de me traiter de nympho, d'infidèle, de salope, de caractérielle, de perturbée, d'immorale, de jeunesse d'aujourd'hui, ah! pauvre France!   Geneviève Dormann, le Bateau du courrier, p. 124.

NYMPHOMANIE [nɛ̃fɔmani] n. f. — 1732; de nymphe, et -manie.

♦ Exagération pathologique des désirs sexuels chez la femme (ou chez certaines femelles de mammifères). *La nymphomanie ou fureur* utérine des anciens auteurs* (→ Hystérie, étym.). ⇒ aussi **Andromanie.** *La nymphomanie chez la femme est souvent associée à des troubles psychiques. Homologue de la nymphomanie chez l'homme.* ⇒ **Satyriasis.**

DÉR. Nymphomane.

NYMPHOSE [nɛ̃foz] n. f. — 1874; de nymphe.

♦ Zool. État d'un insecte au deuxième stade de sa métamorphose;

ce stade. *Larves* (cit. 3) *qui meurent avant de parvenir à la nymphose.*

NYSTAGMIQUE [nistagmik] adj. et n. — 1877 ; de *nystagmus.*

♦ Méd. Qui se rapporte au nystagmus*. *Réflexes nystagmiques.* — N. *Un, une nystagmique :* une personne atteinte de nystagmus.

NYSTAGMUS [nistagmys] n. m. — 1855 ; *nystagme,* 1814 ; *nystagmos,* 1822 ; grec *nustagma,* de *nustazein* « baisser la tête, s'assoupir ».

♦ Méd. Trouble de la motricité oculaire caractérisé par de lents changements dans la direction du regard, brusquement interrompus par des mouvements de rappel très rapides. *Le nystagmus survient le plus souvent dans le regard latéral, et dans des circonstances physiologiques particulières* (fatigue des yeux, troubles de la vision, dysfonctionnement du système vestibulaire, lésions nerveuses, fixation d'un objet qui se déplace). *Nystagmus congénital, symptomatique d'une lésion des centres nerveux. Nystagmus des mineurs :* maladie professionnelle due au défaut d'éclairage et aux efforts excessifs d'accommodation.

DÉR. **Nystagmique.**

O

O [o] n. m.

♦ **1.** Quinzième lettre de l'alphabet, la quatrième des voyelles. *O majuscule, o minuscule. O accent circonflexe ou Ô. O, e dans l'o ou Œ.*

Phonét. *O ouvert* ([ɔ] : sole [sɔl]) ; *o fermé* ([o] : rose [ʀoz], faux [fo], beau [bo], saule [sol]) ; *o nasalisé* ([ɔ̃] : bon [bɔ̃]). *Le groupe OI se prononce* [wa], — [we] *jusqu'au* XVIIᵉ *siècle* —, *sauf si le i est muni d'un tréma* (⇒ **Ï**). *Le groupe OU se prononce* [u]. — *Œ se prononce* [œ] : *œillet* [œjɛ], *bœuf* [bœf], ou [e] : *œdème* [edɛm], *œsophage* [ezɔfaʒ]. *O est généralement nasalisé devant* n *ou* m, *non suivi de voyelle* (bon, bombe).

♦ **2.** Abrév. Math., phys. *O en chiffre* (XVIᵉ) : zéro. — (En petit caractère, à droite et en haut d'un nombre) : degré. *Un angle de 45⁰.* — Chim. Symbole de l'oxygène. — Géogr. Abrév. de *Ouest.*

HOM. V. **Ô.**

O' [o] Particule placée devant les noms de personnes irlandais et indiquant la filiation (« fils de... »). *O'Neil, O'Brady, O'Flaherty.*

Ô [o] interj. — XIIᵉ ; du lat. *O,* onomatopée.

♦ **1.** Interjection servant à invoquer, à interpeller (dite parfois *O* vocatif). *Ô Dieu ! Ô mon Dieu !* (→ Mois, cit. 4). *Ô grand roi ! Ô jeunes gens !* (→ Marcher, cit. 15). *Ô ciel... !* (→ Monde, cit. 19). *Ô toi qui... !*

1 Ô chef-d'œuvre de la nature ! divine Julie !
   ROUSSEAU, Julie ou la Nouvelle Héloïse, I, LV.

2 Sifflez, ô frondes par le monde, chantez, ô conques sur les eaux !
   SAINT-JOHN PERSE, Exil, II.

♦ **2.** Interjection traduisant un vif sentiment (joie, admiration, douleur ; crainte, colère...). *Chair* (cit. 18) *de la femme ! Ô merveille !... Ô la mignonne* (cit. 5) *créature ! Ô fortuné* (cit. 4) *séjour ! Ô nuit désastreuse !* (cit.). « *Ô rage, ô désespoir* (cit. 11), *ô vieillesse ennemie* » (Corneille). *Ô temps, ô mœurs !* (cit. 1, La Fontaine). *Ô trahison !*

HOM. **Au, aulx, eau, haut, ho, o, oh, os** (plur.).

OARISTYS [ɔaʀistis] n. f. — XVIIIᵉ, Chénier, titre d'une idylle imitée de Théocrite ; *oariste,* 1721, Trévoux ; grec *oaristos* « entretien tendre et intime ».

♦ **1.** Littér. Idylle ; récit d'une idylle.

♦ **2.** Littér. ou didact. Entretien amoureux, tendre, érotique.

1 Ah ! les oaristys ! les premières maîtresses !
   L'or des cheveux, l'azur des yeux, la fleur des chairs.
   VERLAINE, Poèmes saturniens, « Mélancholia », IV.

2 Quand, par la suite, je racontai notre oaristys à Albert, je fus naïvement surpris de le voir, lui que je croyais d'esprit très libre, s'indigner d'un partage *(celui de Mériem)* qui nous paraissait, à Paul et à moi, naturel.
   GIDE, Si le grain ne meurt, II, I, p. 311.

OASIEN, IENNE [ɔazjɛ̃, jɛn] adj. — 1865 ; de *oasis,* et *-ien.*

♦ Géogr. Relatif aux oasis. — N. Habitant d'une oasis. *Les oasiens du Sahara.*

OASIS [ɔazis] n. f. — 1766 ; comme n. pr., 1561 ; bas lat. *oasis,* grec *oasis,* empr. à l'égyptien.

REM. Malgré l'Académie, Littré, etc., quelques auteurs font *oasis* du masculin. Cf. Grevisse, § 272, n. 3.

♦ **1.** Endroit d'un désert* qui présente de la végétation due à la présence d'un point d'eau (source, cours d'eau, nappe souterraine). *Nature luxuriante, palmeraies, habitations d'une oasis* (→ Ébou-

riffer, cit. 3). *Caravane qui fait halte dans une oasis. Oasis saharienne.*

Par anal. *Une oasis de verdure au fond d'un jardin.*

1 Cette banlieue de Grenade forme comme une oasis enchantée au milieu des plaines brûlées de l'Andalousie. C'est le plus beau pays de l'Espagne.
   STENDHAL, Romans et nouvelles, « Coffre et revenant ».

♦ **2.** Par métaphore, fig. Lieu ou moment reposant, chose agréable (dont on jouit dans un milieu hostile, une situation pénible...). *Il faut traverser ce livre comme les sables de Libye sans rencontrer la moindre* (cit. 9) *oasis. Ce fut pour eux une halte dans une oasis. Oasis où le cœur se détend* (→ Fâcher, cit. 17).

2 Les accents de cette voix enfantine lui bâtissaient une oasis dans les sables ardents de sa vie.
   BALZAC, les Marana, Pl., t. IX, p. 803.

3 Dans ce triste quatorzième siècle, plein de fureurs et de folies, le règne de Charles V est une oasis de raison.
   J. BAINVILLE, Hist. de France, VI, p. 103.

4 Dans l'effroyable méchanceté de l'espèce, les Anglais établissent une oasis de courtoisie et d'indifférence.
   A. MAUROIS, les Silences du colonel Bramble, IV.

DÉR. **Oasien.**

OB- Élément, de la préposition latine *ob* « en face, à l'encontre... », qui entre dans la composition de nombreux mots sous la forme *ob-, oc-, of-, op-, os-,* ou simplement *o-* selon la lettre qu'il précède *(occasion, offenser, opprimer, omettre...).*

1. OBA [ɔba] n. m. — 1857, *Année sc. et industr.,* 1858, p. 375 ; mot du Gabon.

♦ Bot. Arbre glabre à feuilles coriaces qui croît en Afrique tropicale et dont les graines sont utilisées pour fabriquer le pain de dika (nom sc. : *irvingia,* famille des *Simarubacées*). *L'oba est appelé manguier* du Gabon.*

2. OBA [ɔba] n. m. ⇒ **2. Obi.**

OBBLIGATO [ɔbligato] adj. invar. — Attesté XXᵉ ; mot ital., p. p. de *obbligare* « obliger ».

♦ Mus. Qui ne peut être supprimé, en parlant d'un passage d'une œuvre musicale. *Récitatif obbligato.* ⇒ **Obliger** (p. p. adj.).

OBÉCHÉ [ɔbeʃe] n. m. — Mil. XXᵉ ; mot d'une langue africaine du Nigeria.

♦ Techn. Bois léger, jaune clair, tendre, assez semblable au peuplier (on l'utilise en menuiserie, caisserie, placage). *L'« obéché ou samba (...) employé surtout pour la fabrication des emballages légers »* (J.-C. Reggiani, *Industries du bois,* p. 28).

Bot. Arbre qui produit ce bois *(Triplochiton scleroxylon ; Sterculiacées).*

OBÉDIENCE [ɔbedjɑ̃s] n. f. — 1155 ; lat. *obœdientia* « obéissance », de *obœdire* → Obéir.

♦ **1.** Relig. Obéissance à un supérieur ecclésiastique. *Pauvreté, obédience et chasteté* (cit. 1), *les trois parties de la vie religieuse.*

1 Sous les lois d'une prompte et simple obédience.
   CORNEILLE, Imitation de J.-C., I, 1288.

Autorisation de changer de lieu, donnée par un supérieur ecclésiastique. *Lettre d'obédience. Il ne saurait partir sans obédience* (Académie).

♦ **2.** (V. 1175, Chrétien de Troyes). Relig. Maison religieuse dépendant d'une maison principale.

♦ **3.** Littér. Obéissance ou soumission. *Une obédience absolue.* ⇒ **Dépendance, obéissance** (1.), **soumission, subordination.**

2 J'avais passé vingt ans de ma vie dans l'obédience, dans la servitude.
G. DUHAMEL, Cri des profondeurs, v.

♦ **4.** (xxᵉ). Cour. Lien entre une puissance spirituelle, politique... et celui ou ceux qui lui sont soumis (dans les expressions *dans l'obédience, d'obédience...*). ⇒ **Domination, obéissance** (2.). *Les pays d'obédience communiste* (⇒ **Satellite**). *Personnes qui ne sont pas de même obédience,* qui ont des croyances, des idées politiques différentes (→ Commun, cit. 4).

CONTR. Indépendance.
DÉR. Obédiencier, obédientiel.

OBÉDIENCIER [ɔbedjãsje] n. m. — 1240 ; de *obédience,* et -*ier.* Religion.

♦ **1.** Religieux soumis à l'autorité spirituelle d'un supérieur.

♦ **2.** (1310). Religieux qui administre, par ordre de son supérieur, un bénéfice dont il n'est pas titulaire.

OBÉDIENTIEL, ELLE [ɔbedjãsjɛl] adj. — 1636 ; de *obédience,* et -*iel.*

♦ Relig. Relatif à l'obédience. — Théol. *Puissance obédientielle* (Bossuet), qui fait que le sujet obéit à une cause.

OBÉIR [ɔbeiʀ] v. tr. ind. — V. 1112 ; du lat. *obœdire.*

♦ **1.** **OBÉIR À QQN** : se soumettre (à qqn) en se conformant à ce qu'il ordonne ou défend. *Enfant qui obéit à ses parents.* ⇒ **Écouter.** *Obéir à un maître.* ⇒ **Ordre** (être, se mettre aux ordres de...). → Domestique, cit. 6. *Obéir à ses chefs militaires* (→ Foyer, cit. 17). *Inférieur* qui obéit à un supérieur*. Obéir à son roi, à son prince. Obéir à qqn envers qui on s'est engagé,* lui être loyal. *Obéir à Dieu, au diable* (→ Ensorceler, cit. 1). *N'obéir à personne* (→ Insurrection, cit. 5). *N'obéir qu'à soi-même* (→ Association, cit. 6). *Se faire obéir des autres* (→ Inégalité, cit. 3), *de ses sujets** (→ Grand, cit. 53). *Il a de l'autorité et sait se faire obéir. «Et si l'on m'obéit ce n'est qu'autant qu'on m'aime»* (Corneille, → Assujettir, cit. 3). — Au passif. *«Quand vous commanderez* (cit. 25)*, vous serez obéi»* (Corneille). *Il sera obéi de ses troupes* (→ 2. Objectif, cit. 6, Maurois). — (Le sujet désigne un animal). *Le chien obéit à son maître.* (→ Féroce, cit. 2).

1 Il nous faut obéir, ma sœur, à nos parents :
Un père a sur nos vœux une entière puissance.
MOLIÈRE, les Femmes savantes, III, 6.

2 Voici les lettres patentes en vertu desquelles vous devez m'obéir (...)
BALZAC, les Chouans, Pl., t. VII, p. 989.

3 Je répondis à madame Pierson qu'elle serait obéie et que j'allais partir.
A. DE MUSSET, la Confession d'un enfant du siècle, III, VIII.

4 Aussi bien, tel est le procédé le plus fréquent : ce n'est plus le peuple qui obéit aux autorités, ce sont les autorités qui obéissent au peuple. Consuls, échevins, maires, procureurs-syndics, les officiers municipaux se troublent et faiblissent devant la clameur immense ; ils semblent ou près d'être foulés aux pieds ou jetés par la fenêtre. TAINE, les Origines de la France contemporaine, t. I, III, p. 17.

Obéir à qqn en esclave*, en aveugle, aveuglément ; au doigt* et à l'œil, au doigt et à la baguette ; en silence, sans réplique, sans résistance, sans murmurer. Il m'obéira de gré ou de force*.

5 Les huit garçons, forts comme des taureaux, terreur et admiration du village, obéissaient en esclaves à leur père. A. DE MUSSET, Nouvelles, « Margot », II.

Absolt. *Il faut obéir.* ⇒ **Courber** (la tête), **fléchir, incliner** (s'), **soumettre** (se). *Obéissez sans tarder davantage* (cit. 6). *Être contraint* (cit. 7), *tenu d'obéir* (→ 1. Dépendre, cit. 12). *Céder* (cit. 18) *sans paraître obéir. Ceux qui obéissent et ceux qui commandent* (→ Inégalité, cit. 4). *Obéir et commander dans une armée* (cit. 15). *«Qui n'a fait qu'obéir saura mal commander»* (cit. 23). *L'ennui, le plaisir d'obéir* (→ Cachemire, cit. 2). *Se dispenser d'obéir* (→ Asservir, cit. 9). *Veux-tu obéir tout de suite ! Tu ferais bien d'obéir sans discuter.*

6 Celui qui serait né pour obéir obéirait jusque sur le trône.
VAUVENARGUES, Maximes et réflexions, 182.

7 (...) tout citoyen appelé ou saisi en vertu de la Loi, doit obéir à l'instant : il se rend coupable par la résistance. Déclaration des droits de l'homme, art. 7.

8 Je me demandais si l'abnégation de soi-même n'était pas un sentiment né avec nous ; ce que c'était que ce besoin d'obéir et de remettre sa volonté en d'autres mains, comme une chose lourde et importune ; d'où venait le bonheur secret d'être débarrassé de ce fardeau, et comment l'orgueil humain n'en était jamais révolté.
A. DE VIGNY, Servitude et Grandeur militaires, I, IV.

9 Il est toujours facile d'obéir, si l'on rêve de commander.
SARTRE, Situations I, p. 212.

♦ **2.** **OBÉIR À QQCH** : se conformer, se plier à ce qui est imposé par autrui, ou par soi-même. ⇒ **Acquiescer** (à), **déférer** (à). *Obéir à un ordre,* l'exécuter. ⇒ **Obtempérer** (→ Établir, cit. 11 ; 2. garde, cit. 5). *Obéir à une décision* (→ Humble, cit. 7). *Obéir à une volonté étrangère* (cit. 13), *aux volontés de qqn* (→ Égide, cit. 3). — Par ext. *Obéir à un geste, à un regard* (exprimant un ordre). → Faiblesse, cit. 31. — (Animaux). *Chevaux qui obéissent à la voix de leur maître* (→ Ardeur, cit. 48). *Chèvres qui obéissent à l'appeau* (cit. 1). — *Obéir à la force. Obéir aux lois.* ⇒ **Observer** (→ Autorité, cit. 20). *Obéir aux règles qu'on s'est choisies*

(→ Autonome, cit. 4). *Obéir à la mode.* ⇒ **Sacrifier, suivre** (→ Arriéré, cit. 2). — Au passif. *Des conventions* (cit. 9) *qui sont aveuglément obéies.*

10 Sans doute, l'égalité des biens est juste ; mais ne pouvant faire qu'il soit forcé d'obéir à la justice, on a fait qu'il soit juste d'obéir à la force (...)
PASCAL, Pensées, V, 299.

11 (...) la liberté consiste à n'obéir qu'aux lois ; mais dans cette définition le mot *obéir* s'y trouve, tandis que l'indépendance consiste à vivre dans les forêts, sans obéir aux lois, et sans reconnaître aucune sorte de frein. RIVAROL, Politique, I, II.

12 Les lois ne sont obéies que quand elles sont en accord avec les mœurs.
F. BRUNOT, Observations sur la grammaire de l'Académie française, p. 124.

Obéir à sa conscience, à un impératif (cit. 5) *moral.* ⇒ **Satisfaire.** *Obéissant à une idée qui lui venait...* (→ Étiquette, cit. 1). *Obéir à une impulsion* (→ Criminel, cit. 11). ⇒ **Céder.** *Il obéissait à un mouvement, à un sentiment de pitié* (cf. Se laisser aller à...). *Animal qui obéit à son instinct.* ⇒ **Suivre.**

13 Saint Vincent de Paul obéissait à un appétit de charité, comme Caligula à un appétit de cruauté. FLAUBERT, Correspondance, 113, 6 août 1846.

14 Sa politique, c'est d'obéir à sa conscience ; son habileté, c'est d'être juste.
FUSTEL DE COULANGES, Leçons à l'impératrice..., p. 176.

15 Ils obéissent sans doute à la forme humaine de cet instinct qui a rendu possibles la fourmilière, la ruche. MARTIN DU GARD, les Thibault, t. IV, p. 270.

16 Tu ne cédais pas à un scrupule, tu n'obéissais pas à un sentiment de délicatesse envers moi (...) F. MAURIAC, le Nœud de vipères, I.

♦ **3.** (Sujet n. de chose). Être soumis à (une volonté). *Le corps* (cit. 17) *obéit à l'âme* (→ Intempérance, cit. 3). *Son cerveau fatigué* (cit. 25) *ne lui obéissait plus.* — Absolt. *Accoutumer le corps à obéir* (→ Écouter, cit. 20).

17 L'univers obéit à Dieu, comme le corps obéit à l'âme qui le remplit.
Joseph JOUBERT, Pensées, I, X.

(1678). Le sujet désigne une machine, un instrument. *Outil qui obéit à la main* (→ Guider, cit. 4). *Bateau qui obéit à la main du pilote comme un cheval à la main du cavalier* (→ Hippogriffe, cit. 2 ; et aussi manœuvrer, cit. 7). *Obéir à la barre,* se dit d'un navire qui répond* rapidement à l'action de la barre.

(XIVᵉ). Être soumis à (une nécessité, une force, une loi naturelle). *Les corps matériels obéissent à la loi de la gravitation* (→ Globe, cit. 7). *Les parties volatiles obéissent à ce mouvement expansif* (cit. 1). *Des jardins qui descendent* (cit. 30) *en obéissant aux chutes naturelles du terrain.*

▶ **S'OBÉIR** v. pron. (1834). Réfl. *S'obéir* (à soi-même).

18 Ceux qui se plient à une règle réfléchie et calculée s'obéissent à eux-mêmes.
H. BARBUSSE, le Couteau entre les dents, p. 73.

Récipr. *Les maréchaux s'obéissaient les uns aux autres par ancienneté* (→ Lieutenant, cit. 4). *Ils ne s'obéissent pas.*

CONTR. **Commander, conduire, diriger, dresser, gouverner.** — **Désobéir, résister, révolter** (se). — **Dicter, ordonner.** — **Contrevenir, enfreindre, transgresser, violer.**
DÉR. **Obéissance, obéissant.**
COMP. **Désobéir.**

OBÉISSANCE [ɔbeisãs] n. f. — Déb. XIVᵉ ; 1270, « juridiction » ; du rad. du p. prés. de *obéir.*

♦ **1.** Fait d'obéir ; action, état de celui qui obéit. ⇒ **Soumission, subordination.** — REM. L'*obéissance* a un caractère plus formel, plus superficiel que la *soumission.* — *Obéissance des enfants à leurs parents, des soldats à leurs chefs militaires, des religieux à leurs supérieurs* (⇒ **Obédience, observance**). *Obéissance à un chef hiérarchique.* ⇒ **Subordination.** *Devoir obéissance, devoir l'obéissance à un chef, à la loi* (→ Liberté, cit. 25). *L'obéissance qui lui est due. Prêter, jurer obéissance à qqn.* — (Sans compl. en à). *Le commandement de quelques-uns et l'obéissance de tous* (→ Gouvernement, cit. 27). *Vœu d'obéissance. Amener un enfant à l'obéissance.* ⇒ **Docilité.** *Imposer l'obéissance pour maintenir l'ordre ; réduire à l'obéissance.* ⇒ 1. **Pas** (mettre au pas). *Maintenir dans l'obéissance, en obéissance et en servitude.* ⇒ **Assujettissement, dépendance, joug, sujétion** (→ Écraser, cit. 11 ; menacer, cit. 5). *Église* (cit. 11) *soutenue par l'obéissance des fidèles. Refus d'obéissance. Obéissance passive* (→ Libérateur, cit. 5), *aveugle* (cit. 18). *Une entière obéissance* (→ Clôture, cit. 5). *Obéissance raisonnable* (→ Harmonique, cit. 7), *libre et enthousiaste* (→ 1. Don, cit. 5). *Esprit d'obéissance. Avoir le goût de l'obéissance* (→ Discipliné, cit. 3). *Obéissance et discipline* militaires.*

1 (...) les jeunes gens doivent obéissance aux vieux (...)
MOLIÈRE, Dom Juan, V, 2.

2 Tout pouvoir, en un mot, périt par l'indulgence,
Et la sévérité produit l'obéissance.
VOLTAIRE, Alzire, I, 1.

3 La prééminence de l'état militaire et les distinctions de rang les ont accoutumés à la soumission la plus exacte dans les rapports de la vie sociale ; ce n'est pas servilité, c'est régularité chez eux que l'obéissance ; ils sont scrupuleux dans l'accomplissement des ordres qu'ils reçoivent, comme s'ils sont scrupuleux dans l'accomplissement des ordres qu'ils reçoivent, comme il leur soit commandé de les donner.
Mᵐᵉ DE STAËL, De l'Allemagne, I, II.

4 Je voyais même la tendre soumission de la femme finir où le mal commence à lui être ordonné, et la loi prendre sa place ; mais l'obéissance militaire passive et active en même temps, recevant l'ordre et l'exécutant, frappant, les yeux fermés, comme le destin antique ! Je suivais dans ses conséquences possibles cette Abnégation du soldat, sans retour, sans conditions, et conduisant quelquefois à des fonctions sinistres.
A. DE VIGNY, Servitude et Grandeur militaires, I, IV.

5 Les multitudes ont une tendance à accepter le maître. Leur masse dépose de l'apathie. Une foule se totalise aisément en obéissance.
HUGO, les Misérables, III, XIII, III.

6 Son instinct d'obéissance trouvait à se satisfaire dans une amitié où il n'avait qu'à acquiescer aux volontés de l'autre. Jamais Christophe ne lui donnait la peine de prendre une décision : il décidait de tout (...) faisant pour l'avenir de Otto, comme pour le sien, des plans qui ne souffraient point de discussion.
R. ROLLAND, Jean-Christophe, Le matin, II, p. 160.

7 J'ai le droit d'exiger l'obéissance parce que mes ordres sont raisonnables.
SAINT-EXUPÉRY, le Petit Prince, p. 40.

8 (...) Albert Martin s'emportait un peu, déclarait qu'il ferait connaître son opinion aux maîtres de l'heure, qu'il n'entendait donc point pousser l'esprit d'obéissance jusqu'à la soumission aveugle.
G. DUHAMEL, la Pesée des âmes, VIII.

9 La discipline faisant la force principale des armées, il importe que tout supérieur obtienne de ses subordonnés une obéissance entière et une soumission de tous les instants, que les ordres soient exécutés littéralement, sans hésitation ni murmure; l'autorité qui les donne en est responsable, et la réclamation n'est permise au subordonné que lorsqu'il a obéi.
Manuel de l'Infanterie, Discipline, p. 41.

Fait d'obéir (à qqch.). *Obéissance à la loi, aux règles.* ⇒ **Observation.** (→ Attroupement, cit. 2).

♦ **2.** (1270). Vx. *L'obéissance de... :* l'obéissance due à... ⇒ **Autorité, domination, obédience** (3.). *Être sous l'obéissance* (→ Demeurer, cit. 39), *demeurer dans l'obéissance de qqn* (→ 1. Insigne, cit. 2).

10 (...) l'empereur avait ordonné qu'on le reçut *(Charles XII)* dans toutes les terres de son obéissance (...)
VOLTAIRE, Charles XII, VII.

CONTR. **Commandement. — Désobéissance, indiscipline, indocilité, insoumission, insubordination, rébellion, résistance, révolte. — Contravention, infraction, transgression, violation.**

OBÉISSANT, ANTE [ɔbeisɑ̃, ɑ̃t] adj. — 1170; p. prés. d'*obéir.*

♦ **1.** (Personnes, et êtres animés). Qui obéit volontiers. ⇒ **Docile, soumis.** — REM. L'emploi le plus courant du mot, en français contemporain, concerne les enfants; on ne dirait plus (sans effet stylistique) *des employés, des ouvriers, des soldats... obéissants* (→ Discipliné). — *Enfant calme et obéissant.* ⇒ **Doux, sage.** *Dans son jeune âge, il était très obéissant envers son père* (vx), *avec son père* (fam.), *« à son père »* (Académie). *Être obéissant à la règle.* ⇒ **Attaché.** — Vieilli. *L'amant obéissant d'une femme* (→ Aux genoux* de...), soumis à l'influence* de...). — Vx ou littér. (par effet stylistique). *Peuple obéissant.* ⇒ **Gouvernable** (→ Étendard, cit. 4; genou, cit. 18). *Foule docile et obéissante* (→ Laisser-aller, cit. 3). — *Votre très humble et très obéissant serviteur,* formule de civilité employée autrefois à la fin d'une lettre (→ Considération, cit. 11). (En parlant d'animaux). *L'éléphant, animal obéissant* (→ Dompter, cit. 1). *Chien obéissant.* — Qui dénote une propension à l'obéissance; qui est porté à l'obéissance. *Caractère obéissant.* ⇒ **Malléable, maniable.** *Une nature obéissante et douce* (→ Chameau, cit. 2). *Accepter* (cit. 13) *d'un cœur obéissant.*

♦ **2.** 1890. (Choses). *La main obéissante du sculpteur* (→ Matérialiser, cit. 2). *Machine obéissante* (→ 2. Marche, cit. 23).

CONTR. **Désobéissant, entêté, factieux, impérieux, indiscipliné, indocile, rebelle, réfractaire, têtu, volontaire.**
COMP. **Désobéissant.**

OBEL ou OBÈLE [ɔbɛl] n. m. — 1689; lat. *obelus* « broche », grec *obelos.*

♦ Paléogr. Trait noir en forme de broche servant à signaler un passage interpolé sur les manuscrits anciens.

OBÉLISQUE [ɔbelisk] n. m. — 1537; lat. *obeliscus,* du grec *obeliskos* proprt « broche à rôtir », ainsi nommé par anal. de forme, de *obelos.* → Obèle.

♦ **1.** Dans l'art égyptien, Colonne en forme d'aiguille quadrangulaire surmontée d'un pyramidion*. *Les obélisques étaient dressés par paires à la porte des temples, devant les tombeaux... Hiéroglyphes* gravés sur les faces d'un obélisque. L'obélisque de Louksor, amené d'Égypte et érigé place de la Concorde à Paris* (→ Heure, cit. 73).

1 Nous avons voulu planter un obélisque sur une de nos places; il nous fallut l'aller filouter à Luxor, et nous avons été deux ans à l'amener chez nous.
Th. GAUTIER, Mlle de Maupin, Préface, p. 36.

2 Moi je lisais tout cela sans bien comprendre
Comme devant l'obélisque à Louksor les soldats regardent les signes humains
D'idéogrammes indéchiffrés.
ARAGON, le Roman inachevé, p. 119.

♦ **2.** (1756, Voltaire). Monument dressé, de forme analogue. *Obélisques des Péruviens* (→ Gnomon, cit.). *Le menhir, obélisque brut planté verticalement* (→ Mégalithique, cit. 1). *Obélisque commémoratif d'un monument aux morts.*

3 (...) la longue avenue est coupée par un petit bois, et nous sommes dans un carrefour, au centre duquel se dresse un obélisque en pierre, absolument comme un éternel point d'admiration.
BALZAC, les Paysans, Pl., t. VIII, p. 14.

4 (...) des filles (...) descendaient du côté des écoles devant lesquelles il y avait un monument aux morts, un obélisque qu'un coq de bronze surmontait.
P. NIZAN, le Cheval de Troie, I, I.

REM. Le mot, altéré en *obélix* [ɔbeliks] a servi à former le nom d'un personnage de la célèbre bande dessinée *Astérix le Gaulois.*

OBÉRER [ɔbeʁe] v. tr. — Conjug. *céder.* — 1596, au p. p.; 1680, inf.; lat. *obæratus* « endetté ».

♦ Admin. ou littér. Charger, accabler de dettes. ⇒ **Endetter.** *Guerre qui obère les finances d'un pays.* — (1690, Furetière). Pron. *S'obérer :* s'endetter.

▶ **OBÉRÉ, ÉE** p.p. adj. (1596).
Qui a de nombreuses dettes.
Si un homme obéré et sans enfants se fait quelques rentes viagères, et jouit par cette conduite des commodités de la vie, nous disons que c'est un fou qui a mangé son bien.
VAUVENARGUES, Maximes et réflexions, 416.
(Mil. XVIIIe). Pléonasme. *Être obéré de dettes.*

OBÈSE [ɔbɛz] adj. et n. — 1826, Brillat-Savarin; lat. *obesus* « gras, bien nourri »; de ob- et supin de *edere* « manger ».

♦ (Personnes). Qui est anormalement gros. ⇒ **Bedonnant, gras, ventru.** *Il est obèse jusqu'à en être difforme*. Elle est devenue obèse. Corpulent* (cit.), *massif* (cit. 5) *sans être obèse.*

N. *Un, une obèse.* ⇒ **Mastodonte, poussah, tonneau** (cf. Un paquet de graisse). *Le Martyre de l'obèse,* roman de Henri Béraud (1922).

1 Toute cure de l'obésité doit commencer par ces trois préceptes de théorie absolue : discrétion dans le manger, modération dans le sommeil, exercice à pied ou à cheval (...) Or, 1° Il faut beaucoup de caractère pour sortir d'un bon appétit (...) 2° Proposer à des obèses de se lever matin, c'est leur percer le cœur : ils vous diront que leur santé s'y oppose (...) 3° Monter à cheval est un remède cher (...)
A. BRILLAT-SAVARIN, Physiologie du goût, t. II, p. 47.

Par ext. *Corps, ventre obèse* (→ Graisse, cit. 7).

2 (Il) avait le corps obèse et le visage maigre. Torse gras et face osseuse.
HUGO, l'Homme qui rit, II, I, VII.

Spécialt. Atteint d'obésité. *Malades obèses.* — N. *Obèse qui suit un régime, fait une cure d'amaigrissement. Médecin qui soigne les obèses.* ⇒ **Obésiologue.**

OBÉSIOLOGUE [ɔbezjɔlɔg] ou OBÉSOLOGUE [ɔbezɔlɔg] n. — 1978; de *obèse,* et *-logue.*

♦ Méd. Spécialiste du traitement de l'obésité. *« Un obésologue qui fait des miracles »* (*l'Express,* 30 juin 1979, p. 78).

OBÉSITÉ [ɔbezite] n. f. — 1550; lat. *obesitas, obesus* → Obèse.

♦ Cour. État d'une personne obèse*. *L'obésité de qqn, son obésité. Elle tournait à l'obésité* (→ Empâter, cit. 2). *Dodu sans obésité* (→ Fleurir, cit. 23).

Méd. Augmentation ou excès du tissu adipeux de l'organisme, accompagné d'un excédent de poids (plus de 25 % du poids estimé normal). ⇒ **Adiposité, grosseur, lipomatose.** *Obésité exogène,* par suralimentation. *Obésité endogène,* résultant de troubles métaboliques ou endocriniens. *Traitement de l'obésité par le régime alimentaire, l'exercice.*

Les recueils sont pleins d'exemples d'obésité monstrueuse (...) Mais ce que j'ai vu de plus extraordinaire en ce genre était un habitant de New York (...) Édouard avait au moins cinq pieds dix pouces, mesure de France, et, comme la graisse l'avait gonflé en tous sens, il avait au moins huit pieds de circonférence. Ses doigts étaient comme ceux de cet empereur romain qui se mettait pour bagues les colliers de sa femme; ses bras et ses cuisses étaient tubulés, de la grosseur d'un homme de moyenne stature, et il avait les pieds comme un éléphant, couverts par l'augmentation de ses jambes (...) ce qui le rendait hideux à voir, c'étaient trois mentons en sphéroïdes qui lui pendaient sur la poitrine dans la longueur de plus d'un pied (...) Dans cet état, Édouard passait sa vie assis près de la fenêtre d'une salle basse qui donnait sur la rue (...)
A. BRILLAT-SAVARIN, Physiologie du goût, t. II, p. 43.

CONTR. **Étisie, maigreur.**

1. OBI [ɔbi] n. f. — 1551; mot japonais.

♦ Didact. Longue et large ceinture de soie du costume japonais traditionnel.
Sa robe *(de la mousmé)* était gris perle et son obi ponceau, avec une doublure de satin violet.
Claude FARRÈRE, la Bataille, XXII.
HOM. 2. Obi.

2. OBI [ɔbi] n. m. — 1835, Gautier; var. *oba,* 1880 *in* D.D.L.; mot africain.

♦ Didact. Sorcier, chez certains peuples africains.
Bizarre déité, brune comme les nuits
Au parfum mélangé de musc et de havane
Œuvre de quelque obi, le Faust de la savane
Sorcière au flanc d'ébène, enfant des noirs minuits
BAUDELAIRE, les Fleurs du mal, XXVI.
HOM. 1. Obi.

OBIER [ɔbje] n. m. — XIIIe; var. d'*aubier,* à cause de la couleur blanche du bois.

♦ Bot. Espèce de viorne* *(viburnum opulus)* communément appelée « boule de neige », arbuste à fleurs blanches en boules compactes très décoratives (famille des *Caprifoliacées*).

OBIT [ɔbit] n. m. — 1238; « mort », v. 1155; lat. *obitus* « mort », passé en lat. ecclés., p. p. de *obire*, au sens de « mourir ».

♦ Liturgie cathol. Service religieux célébré au bénéfice de l'âme d'un défunt, généralement au jour anniversaire de sa mort. *Fonder des obits. Livre des obits.* ⇒ **Obituaire.**

Ils célébraient un *obit* sans le corps du défunt.
          BALZAC, Un épisode sous la Terreur, Pl., t. VII, p. 440.

REM. Le verbe *obiter* « mourir » qui se trouve chez Chateaubriand, semble inusité.

OBITUAIRE [ɔbityɛʀ] adj. m. et n. m. — 1671; lat. médiéval *obituarius*, de *obitus* « mort ». → Obit.

Religion catholique.

★ **I.** Adj. Relatif au décès; mortuaire. *Registre obituaire,* donnant la liste des morts pour lesquels a été célébré un service funèbre (→ Cataloguer, cit.).

0.1   (...) vieilles dames qui voient partir leurs pareilles au paradis des rentières, assuré par leurs prières et par les messes de fondation inscrites au registre obituaire.
          Hervé BAZIN, Cri de la chouette, p. 56.

★ **II.** N. m. ♦ **1.** (1690). Registre obituaire d'une abbaye; livre liturgique contenant les obits fondés (on disait aussi *calendaire*).

1   Si tant d'hommes couchés avec moi sur le registre du congrès se sont fait inscrire à l'obituaire; si des peuples et des dynasties royales ont péri (...)
          CHATEAUBRIAND, Mémoires d'outre-tombe, t. VI, p. 161.

♦ **2.** Lieu où sont gardés les corps des personnes pour lesquelles on est fondé à supposer l'état de mort apparente. — Par ext. Morgue. — REM. On dit aussi *obitoire* [ɔbitwaʀ].

2   Il est dans l'obituaire, avec Miklaus, Hartwig et herr Zacharias, pour l'ensevelissement.   VILLIERS DE L'ISLE-ADAM, Axel, III, 2.

OBJECTAL, ALE, AUX [ɔbʒɛktal, o] adj. — 1948; dér. sav. du lat. scolast. *objectum.* → Objet.

♦ **1.** Psychan. Qui se rapporte à des objets (II.) indépendants du moi du sujet (en parlant d'une tendance ou d'une conduite). *Caractère objectal des relations infantiles. Relations objectales. Processus mentaux objectaux. Libido objectale* (⇒ **Aimance,** cit.). «*Amour objectal... limité par la prédominance du complexe de castration*» (G. Palmade, *la Psychothérapie*).

1   (...) par lien objectal, les psychanalystes entendent le lien qui se crée durant les premiers mois de la vie entre le sujet (le nourrisson) et l'objet (la mère, puis le père et la mère), lien qui ultérieurement se diversifie à mesure que de nouveaux objets sont reconnus et investis.
          G. BENDEL, Psychanalystes, médecins et rationalité, *in* la Nef, Nº 31, p. 41.

2   Le plus familier des objets hétérosexuels est, pour le petit garçon, la mère, pour la petite fille, le père. C'est à lui que se fixe d'abord la libido objectale, dans le complexe d'Œdipe.
          E. MOUNIER, la Relation sexuelle, tiré du «Traité du caractère» [1948],
          in Dʳ WILLY, la Sexualité, t. I, p. 30.

♦ **2.** Didact. Propre à l'objet. *Valeur objectale.*
DÉR. Objectalité.

OBJECTALITÉ [ɔbʒɛktalite] n. m. — Mil. xxᵉ; de *objectal.*

♦ **1.** Didact. Caractère objectal. *Objectalité des relations.*

♦ **2.** Caractère d'objet.

Ce qui prime? L'Objet. Non dans l'objectivité (qui n'avait de sens que pour et par et devant le sujet) mais selon *l'objectalité* et presque comme forme pure.
          Henri LEFEBVRE, la Vie quotidienne dans le monde moderne, p. 19.

OBJECTER [ɔbʒɛkte] v. tr. — 1541; *objecter,* 1288; du lat. *objectare,* proprt « placer devant, opposer », de *objectum* (→ Objet), supin de *objicere.*

♦ **1.** OBJECTER À QQCH. : opposer* (une objection*) à une opinion, une affirmation, pour réfuter*. *Objecter de bonnes raisons à, contre un argument :* contredire* cet argument. — (Avec une proposition compl.). *Objecter que...* ⇒ **Répondre, rétorquer.** *Il objectait qu'une action militaire autrichienne se heurterait* (cit. 30) *au veto du Kaiser.*

1   M. Boulanger lui présenta son homme, qui voulait être saigné parce qu'il éprouvait *des fourmis le long du corps.* Ça me purgera, objectait-il à tous les raisonnements.
          FLAUBERT, Mᵐᵉ Bovary, II, VII.

2   (...) elle s'efforça de me persuader que je me trouvais en présence d'un parent éloigné de province (...) J'objectai que, si indifférent qu'on pût se montrer à l'égard d'un parent de province, cette indifférence n'allait pas jusqu'à le recevoir dans le buffet (...)   COURTELINE, Boubouroche, Historique, p. 8.

Opposer (une objection à qqn). *Objecter qqch. à qqn.* ⇒ **Répliquer.** *Je sais ce que vous pourriez m'objecter. L'homme sensible, tout entier à ce qu'on lui objecte...* (→ Escalier, cit. 7). — *On nous objecte que...* (→ Moliniste, cit.).

(...) il est rarement arrivé qu'on m'ait objecté quelque chose que je n'eusse point du   3
tout prévue (...)   DESCARTES, Discours de la méthode, VI.

♦ **2.** Opposer (un fait, un argument) à un projet, une demande, pour les repousser. *Objecter la fatigue pour ne point sortir* (Académie). *Objecter de fausses raisons* (⇒ **Prétexter**), *des vétilles* (⇒ **Chicaner, contester**).

(...) quand la mère Barbeau vint voir Fanchon le soir même, pour l'embrasser et   4
lui donner sa bénédiction, elle objecta qu'à la nouvelle du prochain mariage de son frère, Sylvinet était retombé malade, et elle demandait qu'on attendît encore quelques jours pour le guérir ou le consoler.   G. SAND, la Petite Fadette, XXXVII.

M. Thénezay objecta qu'il faudrait de toute façon limiter, donc spécifier, l'objet   5
de cette commandite (...)   J. ROMAINS, les Hommes de bonne volonté, t. V, XII, p. 93.

♦ **3.** OBJECTER À QQN... : alléguer* (qqch.) comme un obstacle ou un défaut, pour rejeter la demande de qqn. *On lui objecte son jeune âge, son passé, sa situation de famille... — Le directeur objecta qu'il n'avait pas les titres suffisants pour occuper ce poste.*

Ainsi vous voilà autorisé à aller retrouver votre Dévote qui n'aura plus à vous   6
objecter le scandale du tête-à-tête (...)   LACLOS, les Liaisons dangereuses, LXIII.

CONTR. Approuver.
DÉR. Objecteur.

OBJECTEUR [ɔbʒɛktœʀ] n. m. — 1777, Beaumarchais; de *objecter,* et *-eur.*

♦ **1.** Vx. Celui qui fait des objections. ⇒ **Contradicteur** (contr. : approbateur).

♦ **2.** (1933, Gide; trad. de l'angl. *consciencious objector,* fin xixᵉ). Celui qui en temps de paix ou de guerre, refuse d'accomplir ses obligations militaires, en alléguant que ses convictions d'ordre moral ou religieux lui enjoignent le respect inconditionné de la vie humaine. — REM. La nature des motifs allégués permet d'établir une distinction de fait avec l'*insoumis* et le *déserteur,* auxquels l'*objecteur de conscience* est actuellement assimilé par la loi française.

Ma réponse aux « objecteurs de conscience » traîne depuis quinze jours sur ma   1
table (...) Dans cette déclaration, j'ai sans doute tort de parler d'« admiration ». Elle n'a que faire ici; et, du reste, va forcément en diminuant tandis que cessent d'être isolés ces cas d'insubordination (...)   GIDE, Journal, 1ᵉʳ sept. 1933.

Certes, il y a toujours eu et plus que jamais aujourd'hui en Algérie, des objec-   2
teurs de conscience.   F. MAURIAC, le Nouveau Bloc-notes 1958-1960, p. 324.

REM. On rencontre parfois le fém. *objecteuse de conscience :*

Suis-je en train réellement de tourner casaque et de prêcher à mon tour la   3
violence? Bien sûr que non, bien incapable ou bien trop objecteuse de conscience (...)
         Michèle PERREIN, Entre chienne et louve, p. 228.

CONTR. Approbateur.

1. OBJECTIF, IVE [ɔbʒɛktif, iv] adj. — 1642, Descartes, «*l'être objectif de l'idée*», *in* lettre à Mersenne, mars 1642; lat. scolast. *objectivus,* de *objectum* → Objet.

REM. Bien que l'adverbe *objectivement* soit attesté dès le xvᵉ siècle les dictionnaires ne mentionnent pas l'adjectif avant le xviiᵉ siècle.

★ **I.** Philos. ♦ **1.** Vx. (Dans la philos. de Descartes). Qui constitue un concept, une pure représentation de l'esprit, n'est qu'un *objet* de l'esprit (par oppos. à *subjectif,* à *actuel* et à *formel*). *Réalité objective et réalité formelle d'une idée* (→ Entité, cit. 1).

(...) j'ai déjà suffisamment averti en plusieurs lieux, que je parlais seulement de   1
la perfection ou réalité objective de cette idée de Dieu, laquelle ne requiert pas moins une cause, en qui soit contenu en effet tout ce qui n'est contenu en elle qu'objectivement ou par représentation (...)
         DESCARTES, Réponse aux 2ᵉˢ objections.

REM. Ce sens doit être soigneusement distingué du suivant, introduit en philosophie par Kant et répandu en France au début du xixᵉ siècle.

♦ **2.** (1801, *in* D.D.L.). Mod. Qui existe hors de l'esprit, comme un *objet* indépendant de l'esprit. *L'espace et le temps n'ont pour Kant aucune réalité objective.*

On appelle, dans la philosophie allemande, idées *subjectives* celles qui naissent de   2
la nature de notre intelligence et de ses facultés et idées *objectives* toutes celles qui sont excitées par les sensations.   Mᵐᵉ DE STAËL, De l'Allemagne, II, VI.

♦ **3.** Psychol. (Vx). Qui constitue l'objet pour le sujet.

N'as-tu pas vu, *Thérèse,* des miroirs de formes différentes, quelques-uns qui dimi-   2.1
nuent les objets, d'autres qui les grossissent; ceux-ci qui les rendent affreux; ceux-là qui leur prêtent des charmes; t'imagines-tu maintenant que si chacune de ces glaces unissait la faculté créatrice à la faculté objective, elle ne donnerait pas du même homme qui se serait regardé dans elle, un portrait tout à fait différent, et ce portrait ne serait-il pas en raison de la manière dont elle aurait perçu l'objet?
         SADE, Justine..., t. I, p. 188.

★ **II.** Cour., sc. ♦ **1.** Qui a rapport à un objet donné. — Vx. (Opt.). *Verre objectif.* ⇒ 2. **Objectif** (I., 1.).

Cette lunette hyperbolique qui ne serait composée que d'un seul grand verre objec-   3
tif, et d'un oculaire proportionné, exigerait une matière de la plus grande transparence.   BUFFON, Introd. à l'hist. des minéraux, VI, II.

Géom. *Ligne objective :* «ligne tirée sur le plan géométral et dont on cherche la représentation sur le tableau» (Encyclopédie), c'est-à-dire sur la « surface plane que l'on suppose transparente et perpendiculaire à l'horizon». *Point objectif :* «point sur le plan géométral dont on demande la représentation sur le plan du tableau» (Encyclopédie). — (XVIIIᵉ). Par ext. Milit. *Point objectif*, ou, par abrév., *objectif*. ⇒ 2. **Objectif** (II., 1.).

Ling. Relatif à l'objet. *Génitif* objectif. Verbe objectif* (→ Factitif, cit.). *Sens objectif et sens subjectif des adjectifs possessifs.* ⇒ **Mon** (REM. 3.).

4 Les verbes qui ont un complément d'objet : *ouvrir une fenêtre, casser un verre,* sont des «objectifs». Il vaudrait peut-être mieux (...) dire : *verbes employés objectivement* (...) la différence entre les verbes objectifs et les autres n'est pas une différence de nature, mais d'emploi.
F. BRUNOT, la Pensée et la Langue, p. 308 et 311.

5 Suivant que le substantif au génitif représenterait dans une phrase verbale le sujet ou l'objet (comp. la perte *d'un joueur* et : la perte *d'une fortune*), on appelle le génitif subjectif ou objectif.
J. MAROUZEAU, Lexique de la terminologie linguistique, p. 101.

♦ **2.** (1858). Qui fait partie du monde extérieur et peut être connu par les sens comme objet. *L'homme intérieur et l'homme extérieur..., l'homme subjectif et l'homme* (cit. 46) *objectif.*

6 De même que dans le corps de l'homme il y a deux ordres de fonctions, les unes qui sont conscientes et les autres qui ne le sont pas, de même dans son esprit il y a deux ordres de vérités ou de notions, les unes conscientes, intérieures ou subjectives, les autres inconscientes, extérieures ou objectives.
Cl. BERNARD, Introd. à l'étude de la médecine expérimentale, I, II.

Méd. *Symptômes*[1], *signes objectifs, que le médecin peut constater* (par oppos. à ceux, dits *subjectifs,* que seul le malade perçoit).

Polit. *La droite objective :* les éléments qui en fait sont de droite (indépendamment de l'étiquette qu'ils se donnent).

♦ **3.** Qui consiste en une réalité ou un ensemble de faits constatables. ⇒ **Positif.** *Droit** (cit. 37) *subjectif et droit objectif.*

♦ **4.** (Déb. XXᵉ). Cour. (Activité intellectuelle). Qui est ou se veut indépendant de toute préférence subjective, et d'où sont exclus tout préjugé individuel, toute déformation volontaire de la réalité. ⇒ **Impartial, impersonnel.** *Se livrer* (cit. 34), *procéder à un examen objectif* (→ Dessein, cit. 16). *Considération, description objective des faits* (→ Histoire, cit. 9). *Jugement objectif.*

7 Pour la première fois, à la faveur d'un brusque dédoublement dû, sans doute, à sa présence, j'ai pu porter sur mon cas un jugement objectif, lucide, un diagnostic de médecin.
MARTIN DU GARD, les Thibault, t. IX, p. 145.

8 Sans doute, est-il plus facile de s'armer que de tenter un effort d'intelligence objective, quand tous donnent l'exemple de la mauvaise foi.
J. CHARDONNE, l'Amour du prochain, p. 226.

Fournir un compte rendu, un rapport objectif d'un événement. Livre objectif (→ Entériner, cit. 3 ; illusionner, cit. 6). *Information* (cit. 4) *objective* (→ État, cit. 111). *Un article objectif sur les conflits sociaux.*

9 Je ferai la même réponse à propos de Maurras et autres docteurs d'*Action française* (...) ces hommes prétendent exercer leur action en vertu d'une doctrine due à l'étude tout objective de l'histoire, à l'exercice du plus pur esprit scientifique (...)
Julien BENDA, la Trahison des clercs, p. 131.

Log. Qui repose sur l'expérience, l'observation de phénomènes objectifs (au sens 2₂). *Méthode objective.* ⇒ **Scientifique.** *Mesure* (cit. 26) *objective. Énoncer des vérités objectives.* ⇒ **Objectivité.** — REM. En ce sens logique, se mêlent deux acceptions : 3. et 4. En effet, une connaissance fondée sur l'expérience est en même temps une connaissance acceptable pour tous les esprits (dans une culture et un univers du discours donnés).

10 On avait cru le croire, jusqu'à lui *(Michelet)*, que la géographie était une science précise, une somme de faits naturels positifs, ne relevant que d'une observation objective (...)
Émile HENRIOT, les Romantiques, p. 384.

11 La vision einsteinienne du monde n'a rien conservé de la représentation empirique, et pourtant elle est expérimentalement fondée.
Léon BRUNSCHVICG, Vie intérieure et vie spirituelle, p. 373.

♦ **5.** (1932). Personnes. Dont les jugements ne sont altérés par aucune préférence subjective. ⇒ **Détaché, impartial.** *Un observateur objectif. Écrivain, historien objectif.* — *Esprit lucide et objectif.*

12 Le critique objectif, qui ne se laisse pas prendre aux supercheries, aux illusions d'optique consenties, aux congratulations réciproques des intéressés et aux manières des critiques qui se prononcent sur «l'importance» des œuvres dans la semaine qui suit leur parution (...)
Henri LEFEBVRE, Critique de la vie quotidienne..., p. 10.

CONTR. **Subjectif. — Affectif, arbitraire, partial.**
DÉR. 2. **Objectif, objectivement, objectiver, objectivisme, objectivité.**
HOM. V. 2. **Objectif.**

2. OBJECTIF [ɔbʒɛktif] n. m. — 1666, au sens I, 1; emploi substantivé de 1. *objectif.*

★ **I. Phys. ♦ 1.** (1666 ; de *verre objectif*). Système optique d'une lunette* (ou d'un microscope) qui se trouve tourné vers l'objet à examiner. *L'objectif et l'oculaire. Objectif d'un télescope. Objectif de grand, de petit diamètre. Distance focale d'un objectif, foyer d'un objectif. — Objectif à immersion, objectifs multiples d'un microscope.*

1 Dans toutes les lunettes il faudrait donc l'objectif aussi grand, et l'oculaire aussi fort qu'il est possible, et en même temps proportionner la distance du foyer à l'intensité de la lumière de chaque planète.
BUFFON, Introd. à l'hist. nat. des minéraux,, VI, II.

♦ **2.** (1868). Système optique formé de lentilles qui donne des objets

photographiés une image réelle enregistrée sur une plaque sensible ou un film. *Objectif d'un appareil photographique, objectif photographique. Objectif anastigmat ; objectif à grand angle* (ou *grand angulaire**). *Objectif à très longue distance focale* (⇒ **Téléobjectif**). *Objectif à focale variable.* ⇒ **Zoom** (anglic.). *Profondeur de champ, distance focale, foyer d'un objectif. Obturateur, diaphragme d'un objectif. Objectif simple ; objectif composé, constitué par deux, trois* (⇒ **Triplet**), *quatre... lentilles. Objectif rectilinéaire. — Objectif d'une caméra (de prise de vues).* — Par ext. *Appareil photographique ou cinématographique. Braquer son objectif sur un paysage, sur une scène. Poser, se camper, se figer devant l'objectif* (→ aussi Exercice, cit. 6).

1.1 Cet appareil *(photographique),* muni d'un puissant objectif, était très complet.
J. VERNE, l'Île mystérieuse, t. II, p. 564.

2 L'appareil fait face au groupe des policiers et du jeune homme qui se débat. Ils marchent en désordre vers l'objectif.
COCTEAU, Orphée, p. 9.

3 L'opérateur, lui, ne sourit pas. Il est furieux de n'avoir pu filmer les éclatements autour de nous ; le temps lui manquait pour changer d'objectif.
R. DORGELÈS, la Drôle de guerre, XVI.

♦ **3.** Lentille ou système de lentilles servant à agrandir l'image d'un objet que l'on projette sur un écran. *Régler, mettre au point l'objectif d'une lanterne de projection, d'un appareil de projection cinématographique.*

★ **II.** (But à atteindre). ♦ **1.** (V. 1850 ; cf. au XVIIIᵉ *point objectif* ; → 1. Objectif II., 1.). Point contre lequel est dirigée une opération stratégique ou tactique. *Atteindre un objectif. Nos troupes ont atteint leur objectif. L'objectif de l'offensive est la ville de V... — Bombarder des objectifs militaires, stratégiques, en épargnant les bâtiments civils. Objectif d'un tir d'artillerie. L'aviation prend pour objectif un fort, un convoi ennemi.* ⇒ **Cible.** *Détruire un objectif* (→ Invulnérabilité, cit. 1).

4 La butte *(de Vauquois)* repérée par toutes les batteries à cinq lieues à la ronde, objectif fameux s'il en est, serait écrasée par toutes les catégories imaginables d'obus.
J. ROMAINS, les Hommes de bonne volonté, t. XV, IX, p. 109.

Résultat qu'on se propose d'atteindre par une opération militaire. Cette opération a pour objectif de démoraliser l'ennemi. L'objectif du haut commandement est de disloquer le front ennemi.

5 (...) ces objectifs militaires qu'un général n'annonce que lorsqu'il les a atteints, de façon à ne pas avoir l'air battu s'il les manque (...)
PROUST, À la recherche du temps perdu, t. X, p. 12.

6 Un commandant d'armée sait que (hors le cas assez rare de mutineries), il sera obéi de ses troupes ; il connaît aussi, de la manière la plus claire, son objectif, qui est la défense ou la conquête de tel territoire.
A. MAUROIS, Un art de vivre, IV, 5.

♦ **2.** (P. Larousse 1874). Par métaphore, fig. But* précis (que se propose une action). *L'objectif de toute sa vie a été l'accès au pouvoir* (Académie). *Avoir un objectif* (→ Mère, cit. 14). *Tout mettre en œuvre pour atteindre un objectif* (→ Instinct, cit. 1). *S'assigner* (cit. 8) *un objectif limité, immédiat, inaccessible* (cit. 12)... *L'objectif premier, principal... Les objectifs d'un ambitieux.* ⇒ **Visée(s).** *Objectifs de guerre, de paix. — Avoir pour objectif la réussite, la fortune...* ⇒ **Proposer** (se).

6.1 (...) il adjura «les enfants de la vieille cité» de ne plus avoir d'autre «objectif» que d'obtenir une réparation éclatante!»
J. VERNE, le Docteur Ox, p. 81.

7 (...) la menace d'un conflit européen pose devant une un objectif nouveau et précis.
MARTIN DU GARD, les Thibault, t. V, p. 138.

8 Projets, ruses, complots n'avaient d'autre objectif que les jours qui suivraient ma mort toute proche.
A. MAURIAC, le Nœud de vipères, II, XVII.

9 Une fois l'immeuble de Saint-Cyr acheté, le zèle de ces messieurs, dont l'objectif premier se trouverait atteint, risquait de se refroidir.
J. ROMAINS, les Hommes de bonne volonté, t. V, XVIII, p. 127.

DÉR. et COMP. **Téléobjectif.**
HOM. V. 1. **Objectif.**

OBJECTION [ɔbʒɛksjɔ̃] n. f — 1190 ; bas lat. *objectio,* de *objectum* → Objet.

♦ **1.** Argument que l'on oppose à une opinion, à une affirmation pour la réfuter. ⇒ **Critique, réfutation, remarque, réplique.** *Objection forte, solide, décisive, péremptoire, irréfutable, fondée, sans réplique. Objection imprévue* (→ Lendemain, cit. 1). *Objection faible, dérisoire* (cit. 3), *spécieuse, sans valeur. Objection captieuse, de mauvaise foi.* ⇒ **Chicane.** *Faire, énoncer, formuler, adresser une objection* (à un raisonnement, à une théorie, et, par ext., à qqn). ⇒ **Objecter, répondre, rétorquer** (→ Interruption, cit. 9 ; irréfutabilité, cit.). *Proposer, présenter, faire valoir une objection. Prévoir une objection. Aller au-devant d'une objection, prévenir une objection* (⇒ **Prolepse**). *Répondre, trouver réponse à une objection* (→ Impliquer, cit. 7 ; manichéen, cit. 1). *Réfuter une objection. Conviction* (cit. 4) *que la moindre objection ébranle. Il supporte mal les objections.* ⇒ **Contradiction.** *Sous réserve de quelques objections* (→ Gros, cit. 34). *Cette thèse se heurte à une objection de principe. La source d'une objection* (→ Hérésie, cit. 1, Pascal). *L'objection à cela, c'est que...*

1 Il m'eût été difficile de souhaiter un plus clairvoyant et plus officieux examinateur de mes écrits, que celui dont vous m'avez envoyé les remarques (...) c'est pourquoi je ne me mets pas tant en peine des objections qu'il m'a faites, que je me réjouis de ce qu'il n'y a point plus de choses en mon écrit auxquelles il contredise.
DESCARTES, Réponse à la IVᵉ objection, Lettre au R. P. Mersenne.

2 L'objection me parut sans réplique, et j'en convins à l'instant (...)
            ROUSSEAU, les Confessions, VII.

3 J'hésite à le dire, car, pour prévenir les objections que l'on peut ici m'adresser, il faudrait de longues explications et de nombreuses restrictions (...)
            RENAN, l'Avenir de la science, Œ., t. III, III, p. 759.

4 Et puis, on a pris si grand soin de leur affirmer que l'Église avait depuis longtemps réfuté victorieusement toutes les objections, qu'ils n'ont même pas l'idée d'y aller voir (...)   MARTIN DU GARD, les Thibault, t. IV, p. 310.

Objection, votre Honneur ! (formule traduite de l'anglais, employée au cours d'un procès dans un pays anglo-saxon, dans une traduction française : films, etc.).

♦ **2.** Ce que l'on oppose à une suggestion, une proposition pour la repousser. *Concevoir une objection à un projet* (→ Disposer, cit. 21). *Cette proposition n'a soulevé aucune objection.* ⇒ **Contestation, difficulté, discussion, opposition, protestation.** *Si vous n'y voyez pas d'objection.* ⇒ **Inconvénient, obstacle** (cf. *Si vous n'avez rien contre cela*). *Je n'ai pas d'objection à votre projet. Multiplier les objections. Avec lui il y a toujours des objections* (cf. *Des si et des mais*). *Balayer toutes les objections.*

5 Marius se disait que (...) lorsqu'il s'agirait de Cosette, il trouverait un autre visage, et que la véritable attitude de l'aïeul se démasquerait. Alors ce serait rude ; recrudescence des questions de famille, confrontation des positions, tous les sarcasmes et toutes les objections à la fois (...)   HUGO, les Misérables, V, v, II.

Par métaphore :

6 (...) un coup de théâtre se produisit qui allait élever contre mon entreprise la plus grave des objections.   PROUST, À la recherche du temps perdu, t. XV, p. 74.

Objection de conscience : principe sur lequel se fonde l'attitude des objecteurs* de conscience.

♦ **3.** Observation pour critiquer (qqn, un comportement). ⇒ **Représentation, reproche.** *Faire à qqn des objections sur sa conduite. L'objection qu'on lui a faite d'ignorer...* (→ Grume, cit. 3).

CONTR. Approbation.

OBJECTIVANT, ANTE [ɔbʒɛktivɑ̃, ɑ̃t] adj. — Mil. xxᵉ ; p. prés. de *objectiver.*

♦ Didact. Qui tend à objectiver.

(...) les facteurs de décision inconsciente et d'assimilation objectivante ou déformante du réel au nom desquels il faut dire que l'observation des faits par le sociologue revient toujours à les modifier (...)
            J. PIAGET, Épistémologie des sciences de l'homme, p. 56.

OBJECTIVATION [ɔbʒɛktivasjɔ̃] n. f. — 1846 ; de *objectiver.*

♦ **1.** Didact. Action d'objectiver, de rendre objectif. — Psychiatrie. Mécanisme mental par lequel un malade atteint de délire chronique interprète ses hallucinations comme des réalités.

♦ **2.** Action d'exprimer, de rendre objectif (1. Objectif, II., 4.) par l'écriture ou l'image (décrite ou projetée), un sentiment ou une idée.

Ce qui est beau, c'est donc ce désir démesuré d'objectivation, cette volonté acharnée que Tazieff (*dans les* Rendez-vous du Diable) partage avec un Cartier-Bresson ou le Sucksdorff de *La grande aventure,* ce besoin intérieur profond qui les pousse à vouloir authentifier contre vents et marées la fiction par le réalisme de l'image photographique.
            J.-L. GODARD, *in* Coll. des Cahiers du cinéma, p. 213.

♦ **3.** (V. 1900). Processus par lequel la connaissance tend à être objective (1. Objectif, II., 4.).

OBJECTIVEMENT [ɔbʒɛktivmɑ̃] adv. — Mil. xvᵉ (v. 1460), sens scolast. 1. ; de 1. *objectif,* et 1. *-ment.*
D'une manière objective.

♦ **1.** Philos. (Dans la philos. scolast. et cartésienne). Vx. En tant qu'objet de la pensée ou représenté par la pensée (→ Entité, cit. 1 ; 1. objectif, cit. 1).

♦ **2.** Philos. En tant qu'objet, indépendamment de l'esprit du sujet. *Pour Kant, l'espace et le temps n'existent pas objectivement.*

♦ **3.** En fait, en réalité, pratiquement (→ Neutre, cit. 5). *Il se croit prolétaire alors qu'objectivement c'est un bourgeois.*

Didact. (Ling.). En considérant (une chose, le sens d'un mot) au sens objectif. *Mot entendu, pris objectivement* (→ Caqueterie, cit.).

Cour. D'une façon objective, impartiale. *Considérer les choses froidement, impartialement et objectivement. Exposer, examiner objectivement une opinion adverse.*

Mais il faut aussi reconnaître, à sa louange, qu'il (*Sainte-Beuve*) a placé très haut son idéal de critique et d'historien des lettres, et s'est efforcé, autant qu'il a pu, de juger objectivement et de servir sincèrement ce qu'il estimait beau.
            Émile HENRIOT, les Romantiques, p. 237.

CONTR. Arbitrairement, subjectivement.

OBJECTIVER [ɔbʒɛktive] v. tr. — 1835 ; de 1. *objectif.*
Didact. Rendre objectif, considérer comme objectif.

♦ **1.** (1835). Transformer en réalité objective, susceptible d'étude objective. *Objectiver sa conscience.*

♦ **2.** (1874, Larousse). Rapporter à un objet, référer à une réalité extérieure. *Objectiver ses sensations.* — Pron. (Passif). *La sensation s'objective dans la perception* (Larousse).

Au participe passé :

1 L'espace amorphe, les atomes qui se poussent et s'entrechoquent, ne sont point autre chose que des perceptions tactiles objectivées, détachées des autres perceptions en raison de l'importance exceptionnelle qu'on leur attribue, et érigées en réalités indépendantes (...)   H. BERGSON, Matière et Mémoire, p. 243.

♦ **3.** (1838, Académie). Extérioriser en produisant un objet observable. ⇒ **Exprimer, manifester.** *Le langage* (cit. 2) *objective la pensée.*

2 Catherine, plus que tout, souffrait de se sentir absolument incapable, parce que c'était trop évident, d'objectiver sa pensée, ses sentiments. Elle ne trouvait pas les mots.   ARAGON, les Cloches de Bâle, XIII.

Pron. (Passif). *La pensée s'objective dans le langage.*

3 Représentez-vous donc des relations algébriques s'enchevêtrant les unes dans les autres, s'objectivant par cet enchevêtrement même, et enfantant, par le seul effet de leur complexité, la réalité concrète, visible et tangible (...)
            H. BERGSON, Essai sur les données immédiates de la conscience, p. 154.

DÉR. Objectivant, objectivation.

OBJECTIVISME [ɔbʒɛktivism] n. m. — 1900, cit. ; de *objectif,* et *-isme.*

Didactique.

♦ **1.** Attitude pratique qui consiste à s'en tenir aux données contrôlables par les sens, à écarter les données subjectives.

La forme la plus simple de ce réalisme (...) consistera dans la simple transposition en langage subjectif de l'objectivisme confiant des anciens, dans la confusion voulue entre le fait et le droit (...)
            G.-H. LUQUET, *in* Grande Encycl. (BERTHELOT), art. *Réalisme.*

♦ **2.** Philos. Doctrine de l'objectivité (1) de certaines choses.

DÉR. Objectiviste.

OBJECTIVISTE [ɔbʒɛktivist] adj. et n. — 1901, Péguy, *in* D.D.L. ; de *objectivisme.*

♦ Didact. De l'objectivisme. « *Dans l'existence courante de nos sociétés plus objectivistes* (que les sociétés "primitives") ». (P. Grapin, *l'Anthropologie criminelle,* p. 101). — Partisan de l'objectivisme. *Philosophe objectiviste. — Un, une objectiviste.*

OBJECTIVITÉ [ɔbʒɛktivite] n. f. — 1801, *in* D.D.L. ; de *objectif,* et *-ité.*
Qualité de ce qui est objectif.

♦ **1.** Philos. Qualité de ce qui existe indépendamment de l'esprit.

1 (...) ceux qui croient à l'objectivité, à la réalité en soi, des lois de la nature.
            E. MEYERSON, De l'explication dans les sciences, I.

♦ **2.** Qualité de ce qui donne une représentation fidèle d'un objet. *Objectivité de la connaissance, de la science. — Objectivité d'une description littéraire, d'un tableau, de la perception du monde extérieur* (→ Idéalisation, cit. 2)... ⇒ **Impersonnalité.**

2 De temps en temps la personnalité disparaît. L'objectivité qui fait certains poètes panthéistes et aussi les grands comédiens devient telle, que vous vous confondez avec les êtres extérieurs. Vous voici arbre mugissant au vent (...)
            BAUDELAIRE, Du vin et du haschisch, IV.

3 Les partisans de l'objectivité (quel vilain mot !) prétendant, au contraire, nous donner la représentation exacte de ce qui a lieu dans la vie, évitent avec soin toute explication compliquée, toute dissertation sur les motifs, et se bornent à faire passer sous nos yeux les personnages et les événements.
            MAUPASSANT, Pierre et Jean, « Le roman ».

4 Il (*Brunetière*) a toujours recommandé l'objectivité de l'œuvre d'art, le respect de la nature fidèlement rendue (...)
            Gustave LANSON, Hist. de la littérature franç., p. 1116.

4.1 (...) la physique, qui a modifié certaines de nos intuitions les plus fondamentales au profit, non pas d'un relativisme sceptique, mais bien d'une objectivité relationnelle de plus en plus efficace (...)
            J. PIAGET, Épistémologie des sciences de l'homme, p. 89.

♦ **3.** (1838). Cour. Qualité de ce qui est exempt de partialité, de préjugés. *Objectivité d'un rapport, d'un compte rendu, d'un jugement. Récit qui manque* (cit. 42) *à l'objectivité, manque d'objectivité.*

5 Il y a un jeu de mot sur l'objectivité, qui tantôt signifie la qualité passive de l'objet regardé et tantôt la valeur absolue d'un regard dépouillé des faiblesses subjectives.
            SARTRE, Situations III, p. 141.

5.1 Les actualités télévisées (la politique écartée) nous semblent objectives, selon le processus qui fit croire à l'objectivité des arts ; nous voulons que ses images se réfèrent exclusivement au monde de leurs modèles, alors que beaucoup d'entre elles se réfèrent — les unes délibérément, les autres involontairement — au monde de l'audio-visuel, qui affleure, en cet endroit même qu'il veut une province.
            MALRAUX, l'Homme précaire et la Littérature, p. 219.

(1932). Personnes. Attitude d'esprit d'une personne objective, impartiale. *Objectivité d'un historien, d'un juge.* ⇒ **Impartialité.** *Considérer la guerre* (cit. 15) *avec objectivité, une froide objectivité.*

6 Elle regardait pendant des heures, dans le miroir, son visage, avec une froide objectivité. Qu'elle pût attirer l'attention de certains hommes, elle n'en doutait plus.
A. MAUROIS, Terre promise, XII.

CONTR. Partialité, subjectivité.

OBJET [ɔbʒɛ] n. m. — 1346, *object*, Oresme; lat. scolast. *objectum*, proprt «ce qui est placé devant», d'où «chose qui affecte les sens».

★ **I.** (Concret). ♦ **1.** (Incluant les êtres animés). Didact. Ce qui, affectant les sens d'un sujet, peut être distingué de ce qui l'entoure; spécialt (cour.) chose* sensible à la vue. *Qualités sensibles, forme, grandeur* (cit. 36), *matière des objets, d'un objet. Voir, apercevoir un objet* (→ Aspect, cit. 10). *Distinguer* (cit. 22) *des objets dans l'obscurité. Couleur, coloris des objets* (→ Enluminer, cit. 1). *Objet lumineux, sombre* (→ Aurore, cit. 5), *coloré. Image* (cit. 7 et 9) *d'un objet. Image* (cit. 12) *renversée d'un objet sur la rétine. Le premier objet qui se présenta, s'offrit à sa vue... Dessiner un objet. Dessiner d'après un objet. Prendre un objet pour modèle. Représentation, imitation des objets par l'art* (→ Étude, cit. 44; 1. idéal, cit. 8). *Lunette qui grossit deux fois, cinq fois les objets. Objets que l'on voit plus gros sous la loupe. — Palper, toucher, manier un objet... Objet lourd, pesant, léger... Chien qui sent, renifle, flaire un objet... — Objet agréable à voir, affreux, répugnant* (→ Enfer, cit. 10).

1 (...) ces merveilleuses lunettes (...) nous ont déjà découvert de nouveaux astres dans le ciel, et d'autres nouveaux objets dessus la terre, en plus grand nombre que ne sont ceux que nous y avions vus auparavant (...)
DESCARTES, Dioptrique, Disc. premier.

2 (...) les moindres objets m'étaient perceptibles, ils restaient exactement tels qu'ils apparaissent dans la vie courante : leur forme, leur couleur, leur poids, leur raison d'être même ne m'échappaient pas.
H. BOSCO, Un rameau de la nuit, p. 240.

Didact. (Incluant les êtres vivants, les personnes). *« L'histoire* (cit. 37) *naturelle embrasse tous les objets que nous présente l'univers »* (Buffon).

Vx (langue classique). Personne (qui a de l'importance par rapport à un sujet qui la perçoit). *« Quel objet pour les yeux d'une amante ! »* (→ Forme, cit. 22, Racine; et aussi étendre, cit. 5, Voltaire). → cidesssous II, 4, avec une valeur sémantique différente, mais dans le même contexte.

Psychol. *Les objets extérieurs, du monde extérieur. Les objets et la sensation*. La perception* des objets. L'hallucination* (cit. 2 et 3) *n'a pas de prétexte dans le monde des objets extérieurs, est « une perception sans objet ». Selon les psychologues modernes, la notion d'objet est non pas innée, mais construite. Les objets et l'imagination* (cit. 4), *et la perception* (→ Impression, cit. 46). *Les objets et la pensée. « Un objet est pensé et non pas senti »* (Alain).

3 (...) les objets que nous touchons, voyons ou percevons par un sens quelconque, ne sont que des simulacres ou fantômes exactement semblables à ceux qui naissent dans l'esprit d'un hypnotisé, d'un rêveur, d'un halluciné, d'un homme affligé de sensations subjectives.
TAINE, De l'intelligence, t. II, p. 72.

4 Les objets extérieurs (...) pour lesquels le mot *objet* a été inventé, sont justement des *objets* et non des apparences fuyantes et insaisissables parce que ce ne sont pas seulement des groupes de sensations, mais des groupes cimentés par un lien constant.
Henri POINCARÉ, la Valeur de la science, p. 266.

Psychan. → ci-dessous II.

♦ **2.** Plus cour. Chose solide ayant unité et indépendance et répondant à une destination. ⇒ **Chose;** → fam. Bidule, machin, truc. *Objets matériels* (→ Fétichisme, cit. 1 et 2). *Objets hétéroclites* (→ Grenier, cit. 11), *de pesanteur* (→ Jongler, cit. 1), *de forme, de nature différentes. Forme, matière, grandeur d'un objet. Objets fabriqués. Saisir le premier objet qui tombe sous la main. Acheter un objet dont on a envie* (cit. 24). *Manier un objet avec précaution* (→ Étiquette, cit. 2). *Ranger, classer des objets par catégories. Énumérer des objets, donner une liste d'objets* (→ 1. Canne, cit. 1; connaissement, cit.). *Reconnaître, identifier, nommer des objets* (→ Caisse, cit. 2). *« Reconnaître un objet usuel, c'est savoir s'en servir »* (→ Esquisser, cit. 6, Bergson). *Objets trouvés dans les poches* (→ Identité, cit. 14).

Loc. *Objet perdu; objet trouvé. Réclamer dans un commissariat de police un objet perdu. Bureau des objets trouvés,* où l'on rassemble les épaves*, où leurs propriétaires peuvent les réclamer. — *Guichet où l'on dépose les objets recommandés, les objets expédiés en valeur déclarée... dans les bureaux de poste. Déclaration* (cit. 7) *des objets à la douane.*

Objets naturels et objets artificiels. Objets manufacturés. Le Système des objets, ouvrage de J. Baudrillard. — (Suivi d'un qualificatif ou d'un déterminatif précisant la catégorie à laquelle appartient l'objet de par sa matière). *Objets de bois, de corne,... objets métalliques.* — (De par son usage). *Objets de première nécessité* (→ Industrie, cit. 12). *Objets familiers* (→ 1. Exode, cit. 3), *de cuisine.* ⇒ **Ustensile.** *Objets utiles* (→ Art, cit. 64), *à usage professionnel.* ⇒ **Outil.** *Objets de toilette* (⇒ **Article**). *Objets pieux, objets de piété. — Objets de fantaisie*. — Petit objet sans valeur.* ⇒ **Bagatelle, broutille, colifichet.** *Petit objet décoratif.* ⇒ **Bibelot.**

(1973). Spécialt. *Objet spatial :* corps naturel ou artificiel, situé dans l'espace, dont l'orbite n'a pas été calculée. — *Objet volant non identifié.* ⇒ **Ovni.**

Par anal. Math. Dans la théorie des catégories*, Élément de l'une des deux classes (dite *classe des objets*) données dans une catégorie.

(Opposé à *être animé*). *Les objets et les êtres* (animés). → Genre, cit. 27. *« Objets inanimés, avez-vous donc une âme »...* (cit. 8, Lamartine). *Objets morts* (→ Housse, cit. 4), dont la vue donne l'impression de l'absence de vie. *« Les objets ne déçoivent pas... »* (→ Chose, cit. 8, Maurois).

Objets précieux (→ Jade, cit. 2), *objets de grand prix, de luxe. Objets de curiosités* (cit. 21), *de goût* (vieilli). *Objets à la mode* (→ Kaléidoscope, cit. 1).

(XIXe). Loc. **OBJET D'ART,** ayant une valeur artistique (à l'exception de ce qu'on appelle proprement *œuvres* d'art* et des meubles). → Ameublement, cit. 1; enchère, cit. 4; luxe, cit. 15. *Collection d'objets d'art. Magasin d'antiquités et d'objets d'art.* — Ellipt. *Objet* (pour objet d'art). *Une superbe collection d'objets 1900. Un bel objet.* — *« L'Objet »,* titre d'une importante exposition, en 1962.

Pourquoi suis-je allé chercher un éventail, rue de Lappe! chez un Auvergnat! qui vend des cuivres, des ferrailles, des meubles dorés? Moi, je crois à l'intelligence des objets d'art, ils connaissent les amateurs, ils les appellent (...) 5
BALZAC, le Cousin Pons, Pl., t. VI, p. 553.

— Mais n'y a-t-il sur ces instruments, sur ces outils, sur ces livres, aucune marque, aucune adresse, qui puisse nous en faire reconnaître la provenance? demanda Gédéon Spilett. 5.1
C'était à voir. Chaque objet fut donc attentivement examiné, principalement les livres, les intruments et les armes.
J. VERNE, l'Île mystérieuse, t. I, p. 322.

Un fanal éclaire un vaste fouillis d'objets hétérogènes plus ou moins grignotés par les rats. 6
LOTI, Mon frère Yves, XXXIV.

On sentait bien que la piété fraternelle d'Antoine s'était, par principe, interdit de toucher à rien; mais, depuis qu'il prenait là ses repas, peu à peu, chaque objet avait été déplacé, avait changé de destination, et tout avait pris un aspect différent (...) 7
MARTIN DU GARD, les Thibault, t. III, p. 164.

Macaire n'avait donc pas eu de peine à ranger les autos parmi les objets qui entourent l'homme, s'ajoutent à lui, le prolongent, et qui peuvent d'ailleurs devenir aussi redoutables que les êtres animés, quoique d'une autre façon : chaises, fouets, armoires, brouettes, charrues, machines à battre. 8
J. ROMAINS, les Hommes de bonne volonté, t. IV, VIII, p. 80.

Les objets, cela ne devrait pas *toucher,* puisque cela ne vit pas. On s'en sert, on les remet en place, on vit au milieu d'eux : ils sont utiles, rien de plus. Et moi, ils me touchent. C'est insupportable. J'ai peur d'entrer en contact avec eux tout comme s'ils étaient des bêtes vivantes. 9
SARTRE, la Nausée, p. 23.

Mais dans l'objet d'art, Rome légitime l'art par l'objet, et l'objet par sa fonction. 9.1
En figurant la victoire des dieux sur les géants, l'autel de Pergame dédiait aux dieux celle des Grecs sur les barbares; Rome invente les arcs de triomphe qui rappellent ses victoires aux vaincus, les colonnes qui les lui racontent à elle-même.
MALRAUX, la Métamorphose des dieux, p. 100.

Dr. *Objets mobiliers* (→ Épave, cit. 4; loterie, cit. 2), *meubles et immeubles* (→ Exploration, cit. 1). *Objet vendu, acheté, déposé en gage... Objet de commerce :* chose ou produit sur lequel s'exerce le commerce (→ Gagner, cit. 1; label, cit.).

Par ext. Élément, produit de l'activité artistique, considéré dans ses rapports avec celle-ci. *Objet plastique. Objet sonore.*

Qu'il s'agisse, en effet, des objets plastiques ou des objets mathématiques ou d'objets purement imaginaires comme les «êtres de raison» que crée l'imagination littéraire, il existe toujours certaines relations identiques entre le créateur et le produit matériel ou spéculatif de son activité. 10
P. FRANCASTEL, Art et Technique, p. 130.

L'objet sonore *(dans la musique dite « concrète »),* tout comme l'objet visuel, affranchi de toute ressemblance, est recherché pour lui-même, est assemblé en séries et en ensembles. Séries et ensembles tiennent lieu de mélodies et d'harmonies. 11
P. SCHAEFFER, *in* PICON, Panorama des idées contemporaines, p. 473.

(En appos.). Qui constitue un objet (d'art). *Livre objet.*

Par compar. *Traiter qqn comme un objet, en objet,* sans tenir compte de sa qualité de personne humaine. — Spécialt (dans les relations érotiques et affectives). *Il la considère comme un objet.*

♦ **3.** Collectivt. *L'objet :* l'ensemble des objets manufacturés (dans leur rapport à l'homme, leur importance sociale). *Une civilisation de l'objet. Rôle de l'objet dans l'art contemporain, le pop art. L'objet de grande consommation.*

★ **II.** (Abstrait). **A.** ♦ **1.** (Mil. XVIe). Élément qui se présente à la pensée, qui est occasion ou matière pour l'activité de l'esprit. (S'oppose alors à *sujet*). *L'objet de la pensée. Son esprit est occupé de plusieurs objets à la fois. Rêverie sans objet déterminé* (→ Jeter, cit. 35). *L'imagination, l'esprit erre* (cit. 22) *d'objet en objet, se fixe à un objet, sur un objet* (→ Douloureux, cit. 6). *« L'objet infini de l'âme... »* (→ Gouffre, cit. 10, Pascal). *Réunion de l'âme à son objet* (→ Extase, cit. 2). — *Objets réels et objets imaginaires* (cit. 3).

Les objets des mathématiques, les objets mathématiques. La géométrie a pour objets certains solides idéaux (1. Idéal, cit. 3). *L'objet d'un théorème* (→ Figure, cit. 5).

Pour lui *(le savant),* l'objet de la géométrie ou de la physique mathématique n'existe que dans la science (...) 12
Léon BRUNSCHVICG, Vie intérieure et vie spirituelle, Anthologie, p. 379.

♦ **2.** Philos. Ce qui est donné par l'expérience, existe indépendamment de l'esprit (par oppos. au «sujet qui pense»). *L'objet est la source des sensations* (→ Centre, cit. 8). *L'imagination* (cit. 1) *est affectée de l'objet. L'entendement* (cit. 4, Malebranche) *connaît les objets. L'objet et l'idée* (cit. 4, 5 et 11), *et le concept* (cit. 1).

Essence et existence (cit. 7) *de l'objet. Pour l'immatérialisme* (cit.) *le tout de l'objet est dans l'esprit. Le sujet et l'objet, l'esprit et la matière* (→ Idéalisme, cit. 1, Bergson). — Par ext. *L'art est une magie* (cit. 9, Baudelaire) *suggestive contenant à la fois l'objet et le sujet.*

13 (...) j'ai souvent remarqué, en beaucoup d'exemples, qu'il y avait une grande différence entre l'objet et son idée. DESCARTES, Méditations, IIIᵉ Méditation.

13.1 Je m'étais rendu compte que seule la perception grossière et erronée place tout dans l'objet, quand tout est dans l'esprit ; j'avais perdu ma grand'mère en réalité bien des mois après l'avoir perdue en fait (...)
PROUST, le Temps retrouvé, Pl., t. III, p. 912.

14 Selon qu'on parle plutôt le langage de l'ontologie ou celui de l'épistémologie, *objet* et *sujet, objectif* et *subjectif* se prennent en effet en deux acceptions différentes et presque contraires, où tantôt ils s'opposent comme la réalité absolue à l'apparence individuelle, et tantôt s'appellent comme les deux faces de la connaissance.
Robert BLANCHÉ, Sciences physiques et Réalité, p. 136, note 1.

(Aux sens 1 ou 2). *Objet de connaissance, de savoir.*

Loc. (en appos.). *Langage objet* (par rapport à un *métalangage**).

♦ **3.** (Déb. XVIIᵉ). *L'objet de qqch.* (sentiment, réalité psychique).

a Être ou chose qui est la cause, le motif (d'un sentiment, etc.) ; ce à quoi s'adresse (un sentiment). « *Le comique* (cit. 5) *est dans le rieur, nullement dans l'objet du rire* ». *Objet de pitié, d'horreur* (→ Inhumainement, cit.), *de colère* (→ Assassin, cit. 3), *de mépris* (→ Main, cit. 66), *de convoitise* (cit. 2), *de risée* (→ Doigt, cit. 15), *de haine* (→ Gratifier, cit. 8)... *Être l'objet de la haine... de qqn, un objet de haine pour qqn,* inspirer de la haine... *La curiosité dont il est l'objet lui est importune* (cit. 15). *Être l'objet des railleries, des soins* (→ Camouflage, cit. 1), *de la sollicitude de qqn.* — « *Rome, l'unique objet de mon ressentiment* » (→ Anaphore, cit. Corneille). « *Et malheureux objet d'une injuste rigueur...* » (→ Misérable, cit. 1, Corneille).

15 (...) je n'ai rien fait dans le but de me voir l'objet de votre reconnaissance (...) Vous vous trompez en ceci (...) BALZAC, l'Initié, Pl., t. VII, p. 372.

16 Le rôle de cet art *(la musique)* est de purger notre corps d'émotions accumulées qui ne trouvent pas leur objet dans la vie civile ou militaire.
A. MAUROIS, les Discours du Dʳ O'Grady, IX.

b Spécialt. (Êtres vivants, personnes). *Objet d'amour. L'objet de ses vœux* (→ Céder, cit. 1).

♦ **4.** (Mil. XVIᵉ, Ronsard). Vx (langue class.). Personne (spécialt, femme) considérée comme l'objet (3.) d'un sentiment amoureux. *Objet aimé* (→ Admiration, cit. 5 ; autel, cit. 17 ; cristallisation, cit. 4 ; exagérer, cit. 15 ; fâcherie, cit. 3 ; honnêteté, cit. 11). — Absolt. (Style précieux, vx). *Cher objet.* « *Volage adorateur de mille objets divers* » (→ Mais, cit. 20, Racine). « *Femmes ! objets chers et funestes !* ».

REM. On trouve parfois au XVIIᵉ et au XVIIIᵉ siècles dans le style plaisant ou familier, le mot *objet* appliqué à des parents ou à des personnes amies.

17 Adieu, mon cher objet, mille compliments à Maleteste (...)
DESBROSSES, Lettres d'Italie, À M. de Neuilly.

Personne considérée comme l'objet passif du désir.

17.1 (...) tu veux sçavoir à présent, *Thérèse,* ce qui l'engage à tenir pension ? ... le libertinage, mon enfant, le seul libertinage, passion portée à l'extrême en lui. Mon père trouve dans ses écoliers de l'un et l'autre sexe, des objets que la dépendance soumet à ses penchans, et il en profite ... SADE, Justine..., t. I, 106.

REM. Cette valeur est proche de l'emploi métaphorique moderne, ci-dessous 6.

♦ **5.** Psychan. (et psychol. influencée par le freudisme). Partie du monde extérieur, réel et perçu, ou imaginaire, pouvant correspondre à une personne, une partie du corps d'une personne, à une entité (aussi bien qu'à un objet au sens usuel) et corrélative de la pulsion, de l'amour ou de la haine. *L'objet « est ce par quoi et en quoi (la pulsion) cherche à atteindre son but, à savoir un certain type de satisfaction* » (Laplanche et Pontalis). *Objet partiel :* les parties du corps (réelles ou évoquées par le fantasme) et leurs équivalents symboliques. *Objet pulsionnel, sexuel, hétérosexuel* (→ Objectal, cit.). *Bon objet, mauvais objet :* premiers objets pulsionnels de l'enfant, répartis selon la projection des pulsions libidinales ou destructrices. *Objet transitionnel.*

17.2 Dans les écrits psychanalytiques, le terme objet se rencontre aussi bien seul que dans de nombreuses expressions (...) qui peuvent dérouter le lecteur non spécialiste. Objet est pris dans un sens comparable à celui que lui donnait la langue classique (...) Il ne doit pas évoquer la notion de « chose », d'objet inanimé (...)
J. LAPLANCHE et J.-B. PONTALIS, Voc. de la psychanalyse.

17.3 Le texte de notre conférence est : « La perte de la mère ». En termes psychanalytiques, nous préférerions dire *La perte de l'objet libidinal.*
R. SPITZ, *in* FOULQUIÉ, Dict. de la langue philosophique.

Loc. *Relation d'objet :* mode de relation avec le monde, particulier à un sujet, et qui dépend de l'organisation de sa personnalité, de ses types de défense, et de la façon dont les « objets » agissent sur lui. ⇒ **Objectal.** *Choix d'objet* (ou choix objectal) : choix d'une personne ou d'un type de personne comme objet d'amour. *Choix d'objet infantile, pubertaire. Choix d'objet narcissique,* qui se fait sur le modèle de la relation du sujet à sa propre personne (narcissisme). *Choix d'objet « par étayage »,* qui se fait sur le modèle de la relation aux figures parentales (syn. : *choix d'objet anaclitique).* — REM. Ces emplois relèvent à la fois du sens concret général (philosophique) ci-dessus I., 1., et de plusieurs sens abstraits II., 1., 2., et même 3.

♦ **6.** Par métaphore. Personne traitée en objet (I., 2.), considérée indépendamment de sa qualité de sujet humain. — REM. Ce sens, issu des comparaisons indiquées ci-dessus *(traiter qqn comme un objet)* emporte certaines connotations du sens classique II., A., 4., et comme lui concerne surtout les femmes : *Les femmes ne veulent plus être des objets.* — Appos. *La femme objet.* — *Objet érotique, sexuel.*

B. ♦ **1.** L'OBJET DE... (une pulsion, un désir, un besoin) : ce vers quoi tendent les désirs, la volonté, l'effort et l'action. ⇒ **But, fin.** *Les objets des désirs* (cit. 15). *L'objet de nos vœux, de nos souhaits* (→ Accomplissement, cit. 1). *L'indépendance* (cit. 4), *objet de tous nos désirs. Désirs sans objet* (→ Flottant, cit. 11).

18 C'est un objet déterminé d'une forme fixe, arrêtée, qui mène toute la nation, qui transporte, enlève les cœurs ; à chaque pas que l'on fait, il apparaît plus ravissant, et la marche est plus rapide (...) Enfin, l'ombre disparaît, le brouillard s'enfuit, la France voit distinctement ce qu'elle aimait, poursuivait sans le bien saisir encore : l'unité de la patrie. MICHELET, Hist. de la Révolution franç., IV, XI.

19 (...) ces éternels objets des désirs humains, santé, richesse, bonheur.
FUSTEL DE COULANGES, la Cité antique, I, III.

L'objet de qqn, de son activité, de ses besoins... ⇒ **But, intention.** *Mon objet en vous écrivant, est de... L'objet que je me propose est de... :* mon intention*, mon dessein* est de... — (Choses). *Indiquez, exposez l'objet de votre visite. Cette démarche, cette plainte est dès lors sans objet,* n'a plus de raison d'être. *Remplir son objet :* atteindre son but. *La visite qu'il lui a faite n'a pas rempli, atteint son objet, a manqué son objet.*

20 Ses petits yeux agiles s'arrêtèrent sur moi avec curiosité, et ce n'est pas sans une cruelle angoisse que je m'aperçus qu'il ne soupçonnait pas même l'objet de ma visite. FRANCE, le Crime de S. Bonnard, Œ., t. II, II, p. 319.

21 Ce devoir professionnel, auquel il avait tout sacrifié, devenait sans objet.
RENAN, Souvenirs d'enfance..., I, IV.

♦ **2.** Ce pour quoi une entreprise est faite. ⇒ **Objectif ; but.** *L'objet d'un dictionnaire* (cit. 6 et 8) *est l'usage contemporain. L'objet de la comédie* (→ Caractère, cit. 67), *d'une composition dramatique* (cit. 5), *des sciences* (→ Échelonner, cit. 5). *L'objet des études du philologue* (→ Latitude, cit. 1). *L'objet du commerce* (→ Douane, cit. 1), *d'une entreprise* (→ Anonyme, cit. 5). — *Avoir pour objet.* ⇒ **Porter** (sur) ; **proposer** (se). « *L'art* (cit. 78) *n'a pas la vérité pour objet.* » (France). « *L'entendement a pour objet les vérités éternelles* » (Bossuet, *Traité de la connaissance de Dieu...,* IV, V).

♦ **3.** Ce sur quoi s'exerce une activité narrative, textuelle ; ce à quoi s'applique un discours, un texte. ⇒ **Matière, substance, sujet, thème.** « *L'objet propre de mes confessions* » (cit. 8, Rousseau). *L'objet d'un discours. Distraire le lecteur de l'objet principal d'un roman* (→ Épisode, cit. 3). *Cette question a fait l'objet de nombreuses études. Cette circulaire a pour objet la salubrité publique.* ⇒ **Concerner ; rapport** (avoir rapport à). *C'est un objet sans limite...* (→ Dessein, cit. 5).

22 Traiter d'une matière, c'est en faire l'objet d'un travail, d'une dissertation.
LITTRÉ, Dict., art. *Traiter.*

23 J'emportai dans la grande pièce les quelques papiers qui devaient faire l'objet de mon premier travail. GIDE, Isabelle, II.

♦ **4.** Chose abstraite sur quoi s'exerce intentionnellement une activité de l'esprit. *Choses, sujets, questions qui sont l'objet d'une rencontre* (→ Impersonnel, cit. 5), *d'une conversation, d'un entretien, d'une résolution.* — *L'objet d'une querelle* (→ Hypocondrie, cit. 2), *d'une dispute* (→ Inoculation, cit. 2). ⇒ **Cause.**

24 Julien remarqua avec effroi qu'il arrivait à ce grand seigneur de lui donner des décisions contradictoires sur le même objet.
STENDHAL, le Rouge et le Noir, II, VII.

25 Le préopinant décide ce qui, selon mes faibles lumières, me paraît devoir être l'objet de la discussion. BALZAC, le Député d'Arcis, Pl., t. VII, p. 660.

Loc. FAIRE, ÊTRE L'OBJET DE : subir. *Ce malade est l'objet d'une surveillance constante de la part de son entourage. Faire l'objet de jugements sévères* (→ Latifondiaire, cit.). *Être l'objet de sollicitations* (→ Finance, cit. 2), *de mesures de rigueur, de faveur...* (cf. Être en butte à..., exposé à...). *Mineur qui fait l'objet d'une condamnation* (→ Excuse, cit. 10).

26 (...) les collègues de M. Le Bourguignon, restés dans le salon, avaient l'honneur d'être l'objet ordinaire des plaisanteries de mademoiselle de La Mole.
STENDHAL, le Rouge et le Noir, II, IV.

27 Les privautés qu'il prend (...) doivent en fin de compte tourner, suivant les lois sidérales de l'amour, à l'avantage de la femme qui en est l'objet.
J. ROMAINS, les Hommes de bonne volonté, t. IV, XII, p. 130.

♦ **5.** (1804, Code civ.). Dr. Prestation sur laquelle porte un droit, une obligation, une convention, une demande en justice... *L'objet d'un litige, d'un procès. Objet d'un gage* (cit. 1). *L'objet d'un jugement* (→ Autorité, cit. 30).

C. (1775, Condillac). Gramm. Élément de l'énoncé dont le sens est analysé comme l'objet sur lequel porte l'action exprimée par le verbe. *Le sujet et l'objet du procès.*

COMPLÉMENT D'OBJET. *Complément d'objet d'un verbe,* désignant l'objet, la personne, l'idée sur lesquels porte l'action marquée par le verbe. *Complément d'objet direct,* ou, ellipt. *objet direct,* directement rattaché au verbe sans l'intermédiaire d'une préposition (ex. : *Je prends un crayon). Complément d'objet indirect,* ou, ellipt. *objet indirect,* rattaché au verbe par l'intermédiaire d'une préposition (ex. : *J'obéis à vos ordres*). ⇒ **Transitif.** *Le complément d'objet* *direct dépend d'un verbe transitif direct, le complément d'objet indirect d'un transitif indirect.* — REM. Cette terminologie est généralement admise et enseignée dans les grammaires scolaires depuis *la Pensée et la Langue* de F. Brunot (cf. p. 300). Elle permet notamment de différencier le complément d'objet indirect du complément dit d'attribution (prêter un livre *à un ami*) ; elle est cependant loin d'être acceptée sans réserve.

Objet secondaire d'attribution, nom donné par certains grammairiens (cf. Le Bidois, *Syntaxe du français moderne,* § 1808) à une sorte de complément d'appartenance, comme dans l'exemple suivant : la robe que j'avais vue ce jour-là *à ma sœur.* « *Quand on t'a connue, on trouve aux plus jolies un goût fade* » (France, *le Lys rouge,* p. 246). — *Proposition complément d'objet,* ou *complétive* (Je lui ai annoncé *que j'étais parti, ton départ*). *Infinitif complément d'objet d'un verbe* (désirer *partir*), *d'un substantif verbal* (son désir de *partir*).

CONTR. Créature, forme, sujet.
DÉR. (Du même rad.) 1. Objectif.

OBJURGATEUR, TRICE [ɔbʒyʀgatœʀ, tʀis] adj. — XVIᵉ ; de *objurgation,* et *-eur.*

♦ Rare. ⇒ **Désapprobateur.**

OBJURGATION [ɔbʒyʀgasjɔ̃] n. f. — XIIIᵉ, rare av. XVIIIᵉ, « personne ne se sert aujourd'hui du mot *objurgation* » (Trévoux, 1771) ; lat. *objurgatio* « blâme, réprimande », du supin de *objurgare.*

♦ **1.** Rhét. Figure à laquelle recourt un orateur quand il adresse à qqn de vifs reproches, quand il manifeste sa désapprobation*. *Les objurgations de Démosthène reprochant aux Athéniens leur lâcheté devant Philippe.*

♦ **2.** Littér. (Surtout au plur.). *Objurgations* : « paroles vives par lesquelles on essaie de détourner quelqu'un d'agir comme il se propose de le faire » (Académie). ⇒ **Admonestation, blâme, remontrance, représentation, réprimande, reproche.** *Conseils* (cit. 8) *et objurgations. À force de prières et d'objurgations* (→ Litanie, cit. 2). *Céder, résister aux objurgations de qqn. Gouvernement désemparé* (cit. 5) *qui sait mal répondre aux questions et aux objurgations.*

1   (...) laissons un peu marcher la politique ; c'est une exception ; aussitôt après vous reprendrez votre liberté ; votre morale recommencera de fonctionner tant qu'elle voudra. Il n'y a qu'un malheur à cette objurgation ; c'est que depuis que je me connais, et généralement depuis que tout le monde se connaît, il n'y a jamais eu un seul instant où les politiciens n'aient pas tenu ce raisonnement (...)
Ch. PÉGUY, la République..., p. 134.

2   Du reste, lassé de la surveiller sans cesse, de m'épuiser en objurgations toujours vaines, j'avais enfin pris le parti de la laisser faire à son gré sans plus rien dire.
GIDE, Et nunc manet in te, p. 61.

3   Il finit par céder aux objurgations de sa femme et s'installa, non sans protestations, dans la chambre dont Justin se retirait (...)
G. DUHAMEL, Chronique des Pasquier, V, VI.

4   Nicole avait reculé sa chaise devant le mouvement de Serge. Mais celui-ci continuait de se traîner vers elle à genoux, sans entendre les objurgations très rudes de von Berg qui lui conseillait d'être raisonnable s'il tenait à ce que cette entrevue avec sa fiancée fût suivie de quelques autres.
G. LEROUX, Rouletabille chez Krupp, p. 138.

♦ **3.** (Abusif). Conseil pressant, prière insistante (→ Enflammer, cit. 25). *Exhorter* (cit. 7) *qqn par des objurgations.*

CONTR. Apologie, approbation, encouragement.
DÉR. Objurgateur.

OBJURGUER [ɔbʒyʀge] v. intr. — 1546 ; repris en 1884, Huysmans ; lat. *objurgare.* → Objurgation.

♦ Littér., rare. Faire de violents reproches ; manifester sa désapprobation violente par des objurgations.

Dans les littératures ou les sciences, pourtant déjà si développées, de l'Assyrie ou de l'Égypte, l'Oriental commande, objurgue, supplie, prophétise, vaticine, et, quand il observe, raconte, énumère, compile, collectionne.
André SIEGFRIED, l'Âme des peuples, p. 189.

OBLADE [ɔblad] n. f. — 1868, Littré ; lat. sc. mod. *oblada.*

♦ Zool. Poisson osseux commun sur la côte méditerranéenne française, dont la chair est médiocre. — On dit aussi *blade.*

OBLAT, ATE [ɔbla, at] n. — 1549 ; lat. *oblatus* « offert », p. p. de *offerre* « offrir », l'oblat étant primitivement un enfant donné à un monastère, ou quelqu'un qui se donnait à un couvent avec ses biens.
Religion.

♦ **1.** Personne qui s'est agrégée à une communauté religieuse en lui faisant donation de ses biens et en promettant d'observer un règlement, mais sans prononcer les vœux requis d'un moine* ou d'une religieuse et sans abandonner le costume laïque. *Un oblat bénédictin. L'Oblat,* roman de Huysmans.

♦ **2.** (1815). Religieux, dans certains ordres. *Les oblats de Saint-François de Sales, de Marie Immaculée...*

♦ **3.** N. m. pl. Liturgie. La « matière prochaine » du sacrement eucharistique, le pain et le vin. ⇒ **Oblation.** — Par ext. Ce qui est *offert* à l'occasion du Sacrifice : luminaire, pain bénit, dons honoraires ou quêtes.

♦ **4.** N. f. (1874). Hist. *Oblate :* femme noble tombée dans la misère, et placée par le roi dans un couvent.

DÉR. **Oblature.**

OBLATIF, IVE [ɔblatif, iv] adj. — 1946, Parcheminey ; lat. *oblativus* « qui offre », de *oblatum,* supin de *offerre.*

♦ Didact. Qui s'offre à satisfaire les besoins d'autrui au détriment des siens propres. *Amour oblatif* (opposé à *captatif*). *Caractère oblatif des mystiques. Attitude oblative de l'enfant.*

Il *(le patient)* lui faudra donc éprouver la certitude totale qu'il trouvera en la personne de l'analyste (...) l'accueil attentif et apaisant dont il aura besoin tant que subsistera en lui quelque chose de l'enfant craintif qu'il a été. Il faut parfois beaucoup de temps et de patience oblative, de la part du médecin, pour qu'un homme devienne enfin un adulte.
S. NACHT, Guérir avec Freud, *in* la Nef, nº 31, p. 172.

CONTR. Captatif.
DÉR. Oblativité.

OBLATION [ɔblasjɔ̃] n. f. — V. 1170 ; *oblatiun,* v. 1120, au sens 1 ; bas lat. *oblatio* « action d'offrir », du supin de *offerre* « offrir », spécialisé dans un sens relig. en lat. ecclésiastique.
Religion.

♦ **1.** Action d'offrir (qqch.) à Dieu ; résultat de cette action. *Faire au Seigneur une oblation des prémices* (→ Froment, cit. 4). « *Jésus fit à Dieu l'oblation solennelle de sa personne* » (Bourdaloue). « *L'oblation d'un cœur contrit et reconnaissant* » (Fléchier). *En oblation et volontaire holocauste* (cit. 9) *pour l'amour de Dieu.*

1   Si tu ne t'offres pas à tout ce qui me plaît,
Si tu n'es point d'accord que moi seul j'en dispose,
Tu ne me feras point d'entière oblation (...)
CORNEILLE, Imitation de Jésus-Christ, IV, 998 et 1001.

2   Les âmes tendres se serrent à l'image de cette jeune victime *(la fille de Jephté),* qui pleure soixante jours, comme l'Antigone de Sophocle, les enfants qu'elle n'aura point, et qui revient, à l'heure dite, s'offrir au couteau paternel. On a proposé une interprétation plus douce : seule sa virginité aurait été consacrée à Dieu comme celle d'une religieuse ou d'une vestale. Mais l'histoire prend au pied de la lettre l'atroce oblation, se souvenant que Canaan pratiquait ces sacrifices humains, que les Phéniciens en feront longtemps usage, qu'un roi de Moab immolera son fils dans des circonstances semblables.
DANIEL-ROPS, le Peuple de la Bible, II, III.

♦ **2.** (1868, Littré). Liturgie. Acte par lequel le prêtre offre à Dieu le pain et le vin qu'il doit consacrer. ⇒ **Oblat** (3.), **offertoire.** Ancienn. Se disait des offrances en nature faites au clergé par les fidèles (remplacées aujourd'hui par les quêtes, troncs et contributions diverses).

♦ **3.** (1559). Littér. Don, offrande qui a quelque chose de religieux. ⇒ **Sacrifice.**

3   Plusieurs philosophes, méditant sur la royauté, ont considéré la monarchie héréditaire comme l'oblation d'une famille à la liberté publique ; tout doit être libre dans l'État, excepté cette famille (...)
MIRABEAU, Collection, t. V, p. 467, *in* LITTRÉ.

OBLATIVITÉ [ɔblativite] n. f. — 1946, Parcheminey ; de *oblatif,* et *-ité.*

♦ Didact. Caractère de la conduite oblative. ⇒ 1. **Don** (de soi), **sacrifice.**

Spécialt. (Psychan.). Caractère de la conduite infantile, dans laquelle l'enfant se trouve prêt à donner et non plus à s'approprier. *L'oblativité fait suite au stade de captativité.*

CONTR. Captativité, possessivité.

OBLATURE [ɔblatyʀ] n. f. — 1903, Huysmans ; de *oblat,* et *-ure.*

♦ Relig. (rare). État d'oblat.

(...) l'oblature n'est nullement, comme on le croit, une invention bénédictine. Elle a fructifié avant qu'elle ne fût implantée dans notre institut (...) dans d'autres Ordres ; on pourrait affirmer qu'elle a été dans le sang du moyen âge, tant elle répondait au concept religieux de cette époque. HUYSMANS, l'Oblat, VI.

OBLIGATAIRE [ɔbligatɛʀ] n. — 1867, *in* Littré ; du rad. de *obligation,* sur le modèle de *donataire.*
Droit.

♦ **1.** « Créancier dont le droit résulte d'un titre d'obligation négociable » (Capitant).

♦ **2.** Adj. *Emprunt obligataire,* en obligations (1.).

OBLIGATION [ɔbligasjɔ̃] n. f. — 1235, « acte authentique » ; du lat. jurid. *obligatio,* de *obligare.* → Obliger.

♦ **1.** (V. 1360). Dr. « Lien de droit en vertu duquel une personne peut être contrainte de donner, de faire ou de ne pas faire quelque chose. La partie obligée s'appelle le *débiteur ;* la partie envers laquelle elle est obligée s'appelle le *créancier* » (Dalloz, *Dict. pratique de droit*). — REM. L'obligation est donc un « rapport juridique entre deux personnes » (Planiol), et comprend à la fois la notion de créance et celle de dette ; mais, comme le remarque Lalande, « le plus souvent on ne considère l'obligation que dans le débiteur, et en tant que charge lui incombant ». → Dette.

1 Les obligations dérivent du fait de l'homme ou de la loi. Les premières sont celles qui naissent : 1° des contrats ; 2° des quasi-contrats ; 3° des délits ou des quasi-délits. Les secondes dérivent de diverses dispositions légales. Ce sont, notamment : l'obligation alimentaire (...) les obligations des tuteurs (...) celles qui existent entre propriétaires voisins. DALLOZ, Dict. pratique de droit, Obligations, 2.

Obligations de donner, c'est-à-dire de transférer la propriété*, la possession* ou la jouissance*. ⇒ **Charge, contrat** (cit. 1 et 2), **convention.** *Obligations de faire ou ne pas faire* (par ex. : l'engagement d'un peintre à livrer un tableau, d'un acteur à ne pas se produire sur telle scène). → Bail, cit. 7. *Obligations conditionnelles,* soumises à certaines conditions* ; *impossibles ou illicites* (→ Cause, cit. 42), *casuelles, potestatives, mixtes. Obligations à terme*. Obligations alternatives*. Obligations facultatives,* ayant un objet déterminé, avec la faculté pour le débiteur de payer une autre chose à la place. *Obligations conjointes, solidaires*.* ⇒ **Solidarité.** *Obligations divisibles, indivisibles** (cit. 5). ⇒ **Indivisibilité** (cit. 2 et 3). *Obligations civiles,* celles que le débiteur (au contraire de l'*obligation naturelle*) peut être contraint d'exécuter par les voies légales. *Obligation alimentaire.* ⇒ **Aliment** (cit. 3). *Obligation « in solidum »,* qui lie plusieurs personnes vis-à-vis d'une ou de plusieurs autres.

Spécialt. Dette créée par un lien juridique. *Contracter* (1. Contracter, cit. 2) *une obligation. Avoir une obligation, l'obligation de...,* suivi de l'inf. (→ Garantir, cit. 2 et 5 ; logeur, cit. 2 ; mari, cit. 2). ⇒ **Tenir** (être tenu de). *Se soumettre à une obligation* (→ Gestion, cit. 7). *S'acquitter d'une obligation* (→ Hypothèque, cit. 1). *Libération, exemption d'une obligation.* ⇒ **Décharge.** *Extinction d'une obligation.* ⇒ **Prescription.** *Inexécution d'une obligation.* ⇒ **Délit, faute** (cit. 26). *Dommages** (cit. 4) *et intérêts en cas d'inexécution d'une obligation. Pièces, écrits contenant ou opérant obligation* (→ Détourner, cit. 22). *Se rendre caution* (cit. 8) *d'une obligation.* ⇒ **Garantir.** *Obligation de moyen, de résultat.*

2 Vous pouvez encore contracter un grand nombre d'obligations, non suspectes, au profit de divers créanciers, qui prêteront leur nom à votre femme (...) MOLIÈRE, le Malade imaginaire, I, 7.

(1235). Par ext. Acte authentique* portant une obligation ; spécialt, Acte par lequel on se reconnaît débiteur envers quelqu'un d'une certaine somme d'argent aux conditions arrêtées dans cet acte. *Faire passer une obligation par-devant* (cit. 16) *notaire. Signer une obligation.*

(1826). Dr. comm. et cour. « Titre négociable, nominatif ou au porteur, remis par une société ou une collectivité publique à ceux qui lui prêtent des capitaux et réalisant les divisions du montant total d'un emprunt en coupures d'un même chiffre » (Capitant). *Obligation amortissable,* susceptible d'être remboursée par voie d'amortissement*. *Obligation ou valeur* à lots** (cit. 6). *Émission d'actions* et d'obligations. Capital*-obligations. Un paquet de titres et d'obligations* (→ Compagnie, cit. 4). *Obligations du Crédit Foncier de France, de la Ville de Paris... Les assignats furent d'abord des obligations hypothécaires* (cit.). *Porteur d'obligations.* ⇒ **Obligataire.** *Obligations garanties par l'État* (→ Épargnant, cit. 2). — (1872). *Obligation cautionnée :* traite par laquelle un contribuable, après avoir fourni une caution capable* et solvable*, peut se libérer du paiement de certains droits à l'égard du fisc. *Obligation convertible, échangeable.*

3 (...) décédé sans héritiers directs, il laisse toute sa fortune, une vingtaine de mille francs de rentes en obligations trois pour cent, à votre second fils, qu'il a vu naître, grandir, et qu'il juge digne de ce legs. MAUPASSANT, Pierre et Jean, I.

4 Aurelle conseilla au cabaretier, s'il avait quelques centaines de francs d'économies, d'acheter des obligations de la Défense nationale. — J'en ai déjà pour cinquante mille francs, dit le vieux ; pour le reste, j'attends encore un peu. A. MAUROIS, les Silences du colonel Bramble, XI.

♦ **2.** (XVIe). Cour. Ce qui oblige moralement, ce qui assujettit à une loi religieuse, morale ou sociale ; prescription constituant la matière d'une loi de cette nature. *L'obligation de qqn (de faire qqch.). C'est une obligation (morale, sacrée...) pour lui. S'acquitter des obligations d'un bon citoyen. Remplir ses obligations, les obligations de son état, de sa charge.* ⇒ **Service** (faire bien son). *Faire honneur, satisfaire, manquer*, se soustraire à ses obligations. Se faire une obligation de...* ⇒ **Religion** (fig.). *Obligation de conscience, d'honneur.* ⇒ **Engagement, promesse, serment.** — (Vx). *Une étroite obligation.* — *Obligation impérieuse*. Les obligations qu'impose Dieu, la religion, la foi.* ⇒ **Commandement ;** → Fréquentation, cit. 7 ; majesté, cit. 14. — *Fête, jeûne d'obligation,* qu'on est tenu d'observer (→ Jeûner, cit. 4). *Cela est d'obligation, de stricte, de large obligation.* — *« Nous naissons chargés d'obligations de toute sorte envers la société »* (A. Comte, → Homme, cit. 84). *Le citoyen satisfait aux obligations de l'impôt et du sang.* ⇒ **Tribut** (→ État, cit. 118). *Obligations du métier, professionnelles.* ⇒ **Exigence, responsabilité ;** → Galanterie, cit. 18. *Obligations insupportables, pénibles.* ⇒ **Chaîne.** *Faire face à des obligations écrasantes.* ⇒ **Tâche.** *Obligations mondaines* (cit. 6). *Obligations qu'impose la politesse, l'étiquette...* (→ Incognito, cit. 3). *Obligation fastidieuse : que l'on considère comme une corvée*, une servitude*, une sujétion*.*

5 (...) quand on vous parle il faut répondre, et si l'on ne dit mot il faut relever la conversation. Cette insupportable contrainte m'eût seule dégoûté de la société. Je ne trouve point de gêne plus terrible que l'obligation de parler sur-le-champ et toujours. ROUSSEAU, les Confessions, III.

6 (...) votre condition de femme, le rang que vous occupez dans le monde et la fortune dont vous jouissez vous imposent des obligations qu'aucune loi divine ne saurait abroger. BALZAC, Une double famille, Pl., t. I, p. 970.

7 (...) il m'apparut soudain que Dieu plaçait sur ma route une sorte d'obligation et que je ne pouvais pas sans quelque lâcheté m'y soustraire. GIDE, la Symphonie pastorale, p. 13.

8 (...) pressé maintenant de quitter Rumelles, mais habitué à ne pas transiger avec les obligations professionnelles, il attendit que l'effet douloureux fût calmé. MARTIN DU GARD, les Thibault, t. III, p. 161.

Morale. *Obligation morale,* ou *obligation :* caractère impératif que revêt la loi morale, prescription constituant la matière de cette loi. ⇒ **Devoir, impératif** (cit. 4). *Le sentiment d'une obligation* (→ Imposer, cit. 23 ; inculquer, cit. 8). *L'obligation morale et la notion de justice* (cit. 16). *La charité* (cit. 5) *surpasse toute obligation. Esquisse d'une morale sans obligation ni sanction,* ouvrage de Guyau.

9 Ce qu'il y a de proprement obligatoire dans l'obligation ne vient donc pas de l'intelligence. Celle-ci n'explique, de l'obligation, que ce qu'on y trouve d'hésitation. Là où elle paraît fonder l'obligation, elle se borne à la maintenir en résistant à une résistance. H. BERGSON, les Deux Sources de la morale et de la religion, p. 95.

♦ **3.** (1603). Nécessité* (⇒ **Obliger,** 3.). *Obligation de* (et inf.) : fait d'être obligé, contraint de (faire qqch.). ⇒ **Nécessité.** *L'obligation d'avoir recours à un interprète* (cit. 2). *Être dans l'obligation de faire qqch.* (→ Inaction, cit. 4 ; 1. manger, cit. 23). *L'événement m'a mis dans l'obligation d'emprunter :* j'ai dû emprunter par la force* des choses.

10 La conversation avec Ducatelet a fait faire à ce travail mental un progrès brusque (...) par l'obligation où elle a mis Haverkamp de « jouer » soudain une situation non encore actuelle. J. ROMAINS, les Hommes de bonne volonté, t. V, XV, p. 113.

♦ **4.** (1588, Montaigne). Littér. Dette morale créant un devoir de reconnaissance. *Contracter une obligation envers qqn. Vouloir s'acquitter d'une obligation,* en rendant service à son tour. *« Le trop grand empressement qu'on a de s'acquitter* (cit. 8) *d'une obligation est une espèce d'ingratitude »* (La Rochefoucauld). — Vx. *Avoir de l'obligation à qqn* (→ Déchirer, cit. 31). *Avoir bien des obligations, d'étroites* (cit. 19), *d'immenses obligations à qqn* (→ Église, cit. 5). *Il vous a obligation de la vie* (Académie) : il vous doit la vie. ⇒ 1. **Devoir, redevable.** *Je vous en ai beaucoup d'obligation.*

11 (...) s'il faut mesurer l'obligation à l'injure, votre reconnaissance (...) est ici ridicule (...) la reconnaissance de l'obligation n'efface point en moi le ressentiment de l'injure (...) Je ne veux point (...) demeurer redevable à mon ennemi, et je lui ai une obligation dont il faut que je m'acquitte (...) MOLIÈRE, Dom Juan, III, 4.

12 L'un, ancien maréchal des logis de hussards, avait contracté, à l'armée, envers Luigi, de ces obligations qui ne s'effacent jamais du cœur d'un honnête homme (...) BALZAC, la Vendetta, Pl., t. I, p. 909.

13 Il ne devait pas au penseur une seule idée ; mais, à l'homme, il avait la même sorte d'obligation qu'un blessé à celui qui le sauve par la transfusion du sang. A. HERMANT, l'Aube ardente, VIII.

14 (...) afin de ne point se montrer ingrat envers un homme à qui il avait de si grandes obligations (...) F. MAURIAC, la Pharisienne, XIII.

CONTR. Dispense, grâce, liberté. — Amusement.
DÉR. Obligataire.

OBLIGATOIRE [ɔbligatwaʀ] adj. — 1330 ; bas lat. jurid. *obligatorius,* du supin de *obligare.* → Obliger.

♦ **1.** (1370). Qui a la force d'obliger, qui a un caractère d'obligation* (1. et 2.). *Clause obligatoire d'un contrat. Abroger* (cit. 1) *une loi, c'est lui retirer sa force obligatoire.* ⇒ **Autorité.** *Actes pour lesquels l'enregistrement* (cit. 1) *est obligatoire.* ⇒ **Exiger** (exigé). *Les épices* (cit. 4) *ont été converties plus tard en taxes obligatoires. L'homologation* (cit.) *du concordat le rendra obligatoire... Formalité obligatoire pour...* ⇒ **Essentiel.** *Service militaire obligatoire pour tous.* ⇒ **Imposer** (imposé). *Le service obligatoire du travail sous l'occupation allemande* (→ Maquis, cit. 3). *Instruction* (cit. 7) *gratuite et obligatoire* (→ Enseignement, cit. 4). — *Jeûne obligatoire.* ⇒ **Commande** (de). *Ce qu'il y a d'obligatoire dans l'obligation* (cit. 9) *morale. L'étude de l'hébreu* (cit. 5) *n'était pas obligatoire au séminaire. Tenue de soirée obligatoire.* ⇒ **Rigueur** (de). *Visites obligatoires.* ⇒ **Indispensable** (→ Dénigreur, cit. 2). *Vous devez, il faut répondre à cette proposition, c'est obligatoire.* ⇒ **Falloir.** — Par plais. *Tout ce qui n'est pas interdit* (cit. 13) *est obligatoire.*

Elle répondit sur le même ton que la messe seule était obligatoire ; les vêpres ne l'étaient pas : il était donc inutile, et même un peu indiscret, de faire excès de zèle ; et elle aimait à penser qu'au lieu de lui en vouloir, Dieu lui en saurait gré. R. ROLLAND, Jean-Christophe, L'adolescent, II, p. 284.

♦ **2.** (XXe). Fam. (⇒ **Obligation,** 2.). Inévitable, nécessaire. ⇒ **Fatal, forcé, obligé.** *Il a raté son examen, c'était obligatoire !*

CONTR. Facultatif, libre, superflu, volontaire ; fortuit.
DÉR. Obligatoirement.

OBLIGATOIREMENT [ɔbligatwaʀmɑ̃] adv. — 1846, Besche-relle, citant Nodier ; de *obligatoire*, et 1. *-ment*.

♦ **1.** D'une manière obligatoire. ⇒ **Indispensablement.** *Vous devez obligatoirement présenter votre passeport à la frontière.*

(...) *les familles devaient obligatoirement déclarer les cas diagnostiqués par le médecin et consentir à l'isolement de leurs malades* (...)
CAMUS, la Peste, p. 66.

♦ **2.** (xxᵉ). Forcément. Fam. *Cela devait obligatoirement arriver.* ⇒ **Inévitablement, infailliblement, nécessairement.**

OBLIGÉ, ÉE [ɔbliʒe] p. p. adj. ⇒ **Obliger.**

OBLIGEAMMENT [ɔbliʒamɑ̃] adv. — Av. 1662, Pascal ; de *obli-geant*, et 1. *-ment*.

♦ D'une manière obligeante, avec obligeance. *Un privilège dont il me fait obligeamment profiter* (→ Entrée, cit. 15). *Comme vous me l'avez obligeamment proposé...* — (Souvent au xviiᵉ). Courtoise-ment, poliment (→ ci-dessous, cit. La Bruyère).

1 Le faux dévot ne croit pas en Dieu, ou se moque de Dieu ; parlons de lui obli-geamment : il ne croit pas en Dieu. LA BRUYÈRE, les Caractères, XVI, 27.

1.1 On me fait attendre dans un Office où *Jasmin* m'offre obligeamment tout ce qui peut servir à me réconforter. SADE, Justine..., t. I, 70.

2 Deux ans après, je fus présenté à Sa Sainteté : elle me fit asseoir auprès d'elle. Un volume du *Génie du Christianisme* était obligeamment ouvert sur sa table.
CHATEAUBRIAND, Mémoires d'outre-tombe, t. II, p. 250.

OBLIGEANCE [ɔbliʒɑ̃s] n. f. — 1785 ; *obligeance*, 1456, « obliga-tion » ; *obliganche*, 1250 ; de *obligeant*.

♦ Littér. ou style soutenu. Disposition à se montrer obligeant ; action d'obliger (4.) qqn. ⇒ **Affabilité, amabilité, bienveillance, complai-sance, prévenance.** *Un homme d'une extrême obligeance, d'une infa-tigable obligeance* (→ Forêt, cit. 8). *Ne mettre aucune obligeance à...* (→ Lisible, cit. 1). — (Formule de politesse). *Avoir l'obligeance de...* ⇒ **Bonté, gentillesse** (→ Lundi, cit. Sainte-Beuve). — REM. Ce tour est sans raison jugé abusif par Littré. *Ayez l'obligeance, vou-lez-vous avoir l'obligeance, l'extrême obligeance de...* (→ Fatiguer, cit. 24 ; formulaire, cit. 3).

(...) *l'obligeance qu'on déploie pour renseigner parfois un passant égaré* (...)
CAMUS, la Peste, p. 214.

CONTR. Désobligeance, malveillance.

OBLIGEANT, GEANTE [ɔbliʒɑ̃, ʒɑ̃t] adj. — 1636 ; autre sens, 1601 ; *obligant*, av. 1370 ; p. prés. de *obliger*.

♦ (Personnes). Littér. ou style soutenu. Qui aime à obliger*, à faire plaisir. ⇒ **Affable, aimable, bienveillant, bon, brave, complai-sant, généreux, gentil, officieux, prévenant, secourable, serviable.** *Un homme obligeant, tout à fait obligeant...* (→ Carte, cit. 11 ; érudit, cit. 7).

Nos femmes croient tout accomplir en nous aimant : cela dit une fois, elles nous aiment, nous aiment (quand elles nous aiment) et sont si complaisantes et si cons-tamment obligeantes, et toujours, et sans relâche, qu'on est tout surpris, un beau soir, de trouver la satiété où l'on recherchait le bonheur.
BEAUMARCHAIS, le Mariage de Figaro, V, 7.

Par ext. *Humeur, manières obligeantes. Cette bonté toute obli-geante* (→ Affabilité, cit. 2). *Ton, propos, termes obligeants. Accueil, sourire obligeant. Réponse, offre très obligeante* (→ Héroïque, cit. 20). *Paroles très obligeantes.* ⇒ **Flatteur.** *Pein-tures, portraits peu obligeants* (→ Initial, cit. 3). ⇒ **Désobligeant.** — REM. Au xviiᵉ s. *obligeant* a souvent simplement le sens de « civil, courtois » (→ Façon, cit. 12, Molière).

N. Vx. *Un obligeant.* Loc. (Vieilli). *Faire l'obligeant, l'obligeante.*

CONTR. Désobligeant, malveillant.
DÉR. Obligeamment, obligeance.

OBLIGER [ɔbliʒe] v. tr. — Conjug. *bouger.* — Fin xiiiᵉ, au sens 1 ; « engager » des liens, 1246 ; *lat. obligare,* comp. de *ligare* « lier ».

♦ **1.** Assujettir par une obligation d'ordre juridique (⇒ **Obligation,** 1.). *Le contrat* oblige les deux parties. Obliger à* (et subst. ou inf.). *Il y a dans le bail une clause qui l'oblige aux réparations.* — (Pas-sif et p. p.). *Être obligé de* (et inf.). *Être obligé par contrat de faire telle chose.* — « *Tout fait quelconque de l'homme, qui cause à autrui un dommage* (cit. 1, Code civ.), *oblige celui par la faute duquel il est arrivé, à le réparer* ». ⇒ **Délit** (et quasi-délit). *Dispo-sition légale obligeant telle personne à telle ou telle chose.* « *Les lois de police et de sûreté obligent tous ceux qui habitent le terri-toire* » (Code civ., art. 3). *L'Ancien Testament obligeait les juifs à remettre la dîme* (cit. 2) *à leurs lévites. L'hommage* (cit. 4) *lige obligeait le vassal à servir sans limite. La Loi* (1. Loi, cit. 20) *oblige l'homme à quantité d'actes.*

(V. 1283). Pron. *S'obliger :* se lier par une obligation. *Le consente-ment de la partie qui s'oblige* (→ Cause, cit. 42). *Contrat* (cit. 5) *par lequel les deux parties s'obligent à...* ⇒ **Engager** (s'), promet-

tre. *S'obliger à faire, à fournir qqch. S'obliger par-devant notaire. S'obliger solidairement. S'obliger pour qqn,* lui servir de caution*.

1 Un fort honnête médecin (...) me promet et veut s'obliger par-devant notaires de me faire vivre encore trente années (...) Je lui ai dit (...) que je serais satisfait de lui pourvu qu'il s'obligeât de ne me point tuer. MOLIÈRE, Tartuffe, 3ᵉ placet.

2 (...) quelqu'un vient d'être condamné en justice de payer pour un autre pour qui il s'est obligé (...)
LA BRUYÈRE, les Caractères de Théophraste, Du contretemps.

Par ext. (Vx). Engager (des fonds, des biens). *Il a obligé tous ses biens* (Académie). — Fig. (Vx). *Obliger sa foi* (→ Avouer, cit. 1, Cal-vin).

♦ **2.** (Mil. xviᵉ). Assujettir par une obligation d'ordre moral. *Obliger qqn à qqch., à faire qqch.* (⇒ **Obligation,** 2.). *La loi naturelle, la loi divine nous oblige à honorer père et mère* (Académie). ⇒ **Imposer** (de). *À quoi oblige la loi* (cit. 43) *chrétienne. L'honneur, la cons-cience nous y obligent* (→ Dénoncer, cit. 4). *Les véritables motifs qui m'obligent à faire les choses* (→ Fond, cit. 25). *Les maximes* (cit. 3) *morales qui obligent l'homme. Les devoirs* (cit. 23) *qui nous obligent* (→ Étroit, cit. 22). — Prov. (Absolt). *Noblesse* oblige.* — *Son métier, son service l'y oblige* (→ Écrivain, cit. 12 ; hiver, cit. 7 ; midship, cit.). *Les coutumes, la politesse, la bienséance nous obli-gent à certaines choses* (→ Formalité, cit. 8).

3 (...) on voit naître un « sentiment de l'honneur » qui ne fait qu'un avec l'esprit de corps. Telles sont les premières composantes du respect de soi. Envisagé de ce côté (...) c'est oblige par tout ce qu'il apporte avec lui de pression sociale.
H. BERGSON, les Deux Sources de la morale et de la religion, p. 67.

♦ **3.** (1507, avec *de* ; 1530, *à...*). *Obliger qqn à* (et inf.), *de* (et inf.) : mettre qqn dans la nécessité* de (faire qqch.). ⇒ **Obligation** (2.) ; **astreindre, commander, contraindre, exiger, forcer, imposer.** *Son père, pour l'obliger à écrire, l'enfermait* (→ Drôlement, cit. 1). *Le vent vous oblige à baisser la tête* (→ Face, cit. 27, La Fontaine). *On l'a obligé à émigrer, à s'exiler.* ⇒ **Condamner.** *Le furet* (cit. 1) *oblige les lapins à sortir du terrier. Les sauvages obligent leurs femmes à travailler* (→ Hamac, cit. 2). — (Sujet n. de chose). *Les circonstances, la situation, la vie... nous obligent à..., de...* (→ Anti-cipation, cit. ; gâcher, cit. 7 ; gravité, cit. 14 ; hôtel, cit. 6 ; impé-rial, cit. 5). ⇒ **Porter** (à). *Cela m'oblige, c'est ce qui m'oblige à...* (→ Échiquier, cit. 5 ; inclination, cit. 11 ; larmier, cit. 2). *Rien ne vous y oblige* (→ Dessein, cit. 16). *Qu'est-ce qui vous oblige à lui en parler ?* — (1641). Pron. (réfl.). *S'obliger* (soi-même) *de...* (vx ; → Destinée, cit. 5), *à...* (→ Disperser, cit. 5 ; effarer, cit. 2) : s'imposer de.

4 Les Normands d'Italie tinrent souvent en respect les empereurs d'Orient et d'Occi-dent. Les Normands d'Angleterre, vassaux formidables du roi de France, l'obligè-rent longtemps de se livrer sans réserve aux papes.
MICHELET, Hist. de France, IV, II.

5 Il y a des projets qu'on ne laisse ses amis ignorer, car les en instruire c'est les obli-ger à une complicité qui contrarie peut-être leur ligne de conduite.
M. BARRÈS, Leurs figures, p. 15.

6 Sur la tombe recouverte de fleurs (...) Michèle s'obligea à réciter deux fois de suite le *De Profundis* qui me parut interminable.
F. MAURIAC, la Pharisienne, XII.

7 (...) un fait *dont nous ne connaissons pas la nature,* alors même que tout nous oblige à admettre son existence, demeure pour nous comme s'il n'était pas.
J. PAULHAN, Entretien sur des faits divers, p. 35.

REM. L'infinitif après *obliger* peut être introduit par *à* ou par *de. Obliger à* insiste sur l'action du sujet, tandis que *obliger de* s'emploie de pré-férence au passif et est vieilli à l'actif (→ ci-dessous, *obligé*).
Obliger qqn à qqch. Les faits n'obligent pas à l'affirmation (→ Génération, cit. 5).

♦ **4.** (1538). *Obliger qqn :* attacher (qqn) par une obligation (4.), en rendant service*, en faisant plaisir. ⇒ **Aider, secourir.** *Nos senti-ments envers ceux qui nous obligent* (→ Bienfait, cit. 4 et 10 ; don-ner, cit. 6). *La manière dont vous venez de m'obliger m'engage* (cit. 10) *à la plus vive reconnaissance. Vous n'obligerez pas un ingrat*. Vous m'avez obligé de la meilleure grâce* (cit. 92) *du monde. Le plaisir d'obliger ; aimer à obliger.* ⇒ **Obligeant, obli-geance.** *Il n'y a que l'intention* (cit. 3) *qui oblige. Vous m'oblige-rez, vous m'obligeriez infiniment en faisant* (→ Honoraire, cit. 4), *si vous faisiez telle chose* (→ Bonté, cit. 10 ; honoraire, cit. 4). — Vx. *Vous m'obligez beaucoup, vous m'avez obligé de faire telle chose,* en faisant telle chose (→ 2. Affecter, cit. 7 ; intendant, cit. 3 ; mademoiselle, cit. 3 ; moi, cit. 62). *On m'obligera de ne m'en plus parler :* on me fera plaisir en ne m'en parlant plus (→ Mis-sive, cit. 1). — *Vous m'obligez beaucoup, c'est très gentil de votre part.*

8 (...) je viendrai vous voir de temps en temps (...) — Vous m'obligez beaucoup.
MOLIÈRE, le Malade imaginaire, III, 10.

9 Il faut autant qu'on peut obliger tout le monde :
On a souvent besoin d'un plus petit que soi. LA FONTAINE, Fables, II, 11.

10 Ce n'est pas un grand malheur d'obliger des ingrats, mais c'en est un insupportable d'être obligé à un malhonnête homme. LA ROCHEFOUCAULD, Maximes, 317.

11 (...) et bien loin de ressembler à ces fanfarons qui se vantent du bien qu'ils n'ont point fait, il ne m'a jamais dit qu'il eût obligé personne.
A.-R. LESAGE, le Diable boiteux, IV.

12 Tu m'as sauvé la vie et, par Dieu, je ne l'oublierai jamais ! Tu n'auras pas obligé un ingrat. Je ferai ta fortune. J.-A. DE GOBINEAU, Nouvelles asiatiques, p. 137.

13   Vous m'obligeriez infiniment, Politzer, en expédiant ce soir même les trois lettres
     que je vous ai prié d'écrire.   G. DUHAMEL, Salavin, V, XII.

REM. Sans être vieilli, ce sens, comme ses dérivés, est du style soutenu.

▶ **OBLIGÉ, ÉE** p. p. adj. (Fin XIIIe).

A. (Personnes). ♦ **1.** Tenu*, lié par une obligation, assujetti par une
nécessité. — Dr. *Une personne obligée envers un créancier.*

N. *Le principal obligé :* le débiteur principal, par oppos. à *la cau-
tion*.* — (Par métaphore). *L'homme* (cit. 84), *dès le jour de sa naissance, est un obligé.*

Être, se sentir obligé à qqch., au secret (→ Discrétion, cit. 14),
à une falsification (cit. 4). *Quand on n'y est pas obligé.* ⇒ **Besoin**
(avoir). → Gaieté, cit. 9. — Vx. *Être obligé à faire une chose*
(→ Employer, cit. 11 ; emprunter, cit. 1 ; esclave, cit. 9 ; libéralisme, cit. 1). — Mod. *Être obligé de faire une chose* (→ Assiéger,
cit. 14 ; avance, cit. 31 ; courber, cit. 19 ; démolir, cit. 9 ; dévorer,
cit. 25 ; dieu, cit. 12...). *On est obligé de faire ce qu'on a promis*
(→ Chose promise, chose due). *Se croire obligé de...* (→ Hypocrisie, cit. 14 ; large, cit. 14). *Se voir, se trouver obligé de...* (→ Exportation, cit. 2). *Je suis bien obligé de croire...* (→ Généreux, cit. 20 ;
goujat, cit. 7).

14   Je me presse de rire de tout, de peur d'être obligé d'en pleurer.
                                    BEAUMARCHAIS, le Barbier de Séville, I, 2.
15   (...) à deux reprises il tomba *(dans le bassin)* et fut obligé de se changer.
                                    Alphonse DAUDET, Tartarin sur les Alpes, II.

♦ **2.** (1559). Attaché, lié (par un service reçu). → ci-dessus, 4. *Je
vous suis fort obligé de la peine que vous avez prise, de toutes vos
attentions* (cit. 40)... (→ 1. Dire, cit. 89 ; guérison, cit. 1 ; honnêteté, cit. 18). ⇒ **Gré** (savoir) ; **reconnaissant ; redevable.** *Je vous suis
infiniment obligé de prendre part...* (→ Arriver, cit. 50). — (Remerciement). *Je vous suis bien obligé.*

16   (...) c'est du fond du cœur que je vous parle. — Je vous suis bien obligée, si ça
     est. — Point du tout ; vous ne m'êtes point obligée de tout ce que je vous dis, et
     ce n'est qu'à votre beauté que vous en êtes redevable.
                                    MOLIÈRE, Dom Juan, II, 2.
17   Ma femme est bien obligée à ma sœur des peines qu'elle prend (...)
                                    RACINE, Lettres, 81, 28 juin 1688.

N. *L'obligé(e) :* celui, celle qu'on a obligé. *Le bienfaiteur* (cit. 3 et
4) *et l'obligé. Je suis son obligé. Sa manière de faire le bien glace*
(cit. 18) *ses obligés.*

18   Vouloir se passer de tous les hommes et n'être l'obligé de personne est le signe
     certain d'une âme dépourvue de sensibilité.
                                    Joseph JOUBERT, Pensées, V, LXXVIII.
19   Il avait prêté plusieurs fois de l'argent à madame Vauquer et à quelques pension-
     naires ; mais ses obligés seraient morts plutôt que de ne pas le lui rendre (...)
                                    BALZAC, le Père Goriot, Pl., t. II, p. 858.
20   Il ne se considérait donc comme l'obligé de personne. Les services qu'on avait pu
     lui rendre, il les avait achetés et bien payés.   E. FROMENTIN, Dominique, X.
21   Dès qu'un bonhomme se sent l'obligé d'un autre, il devient susceptible, ner-
     veux (...)   G. DUHAMEL, Cri des profondeurs, IV.

B. (1703, Brossard, *Dict. de musique* ; de l'ital. *obbligato*). Choses.

♦ **1.** « On appelle *partie obligée...* celle qu'on ne saurait retrancher
sans gâter l'harmonie ou le chant ; ce qui la distingue des parties
de remplissage,... celui qui est chargé d'une *partie obligée* ne peut
la quitter un moment sans faire manquer l'exécution » (Rousseau,
Dict. de musique). *Récitatif* obligé.*

22   Obligé, en terme de musique, signifie nécessaire, dont on ne peut se passer, ou
     sans lequel quelque chose ne peut être entier. À deux violons *obligés* (...) Souvent
     il signifie aussi contraint ou restreint dans de certaines bornes, ou assujetti à cer-
     taines lois (...) Une fugue *obligée* (...)   Dict. de Trévoux, art. *Obligé.*

♦ **2.** (Fin XVIIIe). Cour. (En épithète). Qui résulte de quelque obligation ou nécessité ; qui est commandé par l'usage, par les faits...
⇒ **Indispensable, nécessaire.** *La moralité vulgaire, obligée, courante*
(→ Bon, cit. 54, Balzac). « *Le duel (...) supplément obligé aux
lois (...)* » (→ Honneur, cit. 9, Chateaubriand). *Le contact obligé
de deux êtres liés l'un à l'autre* (→ Indifférent, cit. 18). *La formule obligée d'une lettre, d'une pétition* (Académie). ⇒ **Obligatoire, ordonné, requis.** *Une dépense* (cit. 6) *presque toujours obligé.
Corollaire* (cit. 3) *obligé.* — (En parlant d'une personne). *Le clergé,
instituteur obligé du peuple sous l'Ancien Régime* (→ Incapable,
cit. 12, Michelet).

♦ **3.** (En attribut). *C'est obligé !* : c'est forcé. *C'était obligé* : c'était
fatal, ça devait arriver. ⇒ **Obligatoire ; immanquable, inévitable.**

CONTR. Affranchir, délier, dispenser, épargner, exempter ; désobliger. — **Exempt,
quitte.**
DÉR. Obligeant.

OBLIQUE [ɔblik] adj. — V. 1355 ; *oblike*, XIIIe ; lat. *obliquus.*

♦ **1.** Qui s'écarte de la verticale, qui s'écarte de la perpendiculaire
(à une ligne, un plan donnés ou supposés). ⇒ **Biais, gauche.** *Suivant
une verticale ou une trajectoire oblique* (→ Assemblé, cit.). *Rayons
obliques du soleil couchant* (→ Étinceler, cit. 11 ; fulgurer, cit. 3 ;
gourmette, cit. 1). *Éclairage, jour oblique* (→ Caricaturiste, cit. 2 ;
livide, cit. 4). *Les longues lignes obliques de la pluie* (→ Halle-
barde, cit. 4). *Grêle* (1. Grêle, cit. 1), *neige tombant en balles, en
flocons* (cit. 5) *obliques.*

Non horizontal. *Plan oblique,* incliné*. ⇒ **Pente** (en). *Des yeux
obliques* (→ Fendre, cit. 16 ; goguenard, cit. 4). *Épaules obliques*
(→ Emplir, cit. 9). — Par ext. (Fam.). *L'oblique génuflexion* (cit. 2)
des dévots pressés. — *Regard oblique, de quelqu'un qui ne regarde
pas droit, en face* (→ Gêner, cit. 25 ; interroger, cit. 6). — Dr. *Vues*
par côté ou obliques.*

1   Puis il jeta sur Schinner un de ces regards obliques pleins de finesse et de ruse,
    regards diplomatiques dont l'expression trahissait la prudente inquiétude, la curio-
    sité polie des gens bien élevés (...)   BALZAC, la Bourse, t. I, p. 343.

2   Jusqu'à l'heure mélancolique
    Où, poussant le soleil oblique,
    Les ténèbres s'établiront.
                        BAUDELAIRE, les Fleurs du mal, « Spleen et idéal », LXVII.

Vieilli. *Chemin oblique,* détourné.

Géom. *Ligne oblique,* ou, n. f., *une oblique :* droite joignant un
point A à un point d'une droite BC autre que le pied de la perpendiculaire menée de A à cette droite. *La perpendiculaire est plus
courte que toute oblique. Des droites qui se coupent en faisant des
angles adjacents inégaux sont dites obliques l'une à l'autre. Pro-
jection* oblique d'un point sur un plan. Cône*, prisme* oblique.*

Astron. *Sphère* oblique. Ascension oblique d'un astre :* arc d'équateur compris entre le point équinoxial et le point de l'équateur qui
franchit l'horizon en même temps que l'astre. *Cadran inclinant*,
tracé sur un plan oblique à l'horizon. Cercle oblique* (vx) : l'éclip-
tique*.

Milit. *Ordre* oblique* (→ Bataille, cit. 10). *Pas, marche oblique,*
ceux d'une troupe progressant sur une diagonale, mais de telle façon
que ses fronts successifs restent parallèles. *Tir*, feux obliques.*
⇒ **Écharpe** (en).

Anat. N. m. *Grand, petit oblique :* muscle* dont les fibres ont une
direction oblique par rapport au plan supposé qui divise le corps en
deux moitiés symétriques (→ Aponévrose, cit. 1 ; faisceau, cit. 9).
Muscle grand oblique, ou *grand oblique de l'abdomen*, de l'œil**
(ou *muscle oblique supérieur*), *de la tête** (ou *muscle oblique inférieur*). *Muscle petit oblique de l'abdomen, de l'œil* (ou *muscle oblique inférieur*), *de la tête* (ou *muscle oblique supérieur*)...

2.1   (...) une blessure par corne de taureau, affectant la région pubienne en direction
      du haut, rompant les aponévroses du grand oblique et du tendon (...)
                                    Joseph PEYRÉ, Sang et Lumières, p. 440.

♦ **2.** Fig. (En loc.). Qui n'est pas direct. ⇒ **Indirect.** — Vx. *Louange,
accusation, argument oblique* (Littré, Académie). — Dr. *Action oblique* (ou *indirecte*) : exercice par le créancier de tous les droits et
actions de son débiteur, à l'exception de ceux qui sont exclusivement attachés à la personne. *La saisie*-arrêt est une action oblique.*

(1680). Ling. *Cas obliques,* qui n'expriment pas de rapports directs :
cas* autres que le nominatif et le vocatif (et que l'accusatif pour
les langues de la romanité). — *Discours oblique (oratio obliqua) :*
discours indirect.

Mus. *Mouvement oblique* (opposé à *direct* et à *contraire*).

Ethnol. *Mariage oblique,* entre personnes de deux générations différentes (qui ne figurent pas sur la même ligne horizontale dans le
schéma de parenté).

Vx. *Modes, propositions obliques* (le subjonctif dans des subordonnées...).

♦ **3.** (Fin XIIIe, en parlant d'une personne). Vx. (Dans un sens moral,
avec une nuance péjorative). Qui manque de droiture, de franchise.
⇒ 1. **Louche, tortueux.** *Conduite, moyens obliques.* ⇒ **Détour, louvoyer.** Par métaphore de 1. « *Cet homme marchait pur loin des sentiers obliques* » (→ Candide, cit. 1, Hugo).

3   Aplanissez les voies du bonheur individuel, si vous voulez qu'on cesse de s'intro-
    duire d'un pas oblique dans celles de l'injustice.
                                    É. DE SENANCOUR, De l'amour, p. 54.
4   Il n'est pas de cœurs obliques
    Voués aux vils intérêts (...)   HUGO, la Légende des siècles, VI, II, XIII.
4.1 Je ne peux m'empêcher de voir derrière leur face imposante, leurs mines de fer-
     meté, le petit garçon honteux, l'adolescent oblique, dérobé, se mal aimant. Je vois
     l'enfant dans l'homme bien mieux que je ne le vois dans la femme.
                                    Annie LECLERC, Parole de femme, p. 138.

♦ **4.** (1876). Loc. adv. **EN OBLIQUE** : dans une direction oblique.
⇒ **Diagonale** (en), obliquement.

5   Tcheou Pé-i traversa en oblique, marchant du côté de l'est, et désigna le côté de
    l'ouest au visiteur, comme l'exige la courtoisie : — Daignez — dit-il — passer
    honorablement. — Comment oserais-je ? — répliqua Felze.
                                    Claude FARRÈRE, la Bataille, VI.

CONTR. Direct, droit ; franc.
DÉR. Obliquement.

OBLIQUEMENT [ɔblikmɑ̃] adv. — 1314 ; de *oblique,* et 1. *-ment.*

♦ **1.** Dans une direction ou une position oblique. ⇒ **Biais** (de), **côté**
(de), **oblique** (en), **travers** (de). *Se diriger, se mouvoir obliquement*
(→ 1. Fou, cit. 15 ; marcher, cit. 4). *Le soleil frise* (cit. 6) *obliquement la terre. Himation* (cit.) *traversant obliquement la poitrine.*

Piquets fichés (cit. 2) *obliquement en terre. Bord taillé obliquement.* ⇒ **Biseau.** *Planche posée obliquement.* ⇒ **Guingois** (de).

♦ **2.** (1559). Fig., vx. D'une manière indirecte ou peu franche.

1 Si Philippe reçut un coup de sabre qui lui coupa le front et une partie de la figure, il fendit obliquement la tête de Max par un terrible retour du moulinet qu'il opposa pour amortir le coup d'assommoir que Max lui destinait.
BALZAC, la Rabouilleuse, Pl., t. III, p. 1085.
Par ext. *Regarder obliquement quelqu'un.*

2 Elle allait, venait et riait, devant cet homme qui la contemplait obliquement. Lui, pensif, il épiait une occasion.   HUGO, l'Homme qui rit, II, I, IX.

CONTR. Droit, directement.

OBLIQUER [ɔblike] v. intr. — V. 1282, tr., «rendre oblique»; repris 1825, sens mod., d'abord t. milit.; lat *obliquare,* de *obliquus.* → Oblique.

♦ Prendre une direction oblique, aller*, marcher* en ligne oblique. ⇒ **Biaiser, dévier.** *Prenez tout droit, et à la poste vous obliquerez à droite. Lanceur de lasso* (cit. 2) *qui fait obliquer sa monture. Obliquer en prenant un raccourci. Faire obliquer les roues d'une voiture.* ⇒ **Braquer, tourner.**

D'abord ils errèrent, se tenant les uns les autres par le bras, riant à propos de tout, obliquant de droite ou de gauche — ayant des allures de bêtes captives qu'on vient de lâcher.   LOTI, Mon frère Yves, IV.

OBLIQUITÉ [ɔblikite] n. f. — 1361; lat. *obliquitas,* de *obliquus.* → Oblique.

♦ **1.** Caractère ou position de ce qui est oblique. ⇒ **Inclinaison.** *Obliquité des rayons solaires suivant l'heure ou la saison. Obliquité de l'œil. Obliquité d'un regard. Obliquité d'un terrain.* ⇒ **Penchant, pente.**

1 Jean Cornbutte se dirigeait toujours sur le cap Brewster et s'approchait déjà des régions où la température est excessivement froide, car les rayons du soleil n'y arrivent que très affaiblis par leur obliquité.
J. VERNE, Un hivernage dans les glaces, p. 244-245.

2 Vial s'éloigna, et je perçus mieux le chaud, le frais, l'obliquité accrue de la lumière, le bleu universel (...)   COLETTE, la Naissance du jour, p. 101.

3 (...) comme la pâtissière, d'ailleurs extrêmement grande, était debout pour nous servir et Albertine assise à côté de moi, chaque fois, Albertine, pour tâcher d'attirer son attention, levait verticalement vers elle un regard blond qui était obligé de faire monter d'autant plus haut la prunelle que, la pâtissière étant juste contre nous, Albertine n'avait pas la ressource d'adoucir la pente par l'obliquité du regard.   PROUST, À la recherche du temps perdu, t. XII, p. 254.

Géom. Relation de position entre deux droites ou deux plans qui ne sont ni perpendiculaires ni parallèles. — Astron. *Obliquité de l'écliptique* : angle du plan de l'écliptique* et du plan de l'équateur* céleste (valeur actuelle : 23° 27′).

REM. On trouve dans le discours didactique moderne, la variante *oblicité* [ɔblisite].

4 Cette oblicité de la séduction n'est pas une duplicité. Là où le trait linéaire se heurte au mur de la conscience et n'escompte qu'un maigre bénéfice, la séduction a plutôt l'oblicité du trait du rêve ou du trait d'esprit, qui d'une seule diagonale traverse l'univers psychique et ses différents niveaux pour aller, aux antipodes, toucher un point aveugle et inconnu, le point scellé du secret, de l'énigme que constitue la jeune fille, pour elle-même aussi.
J. BAUDRILLARD, De la séduction, p. 146-147.

♦ **2.** (1541). Fig., vx. Défaut de droiture.

CONTR. Aplomb, verticalité; horizontalité. — Droiture.

OBLITÉRANT, ANTE [ɔbliterɑ̃, ɑ̃t] adj. — 1852, in D.D.L.; p. prés. de *oblitérer.*

♦ Rare. Qui oblitère. — Spécialt. (Méd.). Qui bouche un vaisseau.
Ils ont tous leur prostate ou leur artérite oblitérante entre mes mains (...)
M. DRUON, les Grandes Familles, III, I, p. 98.

OBLITÉRATEUR [ɔbliteratœr] adj. et n. m. — 1857, in D.D.L. (méd.); du rad. lat. de *oblitérer.*

♦ **1.** Vx. Qui sert à oblitérer (1.).

♦ **2.** (1857). Méd. Se dit d'un caillot de sang qui, entraîné dans une artère plus petite que celle où il s'est formé, finit par l'oblitérer. *Des caillots oblitérateurs.*

♦ **3.** Qui sert à oblitérer (3.). — N. m. (1903). Instrument employé pour oblitérer des timbres, des reçus.

OBLITÉRATION [ɔbliterasjɔ̃] n. f. — 1777, en méd.; du rad. lat. de *oblitérer.*

♦ **1.** Vx. Action d'oblitérer (1.). *Oblitération d'une pièce, d'une monnaie.* — Littér. *L'oblitération d'un texte,* (fig.) *d'une image.* (1860). Fig. Atrophie progressive.

1 M. de Chateaubriand est mort... il était depuis trois ou quatre ans dans un état d'affaissement qui avait fini par être une véritable oblitération des facultés.   SAINTE-BEUVE, Chateaubriand..., t. II, p. 321.

2 Un dessèchement affreux du cœur — fruit de la disgrâce infantile — a entraîné l'oblitération de la conscience.   Louis MADELIN, Talleyrand, V, XL.

♦ **2.** Pathol. Fermeture (d'un conduit, d'une cavité) par accolement des parois (⇒ **Occlusion**), ou par la présence d'un corps étranger (⇒ **Embolie, obstruction, obturation**). *L'oblitération d'une coronaire. Oblitération congénitale.* ⇒ **Imperforation.**

♦ **3.** (1863). Cour. Action d'oblitérer (un timbre); son résultat. *Cachet d'oblitération,* avec lequel on oblitère les timbres-poste. — (1903). Par ext. Empreinte résultant de l'oblitération du timbre. *Oblitération à la plume. Oblitération télégraphique.*

OBLITÉRER [ɔblitere] v. tr. — Conjug. *céder.* — 1512, in D.D.L.; lat. *oblitterare.*

♦ **1.** (1530). Rare, vieilli. Effacer* par une usure progressive. *« La circulation des monnaies oblitère insensiblement les figures et les lettres qui y sont empreintes »* (Académie). ⇒ **User.** — Pron. (sens passif). *Sculptures, guillochis* (cit. 1) *qui s'oblitèrent avec le temps.*

Spécialt. Rendre illisible, incompréhensible. *Oblitérer un texte,* le charger de ratures. — Plus courant au passif et au participe passé :

1 (...) nous avons vu dans ces cahiers des passages oblitérés; c'étaient justement, ai-je besoin de le dire, les passages de liberté (...)
CH. PÉGUY, la République..., p. 112

1.1 La crue a bouleversé l'optique quotidienne, sans pourtant la dériver vers le fantastique; les objets ont été partiellement oblitérés, non déformés : le spectacle a été singulier mais raisonnable.   R. BARTHES, Mythologies, p. 61.

(1512). Fig. Supprimer, effacer. — Au p. p. *Images, souvenirs oblitérés par le temps.*

2 Quand la membrane nasale est irritée par un violent coryza (...) le goût est entièrement oblitéré; on ne trouve aucune saveur à ce qu'on avale, et cependant la langue reste dans son état naturel.
A. BRILLAT-SAVARIN, Physiologie du goût, t. I, p. 55.

3 (Il) accomplit ce prodige de dépasser toutes les audaces d'investigation ou de conjecture, sans oblitérer en lui la soumission filiale à l'autorité souveraine de l'Église.
Léon BLOY, le Désespéré, p. 37.

♦ **2.** (1872). Méd. Produire l'oblitération de (un conduit). ⇒ **Boucher, obstruer.** — Au p. p. m. *Artère oblitérée.*
Par anal. *Oblitérer une cavité.*

4 Des nids d'hirondelles oblitéraient le faîte des cheminées et les angles des fenêtres (...)   Th. GAUTIER, le Capitaine Fracasse, I.

♦ **3.** (1863). Cour. *Oblitérer un timbre,* l'annuler par l'apposition d'un cachet qui le rend impropre à servir une seconde fois. — Au p. p. *Timbres neufs et oblitérés d'une collection. Timbre préoblitéré.* — N. m. *Un oblitéré. Les oblitérés d'une collection de timbres.*

5 Cette lettre a été classée par le destinataire, l'enveloppe non ouverte. Toutefois le timbre, n'ayant pas été oblitéré par la poste, a été détaché par M. Costals.
MONTHERLANT, les Lépreuses, I, XI.

▶ **OBLITÉRÉ, ÉE** p. p. adj. → ci-dessus.

CONTR. Aviver. — Béant.
DÉR. Oblitérant. — (Du même rad.) Oblitérateur, oblitération.

OBLONG, ONGUE [ɔblɔ̃, ɔ̃g] adj. — 1363; lat. *oblongus,* de *longus* «long».

♦ **1.** Dont l'une des dimensions est notablement plus grande que l'autre ou que les autres; qui est de forme allongée. *Panier oblong* (→ Gémissement, cit. 2). *Table oblongue. Forme oblongue. Un visage oblong.*

1 Et il montrait un pot oblong, en terre brune (...)
BALZAC, Eugénie Grandet, Pl., t. III, p. 541.

2 Devant la porte, il y avait la voiture. Vernie, oblongue et brillante, elle faisait penser à un plumier.   CAMUS, l'Étranger, I.

♦ **2.** (1762, Académie). En parlant de livres, d'albums. Qui est moins haut que large. *Format oblong,* dit aussi *à l'italienne.*

OBNUBILATION [ɔbnybilasjɔ̃] n. f. — 1486; bas lat. *obnubilatio,* du supin de *obnubilare.* → Obnubiler.
Littéraire.

♦ **1.** Action d'obnubiler (l'esprit); état de l'esprit obnubilé.

♦ **2.** Méd. Ralentissement des fonctions psychiques, accompagné d'un engourdissement, d'une baisse de la vigilance, d'un manque de lucidité. *Obnubilation due à une commotion cérébrale, à l'épilepsie, à un choc émotionnel.*

♦ **3.** (xxᵉ, Valéry; sens étym.). Didact. Fait de se couvrir de nuages, de brouillard.

OBNUBILER [ɔbnybile] v. tr. — V. 1270; *obnublé,* v. 1175; lat. impérial *obnubilare,* de *nubilus* «nuageux», de *nubes* «nuage».

♦ **1.** Rare. Couvrir de nuages, de brouillard. — Au p. p. *Ciel obnubilé.*

♦ **2.** (V. 1330). Méd. Voiler (la vue) comme d'un nuage. — Fig. (En parlant des facultés mentales, des sentiments...). Envelopper* comme de ténèbres, de brouillard. ⇒ **Obscurcir**. *Passion qui obnubile la conscience. L'amour maternel obnubile chez elle toutes les autres affections.* — Au p. p. *Avoir l'esprit obnubilé.*

(...) une sorte de fièvre qui d'ailleurs, loin d'obnubiler sa pensée, semblait donner à celle-ci une étrange et presque surnaturelle acuité (...)
Louis MADELIN, Hist. du Consulat et de l'Empire, Ascension de Bonaparte, V.

Par ext. (En parlant d'une personne). Hypnotiser, obséder. *Ce souvenir l'obnubile.* — (Passif). *Il est obnubilé par cette idée.*

DÉR. Obnubilation.

OBOLE [ɔbɔl] n. f. — V. 1268 au sens 2 ; lat. *obolus*, du grec *obolos*.

♦ **1.** (Mil. XVIᵉ). Monnaie grecque, valant le sixième de la drachme. *« On mettait une obole dans la bouche des morts, afin qu'ils payassent à Caron le prix du passage du Styx »* (Littré).

1   Une mine (*valait*) cent drachmes ; une drachme, six oboles.
      LA BRUYÈRE, les Caractères de Théophraste, De l'ostentation, note 8.

♦ **2.** (V. 1268). Ancienne monnaie française de cuivre qui valait la moitié d'un denier tournois. ⇒ 2. **Maille**. → Cotiser, cit. 1.

♦ **3.** Fig., fam. Vx. Très petite somme. ⇒ **Sou**. *Pas une obole :* pas un liard*, pas un sou. *Cela ne vaut pas une obole :* cela ne vaut rien* (→ Guenille, cit. 7). — Loc. prov. (allus. littér.). *« Point de pigeon pour une obole »* (La Fontaine, *Fables*, II, 12).

2   Dieu merci ! je n'ai pas fait tort d'une obole à mes héritiers, et n'ai disposé que de mes revenus.
      BALZAC, Ursule Mirouët, Pl., t. III, p. 403.

Rare. Très petite quantité, très petite partie (cf. La Fontaine, *Fables*, V, 16).

♦ **4.** (1902). Mod. Modeste offrande, don de peu d'importance ; petite contribution en argent. *« Je vous envoie ma modeste obole »* (Académie). *Apporter son obole à une quête, une souscription.* ⇒ **Aumône**. *Donner, offrir son obole.* ⇒ **Bienfait, charité.**

3   — J'viens vous d'mander d'l'argent pour la construction d'une nouvelle église. (...) — Vous pouvez donner votre obole, m'sieu Taupe. L'église s'ra tout entière en ciment armé ; à l'intérieur, y aura des fresques cubiques et la teuseufeu (T. S. F.) pour écouter l'pape. Et à l'entrée, y aura eau bénite froide et chaude.
      R. QUENEAU, le Chiendent, p. 336.

OBOMBRER [ɔbɔ̃bʀe] v. tr. — 1552 ; *obumbrer*, v. 1265 ; lat. *obumbrare*, rac. *umbra*. → 1. Ombre.

♦ **1.** Vx. Abriter, couvrir ; protéger de son ombre. *« Les anges l'obombraient de leurs ailes »* (Académie).

♦ **2.** (Repris XIXᵉ). Littér. Mettre dans l'ombre, couvrir d'ombre. ⇒ **Ombrer**. — Au p. p. :

1   Ces yeux obombrés par un cercle olivâtre, étaient surmontés de sourcils arqués et fournis.
      BALZAC, Illusions perdues, Pl., t. IV, p. 721.

Fig. Obscurcir.

2   Mais le plus grand mal qu'il me cause c'est d'occuper et d'obombrer si longtemps ma pensée.
      GIDE, Journal, 17 mai 1907.

OBREPTICE [ɔbʀɛptis] adj. — 1395 ; bas lat. jurid. *obrepticus*, dér. de *obrepere*, proprt « ramper (*repere*) devant (*ob*) ».

♦ **1.** Dr. canon. Obtenu par obreption, par une allégation fausse. ⇒ **Captation**. *Grâce, privilège obreptice.*

♦ **2.** Par ext. Vx (seul sens dans les dict. généraux : Furetière, Trévoux, Bescherelle, Littré). Obtenu par dissimulation, en taisant ce qui aurait dû être dit. ⇒ **Mensonge** (par omission) ; et aussi **subreptice**.

DÉR. Obrepticement.

OBREPTICEMENT [ɔbʀɛptismɑ̃] adv. — 1413 ; de *obreptice*, et 1. *-ment*.

♦ Dr. canon. D'une manière obreptice, cachée.

OBREPTION [ɔbʀɛpsjɔ̃] n. f. — 1446 ; lat. impérial *obreptio* « surprise », du supin de *obrepere*. → Obreptice.

♦ **1.** Dr. canon. Fait d'obtenir une grâce, un privilège « au moyen d'une allégation mal fondée » (Lalande).

♦ **2.** Mensonge par omission. ⇒ **Dissimulation, subreption.**

On entend communément par *obreption* (dans les allégations apportées en faveur d'une demande) ce qui est exposé contre la vérité, et par *subreption* ce qui est omis de vrai dans l'exposé.
DURAND DE MAILLANE, Dict. droit canonique (1787), in LALANDE, art. *Subreption*.

OBROK [ɔbʀɔk] n. m. — 1829 ; mot russe.

♦ Hist. Redevance annuelle remplaçant la corvée, en Russie occidentale, de 1830 à 1868.

Les uns (*des paysans*) lui paient (*au seigneur*) chaque année un impôt dont la quotité varie selon les provinces. (*... en note*) Cet impôt désigné sous le nom d'*Obrok* est en certains endroits de 10 fr.
      X. MARMIER, Lettres sur la Russie, t. II, 1843, in D.D.L. II, 16.

OBRUÉ, ÉE [ɔbʀye] adj. — 1611 ; du lat. *obrutus* ; cf. moy. franç. *obruer* « écraser militairement », de *obruere*, de *ruere* « renverser ».

♦ Littér., rare. Écrasé.

OBSCÈNE [ɔpsɛn] adj. — 1534 ; lat. *obscenus*, étymologiquement, « de mauvais présage ».

♦ Qui offense ouvertement la pudeur ; qui présente un caractère très choquant en exposant sans atténuation, avec cynisme, l'objet d'un interdit social, notamment sexuel. ⇒ **Dégoûtant, dégueulasse** (fam.), **déshonnête, gras, graveleux, grivois, grossier, immonde, immoral, impudique, impur, inconvenant, indécent, licencieux** (cit. 3), **malpropre, ordurier, pornographique, sale**. *Livres, publications obscènes* (→ Avidement, cit. 4 ; dépravation, cit. 4). *Mots obscènes* (→ Incohérent, cit. 2). *Paroles grasses* (cit. 6), *presque obscènes ; propos obscènes* (⇒ **Obscénité**). *Graffiti* (cit. 1), *images, photos obscènes* (→ Exposition, cit. 2). *Propos indécents, licencieux sans être obscènes. Geste obscène. Pensées obscènes.*

1   (...) du moment qu'une chose est vraie, elle est bonne. Les livres obscènes ne sont même immoraux que parce qu'ils manquent de vérité. Ça ne se passe pas « comme ça » dans la vie.
      FLAUBERT, Correspondance, 1565, 6 févr. 1876.

2   C'est toute une chevauchée d'idées obscènes qui me passe alors dans la cervelle !
      HUYSMANS, En route, I, V.

3   Ce volume (...) contenait des passages d'une telle crudité que les autorités italiennes le firent saisir comme livre obscène ; aussi est-il introuvable.
      APOLLINAIRE, l'Hérésiarque..., p. 68.

4   Quelquefois, sur un lit ouvert, Lalla trouve un magazine plein de photos obscènes, de femmes nues aux cuisses écartées, aux seins obèses gonflés d'énormes oranges (...)
      J.-M. G. LE CLÉZIO, Désert, p. 273.

Par ext. Qui agit, parle d'une façon obscène. *Homme obscène et cynique.* ⇒ **Satyre.**

CONTR. Chaste, décent, innocent, pudique, pur ; prude.
DÉR. Obscènement.

OBSCÈNEMENT [ɔpsɛnmɑ̃] adv. — 1922, Hamp ; de *obscène*, et 1. *-ment.*

♦ Littér. D'une manière obscène. ⇒ **Indécemment, licencieusement.**

(...) à la différence de la volupté ordinaire étroitement et obscènement localisée, la vague de béatitude dont je parle m'a recouvert tout entier, irriguant mes couches les plus profondes, mes extrémités les plus lointaines.
      M. TOURNIER, le Roi des Aulnes, p. 90.

CONTR. Chastement, décemment.

OBSCÉNITÉ [ɔpsenite] n. f. — 1511 ; lat. *obscenitas*, de *obscenus*. → Obscène.

♦ **1.** Caractère de ce qui est obscène. ⇒ **Cynisme, grossièreté, immoralité, indécence**. *L'obscénité d'un mot, des propos, d'un ouvrage* (→ Immoral, cit. 4). *Des galanteries voisines de l'obscénité* (→ Conter, cit. 7). *L'obscénité d'expression particulière à cette époque* (le XVIIIᵉ siècle). → Gâter, cit. 13, Chateaubriand.

1   Il (*ce mot*) a une obscénité qui n'est pas supportable. — Comment dites-vous ce mot-là, madame ? — Obscénité, madame. — Ah ! mon Dieu ! obscénité. Je ne sais pas ce que ce mot veut dire ; mais je le trouve le plus joli du monde.
      MOLIÈRE, Critique de l'École des femmes, III, 1.

2   (...) si ces sujets étaient traités avec le soin et le recueillement nécessaires, ils ne seraient point souillés par cette obscénité révoltante, qui est plutôt une fanfaronnade qu'une vérité.
      BAUDELAIRE, Curiosités esthétiques, III, V.

♦ **2.** (1511). Une, des obscénités. Parole, phrase obscène. Image, objet obscène. ⇒ **Gravelure, grossièreté** (cit. 10), **ordure ; cochonnerie** (fam.)... ; → Épurer, cit. 6 ; gaillard, cit. 12 ; insanité, cit. ; insulte, cit. 7. *Dire, lire, écrire des obscénités. Des obscénités couvraient le mur.* ⇒ **Graffiti.**

3   Et les lourdes plaisanteries commencèrent. C'étaient des bordées d'obscénités lâchées à travers la table, et toutes sur la nuit nuptiale. L'arsenal de l'esprit paysan fut vidé. Depuis cent ans, les mêmes grivoiseries servaient aux mêmes occasions, et, bien que chacun les connût, elles portaient encore, faisaient partir en un rire retentissant les deux enfilades de convives.
      MAUPASSANT, les Contes de la Bécasse, « Farce normande ».

CONTR. Décence, pudeur.

OBSCUR, URE [ɔpskyʀ] adj. — XIIᵉ ; *oscur*, fin XIᵉ ; lat. *obscurus*.

★ **I.** (Concret). ♦ **1.** (Fin XIᵉ). Qui est privé (momentanément ou habituellement) de lumière. ⇒ **Noir, sombre, ténébreux** ; → Demicercle, cit. *Nuit obscure, ténèbres obscures.* ⇒ **Aveugle**. *Endroit, lieu obscur. Ciel* obscur, rendu obscur par d'épais nuages.* ⇒ **Assombri, chargé, couvert, embrumé, épais, nébuleux, nuageux.** *« Une atmosphère obscure enveloppe* (cit. 8) *la ville ».* ⇒ **Triste**. *Forêt obscure.* ⇒ **Ombreux** (→ Impénétrable, cit. 4, et aussi farouche, cit. 12, Hugo). *Antre* (cit. 6), *souterrain obscur. Cave*, caverne*, crypte obscure. Plonger* qqn dans un cachot obscur, une prison obscure (⇒ **Oubliette**). *Angle, coin, recoin, réduit obscur* (→ Alcôve, cit. 2). *Pièce, salle obscure* (→ Côté, cit. 6). — (1917). Loc. *Les salles obscures* (de cinéma). — *Nef obscure* (→ Abside, cit. 2). — *Ruelle, impasse* (cit. 2) *obscure* (→ Fourvoyer, cit. 2). — Phys. *Milieu obscur.* ⇒ **Opaque** (→ Illumination, cit. 4). *Chambre* obscure* (ou *noire*). → Infléchir, cit. 3.

1   (...) je pousse une vieille porte cochère, et vois une de ces cours obscures où le soleil ne pénètre jamais.   BALZAC, Gobseck, t. II, p. 631.

2   La salle, massive, obscure, soutenue par de lourds piliers romans (...) était éclairée par un jour déteint que filtraient au travers de leurs résilles de plomb, d'étroits carreaux. L'azur du plafond se fonçait (...) dans les ténèbres des voûtes, l'hermine des armes ducales apparaissait, confuse (...)   HUYSMANS, Là-bas, XVII.

3   Elle traversa une cour et, se perdant, se retrouva parmi des recoins, des escaliers délabrés, des murs sans fenêtres, des couloirs sans air, de plus en plus sombres, elle s'arrêta sur un palier complètement obscur (...)
     J. CHARDONNE, les Destinées sentimentales, p. 204.

4   (...) ces salles que les jeunes critiques appellent les salles obscures parce qu'elles sont, en effet, chargées de répandre les ténèbres sur l'intelligence humaine.
     G. DUHAMEL, Manuel du protestataire, V, p. 140.

Par métaphore. *Sommeil obscur, sans rêves, profond* (→ Endormir, cit. 18). — *Il fait obscur* (⇒ **Noir; sombre**) : le temps est sombre, couvert, ou encore, ce lieu est mal éclairé.

Allus. littér. *Cette obscure clarté* (cit. 1) *qui tombe des étoiles »* (Corneille).

N. *L'obscur.* ⇒ **Noir, obscurité.**

5   Il *(l'homme dans la nuit)* s'avance dans l'épaisseur de l'obscur, les mains étendues devant soi, crainte de se heurter (...)   VALÉRY, Rhumbs, p. 152.

♦ **2.** Indistinct, peu visible (à cause de l'éloignement...). *Des lointains obscurs* (→ Enfoncer, cit. 35).

♦ **3.** (V. 1160). En parlant d'une couleur. Qui est foncé, peu lumineux. ⇒ **Foncé, terne.** *Grisailles obscures* (→ Écume, cit. 2). *Un vert, un rouge obscur.* ⇒ **Sombre, triste.** — Peint. *Ton obscur. Parties obscures d'un tableau.*

6   Mon enfant a des yeux obscurs, profonds et vastes,
Comme toi, Nuit immense, éclairés comme toi !
     BAUDELAIRE, les Épaves, Galanteries, IX.

N. *Le clair et l'obscur* (→ Arrondir, cit. 5; détacher, cit. 11). ⇒ aussi **Clair-obscur.**

★ **II.** (Abstrait). ♦ **1.** (Fin XIIᵉ). Qui est difficile ou impossible à comprendre, à expliquer (de par sa nature ou par la faute de celui qui expose). ⇒ **Abstrus, difficile, énigmatique, impénétrable, incompréhensible, indéchiffrable, inexplicable, inintelligible, insaisissable, mystérieux.** *Énigme* (cit. 1) *obscure. Événements obscurs* (→ Détective, cit. 2). *Intrigue obscure et embrouillée.* ⇒ **Imbroglio; dédale.** *Questions obscures* (→ Enfance, cit. 14; espace, cit. 4). *Point obscur* (→ La bouteille* à l'encre). *Discours*, langage, parler obscur et non intelligible* (cit. 4), *par manque de netteté* (⇒ **Ambigu** [cit. 1], **amphibologique, brumeux, confus, diffus, douteux, enveloppé, équivoque, flou, fuligineux, fumeux, indistinct, louche, nébuleux, trouble, vague, vaporeux**), *par excès de complication* (⇒ **Complexe, compliqué, embrouillé, embroussaillé, entortillé**). *Phrase obscure* (→ Impropriété, cit. 2). *Style obscur et ampoulé.* ⇒ **Amphigourique; amphigouri, phébus** (vx). *Explications obscures et maladroites.* ⇒ **Embarrassé.** — *Sens clair et sens obscur.* ⇒ **Cabalistique, caché, ésotérique, hermétique, secret, sibyllin, voilé.** *Déchiffrer* un texte obscur. Éclaircissement* d'un passage obscur. Poème obscur.* ⇒ **Hermétique.** — *Exprimer* (cit. 28) *ce qui est obscur.* — *Philosophie obscure par excès d'abstraction,* trop abstraite. *Idées*, pensées obscures* (→ Ampoule, cit. 3; inconséquent, cit. 1). — *Périodes obscures de l'histoire,* mal connues. ⇒ **Ignoré, incertain, inconnu** (→ Ancien, cit. 2; embrasser, cit. 25).

7   Mes comptes, à son avis,
Sont obscurs ; les beaux esprits
N'entendent pas toute chose.   LA FONTAINE, Fables, VIII, 13.

8   Selon que notre idée est plus ou moins obscure,
L'expression la suit, ou moins nette, ou plus pure.   BOILEAU, l'Art poétique, I.

N. m. *L'obscur et le clair.*

9   — Insatiablement avide
De l'obscur et de l'incertain (...)
     BAUDELAIRE, les Fleurs du mal, « Spleen et idéal », LXXXII.

10 Moi, je travaille dans le rare, et, l'on prétend même, dans l'obscur.
     J. ROMAINS, les Hommes de bonne volonté, t. XII, XII, p. 118.

(Fin XIIᵉ). Par ext. *Auteur, philosophe, poète obscur* (→ Alambiqué, cit. 5). *Être profond, concis sans être obscur* (→ Maître, cit. 82).

♦ **2.** (1662). Par métonymie. Qui comprend mal, manque d'intelligence. *Esprit obscur* (*Logique de Port-Royal, in* Littré).

♦ **3.** Qui n'est pas net, pas défini ; que l'on sent, perçoit ou conçoit confusément, sans pouvoir l'analyser. ⇒ **Vague.** *Cette idée obscure d'Ordre, de Loi...* (→ Éclair, cit. 18). — (En parlant de ce qui est à demi-conscient). *« Les désirs troubles, les obscures pensées... »* (→ Avilir, cit. 20). *Tristesse vague, obscure* (→ Ennui, cit. 24), *sentiment obscur* (→ Blottir, cit. 7). *Repli obscur de la conscience* (→ Inexploré, cit. 4). *Conscience obscure* (→ Irrationnel, cit. 2). *Pressentiment* obscur. Sentiments obscurs et ambigus. Obscure tendresse* (→ Ardeur, cit. 25; maman, cit. 3).

À un heurt violent du char contre une pierre, un obscur instinct de conservation   11
lui fit crisper les mains sur l'épaule du roi et se serrer contre lui (...)
     Th. GAUTIER, le Roman de la momie, XIII.

Dargoult, qui venait de boire une gorgée d'eau fraîche, s'arrêta net, le verre aux   12
lèvres, saisi d'un obscur malaise. Il eut soudain le sentiment qu'un drame incompréhensible pour lui se poursuivait entre ces deux personnages.
     G. DUHAMEL, Salavin, VI, XX.

N. m. :

Le combat entre les deux principes, le duel entre son côté terrestre et son côté   13
céleste, s'était passé au plus obscur de lui-même, et à de telles profondeurs qu'il
ne s'en était que très confusément aperçu.   HUGO, l'Homme qui rit, II, III, VIII.

Dont on sent les effets sans en connaître la nature, l'origine, l'origine. *Puissance obscure et sans visage* (→ Compagnie, cit. 12). *Hasards obscurs* (→ Automatisme, cit. 9).

(...) les puissances obscures qui agissent en nous, sans que nous en ayons cons-   14
cience, et qui sont les souveraines aveugles de notre vie.
     TAINE, Philosophie de l'art, t. II, p. 292.

♦ **4.** (1559). Personnes. Qui n'a aucun renom ; qui n'est pas connu. ⇒ **Ignoré, inconnu** (→ Avilir, cit. 24). *Être obscur ou illustre* (cit. 4). *Un vieux raté obscur* (→ Maître, cit. 100). *Obscur compilateur* (→ Inepte, cit. 6). *Héros* (cit. 26), *martyr* (cit. 6) *obscur.* — Par ext. *Perdu dans la foule obscure,* anonyme (→ Déployer, cit. 15).

N'était-il pas aussi ridicule que téméraire à un homme obscur, de s'opposer à un   15
mouvement philosophique tellement irrésistible qu'il avait produit la Révolution ?
     CHATEAUBRIAND, Mémoires d'outre-tombe, t. II, p. 201.

(...) je ne me sens bien que dans l'ombre. Je suis obscur, par vocation. Je ne serai   16
jamais, malgré les publicistes, qu'un très obscur homme célèbre.
     G. DUHAMEL, Chronique des Pasquier, IV, II.

N. *« Les petits, les obscurs, les sans grade... »* (→ Marcher, cit. 26). Spécialt. Qui est d'une condition sociale modeste, inférieure. ⇒ **Humble.** — Par ext. *Famille, lignée* (cit. 4) *obscure de petites gens.*

Les douze *(victimes de la fusillade du Champ-de-Mars)* sont tous gens obscurs,   17
de pauvres gens de la classe ouvrière (...)
     MICHELET, Hist. de la Révolution franç., V, IX.

Par ext. *État* (cit. 75) *obscur* (→ Heureux, cit. 46). *Existence* (cit. 29), *vie* obscure* (→ État, cit. 78). *Végéter* dans une situation, une position* obscure.* — *Besognes obscures et mal payées* (→ Employer, cit. 21). — *Un de ces moines... qui vivent dans un couvent obscur* (→ Dignité, cit. 2).

Voudrais-je, de la terre inutile fardeau (...)   18
(...) Attendre chez mon père une obscure vieillesse (...)   RACINE, Iphigénie, I, 2.

À côté de l'œuvre savante de l'architecte, il y a dans la science l'œuvre pénible   19
du manœuvre, qui exige une obscure patience et des labeurs réunis.
     RENAN, l'Avenir de la science, Œ. compl., t. III, XV, p. 930.

CONTR. Clair ; brillant, éblouissant, éclairé, éclatant, étincelant, limpide, luisant, lumineux, transparent ; blanc, diaphane, vif. — Connu, distinct ; évident, formel, intelligible, net, manifeste, précis. — Célèbre, fameux, glorieux, illustre.
DÉR. Obscurateur, obscuration, obscurcir, obscurément, obscurisme. — V. Obscurant.

OBSCURANT, ANTE [ɔpskyʀɑ̃, ɑ̃t] n. et adj. — 1781 ; de *obscurer,* anc. dér. de *obscur* « rendre obscur », concret et abstrait.
Vx et littéraire ou historique.

♦ **1.** N. (1781, Turgot). Personne opposée au progrès (⇒ **Obscurantiste**).

♦ **2.** Adj. Qui rend obscur, sombre.
(...) ce pays de la triste et obscurante houille *(la Grande-Bretagne).*
     Ed. DE GONCOURT, les Frères Zemganno, p. 169.
DÉR. Obscurantisme.

OBSCURANTISME [ɔpskyʀɑ̃tism] n. m. — 1819, Boiste, *in* D. D. L. ; dér. de *obscurant,* et *-isme.*

♦ Opinion, doctrine des ennemis des « lumières », de ceux qui s'opposent à la diffusion, à la vulgarisation* des connaissances, de l'instruction*, de la culture dans les masses populaires. ⇒ **Ignorantisme** (→ Éloigner, cit. 27). *Les libéraux accusaient les monarchistes d'obscurantisme, sous la Restauration.*

Il *(le marquis d'Esgrignon)* ne lisait que la *Quotidienne* et la *Gazette de France,*   1
deux journaux sur les feuilles constitutionnelles accusaient d'obscurantisme, de mille énormités monarchiques et religieuses, et que le marquis, lui, trouvait pleines d'hérésies et d'idées révolutionnaires.
     BALZAC, le Cabinet des Antiques, Pl., t. IV, p. 365.

Il avait un anticléricalisme enthousiaste et crédule qui traitait toute religion, —   2
surtout le catholicisme, — d'obscurantisme, et voyait dans le prêtre l'ennemi-né de la lumière.   R. ROLLAND, Jean-Christophe, Dans la maison, I, p. 967.

Traditionnellement, la gauche a toujours été en lutte contre l'injustice, l'obscuran-   3
tisme et l'oppression. Elle a toujours pensé que ces phénomènes étaient interdépendants. L'idée que l'obscurantisme puisse conduire à la justice, la raison d'État à la liberté, est toute récente.   CAMUS, Actuelles II, Pl., p. 802.

DÉR. Obscurantiste.

OBSCURANTISTE [ɔpskyʀɑ̃tist] adj. et n. — 1832, *in* D. D. L. ; de *obscurant(isme),* et *-iste.*

♦ Relatif à l'obscurantisme. *Attitude obscurantiste.* — Inspiré par

l'obscurantisme; partisan de l'obscurantisme. — N. *Un obscuran-*
tiste acharné.

Le vrai visage de ces professions saisonnières d'inculture, c'est ce vieux mythe
obscurantiste selon lequel l'idée est nocive, si elle n'est contrôlée par le «bon
sens» et le «sentiment».   R. BARTHES, Mythologies, p. 37.

CONTR. Progressiste.

OBSCURATEUR [ɔpskyʀatœʀ] n. m. — 1878, P. Larousse, *Pre-*
mier Suppl.; de obscur.

♦ Techn. Enveloppe cylindrique opaque, échancrée ou percée d'un
voyant, qu'on met autour d'un tube contenant un liquide pour
mieux voir, par contraste, la surface de celui-ci.

OBSCURATION [ɔpskyʀasjɔ̃] n. f. — 1680; dér. d'*obscur.*

♦ Sc. (Astron.). Obscurcissement résultant d'une éclipse.

OBSCURCIR [ɔpskyʀsiʀ] v. tr. — V. 1160; *oscurir,* 1120; de *obs-*
cur, d'après *noircir, éclaircir.*
Rendre obscur.

★ **I.** (Concret). ♦ **1.** (V. 1380). Priver de lumière, de clarté, de
manière à rendre obscur. ⇒ **Assombrir, couvrir** (d'obscurité, de
ténèbres), **voiler.** *Nuage* qui obscurcit le soleil* (⇒ **Cacher, éclip-**
ser, offusquer), *les cieux, le paysage.* ⇒ **Brouiller, brunir** (par ext.),
embrumer; et aussi **attrister.** *Fumées, vapeurs* qui obscurcissent*
l'air, l'atmosphère. ⇒ **Noircir, troubler.** — Au p. p. *Pièce obscurcie*
(par la nuit, l'absence de lumière...). → Lucidité, cit. 6. *Ciel obs-*
curci. ⇒ **Brouillé, nébuleux.**

1   Aujourd'hui ses vallées sont obscurcies par les fumées des forges et des usines (...)
                                    CHATEAUBRIAND, Mémoires d'outre-tombe, t. IV, p. 201.
2   (...) l'océan, vaste entre les deux mondes,
    A rugi, de brouillard et d'orage obscurci (...)
                                                    HUGO, la Légende des siècles, LVIII, I.

Affaiblir*, éteindre (l'éclat*, la clarté, la lumière*). *La lumière du*
jour est obscurcie (→ Éteindre, cit. 55).

3   Le brouillard était affreux, ce soir. Il enveloppait le boulevard où les becs de gaz
    obscurcis semblaient des chandelles fumeuses.
                                            MAUPASSANT, les Sœurs Rondoli, Suicides.

(1530). Pron. (Réfl.). *S'obscurcir :* devenir sombre. *Le temps*, l'air,*
l'atmosphère, le ciel s'est obscurci.

4   (...) comme il terminait sa période, un nuage glissa devant le soleil et le jour s'obs-
    curcit soudain.   COURTELINE, Messieurs les ronds-de-cuir, VIᵉ tableau, II.

Par métaphore. *Obscurcir les lumières de la raison, de l'intelli-*
gence (→ ci-dessous, II., 1. et 2.; et aussi épreuve, cit. 16; éteindre,
cit. 18).

5   Jetez quelques vives lumières dans un esprit naturellement ténébreux, et vous ver-
    rez à quel point il les obscurcira.   Joseph JOUBERT, Pensées, IV, XLVIII.
6   Cette nuée de mensonges (...) eut ce résultat (...) d'obscurcir la lumière, de cacher
    si bien le jour, que plusieurs qu'on avait crus clairvoyants tâtonnaient en plein
    midi.   MICHELET, Hist. de la Révolution franç., IV, III.
7   (...) ceux-là se défient des richesses, parce qu'elles rendent sensible aux flatteries
    et sourd aux malheureux; ils se défient des plaisirs, parce qu'ils obscurcissent et
    éteignent enfin la lumière de l'intelligence.   ALAIN, Propos sur le bonheur, p. 98.

♦ **2.** Empêcher de voir, troubler, affaiblir (la vue). ⇒ **Essuyer,**
cit. 6. *Yeux obscurcis de larmes* (→ Manquer, cit. 27). *Ce qui obs-*
curcit la vue. ⇒ **Voile.**

8   Quelques pleurs répandus ont obscurci vos yeux.   RACINE, Britannicus, V, 3.

Par métaphore (→ Apercevoir, cit. 11; nuage, cit. 10).

♦ **3.** Rare. Rendre foncé, sombre. ⇒ **Foncer, ternir.** — (1690). Pron.
(Réfl.). *S'obscurcir :* devenir foncé. — Au p. p. *Couleur* très obs-*
curcie. Tableau obscurci et enfumé. ⇒ **Embrunir.**

9   (...) les grandes pennes vont toujours s'obscurcissant de plus en plus, de la base à
    la pointe où elles sont presque noires (...)
                                    BUFFON, Hist. nat. des oiseaux, t. VIII, p. 210, in LITTRÉ.
10 Il en venait à se demander comment il avait pu si longtemps tolérer des meubles
    obscurcis et glacés par les crasses (...)   HUYSMANS, Là-bas, X.

★ **II.** (Abstrait). ♦ **1.** (1538). Rendre obscur (II., 1.), peu intelligible
en compliquant ou en rendant imprécis (→ Étrange, cit. 7). *Cette*
histoire a été obscurcie (→ Intéresser, cit. 22). *Obscurcir son style**
par l'emploi de termes abstraits. ⇒ **Cacher, voiler.** *Falsifier* (cit. 7)
et obscurcir la vérité* (→ aussi Imputer, cit. 25). *Obscurcir volon-*
tairement sa pensée. ⇒ **Envelopper.**

11 (...) les philosophes, en tâchant d'expliquer par les règles de leur logique des cho-
    ses qui sont manifestes d'elles-mêmes, n'ont rien fait que les obscurcir (...)
                                        DESCARTES, Principes de la philosophie, I, 10.
12 (...) comme elles *(les questions)* étaient toutes liées les unes aux autres, il s'ensui-
    vait (...) que l'obscurité d'une solution obscurcissait l'évidence d'une autre; que
    les vérités les plus claires étaient devenues tout à fait problématiques (...)
                                        BERNARDIN DE SAINT-PIERRE, la Chaumière indienne.
13 Tout révolté (...) s'engage à lutter contre la servitude, le mensonge et la terreur
    et affirme (...) que ces trois fléaux font régner le silence entre les hommes, les obs-
    curcissent les uns aux autres (...)   CAMUS, l'Homme révolté, p. 350.

♦ **2.** Rendre incapable de discernement, de lucidité. ⇒ **Obnubi-**
ler. *Obscurcir l'intelligence* (→ Écarter, cit. 8), *la raison.* — Pron.
(Réfl.). *Clairvoyance qui s'obscurcit* (→ Baisser, cit. 28). *La percep-*

tion du bien et du mal s'obscurcit... (→ Élargir, cit. 10). — Au p. p.
Les malheureux en qui la raison humaine est horriblement obscur-
cie (→ Imbécile, cit. 12).

14 La chronologie n'est presque rien dans l'histoire de l'humanité. Un concours de
    causes peut obscurcir de nouveau la réflexion et faire revivre les instincts des pre-
    miers jours.   RENAN, l'Avenir de la science, Œ. compl., t. III, XV, p. 938.
15 (...) le prodige d'une intelligence que la fièvre, loin de l'obscurcir, surexcitait.
            Louis MADELIN, Hist. du Consulat et de l'Empire, Ascension de Bonaparte, VIII.

♦ **3.** Vieilli. Rendre obscur* (II., 4.). *Obscurcir la renommée de qqn.*
⇒ **Effacer;** → Faire ombre* à qqn.

CONTR. Éclaircir, éclairer, illuminer.
DÉR. Obscurcissement.

OBSCURCISSEMENT [ɔpskyʀsismɑ̃] n. m. — 1538; *oscurcis-*
sement, XIIIᵉ; du rad. du p. prés. de *obscurcir,* et 2. *-ment.*

★ **I.** (Concret). ♦ **1.** Action d'obscurcir, de priver de lumière; état
de ce qui est obscurci. Perte de lumière, d'éclat. *Obscurcissement*
du ciel, du jour*, de l'air..., de la lumière* (⇒ **Affaiblissement,**
ombre). *Obscurcissement du soleil par une éclipse* (⇒ **Obscuration,**
offuscation), *du ciel par les nuages* (⇒ **Nébulosité**).

♦ **2.** *Obscurcissement de la vue.* ⇒ **Amaurose, aveuglement.**

★ **II.** (Abstrait). ⇒ **Obscurcir,** II. ♦ **1.** (1694, Académie). Fait de
rendre peu intelligible, peu perceptible. *Obscurcissement de la*
vérité, du style.

♦ **2.** Fait de rendre peu clairvoyant. *Obscurcissement de l'intelli-*
gence, de l'esprit. ⇒ **Éclipse.**

(...) le grand travail d'obscurcissement, d'erreur, de stupidité fanatique qui, suivi
consciencieusement pendant deux années, nous a donné la Vendée, la guerre des
Chouans (...)   MICHELET, Hist. de la Révolution franç., IV, II.

♦ **3.** Vieilli. Fait de rendre inconnu, obscur. *Obscurcissement d'une*
renommée.

CONTR. Éclaircissement.

OBSCURÉMENT [ɔpskyʀemɑ̃] adv. — 1213; *oscurement,*
v. 1165, au sens II, 1; de *obscur,* et *-ment.*
D'une manière obscure.

★ **I.** (Concret). Rare. D'une manière peu claire. *La nuit approchait,*
on ne voyait les objets qu'obscurément (Académie). D'une manière
sombre, foncée... *« Un brun obscurément teint de verdâtre »* (Buffon, in Littré). — D'une manière à peine visible, imperceptible.

1   L'ombre était nuptiale, auguste et solennelle;
    Les anges y volaient sans doute obscurément,
    Car on voyait passer dans la nuit, par moment,
    Quelque chose de bleu qui paraissait une aile.
                            HUGO, la Légende des siècles, II, Booz endormi.

★ **II.** Cour. (Abstrait). ♦ **1.** (V. 1165). D'une manière peu intelligible,
incompréhensible. *Parler, écrire obscurément. Oracle qui s'exprime*
obscurément.

2   (...) il est mauvais de parler obscurément des choses claires, il est bon de parler
    clairement des choses obscures.   G. DUHAMEL, Discours aux nuages, I.

♦ **2.** (V. 1307). D'une manière vague, incertaine, imperceptible,
insensible. *Sentir, prévoir obscurément...* (⇒ Abrutissement, cit. 3).
Modification sentimentale préparée obscurément (→ Désagrégation, cit. 2).

3   Il y a des progrès qui s'accomplissent obscurément et qui pourtant décident de
    l'avenir d'une classe et transforment une société.
                            FUSTEL DE COULANGES, la Cité antique, IV, VII.
4   L'état de nos systèmes organiques agit obscurément sur la conscience. Parfois un
    organe nous donne, de cette façon, l'avertissement du danger.
                            Alexis CARREL, l'Homme, cet inconnu, III, XI.

♦ **3.** (V. 1460). De manière à rester ignoré, inconnu (→ Amas,
cit. 4). *Vivre, finir ses jours obscurément,* dans l'obscurité.

5   Et celui qui sans nom vit si obscurément
    Qu'à peine est-il connu de ceux de son village (...)
                    RONSARD, Disc. des misères de ce temps, Disc. à Loys des Masures.
6   Pourvu que, dans les bras d'une épouse chérie,
    Je goûte obscurément les doux fruits de ma vie.
                            LAMARTINE, Premières méditations, XXIII.

CONTR. Clairement, nettement, visiblement. — Glorieusement.

OBSCURISME [ɔpskyʀism] n. m. — 1927; de *obscur,* et *-isme.*

♦ Littér. Tendance délibérée à l'obscurité, à la difficulté, chez un
écrivain, un penseur. ⇒ **Ésotérisme.**

Ce que Planche reprochait à Sainte-Beuve n'était rien de moins que ce que l'on
appelle depuis Fernand Vandérem de l'obscurisme, mais alors que l'obscurisme
d'un Mallarmé ou d'un Valéry s'explique par une recherche extrême de l'expression, celui de Sainte-Beuve avait au contraire sa source, du moins s'il faut en croire
Planche, dans l'insuffisance de l'élaboration intellectuelle.
                                            A. BILLY, Sainte-Beuve, p. 268.

OBSCURITÉ [ɔpskyʀite] n. f. — Mil. XIIIᵉ ; *obscurtet,* 1119 ; lat. *obscuritas,* dér. de *obscurus* « obscur ».

★ **I.** (1119). Concret. État de ce qui est obscur. ♦ **1.** Absence de lumière, de clarté. ⇒ Noir (II., A., 2.), **noirceur** (*supra* cit. 4), **nuit, ténèbres** (→ Enténébrer, cit. 1 ; équinoxe, cit.). *Obscurité complète, compacte* (cit. 3), *épaisse, profonde...* (→ Épouvantable, cit. 4 ; *imperceptible,* cit. 4). *L'obscurité est totale :* on ne voit rien, on ne voit ni ciel ni terre. *Obscurité partielle, relative ; demi-obscurité* (⇒ **Clair-obscur**). *Une douce obscurité* (→ Enhardir, cit. 3). *Affreuse obscurité* (→ 1. Foudre, cit. 6). *L'obscurité du soir, du crépuscule*, de la nuit* (→ Hardi, cit. 2). *Une obscurité d'éclipse* (→ Déployer, cit. 9). — Absolt. *Les premières heures* (cit. 11) *d'obscurité, de la nuit*. — Obscurité d'une cave, d'un égout* (cit. 2)... ; *d'une pièce non éclairée ; d'une église* (→ Cierge, cit. 3). *L'obscurité conservée par les volets clos* (→ Heure, cit. 54). — *Façade* (cit. 4) *flamboyante qui perce l'obscurité. Lumière dans l'obscurité* (→ 1. Falot, cit. 2). *Distinguer, voir dans l'obscurité... Se faire* (cit. 239), *s'habituer à l'obscurité. Se cacher, se dissimuler*, fuir... à la faveur de l'obscurité. Chercher dans l'obscurité.* ⇒ **Tâtons** (à). *— Les insectes* (cit. 2) *travaillent volontiers dans l'obscurité. Étiolement* d'une plante qui croît dans l'obscurité.*

1   Bientôt la même femme (...) m'introduisit dans une salle basse (...) dont les persiennes étaient fermées, et au fond de laquelle je vis indistinctement Louis Lambert... L'obscurité était si forte que, dans le premier moment, mademoiselle de Villenoix et Louis me firent l'effet de deux masses noires qui tranchaient sur le fond de cette atmosphère ténébreuse. Je m'assis, en proie à ce sentiment qui nous saisit presque malgré nous sous les sombres arcades d'une église. Mes yeux (...) ne s'accoutumèrent que graduellement à cette nuit factice.
     BALZAC, Louis Lambert, Pl., t. X, p. 445.

2   L'abîme ; on ne sait quoi de terrible qui gronde,
     Le vent ; l'obscurité vaste comme le monde ;
     Partout les flots ; partout où l'œil peut s'enfoncer.
     HUGO, la Légende des siècles, LVIII, I.

3   Il me semble que j'entends mille bruits dans cette pièce, qui d'abord semblait silencieuse, comme on distingue peu à peu des objets dans l'obscurité, à mesure que les yeux s'y habituent. MONTHERLANT, Pitié pour les femmes, p. 90.

Par métaphore. Poét. (et spécialt chez Hugo). *Les ténèbres, le mal, l'ignorance.*

4   L'obscurité couvre le monde,
     Mais l'Idée illumine et luit ;
     De sa clarté blanche elle inonde
     Les sombres azurs de la nuit. HUGO, les Châtiments, VI, VII.

♦ **2.** Caractère obscur, sombre. *L'obscurité d'une teinte, d'une couleur.*

★ **II.** Abstrait. ♦ **1.** (V. 1265). Défaut de clarté, d'intelligibilité. ⇒ **Obscur** (II., 1.). → Ignorance, cit. 2 ; insuffisance, cit. 3. *Du vague et de l'obscurité* (→ Indécis, cit. 4). *L'obscurité d'un texte, d'une déclaration.* ⇒ **Ambiguïté, brouillard, brume** (fig.). *Obscurité du style, de la rhétorique... Son langage est d'une obscurité totale pour moi. L'obscurité de la loi* (→ Déni, cit. 3). *Apporter de l'obscurité dans une affaire, une démonstration.* ⇒ **Embrouiller, entortiller.** *L'obscurité s'épaissit* autour de cette affaire. — Obscurité d'un poème, d'un ouvrage philosophique.* — Par ext. *L'obscurité d'un écrivain, d'un philosophe.*

5   On le voit (*Épicure*) à escient se couvrir souvent d'obscurité si épaisse et inextricable, qu'on n'y peut rien choisir de son avis. MONTAIGNE, Essais, II, XII.

6   Les informes instruments de ce régime équivoque, l'embrouillement des papiers, la savante obscurité des calculs, tout cela est traîné à la lumière.
     MICHELET, Hist. de la Révolution franç., III, X.

7   L'obscurité qui les enveloppe (*les lois*), épaissie par les commentateurs, leur communique la majesté des oracles antiques.
     FRANCE, les Opinions de J. Coignard, Œ., t. VIII, XXII, p. 509.

8   L'obscurité nuit moins à un grand artiste qu'une apparente clarté. Quand on veut le comprendre, on se donne la peine de chercher le secret de sa pensée.
     R. ROLLAND, Musiciens d'aujourd'hui, p. 2.

9   Sa conception (*de Mallarmé*) le conduisait nécessairement à envisager et à écrire des combinaisons assez éloignées de celles dont l'usage commun fait la « clarté » (...) L'obscurité qu'on lui trouve résulte de quelque exigence par lui rigoureusement maintenue (...) VALÉRY, Variété II, p. 199.

(V. 1250). Vx. État de ce qui est mal connu. *Obscurité des anciens temps, du passé* (→ Avant, cit. 60). *L'obscurité des origines.* *« L'obscurité de mon avenir »* (Chateaubriand).

10 Il y a assez de clarté pour éclairer les élus et assez d'obscurité pour les humilier. Il y a assez d'obscurité pour aveugler les réprouvés et assez de clarté pour les condamner et les rendre inexcusables. PASCAL, Pensées, VIII, 578.

♦ **2.** (*Une, des obscurités*). Passage, point obscur (d'un discours, d'un écrit) ; événement incompréhensible (→ Développer, cit. 9 ; exprimable, cit.). *Les obscurités de l'Écriture* (→ 1. Manifeste, cit. 1). *Un abîme de réticences, d'obscurités* (→ Combler, cit. 9.1). *Attendre que certaines obscurités soient éclaircies* (→ Arrestation, cit. 2). *Il reste encore quelques obscurités.* ⇒ **Doute, incertitude...**

♦ **3.** Par métonymie. (Vx). État (d'une faculté psychique) dans lequel la clarté ne se fait pas. ⇒ **Aveuglement.** *Obscurité de l'esprit, du cœur, de l'intelligence.*

11 (...) la profonde obscurité du cœur de l'homme, qui ne sait jamais ce qu'il voudra, qui souvent ne sait pas bien ce qu'il veut (...)
     BOSSUET, Oraison funèbre d'Anne de Gonzague.

♦ **4.** (Mil. XVIIIᵉ). Littér. Situation de qqn qui reste obscur, inconnu, ignoré. ⇒ **Médiocrité ; humilité** (cit. 10). → Dérober, cit. 15 ; fumée,

cit. 16 ; illustration, cit. 3. — Vx. Situation sociale basse ; basse extraction*. *« En quelque obscurité que le sort l'eût fait naître »* (→ Maître, cit. 18). *Vivre dans l'obscurité. Sortir de l'obscurité. L'obscurité de sa famille.*

12 Les citoyens de cette république idéale, dégagée, pour la plupart, de toute espèce de rapports avec les affaires publiques et particulières, travaillent dans l'obscurité comme les mineurs, et, placés comme eux au milieu des trésors ensevelis, ils exploitent en silence les richesses intellectuelles du genre humain.
     Mᵐᵉ DE STAËL, De l'Allemagne, I, XIII.

13 (...) ce compliment qu'on adresse quelquefois à certains écrivains ignorés ou presque, d'avoir reçu eu une belle tenue littéraire, n'est plus souvent qu'une charité pour les consoler de leur obscurité.
     Paul LÉAUTAUD, Journal littéraire, t. I, p. 36.

14 Il avait vécu longtemps dans une obscurité laborieuse et heureuse.
     G. DUHAMEL, le Voyage de P. Périot, III.

CONTR. Clarté, lumière. — Limpidité. — Jour. — Évidence, netteté. — Connaissance. — Célébrité, gloire, renom.

OBSÉCRATION [ɔpsekʀasjɔ̃] n. f. — XIIIᵉ ; rare av. le XVIᵉ ; lat. *obsecratio,* de *obsecrare* « adjurer », rac. *sacer* « sacré ».

♦ Didact. (Relig., etc.). Prière par laquelle on implore Dieu, on conjure quelqu'un au nom de Dieu. ⇒ **Déprécation, supplication.**

1   Quant aux incursions diaboliques dans le couvent même, elles ne sont que trop réelles et, parfois, on ne les refoule qu'après de persistantes obsécrations et d'énergiques jeûnes (...) HUYSMANS, En route, IV.

2   (...) elle appelle, avec de grands cris intérieurs, la protection divine et la protection de tous les saints sur son absent. Tout ce qu'il y a en elle de sentiments et de pensées (...) tout cela est précipité dans le gouffre d'une obsécration infinie.
     Léon BLOY, la Femme pauvre, II, XXVI.

(1762, Académie). Hist. Prières publiques pour apaiser les dieux, dans l'antiquité romaine.

Rhét. (vx). Figure* de contenu exprimant le souhait ou la supplication.

OBSÉDANT, ANTE [ɔpsedɑ̃, ɑ̃t] adj. — 1845 ; p. prés. de *obséder.*

♦ **1.** Qui obsède (3.), s'impose sans répit à la conscience. *Insistance obsédante.* ⇒ **Agaçant, ennuyeux, importun, indiscret.** — *Le voilà délivré* (cit. 17) *de ces idées obsédantes.* ⇒ **Lancinant.** *Souvenir obsédant* (→ Analyser, cit. 3). *Rengaine, vision obsédante* (→ Épave, cit. 3). *Rythme, refrain obsédant.* — Psychol. *Idée obsédante.* ⇒ **Obsession** (3.). *Doute, scrupule obsédant.*

1   Il faudra peut-être ouvrir un instant les fenêtres pour que l'odeur du tabac, même parfumé, ne soit pas obsédante.
     J. ROMAINS, les Hommes de bonne volonté, t. IV, XII, p. 126.

2   Elle aussi aimait un être dont le souvenir était fixé dans son cerveau, obsédant, presque intolérable. J. CHARDONNE, les Destinées sentimentales, p. 153.

Qui impose une sensation répétée et insupportable. *Un bruit obsédant. Le fracas obsédant d'un chantier.*

♦ **2.** (Personnes). *Il est obsédant, avec cette éternelle récrimination.*

OBSÉDER [ɔpsede] v. tr. — Conjug. *céder.* — Fin XVIᵉ ; lat. *obsidere,* proprt « s'asseoir (*sedere*) devant, s'installer autour », d'où « assiéger ».

♦ **1.** (1651). Vx. Entourer d'une présence constante, d'une surveillance sans relâche ; « se rendre maître de l'esprit ou de la maison de quelqu'une personne, empêcher les autres d'en approcher... Au passif. *Ce malade est tout à fait obsédé par ses parents... »* (Furetière). → Éternel, cit. 40 ; gagner, cit. 49.

Spécialt. (En parlant du démon). Tourmenter. *Le diable l'obsède.* Au p. p. *Un homme obsédé* (→ aussi Possédé).

♦ **2.** (Mil. XVIIᵉ). Vieilli. Importuner (quelqu'un) des assiduités*, des demandes, des démarches d'une insistance déplacée. ⇒ **Agacer, énerver, ennuyer, épuiser, fatiguer, importuner ; (fam.) cramponner.** *Il obsède sa femme par sa jalousie, ses scènes continuelles. Des soins dont elles feignaient d'être obsédées* (→ Apercevoir, cit. 21). — *Admirateur qui obsède une vedette.* ⇒ **Assiéger, poursuivre.** — Absolument :

1   (...) elle fut ce qu'on est si aisément quand on aime, elle fut importune, obstinée, maladroite souvent ; elle obséda. Mortifiée sans cesse, elle revint à la charge, ne se rebutant jamais. SAINTE-BEUVE, Causeries du lundi, 29 avr. 1850.

♦ **3.** (Déb. XVIIᵉ). Mod. (Sujet n. de chose). Tourmenter* (qqn) de manière incessante ; s'imposer sans répit à l'esprit, à la pensée de (qqn). ⇒ **Hanter, poursuivre.** *Ennui, image, peur, remords, souvenir qui obsède quelqu'un.* ⇒ **Obsédant** (→ Accabler, cit. 16 ; agiter, cit. 8). *Les multiples soucis qui l'obsèdent, dont il est obsédé.* ⇒ **Cerner.** *L'idée* fixe qui l'obsède.* ⇒ **Tracasser, travailler, turlupiner ; obsession.** — (Passif et p. p.). *Il est obsédé de l'impression d'avoir manqué* (cit. 64) *sa vie. — Être obsédé par la fuite* (cit. 3) *du temps.* — Par ext. *Obséder la mémoire, l'imagination, l'esprit de quelqu'un. Sa mémoire est obsédée par ce souvenir, de ce souvenir.*

2   Avec la pensée de la mort, une pensée qui obsède et tourmente Villon, c'est de savoir ce que deviennent les filles de joie quand elles sont vieilles.
     Th. GAUTIER, les Grotesques, I, p. 21.

3   (...) la mémoire obsédée par une espèce de tintouin, par le refrain d'une chanson
    vulgaire ou par quelques lambeaux insignifiants d'opéra.
                    BAUDELAIRE, Trad. E. POE, Nouvelles histoires extraordinaires,
                                             « Démon de la perversité ».

4   Obsédé d'une idée de plus en plus impérieuse, Jésus marchera désormais avec une
    sorte d'impassibilité fatale dans la voie que lui avaient tracée son étonnant génie
    et les circonstances extraordinaires où il vivait.
                    RENAN, Vie de Jésus, Œ. compl., t. IV, VIII, p. 166.

5   Obsédé par la préoccupation de défendre un système politique auquel il pense si
    continûment qu'il finit par y confondre tous ses intérêts propres (...)
                    M. BARRÈS, Leurs figures, p. 266.

6   Il était obsédé par le désir de commencer enfin son travail et par l'angoisse de ne
    le pouvoir faire. Il était talonné par ses autres engagements auxquels il ne pou-
    vait satisfaire.   R. ROLLAND, Vie de Michel-Ange, I, II.

    Absolt. *Musique entêtante* (cit.) *qui obsède.* ⇒ **Obsédant.**

▶ **OBSÉDÉ, ÉE** p. p. (→ ci-dessus) et n. (1632, *in* D.D.L.).

♦ **1.** Personne qui est en proie à une idée fixe, à une obsession*.
⇒ **1. Fou** (II.) ; aussi **Obsessionnel.** *Un obsédé frappé d'impuissance* (cit. 13). *Les psychasthéniques sont souvent des obsédés. Un
obsédé sexuel. Une obsédée sexuelle.* — (Par jeu de mots). *L'obsédé
textuel,* recueil de Roland Bacri.

7   Si Lucienne n'avait rien d'une possédée, étions-nous au moins, elle et moi, des obsé-
    dés ? J'aurais pu le croire, à mesurer la place que tenait dans nos actes, dans nos
    pensées, l'amour physique. Mais le mot d'obsession sonnait faux... Nous étions si
    peu des malades, que je ne sais même pas s'il était exact de parler de passion.
                    J. ROMAINS, le Dieu des corps, p. 166.

♦ **2.** Par exagér. ⇒ **Maniaque** (2.). *Un obsédé de la politique, du
jazz. Un obsédé de propreté.*

CONTR. Calmer, délivrer, rasséréner, rassurer, tranquilliser.
DÉR. Obsédant.

OBSÈQUES [ɔpsɛk] n. f. pl. — 1398 ; *osseque,* déb. XIIᵉ ; bas lat.
obsequiæ, du lat. class. *obsequi* « céder à », de *ob* et *sequi* « suivre ».

♦ Cérémonie (cit. 3) et convoi* funèbres (surtout dans le langage
officiel). ⇒ **Enterrement, funérailles.** *Assister aux obsèques d'un ami.*
« *Les obsèques auront lieu le 31 août à 10 h 30* ». *Obsèques civiles,
religieuses. Obsèques célébrées en grande pompe. Obsèques solennelles, nationales.*
J'ai souvent pensé que le destin d'un homme public peut être tenu pour clos dès
que semblent arrêtées par avance les formalités de ses obsèques.
                    BERNANOS, les Grands Cimetières sous la lune, p. 76.

Vx (langue class.). Au sing. *Une obsèque.*

OBSÉQUIEUSEMENT [ɔpsekjøzmɑ̃] adv. — 1819, Boiste ; de
obséquieux, et 1. *-ment.*

♦ D'une manière obséquieuse. *S'incliner obséquieusement devant
un supérieur.*

OBSÉQUIEUX, EUSE [ɔpsekjø, øz] adj. — V. 1500, « obligeant,
serviable », repris deuxième moitié XVIIIᵉ au sens mod. ; lat. *obsequio-
sus,* de *obsequium* « complaisance », de *obsequi* « céder, être
influencé ».

♦ Qui est trop déférent*, qui exagère les marques de politesse,
d'empressement, de sollicitude envers quelqu'un, par bassesse ou
hypocrisie. *Courtisan, serviteur obséquieux.* ⇒ **Adulateur, cajoleur,
caudataire, flatteur, plat, rampant, servile** (→ Honneur, cit. 55). *Il
est cérémonieux* et même obséquieux* (→ Faire le chien* couchant, faire des courbettes*). *Caractère obséquieux.*
(Choses). Fin XVIIIᵉ. *Attitude* (→ Défiance, cit. 8), *déférence* (cit. 3)
obséquieuse. Obséquieux hommages (→ Fondre, cit. 23). *Savoir
rendre service sans façons obséquieuses.* ⇒ **Obséquiosité** (→ Grâce,
cit. 96).

1   (...) ils témoignaient publiquement à monsieur Grandet un si grand respect que les
    observateurs pouvaient mesurer l'étendue des capitaux de l'ancien maire d'après
    la portée de l'obséquieuse considération dont il était l'objet.
                    BALZAC, Eugénie Grandet, Pl., t. III, p. 485.

2   Un petit homme malingre, les cheveux et la barbe rares, décolorés, la figure creu-
    sée et pauvre. Avec cela, silencieux, effacé, sans colère, d'une politesse obséquieuse
    devant les chefs.   ZOLA, la Bête humaine, II.

3   Un jour, comme je revenais du Casino, je surpris ma mère en conversation avec
    Madame Fondaudège, obséquieuse, trop aimable, comme quelqu'un qui désespère
    de s'abaisser au niveau de son interlocuteur.
                    F. MAURIAC, le Nœud de vipères, III.

CONTR. Cassant, hautain, impertinent, impoli.
DÉR. Obséquieusement, obséquiosité.

OBSÉQUIOSITÉ [ɔpsekjozite] n. f. — 1504, « obligeance, servia-
bilité » ; repris déb. XIXᵉ (1823, Boiste) ; du rad. de *obséquieux,* et *-ité.*
Littér. ou style soutenu.

♦ **1.** Déférence* excessive à caractère hypocrite ou servile ; attitude
d'une personne obséquieuse. ⇒ **Humilité, platitude, servilité.** *Politesse* qui frise l'obséquiosité. Poli jusqu'à l'obséquiosité* (→ Courber, cit. 26). *Obséquiosité maladroite* (cit. 12).

1   S'épanchant en phrases filandreuses, prenant l'obséquiosité pour de la politesse et

---

la formule pour de l'esprit, il débitait des lieux communs avec un aplomb et une
rondeur qui s'acceptaient comme de l'éloquence.
                    BALZAC, les Petits Bourgeois, Pl., t. VII, p. 97.

2   (...) il pratiquait cette obséquiosité germanique intolérable, que, dans tous les
    autres pays de la terre, les maîtres n'exigeraient pas, et n'accepteraient pas même,
    de leurs gens.   A. HERMANT, l'Aube ardente, XI.

3   L'obséquiosité du personnel lui était agréable. Il n'était pas loin, tant la chose lui
    semblait naturelle, de croire ingénument qu'on l'aimait.
                    MARTIN DU GARD, les Thibault, t. VI, p. 18.

♦ **2.** *(Une, des obséquiosités).* Acte, manifestation obséquieuse. *Ses
obséquiosités me répugnent.* ⇒ **Génuflexion** (fig.).

OBSERVABILITÉ [ɔpsɛʀvabilite] n. f. — 1967, Piaget ; de *obser-
vable,* et *-ité.*

♦ Didact. Caractère de ce qui est observable. « *Franchir... un seuil
d'observabilité et d'intelligibilité* » (F. Meyer, in *Logique et Connaissance scientifique,* p. 791, Encycl. Pl.).

OBSERVABLE [ɔpsɛʀvabl] adj. — 1587 ; fin XVᵉ, « qui doit être
observé, suivi », encore dans Malherbe ; de *observ(er),* et *-able.*

♦ Qui peut être observé. *Phénomènes scientifiquement observables.
Éclipse observable dans telle région. Comète observable tous les
cinq ans.* — *Ce milieu social, ces mœurs... ne sont observables qu'à
Paris* (→ Fripouillerie, cit.).
N. m. Didact. Ce qui peut être observé. *L'observable est l'objet des
sciences expérimentales.*
Rare. *(Un, des observables).* Fait observable.

(...) la science psychologique, comme tout autre science, ne porterait que sur des
« observables », tandis que la philosophie chercherait à atteindre la nature des choses et les « essences ».
                    J. PIAGET, Épistémologie des sciences de l'homme, p. 135.

CONTR. et COMP. Inobservable.
DÉR. Observabilité.

OBSERVANCE [ɔpsɛʀvɑ̃s] n. f. — XIIIᵉ ; lat. *observantia,* dér.
d'*observare* « observer ».

♦ **1.** Relig. Action d'observer* habituellement, de pratiquer une
règle en matière religieuse ; obéissance* (à la règle). ⇒ **Observation,
pratique.** *L'observance de la loi* de Moïse, des devoirs de l'Évangile* (Massillon), *de la loi du Seigneur* (Massillon), *des dix commandements. Observance de la règle dans un couvent* (→ ci-dessous, 3.).

1   Les religions ont toujours roulé sur deux pivots ; observance et croyance : l'obser-
    vance tient en grande partie au climat (...)
                    VOLTAIRE, Dict. philosophique, Climat.

(En parlant d'une règle non religieuse). *Observance d'une règle
sociale. L'observance du couvre-feu* (→ Désuétude, cit. 2).

2   La vie se résumait pour lui à la stricte observance du *tableau de service :* à telle
    heure, blanchir telles planches avec du sable, à telle autre, faire reluire, avec du
    tripoli, certaines ferrures ou certains cuivres (...)   LOTI, Matelot, XXXVIII.

3   (...) l'exclusive fréquentation d'un petit nombre de gens asservis aux mêmes obser-
    vances et condamnés à la recherche des mêmes plaisirs convenus (...)
                    Jules LEMAÎTRE, Impressions de théâtre, t. X, p. 139.

L'observance aveugle d'une règle, fût-elle absurde, inhumaine, est nécessaire (...)
                    MARTIN DU GARD, les Thibault, t. IV, p. 194.

♦ **2.** (1379). *Une observance :* règle, loi religieuse prescrivant
l'accomplissement de pratiques. ⇒ **Loi, règle** (→ Fille, cit. 14).
*Se dispenser de certaines observances, manquer aux observances.
Observances formelles, minutieuses.*

5   Quant à ce grand nombre d'observances dont il *(Moïse)* a chargé les Hébreux,
    encore que maintenant elles nous paraissent superflues, elles étaient alors néces-
    saires pour séparer le peuple de Dieu des autres peuples (...)
                    BOSSUET, Disc. sur l'Hist. universelle, II, III.

6   Jésus ne voulait que la religion du cœur ; la religion des pharisiens consistait pres-
    que uniquement en observances.
                    RENAN, Vie de Jésus, Œ. compl., t. IV, XX, p. 291.

7   Et qui donc, si pieux soit-il, peut se vanter de n'avoir pas failli à une des observan-
    ces minutieuses qui commandent toute la vie juive dans son moindre détail, de la
    naissance à la mort, du lever jusqu'au coucher, qui règlent tout, fixent tout (...)
                    Jérôme et Jean THARAUD, l'Ombre de la croix, III.

♦ **3.** (Dans : *d'observance*). Manière dont la règle est observée
dans une communauté religieuse. *Religieux* d'étroite observance,
d'observance relâchée... Monastère* (cit. 3) *cistercien de la plus
rigide observance.* — Spécialt. *Religieux, frères de l'étroite observance* (⇒ **Franciscain, observant**).

Par anal. *Radical, franc-maçon d'étroite* (cit. 23) *observance, de
stricte observance.*

♦ **4.** **a** Règle* d'un ordre. *Religieux de l'observance de saint
Benoît.*

b (Déb. XVᵉ). Ordre religieux (considéré par rapport à sa règle, à
sa discipline). *L'observance de Saint-François :* les Francis-

cains. *L'étroite observance :* la partie de l'ordre qui observe la règle avec le plus de rigueur.

CONTR. Dérogation, inobservance, manquement.
DÉR. Observant, observantin.

OBSERVANT [ɔpsɛʀvɑ̃] ou OBSERVANTIN [ɔpsɛʀvɑ̃tɛ̃] n. m.
et adj. — V. 1570, *observant; observantin,* 1544; de *observer.*

♦ Relig. Franciscain de stricte observance. ⇒ **Franciscain.** (Ces Franciscains furent appelés plus tard *Cordeliers*).

OBSERVATEUR, TRICE [ɔpsɛʀvatœʀ, tʀis] n. — 1491; lat.
observator, trix, du supin de *observare* (→ Observer); cf. anc. franç. *observeur.*

★ **I.** Vx. Personne qui accomplit ce que prescrit une loi, une règle, une obligation. *« Observateur zélé de l'exacte* (cit. 3) *justice ».* ⇒ **Attentif** (à ses devoirs). *Observateur de ses promesses.* ⇒ **Fidèle** (à).

1 Six jours travaille, et au septième
  Sois du repos observateur (...)
                                    Clément MAROT, Oraisons, VI.
2 (...) on peut bien nous reprocher, comme aux pharisiens, que nous sommes de grands observateurs de petites choses, tandis que nous négligeons les plus importantes.   BOURDALOUE, Sermon IIe Avent, IIIe dimanche.

★ **II.** Mod. Personne qui regarde, considère (une chose) pour l'étudier (⇒ **Observer,** II.).

A. N. ♦ **1.** (1555). Personne qui observe, s'attache à observer la nature, l'homme, la société... *« Les philosophes, les naturalistes sont curieux observateurs des secrets de la nature »* (Furetière, 1690). *Observateur attentif, curieux, habile* (cit. 13), *méticuleux... Observateur de la vie politique, économique, sociale* (→ Crise, cit. 13), *d'une société, d'un pays* (→ Frapper, cit. 42). — (En parlant d'un écrivain). *Observateur et peintre des mœurs* (→ Moraliste, cit. 5). *Marivaux, observateur minutieux* (cit. 1) *du cœur humain. Pénétrantes qualités d'observateur* (→ Exercer, cit. 33). — *Ce peintre est un observateur minutieux* (cit. 2).

3 J'ai maintes fois été étonné que la grande gloire de Balzac fût de passer pour un observateur; il m'avait toujours semblé que son principal mérite était d'être visionnaire (...)   BAUDELAIRE, l'Art romantique, XX, IV.
4 (...) voir au monde, être au centre du monde et rester caché au monde, tels sont quelques-uns des moindres plaisirs de ces esprits indépendants, passionnés, impartiaux (...) L'observateur est un *prince* qui jouit partout de son incognito.
                    BAUDELAIRE, les Curiosités esthétiques, XVI, III (→ aussi Flâneur, cit. 1).
5 (...) il exerçait sur chaque nouveau venu ses facultés aiguës d'observateur afin de savoir de suite à quelle espèce d'homme il avait à faire.
                                    PROUST, À la recherche du temps perdu, t. III, p. 32.
6 (...) ce n'est pas par une observation passive de la réalité qu'on peut la pénétrer; le meilleur poète est distrait ou fasciné; en tout cas, ce n'est pas un observateur.
                                    SARTRE, Situations I, p. 307.

Sc. (Dans les sciences naturelles, humaines...). Personne qui s'adonne à l'observation* scientifique des phénomènes naturels. *Observateur et expérimentateur** (cit. 3).

7 (...) on donne le nom d'*observateur* à celui qui applique les procédés d'investigation simples ou complexes à l'étude de phénomènes qu'il ne fait pas varier et qu'il recueille, par conséquent, tels que la nature les lui offre.
                            Cl. BERNARD, Introd. à l'étude de la médecine expérimentale, I, I.
8 Dans un milieu où les mobiles sentimentaux tiennent la place essentielle, l'observateur objectif est un asocial, avec tous les risques de cette situation.
                                    A. SAUVY, Pouvoir et Opinion, p. 129.

Personne qui est en situation d'observer, de connaître par l'observation. *Rapport de l'observateur et des observables. Rôle de l'observateur dans l'épistémologie des sciences.*

(1690). Sc. Sujet hypothétique par rapport à qui se fait une observation, se mesure une quantité. *Pour un observateur placé en A...*

9 Si un observateur est en mouvement uniforme par rapport au sol, la notion qu'il a de la durée ou du temps ne lui semble pas modifiée.
                            J. PERRIN, Espace et temps, I, 16, in DAVAL, Philosophie des sciences.

♦ **2.** (1819, Boiste). Personne qui, dans une certaine circonstance, assiste à un événement et l'observe (⇒ **Témoin,** et aussi **spectateur**). *Chose, détail qui échappe à l'observateur* (→ Évidence, cit. 11). *Assister à un événement en simple observateur,* en se contentant de regarder*. *Observateur indiscret.*

10 (...) un observateur très ému observe mal (...)
                                    STENDHAL, De l'amour, XXXIV.
11 Je n'ai jamais été un véritable observateur; car il faut à l'observation un système qui la dirige, et je n'ai point de système. L'observateur conduit sa vue; le spectateur se laisse prendre par les yeux.
                            FRANCE, le Livre de mon ami, « Livre de Pierre », II, V.
12 On ne pouvait, dans cette ville, faire une promenade qui ne fût suivie (...) par des vieilles femmes adroites et soupçonneuses (...) Si, entre les visites chez le dentiste de telle femme et les démarches à la Préfecture d'un tel homme, apparaissaient des coïncidences trop dégagées pour que le hasard seul les expliquât, ces observatrices expertes dégageaient aussitôt les lois de ces variations concomitantes.
                                    A. MAUROIS, le Cercle de famille, I, V.

♦ **3.** (XIXe). Personne qui est chargée d'observer.

Dr. internat. (⇒ **Diplomatie**). Agent chargé par un gouvernement d'assister à des négociations et d'en rendre compte.

Milit., aviat. Homme, officier chargé d'une mission d'observation

---

militaire. *Poste d'observateurs. Observateur à bord d'un avion** (⇒ **Aviateur**). — *Observateur d'artillerie* (→ Hausse, cit. 1). — Par appos. *Officier observateur.*

13 Peut-être en ce moment même, les observateurs boches (...) essayaient-ils de voir à la lorgnette (...) dans quel état leur artillerie avait mis les positions françaises.
                                    J. ROMAINS, les Hommes de bonne volonté, t. XVI, IV, p. 42.

Vx. Mouchard, espion (cf. Rotrou, in Littré). Par ext. (→ Exercer, cit. 13, Rousseau).

♦ **4.** Personne qui observe (une situation politique, sociale...) pour en rendre compte. *Ce journaliste est un excellent observateur de la vie syndicale, parlementaire.*

(Dans des titres de périodiques). *L'Observateur, l'Observateur littéraire.*

♦ **5.** (1638). Vx. (Langue class.). Critique littéraire, auteur d'« observations ». *« L'observateur du Cid... »* (Sentiments de l'Académie sur le Cid).

B. Adj. (1762). Qui aime à observer, est doué pour l'observation. *Esprit** observateur. Elle est plus observatrice que son frère. Romancier observateur* (→ Devoir, cit. 21). *Il est très observateur. Regarder qqn d'un œil investigateur, observateur...* ⇒ **Critique** (III., 2.).

14 (...) l'observateur et défiant chevalier crut reconnaître chez cette bonne femme l'expression d'un sentiment plus étendu (...)
                                    BALZAC, la Vieille Fille, Pl., t. IV, p. 272.
15 (...) l'enfant observateur, contenu, gouailleur en dedans, sensible mais froid d'extérieur, qu'a peint Jules Renard.
                                    Paul LÉAUTAUD, le Théâtre de M. Boissard, XXIV.

OBSERVATION [ɔpsɛʀvasjɔ̃] n. f. — 1200, « loi qu'on observe »;
lat. *observatio,* du supin de *observare.* → Observer.

★ **I.** ♦ **1.** Vx. Loi, tradition communément observée.

♦ **2.** (1507). Mod. Action d'observer, de suivre ce que prescrit une loi, une règle... ⇒ **Obéissance, observance.** *L'observation des lois** (par quelqu'un).* → Deuil, cit. 8. *Stricte observation d'un règlement* (→ Inspection, cit. 3). *Observation rigoureuse des bienséances* (→ Empire, cit. 7). *L'observation de sa parole, de sa promesse* (Académie).

★ **II.** (1361). ♦ **1.** Action de considérer avec une attention soutenue (la nature, l'homme, la société), afin de mieux connaître. ⇒ **Examen.** *Observation attentive, minutieuse, patiente de quelque chose (par quelqu'un).* → Découverte, cit. 8. *Observation de la nature* (→ Avoisiner, cit. 5), *des aspects* (cit. 33) *des astres... Observation intuitive* (cit. 2) *des hommes. Observation de la société* (→ Misanthrope, cit. 4). — (Sans compl.). *L'observation et l'émotion chez le poète* (→ Condensateur, cit. 2). — *Qualités, dons d'observation* (→ Littéraire, cit. 5). *Finesse* (cit. 4) *d'observation d'un dessinateur. Esprit d'observation :* aptitude à observer.

1 (...) le mouvement excité par les passions vives plaît à la plupart des spectateurs plus que l'attention qu'exige l'observation du cœur humain.
                                    Mme DE STAËL, De l'Allemagne, II, XV.
2 Chez moi l'observation était déjà devenue intuitive, elle pénétrait l'âme sans négliger le corps; ou plutôt elle saisissait si bien les détails extérieurs, qu'elle allait sur-le-champ au delà; elle me donnait la faculté de vivre de la vie de l'individu sur laquelle elle s'exerçait, en me permettant de me substituer à lui (...)
                                    BALZAC, Facino Cane, Pl., t. VI, p. 66.
3 L'observation compte peu. Ce n'est que du plaisir ressenti par soi-même qu'on peut tirer savoir et douleur.
                                    PROUST, À la recherche du temps perdu, t. XII, p. 229.
4 (...) le roman d'observation contemporaine n'a pu être préparé que par des siècles de roman historique, c'est que le cadre même de celui-ci répond au besoin romanesque par excellence, celui de l'idéalisation.
                                    A. THIBAUDET, Gustave Flaubert, p. 121.
5 L'observation est active et volontaire. La contemplation involontaire et passive. Dans l'observation, le courant principal va de l'esprit à l'univers. Dans la contemplation, c'est le contraire. L'idée d'attention est liée à l'idée d'observation, elle s'accorde mal à l'idée de contemplation et voilà exactement en quoi la définition de Littré *(du mot contemplation)* ne me semble pas exacte.
                                    G. DUHAMEL, Chronique des saisons amères, I, XXIV.
6 Mais le monde *(la haute société)* était son champ d'observation et il en avait besoin.   A. MAUROIS, Études littéraires, « Proust », I.

♦ **2.** Considération attentive (d'un phénomène, d'un événement), enseignement que l'on en tire. ⇒ **Constatation, considération, remarque...** *L'observation d'un phénomène.* — Vieilli. *Faire l'observation de quelque chose.* — Mod. (Au plur.). *Observations fines, sensées, justes...* (→ Assentiment, cit. 8; inintelligence, cit. 1; et aussi étourdi, cit. 2).

7 Un homme capable de faire l'observation peut trouver la cause.
                                    BALZAC, Illusions perdues, Pl., t. IV, p. 529.

(Une, des observations). Parole, écrit exprimant le résultat d'une considération attentive. *Observations sur un auteur, sur un texte...* ⇒ **Annotation, appréciation, note.** *Maximes et observations morales.* ⇒ **Pensée, réflexion** (→ Condenser, cit. 4). *Les observations d'un écrivain* (→ Message, cit. 7). *Observations sur tel sujet.* ⇒ **Considération.** *« Observations sur le Cid »,* de Scudéry. *Profondes observations.* ⇒ **Spéculation.**

(Dans la conversation). Paroles, déclaration par laquelle on fait remarquer quelque chose à quelqu'un. ⇒ **Remarque**. *Il lui en a fait l'observation* (→ Gausser, cit. 4). *J'ai une observation à vous faire* (→ Donner son avis*; avoir son mot* à dire...). *Vos observations paraissent justes, pertinentes. Observation critique.* ⇒ **Critique, objection.** *Cet exposé appelle plusieurs graves observations. Sous le bénéfice*, sous réserve de ces observations. Épargnez-nous vos observations.* ⇒ **Raisonnement.** *Pas d'observations !* ⇒ **Réplique.**

8   (...) *le genre de la maison* lui déplaisait ; elle se permit des observations, et l'on se fâcha, une fois surtout, à propos de Félicité.   FLAUBERT, Mme Bovary, II, XII.

Remarque par laquelle on reproche à quelqu'un son attitude, ses actes... ⇒ **Avertissement, réprimande, remontrance, reproche** (→ Compte, cit. 22 ; méticuleux, cit. 1). *Ne pas se permettre la moindre observation* (→ Gaspiller, cit. 1).

9   Une observation répétée d'une voix trop vive lui était aussi dure qu'un soufflet (...)   ZOLA, la Terre, IV, I.

♦ **3.** Procédé scientifique d'investigation, constatation attentive des phénomènes tels qu'ils se produisent, sans volonté de les modifier. *Observation courante* (sans instruments). *Appareils, instruments d'observation* (notamment appareils de mesure*). *Sciences fondées sur l'observation* (→ Géométrie, cit. 3). — *Sciences d'observation :* sciences dont l'objet est constitué de faits, de phénomènes que l'on peut appréhender par les sens, et qui n'ont pas recours à l'expérimentation. — *L'observation et l'expérience.* ⇒ **Expérience** (cit. 42 et 43 ; → Base, cit. 17 ; expérimental, cit. 1). *Rôle de l'observation en astronomie*, en physique, en chimie*... Erreur d'observation* (→ Méprise, cit. 2). — (Dans les sciences humaines). *Observation sociologique, économique...*

10 Le mot *observation* au singulier, dans son acception générale et abstraite, signifie la constatation exacte d'un fait à l'aide de moyens d'investigation et d'étude appropriés à cette constatation. Par extension et dans un sens concret, on a donné aussi le nom d'*observations* aux faits constatés, et c'est dans ce sens que l'on dit observations *médicales*, observations *astronomiques*, etc.   Cl. BERNARD, Introd. à l'étude de la médecine expérimentale, I, I.

11 Nous pensons que la distinction essentielle *(entre observation et expérience)* est ici celle de la signification singulière ou de la signification générale du fait perçu. Il y a observation (...) tant que l'on se borne à constater ce qui s'est passé tel jour, dans telles circonstances ; il y a expérience (...) quand on observe en vue de savoir *ce qui se passe* (...)   LALANDE, Voc. de la philosophie.

12 L'observation scientifique est toujours une observation polémique ; elle confirme ou infirme une thèse antérieure ; un schéma préalable, un plan d'observation ; elle montre et démontrent ; elle hiérarchise les apparences ; elle transcende l'immédiat ; elle reconstruit le réel après avoir reconstruit ses schémas.   G. BACHELARD, le Nouvel esprit scientifique, Introd. I (cité par DUPRÉ, n° 3872).

(Une, des observations). Fait d'observer un phénomène ; compte rendu du phénomène constaté, décrit, mesuré (→ Exactitude, cit. 21). *Faire une observation* (→ Fructification, cit. 1). *Observations répétées ; longue suite d'observations* (→ Identité, cit. 6). *Observations fructueuses ; stériles* (→ Hypothèse, cit. 3). *Consigner des observations sur un registre, un cahier. — Observation par lecture d'un index* (cit. 5). *Observations géophysiques* (cit.), *magnétiques* (cit. 2), *météorologiques* (⇒ **Météorologie**), *astronomiques* (⇒ **Astronomie**)... *Observation au télescope, télescopique. — Observations croisées. Cycle d'observations.*

13 Bougainville est parti avec les lumières nécessaires et les qualités propres à ses vues : de la philosophie, du courage, de la véracité ; un coup d'œil prompt qui saisit les choses et abrège le temps des observations (...)   DIDEROT, Suppl. au voyage de Bougainville, I.

14 (...) notre esprit est si curieusement bâti que le fragment d'expérience qu'il recueille ne lui apparaît jamais pour commencer comme un fragment, mais bien comme un tout ; j'ajouterai que chaque observation si mince soit-elle, nous est donnée par là comme une observation intégrale et qu'il ne serait même pas exact de dire que nous supposons les expériences à venir identiques aux premières.   J. PAULHAN, Entretien sur des faits divers, I, p. 25.

Par métonymie. Cas observé. *Plusieurs observations montrent que...*

♦ **4.** (En loc.). Physiol., psychol., pathol. Surveillance attentive (à laquelle on soumet un être vivant, un organe). — *En observation. Mettre un malade en observation. Être en observation.* — *Soumettre qqn à l'observation. Quarantaine* d'observation*, qui dure le temps nécessaire pour constater le bon état sanitaire d'un navire.

15 Je l'ai mis en observation et j'espère le guérir. Si je le renvoie, c'est la rechute assurée.   G. DUHAMEL, Salavin, VI, VI.

♦ **5.** (Surtout dans des loc. : *en, d'*...). Surveillance* systématique des activités dangereuses, nuisibles (d'un malfaiteur, d'un suspect, d'un ennemi). *Laisser deux hommes en observation pour épier* quelqu'un* (→ Honteux, cit. 13). *Armée* (vx), *colonne d'observation.* — (Milit.). *Corps, détachement d'observation. Poste d'observation.* ⇒ **Vigie.** *Navire d'observation.* ⇒ **Vedette.** *Observation aérienne. Avion, aviation d'observation.* Absolt. *La chasse et l'observation.*

16 L'autre armée (...) devait tenir la campagne et observer les ennemis, qui à cause de cela l'ont depuis appelée l'armée d'observation.   RACINE, Notes historiques, « Relation siège de Namur ».

♦ **6.** Sport. Examen attentif auquel on soumet un adversaire, afin de mesurer ses forces, de découvrir ses points faibles. *Un round d'observation.*

17 Moments d'observation, comme on dit, mais bien involontaires, où l'œil suit malgré lui tous les gestes adverses, que le corps mécanisé répète en les agrandissant.   Jean PRÉVOST, Plaisirs des sports, p. 72.

CONTR. I. **Abandon, dédain, dérogation, désobéissance, infraction, manquement, négligence, oubli.** — II. (2., spécialt) **Compliment, éloge.**
DÉR. **Observationnel.**
COMP. et CONTR. **Inobservation.**

OBSERVATIONNEL, ELLE [ɔpsɛʀvasjɔnɛl] adj. — Mil. xxe ; de *observation.*

♦ Didact. Qui repose sur l'observation, en parlant d'une science, de la science. *Les bases observationnelles de la connaissance scientifique.* « *La cosmologie observationnelle* » (*la Recherche*, mars 1981, p. 387).

OBSERVATOIRE [ɔpsɛʀvatwaʀ] n. m. — 1667 ; dér. de *observer.*

♦ **1.** Établissement scientifique destiné aux observations* astronomiques ou météorologiques. *Bâtiment, coupole* d'un observatoire. Matériel, instruments, lunettes, télescopes, spectroscopes... d'un observatoire. L'Observatoire de Paris, fondé en 1667 et terminé en 1672. L'horloge de l'Observatoire.*

1   C'était, au reste, un fait hors de discussion, qu'il était connaisseur en temps mieux que l'Observatoire en personne (...)   COURTELINE, le Train de 8 h 47, II, I.

2   Nos observatoires divisent et choisissent, mesurant ici le poids de l'air, ailleurs la vitesse du vent, ailleurs l'eau invisible, ailleurs les secousses de la terre, ailleurs les ondes hertziennes ; et cette connaissance, si incomplète qu'elle soit, de ce qui est, n'est pas de petite importance si l'on veut conjecturer sur ce qui sera.   ALAIN, Propos, 19 avr. 1921, « L'oracle ».

♦ **2.** (1785, Sade, *in* D. D. L.). Lieu élevé, favorable à l'observation ou aménagé pour l'observation, poste d'observation. ⇒ **Mirador, nid** (de pie)... *Observatoire d'artillerie. Chasseurs, forestiers qui se sont aménagé un observatoire.*

3   Il faudrait ici un sergent et quelques hommes. C'est un très bon observatoire pour voir partir l'attaque (...)   J. ROMAINS, les Hommes de bonne volonté, t. XVI, VII, p. 51.

4   Je revins et je grimpai sur le toit de la bergerie, mon meilleur observatoire.   H. BOSCO, le Sanglier, p. 101.

OBSERVER [ɔpsɛʀve] v. tr. — Fin x^e, St Léger, au sens I ; lat. *observare*, de *ob-*, et *servare* « être attentif à... ».

★ **I.** [a] Suivre exactement, scrupuleusement, se conformer de façon régulière à (ce que prescrit une loi, une règle, une obligation...). ⇒ **Accomplir, conformer** (se conformer à), **exécuter, garder** (IV.), **obéir** (à), **pratiquer, remplir, respecter, suivre ; observance, observation** (I.). *Observer fidèlement, scrupuleusement, strictement une règle. Observer les lois* (→ 1. Loi, cit. 5 et 56). *Observer une consigne, un mot d'ordre, une prescription..., une règle* (→ Dramatique, cit. 11).

Relig. *Observer les commandements** (cit. 7), *les règles monastiques* (cit. 1). ⇒ **Observance.** *Observer des coutumes* (cit. 4) *religieuses. Observer l'abstinence, la continence. Observer un jeûne* (→ Exténuer, cit. 1).

1   (...) c'est la règle des règles, et générale loi des lois, que chacun observe celles du lieu où il est (...)   MONTAIGNE, Essais, I, XXIII.

2   (...) nous n'avons point observé vos commandements, vos cérémonies et vos ordonnances (...)   BIBLE (SACY), Esdras, II, I, 7.

3   Et, comme la multitude des lois fournit souvent des excuses aux vices, en sorte qu'un État est bien mieux réglé lorsque, n'en ayant que fort peu, elles y sont fort étroitement observées ; ainsi, au lieu de ce grand nombre de préceptes dont la logique est composée, je crus que j'aurais assez des quatre suivants, pourvu que je prisse une ferme et constante résolution de ne manquer pas une seule fois à les observer.   DESCARTES, Discours de la méthode, II.

4   (...) le Talmud babylonique (...) par le consentement universel de tous les Juifs, qui sont nécessairement obligés d'observer tout ce qui y est contenu.   PASCAL, Pensées, IX, 365.

Suivre (une prescription médicale). *Observer une diète* (1. Diète, cit. 1), *un régime.* ⇒ **Suivre ; faire.** — *Observer la bienséance, les convenances, les us et coutumes, les usages. Observer un cérémonial, une étiquette.* — *Observer une règle, un usage de grammaire* (cit. 8), *une nuance* (→ Genre, cit. 6).

Par ext. *Observer la grammaire, les règles de grammaire. Observer l'orthographe, la ponctuation...*

5   L'anatomie y est observée, la perspective y est exacte (...)   TAINE, Philosophie de l'art, t. II, p. 18.

[b] (Sans idée d'obligation, de règle). Vieilli. Prendre, observer de façon constante. *Observer une attitude, une position, une conduite, s'y tenir. Observer la même habitude.* — *Observer une précaution*, la prendre constamment (→ Aussi, cit. 52).

6   (...) je lui fais revoir le détail des provinces de France (...) et j'observe la même conduite sur toutes les autres études.   LA BRUYÈRE, Lettres, XV, 26 mars 1686.

Loc. *Observer ses distances, les distances :* garder ses distances*, empêcher toute intimité, toute familiarité.

★ **II.** (1535). ♦ **1.** Considérer avec une attention* soutenue, afin de connaître, d'étudier... ⇒ **Observation** (II.) ; **considérer, contempler, étudier** (3.), **examiner, regarder, spéculer** (vx)... *Observer les hommes* (→ Approfondir, cit. 11), *la nature* (→ Intelligence, cit. 23), *les objets, les corps...* (→ Imitation, cit. 13). *Observer quelque chose* *avec attention* (cit. 16), *minutie, curiosité. Observer les enfants* (→ Important, cit. 8). *L'historien observe les événements* (→ Conception, cit. 4). — *Écrivain, moraliste qui observe le monde, la société.*

7 Le philosophe consume sa vie à observer les hommes (...)
LA BRUYÈRE, les Caractères, I, 34.

8 En général son grand défaut *(au dire d'un critique)* est «que je ne l'ai point faite *(ma pièce)* en observant le monde; qu'elle ne peint rien de ce qui existe, et ne rappelle jamais l'image de la société où l'on vit; que ses mœurs, basses et corrompues, n'ont pas même le mérite d'être vraies».
BEAUMARCHAIS, le Mariage de Figaro, Préface.

9 *(La Fontaine)* rêve, il regarde, il écoute, il scrute le nid d'oiseau, il observe le brin d'herbe, il épie le trou des taupes, il entend les langages inconnus du loup, du renard, de la belette, de la fourmi, du moucheron.
HUGO, Post-Scriptum de ma vie, «Grands hommes», II.

10 Cette *barre d'or*, ces *martres*, ces *éperviers* donnant le signal de l'aurore *(dans un passage d'Atala, de Chateaubriand)* sont de ces traits qui ne se trouvent point si on ne les a observés. C'est ce qui met à l'idéal même *le sceau de la réalité.*
SAINTE-BEUVE, Chateaubriand..., t. I, p. 207.

Examiner, regarder (quelqu'un) avec attention (cit. 24). ⇒ **Dévisager, fixer** (cit. 9). *Se savoir, se sentir observé* (→ Cabotinage, cit. 3). *Des yeux de femmes vous observent* (→ Entrebâillement, cit. 1). *Observer quelqu'un avec hauteur, avec morgue.* ⇒ **Toiser.**

11 (...) tous ont les yeux sur lui, observent son maintien et son visage (...)
LA BRUYÈRE, les Caractères, V, 13.

Observer les circonstances, la situation (→ Voir de quel côté le vent souffle*). *Observer un adversaire avant de se mesurer à lui... Observer de près* une *affaire, le comportement de quelqu'un.* ⇒ **Suivre.**
Examiner en contrôlant, en surveillant. *Observer ce que fait quelqu'un, son comportement. Observer ses gestes, son maintien, son langage*, prendre garde à ce que l'on fait, à ce que l'on dit, ne pas se laisser aller (→ ci-dessous, S'observer).

12 Je n'ai jamais plus appris que dans ces longues journées qui, pour un témoin, eussent semblé vides, et où j'observais mon cœur novice comme un parvenu observe ses gestes à table.
R. RADIGUET, le Diable au corps, p. 113.

Absolt. *Bien observer* (→ Difficile, cit. 4). *Observer et réfléchir* (→ Inaction, cit. 3), *et juger* (→ Marge, cit. 7). *Une façon d'observer et de retenir* (→ Apprécier, cit. 7). «*Celui qui ne prétend qu'observer n'observe rien*» (→ Étudier, cit. 14, Rousseau).

13 Il ne suffit pas pour s'instruire, de courir les pays; il faut savoir voyager. Pour observer il faut avoir des yeux, et les tourner vers l'objet qu'on veut connaître.
ROUSSEAU, Émile, V.

14 Les grands poètes, les grands acteurs, et peut-être en général tous les grands imitateurs de la nature (...) sont les êtres les moins sensibles. Ils sont (...) trop occupés à regarder, à reconnaître et à imiter, pour être vivement affectés au-dedans d'eux-mêmes. Je les vois sans cesse le portefeuille sur les genoux et le crayon à la main. Nous sentons, nous; eux, ils observent, étudient et peignent.
DIDEROT, Paradoxe sur le comédien, Pl., p. 1038.

♦ **2.** (1690, Furetière). Soumettre à l'observation* scientifique. *Observer les astres* (→ Intelligence, cit. 4). *Observer un phénomène, une réaction.*

15 Les phénomènes qui s'offrent tous les jours à nos yeux, qui se succèdent et se répètent sans interruption et dans tous les cas, sont le fondement de nos connaissances physiques. Il suffit qu'une chose arrive toujours de la même façon pour qu'elle fasse une certitude ou une vérité pour nous, tous les faits de la nature que nous avons observés, ou que nous pourrons observer, sont autant de vérités (...) notre science n'est ici bornée que par les limites de l'univers.
BUFFON, Hist. nat., 1er disc.

Absolt. *L'art d'observer* (→ Épicycle, cit. 2). *Observer et calculer* (cit. 2), *et expérimenter* (cit. 7)...

16 La nature a indiqué aux premiers hommes l'unique méthode des découvertes, puisqu'elle les a mis dans la nécessité d'observer (...)
CONDILLAC, Grammaire franç., Disc. préliminaire, *in* LITTRÉ.

♦ **3.** Surveiller pour connaître ce qui peut être dangereux, nuisible, pour découvrir ce qui est secret. ⇒ **Épier, espionner, guetter.** *Espion* (cit. 7) *qui observe tout* (→ Être aux aguets*). *Il y a toujours quelqu'un qui vous observe* (→ Guetter, cit. 1). *Méfiez-vous, on nous observe... Observez-le attentivement, ayez l'œil* sur lui. *Faire quelque chose sans être observé.* ⇒ **Secrètement.**

17 (Don Carlos, *regardant avec colère toutes les fenêtres éclairées*). — Dirait-on pas des yeux jaloux qui nous observent?
HUGO, Hernani, II, 1.

18 Il trouvait encore le temps pour observer ceux qui entraient ou qui sortaient de la demeure impériale. Des jalousies avaient été pratiquées à cet effet dans les galeries élevées du palais d'Aix-la-Chapelle.
MICHELET, Hist. de France, II, II.

19 Les enfants sont nos espions, nos ennemis, nos dénonciateurs, ils nous observent d'un œil inquiet, furtif et jaloux (...)
Th. GAUTIER, Souvenirs de théâtre..., Gavarni, II.

20 Tu lui poseras cette question (...) observe bien son visage. Il faut que tu puisses lire dans ses yeux (...)
P. MAC ORLAN, la Bandera, XV.

Milit. (⇒ **Guerre**). *Observer les mouvements de l'ennemi, un secteur du front. L'aviation a pour mission d'observer ce secteur.*

♦ **4.** Constater, remarquer par l'observation. ⇒ **Apercevoir, constater, marquer** (3.), **noter, remarquer.** *Observer quelque chose. — Observer que...* (→ Forme, cit. 56; ménage, cit. 3). *On observe, dans tel cas... Il est permis de faire observer que...* ⇒ **Signaler** (→ Inconsistance, cit. 2). *Je vous ferai observer que...* (→ Céphalique, cit. 1). — (En incise). *Il fait chaud, observa-t-il* (→ aussi Fringuer, cit. 2).

J'observe, comme vous, cent choses tous les jours,   21
Qui pourraient mieux aller, prenant un autre cours (...)
MOLIÈRE, le Misanthrope, I, 1.

Observer de quel front j'ose aborder son père.   22
RACINE, Phèdre, III, 3.

Quand *(observer)* signifie faire une remarque, remarquer, il est neutre; et comme   23
on ne dit pas : je vous considère que, je vous remarque que, de même on ne peut
dire : je vous observe que. Il faut dire : je vous fais observer que.
LITTRÉ, Dict., art. *Remarque.*

REM. *Observer*, dans plusieurs valeurs du sens II, peut se construire avec un compl. direct ayant lui-même une proposition complément. *Il l'observait qui mangeait. Elle observait ses enfants qui jouaient.* Rare. *Elle les observait jouer.*

(...) Il révéla à Étienne qu'avant de le connaître, Pierre l'observait. Et comme   23.1
Étienne s'enquérait de détails, Narcense lui dit que Pierre l'observait changer.
Étienne avoua ce changement (...)   R. QUENEAU, le Chiendent, p. 152.

▶ **S'OBSERVER** v. pron.

(Sens passif). Être observable ou observé (→ Anéantissement, cit. 9; 1. général, cit. 8). *Rien de neuf ne s'observe en dehors de nous* (→ Extérieur, cit. 10).

(Sens réfl.). S'étudier soi-même; se prendre pour sujet d'observation (→ Épars, cit. 9); se surveiller, se contrôler. *Il s'observe trop, il n'est jamais spontané.* ⇒ **Circonspect.**

On s'observe moins dans l'intimité de la vie domestique et pendant l'inquiétude   24
d'une grande douleur.   STENDHAL, Armance, XXIII.

Il vous semble que vous sortez d'un monde merveilleux et fantastique. Vous gar-   25
dez, il est vrai, la faculté de vous observer vous-même, et demain vous aurez conservé le souvenir de quelques-unes de vos sensations.
BAUDELAIRE, Du vin et du haschisch, IV.

(Sens récipr.). S'observer mutuellement (→ Fraterniser, cit. 4; masquer, cit. 14).

▶ **OBSERVÉ, ÉE** p. p. adj. *Préceptes bien, mal observés* (→ Courant, cit. 12). — *Faits mal observés* (→ Indéterminé, cit. 4). — *Détails observés*, qui donnent une impression de réalité (dans un récit, etc.).

CONTR. Braver, dédaigner, dépasser, déroger, désobéir, enfreindre, forcer, franchir, méconnaître, mépriser, oublier, tourner, transgresser, violer. — Commander, ordonner, prescrire. — (Du p. p.) **Inobservé.** — (Du pron.) **Abandonner** (s'); cf. Se laisser aller.

DÉR. Observable, observant, observatoire.

OBSESSEUR [ɔpsesœʀ] n. m. et adj. m. — 1780; «assiégeant», 1546; lat. *obsessor*, du supin de *obsidere*. → Obsession (étym.), obsidional.

♦ Archaïsme littér. Celui qui obsède.

Adj. ⇒ **Obsédant.**

Ces vieux airs du pays, au doux rythme obsesseur.   1
Edmond ROSTAND, *in* G. L. E.

(...) un frisson passe   2
Et repasse, toujours plus fort, dans l'épaisseur
Toujours plus sombre des hauts chênes, obsesseur (...)
VERLAINE, Poèmes saturniens, «Caprices», Dans les bois.

(...) le parfum canaille d'une scie en vers quelconques sur un air obsesseur.   3
Germain NOUVEAU, Petits tableaux parisiens, La rue de la Gaîté, Pl., p. 457.

OBSESSIF, IVE [ɔpsesif, iv] adj. — xxe; de *obsession*, comme *compulsif*, de *compulsion.*

♦ Caractérisé par l'obsession. ⇒ **Obsessionnel.**

OBSESSION [ɔpsesjɔ̃] n. f. — 1590, au sens 1.; «siège (d'une place forte)», xve; lat. *obsessio*, du supin de *obsidere.* → Obséder.

♦ **1.** Vx. État de celui qu'un démon assiège, obsède. «*L'Église ne prescrit point d'autres remèdes contre l'obsession que la prière, les bonnes œuvres, les exorcismes...*» (Trévoux, 1771). *On distinguait obsession et possession.*

♦ **2.** (1690, Furetière). Vieilli. Action d'importuner sans cesse, d'obséder (1. et 2.). État de celui qui est ainsi importuné. «*Il ne le quitte point, il ne s'est jamais vu une pareille obsession*» (Académie, 1re éd., 1684). → Litanie, cit. 3, Courteline.

D'ailleurs, imaginant qu'elle *(Mme Bovary)* y mettait de la délicatesse, Charles   0.1
insista davantage; si bien qu'elle finit, à force d'obsessions, par se décider.
FLAUBERT, Mme Bovary, Folio, p. 290.

(...) il allait être tué, lorsqu'un des convicts le reconnut et l'appela du nom qu'il   0.2
portait en Australie. Ces misérables voulaient massacrer Ayrton! Ils respectèrent Ben Joyce!
Mais depuis ce moment, Ayrton fut en butte aux obsessions de ses anciens complices. Ceux-ci voulaient le ramener à eux (...)
J. VERNE, l'Île mystérieuse, t. II, p. 752.

♦ **3.** (1799; rare av. 1857; → cit. 1). Mod. Idée, image, mot qui s'impose à l'esprit de façon répétée et incoercible. ⇒ **Obséder** (3.). *Être en proie* à *une obsession.* ⇒ **Hantise** (cit. 2), **idée** (fixe), **manie** (2.), **monomanie** (vx). *Obsession pénible, angoissante.* ⇒ **Crainte, souci** (→ Angoisse, cit. 11; continu, cit. 3). *Mortelle obsession* (→ Fuir, cit. 36). *Obsession du péché.* ⇒ **Tentation.** *Se délivrer* *d'une obsession, secouer une obsession* (→ Articuler, cit. 13). *C'est* *une obsession, son image me poursuit, me suit partout... L'obses-sion de la chair.* (→ Guet-apens, cit. 5). *Obsessions érotiques, sexuelles.*

1 Il *(Poe)* fait souvent un usage heureux des répétitions du même vers ou de plu-sieurs vers, retours obstinés de phrases qui simulent les obsessions de la mélancolie ou de l'idée fixe (...) BAUDELAIRE, Notes nouvelles sur E. Poe (1857), IV.

2 C'est qu'ils ne me sortaient plus de la tête, ces grands démons d'yeux noirs. Je les retrouvais partout. J'y pensais toujours, en travaillant, en dormant... C'était une obsession. Alphonse DAUDET, le Petit Chose, II, VII.

3 Et ce *Léopoldine*, mot nouveau, inusité, la poursuivait avec une persistance qui n'était pas naturelle, devenait une sorte d'obsession sinistre. LOTI, Pêcheur d'Islande, III, XV.

4 « L'amour, c'est l'obsession du sexe ». Or, comment se combat une obsession? Par la fatigue physique, d'abord, qui suspend, qui du moins diminue le travail de la pensée. Paul BOURGET, le Disciple, IV, V.

(V. 1900). Psychopath. Représentation, accompagnée d'états émotifs pénibles, qui tend à accaparer tout le champ de la conscience. *Per-sonne en proie à une obsession.* ⇒ **Obsédé** (sous Obséder). *L'obses-sion, toujours péniblement ressentie, accompagne de nombreuses névroses** (⇒ **Obsessionnel**) *et psychoses*. Obsession intellectuelle* ou *idéative* (qui diffère de l'idée* fixe, en ce qu'elle s'oppose à la personnalité du malade). ⇒ **Manie; obsédant** (idée obsédante). *Obsession impulsive* (ou *obsession-impulsion*) : obsession d'un acte que le sujet se sent poussé à commettre malgré lui. *Obsession inhi-bitrice à contenu affectif prédominant, à base de crainte* (⇒ **Pho-bie**), *d'angoisse... Manœuvre conjuratoire dirigée contre une obses-sion.*

5 *L'obsession* est un symptôme caractérisé : 1° par un état d'anxiété (...) 2° par la pénétration dans la conscience d'un sentiment, d'une idée, d'une tendance qui apparaît au malade comme *en désaccord avec sa personnalité et qui persiste, mal-gré tous ses efforts pour la chasser* (...) L'obsession comporte à la fois la répul-sion et le désir. Tel individu, à la vue d'un couteau (...) éprouvera ensemble une crainte angoissante de le toucher et une tendance à s'en servir pour faire du mal. M. DIDE et P. GUIRAUD, Psychiatrie du médecin praticien, p. 29.

DÉR. Obsessif, obsessionnel.

OBSESSIONNEL, ELLE [ɔpsesjɔnɛl] adj. — XXᵉ (1933, *in* D.D.L.); de *obsession*, et *-el*.

Psychologie.

◆ **1.** Relatif à l'obsession; qui caractérise une obsession. *Idée obses-sionnelle; état affectif obsessionnel.*

1 Pour Freud et les psychanalystes, elle *(l'obsession)* est la traduction (...) d'un con-flit profond : l'idée obsessionnelle est substituée par un mécanisme inconscient à une autre idée, en accord, celle-là, avec le sentiment pénible qu'éprouve l'obsédé.- J. SUTTER, *in* POROT, Manuel de psychiatrie, art. *Obsession.*

Psychose obsessionnelle, dans laquelle une obsession apparaît comme symptôme.

Psychan. (Trad. all. *Zwangsneurose* 1894, d'abord *névrose des obses-sions* ou *d'obsessions* chez Freud lui-même). *Névroses obsessionnel-les :* classe de névroses caractérisées par le déplacement des affects, l'ambivalence pulsionnelle et la régression et une tension pénible entre le moi et le surmoi.

◆ **2.** (Personnes). Qui est en proie à une, à des obsessions. *« Les antigaullistes "obsessionnels" »* (F. Revel, *in* P. Gilbert). *Il est complètement obsessionnel et compulsif.*

Spécialt. Qui présente les traits psychologiques (ordre, parcimonie, obstination...) sur lesquels peut se développer une névrose obses-sionnelle (même en l'absence d'obsessions caractérisées). *Caractère obsessionnel. Personnalité obsessionnelle.* — N. *Un obsessionnel, une obsessionnelle.*

2 (...) les études psychanalytiques ont conduit à décrire une *personnalité obsession-nelle,* commune à tous les obsédés mais que présentent aussi des sujets indemnes de névrose constituée et dont on dit alors volontiers qu'ils ne sont pas des obsédés mais des « obsessionnels ». J. SUTTER, *in* POROT, Manuel de psychiatrie, 1975, art. *Obsession.*

OBSIDIENNE [ɔpsidjɛn] n. f. — 1765, *Encyclopédie; pierre obsi-diane,* 1600; *obsianne,* 1552; lat. *obsidianus,* leçon fautive pour *obsia-nus* (lapis) « pierre d'Obsius »; dér. d'*Obsius,* découvreur de ce miné-ral, selon Pline.

◆ Minér. Ensemble de variétés de laves (rhyolite, trachyte et andé-site) ressemblant au verre, de couleur foncée (rouge, vert, noir...); *Les obsidiennes sont des silicates complexes comme le feldspath**; on les appelle parfois *agate d'Islande, verre des volcans* (on a dit aussi *obsidiane*). *La tête d'obsidienne,* texte de A. Malraux.

Des festons, des stalactites, des crocs d'obsidienne pendaient au-dessus de nos têtes, nos chevaux butaient sur des arêtes, des aiguilles coupantes, des dents de scie qui hérissaient le sol. B. CENDRARS, Moravagine, *in* Œ. compl., t. IV, p. 199.

OBSIDIONAL, ALE, AUX [ɔpsidjɔnal, o] adj. — XVᵉ; lat. *obsidionalis,* dér. de *obsidio* « siège », de *obsidere* « assiéger ». → Obsé-der.

◆ Didact. Relatif aux sièges, aux villes assiégées. — Antiq. rom. *Cou-ronne obsidionale :* couronne d'herbes donnée à celui qui avait fait

lever un siège. *Monnaie** (cit. 7) *obsidionale,* frappée dans une ville assiégée.

1 Au même instant un nouvel assiégeant débusqua dans la chambre en faisant le saut périlleux. C'est Scapin à qui son ancien métier de bateleur et de soldat don-nait des facilités singulières pour ces sortes d'ascensions obsidionales. Th. GAUTIER, le Capitaine Fracasse, XVII.

2 Désertée de presque tous ses habitants, livrée aux soldats, la malheureuse ville semblait plongée dans la torpeur obsidionale. G. DUHAMEL, la Pesée des âmes, X.

Loc. Vx. *Folie obsidionale.* Mod. *Fièvre obsidionale :* psychose col-lective qui peut se produire dans une population assiégée et mena-cée.

3 En effet, la fièvre obsidionale, qui travaillait alors l'Angleterre, y faisait foisonner les organes de renseignements et de sécurité. Ch. DE GAULLE, Mémoires de guerre, t. I, p. 124.

Psychopath. *Délire obsidional :* « ensemble d'interprétations et d'attitudes de défense liées au sentiment d'être assiégé, environné de persécuteurs » (Sivadon, *in* Piéron, *Voc. de la psychologie*). ⇒ **Persécution** (folie de la).

OBSOLESCENCE [ɔpsɔlesɑ̃s] n. f. — 1958; mot angl. 1828, du lat. *obsolescere* « tomber en désuétude »; → Obsolète.

◆ Didact. Fait de devenir obsolète, périmé.

1 Le danger d'une spécialisation trop poussée tient en effet à la disparition de cer-taines qualifications, et d'autre part à une obsolescence prompte des connaissan-ces en période de progrès technique rapide. B. GILLE, *in* Encycl. Pl., Histoire des techniques, p. 1283.

Spécialt. (Écon.). Vieillissement de l'équipement industriel, dû à l'apparition d'un matériel nouveau. « (...) *les investissements mons-tres faits aujourd'hui dans les équipements d'usines et de machi-nes* (...). *L'obsolescence soudaine d'une partie significative de leur équipement serait un désastre économique* » (*la Recherche,* mars 1973, p. 210).

2 *L'obsolescence* a été étudiée et changée en technique. Les spécialistes de l'obso-lescence connaissent l'espérance de vie des choses : trois ans, une salle de bain; cinq ans, un living-room; huit ans, un élément de chambre à coucher; trois ans, l'aménagement d'un point de vente local, une auto, etc. Henri LEFEBVRE, la Vie quotidienne dans le monde moderne, p. 157.

DÉR. Obsolescent.

OBSOLESCENT, ENTE [ɔpsɔlesɑ̃, ɑ̃t] adj. — 1966, *in le Monde;* angl. *obsolescent,* 1755. → Obsolescence.

◆ Écon. Qui est tombé en désuétude du fait de l'apparition de pro-cédés, de matériels (technologiques, notamment)... nouveaux. *Rem-placer des équipements obsolescents par des équipements de tech-nologie plus moderne.* — Fig. « *Le mythe déjà obsolescent de la par-ticipation* » (*l'Express,* 10 juil. 1972, p. 22).

OBSOLÈTE [ɔpsɔlɛt] adj. — 1755; *obsolet,* 1596; repris au XIXᵉ (Lit-tré le prend pour un néologisme); du lat. *obsoletus,* de *obsolere* « tom-ber en désuétude ».

◆ **1.** Ling., relig. Désuet, hors d'usage (en parlant d'un mot). *Mot obsolète.*

◆ **2.** Par plais. (Personnes) :

(...) elle est si confite en vétusté, si obsolète et moisie, qu'aucune fontaine de Jou-vence ne la pourrait rajeunir. Th. GAUTIER, le Capitaine Fracasse, III.

◆ **3.** (1868). Zool. *Stries, points obsolètes* (sur les téguments des insectes), peu marqués.

◆ **4.** Écon. ⇒ **Obsolescent.**

OBSTACLE [ɔpstakl] n. m. — V. 1220, au sens 2; au sens concret, v. 1260; lat. *obstaculum,* de *obstare* « se tenir *(stare)* devant ».

◆ **1.** (Concret). Ce qui s'oppose au passage, gêne le mouvement. ⇒ **Embarras** (→ aussi Barrage, barre, barricade, butoir, fermeture, fossé, mur, muraille...). *Obstacle naturel ou artificiel. Obstacles et moyens défensifs utilisés contre l'ennemi. Obstacles antichars. L'ennemi a franchi tous les obstacles* (→ Forteresse, cit. 1). *Débar-rasser un conduit de ses obstacles.* ⇒ **Désobstruer.** *Objet qui fait obstacle à la vue.* ⇒ **Écran, rideau; offusquer.** *Fleuve qui forme obstacle entre deux provinces.* ⇒ **Séparer** (→ aussi Cours, cit. 4). *Obstacles que les rivières rencontrent sur leur route* (→ Épigénie, cit.). *Buter* (cit.) *à chaque obstacle.*

0.1 (...) tu conçois, chère fille, qu'à supposer que l'on rompît les barreaux de nos croi-sées, et que l'on descendît par la fenêtre, on serait encore loin de pouvoir s'éva-der, puiqu'il resterait à franchir cinq haies vives, une forte muraille, et un large fossé : ces obstacles fussent-ils même vaincus où retomberait-on, d'ailleurs? Dans la cour du Couvent qui, soigneusement fermée elle-même, n'offrirait pas encore dès le premier moment une sortie bien sûre. SADE, Justine..., t. I, p. 162.

1 Brusquement, dans le chemin étroit, la voiture fit un écart pour ne pas heurter un obstacle. C'était (...) une roulotte arrêtée presque au milieu du chemin et qui avait dû rester là (...) ALAIN-FOURNIER, le Grand Meaulnes, I, XVII.

2 Le vent est particulièrement redouté des habitants d'Oran parce qu'il ne ren-contre aucun obstacle naturel sur le plateau où elle est posé et qu'il s'engouf-fre ainsi dans les rues avec toute sa violence. CAMUS, la Peste, p. 185.

Spécialt. ⓐ (1872). **Sports.** Chacune des difficultés placées sur le parcours des chevaux, dans certaines épreuves *(courses d'obstacles).* *Course d'obstacles sur piste.* ⇒ **Haie** (course de haies), **steeplechase.** *Parcours d'obstacles. Obstacles de concours hippique.* ⇒ **Brook, bull-finch, haie, mur, rivière...** (→ Hippique, cit.; hippodrome, cit. 4). *Sauter un obstacle. Saut d'obstacles.* ⇒ **Jumping.** — (Courses humaines). *Les obstacles d'un 3 000 mètres steeple*.*

Loc. *Boire* l'obstacle.*

ⓑ **Milit.** *Obstacles anti-char.*

♦ **2.** (Abstrait). Difficulté qui s'oppose à la pensée, à l'action, à l'obtention d'un résultat. ⇒ **Achoppement, adversité, barrage, barrière, borne, cahot, contrariété, difficulté, écueil, embarras, empêchement, entrave, frein, gêne, obstruction, opposition, restriction;** fam. **accroc, anicroche, bec, cactus, cheveu, os.** *Accumuler, dresser, élever* (→ Empêchement, cit. 1), *susciter des obstacles. Faire obstacle à...* (→ Désordonné, cit. 2; girafe, cit. 1; hypocondriaque, cit. 3); *mettre obstacle à...* ⇒ **Arrêter, barrer, contrarier, contrecarrer, embarrasser, endiguer, entraver, gêner, interdire, nuire, opposer** (s'), **refréner, retenir, résister** (→ aussi Mettre des bâtons* dans les roues; tailler des croupières* à quelqu'un; aller à l'encontre* de quelque chose, faire échec*...). *Le destin met des obstacles à nos vœux.* ⇒ **Traverse** (se mettre à la traverse), **traverser.** *On ne réussit pas sans rencontrer d'obstacle.* ⇒ **Peine** (sans). *Dangereux, irréductibles obstacles* (→ Base, cit. 20). *Obstacle infranchissable, insurmontable* (→ Condition, cit. 27). *Obstacle invincible.* ⇒ **Mur** (d'airain). *Échouer contre un obstacle.* ⇒ Buter; se casser* (*infra* cit. 15) le nez. *Être arrêté par un obstacle insignifiant.* ⇒ **Noyer** (se noyer dans un crachat, un verre d'eau). *Sans rencontrer d'obstacle.* ⇒ **Encombre** (sans). *Il ne se laisse pas décourager par les obstacles. Lutter* contre les obstacles. Agir en dépit des obstacles.* ⇒ **Marée** (aller contre vents et marées). *L'amour est un désir qui s'irrite par les obstacles* (→ Éteindre, cit. 36). *Venir à bout d'un obstacle.* ⇒ **Balayer, briser, déjouer, forcer, franchir, passer, sauter, surmonter, vaincre.** *Écarter* (→ Hauteur, cit. 13), *lever* (→ Inventer, cit. 1), *renverser* (→ Éveiller, cit. 7), *vaincre* (→ Assortir, cit. 10), *tourner un obstacle* (→ Manœuvrer, cit. 9). *Supprimer les obstacles.* ⇒ **Aplanir** (les difficultés), **voie** (préparer la voie). *Avertir qqn d'un obstacle* (→ Crier casse-cou*).

3   Le grand artiste est celui qu'exalte la gêne, à qui l'obstacle sert de tremplin. C'est au défaut même du marbre que Michel-Ange dut, raconte-t-on, d'inventer le geste ramassé du Moïse.   GIDE, Nouveaux prétextes, p. 16.

4   Nous n'avons pas pu surmonter l'obstacle, comme nous le voulions absolument, mais la vie même y a fait tourner, dépasser, et c'est à peine alors si en nous retournant vers le lointain passé, nous pouvons l'apercevoir, tant il est devenu imperceptible.   PROUST, À la recherche du temps perdu, t. XIII, p. 47.

5   Tous les vivants se tiennent, et tous cèdent à la même formidable poussée. L'animal prend son point d'appui sur la plante, l'homme chevauche sur l'animalité, et l'humanité entière (...) est une immense armée qui galope à côté de chacun de nous, en avant et en arrière de nous, dans une charge entraînante capable de culbuter toutes les résistances et de franchir bien des obstacles, même peut-être la mort.   H. BERGSON, l'Évolution créatrice, III, p. 271.

6   (...) mais, entre la coupe et les lèvres, entre l'état de collégien et la glorieuse fonction de l'aspirant de marine, s'élevaient des obstacles très sérieux : les figures incorruptibles de la géométrie, les pièges et les énigmes systématiques de l'algèbre, les tristes logarithmes, les sinus et leurs cosinus fraternels décourageaient plus d'un, qui voyait avec désespoir, entre la mer et soi, entre la marine rêvée et la marine vécue, s'abaisser (comme un rideau de fer infranchissable) l'inexorable plan d'un tableau noir.   VALÉRY, Variété III, p. 235.

Loc. *Tourner l'obstacle,* l'éviter.

CONTR. Aide, appui, contribution, facilité, liberté.

OBSTÉTRICAL, ALE, AUX [ɔpstetʀikal, o] adj. — 1818, *in* D.D.L.; de *obstétrique.*

♦ **Didact.** (Méd.). Relatif à l'obstétrique.

OBSTÉTRICIEN, IENNE [ɔpstetʀisjɛ̃, jɛn] n. — xxᵉ; de *obstétrique.*

♦ **Didact.** (Méd.). Médecin spécialiste d'obstétrique. *Obstétricien-accoucheur.*

OBSTÉTRIQUE [ɔpstetʀik] adj. et n. f. — 1803; du lat. *obstetrix* «sage-femme», de *ob-* et *stare* «se tenir».

♦ **1. Adj.** (Vx). Relatif aux accouchements. *Clinique obstétrique.* ⇒ **Obstétrical.**

♦ **2. N. f.** (1834). Partie de la médecine qui traite de la grossesse et des accouchements. ⇒ **Accouchement.**

Grâce à l'obstétrique, des femmes deviennent mères en dépit d'un bassin trop étroit, et, grâce au lait stérilisé, nourrices, en dépit de glandes mammaires insuffisantes.   Jean ROSTAND, l'Homme, IX.

DÉR. Obstétrical, obstétricien.

OBSTINATION [ɔpstinasjɔ̃] n. f. — V. 1190; lat. *obstinatio,* du supin de *obstinare.*

♦ Caractère, comportement d'une personne obstinée, qui refuse de

céder. ⇒ **Acharnement, aheurtement** (vx), **assiduité, constance, entêtement, insistance, opiniâtreté, persévérance, persistance, résolution, ténacité.** *« L'obstination et ardeur d'opinion est la plus sûre preuve de bêtise »* (→ Âne, cit. 6, Montaigne). *Persévérer par obstination, par orgueil, par honte de s'en dédire* (→ Cabale, cit. 7). *Obstination dans le refus* (→ Déni, cit. 5). *L'obstination des faibles* (→ Inlassablement, cit. 2). *L'obstination particulière aux vieilles gens. Votre obstination à vouloir m'entretenir* (cit. 30) *sans cesse...* (→ aussi Manège, cit. 9). *Vaincre l'obstination de quelqu'un.*

1   Il faut fléchir au temps sans obstination;
    Et c'est une folie à nulle autre seconde
    De vouloir une folie se corriger le monde.   MOLIÈRE, le Misanthrope, I, 1.

2   — S'il est innocent, alors, pourquoi cette obstination à se taire? (...)   Paul BOURGET, le Disciple, III.

3   Derrière son front bombé, sans un pli, on sentait une obstination de paysan, dure comme un caillou.   R. ROLLAND, Jean-Christophe, La révolte, III, p. 593.

4   Il ne lui reconnaît guère *(à l'Anglais)* comme vertu que l'obstination, qui est la qualité ordinaire des pauvres d'esprit (...) Il m'a dit d'abord que l'obstination, fût-elle stupide, donne en ce monde de meilleurs résultats qu'on ne croirait, parce qu'en chaque affaire une multitude de solutions sont toujours possibles, et que les gens intelligents s'usent à chercher sans arrêt la meilleure, qui ne l'est pas tellement.   J. ROMAINS, les Hommes de bonne volonté, t. VI, XIX, p. 155.

5   Vertu première : la patience. Rien à voir avec la simple attente. Elle se confond plutôt avec l'obstination.   GIDE, les Nouvelles Nourritures, p. 286.

6   (...) l'obstination est l'aveugle et grossière opposition du moi à une réalité qu'il échoue à mesurer; et cette opposition est chose féminine. On parle des maladies de la volonté. La volonté elle aussi, quelquefois, est une maladie.   MONTHERLANT, les Lépreuses, I, I.

CONTR. Capitulation, caprice, compréhension, docilité, inconstance, versatilité.

OBSTINÉ, ÉE [ɔpstine] adj. — V. 1220; au sens 2, v. 1180; lat. *obstinatus,* p. p. de *obstinare.*

♦ **1.** (Personnes). Qui s'attache avec énergie et de manière durable à une manière d'être, d'agir, à une idée, à un projet (généralement par parti-pris, peur du changement, orgueil, esprit de contradiction, incompréhension...). ⇒ (Péj.) **Entêté, opiniâtre, têtu** (→ Mauvaise tête*); (en bonne part) **constant, persévérant, tenace, volontaire.** — *L'entêtement d'une personne obstinée.*

Vx. *Être obstiné à son refus. Malade obstiné à se taire* (→ Gangrener, cit. 1). Mod. *Il est vraiment obstiné dans ses erreurs.*

1   Il était bien plus probable qu'obstinés dans leurs rancunes, et désirant moins encore être sauvés que vengés, ils rejetteraient ou cette planche de sauvetage (...)   MICHELET, Hist. de la Révolution franç., V, X.

N. *(Un obstiné, une obstinée).* → Balourd, cit. 3.

♦ **2.** (Choses, actes). Qui marque de l'obstination. *Effort, travail obstiné.* ⇒ **Assidu** (→ Écouvillon, cit. 2; mémoire, cit. 20). *D'une manière obstinée.* ⇒ **Obstinément.** *Opposition* (→ Irriter, cit. 15), *rage obstinée* (→ Harceler, cit. 8). *Cœur obstiné* (→ Excuser, cit. 7). *Besoin obstiné de croire* (→ Foi, cit. 21).

2   Qu'attendez-vous? Rompez ce silence obstiné.   RACINE, Andromaque, III, 6.

3   La résistance la plus obstinée fut celle du Parlement de Bretagne.   MICHELET, Hist. de la Révolution franç., III, IV.

4   Il se tenait sur l'idée qu'il avait une fois faite sienne avec cette application obstinée, minutieuse et si souvent bizarre que l'on voit chez les dessinateurs lorrains.   M. BARRÈS, la Colline inspirée, II.

(D'une maladie). Qui ne guérit pas. *Un rhume obstiné.* ⇒ **Persistant, tenace** (→ Jus, cit. 1).

CONTR. Compréhensif, docile, inconstant.
DÉR. Obstinément.

OBSTINÉMENT [ɔpstinemɑ̃] adv. — 1532; *ostinement,* v. 1355; de *obstiné,* et 1. *-ment.*

♦ D'une manière obstinée, avec obstination. ⇒ **Opiniâtrement.** *Refuser obstinément* (→ Entre, cit. 8; épouseur, cit.). *Soutenir obstinément une opinion* (⇒ Mordicus, fam.).

Il est intransportable et, malgré l'avis favorable de l'hôpital civil, refuse d'ailleurs obstinément d'être transporté.   G. DUHAMEL, Salavin, VI, XIII.

OBSTINER [ɔpstine] v. tr. et pron. — 1535; lat. *obstinare* «vouloir de manière opiniâtre».

♦ **1.** Vx. Faire en sorte qu'une personne s'attache avec ténacité à une résolution. *Il suffit qu'on nous contredise pour nous obstiner davantage* (Bourdaloue, *Pensées,* II, p. 483).

♦ **2.** (Fin xviᵉ). Vx. (Encore chez G. Sand). Buter (qqn) par des contradictions.

▶ **S'OBSTINER** v. pron.

(1538). Mod. Se montrer obstiné, faire preuve d'obstination. ⇒ **Acharner** (s'), **aheurter** (s') vx, **buter** (se), **entêter** (s'), **insister, opiniâtrer** (s') vx, **persévérer, persister, résister.** *S'obstiner dans une attitude. Le silence où il s'obstine. « Quoi! dans leur dureté, ces cœurs d'acier* (cit. 4) *s'obstinent! »* (Corneille). *S'obstiner dans une idée* (→ Chagrinant, cit.), *dans ses projets.* — *S'obstiner contre qqch. Elle ne s'obstinera pas, contre ma volonté, sur un détail de* *procédure* (→ Mesquin, cit. 3). — *S'obstiner à* (n. ou inf.). *« Ce cœur impitoyable* (cit. 1) *à ma perte s'obstine »* (Corneille). *S'obstiner à faire une chose* (→ Farder, cit. 3). — Absolt. (→ Hasarder, cit. 9).

1 — Voilà sept ans que vous avez droit à la retraite ! sept ans que vous vous obstinez à ne pas la prendre !
COURTELINE, Messieurs les ronds-de-cuir, IVᵉ tableau, I.

2 L'esprit qui s'obstine finira par plier les choses à son idée, au lieu de régler sa pensée sur les choses.
H. BERGSON, le Rire, p. 143.

3 Il est inutile *(dans l'étude du piano),* fâcheux même, de s'obstiner trop longtemps de suite sur un même passage. Mieux vaut y revenir et souvent ; c'est à cela que se reconnaît la vraie patience.
GIDE, Journal, Samedi, févr. 1916.

4 (...) le silence où tu t'obstinais touchant notre ménage, notre désaccord profond.
F. MAURIAC, le Nœud de vipères, I.

CONTR. Capituler, céder, consentir, repentir (se).
DÉR. (Du même rad. lat.) Cf. Obstination, obstiné.

OBSTRUABLE [ɔpstʀyabl] adj. — Attesté xxᵉ ; de *obstruer*.

♦ Qui peut être obstrué.

(...) une caisse percée de plusieurs ouvertures obstruables.
M. DENUZIÈRE, Louisiane, t. II, p. 87.

OBSTRUANT, ANTE [ɔpstʀyɑ̃, ɑ̃t] adj. et n. f. — xxᵉ ; de *obstruer*.

♦ Rare. Qui obstrue. — N. f. Phonét. Consonne qui obstrue (incomplètement ou complètement) le canal vocal. ⇒ **Fricative.**

Durant l'émission des obstruantes continues, les organes sont disposés de façon à créer un fort étranglement en un point du tube pharyngobuccal, comme par exemple lorsque la lèvre inférieure est rapprochée de l'arête des incisives supérieures (...) L'écoulement de l'air par l'étroit passage laissé libre donne naissance à un bruit de friction, d'où le nom de fricatives communément donné aux obstruantes continues *(f, v, s, z,* etc.). F. DELL, les Règles et les Sons, p. 60-61.

OBSTRUCTIF, IVE [ɔpstʀyktif, iv] adj. — 1539, *in* D.D.L. ; de *obstruction*.

Didact. (médecine).

♦ **1.** Qui cause une obstruction. ⇒ **Occlusif.**

♦ **2.** *Douleur obstructive* : douleur causée par l'obstruction d'un organe. *Douleurs obstructives causées par la présence d'une tumeur. — Douleurs mensuelles obstructives,* dues à l'impossibilité d'un écoulement normal du flux sanguin par suite d'une malformation du col de l'utérus, d'un déséquilibre hormonal, etc.

OBSTRUCTION [ɔpstʀyksjɔ̃] n. f. — 1538, *in* D.D.L. ; lat. *obstructio,* du supin de *obstruere.* → Obstruer.

★ **I.** (Concret). ⇒ **Obstruer.** ♦ **1.** (1538). Méd. « Gêne ou obstacle à la circulation des matières solides ou liquides dans un conduit de l'organisme » (Garnier). ⇒ **Embarras, engorgement, engouement, iléus, obturation, occlusion, opilation.** *Obstruction intestinale, de l'artère pulmonaire* (→ Embolie, cit.), *des alvéoles pulmonaires* (→ Hypertension, cit.), *des voies respiratoires. Coliques* dues à l'obstruction d'un canal par un calcul. Obstruction des trompes utérines.*

♦ **2.** (1812). Par ext. *Obstruction d'une conduite d'eau.*

★ **II.** (1888 ; repris à l'angl. *obstruction,* de même orig.). ♦ **1.** Tactique qui consiste, dans une assemblée, un parlement, à entraver, à paralyser les débats par des procédés divers (discours interminables, etc.). *Obstruction systématique. Faire de l'obstruction pour empêcher le vote d'une loi.* ⇒ **Barrage** (faire barrage), **entraver, obstacle** (faire obstacle).

La durée de la parole *(dans les assemblées législatives)* doit être limitée. Sinon, on aboutit à des débats aussi confus qu'interminables. Sans compter que l'opposition peut se servir des longs discours comme d'un moyen d'obstruction : l'exemple des députés irlandais à la Chambre des Communes, au XIXᵉ siècle, est demeuré célèbre. Maurice DUVERGER, Manuel de droit constitutionnel..., p. 116.

Par anal. *Faire de l'obstruction* : paralyser une discussion, un débat, par une attitude de critique systématique, etc.

♦ **2.** (1928, *in* D.D.L.). Sports. Action par laquelle un joueur (de football, de rugby, etc.) barre volontairement le passage à un adversaire qui n'est pas en possession du ballon. *L'obstruction* (parfois tolérée si elle peut paraître involontaire) *est sanctionnée par un coup franc.*

DÉR. Obstructif, obstructionniste.

OBSTRUCTIONNISME [ɔpstʀyksjɔnism] n. m. — 1892, *in* D.D.L. ; de *obstructionniste,* et *-isme.*

♦ Polit. Tactique parlementaire qui consiste à faire de l'obstruction systématique.

OBSTRUCTIONNISTE [ɔpstʀyksjɔnist] n. et adj. — 1890, P. Larousse, *Deuxième Suppl.* ; de *obstruction,* et *-iste.*

♦ Polit. Parlementaire qui pratique l'obstruction. — Adj. Relatif à l'obstruction (II.). *Tactique obstructionniste.*

DÉR. Obstructionnisme.

OBSTRUER [ɔpstʀye] v. tr. et pron. — 1540 ; lat. *obstruere,* de *ob-* et *struere* « assembler, bâtir ».

♦ **1.** Méd. Engorger, boucher (un canal, un vaisseau dans l'organisme). ⇒ **Oblitérer, opiler** (→ Artérite, cit. ; obstruction I., 1.). *Étouffer en obstruant le gosier.* ⇒ **Engouer** (vx).

♦ **2.** (V. 1780). Sujet n. de chose. Embarrasser, faire obstacle en entravant ou en arrêtant la circulation (→ Effondrement, cit. 1). *Débris qui s'accumulent* et obstruent un caniveau, un égout, un tuyau.* ⇒ **Boucher, engorger.** *Obstruer un passage, une rue.* ⇒ **Barrer, bloquer, embarrasser, encombrer, fermer** (→ Épanouir, cit. 7). *Barre qui obstrue un estuaire et gêne la navigation. Cette maison obstrue la vue.* ⇒ **Cacher** (→ Affaisser, cit. 5 ; charité, cit. 6).

1 Le grand monarque qui l'avait fait bâtir *(le Pont-Neuf)* n'avait pas voulu que de chétives et maussades constructions obstruassent la vue du somptueux palais où résident nos rois (...)
Th. GAUTIER, le Capitaine Fracasse, XI.

2 Les voitures se croisaient, se heurtaient, obstruant le passage, refoulant la circulation comme une digue.
R. ROLLAND, Jean-Christophe, Foire sur la place, I, p. 645.

▶ **S'OBSTRUER** v. pron. (Mil. xviiiᵉ). *Artères qui s'obstruent.* ⇒ **Encrasser** (s'). *La voie d'eau s'est obstruée.*

▶ **OBSTRUÉ, ÉE** p. p. adj. ⇒ **Bouché.** *Les embouchures du Rhône, obstruées et marécageuses* (cit.).

3 Les pavés étaient éparpillés à l'aventure, repoussés de leurs alvéoles par le gazon victorieux. Une horrible saleté croupissait dans les ruisseaux obstrués.
BAUDELAIRE, Trad. E. POE, Nouvelles histoires extraordinaires, « L'homme des foules ».

CONTR. Désobstruer, percer.
DÉR. Obstruable, obstruant. — (Du même rad. lat.) V. **Obstruction.**

OBTEMPÉRER [ɔptɑ̃peʀe] v. tr. indir. — Conjug. *céder.* — 1377 ; lat. *obtemperare,* de *ob-* et *temperare* « combiner », de *tempus, oris.*

♦ Dr., admin. *Obtempérer à* : obéir, se soumettre à (une injonction, un ordre). ⇒ **Déférer, obéir, soumettre** (se) ; et aussi **acquiescer.** *Obtempérer aux ordres des agents de la circulation* (→ 1. Feu, cit. 61). — Absolt. *Contravention pour refus d'obtempérer.*

1 Le parlement répond au roi qu'il ne peut obtempérer. Ce mot *obtempérer* fit à la cour un singulier effet. Toutes les femmes demandaient ce que ce mot voulait dire, et quand elles surent qu'il signifiait *obéir,* elles firent plus de bruit que les ministres et que les commis des ministres.
VOLTAIRE, Hist. du Parlement de Paris, LXVI.

2 — Étant de service le 20 octobre, à l'heure de midi, je remarquai, dans la rue Montmartre, un individu qui me sembla être un vendeur ambulant et qui tenait sa charrette indûment arrêtée à la hauteur du numéro 328, ce qui occasionnait un encombrement de voitures. Je lui intimai par trois fois l'ordre de circuler, auquel il refusa d'obtempérer... je l'avertis que j'allais verbaliser (...)
FRANCE, Crainquebille, III.

N. B. C'est un agent de police qui s'exprime.

Obéir (à qqn) sous la menace. *Après avoir protesté, il a bien fallu qu'il obtempère.*

CONTR. Contrevenir. — Commander, ordonner.

OBTENIR [ɔptəniʀ] v. tr. — Conjug. *tenir.* → Venir. — 1355 ; *optenir,* 1283, au sens 1 ; lat. *obtinere* « occuper, tenir fermement » (de *ob-* et *tenere* → Tenir), francisé d'après *tenir.*

♦ **1.** Parvenir à se faire accorder, à se faire donner (ce qu'on veut avoir). ⇒ **Accrocher, acheter, acquérir, arracher, avoir, capter, conquérir, décrocher** (fam.), **enlever, faire, impétrer, forcer, prendre, recevoir, recueillir, remporter, soutirer, surprendre.** *Le fait d'obtenir qqch.* ⇒ **Obtention.** *Obtenir une chose facilement* (→ N'avoir qu'à parler* pour obtenir), *difficilement, au prix de grands efforts* (→ Emporter de haute lutte* ; faire tant* et si bien que...). *On jouit moins de ce qu'on obtient que de ce qu'on espère* (→ Désirer, cit. 3). *Obtenir de l'avancement. « On pense à moi pour une place, il fallait un calculateur* (cit. 1, Beaumarchais), *ce fut un danseur qui l'obtint ». Obtenir les honneurs de la guerre. Obtenir son baccalauréat, une licence* (cit. 4). *Qui a obtenu un diplôme.* ⇒ **Impétrant.** *Obtenir un prix, une médaille, une récompense. — Obtenir des éclaircissements* (cit. 7), *des renseignements* (→ Assurance, cit. 14). *Obtenir un délai. Obtenir dix-sept mille voix à une élection* (→ Enregistrer, cit. 7). *Obtenir la majorité* (cit. 2) *des voix. Obtenir la main d'une jeune fille* (→ Appoint, cit. 4 ; impulsif, cit. 3), *les faveurs d'une femme. Obtenir la considération* (→ Asseoir, cit. 38), *l'estime* (→ Arracher, cit. 34 ; arroger, cit. 3), *le respect, la reconnaissance de qqn. Obtenir un succès.* ⇒ **Réussir.** *Le procureur a obtenu la tête de l'accusé. « Je demande* (cit. 1) *sa tête et crains de l'obtenir »* (Corneille). — *Obtenir un arrêt* (cit. 8), *un jugement, un moratoire* (→ Agent, cit. 14). — *Ne rien obtenir. Il n'a rien pu obtenir, il n'a pas obtenu grand-chose. Obtenir peu, beaucoup.*

(...) ce que nous avons obtenu devient une partie de nous-mêmes ; nous serions cruellement touchés de le perdre, mais nous ne sommes plus sensibles au plaisir de le conserver (...) LA ROCHEFOUCAULD, *Réflexions diverses*, 9.

Depuis un mois que son mari avait obtenu sa place de sergent de ville, la grande brune prenait des allures cavalières et parlait d'arrêter tout le monde.
ZOLA, *l'Assommoir*, t. I, VII, p. 253.

J'ai cessé de souhaiter, te disais-je, sachant que je ne pouvais rien obtenir (...)
GIDE, *Philoctète*, II, 1.

(Sujet n. de chose). *Les gravures* (cit. 4) *du XVIIIᵉ ont obtenu de nouveau les faveurs de la mode.*

OBTENIR DE. *Obtenir quelque chose de quelqu'un* (→ Effort, cit. 27 ; exaspérer, cit. 11). — Vx. *Obtenir quelque chose à quelqu'un.* Mod. *Obtenir quelque chose pour quelqu'un* (→ Dominant, cit. 1). *Action qui fait obtenir une récompense à quelqu'un.* ⇒ **Mériter** (*infra* cit. 8), **procurer.**

Le crédit de la reine obtint aux catholiques ce bonheur singulier et presque incroyable, d'être gouvernés successivement par trois nonces apostoliques (...)
BOSSUET, *Oraison funèbre d'Henriette de France.*

Ils vont trouver les foulons pour obtenir d'eux de ne pas épargner la craie dans la laine qu'ils leur ont donnée à préparer (...)
LA BRUYÈRE, *les Caractères de Théophraste*, « De l'épargne sordide ».

Il pense au temps où l'on obtenait du ministre une lettre de cachet, comme aujourd'hui une place de cantonnier pour un électeur.
J. ROMAINS, *les Hommes de bonne volonté*, t. III, XVII, p. 232?

OBTENIR DE (suivi d'un infinitif). *Il obtint d'emporter les panneaux* (→ Journée, cit. 7).

(...) un coin de l'ancienne Cour des Comptes où le sculpteur a obtenu de travailler dans la verdure sauvage et les pierres croulantes.
Alphonse DAUDET, *l'Immortel*, III.

OBTENIR QUE (suivi du subjonctif ou du conditionnel). *Ils ne purent obtenir que leurs plénipotentiaires eussent le titre d'Excellence* (→ Gloriole, cit. 1). *On obtint de lui qu'il lirait au moins un discours de quatre lignes* (→ Faillir, cit. 6).

Absolt. *Il n'y a qu'à demander pour obtenir.*

♦ **2.** ⓐ Atteindre (un résultat), produire (un effet). → Capitaine, cit. 8 ; échec, cit. 12. *Obtenir un bon rendement* (→ Cultiver, cit. 7), *des effets merveilleux* (→ Magie, cit. 3). *Chercher à obtenir un résultat.* ⇒ **Poursuivre.** *Les résultats obtenus cette année. Cette sentence obtiendra son plein et entier effet.* ⇒ **Sortir** (droit).

ⓑ (1762). Parvenir à (un nombre) par un calcul. *En additionnant, on obtient un total de tant* (→ Addition, cit. 0.1). — Au p. p. *Chronogrammes obtenus par un graphique* (cit. 5) *cartésien.*

ⓒ Parvenir à produire, à fabriquer. *Obtenir un produit chimique, le métal à l'état liquide.* ⇒ **Produire** (→ Imprégner, cit. 1 ; induline, cit. ; 2. laitier, cit.). — *Obtenir une nouvelle variété de fleurs, des races précoces* (→ Accroissement, cit. 6).

Atteindre, produire un certain effet en art, en littérature (→ Assemblé, cit. ; caricature, cit. 1 ; néo-impressionniste, cit. ; incantateur, cit. 2). *Obtenir une insensible dégradation du clair au moins clair* (→ Arrondir, cit. 5).

J'ai pensé, je pense encore, qu'on n'obtient, ni grand pathétique, ni profonde moralité, ni bon et vrai comique au théâtre, sans des situations fortes, et qui naissent toujours d'une disconvenance sociale, dans le sujet qu'on veut traiter.
BEAUMARCHAIS, *le Mariage de Figaro*, Préface.

▶ **S'OBTENIR** v. pron. (Passif).
Être obtenu. *Bonheur qui ne s'obtient qu'aux dépens* (cit. 6) *d'autrui.* — *Comment s'obtient l'extrait* (cit. 1) *gras du haschisch.*

CONTR. Manquer, perdre, rater. — Demander, désirer, solliciter. — Accorder, donner, fournir, procurer.
DÉR. (Du même rad.) V. **Obtenteur.**

OBTENTEUR, TRICE [ɔptɑ̃tœʀ, tʀis] n. — 1868, Littré ; du rad. de *obtenir, obtention ;* cf. Obteneur, vx (1838).

♦ **1.** Didact. Personne qui obtient (une grâce, etc.).

♦ **2.** Techn. Personne qui crée (une nouvelle variété végétale). ⇒ **Obtention** (2.).

Puis Vincent parla de la sélection. Il exposa la méthode ordinaire des obtenteurs pour avoir les plus beaux semis ; leur choix des spécimens les plus robustes (...)
GIDE, *les Faux-monnayeurs*, I, XVII.

OBTENTION [ɔptɑ̃sjɔ̃] n. f. — 1516 ; *obstencion*, 1360 ; dér. sav. du lat. *obtentus*, p. p. d'*obtinere*. → Obtenir.

Didactique.

♦ **1.** Fait d'obtenir. *Obtention d'un arrêt, d'un bénéfice* (⇒ **Impétration**), *d'un diplôme, d'une autorisation, du permis de conduire.*

♦ **2.** (1868). Action de produire une substance, un phénomène physique ou chimique. *Obtention de la matière première* (→ Intégration, cit. 1), *d'une température plus élevée* (→ Fonte, cit. 2).
Spécialt. Fait d'obtenir (une nouvelle variété végétale).

OBTURATEUR, TRICE [ɔptyʀatœʀ, tʀis] adj. et n. — V. 1560 ; de *obturer*, et -*ateur.*

♦ **1.** (V. 1560). Anat. ⓐ Adj. *Membrane obturatrice ; muscles obturateurs,* servant à obturer le trou sous-pubien ou *ischio-pubien* (dit aussi *trou obturateur*).

ⓑ N. m. Muscle obturateur. *L'obturateur externe, interne.*

ⓒ Par ext. Adj. Qui passe par le trou sous-pubien. *Nerfs obturateurs. Artère obturatrice.*

♦ **2.** Adj. Techn. Qui sert à fermer en bouchant, à obturer. *Appareil obturateur. Plaque obturatrice. Bouchon obturateur.*

♦ **3.** (1790). N. m. Appareil, dispositif servant à obturer quelque chose.

ⓐ Techn. Organe d'arrêt ou de réglage de débit (d'un fluide : liquide, gaz). ⇒ **Clapet, robinet, soupape, valve.**
Spécialt. Dispositif empêchant la fuite des gaz à travers la culasse (d'une arme à feu).

ⓑ (1858, *Année sc. et industr.*, p. 56). Dans un appareil photographique, dispositif qui obture l'objectif et dont le déplacement permet à la lumière d'impressionner la surface sensible pendant la durée voulue. *Les premiers obturateurs étaient manœuvrés à la main.* — *Obturateur moderne, intégré à l'appareil. Obturateur central, focal. Obturateur à guillotine, à volet. Obturateur à rideau.*

D'un geste brusque elle arracha le couvercle, puis, passant derrière le support et le chevalet, vint se mêler à nous pour épier les mouvements de l'appareil. Privée de l'obturateur que la jeune femme tenait toujours dans ses doigts, la plaque apparaissait maintenant à nu, montrant une surface brune, lisse et brillante.
Raymond ROUSSEL, *Impressions d'Afrique*, p. 201.

ⓒ (1973). Techn. Ensemble de vannes placées sur la tête d'un puits en forage, destiné à maîtriser les éruptions.

♦ **4.** Dispositif servant à obturer une ouverture du corps.

ⓐ Opt. Disque opaque que l'on place devant un œil pour l'empêcher de voir.

ⓑ *Obturateur de tympan,* utilisé pour protéger le tympan contre un bruit très intense. ⇒ **Boule** (boule Quies, marque).

Les porteurs avaient posé sur le blessé des feuilles d'emballage afin de le cacher en traversant l'usine. Quand ils lâchèrent les mancherons, ils s'appuyèrent au mur. Ils enlevaient les obturateurs de tympan qui protégeaient leur ouïe aux bancs d'essai.
P. HAMP, *la Peine des hommes* (Moteurs), p. 209.

ⓒ Préservatif féminin. ⇒ **Diaphragme.**

OBTURATION [ɔptyʀasjɔ̃] n. f. — 1611 ; *obturacion*, 1507 (au sens 2) ; bas lat. *obturatio*, du supin de *obturare.*

♦ **1.** Action d'obturer, de boucher. *L'obturation d'un trou, d'un conduit.*

Spécialt. ⓐ Techn. *Obturateur d'une arme à feu*, empêchant toute fuite de gaz à travers la culasse.

ⓑ Chir. Fermeture à l'aide d'un obturateur* d'une ouverture congénitale ou accidentelle qui existe dans une cloison, une paroi (voûte du palais, par exemple).

ⓒ Plus cour. *Obturation dentaire* (radiculaire ou coronaire), au moyen de ciments, résines, amalgames, or. ⇒ **Inlay.**

♦ **2.** État de ce qui est obturé. *Obturation complète d'un conduit.*

OBTURER [ɔptyʀe] v. tr. — 1538, *opturer ;* lat. *obturare.*

♦ Techn. Boucher (une ouverture, un trou) de manière relativement complète. ⇒ **Bloquer, boucher, fermer.** *Obturer une fuite avec du mastic. Obturer des fissures, une fuite* (⇒ **Calfater, colmater...**). *Obturer une ouverture par un dispositif. Obturer un interstice* (⇒ **Combler**), *une lucarne* (⇒ **Condamner**). — *Obturer la cavité d'une dent cariée avec de l'amalgame, du ciment.* ⇒ **Obturation.** — (1840, *in* D. D. L.). Chir. *Obturer une cavité accidentelle du palais.*

▶ **OBTURANT, ANTE** p. prés. et adj. *Plaque obturante.*

▶ **OBTURÉ, ÉE** p. p. adj. *Cavité hermétiquement obturée. Conduit obturé.*

DÉR. **Obturateur.**

OBTUS, USE [ɔpty, yz] adj. — 1363 ; lat. *obtusus* « émoussé », p. p. de *obtundere*, de *tundere* « frapper, battre ».

♦ **1.** Vx ou littér. Qui est émoussé*, qui est de forme arrondie*. *Pointe obtuse. Caractère de ce qui est obtus.* ⇒ **Obtusion.**

Ce pourrait être aussi un poignard, avec son manche séparé par une garde de la forte lame obtuse à deux tranchants.
A. ROBBE-GRILLET, *Dans le labyrinthe*, p. 13.

♦ **2.** (1542). Mod. *Angle* obtus*, plus grand qu'un angle droit.

♦ **3.** (1560). Fig. Vx. Qui manque d'acuité, de finesse. *Sensation obtuse* (→ Arrière-bouche, cit.). *Ouïe obtuse.*

1 Il y a des exercices qui émoussent le sens du toucher et le rendent plus obtus; d'autres, au contraire, l'aiguisent et le rendent plus délicat et plus fin.
ROUSSEAU, Émile, II.
(1580). Mod. Qui manque de pénétration, de finesse, de sensibilité (→ Logique, cit. 5). ⇒ **Bête, borné, bouché** (fam.), **épaissi, lourd.** *L'expression* (cit. 37) *obtuse de son visage.*

2 Les problèmes, réduits au simple, comme de faire quatre avec deux et deux, sont si aisés à résoudre que l'esprit le plus obtus s'en tirerait sans peine, s'il n'était pas empêtré de difficultés imaginaires.
ALAIN, Propos, 28 avr. 1921, Épreuves pour le caractère.
(Personnes). *Je n'ai jamais rencontré quelqu'un d'aussi obtus. Cet élève est complètement obtus.*

CONTR. Aigu, droit (angle). — **Compréhensif, pénétrant.**
DÉR. Obtusément.

OBTUSANGLE [ɔptyzɑ̃gl] adj. — 1671; bas lat. *obtusangulus*, de *obtusus* (→ Obtus, étymologie), et *angulus*.

♦ Géom. *Triangle obtusangle* : triangle dont l'un des angles est obtus.

OBTUSÉMENT [ɔptyzemɑ̃] adv. — 1478, *obtusement*; de *obtus*.

♦ Littér. Sans finesse, sans pénétration. ⇒ **Aveuglément, stupidement.** *« Elle demeurait obtusément convaincue que ma peine était vaine »* (Gide, *in* G. L. L. F.).

OBTUSION [ɔptyzjɔ̃] n. f. — 1605; bas lat. *obtusio*, du lat. *obtusus* → Obtus.
Littéraire.

♦ **1.** (Concret). Rare. État de ce qui est obtus. *L'obtusion d'une lame.*

♦ **2.** (Abstrait). Psychol. Difficulté à comprendre, avec lenteur de l'idéation, due à une déficience mentale ou à un état de confusion* mentale.

OBUS [ɔby] n. m. — 1797; *hocbus*, 1515; *obus* «obusier», 1697; altér. de l'all. *Haubitze*, d'abord *Haubnize*, du tchèque *haufnice* «machine à lancer des pierres, catapulte».

♦ **1.** Projectile creux utilisé par l'artillerie, généralement de forme cylindro-conique, et rempli d'explosif. (⇒ **Arme, artillerie, projectile**). *Les obus ont remplacé les boulets* pleins et les bombes sphériques. Armes lançant des obus.* ⇒ **Canon** (cit. 8); **mortier, obusier.** *Dimension, diamètre, calibre* d'un obus. Obus de 105, de 75* (millimètres). *Obus de gros calibre.* ⇒ **Marmite.** — *Obus explosifs ou brisants*, emplis d'une substance explosive brisante : fulmicoton (cit.), mélinite*, etc. (⇒ **Explosif**). *Obus à balles*, à mitraille* (remplis de balles projetées par une faible charge). ⇒ **Shrapnell.** *Obus incendiaires, asphyxiants; éclairants, traceurs. Obus perforants. Obus de rupture*, utilisé en marine pour percer les blindages. *Obus à charge creuse*, à puissance de rupture augmentée (en particulier *obus antichars*). *Obus atomique. Obus antiaérien* (→ 2. Froid, cit. 9). — *Obus fusants et obus percutants. Obus à retardement.* — *Parties d'un obus.* ⇒ **Cartouche, ceinture** (*supra* cit. 6), **chambre, culot, fusée, ogive, percuteur** (et **concuteur**). *Trajectoire* d'un obus. Éclatement*, explosion* (cit. 3) d'un obus; obus qui éclate* (→ Éteindre, cit. 39; geyser, cit. 3). Trou d'obus; entonnoir fait par un obus. Éclat* d'obus. Obus tombant au hasard* (cit. 32). — *Tirer des obus; tirer à obus.* ⇒ **Tir; pilonner.** *Pluie d'obus.* ⇒ **Bombardement.**

1 Tout à coup, issu du fond de l'espace, un miaulement naît, s'enfle, déchire l'air au-dessus de la baraque, et l'obus crève à quelques pas, avec le bruit d'un objet fêlé qui se casse.
G. DUHAMEL, Récits des temps de guerre, I, Mémorial..., II.

2 Les obus, avec tous leurs noms, avec tous les chiffres magiques et glaçants qui leur servent de noms, avec leurs bruits qui ne se ressemblent pas mais où l'on se perd, avec leurs fumées qui diffèrent aussi comme les champignons vénéneux, avec leurs odeurs qui se mélangent toutes, vous donnaient l'impression qu'ils éclataient en même temps dans les airs, dans la terre, dans l'intérieur de votre ventre.
J. ROMAINS, les Hommes de bonne volonté, t. XVI, XXX, p. 277.

3 Chaque obus soulevait une longue gerbe de terre dans un nuage de fumée; ceux qui tombaient sur le bois déracinaient des arbres entiers et les jetaient dans le taillis, tout droits, intacts, comme de gros bouquets.
R. DORGELÈS, les Croix de bois, III.
Par métaphore. *Crever* (cit. 7), *éclater* (cit. 3) *comme un obus*, soudainement, brutalement. ⇒ **Bombe.**

Homme, femme obus : professionnel du cirque qui se fait projeter à une certaine distance par un mécanisme comparable à un obusier.

♦ **2.** (1963). Techn. Obturateur de la valve d'un pneumatique.
DÉR. Obusier.

OBUSIER [ɔbyzje] n. m. — 1762; de *obus* lorsque ce mot a désigné le projectile et non plus l'arme; cf. encore *obus, haubitz, in* Trévoux, 1771. → Obus.

♦ **1.** Vx. Bouche* à feu destinée à lancer des obus (et non des boulets ou des bombes*).

♦ **2.** Mod. Pièce d'artillerie, sorte de canon* court pouvant exécuter un tir courbe. ⇒ **Mortier.** *Obusier de siège, de gros calibre. Obusier de campagne.*

Le tambour battit, l'obusier tonna, et les messieurs à la file montèrent s'asseoir sur l'estrade (...)
FLAUBERT, Mᵐᵉ Bovary, II, VIII.
REM. Au début du chapitre, Flaubert écrit «une espèce de bombarde devait signaler l'arrivée de M. le préfet».
De mon lit, j'entendais parfois une violente détonation : le fameux obusier qu'on appelait la Bertha, tirait rythmiquement sur Paris.
G. DUHAMEL, la Pesée des âmes, XII.

OBVENIR [ɔbvənir] v. intr. — 1369; lat. *obvenire*, de *venire*.

♦ Dr. Échoir*, revenir (à qqn). *Ce patrimoine doit obvenir à l'héritier principal.* — Au p. p. *Biens obvenus par succession*.

OBVERS [ɔbvɛr] n. m. ou **OBVERSE** [ɔbvɛrs] n. f. — 1808; lat. *obversus*, p. p. de *obvertere*, de *vertere* «tourner».

♦ Techn. (Numism.). ⇒ **Avers.** *L'obvers d'une médaille* (ou, appos., *le côté obverse*).
CONTR. Revers.

OBVERSION [ɔbvɛrsjɔ̃] n. f. — V. 1900; bas lat. *obversio* «action de tourner vers», de *obversum*; → Obvers.

♦ Log. Opération par laquelle on substitue son contradictoire au prédicat d'une proposition.

OBVIE [ɔbvi] adj. — 1889, *in* D.D.L.; lat. *obvius* «qui vient au-devant», de *ob-* et *via* «voie».

♦ Théol. et didact. Qui se présente avec évidence, tout naturellement, à l'esprit. *Sens obvie d'un texte.*

OBVIER [ɔbvje] v. intr. — 1370; «résister à», 1180; lat. *obviare* «aller au-devant», de *ob-* et *viare*, de *via*; → Obvie.

♦ Littér. *Obvier à* : mettre obstacle, parer à (un mal, un danger, un inconvénient). ⇒ **Éviter, parer, prévenir, remédier.** *Obvier à un accident possible en prenant des mesures*, des précautions rigoureuses. Obvier à une situation difficile*, y faire face*.

1 Pour obvier à ces dangers,
Mon mieux est, je crois, de partir.
VILLON, le Lais..., VI.
2 Autrefois les voitures étaient forcées d'entrer et de marcher dans le lit même du torrent, ce qui ne laissait pas d'avoir son danger (...) Pour obvier à cet inconvénient, l'on a percé de part en part un des rochers et pratiqué un tunnel assez long (...)
Th. GAUTIER, Voyage en Espagne, p. 149.
CONTR. Aggraver.

OC [ɔk] particule affirmative. — XIIᵉ; mot occitan «oui»; du lat. *hoc.*

♦ **1.** (Fin XIIIᵉ, d'après *Larousse du xxᵉ siècle*). Vieilli. *Langue d'oc* : occitan*. *Littérature de langue d'oc. Dialectes de langue d'oc. Langue d'oc et langue d'oïl.*

1 Nation en fleur, l'épée trancha ton épanouissement. Clair soleil du Midi, tu dardais trop! et les orages sourdement se formèrent; détrônée, mise nu-pieds, et bâillonnée, la langue d'Oc, fière pourtant comme toujours, s'en alla vivre chez les pâtres (...)
F. MISTRAL, Calendal, IV.

♦ **2.** Par ext. *D'oc* : de langue occitane. ⇒ **Occitan.**

2 C'est que le peuple occitan, fidèle à sa nature religieuse, met toujours la puissance à sa place, derrière la connaissance, et que la puissance ne lui en impose pas, le général de Gaulle, homme de puissance entre tous, approuvé par toute la France sauf la France d'oc, en fournit longtemps une nouvelle preuve.
Raymond ABELLIO, Ma dernière mémoire, t. I, p. 45-46.

OC- préf. ⇒ **Ob-.**

OCARINA [ɔkarina] n. m. — 1877, *in* D.D.L.; ital. *ocarina*, probablt de *oca* «oie», par anal. de forme.

♦ Petit instrument de musique, à vent, en terre cuite ou en métal, de forme ovoïde, percé de trous et muni d'un bec. *Jouer de l'ocarina.*

1 Dans la cave du fond, on faisait un concert. Un caporal jouait de l'ocarina et, accroupis autour de lui, les camarades reprenaient la romance au refrain (...)
R. DORGELÈS, les Croix de bois, VII.
2 Des musiques variées accompagnaient ces différentes activités, et le chant lancinant de multiples transistors était parfois couvert par des chœurs en langues étrangères avec accompagnement de cornemuse, de bugle ou d'ocarina.
R. QUENEAU, les Fleurs bleues, p. 46.

OCCABE [ɔkab] ou **OCCABUS** [ɔkabys] n. m. — 1765, *Encyclopédie*; latin *occabus*, même sens.

♦ Archéol. Collier que portaient les grands prêtres du culte de Cybèle.

(Il) a recueilli les forces du taureau, les a transportées du Vatican, et a consacré l'autel et le bucrâne à ses dépens, sous le sacerdoce de Quintus Sammius Secundus, orné, par les Quindecimvirs, d'un occabe et d'une couronne, auquel le très-saint ordre de Lyon a décerné le sacerdoce perpétuel (...)
STENDHAL, *Mémoires d'un touriste*, I, p. 142.

1. OCCASE [ɔkaz] adj. f. — 1713, *les Mémoires de Trévoux*; du p. p. lat. *occasus* «couché», en parlant du soleil, rac. *cadere*.

♦ Astron. *Amplitude occase :* arc d'horizon compris entre le point où se couche un astre et le couchant vrai.

HOM. 2. Occase.

2. OCCASE [ɔkaz] n. f. — 1841, *in* Esnault; abrév. de *occasion*.

♦ Fam. ⇒ **Occasion** (cit. 14, 14.1 et 15). *C'est une bonne, une sacrée occase.*

— Qu'est-ce que vous voulez? La porte était ouverte, on sait jamais (...) c'était peut-être la bonne occase... J'entre en douce, et le voilà, votre Brignon, la figure toute barbouillée, qui se met à gueuler au secours! ...
H.-G. CLOUZOT et J. FERRY, *Quai des Orfèvres* (scénario), *in* l'Avant-Scène, n° 29.

HOM. 1. Occase.

OCCASION [ɔkazjɔ̃; ɔkazjō] n. f. — 1174; lat. *occasio*, proprt «ce qui échoit», de *occasum*, supin de *occidere*, de *cadere* «tomber», a éliminé l'anc. franç. *ochaison*.

♦ **1.** Circonstance qui vient à propos, qui convient, dans une situation, un état de fait déterminé. *Une occasion inespérée.* ⇒ **Bonheur.** *Profiter de l'occasion.* ⇒ **Aubaine, chance, événement, hasard** (favorable, heureux), **opportunité.** *La présence d'esprit, aptitude* (cit. 4) *à profiter des occasions. Profiter de l'occasion pour...* (→ Indemne, cit. 1; main, cit. 79). *Prendre, saisir l'occasion au bond* (→ Battre* le fer quand il est chaud; saisir la balle* au bond, au vol, à la volée). *«J'ai pris l'occasion de son départ pour l'engager à régler notre affaire»* (Académie). *Il a sauté sur l'occasion* (fam.). *Manquer* une occasion.* ⇒ **Manquer** (le coche*; louper la commande*) (fam.). *Une occasion manquée* (cit. 83) *se retrouve. Il ne manquait pas une occasion d'affirmer que...* (→ Espéranto, cit.). *Ne laissez pas échapper*, passer cette occasion. Il ne perdait* jamais une occasion de dire une méchanceté* (cit. 6), *de se venger* (→ Bassesse, cit. 10). — Par plais. *Vous avez perdu une belle occasion de vous taire! :* vous auriez mieux fait de vous taire! — *Négliger une occasion offerte* (→ Mollesse, cit. 4). *Attendre, guetter* (cit. 7) *l'occasion.* ⇒ **Moment** (→ Filoutage, cit. 2). *Chercher l'occasion de se justifier* (→ Mener, cit. 15). *Trouver l'occasion de parler à qqn* (→ Honteux, cit. 11), *de rendre service* (→ Insinuer, cit. 12). ⇒ **Possibilité.** *J'en ai eu l'occasion. J'ai eu beaucoup d'occasions de ce genre* (cit. 34). *Elle n'avait pas eu l'occasion de lire un journal depuis huit jours* (→ Événement, cit. 13). *Occasion qui s'offre* (→ Beau, cit. 59), *se présente* (→ Avoir, cit. 7). *L'occasion de s'enrichir.* ⇒ **Filon.** *Quand l'occasion se présentera* (→ Quand il sera temps*). *Donner, fournir à qqn l'occasion de... Je vous donne l'occasion de le rencontrer.* ⇒ **Facilité.** *Le hasard leur fournit une occasion de se parler* (→ Entremetteur, cit. 5), *l'occasion d'un entretien* (→ Indiquer, cit. 9). *«La faim* (cit. 2), *l'occasion, l'herbe tendre...»* (La Fontaine). — Prov. *L'occasion fait le larron*.*

1 (...) — Eh bien! l'occasion?
— Elle fait le menteur, ainsi que le larron.
CORNEILLE, *la Suite du Menteur*, IV, 8.

2 (...) il cherchera toutes les occasions (...)
De vous faire connaître (...)
Qu'il est tout à votre service (...)   MOLIÈRE, *le Malade imaginaire*, II, 5.

3 Dans les grandes affaires, on doit moins s'appliquer à faire naître des occasions, qu'à profiter de celles qui se présentent.   LA ROCHEFOUCAULD, *Maximes*, 453.

4 Elle a su vous écouter, elle vous a procuré l'occasion d'être spirituel, et j'en appelle à votre modestie, ces moments-là sont rares.
BALZAC, *Autre étude de femme*, Pl., t. III, p. 230.

5 De pareils calculs ne sont pas rares, et réussissent assez souvent. L'occasion, depuis que le monde existe, étant, de toutes les tentations, la plus forte. Qui peut dire ce qu'ont fait naître d'événements heureux ou malheureux, d'amours, de querelles, de joies, ou de désespoirs, deux portes voisines, un escalier secret, un corridor, un carreau cassé?   A. DE MUSSET, *Contes*, «Mimi Pinson», II.

6 *(Il)* ne négligeait cependant aucune occasion de leur faire entendre de grandes et utiles vérités.
FRANCE, *la Rôtisserie de la reine Pédauque*, Œ., t. VIII, XIX, p. 238.

7 Après tout, c'est une partie à jouer (...) et peut-être une belle occasion à saisir!
MARTIN DU GARD, *les Thibault*, t. VII, p. 89.

8 (...) je dois profiter de l'occasion véritablement exceptionnelle qui nous est offerte aujourd'hui (...)   G. DUHAMEL, *Chronique des Pasquier*, III, I.

9 Comme il était très vaniteux, et grand admirateur du sexe, les occasions qu'il avait ainsi de parader au milieu de gens fort titrés et de jolies femmes lui procuraient les plus vives jouissances.
J. ROMAINS, *les Hommes de bonne volonté*, t. III, XI, p. 146.

Myth. *L'Occasion :* divinité représentée sous les traits d'une femme «chauve par derrière avec une longue tresse de cheveux par-devant, un pied en l'air, et l'autre sur une roue, tenant un rasoir d'une main et de l'autre une voile tendue au vent» (Littré). D'où les expressions : *saisir l'occasion aux cheveux* ; l'occasion est chauve** (cit. 6).

L'Inspiration, c'est l'Occasion du Génie. Elle court non pas sur un rasoir, elle est dans les airs et s'envole avec la défiance des corbeaux, elle n'a pas d'écharpe par où le poète la puisse prendre, sa chevelure est une flamme, elle se sauve comme ces beaux flamants blancs et roses, le désespoir des chasseurs.   10
BALZAC, *la Cousine Bette*, Pl., t. VI, p. 318.

Parfois l'Occasion vous contraint à la saisir en vous présentant sa mèche de cheveux devant la main, et de façon si opportune, que ce serait sottise pure de ne pas s'y accrocher à pleins doigts; car, lâchée, elle ne revient point.   11
Th. GAUTIER, *le Capitaine Fracasse*, VI.

(XIXᵉ). Loc. adv. **À L'OCCASION :** quand l'occasion, si l'occasion se présente. ⇒ **Échéant** (le cas échéant), **éventuellement.** *Nous en reparlerons à l'occasion. Il sait se montrer âpre* (cit. 17) *et dur à l'occasion. Le jongleur* (cit. 2) *était musicien, marchand à l'occasion. Ils y assistent à l'occasion* (→ Dispute, cit. 5). *À l'occasion, on n'est pas fâché* (cit. 17) *de se détendre.* — REM. *À l'occasion* s'emploie aussi aux sens 3 et 4 (→ À l'occasion de...).

(1694). *À la première occasion :* dès que l'occasion se présente, aussitôt que possible. *À la première occasion, il nous quittera. À la première occasion, le flot renverse les digues* (cit. 3). → aussi Contrefaire, cit. 10.

À toute occasion : chaque fois que l'occasion se présente (→ Idéologue, cit. 4). *Il venait à toute occasion me déranger* (cf. fam. *Pour un oui ou pour un non*).

(XVIIᵉ). Vx. *D'occasion :* à l'occasion.

♦ **2.** (XIXᵉ). **a** Marché (cit. 9) avantageux pour l'acheteur. *Soldes et occasions exceptionnels.* — Par ext. L'objet de ce marché. *Montrer une occasion à un client.* — N.B. Cet emploi a vieilli; *occasion*, n. f., se comprendrait comme «objet acheté d'occasion» (ci-dessous).

Dans le métier de *chineur* (tel est le nom des chercheurs d'occasions, du verbe *chiner*, aller à la recherche des occasions et conclure de bons marchés avec des détenteurs ignorants), dans ce métier, la difficulté consiste à pouvoir s'introduire dans les maisons.   BALZAC, *le Cousin Pons*, Pl., t. VI, p. 617 !   12

(...) — tu n'avais à prendre que six chemises et une paire de bottines? — Oh ! mon ami, des occasions uniques ! (...) Une petite soie à rayures délicieuse ! un chapeau d'un goût, un rêve ! des jupons tout faits, avec des volants brodés ! Et tout ça pour rien, j'aurais payé le double au Havre (...)   ZOLA, *la Bête humaine*, I.   13

b D'OCCASION. Loc. adv. et adj. (Vx). Se dit «d'objets que l'on achète à bon marché soit parce qu'ils ont déjà servi, soit parce que le marchand veut s'en défaire» (Littré). → En solde*.
Mod. Se dit d'objets mobiliers qui ne sont pas neufs, sont de seconde main (à l'exclusion des objets d'art et des pièces de collection). *Acheter d'occasion à un particulier, à un revendeur*, à un brocanteur. Marchandise d'occasion. J'ai eu ces livres d'occasion chez un bouquiniste. Voitures d'occasion.* — N. *Marchand qui fait le neuf* et l'occasion.*

c Objet acheté d'occasion. *Ma voiture, c'est une occasion, mais elle est en excellent état.*

d Franç. d'Afrique. Possibilité de transport gratuit ou à prix réduit. — Par métonymie. Véhicule de transport en commun; taxi de brousse.

e (Aux sens 1 et 2). *Occase*, par abrév. Fam. (1849). *Une bonne occase. Quelle occase! Achète donc sa voiture : c'est une occase !*

À propos du voyage d'Italie, crois-moi, *reviens dessus souvent*, si tu veux qu'il ne rate (...) C'est une occase (style Breda Street) que tu ne retrouveras jamais, mon bon. Il sera trop tard, plus tard.   14
FLAUBERT, *Correspondance*, 473, 24 mai 1855.

V'là mon affaire! exultait Ribouldingue. La guimbarde et l'canasson sont un placement facile, c'est une occase tout c'qu'y a d'plus rupin et qui m'rapportera au moins 4 livres et quelques couronnes !   14.1
L. FORTON, *les Aventures des Pieds-Nickelés*, *in* l'Épatant, 1909, p. 73.

Ah! malheur, pendant la première partie de la campagne, ce que j'en ai laissé perdre des occases !   H. BARBUSSE, *le Feu*, I, II.   15

♦ **3.** OCCASION DE... : circonstance qui détermine à (faire qqch.), qui est favorable à la naissance de (qqch.). *Il m'a donné des occasions de le haïr.* ⇒ **Motif, raison, sujet.** *Des occasions de jalousie, de dispute.* ⇒ **Cause.** *Je n'aurai aucune occasion de le mettre en doute.* ⇒ **1. Lieu** (→ Évidemment, cit. 1). *Être l'occasion de :* provoquer, donner* lieu à. *Ce sera l'occasion de gros frais.* ⇒ **Occasionner.** *Fête* (cit. 1) *qui est une occasion de réjouissance. Ce fut l'occasion de décréter la loi martiale* (cit. 2). *Voyage qui est l'occasion d'intéressantes observations.* ⇒ **Champ.** *Ouvrage qui donne l'occasion de critiques malveillantes.* ⇒ **Matière** (→ Prêter* à...). — *Servir d'occasion.* ⇒ **Prétexte.** *Toutes les occasions lui sont bonnes pour s'amuser.*

Toute mort est l'occasion d'un renouveau : du cadavre sortent des fleurs violentes.   16
MONTHERLANT, *le Démon du bien*, p. 74.

Relig. *Occasion prochaine de péché*, qui porte immédiatement au péché. — Fig. *La finesse est l'occasion prochaine de la fourberie* (cit. 3).

(1553). *À l'occasion de :* l'occasion en étant fournie par. *Spectacle offert à l'occasion du triomphe de César.* ⇒ **Pour** (→ Amphithéâtre, cit. 1). *Bal costumé à l'occasion de la Mi-Carême* (cit.). *Dépenses faites à l'occasion d'un procès* (→ 2. Frais, cit. 16). *La mort peut survenir à l'occasion d'un mouvement insignifiant* (→ Filiforme, cit.). *Le divorce* (cit. 1, Montesquieu) *se fait à l'occasion d'une incompatibilité mutuelle.*

♦ **4.** Circonstance*, moment et situation. *Il y a des occasions où un enfant irrespectueux peut être excusé.* ⇒ **Cas.**

17   Saint Augustin : la raison ne se soumettrait jamais, si elle ne jugeait qu'il y a des occasions où elle doit se soumettre.   PASCAL, Pensées, IV, p. 270.

18   L'homme (...) se comporte
En mille occasions comme les animaux (...)   LA FONTAINE, Fables, X, 14.

(Après *dans*, ou *en...*). *Il est permis de tromper dans une occasion où il y aurait de la dureté à être sincère* (→ Fiction, cit. 2). *Dans combien d'occasions le mensonge* (cit. 8) *ne devient-il pas une vertu ! Dans quelque occasion que ce soit* (→ Dénaturer, cit. 10). *En cette occasion.* ⇒ **Occurrence** (en l'occurrence). *En ces occasions* (→ 1. Bien, cit. 120). *En pareille, en semblable occasion...* ⇒ **Conjoncture, rencontre** (→ 1. Dire, cit. 74; fiasco, cit. 2). *La fermeté requise en telle occasion* (→ Indisciplinable, cit. 1). *En toute occasion* (→ Apparence, cit. 11; limiter, cit. 4).

19   Vous m'avez (...) prêté de l'argent en plusieurs occasions (...)
    MOLIÈRE, le Bourgeois gentilhomme, III, 4.

(1606). **PAR OCCASION** : par un concours de circonstances, par hasard (→ Érailler, cit. 3). *Si, par occasion, vous allez à Paris, ne manquez pas de venir nous voir.* ⇒ **Aventure** (d'). *Il n'est ainsi que par occasion.* ⇒ **Accident; accidentellement.**

20   Ce n'est que par occasion que les rois ont des ennemis à vaincre; c'est par institution qu'ils ont des sujets à gouverner.   FLÉCHIER, Oraison funèbre de Lamoignon, *in* LITTRÉ.

21   Même quand j'enviais la grosse tranquillité du voisin, je savais que ma tragédie me dépassait dans tous les sens, que le voisin n'y échappait que par occasion, et non par nature.   J. ROMAINS, les Hommes de bonne volonté, t. IV, VII, p. 61.

(1553). **À L'OCCASION DE** : lors de. *Je l'ai vu à l'occasion du mariage de sa sœur. — À l'occasion. Je n'ai pas le temps aujourd'hui, mais je passerai à l'occasion,* un de ces jours.

22   (...) c'est même à l'occasion de cette visite que nous décidâmes d'aller ensemble taper notre ancien patron.   CÉLINE, Voyage au bout de la nuit, p. 100.

Vx. (1676, Mme de Sévigné : *dans les occasions*). *Les occasions :* les circonstances importantes.

23   Les occasions nous font connaître aux autres, et encore plus à nous-mêmes.
    LA ROCHEFOUCAULD, Maximes, 345.

24   Ils ont une fierté naturelle, qu'ils retrouvent dans les occasions (...)
    LA BRUYÈRE, les Caractères, IX, 43.

Mod. (Qualifié). *Dans les occasions exceptionnelles, dans certaines occasions.* — Loc. *Les grandes occasions. Cheminée où l'on ne fait du feu que dans les grandes occasions* (→ Foyer, cit. 2).

25   Au Japon, les belles robes claires, nuancées en nuages, brodées de chimères d'argent ou d'or, sont réservées pour les grandes dames dans leur intérieur, en certaines occasions d'apparat; — ou alors pour le théâtre, pour les danseuses, pour les filles.   LOTI, Mme Chrysanthème, XXXIX.

D'OCCASION : qui n'est quelque chose, qui n'existe que par occasion, accidentellement (généralt péj.). *Un sport d'occasion. Un héroïsme d'occasion.*

(1721, Montesquieu). Vx. **EN OCCASION DE.** ⇒ **Situation** (en).

♦ **5.** (1674, Malebranche). Philos. (Vx). Cause occasionnelle.

DÉR. Occasionnel, occasionner.

OCCASIONNALISME [ɔkazjɔnalism] n. m. — 1845; de *occasionnel.*

♦ Philos. Théorie de Malebranche, d'après laquelle il n'y a, dans le monde des créatures, que des causes occasionnelles.

OCCASIONNALISTE [ɔkazjɔnalist] adj. et n. — 1859; de *occasionnel.*

♦ Philos. Adj. De l'occasionnalisme. — N. Partisan de l'occasionnalisme.

OCCASIONNEL, ELLE [ɔkazjɔnɛl] adj. — 1674, Malebranche; de *occasion.*

♦ **1.** Rare. Qui est l'occasion de..., sert d'occasion. *Causes occasionnelles.* — Philos. (Chez Malebranche, par oppos. à *cause efficace*). Cause qui « ne suppose dans les objets mêmes aucune liaison intrinsèque faisant le rapport entre l'effet et la cause » (Lalande). ⇒ **Occasionnalisme.**

♦ **2.** (1836). Cour. Qui se produit, se rencontre par occasion, par hasard. ⇒ **Contingent, fortuit.** *Pluies occasionnelles du Sahara* (→ Chott, cit.). *Un congé occasionnel.* ⇒ **Exceptionnel.** *C'est tout à fait occasionnel.* — (Personnes). *Un interlocuteur occasionnel* (→ Former, cit. 19).

CONTR. Essentiel, habituel.
DÉR. Occasionnalisme, occasionnaliste, occasionnellement.

OCCASIONNELLEMENT [ɔkazjɔnɛlmã] adv. — 1546; *occasionaument,* 1306; de *occasionnel.*

♦ D'une manière occasionnelle (et non habituelle). ⇒ **Accidentellement.** *Je ne vais à Paris qu'occasionnellement. Les jurés* (cit. 1),

citoyens qui remplissent occasionnellement des fonctions judiciaires. ⇒ **Exceptionnellement.**

CONTR. Habituellement, régulièrement.

OCCASIONNER [ɔkazjɔne] v. tr. — 1596; « chercher querelle », 1305; de *occasion.*

♦ Être, fournir, donner l'occasion (3.) de... ⇒ **Amener, attirer, cause** (être cause de), **causer, créer, déterminer, engendrer, entraîner, faire, lieu** (donner lieu à), **procurer, produire, provoquer, susciter.** Vx. *Occasionner une joie, un plaisir, qqch. d'agréable.*

Un enfant qui naît, occasionne la joie domestique et publique : c'est un accroissement de fortune pour la cabane, et de force pour la nation; ce sont des bras et des mains de plus dans Taïti; nous voyons en lui un agriculteur, un pêcheur, un chasseur, un soldat, un époux, un père.
    DIDEROT, Suppl. au voyage de Bougainville, III.

Mod. (Admin. ou style soutenu). *Occasionner un malheur, qqch. de fâcheux. Occasionner de la fatigue, de la peine à qqn. Ceux qui auront occasionné la mort ou la blessure des animaux...* (→ Divagation, cit. 1). *De bons locataires* (cit. 3) *qui n'occasionnent pas de scandale. Occasionner un retard* (→ Envoyer, cit. 3). *Blessure d'une artériole* (cit.) *qui occasionne une perte de sang* (cf. Avoir pour conséquence).

Ouvrez-nous, braves gens, encore une fois; nous ne vous occasionnerons pas de dépenses.   G. SAND, la Mare au Diable, Appendice, II.

▶ **OCCASIONNÉ, ÉE** p. p. *Dépenses, frais occasionnés par un procès.*

CONTR. Épargner, éviter.

OCCIDENT [ɔksidã] n. m. — V. 1112; lat. *occidens, sol occidens* « soleil tombant », de *occidere* « tomber ».

♦ **1.** Littér. Un des quatre points cardinaux; côté de l'horizon, point du ciel où le soleil se couche. ⇒ **Couchant, ouest, ponant** (vx). *À l'occident* (→ Épandre, cit. 9). *Vers l'occident :* dans la direction du soleil couchant.

Il *(Apollon)* se lève à l'aube, à l'Orient, sort de la nuit pour monter sur son char et, emporté par ses chevaux dans un rayonnement, traverse le ciel jusqu'au soir où il disparaît dans une sorte d'incendie à l'Occident.
    Émile HENRIOT, Mythologie légère, p. 50.

♦ **2.** Cour. (Souvent écrit avec une majuscule; opposé à *Orient*). Région située vers l'occident, par rapport à un lieu donné. — Spécialt. Partie de l'ancien monde située à l'ouest. *« Que l'Orient contre elle à l'Occident s'allie »* (Corneille). — (1690). *L'Empire d'Occident :* après la division de l'Empire romain, partie de l'empire qui avait Rome pour capitale. — (1690). *L'Église d'Occident :* l'Église latine (par oppos. à *l'Église orthodoxe*). Ensemble des pays d'Europe et d'Amérique du Nord (opposé à *Orient :* pays arabes et Asie). *Les cultures, les régimes politiques, les systèmes philosophiques de l'Occident.*

♦ **3.** Polit. L'Europe de l'Ouest, les États-Unis et, plus généralement, les membres de l'Organisation du Traité de l'Atlantique Nord *(O. T. A. N.). La défense de l'Occident.* ⇒ **Ouest** (opposé à *Est; pays de l'Est*).

CONTR. Orient. — Est, levant.
DÉR. Occidental.
HOM. Oxydant.

OCCIDENTAL, ALE, AUX [ɔksidãtal, o] adj. et n. — 1530; *occidentel,* 1314; lat. *occidentalis,* de *occidens* → Occident.

♦ **1.** Qui est à l'ouest. *Côte occidentale d'un pays. Partie occidentale d'une ville* (→ Étager, cit. 2). *Europe occidentale* (→ Celtique, cit.; homme, cit. 91). — Anciennt. *Afrique-occidentale française* (A.-O. F.). Cf. Afrique de l'Ouest.
Anciennt. *Les Indes occidentales :* l'Amérique.

♦ **2.** Qui se rapporte à l'Occident (2.), à l'Ouest de l'ancien monde ou à l'Europe et à l'Amérique du Nord. *Le monde occidental. Sociétés occidentales* (→ Carence, cit. 2). *Culture et civilisation occidentales* (→ Européen, cit. 2; garant, cit. 7). *Notre culture occidentale et chrétienne* (→ Histoire, cit. 9). *La cuisine occidentale.*
N. (1746, *in* D. D. L.). *Les Orientaux et les Occidentaux.*

(...) un théâtre qui soumet la mise en scène et la réalisation, c'est-à-dire tout ce qu'il y a en lui de spécifiquement théâtral, au texte, est un théâtre d'idiot, de fou, d'inverti, de grammairien, d'épicier, d'anti-poète et de positiviste, c'est-à-dire d'Occidental.   A. ARTAUD, le Théâtre et son double,
    « La mise en scène et la métaphysique », Idées/Gall., p. 59.

♦ **3.** Polit. Qui concerne les pays de l'Occident (3.). *Les puissances occidentales. Politique occidentale. Alliance occidentale.* ⇒ **Atlantique.** — N. *Relations des Occidentaux et des pays de l'Est.*

♦ **4.** (1723). Techn., vx. *Gemme, perle occidentale,* de moindre valeur (opposé à *oriental;* ⇒ **Orient**).

CONTR. Oriental.
DÉR. Occidentaliser, occidentalisme, occidentaliste, occidentalité.

OCCIDENTALISATION [ɔksidãtalizɑsjɔ̃] n. f. — XXᵉ (1948, *in* D. D. L.); de *occidentaliser*.

♦ Fait d'occidentaliser ou de s'occidentaliser.

Pour la Chine, l'adoption du marxisme implique celle de l'*Organon* et, à la longue, une occidentalisation de sa mentalité.
Gaston BOUTHOUL, Sociologie de la politique, p. 46.

OCCIDENTALISER [ɔksidãtalize] v. tr. — 1877; de *occidental*.

♦ Modifier conformément aux habitudes de l'Occident. *Occidentaliser les coutumes, les mœurs d'un pays.* — V. pron. *S'occidentaliser. Le Japon s'est occidentalisé.*

1 La plupart d'entre eux, du reste (...) condamnent sévèrement la paresse et la saleté des émigrés de Galicie ou d'Ukraine, dont l'accoutrement et les habitudes font, à leur sentiment, un tort considérable au Peuple Élu. Rue des Rosiers, la règle est de *s'occidentaliser* un peu chaque jour.
Léon-Paul FARGUE, le Piéton de Paris, p. 103.

▶ **OCCIDENTALISÉ, ÉE** p. p. adj.

2 (...) ce semblant de ménage à l'européenne, installé depuis une génération dans nos demeures occidentalisées, là où régnaient jadis les divans de satin et les odalisques, représente déjà un progrès qui nous flatte (...)
LOTI, les Désenchantées, p. 79

DÉR. Occidentalisation.

OCCIDENTALISME [ɔksidãtalism] n. m. — 1907, Péguy, *in* D. D. L.; de *occidental*.

♦ Didact. Désir de s'occidentaliser, tendance à emprunter les modèles sociaux et économiques de l'Occident. *Islamisme intégriste, farouchement opposé à l'occidentalisme.*

OCCIDENTALISTE [ɔksidãtalist] adj. et n. — 1927, Thérive, *in* D. D. L.; de *occidental*.

♦ Didact. Partisan de l'occidentalisme.

OCCIDENTALITÉ [ɔksidãtalite] n. f — 1951, Gide; «coucher (d'un astre)», XVIᵉ; de *occidental*.

♦ Didact. Caractère occidental.

OCCIPITAL, ALE, AUX [ɔksipital, o] adj. — Av. 1478; lat. médiéval *occipitalis*, de *occiput*. → Occiput.

♦ Anat. Qui appartient à l'occiput. *Muscles occipitaux.* — (1565). *Os occipital*, ou, n. m. (1765), *l'occipital* : os qui forme la partie inférieure et postérieure du crâne. *Trou occipital :* large ouverture de la partie inférieure médiane de l'*os occipital*, faisant communiquer la cavité crânienne avec le canal rachidien et donnant passage à la partie inférieure du bulbe et aux artères vertébrales. *Bord antérieur du trou occipital.* ⇒ **Basion**. *Protubérance occipitale.* ⇒ **Inion**. *Fosses occipitales supérieures* (ou *cérébrales*), *inférieures* (ou *cérébelleuses*).

Le lien fondamental entre le crâne et la charpente posturale est, on s'en souvient, le *basion*, bord antérieur du trou occipital. Situé en arrière du crâne chez les Théromorphes et tous les Vertébrés inférieurs, le trou occipital est, chez les singes, ouvert obliquement vers le bas. Cette disposition est la conséquence directe du comportement postural auquel correspond une colonne vertébrale apte à se conformer aux deux stations quadrupède et assise.
A. LEROI-GOURHAN, le Geste et la Parole, t. I, p. 84.

COMP. Sous-occipital.

OCCIPITO- (1752, Trévoux). Élément, tiré du lat. *occiput*, et servant à former des mots d'anatomie.

OCCIPITO-FRONTAL, ALE, AUX [ɔksipitofʀɔ̃tal, o] adj. — Fin XVIIIᵉ; de *occipito-*, et *frontal*.

♦ Anat. *Muscle occipito-frontal*, ou, n. m., *occipito-frontal* : muscle formé d'une partie frontale et d'une partie occipitale, qui recouvre la voûte crânienne. *Région occipito-frontale.*

OCCIPITO-MENTONNIER, IÈRE [ɔksipitomãtɔnje, jɛʀ] adj. — 1833, *in* D. D. L.; de *occipito-*, et *mentonnier*.

♦ Didact. Qui concerne la distance entre l'occiput et le menton. *Diamètre occipito-mentonnier. Mesures occipito-mentonnières.*

OCCIPUT [ɔksipyt] n. m. — 1372; lat. *occiput*, de *ob*, et *caput* «tête».

♦ Didact. ou plais. Partie postérieure et inférieure médiane de la tête. *Il a reçu un grand coup sur l'occiput.*

Sa tête quasi-chauve eût effrayé les connaisseurs par un occiput en dos d'âne, indice d'une volonté despotique. BALZAC, les Paysans, Pl., t. VIII, p. 208.

2 (...) sa toque de velours marron, prétentieusement posée sur le côté droit, où retom-

baient les bouts de trois mèches blondes qui, prises à l'occiput, contournaient son crâne chauve. FLAUBERT, Mᵐᵉ Bovary, III, VII.

OCCIRE [ɔksiʀ] v. tr. — V. 1165; *ocire*, 1080; *aucidre*, v. 980; lat. pop. **aucidere*, lat. class. *occidere*, de *ob* et *cædere*.

♦ **1.** Vx. Tuer*. «*Quoique fûmes occis par justice...*» (Villon, → Frère, cit. 17). «*Par la cruelle guerre* (cit. 2)... *les vieillards sont occis*» (Ronsard).

♦ **2.** Mod., plais. *Amadis de Grèce occit un grand lion* (→ Aventure, cit. 20). «*J'ai occis une mouche, un moustique*» (Académie). «*Mais pourquoi qu't'as occis le mataf?*» (Genet).

REM. Pratiquement, ce verbe est défectif. On ne l'emploie qu'à l'infinitif, au prés. de l'indic. et au p. p. (temps composés).

OCCISEUR [ɔksizœʀ] n. m. — V. 1190, *ociseür*; *occisur*, v. 1138; lat. *occīsor*, de *occīsum*, supin de *occidere*. → Occire.

♦ Vx. (Fam., style burlesque). Meurtrier, tueur. «*Faisons l'olibrius, l'occiseur d'innocents*» (Molière).

OCCISION [ɔksizjɔ̃] n. f. — V. 1155, *ocision*; *ocisiun*, 1080, *Chanson de Roland*; lat. *occīsio*, de *occīsum*, supin de *occidere*. → Occire.

♦ Vx. (Fam., style burlesque). Massacre. *Faire occision de... :* massacrer.

OCCITAN, ANE [ɔksitã, an] adj. et n. m. — XXᵉ; lat. médiéval *(lingua) occitana*, latinisation de *(langue) d'oc*; cf. Occitanique, 1803, Fabre d'Olivet, et *Occitanien**, 1839.

♦ **1.** N. m. Langue romane du groupe gallo-roman, parlée dans la partie sud de la France (de l'estuaire de la Gironde au nord de Briançon, en englobant le Limousin et l'Auvergne, et en exceptant les aires basque et catalane), dans le Val d'Aran et dans quelques vallées alpines du Piémont. ⇒ **Oc** (langue d'). *Les dialectes de l'occitan sont principalement le nord-occitan* (*limousin, auvergnat, provençal alpin*), *l'occitan moyen* (*languedocien, provençal*) *et le gascon. L'occitan, le franco-provençal et les dialectes d'oïl (dont le français).*

REM. Le renouveau littéraire de la langue d'oc au XIXᵉ s., sous l'influence de F. Mistral et des félibres, l'a fait nommer jusqu'à une date récente *provençal*. Le développement de la conscience régionaliste depuis le milieu du XXᵉ siècle a contribué à répandre *occitan*. Cependant, le régionalisme occitan s'étant plus fortement développé dans le Sud-Ouest de la France, c'est souvent à cette région seule qu'est appliqué le mot.

♦ **2.** Adj. Relatif à l'occitan, aux dialectes d'oc. *Littérature occitane. Poète, chanteur occitan.* — *Études occitanes.* ⇒ **Occitanien.**

Relatif à l'Occitanie. — N. *Un Occitan, une Occitane. Les Occitans.*

À quinze ans elle avait été enfermée dans un collège de bonnes sœurs dont la principale mission était de débarrasser les petites occitanes de leur accent en leur apprenant à parler pointu. Cécil SAINT-LAURENT, la Mutante, p. 223.

OCCITANIEN, ENNE [ɔksitanjɛ̃, ɛn] adj. — 1839; de *Occitanie* → Occitan.

Didactique.

♦ **1.** Originaire d'Occitanie. — Qui concerne l'Occitanie. — N. *Un Occitanien, une Occitanienne.*

1 Lorsque Guillaume de Nogaret, occitanien et patarin de vieille souche, se mettait au service de Philippe le Bel et allait souffleter le pape Boniface VIII à Anagni, c'était le catharisme tout entier, devenu souterrain, qui, par ce geste extraordinaire, signifiait à l'histoire sa présence capitale, et le pape en mourait.
Raymond ABELLIO, Ma dernière mémoire, t. I, p. 42.

Allus. littér. *L'Occitanienne*, nom donné par Chateaubriand à Léontine de Villeneuve.

2 Voilà qu'en poétisant je rencontrai une jeune femme assise au bord du gave; elle se leva sans bruit à moi : elle savait, par la rumeur du hameau, que j'étais à Cauterets. Il se trouva que l'inconnue était une Occitanienne qui m'écrivait depuis deux ans sans que je l'eusse jamais vue (...)
CHATEAUBRIAND, Mémoires d'outre-tombe, t. V, p. 158.

♦ **2.** Relatif à la langue d'oc, à l'occitan.

3 Certes, les citadins les plus instruits sinon les plus riches affectaient toujours de vénérer leur vieil idiome et s'efforçaient de lui restituer sa pureté. Mistral avait lancé ou renforcé la mode des études occitaniennes. Entreprise avec amour, cette œuvre d'érudition ouvrit surtout un refuge à quelques chercheurs fuyant le siècle et entretint dans les hautes couches : professeurs, magistrats ou artistes, un snobisme d'initiés, mais il était assez remarquable qu'une telle langue, dans d'autres bouches, servît avant tout aux échanges avec les inférieurs et se donnât alors le ton d'une assez fausse jovialité.
Raymond ABELLIO, Ma dernière mémoire, t. I, p. 72-73.

OCCITANISME [ɔksitanism] n. m. — V. 1970; de *Occitanie*.

♦ Défense de l'Occitanie, de son territoire, de son originalité.

OCCITANISTE [ɔksitanist] adj. et n. — V. 1970 ; de *Occitanie*.

♦ Partisan de l'occitanisme. *« Militants occitanistes »* (*le Monde*, 15 mars 1977). *« Cinq jeunes, occitanistes et antimilitaristes »* (*le Nouvel Obs.*, 13 févr. 1978, p. 48).

OCCLURE [ɔklyʀ] v. tr. — Conjug. *conclure*, p. p. *occlus*. — 1858 ; « enfermer », 1440 ; lat. *occludere*, de *ob-* et *claudere*.

♦ Méd. Fermer. *Orifice occlus par une membrane* (→ Hymen, cit. 2).
Chir. Pratiquer l'occlusion de. *Occlure les paupières*. — Au p. p. *Paupières occluses*.
CONTR. Ouvrir.
DÉR. Occlus. — (Du même rad.) **Occlusion, occlusif.**

OCCLUS, USE [ɔkly, yz] adj. — Déb. xxᵉ ; de *occlus*, p. p. de *occlure*.
Didactique.

♦ **1.** (1903, *Rev. gén. des sc.*, nᵒ 5, p. 287). Chim. *Gaz occlus :* gaz absorbé par certains métaux dans l'occlusion* chimique.
Certains modèles d'ampoules comportent un petit tube latéral renfermant des fragments d'une substance riche en gaz occlus (palladium hydrogéné, mica, amiante) ; en faisant éclater des étincelles à l'intérieur de ce tube latéral, on provoque le dégagement d'une petite quantité de gaz occlus.
A. BOUTARIC, les Rayons X, p. 20.

♦ **2.** Météor. *Front occlus :* zone d'une perturbation en voie de comblement, où la masse d'air froid qui suivait le secteur chaud rejoint la masse d'air froid qui le précédait, rejetant le secteur chaud en altitude. Syn. : *occlusion*.

OCCLUSAL, ALE, AUX [ɔklyzal, o] adj. — 1972 ; de *occlusion*.

♦ Didact. Relatif à l'occlusion (3.) dentaire. *Harmonie, dysharmonie occlusale*. — *Face occlusale d'une dent :* face de la dent en contact avec une dent de l'autre mâchoire. Syn. : *triturant*. *« Une denture (...) à émail épais et dont la morphologie occlusale est assez homogène »* [chez les Primates dits *ramapithèques*] (*la Recherche*, oct. 1978, p. 916).

OCCLUSIF, IVE [ɔklyzif, iv] adj. — 1876 ; du lat. *occlusus*, p. p. de *occludere* « fermer ». → Occlure.

♦ **1.** Méd. Vx. Qui ferme. *Bandage occlusif*. — Mod. Qui produit une occlusion.

♦ **2.** (1903). Phonét. *Consonne* occlusive, et, n. f., une occlusive :* consonne dont l'articulation comporte essentiellement une occlusion du canal buccal, suivie d'une ouverture brusque. [p], [t], [k], [b], [d], [g], *sont des occlusives. Occlusive sourde, sonore.*
(...) une voix de très jeune fille, quinze-seize ans sans doute (...) traversait la carapace de bakélite en accents purs, modulés vers l'aigu, avec parfois de doux chuintements graves dans la prononciation des occlusives, surtout des dentales.
J.-M. G. LE CLÉZIO, la Fièvre, p. 80.

OCCLUSION [ɔklyzjɔ̃] n. f. — 1808 ; bas lat. *occlusio* « action de fermer », du supin de *occludere* « fermer ».
Action d'occlure ; état de ce qui est occlus.

♦ **1.** Chir. Opération consistant à rapprocher les bords d'une ouverture naturelle. *Occlusion des paupières d'un œil atteint de kératite.*

♦ **2.** (1812). Cour. Oblitération (d'un conduit, d'un orifice). — Spécialt. *Occlusion intestinale*, déterminant l'arrêt du cours des matières contenues dans l'intestin. ⇒ **Iléus.** Absolt. *L'occlusion peut survenir par suite d'étranglement, de volvulus*, par la présence de calculs biliaires, de corps étrangers.*

♦ **3.** (1868). Didact. Fermeture complète. *Occlusion des paupières. Occlusion du canal buccal dans la prononciation des occlusives* (→ Aperture, cit.).
Spécialt. **[a]** Contact des dentures inférieure et supérieure par le jeu des muscles de la mâchoire. *Occlusion équilibrée, normale. Occlusion bouleversée.* ⇒ **Malocclusion.** *Position des dents lors de l'occlusion.* ⇒ **Articulé** (dentaire), **engrènement** (dentaire). *Plan d'occlusion : « plan formé par la ligne de contact des molaires et du bloc incisif »* (*Dict. odonto-stomatologique*, Suppl. nᵒ 24, févr. 1968). *Relatif à l'occlusion* ⇒ **Occlusal.**
[b] Phonét. Réalisation d'une occlusive.

♦ **4.** (1869, *Année sc. et industr.* 1870, p. 157 ; angl. *occlusion*, Schuster). Techn. Propriété que possèdent certains solides d'absorber les gaz.

♦ **5.** Météor. Front occlus*.
DÉR. Occlusal.
COMP. Occlusodontie, malocclusion.

OCCLUSODONTIE [ɔklyzodɔ̃ti] n. f. — V. 1970 ; de *occlusion*, et *-odontie*.

♦ Didact. Branche de la médecine dentaire qui étudie les anomalies de l'occlusion dentaire.

OCCULTATION [ɔkyltasjɔ̃] n. f. — 1488 ; lat. *occultatio* « action de cacher », de *occultare*. → Occulter.

♦ **1.** Astron. État d'un astre dérobé à la vue ; disparition passagère d'un astre par l'interposition d'un astre apparemment plus grand. *Occultation d'une étoile, du soleil par la lune.* ⇒ **Éclipse.** *Occultation des satellites de Jupiter* (→ Indiscernable, cit. 2). — Par anal. *Occultation d'un satellite artificiel, d'un objet spatial.*

♦ **2.** (Déb. xviᵉ). Vx. **[a]** Fait de masquer, de soustraire à la vue (qqch.). *L'occultation d'un objet par un obstacle.*
[b] (1770, Buffon). Vx. Fait de se cacher (pour un animal).

♦ **3.** (1936). Action d'occulter (une source lumineuse) ; résultat de cette action. — Mar. *Feu à occultations :* feu dont la période comporte plus de lumière que d'obscurité, chaque intervalle d'obscurité ayant la même durée (opposé à *feu à éclats*). *Feu à occultations groupées. Feu à trois occultations plus une.* — *Compter les occultations d'un feu.*
(V. 1973). Techn., milit. Masquage ou interruption de toute lumière en vue d'éviter de signaler sa position à l'ennemi.
Les rideaux, m'sieu-dames ! Sont-ils biens tirés ? L'occultation, m'sieu-dames ! 1
J. DUTOURD, Au bon beurre, p. 85.
J'ai bouché les trous, allumé la lampe ; l'occultation me plongeait dans l'obscurité. 2
Conrad DETREZ, l'Herbe à brûler, p. 136.
Par ext. Masquage des ondes hertziennes (par un obstacle, etc.), empêchant notamment la réception des images télévisées.

♦ **4.** (Abstrait). Fait de rendre obscur, de faire oublier. *L'occultation de ses souvenirs. Occultation d'un phénomène par un autre. « L'occultation de l'histoire d'un peuple est un instrument de domination redoutable »* (J. Ziegler, in *le Nouvel Obs.*, 12 juin 1978).

OCCULTE [ɔkylt] adj. — 1120 ; lat. *occultus* « caché », p. p. de *occulere* « cacher, masquer ».

♦ **1.** Vx. Qui est caché et inconnu par nature. ⇒ **Caché, inconnu, mystérieux, secret** (→ aussi Divin ; surnaturel). *Causes occultes d'un phénomène. Influences occultes. Puissances occultes.*
Toutes ces belles raisons de sympathie, de force magnétique et de vertu occulte, sont si subtiles et délicates qu'elles échappent à mon sens matériel (...) 1
MOLIÈRE, les Amants magnifiques, III, 1.
Les mauvais philosophes qui ne savent point découvrir la cause d'un effet, d'une 2
maladie, disent que cela vient d'une vertu *occulte*, d'une propriété *occulte*, d'une cause *occulte*.
FURETIÈRE, Dict., art. *Occulte*.
Mod. Qui concerne les sciences occultes (ci-dessous, 3.). *Influences, puissances occultes.*
Je ne parlerai pas des puissances occultes, qui se réveillent autour de nous : du 3
magnétisme, de la télépathie, de la lévitation, des propriétés insoupçonnées de la matière radiante et de mille autres phénomènes qui ébranlent les sciences officielles. MAETERLINCK, le Trésor des humbles, II.
N. m. Ce qui est occulte.
C'est juste au moment où le positivisme bat son plein, que le mysticisme s'éveille 4
et que les folies de l'occulte commencent (...) Alors que le matérialisme sévit, la magie se lève (...) vois le déclin du dernier siècle. À côté des rationalistes (...) tu trouves Saint-Germain, Cagliostro, Saint-Martin, Gabalis, Cazotte, les Sociétés des Rose-Croix, les cercles infernaux (...) HUYSMANS, Là-bas, XVIII.

♦ **2.** (1829). Qui se cache, garde le secret ou l'incognito. ⇒ **Clandestin.** *Comptabilité occulte.*
Haugwitz, premier ministre *apparent*, étant chargé de faire à la France figure 5
d'ami cordial, Hardenberg, premier ministre *occulte*, entretiendrait les espérances d'Alexandre.
Louis MADELIN, Hist. du Consulat et de l'Empire, « Vers Empire d'Occident », IX.
— Admettez-vous, Jaurès, que certaines puissances d'argent aient un rôle occulte, 6
et parfois décisif, dans la vie des peuples ? — À coup sûr.
J. ROMAINS, les Hommes de bonne volonté, t. III, XXII, p. 297.

♦ **3.** (1690). *Sciences occultes :* doctrines et pratiques secrètes faisant intervenir des forces qui ne sont reconnues ni par la science ni par la religion, et requérant une initiation (alchimie, astrologie, cartomancie, chiromancie, divination, magie, nécromancie, radiesthésie, télépathie). ⇒ **Occultisme.** *Connaissances, pratiques occultes.* ⇒ **Cabalistique, ésotérique, hermétique, magique.**
Voici les livres des sciences, ou plutôt d'ignorance occulte ; tels sont ceux qui 7
contiennent quelque espèce de diablerie : exécrables selon la plupart des gens, pitoyables selon moi. MONTESQUIEU, Lettres persanes, CXXXV.
Aujourd'hui tant de faits avérés, authentiques, sont issus des sciences occultes, 8
qu'un jour ces sciences seront professées comme on professe la chimie et l'astronomie (...) Une des plus grandes sciences de l'antiquité, le magnétisme animal, est sorti des sciences occultes, comme la chimie est sortie des fourneaux des alchimistes. BALZAC, le Cousin Pons, Pl., t. VI, p. 625-627.
(...) Balzac était très préoccupé de sciences occultes, de chiromancie, de carto- 9
mancie (...) Th. GAUTIER, Portraits contemporains, Balzac, VI.
Dans l'expression « science occulte », l'épithète paraît se rapporter à la fois au 10

caractère *secret* de ces sciences et au caractère *mystérieux* des faits qu'elles ont pour objet.   A. LALANDE, Voc. de la philosophie, art. *Occulte*.

DÉR. Occultement, occultisme, occultiste.

OCCULTEMENT [ɔkyltəmɑ̃] adv. — V. 1155, *ocultement; de occulte.*

♦ Littér. D'une manière occulte, cachée. ⇒ **Secrètement.**

(...) le magistrat fit venir Désiré, lui raconta de point en point le vol commis par son père occultement au préjudice d'Ursule, patemment au préjudice de ses cohéritiers (...)   BALZAC, Ursule Mirouët, Pl., t. III, p. 475.

OCCULTER [ɔkylte] v. tr. — 1324, au sens 2; lat. *occultare,* de *occultus.* → Occulte.

♦ **1.** Astron. Cacher à la vue (une étoile).

♦ **2.** Rare. Soustraire à la vue, cacher.

♦ **3.** a Rendre peu visible (une source lumineuse), en la munissant d'un dispositif (⇒ **Occulteur**) qui en canalise les rayons en un faisceau étroit. *Occulter un feu* (phares), *un signal.*

b Rendre opaque, sombre.

1   J'avais conservé le souvenir d'avenues grises, de nuages gris, de maisons aux briques noires et aux fenêtres enduites d'une couche de poussière si épaisse qu'elle en occultait les rideaux.   Conrad DETREZ, l'Herbe à brûler, p. 220.

♦ **4.** (Abstrait). Cacher, dissimuler, rendre obscur. *Occulter un souvenir. Occulter un fait historique, une évolution.*

2   Les victoires du national-socialisme ont « occulté », ont fait oublier à l'opinion française la puissance ancienne du mouvement ouvrier allemand, l'influence prépondérante qu'il exerça sur la gauche socialiste dans la plupart des pays du monde (...)   Joseph ROVAN, L'Allemagne n'est pas ce que vous croyez, p. 41.

DÉR. Occulteur ou occultateur.

OCCULTEUR [ɔkyltœʀ] ou **OCCULTATEUR** [ɔkyltatœʀ] n. m. — V. 1960; de *occulter.*

♦ Techn. Dispositif utilisé pour dissimuler des lumières, des signaux, afin d'éviter leur repérage.

OCCULTISME [ɔkyltism] n. m. — 1893; attestation isolée, 1845; de *occulte.*

♦ Croyance aux sciences occultes et applications qu'on en fait; ensemble des sciences occultes et plus généralement de toutes les pratiques qui en ont les caractères. ⇒ **Occulte** (sciences); **alchimie, astrologie, astrosophie, cartomancie, chiromancie, divination, ésotérisme, gnose, hermétisme, illuminisme, magie, messe** (noire), **nécromancie, radiesthésie, spiritisme, télépathie, théosophie.** *Évocation d'esprits, de dieux, de démons... Arcanes* de l'occultisme. Les initiés de l'occultisme. Séances d'occultisme. Revue d'occultisme.*

1   Il n'y a pas d'esprit religieux dans tout cela
     Ni dans les superstitions ni dans les prophéties
     Ni dans tout ce que l'on nomme occultisme
     Il y a avant tout une façon d'observer la nature
     Et d'interpréter la nature
     Qui est très légitime   APOLLINAIRE, Calligrammes, p. 39.
2   Laure croyait à l'occultisme, elle avait pris des leçons de grec pour lire les livres sacrés des Égyptiens, elle passait ses journées à inventer des mensonges qu'elle n'essayait pas de faire croire.   P. NIZAN, le Cheval de Troie, I, v.
3   Psychologie et psychanalyse se changent de connaissance clinique et de thérapeutique en idéologie. Ce changement s'observe aisément aux États-Unis. Cette idéologie appelle une compensation, l'occultisme. Il est possible d'étudier méthodiquement les textes d'horoscopes, de répertorier leurs thèmes, en considérant ces textes comme un corpus (un ensemble cohérent et bien défini). On peut donc dégager de l'ensemble des horoscopes un *système* (et par conséquent un sous-système dans notre société).
     Henri LEFEBVRE, la Vie quotidienne dans le monde moderne, p. 160.

OCCULTISTE [ɔkyltist] adj. et n. — 1891, *in* D.D.L.; de *occulte.*

♦ Didact. Qui pratique l'occultisme, est relatif à l'occultisme. *« Toute une corporation de poètes cathares et d'historiens occultistes »* (F. Mallet-Joris, *le Jeu du souterrain,* p. 73).
N. *Un, une occultiste :* une personne qui pratique les sciences occultes, l'occultisme (→ Évoquer, cit. 5; mage, cit. 5).

(...) au fond, parmi les occultistes qui grouillent aujourd'hui dans la décomposition des idées d'un temps, celui-là est le seul qui m'intéresse. Les autres, les mages, les théosophes, les kabbalistes, les spirites, les hermétistes, les Rose-Croix, me font l'effet (...) d'enfants qui jouent et se chamaillent en trébuchant, dans une cave; et si l'on descend plus bas encore, dans les officines des pythonisses, des voyants et des sorciers, que trouve-t-on, sinon des agences de prostitution et de chantage?
                    HUYSMANS, Là-bas, XVII.

OCCUPANT, ANTE [ɔkypɑ̃, ɑ̃t] adj. et n. — 1480; p. prés. de *occuper.*

♦ **1.** a Adj. Dr. Qui occupe un lieu. ⇒ **Occupation** (2.). *La partie occupante.*

b N. Cour. Personne qui habite un lieu, qui y demeure. ⇒ **Habi-**

tant. *L'occupant d'un logement* (→ Infime, cit. 4), *d'une chambre d'hôtel.* ⇒ **Hôte.** *Les occupants d'une île, d'une planète.* ⇒ **Habitant.**
Spécialt. Dr. Ancien locataire ou preneur d'un local d'habitation ou professionnel, à l'expiration du terme du congé qui lui a été signifié. *L'occupant des lieux. — Le premier occupant :* celui qui a pris le premier possession d'un lieu. *Le droit du premier occupant par le travail* (→ Inculquer, cit. 2). *Occupant de bonne foi. Occupant sans droit ni titre.*

1   La dame au nez pointu répondit que la terre
     Était au premier occupant (...)   LA FONTAINE, Fables, VII, 16.

♦ **2.** a Qui occupe militairement un pays, un territoire. *L'armée, l'autorité occupante.*

b N. m. (V. 1940-1944). *Les occupants, l'occupant.*

2   Sur le boulevard Saint-Germain, une fois, une auto militaire s'est renversée sur un colonel allemand. J'ai vu dix Français qui se précipitaient pour le dégager. Ils haïssaient l'occupant, j'en suis sûr (...) Mais quoi? Était-ce un occupant cet homme qui gisait écrasé sous son automobile?   SARTRE, Situations III, p. 21.

♦ **3.** Rare. Qui occupe (activité). ⇒ **Absorbant, prenant.**

3   Pour calmer et arranger les choses, je leur proposai une distraction bien occupante, un concours de pêche au goulot de bouteille.
                    CÉLINE, Voyage au bout de la nuit, p. 432.

OCCUPATION [ɔkypasjɔ̃] n. f. — V. 1160; lat. *occupatio,* du supin de *occupare* → Occuper.

♦ **1.** *(Une, des occupations).* Ce à quoi on consacre son activité, son temps. ⇒ **Affaire, affairement, besogne, emploi** (vx), **engagement** (vx), **loisir**(s), **ouvrage, passe-temps.** *Vie active, bien remplie d'occupations variées. Vie sans occupations, vide. Avoir bien d'autres occupations* (→ Bien d'autres chats* à fouetter). *Renvoyer qqn à ses occupations. Rester plongé dans une occupation* (→ Avoir le nez* sur son travail). *Graves* (→ Jouer, cit. 1), *importantes occupations* (→ Humainement, cit. 1). *Être très tenu par une foule d'occupations. Retenu par ses occupations.* ⇒ **Charge.** *Occupation délicieuse* (→ Farniente, cit. 2), *futile, noble* (→ Lucre, cit. 1). *La grande* (→ Mangerie, cit. 2), *la première* (→ Bibeloter, cit.), *l'unique occupation de qqn* (→ Estime, cit. 17). *Vaquer à ses occupations* (→ Fête, cit. 1 et 2). *Un essaim de menues occupations* (→ Affairement, cit. 2). *Une occupation nouvelle qui l'intéresse par sa nouveauté* (→ Chasse, cit. 1). — Spécialt. ⇒ **Carrière, fonction, métier** (cit. 18), **profession, travail.** *Procurer une occupation à un jeune homme.*

(Mil. XVIIe). Absolt. *L'occupation :* le fait de s'occuper, d'être occupé; l'activité.

1   L'*occupation* occupe, remplit le temps ou le vide de l'existence, fait qu'on ne reste pas inactif; mais elle peut n'avoir rien de sérieux, elle peut consister en jeux, en promenades, en mouvements ou en courses pour les visites, la toilette ou l'amusement (...)   LAFAYE, Dict. des synonymes, Supplément.
2   (...) ils ne recherchent en cela *(la chasse)* qu'une occupation violente et impétueuse qui les détourne de penser à soi (...)   PASCAL, Pensées, II, 139.
3   (...) sa chère existence pleine d'occupations dans le vide et de vide dans les occupations (...)   BALZAC, le Curé de Tours, Pl., t. III, p. 814.
4   Fumer, aller au bain, se peindre les paupières et boire du café, tel est le cercle d'occupations où tourne son existence.
                    FLAUBERT, Correspondance, 378, 27 mars 1853.

(XIVe). Vx. Fait de prendre soin de qqn, de s'en occuper. ⇒ **Préoccupation.** *Sa constante occupation d'elle-même* (→ Homme, cit. 106).

♦ **2.** (1360). Dr. « Mode d'acquisition de la propriété résultant de la prise de possession d'une chose sans maître avec l'intention de se l'approprier » (Capitant). ⇒ **Appropriation, possession.** *L'épave* (cit. 1) *n'est pas une chose sans maître, susceptible d'être acquise par occupation. — Dr. publ. Occupation sur le domaine public :* « Terme générique servant à désigner les installations particulières autorisées sur le domaine public et comprenant à la fois les concessions sur le domaine public et les permissions d'occupation » (Capitant). — Dr. internat. publ. Prise de possession par un État d'un territoire sans maître, à certaines conditions : prise de possession réelle et effective, intention de se comporter en souverain, notification adressée aux autres puissances (*Acte de Berlin,* 1855).

(1690). Cour. Fait d'habiter effectivement, d'occuper* (4.). *Occupation d'un logement.*

♦ **3.** (1515). Action de s'emparer par les armes (d'une place forte [→ Amorce, cit. 6], d'une ville, d'un territoire), de s'y installer en substituant son autorité à celle de l'État envahi. ⇒ **Assujettissement, envahissement.** *L'occupation de la France par l'Allemagne en 1940. — Armée, zone d'occupation.* — Spécialt. Période pendant laquelle la France fut occupée par les Allemands (1940-1944). *Le Paris de l'occupation* (→ Monter, cit. 11). *Pendant l'occupation.*

5   (...) l'occupation de la France fut un immense phénomène social qui intéressa trente-cinq millions d'êtres humains. Comment parler ici d'un nom à tous ? Les petites villes, les grands centres industriels, les campagnes ont connu des sorts différents. Tel village n'a jamais vu d'Allemands, dans tel autre ils ont cantonné pendant quatre ans.   SARTRE, Situations III, p. 17.

Dr. *Occupation de guerre, occupation militaire :* exercice temporaire de la souveraineté sur le territoire d'un autre État, fondé sur la force et la possession de fait. *Occupation pacifique,* en vue de garantir l'exécution d'un traité. *Occupation mixte,* en temps de guerre, mais aux termes d'un accord. — *Occupation de territoire sans maître.*

6 L'*occupatio bellica,* ou occupation militaire d'un territoire appartenant à l'ennemi, se définit sur le plan juridique : la substitution de fait de l'autorité de l'État occupant à celle de l'État occupé mis momentanément hors d'état d'exercer son pouvoir. Cet exercice de la souveraineté *in re aliena* est basé uniquement sur la possession de fait du territoire et régi exclusivement par les normes du droit international, qui distingue *entre invasion et occupation.* L'invasion, fait préparatoire de l'occupation, n'est pas encore l'occupation, laquelle suppose une certaine stabilisation des conditions d'existence (...) D'autre part, le droit international considère l'occupation, moyen de guerre autorisé, comme un simple fait, *n'opérant aucun transfert de souveraineté.*

L. DELBEZ, Manuel de droit international public, p. 311.

♦ **4.** (V. 1936). Fait d'occuper (un lieu), d'y être illégalement installé. *Grève avec occupation des locaux.*

7 Le soulèvement ouvrier de mai-juin 1936 et l'énorme vague des occupations d'usines, la soudaine frénésie d'action des minorités gauchistes, la débâcle du patronat prenant enfin conscience, et parfois avec une stupéfaction non feinte, des conditions misérables dans lesquelles vivaient des millions d'êtres (...) il me faut bien avouer que j'ai vécu tout cela, une fois encore, en automate à peine conscient de l'être, et acceptant d'obéir à courtes vues au courant qui le portait.

Raymond ABELLIO, les Militants, p. 260.

CONTR. Chômage, congé, désœuvrement, inaction, inactivité, oisiveté, retraite, sinécure, trêve, vacance, vide. — Abandon. — Évacuation, libération.

DÉR. Occupationnel.

COMP. Réoccupation, sous-occupation.

OCCUPATIONNEL, ELLE [ɔkypasjɔnɛl] adj. — 1951 ; de *occupation,* 1.

♦ Didact. (Méd.). *Thérapeutique, médecine occupationnelle,* qui utilise l'activité organisée et dirigée du malade (placé sous surveillance médicale). *Portée psychosociale de la thérapeutique occupationnelle.* ⇒ **Sociothérapie.** *Les thérapeutiques occupationnelles* (⇒ **Art-thérapie, ergothérapie, ludothérapie, musicothérapie, théâtrothérapie**) *« ne représentent qu'un maillon dans une chaîne d'activités constituant la psychothérapie institutionnelle »* (B. Aubin, *in* Porot 1975).

La thérapeutique occupationnelle est d'un emploi très général. Elle se déroule dans le cadre d'un établissement hospitalier, s'effectue d'une façon plus ou moins systématisée, et peut changer d'aspect d'une façon considérable.

Guy PALMADE, la Psychothérapie, p. 35.

OCCUPER [ɔkype] v. tr. et pron. — V. 1180, *estre occupé ;* lat. *occupare* « s'emparer de », de *ob-* et *capere* « prendre » → Capter, capture.

★ **I.** V. tr. ♦ **1.** (1314). Prendre possession, s'emparer de (un lieu). *Occuper un sommet* (→ Éminence, cit. 1). *Occuper un lieu par la force.* ⇒ **Approprier** (s'), **saisir.** *En quelques heures, les troupes occuperont Belgrade* (→ Couverture, cit. 3). — Dr. ⇒ **Occupation** (2.).

♦ **2.** Prendre possession de (un lieu) pour une longue durée, s'y installer et l'exploiter. *Occuper le terrain* (⇒ **Tenir**). Absolt. *Le canon conquiert, l'infanterie* (cit. 4) *occupe.* — Spécialt. *Occuper un pays vaincu,* le soumettre à une occupation (3.) militaire. ⇒ **Assujettir, envahir, maître** (se rendre), **tenir.** *Occuper militairement un territoire jusqu'à la signature du traité de paix.* — *Occuper un territoire en vue de le coloniser*.*

1 Le nombre des soldats allemands tient du prodige. Vraiment ils « occupent » la ville.
GIDE, Journal, 12 déc. 1942.

♦ **3.** (V. 1300). Sujet n. de chose. Remplir, couvrir (une certaine étendue d'espace et de temps, ainsi délimitée [cit. 3]). *Occuper plus ou moins de place* (→ Important, cit. 14). *La culture extensive* (cit.) *occupe une large superficie. Son domaine occupe une grande partie de la commune* (⇒ **Embrasser**), *le bord de la rivière* (⇒ **Border**). — Remplir, couvrir une certaine surface dans un lieu déterminé. *La longue desserte* (2. Desserte, cit.) *qui occupait le panneau opposé aux fenêtres.* ⇒ **Garnir.** — *« Ce travail a occupé dix ans de sa vie »* (Littré).

2 Ce sont là les beaux feux, les doux attachements,
Qui doivent de la vie occuper les moments (...)
MOLIÈRE, les Femmes savantes, I, 1.

♦ **4.** (1530). Sujet n. de personne. Se trouver dans (un lieu), remplir (un espace préalablement défini). ⇒ **Habiter.** *La maison que j'occupe* (→ Loger, cit. 10). *Il occupait une partie du couvent et louait l'autre* (→ Feuillantine, cit. ; 2. louer, cit. 3). *J'occupe seul la chambre la plus vaste* (→ Justice, cit. 32). ⇒ **Loger** (dans).

Sujet. n. de chose. *Sa chambre occupe une partie de l'arrière-boutique.*

3 L'étude Beynaud occupait le premier étage d'un bel immeuble de la rue Tronchet.
MARTIN DU GARD, les Thibault, t. VI, p. 242.

Être installé, se tenir dans un lieu pour un temps plus ou moins long (→ Entamer, cit. 14 ; gaillard, cit. 22). *L'orateur a occupé la tribune pendant près d'une heure. Occuper le fauteuil*.* *Les élèves qui occupent cette salle de classe.* ⇒ **Emplir.**

Tenir une place, un rang dans un ensemble ordonné. *Mots dont la fonction grammaticale est déterminée par la place qu'ils occupent* (→ Idéographie, cit.). — Fig. *Occuper une charge, un emploi,*

---

un poste, le premier rang (→ Arriver, cit. 37), *la première place* (→ Épopée, cit. 2). ⇒ **Détenir.**

♦ **5.** OCCUPER (qqn) : être l'objet de l'attention*, de la pensée, du souci, du travail de (qqn) ; absorber son cœur, son esprit. ⇒ **Absorber, captiver.** *« Quoi ! toujours Andromaque occupe votre esprit ? »* (cit. 55, Racine). *La dialectique religieuse m'occupait déjà tout entier* (→ Abstraction, cit. 7). *Mon imagination suffit pour m'occuper* (→ Désœuvrement, cit. 1 ; intrigue, cit. 2).

4 Les vraies afflictions ont leurs délices ; les vraies afflictions n'ennuient jamais, parce qu'elles occupent beaucoup l'âme.
MONTESQUIEU, Cahiers, II, « Sur le bonheur ».

(Compl. n. de personne). OCCUPER (qqn) à... : faire en sorte que qqn travaille à qqch., y consacre son temps et ses forces. *Occuper ses troupes à de nouvelles opérations* (→ 3. Cafard, cit. 2). — Par ext. *Occuper son esprit à la solution d'un problème.* ⇒ **Appliquer.**

Vx. *Occuper (qqn) de...* : faire en sorte que qqn s'intéresse attentivement à qqch., s'en préoccupe. *En occupant les gens de leur propre intérêt, on les empêche* (cit. 10) *de nuire à l'intérêt d'autrui.* — *« J'occupe ma raison d'utiles rêveries »* (→ Errer, cit. 6, Boileau).

OCCUPER (qqn), sans compl. second. → Désœuvrement, cit. 1. *Range ta chambre, ça t'occupera.* — Spécialt. Faire travailler, donner du travail à. *« Notre plaisir occupe l'artisan, le vendeur... »* (→ Luxe, cit. 1, La Fontaine). *Ateliers* (cit. 8) *nationaux pour occuper les chômeurs. Les forges* (cit. 7) *occupaient un grand nombre d'ouvriers. Cette entreprise occupe plus de mille personnes.* ⇒ **Employer.**

5 Mais moi qui occupe douze cents ouvriers, je ne puis pourtant élever les salaires, sans faire faillite (...)
ZOLA, la Terre, IV, v.

(Sujet n. de personne). OCCUPER (une durée) ; OCCUPER (une durée) à (qqch. ; faire qqch.) : employer, consacrer son temps à une activité. *Germain occupait la dernière heure du jour à fermer les brèches* (cit. 1). — *Il ne sait pas occuper ses loisirs.* ⇒ **Meubler.** *Occuper son temps en attendant l'heure.* ⇒ **Passer, tromper, tuer.**

6 (...) elle espérait bien que nous allions revenir et, ses préparatifs terminés, pour occuper ses heures d'attente, elle étudiait un duo de guitare avec Oyouki.
LOTI, Mᵐᵉ Chrysanthème, XXXIV.

♦ **6.** Absolt. Dr. Anc. *Occuper pour qqn :* en parlant d'un avoué, se charger des intérêts d'un client. ⇒ **Postuler.**

7 — Je ne puis pas *occuper* pour le père lorsque je poursuis le fils, lui dit Cachan, mais allez voir Petit-Claud, il est très habile, et il vous servira peut-être encore mieux que je ne le ferais (...) Au Palais, Cachan dit à Petit-Claud : — Je t'ai envoyé le père Séchard, *occupe* pour moi à charge de revanche. Entre avoués, ces sortes de services se rendent en province comme à Paris.
BALZAC, Illusions perdues, Pl, t. IV, p. 937.

★ **II.** V. pron. (1365). S'OCCUPER À (qqch.). ⇒ **Adonner** (s'), **appliquer** (s'), **attacher** (s'), **atteler** (s'), **consacrer** (se), **employer** (s'), **travailler, veiller.** *S'occuper à des travaux ménagers.* ⇒ **Faire.** *Alexandre ne s'occupe qu'à affermir et à régler ses conquêtes* (→ Assurer, cit. 4). — Vx. S'abandonner complètement à. *« Une nuit que chacun s'occupait au sommeil »* (La Fontaine, *Fables,* VIII, 11).

(1680). Cour. S'OCCUPER DE. *S'occuper d'une affaire.* ⇒ **Suivre** (→ aussi Être sur une affaire, mettre une affaire sur le tapis*, mettre la main à la pâte*, tenir la main). *Pensez à vous occuper de mon affaire.* ⇒ **Penser, souvenir** (se). *Que chacun s'occupe de ses propres affaires* (cf. Chacun pour soi, Dieu pour tous). Fam. *Occupe-toi de tes oignons*,* (vulg.) *de tes fesses. S'occuper de plusieurs choses à la fois.* ⇒ **Mener** (de front). *S'occuper de politique* (→ Écarquiller, cit. 5), *de science, de littérature* (→ Jeter, cit. 47). ⇒ **Mêler** (se). *S'occuper de choses futiles.* ⇒ **Amuser** (s'), **bibeloter.** *On a dû s'occuper de lui, panser ses blessures.* ⇒ **Soigner** (→ Douleur, cit. 6). *Je voulais que l'univers entier* (cit. 3) *s'occupât de moi. Personne ne s'occupe de lui.* ⇒ **Garde** (prendre). — *Occupe-toi d'Amélie,* vaudeville de Feydeau.

Avoir soin, souci (de qqch.). ⇒ **Préoccuper** (se), **songer.** *Il ne s'occupait pas de retraites, il allait droit* (1. Droit, cit. 27) *devant lui. Il est incorruptible et ne s'occupe que de la justice.* ⇒ **Connaître.** — (En parlant d'une science, d'une activité). Avoir pour objet. ⇒ **Toucher, traiter.** *La géométrie ne s'occupe pas de solides naturels* (→ 1. Idéal, cit. 3). *La métallurgie* (cit. 1) *est la partie de la chimie qui s'occupe du traitement des métaux.*

Loc. fam. *T'occupe pas !* et, ellipt., *T'occupe !* : ça ne te regarde pas, ne t'en mêle pas (cf. le renforcement plaisant : *T'occupe pas du chapeau de la gamine !*).

8 Le gosse dort ? demande-t-il.
T'occupe pas qu'elle dit.
Et il entra.
R. QUENEAU, Loin de Rueil, p. 135.

Spécialt. Fam. *S'occuper de qqn* (dans certains contextes : menace, etc.), lui faire un mauvais parti. *Attends un peu, je vais m'occuper de toi !*

Absolt. *S'occuper :* passer son temps à une activité précise. *Elle n'a pas de quoi s'occuper chez vous* (→ Fainéantise, cit. 1). *Il se mit à fendre* (cit. 3) *du bois, histoire de s'occuper. Il a besoin de s'occuper, de se donner du mouvement.* ⇒ **Agir, besogner.**

9 On ne peut pas toujours travailler, prier, lire :
Il vaut mieux s'occuper à jouer qu'à médire.
BOILEAU, Satires, X.

10 Quand il avait, dès son lever, expédié les affaires de la commune, s'il lui restait

une heure ou deux pour s'occuper de ses propres affaires, il donnait un coup d'œil à ses charrues, distribuait le blé des semailles (...)
E. FROMENTIN, Dominique, II.

11 (...) certains de leur victoire, les Barbares, pendant toute la nuit, s'occupèrent à manger.   FLAUBERT, Salammbô, IX.

12 (...) je voulais m'occuper de ton petit mec. Il s'en est fallu de peu que je lui botte le cul tout à l'heure sur la Place des Fêtes.
J. ROMAINS, les Hommes de bonne volonté, t. IV, v, p. 39.

13 Le ministre de la Police, disait Talleyrand, est un homme qui s'occupe d'abord de ce qui le regarde, *et ensuite de ce qui ne le regarde pas.*
Louis MADELIN, Hist. du Consulat et de l'Empire, « Vers Empire Occident », III.

▶ **OCCUPÉ, ÉE** p. p. et adj.

♦ **1.** (XIVᵉ). Dont on a pris possession. *Pays occupé. Ville occupée.*
⇒ **Captif** (vx). — *Zone occupée* (par oppos. à *zone libre*) : partie de la France qui fut occupée par les Allemands entre l'armistice de 1940 et l'occupation totale du territoire en novembre 1942. — Par ext. Qui habite un territoire occupé par l'ennemi. — N. *Mauvais rapports entre les occupants et les occupés.*

14 (...) l'occupation réveillait de vieilles querelles (...) les Parisiens (...) reprochaient aux Français de zone libre d'être des «mous» et d'étaler insolemment leur satisfaction égoïste de n'être pas «occupés».   SARTRE, Situations III, p. 39.

Appartement occupé. ⇒ **Habité.** *Tous les bancs étaient occupés* (→ Déambuler, cit. 1). *Table non occupée* (→ Garder, cit. 36). *W. C. libre ou occupé.*

14.1 Dans la salle sur le premier mur il y avait les lavabos alignés devant les glaces, sur le deuxième mur rien, sur le troisième mur les urinoirs, sur le quatrième les six cabinets dont cinq marquaient «libre» et un «occupé».
J.-M. G. LE CLÉZIO, le Déluge, p. 229.

(Au téléphone). *Je t'ai appelé deux fois, mais c'était toujours occupé, ça sonnait occupé.*

♦ **2.** (Personnes ; facultés psychiques). Qui est absorbé par une idée, un sentiment, qui s'intéresse passionnément à un être ; qui se consacre à un travail, à une activité. ⇒ **Attentif, pensif, plein, soucieux.** *Les Romains étaient occupés dans la guerre contre Teuta* (→ Exercer, cit. 39). *— Occupé à... Huit cents ouvriers occupés à l'extraction* (cit. 1) *du charbon. Occupé à faire qqch. Mes gens sont occupés à déménager* (→ Camper, cit. 2). *— Occupé de...* (qqch. ; qqn). *L'esprit tout occupé de toutes les infortunes qu'il avait éprouvées* (cit. 31). ⇒ **Préoccupé.** *Madame de Rênal, occupée sans cesse de Julien* (→ Loin, cit. 38). *Être occupé de Dieu seul* (→ Célibat, cit. 1).

15 Tandis que l'ennemi, par ma fuite trompé,
Tenait après son char un vain peuple occupé (...)   RACINE, Mithridate, III, 1.

16 Tous les moments que je passais sans vous voir, je demeurais occupé de vous, les yeux fermés à toute chose et attachés par la méditation sur votre image (...)
BALZAC, Mémoires de deux jeunes mariées, Pl., t. I, p. 205.

Absolt. *Il n'a pas pu venir, il était trop occupé.* ⇒ **Empêché.** *Un évêque* (cit. 3) *est un homme fort occupé. Être très occupé.* ⇒ **Bousculé, embesogné** (vx), **pris, surchargé** (→ Avoir beaucoup à faire ; n'avoir pas une heure, un moment à soi ; ne plus savoir où donner de la tête* ; être écrasé de travail). *Il a une vie très occupée.* ⇒ **Actif.** — Littér. *Cette indolence* (cit. 6) *occupée, qui est un des charmes du voyage.*

17 (...) la satisfaction qu'ont les hommes «occupés» — fût-ce par le travail le plus sot — de «ne pas avoir le temps» de faire ce que vous faites.
PROUST, À la recherche du temps perdu, t. X, p. 219.

Vx. Intéressé, absorbé, empoigné. « *L'on est plus occupé aux pièces de Corneille ; l'on est plus ébranlé et plus attendri à celles de Racine* » (La Bruyère, *les Caractères,* I, 54).

Vx. Préoccupé. *Avoir l'âme trop occupée* (→ Après-souper, cit. 1).

CONTR. **Abandonner, évacuer, libérer, quitter.** — **Chômer ; négliger, oublier.** — **Désert, disponible, inoccupé, libre.** — **Désœuvré, inactif, oisif.**
COMP. et DÉR. **Inoccupé, suroccupé.** — **Occupant, occupation.** — **Préoccupé.** — **Réoccuper.**

OCCURRENCE [ɔkyRɑ̃s] n. f. — 1440 ; du lat. *occurrere.* → Occurrent.

♦ **1.** Littér. Événement qui se produit d'une manière fortuite et imprévue. ⇒ **Cas, circonstance, conjoncture, événement, fois, occasion, rencontre.** *Dans la plupart des occurrences* (→ Compromettre, cit. 3, Montaigne).

Mod. (Dans des loc.). *En l'occurrence* (→ 1. Insigne, cit. 7). *En pareille occurrence* (→ Faire, cit. 212). *Selon, suivant l'occurrence* (→ Enfourcher, cit. 1).

1 (...) allant à pied de domaine en domaine, de bois en bois, à travers la Haute Vendée, le Bocage et le Poitou, changeant de route suivant l'occurrence.
BALZAC, le Lys dans la vallée, Pl., t. VIII, p. 901.

♦ **2.** (1838). Liturgie. Rencontre de deux fêtes qui tombent le même jour. *Occurrence accidentelle, perpétuelle. Table des occurrences au début du bréviaire et du diurnal.*

♦ **3.** (Mil. XXᵉ ; angl. *occurrence*). Ling. Apparition (d'une unité linguistique) dans le discours. *Compter les occurrences de l'auxiliaire avoir dans un texte* (opposé à *unité, type). L'occurrence de changeant et de route dans la citation de Balzac qui précède.* ⇒ **Cooc-**

currence. — Cette unité. Changcant *est une occurrence du vocable* changer.

Le vocable est une unité de lexique, le mot une unité de texte ; on a lu un mot dans le texte, mais c'est un vocable que l'on trouvera dans le dictionnaire. Or, dès que l'on étudie les mots du texte comme étant les occurrences des vocables du dictionnaire, on constate que la statistique prend une autre tournure.
Ch. MULLER, Initiation à la statistique linguistique, p. 133.   2

Manifestation individuelle (d'un phénomène «légal »). *Les occurrences d'un signe* (cf. l'anglic. *token*).

OCCURRENT, ENTE [ɔkyRɑ̃, ɑ̃t] adj. — 1475 ; lat. *occurrens,* p. prés. de *occurrere* «courir à la rencontre de», *ob-* et *currere* → Courir.

♦ **1.** Rare. Vx. Qui se présente, survient de manière fortuite et imprévue.

♦ **2.** (1690). Liturgie. *Fêtes occurrentes,* qui tombent le même jour.

DÉR. (Du même rad.) **Occurrence.**

OCÉAN [ɔseɑ̃] n. m. — V. 1160 ; *occean,* v. 1112 ; lat. *oceanus,* grec *Ôkeanos,* nom d'une divinité marine.

♦ **1.** Géogr. et cour. Vaste étendue d'eau salée qui couvre une grande partie de la surface du globe terrestre. ⇒ **Mer.** *L'océan, les océans opposés aux mers*. Mers bordières qui communiquent avec l'océan* (→ Golfe, cit. 1). *Les océans et les continents* (→ Cribler, cit. 8). *Les terres que baigne un océan. Au fond de l'océan* (→ Animalcule, cit. 1). *Les grandes profondeurs des océans.* ⇒ **Abysse** (→ Géosynclinal, cit.). *Sondages pratiqués dans les diverses régions des océans* (→ Bathymétrie, cit.). *Étude des océans.* ⇒ **Hydrographie, océanographie.** *L'océan est constitué du précontinent ou marge continentale (plateau et pente ou talus continentaux) et des bassins, ou cuvettes océaniques. Zone néritique et zone bathyale de l'océan. Sial, sima du fond des océans.*
L'immensité, l'infini du désert de l'océan (→ Étendue, cit. 10). *L'océan sans bornes* (→ Exprimer, cit. 20). « *Comme une goutte d'eau dans l'océan versée* » (→ Absorber, cit. 4, Lamartine). *Comme de légères rides sur la face* (cit. 29) *de l'océan.* « *Ils regardent monter (...) Du fond de l'océan des étoiles nouvelles* » (→ Caravelle, cit. 1, Heredia). *Nymphe de l'océan.* ⇒ **Océanide.**

Combien ont disparu, dure et triste fortune !
Dans une mer sans fond, par une nuit sans lune,
Sous l'aveugle océan à jamais enfouis !   HUGO, les Rayons et les Ombres, XLII.   1

Je te hais, Océan ! tes bonds et tes tumultes,
Mon esprit les retrouve en lui (...)
BAUDELAIRE, les Fleurs du mal, «Spleen et idéal », LXXIX.   2

Vieil océan, aux vagues de cristal (...) tu es un immense bleu, appliqué sur le corps de la terre (...) Je te salue, vieil océan !
LAUTRÉAMONT, les Chants de Maldoror, I (cf. tout le passage).   3

En soi-même, il agitait incessamment l'océan. Qu'est-ce que l'homme peut opposer à cet univers inconstant, travaillé de loin par les astres, couru de houles et de montagnes transparentes, incertain sur ses bords, inconnu dans ses profondeurs ; origine de tout ce qui vit, mais tombe impénétrable aux mouvements de berceau et recouverte de lumière ?   VALÉRY, Eupalinos, p. 108.   4

Par métaphore. *Un océan de larmes.*

♦ **2.** (1690). Cour. Vaste partie déterminée de cette étendue. *L'océan Atlantique, Indien, Pacifique. L'océan Glacial Arctique, Antarctique. Canal qui fait communiquer deux océans.* ⇒ **Interocéanique.** — (1606). Absolt. *L'Océan* (→ Migrateur, cit.) : l'océan Atlantique (→ vx La mer océane*). *Les plages de la Méditerranée et les plages de l'Océan.*

♦ **3.** Fig. OCÉAN DE... : vaste étendue, immensité de... ⇒ **Mer** (fig.). *Océan de verdure* (→ Infini, cit. 27). *Dans quel flot immobile d'un océan de morts fut-elle engloutie ?* (→ Enterrer, cit. 10). « *Loin du noir océan de l'immonde cité* » (→ Envoler, cit. 4, Baudelaire). *L'océan des âges* (cit. 62, Lamartine). — Fig. *Un océan de misères, d'injustices* (→ Immobilisme, cit.), *de volonté et de foi* (→ Indicible, cit. 5), *de musique* (→ Inépuisable, cit. 10). — (Avec l'idée d'agitation, de fluctuation, de tempête). *L'océan des passions.* « *Cet orageux océan du monde* » (Chateaubriand, *René*).

Mais Paris est un véritable océan. Jetez-y la sonde, vous n'en connaîtrez jamais la profondeur. Parcourez-le, décrivez-le ? Quelque coin que vous mettiez à le parcourir, à le décrire ; quelque nombreux et intéressés que soient les explorateurs de cette mer, il s'y rencontrera toujours un lieu vierge, un antre inconnu, des fleurs, des perles, des monstres, quelque chose d'inouï, oublié par les plongeurs littéraires.   BALZAC, le Père Goriot, Pl., t. II, p. 856.   5

(...) l'oreille épouvantée perçoit un bruit lointain, sourd, faible encore, et plus terrible, les vagues d'un océan humain qui battent les murs du palais.
FRANCE, le Petit Pierre, XVI.   6

DÉR. 1. **Océanien.** — (Du même rad.) **Océane, océanide, océanique.**
COMP. **Interocéanique, océanaute, océanographe, océanologie.**

OCÉANAUTE [ɔseanot] n. — Sept. 1964, commandant Cousteau ; de *océan,* et *-naute,* d'après *(astro)naute, (cosmo)naute.*

♦ Didact. Spécialiste de l'exploration sous-marine (océanographe, etc.). ⇒ **Aquanaute.**

OCÉANE [ɔsean] adj. f. — V. 1265 ; du lat. *mare oceanum,* de *oceanus* → Océan.

♦ Littér. Vx. *Mer océane :* océan Atlantique.

(1932 ; titre d'un ouvrage d'E. Herriot *la Porte océane*). — Mod. Relatif à l'océan. ⇒ **Océanique.**

1 (...) peut-être le phénomène général de la photosynthèse et l'étude des profondeurs océanes devraient-ils bénéficier d'efforts particuliers.
A. SAUVY, Croissance zéro ?, p. 315.

2 (...) aux prises avec la jungle ou perdu dans l'immensité océane des tropiques.
Michel DÉON, Tout l'amour du monde, p. 171.

REM. L'emploi masculin de l'adjectif est attesté : des *«créatures issues des magmas océans»* (Catherine Paysan, *l'Empire du taureau,* p. 216).

OCÉANIDE [ɔseanid] n. f. — 1721 ; lat. d'orig. grecque *oceanis, idis,* de *Okeanos* → Océan.

♦ Myth. Chacune des nymphes de la mer, filles d'Okéanos et de Téthys. *Les Océanides forment le chœur du Prométhée d'Eschyle.*
(...) c'est un chœur dansant d'Océanides qui vient consoler Prométhée sur son rocher. Francis DE MIOMANDRE, Danse, p. 10.

1. OCÉANIEN, IENNE [ɔseanjɛ̃, jɛn] adj. — 1726 ; de *océan.*

♦ Vx ou littér. De l'océan. ⇒ **Océanique, marin.** *Les étendues océaniennes.* ⇒ **Océane** (adj. féminin).

HOM. V. 2. **Océanien.**

2. OCÉANIEN, IENNE [ɔseanjɛ̃, jɛn] adj. et n. — 1841, *in* D.D.L. ; de *Océanie* (1812), de *océan.*

♦ De l'Océanie. *Populations océaniennes. Le climat océanien. L'art océanien.* — N. *Les Océaniens.*

L'art océanien est d'autant plus séparé des arts d'Afrique qu'il est plus coloré : figures brunes, anguleuses et parfois précolombiennes de la Nouvelle-Zélande ; blanches, brunes et rouges de la Nouvelle-Irlande et de l'archipel Bismarck ; multicolores enfin des Nouvelles-Hébrides.
MALRAUX, les Voix du silence, p. 551.

HOM. V. 1. **Océanien.**

OCÉANIQUE [ɔseanik] adj. — 1548 ; lat. *oceanicus,* de *oceanus* → Océan.

♦ **1.** Qui appartient, qui est relatif à l'océan ; qui vient de l'océan. *Explorations* (cit. 3), *oiseaux* (→ 1. Marin, cit. 2), *profondeurs océaniques. Vent océanique* (→ Instar, cit. 1). *Transgressions, régressions océaniques. Croûte océanique. Plancher océanique. Bassins, cuvettes océaniques et précontinent* (⇒ **Océan**).

♦ **2.** Qui est au bord de la mer, qui subit l'influence de l'océan (⇒ **Maritime**). *Régions, climats océaniques* (→ Hiver, cit. 6), caractérisés par des précipitations fréquentes, des températures douces et variant peu.

♦ **3.** Littér. Qui évoque l'océan, les flots de l'océan. *Immensité océanique de la forêt amazonienne.*

OCÉANOGRAPHE [ɔseanɔgraf] n. — 1896, *Année sc. et industr.* 1897, p. 396 ; de *océanographie.*

♦ Spécialiste de l'océanographie.

OCÉANOGRAPHIE [ɔseanɔgrafi] n. f. — 1584, rare av. 1876 ; de *océan,* et *-graphie.*

♦ Didact. Science qui a pour objet l'étude des mers et océans, du milieu marin et de ses frontières (avec l'air, avec le fond), ainsi que des organismes qui y vivent. *Océanographie physique* (hydrologie marine, étude géologique des rivages et des fonds, sédimentologie sous-marine...), *biologique* (étude des peuplements marins). *Océanographie descriptive. Applications de l'océanographie à l'océanologie*.

On a généralement l'habitude de distinguer deux disciplines différentes en océanographie : l'océanographie biologique, science qui s'occupe essentiellement de la vie dans les océans, et l'océanographie physique qui s'intéresse au milieu physique qu'est l'eau de mer.
Cl. FRANCIS-BŒUF, les Océans, p. 19-20.

DÉR. **Océanographe, océanographique.**

OCÉANOGRAPHIQUE [ɔseanɔgrafik] adj. — 1894, *in* D.D.L. ; de *océanographie.*

♦ Didact. Relatif à l'océanographie. *L'Institut océanographique de Paris, de Monaco. Musée océanographique. Recherches, expédition océanographiques. Bâtiment, navire océanographique. Équipements à terre de la recherche océanographique ; équipements sous-marins* (sous-marins scientifiques, bouées* — laboratoires, scaphandres autonomes...).

OCÉANOLOGIE [ɔseanɔlɔʒi] n. f. — 1968 ; de *océan,* et *-logie.*

♦ Didact. «Ensemble des méthodes et des opérations scientifiques, techniques, technologiques (...) mises en œuvre en vue de la prospection, de l'exploitation économique ou de la protection des océans, dans leur partie fluide, sur ou dans le sol immergé, sur les rivages» (H. Lacombe). *Les recherches concernant les richesses minérales ou biologiques, ou liées à des besoins énergétiques, relèvent de l'océanologie.*

DÉR. **Océanologique, océanologue.**

OCÉANOLOGIQUE [ɔseanɔlɔʒik] adj. — 1968 ; de *océanologie.*

♦ Didact. Qui concerne l'océanologie. *Travaux, navires océanologiques.*

OCÉANOLOGUE [ɔseanɔlɔg] n. — V. 1968 ; de *océanologie.*

♦ Didact. Spécialiste d'océanologie. *« La longue réflexion du commandant Cousteau (...) a amené de nombreux élus à attendre la décision de l'océanologue avant de se prononcer »* (*le Point,* 27 avr. 1981, p. 63).

OCELLAIRE [ɔselɛr ; ɔsɛllɛr] adj. — 1845, Bescherelle ; «qui porte des taches rondes», 1838 ; nom d'un polypier, 1801 ; de *ocelle.*

♦ Zool. Relatif aux ocelles* des insectes, des cœlentérés.

OCELLE [ɔsɛl] n. m. — 1825 ; lat. *ocellus,* dimin. de *oculus* «œil». Didactique.

♦ **1.** Tache arrondie dont le centre et le tour sont de deux couleurs différentes (évoquant un œil). *Ocelles sur les ailes de certains insectes* (papillons), *sur les plumes de certains oiseaux* (paons...). ⇒ **Ocellé.** — Par anal. :

1 Le soir cernait de roux les ocelles de l'eau, pareille *(sic)* aux taches sur le plumage des paons. MONTHERLANT, le Songe, II, XVII.

♦ **2.** (1845). Zool. Œil «simple» des insectes et des arthropodes (par oppos. aux *yeux composés, à facettes*). ⇒ **Stemmate.**

♦ **3.** Zool. (1890, Encycl. Berthelot, art. *Hydroïde*). Organe sensoriel de certains cœlentérés, petit amas de cellules pigmentées sensibles à la lumière.

2 Les ocelles *(des méduses leptolides)* sont faits de hautes cellules sensitives pigmentées, formant une dépression où se loge une lentille cuticulaire.
O. TUZET, *in* Encycl. Pl., Zoologie, t. I, p. 478.

DÉR. **Ocellaire, ocellement, oceller, ocellure.**

OCELLÉ, ÉE [ɔsele ; ɔsle ; ɔsɛlle] adj. — 1804 ; bas lat. *ocellatus,* du lat. class. *ocellus.* → Ocelle. Didactique ou littéraire.

♦ **1.** Qui porte des ocelles. *Papillon à ailes ocellées. Paon ocellé. Lézard vert ocellé.*

0.1 Un immense oiseau au plumage ocellé plana au-dessus de cette terre qui reprenait son tremblement et ses mauvaises odeurs.
Jean CAYROL, Histoire de la mer, p. 50.

♦ **2.** Littér. *Ocellé de :* qui porte des taches ressemblant à des ocelles.

1 (...) je fis des rêves bizarres où je voyais s'ouvrir des queues de paons ocellées de pierres précieuses (...)
Th. GAUTIER, les Jeunes-France, « Feuillets d'album »..., VII.

2 (...) l'eau plate de l'étang ocellée de nénuphars (...)
Hervé BAZIN, Cri de la chouette, p. 70.

OCELLEMENT [ɔsɛlmɑ̃] n. m. — xxᵉ ; de *ocelle* ou de *oceller.*

♦ Littér. Le fait d'oceller ; son résultat. ⇒ **Ocellure.** *« Les ocellements de soleil filtrant à travers le feuillage »* (H. Perruchot, *la Vie de Renoir,* p. 124).

OCELLER [ɔsele ; ɔsɛlle ; ɔsle] v. tr. — V. 1930, Giono (→ cit. 1) ; de *ocelle.*

♦ Littér. Parsemer d'ocelles.

1 Les cailloux lavés ocellaient la sente ; elle serpentait entre les haies étincelantes.
J. GIONO, Naissance de l'Odyssée, Pl., t. I, II, 6, p. 116.

2 (...) les bulles exhalées par la vase du fond viennent timidement oceller la surface, sans même y élargir des ondes circulaires.
G. DUHAMEL, Récits des temps de guerre, IV, IV.

DÉR. **Ocellement.**

OCELLURE [ɔselyr ; ɔsɛllyr] n. f. — 1877 ; de *ocelle.*

♦ Didact. ou littér. Ensemble et disposition des ocelles.

(...) les porte-couteaux en verre prismatique (...) irisent des arcs-en-ciel, ou piquent çà et là sur la toile cirée des ocellures de paon.
PROUST, À la recherche du temps perdu, t. XII, p. 259.

OCELOT [ɔslo] n. m. — 1765 ; esp. *ocelote*, de l'aztèque ; *ocelotl*, 1640 ; aztèque *ocelotl*.

♦ Mammifère carnivore *(Félidés)*, grand chat* sauvage à pelage roux tacheté de brun (⇒ **Chat-tigre**). — N. sc. : *Felis pardalis.* — Par ext. Fourrure de cet animal. *Manteau d'ocelot.*

-OCHER Suffixe verbal diminutif, souvent péjoratif *(flânocher, de flâner).* ⇒ **Filocher.**

OCHLOCRATIE [ɔklɔkʀasi] n. f. — 1568 ; grec *okhlokratia*, de *okhlos* « foule », et *-cratie.*

♦ Didact. Gouvernement par la multitude, la populace, la foule. ⇒ **Démagogie.**

(...) ces mots, qui veulent être des injures, gueux, canaille, ochlocratie, populace, constant, hélas ! plutôt la faute de ceux qui règnent que la faute de ceux qui souffrent ; plutôt la faute des privilégiés que la faute des déshérités.
HUGO, les Misérables, V, I, I.

OCHRACÉ, ÉE [ɔkʀase] adj. — 1812 ; dér. sav. du grec *okhros* (→ Ochro-), et *-acé.*

♦ Didact. D'un jaune pâle.

OCHRO- Élément, du grec *okhros* « jaune » (⇒ **Ocre**). Ex. : *ochrosporé, ée*, adj. « à spores jaunes, brunâtres » (champignons).

-OCLE ⇒ **Oculaire.**

OCRE [ɔkʀ] n. f. — 1307 ; lat. *ochra*, du grec *okhra*, de *okhros* « jaune ».

♦ **1.** Colorant minéral naturel, jaune, brun ou rouge, constitué par de l'argile* et des oxydes de fer (hématite, limonite...) ou de manganèse. *Ocre jaune, brune. Ocres noires :* argiles riches en bioxyde de manganèse et en graphite (syn. : *terres noires*). *Ocres violettes* (syn. : *brun Van Dyck). Terre contenant de l'ocre.* ⇒ **Ocreux.** *Mine d'ocre. Ocre utilisée comme médicament.* ⇒ **Bol** (bol d'Arménie). *« La sanguine, employée comme crayon*, est une sorte d'ocre rouge »* (Réau).

1 (...) les ocres brunes auxquelles on donne le nom de *terre d'ombre*, et l'ocre légère et noire (...) sont des décompositions ultérieures de la rouille de fer (...) Toutes les ocres brunes, noires, jaunes ou rouges, fines et grossières (...) sont aisées à diviser et à réduire en poudre (...)
BUFFON, Hist. nat. des minéraux, Rouille de fer et ocre.

2 Tu vois cela d'ici. — Des ocres et des craies,
Plaines où les sillons croisent leurs mille raies (...)
HUGO, les Contemplations, II, VI.

3 (...) mais rien n'est plus beau que l'aspect de la grande butte, quand le soleil éclaire ses terrains rouge veinés de plâtre et de glaise, ses roches dénudées et quelques bouquets d'arbres encore assez touffus, où serpentent des ravines et des sentiers.
NERVAL, Promenades et souvenirs, « la Butte Montmartre ».

4 Vers la fin du Moustérien, approximativement vers 50 000, on commence à trouver des fragments d'ocre rouge, sans que l'usage de ce colorant soit attesté par des œuvres. On peut imaginer qu'il servait à décorer le corps des hommes ou à enduire des objets ou des surfaces, mais rien de positif ne peut être dégagé sinon que l'on se trouve à au moins 20 000 ans des premières figures explicites connues.
A. LEROI-GOURHAN, le Geste et la Parole, t. II, p. 212.

Par ext. (Peint.). Couleur fabriquée avec de l'ocre. *Acheter un tube d'ocre. Ocres brunes* (terre de Sienne, terre d'ombre...).

♦ **2.** (xxᵉ). Couleur d'un brun-jaune ou orangé. *Ocre pâle* (→ Flairer, cit. 6). *Gamme* (cit. 9) *qui va du blanc au brun en passant par les ocres. Touches d'ocre et de safran* (→ Indigo, cit. 2).

Adj. *Poudre ocre rosée*, pour fards. *Couleur teinte ocre.* ⇒ **Ocré, ocreux.**

DÉR. Ocré, ocrer, ocreux.

OCRÉ, ÉE [ɔkʀe] adj. et n. m. — 1588 ; de *ocre.*

♦ **1.** Teint en ocre. — Par ext. D'une couleur brune tirant sur le jaune ou l'orangé et d'une nuance plus pâle que l'ocre proprement dite.

♦ **2.** N. m. (1902). Techn. Coloration des fils de lin ou de chanvre à l'ocre jaune.

OCRER [ɔkʀe] v. tr. — Mil. xxᵉ ; de *ocre.*

♦ Techn. Colorer, teindre en ocre.

OCREUX, EUSE [ɔkʀø, øz] adj. — 1787 ; *ochreux*, 1762 ; de *ocre.*

♦ **1.** Qui contient de l'ocre. *Argile, terre, boue ocreuse* (→ 2. Kaki, cit. 1).

♦ **2.** (1874). Vx. De couleur ocre. *« Un teint ocreux »* (Académie). — N. B. On dit plutôt *ocre.*

OCT-, OCTA-, OCTI-, OCTO- Éléments, du lat. *octo* « huit », grec *oktô.*

OCTACORDE [ɔktakɔʀd] n. m. — 1788 ; grec *octakhordos*, de *khordos* « corde ».

♦ Lyre à huit cordes. — Adj. *Lyre octacorde.*

OCTAÈDRE [ɔktaɛdʀ] n. m. — 1572 ; *octahedre*, 1562 ; *octocedron*, 1377 ; bas lat. *octœdros*, mot grec (→ -èdre).

♦ Géom. Polyèdre à huit faces. *Octaèdre régulier*, dont les faces sont des triangles équilatéraux. *Les diamants bruts sont fréquemment des octaèdres.*

Adj. (1783). Qui a huit faces.

DÉR. et COMP. Octaédriforme, octaédrique.

OCTAÉDRIFORME [ɔktaedʀifɔʀm] adj. — 1838, Académie ; de *octaèdre*, et *forme.*

♦ Didact. En forme d'octaèdre.

OCTAÉDRIQUE [ɔktaedʀik] adj. — 1799 ; de *octaèdre.*

♦ Géom. Relatif à un octaèdre ; qui a la forme d'un octaèdre. *Cristal octaédrique.* — On dit aussi *octaédriforme.*

OCTAÉTÉRIDE [ɔktaeteʀid] ou **OCTAÉTÉRIS** [ɔktaeteʀis] n. f. — 1732, Trévoux ; lat. *octaeteris, idis*, mot grec, de *etos* « année ».

♦ Chron. Période de huit ans. Spécialt. Cycle de huit années lunaires.

OCTAL, ALE, ALS [ɔktal] adj. — V. 1960 ; dér. sav. du lat. *octo* « huit », et *-al.*

♦ Techn. (Inform.). Qui procède par huit, a pour base le nombre huit.

OCTANDRE [ɔktɑ̃dʀ] adj. — 1799, Gouan ; de *octandrie.*

♦ Bot. Qui a huit étamines dans chaque fleur.

OCTANDRIE [ɔktɑ̃dʀi] n. f. — 1729 ; lat. bot. *octandria* (Linné), du grec *oktô*, et *anêrandros* « mâle ». → Andr-.

♦ Hist. bot. Dans la classification de Linné, Plante à fleurs hermaphrodites à huit étamines non adhérentes au pistil.

DÉR. Octandre.

1. OCTANE [ɔktan] adj. — V. 1560, *octaine* ; du rad. du lat. *octo.* → Oct-.

♦ Vx. *Fièvre octane :* fièvre intermittente dont les accès ont lieu tous les huit jours.

2. OCTANE [ɔktan] n. m. — 1874, in Cottez ; de *oct-*, et suff. *-ane.*

♦ Chim. Hydrocarbure saturé (C_8H_{18}) de la série des alcanes, à nombreux isomères. — Cour. *Indice d'octane*, caractérisant le pouvoir antidétonant d'un carburant. *Supercarburant à indice d'octane élevé.*

OCTANT [ɔktɑ̃] n. m. — 1619 ; lat. *octans* « huitième partie », de *octo* « huit ».

Géométrie, technique.

♦ **1.** Instrument du genre du sextant, mais dont le limbe n'est que de quarante-cinq degrés.

♦ **2.** Arc de quarante-cinq degrés (huitième de cercle).

OCTANTE [ɔktɑ̃t] adj. num. card. — V. 1265 ; latinisation de l'anc. franç. *oitante*, d'après le lat. *octoginta.*

♦ Vx ou dial. (On dit aussi *huitante**). Quatre-vingts. *« J'ai vécu octante ans sans me douter jusqu'où allait la malignité des juges »* (Yourcenar). — REM. Alors que *septante* et *nonante* sont très usités en Belgique, en Suisse, *octante*, selon Thérive (*Querelle de langage*, t. II, p. 184) est « bien mort. Sa forme vivante et provinciale est *huitante* ». Cf. aussi Damourette et Pichon, *Essai de grammaire*,

§ 2527 : «les positions d'*octante* sont... beaucoup moins solides que celle de *septante* et de *nonante*».

DÉR. Octantième.

OCTANTIÈME [ɔktɑ̃tjɛm] adj. — 1530 ; de *octante*.

♦ Vx ou dial. Quatre-vingtième.

OCTASTYLE [ɔktastil] adj. ⇒ Octostyle.

OCTATEUQUE [ɔktatøk] n. m. — 1721 ; mot grec, de *oktô* «huit», et → Pentateuque.

♦ Rare. Recueil des huit premiers livres de l'Ancien Testament.

OCTAVAIRE [ɔktavɛʀ] n. m. — 1732, Trévoux ; de *octave* (1.).

♦ Liturgie rom. « Recueil contenant les leçons des deuxième et troisième *Nocturnes* des *octaves* des saints Patrons ou Titulaires, auxquels le bréviaire romain et le Propre n'en attribuent pas» (R. Lesage, *Dict. de liturgie romaine*).

OCTAVE [ɔktav] n. f. — V. 1180 ; empr. au lat. *octavus*, de *octo* «huit».

♦ **1.** Liturgie. Huitième jour après certaines fêtes (on dit aussi *jour octaval*). *L'octave de Pâques est le dimanche de Quasimodo. Le jour de l'octave.* Par appos. *Le jour octave.*
Durée de huit jours (⇒ **Huitaine**) pendant laquelle on commémore une grande fête, dans l'Église romaine. *Fête avec octave. Octaves priviligiées de premier ordre* (Pâques, Pentecôte), *de deuxième ordre* (Noël, Ascension, Sacré-Cœur). *Octaves communes. Octaves simples. Recueil de nocturnes des octaves des saints Patrons.* ⇒ **Octavaire.**

♦ **2.** Mus. et cour. (1534 ; *octava* «note à l'octave», XIIIᵉ). Intervalle parfait de huit degrés de l'échelle diatonique (5 tons ; 2 demi-tons diatoniques) ; intervalle de deux fréquences dont l'une est le double de l'autre (→ Gamme, cit. 2). *Les deux notes de l'octave portent le même nom. L'octave est un intervalle parfait* (→ 1. Mineur, cit. 1) ; *c'est la première des consonances* ; *elle redouble l'unisson. Octave augmentée* (do-do dièze), *diminuée* (do-do bémol). *Double octave* (octave de l'octave). *Octave supérieure, inférieure d'une note. Jouer un passage une octave plus haut, plus bas qu'il n'est écrit ; jouer à l'octave.* Absolt. *À l'octave* (ou *octava*, 8ᵛᵃ) : terme, signe indiquant qu'un passage doit être joué une octave plus haut ou plus bas (⇒ **Octavier**). — *Le hautbois* (cit. 2) *a une tessiture de deux octaves et une quarte.*

1   (...) l'unisson est en raison d'égalité (...) *l'octave* est en raison double (...) les harmoniques des deux sons dans l'un et dans l'autre s'accordent tous sans exception (...) Cet intervalle s'appelle *octave*, parce que, pour marcher diatoniquement d'un de ces termes à l'autre, il faut passer par sept degrés, et faire entendre huit sons différents.   ROUSSEAU, *Dict. de musique.*

2   Du sein des ténèbres muettes deux notes ont résonné, l'une grave, l'autre aiguë —, et l'orbe éternel s'est mis à tourner aussitôt. Sois bénie, ô première octave qui commenças l'hymne divin !   NERVAL, *Aurélia*, « Mémorables ».

Par ext. *Faire des octaves :* jouer en même temps une note et son octave. *Passage de piano en octaves. Octaves brisées* (les deux notes étant jouées successivement).
(1673). Huitième degré de l'échelle diatonique ; note, son portant le même nom que la tonique et située une octave plus haut, plus bas.

♦ **3.** Escrime. Huitième parade* (l'épée dans la ligne du dehors, pointe basse).

3   (...) des hommes d'épée comme nous vénèrent toujours tierce, quarte et octave (...)   A. DE VIGNY, *Cinq-Mars*, VIII (1826).

DÉR. Octavaire, octavier, octavin, octavine.

OCTAVIER [ɔktavje] v. — 1765 ; de *octave*.
Musique.

♦ **1.** V. intr. Jouer l'octave supérieure au lieu de la note.

Quand on force le vent dans un instrument à vent, le son monte aussitôt à l'octave ; c'est ce qu'on appelle *octavier* (...) Une corde de violoncelle *octavie* par un principe semblable quand le coup d'archet est trop brusque ou trop voisin du chevalet. C'est un défaut dans l'orgue quand un tuyau *octavie* (...)   ROUSSEAU, *Dict. de musique.*

♦ **2.** (Fin XVIIIᵉ). V. tr. Jouer à l'octave supérieure. *Octavier un passage.*

OCTAVIN [ɔktavɛ̃] n. m. — 1803 ; de *octave*.

♦ Mus. Petite flûte accordée à l'octave supérieure de la grande flûte.

OCTAVINE [ɔktavin] n. f. — 1703 ; de *octave*.

♦ Mus. Anciennt. Petite épinette d'une étendue d'une seule octave.

OCTAVO [ɔktavo] ⇒ In-octavo.

OCTAVON, ONNE [ɔktavɔ̃, ɔn] adj. et n. — V. 1780 ; de l'esp. *octavo* «huitième» du lat. *octavus*.

♦ Fils, fille d'un Blanc et d'une quarteronne, ou d'un quarteron et d'une blanche.

Dans toutes les villes du Canada et des États-Unis, les mulâtres forment une classe séparée ayant des signes de reconnaissance qui leur sont propres (...) Dans cinq ou six écoles de couleur que j'ai visitées aujourd'hui, j'ai remarqué des filles et des garçons aussi blancs de peau qu'aucun enfant de New York.
Les causes qui ont amené ces faits se devinent aisément : — père blanc, mère quarteronne ou octavonne ; — amour illégitime, maîtresse abandonnée, enfant sans nom.
        W. H. DIXON, la Conquête blanche, le Tour du monde, 1876, t. II, p. 134.

OCTET [ɔktɛ] n. m. — 1923 ; A. Boutaric, *la Vie des atomes*, p. 220 ; mot angl. (Langmuir), de *oct-*, et suff. *-et ;* → Octette.

♦ **1.** Phys. Ensemble de huit électrons, lorsqu'ils forment la couche extérieure complète d'un atome.

♦ **2.** (V. 1960). Inform. Base composée de huit caractères binaires utilisée dans la plupart des langages machines. *La représentation par un octet d'un caractère alpha-numérique. 32 K octets de capacité de mémoire.* « L'abonné demande aux P.T.T. d'établir une liaison spécialisée entre son ordinateur et un nœud ou un point d'accès secondaire. Les données qu'il émettra ou recevra seront découpées en paquets de longueur inférieure à 128 octets (groupes de 8 bits) qui seront acheminés indépendamment les uns des autres... » (*le Monde*, 23 sept. 1978, p. 31).

OCTETTE [ɔktɛt] n. m. — V. 1965 ; d'après l'angl. ; de *oct-*, d'après *quartette*, etc. ; cf. la forme italienne *ottetto*, francisée en *ottette*, in Larousse, 1874.

♦ Mus. Ensemble de musique de chambre formé de huit instruments. ⇒ **Octuor.**

OCTI- ⇒ Oct-.

OCTIDI [ɔktidi] n. m. — 1793 ; de *oct-*, et lat. *dies* «jour».

♦ Huitième jour de la décade, dans le calendrier républicain.

OCTILLION [ɔktiljɔ̃] n. m. — 1520 ; de *oct-*, et *(m)illion*.

♦ Rare. Million de septillions (10^{48}).

OCTO- ⇒ Oct-.

OCTOBRE [ɔktɔbʀ] n. m. — 1213 ; *uitovre*, v. 1119 ; lat. *october* «huitième mois de l'année romaine qui commençait en mars», de *octo* «huit».

♦ Dixième mois de l'année dans le calendrier grégorien (⇒ **Vendémiaire**, et **brumaire**, dans le calendrier républicain). *Le mois d'octobre, octobre a 31 jours. La nuit d'octobre*, poème de Musset. *Le 6 octobre*, premier volume des *Hommes de bonne volonté*, de J. Romains. *Prendre ses vacances en octobre.*

1   Et quand octobre souffle, émondeur des vieux arbres,
Son vent mélancolique à l'entour des vieux marbres.
                        BAUDELAIRE, les Fleurs du mal, « Tableaux parisiens », C.

2   Octobre, le courrier de l'hiver, heurte à la porte de nos demeures. Une pluie intermittente inonde la vitre offusquée, et le vent jonche des feuilles mortes du platane le perron solitaire.
        Aloysius BERTRAND, Gaspard de la nuit, « Silves », III, « Octobre ».

3   Octobre avait enfanté de la mer un mauvais temps précoce. D'ordinaire il est incertain ; il va nerveusement d'un beau jour doré à une tempête. Mais par nature il est l'automne même et sa destination dans les choses du ciel se consacre plutôt aux variations brusques et à l'écoulement des richesses d'été qu'aux petites pluies glaciales, aux brouillards maladifs, aux grisailles monotones.
                                    H. BOSCO, Un rameau de la nuit, p. 46.

Hist. *Les journées d'octobre :* les journées des 5 et 6 octobre 1789 au cours desquelles le peuple de Paris marcha sur Versailles et ramena Louis XVI et sa famille (→ Méthode, cit. 5 ; mitron, cit. 2). — (En Russie). *Révolutions d'octobre*, celle d'octobre 1905 qui contraignit Nicolas II à octroyer une constitution (projet défendu par les « *octobristes* ») ; celle d'octobre 1917 qui renversa le régime de Kerensky au profit des soviets. — Ellipt. *L'octobre russe.*

4   À bien regarder, tout ce qui compta réellement dans cette jeunesse fut à ce moment impulsé *d'ailleurs*, et d'abord comme conçu et engendré par l'octobre russe de 1917, puis mis au jour dans l'après-midi du jeudi noir de Wall Street, en octobre 1929, quand l'histoire frappa les deux premiers coups de la crise universelle. Toute notre passion se rassembla, se concentra en une seule idée qui se fit pour nous claire et distincte, celle d'une Révolution déployant ensemble notre destin et celui du monde.   Raymond ABELLIO, les Militants, p. 11.

Par ext. Ensemble de journées révolutionnaires entraînant la prise du pouvoir par le prolétariat.

5   1923-1932. Neuf ans déjà. L'insurrection et l'écrasement des ouvriers de Hambourg. Noyé dans le sang, l'avortement de ce qui eût dû être le glorieux «octobre» allemand et ne fut, en Europe, que le dernier soubresaut des révolutions bolcheviques.   Raymond ABELLIO, les Militants, p. 120.

DÉR. Octobriste.

OCTOBRISTE [ɔktɔbʀist] adj. et n. ⇒ Octobre, *supra* cit. 4.

OCTOCÉPHALE [ɔktosefal] adj. — xxᵉ ; de *octo-*, et *-céphale*.

♦ Rare. Qui a huit têtes.

Monstre octocéphale où qui serait qui ? Nul ne le peut savoir.
             Claude MAURIAC, le Dîner en ville, p. 269.

OCTOCORALLIAIRE [ɔktokɔʀaljɛʀ] n. m. — 1903, *octocoralliens* ; de *octo-*, et *coralliaire*.

♦ Zool. Coralliaires à huit tentacules (alcyon, corail, etc.). *Les octocoralliaires.*

OCTOGÉNAIRE [ɔktɔʒenɛʀ] adj. et n. — 1578 ; lat. *octogenarius*, de *octogeni*, de *octo* «huit».

♦ Qui a quatre-vingts ans. *Elle sera bientôt octogénaire* (→ Hache, cit. 7). *Gâteux* (cit. 1) *octogénaire.* — N. *Un, une octogénaire* (→ Gestion, cit. 2 ; longévité, cit. 1).

Un octogénaire plantait.
Passe encor de bâtir ; mais planter à cet âge !   LA FONTAINE, Fables, XI, 8.

OCTOGONAL, ALE, AUX [ɔktɔgɔnal, o] adj. — 1520 ; de *octogone*.

♦ Didact. Qui a huit angles. — (1868). Dont la base est un octogone. *Pyramide octogonale.*

OCTOGONE [ɔktɔgon ; ɔktɔgɔn] adj. et n. — 1520, n. m. ; lat. *octogonos*, mot grec ; → Octo-, et *-gone*.

♦ **1.** Adj. (1568). Vx. Octogonal. *Tour, chapelle octogone. Plafond divisé en compartiments* (cit. 4) *octogones.*

1   La salle octogone était illuminée de cierges de couleur et de lampes où brûlait la naphte mêlée de parfums (...)
             NERVAL, Voyage en Orient, «Nuits du ramazan», III, IV.

2   Cette tour était une construction octogone, et Richter expliquait en montant qu'elle renfermait à son sommet un réservoir de 150 tonnes.
             G. LEROUX, Rouletabille chez Krupp, p. 126.

♦ **2.** N. m. (1520). Mod. Polygone à huit côtés. *Octogone régulier.* Spécialt. (1690). Fortification de plan octogonal. (xxᵉ). Appareil de gymnase fait de plates-formes octogonales superposées.

OCTONAIRE [ɔktɔnɛʀ] n. m. — Mil. xivᵉ, «un huit» ; Calvin, adj., *psaume octonaire*, 1541 ; lat. *octonarius*, de *octo-* «huit».

♦ Didact. et vx. Qui renferme huit unités (œuvre, poème). — Spécialt. (Mil. xixᵉ). Vers latin de huit pieds.

OCTOPODE [ɔktɔpɔd] adj. — 1818, n. m. ; «bannière divisée en huit flammes», 1721 ; grec *oktôpous, podos* ; → -pode.

♦ **1.** Zool. Qui a huit pieds ou huit tentacules. *Mollusque octopode.* — N. m. pl. Sous-ordre de mollusques céphalopodes à deux branchies (poulpes, argonautes), munis de huit bras. Au sing. *Le poulpe est un octopode.*

♦ **2.** Techn. (1838). Qui repose sur huit pieds. *Le bâti octopode d'une machine.*

OCTOSTYLE [ɔktɔstil] adj. — 1580 ; *octastyle*, 1547 ; grec *oktastulos*, de *oktô* «huit», et *stulos* «colonne».

♦ Archit. Qui a huit colonnes, une façade de huit colonnes. — On trouve aussi la var. *octastyle*.

Le portique principal qui regarde la Néva est, comme tous les autres octostyles, c'est-à-dire composé d'une rangée de huit colonnes d'ordre corinthien, monolithes, à socles et à chapiteaux de bronze.   Th. GAUTIER, Voyage en Russie, XV.

OCTOSYLLABE [ɔktosi(l)lab] adj. et n. m. — 1611 ; lat. *octosyllabus*, de *octo* «huit» et *syllabus*. → Syllabe.

♦ Didact. Qui a huit syllabes. — N. m. Vers de huit syllabes (→ Mètre, cit. 1).

(...) l'idée me prit que si dans l'alexandrin (...) on faisait jouer un double jeu de rimes placées au bout des alexandrins d'une part, et de huit syllabes en huit syllabes de l'autre, on ferait se chevaucher la strophe alexandrine de quatre vers, et une strophe de six octosyllabes : c'est-à-dire que la même strophe pourrait s'écrire

de deux manières différentes, porter en elle deux chants suivant l'humeur du lecteur.   ARAGON, les Yeux d'Elsa, Préface, p. 19.

DÉR. Octosyllabique.

OCTOSYLLABIQUE [ɔktosi(l)labik] adj. — 1907 ; de *octosyllabe*.

♦ Didact. Octosyllabe.

OCTROI [ɔktʀwa] n. m. — Déb. xiiiᵉ ; *otroi*, v. 1175 ; *otreid*, v. 1112 ; de *octroyer*.

♦ **1.** [a] Action d'octroyer, de concéder. ⇒ **Attribution, concession.** *Octroi d'une grâce*, d'une faveur*, d'un droit. L'octroi des loisirs* (cit. 17) *aux classes ouvrières. Octroi de marges* (cit. 10) *bénéficiaires fixées aux intermédiaires.*

Je voudrais bien savoir, dit-elle, quelle loi   1
En a pour toujours fait l'octroi
A Jean, fils ou neveu de Pierre ou de Guillaume,
Plutôt qu'à Paul, plutôt qu'à moi.   LA FONTAINE, Fables, VII, 16.

Spécialt et anciennt. *Octroi des lettres de noblesse. Lettres d'octroi.*

[b] Spécialt. Dr. constit. Mode d'établissement d'une constitution par décision unilatérale (ex. : la Charte de 1814). ⇒ **Octroyer.**

[c] Par ext. Vx. Ce qui est octroyé. Spécialt. «Subside accordé par le peuple au souverain» (Littré).

♦ **2.** (1836 ; *deniers d'octroi*, 1611). Contribution indirecte (droit d'entrée) que certaines communes, certaines municipalités étaient autorisées à établir et à percevoir sur les marchandises de consommation locale. «*L'octroi* (...) *a disparu depuis que les communes ont eu à leur disposition des ressources diverses* (...) *plus faciles à percevoir...*» (*Nouveau Répertoire Dalloz*). ⇒ **Taxe.** *Permis de circulation dans les villes à octroi* (⇒ **Passe-debout**). — Par ext. (1868). Administration qui était chargée de cette contribution. *Les préposés de l'octroi* (⇒ **Gabelou**, vx). *Le bureau, la barrière* de l'octroi.* Lieu où est perçue cette taxe. *S'arrêter à l'octroi.*

Successivement, il ébaucha une réforme absolue du système administratif des Halles, une transformation générale des octrois en taxes sur les transactions, une répartition nouvelle de l'approvisionnement dans les quartiers pauvres, enfin une loi humanitaire, encore très-confuse, qui emmagasinait en commun les arrivages et assurait chaque jour un minimum de provisions à tous les ménages de Paris.   2
             ZOLA, le Ventre de Paris, t. I, p. 202.

OCTROYER [ɔktʀwaje] v. tr. — Fin xiiiᵉ ; réfection, d'après le lat. *auctor*, de l'anc. franç. *otreier* (1080, *Chanson de Roland*), du lat. pop. **auctoritare* (→ Autoriser), lat. impérial *auctorare*, de *auctor* «garant».

♦ Accorder à titre de faveur, de grâce. ⇒ **Accorder, concéder, donner** (→ Espoir, cit. 7). *Le seigneur qui octroie la grâce* (→ Hysope, cit. 4). *Celui qui a bien employé* (cit. 13) *le temps qu'on lui octroie... Octroyer une somme d'argent à chacun.* ⇒ **Allouer, attribuer, consentir, distribuer.**

(...) dans le dessein de se faire un droit (...) de refuser (...) ce qu'il sait bien qu'il   1
lui sera demandé, et qu'il ne veut pas octroyer (...)
             LA BRUYÈRE, les Caractères, X, 12.

(...) accordez promptement ce que vous voulez octroyer : vous acquerrez ainsi la   2
grâce du refus et la grâce du bienfait (...)
           BALZAC, le Lys dans la vallée, Pl., t. VIII, p. 890.

Cette salve d'artillerie annonçait aux musulmans que le padishah leur octroyait   3
une Constitution, plus large et plus libérale que toutes les Constitutions européennes (...)
             LOTI, Aziyadé, III, XVII.

▶ **S'OCTROYER** v. pron. (1903).
S'accorder, s'offrir, s'attribuer. *S'octroyer un supplément de vacances, un bon repas. S'octroyer un délai, un répit...*

Il s'octroie encore deux secondes. Non qu'il veuille, une fois de plus, peser le pour   4
et le contre (...)   MARTIN DU GARD, les Thibault, t. IV, p. 183.

▶ **OCTROYÉ, ÉE** p. p. adj. *Grâce octroyée. Louange octroyée par méprise* (cit. 4). — Hist. *La Charte** (cit. 3) *octroyée.*

DÉR. Octroi, octroyeur.

OCTROYEUR, EUSE [ɔktʀwajœʀ, øz] adj. et n. — 1864, Hugo ; de *octroyer*.

♦ Littér. Qui octroie ; personne qui octroie.

La civilisation n'en a pas fini avec les octroyeurs de constitutions, avec les propriétaires de peuples, et avec les hallucinés légitimes et héréditaires, qui s'affirment majestés par la grâce de Dieu, et se croient sur le genre humain droit de manumission.   HUGO, Shakespeare, II, VI, IV.

OCTUOR [ɔktɥɔʀ] n. m. — 1878 ; de *oct-*, d'après *quatuor*.
Musique.

♦ **1.** Œuvre musicale pour huit instruments. *L'octuor de Stravinsky.*

♦ **2.** Formation de chambre de huit instrumentistes (ou chanteurs). ⇒ **Octette.** *Octuor à cordes, à vent.*

OCTUPLE [ɔktypl] adj. — 1377 ; lat. *octuplus*, de *octo-*.

♦ Didact. Qui contient huit fois ; est multiple de huit. *Seize est octuple de deux.*

DÉR. **Octupler.**

OCTUPLER [ɔktyple] v. tr. — 1798 ; de *octuple*.

♦ Didact. Multiplier par huit.

OCTYLE [ɔktil] n. m. — 1874, P. Larousse ; *hydrure d'octyle*, 1863, Schorlemmer ; de *oct-* « huit » représentant C_8 (→ Octane), et *-yle*, représentant la notion de radical composé.

♦ Chim. Radical monovalent — C_8H_{17} présent dans certains dérivés de l'octane.

DÉR. **Octylique.**

OCTYLIQUE [ɔktilik] adj. — 1874, P. Larousse ; de *octyle*.

♦ Chim. Qui contient le radical octyle. *Alcools octyliques.* « *En distillant les fruits de l'*Heracleum Spondylium *(→ Berce) avec de l'eau (...) on obtient une huile essentielle qui est formée principalement d'acétate d'octyle (...) La potasse alcoolique le transforme en alcool octylique primaire et acétate de potasse* » (A. Wurtz, *Dict. de chimie*, t. II, 1ʳᵉ partie, art. *Octyliques* [*Alcools*]).

OCULAIRE [ɔkylɛʀ] adj. et n. m. — 1478 ; aussi 1480, « visible, évident » ; lat. *ocularis*, de *oculus* « œil ».

★ **I.** Adj. ♦ **1.** De l'œil, relatif à l'œil* (d'un point de vue anatomique). ⇒ **Ophtalmique.** *Globe oculaire* (→ Cornée, cit. ; éprouver, cit. 26). *Nerfs oculaires.*
Opt. *Verre, lentille oculaire* (→ ci-dessous, II.). *Cercle, anneau oculaire* : image réelle de l'objectif dans une lunette, un microscope.

1 (...) si l'on veut qu'elle *(une lunette)* nous présente la face entière du soleil (...) en la supposant longue de cent pieds, il faudra dans ce cas que le verre oculaire ait au moins dix pouces de diamètre (...)
BUFFON, Introd. à l'hist. nat. des minéraux, VI, II.

♦ **2.** (1580). *Témoin oculaire,* qui a vu de ses propres yeux ce dont il témoigne (→ Contradictoire, cit. 3). *Témoignage oculaire et auriculaire* (cit. 2).

2 Deux récits d'un même événement faits par des témoins oculaires diffèrent essentiellement.   RENAN, Vie de Jésus, Œ. compl., t. IV, p. 76.

★ **II.** N. m. (1672). Dans un instrument d'optique, lentille ou système de lentilles près duquel on applique l'œil. *L'oculaire et l'objectif*. *Oculaire négatif, de Huygens,* formé par deux lentilles planconvexes (les parties convexes étant tournées vers l'objectif). *Oculaire de lunette astronomique, de microscope... Lunette à deux, trois oculaires* (donnant des grossissements différents) *Œilleton* adapté à un oculaire. Oculaire orthoscopique.* ⇒ **Objectif.**

DÉR. **Oculairement.**
COMP. **Binoculaire.**

OCULAIREMENT [ɔkylɛʀmɑ̃] adv. — 1534 ; de *oculaire*.

♦ Rare. De ses propres yeux. « *Je m'en suis convaincu oculairement* » (Littré).

OCULARISTE [ɔkylaʀist] n. — 1855, Nysten ; dér. sav. du lat. *ocularis*. → Oculaire.

♦ Didact. Personne qui fabrique des pièces de prothèse oculaire.

OCULARITÉ [ɔkylaʀite] n. f. — V. 1970 ; dér. sav. du lat. *ocularis* « relatif aux yeux ».

♦ Didact. (Méd.). Prédominance fonctionnelle de l'œil droit (⇒ **Droiterie**) ou de l'œil gauche (⇒ **Gaucherie**). *Ocularité liée à l'emploi d'un seul œil* (tir, travaux de laboratoire...). *Ocularité et latéralité.*

OCULÉ, ÉE [ɔkyle] adj. — 1765 ; « qui a un œil », (fig.) « clairvoyant », mil. XVIᵉ ; dér. sav. du lat. *oculus* « œil ».

♦ Zool. Qui porte des taches en forme d'œil. ⇒ **Ocellé.**

OCULI [ɔkyli] n. m. — 1405 ; plur. du lat. *oculus* « œil », parce que l'introït de ce jour commence par les mots *oculi mei* « mes yeux ».

♦ Liturgie rom. Troisième dimanche du carême.

OCULI-, OCULO- Premiers éléments de mots savants, du lat. *oculus* « œil ». ⇒ aussi **Oculaire, oculiste...**

OCULIFÈRE [ɔkylifɛʀ] adj. — 1838, Académie ; de *oculi-*, et *-fère*.

♦ Bot. Qui porte un œil.

OCULIFORME [ɔkylifɔʀm] adj. — 1838 ; de *oculi-*, et *-forme*.

♦ Sc. nat. En forme d'œil.

OCULISTE [ɔkylist] n. — 1503 ; dér. sav. du lat. *oculus* « œil ».

♦ Médecin spécialiste des troubles de la vision. ⇒ **Ophtalmologiste.** Appos. *Médecin oculiste.*
(...) maintenant, chaque médecin se spécialise ; les oculistes ne voient que les yeux et pour les guérir, ils empoisonnent tranquillement le corps.
HUYSMANS, Là-bas, VII.

DÉR. **Oculistique.**

OCULISTIQUE [ɔkylistik] n. f. et adj. — 1855 ; de *oculiste*.

♦ **1.** N. f. Didact. et rare. Ophtalmologie.
(...) la conversation familiale musardera le long de sujets non épineux. Par égard pour l'œil de Marguerite, on parlera d'abord oculistique (...)
GIDE, les Caves du Vatican, I, IV, *in* Romans, Pl., p. 694.

♦ **2.** Adj. (1876). Relatif à la pathologie et à la médecine des yeux. ⇒ **Ophtalmologique.**

OCULO- ⇒ Oculi-.

OCULO-CARDIAQUE [ɔkylokaʀdjak] adj. — 1922 ; de *oculo-*, et *cardiaque*.

♦ Physiol. *Réflexe oculo-cardiaque* : ralentissement du pouls observé après une pression sur les globes oculaires. — N. B. La règle habituelle conduit à écrire *oculocardiaque*.

OCULOGYRE [ɔkylɔʒiʀ] adj. — V. 1970 ; de *oculo-*, et *-gyre*.

♦ Méd. Qui régit des mouvements conjugués des globes oculaires ; qui se rapporte aux mouvements conjugués des yeux. ⇒ **Oculomoteur.** *Spasme oculogyre.*

OCULOMOTEUR, TRICE [ɔkylomɔtœʀ, tʀis] adj. — 1903, *Rev. gén. des sc.* ; de *oculo-*, et *moteur*.

♦ Méd. Relatif aux mouvements des yeux. ⇒ **Oculogyre.** *Paralysie oculomotrice. Nerfs oculomoteurs* (ou *nerfs moteurs oculaires*, commun et externe). — N. m. *L'oculomoteur.*

OCULO-PALPÉBRAL, ALE, AUX [ɔkylopalpebʀal, o] adj. — 1845, *in* D. D. L. ; de *oculo-*, et *palpébral*.

♦ Anat., physiol. Relatif aux yeux et aux paupières. *Conjonctivite oculo-palpébrale.* — REM. On pourrait écrire *oculopalpébral.*

OCULOVERBAL, ALE, AUX [ɔkyloveʀbal, o] adj. — V. 1960 ; de *oculo-*, et *verbal*.

♦ Psychol. *Écart oculoverbal,* entre un mot prononcé et lu au même instant.

OCULUS [ɔkylys] n. m. — Fin XIXᵉ ; mot lat. « œil ».

♦ Archit. Fenêtre ronde, œil-de-bœuf. *Oculus gothique. Des oculi* ou *des oculus.* — Techn. Partie découpée dans une porte, une cloison.
L'architecture romane a fait également usage des fenêtres rondes auxquelles nous donnons le nom d'œils-de-bœuf ou *oculi* et auxquelles au moyen âge on donnait le nom de la lettre O ou de la roue.
C. ENLART, Manuel d'archéologie franç., t. I, p. 329.

OCYTOCINE [ɔsitɔsin] ou **OXYTOCINE** [ɔksitɔsin] n. f. — Mil. XXᵉ ; *ocytocique*, 1869 ; du grec *ôkutokos* « qui procure un accouchement *(tokos)* rapide *(ôkus)* ».

♦ Biochim. Hormone élaborée par le lobe postérieur de l'hypophyse qui provoque la contraction de l'utérus au cours de l'accouchement. « *L'ocytocine, liée à la sécrétion du lait maternel pendant la lactation* » (la Recherche, nov. 1973, p. 941).

ODALISQUE [ɔdalisk] n. f. — 1624 ; turc *odalik* « chambrière ».

♦ **1.** Hist. Dans la Turquie ancienne, Femme de chambre esclave qui était au service des femmes d'un harem, particulièrement du harem du sultan.

♦ **2.** (1765). Cour. et abusivt. Femme d'un harem (→ Inventeur, cit. 3). *L'Odalisque couchée,* célèbre tableau d'Ingres. *L'Odalisque,* de Delacroix.

1 Le sérail du plus voluptueux sultan serait peu de chose à côté de celui que l'on pourrait composer avec les odalisques de la peinture, et il est vraiment dommage que tant de beauté soit perdue.   Th. GAUTIER, Fortunio..., « Toison d'or », II.

2 Le harem du Sultan renferme seulement trente-trois *cadines* ou dames, parmi lesquelles trois seulement sont considérées comme favorites. Le reste des femmes du sérail sont des *odaleuk* ou femmes de chambre. L'Europe donne donc un sens impropre au terme d'odalisque.
                                        NERVAL, Voyage en Orient, « Nuits du ramazan », I, II.

3 La *grande Odalisque* d'Ingres se situe dans une région de paix qui provoque les ressentiments des misérables que nous sommes (...) C'est bien le luxe du potentat absent qui enveloppe jalousement cette merveilleuse créature ; nous la voyons ici en « vacance », souveraine dans son repos, le front pur, nous offrant pour quelques instants la splendeur dorsale de sa taille interminable, de ses flancs prodigieux, de ses fesses et de ses jambes qui nous laissent hébétés (...)
                                        P. KLOSSOWSKI, la Révocation de l'Édit de Nantes, p. 19.

ODE [ɔd] n. f. — 1491 ; bas lat. *ode, oda,* grec *ôdê,* proprt « chant ».

♦ **1.** Littér. grecque. Chez les Grecs, Poème lyrique destiné à être chanté ou dit avec accompagnement de musique. *Odes d'Alcée, de Sapho, odes anacréontiques.* — Spécialt. *Ode triomphale* (appelée aussi *épinicie*), composée pour célébrer un athlète vainqueur à l'un des grands jeux de la Grèce. *Les odes de Pindare :* Isthmiques, Néméennes, Olympiques, Pythiques. — *Odes d'Horace, imitées des lyriques grecs.*

♦ **2.** (1549). En littér. moderne. Poème lyrique* (cit. 3 et 7) de forme et d'inspiration variables, le plus souvent constitué de strophes symétriques et inspiré de l'ode des Anciens. *Généralement, l'ode est un poème qui célèbre un personnage illustre, un grand événement... L'ode vit de l'idéal* (→ Drame, cit. 5, Hugo). *L'ode, dans tous les temps, a été consacrée à l'exagération* (cit. 1, Voltaire). *Les Odes de Ronsard, de Malherbe. Odes et ballades,* de V. Hugo. *Odes funambulesques* (cit. 2), de Banville. *Les Cinq grandes Odes,* de Claudel.

1 (...) et osai, le premier des nôtres, enrichir ma langue de ce nom, Ode, comme l'on peut voir par le titre d'une imprimée sous mon nom dedans le livre de Jacques Peletier du Mans (...)
                         RONSARD, Quatre premiers livres d'odes, *in* Œ. en prose, « Au lecteur ».

2 L'ode, avec plus d'éclat, et non moins d'énergie,
Élevant jusqu'au ciel son vol ambitieux,
Entretient dans ses vers commerce avec les dieux (...)
(...) Son style impétueux souvent marche au hasard :
Chez elle un beau désordre est un effet de l'art.   BOILEAU, l'Art poétique, II.

3 Qu'est-ce que l'Ode ? (...) c'est un chant destiné à traduire et à exprimer l'ivresse publique, la gloire des vainqueurs, la pompe des noces solennelles ou le deuil des grandes funérailles, quelque sentiment général qui transporte à un moment une nation. Toute ode est, de sa nature, destinée à être chantée.
                                        SAINTE-BEUVE, Causeries du lundi, 24 nov. 1851.

DÉR. Odelette.

-ODE Élément final de composition, du grec *hodos* « route » (ex. : *cathode*).

ODELETTE [ɔdlɛt] n. f. — 1554, Ronsard ; de *ode.*

♦ Petite ode d'un genre gracieux. *Les Odelettes de Nerval.*

La forme concentrée de l'odelette ne me paraissait pas moins précieuse à conserver que celle du sonnet, où Ronsard s'est inspiré si heureusement de Pétrarque, de même que, dans ses élégies, il a suivi les traces d'Ovide.
                                        NERVAL, Petits châteaux de Bohême, Prem. château, V.

ODÉON [ode5] n. m. — 1755 ; *odéum,* 1547 ; lat. *odeum,* grec *ôdeion.*

♦ Antiq. grecque. Nom de divers édifices de la Grèce antique affectés aux exercices de chants, aux représentations musicales, aux concours de poésie et de musique. *L'odéon de Périclès, d'Hérode Atticus à Athènes.*

(1797). Mod. Nom propre. *L'Odéon,* théâtre parisien appelé autrefois, successivement : *Second Théâtre-Français, Salle Luxembourg, Théâtre de France.*

ODEUR [ɔdœʀ] n. f. — V. 1380 ; *odor,* v. 1130 ; *udur,* v. 1112 ; lat. *odor.*

♦ **1.** Émanation volatile, caractéristique de certains corps et susceptible de provoquer chez l'homme et chez certains animaux des sensations dues à l'excitation d'organes spécialisés. ⇒ **Arôme, bouquet, effluve, émanation, empyreume, exhalaison, fragrance, fumet, goût, parfum, puanteur, relent, remugle, senteur.** *Science des odeurs.* ⇒ **Osmologie.** *Sensation des odeurs.* ⇒ **Nez, odorat, olfactif, olfaction** ; 1. **osm-.** *Odeur associée à un goût.* ⇒ **Flaveur.** *Odeur caractéristique de certaines plantes, de certaines substances* (par ex. : ail, ambre, anis, basilic, baume, caramel, encens [cit. 4], eucalyptus [cit. 2], musc, thym, vanille...). *Odeur sui* generis. *Odeur de brûlé, d'échauffé, d'enfermé, d'évent, de moisi* (cit. 6), *de pourri, de renfermé, de roussi. Odeur de graillon, de vétusté. Odeur de terre, de vin.* ⇒ **Terreux, vineux.** *L'odeur de la poudre*.* *Odeur de mangeaille* (→ Affronter, cit. 4), *de fumée et de suif* (→ Brasiller, cit. 1), *de cuisine* (→ Escalier, cit. 6), *des foins* (1. Foin, cit. 2) *coupés, du thé* (→ Léger, cit. 12). *Odeur corporelle.* → Sentir le

*gousset** (vx). *Odeur de* l'*haleine. Dont le nez a mauvaise odeur.* ⇒ **Punais** (vx) ; **ozène.** *Importance des odeurs en médecine* (odeur d'acétone dans le cas du diabète, etc.). *Odeur forte du blaireau. Odeur de sauvagine*. Les odeurs en vénerie.* ⇒ **Fumée(s),** **haléner, vent.** *Bonne odeur, odeur agréable, capiteuse, douce, suave. Odeur mielleuse, musquée. « Maître Renard par l'odeur alléché »* (cit. 1, La Fontaine). *Qui a une mauvaise odeur.* ⇒ **Malodorant, puant.** *Odeur âcre, écœurante, fétide, forte, méphitique, nauséabonde, nauséeuse, repoussante. Odeur excrémentielle, nidoreuse, pisseuse, vireuse. Odeur subtile* (→ Exhalaison, cit. 4), *forte, pénétrante* (→ Exhaler, cit. 4 ; herbe, cit. 15), *fade* (cit. 4), *fine* (cit. 11). *Une odeur si forte et si mauvaise* (→ Mouffette, cit.). *Avoir une odeur ; dégager, exhaler, rendre, répandre une odeur.* ⇒ **Sentir.** *Avoir une bonne* (⇒ **Bon** [sentir bon], **embaumer, fleurer**), *une mauvaise odeur.* ⇒ **Empester, empoisonner, empuantir, infecter, mauvais** (sentir mauvais), **puer.** *Qui dégage une bonne odeur.* ⇒ **Aromatique, bénéolent** (littér.), **odorant, parfumé.** *Corps sans odeur.* ⇒ **Inodore.** *Odeur qui chatouille l'odorat, entête, prend à la gorge, monte à la tête. Chasser une mauvaise odeur en aérant, en désodorisant* (⇒ **Assainisseur ; désodoriser**). *Respirer une odeur* (⇒ **Flairer, humer, renifler, sentir, subodorer**). *Respirer une mauvaise odeur* (→ fam. Prendre une prise*). — *Manger son pain à l'odeur du rôti, du rôt.* ⇒ **Fumée** (*supra* cit. 9). Loc. fig. *L'argent** (*infra* cit. 54) *n'a pas d'odeur.*

1 J'ai ouï-dire que les sauvages avaient l'odorat tout autrement affecté que le nôtre, et jugeaient tout différemment des bonnes et des mauvaises odeurs.
                                        ROUSSEAU, Émile, II.

2 C'étaient de ces chambres de province qui (...) nous enchantent de mille odeurs qu'y dégagent les vertus, la sagesse, les habitudes, toute une vie secrète, invisible, surabondante et morale que l'atmosphère y tient en suspens ; odeurs naturelles encore, certes, et couleur du temps comme celles de la campagne voisine, mais déjà casanières, humaines et renfermées, gelée exquise, industrieuse et limpide de tous les fruits de l'année qui ont quitté le verger pour l'armoire (...)
                                        PROUST, À la recherche du temps perdu, t. I, p. 73.

3 Le long de la tranchée que je suis le bord croulant, l'odeur est si forte qu'elle est comme explosive. Cela sent l'huile, l'ail, la graisse, la crasse, l'opium, l'urine, l'excrément et la tripaille.   CLAUDEL, Connaissance de l'Est, « Jardins ».

3.1 La maison ne sentait ni plus ni moins mauvais que toutes les autres du Barrio Chino, mais de celle-ci l'odeur épouvantable demeure à jamais pour moi celle même non seulement de l'amour mais de la tendresse et de la confiance. L'odeur de Stilitano, l'odeur de ses aisselles, l'odeur de sa bouche, quand mon odorat s'en souvient, s'il les retrouve tout à coup avec une vérité inquiétante, je les crois capables de me donner les plus folles audaces.
                                        Jean GENET, Journal du voleur, p. 44.

3.2 (...) aient à la longue fini par l'imprégner de la fétide odeur des réfectoires, transportant chez les milliardaires les nauséeuses odeurs de poireaux, de choux-fleurs, de melons et d'huile rance stagnant, tièdes et intestines (...)
                                        Claude SIMON, le Palace, p. 11.

3.3 Certains milieux soustraits au spatio-temporel banal sont liés à une ambiance olfactive qui les isole du normalement vécu. Telles sont les odeurs d'encens des sanctuaires, la « fumée des holocaustes », l'odeur de la poudre, enivrement du héros, dont le rôle n'est pas celui d'un simple condiment. En effet, les odeurs, par les déclenchements profonds qu'elles provoquent, sont, tel l'élément déterminant de la mise en situation. Il suffit d'imaginer un sanctuaire où flotterait une odeur insinuante de cuisine ou un champ de bataille traversé brusquement par des effluves printaniers pour percevoir les ruptures de conditionnement qui en résulteraient.
                                        A. LEROI-GOURHAN, le Geste et la Parole, t. II, p. 117.

♦ **2.** (V. 1112). Au plur. ⇒ **Parfum** (→ Cosmétique, cit. 1). *Un flacon d'odeurs. « Et des esclaves nus tout imprégnés* (cit. 4) *d'odeurs »* (Baudelaire).

♦ **3.** (XIIᵉ). Impression qui se dégage (de qqch.). *Une odeur de dévotion* (→ Exhaler, cit. 6). *Je trouvais à cette histoire une odeur répugnante* (→ Irréprochable, cit. 5).

♦ **4.** (V. 1650). Loc. **ODEUR DE SAINTETÉ** : odeur suave qu'exhalerait le corps de certains saints après leur mort. — Fig. État de perfection spirituelle qui fait présumer qu'une personne est digne d'être admise au rang des saints. *Mourir en odeur de sainteté.* — Par ext. (1835). Cour. *N'être pas en odeur de sainteté auprès de quelqu'un* (→ Croire, cit. 37) : n'avoir pas bonne réputation, être mal vu.

4 Huit ou dix séminaristes vivaient en odeur de sainteté et avaient des visions comme sainte Thérèse et saint François, lorsqu'il reçut les stigmates sur le mont Verna dans l'Apennin.   STENDHAL, le Rouge et le Noir, I, XXVI.

5 Pour la première fois, des parfums, violents à la fois et fades, et tels qu'on doit exhaler le corps des chrétiens morts en odeur de sainteté, mais qui annonçaient ici un sursaut de la vie.   GIRAUDOUX, Siegfried et le Limousin, p. 241.

-ODIE Élément final de composition, du grec *-ôdia,* rad. *odê* « chant ». ⇒ **Mélodie, monodie, palinodie, parodie, prosodie, psalmodie, rhapsodie** (et **rhapsode**).

ODIEUSEMENT [ɔdjøzmɑ̃] adv. — 1541, Calvin ; de *odieux.*

♦ **1.** D'une manière odieuse. *Il a été odieusement traité.* ⇒ **Atrocement, horriblement.** *Il s'est conduit odieusement.* ⇒ **Abominablement, monstrueusement.**

♦ **2.** (1893). De façon très désagréable, insupportable. ⇒ **Insupportablement.**

Il aimait beaucoup certains de ses camarades, mais il s'ennuyait odieusement : il jouait aux cartes et il dormait (...)   S. DE BEAUVOIR, la Force de l'âge, p. 444.

ODIEUX, EUSE [ɔdjø, øz] adj. — 1376; du lat. *odiosus*.

♦ **1.** Qui excite la haine*, l'horreur*, le dégoût, l'indignation.
⇒ **Abject, antipathique, dégoûtant, détestable, détesté, exécrable, haï, haïssable** (cit. 1), **honni, ignoble, indigne, infâme, injuste, méchant.** *Un homme odieux* (→ Excepter, cit. 10). *« J'ai voulu te paraître odieuse, inhumaine »* (→ Haïr, cit. 6, Racine). *Être, se rendre odieux à quelqu'un* (→ Détruire, cit. 32; épais, cit. 18; gentilhomme, cit. 2; insatiable, cit. 3). *Un monstre* (cit. 4) *odieux.* — *Assassinat, crime odieux* (→ Cruel, épouvantable). *Condition odieuse.* ⇒ **Avilissant.** *Fausseté* (→ Duplicité, cit. 3), *ingratitude* (cit. 2) *odieuse. Jouer un rôle odieux* (→ 1. Bas, cit. 35; émissaire, cit. 1). *Vie odieuse.* ⇒ **Insupportable** (→ Désespoir, cit. 14). — *Être odieux à quelqu'un,* lui répugner. *Il m'était odieux que Michèle lui parlât* (→ Appartenir, cit. 13).

1   Les défauts qui rendent un homme ridicule ne le rendent guère odieux ; de sorte qu'on échappe à l'odieux par le ridicule.   Joseph JOUBERT, Pensées, V, XLV.

2   Il est des crimes si odieux, qu'à discuter seulement la culpabilité de l'accusé l'on devient aussitôt suspect (...)   J. PAULHAN, les Fleurs de Tarbes, p. 88.

N. *« Tout l'odieux de cette mesure retombe sur lui »* (Académie).

3   (...) j'ajoutais qu'à son retour elle n'aurait plus à supporter l'odieux de ma présence.   Paul BOURGET, le Disciple, IV, IV.

4   L'odieux du procès et de la condamnation *(de Jeanne d'Arc)* doit équitablement se partager entre les Anglais et leurs serviteurs français du parti bourguignon (...)
                                  J. BAINVILLE, Hist. de France, VI, p. 117.

♦ **2.** (1690). Très désagréable*. *Ce type est odieux, puant. Être odieux avec, à l'égard de quelqu'un. Il était d'une humeur odieuse.* ⇒ **Mauvais.** *Le gosse a été odieux aujourd'hui.* ⇒ **Insupportable.** — *Odieux à quelqu'un. Une carrière* (2. Carrière, cit. 13) *politique qui m'était odieuse.*

REM. *Odieux,* en épithète, se place en général après le nom.

CONTR. **Adorable, agréable, aimable, charmant, gentil...**
DÉR. **Odieusement.**

ODO- Élément, du grec *hodos* « route » (ex. : *odomètre*). ⇒ **-ode.**

ODOGRAPHIE ou **HODOGRAPHIE** [ɔdɔgʀafi] n. f. — xxᵉ (*in* Larousse, 1932); de *odo-*, et *-graphie*.

♦ Didact., rare. Description des voies de communication (routes, rues...).
DÉR. **Odographique.**

ODOGRAPHIQUE ou **HODOGRAPHIQUE** [ɔdɔgʀafik] adj. — 1932; de *odographie*.

♦ Didact., rare. Relatif à l'odographie. *Poteau odographique,* indiquant les directions à un croisement de voies.

ODOLOGIE [ɔdɔlɔʒi] n. f. — 1974, Association internationale de recherches sur le chant; du grec *ôidê* « chant » (→ -odie), et *-logie*.

♦ Didact. Étude scientifique du chant.

ODOMÈTRE ou **HODOMÈTRE** [ɔdɔmɛtʀ] n. m. — 1678, *odomètre*; *hodomètre*, 1866; grec *hodometron*, de *hodos* (→ Odo-), et *metron* (→ -mètre).

♦ **1.** Didact. Podomètre (→ Instrument, cit. 2).

♦ **2.** (1842). Techn. Compte-tours. ⇒ **Tachymètre.**

ODOMÉTRIE ou **HODOMÉTRIE** [ɔdɔmetʀi] n. f. — 1842, *odométrie*; *hodométrie*, 1866; de *odo-*, et *-métrie*.

♦ Didact., vx. Mesure des distances parcourues en marchant.
⇒ **Podométrie.**

ODONATES [ɔdɔnat] n. m. pl. — 1839; du grec *odous, odontos* « dent ».

♦ Zool. Ordre d'insectes *(Archiptères)* caractérisés par des pièces buccales du type broyeur, et comprenant les libellules. — Au sing. *Un odonate.*

ODONT-, ODONTO- Éléments de composition, du grec *odous, odontos* « dent ». ⇒ **-odonte.**

ODONTALGIE [ɔdɔtalʒi] n. f. — 1694, mais antérieur, → Odontalgique; grec *odontalgia*; → -algie.

♦ Méd. Douleur d'origine dentaire. ⇒ **Mal, rage** (de dents). *Traiter une odontalgie au moyen de calmants.*
DÉR. **Odontalgique, odontalgiste.**

ODONTALGIQUE [ɔdɔtalʒik] adj. et n. — 1620; de *odontalgie*.
Médecine.

♦ **1.** N. m. Remède contre le mal de dents.

♦ **2.** Adj. Relatif au mal de dents. *Douleur odontalgique.*

ODONTALGISTE [ɔdɔtalʒist] n. — Déb. xxᵉ; de *odontalgie*.

♦ Didact. Spécialiste des dents. ⇒ **Dentiste, odontologiste.**

(...) si après quelques instants de conversation vous demandiez sa vraie opinion sur vous à un odontalgiste, il vous dirait le nombre de vos mauvaises dents.
                                  PROUST, À la recherche du temps perdu, Pl., t. I, p. 743.

-ODONTE, -ODONTIE Éléments tirés du grec (⇒ **Odont-**) qui entrent dans la composition de mots savants relatifs à la classification des animaux selon la présence ou l'absence de dents ou selon la conformation ou la disposition de leurs dents : *acrodonte, anodonte, mastodonte, sélénodonte,* etc.

ODONTITE [ɔdɔtit] n. f. — D. i.; de *odont-,* et suff. bot. *-ite*.

♦ Bot. Plante hémiparasite *(Scrofulariacées)* à feuilles vertes, à fleurs généralement jaunes ou rouges, qui croît sur les racines de divers végétaux. *Odontite rubra* ou *odontite des moissons.*

ODONTOBLASTE [ɔdɔtoblast] n. m. — 1892, Encycl. Berthelot, art. *dent*; de *odonto-,* et grec *blastos* « germe »; → -blaste.

♦ Didact. (Biol.). Cellule conjonctive de la partie périphérique de la pulpe dentaire, qui produit l'ivoire.

Ces odontoblastes sont des cellules conjonctives en forme de parallélogramme, de vingt à trente μ, gros noyau, chondriome important (...) ovalaire vers le pôle externe de la cellule.   P.-L. ROUSSEAU, les Dents, p. 19.
DÉR. **Odontoblastique.**

ODONTOBLASTIQUE [ɔdɔtoblastik] adj. — xxᵉ; de *odontoblaste*.

♦ Didact. Relatif aux odontoblastes; où se trouvent les odontoblastes. *La zone odontoblastique de la pulpe dentaire,* sa partie périphérique.

ODONTOCÈTES [ɔdɔtosɛt] n. m. pl. — Mil. xxᵉ; de *odonto-* (« à dents »), et *-cètes*.

♦ Zool. Groupe des cétacés* munis de dents, ne possédant qu'un seul évent (dauphins, marsouins, belouga, narval, cachalots). — Au sing. *Un odontocète.*

ODONTOGENÈSE [ɔdɔtoʒenɛz; ɔdɔtoʒɛnɛz] n. f. — V. 1903, *Nouveau Larousse illustré*; P. Larousse, *odontogénésie*, 1874; *odontogénie*, 1837; de *odonto-,* et *-genèse*.

♦ Didact. (Biol.). Embryologie de la dent.

ODONTOGRAMME [ɔdɔtogʀam] n. m. — V. 1960; de *odonto-,* et *-gramme*.

♦ Didact. Schéma dentaire sur lequel le dentiste indique les lésions trouvées chez un patient et les traitements effectués.

ODONTOÏDE [ɔdɔtɔid] adj. — 1541; de *odonto-,* et *-oïde*.

♦ **1.** Didact. Qui a l'aspect, la forme ou la contexture d'une dent. Anat. *Apophyse odontoïde :* apophyse de la seconde vertèbre du cou (axis), s'articulant dans le trou vertébral de l'atlas.

♦ **2.** Zool. Comparable aux dents, par sa nature. *« Cette structure odontoïde de l'écaille des Sélaciens ne se retrouve pas chez les autres poissons »* (R. et M.-L. Bauchot, *les Poissons,* p. 26).
DÉR. **Odontoïdien.**

ODONTOÏDIEN, IENNE [ɔdɔtɔidjɛ̃, jɛn] adj. — 1846, Bescherelle; de *odontoïde*.

♦ Didact. Relatif à l'apophyse odontoïde.

ODONTOLOGIE [ɔdɔ̃tɔlɔʒi] n. f. — 1771 ; de *odonto-*, et *-logie*.

♦ Didact. Étude et traitement des dents ; médecine dentaire. ⇒ Stomatologie.

DÉR. Odontologique, odontologiste.

ODONTOLOGIQUE [ɔdɔ̃tɔlɔʒik] adj. — 1836, Académie ; de *odontologie*.

♦ Didact. Qui se rapporte à l'odontologie. *École odontologique.*

ODONTOLOGISTE [ɔdɔ̃tɔlɔʒist] n. — 1829 ; de *odontologie*.

♦ Didact. Médecin spécialiste de l'odontologie (chirurgien-dentiste, stomatologiste). ⇒ **Odontalgiste.**

ODONTOME [ɔdɔ̃tom] n. m. — 1868, Littré ; de *odont-*, et *-ome*.

♦ Didact. Tumeur formée par la prolifération des cellules d'une partie du follicule dentaire.

ODONTOMÈTRE [ɔdɔ̃tɔmɛtʀ] n. m. — 1866 ; de *odonto-*, et *-mètre.*

♦ Techn. Échelle graduée pour mesurer le nombre et l'écartement des dentelures des timbres-postes.

ODONTORRAGIE [ɔdɔ̃tɔʀaʒi] n. f. — 1843 ; de *odonto-*, et *rr(h)agie.*

♦ Didact. Hémorragie consécutive à l'avulsion d'une dent. — On a écrit aussi *odontorrhagie.*

DÉR. Odontorragique.

ODONTORRAGIQUE [ɔdɔ̃tɔʀaʒik] adj. — 1874, P. Larousse ; de *odontorragie.*

♦ Didact. De l'odontorragie.

ODONTOSTOMATOLOGIE [ɔdɔ̃tostɔmatɔlɔʒi] n. f. — 1955 ; de *odonto-*, et *stomatologie.*

♦ Didact. Étude de la chirurgie dentaire et de la stomatologie ; thérapeutique de la bouche et des dents.

ODORANT, ANTE [ɔdɔʀɑ̃, ɑ̃t] adj. — 1223 ; p. prés. de *odorer.*

♦ **1.** Qui exhale une bonne odeur. *Fleurs odorantes.* ⇒ **Fleurant** (vx), **fragrant, odoriférant.**

1 Ah! pendant ces printemps, que d'ardeur répandue
Sur les pétales noirs des odorantes nuits (...)
(...) Vous ont, ô Volupté, doucement attendue!
Csse DE NOAILLES, Éblouissements, « L'enivrement ».

♦ **2.** (1765). Qui exhale une odeur (bonne ou mauvaise). *Le calambac*, bois odorant. Drogue* (→ Fin, cit. 11), *essence odorante* (→ Extraction, cit. 3 ; extraire, cit. 9). Vieilli ou littér. *Logis mal odorant.* ⇒ **Malodorant** (→ Acariâtre, cit. 3).

2 Il le conduisit par un escalier mal odorant à une pièce sans air, qui donnait sur une cour intérieure. R. ROLLAND, Jean-Christophe, Foire sur la place, I.

CONTR. Inodore.
COMP. Malodorant.

ODORAT [ɔdɔʀa] n. m. — 1551, *in* D.D.L. ; lat. *odoratus*, du supin de *odor* → Odeur.

♦ Sens* grâce auquel l'homme et les animaux perçoivent, sentent les odeurs. ⇒ **Flair, olfaction.** *Organe de l'odorat.* ⇒ **Olfactif** (appareil), **olfaction.** *Perte de l'odorat.* ⇒ **Anosmie.** *Odorat fin, subtil, émoussé. Le chien a l'odorat très fin. Parfum qui chatouille agréablement l'odorat. Blesser* (→ Impur, cit. 5), *offenser, saisir l'odorat* (→ Myrrhe, cit. 2).

1 Le sens de l'odorat est au goût ce que celui de la vue est au toucher ; il le prévient, il l'avertit de la manière dont telle ou telle substance doit l'affecter, et dispose à la rechercher ou à la fuir, selon l'impression qu'on en reçoit d'avance.
ROUSSEAU, Émile, II.

2 La senteur révélatrice s'était propagée sans doute jusqu'au repaire de l'oiseau, qui, attiré d'abord et guidé ensuite par un odorat subtil, avait découvert sans tâtonnements la proie offerte à sa voracité.
Raymond ROUSSEL, Impressions d'Afrique, p. 50.

Par métaphore et fig. (Rare). Sagacité. *Avoir l'odorat fin.* ⇒ **Flair.**

ODORATIF, IVE [ɔdɔʀatif, iv] adj. — XIVᵉ ; lat. *odorativus* « odorant », du supin de *odorare* « odorer ».

♦ Vx. Relatif à l'odorat.

ODORATION [ɔdɔʀasjɔ̃] n. f. — 1546 ; *odoracion* « odeur », XIVᵉ ; lat. *odoratio, onis*, du supin de *odorare.*

♦ Vx. Olfaction ; action de sentir.

ODORER [ɔdɔʀe] v. — V. 1120 ; lat. *odorare*, de *odor* → Odeur.
Vx ou littéraire.

★ **I.** V. intr. ♦ **1.** Exhaler une odeur, être odorant.

♦ **2.** Avoir de l'odorat. ⇒ **Sentir.** « *Tous les animaux n'odorent pas (...)* » (Bernardin de Saint-Pierre).

★ **II.** V. tr. ♦ **1.** (1314). Percevoir par l'odorat. ⇒ **Flairer, sentir.**

1 Je suis voyant et entendant, je vois, je goûte, j'odore ce feu, ce fruit, cette rose.
CLAUDEL, *in* G.L.L.F.

2 Si tu regardes cet arbre, si tes mains le touchent, si ton nez odore la fleur de son écorce, si tes oreilles entendent le chuchotement de son feuillage, si tu goûtes son fruit.
F. CROMMELYNCK, Tripes d'or.

♦ **2.** (XIIᵉ, *oderer*). Littér. Répandre une odeur de. *Odorer le thym.*

♦ **3.** Littér. Imprégner d'une odeur. ⇒ **Parfumer.** « *Le soir, qu'elle* (la lune) *odore de menthe* » (Giraudoux).

DÉR. Odorant.

ODORIFÉRANT, ANTE [ɔdɔʀifeʀɑ̃, ɑ̃t] adj. — 1380 ; lat. médiéval *odoriferens*, du lat. class. *odorifer*, de *odor*, et *ferre* « porter ».

♦ Qui répand une odeur agréable. ⇒ **Odorant, parfumé.** *Les aromates, la cannelle, le thym, substances odoriférantes.* ⇒ **Aromatique.** *Drogues* (→ Balsamique, cit. 1), *fleurs* (→ Épanouir, cit. 1), *plantes odoriférantes* (→ Mite, cit. 2). *Arbres odoriférants.*

CONTR. Inodore. — Fétide, infect, méphitique, nauséabond, puant.

ODORIGÈNE [ɔdɔʀiʒɛn] adj. — 1953, Quillet ; lat. *odor, oris* « odeur », et *-gène.*

♦ Didact. Qui produit une odeur. — Biol. *Molécule odorigène*, qui donne l'odeur caractéristique d'une substance.

ODORIMÉTRIE [ɔdɔʀimetʀi] n. f. — V. 1960 ; du lat. *odor, oris* « odeur », et *-métrie.*

♦ Didact. Mesure des propriétés odorigènes d'une substance (au moyen d'un instrument dit *odorimètre* [ɔdɔʀimɛtʀ] n. m.).

ODORISANT [ɔdɔʀizɑ̃] n. m. — V. 1960 ; dér. sav. du lat. *odor.* → Odeur.

♦ Techn. Produit incorporé à un gaz (gaz de ville, en particulier) pour lui donner une odeur caractéristique et rendre plus facile la détection des fuites.

ODORISATION [ɔdɔʀizasjɔ̃] n. f. — 1896, *Année sc. et techn.*, p. 444 à propos des fleurs ; dér. sav. du lat. *odor* → Odeur.

♦ Techn. Incorporation d'un odorisant (à un gaz).

ODORISEUR [ɔdɔʀizœʀ] n. m. — V. 1960 ; dér. sav. du lat. *odor* → Odeur.

♦ Techn. Appareil pour introduire un odorisant dans un gaz (gaz de ville, en particulier).

ODORITÉ [ɔdɔʀite] n. f. — V. 1970 ; dér. sav. du lat. *odor* → Odeur.

♦ Didact. Caractère d'une substance qui détermine des sensations olfactives. *L'odorité d'une substance est liée à sa volatilité.*

ODYN-, ODYNO-, -ODYNIE Éléments, du grec *odunê* « douleur ». (Ex. : *odynophagie* [ɔdinɔfaʒi] n. f., déglutition douloureuse.) ⇒ **Pleurodynie.**

ODYSSÉE [ɔdise] n. f. — 1814 ; emploi fig. d'*Odyssée*, lat. *Odyssea*, grec *Odusseia*, titre du poème d'Homère qui raconte les aventures d'Ulysse, en grec *Odusseus.*

♦ **1.** Didact. Récit d'un voyage rempli d'aventures*.

♦ **2.** (1834). Cour. Voyage rempli d'aventures extraordinaires. *Notre envoyé spécial vous racontera son odyssée.* — Succession d'événements extraordinaires dans la vie d'une personne ou d'un groupe. *Sa vie fut une véritable odyssée.*

S'il a fait un honnête séjour en classe, l'homme d'Occident sait ce qu'il doit à Homère, comme il sait ce qu'il doit à la Bible (...) Il n'ouvrira point son journal sans lire quelque aventure mouvementée qui s'appellera, pour tout le monde, une odyssée (...) G. DUHAMEL, Refuges de la lecture, I.

(Abstrait). *L'odyssée « d'une intelligence »* (A. Daudet), *d'une âme, d'un esprit, d'une conscience. Une odyssée spirituelle.*

ŒCOLOGIE [ekɔlɔʒi] n. f. Vx. ⇒ **Écologie.**

ŒCOLOGIQUE [ekɔlɔʒik] adj. Vx. ⇒ **Écologique.**

ŒCUMÉNICITÉ [ekymenisite] n. f. — 1752 ; de *œcuménique.*

♦ Didact. (Relig.). Caractère œcuménique. *Œcuménicité d'un concile.*

ŒCUMÉNIQUE [ekymenik] adj. — Fin XVIᵉ ; lat. médiéval *œcumenicus,* du grec *oikoumenê (gê)* «terre habitée, univers».

♦ Relig. Universel. ⇒ **Catholique.** — Spécialt. *Concile œcuménique,* qui est présidé par le pape ou par ses légats et auquel sont convoqués tous les évêques catholiques.

La réflexion qu'il faut faire ici, est que parler de concile œcuménique, c'était parmi les nouveaux réformés un reste du langage de l'Église.
    BOSSUET, Hist. des variations, XIV, LXXVII.
Patriarche œcuménique, titre donné aux évêques de Constantinople.

DÉR. Œcuménicité, œcuménisme. — (Du même rad.) **Œkoumène.**

ŒCUMÉNISME [ekymenism] n. m. — 1927 ; de *œcuménique.*

♦ **1.** Relig. Mouvement favorable à la réunion de toutes les Églises chrétiennes en une seule.

♦ **2.** Littér. *Œcuménisme universitaire.*

1 À regarder les belles salles d'opérations et de radiographie, j'ai eu le sentiment une fois de plus que l'œcuménisme technique est désormais une œuvre acquise.
    G. DUHAMEL, la Turquie nouvelle, IV, p. 109.
2 La philosophie doit fonder la technologie, qui est l'œcuménisme des techniques, car pour que les sciences et l'éthique puissent se rencontrer dans la réflexion, il faut qu'une unité des techniques et une unité de la pensée religieuse précèdent le dédoublement de chacune de ces formes de pensée en mode théorique et mode pratique.
    Gilbert SIMONDON, Du mode d'existence des objets techniques, p. 162.

DÉR. Œcuméniste.

ŒCUMÉNISTE [ekymenist] adj. et n. — XXᵉ ; de *œcuménisme.*

♦ Relig. Propre à l'œcuménisme. — Partisan de l'œcuménisme.

ŒCUS [ekys] n. m. — 1846, Bescherelle ; mot lat., du grec *oikos* «maison».

♦ Archéol. Salle à colonnes, servant aux réceptions, aux festins, dans une maison grecque ou romaine.

ŒDÉMATEUX, EUSE [φdematφ, φz] ; cour. [edematφ, φz] adj. — 1549 ; de *œdème.*

Médecine.

♦ **1.** De la nature de l'œdème. *Infiltration œdémateuse.*

♦ **2.** (1868). Atteint d'œdème. *Membre œdémateux.*

ŒDÉMATIER (S') [φdemasje] ; cour. [edemasje] v. pron. — 1833, v. pron., *in* D.D.L. ; *œdématié,* 1795 ; de *œdème,* d'après les dér. *œdémateux, œdématie,* n. f. (1812).

♦ Didact. Former un œdème ; gonfler par un œdème. — Au p. p. *Paupière œdématiée.*

1 Les mains, les pieds et le rebord des paupières étaient légèrement œdématiés.
    BOSQUILLON, *in* G. CULLEN, Éléments de méd. pratique, 1795, *in* D.D.L., II, 5.
2 (...) la suture du côlon va être l'objet, dans les jours qui suivent l'opération, de remaniements, conséquences inéluctables de sa section. Il gonfle, s'œdématie, est paralysé.
    Cl. D'ALLAINES, Hist. de la chirurgie, p. 118.

ŒDÈME [φdɛm ; edɛm] n. m. — 1538 ; *endimie,* 1478 ; grec *oidêma,* de *oidein* «enfler».

♦ Infiltration séreuse de divers tissus et en particulier du tissu sous-cutané et sous-muqueux, se traduisant par un gonflement diffus. ⇒ **Enflure, gonflement** (→ aussi Tuméfaction, tumeur). *Œdème généralisé.* ⇒ **Anasarque.** *Œdème inflammatoire.* ⇒ **Inflammation.** *Œdème mécanique.* ⇒ **Stase.** *Œdème aigu du poumon :* engorgement séreux brutal des alvéoles pulmonaires. *Œdème aigu angioneurotique. Œdème bleu ou hystérique. Œdème par carence, déséquilibre alimentaire, accompagné parfois d'hydropisie*. Œdème*

cellulitique des membres inférieurs. Œdème malin. Doigts (cit. 3) engourdis, gonflés d'œdème.

DÉR. Œdémateux, œdématier (s').

ŒDICNÈME [φdiknɛm ; ediknɛm] n. m. — 1816 ; lat. zool. *œdicnemus,* 1553 ; du grec *oidein* «enfler», et *knêmê* «jambe».

♦ Zool. Oiseau échassier *(Charadriidés)* voisin du pluvier et appelé aussi *courlis de terre. L'œdicnème, oiseau de la taille d'un pigeon, se nourrit d'insectes, de vers, de lézards, de mollusques, de souris.*

ŒDIPE [edip ; φdip] n. m. — 1721 ; de *Œdipe,* nom du personnage de la mythologie grecque qui sut deviner l'énigme du Sphinx.

♦ **1.** Didact. Personne habile à trouver le mot d'une énigme, à résoudre une question difficile. *Je ne puis vous dire cela, je ne suis pas un œdipe* (→ Je ne suis pas devin*).

1 «Le problème de l'Aiguille creuse», comme l'appelaient les innombables Œdipes qui, penchés sur les chiffres et sur les points, tâchaient de leur trouver une signification (...)
    M. LEBLANC, l'Aiguille creuse, p. 92.

♦ **2.** (1929). Psychan. Complexe* d'Œdipe. *L'œdipe, un œdipe.*

2 Le mariage donne ainsi de grandes excitations collectives : si l'on supprimait l'œdipe et le mariage, que nous resterait-il à *raconter?* Eux disparus, l'art populaire mutera de fond en comble.
    (Lien de l'œdipe et du mariage : il s'agit de « l' » avoir et de « le » transmettre.)
    R. BARTHES, Roland Barthes, p. 125.

DÉR. Œdipien, œdipisme.

ŒDIPIEN, IENNE [edipjɛ̃, jɛn] ; [parfois φdipjɛ̃, jɛn] ou **ŒDIPÉEN, ÉENNE** [edipeɛ̃, eɛn ; parfois φdipeɛ̃, eɛn] adj. — Av. 1928, Aragon ; de *Œdipe.*

♦ Psychan. Relatif au complexe* d'Œdipe. ⇒ **Œdipe.** *Conflits œdipiens.*

1 (...) mais revenons à nos moutons pansexualistes. Il leur parut que pour revirginiser la mariée il suffisait de la fournir d'actes-symptômes, de tendances œdipiennes, de complexes variés.
    ARAGON, Traité du style, p. 146 (1928).
2 Tout ce que Freud a décrit dans le roman familial comme invention d'une fiction pour déjouer les conflits œdipiens ne peut ni ne doit être interprété comme le clivage de sauvetage — mythomaniaque — entre une histoire réelle (les parents réels, l'enfant réel) et une histoire illusoire.
    J. GILLIBERT, la Création littéraire, *in* la Nef, nᵒ 31, p. 96.
3 (...) pas de père à tuer, pas de famille à haïr, pas de milieu à réprouver : grande frustration œdipéenne !
    R. BARTHES, Roland Barthes, p. 49.

ŒDIPISME [edipism ; φdipism] n. m. — 1932, *in* Larousse ; de *Œdipe,* par allus. à son aveuglement.

♦ Didact. et rare. Mutilation volontaire d'un ou des deux yeux.

ŒDOMÈTRE [φdɔmɛtʀ ; edɔmɛtʀ] n. m. — 1954, Larousse mensuel, nᵒ 474, p. 411 ; du grec *oidos* «gonflement», et *-mètre.*

♦ Didact. Appareil servant à mesurer le tassement d'un échantillon de terrain.

ŒDOMÉTRIE [φdɔmetri ; edɔmetri] n. f. — V. 1953 ; du grec *oidos* «gonflement», et *-métrie.*

♦ Didact. Technique qui étudie et mesure le tassement des sols sous les fondations des constructions.

DÉR. Œdométrique.

ŒDOMÉTRIQUE [φdɔmetʀik ; edɔmetʀik] adj. — V. 1953 ; de *œdométrie.*

♦ Didact. De l'œdométrie.

ŒIL [œj] plur. **YEUX** [jφ] n. m. — 1380 ; *oil,* v. 1050 ; *ol,* v. 980 ; au plur. *uels,* XIᵉ ; *ieus, yeus,* XIIᵉ ; du lat. *oculus,* à l'accus. *oculum,* au plur. *oculos.* → Oculaire.

★ **I. ♦ 1.** Organe de la vue (globe oculaire et ses annexes). ⇒ **Vision ; visuel** (appareil), **voir, vue** (→ Expansion, cit. 1, Buffon). *Œil rudimentaire des crustacés inférieurs ; yeux lentifères des arachnides, des insectes.* ⇒ **Ocelle, stemmate.** *Yeux composés, à facettes*.* — (Chez l'homme). *L'œil de l'homme, instrument d'optique précis. Les deux yeux, les yeux de qqn., ses yeux.* (⇒ fam. **Châsse, coquillard, mirette, quinquet...,** et, enfantin, **neuneuil**). *L'œil droit* (cit. 2), *l'œil gauche. Paire d'yeux.* ⇒ **Borgne.** *Monstre à œil unique.* ⇒ **Cyclope.** *L'œil éteint des aveugles* (cit. 39). *Blesser quelqu'un à l'œil.* ⇒ **Éborgner.** *Perdre un œil* (→ Bouillie, cit. 3), *les yeux :* devenir borgne, aveugle. *Œil crevé. Il lui manque un œil* (→ Dessert, cit. 1, Brillat-Savarin). *Arracher* (cit. 3) *les yeux à quelqu'un.* — Myth. *L'homme, le géant aux cent yeux.* ⇒ **Argus.**

1 Mes yeux ne voyaient plus, je ne pouvais parler.
RACINE, Phèdre, I, 3.

Allus. bibl. *Avoir des yeux pour voir et des oreilles pour entendre* (cit. 55 et 57).

2 Elles *(les idoles)* ont des yeux et ne voient point, elles ont des oreilles et n'entendent point. BIBLE (SEGOND), Psaumes, CXV, 5-6.

3 Auras-tu donc toujours des yeux pour ne point voir? (...)
RACINE, Athalie, I, 1.

Étude médicale des yeux. ⇒ **Oculistique, ophtalmologie.** — Anat. *Le globe* de l'œil* (⇒ **Oculaire**) *est logé dans la cavité orbitaire** (⇒ **Orbite**). *Axes des yeux. Membranes ou tuniques de l'œil. Tunique externe (fibreuse) de l'œil;* (cour.) *le blanc de l'œil.* ⇒ **Sclérotique; cornée** (cit.). *Tunique moyenne (vasculaire) de l'œil.* ⇒ **Uvée; choroïde, ciliaire** (zone ou corps), **iris** (cit. 1, 2 et 3), **prunelle, pupille.** *Tunique interne (nerveuse) de l'œil.* ⇒ **Rétine** (→ Image, cit. 12). *Le nerf optique pénètre dans l'œil par une papille. Milieux transparents et réfringents de l'œil.* ⇒ **Cristallin** (cit. 4); **vitré** (corps vitré : membrane hyaloïde, humeur* vitrée); **chambre** (chambres [cit. 15] remplies par l'humeur aqueuse). *Annexes de l'œil.* ⇒ **Capsule** (de Tenon); **muscle** (muscles droits et obliques; orbiculaire* des paupières); **sourcil** (→ Cacher, cit. 52); **paupière; cil** (→ Abaisser, cit. 4); **conjonctive; lacrymal** (glande, voies lacrymales). *Angle externe ou petit angle de l'œil.* ⇒ **Commissure.** *Angle interne ou grand angle de l'œil.* ⇒ **Larmier.**

Cour. *Écartement* (cit. 2) *des yeux. Yeux rapprochés. Bords, tour des yeux. Rides au coin de l'œil.* ⇒ **Patte-d'oie** (→ Carrefour, cit. 5). *Poches sous les yeux* (→ Fanon, cit. 4; gonfler, cit. 15). *Humeur qui s'amasse au bord des yeux.* ⇒ **Chassie.**

4 L'appareil périphérique de la vision est essentiellement composé par le globe de l'œil et le nerf optique. Il est contenu en entier dans une vaste cavité appelée *orbite*, située entre la partie antérieure de la base du crâne et le massif facial.
L. TESTUT, Traité d'anatomie, t. III, p. 541.

Lumière qui éblouit les yeux. ⇒ **Éblouir** (cit. 21 et 22). *Avoir le soleil dans les yeux. Le soleil me tire les yeux, me fait mal aux yeux, me fatigue les yeux... Mettre sa main sur ses yeux pour s'abriter* (cit. 4) *du soleil,* sur le visage au niveau des yeux. *Se protéger les yeux par des lunettes de soleil, la visière d'une casquette, d'un casque. Yeux qui s'habituent, se font* (cit. 239) *à l'obscurité* (cit. 3).

Loc. *Avoir de bons yeux,* une bonne vue. *Elle a de très mauvais yeux.* — Fam. (1685). *Avoir bon pied bon œil :* être vigoureux, très valide (par rapport à l'âge). *Alors, père Jules, toujours bon pied bon œil?*

5 J'ai bon pied, bon œil, bonne santé. J'espère vivre encore assez pour savoir dans quel chemin vous mettrez les pieds.
BALZAC, la Rabouilleuse, Pl., t. III, p. 1060.

Œil bien conformé, dont l'accommodation* est normale. ⇒ **Emmétrope, emmétropie.** *Convergence des yeux* (→ Dimension, cit. 2).

Vices de conformation (⇒ **Lagophtalmie**)*, anomalies, lésions, inflammations des yeux. Troubles fonctionnels des yeux :* achromatopsie, amaurose, amétropie, astigmatisme, cécité, daltonisme, hypermétropie, myopie, nyctalopie, presbytie, strabisme. *Maladies des yeux :* albugo, cataracte, conjonctivite, exophtalmie, glaucome, kératite, kératocèle, staphylome, taie, trachome, uvéite. *Yeux déficients corrigés par des lunettes, des verres de contact* (ou *lentilles cornéennes*)*, et, anciennt, par un monocle, un binocle, un face à main. Mal* (3. Mal, cit. 14) *d'yeux. Yeux faibles, fatigués, lourds, abîmés* (cit. 4)*, usés par les veilles; l'insomnie. Se casser*, se crever* les yeux* (fam.) : se fatiguer la vue (en lisant sans lumière, etc.). *Yeux qui pleurent continuellement.* ⇒ **Larme, larmoyer** (cit. 1), **pleur, pleurer.** *S'essuyer les yeux. Yeux rouges, éraillés* (cit. 3 et 4). *Yeux révulsés** (→ Méningite, cit.). *Ses yeux lui piquaient, lui picotaient, lui* (cit. 12) *cuisaient, lui brûlaient. Yeux qui louchent.* ⇒ **Bigle** (cit. 1), **louche** (cit. 3 et 4); **loucher** (cit. 2 et 3). *Coquetterie** (cit. 10) *dans l'œil.* — *Phosphènes* produits par un coup sur l'œil. Escarbille* (cit. 1) *dans l'œil.* — *Appliquer* (cit. 3) *des compresses sur un œil malade, mettre un collyre, une œillère. Se bander les yeux, avoir un bandeau sur les yeux. S'inquiéter de ses yeux* (→ Iris, cit. 2). *Se faire examiner, soigner les yeux par un oculiste, un ophtalmologiste, un opticien. Ne voir que d'un œil à travers un monocle* (cit. 1). — Chir. *Extirpation de l'œil.* ⇒ **Énucléation.**

6 Une vue, dite tendre, force le digne notaire à porter des lunettes vertes pour conserver ses yeux, constamment rouges. BALZAC, Modeste Mignon, t. I, p. 360.

7 (...) son regard trahissait, sous les lunettes, cette douceur des yeux usés dans la science et dans la volupté. FRANCE, le Lys rouge, X.

8 Les yeux lui faisaient mal : c'étaient, par instants, des pointes d'aiguille qui s'enfonçaient dans l'orbite; il avait des éblouissements et ne pouvait plus lire, il devait s'arrêter pendant quelques minutes.
R. ROLLAND, Jean-Christophe, Le matin, I, p. 145.

9 (...) nous ne regardons jamais un œil pour lui-même; chacun de nous ignore la couleur de l'iris de presque tous ses amis. L'œil est regard : il n'est œil que pour l'oculiste et pour le peintre. MALRAUX, les Voix du silence, p. 277.

(1878). Fam. *Avoir un œil qui dit merde à l'autre, un œil qui joue au billard et l'autre qui compte les points; les yeux qui se croisent les bras :* loucher.

(1925). Fam. *N'avoir pas les yeux en face* (cit. 60) *des trous :* ne pas voir ce qui est pourtant bien visible, être mal réveillé.

9.1 (...) extrême fatigue et insatiable besoin de sommeil — les yeux, comme on dit, pas

en face des trous —, impression presque physique d'œillères coupant toute attention à ce qui ne concerne pas l'idée fixe (...)
Michel LEIRIS, Frêle bruit, p. 135.

Partie visible de l'œil et les paupières.

REM. Dans les exemples qui suivent, *œil* peut dénoter «paupière» *(yeux bridés, yeux bouffis)*, «iris» *(œil bleu)*, «partie visible de l'œil» *(grands yeux)*, «ensemble œil + paupière» *(yeux enfoncés)*. On ne peut cependant distinguer ces valeurs, car il se produit souvent des interférences. Ex. : *de grands yeux bleus.* L'œil couramment observable est conçu comme une unité, qui ne s'oppose guère qu'à l'œil de l'anatomiste, au globe oculaire. — *Forme des yeux. De grands yeux* (→ Eau, cit. 19). *De petits yeux* (→ Enfouir, cit. 6; faner, cit. 63). *Des yeux en vrille,* percés comme avec une vrille. *Gros* (cit. 5) *yeux* (→ Fixité, cit. 3). — *Yeux globuleux* (cit. 2), *ronds* (→ Épater, cit. 10), *en boules de loto* (cit. 2), *à fleur de tête, qui sortent de la tête* (⇒ **Exorbité**). *Yeux caves* (2. Cave, cit. 1), *creusés, enfoncés. Yeux admirablement fendus* (cit. 16), *coupés en amande* (cit. 2). *Yeux bridés*. Yeux cerclés* (cit.), *cernés de noir.* ⇒ **Cerne** (→ Assombrir, cit. 7). *Yeux dilatés* (cit. 1 et 7), *écarquillés* (→ Dévisager, cit. 2).

Couleur, nuances des yeux, de l'iris (→ 1. Franc, cit. 3). *Yeux clairs, pâles et yeux foncés, bruns* (→ Gêne, cit. 2). *De grands yeux bleus* (→ Avaler, cit. 36). *Brune aux yeux bleus* (cit. 4). *Des yeux d'un bleu de faïence* (→ Blond, cit. 6). *Yeux bleu pâle* (→ Allumer, cit. 16). *Le bleu, l'azur* (cit. 4 et 5) *de tes yeux. Yeux de pervenche, de violette* (→ Arc, cit. 13). *Yeux verts* (→ Envers, cit. 14). *Yeux pers*; glauques* (cit. 1). *Yeux gris* (→ Malhabile, cit. 3). *Yeux noirs* (→ Brillant, cit. 22), *très noirs* (→ Funèbre, cit. 15), *de jais* (→ Éclat, cit. 22). *Des yeux roux, couleur de braise* (cit. 3), *de charbon en feu* (→ Hérisser, cit. 34). *Yeux marrons. De grands yeux noisette* (→ Incroyable, cit. 11). *Yeux vairons* (→ Bossuer, cit. 3).

10 Topinard admet cinq tons fondamentaux pour désigner la coloration des yeux : noir, foncé, marron, gris et bleu (...) les nuances foncées augmentent en passant des latitudes septentrionales aux latitudes méridionales (...) au contraire, les nuances claires, relativement rares chez les peuples méridionaux, atteignent leur maximum chez les peuples du Nord. En France, les yeux bleus se présentent avec une proportion de 44,5 p. 100; les yeux franchement noirs, avec une proportion de 4,5 p. 100 seulement. L. TESTUT, Traité d'anatomie, t. III, p. 578.

Éclat (cit. 22, 23 et 26), *fraîcheur* (cit. 12), *limpidité* (cit. 5), *pureté de l'œil. Yeux ardents, brillants* (⇒ **Braise, escarboucle**). *Des yeux étincelants* (cit. 4), *flamboyants* (cit. 2 et 3), *luisants* (cit. 2), *perçants* (→ Cupidon, cit.), *pétillants, vifs* (→ 1. Barbe, cit. 16). *Yeux fiévreux* (→ Convenir, cit. 19). *Feu, flamme des yeux* (→ Autorité, cit. 43). *« Des éclairs* (cit. 12) *de ses yeux l'œil était ébloui »* (Racine). — *Œil terne* (→ Maladif, cit. 4), *trouble* (→ Gorge, cit. 16). *Yeux injectés* (cit. 1) *de sang. Yeux endormis, mornes, atones* (cit. 1), *morts.* — *Des yeux d'une mobilité surprenante* (→ Humide, cit. 12), *d'une fixité* (cit. 4) *étrange.*

11 Savez-vous que ses yeux ont des regards de flamme?
HUGO, Odes et ballades, IV, I, III.

12 Ses yeux brillaient d'une fièvre un peu hagarde; un cerne les creusait, brun sombre, accentuant leur fixité. M. GENEVOIX, Raboliot, IV, II.

Expression (cit. 12 et 40) *des yeux, du regard. Les yeux sont appelés le miroir de l'âme. Avoir l'œil bon, mauvais, méchant... Yeux durs* (→ Fuyant, cit. 6), *d'une fixité gênante* (cit. 2), *froids* (cit. 6) *comme l'acier* (→ Brillant, cit. 7), *secs, cruels* (cit. 8). *Œil candide, ingénu, pur* (→ Candide, cit. 3). *Yeux rieurs, narquois, coquins, fripons* (cit. 11), *éveillés... Des yeux, pleins de douceur, de bonté* (→ Foudroyer, cit. 17). *Yeux tendres, veloutés, de velours.* — *Yeux intelligents* (cit. 8), *fins, finauds. Des yeux profonds.*

Le mouvement des yeux (→ Artificiel, cit. 8). *Façon de remuer les yeux* (→ Implicite, cit. 1). *Rouler les yeux.* ⇒ **Rouler.** *Lever* (cit. 10 et supra), *baisser** (cit. 13 à 18) *les yeux.*

De beaux, de jolis yeux (→ Eau, cit. 19; malicieux, cit. 5). *Des yeux splendides* (→ Éclairer, cit. 25). — Spécialt. *Les (beaux) yeux d'une femme,* le charme de son regard. — Allus. littér. *«Belle marquise, vos beaux yeux me font* (cit. 179) *mourir d'amour »* (Molière). *« Votre œil en tapinois me dérobe mon cœur »* (→ Garde, cit. 35, Molière). — *« Un regard indulgent* (cit. 11) *de ces yeux... »* (Musset). — *Son œil fascine et attire* (cit. 28). *Les conquêtes que font ses yeux* (→ Applaudir, cit. 18). *« Les larcins* (cit. 5) *de vos yeux ». Yeux assassins* (cit. 15). *Ces yeux où l'âme se désaltère* (cit. 6).

13 Elle a d'assez beaux yeux
Pour des yeux de province (...) J.-B. GRESSET, le Méchant, *in* GUERLAC.

14 Un jeune homme
Croit toujours de beaux yeux garants d'une belle âme.
André CHÉNIER, Notes et vers épars, *in* Œ., t. II, p. 129.

15 Jamais deux yeux plus doux n'ont vu du ciel le plus pur
Sondé la profondeur et réfléchi l'azur.
A. DE MUSSET, Poésies nouvelles, «Lucie».

16 Tes yeux, où rien ne se révèle
De doux ni d'amer,
Sont deux bijoux froids où se mêle
L'or avec le fer. BAUDELAIRE, les Fleurs du mal, «Spleen et idéal», XXVIII.

17 (...) son grand œil bleu, levé vers les nuages, parut à Emma plus limpide et plus beau que ces lacs des montagnes où le ciel se mire.
FLAUBERT, Mme Bovary, II, V.

18 Quant aux yeux, il n'en exista jamais de pareils. Ils avaient une vie, une lumière,

un magnétisme inconcevables. Malgré les veilles de chaque nuit, la sclérotique en était pure, limpide, bleuâtre, comme celle d'un enfant ou d'une vierge, et enchâssait deux diamants noirs qu'éclairaient par instants de riches reflets d'or : c'étaient des yeux à faire baisser la prunelle aux aigles, à lire à travers les murs et les poitrines, à foudroyer une bête fauve furieuse, des yeux de souverain, de voyant, de dompteur.
Th. GAUTIER, Portraits contemporains, « Balzac ».

19 (...) ses yeux bleus, ses yeux de pervenche me parurent une chose surnaturelle, et encore aujourd'hui je ne peux m'imaginer que ces deux joyaux animés aient subi les fatigues de la vie et la corruption de la mort.
FRANCE, le Crime de S. Bonnard, IV, in Œ., t. II, p. 391.

20 Tes yeux sont comme des lys d'eau bleus sans tiges, immobiles sur des étangs.
Pierre LOUŸS, Aphrodite, I, I.

21 Tes yeux sont si profonds qu'en me penchant pour boire
J'ai vu tous les soleils y venir se mirer
S'y jeter à mourir tous les désespérés
Tes yeux sont si profonds que j'y perds la mémoire.
ARAGON, les Yeux d'Elsa, p. 1.

(1633). Fig. Pour les beaux yeux de quelqu'un, par amour pour lui, dans le seul dessein de lui plaire, gratuitement.

22 Qu'aucun pour nos beaux yeux n'est notre soupirant,
Et qu'il faut acheter tous les soins qu'on nous rend.
MOLIÈRE, le Misanthrope, III, 4.

23 — Depuis des années que je m'esquinte à l'amuser, conclut-elle, tu comprends que ce n'est pas pour ses beaux yeux. ZOLA, la Terre, V, III.

Par compar. (avec les animaux). Yeux d'aigle*, de lynx (cit. 2), une vue perçante ; de hibou (cit. 6), gros et fixes ; de chat, qui voient clair la nuit ; de biche, de gazelle (cit.), doux ; de capre*, de merlan*, de veau, ternes, morts... Yeux bovins, chevalins (cit. 2)... — Au sing. (dénotant la vision). Avoir un œil de lynx, d'aigle...
Fig. Il, elle a les yeux de son père, de sa mère, semblables à ceux du père, de la mère (→ Issu, cit. 2).
Le tour des yeux (paupières, etc.). Avoir les yeux battus, boursouflés, bouffis, meurtris. Se frotter les yeux. Œil poché, au beurre (cit.) noir. ⇒ Pochon (et fam. coquard). Yeux collés (cit. 2) de sommeil. — Se farder (cit. 9) les yeux, les paupières. Fards, crayons pour les yeux. Yeux peints de kohol (cit. 2).

24 (...) l'œil noir, allongé, souligné par le crayon, encadré sous des sourcils énormes et factices. MAUPASSANT, Bel-Ami, I, I.

Ouvrir les yeux : disjoindre les paupières en découvrant la partie normalement visible de l'œil. Fermer les yeux : joindre les paupières.

a (Avec le v. ouvrir). Rouvrir (→ Lèvre, cit. 23), refermer (→ Inconsciemment, cit. 1) les yeux. L'aigle (cit. 4) ouvrit son œil fauve. « J'ouvris les yeux, je vis l'étoile du matin » (→ Endormir, cit. 17). — Éveiller (s'). On ne peut s'empêcher de voir quand on a les yeux ouverts (→ Attention, cit. 14). Somnambule qui dort les yeux ouverts (→ Extatique, cit. 4). Avoir, tenir les yeux grands (cit. 20) ouverts. Elle ne pouvait tenir les yeux ouverts tant elle était lasse (1. Las, cit. 5). — Loc. Ouvrir de grands yeux, des yeux ronds, des yeux agrandis, arrondis par la surprise, l'étonnement... ⇒ Écarquiller (→ Lanterne, cit. 11). — Ouvrir les yeux au jour, à la lumière. ⇒ Naître (→ Instant, cit. 2). — Fig. Ouvrir l'œil (fam. Ouvrir l'œil et le bon) : être très attentif, vigilant. — Ouvrir les yeux de quelqu'un, lui montrer ce qu'on lui tenait caché, faire cesser son aveuglement (cit. 6 et 15). ⇒ Dessiller (cit. 1 et 2). Ouvrir les yeux des maris (→ Aviser, cit. 19).

b (Avec le v. fermer). Fermer les yeux comme au soleil de midi (→ Blanc, cit. 3). Il fermait à demi (cit. 2) les yeux. Yeux mi-clos, presque clos (→ Furtif, cit. 10). Fermer un œil pour viser. ⇒ Borgnoyer, viser. Il était somnolent, ses yeux se fermaient (→ Incliner, cit. 19). Sentir ses yeux se fermer. ⇒ Dormir (cit. 7) ; endormir (s'). Les yeux clos comme s'il dormait. Loc. Ne pas fermer l'œil de la nuit : ne pas dormir (→ Depuis, cit. 10). — Fig. Fermer les yeux pour ne pas voir le danger (→ Bravoure, cit. 2). — Fermer les yeux à la lumière. ⇒ Mourir. Bientôt (cit. 4) mes yeux se fermeront pour l'éternité. — Fermer les yeux de qqn, à qqn qui vient de mourir. — Fig. Fermer les yeux à qqch., sur qqch., ne pas le voir (⇒ Aveuglement) ou se refuser à le voir, faire, par tolérance, connivence, complaisance, lâcheté, etc. comme si on ne l'avait pas vu, feindre de l'oublier*. Fermer ses yeux à la vérité (→ Arracher, cit. 16). « Sur tout ce que j'ai vu fermons plutôt les yeux » (→ Mieux, cit. 34). — Loc. J'irais là-bas les yeux fermés, sans avoir besoin de la vue (tant le chemin m'est familier). — Accepter quelque chose les yeux fermés, en toute confiance, sans examen, sans vérification.

25 Il voulait bien tolérer certains vices du régime, passer l'éponge sur certains scandales parlementaires, de même qu'il fermait les yeux sur les gaspillages de Léon et les petits profits de Clotilde. MARTIN DU GARD, les Thibault, VI, p. 124.

26 Quand elle se fut assurée que je n'abusais pas du plaisir, elle ferma les yeux sur mes sorties du soir, pourvu que je fusse rentré à minuit.
F. MAURIAC, le Nœud de vipères, II.

Ciller les yeux. ⇒ Ciller. Cligner l'œil, les yeux, de l'œil, des yeux. ⇒ Clignement, cligner, clin (d'œil). Clignoter* des yeux. Yeux clignotants, papillotants. ⇒ Papilloter. — Plisser les yeux. ⇒ Plisser.

c (Avec voir, vue et les mots exprimant la vision). — Loc. Voir une chose de ses yeux, de ses propres yeux (→ Affirmer, cit. 3 ; appeler, cit. 40). — (1567, in D.D.L.). Du coin de l'œil. Voir, regarder... du coin de l'œil (→ Carrément, cit. 3). Ce que

mes yeux ont vu (→ Bouillon, cit. 3). À l'œil nu. Objet, corps visible* à l'œil nu, sans l'aide d'aucun instrument d'optique (→ Étoile, cit. 19 ; imperceptible, cit. 3 ; microscope, cit. 1). — À vue d'œil. ⇒ Vue. — Objet que l'œil distingue à peine. Des yeux vous observent par l'entrebâillement (cit. 1) d'une porte. Coller* son œil au trou de la serrure. Ses yeux regardent bien en face (→ 2. Air, cit. 10). Regarder* quelqu'un dans les yeux, dans le blanc (cit. 24) des yeux, entre deux yeux, en face, avec insistance (1656). Du coin de l'œil : par un regard dérobé. Lorgner* un rôti du coin de l'œil (→ Bon, cit. 124). ⇒ Coin (cit. 9. → aussi Guigner, cit. 3). Surveiller du coin de l'œil les gestes de son voisin (→ Expédier, cit. 7). — Se mesurer des yeux. L'œil qui contemple (→ Harmonie, cit. 29). ⇒ Contempler (→ aussi Inanimé, cit. 3). Avoir les yeux dans le vague.

♦ **2.** L'ŒIL, LES YEUX : le regard. ⇒ Regard, vision, vue. Chercher, suivre (→ Broncher, cit. 8) quelqu'un des yeux. L'œil ne peut embrasser tout le champ de bataille (→ Carnage, cit. 4). L'œil s'égare au loin (→ Bâtir, cit. 45).

Jeter les yeux sur qqch. (littér.). Jetez les yeux sur cette maison magnifique (→ Billet, cit. 5). Diriger, tourner ses yeux vers quelqu'un (→ Avocat, cit. 20). Porter, braquer (cit. 4), arrêter, fixer (cit. 9) ses yeux sur quelqu'un. Elle l'interrogeait, les yeux fixés sur lui (→ Avide, cit. 18). Il planta dans mes yeux deux yeux froids et brillants (→ Flamber, cit. 15). Les yeux à terre, fixés, fichés (cit. 4) en terre : les yeux baissés, le regard dirigé vers le sol. Leurs yeux se rencontraient sans cesse (→ Mêler, cit. 4). Éviter (cit. 18) les yeux de quelqu'un. Tous les yeux s'attachèrent (cit. 69 et 106) sur lui, sur eux. Ne pas quitter une chose des yeux. Je ne pouvais détacher (1. Détacher, cit. 7) mes yeux de son visage. Choisir une chose de l'œil avant de l'acheter. Fig. Avaler (cit. 14) une chose, boire des yeux. Couver, manger, dévorer (cit. 10 à 13) quelqu'un des yeux, convoiter. Caresser (cit. 9) de l'œil la courbe d'un beau corps. — Détourner les yeux (→ Désir, cit. 17). Ses yeux se détachèrent d'elle (→ Flamboyer, cit. 4). Discourir (cit. 5), les yeux au plafond. Cacher, dissimuler (cit. 8), découvrir, étaler, exhiber, exposer une chose aux yeux de quelqu'un. « L'onde approche (cit. 33), se brise et vomit à nos yeux... » (Racine). Brusquement ses yeux tombèrent sur la lettre (→ Lucidité, cit. 6).

27 (...) les yeux, qui avaient tant convoité toutes les somptuosités terrestres (...)
FLAUBERT, Mme Bovary, III, VIII (→ Convoiter, cit. 3).

Avoir une chose devant les yeux, sous les yeux, sous son regard, devant soi. Ôte-toi de mes yeux (→ Aller, cit. 60). Ôtez-vous de devant (cit. 15) mes yeux. Voir passer qqch., qqn devant ses yeux (→ Hydre, cit. 3). Défiler devant les yeux comme un film (cit. 2). Les documents (cit. 4) que j'ai sous les yeux. Les enfants jouent sous l'œil indolent (cit. 8) des nourrices. Mettre une chose devant les yeux, sous les yeux de quelqu'un, lui montrer, exposer à sa vue, poser devant lui.

Loc. prov. Loin des yeux, loin du cœur. ⇒ Loin (cit. 28, et supra).

(Mil. XVIIe). COUP D'ŒIL : regard rapide, prompt. Un coup d'œil, des coups d'œil. Coup d'œil furtivement (cit. 2) jeté. Lancer un coup d'œil. Jeter un coup d'œil au dehors, par la fenêtre (→ Compulser, cit. 1) sur quelque chose, sur quelqu'un (→ Hôtel, cit. 7 ; manomètre, cit.). Découvrir, voir, remarquer une chose d'un seul coup d'œil, du premier coup d'œil, dès le premier coup d'œil (→ Inimaginable, cit. 2 ; jauger, cit. 3). — Fig. Saisir quelque chose d'un coup d'œil (→ Digression, cit. 1), du premier coup d'œil (→ Examen (→ Aérolithe, cit. 1). — Jeter un coup d'œil sur le journal, sur un ouvrage, le parcourir rapidement, en lire quelques lignes (→ Mince, cit. 10). — Avoir (cit. 25) le coup d'œil juste, sûr, pénétrant, intuitif... (→ Intuition, cit. 4), l'art d'observer promptement, exactement les choses, de bien discerner. ⇒ Discernement, perspicacité. Justesse et profondeur du coup d'œil (→ Hors, cit. 10 et 18). Coup d'œil professionnel (→ Examiner, cit. 2). — Absolt. Avoir du coup d'œil, la faculté de voir vite et bien. Le coup d'œil du « connaisseur » (cit. 3).

Par ext. (Fin XVIIe, Mme de Sévigné). Vue que l'on a (d'un endroit, sur un paysage). De la pointe de la jetée (cit. 2), le coup d'œil sur la ville est merveilleux. ⇒ Vue. Coup d'œil féerique des jardins du Casino (→ Hôtel, cit. 7).

♦ **3.** Fig. (Dans des expressions). Attention portée par le regard. Objet qui attire, retient l'œil, les yeux (→ Infailliblement, cit. 3). Ce qui frappe (cit. 35) l'œil. Beautés, attraits (cit. 22) qui captivent les yeux, les fascinent (→ Bagatelle, cit. 17). — Sauter aux yeux : être évident, très visible. Faute d'impression (cit. 5) qui saute aux yeux. — Cela crève les yeux à tout le monde. ⇒ Crever (cit. 33 à 35). — Où avez-vous les yeux? comment n'avez-vous pas vu ça? — Regarder* de tous les yeux, très attentivement.

Loc. (où yeux au plur. correspond à l'attention). Être tout yeux, tout oreilles : regarder, écouter très attentivement (→ Loup, cit. 8).

27.1 (...) un physionomiste, en regardant d'un peu près ces deux étrangers, aurait nettement déterminé le contraste physiologique qui les caractérisait, en disant que si le Français était « tout yeux », l'Anglais était « tout oreilles ».
J. VERNE, Michel Strogoff, p. 8.

(1893). N'avoir pas les yeux dans sa poche : ne pas manquer d'observer ce qui pourrait échapper à quelqu'un de moins attentif ;

être très observateur. — Fam. *Avoir de la merde* dans les yeux :* ne rien remarquer.

(Avec le v. *avoir*). Attention exclusive. *Avoir les yeux sur qqn,* le regarder avec grande attention. *N'avoir les yeux que sur une même personne.* Loc. *N'avoir d'yeux que pour quelqu'un,* ne voir que lui, et, au fig., lui porter une affection exclusive, ne s'intéresser qu'à lui (→ Lettre, cit. 15). *« Elle n'a d'yeux que pour son fils aîné, ses autres enfants lui sont presque indifférents »* (Académie).

28 Il n'a d'yeux que pour toi (...)
   CORNEILLE, Clitandre, I, 4.

29 Quoi ? tu veux (...) qu'on n'ait plus d'yeux pour personne ? (...) je conserve des yeux pour voir le mérite de toutes (...) MOLIÈRE, Dom Juan, I, 2.

AVOIR L'ŒIL... : exercer une attention constante, vigilante, une surveillance active. *Avoir l'œil aux aguets*, au guet** (cit. 3). *Avoir l'œil sur quelqu'un* (→ Aller, cit. 91), *sur quelque chose. La police a constamment l'œil dessus* (→ Gros, cit. 31). — *Avoir l'œil à tout, les yeux partout, des yeux d'Argus*.* ⇒ Veiller.

30 Valère, aie un peu l'œil à tout cela (...)
   MOLIÈRE, l'Avare, III, 9.

31 Depuis longtemps Colbert avait l'œil sur les procédés de Fouquet, sur ses irrégularités et ses dilapidations ; il avait adressé à Mazarin des mémoires détaillés à ce sujet (...) SAINTE-BEUVE, Causeries du lundi, 12 janv. 1852.

Loc. fam. *Avoir quelqu'un à l'œil,* le surveiller. *Tenir à l'œil. Voir tout par ses yeux. L'œil du maître auquel rien n'échappe.* — Prov. *L'œil du maître engraisse le cheval.*

Loc. *Ouvrir l'œil* (→ ci-dessus 1.). — *Fermer les yeux sur...* (→ ci-dessus 1.).

Loc. *Avoir de l'œil :* attirer le regard.

31.1 Il aimait qu'en argot de théâtre on dise d'un acteur que ses partenaires ne « rencontrent » pas, dont ils ne sentent pas la présence, qu'il « n'a pas d'œil ». Il admirait la sagesse concrète des superstitions italiennes sur le « bon œil » et le « mauvais œil ». Roger était un amateur d'yeux : l'œil tendre, l'œil qui foudroie, l'œil meurtrier, l'œil amical, l'œil fascinant. Claude ROY, Nous, p. 222.

♦ **4.** Fig. Disposition, état d'esprit, jugement, imagination, raison (d'une personne, d'un groupe).

(Au plur. : *les yeux*). ⇒ **Esprit.** *Connaître de ses yeux. Voir la vérité par ses propres yeux,* par soi-même (→ Environner, cit. 4). *Les yeux d'autrui. Ne rien voir que par les yeux de quelqu'un. « Le bandeau* (cit. 6) *de l'erreur aveugle sous les yeux ».* — Loc. métaphorique ou fig. (où *yeux* peut avoir un sens dénotatif concret, cf. ci-dessus 1., 2.). *Se boucher* les yeux pour ne pas, pour ne rien voir.* — *Avoir les yeux plus grands, plus gros que le ventre :* préjuger de son appétit, s'imaginer que l'on mangera la totalité de ce dont on se sert trop copieusement, et que l'on ne pourra finir. Fig. (Attesté dès 1604, *in* D.D.L.). Entreprendre plus que l'on n'est capable de réaliser, avoir des ambitions au-dessus de ses ressources, de ses forces, etc. — *Jeter de la poudre * aux yeux de qqn* (→ Imiter, cit. 13). *Aveugler, éblouir* (cit. 7), *dessiller* (cit. 1) *les yeux du peuple. Vos yeux auront tout le temps de se satisfaire* (→ Aise, cit. 11). *Le plaisir des yeux. Une ivresse* (cit. 20) *pour les yeux. Les écailles* (cit. 8) *tombèrent des yeux. Avoir des yeux, de bons yeux pour voir,* pour n'être pas abusé, pour n'être pas dupe, mais pour connaître exactement les choses. *Nos yeux furent témoins de cette aventure.* — *Évidence* (cit. 5) *qui saute aux yeux.* — *Sans cesse l'antithèse* (cit. 7) *se dresse devant mes yeux. Passé qui défile devant les yeux comme un film* (cit. 2). *Images qui mettent les choses sous les yeux, devant les yeux du lecteur, de l'auditeur.* ⇒ **Représenter.** *Ces documents* (cit. 5) *parlent aux yeux.* ⇒ **Parler.**

32 C'est avoir de bons yeux que de voir tout cela.
   MOLIÈRE, les Femmes savantes, I, 3.

33 (...) je ne conseille de lire celle-ci (*cette comédie*) qu'aux personnes qui ont des yeux pour découvrir dans la lecture tout le jeu du théâtre.
   MOLIÈRE, l'Amour médecin, « Au lecteur ».

34 La raison décide en maîtresse.
   Mes yeux, moyennant ce secours,
   Ne me trompent jamais en me mentant toujours. LA FONTAINE, Fables, VII, 18.

(Au sing.). *Un œil exercé, expérimenté* (cit. 5), *fureteur* (cit. 2), *lucide, sagace. Son œil semblait aller au fond* (cit. 23) *de toutes les questions.*

Voir quelque chose d'un bon œil, d'un œil content, satisfait, d'un mauvais œil : d'une manière ou défavorable, avec satisfaction ou avec déplaisir. *Considérer une chose d'un œil critique* (cit. 38). — (Dans le même sens, au plur.). → Avouer, cit. 12. *Les yeux d'une amante* (→ Forme, cit. 22). *Avoir les yeux de qqn pour...*

35 (...) si tout le monde vous voyait des yeux dont je vous vois (...)
   MOLIÈRE, l'Avare, I, 1.

36 Verrez-vous d'un même œil le crime et l'innocence ?
   RACINE, Mithridate, I, 2.

36.1 On se voit d'un autre œil qu'on ne voit son prochain.
   LA FONTAINE, Fables, I, 7.

37 En vain contre le Cid un ministre se ligue :
   Tout Paris pour Chimène a les yeux de Rodrigue. BOILEAU, Satires, IX.

38 (...) personne ne voit des mêmes yeux ce qui le touche et ce qui ne le touche pas (...) LA ROCHEFOUCAULD, Réflexions diverses, 10.

39 La Reine les reçut fort mal ; outre leur mission, qui les rendait peu agréables, elle avait d'autres motifs, et très différents, de les voir de mauvais œil.
   MICHELET, Hist. de la Révolution franç., V, II.

Au plur. (avec *à, aux*). *Aux yeux de qqn,* à son jugement, selon son appréciation, sa manière de voir. ⇒ **Pour, selon.** *Il s'auréolait* (cit. 3) *de prestige à mes yeux. Elle devint un monstre à ses yeux* (→ Faire, cit. 101). *Trouver grâce* aux yeux de quelqu'un. À ses propres yeux et aux yeux d'autrui* (cit. 6). — Fig. *Aux yeux de l'avenir* (cit. 34). *Aux yeux de tout Paris* (→ Maître, cit. 64). *Ne pas en croire, n'oser en croire ses yeux.* ⇒ **Croire** (cit. 25 et *supra*).

Voir* avec les yeux de la foi. — *Les yeux de l'esprit* (cit. 67). *Yeux intérieurs* (→ Génie, cit. 40).

(Au plur.). Personne qui observe, est dans une certaine disposition. *Des yeux étrangers. Pour des yeux avertis, prévenus...* — (Au sing.). *Pour un œil averti...*

♦ **5.** *Les yeux,* considérés dans leur expression passagère comme le reflet d'un état d'âme, d'une émotion, les interprètes d'un sentiment... *« Les yeux sont les interprètes* (cit. 11) *du cœur »* (Pascal). *Le langage* (cit. 10) *des yeux. Deux yeux bavards* (cit. 5). *Se parler des yeux ; ses yeux me disaient tout bas* (cit. 82 et 86). *Lire une pensée dans les yeux de quelqu'un. « Ce que dit votre bouche étincelle* (cit. 6) *en vos yeux ». L'allégresse* (cit. 5) *brille dans leurs yeux. Pleurer avec des yeux éperdus* (cit. 7). *Yeux furibonds* (cit. 1), *enflammés de colère, inquiets, pleins d'effroi* (cit. 4), *hagards* (cit. 2), *suppliants* (→ Face, cit. 50)... — (Sing. collectif). *L'œil moitié égrillard* (cit. 3), *moitié attendri. Œil étincelant* (cit. 4) *de luxure. Regarder d'un œil jaloux* (→ Entreprendre, cit. 4), *d'un œil langoureux, languissant, mourant, provocant, d'un œil ironique, malicieux, malin... Considérer d'un œil froid, dédaigneux, curieux, indifférent, d'un œil d'envie* (cit. 15). *Jeter un œil d'envie* (cit. 14), *un œil de pitié, de mépris, de défi...*

40 Je n'en suis point jaloux, et ma triste amitié
   Ne le verra jamais que d'un œil de pitié.
   CORNEILLE, Rodogune, III, 5.

41 (...) nous nous sommes parlé des yeux (...)
   MOLIÈRE, le Sicilien, 2.

(1611). Loc. *Faire les doux yeux* (vx ; → Agencer, cit. 2), *les yeux doux, les yeux en coulisse* (cit. 2) *[à qqn],* le regarder tendrement.

42 M. de Sorgues était un jeune homme à la mode, grand amateur de chasse et de chevaux, qui venait souvent au Moulin de May, plutôt pour le comte que pour sa femme. Il était cependant assez vrai qu'il avait fait les *yeux doux* à la comtesse ; car quel homme désœuvré, à douze lieues de Paris, ne regarde une jolie femme quand il la rencontre ? A. DE MUSSET, Nouvelles, « Emmeline », II.

(XVIIIᵉ, Diderot). *Faire les gros yeux à quelqu'un,* le regarder d'un œil sévère, d'un air de reproche, de mécontentement. — *Faire des yeux de basilic*.*

♦ **6.** Loc. (Où la valeur initiale de *œil* est souvent ambiguë et où le sens global échappe aux classements des valeurs décrites ci-dessus). *Aimer quelqu'un comme ses yeux, mieux que ses yeux* (→ Jupe, cit. 7). *Tenir à une chose comme à la prunelle* de ses yeux.* — *Coûter les yeux de la tête.* ⇒ **Coûter** (cit. 2 et 3.1). — *N'avoir plus que les yeux pour pleurer :* être dénué de tout, après avoir éprouvé des pertes, des malheurs [cit. 10]. (1740, *in* D.D.L.). *Ne laisser à qqn que les yeux pour pleurer.* — Allus. littér. *« Pleurez, pleurez mes yeux, et fondez-vous en eau »* (→ Fondre, cit. 25, Corneille). — *Il pleure d'un œil, et il rit de l'autre* (La Bruyère, VIII, 62).

Fam. ou pop. *Se battre l'œil de quelque chose.* ⇒ **Battre** (cit. 74 à 76).

(1734). Fam. *Donner,* (1867) *taper dans l'œil à qqn,* faire sur lui une vive impression.

Avoir l'œil américain. ⇒ **Américain.** — *Avoir le compas dans l'œil.* ⇒ **Compas** (cit. 2 et *supra*).

Fam. (1671). *Faire de l'œil à quelqu'un,* cligner un œil pour attirer son attention, le provoquer (⇒ **Œillade**) ou pour marquer qu'on est de connivence avec lui.

43 On fait de l'œil aux modistes, de l'œil à l'œil, histoire de rire, car on n'a pas le temps de descendre. MAUPASSANT, Toine, « Le père Mongilet ».

Loc. adv. À L'ŒIL. a (1827, aussi *œil,* n. m. « crédit, ardoise », 1843, *in* D.D.L.). Vx. À crédit, sans payer (proprt sur la vue, la bonne mine) ; mod. gratuitement.

44 (...) nous vous avons instruit et sauvé de la misère, régalé, et (...) amusé, dit Bixiou.
   — Et *à l'œil !* ajouta Léon en faisant le geste des gamins quand ils veulent exprimer l'action de *chipper* (sic). BALZAC, les Comédiens sans le savoir, Pl., t. VII, p. 67.

45 À quelques mètres de moi passe un camion. Un gosse d'une douzaine d'années, a trouvé le moyen de se faire trimbaler à l'œil en se juchant à l'arrière du véhicule. GIDE, Ainsi soit-il, p. 12.

b (1875). Vx. *Être à l'œil :* être vigilant, surveiller avec attention.

Loc. fam. *Se rincer l'œil.* ⇒ **Rincer.**

(1826, *in* D.D.L.). *N'avoir pas froid aux yeux :* ne pas avoir peur (à la différence de celui qui *baisse les yeux* par lâcheté, timidité, honte...), être hardi, décidé, et, parfois, effronté.

46 (...) tu ne peux t'imaginer comme elle était vive et moqueuse. Et elle n'avait pas froid aux yeux, comme vous dites.
   G. DUHAMEL, Chronique des Pasquier, VII, XIX.

S'arracher les yeux, se manger les yeux, le blanc des yeux : se disputer, se quereller violemment. — *Faire les yeux blancs,* comme quelqu'un qui va s'évanouir. — *Tourner de l'œil :* s'évanouir, ou, aussi, mourir.

47 (...) j'ai amassé une bonne pacotille de contrebande assez honnête, dont nous vivrions, et que je vous laisserais lorsque je viendrais à tourner de l'œil, comme on dit poliment. A. DE VIGNY, Servitude et Grandeur militaires, I, v.

Loc. exclam. *Mon œil !* Se dit pour exprimer l'incrédulité, le défi, etc.

48 Si les sentiments de fierté qui sont au cœur de tout prolétaire ... — Mon œil, coupa brutalement M. Lepage. Les prolétaires se souciaient de manger.
M. AYMÉ, le Confort intellectuel, VI.

Fam. *Se mettre, se fourrer le doigt dans l'œil. Avoir des yeux au bout des doigts.* ⇒ **Doigt.** — Fam. *Pas plus que dans mon œil :* point du tout. — *Frais comme l'œil.* ⇒ **Frais.**

(1832, in D.D.L.). Fam. *Il, elle, ça me sort par les yeux :* je l'ai assez vu, je ne peux plus le supporter.

Loc. adv. (1631, in D.D.L.). Fam. JUSQU'AUX YEUX, PAR-DESSUS LES YEUX : à satiété, trop. *S'en mettre jusqu'aux yeux. J'en ai par-dessus les yeux, de ce type.* ⇒ **Tête.**

(1740, in D.D.L.). ENTRE QUATRE YEUX, et, fam., ENTRE QUATRE-Z-YEUX : en tête à tête, seul à seul. *On va en discuter entre quatre yeux.*

Allus. bibl. ŒIL POUR ŒIL, DENT POUR DENT, expression de la loi du talion.

49 Si quelqu'un fait une blessure à son prochain, on lui fera comme il a fait : fracture pour fracture, œil pour œil, dent pour dent; on lui fera la même blessure qu'il a faite à son prochain. BIBLE (CRAMPON), Lévitique, XXIV, 19-20.

50 Vous avez appris qu'il a été dit : œil pour œil et dent pour dent. Et moi je vous dis de ne point résister à celui qui vous traite mal; au contraire, si quelqu'un vous frappe sur la joue droite, présentez-lui encore l'autre.
BIBLE (SACY), Évangile selon saint Matthieu, v, 38-39.

Voir une paille* dans l'œil de son prochain (la paille et la poutre).

♦ **7.** (1611; *regarder qqn de mauvais œil,* 1558). LE MAUVAIS ŒIL : faculté attribuée à certains individus de porter malheur à ceux qu'ils regardent; regard qui porte malheur. ⇒ **Jettatura.** *Porter une amulette pour conjurer le mauvais œil.*

51 Même à la cour, on attribuait à Cornélius cette fatale influence que les superstitions italienne, espagnole et asiatique, ont nommée le *mauvais œil.*
BALZAC, Maître Cornélius, Pl., t. IX, p. 914.

52 La vue d'un prêtre le jetait en des fureurs inconcevables; il lui montrait le poing, lui faisait des cornes, et touchait du fer derrière son dos, ce qui indique déjà une croyance, la croyance au mauvais œil.
MAUPASSANT, les Sœurs Rondoli, « Mon oncle Sosthène ».

♦ **8.** L'ŒIL DE DIEU : un regard, qui voit tout, pénètre tout (Académie; → Frontière, cit. 1, Lamartine). *L'Éternel* (cit. 11), *qui voit d'un œil profond. Sous l'œil éternel* (cit. 5). — *L'œil de la conscience.*

53 L'œil était dans la tombe et regardait Caïn.
HUGO, la Légende des siècles, II, « La conscience ».

♦ **9.** (XIIᵉ, *œl del jor* « le point du jour »). Par métaphore, vx. **[a]** Littér. Ce qui éclaire, permet de voir. *L'œil du ciel, de la nature, du monde :* le soleil. — *L'œil de la nuit :* la lune (l'expression est chez Chateaubriand).

[b] (Abstrait). Ce qui éclaire, conduit. *«Antioche (...) qu'on appelait l'œil de l'Orient »* (Bossuet).

★ **II.** Par anal. ♦ **1.** *Œil de verre :* œil artificiel en verre ou en émail qu'on met à la place d'un œil énucléé. *Des yeux de verre.* Loc. fig. *Faire l'œil de verre à qqn,* faire semblant de ne pas le reconnaître.

53.1 Ce jour-là, un que tu connais t'a fait l'œil de verre. Tu t'en fous.
Edmonde CHARLES-ROUX, Elle, Adrienne, p. 334.

♦ **2.** Fig. et fam. Vieilli. (Au plur.). Lunettes. « *J'ai oublié mes yeux chez moi* » (Académie).

♦ **3.** Vx. *Œil électrique :* cellule photo-électrique. — (Mil. xxᵉ). Vx. *Œil cathodique, œil magique :* petit tube à rayons cathodiques permettant d'effectuer le contrôle visuel du réglage d'un récepteur de radio.

♦ **4.** *Œil d'une porte :* petit dispositif de visée. ⇒ **Espion, judas.**
REM. Aux sens 3 et 4, le plur., rare, serait plutôt *des œils.*

★ **III.** Fig. (1611). Apparence, aspect extérieur. *Ces perles ont un bel œil.* — Absolt. (1681, in D.D.L.). Fam. et vieilli. *Avoir de l'œil,* un bel aspect.

54 Il disait volontiers : « Donnez-moi n'importe quoi, pourvu que ce soit cuit à point et que ça ait de l'œil ». Alors, maman mettait du persil sur les lentilles, et le plat avait de l'œil. G. DUHAMEL, Chronique des Pasquier, I, I.

(1798). *Un œil de poudre :* une légère couche, un « soupçon » de poudre. — REM. Le plur. ne semble pas usité.

★ **IV.** (1676). ♦ **1.** Ouverture, trou, ornement rond (cf. les composés ci-dessous). Plur. *Des œils. L'œil d'une aiguille* (⇒ **Chas**). *Œil d'un battant de cloche,* trou par lequel il est fixée sur l'axe. ⇒ **Œillard.** — Techn. Trou ménagé dans un outil pour introduire le manche. *Œil d'un marteau.*

(1694). Archit. Ouverture ronde en haut d'une coupole. — *Œil de*

pont : ouverture circulaire dans les piles et les culées, pour l'écoulement des eaux.

Œil d'un obus, ouverture pour introduire la charge.

(1874). Trou dans le rideau d'un théâtre, pour observer.

Techn. Trou par lequel le montant de bride passe dans la branche du mors. Trou oblong (d'un étrier) par où passe l'étrivière. — Trou à l'extrémité du grand ressort d'une montre. — (1690). Mar. Trou, boucle ou ganse. *Faire des œils épissés.*

55 C'était à cela que le maître d'équipage devrait accrocher l'œil de la remorque, un anneau d'acier ovale, entouré d'un bourrelet de chanvre.
Roger VERCEL, Remorques, p. 75.

Tissu à œil, où une armure en losange forme de petits dessins, dits *œils de mouche, de fauvette,* etc.

(1660). Plur. *Yeux. Yeux du fromage de gruyère, du pain,* les trous qui se forment dans la pâte.

♦ **2.** (1812). *Yeux de graisse d'un bouillon* (→ Figer, cit. 4) : les ronds qui apparaissent à la surface du bouillon. — Rare au sing. *Il y a un œil.*

♦ **3.** (1690). Imprim. «Partie du caractère comprenant le dessin de la lettre formant relief, et qui s'imprime sur le papier» (H. Leduc, Composition. typogr., « Œil »). *L'œil de la lettre. Gros œil, petit œil. Lettre d'un autre œil...* Plur. *Des œils.*

♦ **4.** (Fin xivᵉ, *euil*). Arbor. Bourgeon naissant (⇒ 2. **Œillet,** 1. **œilleton**). *Greffe, écussonnage à œil dormant* (utilisant des bourgeons à feuilles), *à œil poussant.* Plur. *Des yeux. Tailler une vigne à deux yeux, à trois yeux,* en laissant sur la branche deux, trois boutons à fruit.
Loc. *Œil à bois, à fruit, à fleur. Œil simple* (à bois ou à fruit), *double, triple* (deux *yeux* à fruits encadrant un *œil* à bois, ou trois *yeux* à fleurs).

♦ **5.** (1868). Arts. Point d'où partent plusieurs plans de cassure (d'une draperie).

♦ **6.** Centre. **[a]** (1547). *Œil d'une volute* (de chapiteau ionique). *L'œil d'une rosace.*

[b] *Œil d'un typhon :* centre d'un typhon, zone de calme au maximum de la dépression.

♦ **7.** Loc. argotique. *L'œil de bronze, l'œil de Gabès... :* l'anus (dans un contexte de sodomie).

DÉR. Œillade, œillard, œillé, œillère, œillet.
COMP. Œil-de-bœuf.

ŒIL-DE-BŒUF, plur. ŒILS-DE-BŒUF [œjdəbœf] n. m. —
1530; *oïl de boef* «amulette en forme d'opale»; de *œil, de,* et *bœuf.*

♦ **1.** Fenêtre, lucarne ronde ou ovale pratiquée dans un mur, un comble, un tympan. ⇒ **Oculus** (cit.). — REM. On emploie plutôt *oculus* en parlant d'art médiéval et *œil-de-bœuf* à propos de l'art classique.

1 (...) au-dessus, se trouvent, sous le faîte, qui ressemble à deux cartes mises l'une contre l'autre, deux chambres de domestique, éclairées chacune par un œil-de-bœuf, et mansardées, mais assez spacieuses.
BALZAC, Modeste Mignon, Pl., t. I, p. 364.

2 La façade de Granite-house allait donc être éclairée au moyen de cinq fenêtres et d'une porte, desservant ce qui constituait « l'appartement » proprement dit, et au moyen d'une large baie et d'œils-de-bœuf qui permettraient à la lumière d'entrer à profusion dans cette merveilleuse nef qui devait servir de grande salle.
J. VERNE, l'Île mystérieuse, t. I, p. 245.

(1787). Par ext. *L'Œil-de-bœuf :* la salle d'attente qui précédait la chambre du roi, à Versailles, et qui était éclairée par un œil-de-bœuf. *Les Chroniques de l'Œil-de-bœuf,* de Truchard-Lafosse (1829-1833).

♦ **2.** Nom de plantes composées : une espèce d'anthémis, une de chrysanthème.

ŒIL-DE-CHAT, plur. ŒILS-DE-CHAT [œjdəʃa] n. m. —
1416; de *œil, de,* et *chat.*

♦ **1.** Quartz chatoyant, d'une variété chargée de fibres d'amphibole.

♦ **2.** Variété de corindon (aluminate de glucinium).

♦ **3.** (1919). Techn. (cin.). Fermeture réglable, extérieure à l'objectif, fonctionnant comme un diaphragme*.

ŒIL-DE-CRAPAUD, plur. ŒILS-DE-CRAPAUD [œjdəkʀapo] n. m. — 1840; de *œil, de,* et *crapaud.*

♦ Argot. Vx. Pièce d'or de 20 F. ⇒ **Napoléon.**

ŒIL-DE-PAON, plur. ŒILS-DE-PAON [œjdəpɑ̃] n. m. — 1759; de *œil, de,* et *paon.*

♦ **1.** Papillon de jour, dont les ailes présentent des ocelles.

♦ **2.** (1868). Marbre présentant des veines concentriques multicolores.

ŒIL-DE-PERDRIX, plur. **ŒILS-DE-PERDRIX** [œjdə pɛʀdʀi] n. m. — 1723 ; nom de couleur, v. 1600 ; de œil, de, et perdrix.

♦ **1.** Techn. Petit grain d'un tissu ouvré ; ce tissu.

♦ **2.** (1868). Techn. Point foncé dans un nœud du bois. — Petit anneau sur un mors de bride. — Tronçon de côte de tabac hachée.

♦ **3.** (1839, in D. D. L.). Cour. Cor entre les doigts de pied.

♦ **4.** Appos. Vin œil-de-perdrix : vin paillet brillant.

ŒIL-DE-PIE, plur. **ŒILS-DE-PIE** [œjdəpi] n. m. — 1688, autre sens ; de œil, de, et pie.

♦ Mar. (Vx). Ouverture, petit trou dans le bord d'une voile pour y faire passer une garcette, un filin.

ŒIL-DE-SERPENT, plur. **ŒILS-DE-SERPENT** [œjdə sɛʀpɑ̃] n. m. — 1718 ; de œil, de, et serpent.

♦ Techn. (bijout.). Petite pierre de peu de valeur. Œil-de-serpent monté en bague. — REM. On dit aussi œil-de-tigre [œjdətigʀ].

ŒILLADE [œjad] n. f. — Av. 1493, sens 2 ; de œil.

♦ **1.** (Mil. XVIᵉ). Vx. Regard* significatif, jeté à dessein.

1 D'une œillade (...) le général perça les coupables jusqu'au cœur, et en les regardant il les punit. GUEZ DE BALZAC, Dissertation politique, I, in CAYROU.

♦ **2.** Mod. Regard, coup d'œil plus ou moins furtif, de connivence. ⇒ **Clin** (d'œil) ; **clignement.** Faire une œillade d'intelligence à qqn. ⇒ **Cligner** (de l'œil).

2 Simplement, entre son pouce et son index, il pinça le revers crasseux de son veston, tandis que, d'une œillade discrète, il signalait à M. Nègre sa boutonnière, vierge de palmes. COURTELINE, Messieurs les ronds-de-cuir, VIᵉ tableau, II.

Spécialt. Cour. Clin d'œil, coup d'œil constituant un appel*, une invite amoureuse ou coquette. ⇒ **Galanterie** (→ Frôleur, cit. 2 ; méprisable, cit. 3). Œillade assassine, hardie (→ Garce, cit. 2), incendiaire ; œillade langoureuse, tendre, agaçante. Lancer (1. Lancer, cit. 18), jeter, décocher (cit. 3) une œillade. Faire des œillades (→ Jouer* de la prunelle, des yeux...). Elle lui a fait une œillade, il a une touche*. — REM. Au XVIIᵉ s., œillade pouvait s'employer dans le style noble, mais déjà Voltaire reprochait cet emploi à Corneille, assurant que le mot appartenait au style comique.

3 Et ne permettons pas qu'après tant de bravades,
Mon sceptre soit le prix d'une de ses œillades (de Cléopâtre).
CORNEILLE, Pompée, II, 4.

4 La dame m'agaça longtemps par des regards où son amour était peint ; mais, au lieu de répondre à ses œillades, je fis d'abord semblant de ne pas m'apercevoir de son dessein. A. R. LESAGE, Gil Blas, VII, I.

5 J'ai passé, durant tout un été, trois ou quatre heures par jour tête-à-tête avec elle, à lui montrer gravement l'arithmétique, et à l'ennuyer de mes chiffres éternels, sans lui dire un seul mot galant ni lui jeter une œillade. ROUSSEAU, les Confessions, VIII.

6 Elle (Musidora) cherche au fond de son arsenal l'œillade la plus assassine, le sourire le plus amoureusement vainqueur pour le lui décocher et lui percer le cœur d'outre en outre (...) Th. GAUTIER, Fortunio, I, p. 24.

7 Lorsqu'une femme ou jeune fille passe près de vous, elle abaisse lentement ses paupières, puis elle les relève subitement, vous décoche en face un regard d'un éclat insoutenable, fait un tour de prunelle et baisse de nouveau les cils. La bayadère Amany, lorsqu'elle dansait le pas des Colombes, peut seule donner une idée de ces œillades incendiaires que l'Orient a léguées à l'Espagne ; nous n'avons pas de termes pour exprimer ce manège de prunelles (...) Th. GAUTIER, Voyage en Espagne, p. 245.

DÉR. Œillader.

ŒILLADER [œjade] v. tr. — 1556, Ronsard ; de œillade.

♦ Vx. (Mot critiqué au XVIIᵉ). Faire une, des œillades à (qqn).

ŒILLARD [œjaʀ] n. m. — 1777 ; œullard, 1554 ; de œil.

♦ Techn. Trou central. Spécialt : [a] Œil* d'une meule.

[b] (1868). Trou d'une roue de moulin, par où passe son axe. — Trou d'écoulement.

(...) l'œillard, comme épuisé, ne faisait plus entendre son grondement lourd et continu, mais n'était plus qu'un bruit frais de cascade, d'eau qui tombe et qui claque au lieu de se ruer puissamment. M. GENEVOIX, Raboliot, I, I.

ŒILLÉ, ÉE [œje] adj. — 1581 ; de œil.

♦ Littér. Qui porte un dessin ressemblant à un œil. Agate œillée. ⇒ **Ocellé.**

(...) le bout œillé d'une plume de paon. Th. GAUTIER, Voyage en Russie, VI.

1. ŒILLÈRE [œjɛʀ] adj. f. — 1530 ; de œil.

♦ Dents œillères : canines* de la mâchoire supérieure. — N. f. (V. 1560). Une œillère.

2. ŒILLÈRE [œjɛʀ] n. f. — Fin XIIᵉ, oilliere ; de œil.

♦ **1.** Ancienn. Partie du heaume qui se rabattait sur les yeux pour les protéger. — Blason. Représentation héraldique de cette pièce.

♦ **2.** (1611). Mod. (Techn.). Chacune des deux pièces, plaques de cuir, etc., attachées au montant de la bride* et empêchant le cheval, l'âne... qui les porte de voir sur le côté et de recevoir des coups de fouet sur les yeux (⇒ **Harnais**). « Sans œillère, les chevaux ne s'effrayent pas plus quand leur bride en est pourvue (...) Il n'existe pas de motif pour maintenir (cet) usage » (Omnium Agricole).

1 (...) ces lourdes œillères, volets noirs qui aveuglent ce que le cheval a de plus beau, sa prunelle dilatée et pleine de flamme. Th. GAUTIER, Voyage en Russie, VI.

2 (...) ce morceau de carton roulé, recouvert d'étoffe et appelé chapeau, que les femmes ont jugé à propos de s'appliquer de chaque côté de la tête, à peu près comme les œillères des chevaux. (Il faut remarquer cependant que les œillères empêchent les chevaux de regarder de côté et d'autre, et que le morceau de carton n'empêche rien du tout). A. DE MUSSET, Contes, « Mimi Pinson », II.

Par comparaison :

2.1 Une saute de vent lui plaque de nouveau la neige au visage. Il tire la main droite de la poche de sa capote et l'applique en œillère contre sa tempe. A. ROBBE-GRILLET, Dans le labyrinthe, p. 34-35.

Par anal. Lunettes (cit. 4) à œillères de drap.

♦ **3.** (Av. 1841, Chateaubriand). Fig. Idée préconçue, opinion étroite et bornée (surtout au plur.). Être sans œillères, avec des œillères. Mettre des œillères. — Cour. Avoir des œillères : être borné*, ne pas voir certaines choses par étroitesse d'esprit, parti pris. ⇒ **Aveuglement** (→ Lucide, cit. 4).

3 M. de La Fayette n'avait qu'une seule idée, et malheureusement pour lui elle était celle du siècle ; la fixité de cette idée a fait son empire ; elle lui servait d'œillère, elle l'empêchait de regarder à droite et à gauche ; il marchait d'un pas ferme et sur une seule ligne ; il s'avançait sans tomber entre les précipices non parce qu'il les voyait, mais parce qu'il ne les voyait pas ; l'aveuglement lui tenait lieu de génie, tout ce qui est fixe est fatal, ce qui est fatal est puissant. CHATEAUBRIAND, Mémoires d'outre-tombe, t. VI, p. 273.

4 La santé, le bonheur : des œillères. La maladie rend enfin lucide. MARTIN DU GARD, les Thibault, t. IX, p. 248.

♦ **4.** (1835, Académie). Petit récipient ovale servant à se baigner les yeux.

1. ŒILLET [œjɛ] n. m. — XIIᵉ, ollet ; de œil.

♦ **1.** Petit trou circulaire ou ovale, pratiqué dans une étoffe, du cuir, etc., souvent cerclé, gansé et servant à passer un lacet, un cordon, un bouton (⇒ **Boutonnière**). Œillets d'une chaussure, d'un brodequin (→ Lacet, cit. 1), d'un vêtement. — Par ext. Bordure rigide qui entoure un œillet. Machine, pince à œillets. Placer des œillets à une ceinture, une toile de tente...

Cette donzelle, il n'y a pas deux mois qu'elle était sage dans une mansarde, elle ajustait des petits ronds de cuivre à des œillets de corset, comment appelez-vous ça ? HUGO, les Misérables, IV, XII, II.

(1694). Mar. (Vieilli). Bague à l'extrémité d'une manœuvre, pour y passer un cordage. ⇒ **Anneau.**

Pêche. Extrémité de la hampe d'un hameçon, formant anneau.

♦ **2.** (1731). Techn. Bassin d'un marais* salant ; compartiment rectangulaire situé dans la partie centrale d'une saline et où se dépose le sel. ⇒ **Aire.** Le sel retiré des œillets est amassé sur une petite plate-forme circulaire (ladure) située au milieu.

DÉR. Œilletage, œilleteuse, œilleton.

2. ŒILLET [œjɛ] n. m. — 1493 ; de œil, nom anc. ou dial. de fleurs.

♦ **1.** Plante dicotylédone (Caryophyllacées), herbe annuelle ou vivace, cultivée pour ses fleurs rouges, roses, blanches, très odorantes. Cultiver des œillets. Champ d'œillets. Variétés d'œillets. ⇒ **Grenadin, non-pareille, tricolor.** Œillet des fleuristes ou œillet giroflée. Œillet mignardise* (cit. 5) ou mignonnette. Œillet de poète, à fleurs réunies en corymbes. Œillet de Chine. — Par ext. Fleur de cette plante. Œillet carné, rose, blanc, panaché... Œillets laciniés (cit.). Odeur, parfum d'œillet. Bouquet d'œillets. Porter un œillet à la boutonnière* (→ Étudiant, cit. 4).

1 On respirait l'odeur poivrée des œillets. HUGO, les Misérables, V, I, XVI.

2 (...) c'était, au milieu des débris d'une fontaine, une collection d'œillets splendides : des œillets blancs débordaient de l'auge moussue ; des œillets panachés plantaient les fentes des pierres le bariolage de leurs ruches de mousseline découpée ; tandis que, au fond de la gueule du lion qui jadis crachait l'eau, un grand œillet rouge fleurissait (...) ZOLA, la Faute de l'abbé Mouret, II, VII.

Par ext. (1547). *Œillet d'Inde*, plante ornementale. ⇒ **Tagette.**
Œillet des Jansénistes, nom d'un *lychnis*.

♦ **2.** (1768). *Œillet de mer*, nom d'une *actinie*.
DÉR. Œillettiste.

ŒILLETAGE [œjtaʒ] n. m. — Mil. xxᵉ; de 1. *œillet*.

♦ Techn. Opération de pose des œillets (1. Œillet, 1.).

ŒILLETEUSE [œjtøz] n. f. — Mil. xxᵉ; de 1. *œillet*.

♦ Techn. Appareil ou machine effectuant la pose des œillets
(1. Œillet, 1.).

ŒILLETON [œjtɔ̃] n. m. — 1554; de *œillet* «bouton végétal», ou
de 1. *œillet*.

★ **I.** Bot. Bourgeon qui se développe au collet des racines (artichaut), à l'aisselle des feuilles (ananas) de certaines plantes.

★ **II.** ♦ **1.** (1777). Pièce adaptée à l'oculaire* d'une lunette, d'un
télescope, etc., percée d'un petit trou qui détermine la position de
l'œil de l'observateur. — (V. 1900). Pièce percée d'un trou derrière
lequel on applique l'œil pour viser. *Fusil* à œilleton et fusil à cran
de mire.*

♦ **2.** Œil* d'une porte.

Tout ce que le septième étage put nous offrir, ce fut une porte d'acajou, percée
d'un œilleton et garnie de trois serrures de sécurité (...)
Hervé BAZIN, Cri de la chouette, p. 213.
DÉR. Œilletonner.

ŒILLETONNAGE [œjtɔnaʒ] n. m. — 1874; de *œilletonner*.

♦ Arbor. Action d'œilletonner.

ŒILLETONNER [œjtɔne] v. tr. — 1652; de *œilleton*.
Arboriculture.

♦ **1.** Débarrasser (un arbre) de ses bourgeons à bois; débarrasser
(un arbre fruitier) de ses bourgeons à feuilles.

♦ **2.** (1903). Propager (une plante) en en séparant les œilletons.
Œilletonner des artichauts.
DÉR. Œilletonnage.

ŒILLETTE [œjɛt] n. f. — 1732; altér. d'*oliette* (xiiiᵉ), d'*olie*, anc.
forme de *huile*.

♦ **1.** Variété de pavot* cultivé pour ses graines dont on extrait une
huile comestible. — REM. On disait aussi *olivète*.

(...) *l'œillette*, plante qui réunit l'utile à l'agréable, puisqu'elle fournit de l'huile à
l'industrie et séduit l'œil blasé des touristes d'automne en leur rappelant le printemps. NERVAL, Notes de voyages, «Un tour dans le Nord», III.

♦ **2.** (1828). Huile d'œillette.

ŒILLETTISTE [œjetist] n. — 1955, *Dict. des métiers*; de 2. *œillet*.

♦ Techn. Horticulteur spécialisé dans la culture des œillets. *Un,
une œillettiste.*

ŒKOUMÈNE ou **ÉCOUMÈNE** [ekumɛn] n. m. — 1858,
œcuménée; grec *oikoumenê (gê)*; → Œcuménique.

♦ Géogr. Espace habitable de la surface terrestre. — Espace habitable (et économiquement exploitable) dans une zone géographique.
L'œkoumène canadien.

ŒN-, ŒNO- Élément, du grec *oinos* «vin».

ŒNANTHE [enɑ̃t] n. f. — 1562; lat. d'orig. grecque *œnanthe*.

♦ Bot. Plante dicotylédone *(Ombellifères)* herbacée, aux racines
vénéneuses, qui croît dans les prés humides.

ŒNANTHIQUE [enɑ̃tik] adj. — Av. 1850, Liebig et Pelouze, *in*
D.D.L.; du bas lat. *œnanthium* «essence de raisins sauvages».

♦ Didact. Relatif à l'arôme des vins. *Acide, éther œnanthique*, composés auxquels certains vins doivent leur bouquet.

ŒNANTHOL [enɑ̃tɔl] n. m. — Fin xixᵉ; de *œn-, anth-*, et suff. *-ol*.

♦ Chim. Aldéhyde œnanthylique ($C_7H_{14}O$) qui prend naissance dans
la distillation sèche de l'huile de ricin.

ŒNANTHYLIQUE [enɑ̃tilik] adj. — Fin xixᵉ; de *œn-, anth-*, et
grec *hulê*.

♦ Chim. Se dit des composés qui renferment le radical $C_7H_{13}O$.
Aldéhyde œnanthylique.

ŒNILISME [enilism] n. m. ⇒ **Œnolisme.**

ŒNISTÉRIE [enisteʀi] n. f. — 1800, *in* D.D.L.; grec *oinisteria*, de
oinizein «avoir une odeur de vin», et «apporter du vin», de *oinos* «vin».
→ Œn-.

Didactique (Antiq. grecque).

♦ **1.** (Au plur.). *Œnistéries* : libations de vin faites par les jeunes
Athéniens admis éphèbes, en l'honneur d'Héraklès.

♦ **2.** (Au sing.). Coupe pour les libations de vin.

ŒNOCHOÉ [enɔkɔe] n. f. — Mil. xixᵉ, H. Wallon, P. Larousse; on
employait auparavant le mot *œnophore*; grec *oinokhoê* «vase à vin»;
→ Œn-.

♦ Archéol. Cruche ou vase à verser le vin, à panse ovoïde, à anse
verticale, à triple ouverture.

L'œnochoé, vase de petite taille, permettait de puiser du vin dans un cratère ou
un stamnos et de le verser dans le canthare ou la coupe des convives.
Henri METZGER, la Céramique grecque, p. 19.

ŒNOGRAPHIE [enɔgʀafi] n. f. — 1903, Larousse; de *œno-*
(→ Œn-), et *-graphie*.

♦ Didact. Description des vins.

ŒNOLATURE [enɔlatyʀ] n. f. — 1868; de *œnol*. → Œnolique.

♦ Pharm. Vx. Médicament liquide dont l'excipient est du vin. — REM.
On trouve la var. *œnolé*, n. m., 1842, *in* D.D.L.

ŒNOLIQUE [enɔlik] adj. — 1846; de *œnol*, vx, «vin servant d'excipient pharmaceutique», rad. *œn-*.

♦ **1.** Pharm. Qui a le vin pour excipient. *Médicament œnolique.*

♦ **2.** Chim. *Acides œnoliques* : matières colorantes acides que l'on
trouve dans les vins rouges.

ŒNOLISME [enɔlism] ou **ŒNILISME** [enilism] n. m. — 1963,
œnolisme; œnilisme, 1900; de *œn-*, d'après *alcoolisme*.

♦ Didact. Forme d'alcoolisme due à l'abus de vin. *L'œnolisme provoque surtout des troubles digestifs, hépatiques et nerveux.*

ŒNOLOGIE [enɔlɔʒi] n. f. — 1636; de *œno-* (→ Œn-), et *-logie*.

♦ Didact. Étude des techniques d'élaboration et de conservation des
vins, de la culture de la vigne et des aspects économiques et techniques de ces activités. *Chimie, physique, microbiologie appliquées
à l'œnologie. Termes d'œnologie.* ⇒ **Vin.** *Faire des études d'œnologie.*
DÉR. Œnologique, œnologue.

ŒNOLOGIQUE [enɔlɔʒik] adj. — 1833, Balzac; de *œnologie*.

♦ Didact. Relatif à l'œnologie. *Analyse œnologique.* — REM. Balzac
a employé ce mot au sens d'«éthylique» : *Une extase œnologique.*
→ Kirsch, cit. 1.

ŒNOLOGUE [enɔlɔg] ou (vx) **ŒNOLOGISTE** [enɔlɔʒist] n. —
1810, *œnologue*, Mᵐᵉ de Genlis; *œnologiste*, 1812, Mozin; de *œnologie*.

♦ Didact. Spécialiste de l'œnologie; spécialiste capable d'appliquer
les connaissances œnologiques, de collaborer à la conception du
matériel utilisé dans l'élaboration et l'élevage des vins, à la culture des vignobles, de procéder à des analyses, etc. *Diplôme
d'œnologue.*

ŒNOMÈTRE [enɔmɛtʀ] n. m. — 1803; de *œno-* (→ Œn-), et
-mètre.

♦ Ancienn. Instrument autrefois utilisé pour mesurer le degré
d'alcool du vin. ⇒ **Alcoomètre.**

ŒNOMÉTRIE [enɔmetʀi] n. f. — 1838; de œno- (→ Œn-), et -métrie.

♦ Techn. Mesure de la richesse des vins en alcool.
DÉR. Œnométrique.

ŒNOMÉTRIQUE [enɔmetʀik] adj. — 1846; de œnométrie.

♦ Techn. Qui concerne l'œnométrie.

ŒNOPHILE [enɔfil] adj. et n. — 1839; de œno- (→ Œn-), et -phile.

♦ **1.** Rare. Qui est amateur de vin.

♦ **2.** N. m. Zool. Insecte lépidoptère (Tinéidés) communément appelé teigne des bouchons (il ronge le liège).

ŒNOPHORE [enɔfɔʀ] n. m. — 1721, Trévoux, in D.D.L.; grec oinophoros, de oinos «vin», et pherein «porter».

♦ Archéol. Vase pour transporter le vin. ⇒ **Amphore.**

ŒNOTECHNIE [enɔtɛkni] ou **ŒNOTECHNIQUE** [enɔtɛknik] n. f. — 1914, mais antérieur (œnotechnicien, 1899, in Cottez); de œno- (→ Œn-), et -technie, technique.

♦ Didact. Technique de la fabrication et de la conservation des vins.

ŒNOTHÉRA [enɔteʀa] ou **ŒNOTHÈRE** [enɔtɛʀ] n. m. — 1777; grec oinothéras.

♦ Bot. Onagre (2. Onagre), dans le système de Linné.
DÉR. Œnothéracées.

ŒNOTHÉRACÉES [enɔteʀase] n. f. pl. — 1874; œnothérées, 1842; de œnothéra.

♦ Bot. Onagrariacées. — Sing. Une œnothéracée.

ŒRSTED [œʀstɛd] n. m. — 1923; nom d'un physicien danois (1777-1851).

♦ Phys. Unité C. G. S. de mesure du champ magnétique*; champ magnétique produit dans le vide par l'unité de pôle magnétique à 1 cm de distance. — REM. On disait aussi gauss, qui est plutôt réservé aujourd'hui à l'unité d'induction.

ŒRSTITE [œʀstit] n. f. — 1963; de Œrsted, physicien danois; → Œrsted.

♦ Techn. Acier au titane et au cobalt, à forte aimantation rémanente.

ŒSOPHAGE [ezɔfaʒ] n. m. — 1562; ysofague, 1314; grec oisophagos, proprt «qui porte (oisô) ce qu'on mange (phagein)».

♦ Partie de l'appareil digestif, canal musculo-membraneux qui va du pharynx* à l'estomac* (cit. 1). L'œsophage suit la colonne vertébrale dans toute la région thoracique, et traverse le diaphragme avant de s'ouvrir dans l'estomac. Le bol alimentaire chemine dans l'œsophage sous l'action de contractions péristaltiques (→ Ingestion, cit.). Jabot* de l'œsophage, chez certains animaux. Renflement de l'œsophage des oiseaux (→ Ventricule succenturié*). Inflammation, contracture de l'œsophage (→ Œsophagien, œsophagisme, œsophagite). Douleur à l'œsophage. ⇒ **Pyrosis.**
DÉR. Œsophagectomie, œsophagien, œsophagisme, œsophagite, œsophagoscope.

ŒSOPHAGECTOMIE [ezɔfaʒɛktɔmi] n. f. — V. 1962; de œsophag(e), et -ectomie.

♦ Méd. Ablation d'une partie de l'œsophage (en particulier dans le cas de cancer).

ŒSOPHAGIEN, IENNE [ezɔfaʒjɛ̃, jɛn] adj. — 1701; de œsophage.

♦ Anat., méd. Relatif à l'œsophage. Contractions œsophagiennes. — Sonde œsophagienne, pour explorer l'œsophage et l'estomac. — REM. On trouve au déb. du xxᵉ s. (L. Daudet) la var. œsophagique.

ŒSOPHAGISME [ezɔfaʒism] n. m. — 1812; de œsophage.

♦ Méd. Contracture spasmodique de l'œsophage provoquant un rétrécissement plus ou moins prononcé.

ŒSOPHAGITE [ezɔfaʒit] n. f. — 1822; de œsophage, et -ite.

♦ Méd. Inflammation de l'œsophage.

ŒSOPHAGO- Premier élément de mots de méd., concernant l'œsophage. — Ex. : œsophagoplastie [ezɔfagoplasti] n. f.; œsophagoscope*, œsophagotomie [ezɔfagɔtɔmi] n. f. (1765) «œsophagectomie».

ŒSOPHAGOSCOPE [ezɔfagɔskɔp] n. m. — 1932; de œsophago-, et -scope.

♦ Méd. Instrument (endoscope*) pour l'examen direct de l'œsophage (dit œsophagoscopie [ezɔfagɔskɔpi] n. f.).

ŒSTRADIOL [østʀadjɔl] n. m. — Mil. xxᵉ (in Quillet 1953); de œstrus.

♦ Méd. Œstrogène naturel le plus puissant, sécrété par les follicules ovariens.

ŒSTRAL, ALE, AUX [østʀal, o] adj. — Mil. xxᵉ (1945, Garnier-Delamare); de œstrus.

♦ Physiol. Relatif à l'œstrus. Cycle œstral : ensemble des modifications périodiques de l'utérus et du vagin déclenchées par les sécrétions ovariennes et préparant à la fécondation et à la gestation. ⇒ **Menstruation.**

ŒSTRE [østʀ] n. m. — 1519; lat. œstrus «taon».

♦ Insecte diptère (Œstridés), grosse mouche dont les larves vivent en parasites sous la peau ou dans les fosses nasales de certains mammifères. Œstre du cheval, du mouton. — REM. Rousseau a employé œstre au sens fig. repris du grec «excitation violente» : «Me livrant à tout l'œstre poétique et musical...» (Confessions, VII).
DÉR. Œstridés.

ŒSTRIDÉS [østʀide] n. m. pl. — 1829; de œstre.

♦ Zool. Famille d'insectes diptères brachycères à large thorax, à abdomen court, munis d'une trompe rudimentaire, au vol lourd, dont les larves vivent en parasites des mammifères. — Sing. Un œstridé.

ŒSTRIOL [østʀijɔl; ɛstʀijɔl] n. m. — V. 1970; de œstrus.

♦ Biol. Hormone, métabolite de la folliculine, qui se trouve dans les urines des femmes enceintes et dont le dosage permet de formuler des pronostics de viabilité du fœtus.

ŒSTROGÈNE [østʀɔʒɛn; ɛstʀɔʒɛn] adj. et n. m. — Mil. xxᵉ; de œstrus, et -gène.

♦ Didact. Qui provoque l'œstrus chez les femelles des mammifères. Les hormones œstrogènes les plus importantes sont la folliculine et l'œstradiol. — N. m. Un œstrogène.

Tout est utile. (...) les larmes, les éternuements (...), les sécrétions gastriques, le cycle de l'œstrogène, les obsessions, les manies (...)
J.-M. G. LE CLÉZIO, les Géants, p. 169-170.
DÉR. et COMP. Œstrogénique. — Anti-œstrogène.

ŒSTROGÉNIQUE [østʀɔʒenik; ɛstʀɔʒenik] adj. — Mil. xxᵉ; de œstrogène.

♦ Didact. Relatif aux œstrogènes. Traitement œstrogénique, par des œstrogènes.

ŒSTRONE [østʀɔn; ɛstʀɔn] n. f. — 1921, in Cottez; de œstrus.

♦ Chim. Nom chimique de la folliculine*, l'une des hormones œstrogènes sécrétées par l'ovaire et par le placenta. ⇒ **Estrone.**

ŒSTRUS [østʀys; ɛstʀys] n. m. — 1931, Garnier-Delamare; mot lat.; grec oistros «fureur».

♦ Physiol. Phase du cycle œstral où se produit l'ovulation (et le rut* chez les animaux).
DÉR. Œstradiol, œstral, œstriol, œstrogène, œstrone.

ŒUF, ŒUFS [œf, ø] n. m. — xivᵉ; of, uef, œf, xiiᵉ; lat. ovum.

★ **I.** Cour. ♦ **1.** Corps plus ou moins gros, dur et arrondi, que produisent les femelles des oiseaux et qui contient le germe de l'embryon et les substances destinées à le nourrir pendant l'incubation. *Petit bout, gros bout d'un œuf. L'œuf est protégé par une enveloppe calcaire* (⇒ **Coquille**). *Blanc d'œuf :* albumine de l'œuf (⇒ **Albumen**). *Jaune d'œuf :* masse de lécithine* (⇒ **Vitellus**) portant le germe (œuf au sens II; ⇒ **Cicatricule**), petit point blanc qui donnera naissance à l'embryon. ⇒ **Germinatif** (tache, cicatricule, vésicule germinative). *Ligaments du blanc d'œuf qui maintiennent le jaune.* ⇒ **Chalaze**. *Membrane du blanc d'œuf ou membrane coquillère, pellucide* (⇒ **Chorion**) *laissant entre elle et une extrémité de la coquille une chambre à air. Membrane du jaune d'œuf.* ⇒ **Vitelline** (membrane). *Œuf hardé, sans coque* (cit. 1), *à coquille molle* (→ Fécond, cit. 4); *œuf clair*. *Œuf de poule, de cane ou de canard* (cit. 4), *de pigeon, d'autruche... Oiseau qui dépose ses œufs.* ⇒ **Pondre, ponte**. *Incubation** (cit. 2) *de l'œuf par couvaison.* ⇒ **Couvaison**. *La femelle, parfois le mâle couvent* les œufs.* ⇒ **Couvée, couvoir, nid**. *Œuf qui éclôt* (cit. 1); *oisillon, poussin qui sort de l'œuf en brisant la coquille.* ⇒ **Éclosion** (→ Indigner, cit. 6; métamorphoser, cit. 2).

1 J'aborde au nid; la pie s'envole; je ravis les œufs, je les mets dans ma chemise et redescends (...) En dévalant le tronc, je m'écorchai les mains, je m'éraillai les jambes et la poitrine et j'écrasai les œufs : ce fut ce qui me perdit. Le préfet ne m'avait point vu sur l'orme; je lui cachai assez bien mon sang, mais il n'y eut pas moyen de lui dérober l'éclatante couleur d'or dont j'étais barbouillé. « Allons, me dit-il, monsieur, vous aurez le fouet. »
CHATEAUBRIAND, Mémoires d'outre-tombe, I, II, 6.

2 Il trouva d'abord un nid de pluviers. La mère était sur les œufs. Elle ne se leva pas, elle ne bougea pas même une plume. J. GIONO, Jean le Bleu, VII.

Spécialt. *Œuf de poule*, spécialement destiné à l'alimentation. ⇒ 3. **Coco** (lang. enfantin). *Les œufs, produit agricole. Marchand d'œufs et de volailles* (⇒ **Coquetier**), *marchand de beurre, œufs et fromages* (⇒ **B. O. F.**, fam.). *Crémier, crémerie qui vend des œufs. Panier d'œufs* (→ 2. Manne, cit. 2). *Œufs frais, œufs du jour, œufs en conserve. Œuf corrompu, pourri, couvi, cassé... Odeur, goût d'œuf pourri. Mirer* un œuf.* ⇒ **Mire-œufs**. *Acheter* (cit. 1) *une douzaine, un cent d'œufs. Manger des œufs* (⇒ Fromage, cit. 2). *Gober un œuf cru. Faire cuire un œuf dans sa coquille. — Œufs à la coque** (cit. 1) *servis dans un coquetier*, un œufrier*. Mouillettes** (cit. 1) *trempées dans un œuf. — Œuf dur*, cuit dans sa coquille jusqu'à ce que le blanc et le jaune soient durs. Salade aux œufs durs* (→ Crabe, cit. 2). — *Œuf mollet** au vin rouge* (→ Frugal, cit. 6). *Casser des œufs* (→ Écuyer, cit. 3). *Omelette de cinq, de douze œufs.* ⇒ **Omelette**. *Battre ensemble, brouiller* les blancs et les jaunes* (cit. 11) *d'œufs. Œufs mousseux* (cit. 1). *Battre* (cit. 14) *des blancs d'œufs en neige, jusqu'à ce qu'ils soient blancs et fermes. Œufs brouillés** (→ Fondue, cit. 3; jus, cit. 4), *mêlés sans être battus. — Œufs au plat*, sur le plat, ou au miroir. Œufs frits. Œufs pochés*. Œufs au beurre noir. Œufs au lard* (cit. 2), *au bacon. Œufs en meurette*. Œufs en gelée. Œufs mimosa*. Œufs à l'armoricaine*. Œufs à la russe. Œufs mayonnaise. — Utilisation des œufs en pâtisserie, comme entremets...* (→ Farine, cit. 4). *Œufs à la neige, blancs d'œufs battus et pochés servis avec une crème. Œufs au lait*, crème faite d'œufs et de lait pris au four. Boisson aux œufs.* ⇒ **Chaudeau, lait** (de poule). *Pâtes aux œufs frais. Œufs en poudre. — Œuf de Pâques :* œuf dur décoré, offert à Pâques (→ ci-dessous, 4.).

3 Ni sa femme, ni sa servante, ni personne, selon lui, ne savait cuire un œuf comme il faut; il regardait à sa montre, et se vantait de l'emporter en ce point sur tout le monde. Il cuisait ses œufs depuis deux ans avec un succès qui lui méritait mille plaisanteries. On enleva, pendant un mois, toutes les nuits, les œufs de ses poules, auxquels on en substitua de durs. BALZAC, la Rabouilleuse, Pl., t. III, p. 952.

4 (...) la jeune fille en tablier blanc, mince et droite, apporta le plat d'œufs à la neige qu'elle avait apprêté. Dans leur bain d'or pâle, ils brillaient du plus candide éclat et répandaient une fine odeur de vanille.
FRANCE, le Crime de S. Bonnard, VI, in Œ., t. II, p. 453.

5 Il ajoutait que, puisque Christophe était musicien, rien ne faisait plus de bien pour la voix qu'un œuf avalé cru, matin et soir : et il se faisait fort de lui en fournir de tout chauds sortis du cul de la poule.
R. ROLLAND, Jean-Christophe, La révolte, III, p. 614.

5.1 (...) la joie qui brillait dans tous les yeux et que venait d'aviver la découverte, à travers [les] flots dorés des œufs brouillés, de petites flotilles imperceptibles de lard, à demi englouties, et que chacun se chargerait volontiers de tirer tout à l'heure du naufrage. PROUST, Jean Santeuil, Pl., p. 458.

Par ext. *Œuf comestible* (de quelques oiseaux). *Manger des œufs de cailles.*

♦ **2.** (1578). Par ext. Produit des femelles ovipares*. *Œuf de reptile, de batracien. L'œuf de la vipère éclôt avant la ponte.* ⇒ **Ovovivipare**. — *Œufs de poisson. Fécondation externe des œufs de poisson par la laitance* mâle.* ⇒ **Frai** (cit. 2). *Poisson qui a des œufs.* ⇒ **Œuvé, rogué**. *Œuf de brochet* (cit. 2), *de seiche.* ⇒ **Raisin** (de mer). → Grappe, cit. 7. *Œufs de poisson servant d'appât.* ⇒ **Rogue**. *Œufs comestibles d'esturgeon, de sterlet* (⇒ **Caviar**; → Hors-d'œuvre, cit. 6); *de saumon, de mulet* (⇒ **Boutargue**); *de cabillaud* (⇒ **Tarama**). — *Œufs d'insectes* (⇒ **Couvain**). *Hyménoptères* (cit.) *qui déposent leurs œufs sur des proies vivantes. Œuf de pou* (⇒ **Lente**), *du bombyx du ver à soie* (⇒ **Graine**). *Œufs d'abeille* (⇒ Germe, cit. 3), *de fourmi* (abusivt, leurs larves. ⇒ **Fourmi**). *Métamorphose de l'œuf en larve. Chenille qui sort de son œuf* (→ Art, cit. 25). Par plais. « *Peser des œufs de mouche dans des balances* (1. Balance, cit. 2) *de toile d'araignée* » (Voltaire).

6 Chez de nombreux aquatiques, la femelle porte elle-même sa ponte jusqu'à l'éclo-

sion des larves : c'est le cas bien connu des crevettes et des crabes où les œufs sont fixés en très grand nombre aux pattes abdominales (...)
Maurice CAULLERY, l'Embryologie, p. 24.

♦ **3.** Loc. compar., métaphoriques (du sens 1) et fig. *En forme d'œuf.* ⇒ **Ovale, ové, oviforme, ovoïde, ovoïdal**. *Tête chauve* (cit. 4) *en forme d'œuf, en œuf, comme un œuf. Ornement en forme d'œuf.* ⇒ **Ove**. *Calcaire dont les grains ont la forme de petits œufs.* ⇒ **Oolithe**. — *Gros* (cit. 6) *comme un œuf. Grêlons* (1. Grêlon, cit. 1) *comme des œufs de poule.* — Fam. *Des œufs sur le plat :* des seins ronds et menus. — *Plein comme un œuf*, bien plein. *Être plein comme un œuf :* avoir beaucoup mangé, être repu. *Des villes pleines comme des œufs*, où l'on étouffe (cit. 46).

Marcher sur des œufs*, en touchant le sol avec précaution, et, spécialt, avec gaucherie, d'un air mal assuré.

7 (...) elle n'entendit pas le léger bruit que produisaient les pas de sa compagne. Il est vrai que, suivant une expression de Walter Scott, Amélie marchait comme sur des œufs (...) BALZAC, la Vendetta, Pl., t. I, p. 875.

7.1 Plus bas encore par les cailloux on avance un peu sur des œufs! bien à tâtons!... CÉLINE, Guignol's band, p. 49.

Loc. fam. (Argot de l'autom.). *Avoir un œuf sous le pied :* appuyer très délicatement sur la pédale d'accélération, pour diminuer la consommation d'essence. — *La poule aux œufs d'or.* ⇒ **Poule**. *Tondre sur les œufs, tondre un œuf :* être d'une avarice sordide.

8 Quelques-uns prétendent que tu aimes le cidre et les gros sous; mais il ne s'agit pas ici de tondre sur les œufs, il faut n'être qu'à nous. BALZAC, les Chouans, Pl., t. VII, p. 940.

C'est comme l'œuf de (Christophe) Colomb, il fallait y penser!, se dit d'une réalisation qui paraît simple mais dont il a fallu avoir l'idée, qui a demandé de l'ingéniosité (par allus. à une anecdote selon laquelle Colomb aurait donné une leçon aux envieux qui prétendaient que pour trouver l'Amérique il avait suffi d'y penser. Leur ayant demandé de faire tenir un œuf debout et aucun n'ayant pu y réussir, Colomb aurait frappé légèrement l'œuf à l'un des bouts et l'aurait posé, en disant qu'il fallait y penser).

9 L'œuf de Christophe Colomb, ma bonne dame! Il suffisait de frapper sur la pointe pour qu'il tienne debout. Seulement voilà, il fallait y penser. Cette plaisanterie d'un goût douteux n'a pas fini d'étonner le monde.
J. ANOUILH, Ornifle, II, p. 94.

Donner un œuf pour avoir un bœuf. — Prov. Qui vole un œuf vole un bœuf. *On ne fait pas d'omelette sans casser* des œufs. Mettre tous ses œufs dans le même panier :* mettre tout son avoir, tous ses moyens dans une même entreprise (et s'exposer ainsi à tout perdre).

10 (...) il est imprudent de mettre, comme on dit, tous ses œufs dans le même panier. GIDE, Robert ou l'Intérêt général, III, 5.

Dans l'œuf : dans le principe, avant la naissance, l'apparition de qqch. *Étouffer, écraser, tuer... dans l'œuf. Il faut étouffer* (cit. 40) *cette affaire dans l'œuf. Porter dans l'œuf son germe de décomposition* (cit. 2).

11 J'écraserais dans l'œuf ton aigle impérial! HUGO, Hernani, II, 3.

12 (...) ce serait tuer dans l'œuf l'organisation juridique de l'Europe, se contenter d'une caricature de Société des Nations (...)
MARTIN DU GARD, les Thibault, t. IX, p. 235.

13 Tu ne penses pas que je vais laisser mon père se saigner aux quatre veines pour me permettre de faire une carrière, et briser, moi, celle-ci dans l'œuf, sur un coup de tête? ARAGON, les Beaux Quartiers, II, XXX.

(1860). Fam. *Quel œuf! :* quel idiot, quel imbécile. — Pop. *Va te faire cuire un œuf!*, formule pour se débarrasser d'un importun (→ Va voir* ailleurs si j'y suis), montrer qu'on n'est pas dupe...

13.1 Goyave protesta immédiatement contre cette discrimination, sur quoi un collègue métro *(de la métropole)* lui suggéra d'aller se faire cuire un œuf.
Claude COURCHAY, La vie finira bien par commencer, p. 130.

Tête d'œuf (angl. *egg head*) : intellectuel (par allus. au crâne).

♦ **4.** Objet en forme d'œuf. **a** *Œuf en plâtre pour inciter les poules à pondre.* ⇒ **Nichet**.

b (XIXᵉ; en parlant d'un œuf de poule, 1534). *Œuf de Pâques :* confiserie en forme d'œuf plein, ou creux et rempli de friandises, qu'on offre à l'occasion de Pâques. *Œuf en chocolat, en sucre, noué d'un ruban. Œufs à la liqueur :* petits bonbons en sucre remplis de liqueur. Par ext. *Œufs de Pâques :* cadeau à l'occasion de Pâques.

14 (...) il devait aimer à donner des étrennes, à faire des surprises et offrir des œufs de Pâques (...) BALZAC, le Contrat de mariage, Pl., t. III, p. 114.

15 Et Pâques, enfin, aux hymnes matinales et joyeuses, Pâques dont les jeunes filles reçoivent la blanche hostie et les œufs rouges!
Aloysius BERTRAND, Gaspard de la nuit, « Silves », III.

c *Œuf à repriser :* objet en forme d'œuf, qu'on introduit à l'intérieur des bas pour y faire des reprises* plus aisément.

16 Je trouvai encore (...) un de ces œufs de bois que l'on met dans les chaussettes à raccommoder (...) APOLLINAIRE, l'Hérésiarque, p. 193.

d *Œuf de Nuremberg :* grosse montre (cit. 2) de forme ovoïde.

e Fam. Ballon ovale de rugby.

16.1 *(Quand)* tu n'auras plus le cœur de te coucher sur l'œuf, de plaquer aux jambes. A. ARNOUX, Suite variée, p. 42.

♦ **5.** Sports (ski). *Position en œuf*, ou, ellipt., *l'œuf :* position de recherche de vitesse, skis écartés, genoux fléchis, buste en avant, tête baissée, mains en proue devant la tête.

♦ **6.** Fam. Franç. d'Afrique. *Œuf colonial :* gros ventre.

♦ **7.** (Av. 1945, *in* D. D. L.). Argot milit. Grenade offensive. ⇒ **Citron.**

16.2 On avait arraché les anneaux des cuillers, et à trente mètres, on leur a balancé nos œufs dans les pattes. Roger VERCEL, Capitaine Conan, XIV, p. 242.

♦ **8.** Alchim. *Œuf des Sages :* matière préparée pour produire la transmutation des métaux.

★ **II.** (XVII⁰). Biol. Première cellule d'un être vivant à reproduction sexuée (animal ou végétal), née de la fusion des noyaux de deux cellules reproductrices (gamète mâle et gamète femelle); premiers stades du développement par segmentation de cette cellule, aboutissant à l'embryon*. ⇒ **Fécondation** (cit. 2). *Morphogenèse, développement de l'œuf.* ⇒ **Embryogenèse.** *Clivage, segmentation de l'œuf et stades qui la caractérisent* (⇒ **Blastula, gastrula, morula**). *Formation des feuillets* dans l'œuf. Œuf isotrope, anisotrope. Étude de l'œuf et de l'embryon.* ⇒ **Embryologie.** *Organe où se forment les œufs* (⇒ **Ovaire**). *Conduit de l'œuf* (⇒ **Oviducte**). *Œufs vivipares, des ovipares. Œufs parthénogénétiques. Œuf d'oursin, de batracien, de mammifère.* — Spécialt (dans l'espèce humaine). *Fécondation* (cit. 3) *et nidation de l'œuf chez la femme. Œuf fécondé qui ne peut atteindre l'utérus.* ⇒ **Grossesse** (cit. 4). *Sexe de l'œuf* (→ Fille, cit. 19; femme, cit. 10). *Les vrais jumeaux** (cit. 4) *proviennent d'un même œuf.*

16.3 Observer, les yeux rivés au binoculaire, la fécondation artificielle d'un œuf de grenouille ou de lamproie, voir le chorion se soulever (...) assister à la réaction de l'œuf, à ses premières déformations, au creusement des sillons, c'est déjà un spectacle singulièrement attachant. Mais il donne encore je ne sais quelle impression d'automatisme, de vie végétative. Quand la lèvre blastoporale se dessine (...) quand on suit d'heure en heure la fermeture du blastopore, l'apparition de la plaque neurale et des reliefs discrets qui la sertissent, l'élongation du germe en une forme qui s'impose brusquement comme un véritable embryon, on reste saisi par cette activité délibérée, cette sorte de volonté constructive qui va droit au but éternel de l'espèce. A. DALCQ, l'Œuf et son dynamisme organisateur, p. 39.

17 Tout être humain commence son existence personnelle sous la forme d'une simple cellule, infime globule de gelée transparente, l'Œuf. Cet œuf lui-même résulte de la fusion de deux cellules, respectivement issues du corps des parents. Jean ROSTAND, l'Homme, II, p. 30.

18 Quel est le point de départ du développement de l'individu, le germe initial? C'est W. HARVEY qui, par une large et profonde intuition, formule la notion qui aura besoin de deux siècles pour atteindre une précision complète, *Ex ovo omnia :* tous les êtres dérivent d'un œuf, même les vivipares et l'homme (...) Aujourd'hui, l'œuf unicellulaire (ou mieux *l'oocyte*), se formant dans l'ovaire, a été mis en évidence chez tous les animaux, avec une parfaite uniformité et son équivalent exact retrouvé partout chez les végétaux. Maurice CAULLERY, l'Embryologie, p. 8.

Abusivt. Le gamète femelle (ovule ou oosphère) avant sa fécondation (on dit aussi *œuf vierge*). — En obstétrique, Produit de la conception au cours de son développement intra-utérin, comprenant l'embryon* ou le fœtus et ses enveloppes.

DÉR. Œufrier, œuvé.
COMP. Mire-œufs. — Cf. aussi rac. lat. *Ovo-,* et rac. grecque *Oo-.*
HOM. (Du plur.) Eux.

ŒUFRIER [œfʀije] n. m. — 1838; de *œuf.*

♦ Techn. (Cuis.). Ustensile de cuisine pour cuire plusieurs œufs à la coque; petit plateau pour coquetiers. — Compartiment, casier destiné à contenir des œufs. *La porte du réfrigérateur comporte un œufrier.*

ŒUVÉ, ÉE [œve] adj. — 1393, *ové* «plein d'œufs», fin XIIᵉ; de *œuf.*

♦ Pêche. Se dit d'un poisson femelle contenant des œufs. *Carpe œuvée. Hareng œuvé* (→ Laité, cit. 1).

N. m. *L'œuvé :* la formation des œufs chez le poisson femelle. *Femelle en période d'œuvé.*

ŒUVRE [œvʀ] n. f. et m. — 1250; *uevre, œvre, ovre,* au XIIᵉ; lat. *opera.* — REM. Le mot a d'abord été féminin, comme venant du nom féminin latin *opera,* qui semble n'être qu'un singulier féminisé du pluriel *opera,* neutre de *opus.* Ce n'est qu'au XVIᵉ s. que, sous l'influence du neutre *opera,* on voit apparaître le masculin. Enfin, au XVIIᵉ s., les grammairiens, non sans hésitation, ont établi les distinctions actuelles.

★ **I.** N. f. **A.** ♦ **1.** Activité, travail. (Dans certaines locutions figées). Vieilli. *Ne faire œuvre de ses dix doigts** (⇒ **Oisif, paresseux**). — Mod. À L'ŒUVRE. *Être à l'œuvre :* au travail. ⇒ **Opérer, travailler.** *Mettre la main à l'œuvre,* à l'ouvrage (→ Atelier, cit. 2). *Mettre quelqu'un à l'œuvre, se mettre à l'œuvre,* et, vx, *en œuvre* (→ Exécution, cit. 14). — D'ŒUVRE. *Bois d'œuvre,* destiné à être travaillé (par oppos. *au bois de chauffage*). *Main*-d'œuvre.* — **MAÎTRE** (cit. 69) **D'ŒUVRE :** (vieilli) chef d'atelier; (fig., mod.); personne qui dirige un travail intellectuel.

METTRE EN ŒUVRE : employer en vue d'une application pratique. «*L'art de mettre le bois et le fer en œuvre*» (Fénelon), de les *travailler*. La matière mise en œuvre* (→ Façon, cit. 5). ⇒ **Façonner, manier.** *Les matériaux que l'historien met en œuvre* (→ Habi-

lement, cit. 3). — Par ext. Combiner, employer de façon ordonnée. *Mettre en œuvre certains moyens.* ⇒ **Recourir** (à), **user** (de); → Coup, cit. 41 ; instinct, cit. 1 ; magique, cit. 4 ; merveille, cit. 14. *Tout mettre en œuvre pour éviter la guerre* (cit. 25), *une catastrophe...* (→ Faire flèche* de tout bois; remuer ciel* et terre). *Le langage* (cit. 4) *met en œuvre plusieurs organes.* — Exploiter, mettre en pratique. *Il faut à la force publique un agent qui la mette en œuvre* (→ Exécutif, cit. 1, Rousseau). *Le Conseil de la S. D. N. devait intervenir pour mettre en œuvre l'obligation de garantie* (cit. 2)... *mettre en œuvre divers moyens pour organiser, mettre sur pied qqch.* ⇒ **Constituer, constitution.** *La science enrichit celui qui met en œuvre, non le véritable inventeur* (cit. 8). ⇒ **Exploiter.** *Les découvertes de l'intuition* (cit. 3) *doivent être mises en œuvre par la logique. Projet, idée qu'il faut mettre en œuvre.* ⇒ **Pratique** (en). — *Mise en œuvre. La mise en œuvre d'un domaine de la science.* ⇒ **Exploitation** (→ Génétique, cit. 2).

1 (...) servez-vous de votre courage, et mettez en œuvre les décrets de la Providence. Mᵐᵉ DE SÉVIGNÉ, 1163, 12 avr. 1689.

2 Où travaillez-vous ? — 164, rue Montmartre... si vous voulez des renseignements... — Je me fiche des renseignements. Je vous verrai à l'œuvre. J. ROMAINS, les Hommes de bonne volonté, t. I, XX, p. 243.

3 Si, parmi les beaux arts, celui des lettres occupe et mérite une position particulière, c'est parce qu'il met en œuvre des éléments et des procédés qui sont la propriété commune de tous les hommes. G. DUHAMEL, Discours aux nuages, I.

Spécialt (vx). *Mettre en œuvre :* tailler et enchâsser une pierre, et, par ext., mettre en forme le chaton où elle est sertie. *Mettre en œuvre un diamant. Mettre en œuvre un vitrail.* — Fig. Mettre en valeur, faire valoir. «*Certains défauts qui, bien mis en œuvre, brillent* (cit. 15) *plus que la vertu même*» (La Rochefoucauld). *Mettre en œuvre un joli mot* (→ Isoler, cit. 6). — REM. Ce sens de *mettre en œuvre,* qui implique un travail d'art, l'aptitude à «faire briller», à «faire valoir», peut se recouper avec le sens plus général mentionné ci-dessus, «utiliser, exploiter»; «*les connaissances* (...) *gagnent à être mises en œuvre par des mains plus habiles*» (→ Même, cit. 9, Buffon).

4 (...) l'esprit dans cette belle personne était un diamant bien mis en œuvre (...) LA BRUYÈRE, les Caractères, XII, 28.

Être à pied d'œuvre, prêt à commencer* un travail (→ au sens propre, Pied, II., 1.).

Spécialt. Techn. Enchâssure (d'une pierre, d'un diamant). → ci-dessus Mettre en œuvre.

Fabrique* (d'une église). *Banc* d'œuvre.*

Anciennt. *Exécuteur* (cit. 5), *maître des hautes* œuvres.* ⇒ **Bourreau.** — Plais. *Maître des basses œuvres.* ⇒ **Vidangeur.**

♦ **2.** Théol. et mor. (Au plur. ou dans des expressions). Action humaine, jugée au regard de la loi religieuse ou morale. ⇒ **Acte, action** (→ Bienfait, cit. 8). *Chaque homme sera jugé selon ses œuvres. Importance* (cit. 10) *relative de la foi* et des œuvres. Bonnes œuvres* (→ ci-dessous, spécialt). — *Faire œuvre pie** (→ Jeter, cit. 11). *Œuvre méritoire* (→ Faire œuvre de justice* (→ Gratuitement, cit. 2). *Œuvre de surérogation*. Œuvre morte :* bonne œuvre accomplie par une personne qui n'est pas en état de grâce. — «*Dépouillez* (cit. 17) *le vieil homme avec ses œuvres*» (Saint Paul). *Les œuvres de ténèbres, de mensonge, d'iniquité... « les œuvres de la chair, qui sont la fornication, l'impureté, l'impudicité, la dissolution* » (cit. 5, saint Paul). *L'œuvre de chair*. «Les œuvres semblables aux paroles*», titre du chap. IV, livre I, des *Misérables. La justice* (cit. 14) *veut que chacun réponde pour ses œuvres. Œuvres perverses* (→ Averse, cit. 2). — *Les œuvres du Christ. Renoncer* à Satan, à ses pompes et à ses œuvres.*

5 Et j'entendis une voix qui me dit du haut du ciel : Écrivez : Heureux sont les morts qui meurent dans le Seigneur. Dès maintenant, dit l'Esprit, ils se reposeront de leurs travaux; car leurs œuvres les suivent. BIBLE (SACY), Apocalypse de saint Jean, XIV, 13.

6 J'ai écrit contre la peinture et la sculpture, disait-il *(Calvin)* ; j'ai fait voir évidemment que les bonnes œuvres ne servent à rien du tout, et j'ai prouvé qu'il est diabolique de danser le menuet (...) VOLTAIRE, Dict. philosophique, Dogmes.

7 (...) Jésus de Nazareth, ouvrier, fabricant de jougs et de charrues, né d'une femme selon la chair, et pourtant Dieu et fils de Dieu, comme ses œuvres le prouvent. CHATEAUBRIAND, Mémoires d'outre-tombe, t. V, p. 95.

8 Le fanatisme est la foi, la foi même, la foi ardente, celle qui fait des œuvres et agit. La religion est une conception variable, une affaire d'invention humaine, une idée enfin; l'autre un sentiment. FLAUBERT, Correspondance, 379, 31 mars 1853.

Spécial. *Œuvres de miséricorde, bonnes œuvres :* «charités que l'on fait, soit pour soulager les pauvres, soit pour des fondations pieuses ou charitables» (Littré). ⇒ **Aumône,** cit. 9 ; charité, cit. 2 ; dévotion, cit. 1 ; indulgence, cit. 13. *Le mérite* des bonnes œuvres.* — Par ext. *Œuvre de bienfaisance*, bonne œuvre,* ou, simplement, *œuvre :* «organisation ordinairement due à l'initiative privée et ayant pour but de faire du bien à titre non lucratif» (Capitant). ⇒ **Assistance, bienfaisance.** *Femme charitable dont la fortune alimente une bonne œuvre* (→ Gérer, cit. 5). *Collecte* au profit d'une œuvre. Les œuvres d'une mission* (cit. 6). *La Société des Œuvres de mer.*

9 Les premiers fidèles, instruits dans cette grande vertu *(la charité),* mettaient en commun quelques deniers pour secourir les nécessiteux, les malades et les voyageurs : ainsi commencèrent les hôpitaux. Devenue plus opulente, l'Église fonda pour nos maux des établissements dignes d'elle. Dès ce moment les œuvres de

miséricorde n'eurent plus de retenue : il y eut comme un débordement de la charité sur les misérables (...)

CHATEAUBRIAND, le Génie du christianisme, VI, II.

9.1 (...) nous avons été donner à manger aux pigeons de la mosquée de Bajazet. Ils vivent dans la cour de la mosquée, par centaines; c'est une œuvre pie que de leur jeter du grain.

FLAUBERT, Correspondance, 14 nov. 1850, t. I, Pl., p. 706.

10 (...) la municipalité de Chaminadour, en faisant jouer une loi anticléricale, avait obtenu de l'État que le presbytère (...) fût désaffecté, le curé chassé et les locaux et leurs meubles mis à la disposition de l'œuvre de bienfaisance des Filles-Mères.

M. JOUHANDEAU, Chaminadour, p. 114.

Femme enceinte des œuvres d'un homme, du fait de cet homme.

11 S'il avait eu un fils de Joséphine, le successeur eût été tout désigné : issu de ses œuvres et, par là, cher au pays (...)

Louis MADELIN, Hist. du Consulat et de l'Empire, Le Consulat, XV.

♦ **3.** (Au sing.). Ensemble d'actions et d'opérations effectuées par un agent, réservées à un agent. *C'est à l'intelligence d'achever* (cit. 14) *l'œuvre de l'intuition. Consommer* son œuvre. L'édifice* (cit. 3) *manifeste l'œuvre combinée du vouloir, du savoir et du pouvoir... Faire son œuvre* (sujet n. de chose) : agir, opérer. *Laissons la bienveillance* (cit. 3) *faire son œuvre. Quand le médecin arriva, la mort avait déjà fait son œuvre. Le soldat trop humain ne pourrait accomplir son œuvre* (→ Militaire, cit. 2). *La satisfaction de l'œuvre accomplie.* — Littér. *Faire œuvre d'ami :* agir, se conduire en ami. Loc. cour. *Faire œuvre utile.* — *Collaborer à la grande œuvre de réconciliation nationale.* ⇒ **Entreprise** (→ Distinction, cit. 3).

12 Quand les canots étrangers arrivèrent, les bourreaux, sur les quais, mettaient la dernière main à leur œuvre : six pendus exécutaient en présence de la foule l'horrible contorsion finale (...)

LOTI, Aziyadé, I, I.

♦ **4.** Résultat sensible (être, objet, système) d'une action ou d'une série d'actions orientées vers une fin; ce qui existe du fait d'une création, d'une production. *L'œuvre, les œuvres de Dieu* (→ Démiurge, cit. 2; immortel, cit. 10; inachevé, cit. 4). *Les œuvres de la nature* (→ Hasardeux, cit. 4; illusion, cit. 23). *Les œuvres humaines* (→ Arbitraire, cit. 10). *« Les œuvres des humains sont fragiles* (cit. 16) *comme eux »* (Voltaire). *On peut définir la machine* (cit. 3) *comme une œuvre de l'homme... Rien de plus laborieux que le passage d'une conception abstraite à une œuvre effective* (→ Exécution, cit. 12). *L'homme doit construire à l'état d'œuvres réelles certaines notions idéales* (→ Faire, cit. 134). *L'œuvre d'un savant, d'un homme d'État, d'un saint...,* ce qu'ils ont accompli durant leur vie et qui leur survit (→ Bâtir, cit. 43; dépasser, cit. 9; effacer, cit. 30; habileté, cit. 18). *Couronner* son œuvre. L'œuvre et l'influence de la France en certains pays* (→ Incertain, cit. 6). *Une machine qui accomplirait les œuvres d'un homme* (→ Mécanisme, cit. 3). — Loc. *Être le fils** (cit. 17 et 18) *de ses œuvres. Un écrivain autodidacte, fils de ses œuvres.* — *« À chacun selon sa capacité; à chaque capacité selon ses œuvres »,* formule des saint-simoniens. — Prov. *À l'œuvre on connaît l'artisan**.

13 Les Saint-Simoniens repoussent le système de la communauté des biens, car cette communauté serait une violation manifeste de la première de toutes les lois morales qu'ils ont reçu mission d'enseigner, et qui veut qu'à l'avenir *chacun soit placé selon sa capacité et rétribué selon ses œuvres.*

Lettre des SAINT-SIMONIENS au Président de la Chambre des députés (1830), *in* GIDE et RIST, p. 259.

14 Cet étroit enclos, ayant les cieux pour plafond, n'était-ce pas assez pour pouvoir adorer Dieu tout à tour dans ses œuvres les plus charmantes et dans ses œuvres les plus sublimes?

HUGO, les Misérables, I, I, XIII.

15 Pour travailler, pour faire sereinement une œuvre, une grande œuvre, il faudrait ne voir personne, ne s'intéresser à personne, n'aimer personne. Mais, alors, quelle raison aurait-on de faire une œuvre?

G. DUHAMEL, Chronique des Pasquier, VIII, X.

15.1 Voici l'un des paradoxes de l'histoire. Il y eut *style* au sein de la misère et de l'oppression (directe). Pendant les périodes révolues, il y eut *œuvres* plus que produits. L'œuvre a presque disparu, remplacée par le produit (commercialisé) pendant que l'exploitation remplaçait l'oppression violente.

Henri LEFEBVRE, la Vie quotidienne dans le monde moderne, p. 76.

Être l'œuvre de... : être fait par..., être dû à l'action de... *Il y a de grandes choses qui ne sont pas l'œuvre d'un homme, mais d'un peuple* (→ Anonyme, cit. 2). *Le peuple français est l'œuvre séculaire d'une certaine donnée géographique* (cit. 2). *Phénomène, effet, résultat qui est l'œuvre de quelqu'un* (→ Agir, cit. 32; désordre, cit. 11; estimer, cit. 11), *de quelque chose* (→ Éternel, cit. 22; incapacité, cit. 7). *C'est mon œuvre. Une œuvre de patience et d'amour,* qui demande de la patience... (→ Gravure, cit. 3).

16 La liberté de Rome est l'œuvre d'Émilie (...) CORNEILLE, Cinna, I, 2.

17 (...) trois sortes de ravages défigurent aujourd'hui l'architecture gothique. Rides et verrues à l'épiderme; c'est l'œuvre du temps. Voies de fait, brutalités, contusions, fractures; c'est l'œuvre des révolutions (...)

HUGO, Notre-Dame de Paris, III, I.

♦ **5.** Spécialt. Ensemble organisé de signes et de matériaux propres à un art, mis en forme par l'esprit créateur; composition*, production* littéraire ou artistique. ⇒ **Ouvrage.**

18 Telle œuvre (...) est le fruit de longs soins (...) Elle a demandé des mois et même des années de réflexion (...) Or, l'effet de cette œuvre se déclarera en quelques instants (...) En deux heures, tous les calculs du poète tragique (...) ou bien toutes les combinaisons d'harmonie et d'orchestre qu'a construites le compositeur; ou bien toutes les méditations du philosophe (...) tous ces actes de foi, tous ces actes de choix, toutes ces transactions mentales viennent enfin à l'état d'œuvre faite, frapper, étonner, éblouir ou déconcerter l'esprit de l'*Autre* (...)

En résumé, quand nous parlons d'œuvres de l'esprit, nous entendons, ou bien le terme d'une certaine activité, ou bien l'origine d'une certaine autre activité (...) Reste l'œuvre même, en tant que chose sensible (...) Nous regardons alors une œuvre comme un *objet,* purement objet (...) Nous pouvons le mesurer selon sa nature, spatiale ou temporelle, compter les mots d'un texte ou les syllabes d'un vers; constater que tel livre a paru à telle époque; que telle composition d'un tableau est un décalque de telle autre (...)

VALÉRY, Variété V, Leçon inaug. cours Poétique, p. 305-308.

Composer, écrire, exécuter*... une œuvre littéraire* (⇒ **Écrit, livre**), *musicale, picturale* (⇒ **Tableau**)... *Les parties, les morceaux d'une œuvre. L'auteur d'une œuvre poétique, dramatique, romanesque... C'est la meilleure œuvre, l'œuvre capitale* (cit. 9), *maîtresse, majeure de cet auteur.* ⇒ **Chef-d'œuvre.** *Une œuvre de jeunesse. Une œuvre mineure.* ⇒ **Œuvrette.** *Les œuvres de la période bleue de Picasso. Dernière œuvre.* ⇒ **Cygne** (chant du). *Les conditions de l'élaboration*, de la création* (cit. 18) *d'une œuvre* (→ Art, cit. 2; beau, cit. 42; ébauche, cit. 5; esquisse, cit. 2). — Spécialt. Œuvre littéraire. *Les œuvres, les œuvres complètes d'un auteur. Œuvres choisies.* ⇒ **Page.** — *L'œuvre d'un écrivain, d'un artiste,* l'ensemble de ses différentes œuvres, considéré dans sa suite, son unité et son influence. *L'œuvre de Shakespeare, de Voltaire, de Proust, de Wagner...* (→ Copie, cit. 10; explorer, cit. 8; éclairer, cit. 11; écraser, cit. 10; instruire, cit. 9). *L'artiste et son œuvre* (→ Écrivain, cit. 13 et 14). *Faire œuvre durable* (cit. 5) *c'est mon ambition... Une œuvre imposante.* ⇒ **Monument.** *Cette œuvre est une somme.*

Non que monsieur d'Urfé n'ait fait une œuvre exquise : 19
Étant petit garçon je lisais son roman,
Et je le lis encore ayant la barbe grise.

LA FONTAINE, Pièces diverses, III, « Ballade ».

Félicien est incapable de concevoir une œuvre, d'en disposer les masses, d'en réunir harmonieusement les personnages dans un plan qui commence, se noue et marche vers un fait capital; il a des idées, mais il ne connaît pas les faits; ses héros seront des utopies philosophiques ou libérales (...) 20

BALZAC, Illusions perdues, Pl., t. IV, p. 759.

Quand on songe qu'il y a mille ans, une œuvre si admirable *(la mosquée de Cordoue)* et de proportions si colossales était exécutée en si peu de temps pour un peuple tombé depuis dans la plus sauvage barbarie, l'esprit s'étonne (...) 21

Th. GAUTIER, Voyage en Espagne, p. 236.

L'auteur, dans son œuvre, doit être comme Dieu dans l'univers, présent partout, et visible nulle part. FLAUBERT, Correspondance, 354, 9 déc. 1852. 22

Or, de tous les actes, le plus complet est celui de construire. Une œuvre demande l'amour, la méditation, l'obéissance à ta plus belle pensée, l'invention de lois par ton âme, et bien d'autres choses qu'elle tire merveilleusement de toi-même, qui ne soupçonnais pas de les posséder. Cette œuvre découle du plus intime de ta vie, et cependant elle ne se confond pas avec toi. VALÉRY, Eupalinos, p. 120. 23

Une œuvre est à tel point l'expression de notre solitude qu'on se demande quelle étrange nécessité de contacts pousse un artiste à la mettre en pleine lumière. 24

COCTEAU, la Difficulté d'être, p. 224.

(Mil. XIXe; → Arrangeur, cit. Sand). **ŒUVRE D'ART,** qui manifeste la volonté esthétique d'un artiste, qui donne le sentiment de la valeur artistique (beauté, perfection...). → Artiste, cit. 7; classicisme, cit. 2. *Parmi les œuvres humaines, l'œuvre d'art semble la plus fortuite* (→ Arbitraire, cit. 10).

Sa poésie *(de Poe),* profonde et plaintive, est néanmoins ouvragée, pure, correcte et brillante comme un bijou de cristal (...) *Le Corbeau* eut un vaste succès. De l'aveu de MM. Longfellow et Emerson, c'est une merveille. Le sujet en est mince, c'est une pure œuvre d'art. 25

BAUDELAIRE, Edgar A. Poe, sa vie et ses œuvres (1852), III.

Ce roman *(Mademoiselle de Maupin),* ce conte, ce tableau, cette rêverie continuée avec l'obstination d'un peintre, cette espèce d'hymne à la Beauté, avait surtout ce grand résultat d'établir définitivement la condition génératrice des œuvres d'art, c'est-à-dire l'amour exclusif du Beau, *l'Idée fixe.* 26

BAUDELAIRE, l'Art romantique, Th. Gautier (1859), III.

Parmi ces œuvres, l'usage crée une catégorie dite des œuvres d'art. Il n'est pas très facile de préciser ce terme, si toutefois il est besoin de le préciser. D'abord je ne distingue rien, dans la *production* des œuvres, qui me contraigne nettement à créer une catégorie de l'œuvre d'art (...) Mais si l'on porte le regard sur les effets des œuvres faites, on découvre chez certaines une particularité qui les groupe et qui les oppose à toutes les autres (...) L'œuvre nous offre dans chacune de ses parties, à la fois l'*aliment* et l'*excitant.* Elle éveille continuellement en nous une soif et une source. VALÉRY, Variété V, Leçon inaug. cours Poétique, p. 317. 27

B. (1559). Mar. (Au plur.). *Œuvres vives d'un navire :* partie de la coque qui est au-dessous de la ligne de flottaison. ⇒ **Carène.** *Œuvres vives, impénétrables* (cit. 3) *au canon.* — *Œuvres mortes,* partie émergée. ⇒ **Accastillage.** — Fig. *Œuvres vives :* partie vitale, ressources essentielles. *Société, nation atteinte, frappée dans ses œuvres vives.*

J'aimerais mieux un coup de couteau dans mes œuvres vives qu'un coup de roche dans celles de mon *Bonadventure!* 27.1
Ce que Pencroff appelait œuvres vives, c'était la partie immergée de la carène de son embarcation, et il y tenait plus qu'à sa propre peau!

J. VERNE, l'Île mystérieuse, t. II, p. 578.

Presque toutes les véritables beautés d'un navire sont sous l'eau; le reste est *œuvre morte.* Allez sur les cales ou dans les bassins de radoub, considérez les grâces et les forces des carènes, leurs volumes, les modulations très délicates et minutieusement calculées de leurs formes qui doivent satisfaire à tant de conditions simultanées. L'art intervient ici; il n'est point d'architecture plus sensible que celle qui fonde sur le mobile d'un édifice mouvant et moteur. 28

VALÉRY, Pièces sur l'art, « Regards sur la mer ».

★ **II.** N. m. ♦ **1.** Vx (aux XVIe et XVIIe). Œuvre (I.). → Expérimenter, cit. 1, Ronsard; forger, cit. 1, Ronsard; imparfait, cit. 2, La Fontaine.

♦ **2.** (1528, *dans œuvre*). Archit. Mod. *L'œuvre, les œuvres;* l'ensemble de la bâtisse*. ⇒ **Bâtiment, édifice, maçonnerie.** Cour. *Le*

gros œuvre : les fondations, les murs et la toiture d'un bâtiment.
— Techn. *Second œuvre :* ce qui complète, achève une construction.
Une pièce dans œuvre, ménagée dans le corps du bâtiment ; *hors
œuvre, hors d'œuvre :* hors du corps du bâtiment, en saillie
(subst. ⇒ **Hors-d'œuvre**). (Fin xvie). Fig. *Hors-d'œuvre :* hors de propos. *Reprendre un mur sous-œuvre, en sous-œuvre,* par-dessous.
⇒ **Sous-œuvre.** — Dr. *Dénonciation de nouvel œuvre :* action posses-
soire* « ayant pour objet de faire ordonner la discontinuité de travaux qui, sans troubler actuellement la possession du demandeur,
auraient ce résultat s'ils venaient à être achevés » (Dalloz, *Petit dict.
de droit).*

29 (...) on dira (...) d'un escalier qu'il est dans œuvre quand sa cage fait partie intégrante (...) d'une maison, hors œuvre quand sa cage fait saillie à l'extérieur. Les
clochers d'églises sont bâtis dans œuvre ou hors œuvre suivant qu'ils s'élèvent au-
dessus du portail ou qu'ils débordent la façade.
                 Louis RÉAU, Dict. d'art et d'archéologie, art. *Œuvre.*

Loc. *Maître d'œuvre.* ⇒ **Maître** (II., 1.).
Loc. cour. *Être à pied* d'œuvre.*

♦ **3.** (1690). Littér. Ensemble des œuvres d'un artiste, notamment
d'un peintre ou d'un graveur. — REM. On emploie couramment en
ce sens le mot féminin (→ ci-dessus, I., 5.), mais le masculin a
un caractère plus technique ou affecté (lorsqu'il s'agit d'un écrivain).
L'œuvre gravé de Rembrandt. — « *L'œuvre entier de Beethoven* »
(R. Rolland). « *À trente ans, presque tout son œuvre était achevé* »
(Lanson, sur Musset).

30 Nous possédons enfin l'œuvre entier de Marcel Proust avec *La Prisonnière (...)* et
Le Temps retrouvé (...)
             René LALOU, Hist. de la littérature franç. contemporaine, Suppl. 1928, p. 772.

31 (...) je n'avais matériellement pas le temps de relire l'œuvre entier du philosophe (...)   J. CHEVALIER, Bergson, Introd., p. I.

♦ **4.** (Fin xvie). Alchim. GRAND ŒUVRE : transmutation* des métaux
en or ; recherche de la pierre philosophale* (→ Hermétiste, cit.). —
(V. 1673). Fig. « *Cet amalgame* (cit. 1) *du plaisant et du tendre
est le grand œuvre* » (Voltaire), la chose la plus difficile, le
but suprême.

32 Je veux lui démontrer, au dessert, que le Grand-œuvre *(sic)* est de faire son
chemin dans le monde et d'y prendre, de gré ou de force, la place en laquelle
on désire s'asseoir.   VILLIERS DE L'ISLE-ADAM, Axël, II, I, v.

ŒUVRE AU NOIR : premier stade du grand œuvre, consistant en la
dissociation de la matière. — *Œuvre au blanc, au rouge...*

33 (...) des ingrédients mineurs, ceux-là même que brûle l'œuvre au noir, premier
stade de l'œuvre tout court.   Raymond ABELLIO, les Militants, p. 28.

DÉR. **Œuvrette.**
COMP. **Chef-d'œuvre, hors-d'œuvre, main-d'œuvre, sous-œuvre.** — (Cf. Manœuvre,
manœuvrer).

ŒUVRER [œvʀe] v. intr. — 1530 ; anc. franç. *obrer* (v. 980), *ovrer*
(v. 1120) ; bas lat. *operare.* → Ouvrer.

♦ Littér. Travailler, agir. — REM. Ce mot, longtemps inusité, a été
remis en honneur au xxe siècle, et apparaît notamment, à titre de « mot
noble », dans les discours des hommes politiques. *Nous avons conscience d'avoir œuvré pour le bien du pays.*

1 Du temps de ma jeunesse, pressé par un démon peu difficile, j'œuvrais n'importe
comment, n'importe où. Aujourd'hui, ce démon fait entendre des exigences.
                   GIDE, Journal, 30 sept. 1941.

2 (...) je m'étonne, après la nuit blanche, de me sentir encore capable de vivre et
d'œuvrer.   GIDE, Ainsi soit-il, p. 129.

ŒUVRETTE [œvʀɛt] n. f. — 1876 ; reprend l'anc. franç. *œvrete*
(attestation isolée xiiie), et *ouvrette* (v. 1510) ; de *œuvre* (I., 5.).

♦ Petite œuvre ; œuvre de peu d'importance, d'un intérêt mineur.

OFF [ɔf] adj. invar. et adv. — 1944, *in* Höfler ; de l'angl. *off screen*
« hors de l'écran ».
Anglicisme.

♦ **1.** Adj. Cin. Qui n'est pas sur l'écran, n'est pas à l'image ; hors
champ. *Après le plan américain, l'un des interlocuteurs est off.
Une voix off commente la scène.* — N. m. Voix hors champ. « *Nouvelle-Guinée précise, en off, un commentaire liminaire* » (*le Nouvel
Obs.,* 28 août 1972). — Adv. En étant hors champ, la source sonore
étant hors champ.

1 C'est pourquoi le texte récité « off » du Journal enchaîne avec tant d'aisance sur
celui que prononceront réellement les protagonistes.
              A. BAZIN, *in* les Cahiers du cinéma, n° 3, juin 1951.

2 Dans une chambre sordide, un jeune couple s'apprête à franchir une frontière ; une
gare renifle derrière les paroles ; parfois tous deux parlent *off* sur un plan de flocons qui tournoient. Les paroles continuent *off* sur le lavabo où le vieux robinet
goutte sur le papier mural (...)   Jacques LAURENT, les Bêtises, p. 73.

Francisation : *hors champ.*

♦ **2.** Adj. (1969 ; de *off-Broadway* « hors de Broadway », qualifiant un
théâtre d'avant-garde ; puis on parle de *off off Broadway,* les premiers
théâtres étant banalisés). Se dit d'un spectacle, d'un festival, généralement d'avant-garde, qui se donne en marge d'un programme
officiel. « *Dans les sous-sols d'une boîte où s'improvise un festival
"off"* » (*l'Express,* 3 juil. 1972). — N. m. Festival off. *L'off d'Holly-*

wood, d'Avignon. — Adv. En dehors d'un festival officiel. *Spectacle
présenté* « *off* » *Avignon,* « *off* » *festival.*

OFFENSANT, ANTE [ɔfãsã, ãt] adj. — 1672 ; « offenseur », adj.
et n. m., 1643, *in* D. D. L. ; de *offenser.*

♦ **1.** Qui offense. ⇒ **Blessant, injurieux, insultant** (→ Indiscrétion,
cit. 11 ; insulte, cit. 5 ; navrant, cit. 1). *Propos offensants.* ⇒ **Amer,
désagréable, dur.** *Son attitude est offensante.* ⇒ **Impertinent.** *Offensant pour, à l'égard de quelqu'un* (→ Motif, cit. 3). *Affront très
offensant.* ⇒ **Sanglant.** *Soupçons, sous-entendus offensants.*

Mais l'offensante aigreur de chaque repartie   1
                MOLIÈRE, les Femmes savantes, IV, 3.

Ces torts graves, offensants que je lui reprochais avec tant d'amertume (...)   2
               LACLOS, les Liaisons dangereuses, CXXXIX.

Je ne pouvais comprendre alors tout ce que le visage de la fortune peut présenter   3
d'offensant pour un pauvre (...)   GIDE, Si le grain ne meurt, I, VI, p. 169.

♦ **2.** (1856). Vx ou littér. Qui produit une sensation désagréable ;
qui blesse la vue, l'ouïe, l'odorat... ⇒ **Offenser** (II., 2.). *La lumière
offensante du gaz* (cit. 4).

Pourvu, surtout, pourvu qu'il ne regarde pas dans la loge, qu'il ne sente pas trop   4
l'offensante odeur de chou qui règne dans cette loge !
                  G. DUHAMEL, Salavin, III, IX.

CONTR. **Attrayant ; flatteur.**

OFFENSE [ɔfãs] n. f. — Fin xiie, *estre en offense* « être en faute » ;
lat. *offensa,* de *offendere* « heurter ». → Offensif.

★ **I.** (1295). Vx. Action qui produit un dommage physique. *Résister
à l'offense du temps.* ⇒ **Injure.** « *L'offense du charançon* » (Girardin, *in* G. L. L. F.).

★ **II.** Mod. ♦ **1.** (V. 1220). Parole ou action qui offense, qui blesse
quelqu'un dans son honneur, dans sa dignité. ⇒ **Affront, avanie,
camouflet, impertinence** (cit. 6), **indignité, injure, insolence, insulte,
outrage.** *Petite offense* (→ Arrêter, cit. 50) ; *grande, grave, noire
offense* (→ Complaisance, cit. 8). *Offense blâmable* (cit. 1), *impardonnable, irrémissible* (cit. 1). *Faire une offense à quelqu'un.*
⇒ **Offenser, offenseur** (→ Effacer, cit. 6). *Ressentir cruellement
une offense.* ⇒ **Blessure, coup.** *Être en butte aux offenses*
(→ Cabale, cit. 3). *Dévorer* (cit. 26) *l'offense,* la supporter avec
peine, sans mot dire (→ Avaler des couleuvres*). *Rendre une
offense* (→ Dos, cit. 17). ⇒ **Vengeance ; venger.** *Demander raison
d'une offense. Faire réparer une offense. Réparation d'une offense.*
⇒ **Satisfaction.** *Garder du ressentiment* (⇒ **Rancune**) *d'une offense.
Oublier, pardonner une offense.* ⇒ **Pardon** (→ Facile, cit. 24). —
Allus. littér. (→ Bienfait, cit. 6, Racine ; infâme, cit. 1, Corneille).

L'homme qui a de la sagesse est lent à la colère,   1
Et il met sa gloire à oublier les offenses.   BIBLE (SEGOND), Proverbes, XIX, 11.

Celui qui, d'une douceur et facilité naturelle, mépriserait les offenses reçues, ferait   2
chose très belle et digne de louange : mais celui qui, piqué et outré jusques au
vif d'une offense, s'armerait des armes de la raison contre ce furieux appétit de
vengeance, et après un grand conflit s'en rendrait enfin maître, ferait sans doute
beaucoup plus.   MONTAIGNE, Essais, II, XI.

Si l'extravagance de Croisilles lui paraissait inconcevable, elle n'y voyait du moins   3
rien d'offensant ; car l'amour, depuis que le monde existe, n'a jamais passé pour
offense (...)   A. DE MUSSET, Nouvelles, « Croisilles », II.

Tout autre *(que l'outrage)* est l'offense. Ici on ne sait pas bien où l'on va. Une   4
offense peut échapper. Une offense peut être malentendue. On peut offenser sans
le vouloir, même sans le savoir. On peut offenser non seulement sans le faire
exprès, mais même sans s'en apercevoir. *Plus l'offenseur est cher, et plus grande
est l'offense.* Si j'ai fait à Halévy une offense que je ne veuille pas, je lui en
demande pardon.   Ch. PÉGUY, Victor-Marie, comte Hugo, p. 11.

Soit dit sans offense : sans vouloir vous offenser. *Il y a, il n'y a
pas d'offense à... Où est l'offense ?* (Fam.). *Il n'y a pas d'offense :*
il n'y a pas de mal.

— Je ne peux pas vous dire, fit-il, je suis le fumiste. — Ah, pardon ! Les deux   5
hommes se saluèrent. — Monsieur, il n'y a pas d'offense.
             COURTELINE, Messieurs les ronds-de-cuir, V^e tableau, III.

Ma mère m'a toujours enseigné qu'il n'y a pas d'offense à être insulté par plus   5.1
bas que soi.   COLETTE, Mitsou, p. 90.

♦ **2.** (1530). Péché (qui offense*, outrage Dieu). « *Le scandale du
monde est ce qui fait l'offense* » (→ Éclat, cit. 13, Molière). — *Par-
donne-nous nos offenses comme nous pardonnons à ceux qui nous
ont offensés,* phrase du *Notre Père* (prière).

Mais, mon père, jugez-vous qu'un homme soit digne de recevoir l'Absolution quand   6
il ne veut rien faire de pénible pour expier ses offenses ?
                PASCAL, les Provinciales, X.

♦ **3.** (1690). Vieilli. OFFENSE À... : parole, action qui va à l'encontre
de (une valeur établie). *Offense à la morale, au devoir, à la
pudeur...* ⇒ **Attentat, outrage ; offenser** (I., 3.).

♦ **4.** (1810 ; « délit », v. 1460). Dr. pén. Outrage (envers un chef
d'État). *Offense envers le président de la République, envers les
chefs d'États étrangers* (Loi du 29 juil. 1881, art. 21).

CONTR. **Bienfait, compliment, flatterie.**
DÉR. **Offenser, 1. offensif.**

OFFENSER [ɔfɑ̃se] v. tr. — V. 1450 ; de *offense* ; a remplacé l'anc. franç. *offendre*, XIIe ; lat. *offendere*.

★ **I.** (Sens abstrait). ◆ **1.** Blesser (qqn) dans sa dignité* ou dans son honneur, par la parole ou par l'action. ⇒ **Offense ; atteindre** (dans sa dignité...), **blesser, choquer, froisser, humilier, injurier, manquer (à), offusquer, outrager, piquer** (au vif), **vexer** (→ Atteindre, cit. 16 ; fagot, cit. 4 ; harengère, cit. 2 ; impertinent, cit. 7 et 8 ; mauvais, cit. 16). *N'offenser personne* (→ Fortune, cit. 35). *Se laisser offenser impunément* (cit. 11). *Être facile à offenser.* ⇒ **Susceptible.** *Je n'avais pas voulu vous offenser.* — Prov. *Il n'y a que la vérité* qui offense, qui blesse...*

1 Qui pardonne aisément invite à l'offenser (...) CORNEILLE, *Cinna*, IV, 2.

2 (...) l'on n'y blesse point *(à la cour)* la pureté de la langue ; l'on n'y offense que les hommes ou que leur réputation (...) LA BRUYÈRE, *les Caractères*, IX, 53.

3 (..) nous haïssons violemment ceux que nous avons beaucoup offensés.
LA BRUYÈRE, *les Caractères*, IV, 68.

4 Nous sommes moins offensés du mépris des sots que d'être médiocrement estimés des gens d'esprit. VAUVENARGUES, *Maximes et Réflexions*, 65.

5 (...) il était quelquefois ombrageux et facile à offenser.
ROUSSEAU, *les Confessions*, III.

6 Je m'en tiens, Monsieur, à vous déclarer que vos sentiments m'offensent, que leur aveu m'outrage (...) LACLOS, *les Liaisons dangereuses*, XXVI.

7 La gloire d'un homme ordinaire n'offense personne. Elle est plutôt une secrète flatterie au vulgaire (...) FRANCE, *les Opinions de J. Coignard*, Œ., t. VIII, p. 312.

8 Don Gomes, comte de Gormas, fait tout ce qu'il peut pour offenser don Diègue. Il est venu exprès pour lui chercher une grande querelle. Il accumule les mots blessants, (preuve de son impuissance), les parodies, les imitations de mots, les allusions blessantes, les rappels, les reprises de mots, les traits, les pointes et les coups de marteau (d'armes). Tout cet appareil (lui) réussit si peu que pour en finir il est forcé de lui donner un soufflet.
Ch. PÉGUY, *Victor-Marie, comte Hugo*, p. 174.

Absolument :

9 Parler et offenser, pour de certaines gens, est précisément la même chose.
LA BRUYÈRE, *les Caractères*, V, 27.

◆ **2.** (1552). Manquer, déplaire à (Dieu) par le péché. *Offenser Dieu* (cit. 38). ⇒ **Pécher.** *Offenser le ciel* (→ 3. Mal, cit. 37), *les dieux* (→ Blesser, cit. 21). *Se repentir d'avoir offensé Dieu* (⇒ **Contrition**).

10 Si le ciel est désert, nous n'offensons personne ;
Si quelqu'un nous entend, qu'il nous prenne en pitié !
A. DE MUSSET, *Poésies nouvelles*, « L'espoir en Dieu ».

11 On n'offense que Dieu qui seul pardonne. VERLAINE, *Sagesse*, I, XV.

12 (...) la réalité des êtres ne survit pour nous (...) que peu de temps après leur mort, et au bout de quelques années ils sont comme ces dieux des religions abolies qu'on offense sans crainte parce qu'on a cessé de croire à leur existence.
PROUST, À la recherche du temps perdu, t. XIII, p. 228.

13 Ne se damne pas qui veut. Ne partage pas qui veut le pain et le vin de la perdition (...) Nul ne peut offenser Dieu cruellement qui ne porte en lui de quoi l'aimer et le servir. BERNANOS, *les Grands Cimetières sous la lune*, p. 38.

◆ **3.** (1546). Vieilli ou littér. Blesser, léser, nuire à... *Offenser l'honneur, la mémoire, la réputation de qqn.* ⇒ **Déchirer, entamer, toucher** (à). — *Offenser l'amour-propre, la délicatesse, les sentiments de qqn.* — REM. La langue classique employait *offenser*, au sens métaphorique de *blesser*, avec un grand nombre de compléments. *Offenser la gloire* (Corneille, *Cinna*, 816), *la colère* (Racine, *Andromaque*, 1233), *l'amitié* (Mme de Sévigné, I, 511), etc.

14 Cette gaieté artiste, éclatant soudain comme une flamme, caressait l'amour sans l'offenser. FRANCE, *le Lys rouge*, XXXI.

Spécialt. Blesser moralement (les sens, l'esprit) par une impression pénible. *Spectacle immoral, répugnant..., qui offense la vue. Grossièreté qui offense l'oreille,* qui choque, scandalise.

15 (...) le petit homme est joli, et craignait d'offenser mes chastes oreilles (...)
Mme DE SÉVIGNÉ, 551, 24 juin 1676.

16 Et mon esprit enfin n'est pas plus offensé
De voir un homme fourbe, injuste, intéressé,
Que de voir des vautours affamés de carnage (...) MOLIÈRE, *le Misanthrope*, I, 1.

Manquer gravement à (une règle*, une vertu). ⇒ **Braver.** *Offenser la vérité.* ⇒ **Écorcher** (→ Arracher, cit. 10). *Offenser la raison* (→ Imprégner, cit. 10), *le bon sens, le bon goût... Récit obscène, qui offense gravement la pudeur, la bienséance...* ⇒ **Alarmer.**

17 (...) dans l'Église, quand la vérité est offensée par les ennemis de la foi, quand on veut l'arracher du cœur des fidèles pour y faire régner l'erreur (...)
PASCAL, *Pensées*, XIV, 949.

18 (...) pourvu que l'honneur n'y soit pas offensé, on peut se libérer un peu de la tyrannie d'un père. MOLIÈRE, *l'Amour médecin*, I, 4.

19 Dieu de mes pères, qu'ai-je fait pour mériter une pareille récompense ! Toute ma vie j'ai offensé vos lois (...) CHATEAUBRIAND, *les Martyrs*, XIII.

20 (...) des espèces de farces appelées mystères, dans lesquelles les lois de la décence se trouvaient souvent offensées. FLAUBERT, *Mme Bovary*, II, XIV.

Par ext. Vx. Manquer aux règles de (un principe, une science), constituer une atteinte à ses principes. *Offenser la géographie* (→ Impertinence, cit. 4). Allus. littér. *Offenser la grammaire* (cit. 1, Molière).

★ **II.** ◆ **1.** (V. 1530). Vx. Blesser, léser, meurtrir (→ Guêpe, cit. 1, Montaigne). *Peau offensée par les coups* (→ Livide, cit. 1).

21 La blessure de M. de Marsillac est un coup de mousquet dans l'épaule (...) qui n'offense pas l'os. Mme DE SÉVIGNÉ, 285, 17 juin 1672.

◆ **2.** (1546). Vieilli ou littér. Blesser (les sens) par une sensation pénible. *Sons qui offensent l'ouïe, l'oreille.* ⇒ **Écorcher** (→ Musi-

que, cit. 6). *Odeur qui offense les narines* (cit. 10). *Vive lueur qui offense la vue.* ⇒ **Offusquer, troubler.**

22 (...) elle repoussa doucement les rideaux et découvrit son enfant en mettant une main devant la bougie, afin que la clarté n'offensât pas les paupières transparentes et à peine fermées de la petite fille.
BALZAC, *la Femme de trente ans*, Pl., t. II, p. 732.

23 Une imagination *trop forte* (...) détache, découpe trop les objets, les rapproche et les tire à soi dans une saillie qui éblouit, qui offense parfois le regard plutôt que de le reposer et de le réjouir. SAINTE-BEUVE, *Chateaubriand...*, t. I, p. 174.

◆ **3.** (V. 1530). Vx ou littér. Causer des dégâts matériels à (qqch.) ; enlaidir en endommageant. *« La terre était offensée par la fumée des forges »* (A. France, *in* G. L. L. F.).

▶ **S'OFFENSER** v. pron. (1559).
Réagir par un sentiment de dignité, d'amour-propre, d'honneur blessé à ce que l'on considère comme une offense. ⇒ **Fâcher** (se), **formaliser** (se), **froisser** (se), **indigner** (s'), **piquer** (se), **vexer** (se). → Prendre en mal*, en offense*... *Ne s'offenser de rien* (→ Faufiler, cit. 3). — *Sa délicatesse s'offense de peu de chose.* ⇒ **Scandaliser** (se). → Arracher, cit. 32. — *S'offenser contre quelqu'un.* Vx. *S'offenser de quelqu'un.*

24 (...) cette délicatesse d'honneur qui (...) s'offense de l'ombre des choses.
MOLIÈRE, *Critique de l'École des femmes*, 3.

25 La compagnie est assez nombreuse pour que je ne m'offense point de cette condescendance. BALZAC, *les Ressources de Quinola*, III, 15.

▶ **OFFENSÉ, ÉE** p. p. adj. (XVe).
Qui a subi, ressenti une offense. *Amour-propre* (cit. 5) *offensé.* — (1674). Par ext. *Air offensé, de dignité offensée.* ⇒ **Offusqué, outré** (→ Cambrer, cit. 2). *Un regard offensé* (→ Éclair, cit. 13).

26 (...) il prit l'air offensé et glacial qu'ont, lorsqu'on a l'air de les croire légères, les femmes qui ne le sont pas, et encore plus celles qui le sont.
PROUST, À la recherche du temps perdu, t. X, p. 75.

N. (1610). Personne qui a subi une offense. ⇒ **Insulté** (→ Auteur, cit. 5 ; guérir, cit. 21). *Dans un duel*, *l'offensé a le choix des armes. L'offenseur* et *l'offensé.*

27 En cet affront mon père est l'offensé,
Et l'offenseur le père de Chimène ! CORNEILLE, *le Cid*, I, 6 (1636).

28 C'est arrangé, dit-il, vous vous battrez demain à dix heures avec Mme de Saint-Panachard... Comme votre adversaire est l'offensée, elle a le choix des armes...
A. ROBIDA, *le Vingtième Siècle*, p. 245.

CONTR. Charmer, flatter, plaire ; agréable (être agréable à). — Agresseur, assaillant, offenseur.
DÉR. Offensant, offenseur.

OFFENSEUR [ɔfɑ̃sœr] n. m. — 1606 ; aussi *offansant*, au XVIe ; « pécheur », XVe ; de *offenser*.

◆ Celui qui fait une offense. ⇒ **Agresseur, insulteur** (→ Infâme, cit. 1, Corneille ; dévorer, cit. 26). *L'offenseur et l'offensé* (cit. 27, Corneille).

Je m'occupe trop peu de l'offense, pour m'occuper beaucoup de l'offenseur.
ROUSSEAU, *les Confessions*, XI.

1. OFFENSIF, IVE [ɔfɑ̃sif, iv] adj. — 1491 ; attestation isolée, déb. XVe ; de *offense*.

◆ Vx ou littér. Qui peut offenser, qui est destiné à offenser. ⇒ **Offensant.** *« J'écrivis une lettre offensive à l'abbé Charnier »* (Retz, *in* Pougens).

2. OFFENSIF, IVE [ɔfɑ̃sif, iv] adj. — 1538 ; de l'anc. franç. *offendre* « attaquer », du lat. *offendere* « se heurter contre » ; d'après *défensif*.

◆ **1.** Qui attaque, sert à attaquer. *Armes offensives. Grenade* offensive. Combat offensif.* ⇒ **Attaque, offensive** (n. f.). *Guerre offensive,* où les opérations militaires ont pour objet d'attaquer l'ennemi et non seulement de le contenir (s'il s'agit du déclenchement du conflit, on parle de « guerre d'agression »). *Retour offensif d'une troupe, d'une armée qui semblait se retirer* (→ 1. Frais, cit. 33). Fig. *Retour offensif d'une maladie.* — *Traité offensif ; alliance, ligue offensive,* aux termes desquels les parties contractantes doivent attaquer ensemble. *Ligue* (cit. 1 et 5) *offensive et défensive.*

◆ **2.** (1870). Personnes. Qui attaque, qui agresse. ⇒ **Agressif, combatif.**

Un être qui résiste nous procure plusieurs satisfactions ; il nous autorise à nous montrer nous-mêmes un peu offensifs, ce qui est moins fatigant que de se contraindre à une douceur égale ; il nous provoque à l'effort ; il nous réserve le plaisir de triompher de lui. J. ROMAINS, *Lucienne*, IV.

CONTR. Défensif.
DÉR. Offensive, offensivement.
COMP. Inoffensif.

OFFENSIVE [ɔfɑ̃siv] n. f. — 1587 ; de 2. *offensif* ; d'après *défensive*.

◆ **1.** Action d'attaquer l'ennemi, en prenant l'initiative des opérations. ⇒ **Assaut, attaque** (→ Combat, cit. 6 ; infanterie, cit. 4).

Prendre, reprendre l'offensive. ⇒ **Attaquer.** *Passer à l'offensive. Plan d'offensive.* — *Une offensive,* attaque de grande envergure, exécutée à l'échelon d'une grande unité. *Préparer, déclencher une offensive. Le jour, l'heure de l'offensive* (→ Le jour* J, l'heure* H...). *La grande offensive. Offensive victorieuse ; offensive qui échoue.*

1 (...) ils *(les Allemands)* avaient le choix entre deux attitudes : négocier une paix boiteuse, tandis qu'il en était encore temps, ou bien, reprendre désespérément l'offensive, pour essayer de vaincre avant l'arrivée massive des Américains.
MARTIN DU GARD, les Thibault, t. VIII, p. 259.

2 (...) l'offensive de Champagne avait longuement grondé sur notre droite, et ses derniers remous déferlaient jusqu'à notre secteur, comme les vagues égarées d'un cyclone marin dont la fureur s'épuise au large.
G. DUHAMEL, Récits des temps de guerre, II, Lieutenant Dauche.

♦ **2.** (1816). Attaque, campagne d'une certaine ampleur. *Offensive de paix. Offensive diplomatique.* — Par ext. *Offensive verbale* (→ Conjugué, cit. 1). *Offensives contre le pouvoir du ministre des Finances* (cit. 2). ⇒ **Attaque.**

3 C'est un grand avantage dans les affaires de la vie que de savoir prendre l'offensive : l'homme attaqué transige toujours.
B. CONSTANT, Journal intime, p. 204.

(1931). Choses. *La première offensive de l'hiver. Une offensive généralisée d'industrialisation* (→ Industrialiser, cit. 3) — *Inquiétude aux offensives subtiles et sournoises* (→ Eveil, cit. 4).

4 La généreuse rosée ruisselle, le mistral a différé son offensive.
COLETTE, la Naissance du jour, p. 30.

CONTR. **Défense, défensive.**
COMP. **Contre-offensive.**

OFFENSIVEMENT [ɔfɑ̃sivmɑ̃] adv. — 1718 ; de 2. *offensif.*

♦ De façon offensive. — Pour l'offensive.
Ils étaient armés, défensivement d'un bouclier, et offensivement d'un sabre courbe, d'un long coutelas et d'un fusil à pierre suspendu à l'arçon de la selle.
J. VERNE, Michel Strogoff, p. 236-237.

CONTR. **Défensivement.**

OFFERT, ERTE [ɔfɛʀ, ɛʀt] adj. ⇒ **Offrir.**

OFFERTE [ɔfɛʀt] n. f. — V. 1534 ; « offrande », 1317 ; de *offrir.*
Religion. Vieux.

♦ **1.** Offertoire*.

♦ **2.** (1876). Ancienn. Offrande faite au prêtre pendant l'offertoire.

OFFERTOIRE [ɔfɛʀtwaʀ] n. m. — V. 1350 ; *offerte,* de *offrir,* 1317 ; bas lat. *offertorium.*

♦ Liturgie. Partie de la messe, ensemble des rites et des prières qui accompagnent la bénédiction du pain et du vin. ⇒ **Oblation.** — Antienne qui précède l'offrande du pain et du vin. — (1690). Morceau de musique joué entre le Credo et le Sanctus.

OFFICE [ɔfis] n. m. — V. 1190 ; lat. *officium,* rac. *facere* « faire ».

★ **I.** (Fém. jusqu'au début du XVII⁰). ♦ **1.** Vieilli. Fonction que l'on doit remplir, charge dont on doit s'acquitter. ⇒ **Charge, emploi, fonction, métier.** *Remplir l'office de secrétaire, d'adjoint... Résigner*, abandonner un office.*

1 Lui-même *(Dieu)* ...
Aux seuls enfants d'Aaron commit ses sacrifices,
Aux lévites marqua leur place et leurs offices (...)
RACINE, Athalie, II, 4.

Mod. Loc. fig. *Remplir son office :* produire son effet naturel, jouer pleinement son rôle (→ Café, cit. 4). *Faire office, l'office de... :* tenir lieu de..., remplacer. ⇒ **Servir** (de). → Brider, cit. 2 ; jeu, cit. 12.

2 Pénétrant plus avant que je ne pouvais faire dans telle région particulière de l'esprit, mes amis faisaient office de prospecteurs.
GIDE, Si le grain ne meurt, I, X, p. 257.

3 Pour mourir, il ne suffit pas de souhaiter mourir. Pendant de longues semaines, les organes à l'abandon avaient rempli, malgré tout, leur office.
G. DUHAMEL, Salavin, V, II.

♦ **2.** (V. 1354). Ancient. « Fonction permanente et stable dont le titulaire nommé par lettres de provisions du roi (...) possédait des devoirs déterminés par les coutumes et les ordonnances et avait la propriété de sa charge » (Lepointe, *Voc. historique du droit franç.*). *« Office de Président, de Conseiller, de Greffier, de Procureur... Office de Finances (...), de Trésorier, Receveur général, Payeur des rentes... »* (Furetière, 1690). *Le titulaire d'un office* (⇒ **Officier**) *ne pouvait en être privé qu'en cas de forfaiture. Offices publics* (→ Inexpert, cit. 1, Ronsard) ; *offices civils* (→ Liste, cit. 6). *Office de clerc, d'homme de loi. Nul office...* (ne) *peut faire qu'un roturier devienne un noble* (→ Faveur, cit. 1). *Amovibilité* (cit.), *patrimonialité, hérédité, vénalité* des offices. Offices et états* (cit. 86). *Acheter* un office* (→ Avocat, cit. 7). *Droit payé par le titulaire d'un office.* ⇒ **Paulette.** *Se faire honorer pour des charges et*

des offices (→ Emprunter, cit. 24). — REM. Ce mot était considéré comme du langage administratif, « les gens du monde se (servant) toujours de... charge » (F. de Callières, 1693).

4 Toutes les fois que votre Majesté crée un office, Dieu crée un sot pour l'acheter.
L. DE PONTCHARTRAIN, *in* GUERLAC.

Charge militaire. *Office d'armes.*

(Ital. *Uffizi*). *Les Offices,* musée de Florence, dont les bâtiments renfermaient à l'origine des services administratifs. ⇒ aussi **Saint-Office.**

♦ **3.** (1816). Fonction publique conférée à vie. *Office public, ministériel. Droit de présentation* (d'un successeur) *attaché à un office. Prix d'un office. Office d'avocat* au Conseil d'État, à la Cour de cassation, d'avoué*, d'huissier, de notaire, de commissaire-priseur, d'agent de change, de courtier...* (⇒ **Officier**).

♦ **4.** (1508 ; *d'ofisse,* 1338). Loc. **D'OFFICE :** par le devoir général de sa charge ; sans l'avoir demandé soi-même. *Avocat** (cit. 13), *expert commis, désigné, nommé* d'office. Indigent défendu par un avocat d'office.* — (1874). Par l'effet d'une mesure générale ou autoritaire. *Être mis à la retraite d'office. Promu d'office, à l'ancienneté.* — De façon automatique. *Tu n'as pas besoin de le demander, tu l'auras d'office.*

5 Quelques jours après, le Vendéen reçut encore, sans aucune sollicitation et d'office, la croix de l'ordre de la Légion d'honneur et celle de Saint-Louis.
BALZAC, le Bal de Sceaux, Pl., t. I, p. 73.

♦ **5.** Vx. Ce que l'on est tenu de faire, par une obligation morale. ⇒ **Devoir.** *C'est l'office d'un bon père (...), d'un bon ami...* (Académie, 1694). Spécialt. *Des offices,* traité de morale de Cicéron.

6 Et d'un homme de bien il sait trop bien l'office,
Pour se vouloir du tout opposer à justice.
MOLIÈRE, Tartuffe, V, 4.

7 N'est-ce pas la foi qui conduisit madame la Dauphine dans tous les offices de sa vie chrétienne.
FLÉCHIER, Oraison funèbre de la Dauphine, *in* LITTRÉ.

♦ **6.** (1863 ; p.-ê. d'après angl. *office* « bureau »). Lieu où l'on remplit les devoirs d'une charge, d'une fonction (⇒ **Bureau**) ; établissement* qui se consacre à une activité particulière. *Office commercial ; office de publicité...* (⇒ **Agence**).

(1907). Admin. et cour. Service doté de la personnalité morale, de l'autonomie financière et confié à un organisme spécial. *Office national, régional, départemental, communal. Directeur, conseil d'administration d'un office. Office agricole, industriel, scientifique, technique. Office du combattant, des mutilés et réformés. Office national interprofessionnel des céréales. Office du travail. Office des changes. Office de la langue française.*

♦ **7.** N. f. Pièce, ordinairement attenante à la cuisine, où se prépare le service de la table. ⇒ **Dépense** (cit. 15). — REM. Dans cet emploi, le masc. est fréquent et le fém., quoique normal, semble archaïque. *« L'office est-elle loin ? »* (Hauteroche, *in* Littré). *« Une grande office »* (Académie). *Les domestiques prenaient leur repas à l'office. Couronne* d'office.* Vx. *Les offices* (→ Épice, cit. 2). — *Ragots d'office.* ⇒ **Cuisine.**

8 Il se trouva que réellement il mourait de faim. Madame de Rênal alla à l'office chercher du pain.
STENDHAL, le Rouge et le Noir, XXX.

9 C'était, à l'office, un gaspillage effréné, un coulage féroce, qui éventrait les barriques de vin, qui roulait des notes enflées par trois ou quatre mains successives.-
ZOLA, Nana, XIII.

10 (...) ce genre de confidences, où la délicatesse a souvent à souffrir, et où les conversations de l'adultère risquent de prendre un air de ragots d'office (...)
J. ROMAINS, les Hommes de bonne volonté, t. V, XX, p. 151.

(1740). Par ext. Vx. Service de la table. *« Elle entend la cuisine et l'office »* (Rousseau, *Émile,* V).

★ **II.** (1636). Relig. *Office (divin) :* ensemble des prières* de l'Église, réparties aux heures de la journée. ⇒ **Heure** (matines, laudes, prime, tierce, sexte, none, vêpres, complies) ; **liturgie.** *Les textes de l'office se trouvent dans le psautier, l'antiphonaire, et dans le bréviaire, pour la récitation privée.* ⇒ **Bref, bréviaire ; livre** (d'heures) — *Une des prières de l'office. Office de nuit. « Le premier noyau* (de l'office de l'Église d'Occident) *est constitué par la vigile ecclésiastique, office nocturne précédant (...) la célébration de la messe du dimanche »* (G. Marie, *Dict. de liturgie romaine*). ⇒ **Nocturnal, nocturne, vigile.** — (V. 1155). Ensemble des prières pour un jour déterminé (syn. : *office du jour, office propre*). *Passage de l'Écriture accordé à l'office du jour.* ⇒ **Capitule.** *Calendrier des offices.* ⇒ **Ordo.**

11 L'office de nuit des Chartreux, qu'il suivait avec intelligence, calmait un peu ses élancements. Cet office célèbre, que peu de visiteurs ont le courage d'écouter jusqu'à la fin, et qui dure quelquefois plus de trois heures, ne lui paraissait jamais assez long.
Léon BLOY, le Désespéré, p. 78.

12 Trois heures. C'est l'heure où finissent les vêpres chantées, dernier office du jour (...)
LOTI, Ramuntcho, I, IV.

(V. 1155). Cour. Cérémonie régulière du culte. ⇒ **Messe, salut, station...** *Célébrer un office.* ⇒ **Officiant, officier.** *Office des morts*, office funèbre.* ⇒ **Funérailles.** *Manquer l'office* (→ Matineux, cit.). *Aller tous les dimanches aux offices* (→ Haut, cit. 115). — Spécialt. Culte régulier d'une religion autre que le catholicisme ; spécialt. culte protestant (opposé à *la messe* des catholiques).

★ **III.** ♦ **1.** (Fin XV⁰). Vx. Service que l'on rend à qqn. ⇒ **Service**

(→ Gratitude, cit. 2). *Bon office.* ⇒ **Aide, bienfait** (→ Couleur, cit. 33 ; gratitude, cit. 4). *Mauvais office* (→ Détromper, cit. 2 ; mériter, cit. 9). *Faire, rendre office :* rendre service. — REM. Au XVIIᵉ s., *office* désignait spécialement un service rendu par un supérieur à un inférieur ; la politesse voulait qu'on *« demande un bon office »* et que l'on *« rende un service ».*

♦ **2.** Mod. (Au plur.). « *L'amitié* (cit. 6) *n'est qu'un échange de bons offices* » (La Rochefoucauld). *Remercier, payer qqn pour ses bons offices. Offrir, proposer ses bons offices. Rejeter, accepter les bons offices de qqn.*

13 (...) puisqu'on reconnaît si mal mes bons offices (...)
MOLIÈRE, l'Étourdi, I, 8.

14 Je me souviens que vous m'avez rendu quelques bons offices, et dernièrement encore vous m'avez été utile, car j'ai un peu réparé ma fortune dans vos petites émeutes.
A. DE VIGNY, Cinq-Mars, XIX.

♦ **3.** Diplom. *Bons offices :* tentative d'un État médiateur pour amener des États en litige à négocier, à conclure un traité. ⇒ **Conciliation** (→ Interposer, cit. 5). — Par ext. *Proposer ses bons offices pour réconcilier deux personnes.* ⇒ **Intervention, ministère.** Fam. *Monsieur bons offices :* intermédiaire, conciliateur.

DÉR. (Du même rad.) **Official, officiel, officier, officieux.**

OFFICEMAR [ɔfismaʀ] n. m. — 1901 ; forme argotique, d'après *officier.*

♦ Fam. et péj. Officier, dans l'armée.

1 Elle va se ramener ici votre division ? Avec les officemars et tout le bordel ?
SARTRE, la Mort dans l'âme, p. 100.

On trouve chez Cendrars la variante *offmar* (argot milit.) :

2 (...) tous d'accord pour n'attendre que des emmerdements des offmars et des états-majomuches s'ils mettaient leur nez dans notre jeu (...)
B. CENDRARS, la Main coupée, p. 194.

OFFICIAIRE [ɔfisjɛʀ] n. — Mil. XXᵉ ; de *office,* (n. f.) ou de *officière*.

♦ Techn. Personne qui, dans un grand établissement hospitalier, est chargée du fonctionnement d'une cuisine relais dépendant de la cuisine centrale.

OFFICIAL, AUX [ɔfisjal, o] n. m. — 1262 ; « officier public », XIIᵉ ; lat. jur. *officialis* « appariteur ».

♦ Dr. canon. Juge ecclésiastique auquel un évêque déléguait le droit de rendre la justice à sa place. ⇒ **Juge** (ecclésiastique). *L'official était révocable, à la différence de l'archidiacre. Les officiaux.*

DÉR. Officialité.

OFFICIALISATION [ɔfisjalizasjɔ̃] n. f. — 1933, *in* D.D.L. ; de *officialiser.*

♦ Didact., admin. Action d'officialiser. *L'officialisation d'une situation. L'officialisation d'une candidature.*

OFFICIALISER [ɔfisjalize] v. tr. — Fin XIXᵉ ; du rad. de *officiel.*

♦ Didact., admin. Rendre officiel. *Officialiser une nomination. Officialiser une situation, un état de fait.*

L'opinion de tous les pays a accusé l'industrie (...) et conclu à un surpeuplement nouveau, alors que, surpeuplement ou non, la situation ancienne se trouvait désormais officialisée. A. SAUVY, Croissance zéro ?, p. 55.

DÉR. Officialisation.

OFFICIALITÉ [ɔfisjalite] n. f. — XVIᵉ ; *officialiteit,* 1285 ; de *official.*

★ **I.** Dr. canon. ♦ **1.** Vx. Tribunal, juridiction de l'official (qui correspondait au diocèse). — (1690). Fonction de l'official.

♦ **2.** (1771). Mod. Organisme juridique dépendant de la curie diocésaine.

★ **II.** (1869). Rare. Caractère de ce qui est officiel. *L'officialité d'un projet.*

OFFICIANT, ANTE [ɔfisjɑ̃, ɑ̃t] n. et adj. — 1671, n. m. ; de 1. *officier.*

♦ **1.** N. m. Clerc qui participe à la célébration d'un office, spécialt, celui qui préside une cérémonie sacrée (messe, etc.). ⇒ **Célébrant.** *L'officiant et les enfants de chœur.* ⇒ **Prêtre.** *Chape* de l'officiant.* — Adj. m. (1690). *Le prêtre, le ministre officiant.* — Fig. *Des gestes d'officiant* (→ Godiche, cit. 2).

(...) vous savez que le jour de Noël le même officiant doit célébrer trois messes consécutives. A. DAUDET, Lettres de mon moulin, « Trois messes basses », II.

♦ **2.** N. f. (1762). *Officiante :* religieuse qui est de semaine au chœur. — Adj. f. (1893). *Sœur officiante.*

OFFICIEL, ELLE [ɔfisjɛl] adj. — 1778 ; angl. *official ;* bas lat. *officialis* « relatif à une charge » ; de *officium.* → Office.

♦ **1.** **[a]** Qui émane d'une autorité reconnue, constituée (gouvernement, administration...). *Décision, mesure officielle. Acte officiel.* ⇒ **Authentique.** *Documents* officiels* (→ Archive, cit. 9). *Certificat* officiel. Honneurs officiels. Être revêtu d'une dignité officielle. Témoignage officiel de satisfaction. Étalon officiel de mesure* (→ Mètre, cit. 2). — *Communiqué* (cit.) officiel, dépêche, note officielle* (→ Évidence, cit. 7). *Recueil officiel des lois.* ⇒ **Bulletin** (des lois). *Journal officiel,* et, subst., *l'Officiel :* journal contenant les textes officiels (lois, décrets, arrêtés...), les débats des assemblées, etc. *Le Journal officiel a succédé au Moniteur officiel.*

[b] Qui appartient à l'Administration, à une collectivité publique. *Bâtiments officiels.*

[c] Qui est reconnu par les autorités administratives. *La médecine officielle. Langue officielle :* langue dont l'emploi est statutairement reconnu dans un État, un organisme, pour la rédaction des textes officiels émanant de lui (à distinguer de *langue nationale*). *Trois seulement des quatre langues nationales de la Suisse sont aussi langues officielles.*

Spécialt. Qui est annoncé, confirmé, certifié par une autorité compétente. *Nouvelle officielle. La nouvelle est vraisemblable, mais n'est pas encore officielle. Un accord officiel.* Par ext., fam. *C'est officiel :* c'est absolument certain. ⇒ **Notoire, public.** *Candidature* officielle* (→ Censitaire, cit.) ; *candidat officiel* (à une élection).

1 Barbentane élu ! Cela avait été officiel vers les sept heures et demie. Le vainqueur apparut à la fenêtre de la mairie et parla.
ARAGON, les Beaux Quartiers, I, XXV.

Argot et fam. Sûr, certain. Interj. *Officiel ! :* c'est sûr, oui (→ Affirmatif).

[d] (1874). Qui est organisé, commandé par les autorités constituées. *Cérémonial*, protocole officiel.* — *Fêtes, réjouissances officielles. Cérémonie officielle. Visite officielle d'un souverain* (par oppos. à *privé*). *Portrait officiel.* — Par ext. *L'art officiel,* auquel le gouvernement, l'État donne sa caution, qu'il finance.

2 Il voulait travailler pour lui : le seul moment de liberté qu'il eût était entre cinq et huit heures. Encore en devait-il perdre une partie à des travaux de commande : car son titre de *Hofmusicus* et sa faveur auprès du Grand-duc l'obligeaient à des compositions officielles pour les fêtes de la cour.
R. ROLLAND, Jean-Christophe, Le matin, I, p. 142.

♦ **2.** Qui est employé ou consacré par les actes, les documents officiels. *Style officiel et administratif. Expression, tournure officielle.* ⇒ **Consacré.** — Qui est donné pour vrai par ou pour les autorités. *Version officielle d'un incident. L'histoire* (cit. 10) *officielle et l'histoire secrète* (→ Enregistrer, cit. 3). — Par ext. *Ses revenus officiels sont faibles, mais il travaille au noir. Une excuse officielle. La raison officielle de son départ,* celle qui est donnée à tout le monde, qui sert d'alibi. *Son intransigeance officielle,* de façade. — Par ext. ⇒ **Conventionnel.** *Un style froid et officiel.* Par anal. *Prendre un ton officiel :* compassé et solennel.

3 (...) mais il y a une psychologie officielle qui a des formes géométriques et une conception à arêtes fixes de nos sentiments. Comme je suppose que c'est celle-là que vous avez apprise (...) c'est donc celle-là que je blesse en opposant une réalité aussi modeste que la mienne à des vues générales auxquelles il est naturel que vous soyez soumise. Edmond JALOUX, le Dernier Jour de la création, XI.

♦ **3.** (Personnes). Qui a une fonction officielle, joue un rôle officiel. *Un personnage* officiel* (→ Indiscrétion, cit. 13). *Nouvelle confirmée par les milieux officiels.* ⇒ **Autorisé.** *Porte-parole officiel du gouvernement.* — Par ext. Où se trouvent des personnages officiels. *Cortège officiel, voitures officielles.*

4 (...) l'écrivain y est considéré *(en France)* depuis plus de deux siècles non point comme le porte-parole de ses propres inspirations, mais comme un porte-parole officiel, et (...) il n'y a chez nous que des écrivains publics.
GIRAUDOUX, Littérature, p. 16.

Subst. *Un officiel :* un personnage revêtu d'une autorité officielle (membres du gouvernement, hauts fonctionnaires, etc.). *Tribune des officiels.* — Sports. Personne qui a une fonction dans l'organisation, la surveillance des épreuves (organisateur, juge, arbitre...). → Homologuer, cit. 3. *Elle fait partie des officiels.*

CONTR. Apocryphe, faux, officieux.
DÉR. Officialiser, officiellement.

OFFICIELLEMENT [ɔfisjɛlmɑ̃] adv. — 1789 ; *officialement,* 1777, sous l'infl. de l'angl. *official ;* de *officiel.*

♦ **1.** À titre officiel, de source officielle (→ Amendement, cit. 2). *Témoigner officiellement sa reconnaissance* (→ Auguste, cit. 1). *Aviser officiellement qqn* (→ Funèbre, cit. 6).

♦ **2.** Au vu et au su de tous, de façon publique. *Prendre officiellement parti pour qqn.* ⇒ **Publiquement.**

♦ **3.** À l'égard des autorités, de ceux à qui on a des comptes à rendre, du public. *Officiellement, il est parti en vacances, mais en fait il est chez lui.*

CONTR. Officieusement.

1. OFFICIER [ɔfisje] v. intr. — V. 1534; 1290, «exercer une charge, un office»; lat. médiéval *officiare*, de *officium*. → Office.

♦ **1.** Célébrer l'office divin; présider une cérémonie sacrée. ⇒ **Célébrer, messe** (dire la); **officiant.** — REM. *Officier* implique souvent une idée de pompe, de solennité. — *Évêque* (→ Chape, cit. 2; doyen, cit. 1), *pape* (→ Mitre, cit. 3) *qui officie. Officier pontificalement* (→ Mitre, cit. 2).

1 L'évêque officiait en personne, et la nef était remplie des notabilités châtelaines et bourgeoises qui se rencontrent encore dans cette localité.
NERVAL, les Filles du feu, «Angélique», VI.

2 (...) l'abbé Chichambre officiait avec cette brusquerie familière, ces gestes impétueux, ces agenouillements formidables qui, derrière lui, courbaient les têtes, domptaient les volontés, exigeaient les répons, ramassaient les prières, les serraient, les liaient en lourdes gerbes, et rudement les déposaient entre les deux cierges tremblants, devant la croix.
H. BOSCO, l'Âne Culotte, p. 65.

Par anal. Prêtre de Bacchus officiant et célébrant les mystères de la dive (cit.) *bouteille.*

♦ **2.** (1868). Fig. et par plais. Agir, procéder comme si l'on accomplissait une cérémonie.

3 Clémentine officie déjà pieusement devant la table. Elle prépare d'abord le déjeuner du maître, avec les soins tendres et intéressés que l'on a pour un dieu ou une bête de trait.
G. DUHAMEL, Salavin, III, II.

DÉR. Officiant.

2. OFFICIER [ɔfisje] n. m. — 1324; lat médiéval *officiarius* «chargé d'une fonction» *(officium)*.

♦ **1.** Vx ou dr. Celui qui a un office, remplit une charge. — Anciennt ou hist. Titulaire d'un office. ⇒ **Ministre.** *Magistrats* (cit. 7) *et officiers. Officiers de justice* : officiers royaux et subalternes (qui exerçaient la justice au nom du seigneur dans ses terres). *Officiers de ville* (Prévôt des marchands, échevins...). *Officier de l'épargne* (cit. 15), *du trésor royal. Officier de Finances, de Chancellerie.* Spécialt. *Officier de la chambre du Pape.* ⇒ **Camérier.**

1 Celui qui n'a de partage avec ses frères que pour vivre à l'aise bon praticien, veut être officier; le simple officier se fait magistrat, et le magistrat veut présider (...)
LA BRUYÈRE, les Caractères, VI, 62.

Hist. *Grands* (cit. 41) *officiers de la couronne** : auxiliaires du roi qui, à l'origine, s'occupaient d'un service domestique en même temps que de l'administration d'un service public. ⇒ **Bouteillier, chambellan** (maître de cérémonie), **chambrier, chancelier, connétable, échanson, écuyer, fauconnier, fourrier, panetier, sénéchal, serdeau...** Domestique dans une maison particulière (généralement une grande maison), et, spécialt, celui qui s'occupait du service de la table (→ Maître* d'hôtel). «*Les rois et les princes ont plusieurs officiers dans leur maison, pour le service de leur personne*» (Furetière). *Hauts, bas officiers. Officiers commensaux.*

2 Sur la terrasse du fond s'agite et s'empresse tout un monde d'esclaves et d'officiers de bouche, panetiers, sommeliers, écuyers tranchants, qui apportent les mets, découpent les viandes et vont prendre les plats et les aiguières à un grand dressoir disposé sous une des colonnades (...)
Th. GAUTIER, Souvenirs de théâtre..., «Noces de Cana».

Personne qui travaille à l'office (restauration). «*Recherche officier plongeur*» (offre d'emploi; *France-Soir*, 30 mars 1982, p. 12).

Mod. Dr. *Officiers publics* (→ Authentique, cit. 2 et 4; greffier, cit. 1); *officiers ministériels* (→ Enregistrement, cit. 1; 2. frais, cit. 16 et 18) : personnes investies d'un office ministériel ou public. *Charge* d'officier ministériel.* ⇒ **Office** (I., 3.). — REM. Dans la pratique, l'expression *officier ministériel* s'applique aux titulaires d'offices publics et d'offices ministériels. En un sens étroit on la réserve à certains titulaires dont les fonctions se rattachent à l'administration de la justice (avoués, huissiers, etc.), l'*officier public* étant investi d'un office auquel sont rattachées des fonctions indépendantes de cette administration ⇒ Commissaire [priseur], notaire...). — *Certains officiers publics portaient un insigne de leur fonction* (baguette, verge...).

Vieilli. *Officiers municipaux*, ceux qui ont un office, une charge dans l'administration d'une commune. ⇒ **Maire; municipalité** (→ Légitime, cit. 3; obéir, cit. 4). *Le corrégidor, officier municipal espagnol. — Officier de l'état civil.* ⇒ **État** (cit. 71, et *supra* cit. 68). — *Officier d'administration,* dans les pays anglo-saxons. ⇒ **Shérif.** — Anciennt. *Officier censier*. — *Officier dataire* de la chancellerie romaine. Le protonotaire*, officier de la cour pontificale.* Vx. *Officiers de paix,* remplacés en 1921 par les commissaires* de police d'arrondissement.

3 C'était, ni plus ni moins, le magistrat inférieur appelé très antinomiquement officier de paix.
BALZAC, Splendeurs et Misères des courtisanes, Pl., t. V, p. 853.

(XVIIᵉ). *Officier de justice*, de police*.* ⇒ **Commissaire; exempt, sergent** (vx); **gruyer, verdier** (féod.). → Insulaire, cit. 2. — Dr. mod. *Officier de police (judiciaire),* titre conféré par la loi aux personnes qui ont pour mission de rechercher et de constater les infractions, d'en

livrer les auteurs à la justice : procureur de la République, juges, maires et adjoints, commissaires (et certains inspecteurs) de police, officiers (au sens 2) de gendarmerie, gardes champêtres et forestiers... *Le coroner*, officier de police judiciaire en Grande-Bretagne. — Officiers de police auxiliaires du procureur de la République* (Code d'instruction criminelle, chap. IV) : ceux qui sont chargés de transmettre les dénonciations au procureur, d'agir sur son ordre et parfois en son lieu et place. — REM. La forme féminine *officière* bien qu'attestée, n'est guère employée. On dit plutôt *une femme officier.*

4 Les préfets des départements et le préfet de police de Paris pourront, s'il y a urgence, faire personnellement ou requérir les officiers de police judiciaire, chacun en ce qui le concerne, de faire tous actes nécessaires à l'effet de constater les crimes et délits contre la sûreté intérieure ou la sûreté extérieure de l'État (...)
Code d'instruction criminelle, art. 10.

*Officiers de santé** (supprimés en France en 1892). — Vx (en parlant de fonctions militaires). *Officiers d'armes.* ⇒ **Héraut.** *Officiers de guerre.*

♦ **2.** (1564). Cour. Militaire* ou marin titulaire d'un grade* égal ou supérieur à celui de sous-lieutenant ou d'enseigne de seconde classe, et susceptible d'exercer un commandement. ⇒ **Armée, marine; chef; grade** (cit. 6, 7); → Galonnard, officemar (fam.), culotte* de peau (péj.). — *Officiers de l'armée de terre, officiers d'aviation* (→ Armée, cit. 14; bataillon, cit. 7; camp, cit. 2; laurier, cit. 7; mérite, cit. 2). *Officiers et soldats* (→ Garnison, cit. 5). *Mobilisation* (cit. 2) *des officiers, sous-officiers et hommes de troupe des réserves. Officiers subalternes, officiers supérieurs et généraux* (→ la liste à *Grade*). *Élève officier* : élève dans une école d'officiers (⇒ **Aspirant; cadet**). *Officier élève* : officier qui suit un cours de perfectionnement, etc. *Officier d'infanterie*, d'artillerie, de cavalerie, de blindés...; d'aviation; de gendarmerie...* (⇒ **Arme,** II., 1.). *Officier d'état-major** (cit. 1). *Officier du cadre spécial. — Positions de l'officier* : activité*, disponibilité, non-activité *(officiers hors cadre),* congé d'activité, réforme*, retraite*. *Officier d'active, de carrière. Officier de réserve*. Anciens officiers. Officier en demi-solde*. — *Officier général* : général ou amiral. — *Fonctions d'officiers. Officier comptable, gestionnaire, secrétaire...; officier instructeur, médecin* (⇒ **Major**). *Officier d'ordonnance.* ⇒ **Aide** (de camp). *Officier porte-drapeau*, porte-étendard* (⇒ **Cornette,** vx). *Officier de jour, de service. Officier observateur, attaché militaire, envoyé en parlementaire*... — *Promotion* d'officiers. Officier qui monte en grade. Officier sorti* du rang, sorti d'une école, ancien Saint-Cyrien. Soldat devenu officier* (→ Fantassin, cit. 1). *Dégrader* un officier.* ⇒ **Casser.** — *Tenue, uniforme d'officier* (→ Classer, cit. 2). *Officier en tenue de combat, de cérémonie...; en civil. Képi, casquette, bonnet de police... d'officier. Insignes, signes distinctifs (anciens et modernes) d'officiers.* ⇒ **Aiguillette, brassard, épaulette** (cit. 3), **fourragère, galon.** *Pelisses, hausse-cols des officiers du XIXᵉ siècle.* — Cantine, popote des officiers. ⇒ **Mess.** — *Femme officier.* ⇒ **Officière** (3.). — *Employer le possessif «mon»* (*supra* cit. 22) *en s'adressant à un officier. Monsieur l'officier* (vx). → Galon, cit. 4.

5 Le vieil officier à la moustache blanche, aux sourcils gris en broussaille, avait un type classique et presque caricatural (...)
J. CHARDONNE, les Destinées sentimentales, p. 342.

6 Lafeuille ne fut pas peu fier qu'en sa personne le cran des officiers d'état-major, sur lequel couraient tant de médiocres plaisanteries, reçût l'hommage d'un officier des lignes. J. ROMAINS, les Hommes de bonne volonté, t. XVI, I, p. 18.

7 — Vous êtes officier? demande Gomez avec intérêt. — Simple soldat. Gomez eut un geste d'agacement. — Tous les Français sont simples soldats. — Tous les Espagnols sont généraux, dit Mathieu vivement. SARTRE, le Sursis, p. 212.

REM. Voir REM. du sens 1, *supra* cit. 4.

Hist. *Le stratège, le taxiarque, officiers grecs de l'Antiquité. Officiers romains* (centeniers, centurions...). — *Le grand maître des arbalétriers, officier commandant les troupes à pied ; le grand prévôt des archers, commandant les troupes de police au moyen âge. Officiers généraux sous l'Ancien Régime.* ⇒ **Maréchal** (maréchal de camp, etc.). — *Le sirdar*, officier anglais dans l'armée égyptienne.*

(1529, *in* D.D.L.). Mar. Spécialt. *Officiers de marine* : «officiers du corps de la marine militaire appelés à armer les bâtiments de guerre et à les commander» (Gruss). ⇒ **Marine.** — *Officiers de la marine* : ceux des autres corps. Officiers de la marine marchande, officier au long cours. Officier commandant un bâtiment, second* d'un bâtiment. Officier mécanicien. Officiers des équipages. Officiers de port. Officier des montres* (2. Montre, cit. 6). *Officier d'appontage* (ou *apponteur) à bord d'un porte-avions. — Officier de quart. — Carré* des officiers et matelots* (→ 3. Gaillard, cit.). — Par ext. *Officiers mariniers** (cit. 2). ⇒ **Maître, marinier.** — REM. On disait de même *bas officiers,* dans l'armée de terre, pour désigner les sergents et caporaux (cf. Furetière, 1690).

Par anal. Officier de l'Armée du Salut.

♦ **3.** Titulaire d'un grade dans un ordre honorifique (⇒ **Décoration**). *Officier d'Académie** : titulaire des palmes* académiques. *Officier de l'Instruction publique. Officier de la Légion d'honneur* : titulaire du grade supérieur à celui de chevalier. — *Grand officier :* titulaire du grade supérieur à celui de commandeur (→ Délai, cit. 1).

♦ **4.** *Col officier :* col* droit (syn. : *col Mao, col debout*).

DÉR. **Officière.**
COMP. **Sous-officier.**

OFFICIÈRE [ɔfisjɛʀ] n. f. — V. 1330 ; de *officier.*

♦ **1.** Vx. Religieuse titulaire d'un office dans une communauté (cf. Bossuet, *in* Littré).

♦ **2.** (1949). Femme ayant le grade d'officier dans l'Armée du Salut.

♦ **3.** (1900, Robida, *le Vingtième Siècle,* p. 261). Femme officier dans l'armée, la police, la marine. (On dit plus fréquemment *femme officier*).

Lorsque des tas d'entre nous auront été formées à l'École polytechnique, seront devenues officières de marine ou d'aviation, fliquesses en tous genres, le pouvoir sera peut-être partagé mais il s'agira toujours d'un pouvoir instauré selon des idées et des normes masculines. Michèle PERREIN, Entre chienne et louve, p. 227.

OFFICIEUSEMENT [ɔfisjøzmɑ̃] adv. — 1859 ; « obligeamment », XIVᵉ ; de *officieux.*

♦ D'une manière officieuse (non officielle). « *Il ne connaît encore sa nomination qu'officieusement* » (Académie).

CONTR. **Officiellement.**

OFFICIEUX, EUSE [ɔfisjø, øz] adj. et n. — 1534, « qui rend service » (choses) ; lat. *officiosus,* de *officium,* au sens de « service rendu ». → Office, III.

★ **I.** ♦ **1.** ⓐ Adj. (1584). Vx. Qui rend, cherche à rendre service, à rendre de bons offices*. ⇒ **Obligeant, serviable.** «*Amis commodes et officieux* » (Bossuet). — Par ext. *Bonté, pitié officieuse* (Molière, *l'Avare,* IV, 1), secourable. « *Zèle officieux* » (Racine, *Athalie,* I, 1).

1 Tout ce qu'il faisait, c'est qu'il était fort obligeant, fort officieux (...)
MOLIÈRE, le Bourgeois gentilhomme, IV, 3.

2 Le poison est tout prêt. La fameuse Locuste
A redoublé pour moi ses soins officieux (...) RACINE, Britannicus, IV, 4.

3 Nestor et Philoctète étaient étonnés de voir Télémaque devenu (...) si attentif à obliger les hommes, si officieux, si secourable (...) FÉNELON, Télémaque, XIII.

Par métaphore. « *La mer officieuse* » (Bossuet, *Saint Victor,* 3).

ⓑ N. (1630). Vx ou littér. Personne empressée, qui se mêle de tout en important autrui. ⇒ **Ardélion, importun** (→ fam. La mouche* du coche). *Faire l'officieux.*

4 Un de ces importuns et sots officieux
Qui ne sauraient souffrir qu'on soit seule en des lieux (...)
MOLIÈRE, les Fâcheux, I, 5.

♦ **2.** (Choses). Qui est destiné à rendre service (→ Libéral, cit. 3). (1660). Mod. Littér. *Mensonge* officieux.*

5 Mon officieux et bien courageux mensonge a jusqu'à présent protégé Hector.
BALZAC, la Cousine Bette, Pl., t. VI, p. 345.

♦ **3.** N. (V. 1796, et pendant la Révolution française). Hist. Domestique, laquais. *Employer plusieurs officieux.*

5.1 (...) pendant le système révolutionnaire, les rédacteurs *(du journal)* se sont déshonorés par la plus lâche et la plus basse servitude (...) en adoptant, les premiers, le tutoiement (...) en transformant les domestiques en officieux, en substituant le citoyen au monsieur. Revue des journaux rédigés à Paris (1797), *in* WALTER, la Révolution franç. vue par ses journaux, p. 456 (*in* D. D. L.).

N. m. (1803 ; pendant le Directoire). Maître d'hôtel dans un restaurant.

★ **II.** ♦ **1.** (1868). Qui est communiqué à titre de complaisance par une source autorisée mais sans garantie officielle. *Résultats officieux d'une élection. Déclaration, nouvelle officieuse. Texte officieux d'un discours.* Par ext. *De source officieuse.* ⇒ **Privé.** *À titre officieux* ⇒ **Officieusement.**

6 On savait, de source officieuse, que l'Angleterre avait donné l'ordre à sa flotte de surveiller les Détroits (...) MARTIN DU GARD, les Thibault, t. VII, p. 239.

♦ **2.** (Personnes). Qui occupe une fonction sans en avoir le titre officiel. «*Ambassadeur officieux* » (Proust).

♦ **3.** (D'un organe de presse). Qui exprime les opinions d'un gouvernement, d'un parti, sans en être ouvertement issu. *L'organe officieux de ce parti.*

CONTR. et COMP. Égoïste. — Officiel. — Inofficieux.
DÉR. **Officieusement, officiosité.**

OFFICINAL, ALE, AUX [ɔfisinal, o] adj. — 1762 ; « de boutique », déb. XVIᵉ ; de *officine.*

♦ **1.** Pharm. *Préparation officinale,* faite dans l'officine d'une pharmacie selon les prescriptions du Codex (par oppos. à *prescription magistrale**).

♦ **2.** (1805). Bot., pharm. Qui est utilisé en pharmacie. *Plantes, her-*

bes officinales (ex. : *consoude officinale ; primevère officinale* ou *coucou ; rue, valériane officinale...*).

OFFICINE [ɔfisin] n. f. — V. 1160 ; lat. *officina.*

♦ **1.** Vx. Boutique, atelier. — (1643). Fig. Endroit où se prépare, où s'élabore quelque chose. — REM. Dès le début du XIXᵉ s., ce sens a été senti comme un figuré du sens 2 (qui lui était pourtant postérieur) et impliquant l'idée d'une préparation savante, minutieuse.

1 La ruche n'a jamais été une officine de progrès.
RENAN, l'Avenir de la science, Œ. compl., t. III, XIX, p. 1053.

Une officine de fausses nouvelles, de calomnies, d'intrigues, où se trament* des calomnies, des intrigues...

2 Vous savez bien qu'il est compromis dans toutes sortes de marchés avec la Compagnie Maggi, qui est une officine d'espionnage allemand !
ARAGON, les Beaux Quartiers, II, V.

♦ **2.** (1812). Techn. Local où un pharmacien prépare les médicaments, procède aux analyses et aux manipulations. ⇒ **Laboratoire** (→ Cabinet, cit. 1). *Médicament préparé dans une officine ou Produit d'officine.* ⇒ **Officinal.**

3 (...) on admirait devant la boutique du pharmacien un tas *(d'écume de confitures)* beaucoup plus large, et qui dépassait les autres de la supériorité qu'une officine doit avoir sur les fourneaux bourgeois (...) FLAUBERT, Mᵐᵉ Bovary, III, II.

Techn. ou langue soutenue. Lieu où un pharmacien vend, entrepose et prépare les médicaments. ⇒ **Pharmacie ; apothicairerie** (vx). *Pharmacien d'officine et pharmacien de laboratoire. Acheter, vendre une officine. « L'officine doit appartenir au pharmacien qui l'exploite (...) Il ne peut posséder qu'une seule officine et n'y exercer d'autre industrie que son art* » (Capitant).

DÉR. **Officinal.**

OFFICIOSITÉ [ɔfisjozite] n. f. — 1610 ; de *officieux.*

♦ Didact. ou littér. Rare. Qualité d'une personne officieuse, serviable, obligeante.

Vous n'obligerez point une personne courtoise et officieuse, mais la courtoisie et l'officiosité même, s'il m'est permis d'user de ce mot.
MALHERBE, Lexique, *in* LITTRÉ, Suppl.

OFFLAG ou **OFLAG** [ɔflag] n. m. — Fin 1940 ; mot all., abrév. de *Offizierlager* « camp pour officiers ».

♦ Hist. Camp d'internement pour les officiers prisonniers de guerre en Allemagne pendant la Seconde Guerre mondiale. *Les offlags et les stalags*.*

Le Dʳ Misserey qui, dans un Oflag d'Allemagne, soigne des blessés russes, m'écrit (...) une carte-lettre émouvante (...) GIDE, Journal, 1ᵉʳ sept. 1942.

OFFRANDE [ɔfʀɑ̃d] n. f. — V. 1112 ; *offrende,* 1080 ; lat. médiéval *offerenda,* subst. au f., du lat. class. *offeranda* « choses à offrir ».

♦ **1.** Don* que l'on offre à la divinité ou à ses représentants. *Offrande à Dieu, à Jésus-Christ* (→ Autant, cit. 38), *à l'Église* (→ Denier* de Saint-Pierre). *Offrande votive d'action de grâce* (→ Ex-voto). *Offrande expiatoire. Faire une offrande. Quête pour recueillir les offrandes des fidèles. Acte d'offrande.* ⇒ **Oblation.** — *L'Offrande musicale,* de J.-S. Bach (1747). — (Relig. anc.). *Offrande de bêtes* (→ Holocauste, cit. 1). ⇒ **Sacrifice.** *Offrande de lait, de vin.* ⇒ **Libation.** *Envoyer des offrandes dans les temples* (→ Célébrité, cit. 1), *à l'autel. Faire l'offrande d'une victime humaine. Offrande faite aux âmes des ancêtres* (cit. 7). *Porteurs d'offrandes.* ⇒ **Choéphore.**

1 De toute autre victime *(qu'Iphigénie)* il *(Éole)* refuse l'offrande.
RACINE, Iphigénie, III, 5.

2 Les offrandes votives, ainsi que les boucliers enlevés à l'ennemi dans le cours de la guerre Médique, étaient suspendus en dehors de l'édifice (...)
CHATEAUBRIAND, Itinéraire..., I, p. 188.

3 L'oblation est l'action d'offrir ; et l'offrande est la chose qui doit être offerte.
LITTRÉ, Dict., art. *Offrande.*

♦ **2.** (Fin XIIᵉ). Liturgie cathol. Cérémonie pratiquée à certaines messes (mariage, sépulture) où le prêtre présente la patène à baiser et reçoit les dons des fidèles. *Aller à l'offrande. Le troupeau bourgeois et paysan qui se pressait à l'offrande* (→ Curiosité, cit. 14).

♦ **3.** (Fin XIIIᵉ). Cour. Don, présent (→ Dette, cit. 11 ; inestimable, cit. 2). *Offrande à un pauvre, à une œuvre de bienfaisance...* ⇒ **Aumône, charité.**

4 Nous fîmes la rencontre d'un pauvre qui nous tendit sa casquette en tremblant (...) L'offrande de mon ami fut beaucoup plus considérable que la mienne (...)
BAUDELAIRE, le Spleen de Paris, XXVIII.

(1661). Fig. Ce que l'on offre à qqn pour lui prouver son dévouement, sa reconnaissance, son amour... *Tous les Français, depuis le premier jour de la France, ont apporté leur offrande* (→ Fondation, cit. 6). *Faire à qqn l'offrande de son amitié, de son dévouement.* ⇒ **Offrir.** *Porter, apporter en offrande sa noblesse...* (→ Âme, cit. 66). — *L'offrande lyrique* (ou *Gitanjali*), poèmes de Rabindranath Tagore, traduits en français par André Gide.

5   L'éclat de ses yeux, ses sourcils levés, son visage naturellement tendu en avant,
    lui donnaient toujours l'air d'accourir, d'apporter sa jeunesse en offrande.
                                        MARTIN DU GARD, les Thibault, t. VI, p. 70.

OFFRANT [ɔfRɑ̃] n. m. et adj. m. — Fin XIIIᵉ, « généreux » ; de offrir.

♦ **1.** N. m. (1868). Littér. et rare. Personne qui offre, qui fait une
offrande. « *Plus l'offrant est pauvre et plus son sacrifice gagne en
valeur* » (Claudel, *in* G. L. L. F.).

♦ **2.** Loc. mod. (1365). *Le plus offrant* : la personne qui propose
d'acheter au plus haut prix. — Cour. *Au plus offrant. Vendre au
plus offrant*, à l'acheteur qui offre le plus haut prix. Fig. *Journaliste vénal prêt à se vendre au plus offrant*.

♦ **3.** Adj. (Mil. XVᵉ). Dr. *Adjuger au plus offrant et dernier enchéris-
seur*, à celui qui offre le plus.

OFFRE [ɔfR] n. f. — V. 1138, n. m., et ce fréquemment jusqu'au XVIIᵉ ;
n. f., fin XIIᵉ ; de offrir.

♦ **1.** Action d'offrir. *L'offre de qqch. par qqn. Faire une offre,
faire l'offre de qqch.* ⇒ **Offrir.** *Recevoir une offre. Accepter, agréer*
(→ Hôtel, cit. 14) *une offre, des offres. Décliner, rejeter, repousser une offre. — Offres de service** (→ Fondre, cit. 23). *Faire des
offres de service à qqn* (→ Maison, cit. 30). — *Rubrique des offres
d'emploi dans les petites annonces. Une offre de vente, d'achat.
Une offre d'hospitalité* (→ 1. Gens, cit. 9). *Faire l'offre de...* (suivi de l'infinitif). → Héroïque, cit. 20. — Par ext. *L'offre de sa vie.* ⇒ **Oblation,
offrande, sacrifice** (→ Infirmer, cit. 4). — Spécialt. Prix que l'on
propose pour qqch. *Une offre avantageuse, raisonnable, peu intéressante, insuffisante.* ⇒ **Proposition.** *Doubler son offre. Enchère**
qui dépasse les offres précédentes* (⇒ **Surenchère**). *Faire une offre
sérieuse, une offre en l'air. Voilà mon offre, c'est à prendre ou
à laisser.*

1   Mais ce n'est plus, Madame, une offre à dédaigner (...)
                                        RACINE, Andromaque, III, 7.
2   Jupiter eut jadis une ferme à donner.
    Mercure en fit l'annonce, et gens se présentèrent,
    Firent des offres, écoutèrent (...)   LA FONTAINE, Fables, VI, 4.
3   — Eh bien, lui dit-elle, vos nouvelles offres ?
    — Faites et rejetées. J'en suis désespéré.
                                        DIDEROT, Jacques le fataliste, Pl., p. 626.
3.1 D'ailleurs, si à ce moment précis se produisait une hausse sur la de Beers ou des
    « offres » sur l'Extérieur, si le marché de la première était « ferme » et « actif »,
    celui de la seconde « hésitant », « faible », et qu'on s'y tînt « sur la réserve », la
    source de premier ordre n'en restait pas moins une source de premier ordre.
                                        PROUST, le Temps retrouvé, Pl., t. III, p. 741.
4   Jacques, d'un geste aimable, déclina l'offre d'un cigare (...)
                                        MARTIN DU GARD, les Thibault, t. VII, p. 11.
5   À huit heures, la bonne femme du kiosque exposa le placard où étaient formu-
    lées les offres d'emplois. On m'avait depuis longtemps signalé cette petite agence
    en plein air (...)   G. DUHAMEL, Salavin, I, XII.
Offres de paix, de négociation, d'entente. ⇒ **Ouverture**(s). → Multiplier, cit. 7.

♦ **2.** (1820). Quantité de produits ou de services offerts sur le marché (cit. 21), opposé à *demande** (→ ci-dessous, cit. 6). *Offre croissante, décroissante. Restreindre l'offre* (→ Malthusianisme, cit. 2).
La masse des offres et des demandes (→ Marché, cit. 27). *L'offre
dépasse la demande, est inférieure à la demande. — Loi de l'offre
et de la demande. Les prix et les salaires sont régis en économie
libérale par la loi de l'offre et de la demande. Le jeu normal de
l'offre et de la demande* (→ Mêler, cit. 20). — Par ext. *L'offre
de ceux qui offrent.*

6   (...) la production se règle de la façon la plus sûre et la plus rapide, et très sim-
    plement, par *la loi de l'offre et de la demande* qu'on peut formuler ainsi : les
    choses valent plus ou moins, suivant qu'elles sont produites en quantité plus ou
    moins suffisante pour nos besoins.
                                        Charles GIDE, Cours d'économie politique, I, p. 207.

♦ **3.** (1690). Dr. « Fait de proposer à une autre personne la conclusion d'un contrat » (Capitant). *Offre non encore acceptée.* ⇒ **Pollici-
tation.** — Spécialt. Acte par lequel on propose d'acquitter une dette.
Offre verbale. Offre réelle : présentation matérielle de l'objet de la
dette faite au créancier, avec obligation de la recevoir (→ Consignation, cit. 1).

7   (...) Rigou n'étant pas tenu de te donner légalement sept et demi pour cent et les
    intérêts des intérêts, te ferait des *offres réelles* de tes vingt mille francs ; et, en
    attendant que tu puisses les palper, ton procès, allongé par la chicane, serait jugé
    par le tribunal de La-Ville-aux-Fayes. BALZAC, les Paysans, Pl., t. VIII, p. 215.
8   Lorsque le créancier refuse sans motif légitime de recevoir le paiement, le débi-
    teur a le droit de se libérer par des offres réelles suivies de consignation.
                                        DALLOZ, Petit dict. de droit, p. 916, nᵒ 18.
Admin. fin. *Offre de concours. Offre d'adjudication.* Cour. et admin.
*Appels** d'offre. L'État fait un appel d'offres pour un marché, l'exécution de travaux. Répondre à un appel d'offres.* ⇒ **Sou-
missionner.**

9   Les marchés sur appel d'offres sont soumis à la commission consultative des mar-
    chés lorsque leur montant excède 10 millions de francs.
                                        DALLOZ, Petit dict. de droit, p. 812, nᵒ 20.

(V. 1965). Écon. *Offre publique.*
Selon la terminologie du Ministère des Finances, l'offre publique consiste, pour   10
la personne physique ou morale qui en prend l'initiative, à faire connaître publiquement aux actionnaires d'une société cotée qu'elle est disposée à acquérir leurs
titres à un prix supérieur au cours de bourse dans le but de prendre le contrôle
de la société concernée ou de renforcer ce contrôle.
                                        P. VERMINNEN, Finance d'entreprise, Logique et politique, p. 212.
(V. 1965). *Offre publique d'achat* (abrév. : *O. P. A.*), dans laquelle la
société acheteuse règle en espèces les titres qu'on lui présente. —
Offre publique d'échange (abrév. : *O. P. E.*), où le règlement est fait
par remise de titres.

CONTR. **Demande.** — **Refus.**
COMP. **Suroffre.**

OFFREUR, EUSE [ɔfRœR, øz] n. — 1347, au sens général ; repris
mil. XXᵉ ; de offrir.

♦ Écon. Personne qui offre, propose (qqch., un bien, un service), par
oppos. à *demandeur. Les offreurs de services et les demandeurs
d'emploi.* — Adj. « *Le marché pétrolier, de demandeur qu'il était,
est devenu "offreur"* » (le Point, 27 avr. 1981, p. 107).

OFFRIR [ɔfRiR] v. tr. — Fin XIᵉ ; lat. pop. *offerire, class. offerre.

♦ **1.** OFFRIR QQCH. À QQN, le lui donner* en cadeau. ⇒ **Donner** ; **acheter.** *Offrir un livre, un dictionnaire* (cit. 11), *un bijou... à
l'occasion d'une fête, d'un anniversaire, en remerciement d'un service. Cet objet m'a été offert par un ami. Je lui ai offert des fleurs,
des bonbons pour sa fête. Mon oncle lui a offert une montre comme
cadeau d'anniversaire. Reprendre ce qu'on a offert.*

Quand ma petite emplette était faite, mon embarras était de l'offrir, le sien de   1
l'accepter. D'abord je lui montrais la chose ; si elle la trouvait bien, je lui disais :
« Denise, c'est pour vous que je l'ai achetée (...) » Si elle l'acceptait, ma main tremblait en la lui présentant, et la sienne en la recevant.
                                        DIDEROT, Jacques le fataliste, Pl., p. 733.

Pron. a (Récipr.). *S'offrir mutuellement des cadeaux, des gâteaux*
(→ Feuilleté, cit. 6).

b (Passif). *Ce sont des choses qui s'offrent dans ces circonstances,
qu'on peut offrir, qu'il est convenable d'offrir.*

c (Réfléchi). — REM. Ce sens bien que formellement issu du sens de
« donner en cadeau », est proche du sens de *offrir un verre*
(→ 2., ci-dessous). *S'offrir un bon gueuleton.* ⇒ **Payer** (se) ; → fam.
*S'envoyer, se taper. S'offrir des vacances. Ils se sont offert un
beau voyage.* (Fam.). *S'offrir la tête de qqn,* s'en moquer*. — (Vulg.).
S'offrir une femme (→ Envoyer (s'), cit. 29).

Après la tâche quotidienne, s'offrir une soirée oisive et dispendieuse, lui semblait   2
maintenant légitime, voire hygiénique (...)
                                        MARTIN DU GARD, les Thibault, t. VI, p. 11.

♦ **2.** a OFFRIR QQCH. À QQN : proposer, présenter qqch. à qqn en le
mettant à sa disposition, sans qu'il l'ait demandé. *Offrir de l'argent
à un ami pour le tirer d'embarras* (cf. Ouvrir sa bourse). *Offrir
une cigarette. Prenez, je vous l'offre de bon cœur. Offrir qqch. du
bout** des lèvres. Offrir à boire, à manger à qqn. Offrir les dattes
et le lait, le pain et le sel* (l'hospitalité). — *Offrir les meilleurs
morceaux* (→ Couper, cit. 3). *Offrir les fruits confits aux convives* (cf. Mettre sur la table, faire passer). — *Offrir sa maison, sa table, l'hospitalité* (cit. 5). — *Offrir une place, un emploi*
(→ Aplomb, cit. 7). *Offrir les colonnes d'un journal à un écrivain.*
⇒ **Ouvrir** (→ Lundi, cit.).

(...) Fontenelle, à son entrée du monde, offrait de ces vérités, bonbonnière en   3
main, absolument comme on offrirait des dragées ou des pastilles.
                                        SAINTE-BEUVE, Causeries du lundi, 27 janv. 1851.
Le voyant soucieux plusieurs fois, et devinant sa pauvreté d'étudiant, Maréchal   4
lui avait offert et prêté, spontanément, de l'argent (...)
                                        MAUPASSANT, Pierre et Jean, IV.

Proposer à qqn de lui payer (qqch.). *Viens, je t'offre un verre, l'apéritif, à dîner. N'hésitez pas, je vous l'offre. Offrir à boire à qqn.* —
(Fin XVᵉ). Organiser et assumer toutes les dépenses de (une réjouissance collective). *Offrir un vin d'honneur, un divertissement, une
fête* (→ Gala, cit. 2), *un bal.*

(...) j'avais justement l'intention de vous offrir une tournée de vin demain samedi.   5
                                        J. ROMAINS, les Hommes de bonne volonté, t. V, XXVIII, p. 293.
Arthur serrait des mains, offrait à boire, mais refusait de parler.   6
                                        J. CHARDONNE, les Destinées sentimentales, p. 173.

Loc. *Offrir le bras* (cit. 13) *à qqn,* par civilité, pour l'aider à
marcher. *Offrir la main pour sceller un engagement* (cit. 3).
⇒ **Tendre.**
Fig. *Offrir un ouvrage, des vers à qqn,* le lui dédier*. (→ Air,
cit. 12).

Ô mes concitoyens ! vous à qui j'offre cet essai ; s'il vous paraît faible ou   7
manqué, critiquez-le, mais sans m'injurier.
                                        BEAUMARCHAIS, la Mère coupable, Un mot.

Loc. (Fig. et vx). *Offrir son épée, son bras à qqn,* pour combattre à
ses côtés. — *Offrir le combat* : donner à l'ennemi l'occasion d'engager le combat. ⇒ **Défier.** *Offrir le duel, un duel* (1. Duel, cit. 1).
— (1854). *Offrir son nom à une femme,* lui proposer de l'épouser (→ Épris, cit. 16). *Offrir la main de sa fille* : offrir sa fille
en mariage. — *Offrir sa médiation* (cit. 2), *son aide, ses ser-*

vices*. Offrir ses vœux, ses hommages (cit. 18), *ses condoléances,* les exprimer en priant de les agréer. ⇒ **Présenter.** *Offrir réparation* (→ Livrer, cit. 11). — *Offrir une faveur; repousser, refuser une faveur* (cit. 9) *offerte.* — (1735). Spécialt. (En parlant d'une femme). *Offrir ses faveurs à un homme.* → Faire des avances (cit. 31).

b (1690). **OFFRIR QQN À QQN.** *Offrir sa fille en mariage à qqn.* ⇒ **Donner, proposer.**

8 Il te donnait ses fruits; il t'offrait sa femme et sa fille; il te cédait sa cabane : et tu l'as tué pour une poignée de ces grains, qu'il avait pris sans te le demander.
DIDEROT, Suppl. au voyage de Bougainville, II.

Pron. *S'offrir à qqn (pour...), se mettre à sa disposition, à son service* (→ Dépôt, cit. 4; intriguer, cit. 1). — *S'offrir comme domestique. Il s'offrit comme guide.* ⇒ **Proposer** (se). *S'offrir en otage* (→ Détention, cit. 1), *en sacrifice, en holocauste* (→ Bois, cit. 42). — *S'offrir à Dieu.* ⇒ **Consacrer** (se). *Notre Seigneur s'offre à nous sous les espèces du pain et du vin dans l'Eucharistie* (cit. 3).

9 (...) je m'offre entièrement à vous.
S'il faut faire à la cour pour vous quelque ouverture.
MOLIÈRE, le Misanthrope, I, 2.

10 (...) la pensée lui vint que les Charles avaient besoin d'un jardinier, depuis quelques jours. Pourquoi n'irait-il pas s'offrir?
ZOLA, la Terre, V, v.

Femme qui s'offre à un homme, ou absolt, *qui s'offre.* — REM. Cette expression qui, dans la langue classique, signifie *déclarer son amour* a pris de nos jours un sens libre (→ Goujat, cit. 7; impudeur, cit. 2).

11 Parlons net sur ce choix d'un époux.
Êtes-vous trop pour moi? suis-je trop peu pour vous?
C'est m'offrir, et ce mot peut blesser les oreilles.
CORNEILLE, Sertorius, II, 2.

12 Toute la chair se fait proposition. Comme une plante qu'accable le poids du fruit qu'elle a formé, penche et semble implorer le geste qui la cueille, la femme s'offre.
VALÉRY, Variété V, p. 192.

c **OFFRIR À QQN DE** (et inf.). ⇒ **Proposer.** *Offrir de se rendre* (→ Lâche, cit. 9). *Offrir à qqn de l'accompagner.*

13 Il *(V. Hugo)* lui promit aussi des vers. En échange, elle *(Alice Ozy)* lui offrit de venir voir son lit célèbre, et ce qui suit permet de supposer qu'il s'agissait d'une simple curiosité à satisfaire.
Émile HENRIOT, Portraits de femmes, p. 371.

Pron. (Vx). *S'offrir de...* (→ Maïeutique, cit. 2). — Mod. *S'offrir à... Il s'offrit à les conduire* (→ Cabas, cit. 1; issue, cit. 5). *S'offrir à détruire* (cit. 18) *la tyrannie.*

14 Puisqu'il s'offre à vous voir, croyez qu'il veut la paix.
RACINE, la Thébaïde, III, 5.

♦ **3.** (1694). **OFFRIR QQCH. À QQN.** **a** (Sujet n. de personne, objet abstrait). Mettre qqch. à la portée de qqn. *Offrir à un homme l'occasion de se racheter. Offrir la possibilité de... Négliger par mollesse* (cit. 4) *une occasion offerte.*

b (Sujet n. de chose). *Cette côte offre des abris sûrs aux navigateurs.* ⇒ **Procurer.** — Pron. (Sens passif). ⇒ **Présenter** (se), **produire** (se), **rencontrer** (se). *Le premier moyen qui s'offre...* (→ Marier, cit. 2).

15 Jamais l'occasion ne s'offrira si belle (...)
CORNEILLE, Héraclius, II, 2.

16 Le moindre petit plaisir qui s'offre à ma portée me tente plus que les joies du Paradis.
ROUSSEAU, les Confessions, IV.

c (V. 1155). **OFFRIR QQCH. À** (une divinité) : faire l'offrande (1.) de qqch. à (une divinité). *Offrir des victimes aux dieux.* ⇒ **Dévouer** (vx), **immoler, sacrifier, vouer.** *Offrir des holocaustes* (cit. 1), *sur un autel* (cit. 1). *Ferventes* (cit.) *prières que les mortels offrent à la divinité.* — Par anal. *Offrir à Dieu ses maux, ses souffrances.* ⇒ **Expiation** (→ Conformer, cit. 3). — Pron. *S'offrir en victime. Jésus-Christ s'est offert pour le rachat de nos péchés.*

Par ext. *Offrir sa vie pour un idéal.*

17 Et il n'y a rien de plus émouvant que de voir des hommes, quel que soit d'ailleurs leur idéal, offrir stoïquement leur vie à cet idéal (...)
MARTIN DU GARD, les Thibault, t. VI, p. 188.

d (Compl. abstrait). *Offrir à qqn une occasion, un choix.* — (Sujet n. de chose). *Cette situation offre des avantages.*

18 Le roi de Prusse offre le choix entre un peu d'argent et une décoration; si les souverains ont inventé les Ordres, c'est, sans doute, dans un désir d'économie.
Édouard HERRIOT, Beethoven, p. 333.

♦ **4.** (Fin XIVᵉ). **OFFRIR QQCH.** : proposer qqch. à l'achat; mettre en vente qqch. *Offrir des denrées à des prix fabuleux* (cit. 9). ⇒ **Vendre.** *Courtier qui offre des nouveautés en librairie* (cit. 3). ⇒ **Présenter.** *Magasin qui offre un grand choix, un grand assortiment de marchandises, qui offre des occasions à bas prix.*

♦ **5.** **OFFRIR** (une somme d'argent) **À QQN** : proposer (une somme d'argent) à qqn (en contrepartie de qqch.). ⇒ **Proposer.** *Offrir une grosse somme, un prix élevé, dérisoire... en échange d'un objet, d'un service. Offrir mille francs par mois* (→ Grimace, cit. 16). *Il offre tant de ceci, pour faire ceci; Je vous offre cent francs, pas un sou de plus, je suis prêt à vous payer cent francs.* ⇒ **Donner.** *Offrir une augmentation à titre de compensation* (cit. 1). ⇒ **Allouer.** — Promettre de donner. *J'offre une récompense à qui rapportera mon portefeuille.*

♦ **6.** Exposer volontairement à la vue. ⇒ **Montrer, présenter.** *Détendu en public, il offrait en privé un visage ravagé.* — (1669).

Exposer involontairement à la vue. *Offrir aux regards...* (→ Flexible, cit. 1; front, cit. 2). *Sa physionomie offre un aspect engageant. Sa figure offre l'image de la candeur, de la gaieté* (cit. 1; → Folâtre, cit. 1). — (Sujet n. de chose). *Cette contrée offre des paysages variés. Longs espaces dénudés qui n'offrent que des grès* (cit. 2) *de teinte grise. Cette route, ce littoral offre un tracé sinueux.* ⇒ **Dessiner.**

Pron. *S'offrir à la vue, aux regards. S'offrir en spectacle.* ⇒ **Exhiber** (s'), **montrer** (se), **produire** (se). → Coupole, cit. 4; échancrure, cit. 1. — (Fig.). « *Ma pensée au grand jour* (cit. 16) *partout s'offre et s'expose* » (Boileau). — (Vx ou littér.). ⇒ **Rencontrer** (se), **trouver** (se). *Ici s'offre un perron* (→ Corridor, cit. 1).

19 Le sentier s'élargissait de nouveau pour aboutir à une clairière où s'offrait un banc, entre deux chênes mangés de chenilles.
MARTIN DU GARD, les Thibault, t. II, p. 261.

20 Suzanne devait longtemps, par la suite, se rappeler, avec une poignante émotion, le spectacle qui s'offrit d'un seul coup à son regard.
G. DUHAMEL, Chronique des Pasquier, IX, VIII.

♦ **7.** Fig. **a** Présenter à l'esprit, volontairement. *J'offre ce problème à votre réflexion, à l'examen d'un groupe de personnes.* ⇒ **Soumettre.** *Offrir qqn, qqch. en exemple.* — Pron. *S'offrir en exemple* (cit. 16).

b Présenter involontairement à l'esprit. *Contrastes qu'offre un caractère* (→ Art, cit. 36). *Offrir un vaste spectacle à la curiosité de l'esprit* (→ Histoire, cit. 37). *Les événements dont l'histoire* (cit. 17) *offre le tableau. Ce projet offre des difficultés.* « *Ce monde offre une énigme* (cit. 7) *désolante* » (Joubert). *Ce malade offre un exemple, un cas typique de...* — Pron. (Sens passif). *La première idée qui s'offre à l'esprit.* ⇒ **Venir.** *Ces paroles s'offraient à ma mémoire* (→ Germer, cit. 6). *Un sujet de discussion s'offre* (→ Dogmatiquement, cit.).

c (En parlant d'une qualité ou d'un caractère). *Offrir la particularité de...* (→ Incliner, cit. 32). *Ceci offre plusieurs avantages. La maison n'offrait rien d'intime* (cit. 12). *Sa conduite n'offre rien de répréhensible* (→ Montagne, cit. 5). ⇒ **Avoir.**

Loc. *Offrir des garanties pour qqch. Offrir un gage de sérieux.*

♦ **8.** (V. 1240). Exposer (à qqch. de pénible, de fâcheux, de dangereux...) de manière intentionnelle ou non. *Offrir une cible aux coups. Offrir son dos à la discipline.* ⇒ **Tendre** (→ Haire, cit. 2). *Offrir sa poitrine aux baïonnettes* (→ Intrépide, cit. 4). — Pron. *S'offrir imprudemment aux coups.* ⇒ **Appeler** (les coups).

21 Il nous faut demeurer bien visibles, et offrir ainsi au tir allemand une cible pour écoliers.
SAINT-EXUPÉRY, Pilote de guerre, XIX.

Fig. *Offrir, prêter le flanc* à la critique.*

♦ **9.** (Sans compl. direct). **OFFRIR À** (et inf.) : donner, prêter occasion à... *Cela offre à penser, à réfléchir. Sa conduite offre à rire* (→ Médire, cit. 2). ⇒ **Prêter.**

▶ **S'OFFRIR** v. pron. Voir à l'article.

▶ **OFFERT, ERTE** [ɔfɛʁ, ɛʁt] p. p. adj. *Argent, cadeau offert.* — *Victime offerte* (en sacrifice). *Vie offerte* (pour un idéal). — *Marchandises offertes à tel prix. Récompense offerte.* — *Problème offert à la réflexion.*

CONTR. Accepter, recevoir. — Demander, quémander. — Refuser.

DÉR. Offrant, offre, offreur. — (Du même rad.) Offerte, offertoire, offrande.

OFFSET [ɔfsɛt] n. — 1932; inventé aux États-Unis en 1904; mot angl., «report».

Anglicisme. Technique.

♦ **1.** N. m. Procédé d'impression à plat utilisant un rouleau de caoutchouc qui reporte sur le papier le dessin encré d'une plaque de zinc. *L'offset est généralement utilisé pour l'impression des affiches, pour la reproduction en couleurs. Livre imprimé en offset. Technicien de l'offset.* ⇒ **Offsettiste.** — Par appos. *Procédé offset. Presse offset. Papier offset,* utilisé pour l'impression en offset.

♦ **2.** N. f. (V. 1960). Machine qui permet l'impression suivant ce procédé. *Se servir d'une offset.*

DÉR. Offsettiste.

OFFSETTISTE [ɔfsetist; ɔfsɛtist] n. — 1955, *Dict. des métiers;* de *offset,* et *-iste.*

♦ Techn. Technicien, technicienne de l'offset.

OFF-SHORE ou **OFFSHORE** [ɔfʃɔʁ] adj. et n. m. — 1952, *les Temps modernes,* déc., p. 899; mots angl., «vers le large», de *off* «loin de, hors de», et *shore* «rivage».

Américanisme.

♦ **1.** Adj. *Programme, commandes off-shore* : commandes d'équipement de l'armée américaine passées aux industries du pays où les troupes sont stationnées.

◆ **2.** N. m. (1960, *in* Höfler). Techn. Installation de forage pétrolier sous-marin, sur plate-forme. — Adj. (1960, *in* Höfler). « *Un champ pétrolifère off-shore* » (*Science et Vie*, n° 594, p. 92).

La nouvelle géographie du pétrole et du gaz est l'affaire d'une technologie toute nouvelle : celle de la prospection scientifique qui déploie tout un arsenal de moyens coûteux — sondages électriques, forages sous la mer. La part du pétrole extrait « off shore » (*sic*) est déjà supérieure à 20 %.
　　　　A. FEL, *in* Encycl. Pl., Histoire des techniques, p. 1070-1071.

Recomm. off. : *en mer.*

Techn. *Pêche off-shore :* pêche au large.

OFFUSCATION [ɔfyskɑsjɔ̃] n. f. — XIVe, *obfuscacion* « affaiblissement de la vue » ; de *offusquer*.

◆ Astron. Action d'offusquer (1.), d'obscurcir ; résultat de cette action. ⇒ **Obscurcissement.** *Offuscation du soleil par les nuages, les vapeurs de l'atmosphère.*

REM. Ce mot, peu usité, ne s'applique pas aux éclipses.

OFFUSQUER [ɔfyske] v. tr. — XIVe, *obfusquer* « gêner, porter préjudice à » ; du lat. *offuscare* « obscurcir ».

◆ **1.** Vieilli ou littér. Empêcher (un objet) d'être vu, en masquant. ⇒ **Cacher.** *Les nuages offusquent le soleil.* ⇒ **Éclipser, obscurcir.** *Cheveux qui offusquent la figure* (→ Muguet, cit. 3).

1　Un taillis de sourcils hideusement offusque
Ses gros yeux enflammés, ensanglantés et roux (...)
　　　　RONSARD, Second livre des hymnes, « Pollux et Castor ».

2　(...) ses cheveux blancs offusquaient son visage (...)
　　　　CHATEAUBRIAND, Mémoires d'outre-tombe, t. IV, p. 293.

(Le compl. désigne la lumière). *Rideau qui offusque la lumière du jour.*

◆ **2.** Vieilli ou littér. Empêcher de voir, boucher la vue. *Un mur offusquait la fenêtre.* — Au p. p. *Vitres d'une fenêtre* (cit. 5) *offusquées par un mur haut et proche.* — *Les larmes offusquent sa vue.* ⇒ **Troubler.**

3　(...) je me suis avancée, et, le cœur gros de sanglots, j'ai collé mon visage sur le sien : je n'ai plus su ce qu'il devenait ; les larmes m'offusquaient la vue, ma tête commençait à se perdre, et il était temps que mon rôle finît.
　　　　ROUSSEAU, Julie ou la Nouvelle Héloïse, I, Lettre LXV.

(En éblouissant). *Le soleil m'offusque les yeux* (Académic). ⇒ **Aveugler.**

◆ **3.** (Déb. XVIe). Fig. Priver l'esprit, pour quelque cause, de ses qualités naturelles, l'obscurcir. *Offusquer la raison. Le corps, les organes offusquent l'âme* (→ Affaisser, cit. 5 ; aveugler, cit. 12, Rousseau).

4　(...) je me délivrais peu à peu de beaucoup d'erreurs qui peuvent offusquer notre lumière naturelle (...)
　　　　DESCARTES, Discours de la méthode, I.

◆ **4.** (XVIIIe). Indisposer (qqn) par des actes ou des propos qui lui déplaisent. ⇒ **Choquer, froisser, heurter.** *Ne lui parlez par sur ce ton gaillard, vous l'offusqueriez.* ⇒ **Effaroucher.** *Il est offusqué d'un tel sans-gêne.* — Spécialt. *La réussite des autres l'offusque,* le contrarie, lui porte ombrage*.

5　Les succès de Proust continuaient à offusquer Montesquiou.
　　　　A. MAUROIS, À la recherche de Marcel Proust, X, II.

Par ext. Choquer moralement. *Sa conduite offusque les bonnes mœurs.* ⇒ **Offenser.**

▶ **S'OFFUSQUER** v. pron. réfl.

Se froisser, se formaliser. ⇒ **Choquer, froisser.** *Il est susceptible, il s'offusque des moindres plaisanteries.*

6　Les gens qui n'ont jamais manqué de rien peuvent s'offusquer qu'une vie confortable en tous points suffise à rendre heureux.
　　　　Pierre BENOIT, Kœnigsmark, II, § 7.

CONTR. (Du fig.) **Charmer, complaire, plaire.**
DÉR. **Offuscation.**

OFLAG [ɔflag] n. m. ⇒ **Offlag.**

OGAM, OGHAM [ɔgam] ou **OGAMIQUE, OGHAMIQUE** [ɔgamik] adj. et n. m. — 1874, *ogam* ; *ogamique*, 1801, *in* D.D.L. ; de *Ogham*, inventeur mythique de cette écriture.

◆ Se dit de l'écriture des inscriptions celtiques d'Irlande et du Pays de Galles des Ve-VIIe siècles (offrant des analogies avec l'écriture runique). *Écriture ogham, oghamique.* ⇒ **Runique.** *Les inscriptions en caractères ogham remontent au IVe ou Ve siècle après J.-C.* — N. m. *L'ogam, l'ogham :* cette écriture. ⇒ **Rune.**

OGIVAL, ALE, AUX [ɔʒival, o] adj. — 1823 ; de *ogive.*
Qui a rapport à l'ogive.

◆ **1.** Archit. Qui est caractérisé par l'emploi des ogives, de l'ogive. *Voûte ogivale.* Par ext. *Arcs ogivaux.* ⇒ **Ogive** (en). *Verrière ogi-*

vale (→ Église, cit. 13). — Vieilli. *Style ogival. Architecture ogivale.* ⇒ **Gothique.**

Au milieu de la cave, quatre colonnes basses et difformes soutenaient un porche lourdement ogival dont les quatre nervures en se rejoignant à l'intérieur du porche dessinaient à peu près le dedans d'une mitre.
　　　　HUGO, l'Homme qui rit, II, IV, VIII.

Je préfère non seulement *français* mais *gothique* à *ogival*, bien que le mot *ogival* soit souvent exact quand il s'agit d'architecture (...) dans la pensée de ceux qui ont créé et vulgarisé cet adjectif, *ogive* était pris à contresens pour *arc brisé*, et l'arc brisé, par une autre lourde erreur, était pris pour une caractéristique du style.
　　　　C. ENLART, Manuel d'architecture franç., Préface, p. 35.

REM. *Ogival*, au cours du XIXe s., est employé de préférence à *gothique*, critiqué pour son étymologie inexacte (« des Goths ») ; mais *gothique* a fini par l'emporter vers la fin du siècle.

◆ **2.** Par anal. Qui ressemble à une ogive (au sens d'arc brisé). *Objet de forme ogivale.* Spécialt (diplom.). *Sceau ogival,* de forme allongée, terminé par deux ogives.

OGIVE [ɔʒiv] n. f. — 1250, var. *œgive, augive* ; orig. incert ; p.-ê. anglo-normand *ogé,* du lat. *obviatum* (supin de *obviare* « s'opposer »), avec suff. lat. *-ivus.*

★ **I.** N. f. **A.** ◆ **1.** Archit. Arc diagonal bandé sous une voûte et en marquant l'arête. *Arc d'ogives. Croisée d'ogives. La croisée d'ogives est la caractéristique presque constante du style gothique, autrefois appelé pour cette raison ogival*.* ⇒ **Gothique** ; ogival. *Voûte* d'ogives.*

1　Quelle est la vraie fonction de l'ogive ? Est-elle portante ? Soutient-elle, soulage-t-elle la voûte ? Ou même n'est-elle qu'un couvre-joint de la voûte d'arête, en sorte développement n'a-t-il qu'une valeur purement plastique (...) Pour Viollet-le-Duc, pour Choisy, l'ogive porte (...) Pour des auteurs plus récents (...) l'ogive ne porte pas, l'arc-boutant n'épaule pas non plus. Tout le système est plastique pure et tend à imposer à la vue une sorte d'illusion sur le rôle réel des piles composées et des nervures.
　　　　Henri FOCILLON, l'Art d'Occident, p. 143.

2　(...) les ogives sont des arcs qui se coupent en croix, qui se croisent en diagonale sous les arêtes. Combinés avec deux doubleaux, en avant et en arrière, avec deux autres arcs à droite et à gauche appelés *formerets,* ils forment un système indéformable, *la croisée d'ogives.*
　　　　P. LAVEDAN, l'Architecture franç., p. 25.

◆ **2.** Par ext. Arc brisé. ⇒ **Ogival** (cit. 2). *Arc en ogive* (opposé à *arc en plein cintre*). *Ogive équilatérale,* ou *en tiers-point*,* entre la base et le sommet de laquelle on peut inscrire un triangle équilatéral. *Ogive à lancette*, en lancette. Ogive à pointe aiguë. Ogive surélevée, surhaussée. Ogive lancéolée* (cit.), fréquente dans l'art arabe, mauresque. *Ogive surbaissée. Ogive obtuse ou mousse.* — *Galerie* (cit. 12) *à ogives* (→ Engager, cit. 51). *Portail creusé en ogive* (→ Façade, cit. 3). — *Salle qui s'effile en ogive* (→ Côte, cit. 6). *Fenêtre en ogive* (→ Murer, cit. 1).

B. Artill. (Par anal. de forme). Partie supérieure des projectiles oblongs (dits aussi *cylindro-ogivaux*) tels que balles, obus... *Ogive d'un obus,* partie la fusée*. — Spécialt. *Ogive atomique ou nucléaire :* ogive à charge nucléaire d'engins ou projectiles de l'artillerie atomique. *Ogive d'une fusée intercontinentale, interplanétaire. Récupérer l'ogive d'un missile.* ⇒ **Tête.**

★ **II.** Adj. (Vieilli). *Arcs ogives* (→ Arc-doubleau, cit.).
REM. On emploie aussi au masculin l'adjectif *ogif. Arc ogif.*

3　(...) entre la tour carrée et le grand pignon percé d'une porte ogive.
　　　　HUGO, l'Homme qui rit, I, II, VI.

DÉR. (Du sens 1) Ogival, ogivette.
COMP. Ogivo-cylindrique.

OGIVETTE [ɔʒivɛt] n. f. — 1845 ; de *ogive.*

◆ Archit. Petite ogive.

OGIVO-CYLINDRIQUE [ɔʒivosilɛ̃dʀik] adj. — 1874 ; de *ogivo-,* d'après *ogive,* et *cylindrique.*

◆ Techn. Dont la forme rappelle celle d'un cylindre terminé en ogive. *Projectile ogivo-cylindrique d'un canon rayé, d'un obusier...*

OGNETTE [ɔɲɛt] n. f. — 1694, *hongnette* ; ital. *ugnetto* « onglet ».

◆ Techn. Ciseau de marbrier ou de sculpteur à tranchant très étroit.
REM. On trouve parfois *hougnette.*

OGNON [ɔɲɔ̃] n. m. ⇒ **Oignon.**

OGRE, OGRESSE [ɔgʀ, ɔgʀɛs] n. — 1300 ; « féroce », v. 1175 ; fém. en 1697 ; *ogrine,* XVIIe ; altér. probable de *orc,* du lat. *Orcus,* nom d'une divinité infernale.

◆ **1.** Personnage des contes de fées, géant à l'aspect effrayant, se nourrissant de chair humaine (→ Fisc, cit. 2, par métaphore).

1　L'Ogre avait sept filles, qui n'étaient encore que des enfants. Ces petites Ogresses avaient toutes le teint fort beau, parce qu'elles mangeaient de la chair fraîche, comme leur père (...) Elles n'étaient pas encore fort méchantes ; mais elles promettaient beaucoup, car elles mordaient déjà les petits enfants pour en sucer le sang. Ch. PERRAULT, le Petit Poucet.

Loc. fam. *Manger, dévorer comme un ogre. Vorace comme un ogre. Appétit d'ogre. Repas à étouffer un ogre* (→ Estomac, cit. 5).

2 Elle se jeta dessus avec un appétit d'ogresse (...)
FLAUBERT, l'Éducation sentimentale, III, IV.

3 Tous deux mangèrent comme des ogres, avec un appétit de vingt ans, en camarades qui ne se gênaient pas. ZOLA, Nana, VI.

Par ext. Très gros mangeur.

♦ **2.** Fig., vieilli. Personne méchante, sans pitié. ⇒ **Cannibale.** *Chez Molière, un père c'est un ogre, un geôlier* (cit. 5, Gautier). — Allus. hist. *L'ogre de Corse :* surnom donné par les royalistes à Napoléon Ier (dont les guerres «dévoraient» la jeunesse française).

4 Sans les romans qu'elle (*la Thénardier*) avait lus, et qui, par moments, faisaient bizarrement reparaître la mijaurée sous l'ogresse, jamais l'idée ne fût venue à personne de dire d'elle : c'est une femme. HUGO, les Misérables, II, III, II.

OH [o] interj. — 1659 ; anciennt *ho* ; lat. *oh.*

♦ **1.** Interjection marquant la surprise ou l'admiration. *Oh! c'est donc vous! Oh! est-ce possible? Oh! merveilleux pouvoir* (→ Magique, cit. 1). *Oh! c'était un malin* (cit. 13). — *Oh! que tes cieux sont grands!* (→ Atome, cit. 11).

1 Oh! oh! je n'y prenais pas garde (...) MOLIÈRE, les Précieuses ridicules, 9.

♦ **2.** Interjection renforçant l'expression d'un sentiment quelconque. *Oh! quelle chance! — Oh! que je suis ravi! — Oh! il est cassé! Oh! vous, fichez-moi la paix! Oh! va te faire foutre!* (cit. 7). — *Oh! si j'étais puissant, comme je viendrais en aide aux malheureux!* (cit. 19). — (Renforçant une prière ou une adjuration). *Oh! par pitié! — Oh! parle, parle!*

2 Oh! n'insultez jamais une femme qui tombe!
HUGO, les Chants du crépuscule, XIV.

3 Oh! ne me laissez pas, emportez-moi à l'ambulance (...) ZOLA, la Débâcle, II, II.

♦ **3.** Exclamation servant à interpeller ou à attirer l'attention. *Oh! gare à vous! — Oh! hisse*.* — (Mar.). *Oh! du canot.* ⇒ **Ho, holà, ohé.**

4 «Qu'est-ce donc qui dérive là?» s'écria-t-il. Pencroff interrompit son travail, et il aperçut un objet mobile qui apparaissait confusément dans l'ombre.
«Un canot!» dit-il.
Tous s'approchèrent et virent, à leur extrême surprise, une embarcation qui suivait le fil de l'eau.
«Oh! du canot!» cria le marin par un reste d'habitude professionnelle, et sans penser que mieux peut-être eût valu garder le silence.
J. VERNE, l'Île mystérieuse, t. I, p. 367.

♦ **4.** N. m. Le mot *oh* — *Pousser des oh! et des ah!* [deoedea]. *Il poussa un oh! d'indignation.*

5 Lorsque Passepartout apprit ce que coûterait cette dernière traversée, il poussa un de ces «Oh!» prolongés, qui parcourent tous les intervalles de la gamme chromatique descendante! J. VERNE, le Tour du monde en 80 jours, p. 294.

HOM. Au, eau, haut, ho, o.

OHÉ [oe] interj. — 1834 ; *oé,* 1215 ; lat. *ohe.*

♦ Interjection servant à appeler. *Ohé! là-bas! — Ohé! vous autres, venez ici. Ohé les gars! —* Mar. *Ohé! du bateau, du canot. —* Milit. *Ohé! qui va là?*

Dame Lucine, ohé! Ne froncez les sourcils
À Cyl par qui seront serpents de fer occis!
Germain NOUVEAU, le Calepin du mendiant, *in* Œ., p. 694.

N. m. (1874). Le mot *ohé. Pousser des ohé* [deoe] *puissants.*

OHM [om] n. m. — 1867, *Rev. des cours sc.,* t. IV, p. 671 ; du nom du physicien allemand *Ohm,* 1787-1854.

♦ Électr. Unité de résistance électrique, correspondant à la résistance existant entre deux points d'un conducteur lorsqu'une différence de potentiel constante de 1 volt, appliquée entre ces deux points, crée dans ce conducteur un courant dont l'intensité est égale à 1 ampère. *Ohm international,* qui correspondait à la résistance offerte à un courant par une colonne de mercure d'une longueur de 106, 300 cm et d'une masse de 14,4521 g. *Ohm absolu :* unité utilisée de nos jours, légèrement inférieure à la précédente. *L'ohm vaut un million de microhms, et un millionième de mégohm* (Symb. Ω).

COMP. et DÉR. Mégohm, microhm. — Ohmique, ohmmètre.
HOM. Heaume, home.

OHMIQUE [omik] adj. — 1903, *Rev. gén. des sc.,* n° 4, p. 167 ; de *ohm.*

♦ Électr. Qui a rapport à l'ohm, à la loi d'Ohm. *Résistance, conductivité ohmique. Chute ohmique de potentiel.*

OHMMÈTRE [ommɛtʀ] n. m. — 1883 ; de *ohm,* et -*mètre.*

♦ Électr. Instrument servant à mesurer la résistance électrique.

-OÏDE, -OÏDAL Suffixe du grec *-eidês,* qui servait à former des adjectifs composés, avec le sens de «semblable à» (de *eidos* «forme») et qui, en français, entre dans la composition de mots savants (noms et adjectifs dérivés en -*oïdal*) tels que : *adénoïde, albuminoïde, alcaloïde, algébroïde, allantoïde, amygdaloïde, androïde, anéroïde, anthérozoïde, anthropoïde, arachnoïde, aryténoïde, astéroïde, cancroïde, caroténoïde, celluloïd(e), choroïde, colloïde, conchoïde, conoïde, coronoïde, crinoïde(s), cristalloïde, cycloïde, cycnoïde, cylindroïde, deltoïde, discoïde, ellipsoïde (ellipsoïdal), épicycloïde (épicycloïdal), ethmoïde (ethmoïdal), fécaloïde, féculoïde, ficoïde, fongoïde, ganoïde(s), glénoïde, granitoïde, haloïde, haploïde, hélicoïde (hélicoïdal), hémisphéroïde, hémorroïde(s) [hémorroïdaire, hémorroïdal], hyaloïde, hydroïde(s), hyoïde (hyoïdien), hyperboloïde, ichtyoïde, lipoïde, lithoïde, lombricoïde, mastoïde, métalloïde, négroïde, nématoïde, ovoïde (ovoïdal), paraboloïde (paraboloïdal), phalloïde, phycoïde (phycoïdées), physoïde, planétoïde, platinoïde, rhomboïde (rhomboïdal), saccharoïde, scaphoïde, schistoïde, scombéroïde(s), scorpioïde, sépaloïde, sésamoïde, sigmoïde, sinusoïde (sinusoïdal), siphoïde, solénoïde, spatangoïde(s), spermatozoïde, sphénoïde (sphénoïdal), sphéroïde (sphéroïdal), spiroïdal, styloïde, thyroïde, trapézoïdal, trochoïde, typhoïde, ulcéroïde, vaccinoïde, varioloïde, xiphoïde, zooïde.*

OÏDIUM [ɔidjɔm] n. m. — 1825 ; lat. sc., du grec *ôoeidês* «ovoïde».

♦ **1.** Bot. Champignon microscopique parasite (*Erysiphales*) dont une variété s'attaque à la vigne, qu'il couvre d'une matière grisâtre (⇒ **Mycélium**). *Oïdium de la vigne, du rosier.* — Par ext. Maladie que ce champignon produit. *On lutte contre l'oïdium par le soufrage.*

♦ **2.** Méd. Levure pathogène (*Candida*) responsable d'infections de la peau et des muqueuses. ⇒ **Muguet ; candidose.**

OIE [wa] n. f. — XIIIe ; *oe, oue,* XIIe ; du bas lat. *auca,* de **avica,* du lat. class. *avis* «oiseau».

A. ♦ **1.** Oiseau ansériforme lamellirostre (*Anatidés ; Palmipèdes*) scientifiquement appelé *anser,* dont certaines espèces ont été domestiquées ; spécialt, la femelle de cette espèce. *L'oie, de taille intermédiaire entre celle du canard et celle du cygne, a le plumage blanc ou gris ; elle se nourrit de végétaux, de mollusques. Mâle de l'oie.* ⇒ **Jars.** *Petit de l'oie.* ⇒ **Oison.** *Cri de l'oie.* ⇒ **Cacarder** (cit. 1 et 2), **criailler, trompeter.** *Troupeau d'oies. Oie bridée. Gardeuse d'oies.* — *Oie de Noël,* que l'on engraisse pour la manger aux fêtes de Noël. *Oie aux marrons. Confit* d'oie. Rillons d'oie.* — *Graisse d'oie.* Loc. fam. *Compliments, boniments... à la graisse* d'oie* (→ À la noix* de coco). — *Gavage* de l'oie. Pâté de foie gras, de foie* d'oie.* — *Plume d'oie,* autrefois utilisée pour écrire (→ Éloge, cit. 4). *Vol d'oies sauvages. Oie de Sibérie.* ⇒ **Jabotière.** *Oie bernache*. Oie à duvet* ⇒ **eider.** *Oie-pie.*

1 Au bord du chemin herbu, la Trouille, sans hâte, promenait ses oies, sous le roulement de l'averse. En tête du troupeau trempé et ravi, le jars marchait ; et, lorsqu'il tournait à droite son grand bec jaune, tous les grands becs jaunes allaient à droite. Mais la gamine s'effraya, monta en galopant pour la soupe, suivie par la bande des longs cous, qui se tendaient derrière le cou tendu du jars.
ZOLA, la Terre, I, III.

2 Une oie dorée tourne mollement à la broche. Une délicieuse odeur de graisse et de chair croustillante embaume la chambre.
R. ROLLAND, Jean-Christophe, L'aube, I, p. 25.

3 Le grincement de ma plume d'oie sur le papier : un délice.
Paul LÉAUTAUD, Propos d'un jour, Notes retrouvées, p. 75.

♦ **2.** JEU DE L'OIE : jeu qui consiste en un tableau formé de cases numérotées où des oies sont figurées toutes les neuf cases et sur lequel chaque joueur avance son pion d'après le nombre obtenu en lançant deux dés. *Déjà connu des Grecs, le jeu de l'oie, en faveur au XVIIIe siècle, est maintenant un jeu d'enfants.*

♦ **3.** Par anal. ou métaphore. *Patte d'oie.* ⇒ **Patte-d'oie.** *Pas* de l'oie.* — Vx. *Couleur merde d'oie,* ou (mod.), *caca* d'oie,* jaune verdâtre. ⇒ **Merdoie.** — Loc. *Bête comme une oie :* très bête (→ ci-dessous, 5.).

4 (...) un gros garçon d'une douzaine d'années, fort comme un bœuf, dévoué comme un chien, bête comme une oie (...) Alphonse DAUDET, le Petit Chose, I, I.

♦ **4.** Allus. littér. *Contes de ma mère l'Oie* (ou *l'Oye*) : contes de fées pour enfants ; titre d'un recueil de contes de Ch. Perrault (par allusion soit à un fabliau où une mère oie instruit ses petits oisons, soit à la légende de la reine Berthe aux pieds d'oie, surnommée pour cette raison *reine Pédauque*).

♦ **5.** Fig. Personne très sotte. ⇒ **Niais.** *Une grande oie infatuée d'elle-même* (→ Marcher, cit. 13). Loc. (Vx). *Oie bridée*.*

5 Il n'y a pas à se gêner avec le public. Il est bête comme pas un (...) Pourvu que vous donniez à ces oies leur pâtée peu importe laquelle! Elles avaleront tout.
R. ROLLAND, Jean-Christophe, La révolte, I, p. 415.

Oie blanche : jeune fille très innocente, niaise. ⇒ **Oiselle.**

6 (...) me voilà ému parce que j'ai garé de ce sale Lestrange une petite fille niaise et innocente (...) Car, pour blanche, cette petite oie est blanche.
Marcel PRÉVOST, les Demi-vierges, p. 174.

7 Il y avait un point sur lequel mon éducation m'avait profondément marquée : en dépit de mes lectures, je restais une oie blanche.
S. DE BEAUVOIR, Mémoires d'une jeune fille rangée, p. 161.

B. Loc. (vieilli). OIE DE MER : cachalot (→ Dauphin, cit. 2).

C. (Vx). *Petite-oie :* abattis de l'oie. — Fig. Accessoires d'une chose, d'un costume (chapeau, bas, gants...).

8 Ne vous vendrai-je rien, Monsieur ? des bas de soie,
Des gants en broderie, ou quelque petite oie ?
CORNEILLE, la Galerie du palais, IV, 13.

(1665). Fig. et fam. (Vx). Menues faveurs qu'une femme accorde à celui qui l'aime.

9 La petite-oie ; enfin ce qu'on appelle
En bon français les préludes d'amour (...)
LA FONTAINE, Contes, « L'oraison Saint Julien ».

10 Suivant la jurisprudence amoureuse de cette époque, Marie de Saint-Vallier octroyait à son amant les droits superficiels de *la petite oie.*
BALZAC, Maître Cornélius, Pl., t. IX, p. 929.

DÉR. (Du même rad.) V. **Oison.**

OIGNON [ɔɲɔ̃] n. m. — 1332 ; *ognon,* 1275 ; *hunion,* v. 1200 ; du lat. dial. *unio, onis.*

★ **I.** ♦ **1.** 🅰 Plante potagère monocotylédone *(Liliacées)* voisine de l'ail, vivace, à bulbe* plus ou moins aplati recouvert d'une tunique (ou robe) blanche, jaune ou rouge. *Oignon blanc, jaune, rouge. Tête d'oignon. Botte, chapelet d'oignons.*

🅱 Bulbe de cette plante, utilisé en cuisine. *Pleurer en épluchant des oignons,* par suite de la projection de gouttelettes d'une essence sulfurée âcre qui donne à l'oignon son odeur caractéristique et qui a la propriété d'irriter la conjonctive. ⇒ **Chipolata** (ancienn), **oignonade.** *Hacher* (cit. 3), *émincer de l'oignon* (→ Fricot, cit. 2). *Faire revenir des oignons dans le beurre. Veau aux oignons* (→ 2. Haricot, cit. 3). *Soupe à l'oignon :* soupe gratinée aux oignons. ⇒ **Gratinée** (→ Caramélé, cit.; crotte, cit. 1).

1 Ensuite, c'est la soupe à l'oignon, qui s'exécute admirablement à la Halle, et dans laquelle les raffinés sèment du parmesan râpé. NERVAL, Nuits d'octobre, XIV.

Petits oignons : oignons plantés serrés pour les empêcher de se développer, et consommés petits. *Petits oignons confits, en saumure,* servant de condiments. — Loc. fig. → ci-dessous, 2.

(1675). *Oignon d'Ascalon :* ciboule, échalote.

Pelure d'oignon : pellicule interposée entre les diverses couches du bulbe de l'oignon. — Fig. Étoffe légère, très mince. — *Couleur pelure d'oignon. Vin pelure d'oignon,* ou, ellipt., *Pelure d'oignon :* vin d'une couleur rose violacé.

Loc. *Flûte à l'oignon :* mirliton (dont la membrane vibrante était faite d'une peau d'oignon).

♦ **2.** Loc. métaphorique et fig. *Pleurer sans oignons,* facilement. *Être couvert comme un oignon :* être couvert de vêtements superposés, être très couvert. — *Se nourrir d'un oignon :* vivre chichement. *C'est aux petits oignons* (→ Aux pommes*). *Soigner qqn aux petits oignons,* très bien ; par antiphr., le maltraiter.
En rang d'oignons : se dit de personnes ou de choses rangées sur une seule ligne, en file.

2 Monsieur de Saint-Brieux, dans son diocèse, est transporté à Poitiers, qu'il souhaitait ; d'autres, en rang d'oignon tous les jours à la messe du Roi, n'ont rien.
Mme DE SÉVIGNÉ, 774, 24 janv. 1680.

C'est tes oignons : cela te regarde. *Occupe-toi de tes oignons,* de tes affaires (→ Mêle*-toi de ce qui te regarde).

3 Il serait bien avancé, quand il aurait attrapé un mauvais coup. Oh, puis, après tout, c'étaient ses oignons ! ARAGON, les Beaux Quartiers, II, XV.

★ **II.** Par anal. ♦ **1.** (1538). Partie renflée de la racine (de certaines plantes) ; cette racine. *Oignon de tulipe* (→ Livrer, cit. 14), *de jacinthe, de lis.* ⇒ **Rhizome.**

♦ **2.** (1834). Montre (2. Montre, cit. 2) ancienne très bombée.

4 Il regarda l'heure à un oignon attaché à un ruban noir (...) GIDE, Isabelle, II.

4.1 Quand il eut fini, il regarda l'heure à son énorme oignon et il dit :
« Vous voyez, mesdames et messieurs, que la couche de peinture qui recouvre mon cercle, n'est ni plus ni moins épaisse que celle qui colore le cercle de M. Darzac. C'est à peu de chose près, la même teinte. »
G. LEROUX, le Parfum de la dame en noir, p. 393.

♦ **3.** (1701). Inflammation de la bourse séreuse d'une articulation des orteils, en particulier de la bourse articulaire entre la première phalange du gros orteil et le métatarsien. ⇒ **Cor, durillon.**

5 Et les pieds ! rouges, maigres, avec des oignons, des durillons (...)
FLAUBERT, Correspondance, 413, 14 août 1853.

♦ **4.** Argot. Anus. ⇒ **Cul.**

6 D'un coup le colonel s'interrompt... Il reste en suspens le doigt en l'air...
— Piss ! Piss ! qu'il crie... ma prostate !...
Les yeux tout fixes comme s'il entendait des voix... Puis il s'empoigne le cul d'un coup, il se fourrage l'oignon... il se sauve !... Il fonce pisser tout en bas... Il débouline les étages... CÉLINE, le Pont de Londres, p. 27-28.

DÉR. **Oignonade, oignonet, oignonière.**

OIGNONADE [ɔɲɔnad] n. f. — 1552, *ognonnade,* Rabelais ; de *oignon.*

♦ Régional. Mets accommodé avec une grande quantité d'oignons.

OIGNONET [ɔɲɔnɛ] n. m. — XIIIe ; de *oignon.*

♦ Rare. Petit oignon.

OIGNONIÈRE [ɔɲɔnjɛʀ] n. f. — 1546, *oignonnière ;* de *oignon.*

♦ Agric. Lieu, champ semé d'oignons.

OÏL [ɔjl] particule affirmative. — 1080, *Chanson de Roland ;* anc. franç. *o* « cela », du lat. *hoc,* et *il.*

♦ Au moyen âge, mot signifiant « oui » dans les régions de France situées approximativement au nord de la Loire. — *Langue d'oïl :* langue des régions de France où *oui* se disait *oïl,* qui comportait plusieurs dialectes (picard, bourguignon, anglo-normand, normand, francien, etc.). *Les dialectes d'oïl, les dialectes franco-provençaux et les dialectes d'oc.*

OILLE [ɔj] n. f. — 1673 ; de l'esp. *olla.* → Olla-podrida.

♦ Vx. Ragoût ou potage fait de divers légumes et viandes très assaisonnés. — *Pot à oille :* soupière dans laquelle on servait l'oille.

J'avais le pot-au-feu, c'était une oille et un consommé, qui cuisaient séparément.
Mme DE SÉVIGNÉ, 342, 2 nov. 1673.

OINDRE [wɛ̃dʀ] v. tr. — Conjug. *joindre.* — 1120 ; du lat. *ungere.*

♦ **1.** Vx ou littér. Enduire, frotter d'huile ou d'une matière grasse (la peau, le corps, une partie du corps). *On oignait les athlètes grecs avant les jeux de la palestre* (→ Anciennement, cit. 1). *Oindre la peau, qqn... de cérat* (→ Fard, cit. 2), *avec une embrocation, un liniment.* ⇒ **Frictionner.** *S'oindre le corps.*

1 Elle *(Judith)* se lava le corps, se l'oignit d'un parfum précieux (...)
BIBLE (SACY), Judith, X, 3.

Pron. (réfl.). *Les athlètes lacédémoniens s'oignaient d'huiles parfumées.* ⇒ **Badigeonner** (se).

Fig. Imprégner, mêler de... (→ Miel, cit. 9).

2 Mais déjà la musique m'occupait à l'excès ; j'en oignais mon style (...)
GIDE, Si le grain ne meurt, I, X, p. 259.

Loc. fig. et prov. « *Oignez vilain, il vous poindra ; poignez vilain, il vous oindra* » (Rabelais, *Gargantua,* I, XXXII) : il faut traiter rudement les gens grossiers si on veut en être respecté.

3 (...) la maladie se sent, la santé peu ou point ; ni les choses qui nous oignent, au prix de celles qui nous poignent. MONTAIGNE, Essais, III, X.

4 Comme Leconte a eu raison de montrer les dents à Planche ! Ces canailles-là c'est toujours la même chose,
Oignez vilain, il vous poindra :
Poignez vilain, il vous oindra. FLAUBERT, Correspondance, 431, 7 oct. 1853.

REM. *Oindre* ne s'emploie guère avec un compl. n. de chose. → Graisser, huiler, lubrifier ; oing.

♦ **2.** Relig. Attoucher (une partie du corps : front, mains...) avec les saintes huiles pour bénir ou sacrer. *On oignait les rois de France à leur sacre de l'huile* (cit. 21) *de la sainte ampoule. Oindre un fidèle pour lui conférer le sacrement du baptême, de la confirmation, de l'extrême-onction* (cit. 2 ; ⇒ **Chrême, extrême-onction**).

▶ **OINT, OINTE** p. p. adj. et n. m.

♦ **1.** Adj. Frotté d'huile ou d'une substance grasse.

♦ **2.** N. m. (Relig.). Consacré par une huile sainte. *Les oints du Seigneur :* les rois, les prêtres (dans le judaïsme, le christianisme). → Christ, cit. 1.

5 (...) le 2 décembre, à Notre-Dame, on eut le spectacle extraordinaire du sacre, le soldat de la Révolution devenu l'oint du Seigneur.
J. BAINVILLE, Hist. de France, XVII, p. 407.

L'oint du Seigneur : Jésus-Christ.

DÉR. (Du même rad.) **Oing.**
HOM. (Du p. p.) **Oing.**

OING ou OINT [wɛ̃] n. m. — 1260 ; du lat. *unguen.*
Vieux.

♦ **1.** Graisse des animaux.

♦ **2.** Techn. (Vx). *Oint* ou *vieux oint :* vieille graisse de porc fondue servant à graisser un mécanisme (→ Axonge).

(...) une huile minérale qui brûle dans les lampes, rend imperméables les cuirs qui en ont été frottés, et remplace le vieux oint dans les machines à grand frotte-ment (...) Th. GAUTIER, Souvenirs de théâtre, p. 15.

HOM. Oint (p. p. de *oindre*).

---

1. -OIR, -OIRE Suffixe de noms masculins et féminins, du lat. *-orius*, et servant à former des noms d'instruments.

REM. Ces suffixes, du fait de l'évolution des techniques, ont une productivité limitée (par rapport à *-eur, -euse* servant à former des noms de machines → Plantoir; planteuse). Ils servent encore à former des noms d'outils artisanaux, de dispositifs (→ cit. 1, Goncourt) ou même des substantifs abstraits (→ cit. 2, A. Césaire, avec une intention stylistique ironique).

1 (...) des tapisseries représentant des saintes brodées à l'aiguille, des crucifix, des portoirs de faïence (...) Ed. et J. DE GONCOURT, Journal, t. III, p. 130.

2 Les Vietnamiens, avant l'arrivée des Français dans leur pays, étaient gens de culture vieille, exquise et raffinée. Ce rappel indispose la Banque d'Indochine. Faites fonctionner l'oublioir! Aimé CÉSAIRE, Discours sur le colonialisme, p. 35.

3 Une conséquence de ce phénomène *(la mécanisation)* a été d'imposer *-eur, -euse* à la place des anciens suffixes de noms d'instruments. Ainsi les mots en *-oir* qui désignent des instruments aratoires ou ménagers sont relégués au rang d'instruments de jardinage pour les premiers et de reliques ou d'objets artistiques pour les seconds : *binoir* (...) *affenoir, lustroir* (...) *ratissoire, bassinoire,* etc. Dans d'autres, la motivation suffixale n'est plus sentie : *baignoire.* J. DUBOIS, la Dérivation suffixale, p. 44.

---

2. -OIRE Suffixe servant à former des adjectifs, d'après les adjectifs latins en *-orius,* sur la base d'un substantif en *-tion (ostentatoire, diffamatoire).* — REM. Le plus souvent, il s'agit de formes en *-ation, -atoire**. Exemple :

La grenade, le ventre, les seins, sont comme des preuves attestatoires de la réalité. A. ARTAUD, l'Ombilic des limbes, Œ. compl., t. I, p. 63.

-OIS, -OISE Suffixe d'adjectif ajouté au radical d'un nom de ville, de pays, pour former l'adjectif correspondant. — Ex. : *dunkerquois* (Dunkerque), *luxembourgeoise* (Luxembourg).

OISEAU [wazo] n. m. — 1360; *oisel,* 1080; *oisiau,* v. 1265; du lat. pop. *aucellus,* contraction d'*avicellus,* dimin. de *avis* « oiseau ».

★ **I.** **a** Animal (vertébrés tétrapodes) à sang chaud, au corps recouvert de plumes, dont les membres antérieurs sont des ailes, les membres postérieurs des pattes, dont la tête est munie d'un bec corné dépourvu de dents, et qui sont dans leur généralité adaptés au vol. *Les oiseaux,* cette classe de vertébrés. ⇒ **Avi-, ornitho-**. *Étude scientifique des oiseaux* ⇒ **Ornithologie**. *Relation génétique entre les reptiles et les oiseaux. L'archéoptéryx, premier des oiseaux connus, fossile de l'ère tertiaire. Ailes, bec d'oiseau. Le squelette des oiseaux est très léger (os creux), et présente des os particuliers* (⇒ **Bréchet, fourchette, lunette**). *Partie de l'oiseau correspondant aux dernières vertèbres.* ⇒ **Croupion, queue**. *Tête de l'oiseau.* ⇒ **Casque, cire, crête, narine, opercule**. *Appareil digestif de l'oiseau.* ⇒ **Gésier, jabot, ventricule** (succenturié); **cloaque**. *Plumes de l'oiseau.* ⇒ **Plume** (rémige, rectrice...); **duvet** (cit. 1); **aigrette, huppe**. *Aires d'insertion des plumes d'oiseau.* ⇒ **Ptéryle**. *Glande uropygienne** *des oiseaux. Le plumage** *de l'oiseau présente des colorations variées, parfois à contour précis.* ⇒ **Manteau** (et **mantelé**), **miroir, ocelle, panachure**. *Les oiseaux muent* (cit. 4). ⇒ **Mue** (→ Faucon, cit. 1; livrée, cit. 11). *Oiseau qui se remplume. Les oiseaux sont ovipares.* ⇒ **Œuf**. *Oiseaux qui s'appareillent, s'apparient* (⇒ **Pariade**), *bâtissent leur nid**. ⇒ **Nidification, nidifier** (→ Fracasser, cit. 1; instinct, cit. 16). *Oiseau qui pond* (⇒ **Pondaison, ponte**), *couve** *ses œufs.* ⇒ **Couvaison, incubation** (cit. 2). *Oiseau qui sort de l'œuf* (→ Éclore, cit. 1). *Les petits des oiseaux.* ⇒ **Couvée, nichée**; **oiselet, oisillon** (→ Nature, cit. 46). *Couvée* (cit. 3) *d'oiseaux dans des nids, dans les champs. Donner la becquée** *à un oiseau.* ⇒ **Abecquer, embecquer**. *Oiseaux qui attrapent leur nourriture avec leur bec.* ⇒ **Becqueter, picorer, picoter**. *La pépie**, *maladie des oiseaux.* — *Étude des oiseaux.* ⇒ **Ornithologie, ornithologiste.** — *Le retour des oiseaux, annonce* (cit. 6) *du printemps. Les oiseaux, hôtes* (cit. 15) *du printemps.* — *Allus. littér.* « *Je suis oiseau, voyez mes ailes* » (cit. 1, La Fontaine).

1 Autant qu'on voit d'oiseaux de tous plumages,
Au mois d'avril, hôtes des marécages,
S'amonceler pour pondre et pour couver
L'un à fleur d'eau ses plumes vient laver,
L'autre sous l'eau tient ses ailes plongées,
Et l'autre pêche à friandes gorgées
Et l'autre tourne à l'entour de son nid (...) RONSARD, la Franciade, I.

2 L'oiseau a d'abord les muscles pectoraux beaucoup plus charnus et plus forts que l'homme ou que tout autre animal, et c'est par cette raison qu'il fait agir ses ailes avec beaucoup plus de vitesse et de force que l'homme ne peut remuer ses bras; et en même temps que les puissances qui font mouvoir les ailes sont plus grandes, le volume des ailes est aussi plus étendu, et la masse plus légère, relativement à la grandeur et au poids du corps de l'oiseau; de petits os vides et minces, pleins de chair, des tendons fermes et des plumes (...) forment l'aile de l'oiseau, qui n'a besoin que de la réaction de l'air pour soulever le corps, et de légers mouvements pour le soutenir élevé. BUFFON, Hist. nat. des oiseaux, Disc. sur nature des oiseaux.

Oiseau désigné par la forme de ses ailes* (⇒ suff. **-penne**); *la forme*

---

de son bec (⇒ **-rostre**). *Oiseaux à longues pattes* (⇒ **Échassier**), *à pattes palmées* (⇒ **Palmipèdes**). *Oiseaux terrestres* (→ Gallinacé, cit. 2), *marins* (→ Albatros, cit. 1; manchot, cit. 5). *Déjections d'oiseaux marins.* ⇒ **Guano**. *Oiseaux des marais, des eaux stagnantes* (→ Eau, cit. 7.1). *Oiseaux aquatiques qui se retirent en hiver dans un remeil**. *Oiseaux de rivage* (→ Jabiru, cit. 1). *Oiseaux migrateurs**, *oiseaux vagabonds, de passage. Oiseaux percheurs, plongeurs, sauteurs, coureurs... Oiseau sauvage* (→ Lotus, cit. 4). *Oiseaux domestiques* (⇒ **Volatile**), *de basse-cour* (⇒ **Volaille**). *Oiseau diurne, nocturne* (→ Bête, cit. 16). *Oiseau de nuit* (→ Entrevoir, cit. 4; faire, cit. 239; loger, cit. 11). *Paupières nictitantes** *des oiseaux de nuit. Les oiseaux sont granivores, frugivores, insectivores* (cit.; → Engoulevent, cit.), *piscivores, carnassiers. Oiseaux de proie* (→ ci-dessous, cit. 4, Buffon; émerillon, cit.; envergure, cit. 1; féroce, cit. 1; foie, cit. 3). *Les oiseaux de proie ont les griffes puissantes.* ⇒ **Serre**. *Plumes de l'aile des oiseaux de proie.* ⇒ **Cerceau**. *Nid d'oiseau de proie.* ⇒ **Aire**.

3 (...) dans les oiseaux, on trouve l'autruche, le casoar, le dronte, le thouyou, etc., qui ne peuvent voler et sont réduits à marcher; d'autres, comme les pingouins, les perroquets de mer, etc., qui volent et nagent, mais ne peuvent marcher; d'autres qui, comme les oiseaux de paradis, ne marchent ni ne nagent, et ne peuvent prendre de mouvement qu'en volant. BUFFON, Hist. nat. des oiseaux, Disc. sur nature des oiseaux.

4 On pourrait dire, absolument parlant, que presque tous les oiseaux vivent de proie, puisque presque tous recherchent et prennent les insectes, les vers et les autres petits animaux vivants; mais je n'entends ici par oiseaux de proie que ceux qui se nourrissent de chair et font la guerre aux autres oiseaux; et en les comparant aux quadrupèdes carnassiers, je trouve qu'il y en a proportionnellement beaucoup moins. BUFFON, Hist. nat. des oiseaux, Oiseaux de proie.

5 (...) souvent, j'ai suivi des yeux les oiseaux de passage qui volaient au-dessus de ma tête. Je me figurais les bords ignorés, les climats lointains où ils se rendent; j'aurais voulu être sur leurs ailes. CHATEAUBRIAND, René.

6 Des grives qui venaient de m'est amenait, des oiseaux de passage qui émigraient du nord au sud, traversaient l'air au-dessus du village et s'appelaient constamment, comme des voyageurs de nuit. E. FROMENTIN, Dominique, I.

7 Déjà les émanations des cadavres viennent jusqu'à moi. Ne les sens-tu pas? Regarde ces oiseaux de proie qui attendent que nous nous éloignions, pour commencer ce repas géant; il en vient un nuage perpétuel des quatre coins de l'horizon. LAUTRÉAMONT, les Chants de Maldoror, IV.

7.1 Mais les provisions ne manquaient pas, et ce fut heureux, car le gibier de poil ne se montrait plus sur cette lisière, qui n'était qu'un littoral, après tout. Au contraire, les oiseaux y fourmillaient, jacamars, couroucous, tragopans, tétras, loris, perroquets, kakatoès, faisans, pigeons et cent autres. Pas un arbre qui n'eût un nid, pas un nid qui ne fût rempli de battements d'ailes! J. VERNE, l'Île mystérieuse, t. I, p. 348.

Classification des oiseaux (ordres et familles) : ALCIFORMES (Alcidés ou Alques). — ANSÉRIFORMES ou LAMELLIROSTRES (Anatidés). — CHARADRIIFORMES (Burhinidés ou Œdicnémidés, Charadriidés, Glaréolidés ou Cursoriidés). — CICONIIFORMES ou ÉCHASSIERS (Ardéidés, Ciconiidés, Plataléidés ou Ibididés, Scopidés). — COLUMBIFORMES ou COLOMBINS (Colombidés, Gouridés). — COLYMBIFORMES (Colymbidés, Podicipédidés). — CORACIIFORMES (Alcédinidés, Caprimulgidés, Coraciidés, Macroptérygidés ou Apodidés ou Cypsellidés, Méropidés, Upupidés). — GALLIFORMES ou GALLINACÉS (Pénélopidés, Phasianidés, Ptéroclidés, Tétraonidés, Tinamidés, Turnicidés). — GRIMPEURS ou SCANSORES (Cacatuidés, Cuculidés, Picidés, Platycercidés, Psittacidés, Rhamphastidés). — GRUIFORMES (Mégalornithidés ou Gruidés, Otididés, Rallidés). — LARIFORMES (Chionididés, Laridés, Stercorariidés). — COUREURS ou RATITES (Aptérygidés, Casuaridés, Rhéidés, Struthionidés). — PASSERIFORMES ou PASSEREAUX (Alaudidés, Bombycillidés ou Ampélidés, Certhiidés, Corvidés, Cotingidés, Fringillidés, Hirundinidés, Ictéridés, Laniidés, Motacillidés, Muscicapidés, Oriolidés, Paradiséidés, Paridés, Plocéidés, Prunellidés, Régulidés, Sittidés, Sturnidés, Trochilidés, Troglodytidés, Turdidés). — PÉLÉCANIFORMES ou STÉNAGOPODES ou PALMIPÈDES (Frégatidés, Palamédéidés, Pélécanidés, Phaétonidés, Phalacrocoracidés, Sulidés). — PHŒNICOPTÉRIFORMES (Phœnicoptéridés). — PROCELLARIIFORMES (Procellariidés). — RAPACES diurnes ou ACCIPITRIFORMES (Ægypiidés ou Vulturidés, Aquilidés, Falconidés); nocturnes ou STRIGIFORMES (Strigidés ou Bubonidés).

PRINCIPAUX OISEAUX

Accenteur	Busaigle	Cormoran
Agami	Busard	Corneille
Aigle	Buse	Cotinga
Albatros	Butor	Coucou
Alouette	Cacatoès	Courlis
Aptéryx	Caille	Crécerelle
Ara	Calao	Cygne
Argus	Canard (et Cane)	Dindon (et Dinde)
Autour	Canari	Duc
Autruche	Cardinal	Échasses
Avocette	Casoar	Écoufle
Barge	Chardonneret	Émeu
Bécasse	Chevalier	Émouchet
Bécasseau	(ou Gambette)	Engoulevent
Bécassine	Chevêche	Épeiche
Becfigue	Choucas	Épervier
Becfin	Chouette	Escarboucle
Becquebois	Cigogne	Étourneau
Bengali	Circaète	(ou Sansonnet)
Bergeronnette	Colibri (ou Trochile)	Faisan
Bihoreau	Colombe	Farlouse
Bondrée	Combattant	Faucon
Bouvreuil	Condor	Fauvette
Bruant	Coq (et Poule)	Flamant
Bubo	Corbeau	Fou

Fourmilier	Merle	Rossignol
Francolin	Mésange	Rouge-gorge
Frégate	Meunier	Rouge-queue
Geai	Milan	Rouloul
Gélinotte	Moineau	Rupicole
Gerfaut	Mouette	Sacre
Glaréole	Nandou	Salangane
Gobe-mouche	Œdicnème	Sanderling
Goéland	Oie (et Jars)	Sarcelle
Gorfou	Ombrette	Sarcoramphe
Goura	Orfraie	Scops
Grèbe	Ortolan	Séleucide
Grimpereau	Outarde	Serin
Grive	Pandion	Serpentaire
Gros-bec	Paon	Sifilet
Grue	Paradisier	Sittelle (-èle)
Guêpier	Passerine	Souïmanga
Guillemot	Passerinette	Spatule
Gypaète	Pélican	Spizaète
Harle	Perdrix	Stercoraire
Héron	Perroquet	Tadorne
Hibou	Perruche	Talegalle
Hirondelle	Pétrel	Tangara
Hoazin	Phragmite	Tantale
Hocco	Pic	Tarin
Huppe	Pie	Tétras
Ibis	Pie-grièche	Tinamou
Jabiru	Pigeon	Tisserin
Jacamar	Pingouin	Todier
Kamichi	Pinson	Torcol
Lagopède	Pintade	Toucan
Lanier (et Laneret)	Pipit	Tourne-pierre
Lévirostre	Pique-bœuf	Tourterelle
Linotte	Pivert	Tragopan
Lolophore	Pivoine	Traquet
Lori	Plongeon	Troglodyte
Loriot	Pluvian	Trompette
Macareux	Pluvier	Troupiale
Manchot	Proyer	Turdus
Marabout	Quiscale	Turnix
Martin	Râle	Tyran
Martin-chasseur	Rémiz	Uraète
Martinet	Républicain	Vanneau
Martin-pêcheur	Rhynchée	Vautour
Ménure	Roitelet	Verdier
Mergule	Rollier	Zostérops

(Syntagmes). *Oiseau-mouche*. Oiseau-lyre*. Oiseau moqueur*.* — REM. On trouve de nombreux noms composés au XIXᵉ s., aujourd'hui inusités :

Oiseau-chat (passereau d'Amérique dont le cri ressemble à un miaulement), *oiseau-chameau* (l'autruche), *oiseau-rhinocéros* (le calao), *oiseau-tempête* (le pétrel), *oiseau-trompette* (l'agami).

Oiseau de paradis. ⇒ **Paradisier.** *Oiseau des îles*.* — Vx. *L'oiseau de Jupiter :* l'aigle (→ Enlever, cit. 1) ; *l'oiseau de Junon :* le paon ; *de Vénus :* la colombe (→ Croquant, cit. 2) ; *de Minerve :* le hibou. *L'oiseau des tempêtes :* le goéland, l'aigle. — *Oiseaux fabuleux.* ⇒ **Coquecigrue, phénix, rock.** *Monstre mi-oiseau.* ⇒ **Harpie.** — Littér., mus. *Les Oiseaux,* comédie d'Aristophane. *L'Oiseau,* œuvre de Michelet. *L'Oiseau bleu,* conte de Mᵐᵉ d'Aulnoy. *L'Oiseau de feu,* ballet de Stravinsky. *L'Oiseau prophète,* œuvre pour piano de Schumann.

8 *Oiseau Bleu, couleur du temps,*
Vole à moi promptement.
   Mᵐᵉ D'AULNOY, l'Oiseau bleu.

9 Elle admirait l'oiseau bleu du paradis des jeunes filles, qui chante à distance, et sur lequel la main ne peut jamais se poser, qui se laisse entrevoir, et que le plomb d'aucun fusil n'atteint, dont les couleurs magiques, dont les pierreries scintillent, éblouissent les yeux, et qu'on ne revoit plus dès que la Réalité, cette hideuse Harpie accompagnée de témoins et de monsieur le Maire, apparaît.
   BALZAC, Modeste Mignon, Pl., t. I, p. 398.

10 La sorcière peut bien enchaîner le prince Charmant sans aucun lien visible, et même le changer en Oiseau Bleu ; elle ne peut faire qu'il n'aime pas celle qu'il a choisie ; en Oiseau Bleu encore il vient chanter à la fenêtre de la bien-aimée.
   ALAIN, Propos, 10 sept. 1921, Les contes.

Les oiseaux du ciel (→ Homme, cit. 62, Bible). *Les oiseaux, dits poétiquement « les bêtes emplumées, le peuple aérien ». Vol des oiseaux.* ⇒ **Vol, voler.** *Oiseau qui ouvre, déploie ses ailes.* ⇒ **Envergure.** *Oiseau qui s'envole*, prend son essor*, volette, voltige, plane* ; monte dans le ciel, file* (cit. 25) *comme une flèche. Oiseau qui vole bas, haut* (→ Frégate, cit. 5). *Oiseau de haut* (cit. 16) *vol. Volée* d'oiseau. Oiseau qui s'enfuit à tire-d'aile. Oiseau qui s'abat, qui se pose.* — *Oiseau qui se déplace au sol, qui marche, avance en se dandinant* (→ Bêtise, cit. 3), *saute, sautille. Sautillement* d'oiseau. Oiseau qui juche, déjuche, perche... Oiseau sur une patte* (→ Héron, cit. 2). *Oiseau adapté à la course, à la nage. Oiseau frileux* (cit. 5) *qui hérisse* (cit. 3) *ses plumes.* — *Bande, nuée, volée* d'oiseaux.*

11 Quelquefois en plein hiver ou bien aux premières brumes, un matin, un oiseau plus rare s'envolait à l'endroit du bois le plus abandonné avec un battement d'ailes inconnu, très bruyant et un peu gauche, quoique rapide.
   E. FROMENTIN, Dominique, III.

12 (...) des volées de petits oiseaux s'abattaient sur cette moisson perdue (...)
   Alphonse DAUDET, Contes du lundi, « Alsace ! Alsace ! ».

13 Et la mer au soleil ne supporte que l'ombre
Que jettent des ailes éployées.
   APOLLINAIRE, Calligrammes, « La victoire ».

14 Un immense peuple de petits oiseaux paraît dans le ciel qui est de tempête (...) quantité innombrable de ces oiseaux, venus de je ne sais où, qui s'assemblent par troupes, forment une armée, un corps d'éléments volant à grande vitesse, qui

décrit des évolutions remarquables, donnant l'impression de profondeur, de masse. Comme un torrent sans terre ou un fleuve de fumée, ils font des 8 qui tiennent un quart du ciel, s'émiettent en compagnies, se regroupent. On ne conçoit pas le *but* de cette revue, de ces manœuvres en courbes fermées.
   VALÉRY, Mélanges, Oiseaux.

Voix des oiseaux. L'oiseau crie (cit. 4), *chante, siffle ; oiseaux criards, chanteurs, siffleurs* (→ poét. Les chantres* des bois). ⇒ **Babil, caquet, chant** (1. chant, cit. 9), **chuchotement** (cit. 2), **gazouillement** (cit. 4), **gazouillis, murmure, pépiement, ramage, sifflet** (→ Accent, cit. 4 ; bêler, cit. 1 ; bénir, cit. 18 ; bruit, cit. 8 ; coucou, cit. 3 ; habitude, cit. 34 ; linotte, cit. ; nature, cit. 64). *Le cui-cui des oiseaux. Ululement* des oiseaux de nuit. Oiseaux qui caquettent, babillent, chantent, gazouillent* (cit. 2), *gringottent, jabotent, jasent* (cit. 6), *pépient, piaillent, piaulent, ramagent, sifflent* (→ Merle, cit. 1), *ululent... Oiseau matinal* (cit. 3), *qui chante tôt. Arbre chargé d'oiseaux* (→ Aile, cit. 6), *qui bruit* (cit. 8) *de cris d'oiseaux.* — *Épouvantail** (cit. 1) *à oiseaux* (→ Mannequin, cit. 7).

15 Un brave petit oiseau, probablement amoureux, vocalisait éperdument dans un grand arbre.
   HUGO, les Misérables, II, I, I.

Prendre un oiseau (⇒ **Oiseleur**), *en l'appâtant* (⇒ **Amorce**) *à la glu* (cit. 2 ; ⇒ **Engluer, gluau**) ; *au piège* (⇒ **Mésangette, reginglette**) ; *à l'appeau*, au miroir. Oiseau qui sert d'appeau.* ⇒ **Chanterelle, moquette.** *Oiseau captif, en cage* (⇒ Égosiller, cit. 3 ; mobilier, cit. 3). *Encager un oiseau.* ⇒ **Cage, nichoir, oisellerie, volière ; cagée.** *Oiseau d'agrément, apprécié pour son chant, pour la beauté de son plumage. Éleveur d'oiseaux.* ⇒ **Aviculteur, aviculture.** *Marchand d'oiseaux.* ⇒ **Oiselier, oisellerie.** *Le marché aux oiseaux à Paris. Nourrir des oiseaux.* ⇒ **Appâter ; brochette.** *Donner du millet, du mouron** (cit. 1), *du plantain* à des oiseaux. Oiseaux qui mangent des miettes* (cit. 2) *de pain.* — *Oiseau empaillé* (→ Cage, cit. 4).

16 — Combien tous ces oiseaux ? — Les oiseaux seulement ? Huit cents dollars. C'était un petit marchand, qui ne possédait pas d'oiseaux rares.
   MALRAUX, la Condition humaine, IV, 6 heures.

Oiseau utilisé pour la chasse. ⇒ **Faucon, fauconnerie** (→ Hobereau, cit. 1). *Dresser un oiseau pour le vol* (⇒ **Oiseler**) ; *dresser au leurre*. Affaitage*, dressage* d'un oiseau. Chasseur qui porte son oiseau sur le poing. Chaperon* d'un oiseau ; déchaperonner un oiseau. Anneau d'oiseau.* ⇒ **Vervelle.** *Oiseau esclame*, ventolier*. Queue d'oiseau.* ⇒ **Balai.** *Jeune oiseau* (⇒ **Béjaune**) *qui n'a pas encore mué* (⇒ **Saurage**), *n'est pas sorti du nid* (⇒ **Niais**). *Oiseau comestible.* ⇒ **Gibier** (à plumes) ; **volaille.** *Plumer* un oiseau. Oiseaux rôtis, servis avec une farce* (1. Farce, cit.). *Goût sauvagin* d'un oiseau de mer* (⇒ **Sauvagine**).

Ancienn. *Divination par l'étude des oiseaux et de leur vol.* ⇒ **Ornithomancie** (→ Astrologie, cit. 2). *Augure* qui observe les oiseaux.* ⇒ **Auspice.** *L'alcyon* (cit.), *oiseau d'heureux présage. Oiseau fatidique* (→ 1. Augure, cit. 2).

b *Représentation d'un oiseau.* Blason. *Oiseau de l'écu.* ⇒ **Blason** (→ Écusson, cit. 1). *Oiseau éployé, essorant, essoré*, becqué.*

Peintre d'oiseaux. Oiseaux d'une nature morte. Décoration d'oiseaux et de fleurs (→ Marge, cit. 2 ; marqueterie, cit. 1).

17 (...) au-dessus de la table blanche et éclatante, un lustre de Venise à lames plates, avec toutes sortes d'oiseaux de couleur, bleus, violets, rouges, verts, perchés au milieu des bougies (...)
   HUGO, les Misérables, V, VI, II.

c Loc. compar. et métaphore. *Être léger comme un oiseau. Se poser avec une légèreté* (cit. 2) *d'oiseau. Le cœur plus léger qu'un oiseau* (→ Ivre, cit. 11). *Cheval plus rapide que l'oiseau* (→ Éperon, cit. 4). *Être gai* (cit. 1), *libre et joyeux comme un oiseau* (→ Insouciant, cit. 4). *Être comme un oiseau de passage* (→ 1. Feu, cit. 28). *Chanter comme un oiseau.* — *Avoir une tête d'oiseau ; un nez en bec d'oiseau* (→ Hardiesse, cit. 15). → plus cour. *Bec* d'aigle. Des yeux d'oiseau de proie, ronds et cruels* (cit. 8). *Avoir un air d'oiseau blessé* (→ Légende, cit. 3). — *Baiser* (cit. 29) *d'oiseau, léger et tendre.* — *Un appétit* d'oiseau :* très léger.

18 (...) ces sortes de créatures *(les nourrices)* sont des oiseaux de passage, que l'on souffre à cause des pauvres enfants (...)
   Mᵐᵉ DE SÉVIGNÉ, 433, 21-22 août 1675.

19 Ce peuple était joyeux comme un oiseau lâché (...)
   HUGO, la Légende des siècles, II, « Les lions ».

20 (...) celui-ci *(Condé),* dont toute la figure semble lancée en bec d'oiseau de proie (...)
   André SUARÈS, Trois hommes, « Pascal », II.

Loc. *Être comme l'oiseau sur la branche*. Trouver l'oiseau au nid*. Trouver le nid* vide et l'oiseau envolé* (→ Jaunet, cit. 2). *Donner à qqn des noms d'oiseau,* l'insulter. — *Oiseau de bon, de mauvais augure** (cit. 12). *Dans le même sens : Oiseau de malheur.* Prov. et loc. prov. *La belle plume* fait le bel oiseau. Belle cage* ne nourrit pas l'oiseau.*

(1802). Vx. *Aux oiseaux :* remarquable, parfait.

20.1 Le roi seul fait un monologue. Ah ! (...) aux oiseaux.
   BALZAC, plan de Cromwell, in Correspondance, 1819 (in D.D.L.).

Attention, le petit oiseau va sortir ! paroles plaisantes du photographe pour faire regarder l'objectif à ceux qu'il va prendre en photo.

d Fig., fam. Individu. *Qui est cet oiseau-là ? C'est un drôle d'oiseau !* ⇒ **Moineau.** *Un oiseau rare :* une personne irremplaçable, étonnante (s'emploie surtout iron.). *Un vilain oiseau :* une personne déplaisante. Iron. *Voilà un bel oiseau !*

21 Joli oiseau, ma foi ! difficile à dénicher ! Mais qui vous a dit qu'elle était femme du docteur ?   BEAUMARCHAIS, le Barbier de Séville, I, 4.

22 (...) vous le connaissez maintenant, cet oiseau ! Vous l'avez entendu dire qu'il veut le blé à bon marché, qu'il votera pour que les blés étrangers viennent écraser les nôtres.   ZOLA, la Terre, IV, V.

e Fam. *Petit oiseau, oiseau* : pénis.

f Loc. adv. **À VOL D'OISEAU,** se dit d'une distance en ligne droite d'un point à un autre de la surface terrestre, qui est la distance théorique la plus courte ; opposé à la distance à parcourir variable avec le tracé des chemins. *Distance à vol d'oiseau. Ce n'est qu'à dix kilomètres à vol d'oiseau, mais il y a bien vingt kilomètres par la route.*

En regardant de très haut, comme le ferait un oiseau (→ Vu d'avion). *Perspective à vol d'oiseau. Paris à vol d'oiseau,* titre d'un chapitre de *Notre-Dame de Paris* (Hugo). — REM. On dit aussi, dans ce sens, *à vue d'oiseau.*

23 Vus à vol d'oiseau, ces trois bourgs, la Cité, l'Université, la Ville, présentaient chacun à l'œil un tricot inextricable de rues bizarrement brouillées.
                   HUGO, Notre-Dame de Paris, III, II.

★ **II.** (1445 ; infl. des dér. de *auge*). Techn. ♦ **1.** Sorte de hotte, de civière qui se place sur l'épaule et dans laquelle les maçons* portent le mortier*.

♦ **2.** Chevalet que les couvreurs* accrochent à la charpente du toit pour former échafaudage.

DÉR. Oiseler, oiselet, oiselier, oiselle, oisillon. — V. Oison.
COMP. Oiseau-lyre, oiseau-moqueur, oiseau-mouche.

OISEAU-LYRE [wazoliʀ] n. m. — V. 1903 ; de *oiseau,* et *lyre.*

♦ Ménure* (ou *lyre*). *Des oiseaux-lyres.*

OISEAU-MOQUEUR [wazomɔkœʀ] n. m. — Av. 1848 ; de *oiseau,* et *moqueur.*

♦ Merle d'Amérique capable d'imiter le cri d'autres oiseaux. *Des oiseaux-moqueurs.*

OISEAU-MOUCHE [wazomuʃ] n. m. — 1632 ; de *oiseau,* et *mouche,* à cause de sa petite taille.

♦ **1.** Colibri. *Des oiseaux-mouches.*

♦ **2.** Franç. d'Afrique. Souimanga*.

OISELER [wazle] v. — Conjug. *appeler.* — V. 1175 ; de *oiseau.*

♦ **1.** V. tr. Fauconn. Dresser (un oiseau) pour le vol, la chasse. *Oiseler un épervier.* — Lancer (l'oiseau) sur une proie. *Oiseler un faucon sur la grue* (Cotgrave).

♦ **2.** V. intr. Vén. Tendre des pièges aux oiseaux (filets, gluaux...).
DÉR. Oiseleur.

OISELET [wazlɛ] n. m. — V. 1119 ; dimin. de *oisel, oiseau.*

♦ Vx ou littér. Petit oiseau. ⇒ Oisillon (→ Lapereau, cit.).

OISELEUR [wazlœʀ] n. m. — XIIᵉ ; de *oiseler.*

♦ Personne qui fait métier de prendre les oiseaux. — REM. Le fém. *oiseleuse* ne semble pas attesté.

1 Il me souvient du champêtre oiseleur,
Lequel, après que l'oiselet des champs
Il a su prendre avec feints et doux chants,
Le tue et plume, ou si vif le retient,
Le met en cage, et en langueur le tient.   Clément MAROT, Élégies, XX (1528).

2 (...) la ruse et la patience avec lesquelles les oiseleurs finissent par saisir les oiseaux les plus défiants, les plus agiles, les plus fantasques et les plus rares.
                   BALZAC, Honorine, Pl., t. II, p. 281.

Spécialt. (Vx). Celui qui aime la chasse à l'oiseau. *Henri l'Oiseleur.*

OISELIER, IÈRE [wazəlje, jɛʀ] n. — 1558 ; de *oisel, oiseau.*

♦ Personne dont le métier est d'élever et de vendre des oiseaux. *L'oiselier, marchand d'oiseaux, d'accessoires et d'aliments nécessaires aux oiseaux. Les oiseliers des quais de la Seine.*

(...) l'oiselier du rez-de-chaussée commence à transporter ses cages sur le trottoir.
                   J. CHARDONNE, les Destinées sentimentales, p. 192.

DÉR. Oisellerie.

OISELLE [wazɛl] n. f. — Av. 1553, Rabelais ; 1857, Nerval ; fém. d'*oiseau.*

♦ **1.** Poét. Femelle d'oiseau.

L'été, l'oiseau cherche l'oiselle ;
Il aime, et n'aime qu'une fois.   NERVAL, Odelettes, « Dans les bois ».

♦ **2.** Fig., fam. (péj.). Jeune fille niaise. ⇒ **Oie** (blanche).

Mon dos est rond, dit-elle. Ah ! Ah ! J'en avais quelque soupçon ; mais je n'en crois plus rien depuis que c'est l'avis d'une oiselle.
                   FRANCE, le Crime de S. Bonnard, Œ., t. II, II, p. 305.

OISELLERIE [wazɛlʀi] n. f. — XIVᵉ ; de *oiselier.*

♦ **1.** Vx. Lieu où l'on élève des oiseaux. *Une oisellerie.* ⇒ **Cage, volière.**

♦ **2.** Élevage des oiseaux (spécialt, des oiseaux de volière) ; métier d'oiselier ; commerce des oiseaux. *S'occuper d'oisellerie pendant ses loisirs.* — Magasin où l'on vend des oiseaux. *Acheter un couple de bouvreuils dans une oisellerie.*

OISEUSEMENT [wazøzmɑ̃] adv. — 1636 ; « dans l'oisiveté », 1320 ; de *oiseux.*

♦ Rare. D'une manière oiseuse, inutile.

OISEUX, EUSE [wazø, øz] adj. — V. 1210 ; *oiseus,* v. 1175 ; du lat. *otiosus* « oisif ».

♦ **1.** Vx. (Personnes). Qui ne fait rien, mène une vie inutile (→ Fainéant). — Par ext. *Humeur oiseuse et nonchalante* (→ Impulsion, cit. 12). *Vie oiseuse.* ⇒ **Oisif.**

♦ **2.** (Choses). Qui ne sert à rien, ne mène à rien. ⇒ **Inutile, stérile, vain.** *Dispute* (→ Docteur, cit. 2), *question oiseuse. Ennuyer qqn par des propos oiseux. Épithète oiseuse.* ⇒ **Superflu.**

Ne dites pas de paroles oiseuses, s'écria sèchement Fraisier en arrêtant sa cliente. Au fait ! au fait ! et vivement !   BALZAC, le Cousin Pons, Pl., t. VI, p. 748.

CONTR. Utile. — Important.
DÉR. Oiseusement, oisif.

OISIF, IVE [wazif, iv] adj. et n. — V. 1180, *oidif ; ouesif,* 1350 ; de *oiseux* par changement de suffixe.

A. Adj. (Personnes). Qui, de manière momentanée ou permanente, est dépourvu d'occupation, n'exerce pas de profession. ⇒ **Désœuvré, inactif, inoccupé.** *Retraité oisif. Oisif par mollesse, par dégoût du travail.* ⇒ **Cagnard, fainéant, indolent, musard, paresseux.** *Être constamment oisif* (→ Ne faire œuvre de ses dix doigts*). *« Tout citoyen oisif est un fripon »* (cit. 3, Rousseau). — Par ext. *Esprit oisif* (→ Billevesée, cit. 2 ; évasion, cit. 6). *Bras oisifs* (→ Geôlier, cit. 4). *Vie oisive* (→ Cigare, cit. 1).

1 Vous vous êtes heureusement corrigé de l'habitude affreuse de m'écrire, deux fois par an, quatre mots indéchiffrables qui ne signifiaient rien. Cela est bon (...) pour avertir un homme oisif qu'il est prié à souper chez une femme oisive, avec des gens qui n'ont rien à faire ni à dire.
                   VOLTAIRE, Correspondance, 4480, 26 nov. 1777.

1.1 Oisive jeunesse
À tout asservie,
Par délicatesse
J'ai perdu ma vie.   RIMBAUD, Poésies, « Chanson de la plus haute tour ».

(Chose). Dont on ne fait point usage ; qui ne sert à rien. *Argent, capital oisif.* ⇒ **Inemployé.**

2 Celui-ci ne songeait que ducats et pistoles
Quand ces biens sont oisifs, je tiens qu'ils sont frivoles.
                   LA FONTAINE, Fables, XII, 3.

Vx. *Propos oisifs.* ⇒ **Oiseux** (→ Faribole, cit. 1).

B. N. ♦ **1.** (1553). Personne qui dispose de beaucoup de loisir*. *Un jeu, un passe-temps d'oisifs* (→ Amateur, cit. 6 ; culture, cit. 11). *De riches oisifs. De belles oisives* (→ Escarmouche, cit. 2).

3 Pourtant, et c'est la vraie condamnation de notre société, l'angoisse de la mort est un luxe qui touche beaucoup plus l'oisif que le travailleur, asphyxié par sa propre tâche.   CAMUS, l'Homme révolté, p. 258.

♦ **2.** Personne qui n'est pas occupée à un travail précis. *Le rendez-vous des oisifs parisiens.* ⇒ **Badaud, flâneur** (→ Jongleur, cit. 3).

♦ **3.** Personne à qui sa fortune permet de vivre largement sans avoir à exercer de profession lucrative (→ Dénoncer, cit. 7 ; et aussi préf. multi-, cit. 3).

CONTR. Actif, affairé, embesogné, laborieux, occupé, studieux, travailleur.
DÉR. Oisivement, oisiveté.

OISILLON [wazijɔ̃] n. m. — V. 1200 ; de *ois(eau),* et *-illon.*

♦ Petit oiseau ; jeune oiseau (généralement en parlant des espèces de petite taille). *Essor* (cit. 3) *des oisillons. « Un manant au miroir prenait des oisillons »* (→ Alouette, cit. 4, La Fontaine). — Par métaphore (→ Béjaune, cit. 2).

Trois oisillons, le bec large, déjà emplumés, l'œil encore tendre et saillant, se tenaient immobiles sous notre regard, et le couple des parents émus échangeaient dans les basses branches un cri court (...)   COLETTE, Belles saisons, p. 24.

OISIVEMENT [wazivmɑ̃] adv. — 1500 ; de *oisif*, et *-ment*.

♦ D'une manière oisive. *Vivre oisivement,* dans l'oisiveté.

OISIVETÉ [wazivte] n. f. — 1330 ; de *oisif* au fém., et *-té*.

♦ État d'une personne oisive*. ⇒ **Désœuvrement, farniente** (cit. 2), **loisir ; inaction.** *L'oisiveté de qqn. Son oisiveté vient d'une aversion pour le travail.* ⇒ **Fainéantise, paresse.** *Une oisiveté complète, agréable, pénible... Vivre dans l'oisiveté* (→ Vivre en gentilhomme*). *Passer, perdre son temps dans l'oisiveté.* → Avoir les mains dans les poches*, se tourner les pouces*, paresser, se prélasser, ne pas en ficher une secousse*. *Chercher un passe-temps, des distractions pour combattre l'ennui de l'oisiveté. La rouille de l'oisiveté. L'oisiveté, le plus lourd des accablements* (cit. 11). *La paresse, l'indolence et l'oisiveté, vices naturels aux enfants* (→ Appliquer, cit. 36). — *Oisiveté d'esprit* (→ Languir, cit. 8).

1   Il faut en France beaucoup de fermeté et une grande étendue d'esprit pour se passer des charges et des emplois, et consentir ainsi à demeurer chez soi, et à ne rien faire. Personne presque n'a assez de mérite pour jouer ce rôle avec dignité, ni assez de fond pour remplir le vide du temps, sans ce que le vulgaire appelle des affaires. Il ne manque cependant à l'oisiveté du sage qu'un meilleur nom, et que méditer, parler, lire, et être tranquille s'appelât travailler.
   LA BRUYÈRE, *les Caractères,* II, 12.

2   Plus on vieillit, plus il faut s'occuper. Il vaut mieux mourir que de traîner dans l'oisiveté une vieillesse insipide ; travailler, c'est vivre.
   VOLTAIRE, *Correspondance,* 1847, 8 déc. 1760.

3   C'était une occasion de me faire voyager et de m'arracher à cette oisiveté dangereuse de la maison paternelle et des villes de province, où les premières passions de l'âme se corrompent faute d'activité.   LAMARTINE, *Graziella,* I, I.

Prov. *L'oisiveté est la mère* de tous les vices.*

CONTR. **Besogne, étude, occupation, travail.**

OISON [wazɔ̃] n. 'm. — XIIIᵉ ; réfect. d'après *oiseau,* d'une forme *osson,* du lat. pop. *aucio, aucionem,* de *auca.* → Oie, oiseau.

♦ **1.** Rare. Petit de l'oie. — Canard (cf. La Fontaine, *Fables,* X, 3) ; oie adulte.

♦ **2.** Par métaphore. **a** Homme borné, niais.

b Personne très crédule, facile à mener. ⇒ **Niais** (étym.). Cf. aussi *Bridoye,* personnage de Rabelais. — Loc. (vx). *Oison bridé*.* Cf. *Brid'oison,* personnage du *Mariage de Figaro,* de Beaumarchais.

(...) tu es un véritable oison et on n'a guère pris soin de t'instruire, mon pauvre petit.   G. SAND, *François le Champi,* I.

O. K. [oke ; ɔke] interj. — 1869, *Année sc. et industr.,* 1870, p. 111, répandu v. 1945 ; mot amér. (1840), abrév. de « *oll korrect* », altér. de *all correct.*

♦ **1.** Adv. Fam. (Américanisme). D'accord. ⇒ **Oui** (→ Entendu, bien). *À demain ? — O. K. O. K., les gars, j'arrive.*

1   — Ça vous plaît une expédition ?
   — Oui, chef.
   — O. K. Mettez des chargeurs dans vos pétards.
   Jean GENET, *Pompes funèbres,* p. 130.

2   — Vous voulez partir quand ? dit Daniel.
   — On sait pas encore, il faut voir (...) On te le dira et, à ce moment-là, tu nous apportera le fric.
   — O. K. ! Vous voulez revenir en France ?
   — Ça vaut peut-être mieux, dit Serge. Ici, il y a trop de flics.
   H.-F. REY, *les Pianos mécaniques,* p. 181.

♦ **2.** Adj. (Attribut). ⇒ **Bien.** *C'est O. K.* [seoke] : ça va, ça convient. *Tout est O. K., on peut partir.*

OKAPI [ɔkapi] n. m. — 1901, *Année sc. et industr.* 1902, p. 157 ; angl. *okapi* (1900), mot congolais.

♦ Mammifère ongulé (*Girafidés*) qui atteint la taille d'une grande antilope et dont la tête ressemble à celle de la girafe. *L'okapi vit dans les forêts du Congo. Des okapis.*

OKOUMÉ [ɔkume] n. m. — 1914, *Année sc. et industr.,* mot gabonais.

♦ Bois d'un arbre du Gabon (*Aucoumea klaineana,* famille des *Térébinthacées*) utilisé en ébénisterie et dans la fabrication du contre-plaqué. *Planche d'okoumé.*

-OL Élément de noms masculins, du franç. (*alco)ol,* signifiant, dans la terminologie chimique, « qui appartient au groupe alcool » (ex. : *menthol, phénol*).

OLACACÉES [ɔlakase] n. f. pl. — 1874, *olacacé,* adj. ; 1839, *olacinées,* Boiste, *Nomencl. hist. nat. ;* de *olace, olax,* n. de plante ; Cf. lat. *olax* « qui dégage une odeur forte ».

♦ Bot. Famille de plantes phanérogames dicotylédones dialypétales superovariées qui comprend des arbres et des arbrisseaux des

régions tropicales, tels que l'*odax,* la *ximénie.* — Au sing. *Une olacacée.*

OLÉ ou **OLLÉ** [ɔle] interj. — 1919 ; mot espagnol.

♦ **1.** Exclamation espagnole qui sert à encourager.

Plus tard, quand nous aurons jugulé les crises et l'agrypnie, je veux bien que vous preniez quelques potages, puis des purées, mais toujours au lait, au lait. Cela vous plaira, puisque l'Espagne est à la mode, ollé ! ollé ! (Ses élèves connaissaient bien ce calembour qu'il faisait à l'hôpital chaque fois qu'il mettait un cardiaque ou un hépatique au régime lacté.   PROUST, *À la recherche du temps perdu,* t. III, p. 90.

♦ **2.** Adj. invar. Fam. *Ollé ollé* ou *olé olé* : un peu libre dans son langage, ses manières (personnes) ; léger, égrillard (paroles, textes, etc.). *Ils sont un peu olé olé.*

Il y a, dans notre misérable pays, une boîte qui est encore ouverte. Si nous allions tous à l'« Aigle Rose » ? le nouvel orchestre est, paraît-il, très bon (...) L'Aigle Rose ? Mais je me suis laissé dire que c'était une boîte très ollé, ollé ! (...) Je ne sais pas si je peux me permettre en qualité de magistrat (...)   J. ANOUILH, *Pauvre Bitos,* p. 139.

(...) de vieilles expressions (...) « ollé-ollé » pour scabreux (...)   Jacques LAURENT, *les Bêtises,* p. 91.

OLÉ-, OLÉI-, OLÉO- Premier élément, du lat. *olea* « olivier », *oleum* « huile ». Voir les composés à l'ordre alphabétique.

OLÉACÉES [ɔlease] ou **OLÉINÉES** [ɔleine] n. f. pl. — 1843, *oléacées ; oléinées,* 1833 ; du lat. *olea* (→ Olé-), et *-acée, -inée.*

♦ Bot. Famille de plantes phanérogames angiospermes superovariées (classe des dicotylédones gamopétales). *Principaux types d'oléacées :* frêne, jasmin, lilas, olivier, troène. — Au sing. *Une oléacée.*

OLÉAGINEUX, EUSE [ɔleaʒin∅, øz] adj. et n. — 1314 ; rare av. XVIᵉ ; du lat. *oleaginus* « relatif à l'olivier », rac. *olé-* ; suff. *-eux, -euse.*

♦ **1.** Qui est de la nature oléiforme, de l'huile. *Liquide oléagineux.* ⇒ **Huileux.**

La chaleur était devenue insupportable. Nous étions menacés d'un violent orage et nous aurions voulu qu'il éclatât tout de suite (...)
Ah ! l'orage nous soulagerait beaucoup (...) La mer a la tranquillité lourde et épaisse d'une nappe oléagineuse. Ah ! la mer est pesante, et l'air est pesant, et nos poitrines sont pesantes.   G. LEROUX, *le Parfum de la dame en noir,* p. 224.

♦ **2.** N. m. (1868). *Un oléagineux :* une substance oléagineuse. ⇒ **Huile.** — (1932). Plante susceptible de fournir une telle substance. *L'arachide, le colza sont des oléagineux.*

OLÉANDRE [ɔleɑ̃dʀ] n. m. — 1314 ; lat. médiéval *oleander,* orig. obscure ; le rad. de *oleum* ne convient pas pour le sens.

♦ Vx. Laurier-rose. ⇒ **Laurier.**

DÉR. **Oléandrine.**

OLÉANDRINE [ɔleɑ̃dʀin] n. f. — 1878 ; de *oléandre,* et *-ine.*

♦ Méd. Substance tonicardiaque toxique contenue dans les extraits du laurier-rose.

OLÉATE [ɔleat] n. m. — 1816 ; du lat. *oleum* « huile », et *-ate.*

♦ Biochim. Sel ou ester qui résulte de la combinaison de l'acide oléique* avec une base.

OLÉCRANE [ɔlekʀan] ou **OLÉCRÂNE** [ɔlekʀɑn] n. m. — V. 1560 ; du grec *olekranon,* de *ôlenê* « bras, coude », et *kranion* « tête ».

♦ Anat. « Puissante apophyse postérieure à l'extrémité supérieure du cubitus » (Lovasy et Veillon).

DÉR. **Olécranien.**

OLÉCRANIEN, IENNE [ɔlekʀanjɛ̃, jɛn] ou **OLÉCRÂNIEN, IENNE** [ɔlekʀɑnjɛ̃, jɛn] adj. — 1822 ; de *olécrane,* et *-ien.*

♦ Anat. Qui se rapporte à l'olécrane. *Cavité, fosse olécranienne,* située à l'extrémité inférieure de l'humérus. *Bourse olécrânienne.*

OLÉFIANT, ANTE [ɔlefjɑ̃, ɑ̃t] ou **OLÉIFIANT, ANTE** [ɔleifjɑ̃, ɑ̃t] adj. — 1823 ; de *olé-,* ou *oléi-,* et *-fiant.*

♦ Chim. Qui produit de l'huile. — (1828). Vx. *Gaz oléfiant.* ⇒ **Éthylène** (cit.).

DÉR. V. **Oléfine.**

OLÉFINE [ɔlefin] n. f. — V. 1900 ; mot angl. (1860) ; de *oléfiant* (→ Oléfiant), et suff. *-ine.*

♦ Chim. Carbure éthylénique de formule C_nH_{2n}. *Les oléfines* (série de ces carbures), ou *alcènes**.

DÉR. Dioléfine.

OLÉI- ⇒ Olé-.

OLÉICULTEUR, TRICE [ɔleikyltœʀ, tʀis] n. — 1904, *Rev. gén. des sc.*, n° 10, p. 511; de *oléi-*, et *-culteur*.

♦ Didact. Qui pratique l'oléiculture*.

OLÉICULTURE [ɔleikyltyʀ] n. f. — 1907; de *oléi-*, et *culture*.

♦ Didact. Culture de l'olivier, et, par ext., d'oléagineux.

OLÉIFÈRE [ɔleifɛʀ] adj. — 1812; de *oléi-*, et *-fère*.

♦ Didact. Qui produit de l'huile, des graines oléagineuses. *Plantes oléifères.*

OLÉIFORME [ɔleifɔʀm] adj. — 1907; de *oléi-*, et *forme*.

♦ Didact. Dont la consistance est analogue à celle de l'huile. ⇒ **Huileux, oléagineux.**

OLÉINE [ɔlein] n. f. — 1824; de *oléi-*, et *-ine*, d'après *glycérine*.

♦ Biochim. Ester de l'acide oléique et du glycérol (⇒ **Glycérine**) qui entre dans la composition de nombreux corps gras (beurre, huile d'olive, huile de graines de soja, beurre de noix de coco).

OLÉINÉES [ɔleine] n. f. pl. ⇒ **Oléacées.**

OLÉIQUE [ɔleik] adj. m. — 1816; de *oléi-*, et *-ique*.

♦ Chim. *Acide oléique :* acide organique non saturé ($C_{17}H_{33}COOH$), qui se trouve sous forme de glycérides, tels que l'oléine* dans de nombreux corps gras. *Sel de l'acide oléique.* ⇒ **Oléate.** *On obtient l'acide oléique par la saponification* de l'oléine.*

OLENELLUS [ɔlenelys] n. m. — 1889, Encycl. Berthelot, art. *Cambrien;* lat. mod., dimin. de *olenus*.

♦ Didact. (géol., paléont.). Trilobite fossile caractéristique du cambrien inférieur (géorgien). *Genre Olenellus.*

OLENUS [ɔlenys] n. m. — 1889, Encycl. Berthelot, art. *Cambrien; olène, in* P. Larousse; lat. mod., du grec *olenos*.

♦ Didact. (géol., paléont.). Trilobite fossile du cambrien supérieur (postdamien). *Genre Olenus.*

OLÉO- ⇒ Olé-.

OLÉOBROMIE [ɔleobʀɔmi] n. f. — 1963; de *oléo-*, *brom(ure)*, et *-ie*.

♦ Photogr. Procédé de tirage qui permet de transformer une image positive obtenue au gélatino-bromure en une image aux encres grasses.

OLÉODUC [ɔleodyk] n. m. — 1894, répandu v. 1950 pour remplacer *pipeline;* de *oléo-* (d'après le sens de l'angl. *oil* «pétrole»), sur le modèle d'*aqueduc*.

♦ Techn. (assez courant). Conduite pour le pétrole. ⇒ **Pipeline** (anglicisme).

OLÉOFUGE [ɔleofyʒ] adj. — 1973, *la Clé des mots;* de *oléo-*, et *-fuge*.

♦ Techn. Qui ne retient pas l'huile; qui protège contre l'action des huiles. *Apprêt oléofuge.*

CONTR. Oléophile.

OLÉOGRAPHIE [ɔleogʀafi] n. f. — 1932; de *oléo-*, et *-graphie*.

♦ Techn. Procédé imitant la peinture à l'huile. *Oléographie utilisée en chromolithographie sur papier de toile.*

OLÉOLAT [ɔleola] n. m. — 1838; de *oléo-*, et *-lat*.

♦ Pharm. (Vieilli). Huile essentielle.

OLÉ OLÉ [ɔleɔle] adj. ⇒ Olé (2.).

OLÉOMÈTRE [ɔleomɛtʀ] n. m. — 1845, *in* D.D.L.; de *oléo-*, et *-mètre*.

♦ Techn. Aréomètre qui sert à mesurer la densité des huiles. — REM. On dit aussi *éléomètre, élaiomètre.*

OLÉONAPHTE [ɔleonaft] n. m. — 1923; de *oléo-*, et *naphte*.

♦ Techn. Huile lourde provenant de la distillation du pétrole et des matières bitumineuses.

OLÉOPHILE [ɔleofil] adj. — 1973, in *la Clé des mots;* de *oléo-*, et *-phile*.

♦ Didact. Qui présente une affinité pour les corps gras, qui les absorbe électivement. *Fibre synthétique oléophile.*

CONTR. Oléofuge.

OLÉOPNEUMATIQUE [ɔleopnømatik] adj. — Av. 1970, Quillet; de *oléo-*, et *pneumatique*.

♦ Mécan. Qui fonctionne à l'aide d'huile et d'un gaz comprimé. ⇒ **Hydropneumatique.** *Suspension oléopneumatique d'une automobile. Fourche oléopneumatique d'une moto.*

OLÉORÉSINE [ɔleoʀezin] n. f. — 1868; de *oléo-*, et *résine*.

♦ Biochim. Résine dissoute dans une huile volatile. *Oléorésines entrant dans la composition de vernis, de térébenthines.*

OLÉUM [ɔleɔm] n. m. — 1919; lat. *oleum* «huile».

♦ Chim. Acide sulfurique fumant, obtenu par procédé de contact, qui se présente sous la forme d'un liquide huileux. *L'oléum est un mélange d'acide sulfurique* (H_2SO_4) *et d'anhydride sulfurique* ($-SO_3$).

OLFACTÈNE [ɔlfaktɛn] n. m. — XXᵉ; du lat. *olfactus* «odorat», et *-ène*.

♦ Physiol. Unité d'intensité des sensations olfactives.

OLFACTIF, IVE [ɔlfaktif, iv] adj. et n. — 1503; rare jusqu'au XVIIIᵉ; dér. sav. d'après le lat. *olfactus* «odorat», de *olfacere* «flairer», et suff. *-if, -ive*.

♦ Didact. et cour. Relatif à l'odorat, à la perception des odeurs. *Sens olfactif, impression olfactive* (→ Excitabilité, cit. 3). *Langage* (cit. 9) *olfactif, tactile, visuel.* — *Appareil, organe olfactif :* ensemble complexe d'organes, qui comprend notamment des cellules excitables par les émanations de certains corps et grâce auquel l'homme et les animaux peuvent percevoir les odeurs*. *Appareil olfactif chez l'homme : muqueuse olfactive,* qui tapisse une partie des fosses nasales, *zone, fente, tache olfactive, cils olfactifs, cellules olfactives; nerf olfactif (bulbe, pédoncule olfactif); centres corticaux olfactifs.*

(...) l'odeur de ces admirables broches qui tournaient incessamment vint chatouiller son appareil olfactif (...) HUGO, Notre-Dame de Paris, VII, IV. [1]

(...) dans le monde animal, l'identification olfactive peut tenir un rang supérieur à la vision ou à l'audition, c'est le cas pour de nombreux Mammifères. Lorsqu'il intervient comme sens de référence principale, chez le chien par exemple, il forme le fonds de ce qu'on pourrait appeler le capital intellectuel. Il nous est impossible de nous représenter clairement ce qu'est une image olfactive du monde, l'équipement olfactif des Primates et des Anthropiens jouant, dans leurs images spatiales, un simple rôle d'appoint. Chez l'homme, parmi les sens de relation, l'olfaction se trouve dans une situation particulière. En effet la vision et l'audition, engagées dans le langage, comme la main, entrent seules dans le système d'émission et de réception qui rend possible l'échange de symboles figuratifs. L'olfaction, purement réceptrice, ne dispose d'aucun organe complémentaire d'émission de symboles des odeurs. A. LEROI-GOURHAN, le Geste et la Parole, t. II, p. 111-112. [2]

N. *Un olfactif, une olfactive :* une personne à l'odorat très sensible.

Denis, l'olfactif, qui disait que je sentais la brioche chaude, l'orgeat, la térébenthine ou la levure de boulanger, selon le temps. Il pouvait lever le nez et détecter aussitôt une odeur d'intérieur de piano, de carburateur de Honda qui a un peu chauffé dans la descente. [3]
Geneviève DORMANN, le Bateau du courrier, p. 30.

DÉR. Olfactivement. — (Du même rad.) V. **Olfaction, olfactomètre.**

OLFACTION [ɔlfaksjɔ̃] n. f. — 1507, «odeur, parfum»; du lat. *olfactus*, d'après *olfactif*.

♦ Didact. Fonction par laquelle l'homme et les animaux perçoivent les odeurs*. ⇒ **Odorat.** *Troubles de l'olfaction.* ⇒ **Dysosmie; cacosmie, parosmie.** *Étude de l'olfaction.* ⇒ **Osmologie.**

Esthétiquement, l'olfaction s'est étroitement liée aux chaînes visuelle et auditive; telle odeur, non perçue depuis de longues années, évoque brusquement des scènes

ou des sons oubliés depuis l'enfance, on n'a pas le souvenir de l'odeur comme on peut avoir celui d'un événement, mais la perception olfactive, précisément parce qu'elle met en mouvement des zones physiologiques étrangères à la réflexion, donne aux images réfléchies une profondeur et une intensité considérables.
A. LEROI-GOURHAN, le Geste et la Parole, t. II, p. 116.

OLFACTIVEMENT [ɔlfaktivmɑ̃] adj. — xxᵉ ; de *olfactif*, et 1. *-ment*.

♦ Didact. Par le sens de l'odorat. *« Ce système est olfactivement peu discriminant »* (*la Recherche*, avr. 1981, p. 413).

OLFACTOMÈTRE [ɔlfaktɔmɛtʀ] n. m. — 1891, cit. ; du lat. *olfactus* (→ Olfactif, olfaction), et *-mètre*.

♦ Techn. Appareil pour la détection et la mesure des principes odorants (⇒ **Olfactométrie**). *Olfactomètres pour la détection des odeurs polluantes.*
L'instrument imaginé par M. Charles Henry, construit par M. C. Berlemont et auquel on donne le nom d'*olfactomètre*, est destiné à déterminer, par centimètre cube d'air, le poids de vapeur odorante correspondant au minimum perceptible.
L. FIGUIER, l'Année scientifique et industrielle 1892, p. 107 (1891).

OLFACTOMÉTRIE [ɔlfaktɔmetʀi] n. f. — 1923 ; du lat. *olfactus* « odorat », et *-métrie*. → Olfactomètre.

♦ Didact. Mesure du degré d'acuité de l'odorat.

OLIBAN [ɔlibɑ̃] n. m. — V. 1560 ; *olibane, olimban*, 1314 ; du bas lat. *olibanus* ; arabe *(ɔ)ăl-Lūbān* « encens ».

♦ Vx. Gomme-résine, appelée aussi encens mâle. ⇒ **Encens** (cit. 5).
Près de lui, des gardes avaient apporté un trépied sur lequel reposait un réchaud où brûlaient, sans donner aucune fumée, quelques charbons ardents. La buée légère qui les couronnait n'était due qu'à l'incinération d'une substance résineuse et aromatique, mélange d'oliban et de benjoin, que l'on projetait à leur surface.
J. VERNE, Michel Strogoff, p. 336.

OLIBRIUS [ɔlibʀijys] n. m. — 1537, *Olybrius* ; d'*Olybrius*, nom donné par la légende au persécuteur de sainte Marguerite, d'après le nom d'un empereur romain du vᵉ siècle, incapable et fanfaron.

♦ **1.** Vx. Bravache, fanfaron.
Mettons flamberge au vent et bravoure en campagne,
Faisons l'*Olibrius, l'occiseur d'innocents*.   MOLIÈRE, l'Étourdi, III, 4.

♦ **2.** (1732). Mod. Fam., péj. Homme importun qui se fait fâcheusement remarquer par sa conduite, ses propos bizarres. ⇒ **Bizarre, original** (→ Noblaillon, cit. 1). *Qu'est-ce que c'est que cet olibrius ? Une espèce d'olibrius nous a insultés.*

OLIFANT [ɔlifɑ̃] n. m. — 1080, *Chanson de Roland* ; altér. d'*éléphant*.

♦ Cor* d'ivoire, taillé dans une défense d'éléphant, dont les chevaliers se servaient autrefois à la guerre ou à la chasse. *« Roland a mis l'olifant à ses lèvres »* (→ 1. Cor, cit. 2, Bédier).
REM. La forme *oliphant* est archaïque.
(...) et, les écuelles ne suffisant plus, car la foule augmentait toujours, on fut obligé de boire dans les oliphants et dans les casques.
FLAUBERT, Trois contes, « La légende de saint Julien l'Hospitalier », I.

OLIG-, OLIGO- Élément, tiré du grec *oligos* « petit, peu nombreux ». Voir à l'ordre alphabétique.

OLIGARCHIE [ɔligaʀʃi] n. f. — 1361 ; du grec *oligarkhia* « commandement de quelques-uns », de *oligos*. → Olig-, et aussi -archie. Didactique.

♦ **1.** Régime politique dans lequel la souveraineté appartient à un petit groupe de personnes, à quelques familles, à une classe restreinte et privilégiée. ⇒ **Gouvernement.** *L'oligarchie et l'aristocratie* (cit. 3). *La démocratie* et l'oligarchie* (→ Balancer, cit. 24).

♦ **2.** Par métonymie. Un tel goupe.
L'égalité ! Une oligarchie s'était, en 1793, fondée, qui, non contente d'avoir refusé le droit de vote aux quatre cinquièmes des citoyens — qualifiés *passifs*, — avait, par surcroît, accaparé, avec une jalousie féroce, le pouvoir auquel elle s'était, fût-ce par la violence, odieusement cramponnée.
Louis MADELIN, Hist. du Consulat et de l'Empire,
Ascension de Bonaparte, XX.

Par anal. Élite puissante. *Un oligarchie d'hommes d'affaires, de hauts fonctionnaires.* ⇒ **Aristocratie, mandarinat.**

CONTR. Démocratie, monarchie.

OLIGARCHIQUE [ɔligaʀʃik] adj. — 1361 ; du grec *oligarkhikos*, de *oligarkhia*. → Oligarchie.

♦ **1.** Relatif à l'oligarchie. *Régime oligarchique.*

Nous organiserons un pouvoir oligarchique, un Sénat à vie, une Chambre élective qui sera dans nos mains ; car sachons profiter des fautes du passé.
BALZAC, Une ténébreuse affaire, Pl., t. VII, p. 634.

♦ **2.** Relatif à une oligarchie (2.).
DÉR. **Oligarchiquement.**

OLIGARCHIQUEMENT [ɔligaʀʃikmɑ̃] adv. — 1838 ; de *oligarchique*, et suff. 1. *-ment*.

♦ Didact. Selon les principes de l'oligarchie.

OLIGARQUE [ɔligaʀk] n. m. — 1823 ; *olygarche*, v. 1562 ; du grec *oligarkhês*. → Oligarchie.
Didactique.

♦ **1.** Vx. Partisan de l'oligarchie (1.).

♦ **2.** Mod. Membre d'une oligarchie (2.). → Mutisme, cit. 3.

OLIGISTE [ɔliʒist] adj. et n. m. — 1801 ; du grec *oligistos*, superlatif de *oligos* « peu », ce minerai étant relativement peu riche en fer.

♦ Chim. *Fer oligiste*, ou, n. m., *oligiste* : oxyde naturel de fer (Fe_2O_3) qui constitue un excellent minerai. ⇒ **Hématite** (rouge).

OLIGO- ⇒ Olig-.

OLIGOCÈNE [ɔligɔsɛn] adj. et n. m. — 1881 ; de *oligo-*, et du grec *kainos* « récent ».

♦ Géol. Se dit du groupe de terrains tertiaires qui succède à l'éocène. *Époque, faune, terrain oligocène.* ⇒ **Nummulitique.** — N. m. *L'oligocène. Étages de l'oligocène : aquitanien*, chattien, rupélien* (on dit aussi *stampien*) *et lattorfien* (on dit aussi *sannoisien*).

OLIGOCHÈTES [ɔligɔkɛt] n. m. pl. — 1862 ; de *oligo-*, et du grec *khaitê* « chevelure ».

♦ Zool. Classe d'annélides terrestres ou aquatiques, au corps translucide, sans pieds ni appendices (ex. : lombric, lombricule, tubifex). — Au sing. *Un oligochète.*

OLIGOCRÂNIE [ɔligɔkʀani] n. f. — Mil. xxᵉ ; de *oligo-*, et du grec *krânion* « crâne ».

♦ Didact. Développement insuffisant du volume du crâne par rapport à celui du corps (opposé à *mégacéphalie, mégalocrânie*).

OLIGODACTYLIE [ɔligɔdaktili] n. f. — xxᵉ ; de *oligo-*, et du grec *daktulos* « doigt ». → -dactyle.

♦ Pathol. Absence congénitale d'un ou de plusieurs doigts ou orteils.

OLIGODIPSIE [ɔligɔdipsi] n. f. — 1963 ; de *oligo-*, et grec *dipsa* « soif ».

♦ Pathol. Baisse de la sensation de soif (opposé à *polydipsie*).

OLIGODONTIE [ɔligɔdɔ̃ti] n. f. — 1951 ; de *oligo-*, et grec *odous, odontos* « dent ».

♦ Pathol. Anodontie partielle ; absence de certaines dents.
L'*agénésie folliculaire* donne l'anodontie (pas de dents) ou l'oligodontie (le manque de certaines dents).   P.-L. ROUSSEAU, les Dents, p. 57.

OLIGOÉLÉMENT ou **OLIGO-ÉLÉMENT** [ɔligɔelemɑ̃] n. m. — 1948 ; de *oligo-*, et *élément*.

♦ Physiol. Élément chimique, métal ou métalloïde, présent en très faible quantité dans l'organisme, et généralement indispensable au métabolisme. *Principaux oligoéléments* : cobalt, cuivre, fer, fluor, iode, manganèse, molybdène, zinc, etc.
La composition chimique de la gelée royale (...) comporte (...) des *oligo-éléments* : sodium, potassium, calcium, magnésium, fer, cuivre, aluminium. [1]
Charles BOURGEOIS, Chimie de la beauté, p. 34.
(...) la bière est un véhicule qui contient la plupart des oligo-éléments indispensables à l'organisme. Par oligo-éléments, on désigne des éléments minéraux, en particulier le zinc, le cuivre, le fer, le magnésium, le soufre, qui, bien qu'ils soient en très petites quantités, contrôlent tous les phénomènes chimiques qui sont à l'origine de la vie et des métabolismes de l'organisme. [2]
Dʳ TANAY, in Guérir, oct. 1967.

OLIGOHÉMIE [ɔligɔemi] n. f. — 1874 ; de *oligo-*, et *hémie*, du grec *haima* « sang ».

♦ Pathol. Diminution de la masse du sang (opposé à *pléthore*).

OLIGOLÉCITHE [ɔligolesit] adj. — 1888, *in* Cottez ; 1897, in *l'Année biol.* 1899, p. 172 ; de *oligo-*, et *-lécithe*.

♦ Biol. Très pauvre en vitellus, en parlant de l'œuf (opposé à *télolécithe*, et aussi à *alécithe, hétérolecithe*).

La quantité de vitellus que contient un œuf a un grand retentissement sur les premières phases du développement : dans les œufs très pauvres en vitellus ou *oligolécithes* (Cyclostomes et Dipneustes) les divisions cellulaires intéressent l'œuf tout entier ; dans les œufs à vitellus moyen ou *lécithiques* (Chondrostéens et Holostéens), la segmentation est partielle (...)
R. et M.-L. BAUCHOT, les Poissons, p. 96.

OLIGOMÉNORRHÉE [ɔligomenɔʀe] n. f. — Mil. xxᵉ ; de *oligo-*, et *-ménorrhée*.

♦ Pathol. Règles très peu abondantes (opposé à *polyménorrhée*).

OLIGOMÈRE [ɔligɔmɛʀ] n. m. — Av. 1970 ; de *oligo-*, et *-mère*.

♦ Biochim. Polymère dont la molécule est formée d'un nombre de molécules composantes (dites *monomères** ou *protomères*) relativement peu élevé (2 à 12). *Les oligomères les plus fréquemment rencontrés sont des associations de deux ou quatre protomères (dites dimères, tétramères). L'hémoglobine est un oligomère.*

(...) les protéines globulaires se présentent souvent sous forme d'agrégats contenant un nombre fini de sous-unités chimiquement identiques. Le nombre des sous-unités constituantes étant généralement petit, on dit que ces protéines sont des « oligomères ». Dans ces oligomères, les sous-unités (protomères) sont associées exclusivement par des liaisons non-covalentes.
Jacques MONOD, le Hasard et la Nécessité, p. 112.

DÉR. **Oligomérique.**

OLIGOMÉRIQUE [ɔligɔmeʀik] adj. — 1970 ; de *oligomère*.

♦ Biochim. Propre à un oligomère ; qui a la nature d'un oligomère. *Protéine oligomérique.*

Comme les protomères, dans une molécule oligomérique, ne sont associés que par des liaisons non-covalentes, il est souvent possible, par des traitements très modérés (n'impliquant pas, par exemple, le recours à des températures élevées ou à des agents chimiques agressifs) de les dissocier en unités monomériques.
Jacques MONOD, le Hasard et la Nécessité, p. 113.

OLIGONUCLÉOTIDE [ɔligonykleotid] n. m. — Av. 1963 ; de *oligo-*, et *nucléotide*.

♦ Biochim. Chaîne de nucléotides (mononucléotides) comportant un nombre d'éléments relativement petit, généralement inférieur ou égal à dix (opposé à *polynucléotide*). « *Parmi les oligonucléotides, citons : les dinucléotides, les trinucléotides, les tétranucléotides, etc.* » (M. Privat de Garilhe, *les Acides nucléiques*, 1963). « *(...) Khorana s'aperçut que de très courtes chaînes d'oligonucléotides comprenant seulement quatre nucléotides pouvaient être soudées par la ligase* » (*la Recherche*, sept. 1970, p. 363).

OLIGOPHAGIE [ɔligɔfaʒi] n. f. — Mil. xxᵉ ; de *oligo-*, et *phagie*.

♦ Pathol. Diminution de l'appétit (opposé à *polyphagie*).

OLIGOPHRÈNE [ɔligɔfʀɛn] adj. et n. — Mil. xxᵉ ; de *oligophrénie*.

♦ Pathol. Personne atteinte d'oligophrénie* ; arriéré mental. ⇒ **Idiot, imbécile.**

OLIGOPHRÉNIE [ɔligɔfʀeni] n. f. — Mil. xxᵉ (1947, *in* Cottez) ; de *oligo-*, et *-phrénie*.

♦ Pathol. Arriération mentale.

DÉR. **Oligophrène.**

OLIGOPOLE [ɔligɔpɔl] n. m. — 1944 ; de *oligo-*, et *(mono)pole*.

♦ Écon. Marché où quelques vendeurs ont le monopole de l'offre.

Les marchés d'oligopole sont particulièrement favorables à la concurrence par l'innovation, car la concurrence par les prix est dangereuse et une firme ne peut espérer en supplanter une autre sur les marchés existants sans risquer une lutte épuisante. J. PARENT, *in* Encycl. Pl., Histoire des techniques, p. 1041.

DÉR. **Oligopoleur, oligopolistique.**

OLIGOPOLEUR [ɔligɔpɔlœʀ] n. — 1974 ; de *oligopole*, et *-eur*.

♦ Écon. (Rare). Personne, entreprise qui participe à un marché oligopolistique.

OLIGOPOLISTIQUE [ɔligɔpɔlistik] adj. — 1959 ; de *oligopole*, et *-istique*. → Monopolistique.

♦ Écon. Propre à l'oligopole*. « *Ce processus de concentration et de coopération, poursuivi à une cadence inconnue jusqu'alors, devait,*

tôt ou tard, créer des situations oligopolistiques ou monopolistiques* » (in *Revue France-Europe*, nᵒ 16, p. 12).

OLIGOPSONE [ɔligɔpsɔn] n. m. — 1974, in *la Clé des mots* ; de *oligo-* (→ Oligopole), et *-psone* (→ Monopsone).

♦ Écon. Marché caractérisé par un très petit nombre d'acheteurs.

OLIGOSIALIE [ɔligosjali] n. f. — 1843, Landais ; de *oligo-*, et grec *sialos* « salive ».

♦ Pathol. Diminution de la sécrétion salivaire (opposé à *polysialie, ptyalisme*).

OLIGOSPERMIE [ɔligɔspɛʀmi] n. f. — xxᵉ ; de *oligo-*, et *sperme*.

♦ Pathol. Insuffisance de la sécrétion de sperme ou diminution anormale des spermatozoïdes qui y sont contenus. — REM. La commission de terminologie du Ministère français de la Santé a recommandé de remplacer ce terme « inexact » par *oligozoospermie*.

OLIGURIE [ɔligyʀi] n. f. — 1877 ; *oligourésie*, 1843 ; de *olig-*, et *-urie*.

♦ Pathol. Diminution ou insuffisance de la sécrétion urinaire (opposé à *polyurie*).

DÉR. **Oligurique.**

OLIGURIQUE [ɔligyʀik] adj. — xxᵉ ; de *oligurie*, et *-ique*.

♦ Pathol. Relatif à l'oligurie (opposé à *polyurie*). « *Une hormone antidiurétique ou oligurique* » (P. Rey, *Les hormones*, p. 72).

OLIM [ɔlim] n. m. invar. — 1694 ; adv. lat., « autrefois ».

♦ Hist. du dr. Ancien registre du Parlement de Paris (1253-1318). *Les olim, et, par appos., les registres olim.*

On appelle les *olim* les plus anciens registres du parlement de Paris, parce que le plus ancien de ces registres commence par un arrêt dont les premiers mots sont : *olim homines de Baïona.* MÉNAGE, Dict. étymologique.

OLINDER [ɔlɛ̃de] v. intr. — 1798 ; de *olinde* « lame d'épée » (1680) ; de la ville de *Solingen*, en Westphalie, célèbre depuis le moyen âge pour ses batteurs de lames.

♦ Vx. (Encore au xixᵉ). Ferrailler* ; se battre à l'épée.

(...) envier quiconque voyage un peu commodément, se tenir sur la hanche prêt à olinder contre tout porteur d'une redingote neuve ou d'une chemise blanche, voilà le signe caractéristique de l'indépendance nationale (...)
CHATEAUBRIAND, Mémoires d'outre-tombe, t. VI, p. 237-238.

OLIPHANT [ɔlifɑ̃] n. m. ⇒ **Olifant.**

OLIVACÉ, ÉE [ɔlivase] adj. — 1838 ; de *olive*, et *-acé*.

♦ Rare. D'une couleur s'approchant du vert olive. ⇒ **Olivâtre.**

OLIVADE [ɔlivad] n. f. — 1869 ; du provençal *oliva*. → Olive.

♦ Régional (en Provence). Récolte d'olives. — Littér. *Les Olivades*, poèmes de Mistral.

Un voyageur dit qu'en Argolide on ne chantait plus aux olivades, mais que les gros fermiers avaient appointé un aède qui déclamait les « aventures ».
J. GIONO, Naissance de l'Odyssée, Pl., t. I, p. 110.

OLIVAIE [ɔlivɛ] ou **OLIVERAIE** [ɔlivʀɛ] n. f. — 1606, *olivaie* ; *oliveraie*, 1632 ; *olivière*, 1350 ; *olivière*, 1555 ; de *olive* « olivier » ou de *olivier*, et *-aie*.

♦ Verger, plantation d'oliviers. *Les oliveraies du littoral méditerranéen.* ⇒ **Olivette.** « *Les olivaies chantaient sous l'ombre* » (J. Giono, *Naissance de l'Odyssée*, Pl., t. I, p. 134).

HOM. **Olivet.**

OLIVAIRE [ɔlivɛʀ] adj. — xivᵉ ; du bas lat. *olivarius*.

♦ Didact. ou techn. Qui a la forme d'une olive. ⇒ **Olive** (II., 2.). *Bouton olivaire* : polissoir utilisé en orfèvrerie. — Anat. *Corps olivaires* : les olives bulbaires.

OLIVAISON [ɔlivɛzɔ̃] n. f. — 1636 ; de *olive*, et *-aison*.

♦ Agric. Récolte des olives ; saison où se fait cette récolte.

OLIVÂTRE [ɔlivɑtʀ] adj. — 1546, *olivastre* ; de *olive*, et *-âtre*.

♦ Qui tire sur le vert olive. ⇒ **Olivacé.** *Grive* (cit. 1) *à dos gris oli-*

vâtre. Spécialt. Se dit d'un teint bistre, généralement mat et foncé, d'où le rouge, le rose sont absents (⇒ **Verdâtre**). *Avoir un teint olivâtre.*

1. (...) j'ai été un enfant doux, triste et malingre, bizarrement olivâtre, et d'un teint qui étonnait mes jeunes camarades roses et blancs. Je ressemblais à quelque petit Espagnol de Cuba, frileux et nostalgique, envoyé en France pour faire son éducation.   Th. GAUTIER, Portraits contemporains, « Théophile Gautier ».

2. Marc de la Nux était né à La Réunion (...) Il devait à son origine (...) son teint olivâtre et son regard languide.   GIDE, Si le grain ne meurt, I, IX, p. 238.

OLIVE [ɔliv] n. f. — 1260 ; « olivier », 1080, *Chanson de Roland ;* provençal *oliva*, lat. *oliva*.

★ **I.** Vx, poét. Olivier. *Le jardin des Olives,* des Oliviers. — Spécialt. Branche d'olivier (→ Voltaire, Delille, *in* Littré). Fig. *Joindre l'olive aux lauriers :* être pacifique après la victoire (→ Voltaire, *in* Littré).

1. Il reconnaît le port couronné de rochers
   Où le vieillard des mers accueille les nochers,
   Et que l'olive épaisse entoure de son ombre.   André CHÉNIER, Élégies, IX.

Bois de l'olivier. « *La tiède chaleur du brasier d'olives...* » (→ Intimité, cit. 5, Lamartine).

★ **II.** ♦ **1.** Fruit de l'olivier*, drupe globuleuse de forme oblongue, de couleur verdâtre ou noirâtre, à peau lisse, à mésocarpe charnu entourant un noyau* fusiforme. *On extrait de l'olive une huile comestible. Huile** (cit. 1 et 4) *d'olive. L'ailloli, mets à base d'ail et d'huile d'olive. Récolte, cueillette des olives* (⇒ **Olivade, olivaison, oliveur**). *Fouler, presser les olives pour en tirer l'huile* (⇒ **Oliverie ; maillotin, meule, scouffin**). *Olives vertes* (⇒ **Picholine**) *préparées pour être mangées en hors-d'œuvre* (cit. 5). *Olives noires. Olives farcies* (aux poivrons, aux anchois). — *Canard aux olives.*

2. Les campagnes qui l'environnent *(Uzès)* sont toutes couvertes d'oliviers, qui portent les plus belles olives du monde, mais bien trompeuses pourtant (...) Je voulus en cueillir quelques-unes (...) et je les mis dans ma bouche avec le plus grand appétit qu'on puisse avoir ; mais Dieu me préserve de sentir jamais une amertume pareille à celle que je sentis (...) on m'a appris depuis qu'il fallait bien des lessives et des cérémonies pour rendre les olives douces comme on les mange. L'huile qu'on en tire sert ici de beurre, et j'appréhendais bien ce changement ; mais j'en ai goûté aujourd'hui dans les sauces, et sans mentir il n'y a rien de meilleur.   RACINE, Lettres, 13, 11 nov. 1661.

Qui a la couleur (⇒ **Olivacé, olivâtre**), *la forme* (⇒ **Olivaire**) *d'une olive. Un drap de couleur d'olive* (verte). → Appliquer, cit. 31 ; et ci-dessous, 3. — (1764). *Vert d'olive.*

♦ **2.** Objet ayant la forme ellipsoïdale d'une olive. **a** (Objets artificiels). *Olive d'une serrure* (poignée). *Olive de plomb lestant un filet de pêche. Olive de cuivre au bout d'un cordon de rideaux.* — Petit interrupteur en forme d'olive, placé sur la longueur d'un fil électrique. — Pièce mécanique ellipsoïdale. — Plomb servant de lest (filets, lignes).

3. Le cordon de tirage, au bout duquel pendait une olive crasseuse, fit résonner une petite sonnette dont l'organe faible dévoilait une cassure dans le métal.   BALZAC, le Cousin Pons, Pl., t. VI, p. 672.

(1694). Archit. Ornement en forme d'olives, de perles allongées rangées en file. *Olives décorant une baguette, une astragale.*

b Anat. Éminence de la face latérale du bulbe rachidien *(olives bulbaires),* des hémisphères cérébelleux *(olives cérébelleuses),* etc. — Zool. Mollusque gastéropode prosobranche *(Monotocardes)* à coquille ellipsoïdale.

♦ **3.** Appos. *Vert olive :* d'une couleur verte tirant sur le brun (⇒ **Olivacé, olivâtre**). *Des chaussures vert olive.* — N. m. (1740). *L'olive :* le vert olive.

Adj. invar. (1760, *in* D.D.L.). *D'un vert olive.*

DÉR. Olivacé, olivaie, olivaison, olivâtre, oliverie, olivette, olivier, olivine. — V. Oliver, oliveur.

OLIVER [ɔlive] v. intr. — 1397 ; de l'anc. provençal *olivar,* de *oliva.* → **Olive.**

♦ Régional. Cueillir les olives.

On entend rentrer les troupeaux et ceux qui olivaient les dernières olivettes des hautes-terres s'appellent de verger en verger.   J. GIONO, Solitude de la pitié, Joselet, Pl., t. I, p. 506.

OLIVERAIE [ɔlivʀɛ] n. f. ⇒ **Olivaie.**

OLIVERIE [ɔlivʀi] n. f. — 1290 ; de *olive.*

♦ Techn. (Vx). Établissement où l'on fabrique l'huile d'olive. ⇒ **Huilerie.** — Moulin, pressoir à olives.

OLIVET [ɔlivɛ] n. m. invar. — Av. 1873, cit. ; de *Olivet,* n. d'un village du Loiret.

♦ Régional. Fromage de lait de vache, fabriqué dans la région d'Orléans.

(...) puis enfin, par-dessus tous les autres *(fromages qui sentent mauvais),* les olivet, enveloppés de feuilles de noyer, ainsi que ces charognes que les paysans couvrent de branches, au bord d'un champ, fumantes au soleil.
ZOLA, le Ventre de Paris, t. II, p. 107.

HOM. Olivaie.

OLIVÉTAIN [ɔlivetɛ̃] n. m. — 1808 ; de l'ital. ; du mont *Olivet,* ital. *monte Oliveto,* « planté d'oliviers ».

♦ Relig. Moine de l'ordre du Mont-Olivet, rameau des Bénédictins fondé à Sienne au XIVe siècle.

OLIVÈTE [ɔlivɛt] n. f. — Mil. XVIe ; altér. de *oliette,* anc. forme de *œillette.*

♦ Rare. Œillette*.

OLIVETTE [ɔlivɛt] n. f. — V. 1200 ; de *olive,* et *-ette,* ou du provençal.

★ **I.** ♦ **1.** Champ, terrain planté d'oliviers. ⇒ **Olivaie.** *Les olivettes de Provence, de Corse...* (→ Olivier, cit. 1, Demangeon).

1. Ces collines rocailleuses, où croissent des buissons à l'odeur aromatique, ces olivettes suspendues sur les rives de torrents sans eau (...)
G. DUHAMEL, le Temps de la recherche, II.

♦ **2.** (1611). Vx. Petit olivier ; petite olive (→ Oliver, cit.).

♦ **3.** (*Olivetto,* 1772). Variété de vigne à raisins oblongs ; ces raisins.

2. (...) le muscat à peau épaisse, l'olivette longue, la clairette ronde, couvrent nos tables.   COLETTE, Belles saisons, p. 34.

Variété de tomate de forme oblongue.

3. Je trottine de toutes mes forces mais il est difficile de courir avec un panier d'osier à chaque bras, surtout lorsqu'ils sont pleins de tomates. Dans celui de gauche ce sont des allongées, des olivettes, dans celui de droite des petites rondes.
Joseph JOFFO, Un sac de billes, p. 137.

★ **II.** (1690, du provençal). *Les olivettes :* danse folklorique provençale qui se danse après la cueillette des olives.

OLIVEUR, EUSE [ɔlivœʀ, øz] n. — 1874 ; adapt. du provençal *olivaire,* anc. provençal *olivador,* de *oliva* « olive », et *-eur.*

♦ Rare. Cueilleur, cueilleuse d'olives.

Nostalgiquement, elle mima encore les mouvements lents des oliveuses de Judée gantées et accroupies, quand choient les olives mûres.
APOLLINAIRE, l'Hérésiarque..., p. 86.

OLIVIER [ɔlivje] n. m. — XIIe ; *oliver,* 980, *Passion du Christ ;* de *olive.*

♦ **1.** Arbre ou arbrisseau à feuilles lancéolées, vert pâle à leur face supérieure, blanchâtres à leur face inférieure, et dont le fruit (⇒ **Olive**) est comestible et oléagineux (famille des *Oléacées*). *L'olivier est caractéristique des pays méditerranéens. Variétés d'oliviers* (paillet, verdale, rouget, picholine, saillerne...). *Olivier franc, sauvage. Plantation d'oliviers.* ⇒ **Olivaie** (ou *oliveraie*), *olivette. Culture de l'olivier.* ⇒ **Oléiculture.** *Feuillage maigre* (→ Lanière, cit. 1), *gris* (→ Midi, cit. 17) *des oliviers. L'hylésine*, parasite de l'olivier.*

1. On considère l'olivier comme l'arbre caractéristique des pays méditerranéens ; il ne s'éloigne jamais beaucoup de la mer. S'il peut supporter de légères gelées, les froids rigoureux et prolongés le tuent (...) L'olivier, avec son tronc noueux et ses petites branches argentées, est une silhouette familière du paysage méditerranéen. Par son rôle dans l'alimentation paysanne, il appartient au cadre de la vie domestique (...) En Corse, sauf dans la haute montagne, il n'est point de village qui ne possède son olivette (...)
DEMANGEON, Géographie économique et humaine, t. I, p. 355.

2. Les vergers d'oliviers ondulent avec une grâce argentée sur la terre rousse.
M. CONSTANTIN-WEYER, Source de joie, III.

3. Où l'olivier renonce, finit la Méditerranée ; avec l'olivier trébuchent tous les dieux d'Athènes et de Rome.   G. DUHAMEL, le Temps de la recherche, II.

L'olivier, arbre de Minerve (de Pallas), symbole de sagesse dans l'antiquité. La branche d'olivier, « *symbole des suppliants et de ceux qui demandaient la trêve, ou la paix* » (Littré). — Allus. bibl. *Le rameau d'olivier qu'une colombe* (cit. 1) *ramena à Noé.*

4. Et des esprits sacrés mystérieux liens,
   Colombe, tu portais sur l'onde universelle
   Le rameau d'olivier à l'univers ancien !
LECONTE DE LISLE, Poèmes barbares, « À l'Italie ».

5. Vous porterez en vos mains des branches d'olivier, ce qui signifie paix et humilité.
J. BÉDIER, la Chanson de Roland, V.

Avec la majuscule. *Le jardin des Oliviers, le mont des Oliviers* (Gethsémani), où Jésus pria, délaissé par ses disciples avant d'être arrêté (cf. Évangile selon saint Luc, XXII, 39-46). — *Le Mont des Oliviers,* poème de Vigny.

6. Le lieu qui devait accueillir Jésus cette dernière nuit, était un domaine planté d'oliviers que saint Marc et saint Matthieu nomment Gethsémani, ce qui signifie, « pressoir à huile » (...) Aujourd'hui, dans un jardinet trop ratissé (...) huit troncs énormes et quasi vidés (...) poussent encore de grêles branches où murissent de rares olives (...)   DANIEL-ROPS, Jésus en son temps, X.

♦ **2.** Bois de cet arbre, jaune clair et susceptible d'un beau poli, utilisé en ébénisterie. *Statue d'olivier* (→ Arche, cit. 4). *Massue* (cit. 1) *d'olivier. Plateau, coupe en olivier massif.*

OLIVINE [ɔlivin] n. f. — 1798; de *olive*.

♦ Minér. Variété verdâtre de péridot, dont l'altération forme la serpentine*.

OLLAIRE [ɔlɛʀ] adj. — 1732; du lat. *ollarius*, de *olla* «pot».

♦ Techn. *Pierre ollaire* : serpentine tendre, facile à travailler, durcissant au feu et employée pour faire des vases, des pots. — *Serpentine ollaire.*

OLLA-PODRIDA [ɔjapɔdʀida; ɔ(l)lapɔdʀida] n. f. invar. — 1590; expr. esp. *olla* (pot) *podrida* (pourri). → Pot-pourri.

♦ **1.** Vx. Plat espagnol, ragoût de viandes et de légumes cuits ensemble. ⇒ **Oille, pot-au-feu, ragoût.**

(...) on nous servit une *olla podrida* si délicieuse, que nous plaignîmes l'archevêque de Valence de n'avoir plus le cuisinier qui l'avait faite.
                                        A. R. LESAGE, Gil Blas, X, III.

♦ **2.** Fam., vx. Mélange* informe. ⇒ **Macédoine** (cit. 2), **salade** (salade russe). → Unioniste, cit. 2.

OLLÉ [ɔ(l)le] interj. et **OLLÉ OLLÉ** [ɔ(l)leɔ(l)le] adj. ⇒ **Olé.**

OLMÈQUE [ɔlmɛk] adj. et n. — 1880; mot indien.

♦ Didact. D'un peuple ancien du golfe du Mexique. *Civilisation, art olmèque.*

(...) la culture de Hopewell qui a occupé ou contaminé toute la partie des États-Unis à l'est des plaines donne la réplique à la culture de Chavin du Nord du Pérou (à laquelle Paracas fait écho dans le Sud); tandis que Chavin ressemble de son côté aux premières manifestations de la civilisation dite *olmèque* et préfigure le développement maya.   Claude LÉVI-STRAUSS, Tristes tropiques, p. 222.

OLOGRAPHE ou **HOLOGRAPHE** [ɔlɔgʀaf] adj. — 1603; *orograff*, 1275; du lat. *olographus*, pour *holographus*, mot grec, de *holos* «entier». → suff. -graphe.

♦ Dr. *Testament olografe*, écrit en entier de la main du testateur (→ Dater, cit. 2, Code civil).

(...) il *(Pons)* résolut de se servir de ce Trognon pour se faire dicter un testament olographe qu'il cachèterait et serrerait dans le tiroir de sa commode.
                                        BALZAC, le Cousin Pons, Pl., t. VI, p. 734.

OLYMPE [ɔlɛ̃p] n. m. — XVᵉ-XVIᵉ; du lat. *Olympus*, grec *Olumpos* «montagne de Thessalie».

♦ **1.** Myth. Séjour des divinités de la mythologie gréco-latine (⇒ **Ciel, éden, paradis**). — Par ext. Les dieux de l'Olympe. *L'Olympe au complet. Un olympe macaronique* (cit. Gautier).

♦ **2.** Littér. Endroit élevé et majestueux (→ Foudroyer, cit. 3).

♦ **3.** Fig., poét. *L'Olympe* : le ciel (→ Aveugle, cit. 31, Racine).

OLYMPIADE [ɔlɛ̃pjad] n. f. — 1370; du lat. *olympias, adis*, grec *olumpias, ados* «période entre les jeux»; les jeux eux-mêmes»; du nom d'*Olumpia*, Olympie, ville d'Élide.

♦ **1.** Antiq. Période de quatre ans entre deux jeux olympiques, base de la chronologie grecque (→ Approcher, cit. 12).

♦ **2.** (1901, Maurras, *in* Petiot). Souv. plur. Jeux olympiques*. *Cet athlète se prépare pour les prochaines olympiades. Les XIIᵉ olympiades.*
Cette période, à l'époque moderne.
Le 8 avril 1896 le roi Georges scella le rétablissement des Jeux olympiques en prononçant la formule sacramentelle : «Je proclame l'ouverture des Jeux de la première Olympiade de l'ère moderne.»
                                        G. BOURDON, Histoire des sports, 1924, *in* PETIOT.

OLYMPIEN, IENNE [ɔlɛ̃pjɛ̃, jɛn] adj. et n. — 1552; du lat. *olympius*; grec *olympios*, de *Olumpos* «montagne de Thessalie».

♦ **1.** Myth. Relatif à l'Olympe, à ses dieux. *Les dieux olympiens*, et n, *les Olympiens*. — Spécialt. Se disait de Jupiter et de Junon. *Temple de Jupiter olympien.*

1   (...) il faut dire que le séjour des Olympiens sur leur montagne n'a d'olympien que le nom. L'idée que suscite ce vocable est de majesté, de puissance souveraine, et du calme que produit, chez qui en est digne, une force paisible, juste, indiscutée.
                                        Émile HENRIOT, Mythologie légère, p. 20.

♦ **2.** (1838). Littér. Noble*, majestueux*, avec calme et hauteur (comme l'on représente Jupiter). *Homme qui passe pour une sorte de divinité* (cit. 7) *olympienne. Sérénité olympienne* (→ 1. Calme, cit. 13). *Air, regard olympien. Un calme olympien, imperturbable.*

2   (...) je suis dans un état olympien, j'aspire l'antique à plein cerveau.
                                        FLAUBERT, Correspondance, 276, 24 déc. 1850.

3   (...) caché dans la fumée des cigarettes et des cigares comme dans une olympienne nuée.   GIDE, Si le grain ne meurt, I, X, p. 262.

♦ **3.** Pathol. *Front olympien*, proéminent, large et haut. — (1897). Méd. Ce type de front, caractéristique d'une ostéite déformante.

OLYMPIQUE [ɔlɛ̃pik] adj. et n. f. — V. 1520; du lat. *olympicus*, grec *olumpikos*, du nom de la ville d'Olympie, Olympia.

♦ Antiq. grecque. Se dit des jeux qui étaient célébrés tous les quatre ans près d'Olympie, à partir de ~ 776, et où se disputaient «les prix de concours gymnastiques» (Y. Béquignon, *Hist. universelle* I, p. 625, Encycl. Pléiade) *Jeux olympiques.* ⇒ **Olympiade.** *Couronne olympique*, décernée aux vainqueurs. *Juge olympique.* ⇒ **Hellanodice.** — Poét., vx. *Les coursiers olympiques* (Chénier), *la poussière olympique* (Lamartine).

(1892, Coubertin). Mod. *Jeux olympiques* : série de rencontres sportives internationales réservées aux meilleurs athlètes amateurs, et ayant lieu tous les quatre ans. ⇒ **Olympiade** (2.). *Jeux olympiques d'hiver* (ski, patinage...), *d'été. Comité international olympique*, créé en 1894 par P. de Coubertin. *Réunion olympique.* — Par ext. *Record olympique. Champion olympique. Médaille olympique. Flamme olympique. Stade olympique.* — Conforme aux règlements des Jeux olympiques. *Piscine, bassin olympique.*

1   Nulle part encore le sport n'est sûr du lendemain. Du moins, autour de la terre, le flambeau olympique court de ville en ville (...) Vienne une défaillance ici ou là, de jeunes nations se présenteront pour le recueillir (...) Ainsi la flamme sportive sera sauvée de l'extinction. C'est pour cela que j'ai restauré les Jeux olympiques, et non pour la gloriole de restaurer des portiques disparus.
                                        P. DE COURBERTIN, cité par B. GILLET, Histoire du sport, p. 107.

N. f. *Les Olympiques*, odes de Pindare célébrant les vainqueurs des jeux. *La première, la seconde olympique.* — Littérature moderne :

2   Ce volume comprend, désormais réunies en un seul livre, la première Olympique, *le Paradis à l'ombre des Épées*, et la seconde Olympique, *les Onze devant la Porte Dorée*, parues séparément en 1924, année où les Jeux olympiques furent donnés à Paris, — d'où le titre de l'ouvrage.
                                        MONTHERLANT, les Olympiques, Préface de 1938.

DÉR. Olympisme.

OLYMPISME [ɔlɛ̃pism] n. m. — 1894, Coubertin; de *olymp(ique)*, et *-isme.*

♦ Didact. Ensemble des statuts qui réglementent l'organisation et le déroulement des Jeux olympiques. *L'olympisme a un caractère d'institution.*

OMBELLE [ɔ̃bɛl] n. f. — 1690; *umbelle*, 1558; du lat. *umbella* «parasol».

♦ **1.** Bot. Inflorescence dans laquelle les pédicelles insérés en un même point du pédoncule s'élèvent en divergeant pour disposer leurs fleurs dans un même plan (⇒ **Corymbe**), sur une même surface sphérique ou ellipsoïdale (⇒ **Parasol**). *Ramifications secondaires d'une ombelle.* ⇒ **Ombellule.** *Involucre* autour de la base de l'ombelle.* — Plus cour. Fleur en ombelle. *Bouquet d'ombelles.*

1   *(Il)* Arrache aussi des coriandres grêles,
Et du persil aux petites umbelles (...)
                                        DU BELLAY, Jeux rustiques, «Moretum de Virgile».

2   Au bord des chemins, montaient de hautes graminées, comme au mois de mai, et de grandes fleurs en ombelle qui se trompaient de saison (...)
                                        LOTI, Ramuntcho, II, II.

3   Heureuse! À la hauteur de tant de gerbes belles,
Qui laissais à ma robe obéir les ombelles,
Dans les abaissements de leur frêle fierté (...)
                                        VALÉRY, Poésies, «la Jeune Parque», Harmonieuse MOI...

Par analogie :

4   Les pins sur les étangs dressent leur verte ombelle (...)
                                        HUGO, les Contemplations, I, IV.

♦ **2.** Typogr. Ancien signe, astérisque à huit ou dix rayons.

DÉR. et COMP. Ombellé, ombelliforme, ombellule.

OMBELLÉ, ÉE [ɔ̃bele; ɔ̃bɛlle] adj. — 1797; de *ombelle.*

♦ Bot. Disposé en ombelle*. *Fleurs ombellées.*

OMBELLIFÉRACÉES [ɔ̃beliferase; ɔ̃bɛlliferase] n. f. pl. ⇒ **Ombellifère.**

OMBELLIFÈRE [ɔ̃belifɛʀ; ɔ̃bɛllifɛʀ] adj. et n. f. — 1701; *umbellifère*, 1698; du lat. *umbella* (→ Ombelle), et *-fère.*

♦ Bot. Qui porte des ombelles. *Plante ombellifère.* — N. f. pl. LES **OMBELLIFÈRES** ou **OMBELLIFÉRACÉES** (mil. XXᵉ). Famille de plantes phanérogames angiospermes *(Dicotylédones; Dialypétales)* comprenant des herbes annuelles ou vivaces, caractérisées par une racine pivotante, des feuilles engainantes, des fleurs disposées en ombelles réunies en une ombelle. *Principaux types d'Ombellifères* : Ache, ammi, aneth (fenouil), angélique (2. angélique), anis, anthrisque, arracacha, astrantie, azorella, berce, berle (ou sium), bifora, bubon, buplèvre, carotte, carum, carvi, céleri, cerfeuil, chérophylle, ciguë (phellandre), conopode, coriandre, crithmum, cumin (ou chervis), déthanie, dorème, échinophore, égopode, endressie, falcaire, férule, gaya, hélosciadie, hydrocotyle, impératoire, laser, lévistique, libanotis, ligustique, livèche, maceron, meum, moloposperme, myrrhis, œnanthe, opopanax, panais, panicaut, persil, peucédan, pleurosperme, sanicle, scandix, silaüs, sison, smyrnium, thapsia (ou thapsie), tordyle, torilis, wendtia, xatartie. *Les araliacées* (lierre, panax) *ont une certaine analogie avec les ombellifères.* — Au sing. *Une ombellifère.*

OMBELLIFORME [ɔ̃belifɔʀm; ɔ̃bɛllifɔʀm] adj. — 1868; *umbelliforme,* 1765; de *ombelle,* et *forme.*

♦ Didact. Qui a la forme d'une ombelle*.

OMBELLULE [ɔ̃belyl; ɔ̃bɛllyl] n. f. — 1778; dimin. de *ombelle,* et suff. *-ule.*

♦ Bot. Ombelle partielle qui fait partie d'une ombelle composée.

(...) les ombellules du cerfeuil sauvage (...)
BALZAC, le Lys dans la vallée, Pl., t. VIII, p. 858.

OMBILIC [ɔ̃bilik] n. m. — 1503; *ombelic,* XIVᵉ; du lat. *umbilicus.* → Nombril.

★ **I.** ♦ **1.** Didact. Nombril*. — Avant la naissance, endroit d'où part le cordon reliant le fœtus au placenta. ⇒ **Omphal-.**

♦ **2.** (1762). Bot. Dépression à la base ou au sommet de certains fruits. — Hile*. — Renflement au sommet du chapeau d'un champignon.

♦ **3.** Techn., arts. Partie centrale et saillante d'un bouclier (⇒ **Ombon**), d'un plat, d'une assiette...

♦ **4.** (1928, in D.D.L.). Géol. Dépression peu étendue; trou, fosse d'un fond marin, cuvette au fond d'une vallée glaciaire.

♦ **5.** Fig., littér. Point central. ⇒ **Centre.** *L'Ombilic des limbes,* œuvre de A. Artaud.

En quelque point des temps que s'enfonçât la pointe du compas (...) ce point quelconque devenait le centre de l'univers. Le passé et l'avenir irradiaient lumineusement de ce foyer et convergeaient, en frémissant, vers cet ombilic.
Léon BLOY, le Désespéré, p. 103.

★ **II.** (XVIᵉ, *ombilic de Vénus*). Bot. Plante dicotylédone *(Crassulacées),* vivace, à racine tubéreuse (la variété à fleurs pendantes est appelée communément *nombril de Vénus*).

DÉR. Ombilical, ombilication, ombiliqué.

OMBILICAL, ALE, AUX [ɔ̃bilikal, o] adj. — 1541; *umbilical,* 1490; de *ombilic.*

♦ **1.** Anat. Relatif à l'ombilic, au nombril. *Cordon ombilical.* ⇒ **Cordon;** → Fœtal, cit. 1. *Veine ombilicale* (→ 1. Confluent, cit. 1). *Anneau ombilical. La région ombilicale. Hernie ombilicale.*

Jamais aucune femme n'a aimé un eunuque et si les mères chérissent les enfants plus que les pères, c'est qu'ils leur sont sortis du ventre, et le cordon ombilical de leur amour leur reste au cœur sans être coupé.
FLAUBERT, Correspondance, 343, 19 sept. 1852.

♦ **2.** Sc., techn. En forme d'ombilic. *Dépression ombilicale.*

COMP. Sous-ombilical.

OMBILICATION [ɔ̃bilikasjɔ̃] n. f. — XXᵉ; de *ombilic,* et *-ation.*

♦ Pathol. Formation d'une dépression au centre d'une pustule ou vésicule. *Ombilication des pustules de la variole.*

OMBILIQUÉ, ÉE [ɔ̃bilike] adj. — 1812; *umbiliqué,* 1765; de *ombilic.*

♦ Didact. Pourvu d'un ombilic. Par ext. Qui présente une dépression. ⇒ **Ombilic** (I., 2.). *Feuille ombiliquée,* attachée au pétiole par le milieu de sa surface, qui est un peu enfoncée.

On entendit une fanfare, on vit briller les rondeurs ombiliquées des cuivres. Les musiciens étaient vêtus de bleu marine, de boutons d'or et de képis rouges. Un gémissement de stupeur suspendit tout à coup les souffles. La marée humaine qui s'était accumulée au pied de la tribune et roulait canalisée par des cordons de soldats exhala une longue plainte de plaisir.
P. GRAINVILLE, les Flamboyants, p. 65.

OMBLE [ɔ̃bl] n. m. — 1874; *humble,* 1553; Littré écrit encore *umble;* altér. d'*amble,* mot de Neuchâtel; du bas lat. *amulus.*

♦ Poisson physostome *(Salmonidés)* appelé scientifiquement *Salvelinus* et communément *saumon de fontaine.* Loc. *Omble chevalier.*

— REM. On l'appelle aussi *ombre,* improprement, l'ombre étant un autre salmonidé *(Thymallus).*

DÉR. Omblière.

OMBLIÈRE [ɔ̃blijɛʀ] n. f. — XXᵉ; de *omble.*

♦ Régional. Endroit où les ombles-chevaliers (⇒ **Omble**) fraient.

OMBON [ɔ̃bɔ̃] n. m. — 1866; du lat. *umbo, onis,* grec *ambôn.*

♦ Antiq. Petit cône au centre d'un bouclier (⇒ **Ombilic, I., 3.**).

OMBRAGE [ɔ̃bʀaʒ] n. m. — V. 1160; de *ombre,* et *-age.*

♦ **1.** Ensemble de branches et de feuilles qui donnent de l'ombre. ⇒ **Feuillage** (cit. 1). → Balsamique, cit. 3; bananier, cit. 1; courber, cit. 13. *Sous l'ombrage, les ombrages des arbres* (cit. 12), *sous l'ombrage épais* (→ Asseoir, cit. 31). *Les antiques ombrages* (→ Incliner, cit. 3). *Se mettre à l'abri* du soleil sous un ombrage (⇒ **Bocage**).

Tu deviendras campagne, et, en lieu de tes bois,
Dont l'ombrage incertain lentement se remue (...)   RONSARD, Élégies, XXIV.   1

Beau parc et beaux jardins, qui dans votre clôture
Avez toujours des fleurs et des ombrages verts (...)   2
MALHERBE, Poésies galantes, V.

♦ **2.** Par ext. L'ombre que donnent les feuillages. *Cet arbre donne de l'ombrage.* ⇒ **Ombrager.** Vieilli. *Faire ombrage* (même sens).

(...) je fais jeter de grands arbres à bas, parce qu'ils font ombrage (...)   3
Mᵐᵉ DE SÉVIGNÉ, 179, 28 juin 1671.

Nous trouvâmes que ces saules faisaient un agréable ombrage, et qu'un ruisseau   4
lavait le pied de ces arbres.   A. R. LESAGE, Gil Blas, VI, I.

Quant au *mangeur d'opium,* les douleurs de l'enfance ont jeté en lui des racines   5
profondes qui deviendront arbres, et ces arbres jetteront sur tous les objets de la
vie leur ombrage funèbre.
BAUDELAIRE, les Paradis artificiels, «Mangeur d'opium», II.

Vx. Ombre. *Nuage qui* «*jette un ombrage*» (Corneille).

Didact. Technique de microscopie électronique consistant à recouvrir les objets d'une mince pellicule de métal lourd (or, platine) pour renforcer le contraste de l'image. → Coloration (négative).

♦ **3.** (V. 1587). Fig., vieilli. Sentiment de défiance, «attendu que l'ombre excite la défiance et l'inquiétude, particulièrement chez les chevaux» (Littré). ⇒ **Défiance, effarouchement, inquiétude, soupçon.**

Ton esprit amoureux n'aura-t-il point d'ombrage?   CORNEILLE, le Cid, II, 3.   6
(...) les troupes étaient là pour assurer la liberté de l'Assemblée (...) si elles cau-   7
saient ombrage, le Roi la transférerait à Noyon ou à Soissons, c'est-à-dire la pla-
cerait entre deux ou trois corps d'armée.
MICHELET, Hist. de la Révolution franç., I, V.

Spécialt. Action de blesser l'amour-propre de qqn, d'exciter sa jalousie (en l'offusquant); sentiment de vexation, de jalousie provoqué par cette blessure, crainte d'être éclipsé, plongé dans l'ombre par qqn. *Donner, causer de l'ombrage à qqn.* — (Sans déterminant). Vx. *Faire ombrage* (à qqn). — Mod. *Porter ombrage.* ⇒ **Offusquer** (→ Concile, cit. 2). — *Prendre ombrage de qqch.* — REM. Les emplois sans déterminant se bornent à quelques verbes. ⇒ **Ombrageux;** → Grief, cit. 6.

Aussitôt qu'un État devient un peu trop grand,   8
Sa chute doit guérir l'ombrage qu'elle *(Rome)* en prend.
CORNEILLE, Nicomède, V, 1.

Un Vizir aux sultans fait toujours quelque ombrage.   RACINE, Bajazet, I, 1.   9

(...) en déguisant son talent sous les livrées de la médiocrité, après avoir remarqué   10
la rapidité avec laquelle s'avançaient les gens qui donnaient peu d'ombrage au
maître.   BALZAC, la Paix du ménage, Pl., t. I, p. 1000.

(...) l'effet de la discussion malencontreuse ne fut pas si vite effacé; cet esprit   11
véhément en conçut et en garda quelque ombrage.
SAINTE-BEUVE, Volupté, XIX.

(...) tout en me souhaitant du génie, elle *(ma mère)* se réjouissait que je fusse sans   12
esprit et que le sien me fût nécessaire. Tout ce qui m'offrait un peu d'indépendance et de liberté lui donnait de l'ombrage.
FRANCE, le Petit Pierre, I.

Ses voisins s'empressèrent de lui expliquer que cette joie n'avait rien que de flat-   13
teur, qu'au lieu d'en prendre ombrage (...)   J. ROMAINS, les Copains, I.

CONTR. Confiance, tranquillité.
DÉR. Ombrager, ombrageux.

OMBRAGER [ɔ̃bʀaʒe] v. tr. — Conjug. *bouger.* — 1551; *umbragier,* 1112; de *ombrage.*

♦ **1.** Faire, donner de l'ombre (le sujet désignant un feuillage, un arbre...). *Arbres qui ombragent une allée, une terrasse.* ⇒ **Couvrir** (de son ombre), **protéger** (du soleil). *Le figuier qui ombrage le puits* (→ Gargoulette, cit. 2). *Les lacs qu'ombrage le bouleau* (→ Guetter, cit. 3). — Au p. p. *Maison ombragée d'un palmier* (→ Golfe, cit. 5).

(...) une grande fabrique dans un pan de laquelle il s'était taillé une habitation   1
commode, tout ombragée de platanes (...)
Alphonse DAUDET, le Petit Chose, I, I.

♦ **2. Arts.** Mettre de l'ombre (dans un tableau). ⇒ **Ombrer.** *Mettre une face* (cit. 34) *d'un corps vers le jour et ombrager les autres.*

♦ **3. Fig., vx.** Voiler (le sens), présenter d'une façon voilée (cf. M. Régnier, *in* Hatzfeld ; Descartes, *Discours de la méthode,* V, 2).

♦ **4.** Couvrir, cacher comme fait un ombrage. *Ses beaux cheveux ombrageaient ses épaules* (→ Anneau, cit. 10), *son front* (→ Gracieux, cit. 8). *Mèche* (1. mèche, cit. 9) *qui ombrage une partie du front. Regard qu'ombragent de longs cils* (→ Loucher, cit. 1). — Au p. p. *Feutre* (cit. 1) *ombragé d'un panache.*

2 La jeune fille était rouge, interdite, palpitante. Ses longs cils baissés ombrageaient ses joues de pourpre.   HUGO, Notre-Dame de Paris, VII, VIII.

3 Tes cheveux, comme un casque bleu,
Ombragent ton front de guerrière (...)
                                    BAUDELAIRE, les Épaves, XII, I.

▶ **S'OMBRAGER** v. pron. réfl. (V. 1307).
Rare. Se protéger du soleil en se mettant à l'ombre.

▶ **OMBRAGÉ, ÉE** adj. (V. 1350).
Abrité par un ombrage. ⇒ **Couvert, ombrageux.** *Colline* (cit. 1), *route ombragée. Canal aux tournants ombragés* (→ Marinier, cit. 5).

OMBRAGEUSEMENT [ɔ̃braʒøzmɑ̃] adv. — 1606 ; «confusément», 1578 ; de *ombrageux*.

♦ Rare. D'une manière ombrageuse, inquiète ou susceptible.

OMBRAGEUX, EUSE [ɔ̃braʒø, øz] adj. — V. 1300 ; *ombragié,* v. 1225 ; «qui est plongé dans l'ombre», 1270 ; de *ombrage.*

♦ **1.** (D'un animal de trait ou de somme). Qui s'inquiète, s'effraie d'une ombre ou de tout ce qui le surprend. *Cheval, âne, mulet ombrageux ; jument ombrageuse* (→ Chauvir, cit. 2 ; hargneux, cit. 6). *Cheval ombrageux et méchant, dangereux.* ⇒ **Vicieux.**

1 Elles étaient si ombrageuses *(les mules),* qu'il fallait les tenir par la bride et leur mettre la main sur les yeux lorsqu'une autre voiture venait en sens inverse.
                                    Th. GAUTIER, Voyage en Espagne, p. 39.

♦ **2.** [a] **Rare.** Qui est porté à prendre ombrage, s'inquiète, s'alarme, s'effraye* (⇒ **Défiant, inquiet, méfiant, peureux**).

1.1 (...) nous sommes un peu ombrageuses : une poste retardée, une lettre trop courte, tout nous fait peur (...)   Mᵐᵉ DE SÉVIGNÉ, 837, 30 juin 1861.

[b] (XVIᵉ). **Cour.** Qui se froisse*, s'offusque aisément, s'estime facilement offensé. ⇒ **Cabré** (fig.), **délicat, difficile, farouche, jaloux, susceptible.** *Un homme hautain* (cit. 6) *et ombrageux. Caractère* (cit. 52) *ombrageux* (→ Mentionner, cit. 2). —*Attention* (cit. 16), *sensibilité ombrageuse* (→ Gage, cit. 17). *Rudesse ombrageuse* (→ Barricader, cit. 5).

REM. Les deux nuances (a et b) que comporte *ombrageux* sont généralement mêlées, l'idée de susceptibilité l'emportant nettement de nos jours.

2 Son caractère ombrageux à l'excès prenait de jour en jour des angles plus vifs, son visage des airs plus impénétrables (...)   E. FROMENTIN, Dominique, XIV.

Par métaphore :

3 Mais, dans l'état d'individualisme, la liberté devient ombrageuse ; chacun prétend dire ce qu'il veut et ne voit pas de raison pour soumettre sa volonté et sa pensée à celle des autres.
                                    RENAN, l'Avenir de la science, XVI, Œ. compl., t. III, p. 972.

Par compar. (avec le sens 1) :

4 Donc, sans être jaloux, tort mesquin et hideux,
Je deviens ombrageux comme un cheval de race (...)
                                    VERLAINE, Élégies, X.

CONTR. Paisible, tranquille.
DÉR. Ombrageusement.

1. OMBRE [ɔ̃bʀ] n. f. — 1160 ; *umbre,* 980, Jonas ; masc. jusqu'au XVIᵉ (→ Fantôme, cit. 1, Ronsard) ; du lat. *umbra.* → aussi Obombrer, pénombre.

★ **I.** ♦ **1.** Zone sombre créée par un corps opaque qui intercepte les rayons d'une source lumineuse ; obscurité, absence (cit. 14) de lumière dans une telle zone (spécial, en parlant de l'interception de la lumière solaire). *Ombre diffuse. Ombre partielle.* ⇒ **Demi-jour, pénombre.** *Jeter*, *faire, produire de l'ombre ; projeter une ombre* (→ ci-dessous, II.). *Système d'éclairage qui ne projette pas d'ombre.* ⇒ **Scialytique.** *L'ombre des arbres*, *des feuillages...* ⇒ **Couvert, ombrage** (→ Lambris, cit. 4). *L'ombre des bois* (cit. 2 et 7), *les ombres de la forêt* (→ Diverger, cit. 1). *Allée qui s'enfonce* (cit. 36) *dans l'ombre d'un taillis. Arbres qui donnent de l'ombre* (⇒ **Ombrageant, ombrager, ombreux**), *peu d'ombre* (→ Élaguer, cit. 1)... — *Cour* (cit. 4), *ruelle, chambre* (→ Caveau, cit. 1) *pleine d'ombre. Un sentier d'ombre.* ⇒ **Ombragé** (→ Appréhender, cit. 10). *«La grotte et la forêt, frais* (cit. 1) *asiles de l'ombre». Goûter l'ombre et le frais* (→ Asile, cit. 21). *Chercher, poursuivre l'ombre* (→ Heure, cit. 97). *Trouver un peu d'ombre* (→ Longer, cit. 6). — *L'ombre, les ombres du soir, du crépuscule, provoquées par l'obliquité des rayons du soleil couchant. L'ombre tombe* (→ Brunir,

cit.). *La rue se remplit d'ombre* (→ Charger, cit. 28). — *L'ombre et la lumière** (→ 2. Bien, cit. 67), *et la clarté* (cit. 2, 4 et 6), *et le clair* (→ Bigarrer, cit. 1 ; moire, cit. 2). *Jeux* (cit. 79) *d'ombre et de lumière* (→ Grand, cit. 4). *Distinguer, apercevoir, voir dans l'ombre...* (→ Casse-tête, cit. 1). *Les yeux se font* (cit. 239), *s'habituent à l'ombre. Être ébloui par le passage de l'ombre à la lumière* (→ Gourd, cit. 1).

1 Le jour s'affaiblissait ; les ombres envahissaient lentement les fresques de la chapelle et l'on n'apercevait plus que quelques grands traits du pinceau de Michel-Ange.   CHATEAUBRIAND, Mémoires d'outre-tombe, t. V, p. 123.

2 (...) j'aime l'ombre, je fais tailler *mes* arbres pour donner de l'ombre, et je ne conçois pas qu'un arbre soit fait pour autre chose, quand toutefois, comme l'utile noyer, *il ne rapporte pas* de revenu.   STENDHAL, le Rouge et le Noir, I, II.

3 (...) l'ombre emplissait déjà la nef et s'entassait mystérieuse et menaçante dans les coins obscurs où l'on démêlait vaguement des formes fantasmatiques.
                                    Th. GAUTIER, Voyage en Espagne, p. 15.

4 Mais quand le soleil baisse, une joie confuse, une joie de tout mon corps m'envahit. Je m'éveille, je m'anime. À mesure que l'ombre grandit, je me sens tout autre, plus jeune, plus fort, plus alerte, plus heureux. Je la regarde s'épaissir, la grande ombre douce tombée du ciel : elle noie la ville, comme une onde insaisissable et impénétrable, elle cache, efface, détruit les couleurs, les formes, étreint les maisons, les êtres, les monuments de son imperceptible toucher.
                                    MAUPASSANT, Clair de lune, «La nuit».

Ombre épaisse (→ Emplir, cit. 8), *profonde* (→ Trottoir, cit. 2.1), *noire. Ombre claire* (→ Hachure, cit. 3). *L'ombre transparente de l'eau).* → Écaille, cit. 4. *Teinte, couleur d'une ombre* (→ Jaunâtre, cit. 1). *Ombres roses* (→ Fête, cit. 9), *bleuâtres* (→ Fondre, cit. 34). *Ombres douces, heurtées* (cit. 37). *Un reflet tempérait ce que l'ombre aurait eu de trop noir* (→ Clair-obscur, cit. 3).

5 De la solitaire demeure
Une ombre lourde d'heure en heure
Se détache sur le gazon ;
Et cette ombre, couchée et morte,
Est la seule chose qui sorte
Tout le jour de cette maison !
                                    LAMARTINE, Recueillements poétiques, «La vigne et la maison», I.

6 Cette ombre des pays de lumière (...) elle est inexprimable ; c'est quelque chose d'obscur et de transparent, de limpide et de coloré ; on dirait une eau profonde.
                                    E. FROMENTIN, Un été dans le Sahara, p. 156.

Astron. Zone (du système solaire) non éclairée par le Soleil. *Hémisphère plongé dans l'ombre* (→ Équinoxe, cit.). *Cône* d'ombre d'un astre. Les éclipses s'expliquent par la théorie des ombres.*

7 Moitié ombre, moitié lumière : c'est l'éclairage des planètes. Une moitié du monde repose, l'autre travaille. Mais, de toute cette moitié qui songe, émane une force mystérieuse.   COCTEAU, le Grand Écart, p. 22.

Loc. À L'OMBRE. *Il faisait 40 degrés à l'ombre* (→ Four, cit. 8). *Allée à l'ombre.* ⇒ **Ombragé.** *Places à l'ombre et places au soleil dans une arène. À l'ombre du vieux chêne* (cit. 6, Lamartine). — **Fig., fam.** À l'abri des regards, protégé. *Jeune fille élevée à l'ombre et au frais** (1. Frais, *supra* cit. 4). — *Mettre qqn à l'ombre,* l'enfermer, l'emprisonner*. *Le voleur passera six mois à l'ombre.*

Vx. *Mettre à l'ombre* : tuer.

8 Ici Vautrin se leva, se mit en garde, et fit le mouvement d'un maître d'armes qui se fend. — Et, à l'ombre ! ajouta-t-il.   BALZAC, le Père Goriot, Pl., t. II, p. 941.

Par métaphore. *Se reposer à l'ombre de ses lauriers* (cit. 7). — *À l'ombre des jeunes filles en fleurs,* IIᵉ partie de *À la recherche du temps perdu,* de Proust.

Fig., littér. *À l'ombre de :* tout près de (→ Croître, cit. 1). *Il grandit à l'ombre de la maison paternelle.* — Sous la protection* de, à l'abri* de... (⇒ **Obombrer**). *«Les femmes... qui fleurissent... à l'ombre de la dévotion...»* (La Bruyère, XIII, 24).

9 Le Prince à mes côtés ferait dans les combats
L'essai de son courage à l'ombre de mon bras (...)
                                    CORNEILLE, le Cid, I, 3.

10 Le libéralisme, qui croissait à l'ombre de la Charte constitutionnelle comme les chiens de la lice grandissaient dans leur chenil d'emprunt (...)
                                    BARBEY D'AUREVILLY, les Diaboliques, «Le dessous de cartes...», I.

DANS L'OMBRE. (→ Église, cit. 26). *Dans l'ombre d'une forêt.* **Fig.** *Vivre dans l'ombre de qqn,* vivre constamment près de lui, dans l'effacement* de soi (→ Copier, cit. 8 ; gage, cit. 24 ; importuner, cit. 10 ; mimétisme, cit. 2 ; aussi ci-dessous, 4.).

SOUS L'OMBRE. *Sous l'ombre d'un arbre.* ⇒ **Ombrage. Fig.** *Se ranger sous l'ombre d'un drapeau* (cit. 3). *Souffrir, tolérer sous son ombre...* (→ Envahir, cit. 5).

11 Les gens plus paisibles (...) se délectaient à la lecture de quelque frais déjeuner sur l'herbe (...) sous l'ombre des grands arbres exotiques (...)
                                    Alphonse DAUDET, Port Tarascon, I, II.

Loc. fig. Vx. *Sous l'ombre, sous l'ombre de... :* en s'abritant derrière... ⇒ **Prétexte** (cf. Corneille, Mᵐᵉ de Sévigné, Bourdaloue, *in* Littré). — REM. Selon Littré, il faut dire *sous l'ombre de l'amitié,* et *sous ombre d'amitié.* — *Sous ombre que... :* sous prétexte que... (cf. Voiture, Molière, Mᵐᵉ de Sévigné, *in* Littré).

Loc. (Dans le même sens que les fig. ci-dessus.) *Faire ombre à qqn,* lui porter ombrage* en l'éclipsant, en obscurcissant son mérite. ⇒ **Éclipser, offusquer, ombrager.**

12 Celui-là fait sa fortune innocemment, et il nous rend nos ennemis par ses bons succès : ou sa vertu nous fait ombre, ou sa réputation nous offusque.
                                    BOSSUET, IVᵉ Sermon Passion, *in* LITTRÉ.

♦ **2.** [a] Représentation d'une zone sombre, en peinture. *Faire des* *ombres.* ⇒ **Ombrer** (→ Concave, cit. ; modeler, cit. 3 ; modestie, cit. 4). *Notation des ombres dans l'impressionnisme* (cit. 1). *Hachures* (cit. 1) *pour indiquer les ombres.* — *Par ext. Les parties plus sombres qui représentent les zones obscures, dans un tableau. Distribution d'ombre et de lumière* (→ 1. Masse, cit. 9). *Les ombres et les clairs.* ⇒ **Clair-obscur, contraste ; demi-teinte.** *Atténuer, estomper* les ombres.*

13 (...) une harmonie parfaite de tons gris, bleus, bruns, verts (...) qui, combinée avec les ombres, produit le modelé des coloristes (...)
BAUDELAIRE, les Curiosités esthétiques, Salon 1846, III.

Loc. fig. *Une ombre au tableau.* ⇒ **Défaut, inconvénient.** *Le projet est alléchant, mais il y a une ombre au tableau.*

14 C'est une ombre au tableau, qui lui donne du lustre. BOILEAU, Satires, IX.

Par ext. *Terre* d'ombre,* servant à ombrer. ⇒ 3. **Ombre.**

b Zone ombrée. *L'ombre azurée* (cit. 3) *des cils.*

15 (...) je vis une ombre légère descendre alors sur ses joues, dont la peau frémit ; c'était l'ombre nocturne de ses longs cils, qui se posaient sur elles comme deux papillons noirs. E. FROMENTIN, Une année dans le Sahel, p. 154.

Par anal. Place, tache sombre sur une surface plus claire (→ Accuser, cit. 17).

16 Un léger duvet qui faisait une ombre sur ses lèvres donnait à son visage une grâce irritante et fière.
FRANCE, la Rôtisserie de la reine Pédauque, Œ., t. VIII, XVII, p. 161.

c Par métonymie. *Ombre à paupières :* fard qu'on étale sur les paupières. ⇒ aussi 3. **Ombre.**

♦ **3.** Caractère sombre, peu éclairé (d'une surface, d'un lieu...). ⇒ **Obscurité, obscurcissement, opacité ; nuit** (→ Appel, cit. 13 ; 1. Morne, cit. 3). — REM. Il ne s'agit pas ici à proprement parler d'une extension de sens, mais d'usage, toute obscurité pouvant être expliquée par l'interposition d'un objet opaque devant une source lumineuse (le soleil, en particulier). *«Les astres, ces fleurs de l'ombre»* (→ Émailler, cit. 4, Hugo). *Étoiler* (cit. 1 et 4) *l'ombre. Flammèches* (cit. 1) *qui rayent l'ombre. Les ombres de la nuit* (→ Entrevue, cit. 4 ; faveur, cit. 18). *L'ombre de minuit* (→ Écraser, cit. 7 ; minuit, cit. 2). *«L'aveugle voit dans l'ombre un monde de clarté»* (→ Esprit, cit. 66).

17 (...) toute la nature repose (...) ensevelie dans les ombres (...)
LA BRUYÈRE, Disc. à l'Acad., 15 juin 1693.

18 Mais à mesure que le jour disparut, et que le convoi s'enfonça dans l'ombre doublement obscure de la nuit et des rues profondes qu'éclairaient les lueurs des torches tremblantes (...) MICHELET, Hist. de la Révolution franç., IV, X.

♦ **4.** Par métaphore, fig. ⇒ **Obscurité, secret.** (Surtout dans : *dans l'ombre, à l'ombre,* sortir *de l'ombre...*). *Rester, vivre, végéter dans l'ombre, dans une situation obscure, ignorée* (cit. 47). ⇒ **Caché, inconnu.** *Un homme de mérite méconnu, qui reste dans l'ombre.* ⇒ **Retraite, solitude ; modestie.** *Retirée à l'ombre* (→ Coquetterie, cit. 8). *Sortir de l'ombre.* ⇒ **Oubli.** — *Laisser une chose dans l'ombre, dans l'incertitude, l'obscurité.* ⇒ **Brume** (fig.), *mystère. Voiler* dans l'ombre du mystère. Ce qui se trame dans l'ombre.* ⇒ **Secrètement.** *Menées occultes, poursuivies dans l'ombre.*

19 Rien qui ne soit d'abord éclairé par les dieux.
Tout ce que l'homme fait, il le fait à leurs yeux,
Même les actions que dans l'ombre il croit faire. LA FONTAINE, Fables, IV, 19.

20 Dans l'ombre du secret ce feu s'allait éteindre (...)
RACINE, Mithridate, IV, 4.

21 Il était du petit nombre de ces écrivains discrets qu'on ne connaît jamais que par le titre de leurs ouvrages, dont le nom entre dans la renommée sans que leur personne sorte de l'ombre (...) E. FROMENTIN, Dominique, II.

22 Sa méthode d'exposition, si développée et si lumineuse, ne nous dérobe rien des erreurs et de leurs conséquences ; il en traite comme il avait fait précédemment pour les parties heureuses, et ne laisse rien dans l'ombre.
SAINTE-BEUVE, Causeries du lundi, 3 déc. 1849.

23 Allez ! (...) Que tout fût clair, tout vous semblerait vain !
Votre ennui peuplerait un univers sans ombre
D'une impassible vie aux âmes sans levain.
VALÉRY, Poésies, Pièces diverses, « Le philosophe et la "Jeune Parque" ».

Spécialt. *Laisser planer une ombre.* ⇒ **Doute.**

En poésie (particult chez Hugo). *L'ombre,* symbole du mystère, de l'inconnu, du destin, de la mort..., est employé métaphoriquement, comme *noir, nuit* (*supra* cit. 29), *obscurité...* (→ Furie, cit. 16 ; impalpable, cit. 5). *Dans l'ombre* (→ Baver, cit. 5 ; berger, cit. 7). *La nuit et la mort, ces deux ombres* (→ Immobile, cit. 20).

24 L'ombre, voile effrayant du spectre éternité.
HUGO, la Légende des siècles, LIV, II.

25 Le mal, l'autre forme de l'ombre. HUGO, Shakespeare, II, II, VI.

Spécialt. *L'ombre, les ombres de la mort, du tombeau, du trépas* (Voltaire). ⇒ **Approche.**

26 Quoique environné des ombres de la mort, il avait encore quelque connaissance.
A. R. LESAGE, Gil Blas, X, II.

♦ **5.** Littér. (Dans quelques expressions, où *ombre* est symbole de tristesse, de mélancolie*). *Une ombre.* ⇒ **Contrariété, inquiétude.** *Les ombres du chagrin. Jeter une ombre.* ⇒ **Assombrir.**

27 Du chagrin le plus noir elle écarte les ombres. RACINE, Esther, II, 7.

28 (...) rien ne peut plus jeter des ombres et des chagrins sur notre société (...)
Mᵐᵉ DE SÉVIGNÉ, 882, 17 juil. 1680.

★ **II.** (1175). ♦ **1.** Zone sombre reproduisant le contour plus ou

moins déformé (d'un corps qui intercepte la lumière). ⇒ **Contour, image, silhouette.** *L'ombre d'un corps, d'un objet.* — *Ombre absolue,* qu'un corps projette dans l'espace. *Ombre relative,* qu'il projette sur une surface, sur un autre corps. *Ombre portée*. Ombre droite* (portée sur un plan horizontal), *renversée* (sur un plan vertical). — *Longueur, direction des ombres des hommes, des objets, selon les heures de la journée, le point du globe où ils se trouvent.* ⇒ **Sciographie ; amphisciens, antisciens** (ou hétérosciens), **asciens, périsciens.** *Ombre méridienne*,* la plus courte, celle de midi. *Cadran sciathérique* (cadran solaire) *montrant l'heure d'après la longueur des ombres* (→ Estimer, cit. 3). *Ombre projetée* (→ Fantasmagorique, cit. 3 ; huisserie, cit. 1). *Ombres qui se découpent carrément* (cit. 1). *Ombre qui s'allonge* (cit. 8), *s'étire* (→ Éclairer, cit. 6)... *« Les ombres bleues des peupliers barrent* (cit. 5) *la route ». Les ombres changeantes des nuages* (→ Ligne, cit. 9). — Spécialt. Ombre d'une personne. *Ombres qui courent* (cit. 29), *glissent* sur les murs, les toits...* (→ Gesticuler, cit. 3 ; aussi par métonymie, ci-dessous, 3.). — *« Un lièvre, apercevant l'ombre de ses oreilles... »* (→ Craindre, cit. 10). — Allus. littér. *L'histoire merveilleuse de Peter Schlemil, l'homme qui a vendu son ombre,* œuvre de Chamisso. *La Femme sans ombre,* opéra de R. Strauss.

29 Ne réfléchis-tu pas lorsque tu vois ton ombre ?
Cette forme de toi, rampante, horrible, sombre,
Qui, liée à tes pas comme un spectre vivant,
Va tantôt en arrière et tantôt en avant,
Qui se mêle à la nuit, sa grande sœur funeste (...)
HUGO, les Contemplations, VI, XXVI.

30 Les ombres des rochers s'allongeaient et se découpaient bizarrement sur la route que nous suivions, et produisaient des effets d'optique singuliers.
Th. GAUTIER, Voyage en Espagne, p. 197.

31 Il marchait lentement, toujours du même pas, suivant les murs. Ses talons sonnaient, et je ne voyais que son ombre tourner, en grandissant et en se rapetissant, à chaque bec de gaz. Cela le berçait, l'occupait mécaniquement.
ZOLA, Nana, VII.

31.1 Mais plus belles que les pigeons, car elles étaient le cri profond de cette journée éclatante où tout était dans son extrême, rien n'affaiblissant la lumière, c'étaient leurs ombres si noires qui passaient sur l'herbe, éclatantes à force d'être noires et comme l'envers de la lumière du soleil qui était partout, si bien que tout ce qui se bougeait sur terre ne pouvait que (la) déplacer et la faire apercevoir aussitôt, car, comme un dieu caché, elle était partout.
PROUST, Jean Santeuil, Pl., p. 475.

31.2 Derrière le store baissé en drap de cinéma, je voyais seulement une ombre se rapetisser à la taille d'un nain, s'agrandir à celle d'un géant, s'orner de nombreux bras, ou ne plus laisser sur la table qu'un cercle gris et mouvant comme en donne le microscope. On eût dit la projection d'une de ces batailles acharnées entre globule vivifiant et globule de mort ; on eût dit la fusion d'un métal, la destruction d'un tissu (...) GIRAUDOUX, Siegfried et le Limousin, p. 78.

32 La lumière de la lampe faisait danser son ombre au mur, la diminuant et l'allongeant tour à tour. BERNANOS, Sous le soleil de Satan, II, XII.

32.1 Mon ombre, une de mes ombres, s'élançait devant moi, se raccourcissait, glissait sous mes pieds, prenait ma suite, à la manière des ombres. Que je fusse à ce degré opaque me semblait concluant. Mais voilà devant moi un homme, sur le même trottoir et allant dans le même sens que moi, puisqu'il faut toujours ressasser la même chose, histoire de ne pas l'oublier.
S. BECKETT, Nouvelles, « Le calmant ».

33 Une lueur jaune éclaira la porte, hésita, et je vis une ombre. La lumière la projetait contre le mur de l'escalier, en face de moi. Une ombre monstrueuse. La flamme variable la faisait bouger ; mais comme cette flamme était très faible l'ombre par moments perdait son contour et il n'en restait qu'un imperceptible fantôme prêt à s'abolir. H. BOSCO, Un rameau de la nuit, p. 243.

(Boxe). *Boxeur à l'entraînement qui fait quelques minutes de boxe contre son ombre,* sans partenaire (cf. l'angl. *Shadow-boxing, shadow-partner*).

Loc. *Cheval qui a peur de son ombre, s'effraye* de son ombre.* ⇒ **Ombrageux.** — Fig. *Avoir peur de son ombre :* être très craintif, pusillanime. On disait aussi dans le même sens : *faire ombre* (⇒ **Ombrage,** fig.) : faire peur (cf. Racine, *Athalie,* V, 2).

34 Tout l'agite, l'inquiète, le ronge ; il a peur de son ombre ; il ne dort ni nuit ni jour (...) FÉNELON, Télémaque, III.

35 (...) mon ombre me fait peur : c'est apparemment depuis que j'ai été sur le point de n'être plus qu'une ombre. VOLTAIRE, Correspondance, 3993, 11 avr. 1773.

Loc. fig. *Être comme l'ombre et le corps :* être des amis* inséparables*, qui ne se quittent jamais. — *Être l'ombre de qqn :* s'attacher à ses pas, le suivre fidèlement (→ Croire, cit. 50 ; humaniser, cit. 6). — *Suivre* qqn comme une ombre* (→ Après, cit. 32 ; forcer, cit. 5), *comme son ombre.* ⇒ **Accompagner.** — *Courir** (cit. 18) *après son ombre.*

36 L'honneur est l'ombre de la vertu, qui la suit et quelquefois la précède comme elle fait le corps. Pierre CHARRON, De la sagesse, I, 56.

37 (...) il ne paraît plus qu'elle l'aime, et cependant c'est l'ombre et le corps.
Mᵐᵉ DE SÉVIGNÉ, 798, 6 avr. 1680.

38 Suis-le partout, comme son ombre (...) et moi, je l'épie au dehors (...)
BEAUMARCHAIS, la Mère coupable, I, 3.

39 Elle suit la mode comme si elle en était l'ombre.
J. RENARD, Journal, 30 déc. 1896.

Fig. (Antiq. rom.). *Les ombres de qqn,* les personnes qu'il amenait avec lui, en tant qu'invité.

♦ **2.** Plur. Ombres projetées sur un écran, une surface plane, pour constituer un spectacle. *Théâtre d'ombres. Ombres chinoises :* projection sur un écran de silhouettes découpées. ⇒ **Image, silhouette ; ombromanie.** — REM. *Les ombres chinoises sont un des ancêtres du cinéma*.* — REM. *Ombres chinoises se dit abusivt de l'ombromanie*.* Fig. *Silhouette en ombre chinoise* (→ Encadrer, cit. 7).

40   Le plus souvent, elles *(les silhouettes)* agissent derrière un écran de toile éclairé par transparence sur lequel elles se profilent en noir : ce sont les *ombres chinoises.*
         G. BATY, in Encycl. franç. (DE MONZIE), t. XVII, 26, 15.

♦ **3.** Apparence, forme* imprécise (spécialt, forme humaine) dont on ne discerne que les contours (→ Jaillir, cit. 13). *Une ombre humaine* (→ Matérialisation, cit. 2). *Entrevoir* (cit. 2) *deux ombres qui s'avancent. Un peuple d'ombres* (→ Trottoir, cit. 2. 1, Aymé).

♦ **4.** Par compar. ou métaphore. (L'ombre étant considérée comme l'apparence changeante, transitoire et trompeuse d'une réalité). ⇒ **Reflet.** *Passer*, se dissiper comme une ombre.* ⇒ **Éphémère** (→ Anéantir, cit. 2).

41   La peine et le plaisir passent comme une ombre ; la vie s'écoule en un instant ; elle n'est rien par elle-même, son prix dépend de son emploi. Le bien seul qu'on a fait demeure, et c'est par lui qu'elle est quelque chose.
         ROUSSEAU, Julie ou la Nouvelle Héloïse, III, XXII.

Loc. (Vx). *Prendre l'ombre pour le corps :* prendre l'apparence pour la réalité.

42   (...) rien n'est bon que d'avoir une belle et bonne âme (...) on ne se cache point ; vous n'avez point vu de dupes là-dessus : on n'a jamais pris longtemps l'ombre pour le corps.
         Mᵐᵉ DE SÉVIGNÉ, 442, 9 sept. 1675.

43   *(Sénèque)* dit de la gloire qu'elle est à la vertu ce que l'ombre est au corps.
         DIDEROT, Claude et Néron, II, 28, in LITTRÉ.

Loc. prov. *Abandonner, lâcher, laisser la proie pour l'ombre :* abandonner un avantage réel pour une espérance vaine.

44   Ce chien *(dont parle Ésope)* voyant sa proie en l'eau représentée,
         La quitta pour l'image, et pensa se noyer.
         À toute peine il la regagna les bords,
         Et n'eut ni l'ombre ni le corps.
         LA FONTAINE, Fables, VI, 17, « Le chien qui lâche sa proie pour l'ombre »
         (→ aussi 1. Fou, cit. 16).

(Avec d'autres formulations) :

44.1 Or, dites-le, *Thérèse,* de ce que des imbéciles déraisonnent sur l'érection d'une indigne chimère et sur la façon de la servir, faut-il qu'il s'ensuive que l'homme sage doiye renoncer au bonheur certain et présent de sa vie ; doit-il, comme le chien d'Ésope, quitter l'os pour l'ombre, et renoncer à ses jouissances réelles pour des illusions ? Non, *Thérèse,* non, il n'est point de Dieu, la Nature se suffit à elle-même (...)
         SADE, Justine..., t. I, p. 56 (1791).

44.2 Et ils ont l'heureux sentiment qu'il ont lâché l'ombre pour la proie (...)
         PROUST, Jean Santeuil, Pl., p. 481.

Fig. Chose, apparence fragile* et vaine*. ⇒ **Apparence** (cit. 21), **chimère, simulacre** (→ Avancer, cit. 4 ; fiction, cit. 3 ; immuable, cit. 2). *La réalité n'est qu'une ombre* (→ Diviniser, cit. 6). *Nos jours sur la terre ne sont qu'une ombre* (→ Expérience, cit. 32). *L'homme est le songe d'une ombre* (Pindare). *Une ombre, un rêve, une idée* (cit. 47). *Les femmes représentées par ce peintre ne sont que des ombres impalpables* (cit. 1).

45   Nous sommes abusés par de vaines images ; nous poursuivons des songes et nous embrassons des ombres (...)
         FRANCE, la Rôtisserie de la reine Pédauque, in Œ., t. VIII, p. 55.

46   (...) il n'y a pas d'ombre sans réalité ; l'ombre est une réalité.
         F. MAURIAC, le Nœud de vipères, VI.

♦ **5.** UNE OMBRE DE : la plus petite quantité, la moindre apparence de... (souvent employé en tournure négative). ⇒ **Soupçon, trace.** *Une ombre d'apparence* (cit. 40), *de vraisemblance, de vérité. Une ombre de pitié* (→ Éprendre, cit. 3). *Sans y mettre une ombre de malice* (→ Culotte, cit. 4). *Sans l'ombre d'un motif* (cit. 5), *d'un prétexte* (→ Adoucissement, cit. 5). *Répondre sans une ombre d'incertitude* (→ Imitation, cit. 18). *L'ombre d'un doute*. Il n'y a pas l'ombre de...,* pas du tout de...

47   Vos mines et vos cris aux ombres d'indécence
         Que d'un mot ambigu peut avoir l'innocence (...)
         MOLIÈRE, le Misanthrope, III, 4.

48   Vous devez à ses pleurs quelque ombre de pitié.   RACINE, Phèdre, II, 3.

49   La modestie n'était pas le défaut de Valentin. Il commença par convenir avec lui-même que la marquise lui appartenait. En effet, il n'y avait eu de la part de madame de Parnes ombre de sévérité ni de résistance. Il fit cependant réflexion que, par cette raison même, il pouvait bien n'y avoir eu qu'une ombre de coquetterie.
         A. DE MUSSET, Nouvelles, « Deux maîtresses », III.

♦ **6.** (1608). Dans certaines croyances. Apparence d'une personne qui survit après sa mort. ⇒ **Âme, double, fantôme, mânes** (→ Après, cit. 17 ; cerbère, cit. 1 ; 1. enfer, cit. 3 ; enterrer, cit. 10). *Les ombres infernales* (cit. 2) ; *les pâles ombres. Les ombres heureuses* (→ Mysticité, cit.). *Avoir l'air d'une ombre au milieu des vivants* (→ Mot, cit. 15). *Le royaume des ombres.*

50   Défiguré comme ces ombres vaines
         Qui vont là-bas sans muscles et sans veines,
         Sans sang, sans nerfs, aux rives d'Achéron,
         Léger fardeau du bateau de Charon (...)
         RONSARD, Premier livre des poèmes, « Discours... »

51   (...) quelle fut ma joie quand je sentis que mes bras le touchaient ! Non, ce n'est pas une vaine ombre ! je le tiens ! je l'embrasse, mon cher Mentor !
         FÉNELON, Télémaque, IV.

52   Si vous voulez, chemin faisant, voir des ombres, comme faisait le capitaine de dragons Ulysse dans ses voyages, vous ne pouvez mieux vous adresser que chez moi. Je suis la plus chétive ombre de tout le pays, ombre de quatre-vingts ans ou environ, ombre très légère et très souffrante.
         VOLTAIRE, Correspondance, 4002, 12 juil. 1773.

Par ext. Personne réelle qui a une apparence fantomatique et que l'on compare à une ombre (→ Blessure, cit. 3 ; ennui, cit. 25). — Évocation d'un mort, de qqn qui n'est plus, par la mémoire. ⇒ **Souvenir.** *L'ombre du moi* (cit. 61) *que j'étais.*

L'ombre de (moi-même, lui-même, soi-même...) : reflet affaibli de ce qui a été. *Un vieillard qui n'est plus que l'ombre de lui-même. Cette équipe n'est plus que l'ombre d'elle-même.*

53   (...) tu auras réduit Macumer à n'être que l'ombre d'un homme : il n'aura plus sa volonté, il ne sera plus lui-même, mais une chose façonnée à ton usage (...)
         BALZAC, Mémoires de deux jeunes mariées, Pl., t. I, p. 260.

CONTR. **Clarté, éclair, éclairage, éclat, lumière, splendeur ; célébrité, renom. Réalité ; vivant.**

DÉR. **Ombrette, ombrière.** — V. **Ombrelle, ombrer, ombreux.**

COMP. **Ombromanie.**

2. OMBRE [ɔ̃bʀ] n. m. et f. — 1552 ; *umbre* « poisson sciénide », fin xivᵉ ; du lat. *umbra* « poisson de teinte sombre ». → Sciène.

♦ **1.** Nom donné à certains Sciénidés. ⇒ **Ombrine.**

♦ **2.** Poisson physostome *(Salmonidés)* appelé scientifiquement *thymallus,* voisin du saumon et de l'omble*, caractérisé par une bouche plus petite. — Abusivt. *Ombre-chevalier :* omble*-chevalier.

DÉR. **Ombrine.**

3. OMBRE [ɔ̃bʀ] n. f. — 1808 ; de *terre d'ombre.* → 1. Ombre (I., 2.), avec infl. de *Ombrie.* → Terre* de Sienne.

♦ Terre brune, qui sert à ombrer. Syn. : *terre d'ombre.*

4. OMBRE [ɔ̃bʀ] n. m. ⇒ **Hombre.**

OMBRÉE [ɔ̃bʀe] n. f. — xxᵉ ; de *ombrer.*

♦ Régional. Versant à l'ombre. Syn. : *ubac*.*

OMBRELLE [ɔ̃bʀɛl] n. f. — 1611 ; au masc., 1588 ; *onbrele,* v. 1270 ; var. *ombrette,* 1829 ; du bas lat. *umbrella,* lat. class. *umbella.* → 1. Ombre.

♦ **1.** Vx. Parasol.

1   (...) les ombrelles, de quoi depuis les anciens Romains l'Italie se sert, chargent plus les bras qu'ils ne déchargent la tête.   MONTAIGNE, Essais, III, IX.
Mod. Petit parasol de femme. ⇒ **Cas** (en-tout-cas, en-cas). → Épanouir, cit. 12 ; fard, cit. 5 ; japonaiserie, cit. 3 ; 2. manche, cit. 2. *S'abriter du soleil sous une ombrelle* (⇒ **Abri**).

2   (...) elle alla chercher son ombrelle, elle l'ouvrit. L'ombrelle, de soie gorge-de-pigeon, que traversait le soleil, éclairait de reflets mobiles la peau blanche de sa figure.   FLAUBERT, Mᵐᵉ Bovary, I, II.

♦ **2.** Par anal. Zool. ⓐ Partie convexe, généralement transparente, de la masse d'une méduse*, d'où partent les tentacules.

ⓑ Mollusque gastéropode *(Opistobranches ; Tectibranches)* à coquille ronde, épaisse au centre et transparente sur les bords.

OMBRER [ɔ̃bʀe] v. tr. — 1621 ; de l'ital. *ombrare* ; « mettre à l'ombre », en moy. franç. ; « marquer d'un trait noir », 1555 ; de 1. *ombre.*

♦ **1.** Arts. Marquer de traits ou de couleurs figurant les ombres, en dessinant ou en peignant. *Ombrer un dessin, un tableau. Ombrer une partie d'un dessin par des hachures, des pointillés... Terre* à ombrer.* ⇒ **3. Ombre.** Par ext. *Maquillage qui ombre les paupières, les joues* (→ Maquiller, cit. 1).

1   Gurau écoutait très attentivement, tout en dessinant et en ombrant des étoiles à six branches sur un bout de papier.
         J. ROMAINS, les Hommes de bonne volonté, t. X, XVII, p. 192.

♦ **2.** Littér. Mettre dans l'ombre, rendre plus sombre.

2   Un grand feutre à longue plume
Ombrait son œil qui s'allume (...)   VERLAINE, Poèmes saturniens, « Cauchemar ».

▶ **OMBRÉ, ÉE** p. p. adj.

♦ **1.** *Dessin ombré. Partie ombrée d'un dessin.* — *Lettre ombrée* (typographie).

♦ **2.** Placé dans l'ombre. *Les îlots* (cit. 5) *de maisons se détachent par tranches ombrées ou lumineuses.*

DÉR. **Ombrée.**

OMBRETTE [ɔ̃bʀɛt] n. f. — 1776 ; *umbrette,* déb. xvᵉ ; de 1. *ombre.*

♦ Oiseau ciconiforme *(Échassiers ; Scopidés),* au plumage sombre, à tête ornée d'une huppe.

OMBREUX, EUSE [ɔ̃bʀø, øz] adj. — xiiiᵉ ; *ombros,* v. 1175 ; rare av. xviᵉ ; du lat. *umbrosus,* de *umbra.* → 1. Ombre.

♦ **1.** Littér. Qui donne de l'ombre. *« Sous les hêtres ombreux... »* (Millevoye, in Littré).

♦ **2.** Qui est à l'ombre ; où il y a beaucoup d'ombre. ⇒ **Ombragé.** *Bois ombreux* (→ Ensoleiller, cit. 1), *forêts ombreuses.* ⇒ **Sombre,** _ténébreux._ Une ombreuse région (→ Gorge, cit. 33). _Une retraite ombreuse_ (→ Dresser, cit. 28).

1   Si l'on pouvait, jeune Orlando, avoir comme toi une grande forêt ombreuse pour se retirer (...)
          Th. GAUTIER, Mlle de Maupin, XI.

2   Très ombreuse, cette cour, sous des arceaux, sous des platanes centenaires (...)
          LOTI, les Désenchantées, XI.

2.1 Voilà pourquoi, à la vue de Geneviève, je me jurai d'aller trouver au fond de leurs jardins, ensoleillés, il va sans dire, là où l'ombre était nécessaire, ombreux là où il fallait le soleil.
          GIRAUDOUX, Siegfried et le Limousin, p. 183.

3   (..) les salles d'attente (...) restaient ouvertes et, quelquefois, des mendiants s'y installaient aux jours de chaleur parce qu'elles étaient ombreuses et fraîches.
          CAMUS, la Peste, p. 125.

4   C'était comme une danse, animée depuis les profondeurs ombreuses où flottaient les algues et les poissons, qui déplaçait la gelée verdâtre et la balançait mollement, durement, d'un bout à l'autre.
          J.-M. G. LE CLÉZIO, le Déluge, p. 171.

♦ **3.** Fig., littér. Assombri, triste. _Visage ombreux._

CONTR. Brillant, ensoleillé.

OMBRIEN, ENNE [ɔ̃bʀijɛ̃, ɛn] adj. et n. — 1846 ; de _Ombrie_, région d'Italie.

♦ Qui se rapporte à la région d'Ombrie (Italie), à ses habitants. N. m. Ling. _L'ombrien,_ langue du groupe italique* (cit. 3) parlée en Ombrie. _L'ombrien et le toscan._

OMBRIÈRE [ɔ̃bʀijɛʀ] n. f. — 1973 ; de 1. _ombre._

♦ Rare. Abri destiné à protéger la végétation du soleil.

OMBRINE [ɔ̃bʀin] n. f. — 1752 ; _umbrine,_ 1611 ; de 2. _ombre._

♦ Poisson marin acanthoptérygien _(Sciénidés),_ à chair comestible.

OMBROMANIE [ɔ̃bʀomani] n. f. — 1932 ; de 1. _ombre,_ et _-manie._

♦ Didact. Art de produire des ombres avec les mains (et parfois des accessoires), de manière à évoquer des figures (humaines, animales...). ⇒ 1. **Ombre** (II., 2.).

OMBUDSMAN [ɔmbydsman] n. m. — V. 1960 ; mot suédois, de _ombud_ «délégué, mandataire, représentant», et _man_ «homme». Droit (Emprunt du suédois).

♦ Dans divers pays, personne chargée de défendre les droits du citoyen face aux pouvoirs publics. En France : _médiateur*_ ; au Québec : _protecteur* du citoyen._ « _Dans la pratique suédoise, c'est un homme invulnérable aux pressions politiques ou autres, qui est chargé de défendre les droits du citoyen, même le plus humble, quand celui-ci est victime de la carence, de la négligence, de la malveillance, de l'abus de pouvoir ou de la vénalité de l'Administration civile ou militaire. L'ombudsman étudie les doléances du plaignant_ » (l'Express, 23 oct. 1972, p. 186).

-OME Élément, désignant une tumeur, une maladie se manifestant par une tumeur (ex. : _fibrome, hématome_).

OMÉGA [ɔmega] n. m. — XIIe ; mot grec, littéralt «o grand» (par oppos. à _omikron_ → Méga-).

♦ **1.** Vingt-quatrième et dernière lettre de l'alphabet grec* (ω, Ω) qui sert à noter en grec ancien l'_o_ long ouvert, distingué de l'_o_ bref fermé (⇒ **Omicron**). _L'oméga, généralement transcrit en français par ô dans les mots empruntés du grec_ (→ aussi Binôme, cit.).

♦ **2.** Signe numérique des anciens Grecs, changeant de valeur selon le signe diacritique qui l'accompagne (800 avec un accent supérieur à droite [ω'], 800 000 avec un accent inférieur à gauche [,ω]).

♦ **3.** Phys. Symbole de l'_ohm*_ (Ω).

♦ **4.** Fig. Le dernier élément (d'une série). _L'alpha et l'oméga._ ⇒ **Alpha** (cit. 1 et 2).

Philos. _Point oméga :_ point ultime de l'évolution des êtres, pour Teilhard de Chardin.

OMELETTE [ɔmlɛt] n. f. — 1548 ; altér. d'_amelette_ (XVe), issu d'_alumelle_ (XIVe), c.-à-d. _lamelle,_ avec agglutination de _a_ — et non pas de _œufs,_ et _mêlés,_ étym. anecdotique.

♦ **1.** Mets fait avec des œufs battus et cuits à la poêle avec du beurre _(omelette nature,_ ou par plais. « _omelette aux œufs_ »), auxquels on peut ajouter divers éléments. _Omelette aux champignons, au fromage, aux fines herbes*, au jambon, au lard, aux pommes de terre, à la sauce tomate... Omelette baveuse*. L'omelette est parfois un entremets sucré. Omelette soufflée*. Omelette aux pêches, aux pommes, au rhum, flambée... Tu préfères une omelette ou des œufs brouillés? Je vais faire une omelette._ Battre (→ Impatienter, cit. 10), _faire_ (1. Goûter, cit. 2), _fricasser une omelette_

(→ Écuyère, cit. 3). — Prov. _On ne fait pas d'omelette sans casser* des œufs._

1   (...) pendant que l'omelette sautait dans la flamme, l'inimitable omelette d'Alsace, craquante et dorée comme un gâteau.
          Alphonse DAUDET, Contes du lundi, « Alsace! Alsace! ».

2   Il _(Lantier)_ faisait lui-même les omelettes, des omelettes retournées des deux côtés, plus rissolées que des crêpes, si fermes qu'on aurait dit des galettes.
          ZOLA, l'Assommoir, t. II, VIII, p. 19.

Par anal. (En parlant d'œufs ou d'autres denrées cassés et mélangés accidentellement). _Attention à l'omelette._

♦ **2.** _Omelette norvégienne :_ dessert composé de glace, de meringue et de génoise, chaud à l'extérieur et glacé dedans.

OMETTRE [ɔmɛtʀ] v. tr. — Conjug. _mettre._ — 1337 ; var. _obmettre_ (XVe-XVIIIe) ; du lat. _omittere,_ d'après _mettre._

♦ S'abstenir ou négliger de considérer, de mentionner ou de faire (ce qu'on pourrait, ce qu'on devrait considérer, mentionner, faire...). ⇒ **Laisser** (de côté), **oublier, passer** (sous silence), **taire** (→ Assurer, cit. 86, Descartes). « _Je vais sans rien omettre et sans prévariquer..._ » (→ Compendieusement, cit. 1, Racine). _Omettre l'essentiel_ (▸ Inopérant, cit. 2). _N'omettre aucun détail._ ⇒ **Abstraction** (faire). → Hors, cit. 31. _Omettre qqn dans une liste, une énumération._ — _Omettre de faire qqch._ (→ Distraction, cit. 5). _N'omettez pas de..._ ⇒ **Manquer.** _Omettre de lire un passage dans un livre._ ⇒ **Sauter.** — _Omettre que_ (et l'indic.). — Pron. _Dans ce cas, la négation_ ne (cit. 15) _devient superflue et s'omet._

1   Mais quoique les autres choses que j'ai à vous dire ne me laissent pas le loisir d'entrer bien avant dans cette matière, je ne dois pas omettre en ce lieu qu'il a été longtemps confesseur de feu monseigneur le duc d'Orléans, de glorieuse mémoire.
          BOSSUET, Oraison funèbre R. P. Bourgoing, I.

2   Il y a un certain nombre de phrases toutes faites (...) dont l'on se sert pour se féliciter les uns les autres (...) Bien qu'elles se disent souvent sans affection (...) il n'est pas permis avec cela de les omettre (...)
          LA BRUYÈRE, les Caractères, VIII, 81.

3   Hideuses et froides, ces caricatures ne manquent pas de cruauté, mais elles manquent de comique ; pas d'expansion, pas d'abandon ; le grand artiste _(Léonard de Vinci)_ ne s'amusait pas en les dessinant, il a faites en savant, en géomètre, en professeur d'histoire naturelle. Il n'a eu garde d'omettre la moindre verrue, le plus petit poil.
          BAUDELAIRE, Curiosités esthétiques, Quelques caricaturistes étrangers, III.

▶ **OMIS, ISE** p. p. adj. ⇒ **Omis.**

CONTR. Comprendre, compter, confesser, consigner, constater, dire, exécuter, songer (à qqch.).

OMICRON [ɔmikʀɔn ; ɔmikʀɔn] n. m. — 1868 ; grec _omikron ;_ littéralt «o petit», par oppos. à _omega_ (→ Micro-).

♦ **1.** Quinzième lettre de l'alphabet grec (O, o) qui sert à noter en grec ancien l'_o_ bref fermé, distingué de l'_o_ long ouvert (⇒ **Oméga**).

♦ **2.** Signe numérique des anciens Grecs, changeant de valeur selon le signe diacritique qui l'accompagne (70 avec un accent supérieur à droite [o'], 700 000 avec un accent inférieur à gauche [,o]).

OMIS, ISE [ɔmi, iz] adj. et n. m. — 1690, _obmis._ → Omettre.

♦ **1.** Que l'on s'est abstenu ou que l'on a négligé de considérer, de mentionner, de faire. _Ajouter une référence omise._

♦ **2.** N. m. (1907). Jeune homme qui n'a pas été recensé par l'autorité militaire. _Les omis et les réfractaires._

OMISSION [ɔmisjɔ̃] n. f. — 1350 ; rare av. XVIe ; bas lat. _omissio,_ de _omittere._ → Omettre.

♦ **1.** Fait, action d'omettre* qqch. ⇒ **Absence, lacune, manque, oubli** (→ Conscient, cit. 2 ; expiatoire, cit. 1 ; inexécutable, cit. 1). _L'omission d'un détail au cours d'un compte rendu. Omission par défaut d'attention._ ⇒ **Inattention, négligence.** _Sauf erreur ou omission._ ⇒ **Erreur.** _Omission de l'article_ (→ Énumération, cit. 2), _de l'adjectif possessif, du pronom personnel, de l'antécédent du pronom relatif_ ou _anacoluthe*. L'omission comme figure de rhétorique._ ⇒ **Prétérition, réticence.** _Omission d'un ou de plusieurs mots en typographie._ ⇒ **Bourdon.**

  Parmi les nombreuses omissions que j'ai commises, il y en a de volontaires ; j'ai fait exprès de négliger une foule de talents évidents, trop reconnus pour être loués (...) Quant aux omissions ou erreurs involontaires que j'ai pu commettre, la Peinture me les pardonnera, comme à un homme qui, à défaut de connaissances étendues, a l'amour de la Peinture jusque dans les nerfs.
          BAUDELAIRE, Curiosités esthétiques, Salon de 1859, X.

Théol. _Faute, péché d'omission, par omission._ ⇒ **Péché.** _Pécher par omission._ — _Mensonge par omission._ ⇒ **Obreptice.**

Dr. _Délit* d'omission._ — _Omission de statuer sur un des chefs de la demande._ Dr. fisc. Défaut d'assujettissement d'un contribuable à un impôt direct, du fait de l'Administration. Soustraction totale ou partielle d'un bien à l'assiette de l'impôt direct, du fait volontaire ou involontaire du contribuable. _Omission volontaire._ ⇒ **Dissimulation.**

♦ **2.** _(Une, des omissions)._ Résultat du fait d'omettre ; absence de ce qui devrait figurer. ⇒ **Lacune.** *Il y a plusieurs omissions dans ce texte. Compte rendu exact et sans omissions.*

CONTR. Présence. — Confession, déclaration.

OMNI- Élément du lat. *omnis* «tout».

REM. Outre les mots signalés à leur ordre alphabétique, cet élément sert à former des composés assez librement :

1 OMNIVALENTE!... Magnifique... *Omnivalente...* C'est sublime!... *« Des idées omnivalentes ». « De l'omnivalence des idées »...* Mais c'est une trouvaille!... Je vois cela tout imprimé... Donnez-moi ce mot... Mais, mon bon, vous verrez dans quelque temps votre *omnivalence* figurer dans le Dictionnaire de l'Académie...
— De Médecine?
— Naturellement. VALÉRY, l'Idée fixe, *in* Œ., t. II, Pl., p. 213.

2 (...) un envol affolé de papiers sales et de poussières, rapetissant (...) dans les vertes profondeurs du temps lui-même, et disparaissant derrière l'accumulation des paisibles, omniprésents et omnisemblables rideaux de peupliers (...)
Claude SIMON, le Vent, p. 73.

3 Henri (...) établit savamment des puissances réceptives omni-mondiales sur de modestes trois-lampes. Denyse VAUTRIN, le Reste de l'âge, t. III, p. 316.

OMNIBUS [ɔmnibys] n. m. et adj. — 1825; lat. *omnibus* «pour tous» (→ aussi Autobus), et suff. *-bus*.

♦ **1.** Anciennt. Voiture publique d'abord hippomobile, puis automobile circulant entre divers quartiers d'une ville et transportant des voyageurs (→ Autobus, cit. 1 et 2; grincer, cit. 10; métropolitain, cit. 5). — REM. À la différence de *diligence**, *omnibus* se disait surtout en parlant des voitures qui effectuaient un trajet urbain. — *Impériale** *d'un omnibus. L'omnibus Madeleine-Bastille. Omnibus desservant une gare.* — Adj. *Voiture omnibus* (→ Carriole, cit. 2).

1 (...) des omnibus : il en circule quelques-uns sur la perspective de Nevsky, conduisant à des quartiers éloignés; ils sont attelés de trois chevaux.
Th. GAUTIER, Voyage en Russie, VI.

2 Nous étions, Albertine et moi, devant la station Balbec du petit train d'intérêt local. Nous nous étions fait conduire par l'omnibus de l'hôtel, à cause du mauvais temps. PROUST, Sodome et Gomorrhe, Pl., t. II, p. 854.

Vx. Voiture de chemin de fer.

2.1 Le wagon occupé par Phileas Fogg était une sorte de long omnibus qui reposait sur deux trains formés de quatre roues chacun, dont la mobilité permet d'attaquer des courbes de petit rayon. J. VERNE, le Tour du monde en 80 jours, p. 225.

♦ **2.** (1838). Mod. *Train omnibus,* ou n. m., *un omnibus :* train qui dessert toutes les stations sur son trajet (opposé à *express*). *Omnibus qui assure une correspondance.*

3 Le 117 et le 83 sont signalés. Le 117 a trois feux, un gros et deux petits, en triangle. Le 83 n'en a que deux, un gros et un petit. Ce n'est qu'un omnibus. Mais le 117 arrive très vite. J. ROMAINS, Lucienne, II.

Adj. (attribut) *Ce train est omnibus à partir de telle gare.*

4 Il arrive juste à temps pour avoir le train de 9 h 31. Peu de monde à cette heure tardive. Dans son compartiment de troisième, il est seul voyageur. Il regarde par la petite lucarne les compartiments voisins; personne. Le train est omnibus et désespérément lent (...) R. QUENEAU, le Chiendent, p. 96.

♦ **3.** (1963). Électr. *Barre omnibus :* conducteur de grande section relié, d'une part au générateur, d'autre part au circuit de distribution.

OMNICOLORE [ɔmnikɔlɔʀ] adj. — 1827; de *omni-,* et *-colore.*

♦ Didact. Qui présente toutes les couleurs (⇒ **Multicolore, polychrome**).

CONTR. Unicolore.

OMNIDIRECTIONNEL, ELLE [ɔmnidiʀɛksjɔnɛl] adj. — 1948; de *omni-,* et *direction,* d'après *directionnel.*

♦ Techn. Dont les propriétés sont les mêmes dans toutes les directions.
Spécialt. Qui émet ou reçoit également dans toutes les directions. *Antenne omnidirectionnelle. Écran omnidirectionnel. Radiophare omnidirectionnel. Microphone, haut-parleur omnidirectionnel.*

CONTR. Unidirectionnel.

OMNIPOTENCE [ɔmnipɔtɑ̃s] n. f. — 1387; du bas lat. *omnipotentia,* de *omnis* et *potentia* «pouvoir».

♦ Didact. Puissance absolue, sans limitation. ⇒ **Toute-puissance.** *L'omnipotence de Dieu.* — (En parlant du pouvoir politique). ⇒ **Absolutisme, autorité, domination, pouvoir** (absolu), **souveraineté, suprématie.** *L'omnipotence militaire* (→ Caporalisme, cit. 1).
(Abstrait). *L'omnipotence de la pensée.*

Mais dans l'idée de Dieu, avec son omnipotence et son omniscience, nous faisons entrer aussi l'idée de l'*infaillibilité* de ses lois.
BAUDELAIRE, Trad. E. POE, Eurêka, IX.

CONTR. Assujettissement, dépendance, esclavage, impuissance, servitude.

OMNIPOTENT, ENTE [ɔmnipɔtɑ̃, ɑ̃t], adj. et n. — XIIᵉ; *omnipotente,* 1080, *Chanson de Roland ;* du lat. *omnipotens,* de *omnis* et *potens* «qui peut».

♦ Relig. ou littér. Qui est tout-puissant, qui dispose d'une puissance absolue. *Dieu est omnipotent.* — *Un de ces financiers* (cit. 2) *omnipotents, plus forts que des rois.*

1 (...) une sorte de Lacédémone américaine où l'individu n'existerait que pour servir la Société, plus omnipotente, absolue, infaillible et divine que les Grands lamas et les Nabuchodonosors. FLAUBERT, l'Éducation sentimentale, II, II.

N. (Littéraire).

2 (...) ce monde illusoire où l'envie ronge le pauvre, où l'ennui tue l'omnipotent.
A. ARNOUX, Suite variée, p. 15.

REM. On rencontre chez Chateaubriand (*Essai sur les révolutions,* 1791), le composé hybride *omnipuissant.*

OMNIPRATICIEN, IENNE [ɔmnipʀatisjɛ̃, jɛn] n. et adj. — V. 1960; de *omni-,* et *praticien.*

♦ Admin. Médecin de médecine générale (opposé à *spécialiste*). ⇒ **Généraliste.** — Adj. *Le syndicat des médecins omnipraticiens.*

OMNIPRÉSENCE [ɔmnipʀezɑ̃s] n. f. — 1818, *in* D.D.L.; de *omni-,* et *présence.*

♦ Littér. Faculté de pouvoir être présent partout; présence en tout lieu. ⇒ **Ubiquité.** *L'omniprésence de Dieu. L'omniprésence de son souvenir.*

L'électricité ne met pas moins de temps à conduire à notre oreille penchée sur un cornet téléphonique une voix pourtant bien éloignée, que la mémoire, cet autre élément puissant de la nature qui, comme la lumière ou l'électricité, dans un mouvement si vertigineux qu'il nous semble un repos immense, une sorte d'omniprésence, est à la fois partout autour du terre, aux quatre coins du monde où palpitent sans cesse ses ailes gigantesques, comme un de ces anges que le Moyen Age imaginait. PROUST, Jean Santeuil, Pl., p. 243.

OMNIPRÉSENT, ENTE [ɔmnipʀezɑ̃, ɑ̃t] adj. — 1838; de *omni-,* et *présent.*

♦ **1.** Littér. Qui est présent partout, en tout lieu.

♦ **2.** Par ext. Qui accompagne partout. *Une préoccupation omniprésente.*

Le bruit omniprésent du vent(...) Claude SIMON, le Vent, p. 46.

OMNISCIENCE [ɔmnisjɑ̃s] n. f. — 1734; lat. médiéval *omniscientia,* de *omnis* et *scientia.* → Science.

♦ Didact. ou littér. Science de toute chose. *L'omnipotence* (cit.) *et l'omniscience de Dieu.*

Il ne s'agit pas de raconter d'autres histoires, de les raconter autrement; il s'agit de la découverte par le romancier, de son ubiquité, de son omniscience, de sa liberté, de l'autonomie de ses œuvres qui ne se limitent plus aux histoires et aux contes. Peu à peu, il découvrira l'existence de tout ce qui, dans le roman, n'est pas l'histoire contée. MALRAUX, l'Homme précaire et la Littérature, p. 96.

DÉR. Omniscient.

OMNISCIENT, ENTE [ɔmnisjɑ̃, ɑ̃t] adj. — 1737; de *omni-science.*

♦ Didact. ou littér. Qui sait tout. *Nul n'est omniscient.* ⇒ **Universel.** *La science n'est ni omnisciente, ni infaillible* (cit. 11).

OMNISPORT ou **OMNISPORTS** [ɔmnispɔʀ] adj. invar. — 1934; de *omni-,* et *sport.*

♦ Où l'on peut pratiquer tous les sports. *Stade, salle omnisports. Club omnisport.*

OMNIUM [ɔmnjɔm] n. m. — 1872; 1776 à propos d'un emprunt lancé en Angleterre en 1760; mot lat. génitif plur. de *omnis* «tout».

♦ **1.** Écon. Société financière ou commerciale qui s'occupe de toutes les branches d'un secteur économique, effectue toutes sortes d'opérations. *Les omniums affectent souvent la forme du holding. L'omnium des pétroles.*

♦ **2.** (1933). Sports. Handicap* ouvert aux chevaux de tout âge (sauf les deux ans) courant en plat. *L'omnium de Longchamp.*
Compétition cycliste sur piste, individuelle ou par équipe, combinant plusieurs courses (sprint, poursuite...) et dont le vainqueur est désigné au classement général.

♦ **3.** (1920). Titre de certaines publications (livres ou revues) qui traitent de toutes les questions touchant à une activité déterminée. *L'Omnium agricole.*

OMNIVORE [ɔmnivɔʀ] adj. et n. — 1749; de *omni-,* et *-vore.*

♦ Didact. Qui mange de tout, qui se nourrit indifféremment d'aliments d'origine animale ou végétale. *L'homme* (→ Mangeable, cit. 1), *le porc sont omnivores.*

OMO-HYOÏDIEN [ɔmɔjɔidjɛ̃] adj. m. — 1868 ; *omohyoïdien*, 1809, *in* D.D.L. ; du grec *ômos* « épaule » (→ Omoplate), et *hyoïdien.*

♦ Anat. *Muscle omo-hyoïdien*, ou, n. m., *l'omo-hyoïdien :* muscle qui s'étend du bord supérieur de l'omoplate au bord inférieur de l'os hyoïde.

OMOPHAGE [ɔmɔfaʒ] adj. et n. — 1839 ; n. désignant certains peuples de l'Antiquité, 1771 ; du grec *omophagos*, de *omos* « crû ».

♦ Didact. Qui se nourrit de viande crue. — N. (Rare). *Un, une omophage.*

OMOPHAGIE [ɔmɔfaʒi] n. f. — 1767 (au plur. jusqu'à 1802) ; du grec *ômophagos.* → Omophage.

♦ **1.** Didact. Habitude de manger de la chair crue.

♦ **2.** N. f. plur. (Antiq.). Sacrifice qui était célébré en l'honneur de Dionysos et après lequel les initiés mangeaient en commun la chair crue d'un taureau.

OMOPLATE [ɔmɔplat] n. f. — 1534 ; *homoplate*, 1370 ; grec *ômoplatê*, de *ômos* « épaule », et *plate* « surface plate ».

♦ Os plat triangulaire, appliqué sur la partie postérieure et supérieure du thorax. ⇒ **Épaule.** *Différentes parties de l'omoplate :* fosse sous-scapulaire, épine de l'omoplate, acromion, fosse supérieure, fosse sous-épineuse, apophyse coracoïde*, cavité glénoïde... *Le grand dentelé*, muscle abaisseur de l'omoplate. Muscle sousscapulaire, sus l'omoplate. Artères scapulaires* qui irriguent la région de l'omoplate. L'omoplate, reliée au sternum par la clavicule* (cit. 1). *Point douloureux entre les omoplates* (→ Fatiguer, cit. 3).

Cour. Le plat de l'épaule. *Il lui a donné une tape sur l'omoplate.*

1 Impossible de courir plus loin. Nous étions à bout. La réaction se produisait. Nous avions les jambes coupées. Plus de souffle. Le cœur nous battait dans la gorge. Les mains tremblaient. Un flot de sueur nous coulait le long de l'échine. Les omoplates, les lombes étaient moites. Le squelette mou. On ne tenait plus debout.
B. CENDRARS, la Main coupée, *in* Œ. compl., t. X, p. 116.

2 Mathieu poussait le môme dans la voiture : il lui avait plaqué une main entre les omoplates et de l'autre main il écartait la portière. SARTRE, le Sursis, p. 291.

(Animaux). *Le paleron est situé près de l'omoplate.*

OMPHAL-, OMPHALO- Élément du grec *omphalos* « nombril ». ⇒ **Omphalectomie, omphalorragie, omphalotomie.**

OMPHALECTOMIE [ɔ̃falɛktɔmi] n. f. — 1963 ; de *omphal-*, et *-ectomie.*

♦ Chir. Excision de l'ombilic.

OMPHALORRAGIE [ɔ̃falɔraʒi] n. f. — 1818, *in* D.D.L. ; de *omphalo-*, et *-rragie.*

♦ Méd. Hémorragie au niveau de l'ombilic.

OMPHALOTOMIE [ɔ̃falɔtɔmi] n. f. — 1606, de *omphalo-*, et *-tomie.*

♦ Méd. Section du cordon ombilical lors de l'accouchement.

ON [ɔ̃] pron. pers. indéf. — XIIᵉ ; *om*, 842 ; du nominal lat. *homo* dont l'accusatif *hominem* a donné *homme.*

Pronom personnel indéfini de la 3ᵉ personne, invariable, faisant toujours fonction de sujet.

a (Prononciation).

Le *n* de *on* se lie avec le verbe qui suit quand il commence par une voyelle ou un *h* muet : *on a* [ɔ̃na], *on habite* [ɔ̃nabit] etc. Il en résulte que, dans la langue parlée, il peut être difficile de distinguer l'affirmation (*si l'on ose* [silɔ̃noz]), de la négation (*si l'on n'ose* [silɔ̃noz]).

b (Forme).

Étant à l'origine un substantif (comme *personne** et *rien**), *on* pouvait s'employer avec l'article défini : *l'on* désignait primitivement « l'homme en général, les hommes ». Cette forme fut courante jusque vers la fin du XVIIᵉ siècle. Aujourd'hui, *l'on* s'emploie surtout dans la langue écrite (surtout didactique ou littéraire), pour éviter un hiatus (notamment après *et, ou, où, qui, quoi, si*), soit à une rencontre de consonnes (*qu'on conduit*, etc.). *Ce que l'on conçoit* (cit. 14) *bien s'énonce clairement. C'est ce que l'on nomme liberté* (cit. 35). *Et l'on n'y peut rien dire* (→ Forme, cit. 67). Certains auteurs contemporains semblent, sans raison apparente, préférer la forme *l'on* (cf. Le Bidois, *Défense de la langue française*, *in le Monde*, 26 févr. 1958).

c (Inversion).

« Si le verbe finit par une voyelle devant *on*, comme *prie-on, alla-on*, il faut prononcer et écrire un *t* entre-deux, *prie-t-on, alla-t-on*, pour ôter la cacophonie... » (Vaugelas, *Remarques sur la langue franç.*, éd. Streicher, p. 10). *Se mire-t-on près un rivage ?* (→ Image, cit. 1). *Où va-t-on ?*

d (Répétition).

En phrases coordonnées ou juxtaposées, *on* se répète normalement devant chaque verbe ou chaque auxiliaire. *De tous côtés on se cogne, on frotte* (cit. 28), *on est empoigné..., on est arrêté, coincé. On cherche, on fouille, l'on trifouille, l'on déterre...* (→ Main, cit. 9).

1 On se nourrit des anciens et des habiles modernes, on les presse, on en tire le plus que l'on peut, on en renfle ses ouvrages ; et quand enfin l'on est auteur, et que l'on croit marcher tout seul, on s'élève contre eux, on les maltraite (...)
LA BRUYÈRE, les Caractères, I, 15.

REM. Il faut éviter d'employer, dans une même phrase, deux ou plusieurs *on* qui ne représentent pas la même personne. Cette construction était fréquente chez les classiques (cf. Brunot, *Hist. de la langue franç.*, t. IV, p. 896).

2 D'un pasquin qu'on a fait, au Louvre on vous soupçonne. BOILEAU, Épîtres, VI.

★ **I.** *On,* marquant l'indétermination.

♦ **1.** Les hommes en général, l'homme. *On ne saurait penser à tout.* « *L'on n'aime bien qu'une seule fois* » (La Bruyère). *L'esprit* (cit. 146) *qu'on veut avoir gâte celui qu'on a.* — REM. *On* est fréquemment utilisé en ce sens dans les réflexions, les maximes.

3 On garde sans remords ce qu'on acquiert sans crimes (...)
CORNEILLE, Cinna, II, 1.

4 Il faut autant qu'on peut obliger tout le monde :
On a souvent besoin d'un plus petit que soi. LA FONTAINE, Fables, II, 11.

5 Thérèse, on n'est jamais bon quand on aime. FRANCE, le Lys rouge, XXIII.

♦ **2.** Les gens*, et, spécialt, l'opinion. *On l'a beaucoup critiqué. On ne me fera jamais croire cela. On dit que ... :* les gens disent, le bruit court... (→ Dire, cit. 67). — N. m. *Un on-dit.* ⇒ **On-dit.** *Le qu'en-dira-t-on.* ⇒ **Dire** (infra cit. 52 et 69). — *On dirait, on dirait que... ; on dirait d'un fou* (→ Dire, cit. 58, 59 et 60). — *Comme on dit :* suivant l'expression consacrée (→ Comme dit l'autre*).

6 Il était très vif et très gai. On ne l'eût pas cru à le voir plus tard fatigué par le travail, affaibli par la maladie. FRANCE, le Lys rouge, VII.

7 Ah, on voyait bien qu'il se préparait à être avocat, celui-là, il en avait une bavette ! ARAGON, la Semaine sainte, XV, p. 544.

7.1 Mais la féminité se définit-elle ? (...) Nous a-t-on donné assez de place pour exprimer notre originalité ou ne sommes-nous que la nymphe Écho de l'homme Narcisse amoureux de lui-même ? Reflet, rêve de l'homme, source, muse, égérie, mère, putain, sorcière, quel on nous a déterminées ? De quel on faut-il se protéger, se démarquer ? S'appelle-t-il espèce ? Société ? Idée de Dieu ?
Michèle PERREIN, Entre chienne et louve, p. 16.

♦ **3.** Un plus ou moins grand nombre de personnes. *On était fatigué de la guerre. C'est vrai qu'on monte* (cit. 10) *demain en première ligne. Il se leva en déclarant qu'on ne boirait pas davantage.*

8 Hier, j'étais chez des gens de vertu singulière,
Où sur vous du discours on tourna la matière (...)
MOLIÈRE, le Misanthrope, III, 4.

9 Jusqu'au soir, on mangea. Quand on était trop fatigué d'être assis, on allait se promener dans les cours (...) puis on revenait à table (...) au café, tout se ranima ; alors on entama des chansons, on fit des tours de force, on portait des poids (...) on disait des gaudrioles, on embrassait les dames. FLAUBERT, Mᵐᵉ Bovary, I, IV.

10 Ici, on est très radical et libre penseur (...) Quand je dis « on est », j'entends parler de cinq ou six petits bourgeois qui viennent au café.
FLAUBERT, Correspondance, 1559, 21 oct. 1875.

11 Maintenant, on fait un devoir à un pauvre paysan d'être soldat. On l'exile de la maison (...) ; on lui enseigne, dans la cour d'une vilaine caserne, à tuer régulièrement des hommes (...) FRANCE, le Lys rouge, VII.

12 (...) le cabaret (...) se trouvait plein de gardes et de mousquetaires quand Mᵍʳ le Duc de Berry y pénétra avec ses deux compagnons. On l'avait reconnu et on s'écartait devant lui respectueusement, pour leur faire place.
ARAGON, la Semaine sainte, XV, p. 505.

♦ **4.** Une personne quelconque (inconnue ou indéterminée). ⇒ **Quelqu'un.** *On me l'a dit* (cit. 68) : *il faut que je me venge. On me l'avait prédit... Je m'y attendais* (cit. 98). « *... On m'a coupé la gorge, on m'a dérobé* (cit. 2) *mon argent* » (Molière). *Quand on est roi, que peut-il manquer ?* (cit. 15).

13 On dépréciera ces immeubles, on en précipitera la vente, on écartera les acquéreurs (...) on étouffera les enchères (...) — Précisez, monsieur, j'exige que vous précisiez. Vous dites : on fera telle, telle et telle chose. Qui donc les fera, s'il vous plaît ? Henry BECQUE, les Corbeaux, II, 9.

14 L'opinion (...) L'opinion de l'opinion ! Tiens, je commence à en avoir assez ! on a dit, on dit, on dira (...) Qui ça, On ? Ce n'est jamais tout le monde ; c'est même rarement deux interlocuteurs : c'est à peine soi (...) quand on, monsieur, est tout seul à raconter des histoires (...)
Paul HERVIEU, Les paroles restent, III, 1.

REM. Avec un verbe transitif accompagné d'un complément d'objet direct, l'emploi de *on* permet d'éviter le passif. Ainsi, au lieu de : « Des côtelettes d'agneau... furent apportées. », « *On apporta des côtelettes d'agneau* » (→ Lit, cit. 28). *Cette affreuse boisson... qu'on vend pour du vin à nos ouvriers* (→ Litharge, cit. 2).

★ **II.** *On,* représentant une ou plusieurs personnes déterminées (Emplois stylistiques).

REM. Plus encore que les autres pronoms personnels (→ Il, nous, vous), *on* se prête à des substitutions de personnes et peut marquer des nuances de sentiments très variés : discrétion, prudence, modestie, orgueil, mépris, condescendance, etc. Ces emplois stylistiques (ou affectifs) se rencontrent aussi bien dans la langue littéraire que dans la langue parlée, dans les récits que dans les dialogues.

♦ **1.** (3e personne). Il; elle. *On dit* (cit. 15) *qu'on est inconsolable; on le dit, mais il n'en est rien.*

15 Quoi? d'un juste courroux je suis ému contre elle,
C'est moi qui me viens plaindre, et c'est moi qu'on querelle!
MOLIÈRE, le Misanthrope, IV, 3.

16 Nous sommes restés bons amis; on me confie ses petites pensées, on suit quelquefois mes conseils; et faute de mieux, j'ai accepté le rôle de subalterne auquel tu m'as réduit.
DIDEROT, Jacques le fataliste, Pl., p. 704.

17 (...) il fut frappé de la froideur glaciale de la main qu'il prenait; il la serrait avec une force convulsive; on fit un dernier effort pour la lui ôter, mais enfin cette main lui resta.
STENDHAL, le Rouge et le Noir, I, IX.

18 Et puis tu me diras si l'on a eu du chagrin en apprenant mon départ (...) si l'on a pleuré (...) — Qui ça, mon commandant? (...) — Eh parbleu, elle! Anita!
E. LABICHE, le Voyage de M. Perrichon, I, 7.

19 J'ai un nom ridicule, c'est entendu. Mais qu'on ne passe pas les bornes (...) Testevel n'osait pas heurter Sénac de front. Même aux instants de révolte, il employait, vague et prudent, le pronom personnel « on ». Nous savions très bien, nous autres, que ce « on » ne voulait et ne pouvait désigner que Sénac.
G. DUHAMEL, Chronique des Pasquier, V, XIII.

19.1 On apporte des nouilles. On, c'est la femme. Il n'y a pas de viande ce soir. Puis, sans ménagement, elle lui apprend qu'un voisin a tué le chat. Qui, on ne sait pas.
R. QUENEAU, le Chiendent, p. 20.

♦ **2.** (2e personne). Tu, toi, vous. (On emploie parfois *on* pour ne pas s'adresser directement à qqn, pour éviter le *vous* et le *tu* et les nuances qu'ils impliquent). *Je constate qu'on n'est guère joyeux de mon retour.* Fam. *Eh bien! on ne s'en fait pas! Alors, on se promène? On ne dit plus bonjour? Eh bien! qu'est-ce qu'on dit? — Merci madame! Allez, qu'on me débarrasse le plancher!*

20 Je vois que votre cœur m'applaudit en secret;
Je vois que l'on m'écoute avec moins de regret (...)
RACINE, Bérénice, I, 4.

21 (...) il achève de l'apaiser avec des compliments. — Est-elle gentille aujourd'hui! On fait donc des visites, tantôt? (...) Pour éviter la difficulté du tutoiement, il se sert d'un mode vague et impersonnel.
Alphonse DAUDET, Fromont jeune et Risler aîné, II, I.

22 Eh bien! petite, est-on toujours fâchée? MAUPASSANT, Notre cœur, III, I.

23 — Alors? dit-il sans assurance. On s'en va comme ça? On ne dit même pas merci?
— Merci, dit Sarah très vite, merci. SARTRE, la Mort dans l'âme, p. 19.

(Avec un pron. pers. pour régime). ON... VOUS... *(votre, vos)... Le pied vous manquait* (cit. 28)*, on se retenait avec effroi. On ne sait jamais ce qui peut vous arriver.*

24 (...) le maître d'hôtel (...) faisait d'un coup de sa cuiller sauter pour vous le morceau qu'on choisissait.
FLAUBERT, Mme Bovary, I, VIII.

25 Et quand on venait la voir, elle ne manquait pas de vous apprendre qu'elle avait abandonné la musique (...) Alors on la plaignait.
FLAUBERT, Mme Bovary, III, IV.

26 Ce qu'il y a de singulier, par exemple, c'est ce bruit d'eau qu'on entend de partout, qui vous entoure, vous enveloppe, comme si on était dans une chambre de bateau.
Alphonse DAUDET, Contes du lundi, « Un teneur de livres ».

♦ **3.** (1re personne). Je, moi ou nous. *Allons, tu sais bien qu'on t'aime toujours,* que je t'aime toujours. *Il y a longtemps qu'on ne vous a vu. Oui, oui ! on y va!*

REM. «Dans les préfaces..., *on* est modeste et permet d'éviter le *je* un peu encombrant et le *nous* un peu prétentieux» (Brunot et Bruneau, *Précis de grammaire historique,* 3e éd., p. 274).

27 On de modestie. — Le *moi* est haïssable. Pour éviter de se mettre en avant, au nominal personnel les raffinés substituaient fort souvent l'indéterminé *on,* qui, étant plus vague, ne choque pas. *On est faite d'un air, je pense, à pouvoir dire Qu'on n'a pas pour un cœur soumis à son empire; Et Dorante, Damis, Cléonte et Lycidas, Peuvent bien faire voir qu'on a quelques appas.* (Molière, les Femmes savantes, 375).
F. BRUNOT, la Pensée et la Langue, p. 276.

28 Allez, vous êtes fou, dans vos transports jaloux,
Et ne méritez pas l'amour qu'on a pour vous. MOLIÈRE, le Misanthrope, IV, 3.

29 Ah! que la Vie est quotidienne (...)
Et, du plus vrai qu'on se souvienne,
Comme on fut piètre et sans génie.
Jules LAFORGUE, Complainte sur certains ennuis.

30 *(Madame Verdurin)* lui reprocha seulement une fois d'écrire si souvent « je » (...) A partir de ce moment Brichot remplaça *je* par *on,* mais *on* n'empêchait pas le lecteur de voir que l'auteur parlait de lui et permit à l'auteur de ne plus cesser de parler de lui, de commenter la moindre de ses phrases, de faire un article sur une seule négation, toujours à l'abri de *on...* «On ne camoufle pas ici la vérité. On a dit que... On n'a pas dit que... On ne dira pas non plus que (...)»
PROUST, À la recherche du temps perdu, t. XIV, p. 118.

♦ **4.** Fam. Nous. *Alors, on y va? Quand est-ce qu'on se voit? On ira tous les deux au cinéma.* «On n'est pas des bœufs», œuvre d'Alphonse Allais. — REM. Dans la plupart des cas, «le remplacement de *nous* par *on* correspond à un dépérissement graduel de la forme verbale de la 1re personne du pluriel» (Nyrop) et au besoin d'uniformiser les terminaisons.

31 Sais-tu qu'on serait
Bien sous le secret
De ces arbres-ci? VERLAINE, Romances sans paroles, « Bruxelles », I.

32 On part! il faut être prêt dans un quart d'heure. — Où qu'on va? demande Moreau. — On y va, cette fois, ça y est. Numérotez vos abatis.
René BENJAMIN, Gaspard, II.

33 Avez-vous jamais tiré sur des hommes? — Jamais, dit Mathieu (...) — On fera de son mieux, dit Pinette d'une voix étranglée.
SARTRE, la Mort dans l'âme, p. 167.

Fam. (*On* reprenant et représentant un *nous* énoncé dans la même phrase). *Chez nous, vous savez, on ne fait pas de cérémonies.* « *Nous autres artistes... on ne fait pas toujours ce qu'on veut* » (Colette). *Nous, on va souvent au cinéma.*

34 On est quelque chose comme orphelins, nous, pas? — Oui, on est orphelins! On est si gentils! Elle se colla contre lui (...) COLETTE, Chéri, p. 93.

35 Alors, nous, on risque de servir d'otages (...) Regardez le chemin de fer de Bagdad. Qui ça embête-t-il? Les Anglais. Nous, on s'en fout.
J. ROMAINS, les Hommes de bonne volonté, t. IX, XXXII, p. 280
(paroles prêtées à A. Briand).

36 Il faut prendre des mesures immédiates (...) — Nous, on veut bien, mais lesquelles? SARTRE, la Mort dans l'âme, p. 255.

(Avec un pron. pers. ou un nom accompagné d'un possessif pour régime). ON... NOUS... *(notre, nos). Rentrons, on sera mieux chez nous.*

37 Qu'on hait un ennemi quand il est près de nous! RACINE, la Thébaïde, IV, 2.

38 Quand on nous arrache tout ce que nous aimons, on ressent tous les jours que cette violence excite nos désirs. BOSSUET, cité par NYROP, V, p. 371.

39 (...) elle (...) lui gardait au fond de son cœur cette place chaude, abritée, où l'on revient comme au refuge quand la vie nous a blessé.
Alphonse DAUDET, Fromont jeune et Risler aîné, III, I.

★ **III.** (Emplois particuliers de *on*). ♦ **1.** *On* (au sens I ou II) ayant pour régime un pronom personnel ou un nom accompagné d'un possessif (→ II., 2. : *on... vous :* et II., 4. : *on... nous*).

ON... SOI, SOI-MÊME (emploi réfléchi). *On ne doit pas toujours parler de soi* (Académie). *On est quelquefois aussi différent* (cit. 1) *de soi que des autres. On a souvent besoin* (cit. 35) *d'un plus petit que soi. On n'est jamais si bien servi que par soi-même.*

40 À raconter ses maux souvent on les soulage. CORNEILLE, Polyeucte, I, 3.

41 C'est insupportable, quand on parle de soi, on n'a jamais fini.
G. DUHAMEL, Salavin, I, II.

42 On ne tremble jamais que pour soi, que pour ceux qu'on aime.
PROUST, À la recherche du temps perdu, t. II, p. 138.

43 On ne peut tout seul garder la foi en soi-même.
F. MAURIAC, le Nœud de vipères, VI.

♦ **2.** *On,* suivi d'un participe passé ou d'un attribut. (Au masc. sing.). *On n'est jamais si heureux* (cit. 27) *ni si malheureux qu'on croit. On ne peut être juste si l'on n'est pas humain.* — (Avec accord; emploi stylistique).

a Suivi d'un féminin. « *On n'est pas toujours jeune et belle* » (Académie).

44 On est gaie, gaillarde, on croit avoir entretenu tous nos bons amis (...)
Mme DE SÉVIGNÉ, 453, 6 oct. 1675.

45 (...) on est si touchée de la mort de son mari, qu'on n'en oublie pas la moindre circonstance. LA BRUYÈRE, les Caractères, III, 79.

46 Il faut convenir, se disait-il, qu'elle a une bonté d'âme angélique, et l'on n'est pas plus jolie. STENDHAL, le Rouge et le Noir, I, XVI.

47 On est vieille, on est prude, on est dévote, on est la tante (...)
HUGO, les Misérables, III, III, VII.

48 L'exemple le plus remarquable d'accord avec le sens est celui des phrases qui ont pour sujet le nominal *on.* Avec le sens général qu'il a pris, il s'applique à des êtres féminins, de sorte qu'on dira : *quelque* spirituelle *qu'on puisse être* (Molière, *Préc.,* 9). Les exemples pullulent en langue classique : *Je croyais qu'on n'était coquette qu'au village* (Montfl., *Crisp. gent.,* III, 12); *car apparemment on ne se serait pas portée à un homicide, si l'on eût été autrefois traitée de la sorte* (Bayle, *Dict.,* art. Touchet, n. c.). Nous disons de même : *On n'est pas méchante comme vous!* Si *on* remplace *nous,* il peut, qu'il soit accompagné ou non d'un mot tel que *tous,* entraîner le pluriel : *on est tous contents.*
F. BRUNOT, la Pensée et la Langue, p. 623.

b (Suivi d'un pluriel). *On est tous égaux devant la mort. L'embarras où l'on est de se trouver seuls* (→ Déclin, cit. 3).

49 Hier on alla ensemble à Versailles, accompagnés de quelques dames (...)
Mme DE SÉVIGNÉ, 657, 10 juil. 1676.

50 On était simples comme des enfants, presque graves comme des hommes (...)
J. VALLÈS, le Bachelier, p. 45.

51 (...) la promiscuité des caravansérails où l'on dort entassés dans une niche de terre battue (...) LOTI, Vers Ispahan, p. 3.

52 Grouille, je te dis, quand tu es de corvée, on est toujours servis les derniers.
SARTRE, la Mort dans l'âme, p. 256.

53 Aux tables du Café des Arts, sur la place, on buvait, attablés tous ensemble, avec les deux serveuses débordées qui couraient, de la bière et de la limonade plein les bras. ARAGON, les Beaux Quartiers, I, XXVII.

♦ **3.** Loc. Avec *pouvoir** et *savoir**, marquant soit un très haut degré (*on ne peut plus, on ne peut mieux,* etc.), soit l'indétermination (*on ne sait qui, on ne sait quoi, on ne sait où, on ne sait comment,* etc.). *J'ai tout ça on ne peut mieux* (cit. 11) *présent à l'esprit* (→ Mieux, cit. 10, et *supra*).

54 La chose fut on ne peut plus pathétique et pitoyable.
HUGO, le Dernier Jour d'un condamné, Préface.

55 *(Ruth)* S'était couchée aux pieds de Booz, le sein nu,
Espérant on ne sait quel rayon inconnu,
HUGO, la Légende des siècles, II, « Booz endormi ».

56 (...) ce soir-là (...) sa démarche avait on ne sait quoi d'allégé, de plus libre, pour courir à la séance.   Alphonse DAUDET, Tartarin sur les Alpes, VII.

57 (...) je suis on ne peut plus heureux de vous rencontrer dans les circonstances présentes (...)   DUMAS fils, le Fils naturel, III, 10.

58 (...) comme un nuage dont la foudre va tomber on ne sait quand ni sur qui (...)   J. ROMAINS, les Hommes de bonne volonté, t. IV, X, p. 103.

★ **IV.** N. m. Le mot *on*. *Remplacer* je *par* on. *Monsieur On* (→ ci-dessus, cit. 14).

59 Le mot : *On,* que j'ai dû employer tient lieu d'un *sujet* indistinct, à la fois spectateur, auteur, auditeur, acteur, en qui le voir et le être vu, l'agir et le subir, sont réunis et même curieusement composés.   VALÉRY, Autres rhumbs, p. 28.

HOM. Ont (ils).
COMP. On-dit, qu'en-dira-t'on.

-ON Suffixe utilisé :

ⓐ En physique, pour former les noms de gaz rares (ex. : *crypton, néon*).

ⓑ En physique atomique pour former les noms de particules élémentaires (ex. : *électron, hélion, neutron*).

ONAGRACÉES [ɔnagRase] n. f. pl. — 1874 ; de 2. *onagre,* et *-acées.*

♦ Syn. de *anagrariacées*.*

ONAGRAIRE [ɔnagRɛR] n. f. ou m. ⇒ 2. **Onagre.**

ONAGRARIACÉES [ɔnagRaRjase] ou **ONAGRARIÉES** [ɔnagRaRje] n. f. pl. — 1891, *onagrariacées ; onagrariées,* 1838 ; de *onagraire.*

♦ Bot. Famille de plantes phanérogames angiospermes, classe des dicotylédones dialypétales, appelées aussi *onagracées, œnothéracées,* qui comprend des herbes annuelles, parfois aquatiques. *Principaux types d'onagrariacées :* circée, clarkie, épilobe, fuchsia, gaura, jussiée, 2. onagre (ou œnothère). — Au sing. *Une onagrariacée, une onagrariée.*

1. ONAGRE [ɔnagR] n. m. — Fin XIIᵉ ; *onager,* v. 1120 ; rare et sav. jusqu'au XVIIIᵉ ; lat. *onager, onagrus,* grec *onagros,* « âne sauvage ».

♦ **1.** Mammifère ongulé *(Équidés)* assez semblable à l'âne et au cheval. ⇒ **Âne** (sauvage). *L'onagre vit notamment en Perse.*

Il existe en Perse (...) un âne extrêmement rare, l'onagre des anciens, *equus asinus,* le *koulan* des Tatars (...)   BALZAC, la Peau de chagrin, Pl., t. IX, p. 194.

♦ **2.** (XIVᵉ ; par anal. avec la ruade de l'animal). Archéol. Machine* (cit. 23) de guerre, sorte de baliste (2. Baliste, cit. 2) ou de catapulte, utilisée au cours des sièges dans l'antiquité et au moyen âge.

2. ONAGRE [ɔnagR] n. f. ou **ONAGRAIRE** [ɔnagRɛR] n. f. ou m. — 1778, *onagre ; onagraire,* 1803 ; *onagra,* 1615 ; grec *onagros.* → 1. Onagre.

♦ Plante dicotylédone *(Onagrariées* ou *Onagrariacées),* herbacée, vivace, scientifiquement appelée *œnothera* (⇒ **Œnothère**) et communément *herbe aux ânes.*

DÉR. (De *onagraire*) Onagrariacées ou onagrariées. — (De *onagre*) Onagracées.

ONANIQUE [ɔnanik] adj. — 1903, *Rev. gén. des sc.,* nº 6, p. 337 ; de *Onan* ou de *onanisme.*

♦ Didact. De l'onanisme.

ONANISME [ɔnanism] n. m. — 1760, « masturbation masculine » ; d'*Onan,* nom d'un personnage de la Bible, qui, en s'unissant à sa belle-sœur, évita de la rendre enceinte, et que, pour ce péché, Dieu fit mourir. Cf. Bible, Genèse, 38, 9.

♦ Littér., méd. « Provocation solitaire, par quelque procédé que ce soit, de l'orgasme génital » (W. Stekel, *in* Porot 1975). ⇒ **Masturbation.** — REM. *Stricto sensu,* le « péché d'Onan » est la perte de la semence (cf. *Coïtus interruptus*), mais le mot s'emploie surtout pour désigner la masturbation ; on parle cependant encore d'*onanisme conjugal,* au sens initial.

DÉR. Onaniste. — V. Onanique.

ONANISTE [ɔnanist] adj. et n. — 1828 ; de *onanisme.*

♦ Didact. Relatif à l'onanisme. *Habitudes onanistes.* ⇒ **Masturbatoire.** — N. *Un, une onaniste :* une personne qui pratique l'onanisme. ⇒ **Masturbateur.**

ONC, ONCQUES ou **ONQUES** [ɔ̃k] adv. — XIIᵉ ; *onque,* 880 ; du lat. *unquam* « quelquefois, jamais* ».

♦ Vx. Jamais*. *Le plus cruel amant qui onques fut* (→ Frauder, cit. 1, Marot ; et aussi coucheur, cit. 1). — REM. *Onques* ne s'emploie plus de nos jours que par affectation d'archaïsme (notamment médiéval) et par plaisanterie (→ Délacer, cit. 2).

ONC-, ONCO- Élément, du grec *ogkos, onkos* « masse, volume ; tumeur ».

1. ONCE [ɔ̃s] n. f. — 1138, *unce ;* du lat. *uncia* « douzième partie (de la livre, etc.) ».

♦ **1.** Anciennt. Poids qui valait la douzième partie de la livre romaine (→ Denier, cit. 4) et la seizième partie de la livre de Paris. ⇒ 2. **Livre.** *Une demi-once* (→ Baisser, cit. 22). *Le marc* valait huit onces.*
Mod. Mesure de poids anglo-saxonne, utilisée aussi au Canada, qui vaut la seizième partie de la livre* ou 28,349 g. (abrév. oz). ⇒ **Ounce.** *Gants de boxe de quatre* (→ Haltère, cit. 3), *de six, de huit onces. L'once est utilisée au Canada depuis 1760.* — Fig. *Ne pas peser une once :* être très léger*, n'être d'aucun poids (→ Autorité, cit. 29).

♦ **2.** (Surtout dans des négations : *pas une once*). Très petite quantité*. ⇒ **Grain.** *Il n'a pas une once de bon sens* (→ Extraire, cit. 10).

♦ **3.** Anciennt. Monnaie d'or d'Espagne, d'Amérique hispanique.

DÉR. (Du même rad.) V. Oncial.
HOM. 2. Once.

2. ONCE [ɔ̃s] n. f. — Fin XIIIᵉ, désignant plusieurs espèces de fauves ; déglutination de *lonce,* du lat. pop. *lyncea,* dér. de *lynx.*

♦ Mammifère carnivore *(Félidés),* variété de panthère *(Félis* ou *Panthera uncia)* — comme le léopard*, le jaguar (cit. 1), — vivant en Asie centrale. (On l'appelle aussi *léopard des neiges, panthère des neiges, chat irbis).* → Lynx, cit. 1.

La seconde espèce est la petite panthère d'Oppien, à laquelle les anciens n'ont pas donné de nom particulier, mais que les voyageurs modernes ont appelée *once,* du nom corrompu *lynx* ou *lunx.* Nous conserverons à cet animal le nom d'*once* qui nous paraît bien appliqué, parce qu'il a en effet il a quelque rapport avec le lynx : il est beaucoup plus petit que la panthère, n'ayant pas le corps que d'environ trois pieds et demi de longueur, ce qui est à peu près la taille du lynx (...)   BUFFON, Hist. nat. des animaux, La panthère, l'once et le léopard.

HOM. 1. Once.

ONCHET [ɔ̃ʃɛ] n. m. — 1761 ; altér. de *jonchet.* ⇒ **Jonchet.**

ONCHOCERCOSE ou **ONCOCERCOSE** [ɔ̃kosɛRkoz] n. f. — 1932 ; de *onchocerque,* et 2. *-ose.*

♦ Méd. Maladie parasitaire provoquée par les onchocerques*, se présentant sous forme de nodules sous-cutanés, d'éruptions prurigineuses (gale filarienne) et de lésions oculaires qui peuvent entraîner la cécité (par infiltration de toute la cornée). « *L'onchocercose atteint environ vingt-cinq millions d'Africains et d'habitants d'Amérique centrale* » (la Recherche, nº 115, oct. 1980).

ONCHOCERQUE [ɔ̃kosɛRk] n. m. — 1856, *in* Cottez ; du lat. sc. *onchocerca ;* de *uncus* « crochet », du grec *ogkos,* et grec *kerkos* « guerre ».

♦ Zool. Vers nématode *(filaires),* parasite du tissu conjonctif et des vaisseaux des mammifères et de l'homme, à l'état adulte et larvaire *(microfilaires).*

DÉR. Onchocercose.

ONCIAL, ALE, AUX [ɔ̃sjal, o] adj. et n. f. — 1587 ; du lat. *uncialis* « d'un douzième (de pied) » c.-à-d. « d'un pouce » (→ 1. Once) mais le sens de *uncia* est ici peu clair, l'once étant surtout un poids. Didactique.

♦ **1.** Adj. Se dit d'une écriture calligraphique médiévale (IVᵉ-IXᵉ siècle). *Caractères onciaux. Lettres onciales. Écriture onciale. Écriture semi-onciale,* présentant certaines des caractéristiques de l'onciale, altérées par l'influence d'autres écritures (minuscule caroline, notamment).

Il relut le paragraphe deux fois, trois fois (...) puis il se remit à écrire. Il avait une fort belle écriture, une écriture onciale, disait-il avec la fierté qui perçait toujours sous ses airs d'une obséquiosité visiblement affectée.   A. BILLY, Sur les bords de la Veule, p. 63.

L'écriture onciale est une calligraphie mixte, qui comporte des lettres de l'alphabet capital, des lettres minuscules et des lettres dont la forme est spécifique à l'alphabet oncial. Ces dernières sont le *a,* le *d,* l'*e* et le *m.*   Jacques STIENNON, Paléographie du Moyen-Âge, p. 64.

♦ **2.** N. f. Écriture onciale. *Manuscrit en onciale.*

ONCIDIUM [ɔ̃sidjɔm] n. m. — 1800; de *onc-*, et *idium*, var. *onchidium*.

♦ Bot. Genre d'orchidées groupant environ 500 espèces d'Amérique tropicale, possédant une inflorescence en grappe, et remarquable par son très grand labelle.

ONCIROSTRE [ɔ̃siʀɔstʀ] adj. et n. — 1845; «échassier», 1839; du lat. *uncus* «crochu», et *-rostre*.

♦ Zool. (Oiseaux). Qui a le bec crochu. — N. m. *Les oncirostres.*

ONCLE [ɔ̃kl] n. m. — 1080, *uncle, Chanson de Roland*; du lat. *avunculus* «oncle maternel».

♦ **1.** Frère du père ou de la mère, et, par ext., mari de la tante. ⇒ **Tonton.** *L'oncle de qqn, son oncle. Oui, mon oncle.* — (Rare). *Bonjour, oncle.* — Cour. *Bonjour, oncle Paul. Relatif à un oncle.* ⇒ **Avunculaire.** *Oncle paternel, maternel. Oncle par alliance du côté maternel* (cit. 6). *Rôle de l'oncle maternel dans certaines organisations sociales.* ⇒ **Avunculat.** *La tante et l'oncle* (→ 2. Gentil, cit. 7; impatient, cit. 10; lubie, cit. 1). *Les oncles et les tantes, parents en ligne collatérale de leurs neveux** (cit. 2) *et de leurs nièces*.* ⇒ **Parenté.** *Mariage entre l'oncle et la nièce* (→ Neveu, cit. 3). — Loc. *Oncle à la mode de Bretagne* : cousin germain du père ou de la mère (⇒ **Grand-oncle**). *Oncle à héritage, à succession* (→ Morveux, cit. 3) : oncle riche dont on attend un héritage (→ Héritier, cit. 11). — *Oncle d'Amérique* : parent riche, émigré depuis longtemps, qui apporte aux siens un héritage inattendu. — *Oncle Sam,* personnification familière du peuple et du gouvernement des États-Unis. — Allus. littér. *La Case de l'oncle Tom.*

1 Ô Amérique, que ne m'envoies-tu des oncles du fond de tes forêts! Qu'ils soient tatoués, oui ou non, de chair rouge ou avec des plumes, Osages ou Iroquois, n'importe! pourvu qu'ils soient riches, qu'ils soient oncles et qu'ils meurent!
FLAUBERT, Correspondance, 52, 25 nov. 1841.

2 (...) un oncle était pour mes frères une personne d'âge. Que le petit Grangier fût oncle tenait donc du prodige, et ils étaient accourus pour nous faire partager leur émerveillement.
R. RADIGUET, le Diable au corps, p. 182.

Spécialt. (Franç. d'Afrique). **ⓐ** Frère de la mère (le frère du père, dans les civilisations patriarcales, est plutôt appelé «père»).

ⓑ Adulte ami de la famille, dans l'usage des enfants.

♦ **2.** (1839). Loc. fam. *Mon oncle* (vx), prêteur sur gage. — REM. Il ne s'agit peut-être que d'un jeu de mot occasionnel.

3 — Où prendras-tu l'argent? dit-elle.
— Chez mon oncle, répondit Raoul.
Florine connaissait l'oncle de Raoul. Ce mot symbolisait l'usure comme dans la langue populaire ma tante signifie le prêt sur gage.
BALZAC, Une fille d'Ève, *in* le Siècle, 6 janv. 1839, *in* D. D. L., II, 16.

COMP. **Grand-oncle.**

ONCO- ⇒ Onc-.

ONCOGÈNE [ɔ̃kɔʒɛn] adj. — V. 1970; de *onco-*, et *-gène*.

♦ Didact. Qui favorise le développement des tumeurs. *Virus oncogène.* ⇒ **Cancérigène.** «*Deux travaux récemment publiés (...) donnent (...) une explication plausible d'un des grands mystères de la cancérologie virale : celui de la réplication des virus oncogènes (cancérigènes) à ARN (...)*» (la Recherche, sept. 1970). — *Gène oncogène,* n. m., *un oncogène* : gène responsable d'un développement tumoral.

ONCOLOGIE [ɔ̃kɔlɔʒi] n. f. — V. 1970; de *onco-*, et *-logie*.

♦ Didact. Étude des tumeurs cancéreuses. ⇒ **Cancérologie, carcinologie.**

DÉR. **Oncologue** ou **oncologiste.**

ONCOLOGUE [ɔ̃kɔlɔg] ou **ONCOLOGISTE** [ɔ̃kɔlɔʒist] n. — V. 1970; de *oncologie*.

♦ Didact. Spécialiste de l'oncologie.

ONCOTIQUE ou **ONKOTIQUE** [ɔ̃kɔtik] adj. — 1878; dér. sav. du grec *ogkos* (→ Onco-).

♦ **1.** Pathol. Relatif aux tumeurs.

♦ **2.** (1938, Garnier-Delamare). Chim. *Pression oncotique* : pression osmotique d'une solution colloïdale complexe (⇒ **Osmotique**). *Pression oncotique des protéines du plasma sanguin.*

ONCTION [ɔ̃ksjɔ̃] n. f. — 1190; du lat. *unctio*, du supin de *unguere* «oindre».

♦ **1.** Didact. (relig.). Qui consiste à oindre une personne ou une chose (avec de l'huile sainte, du saint chrême*), en vue de lui conférer

un caractère sacré, d'attirer sur elle la grâce, d'obtenir la guérison d'une maladie... *Rôle de l'onction dans les religions antiques, orientales. Guérisons par l'imposition des mains, par l'onction de l'huile* (cit. 13). *L'onction qui accompagnait le sacre d'un roi hébreu* (→ Christ, cit. 1), *d'un roi de France. L'onction dans les sacrements et les cérémonies catholiques,* baptême, confirmation, extrême*-onction (→ Convoiter, cit. 3; huile, cit. 22), ordination d'un prêtre, sacre d'un évêque (⇒ **Consécration**), dédicace d'une église, consécration d'un autel, d'un calice, d'une patène, bénédiction des cloches, etc.

1 Le prélat ferma aux choses de la terre, par une sainte onction, ces yeux qui avaient causé tant de mal (...)
BALZAC, le Curé de village, Pl., t. VIII, p. 767.

2 (...) la sainte ampoule de Reims, par l'onction de laquelle nos rois sont institués vicaires de Jésus-Christ pour le royaume de France.
FRANCE, les Opinions de J. Coignard, *in* Œ., t. VIII, III, p. 359.

Fig. «*L'onction intérieure du Saint-Esprit*» (Bossuet, *Exposition de la doctrine catholique*, IX). *L'onction de la grâce.*

♦ **2.** Vieilli. Friction de la peau avec un corps gras. ⇒ **Friction** (→ Lutteur, cit. 2).

♦ **3.** (1363). Douceur particulière dans les gestes, l'accent, les paroles, qui dénote de la piété, de la dévotion, et y incite. *Onction apostolique, ecclésiastique* (→ Bronze, cit. 1). *Qui a de l'onction.* ⇒ **Onctueux,** 2. — Spécialt (surtout en parlant de l'éloquence* d'un prédicateur). *Douceur persuasive qui touche le cœur, porte à la piété, à la dévotion. Discours, sermon plein d'onction. Prêcher avec onction.*

3 Il est impossible de ne pas reconnaître de l'onction, un sérieux profond et beaucoup de conviction dans la prose de ce jeune lévite; il aura la douce vertu de Massillon.
STENDHAL, le Rouge et le Noir, II, XXVI.

4 Il gardait de sa première vocation je ne sais quelle onction du regard et de la voix, qu'il avait naturellement pastorale, je veux dire propre à remuer les cœurs (...)
GIDE, Si le grain ne meurt, I, v, p. 140.

Par ext. (Souvent iron. ou péj.). *Avoir des manières pleines d'onction, de douceur.* ⇒ **Onctueux,** 2. *Onction de douceur.*

CONTR. **Brièveté, brutalité, dureté, rudesse, sécheresse.**
COMP. **Extrême-onction.**

ONCTUEUSEMENT [ɔ̃ktɥøzmɑ̃] adv. — 1582; de *onctueux*, et 1. *-ment*.
Littéraire.

♦ **1.** D'une manière onctueuse.

♦ **2.** (1785). Avec onction* (3.). *Prêcher onctueusement.*

1 Et même celles qui n'avaient pas commencé dans le mystère, comme mes relations avec Mᵐᵉ de Souvré, si sèches et si purement mondaines aujourd'hui, gardaient à leurs débuts leur premier sourire, plus calme, plus doux, et si onctueusement tracé dans la plénitude d'une après-midi au bord de la mer, d'une fin de journée de printemps à Paris, bruyante d'équipages, de poussière soulevée, et de soleil remué comme de l'eau.
PROUST, le Temps retrouvé, Pl., t. III, p. 974.

2 Simon, crispé, surprit un rapide regard qu'échangeaient son père et sa mère. Enfin, onctueusement, le père continua : «Eh bien, bravo, bravo, mon fils.»
Roger IKOR, les Fils d'Avrom, Les eaux mêlées, p. 531.

ONCTUEUX, EUSE [ɔ̃ktɥø, øz] adj. — 1314, *uncteus*; du lat. médiéval *unctuosus*.

♦ **1.** Littér. ou style soutenu. Qui est propre à oindre*; qui contient une substance grasse, est de la nature d'un corps gras; qui fait au toucher l'impression douce et moelleuse de la graisse, de l'huile. ⇒ **Gras, huileux, savonneux, unguineux.** *Graisse* (cit. 7) *onctueuse. Liquide onctueux.* — Par ext. *Grain* (cit. 23) *onctueux d'une pierre. Savon onctueux* (→ Jouir, cit. 7). — (Aliment, saveur). *Potage onctueux.* ⇒ **Doux, moelleux, velouté.**

1 (...) savourant la viande fine et le légume onctueux comme une crème.
MAUPASSANT, Bel-Ami, I, v.

♦ **2.** Fig. (Souvent iron. ou péj.). Qui a de l'onction* (3.). ⇒ **Dévot.** *Cette lenteur douce, un peu onctueuse, des gens* (cit. 30) *d'Église. Discours* (→ Gargariser, cit. 1), *sermon onctueux.* ⇒ **Doucereux, sucré.** — *Fausseté onctueuse. Manières onctueuses.* ⇒ **Mielleux, patelin.**

2 Fin, souriant, doux et paterne, avec des gestes onctueux (...)
Georges LECOMTE, Ma traversée, p. 309.

CONTR. **Bref, cassant, catégorique, sec.**
DÉR. **Onctueusement.**

ONCTUOSITÉ [ɔ̃ktɥozite] n. f. — 1314; du lat. médiéval *unctuositas*, de *onctuosus* → Onctueux.
Littéraire.

♦ **1.** Caractère de ce qui est onctueux au toucher. *L'onctuosité du beurre.*

♦ **2.** Caractère onctueux (2.). *L'onctuosité de ses manières.*

ONDATRA [ɔ̃datʀa] n. m. — 1763; *ondathra*, 1632; mot indien du Canada.

♦ Mammifère rongeur *(Muridés)*, scientifiquement appelé *fiber*, qui vit à la manière des castors. ⇒ **Loutre** (d'Hudson), **rat** (musqué). *L'ondatra, animal d'Amérique du Nord, se nourrit de végétaux aquatiques et de mollusques.*

L'ondatra est de la grosseur d'un petit lapin et de la forme d'un rat ; il a la tête courte et semblable à celle du rat d'eau, le poil luisant et doux, avec un duvet fort épais au-dessous du premier poil, à peu près comme le castor ; il a la queue longue et couverte de petites écailles comme celle des autres rats, mais elle est d'une forme différente (...)

BUFFON, Hist. nat. des animaux, L'ondatra et le desman.

Par métonymie. Fourrure de cet animal. *Veste d'ondatra.*

ONDE [ɔ̃d] n. f. — V. 1112 ; du lat. *unda* « eau courante ».

★ **I.** (Idée de mouvement alternatif).

♦ **1.** Vx ou littér. Eau qui se soulève et s'abaisse en se déplaçant ou en donnant l'illusion du déplacement. ⇒ **Flot, vague** (→ ci-dessous, cit. 13, Martonne). « *L'onde approche, se brise, et vomit à nos yeux (...) un monstre* (cit. 5) *furieux* » (Racine). *Les ondes d'un fleuve rapide* (→ Arrêter, cit. 15). *Un rocher noir que polit une onde rapide* (→ Fouiller, cit. 5). *Un brouillard* (cit. 7) *blanc qui s'étale comme une onde.*

1 Helmholtz (...) conseille d'aller observer longtemps les vagues de la mer et les sillages des vaisseaux, surtout au point où les ondes s'entrecroisent. Et, pour l'observateur naïf, les ondes courent sur l'eau en élargissant leurs cercles (...) Il faut arriver par entendement à cette perception nouvelle, qui ordonne mieux les apparences (...)   ALAIN, Éléments de philosophie radicale, III.

♦ **2.** Littér., vieilli. L'eau dans la nature (la mer, les eaux courantes ou stagnantes). ⇒ **Eau.** — REM. *Onde*, comme *eau*, s'emploie en ce sens au sing. ou au plur. — « *Dans le courant d'une onde pure* » (→ Agneau, cit. 1, La Fontaine). « *L'onde était transparente ainsi* (cit. 22) *qu'aux plus beaux jours* » (La Fontaine). *Onde limpide* (cit. 2), *cristalline* (cit. 1), *verte* (→ Argenter, cit. 1), *fraîche* (→ Feu, cit. 63). *Onde calme* (→ Flotter, cit. 1), *immobile* (→ Embarcation, cit. 2), *écumante* (cit. 1). *Les ondes jaunes du Tibre* (→ Empester, cit. 5). *Onde qui murmure* (cit. 3). *Voguer sur l'onde. Sur l'onde et sous les cieux* (→ Cadence, cit. 6). *Le ciel et l'onde* (→ Azurer, cit. 1). « *Grenouilles aussitôt* (cit. 8) *de sauter dans les ondes* ». — Rare. L'eau dans les usages que l'on en fait. *L'onde insipide et la cervoise* (cit. 1) *amère.* « *Comme une onde qui bout dans une urne trop pleine* » (→ Bataillon, cit. 5).

2 (...) le vaisseau d'Ulysse, fendant les ondes, avait disparu à ses yeux.   FÉNELON, Télémaque, I.

3 Le Rhône, avec ses ondes fatiguées, dormantes, majestueusement tranquilles, passait (...)   F. MISTRAL, Mireille, X, I.

4 Adieu, reflet perdu sur l'onde calme et close,
Narcisse (...)   VALÉRY, Vers anciens, « Narcisse parle ».

L'onde amère : la mer (→ Aurore, cit. 19). — Vx. *L'onde noire* : le Styx. *Passer l'onde noire* (vx) : mourir.

5 Quand on a passé l'onde noire,
Adieu le bon vin, nos amours (...)   MOLIÈRE, le Bourgeois gentilhomme, IV.

(Par oppos. à *terre*, ou absolt). La mer, les mers. *Sur la terre et sur l'onde* (→ Empire, cit. 1 ; erreur, cit. 42). *L'empire de l'onde* (→ Monde, cit. 20).

6 Croissez pour voir sous vous trembler la terre et l'onde.   CORNEILLE, Poésies diverses, 5.

♦ **3.** Mouvement rappelant celui de l'onde (I., 1.). *Vent qui fait des ondes dans un champ de blé* (⇒ **Frisson**). *Les ondes d'une foule* (→ Heurter, cit. 24). — *Une onde de...* : une vague, un afflux de... *Des ondes de frimas* (cit. 4).

7 (...) une onde brusque de rougeur inonda son visage, et, sanglotant tout à coup, elle s'assit, épuisée, sur son lit (...)   MARTIN DU GARD, les Thibault, t. II, p. 271.

♦ **4.** (XVIᵉ). Forme sinueuse, rappelant l'aspect de l'onde. *Ondes d'une moire*. *Ondes de cheveux.* ⇒ **Ondulation** (→ Cascade, cit. 5).

8 (...) il couvrait la peau jaune de son crâne sous les ondes filamenteuses de ses cheveux gris, ramenés avec un art infini par le peigne de son coiffeur.   BALZAC, les Petits Bourgeois, Pl., t. VII, p. 99.

9 Sur la nuque, ses cheveux châtains, au lieu de finir en mourant, formaient une onde discrète, et donnaient ainsi à l'ensemble du visage, même à l'ensemble de la personne, malgré l'extrême correction de la mise, une nuance qui rappelait le type « artiste de l'Europe Centrale ».   J. ROMAINS, les Hommes de bonne volonté, t. IX, XXII, p. 170.

(XIVᵉ). Archit., décoration. *Ornement en forme d'onde*, fait de lignes sinueuses et parallèles. — Technol. *Outil à ondes* : outil de menuisier servant à pousser des moulures.

★ **II.** (Idée de propagation). ♦ **1.** (1765, en parlant de la propagation d'un mouvement ondulatoire dans un liquide).

a Phys. (XVIIIᵉ-XIXᵉ) et cour. Propagation d'un mouvement dans un milieu, conçu par analogie des *ondes concentriques* (ondes liquides) dans l'eau. *Ondes sonores, lumineuses.*

9.1 Suivant le système des ondulations, la variété infinie des rayons de diverses couleurs qui composent la lumière blanche provient tout simplement de la différence de longueur des ondes lumineuses, comme les divers tons musicaux de celle des ondes sonores.
FRESNEL, Inst. Mem. Scienc. 1821 et 1822, t. V, in LITTRÉ.

REM. Ce type d'emplois, limité à la propagation des ondes (au sens moderne, b) dans les liquides et dans l'air (ou l'« éther ») ou encore aux

ondes sismiques, est lié à l'analogie avec l'eau ; le discours non scientifique le utilise plus volontiers que les extensions du sens b.

10 Si les accords s'envolent des fibres d'un instrument, j'écoute avec volupté ces notes perlées qui s'échappent en cadence à travers les ondes élastiques de l'atmosphère.   LAUTRÉAMONT, les Chants de Maldoror, II.

11 (...) la conque vibrante où passaient ces ondes sonores propageait à travers mes sens de puissantes résonances (...) Le choc, doux ou clair, le choc pur ou sombre, d'une seule touche, suffisait à communiquer un long plaisir à mes oreilles ; et de là j'en suivis les échos successifs, de vibration en vibration, jusqu'au silence, où l'onde s'évanouissait au fond de moi, dans l'empire des lointains sonores. Si je me contentais de peu pour m'envoûter moi-même, combien plus me captivait l'ordre d'une mélodie cadencée (...)   H. BOSCO, Antonin, p. 108.

b Sc., mod. (extension et abstraction du sens a, qui l'inclut). Déformation, ébranlement ou vibration dont l'élongation (déplacement, par rapport à position d'équilibre) est une fonction périodique des variables de temps et d'espace. *Ondes longitudinales* (dans lesquelles le déplacement, la vibration se produit dans la direction de propagation. Ex. : *ondes sonores*), *transversales* (le déplacement, la vibration se produit dans un plan perpendiculaire à la direction de propagation. Ex. : *ondes électromagnétiques*). ⇒ **Vibration.** *Les fluides ne transmettent que des ondes longitudinales. Crête, creux d'une onde. Phase** *des points d'une onde. Source d'une onde. Front d'onde* : lieu des points de l'espace atteints par la vibration à l'instant considéré. *Surface d'onde : surface continue telle que les vibrations ou chacun de ses points soient en phase. Dans un milieu isotrope la surface d'onde est une sphère. Ligne d'onde* : surface d'onde dans un milieu à deux dimensions. *Amplitude d'une onde. Période d'une onde* : intervalle de temps qui sépare deux maxima successifs en un point donné. *Fréquence** *d'une onde. Longueur d'onde* : espace parcouru par la vibration pendant une période. *Mesure des longueurs d'onde.* ⇒ **Angstrœm.** *Vitesse de propagation d'une onde* : vitesse qu'aurait un point qui se trouverait constamment sur la crête de l'onde. *Train d'ondes* : émission d'ondes en nombre limité. *Ondes entretenues* : émission continue d'ondes d'amplitude constante. *Onde amortie*, dont l'amplitude décroît. *Ondes directes* (→ Insonoriser, cit. 1). *Ondes indirectes* ou *ondes d'espace* : ondes réfléchies sur l'ionosphère. *Réflexion** *d'une onde. Onde réfléchie*, qui naît et progresse en sens inverse d'une onde rencontrant un obstacle *(onde incidente). Onde stationnaire*, provoquée par deux sources de même période et de même amplitude en opposition de phase. *Ventre**, *nœud** *de vibration d'une onde stationnaire. Interférence** *des ondes. Diffraction** *des ondes* (théorème de Huyghens). *Étude mathématique d'une onde ; fonction, équation d'onde. Onde élastique*, qui se propage en milieu élastique. *Onde se propageant dans le vide. Ondes liquides* : ondes concentriques qui se propagent dans l'eau quand on y jette une pierre. ⇒ **Cercle, ride, rond.** *Les vagues** *d'oscillation sont des ondes* (→ I., 1.). — *Ondes sismiques**. *Ondes* (sismiques) *de propagation. Onde de volume* (engendrée par une rupture initiale au foyer d'un tremblement de terre). — *Ondes de choc* : sillage généralement conique d'un objet se déplaçant dans l'air à une vitesse supersonique. — Loc. fig. (→ ci-dessous, f). — *Ondes sonores.* ⇒ **Son** (infra-son, ultra-son, son audible) ; et aussi **résonance.** *Ondes qui font vibrer le tympan* (→ Conduit, cit. 5).

12 Si nous inclinons régulièrement cette surface *(une surface plane inclinée)* par rapport à la direction de propagation de l'onde acoustique, l'amplitude de l'onde réfléchie et la phase vont se modifier en fonction des conditions d'inclinaison.   la Recherche, avr. 1981, p. 480.

(En parlant d'ondes qui ne nécessitent aucun milieu matériel connu pour leur propagation). *Les ondes électromagnétiques comprennent* (dans l'ordre de longueur d'onde décroissante) *les ondes hertziennes, les rayons infrarouges, les radiations visibles, les rayons ultraviolets, les rayons X et les rayons gamma. Quantité d'énergie associée à des ondes électromagnétiques.* ⇒ **Quantum** (et ci-dessous, d). — *Ondes laser. Onde* (laser) *excitatrice rayonnant des « ondelettes » en avance sur elle.* — *Longueur d'une onde.* Loc. *Longueur d'onde. Longueur d'onde de la lumière* (cit. 1). *Couleur définie par une longueur d'onde* (→ ci-dessous, c).

13 *La houle en haute mer* (...) *est une onde libre à mouvement oscillatoire. L'observateur peut avoir l'illusion qu'elle avance, mais c'est seulement sa forme extérieure qui se déplace, la crête se trouvant, au bout de quelques instants, à la place du creux* (...) *La preuve qu'il n'y a pas déplacement réel est aisée à faire en observant un corps flottant : on voit celui-ci monter et descendre, mais sans changer de position.*   E. DE MARTONNE, Traité de géographie physique, t. I, p. 367.

14 (...) supposons que A et B se trouvent au bord de l'eau, dans un bassin (...) On peut (...) en A frapper du plat de la main dans l'eau, une onde est émise (« ronds » dans l'eau) et elle parvient en B au bout d'un certain temps (...) il n'y a pas de transport de matière de A en B ; les molécules d'eau subissent un déplacement vertical, en poussant les molécules les unes après les autres, mais aucune n'est transportée de A en B. C'est là la différence essentielle entre les ondes élastiques et les propagations de particules.   J.-L. DESTOUCHES, la Mécanique ondulatoire, p. 17.

Physiol. *Ondes électriques du cerveau. Ondes bêta* (traduisant l'activité électrique du cerveau sous l'influence des stimulations, à l'état de veille), *ondes delta* (traduisant l'activité du cerveau dans le sommeil).

c Spécialt. Techn. (dans le contexte des transmissions radio). *Ondes radioélectriques. Onde porteuse.* — *Utilisation des ondes électromagnétiques pour les messages, les commandes à grande distance* (⇒ comp. du préf. **Télé**-), *pour les repérages* (⇒ **Radar**).

15   Les ondes radio-électriques transportent l'énergie à distance, comme la lumière ; elles sont (...) une véritable lumière qui ne diffère de la lumière visible que par la longueur d'onde. Mais elles ne sont accessibles à aucun de nos sens (...) Les grandes longueurs d'onde correspondent (...) aux fréquences les moins élevées, les courtes longueurs d'onde aux fréquences les plus élevées. Les termes souvent employés d'ondes longues et d'ondes courtes sont en eux-mêmes peu précis. Aussi, a-t-on remplacé cette dénomination par celle plus précise des ondes kilométriques, décamétriques, métriques, etc. Dans les accords internationaux, les ondes sont désignées à la fois par leur fréquence en kilocycles par seconde et par leur longueur d'onde en mètres (...)   R. BUREAU, la T. S. F., p. 13 et 21.

Cour. (en parlant des ondes hertziennes utilisées dans les transmissions radioélectriques sans fil, → Radio, T.S.F., sans qualificatif ou dans quelques syntagmes : *ondes courtes*, etc.). *Ondes émises par un poste émetteur* (→ Émission, cit. 4). *Détection*, détecteur* des ondes. Récepteur* d'ondes.* ⇒ **Cohéreur.** *Longueur et fréquence des ondes exprimées en mètres, en kilocycles** (ou *kilohertz*), *en mégacycles** (ou *mégahertz*). — *Ondes courtes, petites ondes, ondes moyennes* (P.O. ; O. M.), *grandes ondes. Écouter une émission sur ondes courtes.*

Techn. *Ondes myriamétriques* (longueur d'onde : 10 à 100 km, très basse fréquence) ; *ondes kilométriques* (1 à 10 km, basse fréquence) ; *ondes hectométriques* (100 m à 1 km, ondes moyennes) ; *ondes décamétriques* (10 à 100 m, ondes courtes).

Loc. cour. LONGUEUR D'ONDE : longueur caractéristique d'une onde radioélectrique. *Longueur d'onde d'un émetteur de radio. C'est sur quelle longueur d'onde ?*

15.1   (...) j'écouterai la B. B. C. ; quelle longueur d'onde ? — Vingt et un mètres.   SARTRE, Morts sans sépulture, IV, I.

Fam. *Être sur la même longueur d'onde* : se comprendre, en parlant de deux personnes en conversation. *Nous ne sommes pas sur la même longueur d'onde* : nous ne parlons pas de la même chose, ou, encore, nos conceptions sont trop différentes pour que nous puissions nous entendre.

(Au plur.). LES ONDES : la radiodiffusion. ⇒ **Radio.** *Sur les ondes ou dans la presse* (→ Envoyer, cit. 17). *Propagande par les ondes* (→ Assener, cit. 5). *Mettre en ondes, mise en ondes. Metteur en ondes. Passer sur les ondes tel jour à telle heure.* — *Guerre des ondes* : ensemble des mesures par lesquelles les belligérants tentent d'exploiter au maximum les possibilités de la radio tout en s'efforçant d'empêcher l'adversaire de s'en servir.

16   Alors vinrent les saisons amères, le triomphe des radios asservies, le temps des écoutes clandestines, la confusion et les combats des ondes (...) toutes les guitares du brouillage.   G. DUHAMEL, Manuel du protestataire, VI.

d   Phys. Mouvement ondulatoire associé au mouvement corpusculaire, dans la théorie des quanta* et la mécanique ondulatoire. ⇒ **Lumière,** cit. 20. *Onde associée à un corpuscule* (→ Matière, cit. 5). *Dualisme des ondes et des corpuscules. Onde de probabilité* ou *onde de Broglie.*

17   Je fus convaincu *(après la guerre de 1914)* que le dualisme des ondes et des corpuscules découvert par Einstein dans sa théorie des quanta de lumière était absolument général (...) et il me parut dès lors certain qu'au mouvement d'un corpuscule quelconque, qu'il soit photon, électron, proton ou autre, est associée la propagation d'une onde (...) J'établissais (...) entre l'énergie d'un corpuscule et la fréquence de l'onde que je lui associais d'une part, entre la quantité de mouvement de ce corpuscule et la longueur d'onde de l'onde d'autre part, des relations fondamentales (...)   L. DE BROGLIE, Nouvelles perspectives en microphysique, p. 180.

e   Physiol. Propagation d'une contraction de proche en proche. *Onde musculaire péristaltique.* ⇒ **Péristaltisme.**

f   Loc. fig. *Onde de choc* : ensemble de répercussions (souvent fâcheuses) d'un événement. *Subir l'onde de choc d'une crise économique.*

◆ **2.** Fig., littér. (ou style soutenu). Sensation, sentiment qui se manifeste avec une intensité variable et se propage comme une onde. — REM. Ces emplois figurés se rapportent aux ondes de l'eau ou aux autres ondes. *Une espèce d'onde me parcourut* (→ Houler, cit. 3). *Une onde douleureuse* (→ Halètement, cit. 2). *Ondes de colère, de sympathie* (→ Former, cit. 34).

18   Des ondes heureuses la traversaient. C'était comme une phrase musicale, ardente et belle, qui se déroulait et montait en arpège, dans l'attente aiguë de la dominante.   A. MAUROIS, Terre promise, XXXV.

19   Il ricanait toujours, Raboliot pouvait voir les ondes de sa joie, brèves et puissantes, courir de sa poitrine à sa face.   M. GENEVOIX, Raboliot, IV, IV.

Se dit aussi d'émanations assimilées à des ondes. ⇒ **Fluide.**

◆ **3.** Par métonymie. *Ondes musicales* ou *ondes Martenot* (du nom de l'inventeur) : instrument* de musique à clavier, monodique, dont le son est produit par les vibrations de lampes du type radio-électrique. *Les ondes Martenot donnent des sons de timbres très variés* (→ Électrique, cit. 2).

DÉR. Ondé, ondée, onder, ondin, 1. et 2. ondoyer. — V. aussi **Ondulation, onduler, onduleux.**

COMP. **Ondemètre, ondoscope.** — V. **Inonder.**

ONDÉ, ÉE [ɔ̃de] adj. — XIVe ; de *onde.*

◆ Didact. ou littér. En forme d'onde (I., 4.), qui présente des ondes. *Tissu ondé.* ⇒ **Moire, moiré.** *Jaspes* (cit. 1) *d'une seule couleur et*

jaspes ondés ou veinés. Mouvement ondé des cheveux. ⇒ **Onduleux.** *Cheveux ondés.*

1   Sa robe de soie noire ondée, fort échancrée suivant la mode du temps (...)   NERVAL, le Marquis de Fayolle, Prologue, VI.

2   Tiens ! — ajouta-t-elle en soulevant ses bandeaux, torrents de cheveux noirs vigoureusement ondés à ses tempes, — les cheveux m'ont blanchi.   BARBEY D'AUREVILLY, Une vieille maîtresse, I, VIII.

3   *(Ses cheveux)* allaient se confondre par derrière en un chignon abondant, avec un mouvement ondé vers les tempes (...)   FLAUBERT, Mme Bovary, I, II.

Blason. *Croix ondée, chevron* ondé.*

ONDÉE [ɔ̃de] n. f. — XIIIe ; «flot», XIIe ; de *onde.*

◆ **1.** Pluie soudaine et de peu de durée. *Ondées et giboulées* de mars* (→ Bourrasque, cit. 6). *Larges gouttes* (cit. 10) *de l'ondée. Brusques ondées* (→ Diluvien, cit. 2). *Petite ondée* (→ Enchantement, cit. 6). *Grosse ondée.* ⇒ **Averse.** *Ondée apportée par le vent* (⇒ **Grain**). *Être surpris par une ondée, laisser passer l'ondée* (→ Côte, cit. 8). — Vx. «*Une ondée de pluie*» (Descartes, *Météores,* 7).

1   Ils avaient beau marcher lentement tous deux, même sous l'arrosage des ondées qui font courir, le bout de la rue était tout de suite atteint (...)   LOTI, Matelot, XXXIV.

2   (...) Nana qui s'était accroupie dans la boue, lâcha son ombrelle, recevant l'ondée. Elle cueillait des fraises, les mains trempées, parmi les feuilles.   ZOLA, Nana, VI.

◆ **2.** Fig., vx. *Une ondée de coups de bâton* (cit. 13, Molière).

ONDEMÈTRE [ɔ̃dmɛtʀ] n. m. — 1904, in *Rev. gén. des sc.,* no 22, p. 1011 ; de *onde,* et *-mètre.*

◆ Techn. Appareil servant à mesurer la longueur d'onde d'une émission radio-électrique.

ONDER [ɔ̃de] v. — XIIe ; de *onde.*
Vieux ou littéraire.

◆ **1.** V. intr. Former des ondes ; présenter des ondes* (I., 3.).
(...) le pavé ondait, le ciel s'abaissait comme une coupole.   Th. GAUTIER, les Jeunes-France, *in* MATORÉ, le Voc. sous Louis-Philippe, p. 325.

◆ **2.** V. tr. Littér. Façonner, former, présenter en ondes. *Onder une chevelure au moyen d'un fer chaud.*

ONDIN, INE [ɔ̃dɛ̃, in] n. — Mil. XVIe, ondine (fém.), Ronsard ; masc., 1704 ; de *onde.*

◆ Myth. nordique. Génie, déesse des eaux (rare au masc.). *Les nixes, les ondins et les ondines* (→ Fée, cit. 3). *Ondines ceintes d'algues* (→ Glaïeul, cit.). *Ondine,* pièce de Giraudoux. — REM. Le féminin *ondine* est beaucoup plus courant que le masculin.

1   Chaque flot est un ondin qui nage dans le courant (...)   Aloysius BERTRAND, Gaspard de la nuit, «Ondine».

2   (...) l'ondine niaise à la robe bruyante, au bas de la rivière (...)   RIMBAUD, Illuminations, XXVIII.

DÉR. V. **Ondinisme.**

ONDINISME [ɔ̃dinism] n. m. — 1951, Piéron ; de *ondin,* par l'angl. *ondinism,* t. dû à Havelock Ellis.

◆ Didact. Déviance sexuelle (plus fréquente chez les femmes), dans laquelle le plaisir est provoqué par la vue ou le contact de l'eau ou de l'urine, ou par la vue de la miction. ⇒ **Urolagnie.** *Le rôle joué dans l'ondinisme «par les fantasmes et les valeurs magiques n'est pas sans rappeler la situation de l'incendiaire face au culte du feu»* (Ch. Bardenat, *in* Porot, 1975).

DÉR. **Ondiniste.**

ONDINISTE [ɔ̃dinist] n. — 1975, Porot ; de *ondinisme.*

◆ Didact. Personne dont le comportement sexuel est l'ondinisme. *Un, une ondiniste.*

ON-DIT [ɔ̃di] n. m. invar. — Fin XIIe ; de *on,* et *dit.* → Dire.

◆ Bruit qui court. ⇒ **Bruit, racontar, rumeur.** *Ce ne sont que des on-dit* [dezɔ̃di].
On m'avait dit que les Français étaient si obligeants (...) si serviables (...) — C'est un on-dit.   R. QUENEAU, les Fleurs bleues, p. 38.

---

1. ONDOIEMENT [ɔ̃dwamɑ̃] n. m. — 1736, Trévoux ; de 1. *ondoyer.*

◆ Liturgie cathol. Baptême où seule l'ablution baptismale est faite, sans les rites et les prières habituels. *Ondoiement donné à un enfant en danger de mort.*

2. ONDOIEMENT [ɔ̃dwamɑ̃] n. m. — 1596 au plur. «reflet»; *undeiement*, v. 1160; *ondoiement*, 1611; de 2. *ondoyer*.

♦ Mouvement de ce qui ondoie. *L'ondoiement des vagues* (⇒ **Balancement**), *des herbes dans le vent* (⇒ **Frisson**).

Ces feux, rouges comme des foyers de fournaise, se reflètent en longs sillons ondoyants sur la nappe de la mer, comme les longues traînées de lueurs qu'y projette le globe de la lune. L'ondoiement des vagues les fait osciller et en prolonge l'éblouissement de lame en lame aussi loin que la première vague les reflète aux vagues qui la suivent.   LAMARTINE, Graziella, Épisode, II.

ONDOSCOPE [ɔ̃dɔskɔp] n. m. — V. 1960; de *onde*, et *-scope*.

♦ Techn. Tube à gaz raréfié utilisé pour reconnaître la présence et le sens d'une différence de potentiel élevée.

ONDOYANT, ANTE [ɔ̃dwajɑ̃, ɑ̃t] adj. — XIIᵉ; *undeianz*, v. 1160; de 2. *ondoyer*.

♦ **1.** Qui ondoie, qui a le mouvement de l'onde. *Les blés ondoyants, la moisson ondoyante. Flamme ondoyante; mer ondoyante de feu* (→ Incendie, cit. 3). *Vêtements, burnous ondoyants comme des flots* (→ Cachemire, cit. 1; danser, cit. 5). *Ondoyante crinière.* ⇒ **Mouvant** (→ Mesurer, cit. 26). *Taille ondoyante.* ⇒ **Onduleux, souple.**

Dont les courbes gracieuses rappellent l'onde. *Formes* (cit. 28) *ondoyantes des femmes de Rubens. Galbe* (cit. 5) *ondoyant des formes, des lignes.* ⇒ **Sinueux** (→ Hancher, cit. 1).

1   (...) quelque chose de plus large dans les hanches et de plus rempli à la poitrine, je ne sais quoi d'ondoyant que les étoffes ne présentent pas au corps d'un homme, me laissaient que de faibles doutes sur le sexe du personnage.   Th. GAUTIER, Mˡˡᵉ de Maupin, XI.

♦ **2.** (XVIᵉ). Littér. Qui est mobile, change aisément. *« C'est un sujet merveilleusement vain, divers et ondoyant que l'homme »* (cit. 22, Montaigne). *Il est ondoyant et imprévisible.* ⇒ **Capricieux, changeant, flexueux, inconstant, mobile, variable, versatile** (→ Cause, cit. 55). *Caractère ondoyant. Attitudes évasives* et ondoyantes.*

2   Certes, tout bon journaliste doit être un peu fille, c'est-à-dire aux ordres du public, souple à suivre inconsciemment les nuances de l'opinion courante, ondoyant et divers, sceptique et crédule, méchant et dévoué, blagueur et prudhomme, enthousiaste et ironique, et toujours convaincu sans croire à rien.   MAUPASSANT, Toine, « L'homme-fille ».

3   (...) représenter l'ondoyante humanité dans sa *vérité momentanée.*   Ed. et J. DE GONCOURT, Journal, p. 5.

N. *L'ondoyant* (→ Fugitif, cit. 18).

CONTR. Constant, stable.

1. ONDOYER [ɔ̃dwaje] v. tr. — Conjug. *noyer.* — 1250; de *onde*, I., 2. «eau».

♦ **1.** Liturgie. Baptiser* par ondoiement. *Ondoyer un nouveau-né. Cet enfant n'est qu'ondoyé.*

♦ **2.** Littér. Arroser d'eau.

Celui-ci avait pénétré sans plaisir dans l'eau froide, avait marqué un temps d'arrêt comme s'immergeaient d'abord son pénis et ses couilles, puis son nombril. Il s'était alors ondoyé le torse et foutu carrément à la flotte.   J.-P. MANCHETTE, Trois hommes à abattre, p. 50.

DÉR. 1. Ondoiement.

2. ONDOYER [ɔ̃dwaje] v. intr. — Conjug. *noyer.* — V. 1138, *undeier*; de *onde.*

♦ **1.** (1617; de *onde* «vague»). Remuer, se mouvoir en s'élevant et s'abaissant alternativement tout comme une onde. *Blé* (cit. 8) *qui ondoie à l'infini. Les flammes ondoient. Drapeau, panache qui ondoie dans le vent.* ⇒ **Flotter, onduler.**

1   Dans la famille, on l'admirait pour sa grâce, — une grâce de jeune panthère qui faisait ondoyer tous ses mouvements.   LOTI, les Désenchantées, XIX.

Figuré. Littéraire, rare.

2   Le caractère de Paul au contraire était tout souplesse; il ondoyait avec le mien.   GIDE, Si le grain ne meurt, II, I, p. 288.

♦ **2.** Littér., rare. Être ondoyant* (2.), mobile, changeant.

DÉR. 2. Ondoiement, ondoyant.

ONDULANT, ANTE [ɔ̃dylɑ̃, ɑ̃t] adj. — 1761; p. prés. de *onduler.*

♦ **1.** Qui ondule. *Démarche ondulante.* ⇒ **Onduleux; ondoyant.** — Par ext. Qui présente des ondulations.

♦ **2.** Qui varie en intensité. — Spécialt. Méd. *Fièvre ondulante*, qui s'élève puis décroît par ondulations progressives. *Pouls ondulant*, perçu sous forme d'ondes irrégulières.

ONDULATION [ɔ̃dylasjɔ̃] n. f. — 1680, «mouvement concentrique dans un fluide»; du bas lat. *undula* «petite onde».

♦ **1.** Vx. Onde concentrique dans l'eau; onde en général (dans l'ancienne physique). ⇒ **Onde** (II.). *Système des ondulations*, formulé par Huyghens (1690).

1   (...) d'après une autre opinion qu'adopte le savant président de la Société astronomique de Londres *(Herschell)*, résulte-t-elle *(la lumière)* des propriétés d'une substance éthérée, sans pesanteur, répandue de toutes parts dans l'espace, et dont les *ondulations*, répétées avec une grande vitesse, porteraient à nos yeux le sentiment de la lumière, comme les vibrations de l'air produisent le son pour notre oreille?   BALZAC, le Feuilleton, *in* Œ. diverses, t. I, II, p. 366.

♦ **2.** (1780). Mod. Mouvement alternatif de ce qui s'élève et s'abaisse en donnant l'impression d'un déplacement longitudinal; mouvement sinueux, latéral. *Ondulation des vagues, de la houle* (⇒ **Ondoiement**), *des blés* (⇒ **Onde; frisson**). *Ondulations des reflets dans l'eau.* ⇒ **Agitation** (→ Naphte, cit. 2). *Ondulation d'un câble, d'un voile...* ⇒ **Flottement.** — *Les ondulations d'un corps qui marche, danse...* (→ Élégance, cit. 3; épouser, cit. 19; forme, cit. 24). *Ondulations de serpent, de panthère* (→ Convoitise, cit. 6). *Ondulations lascives* (cit. 8) *du torse et des hanches.* ⇒ **Balancement.**

2   En face de nous, l'eau prenait des teintes plus vertes; les ondulations, faibles d'abord, se gonflaient peu à peu et se changeaient en vagues (...)   Th. GAUTIER, Voyage en Russie, I, V.

3   (...) elle se tordait la taille, balançait son ventre avec des ondulations de houle (...)   FLAUBERT, Trois contes, « Hérodias », III.

4   (...) la danseuse, debout au centre de cette assemblée attentive à l'examiner, se remuant en cadence avec de longues ondulations de corps ou de petits trépignements convulsifs (...)   E. FROMENTIN, Un été dans le Sahara, p. 32.

5   (...) tout palpitait selon le rythme des vagues, mais il y avait des abris où ne parvenait même plus la plus molle ondulation de la mer (...)   GIDE, Journal, 8 déc. 1915.

Par métaphore. (Poésie, mus.). Mouvement d'une phrase (musicale, poétique).

6   (...) une musique facilement poétique, dont les ondulations, les ritournelles, les redites langoureuses servaient à maintenir cette unité d'impression, où la réalité justement n'est pas très habile.   J. ROMAINS, les Hommes de bonne volonté, t. IV, XXI, p. 229.

♦ **3.** Ligne, forme sinueuse, faite de courbes alternativement concaves et convexes. *Moelleuses* (cit. 2) *ondulations des contours.* — *Plis, ondulations, d'une draperie. Ondulations d'une rivière.* ⇒ **Contour, courbure, méandre, repli, sinuosité.** Spécialt. *Ondulation du sol, du terrain*, suite de dépressions et de saillies dues à un plissement (⇒ **Pli**) ou à toute autre raison (→ Étaler, cit. 37; îlot, cit. 2; mouvement, cit. 30).

7   Les ondulations du terrain commençaient à devenir plus fortes et plus fréquentes, nous ne faisions que monter et descendre.   Th. GAUTIER, Voyage en Espagne, p. 141.

8   Mais du côté du désert, comme des plages qui se succéderaient, d'immenses ondulations parallèles d'un blond cendré s'étirent les unes derrière les autres, en montant toujours (...)   FLAUBERT, la Tentation de saint Antoine, I.

9   Là-bas, suivant les ondulations de la petite rivière, une grande ligne de peupliers serpentait.   MAUPASSANT, Clair de lune, I.

Par ext. Opération consistant à friser (les cheveux) en les ondulant. *Se faire faire une ondulation permanente.* ⇒ **Permanente.** — (En parlant des cheveux). Courbes ondulées données à la chevelure. ⇒ **Cran**; → Inclinaison, cit. 6.

10   Voici Liline, avec son sourire inquiétant de Joconde sous ses ondulations dorées, et ses yeux glauques.   WILLY [COLETTE], Claudine à l'école, *in* D. D. L., II, 16.

ONDULATOIRE [ɔ̃dylatwaʀ] adj. — 1765; de *onduler.*

♦ **1.** Sc. ou littér. Qui a les caractères de l'ondulation (1.), de l'onde (II.). *Mouvement ondulatoire de la houle, des marées* (cit. 1), *du son...*

0.1   (...) les gens marchaient à travers un écran liquide, tordus, ondulatoires, colonnes de petits bonshommes noirs faits de fil de fer.   J.-M. G. LE CLÉZIO, la Fièvre, p. 23.

Qui appartient à l'onde. *Aspect, caractère ondulatoire.*

♦ **2.** Phys. Qui se rapporte aux ondes. *Théorie ondulatoire et théorie corpusculaire de la lumière* (cit. 20). *Mécanique* (cit. 6) *ondulatoire*, théorie selon laquelle toute particule est considérée comme associée à une onde périodique. ⇒ **Matière** (cit. 5), **onde.** *Relations d'incertitude* en mécanique ondulatoire.*

1   La mécanique ondulatoire est née d'un effort pour comprendre la véritable nature du dualisme des ondes et des corpuscules (...) Mon idée de départ fut (...) d'associer au mouvement de tout corpuscule la propagation d'une onde (...)   L. DE BROGLIE, Nouvelles perspectives en microphysique, Interprétation mécanique ondulatoire, p. 203.

2   Ainsi la matière comme la lumière présente à la fois un caractère corpusculaire et un caractère ondulatoire. M. BOHR les a désignés comme *deux aspects complémentaires de la réalité.* La mécanique ondulatoire, puis la théorie générale des prévisions ont fourni l'explication de cette dualité ondes-corpuscules que présente aussi bien la matière que la lumière.   J.-L. DESTOUCHES, la Mécanique ondulatoire, p. 22.

ONDULÉ, ÉE [ɔ̃dyle] adj. — 1767; de *onduler.*

♦ Qui ondule (I., 2.), fait des courbes. *Lignes arrondies ou ondulées des décorations Louis XV.* ⇒ **Sinueux** (→ Marqueterie, cit. 1). *Pointu et ondulé.* ⇒ **Flamme.** *Tôle* ondulée. Route, chaussée ondulée*, dont la surface présente des rides, des inégalités régulières.

1   (...) un rythme un peu lent pour des pieds qui ne seraient pas indigènes, mais par-

faitement combiné avec la nature du terrain gras et des chemins ondulés de la contrée. G. SAND, la Mare au diable, Appendice, I.

Spécialt. *Cheveux* (cit. 4) *ondulés* (→ Houle, cit. 9). — (En parlant d'une personne). *Qui a les cheveux ondulés.*

2 (...) au lieu de l'une des filles que nous avions connues les jours précédents, c'était Pili qui entrait, ondulée comme un mouton (...)
Joseph PEYRÉ, Sang et Lumières, éd. L. de poche, p. 148.

ONDULER [ɔ̃dyle] v. — 1746; bas lat. *undulare*, le p. p. *undulatus* chez Pline, dér. de *unda* «onde».

★ **I.** V. intr. ♦ **1.** Avoir un mouvement d'ondulation (2.). *Eau, moisson qui ondule.* ⇒ **Ondoyer** (→ Bois, cit. 11; déferler, cit. 3). *Images qui ondulent dans l'eau* (→ Dessiner, cit. 6). *Fumée, drapeau, écharpe qui ondule au vent.* ⇒ **Dérouler** (se), **flotter** (→ Moustache, cit. 3). — *Les crotales ondulent et se lovent* (cit. 1). *Corps qui ondule en marchant* (→ Balancer* le corps en marchant). *Taille, épaules qui ondulent* (→ Fourreau, cit. 8; mâle, cit. 6). — *Le cortège* (cit. 1) *ondulait dans la campagne.*

1 L'armée en marche ondule au fond des chemins creux
HUGO, la Légende des siècles, XXII, III.

2 Cette multitude de têtes ondule obscurément comme les vagues d'une mer nocturne. HUGO, Shakespeare, IV, VI.

3 Parfois quelque boa, chauffé dans son sommeil,
Fait onduler son dos dont l'écaille étincelle.
LECONTE DE LISLE, Poèmes barbares, «Les éléphants».

4 La houppelande du cocher (...) ondulait par grands plis au trot du cheval (...)
ARAGON, les Beaux Quartiers, II, XXIV.

♦ **2.** Présenter des ondulations (3.). *Collines, labours* (cit. 3) *qui ondulent à l'horizon. Un vieux dallage qui ondule* (→ Grimper, cit. 6). *Sentier qui ondule.* ⇒ **Serpenter.** *Cheveux qui ondulent naturellement* (→ Se crêper).

5 Une route ondulait devant eux par-dessus collines et vallons avec, de loin en loin, un érable allumé. J. GIONO, le Chant du monde, I, VI.

5.1 Bachelard souligne, dans une perspective dynamique, que ce n'est pas la forme de la chevelure qui suscite l'image de l'eau courante, mais son mouvement. Dès qu'elle ondule la chevelure entraîne l'image aquatique, et vice versa. Il y a donc une réciprocité dans cet isomorphisme, dont le verbe (onduler) forme la charnière. L'onde est l'animation intime de l'eau.
Gilbert DURAND, les Structures anthropologiques de l'imaginaire, p. 108.

★ **II.** V. tr. (1877). Rendre ondulé*. *Onduler des cheveux au fer.* ⇒ **Calamistrer, friser.** — *S'onduler les cheveux.* — Pron. *«Le granit commence à se crevasser* (cit.), *à s'onduler»* (Balzac), à devenir ondulé.

▶ **ONDULÉ, ÉE** p. p. adj. ⇒ **Ondulé.**

DÉR. Ondulant, ondulatoire, ondulé, onduleur, onduleux.

ONDULEUR [ɔ̃dylœR] n. m. — 1948; de *onduler*.

♦ Techn. Convertisseur statique de courant continu en courant alternatif. — Appos. ou adj. *Pont onduleur.*

ONDULEUX, EUSE [ɔ̃dylø, øz] adj. — 1735; du rad. de *ondulation.*

Littér. ou style soutenu.

♦ **1.** Qui ondule (I., 2.); qui présente de larges ondulations. ⇒ **Courbe, flexueux, ondulé, serpentin, sinueux.** *Formes onduleuses* (→ Ample, cit. 3). *La ligne* (cit. 11) *onduleuse du dos. Repli onduleux. Herbes onduleuses* (→ Marécage, cit. 1). *Plaine onduleuse* (→ Blé, cit. 6; coteau, cit. 1).

1 Il y en avait *(des dessins)* d'onduleux, qui se tortillaient comme des fumées de cigares. R. ROLLAND, Jean-Christophe, Foire sur la place, I, p. 688.

2 (...) l'horizon onduleux (...) les pentes gazonnées du parc (...)
J. CHARDONNE, les Destinées sentimentales, p. 318.

♦ **2.** (1779). Qui ondule (I., 1.). ⇒ **Ondoyant, ondulant.** *Eau, houle onduleuse* (→ Fluorescence, cit.; fuyant, cit. 3). *Lumière* (cit. 7) *onduleuse. Démarche onduleuse. Robe onduleuse et lamée* (cit. 3).

3 On aurait dit une couleuvre debout sur sa queue, tant elle avait une démarche onduleuse, souple et serpentine.
Th. GAUTIER, Portraits contemporains, «Mlle Juliette».

4 Elle marchait avec un léger mouvement onduleux, comme si elle eût été portée par une barque. MAUPASSANT, les Sœurs Rondoli, «Un sage».

REM. Les différences sont souvent peu tranchées entre *ondulant, ondulé, onduleux* et *ondoyant.* Pourtant on peut indiquer qu'*ondulant* précise la nature d'un mouvement et qu'*onduleux* souligne l'abondance ou la fréquence des *ondulations*; *ondoyant* insiste plutôt sur l'aspect qu'offre à la vue un corps qui ondule. *Ondulé*, plus statique, évoque des lignes ou surfaces courbes et immobiles.

CONTR. Droit, plat, raide.

ONE MAN SHOW [wanmanʃo] loc. subst. m. — 1955, *one-man show*, in Höfler; mot angl. «spectacle *(show)* d'un seul homme *(one man)*».

♦ Anglic. Spectacle de variété donné par une seule vedette mascu-

line. (Recomm. off. : *spectacle solo*). — On écrit parfois *one-man-show.* «*Un one-man-show à grand spectacle : vingt personnages pour un monologue*» (*le Nouvel Obs.*, 21 août 1972, p. 3). — Fig. Démonstration spectaculaire donnée par un homme (politique, etc.). — REM. L'équivalent fém. *one-woman-show*, est rare (ici, n. f.) : «*un one-woman-show télévisé de soixante minutes*» (*l'Express*, 25 sept. 1972, p. 101).

ONÉRAIRE [ɔneReR] adj. — XVIe; du lat. *onerarius*, de *onus, oneris* «poids, charge».

♦ Dr. Vx. Qui exerce réellement une charge, une fonction* (opposé à *honoraire**). *Tuteur onéraire.*

CONTR. Honoraire.

ONÉREUSEMENT [ɔneRøzmɑ̃] adv. — 1781; de *onéreux.*

♦ Rare. D'une manière onéreuse.

CONTR. Gracieusement, gratuitement.

ONÉREUX, EUSE [ɔneRø, øz] adj. — 1370, «lourd, pesant»; lat. *onerosus*, rac. *onus, oneris* «poids, charge».

♦ **1.** (1509). Vx. Qui est à charge, qui est incommode, pénible. *Devoir onéreux.*

1 La société est fondée sur un avantage mutuel; mais lorsqu'elle me devient onéreuse, qui m'empêche d'y renoncer?
MONTESQUIEU, Lettres persanes, LXXVI.

2 Dès que l'état de mère est onéreux, on trouve bientôt le moyen de s'en délivrer tout à fait; on veut faire un ouvrage inutile, afin de le recommencer toujours, et l'on tourne au préjudice de l'espèce l'attrait donné pour la multiplier.
ROUSSEAU, Émile, I.

(1611). Dr. *À titre onéreux :* sous la condition d'acquitter une charge, une obligation (→ Concours, cit. 10). *Acquérir une chose à titre onéreux. Contrat à titre onéreux* ou *contrat onéreux* (→ Interposer, cit. 8).

♦ **2.** (1694). Mod. Didact. ou littér. Qui impose des frais, des dépenses; qui est cher. ⇒ **Cher, coûteux, dispendieux.** *Une location trop onéreuse. Des impôts onéreux.* ⇒ **Lourd** (→ Dixième, cit. 4). *Entretien onéreux* (→ Géniteur, cit. 2). *Procédé onéreux* (→ Impôt, cit. 5).

3 (...) une guerre qui lui est si onéreuse (...)
RACINE, Campagnes de Louis XIV.

4 Ma mère répugnait un peu à se nicher dans «les affaires des autres». Et puis, les logements meublés, c'était quand même trop onéreux.
G. DUHAMEL, Inventaire de l'abîme, VI.

CONTR. Bénévole, gracieux, gratuit. — Avantageux, économique, raisonnable.
DÉR. Onéreusement.

ONE-STEP [wanstɛp] n. m. invar. — 1913, *one step*, in Höfler; mot anglo-amér. «un pas (par temps)».

♦ Vx. Danse d'origine américaine, sur une musique à deux temps plus ou moins syncopée, à la mode en France après la guerre de 1914-1918; air sur lequel elle se danse. *L'orchestre joue des one-step.*

ONGLE [ɔ̃gl] n. m. — Déb. XIIe, *ungle*, fém. (encore fém. chez La Fontaine, Fables, VI, 15 «*son ongle maline*»; du lat. *ungula.*

♦ **1.** Lame cornée, implantée sur l'extrémité dorsale des doigts*, chez l'homme (⇒ **Onycho-**; → Excéder, cit. 4, Buffon). *Ongle des mains, des doigts; des pieds, des orteils. Racine, matrice de l'ongle. Extrémité libre, lunule* de l'ongle. Taches blanches sur l'ongle.* ⇒ **Albugo.** *Peaux, filets de peau* (⇒ **Envie**) *autour des ongles. Inflammation du lit de l'ongle.* ⇒ **Onyxis.** *Phlegmon près d'un ongle.* ⇒ **Panaris.** *Ongle incarné*. Épine, esquille sous l'ongle* (→ Écharde, cit. 2; endurance, cit. 3). — *Ongles lisses; cannelés* (cit. 2). *Ongles courts, coupés ras. Ongles longs, effilés en griffes* (cit. 5). *Ongles à ongle des mandarins de l'ancienne Chine. Ongles roses et brillants* (→ Main, cit. 4), *bombés* (→ Noisette, cit. 2)... — *Avoir les ongles sales, noirs* (la partie libre des ongles). (1867). Fam. *Avoir les ongles en deuil.* — *Manger, ronger ses ongles.* ⇒ **Onychophagie** (→ Brûler, cit. 11). — *Toilette, soins des ongles. Nettoyer, soigner* (→ Maquillage, cit. 4) *ses ongles. Faire* (cit. 127) *les ongles à qqn* (⇒ **Manucure**). *Se faire les ongles; avoir les ongles faits* (→ Doigt, cit. 4). *Se curer* les ongles* (→ Indisposer, cit. 3). *Se brosser* (cit. 1) *les ongles. Polir ses ongles* (→ Mirer, cit. 1). *Matériel, trousse, étui, nécessaire à ongles* (⇒ **Onglier**), *contenant brosse à ongles, polissoir, lime, ciseaux, pince à ongles (taille-ongles)*, etc. — *Vernis, rouge à ongles. Se peindre les ongles* (→ 1. Mode, cit. 10).

1 (Il est des peuples) où ils tuent les poux avec les dents, comme les Magots, et trouvent horrible de les voir écacher *(écraser)* sous les ongles. Où l'on ne coupe en toute la vie ni poil ni ongle; ailleurs où l'on ne coupe que les ongles de la droite (...)
MONTAIGNE, Essais, I, XXIII.

2 Est-ce par l'ongle long qu'il porte au petit doigt
Qu'il s'est acquis chez vous l'estime où l'on le voit ?
MOLIÈRE, le Misanthrope, II, 1.

3 Il y a plusieurs endroits de la terre où l'on se laisse croître les ongles pour marquer que l'on ne travaille point. MONTESQUIEU, l'Esprit des lois, XIX, IX.

4 Ses doigts en fuseaux et retroussés du bout montraient des ongles, espèces d'amandes roses, où s'arrêtait la lumière.
BALZAC, la Fausse Maîtresse, Pl., t. II, p. 21.

5 Charles fut surpris de la blancheur de ses ongles. Ils étaient brillants, fins du bout, plus nettoyés que les ivoires de Dieppe, et taillés en amande.
FLAUBERT, Mᵐᵉ Bovary, I, II.

5.1 Ses purs ongles très haut dédiant leur onyx (...) MALLARMÉ, Sonnets.

6 Elle cachait — la scélérate ! —
Sous ces mitaines de fil noir
Ses meurtriers ongles d'agate,
Coupants et clairs comme un rasoir.
VERLAINE, Poèmes saturniens, « Caprices », I.

7 M. Wasselin se rongeait en effet les ongles, avec des mines, des délicatesses d'incisives, de légers grognements de plaisir quand il découvrait un coin d'ongle oublié, une infime bribe de corne (...) Au moyen d'un petit canif crasseux mais tranchant, il attaquait en outre les régions de l'ongle inaccessibles aux dents, s'éminçait l'épiderme, se sculptait la pulpe à vif.
G. DUHAMEL, Chronique des Pasquier, I, VI.

Loc. *Se mordre, se ronger les ongles d'impatience*, *de dépit*. — *Avoir les ongles crochus* : être très avare (⇒ **Avarice**). — *Égratigner, gratter* (cit. 23) *avec l'ongle.* ⇒ **Griffer** (cit. 2 et 3). *Égratignures* (cit. 1), *traces d'ongles. S'enfoncer les ongles dans les paumes* (→ Grincer, cit. 3). — *Faire une marque avec l'ongle sur un papier, une liste...*

8 (...) pas de preuves ? — Pas ça ! dit Malin en faisant claquer l'ongle de son pouce sous une de ses palettes. BALZAC, Une ténébreuse affaire, Pl., t. VII, p. 470.

Loc. *Faire rubis sur l'ongle* (en buvant) ; (fig.) *payer rubis sur l'ongle.* ⇒ **Rubis.**

Loc. fig. *Rogner les ongles à qqn*, lui diminuer son pouvoir, ses profits.

Vieilli. *Donner sur les ongles à qqn*, le châtier durement, ou encore, le réprimander.

Vieilli. *Être qqch. jusqu'aux ongles*, l'être tout à fait. *Il est menteur jusqu'aux ongles.* — Mod. *Avoir de l'esprit, du talent jusqu'au bout des ongles.* ⇒ **Beaucoup** (→ 1. Commode, cit. 9). *Connaître, savoir qqch. sur l'ongle* (Littré), *sur le bout des ongles*, complètement, à fond (on dit plutôt « sur le bout des doigts »). — *Savoir qqch. sur l'ongle*, « expression traduite du latin *ad unguem*, qu'Érasme regarde comme une métaphore empruntée des marbriers, qui tâtent au moyen de l'ongle... la jointure des marbres rapportés » (M. Rat, *Petit dict. des loc. franç.*, p. 68).

9 (...) il était médecin dans le sang et jusqu'aux ongles (...)
BARBEY D'AUREVILLY, les Diaboliques, « Bonheur dans le crime », p. 124.

10 Certains vieillissent dans une solitude à perroquet, et qui n'en sont pas moins pères jusqu'au bout des ongles. Ce n'est pas là une des moindres injustices de la vie.
G. DUHAMEL, les Plaisirs et les Jeux, VI, IX.

Vx. *Avoir du sang aux ongles*, du courage.

(Animaux). — REM. *Ongle* devrait, stricto sensu, s'appliquer seulement aux Simiens ; pour les autres animaux, on parle plutôt de *griffe. Les ongles d'un lièvre, d'un écureuil* (→ Grimper, cit. 3).

♦ **2.** (V. 1119). Griffe (des carnassiers). ⇒ **Griffe.** *Les ongles aigus du lion, du chat. Chat qui s'accroche avec ses ongles.* ⇒ **Agriffer** (s').

11 Il prit avec délicatesse une patte de devant de Saha, et du doigt essuya la plante charnue. Puis il retroussa la vivante gaine blanche où se reposaient les ongles rétractiles : — Elle a toutes les griffes cassées (...) dit-il (...)
COLETTE, la Chatte, p. 155.

Serre de rapaces. ⇒ **Serre** (→ Épervier, cit. 1). *Les ongles du faucon.*

Fig. *Avoir bec* (cit. 4) *et ongles* (par allus. au rapace), *dents et ongles* (par allus. au carnassier) : avoir des moyens de défense et d'attaque.

12 (...) cette dévote à bec et à ongles (...)
BARBEY D'AUREVILLY, les Diaboliques, « Le plus bel amour... », I.

♦ **3.** Par ext. (Vieilli). Sabot, extrémité cornée des membres (de mammifères). ⇒ **Ongulé**(s). *Ongles du cerf* (⇒ **Pince**), *des solipèdes* (⇒ **Sabot**).

13 Comme sur le pavé des villes
L'ongle résonnant du coursier. HUGO, Odes et Ballades, Odes, II, X.

♦ **4.** Fig. Instrument en forme d'ongle, de griffe.

DÉR. **Onglé, onglée, onglet, onglette, onglier, onglon.** — V. aussi **Ongui-, ongulé, ungui- ; onycho-, onyx.**

ONGLÉ, ÉE [ɔ̃gle] adj. — V. 1400 ; de *ongle.*

♦ **1.** Blason. Qui a des ongles, des griffes d'un émail différent du corps.

♦ **2.** (Fin XVᵉ). Fauconn. *Oiseau onglé*, qui a des serres.

♦ **3.** (XIXᵉ). Didact. Qui a des ongles, est pourvu d'ongles (⇒ aussi **Ongulé**). *Pattes onglées* (→ Chien, cit. 20).

(...) ces pattes lourdes aux os énormes, aux muscles formidables, onglées de poignards rétractiles. Th. GAUTIER, Portraits contemporains, « Ziegler ».

HOM. **Onglée.**

ONGLÉE [ɔ̃gle] n. f. — 1456 ; de *ongle.*

♦ (Surtout dans *avoir l'onglée*). Engourdissement* douloureux de l'extrémité des doigts, provoqué par le froid, « premier degré de la gelure des mains » (Garnier). *Vent glacé qui donne l'onglée* (→ Fouailler, cit. 4).

HOM. **Onglé.**

ONGLET [ɔ̃glɛ] n. m. — 1304, « crochet en forme d'ongle » ; 1538, « petit ongle » ; dér. de *ongle.*

A. ♦ **1.** (1676). Techn. Extrémité d'une planche, d'une moulure formant un angle (de quarante-cinq degrés, le plus souvent) ; assemblage de deux moulures qui se coupent selon un angle (droit, le plus souvent), en juxtaposant leurs onglets. *Assemblage à onglet, en onglet. Moulures taillées en onglet. Onglets des moulures d'un cadre, d'un chambranle...*

(1903). *Boîte à onglets*, formée de trois planchettes assemblées, dont deux sont munies d'encoches pour guider la scie, et entre lesquelles on place la planche, la moulure que l'on veut scier, couper en onglet.

♦ **2.** (1680). Reliure, imprim. « Carton de deux pages » (Académie). — Petite bande de papier (reliée sur le côté ou rapportée) permettant d'insérer dans un ouvrage une feuille isolée. *Monter un hors-texte, des gravures sur onglet. Onglets d'un album, d'un atlas...*

B. (Par anal. de forme, triangulaire). ♦ **1.** [a] (1690). Partie de la fressure qui tient au foie et aux poumons.

[b] Morceau de bœuf à griller (muscles piliers du diaphragme).

♦ **2.** (XVIIIᵉ). Bot. Partie inférieure du pétale, par laquelle il s'insère au réceptacle. *Les caryophyllées, plantes à onglets allongés. Pétale muni d'un onglet* (ongulé).

(XIXᵉ). Arbor. Partie d'un rameau laissée au-dessus de l'œil, après la taille.

♦ **3.** (1690). Poinçon ou burin taillé en triangle. ⇒ **Onglette** (1.), **ognette.**

♦ **4.** (XIXᵉ). Géom. Portion d'un volume (cylindre, sphère, cône) comprise entre deux plans passant par l'axe. *Onglet cylindrique, conique, sphérique.*

C. (1835). Entaille où l'on peut introduire l'ongle. Échancrure sur le plat d'une règle. — Entaille sur la lame d'un canif, d'un couteau (pour permettre de tirer la lame). ⇒ **Onglette** (2.).

ONGLETTE [ɔ̃glɛt] n. f. — 1615 ; « petit ongle », 1572 ; de *ongle.*

♦ **1.** Petit outil de graveur en médailles (⇒ **Burin**), appelé aussi *onglet, ognette.*

♦ **2.** Échancrure sur le plat d'une lame. ⇒ **Onglet.**

ONGLIER [ɔ̃glije] n. m. — 1873 ; de *ongle.*

♦ **1.** Ensemble, réunion des instruments nécessaires à la toilette des ongles, des mains (ciseaux, lime, etc.) ; étui, nécessaire qui les contient (→ Nécessaire* à ongles).

♦ **2.** N. m. (1902). Sing. ou plur., comme *ciseaux.* Ciseaux à ongles aux extrémités recourbées. — Pinces coupantes à lames cintrées.

ONGLON [ɔ̃glɔ̃] n. m. — 1846 ; « grand ongle », 1310 ; de *ongle.*

♦ Zool. Sabot (⇒ **Ongle,** 3.) des artiodactyles *(Ruminants, Porcins)* et des proboscidiens. *Chaque pied porte deux onglons.*

ONGUENT [ɔ̃gɑ̃] n. m. — XIIIᵉ, *onguant* ; du lat. *unguentum.*

♦ **1.** Vx. Parfum, baume, chrême (cf. Régnier, Vaugelas, *in* Littré).

♦ **2.** Pharm. Médicament pâteux, onctueux, composé habituellement de substances grasses ou résineuses, et que l'on applique sur la peau. ⇒ **Crème, embrocation, emplâtre** (1.), **liniment, pommade, topique** (→ Cataplasme, cit. 1). *Onguent noir* (→ Cicatrice, cit. 1). *Onguent aromatique. Onguent gris, onguent napolitain*, pommade mercurielle. *Onguent populeum* (fait avec des bourgeons de peupliers). *Onguent à base de cire, d'huile* (⇒ **Cérat**), *de bitume* (⇒ **Momie,** 1., vx), *de résines. Composition d'un onguent. Onguent confectionné par un charlatan ; vendeur d'onguent* (⇒ **Drogue,** 2. ; → Jongleur, cit. 2 et 3). — *Appliquer un onguent sur une brûlure, sur le visage* (→ 1. Masque, cit. 24), *frotter* (cit. 18) *d'un onguent.* — *Onguent épilatoire, maturatif.*

1 *(Claude Frollo)* ... étudia la science des herbes, la science des onguents ; il devint expert aux fièvres et aux contusions, aux navrures et aux aposthumes.
HUGO, *Notre-Dame de Paris*, IV, II.

2 (...) j'estime le savoir et je veux bien croire qu'il est, comme dit Votre Grâce, un remède à l'amour. Mais je ne crois pas qu'il soit un remède à la faim. — Il n'y est peut-être pas un onguent souverain, répondit l'abbé ; mais il y porte quelque soulagement à la manière d'un baume très doux, quoique imparfait.
FRANCE, la Rôtisserie de la reine Pédauque, Œ., t. VIII, p. 13.

3 (...) de loin déjà j'apercevais cette ride (...) deux caresses de cet onguent et il n'y paraîtra plus rien.
GIDE, Saül, I, 8.

Loc. fam. *Onguent miton mitainé.* ⇒ **Mitaine** (3., cit. 3).
Loc. prov. *Dans les petites boîtes* (ou *les petits pots*) *les bons onguents.*

ONGUI- Élément, du lat. *unguis* « ongle ». ⇒ **Ungui-.**

ONGUICULE [ɔ̃g(ɥ)ikyl] n. m. — 1845 ; lat. *unguiculus*, dimin. de *ungula* → Ongle.

◆ Didact. Petit ongle.

ONGUICULÉ, ÉE [ɔ̃g(ɥ)ikyle] adj. et n. m. — 1756 ; du lat. *unguiculus*, de *ungula*.

◆ **1.** Didact. Qui a un ongle à chaque doigt. *Animaux onguiculés.* — Bot. *Pétale onguiculé*, pourvu d'onglets très apparents (on trouve aussi *onglé*).

◆ **2.** N. m. (1868). *Les Onguiculés.* ⇒ **Ongulé** (II.).

ONGUIFORME [ɔ̃g(ɥ)ifɔʀm] adj. — 1846 ; lat. *unguis*, et de *forme*.

◆ Didact. Qui a la forme d'un ongle.

ONGULÉ, ÉE [ɔ̃gyle] adj. et n. m. — 1754 ; dér. sav. du lat. *ungula*. → Ongle.

★ **I.** Adj. ◆ **1.** Zool. Se dit des animaux dont les pieds sont terminés par des productions cornées (⇒ **Ongle, onglon, sabot**).

◆ **2.** Bot. *Pétale ongulé.* ⇒ **Onguiculé.**

★ **II.** N. m. plur. *Les Ongulés* : ordre de mammifères placentaires comportant les artiodactyles *(Bisulques...)*, les périssodactyles *(Solipèdes...)* et les proboscidiens (chez ces derniers, les doigts sont réunis en une seule masse charnue munie d'autant de petits sabots qu'il y a de doigts). *Le cheval, le zèbre, le bœuf, l'hippopotame sont des ongulés.* On trouve aussi *onguiculé.*

Deux grands groupes, de composition plus ou moins homogène, y apparaissent *(chez les mammifères...)* Le second comprend l'ensemble considérable des Ongulés qui rassemblent tous les animaux à sabots, de l'éléphant au cheval, au porc ou au bœuf.
Dans une perspective fonctionnelle on peut y retrouver la même division : le premier groupe appartient aux espèces dont le régime alimentaire est variable (carnivore, frugivore, omnivore), orienté essentiellement vers le « charnu », animal ou végétal ; par contre les Ongulés sont en grande majorité mangeurs de produits riches en cellulose.
A. LEROI-GOURHAN, le Geste et la Parole, t. I, p. 52.

ONGULIGRADE [ɔ̃gyligʀad] adj. — 1816, *ongulograde*, *in* Cottez ; du lat. *ongulus* « ongle », et *-grade*.

◆ Qui marche sur des sabots, en parlant d'animaux. ⇒ **Ongulé.**

ONIOMANIE [ɔnjɔmani] n. f. — 1903, *in* Rev. gén. des sc., nº 6, p. 337 ; du grec *ônis* « qui achète », et *-manie*.

◆ Didact. (psychopath.). Besoin irrésistible de faire des achats, le plus souvent inutiles. ⇒ **Prodigalité.**

ONIR-, ONIRO- Premier élément de mots savants, du grec *oneiros* « rêve ». ⇒ **Onirique, oniro-analyse, onirocrite, onirogène, oniroïde, onirologie, oniromancie, onirophrénie, onirothérapie.**

ONIRIQUE [ɔniʀik] adj. — 1895, *in* Cottez ; de *oniro-*, et suffixe d'adjectif.

◆ **1.** Didact. Relatif aux rêves*, ou à l'activité mentale propre au rêve ou à des états comparables. *Délire* (cit. 4) *onirique.* ⇒ **Onirisme.** *Images*, *scènes, visions, hallucinations de l'état onirique.* « *La plupart des drames de l'alcoolisme se déroulent sous l'influence de scènes oniriques* » (A. Porot). *États oniriques vrais et états oniroïdes*.

1 Il eut une nuit (...) hantée de cauchemars absurdes qu'il jugea même dégradants. Patrice Périot ne trouvait jamais la moindre consolation aux délires oniriques.
G. DUHAMEL, le Voyage de P. Périot, IX.

◆ **2.** Qui évoque un rêve, semble sorti d'un rêve. *Atmosphère onirique de certaines œuvres surréalistes. Décor onirique.* C'était assez *onirique.*

Les lions pervenche sont de pures créatures de songe ; tenus à leur alignement onirique par les plinthes et stylobates les plus véridiques du monde.
COLETTE, l'Étoile Vesper, p. 160.

DÉR. **Onirisme.**

ONIRISME [ɔniʀism] n. m. — 1923 ; de *onirique*.

◆ Didact. (méd.). Activité mentale automatique faite de visions et de scènes animées, telles qu'en réalise le rêve. *Onirisme hypnagogique. Onirisme délirant.* ⇒ **Onirique** (délire). *Onirisme infectieux, toxique* (intoxication alcoolique...).

Le 26 décembre 1916. Le sujet se cachectise de plus en plus et des symptômes de bacillose du sommet droit se précisent. Brusquement, sans qu'aucune cause puisse être relevée, le malade est pris d'un délire confusionnel avec onirisme. Il dit que son lit est humide par la pluie et les brouillards de la mer ; il se croit sur l'Orénoque au printemps (sic !).
Jusqu'à la fin, le malade garde ce sentiment d'euphorie qui lui fait dire chaque jour qu'il est dans un monde supérieur, ailleurs, qu'il va mieux, que bientôt il se lèvera pour aller en convalescence, etc.
B. CENDRARS, Moravagine, 1926, Œ. compl., t. IV, p. 258.

ONIRO- ⇒ **Onir-.**

ONIRO-ANALYSE [ɔniʀoanaliz] n. f. — 1961 ; de *oniro-*, et *analyse*.

◆ Didact. Analyse du psychisme par l'interprétation d'états oniriques provoqués par des drogues hallucinogènes. *L'oniro-analyse et la narco*-analyse, techniques d'exploration pharmaco-dynamique du psychisme.*

ONIROCRITE [ɔniʀɔkʀit] n. m. — XVIᵉ ; 1611 *in* Cottez ; de *oniro-*, et grec *krites* « interprète ».

◆ Didact. (hist., psychol.). Interprète des rêves. ⇒ **Onirologue, oniromancien.**

DÉR. **Onirocritique.**

ONIROCRITIQUE [ɔniʀɔkʀitik] n. f. — 1664 ; adj., 1611 ; var. *onirocrotie*, 1752 ; de *onirocrite*.

◆ Didact. Interprétation, explication des songes, des rêves. ⇒ **Oniromancie.**

ONIROGÈNE [ɔniʀɔʒɛn] adj. et n. m. — 1961 ; de *oniro-* et *-gène*.

◆ Didact. Qui provoque ou qui suscite l'état onirique. *Psychodysleptiques, drogues onirogènes utilisées dans l'oniro-analyse.* — N. m. *Un onirogène.*

L'*oniro-analyse* consiste dans l'exploration du psychisme au cours d'un état de rêve éveillé (ou onirisme) sous l'influence de drogues onirogènes. Celles-ci (...) engendrent le régime onirique défini par la dissolution des synthèses mentales et l'émancipation des automatismes psychologiques.
Jean DELAY, Introd. à la médecine psychosomatique, Notes et observations, p. 111.

ONIROÏDE [ɔniʀɔid] adj. — V. 1951 (*in* Piéron) ; de *oniro-*, et *-oïde*.

◆ Psychopath. *État oniroïde* : état de rêverie éveillée où le réel devient la trame de la « fiction vécue » par le sujet. « *Un bref état d'ébriété oniroïde* » (*la Recherche*, juil. 1970, p. 248). — *Expérience délirante oniroïde* : délire avec état oniroïde rencontré dans certaines psychoses délirantes aiguës.

ONIROLOGIE [ɔniʀɔlɔʒi] n. f. — 1816, *in* Cottez ; de *oniro*, et *-logie*.

◆ Didact. Étude des rêves.

DÉR. **Onirologue.**

ONIROLOGUE [ɔniʀɔlɔg] n. — 1933 ; *onirologie*.

◆ Didact. Spécialiste des rêves.

Je ne sais quel onirologue a dit « que l'on ne rêvait pas de compagnie ». Ce savant, sans aucun doute, parlait des songes du sommeil.
G. DUHAMEL, Chronique des Pasquier, I, VIII.

ONIROMANCIE [ɔniʀɔmɑ̃si] n. f. — 1623, *oniromance* ; de *oniro-*, et *-mancie*.

◆ Didact. Divination* par les songes. ⇒ **Onirocritie, onirologie.**

DÉR. **Oniromancien.**

ONIROMANCIEN, IENNE [ɔniʀɔmɑ̃sjɛ̃, jɛn] n. — 1836 ; de *oniromancie*.

◆ Didact. Personne qui pratique l'oniromancie. ⇒ **Onirocrite, onirologue.**

ONIROPHRÉNIE [ɔniʀɔfʀeni] n. f. — xxᵉ ; de *oniro-*, et *-phrénie*.

♦ Psychiatrie. Trouble mental se manifestant essentiellement par un état de confusion, de désorientation et des cauchemars.

ONIROTHÉRAPIE [ɔniʀɔteʀapi] n. f. — xxᵉ ; de *oniro-*, et *-thérapie*.

♦ Psychiatrie. Psychothérapie fondée sur l'analyse de rêveries conduites volontairement par le sujet en état de veille (« rêves éveillés »).

ONKOTIQUE [ɔ̃kɔtik] adj. ⇒ **Oncotique**.

ONLAY [ɔnlɛ] n. m. — xxᵉ ; mot angl., de *on* « sur », et *to lay* « déposer ».

♦ Chir. dent. Dépôt d'or coulé à l'extérieur de la dent. ⇒ **Inlay, incrustation** (de surface). Terme conseillé : *prothèse extrinsèque ;* en chirurgie osseuse : *apposition, greffe apposée*.

On se sert encore d'or coulé : c'est ce que l'on appelle les INLAYS ou les ONLAYS, selon que cet or se trouve à l'intérieur ou à l'extérieur de la dent.
P.-L. ROUSSEAU, les Dents, p. 77.

-ONNER Suffixe verbal diminutif *(chanter, chantonner ; tâter, tâtonner)*.

ONOMASIOLOGIE [ɔnɔmazjɔlɔʒi] n. f. — 1904 ; allem. *Onomasiologie*, du grec *onomasia* « désignation » ; de *onoma* « mot », et *-logie*.

♦ Ling. Science des significations partant de l'idée (notion ; concept) pour en étudier l'expression (opposé à *sémasiologie*).
DÉR. Onomasiologique.

ONOMASIOLOGIQUE [ɔnɔmazjɔlɔʒik] adj. — Mil. xxᵉ ; de *onomasiologie*.

♦ Ling. De l'onomasiologie (opposé à *sémasiologique*).

ONOMASTICON [ɔnɔmastikɔ̃] n. m. — 1868 ; grec *onomastikon*, de *onomastikos* → Onomastique.

♦ Didact. (Dans des titres d'œuvres de l'Antiquité). Dictionnaire, vocabulaire. *L'Onomasticon de Julius Pollux.*

ONOMASTIQUE [ɔnɔmastik] n. f. et adj. — xviᵉ, *onomastic ;* grec *onomastikos* « relatif au nom », de *onoma* « nom ».
Linguistique.

♦ **1.** N. f. Étude, science des noms propres, et, spécialt, des noms de personnes (→ Lumière, cit. 37). — REM. Certains auteurs (cf. Brunot, *la Pensée et la Langue*, p. 40) réduisent l'*onomastique* aux noms de personnes ; d'autres (cf. Marouzeau, *Lexique de la terminologie linguistique*) réunissent sous ce nom l'étude des noms de personnes (→ Anthroponymie et toponymie).

Par ext. Système des noms propres d'une langue ou d'une région. *L'onomastique française.*
Énumération de noms propres.

Il *(Homère)* crie : « Érymas, Ampholéros et Épaltès, Tlépolème, fils de Damastor, Échios et Pyris, Iphée, Énippos et Poluméos, fils d'Argéas ». Comment ne point s'amuser aux jeux de cette pure onomastique ?
G. DUHAMEL, Refuges de la lecture, I, p. 61.

♦ **2.** Adj. (1838). Relatif aux noms propres, et, spécialt., aux noms de personnes, à leur étude. *Index, table onomastique.*
DÉR. (Du même rad.) **Onomasticon, onomatopée.**

ONOMATOMANIE [ɔnɔmatɔmani] n. f. — 1885, Charcot *in* Cottez ; de l'élément grec *onomato-* « nom » (→ Onomatopée), et *-manie*.

♦ Psychopath. Obsession* portant sur un ou des mots (peur d'oublier un mot ; préoccupation de lire ou d'entendre un mot auquel on attache une valeur magique ; obsession-impulsion à prononcer un mot).

ONOMATOPÉE [ɔnɔmatɔpe] n. f. — 1585 ; bas lat. *onomatopoeia*, grec *onomatopoiia* « création (*poiein :* "faire") de mots (*onoma*) ».

♦ Ling. Création de mot suggérant ou prétendant suggérer par imitation phonétique la chose dénommée ; le mot imitatif* lui-même. *Onomatopées désignant des sons naturels ou artificiels (cris d'animaux, etc.). Onomatopées du langage enfantin. Onomatopée consistant en une véritable création, en un arrangement d'une forme antérieure... Onomatopées simples, doubles* (pan pan !), *polysyllabes...* — *Principales onomatopées employées en français :* ahou, aïe, a-reu a-reu, atchoum, bé (bê), berk (beurk), beu (beuh), bim, bing, bla-bla-bla, bof, boum (baoum), bredi-breda, brrr, bzitt, bzz, cahin-

caha, chut, clic-clac, cocorico, coin-coin, coquerico, coucou, couic, crac, cric, cricri, crin-crin, croc, cui-cui, ding-din-dong, drelin-drelin, fla, fla-fla, flic-flac, floc, flon-flon, frou-frou, glou-glou, gnan-gnan, gong, gouzi-gouzi, guili-guili, guilleri, han, hi-han, miam-miam, miaou, mimi, ouah, ouille, paf, pan, patapouf, patati-patata, patatras, pif, plaf, ploc, pouf, poum, psit (pst), rataplan, ronron, tac, tam-tam, taratata, teuf-teuf, tic-tac, tire-lire, toc-toc, turlui, vlan, zest, zzz. *La bande dessinée use volontiers d'onomatopées empruntées à l'anglais (par ex. : sniff, splash...) mais rarement des onomatopées françaises traditionnelles.*

Les onomatopées servent à former des noms (crincrin, gazouillis, roucoulement), *des interjections* (boum, floc), *des adverbes* (cahin-caha), *des verbes* (carcailler, chuchoter, chuinter, cliqueter, coasser, crisser, croasser, gazouiller, papoter, piailler, piauler, ronronner, roucouler, susurrer, vrombir, zozoter, etc.) ; *on peut y rattacher certains mots enfantins formés par redoublement de syllabes* (maman, papa, toutou, pipi...) *et des refrains de chansons* (tra la la...). *Dictionnaire raisonné des onomatopées françaises*, de Ch. Nodier (1808). — REM. Cet ouvrage donne à *onomatopée* un sens très large, englobant tous les mots supposés avoir une origine expressive, au nom d'une théorie « imitative » de l'origine du langage.

(...) elle parlait à son fils, âgé de vingt mois, ce langage tout en onomatopées qui fait sourire les enfants (...)
BALZAC, la Cousine Bette, Pl., t. VI, p. 342. [1]

(...) palpitations furieuses du cœur et des sens, ordres impérieux de la chair, tout le dictionnaire des onomatopées de l'amour se fait entendre ici *(dans l'ouverture de Tannhäuser)*.
BAUDELAIRE, l'Art romantique, « R. Wagner », III. [2]

Comme elles n'imitent les bruits que d'une façon plus ou moins exacte, en général, les onomatopées diffèrent sensiblement d'une langue à l'autre. Ainsi le cri du canard, comme le note Nyrop (Gramm., hist., t. III, p. 18), est rendue en français par *couin couin* (...) en danois par *rap rap*, en allemand par *gack gack* (...) en roumain par *mac mac* (...) en russe par *kriak*, en anglais par *quack* (...)
M. GREVISSE, le Bon Usage, 151. [3]

À ces réserves de son colonel favori, Tokor, contré dans son désir, opposait des arguments très personnels : « Ah !... » — toutes les répliques de Tokor commençaient par cette onomatopée exclamative qui exprimait dans sa bouche tous les sentiments possibles s'étendant de la haine à l'adoration (...) l'onomatopée enracinait chaque parole du roi dans cette espèce de bruitage informe et chaotique précédant toute rationalisation du discours (...)
P. GRAINVILLE, les Flamboyants, p. 242. [4]

DÉR. Onomatopéique.

ONOMATOPÉIQUE [ɔnɔmatɔpeik] adj. — 1838 ; *onomatopique*, xviiiᵉ ; de *onomatopée*.

♦ Didact. Relatif à l'onomatopée ; qui en a les caractères. *Formations onomatopéiques du langage enfantin. Radical onomatopéique.*

ONONIS [ɔnɔnis] n. m. — Fin xixᵉ ; grec *onônis*, nom d'une plante.

♦ Bot. Plante dicotylédone *(Légumineuses, Papilionacées)* herbacée, annuelle ou vivace, dont les variétés sont appelées *coquecigrue, bugrane jaune* et *bugrane* arrête-bœuf.

ONOPORDE [ɔnɔpɔʀd] ou **ONOPORDON** [ɔnɔpɔʀdɔ̃] n. m. — 1718, *in* Cottez, art. *-porde, pordon ;* grec *onopordos*, de *onos* « âne », et *perdein* « péter ».

♦ Bot. Plante dicotylédone *(Composées)* herbacée, bisannuelle, très voisine du chardon ; la variété la plus commune se nomme *chardon aux ânes.*

ONQUES [ɔ̃k] adv. ⇒ **Onc**.

ONSET [ɔnsɛt] n. m. — V. 1960 ; mot angl., de *on* « sur » et *to set* « mettre ».

♦ Anglic. Techn. (imprim.). Procédé d'impression sans contact, qui utilise les phénomènes électrostatiques. ⇒ **Offset**.

ONT-, ONTO- Éléments de mots scientifiques et philosophiques, tirés du grec *ôn, ontos* « l'être, ce qui est ». ⇒ **Ontique, ontogénèse** ou **ontogénie, ontologie.**

-ONTE Élément, du grec *ôn, ontos*. ⇒ **Onto-** (ex. : *schizonte*).

ONTIQUE [ɔ̃tik] adj. — 1943 ; allem. *ontik*, mot de Heidegger ; dér. sav. du grec *ontos*, génitif de *ôn* ou *on*. → Onto-.
Philosophie.

♦ **1.** Syn. de *ontologique*. *Le monisme ontique.*

♦ **2.** (Opposé à *ontologique*). De l'être concret de l'expérience, ou « étant ».

Ce n'est, dira-t-on, qu'un des aspects de la difficulté qu'éprouve Heidegger à passer, en général, du plan ontologique au plan ontique, de « l'être-dans-le-monde » en général à ma relation avec *cet* ustensile particulier, de mon être-pour-mourir,

qui fait de ma mort ma possibilité la plus essentielle, à *cette* mort«ontique» que j'aurai, par rencontre avec tel ou tel existant externe.
SARTRE, l'Être et le Néant, p. 305.

ONTOGÉNÈSE, ONTOGENÈSE [ɔ̃tɔʒɛnɛz; ɔ̃tɔʒənɛz] ou **ONTOGÉNIE** [ɔ̃tɔʒeni] n. f. — 1874; de *onto-*, et *genèse*.

♦ Biol. Développement de l'individu, depuis la fécondation de l'œuf jusqu'à l'état adulte (opposé à *phylogénèse** «développement de l'espèce»). ⇒ **Embryogénie, embryologie.**

1 (...) cet extraordinaire attrait des recherches embryogéniques était, pour une bonne part, déterminé et entretenu par la véritable fascination qu'exerçait alors la loi de Fritz Müller, ou loi biogénétique fondamentale de Haeckel, d'après laquelle le développement de l'individu (ontogénie) était une récapitulation abrégée de la descendance de l'espèce (phylogénie).
Maurice CAULLERY, *in* Encycl. Pl., Hist. de la science, p. 1249.

2 Il est bien vrai que la science attente aux valeurs. Non pas directement, puisqu'elle n'en est pas juge et doit les ignorer; mais elle ruine toutes les ontogénies mythiques ou philosophiques sur lesquelles la tradition animiste, des aborigènes australiens aux dialecticiens matérialistes, faisait reposer les valeurs, la morale, les devoirs, les droits, les interdits. Jacques MONOD, le Hasard et la Nécessité, p. 216.

DÉR. **Ontogénique** ou **ontogénétique.**

ONTOGÉNIQUE [ɔ̃tɔʒenik] ou **ONTOGÉNÉTIQUE** [ɔ̃tɔʒenetik] adj. — 1877, *ontogénique*; *ontogénétique*, 1897; de *ontogénie, -génétique.*

♦ 1. Biol. Relatif à l'ontogenèse. On dit aussi *ontogénétique.*

♦ 2. Philos. Qui engendre l'être, en parlant de la pensée, du raisonnement, d'un concept.

Le modèle ontogénétique (car c'est lui qui, par opposition au phylogénétique, constitue l'originalité de la pensée psychanalytique) spécifie l'être dans son individualité; il renvoie dans un éternel retour à une première et structurante rencontre d'une pulsion et de l'objet qu'elle investit.
Cyrille KOUPERNIK, Un traitement d'exception, *in* la Nef, n° 31, p. 153.

ONTOLOGIE [ɔ̃tɔlɔʒi] n. m. — 1692; lat. philos. *ontologia*, 1646; du grec, de *ontos* → Onto- et *logia* → -logie.

♦ Philos. Partie de la métaphysique qui s'applique à «l'être en tant qu'être» (Aristote), indépendamment de ses déterminations particulières. *L'être et le néant, essai d'ontologie phénoménologique*, de Sartre.

DÉR. **Ontologique, ontologisme.**

ONTOLOGIQUE [ɔ̃tɔlɔʒik] adj. — 1765; de *ontologie*.

♦ Philos. Relatif à l'ontologie, à l'être en tant que tel. *Argument, preuve ontologique de l'existence de Dieu* (saint Anselme), qui vise à prouver l'existence de Dieu par la seule analyse de sa définition, de son essence (Dieu est parfait donc il existe). *La preuve ontologique, exposée par* Descartes (*Discours de la méthode*, 4; *Méditations métaphysiques*, V), *réfutée par* Kant (*Critique de la raison pure*, II, III, 4e). — REM. Renan oppose *ontologique* à *phénoménal* (*l'Avenir de la science*).

Descartes oscille; tantôt il fonde la preuve ontologique sur l'idée de l'infini, tantôt sur celle du parfait (...) cet effort ne saurait réussir par la seule logique.
Jules LAGNEAU, Célèbres leçons et fragments, Dieu, p. 308.

DÉR. **Ontologiquement.**

ONTOLOGIQUEMENT [ɔ̃tɔlɔʒikmɑ̃] adv. — 1874; de *ontologique.*

♦ Philos. Du point de vue de l'être en tant que tel.

ONTOLOGISME [ɔ̃tɔlɔʒism] n. m. — 1868, cit.; de *ontologie.*

♦ «Tendance d'esprit favorable à l'ontologie» (Lalande); caractère d'une philosophie dans laquelle prédominent les préoccupations ontologiques. — Péj. (vieux) :

Ontologisme, *sm. (Philos.)* Abus de l'abstraction; système qui accorde une existence réelle à des êtres de raison : système de philosophie qui admet que tous les êtres ont été tirés du néant par l'être intelligent.
SOUVIRON, Dict. des termes techniques, 1868, *in* D. D. L., II, 12.

O. N. U. [ɔɛny] ou, plus rarement, [ɔny] n. f.

♦ Abréviation de *«Organisation des Nations* Unies»*. *L'O. N. U.*

Je ne dis pas cela pour déconsidérer l'Ohennu *(sic)* et ce n'est pas le moment de contrarier ses recherches et ses efforts pour la consolidation de sa foi.
Jacques PERRET, Bâtons dans les roues, p. 91.

DÉR. **Onusien.**

ONUSIEN, IENNE [ɔnyzjɛ̃, jɛn] adj. et n. — V. 1960; de O. N. U.

♦ Fam. De l'Organisation des Nations Unies. *Les forces onusiennes :* les casques* bleus.
N. *Un onusien, une onusienne :* un, une fonctionnaire de l'O. N. U.
REM. La forme *onuiste* [ɔnyist] semble inusitée ou stylistique.

Le culte onuiste prend tournure (...)
Jacques PERRET, Bâtons dans les roues, p. 90.

ONYCH-, ONYCHO- Premier élément de mots didactiques (tiré du grec *onux, onukhos* «ongle»; ⇒ **Onyx**) qui signifie «relatif aux ongles» : *onychatrophie, onychogenèse, onychogryphose* (hypertrophie de l'ongle), *onychoptose* (chute des ongles). ⇒ **Onychie, onychogène, onychomycose, onychophagie, onychose.**

ONYCHIE [ɔniki] n. f. — xxe; dér. sav. du grec *onukhos* «ongle».

♦ Méd. Affection des ongles. — Spécialt. Atteinte inflammatoire de la matrice de l'ongle. ⇒ **Onychose.**

ONYCHOGÈNE [ɔnikɔʒɛn] adj. — 1903; de *onycho-*, et *gène.*

♦ Méd. Qui se rapporte à la formation, à la croissance des ongles.

ONYCHOMYCOSE [ɔnikomikoz] n. f. — 1903; *onychomycosis*, 1878; de *onycho-*, et *mycose, mycosis.*

♦ Didact. Infection de l'ongle provoquée par un champignon parasite microscopique.

ONYCHOPHAGE [ɔnikofaʒ] adj. et n. — 1904, *in Rev. gén. des sc.*, n° 9, p. 456; de *onycho-*, et *-phage.*

♦ Didact. Qui se ronge compulsivement les ongles. — N. *Un, une onychophage.*

ONYCHOPHAGIE [ɔnikofaʒi] n. f. — 1893, *Année sc. et industr.* 1894, p. 347 ; de *onycho-*, et *-phagie.*

♦ Didact. Habitude de se ronger les ongles.

ONYCHOSE [ɔnikoz] n. f. — 1868; de *onych-* et *-ose.*

♦ Méd. Trouble de la croissance des ongles (terme générique). ⇒ **Onychie.**

-ONYME, -ONYMIE, -ONYMIQUE Suffixes (tirés du suffixe grec *-ônumos*, de *onoma* «nom») qui entrent dans la composition de mots savants tels que : *allonyme; anonyme; antonyme, antonymie; éponyme, éponymie; homonyme, homonymie; métonymie, métonymique; paronyme, paronymie, paronymique; patronyme, patronymique; phytonymie; pseudonyme; synonyme, synonymie, synonymique; toponymie.* → aussi (du rad. *onoma*) Antonomase, métonomasie, onomatopée, paronomase.

ONYX [ɔniks] n. m. — xiie, *onix*; lat. *onyx*, grec *onux* «ongle», à cause de l'aspect translucide de la pierre.

♦ 1. Variété d'agate* présentant des zones concentriques régulières de diverses couleurs, et dont «la transparence cornée... rappelle celle d'un ongle» (Réau). *Camée, coupe en onyx. Lampes* (cit. 9) *d'onyx pâle.* — Adj. *Agate onyx.*

Vous, ô Lampes d'onyx, vives d'un feu changeant, Parfumez le parvis (...)
LECONTE DE LISLE, Poèmes tragiques, «Résurrection d'Adonis».

Par métaphore :

À certains même elle ne disait rien, se contentant de leur montrer ses admirables yeux d'onyx, comme si on était venu seulement à une exposition de pierres précieuses. PROUST, À la recherche du temps perdu, t. IX, p. 51.

♦ 2. Variété de marbre, d'aspect analogue à l'onyx (zones concentriques).

♦ 3. (Au sens étym.). Matière des ongles (cit. 5.1, Mallarmé).

ONYXIS [ɔniksis] n. m. — 1835; dér. du grec *onux* «ongle». → Onych-.

♦ Méd. Inflammation, presque toujours accompagnée d'ulcérations et de fongosités, du derme unguéal. *Onyxis scrofuleux, syphilitique.*

ONZAIN [ɔ̃zɛ̃] n. m. — 1473, «monnaie»; de *onze*, d'après *dizain*, etc.

♦ Didact. Strophe de onze vers. *Les onzains de Musset.*

ONZAINE [ɔ̃zɛn] n. f. — 1853; «quantité de 11», xiiᵉ; de *onze*, et -*aine*.

♦ Techn. Chandelier à onze chandelles.

ONZE [ɔ̃z] adj. et n. — 1080, *Chanson de Roland*; lat. *undecim*, de *unus* «un», et *decem* «dix».

★ **I.** ♦ **1.** Adj. numéral cardinal invar. Dix plus un (11 ou en chiffres romains XI). *Le chiffre onze. Onze heures* (→ Horloge, cit. 2). *Un enfant de onze ans. Qui a onze éléments.* ⇒ **Hendéca-.** *Vers de onze syllabes* (hendécasyllabes). *Strophe de onze vers.* ⇒ **Onzain.** — REM. L'article *le* n'est pas élidé devant *onze*, mais on peut dire *bouillon d'onze heures* ou *de onze heures*; *il n'est qu'onze heures* ou *que onze heures.* «*Le soleil d'onze heures*» (Mauriac, *in* Grevisse), *de onze heures. Onze cents* (ou *mille cent*), *Onze mille. Les onze mille vierges**. *Les Onze Mille Verges*, œuvre de Guillaume Apollinaire.

♦ **2.** Adj. ordinal. *Onzième**. *Louis onze. Chapitre onze ou chapitre XI. Il est onze heures.* — *Bouillon d'onze heures, de onze heures* : breuvage empoisonné. — Loc. fam. (vieilli) *Prendre le train onze* (11) : aller à pied.

★ **II.** N. m. (Sans élision). *Onze plus deux, multiplié par deux.* — *Le onze du mois. Le onze novembre. Votre lettre du onze.*

Spécialt. Équipe de onze joueurs, au football. *Les joueurs sélectionnés pour le onze de France.*

DÉR. **Onzain, onzaine, onzième.**

ONZIÈME [ɔ̃zjɛm] adj. et n. — xiiᵉ; *unzime*, v. 1119; de *onze*.

★ **I.** Adj. et n. m. ♦ **1.** Qui vient immédiatement après le dixième. *Le onzième jour.* — REM. L'élision de l'article devant *onzième* est archaïque : *l'onzième jour. Le onzième siècle. L'onzième siècle* (→ Franchise, cit. 2, Voltaire). *L'onzième livre* (France), *l'onzième volume* (Thérive), *in* Grevisse, *le Bon Usage* (§ 105, Rem. 2). — *Les ouvriers de la onzième heure*, parabole évangélique (saint Matthieu, xx, 1-16) exprimant la charité divine à l'égard de ceux qui viennent tardivement à la vraie foi (les ouvriers de la parabole qui avaient commencé le travail à la onzième heure recevant du maître le même salaire que ceux qui travaillaient depuis la pointe du jour). — *Il, elle est onzième en composition française.* — N. *Il est le onzième, elle est la onzième.*

♦ **2.** N. m. La onzième partie. *Ils sont onze héritiers, chacun aura le onzième de l'héritage. Il a deux onzièmes dans cette affaire* (Académie).

★ **II.** N. f. ♦ **1.** (1868). Mus. Intervalle de onze degrés, redoublement de la quarte (→ Musicien, cit. 2).

♦ **2.** *La onzième* : classe de cours préparatoire, première année du primaire. *Elle n'est plus à l'école maternelle; elle est entrée en onzième.*

DÉR. **Onzièmement.**

ONZIÈMEMENT [ɔ̃zjɛmmɑ̃] adv. — 1552, *onziesmement*; de *onzième*.

♦ En onzième lieu.

OO- Élément, du grec *ôon* «œuf». ⇒ **Ovo-** (du lat.). Voir les formations à l'ordre alphabétique.

OOCYTE [ɔɔsit] n. m. — Déb. xxᵉ (1904, *in Rev. gén. des sc.*, nᵒ 3, p. 144); de *oo-*, et -*cyte*.

♦ Gamète femelle (⇒ aussi **Ovule**), cellule à vitellus abondant, munie d'une enveloppe (follicule). *Formation de l'oocyte dans les ovaires* (oogénèse). *Structure de l'oocyte* (→ Germinatif, cit. 1). *Fécondation de l'oocyte.* ⇒ **Œuf** (→ Fusion, cit. 2). — REM. La forme *ovocyte* est vieillie; *ovule* est plutôt employé en médecine, en anatomie qu'en embryologie.

(L'ovaire) est une glande formée de vésicules (...) sur les parois desquelles se différencient des cellules qui se multiplient par division, les *oogonies*; à partir d'un certain moment, elles cessent de se multiplier, mais leur taille s'accroît et elles élaborent du vitellus; ce sont alors les *oocytes*. Les oocytes arrivés au terme de leur croissance, se détachent de la paroi ovarienne et sont évacués au dehors par le système des voies génitales (...) Maurice CAULLERY, *l'Embryologie*, p. 13.

OOGÉNÈSE [ɔɔʒenɛz] n. f. ⇒ **Ovogénèse.**

OOGONE [ɔɔgon] n. f. — 1854, *in* Cottez; de *oo-*, et -*gone*.

♦ Bot. Organe qui contient la ou les cellules femelles *(oosphères)*, chez les Thallophytes (Champignons, Algues). ⇒ **Archégone.**

OOLITHE ou **OOLITE** [ɔɔlit] n. f. (quelquefois employé au masc.). — 1752, n. f.; de *oo-*, et -*lithe*.

♦ Géol., minér. Calcaire formé de grains sphériques (comparés à des œufs de poissons). *Les oolithes sont caractéristiques du jurassique ancien.*

D'autres fois il s'y forme *(dans les lacs)*, comme dans certaines sources, des *oolithes calcaires*, c'est-à-dire des grains plus ou moins sphériques, dans lesquels le calcaire est disposé en couches concentriques autour d'un corps étranger organique ou inorganique (...) Les dépôts oolithiques calcaires peuvent également prendre naissance dans les *eaux marines*.
 Émile HAUG, Traité de géologie, t. I, p. 97.

Par ext. Formation analogue de grains d'oxyde de fer *(oolithes ferrugineux, ferrugineuses)*.

DÉR. **Oolithique.**

OOLITHIQUE [ɔɔlitik] adj. — 1818; de *oolithe*.

♦ Minér. Formé d'oolithes; relatif à l'oolithe. *Structure oolithique d'un calcaire, d'un oxyde de fer* (→ Minette, cit. 4). *Terrains calcaires oolithiques.* — N. m. (1962). *L'oolithique.* ⇒ **Jurassique** (on dit aussi *l'oolithe*, n. m., dans ce sens).

OOLOGIE [ɔɔlɔʒi] n. f. — 1847, *in* Cottez; de *oo-*, et -*logie*.

♦ Didact. Étude de l'œuf des animaux ovipares (oiseaux, etc.).

OOLYSE [ɔɔliz] n. f. — 1932; de *oo-*, et -*lyse*.

♦ Biol. Dégénérescence d'un œuf non fécondé.

OOSPHÈRE [ɔɔsfɛʀ] n. f. — 1854, *in* Cottez; de *oo-*, et *sphère*.

♦ Bot. Gamète femelle des plantes (correspondant à *oocyte, ovule* chez les animaux). *Oosphère formée dans l'ovaire, dans l'oogone, l'archégone* (Thallophytes, Mousses...), *provenant d'un prothalle* (Fougères)...

OOSPORE [ɔɔspɔʀ] n. f. — 1874; de *oo-*, et -*spore*.

♦ Bot. Œuf (fécondé) des algues et des champignons.

OOTHÈQUE [ɔɔtɛk] n. f. — 1868; de *oo-*, et -*thèque*.

♦ Zool. Ponte d'œufs enfermés dans une même coque (chez de nombreux orthoptères : Blattes...); cette coque.

OOTOMIE [ɔɔtɔmi] n. f. — 1897; de *oo-*, et -*tomie*.

♦ Biol. Fractionnement d'un œuf fécondé, dans une étude expérimentale.

O. P. [ope] n. — 1950, *in* D. D. L.; abrév. de *O(uvrier) P(rofessionnel)*; → O. S.

♦ Ouvrier très qualifié, dit «professionnel».

(...) l'aristocratie de la machine, les futurs O. P. (...) véritables techniciens. Claude FOHLEN, le Travail au xixᵉ siècle, p. 30.

O. P. A. [opea] n. f. — V. 1965; abréviation de *O(ffre) P(ublique d')A(chat)*.

♦ Écon. *Lancer une O. P. A. sur les actions d'une société.* «*Au mois de juillet, le titre s'envolait. On parlait aussitôt d'une O. p. a.*» *(l'Express*, 25 sept. 1972, p. 74).

REM. 1. S'emploie dans la langue courante pour désigner toute opération visant la prise de contrôle d'une société par une autre, et, par ext., d'un ensemble social sur un autre. *Faire une O. P. A. sur une société.*
2. On rencontre surtout (notamment dans la presse) la graphie *O. p. a.*

OPACIFIANT, ANTE [opasifjɑ̃, ɑ̃t] adj. — Avant 1963 (Larousse); p. prés. de *opacifier*.

♦ Techn. ou didact. Qui rend opaque, augmente l'opacité de. *Pouvoir opacifiant d'un pigment. Agents opacifiants.*

OPACIFICATION [opasifikasjɔ̃] n. f. — 1810; de *opacifier*.

♦ **1.** Action de rendre opaque; son résultat.

♦ 2. Méd. Diminution de la transparence de la cornée ou du cristallin. ⇒ **Albugo, leucome, néphélion, taie.**

♦ 3. Méd. Injection d'une substance opaque aux rayons X en vue d'un examen radiologique.

OPACIFIER [ɔpasifje] v. tr. — Conjug. *prier.* — 1868 ; du rad. de *opaque, opacité.*

♦ Rendre opaque, plus opaque.

Pron. *S'opacifier : devenir opaque.*

Sous les cheveux teints dont la repousse était blanche le visage effrayait : jaunâtre, taché de brun, fissuré de ridules entre les grosses rides, laissant pendre de la peau de tous côtés et s'opacifier des prunelles tristes, cernées par l'arc bleuâtre du gérontoxon. Hervé BAZIN, Cri de la chouette, p. 264.

▶ **OPACIFIÉ, ÉE** p. p. adj.

DÉR. Opacifiant, opacification.

OPACIMÈTRE [ɔpasimɛtʀ] n. m. — 1923 ; de *opacimétrie,* et *-mètre.*

♦ Techn. Appareil permettant la mesure de l'opacité de certaines substances. *Le densitomètre est un opacimètre courant.*

OPACIMÉTRIE [ɔpasimetʀi] n. f. — 1945, *in* D.D.L. ; du rad. de *opaque, opacité,* et *-métrie.*

♦ Techn. Mesure de l'opacité (d'une substance).

DÉR. Opacimètre.

OPACITÉ [ɔpasite] n. f. — V. 1500 ; lat. *opacitas,* de *opacus* → Opaque.

♦ 1. (1680). Propriété d'un corps qui ne se laisse pas traverser par la lumière (s'oppose à *transparence*). *Opacité d'un nuage. Cataracte qui aboutit à l'opacité du cristallin.* — Techn. *Opacité d'un papier, d'une pâte à papier.*

1 Telle était même l'opacité des nuages, qu'ils n'auraient pu dire s'il faisait jour ou nuit. Aucun reflet de lumière, aucun bruit des terres habitées, aucun mugissement de l'Océan n'avaient dû parvenir jusqu'à eux dans cette immensité obscure, tant qu'ils s'étaient tenus dans les hautes zones. Leur rapide descente avait seule pu leur donner connaissance des dangers qu'ils couraient au-dessus des flots.
J. VERNE, l'Île mystérieuse, t. I, p. 4.

♦ 2. État, caractère de ce qui est opaque (2.), sombre (→ Massif, cit. 7 ; noirceur, cit. 4).

2 (...) j'ai aimé (...) les toiles de Singier, non figuratives, mais dont les couleurs magnifiques, les transparences et les opacités évoquaient des eaux bleues, des coraux, des profondeurs aquatiques. S. DE BEAUVOIR, Tout compte fait, p. 224.

Par ext. Ombre épaisse ; obscurité. Couleur opaque. *Des opacités.*

♦ 3. Fig. Caractère de ce qui est secret, invisible. — Spécialt (en matière économique). *Opacité en matière de salaires, de revenus. Phénomènes d'opacité.* — Opposé à *transparence* (4.).

Caractère obscur, incompréhensible. *L'opacité d'un texte.*

Littér. (Personnes). Caractère incompréhensible, impénétrable. ⇒ **Impénétrabilité.**

CONTR. Limpidité, netteté, translucidité, transparence ; clarté.

OPALE [ɔpal] n. f. et adj. invar. — 1562 ; écrit *optal,* v. 1120 ; lat. *opalus.*

★ I. N. f. **♦ 1.** Pierre précieuse (variété de silice hydratée) à reflets irisés (cit. 3), dont il existe plusieurs sortes : *opale noble, opale de feu, opale miellée, opale commune* (ou *semi-opale*)... *Des fluorescences* (cit.) *d'opale. Une vieille superstition attribue à l'opale une influence malfaisante.*

1 Je lui vis à l'annulaire une vilaine bague dont le chaton sertissait une opale : pierre de malheur, gemme infâme (...) APOLLINAIRE, l'Hérésiarque..., p. 188.

2 L'opale peut prendre toutes les nuances ; le plus souvent elle est d'un blanc laiteux, bleue-verte ou noire ; son aspect est cireux ; elle est opaque ou translucide, rarement transparente. Cette propriété d'*opalescence* qui lui est caractéristique a été attribuée à l'existence de fines fissures provoquées par la contraction de la masse siliceuse quand elle se solidifie (...)
N. et A. METTA, les Pierres précieuses, p. 93.

D'opale : d'une couleur laiteuse, vert bleuâtre. *Une mer d'opale. La côte d'Opale* (côte française de la mer du Nord). *Une lueur d'opale.* ⇒ **Opalescent.**

♦ 2. Littér. Couleur de l'opale (→ Meurtrissure, cit. 4).

★ II. Adj. **♦ 1.** Adj. invar. Qui a la couleur de l'opale (vert ou bleu clair laiteux). *Des robes opale. Une mer opale.*

♦ 2. Qualifie un verre non transparent, rendu blanc et mat par un revêtement interne de silice. *Une veilleuse opale.* — *Verres opales.* ⇒ **Opalescent, opalin.**

3 Les verres opales, qu'il ne faut pas confondre avec les simples verres à surface

dépolie, doivent leur aspect laiteux à des corps insolubles subsistant en fines particules dans la masse fibreuse fondue : oxyde d'étain, phosphates, fluorures.
F. MEYER et P. GRIVET, le Verre, p. 80.

DÉR. Opalescent, opalin, opaliser. — V. Opalescence.

OPALESCENCE [ɔpalesɑ̃s] n. f. — 1866, *Rev. des cours sc.,* t. III, p. 815 ; de *opalescent,* suff. *-ence,* ou directement de *opale.*

♦ Littér. Caractère de ce qui est opalescent.
(Une, des opalescences). Aspect, reflet opalin (→ Opale, cit. 2). (Mil. XXᵉ). Phys. *Opalescence critique,* qui se produit au moment dit *critique,* du passage d'un gaz à l'état liquide.

OPALESCENT, ENTE [ɔpalesɑ̃, ɑ̃t] adj. — 1868 ; de *opale,* d'après les adj. en *-escent.*

♦ Littér., didact. Qui prend la couleur, les reflets blanchâtres de l'opale. ⇒ **Opalin.** — REM. À la différence de *opale* (et de *d'opale*) le mot n'implique pas de couleur particulière, mais l'aspect laiteux.

OPALIN, INE [ɔpalɛ̃, in] adj. — 1783, Buffon ; de *opale.*

♦ Qui a l'aspect de l'opale, qui a la couleur laiteuse, les reflets irisés particuliers à l'opale (⇒ **Blanc, blanchâtre, opalescent**).
Verte, opaline ou laiteuse, c'est toujours de l'absinthe.
COLETTE, Belles saisons, p. 150.

OPALINE [ɔpalin] n. f. — 1895, cit. ; de *opale* ou de l'adj. *opalin.*

♦ 1. Substance vitreuse dont on fait des vases, des ornements... *Vase en opaline.*

La société des glaces de Saint-Gobain fabrique couramment des revêtements par plaques de 10 mètres carrés en opaline.
L. FIGUIER, l'Année scientifique et industrielle 1896, p. 339 (1895). 1

♦ 2. Par métonymie. Objet (vase, bibelot...) fait de cette matière. *Une belle opaline. Une collection d'opalines.*
(...) un vase d'opaline bleue où elle met des fleurs (...) 2
J. ROMAINS, les Hommes de bonne volonté, t. I, v, p. 60.

OPALISATION [ɔpalizasjɔ̃] n. f. — 1874 ; de *opaliser.*

♦ 1. Littér. Fait de donner un aspect opalin. — Aspect de ce qui est opalin ; apparence opaline.

Aussi bien, maintenant, les yeux éblouis par des irisations, des opalisations ou des scintillements, ne pourrions-nous regarder, sans peine, quelque chose d'aussi vague surtout que l'Avenir.
MALLARMÉ, la Dernière Mode, 1ᵉʳ août 1874, Pl., p. 715.

♦ 2. Techn. Action d'opaliser ; aspect qui en résulte.

OPALISER [ɔpalize] v. tr. — 1877 ; opalisé « converti en opale », 1838 ; de *opale.*

♦ 1. Littér. Donner un aspect opalin à (une matière). — P. p. adj. *Substance opalisée.*

(...) dans l'Asie Mineure, pays de hautes montagnes et de plaines inondées une partie de l'année, il existe un brouillard opalisé, dans lequel les couleurs baignent et scintillent comme dans une évaporation d'eau de perle (...)
Ed. et J. DE GONCOURT, Journal, t. II, p. 186.

♦ 2. Techn. Rendre opale (II., 2.). *Opaliser un verre.*

DÉR. Opalisation.

OPAQUE [ɔpak] adj. — XIVᵉ ; lat. *opacus* « ombragé, touffu ».

♦ 1. Qui s'oppose au passage de la lumière. *Caractère de ce qui est opaque.* ⇒ **Opacité.** *Verre très épais et opaque. Brouillard, ciel* (→ Grue, cit. 2), *corps* (→ Lune, cit. 1), *nuée opaque* (→ Enfoncer, cit. 24). — Peint. *En empâtement, l'huile* (cit. 18) *imite les matières opaques et réfléchissantes.* — (XVIᵉ). *Opaque à,* qui s'oppose au passage de certaines radiations. *Opaque à la lumière visible (opaque* au sens 1). *Corps opaque aux rayons ultraviolets, aux rayons X...*

La chaleur de l'eau était alors vraiment remarquable, et sa couleur, subissant une altération rapide, perdit bientôt sa transparence et prit une nuance opaque et laiteuse. BAUDELAIRE, Trad. E. POE, les Aventures d'A. Gordon Pym, XXV. 1

♦ 2. Très sombre ; sans lumière. ⇒ **Obscur, ténébreux.** *Ombre opaque.* — Très foncé (couleur).

Il sortit de bonne heure et se remit à rôder par les rues. Elles étaient ensevelies sous le brouillard qui rendait pesante, opaque et nauséabonde la nuit. 2
MAUPASSANT, Pierre et Jean, IV.

♦ 3. (Abstrait). Qui ne se laisse pas connaître, comprendre ; dont le sens n'est pas donné. ⇒ **Obscur.** *Mot* (cit. 4) *opaque. Message opaque.* — (Personnes). Avec qui on ne peut communiquer. *Un être, une personne, un personnage opaque.*

CONTR. Clair, diaphane, hyalin, léger, limpide, translucide, transparent.
DÉR. Opaquement.

OPAQUEMENT [ɔpakmɑ̃] adv. — 1925, → cit. ; de *opaque*.

♦ Littér. Avec opacité. ⇒ **Sombrement.**

La voûte des arbres énormes et largement étalés était opaquement tapissée de lianes.   GIDE, Voyage au Congo, in Souvenirs, Pl., p. 845.

OP'ART [ɔpaʀ(t)] n. m. — 1964, *Op Art, in* Höfler ; expr. américaine, de *optical art* «art optique».

♦ Américanisme. Forme d'art tendant par des moyens graphiques (formes géométriques) et picturaux, à évoquer les sensations optiques propres à la vie contemporaine. — Abrév. : *op'* [ɔp] n. m. — Adj. Propre à l'op'art ; d'op'art.

(...) Vivi a voulu (...) aller voir cette exposition Op à Boulogne (...)
                              F. MALLET-JORIS, le Jeu du souterrain, p. 56.

OPE [ɔp] n. f. ou m. — 1547 ; lat. *opa*, grec *opê* «ouverture».
Technique.

♦ **1.** Archit. Trou ménagé dans un mur et destiné à recevoir une poutre, un boulin*. — Spécialt. *Opes d'une frise dorique* : ouvertures réelles ou simulées entre les métopes.

♦ **2.** Trou d'évacuation pour la fumée.

HOM. Hop.

-OPE Élément (du grec *-ôpos* «qui voit», de *ôps* «vue») qui entre dans des adjectifs et noms d'agents correspondant aux substantifs féminins en *-opie**. Ex. : *amétrope, hypermétrope.*

OPEN [ɔpɛn] adj. — 1929, *in* Höfler ; mot angl. «ouvert».
Anglicisme.

♦ **1.** Sports. Qui est ouvert aux professionnels et aux amateurs, en parlant d'une compétition. *Tournoi open.* — *Championnats du monde open.* — N. m. *Un open de tennis. L'open de* (suivi d'un n. de lieu).

♦ **2.** (1953 ; angl. *open ticket*). *Billet open,* non daté à l'achat et utilisable à la date choisie par l'acheteur. — REM. On pourrait facilement franciser cet emploi en *billet ouvert,* comme *open-jaw* en *retour libre.*

OPENFIELD ou **OPEN FIELD** [ɔpɛnfild] n. m. — 1932, *in* Höfler ; mots angl. «champ *(field)* ouvert *(open)*».

♦ (Anglic.). Géogr. Paysage rural où les terres (propriétés, parcelles...) ne sont pas closes (opposé à *bocage*).

OPÉRA [ɔpeʀa] n. m. — 1646 ; ital. *opera,* du lat. *opera,* de *opus* → Œuvre.

♦ **1.** Poème, ouvrage dramatique mis en musique, dépourvu de dialogue parlé (à la différence de l'*opéra comique*) qui est composé de récitatifs*, d'airs (⇒ **Chant, bel canto**), de chœurs et parfois de danses (⇒ **Ballet**) avec accompagnement d'orchestre. ⇒ aussi **Dramatique** (musique dramatique), **lyrique** (drame lyrique). On appelle *grand opéra* ou *opéra sérieux* (ital. : *opera seria*), un opéra dont le sujet est tragique, *opéra bouffe* (opera buffa), un opéra dont les personnages et le sujet sont empruntés à la comédie (⇒ aussi **Opéra-comique, opérette**). *Opéra précédé d'un prologue*, d'une ouverture*. Air d'opéra. Arrangement d'un air d'opéra.* ⇒ **Fantaisie, paraphrase.** *Libretto* (cit. 1 et 2), *livret d'un opéra. Le compositeur et le librettiste d'un opéra. Opéras de Rameau, de Mozart, de Verdi, de Wagner, de Debussy, d'Alban Berg, de Prokofiev... Chanteur d'opéra.* ⇒ **Chanteur, diva, prima donna...** *Chœurs, choriste d'opéra. Ensemble de quatre opéras.* ⇒ **Tétralogie.** — Genre musical constitué par ces ouvrages. *L'opéra moderne* (→ Introduction, cit. 5). — REM. Dans la dénomination des œuvres, le mot *opéra* est souvent remplacé, de nos jours, par *drame lyrique* ou par d'autres périphrases.

1 OPÉRA (...) Spectacle dramatique et lyrique où l'on s'efforce de réunir tous les charmes des beaux-arts dans la représentation d'une action passionnée, pour exciter, à l'aide de sensations agréables, l'intérêt et l'illusion.
                              ROUSSEAU, Dict. de musique, Opéra.
2 Les modernes ont inventé un genre qui réunit tout ce qui doit charmer l'esprit et les sens. C'est l'opéra. La déclamation chantée a plus de force que celle qui n'est que parlée. L'ouverture dispose à ce qu'on va entendre, mais d'une manière vague : le récitatif expose les situations avec plus de force que la simple déclamation, et l'air, qui est en quelque sorte le point admiratif de chaque scène, complète la sensation par la réunion de la poésie et de tout ce que la musique peut y ajouter. Joignez à cela l'illusion des décorations, les mouvements gracieux de la danse.   E. DELACROIX, Journal, 16 mai 1857.
3 L'opéra m'apparaissait un chaos, un usage désordonné de parties lyriques, orchestrales, dramatiques, mimiques, plastiques, chorégraphiques, un spectacle, en somme, grossier, puisque rien ne commandait l'entrée en jeu et le contraste des puissances diverses, que rien n'en limitait l'action, et que le tout de l'œuvre était livré aux inspirations divergentes du librettiste, du musicien, du chorégraphe, du peintre de décors, du metteur en scène et des interprètes.
                              VALÉRY, Variété III, p. 86.

Opéra-ballet. Opéra-oratorio. — *Opéra rock* : spectacle musical

fondé sur la musique rock. « *"Time"* », *un opéra-rock somptueux* » (*le Point*, 14 sept. 1981, p. 31).

♦ **2.** (1694). Édifice, théâtre où l'on joue des opéras (1.) classiques, où l'on donne des ballets. *La Scala de Milan, célèbre opéra italien.* — Spécialt. *L'Opéra de Paris,* ou, absolt, *l'Opéra* (Académie nationale de musique). *Actrice* (→ Loge, cit. 6), *chœurs, danseuse, petit rat de l'Opéra. Avoir une loge à l'Opéra. Gala* (cit. 4) *de l'Opéra.*

4 (...) je me figure toujours que la nature est un grand spectacle qui ressemble à celui de l'opéra. Du lieu où vous êtes à l'opéra, vous ne voyez pas le théâtre tout à fait comme il est ; on a disposé les décorations et les machines pour faire de loin un effet agréable, et on cache à votre vue ces roues et ces contrepoids qui font tous les mouvements.
                              FONTENELLE, Entretien sur la pluralité des mondes, « Premier soir ».
5 Ce rat, qui sort d'une répétition à l'Opéra, retourne faire un maigre dîner, et reviendra dans trois heures pour s'habiller, s'il paraît ce soir dans le ballet, car nous sommes aujourd'hui lundi.
                              BALZAC, les Comédiens sans le savoir, Pl., t. VII, p. 15.

♦ **3.** Fig., vx. Chose difficile.

6 Vos lettres de marquis sont signées ; mais le sceau est une étrange affaire ; nous verrons si nous « pourrons » les faire passer gratis : c'est une opéra.
                              Mme DE SÉVIGNÉ, Correspondance, 557, 21 oct. 1676.

Jeu. *Faire opéra* : gagner. *Faire grand opéra* : gagner rapidement (nain jaune).

♦ **4.** Vx. Couleur rouge pourpre.

COMP. Opéra-comique.

OPÉRABLE [ɔpeʀabl] adj. — 1845 ; «qui pousse à agir», xve ; de *opérer*, et *-able.*

♦ Qui peut être opéré*, qui est en état de l'être. *Malade opérable.* — Par ext. *Cancer opérable.*

CONTR. Inopérable.

OPÉRA-COMIQUE [ɔpeʀakɔmik] n. m. — 1715 ; de *opéra,* et *comique* au sens de «théâtral».

♦ **1.** Drame lyrique, généralement sans récitatif, composé d'airs chantés avec accompagnement orchestral, alternant parfois avec des dialogues parlés (⇒ **Opéra**). *Les premiers opéras-comiques français furent appelés « comédies à ariettes »* (cit. 2). *Composer un opéra-comique* (→ Gaieté, cit. 6). *Parolier* d'un opéra-comique.* — Genre constitué par cette sorte d'ouvrage. *Compositeur qui excelle dans l'opéra-comique.*

L'opéra-comique ou *opera buffa* se distinguait à l'origine du grand opera seria par le sujet et le style, dont la légèreté justifiait un emploi beaucoup plus abondant du parlé. Mais, vers la fin du XIXe, cette forme s'est élargie, abordant des sujets jusqu'alors réservés à l'opéra, et dans un style tout à fait similaire ; de sorte qu'il est devenu difficile d'en donner une définition précise.
                              A. HODEIR, les Formes de la musique, p. 77.

♦ **2.** (1819). *L'Opéra-Comique,* théâtre lyrique parisien où l'on donne des opéras-comiques.

OPÉRANDE [ɔpeʀɑ̃d] n. f. — 1963, *Comité d'étude des termes techniques français* ; de *opérer,* d'après *multiplicande,* pour correspondre à l'angl. *operand* (1866) ; lat. *operandum,* de *operari* → Opérer.

♦ **1.** Math. Quantité entrant dans une opération. *Les opérandes de la multiplication (multiplicande et multiplicateur), de la division (dividende et diviseur).*

♦ **2.** Inform. Élément entrant dans la constitution d'une instruction de programme. *Opérande incorporé.*

♦ **3.** Ling. Phrase à partir de laquelle on opère une transformation (par oppos. à *transformée* ou à *résultante*).

OPÉRANT, ANTE [ɔpeʀɑ̃, ɑ̃t] adj. — D. i. ; p. prés. de *opérer.*

♦ **1.** Qui opère, agit. ⇒ **Agissant.** — Théol. *Grâce opérante.* — *Remède opérant. Blocus* (cit. 2) *opérant. Concept opératoire* et opérant.*

♦ **2.** (De l'anglo-amér. *opérant*). Psychol. *Comportement, réflexe opérant,* ne possédant pas de stimulus spécifique (opposé à *comportement de réponse,* angl. *respondent*). *Conditionnement opérant ou instrumental.*

CONTR. Inopérant.

OPÉRATEUR, TRICE [ɔpeʀatœʀ, tʀis] n. — xive «artisan» ; lat. *operator, trix,* du supin de *operari* → Opérer.

♦ **1.** Vx. Personne qui opère, accomplit, exécute (une action). ⇒ **Auteur.**

1 (...) Dieu, qui est le seul auteur et opérateur des miracles, quels qu'ils soient, pourvu qu'ils soient vrais miracles.   PASCAL, Pensées, XIII, Appendice, VII.

♦ **2.** Mod. (Méd.). Personne qui exécute une opération de chirurgie. ⇒ **Chirurgien.** (→ Faculté, cit. 15).

2 Voilà l'opératrice aussitôt en besogne.
Elle retira l'os (...) LA FONTAINE, Fables, III, 9.

3 L'anesthésie et l'asepsie, à quelques années de distance, venaient d'apporter les perfectionnements souverains. Dès lors, les meilleurs opérateurs comprirent que le temps des prouesses simplificatrices était révolu et qu'une douce et patiente distinction des gestes devait remplacer peu à peu certaine vulgarité de prestidigitateur. Henri MONDOR, Pasteur, p. 9.

4 Oui, vraiment, la médecine exerçait sur moi une attraction. Mais j'aimais mieux être opérateur qu'opéré. Marie CARDINAL, les Mots pour le dire, p. 134.

Vx. Charlatan qui vendait des drogues sur la place publique. ⇒ aussi **Bateleur**; → Mithridate, cit. 1.

♦ **3.** (1896). Cour. Personne qui exécute des opérations techniques déterminées, fait fonctionner un appareil* (⇒ **Manipulateur**)... *La réussite de la greffe* (cit. 5) *dépend de l'habileté de l'opérateur. Opérateur radio.*

5 L'opérateur de T. S. F. nous remit enfin un télégramme : deux pylônes, plantés dans le sable (au Sahara), nous reliaient une fois par semaine à ce monde. SAINT-EXUPÉRY, Courrier Sud, I, I.

(Téléphone). ⇒ **Standardiste.**

6 Sur cette pointe stable et isolée la jeune femme enfonça solidement, comme une boule de bilboquet, certaine grande sphère de métal munie horizontalement d'une sorte de bras pivotant et articulé dont l'extrémité, dirigée vers la palette, portait une dizaine de pinceaux pareils aux rayons d'une roue renversée à plat.
Bientôt, par les soins de l'opératrice, un fil double établit une communication entre la sphère et le coffret électrique.
Raymond ROUSSEL, Impressions d'Afrique, p. 200.

Cour. *Opérateur de prise de vue,* et, absolt, *opérateur.* ⇒ **Cadreur, cameraman.** — *Chef-opérateur.*

7 Ces cadrages trop recherchés, ces angles bizarres, ces plans de nuages, de lacs, de sous-bois ne sont pas chez l'auteur de *Monika (I. Bergman)* des jeux gratuits de la caméra ou des prouesses de chef-opérateur.
J.-L. GODARD, Jean-Luc Godard, *in* Coll. des Cahiers du cinéma, III, p. 138.

Techn. *« Il existe trois catégories de cameramen (opérateurs de prise de vues) : l'opérateur de direct (...) l'opérateur film (...) le reporter cameraman... »* (*le Monde,* 1er sept. 1973). *Opérateurs sur machines électroniques.*

Inform. *Opérateur, opératrice de saisie.*

♦ **4.** Mécan. (Opposé à *récepteur*). Organe d'une machine-outil qui exécute le travail utile que la machine doit accomplir.

♦ **5.** N. m. Log. Symbole logique permettant les opérations. ⇒ **Foncteur.** *Opérateurs propositionnels, opérateur singulaire* (négation), *opérateurs binaires* ou *connectifs* (alternative, conjonction, disjonction, équivalence, implication, incompatibilité, rejet). *Opérateurs modaux* (contingence, impossibilité, nécessité, possibilité). — *Opérateurs booléens.* — *Opérateur binaire, diadique; unaire, monadique; n-aire.*

Math. Élément d'un ensemble associé aux éléments d'un deuxième ensemble et définissant une loi de composition externe. ⇒ **Algorithme.** *Opérateur sur un ensemble E.*

Par anal. Dans une langue (naturelle ou artificielle), élément inanalysable et qui ne se définit que par sa fonction. *Les mots « grammaticaux » sont des opérateurs syntactiques.* — *Opérateur métalinguistique, symbole qui signale le passage de la langue objet à la métalangue.*

8 D'anciens érudits mettaient parfois, sagement, à la suite d'une proposition, le correctif « incertum ». Si l'imaginaire constituait un morceau bien tranché, dont la gêne serait toujours sûre, il suffirait d'annoncer à chaque fois ce morceau par quelque opérateur métalinguistique, pour se dédouaner de l'avoir écrit. C'est ce qu'on a pu faire ici pour quelques fragments (guillemets, parenthèses, dictée, scène, redan, etc.) : le sujet, dédoublé (ou s'imaginant tel), parvient parfois à signer son imaginaire. R. BARTHES, Roland Barthes, p. 109.

OPÉRATIF, IVE [ɔpeʀatif, iv] adj. — 1488, Oresme; de *opération.*

♦ **1.** Hist. philos. (T. de scolastique). *Propriétés opératives,* qui sont à l'origine des actes.

1 Les qualités formelles sont de simples attributs, mais les opératives doivent (...) se diviser en originales et en dérivées. VOLTAIRE, Dict. philosophique, Droit, I.

♦ **2.** (Mil. XXe). Mod. Didact., psychol. Qui concerne les opérations, les actions coordonnées. — REM. *Opératoire** concerne surtout les opérations chirurgicales* et logiques.

2 (...) en plus de cet aspect opératif de la connaissance (le terme d'opératif couvrant l'ensemble des actions et des opérations, de l'action sensori-motrice antérieure au langage, aux opérations les plus abstraites) il faut distinguer un aspect figuratif (...)
J. PIAGET, *in* Encycl. Pl., Logique et Connaissance scientifique, p. 31.

OPÉRATION [ɔpeʀasjɔ̃] n. f. — XIIIe, « ouvrage, travail »; sens mod. déb. XIVe; lat. *operatio,* du supin de *operari* → Opérer.

♦ **1.** Didact. Action de ce qui (en tant qu'agent, pouvoir, fonction...) produit un effet (⇒ **Opérer** 1.) selon sa nature. *Les opérations de la nature* (cit. 39, Diderot), *de la digestion* (→ Estomac, cit. 7). *Les opérations des sens* (→ Erreur, cit. 7; faculté, cit. 3), *de l'esprit* (→ Logique, cit. 2 et 3), *de l'âme* (→ Homme, cit. 2; matérialiser, cit. 1). *Opérations sensitives et intellectuelles* (cit. 1).

1 La mémoire est nécessaire pour toutes les opérations de la raison.
PASCAL, Pensées, VI, 369.

Théol. *Opération de la grâce* (→ Esprit, cit. 14). — (1508). *Opération du Saint-Esprit :* action mystique du Saint-Esprit par laquelle la Vierge Marie fut rendue mère. — (1874). Loc. fig. *Par l'opération du Saint-Esprit :* par un moyen mystérieux, inexplicable, parfois quelque peu suspect. *Il s'est enrichi très vite, comme par l'opération du Saint-Esprit. S'il a réussi, ce n'est pas par l'opération du Saint-Esprit,* sa réussite est le fruit d'efforts personnels.

♦ **2.** Acte ou série d'actes (matériels ou intellectuels) supposant réflexion et combinaison de moyens* en vue d'obtenir un résultat déterminé. ⇒ **Accomplissement, entreprise, exécution, travail.** *Nature de l'opération technique* (→ Opératoire, cit. 1). *Les opérations essentielles de la médecine* (cit. 7) *clinique. La première opération en histoire consiste à se mettre à la place des hommes que l'on veut juger* (→ Entrer, cit. 50). *L'analyse est l'opération qui ramène l'objet à des éléments déjà connus* (→ Intuition, cit. 2). *Opérations industrielles, chimiques, pharmaceutiques, techniques.* ⇒ **Manipulation, traitement.** *Les opérations qui conduisent de l'obtention de la matière première à la fabrication du produit fini* (→ Intégration, cit. 1). *Machine* (cit. 15) *qui se charge de la plupart des opérations.*

On n'y fabriquait point les tissus; on les imprimait seulement. Mais cette impression s'accompagnait d'une quantité d'opérations complémentaires, et occupait un peuple d'ouvriers. GIDE, Si le grain ne meurt, I, IV, p. 100. 2

♦ **3.** (1613). Math. Processus de nature déterminée qui, à partir d'éléments connus, permet d'en engendrer un nouveau (⇒ **Calcul**). *Opérations mathématiques* (→ Infinitésimal, cit. 1); *arithmétique, algébrique. Relatif aux opérations.* ⇒ **Opératoire** (3.). *Effectuer, faire une opération. Résultat d'une opération.* — *Opérations fondamentales,* addition, soustraction, multiplication, division (les *« quatre opérations »*), élévation à une puissance, extraction d'une racine; combinaison de telles opérations en nombre fini. *Application de l'opération de l'extraction de la racine carrée aux nombres négatifs* (→ Imaginaire, cit. 6).

Géom. *Opération qui permet la formation* d'un volume.*

Log., inform. *Opération booléenne,* où les opérandes et les résultats ne prennent que deux valeurs : 0 et 1.

Il *(Descartes)* conçoit de très bonne heure la possibilité d'une invention qui permettra de traiter systématiquement *tous* les problèmes de la géométrie en les réduisant à des problèmes d'algèbre, ce qui est chose faite si l'on trouve le moyen de faire correspondre les opérations de géométrie aux opérations d'arithmétique. Il le trouve. VALÉRY, Variété V, p. 223. 3

(...) effectuer une opération algébrique sur deux éléments *a, b* d'un même ensemble E, c'est faire correspondre au couple *(a, b)* un troisième élément bien déterminé *c* de l'ensemble E. 4
N. BOURBAKI, Éléments de mathématiques, II, Algèbre, Introd.

♦ **4.** (1690). Action mécanique sur une partie du corps vivant en vue de la modifier, de la couper*, de l'enlever (⇒ **Ablation, amputation**; et aussi suff. **-tomie**), de greffer un tissu, un organe (⇒ **Greffe**; et aussi suff. **-plastie**), de mettre en place certains appareils de prothèse, d'extraire un corps étranger, etc. ⇒ **Intervention** (et aussi **manœuvre,** I., 3.). *Opération de chirurgie, chirurgicale* (→ Infection, cit. 3). — REM. Pour la liste des principales opérations. → Chirurgie. — *Opération délicate* (→ Clinique, cit. 2), *grave* (→ Éponge, cit. 3). *Soumettre qqn à une opération. Subir une opération. Opération sous anesthésie.* — (1855). *Salle d'opération; table d'opération.* ⇒ **Billard** (→ 2. Garrot, cit. 1; itératif, cit. 2). *Pratiquer une opération.* ⇒ **Opérer** (→ Assister, cit. 3). *Complications d'une opération* (→ Érysipèle, cit. 2).

N'allez-vous pas, me direz-vous, tirer des bistouris à nos yeux, couper des chairs, faire couler du sang, et nous montrer une opération chirurgicale? À votre avis, cela ne sera-t-il pas de bon goût (...) DIDEROT, Jacques le fataliste, Pl., p. 517. 5

La chirurgie est l'art de faire des opérations. Qu'est-ce qu'une opération? C'est une transformation obtenue par des actes bien distincts les uns des autres, et qui se suivent dans un certain ordre vers un but bien déterminé. 6
VALÉRY, Variété V, p. 58.

(...) il y a une centaine d'années, l'acte chirurgical était encore un épouvantail, un suprême recours, quand il devait s'attaquer aux viscères et ne pas se borner aux amputation de membres et aux indispensables réparations de blessures. C'était l'extrême urgence, et presque le désespoir, qui avaient alors l'initiative des opérations. VALÉRY, Variété V, p. 44. 7

Vous le voyez, Jean, j'avais raison. Tout ce qui n'est pas en bois me porte malheur. Mais allez réclamer une table d'opération en bois, des pinces et des bistouris en bois! GIRAUDOUX, Siegfried et le Limousin, p. 285. 7.1

♦ **5.** (1701). Ensemble de mouvements, de manœuvres, de combats qui permet d'atteindre un objectif, d'assurer la défense d'une position, le succès d'une attaque. ⇒ **Bataille, campagne.** *Opérations d'une armée. Opérations de guerre. Opération militaire.* — (Sans qualifiant). *Base, ligne, théâtre d'opérations.* — *Opération d'enveloppement* (cit. 1), *de diversion; opération stratégique, tactique. Avoir, prendre l'initiative des opérations. Opération décisive* (→ Indifférence, cit. 7). — *Salle d'opération,* où sont reçues les informations sur les combats et d'où partent les ordres. — Par anal. *Opération de police.*

(...) il ne s'agissait là que d'une expédition restreinte à cette seule île — simple *opération de police* destinée, dans l'intérêt de tous les Blancs, à faire rentrer dans l'obéissance d'anciens esclaves soulevés, et il n'avait ménagé aucune démarche pour rassurer, sur ce point, les susceptibilités anglaises. 8
Louis MADELIN, Hist. du Consulat de l'Empire, Le Consulat, IV, XVII.

Opération (suivi d'un nom de code).

9 L'opération *(le débarquement allié en Afrique du Nord)* n'avait donc d'une entreprise militaire que bien peu de chose : il ne s'agissait pas de livrer une bataille, mais de créer la possibilité d'en livrer par la suite, grâce à la base que l'armée américaine allait occuper. C'est ainsi que fut conçue *l'opération Torch,* ainsi désignée dans le code secret du plan des états-majors.
R. CÉRÉ, la Seconde Guerre mondiale, p. 70.

Par ext., fam. Série de mesures coordonnées en vue d'atteindre un résultat dans un domaine quelconque (mais spécialt, dans le domaine social). *Opération « baisse des prix »* (cf. Offensive de baisse). *Opération confiance, survie, espoir,* etc.

♦ **6.** (XVIIIᵉ). ⇒ **Affaire, spéculation.** *Opération commercial* (→ Courtier, cit. 4; effet, cit. 40), *financière, immobilière* (→ 2. Idéal, cit. 23). — (1893). *Opérations de bourse* : ventes et achats réalisés dans une bourse* de marchandises ou de valeurs. *Opération au comptant, à court terme, à long terme. Combiner une opération. Opération d'envergure* (cit. 6), *audacieuse* (→ Marché, cit. 28), *imprudente, malhonnête. Opération avantageuse, désastreuse.* — Fam. *Vous n'avez pas fait là une belle opération !* — Par anal. *La guerre, mauvaise opération et qui ne rapporte rien* (→ Dommage, cit. 6). — *Opération de banque* : ensemble des actes juridiques accomplis à l'occasion du commerce des banques. — *Opérations comptables, de comptabilité. Opérations de dépenses et de recettes* (→ Exercice, cit. 22; et aussi journal, cit. 1).

10 Savez-vous ce qu'il nomme faire des opérations ? Il achète des terrains nus sous son nom, puis il y fait bâtir des maisons par des hommes de paille. Ces hommes concluent les marchés pour les bâtisses avec tous les entrepreneurs, qu'ils payent en effets à longs termes, et consentent, moyennant une légère somme, à donner quittance à mon mari, qui est alors possesseur des maisons, tandis que ces hommes s'acquittent avec les entrepreneurs dupés en faisant faillite. Le nom de la maison de Nucingen a servi à éblouir les pauvres constructeurs.
BALZAC, le Père Goriot, Pl., t. II, p. 1038.

DÉR. et COMP. Contre-opération. — Opératif, opérationnel.

OPÉRATIONNEL, ELLE [ɔpeʀasjɔnɛl] adj. — Mil. xxᵉ (1951, in *Dict. des anglicismes*); de *opération,* d'après l'angl. *operational* (1922), de *operation,* de même orig. que le français.
Anglicisme.

♦ **1.** Qui repose sur une opération (3.), une série d'opérations. *Méthode opérationnelle.*

♦ **2.** (1964). Relatif aux opérations (5.) militaires, aux aspects de la stratégie qui concernent les opérations, les combats. *Base, zone opérationnelle.*

(Matériel militaire). Qui est en exploitation, peut fonctionner effectivement. *Avion, char, missile opérationnels.* — (Personnes). *Armée, troupe opérationnelles. « Trente pilotes sont actuellement opérationnels, c'est-à-dire capables de voler en mission.* (le Nouvel Obs., 15 oct. 1973).

♦ **3.** (1956; de l'angl. *operational research*). Qui concerne la stratégie des décisions. *Recherche opérationnelle.* ⇒ **Recherche** (opérationnelle). *Méthode opérationnelle,* dans les sciences.

1 À l'inverse de la démarche du philosophe, celle du praticien s'attache bien moins à «travailler un concept» qu'à faire surgir des faits utilisables. D'où une confiance bien plus grande en ce qui est opérationnel qu'en ce qui est conceptuel.
A. AMAR, le Praticien et le Philosophe, *in* la Nef, nᵒ 31, p. 9.

2 (...) nous constaterons qu'il existe une différence opérationnelle très nette entre le psychologique et le biologique (...) Ce n'est pas la même chose de chercher à comprendre un malade et de chercher à agir sur lui en lui parlant — ou d'ordonner une potion qu'une infirmière *administrera.*
Guy PALMADE, la Psychothérapie, p. 26.

N. m. Personne qui a un pouvoir de décision. *« Lorsque les directives sont trop théoriques et posent un problème (...) les opérationnels, c'est-à-dire les cadres "arrangent" les choses.»*

♦ **4.** (1968). Qui peut être mis en service. *«Ce centre commercial devrait être opérationnel en 1971 »* (la Croix, 6 juin 1969). — (Personnes). *Nouvel employé qui devient rapidement opérationnel.*

3 Courageusement, j'ai lancé : Notre classement est drôlement opérationnel, vous savez. Un nom, une recherche et hop.   Roger BORNICHE, le Ricain, p. 73.

OPÉRATIONNISME [ɔpeʀasjɔnism] n. m. — D. i.; anglo-amér. *operationism* (Tolman), de *operation* «opération».

♦ Didact. Définition des concepts «de telle manière qu'ils puissent être établis et éprouvés de termes d'opérations concrètes et répétables par des observateurs indépendants» (d'après Tolman). *L'opérationnisme est né dans le contexte de la psychologie expérimentale behavioriste*.* ⇒ aussi **Fonctionnalisme.**

L'épistémologie «pure» et la mise en forme rigoureuse fournissent une position de repli stratégique devant l'assaut des problèmes réels. Ce repli couvre autre chose : un «opérationnisme» (sic) qui répartit les problèmes et la recherche des solutions à sa manière, selon les perspectives et des intérêts que l'on évite de formuler pour éviter protestations et contestations.
Henri LEFEBVRE, la Vie quotidienne dans le monde moderne, p. 134.

OPÉRATOIRE [ɔpeʀatwaʀ] adj. — 1784; lat. *operatorius,* du supin de *operari,* ou dér. sav. de *opérer.*

♦ **1.** Relatif aux opérations chirurgicales. *Médecine opératoire.* ⇒ **Chirurgie.** *Manœuvres* (1. Manœuvre, cit. 7), *méthodes, procédés*

opératoires. — *Champ* opératoire.* — *Bloc opératoire* : ensemble des locaux et installations d'un centre chirurgical (hôpital, clinique). *Temps opératoire* : chacune des parties en lesquelles on peut décomposer une opération chirurgicale. *« Pour chaque temps opératoire, il faudra un instrument spécial »* (Cl. d'Allaines, la Chirurgie du cœur, p. 23). *Choc, commotion, maladie opératoire : «*ensemble des phénomènes morbides observés à la suite d'opérations aseptiques pratiquées chez des sujets dont les reins et le foie sont apparemment normaux, en dehors de toute infection» (Garnier). ⇒ **Post-opératoire.**

♦ **2.** (xxᵉ). Didact. Qui concerne une opération* (2.), une série organisée d'actes.

1 La formation des chaînes opératoires pose, aux différentes étapes, le problème des rapports entre l'individu et la société. Le progrès est soumis au cumul des innovations mais la survie du groupe est conditionnée par l'inscription du capital collectif, présenté aux individus dans des programmes vitaux traditionnels. La constitution des chaînes opératoires tient dans le jeu proportionnel entre l'expérience, qui fait naître dans l'individu un conditionnement par «essai et erreur» identique à celui de l'animal, et l'éducation dans laquelle le langage prend une part variable mais toujours déterminante.
A. LEROI-GOURHAN, le Geste et la Parole, t. II, p. 26.

2 Si, au contraire, on fait appel à la véritable médiation entre la nature et l'homme, à savoir à la technique et au monde des objets techniques, on arrive à une théorie de la connaissance qui n'est plus nominaliste. C'est à travers l'opération que la prise de connaissance s'effectue, mais opératoire n'est pas synonyme de pratique : l'opération technique n'est pas arbitraire, ployée en tous sens au gré du sujet selon le hasard de l'utilité immédiate ; l'opération technique est une opération pure qui met en jeu les lois véritables de la réalité naturelle ; l'artificiel est du naturel suscité, non du faux ou de l'humain pris pour le naturel.
Gilbert SIMONDON, Du mode d'existence des objets techniques, p. 256.

♦ **3.** Didact. Relatif aux opérations (mathématiques, logiques). *« Un ensemble de structures opératoires dont on peut formaliser les lois »* (Piaget, in *Logique et Connaissance scientifique,* Encycl. Pl., p. 96). ⇒ **Opérationnel** (1.).

DÉR. Opératoirement.

OPÉRATOIREMENT [ɔpeʀatwaʀmɑ̃] adv. — Mil. xxᵉ; de *opératoire.*

♦ Didact. Par une opération. *« La série des nombres entiers une fois opératoirement constituée... »* (Piaget, in *Logique et Connaissance scientifique,* Encycl. Pl., p. 115).

OPERCULAIRE [ɔpɛʀkylɛʀ] adj. et n. f. pl. — D. i.; de *opercule.*
Sciences, technique.

♦ **1.** Adj. Qui fait office d'opercule, qui ferme une ouverture à la manière d'un couvercle. *Valve operculaire.*

♦ **2.** N. f. pl. (1874). Genre d'infusoires qui vivent fixés sur certains insectes aquatiques. Au sing. *Une operculaire.*

OPERCULE [ɔpɛʀkyl] n. m. — 1736; lat. *operculum* «couvercle».

♦ **1.** Zool. Pièce cornée ou calcifiée par laquelle les mollusques gastéropodes peuvent clore leur coquille.

Membrane qui recouvre l'ouverture des narines à la base du bec des oiseaux.

(1797). Ensemble des pièces osseuses qui protègent les fentes des branchies (chez certains poissons).

(...) je sortis une première daurade de l'eau. J'étais sauvé : je possédais à la fois la nourriture, la boisson, l'appât et les hameçons, car derrière l'opercule en forme de crochet, il y avait un merveilleux hameçon naturel, que l'on trouve déjà dans les tombes des hommes préhistoriques et dont je réinventais l'usage.
Alain BOMBARD, Naufragé volontaire, p. 162.

♦ **2.** (1767). Bot. Couvercle qui ferme l'urne des mousses, à maturité. ⇒ **Coiffe.**

♦ **3.** (1878). Couvercle qui obture les cellules des abeilles.

♦ **4.** Techn. Pièce formant couvercle.

DÉR. Operculaire, operculé, operculiforme.

OPERCULÉ, ÉE [ɔpɛʀkyle] adj. — 1767 ; de *opercule.*

♦ Sc., techn. Qui est muni d'un opercule. *Coquille operculée.* — Apiculture. *Couvain operculé,* constitué d'alvéoles qui contiennent les nymphes ouvrières.

OPERCULIFORME [ɔpɛʀkylifɔʀm] adj. — 1838 ; de *opercule,* et suff. *-forme.*

♦ Didact. Qui a la forme d'un opercule.

OPÉRER [ɔpeʀe] v. tr. — Conjug. *céder.* — 1470 ; lat. *operari* «travailler», de *opus* «œuvre, ouvrage».

♦ **1.** Vx. Produire un effet conforme à sa nature. ⇒ **Agir** (I., A. 4.). Spécialt. Relig., théol. *Jésus, pendant que ses disciples dormaient, a* *opéré leur salut* (→ Néant, cit. 2). *Cette foi* (cit. 29) *vive qui opère la véritable conversion du cœur.*

1 Jésus-Christ, selon les Chrétiens charnels, est venu nous dispenser d'aimer Dieu, et nous donner des sacrements qui opèrent tout sans nous.
PASCAL, *Pensées*, IX, 607.

Mod. Absolt. **Faire effet.** *Ce médicament n'a pas opéré. Laisser opérer la nature.*

2 — Comment se porte la malade ? — Un peu plus mal depuis votre remède. — (...) c'est signe qu'il opère. — Oui ; mais, en opérant, je crains qu'il ne l'étouffe.
MOLIÈRE, *le Médecin malgré lui*, III, 5.

♦ **2.** (Le sujet désigne une personne, un agent). Accomplir (une action), effectuer (une transformation) par une suite ordonnée d'actes (opérations*). ⇒ **Exécuter, faire, pratiquer, réaliser.** *Opérer un calcul, une division* (⇒ **Opération**), *un mélange chimique. Opérer des miracles* (→ Illuminer, cit. 22). *La mort se charge d'opérer une sévère sélection naturelle* (→ Lutte, cit. 11). *Éléments* (cit. 9) *d'une colonne militaire qui opèrent leur jonction.* — Absolt. Faire l'acte, l'action nécessaire ou requise. *Il faut opérer par la dissociation et non, par l'association* (cit. 19) *des idées.* ⇒ **Procéder.** *Le magicien opère parfois par l'intermédiaire des esprits* (→ Incantation, cit. 3). *Opérer habilement* (→ Machiner, cit. 2). *Opérer sur les signes des idées* (→ Langage, cit. 2), *sur la matière* (→ Magie, cit. 2).

3 (...) les brigands quittent leur retraite de Saint-Savin, ils opèrent nuitamment en attendant le passage de la recette, et le pays est épouvanté de leurs agressions réitérées.
BALZAC, Mme de la Chanterie, Pl., t. VII, p. 310.

4 Il y a, en un mot, dans *Atala*, de l'Homère et du Théocrite traduits en siminole. Pour opérer une telle transposition avec charme, il fallait une imagination à la fois forte et souple, capable de soutenir la gageure sans trahir la gêne.
SAINTE-BEUVE, *Chateaubriand...*, t. I, p. 182.

REM. L'emploi du verbe *opérer* avec un complément n'impliquant pas une suite complexe et ordonnée d'actes, une opération, est stylistique ou contestable, le verbe *faire* convenant alors mieux.

4.1 L'arrivée du brick, signalé au large des passes, terminait une importante opération commerciale dont Jean Cornbutte attendait gros profit. La Jeune-Hardie, partie depuis trois mois, revenait en dernier lieu de Bodoë, sur la côte occidentale de la Norvège, et elle avait opéré rapidement son voyage.
J. VERNE, *Un hivernage dans les glaces*, p. 218.

4.2 La femme opère sa rentrée, par la porte donnant sur le vestibule. Elle tient dans une main, ramenée vers sa hanche, un morceau de pain et un verre ; l'autre bras pend le long du corps, la main tenant une bouteille par le goulot. Elle dépose le tout sur la table, devant le soldat.
A. ROBBE-GRILLET, *Dans le labyrinthe*, p. 65.

♦ **3.** (1690). Soumettre (qqn) à une opération* (4.) chirurgicale (→ Guérisseur, cit. 2 ; machine, cit. 33). *Chirurgien qui insensibilise, anesthésie, endort un malade avant de l'opérer. Opérer qqn de l'appendicite. Se faire opérer d'un cancer. Opérer qqn d'un bras.* ⇒ **Amputer.**

Absolt. *Se résoudre à opérer.* ⇒ **Intervenir.** *Opérer à chaud*, à froid*.* — Traiter (un organe, une malformation, une lésion...) par une opération chirurgicale. *Opérer un œil de la cataracte* (→ par métaphore, 2. Cataracte, cit. Hugo). — Par ext. *Opérer un cancer, un panaris* (→ Amputer, cit. 1). — Absolt (→ Consulter, cit. 13).

5 Souvent, je disposais de deux tables, c'est-à-dire que j'opérais sur l'une pendant que, sur l'autre, on endormait un second patient.
G. DUHAMEL, *Récits des temps de guerre*, v, « Le dernier ».

Par euphém. *Faire opérer* (un animal domestique : chien, chienne, chat, chatte, etc.), le faire stériliser chirurgicalement.

▶ **S'OPÉRER** v. pron. (1770).
⇒ **Faire** (se), **lieu** (avoir lieu), **produire** (se). *Lorsqu'un grand changement* (cit. 7.1) *s'opère dans la condition humaine* (→ aussi État, cit. 95). *L'expropriation* (cit. 3) *pour cause d'utilité publique s'opère par autorité de justice.* — Impers. *Il s'opère en ce moment un grand changement.*

▶ **OPÉRÉ, ÉE** p. p. adj. et n.

♦ **1.** (Choses). Effectué. *Les améliorations* (cit. 1) *opérées dans les dix-huit siècles écoulés.* — N. m. Fin. *Avis d'opéré*, par lequel un agent de change confirme à son client l'exécution des ordres, avec l'indication des cours.

♦ **2.** (Personnes). Qui vient de subir une opération chirurgicale (→ Aveugle, cit. 36). — N. (1834). *Un opéré, une opérée* (→ Antisepsie, cit. ; compresse, cit. 2 ; léthargie, cit. 2).

6 Les opérés étaient emportés, puis alignés dans des baraques où d'autres médecins s'employaient tout le jour à refaire les pansements.
G. DUHAMEL, *Récits des temps de guerre*, v, « Le dernier ».

DÉR. **Opérable, opérant.**

OPÉRETTE [ɔpeʀɛt] n. f. — 1825 ; all. *Operette* (attribué à Mozart), d'après l'ital. *operetta*, dimin. d'*opera* → Opéra.

♦ Petit opéra-comique dont le sujet et le style, légers et faciles, sont empruntés à la comédie (cf. aussi Opéra bouffe). *Opérette bouffe* (cit. 3). *Chanteuse d'opérette.* ⇒ **Divette.** *Les opérettes d'Offenbach.*

1 Parce qu'il chantait juste, on l'avait accueilli dans une petite société locale d'amateurs qui jouait les opérettes à la mode : *les Cloches de Corneville, les Mousquetaires au Couvent, la Fille de Madame Angot.*-
A. MAUROIS, *Mémoires*, I, I.

2 L'opérette, née de l'opéra-comique vers le milieu du XIXe siècle, en diffère essen-

---

tiellement par la légèreté du sujet et du style. Le parlé y est plus abondant, et la musique s'y limite en général à une série de couplets encadrés de quelques ensembles, les uns et les autres étant accompagnés discrètement à l'orchestre. C'est l'évolution de l'opéra-comique vers des sujets autrefois réservés à l'opéra qui, par contrecoup, a contribué à faire se cristalliser l'opérette dans sa forme actuelle.
A. HODEIR, *les Formes de la musique*, p. 79.

Par plais. *Conspirateur, héros, armée d'opérette,* qu'on ne peut prendre au sérieux.

2.1 (...) utilisés pour la publicité des marques de havanes ou la décoration des coffrets de confiseries rangées, serrées comme des bataillons d'opérette, avec leurs stridentes couleurs d'opérette (vert, jaune, rouge, orange) sous leur glacis de sucre craquelé, dans leurs berceaux, leurs collerettes de papier festonné.
Claude SIMON, *le Palace*, p. 15.

En parlant d'une situation bouffonne. ⇒ **Vaudeville.**

3 (...) voilà pourtant où nous en sommes, et il est inouï de penser que sur trois expéditionnaires, l'un soit fou, le deuxième gâteux et le troisième à l'enterrement. Ça a l'air d'une plaisanterie ; nous nageons en pleine opérette ! (...)
COURTELINE, *Messieurs les ronds-de-cuir*, 1er tableau, II.

OPÉRON [ɔpeʀɔ̃] n. m. — V. 1965 ; de *opér(er)*, et suff. *-on.*

♦ Biochim. Ensemble des agents nécessaires à la synthèse d'une même protéine.

Afin de rendre compte du fait que la synthèse des enzymes inductibles est déclenchée ou arrêtée très rapidement dans la cellule, *(Jacob et Monod)* ont supposé, puis démontré que le contrôle et la régulation de cette synthèse se font au niveau de la transcription (...) Comme les unités de transcription n'ont aucune raison d'être identiques aux gènes (...), ils ont appelé opéron l'unité de transcription, contenant un ou plusieurs enzymes inductibles, soumis à une même régulation.
Antoine DANCHIN, *Ordre et Dynamique du vivant*, p. 194.

OPHI-, OPHIO- Éléments, du grec *ophis* « serpent ». Voir les comp. à l'ordre alphabétique.

OPHIASE [ɔfjaz] ou **OPHIASIS** [ɔfjazis] n. f. — 1611, *ophiase ; ophiasis*, 1256 ; grec *ophiasis*, de *ophis* « serpent ».

♦ Didact. Alopécie, chute des cheveux par zones sinueuses. ⇒ **Pelade.**

OPHICLÉIDE [ɔfikleid] n. m. — 1811 ; de *ophi-*, et grec *kleis, kleidos* « clé ».

♦ Gros instrument à vent de la famille des cuivres, à embouchure, muni de clés. *L'ophicléide a remplacé le serpent* ; il a un son très grave et une justesse douteuse. Un beuglement d'ophicléide* (→ Entrechat, cit. 5).

Bientôt, on distingua le ronflement des ophicléides, les voix claires des enfants, la voix profonde des hommes.   FLAUBERT, *Trois contes*, « Un cœur simple », V.

OPHIDIEN, IENNE [ɔfidjɛ̃, jɛn] adj. et n. m. — 1799, n. ; adj., 1804 ; grec *ophis* « serpent ».

♦ Didact. Relatif au serpent ; de la nature du serpent, qui a son aspect.

N. m. pl. (1799). Zool. LES OPHIDIENS : sous-ordre de reptiles. ⇒ **Serpent.** — Au sing. *Un ophidien.*

DÉR. **Ophidisme.**

OPHIDISME [ɔfidism] n. m. — 1904, in *Rev. gén. des sc.*, n° 22, p. 1013 ; de *ophid(ien)*, et *-isme.*

♦ Méd. Intoxication par le venin de serpent.

OPHIO- ⇒ **Ophi-**

OPHIOGLOSSE [ɔfjoglɔs] n. m. — 1762 ; du lat. mod. *ophioglossum*, 1694 ; de *ophio-*, et *-glosse.*

♦ Bot. Plante cryptogame (Filicinées, Ophioglossées), fougère à feuille ovale qui croît dans les lieux humides, les marécages, et appelée communément *langue de serpent, herbe sans couture*.

OPHIOGLOSSÉES [ɔfjoglɔse] ou **OPHIOGLOSSACÉES** [ɔfjoglɔsase] n. f. pl. — 1846 ; de *ophio-*, et grec *glôssa* « langue ».

♦ Bot. Famille de plantes cryptogames vasculaires (Ptéridophytes-Filicinées). ⇒ **Fougère.** — Au sing. *Une ophioglossée.*

OPHIOGRAPHIE [ɔfjografi] ou **OPHIOLOGIE** [ɔfjolɔʒi] n. f. — 1838, *ophiographie ; ophiologie*, 1823 ; de *ophio-*, et *-graphie, -logie.*

♦ Sc. Partie de la zoologie qui traite des serpents. ⇒ **Herpétologie.**

OPHIOLÂTRIE [ɔfjolatʀi] n. f. — 1721 ; de *ophio-*, et *-lâtrie.*

♦ Didact. Culte, adoration du serpent. ⇒ **2. Ophite.**

OPHIOLITE [ɔfjɔlit] n. f. — 1868, Littré ; de *ophi(o)-*, et *lit(h)e*, grec *lithos* « pierre ».

♦ (1926, Steinman). Minér. Serpentine.

Géol. Nom de roches magmatiques variées que l'on trouve dans les chaînes de caractère alpin, et qui ont pour point commun leur teinte verte.

(...) dans ces chaînes, tout au moins dans celles qui ont un caractère alpin, c'est-à-dire qui présentent de vastes structures tangentielles (nappes tectoniques), on trouve des roches magmatiques extrêmement variées, tantôt très grenues, tantôt très fines, qui ont un point commun : leur teinte verte. Ce sont des « roches vertes » dont le nom scientifique est ophiolite. La notion d'ophiolite jouit de ce fait d'une très grande faveur.   la Recherche, févr. 1974, p. 178.

DÉR. **Ophiolitique.**

OPHIOLITIQUE [ɔfjɔlitik] adj. — 1868, *in* Littré ; de *ophiolite*.

♦ Minér. Qui a la nature de l'ophiolite*. *Laves ophiolitiques. Massifs ophiolitiques. Écailles ophiolitiques.*

OPHION [ɔfjɔ̃] n. m. — 1846 ; de *ophio-*, et suff. *-on*.

♦ Zool. Insecte hyménoptère *(Ichneumonidés)* à long abdomen recourbé dont les larves sont parasites du bombyx, de la noctuelle.

OPHIOPHAGE [ɔfjɔfaʒ] adj. et n. — 1721 ; de *ophio-*, et *-phage*.

♦ Didact. Qui se nourrit de serpents. — N. m. *Ophiophage* (de l'Inde) : serpent venimeux de grande taille qui se nourrit de serpents.

1. OPHITE [ɔfit] n. m. — 1495 ; lat. *ophites*, mot grec, de *ophis*, les rayures de la pierre évoquant une peau de serpent.

♦ Minér. Marbre* de couleur sombre (souvent verdâtre), parfois avec des cristaux blancs de feldspath en filets. *Les ophites sont susceptibles d'un beau poli.*

2. OPHITE [ɔfit] n. m. — 1765 ; mot grec, → le précédent.

♦ Hist. relig. Membre d'une secte gnostique égyptienne (IIe s. après J.-C.) vouant un culte au serpent qui avait tenté Ève (pour avoir révélé à l'homme la connaissance du bien et du mal) et faisant de cet animal un symbole du Messie.

Les sectes ophiolâtres, si nombreuses dans l'antiquité, se prêtaient surtout à ces folles associations. Sous le nom de nahassiens ou d'ophites se groupèrent quelques païens adorateurs du serpent (...) les ophites avaient des serpents apprivoisés (...) qu'ils tenaient dans des cages ; au moment de célébrer les mystères, ils ouvraient la porte au petit dieu et l'appelaient.
                          RENAN, Marc-Aurèle, VIII, Œ. compl., t. V, p. 824.

OPHIURE [ɔfjyR] n. f. — 1801, *in* Cottez ; de *ophi-*, et grec *oura* « queue ».

♦ Zool. Animal échinoderme de la classe des Ophiuridés, dont la forme rappelle celle de l'étoile de mer.

OPHIURIDES [ɔfjyRid] ou **OPHIURIDÉS** [ɔfjyRide] n. m. pl. — 1846, *ophiurines* ; de *ophiure*.

♦ Zool. Classe d'animaux échinodermes marins voisins des stellérides, mais dont les bras plus grêles et plus mobiles sont capables de mouvements sinueux. — Au sing. *Un ophiuride, un ophiuridé.*

OPHRYS [ɔfRis] n. m. et f. — 1549, *ophris* ; lat. *ophrys*, mot grec.

♦ Bot. Plante monocotylédone *(Orchidées)* vivace, portant des tubercules à la base de la tige et dont les fleurs offrent l'aspect d'insectes. *Ophrys bombyx, frelon, mouche...*

OPHTALM-, OPHTALMO-, -OPHTALMIE Éléments, du grec *ophtalmos* « œil ». ⇒ Les comp. à l'ordre alphabétique, et **anophtalme, anophtalmie.**

OPHTALMIE [ɔftalmi] n. f. — 1538 ; *obtalmie*, 1361 ; lat. *ophtalmia*, mot grec, de *ophtalmos* « œil ».

♦ Méd. Affection, maladie inflammatoire de l'œil (forme de conjonctivite* ou atteinte globale de l'œil). *L'ophtalmie purulente, l'ophtalmie des neiges* sont des conjonctivites. *Ophtalmie sympathique*, d'origine sympathique et provenant d'une lésion de l'autre œil.

1   Comment et quand vous voir ? J'ai une légère ophtalmie, fruit de mes lectures, dont je ne peux me débarrasser.
                          SAINTE-BEUVE, Correspondance, 1355, 16 août 1842.

1.1   Mais un mal dont plusieurs marins eurent bientôt à souffrir, ce fut l'éblouissement. Des ophtalmies se déclarèrent chez Aupic et Misonne. La lumière de la lune, frappant sur ces immenses plaines blanches, brûlait la vue et causait aux yeux une cuisson insupportable.   J. VERNE, Un hivernage dans les glaces, p. 273.

(...) on dut lui faire subir, pour une ophtalmie purulente, un petite opération, fort douloureuse (...)   GIDE, Journal, 30 janv. 1948.   2

Vétér. *Ophtalmie périodique des solipèdes. Ophtalmie venimeuse*, causée par des filaires.

Par métaphore ou fig. (*l'ophtalmie* étant considérée dans ses effets sur la vue). *Ophtalmie morale.*

La dévotion cause une ophtalmie morale. Par une grâce providentielle, elle ôte aux âmes en route pour l'éternité la vue de beaucoup de petites choses terrestres.   3
                          BALZAC, la Vieille Fille, Pl., t. IV, p. 260.

REM. La var. *ophtalmite*, n. f., est archaïque.

DÉR. **Ophtalmique.**
COMP. Exophtalmie, xérophtalmie.

OPHTALMIQUE [ɔftalmik] adj. — 1555 ; écrit *obthalmique*, 1495 ; de *ophtalmie*.

♦ Anat., méd. Relatif à l'œil, aux yeux (d'un point de vue fonctionnel). ⇒ **Oculaire.** *Artère, nerf ophtalmique.*
Relatif à l'ophtalmie. *Migraine ophtalmique.*

OPHTALMODYNAMOMÈTRE [ɔftalmodinamɔmɛtR] n. m. — 1959, *in* Garnier-Delamare ; de *ophtalmo-*, et *dynamomètre*.

♦ Méd. Appareil destiné à mesurer la pression artérielle de l'œil.

OPHTALMODYNIE [ɔftalmɔdini] n. f. — 1868 ; de *ophtalmo-*, et grec *odunê* « douleur ».

♦ Méd. Douleur de l'œil, le plus souvent d'origine rhumatismale.

OPHTALMOGRAPHIE [ɔftalmɔgRafi] n. f. — 1690 ; de *ophtalmo-*, et *-graphie*.

♦ Anat. Description anatomique de l'œil.

OPHTALMOLOGIE [ɔftalmɔlɔʒi] n. f. — 1753 ; de *ophtalmo-*, et *-logie*.

♦ Sc. Branche de la médecine qui traite de l'œil, de la fonction visuelle, des maladies oculaires et des opérations pratiquées sur l'œil.

DÉR. **Ophtalmologique, ophtalmologiste** ou **ophtalmologue.**

OPHTALMOLOGIQUE [ɔftalmɔlɔʒik] adj. — 1808 ; de *ophtalmologie*.

♦ Sc. Relatif à l'ophtalmologie. *Recherches ophtalmologiques.* — *Clinique ophtalmologique*, où l'on soigne les affections des yeux.

OPHTALMOLOGISTE [ɔftalmɔlɔʒist] ou **OPHTALMOLOGUE** [ɔftalmɔlɔg] n. — 1838 ; de *ophtalmologie*.

♦ Sc. Médecin spécialiste en ophtalmologie. ⇒ aussi **Oculiste.** — Abrév. fam. : *ophtalmo* [ɔftalmo]. *Aller consulter (chez, voir,* etc.) *l'ophtalmo, son ophtalmo. Elles sont ophtalmos.*

OPHTALMOMÈTRE [ɔftalmɔmɛtR] n. m. — 1747 ; de *ophtalmo-*, et *mètre*.

♦ Méd. Instrument servant à mesurer les degrés de courbure et le pouvoir de réfraction de la cornée, à évaluer un astigmatisme.

OPHTALMOMÉTRIE [ɔftalmɔmetRi] n. f. — 1874 ; de *ophtalmo-*, et *métrie*.

♦ Méd. Mesure des divers milieux de l'œil et de leur indice de réfraction. — Spécialt. Mesure des courbures de la cornée, de l'astigmatisme cornéen à l'aide de l'ophtalmomètre*

OPHTALMOPLÉGIE [ɔftalmɔpleʒi] n. f. — 1878 ; de *ophtalmo-*, et *-plégie*.

♦ Méd. Paralysie des muscles moteurs de l'œil.

DÉR. **Ophtalmoplégique.**

OPHTALMOPLÉGIQUE [ɔftalmɔpleʒik] adj. — 1905, *in Rev. gén. des sc.*, no 4, p. 144 ; de *ophtalmoplégie*.

♦ Méd. De l'ophtalmoplégie. *Migraine ophtalmoplégique.*

OPHTALMORÉACTION [ɔftalmɔReaksjɔ̃] n. f. — 1907 ; mot créé par Calmette (*Larousse mensuel*, oct. 1907) ; de *ophtalmo-*, et *réaction*.

♦ Physiol., méd. Procédé de diagnostic analogue à la cuti-réaction*, qui consiste à instiller de la tuberculine sur la conjonctive, la réaction inflammatoire provoquée indiquant que le sujet a déjà été exposé à la tuberculose.

OPHTALMOSCOPE [ɔftalmɔskɔp] n. m. — 1854 ; de *ophtalmo-*, et *-scope*.

♦ Méd. Instrument servant à éclairer et à examiner le fond de l'œil.

Mais, au premier regard que j'aventurai en ces yeux par le trou de l'ophtalmoscope, je reculai, ne sachant pas, — ne voulant pas savoir — ce que j'avais entrevu !
Je restai, pendant un instant, immobile ; quant aux idées qui apparurent alors, dans mon cerveau, je ne crois pas que l'enfer lui-même en ait reflété d'une plus hérissante horreur.
VILLIERS DE L'ISLE-ADAM, *Tribulat Bonhomet*, p. 170.

OPHTALMOSCOPIE [ɔftalmɔskɔpi] n. f. — XVIIᵉ, « connaissance du caractère par l'examen des yeux » ; de *ophtalmo-*, et *-scopie*.

♦ (1840). Méd. Examen des milieux et membranes de l'œil.

DÉR. **Ophtalmoscopique.**

OPHTALMOSCOPIQUE [ɔftalmɔskɔpik] adj. — 1845 ; de *ophtalmoscopie* au sens moderne.

♦ Méd. Relatif à l'ophtalmoscopie*.

OPHTALMOSTAT [ɔftalmɔsta] n. m. — 1868, *in* Littré ; de *ophtalmo-*, et *-stat*.

♦ Techn. Instrument destiné, après écartement des paupières, à fixer le globe oculaire pour permettre d'opérer sur celui-ci.

OPHTALMOTOMIE [ɔftalmɔtɔmi] n. f. — 1803 ; de *ophtalmo-*, et *-tomie*.

♦ Méd. Incision chirurgicale de l'œil.

OPIACÉ, ÉE [ɔpjase] adj. — 1812, *Mozin* ; du rad. de *opium**, et suff. *-acé*.

♦ **1.** Qui contient de l'opium, une préparation d'opium. *Médicament opiacé. Tabac opiacé, cigarettes opiacées* (→ Bout, cit. 47). — Par ext. De l'opium, causé par l'opium. *Odeur opiacée,* d'opium (→ Faner, cit. 8). *Ivresse opiacée. Toxicomanies opiacées,* dues à l'opium ou à l'un de ses dérivés (codéine, héroïne, morphine...). — N. m. *Un opiacé :* un médicament contenant de l'opium.

(...) *« il est arrivé aux tortures de l'opium ».* Sombre époque, vaste réseau de ténèbres, déchiré à intervalles par de riches et accablantes visions :
C'était ainsi qu'un grand peintre eût trempé
Son pinceau dans la noirceur du tremblement de terre et de l'éclipse.
Ces vers de Shelley, d'un caractère si solennel et si véritablement miltonien, rendent bien la couleur d'un paysage opiacé, s'il est permis de parler ainsi ; c'est bien là le ciel morne et l'horizon imperméable qui enveloppent le cerveau asservi par l'opium. BAUDELAIRE, *les Paradis artificiels*, « Un mangeur d'opium », IV.

♦ **2.** Par métaphore et fig. Littér. Qui évoque les effets de l'opium. *« L'atmosphère opiacée de la spéculation abstraite »* (Miomandre, *in* G. L. L. F.).

DÉR. **Opiacer.**
HOM. **Opiacer.**

OPIACER [ɔpjase] v. tr. — 1845 ; de *opiacé*.

♦ Techn. Préparer avec de l'opium, en ajoutant de l'opium. *Opiacer du tabac, une potion.*

HOM. **Opiacé.**

OPIANINE [ɔpjanin] n. f. — XIXᵉ ; de *opiane*, dér. obsolète de *opium*, et suff. *-ine*.

♦ Chim. anc. L'un des alcaloïdes de l'opium (identifié avec la narcotine* postérieurement à sa découverte).

OPIAT [ɔpja] n. m. — 1336, *opiate* ; lat. médiéval *opiatum*, dér. de *opium*.
Pharmacie.

♦ **1.** Vx. Électuaire opiacé.

♦ **2.** Électuaire quelconque. — Vx. Pâte pour nettoyer les dents. ⇒ **Dentifrice** (cf. Vauvenargues, *in* Littré).

REM. On a employé la forme fém. *opiate* (vx).

La maîtresse de la maison se fit apporter une opiate dont elle prenait tous les jours deux fois pour son estomac. ROUSSEAU, *les Confessions*, III.

-OPIE Élément (du grec *-ôpia* « vue », de *-ôpos* « qui voit », de *ôps* « vue ») qui signifie « vision » et entre dans des substantifs féminins de formation savante. Ex. : *amétropie, diplopie, héméralopie, hémiopie, hypermétropie*. — REM. Les adjectifs correspondants sont en *-ope**.

OPILATION [ɔpilasjɔ̃] n. f. — XIVᵉ ; lat. *oppilatio* « obstruction des fosses nasales ». → Désopiler.

♦ Vx. Obstruction d'un conduit naturel. ⇒ **Obstruction.**

OPILIONS [ɔpiljɔ̃] ou **OPILIONIDÉS** [ɔpiljɔnide] n. m. pl. ⇒ **Faucheux.**

OPIMES [ɔpim] adj. — 1571 ; lat. *opimus* « copieux, riche », notamment dans l'expression *opima spolia* « dépouilles opimes ».

♦ Hist. ou littér. *Dépouilles opimes :* dépouilles d'un général ennemi tué par un général romain et que ce dernier remportait. — Fig. Riches dépouilles, riche profit qu'on recueille comme un butin.

Ayant bien satisfait ses vengeances sublimes
Et bien rassasié son œil de sang vermeil,
L'aigle alors jette au loin ces dépouilles opimes
Et, l'aile ouverte au vent, vole vers le soleil.
VERLAINE, *Poèmes saturniens*, « Imité de Cicéron ».

OPINANT [ɔpinɑ̃] n. m. — 1470 ; de *opiner*.

♦ Vx. Celui qui donne son opinion dans une délibération. *Le premier opinant.*

Plusieurs membres de la partie droite se lèvent avec précipitation et menacent l'opinant. JAURÈS, *Hist. socialiste...*, t. II, p. 385.

OPINEL [ɔpinɛl] n. m. — V. 1950 ; marque déposée (1909) de couteaux pliants (firme créée en 1890).

♦ Couteau pliant à virole de la marque de ce nom (s'écrit avec la majuscule).

La bouche encore pleine de fromage, son feutre sur sa tête, le vieux se leva en grognant, referma son Opinel avec un bruit de guillotine et le fourra dans sa poche de veste. J.-P. MANCHETTE, *Trois hommes à abattre*, p. 109.

OPINER [ɔpine] v. — XIVᵉ ; lat. *opinari* « croire que ».

♦ **1.** V. intr. (Vx ou dr.). Dire, énoncer son opinion, son avis (dans une assemblée, une délibération). *Les assistants ont opiné pour, contre la proposition. Opiner sur une question, sur une affaire.* ⇒ **Avis** (donner son). *Opiner en connaissance de cause, en franc étourdi* (→ Convenir, cit. 5).

Loc. cour. (1656). *Opiner du bonnet, du chef* (vx) : donner son adhésion totale à l'avis d'un autre (ce que faisaient les docteurs en Sorbonne en levant leur bonnet).

Par ext. Acquiescer.

La vieillesse, voisine de l'éternité, est une espèce de sacerdoce, et, quand elle est sans passions, elle nous consacre. Elle semble donc autorisée à opiner sur la religion, mais avec défiance, avec crainte.
Joseph JOUBERT, *Pensées*, VII, XXXVIII.

Si j'avais été au concile de Trente quand s'y agita cette importante question, à savoir si la femme est un homme, j'aurais assurément opiné pour la négative.
Th. GAUTIER, *Mˡˡᵉ de Maupin*, IX.

Quand le premier disait : « Alors, je lui ai dit (...) » il était près de danser sur place, appuyant chaque syllabe d'un mouvement de tout son corps (...) L'autre, opinant du bonnet, prend sa course. Jacques MERLINO, *les Jargonautes...*, p. 48.

♦ **2.** V. tr. (Fin XIVᵉ). Vx ou littér. *Opiner que... :* être d'avis que... — V. tr. ind. (Mil. XVIIᵉ). *Opiner à... :* donner son assentiment. ⇒ **Adhérer, consentir.** *Les juges opinèrent à la peine de mort.* ⇒ **Conclure.**

(...) j'opine à n'aller à Rennes que pour la semaine sainte (...)
Mᵐᵉ DE SÉVIGNÉ, 1266, 19 févr. 1690.

DÉR. **Opinant.**

OPINIÂTRE [ɔpinjɑtʀ] adj. — 1636 ; *oppiniastre*, 1431 ; dér. sav. du lat. *opinio*. → Opinion.

♦ **1.** Vx, péj. Qui est attaché d'une manière tenace, obstinée à ses opinions*. *« Il serait aisé de convertir les hérétiques, s'ils n'étaient point opiniâtres »* (Furetière). ⇒ **Entêté, obstiné, têtu.** — REM. Ce sens, seul enregistré dans les dictionnaires du XVIIᵉ siècle, comporte une nuance nettement péjorative.

♦ **2.** (1580). Littér. Qui est tenace dans ses idées, dans ses résolutions. ⇒ **Acharné, constant, déterminé, entier, persévérant, résolu, tenace, volontaire.** *Esprit, caractère opiniâtre. Âme opiniâtre* (→ Lâche, cit. 2). *Un opiniâtre louangeur* (cit.). *Ennemi, adversaire opiniâtre, irréductible.*

Par métaphore. *La nature* (cit. 39) *est opiniâtre et lente dans ses opérations.*

Subst. *Un, une opiniâtre :* un entêté et, par ext. une personne tenace, indomptable.

(...) ma fille est une opiniâtre, qui s'est allée mettre dans la tête un certain Cléonte (...) MOLIÈRE, *le Bourgeois gentilhomme*, IV, 3.

2 Les opiniâtres sont les sublimes.
HUGO, les Travailleurs de la mer, II, II, IV.

♦ **3.** (1572). Choses. Qui ne cède pas, que rien n'arrête. *Haine, opposition opiniâtre.* ⇒ **Irréductible** (→ Génie, cit. 13). *Mouvements de mauvaise humeur opiniâtres* (→ Bêtise, cit. 14). *Mutisme* (→ Heurter, cit. 29), *silence opiniâtre.* ⇒ **Obstiné.** *Méticulosité* (cit. 1) *opiniâtre; travail*, combat*, lutte opiniâtre. Résistance opiniâtre* (→ Citadelle, cit. 1).

3 (...) l'étude opiniâtre des obscurs livres de Rameau (...)
ROUSSEAU, les Confessions, V.

4 Après six mois de résistance opiniâtre, malgré tout ce qu'on put dire et faire, il fallut céder à la demoiselle, et la faire comtesse de Marsan.
A. DE MUSSET, Nouvelles, «Emmeline», I.

♦ **4.** (Mil. XVIIᵉ). Vieilli ou littér. Qui résiste à tout. ⇒ **Persistant.** *Un mal* (3. Mal, cit. 14) *d'yeux opiniâtre. Rhume, toux opiniâtre.* ⇒ **Tenace.** *Souvenir opiniâtre,* obsédant (→ Exhalaison, cit. 4).

CONTR. Faible (cit. 16). — **Versatile.**
DÉR. Opiniâtrement, opiniâtrer, opiniâtreté.

OPINIÂTREMENT [ɔpinjɑtRəmɑ̃] adv. — 1431 ; de *opiniâtre.*

♦ D'une manière opiniâtre, avec entêtement. ⇒ **Obstinément** (→ Égarer, cit. 24; libertinage, cit. 2). *Soutenir opiniâtrement un avis.* ⇒ **Mordicus.** *Rester opiniâtrement attaché à la routine.* ⇒ **Résolument** — REM. Littré, et encore Hatzfeld, suivant l'usage classique, écrivent *opiniâtrément;* mais la forme ancienne et normale, seule courante de nos jours, est *opiniâtrement.*

On sait que, pour donner un asile et du pain aux militants qui avaient si opiniâtrement, si admirablement combattu pour sauvegarder leurs libertés politiques et syndicales et ainsi les libertés politiques et syndicales de tout le prolétariat français, on avait institué une verrerie ouvrière (...)
Ch. PÉGUY, la République..., p. 23.

CONTR. Faiblement, mollement.

OPINIÂTRER [ɔpinjɑtRe] v. tr. — Fin XVIᵉ ; de *opiniâtre.*

♦ **1.** (Début XVIIᵉ). Vx. Soutenir opiniâtrement. *Opiniâtrer une affaire* (Mᵐᵉ de Sévigné, 21 janv. 1689). *Opiniâtrer le combat.*

♦ **2.** *Opiniâtrer quelqu'un,* le buter, le rendre opiniâtre.

▶ **S'OPINIÂTRER v. pron.** (1538).

Vx ou littér. S'obstiner, s'attacher* opiniâtrement à une opinion, une résolution. ⇒ **Aheurter** (s'; vx), **buter** (se), **entêter** (s'), **persévérer, soutenir** (→ Se piquer au jeu*; et aussi infaillibilité, cit. 2). *S'opiniâtrer dans un projet.*

1 Le gouverneur (...) ne voulut point perdre ses troupes en s'opiniâtrant à défendre plus longtemps la ville (...)
RACINE, Campagnes de Louis XIV.

2 Mᵐᵉ de Chartres combattit quelque temps l'opinion de sa fille, comme la trouvant particulière; mais, voyant qu'elle s'y opiniâtrait, elle s'y rendit (...)
Mᵐᵉ DE LA FAYETTE, la Princesse de Clèves, I.

▶ **OPINIÂTRÉ, ÉE p. p. adj.**
Soutenu avec opiniâtreté (vx).
CONTR. Céder, transiger.

OPINIÂTRETÉ [ɔpinjɑtRəte] n. f. — 1528 ; dér. de *opiniâtre.*

♦ **1.** Vx. Attachement obstiné à une opinion. ⇒ **Aheurtement** (vx), **entêtement, obstination.** *L'opiniâtreté est le vice... des pécheurs endurcis* (Furetière, 1690).

1 J'ai connu cent et cent femmes (...) que vous eussiez plutôt fait mordre dans le fer chaud que de leur faire démordre une opinion qu'elles eussent conçue en colère (...) l'opiniâtreté *(est)* sœur de la constance au moins en vigueur et fermeté.
MONTAIGNE, Essais, II, XXXII.

2 (...) l'opiniâtreté (...) fait l'hérétique (...) cet opiniâtre qui est hérétique (...) s'érige lui-même dans son propre jugement un tribunal au-dessus duquel il ne met rien sur la terre (...) il est attaché à son propre sens, jusqu'à rendre inutile tous les jugements de l'Église.
BOSSUET, Réflexions sur l'écrit de Molanus, II, VIII, I.

3 La petitesse de l'esprit fait l'opiniâtreté, et nous ne croyons pas aisément ce qui est au delà de ce que nous voyons.
LA ROCHEFOUCAULD, Maximes, 265.

♦ **2.** (1559). Mod. Persévérance tenace. ⇒ **Constance, détermination, fermeté, volonté** (→ Force, cit. 25). *Une opiniâtreté fanatique.* ⇒ **Acharnement** (→ Atroce, cit. 9). *Opiniâtreté à faire quelque chose.* ⇒ **Résolution** (→ Désemparer, cit. 2). *Il avait mené à bout tout ce qu'il avait voulu avec opiniâtreté* (→ Désir, cit. 9). *Travailler*, poursuivre* un travail avec opiniâtreté.* ⇒ **Ténacité.** *Résister, disputer le terrain* avec opiniâtreté.*

4 Un dépit, une rage inflexible m'aigrit contre tant de revers. Une dure opiniâtreté me tiendra lieu de courage : il m'en a trop coûté d'être sensible; il vaut mieux renoncer à l'humanité.
ROUSSEAU, Julie ou la Nouvelle Héloïse, III, III.

5 Avec l'opiniâtreté, l'on vient à bout de tout.
STENDHAL, Journal, 12 juil. 1801.

6 Par contre il y a quelque chose de désarmant, de vraiment touchant à voir l'opiniâtreté forcenée, frénétique, l'entêtement, l'efforcement, la persévérance, l'endurance, la force d'illusion sur soi, la méconnaissance de soi, la constance extraordinaire, l'application, le studieux, le sérieux, la patience, le scolaire avec lequel Corneille s'est efforcé pendant toute l'immense deuxième moitié de sa carrière (...) s'est appliqué laborieusement à faire des criminels extraordinaires.
Ch. PÉGUY, Victor-Marie, comte Hugo, p. 156.

(En parlant d'animaux). *Opiniâtreté d'un chien de chasse.* ⇒ **Ardeur.** *Cheval récalcitrant qui résiste avec opiniâtreté.*

♦ **3.** (XVIIIᵉ). Par ext. Acharnement, persévérance. *Opiniâtreté d'un effort. Opiniâtreté d'un combat, d'une défense.*

7 Je ne sais pas comment l'opiniâtreté de ces vains et continuels efforts ne m'a pas enfin rendu stupide. Il faut que j'aie appris et rappris bien vingt fois les églogues de Virgile, dont je ne sais pas un seul mot.
ROUSSEAU, les Confessions, VI.

♦ **4.** (V. 1660). Fig. (Choses). Persistance. *Opiniâtreté d'une fièvre, d'une grippe.*

CONTR. Caprice, faiblesse, mollesse. — **Versatilité.**

OPINION [ɔpinjɔ̃] n. f. — V. 1190 ; lat. *opinio,* de *opinari.* → Opiner.

★ **I.** ♦ **1.** Manière de penser, de juger sur un sujet qu'il s'agisse d'une attitude de l'esprit qui tient pour vraie une assertion, ou d'une assertion, d'un système d'assertions que l'esprit accepte ou rejette (généralement en admettant une possibilité d'erreur). ⇒ **Appréciation, avis; conviction, croyance, estime** (II., 1.; vx), **idée** (II., 5.), **jugement** (cit. 5), **pensée, principe, sentiment** (cf. Manière de voir, de penser; point de vue). *Avoir une opinion, telle opinion.* — Gramm. *Verbes d'opinion :* verbes déclaratifs utilisés pour exprimer la pensée du sujet. *Les opinions et les mœurs des hommes* (→ Épurer, cit. 2). *L'intérêt* (cit. 6) *et nos opinions. Faire cas d'une opinion; adopter, épouser* (cit. 13), *suivre une opinion; se ranger à une opinion.* Loc. *Être dans l'opinion que... :* avoir l'opinion, être persuadé que... — *Repousser une opinion* (→ Dénuer, cit. 3). — *Avoir une opinion sur tel sujet. Mon opinion est faite.* ⇒ **Siège.** *Ne pas avoir d'opinion* (cf. N'être ni chair ni poisson). — *Conserver, garder ses opinions, rester invariable dans ses opinions.* ⇒ **Constance** (→ Attacher, cit. 100). *Être entiché, entêté* (cit. 6) *d'une opinion, enfoncé* (cit. 46) *dans son opinion. Se piquer à ses opinions* (→ Discuter, cit. 8). *Ne pas vouloir démarrer, démordre, sortir d'une opinion.* ⇒ **Opiniâtre, opiniâtrer** (s'), **opiniâtreté.** *Obstination d'opinion* (→ Âne, cit. 6). — *Changer* (cit. 44) *d'opinion. Abjurer une opinion; se dédire d'une opinion* (→ Docte, cit. 5). *Changer fréquemment, sans cesse d'opinions.* ⇒ **Inconstance, versatilité; caméléon, girouette, polichinelle, protée.** *Brusque changement d'opinions.* ⇒ **Pirouette, revirement, volte-face** (cf. Tourner casaque; retourner sa veste; changer son fusil d'épaule). — *Avoir la même opinion que qqn, partager ses opinions* (→ Être du même bord*, du même côté*, de la même paroisse*, du même parti*; dans les eaux* de...; abonder dans le sens* de...; et aussi disputeur, cit. 1). *Être de l'opinion du premier qui parle* (→ Mouton, cit. 17), *du dernier qui a parlé. Opinions convergentes, compatibles, semblables. La diversité des opinions* (→ Considérer, cit. 4). *Opinions contraires*, divergentes*, qui diffèrent, s'opposent; différences, divergences* (→ Falloir, cit. 33), *dissidences* (cit. 1) *d'opinions.* ⇒ **Dissension, dissentiment, opposition.** *Soutenir, prendre le contre-pied, la contrepartie d'une opinion.* ⇒ **Discuter, disputer.** «*Il ne fut jamais au monde deux opinions semblables*» (⇒ Diversité, cit. 1, Montaigne; et aussi 1. faux, cit. 2, Descartes). *Autant de têtes, autant d'opinions* (Quot capita, tot sensus). — *Donner, émettre* (cit. 4), *exprimer, manifester une opinion, son opinion.* ⇒ **Dire, opiner.** *Controverser sur une opinion.* ⇒ **Controverse.** *Défendre, professer, soutenir une opinion.* ⇒ **Apologiste, apôtre, défenseur, tenant.** *Propager, répandre une opinion. Vouloir convertir les autres à ses opinions.* ⇒ **Endoctriner.** *Combattre* (cit. 6) *une opinion* (⇒ **Adversaire**). *Accepter* (⇒ **Tolérance**), *ne pas accepter* (⇒ **Intolérance**) *les opinions différentes de la sienne. Être prévenu en faveur d'une opinion, contre une opinion...* ⇒ **Partialité.** — *Avoir le courage* de ses opinions,* les soutenir avec franchise. *Souffrir pour ses opinions* (→ Établir, cit. 34). *Être le martyr* (supra cit. 7) *de ses opinions. Manifester ses opinions par des actes.* ⇒ **Témoigner.**

1 On peut conserver ses opinions, si elles sont raisonnables ; mais en les conservant, il ne faut jamais blesser les sentiments des autres, ni paraître choqué de ce qu'ils ont dit.
LA ROCHEFOUCAULD, Réflexions diverses, 4 (⇒ aussi Choquer, cit. 4).

2 Il décide hardiment, et soutient son opinion d'un ton si haut et avec tant d'opiniâtreté, que le plus souvent, lorsqu'il dispute, on est obligé de lui céder (...)
A. R. LESAGE, Gil Blas, XI, X.

3 N..., le pair de France, m'a dit que l'on ne peut se croire homme d'État qu'autant que l'on se surprend habituellement à soutenir une opinion qui n'est pas la sienne.
STENDHAL, Romans et Nouvelles, «Féder», IV.

4 Un siège de député semblait moins inaccessible, quoiqu'on ne fût pas beaucoup d'opinion dans le pays qu'un prêtre se mêlât de trop de choses en dehors de son église.
P.-J. TOULET, la Jeune Fille verte, VII.

5 Les opinions, étant engendrées par les passions et les sentiments plutôt que par les faits, ne sont que lentement modifiées par ceux-ci.
A. MAUROIS, Chateaubriand, II, IV.

6 — M. Mayer n'est pas un homme d'action (...) — Pourquoi dites-vous cela ? — Simplement parce que c'est mon opinion.
G. DUHAMEL, Salavin, V, I.

7 (...) n'importe quelle opinion, sitôt exprimée, prend de la vraisemblance. Une opinion, c'est mieux que rien, c'est déjà quelque chose comme une réussite, et plus elle est claire, tranchée, extrême.
J. PAULHAN, Entretien sur des faits divers, p. 140.

Par plais. Allus. littéraire :

8 C'est mon opinion, et je la partage.
Henri MONNIER, Mémoires de Joseph Prudhomme.

Opinions assurées, fermes, constantes... ⇒ **Certitude, conviction, foi** (→ 4. Dériver, cit. 1). *Opinions incertaines.* ⇒ **Conjecture, soup-**

çon. Opinion toute personnelle, purement subjective. ⇒ **Impression; imagination, sentiment.** — *Opinions tranchantes, blessantes* (cit. 1). *Opinions extrêmes, fanatiques. Opinion mitoyenne, moyenne, éclectique; subtile, nuancée* (→ Emporter, cit. 44). *Opinions douteuses* (cit. 3), *hésitantes* (→ Flotter, cit. 19), *controversables, discutables, soutenables. Opinion fausse, insoutenable.* ⇒ **Erreur.** — *Opinion personnelle* (→ Faire, cit. 248), *originale; opinions paradoxales, rares* (→ Coquetterie, cit. 2), *singulières* (→ Approuver, cit. 14). ⇒ **Paradoxe, singularité.** — *Les opinions approuvées et reçues* (→ Nature, cit. 22). *Des opinions arrêtées, systématiques, des opinions toutes faites.* ⇒ **Parti** (parti pris), **préjugé, prévention.** *L'opinion commune, générale, unanime, vulgaire* (vieilli), *est que... L'opinion dominante, qui prévaut; l'opinion généralement reçue. Malgré l'opinion générale.* ⇒ **Attente** (contre toute attente). *Il n'y a qu'une opinion sur son compte.* ⇒ **Avis, voix.**

9 Les Français ne sont tout-puissants qu'en masse, et leurs hommes de génie eux-mêmes prennent toujours leur point d'appui dans les opinions reçues quand ils veulent s'élancer au delà. Mme DE STAËL, De l'Allemagne, I, XI.

(1798). En emploi absolu. *C'est une affaire d'opinion,* une affaire où intervient le jugement subjectif de chacun. *En matière d'opinion, tous les points de vue sont défendables* (→ Des goûts* et des couleurs...).

♦ **2.** (V. 1283). Plur. ou collectif. Point de vue, position intellectuelle, idée ou ensemble des idées que l'on a dans un domaine déterminé. ⇒ **Doctrine, système, théorie, thèse** (REM. *Opinion* a une valeur beaucoup moins précise, beaucoup plus vague que les termes ci-dessus). — *Opinions philosophiques* (→ Adopter, cit. 4), *idéalistes, matérialistes, optimistes, pessimistes.* — *Opinions religieuses.* ⇒ **Credo, foi** (→ Indifférent, cit. 16). *Avoir les mêmes opinions religieuses.* ⇒ **Coreligionnaire.** *Opinions orthodoxes, conformistes, hétérodoxes* (⇒ **Hétérodoxie, orthodoxie**); *athées* (⇒ **Athéisme**), *irréligieuses,* libre pensée, etc. (→ Embrasser, cit. 16). *Les hérésies* (cit. 3, Bossuet), *opinions particulières* (→ Hérétique, cit. 3). *Les opinions d'une Église, d'une secte.* Théol. *Opinions probables.* — *Opinions en matière artistique, littéraire, scientifique. Opinion qui fait autorité, qui prévaut sur une question. Suivant l'opinion de tel auteur.* ⇒ **Après** (d'), **selon, suivant.** — (Emploi le plus courant de nos jours). *Opinions politiques* (→ Immoler, cit. 19). *Opinions avancées* (cit. 65), *libérales* (cit. 6), *subversives* (→ Fantaisiste, cit. 1). *Opinions cléricales* (cléricalisme), *anticléricales; bellicistes, défaitistes* (bellicisme, défaitisme...). *Couleur*, teinte des opinions politiques* (1793) *de quelqu'un.* ⇒ **Parti.** — *Les Opinions de Jérôme Coignard,* œuvre d'A. France (1893).

10 Que nous dira donc en cette nécessité la philosophie? Que nous suivions les lois de notre pays, c'est-à-dire cette mer flottante des opinions d'un peuple ou d'un prince qui me peindront la justice d'autant de couleurs et la réformeront en autant de visages qu'il y aura en eux de changements de passion? Je ne puis pas avoir le jugement si flexible. MONTAIGNE, Essais, II, XII.

11 Les Royalistes sont romantiques, les Libéraux sont classiques. La divergence des opinions littéraires se joint à la divergence des opinions politiques (...) BALZAC, Illusions perdues, Pl., t. IV, p. 673.

12 Ce n'est pas aux lecteurs de cet ouvrage que je croirai jamais devoir prouver que les idées gouvernent et bouleversent le monde, ou, en d'autres termes, que tout le mécanisme social repose finalement sur des opinions. A. COMTE, Cours de philosophie positive, 1re leçon.

13 Toute opinion est une traduction très simple de l'opinion adverse. Si l'opération n'était des plus faciles, la paresse de l'esprit l'engagerait à ne jamais changer de camp. Une opinion politique ou artistique doit être chose si vague que sous les mêmes apparences, le même individu puisse toujours l'accommoder à son humeur et à ses intérêts; justifier son acte; «expliquer» son vote. VALÉRY, Rhumbs, p. 110.

(1314). Vx. Hypothèse, théorie scientifique. *L'opinion de la pesanteur de l'air, de la circulation du sang* (Furetière, 1690).

(1936). Dr. publ. *Liberté d'opinion* (cf. aussi Liberté de réunion, d'enseignement, de la presse, qui y sont liées). ⇒ **Liberté.** *«Nul ne doit être inquiété* (cit. 4) *pour ses opinions».* — *Délit d'opinion,* consistant dans le fait d'exprimer, de propager une opinion jugée contraire à l'ordre public, aux lois...

(XXe). Loc. *Journal d'opinion* (par oppos. à *journal d'information*), qui exprime les positions d'un parti (ou d'une famille de pensée) politique.

♦ **3.** (XVe). Dr. Avis d'une personne dans une délibération. ⇒ **Opiner.** *Les opinions sont partagées.* — Dr. *Partage d'opinions,* situation résultant de l'absence d'une majorité, au cours d'un délibéré.

Vx. Suffrage, vote. *Aller aux opinions. Recueillir les opinions.*

♦ **4.** (XVIe). Log., psychol. Adhésion partielle à une assertion. *Platon distingue l'opinion* (doxa) *de la science et de la pensée discursive, formes supérieures de connaissance; Kant l'oppose au devoir et à la foi. L'opinion et la certitude.*

14 Parmi les choses qu'on ne sait point, il y en a qu'on croit sur le témoignage d'autrui; c'est ce qui s'appelle *foi.* Il y en a sur lesquelles on suspend son jugement, et avant et après l'examen; c'est ce qui s'appelle *doute;* et, quand dans le doute on penche d'un côté plutôt que d'un autre, sans pourtant rien déterminer absolument, cela s'appelle *opinion.* BOSSUET, Traité de la connaissance de Dieu..., I, XIV.

15 L'opinion est une connaissance douteuse qui n'est pas sans apparence et sans fondement, mais qui n'a point de certitude. FLÉCHIER, Oraison funèbre de la Dauphine.

♦ **5.** (V. 1265). Jugement de valeur porté sur une personne, un acte, une qualité. *L'opinion de qqn,* qu'il a (sur qqch.). *Avoir (une) haute, bonne* (1656), *mauvaise* (1580) *opinion de quelqu'un.* ⇒ **Estimer, mésestimer.** *Avoir, prendre une opinion avantageuse* (cit. 9), *désavantageuse, pitoyable...* (→ Homme, cit. 122). — *Déchoir, remonter dans l'opinion de quelqu'un,* dans son esprit, dans son estime. ⇒ **Auprès** (→ Fermer, cit. 35). — *L'opinion de qqch., de qqn,* que qqn a sur qqch., qqn (seulement avec *bonne, mauvaise opinion...*). *Donner aux autres bonne, mauvaise opinion de soi.*

Cela me prouve que tu n'as pas une haute opinion de la générosité de nos jeunes gens. DIDEROT, Suppl. au voyage de Bougainville, III. 16

Le bien, le mal de la société, sont attachés à leur conduite; le paradis ou l'enfer des familles dépend à tout jamais de l'opinion qu'elles ont donnée d'elles. BEAUMARCHAIS, la Mère coupable, II, 2. 17

(...) vous trouverez ici et là quelque sombre philosophe qui n'aime pas les éloges. Mais qu'est-ce que cela prouve? Qu'il n'aime pas les critiques, et que, tout compte fait, il préfère ignorer l'opinion qu'on a de lui. Il aime mieux se passer d'un plaisir que s'exposer à une douleur. ALAIN, Propos, 15 nov. 1907, Les éloges. 18

Spécialt. *L'opinion qu'on a de soi-même* (→ Attaquer, cit. 25). *Avoir trop bonne opinion de soi, de ses forces.* ⇒ **Présomption, présumer.** — (1656). *Avoir (une) bonne opinion de soi* (→ Être content* de soi, se gober*; et aussi complaisance, cit. 11; égoïsme, cit. 1; flatteur, cit. 4; glorieux, cit. 16, 18). *N'avoir pas mauvaise opinion de soi* (→ Avouer, cit. 16).

(...) la bonne opinion que les Français ont d'eux-mêmes a toujours contribué à leur ascendant sur l'Europe; le noble orgueil des Espagnols les a rendus jadis souverains d'une portion du monde. Mme DE STAËL, De l'Allemagne, I, II. 19

Je trouve qu'en fait de nature humaine la mienne est encore de celles dont il est sage de se contenter. Tout le monde en est là, me dira-t-on. Une bonne opinion de soi est de règle. Je ne crois pas. J'ai connu des hommes profondément, essentiellement, mécontents d'eux-mêmes, de l'être qu'ils sentent en eux. J. ROMAINS, le Dieu des corps, II. 20

★ **II.** Ensemble d'idées, de jugements partagés par plusieurs personnes.

♦ **1.** (1563). Jugement collectif, attitude d'esprit partagée par un groupement humain; ensemble d'opinions sur un sujet, et, spécialt, de jugements de valeur sur une personne. *L'opinion des autres* (→ Homme, cit. 80; mépris, cit. 2), *du public* (→ Faible, cit. 22), *du monde* (→ Conformer, cit. 4; figure, cit. 18), *de la société... Chercher* (cit. 32) *son bonheur dans l'opinion des hommes* (→ Bizarrerie, cit. 2). *L'honneur* (cit. 6 et 30) *qu'on tire de l'opinion d'autrui, de l'opinion publique.* ⇒ **Réputation.** *Perdre quelqu'un dans l'opinion d'une ville* (→ Lâche, cit. 8).

L'opinion publique est une juridiction que l'honnête homme ne doit jamais reconnaître parfaitement et qu'il ne doit jamais décliner. CHAMFORT, Maximes, Sur la dignité du caractère, XXXII. 21

Il y a des siècles où l'opinion publique est la plus mauvaise des opinions. CHAMFORT, Maximes, Sur la philos. et la morale, LXV. 22

Le Parquet eut donc (...) la main forcée par cette rumeur si souvent stupide, appelée l'Opinion publique. L'exécution fut annoncée. BALZAC, le Curé de village, Pl., t. VIII, p. 594. 23

(1762). Absolt. *L'opinion :* les idées partagées, les jugements portés par la majorité d'un groupe social (cf. Le qu'en dira-t-on; le cri public). *Braver, négliger l'opinion* (→ Froisser, cit. 25). *Briser* (cit. 16) *les fers de l'opinion. Jeter le gant à l'opinion* (→ Impopulaire, cit. 1). *Agir conformément, contrairement* (→ Cacher, cit. 56) *à l'opinion. Tout rapporter à l'opinion* (→ Galerie, cit. 9). *Idolâtre* (cit. 9) *de l'opinion. L'opinion juge au nom de la morale* (cit. 13) *régnante. La stupidité de l'opinion* (→ Hypocrisie, cit. 9). *La force, la puissance, la domination de l'opinion. Le tribunal de l'opinion.*

Et alors toute chose en l'homme est débordée, 24
Quand par l'opinion la raison est guidée.
La seule opinion fait les hommes armer,
Et frère contre frère au combat animer.
RONSARD, Disc. des misères de ce temps, Remontrance...

C'est souvent au hasard que naît l'opinion, 25
Et c'est l'opinion qui fait toujours la vogue. LA FONTAINE, Fables, VII, 15.

La force est la reine du monde, et non pas l'opinion. — Mais l'opinion est celle qui use de la force. — C'est la force qui fait l'opinion. PASCAL, Pensées, V, 303. 26

Nous demeurons flétris et avilis à nos propres yeux, tant que nous croyons l'être à ceux du monde; nous ne mesurons pas nos fautes par la vérité, mais par l'opinion. VAUVENARGUES, Réflexions sur divers sujets, 23, XI. 27

On la nomme *(l'opinion)* la reine du monde; elle l'est si bien, que quand la raison veut la combattre, la raison est condamnée à mort. VOLTAIRE, Dict. philosophique, Opinion. 28

L'Opinion est la Reine du Monde, parce que la Sottise est la Reine des sots. CHAMFORT, Maximes et Pensées, I. 29

La tyrannie de l'opinion, et quelle opinion! est aussi *bête* dans les petites villes de France qu'aux États-Unis d'Amérique. STENDHAL, le Rouge et le Noir, I, I. 30

L'opinion est une reine à sa manière, mais non une reine absolue; il faut lui tenir tête, quand on croit le devoir faire, mais en la respectant et en prenant dans l'opinion même le point d'appui nécessaire pour l'attaquer. RENAN, Questions contemporaines, Œ. compl., t. I, p. 56. 31

Le mensonge et la crédulité s'accouplent et engendrent l'Opinion. VALÉRY, Mélange, p. 164. 32

♦ **2.** (1580). Sociol., polit. «Type de pensée sociale qui consiste à prendre position, plus ou moins fermement, sur les problèmes politiques, moraux, philosophiques, religieux» (Cuvillier); groupe de jugements élaborés par l'opinion. *L'opinion et les opinions* (politiques, religieuses...). Cf. ci-dessus, I., 2. *L'opinion publique* (→ Autorité, cit. 31; doctrine, cit. 5; financier, cit. 3; flatter, cit. 42). *L'opinion ouvrière* (→ Meneur, cit 4), *paysanne, rurale, urbaine. L'opinion française, américaine... Opinions nationales et opinion mondiale.*

33   Au milieu d'une ville de vingt mille habitants, ces hommes font l'opinion publique, et l'opinion publique est terrible dans un pays qui a la charte.
                                         STENDHAL, le Rouge et le Noir, I, XXIII.

Absolt. Ensemble des attitudes d'esprit dominantes dans une société (à l'égard de problèmes généraux, collectifs et actuels) ; ensemble de ceux qui partagent ces attitudes. *L'opinion, force politique. Informer l'opinion.* ⇒ **Information.** *Influencer* (→ Film, cit. 1), *travailler* (→ Blackbouler, cit. 1) *l'opinion ; agir sur l'opinion.* ⇒ **Propagande.** *Laisser s'ancrer* (cit. 8) *une idée dans l'opinion. Empêcher l'opinion de s'exprimer ; bâillonner, comprimer l'opinion. Chercher à connaître, à sonder l'opinion. Sondages* d'opinion. — Le gouvernement, le pouvoir et l'opinion* (→ 1. Arbitre, cit. 7 ; heurter, cit. 15). *La didacture de l'opinion* (→ Élasticité, cit. 7). *L'opinion gouverne* (cit. 21 et 22) *le monde, les hommes. — L'opinion est unanime, divisée. Fractions de l'opinion. Les courants de l'opinion* (→ Louvoyer, cit. 3). *Mouvements* d'opinion* (→ aussi Caprice, cit. 6). — *Poser un problème devant l'opinion. Alerter l'opinion.*

34   Je parle des mœurs, des coutumes, et surtout de l'opinion ; partie inconnue à nos politiques, mais de laquelle dépend le succès de toutes les autres.
                                         ROUSSEAU, Du contrat social, II, XII.

35   L'opinion est un groupe plus ou moins logique de jugements qui, répondant à des problèmes actuellement posés, se trouvent reproduits en nombreux exemplaires dans des personnes du même pays, du même temps, de la même société.
                    TARDE, in CUVILLIER, Voc. de la langue philosophique, Opinion.

36   La morale et le droit, qui sont la matière des sciences sociales déterminées, sont essentiellement des choses d'opinion (...) à chaque moment de l'histoire, les seuls préceptes moraux et juridiques qu'aient réellement pratiqués les hommes, sont ceux que la conscience publique, c'est-à-dire l'opinion, reconnaissait comme tels.
                    DURKHEIM, Journal des économistes, avr. 1908,
                                    cité par BOUGLÉ et RAFFAULT, p. 361.

37   *L'Opinion.* On dit aussi et communément « opinion publique ». Il faudrait presque écrire ce mot avec une majuscule ; l'opinion est devenue non seulement une force incoercible, mais une sorte de personne. Pascal avait dit (Pensées, V, 5) qu'elle était « comme la reine du monde » ; *comme* est désormais de trop. D'Argenson le tranche net : elle « gouverne » le monde. Ce qui fait surtout la nouveauté, c'est que, dans sa pensée, il s'agit de l'opinion sur les affaires de l'État.
                    BRUNOT, Hist. de la langue franç., t. VI, I, p. 40.

38   Que peut un gouvernement en guerre ? Diriger les événements ? Vous savez bien que non. Mais diriger l'opinion ? Ça, oui : c'est même la seule chose qu'il puisse faire ! (...)   MARTIN DU GARD, les Thibault, t. VIII, p. 260.

OPIOMANE [ɔpjɔman] n. et adj. — Fin XIXe ; in *Larousse mensuel,* mai 1907 ; de *opium,* et suff. *-mane*.*

♦ Toxicomane qui fume ou mange de l'opium. *Les opiomanes qui mangent l'opium.* ⇒ **Opiophage.** — Adjectif :
Ma mère connaissait déjà un colonel en retraite, un ancien administrateur des colonies rayé des cadres, et un vice-consul de France en Chine opiomane, venu à Nice faire une cure de désintoxication.
                                    R. GARY, la Promesse de l'aube, p. 183.

DÉR. V. **Opiomanie.**

OPIOMANIE [ɔpjɔmani] n. f. — Fin XIXe ; du rad. de *opium,* et suff. *-manie.*

♦ Didact. Toxicomanie par usage habituel de l'opium. *Opiomanie par ingestion d'opiacés.* ⇒ **Opiophagie.**

OPIOPHAGE [ɔpjɔfaʒ] n. — 1868 ; de *opium,* et *-phage.*

♦ Didact. Toxicomane qui mange de l'opium. *Thomas de Quincey, S. T. Coleridge furent des opiophages, des « mangeurs d'opium ».*
« Les opiophages (...) usent de pilules dans lesquelles l'opium est très souvent associé à d'autres substances euphorisantes ou aphrodisiaques (...) ce qui donne à leur ivresse un caractère plus actif et plus hallucinatoire (...) » (A. et M. Porot, in Porot 1975).

DÉR. **Opiophagie.**

OPIOPHAGIE [ɔpjɔfaʒi] n. f. — Déb. XXe in *Larousse mensuel,* mai 1907 ; de *opiophage.*

♦ Didact. Opiomanie* par ingestion d'opium. « *Les effets psychophysiologiques, en cas d'opiophagie, sont plus marqués, et plus rapides que ceux rencontrés chez les fumeurs* » (A. et M. Porot, in Porot 1975).

OPISTHION [ɔpistjɔ̃] n. m. — XXe ; du grec *opisthios,* de *opisthen.* → Opistho-.

♦ Anat. Point médian du bord postérieur du trou occipital.

OPISTHO- Élément du grec *-opisthen* « derrière, en arrière » qui entre dans quelques mots savants de formation grecque ou française.

OPISTHOBRANCHES [ɔpistɔbʀɑ̃ʃ] n. m. pl. — 1848, *in* Cottez ; de *opistho-,* et *branches* « branchies ».

♦ Zool. Ordre de mollusques gastéropodes dont les branchies se trouvent en arrière du cœur. *Les opisthobranches sont hermaphrodites ; leur coquille est réduite ou absente.* — Au sing. *Un opisthobranche.*

OPISTHOCŒLE ou **OPISTHOCÈLE** [ɔpistɔsɛl] adj. et n. — 1890, P. Larousse, *Deuxième Suppl.* ; de *opistho-,* et *-cœle.*

♦ Didact. (anat., zool.). Dont la partie concave, la cavité est tournée vers l'arrière. — Syn. : *opisthocœlique* (adjectif).
Les types vertébraux sont soit procœles ou opisthocœles chez la plupart des Anoures, soit amphicœles chez les Urodèles, les Apodes et les Liopelmidés (Anoures).
                                    Jean GUIBÉ, les Batraciens, p. 28.

OPISTHODOME [ɔpistodom] n. m. — 1752 ; du grec *opisthodomos,* de *domos* « maison ».

♦ Archéol. Partie postérieure d'un temple grec, pièce abritant le trésor et où seuls les prêtres, les prêtresses avaient accès.

OPISTHOGLYPHE ou **OPISTOGLYPHE** [ɔpistoglif] adj. — 1845 *in* Cottez ; de *opistho-,* et *-glyphe,* du grec *gluphé* « ciselure ».

♦ Didact. Se dit des serpents dont les crochets venimeux sont implantés au fond de la bouche.

OPISTHOGNATISME [ɔpistognatism] n. m. — XXe ; *opisthognathe,* 1816 *in* Cottez ; de *opistho-,* et *-gnatisme,* du grec *gnathos* « mâchoire ».

♦ Didact. Défaut de développement d'un des maxillaires, placé en retrait par rapport à l'autre.

OPISTHOGRAPHE [ɔpistograf] adj. — 1546, n. ; du lat. *opisthographus.* → Opistho-, et -graphe.

♦ Paléogr. Se dit d'un manuscrit couvert d'écriture au verso comme au recto.

OPISTHOTIQUE [ɔpistotik] adj. et n. m. — XXe ; de *opistho-,* et *ous, ôtos* « oreille » ; cf. angl. *opisthotic.*

♦ Didact. (anat. comparée). Se dit des éléments osseux situés à la partie inférieure et postérieure de l'oreille interne. — N. masculin :
L'architecture du crâne *(des amphibiens)* est dominée par une réduction du nombre des os par rapport à ce qu'elle est chez les poissons. Il existe toujours des exoccipitaux portant une paire de condyles, un sphénethmoïde et un opisthotique (...)   Jean GUIBÉ, les Batraciens, p. 27.

OPIUM [ɔpjɔm] n. m. — XIIIe ; du lat. *opium,* du grec *opion,* de *opos* « suc ».

♦ **1.** Suc des capsules d'un pavot* *(papaver somniferum)* incisées avant maturité, latex riche en alcaloïdes, dont le plus actif est la morphine. *L'opium est utilisé comme stupéfiant*. L'opium est importé d'Orient et notamment de Chine. Alcaloïdes extraits de l'opium.* ⇒ **Codéine, narcéine, narcotine** ou **opianine** (vx), **morphine, papavérine, thébaïne.** *L'opium, poison hypnotique* (→ Excitant, cit. 9), *narcotique* (cit. 1), *analgésique, sédatif, somnifère, soporatif. Manger, fumer* (cit. 22) *de l'opium* (⇒ **Opiomane, opiophage**). *Fumer l'opium* (→ Fumeur, cit. 2). *Fumerie d'opium. Goutte* (cit. 46), *boulette d'opium* (→ 2. Héroïne, cit.). *Lampe* (cit. 22), *pipe à opium. Fumée* (cit. 6), *vapeurs d'opium* (→ Lourd, cit. 19). *L'opium, drogue des « paradis artificiels »* (→ Emploi, cit. 4), *source de jouissances* (cit. 4). *Hallucinations* (cit. 4) *de l'opium. Asservissement à l'opium.* ⇒ **Opiomanie** (→ Énergie, cit. 11 ; esclave, cit. 23). *Utilisation de l'opium en pharmacie. Teinture alcoolique d'opium.* ⇒ **Laudanum** (→ Enivrer, cit. 1). *Teinture anisée d'opium.* ⇒ **Parégorique** (élixir). *Médicament à base d'opium* (⇒ **Opiat**), *contenant de l'opium* (⇒ **Opiacé, thébaïque**). *Prendre de l'opium pour dormir* (→ Laudanum, cit. 1). — *Un mangeur d'opium,* œuvre de Baudelaire, d'après les « Confessions » de Thomas de Quincey. — Allus. littér. *La vertu dormitive** (cit. 1) *de l'opium.* — Hist. *La guerre de l'opium* (1840), entre l'Angleterre et la Chine (où le gouvernement chinois détruisit une cargaison d'opium que la Compagnie anglaise des Indes vendait aux Chinois malgré l'interdiction gouvernementale).

1   J'ai fait le commerce de l'opium en gros pour des maisons de Canton, toutes dix fois plus riches que moi. Vous ne vous doutez pas, en Europe, de ce que sont les riches marchands chinois.   BALZAC, Modeste Mignon, Pl., t. I, p. 444.

2   Ô juste, subtil et puissant opium ! Toi qui, au cœur du pauvre comme du riche, ne cicatriseront jamais et pour les angoisses qui induisent l'esprit en rébellion, apportes un baume adoucissant ; éloquent opium ! (...) tu possèdes les clefs du paradis, ô juste, subtil et puissant opium !
                    BAUDELAIRE, les Paradis artificiels, « Un mangeur d'opium », I.

3   Pour se calmer dans l'attente, pour obtenir un sommeil qui la fuit, elle ne trouve

rien de mieux que de recourir à l'opium, dont on la verra doubler les doses avec le progrès de son mal. SAINTE-BEUVE, *Causeries du lundi*, 20 mai 1850.

4 *(Il)* accepta la pipe que lui présentait un des jeunes garçons agenouillés. Et, de toute la force de ses poumons, il aspira la fumée grise, tandis que l'enfant maintenait au-dessus de la lampe le petit cylindre brun collé au trou du fourneau. L'opium grésilla, fondit, s'évapora. Et Felze, ayant d'un seul trait épuisé toute la pipée, appuya aux nattes ses deux épaules, pour mieux dilater sa poitrine, et garder plus longtemps, mêlées à ses fibres, les volutes de la drogue philosophique et bienveillante. Claude FARRÈRE, *la Bataille*, VI.

♦ **2.** Par ext. *Opium de laitue.* ⇒ **Lactucarium.**

♦ **3.** (Fin XVIIᵉ). Fig. Ce qui a les effets de l'opium, et, spécialt, ce qui cause un désagréable assoupissement moral en éloignant des difficultés, des problèmes réels. *Les jeux sont des opiums* (→ Billard, cit. 3). *« La religion est l'opium du peuple »* (trad. de Karl Marx).

5 La dévotion (...) est un opium pour l'âme ; elle égaye, anime et soutient quand on en prend peu ; une trop forte dose endort, ou rend furieux, ou tue. ROUSSEAU, *Julie ou la Nouvelle Héloïse*, VI, VIII.

6 À la foule simple et crédule, à la femme, au paysan, le prêtre a donné l'opium du moyen âge, plein de trouble et de mauvais songes. MICHELET, *Hist. de la Révolution franç.*, IV, III.

7 (...) Laulerque (...) ne s'en considérait pas moins comme un réaliste, comme un homme qui voit clair, et qui, refusant aussi bien l'ivresse lyrique que l'opium distribué par les doctrinaires de l'histoire, prétend garder en face des faits, et à chaque minute, une sorte de disponibilité cynique. J. ROMAINS, *les Hommes de bonne volonté*, t. IX, XXV, p. 215.

DÉR. Opiacé. — V. aussi **Opianine**, et **opiat**.
COMP. **Opiomane, opiomanie, opiophage, opiophagie.**

OPO- Élément de mots didactiques, du grec *opos* « suc ». ⇒ **Opium, opodeldoch, opothérapie.**

OPODELDOCH [ɔpɔdɛldɔk] n. m. — XVIᵉ ; mot lat. forgé par Paracelse, peut-être du grec *opos* « suc ».

♦ Pharm. Médicament à base de savon et d'ammoniaque, utilisé en frictions contre les douleurs.

OPONCE [ɔpɔ̃s] ou **OPUNTIA** [ɔpɔ̃sja] n. m. — V. 1900, *oponce*; *opuntia*, 1845; 1562, n. f.; du lat. *opuntia*, de *opuntios*, grec *opuntios* « d'Oponte », ville grecque.

♦ Bot. Plante dicotylédone *(Cactées)* scientifiquement appelée *opuntia* et communément *raquette*, à tiges formées d'articles lisses aplatis en forme de raquettes portant des tubercules épineux d'où sortent de grandes fleurs. ⇒ **Cactus.** *Variétés d'oponce : opuntia cochenillifera*, cultivé pour recevoir les pontes de la cochenille*; *opuntia ficus indica*, ou figuier* de Barbarie. ⇒ **Nopal.**

DÉR. **Opontiacées.**

OPONTIACÉES [ɔpɔ̃tjase] n. f. pl. — 1846, *opuntiacées*; de *opuntia*.

♦ Bot. Synonyme de *cactées* (plus cour.). — Au sing. *Une opontiacée.*

OPOPANAX [ɔpɔpanaks] ou **OPOPONAX** [ɔpɔpɔnaks ; opoponaks] n. m. — 1664, *opopanax*; *opoponax*, XVᵉ ; XIIIᵉ, *opopanac*; du lat. *opopanax*, du grec *opos* « suc », et *panax* « plante médicinale ».

♦ Bot. Plante dicotylédone *(Ombellifères)* herbacée, vivace, qui pousse dans les rochers et les sables de la région méditerranéenne. *Une variété d'opopanax fournit une gomme-résine aromatique utilisée comme parfum.* — Pharm. Cette gomme-résine. *L'opopanax entre dans la composition du baume de Fioraventi.*

OPOSSUM [ɔpɔsɔm] n. m. — 1640 ; mot anglo-américain, de l'algonquin *oposon*.

♦ **1.** Zool. Sarigue *(Marsupiaux)* d'une espèce scientifiquement nommée *Didelphis marsupialis*, à beau pelage noir, blanc et gris. *Des opossums.*

♦ **2.** (1909). Fourrure de cet animal, très estimée. *Manteau d'opossum.* — Par ext. *Opossum d'Australie :* fourrure du renard phalanger* *(Marsupiaux).*

OPOTHÉRAPIE [ɔpoteʀapi] n. f. — 1896 *in* Cottez ; comp. sav. du grec *opos* « suc », et *-thérapie*.

♦ Méd. Emploi thérapeutique de tissus, de glandes endocrines, d'organes à l'état naturel ou sous forme d'extraits. *Opothérapie surrénale, thyroïdienne, ovarienne, pancréatique.* ⇒ **Hormonothérapie, organothérapie.**

DÉR. **Opothérapique.**

OPOTHÉRAPIQUE [ɔpoteʀapik] adj. — 1898, *Année sc. et industr.* 1899, p. 191 ; de *opothérapie*.

♦ Relatif à l'opothérapie. *Traitement opothérapique* (→ Insuffisance, cit. 6). *Extrait opothérapique :* préparation à base de tissus animaux, de glandes, utilisée dans l'opothérapie.

OPPIDUM [ɔpidɔm] n. m. — 1765, *Encyclopédie*; mot latin, même sens.

♦ Archéol., hist. Ville fortifiée, fortification romaine. ⇒ **Citadelle.** *Des oppidums.* — Didact., plur. latin en *a*. *« Le décor urbain symbolise ce pouvoir. Certes, celui des oppida est rudimentaire »* (*l'Express*, 15 nov. 1980, p. 71).

OPPORTUN, UNE [ɔpɔʀtœ̃, yn] adj. — 1355 ; lat. *opportunus*, de *portus*, proprt « qui conduit au port ».

♦ Style soutenu. Qui convient dans un cas déterminé, qui vient à propos*. ⇒ **Bon, convenable.** *Vos regrets ne sont plus opportuns* (→ De saison*). *Démarche, demande opportune.* — (1559, *temps opportun*). *Moment opportun.* ⇒ **Bon, favorable, propice** (cf. Moment psychologique). *Circonstance opportune*, qui tombe à point nommé*. ⇒ **Occasion ; tomber** (bien, à pic...). *Traitement que l'on juge opportun* (→ Admettre, cit. 16). *Il lui parut opportun de céder.* ⇒ **Assuré, expédient, indiqué.** *Il serait opportun de ne rien lui cacher*, il y aurait lieu* de...

(...) oh ! rencontre opportune ! MOLIÈRE, *l'Étourdi*, V, 9. 1

Il n'est plus de vérité qu'opportune ; c'est-à-dire que le mensonge opportun fait prime et triomphe partout où il peut. GIDE, *Journal*, 15 janv. 1945. 2

Guiche, qui ayant été amoureux de La Vallière avant qu'elle ne fût devenue la maîtresse du roi, crut apercevoir le moment opportun d'offrir à la princesse délaissée des consolations qui le vengeraient (...) Émile HENRIOT, *Portraits de femmes*, p. 103. 3

Loc. *En-temps opportun.* → En temps* et lieu, en temps* utile.

CONTR. Contrariant, déplacé, déplorable, fâcheux, importun, inopportun, intempestif.
DÉR. **Opportunément, opportunisme.**
COMP. **Inopportun.**

OPPORTUNÉMENT [ɔpɔʀtynemɑ̃] adv. — 1422 ; de *opportun*.

♦ Style soutenu. D'une manière opportune. ⇒ **Convenablement, point** (à point nommé), **propos** (à propos). *Arriver opportunément* (→ Comme marée en carême*).

Syrinx, sur le point d'être prise, se jeta dans l'eau du Ladon, rencontré fort opportunément pour donner refuge à sa fuite. Émile HENRIOT, *Mythologie légère*, « Le grand Pan ».

CONTR. **Contretemps** (à), **inopportunément.**

OPPORTUNISME [ɔpɔʀtynism] n. m. — 1869 ; de *opportun*.

♦ **1.** Politique qui consiste à tirer parti des circonstances, à les utiliser au mieux, en transigeant, au besoin, avec les principes. *Opportunisme d'un parti politique qui temporise, s'allie provisoirement à ses adversaires.*

Vous allez peut-être m'accuser d'opportunisme ! Je sais que le mot est odieux (...) pourtant je pousse encore l'audace jusqu'à affirmer que ce barbarisme cache une vraie politique. GAMBETTA, *Disc. sur l'amnistie*, Chambre des députés, 21 juin 1880. 1

De là une secrète préférence aussi pour le monarchiste obstiné qui s'en tient à l'idée, sans se régler sur l'expérience. En tout c'est l'opportunisme qui est vil, et le pire de tout est d'adorer l'opportunisme, et d'en faire doctrine. ALAIN, *Propos*, 1er avr. 1914, La vraie République. 2

♦ **2.** (XXᵉ). Par ext. Comportement d'une personne qui règle sa conduite selon les circonstances, qui subordonne ses principes à son intérêt momentané (→ Conformisme, cit. 1). Par ext. *Opportunisme du cœur* (→ Absolu, cit. 21).

Goethe n'est pas demeuré longtemps un révolté. Tout à l'heure je parlais de son « opportunisme ». C'est dire que, de toutes les circonstances, heureuses ou malheureuses, il entend tirer le meilleur parti possible, aussi bien pour lui-même (et non pour un profit matériel) que pour son œuvre, sachant fixer dans la forme la plus appropriée, la meilleure, ce que la conjoncture peut offrir de moins épisodique, de plus commun et susceptible, reconnu par tous, d'être utile à tous. GIDE, *Attendu que...*, p. 112. 3

S'il avait moins de sévérité que son frère pour le monde actuel, s'il s'en accommodait, somme toute, assez bien — autant par opportunisme naturel que par indifférence (...) — il était loin de le considérer comme un monde parfait. MARTIN DU GARD, *les Thibault*, t. V, p. 224. 4

DÉR. **Opportuniste.**

OPPORTUNISTE [ɔpɔʀtynist] n. et adj. — 1877 ; de *opportunisme*.

♦ **1.** Personne qui est partisan de l'opportunisme, et, par ext., qui se conduit avec opportunisme. *Gambetta fut qualifié d'opportuniste par les radicaux « intransigeants »* (→ Criaillerie, cit. 3).

♦ **2.** (1878). Qui pratique l'opportunisme. *Politicien opportuniste* (⇒ **Attentiste**). *Talleyrand était réaliste* et opportuniste* (→ Changer, cit. 67).

(...) il était *opportuniste*. Il n'avait pas le culte des principes : ceux-ci ne lui paraissaient appréciables qu'aux résultats qu'ils pouvaient avoir ; notre temps eût dit que par là il était *pragmatiste*.
Louis MADELIN, Hist. du Consulat et de l'Empire, De Brumaire à Marengo, VI.

OPPORTUNITÉ [ɔpɔʀtynite] n. f. — 1220, opportunité «facilité, aisance» ; lat. *opportunitas*, de *opportunus* → Opportun.

♦ **1.** (V. 1660). Caractère de ce qui est opportun. ⇒ **À propos, expédience.** *L'opportunité d'une décision. Discuter de l'opportunité d'une mesure, d'une démarche* (→ Dérobade, cit. 2). ⇒ **Convenance.**

1 Le baron eut un pressentiment de l'opportunité de cette trouvaille, et voulut, en gardant la lettre, se donner le droit d'entrer dans la maison mystérieuse pour y venir la rendre (...)   BALZAC, Ferragus, Pl., t. V, p. 41.

2 Il vit que l'homme n'avait pas entendu, balança sur l'opportunité de répéter ce propos inutile et tourna le dos en agitant la canne.   G. DUHAMEL, Salavin, VI, IX.

♦ **2.** (V. 1355). Circonstance opportune. ⇒ **Occasion.** *Profiter de l'opportunité* (Académie).

3 *(Cette création)* offrait à une Muse particulière la plus magnifique des opportunités.   BAUDELAIRE, Trad. E. Poe, Histoires grotesques et sérieuses, « Le domaine d'Arnheim ».

CONTR. Inopportunité ; contretemps.

OPPOSABILITÉ [ɔpozabilite] n. f. — 1865 ; de *opposable*.

♦ **1.** Didact. Caractère de ce qui est opposable. *Opposabilité du, de...* (le complément désigne le plus souvent le pouce de la main de l'homme et des singes anthropoïdes, et le pouce du pied de certains singes). *L'opposabilité du pouce.*

♦ **2.** (XXᵉ). Dr. Caractère d'un droit, d'un moyen de défense que son titulaire peut faire valoir contre un tiers.

CONTR. Inopposabilité.

OPPOSABLE [ɔpozabl] adj. — 1845 ; de *opposer*.
Qui peut être opposé.

♦ **1.** Qui peut être mis en face, vis-à-vis. *Le pouce est opposable aux autres doigts de la main.* ⇒ **Opposabilité.**
(...) voilà quelques différences notables entre l'Homme et le grand Singe. Chez ce dernier, en outre, le gros orteil est opposable comme le pouce de la main (...)   Jean ROSTAND, l'Homme, p. 14.

♦ **2.** (1868). Qui peut être utilisé contre... *Forces opposables à l'ennemi. Raison opposable à une décision.* — (XXᵉ). Spécialt. Dr. Que l'on peut faire valoir contre un tiers. *Droit opposable aux tiers. Cette fin de non-recevoir n'est point opposable.*

CONTR. et COMP. Inopposable.
DÉR. Opposabilité.

OPPOSANT, ANTE [ɔpozɑ̃, ɑ̃t] adj. et n. — 1336, dr. ; p. prés. de *opposer*.

♦ **1.** Anat. Qui met en opposition, vis-à-vis. *Muscle opposant,* et, n. m., *l'opposant du pouce.*

♦ **2.** Qui s'oppose à... Dr. *La partie opposante,* qui s'oppose à un acte, un jugement. ⇒ **Opposition.** *Tiers opposant. Se rendre opposant à la vente d'un immeuble* (Académie). N. *Les opposants à la vente.* Par métaphore (→ Invalider, cit. 1).

1 Si l'opposition est rejetée, les opposants, autres néanmoins que les ascendants, pourront être condamnés à des dommages-intérêts.   Code civil, art. 179.

Qui s'oppose à une mesure, une autorité. *« La minorité opposante »* (Académie). — REM. *Opposant* est peu usité en ce sens comme adjectif.

1.1 Le monde politique, gouvernemental ou administratif, était représenté par ses notabilités les plus marquantes.   A. ROBIDA, le Vingtième Siècle, p. 112 (1900).

N. (1751). Personne opposante. ⇒ **Adversaire, contradicteur.** *Les opposants au régime* (→ Exil, cit. 2, Voltaire). *Opposant des taxes et ennemi de la cour* (→ Frondeur, cit. 6). — (1848). Spécialt. Membre de l'opposition. *Les opposants et les gouvernants* (→ Cour, cit. 19). *Une opposante.*

2 (...) les plus hardis opposants furent réduits à équivoquer et à biaiser.   JAURÈS, Hist. socialiste, t. I, La Constituante, p. 40.

3 Les opposants m'intéressent plus que les suiveurs (...)   GIDE, Journal, 1928, Feuillets, Pl., p. 902.

Psychol. Qui manifeste de l'opposition (II., 1.). *« Un comportement opposant ne peut se comprendre qu'en étudiant le sujet et son passé, les composantes du milieu et les circonstances »* (R. Lafon). — N. (rare au fém.). *Un jeune opposant à ses parents, au milieu.*

CONTR. Approbateur, consentant, défenseur. — Soutien.

OPPOSER [ɔpoze] v. tr. — 1165, v. intr., «faire une objection » ; du lat. *opponere*, de *ob-* et *ponere* (→ Poser), refait d'après *poser*.

♦ **1.** (1636). Rare. Placer en face de... ; mettre vis-à-vis. *Opposer deux objets* (⇒ **Adosser, affronter**), *deux motifs décoratifs...* (→ ci-dessous, Opposé, 1.). *Opposer un objet à un autre.*

(1762). Fig. Juxtaposer (des éléments opposés) ; mettre en opposition* (2.), en contraste. *Opposer deux couleurs. Opposer les ombres aux lumières.*

♦ **2.** (XVIIᵉ). Cour. Montrer ensemble, comparer (deux choses totalement différentes). ⇒ **Balancer, comparer** (→ Mettre en balance*, en contraste*, en face*...) *Opposer une chose à son contraire* (cit. 13). *Opposer le vice à la vertu* (→ Agneau, cit. 3), *le vice et la vertu.*

1 J'ai choisi Burrhus pour opposer un honnête homme à cette peste de cour (...)   RACINE, Britannicus, 2ᵉ préface.

2 (...) nous estimerons qu'un verdict est absurde en l'opposant au verdict qu'en apparence les faits commandaient.   CAMUS, le Mythe de Sisyphe, p. 47.

Par ext. (En parlant de personnes, de choses comparables en nature ou en valeur). Mettre en comparaison, en parallèle* avec... *Quels orateurs pouvait-on opposer à Cicéron, à Sénèque ?* (Académie).

Donner, présenter comme totalement différent, ou comme contraire. *Il est vain d'opposer l'âme au corps* (→ Matériel, cit. 2). *Gautier oppose l'art et la morale. Opposer deux cultures* (→ Ignorant, cit. 13). *Opposer le joli* (cit. 7) *au beau. Opposer et comparer* (cit. 3) *des synonymes. — Conception qui oppose l'être au devenir* (cit. 14).

♦ **3.** (1580). Placer (qqch.) en face pour faire obstacle ; présenter* (un obstacle). *Opposer une digue à la mer, aux crues d'un fleuve.* ⇒ **Élever** (contre). Par métaphore. *Opposer une digue* (cit. 4) *aux désordres, aux passions... La famille oppose à l'étranger un bloc* (cit. 6) *sans fissure. La résistance qu'un objet nous oppose* (→ Immatérialisme, cit.).

(Abstrait). *Opposer sa volonté à celle de quelqu'un. Opposer la force à la force.* ⇒ **Répondre** (répondre à la force par la force). *« Le juste opposera le dédain à l'absence »* (→ Muet, cit. 9, Vigny). *Il oppose à l'amour un cœur inaccessible* (→ Attaquer, cit. 22). — *Forcer les résistances qu'on nous oppose* (→ Arme, cit. 34). *Opposer la force d'inertie* (cit. 4). *Nous n'avons rien à leur opposer que notre innocence. Écolier qui oppose une impassibilité* (cit. 2) *dédaigneuse aux professeurs. Elle opposa à ma fougue un refus* (→ Inébranlable, cit. 8).

3 Ceux qui ont à négocier avec des femmes têtues peuvent avoir essayé *(éprouvé)* à quelle rage on les jette, quand on oppose à leur agitation le silence et la froideur (...)   MONTAIGNE, Essais, II, XXXI.

4 Mais dans l'âge des illusions, de l'inexpérience et des besoins, où les séducteurs nous assiègent pendant que la misère nous poignarde, que peut opposer une enfant à tant d'ennemis rassemblés ?   BEAUMARCHAIS, le Mariage de Figaro, III, 16.

5 (...) je résolus d'opposer l'impertinence à l'impertinence.   BALZAC, le Lys dans la vallée, Pl., t. VIII, p. 1028.

6 C'est ce jour-là *(20 juin 1792)* que Louis XVI, à la foule qui l'insultait et le menaçait, opposa son courage résigné et tranquille et coiffa le bonnet rouge qui lui était tendu.   J. BAINVILLE, Hist. de France, XVI, p. 359.

7 (...) donner sans retard aux peuples menacés un moyen d'opposer leur veto radical à la politique périlleuse des gouvernements.   MARTIN DU GARD, les Thibault, t. VI, p. 170.

Dr. *Opposer l'incapacité* (cit. 6) *du mineur avec qui on a contracté* (⇒ **Opposable ; opposabilité**).

♦ **4.** (1312). Spécialt. Alléguer (une raison qui s'oppose à ce qu'une personne a dit, pensé). ⇒ **Alléguer, objecter, prétexter.** *Il a opposé à ma demande les difficultés de trésorerie. J'opposerai à ceci que nous n'avons aucune preuve. Vainement opposerait-on le consentement de la victime, qui n'est pas justificatif* (→ Duel, cit. 5). *Il n'y a rien à opposer à cela.* ⇒ **Répondre.**

8 — Il refuse ?... Quel prétexte vous a-t-il opposé ? — Il a dit qu'il n'avait pas le temps. — Allons donc ! Il a dû trouver d'autres raisons (...)   F. MAURIAC, le Sagouin, I, p. 13-14.

♦ **5.** (1580). Mettre en face, face à face pour le combat. *Opposer une armée puissante à l'ennemi. Il lui oppose des troupes fraîches* (1. Frais, cit. 31). *Opposer aux escadres ennemies des escadres d'égale valeur* (→ Globalement, cit.). *Les mirmillons et les rétiaires qui leur sont opposés* (→ Gladiateur, cit. 2). — Spécialt. (Sports). *Match qui oppose les boxeurs X et Y, les équipes de Paris et de Reims.*

(1728). Fig. *Opposer une personne à une autre,* la faire entrer en lutte contre une autre, en compétition avec une autre. ⇒ **Armer, braquer, dresser, exciter.** (contre). *L'amour des beaux esprits... ne pouvait m'opposer un moins noble adversaire* (cit. 4). *Des questions d'intérêt les opposent.* ⇒ **Désaccorder, diviser.** *Querelle qui oppose deux amis, conflit qui oppose deux pays.*

9 Le ridicule excès d'un fol entêtement
Va jusqu'à m'opposer une petite fille !   MOLIÈRE, Psyché, Prologue.

10 (...) leurs vaines tentatives pour combattre ces barbares ou pour les opposer les uns aux autres.   MICHELET, Hist. de France, II, III.

▶ **S'OPPOSER** v. pron.

♦ **1.** Rare. Être en face, faire face. *Le Nord s'oppose au Midi.* — (Récipr.). Se faire face. *Statues qui s'opposent de chaque côté d'un portail.*

♦ **2.** (XIXᵉ). Faire contraste. *Couleurs qui s'opposent.*
Être totalement différent (⇒ **Opposé**), être le contraire. ⇒ **Différer.** *Le beau s'oppose au laid. Haut s'oppose à bas.* ⇒ **Opposition.** *La vie spirituelle s'oppose à la vie corporelle* (→ Embarrasser, cit. 26). *L'austérité* (cit. 12) *de Michel-Ange s'oppose à la manière de Vinci.*

— (Récipr.). *Pays qui s'opposent par leurs différences* (→ Équilibre, cit. 20). *Les livres de Balzac s'opposent et se complètent* (→ Épauler, cit. 4). *Inégalités qui s'opposent et se compensent* (cit. 8). — Absolt. *Le moi se pose* en s'opposant.*

11 Courage actif et courage passif. Différents jusqu'à s'opposer.
                                                        GIDE, Journal, 2 sept. 1914.

♦ **3.** (1667). Être en face pour faire obstacle. *Armée qui s'oppose à une autre.* ⇒ **Face, front** (faire face, front).

Fig. Faire obstacle. ⇒ **Empêcher, entraver.** *Le péché s'oppose à la joie de l'âme* (cit. 53). *Sentiment qui s'oppose à l'examen critique* (→ Culpabilité, cit. 3). *Les préjugés s'opposaient au progrès de la science* (→ Dissection, cit. 1). *Leur religion, leur conviction s'y oppose.* ⇒ **Défendre, interdire.**

12 (...) les âmes élevées doivent être presque toujours malheureuses, et d'autant plus malheureuses qu'elles méprisent l'obstacle qui s'oppose à leur félicité.
                                        STENDHAL, Souvenirs d'égotisme, p. 167.

♦ **4.** (V. 1330). Sujet n. de personne. Faire obstacle ou mettre obstacle. ⇒ **Aller** (contre, à l'encontre), **contrarier, contre** (être, s'élever, se dresser contre), **contrecarrer, contredire, empêcher, interdire** (→ Faire opposition, rompre* en visière, se jeter à la traverse*, barrer la route*...). *Parents qui s'opposent à un mariage* (→ Attendre, cit. 119). *Personnes qui s'opposent à l'exécution d'une loi* (→ Attroupement, cit. 1), *à la liberté du commerce* (→ Exportation, cit. 1), *à un progrès.* ⇒ **Courant** (remonter le courant, être à contre-courant). *Propriétaire qui s'oppose à un échange d'appartement* (→ Contester* à quelqu'un le droit de...; et aussi échangiste, cit. 1). *S'opposer aux volontés de quelqu'un* (→ Dragon, cit. 6), *aux décisions de l'Église* (⇒ **Désobéir**, cit. 3), *à une opinion* (⇒ **Réagir** [contre], **réfuter**)... *Je m'y oppose formellement. Elle s'y opposa d'un non impérieux* (cit. 7) *de la tête.* ⇒ **Protester.** *S'opposer à une erreur.* ⇒ **Démentir** (→ Exister, cit. 5).

13 Aussitôt que je vous vis, je ne pus m'empêcher de vous aimer. Ma raison ne s'y opposa point.   SCARRON, le Roman comique, I, XIII.

14 C'est plus souvent par orgueil que par défaut de lumières qu'on s'oppose avec tant d'opiniâtreté aux opinions les plus suivies (...)
                                        LA ROCHEFOUCAULD, Maximes, 234.

15 N'était-il pas aussi ridicule que téméraire à un homme obscur, de s'opposer à un mouvement philosophique tellement irrésistible qu'il avait produit la Révolution?
                                CHATEAUBRIAND, Mémoires d'outre-tombe, t. II, p. 201.

16 Une classe n'est égoïste que lorsqu'elle s'oppose, dans son intérêt étroit, à l'avènement d'une forme sociale nouvelle, préparée par le mouvement des choses et par le travail des esprits.   JAURÈS, Hist. socialiste, t. IV, p. 374.

S'opposer à ce que... (suivi du subjonctif; → Milieu, cit. 6, Romains). *Je m'oppose à ce que vous preniez de telles responsabilités.* — REM. Ce tour un peu lourd que ne donne pas Académie, 8e éd., est utile lorsque l'action ou l'état exprimé par le verbe n'a pas de substantif correspondant.

(XIVe). Fig. Agir contre, résister à (qqn); agir à l'inverse de (qqn). ⇒ **Braver, désobéir, dresser** (se), **résister** (→ Tenir tête* à..). *Enfant qui s'oppose ouvertement à son père* (→ Heurter de front*). *D'instinct* (cit. 35) *je m'opposais à lui. S'opposer en parole. S'opposer à un chef, à un gouvernement.* ⇒ **Adversaire, opposant.** — Récipr. *Personnes qui s'opposent.* ⇒ **Affronter** (s'), **lutter.** — Absolt. *Fallait-il s'opposer ou faire la part du feu?* ⇒ **Face** (faire face); → Louvoyer, cit. 4.

17 L'individu, en tant que créature, ne peut s'opposer qu'au créateur.
                                        CAMUS, l'Homme révolté, p. 76.

▶ **OPPOSÉ, ÉE** p. p. adj.

♦ **1.** (1549). Se dit (au plur.) de choses situées de part et d'autre et plus ou moins loin d'un axe réel ou imaginaire, et qui sont orientées face à face, dos à dos (⇒ **Symétrique**); (au sing.) d'une de ces choses par rapport à l'autre. — (1868). Bot. *Feuilles opposées et feuilles alternées* (la tige étant l'axe de symétrie). — (1718). Géom. *Angles opposés par le sommet,* dont les côtés sont en prolongement l'un de l'autre et qui ont même mesure. *Côtés, angles opposés d'un carré. Vecteurs opposés,* parallèles, de même longueur mais de sens contraire — *Côtés opposés d'une feuille de papier* (⇒ **Endroit, envers; recto, verso**), *d'une pièce* (⇒ **Face, pile; avers, revers**). — (1690). Blason. *Pièces opposées,* semblables mais posées en sens contraire. *Les pôles sont diamétralement* opposés. Antipodes* (cit. 1), *qui marchent les pieds opposés aux nôtres.* — *Une desserte* (2. Desserte, cit.) *occupait le panneau opposé aux fenêtres. Le fourré du fusain* (cit. 1) *opposé à la maison.* ⇒ **Vis-à-vis** (de). *Du côté opposé* (→ Franger, cit. 5); *au bout opposé* (→ Fusiller, cit. 5); *sur la rive opposée.* ⇒ **Autre.** — Par ext. Alg. *Nombres opposés,* qui ont même valeur absolue et sont de signe contraire, comme 5 et − 5 (ces nombres ayant une position symétrique par rapport à zéro).

(1743). De sens contraire. ⇒ **Inverse.** *Directions opposées, dans la direction opposée. Déviations* (cit. 2) *égales et de sens opposés. En sens opposé.* ⇒ **Contre-biais** (à), **contre-bord** (à), **contre-poil, contresens, envers, rebrousse-poil** (à). *Rangé en sens opposé.* ⇒ **Tête-bêche.** *Position opposée à la normale.* ⇒ **Renversé.** *Mobiles qui vont en sens opposé en s'éloignant l'un de l'autre, en se rapprochant l'un de l'autre.* ⇒ **Croiser** (se). *Vitesses égales et opposées* (→ Équilibre, cit. 3). *Muscles qui produisent des mouvements opposés.* ⇒ **Antagoniste.**

♦ **2.** (1690). Qui fait contraste. *Couleurs opposées.* ⇒ **Opposition** (I., 2.).

♦ **3.** (1640). Qui s'oppose, qui est aussi éloigné, aussi différent* que possible dans le même genre, le même ordre d'idées. ⇒ **Contraire.** — REM. *Opposé* est moins précis que *contraire* dont le sens est proche d'« inverse »; mais il implique une idée de conflit que *contraire* ne comporte pas toujours. *Des natures, des caractères opposés.* ⇒ **Antagonique, dissemblable** (→ Être aux antipodes*). *Esprits opposés par leurs méthodes et leurs buts* (→ Famille, cit. 33). *Ils ont des goûts opposés* (⇒ Gage, cit. 13), *des opinions opposées.* ⇒ **Discordant, divergent, incompatible, inconciliable.** *Les défauts opposés à ceux que nous avons* (→ Faible, cit. 16). *Ce sont choses opposées* (→ C'est le feu* et l'eau). *Personnalité faite d'éléments opposés* (⇒ Hétérogène, cit. 5). *Aimer des choses opposées* (⇒ Éclectisme, cit. 1). *Concilier des intérêts opposés* (→ Dextérité, cit. 4), *unir les qualités les plus opposées* (→ Drame, cit. 5). *Donner tour à tour des opinions opposées* (→ Souffler* le chaud et le froid). *Solutions opposées.* ⇒ **Alternative, dilemme** (cf. Le pour et le contre). *Principes, termes opposés.* ⇒ **Antinomique, antithétique, contradictoire.** *Cela est opposé à la raison.* ⇒ **Répugner.** *L'esclavage est opposé au droit naturel* (→ Esclave, cit. 1). *Une chose diamétralement* (cit. 1 et 2) *opposée au bon esprit, à la bonne compagnie. La vie anachorétique* (cit.) *si opposée à l'esprit juif.* ⇒ **Antipathique** (vx). *Rien n'est plus opposé à leur vocation* (→ Femme, cit. 85). *Mot qui peut s'entendre dans un sens opposé au sens courant* (→ Galant, cit. 3). *Mots de sens opposé.* ⇒ **Antonyme; versus.** *« L'un » est opposé à « l'autre », « ici » est opposé à « là ».* — Logique. *« Deux termes sont dits opposés quand ils sont ou corrélatifs, ou contraires, ou contradictoires; deux propositions, quand ayant même sujet et même prédicat elles diffèrent soit en qualité, soit en quantité, soit à la fois en qualité et en quantité »* (Lalande).

18 On ne peut pas ménager l'un et l'autre; et l'esprit du père et celui du fils sont des choses si opposées, qu'il est difficile d'accommoder ces deux confidences ensemble.   MOLIÈRE, l'Avare, I, 1.

19 (...) pour être si opposées dans nos lectures, nous n'en sommes pas moins bien ensemble (...)   Mme DE SÉVIGNÉ, 817, 9 juin 1680.

20 Le sérieux et la gaieté sont l'un et l'autre trop prononcés, dans les romans de Wieland, pour être réunis; car, en toute chose, les contrastes sont piquants, mais les extrêmes opposés fatiguent.   Mme DE STAËL, de l'Allemagne, II, IV.

21 L'Europe admet alors la coexistence de doctrines, d'idéals, de systèmes tout opposés. C'est là la caractéristique d'une civilisation du type « moderne ».
                                        VALÉRY, Variété V, p. 264.

♦ **4.** Qui s'oppose (à) [2.], se dresse contre ⇒ **Adversaire, contraire, contre, défavorable, ennemi, hostile.** *Opposé à quelqu'un.* ⇒ **Braqué** (contre); **adversaire, rival.** *Être opposé à tous les excès* (→ Bizarrerie, cit. 6). *Une personne violemment opposée à tout changement. Personne, faction opposée.* ⇒ **Dissident, opposant, rebelle.** *Politique de bascule, qui s'appuie sur des partis opposés. La fortune lui est opposée.* ⇒ **Adverse.** *Mesure opposée à la liberté.* ⇒ **Attentatoire.**

♦ **5.** N. m. (1873). Côté opposé, direction opposée. *L'opposé du nord est le sud. L'envers est l'opposé de l'endroit.* — (1681, abstrait). *Ce qui est opposé* (au sens 2). ⇒ **Contraire.** *La déclamation est l'opposé de l'éloquence* (→ Genre, cit. 22). *Prendre pour certain l'opposé de ce que dit le menteur* (→ Mensonge, cit. 5). *Soutenir l'opposé d'une opinion.* ⇒ **Contrepartie, contre-pied.** *Les opposés.* ⇒ **Extrême, pôle** (fig.). — Fam. *Cet enfant est tout l'opposé de son frère* (cf. C'est le jour et la nuit).

22 (...) il faut souvent toute une vie pour acquérir les vertus qui sont l'opposé des erreurs dans lesquelles l'homme a précédemment vécu.
                                        BALZAC, Séraphîta, Pl., t. X, p. 573.

(1845). Loc. adv. À **L'OPPOSÉ** : du côté opposé. ⇒ **Opposite.** *Vous avez pris une mauvaise direction, la gare est à l'opposé.*

23 À l'opposé, en diagonale (sur le ring), l'Allemand n'avait plus forme humaine (...) Les soigneurs déroulaient des serviettes de leurs poches (...)
                                        Paul MORAND, Champions du monde, p. 110.

D'une manière opposée, contraire. ⇒ **Contraire** (au contraire). *Ce garçon est travailleur, à l'opposé, son frère est incapable d'un effort soutenu.*

Loc. prép. (1857). À **L'OPPOSÉ DE...** : du côté opposé à... *Le nord est à l'opposé du sud.*

24 À l'opposé du marabout, il n'y a que des pierres, des pierres au fond du ravin (...)   E. FROMENTIN, Un été dans le Sahara, p. 99.

D'une nature, d'une manière opposée à... ⇒ **Contradiction** (en), **contre, encontre** (à l'), **rebours** (à). *Des qualités qui sont à l'opposé de sa nature* (→ Anxieux, cit. 4). *Leur esprit était à l'opposé de celui que le roi restaurait* (→ Inconséquence, cit. 5). *À l'opposé de X, Y pense que rien n'est perdu.* ⇒ **Contraire** (au contraire de), **contrairement** (à).

25 (...) ceci est à l'opposé de tes discours habituels contre la faiblesse, la sensiblerie, etc. Tu passes à l'ennemi.   MONTHERLANT, les Olympiques, p. 123.

CONTR. Accorder, adapter, coaliser, concilier, concorder, conjuguer, nuancer, rapprocher, réconcilier. — Accéder, accommoder, acquiescer, appuyer, céder, compatir, concéder, concourir, conformer, consentir, convenir, convertir, coopérer, correspondre, ressembler. — (De *opposé*). Contigu; adéquat, analogue, approchant, comme, conforme, congénère, correspondant, identique, semblable. — **Même** (la même chose); **avenant** (à l'avenant), **pareillement**.

DÉR. **Opposable, opposant.**

OPPOSITE [ɔpozit] adj. et n. m. — XIIIᵉ, adj.; lat. *oppositus* «opposé». → Opposé.

♦ **1.** Adj. Vx ou littér. Opposé. *Des côtés opposites.*

♦ **2.** N. m. (1314). Vx. Lieu, côté opposé; manière opposée.

♦ **3.** (XIVᵉ). Mod. Loc. adv. À L'OPPOSITE. Loc. prép. À L'OPPOSITE DE... *Leurs maisons sont situées à l'opposite l'une de l'autre* (Académie). ⇒ **Face** (en face), **vis-à-vis.** *À l'opposite se trouve l'église,* de l'autre côté. — Fig. *Leurs points de vue sont à l'opposite l'un de l'autre, sont à l'opposite.*

Cette chambre, adossée au greffe, en est séparée par un gros mur tout en pierre de taille, et elle est flanquée à l'opposite par le gros mur de sept ou huit pieds d'épaisseur qui soutient une portion de l'immense salle des Pas-Perdus.
BALZAC, Splendeurs et Misères des courtisanes, Pl., t. V, p. 1065.

OPPOSITION [ɔpozisjɔ̃] n. f. — Fin XIIᵉ; 1165, «objection»; du lat. *oppositio,* de *oppositum,* supin de *opponere.*

★ **I.** ♦ **1.** Position de deux choses, deux parties du corps opposées*, d'une chose, d'une partie du corps opposée (à une autre). *Opposition d'objets situés face à face, vis-à-vis, dos à dos, en regard...* ⇒ **Symétrie.** *Opposition du pouce aux autres doigts. Opposition des pôles.* — (V. 1265). Spécialt. Astron. *Distance angulaire de 180° entre deux astres. Lune en opposition avec le soleil.* ⇒ **Éclipse.** *Opposition et conjonction* de deux astres. *Les marées sont plus fortes dans la conjonction* (cit. 6) *que dans l'opposition.* Astrol. *Un des cinq aspects d'un astre.* ⇒ **Aspect.**
Alpin. *Adhérence* obtenue par la traction et la poussée simultanée de deux parties du corps en direction opposée. *Utilisation de l'opposition dans le coincement, le ramonage, le verrou.*

♦ **2.** (1370). Effet produit par des objets, des éléments très différents juxtaposés. ⇒ **Contraste.** *Opposition choquante.* ⇒ **Discordance, disparate** (cit. 4). *Être en opposition avec...* ⇒ **Contraster, trancher.** *Opposition de couleurs, d'ombres et de lumière. Opposition des clairs* (cit. 23) *et des noirs dans un tableau. Oppositions de formes, de relief* (→ Montagne, cit. 12). ⇒ **Asymétrie.** *Opposition entre la ville ancienne et les nouveaux quartiers. Oppositions sonores.*

♦ **3.** (XVIᵉ). Rapport de deux choses opposées (au sens 3), qu'on oppose ou qui s'opposent. ⇒ **Contraste, différence, dissemblance, dissimilitude, éloignement.** *Opposition entre froid et chaud, bien et mal, ...* ⇒ **Antonymie.** *Opposition entre travail et loisir* (cit. 19), *emprunt* (cit. 7) *et impôt... Distinction qui peut aller jusqu'à l'opposition* (→ Intérieur, cit. 2). *Fragilité des distinctions* (cit. 4) *et des oppositions. Esprit analytique* (cit. 3) *attentif aux différences et aux oppositions. Opposition de deux vérités, de deux principes.* ⇒ **Antinomie, antithèse** (cit. 2). *Oppositions et rapprochements d'une comparaison, d'un parallèle. Mettre en valeur par une opposition favorable* (⇒ Repoussoir). *Opposition d'opinions.* ⇒ **Divergence, diversité.** *L'opposition des caractères et l'harmonie* (cit. 30) *des sentiments* ⇒ **Antipathie, disconvenance.** *Opposition de bonne et de mauvaise fortune.* ⇒ **Alternative** (→ Des hauts* et des bas). *Opposition dans les moyens* (→ Tirer à hue* et à dia). *Oppositions d'un caractère.* ⇒ **Contradiction, dissonance, incohérence.** *Opposition dans la conduite* (⇒ **Volte-face**). *Opposition des contraires. Opposition entre froid et chaud, entre bien et mal.* ⇒ **Antonymie.** — Ling. *Relation entre deux mots, deux termes voisins dans le discours et dont le sens sont contraires. Opposition pertinente.* — Gramm. *Qui marque l'opposition.* ⇒ **Adversatif.** *Mots servant à exprimer l'opposition entre deux idées* (ex.: *cependant, loin de, mais, néanmoins, par contre, en revanche...*). — Phys. *Mesure d'une différence de potentiel* par la méthode d'opposition.

1 (...) la constante opposition de plaisir et de travail qui se trouve dans la vie des journalistes (...)   BALZAC, Illusions perdues, Pl., t. IV, p. 663.

2 Les oppositions peuvent résulter de la nature des choses : *blanc* et *noir, énergie* et *faiblesse; se souvenir* et *oublier.* Le plus souvent, c'est l'esprit qui, suivant les circonstances, de simples distinctions fait des contrastes. Il n'y a pas d'opposition entre *une robe de laine* et *une de coton.* Mais si on les compare dans leur usage, leur prix, etc., les oppositions naissent.
F. BRUNOT, la Pensée et la Langue, p. 855.

EN OPPOSITION. *Sa conduite est en opposition avec ses idées.* ⇒ **Démenti** (donner un démenti à...), **divorce.**
Loc. adv. **PAR OPPOSITION.** Loc. prép. **PAR OPPOSITION À... :** par contraste avec..., d'une manière opposée, opposée à. *On emploie ce mot par opposition à tel autre. Une représentation est dite concrète, par opposition à abstraite* (cit. 1).

3 Dirai-je l'assiduité de toute une littérature (...) à clamer le primat de l'instinct, de l'inconscient, de l'intuition, de la volonté (au sens allemand, c'est-à-dire par opposition à intelligence)...   Julien BENDA, la Trahison des clercs, p. 219.

4 La ferveur de Jacques, cette foi convaincue (...) renforçait, par opposition, le scepticisme d'Antoine.   MARTIN DU GARD, les Thibault, t. V, p. 224.

♦ **4.** (1370). Rapport de choses opposées qui ne peuvent coexister sans se gêner, se nuire; de personnes que leurs opinions, leurs inté-

rêts dressent l'une contre l'autre. ⇒ **Antagonisme, combat, désaccord, duel, heurt, lutte.** *Opposition d'intérêts entre deux personnes, deux pays...* ⇒ **Choc, collision, contrariété.** *Devoir en opposition avec nos intérêts* (→ Éviter, cit. 24). ⇒ **Contradiction.** *Opposition de deux adversaires, de deux rivaux.* ⇒ **Discorde, dissension, dissentiment, hostilité, rivalité.** — **EN OPPOSITION.** *Entrer en opposition avec quelqu'un sur un point particulier.* ⇒ **Conflit, contestation, dispute.** *Être en opposition déclarée.* ⇒ **Guerre.**

5 L'opposition de la France et de l'Angleterre, commencée avec Guillaume le Conquérant au milieu du XIᵉ siècle, n'atteignit toute sa violence qu'au XIIᵉ (...)
MICHELET, Hist. de France, IV, v.

6 Ce que l'Église, jusqu'à nos jours, exaltait dans le patriotisme (...) c'est la fraternité entre concitoyens, c'est l'amour de l'homme pour d'autres hommes, ce n'est pas son opposition à d'autres hommes (...)
Julien BENDA, la Trahison des clercs, p. 164.

★ **II.** ♦ **1.** (1508). Action, fait de s'opposer (2.) en mettant obstacle, en résistant. *Opposition de quelqu'un à une action, un progrès* (⇒ **Réaction**), *un projet* (⇒ **Désapprobation, répugnance**), *à une politique* (→ Front, cit. 34), *à une idée, une doctrine* (⇒ **Anti-**). *Opposition verbale.* ⇒ **Objection.** *Pas d'opposition? Adopté. Projet qui se heurte* (cit. 28) *à l'opposition des révolutionnaires. Impôt qui rencontre une vaste opposition* (→ Heurter, cit. 17). *Faire, mettre opposition à qqch.* ⇒ **Difficulté, empêchement, obstacle, traverse, veto.** *Opposition systématique* (→ Mauvaise volonté). *Opposition à une personne, à ses volontés.* ⇒ **Désobéissance, rébellion, résistance.** *Opposition à Mazarin.* ⇒ **Fronde** (3. Fronde, cit. 2). *Opposition parlementaire au gouvernement* (→ Légalité, cit. 2). *Parti d'opposition* (au gouvernement). *Faire de l'opposition* (→ Mécontent, cit. 10). *Démonstration d'opposition* (→ Levée* de boucliers). *S'entêter* (cit. 10) *dans l'opposition. Rencontrer de l'opposition* (cf. Trouver à qui parler). *En dépit de leur opposition.* ⇒ **Malgré.** *S'irriter* (cit. 15) *de toute opposition. Briser les oppositions* (→ 3. Droit, cit. 29). — Sport. *Coureur qui triomphe sans rencontrer la moindre opposition,* la moindre résistance. — Psychiatrie, psychol., sociol. *Attitude liée à la vie affective et relationnelle, consistant à prendre le contre-pied de ce qui est proposé, conseillé ou demandé. Phases d'opposition de la fin de la deuxième année, de l'adolescence. Opposition collective d'un groupe. Réactions d'opposition* (⇒ **Agressivité, passivité; colère, criminalité, délinquance, désobéissance, fuite, indiscipline, mutisme, négativisme, raidissement, révolte**). *« Il peut y avoir des réactions d'opposition chez le nourrisson, sous forme de refus d'alimentation (anorexie de la première enfance) »* (R. Lafon).

7 Les Hollandais, malgré les oppositions du prince d'Orange, embrassèrent avec joie la trêve (...)   RACINE, Explic. de médailles, v.

8 Vos cadres sont des cadres politiques. Vos chefs sont des politiciens et de la pire des politiques, de la politique d'opposition. L'habitude de l'opposition les a taris jusqu'aux moelles. Ils pensent, sentent, agissent toujours en opposition. Le vice critique a détruit chez eux toute sincérité profonde, toute imagination créatrice.
BERNANOS, les Grands Cimetières sous la lune, p. 334.

9 (Hugo...) qui finira par emporter à soi la craintive Adèle, contre l'opposition des deux familles et en dépit de leur mutuelle pauvreté.
Émile HENRIOT, les Romantiques, p. 83.

♦ **2.** (1745; au XVIIIᵉ dans des contextes anglais; angl. *opposition*). Par ext. Les personnes qui sont en opposition au gouvernement, au régime politique en vigueur; ⇒ **Opposant.** *Le gouvernement et l'opposition. L'opposition en régime parlementaire.* ⇒ **Minorité** (→ Bataille, cit. 15). *La nouvelle opposition* (après un changement de majorité) : l'ancienne majorité. *Les élus gouvernementaux et l'opposition du Parlement. Opposition de droite, de gauche* (→ Derechef, cit. 2). *Opposition qui se forme, s'organise..., se reconstitue dans l'assemblée* (→ Disparaître, cit. 30), *fait de l'obstruction* (cit. 2). *Se ranger dans l'opposition, rallier les forces* (cit. 32) *de l'opposition. Être dans, de l'opposition* (→ De l'autre côté de la barricade*). *Les partis* de l'opposition. Journaux, brochures de l'opposition* (→ Ballon, cit. 5; franc-parler, cit. 3). *En Angleterre. L'Opposition de Sa Majesté.*

10 L'idée que j'avais du gouvernement représentatif me conduisit à entrer dans l'opposition (...)   CHATEAUBRIAND, Mémoires d'outre-tombe, t. IV, p. 207.

11 Depuis trois semaines, cette affaire faisait un bruit énorme. Elle avait bouleversé Rouen, elle passionnait Paris, et les journaux de l'opposition, dans la violente campagne qu'ils menaient contre l'Empire, venaient de la prendre comme machine de guerre.   ZOLA, la Bête humaine, IV.

12 De même qu'ils assurent un encadrement des électeurs, les partis réalisent aussi un encadrement des élus. Ceux-ci se trouvent, par eux, groupés dans les assemblées en quelques blocs, dont les uns soutiennent le gouvernement et forment la *majorité;* dont les autres le combattent et constituent l'*opposition.*
Maurice DUVERGER, Manuel de droit constitutionnel, p. 86.

♦ **3.** (1474). Dr. civ. et cour. Manifestation de volonté destinée soit à empêcher l'accomplissement d'un acte juridique, soit à imposer certaines conditions à cet accomplissement (Capitant). *Moyens* (2. Moyen, cit. 17) *d'opposition. Opposition à mariage,* émanant des parents, ascendants, frères et sœurs, cousins, et ayant pour objet d'empêcher la célébration du mariage en considération d'un empêchement légal (Code civil, art. 172-179). → Mainlevée, cit. 2. *Opposition à paiement,* par laquelle le créancier arrête entre les mains d'un tiers les sommes dues à son débiteur (⇒ **Saisie-arrêt**). *Créanciers qui saisissent une somme par opposition* (→ 1. Marc, cit.). *Les créanciers du vendeur d'un fonds de commerce peuvent faire opposition au paiement du prix. Opposition à partage,* par laquelle le créancier d'un copartageant peut empêcher que le partage ait lieu hors sa présence (Code civil, art. 882). *Opposition à négociation d'un titre perdu ou volé. Faire opposition à un chèque perdu. Bulletin des oppositions,* contenant les avis d'opposition adressés à la Chambre syndicale des agents de change. *Bureau des oppositions.*

Procéd. Moyen que peut soulever un justiciable ayant fait l'objet d'un jugement par défaut, afin de faire rejuger l'affaire (cf. Voie de recours). — *Jugement sur opposition,* rendu à la suite de l'opposition d'une partie condamnée par défaut. *Tierce opposition,* exercée par une personne sur un jugement qui porte préjudice à ses droits (mais où elle n'a pas été appelée).

CONTR. Contiguïté ; conjonction. — Harmonie. — Analogie, appropriation, conformité, correspondance. — Accord, adaptation, alliance, composition, concert, conciliation, conjugaison, coopération. — Acquiescement, adhésion, approbation, aveu, concours, consentement, conversion, facilité, immobilisme, obéissance, passivité, soumission.

DÉR. Oppositionnel.

OPPOSITIONNEL, ELLE [ɔpozisjɔnɛl] adj. et n. — 1935, n. m., Barbusse *in* D.D.L. ; de *opposition.*

♦ De l'opposition politique. *Attitude oppositionnelle. Tendance oppositionnelle* (dans un parti).

1 Son communisme, purement oppositionnel, ne tendait qu'à chasser l'usurpateur et à restaurer l'ancien régime (...)
Roger IKOR, les Fils d'Avrom, Prologue, p. 16.

N. *Les oppositionnels.*

2 Elle n'était pas communiste, elle appartenait à une fraction d'oppositionnels troskystes (...) S. DE BEAUVOIR, la Force de l'âge, p. 126.

OPPRESSANT, ANTE [ɔpresɑ̃, ɑ̃t ; ɔpresɑ̃, ɑ̃t] adj. — 1866 ; xvᵉ, « tyrannique » ; p. prés. de *oppresser.*

♦ **1.** Qui oppresse. *Air chaud* (cit. 4) *et oppressant. Chaleur, ténèbres oppressantes* (→ Moustiquaire, cit. 1 ; descente, cit. 4). — Vieilli. *Lois oppressantes.* ⇒ **Oppressif, opprimant.**

♦ **2.** (Fin xixᵉ). Fig. Qui crée une sensation d'accablement. *Mélancolie oppressante.* ⇒ **Angoissant.**

OPPRESSER [ɔprese ; ɔprese] v. tr. — xiiᵉ, « serrer de près, presser vivement » ; du lat. *oppressum,* supin de *opprimere.* → Opprimer.

★ **I.** (xiiiᵉ). Vx. Gêner par une pression physique ou une contrainte morale ; incommoder fortement par une privation ou une gêne quelconque ; par ext. Faire cruellement souffrir. — Au p. passé :

1 Il entendra gémir une mère oppressée (...)
RACINE, Iphigénie, III, 7.

(xivᵉ). Fig. ⇒ **Opprimer.** — Au p. p. substantivé. *Secourir les oppressés* (→ Assurer, cit. 74).

★ **II.** ♦ **1.** (1690). Gêner* la fonction respiratoire (de...), comme en pressant fortement la poitrine. ⇒ **Essouffler.** *Atmosphère humide et lourde qui oppresse.* ⇒ **Étouffer ; oppressant.** — Au p. p. Gêné dans ses fonctions respiratoires, essoufflé. *Être, se sentir oppressé par l'asthme. Il avait l'haleine courte et se sentait oppressé.* — Par ext. *Halètement* (cit. 6) *d'une poitrine oppressée. Respiration oppressée.* — Pron. (sens passif). *Sa poitrine s'oppressa.*

2 (...) il était comme un homme qui, dans un songe, est oppressé jusqu'à perdre la respiration, et qui, par l'agitation pénible de ses lèvres ne peut former aucune voix. FÉNELON, Télémaque, XVIII.

3 À cette réponse, le Roi fit un grand ha ! comme un homme oppressé, et qui tout d'un coup respire. SAINT-SIMON, Mémoires, I, LXII.

4 (...) ma poitrine s'oppressait, ma respiration, d'instant en instant plus embarrassée, me donnait beaucoup de peine à gouverner (...)
ROUSSEAU, les Confessions, II.

5 Pas un sanglot ne sort de sa gorge oppressée (...)
A. DE MUSSET, Poésies nouvelles, « Lettre à Lamartine ».

6 Je fis un effort pour respirer. Il me semblait que l'intensité des ténèbres m'oppressait et me suffoquait.
BAUDELAIRE, Trad. E. Poe, Nouvelles histoires extraordinaires, « Le puits et le pendule ».

7 (...) elle l'entendit revenir sans lumière, avec le frôlement mou de ses pieds, si oppressé, qu'il ne pouvait contenir le ronflement de son haleine.
ZOLA, la Terre, V, V.

♦ **2.** (xviᵉ). Fig. Accabler, étreindre. *Chagrin, douleur, fardeau* (cit. 10) *qui oppresse l'âme. La honte* (cit. 25) *l'oppressait. Une angoisse l'oppressa.* ⇒ **Étreindre.** *Il ne peut échapper au souvenir qui l'oppresse.* ⇒ **Chagriner, tourmenter** (→ Étourdir, cit. 19).

8 (...) le cœur oppressé d'une inexprimable angoisse (...)
Th. GAUTIER, le Capitaine Fracasse, XVI.

9 Ils se taisaient. Christophe voulait parler, une angoisse l'oppressait.
R. ROLLAND, Jean-Christophe, Le matin, II, p. 153.

▶ **OPPRESSÉ, ÉE** p. p. adj. Voir à l'article, ci-dessus.
CONTR. Dilater, soulager.
DÉR. Oppressant, oppressif. — (Du même rad.) Oppresseur, oppression.
HOM. V. Oppression.

OPPRESSEUR [ɔpresœr ; ɔpresœr] n. m. — Déb. xivᵉ ; lat. *oppressor,* de *opprimere* → Opprimer.

♦ **1.** Personne qui opprime, exerce une oppression (1.). ⇒ **Despote, tyran.** *Peuple qui gémit* (cit. 16) *sous ses oppresseurs. Révolte des opprimés contre leurs oppresseurs.* ⇒ **Dominateur.**

1 (...) cette haine inextinguible qui se développa (...) dans mon cœur contre les vexations qu'éprouve le malheureux peuple et contre ses oppresseurs.
ROUSSEAU, les Confessions, IV.

2 L'oppresseur qui se couvre de son nom *(de la liberté)* est le pire des oppresseurs. Il joint le mensonge à la tyrannie, et à l'injustice la profanation ; car le nom de la liberté est saint. F. DE LAMENNAIS, Paroles d'un croyant, XX.

3 (...) souvent l'oppresseur étend ses mesures aussi loin que va la crainte de l'opprimé. BALZAC, l'Enfant maudit, Pl., t. IX, p. 670.

4 Dix partis, vingt factions ont fourni tour à tour des oppresseurs et des opprimés, des bourreaux et des victimes.
Louis MADELIN, Hist. du Consulat et de l'Empire, De Brumaire à Marengo, III.

5 Il n'y a rien de commun (...) entre un maître et un esclave, on ne peut parler et communiquer avec un être asservi (...) l'injustice est mauvaise pour le révolté (...) en ce qu'elle perpétue la muette hostilité qui sépare l'oppresseur de l'opprimé.
CAMUS, l'Homme révolté, p. 350.

♦ **2.** (1756). Adj. (Au masc.). *Pouvoir, régime oppresseur.* ⇒ **Despotique, tyrannique ; injuste ; oppression** (d'). → Cruauté, cit. 3.

CONTR. Opprimé. — Libérateur, protecteur.

OPPRESSIF, IVE [ɔpresif, iv ; ɔpresif, iv] adj. — xivᵉ ; de *oppresser.*

♦ Qui tend ou sert à opprimer. ⇒ **Compressif, opprimant.** *Autorité, fiscalité* (cit. 2), *politique oppressive* (→ Arbitraire, cit. 7 ; étroit, cit. 11). *Moyens oppressifs.* ⇒ **Tyrannique, violent ; oppression** (d').

(...) il se sera répandu en murmure contre une autorité partiale, injuste, oppressive, qui accable l'homme innocent et faible pour complaire à l'homme puissant.
MARMONTEL, Mémoires, VI.

CONTR. Libéral.

OPPRESSION [ɔpresjɔ̃ ; ɔpresjɔ̃] n. f. — Déb. xiiiᵉ ; xiiᵉ, au plur. « violences, dommages faits à quelqu'un » ; lat. *oppressio,* de *opprimere.* → Oppresser.

♦ **1.** Action, fait d'opprimer* ; état de celui qui est opprimé. *Oppression du faible par le fort, du juste par le méchant.* ⇒ **Domination ; joug** (→ Destructif, cit. 2 ; immatérialité, cit. 1). *Les oppressions qui accablent* les hommes (→ Fraternité, cit. 4). *Oppression des consciences.* ⇒ **Asphyxie.**

1 En considérant la société humaine d'un regard tranquille et désintéressé, elle ne semble montrer d'abord que la violence des hommes puissants et l'oppression des faibles : l'esprit se révolte contre la dureté des uns, ou est porté à déplorer l'aveuglement des autres (...)
ROUSSEAU, De l'inégalité parmi les hommes, Préface.

Absolt. « Abus d'une autorité qui ne veut point de bornes, qui se met au-dessus des lois, et qui dégénère en usurpation sur la liberté naturelle des hommes... état des malheureux qui sont écrasés sous le poids de cette autorité » (Trévoux). *La résistance à l'oppression, un des droits* (3. Droit, cit. 7) *du citoyen.* ⇒ **Asservissement, tyrannie.** *Crier* à l'oppression.* — État d'opprimé. *Peuple qui veut se garantir de l'oppression* (→ Avilissement, cit. 7), *se résigne à l'oppression* (→ Garder, cit. 48), *gémit sous l'oppression.* ⇒ **Contrainte, dépendance, esclavage, sujétion.** *Régime d'oppression.* ⇒ **Autorité, force, violence ; oppresseur.** *Mesures d'oppression.* ⇒ **Oppressif.**

2 Syracuse (...) Cette ville, toujours dans la licence ou dans l'oppression, également travaillée par sa liberté et sa servitude (...)
MONTESQUIEU, l'Esprit des lois, VIII, II.

3 Il y a oppression lorsqu'une loi viole les droits naturels, civils et politiques qu'elle doit garantir. — Il y a oppression lorsque la loi est violée par les fonctionnaires publics dans son application à des faits individuels. — Il y a oppression lorsque des actes arbitraires violent les droits des citoyens contre l'expression de la loi. — Dans tout gouvernement libre, le mode de résistance à ces différents actes d'oppression doit être réglé par la constitution.
Constitution des 15 et 16 févr. 1793, I, 32.

♦ **2.** Vx. Gêne, embarras. *Pour vous tirer de l'oppression où vous êtes* (Mᵐᵉ de Sévigné, 1258, 25 janv. 1690).

♦ **3.** (1659). Gêne respiratoire, sensation d'un poids* qui oppresse la poitrine. *Souffrir d'oppression, avoir des oppressions* (→ aussi Affection, cit. 16). ⇒ **Suffocation.** *Malade dont l'oppression diminue.* ⇒ **Halètement** (→ Mieux, cit. 27). *Respirer sans oppression* (→ Jambe, cit. 20). *Oppression qui accompagne les cauchemars*.*

4 Le soir même, il fut pris d'une grande chaleur dans la poitrine, avec une oppression à ne pouvoir se tenir couché. Des sangsues amenèrent un soulagement immédiat. FLAUBERT, l'Éducation sentimentale, III, IV.

5 (...) elle espérait que l'exercice et le grand air la guériraient de cette espèce d'oppression qu'elle se sentait dans la poitrine ; parfois, de brefs accès de toux la soulageaient (...) J. GREEN, Adrienne Mesurat, III, I.

♦ **4.** (1747). Par ext., fig. Malaise d'ordre psychique, accompagné d'une douleur* sourde, d'une sensation de pesanteur ou de crispation dans la poitrine (→ Avoir le cœur serré*).

6 (...) il ressentit, avant même que la pensée se fût rallumée en lui, cette oppression

douloureuse, ce malaise de l'âme que laisse en nous le chagrin sur lequel on a dormi.   MAUPASSANT, Pierre et Jean, V.

CONTR. Liberté, protection.
HOM. Forme du v. oppresser.

OPPRIMANT, ANTE [ɔpʀimɑ̃, ɑ̃t] adj. — 1771; p. prés. de opprimer.

♦ Rare. Qui opprime. *Lois opprimantes.* ⇒ **Oppressif.** — REM. *Opprimant* s'emploie surtout, comme *oppressif*, en parlant d'une oppression politique (→ Oppresseur). À propos d'une oppression matérielle, physique, et, au fig., au sens de « qui accable », on emploie surtout *oppressant*.

OPPRIMER [ɔpʀime] v. tr. — V. 1330 au sens concret II; du lat. *opprimere*, de *ob-* et *premere* « presser ».

★ **I.** ♦ **1.** (1370; 1356, *obprimer*). Accabler sous une autorité excessive et injuste, persécuter par des mesures de violence. ⇒ **Asservir, assujettir, écraser, fouler** (cit. 11, vieilli), **oppresser** (vx), **plier** (sous sa loi), **réduire** (en esclavage), **soumettre tyranniser; oppression, joug** (→ Entreprendre, cit. 20). *Action d'opprimer* ⇒ **Oppression.** *Opprimer un peuple. Opprimer les faibles. Chaque cité grecque tendait à opprimer les autres.* ⇒ **Abaisser, humilier.** *Il opprime ses subordonnés.* — Absolt. *« Entre le fort et le faible, entre le riche et le pauvre, entre le maître et le serviteur, c'est la liberté qui opprime et la loi qui libère »* (Lacordaire).

1 (...) les citoyens ne se laissent opprimer qu'autant qu'entraînés par une aveugle ambition, et regardant plus au-dessous qu'au-dessus d'eux, la domination leur devient plus chère que l'indépendance, et qu'ils consentent à porter des fers pour en pouvoir donner à leur tour.   ROUSSEAU, De l'inégalité parmi les hommes, II.

2 Les vrais magistrats sont les soutiens de tous ceux qu'on opprime.
                                    BEAUMARCHAIS, le Barbier de Séville, IV, 8.

3 (...) elle *(Sparte)* savait bien que toute guerre, en donnant des armes à ces classes qu'elle opprimait, la mettait en danger de révolution, et qu'il lui faudrait, au retour de l'armée, ou subir la loi de ses hilotes, ou trouver moyen de les faire massacrer sans bruit.   FUSTEL DE COULANGES, la Cité antique, IV, X.

(1670). Compl. n. abstrait. Empêcher de s'exprimer, de se manifester. ⇒ **Étouffer.** *Opprimer les consciences. Opprimer la liberté, l'opinion.* ⇒ **Comprimer** (cit. 7 → Intolérance, cit. 6).

♦ **2.** (1904). Oppresser (se dit d'une sensation pénible).

▶ **OPPRIMÉ, ÉE** p. p. adj. et n.
Qui subit une oppression. *Populations, races opprimées* (→ Étranglement, cit. 5). *Aller au secours d'un pays opprimé* (→ Héroïque, cit. 23). *Défendre les innocents opprimés*, et par métonymie, *l'innocence opprimée* (→ Ministère, cit. 1). — Par métaphore. *La liberté, la vérité opprimée.* — N. (1535). *Un opprimé, une opprimée. Justicier* (2. Justicier, cit. 2) *qui protège les opprrimés. Pitié pour l'opprimé* (→ Indignation, cit. 5). *Les cris des opprimés. Oppresseurs* (cit. 3, 4, et 5) *et opprimés.* ⇒ **Esclave.**

4 J'ai tiré de ce joug les peuples opprimés (...)
                                    CORNEILLE, Agésilas, III, 1.

5 Je ne connais rien de si puissant sur mon cœur qu'un acte de courage fait à propos, en faveur de l'innocent injustement opprimé.   ROUSSEAU, les Confessions, XII.

6 L'Assemblée a traité les nobles comme Louis XIV a traité les protestants. Dans les deux cas, les opprimés étaient une élite. Dans les deux cas, on leur a rendu la France inhabitable.
                                    TAINE, les Origines de la France contemporaine, t. I, III, p. 250.

7 J'avais la vision de ces Juifs à travers les âges, errant par le monde, parqués dans la campagne sur des terres de rebut, ou tolérés dans les villes entre certaines limites et sous un habit infamant. Opprimés partout, n'échappant au supplice qu'en essuyant l'outrage, ils se consolaient du terrible traitement infligé par les hommes en adorant un Dieu plus terrible encore.   J. DE LACRETELLE, Silbermann, III.

8 Dans chaque patelin qu'a pris Franco, tout devient plus esclave : non seulement les nôtres, ça va de soi, mais les gosses qu'on remet chez le curé, les femmes qu'on remet à la cuisine. Tous les opprimés, qu'ils le soient d'une façon ou d'une autre, sont venus combattre avec nous (...)   MALRAUX, l'Espoir, I, I, II, V.

★ **II.** Vx ou littér. ♦ **1.** Accabler sous un poids, un fardeau (→ Empêcher, cit. 19). Par métaphore. (→ Faix, cit. 4). — (1541). Fig. Accabler de tourments, faire cruellement souffrir.

9 Où sont les amis qui me chérissaient, où sont-ils? mon infortune les épouvante. Aucun n'ose m'approcher. Je suis opprimé, et ils me laissent sans secours !
                                    LACLOS, les Liaisons dangereuses, CLXI.

10 Ô paupières qu'opprime une nuit de trésor,
                                    VALÉRY, Poésies, « la Jeune Parque ».

♦ **2.** (Mil. XVIIᵉ). Tuer, assassiner.

11 Aux yeux de tout son peuple il faut que je l'opprime !
Laissez-moi vers l'autel conduire ma victime !
                                    RACINE, Andromaque, IV, 3 (1667).

♦ **3.** (Mil. XVIIᵉ). Écraser militairement.

CONTR. Soulager; libérer. — (Du p. p. adj.) Dominateur, oppresseur; libre.
DÉR. Opprimant.

OPPROBRE [ɔpʀɔbʀ] n. m. — 1120; du lat. *opprobrium*, de *ob-* et *probrum* « action honteuse ».
Littéraire.

♦ **1.** **a** Ce qui humilie à l'extrême d'une manière éclatante et publique; réprobation vive et générale. ⇒ **Déshonneur,** 2. **flétrissure, honte** (cit.' 4, 8 et 9), **ignominie.** *Accabler, charger, couvrir qqn d'opprobre* (→ Diffamation, cit. 2). *Traîner qqn dans la fange* (cit. 5) *de l'opprobre* (→ Traîner aux gémonies*) *Calomniateurs* (cit. 6) *qui jettent l'opprobre sur les belles-lettres.* — *Chasser, proscrire avec opprobre*, d'une manière infamante (→ Furieux, cit. 8; janissaire, cit. 2).

1 Ainsi, pour vous venger tant de rois assemblés
D'un opprobre éternel retourneront comblés (...)   RACINE, Iphigénie, I, 2.

2 L'opprobre, dans ce cas, ne pouvait être évité par la famille, qu'en s'amputant du membre gangrené, en le rejetant, en le reniant, à la face des hommes.
                                    F. MAURIAC, Thérèse Desqueyroux, IX.

b *(Un, des opprobres).* Témoignage particulier de cette réprobation. *Femmes abreuvées* (cit. 9) *d'opprobre.* ⇒ **Humiliation.**

♦ **2.** (1496). *L'opprobre de... :* sujet de honte, cause de déshonneur pour... *Il est l'opprobre de sa famille. « Les prostituées sont l'opprobre de la société »* (→ Fléau, cit. 10, France). ⇒ **Infamie.**

3 Aujourd'hui, jour de saint Léon, patron de ce lieu et le vôtre, je viens de mettre au monde un fils, mon opprobre et mon désespoir.
                                    BEAUMARCHAIS, la Mère coupable, II, 1.

4 Ce n'est pas même un juif! C'est un païen immonde,
Un renégat, l'opprobre et le rebut du monde (...)
                                    HUGO, les Chants du crépuscule, X.

♦ **3.** (XVIIIᵉ). État d'abjection, de déchéance extrême. ⇒ **Avilissement.** *Vivre, mourir dans l'opprobre* (→ Espoir, cit. 12). ⇒ **Abjection, ignominie.**

5 Pendant que la plus grande partie d'une nation languit dans la pauvreté, l'opprobre et le travail, l'autre qui abonde en honneurs, en commodités, en plaisirs, ne se lasse pas d'admirer le pouvoir de la politique (...)
                                    VAUVENARGUES, Réflexions et maximes, 301.

6 J'ai vécu dans l'opprobre et l'asservissement,
Ployant mon cou rebelle au joug d'un maître rude(...)
                                    LECONTE DE LISLE, Poèmes tragiques, « Les Érinnyes », II, III.

7 Je n'ai jamais souhaité que *son* amour, que *son* approbation, que *son* estime. Et depuis qu'elle m'a retiré tout cela, j'ai vécu dans une sorte d'opprobre où le bien a perdu sa récompense et le mal sa hideur, la douleur même son aiguillon.-
                                    GIDE, Et nunc manet in te, p. 108.

CONTR. Considération, gloire, honneur.

-OPSIE Suffixe (tiré du grec *opsis* « vision, vue »), qui entre dans la composition de mots savants tels que *achromatopsie, autopsie, biopsie, nécropsie...*

OPSOMANE [ɔpsɔman] n. — 1803, *in* D. D. L.; de *opsomanie.*

♦ Méd. Personne souffrant d'opsomanie.

OPSOMANIE [ɔpsɔmani] n. f. — 1868, Littré; du grec *opson*, « aliment », et *-manie.*

♦ Méd. Goût morbide pour une catégorie d'aliments, ou pour un aliment particulier. ⇒ **Pica.**

DÉR. Opsomane.

OPSONINE [ɔpsɔnin] n. f. — 1904, *Rev. gén. des sc.*, nᵒ 10, p. 521; du grec *opson* « aliment », et *-ine.*

♦ Biochim., physiol. Protéine soluble du sang qui se fixe sur les bactéries et en facilite la phagocytose*. *De l'opsonine* ⇒ **Opsonique.**

OPSONIQUE [ɔpsɔnik] adj. — 1904, *Rev. gén. des sc.*, nᵒ 10, p. 521; du grec *opson* (→ Opsonine) et suff. *-ique.*

♦ Biochim., physiol. Relatif à l'opsonine. *Indice opsonique du sérum sanguin.*

OPTALIDON [ɔptalidɔ̃] n. m. — V. 1960; nom déposé, probablt du rad. lat. de *optare* « souhaiter », et suff. de *(pyrami)don.*

♦ Médicament composé d'une association de pyramidon et de barbituriques ou d'hypnotiques (sédatif, analgésique).

OPTATIF, IVE [ɔptatif, iv] adj. — Déb. XVᵉ; 1374, n. m., « mot exprimant un souhait »; du lat. *optativus*, du supin de *optare* « souhaiter ».

♦ Gramm. Qui exprime le souhait. *Forme, formule, proposition optative; mode optatif*, et, n. m., *l'optatif :* mode de conjugaison servant essentiellement à exprimer le souhait dans certaines langues (grec, sanscrit...). *Verbe à l'optatif. En français, le subjonctif et l'infinitif suppléent l'optatif.* (« Puisse-t-il venir ! » « Voir Naples et mourir ! »). — N. m. (Déb. XXᵉ). *Un optatif :* une forme verbale appartenant à ce mode.

« On a peut-être remarqué dans les pages précédentes que le « conditionnel » était une des formes grammaticales préférées de l'ambassadeur, dans la littérature diplomatique. (« On attacherait une importance particulière », pour « il paraît qu'on attache une importance particulière »). Mais le présent de l'indicatif pris, non pas dans son sens habituel, mais dans celui de l'ancien optatif, n'était pas moins cher à M. de Norpois ».   PROUST, Albertine disparue, Folio, p. 306.

DÉR. (Du même rad.) **Optation.**

OPTATION [ɔptasjɔ̃] n. f. — 1838 ; du rad. de *optatif.*

♦ Didact. Figure de réthorique qui consiste à exprimer un souhait favorable, sous forme exclamative.

OPTER [ɔpte] v. intr. — 1411 ; du lat. *optare* « choisir ».

♦ Littér. ou dr. Faire un choix, prendre parti (entre deux ou plusieurs choses qu'on ne peut avoir ou faire ensemble, entre deux ou plusieurs solutions qu'on ne peut retenir à la fois). ⇒ **Adopter, choisir, décider** (se) ; **option.** *Opter pour qqch., en faveur de qqch., entre plusieurs choses. Opter pour la nationalité française* (→ 1. Mineur, cit. 8). *Élève qui opte pour les lettres* (cit. 40). *Opter pour le plus facile* (→ Force, cit. 58). *Hésiter* (cit. 4) *avant d'opter. L'électeur* (cit. 1) *doit choisir des hommes et opter entre des théories* (→ Décision, cit. 5 ; fortune, cit. 38).

1   Le peuple n'a guère d'esprit, et les grands n'ont point d'âme : (...) Faut-il opter ? Je ne balance pas : je veux être peuple.   LA BRUYÈRE, les Caractères, IX, 25.

2   (...) il faut opter, mon petit cavalier. Voyez donc si, vous en tenant à l'Église, vous voulez posséder de grands biens et ne rien faire ; ou, avec une petite légitime, vous faire casser bras et jambes, pour (...) parvenir sur la fin de vos jours, à la dignité de maréchal de camp avec un œil de verre, et une jambe de bois ?   Antoine HAMILTON, Mémoires du comte de Grammont, III.

3   Nous verrons pourtant qu'il n'a déserté qu'au moment où il fallait que l'Assemblée nationale et Paris optassent entre Louis XVI et lui *(le duc d'Orléans).*   RIVAROL, Politique, III, I.

4   Si tu ne te sentais pas assez fort pour fondre ensemble au feu de ton génie des deux manières rivales, il fallait opter franchement entre l'une ou l'autre (...)   BALZAC, le Chef-d'œuvre inconnu, Pl., t. IX, p. 393.

OPTICIEN, IENNE [ɔptisjɛ̃, jɛn] n. — 1640 ; fém., 1854 ; du rad. d'*optique* → 2. Optique.

♦ **1.** N. m. (Vx). Celui qui connaît ou qui enseigne l'optique (⇒ **Physicien**).

♦ **2.** (1765). Mod. Personne qui fabrique, qui vend des instruments d'optique. *Faire faire ses lunettes chez l'opticien. Opticien lunettier. L'opticien se conforme à l'ordonnance de l'oculiste* .*Elle est opticienne.* — Adj. *Diplôme d'ingénieur opticien.*

(...) mon livre n'étant qu'une sorte de ces verres grossissants comme ceux que tendait à un acheteur l'opticien de Combray (...)   PROUST, À la recherche du temps perdu, t. XV, p. 211.

OPTIMA [ɔptima] adj. Plur. et fém. de *optimum.*

OPTIMAL, ALE, AUX [ɔptimal, o] adj. — 1906, *in* D.D.L. ; de *optimum,* d'après *maximal.*

♦ Didact. Qui est un optimum ; qui est le meilleur possible. *Population optimale.* (→ Optimum, cit. 1.1). *Résultats optimaux.*

Pourquoi seul le sonnet a-t-il survécu ? Il y a là un problème de sociologie littéraire ou bien, plutôt, un problème d'ordre mathématique et linguistique, le sonnet apportant une solution optimale à la demande, faite par le poète, d'une forme bien définie répondant à des exigences esthétiques conscientes ou inconscientes.   R. QUENEAU, Bâtons, chiffres et lettres, p. 327.

DÉR. **Optimaliser.**

OPTIMALISATION [ɔptimalizasjɔ̃] n. f. — V. 1968 ; de *optimaliser.*

♦ Didact. ⇒ **Optimisation.**

OPTIMALISER [ɔptimalize] v. tr. — V. 1968 ; de *optimal.*

♦ Didact. ⇒ **Optimiser.**

DÉR. **Optimalisation.**

OPTIMATION [ɔptimasjɔ̃] n. f. — V. 1965 ; de *optimum.*

♦ Didact. Optimisation.

Prenons l'exemple d'usines mal installées, que le souci de l'environnement oblige à déménager. L'accroissement de la population et, par conséquent, du nombre d'usines nécessaire permet de s'approcher de l'optimation plus vite et à moindre frais que si la population était stationnaire.   A. SAUVY, Croissance zéro ?, p. 207.

OPTIME [ɔptime] adv. — 1673, Molière ; mot lat., « très bien », superlatif de *bene* « bien » → Optimum.

♦ Vx, par plais. Très bien (comme *bene* pour « bien »).

— *Dico* que le pouls de Monsieur est le pouls d'un homme qui ne se porte point bien.
— Bon.
— Qu'il est duriuscule, pour ne pas dire dur.
— Fort bien.
— Repoussant.
— *Bene.*
— Et même un peu caprisant.
— *Optime.*   MOLIÈRE, le Malade imaginaire, II, 6.

OPTIMISATION [ɔptimizasjɔ̃] n. f. — V. 1960 ; de *optimiser.*

♦ Anglic. Didact. (écon.). Fait d'optimiser (un processus, un objet) ; son résultat.

Compte tenu de la vitesse élevée *(de l'avion Concorde)* l'équipage n'aurait absolument pas le temps (...) de calculer ses paramètres et de les afficher. Il sera donc indispensable d'effectuer à l'avance une « optimisation » sur les calculatrices des services opérationnels de la compagnie.   Science et Vie, n° 590, p. 112.

Math., inform. Recherches des valeurs des paramètres qui maximisent une fonction.

OPTIMISER [ɔptimize] v. tr. — V. 1960 ; de *optimal,* d'après l'anglais.

♦ Anglic. Didact. (écon., etc.). Calculer le programme, le modèle optimal de (une organisation, une production). « *Contrôler et optimiser la production annuelle de 2 000 machines* » (le Figaro, 9 oct. 1967).

Techn. Donner les caractéristiques optimales à (qqch.).

Inform. Disposer les informations de façon à obtenir le temps minimal de déroulement d'un programme.

DÉR. **Optimisation, optimiseur.**

OPTIMISEUR [ɔptimizœʀ] n. m. — V. 1970 ; de *optimiser.*

♦ Techn. Appareil ou dispositif assurant l'emploi optimal, l'efficacité optimale. — Spécialt. Appareil qui permet de ralentir ou de couper le chauffage d'un bâtiment lorsque ses locaux ne sont pas occupés.

OPTIMISME [ɔptimism] n. m. — 1737 ; dér. sav. du lat *optimus,* superlatif de *bonus* « bon ».

♦ **1.** Philos. Doctrine selon laquelle le monde est le meilleur et le plus heureux possible.

REM. D'abord appliqué au système de Leibniz, ce terme a ensuite été étendu aux doctrines les plus diverses, pour lesquelles le mal n'a pas d'existence réelle. *L'optimisme des stoïciens, de Spinoza.*

Littér. *Candide ou l'Optimisme,* roman de Voltaire (1758), consacré à la réfutation de cette doctrine.

1   Si tout ce qui existe est bien, il n'y faut rien changer, il ne faut pas vouloir retoucher l'œuvre de Dieu, ce grand artiste (...) L'optimisme béat est un état analogue à celui de l'esclave qui se trouve heureux, du malade qui ne sent pas son mal (...)   J.-M. GUYAU, Esquisse d'une morale..., Introd., I, I.

2   Le concours des êtres, leur harmonie, ne sont-ils pas la preuve évidente du gouvernement providentiel ? Naturellement, les sceptiques ont fait valoir contre cet optimisme théologique les arguments habituels (...) Pour les combattre... *(les stoïciens)* n'ont eu (...) qu'à reprendre les arguments de Platon et d'Aristote. Le mal n'est qu'illusion, dissonance nécessaire, dans un ensemble qui est évidemment le meilleur.   A. RIVAUD, les Grands Courants de la pensée antique, VI, p. 173.

♦ **2.** (1788). Cour. Tournure d'esprit qui dispose à prendre les choses du bon côté, en négligeant leurs aspects fâcheux. *Tempérament porté à l'optimisme.* ⇒ **Optimiste** (→ Mélange, cit. 14). *Un optimisme stupide, béat.*

3   Bernardin de Saint-Pierre (...) est atteint de cette philanthropie et de cet optimisme assaisonné de misanthropie, qui à la fois s'exagère la bonté de l'homme naturel et la bienfaisance de la nature et s'en prend d'un ton aigre-doux à la société et à l'histoire.   SAINTE-BEUVE, Chateaubriand..., t. I, p. 174.

4   L'optimisme m'est toujours apparu comme l'alibi sournois des égoïstes, soucieux de dissimuler leur chronique satisfaction d'eux-mêmes. Ils sont optimistes pour se dispenser d'avoir pitié des hommes, de leur malheur.   BERNANOS, les Grands Cimetières sous la lune, p. 25.

♦ **3.** (XIXᵉ). Impression, sentiment de confiance heureuse, dans l'issue, le dénouement favorable d'une situation particulière (⇒ **Euphorie**). *Je voudrais pouvoir partager votre optimisme* (Académie). *Envisager la situation avec optimisme. Amélioration* (cit. 2) *qui inspire l'optimisme, porte à l'optimisme. Se trouver dans un état* (cit. 10) *d'optimisme. Médicament qui incite à l'optimisme.* ⇒ **Euphorisant.**

5   (...) le vent était plutôt à l'optimisme. On attendait sans trop d'inquiétude la réponse à l'ultimatum.   MARTIN DU GARD, les Thibault, t. VI, p. 137.

6   Dans le même temps (...) des signes spontanés d'optimisme se manifestèrent. C'est ainsi qu'on enregistra une baisse sensible des prix (...) On assistait donc à un phénomène purement moral, comme si le recul de la peste se répercutait partout (...) l'optimisme gagnait ceux qui vivaient auparavant en groupes et que la maladie avait obligés à la séparation.   CAMUS, la Peste, p. 293.

CONTR. Pessimisme.

DÉR. (Du même rad.) **Optimiste.**

OPTIMISTE [ɔptimist] adj. et n. — 1752 ; du rad. d'*optimisme*.

♦ **1.** Philos. Qui a rapport à l'optimisme ou à ses partisans. *Philosophie optimiste. Doctrine optimiste.*

N. Théoricien ou partisan de l'optimisme. *Une optimiste. Les optimistes.*

♦ **2.** (1788). Cour. Qui est naturellement disposé à voir tout en beau, à être toujours content de son sort. *Devenir optimiste sur le tard* (→ Imaginatif, cit. 2). *Sa foi en la destinée* (cit. 13) *humaine le rendait optimiste* (→ Humanité, cit. 11 ; idéalisme, cit. 7). — N. *C'est une optimiste incorrigible.*

1 Barnabé me dit volontiers : « Vous êtes optimiste ! » C'est bien possible. Et, cependant, les vrais optimistes n'écrivent pas : ils mangent, ils jouissent. Les vrais optimistes ne cherchent pas des thèmes de joie : on ne cherche que ce dont on manque. Les vrais optimistes ne connaissent pas l'angoisse : ils n'ont pas d'imagination. Les vrais optimistes ne chantent pas pour tromper la faim : ils sont repus.
G. DUHAMEL, les Plaisirs et les Jeux, p. 93.

♦ **3.** Qui a l'impression, dans une circonstance particulière, que les choses vont tourner favorablement. *Le docteur n'est pas très optimiste.*

2 Il avait rencontré dans les couloirs (...) un Jerphanion optimiste et réchauffant. D'ailleurs depuis un jour ou deux le voisinage de Jerphanion était bienfaisant pour l'humeur (...) il répandait par sa seule présence un préjugé favorable à la réputation de la vie. J. ROMAINS, les Hommes de bonne volonté, t. IV, XX, p. 215.

♦ **4.** (Choses). Qui traduit l'optimisme, la confiance, l'espoir. *Propos optimistes* (→ Expulser, cit. 5). *Un discours optimiste. Tendance optimiste.*

3 Si l'épidémie ne s'arrêtait pas d'elle-même, elle ne serait pas vaincue par les mesures que l'administration avait imaginées. Cependant, le soir, les communiqués officiels restaient optimistes. CAMUS, la Peste, p. 74.

CONTR. Bilieux, désespéré, pessimiste.

OPTIMUM [ɔptimɔm] n. m. et adj. — 1771 ; lat. *optimum* « le meilleur », superlatif neutre de l'adj. *bonus.*

REM. Pour le pluriel *optimums* ou *optima* et pour l'adj. fém. *optimum* ou *optima.* → Maximum.

♦ **1.** N. m. État (d'une chose) considéré comme le plus favorable pour atteindre un but déterminé ou par rapport à une situation donnée. *Optimum de production,* niveau de la production qui assure le profit le plus élevé. *Optimum de population :* densité de la population qui assurerait la meilleure utilisation des ressources naturelles.

1 Sans doute ces infirmeries régimentaires sont loin de réaliser l'optimum ! (...) mais celle-ci est relativement bien tenue. J. ROMAINS, les Copains, v.

1.1 C'est, en somme, la théorie de l'optimum de population, assortie du postulat selon lequel la population optimale diminue, lorsque s'accroît le progrès technique. A. SAUVY, Croissance zéro ?, p. 44.

♦ **2.** (1889, in *Année sc. et industr.,* 1890, p. 421, *« le maintien de la température optima »*). ⇒ **Optimal.** *Atteindre l'effet optimum ou optimal* (→ Grammaire, cit. 12). *Température optimum ou optima. Conditions optimums ou optima.*

2 (...) la nation semble faire effort pour atteindre ou reprendre sa composition optima, celle qui est la plus favorable à ses échanges intérieurs et à sa vie pleine et complète (...) VALÉRY, Regards sur le monde actuel, p. 123 (1931).

3 L'individu atteindrait probablement son développement optimum dans l'atmosphère mentale créée par un certain mélange de sécurité économique, de loisir, de privations et de lutte. Alexis CARREL, l'Homme, cet inconnu, VIII, X.

DÉR. (Du même rad.) **Optimal, optimation,** de *optare* → Opter.

OPTION [ɔpsjɔ̃] n. f. — V. 1190 ; du lat. *optio,* de *optare* → Opter.

♦ **1.** Faculté, action d'opter, de choisir. ⇒ **Choix.** *Option entre deux possibilités.* ⇒ **Alternative.** *La nécessité de l'option me fut toujours intolérable* (→ Choisir, cit. 15, Gide). — (xxᵉ) Loc. *... À* OPTION. *Matières, textes à option dans le programme d'un examen,* qui complètent les parties obligatoirement étudiées, et entre lesquels le candidat peut choisir. ⇒ **Facultatif.**

1 Notre délivrance de la mer eût abouti au gibet. Ou pendus, ou noyés, nous n'avions pas d'autre option. Dieu a choisi pour nous. HUGO, l'Homme qui rit, I, II, XVIII.

(1765). Dr. Faculté ou action de choisir entre plusieurs situations juridiques. *Droit d'option de la femme entre l'acceptation ou le refus de la communauté. Droit d'option de l'héritier,* faculté d'accepter la succession purement et simplement, de l'accepter sous bénéfice d'inventaire, ou de la refuser.

(1868). Faculté, pour l'une des parties, de choisir entre l'exécution et l'annulation du marché au jour de la liquidation (→ Marché* à double prime, stellage*).

♦ **2.** (1932). Écon. « Promesse unilatérale de vente..., par laquelle une personne s'engage à vendre une chose à un prix déterminé à une autre personne qui accepte la promesse, sans s'engager à acheter immédiatement, ni même à lever l'option » (Dalloz, *Petit dictionnaire de droit*). *Prendre une option sur une place d'avion. Obtenir, accorder une option. Abandonner une option. Levée d'option.* « En matière de négoce l' "option" consiste à passer la commande ferme d'un objet en s'engageant sous certaines conditions à en commander un ou plusieurs identiques dans un délai prédéterminé. La confirmation ultérieure d'une telle commande conditionnelle cons-

titue ce que l'on nomme la "levée d'option" pour les objets ainsi commandés ». (*Vie et Langage,* nov. 1969). — Somme versée au vendeur en contrepartie de cette promesse. ⇒ **Arrhes.**

Comm. EN OPTION, se dit d'une amélioration qui est apportée à un modèle de série contre le paiement d'un supplément. *Boîte automatique en option.* — Par métonymie. *Le toit ouvrant, la peinture métallisée sont des options sur ce modèle.*

REM. Le mot, dans son sens le plus général et ancien, s'est répandu dans l'usage prétentieux et officiel.

Option. — A déboulonné *choix* (...) Il faut être bien niais pour ne pas mesurer l'écart qu'il y a entre un choix et une option (...) Entre les *options simples,* les *options graves,* les *options multiples* il ne reste plus que l'embarras du choix. Pierre DANINOS, le Jacassin, p. 92.

♦ **3.** (1874). Dr. internat. Faculté laissée à l'habitant d'un territoire annexé de choisir entre la conservation de sa nationalité et l'acquisition de la nationalité de l'État annexant.

DÉR. Optionnel.

OPTIONNEL, ELLE [ɔpsjɔnɛl] adj. — V. 1965 ; de *option.* Didactique.

♦ **1.** Qui donne lieu à un choix. ⇒ **Facultatif.** *Des enseignements optionnels.*

Se retrancher derrière la prétendue liberté de l'étudiant pour défendre le système dit « optionnel », c'est là du pseudo-libéralisme, ou, pis, de l'hypocrisie pure : tout est habilement calculé à l'avance — la pénurie de postes, les attaques concentriques contre la philosophie, le discrédit jeté sur ceux qui l'enseignent, les sarcasmes et ricanements des pamphlétaires — pour dissuader l'étudiant de remonter sur ce bateau en perdition. V. JANKÉLÉVITCH, *in* le Nouvel Obs., 17 mars 1975, p. 69.

♦ **2.** Écon. Qu'on peut acquérir facultativement avec autre chose, moyennant un supplément de prix. ⇒ **Option** (en). *Améliorations optionnelles. Suppléments optionnels.*

1. OPTIQUE [ɔptik] adj. et n. f. — 1314 ; du grec *optikos* « relatif à la vue », de *optos* « visible ».

♦ **1.** Relatif à l'œil, à la vision. *L'appareil optique de l'œil* (→ Image, cit. 12). *Nerf optique* (→ Expansion, cit. 1), formé par la réunion au niveau de la *papille optique* des fibres nerveuses de la rétine. *Bandelette, fossette, trou optique. Couches optiques du cerveau.* — *Voies optiques :* ensemble des fibres nerveuses par lesquelles les impressions visuelles vont de la rétine au cortex occipital. — *Canal optique,* conduit osseux par où passent le nerf optique et l'artère ophtalmique. *Perception optique* (→ Huile, cit. 18). *Angle optique* ou *angle de vision* ou *angle visuel,* dont le sommet correspond à l'œil de l'observateur et dont chaque côté passe par les extrémités de la ligne observée. *Cône optique, pyramide optique,* ensemble des rayons menés de l'œil aux différents points du contour d'un objet.

♦ **2.** Relatif à l'optique (2. Optique, 1.). *Verres optiques* (→ Lunettes, cit. 3). *Pouvoir optique d'un instrument. Qualité optique d'un verre.*

N. f. L'OPTIQUE : la partie optique (lentilles, etc.) d'un appareil d'optique (opposé à *monture,* à *accessoires...*). *L'optique d'un microscope. L'optique et la mécanique d'un appareil photo. Changer d'optique.*

HOM. 2. Optique.

2. OPTIQUE [ɔptik] n. f. — 1605 ; du lat. *optice,* du grec *optikê (tekhnê)* « art de la vision », de *optos* « visible ».

♦ **1.** Science qui a pour objet l'étude de la lumière*, de ses lois et de leurs relations avec la vision*. ⇒ **Catoptrique, dioptrique, optométrie, spectroscopie.** *Optique géométrique,* fondée sur l'étude des lois de la réflexion et de la réfraction, et supposant la propagation rectiligne de la lumière. *Optique médicale,* qui étudie les phénomènes de réfraction normale et pathologique des milieux réfringents de l'œil (⇒ **Opticien**). *Optique physique,* qui s'occupe des phénomènes en relation avec la nature (ondulatoire, corpusculaire) de la lumière. *Optique cristalline,* étude des propriétés optiques des cristaux. *Lois* (→ Gouverner, cit. 25), *problèmes de l'optique* (→ Image, cit. 9). *Phénomènes étudiés par l'optique.* ⇒ **Aberration, biréfringence, contraste** (des couleurs), **convergence, couleur, diffraction, dispersion, frange, image, incidence, inflexion, interférence, irisation, irradiation, lumière, mirage, onde, polarisation, polychroïsme, raie** (du spectre), **rayon, réflexion, réfraction, réfringence, spectre.** *La dioptrie*, unité de mesure en optique (⇒ **Mesure**). *Appareils, instruments, matériel d'optique.* ⇒ **Lentille, lorgnette, loupe, lunette, ménisque, microscope, miroir, objectif, oculaire, périscope, prisme, projection** (appareil de), **spectroscope, stadia, stéréoscope, télémètre, télescope, verre.** *Réseau, réticule, viseur utilisé pour l'étude de certains phénomènes d'optique. Champ, décentrement, ligne de foi, foyer, axe, plan focal, distance focale, mise au point d'un instrument d'optique. Fabricant, marchand d'appareils d'optique.* ⇒ **Opticien.** — (1721). Traité, ouvrage sur l'optique. *Une optique. L'Optique,* de Newton.

Étude des radiations, des phénomènes analogues aux phénomènes lumineux. *Optique des ondes courtes.* — *Optique électronique,* étude des trajectoires d'électrons et de leurs déviations. ⇒ **Optoélectronique.** *Optique corpusculaire : étude des interactions d'un champ électromagnétique avec des faisceaux de corpuscules doués d'une masse (optique électronique).*

1 (...) l'optique (...) renferme la théorie de la lumière et les lois de la vision. La théorie de la lumière et l'examen de ses propriétés forment un objet presque entièrement mathématique. Sans s'embarrasser si la lumière se propage par la pression d'un fluide ou (...) par une émission de corpuscules (...) il suffit au philosophe d'observer trois choses, que la lumière se répand en ligne droite ; qu'elle se réfléchit par un angle égal à l'angle d'incidence ; et qu'enfin elle se rompt en passant d'un milieu dans un autre (...)   D'ALEMBERT, Éléments de philosophie, XVIII.

2 Ces équations *(de Fresnel)* expliquent tous les phénomènes que l'on a groupés sous le nom d'optique physique, par opposition à l'optique géométrique, laquelle étudie la propagation rectiligne des rayons lumineux dans un milieu homogène et les lois de leur réflexion et de leur réfraction lorsqu'ils atteignent la surface de séparation de deux milieux différents (air, eau, verres d'optique).
                                                    Émile BOREL, Évolution de la mécanique, V.

3 Un instrument d'optique est un dispositif formé par la juxtaposition de divers corps réfringents qui a pour but de donner de la source ponctuelle une image que l'on désire également ponctuelle (...) Les instruments d'optique présentent en général un axe de symétrie cylindrique : on dit qu'ils sont centrés.
                                                    L. DE BROGLIE, Physique et Microphysique, VI, I.

(1823). Loc. *Illusion* d'optique* (→ Jeu, cit. 16).

(xxᵉ). Fabrication, industrie des appareils d'optique. *Ingénieur qui travaille dans l'optique. Optique de précision. Optique médicale* (⇒ **Lunette**). *Optique astronomique, photographique.*

♦ **2.** Aspect particulier que prend un objet vu à distance d'un point déterminé. ⇒ **Perspective.** — Spécialt. *L'optique du théâtre, de la scène,* qui oblige le metteur en scène, l'auteur dramatique, à présenter les décors, les costumes, les personnages, les caractères en tenant compte des conditions, particulières au théâtre, dans lesquelles le spectateur voit et entend la pièce.

4 Le commun est le défaut des poètes à courte vue et à courte haleine. Il faut qu'à cette optique de la scène, toute figure soit ramenée à son trait le plus saillant, le plus individuel, le plus précis. Le vulgaire et le trivial même doit avoir un accent.
                                                    HUGO, Cromwell, Préface.

(V. 1865). Abstrait. Manière de voir, point de vue. *Dans cette optique, sous cette optique... Il a l'optique de l'observateur non concerné. Son optique est discutable.*

5 Il croyait plus d'à moitié ce qu'il venait d'inventer à la minute même, et cela provenait des lois particulières qui régissent l'optique des esprits orientaux.
                                                    J.-A. DE GOBINEAU, Nouvelles asiatiques, p. 140.

DÉR. Optiquement. — (Du même rad.) **Opticien.**
HOM. 1. Optique.

OPTIQUEMENT [ɔptikmɑ̃] adv. — 1843 ; de 2. *optique.*

♦ Didact. Du point de vue de l'optique. *Surface optiquement parfaite. Substance optiquement active,* qui fait tourner le plan de polarisation de la lumière incidente.

OPTO- Élément du grec *optos* « visible ». ⇒ **Optique, optomètre,** etc. (à l'ordre alphabétique). — On rencontre d'autres composés : *opto-chimique* (1864, in *Année sc. et industr.,* 1865, p. 97) ; *opto-mécanique* (v. 1970).

OPTOÉLECTRONIQUE [ɔptoelɛktRɔnik] n. f. — V. 1968 ; de *opto-,* et *électronique.*

♦ Phys. Ensemble des techniques liées à l'optique, qui donnent lieu à des recherches et des développements au sein de l'industrie électronique (ex. : le laser).

OPTOMÈTRE [ɔptɔmɛtR] n. m. — 1855 ; de *opto-,* et *-mètre.*

♦ Techn. Appareil qui sert à évaluer le degré d'amétropie (astigmatisme, hypermétropie, myopie) de l'œil.
DÉR. Optométrie.

OPTOMÉTRIE [ɔptɔmetRi] n. f. — 1874 ; de *optomètre.*
Didactique.

♦ **1.** Mesure de l'amétropie de l'œil au moyen de l'optomètre. — Ensemble des procédés qui permettent ces mesures, en tant que technique auxiliaire de l'oculiste, de l'opticien lunettier (⇒ **Optométriste**).

♦ **2.** (Déb. xxᵉ). Partie de l'optique et de la physique qui a la vision pour objet.
DÉR. Optométrique, optométriste.

OPTOMÉTRIQUE [ɔptɔmetRik] adj. — 1874 ; de *optométrie.*

♦ Didact. Relatif à l'optométrie. *Appareils optométriques.*

OPTOMÉTRISTE [ɔptɔmetRist] adj. et n. — 1955, *Dictionnaire des Métiers ;* de *optométrie.*
Technique.

♦ **1.** *Opticien optométriste,* à qui ses connaissances en optométrie permettent de déterminer la formule des verres de ses clients. *Lunettier optométriste.* — N. *Un, une optométriste.*

♦ **2.** (Au Canada). Réfractionniste.

OPTOSTRIÉ, ÉE [ɔptostRije] adj. — 1874, P. Larousse ; de *opto-,* et *strié.*

♦ Anat. Qui appartient à la couche optique (thalamus) et au corps strié. *Corps optostrié.* — REM. On écrit parfois *opto-strié.*

OPTOTYPE [ɔptotip] n. m. — V. 1960 ; de *opto-,* et *type.*

♦ Techn. Caractère de forme, de dimension définies utilisé pour contrôler la qualité de la vue. ⇒ **Test** (de lecture).

OPTRACKEN [ɔptRakɛn] n. m. — 1961 ; mots norvégiens signifiant « tirer *(tracken)* vers le haut ».

♦ Ski. Variété de dégagement dans laquelle l'appel en flexion est remplacé par un petit saut.
REM. On écrit aussi *op tracken* ou *op-tracken.*

-OPTRIE, -OPTRIQUE Éléments (tirés du verbe grec *opsomai* « je vois ») qui entrent dans la composition de mots savants tels que *catoptrique, dioptrie, dioptrique.*

OPULEMMENT [ɔpylamɑ̃] adv. — 1513 ; de *opulent.*

♦ Rare. D'une manière opulente, dans l'opulence. *Vivre opulemment.*

OPULENCE [ɔpylɑ̃s] n. f. — 1464 ; du lat. *opulentia,* de *opulentus* → Opulent.
Littéraire ou style soutenu.

♦ **1.** Grande abondance de biens, condition d'une personne extrêmement riche. ⇒ **Abondance** (cit. 3), **aisance, fortune, richesse** (→ Braver, cit. 7 ; démoralisant, cit. 2). *Vivre dans le luxe* et l'opulence* (→ Mener une vie de château*). *Nager* (cit. 10) *dans l'opulence.*

1 Il est rare que la tête ne tourne pas à un gueux qui passe subitement de la misère à l'opulence.   A.-R. LESAGE, Gil Blas, VIII, VII.

2 Un fait caractérise l'opulence et le faste de ces barbares. Un de leurs chefs ou tétrarques publia que, pendant une année entière, il tiendrait table ouverte à tout venant ; et non seulement il traita la foule qui venait des villes et des campagnes voisines, mais il faisait arrêter et retenir les voyageurs jusqu'à ce qu'ils se fussent assis à sa table.   MICHELET, Hist. de France, I, I.

État de grande prospérité. *L'opulence d'un État* (→ Liberté, cit. 28), *d'un royaume, d'une ville.*

♦ **2.** (xixᵉ). Fig. (En parlant des formes). Caractère de ce qui est ample. *L'opulence des formes dans les tableaux de Rubens, de Jordaens* (Académie).

CONTR. Besoin, misère, pauvreté.

OPULENT, ENTE [ɔpylɑ̃, ɑ̃t] adj. — V. 1355 ; du lat. *opulentus,* dér. de *ops* « pouvoir, moyen ».

♦ **1.** Littér. ou style soutenu. Qui est très riche, qui est dans l'opulence*. ⇒ **Riche.** *Homme opulent* (→ Aisance, cit. 8 ; cajoler, cit. 6). — N. *Les opulents* (→ Affaire, cit. 50). — Par ext. (1560). Qui indique un état de richesse. ⇒ **Fastueux.** *Mener une vie opulente. Province opulente et fertile. Maison opulente.* ⇒ **Cossu** (→ Apprêt, cit. 6).

1 Montesquieu partit de Vienne pour voir la Hongrie, contrée opulente et fertile, habitée par une nation fière et généreuse, le fléau de ses tyrans et l'appui de ses souverains.   D'ALEMBERT, Éloge de Montesquieu.

2 Son luxe opulent était celui des grands hôtels, des théâtres, des lieux publics, le luxe imposant et banal qui satisfait l'œil des millionnaires.
                                                    MAUPASSANT, Pierre et Jean, IX.

Abondant. *Opulente moisson.* ⇒ **Luxuriant.**

♦ **2.** (xixᵉ). Cour. Qui a de l'ampleur dans les formes. *Hanche* (→ Narghilé, cit.), *poitrine opulente.* ⇒ **Fort, généreux, gros, plantureux.**

3 Il trouvait les femmes opulentes et sensuelles, dans leur regard comme dans leur maintien.   J. ROMAINS, les Hommes de bonne volonté, t. IV, XXI, p. 232.
CONTR. Misérable, miséreux, pauvre.
DÉR. Opulemment.

OPUNTIA [ɔpɔ̃tja] n. m. ⇒ **Oponce.**

OPUS [ɔpys] n. m. — xxᵉ ; mot lat. *opus, operis* (→ Opéra), qui signifie « ouvrage ».

♦ **1.** Mus. Indication utilisée pour désigner un morceau de musique avec son numéro dans l'œuvre complète d'un compositeur (abrév. : *op.*). *Beethoven, opus 106. Numéro d'opus des œuvres de Bach* (B. W. V.), *de Mozart* (Köchel).

Avant d'entrer dans la *Missa Solemnis (de Beethoven),* il nous faut passer par la Grande Sonate op. 106 ; elle en constitue, comme le narthex de Vézelay, une grandiose avant-nef.   R. ROLLAND, Vie de Beethoven, VII, p. 255.

♦ **2.** Didact. (archéol.). S'emploie, avec un qualificatif, pour désigner divers appareils*. *Opus isodomum* [ɔpysisodomɔm], appareil régulier. — *Opus incertum* [ɔpysinsɛʀtɔm] ou *antiquum* [ɑ̃tikwɔm], appareil irrégulier (empilage de moellons bruts sur mortier). — *Opus mixtum* [ɔpysmikstɔm], avec parement et assise de pierre et de brique alternées. — *Opus quadratum* [ɔpyskwadʀatɔm], fait de grandes pierres de taille. — *Opus reticulatum* [ɔpysʀetikylatɔm], fait de pierres en losange. — *Opus spicatum* [ɔpysspikatɔm], fait de briques posées obliquement sur chant. ⇒ **Opus francigenum.**

OPUS CITATUM [ɔpyssitatɔm] et par abrév. **OP. CIT.**

♦ Expression latine (« œuvre citée ») utilisée pour rappeler la référence à un ouvrage déjà cité.

OPUSCULE [ɔpyskyl] n. m. — xivᵉ ; du lat. *opusculum,* dimin. de *opus* « ouvrage ».

♦ Petit ouvrage, petit livre. ⇒ **Brochure, écrit, livre** (→ Bible, cit. 6 ; éphémère, cit. 10).

Dubochet m'a envoyé hier vos illustrations et les opuscules que vous y avez joints ; me voilà au complet sur vous et prêt à écrire la notice, ce qui tardera très peu.   SAINTE-BEUVE, Correspondance, 1182, 13 févr. 1841.

Littér. *Opuscules,* titre sous lequel on a groupé des fragments d'œuvres de Pascal (lettres, souvenirs...).

OPUS FRANCIGENUM [ɔpysfʀɑ̃siʒenɔm] n. m. — 1919 ; du lat. *opus* « travail », employé comme t. d'architecture (→ Opus, 2), et lat. médiéval *francigenus* « français ».

♦ Didact. (archéol.). Style de construction des architectes gothiques d'Île-de-France.

(...) le véritable *opus francigenum,* dont le secret n'a pas été perdu depuis le XIIIᵉ siècle, et qui ne périrait pas avec nos églises, ce ne sont pas tant les anges de pierre de Saint-André-des-Champs que les petits Français (...) au visage sculpté avec cette délicatesse et cette franchise (...)   PROUST, le Côté de Guermantes, Pl., t. II, p. 409.

1. OR [ɔʀ] n. m. — V. 880, *Poème de sainte Eulalie ;* du lat. *aurum.*

A. ♦ **1.** **ⓐ** Corps simple (symb. *Au* ; p. at. 197, 2 ; n° at. 79), métal jaune, brillant, assez mou, de densité 19,4, fondant à 1063°, très ductile et malléable, inattaquable à l'air et à l'eau, soluble seulement dans l'eau* régale, et considéré comme le type du métal précieux. (→ Compact, cit. 2 ; dense, cit. 3 ; densité, cit. 3). *L'or est inaltérable* (→ Inaltérabilité, cit.), *inoxydable. L'éclat, le beau jaune* (cit. 5) *de l'or pur. L'or se trouve dans la nature surtout à l'état natif* (non combiné), *mais impur, en fragments* (⇒ **Paillette, pépite, poudre**) *mêlés à du sable* (sable aurifère), *à des dépôts rocheux* (⇒ **Placer,** n. m.) *ou sous forme de sulfures, de tellurures, d'alliages naturels avec l'argent* (⇒ **Électrum**), *le palladium. L'or et l'argent, métaux* (cit. 3 et 6) *nobles, précieux. Mine d'or, filon d'or* (→ Feuille, cit. 15). — Géogr. *La Côte-de-l'Or,* ainsi dénommée à cause des mines qui s'y trouvent.

1   En général, on trouve l'or dans quatre états différents (...) savoir, en poudre, en paillettes, en grains et en filets séparés et conglomérés. Les mines primordiales de ce métal sont dans les hautes montagnes (...) c'est à quelque distance de ces mines primordiales que se trouve l'or en petites masses, en grains, en pépites, etc. On le trouve aussi en paillettes et en poudre dans les sables que roulent les torrents et les rivières (...) L'or le plus fin (...) est, comme l'on sait, à 24 carats (...)   BUFFON, Hist. nat. des minéraux, De l'or.

Recherche de l'or. Chercheur d'or. ⇒ **Orpailleur.** *La ruée* vers l'or. *Extraction de l'or par lavage, au berceau, par amalgamation, chloruration, traitement au cyanure de potassium* (cyanuration).

2   Rêverie. Calme. Repos. C'est la paix. Non (...) C'est l'OR ! C'est l'or. Le rush. La fièvre de l'or qui s'abat sur le monde. La grande ruée de 1848, 49, 50, 51 et qui durera quinze ans. SAN-FRANCISCO !   B. CENDRARS, l'Or, VII.

Les alchimistes (cit. 2) *prétendaient fabriquer de l'or, convertir* (cit. 9), *transformer les métaux, le plomb en or.* ⇒ **Alchimie, archimagie ; philosophale** (pierre).

3   La flamme, en s'épurant, peut-elle pas de l'âme
Nous donner quelque idée ? et sort-il pas de l'or
Des entrailles du plomb ?   LA FONTAINE, Fables, IX, 21.

Myth., légende. *Les pommes d'or des Hespérides* (→ Cédrat, cit.). *Jupiter se métamorphosa en pluie d'or pour séduire Danaé.* — *Le veau* d'or. *L'or du Rhin,* le métal dont devait être forgé l'anneau du Nibelung, gage de toute-puissance (titre d'un opéra de

Wagner). — *La poule* aux œufs d'or. — *L'homme à la cervelle d'or* (conte de Daudet). — *L'Eldorado*, pays de l'or.*

4   Quelques enfants du village, couverts de brocarts d'or tout déchirés, jouaient au palet à l'entrée du bourg (...) leurs palets étaient d'assez larges pièces rondes, jaunes, rouges, vertes, qui jetaient un éclat singulier. Il prit envie aux voyageurs d'en ramasser quelques-uns ; c'était de l'or, c'étaient des émeraudes, des rubis (...)   VOLTAIRE, Candide, XVII.

(Dans des syntagmes et loc. désignant des composés, des solutions. de l'or). *Liqueur d'or* : sorte de ratafia contenant des paillettes d'or (appelée aussi *eau-de-vie de Dantzig*). — *Or colloïdal* : solution colloïdale d'or, employée comme anti-infectieux. — *Or potable* (vx) : liquide huileux, jaune vif, dissolution de chlorure d'or considérée au XVIIᵉ siècle comme un cordial efficace (cf. Molière, *le Médecin malgré lui,* I, 4). — *Les sels d'or, l'hyposulfite d'or ont été employés contre la tuberculose,* etc. (aurothérapie). — *Or fulminant** (vieilli).

5   (...) sans sortir de notre sujet, nous verrons que l'or dissous, l'or précipité, l'or fulminant, etc., ne se trouvant pas dans la nature, ce sont autant de combinaisons nouvelles toutes résultantes de notre intelligence.   BUFFON, Hist. nat. des minéraux, De l'or.

6   (...) un négociant de Lubeck lui préparait un papier à chandelle (...) dans la pâte duquel les fétus étaient remplacés par des paillettes d'or semblables à celles qui pointillent l'eau-de-vie de Dantzick.   HUYSMANS, À rebours, XI.

7   La médecine actuelle (...) a beaucoup fait de gorges chaudes (...) lorsqu'on lui citait le dogme des alchimistes, affirmant que l'or domptait les maux ; ce qui n'empêche que maintenant l'on se sert (...) de la limaille et des sels de ce métal. On use de l'arséniate d'or (...) contre les chloroses, du muriate contre la syphilis, du cyanure contre l'aménorrhée (...)   HUYSMANS, Là-bas, VII.

ⓑ (1080). **L'OR** : le métal précieux, allié ou non à d'autres substances, dans des proportions variables (titre, aloi...) et utilisé de diverses façons. *Isoler l'or à la coupelle.* ⇒ **Coupeller, coupellation.** (1690). *Or de coupelle*, or affiné. Or vierge, or pur, or fin.* — *Titre de l'or.* ⇒ **Aloi, carat** (cit. 1), titre. *Or au titre,* à l'un des trois titres autorisés par la loi. *Or bas,* au-dessous du titre légal. *Éprouver* (cit. 2), *essayer l'or avec une pierre de touche, un toucheau, à la coupelle, par inquartation* (⇒ **Inquart**). *Contrôle de l'or. Or contrôlé, poinçonné.* ⇒ **Poinçon** (→ Falsifier, cit. 4). — *L'or est presque toujours utilisé en alliage avec le cuivre* (monnaies), *l'argent, ou d'autres métaux.*

8   L'or pur a peu d'éclat, et sa couleur jaune est assez mate ; le mélange de l'argent le blanchit, celui du cuivre le rougit (...) les bijoutiers se servent avec avantage de ces mélanges pour les ouvrages où ils ont besoin d'or de différentes couleurs.   BUFFON, Hist. nat. des minéraux, De l'or.

9   J'essayai le métal à l'eau régale, puis je lus tout le long article sur « l'OR » dans l'*Encyclopedia Americana.* Là-dessus je déclarai à Marshall que ce métal était de l'or, de l'or pur, de l'or en barre.   B. CENDRARS, l'Or, IX.

Noms commerciaux des divers alliages d'or utilisés en orfèvrerie. — (1562). *Or blanc,* allié d'argent et de cuivre (dit aussi *or jaune*). — (1874). *Or rouge,* allié de cuivre. — (1874). *Or gris,* allié de zinc, de nickel. — (1868). *Or vert,* « posé sur une couche légèrement verdâtre de blanc de céruse mélangé de bleu de Prusse » (Réau). — (1874). *Or anglais* : alliage d'or, d'argent et de cuivre, de couleur blanche. — *Travail de l'or. Amatir*,* dépolir l'or. Brunir l'or.* ⇒ **Brunissage, brunisseur, brunissoir.** — (1690). *Or bruni. Or patiné ; vieil or* (→ Cage, cit. 4). — *Aviver, polir l'or.* ⇒ **Polissage.** *Calciner de l'or. Souder l'or.* ⇒ **Chrysocolle** (ancienn). — *Lingot, barre d'or. Or en lingots, en barres* (au fig. → ci-dessous, 2.). *Tirer, étirer l'or.* ⇒ **Argue, filière ; dégrosser.** (1690). Techn. *Or trait,* étiré à la filière. — *Réduire l'or en feuilles.* ⇒ **Batte.** *Battre l'or, batteur d'or. Feuille d'or ; or en feuille. Lame, lamelle* (⇒ **Clinquant**) *d'or. Parcelles d'or recueillies par lavure.* ⇒ **Lavure**(s). — (V. 1160). Techn. *Or moulu,* poudre d'or amalgamée avec du mercure et utilisée pour la dorure. — *L'or, utilisé en alliage dans la fabrication des monnaies, en bijouterie* (⇒ **Orfèvre, orfèvrerie**), etc. *Ornements en or. Bijoux* (cit. 1), *joyaux* (cit. 1) *d'or, en or. Alliance* (→ Guillochure, cit. 2), *bague, chaîne, collier, croix* (cit. 15), *gourmette* (cit. 2) *d'or. Doigts bagués d'or* (→ Goinfre, cit. 3). *Lunettes d'or* (→ Hérisser, cit. 37), *cerclées d'or. Montre, briquet en or. Stylo à plume en or. Médaillon* (cit. 2) *d'or. Trône, sceptre d'or* (→ 1. Faste, cit. 6). *Candélabre* (cit. 1) *aux branches d'or. Sceau, bulle d'or* (→ 1. Bas, cit. 44). *Vaisselle, plat d'or. Aiguière* (cit. 1) *d'or. Statue d'or, en or. Statue d'or et d'ivoire* (⇒ **Chryséléphantin**). — *Lettres* (cit. 6 et 7), *caractères d'or.* ⇒ **Chrysographie.** *Filigrane d'or* (→ Incruster, cit. 11). *Peinture, enluminure sur fond d'or* (→ Fur, cit. 5 ; haut-relief, cit. 2). *On employait* (pour faire les fonds d'or) *un or fin, du même aloi que les ducats, appelé or de ducat* (Réau). *Les ors d'une miniature. Incruster un filet d'or dans un métal.* ⇒ **Damasquiner** (→ Lame, cit. 7). *Couvrir d'une feuille d'or.* ⇒ **Doré, dorer.** *Bijou en plaqué or* (par oppos. à *en or massif*). ⇒ **Plaqué.** *Argent plaqué d'or.* ⇒ **Vermeil.** *Dômes, coupoles d'or, recouverts de feuilles d'or* (→ Aiguille, cit. 17 ; asseoir, cit. 44).

10   Les deux autres *(dômes du temple)* sont entièrement *en or,* en épaisses plaques d'or repoussées et ciselées ; ils en donnent d'ailleurs parfaitement l'impression extraordinaire : aucune dorure, aucun artifice n'arriverait à cet éclat inimitable de l'or épais et sans alliage, que les siècles n'ont pas su ternir.   LOTI, l'Inde (sans les Anglais), VI, IX.

11   (...) les somptueuses applications d'or qui font la gloire des missels du très vieux temps ne sont pas moins que le reflet de l'inimaginable Byzance dans le crépuscule de ces monastères de l'Irlande ou de la Gothie (...)   Léon BLOY, la Femme pauvre, I, XXV.

Dents en or.* ⇒ **Aurification, aurifier** (→ Feuille, cit. 13). *Bridge, couronne en or.*

Par métonymie. *Objet en or* (bijoux, ornements). *Manger dans l'or,* dans de la vaisselle d'or.

12 Telle qu'une bergère, au plus beau jour de fête,
De superbes rubis ne charge point sa tête,
Et, sans mêler à l'or l'éclat des diamants,
Cueille en un champ voisin ses plus beaux ornements (...)
BOILEAU, l'Art poétique, II.

(1080). Ce métal, filé, utilisé dans les tissus, broderies... *Fil* (cit. 1) *d'or.* ⇒ **Cannetille.** *Étoffe brodée d'or.* ⇒ **Brocart** (cit. 3), **cartisane.** *Broderie* (cit. 4) *d'or* (→ Dessiner, cit. 12; mousseline, cit. 3). *Ornement de soie et de fil d'or.* ⇒ **Campane.** *Cordon de fils d'or. Tissu frangé* (cit. 1 et 2) *d'or. Robe, soie lamée* (cit. 1 et 3) *d'or* (→ Draper, cit. 3). *Étoffes chamarrées* (cit. 2) *d'or. Habits* (cit. 13) *de soie et d'or. Gaze d'or* (→ Bayadère, cit. 1). *Draps* (cit. 3) *d'or.* Allus. hist. *Le camp du Drap* d'or. Cheval caparaçonné* (cit. 1) *d'or; enharnaché* (cit. 1) *d'or.*

13 Le faste et le luxe dans un souverain, c'est le berger habillé d'or (...), la houlette d'or entre ses mains; son chien a un collier d'or, il est attaché avec une laisse d'or et de soie. Que sert tant d'or à son troupeau ou contre les loups?
LA BRUYÈRE, les Caractères, X, 29.

14 M. de Langlé a donné à Mme de Montespan une robe d'or sur or, rebrodé d'or, rebordé d'or, et par-dessus un or frisé rebroché d'un or mêlé avec un certain or, qui fait la plus divine étoffe qui ait jamais été imaginée (...)
Mme DE SÉVIGNÉ, 595, 5 nov. 1676.

Loc. fig. *Être cousu d'or, tout cousu d'or,* très riche* (→ Finance, cit. 4). — *Jours filés* (cit. 5) *d'or et de soie,* très heureux (par allus. aux Parques). Cf. ci-dessous, B., 3., figuré.

C (Fin IXe). *Monnaies d'or. Pièces* (⇒ **Jaunet, louis**), *médailles d'or* (→ Caractère, cit. 49; humilier, cit. 19 et 37; intact, cit. 2; jeton, cit. 2; jeu, cit. 36). *Écus en or. Payer une somme en or,* en pièces d'or (→ Exterminer, cit. 9). — Par métonymie. Pièces d'or. *Une bourse d'or,* pleine de pièces d'or (→ Argument, cit. 14; bourse, cit. 1; misère, cit. 10). *Poches garnies d'or* (→ Convoitise, cit. 7), *pleines d'or.*

15 Tu répugnes peut-être à te séparer de ton or, hein, fifille? Apporte-le-moi tout de même. Je te ramasserai des pièces d'or, des hollandaises, des portugaises, des roupies du Mogol; des génovines; et, avec celles que je te donnerai à tes fêtes, en trois ans tu auras rétabli la moitié de ton joli petit trésor en or.
BALZAC, Eugénie Grandet, Pl., t. III, p. 604.

(Fin IXe). Monnaie métallique virtuelle (étalon, valeur de référence) ou réelle *(or monnayé).* ⇒ **Monnaie** (cit. 1 et 11). → Argent, cit. 13; fiction, cit. 10. *Cours de l'or* (→ Goldpoint, cit.). *Valeur, change de l'or. Encaisse* or d'une banque d'émission.* — *Réserve (d') or de la Banque de France.* — *Étalon* or* (→ Dévaluation, cit. 2). *Franc-or. Monométallisme or; bimétallisme or et argent. Valeur or d'une unité monétaire* (→ 3. Franc, cit. 3). — (XXe). *Clause-or :* clause d'un contrat qui précise que l'obligation du débiteur est exprimée en or. — *Importation, exportation* (→ Banquier, cit. 3); *commerce de l'or.*

16 L'avarice garde l'or et l'argent, parce que, comme elle ne veut point consommer, elle aime des signes qui ne se détruisent point. Elle aime mieux garder l'or que l'argent, parce qu'elle craint toujours de perdre, et qu'elle peut mieux cacher ce qui est en plus petit volume. L'or disparaît donc quand l'argent est commun (...)
MONTESQUIEU, l'Esprit des lois, XXII, IX.

♦ **2.** (Fin IXe). Symbole de richesse, de fortune (qu'il s'agisse ou non d'or monnayé). ⇒ **Argent, richesse.**

REM. L'emploi de *or,* dans cette acception, est plus stylistique que celui de *argent.* Quelle que soit la réalité qu'il désigne (monnaie métallique ou de papier), il évoque plus ou moins le métal précieux.

(→ Acquérir, cit. 8; convoitise, cit. 3; divinité, cit. 6; intérêt, cit. 19). *Le pouvoir* (→ Grandir, cit. 8), *la force corruptrice* (cit. 5) *de l'or. Flots* (⇒ **Pactole**), *amas, monceaux* (→ Arpent, cit. 1) *d'or.* ⇒ **Trésor.** *Passion pour l'or* (→ Espagnol, cit. 2). — (1694). *Soif* de l'or* (→ Avare, cit. 2, 13, 17).

17 Ce malheureux attendait
Pour jouir de son bien une seconde vie;
Ne possédait pas l'or, mais l'or le possédait.
LA FONTAINE, Fables, IV, 20.

18 César avait bien raison de dire qu'avec de l'or on a des hommes, et qu'avec des hommes on a de l'or. Voilà tout le secret. VOLTAIRE, Dict. philosophique, Roi.

19 (...) il eût fait fortune, la seule chose qu'il paraît que vous ayez en vue. — Sans doute. De l'or, de l'or. L'or est tout; et le reste, sans or, n'est rien.
DIDEROT, le Neveu de Rameau.

20 (...) il n'est qu'une seule chose matérielle dont la valeur soit assez certaine pour qu'un homme s'en occupe. Cette chose (...) c'est L'OR. L'or représente toutes les forces humaines. BALZAC, Gobseck, Pl., t. II, p. 629.

21 Gardons-nous de dire du mal de l'or. Comparé à la propriété féodale, à la terre, l'or est une forme supérieure de la richesse. Petite chose, mobile, échangeable, divisible, facile à manier, facile à cacher, c'est la richesse subtilisée déjà (...) Le docile métal sert toute transaction : il suit facile et fluide, toute circulation commerciale, administrative. MICHELET, Hist. de France, V, III.

22 Mais il faut encore moins que l'or des riches hommes paresseusement dorme son lourd sommeil dans les urnes et dans les ténèbres du trésor. Ce métal si pesant, quand il s'associe d 'une fantaisie, prend les vertus les plus actives de l'esprit. Il en a la nature inquiète. Son essence est de fuir. Il se change en toutes choses, sans être changé lui-même. Il soulève les blocs de pierre, perce les monts, détourne les fleuves, ouvre les portes des forteresses et les cœurs les plus secrets; il enchaîne les hommes; il habille, il déshabille les femmes, avec une promptitude qui tient du miracle. C'est bien le plus abstrait agent qui soit après la pensée; mais encore elle n'échange et n'enveloppe que des images, cependant qu'il excite et qu'il favorise la transmutation de toutes les choses réelles, les unes dans les autres; lui, demeurant incorruptible, et traversant pur toute les mains.
VALÉRY, Eupalinos, p. 123.

Mais toi, puisque tu veux penser quelquefois au bonheur des autres, imagine qu'une pièce d'or représente une puissance royale pour toi et la servitude pour les autres; tu comprendras pourquoi l'or est beau à garder. 23
ALAIN, Propos, 20 oct. 1908. Café sans sucre.

Loc. *Acheter, vendre* (→ Barbon, cit. 2), *payer à prix* d'or, au poids* de l'or,* très cher. — (XIIIe). *Valoir son pesant d'or :* valoir très cher, et, fig., être très précieux, avoir une grande valeur* (→ Extrait, cit. 4). — (1801). Loc. (Vx). *Affaire, marché d'or.* ⇒ **Avantageux** (syn. mod. : *affaire en or*). — (1690). Fig. *C'est de l'or en barre** (cit. 1). — *Faire de l'or.* ⇒ **Gagner.** — (1874). *Jeter l'or à pleines mains.* ⇒ **Prodigue.** — *Couvrir qqn d'or,* le payer très cher, donner beaucoup d'argent. — (1835). *Couvrir d'or les œuvres d'un peintre* (→ Maître, cit. 91). Vx. *Promettre des monts d'or à qqn,* des sommes énormes. — (1660). *Faire un pont d'or à qqn,* lui offrir un salaire élevé pour le décider à occuper un poste, à changer de situation. — (1798). *Rouler sur l'or, nager dans l'or* (→ Genou, cit. 21) : être dans l'opulence, la richesse.

M. de Bouillon avait promis aux envoyés de M. l'Archiduc de leur faire un pont d'or pour se retirer dans leur pays (...) RETZ, Mémoires, II. 23.1

(...) il est engagé en Angleterre à des appointements considérables C'est, à ce qu'on assure, un fameux lapin! Il roule sur l'or! Il mène avec lui trois maîtresses et son cuisinier! FLAUBERT, Mme Bovary, II, XIV. 24

Tout ça ne lui permettait pas de rouler sur l'or. Il avait eu de la difficulté même à se payer une petite Peugeot. ARAGON, les Beaux Quartiers, VI. 24.1

Continuez, ma chère enfant, dit Madame de Lorsange en rendant le billet à Thérèse, voilà des procédés qui font horreur; nager dans l'or et refuser à une malheureuse qui n'a pas voulu commettre un crime, ce qu'elle a légitimement gagné est une infamie gratuite qui n'a point d'exemple. 24.2
SADE, Justine..., t. I, p. 102.

(XIIIe). *Pour tout l'or du monde :* à aucun prix*. ⇒ **Jamais** (→ Mercanti, cit. 3). *Je n'accepterai pas pour tout l'or du monde. Ni pour or ni pour argent.*

C'était une rue où elle n'aurait pas demeuré pour tout l'or du monde, une rue large, sale, noire de la poussière de charbon de manufactures voisines, avec des pavés défoncés et des ornières, dans lesquelles des flaques d'eau croupissaient. 25
ZOLA, l'Assommoir, t. I, VI, p. 206.

♦ **3.** Substance ayant l'apparence de l'or véritable. ⇒ **Chrysocale, oripeau.** *Faux or* (similor). *Or mussif*. Or de couleur.* Par appos. *Peinture or, rouge et or* (→ Cadran, cit. 2; flambant, cit. 14). — *Le blanc et l'or d'une peinture* (→ Feston, cit. 3). *L'or d'un cadre, d'une décoration.*

Nous ne pouvons nous dispenser de parler des différents emplois de l'or dans les arts et de l'usage ou plutôt de l'abus qu'on en fait par un vain luxe pour faire briller nos vêtements, nos meubles et nos appartements, en donnant la couleur de l'or à tout ce qui n'en est pas et l'air de l'opulence aux matières les plus pauvres; et cette ostentation se montre sous mille formes différentes. Ce qu'on appelle *or de couleur* n'en a que l'apparence; ce n'est qu'un simple vernis qui ne contient point d'or, et avec lequel on peut néanmoins donner à l'argent et au cuivre la couleur jaune et brillante de ce précieux métal; les garnitures en cuivre de nos meubles, les bras, les feux de cheminée, etc., sont peints de ce vernis couleur d'or, ainsi que les cuirs qu'on appelle *dorés,* et qui ne sont réellement qu'étamés et peints ensuite avec ce vernis doré. À la vérité, cette fausse dorure diffère beaucoup de la vraie, et il est très aisé de les distinguer; mais on fait avec le cuivre, réduit en feuilles minces, une autre espèce de dorure qui peut en imposer lorsqu'on la peint avec ce même vernis couleur d'or. BUFFON, Hist. nat. des minéraux, De l'Or. 26

B. Fig., par métaphore. ♦ **1.** (XIIIe). **L'OR DE... :** ce qui a une couleur jaune, un éclat comparable à celui de l'or. **D'OR :** qui a cette couleur, cet éclat. ⇒ **Brillant, éclat; doré** (cit. 2), **jaune** (cit. 10). *Jaune d'or.* — *Cheveux d'or, chevelure d'or,* d'un blond doré (→ Blond, cit. 1; blondeur, cit; blondir, cit. 1; blondoyer, cit.; brouillard, cit. 9; fauve, cit. 2). *Casque d'or* (→ 2. Apache, cit. 1). — *La Fille aux yeux d'or,* roman de Balzac (→ Fouetter, cit. 4). — *Moisson d'or* (→ Grain, cit. 12). *L'or des blés* (→ Éteule, cit. 1), *de la moisson* (cit. 3). *L'or des ajoncs, des genêts* (→ Lande, cit. 1 et 2), *des cytises* (cit. 2 et 3). *Orangers* (→ Fructifier, cit. 2), *mirabelles* (cit.) *d'or. « Le citron d'or de l'idéal »* (cit. 13). *Les nacres et les ors des coquillages* (cit. 3). — *L'or et la pourpre de l'automne* (→ Goutte, cit. 24); *l'or de l'aurore* (→ Enflammer, cit. 2); *du soir* (→ Loin, cit. 16), *du soleil couchant* (cit. 3; → Boulevard, cit. 2; diffuser, cit. 1; endormir, cit. 21, Baudelaire; éventail, cit. 7). *Soirs d'or* (→ Héroïsme, cit. 8). *Nuée d'or et d'azur* (cit. 2). *Parcelles d'or* (→ Étoiler, cit. 3), *pluie d'or* (→ Gerbe, cit. 7); *poussière, fumée d'or* (→ Éparpiller, cit. 5; éteindre, cit. 35; étinceler, cit. 11).

Tu n'as pas cherché si l'or de ses cheveux se rapprochait pour le ton des chevelures de Rubens et du Giorgione (...) Th. GAUTIER, Mlle de Maupin, VIII. 27

L'or diffus du soleil empourpre les collines 27.1
Par delà le château d'Elseneur et les tours (...)
L. TAILHADE, Vers élégiaques, « Les fleurs d'Ophélie ».

L'or des pailles s'effondre au vol siffleur des faux. 27.2
VERLAINE, Sagesse, III, XXI.

♦ **2.** Blason. Un des deux métaux héraldiques, représenté conventionnellement par des pointillés.

♦ **3.** Chose précieuse, rare, excellente. *Dégager l'or pur de l'alliage* (cit. 1). *Extraire* (cit. 2 et 12) *l'or. « Comment en un plomb vil l'or pur s'est-il changé? »* (cit. 70). *Le clinquant* (cit. 3) *et l'or.* — Prov. (où *or* est employé au sens A, 1 mais dont le sens global est métaphorique). *Tout ce qui brille n'est pas or.*

28 Notre hôtesse, aimez-vous votre mari ? — Pas autrement. — Vous êtes donc bien à plaindre ; car il me semble d'une belle santé. — Tout ce qui reluit n'est pas or.
DIDEROT, Jacques le fataliste, Pl., p. 606.

Noces d'or. ⇒ **Noce.**

(1677). Loc. **D'OR** *Parler* d'or* (→ Décomposer, cit. 4). *Saint Jean Bouche* d'or.* ⇒ **Chrysostome.** *Le silence* est d'or.* — *Cœur d'or.* ⇒ **Bon, excellent, généreux** (→ Fleur, cit. 15). — **EN OR :** excellent, parfait. *Un mari en or, une petite femme en or* (fam.).

29 (...) Vis entre une épouse, une mère tendre qui te chériront à qui mieux mieux. Sois indulgent pour elles, heureux pour toi, mon fils ; gai, libre et bon pour tout le monde ; il ne manquera rien à ta mère. — Tu parles d'or, maman, et je me tiens à ton avis.
BEAUMARCHAIS, le Mariage de Figaro, III, 16.

Comme l'or. Franc, bon (cit. 75) *comme l'or.* Cf. *Comme le bon pain.* — *Juste comme l'or.*

30 C'était donc pour eux, juste comme l'or, une avance de cinq quarts d'heure.
COURTELINE, le Train de 8 h 47, II, I.

(Déb. XVIIIᵉ). ... **D'OR :** se dit d'une chose heureuse ; cf. *Aurea mediocritas.* **ÂGE D'OR :** temps heureux d'une civilisation (ancien ou à venir). ⇒ **Bonheur, prospérité.** — *Siècle d'or :* époque de prospérité et de culture brillante (spécialt, en Espagne). — REM. *Siècle d'or* s'est aussi employé au sens de « âge d'or ».

30.1 Dans le beau siècle d'or, quand les premiers humains,
Au milieu d'une paix profonde,
Coulaient des jours purs et sereins (...)
FLORIAN, Fables, IV, 18.

31 La littérature allemande n'a point eu ce qu'on a coutume d'appeler un siècle d'or, c'est-à-dire une époque où les progrès des lettres sont encouragés par la protection des chefs de l'État.
Mᵐᵉ DE STAËL, De l'Allemagne, II, III.

32 (...) cette période extraordinaire qui couvre la fin du règne de Louis VII à la première part du règne de Philippe-Auguste, et qu'on a pu appeler *l'âge d'or de la littérature française médiévale.*
ARAGON, les Yeux d'Elsa, Appendice, I.

Vx. Livre d'or. ⇒ **Livre** (*supra* cit. 42).
Nombre d'or. ⇒ **Nombre** (*infra* cit. 10).

♦ **4.** (Mil. XXᵉ). Qualifié par un adj., pour désigner une substance précieuse. *L'or noir :* le pétrole. — *L'or blanc :* le platine (vx) ; mod. (v. 1970) : les ressources procurées par la mise en valeur et l'exploitation des stations de sports d'hiver. *« Les montagnards, longtemps éblouis par le mythe de l'or blanc, ont fait, eux aussi, leur bilan. Les emplois promis, ils ne les ont pas eus »* (le Nouvel Obs., nᵒ 733, p. 69). — *L'or vert* (v. 1975) : les ressources procurées soit par l'agriculture, soit par la vente de terrains agricoles pour la construction immobilière. — *L'or rouge :* l'énergie solaire (la Recherche, juin 1979, p. 698).

♦ **5.** ... **D'OR.** Hist. *La horde* d'or.* — Géogr. *La côte d'Or :* chaîne de calcaires jurassiques portant de riches vignobles (Bourgogne) ; département où elle se trouve (*Côte-d'Or,* chef lieu Dijon).

COMP. V. **Orfèvre, oriflamme, orpiment.**
HOM. V. **2. Or.**

2. OR (et, vx, **ORE, ORES**) [ɔʀ] adv. et conj. — Xᵉ ; du lat. pop. *hora* pour *hac hora* « à cette heure » ; → Désormais, dorénavant, encore, lors.

★ **I.** Adv. (vx). Maintenant, présentement (cf. Malherbe, Régnier, in Littré).→ Expérience, cit. 12.

1 Tu n'aurais pas à la légère
Descendu dans ce puits. Or, adieu, j'en suis hors.
LA FONTAINE, Fables, III, 5.

(V. 1175). Dans des exhortations. *Or çà...* (→ An, cit. 6). — (1552). *Or sus...* (cf. Molière, *Tartuffe,* II, 1).

(Sous la forme *ore, ores*). Vx. *Ores que...* loc. conj. Maintenant que..., et, par ext., quoique... (cf. Brunot, H. L. F., t. III, p. 392). (XIIᵉ). *Ore... ore... :* tantôt... tantôt.

2 Ores que la justice ici-bas descendue
Aux petits comme aux grands par tes mains est rendue
Mathurin RÉGNIER, Satires, I.

3 Or ensemble, ores dispersés
Ils brillent dans ce crêpe sombre
Théophile DE VIAU, la Maison de Sylvie, Ode III, in DUBOIS et LAGANE.

(1877, Littré, *Suppl. ; d'ores a ja,* XIVᵉ). Mod. **D'ORES ET DÉJÀ** [dɔʀzedeʒa] : dès maintenant, dès aujourd'hui. — REM. Cette locution semble provenir du langage juridique ; elle s'est répandue très abondamment dans le langage du journalisme, de la radio (→ Encerclement, cit., Madelin).

4 Le triomphe final sera difficile, et peut-être qu'il ne s'accomplira pas, hélas ! sans convulsions sanglantes. Mais d'ores et déjà, pour ceux qui connaissent son enfant, il est inévitable (...)
MARTIN DU GARD, les Thibault, t. V, p. 223.

★ **II.** Conj. Mod. ♦ **1.** Marquant un moment particulier d'une durée ou d'un raisonnement (→ Appartenir, cit. 1 ; appeler, cit. 44 ; différence, cit. 9 ; intelligence, cit. 20 ; mariage, cit. 17). *Or, pour revenir à ce que nous disions* (Académie). — (1611). *Or donc :* ainsi donc. — (1647). *Or est-il que :* (vx ; cf. Bossuet, *in* Littré) : toujours est-il que...

5 Issu du lat. populaire *hora* (à cette heure) avec un point de quelque importance soit dans la succession des faits, soit dans le progrès de la pensée : *« Or,* un dimanche (...) elle aperçut tout à coup un femme qui promenait son enfant »* MAUPASS., *La parure* (ici, *or* souligne une heure un peu notable) ; cf. après que le souriceau de la fable a décrit si naïvement l'animal qui l'a effrayé, le poète ajoute : *« Or* c'était un cochet dont notre souriceau Fit à sa mère le tableau, Comme d'un

animal venu de l'Amérique » LA FONT., Fabl., VI, 5 (Or, dans ce sens, paraît indiquer qu'il est temps d'éclaircir le mystère) ... — Où cette conjonction a sa pleine valeur déductive, c'est dans le raisonnement en forme, en particulier lorsqu'elle amène (...) la mineure du syllogisme (...)
G. et R. LE BIDOIS, Syntaxe du franç. moderne, § 1145.

6 Tandis que *or* s'est figé dans son acception logique, *donc* continue d'être une articulation « vivante » (...) Or, en se réservant aux rapports « transitifs », a choisi la mauvaise part : il s'y rencontre en effet avec *et* si instantanément employé aux mêmes fins, et aussi avec l'asyndète encore plus commode pour esquiver l'obstacle qu'est toujours, au fond, une transition !
Gérald ANTOINE, la Coordination en français, t. II, p. 1207.

♦ **2.** (1580). Log. *Or,* particule introduisant la mineure d'un syllogisme*, un argument (cit. 12), ou une objection à une thèse (⇒ **Mais ;** → Institution, cit. 8 et 18 ; liberté, cit. 35).

COMP. **Désormais, dorénavant.**
HOM. **Hors, 1. or, ord, ort.**

ORACLE [ɔʀaklə] n. m. — V. 1310 ; v. 1160, « lieu de culte », Wartburg ; du lat. *oraculum,* de *orare* « parler, dire à ».

♦ **1.** Vieilli. Volonté de Dieu annoncée par les prophètes et les apôtres. ⇒ **Prophétie.**

1 Quel autre a fait un Cyrus, si ce n'est Dieu, qui l'avait nommé deux cents ans avant sa naissance dans les oracles d'Isaïe ?
BOSSUET, Oraison funèbre de Louis de Bourbon.

♦ **2.** (1530). Selon les croyances des anciens, Réponse donnée par une divinité à ceux qui la consultaient en certains lieux sacrés. ⇒ **Divination, prophétie, vaticination ; devin.** *Rendre un oracle. Les oracles rendus par l'intermédiaire de la pythie, de la pythonisse, de la sibylle. Oracles sibyllins*.* — Allus. littér. *L'oracle de la dive bouteille* (cf. Rabelais, *Tiers livre,* XLVII et dernier chapitre du 5ᵉ livre). — *Histoire des oracles,* de Fontenelle (1686).

2 Un oracle toujours se plaît à se cacher :
Toujours avec un sens il en présente un autre.
RACINE, Iphigénie, II, 1.

Fig. *L'oracle du destin*, de la destinée.*

3 Il faut en ce monde que chacun se décide soi-même et se déchiffre péniblement l'oracle de sa destinée, au risque des tâtonnements et des contresens ; mais il est bon sans doute d'entendre les uns et les autres autour de soi.
SAINTE-BEUVE, Correspondance, 433, 3 déc. 1834.

♦ **3.** (1636). Par ext. La divinité qui rendait ces oracles, ou son interprète ; le sanctuaire où elle les rendait. *Consulter un oracle* (→ Livrer, cit. 2). *L'oracle de Delphes, de Dodone.*

4 Il n'était pas un peuple de Grèce ou d'Asie Mineure qui, avant de rien entreprendre, ne consultât l'oracle delphien. Dont témoignaient des offrandes innombrables et magnifiques. Et l'historien reconnaît, ce qui est assez clair par son récit, que l'oracle n'était compris de personne et ne se comprenait pas lui-même.
ALAIN, Propos, 19 avr. 1921, L'oracle.

♦ **4.** (1546). Littér. Décision, opinion qui est exprimée avec autorité ou à laquelle on accorde un grand crédit ; ce qu'on prend pour guide. *« Et bientôt en oracle on érigea* (cit. 6) *ma voix »* (Racine). *« L'honneur* (cit. 29) *parle, il suffit : ce sont là nos oracles »* (Racine).

5 Mais je veux ici nommer par honneur le sage, le docte et le pieux Lamoignon, que notre ministre proposait toujours comme digne de prononcer les oracles de la justice dans le plus majestueux de ses tribunaux.
BOSSUET, Oraison funèbre de Le Tellier.

6 J'aimais à le voir, à l'entendre ; tout ce qu'il faisait me paraissait charmant ; tout ce qu'il disait me semblait des oracles (...)
ROUSSEAU, les Confessions, III.

♦ **5.** (1609). Personne qui parle avec autorité ou compétence, sur un ton décisif ; personne dont les avis, les opinions jouissent d'un grand crédit. ⇒ **Augure.** *« C'était l'oracle de la Grèce »* (→ Aréopage, cit. 2, La Fontaine). *Talleyrand, considéré comme l'oracle de son temps* (→ Cour, cit. 19). — Loc. *Écouter** (cit. 22) *comme un oracle* (→ Dévorer, cit. 9). — *Parler comme un oracle,* avec autorité, avec pertinence. *Ton d'oracle,* ton sentencieux.

7 (...) il présenta Bordin comme un oracle dont les avis devaient être suivis à la lettre, et le jeune de Grandville comme un défenseur en qui l'on pouvait avoir une entière confiance.
BALZAC, Une ténébreuse affaire, Pl., t. VII, p. 586.

DÉR. (Du même radical latin) **Oraculaire, oraculeux.**

ORACULAIRE [ɔʀakylɛʀ] adj. — 1596 ; du lat. *oracularius,* de *oraculum* « oracle », d'après les adj. en *-arius.*
Littéraire.

♦ **1.** Qui a la qualité d'oracle. *Paroles oraculaires.*

♦ **2.** (Personnes). Qui parle comme un oracle ; qui a un ton d'oracle.

On peut défier de mettre la main sur un cuistre plus exaspérant. Il est, à l'heure actuelle, un des types les plus accomplis de cette intolérable ventrée de journalistes oraculaires dont Prévost-Paradol fut le prototype.
Léon BLOY, le Désespéré, p. 199.

ORACULEUX, EUSE [ɔʀakylø, øz] adj. — 1580, La Porte ; du lat. *oraculum,* d'après les adj. en *-osus.*

♦ Littér. Syn. de *oraculaire.*

(...) au Parthénon (...) ce silence parlait (...) D'autres colonnes sont mortes et ne parlent que par notre entremise. Celles de Sunium (...) se dressent sous l'aspect de

cendres de cigare superposées. Elles se taisent. Encore que les haut-parleurs qui les entouraient en 1949 leur prêtassent une sorte d'organe oraculeux.
                                        COCTEAU, Journal d'un inconnu, p. 162.

ORAGE [ɔʀaʒ] n. m. — Déb. XIIᵉ ; v. 1112, « souffle de vent » ; le sens mod. l'emporte au XVIᵉ ; de l'anc. franç. *ore*, du lat. *aura* « souffle léger, brise », et suff. *-age*.

♦ **1.** Perturbation atmosphérique violente caractérisée par des phénomènes électriques* (⇒ **Éclair, foudre, tonnerre**), accompagnée de pluie, de vent, de modifications de la pression atmosphérique et de l'état hygrométrique de l'air. ⇒ **Bourrasque, giboulée, ouragan, tempête, tourmente** (→ Chaleur, cit. 3). *Violent* (→ Livide, cit. 6), *gros orage* (→ 3. Mal, cit. 13). *Pluie d'orage*, averse brève mais violente. *Vent d'orage. Le temps est à l'orage. Il va y avoir de l'orage. Il va faire de l'orage. L'orage menace, approche, éclate, gronde, fond tout à coup, s'apaise, se dissipe* (→ Absorber, cit. 3). *Embellie au cours d'un orage.* — Allus. littér. « *Levez* (1. Lever, cit. 35) *-vous vite, orages désirés* » (Chateaubriand). — (Déb. XXᵉ). *Orage volcanique*, qui accompagne l'éruption d'un volcan.

1   C'était le vingt-septième soleil, depuis notre départ des cabanes, la *lune de feu* avait commencé son cours, et tout annonçait un orage (...) le ciel commença à se couvrir. Les voix de la solitude s'éteignirent, le désert fit silence et les forêts demeurèrent dans un calme universel. Bientôt les roulements d'un tonnerre lointain, se prolongeant dans ces bois aussi vieux que le monde, en firent sortir des bruits sublimes.   CHATEAUBRIAND, Atala, Les chasseurs.

2   Il la vit seule, le soir, très tard (...) Il faisait de l'orage, et ils causaient sous un parapluie, à la lueur des éclairs.   FLAUBERT, Mᵐᵉ Bovary, III, IV.

(1888). Par ext. *Orage magnétique*, perturbation magnétique qui affecte les aiguilles aimantées et coïncide avec les aurores polaires, les éruptions solaires.

♦ **2.** (1668). Vieilli. ⇒ **Volée, avalanche.** *Un orage de coups* (→ Approcher, cit. 22).

♦ **3.** (Fin XIIᵉ). Par métaphore. Éclat de colère, reproches violents ; agitation, lutte tumultueuse, malheur imprévu qui trouble le repos, menace la sécurité d'une personne, d'une famille ou d'un peuple. ⇒ **Calamité, disgrâce, revers, trouble**(s). *Entre eux deux, un grand orage venait de passer* (→ Désaccord, cit. 1). *La menace* (cit. 7) *d'orage qui pesait sur le monde. Les orages de l'amour* (→ Montrer, cit. 10 ; fidélité, cit. 3), *des passions, de la vie* (→ Imprévu, cit. 6). *Détourner, dissiper* (cit. 4) *l'orage. Tenir tête à l'orage.* — Loc. fam. *Il y a (y a) de l'orage dans l'air*, une nervosité qui laisse présager une dispute, une querelle, des troubles...

3   Lorsque mon père apprendra les choses, je vais voir fondre sur moi un orage soudain d'impétueuses réprimandes.   MOLIÈRE, les Fourberies de Scapin, I, 1.

4   — Mitouflet, comment va le prince ? (...) — Il doit avoir une dent contre vous, monsieur le baron, répondit l'huissier, car sa voix, son regard, sa figure sont à l'orage (...)   BALZAC, la Cousine Bette, Pl., t. VI, p. 415.

5   93 est une année intense. L'orage est là dans toute sa colère et dans toute sa grandeur.   HUGO, Quatre-vingt-treize, II, I, II.

6   Des orages nouveaux se formeront ; on croit pressentir de calamités qui s'emporteront sur les afflictions dont nous avons été comblés (...) Cependant, je ne pense pas que des malheurs prochains éclatent (...)
                                        CHATEAUBRIAND, Mémoires d'outre-tombe, t. VI, p. 337.

7   Alors, l'orage amoncelé depuis des heures s'abat sur Célestine, qui se réfugie dans la cuisine, pleurant, rajustant ses bandeaux et son tablier (...)
                                        J. CHARDONNE, les Destinées sentimentales, p. 154.

CONTR. 1. Calme.
DÉR. Orageux.

ORAGEUSEMENT [ɔʀaʒøzmã] adv. — 1868, Littré ; de *orageux*.

♦ D'une manière orageuse (surtout au sens fig., 2). « *La séance commença orageusement* » (Académie).

ORAGEUX, EUSE [ɔʀaʒø, øz] adj. — 1564 ; attestation isolée, v. 1200, fig. ; de *orage*.

♦ **1.** Qui annonce, provoque l'orage ; qui a les caractères de l'orage. *L'air, le temps est orageux* (→ L'air est chargé d'électricité*). *Ciel, nuage orageux* (→ Arc-en-ciel, cit. 2). *Chaleur* (→ Diluvien, cit. 2), *pluie orageuse* (→ Abandonner, cit. 27). — (XVIIᵉ). Qui est sujet aux orages, qui est troublé par l'orage. *Saison orageuse. Été* (→ Affadir, cit. 5), *jours orageux* (→ Accablant, cit. 2). *Mer orageuse* (→ 1. Franc, cit. 3 ; incertitude, cit. 5).

1   Nous étions en août, la journée avait été chaude, orageuse, mais l'orage restait dans l'air, le ciel ressemblait à du cuivre, les parfums des fleurs arrivaient lourds, je me trouvais comme dans une étuve (...)   BALZAC, Honorine, Pl., t. II, p. 306.

♦ **2.** (Mil. XIIIᵉ). Fig. Tumultueux. *Discussion* (cit. 8), *jeunesse* (cit. 6), *séance, vie orageuse.* ⇒ **Agité, houleux, mouvementé, troublé** (→ 1. Calme, cit. 13 ; exercer, cit. 32). *Cœur orageux* (→ Gronder, cit. 13). — Littér. *Une personne orageuse*, d'humeur, querelleuse.

2   Car l'immobilité ne sied point au panache,
Ni la rouille à l'éclair du glaive, et le repos
N'est pas fait pour le plis orageux des drapeaux.
                                        HUGO, la Légende des siècles, XX, I.

Les âmes de feu, qui ont fait les grands saints, avaient souvent connu d'orageuses jeunesses.   A. MAUROIS, Lélia, IX, VI.   3

CONTR. 2. Calme.
DÉR. Orageusement.

ORAISON [ɔʀɛzɔ̃] n. f. — 1050, *oreison*, Vie de saint Alexis ; du lat. *oratio* « prière » en lat. ecclés., « discours » en lat. classique ; du supin de *orare*, de *os, oris* « bouche ».

♦ **1.** Vx ou relig. Prière. ⇒ **Orémus, prière** ; → Divinité, cit. 3. — (1690). Spécialt. (Dans la liturgie catholique). « Courte prière que prononce le Célébrant ou l'Officiant ou encore celui qui préside les *Heures canoniales* et qui généralement est précédée du « *Dominus vobiscum* » (*Dict. de liturgie romaine*). *Les trois oraisons de la messe*, la collecte* *avant la lecture de l'épître*, la secrète* *après l'Orate fratres*, la postcommunion* *après l'antienne de la communion. Oraison dominicale* (cit. 1). ⇒ **Patenôtre** (vx), **pater**. *Oraison jaculatoire*. *Oraison mentale*, prière qu'on fait sans prononcer aucune parole (⇒ **Méditation**). *Importance de l'oraison dans le mysticisme* *Les quiétistes rejetaient de l'oraison toute demande personnelle. Dire, faire, réciter une oraison* (→ Conjurer, cit. 4 ; dévot, cit. 10). — *Faire oraison* : se recueillir pendant l'oraison, et, par ext., méditer, se recueillir.

Dorénavant, tous les soirs, à l'office, nous réciterons à votre intention l'oraison de saint Augustin, à laquelle l'indulgence plénière est attachée.   1
                Alphonse DAUDET, Lettres de mon moulin, « Élixir R. P. Gaucher ».

Aux âmes mystiques, l'oraison solitaire et le silence ont toujours paru le moyen nécessaire de l'action.   DANIEL-ROPS, Jésus en son temps, IV, p. 185.   2

♦ **2.** (XIIIᵉ ; sens repris au lat. class.). Vx ou archaïsme littér. Ouvrage d'éloquence destiné à être prononcé en public. ⇒ **Harangue.** « *Oraison se dit ou plutôt s'est dit des discours* (cit. 10) *des orateurs anciens* ». *Oraison de louange* (→ Composer, cit. 7, Valéry).

(XVIIᵉ). Mod. **ORAISON FUNÈBRE** : discours, de caractère religieux, prononcé à l'occasion des obsèques d'un personnage illustre pour honorer sa mémoire. ⇒ **Panégyrique.** *Les « Oraisons funèbres » de Bossuet* (→ Appliquer, cit. 8). *Bossuet a fait de l'oraison funèbre, jusqu'alors éloge hyperbolique du défunt, un véritable sermon. L'oraison funèbre du prince de Condé* (→ Évêché, cit. 2). — Fam. Propos tenu à l'occasion de la mort d'une personne, de la disparition ou de l'abolition d'une institution, d'un usage (→ Maint, cit. 2).

— Quelle perte est-ce que la sienne ? et de quoi servait-il sur la terre ? Un homme   3
incommode à tout le monde (...)
— Voilà une belle oraison funèbre.   MOLIÈRE, le Malade imaginaire, III, 12.

♦ **3.** (XIIᵉ ; du lat. *oratio* au sens de « style »). Vx. Assemblage des mots dont est composé le langage écrit ou parlé. — (XVIᵉ). *Les parties de l'oraison* : les parties du discours (→ Grammaire, cit. 2, Furetière).

Par un barbare amas de vices d'oraison,   4
De mots estropiés, cousus par intervalles,
De proverbes traînés dans les ruisseaux des Halles ?
                                        MOLIÈRE, les Femmes savantes, II, 7.

ORAL, ALE, AUX [ɔʀal, o] adj. — 1610 ; dér. sav. du lat. *os, oris* « bouche ».

♦ **1.** (Par oppos. à *écrit*). Qui se fait par la parole ; qui est énoncé de vive voix ; qui se transmet de bouche en bouche. ⇒ **Verbal.** *Confession, déposition orale. Littérature* (cit. 24), *tradition orale* (→ Dépasser, cit. 6). *Cultures orales et cultures de l'écriture. Importance de la littérature orale au moyen âge.* — *Épreuves orales d'un examen.* ⇒ **Épreuve, examen.**

(1868). N. m. *L'oral* : l'ensemble des épreuves orales d'un examen ou d'un concours. *Il a réussi à l'écrit, mais échoué à l'oral. Les oraux du baccalauréat auront lieu dans la deuxième quinzaine de juin.*

(...) Armand là-dessus s'absenta pour se présenter au bachot (...) À Aix, le temps   1
de l'écrit et de l'oral, la tête du jeune homme marcha d'une belle allure.
                                        ARAGON, les Beaux Quartiers, I, XIX.

♦ **2.** (1765). Phonét. « Se dit... d'un phonème dont l'articulation n'intéresse que la cavité buccale, à l'exclusion de la cavité nasale » (Marouzeau). *Voyelle orale.*

♦ **3.** (Vers 1830). Anat., méd. Qui est relatif à la bouche, qui appartient à la bouche (→ Buccal). *Cavité orale. Médicament qui s'administre par voie orale.* — Psychan. *Stade oral de l'enfant*, premier stade du développement de la libido où la sexualité est centrée sur la bouche. ⇒ **Oralité.** *Le stade oral précède le stade anal. Le désir cannibalique dans le stade oral.* ⇒ **Cannibalisme.**

D'après FREUD, le premier stade prégénital de la sexualité infantile, dans lequel   2
les lèvres et la bouche constituent la zone érogène dominante (1905). ABRAHAM a distingué un stade oral précoce, caractérisé par la succion, et un stade oral tardif, connexe à l'apparition des dents, caractérisé par la destruction et l'incorporation de l'objet (1924).   D. LAGACHE, in PIÉRON, Voc. de psychologie.

CONTR. Écrit (p. p. de *écrire*), **graphique. — Écrit** (n. m.).
DÉR. et COMP. Aboral, audio-oral. — Oralement, oralité.

ORALEMENT [ɔʀalmã] adv. — 1907 ; de *oral*.

♦ D'une manière orale (1.), de vive voix (opposé à *par écrit**) ; de bouche en bouche. *S'exprimer oralement ou par écrit. Il a répondu oralement mais refuse d'écrire pour confirmer. Interroger un élève oralement. Tradition transmise oralement.*

ORALITÉ [ɔralite] n. f. — 1845, Richard de Radonvilliers, *«l'Oralité de la confession»*; de oral.

♦ **1.** (xxᵉ). Didact. Caractère oral (de la parole, du langage, du discours...). — *L'oralité d'une culture, d'une tradition.*

Née *logos* et écriture, l'un avec l'autre, l'un dans l'autre, l'œuvre demeure logos et écriture jusque dans la vérité même des actes «écrire, parler» qui l'ont «agi-pensée» (...) C'est le corps contenu dans l'oralité de la parole, la discontinuité du corps opposée au fantasme d'un corps uni, unique, expansif et absolu (...)
J. GILLIBERT, la Création littéraire, *in* la Nef, nº 31, p, 88 (1967).

♦ **2.** Psychan. Caractère propre au stade oral du développement de la libido. ⇒ **Oral** (3.).

♦ **3.** Psychiatrie. Tendance à porter à la bouche, à lécher, tenter de manger toutes sortes d'objets. *Oralité de certains déments.*

-ORAMA Élément tiré du grec *orama* «vue», souvent simplifié en -*rama* depuis Balzac, et qui entre dans la composition de quelques mots, de création récente pour la plupart, formés sur le modèle de *panorama**, tels que : *cinérama, diorama, technirama...* — REM. Le radical abrégé -*rama* sert encore à la formation d'innombrables mots (enseignes, titres...) à caractère publicitaire, où il ne garde qu'un rapport très lointain avec son étymologie.

ORANG [ɔrɑ̃] n. m. ⇒ **Orang-outan.**

ORANGE [ɔrɑ̃ʒ] n. f. et adj. — Fin xivᵉ; *pume orenge* (pour *pomme d'orange*), v. 1200; calque de l'anc. ital. *melarancia*, au provençal *auranja*; esp. *naranja*, avec déglutination (en provençal) de *n-*, pris pour l'*n* de l'art. (u)*n*; arabe *nārāndj* «orange amère», du persan. — Jusqu'à la fin du xvᵉ s., le terme désigne l'«orange amère»; le sens de «orange douce» apparaît en 1515.

♦ **1.** (1600). Vx. Oranger. *Bouquet de fleurs d'orange; bouquet d'orange* (→ jasmin, cit. 1). *Eau de fleur d'orange.*

♦ **2.** Fruit de l'oranger*. ⇒ aussi **Clémentine, mandarine.** *L'orange est une baie, sphérique ou légèrement ovale, entourée d'une écorce vésiculaire d'une belle couleur jaune tirant sur le rouge à l'extérieur (le flavedo), blanche à l'intérieur (l'albedo). L'écorce de l'orange recouvre une pulpe d'un blanc jaunâtre parfois pigmentée de rouge, divisée en loges ou tranches. Quartier, tailladin d'orange. Pépin d'orange (les carpelles). Écorce, peau, pelure d'orange.* ⇒ **Zeste.** *Peler une orange.* — (1690). *Orange amère.* ⇒ **Bigarade.** *Orange douce. Oranges de la Chine* (→ Bassin, cit. 1), *de Valence, d'Algérie... Orange sanguine*. Commerce des oranges* (→ Mesurer, cit. 1). *Cueillette, triage, calibrage des oranges. Caisses, cageots d'oranges* (→ Expédition, cit. 9). *Saveur de l'orange* (→ Acidité, cit.; mâcher, cit. 7). *L'orange, utilisée en confiserie.* ⇒ **Condit, cotignac, orangeat.** *Beignets, gelées, glaces, sirops, sorbets, soufflés à l'orange. Canard* (cit. 3) *à l'orange.* — *Confiture, marmelade** (cit. 1) *d'oranges. Jus* (cit. 3) *d'orange. Salade d'oranges. L'orange sert à préparer des boissons* (⇒ **Orangeade**), *des liqueurs.* ⇒ **Curaçao.** *Bichof à l'orange. Essence de bergamote, extraite du zeste d'une variété d'orange. Apporter des oranges à un malade, à un prisonnier.* — Loc. fig. *On presse l'orange et on jette l'écorce** (cit. 5). — *Glisser sur une peau d'orange.* — (1874). *Fausse orange,* variété de coloquinte*.

1   Pour bien connaître les oranges, il faut les avoir vues chez elles, aux îles Baléares, en Sardaigne, en Corse, en Algérie, dans l'air bleu doré, l'atmosphère tiède de la Méditerranée. Je me rappelle un petit bois d'orangers, aux portes de Blidah; c'est là qu'elles étaient belles! Dans le feuillage sombre, lustré, vernissé, les fruits avaient l'éclat de verres de couleur, et doraient l'air environnant avec cette auréole de splendeur qui entoure les fleurs éclatantes.
Alphonse DAUDET, Lettres de mon moulin, «Les oranges».

2   Il n'est pas de fruit qui tienne une place comparable à celle de l'orange. Quelle charmante anthologie si l'on réunissait les écrits qui lui ont été consacrés, des auteurs de la Chine antique à ceux de l'Espagne musulmane et chrétienne, de Marvell à Gœthe et à Blasco Ibañez! D'où vient ce charme qui impressionne tant la sensibilié du poète? De la couleur, de la forme et du parfum, plus encore que de la saveur, à quoi le vulgaire s'intéresse davantage, même quand il répond inconsciemment à l'appel du sentiment esthétique.
P. ROBERT, les Agrumes dans le monde, p. 144.

3   La terre est bleue comme une orange.
P. ÉLUARD, l'Amour la poésie, «Premièrement».

4   Comme dans l'éponge il y a dans l'orange une aspiration à reprendre contenance après avoir subi l'épreuve de l'expression. Mais où l'éponge réussit toujours, l'orange jamais : car ses cellules ont éclaté, ses tissus se sont déchirés. Tandis que l'écorce seule se rétablit mollement dans sa forme grâce à son élasticité, un liquide d'ambre s'est répandu, accompagné de rafraîchissement, de parfums suaves, certes, — mais souvent aussi de la conscience amère d'une expulsion prématurée de pépins.
Francis PONGE, le Parti pris des choses, p. 41.

♦ **3.** Adj. invar. (xviᵉ). D'une couleur semblable à celle de l'orange, c'est-à-dire formée par la combinaison du jaune et du rouge. ⇒ **Orangé.** *Pull-over orange* (→ Lourd, cit. 18). *Du crépon jaune*

orange (→ Fanfreluche, cit. 3). *Des rubans orange.* — (Déb. xxᵉ). Peint. *Mine orange,* pigment rouge orangé.

N. m. (1868). *La teinte orange. Un orange clair, soutenu.*

DÉR. Orangé. — Orangeade, orangeat. — 1. Oranger, 2. oranger, orangette, orangine.

ORANGÉ, ÉE [ɔrɑ̃ʒe] adj. et n. m. — xviᵉ; *orangié,* xvᵉ; de orange.

♦ **1.** Qui est d'une couleur formée par la combinaison du jaune et du rouge. ⇒ **Orange** (3.); **abricot, tango.** *Tons orangés* (→ Couleur, cit. 4). *Soie orangée.*

De chaudes teintes orangées
Dorent sa joue au fard vermeil.
Th. GAUTIER, Émaux et Camées, «Château du souvenir».   1

♦ **2.** (1571) N. m. **[a]** Cette couleur, en tant que distincte dans le spectre solaire. (→ Calcédoine, cit. 1; foncer, cit. 7). *L'orangé, couleur composite, l'une des couleurs de l'arc-en-ciel. Orangé-pastel,* orangé qui tire sur le brun. *Orangé très vif.* ⇒ **Tango.**

À l'est, monte d'abord une bande pâle, d'un jaune citron, qui passe à l'orangé, puis au rose, puis au rouge. Un nouveau coup de cymbales, et le soleil se lève.   2
M. CONSTANTIN-WEYER, Source de joie, VIII.

[b] Blason. Couleur héraldique employée dans les armoiries anglaises.

[c] Substance colorante qui sert à teindre en orangé. *Les orangés d'alizarine.*

HOM. 1. Oranger, 2. oranger.

ORANGEADE [ɔrɑ̃ʒad] n. f. — 1680; «confiture d'écorce d'oranges», 1642; de orange, avec infl. de l'ital. *aranciata.*

♦ Boisson préparée avec du jus d'orange ou de l'extrait d'oranges, du sucre et de l'eau. *Se désaltérer en buvant une orangeade. Orangeade aromatisée d'un zeste de cédrat.* ⇒ **Aigre-de-cèdre** (vx).

ORANGEAT [ɔrɑ̃ʒa] n. m. — Fin xivᵉ; de orange.
Vieux.

♦ **1.** Confiture sèche faite avec de l'écorce d'orange.

♦ **2.** (1771). Dragée à l'écorce d'orange.

HOM. Formes du v. 2. Oranger.

1. ORANGER [ɔrɑ̃ʒe] n. m. — 1389; de orange.

♦ **1.** Arbre ou arbuste appartenant à l'une des trois espèces, *citrus aurantium* (oranger amer ou *bigaradier**), *citrus sinensis* (oranger doux) et *citrus trifoliata* (oranger trifolié, dont le fruit n'a aucune valeur alimentaire, mais qui est utilisé comme plante de haie ou d'ornement et comme porte-greffe d'autres espèces). *Les orangers, plantes dicotylédones de la famille des Aurantiacées, sont des arbres ou des arbustes, souvent épineux, à feuilles coriaces et persistantes, à fleurs blanches, au parfum exquis.* ⇒ **Orange** (vx). → Flore, cit. 2; friche, cit. 2; mandoline, cit. 3; marier, cit. 18. *Clémentine* (cit.) *obtenu par croisement d'un oranger amer et d'un mandarinier. Oranger-mandarinier.* — Spécialt. *L'oranger doux.* — *Fruit de l'oranger.* ⇒ **Orange** (2.). *Feuille* (→ Mâcher, cit. 7), *fleur senteurs d'oranger* (→ Adorable, cit. 4). *Culture de l'oranger. Jardin, plantation, verger d'orangers.* ⇒ **Orangerie.** *Bois* (→ Frimas, cit. 7), *bosquet d'orangers. Orangers en caisse**. — «*Connais-tu le pays où fleurit* (cit. 2) *l'oranger?* »

(...) quelquefois le jardinier se mêlait à leurs travaux et, acharné (contre) les orangers disposés à l'entrée dans des grandes caisses vertes destinées, avant qu'on n'eût trouvé des laquais dans le vestibule, à vous recevoir dans le jardin et qui étaient rangés là dans une accueillante immobilité comme des statues végétales, les dépouillait de leurs fleurs jaunâtres dont il emplissait un sac pour en faire une liqueur dont il faisait commerce, par l'inexplicable mansuétude du notaire qu'il volait, mais qui, fier de son jardin, s'en rapportait en tout à son arrogant jardinier, s'étant laissé persuader qu'il était nuisible aux orangers de garder leurs fleurs.   0.1
PROUST, Jean Santeuil, Pl., p. 328.

D'après Gallesio, et la plupart des botanistes, l'oranger doux était inconnu en Europe avant le xvᵉ siècle de notre ère. On admet généralement que, seul, l'oranger amer fut introduit en Espagne au ixᵉ siècle après Jésus-Christ et que les Arabes l'avaient importé d'Extrême-Orient, car dès le début de notre ère les oranges amères arrivaient des Indes jusqu'aux ports de la mer Rouge d'où elles étaient transportées à dos de chameau jusqu'en Palestine (...) on sait aujourd'hui par un livre attribué à Confucius (...) que les Chinois cultivaient l'oranger doux dans les provinces de Tché-Kiang et de Kouang-Tung.   1
P. ROBERT, les Agrumes dans le monde, p. 23.

♦ **2.** (1845). *Eau de fleur d'oranger :* liqueur obtenue par la distillation des fleurs de l'oranger, utilisée en parfumerie et aussi comme antispasmodique et digestif (→ Hoquet, cit. 4). *Huile essentielle extraite de la fleur d'oranger.* ⇒ **Néroli.** — (1830). *La fleur d'oranger,* symbole de la virginité et du mariage. *Couronne, bouquet* (1. Bouquet, cit. 7) *de fleurs d'oranger* (→ aussi Marier, cit. 12). *Infusion* (cit. 1) *de feuilles d'oranger.*

2   Lucie s'avançait, à demi soutenue par ses femmes, une couronne d'oranger dans
les cheveux, et plus pâle que le satin blanc de sa robe.
FLAUBERT, Mme Bovary, II, XV.

DÉR. Orangeraie, orangerie.
HOM. Orangé, 2. oranger.

2. ORANGER [ɔʀɑ̃ʒe] v. tr. — Conjug. *bouger*. — 1845, Bescherelle ; de *orange*.

♦ Rare. Teindre d'une couleur orange. *Oranger des rubans.*
HOM. Orangé, 1. oranger.

ORANGERAIE [ɔʀɑ̃ʒʀɛ] n. f. — xxe ; de 1. *oranger*.

♦ Plantation, verger d'orangers cultivés en pleine terre.

REM. Ce mot supplante *orangerie*, ce dernier terme ne désignant plus
que le local où l'on pratique la culture des orangers, le plus souvent
en caisses.

Le Larousse, après Littré, ignore en effet *orangeraie* et ne donne qu'*orangerie* avec
les deux sens de : serre où l'on met les orangers à l'abri pendant l'hiver, et de
plantation d'orangers. *Orangerie*, avec cette double acception, est équivoque et la
formation du mot n'est pas logique, car la plupart des noms désignant des plantations d'arbres ou d'arbustes se terminent par le suffixe *aie*. On dit : *amandaie,
cerisaie, châtaigneraie, chênaie* (...) Si donc *orangeraie* n'existe pas, il devrait
exister. Voilà un néologisme qui n'encourrait aucun blâme, du moins pas le mien.
René GEORGIN, Jeux de mots, p. 342.

HOM. Formes du v. 2. oranger.

ORANGÈRE [ɔʀɑ̃ʒɛʀ] n. f. — 1694 ; de *orange*.

♦ Vx. Marchande d'oranges. — REM. Certains dict. du xixe s. signalent
le masc. *oranger* «marchand d'oranges» (Boiste, 1803, etc.).

HOM. Forme du v. 2. oranger.

ORANGERIE [ɔʀɑ̃ʒʀi] n. f. — 1603 ; de 1. *oranger*.

♦ **1.** Lieu fermé, bâtiment où l'on met à l'abri pendant la saison
froide les orangers cultivés dans des caisses (⇒ **Serre**). *L'orangerie
de Versailles, des Tuileries.* Absolt. *Musée de l'Orangerie.* — (1690).
Partie d'un jardin* où les orangers sont placés pendant la belle saison.

1   Mais vous souvient-il, mon ami,
De ces marches de marbre rose,
En allant à la pièce d'eau
Du côté de l'Orangerie,
A. DE MUSSET, Poésies nouvelles, «Sur trois marches de marbre rose».

2   Suivant de nombreux témoignages, l'oranger aurait été importé d'Espagne en
France vers la fin du xve ou le début du xvie siècle. L'exemplaire encore vivant qui
fut planté dans l'Orangerie du parc de Versailles en 1684 porte le nom de *Grand-
Connétable, Grand-Bourbon, François Ier* (...) À partir de la Renaissance, en tout
cas, la mode se répandit d'adjoindre une «orangerie» aux châteaux des bords de
la Loire et de l'Île-de-France afin d'y entretenir ces arbres frileux au feuillage toujours vert.   P. ROBERT, les Agrumes dans le monde, p. 304.

♦ **2.** (1858). Vx. Plantation, verger d'orangers cultivés en pleine
terre. ⇒ **Orangeraie.**

3   La course aux plantations d'arbres fruitiers donnait lieu à un nouveau genre de
spéculation qui consistait à acquérir des terres nues, à les garnir hâtivement de
plants d'agrumes pour les revendre, presque aussitôt, au prix fort, sous le nom
prestigieux d'*orangerie*.   P. ROBERT, les Agrumes dans le monde, p. 449.

ORANGETTE [ɔʀɑ̃ʒɛt] n. f. — 1846, Bescherelle ; de *orange*.

♦ **1.** Agric. Petite orange amère, cueillie avant maturité et utilisée
en confiserie.

♦ **2.** Confiserie faite d'une écorce d'orange enrobée de chocolat.

ORANGINE [ɔʀɑ̃ʒin] n. f. — 1907 ; «espèce de coloquinte», 1868 ;
de *orange*.

♦ Cuis. Génoise parfumée à l'orange, fourrée et glacée au fondant.

ORANGISME [ɔʀɑ̃ʒism] n. m. — 1868 ; de *Orange*, nom propre.

♦ Hist. Doctrine des partisans de la dynastie d'Orange. — Tendance
des Orangistes (2.).

ORANGISTE [ɔʀɑ̃ʒist] n. et adj. — 1839, Boiste ; de *Orange*,
nom propre.

♦ **1.** Hist. Partisan de la dynastie d'Orange. — Adj. *La politique orangiste.*

♦ **2.** Mod. Membre des *Loges d'Orange*, associations de protestants d'Irlande du Nord (ainsi nommés à cause de Guillaume III, roi
d'Angleterre — Guillaume d'Orange — vainqueur des catholiques irlandais à Boyle — 1690). *Les orangistes et leur parti* (parti unioniste)
refusent toute entente avec les catholiques d'Irlande du Nord.

ORANG-OUTAN, ORANG-OUTANG [ɔʀɑ̃utɑ̃] ou ORANG [ɔʀɑ̃] n. m. — 1680, répandu xviiie ; *orang-outan*, Académie, 1753 ; *orang-outang*, 1803 ; empr. au malais *orang hutan*, proprt «homme des bois», de *orang* «homme», et *hutan* «forêt, jungle», en composition «(animal) sauvage».

♦ Grand singe anthropoïde d'Asie, à longs poils, aux membres antérieurs très longs, appelé aussi *pongo*. ⇒ **Jocko** (vx). *L'orang-outan
est un singe anthropomorphe* de grande taille, au corps lourd,
couvert de longs poils de couleur acajou ; sa face, de teinte gris-
bleuté, est glabre ; ses membres antérieurs sont très longs. L'orang-
outan est arboricole et vit en Asie. Des orangs-outans* (ou, d'après
l'Académie, *des orangs-outangs*).

1   (...) en comparant cet animal avec ceux qui lui ressemblent le plus, comme avec
le magot, le babouin ou la guenon, il se trouve encore avoir plus de conformité
avec l'homme qu'avec ces animaux, dont les espèces cependant paraissent être si
voisines de la sienne qu'on les a toutes désignées par le même nom de *singes* :
ainsi les Indiens sont excusables de l'avoir associé à l'espèce humaine par le nom
d'*orang-outang*, homme sauvage, puisqu'il ressemble à l'homme par le corps plus
qu'il ne ressemble aux autres singes ou à aucun autre animal.
BUFFON, Hist. nat. des animaux, Les orangs-outangs.

2   C'était un orang, et qui, comme tel, n'avait ni la férocité du babouin, ni l'irréflexion du macaque, ni la malpropreté du sagouin, ni les impatiences du magot, ni
les mauvais instincts du cynocéphale.   J. VERNE, l'Île mystérieuse, t. I, p. 382.

HOM. (De *orang*) Orant.

ORANT, ANTE [ɔʀɑ̃, ɑ̃t] n. m. et f. — 1874, P. Larousse ; repris au part. prés. de l'anc. franç. *orer* «prier», du lat. *orare* → Oraison.

♦ **1.** Archéol. Dans l'art chrétien primitif, Personnage, généralement
féminin, représenté en prière, les deux bras étendus symétriquement, la paume des mains tournée en dehors. *Les orantes des peintures des catacombes.* — Adj. (xxe). *Vierge orante.*

♦ **2.** Arts (moyen âge, Renaissance). Statue funéraire qui représente
un personnage en prière, à genoux et les mains jointes. — Adj. « *Les
tombeaux princiers de la Renaissance comportent presque toujours
deux effigies du défunt, représenté gisant à l'état de cadavre sur
la dalle inférieure, et orant, au vif, sur la plate-forme supérieure* » (Réau).

♦ **3.** (Fin xixe). Littér. Personne en prière. « *Il existe* (en France) *un
véritable regain de la prière. Aussi bien par le nombre des orants
que par la qualité même de la prière* » (le Point, 26 mai 1980,
p. 103).

Dormiez-vous cette nuit (...) ô cœur d'orante par le monde, ô mère du Proscrit (...)
SAINT-JOHN PERSE, Exil, 7, p. 176.

HOM. Orang.

ORATEUR, TRICE [ɔʀatœʀ, tʀis] n. — V. 1355 ; *oratrice*, rare, 1582 ; *oratour*, v. 1180 ; lat. *orator* «porte-parole», de *oratum*, supin de *orare* «parler» → Oraison.

♦ **1.** Personne qui, en de fréquentes occasions, compose et prononce
des discours*. ⇒ **Conférencier, déclamateur** (péj.), **harangueur** (vieilli),
rhéteur (péj.), **tribun**. *Art de l'orateur.* ⇒ **Éloquence** ; 2. **oratoire**. *Discours* (cit. 10) *des orateurs anciens. Les orateurs attiques. L'Orateur*, dialogue de Cicéron. *Orateur judiciaire, politique.* — (1797).
Orateur sacré : auteur de sermons, d'oraisons funèbres. ⇒ **Prédicateur** (on dit aussi *orateur de la chaire, orateur évangélique*). *Grand*
(cit. 52) *orateur* (→ iron. Foudre* d'éloquence). *Orateur convaincant, distingué* (→ Avocat, cit. 16), *disert* (→ Dithyrambe, cit.),
éloquent, agréable et efficace (1. Efficace, cit. 5), *persuasif, puissant, impétueux, tonnant* (→ Éloquence, cit. 9), *véhément, pressant*
(→ Enthymème, cit.). *Orateur faible* (cit. 12), *maladroit* (→ Fil,
cit. 39). *Les orateurs montaient à la tribune** (→ Démocratie,
cit. 7). *Grandiloquence* (cit. 2), *fougue* (→ Motion, cit. 1), *verve,
débit, gestes* (cit. 4 et 8) *d'un orateur.* « *Le véritable orateur n'orne
son discours* (cit. 19) *que de vérités lumineuses* » (Fénelon).

1   Si vous employez l'art, cachez-le si bien par l'imitation, qu'on le prenne pour la
nature même. Mais, à dire le vrai, il en est des orateurs comme des poètes qui
font des élégies ou d'autres vers passionnés. Il faut sentir la passion pour la bien
peindre ; l'art, quelque grand qu'il soit, ne parle point comme la passion véritable. Ainsi, vous serez toujours un orateur très imparfait, si vous n'êtes pas pénétré
des sentiments que vous voulez peindre et inspirer aux autres ; et ce n'est pas par
spiritualité que je dis ceci, je ne parle qu'en orateur.
FÉNELON, Dialogue sur l'éloquence, II.

2   Ce qui manque aux orateurs en profondeur, ils vous le donnent en longueur.
MONTESQUIEU, Cahiers, III, Anciens et Modernes.

3   L'orateur est occupé de son sujet, et le déclamateur de son rôle ; l'un agit, l'autre
feint ; le premier est une personne exposant de grandes idées, et le second un personnage débitant de grands mots.   Joseph JOUBERT, Pensées, XXIII, CX.

4   Il (Éd. Herriot) était à mon avis le plus grand orateur que nous ayons eu depuis
Jaurès. Et je n'ai pas besoin de souligner que pour apprécier pleinement un orateur il faut l'entendre et le voir.
J. ROMAINS, Réponse au disc. de récept. de J. Rostand à l'Académie franç.,
12 nov. 1959.

Figuré :

5   Les passions sont les seuls orateurs qui persuadent toujours.
LA ROCHEFOUCAULD, Maximes, 8.

♦ **2.** (xixe). Personne qui est amenée occasionnellement à prononcer
un discours en public. *À la fin du banquet, l'orateur a été très*

applaudi. — Par plais. ⇒ **Discoureur.** *Les orateurs des cafés* (cit. 6) *du Commerce.*

♦ **3.** Personne qui prend la parole au nom des autres.

(1680). Spécialt (vx). *Orateur* ou (1868) *orateur de la troupe :* acteur qui, dans une troupe de comédiens, était chargé de haranguer le public et d'annoncer le spectacle.

Vx. Président de la Chambre des Communes en Angleterre. ⇒ **Speaker.**

♦ **4.** Personne naturellement éloquente, qui sait parler en public, qui a le tour d'esprit que requiert le genre oratoire, qui use du style propre aux ouvrages d'éloquence. *Il n'est vraiment pas orateur* (→ aussi Captiver, cit. 8 ; chaire, cit. 5 ; colère, cit. 13). — REM. Le féminin *oratrice* est rare (1666, Chapelain). On dit plutôt *une femme orateur* (Littré). *Elle est bon orateur.*

6 La grande oratrice lui poussait le coude pour lui recommander de mettre quelques sanglots dans sa voix. A. ROBIDA, le Vingtième Siècle, p. 108.

CONTR. Auditeur.

1. ORATOIRE [ɔʀatwaʀ] n. m. — XIIIᵉ ; *oratur,* v. 1190 ; lat. ecclés. *oratorium,* du lat. class. *oratum,* supin de *orare* au sens de « prier ».

♦ **1.** Lieu destiné à la prière, petite chapelle. *Oratoire romain.* ⇒ **Sacrarium.** — Spécialt. (Dans la religion catholique). Se dit des « lieux destinés au culte divin, à l'usage d'un groupe déterminé de fidèles » *(Dict. de liturgie romaine).* ⇒ 1. **Chapelle** (II., 1.), **église** (II.). *Il disait sa messe* (cit. 3) *soit à la cathédrale, soit dans son oratoire.* — (1761). Fig. Lieu où l'on peut se recueillir.

Servir Dieu, ce n'est point passer sa vie à genoux dans un oratoire (...) c'est remplir sur la terre les devoirs qu'il nous impose (...) ROUSSEAU, Julie ou la Nouvelle Héloïse, VI, VIII.

♦ **2.** (1662). Nom de congrégations religieuses. *L'Oratoire de Sainte-Marie,* fondé en 1564 à Rome par saint Philippe de Néri. *L'Oratoire de Jésus,* fondé au XVIIᵉ siècle à Paris par le cardinal de Bérulle. *Membre de l'Oratoire.* ⇒ *Les Pères de l'Oratoire.* ⇒ **Oratorien** (→ Divin, cit. 6). — Église, maison de la congrégation de l'Oratoire. *Aller à la messe à l'Oratoire.*

♦ **3.** (1377 ; vx). Prie-Dieu que l'on plaçait dans un renfoncement.

♦ **4.** Mus. Vx. ⇒ **Oratorio.**

DÉR. Oratorien.
HOM. 2. Oratoire.

2. ORATOIRE [ɔʀatwaʀ] adj. et n. — V. 1460 ; lat. *oratorius,* de *orator* « orateur ».

♦ **1.** ⒜ Qui appartient ou qui convient à l'orateur, à l'art de parler en public. *Art oratoire.* ⇒ **Déclamation, éloquence ;** → Assistance, cit. 2.

⒝ (1680). Qui a les caractères propres aux ouvrages d'éloquence. *Développement oratoire.* ⇒ **Discours.** *Discours étudié et oratoire* (→ Génie, cit. 24). *Débit, don, fougue oratoire* (→ Apaiser, cit. 20). *Genre, geste, joute* (cit. 3), *lyrisme, morceau, mouvement, période, poésie, procédé* (→ Discours, cit. 22), *souffle, style* (→ Associer, cit. 9), *ton, tour oratoire* (→ Harmonie, cit. 23). — *Convenances* oratoires.*

1 (...) par un discours fait exprès,
Jacqueau prépare l'auditoire.
Ce morceau vraiment oratoire
Fait bâiller ; mais on applaudit. FLORIAN, Fables, II, 7.

(1798). Loc. *Précaution oratoire :* moyen qu'on emploie dans un discours, un écrit, une conversation pour se concilier la bienveillance de l'auditeur ou du lecteur et ménager sa susceptibilité, quand on aborde certains sujets délicats (→ Mielleux, cit. 2).

♦ **2.** N. m. Genre oratoire.

2 Et l'oratoire, avec Baudelaire, Verlaine, Mallarmé, sera même chassé de la poésie, qui n'aura pas attendu le conseil de Verlaine pour prendre l'éloquence et lui tordre le cou. A. THIBAUDET, Gustave Flaubert, p. 259.

DÉR. Oratoirement.
HOM. 1. Oratoire.

ORATOIREMENT [ɔʀatwaʀmɑ̃] adv. — 1565 ; de 2. *oratoire.*

♦ Rare. D'une manière oratoire.

ORATORIEN, IENNE [ɔʀatɔʀjɛ̃, jɛn] n. m. et adj. — 1721 ; de 1. *Oratoire,* 2.

♦ Membre de la congrégation religieuse de l'Oratoire. *Les oratoriens sont des prêtres séculiers qui vivent en commun, soumis à une règle, sans être liés par des vœux monastiques. Malebranche, Massillon, oratoriens célèbres.* — Adj. m. *Les Pères oratoriens.*

Adj. Relatif à la société de l'Oratoire. *L'obédience oratorienne.*

ORATORIO [ɔʀatɔʀjo] n. m. — 1700 ; mot ital. « oratoire », d'après le nom de l'église de l'Oratoire à Rome, où saint Philippe de Néri fit exécuter des intermèdes musicaux.

♦ Mus. Drame lyrique sur un sujet religieux, ou parfois profane, qui contient les mêmes éléments que la cantate (aria, arioso, récitatif, duo, trio, chœur) avec un rôle plus important dévolu à l'orchestre. ⇒ **Drame** (drame musical, lyrique). *Les oratorios de Haendel. L'oratorio de Noël,* de Bach.

REM. La forme francisée *oratoire* (Rousseau, *Dict. de musique)* est archaïque.

1. ORBE [ɔʀb] adj. — 1249 ; *orbs* « aveugle », 1050 ; *orbe* « obscur », v. 1170 ; lat. *orbus* « privé de ».

♦ **1.** Chir. *Coup orbe,* qui meurtrit la chair sans l'entamer (→ Livide, cit. 1).

♦ **2.** (1701). Techn. *Mur* orbe,* qui n'est percé d'aucune ouverture.

DÉR. et COMP. Orbevoie, orbière.
HOM. 2. Orbe.

2. ORBE [ɔʀb] n. m. — XIIIᵉ, au fém. ; au masc., 1527 ; lat. *orbis* « cercle ».

♦ **1.** Astron. Espace circonscrit par l'orbite* d'une planète ou de tout autre corps céleste. *Surface d'un orbe elliptique.* — Abusivt. Cette orbite. *Orbe que décrit la lune* (→ Épicycloïde, cit.). *Graviter* (cit. 7, par métaphore) *dans un orbe.*

♦ **2.** (1694). Poét. (En parlant des corps célestes). Globe, sphère (d'un astre). *L'orbe de la lune se lève* (→ Embrumer, cit. 5).

1 L'orbe d'or du soleil tombé des cieux sans bornes
S'enfonce avec lenteur avec l'immobile mer
LECONTE DE LISLE, Poèmes tragiques, « L'orbe d'or ».

♦ **3.** Littér. et rare. Corps sphérique ou globulaire (→ Bombe, cit. 2).

2 Son sein rond et hardi comme l'orbe d'un bouclier d'amazone (...)
COLETTE, Belles saisons, p. 125.

♦ **4.** (1804). Trajectoire ou mouvement circulaire.

3 D'immenses cercles se traçaient dans l'infini, comme les orbes que forme l'eau troublée par la chute d'un corps (...) NERVAL, Aurélia, I, III.

♦ **5.** (XXᵉ). Littér. Zone d'influence. ⇒ **Orbite.** *Dans l'orbe d'une grande puissance.*

COMP. Orbicole.
HOM. 1. Orbe.

ORBEVOIE [ɔʀbəvwa] n. f. — 1360, *in* Godefroy ; employé jusqu'au XVIᵉ ; repris comme t. didact. dans les dict. depuis la fin du XIXᵉ ; de 1. *orbe,* et *voie.*

♦ Didact. (archit). Arcature ou fenêtre fausse à fond plat. — Syn. : *arcature, fenêtre aveugle.*

CONTR. Claire-voie.

ORBICOLE [ɔʀbikɔl] adj. — 1858 ; de 2. *orbe,* et *-cole.*

♦ Rare. Qui se trouve, qui peut vivre sur tous les points du globe. *Plante orbicole.*

ORBICULAIRE [ɔʀbikylɛʀ] adj. et n. m. — V. 1378 ; bas lat. *orbicularis,* du lat. class. *orbiculus,* dimin. de *orbis* → 2. Orbe.

♦ **1.** (Fin XVᵉ). Qui est en forme de cercle, d'anneau*. ⇒ **Rond ;** → Lune, cit. 2.
(1690). Anat. *Muscle orbiculaire,* formant un cercle autour d'un orifice naturel et servant à le fermer par contraction. — (1765). N. m. *L'orbiculaire des lèvres, de l'œil* (ou *des paupières*). ⇒ **Sphincter.**

♦ **2.** Qui décrit un cercle. *Mouvement orbiculaire.*

Le Suffète avait tassé ses hommes en une masse orbiculaire, de façon à offrir partout une résistance égale. FLAUBERT, Salammbô, IX.

ORBIÈRE [ɔʀbjɛʀ] n. f. — 1470 ; de 1. *orbe.*

♦ Techn. (Vx). Morceau de cuir percé d'un trou, placé sur chacun des yeux d'un animal de trait pour qu'il ne puisse voir que droit devant lui. ⇒ **Œillère.**

ORBITAGE [ɔʀbitaʒ] n. m. — XXᵉ ; de *orbite.*

♦ Techn. Vol en orbite d'un véhicule spatial ; sa durée. *« Au cours de la phase d'orbitage »* (J. Colin et Y. Houdas, *la Physiologie du cosmonaute,* p. 118).

ORBITAIRE [ɔʀbitɛʀ] adj. — XVIᵉ ; de *orbite* (I.).

♦ Anat. Qui appartient ou a rapport à l'orbite de l'œil. *Arcade**

orbitaire. Apophyse, nerf orbitaire. — (1868). *Fosses orbitaires.* — (1874). *Cavités orbitaires :* orbites des yeux.

ORBITAL, ALE, AUX [ɔʀbital, o] adj. — 1874 ; de *orbite* (II.).

♦ **1.** Astron. Qui appartient ou qui a rapport à l'orbite d'une planète, d'un satellite, etc. *Mouvement orbital. Plans orbitaux. Station orbitale ; expérience orbitale. Vol orbital.*

♦ **2.** (V. 1968). Phys. Relatif à l'orbite d'une particule. *Moment orbital :* moment de la quantité de mouvement d'un électron par rapport au noyau de l'atome auquel il appartient.

DÉR. et HOM. Orbitale.
COMP. Sous-orbital.

ORBITALE [ɔʀbital] n. f. — V. 1969 ; de *orbite ;* ou substantivation de *orbital.*

♦ Phys. Fonction d'onde d'un électron, définissant son comportement spatial dans la configuration électronique d'un atome ou d'une molécule. *Produit de l'orbitale par la fonction d'onde ou orbitale avec spin.* — Par ext. Surface ou volume d'équiprobabilité maximale d'un électron. *Orbitales de valence, de liaison. Calcul d'orbitales moléculaires. Orbitales frontières.*

On peut se représenter grossièrement l'arrangement des électrons autour du noyau central de la façon suivante : les électrons sont répartis, associés par paires en général, sur des trajectoires incluses dans des volumes à la structure bien définie que l'on appelle des orbitales. Celles-ci peuvent être considérées, dans une première approximation, comme des couches incluses les unes dans les autres, à la manière des écailles d'un oignon (et on parle effectivement des électrons d'une couche donnée pour les identifier).
    Antoine DANCHIN, Ordre et Dynamique du vivant, p. 109.

HOM. Orbital.

ORBITE [ɔʀbit] n. f. — 1314 ; du lat. *orbita,* de *orbis* «cercle» → 2. Orbe.

★ **I.** ♦ **1.** Cavité osseuse en forme de pyramide quadrangulaire, dans laquelle se trouvent placés l'œil* (cit. 4) et ses annexes. *Avoir les yeux très enfoncés dans les orbites* (→ Meurtrir, cit. 6), *qui sortent des orbites* (⇒ Exorbité ; exophtalmie ; → Globe, cit. 6). *De l'orbite.* ⇒ Orbitaire.

1 (...) au fond de ces orbites vides, il me sembla voir sourdre des larmes, brillantes comme des diamants.   NERVAL, Fragments, Frag. manuscr. Aurélia.
2 La lueur d'un réverbère (...) faisait, par éclairs, étinceler ses lunettes sur ses orbites emplies d'ombre.   MARTIN DU GARD, les Thibault, t. VII, p. 299.

Loc. fam. *Se mettre le doigt dans l'orbite,* dans l'œil.

♦ **2.** (1868). Région entourant l'œil des oiseaux. — Rebord supérieur de l'œil, chez les insectes.

★ **II. A.** ♦ **1.** (1676). Trajectoire courbe (d'un corps céleste) ayant pour foyer un autre corps céleste. *Orbite d'un astre, de la Lune. D'une orbite.* ⇒ **Orbital.** *Excentricité* de l'orbite elliptique d'un astre, d'un satellite.* ⇒ **Apside ; apoastre, périastre ; aphélie, périhélie ; apogée, périgée ; apolune, périlune.* (→ aussi Époque, cit. 2 ; graviter, cit. 1). *Inclinaison* (cit. 4) *d'une orbite planétaire sur l'écliptique*. — La Terre décrit, parcourt son orbite autour du Soleil en 365 jours 6 h 9 mn. — La plupart des comètes* ont une orbite parabolique.*

3 (...) on s'est aperçu (...) que les orbites *(des planètes)* n'étaient ni circulaires, ni décrites uniformément, et on leur a donné la figure elliptique (...) enfin on a vu que cette figure ne répondait pas encore à tout ; que plusieurs des planètes (...) ne s'y assujétissaient pas exactement dans leurs cours ; on a tâché de découvrir la loi de leurs inégalités, et c'est le grand objet qui occupe aujourd'hui les savants.
    D'ALEMBERT, Éléments de philosophie, XVII, Astron.

L'orbite d'un satellite artificiel. Le satellite décrit, parcourt l'orbite prévue. Orbite directe, «telle que la projection du centre de gravité du satellite sur le plan équatorial du plan principal tourne dans le même sens que celui-ci autour de son axe» *(Journ. off.). Orbite équatoriale,* dont l'inclinaison est nulle ou (pratiquement) très faible. *Orbite polaire* (inclinaison de 90º). *Orbite excentrique,* décrivant une ellipse de forte excentricité. *Orbite quasi parabolique* (excentricité voisine de 1). *Orbite képlérienne,* ou *non perturbée* d'un corps assimilable à un point (le satellite possédant une symétrie sphérique). *Orbite perturbée.*

Loc. cour. (Abusif en sc.). *Placer un satellite artificiel sur son orbite ; le mettre en orbite,* lui faire décrire l'orbite prévue, calculée. ⇒ **Lancer.** *Mise sur orbite de stations automatiques en vue de l'exploration du cosmos et des planètes. Qui peut être mis sur orbite.* ⇒ **Satellisable.**

Loc. cour. — *Mettre qqch. sur (son) orbite.* ⇒ **Lancer.** *Être, se placer..., sur orbite,* en marche vers le succès, dans le mouvement. « *Enfin le projet du grand accélérateur* (...) *est adopté. C'est une grande date dans l'histoire de l'Europe scientifique : la voilà maintenant sur orbite jusqu'à l'an 2000* » (*le Monde,* 21 févr. 1971). — *Mise sur orbite :* déclenchement d'un processus, mise en route de qqch. Mise sur orbite d'une nouvelle industrie. — Mettre (qqn) sur orbite,* l'envoyer exécuter une mission (souvent secrète).

Le moment est venu de placer Norbert sur orbite.   3.1
    Philippe BERNERT, S. D. E. C. E. Service 7, p. 208.

♦ **2.** Phys. Trajectoire fermée décrite par un corps animé d'un mouvement périodique. *Les électrons gravitent autour du noyau de l'atome sur des orbites variées.* ⇒ aussi **Orbitale.**

B. Par métaphore et fig. Milieu où s'exerce une activité, l'influence de qqn (considéré surtout par rapport à celui qui y est entraîné plus ou moins aveuglément). ⇒ **Mouvance, sphère.** *Graviter* (cit. 8) *dans une orbite, dans l'orbite d'un homme puissant. Vivre dans l'orbite de,* sous l'influence de (qqch., qqn). *Attirer, entraîner qqn dans son orbite.*

Toute supériorité quelconque est une séduction irrésistible, qui procède par rapt   4
et vous emporte dans son orbite.
    BARBEY D'AUREVILLY, les Diaboliques, « Le dessous de cartes... », p. 226.
Vivre dangereusement, au sens profond (...) ce n'est peut-être pas tant de chercher   5
Dieu que de le trouver et l'ayant découvert, que de demeurer dans son orbite.
    F. MAURIAC, Thérèse Desqueyroux, VI.

DÉR. Orbitage, orbitaire, orbital, orbitale, orbiter.
COMP. Orbito-, sous-orbitaire.

ORBITÈLES [ɔʀbitɛl] n. m. pl. — 1818 (1805, Walckeenaer, *in* Cottez) ; du lat. *orbis* «cercle», et lat. *tela* «toile».

♦ Zool. Famille d'araignées sédentaires qui tissent une toile verticale avec fils circulaires et rayonnants. *L'épeire*, type des orbitèles.* Au sing. *Un orbitèle.*

ORBITER [ɔʀbite] v. intr. — V. 1965 ; une première fois chez Bloy comme v. tr. : *le téméraire qui l'avait orbité, comme un satellite,* «qui avait gravité autour de lui» ; de *orbite* (II.).

♦ Techn. (astronaut.). Graviter selon une orbite déterminée. « *Pour un satellite orbitant à 400 km...* » (J. Colin et Y. Houdas, *la Physiologie du cosmonaute,* p. 96).

ORBITO- Premier élément de mots didact. (anat., méd.), tiré de *orbite.* — Ex. : *orbito-frontal.*

ORCANÈTE ou ORCANETTE [ɔʀkanɛt] n. f. — 1546 ; *orchanette,* 1538 ; *arquenet,* XIVe ; du rad. altéré (p.-ê. d'après *or*) de l'anc. franç. *alcanne* «henné» ; lat. médiéval *alchanna,* même sens ; arabe *(o)āl-ḥinnās* «henné».

♦ **1.** Bot. Plante dicotylédone (*Borraginées*) des régions méditerranéennes, herbacée, annuelle ou vivace, dont la racine d'un rouge foncé fournit une matière colorante.

♦ **2.** Techn. Racine de certaines borraginées, qui renferme un principe colorant rouge (⇒ **Grémil**).

ORCÉINE [ɔʀsein] n. f. — 1868 ; du rad. de *orseille.*

♦ Techn. Matière colorante extraite de l'orseille*.

ORCHÉSOGRAPHIE [ɔʀkezɔgʀafi] ou ORCHESTOGRAPHIE [ɔʀkɛstɔgʀafi] n. f. — 1588, *orchésographie ; orchestographie,* 1803 ; grec *orkhêsis* «danse» (→ Orchestre), et suff. *-graphie.*

♦ Didact. Représentation graphique de la danse* par indication des pas et des mouvements sous les passages notés (on dit plus souvent *notation chorégraphique*).

ORCHESTIQUE [ɔʀkɛstik] ou ORCHESTRIQUE [ɔʀkɛstʀik] n. f. — 1721, *orchestique ; orchestrique,* XIXe ; du grec *orkhêstikê (tekhnê),* «(art) qui concerne la danse».

Antiquité grecque.

♦ **1.** Art de la danse, science des attitudes et des mouvements considérés dans leur valeur expressive et leur emploi au théâtre. ⇒ **Chorégraphie, pantomime.**

La mise en scène de cette époque *(Grèce antique)* ne se réduisait point à la simple réglementation des entrées et des sorties des personnages, de leur situation sur le plateau, etc., elle prévoyait tous les mouvements et jusqu'à leur déclamation dans un ensemble vivant qui s'appelait l'orchestique.
    Francis DE MIOMANDRE, Danse, p. 10.

♦ **2.** Partie de la gymnastique* (cit. 5), qui comprenait tous les exercices relatifs à la danse, au saut et au jeu de paume. — (1599). Adj. *Genre orchestique.*

ORCHESTRAL, ALE, AUX [ɔʀkɛstʀal, o] adj. — 1845 ; de *orchestre.*

♦ **1.** Qui a rapport ou qui appartient à l'orchestre* (symphonique). *Masse*, musique orchestrale.*

♦ **2.** Qui a les qualités de l'orchestre. *Beauté orchestrale, style orchestral.*

ORCHESTRATEUR, TRICE [ɔʀkɛstʀatœʀ, tʀis] n. — Mil. xxᵉ ; de *orchestrer*.

♦ Musicien, musicienne qui fait une orchestration ; compositeur qui écrit pour l'orchestre symphonique (⇒ **Symphoniste**) ; arrangeur* pour l'orchestre. *Le « génial orchestrateur »* (Berlioz), *Revue du Son*, nᵒ 160, p. 353.

(...) le silence est parfois aussi expressif que le bruit. Bach, ce grand orchestrateur, n'a-t-il pas utilisé un admirable accord de silence dans la Toccata en ré mineur ? Un point d'orgue sur un silence !
Alain BOMBARD, *Naufragé volontaire*, p. 69.

ORCHESTRATION [ɔʀkɛstʀasjɔ̃] n. f. — 1836 ; de *orchestrer*.

♦ **1.** ⓐ « Art de mettre en action les sonorités diverses de l'instrument collectif qu'on nomme orchestre au moyen de combinaisons variant à l'infini » (A. Lavignac). ⇒ **Instrumentation** (cit. 1). *Cours, traité d'orchestration.*

Même si Ravel définissait *Boléro* comme un crescendo instrumental et feignait de n'y voir qu'un exercice d'orchestration, il est clair que l'entreprise recouvre bien d'autres choses (...) Claude LEVI-STRAUSS, *l'Homme nu*, p. 590.

Manière dont une composition musicale est orchestrée. L'orchestration d'une symphonie.

ⓑ (xxᵉ). Adaptation d'une œuvre musicale écrite à l'origine pour un seul instrument ou pour quelques-uns, ou pour la voix, etc., à l'interprétation par un orchestre. ⇒ **Arrangement, harmonisation.** *Orchestration d'une mélodie.*

♦ **2.** (Fin xixᵉ). Fig. Combinaison harmonieuse. *Orchestration de couleurs.*

♦ **3.** (V. 1965). Fig. Action entreprise pour diriger une campagne de publicité, une campagne d'opinion ; son résultat. *« L'orchestration publicitaire, la débauche de chiffres et d'arguments qui, par tous les canaux de l'information, se déversent sur le pays pour essayer de tirer dans un sens ou dans l'autre des actionnaires devenus brusquement sujets de toutes les sollicitudes »* (*le Monde*, 16 janv. 1969).

ORCHESTRE [ɔʀkɛstʀ] n. m. — 1520 ; grec *orkhêstra*, de *orkheisthai* « danser ».

REM. *Orchestre* a été féminin jusqu'au xviiiᵉ siècle.

★ **I.** ♦ **1.** (1694, n. m.). Antiq. Dans les théâtres antiques, espace compris entre le public et la scène.

1 (...) chez les Grecs, la partie inférieure du théâtre (...) était faite en demi-cercle et garnie de sièges tout autour : on l'appelait *orchestre*, parce que c'était là que s'exécutaient les danses. Chez eux l'orchestre faisait une partie du théâtre ; à Rome, il en était séparé et rempli de sièges destinés pour les sénateurs, les magistrats, les vestales, et les autres personnes de distinction.
ROUSSEAU, *Dict. de musique*, Orchestre.

♦ **2.** (1665, n. f. ; 1694, n. m.). Dans un théâtre moderne, Partie contiguë à la scène et un peu en contrebas, où peuvent prendre place les musiciens. *Fosse* d'orchestre. Les pupitres de l'orchestre* (→ Gagiste, cit. ; foyer, cit. 18).

♦ **3.** Cour. (1825). Dans une salle de spectacle, Ensemble des places du rez-de-chaussée les plus proches de la scène ou de l'écran (→ Fouiller, cit. 21). *Fauteuil*, stalle d'orchestre. Préférez-vous être à l'orchestre ou au balcon ?*

2 (...) je viens vous prier de vouloir bien faire marquer sous mon nom une stalle d'orchestre que je puisse faire prendre la veille au théâtre (...)
SAINTE-BEUVE, *Correspondance*, 468, 17 avr. 1835.

3 Forestier lui dit : « Remarque donc l'orchestre : rien que des bourgeois avec leurs femmes et leurs enfants, de bonnes têtes stupides qui viennent pour voir. Aux loges, des boulevardiers, quelques artistes, quelques filles de demi-choix (...)
MAUPASSANT, *Bel-Ami*, I, I.

Place à l'orchestre. Retenir deux orchestres.

3.1 Voulez-vous un orchestre, monsieur (...)
Ch. PAUL DE KOCK, *la Grande Ville*, t. I, p. 165.

(1845). Par métonymie. Le public qui occupe ces places. *Il saluait sous les applaudissements de l'orchestre.*

★ **II.** (V. 1750). Groupe d'instrumentistes qui exécute ou qui est constitué en vue d'exécuter de la musique* polyphonique. *Orchestre de trois, de soixante exécutants. Grands et petits orchestres.* ⇒ **Concert** (*supra* cit. 16), 2. **ensemble** (3.), **formation** (3.) ; **octuor, quatuor, quintette, septuor, trio.** *Les Soirées de l'orchestre*, texte de Berlioz.

4 L'orchestre se composait de trois aveugles des Quinze-Vingts ; le premier était violon, le second clarinette, et le troisième flageolet.
BALZAC, *Facino Cane*, Pl., t. VI, p. 68.

4.1 Avant trois heures, les spectateurs avaient envahi la vaste case. Européens et indigènes, Chinois et Japonais, hommes, femmes et enfants, se précipitaient sur les étroites banquettes et dans les loges qui faisaient face à la scène. Les musiciens étaient rentrés à l'intérieur, et l'orchestre au complet, gongs, tamtams, cliquettes, flûtes, tambourins et grosses caisses, opéraient avec fureur.
J. VERNE, *le Tour du monde en 80 jours*, p. 200.

Spécialt. *L'orchestre*, considéré sous le rapport de sa composition instrumentale. *Orchestre symphonique** (surtout en parlant des instruments [cit. 6] de l'orchestre : cordes, bois, cuivres, percussions...).

Composition pour orchestre ; morceau, musique d'orchestre (⇒ **Orchestral ; symphonie**). *Concerto* pour violon et orchestre. Pièces d'orchestre. Parties instrumentales d'une partition* d'orchestre* (dites *parties d'orchestre*, par oppos. aux *parties vocales*). *Transcription, arrangement pour orchestre.* — *Orchestre philharmonique de Berlin, de New York... Orchestre national et chœurs de la Radiodiffusion Télévision Française. Orchestre dirigé par X., placé sous la baguette, sous la direction de Z... Chef d'orchestre* (⇒ **Chef, maestro**). *Classe d'orchestre* : classe du Conservatoire où les instrumentistes apprennent à jouer en commun. — *Orchestre qui exécute une symphonie* (→ aussi Absorption, cit. 2), *l'hymne* (cit. 10) *national, une ouverture* (→ Injouable, cit. 2)...

Orchestre à cordes, comportant cinq pupitres de cordes. *Orchestre d'harmonie.* ⇒ **Harmonie** (4.). *Orchestre de cuivres.* ⇒ **Fanfare, orphéon.** *Faire la basse dans un orchestre* (→ Étudier, cit. 8).

(1847). *L'orchestre*, considéré sous le rapport du genre d'œuvres qu'il exécute. *Orchestre de chambre. Orchestre de jazz. Orchestre de danse qui joue* (cit. 55) *un tango. Orchestre musette. Orchestre de variétés. Orchestre de bastringue* (cit. 3). *Estrade réservée à l'orchestre dans un bal.*

5 La répétition fut passable (...) L'orchestre était nombreux, composé de ceux de l'Opéra et de la musique du roi (...) les chœurs étaient ceux de l'Opéra.
ROUSSEAU, *les Confessions*, VIII.

6 Elle apparut sur la petite scène (...) Un orchestre de sept musiciens l'accompagnait. Les cuivres et les roulements de tambour, les coups sourds de la grosse caisse rythmaient ses chansons (...) P. MAC ORLAN, *la Bandera*, IX.

7 Enfin le chef d'orchestre abaissa sa baguette, et toutes les personnes qui étaient sur la scène se mirent ensemble à faire du bruit.
MONTHERLANT, *les Jeunes Filles*, p. 225.

8 Au moins la musique nous permet-elle de nous taire. Les orchestres dans les restaurants ont dû être inventés à l'usage des couples.
MONTHERLANT, *les Lépreuses*, I, VI.

Ensemble des instruments propres à chaque compositeur, envisagés sous le rapport de leurs timbres et, accessoirement, de leur nombre. L'orchestre de Berlioz est plus varié que celui de Bach.

Par métaphore (→ Insecte, cit. 3).

9 En effet, il avait vu le merveilleux chef d'orchestre *(Voltaire)* qui, depuis cinquante ans, menait le bal tourbillonnant des idées graves ou court-vêtues, et qui, toujours en scène, toujours en tête, conducteur reconnu de la conversation universelle, fournissait les motifs, donnait le ton, marquait la mesure, imprimait l'élan et lançait le premier coup d'archet.
TAINE, *les Origines de la France contemporaine*, t. II, II, p. 128.

10 Autour de chez moi tout n'est que soleil et musique ; j'ai des orchestres de culs-blancs, des orphéons de mésanges (...)
Alphonse DAUDET, *Lettres de mon moulin*, « Lég. homme cervelle d'or ».

DÉR. et COMP. **Homme-orchestre.** — **Orchestral, orchestrer, réorchestrer.**

ORCHESTRER [ɔʀkɛstʀe] v. tr. — 1838 ; de *orchestre*.

♦ **1.** Mus. ⓐ Composer (une partition) en combinant les diverses parties instrumentales. ⇒ **Instrumenter.**

ⓑ (1868). Adapter pour l'orchestre (une composition primitivement écrite pour un seul instrument, et, spécialt, de nos jours, un air populaire). ⇒ **Arranger, harmoniser.** *Ravel a orchestré les « Tableaux d'une exposition » de Moussorgsky.*

♦ **2.** (xxᵉ). Fig. Organiser, préparer soigneusement, en cherchant à donner le maximum d'ampleur et de retentissement. *Orchestrer une campagne de presse.*

▶ **ORCHESTRÉ, ÉE** p. p. adj. *Œuvre musicale puissamment orchestrée.*

Fig. *Campagne de presse bien, habilement orchestrée.*

Le Figaro a reçu un assez grand nombre de lettres de protestation (en partie orchestrées). F. MAURIAC, *Bloc-notes 1952-1957*, p. 36.

DÉR. **Orchestrateur, orchestration.**
HOM. V. **Orchestre.**

ORCHIALGIE [ɔʀkjalʒi] n. f. — 1858 ; du grec *orkhis* « testicule », et *-algie*.

♦ Méd. Douleur localisée aux testicules.

ORCHIDACÉES [ɔʀkidase] n. f. pl. — 1845, adj. ; de *orchidée*, et *-acées*.

♦ Bot. Famille de plantes monocotylédones phanérogames angiospermes, herbes vivaces (terrestres ou épiphytes), à racines fibreuses portant souvent un ou deux tubercules, à fleurs inférovariées avec une corolle à trois pétales inégaux. ⇒ **Labelle.** *Pollinie* des orchidacées.* — *Principales orchidacées :* catleya, cypripède, dendrobie, liparis, néottie, ophrys, orchis, vanda, vanillier, zygopétale. *Orchidacées cultivées pour leurs fleurs.* ⇒ **Orchidée** (cour.), *orchis*. — Au sing. *Une orchidacée.*

ORCHIDECTOMIE [ɔʀkidɛktɔmi] n. f. — xxᵉ ; du grec *orkhis*, et *-ectomie*.

♦ Chir. Ablation d'un ou des deux testicules. ⇒ **Castration.**

ORCHIDÉE [ɔʀkide] n. f. — 1766; de *orkhis*, d'après le grec *orkhidion*, proprt «petit testicule», par anal. d'aspect entre cet organe et les tubercules de ces plantes.

♦ **1.** Plante de la famille des orchidacées (notamment, orchis) dont les fleurs, ordinairement groupées en épis ou en grappes, parfumées et de belles couleurs vives, sont recherchées pour leur grande beauté. ⇒ **Orchis.** *Les orchidées, qui poussent naturellement aux tropiques et à l'équateur, sont cultivées comme plantes d'ornement. Le moindre pli de terre se comble ici de gazon d'Espagne (...) d'orchidées sauvages d'un blanc de gardénia (...)* COLETTE, Belles saisons, p. 157.

♦ **2.** Cour. Fleur de cette plante. *Corbeille, gerbe d'orchidées. Offrir des orchidées.*

DÉR. (Du même rad.) **Orchidacées.**

ORCHIDOPEXIE [ɔʀkidopɛksi] n. f. — xxᵉ; du grec *orkhis* «testicule», et grec *pexis* «fixation».

♦ Chir. Fixation dans les bourses d'un testicule descendu chirurgicalement pour remédier à une cryptorchidie.

ORCHIS [ɔʀkis] n. m. — 1546; lat. *orchis*, même sens; grec *orkhis* «testicule». → Orchidée.

♦ Bot. Plante monocotylédone *(Orchidacées)* d'Europe et d'Asie Mineure, herbacée, vivace, aux multiples variétés ornementales communément appelées *orchidées. Orchis bouffon, pourpre, taché. Quatre maisons fleuries d'orchis jusque sous les tuiles émergent de blés durs et hauts.* J. GIONO, Colline, p. 9.

ORCHITE [ɔʀkit] n. f. — 1823; «olive de forme sphérique», 1562; du grec *orkhis* «testicule», et suff. *-ite.*

♦ Méd. Inflammation du testicule, parfois consécutive à une blennorragie*. *Orchite compliquée d'épididymite** (orchiépididymite). *Orchite ourlienne*, traumatique. L'orchite peut entraîner la stérilité.*

ORD, ORDE [ɔʀ, ɔʀd] adj. — V. 1112; du lat. *horridus* «qui fait horreur».

♦ Vx. (Rare au masc.). D'une saleté repoussante. ⇒ **Hideux, sale** (→ Harengère, cit. 1).

DÉR. Ordure.
HOM. Hors, 1. or, 2. or, ort.

ORDALIE [ɔʀdali] n. f. — 1704, *in* D.D.L.; lat. médiéval *ordalium,* d'un anc. angl. *ordâl* «jugement», cf. angl. mod. *ordeal.*

♦ Dr. féod. Épreuve* judiciaire par les éléments naturels, jugement* de Dieu par l'eau, le feu. — Souvent au plur. *Les ordalies.*

1   *C'est une impureté même rend le criminel sacré. Il est devenu dangereux d'attenter directement à sa vie; en lui consentant quelques aliments, la cité dégage sa responsabilité et laisse faire aux dieux (c'est le principe de l'ordalie, comme G. Glotz l'a bien vu).* Roger CAILLOIS, l'Homme et le Sacré, p. 58.

(À l'époque moderne). Épreuve judiciaire, dans certaines civilisations.

2   *L'ordalie, qui n'est autre qu'une épreuve judiciaire au cours de laquelle le chef de clan ou de famille fait absorber à de présumés coupables d'un délit un breuvage empoisonné.* Togo Presse, 16 janv. 1914, *in* I. F. A. N.

ORDINAIRE [ɔʀdinɛʀ] adj. et n. m. — 1348; n. m., «juge», 1260; du lat. *ordinarius* «rangé par ordre», dér. du lat. *ordo, inis.* → Ordre. — REM. L'adj. épithète se place normalement après le nom.

★ **I.** Adj. ♦ **1.** Qui est conforme à l'ordre normal des choses (⇒ **Ordre,** I., 4.); qui est, se fait, arrive d'une façon habituelle, sans condition particulière. ⇒ **Banal, commun** (I., 5.), 1. **courant** (III., 1.), **fréquent,** 1. **général** (2.), **habituel** (1.), 1. **moyen** (I., 3.), **normal** (5.), **usuel** (→ Erreur, cit. 7; extraordinaire, cit. 1 et 17; merveille, cit. 14). *Le cours ordinaire des choses* (→ Imagination, cit. 21). *Effets* (cit. 1), *conséquences ordinaires. Le principe le plus ordinaire qui fait agir l'ambitieux* (cit. 4). *Dépasser les bornes ordinaires* (→ Grand, cit. 52), *la mesure ordinaire. Le commerce* (cit. 16) *ordinaire, les actions ordinaires de la vie* (→ Accorder, cit. 29). *La vie ordinaire et les passions* (→ Indomptable, cit. 5). *Façon ordinaire de procéder.* ⇒ **Classique** (le coup classique); **coutume, coutumier.** *Les pratiques ordinaires de la religion* (→ Médaille, cit. 9). *Usage ordinaire. La langue, le langage* ordinaire, commun, courant. — *Excéder* (cit. 3) *la stature ordinaire des hommes. Des façons* (cit. 42) *qui n'étaient pas ordinaires. — Les jours ordinaires et les jours de fête.*

1   *Je vis ma journée, et me contente d'avoir de quoi suffire aux besoins présents et ordinaires; aux extraordinaires, toutes les provisions du monde n'y sauraient baster* (suffire). MONTAIGNE, Essais, I, XIV.

2   *Il est le sage des jours ordinaires, et les jours ordinaires sont en somme la substance de notre être.* MAETERLINCK, le Trésor des humbles, VII.

3   *Demain est un jour ordinaire. Maman quitte ce soir la robe de faille, le plastron de jais (...)* COLETTE, Belles saisons, p. 48.

Spécialt. Dont on se sert habituellement. *Leurs habits* (cit. 11) *ordinaires. Les maux contre lesquels les remèdes ordinaires sont impuissants* (→ Médicinal, cit.). *Nourriture, vin ordinaire,* de tous les jours (sans indication de qualité). → ci-dessous, II., 2. : *grand ordinaire.*

(Emploi impersonnel). *Il est ordinaire de...* (→ Intention, cit. 7; mépriser, cit. 10). *C'est ordinaire, très ordinaire.* — Loc. fam. *Ça alors, ce n'est pas ordinaire !,* se dit d'une chose étrange, incompréhensible.

Pas ordinaire («étrange, incompréhensible») s'emploie aussi en épithète (fam.). *Il vient de nous raconter une histoire pas ordinaire,* remarquable.

3.1   *Pas difficile de deviner qu'il leur revaudra ça et qu'il va couver une vacherie pas ordinaire.* R. QUENEAU, Loin de Rueil, p. 43.

Spécialt. (Dr.). *Prêt ordinaire* (→ Destination, cit. 2). *Contrat ordinaire* (→ Expression, cit. 41). — *Tribunal ordinaire* (→ 2. Faste, cit.). — *Question ordinaire et extraordinaire* (→ Gêne, cit. 2).

♦ **2.** Qui est habituel à qqn. ⇒ **Coutumier, familier, habituel** (→ Beau, cit. 46; familiarité, cit. 8). *La duplicité* (cit. 4) *ordinaire aux princes. La mollesse ordinaire aux gouvernements* (cit. 35). — *L'impétuosité* (cit. 2) *ordinaire des Français. Sa froideur* (cit. 2), *sa maussaderie* (cit. 2), *sa maladresse* (→ 1. Lancer, cit. 2) *ordinaire. Sa réponse ordinaire était que...* (→ Mariage, cit. 12).

♦ **3.** (1355). Personnes. Qui remplit habituellement une fonction. *En vente chez votre fournisseur ordinaire.* ⇒ **Habituel.** *Lectrice* (cit. 1) *ordinaire. Ambassadeur ordinaire.* — Ancienn. *Conseiller d'État ordinaire,* qui siégeait toute l'année.

(Fin xivᵉ). Spécialt. (Hist.). Se disait des officiers de la maison d'un prince qui remplissaient leur fonction toute l'année (et non par quartiers). *Médecin, maître d'hôtel ordinaire du roi.* — Par ext. (En parlant d'officiers habituels mais servant par quartiers). *Gentilhomme ordinaire du roi,* faisant fonction de messager du roi auprès des parlements, des provinces, des cours étrangères... — N. m. (xvιᵉ). *Un ordinaire.* «*On dit il est ordinaire chez le Roi,* ou *Gentilhomme ordinaire chez le Roi...*» (Richelet, 1680). — *Évêques ordinaires,* ceux qui gouvernent un diocèse (le pape, évêque de Rome; les évêques diocésains). — N. m. *Un ordinaire :* un évêque diocésain, considéré en tant que juge ecclésiastique de droit commun (par oppos. aux juges délégués : légats, etc.). *Il s'est pourvu par-devant l'ordinaire* (Académie).

4   *Il avait (...) donné les pires conseils à l'évêque (...) Pour un peu il aurait pris rang dans la foule des victimes, laissant Monseigneur, seul, bien en vedette. On avait l'impression qu'il eût vu les choses s'aggraver sans trop de déplaisir, les quelques ennuis qu'il en pouvait attendre devant être plus que compensés à ses yeux par la déconfiture de son Ordinaire.* J. ROMAINS, les Hommes de bonne volonté, t. VIII, XIII, p. 174.

♦ **4.** (1675). Dont la valeur, la qualité ne dépasse pas le niveau moyen le plus courant. ⇒ **Banal, commun** (cit. 20), **courant, médiocre, moyen, quelconque** (→ Apothéose, cit. 4). *Homme ordinaire* (→ Moralité, cit. 3), *femme ordinaire* (→ Fade, cit. 7). *Les génies* (cit. 45) *et les hommes ordinaires. Les âmes, les esprits ordinaires* (→ Musique, cit. 12). — *Un joueur* (→ Engager, cit. 17), *un diplomate ordinaire* (→ Mandater, cit. 1). ⇒ **Simple.**

5   *Enfin, Éliacin, vous avez su me plaire;*
    Vous n'êtes point sans doute un enfant ordinaire. RACINE, Athalie, II, 7.

6   *(...) dans Mᵐᵉ de Miran, je vous ai peint une femme d'un esprit ordinaire, de ces esprits qu'on ne loue ni qu'on ne méprise (...)* MARIVAUX, la Vie de Marianne, v.

7   *J'exigerais donc, voyez la cruauté ! que cette rare, cette étonnante Mᵐᵉ de Tourvel ne fût plus pour vous qu'une femme ordinaire, une femme telle qu'elle est seulement (...)* LACLOS, les Liaisons dangereuses, CXXXIV.

8   *Oscar est un homme ordinaire, doux, sans prétention, modeste et se tenant toujours, comme son gouvernement, dans un juste milieu. Il n'existe ni l'envie ni le dédain. C'est enfin le bourgeois moderne.* BALZAC, Un début dans la vie, Pl., t. I, p. 751.

Œuvre qui paraît ordinaire au premier aspect (→ Naturel, cit. 22). *Un goût ordinaire* (→ Enfant, cit. 43). *Passions, sentiments, chagrins* (→ Humilier, cit. 36) *ordinaires.* — *Du vin ordinaire, de qualité ordinaire.*

9   *(...) moi, qui aime les méthodes nouvelles et difficiles, je ne prétends pas l'en tenir quitte à si bon marché; et assurément je n'aurai pas pris tant de peine auprès d'elle, pour terminer par une séduction ordinaire.* LACLOS, les Liaisons dangereuses, LXX.

10 *Un destin exalté peut être le substitut d'une existence fort ordinaire, et réciproquement.* J. ROMAINS, les Hommes de bonne volonté, t. V, II, p. 17.

Très ordinaire, tout à fait ordinaire, des plus ordinaires : médiocre. — Péj. (Dans les jugements de valeur de nature sociale). *C'est un homme très ordinaire.* ⇒ **Commun, vulgaire.** *Avoir des traits* (⇒ **Gros**), *des manières ordinaires...* ⇒ aussi **Grossier, lourd.**

★ **II.** N. m. ♦ **1.** (1559). Ce qu'on a l'habitude d'être ou de faire; comportement habituel (→ Mesurer, cit. 19, Pascal). *À son ordinaire :* d'après son comportement habituel, comme il en a l'habitude. ⇒ **Habitude** (→ Badin, cit. 3). *Contre l'ordinaire de mes pareils...* (→ Intendant, cit. 5). *Sortir de l'ordinaire :* changer. *Cela ne sort pas de l'ordinaire.*

11 *Elle alla donc au Louvre et chez la reine Dauphine à son ordinaire; mais elle évitait la présence et les yeux de M. de Nemours (...)* Mᵐᵉ DE LAFAYETTE, la Princesse de Clèves, t. III, p. 340.

12 Demain j'irai au collège en fumant « la vieille » comme à mon ordinaire (...).
FLAUBERT, Correspondance, 24, 28 oct. 1838.

Degré habituel, moyen, normal... d'une chose.

13 Mlle du Plessis (...) disait une impertinence au-dessus de l'ordinaire ; moi, je pris aussi un ton au-dessus de l'ordinaire (...)   Mme DE SÉVIGNÉ, 862, 16 oct. 1680.

14 Je sais depuis longtemps qu'une intelligence au-dessus de l'ordinaire ne va pas sans une grande sensibilité.
PROUDHON, cité par SAINTE-BEUVE, Proudhon..., p. 103.

♦ **2.** (Déb. xve). Surtout milit. **[a]** Ce que l'on mange, ce que l'on sert habituellement aux repas*. ⇒ **Alimentation** (→ Chien, cit. 22 ; empiffrer, cit. 2). *Un bon, un excellent ordinaire. Menu supérieur à l'ordinaire* (→ Convive, cit. 1). — Loc. *Grand ordinaire :* vin courant de qualité. *Pour mon grand ordinaire, j'ai trouvé un excellent petit bordeaux.*

15 Il ne faut point tant de façons, vous dis-je, et je suis homme à me contenter de l'ordinaire.   MOLIÈRE, Monsieur de Pourceaugnac, I, 8.

16 (...) ses dîners, les jours de réception, servis par Chevet à prix débattus, lui faisaient honneur ; l'ordinaire regardait une excellente cuisinière que me procura mon oncle et que deux filles de cuisine aidaient (...)
BALZAC, Honorine, Pl., t. II, p. 264.

[b] Prestation nécessaire à la subsistance d'un effectif. *Caporal* (cit. 1) *d'ordinaire.*

[c] (1690). Portion d'avoine que l'on donne aux chevaux matin et soir.

♦ **3.** (1718 ; « missel », 1328). Liturgie. *Ordinaire de la messe* :* ensemble des prières de teneur invariable, par oppos. au *propre*.

♦ **4.** (1636). Vx. Courrier* qui partait et arrivait à jour fixe — (1671). Ce jour (⇒ **Poste**). → Expédition, cit. 6.

♦ **5.** L'ensemble des choses ordinaires ; ce qui ne se distingue par rien de particulier. *Avoir horreur de l'ordinaire* (→ Banal, cit. 4).

17 Le chef-d'œuvre du style, c'est d'exprimer supérieurement l'ordinaire, de faire quelque chose de rien (...)
Paul LÉAUTAUD, Propos d'un jour, Notes retrouvées, p. 46.

★ **III.** Loc. adv. (1601). **D'ORDINAIRE** : de façon habituelle, à l'accoutumée*, et, par ext., le plus souvent. ⇒ **Coutume** (de), **habitude** (d'), **habituellement, ordinairement, usuellement ; souvent** (le plus souvent). → Cacher, cit. 56 ; honteux, cit. 14 ; hôtel, cit. 8 ; innocent, cit. 17 ; 1. louer, cit. 9. *Comme d'ordinaire :* suivant* l'habitude. *Un hiver plus rude que d'ordinaire* (→ Manteau, cit. 5).

(Mil. xive). **À L'ORDINAIRE** : suivant la manière accoutumée. — REM. Cette locution, moins fréquente et moins affaiblie que *d'ordinaire*, conserve mieux son sens original. (→ Battre, cit. 53 ; dévot, cit. 10 ; douloureux, cit. 11 ; éveiller, cit. 4). *Comme à l'ordinaire* (→ Fagoter, cit. 1 ; 1. fouine, cit. 2).

POUR L'ORDINAIRE : en ce qui concerne l'ordinaire, l'habitude, la norme... (→ Balance, cit. 28 ; femme, cit. 61 ; fortune, cit. 6).

(1678). Vieilli. *Selon l'ordinaire* (→ Argent, cit. 4). — Vx. *Contre* (cit. 9) *l'ordinaire :* de manière anormale ou imprévisible.

CONTR. Anomal, anormal, bizarre, curieux, drôle, énorme, étonnant, étrange, exceptionnel, extraordinaire, fantastique, grotesque, important, inouï, insolent (4.), insolite, invraisemblable, magique, merveilleux, miraculeux, original, particulier, rare. — Distingué, excentrique...
DÉR. Ordinairement, ordinariat.

ORDINAIREMENT [ɔʀdinɛʀmɑ̃] adv. — 1381 ; déb. xiiie, *ordeinerement* « en ordre » ; de *ordinaire*.

♦ D'une manière ordinaire, habituelle. ⇒ **Accoutumée** (à l'), **communément, couramment, général** (en), **généralement, habituellement** (→ Appliquer, cit. 21 ; bêtise, cit. 6 ; héros, cit. 6 ; inconvénient, cit. 7 ; indignation, cit. 1 ; mœurs, cit. 7). *Ce que nous appelons ordinairement amis et amitiés...* (→ Accointance, cit. 1, Montaigne). *Un homme ordinairement craintif* (→ Étincelle, cit. 4). — *Le plus ordinairement :* la plupart du temps.

Dans la première jeunesse on a ordinairement et trop d'espoir, et trop d'impétuosité pour juger de toutes les convenances du mariage.
É. DE SENANCOUR, De l'amour, p. 181.
CONTR. Exceptionnellement, occasionnellement, rarement.

---

1. ORDINAL, ALE, AUX [ɔʀdinal, o] adj. — 1550 ; du lat. des grammairiens *ordinalis*, de *ordo, inis* « ordre ».

Didactique.

♦ **1.** Qui marque l'ordre, le rang. *Nombre ordinal* (opposé à *nombre cardinal**), indiquant la position, le rang d'un élément dans un ensemble bien ordonné*.

♦ **2.** Gramm. Se dit d'un adjectif numéral qui exprime le rang d'un élément dans un ensemble. Nom masculin :

Les ordinaux (...) servent à classer un objet dans une série ; ils le mettent à son ordre, soit dans l'espace, soit dans le temps. Et par là ils le distinguent souvent des autres objets : *C'est la trente-septième maison après le pont ;* — *le Maire du quatorzième arrondissement ; — Après un deuxième mensonge, je le renverrai.*
F. BRUNOT, la Pensée et la Langue, p. 158.

Adverbes ordinaux, dérivés des adjectifs ordinaux (premièrement, deuxièmement...).
HOM. 2. Ordinal.

---

2. ORDINAL [ɔʀdinal] n. m.— xve ; mot angl., du lat. *ordo* « ordre ».

♦ Liturgie. *L'ordinal :* livre de prières et de formules d'ordination de l'Église anglicane.
HOM. 1. Ordinal.

ORDINAND [ɔʀdinɑ̃] n. m. — 1642 ; du lat. *oedinandus* de *ordinare*.

♦ Liturgie. Celui qui reçoit le sacrement de l'ordre ; celui qui est ordonné prêtre. ⇒ **Ordination.**
HOM. Ordinant.

ORDINANT [ɔʀdinɑ̃] n. m. — 1690 ; du lat. *ordinans*, p. prés. de *ordinare*.

♦ Liturgie. Ministre du sacrement de l'ordination. ⇒ 1. **Ordinateur** (2.). *L'évêque est l'ordinant.*
HOM. Ordinand.

ORDINARIAT [ɔʀdinaʀja] n. m. — 1877 ; de *(évêque) ordinaire* (I., 3.).

♦ Relig. Fonction, pouvoir judiciaire de l'évêque diocésain, dit *ordinaire.*

---

1. ORDINATEUR, TRICE [ɔʀdinatœʀ, tʀis] adj. et n. m. — 1491 ; du lat. *ordinator, trix*, du supin de *ordinare*.

♦ **1.** Adj. (xviiie). Didact. Qui ordonne, met en ordre. *Cause* (cit. 3) *ordinatrice.*

♦ **2.** N. m. (Relig.). Celui qui confère un ordre ecclésiastique. ⇒ **Ordinant, ordination.**
HOM. (Du masc.) 2. Ordinateur.

---

2. ORDINATEUR [ɔʀdinatœʀ] n. m. — 1955, J. Perret, dér. sav. du lat. *ordo, ordinis* ou de 2. *ordination*, formé pour remplacer l'anglicisme *computer* (ou *computeur*), à la demande de IBM-France (1954).

♦ Calculateur électronique doté de mémoires à grande capacité, de moyens de traitement des informations à grande vitesse, capable de résoudre des problèmes arithmétiques et logiques complexes grâce à l'exploitation automatique des programmes enregistrés. (⇒ fam. **Machine ;** argot **bécane**). ⇒ **Calculateur, hardware, matériel.** *Ordinateur de première, de deuxième génération. — Unités d'entrée* (angl. *input*), *de sortie* (angl. *output*), *de mémoire* (⇒ **Mémoire**) *d'un ordinateur. Unité arithmétique, logique d'un ordinateur. Terminal* *d'ordinateur.* ⇒ aussi **Écran.** *Mémoire centrale, périphérique d'un ordinateur. Support de l'information dans un ordinateur* (cartes, bandes perforées, bandes magnétiques, disques et disquettes magnétiques). *Pupitre, écran de visualisation d'un ordinateur. Rapidité, fiabilité, performances d'un ordinateur. L'ordinateur d'un centre de calcul. Temps d'un ordinateur donné en picosecondes. Saisie des données** (par des perforateurs-vérificateurs), transmission, traitement de l'information par un ordinateur. Programme* (⇒ **Logiciel**), *programmation d'un ordinateur :* instructions données à l'opérateur d'un ordinateur. *Utilisation d'un ordinateur en temps partagé, en multiprogrammation, en liaison à distance* (⇒ **Télétraitement**). *Programmeurs, analystes informaticiens qui travaillent avec les ordinateurs. Mettre un texte sur ordinateur,* le mettre en mémoire après un traitement approprié. *Utilisation de l'ordinateur en sciences, en statistique, en photocomposition.*

(...) un temps (...) où Harpagon ne trouverait plus d'or à caresser, mais des zéros transmis électroniquement. Un monde réduit aux jeux d'un ordinateur.
P. GUTH, Lettre ouverte aux idoles, p. 13.
L'ordinateur, symbole du traitement automatique des données. *La civilisation de l'ordinateur.* ⇒ **Informatique.**
COMP. Micro-ordinateur, mini-ordinateur.
HOM. 1. Ordinateur.

---

1. ORDINATION [ɔʀdinasjɔ̃] n. f. — 1190 ; lat. chrét. *ordinatio* « action de mettre en ordre », du supin de *ordinare*.

♦ Liturgie cathol. Acte par lequel est administré le sacrement de l'ordre. ⇒ **Ordre** (II., 6.). → Curé, cit. 6 ; habiliter, cit. 3. *La cérémonie de l'ordination. Les ordinations ont lieu au cours d'une messe pontificale. Ordinations générales* (le plus souvent dans l'église cathédrale, en présence des chanoines. *Ordination particulière. Conférer* (⇒ **Ordinant,** 1. **ordinateur**), *recevoir* (⇒ **Ordinand**) *l'ordination. Ordination d'un diacre, d'un prêtre* par l'évêque**. — REM. Dans le langage courant, *ordination* ne s'applique guère qu'aux ordres majeurs, et spécialt. à la prêtrise.

Chaque séminariste devait passer par cinq ordinations : la « tonsure », les « ordres moindres », le « sous-diaconat », le « diaconat » et le « sacerdoce ».
SAINTE-BEUVE, Volupté, XXIV.

HOM. 2. Ordination.

2. ORDINATION [ɔʀdinasjɔ̃] n. f. — 1671 ; lat. *ordinatio,* au sens initial « action de mettre en ordre », de *ordinare,* de *ordo, inis* « ordre ».

♦ **1.** Math. Action de mettre en ordre, de disposer selon un ordre (⇒ **Ordonner**).

On croit pouvoir distinguer dans l'intelligence des enfants de sept-huit ans des structures de sériation A < B < C... construites par tâtonnements successifs. Or, la logique caractérise ces sériations comme une ordination de relations asymétriques, connexes et transitives.
J. PIAGET, Épistémologie des sciences de l'homme, p. 61.

♦ **2.** (Refait sur *ordinateur*). Techn. Ensemble d'opérations effectuées par un ordinateur* (on emploie aussi, dans ce sens, le verbe *ordiner*).

HOM. 1. Ordination.

ORDINOGRAMME [ɔʀdinɔgʀam] n. m. — V. 1965 ; de *ordinateur,* et *-gramme.*

♦ Techn. Représentation graphique des processus selon lesquels les données sont traitées à l'intérieur d'un ordinateur, qui montre principalement les opérations et décisions nécessaires à l'exécution complète du processus.

ORDO [ɔʀdo] n. m. invar. — 1752, Trévoux ; mot lat. « ordre ».

♦ Liturgie cathol. Calendrier liturgique publié chaque année qui comprend les diverses parties de l'année liturgique de l'Église universelle et d'une Église ou d'un ordre particulier (⇒ **Comput**). *Les ordo des diocèses, des ordres de réguliers, des congrégations...*

ORDONNABLE [ɔʀdɔnabl] adj. — 1845, Richard de Radonvilliers ; en moy. franç. *ordenable* « arrangé » (v. 1300), *ordonable à* « qui peut s'accorder avec », Oresme, 1370 (*in* Wartburg) ; de *ordonner.*

♦ Qu'on peut ordonner (I., 1.), ranger selon un ordre.

(...) on peut ramener la mesure des grandeurs et des multiplicités à l'établissement d'un ordre ; les valeurs de l'arithmétique sont toujours ordonnables selon une série : la multiplicité des unités peut donc « se disposer selon un ordre tel que la difficulté, qui appartenait à la connaissance de la mesure, finisse par dépendre de la seule considération de l'ordre » (DESCARTES).
Michel FOUCAULT, les Mots et les Choses, p. 68.

ORDONNANCE [ɔʀdɔnɑ̃s] n. f. — 1380 ; *ordenance,* v. 1180, de *ordonner.*

★ **I.** ♦ **1.** (XIIIᵉ). Littér. ou style soutenu. Mise* en ordre ; disposition selon un ordre. ⇒ **Agencement, aménagement, arrangement, disposition, distribution** (cit. 4), **organisation**. *Ordonnance des mots dans la phrase. Ordonnance des idées...* (→ Écrire, cit. 53 ; foisonnement, cit. 1). *Travail de simplification, d'ordonnance* (→ Emparer, cit. 15).

1 Avant l'ingénieuse ordonnance du Monde,
Le feu, l'air et la terre, et l'enflure de l'onde
Étaient en un monceau confusément enclos,
Monceau que du nom Grec on surnomme Chaos,
Sans forme, sans beauté, lourde et pesante masse.
RONSARD, Second livre des poèmes, « La paix ».

2 Son trait distinctif *(de l'imagination italienne)* est le talent et le goût de l'*ordonnance,* partant, de la régularité, de la forme harmonieuse et correcte ; elle est moins flexible et pénétrante que l'imagination germanique (...)
TAINE, Philosophie de l'art, t. I, p. 120.

3 Je respecte, j'admire le travail de l'historien. Dans la cohue des faits, dans le fatras des documents, il s'efforce de découvrir un principe d'ordonnance.
G. DUHAMEL, la Pesée des âmes, Notes liminaires.

4 (...) tout est resté rituel dans la disposition des lieux, dans les ornements et les emblèmes, dans l'ordonnance des marchandises, même dans la tenue du patron ou de la patronne et les gestes du métier.
J. ROMAINS, les Hommes de bonne volonté, t. III, XIX, p. 263.

♦ **2.** (Déb. XVIIᵉ). Arts (peint.). Composition d'ensemble d'un tableau, d'une œuvre décorative ; groupement et équilibre des masses, etc. (1676). Archit. Disposition d'ensemble d'un édifice ; nombre et disposition des éléments d'une construction. ⇒ **Architectonique, architecture** (→ par métaphore Encyclopédie, cit. 3). Application d'un ordre à la décoration d'une façade. — Spécialt. Disposition des colonnes, selon leur nombre, leur ordre, leur espacement. *Ordonnance tétrastyle, composite.*

5 (...) celui qui copie (...) donne à toutes les pièces qui entrent dans l'ordonnance de son tableau plus de volume qu'n'en ont celles de l'original (...)
LA BRUYÈRE, les Caractères, III, 48.

(1846). Par ext. *Ordonnance d'un appartement :* disposition des pièces ; plan.

6 Si vous voulez me suivre par ici, monsieur, nous serons beaucoup mieux que dans ce salon pour causer d'affaires, dit Madame Hulot en désignant une pièce voisine qui, dans l'ordonnance de l'appartement, formait un salon de jeu.
BALZAC, la Cousine Bette, Pl., t. VI, p. 137.

♦ **3.** (Fin XIVᵉ). Ordre dans lequel se succèdent les moments d'une cérémonie, d'une fête, d'un repas, etc. *Ordonnance d'un repas,* formée par la suite des plats. *Ordonnance de la table* (→ Mâtin, cit. 2). — *L'ordonnance des fêtes* (→ Majordome, cit. 1), *d'une cérémonie... « D'un enterrement* (cit. 4) *la funèbre ordonnance »* (⇒ **Appareil,** I.).

7 (...) Blazius y disposa symétriquement les rogatons tirés de la voiture, comme s'il se fût agi d'un festin sérieux. « Ô la belle ordonnance ! fit le Tyran réjoui de cet aspect. Un majordome de prince n'eût pas mieux disposé les choses ».
Th. GAUTIER, le Capitaine Fracasse, VII.

★ **II.** ♦ **1.** (XIIᵉ). Sens général. (Vx). Prescription, chose ordonnée.

8 *(Il)* n'est train de vie si sot et si débile que celui qui se conduit par ordonnance et discipline.
MONTAIGNE, Essais, III, XIII.

9 (...) toute la jeunesse de la maison, qui travaillait plus qu'eux dans la semaine, put s'ébattre et se divertir en liberté, selon l'ordonnance du bon Dieu.
G. SAND, la Petite Fadette, XXVI.

♦ **2.** Anc. dr. Texte législatif de portée générale, émanant du roi. ⇒ **Constitution** (II., 2.) ; 1. **loi** (I., 1.). *Copie d'une ordonnance royale.* ⇒ **Enregistrement** (1.). *Ordonnances et édits*. L'ordonnance de Villers-Cotterêts* (1539 ; → Asile, cit. 13 ; français, cit. 13), *d'Orléans* (1560).

Hist. *Les Ordonnances :* les trois ordonnances qui déclenchèrent la révolution de juillet 1830.

(1814). Dr. constit. Texte législatif émanant de l'exécutif, dans certaines formes particulières d'exercice du pouvoir (roi, gouvernement provisoire...). ⇒ **Décret.** — *Les ordonnances de la constitution de 1958,* textes du domaine exécutif pris par le pouvoir exécutif. ⇒ **Décret-loi.**

10 Il voudrait être (...) celui qui promulgue les décrets et les ordonnances, qui parle au nom de l'« utilité publique » (...)
J. ROMAINS, les Hommes de bonne volonté, t. V, XVIII, p. 137.

Par ext., vx. *L'ordonnance :* la loi. — (1740). Loc. fam. (Vieilli). *Être meublé suivant, selon l'ordonnance,* mal meublé (n'avoir que les meubles que la loi défend de saisir). → Guinguette (cit. 4, Rousseau). — Hist. *Compagnies d'ordonnance :* compagnies de cavalerie (gendarmes du roi, etc.) créées par ordonnance royale. *Une escouade de l'ordonnance du roi* (→ Estramaçon, cit. 1).

(1868). Dr. admin. Arrêté du préfet de police de Paris. *Ordonnance de police*.* ⇒ **Règlement.**

♦ **3.** (1510). Dr. Décision* émanant d'un juge unique. *Rendre une ordonnance. Ordonnance de justice** (→ Extrait, cit. 3 ; huissier, cit. 7). *Ordonnance d'acquittement, de non-lieu** (→ Informer, cit. 10). *Ordonnance de prise de corps* (→ Inculpé, cit. 3). *Ordonnance pénale* (ou *décret pénal*), pouvant porter condamnation d'un contrevenant sans qu'il ait pu se défendre. *Ordonnance de référé, de renvoi, de soit-communiqué*... Ordonnance sur requête. Ordonnance de non-conciliation en matière de divorce* (→ Conciliation, cit. 2 ; concilier, cit. 1). *Ordonnance permettant d'assigner* (cit. 17) *à bref délai. Ordonnance donnant force exécutoire à une sentence.* ⇒ **Exequatur.** *Ordonnance de taxe, réglant le montant des frais et émoluments dus à un officier ministériel.*

11 On n'avait jamais pu éclaircir s'il était là comme voleur ou comme volé. Une ordonnance de non-lieu, fondée sur son état d'ivresse bien constaté dans la soirée du guet-apens, l'avait mis en liberté.
HUGO, les Misérables, V, V, I.

♦ **4.** (1462). Législ. fin. Ordre de paiement décerné par un ministre *(ordonnance de payement) ;* autorisation à une personne (⇒ **Ordonnateur**) de disposer de crédits par des mandats de paiement *(ordonnance de délégation). Contrôler, viser, réformer une ordonnance* (Académie).

♦ **5.** (1558, *in* D.D.L.). Prescription*, ensemble de prescriptions d'un médecin* (cit. 2). → Bézoard, cit. 1 ; leurrer, cit. 1. *Pharmacien* qui exécute une ordonnance.*

12 (...) ce n'est pas à vous à contrôler les ordonnances de la médecine.
MOLIÈRE, le Malade imaginaire, I, 2.

Spécialt. Prescription écrite et signée du médecin. *Écrire, griffonner* (cit. 3) *une ordonnance. Ordonnance illisible* (cit. 2). *Médicament délivré seulement sur ordonnance.*

13 Le sage médecin ne donne pas étourdiment des ordonnances à la première vue, mais il écoute premièrement le tempérament du malade (...) ROUSSEAU, Émile, II.

14 Vous êtes un très aimable médecin, et je suis sûr aussi qu'on retrouverait bien vite joie et santé à suivre vos ordonnances.
SAINTE-BEUVE, Correspondance, 321, 10 oct. 1833.

15 Mᵐᵉ de Coantré avait eu la religion de la maladie. Un petit meuble secrétaire était consacré en entier aux ordonnances, que l'on gardait toutes (...).
MONTHERLANT, les Célibataires, II, IX.

♦ **6.** (1752, Trévoux). Vx. Cavalier servant de messager à un officier supérieur ou général.

Anciennt. (1849). Domestique militaire, soldat* attaché à un officier. ⇒ **Brosseur** (vx), **tampon** (fam., vx). → Commandant, cit. 1 ; impeccable, cit. 6.

16 C'était un gros homme imposant, au visage schisteux, qui s'appuyait lourdement au bras du colonel. Les ordonnances suivaient, por[t]ant les cantines (...)
SARTRE, la Mort dans l'âme, p. 95.

REM. Dans ce sens, le mot est employé aussi au masculin. *« Cet ordonnance est très actif »* (Académie). Cf. des exemples de Maupassant, Barrès, Maurois, etc., *in* Grevisse, § 273, 9°.

♦ 7. (1740, Académie). Milit. **D'ORDONNANCE, À L'ORDONNANCE** : conforme au règlement. *Habit d'ordonnance* (vx) : uniforme. *Barbe* (cit. 10) *à l'ordonnance. Revolver d'ordonnance.*

17 Moi je vous dis, monsieur, qu'il y est ; elles l'ont habillé chez ma fille ; toutes ses hardes y sont encore, et voilà son chapeau d'ordonnance que j'ai retiré du paquet.
                                    BEAUMARCHAIS, le Mariage de Figaro, IV, 5.

18 (...) on voyait luire les deux galons rouges d'une veste d'ordonnance qu'il achevait d'user.
                                    ZOLA, la Terre, I, I.

18.1 (...) tout en ayant, quand il a son képi de côté, les cheveux si courts qu'on le croit à l'ordonnance, l'autre jour Poitiers l'avait vu dans le bureau de son chef, qui signait des permissions, et il avait une raie magnifique dans ses cheveux blonds bouclés.
                                    PROUST, Jean Santeuil, Pl., p. 564.

(1812). *Officier d'ordonnance* : officier qui remplit auprès d'un officier général, d'un chef d'État... les fonctions d'aide de camp.

19 (...) le bel uniforme bleu de ciel des officiers d'ordonnance de l'empereur.
                                    BALZAC, la Femme de trente ans, Pl., t. II, p. 681.

DÉR. Ordonnancer, ordonnancier.

ORDONNANCEMENT [ɔʀdɔnɑ̃smɑ̃] n. m. — 1832 ; «disposition testamentaire» 1493 ; de *ordonnancer*, au sens moderne.

♦ 1. Fin. «Acte par lequel un ordonnateur* donne à un comptable, par voie d'ordonnance ou de mandat de payement, l'ordre de payer une dépense publique préalablement liquidée (⇒ **Liquidation,** I., 1.) en énonçant l'exercice, le crédit, les chapitres et, s'il y a lieu, les articles auxquels cette dépense s'applique» (Capitant).

♦ 2. Techn. Ensemble des processus de mise en œuvre et de contrôle d'une commande, d'un ordre (III., 2.), depuis la fabrication jusqu'à l'expédition au client. — Par ext. Organisation méthodique (de la fabrication, d'un processus). ⇒ **Méthode.**

♦ 3. Didact. ou littér. Façon dont une chose est ordonnée, arrangée. *L'ordonnancement d'une cérémonie. L'ordonnancement d'un parc à la française. « Dans l'organisation de la phrase complexe comme dans l'ordonnancement du discours »* (A. Sauvageot, in *le Français dans le monde,* 1972, n° 86, p. 10).

La magnificence du bâtiment, l'ordonnancement du parc à la flore riche et variée.
                                    Roger BORNICHE, le Gringo, p. 73.

ORDONNANCER [ɔʀdɔnɑ̃se] v. tr. — Conjug. *placer* — 1571 ; rare av. 1784 ; «disposer, arranger», 1801 ; de *ordonnance.*

♦ 1. Donner l'ordre (⇒ **Ordonner**) de payer (le montant d'une dépense publique). *Ordonnancer un payement*, *un état de dépenses.*

♦ 2. (1879). Vx. (En parlant d'un médecin). Prescrire par une ordonnance.

— Oui, mademoiselle ; je dis au Val-de-Grâce un éternel adieu. Je n'y ordonnancerai plus la limonade au citron.   FRANCE, Jocaste, Œ., t.II, p. 5.

DÉR. Ordonnancement.

ORDONNANCIER [ɔʀdɔnɑ̃sje] n. m. — 1951, Dalloz ; de *ordonnance.*

♦ Pharm. Registre sur lequel doivent être obligatoirement consignées les préparations magistrales, ainsi que les spécialités ou produits prescrits sur ordonnance. *L'ordonnancier doit être coté et paraphé par le commissaire de police. Médicament inscrit sous numéro d'ordre dans l'ordonnancier.*

HOM. Forme du v. **ordonnancer.**

ORDONNATEUR, TRICE [ɔʀdɔnatœʀ, tʀis] n. — 1504 ; de *ordonn(er),* et *-ateur.*

A. N. **♦ 1.** Personne qui ordonne*, dispose, met en ordre... ⇒ **Architecte** (fig.). *Dieu, ordonnateur de l'univers. L'ordonnateur de tant de mondes* (Chateaubriand, *le Génie du christianisme,* I, VI, 1). — *L'ordonnateur, l'ordonnatrice d'une fête*, *d'un bal.* ⇒ **Commissaire, organisateur.** *L'ordonnateur du repas.*

1 Entre les deux fenêtres, l'ordonnateur du logis a placé un poêle en faïence blanche dans une niche horriblement riche.   BALZAC, Pierrette, Pl., t. III, p. 680.

♦ 2. (1829). Loc. cour. *Ordonnateur des pompes funèbres,* ou, ellipt, *ordonnateur,* qui accompagne et dirige les convois mortuaires (⇒ **Funérailles**).

2 Observez l'ordonnateur des Pompes Funèbres ; c'est un roi des signes ; il n'est que cela. Il sait marcher, regarder, baisser les yeux, nommer, selon le cercle humain, selon les parentés et selon les dignités.
                                    ALAIN, Propos, 9 avr. 1921, Un ministre des signes.

2.1 (...) l'ordonnateur s'avance, simplifiant bien les choses : politesses et présentations sont devenues hors de propos.   Hervé BAZIN, Cri de la chouette, p. 55.

♦ 3. (1690). Législ. fin., comptab. Se dit de l'«autorité compétente pour ordonnancer une dépense engagée et liquidée» (Capitant). ⇒ **Ordonnance, payement.** *Ordonnateurs directs* (les ministres) *et secondaires* (disposant d'une délégation de délégation). *Les ordonnateurs sont des agents de la comptabilité* publique (⇒ aussi **Compte, finance**). — Adj. (1846). *Commissaire ordonnateur.*

3 Ce rez-de-chaussée était occupé tout entier par monsieur le baron Hulot d'Ervy,

---

commissaire ordonnateur sous la République, ancien intendant-général d'armée (...)   BALZAC, la Cousine Bette, Pl., t. VI, p. 136.

B. Adj. (V. 1784). Organisateur.

Qu'on ne me parle pas (...) du manteau d'Arlequin. Il était, certes, ce manteau, fait de pièces et de morceaux, mais d'excellents morceaux et de pièces admirables. L'esprit ordonnateur, par la suite, remettait chaque chose à sa place.
                                    G. DUHAMEL, la Pesée des âmes, IX.   4

ORDONNÉE [ɔʀdɔne] n. f. — 1658, Pascal, *lettre à Carcavy,* au sens de coordonnées : *«ordonnées à l'axe»* (abscisses), *«ordonnées à la base»* (ordonnées au sens actuel) ; p. p. subst. de *ordonner.*

♦ L'une des deux quantités qui, en géométrie analytique à deux dimensions, servent à déterminer la position d'un point. ⇒ **Coordonnée; abscisse.** *L'ordonnée est la mesure algébrique d'un segment de l'axe des y* (généralement représenté par un axe vertical). — Par ext. Dans un système de coordonnées à trois dimensions, La mesure d'une de ces trois coordonnées.

HOM. Ordonner.

ORDONNER [ɔʀdɔne] v. tr. — XIVe, d'après *donner* ; de *ordener,* v. 1119 ; lat. *ordinare* «mettre en ordre», de *ordo, inis* «ordre».

★ I. ♦ 1. (V. 1360 ; *ordener,* v. 1138). Disposer, mettre dans un certain ordre. ⇒ **Agencer, arranger, classer** (I., 4.), **classifier, combiner, coordonner, disposer, distribuer** (4.), **organiser, ranger** (→ Analytique, cit. 3 ; charge, cit. 24 ; hiérarchie, cit. 10 ; logique, cit. 2). *Dieu* (cit. 7) *ordonne toutes choses. Ordonner les éléments d'un dispositif, d'un mécanisme.* ⇒ **Ajuster.** *Ordonner son intérieur.* ⇒ **Agencer, aménager.** *Ordonner ce qui était embrouillé* (⇒ **Débrouiller, démêler**) *selon une hiérarchie* (⇒ **Hiérarchiser**). *« Ordonner les passions humaines »* (→ Assigner, cit. 5). — (V. 1380). *Ordonner une cérémonie, une réception,* en organiser le déroulement. — *Ordonner une opération militaire.* ⇒ **Diriger.** — Pron. (→ ci-dessous cit. 3 et 5). *L'organisateur par qui le chaos* (cit. 2) *s'ordonne. Bataille qui s'ordonne comme une partie d'échec* (cit. 19).

1 Il verra comme il faut dompter des nations,
Attaquer une place, ordonner une armée,   CORNEILLE, le Cid, I, 3.

REM. L'Académie ayant critiqué l'expression *«ordonner une armée»,* Voltaire réplique : «Puisqu'on ne peut rendre ce mot que par une périphrase, il vaut mieux que la périphrase ; il répond à *ordinaire* : il est plus énergique qu'*arranger, disposer.* » *(Rem. sur les sentiments de l'Académie).*

2 Méfiez-vous de celui qui veut mettre de l'ordre. Ordonner, c'est toujours se rendre le maître* des autres en les gênant : et les Calabrais sont presque les seuls à qui la flatterie des législateurs s'en ait point encore imposé.
                                    DIDEROT, Suppl. au voyage de Bougainville, IV.

3 Le navire se rapproche (...) au fond d'une baie, arrondie comme un lac, quelques maisons blanches s'ordonnent en avenues rectilignes, un campanile surgit (...)
                                    Louis BERTRAND, Livre de la Méditerranée, p. 297.

4 Et plus les faits désordonnés lui font obstacle, plus il souffre amèrement de sentir en soi la force qui les ordonne.   André SUARÈS, Trois hommes, « Pascal », I.

5 Insensiblement, ce tumulte s'ordonna, devint rythme.
                                    MARTIN DU GARD, les Thibault, t. VII, p. 57.

Math. Conférer un ordre* aux éléments de (un ensemble). (→ ci-dessous Ordonné, p. p.). — Alg. Disposer, écrire (un polynôme) en rangeant ses termes suivant les puissances croissantes ou décroissantes d'un terme.

♦ 2. (1463 ; *ordener de,* 1370). Vieilli. **ORDONNER DE...** : prévoir, prescrire un certain nombre de dispositions au sujet de... ⇒ **Ordre** (I., 2. ; donner, apporter ordre à...).

(1580). *Ordonner de qqch.,* en disposer ; en décider. *La Providence en ordonnera* (Mme de Sévigné).

6 Va, ne le quitte point ; et qu'il se garde bien
D'ordonner de son sort sans être instruit du mien.   RACINE, Mithridate, IV, 3.

7 Et seul de tous les Grecs ne m'est-il pas permis
D'ordonner d'un captif que le sort m'a soumis ?   RACINE, Andromaque, I, 2.

♦ 3. (XIVe ; *ordener,* v. 1138). Élever (qqn) à l'un des ordres de l'Église. ⇒ **Conférer** (les ordres) ; **consacrer; ordination, ordre** (II., 6.). *Ordonner un diacre, un prêtre* (→ Évêque, cit. 5).

★ II. Cour. **♦ 1.** (1352). Prescrire par un ordre. ⇒ **Adjurer, commander** (cit. 2), **dicter, dire** (II., 8.), **enjoindre, mander** (vx), **prescrire.** *Ordonner qqch. à qqn.* ⇒ **Demander** (impérativement). → Austérité, cit. 15 ; candeur, cit. 7. *Ordonner à qqn de faire qqch.* ⇒ **Sommer** (→ Attester, cit. 1 ; connaissance, cit. 9 ; dieu, cit. 42). *Je vous ordonne de vous taire* (→ Voulez-*vous* bien vous taire). *On lui ordonna de se retirer, de sortir :* on le congédia. *Ordonner à une sentinelle de faire bonne garde.* ⇒ **Consigner** (7.). — *Ordonner que...* (normalement suivi du subjonctif). → Assoupissement, cit. 1. — *Ce qu'ordonne la loi** (→ Contraindre, cit. 8 ; défendre, cit. 22). *Commandements* (→ Commande cit. 1), *préceptes qui ordonnent de faire qqch.* (→ Imperfection, cit. 3). *Le devoir* (→ Austère, cit. 13), *l'honneur* (→ Extrémité, cit. 11), *l'équité* (→ Justice, cit. 44) *ordonne de... Ce que sa fantaisie* (cit. 30) *m'ordonne.*

8 Le christianisme est étrange. Il ordonne à l'homme de reconnaître qu'il est vil, et même abominable, et lui ordonne de vouloir être semblable à Dieu.
PASCAL, Pensées, VII, 537.

9 (...) vous me voyez enfin établi dans Séville, et prêt à servir de nouveau Votre Excellence en tout ce qu'il lui plaira de m'ordonner.
BEAUMARCHAIS, le Barbier de Séville, I, 2.

10 Il sentait bien que s'il s'accordait une minute de réflexion, il ne commettrait pas cet acte extravagant qu'une force secrète lui ordonnait d'accomplir, sans délai.
MARTIN DU GARD, les Thibault, t. VI, p. 84.

Absolt. ⇒ **Commander.**

11 Voilà la faute! tu t'es subordonné, quand tu est fait pour ordonner.
BALZAC, les Employés, Pl., t. VI, p. 1053.

REM. 1. *J'ordonne* forme une sorte de substantif, après *Monsieur, Madame...* en parlant d'une personne tyrannique qui aime à donner des ordres. *Elle fait sa mademoiselle j'ordonne!* ⇒ **J'ordonne.**

2. *Ordonner que...* est généralement construit avec le subjonctif. On emploie parfois l'indicatif (futur) ou le conditionnel (→ Arc, cit. 5; article, cit. 7) lorsqu'il s'agit d'un ordre dont l'exécution est impérative. *Il ordonne que tout le monde soit (sera) convoqué chez lui.*

12 (...) ce sera une très bonne loi (...) que celle qui ordonnera qu'on emploiera des monnaies réelles (...) MONTESQUIEU, l'Esprit des lois, XXII, III.

13 (...) le Conseil ordonne que la façade de la maison Commune sera sur-le-champ illuminée. FRANCE, Les dieux ont soif, XXVII.

♦ **2.** (1671). Prescrire. *Médecin* qui ordonne un traitement, un régime*, des médicaments*.* ⇒ **Ordonnance** (→ Admettre, cit. 16).

14 Craignant beaucoup de tuer son monde, Charles, en effet, n'ordonnait guère que des potions calmantes, de temps à autre de l'émétique, un bain de pieds ou des sangsues. FLAUBERT, Mme Bovary, I, IX.

♦ **3.** (1538). Dr. Prescrire par une ordonnance (II, 3.). ⇒ **Décider** (I., 1.), **statuer.** *Ce que le président ordonne sera exécuté* (→ Audience, cit. 15). *Ordonner le huis* (cit. 8) *-clos, un interrogatoire* (cit. 1). *Jugement qui ordonne une enquête* (cit. 2). — *Ordonner par décret.* ⇒ **Décréter.**

Loc. *Ordonné que...*

15 Ordonné qu'il sera fait rapport à la cour. RACINE, les Plaideurs, I, 7.

Ordonner une dépense (vx). ⇒ **Ordonnancer.** *Ordonner un achat* (⇒ **Acheter**).

▶ **ORDONNÉ, ÉE.** p. p. adj. (XIVe; *ordroné,* XIIIe).

♦ **1.** Disposé selon un ordre (cit. 3), un arrangement déterminé (→ Arranger, cit. 8; avantager, cit. 1; église, cit. 10). *Intérieur* (cit. 8), *maison* (cit. 17), *bien ordonnés. Un univers harmonieusement ordonné.* ⇒ **Réglé.** *Discours ordonné.* ⇒ **Cohérent, suivi.** — Loc. (1798). *Une tête bien ordonnée :* un esprit clair, méthodique. — N. m. *L'ordonné.*

16 Le souci de l'ordonné est un des traits essentiels de la création classique.
Julien BENDA, la France byzantine, p. 97.

Prov. *Charité* bien ordonnée commence par soi-même.*

Math. *Ensemble ordonné,* muni d'une relation d'ordre. *Ensemble totalement ordonné,* où la relation d'ordre est définie pour tous les couples d'éléments. *Ensemble (bien) ordonné,* dont deux éléments quelconques sont tels que l'un doit être considéré comme précédant l'autre.* ⇒ **Couple.** — *Polynôme ordonné* (→ ci-dessus, Ordonner, I., 1.). *Une droite orientée, un vecteur sont ordonnés.* ⇒ **Ordre** (I., 1., sciences).

♦ **2.** (1559; *ordené,* fin XIIe). Personnes. Qui a de l'ordre, aime l'ordre. ⇒ **Méthodique, rangé.** *Il n'est pas très ordonné. Un enfant ordonné.*

CONTR. Compliquer, déranger, dérégler. — Défendre, exécuter, interdire, obéir, observer, obtempérer. — (Du p. p.) Confus, dérangé, déréglé, désordonné, échevelé, embroussaillé, incohérent. — Brouillon.

DÉR. et COMP. Ordonnable, ordonnance, ordonnateur, ordonnée. — Désordonné, coordonner. — V. aussi Subordonner.

HOM. Ordonnée.

ORDOVICIEN, IENNE [ɔʀdɔvisjɛ̃, jɛn] adj. et n. m. — 1899; de *Ordovices,* n. lat. d'un peuple du pays de Galles.

♦ Didact. (géol.) Se dit de la période de l'ère primaire (Paléozoïque) comprise entre le Silurien et le Cambrien. *Le système ordovicien.* — *L'ordovicien est parfois considéré comme l'étage inférieur du Silurien.*

ORDRE [ɔʀdʀ] n. m. — 1080, sens II.; du lat. *ordinem,* accus. de *ordo, ordinis,* souvent fém. jusqu'au XVIIe.

★ **I.** (V. 1155). Relation intelligible qui peut être saisie entre une pluralité de termes. ⇒ **Organisation, structure; économie** (I., 2.); **harmonie** (II., 1.). → Beauté, cit. 5; confondre, cit. 4; honneur, cit. 62. *Selon Cournot, « l'idée de la forme se confond avec l'idée de l'ordre ».*

1 Le rapport de la raison et de l'ordre est extrême. L'ordre ne peut être remis dans les choses que par la raison, ni être entendu que par elle. Il est ami de la raison et son propre objet. BOSSUET, Traité de la connaissance de Dieu..., I, VIII.

2 L'ordre nous plaît (...) c'est qu'il rapproche les choses, qu'il les lie, et que, par ce

moyen (...) il nous met en état de remarquer sans peine les rapports qu'il nous est important d'apercevoir dans les objets qui nous touchent (...)
CONDILLAC, Origine des connaissances humaines, II, II.

D'une manière générale, la réalité est *ordonnée* dans l'exacte mesure où elle satisfait notre pensée. L'ordre est donc un certain accord entre le sujet et l'objet. C'est l'esprit se retrouvant dans les choses. 3
H. BERGSON, l'Évolution créatrice, p. 224.

ORDRE. L'une des idées fondamentales de l'intelligence. On n'en peut donner la définition qui la rende plus claire. Elle comprend, dans son sens le plus général, les déterminations temporelles, spatiales, numériques; les séries, les correspondances, les lois, les causes, les fins, les genres et les espèces; l'organisation sociale, les normes morales, juridiques, esthétiques, etc. 4
A. LALANDE, Voc. de la philosophie, art. *Ordre.*

(Selon l'origine, la nature des relations d'ordre). *L'ordre du cœur et l'ordre de l'esprit* (cit. 86, Pascal). *L'ordre physique, automatique* (incluant l'idée de « désordre ») *et l'ordre vital, voulu* (Bergson, *l'Évolution créatrice,* p. 224 et suivantes).

(...) les hommes sont dans une impuissance naturelle et immuable de traiter quelque science que ce soit dans un ordre absolument accompli. Mais il ne s'ensuit pas de là qu'on doive abandonner toute sorte d'ordre. Car il y en a un, et c'est celui de la géométrie, qui est à la vérité inférieur en ce qu'il est moins convaincant, mais non pas en ce qu'il est moins certain (...) Cet ordre le plus parfait entre les hommes, consiste non pas à tout définir ou à tout démontrer, ni aussi à ne rien définir ou à ne rien démontrer, mais à se tenir dans ce milieu de ne point définir les choses claires et entendues de tous les hommes et de définir toutes les autres (...) 5
PASCAL, Esprit géométrique, I.

♦ **1.** Didact., cour. Disposition, succession régulière, constatée ou élaborée, imposée (de caractère spatial, temporel, logique, épistémologique, esthétique, moral...). *Ordre de termes qui se succèdent* (⇒ **Enchaînement, filiation** (B., 2.), **gradation, succession, suite...**), *alternent, se reproduisent à intervalles réguliers* (⇒ **Alternance, cycle**). *Tenir telle place*, tel rang*; venir avant*, après*, dans un certain ordre* (⇒ **Devancer, précédent, précéder; suivant, suivre; dernier, premier**). *Action de disposer, de ranger dans un certain ordre.* ⇒ **Agencement, aménagement, arrangement** (cit. 3 et 4), **classement, combinaison, coordination, disposition, distribution, ordonnance, organisation, rangement, règlement.** *Déterminer un ordre; mettre dans un certain ordre.* ⇒ **Agencer, aménager, arranger** (cit. 1), **caser, classer, coordonner, disposer, ordonner, organiser, ranger, régler; débrouiller, démêler** (→ Classification, cit. 1). *Changer, altérer, renverser l'ordre des termes.* ⇒ **Interversion; inversion, invertir; transposer.** — *Ordre chronologique** (cit.). *L'ordre de succession des espèces* (→ Évolution, cit. 15). *Dans quel ordre se sont produits ces événements? — Ordre logique.* ⇒ **Méthode** (2.). → Effet, cit. 35. *Ordre des pensées* (→ Dessein, cit. 18). *Aligner* (cit. 3) *des arguments en bon ordre. Procédons* par ordre. Ordre des matières, des sujets dans un exposé, un ouvrage.* ⇒ **Composition, plan.** — (XVe). *Ordre hiérarchique.* ⇒ **Hiérarchie** (cit. 10), **subordination, subordonner.** *Ordre d'importance, de valeur.* — *Mots, documents, livres rangés par ordre alphabétique** (cit. 1). → Dictionnaire, cit. 9. *Classer des dossiers dans l'ordre numérique.* ⇒ **Coter.** *Classer* (cit. 7) *des objets par ordre de prix. Inscrire dans un catalogue, un répertoire, selon un certain ordre.* ⇒ **Cataloguer.** *Dans l'ordre d'inscription.* ⇒ **Rôle** (à tour de). *Vêtements pendus dans un ordre bien défini* (→ 1. Loi, cit. 46).

(...) conduire par ordre mes pensées, en commençant par les objets les plus simples et les plus aisés à connaître, pour monter peu à peu comme par degré jusques à la connaissance des plus composés, et supposant même de l'ordre entre ceux qui ne se précèdent point naturellement les uns les autres (...) 6
DESCARTES, Discours de la méthode, II.

Le style n'est que l'ordre et le mouvement qu'on met dans ses pensées. 7
BUFFON, Disc. de réception à l'Académie, 25 août 1753.

Elle changeait l'ordre établi pour chercher des arrangements plus harmonieux, qui plaisaient davantage à son œil de ménagère; et quand elle eut disposé ses choses à son gré, aligné les serviettes, les caleçons et les chemises sur leurs tablettes spéciales, divisé tout le linge en trois classes principales, linge de corps, linge de maison et linge de table, elle se recula pour contempler son œuvre (...) 8
MAUPASSANT, Pierre et Jean, VIII.

Sc. *La notion d'ordre est essentielle en mathématiques** (cit. 6). *Ordre sériel. Les nombres et l'ordre.* ⇒ **Ordinal.** *La géométrie de situation* (topologie), *la théorie des groupes sont basées sur la notion d'ordre. — Relation d'ordre :* toute relation à la fois réflexive*, antisymétrique* et transitive*. *Couples d'éléments satisfaisant à une relation d'ordre* (ensemble ordonné*).

L'ordre *(sériel)* est l'existence entre plusieurs termes d'une relation transitive asymétrique. L. COUTURAT, Princ. des math., III, cité par LALANDE. 9

Ling. *L'ordre des mots dans le langage.* ⇒ **Phrase, proposition, syntaxe;** et aussi **inversion, rejet.** *Ordre ascendant* (le mot qui régit étant placé après celui qui est régi), *ordre descendant* (le mot qui régit étant placé d'abord). *Ordre logique* de la phrase. Ordre direct.*

Ce qui distingue notre langue des langues anciennes et modernes, c'est l'ordre et la construction de la phrase. Cet ordre doit toujours être direct et nécessairement clair. Le Français nomme d'abord le *sujet* du discours, ensuite le *verbe* qui est l'action, et enfin l'*objet* de cette action (...) 10
RIVAROL, Disc. sur l'universalité de la langue franç.

Arts. *Ordre des éléments d'une œuvre d'art.* ⇒ **Composition,** 2. **ensemble** (I., 1.), **ordonnance, symétrie.** *L'ordre et les proportions* (→ Assemblage, cit. 10).

(1546). Milit. (Dans des syntagmes et expressions). Disposition (d'une troupe) sur le terrain. *Ordre de marche. Ordre de bataille. Ordre en ligne* (⇒ **Alignement**), *en colonne par deux. Ordre mince,* d'une

troupe étalée sur un grand front, sans profondeur. *Ordre profond.*
Ordre oblique, d'une troupe qui attaque par l'une de ses ailes
(→ Bataille, cit. 10). *Ordre dispersé.* — Loc. *Ordre serré :* expression désignant les divers types de formation des unités militaires
pour la progression ou le défilé, strictement définie par les règlements militaires hors des considérations tactiques du combat. —
(Dans : *en ordre*). *Armée en ordre de bataille* (→ Développer,
cit. 14), *en bataille*.* — *En bon ordre. S'avancer en bon ordre. Rassemblement, alignement, mouvements exécutés en ordre serré.* —
Mar., aviat. *Navires en ordre de convoi, de file. Escadrille en
ordre triangulaire.*

11 (...) il range les soldats d'Aceste ; il marche à leur tête, et s'avance en bon
ordre vers les ennemis. FÉNELON, *Télémaque,* I.

12 Au-dessus de leurs têtes tournoyait en ordre triangulaire l'escadrille des Cigognes
qui venait protéger la ville élue. A. MAUROIS, *les Discours du D^r O'Grady,* VIII.

Dr. *Ordre de succession** (→ ci dessous II., B., 2. : ordres d'héritiers). — *Ordre assigné par la loi aux créanciers.*

Dr. Procédure réglant la répartition du prix de vente d'un immeuble
entre créanciers hypothécaires ou privilégiés (*Code de procédure
civile,* art. 749-779). ⇒ **Collocation,** 1. **colloquer, concours** (I., 3.).
Ordre amiable, consensuel, conventionnel, judiciaire.

(1771 ; d'après l'anglais). Loc. cour. **ORDRE DU JOUR :** matières, sujets
dont une assemblée* délibérante doit s'occuper tour à tour, dans un
certain ordre. *Voter l'ordre du jour* (→ Faveur, cit. 29). *L'ordre du
jour prévoit, appelle telle délibération*.* — (1798). *Passer à l'ordre
du jour, demander l'ordre du jour,* pour écarter une question soulevée en séance. — Par ext. Résolution adoptée pour clore une interpellation. *Ordre du jour motivé (de confiance, de défiance).*

13 Il y avait des réunions où l'ordre du jour était si pauvre qu'on faisait les comptes. Le trésorier disait : — Un tel n'a pas encore payé ses cotisations depuis trois
mois (...) P. NIZAN, *le Cheval de Troie,* I, IV.

14 La fixation de *l'ordre du jour* est le premier problème posé par la tenue des
séances. Il s'agit de déterminer l'ordre dans lequel seront examinées les questions
soumises à l'assemblée. Si l'ordre du jour est fixé par l'exécutif, cela lui permet
d'ajourner indéfiniment les questions susceptibles de le gêner (...) Généralement,
l'ordre du jour est déterminé par l'assemblée, après entente préalable entre les
représentants des groupes.
Maurice DUVERGER, *Manuel de droit constitutionnel...,* p. 115.

Loc. adj. *À l'ordre du jour :* qui est d'actualité, dont on s'occupe
particulièrement au moment où l'on parle (ou dont on parle).

15 Mme de Sévigné (...) est un de ces sujets qui sont perpétuellement à l'ordre du
jour en France. SAINTE-BEUVE, *Causeries du lundi,* 22 oct. 1849.

Allus. hist. *La Terreur est à l'ordre du jour* (décret de la Convention du 5 sept. 1793, proposé par Barère).

♦ **2.** (V. 1155). Organisation, disposition qui satisfait l'esprit, semble
la meilleure possible ; aspect régulier, organisé, symétrique. *Le bon
ordre d'une maison.* ⇒ **Tenue.** *Maison, chambre bien tenue*, où
règne l'ordre. Aimer l'ordre et la propreté. Mettre de l'ordre.* —
Absence d'ordre. Maisons, choses éparpillées (cit. 11), *dispersées,
sans ordre* (→ Aligner, cit. 1 ; fourré, cit. 39).

16 Là, tout n'est qu'ordre et beauté,
Luxe, calme et volupté. BAUDELAIRE, *les Fleurs du mal,* «Spleen et idéal», LIII.

17 Il fut surpris du bon ordre de la cuisine : les cuivres luisaient, pas un grain de
poussière ne ternissait les meubles, on avait usé le carreau à force de lavages. Cela
était net et froid, comme inhabité. Contre un feu couvert de cendre, une soupe
aux choux de la veille se tenait chaude. ZOLA, *la Terre,* IV, I.

EN ORDRE : dans un bon ordre. *Maison où tout est en ordre.*
⇒ **Ordonné, rangé.**

18 Tout est en ordre. Les chaises autour de la table : c'est plus distingué.
SARTRE, *la P... respectueuse,* I, 2.

Mettre en ordre, en bon ordre : organiser, ordonner, ranger. *Mettre
sa chambre, des dossiers, ses idées en ordre. Mettre sa comptabilité, ses comptes* en ordre.*

Par ext. Bon fonctionnement* d'une affaire, résultant de l'ordre qui
y règne, d'une bonne organisation. *Remettre une affaire en ordre ;
remettre de l'ordre dans une affaire.*

Loc. (1538). Vx. *Mettre,* (fin XIe) *donner, apporter (bon) ordre... à :*
pourvoir à... (qqch.) en prenant toutes les dispositions nécessaires.
Donner ordre à ses affaires (Mme de Sévigné, Bossuet *in* Littré),
dans ses affaires (Mme de Sévigné). *Mettre, donner ordre que...,
de... :* faire en sorte que...

19 Je le dirai à Monsieur Purgon, afin qu'il mette ordre à cela.
MOLIÈRE, *le Malade imaginaire,* I, 1.

REM. 1. De nos jours, *donner ordre de..., que...* ne s'entend plus qu'au
sens III.

2. *Mettre bon ordre* s'emploie encore au sens d'«imposer l'ordre qu'on
juge le meilleur, pour remédier à une situation fâcheuse, faire cesser
le désordre » : *Il y a du gaspillage, nous y mettrons bon ordre.*

♦ **3.** (Fin XVe). Qualité d'une personne qui a une bonne organisation,
de la méthode. *Avoir de l'ordre, de l'ordre et du soin. Travailler sans ordre ni méthode. Il pousse l'ordre jusqu'à la minutie.* —
Spécialt. Qualité d'une personne qui range les objets à leur place et
sait les retrouver. ⇒ **Ordonné.** *Cet enfant a beaucoup d'ordre, n'a
aucun ordre, manque d'ordre.*

20 (...) la mère, pleine d'ordre, tenait les livres, une comptabilité sévère des recettes
et des dépenses, menait toute la maison (...) ZOLA, *Nana,* IV.

(1690). *Un homme d'ordre,* qui a de l'ordre. — REM. Dans ce syntagme, *ordre* est souvent compris aujourd'hui au sens 5, ci-dessous.
Homme d'ordre signifie alors : partisan de l'ordre établi, homme d'opinions conservatrices.

♦ **4.** (V. 1190). Principe de causalité ou de finalité, souvent considéré comme le reflet d'une volonté organisatrice (Dieu* [→ notamment la cit. 7], destin, nature [II., 1.] ; → Intelligence, cit. 14) ou
comme un caractère propre au monde, à la matière... ⇒ **Nature**
(II., 3.) ; 1. **loi** (III.). *L'ordre de la nature est constant et universel.*
⇒ **Déterminisme** (cit. 2 ; → Miracle, cit. 3). *L'ordre de la nature
opposé à l'ordre de la grâce,* chez Malebranche. — (1580). Loc.
L'ordre des choses : l'ensemble des événements indépendants de
l'homme (→ Assortiment, cit. 2 ; employer, cit. 1 ; fatum, cit. 1). —
L'ordre du ciel (→ Différent, cit. 14, Molière ; gouverner, cit. 1),
des cieux (→ Changer, cit. 57). *La morale* (cit. 7) *est permanente...
parce qu'elle vient de l'ordre immuable.*

21 (...) si Dieu m'engage dans un état demi-obscur, ce peu d'obscurité qui y est me
déplaît, et, parce que je n'y vois pas le mérite d'une entière obscurité, il ne me
plaît. C'est un défaut, et une marque que je me fais une idole de l'obscurité, séparée de l'ordre de Dieu. Or il ne faut adorer que son ordre.
PASCAL, *Pensées,* VIII, 582.

22 Quelque incertitude et quelque variété qui paraisse dans le monde, on y remarque
néanmoins un certain enchaînement secret et un ordre réglé de tout temps par la
Providence, qui fait que chaque chose marche en son rang et suit le cours de sa
destinée. LA ROCHEFOUCAULD, *Maximes,* 613.

23 (...) ce sont certainement les mouvements du ciel qui donnèrent aux hommes la
première notion d'un ordre à chercher dans les choses (...)
ALAIN, *Propos,* 15 sept. 1909, *Les autres modèles.*

Cour. *C'est dans l'ordre des choses,* et, absolt, *c'est dans l'ordre :*
c'est une chose normale, prévisible, inévitable (généralement en
parlant de ce que l'on regrette ou déplore). ⇒ **Normal, régulier**
(→ Halte, cit. 11 ; 3. mal, cit. 8).

24 Je n'ai pas été mis au monde pour faire des reportages. Mais peut-être ai-je été
mis au monde pour vivre avec une femme. Cela n'est-il pas dans l'ordre ?
CAMUS, *la Peste,* p. 100.

Vx. *C'est l'ordre* (même sens).

♦ **5.** (Fin XVe). Organisation sociale. ⇒ **Civilisation, société.** *L'ordre
social* (→ Anneau, cit. 2 ; génération, cit. 25), *économique* (cit. 2)
*et politique. La notion d'ordre «naturel» au XVIIIe siècle, chez
Rousseau* (→ Évidence, cit. 8 ; gouverner, cit. 28 et 35). *Troubler
l'ordre de la société* (→ Dérision, cit. 2). *L'ordre ancien et l'ordre
nouveau* (→ Établissement, cit. 3 ; hâter, cit. 6). *Un ordre apparent,
destructif* (cit. 2) *de tout ordre.* — (1795). *L'ordre établi** (cit. 44).
→ Bourgeois, cit. 11 ; conjuration, cit. 6 ; 2. étai, cit. 3. *Ébranler,
renverser l'ordre établi.*

25 (...) il n'y a pas d'ordre sans équilibre et sans accord. Pour l'ordre social, ce sera
un équilibre entre le gouvernement et ses gouvernés. Et cet accord doit se faire,
au nom d'un principe supérieur. Ce principe, pour nous, est la justice. Il n'y a pas
d'ordre sans justice et l'ordre idéal des peuples réside dans leur bonheur.
CAMUS, *Actuelles I,* p. 55.

(XVIIe). Spécialt. Stabilité sociale, respect de la société établie, de
ses institutions, de la hiérarchie* sociale. *Les apôtres* (→ Incarner,
cit. 10), *les partisans de l'ordre. Homme d'ordre. Maintenir l'ordre*
(→ Désarmement, cit. 1 ; établir, cit. 12). *Maintien de l'ordre*
(⇒ **Armée, police...**). *Rétablir l'ordre* (→ Attendre, cit. 83).

26 *En politique,* disait M. Necker, *il faut toute la liberté qui est conciliable avec
l'ordre.* Mme DE STAËL, *De l'Allemagne,* II, XIV.

27 Aux masses les moins intelligentes se révèlent encore les bienfaits de l'harmonie politique. L'harmonie est la poésie de l'ordre, et les peuples ont un vif besoin
d'ordre. La concordance des choses entre elles, l'unité, pour tout dire en un mot,
n'est-elle pas la plus simple expression de l'ordre ?
BALZAC, *la Duchesse de Langeais,* Pl., t. V, p. 145.

28 De deux hommes égaux en génie, dont l'un prêche l'ordre et l'autre le désordre,
le premier attirera le plus grand nombre d'auditeurs (...)
CHATEAUBRIAND, *les Mémoires d'outre-tombe,* t. VI, p. 291.

29 L'amour pour principe, l'ordre pour base, et le progrès pour but ; tel est (...) le
caractère fondamental du régime définitif que le positivisme vient inaugurer.
A. COMTE, *Système de politique positive,* t. I, p. 321.

30 Il y a une solidarité des hommes d'ordre. Je ne la déplore pas. Je déplore qu'elle se
soit constituée sur une équivoque inhumaine, sur une conception hideuse de l'ordre
— l'ordre dans la rue. Nous connaissons cette espèce d'ordre depuis l'enfance.
C'est l'ordre des Pions.
BERNANOS, *les Grands Cimetières sous la lune,* p. 209.

Loc. *Service* d'ordre. Les forces de l'ordre,* chargées de réprimer
une insurrection, une rébellion... *Les gardiens* (cit. 6) *de l'ordre*
(→ Émeute, cit. 5).

Allus. hist. *L'ordre règne à Varsovie :* titre d'une célèbre lithographie de Grandville flétrissant les paroles du comte Sébastiani («la
tranquillité régnait à Varsovie »), après la sanglante répression russe
de 1831. — *L'ordre moral :* qualification donnée par les monarchistes au ministère de Broglie (16 mai 1873) qu'ils soutenaient.

(1764-1765). Dr. **ORDRE PUBLIC :** «Ensemble des institutions et des
règles destinées à maintenir dans un pays le bon fonctionnement
des services publics, la sécurité et la moralité des rapports entre particuliers...» (Capitant). → Inquiéter, cit. 4. *Cause* (cit. 43) *contraire
à l'ordre public. Troubler l'ordre public,* la sécurité publique. *Contrevenir à des dispositions d'ordre public* (qui s'imposent à la
société).

♦ **6.** (1664). Règle*, norme ; conformité à une règle, à une norme
(dans quelques expressions). ⇒ **Discipline.** *Tout est rentré* dans*

l'ordre. ⇒ **Calme, tranquillité.** *Tout est en ordre.* — *Machine en ordre de marche,* en état de fonctionner. — (1835). *Rappeler qqn à l'ordre,* à ce qu'il convient de faire, de dire, dans une circonstance donnée. ⇒ **Devoir.** — (1790). Spécialt.*À l'ordre !,* injonction par laquelle le président d'une assemblée est invité à rappeler un orateur à l'ordre.

31   Sortez. Que le Sérail soit désormais fermé,
     Et que tout rentre ici dans l'ordre accoutumé.   RACINE, Bajazet, II, 2.

32   S'ils s'avisent de faire un écart, ils sont sévèrement rappelés à l'ordre.
               G. DUHAMEL, Manuel du protestataire, I.

★ **II.** (1080, «ordre religieux»). Catégorie, classe d'êtres ou de choses, considérée d'après sa structure, son organisation ou d'après sa place dans une série, une classification. ⇒ **Catégorie, classe, groupe.**

A. ♦ **1.** [a] Littér. Domaine particulier (→ Contrariété, cit. 2). *L'ordre de la connaissance et l'ordre de la morale* (→ Homogène, cit. 5). *La théorie des trois ordres chez Pascal* (→ Grandeur, cit. 19).

[b] Cour. (Dans quelques emplois). Espèce (choses abstraites). ⇒ **Nature** (I., 1.), **sorte.** *Choses de même ordre, d'ordres différents* (→ Grandeur, cit. 24). *Les autorités* (cit. 29) *de tout ordre.* — *Dans le même ordre, dans un autre ordre d'idées*.*

33   La vieille dame lui avait répondu avec dignité que sa proposition n'était pas née d'une inquiétude de cet ordre (...)   CAMUS, la Peste, p. 251.

♦ **2.** (V. 1220). En loc. Qualité, valeur. ⇒ **Plan.** *De premier ordre* (→ Agacement, cit. 2 ; griffe, cit. 14). *Une œuvre de second ordre,* mineure. (1668). *De dernier ordre.* — Vieilli. *Du premier, du second ordre.* — *D'un ordre supérieur* (→ Hors ligne*, hors de pair).

34   Rien ne m'est pénible comme de voir le dédain avec lequel on traite souvent des écrivains recommandables et distingués du second ordre, comme s'il n'y avait place que pour ceux du premier.   SAINTE-BEUVE, Causeries du lundi, 15 sept. 1851.

(Déb. xxᵉ). *Ordre de grandeur** (cit. 36 ; → Épuiser, cit. 9). *Un nombre, un chiffre, une quantité de l'ordre de deux millions.* (1868). Math. *Groupe d'ordre* n, comprenant un nombre fini d'éléments *n.*

♦ **3.** (1600). Arts. Système architectural dont les parties principales (piédestal, colonne, entablement) sont proportionnées de manière à former une unité de style. — REM. En pratique, mot *d'ordre* ne concerne que l'architecture grecque et les styles qui en dérivent. — *Le module*, unité de mesure de chaque ordre. Ordres grecs : dorique** (cit. 1 et 2), *ionique*, corinthien** (cit. 1) ; *ordres romains : toscan*, composite*. Chapiteau* caractéristique d'un ordre. Gradation* des ordres dans une façade.*

Par ext. Morceau d'architecture dans tel ou tel ordre.

35   La face du théâtre, ainsi que les deux retours, est un grand ordre corinthien, qui comprend toute la hauteur de l'édifice.   MOLIÈRE, Psyché, Livret de 1671.

♦ **4.** (1770). Sc. nat. Dans les classifications* systématiques (botanique, zoologie...), Division* intermédiaire entre la classe* et la famille* (cit. 37 ; → Espèce, cit. 30). *Ordre divisé en sous-ordres.*

B. (Personnes). ♦ **1.** Ensemble de personnes, division de la société. ⇒ **Classe** (cit. 4), **groupe.** — (V. 1355). *Les trois ordres de la société française sous l'Ancien Régime.* — (V. 1155). Anciennt. (→ État, cit. 94 ; institution, cit. 13). *L'ordre équestre, à Rome* (→ Chevalier, cit. 1).

36   La République de Pologne, a-t-on souvent dit et répété, est composée de trois ordres, l'ordre équestre, le sénat et le roi. J'aimerais mieux dire que la nation polonaise est composée de trois ordres : les nobles, qui sont tout ; les bourgeois, qui ne sont rien ; et les paysans, qui sont moins que rien.   ROUSSEAU, le Gouvernement de Pologne, VI.

♦ **2.** Dr. civ. Classement de personnes ou d'institutions suivant certaines règles juridiques. *Les ordres d'héritiers** (cit. 8), *de créanciers. Ordre des juridictions* (civile, pénale, administrative).

♦ **3.** (V. 1131). Association*, groupe de personnes soumises à certaines règles professionnelles, morales ou religieuses. ⇒ **Corporation, corps** (V., 3.). — (Déb. xviiᵉ). *Ordres professionnels. L'ordre des médecins, des vétérinaires.* — Dr. *L'ordre des avocats** : les avocats régulièrement inscrits au tableau* ou au stage d'une cour d'appel ou d'un tribunal de grande instance. Absolt. *Le conseil, le bâtonnier** (cit.) *de l'ordre.*

37   Je n'ai pas l'honneur d'être de l'ordre des avocats, mais je suis de l'ordre de ceux qui aiment la vérité et l'équité.
      VOLTAIRE, Politique et Législation, «Suppl. aux causes célèbres».

(V. 1174). *Ordres de chevalerie** (cit. 4). *Le Maître, le Grand Maître* (cit. 72) *d'un ordre. L'ordre du Temple, de Malte, du Saint-Sépulcre, des chevaliers teutoniques.*

38   (...) Monsieur l'Évêque, qui y assistait, me proposa d'entrer dans l'état ecclésiastique, où je ne manquerais pas, disait-il, de m'attirer plus de distinction que dans l'ordre de Malte auquel mes parents me destinaient.
      Abbé PRÉVOST, Manon Lescaut, I.

♦ **4.** (V. 1360). Association honorifique constituée par un ancien ordre de chevalerie (ordre du Saint-Esprit, de la Jarretière, de la Toison d'Or) ou créée en vue de récompenser le mérite. *Hiérarchie d'un ordre ; chevalier, commandeur* (⇒ **Commanderie**) *d'un ordre. Principaux ordres de mérite actuels, en France : l'ordre de la*

Légion d'honneur (⇒ **Légion,** 5.), *l'ordre de la Libération, l'Ordre des Arts et des Lettres. Insignes* (2. Insigne, cit. 1) *d'un ordre.*

39   Les ordres de chevalerie, qui, jadis, étaient des preuves de vertu, ne sont maintenant que des signes de la faveur des rois.
      ROUSSEAU, le Gouvernement de Pologne, XIII.

40   Pour reconnaître tant de travaux, le roi l'avait fait chevalier de ses Ordres. Monsieur de Sérisy était depuis longtemps Grand'Croix de la Légion d'honneur ; il avait l'ordre de la Toison d'Or, l'ordre de Saint-André de Russie, celui de l'Aigle de Prusse, enfin presque tous les ordres des cours d'Europe.
      BALZAC, Un début dans la vie, Pl., t. I, p. 615.

41   Le roi de Prusse offre le choix entre un peu d'argent et une décoration ; si les souverains ont inventé les Ordres, c'est, sans doute, dans un désir d'économie.
      Édouard HERRIOT, la Vie de Beethoven, p. 333.

Par ext. *L'insigne de l'appartenance à un ordre.* ⇒ **Décoration** (II.). *Avoir, porter l'ordre de la Jarretière, de la Légion d'honneur.*

♦ **5.** Relig. Association de personnes vivant dans l'état religieux après avoir fait des vœux solennels (les formes de vie religieuse ne comportant que des vœux simples portent le nom de Congrégation*). — Par ext. (Cour.) Toute communauté* religieuse (ordres *stricto sensu,* congrégations, instituts, compagnies de prêtres, missions, etc.) *Ordre* désigne soit la «*communauté d'observance*», soit *l'«unité constitutionnelle ou juridique*» (Dom Marié in *Dict. de liturgie romaine*). *Religieux appartenant à un ordre* (⇒ **Régulier**). *Ordres monastiques* (cit. 2). ⇒ **Moine.** *Ordres mendiants.* ⇒ **Mendiant** (cit. 4 et *supra*). *Chef, abbé, supérieur d'un ordre. Règle, observance, habit* (cit. 17 et 18) *d'un ordre.*

42   Il passa par toutes les fonctions de l'ordre, successivement portier, sommelier, jardinier, sacristain, adjoint à procure et banquier (...)
      DIDEROT, Jacques le fataliste, Pl., p. 537.

Principaux ordres religieux (au sens large). ⇒ **Annonciade, augustin, barnabite, bénédictin, blanc-manteau, camaldule, capucin, carme, carmélite, célestin, charité** (filles... de la charité), **chartreux, cistercien, clarisse, cordelier, dominicain, franciscain, jésuite, lazariste, olivétain, oratorien, passioniste, rédemptoriste, salésien, séraphique, servite, théatin, trappiste, trinitaire, ursuline, visitandine...** et aussi **oblat ; frère** (*infra* cit. 21), **père, sœur.**

Loc. (1680). LE TIERS ORDRE [tjɛʀzɔʀdʀ] (le troisième après les ordres masculins et féminins) : association «dont les membres, vivant dans le monde, s'efforcent de tendre à la perfection chrétienne par la pratique d'une règle... sous la direction et conformément à l'esprit d'un ordre religieux» (Canon 702, nᵒ 1). *Appartenir à un tiers ordre.* ⇒ **Tertiaire.** Spécialt. *Le tiers ordre franciscain.*

43   Ce serait (...) une grave erreur que d'assimiler l'oblature à un tiers-ordre, puisqu'un tiers-ordre incorpore tous les gens (...) pourvu qu'ils soient des chrétiens zélés et des catholiques pratiquants (...) Notre but n'est pas d'ailleurs d'improviser de doubles emplois avec les tiers-ordres des autres instituts (...) nous n'avons pas à marcher (...) sur les brisées des Franciscains (...)
      HUYSMANS, l'Oblat, IX.

44   Un de leurs moyens d'action essentiels *(des ordres mendiants)* est l'organisation de «Tiers ordres» laïques (le premier est l'Ordre masculin, le second la branche féminine).   H. MARC-BONNET, Hist. des ordres religieux, p. 52.

45   Sans être un institut religieux proprement dit, le Tiers Ordre est, comme son nom l'indique, un Ordre : ordre d'une nature spéciale puisqu'il est ouvert même à ceux devant qui le cloître ferme ses portes ; mais ordre véritable parce qu'il propose à ses membres l'essence même de la vie religieuse (...)
      R. LESAGE, Dict. de liturgie romaine.

♦ **6.** (xviᵉ). [a] L'un des degrés, des grades de la hiérarchie cléricale catholique*. ⇒ **Clerc, clergé, ecclésiastique.** *Les ordres sacrés* (se dit surtout des ordres majeurs). → Irrévocable, cit. 2. *La tonsure, signe de l'ordre. Ordres mineurs :* acolytat* (⇒ **Acolyte**), exorcistat (⇒ **Exorciste**), lectorat (⇒ **Lecteur**), ostiariat (⇒ **Portier**). *Ordres majeurs :* ⇒ **Épiscopat, prêtrise, diaconat, sous-diaconat ; sacerdoce.** *Les titulaires d'ordres mineurs sont appelés clercs minorés.* — Absolt. *Entrer dans les ordres. La susception* des ordres.*

[b] Par ext. Le sacrement qui fait accéder à l'un des ordres majeurs ou mineurs (→ Évêque, cit. 5). *Conférer* (cit. 2) *l'ordre.* ⇒ **Ordonner ; ordination.**

♦ **7.** (1170). Relig. L'une des hiérarchies* des anges.

★ **III.** (xviiᵉ ; extension probable du sens I, 2). ♦ **1.** [a] Acte par lequel un chef, une autorité manifeste sa volonté ; ensemble de dispositions impératives. ⇒ **Commandement, demande** (impérative), **direction, directive, injonction, instruction, mandement, prescription.** *Ordres d'un souverain* (édit, firman, ordonnance, ukase...). *Ordre annulant un ordre précédent.* ⇒ **Contrordre** (cit. 1). — *Ordre écrit, verbal. Dire, crier un ordre bref* (→ Masquer, cit. 5). *Ordre formel, en termes formels** (cit. 2) ; *ordre exprès* (1. Exprès, cit. 1), *impératif**. ⇒ **Ukase** (fig.). *L'ordre est de...* ⇒ **Consigne.** (→ Assommer, cit. 3). *Donner l'ordre d'accomplir une mission.* ⇒ **Charger.** *L'ordre et les menaces. Vos désirs sont pour nous des ordres. Obéissez, c'est un ordre ! N'avoir pas besoin d'ordres pour...* (→ Habileté, cit. 1). *Le mode impératif** (cit. 2 et 3) *exprime l'ordre.* — *Donner un ordre à qqn.* ⇒ **Commander, ordonner ; imposer.** *Intimer** (cit. 1 et 2) *un ordre, l'ordre de... Proclamation officielle d'un ordre.* ⇒ 1. **Ban** (1.). *Transmettre un ordre. Recevoir, exécuter* (cit. 2 et 4 ; grandeur, cit. 14). *Obéir* à un ordre, aux ordres.* ⇒ **Obéissance ; obtempérer.** *Se conformer* (cit. 3), *se plier* (→ Carton, cit. 2), *se soumettre* aux ordres.* ⇒ **Soumission.** *Ordre exécuté à la lettre*, au pied de la lettre. Contreve-*

nir, désobéir à un ordre. Enfreindre (⇒ **Infraction**), transgresser* un ordre (→ Importance, cit. 1). Braver (cit. 4) les ordres. — Les ordres du directeur sont formels.*

Dr. *Ordre d'exécuter une obligation.* ⇒ **Sommation.** *Ordre de faire comparaître* (⇒ **Mandat**), *de se présenter à tel endroit* (⇒ **Convocation, veniat**). Anciennt. *Ordre d'emprisonnement par lettre de cachet. La lettre de jussion portait ordre d'enregistrer un édit...* — Mar. *Ordre de monter son pavillon* (⇒ **Semonce, semoncer**). — *Ordre de grève* (cit. 13).

46 Allons, par des ordres contraires,
Révoquer d'un méchant les ordres sanguinaires. RACINE, *Esther*, III, 8.

47 Les premiers pleurs des enfants sont des prières : si l'on n'y prend garde, ils deviennent bientôt des ordres ; ils commencent par se faire assister, ils finissent par se faire servir. ROUSSEAU, *Émile*, I.

48 Des mots ou des groupes de mots quelconques, jetés en cris, sur le ton du commandement, prennent la valeur d'un ordre. Ils sont sans nombre : *Silence ! En arrière ! Leste ! — Doucement ! mais doucement ! vous les rendez poussifs* (FLAUB., *Éduc.*, I, 16) ; — **Hors du trône,** *tyrans !* **à la tombe,** *vampires !* (V. H., *Lég., Évir.*, XVI) ; — **Allons, ouste! dehors!** (P. et V. MARG., *Poum.*, ch. 10) ; — **La porte!** *on vous dit ! animal* (J. AICARD, *Maurin des Maures*, éd. Nels. 15) ; — *Grisolas!* **du café! du café bien chaud!** (ID *Ib.*, 17) F. BRUNOT, *la Pensée et la Langue*, p. 661.

b En locution.

Ordre de mission, assignant à un militaire une mission à exécuter en lui en donnant les moyens financiers et légaux. — *Ordre de route,* enjoignant (un militaire, une unité) de rallier un lieu précis.

Être aux ordres de qqn, être, se mettre à sa disposition* ; se soumettre à ses volontés dans une circonstance précise. *À vos ordres, mon capitaine !* — *Être sous les ordres de qqn,* être son inférieur, dans la hiérarchie.

Spécialt. (Turf). *Être sous les ordres* (en parlant du jockey ou du cheval prêt à prendre la course). *Cheval qui est, se met sous les ordres,* qui est, se met sous les ordres du starter (qui donne l'ordre de départ).

48.1 (...) dans le *canter* ou petit galop, les jockeys déjà boulés sur leurs pur-sang impatients de se détendre vont se mettre sous les ordres du *starter.* P. ARNOULT, *les Courses de chevaux*, p. 96.

Agir sur ordre, en exécutant un ordre, et non pas de sa propre initiative. *Sur l'ordre de...* (→ Méthode, cit. 5). — *Par ordre du ministre...* (→ Mobilisation, cit. 2). *Par ordre* (P. O.), mention qui précède la signature d'un militaire autorisé à signer pour son chef, et, par ext., d'une personne qui signe en l'absence d'un supérieur et en son nom. — *Vente par ordre de justice.* — *Donner ordre de...* (→ Coureur, cit. 2; entrer, cit. 7). *Avoir ordre de...* (→ Brûler, cit. 10; épargner, cit. 7). — REM. L'absence d'article marque que celui qui donne l'ordre a autorité pour le faire. *Jusqu'à nouvel ordre :* jusqu'à ce qu'un ordre, une instruction vienne préciser ou modifier la situation, et, par ext., jusqu'à ce qu'une décision soit prise. ⇒ **Avis** (jusqu'à nouvel avis) ; → Fortuitement, cit. 2 ; imitation, cit. 18.

Fig. *Les ordres du Destin, de la Providence.* ⇒ **Décret.**

♦ **2.** Comm. Décision entraînant une opération commerciale. *Ordre d'achat* (⇒ **Commande**, I., 1.), *de vente. Ordre écrit de remettre une somme* (⇒ **Chèque, rescription...**), *d'expédier, de livrer* (⇒ **Bulletin, filière...**). — (1903). *Ordre de bourse :* mandat d'acheter ou de vendre une valeur en bourse, que l'on donne à un agent de change, un coulissier, un banquier. *Ordre au comptant, à prime, à terme. Ordre lié,* portant sur deux opérations (de vente et d'achat) liées. *Donneur d'ordres* (→ Exécution, cit. 17).

48.2 Bientôt *(les agents de change)* lurent à haute voix une foule de bulletins qui, remis entre leurs mains par les joueurs groupés autour d'eux, contenaient des ordres d'achat et de vente écrits en piètres vers de douze pieds pleins de chevilles et d'hiatus. Raymond ROUSSEL, *Impressions d'Afrique*, p. 323.

Spécialt. *Titre, billet à ordre.* ⇒ **Billet** (cit. 8 et *supra*). *Clause à ordre :* endossement. ⇒ **Endos.** *Hypothèque* à ordre.* Loc. *Payer à l'ordre de M. X...* (la personne dénommée pouvant donner l'ordre de payer au tiré).

Absolt. (Comm.). Commande. *Feuille d'ordres. Voyageur de commerce qui prend des ordres. Un bel ordre.*

♦ **3.** Milit. (Vx). Mot servant à distinguer les amis des ennemis et dont l'usage est imposé par les chefs. *Envoyer, prendre l'ordre* (cf. Dangeau, *in* Littré).

Loc. (Vx). **MOT D'ORDRE :** mot de passe* (milit.). — Par ext. Consigne (→ Diminuer, cit. 1) ; instruction, résolution commune aux membres d'un parti, d'un groupe.

49 Tout, dans ses paroles et ses gestes, pour moi qui le connais, respirait la résolution, la contrainte, le mot d'ordre, et l'indication d'un «supérieur». GIDE, *Journal*, 1918, *Feuillets*, II.

50 Si bien qu'un mot d'ordre avait fini par courir qu'on lisait, parfois, sur les murs ou qui était crié (...) sur le passage du préfet : Du pain ou de l'air. CAMUS, *la Peste*, p. 258.

Vieilli. La réunion pendant laquelle les chefs militaires donnent leurs ordres (cf. Voltaire, *in* Littré).

Loc. **ORDRE DU JOUR** [ɔʀdʀədyʒuʀ] : ensemble des instructions, des ordres (d'un commandement militaire) pour la journée (→ Amplifier, cit. 1). *Porter, mettre, citer qqn à l'ordre du jour ;* et, ellipt, *à l'ordre du bataillon, de l'armée..., de la nation,* le signaler pour sa belle conduite. ⇒ **Citation.**

CONTR. Abandon, anarchie, bouleversement, chaos, confusion, dérangement, dérèglement, déroute, désordre, discordance, égarement, gabegie, gâchis, laisser-aller. — Pêle-mêle. — Défense, interdiction.
COMP. Contrordre, désordre, sous-ordre.

ORDURE [ɔʀdyʀ] n. f. — 1118; de l'anc. franç. *ord** «sale».

♦ **1.** Matière *(« de l'ordure »)* répugnante ; chose *(« une, des ordures »)* qui souille, qui constitue une impureté. ⇒ **Crasse, détritus, fange, immondice, merde, saleté, saloperie; gâchis, margouillis.** *Les mouches vont sur l'ordure* (→ Acoquiner, cit. 2). *Soldats entassés* (cit. 6) *dans l'ordure* (→ Guerre, cit. 23). *Débarrasser des ordures.* ⇒ **Curer, nettoyer.** *Grille pour arrêter les ordures dans un conduit, un bassin.* ⇒ **Crapaudine, crépine.**

(V. 1240). Spécialt. Excrément. ⇒ **Caca, merde.** *Chien qui fait ses ordures sur le trottoir.*

1 Par la fenêtre ouverte, de l'ordure venait d'être jetée à pleine main, une volée de merde ramassée au pied de la haie ; et les robes de ces dames se trouvaient perdues, éclaboussées du haut en bas. Quel était le cochon qui avait fait ça ? ZOLA, *la Terre*, II, VII.

♦ **2.** (Au pluriel). Nettoyures et choses de rebut dont on se débarrasse. ⇒ **Balayure, débris, déchet, nettoyure, poussière, salissure, vidure.** — (xxe). *Ordures ménagères* ou (1660) *ordures :* déchets, détritus. *Balayer les ordures. Balai, pelle à ordures. Tas d'ordures.* (Déb. xxe). *Boîte à ordures.* ⇒ **Poubelle, vide-ordures.** *Le Service de la voirie* procède à l'enlèvement des ordures.* ⇒ **Ébouer ; boueur** (ou boueux). *Bateau d'ordures qui déverse son contenu au large* (→ Gueule, cit. 4). ⇒ aussi **Marie-salope.** *Lieu où sont déposées les ordures.* ⇒ **Décharge, dépotoir, voirie.** *Ordures utilisées comme engrais.* ⇒ **Gadoue, vidange(s).** *Champ d'épandage des ordures. Incinération des ordures.*

2 (...) une porte étroite par où la cuisinière chasse les ordures de la maison en nettoyant cette sentine à grand renfort d'eau, sous peine de pestilence. BALZAC, *le Père Goriot*, Pl., t. II, p. 850.

3 (...) un bout de pavé moussu, un bas de muraille mangé par les eaux d'un évier, tout un coin d'ordures embarrassé de vieux seaux et de terrines fendues, où verdissait dans une marmite un maigre fusain. ZOLA, *Nana*, VII.

4 Il y a, aux confins des grandes villes, des usines destinées à la récupération des ordures : les vieux chiffons brûlent bien pourvu que la température soit assez élevée. SARTRE, *Situations II*, p. 61.

Mettre (qqch.) aux ordures : mettre parmi les ordures, se débarrasser de... *Jeter des épluchures, des boîtes vides, de vieux chiffons... aux ordures. Bon à mettre aux ordures,* à jeter (I., 5.).

♦ **3.** (V. 1119). Littér. Souillure morale. ⇒ **Boue, fange, souillure.** *Âmes* (cit. 72) *pétries de boue et d'ordure. Se vautrer dans l'ordure.* ⇒ **Abjection, débauche, turpitude.** *Solidarité dans l'ordure* (→ Fripouille, cit. 2).

5 Sans lui *(sans le don de la grâce)* tu n'es qu'ordure, impuissance, bassesse ;
Fais-en un bon usage, et la gloire est au bout. CORNEILLE, *Poésies diverses*, 29.

6 Que le cœur de l'homme est creux et plein d'ordure ! PASCAL, *Pensées*, II, 143.

7 Les hommes ne peuvent rien les uns pour les autres. Il faut que chacun se dépêtre, tout seul, dans son trou, dans son ordure. G. DUHAMEL, *Salavin, Journal*, 22 déc.

♦ **4.** (XIIIe). Propos, écrit, action vile, sale ou obscène. ⇒ **Cochonnerie, grossièreté** (cit. 10), **obscénité, saleté, saloperie.** *Dire des ordures. Marot et Rabelais ont «semé l'ordure dans leurs écrits»* (→ Inexcusable, cit. 1, La Bruyère). *Œuvre pleine d'ordures* (→ Enveloppe, cit. 10). *Mélange de moralités et d'ordures* (→ Bon, cit. 132). *Écrivain qui aime l'ordure, les ordures* (→ Excrément, cit. 4 et 5).

8 Chaque instant de ma vie est chargé de souillures ;
Elle n'est qu'un amas de crimes et d'ordures (...) MOLIÈRE, *Tartuffe*, III, 6.

9 Ézéchiel a l'ordure aux lèvres et le soleil dans les yeux. HUGO, *Shakespeare*, I, II, V.

10 Cette fois, la vendeuse commit la faute de s'emporter ; et c'était ce qu'il voulait, elle le traita salement, il répondit par un flot d'ordures. On s'attroupait, on riait. ZOLA, *la Terre*, II, VI.

REM. Le mot est plus fortement péjoratif aujourd'hui que dans la langue classique : son contenu est en revanche moins précis (→ Cochonnerie, saleté). *Ce livre, cet article est une ordure. Ce journal est une petite ordure.*

♦ **5.** (1408). Personne méprisable. *Ce type est une ordure* (injure violente). ⇒ **Fumier ; cochon, salaud, salope.**

11 — Je ne suis pas fasciste, dit Philippe.
— Non, c'est moi, dit Maurice. Allez, fous-moi le camp, ordure! Sans ça je fais un malheur. SARTRE, *le Sursis*, p. 154.

12 *Géo regarde fixement l'auxiliaire.*
GÉO. À la cuisine, vous êtes tous des *ordures.*
L'AUXILIAIRE, *gêné.* Moi, tu sais...
LE GARDIEN, *conciliant.* Il n'y a pas pour rien...
GÉO. J'ai dit que c'étaient des ordures (...) J. BECKER et J. GIOVANNI, *le Trou* (scénario).

DÉR. Ordurier.
COMP. Vide-ordures.

ORDURIER, IÈRE [ɔʀdyʀje, jɛʀ] adj. — 1716, *in* D.D.L.; n. m., «boîte à ordures», 1680; de *ordure.*

♦ **1.** Qui dit ou écrit des choses sales, obscènes. *Un homme ordurier.* ⇒ **Grossier.**

(...) c'est affreusement vulgaire, j'aurais trop de honte de dire ça devant vous. Je ne sais pas à quoi je pensais ; ces mots dont je ne sais même pas le sens et que j'avais entendus, un jour dans la rue, dits par des gens très orduriers, me sont venus à la bouche sans rime ni raison.
PROUST, À la recherche du temps perdu, t. XII, p. 172.

♦ **2.** (1752). Qui contient des ordures, des obscénités. ⇒ **Épicé, grossier, ignoble, obscène, sale.** *Propos orduriers ; chansons, plaisanteries ordurières* (→ Dévergonder, cit. 3).

ORE [ɔʀ] adv. et conj. ⇒ 2. **Or.**

ÖRE [øʀ] n. m. — 1875 ; mot scandinave.

♦ Unité monétaire du Danemark, de la Suède et de la Norvège.

HOM. Heure.

ORÉADE [ɔʀead] n. f. — 1506 ; *horreade*, 1482 ; lat. *oreas, -adis,* du grec *oreas,* rac. *oros* «montagne».

♦ Myth. grecque. Divinité, nymphe des montagnes et des bois.

ORÉE [ɔʀe] n. f. — Fin XIIIᵉ, «rive, rivage» ; d'un lat. pop. *orum,* lat. class. *ora* «bord, lisière», et suff. *-ée.*

♦ Vx ou régional. Bord. ⇒ **Bordure, commencement.** *Le lapin* (cit. 3) *montre sa queue à l'orée du terrier* (→ Garenne, cit. 4). — (XVIIᵉ). Fig. *L'orée du jour.*

1 Nous débarquâmes à l'orée d'une plaine circulaire (...)
CHATEAUBRIAND, Voyage en Amérique, «Description sites Florides».

(Mil. XIVᵉ). Mod. *L'orée du bois, de la forêt.* ⇒ **Lisière.** *Les primevères fleurissent à l'orée du bois* (cit. 6).

2 Je devine qu'il a quelque part, loin d'ici, à l'orée d'un bois, une maisonnette où je trouverais le calme dont j'ai besoin (...)
FRANCE, le Crime de S. Bonnard, Œ., t. II, v, p. 421.

CONTR. Cœur, fond.

OREILLARD, ARDE [ɔʀɛjaʀ, aʀd] adj. et n. m. — 1642 ; de *oreille,* et suff. péj. *-ard.*

♦ **1.** Adj. Rare. Qui a les oreilles très longues. *Cheval oreillard, jument oreillarde.* — *Chien oreillard* : otocyon*.

♦ **2.** N. m. Animal aux oreilles grandes ou longues (lapins, lièvres, ânes...).

1 Il *(le renard)* savait bien qu'un lièvre déboulant devant lui deviendrait immédiatement sien, car lorsque la neige est molle, les malheureux oreillards sont impuissants à lutter de vitesse avec les renards et les chiens.
L. PERGAUD, De Goupil à Margot, VIII.

(1753). Spécialt. Mammifère chiroptère, petite chauve-souris* aux énormes oreilles, qui vit en Europe, en Asie et en Amérique.

Par plais. Personne dont les oreilles sont particulièrement grandes.

♦ **3.** N. m. (XIXᵉ). Techn. (vx). Oreille (de fauteuil).

2 (...) quand la septième ou la huitième heure sonnée incline votre tête fatiguée vers les braises du foyer et les oreillards du fauteuil.
BAUDELAIRE, Curiosités esthétiques, III, «Aux bourgeois».

OREILLE [ɔʀɛj] n. f. — 1080, *Chanson de Roland* ; v. 980, *aurelia* ; du lat. *auricula,* dim. de *auris* «oreille».

★ **I.** ♦ **1.** Chacun des deux organes constituant l'appareil auditif* et correspondant au sens de l'ouïe*. → Auri- (du latin), oto- (du grec). *L'oreille droite, l'oreille gauche. La plupart des invertébrés possèdent des oreilles élémentaires ou otocytes.* — Anat., cour. *L'oreille comprend trois segments : l'oreille externe* (⇒ **Pavillon**), *l'oreille moyenne et l'oreille interne. Conformation de l'oreille externe.* ⇒ **Anthélix, conque, hélix, lobule, tragus.** *Les cartilages de l'oreille externe. Sécrétion de l'oreille externe.* ⇒ **Cérumen, cire.** *L'oreille moyenne séparée de l'oreille externe par le tympan est dite aussi caisse* du tympan.* ⇒ **Tympan ;** osselet (enclume, étrier, marteau), trompe (d'Eustache). *Conformation de l'oreille interne ou labyrinthe.* ⇒ **Labyrinthe, semi-circulaire** (canal) ; **limaçon, rocher, vestibule ; aqueduc** (cit. 3), **saccule, utricule.** *Liquides, concrétions calcaires de l'oreille interne* (⇒ **Otolithe**). *Le conduit auditif externe, interne de l'oreille. Muscles, artères, veines... de l'oreille.* ⇒ **Auriculaire.** *Physiologie de l'oreille* (⇒ **Entendre,** cit. 37). *Impressions auditives* (cit. 1) *données par l'oreille. Troubles de l'audition* (⇒ **Surdité**), *maladies des oreilles* (⇒ **Otalgie, otite, otorrhée**). *Examiner les oreilles avec un otoscope*. Médecin spécialiste des oreilles* ⇒ **Auriste, oto-rhino-laryngologiste.** — Cour. *Se nettoyer, se curer les oreilles* (⇒ **Cure-oreille**). *Bourdonnement* (cit. 8) *d'oreilles.* ⇒ **Tintouin** (vx). *Cornement, sifflement, tintement d'oreilles. Avoir les oreilles qui bourdonnent* (→ Fièvre, cit. 4) *qui se bouchent. Les oreilles me tintent*.* — Par plais. *Les oreilles ont*

*dû vous corner** (cit. 3 et 4), *vous tinter, vous siffler, vous sonner* (tellement nous avons parlé de vous).

1 Oreille externe et oreille moyenne ne sont que des organes de perfectionnement destinés à assurer la transmission plus parfaite du mouvement vibratoire jusqu'à l'oreille interne chargée de le percevoir ; la première est un appareil *collecteur* et la seconde un appareil de *transmission,* tandis que les cellules nerveuses de l'oreille interne constituent l'appareil de *réception.*
A. PIZON, Anatomie et Physiologie humaines, p. 228.

Allus. littér. *Gargamelle mit au monde Gargantua par l'oreille gauche* (Rabelais, *Gargantua,* VI).

2 Elle était fort en peine, et me vint demander,
Avec une innocence à nulle autre pareille,
Si les enfants qu'on fait se faisaient par l'oreille.
MOLIÈRE, l'École des femmes, I, 1.

Cour. (Dans des syntagmes et loc.). ⇒ fam. **Esgourde, feuille, portugaise** (métaphore se rapportant au sens 3).

Avoir des oreilles pour entendre (cit. 55 à 57). «*Elles ont des oreilles et n'entendent point.*» *Entendre qqch. de ses (propres) oreilles. Voilà ce que j'ai entendu* (cit. 48) *de mes propres oreilles* (→ Témoin auriculaire*). Fig. *Il ne l'entend** (infra cit. 49) *pas de cette oreille. Oreille qui perçoit des bruits, des sons* (→ Exploser, cit. 1 ; finesse, cit. 2). «*Taisez-vous ! méfiez*vous ! les oreilles ennemies vous écoutent*». *Écouter* de toutes ses oreilles.* — Loc. (1725). *Être tout oreilles ; tout yeux, tout oreilles,* particulièrement attentif. ⇒ **Écoute** (aux écoutes) ; **œil ; ouïe** (être tout ouïe). — *N'écouter** *que d'une oreille, d'une oreille distraite*. Coller** (cit. 5) *son oreille à la porte pour mieux entendre.* — Loc. (XIIᵉ). *Prêter l'oreille :* écouter. (→ Attention, cit. 14 ; émetteur, cit. 1). *Ne prêtons pas l'oreille à ces médisances. Prêtez-moi une oreille attentive* (cit. 2). Absolt. *Ils se turent pour prêter l'oreille* (→ Monocorde, cit. 2). — *Ouvrir l'oreille, les oreilles :* se disposer à écouter (→ Crachoir, cit. 1 ; frotter, cit. 11). *Ouvrez bien les oreilles et retenez ce que je vais vous dire.*

(Fin XVᵉ). *Ouvrir l'oreille à une proposition,* l'accueillir favorablement. — *Se boucher** (cit. 4) *les oreilles pour ne pas entendre.* — (1644). Vieilli. *Fermer l'oreille, les oreilles à... :* refuser d'écouter. *Fermer l'oreille à un avertissement* (cit. 3), *à des propositions* (⇒ **Refuser, repousser**). *Fermer les oreilles aux aboiements* (cit. 2) *de la critique, aux trivialités* (→ Comique, cit. 4), *à un morceau de musique* (→ Étouffer, cit. 44). — (XIIᵉ). Loc. *Faire la sourde oreille :* feindre de ne pas entendre, et, par ext., Feindre d'ignorer une demande (→ Dilatoire, cit. 3). — *Avoir du coton dans les oreilles :* mal entendre. — *Ne pas en croire** (cit. 25 et 26) *ses oreilles.*

REM. Dans ces emplois, l'opposition entre le sens général et le sens 3 (partie visible de l'oreille) est neutralisée (→ cit. 3 et 5).

3 Là, il enflait sa voix, il soutenait ses sons ; les voisins se mettaient aux fenêtres, nous mettions nos doigts dans nos oreilles.
DIDEROT, le Neveu de Rameau, Pl., p. 486.

4 J'étais tout oreilles quand il me parlait de ses semis, de ses pépinières.
BALZAC, le Lys dans la vallée, Pl., t. VIII, p. 818.

5 Peut-être était-il demeuré l'oreille collée à la porte, excité par la débauche de ses maîtres.
ZOLA, Germinal, V, v.

Bruit (cit. 5), *son, voix qui vient frapper* (cit. 33) *l'oreille, les oreilles* (→ 1. Chant, cit. 1). *Bruit qui assourdit** (cit. 4), *blesse, casse*, déchire, perce, rompt... les oreilles* (→ Fracas, cit. 4 ; glapissant, cit. 1 ; hurlement, cit. 6). *Les fausses notes écorchent les oreilles. Conversation qui lasse* (cit. 8) *l'oreille.* — (1578). Loc. *Battre** (cit. 30), *rebattre** les oreilles de qqn.* — (1569). *Rompre l'oreille* (vx), *les oreilles.* — (Avec à). *À l'oreille, aux oreilles. Son imperceptible à l'oreille.* (→ Entendre, cit. 54). *Tinter, sonner, retentir aux oreilles* (→ Manquer, cit. 22 ; 1. mort, cit. 35). *Musique, phrase qui sonne** bien à l'oreille. Sons agréables à l'oreille* (⇒ **Euphonie ; harmonie,** cit. 26), *désagréables à l'oreille* (⇒ **Cacophonie**). → Musique, cit. 1 et 6. — Par ext. *Un mot doux à l'oreille* (→ Banqueroute, cit. 1). «*Ah ! sollicitude à mon oreille est rude*» (Molière, *Étrangement,* cit. 2). — *Corner* (cit. 1 et 2), *crier aux oreilles de qqn. Parler, dire qqch. à l'oreille de qqn,* de manière qu'il soit seul à entendre (→ Liberté, cit. 9 ; mouche, cit. 15). *Parler bas* (→ 1. Bas, cit. 82) *à l'oreille. Parler de bouche à oreille.* ⇒ **Bouche.** *Confession de bouche à oreille.* ⇒ **Auriculaire.** *Chuchoter, murmurer à l'oreille* (→ 1. Coucher, cit. 14). *Souffler** à l'oreille.* ⇒ **Insinuer.** *Glisser** à l'oreille* (→ Calomnie, cit. 5 ; frégate, cit. 3), *couler* (cit. 29) *un mot à l'oreille de qqn.* (1668, *venir aux oreilles*). *Nouvelle qui arrive, vient parvient aux oreilles d'une personne. Si cela venait à ses oreilles,* à sa connaissance. ⇒ **Apprendre.**

(Avec dans). *Crier dans les oreilles de qqn.* — Fam. *Ce n'est pas tombé dans l'oreille d'un sourd :* ces paroles ont été mises à profit. — (Déb. XXᵉ). *Avoir dans l'oreille,* présent à la mémoire. *J'ai encore le son de sa voix dans l'oreille* (→ Bienveillant, cit. 4). — Loc. *Le creux, le tuyau de l'oreille. Dire qqch. dans le creux de l'oreille.* — (1690). *Cela lui entre par une oreille et lui sort par l'autre,* se dit, par plaisanterie, d'une personne qui ne retient pas ce qu'on lui dit (→ Mémoire, *infra* cit. 23) ou qui n'y fait pas attention.

6 (...) s'il fallait qu'il en vînt quelque chose à ses oreilles, je dirais (...) que tu aurais menti.
MOLIÈRE, Dom Juan, I, 1.

7 Il sort. Quelle nouvelle a frappé mon oreille ?
RACINE, Phèdre, IV, 5.

8 Mais que t'a-t-il dit à l'oreille ?
Car il s'approchait de bien près (...) LA FONTAINE, Fables, V, 20.

9 — Ah ! vieux sorcier, si tu crois ce que tu vois plus que ce que je te dis, s'écria la Clarina, tu ne m'aimes pas ! Va-t'en et ne me romps plus les oreilles !
BALZAC, Massimilla Doni, Pl., t. IX, p. 325.

10 (...) les murailles qu'on dit avoir des oreilles ont aussi des yeux : elles voient pour le moins aussi bien qu'elles entendent. Th. GAUTIER, le Capitaine Fracasse, X.

11 Quelques minutes plus tard un coup de sifflet aigu, prolongé (...) déchira à la fois les oreilles et les cœurs. BAUDELAIRE, le Spleen de Paris, XXVII.

12 (...) ayant dans l'oreille les mots proférés par Lucien, lors de leur explication (...)
Paul BOURGET, Un divorce, III.

13 (...) allez-y carrément, et venez me raconter ça dans le tuyau de l'oreille.
J. ROMAINS, les Hommes de bonne volonté, t. XI, XX, p. 201.

14 Je dirais plus, Louis, me souffla-t-il presque à l'oreille, ce pourrait être le salut (...)
F. MAURIAC, la Pharisienne, X.

Prov. « Ventre affamé* (cit. 1) n'a point d'oreilles » (La Fontaine), n'a pas d'oreilles : celui qui a faim n'écoute plus rien. — Les murs* (supra cit. 10) ont des oreilles.

(1680). Avoir l'oreille chaste, prude... : être choqué par des propos trop libres (→ Falloir, cit. 5). Des oreilles chastes (cit. 6) et des yeux fripons (→ aussi Chaste, cit. 7).

(1660). Par métonymie. Personne qui entend, écoute. Il n'est oreille qu'il ne lasse par ses récits (→ Bravoure, cit. 1). Alarmer (cit. 3), choquer les oreilles pudiques. Une oreille accueillante (→ Attentif, cit. 6).

Loc. (V. 1536). Avoir l'oreille de qqn, une attention favorable. Avoir l'oreille du maître*, en être écouté. ⇒ **Confiance, faveur**. On dirait qu'ils ont seuls l'oreille d'Apollon (→ Audace, cit. 27). Il a l'oreille de la Chambre (→ 1. Logique, cit. 12).

15 Quel bonheur surprenant a accompagné ce favori pendant tout le cours de sa vie ! (...) les premiers postes, l'oreille du Prince (...)
LA BRUYÈRE, les Caractères, XII, 77.

16 (...) mademoiselle Pinson, ma bonne camarade (qui a l'oreille du ministre et même l'oreiller)... VILLIERS DE L'ISLE-ADAM, Contes cruels, « Désir d'être un homme ».

17 Avoir l'oreille du roi, c'est tirer et pousser à sa fantaisie le verrou de la conscience royale, et fourrer dans cette conscience ce qu'on veut. L'esprit du roi, c'est votre armoire. Si vous êtes chiffonnier, c'est votre hotte. L'oreille des rois n'est aux rois ; c'est ce qui fait qu'en somme ces pauvres diables sont peu responsables.
HUGO, l'Homme qui rit, II, I, VIII.

REM. Jarry, dans Ubu roi, utilise la déformation plaisante oneille, notamment dans l'évocation de l'enfoncement du petit bout de bois dans les oneilles, supplice infligé par Ubu.

♦ **2.** (V. 1155). Ouïe ; action, manière d'entendre. ⇒ **Ouïe**. L'oreille des vieillards devient dure (→ Baisser, cit. 28). Avoir l'oreille fine (→ Lapsus, cit. 1 ; musicien, cit. 4), exercée (→ Diapason, cit. 1), délicate. Avoir l'oreille juste et jouer faux (cit. 38). Avoir l'oreille musicale. Rime* pour l'oreille (→ Indubitable, cit. 5).

18 En voilà pour tuer une oreille sensible.
MOLIÈRE, les Femmes savantes, II, 6.

19 (...) son oreille était excellente, car elle entendait le son d'un quart d'écu de cinq cents pas (...) FURETIÈRE, le Roman bourgeois, I, p. 13.

20 L'oreille est le sens préféré de l'attention. Elle garde, en quelque sorte, la frontière, du côté où la vue ne voit pas. VALÉRY, Analecta, p. 36.

Loc. Être dur* (cit. 6) d'oreille. Cf. (fam.) Dur de la feuille. Dureté d'oreille. → Élocution, cit. 1.

(1690). Absolt. Avoir de l'oreille : savoir entendre, être sensible aux sons (→ 2. Coupe, cit. 5 ; dissonance, cit. 2). — Spécialt. Reconnaître la hauteur, la justesse des sons entendus et pouvoir au besoin les reproduire. Cet enfant a beaucoup d'oreille, n'a pas d'oreille.

21 Avoir de l'oreille, c'est avoir l'ouïe sensible, fine et juste : en sorte que, soit pour l'intonation, soit pour la mesure, on soit choqué du moindre défaut, et qu'aussi l'on soit frappé des beautés de l'art quand on les entend.
ROUSSEAU, Dict. de musique.

22 Je lui dis : C'était bien à dix heures ?» Elle me répond : « Naturellement. » Un quart de seconde d'hésitation sur le ton de la voix, car, pour ça, j'ai l'oreille.
G. DUHAMEL, Salavin, V, X.

♦ **3.** Partie visible de l'organe de l'ouïe, dont la grandeur et la forme varient selon les espèces et dans une certaine mesure les individus (→ ci-dessus, I., 1., oreille externe). Spécialt. Oreille humaine. ⇒ **Pavillon**. Lobe. ⇒ Collet, cit. 4 ; ourlet, trou d'oreille.

23 Le pavillon de l'oreille, vulgairement appelé oreille, est une expansion lamelleuse située sur les parties latérales de la tête (...) Son mode d'implantation est tel qu'il forme, avec la surface latérale de la tête, un angle à sinus dirigé en arrière. Cet angle, que nous appelons angle céphalo-auriculaire, mesure en moyenne 20 à 30°. Mais il présente, suivant les sujets, des variations d'amplitude fort étendues (...)
L. TESTUT, Traité d'anatomie, t. III, p. 718.

23.1 Une autre fois, sur un échafaudage du clocher, votre planche basculant, vous étiez tué sans un ouvrier qui vous rattrapa par les oreilles. Elles ne cédèrent point.
GIRAUDOUX, Siegfried et le Limousin, p. 235.

Petites oreilles bien ourlées. Grandes oreilles hautes et épaisses (cit. 6). Oreilles pointues. Oreilles attachées un peu bas (→ 1. Bas, cit. 62). Oreilles bien détachées (→ Mobilité, cit. 2). Oreilles décollées (→ 1. Carcan, cit. 2), en feuilles de chou, en chou-fleur (fam.). Oreille poilue (→ Conque, cit. 6). Avoir (1. Avoir, cit. 13) l'oreille rouge (→ Bouffée, cit. 6). Avoir froid aux oreilles, avoir les oreilles gelées (→ Enrager, cit. 14). Bijou, ornement porté à l'oreille, au lobe de l'oreille. ⇒ **Dormeuse, pendant, pendeloque** (→ Anneau, cit. 6 ; bluette, cit. 1 ; étincelle, cit. 5). Boucles d'oreilles. ⇒ **Boucle.** (→ Malgré, cit. 6). Percer les oreilles pour y mettre

des boucles (cit. 1). → aussi Lobe, cit. 2 et 3. Amplificateur* porté derrière l'oreille.

24 — Ma Mère-grand, que vous avez de grandes oreilles !
— C'est pour mieux écouter, mon enfant.
Ch. PERRAULT, Contes, « Le petit chaperon rouge ».

25 (...) son oreille
Petite, nacrée et vermeille (...)
Th. GAUTIER, Émaux et Camées, « La bonne soirée ».

26 De lourdes pendeloques gazouillent secrètement à ses mignonnes oreilles.
BAUDELAIRE, le Spleen de Paris, XXV.

27 (...) le vieux aux oreilles pleines de poils blancs comme un cœur d'artichaut.
CLAUDEL, l'Annonce faite à Marie, I, 3.

28 C'est alors que je remarquai son oreille gauche (...) C'était l'oreille d'un homme un peu sanguin ; une oreille large, avec des poils et des taches lie-de-vin (...) tout à coup, j'allongeai délibérément le bras et posai, avec soin, l'index où je voulais, un peu au-dessus du lobule (...) G. DUHAMEL, Salavin, I, I.

29 (...) elle a les oreilles droites et pointues comme on les peint aux satyres.
Émile HENRIOT, Mythologie légère, p. 147.

Porter les cheveux sur les oreilles, derrière les oreilles, roulés au-dessus des oreilles (→ Coiffure, cit. 7). — Bouche (cit. 4) fendue jusqu'aux oreilles. Rire jusqu'aux oreilles. — Branches de lunettes (cit. 3) posées sur les oreilles. Porter un crayon sur l'oreille. Chapeau sur l'oreille, posé sur le côté de la tête, de telle manière que l'un des bords touche une oreille. (→ Étudiant, cit. 4 ; garder, cit. 36 ; glace, cit. 23). Bonnet enfoncé (cit. 7) jusque sur les oreilles. Emmitouflés jusqu'aux oreilles dans un châle (cit. 1). Enfant barbouillé de confiture jusqu'aux oreilles. Rougir* jusqu'aux oreilles, beaucoup.

30 (...) rigoler soudain à m'en fendre la bouche, jusqu'aux oreilles (...)
J. ROMAINS, les Hommes de bonne volonté, t. III, VII, p. 121.

31 Malgré l'heure tardive, la jeune femme était encore au lit, la face contre le mur et les couvertures par-dessus les oreilles (...) J. GREEN, Léviathan, II, XIII.

Se gratter l'oreille (en signe d'inquiétude, de perplexité). Couper l'oreille, les oreilles à qqn (→ Épée, cit. 1). Coupeur* d'oreilles. Tirer qqn par l'oreille pour le faire avancer. Tirer, pincer l'oreille de qqn en signe d'amitié. — (1460). Loc. Tirer les oreilles ; (1669) frotter (cit. 25) les oreilles ; (vx) chauffer les oreilles (à qqn, pour le punir ou par menace feinte, affectueuse...). → Galopin, cit. 3. Si tu continues, tu vas te faire tirer les oreilles !

32 Laissez-moi, je lui veux couper les deux oreilles (...)
MOLIÈRE, Tartuffe, V, 2.

33 Et vous, marmaille, silence ! On va vous prendre par les oreilles et vous reconduire chez vos parents. ZOLA, la Terre, I, V.

33.1 Supposez un de ces petits conscrits à qui Napoléon venait de tirer l'oreille et qui brûlaient de couvrir de baisers et de larmes la main qui les avait flattés.
PROUST, Jean Santeuil, Pl., p. 424.

34 Veux-tu que je te tire les oreilles, rat de bordel ?
P. MAC ORLAN, la Bandera, XX.

Loc. Se faire tirer l'oreille (proprement en se faisant amener par l'oreille) : se faire prier, ne pas céder aisément. Nous comptions sur son aide mais il se fait tirer l'oreille (⇒ **Résister**).

35 (...) voyez Jacques, questionnez-le : il ne se fera pas tirer l'oreille pour vous satisfaire ; cela le désennuiera. DIDEROT, Jacques le fataliste, Pl., p. 738.

Dormir* (cit. 14) sur ses deux oreilles. — En avoir jusqu'aux oreilles, par-dessus les oreilles : en avoir plus qu'assez, trop (cf. Par-dessus la tête).

36 Dites-moi dans votre réponse si vous avez renoncé à cette ville pour jamais ; je vous avoue que j'en ai par-dessus les oreilles, et que j'y souffre autant de la présence de certaines gens que de votre absence (...)
RIVAROL, Lettres, XI, 8 déc. 1793.

Échauffer* (cit. 4), chauffer* les oreilles à qqn, l'irriter.

37 (...) cette engeance, dont le seul nom lui échauffait les oreilles.
FRANCE, la Rôtisserie de la reine Pédauque, Œ., t. VIII, V, p. 33.

Oreilles d'animaux. Les longues oreilles du lièvre. ⇒ **Oreillard** (→ Craindre, cit. 10). Petites oreilles rondes de la souris. L'éléphant (cit. 6) a de grandes oreilles en éventail (→ Ajouter, cit. 2). Oreilles de sanglier. ⇒ **Écoute** (vx). Oreilles d'âne. Allus. myth. « Midas, le roi Midas a des oreilles d'âne » (cit. 13). — Jument, âne qui chauvit* (cit. 1 et 2) des oreilles, qui couche les oreilles (→ Frein, cit. 2). Le lièvre (cit. 2) remue ses oreilles. Faune qui dresse (cit. 1) ses oreilles pointues. Cerf qui boit, l'oreille au guet (→ Muguet, cit. 1). Chien qui a l'oreille tendue (→ Babine, cit. 1), basse (→ 1. Morne, cit. 1). Couper les oreilles d'un chien (⇒ **Essoriller**), d'un cheval (⇒ **Bretauder**). Chien à oreilles et à queue coupées. ⇒ **Courtaud** (→ Maladie, cit. 9). Chat à une seule oreille. ⇒ **Monaut**. Oreille fendue (→ Haret, cit. 1). — Loc. prov. Chien* hargneux a toujours l'oreille déchirée (La Fontaine, → Mésaventure, cit.). Tenir le loup* (cit. 4) par les oreilles.

38 De la peau du lion l'âne s'étant vêtu
Était craint partout à la ronde.
Et, bien qu'animal sans vertu,
Il faisait trembler tout le monde.
Un petit bout d'oreille échappé par malheur
Découvrit la fourbe et l'erreur. LA FONTAINE, Fables, V, 21.

39 Il regardait remuer les oreilles du cheval. Quelles bêtes étranges que ces oreilles ! Elles allaient de tous côtés, à droite, à gauche, elles pointaient en avant, elles retombaient de côté, elles se retournaient en arrière, d'une façon si burlesque qu'il riait aux éclats. R. ROLLAND, Jean-Christophe, L'aube, I, p. 23.

Loc. fig. (XIXe). Appliquées aux personnes. Montrer le bout de l'oreille, laisser passer le bout* (cit. 12) de l'oreille (→ ci-dessus, cit. 38, La Fontaine). — Avoir l'oreille au guet* (→ Éveiller, cit. 32). — *Dresser** (cit. 4 et 5) *l'oreille*. — *Tendre** *l'oreille pour mieux écouter* (cit. 7). — *Baisser** *l'oreille. Avoir l'oreille basse**. *Rentrer au bercail l'oreille basse* (→ Fugue, cit. 5). *Honteux et portant bas* (1. Bas, cit. 63) *l'oreille*. — *Fendre** (cit. 6) *l'oreille à qqn. Avoir, mettre la puce** à l'oreille*.

★ **II.** Par anal. de forme. ♦ **1.** Techn. Partie saillante ressemblant au pavillon de l'oreille. *Les oreilles d'un ballot**, d'un sac*.

40 Il portait sous son bras une toilette verte qu'il posa sur une chaise ; puis, défaisant les quatre oreilles de la toilette, il découvrit un tas de petits livres jaunes.
FRANCE, le Crime de S. Bonnard, Œ., t. II, I, p. 269.

(1868). Agric. *Oreille d'une charrue*. ⇒ **Versoir**. *Tourne-oreille d'une charrue*. — (1690). Techn. Chacun des deux appendices symétriques d'un écrou destiné à être serré à la main. *Écrou à oreilles*. — Saillie d'une pièce de construction destinée à recevoir un boulon. *Assemblage à oreilles de deux pièces métalliques mises bout à bout*. — (1690). Mar. Partie élargie à chaque extrémité de la patte d'une ancre.

(1690). Cour. Chacun des deux appendices symétriques de certains récipients et ustensiles, par lesquels on les prend. ⇒ **Anse**. *Les oreilles sont généralement pleines, et les anses** évidées. Oreilles d'une cocotte, d'une marmite, d'un plat, d'une tasse, d'une écuelle* (⇒ **Orillon**).

♦ **2.** Partie d'une coiffure (casquette, bonnet) qui protège l'oreille. *Bonnet à oreilles*. ⇒ **Oreillette**.

40.1 (...) il reprenait avec plaisir sa vieille veste de chasse en drap côtelé, ses gros souliers à clous et se coiffait d'une casquette à oreilles qu'il ne quittait plus, la gardant même à table (...) R. FRISON-ROCHE, Premier de cordée, p. 93.

♦ **3.** (1836). *Oreilles de chien* : mèches plates pendant sur les oreilles, comme les portaient des hommes sous le Directoire.

41 (...) cette coiffure consistait en une bourse carrée de taffetas noir et deux grandes oreilles de chiens (tel fut leur nom six ans plus tard), comme en porte encore aujourd'hui M. le Prince de Talleyrand. STENDHAL, Vie de Henry Brulard, 4.

♦ **4.** (1830, Balzac). Chacune des deux parties latérales du dossier de certains fauteuils** sur laquelle on peut appuyer sa tête. *Bergère à oreilles*. ⇒ **Oreillard**.

42 Les pièces du mobilier dont Germaine est le plus fière sont une paire de bergères à oreilles, qu'elle a payées deux cents francs chacune à une vente de l'Hôtel Drouot (...) J. ROMAINS, les Hommes de bonne volonté, t. I, II, p. 36.

♦ **5.** (1656). Vx. Pli au coin d'un feuillet de livre. ⇒ **Corne**. *Oreille d'une page*.

♦ **6.** **OREILLE DE...** (Dans des syntagmes désignant des plantes et des animaux inférieurs).

a Noms de plantes (d'après la forme des feuilles). *Oreille d'âne* : la grande consoude, dite aussi *plantain lancéolé* (Normandie), *molène* (Provence), etc. — *Oreille de lièvre* : plantain lancéolé ; mâche. — *Oreille de chèvre* : centaurée (Loire), etc. — *Oreille d'éléphant* : plante ornementale à feuilles très larges ; colocase des marais ; taro (en franç. d'Afrique, *in* I.F.A.N.). — *Oreille de rat* : céraiste ; mâche (Ain, Jura). — (1546, *in* D.D.L.). *Oreille de souris:* myosotis. ⇒ aussi **Céraiste** (céraiste cotonneux). — *Oreille de loup* : variété de primevère. — (1611). *Oreille d'ours* (désigne diverses plantes à feuilles velues). — *Oreille d'homme* : asaret. — *Oreille de Judas* : auriculaire (champignon).

43 On peut donc formuler la règle ;
oreille d'animal signifie « herbe médicinale ou potagère à feuilles larges et plates, allongées ou arrondies selon le cas, et le plus souvent duvetées ».
L'intérêt de cette définition est qu'elle est commune à toutes les plantes de la série.
Les variations spécifiques sont peu nombreuses du fait que seuls les mammifères ont des oreilles et qu'elles sont peu différenciées.
Les plus caractéristiques sont celles de l'âne et du lièvre, plus ou moins synonymiques, et celles du rat qui désignent une masse de petites feuilles rondes ou légèrement ovalisées comme celle de la « mâche ou du myosotis ». Car c'est de ses feuilles que ce dernier tire ici son nom (comme d'ailleurs en grec) ...
Presque toutes ces plantes ont des feuilles pelucheuses qui les opposent aux langues (...) feuilles sensiblement de même forme allongée, mais à surface lisse. Mais cette distinction n'est pas toujours maintenue et beaucoup d'oreilles échangent leur nom avec des langues (cf. « piloselle » poil de rat et langue de brebis).-
Pierre GUIRAUD, Structures étym. du lexique français, p. 161.

b Noms d'animaux. *Oreille de mer*. ⇒ **Haliotide**.

DÉR. Oreillard, oreiller, oreillette, oreillons.
COMP. Cure-oreille, perce-oreille, tourne-oreille.

OREILLER [ɔʀeje] n. m. — V. 1180 ; déb. xiiᵉ, *oreillier* ; de *oreille*.

♦ **1.** Pièce de literie qui sert à soutenir la tête, coussin rembourré, généralement carré et recouvert d'une taie** (→ Enfoncer, cit. 3). ⇒ **Lit**, et aussi **coussin, traversin**. *Oreiller de crin, de duvet, de plumes, en balle d'avoine, à ressorts. Oreiller dur, mou. Coutil pour oreillers. Oreiller garni de dentelles* (→ Linge, cit. 2). *Oreillers aplatis* (→ Couverture, cit. 2). — *Coucher, dormir sans oreiller. Tête qui s'enfonce* (cit. 33) *dans l'oreiller. S'endormir* (cit. 19) *aussitôt la tête sur l'oreiller. Malade adossé à l'oreiller, soutenu par des oreillers* (→ Haletant, cit. 4 ; coque, cit. 8). *Installer un malade dans un fauteuil avec des oreillers* (→ Fourrer, cit. 36).

1 Nous aperçûmes le vieux podagre enfoncé dans un fauteuil, un oreiller sous la tête, des coussins sous les bras, et les jambes appuyées sur un gros carreau plein de duvet. A.-R. LESAGE, Gil Blas, II, I.

Les oreillers, en grand nombre, de toutes formes, et de toutes grandeurs, les uns triangulaires, les autres carrés, d'autres ronds, s'affaissaient sous la tête de la dormeuse, soutenaient ses bras ou gisaient au hasard.
J.-A. DE GOBINEAU, Nouvelles asiatiques, p. 92. 2

Nana dormait sur le ventre, serrant entre ses bras nus son oreiller, où elle enfonçait son visage tout blanc de sommeil. ZOLA, Nana, II. 3

Vous savez que l'oreiller, pour une Japonaise, est un objet dur, en forme de cube, et le plus généralement en cuir, ou en bois, sur lequel on pose la tête pour ne pas déranger sa coiffure. Rien de meilleur, pour cet usage, qu'un grand tas de papier bien pressé. Claude FARRÈRE, Mes voyages, V, p. 216. 4

Le lit la fascinait. Elle se baissait, en palpa l'étoffe, s'assit sur le bord et timidement souleva le drap près de l'oreiller. Un très grand oreiller, un oreiller profond, moelleux. H. BOSCO, Un rameau de la nuit, p. 243. 5

Loc. fam. *Consulter** son oreiller*. — *Sur l'oreiller* : au lit**, et, par ext., Dans la plus grande intimité. *Confidences recueillies sur l'oreiller. Se raccommoder, se réconcilier sur l'oreiller*, au lit, en parlant d'un couple.

On se dispute, on s'entredéchire, on se déteste presque, on se raccommode sur l'oreiller, incapables, malgré tout, de se passer l'un de l'autre. C'est bien cela l'amour (...) Paul LÉAUTAUD, le Théâtre de M. Boissard, XXVII. 6

Par analogie :

Après le souper Joseph apporta ma selle, qui me servait ordinairement d'oreiller (...) CHATEAUBRIAND, Itinéraire..., I, p. 158. 7

♦ **2.** (xiiiᵉ). Par métaphore et fig. Ce qui assure le repos, la quiétude, la tranquillité de l'esprit (→ Ordre, cit. 28). *Une conscience pure est un bon oreiller* (Académie). *Le mol oreiller de l'ignorance, du doute*. — Allus. littér. *L'oreiller de Montaigne*. — REM. Montaigne lui-même emploie le mot *chevet* (→ Ignorance, cit. 9 et 14).

Prends ton couteau, l'instant est bon ; la République,
Confiante, et sans voir tes yeux sombres briller,
Dort, avec ton serment, prince, pour oreiller. HUGO, les Châtiments, « Nox », I. 8

OREILLETTE [ɔʀɛjɛt] n. f. — xiiᵉ, « petite oreille, boucle d'oreille » ; de *oreille*.

♦ **1.** (1868 ; de *oreille*, I., 3). **a** Bandage** appliqué sur une oreille malade ou blessée. ⇒ **Oreillon** (1.).

b Partie d'une coiffure qui protège les oreilles. *Casque, toque à oreillettes* (→ Assourdir, cit. 3).

♦ **2.** (Par anal. de forme ; → Oreille, II.). **a** (1790). Régional. Variété de champignon. — Variété de mâche... ⇒ Asaret. ⇒ **Oreille** (6., a).

b Archit. Retour au coin des chambranles.

c Petite oreille, patte (d'un vêtement).

♦ **3.** (1654). Anat. Chacune des deux cavités supérieures du cœur**. *Les veines pulmonaires débouchent à l'oreillette gauche, les veines caves à l'oreillette droite* (→ Circulation, cit. 3 ; élaborer, cit. 3). *Diverticule des oreillettes*. ⇒ **Auricule**. *Chaque oreillette communique avec le ventricule correspondant par un orifice auriculo* (cit.) *-ventriculaire*.

♦ **4.** Techn. Petit récepteur qui s'adapte à l'oreille (utilisé en télévision).

OREILLON [ɔʀɛjɔ̃] n. m. — xiiᵉ, « coup sur l'oreille » ; de *oreille*.

♦ **1.** (De *oreille*, I., 3.). Archéol. Partie mobile de l'armure de tête, qui protégeait l'oreille et la joue. — (Rare). Oreillette (1.). *Oreillons de cuir d'un casque de boxeur*.

♦ **2.** Techn. (Généralement au plur.). Débris de peaux, déchets d'abattoirs ou de tanneries (constitués surtout par des *oreilles*) dont on fait de la colle** forte.

♦ **3.** (xivᵉ ; de *oreille*, I., 1.). Méd. et cour. **LES OREILLONS** : maladie infectieuse, épidémique et contagieuse, d'origine virale, caractérisée par une inflammation, une tuméfaction des glandes parotides et des douleurs dans l'oreille. *Orchite, ovarite consécutive aux oreillons*. ⇒ **Ourlien**. *Les oreillons atteignent surtout les enfants et les jeunes gens*.

Des cinq enfants habitant l'hôtel, Louise fut la plus éprouvée par les oreillons qu'ils attrapèrent les uns des autres, et elle resta longtemps fiévreuse, troublée d'insomnies. Philippe HÉRIAT, Famille Boussardel, XXV.

♦ **4.** (xxᵉ ; de *oreille*, II.). Abricot dénoyauté, coupé en deux et mis en conserve. *Oreillons au sucre, à l'eau-de-vie*.

♦ **5.** Fortif. ⇒ **Orillon**.

♦ **6.** (1874). Techn. (Au plur.). Chacun des supports des rouleaux des ensouples.

OREMUS ou **ORÉMUS** [ɔʀemys] n. m. invar. — 1560 ; mot lat. «(nous) prions» ; 1ʳᵉ pers. du plur. du subj. présent de *orare* «prier», précédant souvent des prières de la liturgie catholique qui devraient, en principe, être récitées en commun.

♦ **1.** Relig. *Oremus* (sans accent) : mot prononcé naguère à la messe (messe en latin) par le prêtre pour inviter les fidèles à prier avec lui. ⇒ **Oraison**.

Il s'obstina, ne dit qu'une messe basse, expédia les cinq communiants, n'ajouta pas une fleur, pas un oremus de consolation (...)   ZOLA, la Terre, III, VI.

♦ **2.** Fam., vx. *Un, des orémus* : une, des prières. *Une bigote, une diseuse d'orémus* (→ Mangeur, cit. 6). — Loc. *Un croqueur* (cit. 2) *d'orémus* : un prêtre.

ORÉO- Élément de mots didactiques (noms de plantes et d'animaux, notamment) tiré du grec *oreos* (ou *orous*), génitif de *oros* « montagne ».

ORÉOPITHÈQUE [ɔreopitɛk] n. m. — 1888 ; de *oréo-*, et *-pithèque*. → Anthropopithèque.

♦ Didact. Anthropoïde fossile classé parmi les formes atteintes par l'hominisation.
On sait que la découverte d'un squelette presque complet d'Oréopithèque, en 1958, a déchaîné la presse mondiale sur le fossile : « l'homme de Grossento », l'« Adam de dix millions d'années ». Il est difficile de dire ce que révélera le squelette laminé entre deux feuilles de calcaire et dont la reconstitution est particulièrement délicate.   A. LEROI-GOURHAN, le Geste et la Parole, t. I, p. 93.

ORES [ɔʀ] ⇒ 2. Or (I.).

ORFÈVRE [ɔʀfɛvʀ] n. — Fin XIIᵉ ; refait, d'après le lat. *aurifex*, sur l'anc. franç. *fèvre* « forgeron, artisan », du lat. *faber*. → 1. Or.

♦ Personne dont le métier est de fabriquer des objets d'ornement, d'église, de table... en métaux précieux, ou même en cuivre, en étain, en alliage ; marchand de pièces d'orfèvrerie. *Atelier, magasin d'orfèvre.* ⇒ **Orfèvrerie** (1.). *Elle est orfèvre ; c'est une orfèvre de talent. Orfèvre qui reproduit une pièce d'argenterie* (cit. 3) *d'après un vieux dessin. Ciboire orné de pierres précieuses exécuté par un orfèvre-joaillier*. Orfèvre-bijoutier* qui fabrique des boîtiers de montre guillochés, des bijoux*.* Outils de l'orfèvre. ⇒ **Bigorne, bouge, ciseau, ciselet, cisoir, échoppe, équarrissoir, maillet, mandrin, marteau, martelet, resingle, saie.** *Le quai des Orfèvres* à Paris. — Par appos. *Ouvrier orfèvre.* ⇒ **Ciseleur, graveur.**
Le vaillant Maître Orfèvre, à l'œuvre dès matines
Faisait, de ses pinceaux d'où s'égouttait l'émail,
Sur la paix niellée ou sur l'or du fermail
Épanouir la fleur des devises latines.
    J.-M. DE HÉRÉDIA, les Trophées, « Sur le Pont-Vieux ».
Loc. (Par allus. à la minutie, à la précision du travail de l'orfèvre). *Être orfèvre en la matière**, s'y connaître parfaitement.
Allus. littér. *Vous êtes orfèvre, Monsieur Josse* (Molière, *l'Amour médecin*, I, 1), se dit en manière de réplique à une personne dont les conseils et les attentions sont, de toute évidence, intéressés* (cit. 26), le Monsieur Josse de Molière, orfèvre, proposant de faire un cadeau de bijoux.

DÉR. Orfévré, orfévrer, orfèvrerie.

ORFÉVRÉ, ÉE [ɔʀfevʀe] adj. — 1868 ; antérieurement, *orfévri, -ie* ; de *orfèvre*.

♦ Façonné par un orfèvre. *Coupe d'argent orfévré.*

ORFÉVRER [ɔʀfevʀe] v. tr. — D. incert. ; de *orfèvre*.

♦ Façonner en orfèvrerie. — Par métaphore :
L'or toujours pour river les bouches fut le meilleur métal, mais Philip savait qu'avec certains hommes il faut en plus orfévrer un peu la soudure.   M. DRUON, la Loi des mâles, p. 253.

ORFÈVRERIE [ɔʀfɛvʀəʀi] n. f — 1690 ; *orfaverie*, fin XIIᵉ ; de *orfèvre*.

♦ **1.** Art, métier, commerce de l'orfèvre. *Apprenti, monteur en orfèvrerie. La main-d'œuvre* (cit. 1) *en orfèvrerie. Industrie de l'orfèvrerie. Opérations d'orfèvrerie :* ciselure, emboutissage, estampage, guillochage, martelage, niellage, repoussage (⇒ aussi **Amatir, bosseler**). *La bijouterie* (⇒ **Menuiserie**) *et la joaillerie étaient autrefois deux branches de l'orfèvrerie.* — *Boutique d'orfèvrerie* (→ Gueule, cit. 25). — *Pièces d'orfèvrerie* (→ ci-dessous 4.).

♦ **2.** Magasin d'orfèvre. ⇒ **Bijouterie** (plus cour.). *Les grandes orfèvreries de la place Vendôme.*

♦ **3.** Ensemble des orfèvres, de leur production. *L'orfèvrerie suisse.*

♦ **4.** [a] (Collectivement : *l'orfèvrerie*). Ouvrages de l'orfèvre, destinés à la décoration*, à l'exercice du culte (calice, ciboire, ostensoir...), au service de la table (argenterie, corbeilles, surtouts, vases...). *Orfèvrerie profane, religieuse. Orfèvrerie d'argent massif, d'étain... Orfèvrerie fantaisie* (en cuivre chromé, en maillechort...). ⇒ aussi **Doublé.** *Briquet d'orfèvrerie.*

1 Les miroirs, les métaux, les étoffes, l'orfèvrerie et la faïence (...) jouent pour les yeux une symphonie muette et mystérieuse (...)   BAUDELAIRE, le Spleen de Paris, XVIII.

---

[b] **Littér.** *(Une, des orfèvreries).* Ouvrage d'orfèvre. *Cette architecture avait la finesse d'une orfèvrerie* (→ Dentelle, cit. 5). *Dressoir* (cit.) *chargé d'orfèvreries qui étincellent* (cit. 10). *Fines découpures d'une orfèvrerie* (→ Iconostase, cit. 1). *Orfèvrerie filigranée* (⇒ **Filigrane**), *façonnée à godrons*, marquée au coin*.*

2 (...) là, des plats, des calices, des ciboires, martelés, pavés de cabochons, sertis de gemmes, des reliquaires parmi lesquels le chef en argent de saint Honoré, tout un amas d'incandescentes orfèvreries qu'un artiste, installé au château, cisèle suivant ses goûts *(de Gilles de Rais).*   HUYSMANS, Là-bas, IV.

ORFRAIE [ɔʀfʀɛ] n. f. — 1491 ; *orfres*, v. 1200 ; altér. d'*osfraie*, du lat. *ossifraga*, proprt « qui brise les os », de *os, ossis* (→ Os), et *frangere* « briser », par allus. à la férocité de ce rapace.

♦ Oiseau rapace diurne, appelé scientiquement *pygargue.* ⇒ **Aigle** (de mer, pêcheur), **huard, pygargue.** — REM. L'*orfraie* est souvent confondue, dans l'usage courant, avec l'*effraie,* sorte de chouette.
Loc. fam. *Pousser des cris d'orfraie,* des cris aigus (⇒ **Effraie**).

1 La servante de Ra'hel essaya de forcer la consigne ; les javelines lui tombèrent en cadence sur la tête comme des marteaux de l'enclume. Elle se mit à pousser des cris d'orfraie plumée vive.   Th. GAUTIER, le Roman de la momie, XII.

2 Aux cavités de la chapelle centenaire
L'orfraie et le hibou, seuls, sont venus nicher.
    LECONTE DE LISLE, Poèmes tragiques, « Lévrier de Magnus ».

ORFROI [ɔʀfʀwa] n. m. — Fin XIIᵉ ; *orfreis*, 1150 ; du lat. médiéval *aurifrigium, aurifrixium,* altér. de *aurum phrygium,* proprt « or phrygien », les Phrygiens étant célèbres pour leurs étoffes bordées d'or.
Didactique.

♦ **1.** Archéol. Bande de broderie d'or employée comme bordure ou comme galon. — Par ext. Tissu d'or.

1 Moines, abbés, barons, serfs et vilains ;
Mitres d'orfroi, casques d'argent, vestes de lin (...)
    VERHAEREN, les Villes tentaculaires, « Âme de la ville ».

♦ **2.** Liturgie. Parement, broderie, frange d'or (et, par ext., d'argent) des vêtements liturgiques. *Orfrois d'une chape, d'une chasuble...*

2 Pour les chasubles très riches, elle nuançait des tableaux (...) Tantôt les orfrois étaient brodés sur le fond même, tantôt elle rapportait des bandes soie ou satin, sur du brocart d'or ou du velours.   ZOLA, le Rêve, III.

ORGANAL, ALE, AUX [ɔʀganal, o] adj. — Mil. XXᵉ ; lat. médiéval *organalis,* de *organum* ; → Organum. Un homonyme a existé au XIIIᵉ s. *veine organale (vena organalis)* « trachée, artère ».

♦ Hist. de la mus. Se dit de la partie qui accompagne la voix principale, dans l'organum*.

ORGANDI [ɔʀgɑ̃di] n. m. — 1723 ; de Organdi, Ourgandi, francisation du nom de la ville d'*Ourgandj,* au Turkestan. → Organsin.

♦ Toile de coton, légère et très claire, enduite d'un apprêt ferme. *Robe d'été en organdi uni, imprimé. Des organdis.* — Par ext. Tissu analogue. *Organdi de soie. Robe du soir en organdi de soie.*

ORGANE [ɔʀgan] n. m. — 1100 ; lat. *organum,* du grec *organon* → Organon.

★ **I.** (De *organon,* au sens d'« instrument de musique »).

♦ **1.** Vx. Instrument de musique (⇒ **Orgue**).

♦ **2.** Voix (surtout d'un chanteur, d'un orateur). *Organe bien timbré, enchanteur* (→ Fascinateur, cit. 1), *nasillard* (cit. 2)... → aussi Cri, cit. 30 ; gong, cit. 1.

1 Un bel organe, un imperturbable aplomb (...) achevaient de rehausser cette admirable nature de charlatan, où il y avait du coiffeur et du toréador.
    FLAUBERT, Mᵐᵉ Bovary, II, XV.

2 (...) il commença son discours ; mais, dès les premiers mots, son organe bourdonnant, comme une cloche de bronze qui s'ébranle, avait pris possession de l'espace, et la salle, tout à coup eut la sonorité d'un beffroi.
    MARTIN DU GARD, les Thibault, t. VII, p. 56.

♦ **3.** (XVIᵉ). Voix autorisée d'un porte-parole*, d'un interprète*. *Le ministère public est l'organe de l'accusation* (Académie). *Présenter une requête par l'organe d'un ami influent.* ⇒ **Entremise** (→ Parler par la bouche, la voix de qqn).

3 Organe de la douleur publique, qui rassasiée de pleurs, ne s'exprimait plus que par son silence, Fléchier sut encore en tirer quelques accents, et faire couler de nouveau des larmes qu'elle croyait taries.
    D'ALEMBERT, Éloge de Fléchier, Œ. compl., t. II, p. 322.

4 C'est la pensée des Jacobins que Robespierre a exprimée, leur désir, leur intérêt ; il est leur organe. Il parle pour eux, et devant eux, soutenu par eux (...)
    MICHELET, Hist. de la Révolution franç., IV, XI.

(1782). Par ext. Publication périodique considérée comme l'expression, l'interprète des opinions d'un parti, des intérêts d'un groupement (⇒ **Journal**). *Cette revue est l'organe d'une association, d'une amicale.*

5 Le Globe, organe de la doctrine saint-simonienne (...)
    BALZAC, l'Illustre Gaudissart, Œ., t. IV, p. 18.

6   Il est décidé qu'on fera un journal, qu'on *aura un organe*, voilà tout.
                                              J. VALLÈS, le Bachelier, IX.

★ **II.** (De *organon*, au sens d'«instrument de travail, outil»).

♦ **1.** (xvᵉ). Ensemble d'éléments cellulaires différenciés (⇒ **Tissu**) et combinés, capable de remplir une fonction* déterminée dans un être vivant (organisme). *Êtres vivants pourvus d'organes.* ⇒ **Organisé, organisme.** — *Contexture d'un organe. Organe impair*. Organe contractile*. Excitabilité* (cit. 1), *innervation* (cit. 1), *sensibilité des organes. Les ganglions* (cit. 1) *sympathiques commandent à tous les organes. La membrane* péritonéale, enveloppe (cit. 3) *des organes de l'abdomen, des viscères. Rapport entre l'esprit* (cit. 38) *et l'équilibre des organes du corps* (cit. 25). — *Les organes* (d'un être vivant), *son organisme, son corps. Faiblesse* (cit. 7, Diderot) *des organes de l'homme* (→ Nature, cit. 48). *Organes jeunes, sains* (→ Assaisonner, cit. 1). *Surmenage qui fatigue les organes* (→ Amusement, cit. 12). — *Dépérissement des organes, de certains organes, chez un malade* (→ 1. Manifeste, cit. 2), *un vieillard* (→ Cachet, cit. 7). *Atonie* d'un organe. Organe qui s'atrophie*. Lésion* d'un organe.* ⇒ **Organique** (maladie). *Greffe* d'organe.* « *La fonction** (supra cit. 12) *crée l'organe* ». — *Organes de la circulation, de la digestion* (→ Digestif, cit. 1), *de la respiration...* ⇒ **Appareil** (circulatoire, digestif, respiratoire...). *Le foie* (cit. 1), *organe aux fonctions complexes. — Les organes du système* nerveux, du système digestif... Organes moteurs. Organes locomoteurs*. — Organes sexuels externes, internes. Organes génitaux,* et, absolt (cour, fam. ou iron.), *organes.* ⇒ **Partie** (*supra* cit. 15.1), **sexe** (→ ci-dessous, *infra* cit. 10). *Organes génito-urinaires. Ablation des organes reproducteurs.* ⇒ **Castration.** — *Organes des sens** (→ Encéphale, cit. ; langage, cit. 9). *Impression* (cit. 46 et 47) *des organes sensoriels.*

Organe de... (et le n. d'un sens). *L'œil, organe de la vue. L'oreille, organe de l'ouïe* (→ Anfractueux, cit. 2; auditif, cit. 1 ; blesser, cit. 5 ; entendre, cit. 37). *Le nez* (cit. 1), *organe de l'odorat.*

7   Je désire que vous considériez (...) que toutes les fonctions que j'ai attribuées à cette machine, comme la digestion des viandes, le battement du cœur (...) la respiration (...) la réception de la lumière, des sons, des odeurs (...) dans les organes les plus extérieurs (...) je désire, dis-je, que vous considériez que ces fonctions suivent toutes naturellement, en cette machine, de la seule disposition de ses organes, ne plus ne moins que font les mouvements d'une horloge, ou autre automate, de celle de ses contrepoids et de ses roues (...)
                                              DESCARTES, Traité de l'homme, Œ., p. 873.

8   Dans tout animal qui n'a point dépassé le terme de ses développements, l'emploi plus fréquent et soutenu d'un organe quelconque, fortifie peu à peu cet organe, le développe, l'agrandit et lui donne une puissance proportionnée à la durée de cet emploi ; tandis que le défaut constant d'usage de tel organe, l'affaiblit insensiblement, le détériore, diminue progressivement ses facultés, et finit par le faire disparaître.
                                              LAMARCK, Philosophie zoologique, I, VII.

9   L'homme, considéré par une vraie philosophie, est une intelligence servie par des organes.   L. DE BONALD, Du divorce considéré au XIXᵉ s.,
                                    Disc. préliminaire (→ aussi Homme, cit. 20, Maine de Biran).

10   Un organe n'est pas limité par sa surface. Il s'étend aussi loin que les substances qu'elle sécrète. En effet, son état structural et fonctionnel dépend de la rapidité avec laquelle ces substances sont utilisées par les autres organes.
                                              Alexis CARREL, l'Homme, cet inconnu, III, XII.

Spécialt, fam. Sexe de l'homme. ⇒ **Membre** (*supra* cit. 7.1), **pénis.** *Un bel organe.*

(Chez les végétaux). *Organes mâles et femelles des plantes* (→ Étamine, cit. 1 ; hermaphrodite, cit. 8). *Organes appendiculaires*.*

♦ **2.** ORGANE DE... : élément fonctionnel du corps considéré comme l'instrument de (une faculté, etc.). ⇒ **Instrument.** *Le cerveau, organe de l'âme* (→ 2. Idiotisme, cit. 1), *de la pensée* (→ Altération, cit. 2). *La langue* (cit. 4), *organe de la vérité.*

11   La volonté est l'organe de la puissance.
                                              André SUARÈS, Trois hommes, « Ibsen », v.

Fig. (Personne, réalité active). *Il a été l'organe essentiel de la révolte.* ⇒ **Agent, centre, moteur.**

♦ **3.** « Institution chargée de faire fonctionner une catégorie de services » (Capitant, *Voc. juridique*). ⇒ **Organisme.** *L'organe central de l'administration. Ensemble des organes directeurs de l'État.* ⇒ **Gouvernement** (cit. 33). *Organes de l'armée* (cit. 12), *de la fonction publique. Organes gouvernementaux* (cit. 1). *Organe législatif.* ⇒ **Corps.** *Organes d'interprétation des lois* (→ Jurisconsulte, cit.).

12   (...) la transformation de Paris en organe central de confrontation et de combinaison, organe non seulement politique et administratif, mais organe de jugement, d'élaboration et d'émission, et pôle directeur de la sensibilité générale du pays.
                                              VALÉRY, Regards sur le monde actuel, p. 125.

♦ **4.** (1860). Mécan. Élément d'une machine ayant une fonction particulière. ⇒ **Accessoire, équipement, instrument.** *Organes de commande, de transmission.*

13   Il n'y a toutefois d'utile, de pratique, que la machine qui produit ce résultat économiquement, et pour la construction de laquelle on a employé des matières de bonne qualité, si bien assemblées que le jeu des organes soit doux et que l'usure soit lente.   L. VILLERME, les Machines agricoles,
                                    in Revue des deux-mondes, 1ᵉʳ juil. 1860, p. 219.

DÉR. **Organeau, organicisme, organiser, organisme, organite.**
COMP. V. **Organo-.**

ORGANEAU [ɔʀgano] n. m. — 1382, *orgueneaul;* de *organe* (II.).

♦ Mar. Gros anneau* de fer fixé à l'extrémité de la verge d'une ancre* pour y étalinguer* un câble. ⇒ **Cigale.**

ORGANICIEN, IENNE [ɔʀganisjɛ̃, jɛn] adj. et n. — V. 1960; de *organique*.

♦ Didact. *Chimiste organicien*, spécialisé en chimie organique. « *Les présomptions qui viennent d'apparaître quant à l'existence à haute température, dans des systèmes organiques quasi linéaires, d'un nouveau type de supraconductivité (...) ont déclenché une activité débordante qui rassemble dans la même ardeur physiciens du solide et chimistes organiciens* » (*la Recherche*, nov. 1972, p. 982). — N. *Un organicien, une organicienne.*

ORGANICISER (S') [ɔʀganisize] v. pron. — Mil. xxᵉ; dér. sav. de *organique*.

♦ Méd. (Rare). Aboutir à une lésion organique (conformément au principe doctrinal de l'organicisme*), en parlant des troubles fonctionnels ou organiques d'origine émotionnelle.

Le passage de l'émotion à la lésion n'est qu'un cas particulier d'une loi très générale, à savoir qu'un désordre du système neuro-végétatif provoque des manifestations fonctionnelles qui, par leur intensité ou leur répétition, *s'organisent* et, par le fait même, *s'organicisent.*
                                              Jean DELAY, Introd. à la médecine psychosomatique, p. 23.

ORGANICISME [ɔʀganisism] n. m. — 1846; de *organe*.

♦ **1.** Philos. Doctrine d'après laquelle la vie est «le résultat de l'organisation» (Janet). *Bichat, Claude Bernard, partisans de l'organicisme* (organicistes).

♦ **2.** (P.-ê. par l'angl. *organicism*, 1853). Méd. Doctrine d'après laquelle toute maladie a pour cause la lésion d'un ou plusieurs organes. — REM. En ce second sens, le mot a une valeur très proche de *matérialisme.*

(...) l'exploitation des hypothèses et des techniques psychanalytiques a suscité des essais — et par conséquent des erreurs — dans diverses directions, et notamment dans la direction «psychogénique»; mais celle-ci n'est pas privilégiée : on trouverait de quoi reprocher à Freud lui-même un «organicisme» outrancier (...)
                                              Daniel LAGACHE, la Psychanalyse, p. 77.

ORGANICISTE [ɔʀganisist] adj. et n. — 1858, Nysten; de *organicisme*, et suff. *-iste.*

♦ Didact. Partisan de l'organicisme. *Les organicistes n'accordent pas d'importance aux facteurs psychogénétiques.*

ORGANIER [ɔʀganje] n. m. — 1844; dér. sav. du lat. *organum* «orgue», et *-ier;* autre sens en 1382, «traité sur les organes», de *organe.*

♦ Mus. Facteur d'orgue.

ORGANIGRAMME [ɔʀganigʀam] n. m. — 1952; de *organi(ser)*, et suff. *-gramme.*

♦ Tableau schématique des divers services d'une administration, d'une entreprise, et de leurs rapports mutuels. — Représentation graphique des sous-ensembles d'un système et des relations qui les lient entre eux.

ORGANIQUE [ɔʀganik] adj. — 1561; *veine organique* «veine jugulaire», 1314; lat. *organicus*, grec *organikos*, de *organon*. → Organe.

★ **I.** ♦ **1.** Qui a rapport ou qui est propre aux organes (II., 1.). *Intensité de la vie organique*, ou végétative (→ Échange, cit. 16). *Activités, processus organiques chez l'homme* (cit. 15; → Flux, cit. 4). — Spécialt. Qui est en relation avec une lésion* affectant la structure ou les fonctions d'un organe. *Maladie, trouble organique* (par oppos. à *trouble fonctionnel*). *Détérioration organique cérébrale* (→ Incohérence, cit. 5). *La frigidité* (cit. 3) *accompagne certaines affections organiques neurologiques ou mentales.*

♦ **2.** Qui est propre aux êtres organisés. *Liaison organique* (→ Architecture, cit. 6). — (Par oppos. à *mécanique*). *Phénomènes organiques.*
Qui a rapport aux êtres organisés, qui est composé d'êtres organisés. *Règne organique* (→ Générateur, cit. 1).

1   *(Je)* Continue à rêver sur l'Homme et sur la Vie (...) Songé avec un mélange de stupeur et d'admiration à la lignée organique dont je suis l'épanouissement.
                                              MARTIN DU GARD, les Thibault, t. IX, p. 223.

Par ext. ⇒ **Organisé.** *Un tout organique. Corps organique* (→ Correspondance, cit. 1).

♦ **3.** Qui provient de tissus vivants ou de transformations subies par les produits extraits d'organismes* vivants. *L'albumine, la chitine, la myéline... substances organiques. Matières organiques*

(→ Magistère, cit. 2). *Produit organique* (→ Nacre, cit. 1). *Engrais organiques*, opposé à *chimiques* (→ Humus, cit. 2). — Géol. *Dépôts organiques.* — Chim. *Composés organiques :* les composés chimiques du carbone (corps essentiel à la vie, contenu dans tous les êtres vivants). *Synthèse d'un composé organique.* — (1840). *Chimie* organique,* qui a pour objet l'étude des composés du carbone, corps contenu dans tous les êtres vivants (par oppos. à *chimie minérale*).

2 Vous, moderniste, vous me montrez une molécule organique : je prends mon microscope, et je vois un dragon grand comme la moitié de ma chambre ; j'attends de voir se mouler et s'entortiller de pareils dragons jusqu'à ce que je voie résulter du tout un être non seulement organisé, mais intelligent, c'est-à-dire un être non agrégatif et qui soit rigoureusement un, etc.
ROUSSEAU, Correspondance, 15 janv. 1769.

3 Si l'on examinait une sonde au microscope, on trouverait à sa surface des sillons, des vallées où se logent des poussières (...) La flamme permet de détruire entièrement ces poussières organiques.
PASTEUR, *in* Henri MONDOR, Pasteur, VII.

3.1 La définition actuelle de la chimie organique a perdu tout fondement philosophique *(mythe de la « force vitale »)* ; c'est la *chimie des composés du carbone,* alors que la chimie minérale s'étend par ailleurs aux simples et aux combinaisons entre eux de tous les éléments autres que le carbone (à l'exception toutefois de CO, CO_2, des carbonates, cyanures, carbures, et de quelques autres composés simples qui, par tradition, sont considérés comme minéraux).
Paul ARNAUD, Cours de chimie organique, p. XVII-XVIII.

♦ **4.** Didact. (Rare). Qui concerne, produit, favorise l'organisation. *Pays peu organique,* qui manque d'organisation (→ Inefficace, cit. 1).

4 (...) avant le temps où la nouvelle philosophie serait devenue assez générale pour prendre un caractère organique, en remplaçant irrévocablement la théologie dans son office social aussi bien que dans sa destination mentale.
A. COMTE, Disc. sur l'esprit positif, Œ., p. 213.

♦ **5.** Polit. Qui a rapport à l'essentiel* de l'organisation d'un État, de la constitution d'un traité... *Loi organique,* « toute loi créant les organes de l'État et fixant leur structure » (Capitant, *Voc. juridique*). *Les lois organiques règlent le fonctionnement des institutions dont les lois constitutionnelles* ont fixé le principe. Articles* organiques du Concordat.*

♦ **6.** Qui est inhérent à l'organisation, à la constitution même d'un être, d'une chose. *Vice organique. Personne « dont la fantaisie* (cit. 39) *est en quelque sorte organique »* (Cocteau).

★ **II.** N. f. (1721 ; de *organe,* I.). *L'organique :* la musique instrumentale, chez les Anciens.

CONTR. et COMP. Anorganique, inorganique.
DÉR. Organicien, organiciser (s'), organiquement.

ORGANIQUEMENT [ɔʀganikmã] adv. — 1547 ; de *organique.*

♦ D'une manière organique (I.) ; du point de vue de l'organisation profonde et cohérente d'un ensemble. « *Les frontières* (cit. 3) *ne sont pas explicables organiquement* » (Valéry).

ORGANISABLE [ɔʀganizabl] adj. — 1835, Lamartine ; de *organiser,* et suff. *-able.*

♦ Qui peut être organisé. *L'affaire est facilement, difficilement organisable. Groupe organisable.*

CONTR. Inorganisable.

ORGANISANT, ANTE [ɔʀganizã, ãt] adj. — XVIIIᵉ, Bernardin de Saint-Pierre ; p. prés. de *organiser.*

♦ Rare. Qui a pour effet d'organiser. ⇒ **Organisateur** (adjectif).

1 Elle *(Marie-Noire, un personnage du récit)* organise en dehors de moi ces faits qu'elle tient de moi. C'est là ce que j'appelle les imaginer. Marie-Noire (...) comme imagination organisante.
ARAGON, Blanche..., II, IX, p. 321.

2 Foncièrement vitaliste dans son principe, elle *(une conception de l'individu dans son ensemble)* ne distingue l'organisation et l'organisme que comme la force organisante et la structure organisée.
Jean DELAY, Introd. à la médecine psychosomatique, p. 6.

ORGANISATEUR, TRICE [ɔʀganizatœʀ, tʀis] n. et adj. — 1793 ; de *organiser.*

♦ **1.** Personne qui organise, sait organiser. *C'est un bon, un excellent organisateur, un organisateur de premier ordre* (→ Intelligence, cit. 17). *L'organisatrice de cette fête, de cette affaire. Organisateur de voyages.* ⇒ **Voyagiste.** — Allus. hist. *Lazare Carnot, l'organisateur de la victoire pendant les guerres de la Révolution.* — Adj. *Esprit organisateur* (→ Chaos, cit. 2). *Puissance organisatrice d'un génie.* — Spécialt. *Travail organisateur de la matière vivante* (→ Instinct, cit. 15).

♦ **2.** N. m. (V. 1924, d'après Spemann). Biol. Partie antérieure du sillon constituant l'ébauche de la gastrula et régissant le développement et la différenciation cellulaire de l'embryon d'origine ou de tout autre embryon sur lequel il peut être greffé. *L'action de l'organisateur se fait par induction* (cit. 9). *L'organisateur provoque la différenciation des territoires embryonnaires, puis des tissus.*

ORGANISATION [ɔʀganizasjɔ̃] n. f. — 1390 ; de *organiser.*

♦ **1.** Vieilli. ⓐ État d'un corps organisé. *L'organisation différencie les êtres vivants de la matière inanimée.*

ⓑ Manière dont ce corps est organisé. ⇒ **Conformation, structure.** *L'organisation des végétaux, des mammifères, de l'homme. Êtres voisins de l'homme par leur organisation, les organisations* (→ Dissection, cit. 1). *Organisation intérieure d'un être* (→ Changer, cit. 22).

Spécialt. Manière d'être physique d'un homme, considérée surtout sous le rapport de la force, de la santé. ⇒ **Constitution.** *Avoir une robuste organisation. Organisation forte* (→ Enveloppe, cit. 5), *athlétique* (→ Enterrer, cit. 15), *délicate* (→ Dépérir, cit. 2).

1 C'était *(Quasimodo)* une pauvre, gauche et maladroite organisation qui se tenait là tête basse et les yeux suppliants devant une intelligence haute et profonde, puissante et supérieure.
HUGO, Notre-Dame de Paris, IV, IV.

Manière d'être morale, caractère.

2 Ce religieux était-il de ces organisations exceptionnelles qui possèdent des facultés divinatoires et qui peuvent vibrer de ce qui échappe aux sens grossiers des autres hommes ?
M. BARRÈS, la Colline inspirée, XVI.

♦ **2.** Mod. Action d'organiser (qqch.) ; son résultat. ⇒ **Agencement, aménagement, arrangement, coordination, direction, formation, ordre.** *Procéder à, entreprendre, achever l'organisation d'un projet, d'une entreprise. Concourir à l'organisation de la société* (→ Fondateur, cit. 4). *Organisation matérielle d'un concert* (→ Impresario, cit. 2). *Bonne, mauvaise organisation d'un système.* ⇒ **Direction, fonctionnement, gestion, règlement.** — *Organisation du travail, de la production, dans les entreprises :* coordination des activités et des tâches en vue d'améliorer la rentabilité, les conditions de travail... (⇒ **Plan, planning**). — *Organisation des loisirs :* partie de la politique de l'environnement relative aux activités non imposées, récréatives. — *Organisation nouvelle.* ⇒ **Remaniement, réorganisation.** — Absolt. *Bonne, mauvaise organisation. Défaut, manque d'organisation, de bonne organisation. Avoir l'esprit d'organisation* (→ Inaugurer, cit. 5).

3 Plus de pauvres, plus de malades, plus de vieux, à cause de l'organisation meilleure, de la vie moins dure, des bons hôpitaux, des bonnes maisons de retraite.
ZOLA, la Terre, IV, V.

4 Le danger pourrait être, pour demain, que l'organisation prenne le pas sur l'individu. Dès maintenant, on discerne un divorce entre l'idéologie du XVIIIᵉ siècle, toujours proclamée, et la structure collective du machinisme, qu'insidieusement le XXᵉ impose chaque jour davantage.
André SIEGFRIED, l'Âme des peuples, VII, V.

5 (...) je me défie de ce que l'on appelle, en tous lieux, l'organisation. L'organisation n'est pas l'ordre, malheureusement. Cela ne signifie pas que le sens originel du mot m'indispose, on s'en doute : organisation vient d'organe, et organe veut dire instrument. L'orgue, instrument admirable, plaide pour l'organisation.
G. DUHAMEL, Manuel du protestataire, I.

L'organisation des couleurs d'un tableau, des formes, des sons dans une œuvre d'art. ⇒ **Combinaison, composition, disposition, harmonie, ordonnance.**

(1798). Mode selon lequel un ensemble est constitué en vue de sa fin, de son fonctionnement*. ⇒ **Économie** (I., 2.), **ordre** (I., 2. et 5.). *Pays où règne une organisation politique primitive* (→ Balancer, cit. 24). ⇒ **Régime.** *Détruire* (cit. 25) *l'organisation sociale.* ⇒ **Édifice.** *Organisation bureaucratique* (cit.), *administrative.* ⇒ **Service.** *L'organisation judiciaire* (→ Dénoncer, cit. 8), *pénitentiaire* (→ Individualisation, cit. 3). *Organisation intérieure d'un service, d'une administration.* — *L'organisation corporative.*

6 Cette forte organisation de la royauté et de l'Église anglo-normande fut un exemple pour le monde.
MICHELET, Hist. de France, IV, II.

♦ **3.** Par métonymie. Association*, régie ou non par des institutions, qui se propose des buts déterminés. ⇒ **Assemblée, groupement, société.** *Organisation politique* (→ Liste, cit. 4), *électorale.* ⇒ **Parti.** *Militants* (cit. 3) *d'une organisation ouvrière, syndicale...* (⇒ Dresser, cit. 25). *Organisation révolutionnaire, de révolutionnaires* (→ Affilier, cit. 1). *Organisation secrète* (→ Date, cit. 3). *Organisation de l'armée secrète* (O.A.S.). — *La franc*-maçonnerie* (cit. 3), *organisation philanthropique et humanitaire. — Une puissante organisation financière, industrielle, commerciale.* ⇒ **Entreprise.** — *Organisation de tourisme, de voyage.* ⇒ **Organisme.**
Organisation internationale du travail (O.I.T.) : « ensemble des institutions créées par la partie XIII du Traité de Versailles du 28 juin 1919 (art. 387) pour concourir à l'établissement, par les nations signataires, de conditions de travail équitables et humaines, conformément au programme établi par le préambule de la partie XIII du Traité » (Capitant). — *Organisation des Nations* Unies* (O.N.U.). *Organisation des Nations Unies pour l'Éducation, la Science et la Culture* (U.N.E.S.C.O.). *Organisation du Traité de l'Atlantique Nord* (O.T.A.N.). *Organisation de coopération et de développement économique* (O.C.D.E.). *Organisation des territoires de l'Asie du Sud-Est* (O.T.A.S.E.), *d'inspiration américaine. Organisation mondiale de la santé* (O.M.S.). — *Organisation des pays exportateurs de pétrole* (O.P.E.P.). *Organisation de l'unité africaine* (O.U.A.).

CONTR. Anarchie, chaos, dérangement, dérèglement, désordre, désorganisation, gâchis.
DÉR. Organisationnel.
COMP. Désorganisation, réorganisation.

ORGANISATIONNEL, ELLE [ɔʀganizasjɔnɛl] adj. — 1968 ; de *organisation*.

♦ **Admin., polit.** Qui concerne l'organisation, spécialt politique. « *L'accord ne fut pas facile à mettre au point. Il le fut d'autant moins que (...) ne manquait pas d'interférer dans le débat tout le "paquet" des problèmes organisationnels au sein de la gauche non communiste* » (*le Nouvel Obs.*, 14 févr. 1968, p. 13). *Faiblesse organisationnelle. Stratégie organisationnelle.*

ORGANISER [ɔʀganize] v. tr. — V. 1380, «rendre apte à la vie»; dér. de *organe*.

♦ **1.** Disposer les éléments de (une matière, un corps) de sorte que les propriétés de la vie et des organismes s'y manifestent. « *La nature est admirable dans la formation des corps qu'elle organise* » (Académie). « *Dieu a organisé la matière* » (→ Intelligence, cit. 14 Voltaire).

♦ **2.** (Fin XVIIIᵉ). Doter d'une structure* ou d'une constitution déterminée, d'un ordre*, d'un mode de fonctionnement, d'administration. *Organiser les parties d'un ensemble.* ⇒ **Agencer, disposer, ordonner.** — Pron. *Forces extérieures par le jeu desquelles des matériaux s'organisent* (→ Forme, cit. 79). — *Organiser des territoires, les services d'un ministère.* — *Organiser un tribunal, une cour martiale* (cit. 3), *une société par actions, un régime politique.* ⇒ **Constituer, créer, édifier, établir, fonder, former, instaurer, instituer** (→ Fascisme, cit. 1). — *Organiser les travailleurs, les masses...,* les faire adhérer aux organisations (syndicales, politiques, corporatives...). — Pron. *Les ouvriers de cette entreprise se sont organisés pour la défense de leur emplois.* — Milit. *Organiser une armée* (⇒ **Créer**; pied [mettre sur pied]), *la résistance.* — Pron. *Des compagnies de francs* (cit. 2) *-tireurs s'organisaient.* — Codifier, soumettre à des règles. *Vouloir organiser la guerre, l'humaniser* (cit. 10). « *La Constitution de 1793 a organisé l'anarchie* » (→ Insurrection, cit. 7). *Organiser le travail* (→ Boniment, cit. 2), *la distribution, un service des ventes.* ⇒ **Coordonner.** — *Organiser de nouveau.* ⇒ **Réorganiser.**

1 Il fallait d'abord, à tout prix (...) organiser, armer la Révolution, lui donner la forme et la force, en faire un être vivant. Comme tel, elle devenait moins dangereuse qu'en la faisant flottante, débordée, vague et terrible, comme un élément, comme l'inondation, comme l'incendie.
MICHELET, Hist. de la Révolution franç. II, VI.

♦ **3.** **ⓐ** Soumettre à une méthode, à une façon déterminée de fonctionner. *Organiser ses idées de façon méthodique.* ⇒ **Agencer, arranger, classer, combiner, composer, coordonner, disposer, distribuer, ordonner.** *Organiser son temps, sa vie* (⇒ **Construire, régler**).

2 (...) pour organiser leur vie sur la planète, ils se contenteront, humblement, d'utiliser ce que la science leur aura appris (...)
MARTIN DU GARD, les Thibault, t. VII, p. 269.

ⓑ V. pron. (Sujet n. de personne). **S'ORGANISER** : organiser ses activités. *Il perd beaucoup de temps, il ne sait pas s'organiser. Je viens d'arriver, je n'ai pas encore eu le temps de m'organiser.*

3 Le lendemain Paul s'organisa, se construisant une cabane comme dans *Les Vacances* de Madame de Ségur. Les paravents ménageaient une porte.
COCTEAU, les Enfants terribles, p. 164.

♦ **4.** Préparer (une action, une suite d'actions) pour qu'elle se déroule dans les conditions les meilleures, les plus efficaces. ⇒ **Concerter, diriger, monter**; pied (mettre sur pied). *Organiser un voyage, une promenade, une fête, une soirée de danses* (→ Manager, cit. 1). *Organiser une souscription* (→ Hégélien, cit. 2). *Organiser une rencontre.* ⇒ **Arranger, ménager.** — *Organiser une souricière* (→ Guet, cit. 6), *une manifestation publique, un meeting* (→ Envergure, cit. 7), *un complot.*

4 Le Midi offrait d'autres éléments de trouble, non moins favorables, des hommes de passion sèche, actifs, ardents, politiques, esprits d'intrigue et de ruse, propres non seulement à soulever, mais à organiser, régler, diriger le soulèvement.
MICHELET, Hist. de la Révolution franç., III, VII.

5 Ils avisèrent donc, le lendemain, à organiser leurs rendez-vous (...)
FLAUBERT, Mᵐᵉ Bovary, II, X.

♦ **5.** Biol. Constituer en organisme ou en organes différenciés. *L'organisateur* a la propriété d'organiser les tissus de l'embryon.*

▶ **ORGANISÉ, ÉE** p. p. et adj. (1606).

♦ **1.** Biol. Qui est de la nature d'un organisme vivant ; qui possède une structure capable de correspondre aux fonctions vitales. *Substance, matière organisée.* ⇒ **Organique, vivant** (→ Impassible, cit. 1). *Les corps bruts et les corps organisés* (→ Association, cit. 1; incrustation, cit. 2; moi, cit. 65, Taine). *La matière non organisée, inerte* (→ Molécule, cit. 1). — *Le monde organisé de la vie* (→ Finalisme, cit.; homme, cit. 10).

6 La physique, la chimie (...) se touchent, parce que les mêmes lois président à leurs phénomènes. Mais un immense intervalle les sépare de la science des corps organisés, parce qu'une énorme différence existe entre leurs lois et celles de la vie.
BICHAT, Rech. physiol. vie et mort, VII,
in G. CANGUILHEM, la Connaissance de la vie, p. 117.

Spécialt (vx). *Corps bien organisé.* ⇒ **Conformé, harmonieux.**

♦ **2.** Qui est disposé ou se déroule suivant un ordre, des méthodes ou des principes déterminés. *Voyage* organisé. Excursion* (cit. 4) *organisée. Toute résistance organisée cessa bientôt.* — *Spectacle, fête bien, mal organisés.* ⇒ **Réglé.** — Loc. fam. *C'est du vol organisé!* ⇒ **Règle** (en règle), **systématique.**

7 Notre principal travail, c'est — comment dirai-je? — la transmission *arrangée* des faits (...) Il faut bien alimenter sans cesse la foi de la nation en sa victoire finale (...) Il faut bien protéger, quotidiennement, la confiance qu'elle a mise, à tort ou à raison, dans la valeur de ses chefs, militaires ou civils (...)
— Et tous les moyens vous sont bons !
— Bien sûr !
— Le mensonge organisé !   MARTIN DU GARD, les Thibault, t. VIII, p. 261.

Par ext. *Tête bien organisée, cerveau* organisé, méthodique. Devoir, livre bien, mal organisé,* mal composé. *Les idées de cet écrivain sont mal organisées,* incohérentes.

♦ **3.** Qui appartient à une organisation, qui a reçu une organisation, des institutions. *Force* (cit. 26) *populaire mal organisée. Foule* (cit. 11) *organisée. Les masses organisées du prolétariat. Citoyens organisés en partis* (→ Leader, cit. 1). *Citoyen, travailleur conscient et organisé* (formule de discours, souvent employée ironiquement). — *Société organisée. Religion organisée* (→ Hellénisme, cit. 4).

8 Il importe que dans un monde supérieurement exploité, équipé, organisé, dans une civilisation déchargée des besognes machinales, une forme transfigurée du travail personnel se déclare et se développe (...)
VALÉRY, Regards sur le monde actuel, p. 263.

9 Vous ne voulez tout de même pas dire que ces trois millions et demi de socialistes organisés ne feraient rien, ou ne pourraient rien pour empêcher la guerre ?
J. ROMAINS, les Hommes de bonne volonté, t. IV, IX, p. 92.

CONTR. Déranger, dérégler, désorganiser, détruire. — (Du p. p.) Anarchique, inorganique.
DÉR. Organisable, organisant, organisateur, organisation, organisé.
COMP. Désorganiser, réorganiser. — Organigramme. — (Du p. p.) Inorganisé.

ORGANISME [ɔʀganism] n. m. — 1729, mais rare jusqu'au XIXᵉ; dér. d'*organe*.

★ **I.** ♦ **1.** (1802). Ensemble des organes qui constituent un être vivant (spécialt, à l'état autonome). *L'embryon, distingué de l'organisme achevé, complètement différencié* (→ Embryologie, cit. 1). *Mémoire* (cit. 27) *fixée dans l'organisme. L'organisme et la conscience, la pensée.* — Spécialt. Corps humain. ⇒ **Corps** (→ Maximum, cit. 2). *L'organisme d'une personne, d'un enfant, d'un adulte, d'un vieillard, d'un malade. Son organisme est usé mais son moral est bon. L'organisme maternel* (→ Naissance, cit. 4). *Métabolisme*, bilan énergétique de l'organisme. Besoins de l'organisme en oxygène, en hydrates de carbone.* — *Organisme débile* (→ Délice, cit. 2), *robuste* (→ Humeur, cit. 16). ⇒ **Constitution, organisation** (1.).

1 Dans le vaste monde que constitue l'organisme humain, il y a des pays très variés. Bien que ces pays soient irrigués par les branches du même fleuve, la qualité de l'eau de leurs lacs et de leurs étangs dépend de la constitution du sol et de la nature de la végétation. Chaque organe, chaque tissu crée aux dépens du plasma sanguin son propre milieu.   Alexis CARREL, l'Homme, cet inconnu, III, V.

2 (...) les troubles de conscience réagissent tout naturellement sur l'organisme. Est-ce qu'une contrariété ne vous serre pas l'estomac ?
J. ROMAINS, les Hommes de bonne volonté, t. V, I, p. 10.

♦ **2.** Être* vivant, doté ou non d'organes (→ Excrétion, cit. 2). *Organisme unicellulaire, microscopique* (⇒ **Micro-organisme**), *pluricellulaire. Organismes fossiles* (cit. 1), *marins* (→ Gypse, cit. 2). *Organismes que la vie abandonne* (→ 1. Mort, cit. 22). — *Symbiose* de deux organismes.* — REM. Ce sens est souvent confondu avec le précédent dans les ouvrages scientifiques (→ Gamète, cit. 1; générateur, cit. 2, Bergson; germe, cit. 4, Bergson; immunité, cit. Valery-Radot; individualité, cit. 1, Cl. Bernard...).

3 (...) on peut parfaitement se représenter un organisme complexe comme constitué par une foule d'organismes élémentaires distincts, qui s'unissent, se soudent et se groupent de diverses manières pour donner naissance d'abord aux différents tissus du corps, puis aux divers organes (...)
Cl. BERNARD, Introd. à l'étude de la médecine expérimentale, II, I.

Spécialt. (Par oppos. aux *machines* et aux *mécanismes*). *Finalité* (cit. 4) *apparente dans les organismes.*

★ **II.** (1842). Par métaphore et fig. ♦ **1.** Ensemble organisé. ⇒ **Organisation, structure.** *Une nation est un organisme vivant* (→ Brèche, cit. 5; homogène, cit. 4). *Maison* (cit. 31) *de commerce, organisme complexe. Les grandes villes sont des organismes monstrueux* (→ Microbe, cit. 3). *Immigrants insérés dans l'organisme américain* (→ Assimilation, cit. 10). *Les crises* (cit. 7), *maladies de l'organisme économique. L'organisme social* (→ Encrasser, cit. 3).

♦ **2.** Ensemble des services, des bureaux affectés à une tâche (dans le domaine de la vie sociale). ⇒ **Organisation** (3.). *Organisme syndical, corporatif. Partie d'un organisme public ou privé.* ⇒ **Service.**

— REM. *Organisation* garde en ce sens une valeur plus large et plus abstraite que *organisme.*

4 (...) tous les miliciens de l'ordre ont été hostiles à la Société des Nations en tant qu'organisme tendant à supprimer la guerre.
Julien BENDA, la Trahison des clercs, p. 13.

5 Les «délinquants» seront déférés devant une juridiction qui (...) comportera trois personnes : un conseiller de préfecture, un représentant de la Sécurité sociale, et un représentant de l'organisme syndical.
G. DUHAMEL, Manuel du protestataire, IX.

COMP. Micro-organisme.

ORGANISTE [ɔʀganist] n. — 1223, *orguenistre;* lat. médiéval *organista,* dér. d'*organum,* au sens d'«orgue».

♦ Musicien, instrumentiste qui joue de l'orgue (→ Clavier, cit. 1; ennui, cit. 4). *Il est pianiste et organiste. Un organiste amateur. Une organiste de talent. Organiste d'église, de concert. J. S. Bach fut un remarquable organiste.* — Par métaphore. *Comme un organiste devant son clavier* (→ Espérer, cit. 36).

Musicien professionnel jouant de l'orgue, et, spécialt, titulaire d'un orgue dans une église. *Un organiste, l'organiste de Saint-Sulpice, de Notre-Dame.*

1 On continuait toujours de jouer des orgues et ceux qui s'y connaissaient remarquèrent même que l'organiste jouait un chant d'église.
SCARRON, le Roman comique, I, XV.

2 Tenez maintenant que les bénédictines étudient pendant dix années le latin (...) que d'autres encore, telles que la mère Hildegarde, sont des organistes de première force (...)
HUYSMANS, la Cathédrale, X.

ORGANITE [ɔʀganit] n. m. — 1864, *Rev. des cours sc.,* t. I, p. 525; de *organe,* et *-ite.*

♦ Biol. Élément cellulaire différencié assurant une fonction déterminée (ex. : le noyau).

(...) on a pu montrer récemment que certains organites cellulaires de structure *(beaucoup plus)* complexe sont *(également)* les produits d'un assemblage spontané.
Jacques MONOD, le Hasard et la Nécessité, p. 115.

ORGANO- Premier élément de mots scientifiques, signifiant «organe» *(organogenèse)* ou «organique» *(organosoluble).*

Outre les composés traités à l'ordre alphab., on peut signaler : *organoaluminique,* adj. et n. m. (mil. xxᵉ) : composé organique de l'aluminium; *organochloré, ée,* adj. et n. m., composé organique du chlore : *(désherbants organochlorés); organogel,* n. m. (av. 1932, Larousse) : gel d'un organosol; *organométallique,* adj. (1874) et *organométalloïdique,* adj. (v. 1900) : renfermant un radical carbone uni, soit à un métal, soit à un métalloïde.

ORGANODYNAMIE [ɔʀganodinami] n. f. — 1845; de *organo-* «organe», et *-dynamie.*

♦ Méd. (Vieilli). Étude de l'action des organes.
DÉR. Organodynamique.

ORGANODYNAMIQUE [ɔʀganodinamik] adj. — 1846; de *organodynamie.*

♦ **1.** Didact. (méd.). Relatif à l'étude des organes, du point de vue de leur fonctionnement et du travail qu'ils produisent.

La conception organodynamique de Charcot voulait montrer que lorsqu'il y a des lésions anatomiques des centres nerveux on a affaire à des paralysies, ou à des troubles physiques, neurologiques, mais que lorsque ces mêmes centres, sans être lésés ou altérés anatomiquement, sont simplement excités ou déprimés — c'est-à-dire, suivant l'expression même de Charcot, atteints «d'un trouble dynamique» — on a affaire alors à un trouble psychique.
H. BARUK, De Freud au néo-paganisme moderne, *in* la Nef, nº 31, p. 138.

♦ **2.** Relatif à l'organodynamisme* (on dit aussi *dynamique*). *La théorie organodynamique de H. Ey s'inspire de la conception neurologique de H. Jackson.*

ORGANODYNAMISME [ɔʀganodinamism] n. m. — 1936, H. Ey et J. Rouart; de *organo-*, et *dynamisme.* → Organodynamie, -dynamique.

♦ Didact. (psychiatrie). Théorie qui suppose, à la base de toute forme psychopathologique, un trouble organique entraînant par déficit énergétique une perturbation dans l'équilibre hiérarchisé des fonctions psychiques. *Organodynamisme de H. Ey, de P. Janet. Relatif à l'organodynamisme.* ⇒ **Organodynamique.**

ORGANOGÈNE [ɔʀganɔʒɛn] adj. — 1927, Haug; autre sens, 1868; de *organo-* représentant «organismes», et *-gène* «produit par».

♦ Sc. Se dit de sédiments formés de débris animaux.

Les sédiments organogènes sont constitués de débris de squelettes ou de tests d'organismes marins.
J.-M. PÉRÈS, la Vie dans les mers, p. 23.

ORGANOGÉNÈSE [ɔʀganɔʒenɛz] n. f. — 1904, *Rev. gén. des sc.,* nº 12, p. 606; de *organo-* «organe», et *-génèse.*

♦ Biol. Formation et développement des différents organes (d'un organisme). *Organogénèse naturelle, expérimentale.* «*Les mécanismes de la différenciation des organes (...) sont analysés; une grande partie des recherches qui sont exposées ont trait à l'organogénèse des oiseaux (...) L'un des processus de différenciation les plus fréquents est l'induction embryonnaire*» (la Recherche, oct. 1973, p. 872).

REM. On écrit aussi *organogenèse.*

ORGANOGÉNIE [ɔʀganɔʒeni] n. f. — 1842; de *organo-*, et *-génie.*

♦ Biol. (Vieilli). Étude de l'organogénèse*. ⇒ **Embryologie.** *L'organogénie est indispensable à l'anatomie des organes.*

ORGANOGRAPHIE [ɔʀganɔgʀafi] n. f. — 1817; de *organo-*, et *-graphie.*

♦ Bot. Description, étude des organes (des plantes).
DÉR. Organographique.

ORGANOGRAPHIQUE [ɔʀganɔgʀafik] adj. — 1868, Littré; de *organographie.*

♦ Bot. De l'organographie.

ORGANOLEPTIQUE [ɔʀganɔlɛptik] adj. — 1829, Chevreul; de *organo-*, et *lêptikos* «qui prend».

♦ Physiol. Se dit des propriétés (sapides, odorantes, etc.) qui affectent les organes des sens. *Propriétés, qualités organoleptiques des fromages.*

Les qualités organoleptiques de l'aliment sont la saveur, l'odeur, l'arôme, la texture et l'apparence : tout ce qui peut le rendre ou non appétissant et agréable à manger.
L.-V. VASSEUR, J.-J. BIMBENET et M. HILLAIRET, les Industries de l'alimentation, p. 25.

Examen organoleptique d'une substance (de ses propriétés organoleptiques).

Pharm. *Médicaments, substances organoleptiques,* dont le goût, l'odeur, etc., importe, car on les prend par voie buccale.
DÉR. Organoleptiquement.

ORGANOLEPTIQUEMENT [ɔʀganɔlɛptikmã] adv. — Mil. xxᵉ; de *organoleptique.*

♦ Didact. Quant aux propriétés organoleptiques. «*(...) chimiquement bien équilibré bien qu'organoleptiquement discutable, le vin d'hybride (...)*» (L. Levadoux, *la Vigne et sa culture,* p. 117).

ORGANOLOGIE [ɔʀganɔlɔʒi] n. f. — 1813, *in* D.D.L.; de *organo-*, et suff. *-logie.*

♦ Biol. (Vx). Science, étude des organes. *L'organologie, branche de la biologie.*

Une lampe à cathode chaude est un élément technique plutôt qu'un individu technique complet; on peut la comparer à ce qu'est un organe dans un corps vivant. Il serait en ce sens possible de définir une organologie générale, étudiant les objets techniques au niveau de l'élément, et qui ferait partie de la technologie, avec la mécanologie, qui étudierait les individus techniques complets.
Gilbert SIMONDON, Du mode d'existence des objets techniques, p. 65.

ORGANON [ɔʀganɔ̃] n. m. — Mil. xxᵉ; mot grec «instrument, outil», utilisé comme titre d'un traité d'Aristote.

♦ Philos. Texte théorique et méthodologique destiné à servir de guide pour la réflexion philosophique.

(...) il était de tradition de réfléchir philosophiquement sur la notion d'expérience, pour ce qui concerne les sciences appliquées. Or, il est apparent que ces dernières sont, dans de nombreux cas, doublées par des organons précis et rigoureux qui jouent le rôle de pensée réflexive sur leur propre savoir et qui analysent la notion même d'expérience.
Michel SERRES, Hermès I, la Communication, p. 71.

ORGANOSILICIÉ, ÉE [ɔʀganosilisje] adj. — 1954; de *organo-*, *silicium,* et suff. *-é.*

♦ Chim. Se dit de composés chimiques analogues aux corps organiques, et dans lesquels le carbone est remplacé, en partie ou en totalité, par le silicium.

ORGANOSOL [ɔʀganɔsɔl] n. m. — Av. 1932, Larousse; de *organo-*, et *sol.*

♦ Chim. Solution colloïdale dans un milieu organique liquide. *Le gel d'un organosol est dit* organogel.

ORGANOTHÉRAPIE [ɔʀganoteʀapi] n. f. — 1897 ; de *organo-*, et suff. *-thérapie.*

◆ Méd. Opothérapie* par des extraits d'organes.

ORGANOTYPIQUE [ɔʀganotipik] adj. — 1968 ; de *organo-*, et *typique.*

◆ Biol. Se dit des cultures d'organes qui sont menées de manière à conserver la cohésion entre les cellules et les tissus (syn. : *culture coordonnée*).

Le foie embryonnaire explanté en culture organotypique élabore du glycogène pendant les premiers jours de la culture, quel que soit l'âge de l'embryon donneur.
Michel SIGOT, la Culture d'organes, p. 56.

ORGANSIN [ɔʀgãsɛ̃] n. m. — XIVe, *orgasin ; orcassin*, mil XIIe ; ital. *organzino* de *Organzi*, altér. du nom de la ville d'*Ourgandi (Ourgandj)*. → Organdi.

◆ Techn. Fil de soie torse, destiné à former la chaîne des étoffes. *Organsin filé.*

ORGANSINAGE [ɔʀgãsinaʒ] n. m. — 1835 ; de *organsiner.*

◆ Techn. Action d'organsiner (la soie) ; son résultat.

ORGANSINER [ɔʀgãsine] v. tr. — 1712 ; de *organsin.*

◆ Techn. Tordre (la soie), la traiter par deux passages au moulin pour obtenir de l'organsin. — Au p. p. *Fil organsiné, soie organsinée.*

DÉR. **Organsinage, organsineur.**

ORGANSINEUR [ɔʀgãsinœʀ] n. m. — 1842 ; de *organsiner.*

◆ Techn. Fabricant d'organsin.

ORGANUM [ɔʀganɔm] n. m. — 1865, Coussemaker ; mot du lat. médiéval, Hucbald, X[e] ; du grec *organon.* → Orgue.

◆ Hist. de la mus. Écriture à deux (diaphonie), puis à plusieurs voix, dans la musique médiévale.

L'organum ou diaphonie est un procédé d'écriture qui a conditionné une forme. Il faut y voir la plus ancienne tentative d'organisation d'un langage proprement polyphonique (IXe s.). Cela ne va pas sans tâtonnements : l'organum primitif est extrêmement rudimentaire. Sur le *cantus firmus*, phrase de plain-chant exprimée en valeurs égales, vient se greffer la *voix organale*, sorte de contrepoint note contre note qui, partant de l'unisson et s'en éloignant jusqu'à la carte inférieure, se maintient à cet intervalle en une série de mouvements parallèles que chaque incise rompt pour faire se rejoindre les deux parties sur l'unisson.
A. HODEIR, les Formes de la musique, p. 43.

ORGASME [ɔʀgasm] n. m. — 1611 ; «accès de colère», 1623 ; comp. sav. du grec *organ* «bouillonner d'ardeur, de désirs».

◆ **1.** Méd. (Vx). Irritation, hystérie. *«Une attaque d'orgasme»* (Encyclopédie).

◆ **2.** (Fin XVIIIe). Physiol. (Vx). Érection.

◆ **3.** (1837). Mod. *Orgasme vénérien :* le plus haut point du plaisir sexuel, qui coïncide chez l'homme avec l'éjaculation. *Orgasmes de la femme (orgasme clitoridien, vaginal). Avoir un, plusieurs orgasmes.*

(...) le plaisir accompagne chaque acte où s'affirme l'activité vitale, de sorte que, dans l'acte sexuel, par où s'opère la plus grande dépense à la fois et la perpétuation de la vie, le plaisir atteint à l'orgasme (...)
GIDE, Corydon, IIIe dialogue, II.

DÉR. **Orgastique.**

ORGASTIQUE [ɔʀgastik] adj. — 1873 ; dér. sav. de *orgasme.*

◆ Didact. (physiol.). Relatif à l'orgasme.

Ces idéalistes du désir, qui (...) prennent le sentiment d'anéantissement qui suit tout plaisir orgastique pour la nostalgie des paradis perdus.
J. GILLIBERT, la Création littéraire, in la Nef, n° 31, p. 91.

ORGE [ɔʀʒ] n. f. et m. — V. 1120 ; de l'anc. provençal *ordi* ; du lat. *hordeum* ; → H, cit. 4.

A. N. f. ◆ **1.** Plante monocotylédone *(Graminées)* herbacée à fleurs disposées en un épi simple cultivée comme céréale (nom sc. : *hordeum*). ⇒ **Hordéacé.** *Orge commune* ou *orge* (dite parfois *petit blé*). *Culture* (cit. 6) *de l'orge. Semer de l'orge. Orge hâtive, d'hiver, à six rangs* (dont les 2 épillets portent chacun 3 fleurs qui donnent toutes naissance à un grain). ⇒ **Escourgeon.** *Orge de printemps, à deux rangs* (dont chaque épillet ne porte qu'une fleur fertile). ⇒ **Paumelle.** *Orge fourragère, de brasserie. — Orge d'Europe.* ⇒ **Élyme.**

1   Cette seconde gelée perdit tout (...) les jardins périrent, et tous les grains dans la

terre (...) Les plus avisés ressemèrent des orges dans les terres où il y avait eu du blé (...)
SAINT-SIMON, Mémoires, III, VI.

Les plus riches ou les moins paresseux semaient du sarrasin pour la consommation du bourg, quelquefois de l'orge ou de l'avoine, mais point de blé.
BALZAC, le Médecin de campagne, Pl., t. VIII, p. 346.   2

Fig. *Grain* d'orge :* forme analogue à un grain d'orge (⇒ **Orgelet**). — *Toile (à) grain d'orge.*

◆ **2.** Grain de cette céréale, utilisé surtout en brasserie (⇒ **Malt, maltage ; drèche**) et pour l'alimentation des chevaux (→ Épeautre, cit.), des porcs, de la volaille. *Dégermer de l'orge. Boissons à base d'orge.* ⇒ **Bière, kwas, orgeat, whisky.** *La farine d'orge donne un pain très grossier. Pain d'orge.* — Loc. fam. (vieilli). *Être grossier comme pain d'orge*, très grossier (en paroles, etc.). — *Emploi de l'orge en thérapeutique* (⇒ **Hordéine**). *Tisane d'orge.*

(...) un morceau de pain noir et moisi, fait d'orge et d'avoine (...)
VOLTAIRE, Hist. de Charles XII, IV.   3

Sucre d'orge. ⇒ **Sucre.**

B. N. m. *Orge mondé** (→ Délicatesse, cit. 1). *Orge perlé*, constitué par des graines dépouillées de leurs deux pellicules et réduites en petits grains ronds entre deux meules. *L'orge perlé est utilisé en potage* (→ Avoine, cit. 1).

DÉR. **Orgeat, orgerie.**

ORGEAT [ɔʀʒa] n. m. — 1363 ; empr. au provençal *orjat* ; de *orge.*

◆ *Sirop d'orgeat* ou *orgeat :* sirop préparé autrefois avec une décoction d'orge et, de nos jours, avec une émulsion d'amandes douces amères. — (1732). Boisson rafraîchissante que l'on obtient avec ce sirop étendu d'eau.

Je ne peux rien vous offrir à boire, dit Irène. À moins que vous n'aimiez le sirop d'orgeat. Il en reste un fond de bouteille.
SARTRE, le Sursis, p. 296.

ORGELET [ɔʀʒəlɛ] n. m. — 1671 ; *orgeolet*, 1615, dimin. de *horgeol* (1538) ; du lat. *hordeolus* «grain d'orge», dimin. de *hordeum.* → Orge.

◆ Méd. Petite tumeur furonculeuse de la forme et de la taille d'un grain d'orge, qui se développe sur le bord de la paupière. ⇒ **Chalazion, compère-loriot, grain** (d'orge).

ORGERIE [ɔʀʒəʀi] n. f. — 1877, Littré, *Suppl. ;* cf. *orgrerie*, fin XIIe ; de *orge*, et *-erie.*

◆ Régional (Ouest). Champ d'orge.

ORGIAQUE [ɔʀʒjak] adj. — 1833 ; grec *orgiakos*, de *orgia.* → Orgie.

◆ **1.** Antiq. Qui a rapport ou qui est propre aux orgies. *Culte, fêtes* (cit. 1) *orgiaques.* ⇒ **Bacchanale.** — REM. On dit aussi *orgiastique.*

◆ **2.** Littér., vieilli. Qui tient de l'orgie, qui ressemble à une orgie. *Souper orgiaque.*

◆ **3.** Didact. ou littér. Qui évoque l'orgie. *Livre orgiaque* (→ Hystérique, cit. 1).

(...) dans la partie voluptueuse et orgiaque de l'ouverture de *Tannhäuser*, l'artiste avait mis autant de force, développé autant d'énergie que dans la peinture de la mysticité qui caractérise l'ouverture de *Lohengrin.*
BAUDELAIRE, l'Art romantique, XXI, IV.   1

Son fard était resté de la veille et sous ses cheveux frisés et ternes elle avait un petit visage orgiaque et sale.   M. DURAS, les Petits Chevaux de Tarquinia, p. 138.   2

DÉR. **Orgiaquement.**

ORGIAQUEMENT [ɔʀʒjakmã] adv. ⇒ **Orgiastiquement.**

ORGIASME [ɔʀʒjasm] n. m. — 1838, Académie ; du grec *orgiazein*, de *orgias, orgiados*, de *orgion.* → Orgie.

◆ Didact. (Antiq.). Célébration des mystères orgiaques. ⇒ **Orgie** (1.).

ORGIASTIQUE [ɔʀʒjastik] adj. — 1838 ; du grec *orgiastikos*, de *orgia.* → Orgie.

◆ Orgiaque (1.). *«Ils ont découvert dans l'amour non pas un plaisir orgiastique, mais une délivrance de leurs propres complexes»* (l'Express, 25 août 1979, p. 99).

Alors les hauts-lieux païens voient les foules accourir à leurs cérémonies orgiastiques. Autour des temples des Baals et des Astartés, l'odeur impure des prostituées sacrées attire les hommes.
DANIEL-ROPS, le Peuple de la Bible, III, III, p. 217.

DÉR. **Orgiastiquement.**

ORGIASTIQUEMENT [ɔʀʒjastikmã] adv. — Av. 1924 ; cf. *orgiaquement*, in Richard de Radonvilliers, 1845 ; de *orgiastique.*

◆ Littér. Comme dans le culte dionysiaque, dans une bacchanale.

(...) mon pauvre Tissaudier orgiastiquement écharpé par des hétaïres.
GIDE, Si le grain ne meurt, p. 192.

ORGIE

ORGIE [ɔʀʒi] n. f. — xve-xvie ; empr. au plur. neutre du lat. *orgia*, d'orig. grecque.

♦ 1. Antiq. (au plur.). Fêtes solennelles en l'honneur de Dionysos à Athènes, de Bacchus à Rome. *La célébration des orgies donnait lieu à des manifestations frénétiques.* — Spécialt. Chant et danses de Bacchantes. ⇒ **Bacchanale.**

1 Mais le roi de Thèbes, Penthée, s'inquiéta de ce culte nouveau, qui plongeait les femmes dans des crises effrayantes, pendant lesquelles elles parcouraient la campagne en poussant des cris, comme hors de leurs sens. Il interdit la célébration de ces *orgies.*   Pierre GRIMAL, la Mythologie grecque, p. 59.

♦ 2. (1715, Voltaire). Mod. Partie de débauche*, où les excès (cit. 16) de table et de boisson s'accompagnent de plaisirs érotiques et sexuels (considérés comme grossiers ou pervers par l'ensemble social). ⇒ **Bacchanale ; orgiaque.** *Les orgies de Néron. Les folles orgies du Directoire* (→ Galanterie, cit. 8). *Basses* (1. Bas, cit. 37) *et crapuleuses orgies. Orgie de taverne.* (→ aussi Licence, cit. 15).

2 Je sais que vous avez l'honneur,
Me dit-il, d'être des orgies
De certain aimable prieur (...)   VOLTAIRE, Épîtres, VI.

3 Depuis que Chrysis avait quitté la salle, l'orgie s'était développée comme une flamme. D'autres amis étaient entrés, pour qui les douze danseuses nues avaient été une proie facile. Quarante couronnes meurtries jonchaient de fleurs le sol. Une outre de vin de Syracuse s'était répandue dans un coin (...)
                     Pierre LOUŸS, Aphrodite, III, IV.

Par ext. Repas long et bruyant, copieux et arrosé à l'excès (⇒ **Beuverie, ribote, ripaille, soulographie**). *Banquet qui tourne à l'orgie.*

4 Quand le souper devint une orgie, les convives se mirent à chanter, inspirés par le peralta et le pedro ximenès.   BALZAC, Sarrasine, Pl., t. VI, p. 102.

Vx. *L'orgie :* la débauche. *Se vautrer dans l'orgie.*

♦ 3. (xixe). **ORGIE DE :** usage excessif de (ce qui plaît). ⇒ **Excès.** *Faire des orgies de souvenirs* (→ Idolâtrie, cit.).

5 Cette originalité éclate encore dans les scènes des deux dîners chez Mlle Quinault, dans les inimaginables orgies de conversation qui s'y passent entre beaux esprits (...)   SAINTE-BEUVE, Causeries du lundi, 10 juin 1850.

(Sans connotation péj.). Surabondance, profusion. ⇒ **Débauche** (fig.), **prodigalité.** *Une orgie de couleurs et de lumières.*

6 Après les éblouissantes orgies de forme et de couleur du dix-huitième siècle, l'art s'était mis à la diète, et ne se permettait plus que la ligne droite.
                     HUGO, Quatre-vingt-treize, II, III, I, III.

ORGUE

ORGUE [ɔʀg] n. m. — 1155 ; lat. ecclés. *organum,* du grec *organon.* → Organe.

REM. Le genre de *orgue* a été flottant depuis le moyen âge et n'a commencé à se fixer qu'au xviiie s. (1740). De nos jours, *orgue* est normalement masculin au singulier («*l'orgue de telle église est excellent*», Académie), comme au pluriel *(cet orgue est un des meilleurs qu'on puisse entendre).* Le féminin pluriel désignant un ou plusieurs instruments, s'emploie souvent avec une valeur emphatique ; il est usuel dans le syntagme *grandes orgues. Les six mille tuyaux des grandes orgues de Notre-Dame. Les grandes orgues de nos cathédrales.*

★ I. ♦ 1. Grand instrument à vent, composé de nombreux tuyaux (de bois, d'étain ou de zinc) que l'on fait résonner, par l'intermédiaire d'un ou plusieurs claviers*, en y introduisant de l'air au moyen d'une soufflerie* alimentée par des pompes à main, à pied, ou, le plus souvent de nos jours, des ventilateurs électriques *(orgues électropneumatiques). Buffet*, coffre*, sommier* d'un orgue. Console* mobile des grandes orgues modernes. Cabinet* d'orgue :* menuiserie de l'orgue (ellipt. : *un bel orgue, de belles orgues sculptées*). — *Laie* (3. Laie), *porte*-vent d'un orgue. — Claviers* (bombarde, positif, récit...), *pédalier*, registres*, tirasse*, touches* de l'orgue.* — *Pédale* d'orgue. Jeux d'orgue, qui comprennent : les jeux à anches* (bombarde, cromorne, régale, trompette...) ; *les jeux de fond(s) ou jeux à bouches divisés eux-mêmes en jeux de flûte ou jeux ouverts* (contrebasse, prestant, salicional, violon, violoncelle, voix céleste...) *et en jeux de bourdon* ou jeux bouchés. Jeux de mutation* d'un orgue* (cornet, fourniture, nasard, larigot...). *Tuyau d'orgue. Facteur* (fabricant) d'orgue. Orgues fausses, mal accordées* (cit. 9). — Vx. *Souffler à l'orgue. Souffleur d'orgues.* — *Jouer de l'orgue.* ⇒ **Organiste.** *Organiste qui tient l'orgue à la chapelle* (→ Improvisation, cit. 8). *Plaquer un accord* (cit. 23) *sur l'orgue. Concert spirituel à l'orgue. Toccata pour orgue. Concerto pour orgue et orchestre.* — (Dans une église). *Tribune d'orgues,* et, ellipt, *monter aux orgues, à l'orgue* (généralement au fond de la grande nef, au-dessus du portail principal).

1 L'orgue est certes le plus grand, le plus audacieux, le plus magnifique de tous les instruments créés par le génie humain. Il est un orchestre entier, auquel une main habile peut tout demander, il peut tout exprimer.
                     BALZAC, la Duchesse de Langeais, Pl., t. V, p. 132.

2 Éclairé par la faible lampe de l'orgue (...) M. Maillet (...) demandait : «Ça va, la pompe? Rien aux soupapes? Et la tirasse?» Athanase le rassurait sur la pompe, sur les soupapes, sur la tirasse, en chuchotant (...) M. Maillet ouvrait toutes grandes les souffles de l'orgue les puissances de la bombarde, du basson et de la trompette triomphale. Un torrent de sons ruisselait du plein jeu de ces forces déchaînées, tout à la vibration, sous nos pieds, faisait trembler la galerie suspendue dans le vide, où se hérissaient les tuyaux innombrables de l'orgue (...) L'office finissait (...) M. Maillet en prolongeait, comme un long écho, la solennité, en réveillant alors le souffle docile des orgues ; mais il n'en venait plus un torrent de sons éclatants, car, à mesure que les prêtres s'éloignaient du chœur vers la sacristie, on

entendait d'abord chanter la cornemuse, puis la doublette, puis le larigot, enfin, après un trait de hautbois, fort champêtre, la «Voix céleste».
                     H. BOSCO, Antonin, p. 227, 228, 229.

Orgue hydraulique des premiers siècles de notre ère, où la soufflerie était mise en mouvement par un système de compression d'eau. ⇒ **Hydraule.** — *Orgue portatif (orgues portatives,* 1370) ; ancien orgue de petite taille, dit *positif,* parce qu'il se posait à terre ou sur un meuble. — (1836, *in* D.D.L.). Vx. *Orgue expressif ; orgue de salon.* ⇒ **Harmonium.**

Orgue de Barbarie (par altér. de *Barberis,* nom d'un fabricant d'orgues de Modène), *orgue à cylindre* (1811) ; *orgue mécanique* (→ Hennissement, cit. 3) *des musiciens ambulants,* dont on joue au moyen d'une manivelle (cit.) qui actionne le soufflet et fait tourner un cylindre noté réglant l'admission de l'air dans les tuyaux. *Orgue de Barbarie qui joue* (cit. 54) *une valse. Orgue mécanique modèle réduit.* ⇒ **Serinette.** *Orgue limonaire* (cit.). — Absolt. *Orgue qui moud* (cit. 4) *un vieil air* (→ 1. Geindre, cit. 5). *Joueur d'orgue.*

3 Un de ces orgues de Crémone avec jeu de trompettes et batterie de tambour, que les Italiens promènent dans les rues, posés sur une petite voiture attelée d'un cheval, était adossé à la muraille, et sa manivelle tournée par un moujik faisait entendre nous ne savons plus quel air d'opéra à la mode.
                     Th. GAUTIER, Voyage en Russie, XVI.

4 Puis, tout à coup, ainsi qu'un ténor effaré
Lançant dans l'air bruni son cri désespéré,
Son cri qui se lamente, et se prolonge, et crie,
Éclate en quelque coin l'orgue de Barbarie :
Il brame un de ces airs, romances ou polkas,
Qu'enfants nous tapotions sur nos harmonicas
Et qui font, lents ou vifs, réjouissants ou tristes,
Vibrer l'âme aux proscrits, aux femmes, aux artistes.
C'est écorché, c'est faux, c'est horrible, c'est dur,
Et donnerait la fièvre à Rossini, pour sûr (...)
                     VERLAINE, Poèmes saturniens, «Nocturne parisien».

♦ 2. (1868, *in Année sc. et industr.* 1869, p. 425). *Orgue électrique :* instrument à clavier, d'une sonorité analogue à celle de l'orgue, muni d'amplificateurs et de haut-parleurs, et produisant les sons au moyen de circuits électriques. — *Orgue électronique, radioélectrique,* fonctionnant avec des oscillateurs à lampes. *Orgue de cinéma :* orgue électrique «composé de certains jeux particuliers, soumis à un constant trémolo*» (Arma-Thiénot, *Dict. de musique*). ⇒ aussi **Onde** (ondes Martenot).

♦ 3. Par compar. *Ronfler* comme un tuyau d'orgue.* — Par métaphore. *L'orgue des vents* (→ Grondeur, cit. 5). *Voix d'orgue* (→ Gronder, cit. 19).

5 Les plus belles orgues sont celles du vent. Il faut, pour les entendre, écouter le mistral chanter sa grandeur guerrière sur le pont suspendu entre deux murailles rocheuses, au défilé de Donzère.   M. CONSTANTIN-WEYER, Source de joie, VII.

♦ 4. **POINT D'ORGUE :** temps d'arrêt qui suspend la mesure sur une note dont la durée peut être prolongée à volonté ; signe — placé au-dessus d'une note pour marquer ce temps d'arrêt.

Par métaphore.

6 Cette visite *allegro,* s'achevait en point d'orgue dans la chambre du colonel.
                     G. DUHAMEL, Récits des temps de guerre, V, «Mémorial de Cauchois».

★ II. Par anal. d'aspect avec l'*orgue* (I., 1.). **♦ 1.** (1485). Ancienne pièce d'artillerie composée de plusieurs canons de mousquet sur un affût. — Mod. *Orgues de Staline :* engin soviétique multitubes lançant des obus autopropulsés (pendant la Deuxième Guerre mondiale).

♦ 2. (xixe). *Orgues basaltiques :* coulées de basalte* en forme de tuyaux d'orgue serrés les uns contre les autres. ⇒ **Colonne; chaussée.** *Les orgues de Bort* (→ Fond, cit. 4), *de Fingal.*

♦ 3. (1752). Zool. *Orgue de mer.* ⇒ **Tubipore.**

DÉR. **Orguette.** — (Du même rad.) **Organiste.**

ORGUEIL

ORGUEIL [ɔʀgœj] n. m. — 1080, *orgoil ;* d'un francique* *urgoli* «fierté».

★ I. ♦ 1. Opinion très avantageuse de soi-même, sentiment très vif, le plus souvent exagéré, et parfois injustifié, qu'une personne a de sa valeur personnelle, de son importance sociale, généralement aux dépens de la considération due à autrui. ⇒ **Fierté** (cit. 3). *Orgueil et vanité*. L'orgueil est conçu par les psychologues comme une hypertrophie du Moi*, comme le résultat d'une absence ou d'un fléchissement de l'autocritique.*

1 L'orgueil est une enflure du cœur par laquelle l'homme s'étend et se grossit en quelque sorte en lui-même, et rehausse son idée par celle de force, de grandeur et d'excellence.   NICOLE, *in* LAFAYE, Dict. des synonymes.

2 Il faut définir l'orgueil une passion qui fait que de tout ce qui est au monde l'on n'estime que soi.   LA BRUYÈRE, les Caractères de Théophraste, «De l'orgueil».

L'orgueil, levier (cit. 8) *des forces humaines, stimulant de l'amour de la gloire* (cit. 13). *« Les vapeurs enivrantes* (cit. 3) *de l'orgueil »* (Rousseau) → aussi Fumée, cit. 22. *Préjugés, ruses* (→ Indulgent, cit. 9), *sophismes de l'orgueil* (→ Échapper, cit. 24). *L'humilité* (cit. 3) *n'est souvent qu'une feinte* (cit. 7), *qu'un artifice* (cit. 6) *de l'orgueil. L'incrédulité* (cit. 2), *forme de l'orgueil. L'orgueil, péché capital. Pécher par orgueil* (→ Arriver, cit. 67), *péché d'orgueil* (→ Garder, cit. 79). *Confondre, humilier* (cit. 2) *l'orgueil, son orgueil.* — Par métonymie. Les orgueilleux. *« Le superflu, dont l'orgueil se pare »* (→ 1. Commode, cit. 8, Bourdaloue).

3 L'orgueil précède la ruine de l'âme, et l'esprit s'élève avant la chute.
BIBLE (SACY), *Proverbes*, XVI, 18.

4 L'orgueil ne veut pas devoir, et l'amour-propre ne veut pas payer.
LA ROCHEFOUCAULD, *Maximes*, 228.

5 L'orgueil qui vient d'une confiance aveugle de nos forces, nous l'avons nommé présomption ; celui qui s'attache à de petites choses, vanité ; celui qui est courageux, fierté.
VAUVENARGUES, *De l'esprit humain*, XXIV.

6 (...) cette fausse modestie qui n'est qu'un raffinement de l'orgueil (...)
LACLOS, *les Liaisons dangereuses*, L.

7 L'orgueil est le sentiment d'être nés pour quelque chose que seuls nous pouvons concevoir, et cette chose plus grande et plus importante que tout autre.
VALÉRY, *Mélange*, p. 135.

8 L'orgueil a de telles racines ! Au moment du plus fervent repentir, c'était avec une prodigieuse jouissance d'orgueil que M. Thibault savourait son humilité.
MARTIN DU GARD, *les Thibault*, t. I, p. 235.

Avoir de l'orgueil, beaucoup d'orgueil, un grand orgueil, un orgueil aveugle (cit. 16), *démesuré, indomptable* (cit. 4), *sans borne* (cit. 14)... ⇒ **Orgueilleux.** *Être bouffi* (→ Envieux, cit. 8), *boursouflé, dévoré, enflé, gonflé* (cit. 18 et 41), *pétri d'orgueil* (⇒ **Infatuation**). *Crever* (cit. 17) *d'orgueil. Un ambitieux cuirassé dans son orgueil* (→ Armer, cit. 25). *Il est dupe* (cit. 4) *de ce qui chatouille, flatte* (cit. 12) *son orgueil. Bouffées* (cit. 5) *d'orgueil. L'orgueil lui tourne la tête.* — *Être atteint, blessé dans son orgueil* (→ 2. Gaffer, cit.). *Aveu* (cit. 14) *qui coûte à l'orgueil de qqn. Blessure, froissement* (cit. 10) *d'orgueil.* ⇒ **Amour-propre** (cit. 10). *Orgueil qui se cabre* (cit. 10).

9 Si nous n'avions point d'orgueil, nous ne nous plaindrions pas de celui des autres.
LA ROCHEFOUCAULD, *Maximes*, 34.

10 Dépouille devant tous l'orgueil qui te dévore,
Cœur gonflé d'amertume et qui t'es cru fermé.
A. DE MUSSET, *Poésies nouvelles*, « Nuit d'août ».

11 (...) celui-ci *(Delhomme)* venait d'être nommé maire, à la place de Macqueron, ce qui gonflait sa femme d'un tel orgueil, qu'elle en claquait dans sa peau.
ZOLA, *la Terre*, V, VI.

12 (...) cette confiance absurde en leur étoile, cet orgueil inique et aveugle qui caractérisent les grands hommes.
SARTRE, *Situations II*, p. 230.

L'orgueil, considéré spécialement dans ses manifestations. ⇒ **Arrogance** (cit. 4), **dédain, hauteur, insolence, morgue, suffisance.** *Orgueil arrogant* (cit. 2), *indiscipliné* (cit. 1), *insoutenable, ridicule. L'orgueil le rend distant, impérieux* (cit. 1), *insociable* (cit. 4). *Nature* (cit. 24) *fière sans orgueil.* — *Orgueil nobiliaire, de caste* (cit. 4). ⇒ **Superbe** (n. f.). *Accent, ton d'orgueil.* ⇒ **Importance, supériorité.** *Parler avec orgueil de ses épreuves, de ses luttes.* ⇒ **Complaisance** ; *orgueilleusement* (→ Guerrier, cit. 9). *Étaler ses titres par pur orgueil.* ⇒ **Gloire** (vx), **gloriole, ostentation, vanité.** *Se livrer par orgueil à des bravades* (cit. 4). *Rabaisser, rabattre l'orgueil de qqn.* ⇒ **Crête, jactance.** *Son attitude, sa démarche puent l'orgueil.* ⇒ **Pavaner** (se), **rengorger** (se). — *Je n'ai pas le sot orgueil de...* (avec l'infinitif). ⇒ **Outrecuidance, présomption, prétention.**

13 Se croire un personnage est fort commun en France.
On y fait l'homme d'importance,
Et l'on n'est souvent qu'un bourgeois :
C'est proprement le mal français.
La sotte vanité nous est particulière.
Les Espagnols sont vains, mais d'une autre manière.
Leur orgueil me semble, en un mot,
Beaucoup plus fou, mais pas si sot.
LA FONTAINE, *Fables*, VIII, 15.

14 — (...) j'ai toutes les envies du monde de (...) rabattre un peu son orgueil (...) — (...) C'est le plus orgueilleux petit vilain que vous ayez jamais vu. Il lui semble qu'il n'y a personne au monde qui le mérite, et que la terre n'est pas digne de le porter (...) — (...) ce mépris est choquant, et je ne puis souffrir cette hauteur étrange de ne l'en estimer.
MOLIÈRE, *la Princesse d'Élide*, III, 3.

15 Chateaubriand n'avait aucune humilité et son orgueil, encore que légitime, offensait des hommes moins brillants et qui le savaient, mais qui auraient souhaité qu'il ne laissât pas lui-même éclater, de manière aussi visible, son orgueil.
A. MAUROIS, *Chateaubriand*, VIII, VI.

Par ext. Caractère de ce qui est orgueilleux. *L'orgueil de son port, de sa démarche...*

16 Et l'insolent orgueil de sa catégorie.
MOLIÈRE, *Tartuffe*, III, 4.

♦ **2.** (En bonne part). Sentiment élevé de dignité (individuel ou collectif). ⇒ **Amour-propre, estime** (de soi-même), **fierté.** *Orgueil bien légitime* (→ Fier, cit. 21). *Peuple humilié* (cit. 38) *dans son légitime orgueil national. Noble et juste orgueil* (→ Armer, cit. 6 ; cœur, cit. 106 ; honorer, cit. 24). *« Les femmes fières dissimulent leur jalousie* (cit. 20) *par orgueil »* (Stendhal). *Il se retenait de se plaindre par orgueil* (→ Envie, cit. 29). *Cœur qui bondit* (cit. 10) *d'orgueil.* — (1782). *Orgueil national.*

17 La volonté peut et doit être un sujet d'orgueil bien plus que le talent.
BALZAC, *la Muse du département*, Pl., t. VI, p. 177.

18 Avec Iphigénie, pourtant, cet orgueil s'épure, se défait de toute infatuation, n'est plus que dignité, que le sentiment de ce que l'on se doit à soi-même, qui va jusqu'au sacrifice de soi.
GIDE, *Attendu que...*, p. 217.

18.1 Il est peu de grandes âmes à la tête des armées pour les enivrer, leur inspirer l'amour de la gloire, l'orgueil national, et le respect de la discipline qui fait vaincre.
SAINT-JUST, *Discours et Rapports*, p. 128.

Mettre son orgueil à faire qqch. (→ Berceau, cit. 11 ; butor, cit. 2 ; 1. las, cit. 5).

♦ **3.** L'ORGUEIL DE... **a** La satisfaction d'amour-propre, légitime ou

non, que l'on trouve dans (un être, une chose, un état, une action...). *Avoir l'orgueil de ses enfants, de sa maison, de ses titres...* ⇒ **Enorgueillir** (s'), **fier** (être). *L'orgueil d'être un homme en marge de la vie sociale* (→ Liquéfier, cit.), *de jouer un rôle brillant* (→ Distinguer, cit. 24). *Il ne cache pas son orgueil de posséder son métier* (cit. 16) *à la perfection.* — *Concevoir, éprouver, ressentir un vif orgueil de qqch. Napoléon tirait* orgueil, *tirait un grand orgueil de la popularité de l'Impératrice* (cit. 2). ⇒ **Gloire, vanité.** *C'est un grand sujet d'orgueil pour elle.*

19 — Tu mens ! C'était l'orgueil implacable et jaloux
De commander aux rois dans tes haillons de bure,
Et d'écraser du pied les peuples à genoux,
Qui faisait tressaillir ton âme altière et dure.
LECONTE DE LISLE, *Poèmes barbares*, « L'agonie d'un saint ».

20 L'orgueil d'être une si brillante réussite, d'être un maître en toutes choses merveilleuses, l'orgueil croissant s'épure et s'élève à ce degré métaphysique qui le rend équivalent à une modestie infinie. Il n'y a point d'orgueil dans un cèdre à se reconnaître le plus grand arbre des arbres (...)
VALÉRY, *Variété IV*, p. 108.

21 Il avait bien eu quelque succès à l'office. Mais il n'en tirait pas grand orgueil, sachant reconnaître dans les domestiques des êtres subalternes.
J. ROMAINS, *les Hommes de bonne volonté*, t. IV, VIII, p. 84.

b Par métonymie. Ce qui motive cette fierté ; sujet d'orgueil. *« Les chats* (cit. 5) *puissants et doux, orgueil de la maison »* (Baudelaire). *Se faire* (cit. 145) *un orgueil de... Son orgueil, c'est de travailler à vos côtés.*

22 Elle fait tout l'orgueil d'une superbe mère (...)
RACINE, *Iphigénie*, II, 1.

23 L'une des pièces du devant était ainsi devenue libre. Miraud en avait profité pour y faire à loisir une installation dont il rêvait depuis des années, et qui maintenant était son orgueil.
J. ROMAINS, *les Hommes de bonne volonté*, t. I, XXIV, p. 276.

ORGUEIL DES INDES : flamboyant*.

23.1 Alors un nouvel arbre surgit, lui barra la vue. Il identifia non sans difficulté un orgueil des Indes dont les fleurs semblables à des orchidées se groupaient en essaims d'où saillaient des étamines énormes, vives se gonflant au milieu des calices béants.
P. GRAINVILLE, *les Flamboyants*, p. 25.

ORGUEIL DE CHINE : arbuste *(Cœsalpina pulcherrima).*

c Littér. Sentiment de respect, de fierté, de dignité (qu'inspire ce à quoi l'on est attaché). *L'orgueil des armes, du diadème* (cit. 2), *de la naissance* (→ Emporter, cit. 24). *Il a oublié, perdu tout orgueil de sa réputation.*

24 Nous aurons le sublime orgueil
De les venger *(nos aînés)* ou de les suivre !
ROUGET DE LISLE, *la Marseillaise*, VIIᵉ couplet.

25 Il conservait l'orgueil de sa tenue extérieure, s'habillait proprement et bien (...)
LOTI, *Ramuntcho*, II, X.

26 Sans doute, elle avait été élevée dans l'orgueil de son nom, mais dans cette fierté elle ne voyait qu'une dette filiale, qui, pensait-elle, devrait être celle de tous, et aussi bien des plus humbles.
R. RADIGUET, *le Bal du comte d'Orgel*, p. 79.

★ **II.** Par métonymie. Techn. (métaphore du port de tête de l'orgueilleux). Cale de bois, de pierre qui fait dresser la tête d'un levier et le soutient pendant qu'il soulève un fardeau.

27 Il soulevait et soutenait parfois d'énormes poids sur son dos, et remplaçait dans l'occasion cet instrument qu'on appelle cric et qu'on appelait jadis *orgueil*, d'où a pris nom, soit dit en passant, la rue Montorgueil près des Halles de Paris.
HUGO, *les Misérables*, I, II, VII.

CONTR. Humilité (cit. 1, 5, 11, 13 et 15), **modestie** (cit. 5), **simplicité.** — **Bassesse, componction.**

DÉR. et **COMP.** Enorgueillir, orgueilleux.

ORGUEILLEUSEMENT [ɔʀɡœjøzmɑ̃] adv. — 1080, *orgoilluse-ment* ; de *orgueilleux.*

♦ Avec orgueil ; d'une manière orgueilleuse. *S'isoler orgueilleusement* (→ Infatuer, cit. 5). *Exalter orgueilleusement ses propres mérites* (→ Méconnaître, cit. 9).

1 Dans les villages passaient par où nous passions, nos mulets faisaient orgueilleusement entendre leurs sonnettes ; les paysans accouraient à leurs portes pour voir défiler notre équipage (...)
A.-R. LESAGE, *Gil Blas*, XII, XII.

2 Emily Brontë en peignant le monstre amoureux de ses rêves ne lui prête qu'une atrocité continue, qui s'étale orgueilleusement au grand jour.
Émile HENRIOT, *Portraits de femmes*, p. 419.

CONTR. Humblement, modestement, simplement.

ORGUEILLEUX, EUSE [ɔʀɡœjø, øz] adj. — 1080, *orgoillus* ; de *orgueil.*

♦ **1.** Qui a de l'orgueil* (1. ou 2.). ⇒ **Fier, glorieux** (vx), **infatué** ; **content, pénétré, satisfait** (de soi). *« L'homme* (cit. 49) *est la plus orgueilleuse de toutes les créatures »* (Montaigne). → aussi Amour-propre, cit. 11. *Il est orgueilleux, c'est une nature orgueilleuse* (→ Mission, cit. 7). *Cœur dur et orgueilleux* (→ Jeune, cit. 23). *Caractères orgueilleux qui se heurtent* (→ Entrechoquer, cit. 4). *Vous ne le convaincrez pas : elle est trop orgueilleuse.* ⇒ **Entier.** — Qui manifeste, montre de l'orgueil. ⇒ **Arrogant, hautain** (cit. 5), **présomptueux, prétentieux, vain, vaniteux.** *Orgueilleux comme un paon* : très orgueilleux. *Un homme « rogue, pontifiant, orgueilleux à l'excès »* (→ Croire, cit. 171). *Sa chance l'a rendu orgueilleux.* ⇒ **Insolent.** — N. *Les orgueilleux.* ⇒ **Glorieux** (cit. 18), **superbe** (n. m.). *Un orgueilleux qui ne rêve que de crâner* (cit. 1), *qui s'infa-*

tue (cit. 4) *de son mérite. Faire l'orgueilleux.* ⇒ **Avantageux, flambard, important.**

1 L'homme au regard hautain sera abaissé,
Et l'orgueilleux sera humilié (...)   BIBLE (SEGOND), Esaïe, 2, 11.

2 (...) tous les autres biens, comme l'esprit, la beauté, les richesses, les honneurs, etc., ayant coutume d'être d'autant plus estimés qu'ils se trouvent en moins de personnes (...) cela fait que les orgueilleux tâchent d'abaisser tous les autres hommes, et qu'étant esclaves de leurs désirs, ils ont l'âme incessamment agitée de haine, d'envie, de jalousie ou de colère.
DESCARTES, les Passions de l'âme, art. 158.

3 De toutes parts, dans cet avenir, Julien voyait le manque de succès. Cet être que l'on a vu à Verrières si rempli de présomption, si orgueilleux, était tombé dans un excès de modestie ridicule.   STENDHAL, le Rouge et le Noir, II, XXIV.

4 L'homme est naturellement métaphysicien et orgueilleux; il a pu croire que les créations idéales de son esprit, qui correspondent à ses sentiments, représentaient aussi la réalité.
Cl. BERNARD, Introd. à l'étude de la médecine expérimentale, I, II.

(Actes, comportements). Qui est empreint d'orgueil, dénote de l'orgueil. *Démarche orgueilleuse, maintien orgueilleux.* ⇒ **Altier** (vx), **haut.** *Front orgueilleux et sévère.* ⇒ **Sourcilleux.** — Qui est inspiré par l'orgueil, participe de la nature de l'orgueil. *Orgueilleuse amertume* (→ Hargneusement, cit. 2). *Le plaisir orgueilleux d'étonner* (cit. 13) *autrui.*

5 (...) de certains esprits,
Dont l'orgueilleux savoir nous traite avec mépris (...)
MOLIÈRE, les Femmes savantes, III, 2.

6 (...) l'orgueilleux plaisir de supplanter un rival aimé m'excita (...) à pousser ma pointe.   A.-R. LESAGE, Gil Blas, IX, VI.

7 Rien d'orgueilleux comme sa modestie; de là ce refus de rien apprendre, la croyance en la divinité de son inspiration, la complaisance envers soi-même. L'infatuation est toujours accompagnée de sottise.   GIDE, Journal, 10 janv. 1923.

♦ **2.** (Choses concrètes). Littér. Qui a un caractère de grandeur, de majesté, par ses dimensions considérables ou par son port. « *Les grands lys* (1. Lys, cit. 2) *orgueilleux* » (Verlaine). *Un mont orgueilleux* (→ Fier, cit. 7).

8 Je vois mille troncs sourcilleux
Soutenir le faîte orgueilleux
De leurs voûtes tremblantes (...)   RACINE, Poésies diverses, Ode III.

9 (...) les pylônes aux angles en talus, les murailles aux corniches évasées, les colosses aux mains posées sur les genoux se dessinaient, dorés par un rayon de soleil, sans que l'éloignement pût leur ôter de leur grandeur. Mais ce n'était pas ces orgueilleux édifices que regardait Pharaon (...)
Th. GAUTIER, le Roman de la momie, X.

♦ **3. ORGUEILLEUX, EUSE DE...** : qui a l'orgueil (3.) de..., qui tire orgueil de... *Mère orgueilleuse de son fils. Femme qui est orgueilleuse de sa beauté* (→ Idée, cit. 26), *de son navire* (cit. 3) *de plaisance...* ⇒ **Enorgueillir** (s'). — Fig. *Le Printemps, orgueilleux de ses fleurs* (→ Enfiler, cit. 29).

10 Il n'y a jamais eu (...) de sultane si orgueilleuse de sa beauté que le plus vieux et le plus vilain mâtin ne l'est de la blancheur olivâtre de son teint, lorsqu'il est dans une ville du Mexique (...)   MONTESQUIEU, Lettres persanes, LXXVIII.

CONTR. Bonhomme, humble, modeste (cit. 6), **simple.**
DÉR. Orgueilleusement.

ORGUETTE [ɔʀgɛt] n. f. — 1482, « petit orgue »; de *orgue*.

♦ Régional (Suisse). Harmonica (2.), « orgue à bouche ». « *Quand tu nous jouais à l'orguette* » (Corinna Bille, *le Sabat de Vénus*, p. 111). — Au pluriel :
Un garçon qui rentre des bas marche derrière son char, jouant un air sur ses orguettes.   C. F. RAMUZ, Jean-Luc persécuté, p. 237.

ORIBUS [ɔʀibys] n. m. — 1827, Balzac; XVIᵉ, Rabelais I, 22, sens incert.; étym. inconnue.

♦ Régional, vx. Chandelle* de résine que l'on plaçait de part et d'autre d'une cheminée.
Quand la nuit fut venue, Barbette s'empressa d'allumer un feu clair et deux oribus, nom donné aux chandelles de résine dans le pays compris entre les rivages de l'Armorique jusqu'en haut de la Loire, et encore usité en deçà d'Amboise dans les campagnes du Vendômois.   BALZAC, les Chouans, Pl., t. VII, p. 1031.

ORICHALQUE [ɔʀikalk] n. m. — 1765; grec *oreikhalkos*, proprt « cuivre *(khalkhon)* de montagne (→ Oro-) »; cf. le doublet *archal.*
Didactique.

♦ **1.** Métal dont font mention plusieurs auteurs grecs (et notamment Hésiode, Platon, Apollonius de Rhodes, Pline; Aristote, pour en nier l'existence), d'une valeur estimée plus grande que celle de l'argent, mais moindre que celle de l'or, et qui, d'après certaines conjectures, pourrait être le cuivre.

♦ **2.** Cuivre, alliage de cuivre (bronze, laiton).

ORIEL [ɔʀjɛl] n. m. — 1899, Encycl. Berthelot; mot angl., depuis 1385, « portique, galerie, balcon »; de l'anc. franç. *oriol, œurieul*, du lat. médiéval *oriolum*, 1259, « portique », p.-ê. du lat *ora* « bord » (cf. anc. franç. *orel, oriele* « bord »); le sens actuel provient du syntagme anglais *oriel window* « fenêtre sous une galerie, un auvent ».

♦ Techn. (archit.). Fenêtre en encorbellement, formant une sorte de

---

balcon ouvert. *Les maisons traditionnelles d'Alsace présentent souvent des oriels.* (Recomm. off. pour remplacer *bow*-window).* ⇒ **Bay-window.**

ORIENT [ɔʀjɑ̃] n. m. — 1080, *Chanson de Roland*; lat. *oriens, orientis*, p. prés. de *oriri* « se lever, surgir, naître ». → Levant.

★ **I.** ♦ **1.** Poét. Côté de l'horizon (⇒ **Ciel**) où le soleil semble se lever. ⇒ **Levant.** *L'aurore* (cit. 19 et 20) *entrouvre les portes dorées de l'Orient, enflamme* (cit. 2) *l'orient. L'orient paraît tout en flammes* (→ Incendie, cit. 6; aussi inonder, cit. 8; lune, cit. 8). — REM. Dans le discours poétique, on met parfois la majuscule.

1 Et comme un long linceul traînant à l'Orient,
Entends, ma chère, entends la douce Nuit qui marche.
BAUDELAIRE, Nouvelles Fleurs du mal, VII.

Spécialt. Point cardinal où le soleil se lève à l'équinoxe.
Fig. *L'orient de qqch.,* sa naissance, son ascension, comparée à un lever de soleil.

2 Tant de choses éclatantes ont eu leur orient et leur couchant (...)
VOLTAIRE, le Siècle de Louis XIV, XIX, *in* LITTRÉ.

3 L'été, ils partaient selon la mode pour Deauville ou pour La Baule, étendaient leurs trois beaux corps nus sur la plage, dans une fausse indifférence, qui intriguait et aiguillonnait les liaisons sur leur déclin ou sur leur orient (...)
GIRAUDOUX, Bella, VI.

♦ **2.** Géogr. et cour. Direction ou zone correspondant au côté où le soleil se lève. ⇒ **Est.**

4 Au vrai, le temple de nos cœurs était pareil à ces mosquées qui, du côté de l'orient, restent béantes et se laissent divinement envahir par les rayons, les musiques et les parfums.   GIDE, Si le grain ne meurt, I, VIII, p. 211.

À l'orient d'un lieu : à l'Est. « *Ce pays est à l'orient de tel autre* » (Académie), en direction de l'est, à partir de ce lieu, de ce pays. *Les archipels qui avoisinent* (cit. 3) *l'Inde à l'orient.*
Absolt. (En prenant l'Europe comme contrée de référence). *L'Orient :* l'Asie, et parfois certains pays du bassin méditerranéen ou de l'Europe de l'Est (Balkans). ⇒ **Oriental** (2., 3.). *Venir de l'Orient* (→ Fable, cit. 14; franc-maçonnerie, cit. 3; mage, cit. 2). *Séjour, voyage en Orient. Les peuples de l'Orient. Roi d'Orient* (→ Intituler, cit. 1). — *Les mirages, les séductions de l'Orient.* — Littér. *Voyage en Orient,* titre des souvenirs de voyage de Lamartine (1835) et de Gérard de Nerval (1851).

5 Dans l'Orient désert quel devint mon ennui !   RACINE, Bérénice, I, 4.

6 (...) déjà l'Orient n'est plus pour moi qu'un de ces rêves du matin auxquels viennent bientôt succéder les ennuis du jour.
NERVAL, Voyage en Orient, « Nuits du Ramazan », IV, IV.

7 L'Europe, de son côté, doit à la Méditerranée un seul de ses contacts avec l'Orient, mais un seul, car ses communications avec l'Orient terrien ou mongol se font avec la Russie (...) Le contact qui s'opère par la Méditerranée et le monde levantin est plus net, avec des frontières plus tranchées, car si la Méditerranée est engagée profondément dans l'Orient africain ou asiatique, elle demeure quand même occidentale (...)   André SIEGFRIED, Vue générale de la Méditerranée, III.

L'Orient-Express [ɔʀjɑ̃(t)ɛkspʀɛs] : le train international qui reliait Paris à Istanbul (→ Locomotive, cit. 3).
Extrême-Orient,* partie de l'Asie la plus éloignée de l'Europe : Chine, Sud-est asiatique, Japon. — *Moyen-Orient* (calque de l'angl. *Middle East*) : zone qui couvre le Nord-Est de l'Afrique et l'Ouest de l'Asie (Égypte, Syrie, Israël, Jordanie, Arabie, Perse, Irak, Turquie). ⇒ **Levant.** — *Proche-Orient :* Europe sud-orientale (Albanie, Yougoslavie, Bulgarie, Roumanie).

REM. 1. Autrefois le commerce avec l'*Extrême-Orient* était désigné sous le nom de *commerce d'Orient*, et celui qui se faisait avec le *Moyen-Orient* s'appelait *commerce du Levant*.

2. L'usage actuel des termes *Moyen-Orient* et *Proche-Orient* est quelque peu flottant. L'influence de certains puristes, qui proscrivent l'emploi de *Moyen-Orient* comme calque de l'angl. *Middle East*, n'est sans doute pas étrangère à cet état de fait. Cet interdit discutable conduit, notamment dans l'usage journalistique, à employer de plus en plus fréquemment *Proche-Orient* au sens de « Moyen-Orient » tel qu'il est défini ci-dessus (N.-E. de l'Afrique et O. de l'Asie).

Hist. *Peuples de l'Orient :* les anciens Égyptiens, les Hittites, les Assyriens et Chaldéens, les Phéniciens, les Hébreux, les Mèdes et les Perses. — *L'Empire d'Orient,* l'un des deux empires formés en 395 après la mort de Théodose, avec Byzance pour capitale, et qui fut détruit en 1453 par les Turcs (on dit aussi *Empire byzantin* ou *Bas-Empire*). — *La Question* d'Orient. Armée d'Orient, front d'Orient,* dans les Balkans et sur les Dardanelles, lors de la Première Guerre mondiale. — Hist. relig. *Schisme* d'Orient.*

Par métonymie. Les habitants, les nations ou les États de l'Orient. « *Que l'Orient contre elle* (Rome) *à l'Occident s'allie* » (cit. 1, Corneille). *Relations politiques de l'Orient et de l'Occident.*

8 Je ne sais pas si l'Occident est en soi supérieur à l'Orient. S'il s'agit du point de vue moral et de la vie de l'esprit, celui-ci n'en est pas persuadé, mais si on se place sur le terrain de l'efficacité, point de doute, c'est l'Occident qui l'emporte.
André SIEGFRIED, l'Âme des peuples, Conclusion, III.

★ **II.** (1778). Franc-maçonnerie. *Grand-Orient* [gʀɑ̃tɔʀjɑ̃] : loge* centrale formée dans la capitale par les représentants des loges de province. *Le Grand-Orient de France.*

★ **III.** (1742). Techn. Reflet nacré des perles rappelant la couleur de l'orient au lever du soleil. *Des perles d'un bel orient.*

9　　Je puis comparer ma Gabrielle à une perle, son teint en a l'orient, son âme en a la douceur, et jusqu'ici mon domaine de Forcalier lui a servi d'écaille.
　　　　　　　　　　　　　　BALZAC, l'Enfant maudit, Pl., t. X, p. 728.

Par analogie :

10　　Les yeux à l'orient noir me regardaient, devenus presque immobiles, débordant de confiance (...)
　　　　　　　　　　　J. ROMAINS, les Hommes de bonne volonté, t. XVIII, XIV, p. 197.

CONTR. Couchant, occident, ouest, ponant.
DÉR. Oriental, orienter.

ORIENTABLE [ɔʀjɑ̃tabl] adj. — Mil. xxᵉ ; de *orienter*, et suff. *-able*.

♦ Que l'on peut orienter. *Projecteur, phare d'automobile orientable. Store à lames orientables. Antenne orientable.* — Figuré :

L'état de transe est un état quasi normal chez l'être humain ; il suffit de très peu de chose pour le provoquer. Un rien, un peu d'alcool dans le sang, un peu de drogue, l'excès d'oxygène, la colère, la fatigue. Mais cet état est intéressant dans la mesure où il est orientable. 　　J.-M. G. LE CLÉZIO, la Fièvre, p. 147.

ORIENTAL, ALE, AUX [ɔʀjɑ̃tal, o] adj. et n. — 1160, « situé vers l'est » ; sens mod., xiiiᵉ ; lat. *orientalis*, de *oriens*. → Orient.

Qui a rapport à l'Orient.

♦ **1.** Qui est situé à l'est (d'un lieu). *Indes orientales* (vx) : les Indes (*les Indes occidentales :* l'Amérique). — *Partie orientale d'un pays. La côte orientale de l'Écosse.* ⇒ **Est.** *Méditerranée orientale* (→ Latinité, cit. 3). *Allemagne orientale. Frontières orientales* (→ Gîte, cit. 9 ; indéfini, cit. 8).

1　　Sur le côté oriental de la montagne qui s'élève derrière le Port-Louis de l'île de France, on voit, dans un terrain jadis cultivé, les ruines de deux petites cabanes.
　　　　　　　　　　　BERNARDIN DE SAINT-PIERRE, Paul et Virginie, p. 13.

REM. Dans ces emplois, *oriental* est concurrencé par : *de l'Est.*

♦ **2.** Adj. et n. Originaire de l'Orient (2.). *Peuples orientaux. Mage* (→ Convenir, cit. 19), *conteur* (→ Jour, cit. 37), *rêveur* (→ Haschisch, cit. 5) *oriental. Société orientale* (→ Littérature, cit. 24). — N. *Un Oriental, une Orientale. Les Orientaux et les Occidentaux* (→ Helléniser, cit. 1 ; incliner, cit. 27 ; interdire, cit. 9). — *Drogues* (→ Épice, cit. 5), *plantes, pierres, perles orientales.*
Langues orientales : langues mortes ou vivantes de l'Orient (hébreu, chaldéen, arabe, chinois...). *École des langues orientales. École des langues orientales vivantes* puis *Institut national des langues et civilisations orientales* (fam. : *langues o* [lɑ̃gzo]). — REM. Cette désignation archaïque mêle des langues et des cultures dont le seul point commun est de ne pas avoir été enseignées couramment en France au xixᵉ siècle et d'appartenir à l'Europe orientale (langues slaves, hongrois...) et à l'Asie (langues sémitiques, chinois, japonais, coréen, etc.). On enseigne même aux « langues o » des langues amérindiennes (quechua), l'eskimo (inuktituk), des langues africaines.

2　　Il se plongeait délicieusement dans cet abrutissement voluptueux si cher aux Orientaux, et qui est le plus grand bonheur qu'on puisse goûter sur terre, puisqu'il est l'oubli parfait de toute chose humaine.
　　　　　　　　　　　Th. GAUTIER, Fortunio, XXIV, p. 156.

3　　La femme orientale est une machine, et rien de plus ; elle ne fait aucune différence entre un homme et un autre homme. Fumer, aller au bain, se peindre les paupières et boire du café, tel est le cercle d'occupations où tourne son existence.
　　　　　　　　　　　FLAUBERT, Correspondance, 378, 27 mars 1853.

♦ **3.** Qui est propre à l'Orient, caractérise l'Orient ou le rappelle. *Langueur* (cit. 18), *nonchalance* (cit. 8) *orientale. Luxe, faste oriental* (→ Candélabre, cit. 2 ; fanfare, cit. 5). *Style oriental* (→ Écriture, cit. 13 ; figure, cit. 25). *Croyances* (→ Mélange, cit. 11), *traditions orientales* (→ Messager, cit. 5). *Musique orientale* (→ Guetter, cit. 13). *Imagerie* (cit. 2), *hyperbole* (cit. 3) *orientale. Beauté orientale d'un visage* (→ Empâter, cit. 3). — *À la manière orientale* (→ Khôl, cit. 1 ; mosquée, cit. 2.). — REM. Le mot a des connotations exotiques extrêmement vagues et ambiguës, dont les pôles actifs sont : les civilisations sémitiques (notamment arabe et islamique) et d'autre part la Chine et le Japon. Sa seule unité est l'opposition au concept non moins indécis d'« Occident ».

Loc. adv. *À l'orientale* (→ Accoutrer, cit. 1 ; génuflexion, cit. 1).

4　　(*M. Santeuil*) allait se retirer dans un petit cabinet meublé « à l'orientale » de mille choses qu'il avait rapportées d'Algérie, avec beaucoup de nattes sur la pierre, de cocos sculptés et de photographies représentant des mosquées ou des palmiers.
　　　　　　　　　　　PROUST, Jean Santeuil, Pl., p. 292.

Cuis. *À l'orientale,* se dit d'une préparation culinaire avec des tomates et des condiments, et très fortement relevée par des piments. *Riz à l'orientale.*

♦ **4.** Littér. Qui a pour sujet l'Orient ; qui est traité à la façon orientale. — N. f. pl. *Les Orientales,* recueil de poésies de V. Hugo (1828).

CONTR. Occidental.
DÉR. Orientaliser, orientalisme, orientaliste.
COMP. Extrême*-oriental.

ORIENTALISANT, ANTE [ɔʀjɑ̃talizɑ̃, ɑ̃t] adj. — xxᵉ ; de *orientaliser.*

♦ Didact. (Arts). Influencé par l'Orient (spécialt, en parlant d'un style). *Le style orientalisant, en Italie, est en rapport avec le développement de la civilisation étrusque.*

ORIENTALISER [ɔʀjɑ̃talize] v. tr. — 1838 ; *s'orientaliser,* in Mercier, 1801 ; de *oriental.*

♦ Donner un caractère oriental à (un pays, ses coutumes).

(...) l'Orient avait repris ses droits en orientalisant la conquête hellénique elle-même. 　　　　　André SIEGFRIED, l'Âme des peuples, p. 202.

DÉR. Orientalisant.

ORIENTALISME [ɔʀjɑ̃talism] n. m. — 1830 ; de *oriental.*

Didactique.

♦ **1.** Science des choses, des langues de l'Orient, notamment du monde arabe et islamique ou de la Chine, du Japon. Goût pour les choses, les styles... de l'Orient. *L'orientalisme, forme d'exotisme* (cit. 1).

1　　La mode du sanskrit et de l'orientalisme littéraire en général durera cependant, parce que ceux qui auront passé ou perdu quinze ans à apprendre l'arabe ou le sanskrit n'auront pas la candeur d'avouer qu'ils possèdent une science inutile.
　　　　　　　　　　　V. JACQUEMONT, Correspondance, t. I, p. 211 (1830).

♦ **2.** Caractère de ce qui dénote l'influence ou l'imitation de l'Orient. *Orientalisme de la musique russe.*

2　　L'orientalisme a débuté au xviiiᵉ siècle par la mode des turqueries, des chinoiseries, mais il a pris surtout son essor au commencement du xixᵉ siècle à la suite de la campagne d'Égypte, des luttes pour l'indépendance de la Grèce, de la conquête de l'Algérie. 　　　Louis RÉAU, Dict. d'art. et d'archéologie, art. *Orientaliste.*

ORIENTALISTE [ɔʀjɑ̃talist] n. — 1799 ; de *oriental.*

♦ Didact. Spécialiste des langues et des civilisations « orientales », notamment sémitiques, arabes (ou islamiques), chinoises, japonaises, du Sud-Est asiatique. *Un savant orientaliste* (→ Biblique, cit. 1). — Adj. *Peintre orientaliste,* spécialisé dans les sujets empruntés à l'Orient.

(...) on s'occupe beaucoup plus de l'Orient qu'on ne l'a jamais fait. Les études orientales n'ont jamais été poussées si avant. Au siècle de Louis XIV on était helléniste, maintenant on est orientaliste. 　　HUGO, les Orientales, Préface.

ORIENTATEUR, TRICE [ɔʀjɑ̃tatœʀ, tʀis] n. ⇒ **Orienteur** II., 3.

ORIENTATION [ɔʀjɑ̃tasjɔ̃] n. f. — 1834 ; dér. d'*orienter.*

Action d'orienter ; son résultat.

A. ♦ **1.** Détermination des points cardinaux (d'un lieu, d'un plan). — Par ext. Détermination de l'endroit où l'on se trouve. *Les astres et la boussole permettent de connaître l'orientation d'un lieu. Orientation d'un navire au compas.* — *Avoir le sens de l'orientation* (→ Faculté, cit. 9, par métaphore). *Le sens de l'orientation est très développé chez les oiseaux migrateurs.* — *Table* d'orientation.* — Physiol. Capacité de tout individu de se situer dans le temps et dans l'espace.

♦ **2.** (1874). Fig. Action de donner (à un mouvement*) une direction* déterminée. *L'orientation de la route d'un navire.*
Techn. Position angulaire (d'un engin spatial) par rapport à un trièdre de référence. — Sc. Mise en place dans un système d'axes de coordonnées. *Orientation absolue, relative.*

♦ **3.** Fig. Fait de donner une direction déterminée. *Prendre la responsabilité de l'orientation politique d'un parti. L'orientation de ses études n'est pas encore décidée.*
Spécialt. *Orientation professionnelle. Office d'orientation professionnelle,* chargé de déterminer la profession la mieux adaptée aux capacités d'un individu. *Conseiller, conseillère d'orientation scolaire et professionnelle.* ⇒ **Orienteur.**

1　　L'orientation professionnelle a pour objet d'aider la famille à diriger l'enfant vers le genre d'activité professionnelle qui convient le mieux à l'ensemble de ses aptitudes et à leurs niveaux, et aux premières indications de ses goûts compte tenu de la situation familiale et de l'état du marché du travail.
　　　　　　　　　　　Guy SINOIR, l'Orientation professionnelle, p. 26.

B. ♦ **1.** (1838). Résultat de cette action ; fait d'être orienté d'une certaine façon. ⇒ **Position, situation ; aspect** (vx). *L'orientation d'une maison, d'une église. L'orientation de cette vigne est excellente.* ⇒ **Exposition.** *L'orientation des vents est variable, persistante dans cette région.* — *L'enquête a pris une orientation nouvelle.* ⇒ **Direction.**

2　　Sur aucun de ces points les résultats, sans être nuls, ne paraissaient très décisifs. En tout cas ils ne changeaient rien à l'orientation de l'enquête.
　　　　　　　　　　　J. ROMAINS, le Besoin de voir clair, Rapport, VII.

♦ **2.** Fig. *Modifier l'orientation d'une politique. L'orientation des esprits, d'un courant littéraire* (→ Grotesque, cit. 12). *La doctrine* (cit. 5) *donne l'orientation du droit, de la politique.* — *Orientation de la conscience vers l'avenir* (→ Joie, cit. 3). ⇒ **Tendance.**

ORIENTEMENT [ɔʀjɑ̃tmɑ̃] n. m. — 1831 ; de *orienter*.

♦ Didact. ou techn. Action d'orienter ; son résultat. ⇒ **Orientation**. *L'orientement d'un édifice.*

(...) l'aisance avec laquelle son monde de matelots, unis comme un seul homme, ménageaient le parfait orientement de la surface blanche présentée par ces voiles.
                                        BALZAC, la Femme de trente ans, Pl., t. II, p. 816.

(En photogrammétrie). *Orientement externe*, position du faisceau perspectif dans l'espace. *Orientement interne*, définition de la forme du faisceau perspectif.

ORIENTER [ɔʀjɑ̃te] v. tr. — 1485 au p. p. ; de *orient*.

♦ **1.** Disposer (un édifice) en direction de l'Orient. *Orienter un temple, une mosquée.* — Au p. p. *Les anciennes églises étaient généralement orientées.*

1 L'abside des plus anciennes églises est indifféremment tournée vers l'un quelconque des points cardinaux (...) Certains chrétiens voulaient cependant que le prêtre officiât la face tournée vers l'Orient (...) Dans les monuments de construction occidentale, c'est à partir du VIIIᵉ siècle seulement que les absides furent généralement *orientées*, c'est-à-dire tournées vers l'Est (...)
                                        C. ENLART, Manuel d'archéologie franç., I, p. 133.

Mod. (Topographie). Sur le terrain. Disposer (une carte, un plan) conformément à la direction des points cardinaux réels.

♦ **2.** Disposer (une chose) par rapport aux points cardinaux, ou, plus généralt, par rapport à une direction, à un objet déterminé. *Orienter au sud, vers le sud la façade d'une maison, une terrasse, une serre.* — Au p. p. *Maison mal orientée*, dont l'exposition* a été mal choisie. ⇒ **Exposer**. — *Orienter un réflecteur, une source de chaleur vers un objet.* ⇒ **Diriger, tourner** (vers). *Plante qui oriente ses feuilles vers la lumière, la chaleur* (⇒ **Héliotropisme, tropisme**). — Mar. *Orienter les voiles.* ⇒ 2. **Brasser.**

2 Elle était portée vers le bonheur par une exigence puissante et essentielle comme celle qui oriente les plantes du côté où la lumière arrive.
                                        P. NIZAN, le Cheval de Troie, I, I.

♦ **3.** Géogr., archit. *Orienter une carte, un plan* : y porter les repères des points cardinaux.

3 Les cartes des côtes de France, qu'il réduisit par ordre de M. de Seignelay à la même échelle et orienta de même façon, et qui composent le premier volume du neptune français.   FONTENELLE, cité par LITTRÉ.

♦ **4.** Math. *Orienter une droite*, lui donner un sens positif (figuré par une flèche).

♦ **5.** Faire aller dans une direction déterminée. ⇒ **Conduire, diriger, guider**. *Orienter un voyageur égaré, fourvoyé.* — Par ext. *Orienter un train sur une voie de garage.* ⇒ **Aiguiller.**
Fig. *Orienter un enfant vers une carrière, des études déterminées.* — *Orienter une enquête. Orienter les soupçons vers un suspect. L'opinion a été orientée*, influencée par une propagande. *Orienter l'attention de quelqu'un dans une direction, sur un point précis.*

4 (...) il y aura pour lui vingt occasions, ou vingt façons, je ne dis pas d'informer des tiers, mais d'éveiller, d'orienter leur attention (...)
                                        J. ROMAINS, Une femme singulière, XXVI.

▶ **S'ORIENTER** v. pron.

♦ **1.** [a] Vx. Se tourner* vers l'est.

[b] Mod. *S'orienter vers...*, se tourner, s'apprêter à aller dans la direction de..., dans une direction déterminée. *Les plantes s'orientent vers la lumière.* — (Sens passif). *Machine qui s'oriente aisément dans toutes les directions* (→ Gouvernail, cit. 1). — *S'orienter dans une autre direction.* ⇒ **Bifurquer.**

5 (...) des musulmans, qui connaissent toujours avec précision l'heure sainte du Moghreb, s'orientent à présent vers la Mecque et se prosternent pour la prière du soir.   LOTI, l'Inde (sans les Anglais), V, X.
Fig. Diriger son activité (vers). *S'orienter vers une recherche* (→ Immunité, cit. 4), *vers la philologie. Électeur qui s'oriente vers la droite ou vers la gauche* (→ Extrapolation, cit. 1). *Notre corps s'oriente vers tel ou tel plaisir* (→ Inclination, cit. 10). *La littérature s'orientait de plus en plus vers l'humain* (cit. 25). — (Sens passif). *Les recherches, les soupçons s'orientent du côté des familiers de la victime.* ⇒ **Porter** (se).

6 Son avis très net avait induit les compatriotes de l'ambassadeur à s'orienter vers un arrangement amiable.
                                        J. ROMAINS, le Besoin de voir clair, « Carnet personnel d'Antonelli », VII.

♦ **2.** (Sujet n. de personne). Absolt. Déterminer la position que l'on occupe par rapport aux points cardinaux, et, par ext., par rapport à des repères quelconques. *Chercher à s'orienter. Il ne sait pas s'orienter. S'orienter parmi des groupes* (→ Familiariser, cit. 10).

7 Ce qui l'empêchait alors de s'orienter, c'était un brouillard qui s'élevait avec la nuit, un de ces brouillards des soirs d'automne (...)
                                        G. SAND, la Mare au diable, VII.

8 (...) Séverine avait refermé la porte, dans les ténèbres lourdes de la pièce (...) Un instant, l'obscurité lui parut complète (...) Puis, ses yeux s'habituant (...) Déjà, elle s'orientait, cherchait sur le buffet les allumettes, dans un coin où elle se souvenait de les avoir vues.   ZOLA, la Bête humaine, VIII.

9 Quand je sortis du trou, tout le plateau baignait dans un demi-jour suffisant pour m'orienter. J'entendis chanter un oiseau, peut-être une grive, au moment où j'arrivai sur la crête. Dès que j'y fus, je regardai en bas.
                                        H. BOSCO, le Sanglier, p. 147.

Fig. *S'orienter à travers un dédale d'hypothèses, de théories, à travers un chassé-croisé* (cit. 2) *de conversations.* ⇒ **Reconnaître** (se).

10 Ceux qui, sans être des savants, veulent se lancer et s'orienter dans cette vaste lecture des Œuvres de Buffon, ne sauraient prendre un guide plus sûr, un indicateur plus précis et plus net que M. Flourens (...)
                                        SAINTE-BEUVE, Causeries du lundi, 21 juil. 1851.

11 En fait, sa pensée commençait à s'orienter, non sans faux pas, non sans hésitations.
                                        G. DUHAMEL, le Voyage de P. Périot, I.

▶ **ORIENTÉ, ÉE** p. p. et adj. (1485).

♦ **1.** Disposé d'une certaine manière par rapport aux points cardinaux. *Appartement bien, mal orienté.*

12 Derrière ses volets il faut garder blanc le teint des belles brunes, et glaciales les vastes chambres orientées à l'est (...)   COLETTE, Belles saisons, p. 32.

♦ **2.** Math. Où l'on a choisi un sens positif (noté par une flèche). *Droite orientée.* — *Contour orienté. Plan orienté* (par un sens de rotation). — *Espace orienté* (par un mouvement hélicoïdal positif).

♦ **3.** Fig. Qui a une tendance doctrinale marquée. *Un ouvrage orienté. Son article se veut neutre, mais il est assez orienté à droite, à gauche.*

CONTR. Dépayser, dépister, égarer.
DÉR. Orientable, orientation, orientement, orienteur.
COMP. Désorienter.

ORIENTEUR, EUSE [ɔʀjɑ̃tœʀ, øz] adj. et n. — 1836 ; de *orienter*.

★ **I.** Adj. Qui a rapport à l'orientation ; qui fournit, donne l'orientation. *Appareil orienteur.*

★ **II.** N. ♦ **1.** N. m. Techn. Appareil servant à déterminer l'orientation d'un lieu.

♦ **2.** N. m. Milit. Celui qui jalonne l'itinéraire d'une colonne en marche. — Par oppos. *Officier orienteur.*

♦ **3.** N. m. et f. Psychol. *Orienteur, orienteuse professionnel(le)*, ou *orienteur(-euse)* : personne qui s'occupe d'orientation scolaire ou professionnelle.
REM. 1. *Orientrice* [ɔʀjɑ̃tʀis] tombe en désuétude. Le féminin usuel est *orienteuse*, mais on préfère souvent la périphrase : *conseillère d'orientation professionnelle.*
2. Dans ce dernier sens, on trouve parfois *orientateur, trice* [ɔʀjɑ̃tatœʀ, tʀis] surtout en milieu scolaire.

COMP. Orienteur-marqueur.

ORIENTEUR-MARQUEUR [ɔʀjɑ̃tœʀmaʀkœʀ] n. m. — V. 1975 ; de *orienteur*, et *marqueur*.

♦ Techn. (Milit.). Parachutiste sautant en éclaireur pour disposer sur le terrain les instruments qui guideront les aéronefs transportant la troupe aéroportée.

ORIFICE [ɔʀifis] n. m. — Attestation isolée, 1304, *orefice* ; 1636 ; du lat. *orificium*, dér. de *os, oris* « bouche ».

♦ **1.** Ouverture qui fait communiquer une cavité (naturelle ou artificielle) avec l'extérieur. ⇒ **Ouverture**. *Orifice d'une caverne, d'un puits, d'un souterrain, d'un trou* (→ Déblayer, cit. 2). *Bords d'un orifice.* — *Orifice d'un entonnoir* (⇒ **Évasure**), *d'un tuyau, d'une cornue. — Orifice d'un four* (→ Luter, cit. 1). *Orifice d'admission, d'échappement des gaz dans un moteur à explosion. Orifice d'écoulement du trop-plein dans un lavabo.* — *Boucher, fermer, élargir, agrandir un orifice.*

1 (...) nous arrangeâmes quelques broussailles au-dessus de l'ouverture dont j'ai parlé, celle à travers laquelle nous avions aperçu un morceau de ciel bleu (...) Nous ne laissâmes qu'un très petit orifice, juste assez large pour nous permettre de surveiller la baie, sans courir le risque d'être aperçus d'en bas.
                                        BAUDELAIRE, Trad. E. POE, les Aventure d'A. Gordon Pym, XXII.

♦ **2.** Anat. Ouverture relativement étroite servant d'entrée ou d'issue à certains organes en les faisant communiquer. *Orifice des glandes à sécrétion interne ou externe.* ⇒ **Pore**. *Orifice d'un canal.* ⇒ **Méat**. *La pupille, orifice central de l'iris* (→ Chambre, cit. 15). *La bouche et l'anus, orifices de l'appareil digestif* (cit. 1). *Le cardia et le pylore, orifices de l'estomac. Orifices auriculo* (cit.)*-ventriculaires du cœur. Orifice mitral, tricuspide.* — *L'orifice d'une blessure* (→ Garrot, cit. 1).

2 Le plan suivant lequel l'organisme tout entier se dispose en arrière de l'orifice alimentaire existe chez les Protozoaires les plus mobiles et, sauf chez les Spongiaires et Coelentérés, constitue le plan normal des animaux.
                                        A. LEROI-GOURHAN, le Geste et la Parole, t. I, p. 33.

ORIFLAMME [ɔʀiflam] n. f. — XIVᵉ ; *orie flambe*, 1080, *Chanson de Roland* ; de l'anc. franç. *orie* « doré », du lat. *aureus*, et de *flamme* ; *oriflamme* au XIVᵉ, proprt « flamme d'or ».

♦ **1.** Archéol. Petit étendard, ancienne bannière des rois de France. ⇒ **Drapeau, gonfalon.**

1 Il n'est pas jusqu'à l'oriflamme de Charles *(Charlemagne)* qui ne porte un nom éclatant, puisqu'elle s'appelle Romaine.　　G. DUHAMEL, Refuges de la lecture, II.

♦ **2.** Mod. Drapeau, bannière d'apparat, ou utilisé(e) comme ornement. *Oriflammes d'une église, d'un édifice pavoisé. Oriflammes qui claquent* (→ Gloire, cit. 31).

2 (...) des oriflammes aux couleurs du royaume, que le vent desséchant fait claquer dans l'air.　　LOTI, l'Inde (sans les Anglais), V, IX.

ORIGAN [ɔʀigɑ̃] n. m. — XIIIe; lat. *origanum.*

♦ Plante aromatique *(Labiées),* voisine des menthes. *Origan commun* ou *marjolaine sauvage. Essence d'origan entrant dans la composition de vulnéraires, d'infusions aromatiques.* — Aromate tiré de cette plante. *Un poulet à l'origan.*

(...) cette liqueur jaune dont je savais qu'en plus de l'origan elle portait le suc des plus délicieuses plantes des collines.　　H. BOSCO, Antonin, p. 50.

ORIGINAIRE [ɔʀiʒinɛʀ] adj. — 1365; bas lat. *originarius,* du lat. class. *origo, inis.* → Origine.

♦ **1.** Qui tire son origine (d'un pays, d'un lieu). *Les personnes originaires d'un pays.* ⇒ **Aborigène, autochtone, natif, naturel.** *Famille, branche* (cit. 7) *originaire de France. Hommes, animaux, plantes originaires d'un pays.* ⇒ **Indigène.** *La fondue* (cit. 3) *est originaire de la Suisse, la bouillabaisse de la côte méditerranéenne.* ⇒ **Venir** (de). — Par ext. « *Le système des idées originaires des sens* » (Condillac) : le sensualisme.

1 L'insecte précieux qui produit la soie est originaire de la Chine; c'est de là qu'il passa en Perse assez tard, avec l'art de faire des étoffes du duvet qui le couvre (...)　　VOLTAIRE, Essai sur les mœurs, I.

2 La famille de ma mère était originaire du Beauvaisis.

G. DUHAMEL, Salavin, VI, I.

♦ **2.** Qui est à l'origine (d'une chose). *Dieu, cause* (cit. 4) *originaire de tous les êtres.* ⇒ **Premier.** *La nation* (cit. 4) *est le titulaire originaire de la souveraineté.*

♦ **3.** Qui apparaît à l'origine, qui date de l'origine. ⇒ **Originel, primitif** (→ Efficacité, cit. 5). *État intermédiaire* (cit. 1) *entre l'esclavage et la liberté originaire. Tare, vice originaire.* ⇒ **Inné.**

3 (...) ce n'est pas une légère entreprise de démêler ce qu'il y a d'originaire et d'artificiel dans la nature actuelle de l'homme (...)
ROUSSEAU, De l'inégalité parmi les hommes, Préface.

♦ **4.** (Dr.) *Demande, demandeur originaire.* ⇒ **Principal** (→ Disjonction, cit.).

CONTR. Étranger. — Postérieur, second, subséquent, ultérieur.
DÉR. Originairement.

ORIGINAIREMENT [ɔʀiʒinɛʀmɑ̃] adv. — 1532; de *originaire.*

♦ **1.** Primitivement et du fait de son origine. *Un homme originairement noble* (→ Déroger, cit. 4). *L'homme* (cit. 74) *n'est pas originairement fait pour vivre seul. Mot signifiant originairement telle chose.* ⇒ **Étymologiquement** (→ Despotique, cit. 4; grâce, cit. 62).

♦ **2.** À l'origine. ⇒ **Originellement, primitivement; abord** (tout d'abord). → Fin, cit. 36; formule, cit. 14; morgue, cit. 5.

Qui peut concevoir que certains abbés (...) soient originairement et dans l'étymologie de leur nom les pères et les chefs de saints moines (...)?
LA BRUYÈRE, les Caractères, XIV, 16.

1. ORIGINAL, AUX [ɔʀiʒinal, o] n. m. — 1269; de l'adj. lat. *originalis.* → 2. Original, de *origo, inis.* → Origine.

♦ **1.** Ouvrage humain dont il est fait des reproductions.

ⓐ Rédaction primitive (d'un document, d'un écrit...). ⇒ **Minute.** *Original copié en plusieurs exemplaires* (cit. 6). *On avait fait des exemplaires authentiques* (cit. 6) *de l'original de la Loi de Moïse. Collation* (cit. 1) *des originaux.* ⇒ **Collationner.** *Ne pas respecter le texte des originaux* (→ Interpoler, cit. 3). — Dr. Par oppos. à *copie* (cit. 3 et 4). *Copie, texte conforme à l'original.* ⇒ **Authentique.**

1 (...) cette lettre, à laquelle il était impossible de rien ajouter, dont il ne fallait rien retrancher, si ce n'est la lettre même, mais qu'il a été nécessaire de ponctuer en la donnant. Il n'existe dans l'original ni virgule, ni repos indiqué, ni même de points d'exclamation (...)　　BALZAC, Ferragus, Pl., t. V, p. 41.

ⓑ Texte dans la langue où il a été écrit par l'auteur. *Traduction qui s'éloigne de l'original, qui fait sentir toute la force de l'original* (→ Beauté, cit. 7; docte, cit. 4). *La version de la Bible composée par saint Jérôme sur l'original hébreu* (cit. 8).

ⓒ Œuvre d'art authentique, de la main de l'auteur, antérieure à toute copie. ⇒ **Prototype.** *L'original de cette statue est au Louvre.*

2 (...) je t'avouerai que je n'y entends rien du tout; que je serais bien embarrassé de distinguer une école d'une autre; qu'on me donnerait un Boucher pour un Rubens ou pour un Raphaël; que je prendrais une mauvaise copie pour un sublime original (...)　　DIDEROT, Jacques le fataliste, Œ. roman., p. 663.

♦ **2.** (D'après la doctrine classique de l'art, voué à l'imitation de la nature). Personne réelle, objet naturel représentés par l'art, dépeints par la littérature. ⇒ **Modèle** (→ Copier, cit. 3). *Dessiner, crayonner* (cit. 1) *en ayant l'original sous les yeux. Ressemblance du portrait avec l'original* (→ Flatter, cit. 43; linéament, cit. 1).

3 Dans cette vivante peinture,
L'art le dispute à la nature,
La copie à l'original.　　CORNEILLE, Poésies diverses, 7.

4 Quelle vanité que la peinture, qui attire l'admiration par la ressemblance des choses dont on n'admire point les originaux!　　PASCAL, Pensées, II, 134.

5 Le détail de cette Mme de Montmaur, original de Mme de Merteuil, est peut-être déplacé ici (...)　　STENDHAL, Vie de Henry Brulard, 39.

♦ **3.** Vx. Idéal, modèle parfait digne d'être imité (en parlant de personnes ou de choses). ⇒ **Archétype, type** (→ Copie, cit. 12). « *Job est un original de patience* » (Richelet, 1680). — Vx. *Un original sans copie :* un modèle inimitable.

6 *(Le duc de Saint-Aignan)* était (...) unique en son espèce, et un grand original sans copie.　　Mme DE SÉVIGNÉ, 1025, 17 juin 1687.

♦ **4.** (Av. 1648, Voiture). Loc. Vx. *D'original :* de bonne source, de première main.

CONTR. Copie, double, expédition. — Calque, imitation, réplique, reproduction, traduction.

2. ORIGINAL, ALE, AUX [ɔʀiʒinal, o] adj. — V. 1240; lat. impérial *originalis* « qui existe dès l'origine », de *origo, inis.* → Origine.

♦ **1.** Vx. ou littér. Primitif. ⇒ **Originaire** (2.), **originel.** « *Cette sainteté originale et exemplaire qui est Dieu* » (→ Émanation, cit. 6, Bourdaloue). *L'homme original s'est évanoui par degrés* (→ Artificiel, cit. 5, Rousseau; globe, cit. 7, Baudelaire).

1 Tout mot qui fait un long usage prend des acceptions nouvelles, plus ou moins distinctes de l'acception originale (...)　　G. DUHAMEL, Défense des lettres, II, IX.

♦ **2.** Qui, émanant directement de l'auteur, est l'origine et la source première des reproductions que l'on en fait. *Acte, titre original. Pièces originales, documents originaux* (→ Cunéiforme, cit. 1; histoire, cit. 7). *Factures* (2. Facture, cit.) *originales. Passages originaux sur lesquels s'appuie l'historien* (→ Main, cit. 71). *Texte original d'une lettre* (→ Fréquence, cit. 3). *Manuscrit original d'une œuvre grecque ancienne. Copie originale,* faite directement sur l'original et non sur une autre copie (→ Fonds, cit. 11). *Gravures exécutées d'après des dessins originaux de l'artiste* (→ Gagner, cit. 19). *Gravures originales,* exécutées par l'artiste lui-même. *Ouvrage illustré de lithographies originales en couleurs.* — *Édition* (cit. 4) *originale :* première édition en librairie d'un texte inédit (→ Hollande, cit.). *Édition originale clandestine, non avouée par l'auteur,* contestée par les bibliophiles... *Éditions originales belges de romans de Balzac* (dites *préoriginales*). *Édition en partie originale* (ex. : l'édition de 1588 des « Essais »).

2 (...) des trois paragraphes que j'y trouve de plus que dans le manuscrit dont je suis le possesseur, le premier et le dernier me paraissent originaux, et celui du milieu évidemment interpolé.　　DIDEROT, Jacques le fataliste, Pl., p. 738.

2.1 Pour les exemplaires eux-mêmes des livres, j'eusse été, d'ailleurs, capable de m'y intéresser, dans une acception vivante. La première édition d'un ouvrage m'eût été plus précieuse que les autres, mais j'aurais entendu par elle l'édition où je le lus pour la première fois. Je rechercherais les éditions originales, je veux dire celles où j'eus de ce livre une impression originale. Car les impressions suivantes ne le sont plus.　　PROUST, le Temps retrouvé, Pl., t. III, p. 887.

N. f. Édition originale. *L'originale des « Liaisons dangereuses ». Vente d'originales modernes.*

3 (...) passer chez le libraire pour retenir quelques originales.
J. ROMAINS, les Hommes de bonne volonté, t. XIX, I, p. 16.

♦ **3.** Qui paraît ne dériver de rien d'antérieur et constituer un commencement, une nouveauté; qui ne ressemble à rien d'autre, est unique. ⇒ **Hardi, inédit, neuf, nouveau, personnel.** *Des esprits créateurs* (cit. 11) *qui ont des vues, des pensées originales. Le caractère original et inimitable de Corneille en ses meilleurs endroits* (→ Égaler, cit. 3). *Une élaboration* (cit. 2) *originale et non une compilation. Une observation moins originale et moins neuve* (→ Fouiller, cit. 10). *Une morale peu originale* (→ Évangélique, cit.). *Expressions originales et heureuses. Bâtiment d'un goût tout à fait original* (→ Mirador, cit. 1). *Saillie, boutade originale. Comparaison originale qui à la longue se banalise* (cit. 2). *Rien de caractéristique* (cit. 8) *ni d'original.* ⇒ **Typique.** « *À mesure que l'on a plus d'esprit* (cit. 133) *l'on trouve plus de beautés originales*. » *Des tons communs et d'autres originaux* (→ Gai, cit. 9). — *Des entités géographiques originales* (→ Particulier, spécial → Industriel, cit. 2).

4 Les *saynètes,* autrefois si gais, si originaux *(sic),* d'une si haute saveur locale, ne sont plus que des imitations empruntées au répertoire du théâtre des Variétés.
Th. GAUTIER, Voyage en Espagne, p. 222.

5 Il s'était tant de fois entendu dire ces choses, qu'elles n'avaient pour lui rien d'original.　　FLAUBERT, Mme Bovary, II, XII.

(1657, Tallemant des Réaux, in D.D.L.). Personnes. *Hommes, esprits originaux* (→ Différence, cit. 13; entreprenant, cit. 1). *Personnalité, figure haute* (cit. 47) *et originale. Auteur, talent, artiste original* (→ Esthétique, cit. 3; genre, cit. 36; imitateur, cit. 4; lieu, cit. 57). « *Être original, c'est être soi* » (→ Originalité, cit. 5).

6 Si vous demandiez (...) s'il est auteur ou plagiaire, original ou copiste (...)
LA BRUYÈRE, les Caractères, VIII, 61.

7 Mon plus grand défaut était l'imitation de tout ce qui me frappait, non pas par sa beauté, mais par son étrangeté, et, ne voulant pas m'avouer imitateur, je me perdais dans l'exagération, afin de paraître *original*.
A. DE MUSSET, la Confession d'un enfant du siècle, II, IV.

8 Elle se promettait (...) quelque plaisir à voyager avec un homme de génie, un si *original*, d'une laideur pittoresque, d'une folie amusante, vieil enfant perdu, plein de vices sincères et d'innocence.
FRANCE, le Lys rouge, VII.

9 Nous disons qu'un auteur est *original* quand nous sommes dans l'ignorance des transformations cachées qui changèrent les autres en lui (...)
VALÉRY, Variété II, p. 197.

10 Il *(Jules Renard)* est hanté par le désir d'être original et par la crainte de n'y point parvenir. Faute d'avoir choisi une nouvelle *manière de voir*, il cherche partout et en vain des spectacles neufs.
SARTRE, Situations I, p. 300.

♦ **4.** (Personnes). En mauvaise part, du fait de l'hostilité de l'opinion commune contre la nouveauté, la singularité. Marqué de caractères nouveaux et singuliers au point de paraître bizarre et peu normal. ⇒ **Bizarre, cocasse, curieux, drolatique, drôle, étonnant, étrange, excentrique, fantasque, farfelu, particulier, pittoresque, singulier, spécial.** *Un homme original* (→ Bizarrerie, cit. 5). *Il est assez original, mais pas du tout marginal*.*

N. (L'emploi subst. peut dériver d'un autre sens → 1. Original, 3. : *un original sans copie*). *C'est un original, un vieil original.* ⇒ **Fantaisiste, numéro, olibrius, phénomène, type.** *Quelle originale! elle ne fait rien comme tout le monde* (→ Bec, cit. 4; exact, cit. 10; mutisme, cit. 1). *Une bande d'originaux.*

11 Je n'estime pas ces originaux-là (...) Ils m'arrêtent une fois l'an, quand je les rencontre, parce que leur caractère tranche avec celui des autres, et qu'ils rompent cette fastidieuse uniformité que notre éducation, nos conventions de société, nos bienséances d'usage ont introduite. DIDEROT, le Neveu de Rameau, Pl., p. 426.

12 Depuis longtemps, elle était soupçonnée d'être au fond, malgré les apparences, une *fille originale*. En province il n'est pas permis d'être original : c'est avoir des idées incomprises par les autres, et l'on y veut l'égalité de l'esprit aussi bien que l'égalité des mœurs. BALZAC, la Vieille Fille, Pl., t. IV, p. 261.

13 Il n'y a qu'en France que le mot *original,* appliqué à un individu, soit presque injurieux. Th. GAUTHIER, les Grotesques, X, p. 351.

14 (...) un original grand seigneur, amoureux du cheval, et qui avait, un moment, tenu un cirque dans son palais, où pendant longtemps il avait forcé sa femme, ses filles, ses domestiques, à faire de la voltige (...)
Ed. DE GONCOURT, les Frères Zemganno, LIII.

15 Il ne savait pas encore que rien n'est plus assommant qu'un homme qui déraisonne, et que l'originalité est encore plus chez ceux qu'on nomme, bien à tort, des «originaux», que dans le reste du troupeau. Car ces «originaux» sont de simples maniaques, dont la pensée est réduite à des mouvements d'horlogerie.
R. ROLLAND, Jean-Christophe, La révolte, II, p. 446.

(Actions, comportement). ⇒ **Curieux.** *On peut dire qu'il a des habitudes originales!*

CONTR. **Artificiel, contrefait, imité, reproduit. — Banal, classique, commun, conformiste, éculé, habituel, imitateur, impersonnel, vulgaire.**

DÉR. Originalement, originalité.

ORIGINALEMENT [ɔʀiʒinalmɑ̃] adv. — XIVe, au sens de «primitivement» (→ Originellement); de 2. *original.*

♦ Rare. D'une manière originale (au sens 3 et 4).

ORIGINALITÉ [ɔʀiʒinalite] n. f. — 1699; «lignage», 1380; de 2. *original.*

♦ **1.** Caractère de ce qui est original, d'une personne, d'une action originale (3.). ⇒ **Fantaisie, fraîcheur, hardiesse, nouveauté.** *Une création d'une extraordinaire originalité* (→ Épauler, cit. 4). *L'originalité du langage harmonique* (cit. 2) *de Debussy. Originalité et élégance d'une toilette.* ⇒ **Chic.** *Respecter l'originalité de quelqu'un.* ⇒ **Individualité** (→ Asservir, cit. 22). *L'originalité d'un écrivain, d'un artiste* (→ Affirmer, cit. 10; exclusivement, cit. 2; flou, cit. 3; multiple, cit. 3). *Originalité profonde, apparente, superficielle. — Ce qui fait l'originalité d'une époque* (→ Fédération, cit. 5; hellénistique, cit. 4; humiliation, cit. 14). — Absolt. *Rechercher, refuser l'originalité* (→ Fondre, cit. 8; gagner, cit. 15; imitation, cit. 18; invention, cit. 10). *Des êtres sans originalité, incapables d'originalité* (→ Estimable, cit. 3; fantaisiste, cit. 2). ⇒ **Personnalité.** *Œuvre pleine d'originalité.* ⇒ **Cachet.**

1 En Angleterre, on permet l'originalité aux individus, tant la masse est bien réglée! En France, il semble que l'esprit d'imitation soit comme un lien social, et que tout serait en désordre si ce lien ne suppléait pas à l'instabilité des institutions.
Mme DE STAËL, De l'Allemagne, I, XI.

2 En littérature, on commence à chercher originalité laborieusement chez les autres, et très loin de soi (...) plus tard on la trouve naturellement en soi (...) et tout près de soi. Ed. et J. DE GONCOURT, Journal, t. II, p. 149.

Spécialt. Caractère unique (sans connotations évaluatives ou sociales).

3 (...) l'histoire de chaque individu est aussi unique que la nature et l'arrangement des gènes de l'œuf dont il provient. L'originalité de l'être humain dépend donc à la fois de l'hérédité et du développement.
Alexis CARREL, l'Homme, cet inconnu, VII, V.

Volonté de se distinguer. *La crise d'originalité d'un adolescent.* (→ 2. Original, 4.). ⇒ **Bizarrerie, étrangeté, excentricité, singularité.** *Se faire remarquer par l'originalité de ses manières.*

♦ **2.** (Une, des originalités). Élément original (→ 2. Original 3. et 4.). *C'est une des originalités de ce modèle.* — Manifestation originale. ⇒ **Excentricité.**

(...) il se laissait aller à des mouvements d'impatience, à des abattements, à ces mélancolies sans raison apparente, à ces changements d'humeur, fruits du tempérament nerveux des poètes. Ces originalités (le mot de la province) engendrées par l'inquiétude que lui causaient ses torts, (...) furent soigneusement remarquées (...) et devinrent le sujet de plus d'une causerie (...)
BALZAC, Modeste Mignon, Pl., t. I, p. 543. 4

(...) lorsque j'ai écrit en courant, dans l'article sur Schwob, le passage où il y a le mot originalité, je voulais dire cette originalité qu'il y avait cependant une originalité chez Schwob, qu'elle existe dans ses livres, et la plus belle peut-être des originalités, celle de l'intelligence. Et voilà encore que je déforme le sens du mot, qui n'est pas *rare, curieux,* mais bien : *personnel.* Pour tout dire, être original, c'est être soi. Paul LÉAUTAUD, Journal littéraire, t. I, p. 165. 5

CONTR. **Banalité, classicisme, cliché, conformisme, conformité, imitation, impersonnalité, lieu** (commun).

ORIGINE [ɔʀiʒin] n. f. — XVe; réfection *orine* 1138; du lat. *originem,* accusatif de *origo, inis,* de *oriri* «se lever, naître».

★ **I.** ♦ **1.** Ancêtres ou milieu humain auquel remonte la généalogie* d'un individu, d'un groupe (que l'on considère la race* ou la nationalité*). ⇒ **Ascendance, extraction, famille, filiation, parenté, souche, tronc.** *Origine ancienne, attestée par la généalogie.* ⇒ **Ancienneté.** *L'origine de sa famille remonte* aux croisades.* *Tirer son origine d'un ancien baron* (cit. 2). ⇒ **Descendre.** *De noble, de modeste, de basse origine.* ⇒ **Descendance, étage** (vx), **lieu** (vx). → Arriver, cit. 67; humilier, cit. 21. *Les origines populaires de quelqu'un. Tenir quelque chose de son origine, garder la marque, l'empreinte de ses origines.* → le prov. *La caque* sent toujours le hareng. Assemblée homogène* (cit. 3) *composée d'hommes de même origine. Communauté d'origine. Complexité d'origine* (→ Double, cit. 6). *Il est d'origine française, irlandaise... L'origine européenne des habitants des États-Unis* (→ Angliciser, cit. 1). *Nationalité d'origine* (→ Français, cit. 4). *Son pays d'origine* (→ Immigrer, cit.; isolationnisme, cit.). ⇒ **Terroir.** *Être* de Normandie, d'origine normande.* ⇒ **1. De.** *Garder sa complexion ethnique et son tempérament d'origine* (→ Internationaliste, cit. 1). *Une population présumée de la même origine.* ⇒ **Nation** (1.; vieilli); → Nationalité, cit. 3. *Les villes latines* (cit. 1) *avaient une origine commune avec les Romains. —* (En parlant d'animaux). ⇒ **Pedigree.**

Vous ne savez encor de quel père il est né, 1
Quel est son rang, tout est examiné.
À d'illustres parents s'il doit son origine,
La splendeur de son sort doit hâter sa ruine. RACINE, Athalie, II, 6.

Deux chats qui descendaient du fameux Rodilard, 2
Et dignes tous les deux de leur noble origine (...) FLORIAN, Fables, II, 9.

L'Héloïse du XIIe siècle était une pauvre orpheline, d'origine incertaine, mais de 3
naissance cléricale et monastique. MICHELET, Hist. de France, IV, IV.

Il n'y a pas en France dix familles qui puissent fournir la preuve d'une origine franque, et encore une telle preuve serait-elle essentiellement défectueuse, par suite de mille croisements inconnus qui peuvent déranger tous les systèmes des généalogistes. RENAN, Discours et conférences, Œ. compl., t. I, p. 892. 4

On sentait son origine paysanne, assez basse, à ses vêtements. 5
ARAGON, les Beaux Quartiers, II, XV.

♦ **2.** Temps, milieu d'où vient (une chose). *Origine populaire d'une légende* (→ Exergue, cit. 3). *Messianisme d'origine chrétienne et bourgeoise.* (→ Issu, cit. 3). *Les origines grecques de la gnose* (→ Judaïque, cit.). *La jota* (cit. 2) *est d'origine basque. — Origine des mots, des formes de la langue.* ⇒ **Étymologie** (cit. 2 et 4); **dérivation.** *L'origine des mots ahurir* (cit. 2), *avérer* (cit. 11), *caprice* (cit. 11), *désormais* (cit. 3), *discursif* (cit. 3), *ironie* (cit. 3). *Origine et descendance d'un mot* (→ Filiation, cit. 3; monographie, cit. 2). *Mots d'origine savante, populaire...* ⇒ **Dérivation.** *Mots d'origine grecque, latine, germanique, française...* (→ H, cit. 4 et 6; maint, cit. 1). ⇒ **Issu; tirer** (être tiré de...), **venir.**

Les noms des rivières, noms très anciens dont nous ignorons l'origine, seraient dans 6
ce cas des noms ligures. Ce ne sont que des conjectures.
Ch. SEIGNOBOS, Hist. sincère de la nation franç., p. 11.

♦ **3.** (Spatial). Point de départ de ce qui est envoyé. ⇒ **Provenance.** *L'origine d'un message, d'un appel téléphonique.* Spécialt. Comm. *Certifier l'origine d'un produit* (→ Label, cit. 1), l'endroit, l'entreprise où il est fabriqué, d'où il est expédié. *Certificat* d'origine. Appellation** (cit. 3) *d'origine. Marchandise* d'origine.*

♦ **4.** Sc. nat. Point d'où part, où commence un organe. ⇒ **Départ** (point de). *Nerfs ayant leur origine dans la moelle* (cit. 8) *épinière, dans la région du bulbe* (cit. 2).

Géom. Point à partir duquel on compte les coordonnées. — Astron. Point à partir duquel on compte la latitude et l'ascension droite. *Méridien* d'origine,* à partir duquel on évalue la longitude.

★ **II.** ♦ **1.** Commencement*, première apparition ou manifestation. ⇒ **Création, naissance.** *L'origine d'une chose, d'un être, du soleil, de la Terre. À l'origine du monde* (→ Mythe, cit. 2), *des choses* (→ Fixiste, cit. 1), *des sociétés* (→ Approprier, cit. 5). *— Depuis l'origine des choses* (→ Architecture, cit. 2), *du monde* (→ Dérouler, cit. 5), *des temps* (→ Infatigablement, cit.). ⇒ **Commencement. — Considérer l'homme dès son origine** (→ Embryon, cit. 4). *Dès l'origine du christianisme* (→ Hérésie, cit. 2), *de la médecine* (cit. 1). *— La géométrie* (cit. 2), *imparfaite dans son origine.* ⇒ **Berceau; aurore, enfance, nid.** *— Traditions fabuleuses* (cit. 4) *qui font remonter* l'origine de l'Université au temps* *de Charlemagne. À partir d'une origine vers une fin* (→ Gagner, cit. 29).

À L'ORIGINE (→ Assujettir, cit. 9 ; genre, cit. 23 ; hindouiste, cit. 2 ; judaïsme, cit.). ⇒ **Début.** — DÈS L'ORIGINE (→ Fraternel, cit. 1 ; guérir, cit. 25 ; hiéroglyphe, cit. 2 ; jeu, cit. 85 ; 2. mal, cit. 13). — *Depuis l'origine de...* — Vx. *Dans l'origine* (→ Métier, cit. 3).

7 Les vacances, créées à l'origine pour la magistrature (le mot désigne le temps où le tribunal « vaque »)...
Ch. SEIGNOBOS, *Hist. sincère de la nation franç.*, p. 270.

8 (...) Mme de Fontanin, avec sa bible, dans ce vieux fauteuil de velours vert éternellement tourné de biais pour mieux recevoir le jour de la fenêtre, lui semblait assise là depuis l'origine des temps (...)
MARTIN DU GARD, *les Thibault*, t. VIII, p. 48.

... D'ORIGINE. *Destination* (cit. 1), *habitat* (cit. 2) *d'origine,* originels, primitifs. — Spécialt. Qui provient authentiquement du lieu, de l'époque prétendue. *De la vodka russe d'origine. Vermouth italien d'origine.*

8.1 Ces yeux se posèrent avec fierté sur la haute cheminée qui, elle, était *d'origine.* Une vraie pièce de musée, dans la robuste simplicité de ses pierres blanches.
H. TROYAT, *les Eygletières*, p. 7.

(Au pluriel). Commencements, formes anciennes d'une réalité qui se modifie. *La connaissance des origines de la race aryenne* (cit. 1). *Depuis les origines de la vie jusqu'aujourd'hui* (cit. 29). *Les origines d'une langue* (→ Grammaire, cit. 9). *Les origines du grotesque* (cit. 18). *La technique des icones* (cit. 2) *n'a guère varié depuis les origines. Percer les origines de l'esprit humain* (→ Immiscer, cit. 3).

9 Une histoire des *Origines du Christianisme* devrait embrasser toute la période obscure (...) qui s'étend depuis les premiers commencements de cette religion jusqu'au moment où son existence devient un fait public, notoire, évident aux yeux de tous.
RENAN, *Vie de Jésus*, Introd., Œ compl., t. IV, p. 41.

♦ **2.** Ce qui explique l'apparition ou la formation* (d'un fait nouveau, ou d'une réalité nouvelle).

10 Origine ne peut se dire que d'un commencement dans le temps, d'un premier fait : dans le problème dit de l'*origine des idées*, il ne saurait s'appliquer au rapport des formes *a priori* à la matière qu'elles organisent, puisqu'il n'y a pas passage, dans le temps, de celles-là à celle-ci ; dans le problème dit de l'*origine du mal*, il ne convient qu'à une première faute, comme serait une chute angélique ou humaine : une raison métaphysique, comme « l'imperfection naturelle des créatures », ne doit pas être appelée de ce nom. Dans l'un et l'autre cas il faut dire *principe.*
J. LACHELIER, in A. LALANDE, *Voc. de la philosophie.*

11 L'étude que nous entreprenons est donc une manière de reprendre (...) le vieux problème de l'*origine des religions*. Certes si par origine on entend un premier commencement absolu, la question n'a rien de scientifique et doit être écartée (...) Tout autre est le problème que nous nous posons. Ce que nous voudrions, c'est trouver un moyen de discerner les causes, *toujours présentes*, dont dépendent les formes *les plus essentielles* de la pensée et de la pratique religieuse. Or ces causes sont d'autant plus facilement observables dans les sociétés où on les observe *sont moins compliquées*. Voilà pourquoi nous cherchons à nous rapprocher des origines.
É. DURKHEIM, *les Formes élémentaires de la vie religieuse*, p. 11.

a En parlant d'une origine que l'on peut situer ou concevoir dans le temps (l'idée de causalité étant présente mais non essentielle). ⇒ **Embryon, germe, noyau, racine, source.** *L'origine d'une institution* (→ Bénéfice, cit. 6 ; charte, cit. 2 ; forme, cit. 38), *d'une coutume, d'un usage, d'une révolution* (→ Fronde, cit. 2) *L'origine d'une fortune, d'embarras* (cit. 10) *financiers.*
À L'ORIGINE DE... *Des conflits affectifs sont à l'origine de certaines névroses* (→ Hystérique, cit. 3). ⇒ **Déterminer.** *Trouver un choix à l'origine d'une vocation* (→ Indifférencié, cit. 2). *Ces livres sont à l'origine de toute une littérature* (→ Exotisme, cit. 3). — *Problème de l'origine de la vie* (→ Fonctionnement, cit. 1), *du langage* (→ Linguiste, cit. 1), *des lettres* (cit. 3). — Au plur. *Les origines du christianisme* (cit. 8). — *Discours sur l'origine et les fondements de l'inégalité parmi les hommes,* œuvre de Rousseau. — Dr. *Origine de propriété*.

12 Ce diplôme fut à l'origine de sa définitive réussite.
CÉLINE, *Voyage au bout de la nuit*, p. 77.

b (En parlant de la cause du phénomène considéré et sans fixer un moment dans le temps). ⇒ **Base, cause, fondement, principe, raison** (d'être). *Dieu considéré comme l'origine du monde.* ⇒ **Créateur, créer.** *L'épargne* (cit. 9) *est l'origine du capital. Les gouvernements tirent leur origine de...* (→ Forme, cit. 38). *Une certaine curiosité est à l'origine de l'histoire* (cit. 3). ⇒ **Mère.** *Origine des idées religieuses, des religions* (→ Homme, cit. 58 et 59). *Problème de l'origine du mal* (→ ci-dessus, cit. 10). *Ce qui se raconte de miraculeux* (cit. 1) *a son origine dans l'imagination.* ⇒ **Découler, dériver, naître, partir, procéder, provenir, sortir, venir.** *Cette expression risque d'être à l'origine de confusions* (→ Industrie, cit. 10).

13 On ne tarit pas sur la discussion des lois, on répète religieusement le parlage des Assemblées. Mais les grands mouvements sociaux qui les décidèrent, ces lois, qui en furent l'origine, la raison, la nécessité, à peine une ligne sèche les rappelle au souvenir.
MICHELET, *Hist. de la Révolution franç.*, III, X.

14 Tant de légèreté cynique, d'indifférence monstrueuse de l'esprit à l'origine du plus grand combat spirituel ? Comme c'est triste de pouvoir même se poser la question ! -
J. ROMAINS, *les Hommes de bonne volonté*, t. III, II, p. 31.

(Avec un adjectif). *Les marionnettes* (cit. 2) *ont une origine pieuse,* ont leur origine dans la piété. *L'hypothèse de l'origine ignée du granite* (cit. 4). *Origine olfactive, auditive... de certains réflexes* (→ Hypophyse, cit.). *Psychose maniaque d'origine constitution-*

nelle (→ Manie, cit. 2). *Complications* (cit. 5) *nerveuses d'origine sexuelle.*

c ⇒ **Genèse ; génération.** — REM. *Genèse* s'oppose à *origine,* en tant que toute genèse suppose une réalité préexistante et un point de départ qui en est l'origine ; mais, en d'autres cas, *origine* s'entend en un sens relatif qui en fait un synonyme de *genèse ;* par ex. Darwin, « *Origin of species* » (Lalande). — *Problème de l'origine des espèces, de la diversité génétique* (cit. 1) *de l'espèce. L'origine, les origines de l'homme* (cit. 7 et 8 ; → Histoire, cit. 11). *L'origine de nos connaissances. L'origine d'une œuvre littéraire.*

CONTR. Fin, mort. — But, effet. — Destination.
DÉR. Originer (s').

ORIGINEL, ELLE [ɔRiʒinɛl] adj. — XIVe ; lat. *originalis.* → Original.

♦ Qui date de l'origine, qui vient de l'origine. ⇒ **Brut, initial, originaire** (2.), 2. **original** (1.), **premier, primitif.** *Les hommes sortent péniblement de la barbarie* (cit. 15) *originelle. L'état originel de l'homme* (cit. 80). *La présomption est notre maladie* (cit. 11) *naturelle et originelle.* ⇒ **Natif.** *Sens originel d'un mot, tour originel d'une locution* (→ Ascèse, cit. 5 ; fin, cit. 37). *Ceux qui n'ont pas de notre langue une connaissance intime et originelle* (→ Insensible, cit. 18). *Vice originel* (→ Mesure, cit. 18).

En France, les hommes les mieux doués, les plus capables n'acceptaient presque jamais de se détourner de leur carrière originelle, celle dans laquelle ils s'étaient distingués dès l'abord, pour se consacrer à la chose publique.
G. DUHAMEL, *Inventaire de l'abîme*, XII.

Théol. Du premier homme créé par Dieu (relig. chrét.). *Péché* originel. La justice, la grâce, l'innocence originelle, dans laquelle l'homme a été créé.*

CONTR. Artificiel (→ aussi les contr. de 2. **original**). — Secondaire.
DÉR. Originellement.

ORIGINELLEMENT [ɔRiʒinɛlmɑ̃] adv. — XIVe ; de *originel.*

♦ Dès l'origine, à l'origine. ⇒ **Primitivement ; nature** (de sa nature, par sa nature). *Ce que signifie étymologiquement* et originellement le mot ascétisme* (cit. 5). *L'humanité, originellement marquée par le péché. Contrat originellement vicié*.*

CONTR. Secondairement.

ORIGINER (S') [ɔRiʒine] v. pron. — V. 1968 ; de *origine.*

♦ Didact. Avoir son origine (en, dans qqch.). — P. p. adj. *Originé, originée.*

Originée en valeur (ce qui ne veut pas dire qu'elle en soit moins fondée), la théorie devient un objet intellectuel.
R. BARTHES, *Roland Barthes*, p. 18.

REM. On rencontre aussi des emplois transitifs, au sens de « donner pour origine à... ».

ORIGNAL, AUX [ɔRiɲal, o] n. m. — 1664, altér. de *orignac* (1605), du basque *oregnac,* pluriel de *oregna* « cerf », mot importé au Canada par des immigrants.

♦ Élan* du Canada. *Des orignaux.*

L'orignal a le mufle du chameau, le bois plat du daim, les jambes du cerf. Son poil est mêlé de gris, de blanc, de rouge et de noir ; sa course est rapide.
CHATEAUBRIAND, *Voyage en Amérique*, Hist. nat.

REM. On rencontre encore, assez rarement, la forme *orignac* [ɔRiɲak]. « *Les élans, les orignacs et les cerfs* » (*Sciences et Avenir*, mars 1981, p. 10).

ORILLON [ɔRijɔ̃] n. m. — XVIe ; dimin. d'*oreille.*

♦ **1.** Vx ou régional. Objet, partie d'instrument en forme de petites oreilles. ⇒ **Oreille** (II.). — *Orillons d'une écuelle,* permettant de la prendre, de la porter sans se brûler les mains.

♦ **2.** Fortif. *Orillons d'un bastion :* saillies de maçonnerie placées aux angles d'épaule d'un bastion. — On dit aussi *oreillon.*

ORIN [ɔRɛ̃] n. m. — 1483 ; du moy. néerl. *oorring* « boucle d'oreille », puis « anneau d'ancre de marine » ; cf. catalan *orri* (1340), port. *ourinque* (1416), etc. ; de *oor* « oreille », et *ring* « anneau ».

♦ Mar. Cordage reliant une ancre à la bouée qui permet d'en repérer l'emplacement. — Câble servant à maintenir une mine immergée entre deux eaux. *Mine à orin fixée à son crapaud. Soulever à l'aide d'un orin.* ⇒ **Oringuer.**

DÉR. Oringuer.

ORINGUER [ɔRɛ̃ge] v. tr. — 1836 ; déjà une fois au XVIIe, selon Wartburg ; de *orin*.*

♦ Techn. (Mar.). Soulever à l'aide d'un orin ; munir d'un orin. *Oringuer une ancre, une mine.*

ORIOL ou **ORIOLE** [ɔrjɔl] n. m. — 1874, *oriolie*; XIIᵉ, «loriot»; lat. *oriolus* «loriot». → Loriot.

♦ Oiseau de la famille du loriot (passereau de la famille des *Oriolidés*).

(...) un oriole à plumage noir et jaune dont le chant modulé donne l'illusion de la voix humaine (...)   Claude LÉVI-STRAUSS, Tristes tropiques, p. 323.
DÉR. Oriolidés.

ORIOLIDÉS [ɔrjɔlide] n. m. pl. — Déb. XXᵉ (1903, Larousse); de *oriol*, et *-idés*.

♦ Zool. Famille d'oiseaux passereaux dont le type est le loriot. — Sing. *Un oriolidé*.

ORIPEAU [ɔripo] n. m. — XIIᵉ, *oripel*; de l'anc. franç. *orie* «doré», et *peau*.

♦ **1.** Techn. Lame de cuivre ou de laiton très mince ayant l'éclat et l'apparence de l'or.

♦ **2.** Techn. ou littér. (vieilli). Étoffe, broderie ou ornement de faux or ou de faux argent. *Étoffe, vêtement d'oripeau, pailleté d'oripeau.* — Par métaphore. *Jeter l'oripeau mythologique* (→ Haillon, cit. 6).

1   (...) ce sont en ce royaume du clinquant, de l'oripeau, de la peinturlure des visages, de charmants et de bizarres jeux de lumière.
Ed. DE GONCOURT, les Frères Zemgganno, XLI.

Fig. Faux éclat, apparence brillante et trompeuse. *L'oripeau du style pompeux.*

♦ **3.** (XVIIᵉ). Cour. Au plur. Vêtements voyants, de mauvais goût, vieux habits dont un reste de clinquant fait ressortir l'usure, la vétusté. ⇒ **Guenille.** *Des oripeaux. Être vêtu d'oripeaux. Comédien couvert d'oripeaux.*

2   Une seule chose mettait Gervaise hors d'elle. C'était lorsque sa fille reparaissait avec des robes à queue et des chapeaux couverts de plumes (...) les Boche avaient défendu à Pauline de fréquenter cette rouchie, avec ses oripeaux.
ZOLA, l'Assommoir, t. II, XI, p. 202.

Par métaphore :

3   Il faut redescendre et plonger dans les rues pour s'apercevoir qu'elle *(Bruxelles)* a revêtu les oripeaux modernes et n'a gardé du temps passé que sa coiffure étrange et splendide.   NERVAL, Lorely, «Rhin et Flandre», IV.

O. R. L. [ɔɛrɛl] n. Abréviation de *oto-rhino-laryngologie* (ou *laryngologiste*). *Faire un stage en O. R. L. Médecin O. R. L.*

ORLE [ɔrl] n. m. — V. 1120, *urle*, puis *ourle*, modifié sous l'influence de l'ital. *orlo*, même sens; du lat. pop. **orula*, dimin. de *ora* «bord». → Ourler, ourlet.

♦ **1.** Vx. Ourlet. — Mar., vx. *Orle d'une voile.*

♦ **2.** Archit. Bordure* ou filet soulignant l'ove d'un chapiteau.

♦ **3.** Blason. Bordure étroite qui suit, sans le toucher, le bord de l'écu.

ORLÉ, ÉE [ɔrle] adj. — 1671; var. de *ourlé*, d'après *orle*.

♦ Vx ou littér. Ourlé.

ORLÉANISME [ɔrleanism] n. m. — 1846; de *Orléans*; → Orléaniste.

♦ Parti, doctrine des Orléanistes.

ORLÉANISTE [ɔrleanist] n. et adj. — 1793, *in* D. D. L.; de *Orléans*, nom de la branche cadette des Bourbons.

♦ Hist. Personne qui soutenait les droits de la famille d'Orléans au trône de France. *Les Orléanistes triomphèrent en 1830 avec l'accession au trône de Louis-Philippe* (→ Gallican, cit. 4; loyalisme, cit. 2). — Adj. *Le parti orléaniste.* Par ext. *Opinions orléanistes. Candidatures orléanistes au début de la IIIᵉ République.*

Ce M. de Chédeville, un ancien beau, la fleur du règne de Louis-Philippe, gardait au fond du cœur des tendresses orléanistes.   ZOLA, la Terre, II, V.

1. ORLÉANS [ɔrleɑ̃s] (d'après la prononc. anglaise et parfois avec l'orth. *orléance*) n. f. invar. — 1850; du nom de la ville.

♦ Étoffe légère de laine et de coton, d'origine anglaise. *Robe, veste d'été en orléans.*

2. ORLÉANS [ɔrleɑ̃] n. m. — 1825, Brillat-Savarin; du nom de la ville.

♦ Vx. Vin d'Orléans (estimé au déb. du XIXᵉ siècle).

ORLON [ɔrlɔ̃] n. m. — 1950; orig. incert., suff. de *(nyl)on*; nom déposé par la firme Du Pont de Nemours.

♦ Fibre textile synthétique de polyacrilonitrile. *Pull-over en orlon.*

ORMAIE [ɔrmɛ] ou **ORMOIE** [ɔrmwa] n. f. — 1301, *ourmaye*; de *orme*.

♦ Lieu planté d'ormes. Syn. : *ormeraie, oulmière* (vx).
HOM. Ormet.

ORME [ɔrm] n. m. — 1175; var. *olme, oulme* en anc. franç.; du lat. *ulmus*.

♦ **1.** Arbre de la famille des ulmacées, à fleurs fasciculées, dont le fruit est un akène. *Orme champêtre* (ulmus campestris), *commun en France, atteignant de 20 à 30 mètres de haut.* ⇒ **Ormeau.** *Orme tortillard*.* *Le micocoulier*, variété d'orme. Allées d'ormes* (→ Berceau, cit. 16). *Route, mail bordé d'ormes* (→ Membre, cit. 5). — *L'Orme du mail,* roman d'A. France.

Hist. *Juges de dessous l'orme* : juges de village qui, au moyen âge, rendaient la justice sous les ormes plantés d'ordinaire devant le manoir seigneurial. — Loc. prov. *Attendez-moi sous l'orme* ⇒ **Attendre** (cit. 22 et 23).

1   Les saules tout ridés, les chênes vénérables,
    L'orme au branchage noir, de mousse appesanti.
    HUGO, les Contemplations, I, II.

♦ **2.** Bois de cet arbre. *L'orme sert au charronnage, en ébénisterie* (loupe d'orme), *pour faire des étais de mines.*

2   Nous ferons peut-être la coque en orme. L'orme est bon pour les parties noyées; être tantôt sec, tantôt trempé, le pourrit; l'orme veut être toujours mouillé, il se nourrit d'eau.   HUGO, les Travailleurs de la mer, II, I.

DÉR. Ormaie ou **ormeraie, ormoie, 1. ormeau, ormille.**

1. ORMEAU [ɔrmo] n. m. — 1546; XIIᵉ, *ormel*; de *orme*.

♦ **1.** Petit orme, jeune orme. *Ormeaux supportant des ceps de vigne* (→ Grimper, cit. 4).

♦ **2.** Orme champêtre (→ Border, cit. 5; indiquer, cit. 10).

2. ORMEAU [ɔrmo] n. m. — XVIᵉ; du lat. *auris maris* «oreille de mer».

♦ Mollusque marin comestible (n. sc. : ⇒ **Haliotide**). *Pêcher des ormeaux.* Syn. : *ormet, ormier.*

ORMERAIE [ɔrmərɛ] n. f. ⇒ **Ormaie.**

ORMET [ɔrmɛ] n. m. — 1868, Littré; de 2. *orm(eau)*, et *-et.* ⇒ 2. **Ormeau.**

ORMIER [ɔrmje] n. m. — 1868, Littré; cf. *ormer* à Guernesey (Hugo). ⇒ 2. **Ormeau.**

ORMILLE [ɔrmij] n. f. — 1762; de *orme.*
Arboriculture.

♦ **1.** Plant de petit orme.

♦ **2.** Palissade, haie de jeunes ormeaux.

ORMIN [ɔrmɛ̃] n. m. ⇒ **Hormin.**

1. ORNE [ɔrn] n. m. — 1220; du lat. *ordinem*, accusatif de *ordo* «ordre».

♦ **1.** Sylv. *Faire orne* : abattre les arbres droit devant soi.

♦ **2.** (1611). Vitic., régional. Sillon tiré entre les rangées de ceps.
DÉR. V. Ornière.

2. ORNE [ɔrn] n. m. — 1529; lat. *ornus, urnus.*

♦ Régional. Frêne d'une variété à fleurs blanches *(fraxinus urnus, Oléacées)* nommé aussi *frêne à fleurs,* qui donne la manne (1. Manne, 2.).

ORNEMANISTE [ɔrnəmanist] n. — 1800; dér. irrégulier de *ornement;* la forme *ornementiste* [ɔrnəmɑ̃tist] n'a pas vécu.
Arts.

♦ **1.** Spécialiste du dessin ou de l'exécution des motifs décoratifs, des motifs en plâtre ou en stuc. — Adj. *Dessinateur*, peintre ornemaniste.*

♦ **2.** (1828). Décorateur qui exécute les ornements d'architecture en plâtre, en stuc (⇒ **Stucateur**).

> (...) je défierais l'ornemaniste le plus industrieux de trouver dans toute la chapelle la place d'une seule rosace ou d'un seul fleuron.
>
> Th. GAUTIER, Voyage en Espagne, p. 29.

ORNEMENT [ɔRnəmã] n. m. — 1050 ; lat. *ornamentum*, de *ornare*. → Orner.

♦ **1.** Rare. Action d'orner ; résultat de cette action. ⇒ **Décoration, enrichissement** (vieilli). *Meubles destinés à l'ornement d'un appartement* (→ Meublant, cit.). *Ce n'est là que pour l'ornement.* ⇒ **Parade.** — Mod. et cour. *D'ornement :* destiné à l'ornement. — *Arbres, plantes d'ornement.* ⇒ **Ornemental.** — *Dessin* d'ornement.* ⇒ **Décoratif.** *Les points d'ornement, en broderie*, etc. (→ ci-dessous, 3.).

1   Les parures mêmes des femmes étaient héréditaires, et les diamants substitués dans chaque famille consacraient les souvenirs du passé à l'ornement de la jeunesse.   Mᵐᵉ DE STAËL, De l'Allemagne, I, VII.

♦ **2.** Ce qui orne, sert à orner ; détail* ou objet sans utilité pratique, qui s'ajoute à un ensemble pour l'embellir ou lui donner un certain caractère. *Cette chambre manque d'ornements* (→ Encadrer, cit. 1). *Parc aux ornements variés* (→ Montueux, cit. 1). — *Ornements de passementerie*, de tapisserie* (⇒ **Draperie**). *Ornement en bosse* (bossette), *en creux, peint, dessiné...*
Élément de la toilette, de l'habillement, de la parure (bijoux...) qui contribue à l'esthétique. *« Une élégance sobre qui se passe d'ornements »* (Académie). ⇒ **Apprêt, parure.** *Aimer* (cit. 47) *le luxe et les ornements. « Belle, sans ornements... »* (→ Appareil, cit. 11, Racine). *La beauté n'a besoin* (cit. 51) *d'aucun ornement. Jeune fille parée d'ornements et de joyaux.* ⇒ **Affiquet, atour, fanfreluche.** *Les ornements à la mode* (→ Étamine, cit. 1). *Elle porte une robe noire, sans aucun ornement* (⇒ **Uni**), *sans autre ornement qu'une croix pendue au cou* (cit. 9). ⇒ **Agrément, garniture.** *Ornements qui agrémentent une toilette.* ⇒ **Broderie, dépassant, prétintaille** (vx), **ruche...** ⇒ **Chamarrure, falbala.** *Ornements prétentieux, de mauvais goût.* ⇒ **Chamarrure, falbala.** *Ornements de la coiffure, ornements de tête.* ⇒ **Aigrette, cimier, diadème, panache, plumet, pompon...** *Ornements de clinquant, de dentelle, de fourrure, d'or* (boucles, boutons...), *de plumes.* — Spécialt. *Ornement d'une robe de juge.* ⇒ **Épitoge.** *Ornements militaires* ⇒ **Épaulette, fourragère, grenade...** — Hist. *Ornements impériaux* (cit. 1).

2   Que ces vains ornements, que ces voiles me pèsent ?
    RACINE, Phèdre, I, 3 (→ Nœud, cit. 11).

3   Va donc, sans autre ornement,
Parfum, perles, diamant,
Que ta maigre nudité,
Ô ma beauté !   BAUDELAIRE, les Fleurs du mal, « Tableaux parisiens », LXXXVIII.

4   Mais enfin ne soyez pas dupe de ceci que les femmes sont plus parées et ornées que les hommes, et n'allez pas en conclure que ce sont les femmes qui tiennent aux ornements extérieurs ; si cela était, on verrait les hommes en dentelles, en soie, en chapeaux à plumes. Et c'est la vanité des hommes qui explique la parure des femmes.   ALAIN, Propos, 9 mars 1912, Parures.

Liturgie. Vêtement, insigne que les règles liturgiques prescrivent au prêtre de revêtir pour célébrer les offices, les cérémonies* du culte (⇒ **Chape, chasuble, étole, manipule**). *La dalmatique*, ornement épiscopal. L'ornement blanc est de règle pour les fêtes de Noël et de Pâques.* — (Au plur.). *Le prêtre officie revêtu de ses ornements* (sacerdotaux). — ⇒ **Courtine**, cit. 2. — *Ornements pontificaux.* — Ensemble *d'ornements sacerdotaux* et *d'ornements d'autel* (⇒ **Parement**) d'une même couleur liturgique faisant un assortiment complet.

♦ **3.** Motif accessoire, dans une composition artistique. *Peintre, sculpteur d'ornements* (⇒ **Ornemaniste**). — *L'ornement en architecture.* ⇒ **Architecture, ornementation** (→ Élancement, cit. 1 ; genre, cit. 17). *Les ornements du Parthénon* (→ Frise, cit. 1), *d'un frontispice* (cit. 1), *d'un édifice gothique* (cit. 6 et 7). *Fenêtres encadrées* (cit. 2) *d'ornements. Ornements vermiculés*. Ornements géométriques. Ornements représentant des animaux stylisés, des feuillages, des vases... Ornements corinthiens, doriques ; ornements de style roman, gothique* (→Assaisonner, cit. 7). *Ornements rapportés* (⇒ **Applique**), *sculptés, peints en grisaille* (cit. 3). *Ornement courant,* motif qui se répète tout au long d'une frise, d'une moulure. *Ornement de coin :* motif qui décore un angle. — (Arts décoratifs). *Peindre sur un lambris des ornements avec personnages.* ⇒ **Historier.** *Murs qui disparaissent sous un réseau d'ornements enlacés* (cit. 14). *La gloire* (II., 5.), *ornement de style jésuite. Ornements rococo. Ornement postiche, en carton*-pierre, en staff*, en stuc*. Ornements de métal décorant un meuble.* ⇒ **Ferrure, pommette.** — *Ornements d'orfèvrerie*, de marqueterie*. Arme enrichie d'ornements.* ⇒ **Damasquinage.** — *Les ornements d'une céramique, d'une dentelle* (par oppos. au *champ*). ⇒ **Dessin.** *Ornements brodés sur un canevas* (cit. 5, par métaphore). *Ornements en relief sur une chasuble* (cit.).

5   Certain maçon, en Vitruve érigé,
Lui trace un plan d'ornements surchargé (...)
    VOLTAIRE, Poésies, « Temple du goût ».

6   (...) des découpures en ivoire ne seraient pas plus délicates que les ornements ioniques du temple d'Érechthée (...)   CHATEAUBRIAND, Itinéraire..., I, p. 190.

> (...) elle brodait en guipure les ornements gothiques du revers de la mitre.
>
> ZOLA, le Rêve, VI.   7

Typogr. *Ornements d'un texte, d'un livre.* ⇒ **Fleuron, miniature, vignette.**

Blason. Pièce extérieure à l'écu. *Ornements de charge* (épée nue...), *de dignité* (couronnes...), *d'hérédité* (cimiers, lambrequins...).

♦ **4.** Mus. Note ou ensemble de notes, trait instrumental ou vocal, qui s'ajoute à une mélodie (cit. 3), sans modifier la ligne mélodique. ⇒ **Musique** (*infra* cit. 18).

Chanter ou jouer *proprement*, c'est exécuter la mélodie française avec les ornements qui lui conviennent.   ROUSSEAU, Dict. de musique, Proprement.   8

♦ **5.** Élément du discours qui s'ajoute à l'essentiel (narration, démonstration) dans une intention esthétique. *Défigurer* (cit. 8) *une histoire réelle par des ornements inventés.* ⇒ **Détail, enjolivure.** — Élément destiné à orner, dans l'expression, le style. *Ornements du langage.* ⇒ **Figure** (cit. 26). *Parole pleine d'ornements affectés* (2. Affecter, cit. 15). *Ornements de style.* ⇒ **Élégance, grâce.** *Texte émaillé*, surchargé d'ornements.* ⇒ **Fioriture ; chamarrer, tarabiscoter.** *Roman écrit avec simplicité, sobriété, sans ornements* (⇒ Jonglerie, cit. 3). — Par analogie :

Chez *(César)* Franck, c'est la parole toute pure du Christ, sans ornement extérieur, dans sa force vivante, et l'accord est merveilleux de la musique et de cette auguste parole, où résonne la conscience du monde.   R. ROLLAND, Musiciens d'aujourd'hui, p. 181.   9

♦ **6.** Littér. Ce qui orne, rend plus beau. *« L'imagination* (cit. 6), *ornement de l'esprit »* (Vauvenargues). *« La beauté* (cit. 24) *du visage est un frêle ornement (...) »* (Molière).
L'ornement de... : ce qui embellit (qqch.). ⇒ **Gloire, honneur** (cit. 60). *Jeune princesse qui est l'ornement de la cour* (→ 1. Morose, cit. 3 ; → aussi indéfinissable, cit. 1).

C'est toi, Paris, admirable cité,   10
Grand ornement de ce monde habité,
De tes voisins la crainte et la merveille,
À qui le ciel n'a donné de pareille (...)
    RONSARD, le Bocage royal, I, « Disc. à François de Montmorency ».

DÉR. Ornemaniste, ornemental, ornementation, ornementer.

ORNEMENTAL, ALE, AUX [ɔRnəmãtal, o] adj. — 1838 ; de *ornement*.

♦ **1.** Qui a rapport à l'ornement, qui utilise des ornements. *Style ornemental. Grâce ornementale* (→ Imagination, cit. 26, Gautier).

♦ **2.** Qui sert à l'ornement*. ⇒ **Décoratif.** *Plantes ornementales. Motifs* (cit. 11) *ornementaux.*

REM. L'adj. ne semble guère employé en attribut.

ORNEMENTATION [ɔRnəmãtasjõ] n. f. — 1838 ; de *ornement*.

♦ **1.** Action de disposer, de combiner des ornements pour embellir (qqch.). ⇒ **Décoration.** *Travailler à l'ornementation d'une façade.* ⇒ **Embellissement.** *Dessins d'ornementation* (→ Marier, cit. 20). *Alternance des motifs d'ornementation.* — Spécialt. Art, manière de disposer les ornements. *Un sens admirable de l'ornementation* (→ Incruster, cit. 11).

♦ **2.** Ensemble d'ornements disposés, pour embellir, agrémenter une chose. *Une riche ornementation.* ⇒ **Ornement.** *Jardin enrichi d'une ornementation en cailloux.*

(...) il a peint dans la salle à manger de l'hôtel Fould toute une ornementation de feuillages, de fruits, de fleurs et d'oiseaux du plus grand goût.
    Th. GAUTIER, Portraits contemporains, « Appert ».

ORNEMENTER [ɔRnəmãte] v. tr. — 1860 ; apparu en 1532, mais rare jusqu'au XIXᵉ ; de *ornement*.

♦ Garnir d'ornements ; embellir par des ornements convenablement disposés. ⇒ **Orner.** — (Surtout au p. p.). *Un palais richement ornementé.*

(...) un salon encombré de fleurs, au plafond curieusement ornementé d'armoiries et de rocailles (...)   Th. GAUTIER, Voyage en Russie, VII.

ORNER [ɔRne] v. tr. - 1487 ; XIIIᵉ en parlant du geai qui se pare des plumes du paon ; lat. *ornare*.

♦ **1.** Mettre en valeur, embellir une chose ou (vieilli) une personne, ajouter à l'agrément, à la beauté de (qqch.) par des ornements. *Orner qqch. de, avec qqch.* ⇒ **Agrémenter, décorer, enjoliver, garnir, parer.** *Orner sa maison, sa chambre avec des esquisses* (→ Goguette, cit. 2), *des estampes* (cit. 1)... *Orner sa maison pour y recevoir des invités.* ⇒ **Disposer.** *Orner une pièce de feuillages* (cit. 3), *de guirlandes* (⇒ **Enguirlander**). *Orner un salon de fleurs* (⇒ **Fleurir**), *de draperies* (⇒ **Tapisser**). *Orner une façade de drapeaux* (⇒ **Pavoiser**), *de lampions* (⇒ **Illuminer**). — *Orner sa boutonnière* (cit. 1) *d'un bout de ruban* (⇒ **Enrubanner**), *d'une fleur* (⇒ **Fleurir**). *Orner un corsage de galons* (⇒ **Galonner, passementer, soutacher**). *Orner un chapeau de glands* (→ Écusson, cit. 1), *d'un panache* (⇒ **Panacher**), *de pompons* (⇒ **Pomponner**).

Orner ses bras de bracelets. Orner une colonne de torsades.
⇒ **Rudenter.** *Orner un plafond de moulures* (⇒ **Moulurer**), *de peintures* (⇒ **Peindre**), *de sculptures* (⇒ **Sculpter**). — *Graveur, orfèvre qui orne un ciboire* (⇒ **Façonner, guillocher, ouvrager**). *Orner un étui de diamants* (⇒ **Diamanter**), *de pierres précieuses.* ⇒ **Incruster ; gemmé.** *Orner un tissu de broderies.* ⇒ **Broder, dorer.** — *Orner un livre d'enluminures* (⇒ **Enluminer**), *d'enjolivements* (cit. 1), *de tailles-douces, d'un frontispice* (cit. 2). ⇒ **Illustrer.** — Pron. (Sujet n. de personne). *S'orner de bijoux. Elles s'ornent de leurs plus beaux atours.* ⇒ **Adorner** (vx). — Absolt. *S'orner* (→ ci-dessous, cit. 3). — (Sens passif). *Briques émaillées qui s'ornent de dessins stylisés* (→ **Lapis**, cit. 4).

1 (...) cette admirable fontaine (...) qui est ornée de précieuses sculptures de Jean Goujon (...)   VOLTAIRE, Poésies, « Temple du goût ».

2 Les paysannes et les servantes, qui n'ont pas assez d'argent pour se parer, ornent leur tête et leurs bras de quelques fleurs, pour qu'au moins l'imagination ait sa part dans leur vêtement (...)   Mme DE STAËL, De l'Allemagne, I, II.

3 (...) elle croyait que j'avais cessé de l'aimer. Dès lors, à quoi bon s'orner pour me plaire ?   GIDE, Et nunc manet in te, p. 51.

4 (...) j'aimerais que vous retouchiez un peu le profil (...) Et Beltara, qui était bon homme, orna le visage de son ami du nez grec et de la bouche petite que lui avaient refusés les dieux.   A. MAUROIS, les Discours du Dr O'Grady, XVI.

(Sujet n. de chose). *Servir d'ornement à... Arcs* (cit. 15) *et pyramides qui ornent une ville. Girandoles* (cit. 1) *qui ornent une cheminée. Des fleurs ornaient la table* (→ **Meilleur**, cit. 8). *Il faut un bijou pour orner cette robe trop sévère.* ⇒ **Égayer.** *Améthyste* (cit.) *qui orne un anneau. Diamants qui ornent une boîte.* ⇒ **Endiamanter** (→ **Démonter**, cit. 3).

5 Il *(l'arbre)* servait de refuge contre le chaud, la pluie et la fureur des vents,
Pour nous seuls il ornait les jardins et les champs.   LA FONTAINE, Fables, X, 2.

6 Un crucifix au-dessus d'un bénitier, et deux images coloriées représentant Paul et Virginie sous un palmier bleu et Napoléon Ier sur un cheval jaune, ornaient seuls cet appartement propre et désolant.   MAUPASSANT, Bel-Ami, II, I.

♦ **2.** Mettre en valeur par un, des ornements de discours, de style. *Orateur qui orne son discours* (cit. 19) *de traits brillants, de figures neuves* (⇒ **Enluminer, enrichir** [cit. 10], **illustrer**), *de tours grandiloquents* (⇒ **Empanacher**), *précieux* (⇒ **Enjoliver**). *Orner un texte de citations.* ⇒ **Parsemer, saupoudrer.** — Vx. *Orner son sujet, l'objet du discours.*

7 Pour orner une telle vie, je n'ai pas besoin d'emprunter les fausses couleurs de la rhétorique, et encore moins des détours de la flatterie.   BOSSUET, Oraison funèbre de Bourgoing.

♦ **3.** Par métaphore ou fig. Rendre plus attrayant ou plus digne d'estime ; conférer un charme, un éclat ou une valeur à qqn, qqch. ⇒ **Rehausser.** *Orner la vérité par des fables.* ⇒ **Colorer, habiller** (→ **Défigurer**, cit. 8). *Orner une femme de mille perfections.* ⇒ **Doter** (→ **Cristallisation**, cit. 4, Stendhal). — Au passif (cit. 8) :

8 (...) les qualités dont Myrtil est orné.   MOLIÈRE, Mélicerte, II, 1.

9 (...) bientôt je ne vis plus que Mme d'Houdetot, mais revêtue de toutes les perfections dont je venais d'orner l'idole de mon cœur.   ROUSSEAU, les Confessions, IX.

10 Je ne veux pas orner la vérité, comme beaucoup l'ont fait, qui ont écrit sur les abeilles.   MAETERLINCK, la Vie des abeilles, III, VIII.

11 (...) je l'ornais de vertus qu'elle n'avait pas et, l'ayant enfin modelée d'après l'idée éternelle d'Odile, je pouvais être pour elle le chevalier.   A. MAUROIS, Climats, I, XX.

Vieilli. Enrichir. *L'éducation* (cit. 8) *ne doit pas seulement orner la mémoire. Orner son esprit.* ⇒ **Polir** (→ **Dédommager**, cit. 2).

12 Je ne me contentais pas d'orner ma mémoire des plus beaux traits de ces chefs-d'œuvre dramatiques (...)   A.-R. LESAGE, Gil Blas, III, XII.

Faire, former l'ornement (de qqch.). *Les grâces qui ornent son âme* (→ **Accord**, cit. 14). *« Cette créature éblouissante avait conscience d'orner le monde où elle marchait »* (→ **Cadence**, cit. 5).

13 Madame, cent vertus ornent votre beauté.   MOLIÈRE, le Misanthrope, V, 4.

14 Belle digne d'orner les antiques manoirs (...)
   BAUDELAIRE, les Fleurs du mal, « Spleen et Idéal », LXI.

15 (...) rien de ce qui orne et élève l'âme : pas de poésie, pas de musique, pas d'art.
   FUSTEL DE COULANGES, Leçons à l'Impératrice, p. 108.

♦ **4.** (Sens affaibli). Garnir (d'un élément ajouté, sans intention esthétique). *Orner sa chambre d'un grand appareil de chauffage.* — REM. À l'actif, cet emploi est plus ou moins ironique ; au p. p. (→ ci-dessous, p. p. adj., 3.) il est neutre et beaucoup plus usuel.

▶ **ORNÉ, ÉE** p. p. adj.

♦ **1.** ORNÉ DE... : qui a (telle chose) pour ornement. *Hôtel* (cit. 13) *aux salons ornés de fleurs. Robe ornée de vert* (→ **Jade**, cit. 4). *Lampes* (cit. 9) *aux abat-jour ornés de volants. Bras orné de bracelets* (→ **Mouvoir**, cit. 14). — *Armoire* (cit. 4) *ornée de figures sculptées. Étendards* (cit. 3) *ornés d'aigles d'or, brodés.* — Blason. *Armoiries ornées d'une devise* (cit. 1).

16 Adrienne put voir le grand peigne orné de boules d'or qu'elle avait planté dans son chignon.   J. GREEN, Adrienne Mesurat, I, XIII.

Absolt. *Lettres ornées.* ⇒ **Historié** (historier).

♦ **2.** (Discours, expression, style). *Style orné de comparaisons, d'allégories.* Absolt. *Style orné, excessivement orné* (⇒ **Chargé, tarabiscoté**).

---

17 Les anciens disaient qu'un discours trop orné n'avait pas de mœurs, c'est-à-dire n'exprimait pas le caractère et les inclinations de celui qui parlait.
   Joseph JOUBERT, Pensées, XVII, XXVI.

♦ **3.** (Sens affaibli). Pourvu de choses nécessaires ou utiles, sans considération esthétique (⇒ **Étoffer**, vx ; **garnir**). *Pièce ornée d'un poêle* (→ **Étude**, cit. 52). *Voiture de livraison* (cit.) *ornée d'une enseigne. Bateau orné d'un gréement neuf. Nez orné de lunettes* (cit. 1). *Toit orné de cheminées.*

18 Il y a une porte cochère, toujours béante, ornée de nombreuses plaques commerciales.   J. ROMAINS, les Hommes de bonne volonté, t. II, IX, p. 92.

CONTR. Déparer. — (Du p. p.) **Simple ; nu.**

ORNIÈRE [ɔʀnjɛʀ] n. f. — Dév. XIIIe ; altér. de l'anc. franç. *orbière* (v. 1190), d'un lat. pop. *orbitaria*, rad. *orbita*, par croisement avec 1. *orne.*

♦ **1.** Trace plus ou moins profonde que les roues des voitures creusent (cit. 14) dans les chemins, les voies de terre. *Ornières qui cahotent* (cit. 1) *les chariots* (cit.). *Les chevaux enfonçaient* (cit. 20) *dans la boue et butaient contre les ornières. Éviter les ornières* (⇒ **Cartayer**). *Ornières remplies d'eau* (→ **Crapaud**, cit. 1 ; **gorger**, cit. 9 ; **grenouille**, cit. 3). *Feuilles mortes qui pourrissent dans les ornières* (→ **Automne**, cit. 9).

1 À peine sorti de Loudun, le sable du chemin, sillonné par de profondes ornières que l'eau remplissait entièrement, le força de ralentir le pas.
   A. DE VIGNY, Cinq-Mars, VI.

2 En bas, dans les suintis de sources, les fardiers creusaient des ornières si profondes que les roues souvent s'enlisaient, qu'il fallait dételer les chevaux.
   M. GENEVOIX, Forêt voisine, XV.

Par extension :

3 Mais voilà que la belle route, la principale artère de la Tunisie, n'est plus qu'une ornière affreuse. Partout, l'eau des pluies l'a trouée, minée, dévorée.
   MAUPASSANT, la Vie errante, « Vers Kairouan ».

♦ **2.** Par métaphore ou fig. Habitude invétérée (⇒ **Routine**) dont on ne peut se débarrasser. *Suivre l'ornière, rouler dans l'ornière* (→ **Enseignant**, cit. 3). *Piétiner* (→ **Muet**, cit. 3), *retomber dans de vieilles ornières.* ⇒ **Errements.** *Sortir de l'ornière* (→ **Heurt**, cit. 4).

4 (...) mais un des caractères du génie est de ne pas traîner sa pensée dans l'ornière tracée par le vulgaire.   STENDHAL, le Rouge et le Noir, II, XVIII.

5 — Vous voyez, reprit Quinette, avec une satisfaction amère, vous n'êtes pas long à percer à jour. Vous êtes le criminel classique. Vous suivez l'ornière. Ce sera l'enfance de l'art que de vous cueillir.
   J. ROMAINS, les Hommes de bonne volonté, t. II, V, p. 46.

ORNITHO- Élément tiré du grec *ornis, ornithos* « oiseau », et entrant dans la composition de mots savants (voir à l'ordre alphabétique).

ORNITHOGALE [ɔʀnitɔgal] n. m. — 1553, *ornitogalon* ; grec *ornithogalon*, proprt « lait d'oiseau », de *ornis, ornithos,* et *gala* « lait ».

♦ Bot. Plante monocotylédone *(Liliacées)* herbacée, bulbeuse, vivace, aux multiples espèces, à fleurs blanches, jaunes ou orangées, groupées en ombelles (belle ou dame-d'onze-heures ; ⇒ **Dame**) ou en grappes.

ORNITHOLOGIE [ɔʀnitɔlɔʒi] n. f. — 1649 ; de *ornitho-,* et *-logie.*

♦ Didact. Partie de la zoologie*, branche de la biologie animale qui traite des oiseaux*. *Ouvrage, traité d'ornithologie* (ellipt. : *une ornithologie*).

DÉR. Ornithologique, ornithologiste (ou **ornithologue**).

ORNITHOLOGIQUE [ɔʀnitɔlɔʒik] adj. — 1771 ; de *ornithologie.*

♦ Didact. Qui a rapport à l'ornithologie, aux oiseaux. *Exposition, salon ornithologique.*

ORNITHOLOGISTE [ɔʀnitɔlɔʒist] ou **ORNITHOLOGUE** [ɔʀnitɔlɔg] n. — 1721, *ornithologiste* ; *ornithologue,* 1765 ; de *ornithologie.*

♦ Didact. Spécialiste de l'ornithologie. *Une excellente ornithologue qui étudie les rapaces.*

ORNITHOMANCIE [ɔʀnitɔmãsi] n. f. — 1717 ; de *ornitho-,* et *-mancie.*

♦ Didact. (Antiq.). Méthode de divination par le chant ou le vol des oiseau. *Les augures** (1. augure) *pratiquaient l'ornithomancie.*

ORNITHOPHILE [ɔʀnitɔfil] n. et adj. — 1755; de *ornitho-*, et *-phile*.

Didactique.

♦ **1.** Personne qui aime les oiseaux.

♦ **2.** (Mil. xxᵉ). Bot. Se dit des plantes dont la pollinisation est effectuée par les oiseaux.

ORNITHOPTÈRE [ɔʀnitɔptɛʀ] n. m. — 1909, *l'Aéroplane pour tous*, p. 5; de *ornitho-*, et *-ptère*.

♦ **1.** Hist. techn. Aéronef mis en mouvement par des ailes battantes, dont la conception s'inspire du vol des oiseaux.

♦ **2.** Zool. Papillon diurne d'Asie.

ORNITHORYNQUE ou **ORNITHORHYNQUE** [ɔʀnitɔʀɛ̃k] n. m. — 1803; de *ornitho-*, et grec *runkhos* «bec».

♦ Zool. Mammifère *(Monotrèmes)* australien, amphibie et ovipare, à bec corné, à longue queue plate terminant un corps massif, aux pattes courtes munies de cinq doigts largement palmés et armés de griffes.

— Et qu'est-ce qu'il y a dans le journal?
— Il y a les histoires des bêtes, les histoires des ours, les histoires des girafes, les histoires des gazelles (...)
— Et les ornithorynques?   J.-M. G. LE CLÉZIO, le Déluge, p. 182.

ORNITHOSE [ɔʀnitoz] n. f. — Mil. xxᵉ; de *ornitho-*, et suff. 2. *-ose*.

♦ Méd. Maladie infectieuse des oiseaux, transmissible à l'homme, chez qui elle prend la forme d'une pneumonie. ⇒ **Psittacose.**

1. ORO- Élément tiré du grec *oros* «montagne» et entrant dans la composition de mots savants (voir à l'ordre alphabétique).

2. ORO- Élément tiré du lat. *os, oris* «bouche». (→ Oral). ⇒ **Oropharynx.**

OROBANCHACÉES [ɔʀɔbɑ̃ʃase; ɔʀɔbɑ̃kase] n. f. pl. — 1899; *orobanchées*, 1799; de *orobanche*.

♦ Bot. Famille de plantes parasites, sans chlorophylle, dont l'oroban-che est le type (cette famille est souvent rattachée à celle des scro-fulariacées). — Au sing. *Une orobanchacée.*

OROBANCHE [ɔʀɔbɑ̃ʃ] n. f. — 1546; lat. *orobanche, du grec oro-bagkhê, de orobos* «vesce», et *agkhein* «étouffer»; cette plante étant parasite des légumineuses.

♦ Bot. Plante dicotylédone phanérogame angiosperme des régions tempérées, herbe vivace sans chlorophylle, d'une teinte roussâtre, violacée ou blanchâtre, vivant en parasite* sur les racines de nombreux végétaux, en particulier des légumineuses (luzerne, trèfle). *Orobanche du genêt, du tabac, de la vigne.*

DÉR. **Orobanchacées.**

OROBE [ɔʀɔb] n. m. — xivᵉ; *orbe*, en 1256; lat. *orobus*, de même racine qu'*orobanche*.

♦ Bot. Plante dicotylédone *(Légumineuses; Papilionacées)* des régions tempérées, voisine de la gesse. *Orobe jaune, noir. La racine de l'orobe tubéreux porte des tubercules comestibles.*

OROGÉNÈSE [ɔʀɔʒenɛz] ou **OROGENÈSE** [ɔʀɔʒənɛz] n. f. — 1910; de 1. *oro-*, et suff. *-genèse.*

♦ Géol. Phase d'édification des reliefs de l'écorce terrestre.

OROGÉNIE [ɔʀɔʒeni] n. f. — 1868; de 1. *oro-*, et *-génie.*

♦ **1.** Géol. Syn. de : *orogénèse.*

♦ **2.** Branche de la géographie* physique qui étudie les mouvements de l'écorce terrestre, et particulièrement ceux qui ont donné naissance aux montagnes*.

DÉR. **Orogénique.**

OROGÉNIQUE [ɔʀɔʒenik] adj. — 1868; de *orogénie.*

Didactique.

♦ **1.** Qui a rapport à l'orogenèse. *Mouvements orogéniques de l'époque hercynienne* (cit.).

♦ **2.** Relatif à l'orogénie (science). *Théories orogéniques.*

OROGRAPHIE [ɔʀɔɡʀafi] n. f. — 1823; de 1. *oro-*, et *-graphie.*

Géologie, géographie.

♦ **1.** Étude, description des montagnes.

♦ **2.** Ensemble de reliefs montagneux. *L'orographie de l'Europe.* ⇒ **Relief.**

DÉR. **Orographique.**

OROGRAPHIQUE [ɔʀɔɡʀafik] adj. — 1791, *in* Cottez; de *orographie.*

Didactique (géologie, géographie).

♦ **1.** Qui a rapport à l'orographie (1.). *Carte orographique.*

♦ **2.** Relatif au relief. *Système orographique.*

Au sortir de la forêt, le système orographique de la contrée avait apparu au regard. Le mont se composait de deux cônes (...)
                              J. VERNE, l'Île mystérieuse, t. I, p. 120.

COMP. **Oro-hydrographique.**

ORO-HYDROGRAPHIQUE [ɔʀoidʀoɡʀafik] adj. — 1874, P. Larousse; de *oro(graphique),* et *hydrographique.*

♦ Géogr. Relatif au relief, à l'orographie et à l'hydrographie.

OROMÉTRIE [ɔʀɔmetʀi] n. f. — xxᵉ (*in* Larousse, 1932); de 1. *oro-*, et *-métrie.*

♦ Didact., techn. Mesure du relief (d'un sol).

ORONGE [ɔʀɔ̃ʒ] n. f. — 1775; empr. au provençal *ouronjo* «orange», à cause de la couleur rouge doré de ce champignon.

♦ Bot. Amanite*. *Oronge vraie, blanche, oronge vineuse* (espèces comestibles). *Fausse oronge,* à chapeau rouge taché de blanc, véné-neuse.

(...) l'oronge moite qui crève sa volve (...)
                              M. GENEVOIX, Forêt voisine, I.

ORONYMIE [ɔʀɔnimi] n. f. — Mil. xxᵉ; de 1. *oro-*, et *-nymie* (→ Toponymie).

♦ Didact. Étude toponymique des noms de montagne.

OROPHARYNX [ɔʀofaʀɛ̃ks] n. m. — xxᵉ; du lat. *os, oris* «bou-che» (→ 2. Oro-), et *pharynx.*

♦ Anat. Partie moyenne du pharynx, qui communique avec la bou-che.

OROPHILE [ɔʀɔfil] adj. — xxᵉ; de 1. *oro-*, et *-phile.*

♦ Biol. Qui vit dans les régions montagneuses (se dit surtout d'insec-tes).

ORPAILLAGE [ɔʀpajaʒ] n. m. — 1866; de *orpail(leur),* et *-age.*

♦ Techn. Travail, métier des orpailleurs; extraction de l'or.

ORPAILLEUR [ɔʀpajœʀ] n. m. — 1762; du moy. franç. *harpailler* «saisir», de *harper,* par attraction de *or.*

Technique.

♦ **1.** Ouvrier qui recueille par lavage les paillettes d'or dans le lit des fleuves ou dans les terres aurifères.

Tout le monde sait ce que représentait une meule de gruyère en ces temps de disette, quand l'once de pâte maigre nous était comptée à chaque lune sur un tré-buchet d'orpailleur.   Jacques PERRET, Bande à part, p. 48.

♦ **2.** Chercheur d'or.
DÉR. **Orpaillage.**

ORPHÉE [ɔʀfe] n. f. — 1874, P. Larousse; de *Orphée,* n. propre.

♦ Grande fauvette* des régions méditerranéennes.

ORPHELIN, INE [ɔʀfəlɛ̃, in] n. et adj. — 1150; *orfanin,* fin xiᵉ; du lat. ecclés. *orphanus,* du grec *orphanos.*

♦ **1.** N. Enfant qui a perdu son père et sa mère, ou l'un des deux. *Un pauvre, un petit orphelin. Orphelin de père* (→ ci-dessous, cit. 5), *de mère. Assister, défendre... les orphelins* (→ Aumône, cit. 11; besoin, cit. 2). *Défenseur* (cit. 1) *de l'orphelin. La veuve et l'orphelin :* les êtres sans défenses, opprimés (→ Dévorer, cit. 19). — Loc. fam. *Il défend la veuve et l'orphelin,* se dit des avocats, et, par ext. et plais., de tout protecteur des opprimés (→ Don Quichotte). — *Tuteur d'un orphelin* (→ Légal, cit. 1). *Orpheline élevée dans une institution, un orphelinat.* ⇒ **Pupille.** *Les Deux Orphelines,* mélodrame.

1 Orphelin du grand hospice des Enfants-Trouvés de Paris, Cérizet avait été placé chez messieurs Didot comme apprenti.
                    BALZAC, Illusions perdues, Pl., t. IV, p. 894.

2 Un orphelin vêtu de noir,
   Qui me ressemblait comme un frère.
                    A. DE MUSSET, Poésies nouvelles, « Nuit de déc. ».

3 Je ne défendrai point la veuve et je n'attaquerai point l'orphelin. Plus de toge, plus de stage. Voilà ma radiation obtenue.   HUGO, les Misérables, III, IV, II.

4 À ses pieds, une fillette habillée de bleu — grand pèlerine et petit béguin, le costume des orphelines, — lisait la Vie de saint Irénée dans un livre plus gros qu'elle (...)   Alphonse DAUDET, Lettres de mon moulin, « Les vieux ».

♦ **2.** (En fonction d'attribut, et adj.). *Un enfant orphelin. Être orpheline* (→ Main, cit. 32). *Il faisait* (cit. 169) *très orphelin dans le costume.*

5 Philippe Lefebvre se trouvait alors exactement seul au monde. Orphelin de père dès le plus bas âge, il avait pris son temps pour faire ses études (...)
                    A. HERMANT, l'Aube ardente, I.

5.1 Là vivait le comte de Gesvres avec sa fille Suzanne, jolie et frêle créature aux cheveux blonds, et sa nièce Raymonde de Saint-Véran, qu'il avait recueillie deux ans auparavant lorsque la mort simultanée de son père et de sa mère laissa Raymonde orpheline.   M. LEBLANC, l'Aiguille creuse, p. 11.

6 Orphelin presque à sa naissance, mais déposé sur les marches de l'État, l'avorton avait su jusqu'à ce jour accorder admirablement une demi-intelligence et une demi-ambition.   GIRAUDOUX, Bella, VIII.

Par métaphore. *Des idées orphelines.*

DÉR. Orphelinage, orphelinat.

ORPHELINAGE [ɔʀfəlinaʒ] n. m. — 1559; de *orphelin.*

★ **I.** Vx ou littér. État d'orphelin.

★ **II.** Techn. (Apic.). État d'une ruche dont la reine a été retirée; fait de priver une colonie d'abeilles de sa reine.

On peut, en pratiquant l'orphelinage de la ruche, c'est-à-dire en supprimant la reine, augmenter considérablement la formation de gelée royale.
                    Ch. BOURGEOIS, Chimie de la beauté, p. 33.

ORPHELINAT [ɔʀfəlina] n. m. — 1842; de *orphelin.*

♦ **1.** Établissement destiné à élever des orphelins. ⇒ **Asile** (vx), **institution.** *Un grand, un nouvel orphelinat.*

♦ **2.** Ensemble des enfants élevés dans cet établissement.

ORPHELINE [ɔʀfəlin] n. f. ⇒ **Orphelin.**

ORPHÉON [ɔʀfeɔ̃] n. m. — 1767, au sens 1. de *Orphée,* nom d'un personnage mythologique célèbre comme musicien. → Orphique, orphisme.

★ **I.** Vx. Instrument de musique à cordes et à clavier.

★ **II.** (1833; nom donné par Wilhem aux écoles de chant qu'il fonda à Paris).

♦ **1.** Vx. École, société de chant choral. ⇒ **Chorale.**

♦ **2.** (1868). Mod. Harmonie*. ⇒ **Fanfare** (cit. 3). *Orphéon municipal. Concours d'orphéons. Morceau d'orphéon* (→ Mugir, cit. 3).

N'oubliez pas qu'on dit, à l'heure actuelle, d'une fanfare municipale : un Orphéon!
                    COCTEAU, Orphée, p. 61.

DÉR. Orphéonique, orphéoniste.

ORPHÉONIQUE [ɔʀfeɔnik] adj. — 1860; de *orphéon.*

♦ Rare. Qui concerne les orphéons, la musique des orphéons (II., 1. ou 2.). *Société orphéonique. Concours orphéonique.*

ORPHÉONISTE [ɔʀfeɔnist] n. — 1842; de *orphéon.*

♦ Membre d'un orphéon (II., 1. ou 2.).

ORPHIE [ɔʀfi] n. f. — 1554, *orfie;* du grec *orphos.*

♦ Poisson téléostéen à bec pointu, appelé aussi *aiguille* ou *bécassine de mer, aiguillette,* etc.

1. ORPHIQUE [ɔʀfik] adj. — 1750; d'*Orphée,* personnage de la myth. grecque; var. *orphéique,* au XVIIIe. → Hermétique, cit. 3.

♦ Didact. Qui a rapport à la religion initiatique dont Orphée passait pour être le fondateur. *Doctrines orphiques. Rites, initiation, fêtes orphiques.* ⇒ **Mystère.** — *Poésies, épopées* (cit. 3) *orphiques,* ou subst. (au fém. plur.) *les Orphiques,* recueil de vers attribués à Orphée. — *Sectes orphiques.* — N. m. *Les orphiques,* membres des sectes orphiques.

Cette fusion entre la tradition apollinienne et la tradition orphique se marque encore d'une autre manière dans l'histoire des temples. En effet, la célèbre dispute entre Apollon et Bacchus pour le trépied du temple n'a pas d'autre sens. Bacchus, dit la légende, céda le trépied à son frère et se retira sur le Parnasse. Cela veut dire que Dionysos et l'initiation orphique restèrent le privilège des initiés, tandis qu'Apollon donnait ses oracles au dehors.
                    Édouard SCHURÉ, les Grands Initiés, p. 239, note 1.

2. ORPHIQUE [ɔʀfik] adj. — 1913, Apollinaire; de 2. *orphisme.*

♦ Peint. De l'orphisme (2.).

Le *cubisme orphique* est (*l'autre*) grande tendance de la peinture moderne. C'est l'art de peindre des ensembles nouveaux avec des éléments empruntés non à la réalité visuelle, mais entièrement créés par l'artiste et doués par lui d'une puissante réalité. Les œuvres des artistes orphiques doivent présenter simultanément un agrément esthétique pur, une construction qui tombe sous les sens et une signification sublime, c'est-à-dire le sujet. La lumière des œuvres de Picasso contient cet art qu'invente de son côté Robert Delaunay et où s'efforcent aussi Fernand Léger, Francis Picabia et Marcel Duchamp.
                    APOLLINAIRE, les Peintres cubistes, Sur la peinture, VII, p. 57-58.

1. ORPHISME [ɔʀfism] n. m. — 1863, Renan; de *Orphée,* et *-isme.*

♦ Doctrine ou secte religieuse qui s'inspire de la pensée d'Orphée. *Les rites de l'orphisme. L'orphisme fut une religion d'initiés.* (⇒ 1. **Orphique**).

Les tentatives grecques de réforme (*de la religion*), l'orphisme, les mystères ne suffirent pas pour donner aux âmes un aliment solide.
                    RENAN, Vie de Jésus, Œ. compl., t. IV, I, p. 87.

2. ORPHISME [ɔʀfism] n. m. — 1913, Apollinaire, *les Peintres cubistes;* de *Orphée,* et *-isme.*

♦ Style de peinture où les formes et les couleurs sont utilisées pour leur force expressive, indépendamment de toute représentation (⇒ **Abstraction**) ou avec un style de représentation soumis à une construction (⇒ 2. **Orphique** : cubisme orphique). *L'orphisme de Delaunay est encore partiellement figuratif; les couleurs complémentaires ou dégradées selon le spectre et les formes en anneaux concentriques y tiennent une place importante.*

Si on veut donner une définition synthétique de l'*orphisme,* il faut dire qu'il reste attaché aux couleurs pures de Seurat et de l'Impressionnisme, donc au dynamisme affectif du chromatisme mais sans représentation objective et d'aspect de la réalité.   Maurice GIEURE, la Peinture moderne, p. 97.

DÉR. 2. Orphique.

ORPIMENT [ɔʀpimɑ̃] n. m. — Déb. XIIe; du lat. *auripigmentum,* proprt « couleur (*pigmentum* → Pigment) d'or ».

♦ Chim. anc. ou techn. Sulfure jaune d'arsenic, naturel ou artificiel, de formule As$_2$S$_5$. *L'orpiment est utilisé en peinture et dans la préparation d'épilatoires.*

1 Je voulus (...) faire de l'encre de sympathie. Pour cet effet, après avoir rempli une bouteille plus qu'à demi de chaux vive, d'orpiment et d'eau, je la bouchai bien. L'effervescence commença presque à l'instant, très violemment.
                    ROUSSEAU, les Confessions, V.

2 Vous avez classé l'orpiment parmi les produits arsenicaux, et vous avez dit qu'on pouvait empoisonner avec de l'orpiment. La Bible le nie.
                    HUGO, l'Homme qui rit, II, III, VI.

DÉR. V. Orpin.

ORPIN [ɔʀpɛ̃] n. m. — Fin XIIe; orig. incert., probablt de *orpiment.*

♦ **1.** Techn. (Vx). ⇒ **Orpiment.** *Orpin jaune, orpin ocré, orpin roux* (→ Frotter, cit. 24).

♦ **2.** (1372; par anal. de couleur). Plante charnue (*Crassulacées*) qui croît d'ordinaire sur les toits et dans les murs. *Orpin reprise* ou *orpin vulgaire* (joubarbe des vignes, herbe aux coupures, herbe aux charpentiers, gazon d'or), aux propriétés astringentes. *Orpin brûlant* (poivre de muraille). *Orpin blanc* ou *trique-madame. Orpin odorant des montagnes.* ⇒ **Rhodiole.**

1. ORQUE [ɔʀk] n. f. — 1555, *in* D.D.L.; lat. *orca* « épaulard ».

♦ **1.** Mammifère marin. ⇒ **Épaulard.** *L'orque est carnivore; il s'attaque notamment aux phoques. Repérer des orques grâce à leur haute nageoire dorsale.*

♦ **2.** Myth. Nom d'un monstre marin. *Combat de Roger contre l'orque,* dans l'Arioste.

En effet, cette semaine, je n'ai défait aucune armée, je n'ai combattu ni orque, ni dragon, je n'ai pas fourni à la mort sa ration de cadavres (...)
                    Th. GAUTIER, le Capitaine Fracasse, V.

2. ORQUE [ɔʀk] n. f. — 1552, Rabelais; var. de *hourque* ou *ourque.*

♦ Hist. de la mar. Bâtiment de transport en usage en Hollande. ⇒ **Hourque, ourque.**

(...) il y avait là des orques hollandaises à croupe rebondie avec leurs voiles rouges (...)   Th. GAUTIER, Fortunio, « la Toison d'or », I.

ORSEILLE [ɔʀsɛj] n. f. — xvᵉ, *orsolle ;* catalan *orxella,* p.-ê. de l'arabe.

♦ **1.** Genre de lichen très répandu qui fournit une matière de couleur rouge violacée. ⇒ **Rocelle.** *Orseille de mer. Orseille terrestre,* qui pousse sur les arbres ou les rochers. ⇒ **Lécanore, parelle.**

♦ **2.** Techn. Pâte tirée de ce lichen et utilisée comme colorant. *L'orseille sert à faire la teinture de tournesol*.*

ORT [ɔʀ] adj. invar. — 1723 ; même mot que *ord.*

♦ Comm. (vx). *Peser ort,* avec l'emballage (⇒ **Brut**).

HOM. Hors, 1. 2. or, ord.

ORTÉDRINE [ɔʀtedʀin] n. f. — Mil. xxᵉ ; marque déposée ; probablt de *ort(ho-),* et *(éph)édrine.*

♦ Cour. Nom commercial d'un médicament excitant (amphétamine) qui augmente les possibilités intellectuelles et accélère le rythme cardiaque. ⇒ **Maxiton** (cit. 1 et 2).

1   Il passa la main sur son front d'un air harassé :
     — Quel mal de crâne !
     — Veux-tu un cachet d'ortédrine ?
     — Non, non ; je dois rencontrer des gens tout à l'heure, d'anciens copains ; ce n'est jamais très agréable ; alors je ne tiens pas à être trop lucide.
                S. DE BEAUVOIR, les Mandarins, p. 388 (1954).

2   Tu as tellement peur de passer à la casserole à ton tour, que là où tu te caches, tu dors le moins possible. Tu te tiens éveillé à l'aide d'*ortédrine.* C'est le péché mignon de ce quartier. Ça ne t'arrange pas la santé, ni la physionomie, je te dis ça en passant, mais passons.   J.-P. MANCHETTE, Trois hommes à abattre, p. 147.

ORTEIL [ɔʀtɛj] n. m. — xvııᵉ ; *arteil,* 1160 ; du lat. *articulus,* dimin. de *artus* « articulation », déjà au sens de « doigt de pied » en gallo-romain.

♦ **1.** Doigt de pied. *Les cinq orteils. Un pied à gros orteils* (→ Équin, cit.). *Le gros orteil, le petit orteil :* le premier (pouce), le cinquième doigt du pied en comptant à partir de l'axe sagittal. *Avoir un cor* au petit orteil.* — Fig. *Ne pas bouger un orteil* (→ Crever, cit. 38), ne rien faire pour sortir d'une situation embarrassante. Syn. plus cour : *ne pas lever, bouger le petit doigt.* — *Malformation des orteils. Déviations du gros orteil. Orteil en marteau :* déformation du second orteil d'ordinaire congénitale et caractérisée par l'aplatissement de la première phalange sous les orteils voisins.

♦ **2.** Plus cour. *L'orteil :* le gros orteil (→ Fidèle, cit. 20 ; 2. mule, cit. 2).

Son orteil qui la supporte tout entière frotte sur le sol comme le pouce sur un tambour. Quelle attention et dans ce doigt ; quelle volonté la raidit, et la maintient sur cette pointe ! (...)   VALÉRY, Eupalinos, « L'âme et la danse », p. 175.

Par anal. *Chaussette* (cit. 2) *à orteil séparé.*

ORTH-, ORTHO- Premier élément tiré du grec *orthos* « droit », et, fig., « correct », qui entre comme préfixe dans la composition de mots savants, tirés du grec ou formés en français (voir à l'ordre alphabétique).

REM. Ce préfixe a, en chimie, les valeurs données à *ortho,* adj. (1.).

ORTHÈSE [ɔʀtɛz] n. f. — Av. 1973 (*l'Express,* 19 févr.) ; de *orth-,* d'après *prothèse.*

♦ Didact. Appareillage destiné à corriger une altération morphologique et fonctionnelle. « *Un segment qui a disparu sera remplacé par une prothèse. Un segment qui a perdu ses capacités fonctionnelles (...) sera assisté par une orthèse* » (*Sciences et Avenir,* nº spécial 1979, p. 39). *Les lunettes, verres de contact, etc. sont des orthèses.*

ORTHICON [ɔʀtikɔ̃] n. m. — 1952 ; abrév. de *orthiconoscope,* de *orth-,* et *iconoscope.*

♦ Techn. (télév.). Iconoscope dans lequel les électrons sont accélérés et dirigés de manière à frapper l'écran sous un angle droit. — Adj. « *L'image orthicon* » (P. Grivet et P. Herreng, *la Télévision,* p. 90).

ORTHO [ɔʀto] adj. invar. — 1888, ex. ci-dessous ; du préf. *ortho-.*

♦ **1.** Chim. Se dit des dérivés di-substitués de la série benzénique. — Se dit des corps présentant un degré supérieur d'hydratation. *Acide ortho.* « *On obtient un mélange de chlorure ortho et para* (...) *le dérivé* ortho (...) *donne un sel* ». (*Année sc. et industr.* 1889, p. 201 [1888]).

♦ **2.** Géol. Qui résulte du métamorphisme d'une roche endogène. *Un gneiss ortho.*

ORTHO- ⇒ **Orth-.**

ORTHOCENTRE [ɔʀtosɑ̃tʀ] n. m. — 1903 ; de *ortho-,* et *centre.*

♦ Géom. Point de rencontre des trois hauteurs d'un triangle ou des quatre hauteurs d'un tétraèdre à arêtes opposées orthogonales.

DÉR. Orthocentrique.

ORTHOCENTRIQUE [ɔʀtosɑ̃tʀik] adj. — 1903 ; de *orthocentre,* et suff. *-ique.*

♦ Géom. Relatif à l'orthocentre.

ORTHOCHROMATIQUE [ɔʀtokʀomatik] adj. — 1889 (*Année sc. et industr.* 1890, p. 75) ; de *ortho-,* et *chromatique.*

♦ Photogr. Se dit d'une émulsion, d'une plaque qui est sensible à toutes les couleurs à l'exception du rouge. *Plaque orthochromatique.* — On dit aussi *isochromatique*.*

N. m. *L'orthochromatique :* la couche photographique orthochromatique.

Pareil traitement *(de la pellicule)* était nécessaire pour obtenir, à tort ou à raison, la densité photographique des premiers Chaplin, pour retrouver le noir et blanc de l'orthochromatique d'autrefois.   J.-L. GODARD, août 1963, *in* Coll. des cahiers du cinéma, p. 330.

ORTHOCHROMATISME [ɔʀtokʀomatism] n. m. — 1894, ex. ci-dessous ; de *ortho-,* et *chromatisme,* d'après *orthochromatique.*

♦ Techn. Propriété des émulsions orthochromatiques. « *Un orthochromatisme aussi voisin que possible de la perfection* ». (*Année sc. et industr.* 1895, p. 51 [1894]).

ORTHODIAGRAMME [ɔʀtodjagʀam] n. m. — V. 1960 ; de *ortho-,* et *diagramme.*

♦ Techn. Reproduction des organes en grandeur réelle sur un écran radioscopique.

ORTHODONTIE [ɔʀtodɔ̃ti ; ou, plus cour., ɔʀtodɔ̃si] n. f. — 1949, Larousse ; de *ortho-,* et grec *odous, odontos* « dent ».

♦ Didact. Partie de la médecine dentaire consacrée à la prévention et à la correction des malpositions dentaires et des déformations maxillaires, en particulier chez les enfants. *L'orthodontie est une spécialité de l'odontologie*. Appareil d'orthodontie.*

DÉR. Orthodontique, orthodontiste.

ORTHODONTIQUE [ɔʀtodɔ̃tik] adj. — V. 1960 ; de *orthodondie,* et suff. *-ique.*

♦ Relatif à l'orthodontie. *Appareils orthodontiques.*

ORTHODONTISTE [ɔʀtodɔ̃tist] n. — 1951 ; de *orthodontie,* et suff. *-iste.*

♦ Spécialiste de l'orthodontie (dentiste, prothésiste).

L'appareil d'Angles fut le premier des appareils fixes (...) Merschon construisit un arc fixe palatin (...) Chaque orthodontiste y apporte la marque de son habileté et de son ingéniosité (...)   P.-L. ROUSSEAU, les Dents, p. 111.

ORTHODOXE [ɔʀtodɔks] adj. et n. — 1431 ; lat. ecclés. *orthodoxus,* mot de formation sav. du grec *orthos* « droit, juste », et *doxa* « opinion ».

★ I. ♦ **1.** Relig. Conforme au dogme, à la doctrine (d'une religion). ⇒ **Orthodoxie** (1.). *Doctrine, dogme* (→ Construction, cit. 5), *opinion, proposition orthodoxe.*

(Personnes). Qui professe une opinion orthodoxe (→ Fidéisme, cit. 1). *Ce théologien est très orthodoxe.* « *Vous fûtes, ce faisant, orthodoxe et fidèle* » (Verlaine). — N. (→ Hérésiarque, cit. 2). *Les orthodoxes et les hérétiques.*

♦ **2.** (1787). Conforme à une doctrine, aux opinions et usages établis. ⇒ **Orthodoxie** (2.), **traditionnel.** *Son marxisme est parfaitement orthodoxe. Conduite, morale orthodoxe.* ⇒ **Conforme, conformiste.** — Par ext. *Économiste, historien, moraliste orthodoxe.* — N. *Dans presque tous les partis, il y a des orthodoxes et des dissidents.*

(...) un étranger *francisé* ne se permet pas une opinion ni une phrase qui ne soit orthodoxe, et le plus souvent c'est une vieille orthodoxie qu'il prend pour l'opinion du jour.   Mᵐᵉ DE STAËL, De l'Allemagne, I, ıx.

★ II. Se dit des Églises chrétiennes des différents rites d'Orient (schismatiques par rapport à l'Église romaine au xıᵉ siècle), et, spécialt, de l'Église grecque et de l'Église russe. ⇒ **Christianisme, église.**

L'Église orthodoxe grecque, russe. — Qui est relatif à ces Églises. *Clergé, culte, rite orthodoxe.* — N. Fidèle de ces Églises. *Un orthodoxe grec* (⇒ **Melchite**). *Une orthodoxe. Les orthodoxes et les catholiques romains, et les uniates.*

CONTR. **Hérétique, hétérodoxe.** — **Fantaisiste.**
DÉR. (Du même rad.) **Orthodoxie.**

ORTHODOXIE [ɔʀtɔdɔksi] n. f. — 1580 ; lat. ecclés. *orthodoxia*, de *orthodoxus* (→ Orthodoxe), ou de *orthodoxe*.

♦ **1.** Ensemble des doctrines, des opinions religieuses qui sont considérées comme vraies par la fraction dominante d'une Église, par la majorité du clergé, des fidèles, et qui sont enseignées officiellement. ⇒ **Orthodoxe** (→ Apocryphe, cit. 2). — Caractère de ce qui est conforme à cette doctrine. *Interprétation qui sort de l'orthodoxie. Orthodoxie catholique* (⇒ **Catholicité**), *bouddhiste...* Fait d'être orthodoxe, en parlant d'une personne. *Son orthodoxie est douteuse.*

0.1 (...) l'orthodoxie est la conformité d'une opinion avec *(une)* règle de la foi, c'est le contraire de l'hétérodoxie ou de l'hérésie. BERGIER, Dict. de théologie.

1 (...) quand le cardinal de Lorraine se vantait d'avoir fait adopter quelques-unes de ses opinions par le concile de Trente, et que, pour prix de son orthodoxie, il demandait la vie éternelle (...) VOLTAIRE, Dict. philosophique, Dogmes.

2 Pas une des objections du rationalisme qui ne soit venue jusqu'à lui. Il n'y faisait aucune concession ; car la vérité de l'orthodoxie ne fut jamais pour lui l'objet d'un doute. RENAN, Souvenirs d'enfance..., Œ. compl., t. II, V, I.

♦ **2.** (1787). Ensemble des préceptes, des principes, des usages qui sont traditionnellement ou généralement admis en matière d'art, de science, de morale, etc. ; ensemble des doctrines, des opinions qui sont admises ou imposées par la fraction dominante d'un groupe, d'un parti (→ Épuration, cit. 1).

3 La morale de Marguerite de Navarre n'en est pas moins saine et d'une parfaite orthodoxie ; seulement elle y mêle volontiers la contrepartie, et rapporte très spirituellement des objections et plaisants propos des devisants qui ne sont pas de son avis (...) Émile HENRIOT, Portraits de femmes, p. 83.

Caractère orthodoxe (d'une proposition, d'une personne) dans une matière non religieuse. *Orthodoxie littéraire, politique. Orthodoxie en matière de morale.* ⇒ **Conformisme, conformité.**

CONTR. **Hérésie, hétérodoxie.** — **Déviation, non-conformisme.**

ORTHODROMIE [ɔʀtɔdʀɔmi] n. f. — 1691 ; dér. sav. du grec *orthodromein* «courir en ligne droite». → -drome, -dromie.

♦ Didact. Mar. Route d'un navire, d'un avion qui suit la voie la plus directe sur le globe terrestre, c'est-à-dire un arc de grand cercle. *Orthodromie et loxodromie*.* — Chemin le plus court entre deux points (sur une surface courbe ou plane).

DÉR. **Orthodromique.**

ORTHODROMIQUE [ɔʀtɔdʀɔmik] adj. — 1765 ; de *orthodromie*.

♦ Didact. Relatif à l'orthodromie. *Chemin, ligne, navigation orthodromique.*

ORTHOÉPIE [ɔʀtoepi] n. f. — 1868, Littré ; grec *orthoêpia*, de *orthos* (→ Ortho-), *epos* «parole», et suff. *-ie*.

♦ Didact. Phonétique normative, décrivant les prononciations correctes. ⇒ **Orthophonie, 2.**

ORTHOGÉNÈSE [ɔʀtoʒɛnɛz] ou **ORTHOGENÈSE** [ɔʀto ʒənɛz] n. f. — 1893 ; de *ortho-*, et *-genèse*.
Biologie.

♦ **1.** Théorie selon laquelle l'évolution des organismes vivants est prédéterminée, sans intervention de l'adaptation.

♦ **2.** Suite de variations qui, au cours de l'évolution des êtres vivants, se produisent dans le même sens, à travers plusieurs espèces ou plusieurs genres.

ORTHOGÉNIE [ɔʀtoʒeni] n. f. — 1965 ; de *ortho-*, et *-génie*.

♦ Didact. Régulation des naissances. ⇒ **Contrôle, planning** (familial). *« Les centres d'orthogénie. Le mot n'est pas dans le dictionnaire. Il s'agit des établissements de planification ou d'éducation familiale... »* (*l'Express*, 3 juil. 1972, p. 108).

DÉR. **Orthogénisme.**

ORTHOGÉNISME [ɔʀtoʒenism] n. m. — 1969 ; de *orthogénie*.

♦ Didact. Science qui traite de l'orthogénie*.

ORTHOGNATHE [ɔʀtognat] adj. — 1855, Encycl. Berthelot, art. *Bouche* ; de *ortho-*, et *-gnathe*.

♦ Anthrop. Dont les maxillaires sont alignés selon une direction approximativement verticale. *Races orthognathes ou races blanches, chez lesquelles la ligne du profil a tendance à se rapprocher de la verticale* (→ Prognathe).

DÉR. **Orthognathisme.**

ORTHOGNATHISME [ɔʀtognatism] n. m. — 1888 ; de *orthognathe*, et suff. *-isme*.

♦ Anthrop. Disposition des maxillaires propre à l'orthognathe (→ Prognathisme).

ORTHOGONAL, ALE, AUX [ɔʀtogonal, o] adj. — 1520 ; dér. sav. du lat. *orthogonus* «à angle droit», grec *orthogônios* ; → -gone, -gonal.

♦ Géom. Qui tombe, qui se fait à angle droit ; qui forme un angle droit. ⇒ **Perpendiculaire.** *Droites orthogonales* : droites perpendiculaires entre elles. *Plans orthogonaux. Courbes orthogonales* : courbes qui ont un point commun et dont les tangentes respectives menées par ce point sont perpendiculaires entre elles. — *Projection orthogonale* (ou *orthographique*) : projection d'une figure obtenue au moyen de perpendiculaires abaissées à partir des différents points de cette figure sur une droite, un plan, une surface quelconque. ⇒ **Orthographie.**

DÉR. **Orthogonalement.**

ORTHOGONALEMENT [ɔʀtogonalmã] adv. — 1528 ; de *orthogonal*.

♦ Géom. D'une manière orthogonale, à angle droit. *Figure projetée orthogonalement.* ⇒ **Perpendiculairement.**

ORTHOGRADE [ɔʀtogʀad] adj. — Mil. xxᵉ ; de *ortho-*, et *-grade*. → Rétrograde.

♦ Didact. et rare. Qui marche debout.

ORTHOGRAPHE [ɔʀtogʀaf] n. f. — 1529 ; *ortografie* (→ Orthographie), xIIIᵉ ; lat. *orthographia*, mot grec, de *orthos* «droit», et *graphein* «écrire».

♦ **1.** Manière d'écrire (un mot, une suite de mots) considérée comme la seule correcte. *Chercher l'orthographe d'un mot dans le dictionnaire. Orthographe des mots empruntés aux langues étrangères.* — Ensemble des règles, officiellement enseignées ou imposées par l'usage, selon lesquelles on doit écrire* les mots d'une langue. *Orthographe d'usage* : ensemble des conventions qui régissent la graphie des mots indépendamment de la fonction qu'ils peuvent remplir dans une phrase. *Orthographe d'accord* : ensemble des règles qui régissent la graphie des mots selon la fonction qu'ils remplissent dans une phrase. *Orthographe et grammaire. Faute* (cit. 33) *d'orthographe. L'orthographe française s'est fixée à une date relativement récente. Bizarrerie, inconséquences* (cit. 7) *de l'orthographe. Réforme, simplification de l'orthographe.*

1 L'absurdité de notre orthographe, qui est, en vérité, une des fabrications les plus cocasses du monde. Elle est un recueil impératif ou impératif d'une quantité d'erreurs d'étymologie artificiellement fixées par des décisions inexplicables. VALÉRY, Variété III, p. 279.

2 On s'expliquera pareilles singularités *(de l'orthographe)* si l'on songe, d'une part, que l'orthographe française s'est fixée à une époque où la prononciation continuait à évoluer (...) d'autre part, que, dans la suite, l'imprimerie, en fixant l'écriture, a exercé une influence conservatrice sur cette dernière et rendu par là même plus difficile une harmonisation de l'orthographe et de la prononciation.
FISCHER et HACQUARD, À la découverte de la grammaire franç., p. 47.

Connaissance de ces règles ; fait de les appliquer avec rigueur et sûreté. *Apprendre l'orthographe. Exercice, leçon d'orthographe. Il n'a pas d'orthographe. Être bon, mauvais en orthographe. Trouble d'acquisition de l'orthographe.* ⇒ **Dysorthographie.** — Application effective de ces règles dans un texte. *Mettre l'orthographe* (→ Hors, cit. 20).

3 Je ne sais pas grand'chose, mais je sais l'orthographe. Et les couplets que l'on chante chez moi, je veux qu'ils soient écrits avec l'orthographe.
J. ANOUILH, Ornifle, I, p. 32.

♦ **2.** Manière dont un mot, un énoncé, un texte est écrit. ⇒ **Écrire, graphie.** *Écrire un mot selon telle ou telle orthographe.* ⇒ **Orthographier.** *Mots qui ont la même orthographe.* ⇒ **Homogramme, homographe.** *L'orthographe de qqn*, sa façon d'écrire, quant à l'orthographe (1.), aux règles. *Orthographe correcte, barbare* (cit. 16), *capricieuse* (→ Illettré, cit. 6), *vicieuse. Cet enfant a une très mauvaise orthographe, il doit l'améliorer.*

4 Il lit et écrit couramment. Son orthographe est très mauvaise, oui, très mauvaise.
J. ROMAINS, les Hommes de bonne volonté, t. V, xx, p. 161.

♦ **3.** Ensemble de graphies, système de notation des sons par des signes écrits ; norme graphique. ⇒ aussi cit. 1 et 2, ci-dessus. *L'orthographe d'une langue. L'orthographe française, anglaise. L'orthographe du xvIᵉ siècle, de Ronsard, de Voltaire. L'orthographe des éditeurs lyonnais, parisiens, au xvIᵉ siècle. Orthographe étymo-*

logique, phonétique. Orthographe commode, rationnelle, absurde, encombrée de lettres étymologiques. Fixer, normaliser l'orthographe d'une langue récemment écrite. Problèmes de l'orthographe des créoles.

5   (...) on doit se demander d'abord dans quelle mesure une orthographe est capable d'atténuer le désaccord entre la parole et l'écriture, jusqu'à quel point la graphie peut représenter la prononciation. Certaines orthographes doivent justement leurs complications au désir de renseigner le lecteur de la façon la plus précise sur la prononciation des mots (...) jamais une orthographe n'a exactement reproduit le langage parlé. Imaginons une orthographe dite phonétique, enrichie de caractères variés, pourvue de signes diacritiques ; elle ne permettra jamais à quelqu'un qui n'aurait pas entendu parler la langue d'en réaliser parfaitement la prononciation.
J. VENDRYES, le Langage, p. 390.

DÉR. **Orthographier, orthographique.** — V. **Orthographie.**

ORTHOGRAPHIE [ɔRtɔgRafi] n. f. — XIIIᵉ, *orthografie* «orthographe»; autre forme d'*orthographe.*

♦ **1.** Vx. Orthographe (→ Écrire, cit. 11, Ronsard).

♦ **2.** (XVIIᵉ). Vx. Coupe perpendiculaire, profil d'une fortification. — Archit. Dessin qui représente un édifice avec ses dimensions réduites, sans tenir compte de la perspective.

♦ **3.** (1838). Rare. Projection orthogonale*.

ORTHOGRAPHIER [ɔRtɔgRafje] v. tr. — Conjug. *prier.* — 1426; de *orthographe.*

♦ **1.** Écrire (un mot, une phrase...) correctement, selon les règles de l'orthographe (→ Grammaire, cit. 2). Absolt. « *Il orthographie correctement* » (Académie).

♦ **2.** Écrire (un mot) selon telle ou telle orthographe (2.). *On orthographiait autrefois le mot roi avec un y : roy.* — Pron. *Son nom s'orthographie avec deux* r.

▶ ORTHOGRAPHIÉ, ÉE p. p. adj. *Mot bien, mal orthographié.*

ORTHOGRAPHIQUE [ɔRtɔgRafik] adj. — 1752; fortif., 1691; de *orthographe.*

♦ **1.** Relatif à l'orthographe. *Dictionnaire, réforme, règle orthographique. Erreur, fantaisie orthographique. Signes orthographiques :* accents, apostrophe, cédille, point, trait d'union, tréma...

♦ **2.** Relatif à l'orthographe (2.). *Dessin orthographique.*

♦ **3.** *Projection orthographique* ou *orthographie.* ⇒ **Orthogonal** (projection orthogonale).

DÉR. **Orthographiquement.**

ORTHOGRAPHIQUEMENT [ɔRtɔgRafikmã] adv. — 1845; de *ortographique.*

♦ Quant à l'orthographe. « *La proportion de mots orthographiquement corrects diminue très vite avec n* [nombre de lettres] » (*la Recherche*, oct. 1981, p. 1102). ⇒ **Graphiquement.**

ORTHOLOGIE [ɔRtɔlɔʒi] n. f. — 1757; grec *orthologia;* de *ortho-,* et *-logie.*

♦ Didact. et rare. Art de parler avec correction. — Ouvrage sur cet art.

CONTR. **Cacologie.**
DÉR. **Orthologique.**

ORTHOLOGIQUE [ɔRtɔlɔʒik] adj. — 1846; de *orthologie,* et suff. *-ique.*

♦ Didact. et rare. Relatif à l'orthologie, à l'emploi d'un langage parlé correct. *Art orthologique. Règles orthologiques.*

ORTHONORMÉ, ÉE [ɔRtɔnɔRme] adj. — Mil. XXᵉ; de *ortho-,* et *normé.*

♦ Didact. Dont les vecteurs de base sont orthogonaux et de même mesure. ⇒ **Normé.** *Repère orthonormé.*

ORTHOPÉDIE [ɔRtɔpedi] n. f. — 1741; de *ortho-,* et grec *pais, paidos* «enfant».

♦ **1.** Vx. Art de prévenir et de corriger les difformités du corps chez les enfants.

(...) mais une harpe est trop lourde, et, au bout de six mois, la maîtresse s'aperçoit que l'enfant devient bossue ; ce que voyant, elle lui redresse la taille moyennant un corps baleiné et une plaque de plomb qu'on fait venir de Paris. Ainsi, à défaut de la harpe, Mᵐᵉ de Genlis, en ce cas, fait de l'orthopédie : que lui importe, pourvu qu'elle morigène, qu'elle redresse, qu'elle fasse acte d'enseignement !
SAINTE-BEUVE, Causeries du lundi, 14 oct. 1850.

♦ **2.** Mod. Branche de la médecine qui étudie et traite les affections du squelette, des muscles et des tendons. *Orthopédie dento-faciale,* qui traite des malformations des dents et des mâchoires. ⇒ **Orthodontie; prothèse** (*supra,* cit. 2). *Procédés utilisés en orthopédie,* gymnastique, interventions chirurgicales (⇒ **Chirurgie**), emploi d'appareils (bandages, corsets, etc.). *Service d'orthopédie d'un hôpital.*

♦ **3.** Cour. Orthopédie des membres inférieurs (par rapprochement avec le lat. *pes, pedis* «pied»).

DÉR. **Orthopédique, orthopédiste.**

ORTHOPÉDIQUE [ɔRtɔpedik] adj. — 1711; de *orthopédie.*

♦ Relatif à l'orthopédie. *Appareil orthopédique. Appareil, bandage, ceinture* (cit. 4), *chaussure, corset orthopédique. Établissement, service orthopédique.*

(...) la petite Simone Chassieux courait et riait en traînant derrière elle sa jambe gauche serrée dans une bottine orthopédique.
SARTRE, le Sursis, p. 28.

ORTHOPÉDISTE [ɔRtɔpedist] n. et adj. — 1771; de *orthopédie.*

♦ Médecin, personne qui pratique l'orthopédie ; personne qui dirige un établissement orthopédique. — Adj. *Médecin orthopédiste.* — Personne qui fabrique, qui vend des appareils orthopédiques. *Orthopédiste-bandagiste* (⇒ **Bandagiste**).

(...) le fond même de la galerie, est occupé par un orthopédiste-bandagiste qui n'a pas trop de ses deux magasins pour son hétéroclite commerce. À côté du marchand de champagne, voyez comme il étale de belles mains articulées en bois, et d'autres d'une pièce. Et des cannes, des béquilles, des ventouses.
ARAGON, le Paysan de Paris, p. 122.

ORTHOPHONIE [ɔRtɔfɔni] n. f. — 1828; de *ortho-,* et *-phonie.*

♦ **1.** Méd., phonét. Traitement qui vise à la correction des défauts d'élocution.

♦ **2.** (1855). Didact. Prononciation normale et correcte. ⇒ **Orthoépie.**

♦ **3.** Rare. Application des lois de l'acoustique à la propagation de la voix humaine et des sons dans un espace clos (salle de concert, etc.) de manière à obtenir la meilleure audition possible. — REM. Dans ce sens, on emploie plutôt le syntagme *acoustique architecturale.*

DÉR. **Orthophonique, orthophoniste.**

ORTHOPHONIQUE [ɔRtɔfɔnik] adj. — 1972; de *orthophonie.*

♦ Didact. Relatif à l'orthophonie. *Traitement orthophonique.*

ORTHOPHONISTE [ɔRtɔfɔnist] n. — 1966; de *orthophonie.*

♦ Méd., phonét. Spécialiste de l'orthophonie*. *Passer un diplôme d'orthophoniste. Une excellente orthophoniste, qui rééduque des enfants dyslexiques, des bègues.* « (...) une petite fille de 7 ans, intelligente mais sourde. L'enfant avait besoin des soins permanents d'une orthophoniste » (*l'Express*, 8 janv. 1973, p. 92).

ORTHOPHORIE [ɔRtɔfɔRi] n. f. — D. i. (mil. XXᵉ); de *ortho-,* et grec *phorein* «porter».

♦ Physiol. État d'équilibre fonctionnel parfait des deux yeux.

ORTHOPHOTOCARTE [ɔRtɔfɔtɔkaRt] n. f. — V. 1970; de *orthophoto(graphie),* et *carte.*

♦ Techn. Assemblage d'orthophotographies* sur lesquelles on porte les signes conventionnels des cartes.

ORTHOPHOTOGRAPHIE [ɔRtɔfɔtɔgRafi] n. f. — V. 1970; de *ortho-,* et *photographie.*

♦ Didact. Image photographique obtenue par redressement différentiel d'un cliché aérien à peu près vertical représentant un terrain non plan.

COMP. **Orthophotocarte.**

ORTHOPNÉE [ɔRtɔpne] n. f. — 1611; de *ortho-,* et grec *pnein* «respirer».

♦ Méd. Difficulté à respirer (⇒ **Dyspnée**) en position couchée (qui tend à contraindre le malade à la position assise ou debout). *Orthopnée des asthmatiques.*

ORTHOPTÈRE [ɔRtɔptɛR] n. m. et adj. — 1789; lat. sav.; de *ortho-,* et *-ptère.*

♦ Zool. *Insectes orthoptères* (vx), et, n. m., *les orthoptères :* ordre qui comprend les insectes* dont les ailes sont des élytres mous, les ailes postérieures étant pliées dans le sens de la longueur. *Les orthoptè-res ont des métamorphoses incomplètes; ils sont insectivores ou phytophages, certains sont omnivores. Division des orthoptères en coureurs* (blattidés ⇒ **Blatte**; forficulidés ⇒ **Forficule**), *marcheurs* (mantidés ⇒ **Empuse**; phasmidés ⇒ **Phasme, phyllie**) *et sauteurs* (acridiens ⇒ **Criquet**; gryllidés ⇒ **Courtilière, grillon**; locustidés ⇒ **Locuste, sauterelle**). — Au sing. *Un orthoptère.*

ORTHOPTICIEN, IENNE [ɔʀtɔptisjɛ̃, jɛn] ou ORTHOP-TISTE [ɔʀtɔptist] n. — 1971; de *orthoptique.*

♦ Didact. Spécialiste de l'orthoptique.

ORTHOPTIQUE [ɔʀtɔptik] adj. et n. f. — 1932; 1903, adj., autre sens; de *ortho-*, et *optique.*
Didactique (physiologie).

♦ **1.** Adj. Relatif à la vision normale des deux yeux.

♦ **2.** N. f. Discipline médicale qui a pour objet de corriger les troubles visuels liés à la mauvaise coordination des mouvements oculaires, en particulier le strabisme. — On trouve aussi la forme *orthoptie.*

DÉR. Orthopticien.

ORTHORHOMBIQUE [ɔʀtɔʀɔ̃bik] adj. — 1843, Delafosse; de *ortho-*, *rhombe*, et suff. *-ique.*

♦ Minér. *Cristal orthorhombique*, qui a la forme d'un prisme droit à base en losange.

ORTHOSCOPIE [ɔʀtɔskɔpi] n. f. — 1932; de *ortho-*, et *-scopie.*

♦ Didact. Absence de distorsion* (d'un appareil optique).

ORTHOSCOPIQUE [ɔʀtɔskɔpik] adj. — 1878 (en all. 1858, Voigtlander, *in* Cottez); de *ortho-*, et *-scopique.*

♦ Photogr. Se dit d'un objectif construit de manière à éviter toute déformation de l'image.

Si l'image orthoscopique des choses, simple aspect parmi une infinité d'autres, en est tenue pour l'image vraie, n'est-ce pas en raison de leur maniement qui ignore les lois, les illusions de la perspective?
H. WALLON, l'Évolution psychologique de l'enfant, p. 173.

ORTHOSE [ɔʀtoz] n. m. — 1803; de *ortho-*, et *-ose.*

♦ Minér. Feldspath potassique de couleur blanche, rose ou rouge, abondant dans le granite. *L'orthose est un polysilicate double d'aluminium et de potassium.* — Syn. (rare): *orthoclase*, n. m.

ORTHOSTATE [ɔʀtɔstat] n. m. — 1933, Larousse; grec *orthosta-tês* «qui se tient droit», de *statos* «qui est debout».

♦ Archit. Bloc posé de chant, à la base d'un mur. *L'assise d'orthos-tates est parfois d'une autre matière que le reste du mur.*

Les murs sont faits de pierres taillées, posées généralement à vif et reliées par des crampons de fer; celles de l'assise inférieure *(orthostates)* ont de plus fortes dimensions.
G. CONTENAU et V. CHAPOT, l'Art antique, p. 160.
REM. On trouve la var. *orthostat.*

ORTHOSTATIQUE [ɔʀtɔstatik] adj. — 1901, Garnier et Dela-mare; de *ortho-*, grec *statos* «qui est debout», et suff. *-ique.*

♦ Didact. Relatif à la station debout, qui se produit pendant la station debout. *Albuminurie orthostatique.*

ORTHOSYMPATHIQUE [ɔʀtɔsɛ̃patik] adj. — 1930; de *ortho-*, et *sympathique.*

♦ Anat. Se dit de la partie du système nerveux végétatif dont les centres se trouvent dans les cornes latérales de la moelle thoracique et lombaire, et dont l'action est antagoniste de celle du *para-sympathique**. — On dit aussi, par abrév., *sympathique.*

ORTHOTROPE [ɔʀtɔtʀɔp] adj. — 1808, *in* Cottez; de *ortho-*, et *(iso)trope.*

♦ **1.** Bot. (Vx). Se dit d'un ovule où le micropyle est situé à l'opposé du placenta. — Dressé (en parlant d'un rameau, d'une tige).

♦ **2.** (Déb. xxᵉ; 1904, *in Rev. gén. des sc.*; de *ortho[gonal]*, et *[aniso]trope*). Techn. Qui présente une anisotropie orthogonale, une rigidité différente dans le sens longitudinal et dans le sens transversal. *Dalle orthotrope d'un tablier de pont. Renforts orthotropes.*

ORTIE [ɔʀti] n. f. — V. 1165; *orttrie*, v. 1120; du lat. *urtica.*

♦ Plante *(Urticacées)* dont les feuilles sont couvertes de poils fins qui renferment un liquide irritant (acide formique). *Piqûre d'ortie: brûlure causée par le contact avec les feuilles d'orties. Éruption semblable à celle que produit le contact de l'ortie.* ⇒ **Urticaire.** *Fouetter, frotter, piquer un membre perclus avec des orties pour produire un effet révulsif* (⇒ **Ortier, urtication**). *Ortie dioïque ou grande ortie*, très commune dans les lieux incultes et les décombres. *Ortie de Chine dont on tire une fibre textile.* ⇒ **Ramie.** — *Cuite, l'ortie est comestible. Soupe à l'ortie, aux orties.* — Par ext. *Ortie blanche, rouge.* ⇒ **Lamier.** — Par anal. *Ortie de mer.* ⇒ **Actinie.**

Quand l'ortie est jeune, la feuille est un légume excellent; quand elle vieillit, elle a des filaments et des fibres comme le chanvre et le lin. La toile d'ortie vaut la toile de chanvre. Hachée, l'ortie est bonne pour la volaille.
HUGO, les Misérables, I, V, III.

Loc. fig. (1564). *Jeter le froc** (cit. 7, 8 et 9) *aux orties.*

DÉR. Ortier.

ORTIER [ɔʀtje] v. tr. — 1812; «piquer avec des orties», v. 1270.

♦ Vx. Fouetter, frotter, piquer avec des orties afin de produire un effet révulsif. *Ortier un membre atteint de rhumatisme.* — Au p. p. (1795). *Fièvre ortiée, plaques ortiées* (⇒ **Urticaire**).

ORTIVE [ɔʀtiv] adj. f. — 1555; lat. *ortivus* «qui se lève».

♦ Astron. *Amplitude ortive*: arc de l'horizon qui est compris entre l'orient vrai et le centre d'un astre à son lever.

ORTOLAN [ɔʀtɔlɑ̃] n. m. — 1668; 1552, *hortolan*; provençal *orto-lan*, du bas lat. *hortulanus* «de jardin», de *hortus* «jardin» parce que cet oiseau fréquente les jardins.

♦ Bruant* d'une variété de l'Europe méridionale (→ Becfigue, cit.; hirondeau, cit.). *La chair de l'ortolan est très estimée.* — *Manger des ortolans*, des mets coûteux et raffinés. *Il ne mange pas des ortolans tous les jours.* «Reliefs d'ortolans» (→ Civil, cit. 13, La Fontaine).

Et nous donc? crois-tu que nous mangions des ortolans?
BALZAC, les Ressources de Quinola, III, 2.

ORVALE [ɔʀval] n. f — Fin xIIᵉ; p.-ê. altér. d'après *or* et *valoir*, du lat. *auris gallus* «oreille de coq», ou, selon P. Guiraud, du rad. lat. de *orbus* «aveugle», la plante ayant la propriété de faire sortir les corps étrangers introduits sous les paupières.

♦ Sauge* d'une variété appelée aussi *sauge sclarée* ou *toute-bonne.*

ORVET [ɔʀvɛ] n. m. — Fin xvıᵉ; 1389, au plur. *orveis*; *orver*, v. 1354 de l'anc. franç. *orb* «aveugle» (lat. *orbus*), et suff. *-et*, l'orvet passant pour être aveugle.

♦ Reptile saurien proche des lézards *(Brévilingues)*, dépourvu de membres, ovovivipare, qui se nourrit de vers et de limaces. *On appelle l'orvet serpent de verre* (la queue se brisant facilement), *bien que ce ne soit pas un serpent.*

Et je ne parle pas des rampants, localement appelés vlains, qu'il s'agisse de la grande-jaune de deux mètres, d'un malheureux orvet ou même d'un gros lombric de terreau!
Hervé BAZIN, Cri de la chouette, p. 229.

ORVIÉTAN [ɔʀvjetɑ̃] n. m. — 1625, *in* D.D.L.; ital. *orvietano*, «d'Orvieto», ville d'Italie.

♦ **1.** Vx. Électuaire* inventé à Orvieto, qui fut en vogue au xvııᵉ siècle et auquel on attribuait de grandes vertus. — Par ext. Remède de charlatan. ⇒ **Drogue.** — Loc. fig. *Débiter, vendre de l'orviétan*: exploiter la crédulité publique.

(...) on les laisse *(les bonzes)* débiter leur orviétan dans les places publiques (...)
VOLTAIRE, Dialogues, XXVII.

♦ **2.** Mod. *Marchand, vendeur d'orviétan.* ⇒ **Charlatan** (cit. 3 et aussi Frimas, cit. 5). — Fig. Bonimenteur, charlatan, imposteur.

ORVIETO [ɔʀvjeto] n. m. — 1832; nom d'une ville et d'une province d'Italie.

♦ Vin d'Orvieto.

ORYCTÉROPE [ɔʀikteʀɔp] n. m. — 1791, Geoffroy Saint-Hilaire; du grec *oruktêr*, *oruktêros* «fouisseur», et *ôps* «vue».

♦ Mammifère tubulidenté d'Afrique, appelé aussi *cochon de terre*, qui vit caché dans de profonds terriers pendant le jour et qui sort pendant la nuit pour se nourrir de termites et de fourmis (→ Fourmilier).

ORYCTOGRAPHIE [ɔʀiktɔgʀafi] ou **ORYCTOLOGIE** [ɔʀiktɔlɔʒi] n. f. — 1771, *oryctographie; oryctologie*, 1755; du grec *oruktos* «fossile», *-graphie*, et *-logie*.

♦ Didact. et vx. Science qui a pour objet l'étude des fossiles. ⇒ **Paléontologie.**

ORYX [ɔʀiks] n. m. — XVIIIe; *orix*, 1530; lat. *oryx* «gazelle», mot grec.

♦ **1.** Antilope des déserts d'Afrique et d'Arabie.

♦ **2.** (1932). Tisserin rouge et noir.

Os [ɔɛs] Symbole chimique de l'*osmium**.

OS [ɔs]; plur. [o], souvent [ɔs] dans la langue familière. N. m. — 1080; lat. *ossum*, var. de *or, ossis.*

♦ **1.** [a] Anat. et cour. Chacune des pièces rigides formées d'un tissu particulier (⇒ **Osseux**), qui forment le squelette et soutiennent les parties molles du corps. ⇒ **Ossature, squelette.** *Tous les vertébrés* à l'exception des poissons cartilagineux, ont des os. Os et cartilages. Poissons à os, dits Téléostéens (⇒ **Arête).** Formation des os. ⇒ **Ossification**; énostose. *Situé entre les os.* ⇒ **Interosseux.** — Anat. *Os longs, os allongés*, renflés aux extrémités. ⇒ **Diaphyse** (cit.), **épiphyse** (cit.). *Corps*, col*, tête d'un os long. Os plats*, qui ont peu d'épaisseur (→ **Diploé**, cit. 2). *Os courts*, dont les trois dimensions sont sensiblement égales. *Éminence, saillie, protubérance d'un os.* ⇒ **Apophyse, bosse, cheville, crête, épine, tubérosité.** *Cavité d'un os* (⇒ 1. **Glène**); *gouttière*, sillon, sinus*, trou d'un os. Intérieur de l'os.* ⇒ **Moelle; médullaire** (canal). *Croissance et destruction de l'os* (→ Extension, cit. 2). *Membrane qui recouvre l'os.* ⇒ **Périoste.** *Os surnuméraires ou en nombre variable.* ⇒ **Sésamoïde, wormien.** *Les os se meuvent par l'action des muscles* (→ Chair, cit. 1). *Os qui s'articulent l'un dans l'autre, sont attachés par des ligaments.* ⇒ **Articulation** (cit. 1 et 3), **jointure, symphyse, synarthrose, synchondrose.** *Éminence articulaire de l'os.* ⇒ **Condyle,** et aussi **cotyle.** *Os qui s'emboîtent* (cit. 8) *les uns dans les autres. Boîte* (cit. 5) *de l'os. Os qui se déboîtent* (⇒ **Déboîtement**), *se démettent, perdent contact.* ⇒ **Luxation** (cit.). *Déviation des os. Os qui craquent*. Os luxé, démis*, brisé* (⇒ **Fracture**). *Crépitation d'os fracturé* (⇒ **Esquille**). *Chirurgien, rebouteux* qui remet, remboîte un os.* ⇒ **Réduction.** *Maladies des os.* ⇒ **Carie** (cit. 1), **exostose, ostéalgie, ostéite, ostéomalacie, ostéomyélite, ostéoporose, ostéosarcome.** *Maladie des «os de marbre».* ⇒ **Ostéopétrose.** *Nécrose de l'os, os nécrosé* (⇒ **Séquestre**). *Troubles de la croissance des os.* ⇒ **Rachitisme.** *Décalcification* des os.* — Chir. *Dénuder un os. Instrument pour racler, percer un os.* ⇒ **Rugine, trépan.** *Curetage, évidage, raclage d'un os. Scier, réséquer un os.* ⇒ **Résection; ostéotomie** (→ Mordre, cit. 22). *Prothèse des os.* ⇒ **Ostéoplastie.** — *Les os contiennent de la chaux, des phosphates, du phosphore, des carbonates, de la gélatine... Os récupérés par l'équarrissage*, employés comme engrais, carbonisés pour la fabrication du noir* animal.* — *Os fossiles. Os pétrifiés.* ⇒ **Ostéolithe.**

1 Les os, dont s'occupe l'ostéologie (...) sont des organes blanchâtres, durs et résistants, dont l'ensemble constitue le *squelette*. Situés au milieu des parties molles, ils lui servent de soutien et parfois même se creusent de cavités pour les recevoir et les protéger contre les atteintes extérieures; ils s'unissent les uns aux autres pour former les articulations : ils servent enfin de leviers aux masses musculaires qui s'insèrent à leur surface, devenant ainsi l'une des parties essentielles, la partie passive, de l'appareil locomoteur. L. TESTUT, Traité d'anatomie, t. I, p. 1.

2 Le piège l'avait saisi par derrière, refermant ses mâchoires sur la patte gauche, un peu au-dessous du jarret. Un os brisé perçait la chair, aigu et blanc (...) .M. GENEVOIX, Raboliot, IV, II.

Principaux os du corps humain : astragale, basilaire, calcanéum, carpe, carpien (os), clavicule, coccyx, colonne (vertébrale), coronal ou frontal, cornet, côte, cubitus, cunéiforme, ethmoïde (ethmoïdal), fémur, humérus, hyoïde, iliaque ou coxal (os coxal), ilion, ischion, mâchoire, malaire ou zygomatique, maxillaire, métacarpe (os métacarpiens), métatarse (os métatarsiens), nasal, naviculaire, occipital, omoplate, palatin, pariétal, péroné, phalange, pisiforme, pubis, pyramidal, radius, rocher, rotule, sacrum, scaphoïde, semi-lunaire, sphénoïde, sternum, tarse, temporal, tibia, trapèze, unguis, vertèbre, vomer, zygoma... — N. B. Se reporter aux mots désignant les différentes parties du corps. — *Le bréchet, la lunette sont des os particuliers aux oiseaux.*

[b] Cour. (Humain). *Avoir de gros os* (⇒ **Ossu**; → Graisse, cit. 5; métal, cit. 7), *de petits os. Personne dont on voit les os, dont les os sont saillants.* ⇒ **Maigre** (cit. 7), **osseux.**

Loc. *Avoir la peau qui colle aux os :* avoir peu de chair, être très maigre → Arête, cit. 2; hâve, cit. 5. — (Mil. xxe). Fam. *C'est un sac d'os* [sakdɔs], (xvie) *un paquet d'os* [pakɛdɔs], une personne très maigre. — *On lui voyait les os du corps au travers des guenilles* (→ Minable, cit. 1). *On lui compterait les os.* — (1668). *N'avoir que la peau sur les os, que la peau et les os* (→ Maigreur, cit. 1; maigrir, cit. 4). *Un loup n'avait que les os et la peau...* (→ Garde, cit. 12). Fig. *L'art n'a plus que la peau sur les os* (→ Agoniser, cit. 2). — *En chair* (cit. 13) *et en os :* en personne; physiquement

présent. — Allus. bibl. *« Les os de mes os et la chair de ma chair »* (cit. 2).

Je n'ai plus que les os, un squelette je semble. 3
RONSARD, Pièces posthumes, Derniers vers, Sonnet I.

Dans l'éclat de ses vingt-cinq ans, elle semblait grande, mince et très souple, grasse 4
pourtant avec de petits os. ZOLA, la Bête humaine, I.

Rompre, casser les os de quelqu'un.* Par ext. Battre cruellement (→ Haleine, cit. 24). — *Se rompre les os :* faire une chute dangereuse (→ Enrager, cit. 14).

Il mourut en César, et lui cassant les os, 5
Le bourreau ne lui put faire lâcher deux mots.
MOLIÈRE, le Dépit amoureux, V, 3.

(1690; *il ne fera jamais de vieux os*, 1640). *Il ne fera pas de vieux os :* il ne vivra pas longtemps, il ne tardera pas à mourir.

(...) et puis à la guerre, où avec un tel prince *(le duc du Maine),* qui prend goût 6
au métier et qui ne trouve rien de trop chaud, il ne devait pas apparemment faire
de vieux os (...) Mme DE SÉVIGNÉ, 1287, 12 juil. 1690.

Il ne ferait pas de vieux os, d'accord, mais ce n'était pas une raison pour rater sa 7
vie et se permettre n'importe quoi. SARTRE, le Sursis, p. 265.

(1640). Par exagér. *Être mouillé*, trempé..., gelé... jusqu'aux os* (→ Cérémonie, cit. 5). — (1613). Fig. *Jusqu'à l'os, jusqu'aux os :* à fond, complètement (→ Faire, cit. 52). *Il est pourri jusqu'à l'os. Dans la moelle, jusqu'à la moelle des os* (⇒ **Moelle**).

N'est-ce pas chez lui *(Aristote)* qu'on trouve ce monde propret, fini, hiérarchisé, 8
rationnel jusqu'à l'os. SARTRE, Situations I, p. 96.

(1948). Fam. (euphémisme pour *anus*). *L'avoir dans l'os*, ne pas obtenir ce qu'on voulait (→ fam. Être refait*, feinté*...). *Il croyait nous avoir, mais c'est lui qui l'a dans l'os !*

J'aime ça, moi, les malentendus, ça fait une musique qui me plaît, et chaque fois 8.1
qu'il y a un beau malentendu bien gratiné, je me dis que les corniauds et les salopards ont une chance de l'avoir dans l'os, etc.
Jacques PERRET, Bande à part, p. 202.

[c] (Os des animaux). *Viande vendue avec os* (⇒ **Réjouissance,** vx), *sans os. Enlever les os d'un morceau.* ⇒ **Désosser.** *Os de côtelette.* ⇒ **Manche** (→ Fragment, cit. 2). *Adapter un manche* à un os de gigot. Os à moelle* qu'on met dans le pot-au-feu. Des os à moelle* [ɔsamwal]. Donner, jeter un os à ronger à un chien. Ronger les os* (→ fig. Se contenter des restes*). *Os qui reste dans le gosier* (cit. 2).

Moyennant quoi votre salaire 9
Sera force reliefs de toutes les façons :
Os de poulets, os de pigeons (...) LA FONTAINE, Fables, I, 5.

Comme un chien affamé ronge un os dont toute la chair est partie (...) 10
GIDE, Bethsabé, 1.

Allus. littér. *Rompre l'os et sucer la substantifique moelle** (→ Livre, cit. 24, Rabelais).

(1680). Fig. et fam. *Donner, jeter un os à ronger à quelqu'un*, lui abandonner quelque petit plaisir ou profit pour se le concilier ou apaiser ses exigences.

Ils vous ont acheté. Combien? un os, qu'ils ont retiré à leur chien pour vous l'offrir. 11
Ils vous ont lancé cet os à la tête. Vous avez été lapidé autant que secouru. C'est
égal. Avez-vous rongé l'os, oui ou non? HUGO, l'Homme qui rit, II, I, X.

♦ **2.** LES OS : les restes d'un être vivant après sa mort. ⇒ **Carcasse** (cit. 3), **ossement** (→ Mort, cit. 36). *Os décharnés* (→ Hideux, cit. 4). *« Tes os dans le cercueil vont tomber en poussière »* (→ Âme, cit. 31). *« Un horrible mélange d'os et de chair meurtris... »* (Racine; → Affreux, cit. 1).

Absolt. *La terre où sont mes os.* ⇒ **Débris, reste**(s). *« Et la terre à jamais* (cit. 14) *soit légère à tes os ». Lieu où sont déposés les os.* ⇒ **Charnier, ossuaire.** *La pierre qui cachait les os des martyrs* (→ Autel, cit. 24). — Allus. hist. *« Ingrate* patrie, tu n'auras pas mes os ».*

♦ **3.** (Au plur.). Fam. Personne vivante. *Soigner ses vieux os. Abriter ses os quelque part.* — *Amène tes os :* amène-toi, viens.

♦ **4.** (1914; dans des loc.). Fig. Difficulté, problème, obstacle. ⇒ **Cactus.** *Il y a un os ! Tomber sur un os.*

♦ **5.** (V. 1175). Au sing. *De l'os, en os...* Matière qui constitue les os (au sens 1.), utilisée pour fabriquer certains objets ou certaines parties d'objet. *Aiguille, alène, boutons... en os. Couteaux à manches en os. Jetons en os. Os employé en tabletterie. Outils, bijoux, peignes... en os retrouvés dans les fouilles archéologiques.*

♦ **6.** (1606). *Os de seiche :* lame calcaire qui soutient le dos de la seiche, et que l'on donne aux oiseaux pour qu'ils s'y aiguisent le bec. — Fig. (→ Aiguiser, cit. 7).

♦ **7.** (V. 1354). Vén. *Os de cerf :* ergot du cerf.

DÉR. Ossature, osséine, osselet, osseret, osseux, ossifier, ossu.
COMP. Os-de-mouton. — Suros. — Désosser.
HOM. (Du plur.) Au, eau, haut, ho, ô, oh.

ÔS [ɸs] n. m. — 1951; mot suédois, *âs.*

♦ Géol. Ruban de gravier et de sable stratifiés, formant au fond des grandes crevasses des lits aux flancs raides, qui se suivent sur plusieurs dizaines de kilomètres. *Les eskers irlandais sont des ôs formant des collines aplaties.*

O. S. [ɔɛs] n. — 1950, in D. D. L. ; abrév. de *ouvrier** ou *ouvrière spécialisé(e).*

♦ Ouvrier, ouvrière sans qualification professionnelle, qui effectue, en général dans une chaîne, un petit nombre de tâches très limitées. *O. S. payé au S. M. I. C. Un O. S. qui devient O. P. (ouvrier professionnel). Cadences infernales, abrutissantes imposées aux O. S. Femme O. S. ; O. S. féminins ; une O. S. « Quel modèle de croissance permettrait de libérer (...) les O. S. de leur chaîne? »* (*l'Express,* 31 juil. 1972).

(...) une amélioration du sort des manuels type O.S. est d'autant plus nécessaire (...) que les volontaires disparaîtront, si rien n'est fait pour eux.
A. SAUVY, Croissance zéro?, p. 270.

REM. On trouve dans la presse la graphie *O. S.* (notamment in *l'Express*)

OSANORE [ɔsanɔʀ] adj. — V. 1840 ; comp. de *os,* de *an-,* préfixe privatif, et de *or.*

♦ Vx. *Dent** osanore :* type ancien de dent artificielle en ivoire d'hippopotame*.

OSCABRION [ɔskabʀijɔ̃] n. m. — 1765 ; orig. obscure.

♦ Zool. Mollusque marin (*Amphineures, Placophores*) au pied large, au corps plat, ovale et allongé, couvert sur sa face dorsale de plaques calcaires non soudées entre elles.

OSCAR [ɔskaʀ] n. m. — 1947, *Oscar, in* Höfler ; du prénom anglais.

♦ Haute récompense décernée chaque année, sous forme d'une statuette, par l'Académie des arts et sciences du cinéma, aux États-Unis. *Ce film a obtenu plusieurs oscars.* — (1949, *in* Höfler). Par ext. Récompense décernée par un jury dans des domaines divers. *Oscar de la chanson, de la publicité.*

OSCILLANT, ANTE [ɔsilɑ̃, ɑ̃t] adj. — 1746 ; p. prés. de *osciller.*

♦ **1.** Qui oscille, qui a un rythme alterné plus ou moins régulier. *De grandes tiges oscillantes* (→ Mât, cit. 4).

♦ **2.** (1890). Phys. Qui change de sens périodiquement. *Décharge oscillante d'un condensateur.* — Par ext. *Circuits oscillants.* (⇒ **Oscillateur**).

♦ **3.** (Av. 1865). Fig. Qui passe par des alternatives, qui varie. *Esprit oscillant.* ⇒ **Incertain.** — Méd. *Fièvre oscillante,* qui présente de grandes variations au cours de la journée.

OSCILLATEUR [ɔsilatœʀ] n. m. — 1898, *l'Illustration,* 7 mai ; *oscillateur de Hertz, Année sc. et industr.* 1899, p. 31 ; de *osciller.*

♦ Phys. Dispositif générateur d'oscillations électriques, lumineuses, sonores, mécaniques. ⇒ **Diapason ; alternateur.** — Spécialt. Émetteur d'ondes porteuses. *Oscillateur local. Oscillateur à cristal, à lampe.*

(...) ainsi, un oscillateur de relaxation émet des impulsions en raison de son fonctionnement discontinu, qui peuvent servir à synchroniser un autre relaxateur. Si l'on effectue un couplage entre deux relaxateurs, les deux oscillateurs se synchronisent, de manière telle que l'on ne peut préciser celui qui synchronise et celui qui est synchronisé ; en fait, ils se synchronisent mutuellement, et l'ensemble fonctionne comme un seul oscillateur, avec une période légèrement différente des périodes propres de chacun des oscillateurs.
Gilbert SIMONDON, Du mode d'existence des objets techniques, p. 141.

OSCILLATION [ɔsilasjɔ̃] n. f. — 1605 ; lat. *oscillatio,* du supin de *oscillare.* → Osciller.
Mouvement d'un corps qui oscille. ⇒ **Balancement, branle.**

♦ **1.** Sc. *Oscillation simple :* chacun des deux mouvements d'aller et retour d'un mobile qui décrit plusieurs fois la même portion limitée de droite ou de courbe, d'une extrémité à l'autre. *Oscillation double* (ou *complète*) : mouvement alternatif* d'un corps autour d'une position d'équilibre* (si l'on parle d'*oscillation complète,* on appelle *demi-oscillation* l'oscillation simple).
Oscillations d'un balancier de pendule, de métronome (cit. par métaphore). ⇒ **Battement** (cit. 12). *Amplitude** (cit. 3, par métaphore) d'une oscillation. Période* d'une oscillation. Oscillations synchrones*. Oscillations isochrones* du pendule. Oscillations pendulaires* (→ 2. Marche, cit. 5). Mouvement d'oscillation. ⇒ **Oscillatoire.** — Astron. Oscillation de l'axe d'un astre. ⇒ **Nutation.**

1   (...) la corde (...) se balançait gracieusement au-dessous de la traverse. — Un bruit de sonnettes (...) c'était un mannequin que les truands suspendaient par le cou à la corde (...) tellement chargé de grelots et de clochettes qu'on eût pu en harnacher trente mules castillanes. Ces mille sonnettes frissonnèrent quelque temps aux oscillations de la corde, puis s'éteignirent peu à peu, et se turent enfin, quand le

mannequin eût été ramené à l'immobilité par cette loi du pendule qui a détrôné la clepsydre et le sablier.   HUGO, Notre-Dame de Paris, I, VI.

Par ext. « Variation d'une grandeur mécanique, électrique, etc., caractérisée par un changement périodique de sens et une constance (*oscillation périodique* ou *entretenue*) ou une décroissance continue (*oscillation amortie*) de l'amplitude maxima à chacune des alternances » (Uvarov, *Dict. des sc.*). *Oscillation de l'énergie magnétique* (cit. 2). — *Oscillations électriques* (→ Électricité, cit. 3), *électromagnétiques.* — Radio. *Modulation** des oscillations par interférence des systèmes oscillants. Oscillations hertziennes* (cit.) produites par un oscillateur*.

♦ **2.** (1765). Cour. Mouvement de va*-et-vient (qui ne s'effectue pas forcément entre les mêmes limites). *Les oscillations d'un navire.* ⇒ **Roulis, tangage** (→ Démarrer, cit. 2 ; fort, cit. 21). *Oscillations de la houle* (cit. 1), *d'un câble* (⇒ **Ballant**). *Oscillations du corps dans la danse* (→ Cadencer, cit. 4 ; joindre, cit. 22). — *Oscillations du sol.* ⇒ **Secousse, tremblement** (de terre).

♦ **3.** Fig. Sc. Variation alternative et irrégulière d'une grandeur. *Zone climatique à oscillations saisonnières* (→ Glissement, cit. 5). — *Grandes oscillations que décrit la température dans la fièvre hectique. Oscillations de la courbe du pouls, de la tension artérielle*.*

Aggravation. De nouveau, grandes oscillations de température (37°,2 - 39°,9).   2
MARTIN DU GARD, les Thibault, t. IX, p. 273.

♦ **4.** (V. 1770). Cour. ⇒ **Fluctuation, incertitude, vacillation, variation** (→ Fixe, cit. 7). *Les oscillations de l'opinion.*

(...) cette oscillation perpétuelle du fascisme au communisme, du communisme au   3
fascisme, est typique des forces de désintégration qui travaillent dans les zones marginales de la bourgeoisie (...)   SARTRE, Situations III, p. 47.
On voudrait citer quelques échantillons de cette correspondance ; mais ce serait   4
sûrement la trahir, dans sa perpétuelle oscillation entre les élans et les cris de reconnaissance, les disputes et les mises au point, les délires passionnés et les sages raisonnements où l'on voit alterner, de jour en jour et d'heure en heure, la malheureuse Catherine (*de Russie*).
Émile HENRIOT, Portraits de femmes, p. 210.

OSCILLATOIRE [ɔsilatwaʀ] adj. — 1729 ; lat. mod. *oscillatorium,* du supin de *oscillare.* → Osciller.

♦ Sc. Qui est de la nature de l'oscillation. *Phénomène, mouvement oscillatoire.* — Qui a rapport aux oscillations. *Prendre la tension par la méthode oscillatoire.*

OSCILLATRICE [ɔsilatʀis] n. f. — 1949 ; de *osciller.* → Oscillateur.

♦ Techn. Lampe qui a au moins trois électrodes et sert à produire des oscillations.

OSCILLER [ɔsile] v. intr. — 1752 ; lat. *oscillare.*

♦ **1.** Aller de part et d'autre d'une position moyenne, par un mouvement alternatif plus ou moins régulier ; se mouvoir par oscillations*. *Feuille qui oscille au vent.* ⇒ **Agiter** (s') ; → Frissonnement, cit. 4. *Aiguille qui oscille autour d'un pivot* (→ Minute, cit. 1). *La cloche oscillait lentement.* ⇒ **Branler** (vx), **brimbaler, bringueballer.** « *Il demeurait incertain* (cit. 17), *oscillant sur les pieds* » (Colette). ⇒ **Balancer** (se). *Sa tête oscillait.* ⇒ **Baller, dodeliner.** *Remous, courants qui font osciller un cortège* (cit. 2), *une foule* (→ Frémir, cit. 15). *Le courant d'air fit osciller la flamme de la bougie.* ⇒ **Vaciller.**

(...) M. Derham ayant fait osciller dans la machine pneumatique un *pendule,* qui   1
faisait ses vibrations dans un cercle (...)   Encycl. (DIDEROT), art. *Pendule.*
Et son crâne, de fleurs artistement coiffé,   2
Oscille mollement sur ses frêles vertèbres.
BAUDELAIRE, les Fleurs du mal, « Tableaux parisiens », XCVII.
(...) le tintement moribond de la cloche qui oscillait sans doute encore, avant que   3
de rester immobile, dans un complet repos.   HUYSMANS, Là-bas, III.
(...) sa tête oscilla de droite et de gauche, et s'écroula enfin dans l'oreiller.   4
MARTIN DU GARD, les Thibault, t. IV, p. 126.
Mais Grand (...) s'arrêta, écarta les bras et se mit à osciller d'avant en arrière. Il   5
tourna sur lui-même et tomba sur le trottoir (...)   CAMUS, la Peste, p. 283.

♦ **2.** (1770). Abstrait. Varier* en passant par des alternatives. *Esprit qui oscille dans de pénibles fluctuations* (cit. 3). *Osciller entre deux positions* (→ No man's land, cit. 2), *deux partis* (⇒ **Hésiter**).

Ce sont des âmes qui manquent de centre ; elles oscillent perpétuellement, plutôt   6
qu'elles n'évoluent ; elles vont d'un pôle à l'autre, sans jamais avancer.
R. ROLLAND, Vie de Tolstoï, p. 70.

DÉR. et COMP. Oscillant, oscillateur, oscillatrice. — Oscillogramme, oscillographe, oscillomètre, oscilloscope.

OSCILLOGRAMME [ɔsilɔgʀam] n. m. — 1903, *Revue gén. des sc.,* n° 18, p. 964 ; de *osciller,* et *-gramme.*

♦ Sc. Courbe tracée sur l'écran d'un oscillographe (mod. : d'un oscillographe cathodique).

OSCILLOGRAPHE [ɔsilɔgʀaf] n. m. — 1876 ; de *osciller*, et *-graphe*.

♦ **1.** Mar. Instrument servant à étudier l'action de la houle et du roulis sur un navire.

♦ **2.** Électr. Galvanomètre à oscillations très rapides, utilisé pour l'enregistrement des courants électriques variables à basse fréquence. *Oscillographe cathodique.* ⇒ **Oscilloscope.**

OSCILLOMÈTRE [ɔsilɔmɛtʀ] n. m. — 1877 ; de *osciller*, et *-mètre*.

♦ **1.** Électr. Oscillographe (2.).

♦ **2.** (1923). Méd. Instrument servant à mesurer les oscillations artérielles (oscillométrie). *Prendre la tension par la méthode visuelle avec l'oscillomètre de Pachon.*

OSCILLOMÉTRIE [ɔsilɔmetʀi] n. f. — 1877 ; de *osciller*, et *-métrie*.

♦ Méd. Étude des oscillations artérielles.

OSCILLOSCOPE [ɔsilɔskɔp] n. m. — 1954, *la Suisse*, août, p. 497 ; de *osciller*, et *-scope*.

♦ Sc. Instrument composé essentiellement d'un tube à vide dans lequel un faisceau de négatons est soumis à des champs électriques ou magnétiques déterminés, permettant ainsi la représentation par des courbes, sur un écran fluorescent, de divers phénomènes physiques (électriques, acoustiques, optiques...). ⇒ **Oscillographe.**

Mais des recherches sur les sytèmes de codage, utiles pour inscrire sur un écran d'oscilloscope cathodique les résultats des opérations des machines à calculer, ou pour figurer sur le même type d'écran les signaux de détection électromagnétique, semblent pouvoir apporter une très grande simplification à la transmission par voie hertzienne des images schématiques.
Gilbert SIMONDON, Du mode d'existence des objets techniques, p. 100.

OSCITATION [ɔsitasjɔ̃] n. f. — 1968, Quillet ; dér. sav. du lat. *oscitare* « bâiller ».

♦ Didact. Rare. Bâillement.

OSCULAIRE [ɔskylɛʀ] adj. — 1975 ; dér. sav. du lat. *osculari* « embrasser », de *osculum*.

♦ Littér. Rare. Qui concerne le baiser, l'action d'embrasser.

Car l'appareil phonatoire est aussi l'appareil osculaire. Passant à la station debout, l'homme s'est trouvé libre d'inventer le langage et l'amour : c'est peut-être la naissance anthropologique d'une double perversion concomitante : la parole et le baiser.   R. BARTHES, Roland Barthes, p. 144.

OSCULATEUR, TRICE [ɔskylatœʀ, tʀis] adj. — 1752 ; du lat. *osculari* « embrasser », de *os, oris* « bouche ».

♦ Géom. Se dit d'une courbe qui, en un point donné, a le contact de l'ordre le plus élevé avec une autre courbe.
Par anal. *Plan osculateur ; surface osculatrice.*

OSCULATION [ɔskylasjɔ̃] n. f. — Fin xvᵉ ; lat. *osculatio*, du supin de *osculari*.

♦ **1.** Vx ou littér. (Rare). Baiser, action d'embrasser.

Elle arrivait tard, laissait son Austin dans la cour et débouchait dans la salle, une serviette sous le bras (...) Aimable, mais ramenant la saute-au-cou de naguère à une petite osculation, elle cherchait à s'occuper au plus vite.
Hervé BAZIN, Cri de la chouette, p. 210.

♦ **2.** (1765). Géom. Mode de contact propre aux courbes et aux surfaces osculatrices*.

OSCULE [ɔskyl] n. m. — 1830 ; du lat. *osculum* « petite bouche », dimin. de *os, oris* « bouche ».

♦ Zool. Orifice arrondi au sommet des éponges, par lequel elles rejettent l'eau absorbée par les pores inhalants.

OS-DE-MOUTON [ɔsdəmutɔ̃] n. m. invar. — D. i. ; de *os, de*, et *mouton*.

♦ Techn. (ébénisterie). Entretoise (de fauteuil) dont l'extrémité se divise à angle ouvert. *Fauteuil Louis XIII à os-de-mouton.*

OSE [oz] n. m. — V. 1950 ; de 1. *-ose*, substantivé.

♦ Biochim. Glucide non hydrolysable, de formule $C_nH_{2n}O_n$ (terme générique ; opposé à *oside**; syn. : *monosaccharide*). *On classe les oses, selon le nombre d'atomes de carbone, en trioses, tétroses, pentoses, hexoses, heptoses, octoses.*

---

1. -OSE Suffixe savant, tiré de *glucose**, et servant à former des noms chimiques de nombreux hydrates de carbone (glucides), tels que : *cellulose, dextrose, fructose, galactose, lévulose, maltose, mannose, saccharose, tréhalose...* ⇒ **Ose**, n. m.

2. -OSE Suffixe savant d'origine grecque *(-ôsis)* entrant dans la composition de quelques mots empruntés au grec *(anastomose, hypotypose, métamorphose, métempsychose...)* et servant à former de nombreux noms de maladies et d'affections (non inflammatoires) tels que : *hydarthrose, narcose, nécrose...* (→ aussi à l'art. Maladie : principales maladies et affections).

OSÉ, ÉE [oze] adj. — V. 1155 (personnes) ; de *oser*.

♦ **1.** (1838). Qui est fait ou tenté avec audace, avec témérité. *Démarche, tentative osée* ⇒ **Hardi, risqué.** *C'est bien osé de votre part.* ⇒ **Audacieux, téméraire.**

♦ **2.** (Av. 1893). Plus cour. Qui risque de choquer les bienséances. *Plaisanteries, scènes osées.* ⇒ **Épicé, hardi, hasardé** (vieilli), **libre.**

Le tableau de Trouville et une mise en scène osée qui s'appelait *Le Vitrail* lui permirent d'atteindre avec son fils ce ton de familiarité nécessaire à une explication.-   ARAGON, les Beaux Quartiers, II, VII.   [1]

♦ **3.** (Personnes). Qui montre de la hardiesse (particulièrement, pour braver l'autorité, les convenances), et, péj., de l'effronterie. ⇒ **Audacieux, effronté, téméraire.** *Avoir l'air très hardi, très osé* (→ Mors, cit. 5).

Le sellier qui demeurait au coin de la rue de Séez fut assez osé pour venir demander s'il était arrivé quelque chose à la voiture de mademoiselle Cormon, afin de savoir si Pénélope était morte.   [2]
BALZAC, la Vieille Fille, Pl., t. IV, p. 292.

CONTR. Timide ; convenable.

OSEILLE [ozɛj] n. f. — V. 1398 ; *oisele*, fin xiᵉ ; du bas lat. *acidula*, de *acidus* « acide », par croisement avec le lat. *oxalis* « oseille », d'orig. grecque.

♦ **1.** [a] Plante *(Polygonacées)* cultivée dans les potagers pour ses feuilles. *L'acidité de l'oseille est due à l'acide oxalique**. Sel d'oseille.* ⇒ **Oxalate.** *Oseille commune*, dite aussi « surelle ». *Oseille épinard.* ⇒ 2. **Patience.** *Oseille sauvage* (→ Abandon, cit. 4 ; lychnis, cit.). — *Soupe à l'oseille* (→ aussi Enfaîter, cit. ; légume, cit. 3). *Omelette à l'oseille. Poisson, turbot... à l'oseille.* — *Vert oseille*, vif et soutenu.

[b] (Autre plante). *Oseille de Guinée*, et, absolt (franç. d'Afrique), *oseille*, plante *(Malvacées)* utilisée en Afrique dans l'alimentation et la médecine traditionnelle. Syn. : *chanvre de Guinée, hibiscus.*

♦ **2.** (1860). Loc. Fig. et pop. *Le faire* (ou *la faire*) *à l'oseille à quelqu'un*, essayer de lui en faire accroire.

Du toc ! — Un bracelet donné par mon monarque (...)   [1]
(...) S'il est faux je veux bien vous prendre pour amant
De cœur. — Du similor ! Veuillez moins me la faire
À l'oseille : un collier qui me parvint du Caire (...)
VERLAINE, Premiers vers, « Qui veut des merveilles ? », 6.

♦ **3.** (1876 ; répandu 1920). Fam. Argent. ⇒ **Fric.** *Avoir de l'oseille :* être riche. *Ils ont piqué l'oseille. Faire son oseille :* s'enrichir. ⇒ **Beurre, blé.**

Dans la vie, seul, le pognon l'intéresse. Elle a une vraie passion pour l'oseille et malgré qu'elle soit devenue millionnaire, tapiner c'est finalement toute sa vie.   [2]
Martin ROLLAND, la Rouquine, p. 246-247.

OSER [oze] v. tr. — V. 1080 (suivi d'un infinitif) ; *auser*, v. 980 ; du lat. pop. **ausare*, class. *audere*, d'après le p. p. *ausus*.

♦ **1.** (Fin xviᵉ). Littér. *Oser qqch. :* entreprendre, tenter avec assurance, audace (une chose considérée comme difficile, insolite ou périlleuse). ⇒ **Risquer.** *Oser une démarche très grave* (1. Grave, cit. 23). *Oser une alliance de mots* (→ Esprit, cit. 109). *Oser de grandes actions* (→ Aspirer, cit. 8).

Qui sait tout souffrir peut tout oser.   [1]
VAUVENARGUES, Maximes et réflexions, 189.

Je sais qu'on n'oserait jamais rien de grand et qu'on ne ferait jamais de choses   [2]
immortelles si on ne risquait à un moment le tout pour le tout (...)
SAINTE-BEUVE, Causeries du lundi, 3 déc. 1849.

Et, dans une rage instinctive, avec une sourde volonté de se donner mieux et plus   [3]
que jamais, elle osa ce qu'elle n'eût pas cru possible d'oser.
FRANCE, le Lys rouge, XXIII.

Je cherche en lui la clef de ses chefs-d'œuvre. Sa vie n'a pas osé tout ce que ses   [4]
œuvres accomplissent.   André SUARÈS, Trois hommes, « Dostoïevski », IV.

♦ **2.** *Oser* (et inf.) : avoir l'audace, le courage, la hardiesse (cit. 6) de, ne pas craindre* de... *« Il faut oser regarder en face ce que l'on hait »* (cit. 28, Mauriac). *Le parti que j'ai osé prendre* (→ Heurter, cit. 13). *Je n'ose plus rien dire.* — *Prendre la liberté de...* ⇒ **Aviser (s'), permettre** (se). *Il avait osé lui baiser la main* (→ Glacer, cit. 25). *Jeune homme trop timide** pour oser affronter une femme*

(→ Inventer, cit. 19). *Aimer sans l'oser dire* (→ Douceur, cit. 8, Pascal).

5 Ce ne sera qu'après cette expiation préliminaire, que j'oserai déposer à vos pieds l'humiliant aveu de mes longs égarements (...)
LACLOS, les Liaisons dangereuses, CXX.

6 Si vous croyez que je vais dire
Qui j'ose aimer (...)
A. DE MUSSET, Poésies nouvelles, « Chanson de Fortunio ».

7 Il se sentit gauche et resta quelques instants sans oser lever les yeux sur la belle et sur sa cour.
G. SAND, la Mare au diable, XII.

8 C'est une grande sagesse que d'oser paraître imbécile ; mais il y faut un certain courage que je n'ai pas toujours eu.
GIDE, Journal, 14 janv. 1912.

9 Il faut donc vouloir, il faut oser être soi-même. Quiconque doute de soi n'est pas digne de se faire croire.
André SUARÈS, Trois hommes, « Ibsen », II.

(Avec ellipse de l'infinitif complément). *J'oserai plus* (→ Garant, cit. 10). *Ah ! si j'osais ! ... Il fallait oser* (le faire). → Il fallait le faire* (fam.).

(En mauvaise part ; v. 1175). Avoir le front (cit. 23), la hardiesse (cit. 19), l'impudence (cit. 2 et 4) de... *Oser insulter* (cit. 1) *qqn ; oser se mêler des affaires d'autrui* (→ Indiscrétion, cit. 6). *Vous osez dire que...* (▷ Arracher, cit. 55). *Comment osez-vous m'adresser ce reproche.* ⇒ **Permettre** (se). (→ Négliger, cit. 8). *Il n'osera tout de même pas lever la main sur vous ?* ⇒ **Venir** (en·venir à).

(Avec ellipse de l'infinitif complément). *Quelques-uns ont osé davantage et l'ont insulté à l'envi* (cit. 4).

10 Quoi ! vous osez, dit-elle, à mes yeux vous produire (...)
LA FONTAINE, Fables, II, 6.

11 Qui donc ose parler lorsque j'ai dit : Silence !
HUGO, les Burgraves, I, 6.

(Avec une intention de menace ou de défi). *Ose répéter ce que tu viens de dire* (→ Marmonner, cit. 4). *Approchez, si vous l'osez* (→ Arracher, cit. 25). — Allus. littér. « *Devine si tu peux et choisis si tu l'oses* » (Corneille, *Héraclius*, IV, 5).

12 Ose te plaindre à présent, continua-t-elle, si tu n'as pas pu me parler d'amour, et ose te taire, quand je viens de te dire de telles choses.
A. DE VIGNY, Cinq-Mars, XV.

(V. 1112). Absolt. Se montrer audacieux, téméraire, prendre des risques. *Il rêvait d'un homme à poigne qui osât pour lui* (→ Coudre, cit. 5). *Il balança* (hésita) *une seconde avant d'oser* (→ Griser, cit. 17 ; et, fam., *Prendre son courage* à deux mains).

13 (...) quelqu'un qui eût été en état d'oser un peu beaucoup et à coup sûr l'on eût été reconnaissant de ses témérités (...)
Th. GAUTIER, Mlle de Maupin, XII.

14 Rien ne se fait par le calme : on n'ose qu'en révolution.
RENAN, l'Avenir de la science, Œ. compl., t. III, XVII, p. 990.

15 Agir c'est oser. Penser c'est oser.
ALAIN, Propos sur le bonheur, p. 60.

♦ **3.** *Oser,* avec une négation : s'abstenir, se retenir (de dire ou de faire quelque chose) par crainte, par respect, par timidité... ⇒ **Craindre** (de).

[a] Avec *ne** employé seul. *Elle n'osait faire* (cit. 40) *un mouvement. Il restait étendu, n'osant bouger* (→ Fiançailles, cit. 4). *Je n'ose parler de peur de la distraire* (cit. 9). *Il n'osait fumer par égard pour ma mère* (→ Fumerie, cit. 2). *Elle n'osait appeler son cousin* (cit. 3) *par son prénom.*

16 Certes, dit-il, mon père était un pauvre sire :
Il n'osait voyager, craintif au dernier point. LA FONTAINE, Fables, VIII, 9.

17 — Seigneur, c'est trop ! Vraiment je n'ose. Aimer qui ? Vous ?
Ô ! non ! Je tremble et n'ose. Ô ! vous aimer, qui,
Je ne veux pas ! Je suis indigne (...) VERLAINE, Sagesse, II, IV, IV.

18 Il la regarda un instant et fut tenté de lever la main sur elle, mais n'osa, tant il y avait de force dans l'immobilité de cette femme. J. GREEN, Léviathan, II, XIV.

[b] (Avec *ne... pas, ne... point,* etc.). *Ne pas oser regarder les gens en face* (→ Moindre, cit. 10). *Il n'osa pas lui conter l'affaire tout de go* (cit. 1). *Elle n'osait pas crier* (cit. 1) *de peur du scandale. Devoir* (cit. 14) *auquel on n'ose pas faillir. Une terrible question qu'il n'osait pas se formuler* (cit. 11). — *Je n'oserai jamais.*

19 Elle était si belle
Que tu n'aurais pas osé l'aimer. APOLLINAIRE, Alcools, p. 149.

20 J'avais gardé le nez au-dessus de mon assiette, n'osant même pas sortir mon mouchoir de ma poche pour m'éponger.
CÉLINE, Voyage au bout de la nuit, p. 111.

♦ **4.** (Dans des formules de courtoisie, en manière de précaution oratoire). ⇒ **Permettre** (se). *J'ose vous prier de m'accorder l'honneur de...* (→ Exploit, cit. 7). *J'ose presque dire* (→ Animal, cit. 7), *presque assurer* (cit. 24) *que... Oserait-on dire même...* (→ Juste, cit. 25). ⇒ **Vouloir** ; et aussi **aimer** (à). *J'ose croire que...* (→ Insensible, cit. 13) : je me flatte* que... *J'ose l'espérer* (→ 2. Augure, cit. 6).

21 Oserai-je, Seigneur, dire ce que je pense ? RACINE, Andromaque, I, 2.

22 Sous ce point de vue, j'oserai dire que souvent l'histoire est un mauvais roman ; et que le roman, comme tu l'as fait, est une bonne histoire.
DIDEROT, Éloge de Richardson, p. 1098.

Pouvoir se permettre de... *Si j'osais ajouter* (cit. 5) *un mot, dire ma pensée* (→ 2. Montre, cit. 4) : *s'il m'était permis** de... *Si j'ose le dire* (→ Auteur, cit. 36), *me citer* (→ Dessous, cit. 19)... *Si j'ose ainsi parler* (→ Immensurable, cit. 1), *m'exprimer ainsi, parler un tel langage* (→ 1. Foutre, cit. 9).

23 Mais ne vous vois, Seigneur, et si j'ose dire,
Un destin plus heureux vous conduit en Épire (...) RACINE, Andromaque, I, 1.

♦ **5.** (Avec une valeur proche de celle du semi-auxiliaire « pouvoir »). *Qui oserait penser que le progrès va ruiner l'humanité ? : qui pourrait penser..., qui penserait... ?* (→ Abuser, cit. 15). *Lequel osera prétendre que... ?* (→ Fauteur, cit. 2). *Il n'ose en croire ses yeux.* « *Ce que l'imagination humaine ose à peine se représenter à nu* » (→ Méchant, cit. 17, Sainte-Beuve). « *Ah ! si mon cœur osait encore se renflammer !* » (→ Aimer, cit. 40, La Fontaine).

Isabelle l'aura *(la lettre),* j'ose vous le promettre. RACINE, les Plaideurs, II, 1. 24

Car qui oserait préférer à la gloire d'aller pour la patrie souffrir de la faim, souffrir de la soif, s'enliser dans les boues, mourir, la perspective de rester loin du combat dans la nourriture et la tranquillité. GIRAUDOUX, Amphitryon 38, I, 2. 25

CONTR. Craindre. — Hésiter.
DÉR. Osé, oseur.

OSERAIE [ozRɛ] n. f. — 1549 ; *osereie,* 1280 ; *osereid,* n. m., fin XIe ; de 1. *osier.*

♦ Endroit, terrain planté d'osiers. *On établit les oseraies dans des plaines basses et inondées.*

On avait découvert, vers cette pointe que le lac projetait au nord, une féconde oseraie, où poussaient en grand nombre des osiers pourpres.
J. VERNE, l'Île mystérieuse, t. I, p. 286.

OSEUR, EUSE [ozœʀ, øz] adj. et n. — 1488 ; de *oser.*

♦ Littér. Qui ose, qui fait preuve de hardiesse. ⇒ **Hardi.** *Un tempérament oseur.*

(...) c'est un mauvais goût sourd, peu oseur, qui ne saute pas aux yeux dès l'abord (...) Th. GAUTIER, les Grotesques, III, p. 119.

N. *C'est un oseur.* — REM. Semble très rare au féminin.

OSIDE [ozid] n. m. — 1932 ; de 1. *-ose.*

♦ Chim. Glucide décomposable par hydrolyse (terme générique). *Les oses et les osides.* ⇒ **Hétéroside, holoside.**

1. OSIER [ozje] n. m. — Fin XIIe ; anc. franç. *osiere,* fin XIe ; du bas lat. *auserai,* d'un thème germanique *hals-.*

♦ **1.** Saule* de petite taille, aux rameaux flexibles (→ Jaseur, cit. 1). *Osier franc* ou *osier brun* (saule amandier). *Osier blanc* (saule viminal). *Osier pourpre* (→ Oseraie, cit.). *Osier jaune* (saule vitellin). *Culture* (⇒ **Osiériculture**), *plantation d'osier* (⇒ **Oseraie**). *Branche* (→ Fouetter, cit. 2), *jet, scion d'osier.*

♦ **2.** (V. 1330). Cour. Rameau de l'osier, employé pour la confection de liens* (cit. 1) et d'ouvrages de vannerie*. *Tresser de l'osier. Brin d'osier.*

Et cet osier qui court flexible entre les doigts.
Albert SAMAIN, le Chariot d'or, « Paysages », IV.

Loc. fam. *Être pliant, souple comme l'osier,* d'une nature facile, accommodante.

♦ **3.** Matière obtenue par le tressage, l'assemblage des brins d'osiers. *L'osier est sec, cassant. Corbeille* (cit. 1), *panier, banne, bannette, manne, plateau d'osier. Mettre à égoutter des fromages sur une claie* d'osier. *Cage, éventaire, hotte, nasse en osier. Flacons habillés d'osier,* et, ellipt., *bouteilles, flacons d'osier* (→ Gallon, cit. ; gourde, cit. 2). *Mannequin** (1. Mannequin, cit. 3) *d'osier. Fauteuil* (→ Noix, cit. 5), *guérite d'osier. Hutte* (cit. 3), *ruche d'osier.*

DÉR. Oseraie, osiériculteur, osiériculture, osiériste.

2. OSIER [ozje] n. m. — 1935, Esnault, « argent monnayé » ; orig. incert. ; p.-ê. de *os* « argent », *avoir de l'os,* 1851.

♦ Argot fam. Argent. ⇒ **Oseille** (argot).

Curieux, ce type : ses fringues et ses paroles font peuple, et pourtant il semble avoir de l'osier, des usages, il est assuré et courtois (...)
A. SARRAZIN, l'Astragale, p. 180.

OSIÉRICULTEUR [ozjeʀikyltœʀ] n. m. — 1955, *Dict. des métiers* ; de 1. *osier,* d'après *(agri)culteur.*

♦ Techn. Cultivateur spécialisé dans la culture de l'osier ; exploitant d'oseraie.

OSIÉRICULTURE [ozjeʀikyltyʀ] n. f. — 1907 ; de 1. *osier,* et *-culture.*

♦ Didact. Culture de l'osier ; exploitation d'une oseraie, d'oseraies.

OSIÉRISTE [ozjeʀist] n. m. — 1907 ; de 1. *osier,* et *-iste.*

♦ Comm. Marchand d'osier.

OSIRIAQUE [ɔziʀjak] adj. — 1906, *Nouveau Larousse illustré* ; grec *osiriakos*, de *Osiris*.

♦ Didact. (archéol.). D'Osiris, qui a rapport au dieu égyptien Osiris. *Piliers osiriaques* : grands piliers de certains temples de l'ancienne Égypte, ornés sur leur face antérieure d'un colosse représentant le pharaon sous la forme d'Osiris. *Barbe osiriaque.*

(...) on remarquera cependant, dans toute la statuaire et les bas-reliefs de l'Empire memphite (...) le roi, imberbe à l'exception de la barbiche dite osiriaque, postiche qu'il ajuste à son menton lors des cérémonies (...)
G. CONTENAU et V. CHAPOT, *l'Art antique*, p. 30.

OSIRIEN, ENNE [ɔziʀjɛ̃, ɛn] adj. — 1858, Gautier ; de *Osiris*.

♦ Hist. Du dieu Osiris. « *Le mythe osirien* » (G. Contenau et V. Chapot, *l'Art antique*, p. 9).

1 (...) sur les deux joues de la proue relevée en bec comme la poupe, s'ouvrait le grand œil osirien allongé d'antimoine (...)
Th. GAUTIER, *le Roman de la momie*, Prologue, p. 33.

2 O t'abîmant du flanc de la table osirienne
Dans les eaux de la mort !   Yves BONNEFOY, Poèmes, « le Seul Témoin », II.

1. OSM-, OSMI-, OSMO-, -OSMIE Éléments, du grec *osmê* « odeur ». (Ex. : *osmiesthésimètre*). ⇒ **Anosmie, cacosmie, dysosmie, parosmie.**

2. OSM-, OSMO- Élément représentant *osmose* (attesté d'abord en anglais, dans *osmometer*, 1854, Graham).

OSMATIQUE [ɔsmatik] adj. — Av. 1951 ; de 1. *osm-*, et suff. *-atique.*

♦ Biol. Se dit d'un animal dont l'odorat est développé, ou fortement développé (par opposition aux animaux microsmatiques* et anosmatiques*). ⇒ **Macrosmatique.**

OSMESTHÉSIE [ɔsmɛstezi] n. f. — Av. 1972 ; de 1. *osm-*, et *esthésie.*

♦ Didact. Faculté permettant de reconnaître les odeurs.

OSMI- ⇒ 1. **Osm-.**

OSMIATE [ɔsmjat] n. m. — 1874 ; de *osmi(um)*, et suff. *-ate.*

♦ Chim. Sel de l'acide osmique.

OSMIE [ɔsmi] n. f. — 1837, *Dict. des dict.* ; lat. zool. *osmia*, du grec *osmê* « odeur ».

♦ Zool. Abeille solitaire, de couleur sombre, à grosse tête.

(...) les Osmies qui sont des abeilles sauvages et solitaires de la famille des Gastrilégides (...)   MAETERLINCK, la Vie des abeilles, p. 170.

-OSMIE ⇒ 1. **Osm-.**

OSMIESTHÉSIMÈTRE ou **OSMI-ESTHÉSIMÈTRE** [ɔsmiɛstezimɛtʀ] n. m. — V. 1951 ; Toulouse et Vaschide ; de *osmi-, esthési(o)-*, et *-mètre* ; → Esthésiomètre.

♦ Didact. (physiol., psychol.). Matériel (dit aussi *boîte olfactométrique*) constitué par un ensemble de flacons et destiné à explorer la sensibilité olfactive, par le nombre d'odeurs familières reconnues, et à déterminer le seuil de sensibilité non olfactive de la membrane pituitaire.

OSMIQUE [ɔsmik] adj. — 1838 ; de *osmi(um)*, et suff. *-ique.*

♦ Chim. *Acide osmique* (OsO_4) : solide cristallisé, incolore, dont la solution est utilisée en histologie pour colorer les préparations. *Sel de l'acide osmique.* ⇒ **Osmiate.**

OSMIUM [ɔsmjɔm] n. m. — Déb. XIXᵉ ; angl. *osmium* 1803, Tennant ; du grec *osmê* « odeur », à cause de l'odeur forte de l'oxyde OsO_4 du métal, et suff. *-ium.*

♦ Chim. Métal (symb. *Os ;* dens. 22,48 ; p. at. 190,2) en cristaux blancs, fusible à 2 700 °C, qu'on trouve dans la nature associé à l'iridium* *(osmiridium)* et au platine.

DÉR. Osmiate, osmique.

1. OSMO- ⇒ 1. **Osm-.**

2. OSMO- ⇒ 2. **Osm-.**

1. OSMOCEPTEUR [ɔsmosɛptœʀ] n. m. — Av. 1951 ; de 1. *osmo-*, et *-cepteur*, deuxième élément de *récepteur, extérocepteur**, etc.

Didactique (physiologie).

♦ **1.** Récepteur de l'odorat. ⇒ 1. **Osmorécepteur.**

♦ **2.** « Groupement atomique qui renferme un osmophore* » (Manuila).

HOM. 2. Osmocepteur.

2. OSMOCEPTEUR [ɔsmosɛptœʀ] n. m. — Av. 1973 ; de 2. *osmo-*, et *-cepteur ;* → le précédent.

♦ Didact. (physiol.). Récepteur interne (⇒ **Interocepteur**) capable d'informer les centres nerveux des variations en pression osmotique et en volume des liquides extracellulaires (plasma et lymphe du compartiment vasculaire et liquides interstitiels) par rapport au milieu intracellulaire. — REM. On dit aussi *osmorécepteur.*

L'existence du stimulus osmotique de la soif implique qu'il existe, quelque part dans l'organisme, des cellules spécialisées, les « osmocepteurs », qui répondent soit à la réduction de leur propre volume, soit à l'élévation de la pression osmotique effective de leur environnement, et transmettent cette information au système nerveux central. (...) L'administration intracarotidienne ou intrahypothalamique de solutions hypertoniques de NaCl a permis de démontrer, par les réponses de prises d'eau déclenchées, que les osmocepteurs de la soif sont localisés dans l'hypothalamus (B. Andersson, E.M. Blass et A.N. Epstein, 1970 [...]).-
Encycl. Universalis, art. *Soif*, vol. XV (1973).

HOM. 1. Osmocepteur.

OSMOLAIRE [ɔsmɔlɛʀ] adj. — Av. 1972 ; de *osmole.*

♦ Didact. Relatif à la pression osmotique, mesurée en osmoles. « *(...) une solution contenant 1 mole (58,5 g) de chlorure de sodium par litre libère deux ions par molécule et possède une concentration osmolaire de 2 osmoles par litre* » (*Encycl. Univ.*, art. *Osmorégulation*, vol. XII [1972]).

DÉR. Osmolarité.

OSMOLARITÉ [ɔsmɔlaʀite] n. f. — Av. 1972 ; de *osmolaire*, et suff. *-ité*, d'après *molaire, molarité.*

♦ Phys., physiol. Concentration d'une solution en particules osmotiquement actives, exprimée en osmoles* (ou *milliosmoles*) par litre de solvant. « *La salinité (des océans) est voisine de 34 g de chlorure de sodium pour 1000, de qui correspond à une osmolarité de l'ordre de 1 osmole par litre* » (*Encycl. Univ.*, art. *Osmorégulation*, vol. XII, p. 283 c [1972]).

COMP. Hyperosmolarité, hypo-osmolarité.

OSMOLE [ɔsmɔl] n. f. — Av. 1959 ; de *os(mose)* ou 2. *osmo-*, et *mole.*

♦ Didact. (phys.). Unité de mesure de la pression osmotique, égale à la pression osmotique exercée par une molécule-gramme d'un corps non ionisé (ou par un ion-gramme d'un corps complètement ionisé) dissous dans un litre d'eau (symb. *osm*).

DÉR. Osmolaire.
COMP. Milliosmole.

OSMOLOGIE [ɔsmɔlɔʒi] n. f. — 1846 ; de 1. *osmo-*, et *-logie.*

♦ Didact. Étude de la fonction olfactive.

1. OSMOMÈTRE [ɔsmɔmɛtʀ] n. m. — 1868, in D.D.L. ; de 2. *osmo-*, et *-mètre*, d'après *endosmomètre** et l'angl. *osmometer*, 1854, Graham.

♦ Sc. Appareil servant à mesurer la pression osmotique. *Un préci-*

*pité colloïdal de ferrocyanure de cuivre constitue la paroi semi-
perméable d'un osmomètre.*

HOM. 2. **Osmomètre.**

2. OSMOMÈTRE [ɔsmɔmɛtʀ] n. m. — Av. 1972 ; de 1. *osmo-,* et *-mètre.*

♦ Techn., sc. Instrument utilisé pour évaluer l'acuité de l'odorat.

HOM. 1. **Osmomètre.**

OSMONDE [ɔsmɔ̃d] n. f. — XIIᵉ ; mot du Nord, orig. inconnue.

♦ Bot. Fougère vivace dite aussi « fougère aquatique » (famille des *osmondacées*). *L'osmonde royale ou fougère à fleurs est cultivée comme plante d'ornement.*

Des libellules fauves et bleues volaient autour des osmondes que maman appelle
des fougères mâles.   F. MAURIAC, Un adolescent d'autrefois, p. 48.

OSMONOCIVITÉ [ɔsmɔnɔsivite] n. f. — 1903 ; de 2. *osmo-,* et *nocivité ; osmonocif* est attesté à la même date *(Rev. gén. des sc.).*

♦ Didact. Ensemble des troubles provoqués par l'injection dans les veines de liquides qui ont une concentration moléculaire diffé-rente de celle du plasma sanguin. — On emploie aussi *osmotoxi-cité* [ɔsmɔtɔksisite].

OSMOPHORE [ɔsmɔfɔʀ] adj. et n. m. — 1932 ; de 1. *osmo-,* et *-phore.*

♦ Didact. Chim. Se dit du groupement chimique d'une substance odorante qui agit comme stimulus olfactif. ⇒ **Odorigène, odorivec-teur.** — N. *Un osmophore. Groupement atomique renfermant un omosphore.* ⇒ 1. **Osmocepteur.**

1. OSMORÉCEPTEUR [ɔsmɔʀesɛptœʀ] n. m. — Av. 1972 ; de *osmo-,* et *récepteur.*

♦ Physiol. Récepteur de l'odorat. (Syn. : 1. *osmocepteur, récepteur olfactif*). *Le seuil de sensibilité des osmorécepteurs atteint l'unité moléculaire.*

HOM. 2. **Osmorécepteur.**

2. OSMORÉCEPTEUR [ɔsmɔʀesɛptœʀ] n. m. — Av. 1969 ; de 2. *osmo-,* et *récepteur.*

♦ Physiol. ⇒ 2. **Osmocepteur.** (On dit aussi *osmo-récepteur.*) *Les osmorécepteurs contrôlent, par voie nerveuse, la sécrétion neurohy-pophysaire de vasopressine (ou hormone antidiurétique).*

HOM. 1. **Osmorécepteur.**

1. OSMORÉGULATEUR [ɔsmɔʀegylatœʀ] n. m. — 1903, *osmo-régulateur,* in *Rev. gén. des sc.,* n° 21, p. 999 (inventé par Vil-lard) ; de 2. *osmo-,* et *régulateur.*

♦ Phys. Petit instrument qui, adapté à un tube de gaz raréfié, per-met d'en régler la pression interne par phénomène d'osmose.

2. OSMORÉGULATEUR, TRICE [ɔsmɔʀegylatœʀ, tʀis] adj. — Av. 1969 ; de 2. *osmo-,* et *régulateur,* d'après *osmorégulation.*

♦ Physiol. Qui sert à l'osmorégulation. *Échanges osmorégulateurs. Capacités, fonctions osmorégulatrices.*

L'étude comparée des mécanismes iono- et osmorégulateurs nous apprend que
l'ionorégulation est probablement apparue avant l'osmorégulation et que l'osmorégulation intracellulaire est survenue sans doute avant celle de M. I. [milieu inté-
rieur].   M. FONTAINE, in Encycl. Pl., Physiologie, p. 1559.

OSMORÉGULATION [ɔsmɔʀegylasjɔ̃] n. f. — Av. 1969 ; attesté en angl. en 1957 ; de 2. *osmo-,* et *régulation.*

♦ Physiol. Ensemble des mécanismes par lesquels les organismes maintiennent leur pression osmotique interne dans un équilibre déterminé (qui peut être *isosmotique* ou *anisosmotique*) par rap-port à celle du milieu externe. *Osmorégulation et ionorégulation*. *Osmorégulation intracellulaire.* → Osmorégulateur (cit.).

Chez les reptiles et les Oiseaux marins, dont le rein est incapable de produire une
urine fortement hypertonique et qui cependant ne disposent comme source d'eau
et pendant de longues périodes que d'eau de mer, très fortement hypertonique au
plasma sanguin, existe une glande originale, apparemment étroitement spécialisée dans les fonctions d'osmorégulation, la glande nasale (K. Schmidt-Nielsen,
1959).   Encycl. Universalis, art. *Physiologie*, vol. XII, p̃. 1080 a.

OSMOSAT [ɔsmɔza] n. m. — 1974, in *la Recherche,* janv. ; de *osmose.*

♦ Phys., chim. Solution diffusée par osmose* (opposé à *rétentat*).

OSMOSE [ɔsmoz] n. f. — 1861, *Année sc. et industr.,* p. 268 ; angl. *osmose* (1854, Graham), du grec *ôsmos* « poussée, impulsion », du second élément de *endosmose, exosmose.*

♦ **1.** Phys. et biol. Phénomène de diffusion*, qui se produit lors-que deux liquides ou deux solutions de concentrations moléculaires différentes se trouvent séparés par une membrane semi-perméable laissant passer le solvant mais non la subtance dissoute. *L'osmose tend à rendre égales les concentrations moléculaires des deux solu-tions* (⇒ **Isotonie**), *l'eau passant de la solution faible à la solution plus forte.*

C'est par osmose que se fait la pénétration des substances assimilables dans l'organisme à travers la paroi du tube digestif, que se fait aussi la filtration des substances de désassimilation dans le rein. C'est par osmose que l'oxygène pénètre dans
le sang et que le gaz carbonique s'en dégage à travers les tissus du poumon. C'est
par osmose que les substances chimiques diverses contenues dans le corps se transmettent de tissu à tissu, c'est enfin par osmose que se fait la nutrition des cellules, par échange continu avec le milieu intérieur.
                                          P. POIRÉ, Dict. des sciences, Suppl.

Osmose inverse : passage à l'état pur d'un solvant à travers une membrane, sous l'influence d'une pression supérieure à la pression osmotique. — (1903, in *Rev. gén. des sc.,* citant Jean Perrin). Phys. Vx. *Osmose électrique.*

♦ **2.** Par métaphore ou fig. Interpénétration, influence réciproque (sur-tout dans : *en osmose*). *Vivre en osmose avec des gens de cul-ture différente.*

Il se fait comme ça, entre les rêves et la conscience éveillée, des échanges mal
définis : une sorte d'osmose, peut-être, on ne reconnaît pas que cette pensée vient
encore du sommeil... elle a traversé la membrane (...)
                                          ARAGON, les Beaux Quartiers, II, xxxv.

DÉR. **Osmosat, osmoseur, osmotique.**
COMP. **Endosmose, exosmose.**

OSMOSEUR [ɔsmozœʀ] n. m. — 1973 ; de *osmose.*

♦ Techn. Appareil, fondé sur le phénomène de l'osmose inverse, qui permet d'épurer l'eau de mer. *« Une production de 30 m³ par jour d'eau potable est assurée à partir de l'eau de mer grâce à une bat-terie d'osmoseurs... »* (la Recherche, janv. 1974, p. 41).

OSMOTACTISME [ɔsmɔtaktism] n. m. — V. 1930 ; de 2. *osmo-,* et *tactisme*.*

♦ Physiol. Sensibilité d'un micro-organisme unicellulaire, dans ses déplacements d'ensemble, aux variations de concentration du milieu extérieur (→ Osmolarité) en particules osmotiquement actives, spé-cialt, en particules osmotiquement actives d'une substance donnée. (On dit aussi *tonotactisme*). *Osmotactisme positif des plasmodes à l'égard du glucose.*

OSMOTAXIE [ɔsmɔtaksi] n. f. — Av. 1972 ; de 2. *osmo-,* et *taxie.*

♦ Physiol. Réaction de locomotion, orientée par rapport au stimu-lus, que manifestent certains organismes mobiles relativement à une différence de pression osmotique du milieu extérieur. (On dit aussi *tonotaxie*). *Osmotaxie négative.*

OSMOTIQUE [ɔsmɔtik] adj. — 1855, Nysten ; angl. *osmotic,* 1854 Graham, ou de *-osmose,* 2ᵉ élément de *endosmose**, *exosmose,* d'après la correspondance suffixale *-ose, -otique,* bien que l'étymon grec n'appartienne pas à la série ; → Osmose.

♦ Chim. Qui a rapport à l'osmose, qui est de la nature de l'osmose. *Échanges osmotiques.* — *Pression, tension osmotique,* « pression à laquelle il faut soumettre une solution afin d'empêcher le passage du solvant à travers une membrane semi-perméable qui sépare la solution et le solvant pur » (Uvarov, *Dict. des sc.*). *La pression osmotique d'une solution est proportionnelle à la concentration de la solution* (Loi de Van't Hoff). *Solutions de même tension osmo-tique.* ⇒ **Isotonique.**

DÉR. **Osmotiquement.**

OSMOTIQUEMENT [ɔsmɔtikmɑ̃] adv. — D. i. ; de *osmose.*

♦ Chim. Quant à l'osmose, au pouvoir osmotique. *Particules osmo-tiquement actives.*

OSMOTOXICITÉ [ɔsmɔtɔksisite] n. f. — 1932 ; de 2. *osmo-,* et *toxicité.*

♦ Didact. Syn. de ˉosmonocivité.

OSMOTROPHE [ɔsmɔtʀof] adj. et n. m. — 1964, Husson ; de 2. *osmo-,* et *-trophe.*

♦ Biol. Qui se nourrit en absorbant à travers ses membranes des éléments en solution. *Protiste, parasite, osmotrophe.* — N. m. *Un osmotrophe.*

DÉR. **Osmotrophie.**

OSMOTROPHIE [ɔsmɔtʀɔfi] n. f. — 1979 ; de *osmotrophe.*

♦ Biol. Mode de nutrition des organismes osmotrophes.

OSQUE [ɔsk] n. et adj. — Déb. XVIIIᵉ ; lat. *osci,* au sing. *oscus.*

♦ N. m. pl. *Les Osques :* peuple indigène de l'Italie établi en Campanie. — Adj. (1874). Relatif à ce peuple. — N. m. (1868). Ling. *L'osque :* la langue de ce peuple, voisine du latin et qui appartient au groupe italique. *L'osque et l'ombrien.* ⇒ **Italique** (cit. 3).

OSSATURE [ɔsatyʀ] n. f. — 1801, sens 2 ; de *os,* et suff. *-ature,* p.-ê. d'après *armature.*

♦ **1.** (1803). Ensemble des os, tels qu'ils sont disposés dans le corps. ⇒ **Squelette.** *Avoir une ossature grêle* (→ Attache, cit. 10), *robuste, gigantesque* (→ Colossal, cit. 2). ⇒ **Charpente.** *L'ossature d'un animal mort.* ⇒ **Carcasse.** *Ossature d'une partie du corps ; ossature de la tête, de l'épaule, de la main...*

1 On dirait des squelettes sur lesquels de la basane serait collée ; les ossatures s'indiquent avec une précision horrible ; les rotules et les coudes font de grosses boules, comme des nœuds sur des bâtons (...) LOTI, l'Inde (sans les Anglais), V, IX.

2 L'ossature de sa tête, petite et ronde, dressée sur un cou mince, faisait penser à un crâne d'oiseau. MARTIN DU GARD, les Thibault, t. VI, p. 61.

♦ **2.** Ensemble des parties essentielles et résistantes qui soutient un tout. ⇒ **Charpente.** — Vx. Géol. *L'ossature terrestre,* s'est dit du prétendu noyau de la terre. — *Ossature d'un relief, qui résiste à l'érosion* (→ Grès, cit. 4). — Archit. *Ossature d'un monument, d'une voûte. Bâtiments dont l'ossature est composée de piliers reliés par des poutres* (→ Mur, cit. 9). *Ossature en béton armé. Ossature massive, ajourée.*

3 Le squelette de la terre, l'ossature géologique, le marbre gris violacé affleure en rocs saillants, s'allonge en escarpements nus (...) TAINE, Philosophie de l'art, t. II, p. 106.

♦ **3.** (Abstrait). Éléments essentiels d'un ensemble organisé. *L'ossature sociale.* ⇒ **Armature, structure** (→ Émeute, cit. 4). *Toute mélodie* (cit. 3) *s'affirme sur quelques notes radicales qui lui servent d'ossature. « L'ossature d'un discours »* (Académie), *d'un drame.* ⇒ **Canevas.**

DÉR. **Ossaturé.**

OSSATURÉ, ÉE [ɔsatyʀe] adj. — 1897, Bloy ; de *ossature.*

♦ Rare. Charpenté comme par une ossature.

(...) l'histoire universelle lui apparaissait comme un texte homogène, extrêmement lié, vertébré, ossaturé, dialectiqué, mais parfaitement enveloppé (...) Léon BLOY, le Désespéré, p. 99.

OSSE [ɔs] ⇒ Ossète.

OSSÉINE [ɔsein] n. f. — 1855, Nysten ; aussi *ostéine* ; formé par Robin et Verdeil sur le thème du lat. *osseus « osseux, d'os »,* avec suff. *-ine.*

♦ Biochim. Substance organique qui entre pour un tiers environ dans la composition des os, et qu'on trouve aussi dans la peau et les cartilages. *Les os sont formés d'osséine et de matières minérales ; l'osséine se transforme en gélatine par hydrolyse. L'osséine est élaborée par les ostéoblastes.*

OSSELET [ɔslɛ] n. m. — 1190 ; dimin. de *os* ; cf. anc. franç. *ossel, osset.*

♦ **1.** Rare. Petit os. — Anat. *Les osselets de l'oreille,* les petits os de la caisse du tympan. ⇒ **Enclume, étrier, marteau.** *La chaîne des osselets* (→ Auditif, cit. 1). — *Osselets de Weber, chez certains poissons.* → Ostariophysaires, cit.

1 Les osselets de l'ouïe se disposent les uns à la suite des autres en une chaîne non interrompue, qui s'étend transversalement (...) de la membrane du tympan à la fenêtre ovale (...) Ces petits os sont reliés entre eux par de véritables articulations et sont fixés, en outre, par un certain nombre de ligaments aux différentes parois de la caisse. Malgré ces ligaments, la chaîne des osselets jouit d'une grande mobilité (...) L. TESTUT, Traité d'anatomie, t. III, p. 768.

♦ **2.** (1538). Plur. LES OSSELETS : jeu d'adresse consistant à lancer puis à rattraper sur le dos de la main, ou à déplacer de différentes manières, des petits os provenant du carpe des moutons, ou des pièces de plastique ou de métal de forme identique. *Jouer aux osselets. Une partie d'osselets* (→ 1. Contention, cit. 2).

2 (...) Moktar accroupi sur le paillasson, en train de jouer aux osselets, tout seul (...) G. DUHAMEL, Salavin, VI, V.

(Au sing. ou au plur.). Pièce de ce jeu. *Il a perdu un osselet. Des*

osselets en plastique. *Le « père », osselet peint en rouge, qu'on lance en l'air pendant qu'on déplace les autres.*

♦ **3.** (1684). Vétér. Exostose, tumeur osseuse à la base de la jambe du cheval.

OSSEMENT [ɔsmɑ̃] n. m. — XIIIᵉ ; au sing., 1165, « squelette » ; lat. ecclés. *ossamentum,* du lat. class. *ossum.* → Os.

★ I. N. m. pl. OSSEMENTS. ♦ **1.** Os décharnés et desséchés de cadavres d'hommes ou d'animaux. ⇒ **Débris, os** (2.), **restes.** *Tas d'ossements* (→ Émietter, cit. 1). *Des ossements blanchis par le temps* (→ Cicatrice, cit. 6). *Ossements d'animaux morts dans le désert. Tombeaux pleins d'ossements* (→ Hypocrite, cit. 15 ; et aussi lien, cit. 6). *Dépôt d'ossements.* ⇒ **Charnier, ossuaire** (→ Dalle, cit. 1). *Ossements conservés comme reliques*. Jurer sur les ossements des saints* (→ Jugement, cit. 3). — *Ossements fossiles, étudiés par la paléontologie.*

1 (...) la vue de quelques ossements d'ours et d'éléphants m'inspira, il y a plus de douze ans, l'idée d'appliquer les règles générales de l'anatomie comparée à la reconstruction et à la détermination des espèces fossiles (...) CUVIER, Recherches sur les ossements fossiles, t.III, IIᵉ partie.

2 Oui ! telle vous serez, ô la reine des grâces,
Après les derniers sacrements,
Quand vous irez, sous l'herbe et les floraisons grasses,
Moisir parmi les ossements.
BAUDELAIRE, les Fleurs du mal, « Spleen et idéal », XXIX.

♦ **2.** Vx. Rare. Os d'un être vivant.

★ II. N. m. sing. ou plur. OSSEMENT. Vx ou littéraire.

♦ **1.** (Déb. XVIᵉ). Os (d'un être mort).

♦ **2.** (1553). Fig. Ce qui soutient (quelque chose). ⇒ **Charpente, ossature.**

OSSERET [ɔsʀɛ] n. m. — 1752 ; de *os,* sur le modèle de *couperet.*

♦ Techn. Couperet de boucher pour trancher les os.

OSSÈTE [ɔsɛt] n. et adj. — 1823, trad. Klaproth, *Voyage au Caucase* ; par l'all., du russe *osetin,* lui-même du géorgien *ovs-et-i* « pays des Os (nom propre ethnique) », cf. cit. 1. — REM. La var. *osse,* adj. et n. est récente (1952, Meillet et Cohen).

♦ **1.** N. m. pl. *Les Ossètes,* peuple du Caucase. (Au sing.). *Un, une Ossète.* — Adj. Relatif à ce peuple. *Le pays ossète* (ou *Ossétie*). *Tribus ossètes. Les légendes ossètes.*

♦ **2.** N. m. Langue du groupe iranien, parlée dans le Caucase. *L'ossète est la seule langue vivante étroitement apparentée aux anciens parlers scythes et sarmates. Études sur l'ossète,* d'E. Benveniste (1959). *Dialectes de l'ossète :* iron (à l'est), toual (au sudest), digor (à l'ouest). — Adj. *Le premier texte ossète fut imprimé en 1798.*

1 Le nom « ossète » représente la forme russisée du géorgien *ovs-et-i* « pays des Os », et *os* est lui-même la prononciation locale de l'ethnique *ās* connu par les historiens musulmans, qui correspond au peuple des *Asioi* mentionné chez Strabon.- A. MEILLET et A. COHEN, les Langues du monde, p. 34.

2 Les territoires ossètes ont été jadis plus étendus qu'ils ne le sont actuellement, à en juger d'après les hydronymes et notamment ceux qui comportent l'élément *don,* « fleuve » (ainsi Saudon, de l'ossète *saudon,* « fleuve noir »), d'après d'autres toponymes ou des emprunts de langues caucasiennes. Encycl. Universalis, art. *Ossètes,* vol. XII, p. 285 b (1972).

OSSEUX, EUSE [ɔsø, øz] adj. — 1537 ; *ossos,* 1220 ; de *os.*

♦ **1.** Qui est propre aux os, de la nature de l'os. *Tissu osseux,* formé de cellules osseuses (⇒ **Ostéoblaste**), qui se présente dans les os sous trois formes, le tissu compact, le tissu spongieux et le tissu réticulaire. *Le tissu osseux est constitué d'osséine* et de cellules osseuses* (ostéocytes). *Formation de matière osseuse* (→ Moelle, cit. 1). *Éminence osseuse* (→ Apophyse, cit. 1). — Didact. et cour. Qui concerne les os. *Troubles osseux* (→ Avitaminose, cit. 1). *Tuberculose osseuse.* — *Greffe osseuse par transplantation d'un morceau de périoste.*

Malgré sa structure dont l'élément calcaire semble impliquer une persistance de forme sans changement, le tissu osseux apparaît comme le tissu le plus malléable de l'organisme, car ils portent les empreintes de toutes les actions qui s'exercent à leur surface : les détails de chaque pièce osseuse reflètent une action mécanique. L. TESTUT, Traité d'anatomie, t. I, p. 21.

♦ **2.** Qui possède des os. *Poissons osseux,* ceux qui ont des arêtes ou os (⇒ **Téléostéens ; ostéichthyens**) comme la carpe (opposé à *poissons cartilagineux,* comme la raie).

♦ **3.** (V. 1560). Qui est constitué par des os. *Charpente osseuse. Carapace osseuse. Relief osseux du visage* (→ Accuser, cit. 18).

♦ **4.** (1834). Plus cour. Dont les os sont saillants, très apparents. ⇒ **Maigre.** *Main, doigts osseux* (→ 1. De, cit. 32 ; éventer, cit. 9 ; larmoyer, cit. 4). *Visage osseux* (→ 1. Hermétique, cit. 11). *Un grand nez osseux* (→ Caricaturiste, cit. 2). *Haridelle* (cit. 2)

osseuse comme celle de Don Quichotte. Femme un peu osseuse
(→ Gosse, cit. 7).

2 (...) elle voit des hommes pâles et osseux dont le cou laisse saillir hors du col bas des tendons durcis (...) J. CHARDONNE, les Destinées sentimentales, p. 190.

♦ **5.** Archéol. Qui concerne les outils ou les objets manufacturés en os.

3 L'existence d'une industrie osseuse aux stades anciens a été évoquée plus haut. Il paraît impossible d'accepter que les éclats d'os attribués aux Australopithèques, aux Sinanthropes, aux Moustériens des Alpes soient une véritable industrie.
A. LEROI-GOURHAN, le Geste et la Parole, t. I, p. 199.

CONTR. **Charnu, dodu.**

OSSI- Élément, du lat. *ossi-* « os ». ⇒ **Ostéo-.**

OSSIANIQUE [ɔsjanik] ou **OSSIANESQUE** [ɔsjanɛsk] adj. — 1800, Mme de Staël, *ossianique*; *ossianesque*, av. 1872; du nom propre *Ossian*, barde écossais légendaire du IIIe siècle.

♦ Littér. Qui appartient ou ressemble aux poésies publiées en 1760 par Macpherson sous le nom d'Ossian et dont les romantiques se sont largement inspirés. *Thèmes ossianiques.*

1 Les émotions causées par les poésies ossianiques peuvent se reproduire dans toutes les nations ; parce que leurs moyens d'émouvoir sont tous pris dans la nature (...) Mme DE STAËL, De la littérature, I, 11.

2 Autrefois nous donnions dans les brumes ossianiques. C'était des Malvina, des Fingal, des apparitions nuageuses, des guerriers qui sortaient de leurs tombes avec des étoiles au-dessus de leurs têtes.
BALZAC, Illusions perdues, Pl., t. IV, p. 543.

OSSIANISME [ɔsjanism] n. m. — 1833, Ph. O'Neddy, *in* D.D.L.; de *Ossian*; → Ossianique.

♦ Didact. Admiration, imitation des poèmes attribués à Ossian.

OSSICULE [ɔsikyl] n. m. — 1765; du lat. *ossiculum* « petit os », dimin. de *ossum*. → Os.

Didactique.

♦ **1.** Noyau de certains fruits.

♦ **2.** (1838). Petit organe dur qui joue le rôle d'un os chez quelques échinodermes.

OSSIFÈRE [ɔsifɛʀ] adj. — 1838; de *ossi-*, et *-fère*.

♦ Didact. Où l'on trouve des ossements. *Brèche ossifère.*

M. Desnoyers a visité ce gîte ossifère, vers le milieu du mois d'avril 1863. Quand il y arriva, les ouvriers venaient d'y découvrir quelques ossements (...)
L. FIGUIER, l'Année scientifique et industrielle 1864, p. 267 (1863).

OSSIFICATION [ɔsifikasjɔ̃] n. f. — 1697, *in* Cottez; de *ossifier*.

♦ Didact. Formation du tissu osseux par transformation d'un tissu fibreux ou cartilagineux en substance osseuse. ⇒ **Ostéogenèse** ou **ostéogénie.** *L'ossification est un remplacement progressif du cartilage par des ostéoblastes* phagocytes, issus du tissu conjonctif. Ossification en longueur*, qui se fait à partir de points isolés dits *points ou centres d'ossification* et se poursuit jusqu'à l'âge adulte par les deux bouts de la diaphyse (zone cartilagineuse d'accroissement). *Ossification en épaisseur*, qui se fait par le périoste alors que l'os se détruit par l'intérieur au contact de la moelle. *Ossification des fontanelles* (cit.).

Pathol. Production accidentelle d'un tissu osseux aux dépens d'un autre tissu (⇒ **Ostéide, ostéophyte**). *Ossification des cartilages d'une articulation* (⇒ **Ankylose**).

Il a, depuis quelques semaines, achevé sa trente-troisième année : il est donc un homme jeune. Mais il sait que, depuis huit ans, le dernier point d'ossification a fini de se bloquer dans l'épaisseur de l'armature.
G. DUHAMEL, Chronique des Pasquier, VIII, I.

OSSIFIER [ɔsifje] v. tr. — 1699; de *os*.

♦ Rare. Convertir en tissu osseux. — Fig. Endurcir, rendre insensible.

(...) en Allemagne le culte de l'argent n'ossifie pas tout à fait le cœur.
STENDHAL, Romans et nouvelles, « le Rose et le vert », I.

▶ **S'OSSIFIER** v. pron.
Se transformer en tissu osseux. *Cartilage qui s'ossifie.* — Fig. Perdre sa sensibilité, s'endurcir.

▶ **OSSIFIÉ** p. p. adj.

♦ **1.** Converti en os. *Squelette incomplètement ossifié.*

♦ **2.** Rendu insensible.

♦ **3.** Dont les os sont devenus saillants. ⇒ **Osseux.**

(...) lui, minuscule, chétif, bancal, prématurément vieilli, terne, effacé, au visage ossifié, aux manières dolentes, et qu'un rire éclatant venait tout à coup secouer, un rire démoniaque qui le faisait tituber.
B. CENDRARS, Moravagine, Œ. compl., t. IV, p. 114-115.

DÉR. **Ossification.**

OSSIFLUENT, ENTE [ɔsiflyɑ̃, ɑ̃t] adj.— 1855; de *ossi-*, et *-fluent.*

♦ Méd. Se dit d'une lésion qui ramollit le tissu osseux où elle se forme. *Abcès ossifluent.*

OSSIFRAGE [ɔsifʀaʒ] n. m. — 1562, « orfraie »; lat. *ossifraga* « qui brise *(fraga)* les os » (→ Orfraie); de *ossum*. → Os.

♦ **1.** Vx. Orfraie.

(...) la pioche a tronqué et nivelé tous ces pitons hérissés et scabreux où venaient se percher hideusement les ossifrages.
HUGO, l'Homme qui rit, I, III, « L'enfant dans l'ombre », I.

♦ **2.** (1899; lat. zool. *ossifragus* « briseur d'os »). Zool. Gros oiseau marin de l'Antarctique, dit plus couramment *pétrel géant (Procellariidés).*

OSSO BUCO [ɔsobuko] n. m. — 1954; mot ital. « os à trou », donné comme mot de la Suisse romande, *in* Wartburg, mais utilisé dans toute la francophonie.

♦ Jarret de veau servi avec l'os à moelle, et accompagné de riz à la tomate (plat italien).

Elle n'était pas contrariante; elle se laissa choisir leur table, elle commanda comme lui des peperoni *(poivrons)* et un ossobuco *(sic)* ...
S. DE BEAUVOIR, les Mandarins, p. 52 (1954).

OSSU, UE [ɔsy] adj. — 1175; de *os*.

♦ Rare. Qui a de gros os. *Une femme ossue. Un grand escogriffe* (cit. 2) *long, sec, bilieux, ossu.*

Les pasteurs poussèrent des cris en s'enfuyant. Les troupeaux se disloquèrent tout à fait. Les oiseaux moins farouches voletaient environ immaculés dans la lumière. Cinq masses ossues, blanchâtres s'étalaient au sol alternant avec les obsédants parapluies noirs. P. GRAINVILLE, les Flamboyants, p. 175.

OSSUAIRE [ɔsɥɛʀ] n. m. — 1775; lat. *ossuarium* « urne funéraire », de *ossum* → Os.

♦ **1.** Amas d'ossements* (→ 3. Mort, cit. 4).

♦ **2.** Excavation (⇒ **Catacombes**), bâtiment où sont conservés des ossements humains. *L'ossuaire d'un cimetière*. Ossuaires des cloîtres romans. Ossuaires sur les lieux des grandes batailles. L'ossuaire de Douaumont.*

1 Puis vous avez enfin complété l'ossuaire ;
Dix hommes ont suffi pour filer le suaire
Du père et de l'enfant ! HUGO, les Chants du crépuscule, V, V.

2 Demeurez dispersés dans nos champs saccagés
Vous gisants que des croix blanches perpétuèrent
Et vous à Douaumont engrangés et rangés
L'ordre est mis à jamais dans les grands ossuaires
Spectres de mon pays reposez reposez
Laissez sur vous tomber la dalle et le suaire.
ARAGON, le Roman inachevé, p. 62.

♦ **3.** Par métaphore ou fig. Ensemble de choses mortes que l'on conserve. « *Cet ossuaire de pendules mortes* » (Saint-Exupéry, *in* G. L. L. F.).

OST [ɔst] n. m. — V. 1080; *host*, 1050; du lat. *hostis* « ennemi », par ext. « armée ennemie »; « armée ».

♦ Anc. franç. ou archaïsme littér. ⇒ **Armée.** — Hist. *Service d'ost :* service militaire dû au suzerain par les vassaux.

1 (...) on vit presque détruit
L'ost des Grecs, et ce fut l'ouvrage d'une nuit. LA FONTAINE, Fables, XI, 3.

2 La conscription fait désormais venir à l'ost un grand nombre d'hommes instruits (...) G. DUHAMEL, la Pesée des âmes, p. 22.

OSTARIOPHYSAIRES [ɔstaʀjofizɛʀ] n. m. pl. — Av. 1954; du grec *ostarion* « petit os », *phusa* « vessie », et *-aires*.

♦ Zool. Poissons possédant la chaîne osseuse dite « organe de Weber » (→ cit. ci-dessous); poissons d'eau douce téléostéens de l'ordre des cyprinidés (comprenant, outre cette famille, les *cobitidés, gymnotidés, siluridés, etc.*). — Au sing. *Un ostariophysaire.*

L'ordre des Ostariophysaires, qui groupe la plus grande partie des poissons de nos eaux douces, est caractérisé par la présence d'un appareil qui relie l'oreille à la vessie natatoire (en rapport avec le tube digestif par le canal pneumatique, car ce sont des Physostomes); cet appareil est formé d'une chaîne d'osselets, dits osselets de Weber, empruntés aux vertèbres voisines; sans doute permet-il d'utiliser la vessie comme caisse de résonance.
R. et M.-L. BAUCHOT, les Poissons, p. 47 (1954).

OSTÉ- ⇒ Ostéo-.

OSTÉALGIE [ɔstealʒi] n. f. — 1823; de osté-, et -algie.

♦ Méd. Douleur osseuse profonde. *Ostéalgies des fièvres de croissance.*

DÉR. Ostéalgique.

OSTÉALGIQUE [ɔstealʒik] adj. — 1843, Landais; de ostéalgie.

♦ Méd. De l'ostéalgie.

OSTÉICHTHYENS [ɔsteiktjɛ̃] n. f. pl. — V. 1954; de osté-, grec *ikhtus* «poisson» (→ Ichtyo-), et suff. -ens.

♦ Zool. Poissons osseux. ⇒ **Téléostéens** (opposé à *Agnathes, Chondrichtyens, Placodermes*). *Les Ostéichthyens sont des Gnathostomes; ils forment l'une des quatre classes des Vertébrés inférieurs entrant dans la superclasse des Poissons. Sous-classe des Ostéichthyens :* Acanthodiens, Actinoptérygiens, Crossoptérygiens, Dipneustes. — Au sing. *Un ostéichtyen.*

Il est bien évident que si l'on voulait donner au terme de « Poisson » non plus le sens large que nous avons adopté, mais un sens restreint, ce serait aux Poissons osseux ou Ostéichtyens qu'il faudrait le réserver. Ces poissons ont aussi reçu le nom de Téléostomes et celui d'Actinoptérygiens.
        R. et M.-L. BAUCHOT, les Poissons, p. 66.

OSTÉIDE [ɔsteid] n. f. — 1846; de osté-, et -ide.

♦ Didact. Vx. Production osseuse accidentelle, incrustation de certains tissus par des sels calcaires. — REM. Ce mot est donné comme n. m. *in* Littré et Quillet.

OSTÉINE [ɔstein] n. f. — 1855; de osté-, et -ine.

♦ Didact. Vx. ⇒ **Osséine.**

OSTÉITE [ɔsteit] n. f. — 1833 *in* D.D.L.; de osté-, et -ite «inflammation».

♦ Méd. Inflammation des os. ⇒ **Carie, ostéomyélite.** *Ostéite syphilitique, tuberculeuse. Ostéite aiguë, chronique; déformante.*

OSTENSIBLE [ɔstɑ̃sibl] adj. — 1739, Voltaire, *in* D.D.L.; du lat. *ostensum,* var. de *ostentum,* supin de *ostendere* «montrer», et -ible; a éliminé *ostensif.*

♦ **1.** Vx. Qui peut être montré sans inconvénient. *Lettre ostensible* (Académie).

1   Quoique le pape n'ait fait aucune réponse ostensible, craignant d'irriter l'Assemblée et de lui faire précipiter la réunion d'Avignon (...)
        MICHELET, Hist. de la Révolution franç., IV, IV.

♦ **2.** (1801). Littér. au style soutenu. Qui est fait sans se cacher ou avec l'intention d'être remarqué de tout le monde (⇒ **Apparent, ouvert, patent, visible**). *Attitude, démarche ostensible. Charité ostensible.* ⇒ **Ostentatoire.** *D'une manière ostensible.* ⇒ **Ostensiblement.**

2   Et si, pour les faits publics et ostensibles, il y a tant d'obscurité, qu'est-ce donc quand il s'agit des causes qui sont cachées?
        SAINTE-BEUVE, Correspondance, 12, 11 sept. 1823.

CONTR. Caché, discret, furtif, secret, subreptice.
DÉR. Ostensiblement.

OSTENSIBLEMENT [ɔstɑ̃siblǝmɑ̃] adv. — Attestation isolée, 1361; 1789; de ostensible.

♦ **1.** Dr. Vx. Clairement.

♦ **2.** Cour. D'une manière ostensible, de façon à être remarqué, vu. *Hausser les épaules ostensiblement.* ⇒ **Vu** (au vu de tout le monde). *Ils fermèrent ostensiblement la porte pour mieux marquer le secret de la délibération* (cit. 4). *Faire ostensiblement un immonde commerce* (→ Drôle, cit. 5).

1   Elle paraissait s'amuser fort peu; elle avait même bâillé une ou deux fois assez ostensiblement (...)
        Th. GAUTIER, Fortunio, I.

2   En reprenant ostensiblement des plans de débarquement et d'invasion en Grande-Bretagne, pour lesquels des préparatifs avaient déjà été faits en 1797, il *(Bonaparte)* effraya le public anglais.   J. BAINVILLE, Hist. de France, XVII, p. 397.

3   Je vérifie l'état de ma caisse qui se trouve logée dans le tiroir de ma table. Je laisse, ostensiblement, la clef sur la serrure.
        G. DUHAMEL, Salavin, Journal, 15 février.

CONTR. Furtivement, subrepticement.

OSTENSIF, IVE [ɔstɑ̃sif, iv] adj. — 1660; XIVᵉ, «qui fait connaître»; lat. médiéval *ostensivus* «qui peut être montré», du lat. class. *ostensum.*

♦ **1.** Vx. (Dans des loc.). Qui peut être montré. *Lettre ostensive.* —

(1842). *Pièces ostensives :* pièces diplomatiques qui peuvent être montrées.

♦ **2.** Didact. (Repris à l'angl.). Qui fonctionne en montrant, en désignant par un geste, etc. (en parlant d'un signe, de sa fonction). *Signification ostensive. Signe ostensif.*

OSTENSION [ɔstɑ̃sjɔ̃] n. f. — XIVᵉ; *ostencion,* v. 1265; bas lat. *ostensio,* de *ostensum.* → Ostensible.

★ **I.** Vx ou littér. Action de montrer. — Mod. (Log. et sémiotique); repris à l'angl. Fait de signifier en montrant (monstration).

★ **II.** (Fin XVIIᵉ). ♦ **1.** Vx ou littér. Action de montrer l'hostie (⇒ **Ostensoir**).

♦ **2.** (1771). Par ext. Exposition (d'un objet religieux, sacré).

L'Acropole est une vaste offrande. Ses temples ne sont pas incomparables aux autres par leur architecture, mais par leur ostension. Couronne et sceptre, elle règne sur la cité parce qu'elle en dédie la part divine à la part divine du monde.
        MALRAUX, la Métamorphose des dieux, p. 81.

OSTENSOIR [ɔstɑ̃swaʀ] n. m. — 1762; *ostensoire,* fém., v. 1710; n. f. ou m., «cadran solaire», 1551; du lat. *ostensum* → Ostensible, et -oir.

♦ Pièce d'orfèvrerie utilisée dans la liturgie romaine pour contenir l'hostie consacrée et l'exposer à l'adoration des fidèles. *Avant l'emploi de l'ostensoir, l'eucharistie était portée dans des custodes*, monstrances*, ou reliquaires*. Ostensoir en forme de chapelle, de soleil* (⇒ **Soleil**).

Avant de quitter Saumur, Eugénie fit fondre l'or des joyaux si longtemps précieux à son cœur, et les consacra, ainsi que les huit mille francs de son cousin, à un ostensoir d'or et en fit présent à la paroisse où elle avait tant prié Dieu pour *lui!*
        BALZAC, Eugénie Grandet, Pl., t. III, p. 647.

Par compar. « *Ton souvenir en moi luit* (cit. 12) *comme un ostensoir* » (Baudelaire).

Par métaphore. Ce qui expose de manière à faire adorer.

OSTENTATEUR, TRICE [ɔstɑ̃tatœʀ, tʀis] adj. — 1580; 1535, «qui montre»; lat. *ostentator,* du supin de *ostentāre* → Ostentatoire.

♦ Vx. Qui témoigne de l'ostentation*, qui est fait avec ostentation. ⇒ **Ostentatoire.** *Une attitude ostentatrice* (Académie).

(...) une philosophie ostentatrice, qui ne veut que des œuvres d'éclat, et n'apprend rien tant à ses sectateurs qu'à beaucoup se montrer.
        ROUSSEAU, Mélanges, 2ᵉ dialogue.

OSTENTATION [ɔstɑ̃tasjɔ̃] n. f. — Mil. XVIᵉ; *obstentacion,* 1403; *ostentacion* «action de montrer», 1366; lat. *ostentatio,* du supin de *ostentāre* → Ostentatoire.

♦ Mise en valeur excessive et indiscrète d'un avantage. *Faire voir, faire connaître avec ostentation.* ⇒ **Étalage, parade** (faire); **afficher, étaler, exhiber;** ostensiblement. *Par ostentation, par pure ostentation.* ⇒ **Affectation, braverie, gloriole, orgueil, vanité.** *Agir sans ostentation.* (⇒ **Discrètement**). *Un luxe plein d'ostentation.* ⇒ **Ostentatoire.** *Actes de vertu où il n'y a ni forfanterie* (cit. 2) *ni ostentation. Ostentation de celui qui se vante*, se targue* de ses moindres relations* (→ Esbroufeur, cit. 2). — *Montrer avec ostentation.* ⇒ **Montre** (faire montre de...).

Vieilli. *Homme de vanité et d'obstentation* (→ Appareil, cit. 6).

Vieilli ou littér. (Suivi d'un compl. introduit par de). *Ostentation de richesses, de biens...* ⇒ **Apparat, faste** (et fam. **esbroufe, épate, flafla**). *Ostentation de probité* (→ Art, cit. 60), *de vertu* (⇒ **Pharisaïsme**), *de courage* (⇒ **Bravade**).

1   Les autres ont pris *(à)* cœur de parler d'eux pour y avoir trouvé le sujet digne et riche; moi, au rebours, pour l'avoir trouvé si stérile et si maigre qu'il n'y peut échoir soupçon d'ostentation.   MONTAIGNE, Essais, II, XVIII.

2   (...) ceux qu'une véritable dévotion met dans le chemin du Ciel et ceux qu'une vaine ostentation des bonnes œuvres n'empêche pas d'en commettre de mauvaises (...)
        MOLIÈRE, les Plaisirs de l'île enchantée, Dernières journées (1665), *in* Œ., t. IV, p. 231.

3   Les femmes mettent de l'ostentation jusque dans la grandeur d'âme.
        STENDHAL, Journal, p. 27.

4   N'y a-t-il pas dans ces affiches excessives d'abnégation et d'honneur beaucoup d'ostentation? C'est plutôt parade qu'autre chose.
        HUGO, l'Homme qui rit, II, I, II.

5   D'autre part, ses dépenses exagérées, l'ostentation inconsciente de son argent, provoquèrent la jalousie méchante de la plupart, et le mépris de quelques-uns (...)
        Valery LARBAUD, Fermina Marquez, V.

6   Il savait que ce grand bourgeois insolent ne la prodiguait pas *(son estime)* et fort

ennemi pour son compte de l'ostentation de vertu savait en déceler les faux semblants chez les autres.

J. ROMAINS, les Hommes de bonne volonté, t. III, XVI, p. 209.

CONTR. Discrétion, modestie.

OSTENTATOIRE [ɔstɑ̃tatwaʀ] adv. — 1903 ; attestation isolée, 1527 ; dér. sav. du lat. *ostentātum*, supin de l'intensif de *ostendere*, *ostentāre* «présenter avec insistance», et *-oire*.

♦ Qui témoigne de l'ostentation, qui est fait, montré avec ostentation. ⇒ **Ostentateur**. *Luxe, charité ostentatoire. Témoignage, démonstration ostentatoire d'amitié.*

C'était réagir louablement contre la surcharge inutile du luxe ostentatoire.

René HUYGHE, Dialogue avec le visible, p. 38.

CONTR. Discret.

OSTÉO-, OSTÉ- Élément, du grec *osteo-* (→ Ostéologie), de *osteon* «os» (ex. : *ostéoblaste*). ⇒ **Ossi-**. — REM. *Ostéogénie* (1736) est le premier mot formé en français où apparaît cet élément.

OSTÉOARTHRITE ou **OSTÉO-ARTHRITE** [ɔsteoaʀtnit] n. f. — 1903 ; de *ostéo-*, et *arthrite*.

♦ Méd. Affection inflammatoire des articulations aggravée par des lésions osseuses. *«Un travail sur le traitement des ostéoarthrites tuberculeuses du genou...»* (*Rev. gén. des sc.*, 15 juin 1903, p. 631).

OSTÉOBLASTE [ɔsteoblast] n. m. — 1871, *in* Cottez ; de *ostéo-*, et *-blaste*.

♦ Biol. Forme jeune de cellule osseuse qui produit l'osséine au cours de l'ossification (opposé à *ostéocyte*).

OSTÉOCHONDRITE [ɔsteokɔ̃dʀit] n. f. — 1883, *in* D. D. L. ; de *ostéo-*, *-chondr-* (→ Chondro-), et *-ite* «inflammation».

♦ Méd. Inflammation de l'os à son stade cartilagineux (c'est-à-dire dans l'enfance). *Souffrir d'ostéochondrite.*

OSTÉOCHONDROSE [ɔsteokɔ̃dʀoz] n. f. — V. 1968 ; de *ostéo-*, *-chondr-* (→ Chondro-), et *-ose*.

♦ Méd. Excès de cartilage provoquant des troubles de l'ossification au cours de la croissance.

OSTÉOCLASIE [ɔsteoklazi] n. f. — 1890 ; de *ostéo-*, et *-clasie*.

♦ **1.** Chir. Opération qui consiste à fracturer certains os pour redresser des déformations osseuses ou articulaires.

♦ **2.** (1959). Pathol. Résorption du tissu osseux (par les *ostéoclastes*).

OSTÉOCLASTE [ɔsteoklast] n. m. — 1878, sens 1 ; de *ostéo-*, et *-claste*.

♦ **1.** Chir. Appareil utilisé pour fracturer un os en un point déterminé.

♦ **2.** (1880, all. *osteoklast*, av. 1872, Kölliker). Biol. ⇒ **Myéloplaxe.**

OSTÉOCYTE [ɔsteɔsit] n. m. — 1964, Husson ; de *ostéo-*, et *-cyte*.

♦ Biol. Cellule adulte du tissu osseux, entourée de travées osseuses compactes (opposé à *ostéoblaste). Les ostéocytes sont enfermés dans des logettes de la substance osseuse, les ostéoplastes.*

OSTÉOGÈNE [ɔsteɔʒɛn] adj. — 1874 ; aussi *ostéigène*, 1897 ; de *ostéo-*, et *-gène*.
Didactique.

♦ **1.** Qui donne naissance à l'os. *Couche ostéogène d'un os long :* partie profonde du périchondre à partir de laquelle s'élabore le périoste.

♦ **2.** Qui stimule ou favorise la formation de l'os.

OSTÉOGENÈSE [ɔsteoʒənɛz] ou **OSTÉOGÉNIE** [ɔsteoʒeni] n. f. — 1874, *ostéogenèse* ; *ostéogénie*, 1736 ; *ostéogénésie*, 1854 ; de *ostéo-*, et *-genèse, -génie*.

♦ Biol., histol. Formation et développement des os par le processus de l'*ossification**.

OSTÉOGRAPHIE [ɔsteoɡʀafi] n. f. — 1753 ; de *ostéo-*, et *-graphie*, d'après l'angl. *osteography*, 1733 ; *osteographia*, 1728. Didactique, rare.

♦ **1.** Description des os. ⇒ **Ostéologie.**

♦ **2.** (1854). Traité sur les os, sur le squelette.

OSTÉOÏDE [ɔsteɔid] adj. et n. m. — 1868 ; de *osté-*, et *-oïde*. Médecine, biologie.

♦ **1.** Adj. Pathol. Qui présente l'aspect du tissu osseux, sans toutefois contenir d'ostéoblastes. *Chondrome, sarcome, tumeur ostéoïde.* — *«Une substance très voisine* (de la substance osseuse), *dite ostéoïde»* (*la Recherche*, oct. 1980, p. 1090).

Histol. *Tissu ostéoïde :* substance essentiellement formée par une trame de fibrilles collagènes, à partir de laquelle s'élabore par minéralisation le tissu osseux normal. (On dit aussi *substance préosseuse*).

♦ **2.** N. m. Tissu ostéoïde.

OSTÉOLEPIS [ɔsteolepis] n. m. — 1892, *Grande encycl.*, art. *Dévonien* ; lat. sav. *osteolepis*, de *osteo-* (→ Ostéo-), et grec *lepis* «écaille».

♦ Paléont. Poisson fossile caractéristique des terrains dévoniens, premier représentant des crossoptérygiens. *Les tétrapodes terrestres proviennent peut-être de l'ostéolepis.*

OSTÉOLITE [ɔsteolit] n. f. — 1874 ; de *ostéo-*, et *-lit(h)e*.

♦ Chimie. Phosphate naturel de calcium.

HOM. Ostéolithe.

OSTÉOLITHE [ɔsteolit] n. m. — 1765, *ostéolite* ; de *ostéo-*, et *lithe*.

♦ Didact. Vx. Os pétrifié.

HOM. Ostéolite.

OSTÉOLOGIE [ɔsteolɔʒi] n. f. — 1594 ; grec *osteologia* (→ ostéo-), et *-logie*.

♦ Sc. Partie de l'anatomie qui traite des os. ⇒ **Ostéographie.**

Imaginez-vous un grand corps si sec, qu'en le voyant à nu on aurait fort bien pu apprendre l'ostéologie. A.-R. LESAGE, Gil Blas, IV, VII.

DÉR. Ostéologique.

OSTÉOLOGIQUE [ɔsteolɔʒik] adj. — 1803, Cuvier, *in* D. D. L. ; de *ostéologie*.

♦ Sc. Relatif à l'ostéologie. *Travaux, recherches ostéologiques.*

OSTÉOLYSE [ɔsteoliz] n. f. — 1846, Bescherelle ; de *ostéo-*, et *-lyse*.

♦ Physiol. Autodestruction du tissu osseux (par décalcification, lésion, etc.). *Ostéolyse des corps vertébraux par anévrisme de l'aorte.*

DÉR. V. Ostéolytique.

OSTÉOLYTIQUE [ɔsteolitik] adj. — 1972 ; de *ostéo-*, et *-lytique*, d'après *ostéolyse*.

♦ Didact. (physiol., méd.). Relatif à l'ostéolyse. *Processus ostéolytique.* — Capable de provoquer l'ostéolyse. *Métastases ostéolytiques.*

OSTÉOMALACIE [ɔsteomalasi] n. f. — 1814 ; *ostéomalaxie*, 1808 ; de *ostéo-*, et grec *malakia* «mollesse».

♦ Méd. Ramollissement généralisé des os, par résorption diffuse des sels calcaires de la substance osseuse.

OSTÉOME [ɔsteom] n. m. — 1877, P. Larousse, *Premier Suppl.* ; de *osté-*, et *-ome*.

♦ Méd. Tumeur osseuse bénigne formée au niveau d'un os ou, plus rarement, dans le tissu musculaire. *Ostéome du massif osseux cranio-facial.*

OSTÉOMÉTRIE [ɔsteometʀi] n. f. — 1963 ; de *ostéo-*, et *métrie*.

♦ Didact. Mesure, ensemble des techniques de mesure du squelette. *Détermination de l'âge des poissons par l'ostéométrie. Appliquée au squelette humain, l'ostéométrie est une branche de l'anthropo-métrie.*

OSTÉOMUSCULAIRE [ɔsteomyskylɛʀ] adj. — V. 1970 ; de *ostéo-*, et *musculaire*.

♦ Didact. Formé de tissus osseux et musculaire, d'os et de muscles. *La paroi ostéomusculaire du thorax.*

OSTÉOMYÉLITE [ɔsteomjelit] n. f. — 1855, Nysten ; de *ostéo-*, et *myélite*.

♦ Méd. Inflammation d'un os causée par des germes pathogènes. ⇒ **Ostéite**. (REM. : Ce terme est consacré par l'usage mais incorrect, la moelle de l'os n'étant pas atteinte). *Ostéomyélite infectieuse due au staphylocoque* (→ Furoncle, cit.).

OSTÉONE [ɔsteon] n. m. — 1972 ; de *osté-*, et *-one*, d'après *neu-rone, axone...*

♦ Anat. Élément tubulaire de la substance osseuse, formant canal vasculaire. *Ostéone primaire. Ostéone secondaire* (ou *système de Havers*) : dans certains os compacts, Ostéone remanié, formé de plusieurs couches de lamelles osseuses disposées concentriquement *(corticales haversiennes).*

OSTÉONÉCROSE [ɔsteonekʀoz] n. f. — 1843, Landais ; de *ostéo-*, et *nécrose*.

♦ Méd. Mortification de l'os.

OSTÉOPATHE [ɔsteopat] n. — V. 1970 ; angl. *osteopath*, v. 1897, de *osteopathy*, d'après *homœopathy, homœopath* ; aussi *osteopathist*, 1899. → Ostéopathie.
Anglicisme. Médecine.

♦ **1.** Médecin spécialisé dans le traitement de maladies par des manipulations des os. — Appos. *Diplôme américain de docteur ostéopathe (DO).*

♦ **2.** Thérapeute non médecin qui soigne par des manipulations des os.
Depuis une dizaine d'années, on assiste *(en France)* à la multiplication d'ostéopathes non médecins se parant de diplômes délivrés outre-Manche.
F. LE CORRE, les Manipulations vertébrales, p. 35.
REM. Le suffixe *-pathe* en français désignant le patient qui souffre d'une maladie (ex. *névropathe*), l'adoption de ce terme semble peu heureuse. Malgré les précédents *homéopathe* et *allopathe*, on doit préférer *ostéo-praticien* (formé d'après *omnipraticien, chiropraticien*).

OSTÉOPATHIE [ɔsteopati] n. f. — 1860, *in* D.D.L. ; de *ostéo-*, et *-pathie*.
Médecine.

♦ **1.** Affection osseuse.

♦ **2.** (V. 1960 ; angl. *osteopathy* A. T. Still, av. 1899, de *osteo-* [→ Ostéo-], et *-pathy* au sens de «méthode thérapeutique» représenté dans *homœpathy, allopathy* et dans de nombreux autres composés à la fin du XIXᵉ). Anglicisme. Ensemble des méthodes thérapeutiques fai-sant appel à des manipulations sur les os. *Praticien spécialisé en ostéopathie.* ⇒ **Ostéopathe.** — REM. On pourrait former un terme ana-logue à *chiropraxie* pour éviter l'ambiguïté de ce mot, bien qu'il s'insère dans la série *homéopathie, allopathie.*
Chronologiquement l'ostéopathie est la première des tentatives faites pour codifier les techniques manipulatives, et expliquer leur action. Elle représente le premier essai cohérent de synthèse du traitement manipulatif.
Son «inventeur» fut un médecin américain et pasteur du Middle West, Andrew Tailor Still. (...) Il fait dater lui-même la naissance de l'ostéopathie au 22 juin 1874. (...) laissons-le nous exposer (...) en quoi consiste sa méthode : « L'ostéopathie est basée sur la perfection de l'œuvre de la nature. Quand toutes les parties du corps humain sont en ligne, nous avons la santé. Quand elles ne sont pas, c'est la maladie. Le fait de les réajuster fait disparaître la maladie et redonne la santé. Le travail de l'ostéopathe est de rétablir une situation normale dans l'organisme à partir d'une situation anormale : il en résultera la santé »... *(Osteopathy Research and Practice,* 1910).
F. LE CORRE, les Manipulations vertébrales, p. 29-30.

OSTÉOPATHIQUE [ɔsteopatik] adj. — 1978 ; de *ostéopathie*, d'après l'angl. *osteopathic*.
Médecine.

♦ **1.** Relatif à une affection osseuse, à un trouble pathologique d'origine osseuse.

1 (...) la caractéristique du jeu vertébral dans la «lésion ostéopathique» est la pos-sibilité de se mouvoir dans la direction lésée et l'impossibilité de se mouvoir dans le sens opposé. F. LE CORRE, les Manipulations vertébrales, p. 31-32.

♦ **2.** Relatif à l'ostéopathie (2.). *Traitement ostéopathique.*

2 (...) Roosevelt, qu'un ostéopathe allait rééduquer et tirer d'affaire, alors que la

médecine officielle ne lui avait été d'aucun secours (...) allait aider de son mieux les écoles ostéopathiques (...) F. LE CORRE, les Manipulations vertébrales, p. 34.

OSTÉOPÉTROSE [ɔsteopetʀoz] n. f. — 1959 ; formé par Karsch-ner, de *ostéo-*, grec *petros* «pierre», et 2. *-ose*.

♦ Méd. Maladie héréditaire des os, dans laquelle les os longs ne comportent ni enveloppe corticale ni cavité médullaire. (Syn. : *maladie des os de marbre*).
DÉR. Ostéopétrotique.

OSTÉOPÉTROTIQUE [ɔsteopetʀotik] adj. — Av. 1978 ; de *ostéopétrose*.

♦ De l'ostéopétrose ; atteint d'ostéopétrose. *« L'apparition sponta-née d'un mutant ostéopétrotique »* (la Recherche, nov. 1978, p. 1017).

OSTÉOPHLEGMON [ɔsteoflɛgmɔ̃] n. m. — 1951 ; de *ostéo-*, et *phlegmon*.

♦ Méd. Suppuration osseuse qui se produit au-dessous du périoste avec inflammation des tissus voisins. *Ostéophlegmon du maxillaire.*
(La) collection suppurée, profondément incluse dans l'os (...) se fraie un passage dans l'os. C'est l'OSTÉOPHLEGMON.
Un abcès dentaire est un léger ostéophlegmon.
P.-L. ROUSSEAU, les Dents, p. 49.

OSTÉOPHYTE [ɔsteofit] n. m. — 1833 ; de *ostéo-*, et *-phyte*.

♦ Méd. Production osseuse pathologique au voisinage des articula-tions, constituée par ossification anormale du périoste ou proliféra-tion du tissu osseux. *Les ostéophytes sont souvent présents dans l'arthrose.*
COMP. Ostéophytose.

OSTÉOPHYTOSE [ɔsteofitoz] n. f. — 1959 ; de *ostéophyte**, et 2. *-ose*.

♦ Méd. Affection caractérisée par le développement d'ostéophytes.

OSTÉOPLASTIE [ɔsteoplasti] n. f. — 1855, Nysten ; de *ostéo-*, et *-plastie*.

♦ Chir. Opération réparatrice du squelette, faite par transplantation de fragments d'os ou de périoste.

OSTÉOPOROSE [ɔsteopoʀoz] n. f. — 1855 ; angl. *osteoporosis*, av. 1846 ; de *ostéo-*, *pore*, et 2. *-ose*.

♦ Méd. Raréfaction du tissu osseux, sans décalcification, entraînant l'agrandissement des cavités et des espaces médullaires. *Ostéo-rose adipeuse, sénile.*
Le métabolisme du *calcium* est modifié chez les sénescents. On discerne chez eux une atteinte du squelette, déterminée par un trouble de la trame protéique de l'os, réalisant une ostéoporose plus ou moins accentuée facilitant, hélas, la production de fractures : celle du col fémoral est trop fréquente et trop sérieuse pour ne pas être soulignée. Léon BINET, Gérontologie et Gériatrie, p. 112.
DÉR. Ostéoporotique.

OSTÉOPOROTIQUE [ɔsteopoʀotik] adj. — V. 1970 ; de *ostéopo-rose*.

♦ Méd. De l'ostéoporose. *On craint « l'atrophie musculaire, voire même des phénomènes ostéoporotiques »* chez les cosmonautes en apesanteur prolongée (J. Colin et Y. Houdas, *Physiologie du cos-monaute*, p. 55).

OSTÉOPRATICIEN, IENNE [ɔsteopʀatisjɛ̃, jɛn] n. — 1972, *in Banque des mots*, nᵒ 4 ; de *ostéo-*, et *praticien*.

♦ Méd. Médecin spécialiste des traitements par manipulations des articulations (remplace l'anglicisme *ostéopathe*).

OSTÉOSARCOME [ɔsteosaʀkom] n. m. — 1809, *in* D.D.L. ; de *ostéo-*, et *sarcome*.

♦ Pathol. Tumeur maligne (cancer) d'un os, ou sarcome renfermant des éléments osseux.

OSTÉOSE [ɔsteoz] n. f. — 1932 ; 1843, «ostéogénèse» ; de *osté-*, et 2. *-ose*.

♦ Méd. Lésion osseuse non inflammatoire, à caractère dystrophique. *Ostéose cancéreuse. — Ostéose de famine :* ramollissement des os consécutif à une sous-alimentation (carence en phosphore et en cal-cium).

OSTÉOSTRACÉS [ɔsteostʀase] n. m. pl. — 1964; de *osté-*, et *-ostracé* «à coquille (caractérisée par l'élément initial)». → Ostraco-.

♦ Zool., paléont. Ordre de poissons Ostracodermes* aplatis dorsoventralement, recouverts par un bouclier osseux sur leur partie antérieure, et par de grandes écailles sur le reste du corps. *Les ostéostracés avaient deux nageoires pectorales, deux nageoires dorsales et une nageoire caudale.* — Au sing. *Un ostéostracé.*

OSTÉOSYNTHÈSE [ɔsteosɛ̃tɛz] n. f. — 1909; de *ostéo-*, et *synthèse.*

♦ Chir. Réunion des fragments d'un os fracturé, au moyen d'agrafes, de vis, de boulons, de clous, de plaques métalliques, etc.

OSTÉOTHÉRAPIE [ɔsteoteʀapi] n. f. — 1937, Courtillier; de *ostéo-*, et *-thérapie.*

♦ Méd. Thérapeutique (médicale ou chirurgicale) des maladies osseuses.

OSTÉOTOMIE [ɔsteotɔmi] n. f. — 1753; v. 1560, «coupe d'os»; de *ostéo-*, et *-tomie.*

♦ Chir. Section d'un os long, destinée à remédier à une difformité.

OSTÉOTROPE [ɔsteotʀɔp] adj. — V. 1972 (*Journ. off.* 1973); de *ostéo-*, et *-trope.*

♦ Didact. *Substance ostéotrope,* qui se fixe sur les os de préférence à d'autres tissus vivants.

OSTIAK ou **OSTYAK** [ɔstjak] n. et adj. — 1713, *Ostiacke,* au pl., aussi *Ostiaques* (1765); nom originel d'un peuple, p.-ê. par le russe *Ostjaki.*

♦ **1.** *Les Ostiaks,* peuple de la Sibérie occidentale établi principalement dans le bassin moyen de l'Ob. *Un, une Ostiak.*
Adj. (invar. en genre). Relatif à ce peuple. *Civilisation, peuple ostiak. Les coutumes ostiaks. Langue, dialecte ostiak. Samoyède ostiak :* samoyède* parlé par des tribus (Ostiaks-Samoyèdes) établies sur le cours de l'Ob, au S. du 60e parallèle (environs de Tomsk).

♦ **2.** N. m. *L'ostiak,* langue finno-ougrienne parlée par les Ostiaks. *L'ostiak et le vogoul, langues ougriennes de l'Ob* (ou *ob-ougriennes*). *Ostiak du Iénisseï.* ⇒ **Ket.**

OSTIAL, ALE, AUX [ɔstjal, o] adj. — 1892, *Dict. des Dict.*; rad. du lat. *ostium* «entrée, ouverture», et *-al.* → Ostiole, ostium.

♦ Didact. Qui concerne un orifice.
Pathol. (Vx). *Fistule ostiale,* dont le canal est très court, de sorte qu'elle semble réduite à son ouverture.
Anat., méd. Relatif à un ostium*. *Coronarite ostiale :* lésion de l'ostium des coronaires. — *Valvule ostiale :* repli endothélial qui empêche le sang de refluer dans une veine, à son abouchement avec une autre.
Sc. nat. Qui concerne un ostiole*.

OSTIARIAT [ɔstjaʀja] n. m. — 1932; du lat. *ostiarius* «portier», de *ostium* «porte».

♦ Relig. Premier des quatre ordres mineurs, dans l'Église latine (on dit aussi *ordre de portier*).

OSTIOLE [ɔstjɔl] n. m. — 1817; lat. *ostiolum,* de *ostium* «entrée, ouverture».

♦ Sc. nat. Petite ouverture. — Spécialt. Orifice par lequel se font les échanges gazeux de la feuille.
Géomorphol. Petite figure fermée soulevée en dôme (env. 1 m × 0,20 m), créée à la surface du sol sous l'effet du gel et du dégel (on dit aussi *îlot terreux*). *Ostiole de toundra.*
Les sols gelés, par le grand froid hivernal, se crevassent et la glace s'insinue dans les fentes comme un coin. Le gel et le dégel sévissant dans la couche superficielle du sol, tantôt la déforment, la boursouflent en buttes ou en gradins, la percent de pustules appelées *ostioles,* tantôt y provoquent de curieux arrangements (...)
　　　　V. ROMANOVSKY et A. CAILLEUX, la Glace et les Glaciers, p. 90.

OSTIUM [ɔstjɔm] n. m. — 1970, Manuila, art. *Coronarite*; lat. sav. *ostium,* même sens, de *ostium* «entrée, ouverture», de *os* «bouche».

♦ Méd. Chacun des orifices anatomiques appelés *ostia* (sing. : *ostium*) dans la terminologie latine de Paris. *D'un ostium.* ⇒ **Ostial.**

OSTO ⇒ **Hosteau.**

OSTOTHÈQUE [ɔstotɛk] n. f. — 1963; grec *ostothêkê* «urne pour les ossements d'un mort».

♦ Didact. Châsse qui contient l'urne renfermant les cendres d'un mort. — Châsse qui contient les os déterrés d'un mort.

OSTPOLITIK [ɔstpolitik] n. f. — 1970; mot all., de *Ost* «ouest», et *Politik* «politique».

♦ Polit. (dans un contexte germanique). Politique d'ouverture des États non communistes envers ceux de l'Europe de l'Est. *L'ostpolitik du chancelier W. Brandt.*

OSTRACÉ, ÉE [ɔstʀase] adj. et n. — 1727; du grec *ostrakon* «coquille»; → le suivant.

♦ Zool. Qui a la forme d'une coquille; qui est de la nature de l'huître. — N. m. pl. LES OSTRACÉS : dans l'ancienne classification, Sous-ordre de mollusques lamellibranches du type de l'huître, comprenant les familles des *ostréidés* et des *anomiidés.*
Mais ce qui devait être plus utile, ce fut une vaste huîtrière, découverte à mer basse, que Nab signala parmi les roches, à quatre mille environ des Cheminées. «Nab n'aura pas perdu sa journée, s'écria Pencroff, en observant le banc d'ostracés qui s'étendait au large».　　　J. VERNE, l'Île mystérieuse, t. I, p. 182.
N. f. pl. Géol. *Marne à ostracées :* couche marneuse contenant de nombreuses coquilles d'huîtres fossiles (on dit aussi *marne à huîtres*).

-OSTRACÉ Élément, du grec *-ostrakos,* même sens, de *ostrakon* «coquille», qui signifie «à coquille, à test (que caractérise l'élément initial)». → Ostraco-. — REM. Il apparaît d'abord en français dans *entomostracés.*

OSTRACISER [ɔstʀasize] v. tr. — 1823; au p. p. subst., 1772, De Brosses; grec *ostrakizein,* de *ostrakon.* → Ostracisme.

♦ Hist., littér. Bannir, exiler (un citoyen) en le frappant d'ostracisme.

▶ **OSTRACISÉ, ÉE** p. p. adj.
Banni, exilé par l'ostracisme.

OSTRACISME [ɔstʀasism] n. m. — 1535; grec *ostrakismos,* de *ostrakizein* «ostraciser», de *ostrakon* «coquille», d'où «morceau de terre cuite» sur lequel les Athéniens inscrivaient leurs suffrages dans les votes de bannissement.

♦ **1.** Hist. Bannissement de dix ans prononcé à la suite d'un jugement du peuple, à Athènes et dans d'autres cités grecques. ⇒ **Proscription.** *L'ostracisme n'entraînait pas la perte des biens. Thémistocle et Aristide furent victimes de l'ostracisme des Athéniens. Ostracisme en usage à Syracuse.* ⇒ **Pétalisme.** *Frapper d'ostracisme :* ostraciser.
Or l'ostracisme n'était pas un châtiment; c'était une précaution que la cité prenait contre un citoyen qu'elle soupçonnait de pouvoir la gêner un jour.　[1]
　　　　FUSTEL DE COULANGES, la Cité antique, III, XVIII.

♦ **2.** (1773). Didact. ou littér. Décision, action d'exclure* ou d'écarter quelqu'un du pouvoir pour une personne ou un groupement politique. ⇒ **Exclusion;** → Désarmer, cit. 9. *Prononcer l'ostracisme contre un ancien ministre. Être frappé d'ostracisme par la majorité.*

♦ **3.** (1694). Hostilité (d'une collectivité) qui rejette un de ses membres (⇒ **Quarantaine**). *L'ostracisme d'un groupe, d'un milieu contre quelqu'un. Être victime de l'ostracisme de...*
(...) un traité entre l'amour-propre des individus et celui de la société même, un traité dans lequel les vanités respectives se sont fait une constitution républicaine, où l'ostracisme s'exerce contre tout ce qui est fort et prononcé.　[2]
　　　　Mme DE STAËL, De l'Allemagne, I, IX.
Ô Multitude! Multitude sans nom! vous êtes née ennemie des noms! (...) à peine avez-vous fait une gloire, vous la trouvez trop haute. Votre unique passion est l'égalité, ô Multitude! et tant que vous serez, vous vous sentirez poussée par le besoin simultané d'un *ostracisme perpétuel.*　[3]　A. DE VIGNY, Stello, XXXVII.
(...) il vivait dans un isolement relatif qui n'avait pas, comme celui où était morte Mme de Villeparisis, l'ostracisme de l'aristocratie pour cause (...)　[4]
　　　　PROUST, À la recherche du temps perdu, t. XIV, p. 86.
Il n'était pas sans beauté d'être rejeté par une société tout entière. Déjà chassé de son paradis intérieur, il se voyait exilé de son pays par un ostracisme plus clair et plus brutal que les suffrages d'une assemblée.　[5]
　　　　A. MAUROIS, la Vie de Byron, II, XXV.

OSTRACO- Élément, du grec *ostrako-,* de *ostrakon* «coquille». → -ostracé.

OSTRACODERMES [ɔstʀakodɛʀm] n. m. pl. — 1793, adj., «couvert d'écailles»; du grec *ostrakodermos* «à la peau en écaille», de *ostrakon* «coquille» (→ Ostracées), et *dermos.* → Derme.

♦ **Paléont.** Poissons fossiles du dévonien et du silurien *(cyclostomes)*, recouverts, à l'avant du corps, de plaques osseuses soudées. *Les ostracodermes sont les plus anciens vertébrés connus. On suppose que les cyclostomes* dérivent phylétiquement des ostracodermes. Les Ostéostracés étaient des ostracodermes.* — Au sing. *Un ostracoderme.*

C'est vers le milieu de l'ère primaire, au Silurien et au Dévonien, qu'apparaissent les premiers vertébrés, les poissons Ostracodermes, encore dépourvus de mâchoires, qui livrent sous sa forme la plus ancienne et la plus schématique le plan d'organisation des vertébrés.
A. LEROI-GOURHAN, le Geste et la Parole, t. I, p. 44.

Adj. (Rare). Qui a la peau couverte de plaques testacées. *Poisson ostracoderme.*

OSTRACODES [ɔstrakɔd] n. m. pl. — 1806; Latreille *in* Cottez; grec *ostrakôdês* «qui ressemble à une coquille», de *ostrak(on)* «coquille», et *-ôdês*.

♦ **Sc. nat.** Sous-classe de crustacés comprenant des animaux de très petite taille, à carapace bivalve, principalement benthiques, dont on dénombre env. 1960 espèces, actuellement rangées en quatre ordres. *Ostracodes fossiles. Ostracodes vivant en milieu marin, saumâtre, lacustre. Ostracodes adaptés à la vie terrestre (mousses, feuilles mortes humides). Bioluminescence de certains ostracodes.* — Au sing. *Un ostracode.*

OSTRACOLOGIE [ɔstrakɔlɔʒi] n. f. — 1846, Bescherelle; de *ostraco-*, et *-logie.*

♦ **Sc. nat.** Étude des coquillages. ⇒ **Conchyliologie.**

DÉR. Ostracologique.

OSTRACOLOGIQUE [ɔstrakɔlɔʒik] adj. — 1846, Bescherelle; de *ostracologie.*

♦ **Sc. nat.** Relatif à l'ostracologie.

OSTRACON ou **OSTRAKON** [ɔstrakɔn] n. m. — 1903, Larousse, «tesson d'ostracisme»; grec *ostrakon.* → Ostracisme.

♦ **Archéol.** Tesson de poterie ou éclat de pierre (calcaire) ayant été utilisé comme support pour l'écriture ou le dessin dans l'antiquité. *Ostracon hiératique égyptien.*

Plur. *Des ostraca* ou des *ostraka* [ɔstraka]. (*Ostracas* est à rejeter; on peut admettre *ostracons*, virtuel). *Collection d'ostraca.*

Les croquis que peignait sur des cailloux le sculpteur égyptien, les ostraca, sont loin d'ignorer l'humour; mais le sculpteur jetait ses cailloux, alors que le sarcophage d'Hagia Triada est peint pour l'éternité.
MALRAUX, la Métamorphose des dieux, p. 40.

OSTRACUM [ɔstrakɔm] n. m. — 1971; lat. sav., du grec *ostrakon* «coquille».

♦ **Sc. nat.** Ensemble de deux épaisseurs calcaires juxtaposées, de structure différente, qui constitue la couche cristalline externe de la coquille des Mollusques (entre le *periostracum*, vernis protecteur, et l'*hypostracum*, couche cristalline interne de nacre ou de porcelaine). *Ostracum formé d'aragonite. Des ostraca* ou *des ostracums.*

OSTRÉI- Élément, du lat. *ostrea*, grec *ostreon* «huître». V. ci-dessous à l'ordre alphabétique. — La formation plaisante *ostréiphage* «mangeur d'huîtres» est attestée chez Queneau.

Allez, faites taire ces ostréiphages avec leurs lamellibranches.
R. QUENEAU, le Vol d'Icare, p. 70.

OSTRÉICOLE [ɔstreikɔl] adj. — 1872; de *ostréi-*, et *-cole.*

♦ **Techn.** Qui a rapport à l'ostréiculture. *Technique, installation ostréicole.*

OSTRÉICULTEUR, TRICE [ɔstreikyltœr, tris] n. — 1875; de *ostréi-*, et *-culteur.*

♦ Personne qui pratique l'ostréiculture. *Les ostréiculteurs d'Arcachon, de Marennes, de Bretagne...*

OSTRÉICULTURE [ɔstreikyltyr] n. f. — 1861, *Année sc. et industr.* 1862, p. 154, «le procédé d'ostréiculture mis en usage dans nos mers»; de *ostréi-*, et *-culture.*

♦ **Élevage** des huîtres. *L'ostréiculture était déjà connue des Romains. L'ostréiculture se pratique dans les parcs à huîtres, souvent situés dans des rivières à marées.* → Mytiliculture, cit.

OSTRÉIDÉS [ɔstreide] n. m. pl. — 1868; lat sav., de *ostrea* «huître».

♦ **Zool.** Famille de mollusques lamellibranches, à laquelle appartient l'huître. — Au sing. *Un ostréidé.*

OSTRÉOPHILE [ɔstreɔfil] adj. — 1877, Littré, *Suppl.*; du lat. *ostrea* «huître», et *-phile.*

♦ **Techn.** *Caisse ostréophile* : caisse où l'on laisse quelques temps les jeunes huîtres détroquées avant de les étaler dans les parcs, pour les protéger des prédateurs (astéries, crabes, etc.).

OSTROGOTH, -GOTHE ou **OSTROGOT, -GOTE** [ɔstrogo, gɔt] n. et adj. — XIXᵉ, *Ostrogoth; ostrogot,* 1668 au fig.; bas lat. *ostrogothus,* nom d'une tribu des Goths, du germanique *ost* «est», et *goth.*

♦ **1.** (1690). **Hist.** Habitant de la partie est des territoires occupés par les Goths.

♦ **2. Fig. a** Vx. Homme malappris, ignorant et bourru. ⇒ **Sauvage.** *Quel ostrogoth! C'est une véritable ostrogothe.*

Ça va mal! et je le laisse faire (...) cet ostrogoth est capable d'épouser ma fille! (...) il marche, il s'avance sur Isménie (...) comme autrefois les barbares sur l'Empire romain!   E. LABICHE, Mon Isménie, 12, *in* Th. compl., t. III.   0.1

b Mod. Personnage extravagant. *Qu'est-ce que c'est que cet ostrogoth!*

Tant mieux, qu'elle (*Mᶫᶫᵉ d'Hamilton*) ait refusé les ostrogoths dont tu viens de parler. Si elle en avait voulu, je n'en voudrais pas, quoique je l'aime à la folie.   Antoine HAMILTON, Mém. du comte de Gramont, VII.   1

Comment s'appelle-t-il, cet ostrogoth-là? me demanda Albertine. Je ne sais pas pourquoi il me salue puisqu'il ne me connaît pas. Aussi je ne lui ai pas rendu son salut.   PROUST, À l'ombre des jeunes filles en fleurs, Folio, p. 544.   1.1

♦ **3.** Vx. Grossier. ⇒ **Barbare.** *Un poème, un style ostrogoth.* — REM. On a dit aussi *ostrogothique.* «*Figures ostrogothiques*» (G. Sand).

Je me mis d'abord à la méthode latine de Port-Royal, mais sans fruit. Ces vers ostrogoths me faisaient mal au cœur, ils ne pouvaient entrer dans mon oreille.   ROUSSEAU, les Confessions, VI.   2

-OT, -OTE Suffixe d'adjectifs diminutifs (et parfois péj.), sur une base adjective : *pâlot, vieillot, chérot...*

OTAGE [ɔtaʒ] n. m. — 1080, *ostage, Chanson de Roland;* du lat. *hospes, hospitis* qui a donné l'anc. franç. *hostage* «logement, demeure», d'où l'expression *prendre en ostage* «prendre dans la maison (une personne comme caution de l'exécution d'un contrat)»; le mot ayant par la suite désigné la personne elle-même, l'*hôte** que l'on garde.

♦ **1.** Personne livrée ou reçue comme garantie de l'exécution d'une promesse, d'un traité (dans le domaine militaire ou politique). ⇒ **Gage** (cit. 10), **garant, répondant.** *Donner des otages* (→ Conclure, cit. 4). *On a demandé des otages pris dans les deux camps. Servir d'otage* (→ Lien, cit. 10). *S'offrir en otage* (→ Détention, cit. 1). *Prisonniers* retenus comme otages; massacrer, fusiller des otages au mépris des lois de la guerre* (cit. 14). *Otages civils.* — Hist. *Massacre des otages,* dont furent victimes en 1871 des prisonniers détenus par la Commune.

On s'empara des gardes du corps, auxquels on venait d'accorder la vie; on leur arracha leur uniforme, et on leur fit endosser celui de la garde nationale. Ils furent réservés comme prisonniers, comme otages, comme ornements du triomphe des vainqueurs.   RIVAROL, Politique, I, Journal d'oct.   1

Par ext. *Se faire donner des villes, des places fortes en otage.*

♦ **2.** Personne que l'on arrête et détient comme gage pour obtenir ce que l'on exige. *Prisonniers révoltés qui s'emparent de leurs gardiens comme otages. Prise d'otages* (punie par la loi du 9 juil. 1971 par la réclusion criminelle à perpétuité). *Garder qqn en otage. Libérer les otages en échange d'une rançon. Leur avion a été détourné et ils ont été pris comme otages.*

Les terroristes encerclés, plutôt que de se rendre, avaient préféré tuer leur otage et tirer sur les forces de l'ordre, qui avaient pris la maison d'assaut.   J.-P. MANCHETTE, Nada, p. 154.   2

OTALGIE [ɔtalʒi] n. f. — 1701; *otalgique,* dès 1495; grec *otalgia;* de *ous, ôtos* «oreille».

♦ **Méd.** Douleur d'oreille.

OTALGIQUE [ɔtalʒik] adj. — 1495, repris 1803; bas lat. *otalgicus,* du grec *ôtalgia.* → Otalgie.

♦ **Méd.** Relatif à une otalgie.

O.T.A.N. [ɔtã] n. m. — 1949; sigle.

♦ **Polit.** Organisation du Traité de l'Atlantique Nord, groupant les États liés par le Pacte atlantique (correspond au sigle anglais

N.A.T.O. [nato]; nom propre). *L'O.T.A.N. est une organisation internationale très complexe dont les services siègent actuellement à Bruxelles.*

L'œuvre réalisée par l'O.T.A.N. a été essentiellement militaire. Il s'agissait d'organiser la défense de l'Europe occidentale et de l'Amérique du Nord en fonction d'une hypothèse stratégique : une attaque venant de l'Est. Il s'agissait de créer dès le temps de paix un système de défense unifié de façon à parer à toute surprise.   Pierre GERBERT, *les Organisations internationales*, p. 108.

REM. Divers dérivés plaisants sont attestés (*otanesque*, Pierre Nord, *les Espionnes au coin du feu*, p. 297).

OTARIE [ɔtaʀi] n. f. — 1867, *in* Cottez ; grec *ôtarion* «petite oreille», à cause de la petitesse des oreilles de cet animal, de *ous, ôtos* «oreille».

♦ Mammifère marin pinnipède vivant dans le Pacifique et les mers du Sud, appelé également *Lion* ou *lionne de mer. Les otaries ont la tête et le cou plus allongés que les phoques. Otarie dressée, qui fait des tours d'adresse.*

La marée n'échoue plus sur ces sables l'otarie moustachue, aux oreilles enroulées, aux mâchelières pointues, se traînant sur ses pattes sans ongles.   HUGO, *l'Homme qui rit*, I, III, I.

Peau, fourrure de cet animal.

-OTE, -OTTE Suffixe de noms féminins, formés sur une base verbale (*tremblote, jugeote*).

ÔTÉ [ote] prép. ⇒ **Ôter.**

-OTER ou **-OTTER** Suffixe de verbes servant à former des fréquentatifs sur des bases verbales, avec le sens de «un peu et d'une manière habituelle». (*tapoter, trembloter, vivoter..*). ⇒ aussi **Dansoter, fabricoter, parloter.** Formations libres :

1   Le père Ducros aimait beaucoup mon grand-père, son médecin, auquel il devait en partie sa place de bibliothécaire, mais il ne pouvait s'empêcher de méprisoter un peu la faiblesse de son caractère.   STENDHAL, *Vie de Henry Brulard*, XX, p. 180.

2   (...) le train-train de la Troisième République, se poussotant avec une patte abîmée (...)   J. ROMAINS, *les Hommes de bonne volonté*, t. XXII, p. 86.

3   (...) aucun succès ne suffit à vous transporter de joie ; car il y a tout le reste ; et tout le reste ne peut pas flamber à la même température. Tout le reste brillote, tremblote, autour d'une moyenne (...)   J. ROMAINS, *les Hommes de bonne volonté*, t. XXII, p. 231.

4   Une moyenne de cinq à six mille (...), si le spectacle marche (...) ; de trois à quatre s'il marchote (...)   J. ROMAINS, *les Hommes de bonne volonté*, t. XXII, p. 249.

5   Il semblait un peu gêné d'avoir à parler debout (...) Il bougeotait sur place.   J. ROMAINS, *les Hommes de bonne volonté*, t. XXII, p. 220.

6   Pendant ce temps-là, l'enfant se plaignotait comme une souris prise au piège.   CÉLINE, *Voyage au bout de la nuit*, p. 244.

7   Je comprends pas qu'à force de se monter la tête, un homme en arrive à crânoter dans des moments pareils.   M. AYMÉ, *Maison basse*, p. 184.

ÔTER [ote] v. tr. — 1119, *oster; uster*, pron., v. 989 ; du lat. *obstare* «faire obstacle», en bas lat. «enlever», de *ob-* et *stare-*.

♦ **1.** *Ôter (qqch.) de* (un lieu) : enlever (un objet) de la place qu'il occupait. ⇒ **Enlever ; déplacer, retirer.** *Ôter un rideau de sa patère.* ⇒ **Décrocher ;** → Immobile, cit. 10. *Ôter une plante d'un pot.* ⇒ **Dépoter.** *Ôter un tableau.* ⇒ **Déposer.** *Ôtez ces livres de dessus cette chaise, de dessous cette table.* — (Sans compl. de lieu). *Ôtez-moi cet objet* (→ Hideux, cit. 1 ; et aussi Magot, cit. 3). *Ôter un obstacle.* ⇒ **Écarter** (→ Machine, cit. 28). — *Ôter les mains de ses poches.* ⇒ **Sortir.** *Ôter qqch. des mains, de la tête de qqn.* ⇒ **Arracher** (cit. 6). *Ôter le pain* à la bouche à qqn.* — Fig. *Ôter un poids de dessus* (cit. 3) *la poitrine.* ⇒ **Soulager.**

1   (...) la haine et la destruction ont ici porté une main si avide, que les tombes mêmes en ont été ôtées, et que les seuls débris sont les restes de restes (...)   André SUARÈS, *Trois hommes*, «Pascal», I.

Ôter le couvert* : desservir.

(Abstrait). *Ôter une folie* (cit. 22) *de la tête de qqn. On ne peut lui ôter cette idée de l'esprit.* ⇒ **Perdre** (faire). *«Ôtez-vous de l'esprit une vanité si folle»* (1. fou, folle, cit. 47, La Fontaine). ⇒ **Bannir** (fig.). *Personne ne m'ôtera de l'idée que...* (→ Galerie, cit. 10) : j'en suis parfaitement convaincu.

2   Tout en tout est divers : ôtez-vous de l'esprit
Qu'aucun être ait été composé sur le vôtre.   LA FONTAINE, *Fables*, IX, 12.

3   Je ne peux m'ôter de l'idée que c'est peut-être après tout le libertin qui a raison et qui pratique la vraie philosophie de la vie.   RENAN, *Souvenirs d'enfance...*, Œ. compl., t. II, III, I.

♦ **2.** Vx. (Compl. n. de personne). *Ôter qqn d'un lieu, d'un endroit pour l'emmener ailleurs. Ôtez cet enfant d'auprès du feu* (Académie). — Fig. et vx. *Ôter qqn d'un emploi, d'une place.* ⇒ **Bannir, chasser, exclure, renvoyer.** *Ôter qqn d'une promesse, d'un engagement,* l'en délier, l'en dégager. *Ôter qqn d'embarras.* — ⇒ **Tirer.** «*Parle, ôte-moi d'un doute*» (cit. 16, Corneille).

♦ **3.** (XIIe). Mod. *Ôter (qqch.) :* enlever (ce qui vêt, couvre, recouvre, protège...). *Ôter ses vêtements.* ⇒ **Enlever, poser, quitter, retirer ;**

---

débarrasser (se débarrasser de), **déshabiller** (se). *Ôter une robe* (→ Ménager, cit. 3), *sa jaquette* (→ 2. Leur, cit. 2).

4   Tous ces vêtements peuvent être ôtés en un tour de main ; ils ne serrent point la taille, ils indiquent les formes ; le nu apparaît par leurs interstices et dans leurs mouvements. On les ôte tout à fait dans les gymnases, dans le stade, dans plusieurs danses solennelles : «C'est le propre des Grecs, dit Pline, de ne rien voiler».   TAINE, *Philosophie de l'art*, t. II, p. 138.

Ôter ses chaussures. ⇒ **Déchausser** (se), **débotter** (se). *Ôter les souliers de qqn.* ⇒ **Retirer.** — *Ôter une coiffure, son chapeau* (→ Itou, cit. 1). ⇒ **Décoiffer, découvrir** (se). *Ôter ses gants* (cit. 1 et 5). ⇒ **Déganter** (se). — *Ôter le pansement d'une plaie* (⇒ **Débander, débrider, lever**), *le plâtre d'un membre fracturé* (⇒ **Déplâtrer**). — *Ôter un masque*.* ⇒ **Démasquer, dévoiler ; bas** (jeter bas le masque). — *Ôter le harnais d'un cheval.* ⇒ **Débrider.**

5   (*Daphnis*) accourait incontinent, et lui ôtant sa couronne qu'il baisait d'abord, se la mettait sur la tête (...)   P.-L. COURIER, *Trad. de Daphnis et Chloé*, I.

6   Enfin, avec cet Ephestion politique, le ministre osait être lui : ôter sa perruque et son râtelier, poser ses scrupules et se mettre en pantoufles, déboutonner ses roueries et déchausser sa conscience.   BALZAC, *les Employés*, Pl., t. VI, p. 891.

7   Beaucoup de rois, de princes, de ministres, d'hommes qui se croyaient puissants, ont défilé devant moi : je n'ai pas daigné ôter mon chapeau à leur cercueil ou consacrer un mot à leur mémoire.   CHATEAUBRIAND, *Mémoires d'outre-tombe*, t. VI, p. 283.

Ôter ce qui orne, garnit. ⇒ **Dégarnir.** *Ôter ce dont un instrument, un objet est muni.* ⇒ **Démunir.** *Ôter le contenu d'un récipient.* ⇒ **Vider.** *Ôter l'amorce d'un obus,* le désamorcer. — *Ôter les fers d'un cheval,* le déferrer.

♦ **4.** Faire disparaître* ce qui gêne (⇒ **Débarrasser**), salit (⇒ **Décrasser, décrotter, dégraisser, effacer, épousseter**). *Ôter une tache. Ôter les mauvaises herbes* (⇒ **Sarcler**), *les pierres d'un chemin* (⇒ **Épierrer**). *Ôter ce qui alourdit* (⇒ **Décharger, délester**), *ce qui entrave, retient* (⇒ **Déchaîner, dégager**).

♦ **5.** *Ôter (qqch.) de (qqch.) :* enlever (une partie) de (un ensemble), en coupant, en arrachant, en séparant. *Ôter un morceau, une tranche de viande.* ⇒ **Couper, lever, prélever, trancher.** *Ôter les os d'un morceau de viande* (⇒ **Désosser**), *les feuilles, les pétales* (⇒ **Effeuiller**), *les poils, la peau* (⇒ **Peler**), *les plumes* (⇒ **Plumer**). — *Ôter un organe malade* (⇒ **Amputer ; ablation, -ectomie,** *une tumeur* (⇒ **Extirper**), *une dent cariée* (⇒ **Arracher ; extraire**). — *Ôter un nom d'une liste.* ⇒ **Supprimer ; rayer.** *Ôter un objet d'un ensemble pour mieux l'examiner.* ⇒ **Isoler ; part** (mettre à part). *Ôter un passage d'un livre* (cit. 4), *d'un ouvrage.* ⇒ **Couper, retrancher.** — Absolt. → Ajouter, cit. 2.

(Dans un compte). *Ôter une somme d'une autre ; ôter un nombre, une quantité d'un total.* ⇒ **Déduire, défalquer, diminuer, retrancher, soustraire.** — Au p. p. *65 ôté de 60 donne un nombe négatif* (cit. 15).

Fig. *Ôter à la peinture sa sublimité* (→ Nativité, cit. 2), *à la création sa gravité* (→ Mythologie, cit. 2). «*Ôtez l'amour-propre* (cit. 4) *de l'amour, il en reste trop peu de chose*» (Chamfort).

♦ **6.** *Ôter (qqch.) à (qqn) :* mettre (qqch.) hors de la portée, du pouvoir ou de la possession de qqn. ⇒ **Enlever, priver, retirer.** *On m'a ôté papier, plumes et encre* (cit. 2). — *Ôter les biens, la fortune à un héritier.* ⇒ **Dérober, prendre, ravir ; déposséder, dépouiller, spolier ;** → Justice, cit. 2. *On ne lui a rien ôté de sa fortune.* ⇒ **Toucher.** *Ôter à qqn son emploi. Cette affaire lui a ôté tout crédit* (⇒ **Coûter**). *Ôter un enfant à sa mère. Ôter la vie à qqn.* ⇒ **Tuer** (→ Désespoir, cit. 14 ; despote, cit. 1 ; mépriser, cit. 15). — *Ôter à qqn ses forces* (⇒ Isoler, cit. 2), *son courage* (→ Merci, cit. 17), *la conscience de ses actes, l'usage de la parole, la santé, l'appétit* (⇒ **Couper**). *Ôter à qqn toutes ses illusions.* ⇒ **Cesser** (faire), **désabuser.** *Ôter toute joie à qqn.* ⇒ **Sevrer.** *Il lui a ôté son appui, sa confiance.* — *Ne m'ôtez pas la bonne opinion que j'ai de vous* (Académie).

8   (...) si le vrai bonheur appartient au sage, c'est parce qu'il est de tous les hommes celui à qui la fortune peut le moins ôter.   ROUSSEAU, *Julie*, V, II.

9   (...) en un mot, quand il a su que j'étais imprimé tout vif, il a pris la chose au tragique et m'a fait ôter mon emploi, sous prétexte que l'amour des lettres est incompatible avec l'esprit des affaires.   BEAUMARCHAIS, *le Barbier de Séville*, I, 2.

10   Sa probité est incorruptible ; sa religion est profonde ; sa piété filiale s'élève jusqu'à la vertu ; mais une invincible timidité ôte au Dauphin l'emploi de ses facultés.   CHATEAUBRIAND, *Mémoires d'outre-tombe*, t. VI, p. 53.

11   (...) comme il arrive souvent, la colère lui ôtait l'esprit.   A. DE MUSSET, *les Deux Maîtresses*, VII.

REM. Dans tous ses emplois ou presque, *ôter* peut être remplacé par *enlever*, mot non marqué. → Enlever. *Ôter* est souvent senti comme désuet ou régional, par rapport à *enlever.*

▶ **S'ÔTER** v. pron.

(Sens passif). *Les fiefs amovibles* (cit. Montesquieu) *ne se donnaient ni ne s'ôtaient d'une manière capricieuse.*

(Sens réfl.). *Ôtez-vous de devant moi, de devant* (cit. 15) *mes yeux. Ôte-toi de mon soleil*.* ⇒ **Écarter** (s'). — (V. 1797, *in* D.D.L.). Loc. fam. *Ôte-toi de là que je m'y mette** (cit. 59).

Vx. *S'ôter* : partir. *Ôtons-nous* : partons (→ Cadavre, cit. 1, La Fontaine).

(Emploi réfléchi indirect). *S'ôter un cigare de la bouche* (→ 1. Fumer, cit. 27). — Loc. fig. *S'ôter le pain, les morceaux de la bouche*.*

12 Un vrai cœur d'or, qui s'ôterait les morceaux de la bouche.   ZOLA, le Dr Pascal, I.

▶ **ÔTÉ, ÔTÉE** p. p. adj.
Enlevé.

(Employé comme prép. d'ordinaire invar.). ⇒ **Excepté, hormis, sous-trait.** *Ôté deux ou trois chapitres, ce livre est excellent.* — REM. Autrefois on faisait l'accord avec le nom ou le pronom : *« Ôtés ceux qui sont intéressés par les sentiments de la nature »* (Pascal, *Lettre sur la mort de son père*).

CONTR. **Adjoindre, appliquer, appuyer, attribuer, confier, donner, dresser, endosser, fournir, insérer, laisser, mettre.**

OTI-, OTO- Éléments, du grec *oûs, ôtos* « oreille ». Voir les composés à l'ordre alphabétique ; cf. en outre : *« des poussins otocéphales, dont les oreilles sont jointes à la bouche (...) »* (J. Rostand).

OTIQUE [ɔtik] adj. — 1812 ; grec *otikos*, de *oûs, ôtos* « oreille ».

♦ Anat. Relatif à l'oreille, aux voies nerveuses auditives. ⇒ **Auriculaire.** *Nerfs otiques. Ganglion otique.*

OTITE [ɔtit] n. f. — 1810 ; du lat. médiéval *otitis*, du grec *otos*.

♦ Inflammation aiguë ou chronique de l'oreille. *Otite externe, interne :* inflammation du conduit auditif externe, interne. *Otite moyenne :* inflammation de la caisse du tympan. *Otite purulente. Otite simple*, n'atteignant qu'une oreille. *Otite double. Otite chronique. Otite aiguë compliquée de mastoïdite. Paracentèse* pratiquée en cas d'otite.* — Vétér. *Otite parasitaire, eczémateuse du chat, du chien.*

(...) même pour écrire ces lignes, je dus saisir l'occasion d'une otite dont je suis atteint en ce moment couché dans ma chambre d'hôtel à Mexico, profitant d'une souffrance pénible, mais heureusement purement physique, qui me sert d'anesthésique et me permet de toucher à la plaie.
                                                R. GARY, la Promesse de l'aube, p. 239.
DÉR. **Otitique.**

OTITIQUE [ɔtitik] adj. — 1932, Larousse ; de *otite*.

♦ Méd. De l'otite.

OTO- ⇒ Oti-.

OTOCORIS [ɔtɔkɔʀis] n. m. ou f. — Déb. xxᵉ ; de *oto-*, et *koris* « punaise », à cause de la forme de la plume qui borde l'œil.

♦ Oiseau passeriforme *(Alaudidés)*, nommé également *alouette alpestre*.

OTOCYON [ɔtɔsjɔ̃] n. m. — 1847, d'Orbigny, *Dict. universel d'hist. nat.* (1838, Lichteinstein *in* Cottez) ; de *oto-*, et grec *kuôn* « chien ».

♦ Mammifère *(Canidés)* carnassier d'Afrique aux grandes oreilles, appelé parfois *chien oreillard*.

OTOCYSTE [ɔtɔsist] n. m. — 1872, Lacaze-Duthiers, *in* Cottez, art. *-cyste* ; de *oto-*, et *cyste*. → Cysto-.

♦ Zool. Petite cavité renfermant un otolithe (1.), qui donne à l'animal un réflexe d'équilibration, chez les invertébrés.

OTOLITHE [ɔtɔlit] n. m. — 1827 ; de *oto-*, et *-lithe*.

♦ **1.** Zool. Concrétion minérale de l'otocyste, qui communique les vibrations sonores.

♦ **2.** Anat. Concrétion minérale (calcaire, chez l'homme) de l'oreille interne, qui sert à l'équilibration.
DÉR. **Otolithique.**

OTOLITHIQUE [ɔtɔlitik] adj. — 1897, *l'Année biol.*, t. XIX, p. 678 ; de *otolithe*.

♦ Anat. Relatif à l'otolithe. *Excitation otolithique.*

On considère donc, à l'origine, une stimulation labyrinthique avec prédominance de l'excitation otolithique, au cours des alternances des mouvements verticaux ; cette excitation transmise aux centres supérieurs est « réfléchie » dans les fibres parasympathiques et principalement dans le pneumogastrique.
                                    Jacques GUILLERME, la Vie en haute altitude, p. 104.

OTOLOGIE [ɔtɔlɔʒi] n. f. — 1793 ; de *oto-*, et *-logie*.

♦ Sc. Partie de la médecine qui étudie l'oreille (anatomie et pathologie).

OTOMASSAGE [ɔtɔmasaʒ] n. m. — Mil. xxᵉ ; de *oto-*, et *massage* (mot hybride).

♦ Méd. Massage vibratoire par ondes sonores ou insufflation d'air, appliqué sur le tympan et les osselets de l'oreille pour remédier à leur sclérose.

OTOPIÉSIS [ɔtɔpjezis] n. f. — 1890 ; de *oto-*, et grec *piesis* « pression ».

♦ Méd. Compression de l'oreille interne due à une oblitération de la trompe d'Eustache.

OTO-RHINO-LARYNGOLOGIE [ɔtɔʀinɔlaʀɛ̃gɔlɔʒi] n. f. — 1884, *in* D.D.L. ; de *oto-, rhino-*, et *laryngologie*.

♦ Partie de la médecine qui s'occupe des maladies de l'oreille, du nez et de la gorge. ⇒ **O.R.L.** — Abrév. *L'oto-rhino* [otoʀino], n. f. *Elle vient de passer le certif d'oto-rhino.*
DÉR. **Oto-rhino-laryngologiste.**

OTO-RHINO-LARYNGOLOGISTE [ɔtɔʀinɔlaʀɛ̃gɔlɔʒist] ou (cour.) **OTO-RHINO** [otoʀino] n. — 1913, *oto-rhino-laryngologiste, in* D.D.L. ; *oto-rhino*, 1949 ; de *oto-rhino-laryngologie*.

♦ Médecin spécialisé en oto-rhino-laryngologie. *Si tu as encore mal à la gorge, va consulter un oto-rhino. Des oto-rhinos.*

OTORRAGIE [ɔtɔʀaʒi] n. f. — 1863, *in* D.D.L. ; de *oto-*, et *-rragie*.

♦ Méd. Écoulement de sang par l'oreille.

OTORRHÉE [ɔtɔʀe] n. f. — 1803 ; de *oto-*, et *-rrhée*.

♦ Méd. Écoulement de sérosité, de mucus ou de pus par l'oreille. *Otorrhée purulente, signe d'otite.* — On écrit aussi *otorrée.*
DÉR. **Otorrhéique.**

OTORRHÉIQUE [ɔtɔʀeik] adj. — 1838, Académie ; de *otorrhée*.

♦ Méd. De l'otorrhée. — On écrit aussi *otorréique.*

OTOSCLÉROSE [ɔtɔskleʀoz] n. f. — 1932 ; de *oto-*, et *sclérose*.

♦ Méd. Sclérose de l'oreille interne ou de l'oreille moyenne, qui entraîne fréquemment la surdité.

OTOSCOPE [ɔtɔskɔp] n. m. — 1855 ; de *oto-*, et *-scope*.

♦ Méd. Petit tube, en général muni d'un dispositif d'éclairage, destiné à examiner l'intérieur de l'oreille. *Otoscope éclairant.*
DÉR. **Otoscopie.**

OTOSCOPIE [ɔtɔskɔpi] n. f. — 1867, *in* D.D.L. ; de *otoscope*.

♦ Méd. Examen du conduit auditif externe et du tympan, effectué à l'aide d'un spéculum et d'un miroir frontal, ou d'un otoscope éclairant.

OTOSPONGIOSE [ɔtɔspɔ̃ʒjoz] n. f. — D.i. ; de *oto-*, lat. *spongia*, et *-ose*.

♦ Méd. Maladie affectant le plus souvent l'oreille interne des femmes jeunes et qui aboutit progressivement à la surdité.

OTTOMAN, ANE [ɔtɔmɑ̃, an] adj. et n. — 1624 ; de l'arabe *ɛûtmān*, nom du fondateur d'une dynastie qui régna sur la Turquie de 1259 à 1326.

★ **I.** Adj. Qui a rapport à la dynastie d'Othman. *La dynastie, la famille ottomane* (→ Hautesse, cit. 2). — Par ext. Anciennt. Qui appartenait à l'empire turc. ⇒ **Turc.** *Justice ottomane* (→ Couper, cit. 25), *armée, galère capitane* (cit. 1) *ottomane. Empire ottoman :* l'empire turc, de 1299 à 1918.

L'Empire ottoman, jusqu'au début du siècle, vivait sous le régime du califat, le monarque étant en même temps le chef religieux et le droit musulman tenait lieu de code civil.   G. DUHAMEL, la Turquie nouvelle, II.   1

★ **II.** N. ♦ **1.** Membre de la dynastie fondée par Othman. *Les conquêtes des Ottomans.* — Par ext. ⇒ **Turc.**

Rhodes, des Ottomans ce redoutable écueil,
De tous ses défenseurs devenu le cercueil.   RACINE, Bajazet, II, 1.   2

Depuis des siècles, les Ottomans, pour s'exprimer par écrit, employaient l'alphabet arabe.   G. DUHAMEL, la Turquie nouvelle, II.   3

♦ **2.** N. m. (1907). Étoffe de soie à trame de coton et grosses côtes. *Robe en ottoman.* ⇒ **Gros-grain.**

4 La dame avait une robe
   En ottoman violine.   APOLLINAIRE, Alcools, p. 148.

DÉR. Ottomane.

OTTOMANE [ɔtɔman] n. f. — 1729 ; de *ottoman* (*siège à l'otto-mane*, parce que l'on peut s'y reposer à la manière des Orientaux).

♦ Grand siège, lit de repos parfois doté d'un dossier arrondi en corbeille.

L'heureux Chevalier me releva, et mon pardon fut scellé sur cette même ottoman où vous et moi scellâmes si gaiement et de la même manière notre éternelle rupture.   LACLOS, les Liaisons dangereuses, X.

OU [u] conj. — Xe, *u* ; aussi *od, o, ou* ; du lat. *aut*.
Conjonction disjonctive*, qui unit des termes, membres de phrases ou propositions ayant même rôle ou même fonction, mais sépare les idées.

♦ **1.** (Équivalence de formes désignant une même chose). *L'éthique ou la morale* (Académie) : l'éthique, que l'on appelle aussi la morale (→ Autrement dit*). *Le patronyme, ou nom de famille.* — (Dans certains titres d'ouvrages). *Cinna, ou la constance d'Auguste. Le Tartuffe, ou l'Imposteur.* — Prov. *C'est jus vert ou verjus*. Bon-net* blanc ou blanc bonnet.

♦ **2.** (Indifférence entre deux éventualités opposées). *Il est vain d'agir ou de s'abstenir* (cit. 2). *Vivre ou mourir était indifférent* (cit. 4). *Il lui était parfaitement égal d'être ici ou là, parti ou revenu* (→ Apathique, cit. 2). ⇒ aussi **Égal** (cit. 36). *Peu importe que ce soit lui ou moi.*

1 Bleus ou noirs, tous aimés, tous beaux,
   Des yeux sans nombre ont vu l'aurore.
                     SULLY-PRUDHOMME, Vie intérieure, « Les yeux ».

Que (suivi d'un verbe au subjonctif)... *ou (que)... Qu'il ait tort ou non, qu'il ait tort ou qu'il ait raison, il faut l'excuser.*

2 Qu'elle fût bien ou mal coiffée,
   Que mon cœur fût triste ou joyeux,
   Je l'admirais. C'était ma fée.   HUGO, les Contemplations, IV, IX.

3 Que tu viennes du ciel ou de l'enfer, qu'importe (...)
   (...) De Satan ou de Dieu, qu'importe ? Ange ou sirène,
   Qu'importe (...)
                     BAUDELAIRE, les Fleurs du mal, « Spleen et idéal », XXI.

(Disjonctions doubles ou multiples). *Rugueuse ou lisse, calme ou agi-tée...* (→ Huile, cit. 18). *Qu'il aille à Melbourne ou à Chungking, à Calcutta ou à New York, à Tunis ou à Rio...* (→ Camp, cit. 4).

4 Eh bien ! bon ou mauvais, inflexible ou fragile,
   Humble ou fier, triste ou gai, mais toujours gémissant,
   Cet homme, tel qu'il est, cet être fait d'argile,
   Tu l'as vu, Lamartine (...)
                     A. DE MUSSET, Poésies nouvelles, « Lettre à Lamartine ».

♦ **3.** (Évaluation approximative par deux numéraux). *Ils n'étaient guère plus de sept ou huit. Des écrivains de second ou de troisième ordre* (→ Macabre, cit. 6).

5 Et trois ou quatre seulement,
   Au nombre desquels on me range.   F. DE MALHERBE, Poésies, I, XVI.

6 Il vit cinq ou six arbres le long d'un petit fossé (...)
                     STENDHAL, la Chartreuse de Parme, I, IV.

7 Sept ou huit emplacements convenus, en des lieux de Paris assez distants (...)
                     J. ROMAINS, les Hommes de bonne volonté, t. III, XXIII, p. 322.

REM. 1 (*Ou*, en concurrence avec *à*). Selon Bescherelle, « il y avait sept à huit femmes » signifie que le nombre des femmes « montait peut-être à sept ou tout au plus à huit », alors que « sept *ou* huit femmes » indi-querait que « peut-être y en avait-il sept, peut-être y en avait-il huit » (cf. Grevisse, qui donne des exemples d'auteurs contemporains, *Bon usage*, § 915, N.B.).
2. Si les nombres ne sont pas consécutifs ou s'ils se rapportent à des êtres, à des objets qui ne peuvent être divisés par fractions, trois constructions sont possibles : *vingt ou trente personnes, vingt à trente personnes, de vingt à trente personnes.* « Vingt *ou* trente » n'est correct que si les nombres sont assez voisins pour justifier l'hésitation mar-quée par *ou* ; vingt *à* trente est contesté ; seul *de* vingt *à...* est tout à fait correct et logique.

♦ **4.** (Marquant alternance ou succession dans le temps). *Il passe ses loisirs à lire ou à dormir :* tantôt il lit, tantôt il dort.

♦ **5.** (Alternative*). *L'un ou l'autre.* ⇒ **Autre** (cit. 107, 108 et 109). *En France, tout écrivain est un dieu ou un âne : il n'y a pas de milieu* (→ Excessif, cit. 4). *L'alternative* (cit. 5) *entre le commerce ou la guerre.* « *C'est à vous de choisir* (cit. 11) *mon amour ou ma haine* ». ⇒ **Soit** (soit... soit...). *Se soumettre ou se démettre* (cit. 8). *Il faut qu'une porte soit ouverte ou fermée... Viendrez-vous, oui* ou *non* (→ Non, cit. 33 et supra). *Il importe peu qu'elles soient fondées* (cit. 26). — REM. *Ou*, reliant deux mots de sens con-traire, forme de nombreuses locutions :

Tout ou rien. Tôt ou tard. Mort (2. mort, cit. 3) *ou vif. Pair ou impair. Quitte ou double. À tort ou à raison. De près ou de loin. Plus ou moins. Des différences plus ou moins grandes* (→ Forme, cit. 38). *En bien ou en mal* (→ Négliger, cit. 14). — *De gauche à droite, ou inversement.*

— Sage ou non, je parie encore.   LA FONTAINE, Fables, VI, 10.   8

Je soutiens, moi, que c'est la conjonction OU qui sépare les dits membres ; je paye-rai la donzelle, OU je l'épouserai.   BEAUMARCHAIS, le Mariage de Figaro,   9
                     III, 15 (→ Et, cit. 6 ; et ci-dessous, OU BIEN).

Il faut mourir, la belle, ou être à moi ! (...) La tombe ou mon lit !   10
                     HUGO, Notre-Dame de Paris, II, XI, I.

Viens-tu du ciel profond ou sors-tu de l'abîme,   11
Ô Beauté ? (...)   BAUDELAIRE, les Fleurs du mal, « Spleen et idéal », XXI.

Qu'ai-je affaire à l'état civil ! (...) civile ou pas, mon œuvre prétend ne concurren-   12
cer rien.   GIDE, les Faux-Monnayeurs, II, III.

Littér. *Ou (ou que)...* remplaçant *soit (soit que)* devant le deuxième terme d'une alternative.

N'en doutez point, Seigneur : soit raison, ou caprice,   13
Rome ne l'attend point pour son impératrice.
                     RACINE, Bérénice, II, 2 (*1re version*).

(...) soit qu'il l'ait négligée, ou que je lui plaise mieux (...) elle me donne   14
aujourd'hui la préférence.   BEAUMARCHAIS, le Mariage de Figaro, V, 12.

Cependant les flammes s'apaisèrent, soit que la provision d'elle-même s'épuisât ou   15
que l'entassement fût trop considérable.   FLAUBERT, Mme Bovary, II, VII.

Plusieurs, soit paresse ou prudence, étaient restés au seuil du défilé.   16
                     FLAUBERT, Salammbô, XIV.

Littér. *Ou* en corrélation avec un comparatif ou un superlatif et dépen-dant de l'interrogatif *qui* ou *lequel* ou du tour interrogatif indirect *ce que*. *Lequel* (cit. 22) *vaut mieux, ou posséder, ou espérer ? Lequel des deux fut le plus intrépide, de César ou d'Alexandre ?* — REM. Les grammairiens ont longuement disputé si l'emploi de la préposition *de* était correct dans ce dernier tour. Cf. Littré, De (D.). La préposition paraît nécessaire quand les deux termes de l'alternative introduits par *ou* suivent immédiatement le pronom interrogatif (→ ci-dessous, cit. 17 La Fontaine), ou quand ils sont énoncés avant l'interrogatif (→ ci-des-sous, cit. 21 Musset).

Qui, de l'âne ou du maître, est fait pour se lasser ?   17
                     LA FONTAINE, Fables, III, 1.

Qui est plus criminel, à votre avis, ou celui qui achète un argent dont il a besoin,   18
ou bien celui qui vole un argent dont il n'a que faire ?   MOLIÈRE, l'Avare, II, 2.

On lui demanda juridiquement ce qu'il aimait le mieux d'être fustigé trente-six   19
fois par tout le régiment, ou de recevoir à la fois douze balles de plomb dans la
cervelle.   VOLTAIRE, Candide, II.

(...) je demande qui a le plus de religion, ou le calomniateur qui persécute, ou le   20
calomnié qui pardonne.   VOLTAIRE, Alzire, Discours préliminaire.

De ton cœur ou de toi lequel est le poète ?   21
                     A. DE MUSSET, Poésies nouvelles, « Nuit d'août ».

Ou si... ? (introduisant le second terme d'une interrogation double).
→ **Si.**

Ou, après un impératif ou un subjonctif introduisant la conséquence qui doit résulter si l'ordre n'est pas observé. *Sortez ! ou je fais un mal-heur.* ⇒ **Sans** (sans ça), **sinon**. *Obéis ou tu seras puni.* « *Que l'on déloge* (cit. 7) *sans trompette, Ou je vais avertir tous les rats du pays.* »

REM. La construction *ou sinon* est considérée comme un pléonasme par Littré ; cependant *ou* marque la disjonction et l'alternative (autrement...), *sinon* l'hypothèse négative, et la réunion des deux donne à l'expres-sion « un singulier relief » (G. et R. Le Bidois).

Montrez-moi patte blanche, ou je n'ouvrirai point (...)   22
                     LA FONTAINE, Fables, IV, 15.

Grand roi, cesse de vaincre, ou je cesse d'écrire.   BOILEAU, Épîtres, VIII.   23

Lâche-moi, lui dit-elle, ou je te crache au visage !   24
                     HUGO, Notre-Dame de Paris, II, IX, VI.

(...) quand ils (*ces papiers*) seront en cendres, écrasez-les en une poussière invi-   25
sible (...) ou sinon vous êtes perdu (...)
                     MAUPASSANT, les Sœurs Rondoli, « Suicides ».

OU... OU... (pour souligner l'exclusion d'un des deux termes). *Ou vous obéirez, ou vous serez puni. Ou ces livres sont conformes au Coran, ou ils lui sont contraires* (→ Dilemme, cit. 1). *Ou admettez que l'arbre* (cit. 41) *est bon..., ou admettez que l'arbre est mauvais.*

(...) l'esprit faible, ou n'en admet aucune (*religion*), ou en admet une fausse. Or   26
l'esprit fort ou n'a point de religion, ou se fait une religion (...)
                     LA BRUYÈRE, les Caractères, XVI, 2.

(...) la phrase est dans le sens de celle-ci : « *ou* la maladie vous tuera, *ou* ce sera   27
le médecin » ; ou bien le médecin ; c'est incontestable.
                     BEAUMARCHAIS, le Mariage de Figaro, III, 15.

Ou je me trompe étrangement, ou nous ressemblons à cet homme.   28
                     A. DE MUSSET, la Confession d'un enfant du siècle, I, II.

Ou il y aura, ou il n'y aura pas restauration (...)   29
                     CHATEAUBRIAND, Mémoires d'outre-tombe, t. VI, p. 80.

OU..., OU..., OU... Si l'alternative comprend plus de deux termes, *ou* peut être exprimé : a) devant le dernier terme seulement : *il lui fut impossible de savoir s'il pleurait, s'il boudait ou s'il était endormi* (→ 1. Morne, cit. 2) ; b) devant chaque terme sauf le premier : *Il est assez indifférent de les faire périr par l'épée, ou par le feu, ou par quelque autre supplice* (→ Hérétique, cit. 4) ; c) devant chacun des termes, y compris le premier : *... son père a pu déroger* (cit. 4) *ou par la charrue, ou par la houe, ou par la malle, ou par les livrées* (→ aussi Délicat, cit. 20).

Sera-t-il dieu, table, ou cuvette ?   30
                     LA BRUYÈRE, Fables, IX, 6.

Des moments revinrent où elle n'avait été que bonne, ou intelligente, ou sérieuse,   31
ou même aimant plus que tout les sports.
                     PROUST, À la recherche du temps perdu, t. XIII, p. 140.

♦ 6. *Ou*, renforcé ou précisé par un adverbe :

a **OU BIEN.**

REM. Ce renforcement (cf. lat. *aut certe, aut etiam, aut vero*) est dû à la fois au besoin de souligner l'alternative et à la faible consistance phonétique de *ou*. Il ne se justifie bien que s'il importe d'insister sur la disjonction, par exemple dans un dilemme. *La culpabilité de Dreyfus, ou bien l'infamie de l'état-major* (→ Dilemme, cit. 2). — (Répété) *Ou bien je lui tiens tête..., ou bien je reste coi...* (→ Aligner, cit. 3).

32 Non, ou vous me croirez, ou bien de ce malheur
Ma mort m'épargnera la vue et la douleur. RACINE, Britannicus, IV, 8.

33 Qu'importe à ceux du firmament
Qu'on soit mouche ou bien éléphant ? LA FONTAINE, Fables, XII, 21.

34 Y a-t-il ET dans l'acte ; ou bien OU ?
BEAUMARCHAIS, le Mariage de Figaro, III, 15.

35 (...) puis il repassait ses cahiers d'histoire, ou bien lisait un vieux volume d'Anacharsis qui traînait dans l'étude. FLAUBERT, Mᵐᵉ Bovary, I, I.

36 Les hommes et les femmes, ou bien se dévorent rapidement dans ce qu'on appelle l'acte d'amour, ou bien s'engagent dans une longue habitude à deux.
CAMUS, la Peste, p. 15.

36.1 Tu aimes Charlotte : *ou bien tu as quelque espoir, et alors tu agis ; ou bien tu n'en as aucun, et alors tu renonces.* Tel est le discours du sujet « sain » : *ou bien, ou bien.* Mais le sujet amoureux répond (c'est ce que fait Werther) : j'essaie de me glisser entre les deux membres de l'alternative : c'est-à-dire : *je n'ai aucun espoir, mais tout de même...* Ou encore : je choisis obstinément de ne pas choisir ; je choisis la dérive : *je continue.*
R. BARTHES, Fragments d'un discours amoureux, p. 75.

b **OU ALORS** (→ Livre, cit. 2), **OU ENCORE** (→ ci-dessus cit. 36.1), **OU MÊME** (→ Indifférent, cit. 3), **OU MIEUX*** (*supra* cit. 34), **OU PLUTÔT** (→ Livre, cit. 6 ; livrer, cit. 20), **OU PEUT-ÊTRE**, etc.

REM. *Ou* peut être précisé par une proposition. *Ou, si vous préférez... Ou, pour mieux dire...*

37 Je sentis que ma haine allait finir son cours,
Ou plutôt je sentis que je l'aimais toujours. RACINE, Andromaque, I, 1.

38 C'étaient (...) des hommes qui avaient des idées précises et bien classées sur tout ce qui concerne la banque, ou l'exportation, ou les agrumes, ou encore le commerce des vins (...) CAMUS, la Peste, p. 121.

REM. **1.** Lorsque les sujets joints par *ou* sont de la même personne, le verbe se met au singulier ou au pluriel, selon que l'idée de disjonction ou l'idée de coordination l'emporte. *La douceur ou la violence en viendra à bout* (Académie). *Le père ou la mère aura la garde de l'enfant. La peur ou la misère ont fait commettre bien des fautes* (Académie). *Écrire un livre* (cit. 18) *ou écrire un ouvrage sont deux choses.* — REM. Le singulier s'impose généralement si *ou* est répété devant chaque sujet : *ou l'amour, ou la haine en est cause* (Académie), ou bien s'il est renforcé par *plutôt, même*, etc. — Pour l'accord du verbe après *l'un(e) ou l'autre* (⇒ **Un**), après *tel ou tel* (⇒ **Tel**).

39 Sa perte ou son salut dépend de sa réponse. RACINE, Bajazet, I, 3.

40 Quel charme ou quel poison en a tari la source ? RACINE, Phèdre, I, 3.

41 (...) la peur ou le besoin font tous ses mouvements *(de la souris)...*
BUFFON, Hist. nat. des animaux, La souris.
(Cet accord constitue une « négligence », selon *Girault-Duvivier* ; mais *Lemaire* fait observer que « l'alternative n'exclut pas la pluralité ». *Grammaire des grammaires*, p. 580).

42 L'exil, ou la prison, ou le couteau mortel,
N'épargnent nul de ceux qui montaient à l'autel ;
LAMARTINE, Jocelyn, Vᵉ épisode, 6 août 1795.

43 (...) l'idée gravée en moi, que Mᵐᵉ Swann, ou son mari, ou Gilberte allaient entrer.
PROUST, À la recherche du temps perdu, t. III, p. 139.

44 La princesse de Guermantes, ou plutôt sa mère, a connu le vrai *(Wagner).*
PROUST, À la recherche du temps perdu, t. VIII, p. 222.

2. « Lorsque les sujets joints par *ou...* ne sont pas de la même personne, on met le verbe au pluriel et à la personne qui a la priorité » (Grevisse, *Bon usage*, § 828, b) ; et l'on reprend généralement les sujets substantifs par un pronom personnel qui régit l'accord en nombre et en personne. *Vous ou moi, nous ferons telle chose* (Académie). *« Le roi, l'âne, ou moi, nous mourrons »* (La Fontaine, *Fables*, VI, 19). — L'absence de reprise par un pronom est stylistique (langage écrit et soutenu). *« Vous ou moi pourrons y aller. »*

45 Maître Gépier, ou toi, en auriez entendu parler.
J. ROMAINS, Violation de frontières, p. 21, in M. GREVISSE.

46 En trois ans, bien des choses peuvent arriver. Le roi, l'âne ou moi seront morts.
J. ROMAINS, les Hommes de bonne volonté, t. XXV, XVI, p. 141.

3. La préposition qui suit *ou* se répète généralement devant chacun des termes joints par *ou*, notamment quand il importe de souligner la disjonction ou l'opposition. *Dans la Chartreuse ou dans le Rouge et le Noir* (→ Livrer, cit. 23). *Quand il a besoin de défendre sa vie ou d'attaquer* (cit. 15) *celle d'autrui.* Cette répétition ne se faisait pas toujours au XVIIᵉ s. (→ ci-dessous, cit. Corneille). *De* se répète nécessairement dans le tour « *qui* (lequel) *de... ou de...* ». — La préposition ne se répète pas quand *ou* coordonne deux numéraux : *Il viendra avec deux ou trois de ses amis.*

47 Réduit à te déplaire, ou souffrir un affront (...) CORNEILLE, le Cid, III, 4.

48 Et chaque jour encore on lui voit tout tenter
Pour fléchir sa captive, ou pour l'épouvanter. RACINE, Andromaque, I, 1.

49 De temps en temps cependant on mène les jeunes filles au théâtre, à l'Opéra-comique ou au Français (...) MAUPASSANT, la Petite Roque, « Mˡˡᵉ Perle ».

50 Je ne sais ce qu'il faut le plus admirer dans ce conseil, ou de son astuce ou de son ingénuité. FRANCE, Vie littéraire, I, « La Terre », Œ., t. VI, p. 206.

51 Du reste, chez les campagnards ou chez les gens du peuple, les petits drames profonds et intimes se jouent sans paroles (...) LOTI, Ramuntcho, I, IX.

---

52 (...) elle riait, par moquerie de mon ignorance ou plaisir de mon compliment.
PROUST, À la recherche du temps perdu, t. III, p. 141.

♦ 7. Didact. *Et/ou :* l'un ou l'autre ou les deux en même temps.

♦ 8. N. m. Mot qui dans le langage courant traduit deux types d'opérateurs logiques. *Le ou exclusif* (symb. W). ⇒ **Alternative.** *Le ou non exclusif, inclusif* (symb. V). ⇒ **Disjonction.**

HOM. **Houe, houx, où.**

OÙ [u] pron., adv. rel. et interrog. — V. 1050 ; *o*, v. 980 ; du lat. *ubi.*
REM. Se rapportant à un nom qui le précède (*infra*, I), *où* est proprement relatif, puisqu'il représente un nom (antécédent) tout en le reliant à la proposition qui suit. — Construit sans antécédent, *où* est soit l'équivalent d'une conjonction (*infra*, II), soit purement adverbe (*infra*, III).

★ I. Pron., adv. relatif. **♦ 1.** (Sens locatif). Dans le lieu indiqué ou suggéré par l'antécédent. ⇒ **Dans** (dans lequel), **sur** (sur lequel). *Le lieu, l'endroit où je suis, où nous étions, où nous irons. J'étais en cet endroit* (cit. 1), *où j'ai pu tout entendre. « Il y a des lieux où souffle l'esprit »* (cit. 4). *Dans cette ville murée* (cit. 8) *où je pénètre aujourd'hui. « Toute une mer immense où fuyaient des galères »* (cit. 1). — Littér. (Suivi d'un infinitif). *Je cherche une villa où passer mes vacances.* — Fig. *Le monde où elle marchait* (→ Cadencé, cit. 5), *où j'allais entrer. Dans les sociétés où les inégalités* (cit. 9) *sont très grandes. Il y a des langues où le mot* (cit. 7) *se laisse définir aisément...* — Par ext. (Exprimant l'état). *Dans le trouble où j'étais. La solitude où je vécus...* (→ Blanc, cit. 20). *Le silence où tu t'obstinais* (cit. 4, Mauriac).

1 Parmi les déplaisirs où mon âme se noie,
Il s'élève en la mienne une secrète joie (...) RACINE, Andromaque, I, 1.

2 Ô toi, qui vois la honte où je suis descendue, RACINE, Phèdre, III, 2.

3 L'oubli ! l'oubli ! c'est l'onde où tout se noie (...)
HUGO, les Contemplations, II, XXVIII (→ Oubli, cit. 9).

4 Quelle vie que celle-là ! où votre voix n'est pas à vous, où votre sourire et vos larmes ne vous appartiennent pas, où vous êtes forcé de cacher vos lis sous du plâtre, vos roses sous du rouge ; où, selon l'exigence du rôle, il faut que vous changiez vos beaux cheveux noirs contre une perruque de filasse ; où votre véritable nom est le seul nom dont on ne vous appelle jamais (...)
Th. GAUTIER, les Grotesques, IX, p. 321.

5 Ce toit tranquille, où marchent des colombes (...)
VALÉRY, Poésies, Charmes, « Cimetière marin. »

6 Mes morts, mes pauvres morts, c'est maintenant que vous allez souffrir, sans croix pour vous garder, sans cœurs où vous blottir.
R. DORGELÈS, les Croix de bois, XVII.

7 C'était une petite pièce étroite, dont la fenêtre ouvrait sur une cour intérieure où donnaient également les cabinets et les cuisines des immeubles voisins.
GIDE, les Faux-monnayeurs, III, VII.

(Précédé de *là* ou de *voilà*). ⇒ **Là** (cit. 19 à 26), **voilà.**

Littér. *ou* dans des loc. *Où*, représentant une préposition autre que *dans* ou *sur*, par exemple *à, pour...*, suivi d'un pronom relatif. *« Suivez les doux transports où l'amour vous invite »* (cit. 8, Racine). *Notre cœur est une lyre où il manque des cordes* (cit. 17, Chateaubriand). — Loc. cour. *Au prix où est le beurre... Du train, au train où vont les choses...*

8 C'est l'unique bonheur où mon âme prétend (...) CORNEILLE, le Cid, III, 2.

9 (...) l'inclination d'une fille est une chose sans doute où l'on doit avoir de l'égard (...) MOLIÈRE, l'Avare, I, 5.

10 Le bonheur de lui plaire est le seul où j'aspire. RACINE, Britannicus, III, 8.

11 Je vous conjure de me mander l'état d'une santé où je prends tant d'intérêt (...)
Mᵐᵉ DE SÉVIGNÉ, 1346, 31 oct. 1692.

12 Chacun a son défaut où toujours il revient (...) LA FONTAINE, Fables, III, 7.

13 C'est un mal où mes amis ne peuvent porter de remède (...)
MONTESQUIEU, Lettres persanes, VI.

(Par anal.). Vx ou littér. (Représentant un nom de personne). *Chez qui, en qui, sur qui... L'Amphitryon* (cit.) *où l'on dîne. Le mariage* (cit. 8) *n'y sera pas aussi assuré que parmi nous, où il est fixé par la demeure...*

14 Hier j'étais chez des gens de vertu singulière.
Où sur vous du discours on tourna la matière (...)
MOLIÈRE, le Misanthrope, III, 4.

♦ 2. (Sens temporel). ⇒ **Que.** *Il fut un temps où... Le temps n'est plus où... En un temps où... « Le jour où éclaterait une querelle, ils se massacreraient* (cit. 6). » *Les soirs où elle chantait...* (→ Faire, cit. 193). *« C'étaient l'heure* (cit. 53) *tranquille où les lions vont boire. » Le moment*** (*supra* cit. 2) *où... Au moment* (*supra* cit. 19) *où... Dans le moment où la mort* (cit. 8) *se présente. Aux instants où elle était fatiguée. Il avait passé l'âge où l'on se marie par entraînement* (→ Mariage, cit. 12). *Il est des circonstances où... Les fois* (cit. 14) *où ils faisaient les gentils. — Au cas* *où...* (→ Ligne, cit. 12).

15 Ce jour, ce triste jour frappe encor ma mémoire,
Où Néron fut lui-même ébloui de sa gloire (...) RACINE, Britannicus, I, 1.

16 Voici le temps, Seigneur, où vous devez attendre
Le fruit tant de sang qu'ils vous ont vu répandre. RACINE, Bérénice, I, 3.

17 (...) nos liaisons varient : il y a toujours un temps où nous ne possédons rien de ce que nous possédons, un temps où nous n'avons rien de ce que nous eûmes.
CHATEAUBRIAND, Mémoires d'outre-tombe, t. I, p. 134.

18 À l'instant où l'on dit : Vivons ! tout se déchire.
HUGO, les Contemplations, VI, VI, IV.

19   Les jours où l'on mettait un pot-au-feu, la petite Laure restait en faction autour.
                                      ZOLA, la Terre, V, II.

20   Mais ces soirs-là, où maman en somme restait si peu de temps dans ma chambre, étaient doux encore en comparaison de ceux où il y avait du monde à dîner et où, à cause de cela, elle ne montait pas me dire bonsoir.
                   PROUST, À la recherche du temps perdu, t. I, p. 24, 25.

REM. Après une indication temporelle, la langue courante d'aujourd'hui emploie *où*, de préférence à *que*, quand l'antécédent est déterminé. On dira donc, *le jour où il est venu.* Cependant, *que* s'emploie encore (littér.) si le substantif antécédent est accompagné d'un numéral ordinal (*premier..., troisième...*) ou des adj. *dernier, seul. Le premier, le dernier jour où il est venu, qu'il est venu.*

♦ **3.** (Précédé d'une préposition). **D'OÙ** (marquant la provenance, l'origine, l'éloignement). *La maison d'où je sors.* ⇒ **Dont.** *Le point d'où il est parti* (→ Indifférence, cit. 28). *Les nids déserts d'où l'hirondelle a fui* (→ Long, cit. 28). *Je suis sur une hauteur* (cit. 21) *d'où je découvre la ville. L'épée de Roland furieux* (cit. 2) *d'où jaillit l'éclair.* — Fig. *Le besoin d'où elles étaient sorties* (→ Dieu, cit. 16). *Cette même ignorance* (cit. 20) *d'où ils étaient partis.*

21   Il chercha le jardin, la maison isolée,
La grille d'où l'œil plonge en une oblique allée,
                   HUGO, les Rayons et les Ombres, XXXIV.

22   Leurs yeux, d'où la divine étincelle est partie,
            BAUDELAIRE, les Fleurs du mal, «Tableaux parisiens», XCII.

23   Henri Dieudonné venait rétablir le principe d'autorité d'où sortent les deux forces sociales : le commandement et l'obéissance (...)
           FRANCE, l'Orme du mail, Œ., t. XI, XIII, p. 149.

(Avec un nom de personne ou d'animal). *« Ce pelé, ce galeux* (cit. 4) *d'où venait tout le mal. »*

PAR OÙ (marquant le passage, plus rarement la cause, l'instrument, le moyen). *Le chemin par où nous sommes arrivés. Suivez la manière par où ils ont commencé* (→ Foi, cit. 33).

24   Je sais tous les chemins par où je dois passer (...)   RACINE, Mithridate, III, 1.

25   (...) une petite montée aussi obscure qu'étroite, par où nous montâmes au logement qui m'avait été vanté.   A.-R. LESAGE, Gil Blas, VII, XIII.

26   Et je chéris, ô bête implacable et cruelle !
Jusqu'à cette froideur par où tu m'es plus belle !
         BAUDELAIRE, les Fleurs du mal, «Spleen et idéal», XXIV.

27   (*L'observation*) n'atteindra plus que l'enveloppe des personnes, ce par où plusieurs d'entre elles se touchent et deviennent capables de se ressembler !
                   H. BERGSON, le Rire, p. 129.

28   (...) un caractère mystique — par où ne demanderait qu'à se réintroduire dans la science la magie séculaire dont elle a eu tant de peine à se débarrasser.
         J. ROMAINS, les Hommes de bonne volonté, t. XII, XVIII, p. 188.

JUSQU'OÙ..., POUR OÙ..., VERS OÙ... *L'endroit jusqu'où vous êtes parvenu...*

29   Hier soir retour de Paris pour où j'étais parti le 1er décembre.
                            GIDE, Journal, 8 déc. 1917.

30   (...) je gagnais en courant la garrigue, vers où m'entraînait déjà cet étrange amour de l'inhumain, de l'aride (...)   GIDE, Si le grain ne meurt, I, II, p. 54.

★ **II. Adv.** ♦ **1.** (Sens locatif). Dans ce lieu, à l'endroit où... ⇒ **Là.** — *L'Esprit souffle où il veut* (Évangile selon St Jean). *J'irai où vous voudrez. Mener, conduire, diriger qqn où on veut le mener,* etc. *«Il n'est point de déguisement qui puisse longtemps cacher* (cit. 11) *l'amour où il est »* (La Rochefoucauld). *«Il faut mettre le droit* (cit. 34) *où la force n'est pas ». « La naissance* (cit. 8) *n'est rien où la vertu n'est pas ».* — Vx. *C'est où... :* c'est là que, c'est à cela que. *«C'est où j'attache* (cit. 23) *toute mon ambition »* (Molière). *Mais c'est où je l'attends* (cit. 85, Racine). *C'est où je l'attendais* (→ Ferrer, cit. 3, Lesage). — (Précédé d'une préposition). *Je pars d'où il arrive. On est puni par où on a péché* (→ aussi Conserver, cit. 1). *Ils sont allés jusqu'où vous leur aviez dit.*

31   Il commence, il est vrai, par où finit Auguste.   RACINE, Britannicus, I, 1.

32   Je cours où ma présence est encor nécessaire (...)   RACINE, Bajazet, V, 11.

33   Je vais où mon instinct emporte mes désirs ;
Je vais où le regard voit briller l'espérance ;
Je vais où va le son qui de mon luth s'élance,
Où sont allés tous mes soupirs !
         LAMARTINE, Nouvelles méditations, Secondes méditations, V.

34   Allez où vous voudrez, j'irai. Restez, partez,
Je suis à vous (...)   HUGO, Hernani, I, 2.

35   Les Fleuves m'ont laissé descendre où je voulais.   RIMBAUD, Poésies, XLI.

(La proposition introduite par *où*, éventuellement précédé d'une préposition, étant placée en tête de la phrase). *Où il n'y a qu'une ligne droite* (cit. 11), *ils cherchent la complexité d'une trame. Où il n'y a rien, le roi perd ses droits* (→ Nier, cit. 20). *D'où j'étais placé, je ne voyais qu'une partie de la scène.*

36   Où la guêpe a passé, le moucheron demeure.   LA FONTAINE, Fables, II, 16.

37   Souvent où le riche parle, et parle de doctrine, c'est aux doctes à se taire (...)
                   LA BRUYÈRE, les Caractères, XII, 17.

38   Le pis-aller, c'est qu'où il n'y a qu'une grande société, il y en aurait cinquante petites, plus de bonheur et un crime de moins.
           DIDEROT, Suppl. au voyage de Bougainville, III.

39   Où nous sommes, il ne peut pas nous voir.   G. DUHAMEL, Salavin, VI, XXVI.

40   D'où il était, il aurait pu s'apercevoir de ma présence (...)
                       Pierre BENOIT, Axelle, XIV.

♦ **2.** (Sens temporel). Au moment, à l'instant où...

41   Mais où ma souffrance devint insupportable, ce fut quand il me dit (...)
          PROUST, À la recherche du temps perdu, t. XIII, p. 70.

Où mes indiscrétions commencèrent réellement, ce fut lorsque je fis la découverte d'une note manuscrite (...)   Pierre BENOIT, Axelle, XII.   42

♦ **3.** ⓐ Avec *où..., c'est...,* le terme qui suit *c'est* précise l'adverbe *où* et constitue une sorte d'antécédent.

Où il était suprenant, par exemple, c'était dans l'érudition (...)
                         HUYSMANS, Là-bas, II.   43

Mais où leur a paru être l'idée de génie, c'est de s'adresser, pour ces leçons, à Normale.   J. ROMAINS, les Hommes de bonne volonté, t. II, XV, p. 166.   44

ⓑ (En phrase indépendante, pour indiquer le sujet d'un chapitre).

Où l'on verra plusieurs originaux qui ne sont pas sans copie.   45
         A.-R. LESAGE, le Diable boiteux, XVII (titre).

Où il est traité de la manière d'entrer au couvent.   46
         HUGO, les Misérables, II, VIII, I (titre).

ⓒ **OÙ QUE...** En valeur d'indéfini (avec le subjonctif). *Où que vous alliez, conformez-vous aux mœurs du pays* (Académie) : en quelque* lieu que vous alliez, quel que soit le lieu où vous alliez. — Vx. *Quelque part où... : où que... — D'où qu'il vienne...*

Quelque part où il soit, il mange (...)   LA BRUYÈRE, les Caractères, XI, 122.   47

Il était né je ne sais où et de je ne sais qui (...) Mais, où qu'il fût né, il était étrange (...)   48
         BARBEY D'AUREVILLY, les Diaboliques, «À un dîner d'athées», p. 328.

(...) où que nous menions nos pas en suivant la ligne de faîte (...)   49
         M. BARRÈS, la Colline inspirée, I, II.

D'où que vienne le vent désormais, celui qui soufflera sera le bon.   50
         GIDE, les Caves du Vatican, II, VII.

Où que se portent mes regards, je ne vois autour de moi que détresse.   51
         GIDE, Journal, 25 juil. 1934.

(...) je sais ce que c'est que d'être (...) un réprouvé, un homme qui, où qu'il aille, fait fausse route (...)   F. MAURIAC, le Nœud de vipères, I, X.   52

D'OÙ, marquant la conséquence (avec un verbe exprimé). *D'où vient que..., d'où il suit que...* ⇒ **Quoi** (de quoi).

(Sans verbe exprimé). *Il ne m'avait pas prévenu de sa visite : d'où mon étonnement,* de là (vient) mon étonnement. ⇒ **Là** (*infra* cit. 42). *Leurs amours ne marchaient pas sur des roulettes ; d'où cette humeur* (cit. 48) *de dogue. D'où les drames inextricables* (cit. 4). *D'où cette parfaite insensibilité* (cit. 6).

Pas un être humain sur cent ne connaît ses vrais projets, ses réels désirs : d'où tant de vaines poursuites vers des objets décevants.   53
         Marcel PRÉVOST, Lettre à Françoise mariée, 238, *in* F. BRUNOT, la Pensée et la Langue, p. 834.

★ **III. Adv. interrogatif. A.** Interrogation directe. ♦ **1.** (Sans terme de renforcement). En quel lieu ? en quel endroit ? (au propre ou au fig.). *Où est votre frère* (cit. 14) *Abel? Mort* (cit. 19), *où est ta victoire? Où sont les vingt francs?* (→ Fouiller, cit. 33). *Où va-t-il? Où allez-vous? Où courez-vous? Où pensez-vous aller?* (cit. 12). *Où prends-tu cette audace?* (cit. 17). — (Dépendant d'un infinitif). *Où trouver de l'énergie à Paris?* (→ Individualité, cit. 9). — (Sans verbe exprimé). *Où, dans quelle ville, ce bouge mémorable...?* (→ Intituler, cit. 2). — *«Où vas-tu? — Là. — Où, là? »* (cit. 7, Zola). — Exclamatif. *Où sommes-nous tombés ! Où la vertu va-t-elle se nicher!* (cit. 4). — Pop. *Où tu vas? Où t'es?* — Vx. *Vers quoi, à quoi* (→ *infra*, cit. 56).

Mais où sont les neiges d'antan ?   54
         VILLON, le Testament, «Ballade des Dames du temps jadis».

Où le conduisez-vous ? — À la mort. — À la gloire.   55
         CORNEILLE, Polyeucte, V, 3.

Où tendait ce discours qui m'a glacé d'effroi ?   RACINE, Phèdre, III, 6.   56

C'est mon trésor que l'on m'a pris.   57
— Votre trésor ? où pris ? (...)   LA FONTAINE, Fables, IV, 20.

Précédé d'une préposition.

D'OÙ ? De quel lieu, de quel endroit ? (au propre ou au fig.). *D'où venait ce murmure? Où* → Indigner, cit. 3). *D'où te vient de nom-là* (→ Falloir, cit. 15). *D'où viennent nos inconstances* (cit. 11)...? *«D'où lui vient, cher ami, cette impudente* (cit. 3) *audace? »* (Racine). — *D'où vient que...?* ⇒ **Venir.**

D'où venaient-ils ? Du lieu le plus prochain. Où allaient-ils ? Est-ce que l'on sait où l'on va ?   DIDEROT, Jacques le fataliste, Pl., p. 505.   58

D'où vont venir les pleurs que nous allons verser ?   59
         A. DE MUSSET, Poésies nouvelles, «Nuit de mai».

Cet homme n'était pas du pays. Il y arrivait. À pied, évidemment (...) D'où venait-il? De pas loin. Car il n'avait ni havresac, ni paquet. De Paris sans doute.   60
         HUGO, les Misérables, V, V, I.

PAR OÙ ? JUSQU'OÙ ? *Par où comptez-vous passer?* par quel endroit. *Par où faut-il que je commence?* (→ Clémence, cit. 5, Hugo). *Par où commencer?* (→ Hésitant, cit. 8). *Jusqu'où?* ⇒ **Jusque.** — Fig. (vx) *«Par où peux-tu me plaire? »* (Racine, *Bajazet*, V, 4) : par quel moyen, de quelle façon.

De ce trouble fatal par où dois-je sortir ?   RACINE, Mithridate, IV, 5.   61

Ah ! la fille sorcière s'est sauvée ! et par où a-t-elle pris ?   62
         HUGO, Notre-Dame de Paris, II, XI, I.

Que vais-je dire ? Par où commencerai-je ?   FLAUBERT, Mme Bovary, III, VIII.   63

Si j'avais eu, à ce moment, une femme qui m'eût aimé, jusqu'où ne serais-je pas monté ?   F. MAURIAC, le Nœud de vipères, I, VI.   64

♦ **2.** (Avec un terme de renforcement, notamment *donc*). *«Où donc est la beauté que rêve le poète? »* (→ Interprète, cit. 13). → aussi Autoriser, cit. 15 ; donc, cit. 6. *Où diable ai-je mis mon stylo? — Ils se sont déjà rencontrés. Où ça?* (cit. 3).

65 Où donc est le jeune mari
Que vous m'aviez promis ? dit-elle. LA FONTAINE, Fables, VI, 21.

66 (...) Quoi ? Débuter d'abord par le mariage ! — Et par où veux-tu donc qu'ils débutent ? MOLIÈRE, les Précieuses ridicules, 4.

67 Où diable a-t-on pêché de la bougie.
BALZAC, Eugénie Grandet, Pl., t. III, p. 553.

68 D'où diable sort-elle ? Où donc l'a-t-il trouvée, ce gros garçon-là ?
FLAUBERT, Mme Bovary, II, VII.

69 Par où diable avez-vous bien pu passer ?
Edmond ROSTAND, Cyrano de Bergerac, IV, 5.

Où est-ce que ? Où est-ce qu'on trouvera ce livre ? (Académie). D'où est-ce que vous venez ? Par où est-ce qu'il est sorti ? — Pop. Où c'est ? Où c'est qu'il est allé ? ⇒ **Ousque** (pop.). *Où que c'est, cet endroit ? [uksɛstɑ̃drwa].*

70 Où est-ce donc que nous sommes ? et quelle audace est-ce là à une coquine de servante de parler de la sorte devant son maître.
MOLIÈRE, le Malade imaginaire, I, 5.

71 Où est-ce que Mme Swann a pu aller pêcher ce monde-là ?
PROUST, À la recherche du temps perdu, t. III, p. 71.

72 Par où est-ce qu'il aura pu entrer ?
René BOYLESVE, l'Enfant à la balustrade, III, XII.

72.1 Doukipudonktan, se demanda Gabriel excédé. Pas possible, ils se nettoient jamais.
R. QUENEAU, Zazie dans le métro, I.

B. Interrogation indirecte. (Après un verbe déclaratif. *Dis-moi où tu vas. Je me demande où il est. Si on lui demandait d'où diable pouvait venir tant d'ouvrage...* (→ Motus, cit. 2). *Je vois trop où il va* (→ Long, cit. 13). *On sait très bien où l'on va..., où l'on passe..., où l'on est...* (→ Indicateur, cit. 6). *Je vous ai déjà expliqué mon inconstance et d'où elle vient* (→ Inconstant, cit. 2). — *Dieu sait où ! : dans un endroit inconnu, ou, péj., un endroit peu adéquat.* — *Tu vois jusqu'* (cit. 25) *où va ma franchise.*

73 Dites-moi où, n'en quel pays
Est Flora la belle Romaine.
VILLON, le Testament, « Ballade des Dames du temps jadis ».

74 Je sais jusqu'où s'emporte un amant irrité. RACINE, Iphigénie, III, 7.

75 On voit bien où je veux venir. LA FONTAINE, Fables, I, 11.

76 Dans les combats d'esprit savant maître d'escrime,
Enseigne-moi, Molière, où tu trouves la rime.
BOILEAU, Satires, II.

77 Voyons d'abord où m'ont jeté ses perfidies. HUGO, Ruy Blas, IV, 2.

78 Savons-nous où le monde en est de ce mystère ?
HUGO, les Contemplations, VI, IX, II.

79 — Je ne sais pas son nom. Il est arrivé hier soir, avec une lettre. Il venait le diable sait d'où. Peut-être bien de Hongrie. G. DUHAMEL, Salavin, V, V.

80 Reste à savoir où cesse le vrai visage, où commence la grimace.
GIDE, Journal, 20 mai 1933.

81 Qui peut dire où la mémoire commence
Qui peut dire où le temps présent finit
Où le passé rejoindra la romance
Où le malheur n'est qu'un papier jauni. ARAGON, les Yeux d'Elsa, p. 22.

82 Maintenant, dis-moi où tu as caché ce demi-million de lires.
Roger VAILLAND, la Loi, p. 285.

(Combiné avec ne pas savoir). *Je ne sais où il est allé. On n'a jamais su par où il était passé. Je ne sais d'où cela vient.* — **(Suivi d'un infinitif).** *Ils ne savent plus où donner de la tête* (→ 1. Mort, cit. 42). *On ne saura où mettre tout le vin cette année* (→ Couler, cit. 20). *Un insaisissable* (cit. 1) *ennemi qu'on ne savait où rencontrer. Ne plus savoir où donner de la tête.* — **(Sans verbe postérieur).** *Je ne sais où : quelque part, dans un lieu quelconque, indéterminé ou inconnu. Il laisserait ma bourse* (cit. 1) *traîner je ne sais où. Une phrase qu'il avait lue il ne savait plus où* (→ Fils, cit. 4). *Une harmonie qui vient on ne sait d'où* (→ Heureux, cit. 38). *Sans savoir trop par où* (→ Hasard, cit. 35). *Nul n'a su jusqu'où* (→ Fille, cit. 25).

83 Un jour sur ses longs pieds allait je ne sais où
Le héron au long bec emmanché d'un long cou. LA FONTAINE, Fables, VII, 4.

N'importe où. ⇒ **Importer** (cit. 28 et *supra*).

HOM. Houe, houx, ou.

OUABAÏNE [wabain] n. f. — 1889, *in* D.D.L. ; du somali *ouabaïo*.

♦ Méd. L'un des glucosides cardiotoniques (strophantoside) extrait des graines du strophante* glabre.

OUAH, OUAH [wawa] interj. — Onomatopée.

♦ Interjection imitant les aboiements d'un chien. *Le chien fait ouah ouah !*

1 (...) ouah, ouah, fait le caniche avec intelligence (...)
R. QUENEAU, le Chiendent, p. 71.

2 Allez ! Cherche, Médor, cherche ! Ouah ! Ouah !
J.-M. G. LE CLÉZIO, la Fièvre, p. 171.

N. m. (Lang. enfantin). Aboiement. — Chien (aussi écrit *ouaoua*).

OUAILLE [waj] n. f. — V. 1280 ; *œille*, 1120 ; du bas lat. *ovicula*, du lat. class. *ovis* « brebis ».

♦ **1.** Vx. Brebis.

♦ **2.** (*Ooille*, v. 1170 ; seul sens usuel à partir du XVIIe). Par métaphore

(d'après la parabole évangélique du bon et du mauvais pasteur). Surtout au plur. Les chrétiens, par rapport à l'un de leurs pasteurs (→ Gargotier, cit. 3 ; modèle, cit. 1). *Le curé et ses ouailles.*

Il avisa un coin de mur où était placardée la plus pacifique feuille de papier du monde, une permission de manger des œufs, un mandement de carême adressé par l'archevêque de Paris à ses *ouailles.* HUGO, les Misérables, IV, XI, IV.

OUAIS [wɛ] interj. — 1553 ; onomatopée.

♦ **1.** Vx. Interjection familière exprimant la surprise (→ Là, cit. 14 ; malicieux, cit. 1).

Ouais ! Quel est donc le trouble où je vous vois paraître ?
MOLIÈRE, le Misanthrope, IV, 3.

♦ **2.** Mod. et fam. Oui (ironique ou sceptique). — *Tu aimes ça ? Ouais, bien sûr ! — Oui. Tu viens ? Ouais, j'arrive ! Tu es là ! Ouais, ouais !* — Var. **Mouai.**

Ça doit être beau.
Ouais, dit Roch. J.-M. G. LE CLÉZIO, la Fièvre, p. 13.

OUANANICHE [wananiʃ] n. f. — 1897 ; *annanish*, 1875 ; mot indien (Montagnais) « le petit égaré ».

♦ (Au Canada). Saumon d'eau douce. « *Un ciel de ouananiche et de fin d'automne* » (G. Miron).

OUAOUARON [wawarɔ̃] n. m. — 1632 ; mot iroquois « grenouille verte ».

♦ (Au Canada). Grenouille géante d'Amérique du Nord pouvant atteindre 20 cm de long, et dont le coassement ressemble à un meuglement. Syn. : *grenouille mugissante, grenouille-taureau.* → Crapeau-buffle. « *Les ouaouarons priaient dans les mares qui se desséchaient* » (Victor-Lévy Beaulieu).

OUATAGE [wataʒ] n. m. — 1922, *in* D.D.L. ; de *ouater.*

♦ Techn. Action de garnir d'ouate, de doubler d'ouate ; résultat de cette action. *Faire le ouatage d'un manteau. Un ouatage excessif.*

OUATE [wat] n. f. — 1661 ; *wadda*, attestation isolée, 1380 ; p.-ê. arabe *bāṭāʔīn* « doublure de vêtements ».

REM. Devant *ouate*, l'élision est facultative. *De l'ouate ou de la ouate. Un enveloppement d'ouate ou de ouate* (cf. Grevisse, *le Bon usage,* § 105, REM. 2).

♦ **1.** Vieilli ou techn. Laine, soie ou coton préparé pour garnir les doublures de certains vêtements, des objets de literie, pour rembourrer des sièges... ⇒ **Bourre** (→ Jupe, cit. 1). *Ouate fine. Ouate commune ou chiffonnière,* qu'on obtient en effilochant des chiffons. *Ouate tapissière. Couverture doublée d'ouate.*

Las, cet agent d'affaires essaya de se draper, en ramenant sur ses genoux pointus, couverts en molleton excessivement râpé, les deux pans d'une vieille robe de chambre en calicot imprimé, dont la ouate prenait la liberté de sortir par plusieurs déchirures (...) BALZAC, le Cousin Pons, Pl., t. VI, p. 674.

Par anal. *Ouate de verre :* fibre de verre à filaments très fins (→ Laine de verre*).

♦ **2.** Cour. Coton préparé pour servir à la confection de pansements* ou aux soins d'hygiène. ⇒ **Coton.** *Ouate cardée. Ouate chirurgicale, hydrophile*, thermogène*. L'ouate est un absorbant. Tampon d'ouate.*

Loc. fig. *Vivre dans de la ouate,* douillettement, confortablement. ⇒ **Coton.** *Sa mère l'a élevé dans de la ouate.*

Par anal. *Ouate de cellulose :* matière ressemblant à la ouate (2.), fabriquée à partir de cellulose, servant aux usages médicaux.

Par compar. *Les nuages s'effilochent comme de la ouate.*

♦ **3.** (1802). Par métaphore ou fig. Chose qui a l'aspect de la ouate (→ Amoncellement, cit. 2 ; circuler, cit. 6 ; nue, cit. 2).

(...) le premier soleil achevait de dissiper, au fond des vallées, les ouates laissées par la nuit (...) MARTIN DU GARD, les Thibault, t. VI, p. 30.

DÉR. Ouaté, ouater, ouateux, ouatine.
HOM. Watt.

OUATÉ, ÉE [wate] adj. — 1680 ; de *ouate.*

♦ **1.** Recouvert, garni d'ouate. *Spencer ouaté* (→ Déclamer, cit. 3). *Robe de chambre, douillette* ouatée. Pansement ouaté.*

♦ **2.** Par métaphore. *La terre ouatée de neige. Brume ouatée.* — (Abstrait). *Pensée floue* (cit. 7), *ouatée de neige.*

♦ **3.** Fig. Dont le bruit est amorti. *Un pas ouaté.* ⇒ **Feutré, silencieux.** *Des bruits lointains.* — REM. On n'emploierait guère l'adj. avec un nom désignant un bruit fort, sec (*coup, explosion,* etc.).

Qui amortit les bruits, et, par ext., toutes les sensations susceptibles d'agresser. *L'air cotonneux et ouaté* (→ Feutré, cit. 2).

OUATER [wate] v. tr. — 1798 ; de *ouate*.

♦ **1.** Doubler, garnir d'ouate. *Il faut l'ouater, le ouater. Ouater un manteau, une couverture.*

♦ **2.** (1852). Fig. Recouvrir d'une matière qui rappelle l'ouate. *Le duvet* (cit. 1) *neigeux qui ouatait le ventre de l'oiseau* (→ aussi Hermine, cit. 2 Gautier).

♦ **3.** Fig. (1765). Rendre moins fort, moins nettement perceptible.

L'atmosphère épaisse ouatait les cris et les chants ; le piano mécanique les striait à peine et les mots se dissipaient en lentes oscillations dépourvues d'efficacité.
            R. QUENEAU, le Chiendent, p. 417.

DÉR. Ouatage.

OUATERIE [watʀi] n. f. — 1963, G. L. E. ; de *ouate*.

♦ Techn. Fabrication de la ouate. — Industrie de la ouate.

OUATEUX, EUSE [watø, øz] adj. — 1803, Boiste ; de *ouate*.

♦ Rare. Qui ressemble à de la ouate, a l'aspect de la ouate.

(...) des masses de petits nuages, balayés, ouateux et déchirés, d'un violet aussi tendre que des fumées dans un soleil qui se couche (...)
            Ed. et J. DE GONCOURT, Journal, t. II, p. 110 (1863).

OUATINE [watin] n. f. — 1903 ; de *ouate*.

♦ Étoffe molletonnée utilisée pour doubler certains vêtements. *Manteau doublé d'ouatine,* ou (plus cour.) *de ouatine.*

DÉR. Ouatiner.

OUATINER [watine] v. tr. — 1903 ; de *ouatine*.

♦ Doubler de ouatine.

▶ **OUATINÉ, ÉE** p. p. et adj. *Peignoir ouatiné.* — Fig. *Vie ouatinée,* douillette.

OUBLI [ubli] n. m. — XIIIᵉ ; *ubli*, 1080 ; de *oublier*.

Fait d'oublier (qqch., qqn) ; son résultat.

♦ **1.** Défaillance temporaire ou définitive de la mémoire*, portant soit sur des connaissances ou aptitudes acquises, soit sur les souvenirs*. ⇒ **Absence, lacune, trou** (de mémoire). *L'oubli d'un nom, d'une date, d'un événement (par qqn). Oubli fonctionnel, normal, résultant de la sélection opérée par la conscience. « L'oubli est le gardien de la mémoire »* (J. Delay). *Oubli par défaut de fixation, par effacement, par impossibilité d'évocation, par absence de reconnaissance du souvenir. — Oubli pathologique.* ⇒ **Amnésie.** *Oubli du langage* (aphasie), *des mouvements* (apraxie), *de l'usage des objets* (agnosie). *« C'est la matérialité qui met en nous l'oubli »* (Ravaisson).

1   Depuis Broca, qui avait montré comment l'oubli des mouvements d'articulation de la parole pouvait résulter d'une lésion de la troisième circonvolution frontale gauche, une théorie de plus en plus compliquée de l'aphasie et de ses conditions cérébrales s'est édifiée laborieusement.   H. BERGSON, l'Énergie spirituelle, p. 53.

2   (...) l'oubli (...) qui est un si puissant instrument d'adaptation à la réalité parce qu'il détruit peu à peu en nous le passé survivant qui est en constante contradiction avec elle.   PROUST, À la recherche du temps perdu, t. XIII, p. 172.

3   (...) c'est surtout Freud qui a élucidé les mécanismes affectifs de l'oubli (...) La doctrine freudienne consiste à admettre que l'oubli n'est pas fortuit, qu'il a un sens, une signification, une cause positive. Cette cause, pour Freud, c'est le refoulement.   Jean DELAY, Dissolutions de la mémoire, p. 141.

4   L'oubli ne doit pas être confondu avec l'amnésie, phénomène pathologique ; on ne doit pas davantage parler d'oubli dans tous les cas où le souvenir d'un événement ne revient pas : peut-être n'a-t-il pas été fixé, acquis. Si, par suite de la distraction, de la préoccupation, un fait qui aurait dû nous faire impression est resté inaperçu, nous serons peut-être amenés à constater plus tard qu'il n'en reste aucune trace dans l'esprit, mais nous ne devrons pas dire que nous l'avons oublié. L'oubli n'est pas l'absence de souvenir, mais la fuite, la disparition du souvenir.   J.-C. FILLOUX, la Mémoire, p. 66.

Absolt. État caractérisé par l'absence ou la disparition de souvenirs dans la mémoire individuelle ou collective. *Le temps apporte avec lui l'oubli. L'oubli a raison des souvenirs* (→ Fidèle, cit. 16). *Intermittences* (cit. 3) *du désespoir et de l'oubli. « Le ciel a mis l'oubli pour tous au fond* (cit. 3) *d'un verre »* (Musset). *Le lotos*, le népenthès* (cit. Chénier) *auxquels les anciens attribuaient le pouvoir d'apporter l'oubli.*

5   (...) on serait tenté de désirer tout accident qui porte à l'oubli, comme un moyen d'échapper à soi-même : un ivrogne joyeux est une créature heureuse.
    CHATEAUBRIAND, Mémoires d'outre-tombe, t. I, p. 204.

6   Est-ce que toutes les femmes, toutes, n'ont pas cette faculté d'oubli prodigieuse qui leur fait reconnaître à peine, après quelques années passées, l'homme à qui elles ont donné leur bouche et tout leur corps à baiser ?
    MAUPASSANT, Pierre et Jean, V.

7   Les choses qu'on a une fois quittées, à quoi bon leur garder son cœur ? Qui voudrait que la vie recommence quand il sait qu'elle est finie toute ? Retrouver ceux qu'on aime serait bon, mais l'oubli est encore meilleur (...)
    CLAUDEL, Feuilles de saints, p. 23.

Le voile, les ténèbres de l'oubli recouvrent tout. L'oubli dévore

tout. Le fleuve de l'oubli engloutit tout. — Myth. *Le Léthé, fleuve de l'oubli.*

8   (...) ce trésor englouti dans les eaux dormantes de l'oubli (...)
    BALZAC, le Lys dans la vallée, Pl., t. VIII, p. 831.

9   L'oubli ! l'oubli ! c'est l'onde où tout se noie ;
C'est la mer sombre où l'on jette sa joie ;   HUGO, les Contemplations, II, XXVIII.

10   Puis votre souvenir même est enseveli.
Le corps se perd dans l'eau, le nom dans la mémoire,
Le temps, qui sur une ombre en verse une plus noire,
Sur le sombre Océan jette le sombre oubli.
    HUGO, les Rayons et les Ombres, XLII.

11   Un immense fleuve d'oubli nous entraîne dans un gouffre sans nom. Ô abîme, tu es le Dieu unique.   RENAN, Souvenirs d'enfance..., Œ. compl., t. II, p. 759.

Fig. *(Dans l'oubli ; de l'oubli, etc.).* Le lieu où se trouveraient les souvenirs non évoqués, les êtres et les événements dont les hommes ne gardent pas la mémoire. *Tomber dans l'oubli, dans un profond, un éternel oubli* (→ Cours, cit. 23 ; insister, cit. 2). *Demeurer caché, s'anéantir* (cit. 16), *être précipité* (→ Élever, cit. 18) *dans l'oubli. Mettre en oubli* (vx), *ensevelir dans l'oubli.* ⇒ **Effacer.** *Sauver, tirer de l'oubli ; arracher à l'oubli* (→ Tirer de l'ombre*, du tombeau* ; exhumer, fig.). *« D'un éternel* (cit. 24) *oubli, ne tirez point les morts »* (Voltaire). *Surgir de l'oubli* (→ Assaillir, cit. 11).

♦ **2.** (1080). *Oubli de :* défaut de souvenir de. *L'oubli de son passé, de ses malheurs, des jours mauvais* (→ Hydromel, cit.). *Un complet oubli des faits antérieurs* (→ 1. Engendrer, cit. 6). *Pratiquer l'oubli des bienfaits.*

♦ **3.** (1734). Fait de ne pas effectuer (ce qu'on devait faire), de ne pas tenir compte (d'une règle). *L'oubli des règles les plus ordinaires de l'hygiène* (→ Abrutissement, cit. 3). — *L'oubli de ses devoirs, de la loi morale, de la vertu.* ⇒ **Abandon, manquement** (→ Dénaturer, cit. 11).

12   (...) lorsque Julien voulut mettre de la simplicité et de la modestie dans ses manières, on appela oubli de la dignité ce qui n'était que la mémoire des anciennes mœurs.   MONTESQUIEU, Grandeur et décadence des Romains, XVII.

(1759). *Un, des oublis.* ⇒ **Distraction, étourderie, inadvertance, inattention, négligence, omission.** *C'est un oubli. Commettre, réparer un oubli. Je crains d'avoir fait un oubli. Cet oubli fut sa grande faute fatale* (cit. 13). *Quel oubli !* (→ Gage, cit. 10). — *Des gaucheries* (cit. 4), *des oublis, des inadvertances échappées à un écrivain.*

13   Madame Pommerel reprochait toujours à son mari une parole, une attitude, un oubli, lorsque des hôtes venaient de quitter le salon.
    J. CHARDONNE, les Destinées sentimentales, p. 440.

♦ **4.** (1640). Action, fait de ne pas prendre en considération par indifférence ou mépris. ⇒ **Indifférence, négligence.** *L'oubli où l'on tient qqn. Condamner qqn à l'oubli* (→ Tirer le voile* sur). *L'amour d'eux-mêmes et l'oubli des autres* (→ Homme, cit. 25). — *Oubli de soi, de soi-même,* par altruisme, désintéressement. ⇒ **Oublier** (s') ; **abnégation, désintéressement, détachement, générosité** (→ Habitude, cit. 33).

14   Telle est la récompense infinie de l'amour : un oubli de soi.
    André SUARÈS, Trois hommes, « Ibsen », VIII.

L'oubli du monde (⇒ **Éloignement**), *des choses matérielles* (→ Céder, cit. 20). ⇒ **Dédain.**

15   Dans leur oubli des choses terrestres, ils sont presque nus, un pagne de toile autour de la taille (...)   LOTI, l'Inde (sans les Anglais), IV, IV.

Spécialt. Pardon. *L'oubli des injures, des offenses, des fautes* (⇒ **Amnistie**). *« Et noyons dans l'oubli ces petits différends »* (cit. 1, Corneille).

16   Ainsi fut consommée l'union du fils d'un fermier, jadis si fidèle aux Simeuse, avec la fille d'un de leurs plus cruels ennemis. C'est peut-être la seule application qui se fit du mot de Louis XVIII : Union et oubli.
    BALZAC, le Député d'Arcis, Pl., t. VII, p. 677.

CONTR. Mémoire, souvenir. — Apprentissage. — Actualité, célébrité. — Observation. — Ressentiment. — Reconnaissance.
HOM. Oublie.

OUBLIABLE [ublijabl] adj. — 1398 ; de *oublier*.

♦ Rare. Que l'on peut oublier.

Et nos yeux sont les mêmes, se déprenant
Des ronces de l'enfance oubliable (...)
    Yves BONNEFOY, Poèmes, « le Dialogue d'angoisse... », IV.

CONTR. Inoubliable.

OUBLIANCE [ublijãs] n. f. — V. 1220 ; *ubliance*, v. 1120 ; de *oublier*.

REM. Ce vieux mot était encore employé au XVIIᵉ dans quelques expressions : *« Ce n'est pas par malice, c'est par pure oubliance »,* Académie, 1694 ; *mettre en oubliance, etc. ;* il a subsisté dans les dialectes ; → cit. Sand (Berry).

♦ Vx ou région. Oubli.

1   Il *(Montaigne)* se vante de n'avoir aucune *rétention* et d'être *excellent en oubliance.*   RENAN, l'Avenir de la science, Œ. compl. t. III, VI, p. 823.

2   (...) je ne veux pas être contraire à la justice et si j'ai eu un moment d'oubliance là-dessus, tu peux m'en absoudre, c'est déjà passé.
    G. SAND, François le Champi, p. 311.

OUBLIE [ubli] n. f. — XIIᵉ, sens 2.; altér., d'après *oubli*, de *oublée* (v. 1170), du lat. médiéval *oblata* «hostie», fém. subst. du p. p. *oblatus* «offert». → Oblat, oblatif.

♦ **1.** (V. 1360). Vx. Pain azyme préparé pour la consécration de la messe, hostie non encore consacrée. ⇒ **Azyme** (pain), **hostie**.

♦ **2.** Anciennt. Pâtisserie mince cuite entre deux fers et roulée en forme de cylindre ou de cornet. ⇒ **Plaisir**. *Marchand d'oublies.* ⇒ 1. **Oublieur** (cit.).

(...) des vendeuses de *plaisirs* crièrent leurs oublies (...)
                              CHATEAUBRIAND, Mémoires d'outre-tombe, t. VI, p. 274.

DÉR. 1. Oublieur.
HOM. Oubli.

OUBLIER [ublije] v. tr. — 1080, *ublier*; *oblider*, Xᵉ; du lat. pop. **oblitare*, de *oblitus*, p. p. de *oblivisci*.

★ **I.** ♦ **1.** Ne pas garder dans sa mémoire, ne pas retrouver (le souvenir d'une chose, d'un événement, d'une personne); ne plus se souvenir de. ⇒ **Oubli** (1.). *Oublier une impression* (→ Ineffaçable, cit. 4). *J'ai oublié le terme exact, le titre de cet ouvrage* (→ Je ne l'ai plus en mémoire*). *J'ai oublié quel film j'ai vu la semaine dernière. Oublier sa leçon, le nom de qqn.* — *Oublier qqn* (→ Incohérent, cit. 4). — Allus. hist. *N'avoir rien appris** (cit. 15), *rien oublié.*

1   Eh bien! oubliez-nous, maison, jardin, ombrages!
    Chantez, oiseaux! ruisseaux, coulez! croissez, feuillages!
    Ceux que vous oubliez ne vous oublieront pas.
                              HUGO, les Rayons et les Ombres, XXXIV.

2   J'avais vu Albertine me rappeler à merveille telle parole, que je lui avais dite dans nos premières rencontres et que j'avais complètement oubliée. D'un autre fait enfoncé à jamais dans ma tête comme un caillou elle n'avait aucun souvenir.
                              PROUST, À la recherche du temps perdu, t. XV, p. 142.

3   Parfois je peux vous oublier, pourquoi ne pas le dire? Parfois je peux rester plusieurs jours sans avoir une seule pensée pour vous, mais sous cet oubli il y a la connaissance que vous continuez à être (...)
                              MONTHERLANT, le Songe, I, VIII.

Ne pas garder dans la mémoire collective, faire échapper à la postérité. *On oubliera les excommunications qu'il avait fulminées* (cit. 6). → aussi Grand, cit. 68. — (Passif). *Cet homme du jour sera bientôt oublié* (→ Tomber dans l'oubli*).

4   Qu'il est difficile d'être oublié! Quand nous mourons, nous pourrions croire que nos pauvres amours disparaîtront avec nous. Mais non. Pendant des années, parfois pendant des siècles, les écrits témoins ne cessent de surgir. Comme les villes mortes sortent des sables, les paquets de lettres jaunies émergent des coffrets.
                              A. MAUROIS, Vie de Byron, Préface, p. 11.

Faire oublier : être, ou agir de telle sorte qu'on efface le souvenir de (une personne ou une chose) [→ Gloire, cit. 42] ou, du moins, qu'on en détourne l'attention. *Ce livre a fait oublier tous ses devanciers.* ⇒ **Éclipser, effacer.** *La gentillesse de quelques-unes faisait oublier leur laideur* (cit. 3). — *Faire oublier une question déplacée* (→ Étrange, cit. 12), *une affaire fâcheuse.* ⇒ **Côté** (laisser de côté), **dormir** (laisser dormir). — *Se faire oublier* (→ Faire le mort*). *Il ne se fait pas oublier :* il se fait remarquer, il attire l'attention sur lui.

5   Le mal que nous font les méchants nous fait oublier celui qu'ils se font à eux-mêmes. Nous leur pardonnerions plus aisément leurs vices, si nous pouvions connaître combien leur propre cœur les en punit.
                              ROUSSEAU, Émile, IV.

Être oublié. ⇒ **Échapper, passer** (passer de l'esprit, de la tête), **sortir** (sortir de la mémoire). *Impossible à oublier.* ⇒ **Inoubliable.**

Littér. (Suj. n. de chose). Ne pas garder la trace, les signes de (une présence, qqn) → ci-dessus, cit. 1 Hugo.

♦ **2.** Ne plus pouvoir pratiquer (un ensemble de connaissances, une technique). *Oublier sa langue maternelle* (→ Garder, cit. 32). *Oublier la pratique d'un métier.* ⇒ **Désapprendre** (→ Génération, cit. 18). *Il a oublié les mathématiques, l'orthographe* (→ Être brouillé* avec). — Absolt. *Il apprend vite et oublie de même* (Littré). — Par ext. Ne plus être accoutumé à qqch. *Nous avions oublié le goût du café pendant l'occupation. J'ai oublié ce que c'est qu'un ennui* (→ Merci, cit. 20).

♦ **3.** Cesser, de manière durable ou momentanée, de penser à (ce qui tourmente, préoccupe). *Oublier ses soucis* (→ Brûler, cit. 12), *ses tourments* (→ Gobelet, cit. 2). *Oublier ses préoccupations.* ⇒ **Débarrasser** (se). *Grâce à vos plaisanteries, j'ai oublié mes soucis pendant un instant* (⇒ **Amuser**). *En vacances, on oublie tout.* — Absolt. *Boire pour oublier.* — Spécialt. Cesser de penser à (ce qui obsède, un amour). *Oublier un être aimé, un homme, une femme* (→ Facile, cit. 31; imagination, cit. 8), ne plus être obsédé par son souvenir. «*Allons loin* (cit. 26) *de ses yeux l'oublier ou mourir* » (Racine).

6   Vouloir oublier quelqu'un, c'est y penser. L'amour a cela de commun avec les scrupules, qu'il s'aigrit par les réflexions et les retours que l'on fait pour s'en délivrer. Il faut, s'il se peut, ne point songer à sa passion pour l'affaiblir.
                              LA BRUYÈRE, les Caractères, IV, 38.

7   J'ai trop vu, trop senti, trop aimé dans ma vie;
    Je viens chercher vivant le calme du Léthé.
    Beaux lieux, soyez pour moi ces bords où l'on oublie :
    L'oubli seul désormais est ma félicité. LAMARTINE, Premières méditations, VI.

Ne m'oubliez pas (n. m. inv.). Myosotis* (cit. 1).

7.1 Gilberte ne tarissait pas sur la parfaite éducation de l'état-major, et même des

soldats qui lui avaient seulement demandé «la permission de cueillir un des ne-m'oubliez-pas qui poussaient auprès de l'étang» (...)
                              PROUST, le Temps retrouvé, Pl., p. 751.

♦ **4.** Ne pas avoir à l'esprit (ce qui devrait tenir l'attention en éveil. ⇒ **Négliger, omettre.** *Oublier l'heure :* ne pas s'apercevoir de l'heure qu'il est, se mettre en retard (→ Laisser passer l'heure). *En oublier le boire** et le manger. Oublier tout ce qu'on doit faire* (→ Ne pas avoir de tête*). *Oublier la consigne.* ⇒ **Manger.** — (En mauvaise part). ⇒ **Manquer** (à). *Oublier ses responsabilités* (→ Fuite, cit. 7), *sa foi* (⇒ **Abandonner**), *ses affaires, sa famille, son travail.* ⇒ **Désintéresser** (se). *Oublier son rang* (→ Mésallier, cit. 1), *son origine.* ⇒ **Méconnaître** (se; vx). *Oublier toute mesure* (→ Note, cit. 13).

Par ext. Perdre de vue; négliger de considérer. *Il est des ouvrages de Plutarque où il oublie son thème* (→ Escapade, cit. 1).

8   Il eût été à souhaiter qu'il (*Bossuet*) n'eût pas oublié entièrement les anciens peuples de l'Orient, comme les Indiens et les Chinois qui ont été si considérables avant que les autres nations fussent formées.
                              VOLTAIRE, Essai sur les mœurs, Avant-propos.

Spécialt. Négliger de mettre (par mégarde*, inadvertance*). ⇒ **Omettre.** *Oublier le nom de la ville dans une adresse. Oublier le vinaigre dans la salade. Tu as encore oublié le sel! :* tu n'as pas mis de sel. — Négliger de prendre. ⇒ **Laisser** (→ Gosier, cit. 5). *Oublier ses gants au cinéma, son parapluie chez des amis, son pardessus* (→ Noir, cit. 45). — Loc. prov. *Il oublierait son nez** (supra cit. 28) *s'il ne tenait à son visage.*

8.1 Jusqu'au déjeuner, d'ailleurs, Lili trouva des prétextes à revenir; elle avait oublié en une fois ce que les femmes oublient en une année chez leur ami, son mouchoir, son face-à-main, un petit cornet acoustique, des sels pour son cœur, car il n'était pas où de ses sens qui ne fût trop tendu ou trop lâché, et qui ne réclamât à toute heure un excitant ou un frein.
                              GIRAUDOUX, Siegfried et le Limousin, p. 250.

♦ **5.** Négliger (qqn), ne pas s'occuper de (qqn), faire preuve d'indifférence à l'égard de... *Soyez tranquille au sujet de votre demande, patientez! on ne vous oublie pas. Oublier ses amis.* ⇒ **Délaisser, déserter, désintéresser** (se), **détacher** (se), **laisser** (de côté). → Négliger, cit. 2. *On a vite oublié les absents* (→ Loin* des yeux, loin du cœur). — Fam. *Eh bien! on ne vous voit plus, vous nous oubliez!*

9   Hélas! les couvents tout entiers, qu'était-ce que des *in pace,* où les familles rejetaient, oubliaient, tel de leurs membres qui était venu de trop, et qu'on immolait aux autres?
                              MICHELET, Hist. de la Révolution franç., III, II.

Ne pas donner qqch. à (qqn). *N'oubliez pas les pauvres. N'oubliez pas le guide, s'il vous plaît! Être oublié dans les promotions* (→ Brouiller, cit. 9); → aussi fam. *Rester en carafe*. Il n'a oublié personne dans ses largesses.* ⇒ **Excepter.**

Par ext. *On dirait que la mort l'a oublié* (→ Chut, cit. 2; impur, cit. 10). *C'est le seul édifice qui reste debout, il semble avoir été oublié par le cataclysme* (→ aussi Aubépine, cit. 1). ⇒ **Épargner.**

10   Il semblait que le progrès du siècle eût oublié la petite ville; elle était sise à l'écart et ne s'en apercevait pas. GIDE, Si le grain ne meurt, I, II, p. 38.

11   Rieux savait que Tarrou se disait, comme lui, que la maladie venait de les oublier (...) et qu'il fallait maintenant recommencer. Oui, il fallait recommencer et la peste n'oubliait personne trop longtemps. CAMUS, la Peste, p. 278.

♦ **6.** Refuser sciemment de faire cas de (qqn), de tenir compte de (qqch.). *Oublier ses promesses* (→ Inconséquent, cit. 3). *Oublier ses mérites,* négliger de s'en prévaloir*. *Oublier sa fierté* (→ Épancher, cit. 19). — *Vous oubliez qui je suis :* vous manquez aux égards qui me sont dus (→ Lambel, cit.).

Spécialt. Pardonner. *Oublier une faute, une injure* (→ Passer la brosse, l'éponge*; ne plus parler de*; passer (sur); faire comme si de rien* n'était; tirer* le rideau). *Oublier un désaccord, une querelle.* ⇒ **Enterrer.** *Laisser dormir** (cit. 26) *et oublier toute chose.* «*J'oublie en sa faveur un discours qui m'outrage* » (→ Injurieux, cit. 1). — Loc. fam. *On oublie tout (et on recommence).* — Absolt. ⇒ **Merci,** cit. 1.

12   Voici une question entre deux maximes : on pardonne les infidélités; mais on ne les oublie point. On oublie les infidélités, mais on ne les pardonne point.
                              Mᵐᵉ DE LA FAYETTE, Lettre à Mᵐᵉ de Sévigné.

13   (...) dans des fautes si sincèrement reconnues, et dans la suite si glorieusement réparées par de fidèles services, il ne faut plus regarder que l'humble reconnaissance du Prince qui s'en repentit, et la clémence du grand Roi qui les oublia.
                              BOSSUET, Oraison funèbre de Louis de Bourbon.

Fam. (Arg.). *Oublie! :* ne t'occupe plus de ça. → Ça va comme ça, laisse tomber*.

13.1 GASPARD, à *Manu.* Je regrette, mais je n'ai pas demandé à venir ici.
      MANU. Oublie! Oublie! (...) J. BECKER et J. GIOVANNI, le Trou (scénario).

★ **II.** (Suivi d'une complétive ou d'une interrogative indirecte).

OUBLIER À (vx), **OUBLIER DE** (et inf.). ⇒ **Manquer, négliger, omettre.** (→ Garnir, cit. 9; heure, cit. 29; insister, cit. 2). *Il a oublié de nous prévenir.* — Loc. fam. *Il a oublié d'être bête :* il est intelligent*.

14   (...) j'ai oublié à lui demander si c'est en long, ou en large.
                              MOLIÈRE, le Malade imaginaire, II, 2.

OUBLIER QUE..., COMMENT..., SI... *Il avait oublié qu'il avait un rendez-vous. Je n'oublie pas comment, grâce à qui j'ai été tiré d'affaire. On a maintenant oublié si son investiture était légitime.* REM. Après *oublier que* à la forme affirmative, on emploie d'ordinaire l'indicatif. *Je voudrais vous faire oublier que je suis votre maître* (cit. 11). — On emploie aussi le conditionnel si le fait est éventuel (*Il oublie que nous aimerions bien être renseignés*) ou le subjonctif (littér. ou vieilli) : *J'oubliais qu'il eût un intendant* (La Fontaine, *Contes*, V, 7). Après *oublier que* à la forme négative, on emploie d'ordinaire l'indicatif (→ Apprenti, cit. 13 ; justice, cit. 26), parfois le conditionnel. *Je n'oublie pas que vous préféreriez partir* (cf. Grevisse, *le Bon Usage*, § 999, REM. 2).

▶ **S'OUBLIER.** v. pron. (V. 1200, *soi oublier*).

♦ **1.** (Sens passif). Être oublié. *Tout s'oublie et se perd au cours des heures* (→ Eau, cit. 7). *Le danger s'oublie* (→ Évanouir, cit. 10). *Un tel affront ne s'oublie pas.*

♦ **2.** (Sens réfl.). Cesser d'avoir nettement conscience de son existence personnelle (→ Nature, cit. 51). — Spécialt. Ne pas s'apercevoir de l'heure qu'il est, ne pas penser à temps à ce qu'on doit faire (→ Anuiter (s'), cit. 1).

15 La Fontaine vit de la vie contemplative et visionnaire jusqu'à s'oublier lui-même et se perdre dans le grand tout.
HUGO, Post-Scriptum de ma vie, « Les grands hommes », II.

16 Il ne dormait pas beaucoup, et rêvassait sans cesse. Le matin, quand on l'avait arraché de son lit, il s'oubliait, ses deux petites jambes nues pendant hors de son lit ou, bien souvent, deux bas enfilés sur la même jambe. Il s'oubliait, ses deux mains dans sa cuvette. Il s'oubliait à sa table de travail, en écrivant une ligne, en apprenant sa leçon : il rêvait pendant des heures ; et après, il s'apercevait soudain, avec terreur, qu'il n'avait rien appris.
R. ROLLAND, Jean-Christophe, « Antoinette », p. 834.

♦ **3.** Ne pas penser à soi, à ses propres intérêts. *S'oublier pour se donner* (cit. 73) *à autrui. Uni à d'autres hommes dans une équipe* (cit. 5), *l'homme se trouve lui-même en s'oubliant.* — Iron. *Il ne s'est pas oublié :* il a su se réserver sa part d'avantages, de bénéfices. — Prov. *Est bien fou qui s'oublie.*

(En mauvaise part). Vieilli. Perdre le souci de sa dignité, de ce qu'on doit à soi-même. *« Mon cœur, hors* (cit. 35) *de lui-même, S'oublie, et se souvient seulement qu'il vous aime »* (Racine). — Avoir des faiblesses, n'être pas égal à soi-même. *Homère lui-même s'oublie quelquefois.*
Littér. Manquer aux convenances ; aux égards dus à autrui aussi bien qu'à soi-même, à sa propre dignité. *Il s'est oublié jusqu'à me manquer gravement* (→ 1. Fou, cit. 28).

17 Ils étaient face à face, les dents près des dents, exaspérés, les poings serrés (...) Le commissaire passa vivement entre les deux et, les écartant avec ses mains : — Messieurs, vous vous oubliez, vous manquez de dignité !
MAUPASSANT, Bel-Ami, II, VIII.

Fam. [a] ⇒ **Assoupir** (s'), **endormir** (s') ; → Hébétude, cit. 4.

[b] Faire ses besoins ; spécialt, uriner involontairement.

18 (...) l'année dernière, ma fille a dû s'en débarrasser (*du chat*) je l'ai amené ici, parce qu'il s'oubliait dans tous les coins de la boutique.   ZOLA, la Terre, I, III.

▶ **OUBLIÉ, ÉE** p. p. et adj. *Vivre oublié de ses amis. Oubliée de tous. Mourir oublié* (→ Façonner, cit. 4 ; futilité, cit. 3). *Oublié, libre et paisible* (→ Feuillage, cit. 1). *Des œuvres oubliées,* tombées dans l'oubli.

N. *Un oublié. Les oubliés.* [a] Personne abandonnée, à qui on ne pense pas.

[b] Disparu, mort dont on ne parle plus (→ Mort, cit. 18).

19 Oublié! mot terrible. Qu'une âme ait péri dans les âmes! (...) Celui que Dieu fit pour la vie, n'avait-il donc pas le droit de vivre, au moins dans la pensée? Qui osera, sur terre, donner même au plus coupable cette mort par delà toute mort, le tuer dans le souvenir?   MICHELET, Hist. de la Révolution franç., Introd., II, IX.

CONTR. **Évoquer, garder** (le souvenir), **rappeler** (se), **retenir, retrouver, souvenir** (se). — **Apprendre, constater, observer, penser** (à), **songer** (à). — **Occuper** (s'occuper de) ; **dévouer** (se). — (D'*oublié*) **Célèbre, connu, fameux.**
DÉR. **Oubli, oubliable, oubliance, oubliette, 2. oublier, oublieux.**
COMP. **Entr'oublier** (s'), **inoubliable.**

OUBLIETTE [ublijɛt] n. f. — 1536 ; *oubliete*, v. 1360 ; d'*oublier*.

♦ **1.** Anciennt. (Hist.). Cachot* où l'on enfermait les personnes condamnées à la prison perpétuelle. *Oubliette obscure.* Au plur. *Jeter qqn aux oubliettes.* — (Avant 1850). Fosse couverte d'une trappe basculante où l'on faisait tomber ceux dont on voulait se débarrasser. *Les oubliettes d'un château.*

Un des cachots inférieurs de Pierrefonds possède, à son centre, un puits profond qui peut avoir été une oubliette, c'est-à-dire une fosse destinée à précipiter et à faire périr les malheureux dont on voulait se débarrasser. C'est le seul exemple vraisemblable que Viollet-le-Duc ait trouvé parmi les nombreux précipices ou puisards désignés comme oubliettes par la tradition populaire dans un grand nombre de châteaux (...)
Camille ENLART, Manuel d'archéologie franç., t. II, p. 327.

♦ **2.** (1838). Par métaphore et fig. (→ Charbonnerie, cit. 1). — Loc. *Jeter, mettre aux oubliettes :* laisser de côté, refuser de s'occuper de (qqn ou qqch.).

1. OUBLIEUR [ublijœʀ] ou OUBLIEUX [ublijø] n. m. — V. 1330, *oublieur ; oublieux*, 1611 ; de *oublie*.

♦ Anciennt. Marchand des rues qui vendait des oublies, ou les donnait en loterie.

Une vingtaine de petites filles, conduites par une manière de religieuse, vinrent, les unes s'asseoir, les autres folâtrer assez près de nous. Durant leurs jeux, vint à passer un oublieur avec son tambour et son tourniquet, qui cherchait pratique : je vis que les petites filles convoitaient fort les oublies, et deux ou trois d'entre elles, qui apparemment possédaient quelques liards, demandèrent la permission de jouer. Tandis que la gouvernante hésitait et disputait, j'appelai l'oublieur et je lui dis : faites tirer toutes ces demoiselles chacune à son tour, et je vous paierai le tout.-
ROUSSEAU, Rêveries..., IXᵉ promenade.

HOM. 2. Oublieur. — (De *oublieux*) Oublieux, adj.

2. OUBLIEUR, EUSE [ublijœʀ, øz] n. — 1487 ; de *oublier*.

♦ Rare. Personne de peu de mémoire, qui oublie tout.
HOM. 1. Oublieur.

OUBLIEUSEMENT [ublijøzmɑ̃] adv. — 1606 ; de *oublieux*.

♦ Littér. De manière oublieuse, avec négligence quant au souvenir. — En s'oubliant soi-même (Villiers de L'Isle-Adam, *in* G. L. L. F.).

OUBLIEUX, EUSE [ublijø, øz] adj. — Mil. XIIIᵉ ; *oubliens*, v. 1175 ; repris XVIIIᵉ ; de *oublier*.

★ **I.** ♦ **1.** Vieilli, régional ou littér. Qui oublie (I., 4. et 6.), néglige de se souvenir de qqch. *Femme oublieuse et légère* (→ Moi, cit. 57). — N. *Un oublieux, une oublieuse.*

Mais je me suis aperçu, pour l'avoir assidûment fréquentée, qu'elle se laissait surprendre trop souvent, oublieuse, vaine, partiale, ignorante et menteuse.
FRANCE, le Petit Pierre, VIII.

♦ **2.** (V. 1398). **OUBLIEUX DE.** *Oublieux des bienfaits* (⇒ **Ingrat**), *de ses obligations, de ses devoirs.* ⇒ **Insouciant, négligent.** *Oublieux des personnes qui l'entourent. Il est oublieux de soi-même.*

★ **II.** (Mil. XVIᵉ). Littér. Qui fait oublier, permet d'oublier. *« Un sommeil oublieux »* (Baudelaire).

CONTR. **Soucieux** (de).
DÉR. **Oublieusement.**

1. OUCHE [uʃ] n. f. — 1229, en poitevin ; du bas lat. *olca*, du gaulois.

♦ Vieilli ou régional. Terre fertile capable de fournir les produits les plus variés. Pâturage.

(1383). Terrain, généralement clos, qui est cultivé en potager ou planté d'arbres fruitiers. ⇒ **Jardin, verger.**
HOM. 2. Ouche.

2. OUCHE [uʃ] n. f. — 1216, *och* « entaille » ; *osche*, v. 1160 ; préroman **osca.

♦ (1864). Techn. Entaille sur le canon d'un fusil.
HOM. 1. Ouche.

OUDINISATION [udinizasjɔ̃] n. f. — D. i. ; de *P. Oudin*, électrothérapeute français.

♦ Méd. Emploi thérapeutique des courants de haute fréquence obtenus au moyen d'un appareil spécial (résonnateur d'Oudin), permettant la dessication superficielle de certaines lésions.

OUED [wɛd] n. m. — 1874 ; arabe *wādī* « cours d'eau », puis « vallée ».

♦ Rivière d'Afrique du Nord. — Par ext. (Géogr.). Cours d'eau temporaire dans les régions arides. *Traverser un oued. Oued à sec* (→ Escarpé, cit. 3 ; 1. feu, cit. 52). *Oued algérien, saharien.* — Plur. *Des ouadi,* ou (plus cour.), *des oueds.*

1 (...) je partais chaque jour, souvent dès le matin, me lançais à travers le désert dans d'exténuantes randonnées, tantôt suivant le lit aride de l'oued, tantôt gagnant les grandes dunes (...)   GIDE, Si le grain ne meurt, II, II, p. 352.

2 Parmi les fleuves ou oueds de l'Afrique septentrionale, les uns portent leurs eaux à l'Atlantique, d'autres vont à la Méditerranée, d'autres à la mer des Syrtes, d'autres finissent dans les dépressions fermées, d'autres enfin descendent vers le Sahara.-
Augustin BERNARD, Afrique septentrionale et occidentale, in VIDAL DE LA BLACHE, Géographie universelle, t. XI, p. 53.

3 Ce sont nos pères, certes ; les oueds mis à sec au profit de moindres ruisseaux, jusqu'à la confluence, la mer où nulle source ne reconnaît son murmure.
Kateb YACINE, Nedjma, p. 97.

OUEST [wɛst] n. m. et adj. — 1379 ; *west*, v. 1138 ; anc. angl. *west*.

★ **I.** N. M. ♦ **1.** Celui des quatre points cardinaux* qui est situé vers le couchant, à l'opposé de l'est, dans une direction qui forme un angle de 90° avec la direction du nord. ⇒ **Couchant, occident, ponant.** *Aller, se diriger à l'ouest, vers l'ouest, dans la direction de l'ouest. Bourrasque* (cit. 3), *vent d'ouest* (→ Hauteur, cit. 17 ; inabordable, cit. 1).

(1873). À L'OUEST DE : dans une région située dans la direction de l'ouest par rapport à un lieu donné. *A l'ouest du Rhône. Dreux est à l'ouest de Paris.*

(En parlant de l'exposition d'un lieu en face de ce point cardinal). *Chambre exposée à l'ouest.*

♦ **2.** Partie d'un ensemble géographique qui est la plus proche de l'ouest. *L'ouest de l'Europe, de la France.* — Spécialt. L'ensemble des départements de l'Ouest de la France. *Il est de l'Ouest. Habiter dans l'Ouest.* — L'Europe occidentale et l'Amérique du Nord. *Les rapports Est-Ouest.* ⇒ **Occident.** *Conférence entre l'Est et l'Ouest.*

★ **II.** Adj. invar. (1798; *vest,* 1534). Qui se trouve à l'ouest, en direction de l'ouest. *Longitude ouest. La côte ouest de la Corse.* ⇒ **Occidental.** *Le front ouest* (dans une guerre).

(...) il y eut aussi une recrudescence d'incendies, surtout dans les quartiers de plaisance, aux portes ouest de la ville. CAMUS, la Peste, p. 187.

CONTR. V. Est, levant, orient.
COMP. Ouest-allemand.

OUEST-ALLEMAND, ANDE [wɛstalmɑ̃, ɑ̃d] adj. et n. — V. 1950; calque de l'angl. *west german.*

♦ De l'Allemagne de l'Ouest. — REM. Ce mot, comme *Est-allemand,* est mal formé; la syntaxe française réclame *Allemand de l'Ouest.* Des formes comme *Ouest-européen* sont encore moins justifiables.

OUF [uf] interj. — 1642; *of,* 1579; onomatopée.

♦ **1.** Vieilli. Interjection qui exprime la douleur soudaine, l'étouffement.

1 J'étouffe. Ouf, ouf, la peur m'empêche de parler. J.-F. REGNARD, le Légataire universel, IV, 8.

Il n'a pas eu le temps de dire, de faire ouf : il n'a pas eu le temps de prononcer un mot, de pousser une simple exclamation. *Sans dire, sans faire ouf.*

1.1 Généralement, il est vrai, les nouveautés dont on s'alarme se passent fort bien. Les républicains les plus sages pensaient qu'il était fou de faire la séparation de l'Église. Elle a passé comme une lettre à la poste. Dreyfus a été réhabilité, Picquart ministre de la guerre, sans qu'on crie ouf. Pourtant que ne peut-on pas craindre d'un surmenage pareil à celui d'une guerre ininterrompue pendant plusieurs années! PROUST, le Temps retrouvé, Pl., t. III, p. 797.

2 Bon Dieu! un homme ne peut pas crever comme un rat, pour rien et sans faire ouf. SARTRE, Morts sans sépulture, I, 1.

2.1 (...) parlant vite, s'embrouillant et se débrouillant au hasard, sans faire ouf, avec une étourdissante facilité. Kateb YACINE, Nedjma, p. 163-164.

♦ **2.** Mod. Interjection exprimant le soulagement qui succède à un travail pénible, à un désagrément, à une impression d'étouffement ou d'oppression. *Ouf! enfin, on respire. Ouf! bon débarras.* — N. m. *Pousser un ouf, des ouf de soulagement.*

3 Enfin, il m'est permis de proférer l'irrésistible *ouf!* que lâche avec tant de bonheur tout simple mortel, non privé de sa rate et condamné à une course forcée, quand il peut se jeter dans l'oasis tant espérée depuis longtemps. BAUDELAIRE, les Curiosités esthétiques, IX, X.

4 La radio m'a informé que tous les oiseaux étaient foutus dans les îles sanctuaires et je me suis senti mieux, comme ça au moins il n'y avait plus rien à faire. On n'avait pas besoin de moi. Ouf. Ça faisait un souci de moins. É. AJAR (R. GARY), l'Angoisse du roi Salomon, p. 153.

OUGARITIQUE [ugaritik] adj. et n. m. — XXᵉ; de *Ugarit, Ougarit,* ville de la côte phénicienne, dont les restes ont été retrouvés à *Ras Shamra.*

♦ Didact. De Ougarit. *Civilisation ougaritique. Langue ougaritique,* et, n. m., *l'ougaritique :* langue sémitique ancienne dont les documents ont été retrouvés sur le site d'Ougarit.

OUGRIEN, IENNE [ugʀijɛ̃, ijɛn] adj. — 1874; *ougro-finnois,* 1868; de *ougre,* nom de peuple. → Hongrois.

♦ **1.** *Langues ougriennes,* se dit de deux langues sibériennes, l'ostiak (mansi) et le vogoul (kanti), parlées par des populations qui habitent la région de l'Ob. — Ces langues et le hongrois*.

♦ **2.** *Langues finno-ougriennes :* langues de l'un des deux grands groupes qui composent l'ensemble ouralien *(groupe finno-ougrien).* Principales langues finno-ougriennes : lapon, finnois, mordve, tchérémisse, langues permiennes (votiak, zyriène), langues ougriennes proprement dites (ostiak, vogoul), hongrois ou magyar.

OUH [u] var. graphique de *hou.*

(...) une chauve-souris qui dans l'oreille lui crierait ouh! ouh!; un oiseau de nuit qui crèverait les yeux (...) R. QUENEAU, le Chiendent, p. 107.

OUI [wi] particule d'affirmation invar. — V. 1400; *oïl*,* 1080, *Chanson de Roland; oï,* v. 1155; du lat. *hoc,* en roman *o;* correspond à la forme *oc* en occitan, renforcé par le pron. pers. *il :* on employait aussi *o-je, o-tu.* — REM. En principe, l'élision et la liaison ne se font pas avant *oui;* on dit *je crois que oui* [ʒəkrwakəwi] et *mai(s) oui* [mɛwi]. Cependant l'élision se fait parfois, surtout dans le langage familier. *Je crois qu'oui* [ʒəkrwaki].

★ **I.** Adverbe équivalent à une proposition affirmative (⇒ **Affirmation**) qui répond à une interrogation non accompagnée de négation (→ Si).

♦ **1.** (Dans une réponse positive à une question). → Affirmatif, cit. 1. *As-tu lu Rousseau? Oui* (→ Mandarin, cit. 2). *Est-ce que vous allez à Arras? Oui* (→ Heure, cit. 102). *Peut-on changer de caractère* (cit. 39)? *Oui, si on change de corps.* — (Répété par insistance). *Acceptez-vous? Oui, oui, certainement.* — Adverbes et locutions ayant la même valeur que oui : assurément, certainement, certes, évidemment, parfaitement, voire (vx), vraiment; comment donc, si fait, bien sûr, sans conteste, sans aucun doute; d'accord, entendu, O.K., volontiers, pour vous servir, compris. → aussi les altér. *Ouais**, oué, ouin, vi (attesté 1938, *in* D.D.L.) vouï*... ⇒ **Ouiche** (vieilli).

1 Un simple *oui* ou un *non* sont peu polis. De là l'observation si souvent faite aux enfants qui ont lâché un *oui* tout sec : *Oui, mon chien.* F. BRUNOT, la Pensée et la Langue, p. 504.

1.1 Oui, Ernestine, je vous sors de la dèche, de la mouise, de la débine! Je vous sors de la pauvreté, de la misère, de l'indigence. Je vous ferai couvrir de bijoux, voui! Tous les jours, Ernestine, vous pourrez manger des artichauts crus à la sauce vinaigrette, votre plat préféré! Tous les jours, Ernestine, vous pourrez boire du cid' de Normandie! Tous les jours, Ernestine, vous pourrez aller entendre au Trianon-Lyrique vos opérettes préférées! R. QUENEAU, le Chiendent, Folio, p. 161.

Loc. *Oui et non,* dans une réponse marquant l'hésitation (cf. Dans une certaine mesure, jusqu'à un certain point; en partie). *Êtes-vous satisfait? — Eh bien, oui et non...*

(Renforcé par un adverbe, une loc. adv., une exclamation). *Mais oui. Oui, mais...,* formule exprimant une adhésion réticente ou teintée de scepticisme. *Certes oui. Sûrement oui. Mon Dieu oui. Dame oui.* ⇒ **3. Dame.** — *Oui-da.* ⇒ **Da.** — *Oui, bien sûr* (→ Appoint, cit. 6). *Ça, oui* (→ Opinion, cit. 38). *Ma foi, oui. Eh! oui, hé* (cit. 2) *oui. Ah oui, alors! Eh bien oui* (→ Affaire, cit. 50; caprice, cit. 16). — *Que oui!* — Vx. *Oui bien* (encore chez Montherlant).

2 La reine? Vraiment oui; je le suis en effet (...) LA FONTAINE, Fables, X, 2.

3 Quelque mauvais que soit un fils, peut-il lever la main sur son père? — Oh! que oui, dit le démon; cela n'est pas sans exemples (...) A.-R. LESAGE, le Diable boîteux, VII.

4 À la santé de ma voisine! — Eh! oui, à la santé de ma femme! A. DE MUSSET, le Chandelier, II, 4.

5 La peur des coups! — Bien sûr oui, la peur des coups. COURTELINE, la Peur des coups.

REM. 1. (Vx ou régional). *Oui,* employé à la place de *si* après une question de forme négative «lorsque la pensée de celui qui répond s'arrête non sur la forme de la question, mais sur l'idée positive qu'elle implique» (Grevisse, § 869).

6 Ne sonne-t-on pas le tocsin? demanda le marquis. — Oui. HUGO, Quatre-vingt-treize, I, IV, IV.

7 Me promets-tu d'être raisonnable? — Oui, Sire. — Ah! tu vois! alors tu ne songes plus à ce mariage? — Oui. — Oui? c'est-à-dire que tu vas oublier Hjalmar? — Non. — Tu ne renonces pas encore à Hjalmar? — Non. MAETERLINCK, la Princesse Maleine, I, 2.

2. *Oui,* servant de proposition principale :

8 — Cette Fadette avait bien prédit que la chose arriverait, reprit la mère Barbeau. Oui-da qu'elle avait annoncé! G. SAND, la Petite Fadette, XL.

♦ **2.** (Comme interrogatif). Cf. Ah bon? *Il est ruiné. — Oui? — Du moins, je le crois. J'en suis sûr. — Oui? —Absolument!*

9 (...) C'est lui qui la condamne. — Oui? — Lui-même. — Il prétend (...) MOLIÈRE, l'Étourdi, III, 3.

Fam. *Tu viens, oui?*

10 Tu te tiens tranquille, oui? H. BAZIN, l'Huile sur le feu, p. 185.

Loc. *Oui ou non.* ⇒ **Non** (cit. 33 et *supra*). — Fam. *Oui ou merde!*

10.1 Veux-tu me le garder? Oui ou merde! CÉLINE, Guignol's band, p. 68.

♦ **3.** (Complément direct d'un verbe déclaratif). *Dire oui* (→ Non, cit. 17 et 19). *Il dit toujours oui.* ⇒ **Accepter, admettre...** *Répondre oui. Quand l'un disait oui, l'autre disait non* (→ Mourre, cit. 1). *Il écoutait à peine, en faisant* (cit. 116) *oui, oui...* — Loc. *Ne dire ni oui ni non.* ⇒ **Non** (cit. 21, 22 et *supra*). *Répondez-moi par oui ou par non.*

11 Que votre parole soit oui, oui, non, non; ce qu'on y ajoute vient du malin. BIBLE (SEGOND), Évangile selon saint Matthieu, V, 37.

12 À toutes les fantaisies des femmes, les gens habiles doivent d'abord dire oui, et leur suggérer les motifs du non (...) BALZAC, le Cabinet des Antiques, Pl., t. IV, p. 407.

12.1 Et s'ils *(les vieux)* tremblent un peu est-ce de voir vieillir la pendule d'argent Qui ronronne au salon qui dit oui qui dit non qui dit je vous attends. Jacques BREL, les Vieux.

(En subordonnée complétive). *Il a dit, il a affirmé que oui* (→ Moderniser, cit. 2). *J'ai dit que oui* (→ Fourrer, cit. 12). *Il me semble, il semblerait que oui. Je pense que oui.*

13 Les uns disent que non, les autres disent que oui; et moi je dis que oui et non (...) MOLIÈRE, le Médecin malgré lui, III, 6.

14 «Vous êtes content?» demanda la vieille. Il dit que oui, mais il pensait à autre chose. CAMUS, la Peste, p. 224.

♦ **4.** Détaché devant une phrase affirmative pour annoncer ou souligner une affirmation «... à l'effet de prévenir un étonnement qui pourrait amener l'interlocuteur à... poser une question » (G. et R. Le Bidois, *Syntaxe du franç. mod.*, II, § 1756). *« Oui, je viens dans son temple... »* (→ Adorer, cit. 1). *« Oui, dans ces jours d'automne* (cit. 5) *où la nature expire... »* (→ aussi Ami, cit. 12; Dieu, cit. 39; lit, cit. 12; marcher, cit. 28; moqueur, cit. 4). *Oui, mon vieux, tu as raison.*

15 Oui, oui, vous me suivrez, n'en doutez nullement (...) RACINE, Andromaque, II, 3.
Oui, soulignant une affirmation et répondant à une objection, à une question sous-entendue. *Un homme insignifiant* (cit. 9), *oui, oui, insignifiant. Une infusion de bourrache* (cit. 1)... *Oui, oui, remède de bonne femme...*

16 Vivre, oui, sentir fortement, profondément, qu'on existe, qu'on est homme, créé par Dieu, voilà le premier (...) grand bienfait de l'amour.
A. DE MUSSET, la Confession d'un enfant du siècle, III, VI.

17 Vous ne savez donc pas qu'il va, tous les ans, passer un mois en Vendée, chez la marquise de Rieu (...) oui, chez la marquise de Rieu, la catholique, la royaliste (...)
FRANCE, le Lys rouge, II.

18 Je me croyais victorieux, oui victorieux de moi-même.
GIDE, Feuillets, *in Journal 1889-1939*, VIII.

♦ **5.** (En phrase coordonnée ou juxtaposée, après une proposition négative. → Si). *Elle n'est pas venue, mais lui, oui.*

19 Je ne crois pas, Françoise, que notre grand'mère ait été très malheureuse. Notre mère, oui, parce qu'elle était Parisienne; elle ne s'est jamais habituée à Pont-de-l'Eure.
A. MAUROIS, Bernard Quesnay, XVI.

★ **II.** (Fin XVIᵉ). N. m. *(Un, des oui).* Le mot *oui* (→ Judicieusement, cit. 2). *Les millions de oui répondant à un référendum. Dire un non* (cit. 57) *pour un oui* (→ aussi Non, cit. 58 et 60). — Loc. *Pour un oui pour un non.* ⇒ **Non.**

20 Et tarder tant à dire un oui si plein de charmes! (...)
(...) Et loin qu'un pareil oui me donnât de la peine,
Croyez que j'en dirais bien vite une douzaine. MOLIÈRE, Sganarelle, 2.

21 — Ah! les premières fleurs, qu'elles sont parfumées!
Et qu'il bruit avec un murmure charmant
Le premier *oui* qui sort de lèvres bien-aimées!
VERLAINE, Poèmes saturniens, « Mélancholia », II.

Le oui prononcé par les fiancés. — Loc. (vieilli). *Dire, prononcer le grand oui* (du mariage).

22 (...) le prêtre qui *les* bénissait, la foule qui *les* admirait, le double anneau, le double *oui* prononcé avec tant d'amour par les deux voix qui le disaient (...)
BARBEY D'AUREVILLY, Une vieille maîtresse, I, XI.

CONTR. Non.
DÉR. Ouiche.
COMP. Béni-oui-oui.
HOM. Ouï (de *ouïr*), ouïe, ouïes.

OUICHE [wiʃ] interj. — 1696; *houische*, 1530; au sens de « chut, silence », altér. plaisante de *oui*.

♦ Fam. (vieilli). Interjection marquant l'ironie, l'incrédulité (→ Ébouler, cit. 2). *Ah! ouiche! ah! bien, ouiche!*

1 Ces gros mots chagrinaient la femme de chambre, car elle voyait avec peine que madame ne se décrassait pas vite de ses commencements. Elle osa même supplier madame de se calmer. — Ah! ouiche! répondit Nana crûment, ce sont des salauds, ils aiment ça.
ZOLA, Nana, II.

2 On est arrivé?
— Ah! ben ouiche, arrivés!
Pour le moment, une forte reculade se dessine et nous entraîne, parmi laquelle une rumeur court :
— On s'est perdus.
H. BARBUSSE, le Feu, t. II, XXIII, p. 55.

3 — On lève dans dix minutes!
— Ouiche! Madame n'est pas encore là. Ni Mᵐᵉ Julien non plus.
J. ANOUILH, Colombe, p. 111.

OUI-DA [wida] ⇒ **Da.**

OUÏ-DIRE [widiʀ] n. m. invar. — V. 1200; var. *oï dire*, XIIIᵉ; de *ouï*, p. p. de *ouïr*, et de *dire*.

♦ Information connue par la parole entendue, et notamment, par des rumeurs. *Ce n'est qu'un ouï-dire.* ⇒ **Bruit, on-dit, rumeur.** *Les ouï-dire.*

1 (...) chacun attendait l'empereur, dont la présence était promise par le comte (...) Les plus jolies femmes de Paris, empressées de se rendre chez lui sur la foi du ouï-dire, y faisaient en ce moment assaut de luxe, de coquetterie, de parure et de beauté.
BALZAC, la Paix du ménage, Pl., t. I, p. 994.

2 (...) un pays dont les mœurs et les sites ne lui étaient connus que par des ouï-dire contradictoires (...) BALZAC, la Femme de trente ans, Pl., t. II, p. 755.

Loc. *Par ouï-dire :* par la rumeur publique (→ Indirectement, cit. 1). *Le savez-vous par expérience ou par ouï-dire?* ⇒ **De auditu.**

3 Il ne sait que par ouï-dire
Ce que c'est que la Cour, la mer, et ton empire,
Fortune (...) LA FONTAINE, Fables, VII, 12.

4 Chacun sait, au moins par ouï-dire, qu'il y a des perceptions trompeuses, et des illusions que l'on explique par la fabrique du corps humain.
ALAIN, Propos, 20 août 1921, La peur du diable.

1. OUÏE [wi], [ui] n. f. — V. 1080, *Chanson de Roland, oie*; de *ouïr*.

♦ **1.** Le sens qui permet la perception des sons*. ⇒ **Audition;**

audio-; entendre, ouïr. *Organes de l'ouïe.* ⇒ **Oreille; acoustique** (nerf), **auditif** (conduit). → Impression, cit. 47. *Les sensations de l'ouïe* (→ Image, cit. 52). *Son perceptible à l'ouïe.* ⇒ **Audible.** — *Avoir l'ouïe bonne, fine* (→ Lièvre, cit. 2). *Finesse d'ouïe* (→ Aiguiser, cit. 9; dur, cit. 6). *Attention qui double la puissance de l'ouïe* (→ Guet, cit. 2). *Avoir l'ouïe juste :* reconnaître avec précision la hauteur des sons (cf. Avoir l'oreille). — *Les sons très intenses blessent* (cit. 5) *l'ouïe* (⇒ **Abasourdir, assourdir**). *Perdre l'ouïe :* devenir sourd*. *L'ouïe et la parole lui revinrent* (→ Muet, cit. 2). — Fam. (Plais.). *Je suis tout ouïe* [tutwi] (→ Tout oreille*).

1 Sa vie se concentra dans le seul sens de l'ouïe. Elle fermait parfois les yeux et s'efforçait d'écouter à travers les espaces (...)
BALZAC, la Duchesse de Langeais, Pl., t. V, p. 221.

2 L'ouïe, ce sens délicieux, qui nous apporte la compagnie de la rue, dont elle nous retrace toutes les lignes, dessine toutes les formes qui y passent, nous en montrant la couleur. PROUST, À la recherche du temps perdu, t. XI, p. 143.

♦ **2.** Vx. Action d'entendre, audition. → Ouïr, cit. 6, Beckett. *« À l'ouïe de cette nouvelle »* (Rousseau). — *À portée d'ouïe :* aussi loin* qu'on peut entendre, à une distance* telle qu'on entend.

DÉR. 2. Ouïes.
COMP. Aide-ouïe.
HOM. Oui, 2. Ouïes.

2. OUÏE(S) [wi], [ui] n. f. (pl.) — XVIᵉ, au sens 1; de 1. *ouïe*.

♦ **1.** N. f. pl. OUÏES : orifices externes de l'appareil branchial (des poissons), placés sur les côtés de la tête. *Attraper un poisson par les ouïes. On reconnaît la fraîcheur de certains poissons à la couleur des ouïes.*
Branchies.

♦ **2.** Techn. ⓐ Mus. Ouverture latérale de la table supérieure d'un violon, en forme d'S.

ⓑ Abat-vent à lamelles obliques, rappelant les ouïes (1.). — Au plur. Ces lamelles.

♦ **3.** (1974). Techn. *Ouïe d'aération :* orifice d'aération situé sur le côté de la carrosserie d'une automobile.

HOM. Oui, 1. Ouïe.

OUÏGOUR ou **OUÏGHOUR** [uiguʀ] adj. et n. m. — 1846; mot turc.

♦ D'une langue turque (türk) de l'Asie centrale. *Dialecte ouïgours.* — N. m. *L'ouïgour :* cette langue. *Ouïgour ancien :* langue littéraire turque d'Asie centrale. *Ouïgour moderne :* ensemble de parlers du Sin-Kiang.

OUILLAGE [ujaʒ] n. m. — Fin XVIᵉ; *eullage, heulliage, œillage*, XIVᵉ; de *ouiller*.

♦ Techn. Action d'ouiller* (un tonneau).

OUILLE [uj] interj. — 1914, écrit *houille!* in D.D.L.; onomatopée.

♦ Exclamation exprimant la douleur. ⇒ **Aïe.** (Souvent répétée, sous la forme *ouillouilllouille*). — REM. Cette interj. peut recevoir diverses formes graphiques : *« le grand-et-gras lui marche sur les ongles. Ouïye, ouïye, fait Jupiter* (un chien) » (R. Queneau, le Chiendent, p. 71).

HOM. Houille. Formes du v. ouiller.

OUILLER [uje] v. tr. — 1750; *aouller, aeuller* (XIIIᵉ); contraction d'*aouller*, comp. anc. d'*œil*, proprt « remplir jusqu'à l'œil (la bonde) du tonneau ».

♦ Techn. Remplir (un tonneau) à mesure que le niveau baisse (par évaporation, etc.). *Ouiller les fûts, les foudres.*

DÉR. Ouillage.
HOM. Houiller.

-OUILLER Suffixe verbal à valeur péjorative (→ Pendouiller, mâchouiller...).

Dès huit heures, je descends à la plage (...) : je nageouille, pas très loin, et je reviens me jeter sous le soleil, à plat dos ou à plat ventre.
A. SARRAZIN, l'Astragale, p. 200.

OUILLÈRE, OUILLIÈRE [ujɛʀ] ou **OULLIÈRE** [uljɛʀ] n. f. — 1842; de l'anc. franç. *ouiller*, déb. XVᵉ; lat. médiéval *ouliare* (Du Cange) « creuser, extraire ».

♦ Agric. *Vigne en ouillère*, dans laquelle les ceps sont disposés en lignes parallèles espacées, avec des cultures intercalaires. — Par ext. *Une ouillère* : un intervalle, une petite allée entre les ceps.

HOM. Houillère.

OUÏR [wiʀ] v. tr. — *J'ois, tu ois, il oit; nous oyons, vous oyez, ils oient; j'oyais, nous oyions; j'ouïs, nous ouïmes; j'oirai ou j'orrai, nous oirons (ou orrons); oyons, oyez, oyant; ouï.* Vx. sauf inf. et p.p. — xᵉ, *audir; oïr,* xiiᵉ; du lat. *audire* «entendre» → Audience, audition.

♦ Vx, régional ou archaïque. ⇒ **Entendre** (cit. 34); **écouter; oreille** (prêter, tendre l'oreille). → Aucun, cit. 31; impertinence, cit. 10; murmurant, cit. 1. *Ouïr qqch, un bruit. On ouït* (→ Enclume, cit. 1, Rousseau). *Ils ont ouï* (→ Attester, cit. 1; fou, cit. 21). *J'ai ouï parler de...* (→ Académie, cit. 1; gager, cit. 3; gouverneur, cit. 4; notaire, cit. 1). — (Emploi mod). *J'ai ouï dire que...* ⇒ **Ouï-dire** (→ Assembler, cit. 22; inouï, cit. 2). — *Feindre... de ne pas ouïr ce qu'on entend* (→ Entendre, cit. 17). — *Oyez* [oje] (à l'impératif, s'emploie par archaïsme pour évoquer le moyen âge). *Oyez, oyez...* (→ Écouter, cit. 1).

1   Oyez, dit-il ensuite, oyez, peuple, oyez, tous.   CORNEILLE, Polyeucte, III, 2.

2   J'ai ouï dire que les sauvages avaient l'odorat tout autrement affecté que le nôtre (...)   ROUSSEAU, Émile, II.

3   Quand vous serez père, quand vous vous direz, en oyant gazouiller vos enfants (...)   BALZAC, le Père Goriot, Pl., t. II, p. 957.

4   Car je croyais ouïr de ces bruits prophétiques
Qui précédaient la mort des Paladins antiques.
     A. DE VIGNY, Livre moderne, « Le cor », I.

5   (...) jamais, dans aucun, pays du monde, il ne fut donné d'ouïr un vacarme plus discordant (...)   LOTI, Aziyadé, III, XXXI.

6   Oui, ce n'est pas une personne, il n'y a personne, il y a une voix sans bouche, et de l'ouïe quelque part, quelque chose qui doit ouïr, et une main quelque part (...)   S. BECKETT, Textes pour rien, p. 201-202.

Dr. *Ouïr des témoins**, les entendre, recevoir leur déposition*. — Au p.p. *Les témoins ouïs.*

REM. Employé devant le nom, le participe passé sans auxiliaire reste invariable. *«Ouï les témoins; ouï le procureur de la République»* (Académie). Cf. les emplois de *attendu, vu...*

DÉR. Ouïe.

COMP. Ouï-dire; inouï.

HOM. (Du p.p.) Oui, ouïe.

OUISTITI [wistiti], sans liaison ni élision : *un ouistiti* [ɛ̃wistiti] *des ouistitis* [deowistiti]; vx : *l'ouistiti* (→ cit. 1., Buffon). n. m. — 1767, Buffon, adapt. d'un mot indigène, considéré comme une onomat. par Buffon : «son articulé que cet animal fait entendre (...) et que nous lui avons donné pour nom».

♦ **1.** Singe de très petite taille, portant une longue queue et une touffe de poils à la pointe de chaque oreille (famille des *Callithricidés*; n. sc. : *Callithrix*). *Le ouistiti est voisin du tamarin*.*

1   L'ouistiti est encore plus petit que le tamarin; il n'a pas un demi-pied de longueur (...) et sa queue a plus d'un pied de long; elle est marquée (...) par des anneaux alternativement noirs et blancs (...)   BUFFON, Hist. nat. des animaux, Le Ouistiti.

1.1   (...) et le son de ma voix du matin au soir marmonnant sans que je l'écoute les vieilles choses de toujours, ma voix ni mienne ni voix le soir venu, comme un ouistiti à la queue touffue assis sur mon épaule à me tenir compagnie.   S. BECKETT, Têtes mortes, p. 18.

♦ **2.** Fam. *Un drôle de ouistiti,* de numéro*.

2   (...) nous avons pu rudement rigoler d'elle *(la police)* en voyant quels ouistitis elle s'imaginait que nous allions prendre pour des purs d'entre les purs.   J. ROMAINS, les Hommes de bonne volonté, t. IV, XVI, p. 178.

OUKASE [ukɑz] n. m. ⇒ Ukaze.

OULÉMA [ulema] n. m. ⇒ Uléma.

OULLIÈRE [uljɛʀ] n. f. ⇒ Ouillère.

OULMIÈRE [ulmjɛʀ] n. f. — xviᵉ; de l'anc. franç. *olme* (xiᵉ), puis *oulme* (xiiiᵉ); lat. *ulmus* «orme».

♦ Vx ou régional. Ormaie*.

OUMIAK [umjak] n. m. — 1880; mot inuit.

♦ Didact. Embarcation en peaux de phoques, en usage chez les Inuit (Esquimaux). → Kayak.

OUNCE [uns] n. f. — xxᵉ; mot angl., du franç. *once.* → 1. Once.

♦ Techn. Mesure de poids anglo-saxonne qui vaut la seizième partie de la livre ou 28,349 g (abrév. : *oz*). ⇒ 1. **Once.**

OUOLOF [wɔlɔf] adj. et n. ⇒ **Wolof.**

OUPILLE [upij] n. f. — 1393; orig. incert.; cf. le néerl. *wisp* «bouchon de paille», qui a peut-être donné *goupillon*.

♦ Vx. Flambeau*, torche de paille.

OURA [uʀa] n. m. — 1845; orig. incert., p.-ê. de la famille du lat. *os, oris* «bouche».

♦ Techn. Conduit d'appel débouchant dans la cheminée d'un four de boulanger. *Les ouras passent au-dessus de la voûte du four.*

HOM. Hourra.

OURAGAN [uʀagɑ̃] n. m. — 1640; *furacan, huracan, uracan,* xviᵉ et déb. xviiᵉ; esp. *huracan* «tornade», mot caraïbe. → Hurricane.

♦ **1.** Météor. Forte tempête caractérisée par un vent* très violent, et, spécialt, par un vent cyclonal. ⇒ **Cyclone, hurricane, tornade, tourbillon, typhon; tempête.** *La mer des Antilles est souvent agitée par des ouragans.*

0.1   Personne n'a sans doute oublié le terrible coup de vent de nord-est qui se déchaîna au milieu de l'équinoxe de cette année, et pendant lequel le baromètre tomba à sept cent dix millimètres. Ce fut un ouragan, sans intermittence, qui dura du 18 au 26 mars. Les ravages qu'il produisit furent immenses en Amérique, en Europe, en Asie, sur une zone large de dix-huit cents milles (...) Villes renversées, forêts déracinées, rivages dévastés par des montagnes d'eau qui se précipitaient comme des mascarets, navires jetés à la côte (...) territoires entiers nivelés par des trombes qui broyaient tout sur leur passage, plusieurs milliers de personnes écrasées sur terre ou englouties en mer : tels furent les témoignages de sa fureur, qui furent laissés après lui par ce formidable ouragan.   J. VERNE, l'Île mystérieuse, t. I, p. 2.

Cour. Temps* caractérisé par un vent extrêmement violent, souvent accompagné de pluie, de grêle, d'orage. ⇒ **Bourrasque, orage, rafale, tourments** (→ Arrachement, cit. 1; furie, cit. 16; 1. grêlon, cit. 1; noroît, cit. 1). *Ouragan déchaîné, hurlant* (cit. 1). *Arbres arrachés par l'ouragan.*

1   Une lumière aveuglante et brutale jaillit, le ciel mugit, la voûte des nuages gronda. En un instant, ils furent enveloppés par l'ouragan, affolés par les éclairs, assourdis par le tonnerre, trempés des pieds à la tête.   R. ROLLAND, Jean-Christophe, Le matin, II, p. 169.

Vent, souffle d'ouragan, très violent.

2   La forge flambait, avec des fusées d'étincelles; d'autant plus que le petit, pour montrer sa poigne à sa mère, déchaînait une haleine énorme d'ouragan.   ZOLA, l'Assommoir, t. II, VI, p. 210.

Loc. compar. *Arriver, passer... comme un ouragan,* avec violence, impétuosité.

♦ **2.** Par métaphore, fig. Mouvement violent, impétueux. *L'amour,* «ouragan des cieux qui tombe sur la vie». — Fig. «Cette bonne femme... c'est un ouragan» (→ Bourrasque, cit. 7, Sartre). — *Un ouragan de bruits, d'exclamations* (→ Bruit, cit. 9). *Son discours a déchaîné un ouragan,* un grand tumulte. — Grand trouble*, violente explosion* (de sentiments, de passions). *«Dans l'ouragan de mon espoir»* (→ Enrager, cit. 17).

3   Tandis que cet ouragan de désespoir bouleversait, brisait, arrachait, courbait, déracinait tout dans son âme, il regarda la nature autour de lui.   HUGO, Notre-Dame de Paris, II, IX, I.

4   L'ouragan de leur vie a pris toutes les pages,
Et d'un souffle il a tout dispersé sur les flots!
     HUGO, les Rayons et les Ombres, XLII.

5   Quand nous mîmes le pied dans leur salle, nous fûmes assaillis par un ouragan de bruits : elles parlaient, chantaient et se disputaient toutes à la fois. Je n'ai jamais entendu un vacarme pareil.   Th. GAUTIER, Voyage en Espagne, p. 257.

CONTR. Bonace, calme.

OURALIEN, IENNE [uʀaljɛ̃, jɛn] adj. — 1845; de *Oural.*

♦ Géogr. Relatif à la chaîne montagneuse de l'Oural et à la région qui l'entoure. *Relief ouralien. Population ouralienne.* — N. *Les Ouraliens :* les habitants de l'Oural.

Ling. *Langues ouraliennes,* et, n. m. *l'ouralien :* l'ensemble formé par les langues finno-ougriennes (⇒ **Ougrien**) et samoyèdes. ⇒ aussi **Ouralo-altaïque.**

OURALO-ALTAÏQUE [uʀaloaltaik] adj. — 1874; de *Oural,* et *altaïque.*

♦ Ling. Se dit de langues d'Eurasie et d'Asie du Nord (Turc*, mongol*, toungouze) auxquelles on suppose une parenté entre elles et avec l'ouralien* (⇒ **Touranien**) et même, selon certains auteurs, avec le japonais, le coréen et l'aïnou, ainsi qu'avec les langues paléosibériennes. ⇒ **Ouralien; altaïque.**

OURAQUE [uʀak] n. m. — V. 1560; grec *ourakhos* «uretère du foetus».

♦ Embryol. Segment supérieur de l'allantoïde communiquant avec l'ombilic, qui laisse après la naissance un cordon fibreux s'étendant de la vessie à l'ombilic.

OURDIR [uʀdiʀ] v. tr. — xiiᵉ, *ordir*; du lat. pop. *ordire*, lat. class. *ordiri*.

♦ **1.** Techn. Préparer (la chaîne*) en réunissant les fils en nappe et en les tendant, avant le tissage*. *Ourdir la toile, l'étoffe.* ⟹ **Ourdissage.**

1   Vingt femmes de Lydie aux riches bandelettes
Ourdissent finement les laines violettes.
         LECONTE DE LISLE, Poèmes antiques, « Niobé ».

Par ext. (abusif en techn.). Tisser, croiser les fils ourdis avec les fils de trame. ⟹ **Tisser, tramer** (→ Métier, cit. 25).

2   La Parque à filets d'or n'ourdira point ma vie (...)   LA FONTAINE, Fables, XI, 4.
L'araignée ourdit sa toile (→ Aragne, cit. 3).

Par anal. Disposer, tendre (des fils de caret, des cordons de paille, etc.) pour fabriquer un cordage, une natte, etc. (⟹ aussi **Tresser**).

♦ **2.** (xiiᵉ). Fig., littér. Disposer les premiers éléments de (une intrigue). ⟹ **Combiner, machiner, monter, nouer.** *Ourdir l'intrigue d'un roman* (→ Ensemble, cit. 15), *d'une pièce de théâtre.* ⟹ **Préparer.** — *Ourdir la trame d'un complot* (cit. 6), *une conspiration* (cit. 2)... ⟹ **Brasser, comploter, conspirer, tramer** (→ aussi Moquer, cit. 6). — Pron. *Conspirations, intrigues* (cit. 8) *politiques qui s'ourdissent.* — Au p. p. *La ruse la mieux ourdie* (→ Inventeur, cit. 11).

3   (...) je n'imaginais pas même qu'on pût vouloir nuire à quelqu'un qu'on devait aimer; en voyant ourdir autour de moi mille trames, je ne savais me plaindre que de la tyrannie de ceux que j'appelais mes amis (...)
         ROUSSEAU, les Confessions, IX.

4   Et toujours la fortune est le mobile des intrigues qui s'élaborent, des plans qui se forment, des trames qui s'ourdissent !   BALZAC, Gobseck, Pl., t. II, p. 662.

5   — Si j'en ai entendu parler ! Mais c'est mon métier d'auteur dramatique d'ourdir, de régler et de dénouer les affaires de ce genre !
         VILLIERS DE L'ISLE-ADAM, Contes cruels, « Sombre récit ».

DÉR. Ourdissage, ourdisseur, ourdissoir.
HOM. (Du p. p.) Hourdis.

OURDISSAGE [uʀdisaʒ] n. m. — 1765; de *ourdir*.

♦ Techn. Préparation de la chaîne pour le tissage; assemblage des fils de chaîne groupés par portées, en nombre égal à celui que devra comporter l'étoffe tissée, dans sa largeur. *L'ourdissage succède au bobinage. Ourdissage et encollage des cotonnades, des soieries.*

OURDISSEUR, EUSE [uʀdisœʀ, øz] n. — 1410; de *ourdir*.

♦ Techn. Personne qui effectue l'ourdissage*. *Ourdisseur, ourdisseuse qui surveille le fonctionnement d'un ourdissoir*. Le chevillon*, outil d'ourdisseur.*

OURDISSOIR [uʀdiswaʀ] n. m. — 1410; de *ourdir*.

♦ Techn. Appareil servant à étaler en nappe et à tendre les fils de la chaîne. *Ourdissoir à tambour, à rouleaux. Châssis, cantre, peigne, tendeurs d'un ourdissoir. Les fils de chaîne sortant de l'ourdissoir sont (après encollage) enroulés sur l'ensouple.*

OURDOU [uʀdu] ou **URDU** [uʀdu] n. m. — 1845; mot indien, du turc. → Horde.

♦ Ling. Langue de l'Inde, voisine de l'hindi* et utilisée surtout par les musulmans. *L'ourdou, forme islamisée de l'hindoustani*, est l'une des deux langues nationales du Pakistan.* — Adj. *La littérature ourdou (urdu).*

-OURE Élément (suff.) du grec *oura* « queue », qui entre dans la composition de mots savants. ⟹ **Anoure, macroure, thysanoure.** ⟹ aussi **Uro-.**

OURLER [uʀle] v. tr. — V. 1268; *orler*, v. 1130; anc. franç. *orle, ourle* « bord (d'un vêtement) »; du lat. pop. *orulus*, dimin. de *ora*. → Orée, orle.

♦ **1.** Garnir, border d'un ourlet*. *Ourler un vêtement en roulant le bord de l'étoffe.* ⟹ **Roulotter.** *Ourler du linge, un drap, un mouchoir* (⟹ **Coudre**). Absolument.

1   À quatre-vingt-dix ans, ses vieilles mains grises, déformées, noueuses cousaient, raccommodaient, ourlaient (...)   M. JOUHANDEAU, Tite-le-Long, XXIII.

♦ **2.** Fig., littér. Garnir d'un rebord, d'une bordure.

2   Adieu, petite oreille que la lumière de la fenêtre ourle de givre rose !
         G. DUHAMEL, Chronique des Pasquier, IX, IV.

▸ **OURLÉ, ÉE** p. p. adj.

♦ **1.** Bordé d'un ourlet. *Mouchoirs ourlés. Couture ourlée,* rabattue et terminée par un ourlet.

♦ **2.** Fig., littér. Bordé, garni d'un bord visible. *Sillons ourlés de blanc* (→ Face, cit. 4). *Muraille ourlée d'une guirlande* (cit. 7) *d'arbres. Oreilles ourlées,* dont le bord du pavillon est replié, roulé en ourlet.

3   (...) des prairies ourlées de ruisseaux.
         J. RENARD, Histoires naturelles, « Le chasseur d'images ».

4   (...) les flancs ballonnés d'un épais nuage ourlé de feu blanc (...)
         COLETTE, la Vagabonde, p. 226.

OURLET [uʀlɛ] n. m. — 1487; *orlet* « bord d'un objet », déb. xiiiᵉ; de *ourle*. → Orle, ourler.

♦ **1.** Étoffe repliée terminant un bord; ce bord. (⟹ **Bord, bordure, pli, rempli, repli**). *Faire un ourlet à un mouchoir, à une pièce d'étoffe pour l'empêcher de s'effilocher* (⟹ **Bordage**). *Ourlets de confection, à grands points. Ourlet à la main, à la machine. Défaire l'ourlet pour rallonger une jupe. Refaire un ourlet de pantalon. Ourlets de lingerie. Ourlet simple, à points de côté* (dits *points d'ourlet*), *ourlet roulotté. Poser un extra-fort* sur un ourlet.* — *Faux ourlet :* bande de tissu rapporté pour remplacer l'ourlet. ⟹ aussi **Passepoil.** — *Passer un cordon dans un ourlet.* ⟹ **Coulisse.** — *Fichu* (2. Fichu, cit. 1) *à large ourlet ; mouchoir* (cit. 5) *à ourlets noirs. Grand, petit ourlet.*

1   Un simple ourlet bordait la collerette de la petite fille brune, tandis que de jolies broderies ornaient celle du cadet (...)
         BALZAC, la Femme de trente ans, Pl., t. II, p. 778.

♦ **2.** Techn. Bord replié (de certains objets métalliques). ⟹ **Rebord, repli.** *Ourlet d'une assiette d'étain.* ⟹ **Suage.** *Ourlet d'une gouttière* (cit. 4). — *Ourlet de l'oreille :* bord replié du pavillon (→ Lobe, cit. 1).

♦ **3.** Fig., littér. Bord visible. (⟹ **Ourlé**, 2).

2   Peu à peu la brume de mer montait. Bientôt on ne voyait plus que l'ourlet blanc de l'écume autour de l'île (...)
         Alphonse DAUDET, Lettres de mon moulin, « Le phare des Sanguinaires ».

OURLIEN, IENNE [uʀljɛ̃, jɛn] adj. — 1885; de l'anc. franç. *ourles* « oreillons », de *orle*. → Ourler.

♦ Méd. Relatif aux oreillons*. *Fièvre ourlienne. Orchite, ovarite ourlienne.*

OURQUE [uʀk] n. f.

♦ Variante de *hourque** (→ Galion, cit. 1; majeur, cit. 1, Hugo). ⟹ 2. **Orque.**

L'ourque de Biscaye est un ancien gabarit tombé en désuétude. Cette ourque, (...) était une coque robuste, barque par la dimension, navire par la solidité.
         HUGO, l'Homme qui rit, I, I, I (cf. aussi livre II, « L'ourque en mer »).

OURS [uʀs] n. m.; **OURSE** [uʀs] n. f. — Fin xiiᵉ; *urs*, 1080, Chanson de Roland; lat. *ursus, ursa*.

★ **I.** N. m. ♦ **1.** Gros animal, mammifère carnivore plantigrade (*Ursidés*) au pelage épais, aux membres armés de griffes non rétractiles, au museau allongé; spécialt, cet animal lorsqu'il est mâle.

REM. 1. *Ours,* comme la plupart des noms d'animaux, peut s'employer indifféremment pour tout individu de l'espèce, qu'il soit mâle ou femelle (*un ours femelle, des ours mâles et femelles*); le fém. *ourse* étant relativement courant, on n. m., s'emploie aussi pour désigner le mâle exclusivement (*la femelle de l'ours, l'ourse; un ours accompagné d'une ourse et de leurs oursons**).

2. Sans qualificatif, *ours* désigne tout individu de l'espèce. Lorsqu'on veut préciser, on utilise des syntagmes, dont les plus courants sont *ours brun* et *ours blanc.* Dans ces emplois, le masculin désigne souvent le mâle et la femelle (*une ourse brune, une ourse blanche* ne se disent guère; mais on emploiera : *un ours brun [blanc] avec une ourse*).

Ours brun : l'ours d'Europe et d'Asie. *L'ours brun se nourrit de fruits, de graines, est friand de miel, mais devient facilement carnassier. Ours gris d'Amérique* (⟹ **Grizzli**). *Ours noir d'Amérique. Ours du Canada. L'ours malais, ours des cocotiers* (plus petit), excellent grimpeur, se nourrit surtout de noix de coco. *Ours jongleur,* ou *lippu* (Indes, Ceylan). — *Ours polaire* ou (plus cour.) *ours blanc,* à corps plus allongé que celui de l'ours brun, à cou mince et à tête aplatie. — *Le pelage de l'ours fournit une fourrure appréciée* (→ Fourrure, cit. 2). ⟹ aussi **Oursin.** *Peau d'ours. Grognement, grondement* (cit. 1) *de l'ours.*

1   (...) cette solide cage de fer derrière laquelle s'agite (...) imitant, dans la perfection, tantôt les bonds circulaires du tigre, tantôt les dandinements stupides de l'ours blanc, ce monstre poilu (...)   BAUDELAIRE, le Spleen de Paris, XI.

2   Aux deux côtés du lit, il y avait deux grandes peaux d'ours noir, garnis de velours rose, aux ongles d'argent, et dont les têtes, tournées vers la fenêtre, regardaient fixement le ciel vide de leurs yeux de verre.   ZOLA, la Curée, p. 246.

Ours dressés, savants, d'un cirque. Montreur (cit. 1), *dresseur d'ours. Faire danser un ours. Ours en cage. La fosse aux ours d'un jardin zoologique.*

♦ **2.** Loc. fig. *Vendre la peau de l'ours (avant qu'on l'ait tué) :* disposer d'une chose que l'on ne possède pas encore; spéculer sur ce qui n'est encore qu'en espérance.

3   Il m'a dit qu'il ne faut jamais
Vendre la peau de l'ours qu'on ne l'ait mis par terre.
    LA FONTAINE, Fables, v, 20 (cf. aussi Dire, cit. 23).

Le pavé de l'ours, se dit d'une maladresse* commise dans l'intention de rendre service à autrui, mais qui produit un effet tout contraire (par allus. à *L'ours et l'amateur des jardins,* fable de La Fontaine. → Ami, cit. 5).

4   Un jour que le vieillard dormait d'un profond somme,
Sur le bout de son nez une *(mouche)* allant se placer
Mit l'ours au désespoir : il eut beau la chasser.
« Je t'attraperai bien, dit-il, et voici comme. »
Aussitôt fait que dit : le fidèle émoucheur
Vous empoigne un pavé, le lance avec raideur,
Casse la tête à l'homme en écrasant la mouche (...)
    LA FONTAINE, Fables, VIII, 10.

Vx. *Prenez mon ours,* réplique de *L'ours et le Pacha,* de Scribe, « se dit quand on presse quelqu'un de prendre quelque chose dont on veut se défaire » (Littré).

5   (...) les Grecs ne proposent pas de bonnes affaires aux Troyens sans y gagner quelque chose. Autrefois ils disaient : Prenez mon cheval ! Aujourd'hui nous disons : Prenez mon ours (...)   BALZAC, Pierre Grassou, Pl., t. VI, p. 115.

Loc. compar. *Se balancer, se dandiner, tourner comme un ours en cage,* se dit d'une personne qui va et vient par inaction. *La danse des ours :* danse lourde et sans grâce. *Dodeliner de la tête comme un ours* (→ Cambrer, cit. 2).

6   Dans une fosse comme un ours
Chaque matin je me promène
Tournons tournons tournons toujours   APOLLINAIRE, Alcools, p. 152.

Loc. fig. *Oreille* d'ours.*

Par anal. Jouet d'enfant (en peluche, etc.) ayant l'apparence d'un ourson. *Ours en peluche.* ⇒ **Nounours.**

♦ **3.** (Animal ayant une ressemblance avec l'ours). *Ours marin :* sorte de phoque*.

♦ **4.** (V. 1670; adj.; par allus. aux mœurs solitaires, à l'aspect lourdaud de l'ours). Homme insociable*, rude ou hargneux, qui fuit la société. ⇒ **Grossier, misanthrope, sauvage** (→ Balourdise, cit. 2). *Mener une existence d'ours.* ⇒ **Solitaire** (→ Exil, cit. 11). *C'est un vieil ours.* — Loc. *Ours mal léché.* ⇒ **Lécher** (cit. 8 et *supra*).

7   Il y avait bien aussi quelque affectation dans ce rôle de bourru, renouvelé de Jean-Jacques *(Rousseau).* Cela excitait la curiosité des gens du monde, et les femmes du plus haut rang se piquaient d'apprivoiser l'ours.
    NERVAL, les Illuminés, « Confidence de Nicolas », IV.

8   (...) pendant qu'on s'agitait autour d'elle pour s'informer de sa santé, Pierre disparut par la porte restée ouverte. Quand on s'aperçut de son départ, on s'étonna. Jean mécontent, à cause de la jeune veuve qu'il craignait blessée, murmurait : — Quel ours !   MAUPASSANT, Pierre et Jean, v.

Adj. *Il est un peu ours.*

9   Dites votre choix à M. de Chateaubriand, et ne profitez pas de ce contretemps pour redevenir le plus ours des ours. Salut à votre ourserie.
    Mme DE BEAUMONT, Lettre à Chênedollé (1803), citée par SAINTE-BEUVE,
    Chateaubriand..., t. II, p. 174.

10   Ce fut à ce dîner de baptême que les Coupeau achevèrent de se lier étroitement avec les voisins du palier (...) la mère et le fils, les Goujet, comme on les appelait (...) semblaient un peu ours.   ZOLA, l'Assommoir, t. I, IV, p. 133.

♦ **5.** Vieilli. Pièce de théâtre, et, par ext., ouvrage littéraire qui vieillit dans les cartons en attendant la publication.

11   On appelle un *ours* une pièce refusée à beaucoup de théâtres, et qui finit par être représentée (...) Ce mot a nécessairement passé de la langue des coulisses dans l'argot du journalisme, et s'est appliqué aux romans qui se promènent. On devrait appeler ours blanc celui de la librairie, et les autres des ours noirs.
    BALZAC, Petites misères de la vie conjugale, Pl., t. X, p. 978, note.

Mod., fam. Manuscrit, œuvre non publiée.

♦ **6.** Fig., vieilli. (À cause des mouvements latéraux alternés). Ouvrier typographe employé à la presse (→ Frisquette, cit.).

★ **II.** OURSE. N. f. (XIIIe; *orsse,* fin XIIe; lat. *ursa*).

♦ **1.** Femelle de l'ours. *Une ourse et ses petits.*

11.1   Les oursons tètent la vieille ourse pelée, aux yeux chassieux.
    F. MALLET-JORIS, le Jeu du souterrain, p. 282.

♦ **2.** (1544). Nom donné à deux constellations situées près du pôle arctique. *La Grande Ourse* ou Grand Chariot (→ Asseoir, cit. 43); *la Petite Ourse. L'étoile polaire appartient à la Petite Ourse.*
Poét., vx. Le Nord, le Septentrion.

12   (...) Qu'Ismaël en sa garde
Prenne tout le côté que l'orient regarde;
Vous, le côté de l'ourse ; et vous, de l'occident (...)   RACINE, Athalie, IV, 5.

DÉR. **Nounours, ourserie, ourson.** — V. aussi **Oursin.**

OURSERIE [uʀsəʀi] n. f. — 1800; de *ours.*

♦ Rare ou littér. Humeur sauvage, rude, caractère d'ours* (I., 4.); cit. 9.

Comment cet homme si peu aimable *(Rousseau),* et dont l'ourserie, à la fin, allait jusqu'à la grossièreté, a-t-il pu inspirer tant d'amour et tant d'amitié à ses victimes (...)   Émile HENRIOT, Portraits de femmes, p. 183.

OURSIN [uʀsɛ̃] n. m. — 1552; de *ours;* cf. provençal *Ursin de mar.*

★ **I.** ♦ **1.** Animal échinoderme*, au test* globuleux, rigide et sphérique, muni de piquants (d'où son nom régional *hérisson de mer, châtaigne de mer*). *Organes locomoteurs* (tubes ambulacraires ou ambulacres*), *appareil masticateur des oursins.* ⇒ **Lanterne** (d'Aristote). *Le gros oursin comestible de la Méditerranée est parfois appelé* melon de mer. *Variétés d'oursins.* ⇒ **Clypéastre, spatangue.** — Spécialt. Cet animal en tant qu'il est comestible (la partie comestible est constituée par les glandes reproductrices). *Manger des oursins.* ⇒ **Fruit** (fruits de mer).

Dans les redans peu battus de l'écume, on reconnaissait les petites tanières forées par l'oursin. Ce hérisson coquillage, qui marche, boule vivante, en roulant sur ses pointes (...) l'oursin, dont la bouche s'appelle, on ne sait pourquoi, *lanterne d'Aristote,* creuse le granit... *(les chercheurs de fruits de mer)* le coupent en quatre et le mangent cru, comme l'huître.   HUGO, les Travailleurs de la mer, II, I, VI.

♦ **2.** Fam. *Avoir des oursins dans les poches, dans le porte-monnaie :* être avare.

★ **II.** ♦ **1.** Vx. Peau d'ours garnie de son poil.

♦ **2.** Anciennt. Bonnet à poils que portaient les grenadiers, les sapeurs... (on disait aussi *ourson**).

★ **III.** Bot. Plante de la famille des composacées, à capitule globuleux, à fleurs à pétales blanchâtres et anthères bleues.

DÉR. Oursinade.

OURSINADE [uʀsinad] n. f. — Mil. xxe; de *oursin.*

♦ Régional. Partie de pêche à l'oursin.

Ils parlèrent ensuite de l'enfance (...) Elle lui raconta les oursinades avec son père, elle lui montra la maison de poupée que M. de Demalnoux avait construite, pour elle, en cachette de sa femme.   L. PAUWELS, l'Amour monstre, p. 146.

OURSON, ONNE [uʀsɔ̃, ɔn] n. et adj. — 1540; var. anc. *oursel, ourseau;* de *ours.*

A. N. ♦ **1.** Petit de l'ours. (Le fém. *oursonne* est rare). — Par ext. Ours noir d'Amérique, de petite taille.

♦ **2.** Anciennt (1831). Bonnet à poils des grenadiers. ⇒ **Oursin** (II., 2.).

B. Adj. Fig. Un peu ours, bon et bourru.

Il reste encore, Dieu merci, de vrais bébés, des garçonnets patauds, aux mollets nus couleur de cigare, d'une gentillesse oursonne.
    WILLY (COLETTE), Claudine s'en va, p. 124.

OURVARI [uʀvaʀi] n. m. ⇒ **Hourvari.**

OUSQUE [usk(ə)] adv. — D. i.; de *où c'est que.*

♦ Pop. Où.

Je me suis calé dans un petit coin à l'abri du vent, ousque le soleil chauffait.
    D. ROLIN, les Enfants perdus, p. 26.

OUST, OUSTE [ust] interj. — 1849; *houst,* 1797; *ousse,* 1781 *in* D. D. L.; onomatopée.

♦ Fam. Interjection employée pour chasser ou presser qqn. *Allez, ouste, débarrassez le plancher ! Oust, dépêche-toi !*

— Sortez! fit-il. — Mais... — Plus un mot ! Sortez, vous dis-je ; allons, oust ! hors d'ici!   COURTELINE, Messieurs les ronds-de-cuir, v^e tableau, I.   1

— Hé bien? Qu'est-ce que vous attendez là, avec vos grandes oreilles? J'ai parlé, il me semble (...) Allons, ouste! (...) Prenez la porte! (...)
    H. BOSCO, l'Âne Culotte, p. 12.   2

J'aurais pu rester dans mon coin, au chaud, au sec, à l'abri, je ne pouvais pas (...) Je dis au corps, ouste, debout, et je sens l'effort qu'il fait, pour obéir, comme une vieille carne tombée dans la rue, qu'il ne fait plus, qu'il fait encore, avant de renoncer.   S. BECKETT, Textes pour rien, p. 116.   3

REM. On trouve parfois la var. *houste !*

OUSTAU [usto] (prononciation francisée) n. f. — Attesté xxe; mot provençal correspondant au franç. *hôtel.*

♦ Régional. Grande maison.

Siffrein peut vivre dans une oustau propre comme un sou neuf.
    R. SABATIER, les Enfants de l'été, p. 12.

OUT [awt] adv. et adj. invar. — 1891; mot angl. « hors de ». Anglicisme.

★ **I.** Adv. (Tennis). Hors des limites du court. — Adj. *Balle out. Elle est out.*

★ **II.** Adj. invar. (1966). Se dit de qqn qui se trouve dépassé, rejeté hors d'une évolution ou incapable de la suivre (opposé à *in,* qui semble être plus répandu, dans un usage d'ailleurs très marqué par l'anglomanie). → Circuit* (hors), coup* (hors du), course* (ne pas être dans la). *Ils sont complètement out.*

(...) Un psychanalyste le dirait peut-être, mais Geneviève elle-même rétorquerait que Freud est définitivement « out » — du rococo.
F. MALLET-JORIS, le Jeu du souterrain, p. 202.

OUTARDE [utaʀd] n. f. — XIVᵉ, *ostarde;* lat. *austarda,* contraction de *avi tarda* « oiseau lent ».

♦ **1.** Oiseau échassier des plaines chaudes et tempérées, à pattes fortes et à long cou (famille des *Otitidés*). *Petite outarde.* ⇒ **Canepetière.** *La chair de l'outarde est comestible.*

1   Vers la fin de l'été, la basse-cour possédait un beau couple d'outardes, qui appartenaient à l'espèce « houbara », caractérisée par une sorte de mantelet de plumes, une douzaine de souchets, dont la mandibule supérieure était prolongée de chaque côté par un appendice membraneux, et de magnifiques coqs, noirs de crête, de caroncule et d'épiderme, semblables aux coqs de Mozambique, qui se pavanaient sur la rive du lac.
J. VERNE, l'Île mystérieuse, t. I, p. 411.

2   Il y a des passées de vanneaux et d'outardes, depuis deux jours, vers une heure du matin.
H. BOSCO, Un rameau de la nuit, p. 171.

♦ **2.** (1535). Franç. du Canada. Bernache du Canada. *La rivière aux Outardes.*

3   Elle nous a montré un champ où un jour quand elle était petite 42 000 outardes étaient descendues des nuages pour picorer des restes d'avoine.
Réjean DUCHARME, l'Hiver de force, p. 237.

DÉR. Outardeau.

OUTARDEAU [utaʀdo] n. m. — 1552, *otardeau;* de *outarde.*

♦ Rare. Petit de l'outarde*.

OUTIL [uti] n. m. — 1538; *hustil, ostil, ustil,* XIIᵉ; *oustil,* v. 1268; du lat. *usitilium,* plur. neutre *usitilia,* du lat. class. *ustensilia* → Ustensile.

♦ **1.** Objet fabriqué, conçu et fait pour agir sur la matière, pour exécuter un travail, produire un objet. ⇒ **Accessoire, appareil, engin, instrument, machine** et **machine-outil** (cit. 5), **ustensile;** et aussi suff. **-oir, -oire.** *Les outils sont des objets techniques*.*

REM. Le mot *outil,* comme le mot *instrument,* implique, d'une manière générale et théorique, l'idée d'un objet mû directement par la seule main de l'exécutant. Sur la différence entre *outil* et *instrument,* et l'emploi de l'un pour l'autre → Instrument (1., REM.). — *L'homme* (supra cit. 12) *et l'outil* (homo faber).

1   L'intelligence (...) est la faculté de fabriquer des objets artificiels, en particulier des outils à faire des outils, et d'en varier indéfiniment la fabrication.
H. BERGSON, l'Évolution créatrice, p. 140.

2   Un outil humain est quelque chose de plus qu'un instrument simple, du type de ceux dont se servent les singes : c'est un objet façonné, transformé, de manière à pouvoir être utilisé commodément et efficacement pour accomplir un certain genre d'action (...) les hommes façonnent leurs outils en prévision d'emplois plus ou moins généraux, et par conséquent leur donnent une forme en rapport avec les emplois auxquels ils les destinent.   Gaston VIAUD, l'Intelligence, p. 53.

2.1   La liberté de la main implique presque forcément une activité technique différente de celle des singes et sa liberté pendant la locomotion, alliée à une face courte et sans canines offensives, commande l'utilisation des organes artificiels que sont les outils. Station debout, face courte, liberté pendant la locomotion et possession d'outils amovibles sont vraiment les critères fondamentaux de l'humanité.
A. LEROI-GOURHAN, le Geste et la Parole, t. I, p. 33.

2.2   Nous percevons notre intelligence presque uniquement dans un bloc et nos outils comme le noble fruit de notre pensée; l'Australanthrope, lui, paraît bien avoir possédé ses outils comme des griffes. Il semble les avoir acquis non pas par une sorte d'éclair génial qui lui aurait fait un jour saisir un caillou coupant pour armer son poing (hypothèse puérile mais favorite de bien des ouvrages de vulgarisation) mais comme si son cerveau et son corps les exsudaient progressivement.
A. LEROI-GOURHAN, le Geste et la Parole, t. I, p. 151-152.

2.3   Le XVIIIᵉ siècle a été le grand moment du développement des outils et des instruments, si l'on entend par *outil* l'objet technique qui permet de prolonger et d'armer le corps pour accomplir un geste simple, et par *instrument* l'objet technique qui permet de prolonger et d'adapter le corps pour obtenir une meilleure perception; l'instrument est l'outil de perception.
G. SIMONDON, Du mode d'existence de objets techniques, p. 114.

Outils de cordonnier, de frotteur* (cit.), de maçon*, de mineur** (→ Houille, cit. 2), *d'orfèvre** (→ Dire, cit. 12), *de tonnelier** (→ Copeau, cit.)... *Outils à bretteler, à couper, à travailler le bois... Outils pour la ciselure. Outils de jardinage. Il ne peut faire cette réparation, faute des outils nécessaires.* ⇒ **Matériel, outillage.** *Manier des outils* (→ Figure, cit. 3; main, cit. 15). *« Je vois l'outil obéir à la main; mais la main, qui la guide? »* (cit. 4, La Fontaine). *Bêcher une terre glaiseuse* (cit. 1) *qui adhère à l'outil. Caisse, planche, râtelier, trousse à outils. Panoplie d'outils.* — *Boîte à outils :* réceptacle conçu pour recevoir un ensemble nécessaire à une profession, à un type d'opération technique. ⇒ **Outillage.** *Outils fabriqués par un mécanicien, par un taillandier. Pièces d'un outil. Mèches d'un outil à forer. Coupant, épointement d'un outil. Affiler, affûter, aiguiser, raffûter un outil. Outil bien à la main. Outil désemmanché, mal emmanché, qui branle au manche*, dans le manche. Outil qui broute. Mauvais outil.* ⇒ **Sabot.**

LISTE DES PRINCIPAUX OUTILS

Aiguille	Bec*	Boucharde
Aiguisoir	Besaigue	Bouterolle
Alésoir	Biseau	Boutoir
Alignoir	Bistoquet	Brunissoir
Amorçoir	Boësse	Buisse
Burin*	Gratte	Rable
Butoir	Grésoir	Rabot*
Casse-pierre	Griffe	Racle (raclette,
Cisaille	Guignette	racloir)
Ciseau*	Guipoir	Râpe
Ciselet	Hache	Râteau
Clef*	Hachette	Resingle
Coin*	Herminette	Riflard
Couperet	Jablière	Rifloir
Coupoir	Jabloir	Ripe
Couteau*	Langue*	Rodoir
Crochet	Lime*	Rouanne
Curette	Louve	Rouloir
Davier	Lustroir	Scie*
Débouchoir	Main	Tamponnoir
Doloire	Mandrin	Tarabiscot
Drille	Marguerite	Taraud
Ébarboir	Marteau*	Tarière
Ébauchoir	Masque	Tenailles
Ébourroir	Matoir	Tiers-point
Écang	Mirette	Tire-...*
Échanvroir	Ondes (outil à)	Tondeuse
Échoppe	Onglette	Tournevis
Emporte-pièce	Patarasse	Traceret
Enclume	Peigne	Traçoir
Enfonçoir	Pelle	Tranchet
Estampe	Pic	Trépan
(ou Estampeur	Pied	Triballe
ou Étampe)	Pince*	Tricoise
Évidoir	Pioche	Truelle
Fendoir	Plane	Trusquin
Fraise	Poinçon	Varlope
Gâche	Pointe	Vilebrequin
Galope	Polissoir	
Gouge	Rabattoir	

REM. Les *outils* utilisés dans tel métier ou par tel ouvrier figurent à l'article concernant ce métier (par ex. : bijouterie, corroyage...) ou cet ouvrier (par ex. : ajusteur, calfat, charpentier, doreur, graveur, menuisier...). — Pour les *outils* spécialement employés en agriculture. → Agricole (outillage). — Les *outils* qui peuvent également être qualifiés d'*appareils,* d'*instruments* ou de *machines* (-*outils*) sont mentionnés aux articles APPAREIL, INSTRUMENT et MACHINE. La liste ci-dessus, ne comprenant que les outils les plus usuels ou communs à divers métiers, ne constitue qu'un complément.

2.4   Or, construire un simple canot, même en ayant les outils nécessaires, était un ouvrage difficile et, les colons n'ayant pas d'outils, il fallait commencer par fabriquer marteaux, haches, herminettes, scies, tarières, rabots, etc., ce qui exigerait un certain temps.   J. VERNE, l'Île mystérieuse, t. I, p. 190.

3   Un établi, avec un étau, un marteau, des limes, des tenailles et une boîte à clous, rendait, à mes yeux, ce lieu singulièrement respectable. Je m'y plaisais. Toucher aux outils, je ne l'osais pas. Bénichat l'avait défendu formellement.
H. BOSCO, Antonin, p. 67.

Prov. *Les mauvais ouvriers** ont toujours de mauvais outils* (ou, vieilli, *À méchant ouvrier point de bon outil*) : les meilleurs outils deviennent mauvais entre les mains d'un ouvrier maladroit qui leur impute sa maladresse.

Par anal. Organe animal ayant une fonction instrumentale.

3.1   La notion même d'outil exige d'être reprise à partir du monde animal car l'action technique est présente aussi bien chez les invertébrés que chez l'homme et on ne saurait la limiter aux seules productions artificielles dont nous avons le privilège. Chez l'animal, l'outil et le geste se confondent en un seul organe où la partie motrice et la partie agissante n'offrent entre elles aucune solution de continuité. La pince du crabe et ses pièces mandibulaires se confondent avec le programme opératoire à travers lequel se traduit le comportement d'acquisition alimentaire de l'animal. Le fait que l'outil humain soit amovible et que ses caractéristiques soient non pas spécifiques mais ethniques ne change fondamentalement rien.
A. LEROI-GOURHAN, le Geste et la Parole, t. I, p. 35-36.

Par métaphore, fig. Personne, chose permettant la réalisation de qqch., d'une opération. *« Le soldat, rude outil de la guerre »* (→ Barbarement, cit. 3, Michelet). *La langue, outil de la civilisation* (→ Linguistique, cit. 3), *de l'écrivain.*

4   L'homme est l'outil, Dieu seul est l'ouvrier de l'œuvre, Donc servons pour servir, avec simplicité.
HUGO, la Légende des siècles, LV, « Ire, non ambire ».

5   Leconte de Lisle possède le gouvernement de son idée; mais ce ne serait presque rien s'il ne possédait aussi le maniement de son outil. Sa langue est toujours noble, décidée, forte, sans notes criardes, sans fausses pudeurs (...)
BAUDELAIRE, l'Art romantique, XXII, IX.

6   Le résultat est que l'homme n'est plus *(dans le régime nazi),* s'il est du parti, qu'un outil au service du Führer, un rouage de l'appareil, ou, s'il est ennemi du Führer, un produit de consommation de l'appareil.
CAMUS, l'Homme révolté, p. 228.

(1922). Ling. *Mot**-outil :* mot fonctionnel, grammatical (servant à « construire » la phrase), et exprimant des relations fonctionnelles.

♦ **2.** Fam. ou pop., vieilli. Individu aux manières bizarres, excentriques, au comportement turbulent. ⇒ **Numéro, phénomène, pistolet.** *Un drôle d'outil.* — Péj. Individu quelconque, dont on a lieu de se plaindre.

7   (...) j'ai sonné à fond (...) l'outil en question. Comme je le pensais bien, il appartient à la Sûreté. C'est un envoyé de Madrid.
P. MAC ORLAN, la Bandera, XVI.

♦ **3.** Fig., fam. Pénis*.

8   Il y avait là, cachée derrière les rideaux et au lit, une toute jeune fille de 16 à 17 ans, blanche, brune (...). Mais quand nous avons couché ensemble (...), après que ma main avait parcouru lentement deux belles colonnes d'albâtre couvertes

de satin (style polisson empire), je l'entends qui me demande en italien à examiner mon outil pour voir si je ne suis pas malade.
FLAUBERT, Correspondance, déc. 1850, Pl., p. 729.

COMP. et DÉR. Machine (cit. 5) **-outil, mot-outil, porte-outil. — Outiller, outilleur.**

OUTILLAGE [utijaʒ] n. m. — 1829 ; de outiller.

A. ♦ 1. Ensemble, assortiment d'outils* nécessaires à l'exercice d'un métier, d'une activité manuelle, à la marche d'une entreprise, d'une exploitation, à la réalisation d'une opération, d'un type d'opération technique, d'une fabrication. ⇒ **Équipement.** *Outillage pour bouchers et charcutiers. Exposition d'outillage agricole*. Vente en gros d'outillage industriel. Les boîtes à outils vendues dans le commerce renferment un outillage élémentaire suffisant pour effectuer les petites réparations de la maison* (marteau, rabot, scie, tournevis...). *Outillage perfectionné d'une usine moderne* (cit. 4). *Atelier, magasin d'outillage. Accroissement, modernisation de l'outillage* (→ Main-d'œuvre, cit. 3). *Capitaux investis dans l'outillage. Amortissement de l'outillage.* ⇒ **Matériel** (→ Amortir, cit. 9). *Prime d'outillage,* versée à un ouvrier* pour l'entretien, la réparation, le renouvellement de ses outils.

Il gardait de plus entre les mains un outillage neuf, mieux adapté que l'ancien à la fabrication des chaussures militaires, outillage qui se trouvait déjà presque amorti (...)   J. ROMAINS, les Hommes de bonne volonté, t. XVI, XVII, p. 170.

Outillage d'un port : ensemble des aménagements d'un port qui en permettent le fonctionnement. — *Outillage national* : ensemble des aménagements qui permettent l'exploitation d'un pays (canaux, routes, lignes électriques, voies ferrées, etc.).

♦ 2. Fig. et fam. Attirail, barda, fourbi... *Attendez que je déballe tout mon outillage* (⇒ **Boutique**).

B. Action d'outiller. *Procéder à l'outillage d'un atelier. Atelier d'outillage* : qui fabrique, répare les outils (→ Outilleur, cit. 2).

OUTILLER [utije] v. tr. — 1550 ; hostillé au p. p., 1377 ; oustillé, xvᵉ ; de outil.

♦ 1. Fournir*, munir* des outils nécessaires à un certain travail, à une certaine production. ⇒ **Équiper.** *Cette entreprise a outillé ses ouvriers de façon très moderne.* — Pron. (sens réfl.). *Dans certains corps de métier* (tailleur de pierre, tapissier...), *les ouvriers étaient tenus de s'outiller à leurs frais.* — P. p. adj. *Atelier, garage bien outillé. Usine outillée pour la fabrication d'armements.*

1 L'intérêt du pays est sans doute qu'il y ait sur notre sol des usines outillées pour un raffinage véritable.
J. ROMAINS, les Hommes de bonne volonté, t. III, XVI, p. 208.

♦ 2. Donner, fournir (à qqn) les moyens* matériels de faire qqch. ; équiper (un local, un objet) en vue d'une destination particulière.

REM. *Outiller,* dans ce sens, s'emploie surtout à la forme pronominale réfléchie *(S'outiller à peu de frais pour la pêche)* ; passive *(Internat qui n'est pas outillé pour recevoir des arriérés* [cit. 4]), et au participe passé, adjectivement (→ Insecte, cit. 4).

2 D'ailleurs, la ville n'était pas outillée pour une lutte quotidienne contre ces perpétuelles averses blanches et contre la glace sans cesse renforcée.
Georges LECOMTE, Ma traversée, p. 34.

♦ 3. Fig. et fam. *Être bien outillé :* avoir un bon outil* (3.), être sexuellement bien pourvu.

▶ **OUTILLÉ, ÉE** p. p. adj. Voir ci-dessus à l'article.
DÉR. Outillage, outilleur.

OUTILLEUR [utijœR] n. m. — 1845 ; de outil.

♦ 1. Fabricant, marchand d'outils. — En appos. :

1 Dans l'industrie, (la main) joue encore un rôle essentiel, par quelques artisans outilleurs qui fabriquent les pièces agissantes des machines devant lesquelles la foule ouvrière n'aura plus qu'une pince à cinq doigts pour distribuer la matière ou un index pour appuyer sur le bouton.
A. LEROI-GOURHAN, le Geste et la Parole, t. II, p. 61.

♦ 2. (xxᵉ). Techn. Ouvrier chargé de confectionner et de mettre au point des outillages, calibres, moules ; de monter et de régler les machines-outils. *Outilleur à la main, sur machines. Outilleur de précision* ou *ajusteur-outilleur. Tourneur-outilleur.* — REM. Dans ce sens, le fém. *outilleuse* est virtuel.

2 Si une masse d'hommes sont devenus des robots du travail de série, une minorité de régleurs de machine, d'outilleurs, doit sans cesse élever son niveau de capacités (...). Mais je trouvai à l'atelier d'outillage (...) de bons compagnons (...)
Georges NAVEL, Travaux, p. 61.

OUTLAW [awtlo] n. m. — 1783 ; mot angl., de out «hors de», et law «loi» ; saxon utlagh «hors la loi».

♦ Anglicisme. Hist. Hors-la-loi, dans les pays anglo-saxons. *Des outlaws.* — Par ext. et adjectivement :

1 Les ministres sont out laws *(sic)*, hors la loi, et y ont placé le roi.
A. DE VIGNY, Journal d'un poète, 28 juil. 1830.

1.1 Le pays est infecté de voleurs et de brigands. Les *desperados* et les *outlaws* y font

la loi, leur loi. (...) La lutte pour la vie est la loi du plus fort. On pend au lasso ou on abat à coups de revolver.
B. CENDRARS, l'Or, in Œ. compl., t. II, p. 197.

Figuré :

Un franc-tireur, un outlaw ? ce n'est pas de ça, n'est-ce pas, que nous avons besoin.   2
J. ROMAINS, les Hommes de bonne volonté, t. XII, XXIII, p. 254.

OUTPUT [awtput] n. m. — V. 1965 ; mot angl., de out «hors de», et to put «mettre».

♦ Anglicisme. Informatique. Sortie des données dans un système informatique. — Terme recommandé : *(produit de) sortie.*
Sc. Produit de sortie (d'un processus psychique, social, etc.).

Le positivisme contemporain n'a plus ces candeurs et l'un de ses représentants les plus connus et les plus qualifiés, F. Skinner, se pose, par exemple, des problèmes précis d'apprentissage en psychologie animale et humaine. Mais, ne voulant avancer que des données certaines, Skinner en est venu à limiter volontairement et méthodologiquement ses analyses à deux sortes d'observables : les *inputs* ou stimuli présentés au sujet et les *outputs* ou réactions constatables et mesurables qui s'ensuivent. Entre deux il y a bien sûr, l'organisme avec toutes ses variables intermédiaires psychologiques ou mentales (...)
J. PIAGET, Épistémologie des sciences de l'homme, p. 144.

CONTR. Input ; entrée (produit d').

OUTRAGE [utRaʒ] n. m. — 1080, ultrage, Chanson de Roland ; de 2. outre, d'où le sens d'«excès», fréquent en ancien français.

♦ 1. Littér. ou style soutenu. Offense ou injure extrêmement grave (de parole ou de fait). ⇒ **Affront, avanie** (cit. 1), **indignité, injure, insulte, offense.** *Outrage inouï* (→ Muet, cit. 6), *cruel, sanglant. Accabler* (cit. 17) *qqn d'outrages. Un débordement d'outrages immondes* (→ Insulte, cit. 7). *Recevoir, essuyer* (→ Opprimer, cit. 7), *subir, souffrir* (→ Naître, cit. 7) *un outrage. Demeurer ferme sous les outrages* (→ Émouvoir, cit. 23). ⇒ **Attaque, coup.** *Prêcher le pardon des outrages* (→ Christianisme, cit. 3). *Tirer vengeance d'un outrage ; venger, laver* (→ Arrogant, cit. 6, Corneille) *un outrage. — Les outrages ne sont rien...* (→ Injustice, cit. 11, Rousseau). — Loc. *Faire outrage à qqn,* l'outrager. Par ext. *Faire outrage à la mémoire* (→ Facile, cit. 31), *à l'honneur de qqn.* — *Outrage à la divinité.* ⇒ **Blasphème, sacrilège** (→ Endiablé, cit. 2).

0.1 Dubourg n'en devint que plus insolent ; il m'accusa des torts de sa faiblesse (...) voulut les réparer par de nouveaux outrages et des invectives encore plus mortifiantes ; il n'y eut rien qu'il ne me dit, rien qu'il ne me tenta, rien que la perfide imagination, la dureté de son caractère et la dépravation de ses mœurs lui fit entreprendre.   SADE, Justine..., t. I, p. 27.

1 Paris ressentit vivement l'outrage fait à sa cocarde ; on disait qu'elle avait été ignominieusement déchirée, foulée aux pieds.
MICHELET, Hist. de la Révolution franç., II, VIII.

2 Elle venait de partir exaspérée. Elle le détestait maintenant. Ce manque de parole au rendez-vous lui semblait un outrage (...)   FLAUBERT, Mᵐᵉ Bovary, III, VI.

3 Or, plus graves étaient les outrages dont il l'abreuvait, plus l'altière Marie-Louise se sentait devenir la chose de ce mari infâme.
Pierre BENOIT, Mˡˡᵉ de la Ferté, p. 295.

Spécialt. (vieilli ou plais.). *Les derniers outrages :* des relations sexuelles imposées (par un homme). *Faire subir à une femme les derniers outrages.* ⇒ **Viol.**

Fig., poét. ⇒ **Atteinte, dommage, tort.** *Les outrages du temps :* les infirmités de l'âge, de la vieillesse (→ 1. Flétrir, cit. 3). « *Pour réparer des ans* (cit. 19) *l'irréparable outrage* » (Racine).

♦ 2. Outrage à... (et un nom désignant une abstraction). Acte gravement contraire à une règle, à un principe. ⇒ **Violation.** *Outrage à la raison, au bon sens, à la vertu. Outrage à l'idée de beauté* (→ Humoristique, cit.). — *Faire outrage à la morale publique, aux bienséances* (→ Légitimation, cit. 3).

4 Arrière ces éloges lâches, menteurs, criminels, qui faussent la conscience publique, qui débauchent la jeunesse, qui découragent les gens de bien, qui sont un outrage à la vertu et le crachement du soldat romain au visage du Christ !
CHATEAUBRIAND, Mémoires d'outre-tombe, t. VI, p. 307.

♦ 3. Dr. [a] Délit par lequel on met en cause l'honneur d'un personnage officiel (magistrat, etc.) dans l'exercice de ses fonctions. *Outrages envers les dépositaires de l'autorité et de la force publique* (Code pénal, art. 222 et suiv.). *Outrage par paroles, gestes, menaces, écrits ou dessins. Outrage à magistrat.*

5 L'outrage par *paroles* peut consister non seulement dans l'émission de mots, mais dans celle de cris d'animaux, de sifflets (...), de vociférations et, d'une façon générale, dans toute émission de voix, même non articulée.
DALLOZ, Nouveau répertoire, Outrage, n° 13.

6 Jérôme Crainquebille, marchand ambulant, connut combien la loi est auguste, quand il fut traduit en police correctionnelle pour outrage à un agent de la force publique.   FRANCE, Crainquebille, I.

[b] (1810). **OUTRAGE À** (qqch.). *Outrage aux bonnes mœurs. Poursuivre un journal pour outrage aux bonnes mœurs* (Code pénal, art. 183 et suiv.).

Outrage public à la pudeur (Code pénal, art. 330). ⇒ **Attentat** (aux mœurs).

7 Quand la victime de sa brutalité eut repris connaissance, elle fit sa déclaration. L'autorité verbalisa. Et le pauvre mercier ne put regagner son domicile que le soir, sous le coup d'une poursuite judiciaire pour outrage aux bonnes mœurs dans un lieu public.   MAUPASSANT, Contes de la Bécasse, «Ce cochon de Morin».

8 — Vous savez, dit Narcense, je ne suis pas un quelconque criminel. Je n'ai commis aucun crime, malgré la boue de mes souliers. Tout au plus, outrage aux mœurs.   R. QUENEAU, le Chiendent, p. 34.

Milit. Outrage envers un supérieur, à l'armée, au drapeau, envers un inférieur (Code de Justice militaire).

CONTR. Bienfait, compliment.
DÉR. Outrager, outrageux.

OUTRAGÉ, ÉE [utraʒe] adj. — XVIIᵉ ; de *outrager.*

♦ *Littér.* ou style soutenu. Qui a subi un outrage. *Homme d'honneur outragé* (→ Griser, cit. 16). *Parents outragés* (→ 3. Mal, cit. 37). — (XIXᵉ). *Vieilli. Femme outragée.* ⇒ **Violé.** *Prendre un air de vierge outragée.* — *Loc. Prendre un air outragé,* l'air d'une personne outragée.

REM. L'adj. est, soit archaïque, soit littéraire, soit plaisant.

OUTRAGEANT, ANTE [utraʒã, ãt] adj. — 1660 ; p. prés. de *outrager.*

♦ (Choses). *Littér.* ou style soutenu. Qui outrage. ⇒ **Injurieux, humiliant, insultant, offensant.** *Insulte outrageante* (→ Défi, cit. 2). *Équivoque* (cit. 24), *critique* (2. Critique, cit. 3) *outrageante. Propos, termes* (→ Cuistre, cit. 2), *procédés outrageants* (⇒ **Outrageux**).

1 Ils avaient rarement des querelles, et elles finissaient toujours bien. Il en vint pourtant une qui finit mal : sa maîtresse lui dit dans la colère un mot outrageant qu'il ne put digérer.   ROUSSEAU, les Confessions, V.

2 Elle répondait quelquefois, à ses amis par des plaisanteries outrageantes à force de piquante énergie.   STENDHAL, le Rouge et le Noir, II, XIII.

OUTRAGER [utraʒe] v. tr. — Conjug. *bouger.* — V. 1460 ; de *outrage.*

Littér. ou style soutenu.

♦ **1.** Offenser gravement (qqn) par un outrage en actes ou en paroles. ⇒ **Outrage** (faire outrage à); **bafouer, cracher** (sur), **déchirer, injurier, insulter, offenser.** *Outrager qqn. Outrager ses parents. Outrager la Divinité* (cit. 4), *les dieux* (→ Enfreindre, cit. 3). *Outrager les talents* (→ Égard, cit. 14), *les hommes célèbres* (→ Insulte, cit. 4). *Outrager qqn dans son honneur* (cit. 20). — (Sujet n. de chose). *L'aveu de vos sentiments m'outrage.* ⇒ **Offenser** (cit. 6).

1 (...) si j'ai de l'un de vous
Mal parlé, qu'il se lève, ô peuple, et devant tous
Qu'il m'insulte et m'outrage avant que je m'échappe (...)
                    HUGO, la Légende des siècles, IX, « An Neuf de l'Hégire. »

♦ **2.** *Spécialt.* (Vx). *Outrager une femme,* lui faire violence. ⇒ **Violer.**

2 Il éprouvait la souffrance atroce d'un homme qui, garrotté, verrait outrager devant lui la femme qu'il aime (...)   Alphonse DAUDET, Sapho, IV.

♦ **3.** *Fig.* Contrevenir gravement à (qqch.). *Outrager l'honneur de qqn* (→ Insulter, cit. 5). *Outrager les bonnes mœurs, la morale, l'hospitalité* (→ Généreusement, cit. 1). — *Vieilli. Outrager la raison, la vérité, le bon sens, la grammaire.*

DÉR. Outragé, outrageant.

OUTRAGEUSEMENT [utraʒøzmã] adv. — V. 1250 ; de *outrageux.*

♦ **1.** *Vx.* D'une manière outrageuse ou outrageante. *Traiter qqn outrageusement. Elle se fout* (cit. 9) *outrageusement de lui. Offenser outrageusement qqn* (→ Fagot, cit. 4).

♦ **2.** (1283). *Mod.* Excessivement. *Femme outrageusement fardée.*

1 LE ROI
Ce monsieur de Cossé seul dérange la fête.
Comment te semble-t-il ?
TRIBOULET
Outrageusement bête.   HUGO, Le roi s'amuse, I, 2.

2 (...) je crois qu'il est l'heure de tirer la toile, et, suivant l'usage de nos anciennes comédies, de donner un coup de pied par derrière à mons le Prologue, qui devient outrageusement prolixe (...)
                    NERVAL, Contes et facéties, « Main enchantée », III.

OUTRAGEUX, EUSE [utraʒø, øz] adj. — 1175 ; *outrajos,* v. 1160 ; XIIIᵉ-XIVᵉ, au sens moderne ; de *outrage.*

Vx ou *littér.* Qui fait outrage.

♦ **1.** (Personnes). *Il est outrageux en paroles* (Académie).

♦ **2.** (Choses). *Propos, soupçon outrageux. Insolence, insulte*

(cit. 2) *outrageuse.* — REM. *Outrageux* marque plutôt le caractère de la chose et *outrageant* l'action.

Cesse de me tenir ce discours outrageux (...)
(...) Cette insolence enfin te rendrait odieux (...)   CORNEILLE, Polyeucte, V, 2.
DÉR. Outrageusement.

OUTRANCE [utrãs] n. f. — XIIIᵉ, « action de pousser à bout, de pousser *outre* »; sens 1, XVᵉ ; de *outrer.*

♦ **1.** *(Une, des outrances).* Chose ou action outrée. ⇒ **Excès.** *Une outrance de langage. Les outrances du mélodrame* (→ 1. Mineur, cit. 5). *Il a des hardiesses* (cit. 27) *et des outrances de jeune.*

1 Mais je trouve que c'est outrance
Que l'un a trop et l'autre rien.   Clément MAROT, Épîtres, XLIX.

2 Cette chronique était écrite à la diable, avec des cabrioles de phrases, une outrance de mots imprévus et de rapprochements baroques.   ZOLA, Nana, VII.

♦ **2.** (V. 1530, Marot). *L'outrance.* Caractère de ce qui est outré. ⇒ **Démesure, exagération.** *L'outrance de son langage. Être capable d'outrance dans la fumisterie* (cit. 2). *Arriver à une prodigieuse outrance dans le dithyrambe* (cit.). — *Ne pas haïr l'outrance* (→ Excès, cit. 8, Baudelaire). *Aller jusqu'à l'outrance.* ⇒ **Exagérer** (→ Passer, dépasser les bornes*). *Porter un caractère à l'outrance* (→ Amplifier, cit. 2).

3 Pour éviter le commun, ils seraient allés jusqu'à l'outrance, jusqu'au paroxysme (...)   Th. GAUTIER, Portraits contemporains, « Jules de Goncourt. »

4 L'orgueil de Talleyrand saignait : Chateaubriand dit qu'il « bavait de colère »; mais il y a dans l'outrance à la Saint-Simon chez l'auteur des *Mémoires d'Outre-Tombe.*   Louis MADELIN, Talleyrand, IV, XXXII.

Loc. adv. (Déb. XVᵉ, Ch. d'Orléans). **À OUTRANCE** : avec exagération, avec excès. *Une femme dévote à outrance* (→ Baguette, cit. 4). *Gens de bien à outrance* (→ Hypocrite, cit. 9). *Se déclarer contre le morcellement* (cit. 1) *à outrance de la propriété.* — *Argumenter* (cit. 1) *à outrance. Ramer à outrance,* avec beaucoup d'énergie (→ Héler, cit. 1). — *Vx.* (1559). *À toute outrance.*

5 Il y eut un moment de silence; soudain nous vîmes tomber au milieu de nous un train de canonniers, fouettant leurs chevaux à toute outrance et se jetant sur nous.
                    J.-A. DE GOBINEAU, Nouvelles asiatiques, p. 199.

Littér. Se défendre à outrance (→ Assommer, cit. 4). *Poursuivre un combat, une lutte, une guerre à outrance,* sans répit ni trêve, jusqu'à la défaite totale de l'un des adversaires. ⇒ **Total** (guerre totale). *Duel à outrance. Armes à outrance :* armes meurtrières utilisées dans les duels.

6 L'autre groupe, à la tête duquel était Gambetta, se composait de républicains ardents qui conservaient les traditions jacobines et qui voulaient la guerre à outrance.   J. BAINVILLE, Hist. de France, XXI, p. 506.
DÉR. Outrancier.

OUTRANCIER, IÈRE [utrãsje, jɛr] adj. — 1870 ; de *outrance.*

♦ **1.** (Personnes). *Vieilli.* Qui pousse les choses à l'excès. ⇒ **Excessif, outré.** *Caractère outrancier. C'est un homme outrancier.* — *Mod. Extrême. Un moderniste outrancier.*

♦ **2.** *Mod.* Qui manifeste de l'outrance. *Des propos outranciers. Des phrases, des déclarations outrancières et hors de propos.* — *Excessif. Un nationalisme outrancier.*

1. OUTRE [utr] n. f. — V. 1400 ; du lat. *uter, utris* « ventre ».

♦ Peau d'animal (bouc, chèvre, etc.) en forme de sac et servant de récipient pour la conservation et le transport des liquides. *Outre d'eau, de vin* (→ Jet, cit. 5; marchand, cit. 7). *Les Perses utilisaient des outres comme canots* (cit. 3) *pneumatiques.* — *Allus. biblique.*

1 On ne met pas (...) du vin nouveau dans de vieilles outres ; autrement, les outres se rompent, le vin se répand, et les outres sont perdues ; mais on met le vin nouveau dans des outres neuves, et le vin et les outres se conservent.
                    BIBLE (SEGOND), Évangile selon saint Matthieu, IX, 17.

2 (...) ce jeune homme aux cheveux bouclés, qui passe en portant sur l'épaule le corps difforme d'un chevreau noir (...) Dieux puissants ! c'est une outre de vin, une outre homérique, ruisselante et velue.
                    NERVAL, Voyage en Orient, Introd., XIX.

3 (...) elles ne rencontrèrent personne (...) qu'un porteur d'eau, en costume oriental venu pour remplir son outre à une très vieille fontaine de marbre (...)
                    LOTI, les Désenchantées, I, II.

Loc. fam. (vx). *Donner une accolade* (cit. 2) *à l'outre :* boire.

Objets en forme d'outre. ⇒ **Urcéole, utricule.**

(Symbole de grosseur, de la contenance...) :

a Par compar. *Gonflé* (cit. 6) *d'eau comme une outre.* — *Loc. fam. Être plein comme une outre :* avoir trop mangé, trop bu. *Se vider comme une outre* (→ Goinfre, cit. 3). *Nuages comparés à des outres* (→ Ballonner, cit. 1; gonfler, cit. 35).

b *Fig., littér. Les outres de la tempête* (→ Enfler, cit. 2). *L'outre des vents,* confiée par Éole à Ulysse (*Odyssée,* IX).

4 Le ventre est pour l'humanité un poids redoutable ; il rompt à chaque instant l'équilibre entre l'âme et le corps. Il emplit l'histoire. Il est responsable presque de tous les crimes. Il est l'outre des vices.   HUGO, Shakespeare, I, II, XII.

2. OUTRE [utʀ] *prép. et adv.* — 1050, *oltra, ultra*; du lat. *ultra* «au delà de». → préf. Ultra-.

★ **I.** Prép. En plus de. ⇒ **Sus** (en sus de). *Outre cela* (→ Asthmatique, cit. 1). *Cette salle était immense* (cit. 6), *elle pouvait contenir outre les douze cents députés, quatre milliers d'auditeurs. Outre mon intérêt, ma parole m'engage* (cit. 8). *Outre sa signature, il faut un approuvé* (cit.) *écrit de sa main. Outre une origine commune, les villes latines* (cit. 1) *avaient des rites communs. Outre sa méchanceté...* (→ État, cit. 99). ⇒ **Indépendamment.** — REM. *Outre* s'emploie d'ordinaire pour exprimer l'addition de choses de même nature, *indépendamment* (de) lorsqu'il s'agit de choses différentes, n'ayant que peu de rapports entre elles. ⇒ aussi **Dehors** (en dehors de).

1   Outre leurs photographies, les deux jeunes gens avaient échangé leurs confidences.
       J. ROMAINS, *Pouvoirs*, V, *in* G. et R. LE BIDOIS,
       Syntaxe du franç. moderne, § 1895.

Loc. conj. *Outre que...* (suivi de l'indic. ou du cond.). *Outre qu'il lui déplairait de faire ce métier, il n'aurait pas la compétence requise* (→ Non seulement... mais encore...).

1.1   Outre qu'il est assez ennuyeux (...) d'avoir toute sa vie une bête avec soi.
       MOLIÈRE, l'École des femmes, I, 1.
2   (...) outre qu'il parle tout seul, il est sujet à de certaines grimaces (...)
       LA BRUYÈRE, les Caractères, XI, 1.
3   (...) outre que ces sortes de maris n'ont pas sur leurs femmes la même autorité que les autres, il aimait si éperdument ma sœur, qu'il ne savait rien lui refuser.
       MONTESQUIEU, Lettres persanes, LXVII.

★ **II.** Adv. ♦ **1.** [a] (Dans des loc. adv.). Au delà de. «*Isabelle de France, Amicie de Courtenay... suivirent leurs maris outre mer*» (Chateaubriand, *Itinéraire*, VII). ⇒ **Outre-mer.** *Outre-Atlantique, outre-Manche.* — REM. Peut s'employer librement pour former des composés (ex. : *outre-moitié* [→ Lésion, cit. 2, Voltaire], *outre-temps* [→ Intraitable, cit. Gide], *outre-rideau de fer*).

[b] Premier élément de verbes, avec le sens de «avec outrance, à l'excès, au-delà de ce qui est permis ou normal». ⇒ **Outrecuider, outrepasser.**

3.1   Il outreloue, si je puis dire, tous ceux qu'il aime, mais se contente de piètres et fallacieuses raisons pour condamner.   GIDE, Attendu que..., p. 53.

♦ **2.** Adv. de lieu (vx, sauf dans l'expression *passer outre à...*). Au delà, plus loin. *Pourquoi fuis-tu outre?* (→ Farouche, cit. 6). *Aller outre.*

Loc. **PASSER OUTRE** : aller plus loin, continuer sans s'arrêter.

4   (...) je vis au détour d'une allée deux femmes assez bien vêtues, que deux jeunes français avaient arrêtées, et ne voulaient pas laisser passer outre (...)
       SCARRON, le Roman comique, I, XIII.
5   Ce qui me soulevait d'ardeur (...) c'était de traverser plusieurs cantons, plusieurs pays, de franchir les montagnes, mais toujours pour aller outre, de découvrir, chaque jour, des horizons nouveaux (...)
       G. DUHAMEL, Biographie de mes fantômes, VII.
6   Il tournait le dos au chemin et ne me voyait pas. Je passai outre sans l'interpeller, et ainsi j'arrivai chez Rose sans avoir parlé à âme qui vive.
       H. BOSCO, Un rameau de la nuit, p. 250.

Fig. (Vx ou archaïque). *Aller, passer outre*, plus avant dans un récit, une discussion, une action... *Passer plus outre* (→ Esprit, cit. 114, Descartes).

7   Je n'avais pas encore poussé mon observation plus outre (...)
       G. DUHAMEL, la Pesée des âmes, IV.

PASSER OUTRE à (qqch.).

[a] Littér. Procéder immédiatement à (qqch.); entamer ou poursuivre (qqch.) «*Passer outre au procès, sans entendre l'accusé*» (Bossuet *in* Littré). «*Avant que de passer outre à ses autres actions...* » (Bossuet, *Panégyrique de saint François*). — REM. Cette acception se trouve encore dans l'Académie. (8e éd. 1935) : «*Il avait commencé de bâtir en tel endroit, il lui fut défendu par arrêt de passer outre*» (art. *Passer*).

8   (...) il suffit de faire des actes respectueux pour qu'il soit passé outre à la célébration d'un mariage malgré le défaut de consentement des parents.
       BALZAC, la Vendetta, Pl., t. I, p. 905.

[b] Cour. Ne pas tenir compte d'une objection, d'une opposition ⇒ **Braver, mépriser.** *Il passa outre à ces observations pourtant si justes* (Académie). *Passer outre à une interdiction* (⇒ **Désobéir**), *à une mise en garde.* — Ellipt. *En dépit de la résistance de ses amis, il passa outre* (Académie).

9   Puis, comme, malgré son insistance, on passait outre, il protesta, les dents serrées.
       ZOLA, la Terre, I, III.
10   La dialectique de l'amour passe outre aux réticences, aux résistances même de l'esprit d'examen.   Ch. MAURRAS, la Musique intérieure, p. 80 *in* M. GREVISSE.
11   Byron avait bravé les préjugés, mais il y croyait. Il les avait rencontrés sur le chemin de ses désirs et avait passé outre, mais à regret.
       A. MAUROIS, Ariel..., II, V.
12   (...) je me gardai bien, au début, de passer outre à cette réserve du partenaire.
       G. DUHAMEL, la Pesée des âmes, IX.

♦ **3.** Loc. adv. **OUTRE MESURE** : excessivement, au delà de la normale (surtout en tour négatif). *Ce qui ne doit pas nous étonner outre mesure* (→ Homme, cit. 32). *Ce voyage ne l'avait pas fatigué* (cit. 3) *outre mesure.*

---

13   Lorsqu'il *(le Nil)* s'enflait outre mesure, de grands lacs creusés par les rois *(d'Égypte)* tendaient leur sein aux eaux répandues.
       BOSSUET, Disc. sur l'Hist. universelle, III, III.

♦ **4.** Loc. adv. **EN OUTRE** : de plus, en plus de cela. ⇒ **Aussi, avec** (avec cela), **également, marché** (par-dessus le), **part** (d'autre part), **surcroît** (*de* ou *par* surcroît), **sus** (en sus). *Si cette institution est en outre de nature religieuse...* (→ Mystérieux, cit. 10, Chateaubriand). *Le complice de la femme adultère* (cit. 6) *sera puni d'emprisonnement et, en outre, d'une amende. Nous avions de l'italique et, en outre, un assez bon choix de caractères* (cit. 6) *accessoires.*

14   Il cassait beaucoup de verres au laboratoire, car ses doigts étaient tourmentés d'un tremblement fébrile; en outre, il transpirait abondamment des paumes.
       G. DUHAMEL, Salavin, III, III.

REM. L'expression *en outre de*, au sens de «en plus de», ignorée par l'Académie, et qualifiée de «barbare» par Littré, se rencontre chez de bons écrivains (→ Numéro, cit. 10, Goncourt; cf. aussi Musset, Fromentin, Barrès, etc. *in* Grevisse, § 940 b).

15   (...) une trentaine de mille francs restait toujours à payer en outre de mes vieilles dettes (...)   CHATEAUBRIAND, Mémoires d'outre-tombe, t. V, p. 371.
16   En outre de la gloire qu'on remporte à vaincre l'ennemi (...)
       FRANCE, Sur la pierre blanche, p. 228.
17   En outre de la modique pension qu'il touchait, il continuait de récolter quelques petites sommes (...)   R. ROLLAND, Jean-Christophe, Le matin, I, p. 122.

♦ **5.** Loc. adv. (vx). **D'OUTRE EN OUTRE** : de part en part. *Percer d'outre en outre d'une lance, d'un coup d'épée* (⇒ **Transpercer**). — Figuré :

18   Cette mort, dans le premier moment, glaça d'effroi tous les cœurs; on appréhenda le revenir du règne de Robespierre (...) Dans la famille exilée des Bourbons, le coup pénétra d'outre en outre (...)
       CHATEAUBRIAND, Mémoires d'outre-tombe, t. II, p. 296.

DÉR. Outrage, outrer.
COMP. Outre-Atlantique, outrecuider, outre-Manche, 1. outre-mer, outre-monts, outrepasser, outre-Rhin, outre-tombe.

OUTRÉ, ÉE [utʀe] adj. — XVIe, Montaigne; XIIIe, «vaincu, exténué»; p. p. de *outrer*.

♦ **1.** Littér. Poussé au delà de la mesure. ⇒ **Démesuré, exagéré, excessif, extrême, fort, immodéré, outrancier.** *Flatterie* (→ Encensoir, cit. 4), *modestie* (→ 1. Farder, cit. 2) *outrée.* ⇒ **Affecté.** *Engouement outré* (→ Convulsion, cit. 4). *Éloges outrés. Comique outré, extravagant.* ⇒ **Burlesque** (→ aussi Exagération, cit. 3). *Le chauvinisme est un patriotisme outré. — Style outré, haut en couleur. Expressions outrées, les plus outrées* (→ Horreur, cit. 2). *Coloris outré.* ⇒ **Forcé.**

1   (...) la mode voulait qu'elle employât des termes outrés, qui, souvent dénués de sens, ne peuvent servir qu'à mettre de la confusion dans les pensées, ou qu'à donner un nouveau ridicule à la personne qui les met en usage.
       MARIVAUX, le Paysan parvenu, VI, p. 305.
2   Tous ces portraits séduisent à première vue, et offrent des traits heureux, des couleurs neuves : mais, en général, ils sont outrés et passent la mesure.
       SAINTE-BEUVE, Causeries du lundi, 4 août 1851.
3   Fouan, hors de lui, maintenait son prix, entrait dans un éloge outré de sa terre, une si bonne terre, qui donnait du blé toute seule (...)   ZOLA, la Terre, I, II.

N. m. (Rare, littér.). *L'outré :* ce qui est outré. «*Nous allons tomber en tout dans l'outré et dans le gigantesque...* » (Voltaire, *in* Littré).

♦ **2.** (Personnes). Vx ou littér. Qui passe les bornes dans sa conduite ou dans ses sentiments. *L'impertinent* (cit. 8) *est un fat outré. Dévot outré,* affecté (→ Irréligion, cit. 1). *Outré dans sa foi, dans son doute* (→ Juger, cit. 20). *Il est guindé* (cit. 10) *et outré en tout. Des hommes naturellement outrés* (→ Enfler, cit. 23).

♦ **3.** Mod. Qui est indigné. ⇒ **Outrer** (2.). *Je suis outré!* ⇒ **Indigné, offensé, révolté, scandalisé.** *Je suis outré de votre conduite. Il en est outré. Je suis outré que vous ayez pu dire cela, j'en suis outré.*

4   (...) votre Maman a attribué votre redoublement de tristesse à un redoublement d'amour (...) elle en est outrée (...) et (...) pour vous en punir n'attend que d'en être plus sûre.   LACLOS, les Liaisons dangereuses, CV.
5   Outré d'un tel aveuglement et d'une telle injustice, je frappai du pied, je fondis en larmes, je déchirai mon chef-d'œuvre.   FRANCE, le Petit Pierre, VI.

Par ext. *Un regard outré*, scandalisé.

OUTRE-ATLANTIQUE [utʀatlɑ̃tik] adv. — XXe; de 2. *outre*, et *Atlantique*.

♦ Au delà de l'Atlantique; en Amérique, et, spécialt, en Amérique du Nord. *Voyager outre-Atlantique. La politique d'outre-Atlantique, des États-Unis.*

OUTRECUIDANCE [utʀəkɥidɑ̃s] n. f. — V. 1175; de *outrecuider*. Littéraire.

A. (*L'outrecuidance, l'outrecuidance de qqn*). ♦ **1.** Confiance excessive en soi-même, estime exagérée de soi, se manifestant généralement par de l'impertinence, de l'arrogance. ⇒ **Fatuité, orgueil, présomption, prétention, vanité.** *Une folle outrecuidance* (→ Blasphème, cit. 6). *Parler de soi avec outrecuidance. Je n'aurai pas l'outrecuidance de critiquer le travail de cet expert.*

1   Ils s'avisèrent que chacun pouvait disposer du fruit de son travail, et marier lui-même ses enfants ; ils s'enhardirent à croire qu'ils avaient droit d'aller et venir, de vendre et d'acheter, et soupçonnèrent, dans leur outrecuidance, qu'il pouvait bien se faire que les hommes fussent égaux.   MICHELET, *Hist. de France*, IV, IV.

2   Un camarade, un voisin de table d'hôte, un compagnon de rencontre qui, pour célébrer ses mérites, marquerait un peu d'outrecuidance ou de présomption ou de cautèle, ah ! comme nous aurions vite fait de le berner, de le remettre à sa place et de l'y abandonner sans façon.   G. DUHAMEL, *Scènes de la vie future*, X.

♦ **2.** Désinvolture impertinente envers autrui. ⇒ **Arrogance, audace, effronterie, impertinence, insolence.** *Répondre à qqn avec outrecuidance.*

B. *(Une, des outrecuidances).* Action qui témoigne d'outrecuidance.

3   (...) vous aurez la dédicace *(de Tancrède)* que je fortifierai de quelque nouvelle outrecuidance (...)   VOLTAIRE, *Correspondance*, 1825, 27 oct. 1760.

CONTR. Bonhomie, humilité, modestie, réserve, timidité.

OUTRECUIDANT, ANTE [utʀəkɥidɑ̃, ɑ̃t] adj. — V. 1188 ; p. prés. de *outrecuider.* → Outrecuidance.

♦ Qui montre de l'outrecuidance. *Personnage outrecuidant.* ⇒ **Confiant, fat, présomptueux ; audacieux, impertinent.** — N. *Quel outrecuidant ! C'est une petite outrecuidante.*

Par ext. *Réponse, action outrecuidante. Trouver outrecuidant que...* (→ Bénévolement, cit. 1).

Les Allemands, paraît-il, avaient commis, l'avant-veille, le 29, une lourde maladresse : « Promettez-nous la neutralité anglaise », auraient-ils dit en substance à Londres ; « nous nous engageons, après notre victoire, à respecter l'intégrité territoriale de la France : nous ne lui confisquerons que des colonies ». Ce discours outrecuidant (...)   MARTIN DU GARD, *les Thibault*, VII, p. 157.

CONTR. Bonhomme, humble, modeste, réservé, timide.

OUTRECUIDER [utʀəkɥide] v. tr. — 1190, au p. p. ; de 2. *outre*, et *cuider* « croire ».

♦ Vx (encore cour. au XVIIᵉ). *Outrecuider qqn,* lui montrer du mépris en affichant son sentiment de supériorité (→ Carte, cit. 17 ; dénoncer, cit. 1).

▶ **S'OUTRECUIDER** v. pron.

Vx. Avoir l'outrecuidance de... (Saint-Simon, *in* Littré). — Employé par archaïsme plaisant :

Quelle est cette rébellion soudaine, vous si soumises ? Vous vous outrecuidez.   Robert PINGET, *Graal Flibuste*, p. 104.

▶ **OUTRECUIDÉ, ÉE** p. p. adj.

Vx. Plein d'outrecuidance. *Une « victoire outrecuidée »* (Chateaubriand, *in* Littré).

DÉR. Outrecuidance, outrecuidant.

OUTRE-MANCHE [utʀəmɑ̃ʃ] adv. — V. 1848 ; de 2. *outre*, et *Manche.*

♦ Au delà de la Manche ; en Grande-Bretagne. *Touristes venus d'outre-Manche.*

OUTRE-MER [utʀəmɛʀ] adv. — 1080, *ultremer, Chanson de Roland* ; de 2. *outre*, et *mer.*

♦ Au delà des mers (désignant l'Afrique, l'Orient et l'Amérique). *Les anciennes possessions françaises d'outre-mer* (→ Armée, cit. 11). *Départements français d'outre-mer.* ⇒ **D.O.M.** *Territoires français d'outre-mer.* ⇒ **T.O.M.** *Troupes, gendarmes d'outre-mer.*

DÉR. et **HOM.** 2. Outremer.

OUTREMER [utʀəmɛʀ] n. m. — XIIᵉ ; de *outre-mer.*

♦ **1.** Minér. Lapis-lazuli (pierre bleue).

♦ **2.** Cour. Couleur d'un bleu intense utilisée en peinture, dans l'impression des tissus, dans l'imprimerie... *Outremer naturel.* ⇒ **Lapis** (cit. 1). *Outremer artificiel. Yeux d'outremer* (→ Galbe, cit. 3). — Adj. invar. *Ciel outremer,* couleur d'outremer (→ Lapis, cit. 3). *Des yeux outremer.*

Les sommes de lueurs sont là, indistinctes, où tout doit être compris du premier coup, du rouge sang au bleu, à l'outremer, jusqu'au noir, jusqu'au blanc, jusqu'à la neige si belle et si terrible.   J.-M. G. LE CLÉZIO, *le Déluge*, p. 269.

HOM. 1. Outre-mer.

OUTRE-MONTS [utʀəmɔ̃] adv. — 1830 ; de 2. *outre*, et *mont.*

♦ Vx ou littér. Au delà des monts, et, spécialt, en Italie, en Espagne (→ Outre-Pyrénées : en Espagne). ⇒ **Ultramontain.**

OUTREPASSER [utʀəpase] v. tr. — V. 1155 ; de 2. *outre*, et *passer.*

♦ **1.** Vieilli. Aller au delà de (une limite). ⇒ **Dépasser.** *« Ces arbres outrepassaient l'alignement ; on les a fait abattre »* (Académie). — Absolt. (Vén.). *Chiens qui outrepassent,* qui sortent des voies de la bête poursuivie.

♦ **2.** Mod. Aller plus loin que (ce qui est permis). *Outrepasser ses droits, ses pouvoirs.* ⇒ **Abuser, empiéter, excéder.** *Outrepasser les limites de la bienséance.* ⇒ **Franchir, passer** (les bornes). *Outrepasser les ordres reçus.* ⇒ **Transgresser.**

1   Puisque les bâtons ne suffisaient pas, il fallait prendre les épées ! Monseigneur, reprit Mérindol, avait commandé une bastonnade et non un assassinat. Nous n'aurions osé prendre sur nous d'outre-passer ses ordres.   Th. GAUTIER, *le Capitaine Fracasse*, IX.

2   (...) elle *(la dame qui va à la cour)* doit se tenir dans un certain milieu difficile, qui est comme composé de choses contraires, et aller jusqu'à certaines limites, mais sans les outrepasser.   TAINE, *Philosophie de l'art*, t. I, p. 141.

3   (...) qui dit acte de foi dit un acte outrepassant l'expérience (je ne dis pas la contredisant).   RENAN, *Dialogues et fragments philosophiques*, Œ., t. I, III, p. 629.

4   Vous le savez, j'ai pour règle de conduite rigoureuse de ne jamais outrepasser les limites de ma compétence.   J. ROMAINS, *les Copains*, V.

▶ **OUTREPASSÉ, ÉE** p. p. adj. (1866).

Archit. *Arc outrepassé,* qui outrepasse le demi-cercle.

OUTRER [utʀe] v. tr. — XVᵉ ; « dépasser », v. 1155, aussi « vaincre au combat », v. 1160 et « tuer », v. 1170 ; de 2. *outre.*

♦ **1.** Exagérer, pousser (qqch.) au delà des limites raisonnables ou habituelles. *Outrer une pensée, une attitude. Ceux qui outrent la vertu* (→ Bon, cit. 110). — (Dans la description ou l'expression des sentiments, des qualités et défauts) *Un croquis doit passer la mesure* (cit. 25), *outrer la vérité. Outrer un portrait, la description d'un ridicule. Comédien qui outre un caractère, son jeu.* ⇒ **Forcer.** *Marquer la passion sans l'outrer* (→ Exagérer, cit. 26). *Outrer un effet.* ⇒ **Charger** (cit. 17). — Au p. p. *Laideurs grossies, outrées par l'humour* (cit. 2) *des caricaturistes.* ⇒ **Amplifier, développer.**

1   À force d'outrer tous les devoirs, le christianisme les rend impraticables et vains ; à force d'interdire aux femmes le chant, la danse, et tous les amusements du monde, il les rend maussades, grondeuses, insupportables dans leurs maisons.   ROUSSEAU, *Émile*, V.

2   Le signor Zingarelli, continua le jeune chanteur outrant un peu son accent qui faisait pouffer de rire les enfants (...)   STENDHAL, *le Rouge et le Noir*, I, XXIII.

3   Il outre infiniment la louange à mon égard, c'est l'usage reçu quand on écrit à un auteur et cela ne compte pas (...)   CHATEAUBRIAND, *Mémoires d'outre-tombe*, t. III, p. 20.

♦ **2.** Vx. Pousser (qqn) à un excès dans l'ordre des sentiments, des émotions déplaisantes. ⇒ **Indigner, irriter, révolter, scandaliser.** *Il l'a outré de colère. Outrer qqn de dépit.*

4   Ce manque de parole m'a outrée contre lui.   Mᵐᵉ DE SÉVIGNÉ, 999, 20 juil. 1686.

Mod. (Aux temps comp. et sans compl.). Indigner, inspirer un sentiment de réprobation intense à (qqn). *Votre façon* (cit. 23) *de parler de sa mort m'a outré. Cela m'a outré de voir... :* j'ai été indigné en voyant..., j'ai été hors de moi. ⇒ **Outré** (3.).

Pron. Vx. Se fatiguer à l'excès (→ Arrondir, cit. 3).

DÉR. Outrance, outré.

OUTRE-RHIN [utʀəʀɛ̃] adv. — 1831 ; de 2. *outre*, et *Rhin.*

♦ Au delà du Rhin (par rapport à la France) ; en Allemagne (→ Importer, cit. 3).

OUTRE-TOMBE [utʀətɔ̃b] adv. — 1832, Chateaubriand → cit. 1 ; de 2. *outre*, et *tombe.*

♦ Au delà de la tombe, de la mort. *On le croirait revenu d'outre-tombe, tant il est pâle et maigre. Voix* * d'outre-tombe* (→ aussi Finasser, cit. 2). — Littér. *Mémoires d'outre-tombe* (destinés à être publiés après la mort de l'auteur), ouvrage de Chateaubriand (1849-1850).

1   M. Paulmier me veut bien demander mon âge ; je l'ignore au point que je l'ai laissé en blanc dans les *Mémoires d'Outre-Tombe,* destinés à ne paraître qu'après ma mort (...)   CHATEAUBRIAND, Lettre du 3 mars 1832 à M. Paulmier, cité par M. LEVAILLANT, *Mémoires d'outre-tombe,* Introd., t. I, p. XXVIII, note.

2   J'ai tant joui dans cette vie, que je n'ai vraiment pas le droit de réclamer une compensation d'outre-tombe (...)   RENAN, *Souvenirs d'enfance...,* Œ. compl., t. II, VI, V.

OUTRIGGER [awtʀigœʀ] n. m. — 1854, probablt 1846, date d'usage des premiers outriggers en France, *in* Petiot ; mot angl., de *out* « en dehors », et *to rig* « armer ».

♦ Anglic. (Sports). Embarcation légère, étroite, à rames, destinée aux courses. *Dans les outriggers les avirons prennent appui non sur les plats-bords mais sur des portants métalliques débordant les bordages.*

OUTSIDER [awtsajdœʀ] n. m. — 1859; mot angl. «qui se tient en dehors».

♦ Anglic. (Turf.). Cheval de course qui ne figure pas parmi les favoris, mais qui n'en a pas moins des chances de gagner. *Le Prix de l'Arc de Triomphe a été remporté cette année par un outsider. Des outsiders.*

Par ext. (Sports). *X est le favori de cette course cycliste, de ce rallye, mais Z est un outsider sérieux.*

(...) je me suis permis de donner votre nom à mon outsider, une pouliche... Nana, Nana, cela sonne bien.　　　　　ZOLA, Nana, X.

(1886, cyclisme). Concurrent dont la victoire ou la performance est inattendue (dans un sport quelconque). — Fig. Qui n'est pas favori. *Pour ce fauteuil à l'Académie, dans cette élection, Z fait figure d'outsider.*

OUVERT, ERTE [uvɛʀ, ɛʀt] p. p. adj. ⇒ **Ouvrir.**

OUVERTEMENT [uvɛʀtəmɑ̃] adj. — 1588; «publiquement», v. 1190; de *ouvert*, p. p. de *ouvrir.*

♦ D'une manière ouverte, manifeste, publiquement déclarée; sans dissimulation, sans déguisement. ⇒ **Franchement.** *Dire ouvertement la vérité* (→ Étayer, cit. 4), *sans compliment, sans flatterie. Condamner* (cit. 17) *ouvertement ses prédécesseurs.* ⇒ **Hautement.** *Témoigner ouvertement son affection* (→ Dire, cit. 54). *Fouler* (cit. 9) *ouvertement aux pieds tous ses devoirs. Agir ouvertement.* ⇒ **Découvert** (à).

Tous *(les jeunes gens)* reprochent, plus ou moins ouvertement, aux hommes qui les ont précédés de n'avoir établi des lois que pour les transgresser (...)
　　　　　G. DUHAMEL, la Nuit d'orage, XXII, p. 260.

CONTR. **Cachette** (en), **discrètement, furtivement, intérieurement, secrètement, subrepticement.**

OUVERTURE [uvɛʀtyʀ] n. f. — XIIᵉ; du lat. pop. *opertura,* du lat. class. *apertura, du supin de aperire.* → Ouvrir.

★ **I.** Action d'ouvrir; état de ce qui est ouvert.

♦ **1.** [a] Action, fait d'ouvrir (I, 1 à 5). *L'ouverture des portes du magasin se fait à telle heure. Procéder devant témoin à l'ouverture d'un coffre-fort. Ouverture d'une lettre, d'une dépêche, d'un testament* (→ Assembler, cit. 28). *Ouverture (automatique, manuelle) d'un parachute. L'ouverture d'un parapluie. Ouverture d'une fosse, d'une tranchée.*

Chir. Première phase d'une opération, dans laquelle on coupe les tissus pour pratiquer une ouverture artificielle. *Ouverture d'une veine* (saignée). *Endormir un animal pour l'ouverture du crâne* (→ Inexcitable, cit.).

Fait de rendre praticable (→ Ouvrir, I, 6). *Ouverture d'un chemin, d'une route. Ouverture d'un canal, d'une voie de communication. Nouvelle ouverture.* ⇒ **Réouverture.** *Signal d'ouverture d'une voie de chemin de fer.* — Par métonymie. *Ouverture d'un signal,* pour indiquer que la voie est libre. — Électr. *Ouverture d'un circuit,* pour laisser passer le courant.

1　Mais un dernier coup ébranla le maire, le bruit courut que, lors de l'ouverture du fameux chemin direct de Rognes à Châteaudun, il avait mis dans sa poche la moitié de la subvention votée.　　　ZOLA, la Terre, IV, V.

(→ Ouvrir, I., 2.; le compl. désigne un local, un établissement). *Dès l'ouverture des magasins.* ⇒ aussi ci-dessous I., 2.

2　J'arrivai chez *(le docteur)* Dutrieux pour l'ouverture de son cabinet. Il me rassura tout de suite (...)　　G. DUHAMEL, la Nuit d'orage, XIV, p. 169.

[b] Caractère de ce qui est plus ou moins ouvert (dispositif réglable). *Ouverture d'un objectif; régler l'ouverture.* — *Ouverture d'un angle,* écartement des côtés. *Ouverture d'un compas.* — Ling. *Ouverture buccale,* écartement des mâchoires pour l'émission de sons. — Mécan. *Ouverture des roues avant,* leur divergence angulaire normale (traction avant). — Opt. ⇒ **Diamètre.**

Cin. *Ouverture en fondu,* correspondant à l'apparition progressive de l'image.

[c] Fig. (vx). *Faire ouverture d'un sentiment, d'un projet à qqn, s'ouvrir à lui de... Faire les ouvertures de...*

2.1　Les ouvertures que vous pourriez me faire de votre cœur.
　　　　　MOLIÈRE, les Amants magnifiques, IV, 1.

3　Cependant, je ne lui fis pas la moindre ouverture du dessein que j'avais de m'échapper de Saint-Lazare.　　Abbé PRÉVOST, Manon Lescaut, I.

Mod. *Ouverture de cœur* (cit. 133. → aussi Liant, cit. 3), qualité d'un cœur qui s'épanche volontiers, qui ne cache rien de ses sentiments. ⇒ **Abandon, franchise, sincérité.** *Ouverture d'esprit :* qualité de l'esprit ouvert (→ Coordination, cit. 1). — Absolt (vx). *Ouverture :* capacité, lumières en quelque domaine. *Avoir des ouvertures imprévues et heureuses* (→ Entendre, cit. 19, Sainte-Beuve).

4　(...) je trouvais si peu de douceur, d'ouverture de cœur, de franchise dans le commerce même de mes amis, que (...)　　ROUSSEAU, les Confessions, II.

♦ **2.** Le fait d'être commencé, mis en train; de devenir ouvert (⇒ Ouvrir, I., 8.). *Ouverture de la session, des assises* (cit. 8,

et → Assesseur, cit. 2), *d'une séance, d'une enquête, d'un débat...* ⇒ **Commencement, début.** *À l'ouverture du cours* (→ Leçon, cit. 4). *Leçon d'ouverture :* leçon inaugurale. — *Ouverture d'une exposition, d'une école, d'un théâtre, d'une usine...* ⇒ **Inauguration.** *Cours* d'ouverture et cours de clôture, à la Bourse. Ouverture de la chasse, de la pêche :* premier jour de l'année où il est permis de chasser, de pêcher. *Faire l'ouverture* (de la chasse), *aller chasser ce jour-là.* — Comm. (→ Ouvrir, I., 9.). *Faire l'ouverture* (d'un café, d'un commerce), l'ouvrir au public.

5　Quand j'acceptai hier la visite chez M. Villanave pour mardi soir, j'avais tout à fait oublié que j'étais retenu cette même soirée pour entendre le discours d'ouverture du cours de M. Lami à l'Athénée.
　　　　　SAINTE-BEUVE, Correspondance, 31 déc. 1826.

6　C'était à la fin du dîner d'ouverture de chasse chez le marquis de Bertrans. Onze chasseurs, huit jeunes femmes et le médecin du pays étaient assis autour de la grande table illuminée, couverte de fruits et de fleurs.
　　　　　MAUPASSANT, Contes de la Bécasse, «La rempailleuse».

Ouverture du feu : déclenchement d'un tir.

♦ **3.** Composition musicale, généralement conçue pour l'orchestre, par lequel débute le plus souvent un ouvrage lyrique (opéra, opéra-comique, oratorio), ainsi que certaines suites, au XVIIIᵉ siècle. *Ouverture à la française* (deux mouvements lents encadrant un mouvement rapide). *Ouverture de Lulli. Ouvertures des suites d'orchestre de J. S. Bach. Ouverture à l'italienne* (deux mouvements rapides encadrant un mouvement lent : A. Scarlatti, Haendel). *Ouverture classique,* avec introduction (cit. 5) réduite, et allegro de forme sonate (Mozart, Beethoven). *Ouverture pot-pourri du XIXᵉ siècle* (Rossini, Bizet). *Ouverture* (ou *prélude*) *des opéras de Wagner* (→ Exprimer, cit. 37, Baudelaire).

7　(...) l'ouverture la mieux entendue est celle qui dispose tellement les cœurs des spectateurs, qu'ils s'ouvrent sans effort à l'intérêt qu'on veut leur donner dès le commencement de la pièce : voilà le véritable effet que doit produire une bonne ouverture (...)　　ROUSSEAU, Dict. de musique.

♦ **4.** Dr. Le fait de déclarer ouvert (⇒ Ouvrir, I., 8.). *Ouverture de succession** (→ Inventaire, cit. 1). — Dr. comm. *Ouverture de crédit :* «contrat par lequel une personne, le plus souvent un banquier, s'oblige à mettre une somme d'argent déterminée à la disposition d'une autre personne qui peut se la faire remettre en une ou plusieurs fois» (Capitant). *Ouverture en compte courant :* ouverture de crédit par compte courant*. — Légis. fin. *Ouverture de crédits :* «autorisation de dépenser donnée aux ordonnateurs par les lois "portant ouverture de crédits" ou, exceptionnellement, par décrets» (Capitant).

♦ **5.** Jeux (cartes). Action ou possibilité d'ouvrir* (le jeu). → Ouvrir, I., 8., infra cit. 23. *Décider au poker que l'ouverture sera au minimum une paire de valets. Annonce, déclaration d'ouverture au bridge.* — (Échecs). Série de coups par laquelle débute, s'ouvre une partie. *La théorie des ouvertures distingue les parties ouvertes et les parties fermées.*

Sports (football, rugby). Manœuvre qui permet un mouvement d'attaque, en provoquant une lacune dans la défense adverse ou en faisant avancer le jeu. *Demi d'ouverture :* au rugby, joueur (⇒ **Demi**) chargé de créer l'ouverture (en lançant les trois-quarts, par exemple). On dit parfois *ouvreur.*

7.1　(...) la furie d'attaque, l'ouverture véhémente (...)
　　　　　A. ARNOUX, Suite variée, p. 46.

♦ **6.** (Une, des ouvertures). Premier essai en vue d'entrer en pourparlers, première proposition ou démarche visant à mettre en train qqch. ⇒ **Avance, offre, proposition.** *Faire des ouvertures de paix, de négociation, de conciliation* (→ Braquer, cit. 7). *L'émissaire* (cit.) *fait des propositions et des ouvertures.*

8　S'il faut faire à la cour pour vous quelque ouverture,
　　On sait qu'auprès du Roi je fais quelque figure (...)
　　　　　MOLIÈRE, le Misanthrope, I, 2.

9　Une seule fois, j'ai fait une tentative de conversation. Comme je voyais de la façon la plus évidente qu'on attendait mes ouvertures, et comme il fallait absolument dire quelque chose, je balbutiai : «Vous allez bien, madame?» Elle me rit au nez, et je me suis sauvé.　　MAUPASSANT, les Sœurs Rondoli, II.

(Mil. XXᵉ). Spécialt (polit.). Abandon d'une attitude d'hostilité, d'ostracisme ou d'intransigeance.

★ **II.** (Une, des ouvertures). Ce qui fait qu'une chose est ouverte.

♦ **1.** Solution de continuité par laquelle s'établit la communication ou le contact entre l'extérieur et l'intérieur; espace libre, vide dans une paroi. ⇒ **Accès, bouche, entrée, issue** (cit. 1), **passage, trou, vide.** *Les ouvertures d'un bâtiment, d'un mur,* tout vide aménagé ou percé dans la construction (⇒ Embrasure, cit. 1; hourd, cit.; lumière, cit. 4; meurtrière, cit. 7). *Ouvertures utilisées en architecture.* ⇒ **Ajour, arbalétrière, arcade, arche, archère, baie** (cit. 1), **barbacane, bow-window, canonnière, châssis, chatière, cheminée, créneau, croisée, embrasure, fenestration, fenêtre, guichet, jour, judas, lucarne, lunette, mâchicoulis, meurtrière, œil-de-bœuf, porte, regard, soupirail, trappe, trapillon, vasistas, vue.** *Ouverture pratiquée par le bélier, le canon...* ⇒ **Brèche, percée, trouée.** *Mur sans ouverture.* ⇒ **Orbe.** — *Ouvertures ménagées dans un bateau.* ⇒ **Écoutille, hublot, sabord.** *Ouverture due à un accident.* ⇒ **Voie** (d'eau). — *Nom de diverses ouvertures dans le langage technique.* ⇒ **Abée, aspirail, bonde, évent, goulot, lumière, mortaise, œil, œillet, ouvreau,** pertuis, refuite, tubulure, tuyère, varaigne, ventouse... — *Ouvertures d'un corps, d'un organe.* ⇒ **Orifice ; anneau, sphincter...** *Ouverture accidentelle.* ⇒ **Déchirure, fente, fissure, perforation, plaie.** — Chir. *Dilater une ouverture naturelle ou artificielle* (⇒ **Dilatant, dilatateur**). — *Boucher* une ouverture. Ouverture large.* ⇒ **Évasure.** *Ouverture légère, étroite.* ⇒ **Entrebâillement, entrouverture, goulet, interstice.** *Ouverture large, évasée* (⇒ **Évasement**), *en entonnoir...* — *Ouvertures d'un vêtement.* ⇒ **Boutonnière, braguette, emmanchure.** — *Ouvertures naturelles* (cit. 5) *entre les montagnes.* ⇒ **Échappée, trouée** (→ Arrière-plan, cit. 1). *Faire une ouverture à, dans qqch.* ⇒ **Percer, trouer** (→ Corolle, cit. 1). *Ouverture d'une grotte, d'un puits, d'un volcan* (→ Cratère) ; *d'une boîte, d'un tuyau, d'un vase...* (→ Éveiller, cit. 17 ; fluidité, cit. 1), *d'un four.* ⇒ **Gueule.** *Élargir une ouverture.* ⇒ **Évaser** (→ 1. Bas, cit. 77).

10 Ce monastère a été construit à l'extrémité de l'île, au point culminant du rocher (...) Il faut donc être en mer pour apercevoir les quatre corps du bâtiment carré dont la forme, la hauteur, les ouvertures ont été minutieusement prescrits par les lois monastiques.   BALZAC, la Duchesse de Langeais, Pl., t. V, p. 126.

11 (...) il avait dû construire en pierres sèches, pour fermer la cave, une quatrième muraille, où il avait laissé deux ouvertures, une fenêtre et la porte.
    ZOLA, la Terre, I, III.

12 Je me penche sur sa petite main que la pluie fait toute froide, et je pose mes lèvres dans l'ouverture ronde du gant.
    Claude FARRÈRE, l'Homme qui assassina, XXXIV.

Zool. Entrée du test des Gastéropodes, par laquelle l'organisme peut se rétracter dans la coquille.

♦ **2.** Fig. Solution de continuité. — Boxe. « Défaut de la garde qui livre passage au coup de l'adversaire » (Petiot).

♦ **3.** Voie d'accès ; moyen, possibilité ou occasion permettant de faire, de comprendre, de savoir qqch. *L'esprit* (cit. 42) *humain a une ouverture sur l'infini.* — Spécialt (dr). « Faculté d'exercer un recours extraordinaire dans des cas déterminés par la loi » (Capitant). *Ouverture à cassation.*

13 On n'a d'ouverture sur un être que si on en est aimé. La femme qu'on aime et qui ne vous aime pas, demeure incompréhensible.   J. CHARDONNE, Éva..., p. 17.

CONTR. Clôture, fermeture. — Fin, finale. — Barrage, barrière, bouchon, digue, grille, rideau, volet. — Fond, imperforation, jointure.

COMP. Contre-ouverture.

OUVRABILITÉ [uvRabilite] n. f. — Mil. xxᵉ ; de *ouvrable*, pour traduire l'angl. *workability.*

♦ Techn. Qualités d'aptitude au transfert, à la mise en œuvre (d'un béton, d'un mortier).

OUVRABLE [uvRabl] adj. — V. 1260 ; *uverable*, fin xiiᵉ ; de *ouvrer.*

♦ **1.** Se dit des jours consacrés normalement au travail (opposé à *jours fériés*). — Le mot est souvent rattaché par erreur à *ouvrir* (les magasins, les usines). *Ouvrable* était critiqué par les grammairiens du xviiᵉ s. qui lui préféraient *ouvrier* (II., 2.). *Jours ouvrables et jours ouvrés** (II.).

Vous serez de la plus grande assiduité aux offices de la paroisse, jours de fête et jours ouvrables.   DIDEROT, Jacques le fataliste, Pl., p. 608.

♦ **2.** (1874). Techn. Qui peut être mis en œuvre, travaillé.

CONTR. (De 1.) Férié ; chômé.

DÉR. (De 2.) Ouvrabilité.

OUVRAGE [uvRaʒ] n. m. — Fin xiiᵉ ; *ovraigne*, v. 1130 ; de *uevre, oevre*, formes anciennes d'*œuvre.* → Œuvre.

1 *Œuvre* est abstrait et formel ; *ouvrage*, concret et matériel (...) *L'ouvrage* est l'*œuvre* matérialisée ou la matière mise en *œuvre* ; c'est (...) un produit (...) La création est l'*œuvre* de la Toute-Puissance, le monde (...) est son *ouvrage* (...) Les sciences et la littérature sont les *œuvres* de l'esprit, et on appellera *ouvrages* de l'esprit les traités de logique, de mathématiques, les poèmes, les discours, etc., ou bien les livres qui contiennent (...) *œuvre* signifie absolument, en soi, ce qui est fait ; *ouvrage* donne l'idée de telle matière ayant reçu d'un ouvrier (...) telle forme ou telle façon.   LAFAYE, Dict. des synonymes, art. Œuvre, ouvrage.

♦ **1.** (xiiiᵉ). Ensemble d'actions coordonnées par lesquelles une personne (ou un groupe) met qqch. en œuvre, effectue un travail. ⇒ **Œuvre ; besogne, entreprise, tâche, travail.** *Effectuer, faire un ouvrage. L'ouvrage de qqn, son ouvrage :* l'ouvrage qu'il doit faire, qu'il est en train de faire. *Avoir, n'avoir pas d'ouvrage.* ⇒ **Occupation** (→ Frotter, cit. 2). *N'avoir plus la tête à l'ouvrage* (→ Nuage, cit. 6). *Ouvrages manuels* (cit. 1). *Ouvrage pénible* (→ Hamac, cit. 2). *Gros ouvrage*, pénible, long... Spécialt. *Le gros ouvrage :* les travaux que nécessitent la mise en œuvre (→ ci-dessous cit. 2. *Ouvrage délicat, de patience*, de longue haleine*.* — *Se mettre à l'ouvrage.* Loc. *Mettre la main à l'ouvrage* (→ A la pâte*). — *Avancer* son ouvrage. Changement* (cit. 5) *d'ouvrage.* — Loc. *Avoir du cœur** (cit. 57) *à l'ouvrage.* — *Ouvrage de l'artisan, de l'artiste..., du chirurgien* (→ Exécution, cit. 3). — Loc. *Ouvrage de dame :* travail de couture, de broderie... (→ ci-dessous, 2., spécialt au sens concret). — *Ouvrages de couture exécutés dans un ouvroir*.*

2 Le charitable Prêtre répondit en lorgnant *Justine*, que la Paroisse était bien *chargée*, qu'il était difficile qu'elle pût *embrasser* de nouvelles aumônes, mais que si *Justine* voulait le servir, que si elle voulait faire *le gros ouvrage*, il y aurait

---

toujours dans sa cuisine un morceau de pain pour elle. Et, comme en disant cela, l'interprète des Dieux lui avait passé la main sous le menton, en lui donnant un baiser beaucoup trop mondain pour un homme d'Église. *Justine* qui ne l'avait que trop compris, le repoussa (...)   SADE, Justine..., t. I, p. 11.

Spécialt. Travail lucratif, rémunéré. *Demander de l'ouvrage* (→ Nous, cit. 25). *Procurer de l'ouvrage à qqn* (→ Mendicité, cit. 1). *Ouvrage d'appoint.* ⇒ **Brocante.**

3 Il se rappelait les jeunes gars qui sont des feignants parce que, quand on en a l'envie, on trouve toujours de l'ouvrage.   Ch.-L. PHILIPPE, Père Perdrix, I, I.

Techn. *Bois d'ouvrage*, destiné à être ouvré, à être employé dans la fabrication d'objets ouvrés (sabots, ustensiles divers...).

Typogr., imprim. *Ouvrage de ville.* ⇒ **Bibelot, bilboquet.** *Imprimerie qui fait de l'ouvrage de ville et du labeur*.*

Dr. *Louage** (cit. 5 et 6), *entrepreneur* (cit. 4) *d'ouvrage.* ⇒ **Entreprise.** Cf. Contrat de travail.

Vieilli. Façon dont un objet est ouvré. *L'ouvrage l'emporte sur la matière* (Littré).

4 Mon Dieu ! que de ce point l'ouvrage est merveilleux !
    MOLIÈRE, Tartuffe, III, 3.

(1830). Au fém. (pop. ou stylistique). *C'est de la belle ouvrage*, un ouvrage soigné, bien fait.

4.1 — Ça marche, ça marche ! De la belle ouvrage ! Les hommes sont durs à la tâche, les montagnards surtout. Les autres, c'est comme ci comme ça. Faut les avoir à l'œil !   Jean JOUBERT, l'Homme de sable, p. 56.

(Dans d'autres syntagmes). *De la bonne ouvrage* (P. Merle, *Les Vertes Années*, p. 246). *De la grosse ouvrage.*

♦ **2.** (Déb. xvᵉ). *Un, des ouvrages.* Objet produit par le travail d'un ouvrier*, d'un artisan, d'un artiste (→ Manufacture, cit. 1). *Ouvrage que faisait le compagnon* (cit. 10) *pour passer maître.* ⇒ **Chef-d'œuvre.** *Ouvrage habile, parfait* (⇒ **Bijou**). — Loc. *Ouvrage de fée*.* — *Ouvrage mal fait* (⇒ **Camelote**). *Imperfection dans un ouvrage.* ⇒ **Loup, malfaçon.** — *Ouvrage d'orfèvrerie, de bijouterie, de marqueterie, de mosaïque... Ouvrage de peinture, de sculpture.*

REM. Dans le domaine artistique, *ouvrage* insiste sur la technique, *œuvre* sur l'esthétique (→ ci-dessous, 3.).

5 Quels sont ces outils ? est-ce le coin ? son marteau ou l'enclume ? où fend-il, où cogne-t-il son ouvrage ?   LA BRUYÈRE, les Caractères, XII, 20.

6 (...) on fait, dans les montagnes du Bugey, beaucoup de petits ouvrages en os, en ivoire ou en corne (...)   Th. GAUTIER, Souvenirs de théâtre, «Statist. industr. départ. Ain ».

Spécialt. ⓐ Construction. *Ouvrages d'architecture.* ⇒ **Construction, monument** (→ Bâtiment, cit. 7 ; dessin, cit. 10 ; ingénieur, cit. 1). *Le gros de l'ouvrage* (→ Bâtir, cit. 12). *Ouvrage romain* (→ Croire, cit. 75). *Le labyrinthe* (cit. 2), *ouvrage des mains de Dédale. Ouvrage de terre, de cailloux* (cailloutis). *Ouvrages de maçonnerie : gros ouvrage.* (⇒ **Maçonnerie**) — *Ouvrage léger, menu* (cloisons, plafonds, sols...) — Loc. *Le maître de l'ouvrage :* la personne qui confie à un *maître d'œuvre* (architecte) l'exécution d'un projet de construction.

ⓑ **OUVRAGE D'ART :** construction (pont, tranchée, tunnel...) nécessaire à l'établissement d'une voie. ⇒ **Art** (I., 1.).

ⓒ (1757). Techn. Partie cylindrique basse d'un haut fourneau*.

ⓓ Élément d'un ensemble fortifié. ⇒ **Blockhaus, fortification.** *Ouvrage avancé** (→ Disproportionné, cit. 3), *couronné*, flanquant** (⇒ **Flanquer**). *Ouvrage à corne(s)*, à angles saillants ; *en couronne. Ouvrage défensif. Ouvrage de campagne :* fortification provisoire.

7 Il (César) entoura la ville et le camp gaulois (d'Alésia) d'ouvrages prodigieux : d'abord trois fossés, chacun de quinze ou vingt pieds de large et d'autant de profondeur ; un rempart de douze pieds ; huit rangs de petits fossés, dont le fond était hérissé de pieux et couvert de branchages et de feuilles ; des palissades de cinq rangs d'arbres, entrelaçant leurs branches.   MICHELET, Hist. de France, I, II.

8 La batterie, qui, achevée, eût été presque une redoute, était disposée derrière un mur de jardin très bas, revêtu à la hâte d'une chemise de sacs de sable et d'un large talus de terre. Cet ouvrage n'était pas fini ; on n'avait pas eu le temps de le palissader.   HUGO, les Misérables, II, I, VI.

ⓔ (1542). Objet ouvré de couture, de broderie, de tricot, de tapisserie..., considéré relativement à son exécution ou durant son exécution. *Ouvrage d'aiguille. Ouvrage de soie, de coton... ouvrage commencé* (→ Fourmi, cit. 8). *Tenir son ouvrage sur ses genoux* (→ Faute, cit. 31). — Loc. (avec : à ouvrage). *Boîte, corbeille** (cit. 3), *panier, sac à ouvrage* (→ Mesquinerie, cit. 2). *Table à ouvrage* (⇒ **Travailleuse**).

9 Vous filerez, vous coudrez, vous tricoterez, vous broderez, et vous donnerez aux dames de charité votre ouvrage à vendre.
    DIDEROT, Jacques le fataliste, Pl., p. 608.

10 Le soir, après le dîner, elle faisait assez habituellement de la tapisserie dans le salon ou quelque ouvrage de couvent (...)   HUGO, les Misérables, IV, III, V.

♦ **3.** (xviiᵉ). Production* du travail créateur ou organisateur (⇒ **Auteur**, cit. 21, 23 et 25) dans le domaine de la pensée, de l'esprit. ⇒ **Œuvre.**

REM. *Ouvrage* s'applique aux créations littéraires (→ Littérature) et ne s'étend guère, comme le fait *œuvre*, aux arts plastiques ; en revanche *ouvrage* convient à toute production intellectuelle et textuelle scientifique, technique (→ Écrit, livre [1. livre, cit. 3 et 18]) aussi bien que littéraire. D'autre part, *œuvre* est plus abstrait qu'*ouvrage* et insiste plus sur la qualité artistique. *Les grandes œuvres du XVIIᵉ siècle ; de bons ouvrages techniques. La création d'une œuvre ; la rédaction d'un ouvrage.*

Ouvrages de l'esprit. ⇒ **Écrit, essai, étude, livre...** *« Des ouvrages de l'esprit »* (La Bruyère, *Caractères*, Titre du chap. I). *Premier état ; canevas, ébauche, plan d'un ouvrage. Agencement, arrangement d'un ouvrage.* ⇒ **Cadre.** *Composer, écrire, faire* un ouvrage.* ⇒ **Écrire ; composition.** *« La dernière* (cit. 1) *chose qu'on trouve en faisant un ouvrage... »* (Pascal). *Travailler à un ouvrage* (→ Avancer, cit. 70). *Augmentateur* qui ajoute à un ouvrage. La matière** (cit. 14), *le sujet* d'un ouvrage. Ouvrages publiés sur une question.* ⇒ **Littérature.** *Édition, diffusion, publication d'un ouvrage.* — *Beautés* (cit. 48) *et défauts d'un ouvrage* (→ 2. Critique, cit. 4 ; goût, cit. 15). *Ouvrage parfait* (→ Acquérir, cit. 12, La Bruyère), *nouveau, original* (⇒ **Création**), *important, capital, monumental* (⇒ **Édifice, monument**). *Ouvrage médiocre, monotone. Ouvrages trop travaillés, qui sentent l'huile* (cit. 28 et 29). *Ouvrage court* (1. Court cit. 1 et 2)), *long. Petit ouvrage.* ⇒ **Opuscule.** *Ouvrage hardi* (cit. 9), *excentrique* (cit. 2). — *Parcourir, lire un ouvrage* (→ Dérider, cit. 3 ; familier, cit. 5 ; matière, cit. 9). *Juger un ouvrage* (→ Élever, cit. 23, La Bruyère). *Carrière, succès d'un ouvrage. Ouvrage couronné* par un jury de prix, par l'Académie française. L'ouvrage et les critiques* (→ Demeurer, cit. 24). *Ouvrage célèbre* (cit. 6), *immortel* (cit. 19), *classique*... Les ouvrages des anciens* (cit. 16). — *Genre d'un ouvrage. Ouvrage dramatique* (⇒ **Pièce**), *lyrique, héroïque* (cit. 4)... *Ouvrages de philosophie, de morale* (→ 1. Livre, cit. 4), *de politesse* (→ Autoriser, cit. 22), *de littérature* (cit. 3) *et de technique. Ouvrage didactique*. Compilation* empruntée à plusieurs ouvrages. Ouvrages de fiction, d'imagination* (→ Jonglerie, cit. 2).

Par métonymie. *Livre*. Les ouvrages d'une bibliothèque* (cit. 6). *Ouvrages à la vitrine d'un libraire* (cit. 6). *Ouvrage manuscrit*, imprimé.*

11 Un bel ouvrage tombe entre leurs mains, c'est un premier ouvrage, l'auteur ne s'est pas encore fait un grand nom (...)
LA BRUYÈRE, les Caractères, I, 21.

12 (...) on a été inondé de livres frivoles, et, ce qui est encore pis, de livres sérieux inutiles ; mais parmi cette multitude de médiocres écrits (...) il se trouve de temps en temps d'excellents ouvrages, ou d'histoire, ou de réflexions, ou de cette littérature légère qui délasse toutes sortes d'esprits.
VOLTAIRE, le Siècle de Louis XIV, XXXII.

13 Les ouvrages qu'un auteur fait avec plaisir sont souvent les meilleurs ; comme les enfants de l'amour sont les plus beaux. CHAMFORT, Maximes, XXXIII.

14 Le génie commence les beaux ouvrages, mais le travail seul les achève.
Joseph JOUBERT, Pensées, XXIII, LII.

15 Travailler son ouvrage, c'est se familiariser avec lui, donc avec soi ; et il y a quelque chose d'étrange dans cette éducation échangée avec ce qui vient de venir. Ainsi on instruit son fils et il vous instruit. VALÉRY, Autres rhumbs, p. 124.

Allus. littér. *« Vingt fois sur le métier* (cit. 29) *remettez votre ouvrage »* (Boileau).

♦ **4.** (1640). Vieilli ou littér. Travail, ensemble d'actions, d'opérations tendant à une fin ; ce qui est fait, accompli par qqn, est dû à l'action de qqn ou de qqch. ⇒ **Œuvre.** *Les actions et les ouvrages d'autrui* (→ Jalousie, cit. 2). *« J'ai fait un peu de bien* (cit. 12), *c'est mon meilleur ouvrage »* (Voltaire). — *Les lois* (cit. 9) *sont l'ouvrage des hommes.* ⇒ **Œuvre.** *Le mal* (cit. 43) *moral est incontestablement notre ouvrage.* — *Ouvrages de l'art* (cit. 32) *et de la nature.* ⇒ **Production.** *L'ouvrage du hasard* (→ Divers, cit. 6), *du destin, de Dieu, des mains de Dieu* (cit. 83).

16 (...) un si grand changement
Peut-il être, Seigneur, l'ouvrage d'un moment ?
— Cet ouvrage, Madame, est un coup d'Agrippine (...) RACINE, Britannicus, v, 1.

17 Et cette alarme universelle
Est l'ouvrage d'un moucheron. LA FONTAINE, Fables, II, 9.

18 (...) la plupart de nos maux sont notre propre ouvrage (...)
ROUSSEAU, De l'inégalité parmi les hommes, I.

⇒ **Effet, fait, résultat.** *L'ouvrage du temps*, d'une année* (cit. 4). *La nature* (cit. 34), *ouvrage perpétuellement vivant. Le gouvernement* (cit. 10) *est un ouvrage de raison. Connaissance qui n'est pas un ouvrage du raisonnement* (→ Intuitif, cit. 1).

19 Viennent donc les barbares. La société antique est condamnée. Le long ouvrage de la conquête, de l'esclavage, de la dépopulation, est près de son terme.
MICHELET, Hist. de France, I, III.

CONTR. Divertissement, récréation, repos.
DÉR. Ouvragé, ouvrager.

OUVRAGÉ, ÉE [uvʀaʒe] adj. — V. 1360 ; de *ouvrage.*

♦ **1.** Ouvré, travaillé. *Pièce d'orfèvrerie* ouvragée. Rampe de fer* (cit. 2) *ouvragé.*

1 (...) ce castel ouvragé comme une fleur, et qui semble ne pas peser sur le sol.
BALZAC, le Lys dans la vallée, Pl., t. VIII, p. 792.

2 (...) un fort beau passeport sur papier granuleux aux armes de Castille avec une de ces signatures si ouvragées qu'elle lui prit pour l'exécution fignolée dix bonnes minutes. CÉLINE, Voyage au bout de la nuit, p. 166.

♦ **2.** (Abstrait). Qui a nécessité beaucoup d'ouvrage, un travail minutieux, délicat. *Style très ouvragé.* ⇒ **Orné** (→ 1. Ionique, cit.).

CONTR. Brut, grossier.
HOM. Ouvrager.

OUVRAGER [uvʀaʒe] v. tr. — V. 1540 ; de *ouvrage; ouvragé,* adj. est antérieur.
Rare.

♦ **1.** Enrichir d'ornements, façonner* de manière délicate, compliquée. ⇒ **Orner, ouvrer.**

♦ **2.** Techn. Décrasser le minerai pendant la fonte.

HOM. Ouvragé.

OUVRAISON [uvʀɛzɔ̃] n. f. — 1846 ; de *ouvrer.*

♦ Techn. (Vx). Action d'ouvrer ; de mettre en œuvre (les soies grèges). — *Les soies ouvrées.*

OUVRANT, ANTE [uvʀɑ̃, ɑ̃t] n. m. et adj. — XVIᵉ ; du p. prés. de *ouvrir.*

★ **I.** N. m. ♦ **1.** Art. Au moyen âge, panneau mobile recouvrant une peinture. *Les ouvrants d'un triptyque.*

♦ **2.** Partie mobile d'un ouvrage de menuiserie à châssis (porte, croisée, armoire...). — Opposé à *dormant.* ⇒ **Battant.**

★ **II.** Adj. (1611). Qui ouvre, qui s'ouvre.

a Techn. *Métier ouvrant,* à battant. — Loc. (Vx). *À porte ouvrante :* à l'heure d'ouverture des portes (d'une ville). Dr. *A jour ouvrant :* dès le début de l'audience du jour.

b Mod., cour. *Toit ouvrant* (d'une automobile).

CONTR. Dormant. — Fixe.
HOM. Ouvrant (p. prés. de *ouvrir*).

OUVREAU [uvʀo] n. m. — 1697, *in* D.D.L. ; de *ouvrir.*
Technique.

♦ **1.** Ouverture pratiquée dans les parois des fours de verriers, dans les fourneaux, les meules à charbon, etc. (pour attirer l'air, pour puiser de la matière, etc.).

♦ **2.** (XXᵉ). Ouverture pratiquée dans les parois latérales d'un four, ou dans la sole, pour recevoir un brûleur.

OUVRE-BOÎTE [uvʀəbwat] n. m. — 1929 ; de *ouvrir,* et *boîte.*

♦ Instrument coupant, servant à ouvrir les boîtes de conserves. ⇒ **Couteau** (à conserves). *Ouvre-boîte électrique. Des ouvre-boîtes.*

1 Mathieu prit l'ouvre-boîte que Dandieu lui tendait ; il l'appuya sur le rebord de fer-blanc et pesa dessus de toutes ses forces. Mais la lame glissa sans mordre, sauta hors de la rainure et vint heurter son pouce gauche.
SARTRE, la Mort dans l'âme, p. 172.

2 Il aurait bientôt perdu les automatismes communs, le souvenir des emplacements familiers de la brosse, de l'ouvre-boîte, du décapsuleur.
Hervé BAZIN, Cri de la chouette, p. 204.

REM. On écrit parfois *un ouvre-boîtes,* n. m. invariable.

OUVRE-BOUTEILLE [uvʀ(ə)butɛj] n. m. — Mil. XXᵉ ; de *ouvrir,* et *bouteille.*

♦ Instrument servant à ouvrir les bouteilles capsulées. ⇒ **Décapsuleur.** *Des ouvre-bouteilles.* — REM. On écrit aussi *un ouvre-bouteilles,* n. m. invariable.

On retrouvait dans son cabas ma crème solaire (...) l'ouvre-bouteilles du barman.
Christine DE RIVOYRE, Fleur d'agonie, p. 105.

OUVRE-GANT [uvʀəgɑ̃] n. m. — 1920 ; de *ouvrir,* et *gant.*

♦ Instrument formé de deux branches articulées servant à assouplir le cuir et écarter les doigts d'un gant. *Des ouvre-gants.* — REM. On écrit aussi *un ouvre-gants,* n. m. invariable.

OUVRE-HUÎTRE [uvʀɥitʀ] n. m. — 1855 ; de *ouvrir,* et *huître.*

♦ Rare. (Cour. : *couteau à huîtres*). Couteau spécial, ou instrument, servant à ouvrir les huîtres. *Des ouvre-huîtres.* — REM. On écrit aussi *un ouvre-huîtres,* n. m. invariable.

OUVRER [uvʀe] v. — XIIᵉ, *ovrer; obrer,* 980 ; du bas lat. *operare,* du lat. class. *operari,* de *opus, opera* → Œuvre, opus.

♦ **1.** V. intrans. Vx ou dial. Travailler. ⇒ **Œuvrer ; ouvrable, ouvrier.** *« Il est défendu... d'ouvrer les fêtes et les dimanches »* (Furetière, 1690).

REM. *Ouvrer,* encore employé par Voltaire, a été remplacé par *travailler,* dès le XVIIᵉ s., à cause des confusions avec *ouvrir.*

♦ **2.** V. tr. Techn. Mettre en œuvre* (des matériaux). ⇒ **Élaborer, façonner.** *Ouvrer du bois.*

Ouvrer du linge, le décorer, l'orner par des travaux d'aiguille. (⇒ **Ouvrage, ouvroir**).

1 Autour d'elle, de nombreux morceaux de toile taillés me dénoncèrent ses occupations habituelles, elle ouvrait du linge.
                                              BALZAC, Gobseck, Pl., t. II, p. 634.

Papet. *Cuve à ouvrer*, où l'on puise la pâte à papier (⇒ 1. **Ouvreur**).

▶ **OUVRÉ, ÉE** p. p. adj. (Déb. XVIe).

★ **I. ♦ 1.** Travaillé, façonné*. *Bois, fer, cuivre ouvré.* ⇒ **Manufacturé.** *Flèche* (cit. 17) *ouvrée, menuisée...* ⇒ **Ouvragé.** — Comm. *Produits ouvrés, semi-ouvrés. Linge ouvré,* orné de broderies, dentelles, etc. (opposé à *linge uni*).

♦ **2. OUVRÉ DE...** : décoré, orné de...

2 La grande porte de bois vermoulu tenait encore, toute ouvrée de guirlandes
qu'avaient rongées les vents (...)   ARAGON, les Beaux Quartiers, I, IX.

★ **II.** Admin. (d'après *ouvrable,* 1). *Jour ouvré,* où l'on travaille
effectivement. *La semaine comporte six jours ouvrables et cinq
jours ouvrés.*

CONTR. Brut, uni.
DÉR. Ouvrable, ouvraison, ouvroir.

1. OUVREUR [uvʀœʀ] n. m. — XIIIe, *ovreor* «ouvrier», du lat *operator,* du supin de *operare* → Ouvrer.

♦ Techn. Ouvrier papetier qui puise la pâte dans la cuve à ouvrer*.

2. OUVREUR, EUSE [uvʀœʀ, øz] n. — 1611 ; de *ouvrir.*

♦ **1.** Personne chargée d'ouvrir (qqch.). *Ouvreur de portières, de
portes, d'huis* (vx ; ⇒ **Huissier**). *Ouvreuse d'huîtres* : écaillère.

♦ **2.** a Vx ; (XIXe, Balzac). *Ouvreuse de loges* : femme qui était
chargée d'ouvrir les loges d'un théâtre.

b Mod. **OUVREUSE** : femme chargée d'ouvrir les loges, et plus
généralement de placer les spectateurs dans une salle de spectacle.
Au masc. (rare). *Ouvreur.* ⇒ **Placeur.**

1 Le lustre s'éteignit. Il n'y avait plus alors dans la salle que des ouvreuses qui faisaient un singulier bruit en ôtant les petits bancs et fermant les loges.
                                        BALZAC, Illusions perdues, Pl., t. IV, p. 725.

2 Par moments, une ouvreuse se montrait, affairée, des coupons à la main, poussant
devant elle un monsieur et une dame qui s'asseyaient, l'homme et la femme
mince et cambrée, promenant un lent regard.   ZOLA, Nana, I.

3 Et les stewards immaculés qui ressemblaient à des ouvreurs de cinéma (...)
                                             COLETTE, Belles saisons, p. 38.

♦ **3.** (XXe). Jeu. Personne qui ouvre le jeu par la première mise (au
poker), la première déclaration (au bridge). *L'ouvreur avait un bre-
lan servi. L'ouvreur n'avait pas un jeu suffisant pour annoncer.*

♦ **4.** (V. 1960). Sports. a Pilote chargé de vérifier l'état de la route
avant le départ d'une course automobile.

b Skieur qui ouvre la piste afin d'en permettre l'accès (au public,
ou aux concurrents d'une course).

c Demi d'ouverture* (*supra* cit. 7.1).

OUVREUSE [uvʀøz] n. f. — 1877 ; de *ouvrir.*

♦ Techn. Machine employée pour ouvrir et nettoyer le coton.
Ouvreuse verticale (type Crighton). *Ouvreuse Buckley,* à tambour horizontal.

Le coton n'est pas encore complètement ouvert après son passage à la char-
geuse (...) Ouvrir le coton encore comprimé, et éliminer une partie des impuretés
restantes seront la tâche des ouvreuses.   Raymond THIÉBAUT, la Filature, p. 15.

HOM. Ouvreuse, fém. de 2. *ouvreur.*

OUVRIER, IÈRE [uvʀije, ijɛʀ] n. et adj. — XIIIe ; *ovrer, overier,
ovrier,* XIIe ; du lat. *operarius,* de *operari.* → Opérer, ouvrage.

★ **I. N. ♦ 1.** Personne qui exécute un travail manuel, exerce un
métier manuel ou mécanique moyennant un salaire* ; (cour.) travailleur manuel de la grande industrie. ⇒ **Métier** (cit. 3), **salarié, travailleur** (manuel), **prolétaire.** *L'ouvrier vend son travail*
(→ Héroïsme, cit. 3).

REM. Juridiquement, *l'ouvrier* est lié «par un contrat de travail ou louage
de services» et «exécute un travail manuel d'ordre industriel ou agricole» (Capitant) ; cependant la notion d'*ouvrier* est parfois étendue à
tout travailleur manuel, à l'exclusion du paysan, et comprend alors les
artisans, les membres d'une coopérative de production, etc. (→ Coopératif, cit. 2).

Ouvrier à façon (⇒ **Façonnier**), *à la journée* (⇒ **Journalier**), *à
la tâche* (⇒ **Tâcheron**), *aux pièces... Ouvrier qui fabrique, façonne
telle catégorie d'objets. Artisan qui embauche, prend un ouvrier.*
⇒ **Aide.** *Ouvrier en apprentissage*. ⇒ **Apprenti.** *Formation, qualification professionnelle des ouvriers. Ouvrier sans qualification.*
⇒ **Manœuvre, manouvrier.** (→ Homme de peine*). *Ouvrier qualifié*, *hautement qualifié. Ouvrier professionnel.* ⇒ **O. P.** — *Ouvrier
spécialisé* (⇒ **O.S.**) : ouvrier possédant une spécialisation profes-

sionnelle (opposé à *manœuvre*). — REM. Cet ouvrier n'est pas forcément qualifié ; en réalité l'«O.S.1» est au bas de la hiérarchie professionnelle. Cependant, l'expression *ouvrier spécialisé* peut se rencontrer dans son sens initial (→ ci-dessus, cit. 2).

Ouvriers travaillant en équipe (⇒ **Brigade, équipe**), *à la chaîne*.
Chef d'une équipe d'ouvriers. ⇒ **Chef** (d'atelier), **contremaître.**
L'ouvrier et la machine (cit. 13, 20 et 21). ⇒ **Machinisme** (cit. 1).
Outil, outillage d'un ouvrier* (→ Figure, cit. 3). *Les ouvriers d'une
usine.* ⇒ **Main-d'œuvre** (cit. 1, 2 et 4), **personnel.** *Ouvrier de l'industrie privée. Ouvrier d'État,* employé dans une entreprise d'État.
— *Lieu où travaillent des ouvriers* (⇒ **Atelier, chantier, fabrique,
usine.** *Ouvriers allant à leur travail* (⇒ Foule, cit. 6). *Ouvrier
ambulant.* ⇒ **Magnien** (régional). *Ouvrier, ouvrière à domicile, en
chambre...* ⇒ **Chambrier** (vx). *Chambrée, dortoir, cantine*
d'ouvriers.* — *Embaucher, employer, occuper des ouvriers*
(⇒ **Embauche, emploi...**). *Débaucher des ouvriers* (⇒ **Débauchage**).
Renvoi, licenciement (cit.) *d'un ouvrier. Ouvriers sans travail.*
⇒ **Chômage** (cit. 1), **chômer, chômeur** (cit. 1). *Livret* d'ouvrier.
*Gain, salaire, paye d'un ouvrier. Ouvriers payés à l'heure, à la
journée.* ⇒ **Journalier.** *Ourier payé au mois.* ⇒ **Mensuel ; mensualiser.** *Ouvriers travaillant en commandite* (cit. 2). — *Communautés, organisations professionnelles d'ouvriers.* ⇒ **Compagnonnage ;
compagnon, corporation, métier ; syndicat, syndicalisme, trade-
union...; fédération, confédération** (C.F.D.T., C.F.T.C., C.G.T.,
F.O.). *Ouvriers syndiqués pour défendre leurs intérêts professionnels, revendiquer une part dans la gestion des entreprises...* ⇒ **Syndicaliste ; autogestion.** *Ouvriers qui font grève* (⇒ **Gréviste**), *qui
refusent de faire grève* (⇒ **Jaune**). — *Relations entre patrons*
et ouvriers, employeurs et ouvriers* (→ Arbitrage, cit. 4 ; changer,
cit. 27 ; 1. intestin, cit. 4). *Industriels et ouvriers* (→ Initiative,
cit. 7). — *Niveau de vie, mode de vie des ouvriers. Blouse* (⇒ **Bour-
geron**), *casquette des ouvriers du XIXe siècle. Vêtement de travail,
bleu d'ouvrier* (⇒ **Salopette**). *Bourgeois* (cit. 12) *et ouvriers.* — *Une
simple ouvrière* (⇒ Mettre, cit. 78). *Ouvrière coquette, de mœurs
légères.* ⇒ **Grisette** (vieux). — REM. Le féminin correspond souvent à
des connotations sociales désuètes, et non pas, comme le masculin, à
un contenu économique et politique.

1 (...) je continue mon œuvre lente comme le bon ouvrier qui, les bras retroussés et
les cheveux en sueur, tape sur son enclume sans s'inquiéter s'il pleut ou s'il vente,
s'il grêle ou s'il tonne.   FLAUBERT, Correspondance, 102, sept. 1845.

2 N'importe lequel d'entre nous a eu l'occasion de s'entretenir avec quelques-uns de
ces ouvriers spécialisés dont la culture, évidemment empirique, est celle d'un petit
ingénieur.   BERNANOS, les Grands Cimetières sous la lune, p. 68.

3 L'homme qui travaille seul avec l'outil, est en relations directes avec certains
grands phénomènes naturels qui lui inspirent le sentiment d'un accord profond
entre son individu et le rythme du monde. L'authentique grandeur du paysan lié à
sa terre vient de là. L'élément de cohésion lui est fourni, tout naturellement, par
la connaissance du monde extérieur. L'ouvrier d'usine ne possède, à aucun degré,
cette expérience. Il vit dans un univers purement artificiel, où la volonté de
l'homme tient en échec toutes les lois qui fixent l'ordonnance de l'univers. De
ce mécanisme prodigieux, — la nature, — il ne connaît que la puissance définie, limitée, avec laquelle il est en contact.
                                        DANIEL-ROPS, le Monde sans âme, III.

4 (...) un ouvrier ne peut pas vivre en bourgeois ; il faut, dans l'organisation sociale
d'aujourd'hui, qu'il subisse jusqu'au bout sa condition de salarié (...) Totalement
conditionné par sa classe, son salaire, la nature de son travail, conditionné jusqu'à
ses sentiments, jusqu'à ses pensées, c'est lui qui décide du sens de sa condition et
de celle de ses camarades, c'est lui qui, librement, donne au prolétariat un avenir
d'humiliation sans trêve ou de conquête et de victoire, selon qu'il se choisit résigné
ou révolutionnaire.   SARTRE, Situations II, p. 27 et 28.

5 L'O. S. sans qualification précise, appelé faussement «ouvrier spécialisé» (...) tend
à disparaître avec le perfectionnement des machines complexes (...) Cependant
dans l'ensemble des entreprises, nous trouvons toujours un grand nombre d'ouvriers
plus qualifiés que les manœuvres, mais dont la qualification est trop faible pour
éviter des changements fréquents de métiers.
                                CHOMBART DE LAUWE, la Vie quotidienne des familles ouvrières, p. 19.

L'ouvrier (collectif) : l'ensemble des ouvriers, la classe ouvrière. *Le
bourgeois et l'ouvrier* (→ Nourriture, cit. 5). *Exploiter* (cit. 10)
l'ouvrier.

Ouvriers d'industrie. — (Industries d'extraction [cit. 1]) ⇒ **Carrier, 2. mineur** (cit. 1), **tourbier...** — (Métallurgie). ⇒ **Métallurgiste,
métallo.** — (Industries mécaniques). ⇒ **Mécanicien ; machiniste.** —
Ouvrier électricien. ⇒ **Électricien.** *Ouvrier d'une forge* (cit. 7).
Ouvriers des travaux publics (⇒ **Terrassier ; asphalteur, bitumier,
caillouteur...**), *du bâtiment* (⇒ **Maçon, plâtrier...** ; **staffeur, stucateur...**). *Ouvriers de la voirie* (⇒ **Éboueur, égoutier...**). *Ouvriers des
transports, des chemins de fer* (⇒ **Cheminot**). *Ouvriers du textile*
(⇒ **Fileur, tisserand ; ourdisseur ; peigneur, retordeur,** etc.), *d'une
fabrique de feutre* (feutrier, foulon), *de gaze* (1. gazier), *de drap*
(laineur...), *de velours* (veloutier), *de soie* (canut).

REM. Chaque textile (laine*, coton*, lin*, soie*) nécessite des opérations particulières effectuées par des ouvriers spécialisés (Ex. : Moulineur [soie], écangueur, séranceur [lin, chanvre], teilleur [chanvre]).

Ouvriers du cuir (⇒ **Cuir, peau ; tanneur...**), *du verre** (⇒ **Souffleur,
verrier...**), *du bois** (⇒ **Sagard, scieur... ; menuisier**). *Ouvrier
vannier* (⇒ **Vanneur**), *porcelainier* (→ Génération, cit. 18).
Ouvrier des industries chimiques (ex. : soudier), *alimentaires* (conserves... : ⇒ **Saleur, sardinier, saurisseur...** ; brasserie : ⇒ **Brasseur,
malteur ;** boulangerie : ⇒ **Boulanger, gindre...** ; minoterie : ⇒ **Meunier, sasseur**). *Ouvriers d'une imprimerie* (⇒ **Typographe ; imprimerie**), *d'un atelier de reliure* (⇒ **Couseuse, brocheur, relieur,
marbreur**). *Ouvrier emballeur* (⇒ **Emballeur, étiqueteur, ficeleur,
paqueteur**). *Ouvrier manutentionnaire*.* — *Ouvrier bijoutier*

(⇒ **Bijoutier, graveur, orfèvre**). *Ouvrier graveur* (lapicide...), *sculpteur sur ivoire* (ivoirier...). — *Ouvrier, ouvrière en confection* (⇒ **Couturière, tailleur**); *ouvrier, ouvrière en fleurs artificielles* (⇒ **Feuillagiste**).

REM. Les noms d'*ouvriers* se forment : 1. Sur un verbe désignant une opération (cf. Les listes d'opérations propres à chaque industrie, à chaque technique). 2. Sur le nom de la matière première travaillée *(bronzeur, céramiste, ivoirier)* ou obtenue *(houilleur, pailletier, 2. gazier)*. 3. Sur le nom de l'objet fabriqué *(grillageur, malletier, meulier, modeleur, monnayeur; moulurier, pastilleur, treillageur, voilier...)*.

Par appos. *Prêtre ouvrier* ou *prêtre-ouvrier*.

Noms désignant des ouvriers chargés d'une opération technique :
Adoucisseur, affineur, affûteur, agrafeur, aiguiseur, ajusteur, aléseur, appareilleur, apprêteur, arrondisseur, attacheur, batteur, biseauteur, brocheur, broyeur, casseur, chargeur, chauffeur, conducteur, coupeur, couseur, couvreur, cribleur, décapeur, déchargeur, décolleteur, découpeur, dépanneur, doreur, ébaucheur, échantillonneur, effilocheur, émailleur, emboutisseur, emmancheur, encolleur, enfourneur, estampeur, étalonneur, étireur, fendeur, ferreur, finisseur, fondeur, foreur, forgeur, fouleur, fraiseur, frappeur, garnisseur, gaufreur, glaceur, graisseur, graveur, installateur, jointoyeur, lamineur, limeur, lisseur, marqueur, marteleur, mateur, mesureur, métreur, metteur (en œuvre, au point...), modeleur, moireur, monteur, mouleur, nettoyeur, pareur, peintre, pelleteur, perceur, peseur, plaqueur, plieur, pointeur, polisseur, poseur, pressier, raccommodeur, ravaleur, régleur, réparateur, repasseur, rhabilleur, riveur, sableur, satineur, scieur, sertisseur, signaleur, soudeur, souffleur, soufreur, tailleur, tamiseur, tireur, tourneur, traceur, tréfileur, trempeur, tresseur, trieur, vernisseur...

REM. La plupart de ces mots peuvent désigner plusieurs ouvriers dans des techniques ou des industries diverses; les formes en *-eur* ont un féminin usité ou virtuel en *-euse*..

*Ouvriers, ouvrières agricoles** : travailleurs manuels salariés de l'agriculture. ⇒ **Journalier; fille** (cit. 43), **servante, valet** (de ferme). — Absolt. *Ouvrier* (même valeur). *Ouvriers saisonniers, embauchés pour une opération particulière.* ⇒ **Aoûteron, moissonneur, semeur, vendangeur...** *Ouvrier qui charge les gerbes* (⇒ **Broqueteur**), *engraisse les champs* (⇒ **Marneur**), *s'occupe d'un jardin* (⇒ **Jardinier**), *des bêtes* (⇒ **Berger, bouvier, palefrenier...**), *soigne les arbres* (⇒ **Échenilleur, élagueur, gemmeur**). *Ouvrier bûcheron**.

Allus. bibl. *Les ouvriers de la onzième** heure.*

Allus. littér. (→ Maçon, cit. 3, Boileau).

Prov. *Les mauvais ouvriers ont toujours de mauvais outils**.*

♦ **2.** (XVIᵉ). Vx ou littér. Personne qui effectue habituellement et avec habileté un travail, et, spécialt, personne dont le métier, la profession consiste dans l'exécution de tel ou tel travail. ⇒ **Artisan** (cit. 9), **artiste**. *L'amateur et l'ouvrier* (cf. Homme de l'art). *Bon* (cit. 51), *excellent* (cit. 2) *ouvrier; mauvais ouvrier* (⇒ **Gâcheur, massacreur, saboteur...** → Imiter, cit. 21). *Le plus persévérant ouvrier* (→ Atteindre, cit. 23). *Gautier, ouvrier d'art littéraire* (→ Imagier, cit. 5). *L'ouvrage et l'ouvrier* (→ Dessin, cit. 10); *l'ouvrage et ses ouvriers.*

6   BERNIN n'a pas manié le marbre ni traité toutes ses figures d'une égale force; mais (...) de certains traits (...) découvrent aisément l'excellence de l'ouvrier (...)
        LA BRUYÈRE, Disc. de l'Académie, 15 juin 1693, Préface.

7   (...) elle avait une prestesse d'ouvrière, car tout le monde peut, à certaines façons, reconnaître le faire de l'ouvrier et celui d'un amateur.
        BALZAC, Mᵐᵉ de La Chanterie, Pl., t. VII, p. 257.

8   Ne dédaignez pas les grammairiens. Ce sont des ouvriers utiles. Ils réparent et raccommodent la langue (...) ébranlée quelquefois (...) par le passage royal des grands écrivains. Ils pavent la grande route des idées.
        HUGO, Post-Scriptum de ma vie,
        cité par BRUNEAU, in Hist. de la langue franç., t. XIII, p. 35.

Péj. *Ce peintre n'est qu'un ouvrier,* il ne crée rien d'original (→ Fabriquer, cit. 14, Baudelaire).

Par métaphore. *Le grand ouvrier, l'éternel ouvrier :* Dieu (→ Merveille, cit. 4; nature, cit. 34).

9   Eh bien! nous croyons que ce monde et ce qu'il renferme est l'ouvrage d'un ouvrier.   DIDEROT, Suppl. au voyage de Bougainville, III.

Loc. *De main d'ouvrier :* de la main d'un homme habile (⇒ **Habileté**). *Ouvrage fait de main d'ouvrier* (→ Élever, cit. 23). *Le fini* (cit. 28), *beauté qui vient de la main et du travail de l'ouvrier.* — *Le coin, la marque de l'ouvrier.* ⇒ 1. **Marque** (*infra* cit. 4).

10 (...) jusqu'à mes chaussettes, je ne puis rien souffrir qui ne soit de la bonne ouvrière.   MOLIÈRE, les Précieuses ridicules, 9.

11 Tout est grand et admirable dans la nature; il ne s'y voit rien qui ne soit marqué au coin de l'ouvrier (...)   LA BRUYÈRE, les Caractères, XVI, 46.

Prov. *À l'œuvre on connaît l'ouvrier* (⇒ **Artisan**).

♦ **3.** Fig., vieilli. L'**OUVRIER DE...** : personne dont le travail, l'action a produit (tel résultat*, tel effet). ⇒ **Agent, artisan, auteur.** « *Je suis l'ouvrier de ma fortune* » (Bossuet). *Chacun est l'ouvrier de sa destinée* (Académie).

★ **II.** Adj. (V. 1400, *jour ouvrier* « ouvrable* »). ♦ **1.** Qui a rapport aux ouvriers, qui est constitué par des ouvriers ou est destiné aux ouvriers.

REM. Cet adjectif est habituellement appliqué aux ouvriers de la grande industrie, au prolétariat industriel. → Prolétarien.

*La classe** ouvrière. La condition* (→ Heure, cit. 14), *la servitude ouvrière* (→ Artifice, cit. 12). *L'opinion ouvrière* (→ Meneur, cit. 4). *Le communisme ouvrier et l'individualisme* (cit. 6) *paysan. Agitation* (cit. 20) *ouvrière. — La question ouvrière. Législation ouvrière et sociale* (→ 3. Droit, cit. 69). — *Le peuple ouvrier* (→ Heure, cit. 13). *Prolétariat ouvrier et paysan. — Militant* (cit. 3) *d'une organisation ouvrière. Syndicat ouvrier. Force ouvrière* (F.O.), *nom d'un syndicat ouvrier français. Jeunesse ouvrière chrétienne* (J.O.C.). *Comités, conseils ouvriers. Parti ouvrier.* — Ancienn. *Section française de l'Internationale ouvrière* (S.F.I.O.). ⇒ **Socialiste** (parti). — *Cité ouvrière. Train, service ouvrier,* desservant une usine.

12 Il les refusa *(ces salaires)* sous le nom de salaires; il les accorda sous le nom de primes. Il les refusa sans blesser l'orgueil ouvrier; il les accorda sans affaiblir l'autorité patronale. Il les refusa en louant la modération prolétarienne; il les accorda en exaltant la bonne volonté bourgeoise.   A. MAUROIS, Bernard Quesnay, XVIII.

13 Elle ne savait rien de l'enfance ouvrière, différente de celle qu'elle avait eue, comme le cauchemar d'un sommeil calme; dans son monde, l'être humain rarement avant vingt ans acquérait ce sentiment de responsabilité qui fait l'adulte; tandis que, garçons ou filles dans le monde ouvrier la vie, à proprement parler l'enfer, commence bien avant l'achèvement de la croissance.
        ARAGON, les Cloches de Bâle, III, v.

14 Nous avons en France des cités ouvrières (...) elles ne deviendront jamais de vraies villes : elles sont, au contraire, le produit artificiel des cités voisines.
        SARTRE, Situation III, p. 97.

15 Afin de préparer cette promotion ouvrière, les comités d'entreprise voient le jour en février 1945.   Ch. DE GAULLE, Mémoires de guerre, t. III, p. 97.

15.1 Par le biais de la quotidienneté organisée, la classe ouvrière s'est laissé partiellement intégrer à la société existante (ce qui signifie sa désintégration comme classe).
        Henri LEFEBVRE, la Vie quotidienne dans le monde moderne, p. 337.

♦ **2.** Fig. *Cheville ouvrière.* ⇒ **Cheville** (cit. 2 et 3).

★ **III.** Adj. et n. f. (1751). Zool. *Abeille ouvrière* (rare) et, n. f., *ouvrière :* individu neutre (femelle dont l'appareil génital n'est pas développé), dans une ruche. ⇒ **Abeille** (cit. 1 et 6). — Par anal. Se dit d'autres hyménoptères vivant en société (fourmi, guêpe neutre).

16 Il y a des temps et des circonstances (...) où les abeilles ordinaires traitent avec barbarie les vers *(larves),* même ceux qui doivent devenir des mouches *(abeilles)* ouvrières (...)   R.-A. DE RÉAUMUR, Hist. des abeilles *in* Morceaux choisis, p. 90.

CONTR. Employeur, maître, patron. — Bourgeois. — Patronal.
DÉR. Ouvriérisme, ouvriériste.

OUVRIÉRISME [uvʀijeʀism] n. m. — 1935; de *ouvrier.*

♦ **1.** Polit. Système selon lequel le mouvement syndical, la gestion socialiste de l'économie... doivent être dirigés par les mouvements ouvriers. « *En effet, si l'on peut considérer que l'ouvriérisme est toujours ridicule, il devient au surplus dérisoire si les ouvriers sont minoritaires* » (*le Nouvel Obs.*, 2 juin 1973).

♦ **2.** (Mil. XXᵉ). Affectation de se comporter comme les ouvriers, de la part d'une personne (ou d'un groupe) qui n'appartient pas à la classe ouvrière.

OUVRIÉRISTE [uvʀijeʀist] adj. et n. — 1935, J.-R. Bloch; de *ouvrier.*

♦ Polit. Tenant de l'ouvriérisme*. *Idéologie ouvriériste. Tendances ouvriéristes dans le parti communiste.*

Beaucoup, proches du peuple, ouvriers ou « ouvriéristes », attribuent au travail manuel une éminente dignité. Dans cette croyance, la classe ouvrière trouve justifications pour sa conscience de classe.
        Henri LEFEBVRE, la Vie quotidienne dans le monde moderne, p. 67.

OUVRIR [uvʀiʀ] v. — Conjug. *couvrir.* — V. 980, *obrir; üvrir,* 1080, *Chanson de Roland;* du lat. pop. *operire,* du lat. class. *aperire.*

★ **I.** V. tr. ♦ **1.** Dégager (qqch.) de ce qui tenait fermé* (⇒ **Débâcler,** vx; **débarrer, déverrouiller...**); déplacer les éléments mobiles de (une ouverture*) de manière à mettre en communication l'extérieur et l'intérieur. *Ouvrir une porte, la porte* (→ Appliquer, cit. 17; cogner, cit. 4; dérober, cit. 26; espérer, cit. 12; façon, cit. 32; frapper, cit. 49), *l'ouvrir à peine* (⇒ **Entrouvrir**), *l'ouvrir toute grande, largement, à deux battants** (1. Battant, cit. 2 et 4). Par métaphore. *Ouvrir sa porte* (cit. 26) *à (qqn). Ouvrir la porte avec une clef, un passe-partout.* Par ext. *Clef qui ouvre une porte,* qui permet de l'ouvrir. *Ouvrir une porte avec effraction**. ⇒ **Crocheter, forcer** (→ Monseigneur, cit. 3). — Fig. ⇒ **Porte.** — *Ouvrir la fenêtre, les fenêtres* (cit. 6). *Ouvrir les rideaux* (cit. 3), *les jalousies* (cit. 29). ⇒ **Tirer.** *Ouvrir les portières* (→ Marche, cit. 30), *les vitres d'une voiture.* ⇒ **Baisser** (→ Jeter, cit. 16). *Ouvrir un guichet* (cit. 2), *une trappe* (→ Hasard, cit. 44). *Ouvrir un robinet. Ouvrir un clapet, une soupape, une vanne...* ⇒ **Lâcher.**

1   Ma chandelle est morte,
    Je n'ai plus de feu,
    Ouvre-moi la porte
    Pour l'amour de Dieu.   Au clair de la lune, chanson populaire.

2 Ô Seigneur! ouvrez-moi les portes de la nuit,
Afin que je m'en aille et que je disparaisse!
HUGO, les Contemplations, IV, XIII.

3 Tiens, dit-elle en ouvrant les rideaux, les voilà!
HUGO, la Légende des siècles, LII, X.

4 On avait ouvert toutes les fenêtres, et le soleil de mai jouait librement dans les chambres (...)
E. FROMENTIN, Dominique, VI.

Absolt (avec ellipse du complément «la porte»). *Ouvrir à qqn, ouvrir. Ouvrez-moi* (→ Fermer, cit. 1; 1. garde, cit. 57; guichet, cit. 1). *Ouvre!, ouvre vite! Va ouvrir* (→ Impotence, cit.; nuit, cit. 44). *« Frappez, et l'on vous ouvrira »* (→ Demander, cit. 15). *Ouvrez, au nom de la loi!*

5 Le marquis (...) se trouva bientôt à la porte de la maison où son fils le suivit intrépidement. — Qui est là? demanda-t-il. — Ouvrez, répondit une voix presque suffoquée par des respirations haletantes.
BALZAC, la Femme de trente ans, Pl., t. II, p. 795.

♦ **2.** (Le compl. désigne un local, un objet d'une capacité quelconque). Mettre en communication avec l'extérieur, par le déplacement ou le dégagement de l'élément mobile. *Ouvrir son logis* (→ Dur, cit. 17), *une chambre* (→ Maléfice, cit. 5), *sa voiture. Ouvrir une armoire* (cit. 1). *Ouvrir une boîte* (→ Intempestif, cit. 3), *un tonneau, un bocal* (→ Jeter, cit. 21), *une cassette* (→ Moisir, cit. 1), *un paquet, une malle* (→ Nantissement, cit. 2). ⇒ **Déballer, débonder, déboucher, déclore, déclouer, dépaqueter...** — Absolt. *Pour ouvrir, percez le couvercle.* — (Le suj. désigne ce qui ferme). *Soupape servant à ouvrir et fermer un réservoir.* — Spécialt. (En insistant moins sur l'action elle-même que sur son résultat et sur la durée de ses effets). *Ouvrir sa maison à tous.* — (Au passif). *Sa maison est ouverte à tous.* ⇒ **Ouvert** (ci-dessous). *Ouvrir un magasin, une boutique de 9 heures à 18 heures. Ouvrir son salon pour des conférences* (→ Gaine, cit. 3). — Absolt. (Avec ellipse du complément, qui désigne un lieu ouvert au public). *Nous ouvrirons toute la matinée de dimanche.*

♦ **3.** Écarter* ou déplier* (les parties d'un organe, les éléments d'un objet), et, par ext., mettre dans une nouvelle disposition qui assure la communication ou le contact avec l'extérieur. *Ouvrir les lèvres* (→ Languissant, cit. 10), *la bouche** (→ Articuler, cit. 7). — Loc. fam. *L'ouvrir :* parler. *Il n'y a pas moyen de l'ouvrir, avec ce bavard!* — *Ouvrir les mâchoires* (→ Dent, cit. 4), *la gueule** (→ Empailler, cit.). *Ouvrir le bec*. — Ouvrir les yeux, l'œil** (→ Aigle, cit. 4; dieu, cit. 8; endormir, cit. 17). ⇒ **Écarquiller.** *Ouvrir un œil :* s'éveiller. — *Ouvrir les narines* (→ Humer, cit. 6 et 7). — *Ouvrir la main, les mains, les doigts* (→ Foi, cit. 46; gravement, cit. 2). *Ouvrir les bras* (⇒ **Étendre**), *les cuisses* (⇒ **Écarter**). *Ouvrir ses ailes* (cit. 12). ⇒ **Déployer.** — (Par ext.). *Ouvrir l'oreille**. — Fig. *Ouvrir ses sens* (→ Image, cit. 50). *Odeur qui ouvre l'appétit** (cit. 11 et 18), qui suscite la faim. ⇒ **Apéritif.**

6 Elle ouvre à demi les bras : Jacques y glisse (...)
MARTIN DU GARD, les Thibault, t. I, p. 114.

6.1 — Pour quoi faire? Une visite à cette (...) demoiselle? (...)
— Mais non, pas une visite. Pour ouvrir les yeux sur ce qui se passe, voyons.
F. MALLET-JORIS, le Jeu du souterrain, p. 115.

*Ouvrir un sac, sa bourse** (cit. 7), *un porte-monnaie, un portefeuille... Ouvrir son veston.* ⇒ **Déboutonner.** *Ouvrir les draps* (→ Fatiguer, cit. 27), *le lit.* ⇒ **Défaire.** *Ouvrir un couteau* (cit. 11 et 13), *un compas* (cit. 3). *Ouvrir une enveloppe, une lettre* (cit. 24 et 27), *une dépêche* (cit. 3). ⇒ **Décacheter, déplier.** *Ouvrir un éventail, une ombrelle, un parapluie, un parasol...* — *Ouvrir un livre, un registre, un carton, un dossier...* (→ Dictionnaire, cit. 11; examen, cit. 15; feuilleter, cit. 3; minute, cit. 8). *Je lui ai donné un livre, un album, mais il ne l'a même pas ouvert.* ⇒ **Regarder.** *Ouvrir largement son journal.* ⇒ **Étaler.**

7 De ses mains brunes et grasses, il fouillait des dossiers, ouvrait des journaux commerciaux (...)
J. ROMAINS, les Hommes de bonne volonté, t. IV, XI, p. 115.

(Dr.). *Ouvrir un testament.*

Électr. *Ouvrir un circuit*.

Fam. Mettre en marche, faire fonctionner. *Ouvrir la lumière, le gaz, la radio, la télévision, le chauffage...* (par métonymie) *l'eau.* ⇒ **Allumer, brancher.** — *Ouvrir le robinet, l'interrupteur.*

Mar. *Ouvrir deux amers**, se diriger de manière que la distance qui les sépare soit de plus en plus sensible à l'œil. *Ouvrir une rade, une baie,* «s'en approcher de manière à en découvrir de plus en plus l'ouverture à l'entrée» (Gruss). — N. B. Ces deux expressions signifient que le navigateur *ouvre l'angle* que présentent les points en vue par rapport à sa position.

Milit. *Ouvrir les rangs*.* ⇒ **Desserrer.**

♦ **4.** Faire, créer, en creusant, en trouant (une solution de continuité). *Ouvrir une fenêtre dans un mur, une brèche* (cit. 3) *dans une forteresse* (→ Mouvement, cit. 21). ⇒ **Pratiquer.** *Ouvrir une tranchée, une galerie, une mine. Ouvrir, en labourant, une enrayure* (1. Enrayure, cit.), *un sillon* (→ Motte, cit. 1; motteux, cit.). *Ouvrir une tombe.* Par métaphore. *Ouvrir un abîme* (cit. 29; → Musique, cit. 12).

8 En ce moment, des nuages s'assemblaient au-dessus de la mer; noirs, déchiquetés, ils ouvraient dans tous les sens des découpures hargneuses entre lesquelles flottait un vaste lac d'or.
Edmond JALOUX, les Visiteurs, I.

Techn. *Ouvrir le coton* (en écartant les fibres). → Ouvreuse, cit.

♦ **5.** Faire une ouverture, des ouvertures dans qqch. *Ouvrir la terre* (→ Fraîchement, cit. 1; jardinage, cit. 2; laboureur, cit. 2).

(Le compl. désigne une chose dont le contenu peut s'échapper, être recueilli). ⇒ **Couper, entamer, fendre.** *Ouvrir un fruit* (→ Fuser, cit. 6), *des noix, des huîtres* (→ Gruger, cit. 1), *un pâté. — Chirurgien qui ouvre un abcès, un furoncle à l'aide d'un bistouri* (cit. 2 et 4). ⇒ **Débrider, inciser, percer.** *Ouvrir la veine.* ⇒ **Saigner.** — *Ouvrir le ventre.* ⇒ **Éventrer** (s'), *hara-kiri* (faire). *S'ouvrir le crâne en tombant.* — Absolt. *Le diagnostic externe est insuffisant, il va falloir ouvrir, opérer** en pratiquant une ouverture. — Figuré :

9 Ouvrir son cœur pour le mettre en étalage sur un comptoir! S'il a des blessures, tant mieux!
A. DE VIGNY, Chatterton, III, 1.

♦ **6.** Créer ou permettre d'utiliser (un moyen d'accès), d'avancer dans un milieu résistant. *Ouvrir, s'ouvrir un chemin** (cit. 41), *une voie*...* ⇒ **Frayer** (→ Géométrie, cit. 5; issue, cit. 7; nihilisme, cit. 1). *Ouvrir une entrée, une issue* (cit. 4), *un passage* (→ Fabuleux, cit. 6; maquis, cit. 1). — **OUVRIR... À...** : rendre praticable pour. *Ouvrir un canal à la navigation. Ouvrir la carrière* (cit. 10). — Fig. *Ouvrir des horizons**, *des perspectives** à qqn* (→ Allusion, cit. 3; nouveau, cit. 19).

10 Avec cette joie que je m'étais faite du rêve comme ouvrant à l'homme une communication avec le monde des esprits (...)
NERVAL, Aurélia, II, III.

11 (...) quelques visites reçues ou rendues, et qui me firent mieux connaître les chemins de son village qu'elles ne m'ouvrirent les avenues discrètes de son amitié.
E. FROMENTIN, Dominique, I.

12 (...) avec ses dialogues et ses contemplations, Madeleine de Pazzi ouvre d'éloquents horizons, mais l'âme, lutée par la cire des péchés, ne peut la suivre.
HUYSMANS, En route, p. 168.

13 Les légistes révolutionnaires, expéditifs et hardis, réduisant au minimum les bagages de la Révolution en marche, lui ouvrirent d'emblée des routes toutes droites à travers la forêt de préjugés et d'erreurs; mais ils ne frappèrent d'abord à coups de hache que juste ce qu'il fallait abattre pour que la Révolution passât.
JAURÈS, Hist. socialiste de la Révolution, t. V, p. 223.

14 «En novembre (1813), ce qui avait été la Grande Armée entrait à Mayence après avoir dû s'ouvrir un passage à Hanau sur les Bavarois qui avaient trahi à leur tour.»
J. BAINVILLE, Hist. de France, XVIII, p. 424.

Sports, cour. *Ouvrir la route, la piste,* s'y engager le premier. *Entraîneur, motard qui ouvre la route, le parcours. Skieur qui ouvre la piste.*

Par ext. Rendre accessible (un lieu, un domaine) à qqn. *Ouvrir un asile* (cit. 2, 6 et 23), *un refuge à qqn. Ouvrir sa demeure, sa maison à qqn,* lui offrir son accueil (→ 1. Goutte, cit. 3).

15 (...) la terre ouvre son sein fertile et prodigue ses trésors aux heureux peuples qui la cultivent pour eux-mêmes : elle semble sourire et s'animer au doux spectacle de la liberté; elle aime à nourrir des hommes.
ROUSSEAU, Julie, IV, XVII.

16 (...) elle était fière de Jérôme, elle le voyait arrivant à une direction générale, à l'aide de ses succès qui, dans ce temps, lui ouvraient quelques salons où certes il n'aurait jamais pénétré sans les circonstances qui faisaient de la société, sous l'Empire, une macédoine.
BALZAC, les Petits Bourgeois, Pl., t. VII, p. 78.

♦ **7.** Fig. **OUVRIR... À...** : rendre accessible (un domaine, un monde moral, intellectuel). *Ouvrir à qqn son âme, son cœur, sa pensée...,* lui permettre d'entrer dans le secret de son âme (par des confidences, des aveux sincères). ⇒ **Découvrir** (→ Louange, cit. 6; nature, cit. 47). *La gentillesse un peu fourbe* (cit. 2) *qui m'ouvrait les cœurs. Phrases qui ouvrent à l'esprit des horizons* (cit. 18) *nouveaux.* — (*Ouvrir... à qqch.*). *Un lazzi* (cit. 7) *suffit pour ouvrir le champ à l'inattendu. Ouvrir son âme à l'idéal* (cit. 11). — Absolt. *Ouvrir l'esprit (à qqn),* lui rendre l'esprit ouvert, large. *Un maître, un enseignement, une lecture qui ouvre l'esprit.* ⇒ **Éveiller.**

17 Ce sont ces arts *(la musique et la danse)* ... qui ouvrent l'esprit d'un homme aux belles choses.
MOLIÈRE, le Bourgeois gentilhomme, I, 2.

18 (...) il faut ouvrir son esprit aux preuves, s'y confirmer par la coutume (...)
PASCAL, Pensées, IV, 245.

Rendre familier, compréhensible.

19 Vous m'avez ouvert un monde d'idées que je ne soupçonnais pas (...)
PROUST, À la recherche du temps perdu, t. XI, p. 77.

20 J'ai fréquenté chez les astronomes et j'imagine parfois ce monde où leur pensée se complaît et se perd; celui que m'ouvre mon microscope n'est pourtant (...) ni moins merveilleux ni moins vaste.
G. DUHAMEL, la Nuit d'orage, III, p. 49.

♦ **8.** Commencer, mettre en train. *Ouvrir une campagne.* Loc. *Ouvrir les hostilités, la lutte, le feu*...* ⇒ **Attaquer** (→ Exciter, cit. 7; graver, cit. 12; molester, cit. 2). — *Ouvrir une discussion, un débat, une information, une enquête* (cit. 8) *, un procès — Ouvrir la session parlementaire, la séance, le scrutin... Ouvrir une souscription. Ouvrir une exposition, une foire, les Jeux olympiques* (→ Handicap, cit. 1). *Ouvrir une ère* (cit. 6) *nouvelle. Ouvrir une parenthèse*.* — Être le premier à faire, à exercer (une activité). — Loc. *Ouvrir la marche**, *la danse, le bal, le ban*...* (→ Déployer, cit. 12). *Son nom ouvre la liste.*

21 Et nous devons ouvrir nos doctes conférences
Par les proscriptions de tous ces mots divers
MOLIÈRE, Les Femmes savantes, III, 2.

22 (...) Mme de la Tour-Franqueville fut une des premières *(admiratrices de Rousseau)*; elle ouvre la marche, et elle mérite qu'on lui fasse une place à part (...)
SAINTE-BEUVE, Causeries du lundi, 29 avr. 1850.

23 (...) les gens de basoche, avec cette pointe d'admiration que leur inspirent toujours d'habiles canailles, concluaient unanimement que les parlementaires ne laisseraient jamais ouvrir un procès où ils pouvaient sombrer. M. BARRÈS, leurs Figures, p. 13.

Ouvrir le jeu : être le premier à miser, à déclarer, à jouer. Absolt.

Ouvrir : faire l'ouverture* (I, 5), à certains jeux de cartes. *Ouvrir d'un trèfle, d'un pique.* — Dr. *Ouvrir une succession* (→ Malade, cit. 11). — Fin. *Ouvrir un compte*, un crédit*, un emprunt*.* ⇒ **Ouverture.**

(1928). Absolt. Sports. Au rugby, lancer l'attaque, en parlant du demi d'ouverture*. *Ouvrir sur tel joueur,* en lui passant le ballon.

♦ **9.** (Avec rappel du sens 2.). Créer, fonder (un établissement *ouvert* au public). *Ouvrir un magasin, une boutique, des écoles, des ateliers* (cit. 7), *un commerce.*

24 Servin, l'un de nos artistes les plus distingués, conçut le premier l'idée d'ouvrir un atelier pour les jeunes personnes qui veulent prendre des leçons de peinture.
BALZAC, la Vendetta, Pl., t. I, P. 864.

★ **II.** V. intr. ♦ **1.** Être ouvert. *Cette porte n'ouvre jamais* (Académie). *Magasin, théâtre qui ouvre tel jour* (→ Distribuer, cit. 5), *à telle heure. Ouvrir sur... :* donner accès, donner vue sur. ⇒ **Donner.** *Porte qui ouvre sur la rue. Chambres qui ouvrent sur le jardin* (→ Enclore, cit. 1).

25 La scène ouvre dans Sophocle, par un chœur de Thébains prosternés au pied des autels (...)
VOLTAIRE, Œdipe, Lettre III.

26 Bien qu'il eût fait pendre un rideau de velours vert devant la double porte qui ouvrait sur le salon, Haverkamp craignait d'être entendu.
J. ROMAINS, les Hommes de bonne volonté, t. V, v, p. 34.

♦ **2.** Commencer, débuter. *Les cours ouvriront la semaine prochaine.*

▶ **S'OUVRIR** v. pron.

♦ **1.** Devenir ouvert (cf. ci-dessus, I, 1., 2. et 3.). *La porte s'ouvre* (→ Appuyer, cit. 42; bouton, cit. 10; enfilade, cit. 2). *La porte s'ouvrit toute grande* (cit. 18). *Sésame*, ouvre-toi !* (formule magique dans un conte oriental). *La fenêtre s'était ouverte* (→ 2. Courant, cit. 7; gorge, cit. 23). *C'est l'heure où toutes les boutiques s'ouvrent. Malle trop pleine qui s'ouvre brusquement. S'ouvrir en éclatant.* ⇒ **Crever, éclater.** *S'ouvrir le genou en tombant.* ⇒ **Déchirer** (se). — *Sa bouche s'ouvre* (→ Aune, cit. 2; avaler, cit. 5). *Leurs yeux* s'ouvrent (→ Agonie, cit. 7). *Narines* (cit. 2) *qui semblent s'ouvrir. Mains* (cit. 1), *bras, ailes* (cit. 10) *qui s'ouvrent. Chemise, corsage, voile qui s'ouvrent* (→ Dévoiler, cit. 6; gorge, cit. 11). *La fleur, la capsule* s'ouvre (→ Anémone, cit. 1; coton, cit. 3; faner, cit. 9; garder, cit. 27). ⇒ **Déplier** (se), **éclore, épanouir** (s'). *Organes qui s'ouvrent d'eux-mêmes.* ⇒ **Déhiscent.** *La foule* (cit. 8) *s'ouvrait sur mon passage. Sa bourse, son portefeuille s'ouvre facilement :* il est généreux, donne facilement.

27 (...) sa bourse s'ouvrait facilement, il vivait à la grande (...)
BALZAC, Mme de La Chanterie, Pl., t. VII, p. 276.

28 (...) une vieille porte basse et cintrée où les araignées faisaient leur toile et qui ne s'ouvrait qu'une heure ou deux le dimanche et aux rares occasions où le cercueil d'une religieuse sortait du couvent.
HUGO, les Misérables, II, VI, VIII.

29 Et plein d'odeurs, le lit, défait, s'ouvrait dans l'ombre.
VERLAINE, Parallèlement, « Les amies », I.

30 Le dossier qu'elle portait manqua s'ouvrir, elle en retint les pages contre sa gorge comme un nichée de colombes.
GIRAUDOUX, Bella, VIII.

Être percé, creusé (→ ci-dessus, I, 4.). *Une lucarne s'ouvrait dans la paroi* (→ Loge, cit. 14). *Un abîme* (cit. 13), *un gouffre* (cit. 3) *s'ouvre devant nous. À gauche, de ce côté... s'ouvre un couloir* (→ Carré, cit. 5), *une impasse* (cit. 2), *une bouche de métro* (cit. 9). — Par ext. (Le sujet désigne une pièce). Se trouver en communication. *La salle de bains s'ouvrait à côté de la chambre* (→ Discret, cit. 7; jouer, cit. 31; mosquée, cit. 2).

31 Une déchirure bleue s'ouvrait derrière la nuée (...) ZOLA, Nana, XI.

♦ **2. S'OUVRIR SUR... :** être percé, pratiqué de manière à donner accès ou vue sur... ⇒ **Donner.** *Fenêtre s'ouvrant sur la cour* (→ Courtine, cit. 3), *sur un jardin* (→ 2. Griller, cit. 4). *La grille s'ouvrait sur la rivière* (→ Noirâtre, cit.).

32 Derrière le bureau, une porte conduisait à une seconde pièce, dans laquelle le juge cachait parfois les personnes qu'il voulait garder à sa disposition ; tandis que la porte d'entrée s'ouvrait directement sur le large couloir, garni de banquettes, où attendaient les témoins.
ZOLA, la Bête humaine, IV.

33 Au-dessus de la porte, un œil-de-bœuf s'ouvrait sur la nuit d'été qui me parut presque lumineuse.
G. DUHAMEL, la Nuit d'orage, XI, p. 137.

♦ **3.** Se présenter, s'offrir comme une voie d'accès, un chemin... (→ ci-dessus, I, 6.). *Le chemin, la route qui s'ouvre devant nous. Quelle carrière* (cit. 16) *pouvait s'ouvrir pour moi.* ⇒ **Offrir** (s'). — Par ext. Devenir accessible, apparaître comme accessible. *Trois mers s'ouvraient libres devant Napoléon* (→ Expansion, cit. 5). *Le champ qui s'ouvre devant les yeux de l'homme* (→ Garde-fou, cit. 2). *Devant* (cit. 1) *nous s'ouvrait une vaste étendue sablonneuse.* ⇒ **Développer** (se), **étendre** (s'). *Une vie nouvelle* (cit. 6), *un horizon* (cit. 16) *de vie qui s'ouvrait devant lui...*

34 En récompense il s'ouvrit à lui en 1711 un champ plus vaste, et qui n'avait point été cultivé (...)
FONTENELLE, Leibniz, in LITTRÉ.

♦ **4.** (Personnes ou réalités humaines). **S'OUVRIR À** (qqch.) : devenir accessible à, se laisser pénétrer par (un sentiment, une idée). *Son cœur s'ouvre à la joie, à l'espoir, à la faiblesse* (→ Écouter, cit. 29). ⇒ **Abandonner** (s'). *Son esprit s'ouvre à ces notions.* — Absolt. *Son esprit commence à s'ouvrir.* — *S'ouvrir à qqn,* lui ouvrir son cœur, lui découvrir sa pensée. ⇒ **Confier** (se) ; **communiquer** (se), **manifester** (son opinion, son sentiment). *Je m'ouvris à lui,*

lâchai la bonde (cit. 1) *à mes larmes. S'ouvrir à qqn de (qqch.),* lui faire des confidences, des aveux. *Je ne m'en étais encore ouvert à personne.* — Absolt. *Les cœurs s'ouvrent.* ⇒ **Épancher** (s'). → Festin, cit. 4 ; épanchement, cit. 5.

35 Car enfin, aux transports d'une bonne nouvelle
Jamais cœur ne s'ouvrit d'une façon plus belle (...)
MOLIÈRE, le Dépit amoureux, II, 4.

36 (...) je brûlais de vous parler, pour m'ouvrir à vous d'un secret.
MOLIÈRE, l'Avare, I, 2.

37 Le voilà maintenant enivré d'une passion naissante, son cœur s'ouvre aux premiers feux de l'amour (...)
ROUSSEAU, Émile, V.

38 (...) trouvant en moi une patience égale à la leur et un silence aussi sérieux, ils se montrèrent toujours prêts à s'ouvrir à moi.
A. DE VIGNY, Servitude et grandeur militaires, I, III.

39 Ah ! je ne suis pas fort vraiment ! Je ne m'en suis ouvert à personne (...) J'emporterai ce secret avec moi dans la tombe.
J. VALLÈS, le Bachelier, XI, p. 95.

40 À qui tout de même s'ouvrir de tout cela ? Pierre, autant parler à une bûche.
ARAGON, les Beaux Quartiers, I, XIX.

♦ **5.** (Choses). Commencer (au sens intransitif), être mis en train (→ ci-dessus, I., 8.). *Le jour où les assises* (cit. 8) *doivent s'ouvrir* (→ Main, cit. 97). *L'exposition* (cit. 6) *qui allait s'ouvrir. Cours qui s'ouvre dans le calme* (→ Inaugural, cit.). *Un pari s'ouvrit entre eux* (→ Lutte, cit. 2). — *S'ouvrir par :* commencer par... (→ Hostilité, cit. 2). *La partie théorique par quoi s'ouvre le livre* (→ Dégrossir, cit. 5). *L'ouvrage s'ouvre par un frontispice* (cit. 2).

41 Au moment où s'ouvre le présent récit (...)
G. DUHAMEL, Chronique des Pasquier, III, IV.

▶ **OUVERT, ERTE** p. p. adj. (1080, *uvert, Chanson de Roland*).

★ **I.** ♦ **1.** Disposé de manière à laisser le passage. *Porte* ouverte. Fenêtres ouvertes* (→ Bouquet, cit. 8 ; bruissement, cit. 5 ; diffuser, cit. 1). Fig. *fenêtre* (cit. 7) *ouverte sur l'infini.* — *Volets ouverts* (→ Café, cit. 7). *La croisée restée ouverte* (→ Glacer, cit. 11). — Absolt. *Entrez, c'est ouvert,* la porte peut s'ouvrir de l'extérieur, n'est pas fermée, verrouillée. — Loc. *Grand ouvert.* ⇒ **Grand** (cit. 20 et supra cit. 18). *Large ouvert.* ⇒ **Large** (cit. 5 et supra).

♦ **2.** Où l'on peut entrer (local) ; qui n'est pas fermé (récipient). *Magasin ouvert.* — Ellipt (sur un avis). *Ouvert de 9 h à 12 h et de 14 h à 18 h.* — *Ouvert la nuit,* ouvrage de P. Morand. — Fam. (en parlant de la personne qui tient un local, un magasin) :

42 D'ordinaire je reste ouvert jusqu'à la Toussaint, dit-il en regagnant le comptoir. Mais si ça continue je ferme la boîte au premier octobre et je me retire sur mes terres.
SARTRE, le Sursis, p. 215.

♦ **3.** Blason. Se dit des édifices (tours, châteaux) dont les ouvertures sont d'un autre émail.

♦ **4.** Disposé de manière à laisser communiquer avec l'extérieur. *Buffet resté ouvert* (→ Fouiller, cit. 13). *Placard aux panneaux disjoints*, qui reste ouvert. Tiroir ouvert* (→ Cambriolage, cit.). *À bureaux ouverts. Parc ouvert la nuit* (→ Flâner, cit. 1). *Champs ouverts,* non clos (→ Grappillage, cit. 2). — Loc. *À ciel* ouvert.* ⇒ **Hypèthre.**

Boîte ouverte. Fig. *Son porte-monnaie est toujours ouvert :* il est généreux. — Loc. fig. *À tombeau* ouvert.* — *Robinet ouvert,* qui laisse passer l'eau. *Le gaz est ouvert.* — *Bouche* ouverte, grande ouverte* (→ Avidement, cit. 3 ; blanc, cit. 17). — *Yeux* ouverts, grands ouverts* (→ Apercevoir, cit. 1 ; attention, cit. 14 ; fatigue, cit. 10).

Phonét. Se dit d'une voyelle articulée avec une grande distance de la langue au palais (par oppos. à *fermé*). *[ε, a, ɔ] sont des voyelles ouvertes. e ouvert [ε]* (par oppos. à *e fermé [e]*). — Se dit d'une syllabe qui se termine par une voyelle prononcée (ex. : *pot [po], bon [bɔ̃], les deux syllabes dans épais [epε], essai [esε]*).

♦ **5.** Dont les parties sont écartées, séparées. *Mains ouvertes* (opposé à *poing fermé*) → Beau, cit. 89 ; détendre, cit. 9 ; fasciner, cit. 3. *Fleur ouverte.* Loc. *À bras* (cit. 21 et 24) *ouverts [abʀazuvεʀ]. — Nez aux narines bien ouvertes.* ⇒ **Dilaté** (→ 1. Droit, cit. 5).

43 (...) l'ours debout et grondant, les pattes ouvertes pour une accolade qui n'avait rien de fraternel.
Th. GAUTIER, Voyage en Russie, XVIII.

Vx. Large, dégagé.

44 Elle avait le front ouvert, blanc et uni (...)
Antoine HAMILTON, Mémoire de la vie du comte de Gramont, VII.

Cheval ouvert.*

Col ouvert, chemise ouverte (→ Nombril, cit. 3 ; matelot, cit. 2 ; main, cit. 19). *Gilet* (cit. 2) *très ouvert.* ⇒ **Échancré.**

45 Ils sont debout, enlacés (...) Elle porte un peignoir ouvert, défait. Je vois un sein nu (...)
Claude FARRÈRE, l'Homme qui assassina, XXXV.

Livre, cahier ouvert à telle page. Loc. *À livre* ouvert.* — Géom. *Angles plus ou moins ouverts,* dont les côtés sont plus ou moins écartés. *Angle ouvert à plus de 90°.* ⇒ **Obtus** — Géogr. *Golfes* (cit. 1) *plus ou moins largement ouverts.* ⇒ **Évasé.** *Baie assez ouverte pour que la mer ne gèle pas* (→ Fjord, cit. 1).

♦ **6.** Qui présente une interruption. *Courbe ouverte. Chaîne* ouverte des corps de la série acyclique* (chimie).

♦ 7. Percé, troué, incisé (partie du corps). *Avoir le crâne ouvert.* — Chir. *Opération à cœur* ouvert :* intervention à l'intérieur du muscle cardiaque.

Béant, dont les lèvres ne sont pas rapprochées (ouverture, plaie). *Fracture ouverte. Blessure, plaie ouverte* (→ Estomac, cit. 11 ; jusque, cit. 29).

♦ 8. Ouvert (à ...) : accessible (à qqn, qqch.) ; que l'on peut utiliser (moyen, voie). *Chemin* (cit. 40), *accès* (cit. 3) *ouvert.* ⇒ **Accessible, libre** (→ Ignorant, cit. 14). *Canal* (cit. 5) *ouvert à la navigation.* — Fig. *Bibliothèque ouverte aux savants* (→ Hospitalité, cit. 4). *Association* (cit. 10) *ouverte à tous* (→ Exotérisme, cit.). *Tenir table* ouverte* (→ Magnificence, cit. 2).
Qui n'est pas protégé de... ⇒ **Découvert.** *Ouvert au vent, aux quatre vents** (→ Boutique, cit. 2). *Rade ouverte,* «qui n'est pas protégée des vents et de la mer venant du large» (Gruss). *Port* ouvert. Ville ouverte,* qui n'est pas défendue militairement. *Rome, ville ouverte,* film de Rossellini. — N. m. (surtout dans : *à l'ouvert de...).* Entrée, ouverture. *Être à l'ouvert d'un port,* droit devant l'entrée.

46 Pays ouvert où ma recherche se promène (...)
GIDE, les Nourritures terrestres, p. 35.

♦ 9. Commencé. *La chasse, la pêche est ouverte,* permise. *Les paris sont ouverts,* autorisés, possibles. *La séance est ouverte.*

♦ 10. Math. Qui ne contient pas les éléments constituant la limite ou la frontière. *Intervalle ouvert.*

★ II. (Abstrait). **♦ 1.** (Personnes). Communicatif, franc. ⇒ **Communicatif, confiant, cordial, démonstratif, expansif, franc, sincère.** *Être amical* (cit. 3) *et ouvert avec qqn. Lui, si franc et si ouvert* (→ Louvoiement, cit.). *Nature* (cit. 24) *ouverte et franche. Caractère ouvert.* — Par ext. Qui exprime la franchise. *Air ouvert. Visage ouvert* (→ Franchise, cit. 15). *Démarche, physionomie ouverte* (→ Démonstratif, cit. 4 ; exprimer, cit. 17 ; faveur, cit. 27). *Façons* (cit. 44) *réservées et peu ouvertes.*

47 Tandis que, tranquille dans mon innocence, je n'imaginais qu'estime et bienveillance parmi les hommes ; tandis que mon cœur ouvert et confiant s'épanchait avec des amis et des frères (...)
ROUSSEAU, Rêveries..., III\text{e} promenade.

48 (...) sa mine fleurie, son air ouvert et pourtant buté (...)
SARTRE, l'Âge de raison, p. 109.

49 Sa bonne foi *(de Mercure)* éclate en son visage ouvert et rieur, dans ses mains étalées en signe d'évidence.
Émile HENRIOT, Mythologie légère, p. 63.

Loc. *À cœur** (cit. 86, 132 et 137) *ouvert :* en toute franchise.

♦ 2. (Choses). Qui se manifeste, se déclare publiquement. ⇒ **Déclaré, manifeste, patent, public.** *Faire une guerre ouverte à qqn. Déchaîner une campagne* (cit. 10) *ouverte, officielle. Éviter les conflits* (cit. 3) *ouverts.*

50 Il porte sur le front une allégresse ouverte (...)
CORNEILLE, Horace, IV, 4.

51 Rien encore ne l'avait fâché avec eux d'une façon ouverte et définitive. Il leur criait toujours un bonjour en passant.
ZOLA, la Terre, III, VI.

♦ 3. Qui s'ouvre facilement aux idées (particult aux idées nouvelles), qui comprend ou admet sans peine, sans préjugé. *Un esprit ouvert* (→ Gaine, cit. 9). ⇒ **Éveillé ; dispos, intelligent, pénétrant, vif.** — *Religions ouvertes et religions fermées,* accessibles (ou non) à des hommes et des concepts nouveaux, et, de ce fait, susceptibles (ou non) d'évoluer (→ Judaïsme, cit.). *Morale ouverte et morale fermée* (Bergson).

52 C'est ainsi que Lamartine, formé tout entier par l'éducation cléricale, a bien plus d'intelligence qu'aucun universitaire ; quand l'émancipation philosophique vient ensuite, cela produit des esprits très ouverts.
RENAN, Souvenirs d'enfance..., Œ. compl., t. II, III, III.

53 L'idée d'art, devenue une idée ouverte, a cessé d'être préconcevable.
MALRAUX, les Voix du silence, p. 607.

CONTR. Fermer ; boucher, clore ; cacheter, ciller (les yeux), occlure, plier, resserrer, serrer ; brider, cicatriser ; barrer, intercepter, interdire ; finir, terminer. — (Adj.) Étroit, serré ; abrité, couvert, fermé, protégé. Cafard, dissimulé, hermétique, faux, froid, hypocrite, menteur, renfermé ; furtif, intime, secret ; borné, bouché, buté, étroit, exclusif.
DÉR. Ouvrant, ouvreau, 2. ouvreur, ouvreuse. — (De *ouvert, erte*) Ouvertement, ouverture.
COMP. Ouvre-boîte, ouvre-bouteille, ouvre-gant, ouvre-huître. — Entrouvrir. — Rouvrir.

OUVROIR [uvʀwaʀ] n. m. — XVIII\text{e} ; XV\text{e}, «atelier, boutique» (→ Fumée, cit. 9, Rabelais) ; *ovreor,* 1130 ; de *ouvrer.*

♦ 1. Dans une communauté de femmes (spécialt, dans un couvent), Lieu réservé aux ouvrages de couture, broderie, etc. (⇒ **Ouvrage ; ouvrer,** 2.).

♦ 2. (1851). Vx. Atelier de charité où des jeunes filles, des femmes sans ressources travaillent à des ouvrages de couture. *Ouvroir attaché à un orphelinat.* — Mod. Endroit où des personnes bénévoles font des «ouvrages de dames» pour les indigents ou les ornements d'église.

♦ 3. (Au sens étym. de «lieu de travail» et par plais.). *L'ouvroir de littérature potentielle* (Oulipo) de R. Queneau.

OUZBEK [uzbɛk] adj. et n. — 1765, *usbeck, Encyclopédie,* mot de cette langue.

♦ D'une ethnie turque d'Asie (République soviétique d'Ouzbékistan). — Langue du groupe turc.
REM. 1. On écrit aussi *uzbek.*
2. Le mot est en général invariable en genre et souvent invariable en nombre.

OUZO [uzo] n. m. — XX\text{e} ; mot grec.

♦ Boisson alcoolisée à l'anis, en Grèce. ⇒ **Anis, anisette.**

Mes moments préférés, c'était ceux où assis dans un petit bistrot nous causions en buvant de l'ouzo. S. DE BEAUVOIR, les Belles Images, p. 221.

OV-, OVO- Élément, du lat. *ovum* «œuf». ⇒ 2. **Ovi-.**

OVAIRE [ɔvɛʀ] n. m. — 1672 ; du lat. médical mod. *ovarium,* du lat. class. *ovum* «œuf».

♦ 1. Sc., cour. Glande génitale femelle qui produit l'ovule* et les hormones sexuelles. ⇒ **Glande** (génitale), **gonade** (→ Atrophier, cit. 6 ; fécondation, cit. 3 ; ménopause, cit. 1). *Relatif à l'ovaire.* ⇒ **Ovarien.** *Fonction de l'ovaire.* ⇒ **Ovulation.** *Ovaire de la poule* (→ Grappe, cit. 4). *Conduit par lequel les œufs passent de l'ovaire à l'extérieur du corps chez certains animaux.* ⇒ **Oviducte.** *Ovaire des mammifères. L'ovaire chez la femme, glande paire symétrique qui communique avec l'utérus par les trompes* de Fallope. La folliculine et la lutéine, hormones de l'ovaire. Tumeur, kyste de l'ovaire. Dystrophie ovarienne :* lésion anatomique au niveau de la couche fonctionnelle de l'ovaire. *Ablation des ovaires.* ⇒ **Castration, ovariectomie.**

♦ 2. (1746). Bot. Partie inférieure du pistil* ou du carpelle*, formée d'une ou de plusieurs loges, qui contient les ovules* destinés à devenir des graines après la fécondation. ⇒ **Fleur, fruit** (cit. 5 et 6). *Conformation de l'ovaire,* uniloculaire, biloculaire, multiloculaire. *Positions de l'ovaire : ovaire infère, supère* (⇒ **Inférovarié, superovarié**).

(...) M\text{me} de Thianges viendrait le dire devant M\text{me} Marmet, jouant ainsi le rôle du vent qui porte le pollen du platane sur l'ovaire des platanes femelles (...)
PROUST, Jean Santeuil, Pl., p. 665.

DÉR. Ovarien.

OVALAIRE [ɔvalɛʀ] adj. — 1666 ; de *ovale.*

♦ Didact. Qui est de forme ovale. — Spécialt (anat., méd.). *Trou ovalaire :* ouverture qui est située sur l'ischion (cf. Trou obturateur). — *Luxation ovalaire :* luxation du fémur dans laquelle la tête de cet os vient se placer contre le trou ovalaire.

OVALBUMINE [ɔvalbymin] n. f. — 1900, Garnier-Delamare ; de *ov-,* et *albumine.*

♦ Biochim. Substance protidique (glycoprotéine) qui forme la plus grande partie du blanc de l'œuf.

OVALE [ɔval] adj. et n. — 1370 ; dér. sav. du lat. *ovum* «œuf».

★ I. Adj. Qui a la forme d'une courbe fermée et allongée analogue à celle d'un œuf de poule (⇒ **Ovoïde**) ; qui a la forme d'une courbe symétrique plus ou moins semblable à celle de l'ellipse. ⇒ **Elliptique.** *Rendre ovale.* ⇒ **Ovaliser.** *Fenêtre, glace* (→ Articuler, cit. 4), *lucarne* (cit. 4), *table ovale* (→ Couvert, cit. 16 ; joueur, cit. 7). *Visage ovale.*

Monsieur Edmond avait un visage ovale terminé par un menton en galoche (...) 1
Ch.-L. PHILIPPE, Père Perdrix, I, II.

Par ext. (En parlant d'un volume). ⇒ **Ové, ovoïdal, ovoïde.** — Sports. *Le ballon* ovale* (de rugby).

★ II. N. m. (1660 ; *une ovalle,* 1562). **♦ 1.** Courbe qui est formée par le raccordement de quatre arcs de cercle et qui a la forme apparente d'une ellipse (⇒ **Ove**).

S'il rencontre un palais, il m'en dépeint la face ; 2
Il me promène après de terrasse en terrasse (...)
(...) Il compte des plafonds les ronds et les ovales (...) BOILEAU, l'Art poétique, I.
Un salon avec un grand ovale, au plafond comme chez les gens riches. 3
J. ROMAINS, les Hommes de bonne volonté, t. II, VI, p. 65.

Forme ovale. L'ovale du visage (→ Je-ne-sais-quoi, cit. 2). *Figure d'un ovale parfait* (→ Heureux, cit. 17), *régulier.*

Le front est haut, bombé, poli ; le nez mince, tendant un peu à l'aquilin ; la bou- 4 che très colorée. Malheureusement, le menton termine quelquefois par une courbe trop brusque un ovale divinement commencé.

Th. GAUTIER, Voyage en Espagne, p. 246.

EN OVALE : en forme d'ovale.

♦ **2.** Techn. Machine à tordre la soie. ⇒ **Ovaler.**

DÉR. Ovalaire, ovaler, ovaliser.
COMP. Ovalocyte.

OVALER [ɔvale] v. tr. — 1765 ; de ovale.

♦ Techn. Tordre (la soie) avec un ovale (II., 2.).

OVALISATION [ɔvalizasjɔ̃] n. f. — 1923 ; de ovaliser.

♦ Techn. Défaut d'une pièce mécanique qui s'ovalise. *Ovalisation d'un cylindre due à l'usure inégale des parois par le piston.*

OVALISER [ɔvalize] v. tr. — 1845 ; de ovale.

♦ **1.** Rare. Rendre ovale. — Pron. *S'ovaliser :* devenir ovale.

1   Quand la table s'ovalise
et que les verres changent de forme,
un Frère Supérieur en frac
fait signer les hôtes sur le Livre d'Or.
Paul MORAND, Poèmes, » Au Sans Pareil », 1924, in D. D. L., II, 12.

♦ **2.** Pron. (1932). Mécan. *Cylindre d'un moteur qui s'ovalise.*

▶ **OVALISÉ, ÉE** p. p. adj.

[a] *Canon de fusil ovalisé,* déformé et devenu impropre au tir.

[b] Dont la forme tend vers l'ovale.

2   Les circonférences régulières commémorent des résineux, les ovalisées des feuillus.
H. BAZIN, Cri de la chouette, p. 156.

DÉR. Ovalisation.

OVALOCYTE [ɔvalɔsit] n. m. — Mil. xxᵉ ; de ovale, et -cyte, du grec kutos « cavité », « cellule ».

♦ Biol. Globule rouge de forme ovale.

OVARIECTOMIE [ɔvaRjɛktɔmi] n. f. — 1901 ; du lat. ovarium (→ Ovaire), et -ectomie.

♦ Chir. Ablation d'un ovaire ou des ovaires. *Ovariectomie bilatérale.* ⇒ **Castration.** — N. B. Ne pas confondre avec *ovariotomie.*

DÉR. Ovariectomiser.

OVARIECTOMISER [ɔvaRjɛktɔmize] v. tr. — D. i. ; de ovariectomie.

♦ Chir. Faire subir une ovariectomie à. — Au p. p. « *Les femelles ovariectomisées à qui l'on implantait des ovaires de femelles "à jeun"... »* (la Recherche, déc. 1979, p. 1273).

OVARIEN, IENNE [ɔvaRjɛ̃, jɛn] adj. — 1838 ; du rad. de ovaire.

♦ Relatif à l'ovaire. *Glande ovarienne. Sécrétion ovarienne* (→ Insuffisance, cit. 6). *Follicule* ovarien. Hormones ovariennes.* ⇒ **Folliculine, œstrogène, progestérone.** *Cycle ovarien :* ensemble des modifications périodiques de l'ovaire (maturation du follicule ovarien, ovulation, formation du corps jaune). ⇒ **Œstral.** *Troubles ovariens.*

OVARIOTOMIE [ɔvaRjɔtɔmi] n. f. — 1855 ; du lat. ovarium (→ Ovaire), et suff. -tomie.

♦ Chir. Ouverture d'un ovaire. *Ovariotomie pour pratiquer une biopsie de l'ovaire.* — N. B. Ne pas confondre avec *ovariectomie.*

OVARITE [ɔvaRit] n. f. — 1832 ; du lat. ovarium (→ Ovaire), et suff. -ite.

♦ Méd. Inflammation de l'ovaire, des ovaires. *Ovarite consécutive à une blennorragie*. Ovarite accompagnée de salpingite ou salpingo-ovarite.*

OVATE [ɔvat] n. m. — 1874 ; du plur. lat. *ovates, du grec ouateis, du lat. class. vates « celui qui prédit l'avenir ».

♦ Hist. relig. Prêtre gaulois, entre les druides et les bardes, dans la hiérarchie druidique.

OVATION [ɔvasjɔ̃] n. f. — 1520 ; du lat. ovatio, de ovis « brebis » → Ovin.

♦ **1.** Hist. (Antiq. rom.). Cérémonie en l'honneur d'un général victo-

rieux, moins solennelle que le triomphe*, et accompagnée du sacrifice d'une brebis.

♦ **2.** (1767). Cour. Se dit d'acclamations publiques, de manifestations bruyantes d'approbation par lesquelles on rend honneur à un personnage, à un orateur... ⇒ **Acclamation, cri** (infra cit. 14), **vivat.** *Les ovations de la foule* (→ Battre, cit. 47 ; joute, cit. 3 ; motocycliste, cit. 1). *Être accueilli, salué par une ovation. Faire une ovation à qqn.* ⇒ **Ovationner.**

Une immense ovation roule en tonnerre, s'élève, retombe, se relève lourdement, ondule comme un essaim qui hésite avant de prendre son vol, et, subitement, s'évanouit en un silence total.   1
MARTIN DU GARD, Jean Barois, II, » Le calme », II.

Un tonnerre d'acclamations, ce bruit émouvant des ovations lointaines et se rapprochant, annonçait le héros.   2
Louis MADELIN, Hist. du Consulat et de l'Empire, « Ascens. Bonaparte », XV.

CONTR. Huée.
DÉR. Ovationner.

OVATIONNER [ɔvasjɔne] v. tr. — 1892 ; de ovation.

♦ Acclamer, accueillir qqn par des ovations. *Il s'est fait ovationner par la foule.* — Au p. p. *Un chanteur ovationné.*

CONTR. Huer.

OVE [ɔv] n. m. — 1622 ; du lat. ovum « œuf ».

♦ Didact. Ornement en forme d'œuf utilisé en architecture, en orfèvrerie. *Ove qui orne un chapiteau ionique* (⇒ **Échine**), *une corniche* (→ Démanteler, cit. 2), *une moulure. Bordure d'une ove.* ⇒ **Orle,** 2. *Oves fleuronnés :* oves entourés de feuillage. — *En dessin, l'ove est une courbe fermée de forme ovoïde.*

OVÉ, ÉE [ɔve] adj. — 1798 ; « gros, plein », 1226, en Flandre ; du lat. ovum « œuf ».

♦ Didact. Se dit d'un objet en relief qui a la forme d'un œuf. ⇒ **Ovale, oviforme, ovoïdal, ovoïde.** *Fruit ové.*

OVER ARM STROKE [ɔvəRaRmstRɔk] n. m. — 1898 ; mots angl. « coup (stroke), de bras (arm), par dessus (over) ».

♦ Anglic. Vieilli. Nage* sur le côté avec ciseaux des jambes et où l'un des bras est ramené d'arrière en avant hors de l'eau. — On dit aussi (plus cour.) : *nage à l'indienne* ou *nage indienne.*

OVERDOSE [ɔvəRdoz] n. f. — 1968 ; mot angl., de over « au delà de », et dose « dose ».

♦ Anglic. Dose excessive (d'une drogue, d'une substance toxique), dont l'absorption peut entraîner la mort. (Recomm. off. : *surdose.* ⇒ **Surdosage**). *Mort par overdose.* « *Plus de 1 000 morts par overdose d'héroïne en Europe l'an dernier* » (l'Express, 15 mars 1980, p. 97). *Être en overdose.*

Combien en ai-je surprises, de ces pauvres filles, se plantant l'aiguille à travers le manteau, le pantalon, la jupe. Combien j'en ai gaulé au fond d'une voiture, dans un ciné, dans les toilettes d'un café ou d'un restaurant, se filant l'over-dose (sic), les yeux complètement chavirés.   1
Martin ROLLAND, la Rouquine, p. 106.

(...) L'institution pouvait, aussi, faire face aux plus graves urgences. Un médecin, le Dʳ Gay, était spécialisé dans les overdoses et il lui arrivait de pratiquer des réanimations spectaculaires en pleine rue, lorsque les types s'effondraient.   2
C. OLIEVENSTEIN, Il n'y a pas de drogués heureux, p. 299.

Figuré :

Les bourdons, ivres d'une overdose de pollen, titubent dans l'air.   3
Christine ARNOTHY, Toutes les chances plus une, p. 256.

OVERDRIVE [ɔvəRdRajv] n. m. — 1960 ; mot angl. (1934, aux États-Unis), de over « supérieur, plus grand », et drive « propulsion ».

♦ Anglic. Techn. Surmultiplication* des rapports, dans une boîte de vitesses ; dispositif permettant cette surmultiplication. *Overdrive en option. Cinquième vitesse en overdrive.*

1. OVI- Élément, du lat. ovis « brebis ».

2. OVI- Élément, du lat. ovum « œuf ». ⇒ **Ov-.**

OVIBOS [ɔvibɔs] n. m. — 1816, in Cottez ; de 1. ovi-, et lat. bos « bœuf ».

♦ Zool. Mammifère ruminant ongulé (Bovidés-ovibovinés), communément appelé *bœuf musqué,* qui rappelle le mouton par sa toison longue et épaisse et par la faible longueur de sa queue. *L'ovibos vit en petites troupes dans les régions arctiques ; il se nourrit de lichens et de mousses.*

OVICAPRE [ɔvikapʀ] n. m. — 1874; de 1. *ovi-*, et du lat. *caper, capri* «bouc».

♦ Zool. Mammifère stérile issu du croisement du bouc et de la brebis, ou du bélier et de la chèvre.

OVIDÉS [ɔvide] n. m. pl. — Déb. xxᵉ; du lat. *ovis* «brebis».

♦ Zool. Groupe de mammifères ongulés ruminants, autrefois considéré comme une famille distincte, puis comme une sous-famille des *bovidés* ou *cavicornes*. ⇒ **Ovinés**. *Le mouton appartient à la sous-famille des ovidés. — Au sing. Un ovidé.*

OVIDUCTE [ɔvidykt] n. m. — 1771; *oviductus*, 1676; de 2. *ovi-*, et du lat. *ductus* «conduit».

♦ Anat. Conduit par lequel, chez les animaux, l'ovule ou oocyte (⇒ **Œuf**) quitte l'ovaire. ⇒ **Génital** (appareil génital femelle); → Ovotestis, cit. *Dans l'espèce humaine, l'oviducte est nommé trompe de Fallope ou trompe utérine.*

OVIFORME [ɔvifɔʀm] adj. — 1745; de 2. *ovi-*, et *-forme*.

♦ Didact., rare. Qui est en forme d'œuf. *Fruit oviforme.* ⇒ **Ové, ovoïdal, ovoïde.**

OVIN, INE [ɔvɛ̃, in] adj. et n. m. — 1278; rare avant 1834; dér. sav. du lat. *ovis* «brebis».

♦ Qui appartient, qui est relatif au mouton, au bélier, à la brebis. *Bête, espèce, race ovine* (→ Bétail, cit. 1; comices, cit. 2). — N. m. *Un ovin. Les ovins font partie du bétail. Les ovins sont des ovinés de la sous-famille des ovidés.*

DÉR. **Ovinés.**

OVINÉS [ɔvine] n. m. pl. — 1923; de *ovin*.

♦ Zool. Sous-famille de mammifères ongulés ruminants de la famille des *bovidés*, qui comprend notamment les *ovidés** (⇒ **Ovin**). — Au sing. *Un oviné.*

OVIPARE [ɔvipaʀ] adj. et n. — 1700; *ovipere*, 1558; du lat. *oviparus*, de *ovum* «œuf», et *parere* «engendrer».

♦ **1.** Se dit des animaux qui se reproduisent par des œufs et dont l'embryon ne se développe pas aux dépens des tissus maternels, mais d'une réserve nutritive contenue dans une enveloppe (l'ensemble constituant l'œuf*). *La naissance des petits d'un animal ovipare (éclosion de l'œuf) a lieu généralement hors du corps de la mère, sauf chez les ovovivipares*. Les oiseaux sont ovipares, ainsi que les crustacés et la plupart des insectes, des poissons, des reptiles. Les monotrèmes*, mammifères ovipares.*

♦ **2.** Par ext. *Génération, reproduction ovipare :* oviparité.

♦ **3.** N. m. Animal ovipare. *Les vivipares* et les ovipares* (→ Matrice, cit. 1).

DÉR. **Oviparité.**

OVIPARITÉ [ɔvipaʀite] n. f. — 1838; de *ovipare*.

♦ Didact. (zool.). Mode de reproduction propre aux animaux ovipares.

OVIPOSITEUR [ɔvipozitœʀ] n. m. — 1877; de 2. *ovi-*, et du lat. *positor* «qui place», du supin de *ponere*.

♦ Didact. (zool.). Organe à l'aide duquel les insectes déposent leurs œufs et les introduisent dans les tissus ou les cavités où ils doivent se développer. ⇒ aussi **Oviscapte.**

OVIPOSITION [ɔvipozisjɔ̃] n. f. — 1965; de 2. *ovi-*, et *position*, d'après *oviposteur*.

♦ Didact. (zool.). Action de déposer les œufs dans certains milieux (nid, poche incubatrice, etc.) en vue de leur développement optimum (amphibiens, insectes, etc.). ⇒ **Oviposteur.**

Aussitôt l'oviposition, la membrane adhésive se gonfle au contact de l'eau, elle assure la protection des œufs isolés et constitue la liaison des œufs dans les pontes agglomérées (...) Jean GUIBÉ, les Batraciens, p. 65.

OVISCAPTE [ɔviskapt] n. m. — 1825, *in* Cottez; de 2. *ovi-*, et *-scapte*, du grec *skaptô* «je fouille».

♦ Didact. (zool.). Organe de ponte (⇒ **Oviposteur**) dont sont munies les femelles de certains insectes, surtout parmi les orthoptères, et qui leur permet d'introduire leurs œufs même dans un milieu résistant. ⇒ **Tarière.**

OVISTE [ɔvist] n. m. et adj. — 1814; du lat. *ovum* «œuf».

♦ Hist. sc. Partisan de la théorie biologique (*ovisme*, n. m., 1838) selon laquelle l'œuf contenait, emboîtés, tous les germes des individus à naître. *Les préformationnistes étaient ovistes ou spermatistes* («animalculistes»).

(...) craignons d'imiter ces ovistes à qui l'œuf cachait l'animalcule, ces animalculistes à qui l'animalcule masquait l'œuf! [1]
Jean ROSTAND, Esquisse d'une histoire de la biologie, p. 238.

Un autre champ de discussions naquit de la découverte (...) des animalcules spermatiques, c'est-à-dire des spermatozoïdes. Les uns y virent le véritable germe, c'étaient les *spermatistes* et, malgré leur petitesse, les préformationnistes y admettaient la présence de l'être complètement développé; pour les autres, les *ovistes*, le véritable germe était fourni par la femelle, les animalcules spermatiques servant seulement, par leurs mouvements, à provoquer l'exhalaison des *esprits* dans la liqueur séminale (...) Maurice CAULLERY, les Étapes de la biologie, p. 40. [2]

OVNI [ɔvni] n. m. — V. 1970; sigle de objet volant non identifié, calque de l'angl. UFO, pour *unidentified flying object*.

♦ Techn. Objet volant non identifié («soucoupe volante», etc.). *« La presse hebdomadaire dite à sensation "ressort" de temps à autre quelques dossiers d'OVNI »* (*Sciences et Avenir*, sept. 1972).

Le monde, c'était ce qu'on ignorait. Pas seulement au temps de Plan Carpin, de Marco Polo; Gobineau nous parle de sa Perse, comme notre télé, de la lune, et de ses Persans comme d'Ovnis. MALRAUX, l'Homme précaire..., p. 213.

REM. Le mot est plus souvent écrit *OVNI* ou *O. V. N. I.* que *ovni*. Dans le premier cas, le pluriel est *OVNI*; dans le second *ovnis*.

DÉR. **Ovniste.**
COMP. **Ovnilogie.**

OVNILOGIE [ɔvnilɔʒi] n. f. — D. i. (après 1970); de *ovni*, et *-logie*.

♦ Rare. Étude des ovnis. ⇒ **Ufologie** (anglic.).

OVNISTE [ɔvnist] n. — D. i. (après 1970); de *ovni*.

♦ Rare. Spécialiste des OVNI. *« Les ovnistes se réunissent »* (*le Quotidien de Paris*, 8 avr. 1977).

OVO- ⇒ Ov-.

OVOCENTRE [ɔvosɑ̃tʀ] n. m. — 1897; de *ovo-*, et *centre*.

♦ Didact. (embryol.). Centrosome* d'un ovule fécondé.

OVOCYTE [ɔvosit] n. m. ⇒ **Oocyte.**

OVOGENÈSE [ɔvoʒənɛz; ɔvoʒenɛz] n. f. — D. i.; de *ovo-*, et *-genèse*.

♦ Didact. (embryol.). Formation des gamètes femelles (*oocytes* appelés aussi *ovules*).

REM. La forme *ovogenèse* semble relativement archaïque. La variante *ovogénie* [ɔvoʒeni] n. f. (1847) est ancienne, ainsi que *oogenèse* [ɔɔʒenɛz] n. f., entièrement formée sur le grec.

OVOGLOBULINE [ɔvoglɔbylin] n. f. — 1932; de *ovo-*, et *-globuline*.

♦ Didact. (chimie, biol.). Globuline du blanc d'œuf.

OVOÏDAL, ALE, AUX [ɔvoidal, o] adj. — 1800; de *ovoïde*.

♦ Didact. Dont la forme rappelle celle d'un œuf. ⇒ **Ové, oviforme, ovoïde.**

OVOÏDE [ɔvoid] adj. et n. m. — 1768; de *ov-*, et *-oïde*.

♦ Didact. Qui a la forme d'un œuf. ⇒ **Ovale, ové, oviforme.** *Amphore, crâne, fruit, galet, glande ovoïde. Boulet de charbon de forme ovoïde. Médicament sous forme de petit solide ovoïde.* ⇒ **Ovule.**

Mais, vers cette heure-là aussi, on eût pu constater, de nouveau, que le ballon s'abaissait lentement, par un mouvement continu, dans les couches inférieures de l'air. Il semblait même qu'il se dégonflait peu à peu, et que son enveloppe s'allongeait en se distendant, passant de la forme sphérique à la forme ovoïde. J. VERNE, l'Île mystérieuse, t. I, p. 5.

N. m. *Un ovoïde :* un objet en forme d'œuf.

DÉR. **Ovoïdal.**

OVOIR [ɔvwaʀ] n. m. — 1765; du rad. de *ovum*; → Ove.

♦ Techn. Outil servant à former des formes ovales en relief sur les métaux.

OVOLÉCITHINE [ɔvolesitin] n. f. — xxᵉ ; de *ovo-*, et *lécithine*.

♦ Didact. (chim. biol.). Lécithine* du jaune d'œuf.

OVOLOGIE [ɔvolɔʒi] n. f. — 1855 ; de *ovo-*, et *-logie*.

♦ Didact., vx. Étude générale des œufs. ⇒ (mod.) **Embryogénie, embryologie.**

OVOTESTIS [ɔvotɛstis] n. m. invar. — Mil. xxᵉ ; de *ovo-*, et du lat. *testis* « testicule ».

♦ Didact. (biol.). Glande génitale hermaphrodite contenant à la fois des éléments mâles et femelles.

Dans l'hermaphrodisme potentiel, il y a juxtaposition, non plus temporaire, mais définitive d'organes mâle et femelle chez le même individu. Tantôt il s'agit seulement des conduits génitaux : il est assez fréquent de trouver des crapauds mâles pourvus d'oviductes ; tantôt il existe des glandes génitales mixtes, des *ovotestis* susceptibles de donner des éléments mâles et femelles normaux.
                              Jean GUIBÉ, les Batraciens, p. 51.

OVOVIVIPARE [ɔvovivipaʀ] adj. et n. — 1806 ; de *ovo-*, et *vivipare*.

♦ Didact. (zool.). Se dit des animaux qui sont en fait des *ovipares**, mais dont les œufs* éclosent à l'intérieur du corps maternel. *L'orvet, la vipère sont ovovivipares.* Par ext. *Génération, reproduction ovovivipare.* — N. m. *Les ovovivipares. Un ovovivipare.*

DÉR. Ovoviviparité.

OVOVIVIPARITÉ [ɔvovivipaʀite] n. f. — Décembre 1910, *Larousse mensuel* ; de *ovovivipare*.

♦ Biol. Caractère des organismes ovovivipares.

REM. On trouve aussi la graphie *ovo-viviparité* : « *Il est classique de distinguer l'ovo-viviparité de la viviparité proprement dite* » (R. et M.-L. Bauchot, *les Poissons*, p. 94).

OVULAIRE [ɔvylɛʀ] adj. — 1838 ; de *ovule*.

♦ Biol. (Cour.). Relatif à l'ovule. *Ponte ovulaire* ⇒ **Ovulation.** (→ Fécondation, cit. 4).

COMP. Anovulaire, biovulaire.

OVULATION [ɔvylasjɔ̃] n. f. — 1855 ; de *ovule* ou du lat. *ovula*, et suff. *-ation*.

♦ (Dans l'espèce humaine et chez les mammifères). Libération de l'ovule après rupture du follicule de Graaf (→ Féconder, cit. 1 ; fécondité, cit. 4). *L'ovulation, fonction essentielle de l'ovaire*. L'ovulation, phase du cycle* menstruel de la femme, qui succède à la phase folliculaire et précède la phase lutéinique.* Syn. : *ponte ovarienne* ou *ovarique. Absence d'ovulation.* ⇒ **Anovulation.** *Les contraceptifs oraux sont des inhibiteurs de l'ovulation.* (⇒ **Anovulatoire, antiovulatoire**).

COMP. Anovulation.

OVULE [ɔvyl] n. m. — 1798 ; lat. sav. *ovula*, du lat. *ovum* « œuf ».

♦ **1.** Bot. Gamète femelle végétal (→ Oosphère) qui, après la fécondation, se transforme en graine (→ Fruit, cit. 5). *Éléments et annexes de l'ovule :* chalaze, funicule, micropyle, nucelle, sac embryonnaire, tégument... *L'ovule, contenu dans l'ovaire* (2), à la base du pistil*. Ovule droit ou orthotrope, réfléchi ou anatrope, replié ou campylotrope. Plante qui n'a qu'un ovule* (uniovulée).

♦ **2.** (1835). Anat., méd., cour. Chez les animaux et spéclalt dans l'espèce humaine, Gamète femelle élaboré par l'ovaire*. ⇒ **Oocyte.** *L'ovule, contenu dans le follicule de Graaf, entouré par le disque proligère*, est enveloppé par la membrane vitelline*. Ovule non fécondé, improprement appelé œuf*. Les ovules et les spermatozoïdes, cellules germinales* (cit. 1). *Chromosomes* (cit. 1) *de l'ovule. Pénétration de l'ovule par le spermatozoïde.* ⇒ **Fécondation** (cit. 3).

(...) la cellule maternelle, ou *Ovule*, est relativement grosse (un cinquième de millimètre) ; de forme sphérique, elle contient en sa partie centrale une petite vésicule plus compacte que le protoplasme environnant, le *noyau*.
                              Jean ROSTAND, l'Homme, II.

♦ **3.** Pharm. Petit solide de forme ovoïde, constitué de glycérine ou de beurre de cacao, enrobant des substances médicamenteuses (⇒ **Suppositoire**). *Ovules employés dans le traitement de la métrite.*

DÉR. Ovulaire, ovulation.
COMP. Biovulé.

OVULER [ɔvyle] v. intr. — xxᵉ ; de *ovule* et suff. verbal.

♦ Didact. Avoir, présenter une ovulation.

OX- ⇒ 2. Oxy-.

OXACIDE [ɔksasid] n. m. — 1823 ; de *ox(ygène)*, et *acide*.

♦ Chim. Acide contenant de l'oxygène (ancienne terminologie).

1. OXAL-, OXALO- Élément, du lat. *oxalis, -idis*, grec *oxalis, -idos* « oseille », de même radical que *oxus* « acide ». ⇒ **Oxalique.**

2. OXAL-, OXALO- Élément (de *oxalique*) utilisé en chimie pour former le nom des composés renfermant le radical univalent HOCO-CO- (de l'acide oxalique).

OXALATE [ɔksalat] n. m. — 1787 ; de 2. *oxal-*, et suff. chimique *-ate*.

♦ Chim. Sel de l'acide oxalique. *L'oxalate acide de potassium est dit « sel d'oseille »* (le potassium possède 20 oxalates).

OXALIDE [ɔksalid] n. f. ou **OXALIS** [ɔksalis] n. m. — 1559, *oxalide* ; *oxalis*, 1812 ; de 1. *oxal-*, et suff. bot. *-ide*.

♦ Bot. Plante dicotylédone dialypétale* *(Oxalydées)*, herbacée, vivace dont une variété est appelée *petite oseille, acétoselle*, alléluia*. Les feuilles de l'oxalis contiennent de l'oxalate de potassium.*

OXALIQUE [ɔksalik] adj. — 1787 ; de 1. *oxal-*, et suff. *-ique*.

♦ Chim. *Acide oxalique,* dont les sels *(oxalates*)* se trouvent dans certaines plantes acides, et en particulier l'oseille (cristaux utilisés pour faire disparaître les taches).

(...) Binet lui demanda une demi-once d'acide de sucre. — Acide de sucre ? fit le pharmacien dédaigneusement. Je ne connais pas, j'ignore ! Vous voulez peut-être de l'acide oxalique ? C'est oxalique, n'est-il pas vrai ?
                              FLAUBERT, Mᵐᵉ Bovary, II, x.

COMP. Mésoxalique.

OXALISME [ɔksalism] n. m. — xxᵉ ; de 2. *oxal-*, et *-isme*.

♦ Méd. Intoxication par l'acide oxalique ou par des oxalates*. ⇒ **Oxalose.**

OXALOSE [ɔksaloz] n. f. — 1952 ; de 2. *oxal-*, et *-ose*.

♦ Méd. Maladie grave du métabolisme, probablement génétique, se manifestant dès la naissance par une production massive d'acide oxalique et d'oxalates qui se déposent dans tous les organes (surtout dans le rein). ⇒ **Oxalisme.**

OXAZINE [ɔksazin] n. f. — V. 1904 ; de *ox-*, *az(ote)*, et *-ine*.

♦ Chim. Matière colorante, dérivé aminé du noyau de la *phénoxazine*.

DÉR. Oxazinique.

OXAZINIQUE [ɔksazinik] adj. — 1932 ; de *oxazine*.

♦ Chim. De la série des oxazines. *Le bleu Capri* (colorant pour la soie) *est un colorant oxazinique.*

OXER [ɔksɛʀ] n. m. — 1924, in Petiot ; mot angl., de *ox-fence* « barrière de pâture », proprt « barrière *(fence)* de bœuf *(ox)* », terme de chasse au renard.

♦ Sport. (Hippisme). Obstacle formé de trois barres superposées, la barre supérieure étant accompagnée d'une autre barre au même niveau. *Oxer montant :* mur surmonté de deux barres. *Oxer carré,* aussi large que haut.

Je les vois d'ici (...) animés du même allant, sautant oxers, haies, rivière sur le parcours de ma société hippique.
                              Christine DE RIVOYRE, le Voyage à l'envers, p. 123.

OXFORD [ɔksfɔʀd] n. m. — 1873 ; de *Oxford,* ville anglaise où ce tissu fut d'abord fabriqué.

♦ Tissu de coton à armure toile, dont les fils de trame et les fils de chaîne sont de couleur différente. *Chemise de sport en oxford.* — Par appos. Qui a une armure toile. *Flanelle oxford.*

OXHYDRIQUE [ɔksidʀik] adj. — 1867, var. anc. *oxy-hydrique* ; de 2. *oxy-*, et *hydrique*.

♦ Chim. Se dit d'un mélange d'oxygène et d'hydrogène dont la combustion dégage une chaleur considérable. — *Chalumeau* oxhydrique,* fonctionnant à l'aide de ce mélange.

1 (...) il fut dit que l'éclairage de la ville serait obtenu, non point par la combustion du vulgaire hydrogène carburé que fournit la distillation de la houille, mais bien par l'emploi d'un gaz plus moderne et vingt fois plus brillant, le gaz oxhydrique, que produisent l'hydrogène et l'oxygène mélangés.
J. VERNE, le Docteur Ox, p. 23.

2 (...) les hommes masqués penchés sur des plaques d'acier manœuvrent tout le jour le chalumeau oxhydrique.
SARTRE, Situations III, p. 80.

OXHYDRYLE [ɔksidʀil] n. m. — 1898, Année sc. et industr. 1899, p. 105 ; de 2. oxy-, hydr-, et suff. -yle.

♦ Chim. Nom du groupe univalent -OH. ⇒ **Hydroxyle.**

OXONIUM [ɔksɔnjɔm] n. m. — 1903, Rev. gén. des sc., nº 5, p. 292 ; lat. sc., de ox-, 2. oxy.

♦ Chim. Ion positif univalent H_3O^+ (et ses homologues).

1. OXY- Élément, tiré du grec oxy- au sens de « aigu, pointu » (ex. : oxyure), et, au fig., de « aigu, perçant » (ex. : oxyton) ou de « acide » (ex. : oxygène « qui produit de l'acide »).

2. OXY-, OX- Élément, tiré de oxygène et représentant ce mot (⇒ **Oxyde,** etc.).

REM. Dans certains composés oxy- correspond plus spécifiquement à oxyde ou oxydé (ex. : oxyhémoglobine).

OXYACÉTYLÉNIQUE [ɔksiasetilenik] adj. — 1903, Année sc. et industr. 1904, p. 309 ; de 2. oxy-, et acétylénique.

♦ Chim. Formé d'oxygène et d'acétylène. Gaz oxyacétylénique : mélange de ces deux gaz, qui brûle avec un grand dégagement de chaleur. — Techn. Chalumeau oxyacétylénique, qui utilise ce mélange de gaz.

OXYCARBONÉ, ÉE [ɔksikaʀbɔne] adj. — 1879 ; de 2. oxy-, et carboné.

♦ Physiol. Hémoglobine oxycarbonée, qui a fixé de manière stable de l'oxyde de carbone. — Psychopath. Ivresse oxycarbonée, confusion oxycarbonée : troubles qui peuvent résulter d'une intoxication par l'oxyde de carbone (dite intoxication oxycarbonée).

OXYCARBONÉMIE [ɔksikaʀbɔnemi] n. f. — 1945 ; de 2. oxy-, carbon(e), et -émie.

♦ Méd. Quantité anormale d'oxyde de carbone dans le sang (⇒ **Oxycarbonisme**).

OXYCARBONISME [ɔksikaʀbɔnism] n. m. — 1914 ; de 2. oxy-, carbon(e), et suff. -isme.

♦ Méd. Intoxication par l'oxyde de carbone (⇒ **Oxycarbonémie**).

OXYCELLULOSE [ɔksiselyloz] n. f. — 1933 ; de oxy(der), et cellulose.

♦ Didact., techn. Composé organique formé par l'action des oxydants sur la cellulose.

Oxycelluloses. — Ce sont les produits obtenus par action sur la cellulose de divers agents d'oxydation, dans les conditions différentes de celles où les groupes terminaux aldéhydiques des molécules sont seuls attaqués.
M. CHÊNE et N. DRISCH, la Cellulose, p. 45.

OXYCHLORATION [ɔksiklɔʀasjɔ̃] n. f. — D. i. ; de 2. oxy-, chlor- (dans chlorhydrique) et -ation.

♦ Chim. Réaction chimique par laquelle un mélange d'oxygène et d'acide chlorhydrique agit sur un corps.

OXYCHLORURE [ɔksiklɔʀyʀ] n. m. — 1845, Gay-Lussac ; de 2. oxy-, et chlorure.

♦ Chim. Composé dans lequel l'oxygène se substitue à deux atomes de chlore du chlorure correspondant.

OXYCOUPAGE [ɔksikupaʒ] n. m. — 1941 ; de 2. oxy-, dans oxhydrique, et découpage.

♦ Techn. Découpage des métaux au chalumeau (oxhydrique, oxyacétylénique).

DÉR. Oxycoupeur.

OXYCOUPEUR [ɔksikupœʀ] n. m. — 1955, Dictionnaire des Métiers ; de oxycoupage ; → 2. oxy-.

♦ Techn. Découpeur de métaux au chalumeau. — REM. Le fém. est virtuel.

OXYCRAT [ɔksikʀa] n. m. — Av. 1475 ; du grec oxucraton, de oxus (→ 1. oxy-), et kratos « force ».

♦ Archéol. Boisson faite d'un mélange de vinaigre et d'eau, utilisé (comme rafraîchissement) dans l'antiquité grecque.

OXYDABILITÉ [ɔksidabilite] n. f. — 1801 ; de oxydable.

♦ Chim., techn. Caractère de ce qui est oxydable. Oxydabilité de l'étain.

OXYDABLE [ɔksidabl] adj. — 1789 ; de oxyder.

♦ Qui est susceptible de s'oxyder*, de former un oxyde*. Le fer est oxydable.
CONTR. Inoxydable.
DÉR. Oxydabilité.

OXYDANT, ANTE [ɔksidɑ̃, ɑ̃t] adj. et n. m. — 1806 ; p. prés. de oxyder.

♦ **1.** Adj. Qui oxyde.

♦ **2.** N. m. Corps capable de fournir l'oxygène nécessaire à l'oxydation (ex. : HNO_3, acide azotique) ou de se combiner à l'hydrogène d'un corps en libérant l'oxygène (ex. : Cl, chlore). Oxydants et réducteurs*.
COMP. Antioxydant.
HOM. Occident.

OXYDASE [ɔksidaz] n. f. — 1897 ; de 2. oxy-, et -ase ; d de oxydation ou de oxyder.

♦ Biochim. Enzyme activant l'oxydation.

OXYDATION [ɔksidasjɔ̃] n. f. — 1789, oxidation ; de oxyder, et -ation.

♦ **1.** Combinaison avec l'oxygène pour donner un oxyde. Oxydation rapide avec dégagement de chaleur. ⇒ **Combustion.** L'air, l'humidité provoquent l'oxydation de la plupart des métaux. Oxydation naturelle du fer (⇒ **Rouille**). Protection des métaux oxydables contre l'oxydation. ⇒ **Galvanisation ; inoxydable.** Oxydation anodique (d'un métal, d'un alliage). ⇒ **Anodisation.** Oxydation et réduction* sont deux phénomènes inséparables (⇒ **Oxydo-réduction**).

♦ **2.** Phénomène dans lequel un élément est oxydé (un atome ou un ion perd des électrons périphériques). Degré d'oxydation, mesure conventionnelle de l'état d'oxydation.

OXYDE [ɔksid] n. m. — 1787, oxide, Guyton de Morveau (→ cit. 1) et Lavoisier ; de oxygène. → 2. Oxy-, ox-.

♦ Chimie et cour. Composé résultant de la composition d'un corps avec l'oxygène. On classe les oxydes en oxydes acides (ou anhydrides), oxydes basiques, oxydes amphotères (ou indifférents), oxydes salins et peroxydes. Désignation des oxydes par des termes exprimant la proportion d'oxygène contenu. ⇒ **Bioxyde, dioxyde, peroxyde, protoxyde, sesquioxyde...** Oxyde d'un métal, d'un métalloïde. Métaux purs extraits d'oxydes métalliques naturels par réduction. Transformer en oxyde par calcination (⇒ **Calciner**). Oxygène* obtenu à partir d'oxydes. Oxyde d'hydrogène. ⇒ **Eau.** Oxyde de carbone (⇒ **Carbone**). Oxydes de fer (⇒ **Limonite, magnétite, oligiste**). vx. La rouille* est un hydroxyde. — Oxyde de plomb (⇒ **Litharge, massicot, minium**), d'aluminium (⇒ **Alumine**), de calcium (⇒ **Chaux**), de zinc (⇒ **Tuthie,** vx), de glucinium (⇒ **Glucine**), de cobalt (⇒ **Safre,** vx), de strontium (⇒ **Strontiane**), d'erbium (⇒ **Erbine**), d'uranium (⇒ **Urane**), de silicium (⇒ **Silice**), de lithium (⇒ **Lithine**), de magnésium (⇒ **Magnésie**), de titane (⇒ **Rutile**), d'antimoine (⇒ **Valentinite**), d'ytterbium (⇒ **Ytterbine**), d'yttrium (⇒ **Yttria**)... Oxyde d'arsenic ou anhydride arsénieux ; oxyde de manganèse ou manganeux ; oxyde de mercure, oxyde mercureux, mercurique ; oxyde de tungstène ou anhydride tungstique. Oxydes de cuivre, oxyde cuivreux (⇒ **Cuprite**), cuivrique. Acide et oxyde qui se combinent (cit. 8). Métal qui se ternit, se corrode par formation d'oxyde. Ôter l'oxyde d'un métal, désoxyder un métal. ⇒ **Décaper, décapant, dérocher.**

REM. On emploie oxyde abusivement pour caractériser en général le produit de l'altération superficielle des métaux au contact de l'air (par ex. : la rouille [hydroxyde] ; le vert-de-gris [hydro-carbonate de cuivre]).

Nous avons formé le mot oxide qui d'une part rappelle la substance avec laquelle le métal est uni, qui d'autre part annonce suffisamment que cette combinaison de l'oxygène ne doit pas être confondue avec la combinaison acide.
GUYTON DE MORVEAU, Mémoires à l'Acad., 2 mai 1787, in D. D. L.

0.1

1   Cette légère addition de cuivre chargé de son oxyde, communément appelé vert-de-gris, introduisit secrètement un principe délétère dans la tisane bienfaisante, mais en proportions homéopathiques, ce qui fit des ravages incalculables.
             BALZAC, le Cousin Pons, Pl., t. VI, p. 727.

1.1   Ainsi que le minerai, la houille fut récoltée, sans peine et non loin, à la surface du sol. On cassa préalablement le minerai en petits morceaux, et on le débarrassa à la main des impuretés qui souillaient sa surface. Puis, charbon et minerai furent disposés en tas et par couches successives, — ainsi que fait le charbonnier du bois qu'il veut carboniser. De cette façon, sous l'influence de l'air projeté par la machine soufflante, le charbon devait se transformer en acide carbonique, puis en oxyde de carbone, chargé de réduire l'oxyde de fer, c'est-à-dire d'en dégager l'oxygène.
             J. VERNE, l'Île mystérieuse, t. I, p. 201.

2   Les bronzes verdis nous atteignent parce que la présence du temps y est aussi visible que celle de l'art — parce qu'ils sont la métamorphose faite oxyde.
             MALRAUX, les Voix du silence, p. 370.

DÉR. Oxyder.
COMP. Bioxyde, dioxyde, éther-oxyde, hydroxyde, monoxyde, oxydimétrie, oxydoréduction, peroxyde, protoxyde, sesquioxyde, sous-oxyde.

OXYDER [ɔkside] v. tr. — 1787, *oxider*; de *oxyde*.

♦ **1.** Chim. Transformer plus ou moins complètement en oxyde. ⇒ **Peroxyder, suroxyder.** — Augmenter d'une unité au moins le degré d'oxydation (s'oppose à *réduire*).

♦ **2.** Cour. Altérer (un métal) par l'action de l'air, en transformant en hydroxyde (rouille), etc. *L'air oxyde la plupart des métaux.* — Pron. *Le fer s'oxyde rapidement.* ⇒ **Rouiller.** — P. p. adj. *Parties métalliques oxydées.*

CONTR. Réduire.
DÉR. Oxydable, oxydant, oxydation.
COMP. Oxydérurgie, suroxyder.

OXYDÉRURGIE [ɔksideryrʒi] n. f. — V. 1965; de *oxyd(er)*, et *(sid)érurgie*.

♦ Techn. Ensemble des procédés techniques mis en œuvre pour convertir la fonte en acier par l'oxygène.

OXYDIMÉTRIE [ɔksidimetri] n. f. — XXᵉ; de *oxyde*, et *métrie*.

♦ Chim. Dosage d'un oxydant. — REM. Ne pas confondre avec *oxymétrie*.

OXYDORÉDUCTEUR [ɔksidoredyktœr] — 1904, *Rev. gén. des sc.*, n° 5, p. 273; de *oxydoréduction*.

♦ Chim. Qui a rapport à l'oxydoréduction.

Le chauffage du lait provoque une dénaturation des protéines et modifie aussi le potentiel oxydoréducteur.   André ECK, le Lait et l'Industrie laitière, p. 60.

OXYDORÉDUCTIMÉTRIE [ɔksidoredyktimetri] n. f. — 1963; de *oxydoréducti(on)*, et *-métrie*.

♦ Chim. Mesure du dosage d'un oxydant par un réducteur ou d'un réducteur par un oxydant.

OXYDORÉDUCTION [ɔksidoredyksjɔ̃] n. f. — D. i. (XXᵉ); de *oxyd(ation)*, et *réduction*.

♦ Chim. Réaction au cours de laquelle se produisent des échanges d'électrons entre les réactants. *L'oxydoréduction est à la fois une oxydation* du réducteur et une réduction* de l'oxydant. Potentiel d'oxydoréduction.* ⇒ **rH.**

DÉR. Oxydoréducteur, oxydoréductimétrie.

OXYGÉNABLE [ɔksiʒenabl] adj. — 1816, → cit.; de *oxygéner*.

♦ Vx. ⇒ **Oxydable.**

Les propriétés des feuilles d'olivier paraissent tenir, d'après l'analyse de M. Ferrat, ou à une matière résineuse qui fait à-peu-près la onzième partie de leur poids, ou à un extractif en partie oxigénable qui en fait plus de 1/5; il paraît que la teinture alcoolique serait la meilleure forme sous laquelle on pourrait les utiliser.
     A. DE CANDOLLE, Essai sur les propriétés médicales des plantes, 1816, *in* D.D.L., II, 12.

OXYGÉNANT, ANTE [ɔksiʒenã, ãt] adj. — 1868; p. prés. de *oxygéner*.

♦ Chim. Qui produit une oxygénation.

OXYGÉNATEUR [ɔksiʒenatœr] n. m. — 1922; de *oxygéner*, et *-ateur*.

♦ Techn., didact. Appareil qui augmente une teneur en oxygène. — Spécialt. Chir. Appareil qui enrichit le sang en oxygène.

Les oxygénateurs par étalement du sang (...) ont donné naissance à de nombreux modèles (...) Les oxygénateurs à bulles (...) malgré leur aspect artisanal, sont les plus couramment utilisés.   Cl. D'ALLAINES, la Chirurgie du cœur, p. 85-86.

OXYGÉNATION [ɔksiʒenasjɔ̃] n. f. — 1789; de *oxygéner*, et *-ation*.

♦ **1.** Vx. ⇒ **Oxydation.**

♦ **2.** Action d'oxygéner, de s'oxygéner; résultat de cette action. *Oxygénation du sang* : absorption d'oxygène par le sang veineux (⇒ **Oxyhémoglobine**) qui se change en sang artériel.

♦ **3.** Action d'appliquer de l'eau oxygénée, de mêler d'eau oxygénée*.

CONTR. Désoxygénation.

OXYGÈNE [ɔksiʒɛn] n. m. — 1783, *gaz oxigène*, var. *oxygène*, fin XVIIIᵉ; 1777, *principe oxigine* selon *Oxford dict.*; de 1. *oxy-*, et *-gène*, proprement «qui produit les acides», mot créé par Lavoisier → ci-dessous, cit. 1.

♦ **1.** Chim. et cour. Élément métalloïde (symb. *O*, poids at. 16, n° at. 8), gaz invisible, inodore qui constitue approximativement 1/5 de l'air* atmosphérique. *L'oxygène naturel est un mélange de trois isotopes. L'oxygène est un comburant*. Combinaison avec l'oxygène.* ⇒ **Oxyde; combustion, oxydation, oxygénation.** *Modification allotropique de l'oxygène.* ⇒ **Ozone.** *L'oxygène de l'atmosphère. Atmosphère à oxygène raréfié, sans oxygène* (→ Asphyxie, cit. 2). *L'oxygène de l'eau. L'oxygène est indispensable à la plupart des êtres vivants. Rôle de l'oxygène dans le métabolisme des microorganismes.* ⇒ **Aérobiose; anaérobiose.** *Ferment* (cit. 1) *qui vit sans oxygène. Absorption de l'oxygène par l'organisme.* ⇒ **Respiration.** *Dégagement d'oxygène des plantes à chlorophylle.* ⇒ **Chlorophyllien.** *Les globules rouges du sang se chargent d'oxygène* (⇒ **Oxyhémoglobine**) *à leur passage dans les poumons* (→ Circulatoire, cit.). *Fixation de l'oxygène* (→ Anémie, cit.). *Étouffer par manque d'oxygène.* ⇒ **Asphyxie.** *Bouteille d'oxygène comprimé des aviateurs, des plongeurs sous-marins... — Ballon* d'oxygène, utilisé en médecine, en chirurgie. Masque, tente à oxygène* (→ Oxygénothérapie).

Cet air que nous avons découvert presque en même temps, M. Priestley, M. Schéele et moi, a été nommé par le premier air déphlogistiqué; par le second air empirial. Je lui avais d'abord donné le nom d'*air éminemment respirable* ... Nous avons donné à la base de la portion respirable de l'air le nom d'oxigène, en le dérivant des deux mots grecs οξυς, *acide* et γεινομαι, *j'engendre*, parce qu'en effet une des propriétés les plus générales de cette base est de former des acides, en se combinant à la plupart des substances. Nous appellerons donc oxigène la réunion de cette base avec le calorique (...)   1
     LAVOISIER, Traité élémentaire de chimie, I, IV, p. 54.

(...) l'oxygène est reconnaissable à la propriété qu'il possède (...) de rallumer une allumette présentant quelques points en ignition (...)   2
     LAUTRÉAMONT, les Chants de Maldoror, IV.

Le médecin fit une piqûre de morphine et pour rendre la respiration moins pénible demanda des ballons d'oxygène (...) Dégagé par la double action de l'oxygène et de la morphine, le souffle de ma grand-mère ne peinait plus, ne geignait plus, mais vif, léger, glissait (...)   PROUST, À la recherche du temps perdu, t. VII, p. 200.   3

Les tissus contiennent des réserves d'eau, de sels, de graisse, de protéines, de sucre. Seul, l'oxygène ne s'emmagasine nulle part. Il doit être fourni de façon continue au sang par les poumons.   Alexis CARREL, l'Homme cet inconnu, VI, II.   4

(...) la panne d'oxygène n'est pas sensible à l'organisme. Elle se traduit par une euphorie vague qui aboutit, en quelques secondes, à l'évanouissement, et en quelques minutes à la mort. Le contrôle permanent du débit de cet oxygène est donc indispensable, ainsi que le contrôle, par le pilote, de l'état de ses passagers.   5
     SAINT-EXUPÉRY, Pilote de guerre, V.

♦ **2.** Cour. Air pur. ⇒ **Air.** *Aller prendre l'oxygène, un bol d'oxygène.*

DÉR. Oxygéner, oxygénite.
COMP. Oxacide, oxygénothérapie.

OXYGÉNÉ, ÉE [ɔksiʒene] p. p. adj. ⇒ Oxygéner.

OXYGÉNER [ɔksiʒene] v. tr. — 1787; de *oxygène*.

♦ **1.** Vx. Combiner (un métalloïde) avec l'oxygène. ⇒ **Oxyder.**

♦ **2.** Mod. Ajouter de l'oxygène à (une substance) par dissolution... *Oxygéner de l'eau.* — P. p. adj. *Composés oxygénés d'un corps. Acide oxygéné.* ⇒ **Oxiacide.** — *Eau oxygénée*, ou peroxyde d'hydrogène (H_2O_2) : composé liquide, incolore, limpide et sirupeux qui donne, en se décomposant violemment, 475 fois son propre volume d'oxygène. Par ext. (dans le lang. cour.). Solution aqueuse de peroxyde d'hydrogène, dans les proportions indiquées par le volume d'oxygène susceptible d'être libéré par un volume de cette solution. *Eau oxygénée à 10, à 20, à 40 volumes*. L'eau oxygénée est un oxydant, un antiseptique, un hémostatique et un décolorant puissant.*

Aux coins de la lèvre, ce sont de vraies gouttelettes qui brillent à la base des poils bruns. Trop marqués, ces poils bruns. Il faudrait les décolorer à l'eau oxygénée, comme font certaines femmes.   1
     J. ROMAINS, les Hommes de bonne volonté, t. XI, XII, p. 114.

♦ **3.** Fam. Imprégner d'air pur. *S'oxygéner les poumons*, et, absolt *s'oxygéner* : respirer de l'air pur. — Au participe passé :

J'ai toujours attendu et j'ai toujours reçu de la montagne ces exaltations abstraites, que la pureté oxygénée de l'air attisait encore, et où l'ampleur du paysage, la   2 puissance de sa construction, la netteté de sa structure s'alliaient en moi au goût essentiel de la permanence et de l'immobilité pour chasser de partout, du monde comme de moi, la multiplicité vagabonde et futile.

Raymond ABELLIO, Ma dernière mémoire, I, p. 77.

♦ **4.** Imbiber (d'eau oxygénée), appliquer de l'eau oxygénée. Spécialt (1908, Colette). *Oxygéner des cheveux pour les décolorer* (→ Estomaquer, cit. 3). — *S'oxygéner les cheveux.* — P. p. adj. *Cheveux* blonds oxygénés.* Par métonymie. (Personnes). Dont les cheveux sont oxygénés. *Une blonde oxygénée.*

3   (...) sa poule, une petite moricaude oxygénée, maigrichonne, arrogante, mal embouchée et vindicative comme lui.

B. CENDRARS, la Main coupée, Œ. compl., t. X, p. 89.

▶ **OXYGÉNÉ, ÉE** p. p. adj. Voir ci-dessus à l'article.

DÉR. Oxygénable, oxygénant, oxygénateur, oxygénation.
COMP. Suroxygéné.

OXYGÉNITE [ɔksiʒenit] n. f. — V. 1923; de *oxygène*, et *-ite*.

♦ Techn. Mélange contenant du perchlorate de potassium et permettant un dégagement d'oxygène.

OXYGÉNOTHÉRAPIE [ɔksiʒenoteʀapi] n. f. — 1917; de *oxygène*, et *thérapie*.

♦ Méd. Emploi thérapeutique de l'oxygène en inhalation (masque ou tente à oxygène, appareil à surpression).

OXYHÉMOGLOBINE [ɔksiemɔglɔbin] n. f. — 1874; de 2. *oxy-*, et *hémoglobine*.

♦ Physiol. Combinaison de l'hémoglobine avec l'oxygène, formée dans les poumons au contact de l'air inspiré.

OXYLITHE [ɔksilit] n. m. — 1902; de 2. *oxy-*, et *-lithe*.

♦ Chim. Peroxyde de sodium additionné de traces d'un sel de cuivre, qui était employé pour la préparation de l'oxygène.

OXYMEL [ɔksimɛl] n. m. — V. 1220; du grec *oxumeli*, de *oxu* «acide» (→ 1. Oxy-), et *meli* «miel».

♦ Pharm. (Vx). Préparation faite d'eau, de vinaigre et de miel.

OXYMÉTRIE [ɔksimetʀi] n. f. — 1858; de 1. *oxy-* «acide», et *métrie*.

♦ Vx. Détermination de la quantité d'acide* libre contenue dans une substance. — REM. Ne pas confondre avec *oxydimétrie**.

OXYMORON [ɔksimɔʀɔ̃] n. m. — 1765; du grec *oxumôron*, de *oxus* «aigu, fin» (→ 1. Oxy-), et *môros* «sot, fou».

♦ Rhét. Figure qui consiste à allier deux mots de sens incompatibles pour leur donner plus de force expressive. Ex. : *Une douce violence.* «*Cette obscure clarté...* » (Corneille). — REM. On emploie aussi la forme francisée *oxymore* [ɔksimɔʀ] n. m.

OXYOSMIE [ɔksiɔsmi] n. f. — Fin XIXe, d'après Cottez; de 1. *oxy-* «aigu», et *-osmie* (du grec *osmê* «odeur»).

♦ Méd. Très grande sensibilité de l'odorat.

OXYRHYNQUES ou **OXYRHYNCHES** [ɔksiʀɛ̃k] adj. et n. m. pl. — 1816; «genre de raie», 1812; «oiseau à bec pointu», 1825; «saumon à museau allongé», 1791; du grec *oxurugkhos* «à museau pointu», de *oxu-* (→ 1. Oxy-) et *rugkhos* «museau».

♦ Zool. Se dit des crabes à corps non massif (araignées de mer, «crabes scorpions», etc.), dont la carapace est terminée en pointe à l'avant, par opposition aux crabes *brachyrhynches*.

Les crabes *oxyrhynques* ajustent sur leur carapace des algues, des dépouilles de menus animaux morts, des graviers, des tessons.

Roger CAILLOIS, Esthétique généralisée, II, p. 23.

OXYSULFURE [ɔksisylfyʀ] n. f. — 1822; de 2. *oxy-*, et *sulfure*.

♦ Chim. Combinaison de soufre, d'oxygène et d'un élément. *Oxysulfure de carbone.*

OXYTOCINE [ɔksitɔsin] n. f. ⇒ **Ocytocine.**

OXYTON [ɔksitɔ̃] [ɔksitɔ̃] n. m. — 1570, adj.; du grec *oxytonos* «ton», de 1. *oxy-* «aigu».

♦ Ling. Qui a l'accent de hauteur et, par ext. l'accent d'intensité sur la dernière syllabe (opposé à *baryton*; → Paroxyton, proparoxyton).

DÉR. Oxytonisme.

OXYTONISME [ɔksitɔnism] n. m. — 1932; de *oxyton*.

♦ Ling. Tendance à accentuer la dernière syllabe.

OXYURE [ɔksjyʀ] adj. et n. m. — 1823; 1827, adj.; de 1. *oxy-*, et du grec *oura* «queue»; → suff. -ure.

♦ Zool. Vx. Qui a la queue en pointe. — Mod. N. m. Ver nématode, parasite des intestins des mammifères, principalement de l'homme.

DÉR. Oxyurose.

OXYUROSE [ɔksjyʀoz] n. f. — 1923; de *oxyure*, et suff. 2. *-ose*.

♦ Méd. Ensemble de troubles provoqués par les oxyures, surtout chez l'enfant.

OYANT, ANTE [ɔjɑ̃, ɑ̃t] n. — 1690; p. prés. du v. *ouïr**.

♦ Dr. (procéd.). *Oyant compte* : celle des parties à laquelle un compte est présenté. *L'oyant compte et le rendant compte. Les oyants compte.*

Tout traité qui pourra intervenir entre le tuteur et le mineur devenu majeur, sera nul, s'il n'a été précédé de la reddition d'un compte détaillé, et de la remise des pièces justificatives, le tout constaté par un récépissé de l'oyant compte, dix jours au moins avant le traité.   Code civil, art. 472.

OYAT [ɔja] n. m. — 1810; *oyak, oïak*, 1415; orig. incert., mot répandu en picard.

♦ Graminée (*élyme des sables*; ⇒ **Élyme**), employée à fixer les sables des dunes.

Le 20, peu après zéro heure, Hervé Dubarbier fut conçu parmi les oyats, près du fort St-Nicolas. La Lune était rousse et la mer agitée.

Yanny HUREAUX, la Prof, p. 314.

OYE [wɑ; wa] n. f. Vx. ⇒ **Oie.**

-OYER Suffixe de verbes, qui, ajouté à une base adjective ou verbale, forme un verbe factif (*rougeoyer, tournoyer*).

OZALID [ozalid] n. m. — 1963, Larousse; du nom de la firme britannique *Ozalid*, anagramme de *diazol*.

Techn. (Imprimerie).

♦ **1.** Papier sensible de la marque de ce nom, comportant des composés diazoïques, et utilisé pour la reprographie. — Par appos. *Papier ozalid.*

♦ **2.** Épreuve de montage, ou épreuve d'un positif tiré sur ce papier, soumise pour bon à tirer. *Corriger des ozalids.*

OZÈNE [ozɛn] n. m. — 1478; du lat. *ozaena*, grec *ozaina*, du v. *ozein* «exhaler une odeur».

♦ Méd. Ulcération de la muqueuse nasale, dont le principal symptôme est l'exhalaison d'une odeur fétide (odeur de punaise écrasée). ⇒ **Punais.** *L'ozène est aussi appelé rhinite* chronique fétide.*

DÉR. Ozéneux.

OZÉNEUX, EUSE [ozenø, øz] adj. — Fin XIXe; de *ozène*.

♦ Didact. (méd.). Qui sent mauvais. *Pleurésie ozéneuse.*

OZOCÉRITE [ozoseʀit] ou **OZOKÉRITE** [ozokeʀit] n. f. — 1855, *ozocérite; ozokérite*, 1837 in Cottez; du grec *ozo* «odeur», et *keros* «cire».

♦ Minér. Mélange naturel d'hydrocarbures solides, dit aussi *cire fossile, paraffine naturelle.* ⇒ **Paraffine.** *L'ozocérite est un combustible; elle conduit mal l'électricité.*

OZONATION [ozonasjɔ̃; ozonɑsjɔ̃] n. f. — Mil. XXe; de *ozone*, ou de *ozoner*, le v. cour. est *ozoniser*.

♦ Techn. Traitement par l'ozone (d'une eau). — REM. Dans ce sens, on emploie aussi *ozonisation*, le verbe *ozoniser* ayant les deux acceptions.

OZONE [ozon; ozõn] n. m. — 1855; all. *Ozone*, 1840, Schönbein; du grec *ozein* «exhaler une odeur».

♦ Chim. Forme allotropique de l'oxygène, dont la molécule contient trois atomes (O_3), gaz bleu et odorant qui se forme dans l'air ou l'oxygène soumis à une décharge électrique (→ Électricité, cit. 6). *Ozone formé en temps d'orage par des éclairs qui traversent l'air. Ozone des hautes couches atmosphériques*(⇒ **Ozonosphère**), *formant une protection contre les radiations ultraviolettes nocives du soleil. L'ozone est un puissant oxydant qui a des propriétés antiseptiques et bactéricides. Utilisation de l'ozone pour purifier l'air, l'eau..., pour le vieillissement artificiel des eaux-de-vie.*

1   (...) cette onde subtile, presque cette caresse, venue pour nous des confins tragiques et qui nous enveloppait ainsi que l'air chargé de l'ozone des lointains orages s'en vient délicatement vivifier l'aube des fleurs, nous avons, enfants presque oubliés, reçu dans nos poumons cet air trop vif (...)
Raymond ABELLIO, Ma dernière mémoire, I, p. 108.

2   Au premier jour du froid notre tête s'évade
Comme un prisonnier fuit dans l'ozone majeur.
Yves BONNEFOY, Poèmes, «Douve», XIX.

DÉR. Ozonation, ozoner, ozoniser.
COMP. Ozonolyse, ozonomètre, ozonométrie, ozonoscope, ozonosphère, ozonothérapie, ozotypie.

OZONER [ozone] v. tr. — 1874; de *ozone*.

♦ Sc., techn. Mêler d'ozone; ajouter de l'ozone à (une atmosphère).
DÉR. V. Ozonation.

OZONISATION [ozonizasjõ, ozonizasjõ] n. f. — 1857; de *ozoniser.*

♦ Chim., techn. Action d'ozoniser; état de ce qui est ozonisé. *La faible ozonisation de l'atmosphère.*

OZONISER [ozonize; ozõnize] v. tr. — 1857; de *ozone*.
Chim., technique.

♦ **1.** Transformer en ozone. *Ozoniser de l'oxygène.*

♦ **2.** Traiter, purifier à l'ozone. ⇒ **Ozoner.** *Ozoniser de l'eau.* — P. p. adj. *Air ozonisé.*
DÉR. Ozonisation, ozoniseur.

OZONISEUR [ozonizœr; ozõnizœr] ou **OZONISATEUR** [ozonizatœr; ozõnizatœr] n. m. — 1874, *ozoniseur; ozonisateur,* fin XIXᵉ; de *ozoniser.*

♦ **1.** Techn. Appareil de laboratoire ou d'industrie servant à préparer l'ozone à partir de l'oxygène ou de l'air.

♦ **2.** Appareil qui ozonise (une atmosphère), qui ajoute de l'ozone ou purifie à l'ozone (→ Ozoner, ozoniser, 2).
J'entendais ronfler au ras du plafond les appareils destinés à renouveler l'oxygène et l'azote, et la toupie glaciale de l'ozonateur.
A. BLONDIN, les Enfants du bon Dieu.

OZONOLYSE [ozonoliz; ozõnoliz] n. f. — Mil. XXᵉ; de *ozone,* et *-lyse.*

♦ Chim. Séparation des éléments constitutifs (d'un carbure éthylénique) au moyen de l'ozone. *Étude chimique par ozonolyse.*

OZONOMÈTRE [ozonometri; ozõnometr] n. m. — 1856, *Année sc. et industr.* 1857, p. 205; de *ozone,* et *-mètre.*

♦ Techn. Appareil permettant de mesurer la proportion d'ozone de l'air. ⇒ **Ozonoscope.**

OZONOMÉTRIE [ozonometri; ozõnometri] n. f. — Attesté 1866, cit. mais antérieur, → Ozonométrique; de *ozone,* et *métrie.*

♦ Techn. Mesure de l'ozone (avec l'ozonomètre ou l'ozonoscope).

Quelques observateurs l'appellent *(une branche de la météorologie) ozonométrie,* assurant qu'ils veulent mesurer la quantité d'ozone qui existe dans l'air à un moment donné.
L. FIGUIER, l'Année scientifique et industrielle 1867, p. 151 (1866).

DÉR. Ozonométrique.

OZONOMÉTRIQUE [ozonometrik; ozõnometrik] adj. — 1856, *Année sc. et industr.* 1857, p. 261; de *ozonomètre.*

♦ Techn. Relatif à l'ozonométrie*.

OZONOSCOPE [ozonoskop; ozõnoskop] n. m. — 1856, *Année sc. et industr.* 1857, p. 206; de *ozone,* et *scope.*

♦ Techn. Appareil permettant d'évaluer la teneur de l'air en ozone. ⇒ **Ozonomètre.**

OZONOSPHÈRE [ozonosfɛr; ozõnosfɛr] n. f. — Mil. XXᵉ; de *ozone,* et *sphère,* dans les comp. du type *stratosphère.*

♦ Didact. Couche de l'atmosphère entre 15 et 40 km d'altitude et où la proportion d'ozone est élevée. ⇒ **Stratosphère.**

Cette région *(la stratosphère)* est très importante par le fait qu'elle conserve et absorbe l'ozone : on l'appelle parfois, pour cette raison, l'ozonosphère.
J. COLIN et Y. HOUDAS, Physiologie du cosmonaute, p. 13.

OZONOTHÉRAPIE [ozonoterapi; ozõnoterapi] n. f. — XXᵉ; de *ozone,* et *thérapie.*

♦ Didact. Emploi thérapeutique externe ou interne (bains, douches, lavements) d'un mélange d'oxygène et d'ozone. *L'ozonothérapie a des effets oxydants et bactéricides.*

OZOTYPIE [ozotipi] n. f. — 1903; de *ozo(ne),* et *typie.*

♦ Techn. (Vx). Procédé d'impression photographique.

Cet ouvrage
a été réalisé en photocomposition programmée
par M.C.P., 45401 Fleury-les-Aubrais,

imprimé en France par AUBIN, 86000 Poitiers

et relié par la SIRC, 10350 Marigny-le-Châtel,

pour le compte des Dictionnaires LE ROBERT,
107, avenue Parmentier, 75011 Paris.

Dépôt légal : mars 1985.
Nº d'imprimeur : P 13252

Collection « les usuels du Robert » (volumes reliés) :

— *Dictionnaire des difficultés du français,*
par Jean-Paul COLIN,
prix Vaugelas.

— *Dictionnaire étymologique du français,*
par Jacqueline PICOCHE.

— *Dictionnaire des synonymes,*
par Henri BERTAUD DU CHAZAUD,
ouvrage couronné par l'Académie française.

— *Dictionnaire des idées par les mots*
(dictionnaire analogique),
par Daniel DELAS et Danièle DELAS-DEMON.

— *Dictionnaire des mots contemporains,*
par Pierre GILBERT.

— *Dictionnaire des anglicismes*
(les mots anglais et américains en français),
par Josette REY-DEBOVE et Gilberte GAGNON.

— *Dictionnaire des structures du vocabulaire savant*
(éléments et modèles de formation),
par Henri COTTEZ.

— *Dictionnaire des expressions et locutions,*
par Alain REY et Sophie CHANTREAU.

— *Dictionnaire de proverbes et dictons,*
par Florence MONTREYNAUD, Agnès PIERRON et François SUZZONI.

— *Dictionnaire de citations françaises,*
par Pierre OSTER.

— *Dictionnaire de citations du monde entier,*
par Florence MONTREYNAUD et Jeanne MATIGNON.

Ouvrages édités par les DICTIONNAIRES LE ROBERT
107, avenue Parmentier, 75011 PARIS (France).